石 一〇一九
示（ネ） 一〇三三
内（内） 一〇四四
禾 一〇四五
穴 一〇五九
立 一〇六六
罒 一一四七
衤 一二七九
旡→旡 六四四
氺→水 八〇四
牙→牙 九二〇
瓜→瓜 一〇七一

【6画】

瓜（瓜） 一〇七一
竹 一〇七二
米 一〇九四
糸 一一〇二
缶 一一四五
网（冗・罓） 一一四六

羊（⺶・⺷ 芊） 一一五三
羽（羽・𦐂） 一一五六
老（耂） 一一六二
而 一一六六
耒（耒） 一一六七
耳 一一六九
聿 一一七五
肉 一一七七
自 一一七八
至 一一八〇
臼（臼） 一一八二
舌 一一八四
舛（舛） 一一八五
舟 一一八六
艮 一一八九
色 一一九一
艸（艹・艹） 一一九二
虍 一二四八
虫 一二五二

血 一二七〇
行 一二七一
衣 一二七二
襾（西） 一二八八

【7画】

臣 一二九二
見 一二九三
角 一二九八
言 一三〇二
谷 一三四二
豆 一三四三
豕 一三四五
豸 一三四七
貝 一三四九
赤 一三六六
走 一三六八
足（⻊） 一三七三
身 一三八六
車 一三八七

辛 一四〇一
辰 一四〇三
辵（⻌・⻍） 一四〇四
邑（阝右） 一四三七
酉 一四四八
釆 一四五五
里 一四五六
臼→臼 一一八二
舛→舛 一一八五
麦→麥 一六四一

【8画】

金 一四五九
長（镸） 一四九〇
門 一四九四
阜（阝左） 一五〇五
隶 一五二三
隹 一五二三
雨（⻗） 一五三〇
青（青） 一五三九

非 一五四二
飠→食 一五七一
斉→齊 一六五四

【9画】

面 一五四三
革 一五四四
韋（韋） 一五四九
韭 一五五一
音 一五五一
頁 一五五三
風 一五六六
飛 一五七〇
食（飠・飠） 一五七一
首 一五八〇
香 一五八一

【10画】

馬 一五八二
骨 一五九五
高 一五九七

髟 一六〇一
鬥 一六〇四
鬯 一六〇五
鬲 一六〇六
鬼 一六〇六
韋→韋 一五四九
竜→龍 一六五八

【11画】

魚 一六一〇
鳥 一六二三
鹵 一六三七
鹿 一六三八
麥（麦） 一六四一
麻（麻） 一六四二
黄→黃 一六四三
黒→黑 一六四六
亀→龜 一六六一

【12画】

黃（黄） 一六四三

黍 一六四五
黑（黒） 一六四六
黹 一六四九
歯→齒 一六五六

【13画】

黽 一六四九
鼎 一六五〇
鼓 一六五一
鼠 一六五二

【14画】

鼻 一六五三
齊

新漢語林

Kangorin

第二版

鎌田　正
米山寅太郎【著】

大修館書店

序

漢籍がわが国に伝来して以来、言語・文学・思想等、わが国の文化が漢字・漢語を媒介として発達したことは、事新しく述べるまでもない。されば わが国の言語文化の跡をたずね、日常の言語生活を営むためには、漢字・漢語に関する豊富にして正しい知識の修得が必要である。ましてわが国の文化の母体となった中国の古典、すなわち漢籍を読解し、広く東洋文化を理解するためには、その必要性はいっそう切実である。

如上の見地から、恩師諸橋轍次博士がライフワークとして『大漢和辞典』全十三巻という前古未曾有の大業を完成して学界に寄与されたことは内外周知のことであるが、私共両人も早くからその編集に協力し、さらには恩師の委嘱により、このほどその修訂版をも完結した。思えば大約半世紀の歳月は茫々夢のごとくに過ぎ去ったが、この間、また別に恩師の委嘱により『新漢和辞典』一冊、『広漢和辞典』全四冊をも編集刊行して、漢字文化圏に生活する各界各層の要求にこたえることができるように努力して来た。長い間にわたり、江湖の各方面から暖かい激励とご支援を頂いたことは感銘にたえないところで、ここに衷心から感謝の意を表する。

翻って思うに、近年における科学技術の進歩はまことに目まぐるしく、言語生活も機械化の開発に伴い、その能率的効果の顕著な反面、漢字・漢語に対する知識が著しく低下し、誤字ないしは狂言戯語ともいうべき当て字の氾濫は、見るにたえないものがある。これは漢字を国字としているわが国民にとっては、きわめて重大なことといわなければならない。この機会にこそ、漢字・漢語に対する正しい知識の修得を目指し、言語生活の正常化を図らなければならない。そのためには、従来のもの以上に、学校教育との一体化を図った、正確簡明にして使用しやすい漢和辞典の登場がぜひとも必要である。これはまさしく切実な社会的要請である。

そこでこの度改めて学問教育の面で活躍されている別記六名の積極的な協力のもとに慎重な検討を重ね、中学校・高等学校の生徒諸君および一般社会人を対象とする漢和辞典を新たに編集し、これを世におくることとした。名づけて『漢語林』という。漢字は難しく漢和辞典は利用しにくいという世論にきびしい反省を加え、できうる限り親しみやすく利用しやすくするために、さまざまな新工夫をこらして、その現代化に努めた。願わくは本辞典に親しみ、これを活用することによって、漢字・漢語の正しい知識を興味深く修得して、漢文古典の学習に役だてることはもちろんのこと、進んでわが国の言語文化を理解し、日常言語生活の正常化に活用されるよう、切望してやまない。

なお、本辞典の編集刊行に際し、別記六名の執筆協力者のほか、大修館書店編集部山口恒元次長、中原尚道課長、池沢正晃君の献身的努力を頂いたことに対し、深甚の謝意を表する。

昭和六十一年九月一日

著者　東京教育大学名誉教授・文学博士　鎌田　正
財団法人静嘉堂文庫長　米山寅太郎

執筆協力者
元東京都立小川高等学校長　大竹　修一
元千葉大学教授　田部井文雄
元文教大学女子短期大学部教授　国金　海二
元静嘉堂文庫次長　土屋　泰男
元静岡大学教授・文学博士　菅野　禮行
神奈川大学名誉教授　望月　真澄

新版の序

本辞典は、時代と共に推移する学校教育と一般社会生活における漢字・漢語の理解と使用の実情を考慮し、主として次の諸項にわたって増補改訂を加え、従前の『漢語林』の内容を一新した。

一、新たに親字五五〇〇字を増補し、「ＪＩＳ漢字」第一・第二水準の文字はすべて収録明示すると共に、最近注目の異体字・国字の収録にも配慮した。

二、掲載の熟語について検討し、新たに増補して、いっそうの充実を図った。

三、出典・用例として引用した著名な漢詩文には、その読みと口語訳を施して、その理解を容易にした。

四、現代に使用される漢字・漢語の書きかえ、使い分けについて、懇切に説明を施した。

五、漢字や中国文化の理解に資するために、特にコラム欄などを設けて、内容の充実を図った。

平成五年十月

著　者

新版第２版刊行にあたって

平成十二年十二月、国語審議会から、「表外漢字字体表」が答申された。この表は、常用漢字・人名用漢字以外の約千字の漢字について、印刷文字における標準字体としての「印刷標準字体」と、それと入れ替えて使用しても支障ないと判断しうる「簡易慣用字体」とを定めたものである。

本辞典では、これらの漢字について、見出し親字の下に「印刷標準字体」「簡易慣用字体」の種別を表す記号を付すとともに、音訓索引・総画索引においても、それらの種別がわかるよう変更を加えることにした。さらにこの機会に、本文にも若干の訂正を加え、「第2版」として刊行することとした。

平成十三年十月

著　者

新漢語林刊行の序

本辞典は、従来の『漢語林』に基づき、最新の漢字に関する情報と、漢文の効果的学習、並びに現代国語の表記等に対応して、次の諸項にわたって大改訂増補を行ったものである。

一、漢字の親字並びに熟語を増補し、親字数一万四三一三字、熟語数約五万語に増加した。

二、二〇〇四年改訂の新人名用漢字に完全に対応した。

三、二〇〇四年改訂のＪＩＳ漢字（第一～第四水準、補助漢字）を完全に収録した。

四、漢文学習の効果と漢字文化の理解に資するために、

(1)漢文読解のキーポイントとなる「助字解説」を充実し、また、引用漢文にはすべて口語訳を付けた。

(2)漢字文化の理解にさらに役だつよう、コラム欄を増補した。

五、現代国語の表記に役だてるために、

(1)現代の言語生活に必要な漢字の「使いわけ」欄をいっそう充実させた。

(2)常用漢字を中心に、二七〇〇字に筆順を明示した。

(3)新たに「送り仮名の付け方」「現代仮名遣い」などを付録に収録した。

平成十六年九月

著　者

新漢語林第二版について

二〇一〇年、常用漢字表が改定された。「第二版」では、改定された常用漢字表を全面的に反映して現代の国語生活に対応するとともに、漢文の学習に更に資するために、助字解説の充実、例文の大幅な追加などを行った。さらに、本文も全体を通して見直し、改訂を加えた。

なお今回の改訂に際して、これまでの協力者の方々のほか、新たに以下の各先生にご尽力をいただいた。

文教大学教授・筑波大学名誉教授　向嶋　成美
元日本女子大学附属高等学校教諭　髙野由紀夫
聖徳大学短期大学部准教授　坂口　三樹
文教大学准教授　宮武　利江
文教大学准教授　樋口　泰裕
文教大学准教授　渡邉　大

ここに厚く御礼申し上げる。

平成二十二年十二月

大修館書店 漢和辞典編集部

本辞典の利用法

一、本辞典の収録範囲

(1) 親字（見出し字）

親字は、漢籍に用いられる主要な漢字、および一般社会生活に必要な漢字をできる限り広く収録することを目指し、異体字・国字などを含め、一四、六二九字を収録した。

特に、次の漢字はすべて収録した。

ア、「常用漢字表」に示された漢字

イ、『戸籍法施行規則』の「別表第二　漢字の表」（「人名用漢字別表」）に示された漢字（いわゆる人名用漢字）

ウ、「表外漢字字体表」に印刷標準字体・簡易慣用字体として示された漢字

エ、『情報交換用符号化拡張漢字集合』の第一～第四水準に含まれる漢字

オ、『情報交換用漢字符号――補助漢字』（いわゆるＪＩＳ補助漢字）に含まれる漢字

(2) 熟語

熟語は、漢籍に用いられる主要な熟語、および一般社会生活に必要な熟語を中心に約五万語を収録した。

二、本辞典の配列方法

(1) 部首による配列

親字は、部首に従って配列した。部首立ては、『康熙字典』の部首に基づいたが、次の点について新しい工夫を加えた。なお、部首については、コラム **部首と画数**（一四四五ページ）を参照のこと。

①部首の新設

⺍部を新たに設けて、新字体のうち従来の部首では分類しがたい単・巣・営・厳などの文字を収めた。

②部首の合併

次の部首は、形が類似するので合併した。

匚（はこがまえ）と匸（かくしがまえ）

夂（ふゆがしら）と夊（すいにょう）

彳（ぎょうにんべん）と行（ぎょうがまえ）

日（ひ）と曰（ひらび）

月（つき）と肉月（にくづき。肉部の文字で月の形になるもの）

③部首の分離

次の部首は、もとは同じ部首としてまとめられていたが、字形が異なるので分離した。分離した部首は、もとの部首の直後に置いた。

刀（かたな）と刂（りっとう）

心（こころ）と忄（りっしんべん）
手（て）と扌（てへん）
水（みず）と氵（さんずい）
火（ひ）と灬（れんが）
犬（いぬ）と犭（けものへん）
网（あみがしら）と罒（よこめ）
肉（にく）と肉月（にくづき。月部に入れた）
衣（ころも）と衤（ころもへん）

なお、「おいかんむり（老・耂）」「くさかんむり（艸・艹）」「しんにょう（辵・⻌・⻍）」なども字形が著しく異なるが、これらは従来通り同一の部首として扱った。

また、「しめすへん（示・礻）」、「せい（齊・斉）」、「は（齒・歯）」など、新旧字体の関係にある場合も、従来通り同一の部首として扱った。

（2）同一部首内での親字の配列

同一部首内では、親字は、原則として部首を除いた部分の画数（部首内画数）によって配列した。部首内画数が同じ場合には、代表的な音の五十音順によって配列した。ただし、部首そのものを表す文字（玉・田など）については、音にこだわらずにその部首の冒頭に置いた。

国字については、音が存在しないものとして、同一部首内画数の中の最後に置くことを原則とした。同一部首内画数の国字が二文字以上ある場合は、訓の五十音順によって配列した。

（3）熟語の配列

熟語の配列は、二字めの漢字の音読みの五十音順によった。ただし、二字めの漢字が特殊な音を持つ場合には、一般的な音に従った。二字めの音が同じ場合には画数順、画数も同じ場合には本辞典の親字番号順に配列した。

また、親字が二字め以降にくる熟語については、親字が一字めにくる熟語の後ろに一括して置き、配列は一字めの漢字の音読みの五十音順によった。ただし、その親字内で立項されている熟語を含む場合には、その熟語の直後に置いた。

【牛耳】ギュウジ
【執二牛耳一】ギュウジをとる

三、部首見出し

各部首の冒頭には、部首見出しを掲げた。

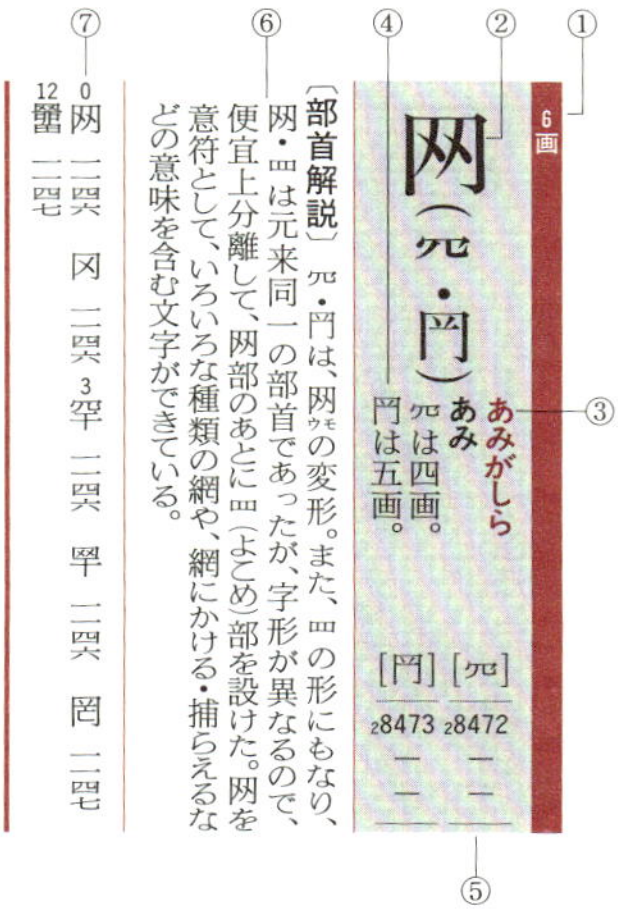

部首見出しにおいては、まず、その部首の画数（①）を示し、代表的な字形（②）と名称（③）を掲げた。代表的な字形が複数ある場合には、適宜、（　）でくくって他の字形も掲げ、その画数が異なる場合にはその旨を注記した（④）。また、部首の名称のうち、特に一般によく使われるものについては、色刷りとした。

なお、部首にJISコード（巻頭11ページ参照）が付されている場合には、そのコードも掲げた（⑤）。

次に、〔部首解説〕（⑥）を置き、その部首の成り立ちやどのような意味を持つかについて解説した。

部首解説に続いて、部首内文字索引（⑦）を置き、その部首に属する各親字を部首内画数の順に並べて、その所在ページを示した。なお、ここでは常用漢字は色刷りにしてある。また、後述の参照見出し（巻頭13ページ参照）もここに含め、ページ数は参照先のページ数を表示した。

四、親字

（一）見出しの体裁

親字については、おおよそ次のような体裁で掲げた。

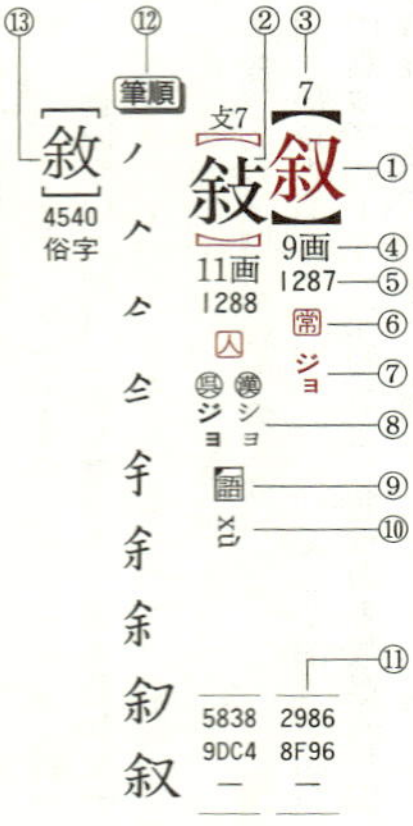

①見出し文字とその字体

見出し文字は、【 】に入れて掲げた。見出し文字が色刷りになっているものは、その文字が常用漢字であることを示す。また、【 】が色刷りになっているものは、その文字が人名用漢字であることを示す。

「常用漢字表」「人名用漢字別表」「表外漢字字体表」の文字については、それぞれの表の字体によって正見出しを定めた。それ以外の文字については、『康熙字典』に基づき、字体について検討を加えて、より正確を期した。

②旧字体

常用漢字・人名用漢字のうち、旧来の字体を改めたと認められるもの（いわゆる新字体）については、見出し文字の左側に旧来の字体（いわゆる旧字体）を〖 〗に入れて掲げた。〖 〗が色刷りになっているものは、その文字が人名用漢字であることを示す。

新字体が旧字体とは本来別字であるものについては、旧字体の欄に㊀㊁……としてそれぞれの字体を掲げ、「字義」「解字」についても分けて解説した。

③部首内画数

【 】〖 〗の上には、その文字の部首内画数を示した。なお、旧字体の所属部首が新字体と異なる場合は、部首内画数の左側にその所属部首を示した。

④総画数

【 】〖 〗のすぐ下には、その文字の総画数を示した。

⑤親字番号

総画数の下には、本辞典に収録した親字の通し番号（親字番号）を示した。

⑥漢字の種別

親字番号の下には、その漢字の種別を示した。その種別とは、次の通りである。

教……教育漢字（常用漢字のうち、小学校で学習することになっている漢字）。右側の数字は、学年別漢字配当表（各学年で学習すべき漢字を割り振ったもの）による、学習学年を示す。

常……教育漢字以外の常用漢字。

人……人名用漢字（常用漢字以外で、人名に使用が認められている漢字）。

標……「表外漢字字体表」の印刷標準字体。

右のいずれでもない漢字には、記号を付さない。

また、以上の種別とは異なるが、次の記号もある。

国字……日本で作られたとされる漢字。いわゆる国字。なお、国字については、コラム国字（二九六ページ）を参照のこと。

⑦常用音訓・熟字訓

「常用漢字表」では、各漢字についてその音訓が定められている。これらを常用音訓という。本辞典では、漢字の種別の下に常用音訓（音はカタカナ、訓はひらがな）を色刷りで掲げた。

「常用漢字表」の付表に示されている当て字や熟字訓などについては、熟字訓の記号の後に掲げた。

また、「常用漢字表」の備考欄に記された都道府県名のうち、当該文字の常用音訓にはない読み方をするものについては、府名 県名の記号の後に掲げた。

⑧字音

【 】で示した親字見出しの下、または後（新旧字体の区別がある場合には旧字体の下）に、その漢字の字音（音読み）を示した。一般に、字音については、それが中国から伝えられた時代や慣用によって種別がなされている。本辞典でもその種別に従い、漢音は(漢)、呉音は(呉)（記号のないものは、漢音と呉音の区別なし）、唐音は(唐)、慣用音は(慣)で示した。なお、字音について詳しくは、コラム日本の漢字音（八六四㌻）を参照のこと。

字音のうち、現代仮名遣いと歴史的仮名遣い（旧仮名遣い）とが異なるものについては、歴史的仮名遣いを（ ）に入れて示した。

字音が複数存在し、その音によって字義が異なる場合は、一 二……の番号に分けて字音を示してある。この場合、字義の記述においても同様の番号に分けて記述し、両者が対応するようにした。

⑨韻目

字音の下には、「平水韻」による一〇六の韻の分類に従って、韻目を示した。その示し方は、代表的な韻字を□で囲み、その声調を□の四隅に次のように表した。

□……平声　□……上声
□……去声　□……入声

なお、韻字・韻目については、コラム韻目（一五五二㌻）およびコラム漢詩（八六六㌻）を参照のこと。

⑩中国語音

字音・韻目の下には、現代中国語の標準音（北京語に基づく）を、「漢語拼音方案」に基づくローマ字表記で記した。字義によって現代中国語音が異なる場合には、対応する字義番号を丸数字で示した。また、旧音がある場合は（ ）で示した。

⑪ＪＩＳコード

【 】〖 〗で示した親字見出しの一番下には、いわゆるＪＩＳコードを示した。各段は、それぞれ次のコードを示している。

上段……日本工業規格で定められている『7ビット及び8ビットの2バイト情報交換用符号化拡張漢字集合』（「JIS X 0213-2000:2004」）の第一～第四水準集合に含まれる一〇、〇五〇字の（面）区点コード。第一・第二水準の六、三五五字については四桁の区点コードを、第三・第四水準の三、六九五字については五桁の面区点コードを示してある。面区点コード冒頭の「1」「2」は、それぞれ1面・2面にあることを表す。

中段……「JIS X 0213-2000:2004」のうち、第一・第二水準の漢字には、「JIS X 0208-1997」に基づいたシフトＪＩＳコード。その他の漢字には、シフトＪＩＳを用いたデータ交換を考慮して、「Windows-31J」に含まれる文字のうち、本辞典に掲載されている三五一字に、「Windows-31J」のコードを示した。

下段……『情報交換用漢字符号——補助漢字』（「JIS X 0212-1990」）に含まれる五、八〇一字の区点コード。

⑫筆順

常用漢字および人名用漢字のうち、本書で正見出しとしたものについては、その筆順を手書き文字に近い教科書体で示した。筆順は、原則として文部省の『筆順指導の手引き』（昭和三十三年）によった。

ただし、同書には当時の教育漢字について一字形一筆順を挙げているだけであるので、それ以外の文字については、同書の「筆順の原則」（巻末付録一七三三㌻に収録）を適用した。

なお、広く用いられる筆順が二つ以上あるものについては、適宜、並列して示した。

⑬異体字

　漢字の中には、いわゆる異体字と呼ばれるものがたくさんある。本辞典では、その異体字にあたる字体を［　］に入れて掲げた。なお、異字体については、**コラム異体字**（九七三㌻）を参照のこと。

　［　］の下にはまずその字の親字番号を示し、その下にはその異体字がどのような種類の異体字なのかを示してある。

　異体字の種類には、本字・古字・同字・俗字などがあるが、それらについても**コラム異体字**を参照のこと。また、異体字の種類として正字とあるものは、『康熙字典』の正字体を、許容とあるものは、「常用漢字表」の許容字体を、簡易とあるものは、「表外漢字字体表」の簡易慣用字体を示す。

　本辞典では、これらの異体字についても所属部首や画数から検索できるよう、全て親字見出しを立てた上で、字音・字義その他の解説については、本辞典で正見出しとした親字を参照するようにしてある。

7【敘】11画 4540 ジョ　叙(1287)の俗字。→三三四㌻中。　5839 9DC5 ―

　なお、参照すべき親字のすぐ下に（　）でくくって示した算用数字は、その漢字の親字番号である。

(2) 字義

　親字の意味の説明は、字義欄に掲げた。意味・用法の区別によって❶❷❸……、さらに㋐㋑㋒……と分けて記述した。仏教特有の意味には仏の記号を付した。また、日本語特有の意味については、字義欄の末尾に一括して、国の記号を付して記述した。助字・句法解説欄のある親字については、字義の冒頭に助を付してその読みを示し、助字・句法解説欄を参照するようにした。

　なお、字音が複数存在しその音によって字義が異なる場合は、まず字音と字義とを対応させて、㊀㊁㊂……の番号に分けて記述した。

　字義のうち、訓読や現代日本語において広く用いられる読みについては太字で示した。その際、字訓については、基本的に「送り仮名の付け方」（巻末付録一七三五㌻に収録）に従って、送り仮名をハイフンで区切って示し、また、その文語形あるいは歴史的仮名遣いが太字で示された形と異なるものは、文語形あるいは歴史的仮名遣いを割ルビ（小文字）の形で記した。

　それぞれの説明においては、適宜、理解を助けるために、その字義を用いた熟語の例（「　」で示した）や、その字義を用いた例文などを掲げた。例文は、用例の記号の下にその出典名を［　］でくくって掲げた上で引用して、返り点を付した。更に読みを割ルビで示して、現代語訳を付した。

　また、適宜、語法について▼以下で解説した。

　なお、この欄の記述の中で、漢字のすぐ下に（　）でくくって示してある算用数字は、その字の親字番号である。

(3) 名前

　漢字の中には、日本人の名前に用いられたときに特別な読み方をするものがある。本辞典では、人名に使える漢字（常用漢字・人名用漢字）について、それら特別な読み方を含めた名前に用いられるさまざまな読み方を、名前欄に五十音順に示した。

(4) 難読

　熟語の中には、本来それぞれの漢字が持っている字音・字訓では説明のつかない特別な読みをするものがある。これらは姓氏や地名などに多く見られる。難読欄には、原則としてその親字を一字めとして持つ、特別な読みの熟語を掲げた。

(5) 注意

　本辞典で従来とは異なる部首に配属した漢字など、特に注意を要する事項がある場合は、適宜、注意欄を設けて注意を促した。

(6) 参考

　以上の親字に関する説明の中で取り上げきれなかった事項について、適宜、参考欄を設けて記述した。具体的には、字形が似ていて間違えやすい文字についての注意事項や、常用漢字ではない漢字を常用漢字によって書きかえる場合についての情報などである。

なお、この欄の記述の中で、漢字のすぐ下に（　）でくくって示してある算用数字は、その字の親字番号である。

（7）使いわけ

同じ字訓を持っている漢字でも、意味によって使いわけられている場合がある。本辞典では、主に現代表記における漢字の使いわけについて、[使いわけ]欄を設けて、そのおおよそを記述した。

なお、この欄の記述の中で、漢字のすぐ下に（　）でくくって示してある算用数字は、その字の親字番号である。

また、漢籍における同訓異義については、巻末付録「同訓異義一覧」（一六七四ﾍﾟｰ）を参照のこと。

（8）解字

漢字の意味・字形を理解するのには、その成り立ちを理解しておくと便利であることが多い。本辞典では、[解字]欄を設けて、漢字の成り立ちについて説明した。

主な漢字については、まず**甲骨文・金文・篆文**などの古い字体を例示した。続いて、成り立ちについて記述したが、その際、最初にその漢字が象形・指事・会意・形声の四つの造字法のうちのいずれによって成り立っているかを明らかにした。このうち、会意文字と形声文字については、その構成要素を「○＋○」というような形式で示した。構成要素の下に省とあるのは、その文字の省略体であることを表し、㊀とあるのは、形声文字における音符を表す。

なお、古い字体や字体の変遷については[コラム]**文字・書体の変遷**（六三三ﾍﾟｰ）を、造字法については[コラム]**六書**（一四九ﾍﾟｰ）をそれぞれ参照のこと。

（9）親字が下にくる熟語（逆引き熟語）

本辞典に収録されている熟語のなかで、その項の親字が下にくる二字熟語の主なものを、[逆]の記号に続いて列挙した。

（10）参照見出し

本辞典では、その部首に所属していない漢字であっても、その部首に所属していると間違えやすいものについては、次のような参照見出しを立て、その所属部首と所在ページと段を示した。

2【元】4画(681)　**ゲン**　儿部。↓一三七ﾍﾟｰ中。

また、旧字体のうち、所属部首や画数が新字体と異なるものについても、同様に参照見出しを立てた。

五、助字・句法解説

漢文訓読においては、「助字」と呼ばれる特別な働きをする文字について理解することが不可欠である。そこで、本辞典では、特に重要と思われる助字九十三字について、[助字・句法解説]の欄を設けた。

> [助字・句法解説]
> ❶**なん-ぞ…ざ-る**。再読文字。**反語**。「盍ゾ[ル]A[セ]（なんぞAせざる）」。[訳]どうしてAしないのか。Aすればよいのに。[類]蓋・闔。
> **詰問**や**勧誘**の意味を表す。「何不」の二字と同音であることから、仮借して用いられる。
> [用例]（論語、公冶長）盍[三]各言[二]爾志[一]（なんぞおのおのなんじ（ぢ）のこころざしをいわ（は）ざる）。
> [↓]どうしてそれぞれ自分の考えを述べないのか（述べてみなさい）。
> ❷**なん-ぞ**。**反語**。「盍ゾ不[ル]A[セ]（なんぞAせざる）」。[訳]どうしてAしないのか。
> **原因・理由**を問う反語表現を作る。
> [用例]（管子、小称）盍不[三]起為[二]寡人寿[一]（なんぞたちてカジンのジュをなさざる）。
> [↓]どうして立ってわたしのために寿（健康の祈り）をなさないのか（寿をなしなさい）。

ここでは、まずその助字の読み方によって❶❷❸……と分け、意味と文型、現代語訳するときの訳例（[訳]で示した）、類似の働きをする助字の例（類で示した）、用法や注意事項などを記した。さらに、その用例を出典・読み・現代語訳とともに掲げた。

「助字・句法解説」の欄を設けた漢字については、その読みによる「助字・句法解説索引」（巻頭17ページ）を設けてある。

なお、助字の働きをより正確に理解するには、一字一字の意味・用法を理解すると共に、「句法」と呼ばれる、特殊な文の構造や独特な言い回しの中で、それぞれの助字がどのような働きをするかを理解する必要がある。「助字・句法解説」を利用するにあたっては、巻末付録「主要句法解説」（一六六四ページ）も併せて利用されたい。

また、助字については コラム 助字（一九二ページ）も参照のこと。

六、熟語

（一）熟語見出し

熟語見出しにおいては、常用漢字以外の漢字には、△印を付した。ただし、その熟語が属する親字については、△印を省略してある。

【惶急】（コウキュウ）　【惶△遽】（コウキョ）　【惶惶】（コウコウ）

また、常用漢字のうち、新字体と旧字体とのあいだに著しい異なりのあるものについては、旧字体を（　）でくくって掲げた。

【一気(氣)】（イッキ）　【一挙(擧)】（イッキョ）

旧字体表示は、その熟語が属する親字については省略したが、「弁（辨・瓣・辯・弁）」や「灯（燈・灯）」など、もともと別の意味に用いられていた漢字が「常用漢字表」で統合された漢字については、親字であってももともとの字体を示した。

【弁(辯)護】（ベンゴ）

なお、同音同義の熟語については、見出しに「・」を用いて併記した。

（2）読み・意味

熟語の読みは、原則として現代仮名遣いで記し、訓読みについては（　）でくくって歴史的仮名遣いも示した。

読みが二つ以上あるものについてはそれを併記したが、読みによって意味が異なる場合には、その意味に応じて㊀㊁㊂……で分けて記した。

熟語の意味については、その区別によって①②③……、さらには㋐㋑㋒……と分けて記述した。その際、日本語特有の意味及び和製漢語については国の記号を、仏教特有の意味には仏の記号を付した。

また、複数の読みや意味のある熟語の、熟語全体に対する同義語は、冒頭に同で示した。さらに、熟語に用いられている個々の漢字の意味を、▼以下で解説した。

【侯伯】㊀（コウハク）①侯爵と伯爵。②諸侯。諸大名。㊁（コウハ）諸侯の旗がしら。▼伯は、覇。

【閻魔】（エンマ）①仏梵語（ボンゴ） Yama-rāja の音訳「閻魔羅闍（エンマラジャ）」の略（rājaは、王・大王の意）。人の生前の罪を判定して罰を加えるという地獄の王。②国㋐むごい心の人。㋑くぎぬき。閻魔王がうそつきの人の舌をくぎぬきでぬくとの伝説に基づく。

（3）同音異義語の使いわけ

同音異義の熟語の、現代日本語における一般的な使いわけについては、◈の記号に続けて解説した。

【交代】（コウタイ）①いれかわる。交替する。②官吏の任期が満ち、旧官が新官といれかわる。◈「交代」と「交替」は、ともにいれかわる意味。かわりばんこにいれかわる場合には、一般に「交替」と表記する。「議長交代」「男女交替」

（4）出典・用例

著名な漢籍に用例のある熟語については、その出典名を〔　〕でくくって掲げた。

また、理解を助けるために、適宜その熟語を用いた例文を掲げた。例文は、用例の記号の下に出典を明記した上で引用して、返り点を付した。更に読みを割ルビで示して、現代語訳を付した。

【天授】テンジュ　天からのさずかり。うまれつき。用例（史記、淮陰侯伝）陛下所謂天授（ヘイカはいわ（は）ゆるテンジュにして）、非二人力一也（ジンリョクにあらざるなり）。
↓陛下（高祖）の場合はいわゆる天から授かった能力で、人間の能力ではございません。

七、コラム・付録

（1）コラム

本辞典では、漢字文化や漢文の世界を理解する上で重要な項目約五十を選び、コラムとして本文内に挿入して解説した。その一覧については、「コラム目次」（巻頭19ページ）を参照のこと。

（2）付録

現代生活において漢字を用いて表記する際のよりどころとなる法令の類い（「送り仮名の付け方」など）や、中国の文化を理解する上で役立つ情報（「中国学芸年表」「中国歴史地図」など）を、巻末付録として収録した。その一覧については、付録の扉（一六六三ページ）に「付録目次」を設けたので、そちらを参照のこと。

八、索引・柱

（1）索引

索引には、次のようなものがある。

①音訓索引（巻頭20ページ）

調べたい漢字の読み方がすでにわかっているときの、親字の検索方法。親字をその音読み・訓読みの五十音順に配列し、そのページを示した。

②部首索引（表見返し）

読み方はわからないがその漢字の部首が明らかであるときの、親字の検索方法。部首を画数ごとに分類し、その最初のページを示した。

部首の最初のページがわかったら、いったんそのページを開き、部首内画数で検索していく。その際、部首内文字索引（巻頭9ページ参照）を利用すると便がよい。

③総画索引（巻末2ページ）

読み方も部首も判明していないときの、親字の検索方法。漢字の総画数によって分類して親字を配列し、そのページを示した。

④助字・句法解説索引（巻頭17ページ）

「助字・句法解説」欄を持つ親字を、その助字の音読み・訓読みによって配列し、親字見出しの掲載ページを示した。

（2）柱

各ページの外側に、そのページに掲載されている親字を、その部首・部首内画数とともに示し、検索の便を図った。なお、ここでも常用漢字は色刷りで示した。

また、各ページの最上段に、そのページに掲載されている親字の番号を、【　】でくくって示した。

記号など一覧

①親字の色刷り

親字の見出しでは、常用漢字は、見出し字を色刷りとし、人名用漢字は、見出し字のカッコを色刷りとした。

部首の冒頭に掲げた「部首内文字索引」中の常用漢字と、各ページ外側に縦一列に掲げたページ内親字のうちの常用漢字は、色刷りで示した。

②親字の種別に関する記号（10ページ）

教　教育漢字（すぐ右に示した数字は配当学年）。
常　教育漢字以外の常用漢字。
人　人名用漢字。
標　「表外漢字字体表」の印刷標準字体。
国字　日本で作られたとされる漢字（11ページ）。

③字音・韻目に関する記号（11ページ）

漢　漢音。　呉　呉音。
唐　唐音。　慣　慣用音。
□　平声。　□　上声。
□　去声。　□　入声。

一、本辞典に使用した記号などを一覧として掲げ、その意味を付した。
二、（ ）で示したページは、「本辞典の利用法」（巻頭8〜15ページ）においてその記号の意味を詳しく解説してある箇所を指す。

④ＪＩＳコードの表示（11ページ）

上段　ＪＩＳ第一・第二水準の区点コード／ＪＩＳ第三・第四水準の面区点コード。
中段　ＪＩＳ第一・第二水準のシフトＪＩＳコード／「Windows-31J」のコード。
下段　ＪＩＳ補助漢字の区点コード。

⑤親字の説明に関する記号

筆順　親字の筆順（11ページ）。
字義　親字の意味（12ページ）。
国　日本語特有の意味（12ページ）。
名前　日本人の名前に使われる読み方（12ページ）。
難読　読みの難しい熟語（12ページ）。
注意　注意を要する事項の情報（12ページ）。
参考　現代日本語における表記などの参考情報（13ページ）。
使いわけ　同訓の漢字の使いわけ（13ページ）。
解字　親字の成り立ち（13ページ）。
音　形声文字の音符（13ページ）。
逆　親字が下にくる熟語（13ページ）。
助字・句法解説　助字の働きや句法についての解説（13ページ）。

⑥助字・句法解説に関する記号（14ページ）

訳　助字の訳語例。
類　類似の働きをする助字。

⑦熟語の見出しや説明に関する記号（14ページ）

△　常用漢字以外の漢字。
（ ）　旧字体。
国　日本語特有の意味及び和製漢語。
同　同義語。
◈　同音異義語の使いわけ。

⑧出典・用例に関する記号

〔 〕　出典名。
↓　現代語訳。
／　用例の区切り。

⑨その他の記号

仏　仏教特有の意味。
＝　……に同じ。
↓　……を見よ。
↕　反義語・対になることば。
⇩　他項にある詳細情報を見よ（コラムなど）。
▼　補足説明。

助字・句法解説索引

この索引は、本文中で「助字・句法解説」を付した漢字を、音読み（カタカナ）・訓読み（ひらがな）によって五十音順に配列し、見出し字の掲載ページと段を示したものである。

コラム　目次

音訓索引

一、この索引は、本辞典に収録した漢字を字音(片仮名で表記)と字訓(平仮名で表記)によって五十音順に配列し、本文のページを示したものである。漢字の下の漢数字が、ページを示す。

二、見出し(字音・字訓)は現代仮名遣いで掲げた。同一見出し内では総画数順に配列し、さらに同画数内では部首順に配列した。漢字の上の算用数字が、総画数を示す。

三、字訓については、本文の字義解説の中で太字で示したものから、重複を省いて掲げた。なお、外来語(听「ポンド」・哩「マイル」など)については、片仮名で表記した。

四、字訓の見出しは、送り仮名の部分を-で区切って示した。送り仮名の付け方は、原則として「送り仮名の付け方」(昭和四十八年内閣告示。巻末付録一七三五ページに収録)によった。

五、本文中で参照見出しとした異体字については、その代表音のみを見出しとして掲げた。なお、旧字体の漢字については、字形に新字体と著しい差異の認められないもので、掲出しなかったものもある(「灰」の旧字体「灰」など)。

六、漢字に付した記号の意味は、次の通りである。

キ…教育漢字(常用漢字のうち、小学校六年間で学習することになっている漢字。漢字を色刷り)

ジ…教育漢字以外の常用漢字(漢字を色刷り。ただし、許容字体は黒字)

ナ…人名用漢字

ヒ…「表外漢字字体表」の印刷標準字体(人名用漢字を除く)

カ…「表外漢字字体表」の簡易慣用字体(人名用漢字を除く)

・…常用漢字表に掲げられている音訓

【あ】

【い】

【え】

【き】

音訓索引

音訓索引

く

音訓索引

ジ

音訓索引

音訓索引

音訓索引

音訓索引

【て】

音訓索引

【と】

音訓索引

音訓索引

音訓索引

【は】

音訓索引

はらわた　12 腑 七〇四　13 腸 七〇五　19 臟 七一〇
はり　10 針 一四六三　11 梁 七四六　14 榛 七六一　15 箴 一〇八五　16 錣 一四七八　17 鍼 一四八〇
はりつけ　10 桀 七三八　15 磔 一〇二九
はりねずみ　13 彙 四九四　15 蝟 一二六一
はりふだ　14 箋 一〇八四
はる　9 春 六六〇
は-る　11 張 四九一　12 貼 一三五六
はる-か　8 杳 六五八　9 迥 一四〇八　迢 一四〇九　11 悠 五三八　12 遥 一四二八　13 遐 一四二三　14 敻 三三〇　15 遼 一四三五　18 邈 一四三七
は-れ　12 晴 六七四　13 腫 七〇四
はれもの　12 痤 九八一
は-れる　7 肛 六八七　12 晴 六七四　脹 七〇三　13 腫 七〇四　22 霽 一五三九
ハン　3 凡 一六七　4 反 二三一　5 半 二一三　氾 八一一　犯 九二八　6 帆 四五三　帆 四五三　7 汎 八一五　伴 九八　冸 一六三　判 一七八　坂 三〇四　扳 五八一　泛 八二〇　沜 八二〇　釆 一四五五　阪 一五〇六　8 拌 五八七　拚 五八八　昄 六五五　肦 六八九　板 七二八　柉 七二九　泮 八二七　版 九一九　范 一二〇四　9 叛 二三四　叛 二三四　胖 六九四　柈 七三四　瓪 九五九　眅 九七〇　盼 一〇〇六　10 班 九四八　班 九四八　畔 九七〇　秚 一〇五一　般 一一八六　舨 一一八七　袢 一二八一　11 笵 一〇七六　絆 一一一七　販 一三五四　釩 一四六四　12 斑 六三三　棥 七五二　鈑 一四六六　飯 一五七三　13 媻 三七六　幋 四六〇　搬 六〇九　斒 六三四　[illegible] 八七一　煩 八九九　鉡 一四六九　頒 一五五七　飯 一五七三　飰 一五七三　14 槃 七六二　靽 一五四六　頖 一五五八　15 噃 二八四　墦 三一三　幡 四六一　樊 七六六　潘 八八一　瘢 九八四　範 一〇八六　䑺 一一八八　蕃 一二三六　鋬 一四七五　魬 一六一二　16 旙 六四四　膰 七〇九　橎 七七一　燔 九〇二　璠 九五六　繁 一一三七　薠 一二四一　螌 一二六四　17 磻 一〇三一　繁 一一三七　闆 一五〇三　18 辬 六三四　旛 六四四　瀊 八八六　繙 一一四二　藩 一二四四　蟠 一二六七　蹣 一三八三　19 攀 五七四　蹯 一三八四　轓 一四〇〇　鞶 一五四八　颿 一五九一　20 蘩 一二四七　鐇 一四八七　21 籓 一〇九三　蠜 一二六九　24 襻 一二八八
バン　3 万 二五　7 伴 九八　判 一七八　坂 三〇四　8 坢 三〇六　板 七二八　版 九一九　10 悗 五四七　11 挽 五九五　㒼 一四五　挽 六〇三　勉 六七三　晚 六七五　梚 七四五　絆 一一一七　12 萬 二五　晩 六七五　勉 六七六　番 九七四　蛮 一二五七　14 懣 五五五　槃 七六二　輓 一三九五　15 播 六一二　盤 一〇〇〇　磐 一〇二九　蕃 一二三六　18 鏝 一四八三　19 贎 一三六五　20 礬 一〇三三　顢 一五六四　21 鏋 一四八八　22 鰻 一六一九　23 鷭 一六三五　24 矕 一〇一五　25 蠻 一二五七
ばん　13 塙 三一七
はんぞう　5 匜 二〇七　13 楾 七五九
はんのき　14 魄 九六〇　14 榿 七六〇　榛 七六一

【ひ】

ヒ　2 匕 二〇三　4 比 七九八　丕 三三　5 庀 四七一　皮 九九五　6 仳 九〇　圮 三〇三　妣 三五三　7 妃 三六三　伾 九八　否 二五五　吡 二五五　坒 三〇四　妣 三六三　屁 四二七　庇 四七一　批 五八一　沘 八二〇　疕 九七七　芘 一一九八　8 畀 二一四　卑 二一七　帔 四五四

音訓索引

音訓索引

【ふ】

音訓索引

音訓索引

蜂・ジ 一三五九　裒 一三七七　豊・キ 一三四四　跰 一三七八　鉋 一四六九　飽・ジ 一五七四　14 摓 六一一　漰 八七六　碰 一〇二八　絣 一一二九　綳 一一二九　蓬ナ 一二三三　蔀 一二三三　褓 一二八五　酺 一五四四　鞄ナ 一五四六　鞄 一五四六　颮 一五六九　飽 一五七四　髣 一六〇二　鳳ナ 一六三三　15 膖 七〇八　澎 八八一　熢 九〇一　熢 九〇一　磅 一〇三〇　篣 一〇八六　緥 一一三四　褒・ジ 一二七七

跰 一三八〇　輣 一三九六　鋒ナ 一四七五　骲 一五九六　髱 一六〇二　魴 一六一三　鴇 一六二五　鴋 一六二五　麃 一六三八　16 縫・ジ 一一三八　虣 一二五三　螃 一二六四　賲 一三六四　鄷 一四四七　韸 一五五二　鮑 一六一三　麅 一六三九　麭 一六四一　麭 一六四一　17 幫 四六二　篷 一〇八九　篰 一〇八九　縫 一一三八　繃 一一四〇　繃 一一四〇　褒 一二七七　餢 一五七七　18 蠭 一二六七　豐 一三四四

鎊 一四八三　鬅 一六〇三　19 寶 四一〇　龐 四八〇　礮 一〇三三　鵬ナ 一六三一　20 寶 三九七　髈 一五九七　21 灃 八八九　灃 八八九　礮 一〇三三　酆 一四四八　靌 一五三八　霶 一五三八　23 蠭 一二七〇　26 靊 一五三九

ボウ

3 亡・キ 六三　亾 一四四　4 丰 三七　乏・ジ 四三　5 冃 一五七　卯ナ 二三〇　夘 二三〇　矛ジ 一〇一五　6 吂 二四八　妄・ジ 三六二　忙・ジ 五三九　汒 八一五　牟ナ 九二一

网 一一四六　芒ヒ 一一九五　[illegible] 一一九五　邙 一四三八　7 㒵 一五三　呆ヒ 二二五　坊・ジ 三〇四　妨・ジ 三六三　尨 四二五　尨 四二五　忘・キ 五一九　忘 五二〇　戼 五六七　皃 九九三　防・キ 一五〇七　8 侔 一〇六　冐 一六〇　劺 一九四　房・ジ 五六八　旁 六四一　肪・ジ 六九一　氓 八〇二　泖 八二九　盳 九六九　茅ナ 一二〇五　苺ナ 一二〇五　茆 一二〇五　9 厖 二二五　厐 二二五

恈 五四五　恾 五四五　冒・ジ 六六四　冐 六六四　昴ナ 六六四　某・ジ 七三四　眊 一〇〇七　茫ヒ 一二一一　虻ヒ 一二五三　10 剖・ジ 一八六　庬 四七五　旁 六四二　旄 六四二　紡・ジ 一一一三　耄 一一六六　蚌 一二五五　11 惘 五五〇　[illegible] 六七二　望・キ 七〇〇　牻 九二四　眸ナ 一〇一〇　袤 一二七五　釯 一四六四　12 傍・ジ 一二六　媢 三七五　帽・ジ 四六〇　棒・キ 七五二　痝 九八一　蛑 一二五七

貿・キ 一三五七　13 夢キ 三三五　愗 五三三　楙 七五七　毷 八〇〇　滂 八七一　瑁 九五四　蒡 一二三〇　14 膀ヒ 七〇七　榜ヒ 七六二　牓 九一九　瞀 一〇一二　蜯 一二六一　貌・ジ 一三四八　鉾ヒ 一四七三　鋩 一四七三　鋩 一四七三　髦 一六〇二　15 儚 一三四　暴・キ 六八〇　朢 七〇八　朢 七〇八　氂 八〇〇　犛 九二五　甍 九六〇　瞢 一〇一三　蝱 一二六三　蝥 一二六三　蟒 一二六三

鄮 一四四七　髳 一六〇二　16 儚 一三五　幪 四六一　懞 五五八　膨・ジ 七〇九　甍 九六〇　瞢 一〇一三　謀・ジ 一三三二　賵 一三六四　17 懋 五三七　懜 五五九　蟒 一二六五　蠎 一二六五　蟊 一二六五　謗ヒ 一三三五　鍪 一四八一　駹 一五八九　鴾 一六二八　麰 一六四一　18 懵 五五九　曓 六八二　礞 一〇三三　19 懵 五五九　21 矒 一〇一五

ほうき

8 帚ヒ 四五四　11 彗ナ 四九四　14 箒ヒ 一〇八四　17 篲 一〇八八

音訓索引

【ま】

音訓索引

音訓索引

【み】

音訓索引

【ら】

音訓索引

音訓索引

一　いち　1画

〔部首解説〕部首としての一には特定の意味はなく、もっぱら字形分類のためにたてられた部首。文字の構成要素としては、一をもとにして二・三という数字ができる。また、この部首に属する上・下の文字の横一線は、一定の基準線を表している。

0 一	上	三	3 丐	丑	且	丙	両	7 並
一	一一	一三	一七	一七	二一	二三	二四	二五
1 丅	丁	上	五	丒	世	平	乮	兩
九	一一	一一	一七	一七	二一	四六二	二五	二五
丂	2 下	丈	丈	不	丗	5 丞	6 更	8 並
九	一一	一四	一七	一七	二三	二三	六五一	二五
ナ	丌	万	冊	丏	正	丟	丣	歪
九	一三	一五	一二三	二一	七八三	二四	二五	七八六
七	兀	与	市	4 丘	丕	吏	两	13 爾
九	一三七	一六	四五二	二一	二三	二四九	二五	九一七

0

【一】 1画 一　教1

イチ・イツ
ひと・ひと-つ

熟字訓 一日(ついたち)・一人(ひとり)

漢イツ・呉イチ　質　yī

1676
88EA
一

筆順 一

[弌] 3293 古字

字義 ❶ひと-つ。ひと。ひ。㋐最初の数。㋑第一。一番目。㋒ひとつのもの。一個。用例〔論語、公冶長〕聞一知十(イチをきいてジュウをしる)。↓ひとつのことを聞いて十のことを理解する。❷ひと-たび。一度。一回。転じて、わずかな。少し。「一瞥(イチベツ)」「一瞬」 ❸ひと-つにする。一つに合わせる。「統一」 ❹はじ-め。ものごとの始め。最初。また、ものごとの根本。用例〔説文解字〕惟初大極、道立於一、造分天地、化成万物(これはじめにして、タイキョク、みちはイチにたち、テンチをゾウブンし、バンブツをカセイす)。↓一は、ものごとの始め、大極(気の根源)であって、道は、一によって成り立ち、天地を創り出し、万物を生成する。❺原理。真理。特に、道家的な道を指す。用例〔老子、三十九〕天得一以清(テンはイチをえて、もってきよく)、地得一以寧(チはイチをえて、もってやすし)。↓天は一によって清浄なのであり、地は一によって安寧なのである。❻はじ-める。はじ-まる。❼同じ。等しい。「同一」「均一」 ❽まじりけがない。純粋である。また、もっぱら。もっぱらにする。「純一」「専一」 ❾あるひとつの。「一朝」 ❿もうひとつの。また別の。「一名」 ⓫ひと-えに。ひとすら。ただ。用例〔唐、杜甫、秋興詩〕叢菊両開他日涙、孤舟一繫故園心(ソウキクふたたびひらく、タジツのなみだ、コシュウひとえにつなぐ、コエンのこころ)。↓群がる菊が花を開くのは(旅にでてから)二度目、去年の涙がよみがえる。一そうの小舟に、ただひたすらに故郷を思う心をつなぎとめているのだ。⓬一様に。みな。すべて。また、ずっと。用例〔史記、曹相国世家〕挙事無所変更、一遵蕭何約束(ことをあげてヘンコウするところなく、イッにショウカのヤクソクにしたがう(ふ))。↓(曹参は蕭何に代わって相国になると)何事も変更を加えず、すべて蕭何の定めた規定を遵守した。⓭なんと。まったく。用例〔唐、杜甫、石壕吏詩〕吏呼一何怒、婦啼一何苦(リのよぶイッに、なんぞはげしき、フのなくイッに、なんぞはなはだしき)。↓役人のよび声の、なんと興奮してけたたましいこと、老婦の泣き声の、なんとひどいこと。⓮みな(皆)。ことごとく。すべて。全体。「一軍」 ⓯ある-いは。あるときは。用例〔礼記、雑記〕一張一弛(あるいははり、あるいはゆるむは)、文武之道(ブンブのみちなり)。↓緊張させたり緩和させたり、これが文武の道である。⓰＝壱(2188)。→参考。

名前 い・いち・いつ・おさむ・か・かず・かた・かつ・くに・すすむ・ただ・ち・のぶ・はじむ・はじめ・ひ・ひさ・ひじ・ひで・ひと・ひとし・まこと・まさ・まさし・もと　難読 一雨(ひとあめ)・一貴山(いきさん)・一宮(いっく)・一戸(いちのへ)・一口(いもあらい)・一光(いかり)・一向(ひたすら)・一最(かずも)・一昨日(おととい)・一昨昨日(さきおととい)・一昨年(おととし)・一志(いちし)・一色(いしき)・一寸八分(かまつかう)・一日市場(ひといちば)・一番合戦(いちまかせ)・一品(いっしき)・一武(いちぶ)・一片食(ひとかたけ)・一方(ひじかた)・一万田(いちまだ)・一廉(ひとかど)・一(いっぽう)

参考 金銭の記載などには、文字の改変を防ぐため、〔壱(壹)〕の字を用いることがある。

解字 甲骨文 一　篆文 一　古文 弌　指事。横の一線で、数のひとつの意味を表す。

逆 画一・帰一・均一・純一・随一・精一・斉一・専一・第一・択一・逐一・統一・同一・不一・万一・唯一

【一衣帯(帶)水】イチイタイスイ　ひとすじの帯のように細長い川。川や海をへだてて土地がたがいに接近していること。

【一意】イチイ　①一つの考え。自分ひとりだけの考え。②こころを一つにする。㋐心を一つのことに集中すること。専心。㋑多くのものが心を一つに合わせること。同心。

【一意攻苦】イチイコウク　心をうちこんで苦しみ考える。▼攻苦は、苦心する。

【一意専(專)心・一意△摶心】イチイセンシン　心を一つのことに集中して他に向けないこと。

【一△葦】イチイ　一つのいかだ、また、一そうの小舟をたとえていう。▼葦は、あし。

【縦(縱)一△葦△之所△如】イチイのゆくところをほしいままにす　一そうの小舟の進むにまかせる。用例〔北宋、蘇軾、前赤壁賦〕縦一葦之所如、凌万頃之茫然(イチイのゆくところをほしいままにし、バンケイのボウゼンたるをしのぐ)。↓一そうの小舟のゆくにまかせ、ひろびろとした中を進んで行く。

【一院】イチイン　①一つの役所。②一つの建物。③中庭全体。▼院は、建物に囲まれた中庭。

【一韻到底】イチイントウテイ　古詩の韻のふみ方の一方法で、初めから終わりまで一つの韻だけを用いるもの。⇩コラム 漢詩(八六六ページ)。

【一宇】イチウ　一軒の家。一むねの建物。「一宇の僧房」

【一円(圓)】イチエン　国①総体。特に土地について、ある区画内の全体。②すべて。のこらず。③完全。

【一応(應)】イチオウ　＝一往③。

【一往】イチオウ　①ひとたびゆく。②ひたすら。ひとすじに。③国一応。㋐ひととおり。ひとまず。㋑一度。一回。◆「一往」が伝統的な書き方だが、現在では③の意味では「一応」が一般的。

【一往一来(來)】イチオウイチライ　行ったり来たりする。

【一家】イッカ　①一軒の家。②一つの家族。③家中のこらず。全家。④学問・技芸などの、独立した一流派。⑤国博徒(バクト)などの、同じ親分の杯を受けた仲間。

【一家言】イッカゲン　一見識のある議論。独自のすぐれた主張。「一家言を成す」

【一家団(團)△欒】イッカダンラン　家族の者全部が集まって仲よく楽しむこと。▼団欒は、集まって車座に座り、たがいにむつみ合うこと。欒は、俗に圞・欒の字を用いる。

【一過】イッカ　①一つのあやまち。②一度通過する。さっと通りすぎる。「台風一過」 ③ひととおり目を通す。④一生。

【一△臥】イチガ　ひとたび身をふせる。官途につかえずに世俗を避けてかくれくらすこと。

【一介】イッカイ　①ひとつ。また、ひとり。②ひとつのあくた。▼介は、芥に同じく、あくた・ごみ。③ごくわずか。また、つまらない・とるにたらないの意。「一介の書生」

【一涯】イチガイ　一方のはて。用例〔文選、古詩十九首、其一〕相去万余里(あい(ひ)さることバンヨリ)、各在天一涯(おのおのテンのイチガイにあり)。↓へだたることすでに一万余里、おたがいに天の一方のはてに、はなればなれの身を置いている。

【一概(槪)】イチガイ　①すべて。ひっくるめて。②同じ。

【一角】[一]イッカク ①一方のすみ。かたすみ。②一本のつの。③イルカ科の海獣。北氷洋に生息する。④国江戸時代の貨幣で、一分金(イチブキン)の別名。[二]ひとかど 国普通よりすぐれていること。ひときわめだつこと。また、ひとなみに、相当に。一廉(ひとかど)。

【一郭・一廓】イッカク ①一つのかこいに囲まれた地域。また、同じかこいの中の地域。②同じ地つづきの一部。

【一攫千金】イッカクセンキン いっぺんに大金をもうけること。ぬれ手で粟(あわ)。▼攫は、つかむ。

【一括】イッカツ 一つにくくる。ひとまとめにする。また、ひとくくり。

【一喝(喝)】イッカツ 大きな一声でどなりつけること。

【一竿風月】イッカンのフウゲツ 一本の釣りざおに身を託し、自然の風物を友として楽しむこと。▼一竿は、一本の釣りざお。

【一貫】イッカン ①ひとすじにつらぬく。一つの原理ですべてをつらぬき通す。「一貫之道(イッカンのみち)」②初めから終わりまでかわらない。「終始一貫」③ひとさしの銭。千銭。④糸などでつらぬいたもののひとさし。⑤国㋐ぜに一千文(モン)、または九百六十文。㋑重さの単位。一千匁(もんめ)(約三・七五キログラム)。

【一環】イッカン ①一つの環玉(輪の形をした玉)。②鎖などの一つの輪。③全体としてのつながりのあるものの一部分。

【一丸】イチガン ①ひとかたまり。ひとまるめ。②一発の弾丸。また、一つぶの丸薬。

【一気(氣)】イッキ ①万物の根元となる気。この一気が分かれて陰と陽の二気となり、万物を形成する。②天地間にみなぎっている大気。③あたりを同じ気分が包んでいること。同じ雰囲気。④ひと息に。→一気呵成。

【一気(氣)呵成】イッキカセイ ひと息に作りあげる。ひと息になしとげる。

【一紀】イッキ ①十二年。古代中国の暦法で、木星が太陽の周囲を一周する期間。②七十六年。また、千五百年。

【一喜一憂】イッキイチユウ (状況が変化するそのたびごとに)喜んだり心配したりする。

【一揆】イッキ ①法則を同じくすること。同じ一つの道。②国㋐心を一つにすること。一致団結。㋑戦いに進退を共にする同族の武士の一団。㋒農民や信徒などが団結して権力者にはむかったこと。また、その一団。「百姓一揆」

【一期】[一]イッキ ①いくつかの時期に分けた中の(最初の)ひとくぎり。②一周年。[二]イチゴ 仏人の一生。生まれてから死ぬまで。→一期一会。

【一期一会(會)】イチゴイチエ 国一生に一度会うこと。また、一生に一度かぎりであること。〔茶湯一会集〕

【一貴一賤交情乃見】イッキイッセンコウジョウすなわ(は)ちあらわ(は)る 身分が高くなったりいやしくなったりすることによって、本当の世の人の情がわかる。人情の軽薄なこと。用例〔史記、汲鄭伝賛〕一貧一富乃知二交態一(イッピンイップすなわ(は)ちコウタイをしる)、一貴一賤交情乃見(イッキイッセンコウジョウすなわ(は)ちあらわ(は)る)。↓貧富の違いによって世の人のつきあいの態度がわかる、身分の上下によって世の人の本当の情がわかる。

【一簣・一蕢】イッキ ひとつのもっこ。また、ひともっこの土。▼簣・蕢は、土を入れて運ぶ道具。〔論語、子罕〕

【一簣之功】イッキのコウ 最後のひともっこの骨折り。物事の最後の努力。用例〔書経、旅獒〕為レ山九仞(やまをつくる、キュウジン)、功虧二一簣一(コウイッキにかく)。↓山を作るのに九仞の高さになったのに、最後のひともっこの骨折りを止めてしまう(最後のわずかなつまずきで全部が失敗に帰するたとえ)。

【以二一簣一障二江河一】イッキをもってコウガをささう(ふ) ひともっこの土で長江や黄河の水をせきとめる。微力であるが大事をなそうとするたとえ。〔漢書、何武王嘉師丹伝賛〕

【一騎当(當)千】イッキトウセン ひとりの騎馬武者が、千人の敵を相手にできるほど強いこと。一人当千。

【一饋十起】イッキにとたびたつ 一度の食事中に十回も席をたって人に会うことで、夏(カ)の禹王(ウオウ)が賢人を求めるのに熱心であった故事。一饋七起ともいう。〔淮南子、氾論訓〕

【一義】イチギ ①一つの道理。一理。②ひととおりの意義。③根本の意義。第一義。④同じ道理。

【一議】イチギ ①一度の議論。一回の評議。「一議に及ばず」②異なった議論。異論。

【一掬涙】イッキクのなみだ 両手にすくうほどのたくさんの涙。また、少しの涙の意にも用いる。

【一休沐】イチキュウモク 唐代の制度で、役人に十日ごとに沐浴(モクヨク)(ゆあみ)のために与えられる一日の休暇。

【一宮】[一]イッキュウ ①一つの宮殿。②宮中の人のこらず。[二]イチのみや 国①第一の皇子。②諸国で第一の格式のある神社。

【一裘一葛】イッキュウイッカツ 一枚のかわごろもと、一枚のくず織りのかたびら。冬着と夏着が一枚ずつあるだけで他に着替えもない貧しさのたとえ。

【一牛鳴地】イチギュウメイチ 一匹の牛の鳴き声が聞こえるくらいのあまり遠くない所。一牛吼地(イチギュウコウチ)ともいう。

【一挙(擧)】イッキョ ①ひとたび事を起こす。一つの企て。②一つのふるまい。一つの行動。③ひとたび動く。また、ひとたび飛ぶ。④一気に。ひといきに。いっぺんに。

【一挙(擧)一動】イッキョイチドウ 手をあげたり、身を動かしたりすること。一つ一つの動作。また、わずかな動作。

【一挙(擧)手一投足】イッキョシュイットウソク ちょっと手をあげたり、足を動かしたりするくらいのこと。少しの動作・骨折り。

【一挙(擧)両(兩)得】イッキョリョウトク 一つの事をして二つの利益を得る。一石二鳥。〔晋書、束晳伝〕

【一匡】イッキョウ 天下の秩序をただし統一する。▼匡は、ただす。用例〔史記、管仲伝〕九二合諸侯一(ショコウをキュウゴウし)、一二匡天下一(テンカをイッキョウせしは)、管仲之謀也(カンチュウのはかりごとなり)。↓(桓公が)諸侯を集め合わせて、天下を統一して秩序をたてたのは、管仲の計略によるのである。

【一曲】イッキョク ①ひとまがり。川の流れのまがりなどをいう。②音楽のひとふし。③一部分。かたすみ。また、一方にかたよって全体に通じないこと。「一曲の士」

【一局】イッキョク ①囲碁・将棋などの一勝負。また、その一面。②一つの局面。ことのなりゆきの一場面。

【一空】イックウ ①そら一面。②仏㋐空(クウ)。から。すべてむなしい。なにもない。㋑すべてのものが無差別平等であること。

【一隅】イチグウ 四すみあるものの一すみ。物事の一面をいう。用例〔論語、述而〕挙二一隅一(イチグウをあぐる)不下以二三隅一反上(サングウをもって、かえ(へ)さずんば)、則不レ復也(すなわ(は)ちふたたびせざるなり)。↓四すみあるものの一すみを取りあげて教えたら、それから類推して他の三すみを察知して返答するのでなければ、重ねて教えてはやらない。

【一薫一蕕】イックンイチユウ 一つのよいかおりの草と、一つのわるいにおいの草。この二つの草を一緒におくと、よいかおりは消されて悪臭のみが残る。とかく善よりも悪の方が強く、はびこりやすいたとえ。〔左伝、僖公四〕

【一軍】イチグン ①周代の制度で、兵士一万二千五百人。②軍中のすべての兵。全軍。用例〔史記、淮陰侯伝〕至レ拝二大将一(タイショウをハイするにいたり)、乃韓信也(すなわ(は)ちカンシンなり)。一軍皆驚(イチグンみなおどろく)。↓大将を任命する段になってみると、なんとそれは韓信であった。軍中の全ての者が驚いた。③一団の軍隊。また、一方の軍隊。

【一夏】イチゲ 仏陰暦の四月十六日から七月十五日までの九十日間。僧が行脚(アンギャ)せず一室にこもって座禅修行する期間。この修行を一夏安居(イチゲアンゴ)という。

【一系】イッケイ ひとすじ。一つの系統。一つの血すじ。

【一芸(藝)】イチゲイ ①一つの経書。一経。②一つの芸能。一つの技芸。「一芸一能」

【一決】イッケツ ①ひとたび決心する。きっぱりと心にきめる。②ひとたびきまる。③一つにきまる。「衆議一決」

【一犬吠レ形百犬吠レ声(聲)】イッケンかたちにほゆればヒャッケンこえ(ゑ)にほゆ 一匹の犬が何かを見てほえると、その声を聞いて他の多くの犬が何事かあるかのようにほえたてる。一人がそれらしいことをいうと、多くの人がこれを事実としてうわさしあうたとえ。一犬吠レ虚、万犬伝レ実(イッケンキョにほゆれば、バンケンジツをつたう(ふ))。〔潜夫論、賢難〕

【一件】(イッケン) ①一つの事がら。②ある事件。③国例のこと。

【一見】[一](イッケン) ①一度見る。一度見渡す。用例〔漢書、趙充国伝〕百聞不レ如ニ一見一(ヒャクブンはイッケンにしかず)。↓百度聞いても、一度実際に見るのには及ばない。②ちらっと見る。③一度会う。一度面会する。[二](イチゲン) 国初めて会う。「一見の客」

【一見識】(イッケンシキ) ひとかどの考え。一つのすぐれた見解。

【一見如ニ旧(舊)識一】(イッケンキュウシキのごとし) 一度会っただけですっかり気が合い、昔なじみのように親しむこと。〔唐、王維、送ニ権二一詩〕

【一巻石】(イッケンセキ) ひとかたまりのいし。一説に、巻は、拳(ケン)と音が通じて、こぶし大の石の意であるという。

【一献(獻)】[一](イッケン) ひとたび酒をすすめる。転じて、小さな酒宴。[二](イッコン) 国①一度さかずきをさす。②一杯の酒。③二献・三献に対し、一度目の酒・さかなをいう。

【一元】(イチゲン) ①はじめ。一は数のはじめ、元は大の意で、はじめを尊んでいう。②もと。おおもと。大本。③一人の天子の最初の年号。また、一つの年号。④昔の暦法で、四千五百六十年。

【一元論】(イチゲンロン) ただ一つだけの原理で、一切を説明しようとする考え方。↔二元論(五四ページ中)・多元論(三三三ページ中)。

【一言以蔽レ△之】(イチゲンもってこれをおお(ほ)う(ふ)) ひとことで全体を言い表す。〔論語、為政〕

【一言一行】(イチゲンイッコウ) 一つのことばと一つの行為。なんの気なしにいう言葉やする動作。

【一言居士】(イチゲンコジ) 国何事にもひとこと口出ししないと気のすまない性質の人。

【一言半句】(イチゲンハンク・イチゴンハンク) わずかなことば。片言隻句。一言半辞ともいう。

【一己】(イッコ) 自分ひとり。おのれ一人。

【一△狐△裘三十年】(イッコキュウサンジュウネン) 一枚のきつねのかわごろもを三十年間着通すこと。春秋時代、斉の国の名臣、晏子(アンシ)が非常に倹約家であった故事による。〔礼記、檀弓下〕

【一△狐△之△腋】(イッコのエキ) 一匹のきつねのわきの下から取った白く美しい毛皮。珍貴なもののたとえ。〔史記、趙世家〕

【一△壺外】(イッコのそと) 俗世間。一壺(外界と隔絶した別天地)以外のところの意。〔唐、李白、独酌詩〕→一壺天。

【一△壺天】(イッコテン) 小天地。別天地。後漢の費長房が薬売りの老人と一つのつぼの中に入り別世界の楽しみを味わった故事による。壺天。壺中天地。〔後漢書、費長房伝〕

【一顧】(イッコ) ①ひとたびかえりみる。ちょっとふりかえって見る。②人から目をかけられること。また、人に対してちょっとした世話をすること。

【一顧傾ニ人城一】(イッコすればひとのしろをかたむく) すぐれた美人の形容。ちょっとふりかえって流し目に見るだけで、人の心を迷わせ、城(城市)を傾け亡ぼさせるに至るという意。用例〔漢書、孝武李夫人伝〕一顧傾ニ人城一(イッコすればひとのしろをかたむけ)、再顧傾ニ人国一(サイコすればひとのくにをかたむく)。↓一度振り返って見るだけで、人の心を惑わせて城を滅ぼさせ、二度ふりかえって見ると、その媚態(ビタイ)に迷わされて君主も国を忘れ滅ぼすに至る。

【一口】(イッコウ) ①ひとつのくち。転じて、人ひとり。②口をそろえる。みなが同じことをいうこと。ひとつことば。③ひとこと。一言。④ひとくち。ひとほおばり。

【如レ出ニ一口一】(イッコウにいず(づ)るがごとし) 同じ一人の口から出たように、多くの人の言うことが全く一致すること。〔韓非子、内儲説下〕

【一向宗】(イッコウシュウ) 仏鎌倉時代、親鸞上人(シンランショウニン)が開いた、浄土宗の一派。浄土真宗。▼一向は、ひたすらの意味で、ただひたすらに念仏を唱えるからいう。

【一行】[一](イッコウ) ①ひとつの行為。また、ちょっとした行い。②一度ゆく。③つれだって行くむれ。ひとむれ。同行の一団。[二](イチギョウ) ①ひとならび。また、文字の一列。②仏一つの修業に専心すること。③唐の玄宗時代の高僧、大慧禅師(ダイエゼンジ)。密教の開祖。天文・暦法にも通じていた。(六八三—七二七)

【一更】(イッコウ) 五更の第一の時刻。今の午後八時前後の二時間。一説に、八時から十時までの間。初更。甲夜。一鼓。→五更(五八ページ中)。

【一興】[一](イッコウ) ひとたびおこる。一度さかんになる。[二](イッキョウ) 一つのおもしろさ。ちょっとしたおもしろみ。

【一△毫】(イチゴウ) 一本の毛すじ。ごくわずかな数量のたとえ。▼毫は、細い毛。

【一刻】(イッコク) ①一昼夜の百分の一。昼・夜をそれぞれ五十刻ずつに分ける。約三十分間。②わずかな時間。③国㋐一時(ひととき)の四分の一。約三十分間。㋑かたくな。頑固(ガンコ)なこと。㋒性急なこと。おこりっぽいこと。

【一刻千金】(イッコクセンキン) ひとときが千金にも価する。すばらしい時や大切な時などの過ぎやすいのを惜しんでいう。用例〔北宋、蘇軾、春夜詩〕春宵一刻直千金(シュンショウイッコクあたい(ひ)センキン)、花有ニ清香一月有レ陰(はなにセイコウありつきにかげあり)。↓春のよいは、ひとときが千金にもあたいする。花には清らかな香りがただよい、月はおぼろにかすんでいる。

【一国(國)】(イッコク) ①一つの国。一つの国家。②国中のこらず。国全体。全国。③かたくな。一刻。→一国者。

【一国(國)三公】(イッコクサンコウ) 一つの国に三人の主権者がいること。国が一つにまとまっていないこと。〔左伝、僖公五〕

【一国(國)者】(イッコクもの) 国①かたくなな人。頑固(ガンコ)な人。②おこりっぽい人。性急な人。

【一痕】(イッコン) 一つのあと。一つの形をとどめているもの。月などにいう。「一痕の新月」

【一茶頃】(イッサケイ) 一杯の茶を飲むくらいの短い時間。

【一座・一△坐】(イチザ) ①その座にいる人すべて。同席の人全部。満座。②建造物や仏像など一つ。また、それらを数える語。③国㋐第一の席。かみざ。上席。㋑摂政・関白の別名。㋒芸人などの一団体。㋓一回。一席。

【一切】[一](イッサイ・イッセツ) ①すべて。みな。ことごとく。おしなべて。ふぞろいのものを切って一様にそろえることからいう。②同時。③一時。しばらく。[二](イッサイ) ①仏すべてをそなえること。②国(下に打消しを伴って)全く。全然。

【一切有情】(イッサイウジョウ) =一切衆生。

【一切経(經)】(イッサイキョウ) 「一切蔵経」の略。仏教の経文の全部(経・律・論の三蔵)の総称。大蔵経ともいう。

【一切衆生】(イッサイシュジョウ) 同一切有情(イッサイウジョウ)。仏①地獄・餓鬼・畜生・修羅・人間・天上の六道における、すべての生命あるもの。②この世に生きているすべてのもの。特に、人間のみにいう。

【一再】(イッサイ) ①一、二度。一、二回。一再行。②たびたび。

【一△洒】(イッサイ) =一掃。

【一策】(イッサク) ①一つの計画・策略・考え。「窮余の一策」②一通の文書。

【一札】(イッサツ) ①一枚のかきつけ。一通の文書。一通の手紙。②一枚のよろいのこざね。③一通の証書や手形(てがた)。

【一殺多生】(イッサツタショウ・イッセツタショウ) 仏一人(一人の悪人)を殺して多くの人を生かす。一人を犠牲にして衆人を救うこと。〔報恩経〕

【一撮】(イッサツ) ひとつまみ。ごくわずかの分量。▼撮は、四圭(ケイ)で、圭は六十四個のきびの実だけの分量。「一撮土」

【一山】(イッサン・イチザン) ①一つの山。②山全体。全山。③一つの寺。寺は多く山中にあるため。また、寺全体。寺じゅう。

【一山一寧】(イッサンイチネイ) 鎌倉時代の禅僧。中国台州(浙江(セッコウ)省内)の人。元の世祖の使者として来朝し、建長寺・円覚寺の住持となった。(一二四七—一三一七)

【一散】(イッサン) ①ひとさかずき。▼散は、五升を入れるさかずき。②一たびばらばらになる。③風などが一たびおさまる。④

同逸散。国㋐にげる。㋑わきめもふらず急ぐ。一目散。

【一△盞】イッサン 一つのさかずき。また、一杯の酒。

【一△盞灯(燈)】イッサントウ 一つのともしび。▼盞は、灯火をもやすうけざら。

【一△粲】イッサン 一度笑うこと。ひとわらい。一笑。▼粲は、清く白い意で、白い歯を出して笑うこと。

【博二一△粲一】イッサンをハクす 自作の詩文などを人に贈る時の謙遜のことば。一笑に供する。お笑いぐさまでに。

【一市】イッシ ①一つの町。②町中のこらず。町全体。

【一子相伝(傳)】イッシソウデン 国学問や技芸の秘伝を自分の子ひとりだけに伝え、他の人には秘密にすること。

【一死一生△乃知二交情一】イッシイッセイすなわ(は)ちコウジョウをしる 死ぬか生きるかの危難にあって初めて世の人の情がわかる。用例〔史記、汲鄭伝賛〕一死一生乃知交情、一貧一富乃知交態、一貴一賤交情乃見。↓死ぬか生きるかの危難にあって初めて世の人の情がわかる、貧富の違いによって世の人のつきあいの態度がわかる、身分の上下によって世の人の本当の情がわかる。

【一糸(絲)不レ掛・一糸(絲)不レ△挂】イッシかけず ①何一つひきとめるものがない。拘束するものの全くないこと。②何一つ身にまとわない。まっぱだかのさまの形容。

【一糸(絲)不レ乱(亂)】イッシみだれず ひとすじの糸のみだれもない。秩序がよく整っているさま。

【一枝春】イッシのはる 梅の花。用例〔南朝宋、陸凱、贈二范曄一詩〕江南無レ所レ有、聊贈一枝春。↓江南地方にはこれといってふさわしい物もないので、とりあえずひと枝の梅花に春をこめ、春遅い北地の君に贈ります。

【一視同仁】イッシドウジン だれかれの差別なく、すべてのものを平等に愛すること。差別待遇をしないこと。〔唐、韓愈、原人〕

【一次】イチジ ①一ぺん。一回。一度。②第一番目。

【一字】イチジ ①一つの文字。また、同一の文字。②一つのあざな。別のあざな。③雁の行列。④短いたより。用例〔唐、杜甫、登二岳陽楼一詩〕親朋無二一字一、老病有二孤舟一。↓親類や友人からは全く便りもなく、年をとり病を得た身には一そうの舟があるのみである。

【一字師】イチジのシ 文字の誤読や誤写を訂正してくれた人。また、詩や文章の適当でない文字を添削してくれた人。

【一字千金】イチジセンキン 非常に価値のある文章、または筆跡をいう。一字で千金の値打ちがある意。秦の呂不韋が『呂氏春秋』を著したとき、一字でも添削できたものに千金を与えようと言った故事に基づく。〔史記、呂不韋伝〕

【一字褒(褒)△貶】イチジホウヘン 文字一つの使いわけで、人をほめたり、けなしたりすること。春秋の筆法。

【一時】━イチジ ①四季のうちの一時節。三か月。②その当時。その時代。③あるとき。かつて。以前。④同時に。一度に。━イチ・ひとときイッ ①ひととき。短い時間。②しばらく。

【一辞(辭)】イチジ ①ひとこと。一言。②ひとたび別れる。

【不レ能レ賛(贊)二一辞(辭)一】イチジをサンするあたわ(は)ず 一言も助けそえることができない意で、文章がすぐれていて手を入れる余地の全くないことをいう。〔史記、孔子世家〕

【一日】イチジツ・イチニチ 国昔の時間の区分で、約二時間。①朝から夕方まで。ひねもす。終日。また、朝から翌日の朝まで。一昼夜。②ある日。③ついたち。月の第一日。朔日。④短時日。⑤昨日。

【一日三秋】イチジツサンシュウ・イチニチサンシュウ 一日が三秋にも思われること。待ちこがれる気持ちにいう。▼三秋は、三年、一説に、九か月。『詩経』王風・采葛に「一日不レ見、如二三秋一分」とあるのに基づく。

【一日之計在レ△晨】イチニチのケイはあしたにあり その日の計画は、朝のうちにたてるのがよい。▼晨は、朝。用例〔月令広義、春令、授時〕一日之計在レ晨、一年之計在レ春。↓その日の計画は、朝のうちに立てるのがよく、一年の計画は、年の初めの春に立てるのがよい。

【一日△之長】イチジツのチョウ・イチニチのチョウ ①年齢が少し多い。一日さきに生まれた意。用例〔論語、先進〕以三吾一日長二乎爾一、毋二吾以一也。↓私がちょっとお前たちより年長だからといって、遠慮してはいけないよ。②経験や技能などが少しまさっていること。

【一日千秋】イチジツセンシュウ・イチニチセンシュウ 一日が千年にも思われること。待ちこがれるときの気持ちにいう。一日三秋。

【一日千里】イチニチセンリ ①すぐれた馬が一日に千里も走ること。また、鳥がはやく飛ぶことにもいう。②才能がすぐれていること。俊敏な才能。③川の流れの急なこと。

【一日難二再△晨一】イチジツふたたびあしたなりがたし 一日のうちに朝は二度と来ない。時が過ぎやすくて二度とは帰って来ないのをいう。用例〔東晋、陶潜、雑詩〕盛年不二重来一、一日難二再晨一。↓若い時は二度とは来ず、一日に朝は二度はやって来ない。

【一日暴レ△之、十日寒レ△之】イチジツこれをあたためて、ジュウジツこれをひやす ＝一暴十寒。▼暴は、曝。〔孟子、告子上〕

【一実(實)】イチジツ ①一つの実。②ひとたびみのる。③全く等しい。同一。④仏㋐真如。無差別平等の実相。㋑大「一実乗」の略。無差別平等の実相を説くおしえ。大乗。

【一車薪△之火】イッシャシンのひ 一台の車に山と積んだたきぎのもえること。〔孟子、告子上〕

【一舎】イッシャ 三十里(日本の約三里、十二キロメートル)。一日の道のり。軍隊が一日三十里を行軍して一泊するからいう。→舎(321)。

【一△瀉千里】イッシャセンリ ①ひとたびそそげば一気に千里も走り流れるような水の勢い。②物事が非常に早くはかどり進むこと。文章や弁舌が流れるようによどみないこと。

【一種】イッシュ ①一つの種類。ひといろ。ひとくさ。②ある種類。③同一の種類。同種。④一つの種族。⑤他と異なっていること。独特。また、異様。「一種独特」

【一樹△蔭一河流】イチジュのかげイチガのながれ →宿二一樹蔭一汲二一河流一。

【宿二一樹△蔭一△汲二一河流一】イチジュのかげにやどりイチガのながれをくむ 仏この世でたまたま一緒に同じ木のかげに休み、同じ川の水をくんで飲みあうのも、すべて前世からの因縁であるということ。

【一周忌】イッシュウキ 仏人が死んで一年目の、同月同日の日。また、その日に営む法要。一回忌。

【一終】イッシュウ ①ひとめぐり。㋐十二年。木星が太陽のまわりを一周する期間。㋑一年。②音楽を一度奏しおわること。③音楽の一曲。また、詩や歌の一編。

【一蹴】イッシュウ ①ひとけりする。②軽くはねつけること。相手を軽く負かすこと。

【一汁一菜】イチジュウ・イッサイ・イチじるイッサイ 汁物一品とおかず一品だけの、質素な食事。

【一瞬】イッシュン ひとまたたきする間。きわめて短い時間。

【一所】イッショ ①一つの場所。一か所。②橋や建物などの一つをいう。③＝一緒③。④国ひとり。

【一所懸命】イッショケンメイ 国上から賜った一か所の領地に命を託して、それを大切に守ること。転じて、物事をいのちがけでやること。懸命。必死。俗に一生懸命ともいう。

【一書】イッショ ①一通の文書。②一通のてがみ。一通の書面。③一つの書物。ある本。また、別の本。

【一緒】イッショ ①ひとすじ。ひとすじの糸。▼緒は、糸すじ。②ひとまとめ。一つ。同一。③つれだつ。ともに。

【一生】━イッショウ 人の生まれて死ぬまでの間。生涯。一世。━イッセイ 国一人の男。

【一生苦楽(樂)依二他人一】イッショウのクラクタニンによる 女性の一生の苦しみも楽しみも、夫しだいできまる。唐の白居易の「太行路詩」に「人生莫レ作二婦人身一、百年苦楽由二他人一」とあるのに基づく。

【一生懸命】国「一所懸命」の変化した語。

【一笑】①一度わらう。また、ひとわらい。一粲。「破顔一笑」②わらいぐさ。ものわらい。

【一笑千金】ひとわらいが千金にも価する。美人の笑いがきわめて得がたいこと。

【付二一笑一】わらいとばす。

【一将(將)功成万(萬)骨枯】ひとりの大将が功名を立てるかげには、多くの兵卒がむなしく骨を戦場にさらしている。上の者に功が帰し、下の者が報われないこと。〔唐、曹松、己亥歳詩〕

【一唱三嘆・一倡三嘆】①宗廟(祖先のたまや)の祭りで、一人が歌い出すと他の三人がこれに合わせて歌うこと。②詩文を一度声に出して読んでからくりかえし嘆賞すること。上手な詩文をほめるのに用いる。

【一餉】一度食事をするほどの短い時間。

【一霎】ひとしきり。また、しばらく。一陣。▼霎は、しばし、短い時間。「一霎の雨」

【一觴一詠】酒を飲みながら詩を吟じて楽しむ。▼觴は、さかずき。〔東晋、王羲之、三月三日蘭亭詩序〕

【一上一下】①のぼったりくだったり。また、上になったり下になったり。②どこまでも。あくまでも。

【一条(條)】①一本の枝。②ひとすじ。③箇条書きにしたもののひとくだり。一則。④一つの事がら。同じ事がら。ひとつらなりの事がら。

【一乗(乘)】①車一台。②仏悟りをひらき、成仏することのできるただ一つの教え。

【一場】①一つの場所。また、同じ場所。②試験などの一回。一つの試験。③ひととき。

【一場春夢】①短い春の夜の、その場かぎりのはかない夢。②その場かぎりで跡かたもない人生のはかなさ。

【一触(觸)即(卽)発(發)】ちょっとふれても、すぐ爆発しそうなこと。危機のさし迫っている状態をいう。

【一心】①一筋の心。一つの事に心を集中する。専心。②多くの人が心を合わせる。また、多くの人の一致した心もち。同心。③外物に対して、単に心そのものをいう。

【一心同体(體)】心を一つにして、体をおなじくする。別々の人が、心も体も一つのように強固に結合すること。

【一心不乱(亂)】仏一つの事に心を集中して他にそらさないこと。〔阿弥陀経〕

【一身】①一つの体。②体全体。全身。③わが身。自分の身。

【一身都是胆(膽)】全身が胆っ玉である。体全体に胆力がみなぎっている。肝っ玉がきわめて太いこと。

【一進一退】①進んだり退いたりする。②よくなったり悪くなったりする。

【一新】古いことをぜんぶ改めてすべて新しくする。すっかり新しくする。

【一新紀元】今までの古い物事の全く改まった、新時代の最初の年。一エポック。「一新紀元を画す」

【一陣】①風や雨などのひとしきり。「一陣の風」②戦陣の一隊。③ひといくさ。一回の戦闘。一戦。④国先陣。一番乗り。

【一炊之夢】人生の栄華のはかないことのたとえ。→邯鄲之夢(一四三九ページ中)・盧生之夢(一〇〇一ページ上)。

【一酔(醉)千日】きわめてよい酒の形容。一度酔うと千日の間さめない意。

【一穂(穗)】①一本のほ。②一本のほのような形をしたものの形容。用例(菅茶山、冬夜読レ書詩)閑収二乱帙一思二疑義一、一穂青灯万古心(今読んだ本の)疑問の箇所を考えていると、一本の稲穂のような青白いともし火が、昔の聖賢の心を明るく照らし出してくれるような感じがする。

【一寸】■①一尺の十分の一。②短い。また、わずか。少し。■国①しばらく。②わずか。少し。③やや。

【一寸光陰不レ可レ軽(輕)】少しの時間もむだにしてはならない。光陰は、時間の意。従来、この句の出典の詩は朱熹の作「偶成」とされてきたが、近年、日本の京都五山の僧の作とする説が有力視されている。用例〔伝、南宋、朱熹、偶成詩〕少年易レ老学難レ成、一寸光陰不レ可レ軽。若者はすぐに老いてしまい、学問は成就しがたい。だから、少しの時間もむだにしてはならない。

【一寸赤心】＝一寸丹心。

【一寸丹心】わずかなまごころ。自分の真心を謙遜していう。一寸赤心。

【一世】■①人の生まれて死ぬまでの間。一生。一代。■①三十年。②その世。その当時の世の中。当世。当代。③世の中のこらず。世の中全部。挙世。④一王朝。一王朝の続く間。また、一血族の続く間。⑤国㋐西洋で、同血族・同名の皇帝・王・法王などの内、最初に位についた人の称。㋑外国に最初に移住した人を、移住後に生まれた、その人の子や孫などに対していう。■仏過去・現在・未来の三世の中の一つ。

【一世一代】国①人間一生の中でただ一度かぎり。②芸人などが一生の中でこれをしおさめとしてりっぱな芸を演ずること。

【一世之雄】その時代でもっともすぐれた英雄。

【一斉(齊)】①ひとそろい。また、等しい。一様。②一つにそろえる。平等に治める。③一度に。同時に。そろって。「一斉射撃」

【一夕】①ひと晩。一夜。②ある晩。ある夜。

【一石二鳥】国一つの石で同時に二羽の鳥をうち落とす。一つの事をやって同時に二つの利益を得るたとえ。一挙両得。

【一昔】■ひとばん。一夕。一夜。■国一応、昔と考えられる過去。普通には、十年をいう。「十年一昔」

【一隻眼】①一つの目。一眼。②物を見ぬく力のある、独特の眼識。「一隻眼を具える」

【一折】①ひとたびくじける。一度挫折する。②一つの崖。③音楽のひとふし。また、芝居(北曲)の一幕。

【一刹那】仏きわめて短い時間。瞬間。

【一絶】①ひとたびたちきる。一断。②一つの他とかけはなれてすぐれたもの。③漢詩で、一つの絶句。

【一洗】①一度あらう。②すっかりあらう。

【一双(雙)】二つで一組をなすもの。一対。「屛風一双」

【一宗】■①一族。②同じ種類。また、ひとまとまり。■仏教の一つの宗派。ある宗旨。

【一掃】①ひとたびはらい清める。②ねこそぎはらい除く。

【一層(層)】■①ひとかさね。一階。②国さらに。ひとしお。■国①本当に。全く。②むしろ。かえって。

【一息】①一呼吸。②ひと休み。しばらく休むこと。③少しの時間。しばらく。

【一粟】①ひとつぶのあわ。②微小なもののたとえ。

【一尊】①一つのさかだる。一樽。▼尊は、樽・たる。②最もたっといもの。最も権威のあるもの。「一尊に定まる」③一体の仏像。また、一門の大砲。

【一飧之徳】一度食事をふるまわれたほどのわずかな恩恵。〔三国志、蜀志、法正伝〕

【一朶】①ひと枝。「一朶の花」②ひとむれ。「一朶の雲」

【一体(體)】①からだの一部分。手一本、または足一本。②人の学徳の一方面などのたとえ。「聖人之一体」③同じ一つのからだ。離れられない親密な間がら。

「父子一体」 ④仏像などの一個の称。 ⑤同じ体裁。同類。 ⑥別の体裁。 ⑦一様。同様に。 ⑧[国]もともと。そもそも。「一体全体」の略。

【一帯(帶)】イッタイ ①ひとつづき。ひとすじ。 ②あたり一面。全体。

【一大事】イチダイジ ①大変なこと。容易ならぬ事件。重要な事がら。 ②[仏]仏がこの世に出現するという重大事。

【一代】イチダイ ①人の一生。一生涯。 ②その世。その時代。一世。 ③天子や家長のその地位にある間。 ④一つの王朝の存続する間。

【一諾】イチダク 一度承知する。一度よろしいと引き受ける。

【一諾千金】イチダクセンキン 一度承知して引き受けたことに千金の重みがある。信頼するに足る約束にいう。

【一旦】イッタン ①ひと朝。ある朝。また、ある日。他日。 ②わずかの間。 ③ひとたび。一度。 ④たちまち。にわかに。

【一旦有₌緩急₋】イッタンカンキュウあらば ひとたび国に大事が起きた場合には。▼緩急は危急、緩はそえ字。〔漢書、爰盎伝〕

【一△箪食一△瓢飲】イッタンのシイッピョウのイン 一つのわりごに盛った食べ物と、一つのひさごに入れた飲み物の意で、わずかばかりの飲食物をいう。▼箪は、竹であんだ飯を盛る器、わりご、瓢は、ひさご。〔論語、雍也〕

【一団(團)】イチダン ①ひとかたまり。一個のまるいかたまり。 ②一つのあつまり。一つの団体。

【一団(團)和気(氣)】イチダンのワキ なごやかな雰囲気。あたりを包むやわらいだ空気。

【一弾(彈)】イチダン ①指でわずかにはじく。 ②時間が短いさま。

【一治一乱(亂)】イッチイチラン おさまったり乱れたりする。〔孟子、滕文公下〕

【一知半解】イッチハンカイ 十分にはわかっていないこと。

【一致】イッチ ①おなじおもむき。一つの趣旨。 ②一つになる。相合する。「言行一致」 ③心を一つにする。協同する。「一致団結」

【一△籌】イッチュウ ①一つのかずとり。▼籌は、勝負を争うときの、数をかぞえる道具。 ②一つのはかりごと。一計。

【輸₌一△籌₋】イッチュウをユす 一つのかずとりだけ負ける意で、勝負に負けること。また、人におとること。▼輸は、まける。

【一長一短】イッチョウイッタン ①長くなったり短くなったりする。 ②長所もあれば短所もあること。

【一張一△弛】イッチョウイッシ ①弓や琴などの弦をはったりゆるめたりすること。 ②心を緊張させたりゆるめたりすること。 ③厳格にしたり寛大にしたりしてほどよく取り扱うこと。〔礼記、雑記下〕

【一張羅】イッチョウラ [国]①持っている着物の中で、一番上等のもの。一枚しかない晴れ着。 ②一枚しか持っていない着物。

【一朝】イッチョウ ①ある朝。ある日。あるとき。[用例]〔唐、白居易、長恨歌〕天生麗質難₌自棄₋、一朝選在₌君王側₋。↓生まれつきのうるわしい姿かたちは、そのまま朽ちすてておかれるものでなく、ある日、選ばれて天子のおそばにはべることになった。 ②いったん。ひとたび。にわかに。たちまち。[用例]〔唐、劉廷芝、代下悲₌白頭₋翁上詩〕一朝臥レ病無₌相識₋、三春行楽在₌誰辺₋。↓いったん病気になると友人も離れ、春の行楽を謳歌したのは誰のことだったのか。 ③わずかの間。 ④朝廷全体。 ⑤ひとたび朝廷に行って貢ぎ物を奉る。昔、諸侯は五年に一度天子に朝貢した。 ⑥ひとたび謁見する。

【一朝一夕】イッチョウイッセキ ひと朝ひと晩。短い時日。わずかの間。また、かりそめ。〔易経、坤〕

【一朝△之患】イッチョウのうれい(ひ) 一時的な心配ごと。また、突然ふりかかる心配ごと。〔孟子、離婁下〕

【一朝△之△忿】イッチョウのいかり 一時的な怒り。[用例]〔論語、顔淵〕一朝之忿忘₌其身₋、以及₌其親₋、非レ惑与。↓一時の怒りに自分を見失って、その災いを肉親にまで及ぼしてしまうというのは、間違った考えではないですか(間違った考えだ)。

【一対(對)】イッツイ 二つで一組となるもの。たがいに対応するものの一組。

【一丁】[一]イッテイ ①一人の壮丁。 ②＝一丁字。[二]イッチョウ [国]①和とじ本の表裏二ページ一枚をいう。 ②豆腐など一個の称。 ③一品料理一人前。

【一丁字】イッテイジ 一つの字。一個の文字。もともと一个(個)字とあるべきなのを、个を丁と誤ったもの。

【不レ識₌一丁字₋】イッテイジをしらず 一つの字も知らない。全く文字が読めない。無学をいう。無₌丁字₋。▼丁は、「个(カ・コ)」(個)の字の誤り。

【一定】[一]イッテイ・イチジョウ 一つにさだまる。また、一つにさだめる。一つにきまって変わらぬこと。[二]イチジョウ [国]きっと。かならず。[三]イッテイ [国]①標準的な。「一定の書式」 ②等しい。「一定の速度」

【一敵国(國)】イチテキコク ①自分の国と勢力が匹敵する一つの国。 ②自分と肩をならべる競争相手。

【一△擲】イッテキ ①ひとたび投げうつ。すごろくの采などを投げること。 ②一ぺんに投げすてる。所有しているもののすべてを一度に投げ出すこと。

【一△擲賭₌乾△坤₋】イッテキケンコンをかく 天下をかけて一勝負する。天下を取るか失うかの大勝負をすること。運命をかけて、のるかそるかの大勝負をすること。乾坤一擲。▼乾坤は、天地。〔唐、韓愈、過₌鴻溝₋詩〕

【一徹】イッテツ [国]がんこ。ひとすじに思いこむ。

【一△轍】イッテツ ①前に通った車とわだち(車の跡)を同じにする。 ②同じ。相同じ。同じ一つの道。同じ結果を得ること。

【一天】イッテン ①そら全体。空一面。 ②天子。 ③一つの天。別天地。 ④[国]天が下全体。天下。「一天下」の略。

【一天四海】イッテンシカイ 空がおおうかぎりと四方の海の意で、天が下。世界じゅう。

【一天万(萬)乗(乘)】イッテンバンジョウ [国]天子。また、天子の位。周代の制度で、天子は有事に兵車一万台を出したから万乗という。万乗君。▼乗は、兵車の台数を数える語。

【一点(點)】イッテン ①一つの点。「一点一画」 ②(ぽつりとしたものの)一つ。「万緑叢中紅一点(青葉の中に赤い花一輪)」 ③すこし。わずか。

【一転(轉)】イッテン ①一度まわる。また、ひとまわり。 ②がらりとかわること。「心機一転」

【一伝(傳)】イチデン ①ひとたび伝わる。 ②直接に師匠から伝授を受けること。また、その伝授を受けた門人。直伝の弟子。↕再伝(一五八ページ中)・三伝(一九ページ下)。 ③一つの伝え。一つの書物。

【一途】[一]イット [同]一塗。 ①ひとすじのみち。また、一つの方法。 ②同じみち。また、同じ方法。[二]イチズ [国]ひとすじに。

【一刀】[一]イットウ ①ひとふりの刀。 ②ひとたち。ひときり。 ③漢代の貨幣の名。[二]イチのかたな [国]料理人が最初に切りおろす包丁。

【一刀三礼(禮)】イットウサンライ [仏]仏像を彫刻するとき、一刀を入れるたびに三度礼拝すること。

【一刀両(兩)断(斷)】イットウリョウダン ①ひとたちで物をまっぷたつにたちきる。 ②きっぱりと物事の処置をつける。

【一等親】イットウシン [国]親族を親疎によって分けた六等級(昔は五等級)の中の第一番目の親族。父母・養父母・子・養子をいう。今は一親等という。

【一統】イットウ ①一つにすべ合わせる。一主権のもとに合わせ治める。統一。 ②天下。 ③ひとすじ。また、一つの系統。一つの王朝。

【一頭】イットウ ①一つの頭。 ②動物などの一匹。特に牛についていう。 ③[国]烏帽子・かぶと・仮面などの一個。 ④碑などの一基。 ⑤[国]一同。全体。仲間。

【出₌一頭地₋】イットウチをいだす 頭一つ抜けでる。多くの人の中でひときわすぐれていること。〔宋史、蘇軾伝〕

【一堂】(イチドウ) ①一つの建物。一つの堂。②同じ建物。同じ堂。同じ会場。③建物の中の人全体。堂中の人残らず。満堂。

【一道】(イチドウ) ①一つの道。②同じ道。③一つの道理。④一つの方法。⑤(光や川などの)ひとすじ。「一道の光明」⑥文書・答案などの一通。

【一得】(イットク) 一つの利益。一つのとりえ。一徳。

【一入】[一](イチニュウ) 一度中へはいる。[二](ひとしお(ほ)) 布を染め汁の中へ一度ひたすこと。国いっそう。ひときわ。

【一如】(イチニョ) ①仏宇宙万有の真理はただ一つで平等無差別であること。②一つになって分かれていないこと。ただ一つであること。「物心一如」

【一人】(イチニン・イチジン) ①人ひとり。→独(7227)の使いわけ。②ある人。③天子。㋐天子の自称。㋑天子に対する尊称。多くの人の中の一員に過ぎない意。天下中でただ一人の人の意。④国政にあずかる人。大臣。

【一任】(イチニン) ①一度仕官する。また、一つの官職についている間。一つの任期。②すっかりまかせる。③ままよ。さもあらばあれ。

【一年之計在レ春】(イチネンのケイははるにあり) 一年の計画は年の初めに立てるがよい。陰暦では正月が春の初めの月なので「春に在り」という。用例〔月令広義、春令、授時〕一日之計在レ晨(イチニチのケイは、あしたにあり)、一年之計在レ春(イチネンのケイは、はるにあり)。⇩その日の計画は、朝のうちに立てるのがよく、一年の計画は、年の初めの春に立てるのがよい。

【一念】(イチネン) ①一つのおもい。また、ひとすじのおもい。深く思いつめた心。一心。②仏きわめて短い時間。一刹那(イッセツナ)。③国一声、仏の名を唱えること。

【一念通レ天】(イチネンテンにツウず) ただひとすじに心に念じはげんでゆけば、その思いが天に通じて、どんなことでもなしとげられる。

【一念発(發)起】(イチネンホッキ) ①仏今までの心をかえて、仏道信仰の心を起こす。②ある事を成しとげようと決心する。

【一波動則万(萬)波生】(イッパうごけばすなわ(は)ちバンパショウず) 一つの波が動くと、それにつれて数多くの波がおこってくる。小さいことも大きな影響を及ぼすに至ることのたとえ。

【一派】(イッパ) ①ひとすじの川の流れ。②川の一本の支流。③川のように細長く続いた物のひとむれ。たなびく煙などにいう。④主義・宗教・学芸などの一つの流派。また、それに属する一団の人々。⑤一つの仲間。一味。

【一杯】(イッパイ) ①一つのさかずき。②さかずきに盛った酒。また、酒。③さかずきなどの一つの器に盛った量。④国㋐満ちていること。十分にあること。㋑あるかぎり。ありったけ。「力一杯」㋒舟の一そうや、いかの一匹。㋓「一杯食う」は、だまされる。

【一敗塗レ地】(イッパイチにまみる) 完全に負けて二度と立ち上がることのできない状態をいう。戦いにさんざん打ち破られ、からだの内臓物まで泥まみれになる意。用例〔史記、高祖本紀〕今置レ将不レ善(いましょうをおくこと、よからずんば)、一敗塗レ地(イッパイチにまみれん)。⇩今、適任の者を将軍としなければ、大敗して二度と立ち上がれないだろう。

【一暴十寒】(イチバクジッカン) 一日暖めて十日冷やす。せっかく暖めても冷やす方が多ければ、暖めたことが全くむだになる意で、努力よりも怠ける方が多ければ、せっかくの努力が何の役にもたたないことの戒め。▼暴は曝で、日にさらして暖める、寒は冷やす意。用例〔孟子、告子上〕一日暴レ之(イチジツこれをあたため)、十日寒レ之(ジュウジツこれをひやす)。⇩一日だけ暖めて、十日間冷やす。

【一髪】(イッパツ) ①ひとすじのかみの毛。②青い山などがひとすじの髪の毛のように遠くかすかにつらなって見えるさま。用例〔北宋、蘇軾、澄邁駅通潮閣詩〕杳杳天低鶻没処(ヨウヨウとしてテンはひくくはやぶさのボッするところ)、青山一髪是中原(セイザンイッパツこれチュウゲン)。⇩はるかかなた、天が垂れて海に接するあたりにはやぶさの姿が消え、ほんのひとすじ連なる山こそわが故郷、中原の地。③きわめてわずかなこと。「危機一髪」「間一髪」

【一髪引二千鈞一】(イッパツセンキンをひく) 一本の髪の毛で千鈞もの重い物を引く意。微力できわめて危険なたとえ。▼一鈞は、三十斤。〔唐、韓愈、与二孟尚書一書〕

【一般】(イッパン) ①一様。同様。②すべて。③普通。↕特殊(九二四ジベー上)。

【一斑】(イッパン) ①一つのまだらぶち。豹(ヒョウ)の皮のまだらぶち一つ。②全体の中の一部分。→一斑評二全豹一(イッパンもてゼンピョウをヒョウす)。

【一斑評二全豹一】(イッパンもてゼンピョウをヒョウす) 豹(ヒョウ)の皮のまだらぶちの一つを見てその豹の毛皮全体のよしあしを品評することから、物事の一部分を見てその全体を批評することをいう。〔晋書、王献之伝〕

【一飯三吐レ哺】(イッパンにみたびホをはく) 一度の食事中に三度も口中に含んだ食物を吐き出す。周公旦(シュウコウタン)が賢人を求めるに熱心で、食事中に三度も箸(はし)をおいて客を迎えた故事。〔史記、魯周公世家〕

【一飯之恩】(イッパンのオン) 一度の食事をふるまわれた恩恵。わずかばかりのめぐみをいう。一飯の徳。

【一飯之頃】(イッパンのケイ) 一度の食事の間。わずかな時間をいう。しばらく。

【一飯之報】(イッパンのむくい) 一度の食事をふるまわれたくらいの、わずかなめぐみに恩返しすること。

【一臂】(イッピ) ①片方のひじ。片腕。②自分の片腕となる人。助けとなる人。

【一匹・一疋】(イッピキ) ①織物の長さ四丈をいう。②馬など、動物が一頭。③国㋐織物二反(タン)の称。㋑一人という意を強めていう俗語。「男一匹」㋒銭十文(モン)、または、二十五文。

【一筆】(イッピツ・ひとふで) ①一本のふで。②初めに一度墨をつけるだけで墨つぎせずに書くこと。③短い文章。また、短い手紙。④国㋐同じ筆づかい。一人の筆跡。㋑ひとくぎりの田畑・宅地の記録。

【一病息災】(イチビョウソクサイ) 持病の一つぐらいある人の方が、無病の人よりも体を大事にするので、かえって長生きすることができる。→息災(五二六ジベー中)。

【一品】[一](イッピン) ①ひとしな。一つの種類。②特にすぐれた品物。逸品。絶品。[二](イッポン) 国昔、親王の位階の最高の位。③役人の最高の位。[三](イチホン) 仏経文(キョウモン)中の一つの編。

【一貧一富乃知二交態一】(イッピンイップすなわ(は)ちコウタイをしる) 貧乏になったり富裕になったりすることによってその人の人づきあいの態度がわかる。一説に、一人が貧しく一人が富んでいる意、とする。用例〔史記、汲鄭伝賛〕一貴一賤交情乃見(イッキイッセンすなわ(は)ちあらわ(は)る)、一貧一富乃知二交態一(イッピンイップすなわ(は)ちコウタイをしる)。一死一生乃知二交情一(イッシイッセイすなわ(は)ちコウジョウ)。⇩貧富の違いによって世の人のつきあいの態度がわかる、身分の上下によって世の人の本当の情がわかる。

【一嚬一笑・一顰一笑】(イッピンイッショウ) 顔をしかめたり笑ったりする。ささいな表情をいう。〔韓非子、内儲説上〕

【一夫】(イップ) ①一人の男性。②一人のおっと。「一夫一婦」③心のいやしい男性。▼夫は、一人前の男性。

【一部】(イチブ) ①全体の中のある部分。②楽器などのひとくみ。③書物のひとそろい。また、一冊の書物。

【一部始終】(イチブシジュウ) ①一部の書物の初めから終わりまで。②物事の初めから終わりまで。全部。

【一封】(イップウ) ①一通の上奏文。また、一通の手紙。用例〔唐、韓愈、左遷至二藍関一示二姪孫湘一詩〕一封朝奏九重天(イップウあしたにソウす、キュウチョウのテン)、夕貶二潮州一路八千(ゆう(ふ)べにチョウシュウにへんせらる、みちハッセン)。⇩一通の上奏文を、朝、九重の御殿においでになる天子に奉ったところ、夕方には、遠く潮州へ左遷されることになった。②ひとつつみ。「金一封」

【一服】(イップク) ①飲み薬一回分の量。②薬・茶・たばこなどを一回飲むこと。③国㋐ひとやすみ。㋑毒薬ひとつまみ。

【一物】[一](イチブツ) ①一つのもの。一つの品物。②一事。また、一件。[二](イチモツ) 国①一つのたくらみ。一つのよくない計画。

②金銭の隠語。③男根の隠語。

【一△碧】見渡すかぎりみどり一色であること。

【一△碧万(萬)頃】湖や海の水が青一色で広々とたたえている形容。▼一頃は、宋代には約五六六アール。[用例]〔北宋、范仲淹、岳陽楼記〕上下天光、一碧万頃。↓空にも水にも光が満ちあふれて、青一色の水面が広々と続いている。

【一別】別れること。[用例]〔唐、白居易、長恨歌〕含レ情凝レ睇謝二君王一、一別音容両渺茫。↓思いをこめ、ひとみを凝らして天子にお礼を申しあげ言った、「お別れして以来、お声もお姿もともにはるかに遠い世界のものとなりました」。

【一△瞥】ちらりと見る。ひとめ見る。

【一片】①ひとひら。ひときれ。②ひとつ。[用例]〔唐、李白、子夜呉歌〕長安一片月、万戸擣レ衣声。↓長安の夜空に月ひとつ、あちらこちらの多くの家から聞こえる、きぬたで布を打つ音。③一面。あたり一帯。

【一変(變)】①ひとたびかわる。②すっかりかわる。

【一遍】①一度。一回。②国鎌倉時代の僧。時宗の開祖。諸国を行脚し衆生の救済につとめ、遊行上人といわれた。(一二三九―一二八九)

【一辺(邊)倒】もっぱらある方向にかたよること。第二次大戦後、毛沢東の論文から出た語といわれる。

【一歩高二一歩一】一歩一歩、着実に向上することをいう。〔通俗編、祝誦〕

【一△抔土】①ひとつかみの土。わずかばかりの土。②はか。墳墓。

【一△篷】①一つの舟のとま。▼篷は、とまで、すげやかやを編んで作り舟をおおうに用いる。②一そうの小舟。

【一望】[一]いちどに見渡す。見渡すかぎり。[用例]〔唐、孟浩然、送三杜十四之二江南一詩〕日暮孤舟何処泊、天涯一望断二人腸一。↓友を送り、夕暮れになって思う。友の乗る小舟は今ごろどこに停まっているだろう。はるか天のはてを眺めては、別れのつらさにはらわたもちぎれんばかりだ。[二]国一つののぞみ。また、ただ一つの希望。

【一本△槍】国①槍ひとつきで勝負をきめること。②ただ一つの得意のわざ。③一つの方法でむりやりにおし通すこと。一点張り。

【一抹】①筆ひとはけ。ひとなすり。②ちょっと。わずか。多少。「一抹の不安」

【一味】①一つのあじ。また、あじわいが一様であること。②一品だけの質素な料理。③もっぱら。ひたすら。④仏如来の教えが、説き方はさまざまであってもその本旨はただ一つであること。⑤国仲間。味方。「一味徒党」

【一脈】ひとすじ。ひとつづき。

【一脈相通】国ひとすじの連絡がある。また、少し似た点がある。

【一名】①またの名。別名。②官吏登用試験に一番で及第した人。③人ひとり。一人。

【一命】①人ひとりの生命。いのち。②はじめて正式の役人となること。周代には役人に一命から九命までの等級があった。

【一面】①一つの方向。一方。②いちど顔を合わせる。一度面会する。③ちょっと顔を見るくらいの短い時間。④国㋐全体。総体。あまねく。「空一面」㋑碁盤・鏡・硯・すずなど平たい物の一つ。

【一面識】一度会って顔を見知っていること。

【一毛】一本の毛。きわめて軽いもの。きわめてわずかなもののたとえ。一毫。[用例]〔列子、湯問〕以二残年余力一、曾不レ能レ毀二山之一毛一。↓老い先短いあなたの力では、山の一本の草でさえ取り除くことなどできはしない。

【一毛作】同じ田畑で年に一回作物を作る耕作のしかた。↔二毛作(五六ジ上)。

【一毛不抜】他人のためには一本の毛をぬくこともしない意で、極端に利己的なこと。また、極端にけちなことのたとえ。→抜二一毛一利二天下一、不レ為。

【抜二一毛一利二天下一、不レ為(爲)】一本の毛を抜くほどのわずかな犠牲をはらえば世の中のためになることができても、それをなさず、自分の利益だけを図って他人のことはなに一つ考えないことのたとえで、楊朱の利己主義をいったことば。〔孟子、尽心上〕

【一網打尽(盡)】ひとあみうって魚をとりつくすこと。転じて、一味徒党の者を一度に捕らえつくすこと。〔宋史、范純仁伝〕

【一目】[一]①一つの目。片方の目。②一度見る。ちょっと見る。一見。ひとめ。↓一目瞭然。③網の目の一つ。④全体の一小部分。⑤碁盤に引いた目の一つ。また、その目に打った一個の碁石。[二]国ひとめですべて見渡せること。「一目千本」

【一目十行】ひとめで十行の文を読む。読書力がすぐれていること。

【一目瞭然】ひとめ見ただけではっきりわかること。▼瞭然は、あきらかなさま。

【一△沐三握レ髪】一度髪を洗う間にも、三度もそれを中止して髪を握ったまま訪問者に面会する。賢明な君主が賢臣を求めるに熱心なさま。「捉レ髪」ともいう。〔韓詩外伝、三〕

【一門】①一つの門。②同じ身うち。同一家族。一族。③同一類。④一つの流派。一派。⑤同じ流派。また、それに属する人。同じ師の門下。⑥同じ法門(仏教の宗派)の人。⑦大砲などの一つ。

【一躍】①一度とびあがること。ひととび。②いっそくとびにとび上がること。③低い地位から高い地位へ順序をふまずに飛びこえて出世すること。

【一遊一予(豫)】一度のあそびと一度のたのしみ。▼予は、楽しみ。〔孟子、梁恵王下〕

【一葉】①一枚の木の葉。ひとは。②一そうの小舟のたとえ。「一葉の軽舟」③書物の紙などの一枚。

【一葉落知二天下秋一】梧桐は、立秋には早くも落葉するが、そのひと葉の落ちるのを見て、秋のおとずれを知る。わずかなきざしを見て、後に来る凋落の時を予知するたとえ。『淮南子』説山訓に「見二一葉落一、而知二歳之将レ暮」とあるのに基づく。〔北宋、唐庚、文録〕

【一陽来(來)復】①易で、陰暦十月に陰気のさかりが極点に達し、十一月の冬至になって、初めて陽気が少しばかり生じてくることをいう。なお、易では十一月は復の卦で、陽気がわずかに回復してくる意。②冬が過ぎ去って春の季節が帰ってくること。③苦しい時期が過ぎて運が開けはじめてくること。④新年。⑤冬至。

【一翼】①一つのつばさ。②国一つの持ち場・役割。「一翼を担う」

【一落千丈】高い所からはるかな下に一気に落ちる。また、相場の暴落にもいう。

【一覧(覽)】①一度見る。②ひととおり目を通す。③ひとめに見渡す。④種々の事項をちょっと見ただけで状況がわかるように作った表。「一覧表」の略。

【一利一害】利益もあるが害もある。利益と害とが相半ばすること。一得一失。

【一理】①一つの道理。一義。②同一の道理。③ただ一つの本体。天地・万物の根源に存在する唯一の本体。

【一律】①一つの音律。②同じ調子。一本調子。単調で変化のないこと。「千篇一律」③一つの法律・法則。④一様。全部。

【一流】①一つの流儀。②他と異なる特別の流儀。③同類。④最上級。第一位。

【一粒万(萬)倍】①一つぶのもみをまけばそれが万倍の米となる意で、少しのものもそれがもとで多くの数に増えるたとえ。また、一つの善行が多くのよい結果を生むたとえ。②稲の別称。

【一力】①一人の下働きの男性。下僕。②力を合わせる。協力。③わずかな力。一人の力。

【一輪】①一つの車輪。②日・月についていう語。「一輪紅日」③明月をいう。④ひとめぐり。一交替。⑤国一つの花。また、花の一枝。「一輪挿し」

【一縷】①ひとすじの糸。②わずかなつながり。絶えようとしてわずかにつながっているさま。「一縷の望み」

【一蓮托生】①仏現世で念仏をとなえれば、死後、ともに極楽浄土に生まれかわり、同じ一つのはすの花の上に身を託することができるという。②国仲間の者たちがその行動・運命を共にすること。

【一路】①ひとすじのみち。また単に、みち。②旅のみち。道中。③一つの手段。一つの方法。④仏さとりに行きつく一つのみち。

【一路平安】道中がご無事であるようにとの意で、旅立つ人を見送るときのあいさつのことば。

【一臘】仏①「一法臘」の略。臘は、僧が得度して以後の年数を数える語。一年。僧は毎年、陰暦四月十六日から七月十五日に至る一夏九十日間の修道をし、それを終えて庵室を出るのを、俗人が十二月末に臘の祭りを終えて新年を迎えるのにたとえていう。②人が生まれてから七日め。↔忌(3478)。

【以一警百】一人を罰することによって衆人の戒めとする。一罰百戒。また、小事を戒めることによって他の多くの大事の戒めとする。〔漢書、尹翁帰伝〕

【挙(擧)一反三】四すみある物の一すみをあげて教えるとそれから類推して他の三すみを察知する。才知のすぐれていることのたとえ。『論語』述而編に「挙一隅不以三隅反、則不復也」とあるのに基づく。

【執一】同執一。①一つのことに執着する。②まこと(誠一)の道をかたくとりまもる。

【知一不知二】ものごとの一面だけを知って他の面を知らない。〔荘子、天地〕

【不値一銭(錢)】一文の価値もない。無能の人をあざけっていう。▼値は、直とも書く。

【聞一知十】一つのことを聞くと、十のことをさとり知る。ものごとの一端を聞くとそのことの全部をさとり知る。才知のきわめてすぐれていることのたとえ。〔論語、公冶長〕

【聞一知二】一つのことを聞くと二つのことをさとり知る。また、ものごとの一面を聞くとその裏面までもさとり知る。才知のすぐれているたとえ。〔論語、公冶長〕

【抱一】道をいだき守る。抱一。▼一は、老子の道をいう。用例〔老子、十〕抱一能無離乎。道を守り離れることがない。

【報一矢】一本の矢を射かえす。敵から受けた攻撃に対していささかしかえしをする。他人の反対論に対して言いかえしてやりこめること。

1【丁】2画 2 カ 下(8)の本字。↓二ジー中。 一 一 1603

1【丂】2画 3 コウ(カウ) 皓 kǎo ₂0102 一 1601

字義 蒸気が伸びようとして妨げられる。

解字 象形。柄の曲がった彫刻刀の形にかたどる。丂を音符に含む形声文字に、朽・考・孝などがあり、これらの漢字は、「まがる」の意味を共有している。

1【ナ】2画 4 サ 屮(2826)と同字。↓四三ジー下。

1【七】2画 5 教1 シチ なな・なな-つ・なの 熟字訓 七夕 漢シツ・呉シチ 質 qī 2823 8EB5 一

筆順 一七

字義 ❶なな-つ。なな。な。数の名。❷なな-たび。七度。また、幾度も。国なな-つ。寅の刻(午前四時)、また、申の刻(午後四時)。

名前 かず・しち・な・なな 難読 七久保・七五三・七五三縄・七五三飯・七七五分・七種・七生・七竈・七葉樹

参考 金銭の記載などには、文字の改変を防ぐため、〔柒〕(5315)・〔漆〕(6635)の字を用いることがある。

解字 甲骨文  篆文  指事。甲骨文は、縦横に切りつけたさまから、きるの意味を表す。七を音符に含む形声文字に、切・叱などがある。字。借りて、数のななつの意味を示す。切の原

【七音】①音楽の音階をなす七種の音調。宮・商・角・徴・羽の五音と変宮・変徴。七律。②人が口から発する七種の音声。脣音・舌音・牙音・歯音・喉音・半舌音・半歯音。

【七去】古代、妻を離縁し得る七つの条件。父母に従順でない・子供がない・品行がみだら・ねたみ深い・悪い病気がある・おしゃべり・盗みをする、の七つ。妻がこの条件のどれかに当たれば、夫はその妻を離縁してよいとされた。七出。〔大戴礼、本命〕

【七教】①父子・兄弟・夫婦・君臣・長幼・朋友・賓客の七つについての教え。〔礼記、王制〕②民を治める上に大切な、七つの教え。老人を敬う・年長者を尊ぶ・施しを楽しむ・賢者に親しむ・徳を好む・貪欲をにくむ・へりくだり譲る、の七つ。〔大戴礼、主言〕

【七竅】七つのあな。▼竅は、あな。㋐人の頭部にある七つの穴。耳・目・鼻と口。用例〔荘子、応帝王〕人皆有七竅、以視聴食息。人間にはみな、七つの穴があり、それで、見たり聞いたり食べたり呼吸をしたりしている。㋑聖人の胸にあるという七つの穴。殷の紂王の暴虐を忠臣の比干がいさめたとき、王は、聖人の胸には七竅があると聞いたが実際に調べてみようと、比干を殺したという。〔史記、殷本紀〕

【七経(經)】七種の経書。㋐詩・書・礼・楽・易・春秋・論語。㋑書・詩・三礼・公羊伝・論語。㋒易・詩・書・春秋・三礼。その他、諸説がある。

【七賢】七人の賢人。㋐周代の七賢。伯夷・叔斉・虞仲・夷逸・朱張・柳下恵・少連。㋑魏・晋の、竹林の七賢。阮籍・嵆康・山濤・向秀・劉伶・阮咸・王戎。竹林の七遊ともいう。

【七弦琴・七絃琴】琴の一種。宮・商・角・徴・羽・少宮・少商の七本の弦がある。七弦。七糸。

【七五三】国①祝儀に用いる、めでたい数。三・五・七はいずれも奇数、すなわち陽数で、陽は万物を生成させると考えられた。②「七五三の祝い」の略。数え年で、男子は三歳と五歳、女子は三歳と七歳に当たる年の十一月十五日に子どもの成長を祝う行事。晴れ着をきせ、氏神に参拝する。③一の膳(本膳)七品、二の膳五品、三の膳三品を供える盛んなごちそう。国「七五三縄」の略。神前や神事の場所などに引き渡して、清浄な地域を区画するに用いるなわ。注連。

【七香車】種々の香木で作った、かぐわしく美しい車。

【七国(國)】①戦国時代の七つの強国。秦・燕・斉・楚・韓・魏・趙。戦国の七雄。②漢の景帝の時の七国。呉・楚・趙・膠西・済南・菑川・膠東。

【七言】漢詩の、一句が七字から成るもので、七言古詩・七言絶句・七言律詩・七言排律の別がある。七言詩。⇩コラム 漢詩(八六六ページ)。

【七言古詩】漢詩の一体。一句が七字から成り、句数に制限がない。略して、七言古・七古ともいう。→古詩(三三九ページ下)。

【七言絶句】漢詩の一体。七字の句四句、すなわち二十八字から成るもの。平起こり・仄起こりの二種があり、第一・二・四句の末の字に韻をふむのが原則である。略して、七絶ともいう。→絶句(一一三ページ上)。

【七言排律】漢詩の一体。一句七字から成る対句を、六句以上、偶数に排列した長編の詩。→排律(六〇三ページ上)。

【七言律詩】漢詩の一体。七字の句八句、すなわち五十六字から成るもの。第三句と第四句、第五句と第六句とがそれぞれ対句をなし、第一・二・四・六・八句の末の字に韻をふむのが原則である。略して、七言律・七律ともいう。→律詩(五〇六ページ上)。

【七七日】仏人の死亡の日から数えて四十九日の間。また、その四十九日目。この間は、死者の魂が迷って成仏しないとされ、七日目ごとに供養して冥福を祈る。七七ともいう。

【七種】=七草。

【七十子】=七十二弟子。▼七十は、大体の数。

【七十△而従(従)二心所一レ欲不△踰△矩】七十歳になると自分の望むままに行動しても、道徳からはずれることがなくなる。孔子の言葉。このことから七十歳を「従心」という。用例〔論語、為政〕六十而耳順、七十而従二心所一レ欲不レ踰レ矩。↓六十歳になると何を聞いても素直に受け入れられ、七十歳になると自分の望むままに行動しても、道徳からはずれることがなくなった。

【七十二候】陰暦で、自然現象に基づく七十二の季節の区分。五日を一候、三候を一気、二気・六候を一月とし、二十四気・七十二候を一年とする。

【七十二弟子】孔子の弟子の中ですぐれたもの、七十二人をいう。

【七宿】七つの星宿。東西南北の四方にそれぞれ七宿があり、合わせて二十八宿。▼宿は、星座。

【七出】=七去。

【七書】代表的な七つの兵法書。孫子・呉子・司馬法・尉繚子・六韜・三略・李衛公問対。武経七書。

【七生】仏七たび(何度も)生まれかわる。

【七生報国(國)】国何度もこの世に生まれかわって国の恩に報いる。『日本外史』の新田氏前記、楠氏編に「願七生二人間一、以殺二国賊一」とあるのに基づく。

【七縦(縱)七△擒】敵を七たびにがしてやって七たびとりこにする。兵法にたくみで、敵を自分の思いのままにすること。三国時代、蜀の諸葛亮が孟獲と戦い、これをとりこにしたり、にがしてやったりした故事による。〔三国志、蜀志、諸葛亮伝、注〕

【七情】①人間のもつ、七種類の感情。喜・怒・哀(かなしみ)・懼(おそれ)・愛・悪(にくしみ)・欲。〔礼記、礼運〕②仏喜・怒・憂・懼・愛・悪・欲。

【七政】①日・月と木星・火星・土星・金星・水星の五星。②=七星①。③天・地・人と、春・夏・秋・冬。

【七星】①北斗七星。七政。②二十八宿の一つ。南方の、朱雀七宿の一つ。七つの星から成る。③七つの星のようなあざ。④竹製の楽器の名。

【七夕】七月七日の夜。また、その夜のまつり。五節句の一つ。この夜、牽牛(ひこぼし)と織女(たなばたつめ)の二つの星が天の川を渡って一年に一度だけ会うという伝説に基づいて、葉竹を立て、針と絹糸・果物などを供えて二星を祭り、裁縫などの技芸の上達を祈る。棚機。⇩コラム 年中行事(四六五ページ)。

【七尺】①七尺(現在の約一五七センチ)のせたけ。②一人まえの男性・大人。また、二十歳をいう。

【七尺去不レ踏二師影一】弟子はよく師(先生)を敬い、師のお供をするときにも、七尺(おとなのせたけ)ぐらい後ろにさがって、その影をふまぬよう心がけよとのいましめ。『童子教』に「弟子去二七尺一、師影不レ可レ踏」とあるのに基づく。

【七絶】「七言絶句」の略。

【七草】同七種。国①春の七種の菜。芹・薺・御形・繁蔞・仏座・菘・蘿蔔の称。その年の邪気を払い、万病を除くとして正月七日に、古くは羹に作り、後世は粥にたきこんでこれを食べた。②秋に咲く七種の草花。萩・桔梗・葛・藤袴・女郎花・尾花・撫子。また、桔梗を除いて朝顔を加える。

【七大】仏万物を生成させる七つの根元。地・水・火・風・空・識・根の七つ。▼大は、大種ともいい、存在の根元。

【七大寺】国奈良にある七つの大寺。東大寺・興福寺・西大寺・元興寺・大安寺・薬師寺・法隆寺。

【七珍】=七宝一。

【七転(轉)八起】国何度ころげてもその度ごとにおきあがる。失敗を重ねても屈せず、立ち上がること。

【七転(轉)八倒】国=七顛八倒一。

【七△顛八倒】一何度もころがりたおれる。世の中の非常に乱れるさま。一何度もくつがえりたおれる。苦痛にたえず、ころげまわるさま。七転八倒。

【七堂】仏寺院に備わる七つの建物。普通には、金堂(本堂)・講堂・塔・経蔵・鐘楼・僧坊・食堂。禅宗では、山門・仏殿・法堂・庫裏(住居や台所)・僧堂・浴室・東司(便所)をいう。

【七堂△伽藍】仏七堂のそろった、りっぱな寺。▼伽藍は、梵語で、僧が住んで仏道を修業する所、寺の意。

【七道具】国①武士が戦場で使う七つの道具。具足・刀・太刀・弓・矢・母衣・かぶと。その他、諸説がある。②常に持ち歩く一組の道具。

【七徳】武力が有する七つの徳。暴を禁ずる・兵を戢める・大を保つ・功を定める・民を安んずる・衆を和する・財を豊かにする。唐の太宗の七徳の舞は、これに基づいた舞曲。

【七難】①仏七種類のわざわい。『法華経』では、火・水・羅刹・刀杖・鬼・枷鎖・怨賊の七災難。②国人の顔つきなどについていう、七つの欠点。

【七福神】国俗に福徳の神と称される七はしらの神。大黒天・恵比須・毘沙門天・弁財天・布袋・福禄寿・寿老人。

【七歩才】すぐれた作詩の才能をいう。三国時代、魏の曹操の子、曹植が、兄の曹丕(文帝)にその才をねたまれ、七歩あるく間に詩を作れと命じられて、たちどころに作った故事による。〔世説新語、文学〕

【七宝(寶)】一七種類のたから。金・銀・瑠璃・硨磲・瑪瑙・琥珀・珊瑚。その他、諸説がある。七珍。二国「七宝焼」の略。琺瑯を用いて花鳥・人物などの絵模様をその表面に焼きだした銅器、また、陶器。

【七雄】=七国①。

【七曜】①日(太陽)・月(太陰)と火星・水星・木星・金星・土星。②この七曜を一週七日に配当した称。七曜日。③七曜星は、(仏教・陰陽道でいう)北斗七星。

【七律】①=七音①。②「七言律詩」の略。

【七略】書名。前漢の劉歆の編。前漢時代の書籍分類目録。

1【丄】 2画 6 **ジョウ** 上(11)の本字。→三ページ下。 ― ― 1602

1【丁】 2画 7 教3 **チョウ・テイ**
一 漢テイ・呉チョウ(チャウ) 青 dīng
二 漢トウ(タウ)・呉チョウ(チャウ) 庚 zhēng
3590 929A ―

筆順 一 丁

字義 一 ❶ひのと。十干の四番目。五行では火にあて、方位は南にあてる。❷つよい。さかん。「丁強」❸壮年の男性。働きざかりの男性。満二十歳。唐の制度では、満二十歳から五十九歳まで。「壮丁」❹よぼろ。よほろ。公用の労働に徴発された男性。「丁役」❺しもべ。❻あたる。であう。「丁憂」❼丁寧は、ねんごろな形容。二 ❶木をきる音などの形容。❷鳥やその声の勢いのさかんな形容。国 ❶チョウ。㋐町(7607)の略字。㋙まち。㋑距離の単位。六十間(約一〇九メートル)。㋐さいころの目などで二で割り切れる数。偶数。↔半(1163)。㋒書物の紙数や豆腐・料理・飲食物などを数える語。「丁数」❷国名。丁抹の略。

名前 あたる・あつ・つよし・のり・ようろう・よぼろ・よろい

難読 丁翁・丁岳・丁嶽・丁幾・丁髷・丁抹・丁野

参考 現代表記では〔挺・釘・幀・鄭・叮・牒〕の書きかえに用いることがある。「一挺→一丁」「装釘→装丁」「装幀→装丁」「鄭重→丁重」「叮嚀→丁寧」「符牒→符丁」

解字 甲骨文  金文  篆文  **象形**。甲骨文・金文は、釘の頭を上から見た形に、篆文は横から見た形にかたどり、くぎの意味を表す。借りて、十干の第四位、ひのとの意味に用いる。丁を音符に含む形声文字に、釘・頂・町・汀・訂などがあり、これらの漢字は、すべて「安定する」の意味を共有している。

逆 役丁・園丁・仕丁・使丁・壮丁・装丁・馬丁・落丁

【丁役】テイエキ 成年の男性に課せられる力役や兵役。
【丁△艱】テイカン 父母の喪にあう。父の喪を外艱、母の喪を内艱といい、その喪にあうのを、それぞれ、丁外艱、丁内艱という。丁憂。▼丁は、であう意。
【丁強】テイキョウ つよくさかん。また、つよくさかんな人。
【丁銀】一 テイギン 丁年に達した男性に課する税。二 チョウギン 国 江戸時代の銀貨の名。
【丁口】テイコウ ①壮年の男性。働きざかりの男性。②人民。二十歳以上の男性を丁、女性と未成年の男性を口という。
【丁香】テイコウ・チョウコウ 香木の名。ちょうじ。フトモモ科の常緑高木。熱帯地方に産する。実を丁子といい、香料・薬用に供する。
【丁香結】テイコウケツ 丁香(ちょうじ)のつぼみ。気がふさがり、解けないたとえ。
【丁子】一 テイシ おたまじゃくし。二 チョウジ 丁香。また、その実。
【無丁字】テイジなし ＝不識一丁字(イッテイジをしらず)(六ページ中)。
【丁女】テイジョ 年ざかりの女性。働きざかりの女性。
【丁数(數)】チョウスウ 国 ①二で割り切れる数。偶数。②書物の紙数。特に和とじ本で、表裏二ページを一丁という。
【丁壮(壯)】テイソウ ①つよくさかん。②一人まえの男性。血気さかんな働きざかりの人。壮丁。丁男。丁夫。
【丁男】テイダン ＝丁壮②。
【丁稚】一 テイチ 若者。青年。▼稚は、わかい。二 デッチ 国 職人または商人の家に年季奉公をする年少者。
【丁重】テイチョウ 国 礼儀正しく、丁寧なこと。鄭重の書きかえ。
【丁丁】一 トウトウ ①物の音の形容。㋐斧で木をきる音。杙を打つ音。㋑碁をうつ音。㋒帯にさげた飾り玉の触れあう音。㋓琵琶をひく音。㋔雨の降る音。㋕水時計の音。②鳥の鳴き声。二 チョウチョウ 国 物を続けて打つ音。
【丁冬・丁東】トウトウ ＝丁当。
【丁当(當)・丁△璫】トウトウ・テイトウ ①帯にさげた飾り玉など、玉石のふれあう音の形容。②風鈴やかんざしなど、金属製のもののふれあう音の形容。
【丁寧】テイネイ ①細かに注意がゆきとどいていること。叮嚀の書きかえ。②ねんごろに頼む。よくよく言いふくめる。③ねんごろなさま。懇切。
【丁年】テイネン 一人まえの年齢。満二十歳。成年。
【丁半】チョウハン 国 ①偶数と奇数。特にすごろくのさいの目の偶数と奇数。②さいを振ってその目の丁か半かをあて合うかけ勝負。
【丁夫】テイフ ＝丁壮②。
【丁憂】テイユウ ＝丁憂(うれえにあたる)(五三六ページ上)。
【丁零・丁令・丁霊(靈)】テイレイ 紀元前三～後五世紀に、モンゴル高原に住んでいた遊牧民族。匈奴に服属していたが、のち独立した。

2【下】 3画 8 教1 **カ・ゲ　した・しも・もと・さ-げる・さ-がる・くだ-る・くだ-す・くだ-さる・お-ろす・お-りる**
熟字訓 下手
一 漢カ・呉ゲ 馬 xià
二 漢カ・呉ゲ 禡 xià
唐ア
1828 89BA ―

筆順 一 丁 下　[丅] 2 本字

字義 一 ❶した。しも。↔上(11)。㋐位置が低いこと。低いところ。低い方。特に、天に対して、地。㋑あと。うしろ。時間・順序が後の方であること。「下巻」㋒身分・地位が低いこと。また、支配・指揮を受ける者。「臣下」㋓序列・等級が低いこと。また、価値・程度が劣っていること。「下品」「下愚」❷へりくだって自身をいう。「下官」❸もと。㋐末。ものの末端の方。物事・期間の終わりの方。転じて、行く末。㋑支配・影響のおよぶところ。㋒あたり。付近。ほとり。用例〔史記、項羽本紀〕項王軍在鴻門下、沛公軍在覇上、相去四十里。↓項羽の軍は鴻門に陣取り、沛公の軍は覇上に位置し、両者の距離は四十里であった。
二 ❶くだ-る。さ-がる。↔上(11)。㋐お-りる(降)。場所や程度の低い方へ行く。用例〔唐、李白、下終南山過斛斯山人宿置酒詩〕暮従碧山下、山月随人帰。↓暮れ方に深山を下ると、山上にかかった月も人についてやってきた。㋑(川などに沿って)行く。用例〔唐、李白、黄鶴楼送孟浩然之広陵詩〕故人西辞黄鶴楼、煙花三月下揚州。↓わが友は西の黄鶴楼に別れを告げ、かすみがたなびき花が咲く三月に揚州に下る。㋒去る。離れる。遠ざかる。㋓落ちる。用例〔史記、項羽本紀〕項王泣数行下。↓項王の涙が幾筋もおちた。㋔降伏する。降参する。用例〔史記、項羽本紀〕楚地皆降漢、独魯不下。↓(項王が死ぬと)楚の地はみな漢に降ったが、ただ魯だけは降伏しなかった。㋕へりくだる。用例〔史記、魏公子伝〕公子為人、仁而下士。↓公子の人柄は、思いやり深く、士にも謙虚に接した。㋖したまわる。足りない。数量や程度が及ばない。用例〔唐、韓愈、師説〕其下聖人也亦遠矣、而恥学於師。↓(いまの人々は)聖人に劣ること甚だしい。にもかかわらず師について学ぶことを恥じる。❷くだ-す。さ-げる。㋐お-ろす。下におろす。落とす。「投下」

㋑降伏させる。用例〔史記、淮陰侯伝〕掉㆓三寸之舌㆒、下㆓斉七十余城㆒。⇩弁舌をふるって、斉の七十余りの町を降した。㋒命令などを発する。「下命」㋓実行する。着手する。用例〔三国志、魏志、文帝紀評〕下㆑筆成㆑章。⇩筆を下ろすと文章ができた。
国❶しも。㋐川の下流。㋑人体のしり・陰部。❷くだ-る。くだ-す。下痢をする。❸くだ-さる。お与えになる。賜う。❹さ-げ。落語のおち。

名前 し・じ・した・しも・もと 難読 下高家(しもたけべ)・下山(にぎやま)・下枝(しずえ)・下松(くだまつ)・下条(げじょう)・下水流(しもつる)・下石(おろし)・下折(そそり)・下総(しもうさ)・下田(しもだ)・下日佐(しもおさ)・下濃(すそご)・下府(しもこう)・下米宮(あめのみや)・下名(おりな)・下唯野(しものゆいの)・下呂(げろ)・下和(したお)・下笹子(しもじねご)

使いわけ ①おりる・おろす〔降・下・卸〕⇩降(13086)。②さげる〔提・下〕⇩提(4319)。③もと〔元・本・基・下〕⇩元(681)。

解字 甲骨文 金文 古文 篆文 指事。甲骨文・金文・古文は、基準線の下に短い横線を、篆文は、基準線の下に縦線を書き、したの意味を表す。

逆 雨下・閣下・管下・旗下・机下・貴下・却下・脚下・郡下・月下・言下・降下・高下・傘下・時下・上下・城下・宣下・泉下・足下・地下・直下・沈下・低下・天下・殿下・灯下・配下・幕下・卑下・陛下・放下・目下・門下

【下△帷】カイ =下㆑帷(イをくだす)(四六八ジベ-中)。
【下院】カイン ①末寺。②二院制の国会の一院。日本の衆議院にあたる。↕上院(三二ジベ-中)。
【下陰】カイン 地下にある陰気。↕上陽(三四ジベ-中)。
【下下】カカ・ゲゲ 最下等。下の下。[二]したじた・しもじも 国官に対して、一般庶民をいう。
【下嫁】カカ 皇女または王女が臣下にとつぐこと。降嫁。
【下界】ゲカイ・カカイ 人間の住む所。人間界。↕上界(三三ジベ-中)。
【下学(學)上達】カガクジョウタツ 手近な所から学んで、後に高遠な真理に達する。用例〔論語、憲問〕不㆑怨㆑天不㆑尤㆑人、下学上達。⇩天をうらみもせず人をとがめもせず、手近な所から学んで高遠な真理に達する。
【下官】カカン・ゲカン ①地位の低い官吏。属官。②官吏の謙称。
【下△浣・下△澣】カカン・ゲカン =下旬。↕上浣(三三ジベ-中)。
【下△瞰】カカン 下を見おろす。下視。▼瞰は、見おろす。
【下愚】カグ ①非常におろかな人。用例〔論語、陽貨〕唯上知与㆓下愚㆒不㆑移。⇩生まれながらにして道を知っている者と、学ぼうとしない者とは、変わりようがない。②自己の謙称。
【下計】カケイ へたなはかりごと。↕上計(三三ジベ-下)。
【下元】カゲン ①陰暦の十月十五日。この日は朝早く祖先を祭る。↕上元(三三ジベ-下)・中元(三六ジベ-中)。②古代医学で腎部をいう。
【下弦】カゲン 満月をすぎてから、次の新月までの間、陰暦の二十二・三日ごろの半円の月。しもつゆみはり。↕上弦(三三ジベ-下)。
【下戸】カコ・ゲコ ①貧民。②国酒の飲めない人。↕上戸(三三ジベ-下)。
【下午】カゴ 午後。↕上午(三三ジベ-下)。
【下交】カコウ ①目下の人とつきあう。②いやしい交際。
【下江】カコウ ①江をくだる。②長江の下流地方。また、特に江蘇省をいう。↕上江(三三ジベ-下)。
【下降】カコウ ①くだる。落ちる。降下。②皇女または王女が臣下にとつぐこと。下嫁。降嫁。
【下克上・下△剋上】ゲコクジョウ 下の地位のものが上のものをしのぐ。臣下が君主よりも勢いの強いこと。
【下国(國)】[一]カコク ①諸侯の国。②いなか。地方。③自国の謙称。④小国。[二]ゲコク 国①都から地方へ行く。②大宝令の制で、国の等級を四等に分けた最下等の国。
【下獄】カゴク・ゲゴク 牢屋・刑務所に入る。また、牢屋に入れる。入牢。入獄。
【下根】[一]カコン 下方にある根。[二]ゲコン 仏生まれつきおろかで、根性のおとっているもの。↕上根(三三ジベ-上)。
【下座・下△坐】ゲザ・ザ・しもざ ①しもざ。下位の座席。↕上座(三三ジベ-上)。②国㋐芝居の舞台で、客席から見て左手にあたる所。㋑囃子方(はやしかた)。㋒貴人に対して平伏する。
【下妻】カサイ 正妻以外の夫人。小妻。
【下剤(劑)】ゲザイ 通じをつける薬。くだし薬。
【下策】カサク・ゲサク へたなはかりごと。↕上策(三三ジベ-上)。
【下士】[一]カシ ①士(大夫の次に位する)の最下級のもの。昔、士は上士・中士・下士に分かれた。〔礼記、王制〕②おろかな男性。③国㋐身分の低い侍。㋑旧軍隊で、将校の下、兵卒の上の地位。下士官。陸軍では曹長・軍曹・伍長。[二]ゲシ 仏凡夫。
【下司】シ・ゲス 国①下役人。↕上司(三三ジベ-上)。②中世、荘園の役人。③=下衆。
【下肢】カシ あし。両足。脚部。↕上肢(三三ジベ-上)。
【下賜】カシ 高位の人からくだしたまわる。御下賜。
【下車】カシャ ①車からおりる。②官吏が初めて任地に至ること。
【下手】[一]カシュ・ゲシュ 手をくだす。自分でやる。[二]へた 国つたない。[三]した 国①人にへりくだる。人のしたにつく。↕上手(三三ジベ-上)。②すもうで、相手の腋の下に差した手。[四]しもて 国①したの方。しもの方。②舞台に向かって左の方。
【下手人】ゲシュニン 自分で手をくだして人を殺した犯人。
【下種】[一]カシュ たねをまく。[二]ゲス 国=下衆。
【下寿(壽)】カジュ 長命な人を上・中・下の三つに分けた最下の年齢。六十歳、または七十歳、八十歳ともいう。↓上寿(三三ジベ-中)。⇩コラム 年齢の別称(四六六ジベ)。
【下旬】ゲジュン 月の末の十日間。下浣・下澣。↕上旬(三三ジベ-中)。
【下△春】カショウ 夕ぐれ。太陽が沈むころ。
【下△殤】カショウ わかじに。八歳から十一歳までに死ぬもの。↓長殤(一四九三ジベ-中)。
【下乗(乘)】[一]カジョウ ①足ののろい馬。②下等の人のたとえ。[二]ゲジョウ ①仏小乗をいう。②乗り物からおりる。
【下情】[一]カジョウ ①しもじもの様子。人民の実情。また、人民の意志。②自分の気持ちの謙称。[二]アジョウ 仏=[一]②。
【下臣】カシン ①主君に対する家来の自称。②上大夫の自称。③しもじもの家来。身分の低い家来。
【下人】カジン・ゲニン ①身分の低い人。②召し使い。また、奴隷。③下土(下界)の人。天に対していう。
【下衆】スゲ 国①身分の低い人。また、使用人。下人。↕上衆(三三ジベ-中)。②心のいやしいこと。また、その人。
【下世】カセイ ①世を去る。死ぬこと。②後世。③下界。
【下世話】ゲセワ 国世間のうわさ。世間でよく口にすることば。
【下泉】カセン ①流れでる泉。②よみじ。黄泉。あの世。
【下△賤】ゲセン いやしい。また、身分の低い人。
【下走】カソウ 身分の低い走り使い。自分の謙称。
【下層(層)】カソウ ①下の階段。②下の階級。
【下足】ゲソク ①足ののろい馬。②身分の低い人。また、その人をののしっていうことば。③国ぬいだはきもの。また、「下足番」「下足料」の略。
【下大夫】カタイフ 大夫(卿の下、士の上)の三階級(上・中・下)の中の、下位の大夫。
【下体(體)】カタイ ①からだの下部。足。②植物の根や茎。③陰部をいう。
【下△腿】カタイ ひざから足首までの部分。すね。はぎ。
【下第】カダイ ①試験に落第する。②試験の成績がわるいもの。劣等生。
【下達】カタツ ①悪い方へおもむく。利欲の道に巧みなこと。

②上の人の意向を下の人によく伝えること。「上意下達」

【下地】[一](カチ) ①土地。地面。②下等な土地。やせ地。[二](したジ) 国①下準備。下ごしらえ。②醤油(ショウユ)の別名。

【下知】(ゲチ・ゲジ) 国①しもに知らせる。②号令する。命令する。③鎌倉・室町時代、裁判の判決、または判決文をいう。

【下直】[一](カチョク) 宮中での当直勤務が終わる。[二](ゲジキ) 国やすね。安価。

【下田】(カデン・ゲデン) ①地味の悪い田。↕上田(三四ページ上)。②山下の田。

【下土】(カド) ①下界。↕上天(三四ページ上)。②低い土地。③いなか。

【下奴】(カド) ①召し使い。しもべ。②自分の謙称。③人をののしっていう語。そやつ。

【下△榻】(カトウ) ①客を迎えること。後漢の陳蕃(チンパン)は、客の接待はきらいであったが、徐穉(ジョチ)だけには特に榻(腰かけ)を用意したという故事による。〔後漢書、陳蕃伝〕②宿泊する。

【下堂】[一](カドウ) 堂からおりる。堂から退く。[二](アドウ) 仏=[一]。

【下年】(カネン) ①次の年。来年。②後年。将来。③道家で、七十歳の人をいう。

【下馬】(ゲバ) ①馬からおりる。②官吏が任地に到着すること。③下等の馬。④国㋐乗り入れを禁ずること。㋑「下馬先(さき)」の略。〔貴人・社寺などに敬意を表し、その門前などで〕下馬すべき所。

【下馬評】(ゲバヒョウ) 国①下馬先(さき)で、主人を待っているともの者たちがしあう評判。②しろうとの批評。③世間のうわさや批評。

【下番】(カバン) 当番あけ。また、その日。↕上番(三四ページ中)。

【下△邳】(カヒ) 地名。今の江蘇(コウソ)省睢寧(スイネイ)県の西北。漢の張良が黄石公に出あって兵法の書を授けられた所。また韓信(カンシン)が楚王(ソオウ)となり都した所。

【下△婢】(カヒ) 女性の召し使い。

【下筆】(カヒツ) ①筆をおろす。詩文を作るのにいう。下レ筆(ふでをくだす)。②筆跡。

【下平】(カヒョウ) 平声の韻を上下二つに分けたものの一つ。

【下品】[一](カヒン) ①低い地位。②下等の品。[二](ゲボン) 仏極楽浄土に往生する九階級の人の中で、下の三階級にあたる下品上生・下品中生・下品下生の総称。[三](ゲヒン) 国人がらがいやしいこと。また、品のないこと。

【下付・下附】[一](カフ) ①下につく。[二](したづけ・したづけ) ②国役所から証明書・許可証などを出すこと。国手紙で相手に敬意を表すため、自分の署名の下につける、上・謹上・再拝・九拝などの語。

【下風】[一](カフウ) ①かざしも。かざした。②人の下位。人より低い身分。人の支配下。[二](あらし・おろし) 国山から吹きおろす風。[三](したかぜ) 国したを吹く風。

【下伏】[一](カフク) 夏の末。三伏中の末伏。→三伏(三〇ページ下)。[二](したぶし) 国物の下や陰にふすこと。下臥。

【下文】[一](カブン) 後にある文章。↕上文(三四ページ中)。[二](くだしぶみ) 国昔、役所から出した命令書。

【下方】[一](カホウ) ①したの方。②低い土地。③人間界。④下部が方形なこと。⑤南と西。陰気がきざす所であるからいう。[二](しもかた・しもつかた) 国昔、上流貴族に対して、それより身分の低い人の称。下民。

【下北面】(ゲホクメン) 国昔、院(上皇・法皇)の御所を警護した武士のうち、六位の人。

【下僕】(ゲボク) 男性の召し使い。

【下民】(カミン) しもじもの民。庶民。民衆。

【下命】(カメイ) ①命令をくだす。②命令。申しつけ。

【下問】(カモン) 自分より身分の低い人にたずねる。

【下野】[一](ゲヤ) 政権の地位にいた人が、その地位を去って隠退し、民間にくだること。▼野は、朝に対する語。[二](しもつけ) 国旧国名。今の栃木県。

【下△邑】(カユウ) ①国都以外の町。②辺地の町。

【下落】[一](カラク) 落着する。結末がつく。[二](ゲラク) 国物価などがさがること。

【下吏】(カリ) 身分の低い役人。下役人。

【下里】(カリ) ①死者の霊の集まる所。②むらざと。いなか。

【下△俚】(カリ) ①ひなびた歌曲。ひなうた。②いやしいこと。

【下流】(カリュウ) ①川しも。②低い方に流れる。③しもじもにおし及ぶ。④低い地位。また、品行のよくない人。

【下僚】(カリョウ) 身分の低い役人。下役(したヤク)。

【下郎】(ゲロウ) 国①しもべ。下僕。②人をののしっていうことば。

【下△﨟】(ゲロウ) ↕上﨟(三四ページ下)。①仏僧になって年数や修行の浅い人。②国㋐身分の低い女官。下﨟女房。㋑新参者。㋒官位の低い人。また、身分の低い人。

2 【丌】 3画 9 キ 図 ①jī ②qí 一一 1604

字義 ❶台。物をのせる台。❷其(736)の古字。

解字 象形。下に足の付いている台の象形。

2 【兀】 3画 (679) ゴツ 儿部。→一三七ページ上。

2 【三】 3画 10 教1 サン み・みっ・みっつ [一]サン 覃 sān 熟字訓 三味線(しゃみせん) [二]サン 勘 sàn 2716 8E4F 一

筆順 一 二 三

[弎] 3295 古字

字義 [一]❶みっつ。みっつ。み。数の名。用例〔論語、述而〕三人行必有二我師一焉(サンニンおこなえ(へ)ば、かならずわがシあり)。↓三人の人が同じ事を行えば、必ずその中には自分の師とすべき者がいる。❷みたび。三度。❸三つにする。三分する。三倍する。用例〔周礼、考工記、廬人〕凡兵無レ過レ三二其身一(およそヘイはそのみをサンにするにすぐることなし)。↓すべての武器は、その長さが身長の三倍を超えてはならない。❹=参(1261)。↓参考。[二]みたび。回数にかかわらず何度も。しばしば。たびたび。「再三」「三折レ肱(みたびひじ(ぢ)をお(を)る)」

名前 かず・こ・さ・ざ・さぶ・ざぶ・さむ・さん・ざん・そ・そう・ぞう・ただ・なお・み・みつ・みる

難読 三椏(みつまた)・三河(みかわ)・三厩(みんまや)・三階(みはし)・三角(みすま・みすみ・みます・みまが)・三角楓(とうかえで)・三毬打(さぎちょう)・三郷(さんごう・みさと)・三尻(みかじり)・三行半(みくだりはん)・三才山(みさやま)・三枝(さいぐさ・さえぐさ・さきぐさ・さぐさ・みえ)・三次(みよし)・三十(みそ)・三十一文字(みそひともじ)・三十日(みそか)・三従兄弟(みいとこ)・三従姉妹(みいとこ)・三松(みつまつ)・三篠(みささ)・三津(みと)・三宅(みやけ)・三潴(みずま)・三股(みつまた)・三朝(みささ)・三刀屋(みとや)・三百瀬(みおせ)・三布(みの)・三幅(みの)・三瓶(みかめ・さんべい)・三鞭酒(シャンパン・シャンペン)・三方一新(くつわ)・三木(みき)・三毛門(みけかど)・三門(みかど)・三稜草(みくり)・三郎坂(さかい)・三和土(たたき)

参考 金銭の記載などには、文字の改変を防ぐため、参(參)の字を用いることがある。

解字 甲骨文 三 篆文 三 古文 弎 指事。三本の横線で、数のみっつの意味を表す。

逆 再三・両三

【三悪(惡)】(サンアク) ①三つの悪いこと。暴・虐・頗(ハ)(よこしま)。②三人の悪人。③仏=三悪道。

【三悪(惡)道】(サンアクドウ・サンナクドウ・サンマクドウ) 仏悪行を行ったものが死後に行く三つの道。地獄道・餓鬼道・畜生道。三悪趣。三悪。

【三位】(サンイ・サンミ) ①国第三の位階。正(ショウ)三位または従(ジュ)三位の称。②キリスト教で、父(天帝)と子(キリスト)と聖霊との称。「三位一体」

【三畏】(サンイ) 君子のおそれ慎むべき三つのもの。天命・大人(才徳すぐれた、地位の高い人)・聖人の言。〔論語、季氏〕

【三韻】(サンイン) 六句の詩。一句おきに句末に三つの韻をふむので、三韻の詩は六句となる。

【三易】[一](サンエキ) 三種の易。夏(カ)・殷(イン)・周三代の易、すなわち連山・帰蔵・周易。[一] 文章を作る上の三つの法則。書いてあることを見やすく、文字を知りやすく、読みやすくすること。〔顔氏家訓、文章〕

【三益友】 自分の利益となる三種の友人。正しい人、誠実な人、見聞の広い人。〔論語、季氏〕↕三損友。

【三猿】 [国]それぞれ目・口・耳をふさいで、見ざる・言わざる・聞かざるを表す三匹の猿。

【三王】 中国古代の夏・殷・周三代の王朝を建てた聖王。夏の禹王、殷の湯王、周の文王、または武王(文王・武王を合わせていう場合もある)。

【三火】 [仏]三つの煩悩。貪(むさぼる)・瞋(いかる)・痴(情欲)。その苦しみがさかんなことを火にたとえていう。

【三河】 [一] ①河南・河東・河内(または河北)の地をいう。②黄河・淮河・洛河の三つの川をいう。[二] [国]旧国名。今の愛知県の東部。

【三夏】 ①夏三か月。孟夏(陰暦四月)・仲夏(陰暦五月)・季夏(陰暦六月)。②三度の夏をこすこと。三年たつこと。

【三家】 [一] ①春秋時代の魯の三公族。仲孫(=孟孫)・叔孫・季孫。ともに魯の桓公から出たので三桓ともいう。②晋の三家。韓・魏・趙。→三晋。[二] [国]江戸時代、徳川氏の三家。尾張家・紀州家・水戸家。

【三家詩】 漢代、斉・魯・韓の三家が伝えた『詩経』。斉詩は斉の轅固生、魯詩は魯の申培、韓詩は燕の韓嬰が伝えたもので、いずれも今文(当時通行の文字)で記していた。この三家詩に毛詩を加えて四家詩という。

【三戒】 三つのいましむべきこと。年少の色欲、壮年期の闘争、老年期の物欲。〔論語、季氏〕

【三△槐】 周代、朝廷に植えた三本の槐の木。三公がこれに向かって座ったことから、三公をいう。

【三界】 [仏]①一切の衆生が生死輪廻する三種の世界。欲界・色界・無色界。②過去・現在・未来。③この世。世界。

【三革】 ①甲・冑・盾の総称。②犀・兕(野牛の一種)・牛。③革命(辛酉の年)・革令(甲子の年)・革運(戊午の年)をいう。これらの年には、古来変事が起こるといわれ、改元などが行われた。

【三学(學)】 ①三つの学校。㋐唐代の国子学・太学・四門学。㋑宋代の外舎・内舎・上舎。㋒宋代の武学・太学・宗学。②[仏]僧の修めるべき三つの学問。戒学・定学・慧学。

【三官】 ①天子の三官。大司徒・大司馬・大司空。②諸侯の三官。司馬・司徒・司空。③漢代、銭を鋳造した均輸・鍾官・弁銅の三官。④耳・目・心。また、食(口)・視(目)・聴(耳)。⑤道家が信奉する神。天官・地官・水官。

【三△竿】 ①三本のさお。②さおを三本ついだほどの高さまで、日が高くのぼったさま。午前八時ころをいう。また、朝寝のたとえ。

【三△桓】 =三家[一]①。

【三△浣・三△澣】 ①月の上旬・中旬・下旬。浣・澣は、湯あみすること。唐代、官吏に十日ごとに、湯あみのために一日の休暇を賜ったことによる。②三たび衣服を洗う。唐の文宗が倹約を尊んで洗いふるしの着物をきた故事。

【三患】 三つの心配ごと。また、三つの苦しみ。㋐道を耳に聞くことのできないこと・道を学んでも実行できないこと・道を聞いても実際に学ぶことのできないこと。〔礼記、雑記下〕㋑心配の多いこと・仕事の多いこと・恥辱の多いこと。〔荘子、天地〕

【三寒四温】 冬とその前後に、三日ほど寒い日が続いた後、四日ぐらい暖かい日が続くこと。中国北部や朝鮮半島北部などに現れる現象。

【三関(關)】 三つの関所。㋐山西省の上党・壺口・石陘。㋑蜀(今の四川省)の陽平・江・白水。㋒明代、居庸・紫荊・倒馬を内三関といい、雁門・寧武・偏頭を外三関という。㋓[国]美濃の不破・越前の愛発(後、近江の逢坂)・または勢多・伊勢の鈴鹿。㋔[国]奥羽の三関。白河・勿来・念珠。

【三△諫】 三度いさめる。昔、臣下は三たび主君をいさめてきかれなければ官をやめて去り、人の子は三たび父をいさめてきかれなければ泣いて従ったという。〔礼記、曲礼下〕

【三韓】 ①古代、朝鮮半島の南半部に国を建てた馬韓・辰韓・弁韓。②また、高句麗・新羅・百済の総称。弁韓・辰韓・馬韓の地にあたる。(京畿道・全羅南道)・辰韓(慶尚北道)・弁韓(慶尚南道)の総称。

【三鑑】 三種のかがみ。銅を鏡とすれば衣冠を正し、古を鏡とすれば世の興亡を知り、人を鏡とすれば得失を知ることができる。唐の太宗のことば。▼鑑は、鏡。〔唐書、魏徴伝〕

【三季】 夏・殷・周三代の末世。

【三帰(歸)】 ①斉の管仲が大夫の身分を越え三か国から姓の違う三人の女性を妻に迎えたこと。三帰には諸説があり、台の名(または三つの邸宅)、あるいは地名ともいう。

〔論語、八佾〕②[仏]三宝(仏・法・僧)に帰依すること。

【三△跪九△叩】 清の敬礼法。三たびひざまずいて九たび拝する礼。三拝九叩。三跪九拝。

【三器】 ①国を治める三つの手段。号令・斧鉞(おの・まさかり。武器または刑具として用いる)・禄賞。②[国]=三種神器。

【三儀】 ①天・地・人。②礼を修めて志を立て、礼を行い身を修め、礼を修めるのに仁義によること。③赤道と冬至と夏至の三線をいう。

【三宮】 [一] ①諸侯の三夫人。夫人は後宮の女官で、天子は六宮。②天子・太后・皇后。③明堂(王の太廟で、政教を行った堂)・辟雍(太学)・霊台(天文台)。[二] [国]太皇太后宮・皇太后宮・皇后宮。三后。

【三峡(峽)】 長江三峡。瞿塘峡・巫峡・西陵峡の総称。長江上流の、重慶市奉節県の白帝城から、湖北省宜昌市の南津関までの一九三キロメートルの間にあり、その峡谷名については諸説がある。用例〔唐、李白、峨眉山月歌〕夜発二清渓一向二三峡一、思レ君不レ見下二渝州一 ↓夜半に清渓を船でたち三峡へと向かう。最後にもう一度だけ故郷の月を目にしておきたいと思うのだがかなわず、船は渝州へと下っていく。

【三教】 ①夏・殷・周三代の教え。夏の忠、殷の敬、周の文(文飾)。②儒教・仏教・道教。③[仏]仏一代の教法を三つに分けたもの。頓教・漸教・不定教、または円教。④[国]㋐神道・儒教・仏教。㋑神道・仏教・キリスト教。

【三教指帰(歸)】 [国]書名。弘法大師の著。二十四歳の時の作で、儒・仏・道の三教を比較して、その優劣を説き、仏教が最も優れたものであることを述べた書。以前の作の『聾瞽指帰』に手をいれたもの。

【三業】 [一] [国]料理屋・待合茶屋・芸者屋の三つの業者。[二] [仏]①身・口・意の三つのはたらき。②善業(よい結果をもたらすはたらき)・悪業(悪い結果をもたらすはたらき)・無記業(結果をもたらさないはたらき)。

【三曲】 [国]①琴・三味線・胡弓(または尺八)の三つの楽器。また、その合奏。②平安時代の琵琶の三秘曲、流泉・啄木・楊真操をいう。

【三極】 天・地・人の三つ。三才。▼極は、至極の意。〔易経、繫辞上〕

【三軍】 ①周代、大国の保有した軍隊。一軍は一万二千五百人。天子は六軍、諸侯の中で大国は三軍、次国は二軍、小国は一軍を保有した。②大軍。用例〔論語、述而〕子行三三軍一則誰与。↓もし先生が大軍を指揮する場合には、誰とともになさいますか。③国陸軍・海軍・空軍の総称。

【三軍可レ奪レ気(氣)】敵がいかに大軍でも、その敵軍の意気を取りひしいで、これに打ち勝つことができる。〔孫子、軍争〕

【三軍可レ奪レ帥】敵がいかに大軍勢でも〈全軍の心が一致していなければ〉、その総大将を奪い取ることができる。用例〔論語、子罕〕三軍可レ奪レ帥也、匹夫不レ可レ奪レ志也。↓敵がいかに大軍勢でも〈全軍の心が一致していなければ〉、その総大将を奪い取ることができるが、教養のない男でもその志が堅ければ、他人がそれを変えさせることはできない。

【三径(逕)】隠者の住まいの庭園をいう。漢の蔣詡が庭に三径〈三つの小道〉を作り、松・菊・竹を植えた故事に基づく。用例〔東晋、陶潜、帰去来辞〕三径就レ荒、松菊猶存。↓三本の小道は荒れはてようとしているが、松や菊はそれでもなお残っている。

【三計】三つのはかりごと。㋐一年・十年・終身のはかりごと。一年の計は穀物を植えること、十年の計は木を植えること、終身の計は人を植えること〈人材を集めて用いる意〉。〔管子、権修〕㋑国一日・一年・一生のはかりごと。

【三計塾】国安井衡〈息軒〉の私塾の名。一日の計は朝にあり、一年の計は春にあり、一生の計は少壮の時にある、という意から名づけられた。

【三経(經)】①天子が政治をするときの三つの綱領。心を正し、公平無私に施し、万民に生活の安定を得させること。②三つの経書。詩・書・易、または易・詩・春秋など、諸説がある。③唐代、経書を大経〈礼記・左伝〉、中経〈詩・周礼・儀礼〉、小経〈易・書・公羊伝・穀梁伝〉の三種に分けた。④詩の六義の内、風・雅・頌をいう。

【三卿】■一 周代、諸侯の司徒・司馬・司空。■二 国徳川将軍家の分家で、田安・一橋・清水の三家。

【三傑】三人のすぐれた人物。㋐前漢の高祖の臣、張良・蕭何・韓信。㋑三国時代、蜀の諸葛亮・関羽・張飛。㋒宋の韓琦・富弼・欧陽脩。㋓国明治維新の三傑。西郷隆盛・大久保利通・木戸孝允。

【三愆】三つのあやまち。躁〈尊長者がまだ話しかけないうちに言うこと〉・隠〈尊長者が話しかけてもだまって言わないこと〉・瞽〈尊長者の顔色を見ないで勝手に話しかけること〉。〔論語、季氏〕

【三権(權)】①三つの権力。②政治を行うに必要な三つの威力。高い地位・富・君主の親任。〔説苑、尊賢〕③立法・司法・行政の三つの統治権。「三権分立」

【三元】①天・地・人。②道家で天・地・水をいう。③正月元日をいう。年・月・日のはじめの意。三始。④正月・七月・十月の十五日をいう。⑤明代、進士の試験に合格した首席から第三位までの人。⑥清代、郷試・会試・殿試の試験に首席で合格したもの。解元・会元・状元の称。

【三玄】『老子』『荘子』『周易』の三書をいう。

【三弦・三絃】①三本の糸を張った楽器。三絃琴の類い。②国㋐三味線の別名。㋑雅楽に用いる三種の弦楽器。和琴・琵琶・箏の総称。

三弦①

【三孤】①周代の官名。少師・少傅・少保。三公の副として天子を補佐した三つの官。②国大納言の唐名。

【三壺】神仙が住んでいるという海中の三つの山。方壺〈方丈〉・蓬壺〈蓬萊〉・瀛壺〈瀛洲〉。

【三鈷】仏主として真言宗で用いる仏具。▼鈷は、もと天竺の兵器で、金属製で両端にとがったつめのあるもの。煩悩を打ち破る意を表す。→鈷(12541)。

【三鼓】■一 ①三度、鼓をたたく。②羯鼓・太鼓・鉦鼓の三つの打楽器。③夜の十二時。その時刻を知らせるために鼓を三打したことによる。三更。■二 国雅楽に用いる細腰鼓の一種。主として高麗楽に用いた。

【三顧】三度、たずねる。後漢末、のちの三国蜀の劉備が、諸葛亮を三度もその家にたずねてやっと面会し、天下を取る策を問うた故事。転じて、君主などから礼を尽くして招かれる意に用いる。三顧の礼。用例〔唐、杜甫、蜀相詩〕三顧頻繁天下計、両朝開済老臣心。↓〈劉備は〉三顧の礼をとってしきりに〈諸葛亮のもとを〉訪れ、天下統一の計画を尋ねた。〈諸葛亮も〉その恩義に報い、先主後主の二代にわたり忠誠を尽くして仕えた。

【三五】①十五日をいう。②「三五夜」の略。③十五歳をいう。④星の名。▼三は心星、五は噣星。⑤三皇五帝をいう。⑥三つ五つ。わずか、また、ちらほら。⑦琵琶の別名。琵琶の長さが三尺五寸あることからいう。

【三五夜】陰暦の十五日の夜。特に陰暦の八月十五日の夜をいう。中秋の名月の夜。

【三五夜中新月色】十五夜のいま出たばかりのあざやかな月の色。用例〔唐、白居易、八月十五日夜禁中独直対レ月憶二元九一詩〕三五夜中新月色、二千里外故人心。↓十五夜の今夜、出たばかりのあざやかな月の色を見ていると、二千里のかなたにいる旧友の心が思われてならない。

【三護】仏女性のまもりとなる三つのもの。幼少の時は父母にまもられ、嫁しては夫にまもられ、老いては子供にまもられること。

【三公】三大官。㋐周代は太師・太傅・太保。または司馬・司徒・司空。㋑漢代は丞相・大司馬・御史大夫。または大司馬・大司徒・大司空。㋒後漢以後は太尉・司徒・司空。㋓国太政大臣・左大臣・右大臣。

【三甲】①宋代の科挙で、殿試〈最終試験〉の合格者の三つの分類。②術数家の用語。この形が背中にあれば長寿の相という。

【三光】①日・月・星。②房・心・尾の三星。

【三后】①三人の君主。▼后は、きみ。㋐夏の禹王、殷の湯王、周の文王。㋑夏の禹王・殷の祖先の契・周の祖先の后稷。㋒周の大王・王季・文王。②国太皇太后・皇太后・皇后の総称。三宮。

【三行】①三つのよい行い。㋐父母に孝、賢良を尊ぶ、師長に従順。㋑親に対する子の三つのつとめ。孝養と喪礼と祭礼。〔論語、為政〕㋒君臣・父子・長幼の道。㋓孝・信・廉。②三隊の軍隊。中行・右行・左行。

【三考】三年に一度ずつ、九年に三度、官吏の政治上の能力や実績を評定すること。〔書経、舜典〕

【三更】五更の第三の時刻。今の午前零時前後。午後十一時から午前一時〈一説に、午前零時から二時〉までの間。子の刻。

【三皇】①天皇・地皇・人皇。②天皇・地皇・泰皇。③伏羲・神農・黄帝。④伏羲・女媧・神農。

【三皇五帝】中国古代伝説上の帝王の三皇と五帝。三皇は天皇・地皇・人皇、または伏羲・神農・黄帝をいい、五帝は少昊・顓頊・帝嚳・尭・舜、または伏羲・神農・黄帝・尭・舜をいう。三皇五帝には、なお異説が多い。

【三綱】■一 儒教で君臣・父子・夫婦の道をいう。君は臣の綱、父は子の綱、夫は婦の綱たることによる。▼綱は、おおづな。■二 仏日本で諸国の寺に置いた三種の僧官。上座〈寺の長老〉・寺主〈寺の事務担当〉・都維那〈大衆を率いて仏法を行う。維那ともいう)。

【三綱五常】サンコウゴジョウ 君臣・父子・夫婦の道と、仁・義・礼・知(智)・信。

【三綱領八条(條)目】サンコウリョウハチジョウモク 宋の朱熹が大学の教えの根本として摘出したもので、三綱領とは明明徳(天賦の明らかな徳性をみがくこと)・親民(人民を教化して善に導くこと)・止至善(以上の二つを最高至善の境地において行うこと)、八条目とは格物(物の理をきわめること)・致知(天賦の明知を明らかにすること)・誠意・正心・修身・斉家・治国・平天下をいう。『大学』の首章の語。

【三国(國)】サンゴク 三つの国。㋐後漢末に起こって天下を三分した魏(二二〇—二六五)・蜀(二二一—二六三)・呉(二二二—二八〇)の三つの国。また、その時代。魏の曹操・蜀の劉備・呉の孫権らが互いに天下を争った。(二二〇—二八〇) ㋑新羅・百済・高句麗をいう。㋒国日本・唐(中国)・天竺(インド)。

【三国(國)一】サンゴクイチ 国①日本・唐(中国)・天竺(インド)を通じて第一等の意。②最上の意。

【三国(國)志】サンゴクシ 書名。六十五巻。西晋の陳寿の著。魏・蜀・呉の三国の歴史書。魏を正統の王朝とする陳寿の史観が示されている。二十四史の一つ。⇩コラム

『三国志』の時代(一七ページ)。

【三国(國)志演義】サンゴクシエンギ 書名。全百二十回。明の羅貫中の著といわれ、魏・蜀・呉の三国興亡を蜀漢正統論の立場に立って書いた長編歴史小説。四大奇書の一つ。『三国志通俗演義』『三国演義』ともいう。

【三叉】サンサ みつまた。川や道路の三つに分かれた所。三差路。

【三才】サンサイ ①天・地・人。▼才は、はたらき。〔易経、説卦〕②天の道、地の道、人の道。③三人の才能のある人。

【三才図(圖)会(會)】サンサイズエ 書名。百六巻。明の王圻の著。一種の百科事典で、天文・地理・人物など種々の事物を一四類に分け、それぞれを図絵で説明したもの。日本では一七一二(正徳二)年に寺島尚順(良安)がこの書に基づき、日本のことを加えて『和漢三才図会』を作った。

【三災】サンサイ 仏末世に起こる三つの災害。㋐大三災。国土をそこなう火災・水災・風災。㋑小三災。人をそこなう刀兵・疫病・飢饉。

【三三九度】サンサンクド 国三つ組の杯で三度ずつ杯をとりかわす礼。現在は多く婚礼のときに行われる。

【三三五五】サンサンゴゴ あちらに三人、こちらに五人と、ばらばらに散らばる様子。〔唐、李白、採蓮曲〕

【三山】サンザン ①東の海上にあって仙人が住んでいるという蓬萊・瀛洲・方丈の三神山。②江蘇省南京市の西南、長江の南岸にある山。三つの峰があるからいう。用例〔唐、李白、登金陵鳳凰台詩〕三山半落青天外、二水中分白鷺洲(三山は半ばに落つ青天の外、二水中分す白鷺洲)。⇩三山は半ば雲に隠れて青空のかなたから落ちてくるようであり、秦淮の川の流れが中州の白鷺洲により二本に分けられる大きな景色が見事だ。③北京の郊外にある香山・玉泉山・万寿山。④国㋐大和三山。畝傍山・香具山・耳成山。㋑出羽三山。月山・湯殿山・羽黒山。

【三尸】サンシ 道家の説で、人の体にあって害をなす三つの虫。庚申の夜に体内から出て、人の秘密を天帝に告げるという。三虫。三姑。

【三巳】サンシ 陰暦三月三日で巳の日に当たる日。上巳。

【三史】サンシ 三種の歴史書。六朝時代では、『史記』『漢書』『東観漢紀』をいい、唐代以後では、『史記』『漢書』『後漢書』をいう。また、『戦国策』『史記』『漢書』をいうこともある。

【三司】サンシ ①漢の三公、太尉・司空・司徒。後漢に、太尉を改めて大司馬とした。②唐の御史大夫・中書・門下。

【三始】サンシ ①正月元旦をいう。年・月・日の初めの意。②三つの身だしなみ。容姿を正しくし、顔色をととのえ、言葉をおだやかにする。

【三思】サンシ ①三たび思う。幾度も思案する。〔論語、公冶長〕②幼いときには、長じてからのことを思って学び、年老いては、死後のことを思って子孫を教え、富んでいるときは、困窮したときのことを思って人に施すこと。〔荀子、法行〕

【三師】サンシ ①太師・太傅・太保。②三人の楽師。③仏授戒の式をつとめる三人の僧。

【三字経(經)】サンジキョウ 書名。一巻。宋の王応麟の著といわれる。一説に、区適子が著し、黎貞が続成したという。童児の訓育のための教科書で、毎句三字で隔句ごとに韻をふんでいる。

【三字石経(經)】サンジセッケイ 三国時代、魏の正始年間(二四〇—二四九)に洛陽の太学の西側に建てられた石経。古文・篆・隷の三体を用い、『古文尚書』『春秋』『左氏伝』の三経書を刻した。三体石経・正始石経ともいう。

【三事】サンジ ①＝三公。②天につかえ、地につかえ、人を治めること。〔書経、立政〕③人としてつかえるべき三長者。君・父・師。④政治上大切な三か条。正徳・利用・厚生。〔左伝、文公七〕⑤官吏として守るべき三か条。清・慎・勤。⑥仏㋐衣・食・住。㋑身・口・意。

【三時】サンジ ①農業に大切な三つの季節。春の耕作と夏の草取り、および秋の収穫。〔左伝、桓公六〕②仏インドの三季節。熱時(正月十六日から五月十五日まで)・雨時(五月十六日から九月十五日まで)・寒時(九月十六日から正月十五日まで)。

【三七日】サンシチニチ・みなのか ①二十一日間。また、二十一日め。②人が死んで二十一日め。この日に仏事を行う。③出産後、二十一日めのお祝い。

【三疾】サンシツ 気質の三つの欠点。狂(志が大きすぎ、行いが粗暴なこと)・矜(自己をほこること)・愚(知識が乏しくおろかなこと)。

【三舎】サンシャ ①九十里。一舎は、軍隊一日の行程で三十里(約十二キロメートル)。②宋代の官吏登用試験の三つの学舎。外舎・内舎・上舎。

【避三舎】サンシャをさく (敵を恐れて)敵の陣地から九十里引きさがること。転じて、相手に一目置くこと。また、はばかって相手を避けること。晋の文公が楚の成王に言った語。〔左伝、僖公二十三〕

【三赦】サンシャ 罪をゆるされる三種のもの。幼弱(七歳以下)・老耄(八十歳以上)・庸愚(おろか)。

【三謝】サンシャ ①三度、お礼をいう。また、三度辞退する。②南朝宋の謝霊運・謝恵連と南斉の謝朓の三人。詩人として有名。

【三尺】一 サンシャク・サンセキ ①一尺の三倍。②剣。長さがおよそ三尺あるからいう。③法律。三尺の竹の札に書いたのでいう。④＝三尺童子。二 サンジャク 国「三尺帯」の略。へこおび。

【三尺秋水】サンジャクのシュウスイ 剣をいう。▼秋水は、剣のさえわたった光沢の形容。

【三尺童子】サンセキのドウジ ①七、八歳の子ども。▼尺は、二歳半。②身長三尺の子ども。

【三爵】サンシャク ①酒を三杯飲むこと。②献(主人が客に杯をすすめる)・酢(客が主人に杯をかえす)・酬(主人が客から受けた杯を再び客にかえす)。

【三珠樹】サンシュジュ ①珍木の名。柏に似る。三珠。②唐の王勮・王勔・王勃をいう。三人のすぐれた兄弟のたとえ。

【三種神器】サンシュのジンキ 国天孫降臨の際、天照大神から授けられ、皇位のしるしとして歴朝相伝えたといわれる三つの宝物。八咫鏡・八坂瓊曲玉・天叢雲剣。

【三秋】サンシュウ ①秋三か月。孟秋(陰暦七月)・仲秋(陰暦八月)・季秋(陰暦九月)。②三度の秋をこすこと。三

コラム

『三国志』の時代

光武帝（劉秀）の立てた後漢も、建国以来百五十年、次第に混乱崩壊の相を呈して来た。それは朝廷内部における、外戚・宦官・官僚の三者の果てしない権力争いと、それに乗じた黄巾・五斗米道の宗教結社の反乱である。この反乱の鎮圧に、朝廷は三十年もの歳月を要したが、この朝廷の無策を見た各地の豪族は、反乱に備えて自衛のために武装組織し次第に実力を蓄え、群雄割拠の状態となった。すなわち、董卓・袁紹・袁術・孫堅・曹操などである。

このうち、曹操と孫堅が確実に力を伸ばし、一方、漢王室の末裔と称する劉備も関羽・張飛とともに地歩を築いていった。この曹操を祖とする魏・孫堅を祖とする呉・劉備の蜀の鼎立する時代（二二〇—二八〇）を「三国時代」と呼ぶのである。ただ、この三国の国力の差は歴然たるもので、魏の優位はゆるがない。たとえば、後漢十三州のうち、魏は九州、呉は三州、蜀はわずか一州であり、しかも魏の版図はいわゆる中原であるのに、呉・蜀は南方や西方の遠隔の地であった。

魏　中原の覇権を掌握したのは曹操である。曹操は、まず当時の覇者董卓と汜水関に戦い、敗れはしたが、呂布を討ち劉備を敗走させ二〇〇年には最大の強敵袁紹を官渡で破った。寡兵よく機略と勇断で大敵を降したこの勝利が曹操の中原制覇への道を開くことになる。

この曹操は、『三国志演義』などでは奸智にたけた悪者のように扱われているが、実際は傑出した名将であり、政治家である。特に部下を使いこなす能力と情報収集の能力は当代無比、ライバルの孫堅や劉備の及ぶところではなかった。また、「手より書をすてず」といわれた好学の士で、経書・軍書に通じ、詩才は絢爛、当時の詩壇の中心人物でもあった。

二〇八年、曹操は十余万の大軍を率いて長江に進出した。呉は国内の和平論を退け、蜀と連合しこれを迎え討った。周瑜の部下の黄蓋が曹操の船団に火を放ちこれを壊滅、曹操はかろうじて逃げのびた。この著名な赤壁の戦い（七三三ページ地図参照）によって、江南併合の夢は一頓挫し、三国鼎立の時代はしばらく続くが、国力は確実に伸張し、二二〇年、曹操の子の曹丕が後漢の献帝を廃して即位。二六三年、蜀を滅ぼし、三国鼎立は解消した。ところが二六五年、この曹氏も司馬氏のクーデターによって滅ぼされ、晋が成立する。曹丕の建国以来五代四十六年である。

赤壁の古戦場

呉　呉は孫堅とその子の孫策・孫権によって江南に覇をとなえていった。赤壁で周瑜・魯粛の軍が曹操を破り、荊州に進出した劉備を呂蒙が退け、戎陵において陸遜が蜀に大勝、敗走した劉備を病死せしめている。

呉の不運は、周瑜以下の名将がそろって短命であったことと、孫堅・孫策・孫権の三人の名君に続くすぐれた後継者に恵まれなかったことである。最後の孫皓に至っては、生きながらにして人の面皮をはぐという残虐さで、国民の怨府となっている。果たせるかな、孫権なき後は国内は分裂崩壊、二八〇年、南下した晋に滅ぼされた。

蜀　劉備は若くして大人の風を備え、その下には逸材が多く集まった。名高いのは、桃園で義兄弟の契りを結んだ関羽・張飛、三顧の礼をもって迎えた諸葛亮（孔明）である。特に孔明は、清廉公平な姿勢で国民の敬慕を受け、よく弱小の蜀を支えた。劉備の死後、その遺詔を受けて劉備の子の劉禅を補佐することになった孔明は、まず南方経略に着手、ついで北進を図る。二二七年から二三四年まで五たび魏に戦いを挑んだが、食糧の確保とその運搬に苦しみ、魏の持久作戦に阻まれ敗れ去った。二三四年、孔明は陣没、二六三年、後主劉禅は魏に降伏した。

三国時代の正史は、二十四史の一つである晋の陳寿の『三国志』である。一方、『三国志演義』が世に行われていて、今日、三国時代の話といえば多くこれに拠っている。前者が魏を正統と見ているのに対し、後者は蜀を正統と見、曹操を邪悪非道の人物、対して孔明を知謀横溢の大軍師と見ているなど、実態として首をかしげさせられる面が多い。端的に言って、前者は歴史であり、後者は小説であるというべきであろう。

襄樊にある三顧堂

年たつこと。

【三秋思】サンシュウのおもい(ひ) 一日会わないと三年も会わないような気持ちがすること。一日三秋。

【三十而立】サンジュウにしてたつ 三十歳で思想が確立する。孔子のことば。このことから三十歳を而立ジリツという。用例〔論語、為政〕三十而立サンジュウにしてたつ、四十而不レ惑シジュウにしてまどわ(は)ず。↓三十歳になると学問・思想の基礎が確立し、四十歳になると心に迷いがなくなった。

【三十二相】サンジュウニソウ 仏 仏の備えていた三十二の身体の特徴。

【三十輻共二一轂一】サンジップクイッコクをともにす 車輪の三十本の矢は、一つのこしきを中心として集まって車輪を作っている。こしきの、なにも無い空虚なところがあるので、矢を差しこむことが出来る。無用の用のたとえ。〔老子、十一〕

【三十有レ室】サンジュウシツあり 男性は三十歳で妻をもつこと。〔礼記、内則〕

【三十六宮】サンジュウロッキュウ ①漢の宮殿の数。②広く皇帝の宮殿のこと。

【三十六計】サンジュウロッケイ ①戦争をする三十六種のはかりごと。②事をなすに当たって色々と計画すること。

【三十六計不レ如レ逭】サンジュウロッケイにぐるにしかず 戦いには色々のはかりごとがあるが、逃げるべきときは逃げて身の安全をはかるのが、結局、最上の策である、という意。転じて、困った時には逃げるのが一番よい、という意。『南斉書』の王敬則伝に「三十六策サンジュウロクサク、走是上計はしるはこれジョウケイ」とあるのに基づく。

【三十六峰】サンジュウロッポウ ①河南省登封市にある嵩山スウザンの三十六の峰。②国 ㋐京都の東山の別称。㋑三十六峰外史は、頼山陽の号。

【三従(從)】サンジュウ 女性は、幼いときは親に従い、妻となっては夫に従い、夫の死後は子に従うという教え。〔儀礼、喪服、伝〕

【三春】サンシュン ①春三か月。孟春モウシュン(陰暦正月)・仲春(陰暦二月)・季春(陰暦三月)。②三度の春をこすこと。三年たつこと。

【三春暉】サンシュンのキ 春の日の光。親のあたたかなめぐみのたとえ。〔唐、孟郊、遊子吟〕

【三章】サンショウ 漢の高祖が定めた三か条の法律。転じて、簡明な規則。法三章。

【三殤】サンショウ ①未成年で死んだものの三つの区別。長殤(十六歳から十九歳)・中殤(十二歳から十五歳)・下殤(八歳から十一歳)。▼殤は、若死に。②三人の横死(事故で死ぬ)したもの。

【三上】サンジョウ 作文のくふうをこらすに最もよい三つの場所。馬上・枕上チンジョウ(枕はまくら)・廁上シジョウ(廁はかわや)。〔北宋、欧陽脩、帰田録、二〕

【三丈之木】サンジョウのき 秦シンの孝公の時、商鞅ショウオウが三丈の木を国都の南門に立て、北門に移せば賞金を与えると約束し、その約束の通りに木を移した人に賞金を与え、政令に偽りのないことを示した故事。

【三譲(讓)】サンジョウ ①三たびゆずる。②三たび責める。

【三辰】サンシン 日・月・星。三光。

【三神】サンシン ①天神・地祇チギ(地の神)・山岳の三つの神。②上帝と、泰山・梁父リョウホの二山の神。③趙襄子チョウジョウシの拝した霍大山カクタイザンの三人の天使。④＝三尸サンシ。

【三神山】サンシンザン ＝三山①。

【三晋(晉)】サンシン 春秋時代、晋に仕え、後に晋を分けて独立した韓カン・魏ギ・趙チョウの三氏をいう。晋の三家。

【三秦】サンシン 秦の滅亡後、項羽が秦の関中の地を三分割し、秦の降服した三人の将軍、章邯ショウカン・司馬欣・董翳トウエイを封じた雍ヨウ・塞サイ・翟テキ(いずれも今の陝西センセイ省内)をいう。

【三親】サンシン ①三つのごく親しいもの。夫婦・父子・兄弟。②父・母・妻の族。三族。

【三仁】サンジン 殷末インマツの三人の忠臣。微子・箕子キシ・比干。〔論語、微子〕

【三途・三塗】サンズ 仏 三悪道。地獄・畜生・餓鬼の三道。

【三途川】サンズのかわ(は) 仏 人が死んで冥土メイドに行く途中で渡るべき川。生前の行いの善悪によって渡る瀬がちがうという。

【三寸舌】サンズンのした 弁舌をいう。人の舌は長さ約三寸あることからいう。用例〔史記、淮陰侯伝〕掉二三寸舌一サンズンのしたをふるって、下二斉七十余城一セイのシチジュウヨジョウをくだす。↓弁舌をふるって、斉の七十余りの町を降した。

【三世】〖一〗サンセイ ①祖父・父・子。②父・子・孫。③三年。〖二〗サンゼ 仏 前世・現世・来世(過去・現在・未来)。

【三世因果】サンゼインガ 仏 過去・現在・未来の三世にわたり、因果の理法により善悪のむくいを受けること。

【三正】サンセイ ①夏カ・殷イン・周三代の暦。暦は正月を初めとするので正という。夏暦は北斗七星の柄が夕刻に寅とらの方向をさす月を正月とし、殷暦は丑うしの方向をさす月を正月とし、周暦は子ねの方向をさす月を正月としたといわれる。⇩コラム三正(一八ページ)。②天・地・人の正道。③夏・殷・周の三代。④君臣・父子・夫婦の道の正しいこと。

【三星】サンセイ ①三つの星。②星の名。心星または参星ともいい、日本では、からすき星という。オリオン座の中央部。③福・禄ロク・寿の三星。④三福神の意。

コラム

三正——夏・殷・周の暦

中国の夏カ・殷イン・周の三代では、暦がそれぞれ異なっていた。この三代の暦を〈夏正(夏暦)〉〈殷正(殷暦)〉〈周正(周暦)〉という。北斗七星の柄が日没時に東北東を指す月を正月とするのが夏正、北北東を指すのが殷正、北を指すのが周正で、一か月ずつのずれがある。(今日の旧暦は夏正)

		寅	卯	辰	巳	午	未	申	酉	戌	亥	子	丑
夏正	月	一月	二月	三月	四月	五月	六月	七月	八月	九月	十月	十一月	十二月
	季	春			夏			秋			冬		
殷正	月	二月	三月	四月	五月	六月	七月	八月	九月	十月	十一月	十二月	一月
	季	春		夏			秋			冬			春
周正	月	三月	四月	五月	六月	七月	八月	九月	十月	十一月	十二月	一月	二月
	季	春	夏			秋			冬			春	

【三牲】サンセイ ①牛・羊・豕シ(豚)の三種のいけにえ。②夏カ・殷イン・周の三代にそれぞれ用いた犠牲。夏は黒色、殷は白色、周は赤色のいけにえを用いた。

【三牲之養】サンセイのヨウ 親にごちそうをすること。転じて、親孝行をいう。〔孝経、紀孝行章〕

【三省】〖一〗サンセイ 一日に三度、わが身を反省すること。一説に、三は、たびたびの意とし、また、三つのことがら(不忠・不信・不習)とする。用例〔論語、学而〕吾日三省二吾身一われひにみたびわがみをかえ(へ)りみる。↓私は一日に三度(または、三つのことがらについて)わが身を反省する。〖二〗サンショウ 三つの官庁。㋐唐代の中書・門下・尚書ショウショの三省。㋑国 昔、太政官八省中の式部・民部・兵部の三省。

【三聖】①三人の聖人。㋐伏羲・文王・孔子。㋑堯・舜・禹。㋒禹・周公・孔子。㋓文王・武王・周公。㋔孔子・釈迦・老子。㋕孔子・釈迦・キリスト。②[国]三人の名人。㋐和歌の三聖は、柿本人麿・山部赤人・衣通姫。㋑書道は、弘法大師・菅原道真・小野道風。㋒俳諧は、荒木田守武・山崎宗鑑・飯尾宗祇。

【三蹟・三迹】[国]平安時代の三人の能書家。小野道風・藤原佐理・藤原行成。一説に、小野道風を除いて兼明親王を加える。

【三折レ肱】医者が何度も人のひじを折って、初めて良医となること。一説に、何度も自分のひじを折り自分で治療して、初めて良医となること。経験を積んで老練になるたとえ。用例（左伝、定公十三）三折レ肱知レ為二良医一。↓再三ひじを折って（それを治すことによって）ようやく優れた医者になるということがわかる。

【三絶】①三たび切れる。また、たびたび切れる。「韋編三絶」②三つの特にすぐれたもの。

【三遷】①官職が三回変わる。②居所を三度かえる。→孟母三遷（三八四ページ下）。

【三千世界】①[仏]須弥山を囲む広大な世界。小千世界・中千世界・大千世界の三つ。②[国]広い世界をいう。広い世間。

【三蘇】北宋の蘇洵とその二子、軾・轍の三人。洵を老蘇、軾を大蘇、轍を小蘇という。いずれも唐宋八大家に数えられる。

【三匝】みめぐり。三周。

【三倉・三蒼】①漢初の辞書。もと「蒼頡」「爰歴」「博学」の三篇があったが、後に合して蒼頡篇と称し、これを三蒼という。②魏晋以後、蒼頡篇を上巻、揚雄の訓纂篇を中巻、賈魴の滂喜篇を下巻とし、これを三蒼と呼んだ。

【三曹】三国時代、魏の曹操（武帝）、その子の曹丕（文帝）、曹植。いずれも文才があった。

【三蔵（藏）】①[仏]㋐仏説を集めた経蔵と、仏徒の戒法を集めた律蔵と、仏法の論釈を集めた論蔵との総称。㋑経・律・論の三蔵に通達した高僧の称。②[国]日本古代の斎蔵・内蔵・大蔵の総称。

【三蔵（藏）法師】唐の僧、玄奘（九三九ページ中）の俗称。

【三足烏】太陽の中にいるという三本足のからす。一説に、西王母のために食を運んだ青鳥という。〔史記、司馬相如伝〕

【三則不レ赦】三度も罪を犯せばゆるすわけにゆかない。仏の顔も三度。〔国語、斉語〕

【三捉レ髪】人材を求めるのに熱心なこと。周公が洗髪中、三度も髪をにぎって出て、賢人に面会した故事による。〔史記、魯世家〕

【三族】①三つの親族。㋐父・子・孫。㋑父の兄弟・自分の兄弟・子の兄弟。㋒父母・兄弟・妻子。㋓父の親族・母の親族・妻の親族。②三家族。

【夷二三族一】罪を犯した本人のほかに三族までも殺すこと。謀反などの大罪に科した刑罰。

【三尊】[一]尊敬すべき三つの尊いもの。君・父・師。[二][仏]①仏・法・僧。②弥陀の三尊。阿弥陀・観音・勢至。③薬師の三尊。薬師・日光・月光。④釈迦の三尊。釈迦・文殊・普賢。

【三飧】三度、食事をする。

【三損友】交わって損をする三種類の人。ものなれた態度でこびへつらう人、人ざわりがやわらかだが誠実さのない人、口先ばかりで誠実さのない人。〔論語、季氏〕↔三益友。

【三多】①文章上達の三要素。看多（多く読む）・做多（多く作る）・商量多（多く考える）。②学者に大切な三つのこと。多く読む、持論が多い、著述が多い。③福が多い、年寿が多い、男の子が多い。

【三体（體）】①書の三体。楷書・行書・草書。②『詩経』の三体。風・雅・頌。③文章の三体。ゆるやかな気持ちで筆を起こす、たくみな対句を用いる、調子にゆるみのないようにする。

【三体（體）詩】書名。六巻。南宋の周弼が、唐代の詩人百六十七人の近体詩を、七言絶句・七言律詩・五言律詩の三体に分けて編集したもの。『唐賢三体詩法』ともいう。

【三体（體）石経（經）】＝三字石経。

【三代】①夏・殷・周。②祖父・父・子。③曽祖父・祖父・父。

【三代実（實）録】[国]書名。五十巻。藤原時平・菅原道真らが勅命によって著したもので、清和・陽成・光孝三天皇の事跡を記した編年体の歴史書。六国史の一つ。延喜元年（九〇一）成立。『日本三代実録』。

【三台】①星の名。紫微星（北極星の北にある）を守る三つの星。上台星・中台星・下台星。一名、天柱。三能・三公。②三公。大尉・司徒・司空。

【三達尊】天下中どこでも尊ばれる三つのもの。役所では爵位、村里では年齢、民の上に立つものの徳。〔孟子、公孫丑下〕

【三達徳】天下中どこでも至上の徳とされる三つのもの。知（智）・仁・勇。

【三嘆・三歎】①何度も感嘆する。深く感心する。②音楽を奏する時、一人の発声に和して三人が唱和すること。→一唱三歎（云ページ上）。

【三壇】周公が太王・王季・文王を祭った三つの祭壇。

【三知】①天分の三種類。生知（生まれながらにして知る）・学知（学んで知る）・困知（苦しんで知る）。〔中庸〕②命（運命）・礼（礼節）・言（言語の利害）を知ること。〔論語、堯曰〕

【三虫（蟲）】＝三尸。

【三朝】①正月一日。元旦。年と月と日との朝であるからいう。②三日の意。三日間。③天子の内朝・治朝・燕朝、諸侯の内朝・路寝朝・外朝をいう。▼朝は、政治を執る所の意。④三代の朝廷。また、三代の主君。

【三通】制度に関する三種の書。唐の杜佑の『通典』、宋の鄭樵の『通志』、元の馬端臨の『文献通考』。

【三点（點）】①五更の第三点。今の午前五時十分ころ。三点は、一更（二時間）を五点に分けた、その第三点をいう。②三つのしずく。③三個。

【三伝（傳）】孔子が制作したといわれる『春秋』を解釈した『左氏伝』『公羊伝』『穀梁伝』をいう。春秋三伝。『左氏伝』は史実にくわしく、『公羊伝』・『穀梁伝』は義理にくわしい。

【三吐】君主が、人を接見するのにつとめること。周公が食事中に、来客を迎えるために、三度も口中の食物を吐き出した故事による。〔史記、魯世家〕

【三都】三つの都。㋐漢の三都。長安・洛陽・南陽。㋑魯の三桓の領有した町。成（孟孫氏）・郈（叔孫氏）・費（季孫氏）。㋒三国、蜀・呉・魏の都。蜀の都は成都（今の四川省成都市）、呉の都は建業（今の江蘇省南京市）、魏の都は鄴（今の河北省臨漳県）。

【三都賦】晋の左思の作った蜀都賦・呉都賦・魏都賦をいう。この賦は左思が十年を費やした苦心の作で、富豪はきそって伝写し、そのために洛陽の紙価が高くなったという。

【三刀】州の字のこと。昔は刀を三つ重ねた刕に作ったことからいう。

【三刀△之夢】官吏が出世する吉兆の夢。晋の王濬が三刀(州の字を表す)に一刀を加える(益す)夢を見たが、のちに果たして益州の刺史(長官)になったという故事。〔晋書、王濬伝〕

【三冬】①冬三か月。孟冬(陰暦十月)・仲冬(陰暦十一月)・季冬(陰暦十二月)。②三度の冬をこすこと。三年たつこと。

【三到】読書に必要な三つのこと。眼到・口到・心到。▼到は、専一の意で、朱子の唱えた読書法。

【三唐】唐の時代を初唐・盛唐・晩唐の三つに区分した称。盛唐の次に中唐を加えて四唐に区分する説もある。

【三等親】親族を親疎の関係で区別した中の第三等にあたる親族。自己または配偶者から三世を隔てた尊属親または卑属親。曾祖父・曾祖母・伯父・叔父・伯母・叔母・甥・姪・曽孫をいう。三親等。

【三統】①＝三正①。②＝三統暦。

【三統暦(曆)】前漢の劉歆の作った暦。十九年を一章とし、二十七章を一会とし、三会を一統とし、三統を一元として、『春秋』の暦法を説いたという。

【三徳】①三つの徳目。㋐正直・剛克(剛をもって柔を治める)・柔克(柔をもって剛を治める)。㋑至徳・敏徳・孝徳。㋒天徳・地徳・人徳。㋓知(智)・仁・勇。②＝三老。③仏㋐仏のさとりの本体たる法身徳と、仏の絶対平等の般若徳と、仏の自在無礙の妙徳たる解脱徳。㋑如来の大願力によって衆生を救護する恩徳と、如来が一切の煩悩をたつ断徳と、如来が平等の知恵をもって一切諸法を照らす無礙の知徳。④国紙入れの一種で、江戸時代に流行した。

【三人為(爲)二市虎一】＝三人成レ虎。

【三人行必有二我師一】三人で同じ事を行うとき、他人の善を見てはこれに従い、他人の不善を見ては反省するので、善も不善もみな自分の師となるという意。〔論語、述而〕

【三人成レ虎】虎がいないのに多くの人が虎がいるというと、ついには人々はそれを信ずる。真実ではなくても言う人が多いと、人は事実と信じてしまうこと。三人為二市虎一。〔戦国策、秦〕

【三年△之喪】父や君が死んだ時、子や臣が服する喪。期間は三年。三年の期間は、二十五か月とも二十七か月ともいう。

【三年不レ窺レ園】三年間、書斎に閉じこもり、庭にも出ないで勉学すること。前漢の董仲舒の故事。〔漢書、董仲舒伝〕

【三年不△蜚不レ鳴】三年の間、何もしないで過ごすこと。長い間、何事もしないでいるたとえ。また、長い間、雌伏するたとえ。楚の伍挙の語。〔史記、楚世家〕

【三△巴】㊀巴のつく三つの都。後漢の巴・巴東・巴西の三都。今の四川省の東部・湖北省に近い所。㊁国①ともえを三つ組みあわせた模様・形。②三つのものが入り乱れて対立しあうこと。

【三拝(拜)九拝(拜)】①何度も礼拝する。非常にていねいな礼拝。②手紙の末に用い、敬意を表すことば。

【三藩△之乱(亂)】清の初め、呉三桂・耿精忠・尚可喜の三人は雲南・福建・広東の藩王に封ぜられて勢力があったので、康熙帝はこれを除こうとした。よって呉三桂は雲南に兵をあげ、耿精忠・尚之信(可喜の子)がこれに参加した。これを三藩の乱という。のち、清軍に滅ぼされた。(一六七三―一六八一)

【三百】①百の三倍。数の多いことを表すのにも用いる。②詩経の編数の大体の数を表す語。→三百篇。

【三百代言】国①明治の初め、弁護士の資格がなくて他人の訴訟や談判などの引き受けを業としたもの。もぐり弁護士。②弁護士をいやしめていうことば。③詭弁を使う人。

【三百△篇】『詩経』(一三一四ページ下)のこと。『詩経』は三百十一編(うち六編はほろんだ)あるので、その概数をあげていう。

【三苗】尭・舜時代の蛮族の名。

【三品】㊀みな。三種類。㋐金・銀・銅。㋑漢の貨幣の竜幣・馬幣・亀幣。㋒人の性を上・中・下の三種に区別した説。後漢の荀悦は、上・下は移らず、中は努力によってどうにでもなると説き、唐の韓愈は、上は善のみ、中は導いてどうにでもなり、下は悪のみと説いた。㋓書画の三品。神品・妙品・能品。㋔一品から九品までの中の第三番目の官位。㋕国取引所用語。綿花・綿糸・綿織物。㊁国昔の親王の位。第三位。

三品㊀㋑

【三不去】妻を離縁してはならない三つの条件。帰る家のないとき、父母の三年の喪に服したとき、初め貧乏でのちに富貴になったとき。〔大戴礼、本命〕

【三不孝】三つの不孝。親の意におもねって不義におちいらせること、貧乏であり、かつ親が年老いても仕官しないこと、妻を迎えず子供もなく、祖先の祭りを断つこと。〔孟子、離婁上、趙岐注〕

【三不幸】三つの不幸。年若くて科挙(官吏登用試験)に最高位で合格すること、父兄の勢力によって美官を得ること、才能が優れ文章がたくみなこと。程伊川の説。

【三賦】租・庸・調の三種の税。

【三伏】夏の土用を初伏(夏至の後の第三の庚の日)・中伏(第四の庚の日)・末伏(立秋後の第一の庚の日)の三期に分けた称。伏とは、火気を恐れて金気が伏蔵するという意。夏の暑さのきびしい期間。用例(和漢朗詠集、源英明、納涼)池冷水無二三伏夏一 松高風有二一声秋一。↓池の水はいかにも涼しそうで、三伏の暑熱も洗い去られるようであり、松の高い小枝を吹きわたる風にははや秋の足音が聞こえる。

【三復】三度繰り返す。何度も繰り返す。

【三墳五典八索九丘】中国古代の書名。三墳は、伏羲・神農・黄帝の書、五典は、少昊・顓頊・高辛・唐・虞の書、八索は八卦の説、九丘は、九州の誌といわれるが、異説もある。〔左伝、昭公十二〕

【三分△之計】天下を三分して、その一つを保つはかりごと。三国時代、蜀の諸葛亮が、蜀を守って魏・呉の二国に対抗すべきことを劉備に進言した故事による。天下三分之計。

【三分△鼎足】鼎の三本足のように、力ある者が天下を三分して並び立つこと。鼎立。〔史記、淮陰侯伝〕

【三辺】三つの辺地。『史記』では、匈奴・南越・朝鮮をいう。

【三変(變)】①有徳の君子の三つの変化(態度)。遠くから見るといかめしく、近づいてみると、あたたかみがあり、そのことばを聞くと、きびしい。〔論語、子張〕②天運が三十年で小変し、百年で中変し、五百年で大変すること。

【三浦梅園】国江戸中期の思想家。豊後(今の大分県)の人。名は晋、字は安貞。天文・医学・政治・経済に通じ、著書に『玄語』『贅語』などがある。(一七二三―一七八九)

【三△晡】たそがれ時。申の刻(午後四時ごろ)。

【三△輔】漢代、長安(今の陝西省西安市)の都を中心として三区分した行政区域の総称。長安以東を京兆尹、長陵以北を左馮翊、渭城以西を右扶風という。また、そのそれぞれの長官。後に長安の都に隣接する付近の地をもいう。

【三方】サンボウ 国神仏や身分の高い人に物を供える四角な台。三方に穴がある。三宝。

【三宝(寶)】一サンボウ 三つのたから。㋐慈と倹と天下の先とならぬこと。㋑土地・人民・政治。㋒大農・大工・大商。㋓耳・目・口。二サンボウ ①仏仏・法・僧。②＝三方。

【三本】サンポン 三つの根本。『荀子』では、礼の根本として、天地・先祖・君師の三つをあげる。

【三昧】サンマイ ①仏梵語 samādhi の訳語。一つの事に心を集中して邪念のないこと。②広く一つの物事に熱中すること。「贅沢三昧」③妙処。極致。④束縛から解放されること。

【三藐三菩提】サンミャクサンボダイ 仏一切の法をあまねく知る無上の知恵。

【三民主義】サンミンシュギ 中華民国の孫文(一八六六―一九二五)が一九〇五年に唱えた、初期の中国民主主義革命の指導理念である、民族主義・民権主義・民生主義。

【三務】サンム 春の耕作、夏の除草、秋の収穫の三つのつとめ。

【三無私】サンムシ 天・地・日月の公平なこと。天に私覆なく、地に私載なく、日月に私照がないことをいう。▼私は、えこひいきすること。〔礼記、孔子間居〕

【三命】サンメイ ①周代の制で大国・次国の卿や天子の上士に任命されること。②人が天から受ける三つの寿命。上寿(百二十歳)・中寿(百)・下寿(八十)。

【三面網】サンメンのあみ 殷の湯王が、四面に網を張って鳥獣を捕らえている者を見て、その三面をはずしてやった故事。湯王の仁が鳥獣にまで及んだことをいう。〔史記、殷紀〕

【三文】サンモン 国①一文銭三つ。わずかの金銭。「三文の得」②ほとんど値打ちのないことにいう語。「三文文士」

【三門】サンモン 仏寺院の門。さとりを開くには空門・無相門・無作門の三つの解脱門を経るのになぞらえていう。別に山門ともいう。

【三友】サンユウ ①三種類の友。㋐交わって利益を受ける三種類の友。三益友。〔論語、季氏〕㋑交わって損を受ける三種類の友。三損友。〔論語、季氏〕②親しむべき三つのもの。㋐詩・酒・琴。〔唐、白居易、北窓三友詩〕㋑松・竹・梅。「歳寒三友」㋒山水・松竹・琴酒。

【三侑】サンユウ ＝三宥①③。

【三宥】サンユウ ①周代、罪をゆるされる三つの場合。不識・過失・遺忘。②王族が罪を犯したとき、王が三度ゆるすように命じ、それから刑罰を施すこと。③祭の時、尸に三度食をすすめること。

【三余(餘)】サンヨ 勉強すべき三つの余暇。年の余りの冬と、日の余りの夜と、時の余りの雨降りのとき。

【三楽(樂)】一サンラク ①君子の三つの楽しみ。父母が健在で兄弟も事故のないことと、やましい所がなくて天にも恥じる所がないことと、天下の英才を教育すること。〔孟子、尽心上〕②この世に生まれた三つのよろこび。人と生まれ、男性に生まれ、長生きすること。〔列子、天瑞〕二サンゴウ 三つの好み望むもの。有益な三つは、礼楽をほどよくわきまえること、人の善をほめること、賢友の多いこと。有害な三つは、驕楽・佚遊・宴楽。〔論語、季氏〕

【三吏三別】サンリサンベツ 盛唐の詩人杜甫の楽府詩六首の総称。三吏は、新安吏・潼関吏・石壕吏、三別は、新婚別・垂老別・無家別をいう。いずれも戦乱に苦しむ民衆の姿を歌ったもの。

【三里】サンリ ①一里の三倍。また、三里四方。②国ひざの下の外側のくぼんだ所で、灸をすえる急所。健脚に効があるとされる。

【三略】サンリャク 書名。中国の兵書。三巻。上略・中略・下略の三つに分かれるので三略という。黄石公が圯上で漢の張良に授けたものといわれるが、後人の偽作である。

【三閭】サンリョ ①戦国時代の楚の屈氏・景氏・昭氏の三王族。②楚の屈原をいう。屈原が三閭大夫となったことからいう。③屈原をまつる廟の名。

【三閭大夫】サンリョタイフ 楚の官名。楚の屈氏・景氏・昭氏の三王族をつかさどる。

【三礼(禮)】一サンレイ 天神・地祇(地の神)・人鬼(死んだ人の霊魂)を祭る礼。二サンライ 中国古来の礼について記した三つの書物。『儀礼』『周礼』『礼記』。

【三霊(靈)】サンレイ ①天・地・人。②日・月・星。③周の文王の霊台・霊囿・霊沼。④天神・地祇・人鬼。

【三老】サンロウ ①三人の長老。②祭酒をいう。昔、賓客が主人の酒食を受けるとき、その中の一人の長老が酒をあげて地の神を祭ったことによる。③漢代に、いなかの長老で教化をつかさどった人。④上寿(百歳)・中寿(九十歳)・下寿(八十歳)。⑤家老をいう。

【三老五更】サンロウゴコウ 老年で退職した有徳の人で、天子から父兄の礼をもって待遇された人。その数は、各一人ともいい、また、三老は三人、五更は五人ともいう。

【三論】サンロン ①三種の『論語』。『斉論語』『魯論語』『古論語』。『斉論語』『魯論語』は漢代通行の文字(今文)で書かれており、『古論語』は先秦の古字(古文)で書かれていた。②仏三論宗で用いる三つの論書。中論・百論・十二門論。

【三惑】一サンワク 酒・色・財に対するまどい。二サンナク 仏①貪(むさぼる)・瞋(いかる)・痴(欲情)の三つの煩悩。②天台宗で、修道のさまげとなる三種のまどい。見思惑・塵沙惑・無明惑。

2

【上】

3画 ＝ 教1

ジョウ・ショウ　うえ・うわ・かみ・あ-げる・あ-がる・のぼ-る・のぼ-せる・のぼ-す

熟字訓 上手

3069　8FE3　一

一漢ショウ(シャウ)・呉ジョウ(ジャウ) 漾 shàng

二漢ショウ(シャウ) 呉ジョウ(ジャウ) 養 shǎng, ⑤shàng

筆順 丨 ⺊ 上　⺊ 上

[丄] 6 本字

字義 一 ❶うえ。かみ。うわ。場所・順序・地位・時間・年齢・価値・等級などの高いこと・早いこと・前方にあること。また、そのもの。↔下(8)。「上巻」「長上」「上品」

❷ひさしい。ふるい。用例〔呂氏春秋、蕩兵〕兵之所㆓自来㆒者上矣。㊦兵の由来は久しい。

❸きみ。君主。天子。「主上」

❹たっとぶ。とうとぶ。たっとい。＝尚(2747)。用例〔漢書、地理志下〕夏人上㆑忠。㊦夏の人は忠を重んじた。

❺こいねがわくは。願うことには。＝尚(2747)。用例〔詩経、魏風、陟岵〕上慎㆑旃哉、猶来無㆑止。㊦どうか体に気をつけてほしい、そして帰ってくるのだ、行ったきりにならぬよう。

❻名詞の後に置いて接尾語として用いる。㋐物事の表面、上層。㋑ほとり。川や海のそば。用例〔史記、刺客伝〕至㆓易水之上㆒、既祖取㆑道。㊦易水のほとりまで来て、道祖神を祭って酒宴を開いてから(秦への)旅路についた。／〔資治通鑑、漢紀〕蘇武既徙㆓北海上㆒、廩食不㆑至。㊦蘇武が北海のほとりに移されたとき、食糧の支給がなかった。㋒一定の場所や範囲。「世上」「堂上」㋓ある方面や側面。「理論上」

二❶のぼ-る。あ-がる。↕下(８)。㋐下から上へ行く。程度・段階が高い方や先の方へ進む。用例〔易経、需〕雲上ニ於天一。↓雲気が上昇して天にのぼる。㋑都へ行く。「上京」㋒貴人の所へ行く。「参上」㋓いたる。その場に出る。その位置につく。「上レ途」㋔すす-む。前進する。用例〔戦国策、秦〕三鼓レ之而卒不レ上。↓たびたび進軍の太鼓を打ち鳴らしても兵は前に進もうとしなかった。㋕の-る。馬や車などにのる。用例〔史記、項羽本紀〕於レ是項王乃上レ馬騎。↓そこで、項王は馬にまたがって走らせた。❷のぼ-す。のぼ-せる。あ-げる。高い所へあげる。用例〔漢書、王商伝〕令下吏民上二長安城一以避上レ水。↓役人や民衆を長安の城壁の上にあげて洪水を避けさせた。❸たてまつ-る。さしあげる。おさめる。用例〔史記、廉頗藺相如伝〕臣乃敢上レ璧。↓私はそのうえできっと璧を献上いたしましょう。❹くわ-える(加)。用例〔論語、顔淵〕草上二之風一、必偃。↓草は風が加われば、必ずなびくものである。❺漢字音の四声の一つ。上声。

国❶かみ。㋐人の妻や女主人の称。おかみ。㋑川の上流。↕下(８)。❷あ-がる。事が仕上がる。終える。

名前 うら・え・かみ・すすむ・たか・たかし・のぼる・ひさ・ほず・まさ 難読 上遠野・上月・上計・上県・上古語父・上勾・上三川・上枝・上秋・上樵木・上神・上神梅・上生・上相・上総・上大沢・上田・上八・上富田・上蒲刈・上無・上毛・上毛野・上野・上有智・上笹子

使いわけ ①あげる・あがる〔挙・揚・上〕⇩挙(3999)。②のぼる〔昇・登・上〕⇩昇(4688)。

解字 甲骨文  篆文  指事。甲骨文は、基準線の上に短い横線を、篆文は、基準線の上に縦線を書き、うえの意味を表す。

逆 運上・炎上・海上・河上・逆上・今上・啓上・計上・向上・江上・湖上・座上・参上・至上・主上・身上・進上・水上・聖上・世上・川上・奏上・長上・頂上・直上・呈上・天上・殿上・堂上・途上・無上・路上

【上衣】ジョウイ 一 うわぎ。うえにきる衣服。上服。二 ジョウエ 仏 大衣。鬱多羅僧衣。

【上意】ジョウイ ①君主のみ心。天子のおぼしめし。②国江戸時代、将軍の意見。

【上意下達】ジョウイカタツ 国おかみの心がしもじもに徹底すること。

【上院】ジョウイン ①りっぱな屋敷。②二院制の国会の一院。上議院。日本の参議院に当たる。↕下院(二二ジ上)。

【上謁(謁)】ジョウエツ ①名刺を出して面会を求めること。▼謁は、今の名刺。②尊者に面会すること。

【上△苑】ジョウエン 天子の庭園。上林。

【上下】一 ショウカ・ジョウカ・ジョウゲ ①うえと、した。②天と地。③山と平地(または沢地)。また、高い所と低い所。④君と臣。在位の人としもの民。⑤上官と下級官。⑥年上のものと年下のもの。長幼。⑦豊年と凶年。⑧のぼることと、くだること。二 ジョウゲ 国のぼりくだり。三 かみしも 国江戸時代の武士の礼服の一つ。裃。

【上下一レ心】ショウカこころをイツにす・ジョウゲこころをひとつにす 上下の人が心を一つにする。上下同心。〔淮南子、詮言訓〕

【上下天光】ショウカテンコウ・ジョウゲテンコウ 空も水も光が満ちあふれている。用例〔北宋、范仲淹、岳陽楼記〕上下天光、一碧万頃。↓空にも水にも光が満ちあふれて、青一色の水面が広々と続いている。

【上海】シャンハイ 地名。長江口の南岸にある中国最大の商工業都市。一八四二年南京条約により開港して以来、貿易港として発展した。北京市・天津市・重慶市とともに中央直轄市の一つ。

【上界】ジョウカイ ①天上の世界。②仏仏のいる所。天国。↕下界(二三ジ上)。

【上官】ジョウカン ①うわやく。上司。②戦国時代、楚の官名。

【上△浣・上△澣】ジョウカン 上旬。▼浣・澣はともにあらう意で、唐代に十日ごとに官吏に休暇を与えてゆあみさせたことから、旬の意に用いる。

【上△穹】ジョウキュウ 天をいう。▼穹は、空。

【上供】ジョウキョウ 一 ①唐の憲宗の時から始まった国税。天下の賦税の三分の一を中央政府の用に供したもの。②天子に献上する品物。二 ジョウグ 仏仏前などに供物をそなえる。

【上局】ジョウキョク 一 上官。上司。また、上官のいる所。二 うえ(へ)のつぼね 国天子の御座所の近くに設けたつぼね(へや)。女官が宿直する時の休息所。

【上句】ジョウク 一 詩などの上の一節。二 かみのク 国和歌のはじめの五七五の三句をいう。

【上宮△疏】ジョウグウソ 国書名。聖徳太子(上宮太子)の著と伝えられる『三経義疏(法華経・維摩経・勝鬘経の注釈書)』をいう。

【上京】一 ジョウケイ・ジョウキョウ ①天子の都。帝京。京師。②都にのぼる。二 ジョウキョウ 国東京にゆくこと。

【上計】ジョウケイ すぐれたはかりごと。上策。

【上啓】ジョウケイ おかみに申しあげる。上書。上表。

【上△卿】一 ジョウケイ 周代、上級の卿。上席の家老。用例〔史記、廉頗藺相如伝〕以二相如功大一、拝為二上卿一。↓相如の功績が大きかったので、官職をたまわって上卿に任じた。二 ショウケイ 国①平安・鎌倉時代、大臣または中納言などで、臨時に宮中の公事奉行を務める人の称。②朝廷の議事の首座となる人。③記録所の長官。④上位の公卿。

【上月】ジョウゲツ ①空にのぼった月。②先月。去月。

【上賢】ジョウケン ①すぐれた人物。②賢人をたっとぶ。

【上元】ジョウゲン 陰暦の正月十五日。門戸の神をまつる日。この日の夜を元宵・元夕といい、元宵を中心とする数日間を灯節と称し、家々・街々に提灯を飾り、催し物などがあって見物でにぎわう。これを観灯という。⇩コラム 年中行事(四六五ジ)。

【上言】ジョウゲン ①君主に申しあげる。言上。②君主のことば。

【上弦】ジョウゲン ゆみはりづき。陰暦八、九日ごろの、左半分が欠けた月。上旬の月。↕下弦(二三ジ中)。

【上戸】一 ジョウコ 富民。上等の家。二 ジョウゴ 国酒を多く飲む人。酒好きの人。↕下戸(二三ジ中)。

【上古】ジョウコ ①おおむかし。太古。②歴史上の時代区分の一つ。文献のある限りで最も古い時代。日本史では一般に大化改新(六四五)までをいう。中国史では秦以前をいう。

【上午】ジョウゴ 午前をいう。↕下午(二三ジ中)。

【上工】ジョウコウ ①技能のすぐれた職人。②すぐれた医師。良医。③仕事をはじめる。

【上公】ジョウコウ ①周代、三公をいう。また、二王の後をいう。②五等爵の最上の公爵をいう。③前漢末に置かれた太師・太傅・太保をいう。後漢では太傅一人をいう。三公の上にあることからいう。

【上甲】ジョウコウ ①ついたち。上日。▼甲は、初め。②科挙の試験合格者の最優秀の部類。

【上行】ジョウコウ ①上に進む。②上の人が行う。また、その行い。③上座。上の列。④上のおおせ。上役のさしず。⑤下級官吏から上級官吏へ奉る公文書。

【上江】ジョウコウ 長江の上流地方。特に安徽省をいう。↕下江(二三ジ中)。

【上皇】ジョウコウ・ジョウオウ ①天帝。上帝。②上古の帝王。特に三皇のうち最も先にある伏羲をいう。③譲位した天子の敬称。太上天皇。④天子の父。

【上告】ジョウコク ①おかみに申しあげる。②国第二審の判決に対して上級裁判所に不服を申し立てること。

【上国(國)】ジョウコク ①王都に近い諸国の称。②中国の自称。用例〔唐、銭起、送三僧帰二日本一詩〕上国随レ縁住、来途若二夢行一。↓この中国に仏縁に従ってお見えになり住持となった(あなたよ)、その旅路はまるで夢の中を行くようであったことでしょう。③他国に対する敬称。④国大宝令の制で、国の等級を四等に分けた第二位の国をいう。

【上根】ジョウコン ①根気の強いこと。②仏教法を聞いて修行し、さとりを開くことのできる性質。すぐれた性質。↕下根(一三ページ中)。

【上座・上△坐】[一]ジョウザ・かみざ かみざ。上席。↕下座(一三ページ中)・末座(七一五ページ下)。[二]ジョウザ 仏①釈尊の弟子のうちで学行のすぐれた人たち。②僧官。年長高才の僧で法事などをつかさどる人。座首。上首。

【上策】ジョウサク ①すぐれたはかりごと。最もよいはかりごと。上算。②はかりごとがうまく当たること。

【上士】ジョウシ ①すぐれた人物。②天子・諸侯に仕える士の階級のうちで上位のもの。周代では、士を上士・中士・下士に分けた。③仏菩薩の別名。

【上△巳】ジョウシ・ジョウミ 陰暦三月の第一の巳の日。この日、流水のほとりでみそぎをした。魏以後は、三月三日と定めたので、三日を上巳と呼ぶ。雛の節句。桃の節句。⇩コラム 年中行事(四六五ページ)。

【上司】ジョウシ ①上位の役人。上官。②長官をいう。

【上旨】ジョウシ 君主の考え。上意。上指。

【上使】ジョウシ ①上から下につかわす使者。②国朝廷から将軍家へ、また、将軍家から大名へさしむける使者。

【上肢】ジョウシ 左右の手。両手。↕下肢(一三ページ中)。

【上指】ジョウシ ①上の方をさす。用例〔史記、項羽本紀〕頭髪上指、目眥尽裂。↓髪の毛が逆立ち、まなじりが裂けるほどに目を見開いた。②君の御意。上旨。

【上△梓】ジョウシ 版木に文字をほりつけること。また、書物を出版すること。上レ梓。上木。▼梓は、板木の良材。

【上日】[一]ジョウジツ ①月のはじめ。ついたち。上甲。②よい日。良日。[二]ジョウジツ・ジョウニチ 国出勤日。当番の日。

【上舎】ジョウシャ ①上等の邸宅。②宋代、大学の三舎の一つ。③清代、国子監の学生をいう。

【上手】[一]ジョウシュ・ジョウズ ①技術がすぐれている。②うでのたっしゃな人。↕下手(一三ページ下)。[二]うわて(は) 国①上の方。②相撲で、相手の腕の上から組んだ手。↕下手(一三ページ下)。[三]かみて 国↕下手(一三ページ下)。①上の方。上座の方。②舞台の向かって右の方。③魚取りの網の右の方。④風上。または川上。

【上首尾】ジョウシュビ 国物事がうまくはこぶこと。

【上寿(壽)】ジョウジュ ①長寿を上寿・中寿・下寿の三種に分けたうちの最上をいう。㋐百歳(中寿は八十・下寿は六十。一説に中寿は九十、下寿は八十)。㋑百二十歳(中寿は百、下寿は八十)。㋒九十歳(中寿は八十、下寿は七十)。⇩コラム 年齢の別称(四六六ページ)。②天子などに対して、その長寿を祈り祝うこと。上レ寿。

【上秋】ジョウシュウ 秋のはじめ。陰暦の七月。初秋。孟秋。

【上衆】ジョウズ 身分の高い人。↕下衆(一三ページ下)。

【上熟・上△孰】ジョウジュク 豊年を上・中・下の三等に分けた第一番目。平年作の四倍という。

【上春】ジョウシュン 春のはじめの月。陰暦一月。初春。孟春。

【上旬】ジョウジュン 月の一日から十日までの間。上浣。

【上書】[一]ジョウショ ①君主・役所などに文書をたてまつる。また、その文書。②文体の名。上書文。[二]うわがき(は) 国手紙や箱の表に書いた文字。あて名がき。

【上升・上昇】ジョウショウ 上にのぼる。↕下降(一三ページ中)。

【上△庠】ジョウショウ 古代の大学の称。右学ともいう。小学を下庠、または左学というのに対する語。

【上相】ジョウショウ ①朝覲や会同で、礼式の進行のさしずなどをする人。かいぞえ。②宰相の尊称。③宋代、二人の宰相があるとき、首位にある人をいう。

【上将(將)】ジョウショウ ①首席の大将。総大将。上将軍。②星の名。

【上将(將)軍】ジョウショウグン ①全軍の総大将。②官名。漢代に初めて置く。三国の魏・呉は上大将軍とし、唐代は改めて上将軍とし、大将軍の上に位した。

【上章】ジョウショウ ①おかみに上奏文をたてまつること。また、その文書。②前章。上文。

【上乗(乘)】ジョウジョウ ①四頭だての車。②最上の教法。③仏㋐一切の煩悩を去って真理をさとること。また、そのさとり。㋑大乗をいう。④国上の上。最上。上上。

【上場】ジョウジョウ ①上演。②国取引所が、ある物件または銘柄を登録して取り引きの対象とすること。

【上申】ジョウシン 上位の人に意見や事情を申しあげる。上陳。

【上人】[一]ジョウジン すぐれた人。[二]ショウニン 仏①徳のすぐれた人。転じて、僧をいう。②日本で、法眼につぐ僧位の名。また、僧の敬称。[三]ジョウニン 国気立てのよい人。正直でおとなしい人。[四]うえびと(へ) 国殿上人。

【上仁】ジョウジン 最上の仁。また、その仁のそなわった人。

【上世】ジョウセイ おおむかし。上古。

【上声(聲)】ジョウショウ・ジョウセイ 四声の一つ。→四声(三九〇ページ上)。㋐しりあがりの音。㋑現代中国語で、第三声。低くおさえた音。

【上清】ジョウセイ ①道家で、天をいう。玉清・太清と配して三清の一つ。②女性の召し使いをいう。③宮殿の名。四川省の高台山上にあり、晋代に建てられた。④道教の寺の名。今の江西省貴渓市上清鎮にあったという。後漢の張道陵の子孫が世々ここにいたという。唐代は真仙館といい、宋代は上清観、清代は太上清宮という。

【上席】ジョウセキ ①かみざ。上座。②等級が高いこと。上級。

【上仙・上△僊】ジョウセン ①天にのぼって仙人になること。②仙人の中で一番すぐれたもの。上真。③帝王の崩御をいう。また、一般に死をいう。

【上△僭】ジョウセン 下の者が自分の分を越えて、上の者になぞらえた振る舞いをする。

【上善】ジョウゼン 最上の善。至善。用例〔老子、八〕上善若レ水。↓最上の善というものは、水のような(低きにおり、万物に恵みを施し、その功を誇らない)ものである。

【上△疏】ジョウソ おかみに文書をたてまつる。また、その文書。上書。上表。

【上訴】ジョウソ ①上に訴える。②裁判の判決や決定に対する不服申し立て。控訴・上告・抗告の総称。

【上奏】ジョウソウ ①天子に申しあげる。奏上。②国旧憲法下で、官庁・議院などが意見または事実を天皇に申しあげること。

【上足】ジョウソク ①弟子の中ですぐれた人。高弟。②良馬。

【上△蔟】ジョウゾク 蚕があがる。繭を作るため蚕が蔟(まぶし)にあがること。

【上大夫】ジョウタイフ 上位の大夫。用例〔史記、廉頗藺相如伝〕趙王以為二賢大夫使不レ辱二於諸侯一、拝二相如一為二上大夫一。↓趙王は賢才ある大夫が使者として行き諸侯に辱めをうけなかったと考えて、相如を上大夫に任命した。

【上代】ジョウダイ おおむかし。上古の世。上世。

【上台】ジョウタイ・ジョウダイ ①星の名。三台の一つ。②上官。

【上第】ジョウダイ ①試験に及第すること。また、その人。特に、優秀な成績で及第した人。②最善のもの。上等。

【上達】ジョウタツ ①天理・徳義に通達する。用例〔論語、憲問〕君子上達、小人下達。↓君子は徳義に通じ、小人は下賤なことに通じる。②しもじもの意見や事情が上位者の耳にとどく。③上手になる。学術・技法などが進歩向上する。

【上達部】国公卿をいう。摂政や関白・太政大臣・左大臣・右大臣・大納言・中納言・三位以上の殿上人と四位の参議。

【上知・上△智】生まれながら道(道理)を知っている人。生知。用例〔論語、陽貨〕唯上知与二下愚一不レ移。↓生まれながらにして道を知っている者と、学ぼうとしない者とは、変わりようがない。

【上柱国(國)】①官名。㋐戦国時代、楚の国で大功のある人に与えた。㋑北周以後、歴朝、最高の勲功ある人に与えた。清代に廃された。②国正二位の唐名。

【上長】目上の人。自分より地位の高い人。

【上丁】①陰暦二月と八月の最初の丁の日。この日に孔子を祭る釈奠の礼を行った。②壮丁。わかもの。

【上帝】①天の神。天帝。②君。王者。③上古の帝王。④キリスト教で奉ずる神。天主。

【上程】①旅のかどで。②議案を会議にかける。

【上天】①そら。天空。②天帝。上帝。③冬の天。④天にのぼる。⑤キリスト教で、信者の死をいう。昇天。

【上田】地味の肥えたよい田地。良田。

【上都】①天子のみやこ。②唐の代宗のとき、長安(今の陝西省西安市)をいう。③元代、開平府(内モンゴル自治区正藍旗の東)をいう。

【上冬】冬三か月の最初の月。陰暦の十月。

【上棟】①むなぎを上にする。②むねあげ。

【上頭】①女子が十五歳になって初めて笄(かんざし)をさす礼。男子の加冠にあたる。くしあげ。②男子の加冠の礼。③先頭。④以上の。これまでの。⑤その当時。⑥上の方。

【上騰】上にのぼる。上昇。▼騰は、のぼる。

【上道】①北極に近い太陽の軌道。②複道(二階建の通路)の上の道。③神仙の道。④出発する。

【上徳】①最上の徳。用例〔老子、四十一〕上徳若レ谷。↓最上の徳は谷のよう(に徳が低く見えるもの)だ。②天子のりっぱな徳。

【上年】①豊年。②道家で二十歳・三十歳の人。

【上納】①租税などを役所におさめること。②国租税。年貢。

【上農】①よく働く農夫。②農業を重んずる。

【上△膊】二のうで。うでの肩から肘までの称。

【上番】①第一番。②当番につく。出勤する。

【上平】平声の韻を上下二つに分けたものの一つ。↕下平(一三ジ-上)。→四声(三九〇ジ-上)。

【上表】天子に文書をたてまつる。また、その文書。

【上品】一①家がらがよい。上流の階級。②品がよい。みやびやかである。③上等な品。二仏極楽浄土に往生する人の九品のうちで最上の三品である上品上生・上品中生・上品下生の総称。

【上賓】①上席に着くべき立派な客。上客。②飛んで天にのぼる。③帝王の死をいう。

【上文】①学問をたっとぶ。「上文右武(文武ともにたっとぶ)」②前にある文章。前に述べた文章。

【上聞】天子に申しあげる。また、しもじものことが朝廷に聞こえる。上聴。用例〔韓非子、五蠹〕令尹誅而楚姦不二上聞一。↓宰相が直躬を罰したことで、楚での悪事はお上の耳に届かなくなった。

【上方】一①上の方。天上。②陽気の生じる北と東とをいう。③天子の供物を作り、またこれを収蔵する官署。④地勢の最も高い所。⑤仏㋐山寺。㋑住持。二国京都およびその付近の称。

【上木】＝上梓。

【上慢】仏まださとりを得ないのに、さとったとおごりたかぶること。七慢中の一つ「増上慢」の略。

【上命】①上からの命令。上令。②長命。

【上毛】国昔の国名。今の群馬県。上野。上州。上野毛。

【上諭】①みことのり。君主のおさとし。②国明治憲法下で、法令・条約・予算などを公布する時、天皇の裁可を表示したもの。

【上△游】①上流。また、上流付近の地。②高い地位。③上位の成績。④天に上ってあそぶ。

【上陽】①天上にある陽気。↕下陰(一三ジ-上)。②宮殿の名。唐の高宗が建てた。その古跡は、今の河南省洛陽市の西の洛北岸にある。

【上陽花】上陽宮の花木。美人のたとえ。唐の玄宗の妃、楊貴妃が玄宗の愛を独占した時、後宮の美人を遠ざけて、上陽宮に移し置いたことによる。

【上△洛】①都へのぼる。都へ行く。▼洛は、洛陽。②国京都にゆくこと。

【上覧(覽)】①天子が御覧になる。天覧。②国江戸時代、将軍家が御覧になることにも用いた。

【上略】①最上のはかりごと。上策。②文書の、上の文句をはぶくこと。前略。

【上流】①かわかみ。みなかみ。②すぐれた品位。上品。③高い身分。上家。

【上林△苑】宮苑の名。秦の始皇帝が造り、前漢の武帝が整備拡張した。その古跡は、今の陝西省西安市の西にある。

【上△臈】①仏年功を積んだ高僧。▼臈は、正しくは臘で、僧が出家受戒の後、一夏を終わるのを一臈という。↕下臈(一三ジ-中)。②国㋐二位・三位の典侍、禁色を許された大臣の娘、または孫娘。㋑江戸幕府の大奥の職名。御殿女中の高位者。㋒身分の高い女性。

【上和下睦】上の者も下の者もみなやわらぎむつみあうこと。太平な世をいう。〔千字文〕

2
【丈】

3画 12 常 ジョウ たけ

漢チョウ(チャウ)・呉ジョウ(ヂャウ) 養 zhàng

3070 8FE4 一

筆順 一 ナ 丈

[ｽ] 18字 俗

字義 ❶長さの単位。十尺(約三・〇三メートル)。ただし周代の制度では約二・二五メートル。「方丈」❷はかる。土地を測量する。❸たけ。長さ。❹つえ(杖)。❺長老、または友人の称。国ジョウ。役者などの芸名にそえる敬称。

名前 じょう・たけ・たけし・とも・ひろ・ます・たけお・ますらお・丈部

難読 丈夫

解字 篆文 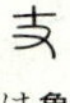 象形。長い棒を手にする形にかたどり、身のたけ十尺の意味に用いる。丈を音符に含む形声文字に、杖・仗があり、これらの漢字は、「長く伸びた、つえ」の意味を共有している。

逆 気丈・方丈・方丈

【丈室】一丈四方の、せまいへや。方丈の室。

【丈丈】目上の人に対する尊称。

【丈人】①老人。▼丈は、杖で、老人は杖をつくからいう。②知識・徳行のある年寄り。長老。〔論語、微子〕③妻の父。しゅうと。岳父。④祖父。⑤父の姉妹。

【丈夫】一①一人まえの、しっかりした男性。②才能がすぐれた、りっぱな男性。ますらお。もと、身長八尺ある人の意。周代、八寸を尺とし十尺を丈とした。二国①たっしゃ。すこやか。②強くしっかりして、やぶれがたいこと。

【丈夫非レ無レ涙、不レ△灑二離別間一】男性にも涙がないわけではない。ただ人との別れなど尋常の事には流さないという意。〔唐、陸亀蒙、離別〕

【丈母】ジョウボ ①父かたのおじの妻。②妻の母。
【丈六】ジョウロク ①一丈六尺。仏像の標準的な高さ。また、その仏像。②国あぐらを組んで座ること。

2 【万】3画 13 教2 マン・バン
艸9 【萬】12画 14 人 漢バン 呉マン 簡 wàn
4392 969C ―
7263 E4DD ―

筆順 一 フ 万

字義 ❶よろず(よろづ)。数の名。千の十倍。❷よろず(よろづ)。→参考。㋐数が多いこと。多数の。様々な。「万戸」「万感」㋑すべて。あらゆる。「万事」❸よろずに(よろづに)。はなはだ。非常に。きわめて。用例〔東晋、王羲之、蘭亭集序〕趣舎万殊(シュシャバンシュ)↓取捨選択、好き嫌いは(人によって)大変に異なる。❹決して。絶対に。どうしても。否定を強める語。「万不レ得レ已(バンやむをえず)(どうにも仕方なく)」❺さそり。毒虫の名。❻舞の名。→万舞。

名前 かず・かつ・すすむ・たか・つむ・つもる・ま・まさ・まん・よろず 難読 万鬼(なきり)・万歳樹(あおき)・万千野(またけ)・万代(もずめ)・万年(まねば)・万年青(おもと)・万年馬(はねやま)・万能倉(まなぐら)・万木(まるき・ゆするぎ・ゆるぎ・よるき)・万里小路(までのこうじ)

参考 字義❷の意味では、千の字と組み合わさって四字句を構成することが多い。「千軍万馬」「千差万別」「千秋万歳」など。

解字 甲骨文  篆文  象形。萬はさそりの形にかたどり、さそりの意味を表す。借りて、数に用いられる。万はもと別字だが、ふるくから萬の略字として用いられている。萬を音符に含む形声文字に、邁(マイ)・勵(レイ)があり、これらの漢字は、「(さそりに刺されたような)激しさ・厳しさがある」の意味を共有している。

逆 巨万・千万

【万一】マンイチ・バンイツ ①万分の一。わずか。②万が一の場合。万に一つ。ひょっとして。もしも。
【万鎰】バンイツ 多くの価。多くの金額。〔孟子、梁恵王下〕▼鎰は、二十両。また、二十四両ともいう。
【万億】バンオク・マンオク きわめて数の多いのをいう。
【万化】バンカ ①いろいろに変化する。「千変万化」②万物の化育。③天地をいう。
【万△壑】バンガク 多くの谷。「千山万壑」
【万巻】マンガン・バンカン 多くの書物。また、たくさんの巻き物。
【万喚】バンカン 何回も呼びかける。用例〔唐、白居易、琵琶行〕千呼万喚始出来(センコバンカンしてはじめていできたるも)、猶抱二琵琶一半遮レ面(なおびわをいだきてなかばおもてをさえぎる)↓何度も声をかけると、ようやく姿を現したが、なお琵琶を抱えて顔を半分隠している。
【万感】バンカン 多くの感情。さまざまな思い。複雑な感情。
【万幾・万機】バンキ 多くの機微なこと。天子の政務をいう。また、多くの政務。▼幾・機は、機微・秘密の意。
【万騎】バンキ・マンキ ①一万の騎兵。多くの騎兵。転じて、天子の侍衛の軍をいう。「千乗万騎」
【万金】バンキン・マンキン ①多くの金銭。②家からの便り。杜甫(トホ)の「春望詩」の「家書抵二万金一(カショバンキンにあたる)」に基づく。→家書②(三九ジ下)。
【万△鈞】バンキン・マンキン 非常に重いこと。▼鈞は、三十斤。
【万径(徑)】バンケイ 多くの小道。また、あらゆる小路(こみち)。用例〔唐、柳宗元、江雪詩〕千山鳥飛絶(センザンとりとぶことたえ)、万径人蹤滅(バンケイジンショウメッす)↓(一面の雪に)山に鳥の飛ぶことがなくなり、小道に人の足あとも見えない。
【万計】バンケイ 万を単位として数えるほど、数の多いことをいう。無数。
【万頃】バンケイ 地面や水面などの非常に広いこと。一頃は、百畝(ポ)で、宋代には約五六六アール。用例〔北宋、蘇軾、前赤壁賦〕縦二一葦之所一レ如(イチイのゆくところをほしいままにし)、凌二万頃之茫然一(バンケイのボウゼンたるをしのぐ)↓一そうの小舟のゆくにまかせ、ひろびろとした中を進んで行く。
【万戸】バンコ ①一万戸。②多くの家々。用例〔唐、李白、子夜呉歌〕長安一片月(チョウアンイッペンのつき)、万戸擣レ衣声(バンコころもをうつのこえ)↓長安の夜空に月ひとつ、あちらこちらの多くの家から聞こえる、きぬたで布を打つ音。③元代の官名。㋐軍隊を管轄する諸国の官。㋑海道の食糧運搬をつかさどる官。
【万戸侯】バンココウ 漢代、一万戸の人民を領有する大諸侯。
【万古】バンコ ①大昔。太古。②永久。いつまでも。「千秋万古」
【万△劫】マンゴウ きわめて長い時間。永久。〔唐、李白、短歌行〕
【万国(國)】バンコク ①すべての国。万邦。②すべての地方。
【万△斛】バンコク 非常に多くの分量。▼斛は、十斗。
【万骨】バンコツ 多くの人の骨。→一将功成万骨枯(五六ジ上)。
【万恨】バンコン さまざまなうらみ。
【万歳】一バンザイ・バンゼイ ①よろずよ。万年。②健康。長寿などを祝っていうことば。昔は私人・王侯・天子、いずれにも用いたが、唐以後は主として天子のみに用いた。③植物の名。いわひば。二バンザイ・バンゼイ・ザイン 国天皇・国家、または団体・個人を祝福する意でとなえることば。三マンザイ 国正月、えぼし・ひたたれを着、鼓を打って民家を舞い歩く人。また、かけあい漫才をいう。
【万歳後】マンザイのち 死後。多く、天子についていう。
【万歳楽(樂)】一バンザイラク 唐の則天武后が作った舞楽の名。二マンザイラク 国天皇の即位といった祝宴のときに用いられた舞楽曲。
【万死】バンシ ①生きる見こみがない。万が万まで死ぬべきあぶない場合。②生命を投げ出す。③死を強く表現していう。「罪、万死に当たる」
【万死一生】バンシイッセイ・バンシイッショウ ①非常に生命の危ないこと。②非常に危ない生命を幸運にも助かること。
【万事休】バンジキュウす どうにも施すべき手段がない。
【万謝】バンシャ ①いくえにもおわびする。②あつくお礼をいう。
【万寿(壽)】バンジュ ①長命。②長寿を祝うことば。
【万寿(壽)節(節)】バンジュセツ 天子の誕生日。天長節。
【万象】バンショウ さまざまの形。宇宙間に存在するありとあらゆるもの。万物。万有。「森羅万象」
【万障】バンショウ 多くのさしさわり。さまざまのさしつかえ。
【万△鍾】バンショウ 非常に多くの量。多量の米穀。一鍾は、約五十リットル。〔孟子、公孫丑下〕
【万丈】バンジョウ 非常に長い。また、非常に高い、または深いこと。「黄塵(コウジン)万丈」
【万乗(乘)】バンジョウ ①一万の兵車。一乗には、士三人、歩卒七十二人がつく。②兵車一万を出すことのできる広さの土地。天子の領地、また、諸侯の大国をいう。転じて、天子、または大国の諸侯をいう。用例〔孟子、梁恵王上〕万乗之国(バンジョウのくに)、弑二其君一者(そのきみをシイするものは)、必千乗之家(かならずセンジョウのいえ)なり。↓兵車万乗を出す国で、その主君を殺すものは、必ず兵車千乗を出すことのできる領地を有する家老だ。
【万乗(乘)之君】バンジョウのきみ 兵車一万を出す国の君。昔は大国の諸侯、後には天子をいう。〔孟子、公孫丑上〕
【万△仞・万尋】バンジン・マンジン 非常に高い、または深いこと。▼仞・尋は、周の八尺、または七尺。
【万世】バンセイ よろずよ。万代。万葉。永久。「万世不朽」
【万世一系】バンセイイッケイ 国天子の血統が永遠に続いて、天子の位にあること。皇室についていう。
【万世不易】バンセイフエキ 永遠にかわらないこと。万代不易。
【万全】バンゼン 万に一つも失策がない。少しの手おちもない。
【万△朶】バンダ 多くの枝。▼朶は、枝。「万朶の桜」
【万態】バンタイ さまざまの状態。万状。「千状万態」
【万代】バンダイ・マンダイ よろずよ。永久。永遠。「万代不易(フエキ)」
【万端】バンタン ①何もかも。すべて。万事。「準備万端整う」②種々さまざま。③いろいろな方法。あらゆる手段。
【万重】バンチョウ ①非常に多い。いっぱいになる。用例〔唐、張籍、秋思詩〕洛陽城裏見二秋風一、欲レ作二家書一意万重。🔽（故郷を離れた）洛陽の町で秋風の訪れに故郷を思いだし、家族に手紙を書こうとすると、さまざまな思いで胸がいっぱいになる。②いくえにもかさなる。千重。用例〔唐、李白、早発二白帝城一詩〕両岸猿声啼不レ住、軽舟已過万重山。🔽両岸で啼く猿の声が耳にこだまするうちに、自分を乗せた軽やかな小舟は、幾重にも重なった山々を通り過ぎてしまった。

【万人敵】①一人で万人の相手となる。②兵法をいう。項羽が、「剣は一人の敵、学ぶにたらず、万人の敵を学ばん」と言って兵法を学んだ『史記』項羽本紀の故事による。用例〔北宋、曽鞏、虞美人草詩〕英雄本学万人敵、何用屑屑悲二紅粧一。🔽英雄（項羽）は、本来万人を相手とするものとして兵法を学んだ。くよくよと化粧した女性のことなど、どうして悲しむ必要があろうか。

【万年】一万年。非常に長い年月。万歳。

【万年△之後】人の死後をいう。

【万能】一①どんなことでもできる。②すべてに効能がある。二国農具の一種。まぐわ。

【万般】いろいろな事。種々な方面。百般。

【万万】①万の万倍。一億。非常に多い数。②はるかにまさる。③とても。決して。まさか。万一。用例〔唐、韓愈、答二渝州李使君一書〕万万無二一可レ疑者一。🔽まるきりひとつもあやしいところはない。

【万舞】①舞の総名。②舞の名。干舞。左に朱干（朱ぬりのたて）を取り、右に玉戚（玉で飾ったおの）を持って舞う武の舞をいう。

【万福】①多くのさいわい。多福。多幸。②祝賀のことば。特に女性が用いた。

【万物】＝万象。

【万物△之逆旅】万物の旅館。天地をいう。万物は天地の間に生滅してやむときがないのでいう。▼逆旅は、はたごや。用例〔唐、李白、春夜宴二桃李園一序〕夫天地者万物之逆旅、光陰者百代之過客。🔽そもそも天地というものは万物の宿屋のようなものであり、月日というものは永遠の旅人のようなものである。

【万物△之霊（靈）】万物のうちで最もすぐれたもの。すなわち、人をいう。〔書経、泰誓上〕

【万方】①多くの国々。四方の国々。②万民。庶民。③種々の道、種々の方面。また、いろいろな方法。

【万邦】多くの国々。あらゆる国。〔書経、尭典〕

【万有】＝万象。

【万葉】①よろずよ。万世。永久。▼葉は、世の意。②多くの木の葉。

【万葉仮（假）名】国漢字の音訓を用いて国語の発音を写した文字。『万葉集』に例が多い。⇩コラム 仮名（八五六ページ）。

【万雷】多くのかみなり。とどろきひびく大きな音のたとえ。「万雷の拍手」

【万△籟】万物の（風で起こる）ひびき。すべての物音。

【万落】多くの村々。用例〔唐、杜甫、兵車行〕君不レ聞漢家山東二百州、千村万落生二荊杞一。🔽諸君もご存知であろう、漢の東半分の二百州ではどの村々でも雑草が生い茂っていることを。

【万里】一万里。転じて、はるかに遠い所。見渡す限り遠く続いている所。用例〔唐、李白、送二友人一詩〕此地一為レ別、孤蓬万里征。🔽この地でいったん別れを告げると、君は風に吹かれて転がり飛ぶ一本のよもぎのように、万里のかなたへと旅立っていくのだ。

【万里橋】橋の名。四川省成都市の南、錦江に架かる。三国時代、蜀の諸葛亮が呉に使いする費禕を送別した時、費が「万里之行、始二於此橋一」と述べたことに基づく。また、唐の杜甫の草堂がこの橋の西にあり、名妓薛濤が橋側に住んだので名高い。

【万里侯】都を遠く離れた土地で、てがらを立て、そこに封ぜられた大名。

【万里長城】北方の異民族の侵入を防ぐために、中国の北辺に築いた城壁。戦国時代に築かれたものを、秦の始皇帝が天下を統一した後、修築したといわれる。河北省の山海関から甘粛省臨洮県に至る。現在のものは、明代に築かれたもの。

万里長城

【万緑△叢中紅一点（點）】多くの緑の葉の中に、ただ一つの赤い花がある。転じて、多くの平凡な物の中に一つのすぐれたものがあるたとえ。また、多くの男性の中に、ただひとりの女性がまじっているたとえ。紅一点。宋の王安石の詩句といわれるが、確かでない。

2
【与】
3画 15 常 ヨ あた-える

〔與〕臼6 13画 16 人

一ヨ 語 yǔ　二ヨ 魚 yú　三ヨ 御 yù

4531 975E 一　7148 E46F 一

筆順 一 与 与

字義 一❶あた-える。ほどこす（施）。🔽一斗入りの大杯に酒をなみなみとついで与えた。❷くみ。なかま。「与党」❸くみ-する。㋐なかま・味方になる。㋑助ける。加勢する。二助 ともに。と。ために。よりは。⇩助字・句法解説。用例〔史記、項羽本紀〕与二斗卮酒一。二 助 か。や。かな。⇩助字・句法解説。三あずか-る。関係する。用例〔論語、子罕〕天之将レ喪二斯文一也、後死者不レ得レ与二於斯文一也。🔽天が、この文王の道を滅ぼそうとしているなら、文王の後に生まれ死んでゆくこの私は、この文王の道に関与する機会はないはずである。

助字・句法解説

❶ともに。訳一緒に。用例〔史記、項羽本紀〕豎子不レ足二与謀一。🔽小僧め、ともに大事をはかることはできぬ。

❷と。

㋐並列。「A与レB（AとBと）」。訳AとB（と）。類及。A、Bの語句を同等のものとして列挙する。用例〔論語、里仁〕富与レ貴、是人之所レ欲也。🔽富と貴い身分とは、どんな人でも望むものである。／〔韓非子、二柄〕君因兼二罪典衣与二典冠一。🔽君主はそこで、衣服を管理する役人と、冠を管理する役人と両方とも処罰した。

㋑「A（ハ）与レB（A（は）Bと）」。訳AはBと。Aが主語で、Bは従属的にともに行動するものを表す。主語であることを明示するため、Aに送りがな「ハ」を付すこともあり、また、主語が明らかな文脈では、Aが省略されることもある。

用例〔史記、項羽本紀〕臣与二将軍一勠レ力而攻レ秦。↓私は、将軍閣下と力を合わせて秦を攻めました。／〔北宋、蘇軾、前赤壁賦〕蘇子与レ客泛レ舟、遊二於赤壁之下一。↓私は客と共に小舟を浮かべて、赤壁のあたりを遊覧した。

❸か。や。疑問・反語。訳…か。どうして…であろうか。
類歟。
文末に置かれ、疑問・反語の語気を表す。
用例〔楚辞、漁父〕子非二三閭大夫一与。何故至二於斯一。↓あなたは三閭大夫ではありませんか。なぜこのようなことになってしまわれたのですか。／〔論語、微子〕是魯孔丘与。↓魯の国の孔丘なのか。／〔史記、礼書〕可レ不レ勉与。↓どうして努力せずにいられようか。

❹かな。か。詠嘆。訳…であることよ。
文末に置かれ、詠嘆の語気を表す。
用例〔中庸〕舜其大孝也与。↓舜はまことに大孝な人であることよ。／〔荘子、斉物論〕自喩適レ志与。↓みずから楽しんで、思いのままであるなあ。

❺ために。訳…のために。…にかわって。
用例〔唐、李白、将進酒詩〕与レ君歌二一曲一、請君為レ我傾レ耳聴。↓君たちのために一曲を歌おう。どうか諸君、わたしのために、耳を傾けてきいてくれ。

❻よりは。比較。類于・於。「与レA B(AよりはB)」。訳AよりはBがよい。
A、Bの語句や文につき、AよりBが望ましいことを表す。Bは、「寧…」「不如…」「不若…」などの表現をとることが多い。
用例〔論語、八佾〕礼与二其奢一也寧倹。↓礼は派手にするよりは、むしろ控えめにするのがよい。／〔論語、微子〕而与二其従一辟レ人之士一也、豈若レ従二辟レ世之士一哉。↓あなたはあの、つまらない人を避けて立派な人を選んで仕えようとする者に付き従っているよりも、いっそ乱世を避けている者に付き従ってゆくほうがよいだろう。

【執与】⇩執(2583)の助字・句法解説。

名前 あたえ・あと・あとう・くみ・すえ・たく・とも・のぶ・ひとし・もろ・よ・よし 難読 与牛富・与名・与侈・与謝

解字 金文 篆文 形声。金文は、牙＋口＋舁音。牙は、かみ合う歯の意味。音符の舁ヨは、持ちあげる手と、ひきあげる手の象形。手や口らを合わせて仲間となり、互いに助け合う意味から、くみする・あたえるの意味を表す。篆文は、与＋舁音となるが、与は、牙の変形。常用漢字では、この与の変形である与を用いる。借りて、助字にも用いる。

逆 干与・関与・給与・寄与・恵与・参与・賜与・賞与・贈与・貸与・天与・付与・賦与

【与議】ヨギ 話し合う。また、相談する。〔論語、里仁〕
【与国(國)】ヨコク なかまの国。同盟国。
【与奪】ヨダツ あたえることと取りあげること。「生殺与奪の権」
【与知】ヨチ・あずかりしる 関知する。
【与党(黨)】ヨトウ 国①自分のくみする仲間。党与。②政府に味方する政党。↔野党(一四五八ページ下)。
【与聞】ヨブン・あずかりきく 関係する。参与する。
【易レ与】くみしやすし 相手にしやすい。あつかいやすい。
【不レ与】あずからず ①仲間にならない。手を出さない。②関係しない。関係がない。

3 【丐】 4画 17 カイ 泰 gài 4802 98A0 —
字義 ❶こう(乞)。請い求める。ねがう。❷あたえる。❸人に金品をこう。
参考〔丏〕(22)は別字。
解字 もと、匄(1088)の俗字。
【丐戸】カイコ 乞食。もと江蘇・浙江地方の未開民族の一種をいう。
【丐子】カイシ 乞食。丐児。丐者。
【丐児(兒)】カイジ ＝丐子。
【丐者】カイシャ ＝丐子。
【丐取】カイシュ ねだりとる。くれとねだってもらい取る。
【丐命】カイメイ 助命を求める。命を助けてくれとたのむ。

3 【五】 4画 (123) ゴ 二部。→五七ページ上。

3 【丈】 4画 18 ジョウ 丈(12)の俗字。→二四ページ下。 1402 — —

3 【卅】 4画 (1158) ソウ 十部。→一二三ページ上。

3 【币】 4画 (3079) ソウ 巾部。→四三二ページ下。

3 【丑】 4画 19 人 チュウ(チウ) 有 chǒu 1715 894E —
筆順 フ 刀 丑 丑
字義 ❶うし。十二支の第二位。㋐方位では北北東。㋑月では十二月。㋒時刻では午前二時。また、午前一時から三時の間。㋓動物では牛に当てる。❷はじめ。❸中国劇の道化役者。
〔丒〕20 俗字
名前 うし・ひろ
解字 甲骨文 金文 篆文 象形。手指に堅く力を入れてひねる形にかたどる。借りて、十二支の第二位に用いる。丑を音符に含む形声文字に、杻チュウ・紐チュウ・鈕チュウなどがあり、これらの漢字は、「ひねる」の意味を共有している。
【丑寅】うしとら 国方角の名。東と北の間。俗にいう鬼門。易の卦で艮ゴンに当たる。
【丑三】うしみつ 国時刻の名。丑の刻を四分した第三の刻。午前二時半前後という。夜半・深更の意に用いる。丑満うしみつは、当て字。

3 【丒】 4画 20 チュウ 丑(19)の俗字。→二七ページ中。 2104 — 1605
難読 丒ノ沢うすのさわ

3 【不】 4画 21 教4 フ・ブ
㊀フツ 物 bù ㊁フ 有 fǒu ㊂フ 虞 fū, pī 慣フ・ブ
4152 9573 —
筆順 一 ア 不 不
字義 ㊀助 ず。ず-んば。ざ-れば。しか-らず。しか-らずんば。⇩助字・句法解説。㊁助 いな-や。⇩助字・句法解説。㊂❶はなぶさ。❷おおきい。

助字・句法解説
❶ず。否定。訳…しない。…でない。類弗。
動詞・形容詞などの前に置かれ、動作・状態などを否定する意味を表す。
用例〔東晋、陶潜、雑詩〕及レ時当二勉励一、歳月不レ待レ人。↓時を失うことなく、つとめ励んで楽しみを尽くすべきである。年月はどんどん過ぎ去って、人を待っていてはくれないのだから。
❷ず-んば。ざ-れば。仮定。訳もし…しなければ。もし…でなければ。
後にくる内容を受けて否定の順接仮定条件を表す。

一部 3画 〔丐 五 丈 卅 币 丑 丒 不〕

用例〔後漢書、班超伝〕不レ入ニ虎穴一、不レ得ニ虎子一。↓虎の巣穴に入らなければ、虎の子は得られない。

❸いなーや。疑問。訳…かどうか。文末に置かれ、前の内容の肯定か否定かを問う疑問の意味を表す。用例〔史記、張儀伝〕視ニ吾舌一、尚在不。↓私の舌を見ろ、まだあるか、どうか。

❹しかーらず。しかーらずんば。訳そうでない。そうでないのなら。用例〔史記、楚世家〕我独不。↓わが楚ッ国のみそうでなかった(周から宝器を受けとれなかった)。／〔史記、斉世家〕屈完曰、君以レ道則可。若不、則楚方城以為レ城、江漢以為レ溝。↓屈完が言うには、「あなた(斉の桓公)が道を重んじればそれで結構だ。しかし、もしそうでないのなら、わが楚は、方城山を城となし、江漢(の川)を堀として、全力で戦いましょう」。

【不者】しかーらずんば。訳そうでないのなら。前文の内容が満たされない場合にもたらされる結果を表す。「不レ然」と同意。用例〔史記、項羽本紀〕不者、若属皆且レ為レ所レ虜。↓もしそうしなければ(今ここで沛公を討たなければ)、お前たちの仲間は、やがて皆彼のために捕虜とされてしまうであろう。

名前 ず・ふ 難読 不意・不見転・不束・不知・不知火・不知哉川・不知山・不貞寝・不倒翁・不入山・不入斗・不味・不来見浜・不老松・不丹・不列顛

参考「不気味・不器量・無精」など、否定を表す「ブ」の本来の表記は、おおむね「不」であった。ただ、昭和二十三年制定の「当用漢字音訓表」では「不」には「フ」はあるが「ブ」はなかったので「不気味・不器量」などを「無気味・無器量」などと書き換えることが行われた。この書き換えは現在も残っているが、昭和四十八年に「当用漢字音訓表」が改定され、「不」に「フ」と「ブ」の音が掲げられたので、これ以後、「不」を用いることが一般的となっている。なお、「音訓表」に関係なく「不精・無精」「不粋・無粋」「不様・無様」などは以前から両様の表記が行われており、また「無遠慮・無作法・無愛想」などは「不」を用いることはほとんどない。

解字 甲骨文  篆文  象形。花のめしべの子房の形にかたどり、はなぶさの意味を表す。借りて、否定などの助詞に用いる。

【不意】(フイ) 思いがけない。だしぬけ。いきなり。

【不一】(フイツ) ①ふぞろいである。一様でない。②＝不乙。

【不乙】(フイツ) 手紙の末尾に書く語。昔、読書の際、読みかけてやめる所に、筆で「乙」としるしたことから、十分に意をつくしていないという意。不一。不具。

【不壊(壞)】(フエ) 仏やぶれない。こわれない。堅固なこと。

【不易】(フエキ) かわらない。また、かえない。↔流行(八四三ページ下)。㊁(フイ) ①やさしくない。②やすらかでない。不安。多難。

【不穏(穩)】(フオン) おだやかでない。

【不穏(穩)当(當)】(フオントウ) 穏当でない。おだやかでない。また、道理にかなわない。

【不可】(フカ) よくない。㊁(フカ) 国成績評価で、不合格であることを表すことば。

【不可解】(フカカイ) 理解できない。わけがわからない。

【不可欠(缺)】(フカケツ) 欠くことができない。なくてはならない。

【不可抗力】(フカコウリョク) 天災など、人力ではどうにもならない大きな力。

【不可思議】(フカシギ) ①仏思いはかることができない。②あやしいこと。③大数の一つ。一〇の八〇乗。⇩コラム数を表すことば(六三八ページ)。

【不可避】(フカヒ) さくべからず。避けることができない。

【不可分】(フカブン) 分かつべからず。分けることができない。

【不快】(フカイ) ①こころよくない。不愉快。②病気。

【不覚(覺)】(フカク) ①さとらない。②目がさめない。「前後不覚」③仏心中にひそんでいるまよい。④国㋐油断して失敗すること。㋑卑怯なこと。㋒思慮の浅いこと。

【不刊之書】(フカンのショ) 長く世に伝わって滅びない書物。

【不軌】(フキ) ①国の法を守らないこと。反逆をはかる。▼軌は、法の意。「不軌之徒」②人の守るべき道に従わない。

【不帰(歸)】(フキ) 帰らない。転じて、死ぬこと。

【不帰(歸)客】(フキのキャク) 帰らぬ旅に出た人。死出の旅路にのぼった人。

【不起】(フキ) たちあがらない。死ぬこと。

【不亀(龜)手之薬(藥)】(フキシュのくすり・フキンシュのくすり) 手のひび・あかぎれを防ぐくすり。〔荘子、逍遥遊〕

【不器】(フキ) ＝不レ器(三八二ページ下)。㊁(ブキ) 国＝不器量①。無器。

【不器量】(ブキリョウ) 国①才知・才能のないこと。不器。②顔だちの醜いこと。↓参考。

【不諱】(フキ・いまず) ①君主や父の名をいみさけないこと。②いみはばからない。直言していさめること。③死をいう。

【不羈】(フキ) ①つながれない。束縛されない。押さえつけられない。②才能・学識がすぐれていて、普通で律せられないこと。非凡。「不羈の才」

【不義】(フギ) ①人の道にはずれていること。②国道ならぬ男女の関係。姦通。密通。

【不義而富且貴、於レ我如ニ浮雲一】(フギにしてとみかつたっときは、われにおいてフウンのごとし) 不義を行って、その結果富貴な生活をするのは、自分にとっては、あの空に浮かんでいるはかない雲のようなもので、自分にとって何の関係もない。〔論語、述而〕

【不義理】(フギリ) 国①義理をかく。②借金を返さない。

【不吉】(フキツ) めでたくない。えんぎが悪い。また、その兆のあること。不祥。

【不気(氣)味】(ブキミ) なんとなく気味が悪い。無気味。↓参考。

【不朽】(フキュウ) 永久にくちない。長く伝わる。

【不朽之盛事】(フキュウのセイジ) 後世に伝わるりっぱなこと。文章をいう。用例〔三国魏、文帝、典論論文〕文章経国之大業、不朽之盛事。↓文章は国家を治めることにも匹敵するほどの大事業で、永久に滅びることなく後世に伝わるりっぱな仕事だ。

【不窮】(フキュウ) きわまらない。つきはてることがない。

【不共】(フキョウ) つつしまない。つつしみがない。▼共は、恭に同じ。㊁(フグウ) 仏共通でない。独自の。

【不況】(フキョウ) 景気がよくない。不景気。↔好況(三六一ページ上)。

【不恭】(フキョウ) つつしみがない。不共。不敬。

【不興】(フキョウ) 国①機嫌がわるい。②勘当。③興のさめること。座がしらける。

【不行状(狀)】(フギョウジョウ) ＝不行跡。

【不行跡】(フギョウセキ) 品行がよくないこと。

【不具】(フグ) ①そなわらない。不備。②身体に障害のあること、またその障害をもつ人をいう差別的な語。③手紙の末尾に書く語。十分に意をつくさない意。

【不倶戴天】(フグタイテン) 倶には天を戴かず。同じ天の下には生かしておけないほど恨みの深いこと。父の仇をいう。『礼記』曲礼上編に、「父之讐、弗ニ与共戴レ天」とあるのに基づく。

【不虞】(フグ) ①はかられない。思いがけない。意外。②思いがけないわざわい。

【不遇・不偶】(フグウ) ①時にあわない。世にいれられない。②不運。

【不屈】①志などをまげない・変えない。屈服しない。くじけない。「不撓不屈」②尽きない。

【不経(經)】①常道にそむく。正道に反する。▼経は、常道。②道理に合わない。でたらめ。〔史記、孟軻伝〕

【不敬】①つつしまない。礼をかくこと。②国皇室や社寺の尊厳をそこなうこと。

【不恵(惠)】恵み深くない。情け深くない。

【不稽】考えられないの意で、根拠のないこと。無稽。

【不言】ものをいわない。無言。

【不言△之花】ものいわぬ花。前漢の李将軍を評したことばから、ももやすももの花などをいう。→桃李不レ言下自成レ蹊（七四一ページ下）。

【不言△之教】老荘思想などで、ことばを用いず、自然に人を教えさとすことをいう。〔老子、二〕

【不言実(實)行】あれこれと口に出して言わず、黙っていて実行すること。

【不△辜】罪のないこと。また、その人。無辜。用例〔墨子、非攻上〕殺二不辜人一、拖二其衣裘一。↓罪のない人を殺し、着物や皮衣を奪う。

【不孝】一①親に対して、子としての道をつくさない。②国不孝者として勘当すること。二子が親の喪に服している時の自称。

【不幸】①ふしあわせ。不運。②死ぬこと。

【不合理】道理に合わない。矛盾している。

【不穀】王侯の謙称。穀は、善の意。自己を謙遜して不善という意。

【不才】①才能がないこと。また、その人。②自己の謙称。

【不細工】国①細工がへたなこと。②容姿のみにくいこと。

【不材】①役に立たない材木。用例〔荘子、山木〕此木以二不材一、得レ終二其天年一。↓この木は、役に立たない材木と判断されたことが理由で、寿命を全うすることができた。②才能がない。また、その人。

【不作】①作らない。耕作しない。②国凶作。

【不参(參)】国行かない。出席しない。

【不死△之薬(藥)】①飲めば永久に死なないという仙薬。〔韓非子、説林上〕②仏雪山の上にあるという香草。

【不死身】国①どのような苦痛や病気にも耐えるという。これを見た人は無量の寿をえるという。②いくど困難にあってもくじけない人。強いからだ。

【不始末】国①しまつの悪いこと。やりっぱなし。②行いの悪いこと。ふしだら。

【不思議】＝不可思議。

【不歯(齒)】＝不レ歯②（一六五六ページ下）。

【不二】一①二つとない。無双。②二つにしない。二様にしない。③国富士山をいう。二仏本体と現象とが異なったものでないこと。

【不次】順序によらない。「不次の抜擢」

【不時】①その時でない。その時節のものではない。②思いがけない時。臨時。③なんどきにでも。時々。

【不△悉】手紙の末尾に書く語。十分に意をつくさない意。不尽。

【不日】＝不レ日（六四六ページ下）。

【不実(實)】①誠実でない。まことがない。②みのらない。

【不者】⇩助字・句法解説。

【不惜身命】仏自分の身命をおしまず、仏道につくす。〔法華経〕

【不首尾】国①結果が悪い。②評判が悪い。

【不周】①人と公平に親しまない。党派を作る。②西北の風をいう。

【不祝儀】国めでたくないこと。特に葬式をいう。

【不淑】よくない。▼淑は、善の意。㋐善徳がない。㋑不幸をいう。死や凶作など。㋒国が滅びること。㋓おろかなこと。

【不熟】①くだものなどが熟さないこと。②なまにえ。③物事になれない。未熟。④仲が悪い。「一家不熟」

【不△恤緯】自分の職業を捨て置いて国事をうれえるたとえ。夫に先立たれた機織りの女性が、緯の少ないのをうれえないで、祖国の滅びるのをうれえた故事による。不レ恤レ緯。〔左伝、昭公二十四〕

【不純】純粋でないこと。まじりけのあること。

【不順】①道理に従わない。また、一定の順序によらないこと。②順調でない。③すなおでない。

【不如】及ばない。…に越したことはない。

【不如意】①思うようにならない。〔三国志、魏志、曹爽伝〕②国生計が苦しい。貧しい。

【不如帰(歸)】鳥の名。その鳴き声が不如帰去と聞こえるからという。

【不肖】おろかなもの。親に似ない者という意。また、自己の謙称。▼肖は、似る。用例〔史記、廉頗藺相如伝〕臣等不肖。↓私たちは愚かな者です。

【不祥】よくない。めでたくない。縁起が悪い。不吉。

用例〔老子、三十一〕兵者不祥之器、非二君子之器一。↓武器は不吉なもので、君子が持つものではない。／〔老子、七十八〕受二国之不祥一、是謂二天下王一。↓国の災厄を引き受ける人こそを、世界の王という。

【不詳】①つまびらかでない。また、明らかにしない。不審。②よくない。不祥。

【不浄(淨)】①けがれ。また、けがれたもの。②国大小便。また、便所。

【不浄(淨)門】国①大小便をかついで出入りする門。②死者を送り出す門。

【不臣】①臣としての道をつくさない。②臣としない。君主が相手を尊んで臣下として扱わない。

【不信】①まことがない。信義を守らないこと。うそ偽りのあること。②信用しない。「不信の念」

【不審】①つまびらかでない。確かには分からない。②不安に思う。③国疑わしい。いぶかしい。また、そのこと。

【不仁】①仁徳のないこと。②手足のしびれること。

【不尽(盡)】一①つきない。また、つくさない。用例〔唐、杜甫、登高詩〕無辺落木蕭蕭下、不尽長江滾滾来。↓どこまでも続く森に落葉はかさかさと散り続け、尽きることを知らぬ長江の流れは、盛んに流れ下っていく。②手紙の末尾に書く語。十分に意をつくさない意。二国富士山をいう。

【不粋(粹)】国①いきでない。②人情に通じない。

【不随(隨)】①したがわない。②手足がしびれて自由にならない。「半身不随」

【不世】世にめったにない。まれなこと。「不世之材」

【不世出】世にめったに出ない。世にまれな。すぐれた。〔史記、淮陰侯伝〕

【不精】一くわしくない。綿密でない。二国①精を出さない。なまけ。②手まめでない。無精。

【不△屑△之教△誨】人を導くためにわざと教えず、かえってその人をはげましてさとらせること。〔孟子、告子下〕

【不宣】友人間の手紙の末尾に書く語。十分に意をのべつくさない意。不宣備。不備。不尽。

【不相応(應)】国ふさわしくない。分をこえること。「身分不相応」

【不造】①不幸。困窮。②至らない。劣る。

【不即(卽)不離】つかずはなれずの関係を保つこと。不離不即。

【不足】①たらない。不十分。②国満足しない。不満足。

【不測】フソク はかりがたい。①計測し得ない(ほど深い・大きい・多い)。「不測之淵」②予測し得ない。思いがけない。また、そのこと。

【不孫・不遜】フソン ①思いあがってへりくだらないこと。②従わない。不順。

【不退転(轉)】フタイテン 仏修行が退転しないこと。一心不乱に仏道を修行すること。一歩もしりぞかない。↕退転(二四二㌻下)。

【不断(斷)】フダン ①たえず。断絶しない。②思いきりがわるい。ぐずぐず。③国つねづね。日常。

【不治】フチ ①おさまらない。また、おさめない。②病気がなおらない。

【不知】フチ ①しらない。②値打ちを認めてくれない。③知恵がない。賢くない。不智。

【不中】フチュウ ①あたらない。②中正を得ない。中庸の徳がない。また、その人。〔孟子、離婁下〕③落第する。

【不忠】フチュウ ①人のために真心をつくさない。〔論語、学而〕②臣としての道をつくさない。

【不衷】フチュウ ①真心がない。心がただしくない。②あたらない。③中庸を得ないこと。

【不弔】フチョウ ①とむらわない。②天によしと認められない。天恵のないこと。不幸。▼弔は、善の意。

【不調】フチョウ ①ととのわない。調和しない。②調子が悪い。③正常でない。欠点がある。

【不調法】ブチョウホウ 国①行きとどかない。気がつかない。②そそう。過ち。③趣味のないこと。特に芸事の心得がないことや酒の飲めないことをいう。

【不通】フツウ ①とおらない。交通がとだえる。また、とおさない。②通達しない。理解しない。③国縁を切る。交際しない。手紙をかわさない。

【不弟・不悌】フテイ 兄や年上の人に従順でないこと。

【不定】[一]フテイ 一定しない。定まっていない。[二]フジョウ 仏定めがない。あてにならない。「老少不定」

【不貞】フテイ ①節操がない。②妻としての道を守らない。貞操を守らない。

【不庭】フテイ 王室に来朝しない。また、王命に従わないものをいう。昔、下のものが上に仕えるに、庭中にはべっていたことから、王命に従わないものを不庭という。

【不逞】フテイ ①わがままにふるまう。また、その人。転じて、よくない。「不逞の輩」②満足しない。▼逞は、快い意。

【不敵】フテキ ①敵対できない。かなわない。②国敵を敵とも思わない。大胆なこと。「大胆不敵」

【不腆】フテン 粗末なこと。厚くないこと。また、その品物。自分の贈り物の謙称。▼腆は、厚い・善いの意。

【不図(圖)】フト 思いがけない。意外にも。

【不当(當)】フトウ 道理にあわない。当を得ない。不法。

【不倒翁】フトウオウ おきあがりこぼし。おもちゃの一種。

【不撓】フトウ たゆまない、くじけない。「不撓不屈」

【不動】フドウ ①動かない。また、動かさない。②仏「不動明王」の略。

【不動産】フドウサン 他に移動させることのできない財産。土地や建物などをいう。↕動産(一九七㌻上)。

【不動尊】フドウソン ①銭をいう。②仏＝不動明王。

【不動明王】フドウミョウオウ 仏大日如来が一切の悪魔・煩悩を降伏するために変化して怒りの相を表したもの。色が黒く目を怒らし、背に火焔を負っている。右手に降魔の剣を持ち、左手に縛り縄を握り、背に火焔を負っている。

【不得要領】フトクヨウリョウ 要領を得ない。あいまいで、わけが分からない。

【不徳】フトク ①徳が身についていない。徳のたりないこと。「不徳漢」②徳としない。恩にきせない。

【不発(發)】フハツ ①(矢などを)放たない。②出発しない。③門などを開かない。④啓発してやらない。⑤国㋐銃弾などが故障のため発火しないこと。㋑計画したことがだめになること。

【不抜】フバツ ぬきとられない。かたくて動かない。おちいらない。意志や城などの堅固なことにいう。「堅忍不抜」

【不備】フビ ①そなわらない。完備しない。不十分。②手紙の末尾に書く語。不具。不宣。

【不敏】フビン ①さとくない。不才。用例〔論語、顔淵〕回雖二不敏一、請事二斯語一矣 ↓わたくし顔回は愚か者ではありますが、このお言葉を努め行ってゆきたいものです。②自己の謙称。

【不憫・不愍】フビン 国①あわれ。かわいそうなこと。不便。②都合が悪い。「不便」の当て字。

【不文】フブン ①かざりがない。②文章がまずい。③学問がない。無学。④文字に書き表していない。

【不文律】フブンリツ 法律の文面に載っていなくても、古来の習慣などで法律上の効力を生じるもの。文字に書き表さない法律の意。不文法。

【不平】フヘイ ①たいらでない。②心に不満をもち、おだやかでない。③公平でない。不公平。

【不変(變)】フヘン かわらない。不易。

【不偏】フヘン かたよらない。「不偏不党(どちらにもかたよらず、味方をしないこと。中立)」

【不便】[一]フベン・フビン 便利でない。不都合。[二]フビン 国あわれ。かわいそうなこと。不憫。

【不本意】フホンイ 心に望んでいないこと。心にそわないこと。

【不犯】フボン 仏僧が邪淫戒をおかさないこと。色欲をたつこと。

【不磨大典】フマのタイテン 不朽の大法。永久に滅びることのないりっぱな法典。▼不磨は、不滅。

【不昧】フマイ くらくない。物欲におおわれないこと。

【不眠不休】フミンフキュウ 眠らず休まずに、精いっぱい努力する。

【不滅】フメツ ①ほろびない。不朽。②火が消えない。

【不毛】フモウ ①土地に草木や穀物がはえない。また、その土地。②成果の実らないこと。

【不問】フモン とわない。とがめない。そのままにしておく。

【不夜城】フヤジョウ ①漢代、東萊郡不夜県(今の山東省栄成市の北)にあった城の名。夜に日が出て照らしたので名づけたという。②多くのともしびの明るく輝いているさまの形容。また、月の夜や雪の夜などの明るい景色にもいう。③行灯の別名。④国夜でも昼のように明るい歓楽街。

【不友】フユウ 兄弟の仲が悪い。▼友は、兄弟の道。

【不予(豫)】フヨ ①よろこばない。たのしまない。▼予は、たのしむ意。②天子の病気。③思いがけない。▼予は、予期する意。

【不預】[一]フヨ・あずからず あずからない。関係しない。[二]フヨ 天子の病気をいう。不予。

【不用】フヨウ ①役に立たない。②いらない。いらなくなる。↓不要。

【不要】フヨウ いらない。なくてもよい。不必要。◆「不用」も「不要」も、ともにいらないの意であるが、「不用」は、役に立たなくなったからいらないの意で「入用」の対であるのに対し、「不要」は、さしあたりいらないの意で「必要」の対。「不用品の回収」「不要の道路工事」

【不埒】フラチ 法に従わない。不法。ふとどき。▼埒は、境界で、境界の外にふみ出すという意。

【不利】フリ ①ためにならない。利益がない。②形勢などがよくない。③競争や戦争などに負ける。

【不律】フリツ ①筆の別名。筆の音ヒツを示す反切が不律であることからいう。②法を守らない。また、その人。

【不立文字】フリュウモンジ 仏禅宗で、仏道の真意は文字で伝えることはできず、心でさとるべきであるということ。

【不慮】フリョ ①思いがけない。②思案しない。考えない。

【不良】(フリョウ) ①(品質・性行などが)よくない。また、その人。②唐代、人を尋問することをつかさどった役。

【不漁】(フリョウ) 国魚がとれない。しけ。狩猟には不猟と書く。

【不倫】(フリン) ①類を同じくしない。すじ道が立っていない。②国人の道にはずれる。不道徳。

【不例】(フレイ) ①ふだんとちがう。②貴人の病気。

【不老不死】(フロウフシ) いつまでも年もとらず死にもしないこと。〔列子、湯問〕

【不老門】(フロウモン) ①漢の洛陽(ラクヨウ)の城門の一つ。②国大内裏(ダイダイリ)の豊楽院(ブラクイン)の北面にあった門。

【不△禄】(フロク) 禄を終えない。㋐士の死をいう。㋑諸侯の死を他国に告げる時の謙称。

【不和】(フワ) ①むつまじくない。なかたがい。②顔色のやわらぎがないこと。

【不惑】(フワク) ①まどわない。②四十歳をいう。『論語』為政編に「四十而不レ惑(シジュウにしてまどわ(は)ず)」とあるのに基づく。⇩コラム 年齢の別称(四六六ページ)。

【与(與)二不善人一居如レ入二△鮑魚△之△肆一】(フゼンニンとお(を)るはホウギョのシにいるがごとし) 悪人と一緒にいると、塩漬けの魚を売る店にはいるとそのにおいが身にしみつくように、自然と自分も悪に染まること。朱に交われば赤くなる。〔孔子家語、六本〕

3 【丏】 4画 22 漢ベン 呉メン 銑 miǎn ₂0103 ―

字義 ❶みえない。おおう。❷矢を防ぐための低い土塀。

解字 象形。人が仮面をつけた形にかたどり、おおう・みえないの意味を表す。

4 【丘】 5画 23 常 キュウ おか 漢キュウ(キウ)・呉ク 尤 qiū 2154 8B75 ―

筆順 ノ 亻 仁 斤 丘

【坵】 1916 俗字

字義 ❶おか。小高い山。❷はか。大きく土を盛った墓。大きな土饅頭(ドマンジュウ)。用例〔文選、古詩十九首、其十四〕出二郭門一直視(カクモンをいでてチョクシすれば)、但見二丘与レ墳(ただキュウとフンとをみるのみ)。⇩町の外郭の門を出て前方を見ると、いくつもの墓が見えるだけだ。❸あと。昔あった物の跡。❹むなしい(空)。❺あつまる。❻むら(村)。四井を邑(ユウ)、四邑を丘といった。十六井(一井は九百畝(ホ))。❼孔子の名。

名前 お・おか・きゅう・たか・たかし 難読 丘谷(おたに)

参考 〔邱〕(12268)は、同字。清(シン)代、孔子の名の丘を避け、丘の字の代わりに邱を用いた。

解字  甲骨文 篆文 篆文(邱) 象形。甲骨文でわかるように、おかの象形でおかの意味を表す。陵よりも小さいおか。

逆 古丘・故丘・首丘・比丘・陵丘

【丘△塋】(キュウエイ) はか。墓所。丘墳。

【丘園】(キュウエン) ①小高い所にある花畑。②隠居の地。

【丘△軻】(キュウカ) 孔子と孟子。▼丘は孔子の名、軻は孟子の名。

【丘△壑】(キュウガク) ①おかと、たに。②俗世間から離れ、自然にかこまれた土地。

【丘虚(虚)・丘△墟】(キュウキョ) ①荒れはてた遺跡。▼丘も虚も、空(むな)しいの意。②おか。小山。▼虚は、墟で、おか。

【丘索】(キュウサク) 古代中国にあって現存しない書籍『八索九丘』の略。転じて、古書の意。

【丘山】(キュウザン) ①おかと、やま。自然をいう。用例〔東晋、陶潜、帰二園田居一詩〕少無二適レ俗韻一(わかくしてゾクにテキするインなく)、性本愛二丘山一(セイもとキュウザンをアイす)。⇩若いころから世俗とうまくやっていく風はなく、生来丘や山といった自然を好む性格であった。②物の多くあるたとえ。③静かにどっしりととどまっているさまのたとえ。④重大な事がらのたとえ。

【丘首】(キュウシュ) 同首丘・首レ丘(キュウにシュす)。①本(もと)を忘れないことのたとえ。狐(きつね)は死ぬ時に、もと住んでいた丘の方に頭を向けて死ぬという言い伝えから出た語。〔礼記、檀弓上〕②故郷をしたうこと。

【丘塚・丘△冢】(キュウチョウ) 土を饅頭(マンジュウ)形に築いた、大きな墓。小山のような冢(つか)の意。丘墓。

【丘△垤】(キュウテツ) 小さいおか。▼垤は、ありの作ったつか。

【丘土】(キュウド) おか。

【丘阜】(キュウフ) おか。丘陵。

【丘墳】(キュウフン) ①おか。小山。②はか。丘墓。墳墓。

【丘民】(キュウミン) いなかに住む身分の低い民衆。

【丘里△之言】(キュウリのゲン) 村里に伝わることば。俗世間でよく言われていることば。一説に、でたらめなこと。〔荘子、則陽〕

【丘陵】(キュウリョウ) おか。小山。丘阜(キュウフ)。

【丘△壟・丘△隴】(キュウロウ) ①おか。小山。②つか。墓。

【首レ丘】(キュウにお(を)かにむかう(ふ)・キュウにお(を)かにかしらす) ＝丘首・首丘(一五八〇ページ下)。

4 【且】 5画 24 常 か-つ 一シャ 馬 qiě 二ショ 魚 jū 慣ソ 1978 8A8E ―

筆順 丨 冂 冃 月 且

字義 一 助 まさ-に…す。か-つ。⇩助字・句法解説。❶かりそめ。かり。「苟且(コウショ)」❷しばらく。用例〔唐、李白、山中与二幽人一対酌詩〕我酔欲レ眠卿且去(われよ(ゑ)い(ひ)てねむらんとほっす、きみしばらくされ)、明朝有レ意抱レ琴来(ミョウチョウいあらば ことをいだいてきたれ)。⇩私は酔って眠くなってきた、君はいったん帰ってくれ。明朝、まだ気持ちがあるようなら、琴を抱えてやっておいで。二 ❶つくえ(机)。まないた(俎)。祭りの時に供物を載せる台(俎)。❷多いさま。用例〔詩経、大雅、韓奕〕籩豆有レ且(ヘントウソたるあり)、侯氏燕胥(コウシエンショす)。⇩祭りの器をたくさん並べ、諸侯たちは酒もりを楽しんでいる。

助字・句法解説

❶まさ-に…す。再読文字。訳今にも…しようとする。今にも…になりそうだ。類将。用例〔戦国策、斉〕引レ酒且レ飲レ之(さけをひきまさにこれをのまんとす)。⇩酒を引き寄せて今にも飲もうとした。

❷か-つ。

㋐訳さらに。その上に。二つの名詞・形容詞などの間に置かれ、物や状態が重複していることを表す。用例〔文選、古詩十九首、其一〕道路阻且長(ドウロけわ(は)しくかつながし)、会面安可レ知(カイメンいずくんぞしるべけんや)。⇩あなたが行く道は、けわしい上にはるかに遠い。再び会うことができるかどうか、どうしてわかりましょう。／〔論語、為政〕道レ之以レ徳(これをみちびくにトクをもってし)、斉レ之以レ礼(これをととのう(ふ)るにレイをもってすれば)、有レ恥且格(はず(づ)ることありてかついたる)。⇩人民を導き治めてゆくのに道徳をもってし、人民を統制してゆくのに礼をもってすれば、人民は(犯した罪を)恥じるようになり、そして正しい道に進んでゆく。

㋑訳…しながら…する。二つの動詞などの間に置かれ、動作が同時に進行していることを表す。用例〔唐、王維、辛夷塢詩〕澗戸寂無レ人(カンコセキとして、ひとなく)、紛紛開且落(フンプンとしてひらきかつおつ)。⇩谷川のほとりの家は、ひっそりとして、人の気配もなく、花が盛んに咲いてはまた散っている。

㋒訳…でさえもなお。抑揚形の中で、本当に述べようとすることの前段で、より価値の低いものや、逆に、重要度が高いことを示すのに用いる。多くは上の語に「スラ」と読み添える。用例〔十八史略、春秋戦国、燕〕死馬且買レ之(シバすらかつこれをかう(ふ))。況生者乎(いわ(は)んやいけるものをや)。⇩死馬の骨さえ大金で買ったのです。まして生きた名馬は高く買うに違いない。／〔史記、項羽本紀〕臣死且不レ避(シンシすらかつさけず)、卮酒安足レ辞(シシュ大杯の酒などどうして辞退しようか(決してしない)。

㋓発語。訳そもそも。類夫。

用例〔史記、廉頗藺相如伝〕且庸人尚羞之。↓そもそも普通の人でさえも、このようなことは恥に思うことです。

名前 あき・かつ・すすむ・ただし・まさ・よし

解字 甲骨文  金文  篆文  象形。台上に神へのいけにえを載せ積み重ねた形にかたどり、まないたの意味も表す。借りて、かつ・まさに…すなどの意味の助字に用いる。且を音符に含む形声文字に、俎・助・姐・徂・岨・殂・狙・疽・租・組・罝・詛・阻・齟などがあり、これらの漢字は、「積み重ねる」の意味を共有している。

【且月】陰暦六月の別名。

【且字】かりの字。あざな。周代の制度では、二十歳の時に某甫・某父(吉甫・尼父の類い)と字をつけ、これを且字という。五十歳になって伯・仲などを上につけ、これを正字とする(仲尼の類い)。↕正字(七八四ページ上)。

【且夫】前文に接続して次の文を勢いづけて起こすときに用いる語。

4
【世】5画 25 教3 セイ・セ よ
セイ 㑹 shì 慣セ
3204 90A2 一

筆順 一 十 廾 廿 世

[卋] 1166 古字

字義 ❶よ。㋐三十年間。用例〔論語、子路〕如有王者、必世而後仁。↓もし王者が出現すれば、きっと三十年で仁がゆきわたるだろう。

㋑一代。父の後をついで家長となり、その地位を子に譲るまでの約三十年間をいう。用例〔孟子、離婁下〕君子之沢、五世而斬。↓立派な人物の遺沢は、五世代経てば絶えてしまうものだ。

㋒人の一生涯。用例〔論語、衛霊公〕君子疾没世而名不称焉。↓君子は、一生を終わった後に(自分の)名前の世に認められないことを悩みとする。

㋓一王朝の続く間。用例〔東晋、陶潜、桃花源記〕今是何世。↓今はどういう御代ですか。

㋔その時代。その時勢。

㋕世の中。世間。また、世の中の人。用例〔楚辞、漁父〕挙世皆濁、我独清。↓世の中はみな濁っており、わたしひとりだけが清んでいる。/〔唐、孟浩然、留別王侍御維詩〕当路誰相仮、知音世所稀。↓要路にある権力者の誰が力を貸してくれよう、本当の友人は世の中にほとんどいない。

㋖とし(年)。一年。一歳。用例〔礼記、曲礼下〕去国三世。↓故国を去って三年経つ。

㋗あととり。世嗣。用例〔三国魏、阮籍、大人先生伝〕李牧功而身死、伯宗忠而世絶。↓李牧は大功を立てたが無惨な死を遂げ、伯宗は忠義を尽くしたが跡継ぎがなく家は断絶した。
❷よよ。代々。用例〔三国志、呉志、陸遜伝〕世江東大族。↓代々江東の名族であった。
❸よよにする。代々続く。用例〔史記、周本紀〕昔我先王世后稷。↓かつてわが先王は后稷として代々仕えた。
❹うむ。うまれる。生じる。用例〔列子、天瑞〕損盈成虧、随世随死。↓減ったり満ちたり形をなしたりそこなわれたり、生じたり滅んだりする。
❺死ぬ。没する。「早世」 ❻仏過去・現在・未来をいう。

名前 せ・せい・つぎ・つぐ・とき・とし・よ 難読 世名城・世知原・世迷言・世附・世間部

解字 篆文  会意。もと、十を三つ合わせて、三十・三十年・ながい時間の流れの意味を示し、転じて、世の中の意味を表す。

逆 永世・慨世・隔世・救世・挙世・近世・経世・警世・現世・後世・在世・時世・辞世・終世・宿世・出世・上世・処世・済世・聖世・絶世・先世・前世・創世・早世・俗世・濁世・治世・中世・当世・渡世・半世・万世・百世・浮世・末世・憂世・来世・乱世・歴世

【世運】世の中のなりゆき。世のまわりあわせ。世のめぐりあわせ。

【世栄(榮)】俗世間における栄え。富貴や官位などをいう。用例〔唐、韋応物、幽居詩〕自当安蹇劣、誰謂薄世栄。↓自分の愚かさをそのまま認め、(世俗と離れて)暮らしていこう。だがそれは、世俗の栄誉を軽視するという生き方ではないのだ。

【世家】①代々、君主から俸禄を与えられている家。②『史記』で、諸侯や王の事跡を述べた編をいう。

【世界】①世の中。②宇宙。③地球上にあるすべての国。④ある特定の範囲の土地。地方。⑤同類のものの群れ。また、その社会。⑥仏世は、過去・現在・未来の三世。界は、東西南北上下。時間・空間のすべての範囲。

【世界観(觀)】宇宙・人生の本質・価値・目的についての考え方。

【世外】俗世間のそと。うき世のわずらいの外。

【世官】代々同じ官職をつぐこと。また、世襲の官職。

【世幹】世務を処理する才能。世渡りの才能。

【世紀】①時代。年代。②西暦で、百年を一期とした時代区分。

【世業】①先祖代々受けついできた職業。②先祖からの遺産。③世の中の務め。世のためにつくすべき務め。

【世系】代々の血統。血筋。

【世△卿】世襲の卿(家老)。また、その家がら。

【世間】①世の中。また、世の中の人々。②国㋐あたり。㋑くらし。身代。㋒外聞。交際の範囲。③仏有情のものが相集まって生活する所。この世。

【世故】世の中の事がら。世の俗事。世事。

【世才】①社会の事がらに通じている才知。②世渡りの知恵。処世の才知。

【世子】諸侯のあとつぎ。もと天子のよつぎの称。後世、天子に太子、諸侯に世子と区別して用いる。

【世次】①年代の順序。②年代の先後。

【世事】世間一般の事がら。俗事。用例〔唐、杜甫、贈衛八処士詩〕明日隔山岳、世事両茫茫。↓明日、山を隔てるように遠く離れたなら、お互いの世のいとなみはそれぞれはかり知ることのできないものとなってしまうことであろう。

【世辞(辭)】国人に対する愛想のよいことば。

【世主】時の君主。その時代の君。〔韓非子、二柄〕

【世儒】①俗世間むきのくだらぬ学者。②世の学者。

【世襲】親子代々地位・財産・職業・慣習などを受け継ぐこと。〔後漢書、質帝紀〕

【世上】世の中。世間。「世上の風波」

【世情】世の中のありさま。世態人情。

【世職】世襲の官職。世襲の職業。

【世臣】代々仕えている家来。譜代の臣。

【世人】世の中の人。世間の人。用例〔唐、張謂、題長安主人壁詩〕世人結交須黄金、黄金不多交不深。↓世の人々は交際するには金銭の多寡を基準とする。金銭が多くなければ交際も深くはならない。

【世△塵】(セジン) 俗世間のけがれ。俗世間のわずらい。世の中のうるささやけがれを塵にたとえて言った語。

【世説】㊀(セイセツ・セセツ) 世間のうわさ。㊁(セセツ) 書名。『世説新語』の略。

【世説新語】(セセツシンゴ) 書名。三巻。南朝宋、劉義慶の著。後漢から東晋までの知識人の逸話を集めたもの。

【世相】(セソウ) 世の中のありさま。世情。世態。

【世俗】(セゾク) ①世の中。世間。②俗世間のならわし。世の風俗。③通俗のげびた風習。④世間の人。世の並の人。

【世尊】(セソン) 仏釈迦の尊称。

【世帯(帶)】(セタイ・ショタイ) 同所帯。国①身に帯びている物(財産)。②一家のくらし。生計。③住居・生計を共にしている家族・団体。◆「世帯」と「所帯」は近世ではほぼ同意に用いられ、混用されて「世帯」をショタイと読むようにもなった。現代では「所帯」が一般的であるが、③の意味の場合に限り、戸籍や法律などの公的用語では「世帯」を用いる。「世帯主・一世帯当たりの消費量」

【世態】(セイタイ・セタイ) ＝世相。

【世代】(セイダイ・セダイ・セタイ) ①時代。よ。だい。②ほぼ同じ年代に生まれた人々。ジェネレーション。

【世知・世△智】(セチ) ①国世渡りのちえ。②仏俗世間的なちえ。俗世間の事に関するちえ。

【世△冑】(セイチュウ・セチュウ) 家がらの良い家の子孫。

【世嫡】(セイテキ・セイチャク) 家をつぐべき男子。正妻の生んだ長男。

【世途・世塗】(セイト) 同世路。①世に処する道。世渡りの道。人生行路。②世の中。

【世道】(セドウ) 世の中の道徳。「世道人心」

【世表】(セイヒョウ・セヒョウ) ①うき世の外。②各時代の出来事を記した表。③世の模範。

【世評】(セヒョウ) 世間の評判。世間の批判。

【世父】(セイフ) 伯父。父の兄。嫡男(長男)で世をつぐ意からいう。〔爾雅、釈親〕→字義❶㋑。

【世婦】(セイフ) 古代、宮中に仕える女官の一つ。嬪の下位。

【世譜】(セイフ) 代々の血筋を記した記録。系図。

【世紛】(セイフン) 世の中のもつれ。うき世のごたごた。

【世母】(セイボ) 伯父の妻。伯母。〔爾雅、釈親〕

【世務】(セイム) ①当世において社会・国家のためになすべき仕事。時務。②世間の俗事。

【世網】(セイモウ) うき世のかかずらい。世間の俗事。

【世累】(セイルイ) 世の中のわずらい。世間の俗事。

【世路】(セロ) ＝世途。

【世△禄】(セイロク) 代々引き続いて受ける禄。世襲の俸禄。


【世論】(セイロン・セロン・よロン) 世間一般の意見。世の中の大多数の人々の意見。

【蓋ㇾ世】(よをおお(ほ)う(ふ)) 世の中をおおってしまう。スケールの大きいさま。蓋世。用例〔史記、項羽本紀〕力抜ㇾ山兮気蓋ㇾ世(ちからはやまをぬきキはよをおお(ほ)う(ふ))、時不ㇾ利兮騅不ㇾ逝(ときりあらずスイゆかず)。↓わが力は動かない山を引き抜くに足り、わが盛んなる気力は世間の人々を圧倒するのに足る。けれども時の運は私になく、愛馬の騅もすすもうとしない。

【就ㇾ世・即(卽)ㇾ世】(よにつく) 世を終える。死ぬこと。

【当(當)ㇾ世】(よにあたる) ①国君の位にいること。②政権を握ること。

【没ㇾ世】(よをボッす) ＝没世(八三〇ページ上)。

【与(與)ㇾ世推移】(よとスイイす・よとおしうつる) 世俗に従って行動する。一般の風潮に逆らわないこと。▼推移は、また、偃仰・浮沈・俯仰とも。〔楚辞、漁父〕

4 【丗】 5画 26 ㊀セイ 簡 shì ㊁ソウ(サフ) 囧 sà 5034 99C0 一
字義 ㊀よ。世(25)の俗字。㊁三十。卅(1158)の俗字。

4 【正】 5画 (5990) セイ 止部。→七八三ページ中。

4 【丕】 5画 27 ヒ 図 pī 4803 98A1 一
字義 ❶おおきい。おほ。さかん。天子のことに関する接頭語として用いる。「丕業」❷おおいに。「丕顕」❸うける。つつしんで受ける。奉ずる。❹はじめ。もと。❺おごそか。

解字 金文 篆文  形声。一＋不㊥。音符の不は、ふくらんだ子房の象形から、大きいの意味を表すが、不が否定詞に用いられるようになったので、一を加えてそれと区別した。大きいの意味を表す。

【丕基】(ヒキ) おおきな基礎。大事業のもとい。

【丕休】(ヒキュウ) おおきなよろこび。

【丕業】(ヒギョウ) おおきな事業。りっぱな仕事。

【丕顕(顯)】(ヒケン) おおいに明らかである。〔書経、君牙〕

【丕子】(ヒシ) 天の元子(長男)の意で、天子をいう。また、天子の長男。皇太子。

【丕承】(ヒショウ) りっぱに受けつぐ。▼丕は、おおいにの意。

【丕△祚】(ヒソ) 天子の位。宝祚。

【丕命】(ヒメイ) 天子の命令。君命。大命。

【丕烈】(ヒレツ) おおきな功績。りっぱないさお。

4 【丙】 5画 28 常 ヘイ 漢ヘイ・呉ヒョウ(ヒャウ) 便 bǐng 4226 95B8 一
筆順 一 丅 丙 丙
字義 ❶ひのえ。十干の第三位。五行では火、方位では南、季節では夏に配する。❷第三番目。「甲乙丙丁」❸あきらか。
名前 あき・あきら・え・ひのえ
解字 甲骨文 金文 篆文 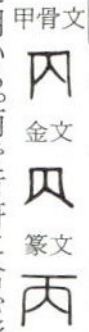 象形。脚の張り出た台の象形。借りて、十干の第三位に用いる。丙を音符に含む形声文字に、窉・昞・柄・炳・病などがあり、これらの漢字は、「張り出し広がる」の意味を共有している。
【丙吉問ニ牛△喘一】(ヘイキツうしのあえ(へ)ぐをとう(ふ)) 前漢の名宰相丙吉が、まだ暑くない春に牛があえいで歩いているのを見て、気が調和を失っていることを知り、政治に特に注意を払った故事。〔漢書、丙吉伝〕
【丙午】(ヘイゴ・ひのえうま) 国俗説で、この年に生まれた女性は夫の命をちぢめるという。中国では、この年を丁未の年と共に厄年とし、災害が起こると考えられた。
【丙夜】(ヘイヤ) 夜の十二時を中心とした前後約二時間をいう。一夜を甲乙丙丁戊の五刻に分けた第三時。

4 【平】 5画 (3162) ヘイ 干部。→四六二ページ下。

5 【丞】 6画 29 人 漢ショウ 呉ジョウ 園 chéng 3071 8FE5 一
筆順 ㇇ 了 丆 丞 丞
【丞】 6123 俗字
字義 ❶たすける。たすく。補佐する。また、たすけ。補佐役。❷うける(承)。国ジョウ。古代の官制で、八省の第三等官。輔の下、録の上。
名前 しょう・すけ・すすむ・たすく・つぐ
解字 甲骨文 篆文  会意。甲骨文は、廾＋卩＋凵。廾は両手の象形。卩は、ひざまずく人の象形。凵は、落とし穴の象形。落とし穴に落ちた人を両手で助けあげるさまから、助けるの意味を表す。丞を音符に含む形声文字に、拯・烝・蒸などがあり、これらの漢字は、「くぼみから抜け、あがる」の意味を共有している。
【丞史】(ジョウシ) 丞と史。ともに長官の下役。
【丞相】(ジョウショウ・ショウジョウ) 天子を補佐して政治を行う最高の官吏。宰相。日本では、大臣の別名。用例〔唐、杜甫、蜀相詩〕丞相祠堂何処尋(ジョウショウのシドウいずれのところにかたずねん)、錦官城外柏森森(キンカンジョウガイハクシンシン)。↓蜀の丞相(諸葛亮)の廟はどこにたずねたらよかろう、錦官城外(成都郊外)の柏のこんもり茂ったあたり。

【丞丞】(ジョウジョウ) すすむさま。はかどるさま。烝烝(ジョウジョウ)。蒸蒸。

5 【丟】 6画 30 漢チュウ(チウ) 呉チュ 中diū 1606

字義 ❶なげうつ。投げ捨てる。❷なくす。失う。落とす。

解字 会意。一＋去。ひとたび手もとから離れる、さる、なげうつの意味を表す。

5 【吏】 6画 (1345) リ 口部。→二四九ページ下。

5 【両】 6画 31 教3 リョウ 4630 97BC

入6 【兩】 8画 32 一リョウ(リャウ) 漢 liǎng 二リョウ(リャウ) 漢 liàng 4932 995F

筆順 一 丅 丙 両 両

【両】35 俗字 【兩】38 俗字

字義 一❶ふたつ。ふたたび。ふたたび。用例（唐、杜甫、秋興詩）叢菊両開他日涙(ソウキクふたたびひらく、タジツのなみだ)、孤舟一繫故園心(コシュウひとえ(へ)につなぐ、コエンのこころ)。↓群がる菊が花を開くのは（旅にでてから）二度目、去年の涙がよみがえる。一そうの小舟に、ただひたすらに故郷を思う心をつなぎとめているのだ。❷つい（対）。たぐい。また、並ぶ。並べる。❸ふたつながら。ふたつとも。合わせて。用例（唐、杜甫、贈衛八処士詩）明日隔山岳(メイジツサンガクをへだてなば)、世事両茫茫(セイジともにボウボウたらん)。↓明日、山を隔てるように遠く離れたなら、お互いの世のいとなみはそれぞれはかり知ることのできないものとなってしまうことであろう。❹単位の名。㋐重さの単位。二十四銖(シュ)。また、約三七・三グラム。テール。㋑隊伍(タイゴ)編制の単位。二十五人の一隊。㋒織物の長さの単位。二端の長さ。二❶車を数える語。＝輛(11930)。❷車五十台。国リョウ(リャウ)。貨幣の単位の名。㋐昔、金貨では四分(ブ)、銀貨では四匁(もんめ)三分。㋑明治以後しばらくは「円」と同意に用いた。

名前 ふた・ふる・もろ　難読 両月(わち)・両角(もろずみ)

参考 現代表記では〔輛〕(11930)の書きかえに用いる。「車輛→車両」

解字 金文　金文　篆文　象形。はかりの二つのおもりの象形で、ふたつの意味を表す。また重さの単位をも表す。両は兩の俗字で、常用漢字はこれによる。兩を音符に含む形声文字に、倆(リョウ)・輛(リョウ)・裲(リョウ)・魎(リョウ)などがあり、これらの漢字は、「二つ」の意味を共有している。ただし、魎は、魍魎(モウリョウ)と熟して「かすんではっきりしない様」を表す擬態語。

逆 車両

【両可説】(リョウカセツ) 周の鄧析子(トウセキシ)の説。二律背反の法則。甲であると主張すると同時に、甲でないとする。背反矛盾した命題を同等に認めることをいう。

【両間】(リョウカン) ①二つの物の間。▼間は、もと、梁(はり)と梁との間の意。②天と地の間。

【両漢】(リョウカン) 前漢（西漢）と後漢（東漢）。

【両岐】(リョウキ) ふたまた。麦などの穂の二つ合生すること。

【両儀】(リョウギ) ①陰陽。②天地。

【両極】(リョウキョク) ①北極と南極。②陽極と陰極。

【両君】(リョウクン) 両国の君主。二君。

【両京】(リョウケイ) 二つの都。㋐漢の東京（洛陽(ラクヨウ)）と西京（長安）。両都。㋑唐の長安と洛陽。㋒宋(ソウ)の東京（開封府）と西京（河南府）。

【両言】(リョウゲン) 二つのことば。わずかなことば。また、ふたこと。

【両虎共闘（鬭）其勢不倶生】(リョウコともにたたかわ(は)ば、そのいきおい(ほ)い(ひ)ともにはいきず) 二匹の虎がけんかすると、そのなりゆきとして、二匹とも無事であるというわけにゆかない（少なくともどちらか一方は傷つき倒れる）。▼虎は、英雄・強国のたとえ。〔史記、廉頗藺相如伝〕

【両三】(リョウサン) 二つ三つ。

【両三行】(リョウサンコウ) 二すじ三すじ。二、三列。

【両三日】(リョウサンジツ) 二、三日。

【両周】(リョウシュウ) 西周と東周。

【両心】(リョウシン) ①ふたごころ。二心。②ふたりの心。用例（唐、白居易、長恨歌）臨別殷勤重寄詞(わかれにのぞみてインギンに、かさねてことばをよす)、詞中有誓両心知(シチュウちかい(ひ)あり、リョウシンのみしる)。↓別れるとき丁寧にさらに言葉を託した。その言葉には誓いが含まれていて、それは天子と楊貴妃(ヨウキヒ)の二人だけが知るものであった。

【両制】(リョウセイ) 宋(ソウ)代の内制・外制の二官。内制は翰林(カンリン)学士で宮廷の文書を作り、外制は知制誥(チセイコウ)で軍政をつかさどる。これを兼ねるのを「両制に官す」という。

【両税】(リョウゼイ) 夏・秋の二期に分けて納める税法。

【両浙】(リョウセツ) 浙東(セットウ)（銭塘(セントウ)江以南）と浙西（銭塘江以北）。

【両舌】(リョウゼツ) 二枚のした。転じて、前後矛盾したことをいうこと。うそをいうこと。二枚じた。食言。

【両全】(リョウゼン) ①両方とも完全である。②両方とも無事である。③両方を共に完全に果たす。

【両造】(リョウゾウ) ①裁判の原告と被告。▼造は至、法廷に至る意。②原告・被告の訴訟事件の証拠。

【両端】(リョウタン) ①二つのはし。二つの極端。②物事の本末。終始。首尾。

【叩両端】(リョウタンをたたく) 物事の本末終始をきわめつくすこと。一から十までを明らかにすること。〔論語、子罕〕

【持両端】(リョウタンをジす) どちらか一つを選ぶべきときに、両方に心が引かれていること。どっち付かずの態度でいること。利益のある方に付こうと形勢をうかがい、どっち付かずの態度でいること。〔史記、信陵君伝〕

【両断（斷）】(リョウダン) 二つにたち切る。「一刀両断」

【両朝】(リョウチョウ) ①二代にわたる朝廷・天子。二代。二朝。②二つの王朝。

【両都】(リョウト) 西都（長安）と東都（洛陽(ラクヨウ)）。両京。

【両当（當）】(リョウトウ) ①二つともあたる。②両袖がなく、胸と背とに当てて着るもの。うちかけ。両襠。裲襠。

【両襠】(リョウトウ) ＝両当②。

【両頭蛇】(リョウトウダ) 頭の二つあるへび。これに会うと死ぬという。楚(ソ)の孫叔敖(ソンシュクゴウ)が、幼時、これを見て、後の人のために殺して土に埋め、家に帰って心配そうにしていると、母に陰徳ある者には必ず陽報があるとなぐさめられ、はたして後に、楚の宰相になったという故事。〔新書、春秋〕

孫叔敖と両頭の蛇

【両得】(リョウトク) 一度で二つの利益を得ること。

【両鬢】(リョウビン) 左右両方のびんの毛。用例（東晋、陶潜、責子詩）白髪被両鬢(ハクハツリョウビンを、おお(ほ)い(ひ))、肌膚不復実(キフまたジツならず)。↓白髪が両方の鬢の毛をおおい、肌はもうたるんでいる。

【両部】(リョウブ) ①二つの部分。②音楽の立部と座部。転じて、多くのかえるの鳴き声。③仏金剛界と胎蔵界。④国「両部神道」の略。仏教と神道とを合一した神道。

【両髦】(リョウボウ) 二つに分けて両方にたれた子どもの髪。また、その子ども。

【両雄】(リョウユウ) 二人の英雄。両虎(リョウコ)。用例（史記、酈生伝）両雄不倶立(リョウユウともにはたたず)。↓勢力の同じ二人の英雄はともに並び立つことがない（争いを起こしどちらかが倒れるものである）。

【両立】(リョウリツ) 二つのものがならび立つ。双方が共存する。

【両両】(リョウリョウ) ①二つずつ。②二つとも。二つながら。

【両輪】(リョウリン) 二つの輪。

【両淮】(リョウワイ) 淮南と淮北。江蘇(コウソ)省の淮水流域の地。

5【乇】6画 33 国字 キ
喜(1585)の俗字。→二七三㌻中。
解字 喜の草書体に基づく文字。七十七歳を喜寿というのは、この字が七十七に見えることによる。
1403 — —

6【更】7画 (4663) コウ
日・曰部。→六五一㌻下。

6【亜】7画 34 ユウ
酉(12366)の古字。→一四四八㌻中。
— — 1607

6【両】7画 35 リョウ
両(31)の俗字。→三四㌻上。
— — 1608

7【並】8画 36 教6 ヘイ なみ・なら-べる・なら-ぶ・なら-びに
㊀漢ヘイ 呉ビョウ(ビヤウ) 迥 bìng
㊁漢ホウ(ハウ) 呉ボウ(バウ) 漾 bàng
4234 95C0 —

立5【竝】10画 37
6777 E28D —

筆順 丶 丷 䒑 并 並 並 並 並

【竝】39 同字 【併】543 同字

字義 ㊀❶なら-ぶ。㋐一列につらなる。㋑一緒になる。㋒等しい。匹敵する。❷なら-べる。用例〈唐、杜甫、九日藍田崔氏荘詩〉藍水遠従千澗落、玉山高並両峰寒。↓藍水は遠く千々の谷川を集めて流れ落ち、玉山は高々と二つの峰をならべて寒々とそびえている。❸なら-びに。ともに。みな。用例〈東晋、陶潜、桃花源記〉黄髪垂髫、並怡然自楽。↓老人も子供も、みなのんびりとして楽しそうである。❹なら-び。列。㊁❶よる。近づく。接近する。❷つらなる。たちならぶ。国❶なみ。㋐普通。中くらい。㋑接尾語。…ごと。めいめい。「軒並み」❷な-べて。一般に。総じて。

名前 なみ・なめ・ならぶ・み・みつ 難読 並河・並始

使いわけ〔及び・並びに〕⇩及(69)。

解字 甲骨文 金文 篆文 会意。立＋立。立は、たつ人の象形。ならび立つの意味を表す。常用漢字の並は俗字による。

【並肩】ヘイケン かたをならべる。匹敵する。比肩。
【並行】ヘイコウ ①ならんでゆく。②ならび行われる。
【並称(稱)】ヘイショウ ①みながいう。みながほめる。②あわせとなえる。ならべ呼ぶ。
【並進】ヘイシン ①ならびすすむ。②一緒に進める。
【並世】ヘイセイ 同時代のうちに。
【並置】ヘイチ 一緒に置く。合わせ置く。併置。
【並用】ヘイヨウ 一緒に用いる。合わせ用いる。併用。
【並列】ヘイレツ ならびつらなる。ならぶ。ならべる。

7【兩】8画 38 リョウ
両(31)の俗字。→三四㌻上。

8【竝】9画 39 ヘイ
並(36)と同字。→三五㌻上。

8【歪】9画 (5996) ワイ
止部。→七八六㌻下。

13【爾】14画 (7101) ジ
爻部。→九一七㌻中。

1画

丨 たてぼう ぼう

〔部首解説〕この部首に属する「中」や「串」の縦線は、ものをつらぬく形を表している。

0 丨 三五　1 丩 三五　2 丫 三五　个 三五　丰 七三
3 丮 三五　丯 三五　乇 三七　4 丱 三八　弗 三八
6 串 三八　7 弗 三八　9 丵 三八　丵 三八　四八八

0【丨】1画 40 コン 阮 gǔn
字義 上下に通ずる。
参考 単独の文字としての用例はない。
解字 指事。縦の一線で、上下に通じるの意味を表す。
1404 ED4C 1609

1【丩】2画 41 漢キュウ(キウ) 呉ク 尤 jiū
字義 まつわる。まとう。
解字 象形。ひもがもつれ合っている形にかたどり、もつれる・まつわるの意味を表す。
20105 — —

2【丫】3画 42 ア 麻 yā
字義 ❶ふたまた。物の先が分かれて上に突き出たもの。草木の枝の類い。❷あげまき。つのがみ。→丫頭。
解字 象形。物の上がふたまたに分かれている形にかたどり、ふたまた・あげまきの意味を表す。
20106 — 1610

丫②

【丫鬟】アカン ＝丫頭。
【丫頭】アトウ ①あげまき。つのがみ。少女の髪の結い方。②少女。幼女。③こしもと。小間使い。

2【个】3画 (164) カ
人部。→七三㌻下。

3【丰】4画 43 カイ 卦 jiè
字義 草が乱れ生えるさま。
参考〔丯〕(46)は別字。
1405 — 1612

3【丮】4画 44 漢ケキ 呉キャク 陌 jǐ
字義 もつ。とる。人が手に物を持つ。
解字 象形。棒状の物を手で握り持つ形にかたどる。丮は、また略して丮に作る。
20107 — 1611

3【中】4画 45 教1 チュウ・ジュウ なか
㊀チュウ(チウ) 東 zhōng
㊁チュウ(チウ) 送 zhòng
3570 9286 —

筆順 丨 口 口 中

字義 ㊀❶なか。㋐まんなか。中央。中心。㋑あいだ。中間。㋒なかほど。なかごろ。なみ。平均のところ。用例〈漢書、溝洫志〉治河有上中下策。↓黄河の治水には上中下の三つの策がございます。㋓なかば。中途。「中止」❷うち。なか。↕外(2226)。㋐内側。内部。用例〈論語、子路〉直在其中矣。↓まっすぐな心はそういう中に備わっているのだ。／〈唐、杜牧、江南春詩〉南朝四百八十寺、多少楼台煙雨中。↓南朝の昔、寺院の多いこと四百八十といわれたが、その名残をとどめる多くの高い建物が、煙ったように降る春雨の中に見えている。㋑朝廷。宮中。用例〈史記、秦始皇本紀〉趙高用事於中。↓趙高は宮中で権勢をふるった。㋒こころ。内心。用例〈史記、楽書〉情動於中、故形於声。↓感情が心の中に動いて、それが声としてあらわれる。㋓時間・場所・同類の範囲内。用例〈唐、白居易、長恨歌〉中有一人字玉真、雪膚花貌参差是。↓仙女の中の一人に、字が玉真という方がいて、雪のように白い肌、花のように美しい顔は、あの人(楊貴妃)によく似ている。❸ほどよい。かたよらない。「中正」「中立」「中庸」❹「中国」

一部 5▼13画〔乇更亜両並兩竝歪爾〕 丨部 0▼3画〔丨丩丫个丰丮中〕

の略。

⊟❶あ-たる。㋐的中する。命中する。用例〔史記、高祖本紀〕高祖撃₂布時、為₂流矢所₁レ中。⇩高祖は鯨布を討った時、流れ矢にあたってしまった。㋑（毒などを）身に受ける。「中毒」㋒適合する。かなう。用例〔荘子、逍遥遊〕其大本擁腫而不レ中₂縄墨₁、其小枝巻曲而不レ中₂規矩₁。⇩その大きな幹はこぶだらけですみなわで直線を引くことができないし、その小枝は曲がりくねっていて、コンパスや定規をあてることができません。

❷あ-てる。

名前 あたる・あつ・かなめ・ただ・ただし・ちゅう・な・なか・なかち・なかば・のり・よし 難読 中柤・中牛馬・中山香・中心・中大兄・中飯降・中比・中辺路・中務

使いわけ なか〔中・仲〕
「人と人との間がら」の意で〔仲〕を用いる以外は、広く一般に〔中〕を用いる。「仲を取り持つ」「箱の中」

解字 甲骨文 金文 篆文 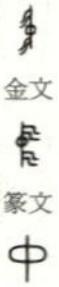 指事。あるもの（口）を一線でつらぬいて、うちの意味を示す。甲骨文は、特に軍の中央に立てる旗のさまで、うちの意味を表す。中を音符に含む形声文字に、仲・忠・沖・衷などがあり、これらの漢字は、「なか」の意味を共有している。

逆 意中・営中・懐中・渦中・火中・忌中・宮中・胸中・禁中・座中・侍中・社中・掌中・心中・卒中・帳中・的中・適中・途中・日中・府中・夢中・命中・郎中

【中尉】チュウイ 官名。㋐秦・漢代の官名。都の警備をつかさどり、秦代には諸侯をとりしまった。㋑国旧陸海軍の将校の階級の一つ。尉官（大・中・少）の第二位。

【中陰】チュウイン 仏①人の霊が、死後、あの世（冥土）へ行くまでの間、四十九日間さまよっている暗い世界。②人の死後四十九日間。

【中有】チュウウ 仏＝中陰。

【中央】チュウオウ ①まんなか。②枢要な地位。中心的な位置。③首都。首府。

【中夏】チュウカ ①夏のなかごろ。②夏三か月のまんなかの月。陰暦五月。仲夏。③中国人が自国につけた名。▼中は世界の中央、夏は大の意。〔後漢、班固、東都賦〕

【中華】チュウカ 中国人が自国につけた名。▼中は世界の中央、華は文化・文明の意。

【中懐（懷）】チュウカイ 心のなか。心中。中情。胸中の思い。用例〔菅原道真、不レ出レ門詩〕中懐好逐₂孤雲去₁、外物相逢満月迎。⇩自分の胸中の思いは、一片の流れゆく雲を追うように去って行った。現実には寂莫たる思いだが、それはそれでよかろう。ただこれからのわが身は、無実を晴らす月光にこうこうと照らされて、晴れて都に帰りたい。

【中外】チュウガイ ①内と外。②ある集団の内と外。㋐国内と国外。世界中。㋑朝廷の内と外。国中。㋒家庭の内と外。

【中核】チュウカク 物事の中心。▼核は、果実のたね。

【中△浣・中△澣】チュウカン 月の十一日から二十日まで。中旬。

【中間】⊟チュウカン ①あいだ。②なかごろ。⊟チュウゲン 中途半端。⊟チュウカン・チュウゲン 国どっちつかず。国昔、武家に召し使われる人で、侍と小者の中間にある人。仲間。

【中貴人】チュウキジン 宮中につかえる役人で君主の寵を得ているもの。後には主に、宦官に用いる。中貴。

【中宮】⊟チュウキュウ・チュウグウ 皇后の宮殿。⊟チュウグウ 国①皇后の別称。②皇后とほとんど同じ資格の后妃。

【中堅】チュウケン ①大将自身のひきいる軍隊。各隊の中央に位置し、精鋭な兵が集まっているからいう。中軍。②国団体などの中位にあって中心勢力となっている人々。

【中元】チュウゲン ①もと、道家の語。陰暦七月十五日。↕上元（三三ページ下）・下元（二二ページ中）。後、仏徒が盂蘭盆会を行う日とし亡霊を供養する。②国中元にする贈り物。

【中原】チュウゲン ①野原のなか。②古代の中国の中央部。黄河中流から下流の地域。狭義には、今の河南省一帯の地。③天下や国の中央部。また、天下。→中原之鹿

【中原△之鹿】チュウゲンのしか 中原は天下、鹿は帝位。合わせて、天子の位。秦が滅びた後、群雄が天下を争ったのを、猟師たちが一頭の鹿を競って追いかけるのにたとえていう。用例〔唐、魏徴、述懐詩〕中原還逐レ鹿、投レ筆事₂戎軒₁。⇩また（群雄が）天子の位を争う時となり、私も筆をおいて戦に加わった。

【中古】⊟チュウコ ①なかむかし。殷と周の間のころ。周の文王のころ。②歴史上の時代区分の一つ。上古・近古の間。③国文学史上の時代区分の一つ。上代・中世の間。おもに平安時代をいう。⊟チュウ・チュウぶる 国（ある品物が）使われて少しふるくなること。また、その品。

【中江藤樹】なかえトウジュ 国江戸初期の陽明学派の儒学者。近江（今の滋賀県）の人。名は原、字は惟命。学徳高く、近江聖人と呼ばれた。主な著書に『翁問答』『論語解』などがある。（一六〇八—一六四八）

【中興】チュウコウ いったんおとろえた世・ものが、再び盛んになること。中間に興る（さかんになる）意。

【中行△之士】チュウコウのシ 中庸の道をふみ行う人。

【中国（國）】チュウゴク ①国の中央。都の地方。〔詩経、大雅、民労〕②中国人が自国を呼んだ称。世界の中央の国の意。〔書経、梓材〕③国㋐日本人が自国を呼んだ称。〔日本書紀、雄略紀〕㋑山陰・山陽の二道をあわせていう。

【中佐】チュウサ ①中等の補佐の臣。②国旧陸海軍の将校の階級の一つ。佐官（大・中・少）の第二位。

【中座】チュウザ 国会合などの途中で座を退くこと。

【中山】チュウザン ①春秋時代の鮮虞の国。また、戦国時代の国の名。今の河北省の一部。②元・明のころ、中国で呼んだ沖縄（琉球）の別称。③孫文の号。孫文が日本に亡命中に用いた名、中山樵に基づいたもの。

【中士】チュウシ ①士の身分を上・中・下の三階級に分けた、中位の人。②中くらいの人。普通の人。

【中止】チュウシ 中途でやめる。計画していながらやめる。◆「中止」は、事の進行中にやめるだけでなく、計画中にやめる意もある点で「中断」と異なる。また、「中止」は再開の見通しはまずないが、「中断」は、再開の見通しが強い。

【中使】チュウシ 表向きでない天子の使者。内密の勅使。

【中軸】チュウジク ①まんなかにある軸。②中心。物事の中心になる重要な部分。

【中寿（壽）】チュウジュ 八十歳。一説に、百歳。人の寿命を上・中・下の三段に分けていう。→上寿（三三ページ中）。⇩コラム 年齢の別称（四六六ページ）。

【中州】⊟チュウシュウ ①中国人が自国をほこって呼んだ名。▼州は、国の意。②中国の中央部、黄河流域の地方。中原。③国大和（今の奈良県）。⊟なかす 国川の中で、土砂のあらわれた所。中洲。

【中秋】チュウシュウ ①秋の中ごろ。②秋三か月のまんなかの月。陰暦八月。仲秋。③秋のまんなか。陰暦八月十五日。「中秋名月」⇩コラム 年中行事（四六五ページ）。◆現在「中秋の名月」と「仲秋の名月」とは同意に用いることが多いが、厳密にいえば、陰暦八月の名月の意なら「中秋」・「仲秋」どちらでもよいが、陰暦八月十五日の名月の意なら「中秋」とする。→仲秋（八九ページ上）。

【中春】チュウシュン ①春のなかごろ。②春三か月のまん中の月。陰暦二月。仲春。③春のまんなか。陰暦二月十五日。

【中書】チュウショ ①官名。漢代、宮中の文書・詔勅をつかさど

る。②天子の所蔵している書籍。

【中書舎人】官名。中書省に属し、詔勅の作成を担当した。

【中書省】唐・宋などで、機務・詔勅・民政をつかさどった中央官庁。

【中書令】官名。中書省の長官。

【中宵】よなか。真夜中。夜半。

【中傷】でたらめな悪口を言い、人の名誉を傷つけること。

【中△殤】わかじに。十二、三歳から十四、五歳で死ぬこと。↔長殤（一四九三ページ・中）・下殤（一二ページ・下）。

【中将（將）】国①昔、近衛府の次官。②旧陸海軍の将校の階級の一つ。将官（大・中・少）の第二位。

【中情】①心のなか。心の奥そこ。②まごころ。

【中心】①心のうち。心のそこ。心中。②まごころ。まこと。③物のまんなか。中央。④かなめ。枢要の地位。

【中人】①才能の中くらいの人。②宮中の奥むきに勤めている人。宦官・女官など。③中国人。↔西人（一二八九ページ・下）。④仲介者。仲裁人。なこうど。

【中枢（樞）】中心となる最も大切な所。主要な部分。

【中井履軒】国江戸後期の儒学者。大阪の人。名は積徳。字は処叔。竹山の弟。朱子学を学び諸説を折衷して一家をなし、懐徳堂書院で子弟を教育した。（一七三二—一八一七）

【中世】①なかごろの世。中葉。②歴史上の時代区分の一つ。古代と近代の間。日本では、鎌倉・室町時代。中国では、唐の滅亡から明の末まで。西洋では、五世紀の西ローマ帝国の滅亡から十四～十六世紀のルネサンス・宗教改革まで。

【中正】かたよらず、正しい。〔書経、呂刑〕

【中説】＝文中子（六三三ページ・上）。

【中断（斷）】中途で切れる。また、中途でたち切る。↔中止。

【中朝】①周代では治朝、漢代では内朝をいう。②中国。③中央政府。④朝廷の中。⑤中世の時代。⑥国日本の朝廷。

【中腸】はらわた。腹の中。心の底。腸中。用例〔唐、杜甫、贈二衛八処士一詩〕訪レ旧半為レ鬼、驚呼熱二中腸一。↓旧知を訪ねると半分ほどは既に世を去り、驚いて声を上げると、体の中が熱くなってくる。

【中庭】①庭の中。〔孟子、離婁下〕②朝廷の庭。

【中天】なかぞら。①天のまんなか。②天。そら。

【中途】①道のなかば。途中。②事のなかば。中道。

【中土】①中国人が自国をほこって呼んだ名。中央の土地の意。②中国の中央部、黄河流域の地。中原。

【中冬】①冬のなかごろ。②冬三か月のまんなかの月。陰暦十一月。仲冬。

【中唐】詩風による唐代の区分の一つ。初・盛・中・晩の四唐の第三期。代宗の太暦元年（七六六）から文宗の太和初年（八二七）まで。韓愈・柳宗元・白居易などの時代。⇩

コラム 唐詩（二六八ページ）。

【中堂】①堂の南北の中間にあたる所。②中央のご殿。③唐代、宰相が政治を行う所。転じて、宰相。④仏天台宗の寺の本堂。

【中道】①片寄らない中正の道。中庸の道。〔孟子、尽心下〕②中途。途中。用例〔論語、雍也〕力不レ足者中道而廃、今女画。↓真に力量の足りぬ者ならば、途中で力尽きてやめてしまうであろう、それなのにお前は自分ではだめだと、初めから見限っている。③道路の中央。また、中央の道。

【中二千石】漢代の制度で諸官の階級を石で表す。最上の官は二千石。中二千石はそれに次ぐ。▼石は、斛と同じで、漢代の一斛は約一九リットル。

【中日】①中国と日本。②春秋二期の彼岸各七日間のまんなかの日。春分の日。秋分の日。

【中年】①平作の年。②一年おき。③青年と老年との中間の年ごろ。四十歳ごろ。

【中△孚】易の六十四卦の一つ。☱☴兌下巽上。心の中に誠のある象。

【中風】半身の不随や、腕や足の一部の麻痺を生ずる病気。中気。卒中。

【中伏】真夏。盛夏。↓三伏（三〇ページ・下）。

【中腹】①器物などの中胴の部分。②山の中ほど。山頂とふもととの間。

【中分】半分にわける。用例〔唐、李白、登二金陵鳳凰台一詩〕三山半落青天外、二水中分白鷺洲。↓三山は半ば雲に隠れて青空のかなたから落ちてくるようであり、秦淮の川の流れが中州の白鷺洲により二本に分けられる大きな景色が見事だ。

【中峰・中△峯】中央のみね。

【中務省】国昔の八省の一つ。機務・詔勅・奏上文・国史などをつかさどる中央官庁。

【中門】①宮城の中にある門。②国㋐寝殿造りで、表門と寝殿の間にある門。㋑寺院で、大門と本堂との間にある門。

【中夜】よなか。夜半。

【中庸】①中正で、行き過ぎや不足のないこと。中正の道。用例〔論語、雍也〕中庸之為レ徳也、其至矣乎。↓中庸ということの道徳としての価値は最高のものであるなあ。②書名。孔子の孫、子思の作とされる。もと『礼記』の一編。中庸の徳を説く。四書の一つ。南宋の朱熹が注釈を施して『中庸章句』を著した。

【中葉】なかごろの世。なかごろの時代。

【中立】二者の間に立ってどちらにもかたよらないこと。

【中略】中間の文句をはぶくこと。

【中流】①川の中央。②国㋐川の上流と下流との間の部分。㋑中くらい。中等。「中流階級」

【中△霤】①室の中央。②土地の神。土神。

【中呂】陰暦四月の別名。

【中老】①五、六十歳をいう。②国㋐江戸時代の武家の重職。家老の次。㋑武家の奥向きの女性の職。老女の次。

【中和】一行き過ぎも不足もなくて、ちょうどよいこと。かたよらないで正しいこと。〔中庸〕二①異なる性質の物質がとけ合って、もとのそれぞれの特性を失うこと。②酸性の物質とアルカリ性の物質とが化学反応をおこし、たがいの性質を打ち消し合って中性の物質となること。また、その反応。

【執レ中】中正の道をしっかりと守る。〔論語、尭曰〕

【就レ中】「なかにつく」の音便。その中で。中でも。レ点を打たずに「なかんずく」と読むことも多い。↓就中（四三五ページ・下）。

3
【丰】
4画 46

一 ホウ　二 漢フウ・呉プ　慣ボウ　冬 fēng　東

|1406—1613

字義 一二 ❶草のさかんに茂っているさま。「丰丰」❷みめよい。顔がふっくらとして美しい。❸すがた。かたち。

参考 〔丯〕（43）は別字。

解字 金文  篆文  象形。草木のよく茂ったさまにかたどり、豊かに茂るの意味を表す。丰を音符に含む形声文字に、封・邦・逢・蜂・蓬・縫・豐（豊）・捧・峰・奉などがあり、これらの漢字は、「寄せ集める・寄りあう」の意味を共有している。

【丰采】美しいすがた。また、すがた。風姿。風采。

【丰姿】美しいすがた。また、すがた。風姿。

【丰容】美しい顔かたち。

4 **【丱】** 5画 47 ㊀㊇**カン**(クヮン) ㊄ケン 諫 guàn ㊁コウ(クヮウ) 梗 kuàng 4805 98A3 一 二

［丱］ 9790 本字

字義 ㊀**あげまき**。つのがみ。総角。こどもが頭髪を左右にたばね、頭の上に二つの角の形にたばねたもの。㊁礦(8272)の古字。

解字 篆文 丱 **象形**。昔の子どもの髪の形にかたどり、あげまきの意味を表す。

【丱角】カンカク ①あげまき。つのがみ。②幼童。
【丱歯(齒)】カンシ 髪をあげまきに結ぶ年ごろ。幼年をいう。▼歯は、年の意。
【丱女】カンジョ 髪をあげまきに結んだ少女。
【丱童】カンドウ 髪をあげまきに結んだこども。

4 **【弗】** 5画 (3305) **フツ** 弓部。→四八八ページ上。

6 **【串】** 7画 48 常 くし ㊀㊇**カン**(クヮン)・㊄ケン 諫 guàn ㊁**セン** 霰 chuàn 2290 8BF8 一 二

筆順 丶 〔 口 吕 吕 串

字義 ㊀なれる(慣)。㋐ならう。㋑親しみなれる。「串狎」 ㊁❶**つらぬく**(貫)。うがつ(穿)。❷てがた。領収書。「串子」 国**くし**。さしぐし。肉・魚などを刺し通すのに使う竹・鉄の棒。

名前 くし・つら **難読** 串海鼠(くしこ)・串良(くしら)

参考 ⇩〔弗〕(49)の**参考**。

解字 **象形**。二つの物を縦につらぬく形にかたどり、つらぬくの意味を表す。また、ある事がらをつらぬく、なれるの意味をも表す。

【串戯(戲)】カンギ ①歌舞のたわむれ。②俳優。役者。
【串殺】センサツ くしざしにしてころす。
【串子】センシ ①役所で発行する、金銭や穀物の領収書。②うでわ。
【串童】カンドウ 歌舞をする子ども役者。

7 **【丳】** 8画 49 ㊇**サン** ㊄セン 潸 chǎn

字義 **くし**。さしぐし。肉・魚などを刺し通すのに使う竹・鉄の棒。

参考 〔串〕(48)とは別字であるが、日本では誤って串を丳の意に用いる。

解字 **象形**。焼肉をさしたくしの象形で、さしぐしの意味を表す。

9 **【丵】** 10画 50 ㊇**サク** ㊄ザク 覚 zhuó ［丵］ 51 正字

字義 草の群がり生えるさま。

解字 **象形**。『説文解字』は、草がふぞろいに生えた形とするが、ギザギザした器物の象形とも考えられる。

9 **【丵】** 10画 51 **サク** 丵(50)の正字。→三八ページ中。 一 一 1614

1画

丶 てん ちょぼ

〔部首解説〕 部首として特定の意味はないが、文字の構成要素としては、小さなものなどを示す符号としても用いられる。

0 丶 三八 2 丸 四八 之 三八 3 户 三九 才 三九 丹 三九 4 永 八〇六 主 三九 井 六三 6 良 一〇八九

0 **【丶】** 1画 52 **チュ** 麌 zhǔ 4806 98A4 一

字義 ❶文章の切れ目に付ける点。読点。❷ともし火。

解字 **象形**。灯心の静止しているさまにかたどる。

2 **【丸】** 3画 (95) **ガン** 乙部。→四八ページ上。

2 **【之】** 3画 53 人 **シ** 支 zhī 3923 9456 一

筆順 丶 ㇇ 之

字義 助**これ**。**こ-の**。**の**。⇩**助字・句法解説**。❶**ゆ-く**。でる。▼目的地が明示されて、他動詞のように用いられることが、往(3398)の㊀❶などと異なる。**用例**〔孟子、梁恵王上〕然後駆而之レ善(しかるのちにかりて、ゼンにゆかしむ)。⇩このような政治を行ってから、人民を励まし、善に向かわせます。❷いたる。

助字・句法解説

❶**の**。
㋐**主格**。訳…**が**。主語の下に置かれる。**用例**〔論語、泰伯〕鳥之将レ死其鳴也哀(とりのまさにシなんとするやそのなくやかなし)。⇩鳥が死にかかっているときには、その鳴き声は悲しいほどに美しい。
㋑**修飾**。訳…**の**。修飾語と被修飾語の間に置かれる。**用例**〔論語、里仁〕父母之年、不レ可レ不レ知也(フボのとしは、しらざるべからざるなり)。⇩父母の年齢は、子として知っていなければならない。
㋒**同格**。訳…**で**。同格関係の語の間に置かれる。**用例**〔唐、韓愈、雑説〕馬之千里者、一食或尽二粟一石一(うまのセンリなるものは、イッショクにあるいはゾクイッコクをつくす)。⇩馬で一日に千里も走るものは、一回の食事に、時には穀物一石も平らげてしまう。

❷**これ**。
㋐**指示語**。**用例**〔史記、廉頗藺相如伝〕我見二相如一、必辱レ之(われショウジョをみば、かならずこれをはずかしめん)。⇩藺相如に会ったらはずかしめずにはおかない。
㋑**強意**。訳**これこそ**。強調のため目的語を倒置する場合に、述語の直前に置く。**用例**〔孟子、滕文公下〕威武不レ能レ屈、此之謂二大丈夫一(イブもクッするあたわ(は)ず、これをこれダイジョウフという(ふ))。⇩威厳や武力でも心をくじくことができない、こういう人こそ立派な男子というのである。
㋒動詞の後に置かれ、特に指示するものはないが、習慣上「これ」と読む。**用例**〔論語、為政〕知レ之為レ知レ之、不レ知為レ不レ知、是知也(これをしるをこれをしるとなし、しらざるをしらずとなす、これしるなり)。⇩知っていることは知っているとはっきりさせ、知らないことは知らないとはっきりさせる、これが本当に知るということなのだ。

❸**こ-の**。**指示語**。**用例**〔詩経、周南、桃夭〕之子于帰、宜二其室家一(このこゆきとつぐ、そのシツカによろしからん)。⇩この娘が嫁いでいったら、きっと夫の家族に調和して幸せになるだろう。

❹動詞の後に置かれ、訓読では読まないが口調をととのえる働きをする。**用例**〔孟子、梁恵王上〕塡然鼓之、兵刃既接(テンゼンとしてこれをコし、ヘイジンすでにセッす)。⇩ドンドンと戦闘開始の合図の太鼓が鳴り、敵味方が武器を交えた。

❺「久」「頃」などの時を表す語に付き、時間の経過を表す。訓読では読まない。**用例**〔本事詩〕目注者久之(モクチュウすることひさしうす)。⇩しばらくの間じっと見つめていた。／〔史記、刺客伝〕頃之(しばらくするも)、

未レ発。↓しばらく経ったが、（荊軻は）出発しようとしない。

名前 いたる・くに・これ・し・つな・の・のぶ・ひさ・ひで・やす・ゆき・よし・より

注意 『康熙字典』では、丿部に所属する。

解字 甲骨文 金文 篆文 指事。止＋一。止は、足の象形。横の一線は、出発線を示す。出発線から今にも一歩をふみ出していくことを示し、ゆくの意味を表す。借りて、「これ」の意味に用いる。之を音符に含む形声文字に、時・詩・市・志・誌などがあり、これらの漢字は、「行く」の意味を共有している。

【之△罘】山東省煙台市の西北にある半島。今は芝罘島という。秦の始皇帝がここに刻石を建てた。

【為(爲)二之辞(辭)一】いいのがれのことばをいう。口実を設ける。〔論語、季氏〕

【運二之掌上一】手のひらの上にころがす。事のたいへんなしやすいたとえ。用例〔孟子、公孫丑上〕治二天下一、可レ運二之掌上一。↓（思いやりの政治を行えば、）天下を治めていくことは、手のひらの上で物を転がすような（やさしい）ことだ。

【仰レ之弥(彌)高】仰ぎ見れば見るほど高い。孔子の徳が高く大きく限りないのをほめたたえたことば。〔論語、子罕〕

【束二之高閣一】高いたなの上に積みおいたまま用いない意で、書物を積んだまま読みもしないこと。また、りっぱな人物を打ち捨てて用いないこと。〔晋書、庾翼伝〕

【知レ之者不レ如二好レ之者一】（人倫の道を）知っているというだけの者は、それを愛好する者には及ばない。単に知識・技術の習得にとどまらず、それを好み楽しむところまでいかないと、本当に知ったことにはならないの意。用例〔論語、雍也〕知レ之者不レ如二好レ之者一。好レ之者不レ如二楽レ之者一。↓人倫の道を知っているというだけの者は、それを愛好する者には及ばず、それを愛好するだけの者は、それを楽しむ者に及ばない。

3【户】4画 54 コ 戸(3972)の俗字。→五六七ページ中。

3【才】4画 55 ダイ 第(8706)の俗字。→一〇七五ページ中。

3【丹】4画 56 常 タン 3516 924F 一

筆順 丿 冂 円 丹

タン 寒 dān

字義 ❶あか。に。㋐水銀と硫黄と化合した赤色の鉱石（硫化第二水銀）。丹砂。辰砂。また、赤い土。㋑あかい（赤）。朱。濃いあか色。❷まごころ。「丹心」 ❸精製した薬。不老不死の薬。国に。㋐赤色の土。赤土。㋑赤土で染めた赤い色。

名前 あか・あかし・あき・あきら・に・まこと 難読 丹羽・丹治・丹生・丹生屋・丹比

解字 金文 篆文 象形。丹砂を採掘する井戸の象形。あかの意味を表す。

逆 雲丹・金丹・仙丹・錬丹

【丹△堊】赤くぬったかべ。赤壁。

【丹英】赤い花。丹花。▼英は、はなぶさ・はな。

【丹液】不老不死の薬。長生の薬。

【丹鉛】①丹砂と鉛粉（胡粉）。むかし文章の校訂に用いた。②校訂。校正。③べにとおしろい。

【丹△霞】夕やけ雲。また、赤いもや。

【丹△壑】赤い色の谷。

【丹丘・丹△邱】仙人の住む所。昼も夜も明るいという国。

【丹丘子】隋の開皇末年の仙人。元丹丘。丹丘生。

【丹△闕】王宮の朱塗りの門。また、仙人の宮殿。用例〔唐、李白、把レ酒問レ月詩〕皎如三飛鏡臨二丹闕一、緑煙滅尽清輝発。↓月は白く輝いて、空を飛ぶ鏡が朱塗りの門にさしかかったようであり、夕もやもすっかりはれて月の光がさえわたる。

【丹砂・丹沙】水銀と硫黄との化合した鉱物。大体土状をなし、濃紅色または赤茶色を呈する。水銀を取る原料とし、また精製して顔料や薬剤に用いる。また、仙薬の原料とした。丹干。丹粟。

【丹冊】①天子から功臣に与える、朱書きの誓約書。②書物。

【丹脂】赤いあぶら。べに。燕脂。

【丹朱】①赤い色。赤い色の絵の具。②尭の子の名。③歯の神の名。

【丹書】①君主から功臣に与える、朱書きの誓約書。消えないように朱で書き、功労によってその子孫が末長く保護を受けることの証としたもの。②昔、赤雀（赤いすずめ）が口にくわえて伝えた書物の名。上古の道を記録したものという。〔大戴礼、武王践阼〕③朱書きの罪状の記録。

【丹△霄】①夕やけなどの赤い空。また、空。②帝王の居場所。朝廷。

【丹心】まごころ。丹石心。赤心。

【丹唇・丹△脣】①赤く美しいくちびる。朱唇。②少年のくちびる。また、少年をいう。

【丹青】①丹砂と青雘。赤と青の絵の具を取る材料の石。②赤と青の絵の具。また、赤い色と青い色。③いろどりをした絵。彩色画。④丹冊と青史。歴史の書物をいう。〔南宋、文天祥、正気歌〕⑤はっきりとして疑う余地のないことのたとえ。「丹青之信」

【丹青△之妙】いろどりの美しさ。絵の具の使いかたのうまさ。

【丹誠】①まごころ。丹心。赤誠。②国心をこめて事をする。丹精。

【丹精】国心をこめて事をする。丹誠。

【丹台(臺)】仙人のいる所。

【丹△墀】あかうるしでぬりこめた庭。天子の庭は宮殿の階段の下を赤くぬるからいう。

【丹頂】鶴の一種。頭の頂きの赤いもの。

【丹△梯】①赤い色のはしご。転じて、仙境に至る道。②赤くぬった階段。転じて、朝廷をいう。

【丹田】へそからわずか下のところ。下腹部。ここに力をいれると、健康と勇気が得られるという。「臍下丹田」

【丹毒】皮膚または粘膜の傷口から連鎖状球菌がはいって起きる急性の化膿性伝染病。

【丹念】まごころをこめ念を入れること。

【丹府】まごころ。

【丹陛】赤く塗った階段。天子の宮殿の称。

【丹△鳳】①天子のみことのり。②天子の宮殿。③鳥の名。鸞の一種で、首と翼の赤いもの。

【丹薬(藥)】不思議なききめのあるねりぐすり。神仙の術を修得した道士が作った、霊妙な仙薬。

4【永】5画 (6122) エイ 水部。→八〇六ページ下。

4【主】5画 57 教3 シュ・ス ぬし・おも 2871 8EE5 一

4【主】5画 58 漢シュ・呉ス 慣シュウ 寒 zhǔ

筆順 丶 亠 十 丰 主

字義 ❶ぬし。あるじ。中心となる人。支配・統率する人。

㋐一家の長。家主。「戸主」 ㋑きみ。かしら。おさ。つかさ。仕える対象。主君。主人。また、指導者。統率者。↔従(3419)。用例〔韓非子、八説〕臣主之権筴也(シンシュのケンは サクなり)。↓臣下に対する君主の権力は計略である。 ㋒客を迎える人。「主客」 ㋓もちぬし。所有者。「田主」 ㋔当事者。本人。用例〔三国志、魏志、国淵伝〕時有(ときに)二投(ショをトウじて)書誹謗者(ヒボウするものあり)一。太祖疾(タイソ これをにくみ)レ之、欲(かならずそのぬしを)三必知(しらんとほっす)二其主(一)。↓ある時、書を投じて誹謗する者がいた。太祖はそれを恨んで、その主をきっと探そうとした。 ㋕神霊の宿る所。みたましろ。位牌。「木主」

❷キリスト教などにおける神。「天主」 ❸公主(天子の娘)の略。

❹もと。おも。根本。中心。用例〔易経、繋辞上〕言行(ゲンコウは)君子之枢機(クンシの スウキなり)。枢機之発(スウキの ハツは)、栄辱之主也(エイジョクの もとなり)。↓言行は君子にとって枢(とぼそ)(扉の軸穴)や機(いしゆみ)(弩(ゆみ)の引き金)のように大切なものである。枢機の発動する瞬間は栄辱の根本である。

❺おもーな。おもーに。主要な。中心的な。主として。もっぱら。「主謀」

❻つかさどーる。すべる。支配・統率・管理する。用例〔墨子、尚賢中〕主二社稷一(シャショクを つかさどり)、治二国家一(コッカを おさむ)。↓社稷を主管し、国家を統治する。

❼とうとぶ。重視する。また、主張する。用例〔論語、学而〕主二忠信一(チュウシンを シュとす)。↓忠と信とをむねとする。

❽やどーる。(人の家に)身を寄せる。せわになる。泊まる。相手を主人とし、自分は客となるということ。用例〔孟子、万章上〕孔子於レ衛主二癰疽一(コウシ エイにおいては ヨウソをシュとし)、於レ斉主二侍人瘠環一(セイにおいては ジジン セキカンをシュとす)。↓孔子は衛では(衛の寵臣の)癰疽の家に身を寄せ、斉では宦官(カンガン)の瘠環の家で世話になった。

国ぬし。㋐相手を呼ぶ敬称。おぬし。きみ。㋑女が男を親しんで呼ぶ称。㋒山・森・池などに住み着いてそこを支配する神霊。㋓古くから、ある場所や地位についている人。

名前 かず・きみ・す・つかさ・ぬし・むね・もと・もり

難読 主典(さかん)・主基(すき)・主計(かずえ)・主人(あるじ)・主水(もいとり)・主税(ちから)・主殿(とのも)・主殿(とのもり)・主油(あぶら)

解字 篆文  象形。火ともし台の皿の上に火が燃えている形にかたどる。炷(シュ)の原字。静止しているほのおの意味から、転じて、じっととどまって動かない中心的存在、ぬし・あるじの意味を表す。主を音符に含む形声文字に、住・柱・注・炷(シュ)・註(チュウ)・駐などがあり、これらの漢字は、「じっと一点に留まる」の意味を共有している。

逆 院主・英主・自主・家主・教主・君主・郡主・賢主・後主・祭主・座主・神主・人主・世主・聖主・施主・宗主・地主・亭主・天主・法主・木主・民主・名主・明主・盟主・領主

【主位】シュイ ①君主のくらい。君の地位。②おもな地位。大切な地位。③主人の席。

【主意】シュイ ①君主のこころ。②おもな意味。また、中心となる考え方。主旨。③意志を主とすること。「主意主義」

【主一無適】シュイツムテキ 心をその一つの事だけに集中して、他の事に散らさないこと。宋(ソウ)の学者の説いた修養法。

【主因】シュイン おもな原因。理由。

【主翁】シュオウ 家の主人である人。宿のあるじ。主人公。▼翁は、尊敬の語。

【主△媼】シュオウ 年とった主婦。

【主恩】シュオン 君主のめぐみ。また、主人の恩。

【主家】シュカ ①主人の家。また、主人。②おっと。妻などが人に対して称する語。③天子。官吏が称する語。④天子のむすめ。公主。⑤家事をつかさどる。

【主客】シュカク・シュキャク ①官名。戦国時代に始まり、漢以後歴代多くこの官を置いて、外国からの朝貢などの接待をつかさどらせた。②主人と客人。③主体と客体。④主観と客観。⑤重要なものと軽いもの。⑥味方と敵。⑦文法用語で、主語と客語。主格と賓格。

【主客△顚倒】シュカクテントウ ①主人と客人との立場が逆になること。②物事の大小・軽重・本末などをとり違えること。

【主格】シュカク 文法上、文や句の中で主語のはたらきをする、名詞・代名詞などの体言の語格。

【主幹】シュカン ある仕事を中心になってする人。取り締まり。主任。主監。

【主管】シュカン ①主となってつかさどりおさめる。また、その人。②支配人。番頭。

【主観(觀)】シュカン ↔客観(三九七ページ中)。①知的な働き(知覚・認識など)をなすもの。また、その意識。②自分本位の考え。

【主眼】シュガン 大切なところ。かんじんな点。かなめ。眼目。

【主基】すき 国大嘗会(ダイジョウエ)で、神前に供える新穀を奉るために、あらかじめ定められた二国の一つ。京都から西の地。

【主器】シュキ 長男。長子。祖先の霊を祭る廟(みたまや)の祭器を長子がつかさどったからいう。〔易経、序卦〕

【主義】シュギ ①一定の主張。一定の方針。②道義をもととすること。③説。理論。イズム。

【主君】シュクン ①君主。天子。②自分の仕える人。主人。③他人に対する敬称。

【主刑】シュケイ 主たる刑。独立してそれだけを課し得る刑。

【主計】シュケイ ①漢代の官名。会計をつかさどった。もと計相という。②国旧軍隊で会計・給与などをつかさどった官。

【主敬存誠】シュケイソンセイ 心の敬(つつしみ)を第一とし、心のまことをたいせつにまもる。宋(ソウ)の学者が説いた修養の方法。

【主権(權)】シュケン ①君主の権力。②国家を治める、最高で独立・絶対の権力。統治権。

【主語】シュゴ 文の成分の一つ。述語に対して主格となることば。

【主公】シュコウ 主人。きみ。主君。雇い人または家来が主人を尊んで呼ぶ称。

【主査】シュサ 主となって取り調べる。また、その人。

【主宰】シュサイ 人々の上に立って物事をすべつかさどる。また、その人。つかさ。支配者。

【主祭】シュサイ 祭りをつかさどる人。祭りの主人役。

【主司】シュシ ①科挙(官吏登用試験)の試験官。②係りの役人。係官。③とりしまりの役。

【主旨】シュシ おもな意味。また、中心となる考え方。→趣旨(一三七三ページ中)。

【主事】シュジ 事をつかさどる。主となって事に当たる。また、その人。

【主治】シュジ ①主となって治療すること。②薬の主なききめ。

【主従(從)】シュジュウ 主人と従者。主君と家来。国主となるものと従となるもの。▬シュジュウ・▬シュジュウ

【主唱】シュショウ 主となって言い出す。発頭(ホットウ)人となって主張する。首唱。

【主上】シュジョウ・シュショウ 天子。君子。人君。

【主辱臣死】シュはずかしめらるればシンシす 主君が他からはずかしめを受けると、臣たる者は命を投げだしてその恥辱をすすぐ。春秋時代、越の句践(コウセン)に仕えた范蠡(ハンレイ)のことば。〔国語、越語下〕

【主人】シュジン ①一家のあるじ。家長。②客を迎える家の人。③自分の仕える相手の人。雇用関係における雇い主。④妻が夫をいう称。

【主帥】シュスイ 総大将。

【主静(靜)】シュセイ 雑念を去り心を静かに保つこと。宋(ソウ)の学者の説いた修養の方法。〔北宋、周敦頤、太極図説〕

【主席】シュセキ ①第一位の席次。第一席。一番。首席。②多人数で組織する団体の最高統率者。委員長。③宴席をつかさどる人。また、その席。

【主膳】シュゼン 天子の食事をつかさどる役。

【主体(體)】①天子のからだ。玉体。②天子。君主。③行為のもととなるもの。目的をとげるはたらきをなすもの。↕客体(三九八ﾍﾟ上)。

【主題】①研究や論文などで中心となる題目。主要な題目。②芸術作品において、作者が描こうとする主要題材、また、その中心となる思想内容。テーマ。

【主張】①いつも持ち続けている意見。持論。また、それを強く言う。②主宰する。③主として維持する。

【主潮】①おもな潮の流れ。②その時代のおもな思想の傾向。主となる思潮。③時勢のなりゆき。

【主任】主となってその任務を担当する。また、その人。

【主脳(腦)】おもだった人。中心人物。その方面で重要な地位にいる人。首脳。

【主犯】犯罪行為を直接に実行した人。正犯。↕共犯(一五三ﾍﾟ上)・従犯(三〇七ﾍﾟ上)。

【主皮】矢でまとのかわを射ぬくのを第一の目標とすること。〔論語、八佾〕

【主筆】新聞社・雑誌社などで記者の上席にあって主要な記事や論説などの執筆を担当する人。

【主賓】①主人と客人。主客。②来客の中で第一番のもてなしを受ける人。正客。正賓。

【主父】①あるじ。おやじ。②正妻以外の女性が夫を呼んでいう称。

【主婦】①祭りのとき主となる女性。②一家をきりもりする女性。〔唐、韓愈、示ㇾ児詩〕

【主部】①主としてつかさどるもの。②国㋐おもな部分。主要な部分。㋑文法用語。文の構成部で、主語とその修飾部とからなる部分。

【主文】①科挙(官吏登用試験)の試験官。②裁判の判決文で判定の結果と適用した法律とをしるした結論的な部分。③一つの文章の中の主要な部分。④ただし書きや付言などに対して、本文をいう。

【主△辦】主となって事を処理する人。とりしまり。指揮者。〔史記、項羽本紀〕

【主簿】記録や文書をつかさどる低い役。書記。秘書。

【主峰】一つの山脈や連なる峰の中、最も高い山。

【主謀】主となって悪事や陰謀を企てること。また、その人。主謀者。首謀。

【主命】主人の言いつけ。君主の命令。

【主流】①川のおおもとの流れ。本流。↕支流(六一九ﾍﾟ下)。②思想などのおもな傾向。③ある党派・組織などの中心をなす人たち。主流派。

【主領】主となってとりしまる。また、かしら。長。頭目。首領。

【主力】おもなちから。中心となる勢力。

【△僭ㇾ主】①臣下が君主をないがしろにすること。②日常生活・礼式などにおいて、臣下が君主のする様式をまねること。

4【丼】5画 (128) セイ 二部。→六三ﾍﾟ上。

6【良】7画 (9783) リョウ 艮部。→一一八九ﾍﾟ下。

1画 丿 の

〔部首解説〕部首としては、特定の意味を持つわけではないが、文字の構成要素としては、「厂」が厓の形を、「广」が屋根の形を表しているように、斜めに垂れ下がるものなどを示す。書法では、この左にはらう書き方を、撇あるいは掠という。

0 丿 四一　乀 四一　乁 四一　1 乂 四一　九 四六
ナ 九　乃 四一　〆 四三　メ 四三　人 四三
𠂉 四三　2 久 四三　及 四三　之 三八　千 二一〇
乇 四三　么 四三　々 四三　3 午 二一三　升 四八三
壬 二六五　屯 四三二　乏 四三　夭 三五〇　4 丘 三一
乎 四三　乍 四四　尔 四一九　失 三五一　生 九六二
5 𠂤 四四　𠂔 四四　乑 四四　向 二四六　朱 七一七
先 一三九　自 四四　年 四六五　𠂢 四四　𠂧 四四
乒 四四　兵 四四　6 我 五六二　乕 四四　卮 四五一
7 乖 四四　垂 三〇五　忝 五三一　8 胤 六九一　禹 一〇四四
夆 四四　乗 四五　重 一四五六　卑 二一七　9 兼 四五
乘 四五　11 粤 一〇九七　13 睾 一一四九

0【丿】1画 59 一漢ヘツ・呉ヘチ 屑 piě 4808 98A6 ―
字義 一 右から左へ曲がる。二 エイ 三 至る。
参考 単独の文字としての用例はない。
解字 指事。右上から左下へ曲げて引いた線で、右から左へ曲げるの意味を表す。

0【乁】1画 60 イ 支 yí ― ― 1616
字義 流れる。移る。
解字 指事。引かれ流れるの意味を表す。

0【乀】1画 61 フツ 物 fú 2 0108 ― 1615
字義 左から右へ曲がる。
解字 指事。左上から右下へ曲げて引いた線で、左から曲がるの意味を表す。

1【乂】2画 62 一漢ガイ・呉ゲ 泰 ài 二 ガイ 隊 yì 4809 98A7 ―
字義 一 ❶かる。草をかる。＝刈(896)。❷おさまる。❸かしこい人。賢人。「俊乂」 二 おさめる。こらす。いましめる。「懲乂」
解字 甲骨文  篆文  象形。草を刈るはさみの形にかたどり、草を刈るの意味を表す。常用漢字の刈は、刀を付した別体による。
【乂安】治まってやすらかなこと。
【乂寧】＝乂安。

1【九】2画 (93) キュウ 乙部。→四六ﾍﾟ上。

1【ナ】2画 (4) サ 一部。→九ﾍﾟ中。

1【乃】2画 63 人 一漢ダイ・呉ナイ 賄 nǎi 二 アイ 賄 ǎi 3921 9454 ―
筆順 ノ 乃
字義 一 ❶助すなわ-ち。⇩助字・句法解説。❶むかし。以前。さきに。「乃者」「乃昔」 ❷なんじ。おまえ。「乃父」 二 欸乃は、船歌の声。櫓のきしる音。なお、慣用としてアイダイとも読む。国の。片仮名の「ノ」は、乃の字体を省略したもの。平仮名の「の」は、乃の草書体。

助字・句法解説
すなわ-ち
㋐順接。訳そこで。そうしてから。
用例(十八史略、春秋戦国、斉)秦昭王聞₂其賢₁、乃先納₂質於斉₁、以求ㇾ見。⇩秦の昭王は、孟嘗君が賢明であると聞いて、そこでまず、人質を斉に送り、会いたいと申し入れた。
㋑逆接。訳しかるに。かえって。それなのに。
用例(晋書、陶侃伝)大禹聖者、乃惜₂寸陰₁。⇩夏の禹王は聖人でありながらも、わずかな時間を惜しんで努力した。／(史記、晏嬰伝)子長八尺、乃為₂人僕御₁。⇩あなたは身長八尺もありながら、他人の御者にすぎません。

㋒訳なんと。意外にも。意外な事柄への驚きを表す。用例〔東晋、陶潜、桃花源記〕問今是何世。乃不レ知レ有レ漢。↓（村人は）今は何の時代かと聞いた。なんと漢の時代があったことを知らないのだった。

㋓訳わずかに。数量の限定を表す。用例〔史記、項羽本紀〕乃有二二十八騎一。↓（付き従う者は）わずかに二十八騎のみだった。

㋔強意。訳とりもなおさず…である。これこそ。用例〔枕中記〕俄見二旅中少年一、乃盧生也。↓しばらくして旅の若者を見ると、これこそ他でもない、盧生であった。

名前 いまし・おさむ・だい・の・のり・ゆき・ゆく 難読 乃位・乃夫・乃楽

解字 甲骨文 金文 篆文 象形。母の胎内で、まだ手足の形もおぼつかない身をまるくした胎児の形にかたどる。孕の原字。借りて、なんじの意味や、すなわちの意味として金文の時代から用いられる。

【乃翁】ダイオウ ①われ。おれ。父が子に対していう自称。②相手の父をさしていう称。君の父。

【乃公】ダイコウ われ。おれ。㋐目上の人が目下の人に対していう自称。㋑＝乃父。

【乃至】ナイシ ①何々から何々に至るまでという意味で、上と下とを挙げて中間を略する意を表すことば。②また。あるいは。もしくは。

【乃祖】ダイソ なんじの祖先。なんじの祖父。また、祖先。祖父。

【乃父】ダイフ ①父が子に対していう自称。なんじの父の意。②単に、父をいう。③君主が臣下の父をいう語。

【乃武乃文】すなわ(は)ちブすなわ(は)ちブン 武と文とを兼ね備えているという意で、天子の徳をほめたたえる語。禍乱をうち定めるのを武、天地を治めるのを文という。允文允武。〔書経、大禹謨〕

1 【〆】 2画 64 国字 0126 8159 ―

字義 ❶しめ。㋐合計。㋑半紙百帖。㋒封書などの封じ目にしるす字。❷【〆】65同字

解字 為（爲）の字の省画草書。

指事。占いの意味のトの字を崩して、うらなってしめるの意味を示す。また、同時に「シメ」のメに似せ、ひもを結いつけた形にもかたどる。

1 【〆】 2画 65 国字 しめ 〆（64）と同字。→四二ぺー上。 ― ― 1617

1 【乄】 2画 66 国字

字義 なり。也（97）の草書体。仮名書きに用いる。

1 【⺅】 2画 67 ₂0101 ― ―

字義 午・年などの漢字の一部分。字形分類のために部首として立てられる場合がある。

2 【久】 3画 68 教5 キュウ・ク ひさ-しい 漢キュウ（キウ）・呉ク 有 jiŭ 2155 8B76 ―

筆順 ノ ク 久

字義 ❶ひさ-しい。㋐ながい。行く末がながい。「長久」㋑古い。古くからの。❷ひさ-しくする。長くする。時間を長くのばす。時間が長くかかる。

名前 き・きゅう・く・つね・なが・ひこ・ひさ・ひさし 難読 久万・久下田・久我・久邇・久住・久所・久方・久来石・久里・久留里・久礼・久伊都

解字 篆文 象形。病気で横たわる人に背後から、灸をすえる形にかたどり、灸の意味を表す。灸の原字。転じて、時間が長い、ひさしいの意味を表す。久を音符に含む形声文字に、柩などがあり、これらの漢字は、「久しい」の意味を共有している。

逆 永久・恒久・持久・耐久・地久・長久・悠久

【久逸・久佚】キュウイツ 長い間安らかに楽しむ。▼逸・佚は、楽しむ意。

【久淹】キュウエン 長い間一か所にとどまる。久留。

【久遠】キュウエン・クオン 長くひさしい。永久。〔孟子、万章上〕

【久懐（懷）】キュウカイ ひさしい間の思い。また、長い間心にいだき続けること。

【久濶・久闊】キュウカツ ひさしぶり。長い間会わなかったり、たよりがなかったりすること。

【久久】一キュウキュウ ひさしい間。二ひさびさ 国ひさしぶり。

【久故】キュウコ 長い間の知り合い。ふるなじみ。

【久曠】キュウコウ 長い間空しくする。▼曠は、空しい意。㋐長く打ち捨てて行わない。㋑官位などを長い間あけたままにしておく。㋒長い月日をむだに過ごす。曠日弥久。

【久之】ひさしくして・しばらくして・ひさしくす・しばらくす 少したって。しばらく時を経る。▼之は、時間の経過を表す助字。

【久視】キュウシ ①長らえて見つづける。長生不老をいう。道家の語。用例〔老子、五十九〕是謂二深根固柢長生久視之道一。↓これを、深く固い根があって永遠に生きられる道と言う。②じっと長く見つめる。

【久次】キュウジ いすわり。長い間、同じ官位にとどまって昇進しないこと。▼次は、止の意。

【久疾】キュウシツ ながわずらい。また、長くわずらう。

【久要】キュウヨウ ふるい約束。年来のちかい。旧約。

【久離】キュウリ ①ひさしくはなれる。長い間別れる。②国江戸時代、町人・農民が父兄など目上の人から縁を切られること。旧離。勘当。

2 【及】 3画 69 常 キュウ およ-ぶ・およ-び・およ-ぼす 漢キュウ（キフ） 呉ゴウ（ゴフ） 閩 jí 2158 8B79 ―

又2 〔及〕 4画 70

筆順 ノ 乃 及

字義 ❶およ-ぶ。助およ-び。と。⇩助字・句法解説。㋐追いつく。用例〔論語、顔淵〕駟不レ及レ舌。↓四頭立ての馬車でも、一度口にした言葉には追いつけない。／〔史記、項羽本紀〕陥二大沢中一、以レ故漢追及レ之。↓大きな沼の中に入ってしまい、そのせいで漢の軍隊は（項羽に）追いついた。㋑至る。とどく。達する。「普及」㋒…の時になる。…の状態になる。…に間に合う。用例〔論語、季氏〕及二其壮一也、血気方剛。↓壮年になると、血気がまさに盛んだ。❷およ-ぼす。及ぶようにする。ゆきわたらせる。❸弟が兄のあとを継ぐ。国し-く。匹敵する。

助字・句法解説

❶およ-び。並列。「A及B（AおよびB）」。訳AおよびB。類与。名詞・名詞句を同等のものとして列挙する。用例〔史記、項羽本紀〕漢軍及諸侯軍、囲レ之数重。↓漢の軍および諸侯の軍は、項羽の軍を何重にも取り囲んだ。

❷と。「A及レB（A Bと）」。訳AはBと一緒に。類与。①と同じ形を、下から上へと返読する時の読みで、Aが主語となっているもの。Bの後に「…する」意味の表現が続く。Aは省かれることもある。

用例〔孟子、梁恵王上〕予及女皆亡。私はお前と一緒に滅びるだろう。

名前 いたる・しき・たか・ちか・つぐ　難読 及位・及淵

〔使いわけ〕〔及び・並びに〕
「及び」と「並びに」は、幾つかの同じ資格・条件のものを結びつける場合に用いる語で、一般に二つとも同じように用いられるが、法令では煩雑な使いわけがある。①等しい格のものが二つ並ぶ場合は、「及び」を用いる。「鉛筆及び消しゴム」。②等しい格のものが三つ以上並ぶ場合は、その最後のものに「及び」をつける。「国語、数学及び英語」。③等しくない格のものが二つ以上並ぶ場合は、小さい段階の連結には「及び」、大きい段階の連結には「並びに」を用いる。「中学校及び小学校並びに公民館」

解字 甲骨文 金文 篆文 会意。又＋人。又は、手の象形。人に手が触れて追いつく、およぶの意味を表す。及を音符に含む形声文字に、急・級などがあり、これらの漢字は、「およぶ」の意味を共有している。

逆 企及・追及・波及・普及・論及

【及瓜】うりにおよぶ。任期がみちること。春秋時代、斉の襄公が、家来をうりの熟するころ(陰暦七月)に赴任させ、明年のうりの熟するころに交替させようと言った故事による。〔左伝、荘公八〕

【及笄】女子が十五歳になること。昔、女子は十五で笄を髪にさして婚約し、二十で結婚した。男子の元服にあたる。

【及時】時におよんで。なすべき時に。適当な時に。

【及逮】およぶ。▼逮も、及ぶ意。

【及第】試験に合格する。↕落第(一三五ページ中)。

【及門】弟子となる。また、門下生。〔論語、先進〕

【及落】及第と落第。

【垂及】まさにおよぼうとする。

【比及】およぶころ。…になるころ。

【不可及】およびもつかぬ。追いつけない。かなわない。

2【之】3画 (53) シ　丶部。→三八ページ中。

2【千】3画 (1155) セン　十部。→二〇ページ下。

2【乇】3画 71 漢タク 呉チャク 陌 zhè　2　0109 — 1618
字義 草の葉。
解字 象形。くつろぐ人の形にかたどる。乇を音符に含む形声文字に、宅・托・託などがあり、これらの漢字は、「くつろぐ」の意味を共有している。一説に、草の葉にかたどり、草の葉の意味を表すという。

2【么】3画 72 一 ヨウ(エウ) 蕭 yāo　二 漢バ 呉マ 哿 歌 mó, ②ma　2　0110 — —
字義 一 小さい。おさない。幺(3169)の俗字。 二 ❶細かい。❷助字。
二 麼(14448)の俗字。

2【々】3画 73　0125 8158 —
字義 同じ漢字をもう一度重ねて用いることを表す符号。繰り返し符号。畳字。
参考 々は、和文に用いる。漢籍では、二・く・〻などの符号を用いることがある。

3【午】4画 (1156) ゴ　十部。→二二ページ中。

3【升】4画 (3275) ショウ　廾部。→四八三ページ上。

3【壬】4画 (2185) ジン　士部。→三三五ページ下。

3【屯】4画 (2827) トン　屮部。→四三三ページ下。

3【乏】4画 74 常 ボウ とぼしい　漢ホウ(ハフ)・呉ボウ(ボフ) 洽 fá　4319 9652 —

筆順

字義 ❶とぼしい。むなしい。まずしい。たりない。「窮乏」❷官職のあき。空位。「承乏」❸すてる。廃する。❹皮で作った矢防ぎ。形は衝立に似る。

解字 篆文 指事。足の字(正)を反対向きに書き、足りないの意味を示す。乏を音符に含む形声文字に、貶・芝などがあり、これらの漢字は、「とぼしい」の意味を共有している。

逆 窮乏・空乏・欠乏・困乏・耐乏・貧乏

【乏匱】とぼしい。▼匱も、とぼしい意。

【乏窮】まずしくてこまり苦しむ。乏困。

【乏月】陰暦四月の別名。前年の冬にとり入れた穀物が尽きて、今年の麦がまだ実らない、穀物のとぼしい時期。

【乏困】まずしくてこまり苦しむ。乏窮。

【乏絶】不足し尽きる。

【承乏】官につくことの謙称。適任者がないため、しばらく自分がその空位を補充するの意。〔左伝、成公二〕

3【夭】4画 (2244) ヨウ　大部。→三五〇ページ中。

4【丘】5画 (23) キュウ　一部。→三一ページ上。

4【乎】5画 75 人 標 漢コ 呉ゴ 虞 hū(hū)　2435 8CC1 —

筆順

字義 助 か。や。かな。⇩助字・句法解説。❶他の語の下について状態を表す語を作る。「確乎」「断乎」❷ああ。感嘆を表す。

助字・句法解説
❶か。や。疑問・反語。訳…か。どうして…だろうか。
文末に置かれ、疑問・反語の語気を表す。
用例〔史記、項羽本紀〕壮士。能復飲乎。↓まことに勇ましい男だ。もっと酒が飲めるか。／〔論語、顔淵〕為レ仁由レ己、而由レ人乎哉。↓仁を実践していくのは、自分自身の力によるのであって、どうして他人の力によるであろうか。
❷や。かな。詠嘆。訳…であるなあ。
文末に置かれ、詠嘆の語気を表す。
用例〔史記、李将軍伝〕惜乎、子不レ遇レ時。↓残念だなあ、あなたがよい時機にめぐり会わなかったことは。
❸や。呼びかけ。訳…よ。
名詞の後に置かれ、呼びかけの語気を表す。
用例〔論語、里仁〕参乎、吾道一以貫レ之。↓参(曽参)よ、私の道は一つのことで貫かれているのだ。
❹名詞の前に置かれ、下記㋐〜㋒の働きをする。訓読では読まず、送りがなによってその意味を表す。類於・于。
㋐時間・場所。訳…に。
続く語に「ニ」を送って訓読し、時間・場所を表す。
用例〔荀子、王覇〕済之日不レ隠ニ乎天下一、名垂ニ乎後世一。↓成就したときには天下にそれが知られ、名声を後世に残した。

㋑対象・目的。訳…を。続く語に「ヲ」を送って訓読し、対象・目的などを表す。用例〔唐、柳宗元、送薛存義序〕出其什一、傭乎吏。そのジュウの一イチを出し合って、役人を雇う。↓収穫の十分の一を出し合って、役人を雇う。

㋒比較。訳…より。続く語が比較される対象であることを表す。続く語に「ヨリ」・「ヨリモ」などを送って訓読する。用例〔唐、韓愈、師説〕其聞道也、亦先乎吾、吾従而師之。↓その人が私よりも先に道について聞き知っていたならば、私はその人につき従い、その人を師としよう。

【於乎】⇩於(4613)の助字・句法解説④。

【不亦…乎】⇩亦(140)の助字・句法解説㋑。

名前 お・か・かな・や・より

解字 甲骨文 金文 篆文 象形。甲骨文は、よびこ板の象形。上部の小点が、その舌をかたどる。よぶの意味を表す。呼の原字。のち、助字に用いる。乎を音符に含む形声文字に、呼・嘑・虖などがあり、これらの漢字は、「よぶ」の意味を共有している。

【乎古止点(點)】をことテン 国日本で漢文を訓読するため、漢字の四隅・上下・中央などに朱点を打って送りがな(てにをは)の符号としたもの。⇩コラム 訓点(一三〇六ページ)。

4 【乍】 5画 76 一漢サ・呉ジャ 禡 zhà 二サク 薬 zuò

字義 一たちまち。急に。突然。にわかに。また、「乍A乍B」の形で、Aしたかと思うとBするの意を表す。用例〔孟子、公孫丑上〕今、人乍見孺子将入於井、皆有怵惕惻隠之心。↓もし今、人が突然、幼い子どもが井戸に落ちそうになっているのを目にしたとしたら、誰でも驚きはっとしてかわいそうに思う気持ちがおこるであろう。㋑…ではあるが。…にもかかわらず。…しつつ。二おこる。=作(254)。国ながら。㋐

解字 甲骨文 篆文 指事。『説文解字』は亡(亾)+一。亾は、にげるの意味。一はさまたげるの意味。逃げる人を呼びとめる声の意味とする。甲骨文によれば、匕+レで、匕(刃物)でレ形に切るの意味を表す象形で、作の原字。さっと切るの意味から、たちまちの意味を表す。乍を音符に含む形声文字に、作・怍・搾・昨・酢などがあり、これらの漢字は、「つくる」の意味を共有している。また、昨・酢などは、「且」組の漢字に通じる意味を持つ。

【乍存乍亡】たちまちソンしたちまちほろぶ あるかと思えばまたたちまちになくなる。物の存亡の急なこと。用例〔史記、日者伝〕先王之道、乍存乍亡。↓古の聖王の道は、あるかと思えばたちまちなくなる。

4 【尓】 5画 (2740) ジ 小部。→四一九ページ下。

4 【失】 5画 (2248) シツ 大部。→三五一ページ上。

4 【生】 5画 (7585) セイ 生部。→九六二ページ中。

5 【㐆】 6画 77 一漢イ・呉エ 微 二漢イン・呉オン 吻 yǐn

字義 一❶身を転ずる。❷かえる(帰)。二❶かえる(帰)。❷よる(依)。

〔𠂤〕 78 俗字

解字 指事。身の字を反対にして、かえるの意味を表す。

5 【𠂤】 6画 78 イン 㐆(77)の俗字。→四四ページ中。

5 【永】 6画 79 漢ギン 呉ゴン 侵 yín

字義 並び立つ。また、集まり立つ。多い。

解字 会意。人の字を三つ合わせて、人が並び立つ・集まり立つの意味を表す。

5 【向】 6画 (1336) コウ 口部。→二四六ページ中。

5 【朱】 6画 (5187) シュ 木部。→七一七ページ上。

5 【先】 6画 (689) セン 儿部。→一三九ページ下。

5 【自】 6画 80 タイ 堆(2018)の本字。→三一三ページ上。

5 【年】 6画 (3165) ネン 干部。→四六五ページ上。

5 【𠂢】 6画 81 漢ハイ 呉ハ 卦 pài

〔𠂢〕 82 俗字

字義 わかれ。水の支流。派(6321)の本字。

解字 象形。水が斜めに支流を流し入れる形にかたどり、わかれる・支流の意味を表す。

5 【𠂢】 6画 82 ハイ 𠂢(81)の俗字。→四四ページ中。

5 【乒】 6画 83 ヘイ pīng

字義 ❶擬声語。銃声、物がぶつかる音などを表す。❷乒乓ヘイホウは、ピンポンの音訳。

解字 兵の中国音、ピンに近い音を表す擬声語で、兵の一画を省いて乒とした。乒乓は、英語 ping-pong の音訳漢字として作られた。

5 【乓】 6画 84 ホウ(ハウ) pāng

字義 ❶銃声、物がぶつかる音などの擬音語。❷乒乓ヘイホウは、ピンポンの音訳。

解字 乒(83)の解字を見よ。

6 【我】 7画 (3943) ガ 戈部。→五六二ページ中。

6 【𠂤】 7画 85 コ 虎(10461)の俗字。→一三四八ページ下。

6 【卮】 7画 (3069) シ 己部。→四五一ページ中。

7 【乖】 8画 86 標 漢カイ(クワイ) 呉ケ 佳 guāi

字義 ❶そむく。㋐もとる。さからう。たがう。ことなる。合わない。「乖忤ガイゴ」 ㋑はなれる。わかれる。「乖離」 ❷よこしま。❸利口な。また、わるがしこい。

解字 篆文 象形。ひつじのつのと背の相互にむきあった形にかたどり、そむきはなれるの意味を表す。

【乖異】カイイ たがいことなる。くいちがう。

【乖隔】カイカク そむきへだたる。わかれへだたる。

【乖忤・乖迕】カイゴ (そむき)さからう。くいちがう。

【乖繆】カイビュウ くいちがう。

【乖離】カイリ そむきはなれる。わかれはなれる。

【乖戻】カイレイ そむきもとる。たがう。

7 【垂】 8画 (1923) スイ 土部。→三〇五ページ中。

7 【忝】 8画 (3493) テン 心部。→五三一ページ上。

8 【胤】 9画 (4946) イン 月部。→六九一ページ上。

8 【禹】 9画 (8424) ウ 内部。→一〇四四ページ中。

8 【𠂢】 9画 87 コウ 幸(3166)の古字。→四六七ページ上。

8
【乗】 9画 88 教3 ジョウ のる・のせる
9
〔乘〕 10画 89 人
㊀漢ショウ 呉ジョウ 蒸 chéng
㊁漢ショウ 呉ジョウ 径 shèng
3072 8FE6 ―
4811 98A9 ―

筆順 一 二 三 乒 乓 乖 乖 乗 乗

〔椉〕 5528 本字

字義 ㊀❶のる。のせる。㋐車・馬・船などにのる。「乗馬」 ㋑つけこむ。乗ずる。「乗レ勢いきお(ほ)い(ひ)にジョウず」 ❷しのぐ。勝つ。用例〔国語、周語中〕乗レ人不義ひとをしのぐはフギなり ⇩人をしのぐのは不義である。❸はかる。計算する。❹かける。掛け算をする。「乗除」 ㊁❶ふたつ。対ツイ。❷単位を示す語。㋐四つでひとそろいのもの。「乗矢」 ㋑四頭の馬をつけた車一台の称。㋒兵車と兵数を数える語。周代の制度では兵車一台に、甲士三人・歩兵七十二人、輜重シチョウ二十五人が付いた。「千乗の国」 ❸記録。歴史。春秋時代、晋シンの国の歴史書をいう。❹仏仏の教え。仏法。「大乗・小乗」 国のる。㋐のりうつる。憑っく。㋑調子にのる。はずむ。㋒音楽などの調子に合う。調和する。㋓だまされる。つりこまれる。似合う。しっくりする。

名前 あき・しげ・のぼる・のり 難読 乗鞍のりくら・乗木のりぎ

使いわけ のる・のせる〔乗・載〕
〔乗〕人がのる。適合する。また、応じる。「馬に乗る・リズムに乗る」
〔載〕物がのる。また、印刷物に出る。「貨車に載っている穀物・新聞に載る」

解字 甲骨文 金文 篆文

会意。大＋舛＋木。大は、両手足を開いた人の象形。舛は、両足を開いた形にかたどる。木にはりつけになってのせられた人の意味から、一般に、のるの意味を表す。常用漢字の乗は俗字による。

逆 下乗・騎乗・参乗・小乗・上乗・大乗・搭乗・陪乗・万乗・便乗

【乗鶴】ジョウカク ①つるにのって天にのぼる。②俗世を去って仙人になること。
【乗軒】ジョウケン 軒(大夫タイフの車)にのること。転じて、大夫となること。
【乗黄】ジョウコウ ①四頭のきいろい馬。②神馬シンメ。③獣の名。狐きつねに似て背に角があり、これにのれば二千年の長寿を得るという。
【乗矢】ジョウシ 四本ひとそろいの矢。
【乗車△之会(會)】ジョウシャのカイ 乗用の馬車にのって集まる会合の意で、武力を用いない、平和の会合。↕兵車之会(一五一ジペ―下)。
【乗除】ジョウジョ ①掛け算と割り算。また、計算。②掛けて割ればもとの数になることから、転じて、功と罪、栄えることと衰えることなどが差し引き結局とんとんになること。③手かげんする。
【乗勢】ジョウセイ ＝乗レ勢いきお(ほ)い(ひ)にジョウず(一九九ジペ―下)。
【乗田】ジョウデン 春秋時代、魯ロの国で家畜を飼うことをつかさどった役。〔孟子、万章下〕
【乗伝(傳)】ジョウデン 駅伝の馬にのること。また、その馬。
【乗法】ジョウホウ 掛け算。
【乗△輿】ジョウヨ ①天子ののる車馬。天子ののり物。〔孟子、梁恵王下〕②行幸中の天子の敬称。
【乗△輿△播越】ジョウヨハエツ 天子が遠い国に移りさすらう。天子が都を落ちのびて他国にさすらうこと。
【乗竜(龍)】ジョウリョウ・ジョウリュウ ①竜にのって天にのぼること。②四匹の竜。③からだが馬で竜の翼を持った獣。黄帝がこれにのって仙人になったという。④竜のようなよい婿を迎えること。転じて、娘の婿の身分が尊くさかんになること。後漢の桓焉カンエンの二人の娘が黄憲・李膺リヨウというよい婿を得た故事による。〔楚国先賢伝〕

8 【重】 9画 (12458) チョウ 里部。→一四五六ジペ―中。
8 【卑】 9画 (1173) ヒ 十部。→二一七ジペ―中。
9 【兼】 10画 90 ケン 兼(741)と同字。→一五三ジペ―下。
9 【乘】 10画 (89) ジョウ 乗(88)の旧字体。→四五ジペ―上。
11 【粤】 12画 (8985) エツ 米部。→一〇九七ジペ―上。
13 【睾】 14画 (9459) コウ 罒部。→一一四九ジペ―下。

1画
乙(し) おつ おつにょう(乙繞)

〔部首解説〕 乙としとは別字であるが、文字の構成要素としては、乙もしも、折れ曲がったものを示す。

0 乙 四五	乞 四八	乢 四九	8 乹 五〇
乚 四六	也 四八	6 乱 四九	10 乾 五〇
1 九 四六	3 乣 四九	7 乳 五〇	亃 五一
乜 四八	孔 三八一	乴 五〇	12 亂 四九
2 丸 四八	5 乩 四九	乳 五〇	

0
【乙】 1画 91 常 オツ
漢イツ・呉オチ 質 yǐ
慣オツ
熟字訓 乙女おとめ
1821 89B3 ―

筆順 乙

字義 ❶きのと。十干ジッカンの第二位。五行ゴギョウでは木に当てる。❷第二。二番目。甲の次。❸かがまる。まがる。「乙乙」 ❹きしる。❺なにがし。名の代わりに用いる。「其甲、其乙」 ❻本を読んでその読みどまりの所につけるしるし。また、文章の脱字を補うときのしるし。❼魚の腸はらわた。一説に、魚の腮あごの骨。❽ひとつ。一に通じ、太一・天一を太乙・天乙という。❾つばめ。「乙鳥」 国❶オツ。㋐粋いきなこと。味なこと。奇なこと。㋑低い調子。めり。↕甲(7602)。❷おと。㋐末。終わり。「乙子」 ㋑小さく愛らしい。「乙姫おとひめ」

名前 お・おと・き・くに・たか・つぎ・つぐ・と・とどむ 難読 乙亥正おつがせ・乙供おっとも・乙訓おとくに・乙原おんばら・乙甲めりかり・乙骨おっこつ・乙矢おとや・乙川おっかわ・乙鳥つばくら・乙張めりはり・乙父おっち・乙母おとも・乙面おとめ

解字 甲骨文 篆文

象形。ジグザグなものの形にかたどり、物事がスムーズに進まないさまを表す。借りて、十干の第二位に用いる。乙を音符に含む形声文字に、吃キツ・訖キツ・軋アツ・紇コツ・齕コツなどがあり、これらの漢字は、「ジグザグする」の意味を共有している。

逆 太乙・天乙・不乙

【乙科】イッカ・オツカ 漢・唐代の高等文官試験で第二番の成績をいう。第一番を甲科という。また、試験科目の名。後世はその試験に合格した人(挙人キョジン)をいう。乙第。
【乙子】 ㊀おとね 国月の下旬の子ねの日。㊁おとご ①末の子。弟子おとご。②「乙子月おとごづき」の略。陰暦十二月の別称。
【乙女】おとめ(をとめ) 国①少女。むすめ。②処女。きむすめ。
【乙鳥】イッチョウ つばめ。燕つばめのもとの字が乙イツで、字の形と音とが似ているところから、乙を通用する。乙禽イッキン。
【乙第】イッテイ・イツダイ ①しもやしき。別邸。別荘。↕甲第(九六七ジペ―中)。②＝乙科。

【乙夜】(イツヤ・オツヤ) 今の午後十時の前後二時間。または十時以後の二時間。二更。→五更(五八ページ中)。

【乙夜之覧(覽)】(イツヤのラン・オツヤのラン) 天子の書見。天子は昼間政務で忙しく、夜十時過ぎに読書するからいう。乙覧。

0 【乚】 1画 92 イン
隠(13141)の古字。→一五三〇ページ中。
20115 — 1620

1 【九】 2画 93 教1 キュウ・ク ここの・ここの-つ
一漢キュウ(キウ)・呉ク 有 jiǔ
二漢キュウ(キウ)・呉ク 尤 jiū
2269 8BE3 —

筆順 ノ 九

字義 一 ❶ここの-つ。数の名。易で陽の数。❷ここの-たび。九へん。九回。「三拝九拝」❸数の終わり。また、多数。たくさん。おおく。❹ひさしい。老いる。二 あつまる。また、あつめる。あわせる。＝鳩(14186)・糾(9066)。「九合」 国 ここの-つ。子の刻(真夜中の十二時)、また、午の刻(真昼の十二時)。

名前 かず・きゅう・く・ここ・ただ・ちか・ちかし・ひさ 難読 九十九・九十九院・九十九折・九十九島・九十九髪・九寸五分・九石・九折・九年母・九品仏・九面芋・九里

参考 金銭の記載などには、文字の改変を防ぐため、〔玖〕(7331)の字を用いることがある。

解字 甲骨文 金文 篆文

象形。屈曲して尽きる形にかたどる。数の尽ききわまった、ここのつの意味を表す。九を音符に含む形声文字に、艽・仇・馗・究・尻・旭・軌・氿・宄などがあり、これらの漢字は、「曲げて押し詰める」の意味を共有している。

【九夷】(キュウイ) ①多くの異民族。「九夷八蛮」 ②東方の九種の異民族。玄菟・楽浪・高麗・満飾・鳧臾・索家・東屠・倭人・天鄙。一説に、畎夷・于夷・方夷・黄夷・白夷・赤夷・玄夷・風夷・陽夷をいう。

【九淵】(キュウエン) きわめて深いふち。九重のふち。

【九夏】(キュウカ) ①夏の三か月、九十日間。②周代の朝廷における九種類の大きな音楽。▼夏は、大の意。

【九華】(キュウカ) ①宮室や器物などの美しいかざり。②山名。安徽省青陽県の西南にあり、明の学者、王陽明が致良知(生まれながらに有する知を最大限に発揮する)の理をさとったところ。

【九華帳】(キュウカチョウ) たくさんの花模様をぬいとりしたとばり。▼帳は、とばり、たれまく。用例〔唐、白居易、長恨歌〕聞道漢家天子使、九華帳裏夢魂驚。↓漢朝の天子の使いであると言うのを聞いて、花の刺繡を施したカーテンの中で、寝ていた死者の魂が目を覚ました。

【九華灯(燈)】(キュウカトウ) 陰暦の元日(一月一日)の夕方に用いる飾り灯籠。

【九回腸】(キュウカイチョウ) ①うれえもだえるあまり、腸が九度も回転する。非常に心配し、もだえることの形容。前漢、司馬遷の「報二任安一書」に「腸一日而九回」とあるのに基づく。②川や坂などの曲がりくねっている形容。③歌曲の名。

【九官】(キュウカン) 古代、国政をつかさどった九人の大臣。後の九卿にあたる。司空(総理)・后稷(農政)・司徒(教育)・士(司法)・共工(百工)・虞(山林沼沢)・秩宗(祭祀)・典楽(音楽舞踊)・納言(上言下達・下言上達)。

【九丘】(キュウキュウ) 中国古代の伝説上の書物の名。九州(中国全土)の地理書という。▼丘は、聚める意。

【九牛一毛】(キュウギュウイチモウ) 多くの牛の中の、一本の毛。多数の中のごく少数。物の数にも当たらない意。大海の一滴。九牛毛。前漢、司馬遷の「報二任安一書」に「若三九牛亡二一毛一」とあるのに基づく。

【九竅】(キュウキョウ) 人体にある九つの穴。口・両眼・両耳・両鼻孔(以上七つの穴を陽竅という)と、大小便の出る二つの穴(陰竅という)。

【九衢】(キュウク) 都の中にある九つの大路。また、都には九条の大路があることから、都をいう。

【九刑】(キュウケイ) 周代の九つの刑法。墨(いれずみ)・劓(はなきり)・剕(あしきり)・宮刑(生殖器の除去)・大辟(死刑)の五刑と、流(島流し)・贖(科料・罰金)・鞭(皮のむちうち)・朴(笞のむちうち)の四つの刑。

【九経(經)】(キュウケイ) ①天下を治める上の九つの大きな道。身を修める・賢人を尊ぶ・親(みうち)を親しむ・大臣を敬う・群臣を体する・庶民を子とする・百工を来たらす・遠方の人を柔らげる・諸侯を懐ける。②九種類の経書。数え方に数種あり、一例をあげると、易経・書経・詩経・周礼・儀礼・礼記・春秋左氏伝・公羊伝・穀梁伝。

【九卿】(キュウケイ) 九人の大臣。九司。九賓。時代によって違いがある。周—少師・少傅・少保・冢宰・司徒・司空・司馬・司寇・宗伯。秦—奉常・郎中令・衛尉・太僕・廷尉・典客・宗正・治粟内史・少府。漢—太常・光禄勲・衛尉・太僕・廷尉・大鴻臚・宗正・大司農・少府。

【九月九日】(キュウゲツキュウジツ・クガツここのか) 菊の節句。重陽の節。この日、茱萸(かわはじかみ)を持って山に登り菊酒を飲めば、災禍をのがれるという。→登高(九八ページ中)。

【九原】(キュウゲン) 戦国時代の晋の卿大夫の墓地の名。後に転じて、墓場・よみじの意に用いる。

【九五】(キュウゴ) ①易の卦は、六つの陽または陰の爻(陽爻を ⚊、陰爻を ⚋ で表す)を重ねて成り立つが、その六爻の中、下から数えて五つ目の陽爻をいう。②天子の位。易では九五の爻を君主の位に当てるのでいう。

【九江】(キュウコウ) ①＝九川。②洞庭湖に合流する沅・漸・元・辰・叙・酉・澧・湘・資の九江を指し、転じて、洞庭湖の旧名。③地名。今の江西省九江市。長江に臨む三大商港の一つで、茶や紙の集散地。東晋の陶潜や唐の白居易に深いゆかりがある。

【九皐】(キュウコウ) 奥深いさわ。深く遠い所のたとえ。

【九合】(キュウゴウ) あつめあわせる。一説に、九回会合する。▼九は、糾に同じで集める意とも、九回の意ともいう。用例〔論語、憲問〕桓公九二合諸侯一。↓桓公が諸侯を集めた(または、九回集めた)。

【九国(國)】(キュウコク) ①戦国時代の九つの国。斉・楚・燕・韓・魏・趙・宋・衛・中山。②国 九州をいう。

【九穀】(キュウコク) 九種類の穀物。黍(もちきび)・稷(たかきび)・秫(もちあわ)・稲・麻・大豆・小豆・大麦・小麦。

【九死一生】(キュウシイッショウ) 九分どおり助からぬ命がようやくにして助かること。

【九思】(キュウシ) 君子が心がけるべき九つの事がら。視には明(あきらか)・聴には聡(みみざとい)・色には温(おだやか)・貌(姿かたち)には恭(うやうやしい)・言には忠(まこと)・事には敬(つつしむ)・疑には問(人に問う)・忿(いきどおり)には難(わざわい)・得(利益)には義を思うこと。〔論語、季氏〕

【九字】(クジ・キュウジ) 身を守るまじないとして用いる九個の文字。「臨兵闘者皆陣列前行」の九字を唱え、指で空中に縦に四線、横に五線を書けば、どんな強敵も恐れるに足りないという。もと陰陽家に用いられ、後に修験者・忍者などにも使われた。「九字を切る」〔抱朴子内篇、登渉〕

【九日】(キュウジツ) ①九つの太陽。尭の世に、十個の太陽が一度に現れた時、弓の名人羿が命を受けてその九個を射落として、人民の害を除いたという伝説。②陰暦九月九日をいう。重陽。→九月九日。

【九州】(キュウシュウ) ①古代、中国全土を九つの州に分けた。異説も多いが、一説によれば、冀・兗・青・徐・揚・荊・予・梁……・雍。転じて、天下、中国全土をいう。用例〔三国魏、阮籍、詠懐詩〕登高望九州、悠悠分曠野。↓高いところに登って中国全土を見渡すと、はるかな原野まではっきり見える。②中国の外にある九つの世界。③国西海道の九か国。筑前・筑後・豊前・豊後・肥前・肥後・日向・大隅・薩摩。

九州①

【九秋】秋の三か月、九十日間。秋いっぱい。

【九十春光】春三か月、九十日間の、のどかな日の光。〔南唐、陳陶、春帰去詩〕

【九春】①春の三か月、九十日間。②三年。一年の春は三か月であるからいう。

【九章】①天子の服の九つの模様。②九つの旗じるし。③中国最古の数学書。「九章算術」④『楚辞』の作品名。戦国時代の楚の屈原の懐沙などの九編をいう。

【九霄】天。天の高い所。九天。

【九仞】非常に高いこと。九ひろ。▼仞は、周代の尺で、八尺、一説に、七尺(周代の一尺は、二二・五センチメートル)。

【九仞功虧一簣】九分どおり完成というところまで行きながら、最後のわずかなつまずきで全部が失敗に帰するたとえ。九ひろもの高い山を築くとき、もう一もっこの土を盛れば完成というところで、やめてしまえば山はできあがらない。〔書経、旅獒〕

【九星】①陰陽家で、五行・方位に配し、人の生まれ年に当てて運命の吉凶を占う九曜星。一白(五行では水、方位は北、すなわち坎)・二黒(土―西南、坤)・三碧(木―東、震)・四緑(木―東南、巽)・五黄(土―中央)・六白(金―西北、乾)・七赤(金―西、兌)・八白(土―東北、艮)・九紫(火―南、離)。②=九曜[一]。③日・月・星・辰・四時・歳。④北斗星。

【九折】いくえにも曲がりくねること。また、曲がりくねった坂路。九十九折。羊腸。

【九節】①一本の竹に九つの節のあること。九節の杖は、仙人の持つものという。②菖蒲などの一本の草に九つの節のあること。仙草とされる。

【九川】禹が治めた九つの大川。弱・黒・河(黄河)・江(長江)・瀁・渭・沇・淮・洛。

【九泉】①はか。九原。②大地の下。地の底。

【九層(層)】九階(幾階)も重なる。転じて、非常に高いこと。また、そのもの。高殿など。

【九層(層)之台(臺)起於累土】大事業も最初はごく小さいところから出発するたとえ。九層の高殿もその初めはわずかの土を積み上げることから始まる意。用例〔老子、六十四〕九層之台起於累土、千里之行始於足下。↓九層にもなる高殿の建設も、わずかの土を積み上げることから始まり、千里もの遠方への旅も、最初の一歩から始まる。

【九族】九つの親族。数説がある。㋐同姓直系の人だけを数える。高祖父・曽祖父・祖父・父・自分・子・孫・曽孫・玄孫。㋑異姓をも含み数える。父族四、母族三、妻族二の九族。

【九疇】殷の箕子が周の武王に答えた天下を治める九つの大法。五行・五事・八政・五紀・皇極・三徳・稽疑・庶徴・五福。〔書経、洪範〕

【九重】①物が九つ(いくえにも)重なること。②天子の宮殿。王城は門がいくえにも重なっているため。ここのえ。用例〔唐、白居易、長恨歌〕九重城闕煙塵生、千乗万騎西南行。↓天子の宮殿は兵馬が行き交うために煙や砂ぼこりに包まれ、天子の一行は西南の蜀をめざして進んでいった。③天子。④天。おおぞら。高い空。

【九重天】①宮中。天子の宮殿。また、天子。用例〔唐、韓愈、左遷至藍関示姪孫湘詩〕一封朝奏九重天、夕貶潮州路八千。↓一通の上奏文を、朝、九重の御殿においでになる天子に奉ったところ、夕方には、遠く潮州へ左遷されることになった。②おおぞら。高い空。

【九鼎】夏の禹王が九州から献上させた青銅で鋳た、大きなかなえ。夏・殷・周と伝えた、天子伝国の宝物。九つとも一つともいう。

【九鼎大呂】非常に貴重な物。重い地位・名望のたとえ。▼大呂は、周の太廟(おたまや)に供えた大きなつり鐘。〔史記、平原君伝〕

【九天】[一]①天を方角によって九つに区分していう。数種の説があるが、その一つをあげると、鈞天(中央)・蒼天(東)・変天(東北)・玄天(北)・幽天(西北)・昊天(西)・朱天(西南)・炎天(南)・陽天(東南)。九野ともいう。②天の最も高いところ。おおぞら。九霄。九重天。用例〔唐、李白、望廬山瀑布詩〕飛流直下三千尺、疑是銀河落九天。↓飛ぶような流れが勢いよく真下に落ちること三千尺、天の川が九重の天の高きから落ちてきたかのよう。③宮中。雲の上。ここのえ。[二]仏地を中心として回転する九つの星。月天・水星天・金星天・日輪天・火星天・木星天・土星天・恒星天・宗動天。

【九天直下】天上から地に向かって一直線に落下すること。たきの水が高い所からまっさかさまに落ちる形容。唐の李白の「望廬山瀑布詩」による。→九天[一]②。

【九拝(拜)】①九種の敬礼のしかた。稽首・頓首・空首・振動・吉拝・凶拝・奇拝・褒拝・粛拝。②九度おじぎをする。何度もおじぎをする。「三拝九拝」③手紙の末尾に敬意を表すために書きしるす語。

【九伯】昔、中国を九つの州に分けた、その九人の長官。九州の長官。▼伯は、覇で、長官。

【九尾狐】尾が九つに分かれた老狐。㋐夏の禹王・周の文王の時などに、天下太平のしるしとして現れたという。㋑よく人をたぶらかすことから、わるがしこい人にたとえる。㋒国金毛九尾の狐。中国で殷の時、妲妃となって紂王をたぶらかした後、天竺(インド)に現れ、華陽夫人となって、釈尊を誘い、再び中国の周の時、褒似となって幽王を惑わした。その後、日本に渡り、玉藻前となって鳥羽天皇を悩まし、安倍泰親に那須野原で切られ、化して殺生石となったという。

九尾狐

【九微】①非常に奥深いところ。道家の語。②灯火の名。漢代に外国から献上したという。

【九品】[一]①=九卿。②官吏の第一品から第九品に至る九つの階級。魏に始まる。[二]仏①極楽浄土の九つの階級。②「九品浄土」の略。極楽浄土。③「九品蓮台」の略。極楽浄土の蓮のうてな。

【九賓】①天子が賓客として大切にもてなす九種類の人々。㋐公・侯・伯・子・男・孤・卿・大夫・士。㋑=九卿。②九人の接待役。九賓を設けるのは、国賓を迎える最高の儀礼。用例〔史記、刺客伝〕朝服、設九賓、見燕使者咸陽宮。↓(秦王は)宮中での正装に身を包み、賓客を迎えるための最高の儀礼を整え、燕の使者を咸陽宮で引見した。

【九△嬪】キュウヒン 周代、天子につかえる九人の女官。(三)夫人の下、(二十七)世婦の上。▼嬪は、女官の階級の一つで、

【九服】キュウフク 周代、王畿(天子の都千里四方)を中心とし、その外に五百里ずつの幅で順次に定めた九つの地域。侯服・甸服・男服・采服・衛服・蛮服・夷服・鎮服・蕃服。九畿。▼服は、天子に服従する意。

【九牧】キュウボク ①九州の長官。▼牧は、民を養う意。②九州。天下。

【九門】キュウモン 宮城の周囲の九つの門。㋐古代、路門・応門・雉門・庫門・皐門・城門・近郊門・遠郊門・関門。㋑清代、北京の都城の、正陽門・崇文門・宣武門・安定門・徳勝門・東直門・西直門・朝陽門・阜成門。

【九野】キュウヤ ①九州の野。②=九天。③天下。

【九曜】キュウヨウ 一九つの星。日曜星・月曜星・火曜星・水曜星・木曜星・金曜星・土曜星・計都星・羅睺星。九星。二クヨウ 国紋所の名。中央に大きい星を置き、周囲に八個の小星がある。

【九流】キュウリュウ 先秦時代の代表的な、九つの学派。儒家・道家・陰陽家・法家・名家・墨家・縦横家・雑家・農家。小説家を加えて、十家という。

【九輪】クリン 仏塔の露盤の上の高い柱につけた飾りで、九つのかねの輪を重ねたもの。その上に水煙(火炎形の飾り)がある。

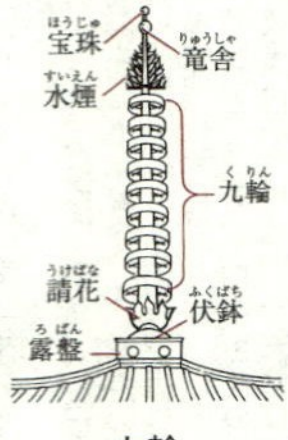

九輪

1 【乜】 2画 94 漢バ 呉メ 馬 miē — — 1621

字義 ❶斜視。❷みこ。巫。

解字 指事。也の字から一の一画を除いて、乜の字とし、本来、中国語の音節として存在しないミャの音を表し、異民族の姓や、擬態語として用いられる。

2 【丸】 3画 95 教2 漢カン(クヮン)・呉ガン(グヮン) 寒 wán ガン まる・まる-い・まる-める 2061 8ADB —

筆順 ノ 九 丸

字義 ❶まる-い。まる。まる。円形・球形のもの。❷小さくてまるいもの。「丸薬」❸たま。「弾丸」「砲丸」❹まる-める。まるむ。❺ころげる。また、ころがす。❻丸薬や墨を数える語。転じて、墨。国まる。㋐まったく。まるまる。そっくり。完全。満。「丸焼け」「丸一日」㋑城郭の内部。「本丸」㋒金銭の隠語。㋓人名・船名・刀名などにそえる語。「牛若丸」

名前 たま・まる・まろ 難読 丸河内・丸子・丸雪・丸部・丸鞆・丸瀬布

使いわけ まるい〔丸・円〕
〔丸〕ボールのように、立体的にまるい。「丸い屋根」
〔円〕円盤のように、平面的にまるい。「円いテーブル」

解字 篆文 会意。乙+匕。乙は、両端に刃のある彫刻刀の象形。匕は、あいくちの象形。いろいろな刃物で、まるくした、たまの意味を表す。『説文解字』では、かたむくの意味を表す仄の反対の形で、ころがるの意味を表すとする。丸を音符に含む形声文字に、「まるい」の意味を含む紈がある。

逆 一丸・矢丸・探丸・弾丸

【丸△髷】まるまげ 国結婚した女性の髪のゆい方の一種。頂に楕円形でやや平たいまげをつけてゆうもの。

【丸△髻】ガンケイ 男性の髪のゆい方の一種。みずら。頂の髪を中央から左右に分け、耳のあたりでたばねて垂れたもの。

【丸剤(劑)】ガンザイ =丸薬。

【丸薬(藥)】ガンヤク ねって粒にした飲み薬。

2 【乞】 3画 96 常 こ-う 一漢キツ・呉コチ 物 qǐ 二漢キ・呉ケ 未 qì 慣コツ 2480 8CEE —

筆順 ノ 𠂉 乞

字義 一❶こ-う。こふ。こいもとめる。また、こい。もとめ。ねがい。❷人に金品をこう。「乞食」二あたえる。

名前 あたう・きつ・こう・とる 難読 乞丐・乞食・乞児

使いわけ こう〔請・乞〕⇩請(11271)。

解字 仮借。もと雲気の形にかたどり、気体の意味を表したが、音形が祈に近く、借りて、「こう」の意味に用いる。

【乞仮(假)】キッカ ①いとまをこう。休暇をもらう。▼仮(假)は、暇に同じ。②金銭や品物などを願ってかりる。▼仮は、かりる。

【乞△丐】キッカイ ①乞食。②こい求める。

【乞骸】キツガイ 辞職を願い出る。自分の身は君主にささげてしまったので、そのなきがらを賜って郷里に帰って葬りたいとの意。乞二骸骨一。〔漢書、趙充国伝〕

【乞巧】キッコウ 七月七日の夜の七夕祭に、女性が、五色の紙や糸などを供えて牽牛・織女の二星を祭り、裁縫などの技芸の上達を祈ること。〔荊楚歳時記〕

【乞巧△奠】キッコウデン ほしまつり。日本では孝謙天皇の天平勝宝七年(七五五)に初めて清涼殿の庭で行われた。→乞巧。

【乞児(兒)】キツジ 乞食。乞人。乞丐。

【乞食】一キッショク 食物をこい求める。二コジキ 人から食べ物などをもらって生活する人。ものもらい。乞丐。三コツジキ 仏僧の修行の一つ。人家の門に立ち、食を請い求めること。

【乞人】キツジン 乞児。乞丐。〔孟子、告子上〕

【乞命】キツメイ 命ごいをする。

2 【也】 3画 97 人 一ヤ 馬 yě 二ヤ 禡 4473 96E7 —

筆順 ㇇ 𠃛 也

字義 一助なり。か。や。⇩助字・句法解説。二また。…もまた。詩や口語表現に多く用いる。

助字・句法解説

❶なり。断定。訳…である。
文末に置かれ、判断・論断や肯定を表す。
用例〔論語、里仁〕父母之年、不レ可レ不レ知也 ⇩父母の年齢は、子として知っていなければならない。

❷か。や。疑問・反語。訳…か。
文末に置かれ、疑問・反語の語気を表す。
用例〔唐、韓愈、雑説〕嗚呼、其真無レ馬邪、其真不レ知レ馬也。⇩いったいほんとうに名馬はいないのか、それともほんとうに名馬を見ぬくことができないのか。／〔論語、顔淵〕君子何患三乎無二兄弟一也 ⇩君子たる者、どうして兄弟のないことを思い悩む必要があろうか(そんな必要はない)。

❸や。
㋐提示。訳…は。…というものは。
名詞などの後に置かれ、文の主題などを提示する働きをする。訓読では読まないこともある。
用例〔礼記、檀弓下〕子之哭也、壱似二重有レ憂者一。⇩あなたの激しく泣くさまは、本当に何度もつらい目に会った人のようですね。／〔孟子、梁恵王上〕民之従レ之也軽。⇩人民が為政者に従ってくるのも、たやすいのです。

㋑詠嘆。文末に置かれ、詠嘆の語気を表す。用例〔史記、項羽本紀〕是何楚人之多也。↓なんと楚の国の人の多いことよ。訳…のことよ。

㋒呼びかけ。訳…よ。固有名詞などの後に置かれ、呼びかけの意味を表す。用例〔論語、公冶長〕賜也、非二爾所一レ及也。↓賜（子貢）よ、お前のできることではないよ。


【也已】のみ。なるのみ。断定。訳…だ。ただそれだけだ。ばかりだ。用例〔論語、為政〕攻二乎異端一、斯害也已。↓正統でない道を学ぶのは、ただ害があるだけである。

【也已矣】のみ。なるのみ。強い断定。訳…なのだ。用例〔論語、泰伯〕泰伯其可レ謂二至徳一也已矣。↓泰伯はまさに最高の徳を持つといってよい者なのだ。

【也哉】
❶なるかな。断定。訳…だなあ。詠嘆の意を含んだ断定の助字。用例〔北宋、蘇軾、論二范増一文〕増亦人傑也哉。↓范増もまた傑出した人物だなあ。
❷ならんや。反語。訳どうして…であろうか。用例〔孟子、告子上〕是豈人之情也哉。↓これがどうして人の本性であろうか。

【也者】なるものは。訳…というものは。…というのは。用例〔論語、学而〕孝弟也者、其為レ仁之本与。↓親孝行と年長者への敬意とは、仁を行う根本であろうか。

名前　あり・ただ・なり・また・や

解字　金文 　篆文 　象形。『説文解字』は、女性の生殖器の形にかたどるとする。しかし、その意味に用いた例はない。借りて、助字の「なり・や」などの意味に用いる。也を音符に含む形声文字に、匜・弛・髢などがあり、これらの漢字は、「ひさげ」の意味を共有している。

3【乢】4画 98 キュウ（キウ） 有 jiū　— — 1622
字義　乢軍は、遼・金代の宮殿を守る軍隊。
解字　糺（9059）の略字。

3【孔】4画（2566） コウ　子部。→三八一ページ中。

5【乩】6画 99 ケイ 斉 jī　2〇116 — 1624
字義　❶うらなう（占）。盆の上に砂を盛り錐で字を書いて占う。❷かんがえる。＝稽（8525）。
解字　会意。占＋乚（乙）。占は、うらないの意味。乚（乙）は、ジグザグな形の象形。ジグザグな模様から吉凶をうらなうの意味を表す。

5【乱】6画 100 シ　— — 1623
始（2347）の古字。→三六五ページ中。

6【乱】7画 101 教6 ラン みだ-れる・みだ-す　4580 9790 —

12〖亂〗13画 102 ラン 翰 luàn 唐ロン　4812 98AA —

筆順　ノ 二 千 千 舌 舌 乱

字義　❶みだ-れる。㋐治まらない。秩序がない。「乱世」㋑ごたごたする。入りまじる。「混乱」㋒まよう。まどう。「惑乱」❷みだ-す。混乱させる。秩序を破る。❸みだ-れ。㋐秩序がない。㋑戦争。騒乱。㋒不作法。㋓反乱。むほん。❹みだりに（濫）。むやみに。「乱発」❺わたる。流れを横ぎる。❻音楽の最後の一節。また、辞賦の最後にあってその大意をまとめる章。「関雎之乱」❼おさめる（治）。「乱臣」国みだ-れ。㋐歌謡のともなわない能楽の舞の一種。㋑芝居で、太鼓入りのはやしをいう。

名前　おさむ・らん　難読　乱波・乱破・乱離

参考　現代表記では〔爛〕（7039）の書きかえに用いることがある。「腐爛→腐乱」

解字　篆文 　形声。乚（乙）＋舌（𤔔）音。音符の𤔔は、みだれるの意味。乙は、乱れた糸の端の象形。みだれるの意味を表す。𠮦と混同して、おさめるの意味にも用いる。

逆　壊乱・禍乱・混乱・錯乱・散乱・衰乱・戦乱・争乱・騒乱・治乱・胴乱・内乱・波乱・反乱・煩乱・兵乱・暴乱・惑乱

【乱△鴉】みだれ飛んでいるからす。

【乱雲】①みだれ飛ぶ雲。②女性の黒髪の形容。③俗に雨雲と呼ぶ不定形の雲。

【乱階】①世のみだれるきざし。乱のよっておこるもと。〔詩経、小雅、巧言〕②順序を越えて位階を進めること。

【乱△魁】賊のかしら。乱首。

【乱獲】（魚・鳥・獣などを）むやみやたらにとること。

【乱逆】むほん。反逆。逆乱。

【乱行】みだらなおこない。乱暴なふるまい。

【乱△鴻】列をみだして飛んでいる雁。

【乱雑（雜）】ごたごたと入りまじること。

【乱山】ふぞろいにそびえている山々。

【乱子】親を親とも思わない子。親の命に従わない子。

【乱射】むやみに射ること。

【乱首】①乱の張本人。謀反人のかしら。②髪のみだれた頭。

【乱書】順序もなく雑然と書くこと。

【乱心】みだれた心。

【乱臣】①国をみだす悪臣。君を殺す臣。②国をよく治める臣。▼乱は、治める意。〔論語、泰伯〕

【乱臣賊子】君を殺す臣と、父を害する子。

【乱神】①理に合わぬことと神秘的な事。用例〔論語、述而〕子不レ語二怪力乱神一。↓先生は怪・力・乱・神の四つについては語らなかった。②心をみだす。

【乱人】①乱をおこす人。国をみだす人。②心のみだれている人。精神に異常をきたした人。③欲ばりな人。

【乱酔（醉）】国だらしなく酒に酔う。

【乱世】みだれた世の中。戦乱の世。

【乱世英雄】乱世において活躍する英雄。許劭が魏の曹操を「清平之姦賊、乱世之英雄」と評した。〔後漢書、許劭伝〕

【乱世△之音】みだれた世の音楽。

【乱政】①みだれた政治。また、まつりごとをみだす。〔左伝、隠公五〕②まつりごとをおさめる。▼乱は、治める意。

【乱戦（戰）】＝乱闘。

【乱△蟬】さかんに鳴くせみ。

【乱俗】①みだれた風俗。〔荀子、栄辱〕②風俗をみだす。

【乱賊】①世をみだすわるもの。②みだし害する。

【乱打】むやみに打つ。めったうち。

【乱△帙】取り散らかした書物。▼帙は、和とじの本を包むおおい。用例〔菅茶山、冬夜読レ書詩〕閑収二乱帙一思二疑義一、一穂青灯万古心。↓取り散らかした書物を心静かに片づけながら、（今読んだ本の）疑問の箇所を考えていると、一本の稲穂のような青白いともし火が、昔の聖賢の心を明るく照らし出してくれるような感じがする。

【乱調】みだれた調子。

【乱点(點)】ランテン あちこちに散らばっている。また、あちこちに散らばす。

【乱闘(鬪)】ラントウ 敵・味方がいりみだれてたたかう。乱戦。

【乱道】ランドウ ①よこしまな説をとなえて道理をみだす。でまかせをいう。②へたな詩文。自作の謙称。拙作。

【乱読(讀)】ランドク むやみやたらに読む。濫読ランドク。

【乱入】ランニュウ みだれいる。なだれこむ。

【乱発(發)】ランパツ ①むやみに発射する。②むやみに発行する。濫発ランパツ。

【乱伐】ランバツ 国むやみに木を切ること。濫伐。→濫用(八七〇ジ-上)。

【乱費】ランピ むやみについやす。また、むだづかい。濫費ランピ。

【乱筆】ランピツ 国①みだれ書き。順序もなく書き散らすこと。②なぐり書き。書体の乱暴なこと。また、自分の筆跡の謙称。「乱筆乱文」

【乱舞】■ランブ ①入りみだれて舞う。②常軌を逸して舞う。「狂気乱舞」■ランブ・ランプ 国①鎌倉時代以後、五節ゴセチなどの酒宴の後に、殿上人が今様歌いまようをうたって舞った仕舞。②能の舞のあいまに舞う舞。

【乱兵】ランペイ ①賊兵。乱暴な兵。②兵乱。反乱。

【乱邦】ランポウ みだれたくに。乱国。〔論語、泰伯〕

【乱亡】ランボウ ①みだれほろびる。②みだしほろぼす。

【乱暴】ランボウ ふるまいなどの荒々しく粗雑なこと。

【乱麻】ランマ 入りまじってもつれたあさ糸。転じて、入りまじりみだれて多いさまの形容。また、みだれた世の中のたとえ。用例〔史記、天官書〕死人如二乱麻一シニンランマノごとし。⇩死人が入り交じった麻糸のように多い。

【乱脈】ランミャク 国みだれてすじみちが立たないこと。乱雑。

【乱用】ランヨウ みだりに用いる。→濫用(八七〇ジ-上)。

【乱理】ランリ みだれたすじみち。また、道理をみだす。

【乱離】ランリ ①世の中がみだれて人々が離ればなれになる。②世の中のみだれによるうれい。▼離は、うれい。

【乱流】ランリュウ ①水が不規則に流れる。②＝乱レ流ながれをわたる(八四三ジ-下)。③みだれてしまりのないこと。

【乱倫】ランリン ①人としての道をみだす。〔論語、泰伯〕②人倫にはずれた行い。男女関係のだらしないこと。

7【乴】8画 103 エン 琰 yǎn　— — 1626

字義 進む。

解字 形声。乚＋辛音。

7【乽】8画 104 漢セツ 呉ゼチ 屑 xuē　— — 1625

字義 ひねる。つまむ。

解字 形声。乙＋折音。

7【乳】8画 105 教6 ニュウ ちち・ち 熟字訓 乳母うば

7〔乳〕8画 106 漢ジュ 呉ニュウ(ニウ) 麌 rǔ　3893 93FB —

筆順 ノ 𠂉 ⺈ 爫 孚 孚 孚 乳

字義 ❶ちち。ち。㋐ちぶさ。㋑ちしる。「母乳」❷乳を飲ませる。❸養う。育てる。いつくしむ。❹ちぶさのような形をしたもの。また、乳のように白く濁っている液。❺子を産むこと。また、鳥が卵を産むこと。

名前 ち 難読 乳母うば・ばば・おんば・まま・めのと・乳酪バター・乳女めのと・乳人めのと・乳井にお・乳部みぶべ・乳

解字 篆文 会意。爪＋子＋乚(乙)。爪は手を下に向けてつかむ形にかたどる。乙は乳房の象形。赤子を乳に向ける形から、ちちを飲ませるの意味を表す。

逆 花乳・字乳

【乳△媼】ニュウオウ ＝乳母。

【乳気(氣)】ニュウキ 子どもらしい気分。おさないきもち。

【乳虎】ニュウコ 子持ちのとら。子を保護するために気の荒くなっているとら。〔荘子、盗跖〕

【乳歯(齒)】ニュウシ ちのみば。人の生後六か月ごろからはえ、六、七歳から十一、二歳ごろまでに永久歯とぬけかわる歯。

【乳児(兒)】ニュウジ ちのみご。みどりご。あかご。生後一年ぐらいまでの子ども。

【乳臭】ニュウシュウ ちちのにおいのすること。ちちくさい。転じて、年が若くて経験の乏しい人をきけすんでいうことば。

【乳鉢】ニュウバチ 薬などをねり、または粉にする、小型のすりばち。

【乳△糜】ニュウビ ①ちちで作ったかゆ。②食物が胃の中で消化されて乳汁のようになったもの。

【乳哺】ニュウホ ちちを飲ませて小児を養う。

【乳母】ニュウボ 母親にかわって子どもにちちを飲ませて育てる女性。うば。めのと。乳人。乳媼ニュウオウ。乳媪ニュウオウ。

【乳名】ニュウメイ 幼いときの名。幼名。小字。

【乳養】ニュウヨウ ちちを飲ませて育てる。育てやしなう。乳育。

【乳酪】ニュウラク 牛や羊などのちちの脂肪分を固めて造った食品。バター。用例〔晋書、天錫伝〕乳酪養レ性ニュウラクせいをやしなう(ふ)。⇩乳酪は身体を丈夫にする。

8【乹】9画 107 カン 乾(108)の俗字。→五〇ジ-下。　— — 1627

10【乾】11画 108 常 カン かわ-く・かわ-かす ■漢ケン・呉ゲン 先 qián ■カン 寒 gān　2005 8AA3 —

〔乹〕107 俗字

筆順 一 十 𠦝 𠦝 卓 卓 卓 乾 乾

字義 ■❶易エキの八卦ハッカの一つ。☰。上にあって、強い・治める・始めるなどのかたち。⇩コラム八卦(一四五ジ-)。❷易の六十四卦カの一つ。☰☰乾下乾上ケンカケンショウ。剛健で進んでやまないかたち。↕坤(1919)。❸天。そら。あめ。「乾元」❹つよい。すこやか。「乾剛」❺いぬい。北西。■❶かわ-く。ひ-る。から-びる。かれる。また、かわ-かす。ほ-す。「乾燥」「乾涸カンコ」❷生気がない。とぼしい。❸表面だけ。名義上だけのこと。「乾笑」

名前 きみ・けん・すすむ・たけし・つとむ・ふ 難読 乾海鼠ほしこ・乾児こぶん・乾瘡はたけ・乾反ひぞり・乾飯かれいい・乾風あなじ・からかぜ・乾酪チーズ

使いわけ かわく〔乾・渇〕
〔乾〕水分がなくなる。「空気が乾く・乾いた土」
〔渇〕のどがかわく。また、強く希望する。「のどがからからに渇く・渇きを覚える」

解字 金文 篆文 象形。金文は、長い旗ざおの象形で、上に出る、上に出るもの、そらの意味を表す。また、暵カンに通じ、かわくの意味をも表す。乾は、乙＋倝音の形声。

【乾儀】ケンギ 天。また、天の法則。↕坤儀コンギ(三〇五ジ-上)。

【乾乾】ケンケン 進んでやまないさま。おこたらず努力するさま。

【乾元】ケンゲン 天の道。天理。▼元は、大(その作用の広大であること)、また、初め(万物化成の根源)の意。〔易経、乾〕

【乾△涸】カンコ かわきかれる。水がひあがる。

【乾綱】ケンコウ ①天の法則。▼綱は、綱紀・法則の意。②天子の大権。▼綱は、しめくくりをするおおづな。

【乾剛】ケンゴウ つよい。心がつよくしっかりしていること。

【乾△坤】ケンコン ①易エキの二つの卦カの名。☰と☷。②天と地。あめつち。天地自然。用例〔唐、杜甫、登二岳陽楼一詩〕呉楚東南坼ゴソトウナンにさけ、乾坤日夜浮ケンコンニチヤうかぶ。⇩呉の地と楚の地は洞庭湖ドウテイコによって東と南に分けられ、天地間の万物が昼も夜もこの湖に映っている。③陽と陰。④日と月。⑤男性と女性。⑥いぬい(北西)と、ひつじさる(南西)。

【乾△坤一△擲】ケンコンイッテキ 天下をかけ、運命をかけて、のるかそるかの大勝負をすること。一擲賭乾坤。

【乾児(兒)】①こぶん。てした。②名義上の子。養子。

【乾湿(濕)】かわくこととしめること。かわきとしめり。

【乾漆】①うるしの液が久しい貯蔵によってかたまりとなったもの。漢方で、ふるい血液の駆除や殺虫剤に用いる。②麻布をうるしではり合わせて仏像や器物の素地としたもの。「乾漆像」

【乾△鵲】鳥の名。かささぎ。

【乾笑】つくりわらい。うわべだけの笑い。

【乾象】天体の現象。日月星辰のおこす現象。

【乾燥】①かわく。また、かわかす。②うるおいのないこと。おもしろみのないこと。「無味乾燥」

【乾端△坤△倪】天のはてと地のはて。天地のかぎり。倪は、きわ・はしの意。〔唐、韓愈、南海神廟碑〕

【乾徳】①天子の徳。②進んでやまない剛健な徳。

【乾杯・乾△盃】①杯の酒を飲みほすこと。②宴会でたがいに杯をあげて飲みほし、慶事や健康を祝い合うこと。

【乾覆】天が万物をおおい育てること。また、天をいう。

【乾没】①偶然の幸運によって利益を得ること。一説に、かけなどで利を得ることを乾、その逆を没という。②他人の利益や物を横取りする。

【乾麺(麵)】①うどん粉。むぎ粉。②ほした麺類。

【乾酪】牛や羊などの乳の蛋白質を固まらせて作った食品。チーズ。

【乾隆帝】清の第六代の皇帝、高宗の称。雍正帝(世宗)の子。名は弘暦。天山南北路・安南・ビルマ・台湾などを平定すると共に、学術を奨励して『四庫全書』等を編集するなど、文武の功多大。在位六十年。乾隆はその年号。(一七一一―一七九九)

【乾霊(靈)】①天の神。また、陽の精気。②国あまつかみ。天神。天照大神。

【旋乾転(轉)坤】天地をひっくりかえす。天下の乱を治めて平和にかえす。国家の面目を一新する。▼乾は天、坤は地。〔唐、韓愈、潮州謝上表〕

10【亂】11画 109 漢チ 呉ジ(ヂ) 因 zhì(chì) 一一 1628

字義 おさめる。＝治(6237)。

解字 会意。爫(爪)＋糸＋乚(乙)。爪は、手の象形。糸は、いとの意味。乚(乙)は、みだれた糸の象形。みだれた糸を整える、おさめるの意味を表す。

12【亂】13画 (102) ラン 乱(101)の旧字体。→四九ページ中。

亅 1画 はねぼう

〔部首解説〕文字の構成要素になるが特定の意味はもたない。

0 亅 五一 1 了 五一 3 予 五一 5 丞 三三 争 五三 6 亊 五三 7 事 五三 承 五七〇 12 預 一三五八

0【亅】1画 110 漢ケツ 呉ガチ(グヮチ) 月 jué 4813 98AB 一

字義 かぎ。下端を上へ曲げたかぎ。

参考 単独の文字としての用例はない。

解字 象形。かぎの形にかたどる。

1【了】2画 111 常 リョウ リョウ(レウ) 篠 liǎo 4627 97B9 一

筆順 ㇇ 了

字義 ❶おわる。おえる。しまう。すむ。「終了」❷さとる。理解する。「了悟」❸さとい。かしこい。❹あきらか。「一目了然」❺文末にあって、完了の意味を表す助字。❻ついに。結局。さっぱり。まったく。

名前 あき・あきら・あら・さと・さとし・さとる・すみ・のり・りょう

参考 現代表記では〔諒〕(11289)の書きかえに用いる。「諒解→了解」「諒承→了承」

解字 篆文 象形。子の字形に両ひじがない形で、手足ともくるまれた乳児の形にかたどる。くるめるの意味から、一つの事がらがおわるの意味を表す。また、瞭に通じて、あきらかの意味をも表す。

逆 結了・投了・読了・満了・未了・魅了

【了解】物事の意味や事情を理解すること。諒解。→了承。

【了見・了簡】同料簡。国①考えはかる。また、考え。②たえしのぶ。ゆるす。

【了悟】仏あきらかにさとる。

【了察】おしはかる。思いやる。諒察。

【了承】国納得して承知する。領承。◆「了解」と「了承」はよく似た意味であるが、現代では、単に「理解する」「わかる」にとどまる場合は「了解」を用い、「理解した上で承知する」「理解して決着をつける」意のときには「了承」を用いる傾向が強い。そのため、提案・要求などに対しては「了解」ではなく「了承」を求められることが多い。

【了然】あきらかなさま。はっきりするさま。瞭然。

【了知】承知する。了承する。

【了得】さとる。会得。

【了了】①かしこいさま。②あきらかなさま。了然。③ついに。

3【予】4画 112 教3 ヨ 4529 975C 一

㊀家9【豫】16画 113 ヨ 御 yù 4814 98AC 一

㊁3【予】4画 ㊀ヨ 語 yǔ ㊁ヨ 魚 yú

筆順 ㇇ ㇖ 㐄 予

字義 ㊀〔豫〕❶獣の名。大きい象。❷あらかじめ。かねて。前もって。用例〔史記、刺客伝〕太子予求天下之利匕首。↓太子は前もって、世界に冠たる切れ味のよい短剣を手に入れた。❸たのしむ。あそぶ。遊びたのしむ。用例〔五代史、伶官伝〕憂労可以興国、逸予可以亡身、自然之理也。↓心配し苦労すれば国を興すことができ、のんびりと楽しんでいると身を滅ぼすのは、自然の道理である。❹よろこぶ。やわらぎよろこぶ。用例〔書経、金縢〕王有疾、弗予。↓王は病にかかり、すぐれない様子であった。❺ためらう。ぐずぐずする。躊躇する。また、心配する。懸念する。用例〔老子、十五〕予焉若冬渉川、猶兮若畏四隣。↓ぐずぐずためらうこと冬の川を渡るよう、おずおずと尻込みすること四方の隣国を恐れるよう。❻おこたる。なまける。用例〔大戴礼記、五帝徳〕富而不驕、貴而不予。↓裕福でも驕らず、身分が高くとも怠らない。❼あずかる。かかわる。❽易の卦の名。☳☷坤下震上。人の心がやわらぎ楽しむ象。❾古代中国の九州の一つ。今の河南省全部と山東・湖北省の一部。

㈡〔予〕 ㊀❶あた-える。たまう。用例〔史記、廉頗藺相如伝〕趙予レ璧、而秦不レ予二趙城一。⬇趙が璧を秦に与えたのに、秦が（約束通り）町を趙に与えなければ、悪いのは秦の方になります。／〔史記、高祖本紀〕陛下使二人攻一レ城略レ地、所二降下一者、因以予レ之。⬇陛下は人に都市や敵地を攻略させ、降伏させると功績にもとづいて領土を与えた。

❷くみ-する。ゆる-す。認める。賛成する。称賛する。用例〔荀子、大略〕言レ治者予二三王一。⬇政治を語るものはみな夏・殷・周の三代の聖王に賛同する。

㊁われ（余）。一人称代名詞。用例〔孟子、公孫丑上〕今日病矣、予助レ苗長矣。⬇今日は疲れた、私は（一日中）苗を引っ張って生長を助けてやったのだ。／〔論語、子罕〕天之未レ喪二斯文一也、匡人其如レ予何。⬇天がまだこの聖人の道を滅ぼしていない以上は、匡の者どもがこの私をどうすることができようか（どうもできない）。

名前 たのし・まさ・やす・やすし・よ 難読 予言（かねごと）・予予（かねがね）

解字 ㊀〔豫〕篆文 形声。象＋予㊢。音符の予は、心身ともに伸びやかになるの意味。象は、おっとりした動物のぞうの象形。のびやかに楽しむの意味を表す。また、転じて、ゆとりをもって備える、あらかじめの意味をも表す。常用漢字では、予を用いる。

㈡〔予〕甲骨文 篆文 象形。機織りの横糸を自由に走らせ通すための道具、「ひ」の象形で、こちらから向こうへおしやるの意味から転じて、あたえるの意味を表す。また、借りて、われの意味も表す。予を音符に含む形声文字に、伃・預・序・抒・舒などがあり、これらの漢字は、「のびやか・ゆるやか」の意味を共有している。

逆 逸予・暇予・不予・猶予

【予一人】（ヨイチニン・われイチニン） 天子の自称。自分も一個の人間で余人と異ならないという謙辞。〔書経、湯誥〕

【予△豈好レ弁（辯）△哉】 私はどうして議論好きであろうか。時勢を憂え、だまっておれない心境を表す言葉。用例〔孟子、滕文公下〕予豈好レ弁哉、予不レ得レ已也。⬇私はどうして議論好きであろうか、（議論好きではないが、今の時勢では）しかたがないのだ。

【予（豫）感】（ヨカン） 事がまだあらわれない前に感じ知る。

【予（豫）期】（ヨキ） あらかじめ期待する。こうなるであろうと前もって思う。あてにする。

【予（豫）見】（ヨケン） 事がまだあらわれない前に察知すること。

【予（豫）言】㊀（ヨゲン） 未来のことを予測していうこと。また、そのことば。㊁（かねごと） 国約束のことば。前言。◆キリスト教などで神託を指すときは「預言」と書く。→預言（一五六八ジペー上）。

【予（豫）後】（ヨゴ） 医者が予断する、病気の今後の経過。また、俗に、病後の経過の意に用いる。

【予（豫）告】（ヨコク） 前もって知らせる。さきぶれ。

【予（豫）算】（ヨサン） ①前もってたてたみつもり。②かねての心づもり。③国家や地方自治体などが次の会計年度について立てた収入支出の計画。

【予（豫）習】（ヨシュウ） 前もってならう。したしらべ。

【予（豫）章】（ヨショウ） ①昔の地名。長江の北、淮河の南の地で、春秋時代に呉・楚が戦闘を繰り返したところ。②郡名。漢代に置く。今の江西省の地。郡治は南昌（今の南昌市）。③川の名。江西省の贛江の上流の章水をいう。④台の名。長安の昆明池の中にあった。⑤樹木の名。

【予小子】（ヨショウシ・われショウシ） ①天子が喪に服している時の自称。〔礼記、曲礼下〕②天子の自称。〔書経、金縢〕

【予（豫）譲（讓）】（ヨジョウ） 戦国時代の刺客。晋の智伯に仕え、智伯が趙襄子に殺されると、その復讐を図って失敗し自殺した。「士は己を知る者のために死す」という名言がある。〔史記、刺客伝〕

【予（豫）△餞会（會）】（ヨセンカイ） 前もってする送別会。▼餞は、送別の贈り物。

【予（豫）測】（ヨソク） 前もっておしはかること。

【予（豫）怠】（ヨタイ） 安楽を貪りおこたる。遊びなまける。

【予奪】（ヨダツ） ①あたえることと、取りあげること。与奪。②賞罰。

【予（豫）断（斷）】（ヨダン） 前もって判断する。

【予（豫）知】（ヨチ） あらかじめ知る。前もって知る。

【予（豫）兆】（ヨチョウ） 何かが起こることを予感させる前ぶれ。きざし。前兆。

【予（豫）定】（ヨテイ） あらかじめきめておく。

【予（豫）程】（ヨテイ） あらかじめ定めた仕事の行程。

【予（豫）備】（ヨビ） 前もって準備する（用意する）。また、そのもの。

【予（豫）聞】（ヨブン） あずかり聞く。

【予（豫）報】（ヨホウ） 前もって知らせる。予想して知らせる。また、その知らせ。「天気予報」

【起レ予】（ヨをおこす・われをおこす） 自分の気づかないことをさとらせる。自分の心を啓発する。〔論語、八佾〕

5 【丞】 6画 (29) ジョウ 一部。→三ジペー下。

5 【争】 6画 114 教4 ソウ あらそ-う 3372 9188

爪4 【爭】 8画 115 人 ㊀漢ソウ（サウ） 呉ショウ（シャウ） zhēng 更 ㊁漢ソウ（サウ） 呉ショウ（シャウ） zhèng 畝 6407 E0A5

筆順 ノ ク 乌 刍 刍 争

字義 ㊀❶あらそ-う。㋐引っ張り合う。（我が物にしようと）取り合う。用例〔史記、孟嘗君伝〕成侯与二田忌一争レ寵。⬇成侯は田忌と寵愛を奪い合った。／〔史記、叔孫通伝〕漢王方蒙二矢石一争二天下一。⬇漢王は今まさに戦場で天下を争っていらっしゃる。

㋑きそう。張り合う。（相手にまけまいと自身を）誇る。用例〔書経、大禹謨〕天下莫二与レ汝争一レ能。⬇天下にお前と能力を競えるものはいない。／〔史記、蕭相国世家〕群臣争レ功、歳余功不レ決。⬇群臣たちは手柄を誇示しあい、一年あまりも功績（の序列）を決定することができなかった。

㋒あらそ-いて。我先に。先を争って。用例〔史記、高祖本紀〕秦人大喜、争持二牛羊酒食一献二饗軍士一。⬇秦の人々は大喜びして、我先にと牛や羊、酒や飯を持ってきて兵士たちにふるまった。

❷あらそ-い。

❸いか-でか。どうして。反語の意を表す。用例〔唐、盧仝、客謝井詩〕我縦有二神力一、争敢将レ公帰。⬇たとえ私に神通力があったとしても、どうしてあなたを連れて帰ることなどできましょう。

㊁いさ-める（諫）。＝諍（11274）。「争友」

国 あらが-う。さからう。

名前 いさむ 難読 争戸（さかへ・さかべ）

解字 甲骨文 甲骨文 篆文 会意。爫＋𠂆。爫は、上下から手で引きあうの意味。𠂆は力の字の変形。力を入れて引きあう、あらそうの意味を表す。甲骨文には、用（鐘の象形）を上下の手で奪いあう形のものがある。常用漢字では争を用いる。争を音符に含む形声文字に、崢・箏・諍などがあり、これらの漢字は、「あらそう」の意味を共有している。

逆 競争・係争・交争・抗争・廷争・党争・紛争・兵争・面

争・論争

【争獲】ソウカク　獲物をあらそう。
【争権(權)】ソウケン　権勢をあらそう。
【争光】ソウコウ　①ひかり。かがやき。光輝。②光明をあらそう。
【争衡】ソウコウ　軽重をあらそう。天下の覇権をとりあう。
【争子】ソウシ　親の不善をいさめる子。諍子ソウシ。
【争訟】ソウショウ　あらそい訴える。訴えごと。
【争心】ソウシン　あらそう心。人に勝とうとする心。
【争臣】ソウシン　君主の不善をいさめる臣。諍臣ソウシン。
【争奪】ソウダツ　あらそいうばう。うばいあい。〔荀子、性悪〕
【争端】ソウタン　あらそいのきっかけ。あらそいの糸口。
【争長】ソウチョウ　＝争レ長チョウをあらそう(ふ)〔一四九四ジペ下〕。
【争闘(鬭)】ソウトウ　あらそいたたかう。闘争。
【争覇】ソウハ・ハをあらそう(ふ)　覇者となることをあらそう。覇権をあらそう。また、勝敗をあらそう。
【争△鋒】ソウホウ　戦場で敵と勝敗をあらそう。武力であらそう。
【争名争利】ソウメイソウリ　名利をあらそう。
【争友】ソウユウ　不善をいさめる友。諍友ソウユウ。
【争乱(亂)】ソウラン　あらそいみだれる。また、あらそいによる混乱。
【争論】ソウロン　あらそって論じ合う。言いあらそい。

6【争】7画 116 ジ　事(117)の俗字。→五三ジペ上。　4815 98AD

7【事】8画 117 教3 ジ・ズ こと　2786 8E96
㊀漢シ・呉ジ 賓 shì
㊁シ 賓 zì
慣ズ

筆順　一 丆 丅 百 亘 写 事 事

〔叓〕1278古字　〔叏〕1279古字　〔亊〕116俗字

字義 ㊀❶こと。㋐ものごと。ことがら。「事物」「事態」

㋑しごと。つとめ。なりわい。用例〔史記、樊噲伝〕以二屠狗一為レ事。↓犬の屠殺を業としていた。

㋒できごと。事変。戦争。用例〔北周、庾信、哀二江南一賦〕五十年中、江表無レ事。↓五十年間、江南は何事もなかった。

㋓てがら。事業。用例〔三国志、蜀志、先主伝〕立功立事、在二於今日一。↓功業をうち立てるには、いまが好機です。

㋔典故。典拠となる故事。また、典拠のある言葉。用例〔詩品、巻二序〕至三乎吟二詠情性一、亦何貴二于用事一。↓感情をうたう場合にあって、どうして典故を重んじることがあろうか。
❷ことーとする。㋐専念する。努め行う。用例〔老子、四十八〕取二天下一、常以レ無レ事。↓天下を手中に収めようというときには、いつも、何かに専念したり努力したりはしないものだ。／〔論語、顔淵〕回雖二不敏一、請事二斯語一矣。↓わたくし顔回は愚かな者ではありますが、このお言葉を努め行ってゆきたいものです。
㋑とどまる。用例〔論語、雍也〕何事二於仁一。↓どうして仁にとどまっていようか(仁どころではなく、もっと高遠なものだ)。
❸つかーえる。主君や目上の人などに仕える。用例〔十八史略、春秋戦国、呉〕子夫差立、子胥復事レ之。↓子どもの夫差が即位し、伍子胥は引き続き彼にお仕えした。／〔史記、管仲伝〕鮑叔事二斉公子小白一、管仲事二公子糾一。↓鮑叔は斉の公子の小白に仕え、管仲は公子の糾に仕えた。
❹つかーう。用いる。使う。使役する。用例〔漢書、高帝紀下〕令下吏卒従軍至二平城一及守二城邑一者皆復終身勿上レ事。↓吏卒で従軍して平城に行った者と平城付近の諸城を守った者はみな終身用いないようにした。
㊁さーす。つきたてる。刃物などをつき刺す。用例〔漢書、蒯通伝〕慈父孝子、不三敢事二刃於公之腹一者、畏二秦法一也。↓慈父や孝子が、あえて刃を公の腹に突き立てようとしないのは、秦の法を恐れているからです。

名前　こと・じ・つとむ・わざ

難読　事知ことしろ・事禱ことぶき

解字　甲骨文  金文  篆文 
象形。神への祈りの言葉を書きつけ、木の枝などに結びつけたふだを手にした形にかたどる。祭事にたずさわる人のさまから、しごと・つかえるの意味を表す。『説文解字』は、史＋之㊌の形声文字とする。

逆　逸事・陰事・往事・王事・外事・家事・官事・幹事・紀事・記事・議事・吉事・給事・凶事・兄事・検事・公事・好事・後事・行事・国事・故事・歳事・参事・惨事・師事・指事・私事・時事・執事・従事・主事・情事・叙事・神事・臣事・人事・成事・政事・世事・俗事・大事・多事・知事・珍事・通事・農事・秘事・父事・無事・仏事・変事・法事・房事・本事・民事・有事・余事・理事

【事以レ密成】ことはミツをもってなる　事をなすに当って機密を守れば成功する。用例〔韓非子、説難〕事以レ密成、語以レ泄敗。↓物事は機密を守れば成功し、相談は漏れることによって失敗するものである。
【事機】ジキ　①事のはずみ。②仕事の機密。
【事宜】ジギ　①事のよろしきにかなうこと。ほどよいこと。②事がら。事項。
【事況】ジキョウ　ようす。事情。〔唐、白居易、与二微之一書〕
【事業】ジギョウ　①しごと。わざ。〔易経、坤〕②一定の目的達成のため継続的に行う活動。
【事件】ジケン　①事がら。事項。②できごと。重要なできごと。
【事故】ジコ　①こと。わけ。しさい。②普通でない。悪いできごと。さわり。事件。故障。
【事功】ジコウ　①仕事。②事業の成績。③てがら。
【事項】ジコウ　①事がら。②個条書きにしたものの、一つ一つの条項。
【事始】ことはじめ　↔事納。国①仕事に着手すること。②昔、陰暦十二月八日にすす払いなどをして正月の準備をしたこと。③昔、東国で陰暦二月八日に農事をはじめたこと。
【事事物物】ジジブツブツ　なにもかも。あらゆる物事。万事万端。
【事象】ジショウ　国実際に起こり、見知ることができる事がら。また、そのありさま。
【事情】ジジョウ　事の実際のありさま。実情。〔史記、孟軻伝〕
【事勢】ジセイ　①事のいきおい・なりゆき。②政治上の勢力。
【事跡・事△迹・事△蹟】ジセキ　物事や事件のあったあと。
【事績】ジセキ　成しとげた事がら。事の成績。
【事体(體)】ジタイ　①事の体裁・格式。また、事の大体。②国＝事態。
【事態】ジタイ　国事のありさま。事情。「緊迫した事態」
【事大主義】ジダイシュギ　定見がなく、勢力の強大なものに従う主義。▼事は、つかえる。
【事端】ジタン　事のはじめ。事件のいとぐち。争いのもと。
【事典】ジテン　①事のきまり。法則。規則。②事がらを分類して説明した辞書。字典・辞典と区別して「ことてん」ともいう。「百科事典」
【事納】ことおさめ　↔事始。国①物事のおわり。②昔、陰暦十二月八日に年神の棚をおろしたこと。③昔、東国で、陰暦二月八日にその年の農事をおえたことをいう。
【事半功倍】ことはなかばにしてコウはバイす　わずかな努力で多大の効果をあげること。『孟子』公孫丑上編に「事半二古之人一、功必倍レ之」とあるのに基づく。
【事柄】ジヘイ　事件の中心。また、事の起こるもと。㊁ことがら　国ものごと。ことのようす。
【事変(變)】ジヘン　①普通でないできごと。騒動。暴動。②国宣戦布告をしない小規模の戦争。

【事無二二成一】ふたつの事を両方とも成功させることはできない。どちらか一方は失敗する。〔左伝、成公八〕

【事由】事の理由。わけがら。

【事予(豫)則立】物事は、前もって準備すると、成功する。〔中庸〕

【事理】事のわけ。事のすじみち。

【事例】物事の前例となる事実。実例。

【△坐レ事】事件のまきぞえをくう。

【遂レ事】自分の思うようにする。

【臨レ事】事件に出あう。事件に直面する。用例〔論語、述而〕臨レ事而懼。↓事にあたっては慎重にする。

7【承】8画 (3996) ショウ 手部。→五七〇ﾍﾟｰ下。

12【預】13画 (13446) ヨ 頁部。→一五五八ﾍﾟｰ上。

2画 二 に

〔部首解説〕部首として特定の意味をもたず、もっぱら字形分類のために部首にたてられる。

0 二 五四	2 云 五六	井 六二	亙 六三	亝 六三
1 于 五六	元 一三七	夫 三四九	5 亜 六三	
亐 五六	五 五七	3 亗 六三	6 亞 六三	
三 一三	互 六二	丼 六三	亟 六三	
亍 五六	亖 六二	4 亘 六三	些 六三	

0【二】2画 118 教1 ニ ふた・ふたつ 熟字訓 十重二十重・二十・二十歳・二十日・二人・二日 3883 93F1 一

漢ジ・呉ニ 簡 èr

筆順 一 二

[弍] 3294 古字

字義 ❶ふたつ。ふた。ふ。数の名。❷ふたたび。二度。❸ふたつにする。二分する。また、二倍にする。❹つぎ(次)。そえ(副)。❺ならぶもの。匹敵するもの。❻うたがう(疑)。❼=弐(3297)。→参考。

名前 かず・さ・し・じ・すすむ・つぎ・つぐ・に・ふ・ぶ・ふた

難読 二十・二禁・二形・二戸・二合半・二十九日・二十五里・二十六木・二上・二進三進・二布・二風谷・二幅・二木島

参考 金銭の記載などには、文字の改変を防ぐため、〔弐(貳)〕(3298)の字を用いることがある。

使いわけ ふた〔二・双〕
二つで一組となるものに〔双〕を用いる以外は、広く一般に〔二〕を用いる。「双子」「二つ折り」

解字 甲骨文 ＝ 篆文 二 古文 弍 指事。二本の横線で、数のふたつの意味を示す。

逆 不二・無二

【二王】ニオウ ①二人の天子。②周以前の二代の王。夏と殷の天子をいう。また、周代、夏の子孫を杞、殷の子孫を宋に封じて王者の礼遇をして二王、または二王の後と呼んだ。③二人の王姓の人。㋐西晋の清談家の王戎と王衍。㋑東晋の書家の王羲之とその子の王献之。④仏仏法守護の神として、寺門の左右に立てる金剛夜叉の称。仁王。

【二雅】ニガ 『詩経』の大雅と小雅をいう。

【二月花】ニガツのはな・ジゲツのはな 陰暦二月ころに咲く花。春の花。桃の花などをさす。用例〔唐、杜牧、山行詩〕停レ車坐愛楓林晩、霜葉紅二於二月花一。↓馬車をとめて、何とはなしに、楓樹の林の夕暮れをめでる。霜によって赤く色づいた木の葉は、春の花よりも、なおくれない色にさえている。

【二気(氣)】ニキ 陰の気と陽の気。〔易経、咸〕

【二季】ニキ ①二つの季節。春と秋。また、夏と冬。②二代。夏と殷。③盆と暮。

【二儀】ニギ ①天と地。また、陰と陽。両儀。②唐の高宗の作った舞。

【二極】ニキョク ①南極と北極。両極。②ふたつの至高の道。忠と孝。また、君と親。③ふたつの相異なる極致。

【二権(權)】ニケン 政治上の二つの権力。賞と罰。

【二元論】ニゲンロン 哲学で、宇宙の現象を二つの根源的な原理によって考える考え方。↔一元論(三ﾍﾟｰ上)・多元論(三三三ﾍﾟｰ中)。

【二言】ニゲン・ニゴン ①ふたことば。二字。②一度言ったことを言い改めること。二枚舌。いつわり。

【二鼓】ニコ 一 午後十時。二更。二 つづみ 国昔、雅楽に用いた鼓。

【二更】ニコウ 五更の第二の時刻。今の午後十時前後。午後九時から十一時(一説に、十時から十二時)までの二時間。→五更(五八ﾍﾟｰ中)。

【二三】ニサン ①二、三にする。いろいろにかえる。一貫しない。②二、三人。③二つ三つ。わずか。④二と三との積の六をいう。

【二三子】ニサンシ ①二、三人。②門人などの数人に呼びかけ

コラム

二十四史

書名	巻数	編著者名	構成 本紀・帝紀	表	志・書	世家	列伝
①史記	一三〇	(前漢)司馬遷	○	○	○	○	○
②漢書	一二〇	(後漢)班固	○	○	○		○
③後漢書	一二〇	(南朝宋)范曄等	○		○		○
④三国志	六五	(西晋)陳寿	○				○
⑤晋書	一三〇	(唐)房玄齢等	○		○		○
⑥宋書	一〇〇	(南朝梁)沈約	○		○		○
⑦南斉書	五九	(南朝梁)蕭子顕	○		○		○
⑧梁書	五六	(唐)姚思廉	○				○
⑨陳書	三六	(唐)姚思廉	○				○
⑩魏書	一一四	(北斉)魏収	○				○
⑪北斉書	五〇	(唐)李百薬	○				○
⑫周書	五〇	(唐)令狐徳棻等	○				○
⑬隋書	八五	(唐)魏徴等	○		○		○
⑭南史	八〇	(唐)李延寿	○				○
⑮北史	一〇〇	(唐)李延寿	○				○
⑯旧唐書	二〇〇	(五代後晋)劉昫等	○		○		○
⑰新唐書	二二五	(北宋)欧陽脩	○	○	○		○
⑱旧五代史	一五〇	(北宋)薛居正等	○		○		○
⑲新五代史	七四	(北宋)欧陽脩	○			○	○
⑳宋史	四九六	(元)托克托等	○	○	○		○
㉑遼史	一一六	(元)托克托等	○	○	○		○
㉒金史	一三五	(元)托克托等	○	○	○		○
㉓元史	二一〇	(明)宋濂等	○	○	○		○
㉔明史	三三六	(清)張廷玉等	○	○	○		○

コラム

二十八宿

星宿	和名（〜ぼし）	距星	州	分野	方位	四神
角	す	おとめ座α	兗	鄭	東	蒼竜（青竜）
亢	あみ	おとめ座κ				
氐	とも	てんびん座α				
房	そい	さそり座π	予	宋		
心	なかご	さそり座σ				
尾	あしたれ	さそり座μ	幽	燕		
箕	み	いて座γ				
斗	ひつき	いて座φ	揚	呉越	北	玄武
牛	いなみ	やぎ座β				
女	うるき	みずがめ座ε				
虚	とみて	みずがめ座β	青	斉		
危	うみやめ	みずがめ座α				
室	はつい	ペガスス座α	并	衛		
壁	なまめ	ペガスス座γ				
奎	とかき	アンドロメダ座ζ	徐	魯	西	白虎
婁	たたら	おひつじ座β				
胃	えきえ	おひつじ座35	冀	趙		
昴	すばる	おうし座η				
畢	あめふり	おうし座ε				
觜	とろき	オリオン座λ	益	魏		
参	からすき	オリオン座δ				
井	ちちり	ふたご座μ	雍	秦	南	朱雀
鬼	たまほめ	かに座θ				
柳	ぬりこ	うみへび座δ	三河	周		
星	ほとおり	うみへび座α				
張	ちりこ	うみへび座ν				
翼	たすき	コップ座α	荊	楚		
軫	みつかけ	からす座γ				

る語。お前たち。③君主が諸侯に呼びかける語。

【二四不同】七言の絶句や律詩の句の第二字と第四字との平仄が一致してはいけない規則。

【二者択(擇)一】二つの中から一つをえらぶこと。

【二△豎】病気。病気の神。春秋時代の晋の景公が病気にかかったとき、病魔が二豎子(二人の子供)となって夢に現れ、どんな薬でもきかない膏肓(心臓と横隔膜の間)に宿ろうと相談した故事による。〔左伝、成公十〕

【二十五史】二十四史に『新元史』を加えたもの。↓二十四史。

【二十五△菩△薩】[仏]仏に次ぐ有徳者二十五人の称。

【二十四気(氣)】陰暦で、一年の気節を二十四に分けたもの。十五日を一気とし、一か月を二気、一年を二十四気とする。立春・雨水・啓蟄・春分・清明・穀雨・立夏・小満・芒種・夏至・小暑・大暑・立秋・処暑・白露・秋分・寒露・霜降・立冬・小雪・大雪・冬至・小寒・大寒。二十四節気。⇩コラム 気候(二十四気)(八〇三ページ)。

【二十四孝】古今の孝子二十四人をいう。舜や曽参・閔子騫・子路など。

【二十四史】清の乾隆年間に選定した中国歴代の正史二十四をいう。⇩コラム 二十四史(五四ページ)。

【二十四番花信風】小寒から穀雨までの二十四候のうちで、一候(五日)ごとに吹く新しい春風に応じて開花するという二十四の花の順序。小寒には梅・山茶・水仙、大寒には瑞香・蘭・山礬、立春には迎春・桜桃・望春、雨水には菜・杏・李、啓蟄には桃・棣棠・薔薇、春分には海棠・梨・木蘭、清明には桐・麦・柳、穀雨には牡丹・酴醾・楝が咲くという。

【二十八宿】古代の天文説で、天の周囲に列する二十八の星座をいう。天を東(蒼竜)・西(白虎)・南(朱雀)・北(玄武)の四方に分け、東は角・亢・氐・房・心・尾・箕、北は室・壁・斗・牛・女・虚・危、西は奎・婁・胃・昴・畢・觜・参、南は井・鬼・柳・星・張・翼・軫の星座に分ける。⇩コラム 二十八宿(五五ページ)。

【二心】①ふたごころ。㋐疑心。㋑謀反の心。②[仏]㋐真如を知る浄心とまどいにおおわれている心。㋑さとりの心と散乱心。

【二世】[一]①二代。二代目。②[国]外国に移民した日本人の子で、その国の市民権を持っているもの。[二][仏]現在の世と未来の世。

【二世契】[国]夫婦のちぎり。

【二姓】①夫の家と妻の家。同姓同士は婚姻を結ばず、夫と妻の家の姓が異なるのをいう。「二姓之好(夫の家と妻の家との親善)」②二つの王朝の君。③二人の夫。

【二聖】①二人の聖人。㋐周の文王と武王。㋑周公と孔子。㋒夏の禹王と孔子。②[国]㋐二人の歌聖。柿本人麻呂と山部赤人。㋑二人の書聖。嵯峨天皇と空海。

【二千石】①漢代、郡の太守など、年俸が二千石であったもの。②地方長官。「良二千石」

【二千里外故人心】二千里のかなたにいる旧友の心が思われてならない。月を眺めて遠方の友をしのんでいる心。唐の白居易が中秋の名月の夜、二千里も遠方にいる親友の元稹をしのんで歌った句。用例(唐、白居易、八月十五日夜禁中独直対月憶元九詩)三五夜中新月色、二千里外故人心。⇩十五夜の今夜、出たばかりのあざやかな月の色を見ていると、二千里のかなたにいる旧友の心が思われてならない。

【二尊】①二人の尊いもの。②ふたつの酒だる。▼尊は、樽で、たるの意。③[仏]釈迦と弥陀。④[国]伊奘諾尊と伊奘冉尊。

【二諾】ふたしかなうけあい。承諾したことを実行しないこと。用例(唐、魏徴、述懐詩)季布無二諾、侯嬴重一言。⇩季布は、不確かなまま請け合うことはなかったし、侯嬴は口にした言葉は必ず実行した。

【二程】北宋の学者である、程顥(明道)と弟の程頤(伊川)。二程子。

【二天】恩人をいう。人は常に天恩を受けているが、天の外に更に一天(恩人)あるという意。〔後漢書、蘇章伝〕

【二典】①『書経』の尭典と舜典。②内典(経書)と外典(仏書)。

【二等親】[国]親族を親疎によって分けた中の、第二等に当たる親族。現行法では、祖父母・兄弟姉妹・孫。

【二南】『詩経』国風の召南と周南の詩。周初の成王を補佐した周公旦と召公奭の子孫の領地(今の河南省)から採集したといわれる。

【二難】①二つの得難いもの。賢い君主とよい賓客。②優劣をつけ難い二つのもの。転じて、賢い兄弟。③二つの成しとげがたいもの。④二つの難儀。

【二人同心△其利断(斷)金】心を

同じくして事に当たれば、どんな難事もなしとげ得るたとえ。▼利は、鋭いこと。〔易経、繋辞上〕

【二覇】二人の覇者（諸侯の長）。斉の桓公と晋の文公。

【二伯】㊀東西の二伯。周公と召公。㊁＝二覇。

【二八】①十六。②十六歳。用例〔東晋、陶潜、責子詩〕阿舒已二八、懶惰故無匹。↓息子の舒はもう十六歳になるのに、並ぶもののないほどの怠け者だ。③十六日。

【二分】㊀①春分と秋分。②ふたつに分ける。㊁①二割。十分の二。②百分の二。

【二柄】①刑と徳を行う権力。賞と罰。法家の韓非子は、君主が臣下を統御する道は、この二柄にあると説いた。〔韓非子、二柄〕②文と武とのふたつの権力。

【二毛】①黒い毛髪としらが。②しらがまじりの老人。中老の人をいう。

【二毛作】同一の田畑で、一年に二度、異なった作物をつくること。↕一毛作（八ページ中）。

【二陸】①晋の文人、陸機・陸雲の兄弟。②南宋の学者、陸九齢・陸九淵の兄弟。

【二律背反】国論理学で、二つの命題が同じように妥当に見えながら、互いに矛盾し、くいちがい合って両立し得ないこと。

【二六時中】一昼夜。いつでも。昔、昼を六時、夜を六時に分けたのでいう。

【二六対（對）】七言の絶句や律詩で、各句の第二字と第六字との平仄が一致する規則。→二四不同。

【逐二兎一者不レ獲二一兎一】二匹のうさぎを追って捕らえようとするものは、その一匹をも捕らえることができない。同時にふたつの事に志すと失敗するたとえ。虻蜂とらず。

1【于】3画 119 標 ㊀ウ 虞 yú ㊁ク 4818 98B0 一

【亏】120 本字

字義 ㊀助 おいて。ここに。⇩助字・句法解説。❶ゆく。用例〔詩経、周南、桃夭〕之子于帰、宜其室家。↓この娘が嫁いでいったら、きっと夫の家族に調和して幸せになるだろう。❷たすける。㊁助 于嗟は、詠嘆の助字。⇩助字・句法解説。

助字・句法解説

❶名詞の前に置かれ、下記㋐〜㋒の働きをする。訓読では読まず、送りがなによってその意味を表す。類乎・於。

㋐場所・時間。「A于B（BにAす）」。訳BにAする。

続く語に「ニ」を送って訓読し、場所や時間を表す。用例〔史記、項羽本紀〕項羽遂入、至于戯西。↓項羽はすぐそのまま関中に入り、戯西に進駐した。

㋑対象・目的。「A于B（Bに／BをAす）」。訳BにAする／BをAする。

続く語に「ニ」「ヲ」などを送って訓読し、対象・目的などを表す。用例〔論語、学而〕吾十有五而志于学。↓私は十五歳で学問で身を立てようと決心した。

㋒比較。「A于B（Bより〔も〕Aす）」。訳BよりもAする。

続く語が比較される対象であることを表す。続く語に「ヨリ」「ヨリモ」などを送って訓読する。用例〔孟子、滕文公下〕脅肩諂笑、病于夏畦。↓肩をすくめて人にこびへつらい笑うのは、真夏に田を耕すよりも疲れる。

❷おいて。「于B A（BにおいてAす）」。訳BにAする。

①㋐と同じ意味で、前に動詞などがない場合の読み方。用例〔詩経、周頌、我将〕畏天之威、于時保之。↓天の威勢におそれつつしみ、今ここに天命を保持いたします。

❸ここに。語調を整える働きをする。用例〔詩経、周南、葛覃〕黄鳥于飛、集于灌木。↓高麗うぐいすが飛んで、群がり生える木に集まる。

【于嗟】ああ。詠嘆。訳ああ。類吁。嘆息や感嘆の時に発することば。文や句の先頭に置かれる。用例〔史記、伯夷伝〕于嗟徂兮、命之衰矣。↓ああ死んでしまおう、天命の衰えたことよ。

難読 于茲

解字 甲骨文 甲骨文 金文 篆文 象形。弓のそりを正す道具の象形。借りて、感嘆を表すことば、ああ・かななどの意味に用いる。篆文は、亏。于（亏）を音符に含む形声文字に、夸コ・瓠コ・刳コ・胯コ・跨コ・杇オ・汙オ・洿オ・盂ウ・迂ウ・宇・紆ウなどがあり、これらの漢字は、「弓なりに曲がる」の意味を共有している。

【于于】①何も知らないさま。②満足するさま。自得の形容。③うたたねするさま。④多難のさま。⑤行くさま。

【于役】君命を奉じて他国に使いしたり、国境警備などに行くこと。

【于越】①越の国。於越。②呉と越。③官名。もと契丹の最も尊い職。

【于帰（歸）】嫁にゆくこと。

【于公高門】前漢の于公が公平な裁判をし、その余徳で子孫に家をおこす者が出ることを予期し、高官の乗る車を入れる用意に門を高くした故事。果たしてその子、于定国が丞相となった。〔漢書、于定国伝〕

【于嗟】⇩助字・句法解説。

【于闐・于寘】漢代の西域の国の名。今の新疆ウイグル自治区の和田（和闐）地方。美玉を産し、唐代には都督府が置かれ安西都護府に属した。

【于武陵】晩唐の詩人。名は鄴。（八一〇―？）

1【亏】3画 120 ウ 于（119）の本字。→五六ページ上。

1【三】3画 (10) サン 一部。→一三ページ下。

1【亍】3画 121 ㊀チョク 沃 chù ㊁漢チュウ（チウ）・呉チュ 遇 1407 一 1629

字義 ㊀❶とどまる。たたずむ。❷すこし歩む。こまたに歩く。❸一説に、右足の歩み。↕彳（3389）。

解字 篆文 指事。進み行くの意味を表す彳の形を反対にして、もどりとどまるの意味を表す。

2【云】4画 122 人 標 ウン 文 yún 1730 895D 一

筆順 一 二 云 云

字義 ❶いう。㋐ものをいう。用例〔唐、杜甫、兵車行〕道旁過者問行人、行人但云点行頻。↓道ばたを通りかかったものが、出征兵士に問いかけると、兵士はただこたえる、「徴兵がしきりなのです」と。㋑いわく。…という。言うことには。▼多くは、発言や書物・ことわざなどをそのままのかたちで引用する場合に用いるが、時に、言葉そのままでなく内容を要約などして伝える場合にも用いる。用例〔論語、学而〕詩云、如切如磋、如琢如磨、其斯之謂与。↓詩経に、（骨や角を）切るように磋くように、（玉石を）琢くように磨くように（学問・修養に努める）とありますが、ちょうどこのことでしょうか。／〔史記、呂后本紀〕卜之、云趙王如意為レ祟という（ふ）ことであった。↓占わせてみると趙王の如意が祟りをしているということであった。㋒たーり。…である。用例〔後漢書、袁術伝〕雖レ云二匹夫一、覇王可也。↓身分は低くとも覇王にはなれる。

❷あーり。ある。用例〔荀子、儒効〕云レ能則必為レ乱。↓〔師や法がないと〕能力のある者はきっと乱をなす。

❸かーくのごとし。このようである。そのようである。用例〔史記、留侯世家〕蓋孔子曰、以レ貌取レ人、失二之子羽一。留侯亦云。↓孔子は、容貌によって人を判断し、子羽（澹台滅明）を見誤ったとおっしゃったそうだが、留侯について（私が見誤ったの）もこの通りである。

❹こーこーに。これ。発語や句中の助字として用い、句調を整える。用例〔詩経、邶風、雄雉〕道之云遠、曷云能来。↓道の彼方にいるお方、いつになったらお帰りになれるのか。

❺めぐる。かえる。また、めぐらす。周旋する。❻くも。＝雲（13216）。❼物の多い形容。＝芸（9826）。

名前 おき・これ・とも・のり・ひと

解字 古文（雲） 云 象形。雲の原字。雲がたちのぼる形にかたどり、くもの意味を表す。借りて、いう・ここにの意味に用いる。

【云為（爲）】イウン ①言うことと為すこと。言語と動作。言行。②世態人情。世間のありさま。

【云云】ウンウン・ウンヌン ①しかじか。以下のことを省略するときに用いる語。②多言するさま。③雲がむらむらと起こる形容。④物の多い形容。芸芸。

【云何】いかん いかに。どうして。どうだ。如何。

【云△爾】ウンジ・のみ ＝云レ爾（九一七ジベー下）。

2 【元】 4画 (681) ゲン 儿部。→一三七ジベー中。

2 【五】 4画 123 教1 ゴ いつ・いつ-つ 2462 8CDC 一 ゴ 麌 wŭ 熟字訓 五月・五月雨

筆順 一 丆 五 五

字義 ❶いつ-つ。いつ。数の名。❷いつ-たび。五度。❸いつつにする。いつたびする。また、五倍にする。国いつ-つ。辰の刻（今の午前八時）と戌の刻（今の午後八時）。

名前 い・いず・いつ・かず・ご・さ・ゆ・ゆき 難読 五加・五加木・五月・五月少女・五月蠅・五三竹・五十・五十公・五十公野・五十君・五十崎・五十子・五十里・五十集・五十川・五十島・五十猛・五十嵐・五十鈴川・五十郎・五祝・五倍子・五百・五百家・五百旗頭・五百月・五百木・五味子・五六

参考 金銭の記載などには、文字の改変を防ぐため、〔伍〕（221）の字を用いることがある。

解字 甲骨文 篆文 指事。二は、天地、メは、交差を示し、天地間に交互に作用する五つの元素（木・火・土・金・水）の意味から、数のいつつの意味を表す。五を音符に含む形声文字に、寤・悟・衙・語・齬などがあり、これらの漢字は、「交差する」の意味を共有している。

【五悪（惡）】ゴアク ①五つの悪。㋐陰険・邪僻（よこしま）・偽弁・怪異をよく記憶する・外面を飾る。㋑身体の健康を害する熱・寒・風・温・燥。②仏五戒を破る五つの悪。殺生・偸盗・邪淫・妄語・飲酒。

【五位】ゴイ ①五つの方角。東・南・中央・西・北。②五方の神。五行説で、東は蒼帝、南は赤帝、中央は黄帝、西は白帝、北は黒帝。③木・火・土・金・水の五行をいう。④歳・日・月・星・辰をいう。⑤易の第五爻の位。

【五運】ゴウン 五行の運行。五行説では帝王は五運によってその位を得るという。運行の順には、相勝（水・火・金・木・土）と相生（木・火・土・金・水）の別がある。→五行。

【五雲】ゴウン ①青・白・赤・黒・黄の五種の雲。昔は、その変化を見て吉凶を占った。②一つの雲で五色を備えた雲。仙女の遊ぶ所という。用例〔唐、白居易、長恨歌〕楼殿玲瓏五雲起、其中綽約多二仙子一。↓高殿は玲瓏と光るすきとおった玉のように美しく、五色の雲がわきおこり、その中には、しとやかで美しい仙人がたくさんいる。

【五音】ゴオン・ゴイン 音楽の五つのねいろ。五つの音階。宮・商・角・徴・羽。五声。

【五花馬】ゴカバ・ゴカのうま 青と白とのまだらのある馬。あしげの馬。美しい毛並の馬。五花驄。用例〔唐、李白、将進酒詩〕五花馬、千金裘、呼レ児将出換二美酒一。↓美しい毛なみの名馬、極めて高価な皮ごろも、小僧を呼んで、持ち出して美酒にかえさせよう。

【五戒】ゴカイ ①犯罪を未然に防がせる五つのいましめ。誓・誥・禁・糾・憲。②仏五つのいましめ。不殺生・不偸盗・不邪淫・不妄語・不飲酒。

【五学（學）院】ゴガクイン 国平安時代の五つの学院。勧学院・学館院・淳和院・奨学院・弘文院。

【五岳（嶽）】ゴガク 中国の五大名山の総称。泰山（東岳）・華山（西岳）・衡山（南岳）・恒山（北岳）・嵩山（中岳）。

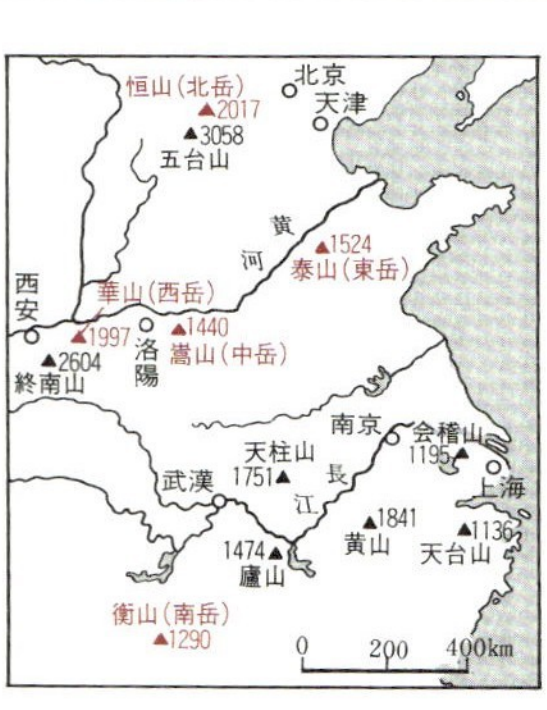

五岳関係地図

【五月雨】さみだれ 国陰暦五月に降る長雨。梅雨。つゆ。

【五官】ゴカン ①五つの官職。㋐五行の官。木正・火正・金正・水正・土正。㋑司徒・司馬・司空・司士・司寇。㋒司徒・宗伯・司馬・司寇・司空。㋓唐代、暦をつかさどった官。挈壺正・霊台郎・保章正・司暦・司辰。②五つの感覚器官。目・耳・鼻・舌・皮膚。→五感。

【五感】ゴカン 目・耳・鼻・舌・皮膚で感じる五つの感覚。視覚・聴覚・嗅覚・味覚・触覚の五つ。◆「五感（感覚）」と「五官（感覚器官）」は本来、別語だが、同義に用いることもある。「五感が鋭い」「五官が刺激を受ける」

【五気（氣）】ゴキ ①五臓から出る五種の気。心気・肝気・脾気・肺気・腎気。②五行の気。寒・暑・燥・湿・風。

【五季】ゴキ 五代。後梁・後唐・後晋・後漢・後周。▼季は、世の末で、唐末に興った国であるからいう。

【五畿】ゴキ 国畿内の五つの国。山城（京都）・大和（奈良）・河内・和泉（共に大阪）・摂津（大阪・兵庫）の五国の総称。

【五逆】ゴギャク ①君・父・母・祖父・祖母を殺すこと。②仏五つの大悪行。父・母・阿羅漢を殺すこと、仏身を傷つけること、僧侶の和合を破り仏道修行をさまたげること。

【五窮】ゴキュウ ①五つの厄運（智窮・学窮・文窮・命窮・交窮）。▼窮は、つまりふさがる。②貧乏神。

【五教】ゴキョウ ①人のふみ行うべき五つの教え。㋐父の義・

母の慈・兄の友・弟の恭・子の孝。㋑父子の親・君臣の義・夫婦の別・長幼の序・朋友の信。②君子が人を教える五つの方法。時雨が物を化育するような時を得た方法、徳性に応じて成就させる方法、才能の長所を伸ばす方法、質問に答えて疑惑を解く方法、間接に君子の感化を受けて自分で修めさせる方法。

【五経(經)】儒教の五つの経典。易経(周易)・書経(尚書)・詩経・礼(儀礼)。後に礼記をいう)・春秋。漢代からいわれた。

【五経(經)正義】書名。二百二十三巻。唐の孔穎達らが太宗の勅命を奉じて編集した五経の注釈書。以後、科挙の標準テキストの役割を果たした。

【五経(經)大全】書名。百十七巻。明の永楽十二年(一四一四)に胡広らが、勅命を奉じて編集した五経の注釈書。

【五経(經)博士】前漢の武帝の建元五年(前一三六)に五経の専門家を博士に任じて大学でそれぞれの専門の経書を講義させた、その官名をいう。→五経。

【五行】①古代、万物を生成すると考えられた五元素。水・火・木・金・土。②仁・義・礼・智・信。五常。③仏布施・持戒・忍辱・精進・止観の五つの修行。

五行	木	火	土	金	水
五星	木星	火星	土星	金星	水星
五時	春	夏	土用	秋	冬
五方	東	南	中央	西	北
五色	青	赤	黄	白	黒
五声	角	徴	宮	商	羽
五常	仁	礼	信	義	智
五数	八	七	五	九	六
五味	酸	苦	甘	辛	鹹
五帝	青帝	赤帝	黄帝	白帝	黒帝
五情	喜	楽	慾	怒	哀
五臓	肝	心	脾	肺	腎

五行①

【五行説】戦国時代の騶衍の唱えた学説で、王朝の交替を五行の運行で説いて五徳終始の説を立てた。漢代に至り、陰陽説と合して、宇宙の万物はすべて五行の相生、相勝(相剋)によって生成されると説く。

【五行相勝】五行が水・火・金・木・土の順序に運行するということ。水は火に勝ち、火は金に勝ち、金は木に勝ち、木は土に勝ち、土は水に勝つこと。五行相剋ともいう。

【五行相生】五行が木・火・土・金・水の順序に運行するということ。木は火を生じ、火は土を生じ、土は金を生じ、金は水を生じ、水は木を生じること。

【五金】五種の金属。金・銀・銅・鉄・錫(一説に、鉛)。

【五苦】①五つのにが味。②仏五つの苦しみ。㋐生・老・病・死・愛別離の苦しみ。㋑天道・人道・餓鬼道・畜生道・地獄道の五道の苦しみ。

【五刑】五種の刑罰。五罪。㋐周代は、墨(いれずみ)・劓(はなきり)・刖(足きり)・宮(生殖能力を失わせる)・大辟(死刑)。㋑秦・漢代は、黥(いれずみ)・劓・左右の足をきる・梟首(首をさらす)・菹(死体を塩づけにしてさらす)。㋒隋以後は笞(むちうつ)・杖(棒でたたく)・徒(懲役)・流・死。

【五劇】いつまたの道。道が五方に分かれている、中心の繁華街。〔唐、盧照鄰、長安古意詩〕

【五原】①唐の韓愈の作った原道・原性・原人・原鬼・原毀の五つの文をいう。②漢代の郡名。今の内モンゴル自治区包頭市の西南。

【五古】「五言古詩」の略。

【五虎将(將)軍】三国時代、蜀の劉備の部下の五人の名将。関羽・張飛・趙雲・馬超・黄忠。

【五△胡十六国(國)】西晋の末から南朝宋の元嘉十六年(四三九)まで百三十年間に、華北に侵入した北方・西方の異民族(匈奴・羯・鮮卑・氐・羌)および漢民族の建てた十六の国。匈奴の前趙・北涼・夏(大夏)、羯の後趙、鮮卑の前燕・後燕・西秦・南涼・南燕、氐の成(成漢)・前秦・後涼、羌の後秦、漢民族の前涼・西涼・北燕。

【五△羖大夫】春秋時代、秦の百里奚をいう。秦の穆公が五羖(五匹の雄羊)の皮で、楚から百里奚を買い取り、これに国政をまかせた故事による。〔史記、秦本紀〕

【五湖】湖の名。㋐江蘇省南部にある太湖付近の五つの湖水。また、太湖の別名。㋑洞庭湖付近の湖水。また洞庭湖をいう。㋒近代では、洞庭湖・鄱陽湖・太湖・巣湖・洪沢湖の中国の五大湖をいう。

【五鼓】①昔、日食の時に打った五つの鼓。青鼓・赤鼓・白鼓・黒鼓・黄鼓。②五更(午前四時)に打つ鼓。

【五更】①漢代以後、一夜を五つに区分した時刻の名。また、その五番目。甲夜(初更、午後八時の前後二時間、一説に後の二時間。以下同じ)・乙夜(二更、午後十時)・丙夜(三更、午後十二時)・丁夜(四更、午前二時)・戊夜(五更、午前四時)。②午前四時。戊夜。③長老の称。

【五侯】公・侯・伯・子・男の五等の諸侯。五爵。

【五穀】①五種の主要な穀物。㋐麻・黍・稷・麦・豆。㋑稲・稷・麦・豆・麻。②国米・麦・粟・黍・豆。

【五根】仏眼・耳・鼻・舌・身の五つの感覚器官。

【五言】①仁・義・礼・智・信の五徳の言。②五言の詩。毎句が五字からなる漢詩。五言古詩・五言絶句・五言律詩・五言排律などがある。⇩コラム 漢詩(八六六㌻)。

【五言古詩】漢詩の一体。一句が五字から成り、句数に制限がない。略して、五言古・五古ともいう。↓古詩(三三九㌻下)。

【五言絶句】漢詩の一体。五字の句四句、すなわち二十字から成るもの。第二・四句の末の字に韻をふむのが原則である。略して、五絶ともいう。↓絶句(一一三㌻上)。

【五言排律】漢詩の一体。一句五字から成る対句を、六句以上、偶数に配列した長編の詩。↓排律(六〇三㌻上)。

【五言律詩】漢詩の一体。五字の句八句、すなわち四十字から成るもの。第三句と第四句、第五句と第六句がそれぞれ対句をなし、第二・四・六・八句の末の字に韻をふむのが原則である。略して、五言律・五律ともいう。↓律詩(五〇六㌻上)。

【五采・五彩】青・黄・赤・白・黒の五色。用例〔史記、項羽本紀〕吾令三人望二其気一、皆為二竜虎一、成二五采一。⇩私が術士をやって、彼の陣営に立ち上る雲気を望ませたところ、そこに立ち上る雲気はいつも竜虎の形となり、五色の美しい模様となっているとのことです。

【五材】①木・火・土・金・水。②智・仁・勇・忠・信。

【五罪】＝五刑。

【五雑(雜)組】書名。十六巻。明の謝肇淛の著。天・地・人・物・事の五つに分けて種々の自然や社会の現象を記した随筆。五雑俎とも書く。

【五山】①五つの山。㋐＝五岳。㋑渤海の東の海上にあるという伝説上の五つの仙山。岱与・員嶠・方壺・瀛洲・蓬萊。㋒中国の五つの仙山。泰山・華山・首山・太室・東萊。②仏五つの寺。㋐インドで、祇園・竹林・大林・誓多林の各精舎と那蘭陀寺。㋑中国で、径山寺・育王寺・天竜寺・霊隠寺・浄慈寺。㋒日本の京都五山。天竜寺・相国寺・建仁寺・東福寺・万寿寺。㋓日本の鎌倉五山。建長寺・円覚寺・寿福寺・浄智寺・浄妙寺。

【五山版】国古版本の一つ。鎌倉時代から室町時代末にかけ京都・鎌倉の五山とその系統を引いた禅寺で出版された書物。

【五山文学(學)】国鎌倉時代から室町時代末期、

鎌倉五山に始まり京都五山の禅宗の僧によって行われた文学。虎関師錬・夢窓疎石・雪村友梅・義堂周信らの語録や詩文が有名。⇩コラム 五山文学(六〇ページ)。

【五△祀】ゴシ 家庭で行う五つの祭り。春は戸(入口の神)、夏は竈(かまどの神)、秋は門(門の神)、冬は行(道路の神)、土用に中霤(土地の神)を祭る。

【五識】ゴシキ 仏眼・耳・鼻・舌・身の知覚作用。色・声・香・味・触。

【五車】ゴシャ ①五台の車。②蔵書の多いこと。戦国時代の宋の恵施は蔵書が多くて、五台の車に蔵書を載せたという故事による。「五車之書」〔荘子、天下〕

【五尺△之童】ゴシャクのドウ・ゴセキのドウ 幼少の子供をいう。周代の五尺は今の百十二、三センチメートルに当たり、その程度のせたけの子供。一説に、一尺は二歳半、従って十二歳から十四歳くらいまでの子供。

【五爵】ゴシャク ＝五侯。

【五十△而知天命】ゴジュウにしてテンメイをしる 孔子が五十歳になって、天が自分に与えた使命を自覚したこと。ここから、五十歳を知命という。用例〔論語、為政〕五十而知天命、六十而耳順。⇩五十歳になると天が自分に与えた使命を自覚し、六十歳になると何を聞いても素直に受け入れられた。

【五十児(兒)有七十母】ゴジュウのこシチジュウのははあり 国五十歳の子に、七十歳の母が(健康で)いる。いつまでも母親が健在である幸福をいう。用例〔頼山陽、送母路上短歌〕五十児有七十母、此福人間得応難。⇩五十歳の子に、七十歳の母が健在である、この幸福はこの世でまことに得難いものであろう。

【五十歩百歩】ゴジッポヒャッポ 大差がないこと。戦場で五十歩逃げても百歩逃げても、逃げたという点では変わりないこと。表面的には少しの違いがあっても本質的には同じである意。

五丈原

大同小異。「孟子、梁恵王上」に「以五十歩笑百歩、則何如」とあるのに基づく。

【五丈原】ゴジョウゲン 地名。今の陝西省岐山県の南の斜谷口の西側の地。三国時代、蜀の諸葛亮が、この地で魏の司馬懿の軍と相対したが、陣中に病没した。

【五常】ゴジョウ ①人が常に実行すべき五つの道。五倫。㋐＝五教①。㋑仁・義・礼・智・信。②＝五行①。③五人のすぐれた兄弟。三国時代、蜀の馬良(あざなは季常)の兄弟五人は、みな才名高く、字にみな常の字を用いたので、馬氏の五常と呼ばれた。→白眉(九九一ページ上)。

【五情】ゴジョウ ①五つの感情。喜・怒・哀・楽・怨(うらむ)。②仏眼・耳・鼻・舌・身の五根の欲情。

【五色】ゴショク・ゴシキ 青・黄・赤・白・黒の五つの色。

【五臣】ゴシン ①舜の五人の臣下。禹・稷・契・皐陶・伯益。②『文選』に注釈をした唐の五臣。呂延済・劉良・張銑・呂向・李周翰。この五人の注釈を五臣注といい、唐の李善の注釈と合わせて六臣注という。

【五△塵】ゴジン 仏心のさまたげとなる五つのけがれ。色・声・香・味・触をいう。

【五△瑞】ゴズイ 公・侯・伯・子・男の諸侯が天子に拝謁する時に身につける五種類の玉。桓圭(公)・信圭(侯)・躬圭(伯)・穀璧(子)・蒲璧(男)。五玉。

【五声(聲)】ゴセイ ①＝五音。②辞・色・気・耳・目の五つにあらわれる心のすがた。これによって裁判したという。〔周礼、秋官、小司寇〕③漢字の上平(陰平)・下平(陽平)・上・去・入の五つの発音のしかた。

【五性】ゴセイ ①仁・義・礼・智・信。②人間の五つの性情。喜・怒・欲・懼(おそれる)・憂。

【五星】ゴセイ 五つの惑星。木星(歳星)・火星(熒惑星)・土星(鎮星)・金星(太白星)・水星(辰星)。

【五牲】ゴセイ 五つのいけにえ。牛・羊・豕(豚)・犬・鶏。

【五聖】ゴセイ 中国古代伝説上の五人の聖人。㋐尭・舜・禹・湯・文王。㋑伏羲・神農・黄帝・尭・舜。㋒神農・尭・舜・禹・湯。

【五節(節)会(會)】ゴセチエ 国平安時代、宮中で行われた五つの節会。元旦・白馬(正月七日)・踏歌(正月十五・十六日)・端午(五月五日)・豊明(新嘗祭の翌日)。

【五節(節)句・五節(節)供】ゴセック 国一年のうちに行われる五度の節句。正月七日(人日)・三月三日(上巳)・五月五日(端午)・七月七日(七夕)・九月九日(重陽)。

【五絶】ゴゼツ 「五言絶句」の略。

【五千言】ゴセンゲン ＝老子(一〇六三ページ中)。五千余字あるのでいう。

【五臓(臟)】ゴゾウ 五つの内臓。心臓。腎臓・肺臓・肝臓・脾臓。

【五臓(臟)六△腑】ゴゾウロップ ①五臓と大腸・小腸・胃・胆・膀胱・三焦の六腑。②はらわた。腹の中。

【五族】ゴゾク ①五つの氏族。②五つの親族。③五百家の称。昔、五家を隣、五隣を里、四里を族、五族を党といった。④五つの民族。漢族・満州族・蒙古族・回族・西蔵族(チベット)。

【五体(體)】ゴタイ ①五つの書体。㋐篆・八分・真・行・草。㋑古文・大篆・小篆・隷書・草書。②仏身体の五つの部分。筋・脈・肉・骨・皮膚。また、右膝・左膝・右手・左手・頭首の併称。転じて、全身。

【五大】ゴダイ 仏宇宙を構成している五つの要素。地・水・火・風・空。

【五代】ゴダイ ①五つの時代。㋐唐・虞・夏・殷・周。㋑黄帝・唐・虞・夏・殷。②唐末に興った五つの国を指す。後梁・後唐・後晋・後漢・後周。

【五代史】ゴダイシ ＝旧五代史(六四七ページ下)。

【五濁】一ゴダク この世の五つのけがれ。二ゴジョク 仏劫濁(時のけがれ)・煩悩濁(欲・いかり・愚かのけがれ)・衆生濁(悪人のけがれ)・見濁(種々の悪い考えのけがれ)・命濁(人の寿命がしだいに縮まること)。

【五達道】ゴタツドウ 天下古今に通ずる、人の従うべき五つの道。君臣・父子・夫婦・兄弟・朋友の道。五倫。用例〔中庸〕天下之達道五。⇩天下古今に通じて、人の従うべき道は(大きく分けると)五つある。

【五帝】ゴテイ ①五人の皇帝。㋐少昊・顓頊・帝嚳・尭・舜。㋑黄帝・顓頊・帝嚳・尭・舜。㋒太皞(伏羲)・炎帝・黄帝・少皞(少昊)・顓頊。㋓伏羲・神農・黄帝・尭・舜。②五人の天帝。蒼帝(東方。一名、霊威仰)・赤帝(南方。一名、赤熛怒)・黄帝(中央。一名、含枢紐)・白帝(西方。一名、白招拒)・黒帝(北方。一名、叶光紀)。

【五△鼎】ゴテイ 五種の肉をもった五つのかなえ。大夫の祭礼に神に供えるもの。転じて、富貴の食事。美食。五種の肉は、羊・豕(ぶた)・膚(肉の切り身)・魚・腊(ほし肉)ともいい、また、牛・羊・豕・魚・麋(おおしか)ともいう。

【五典】ゴテン ①人のふみ行うべき五つの道。→五常。②古代の書物の名。少昊・顓頊・高辛・唐・虞の書とい。③易・書・詩・礼・春秋。五経。

【五斗米】(ゴトベイ) 五斗(十リットル余り)の米。県令(県の長官)の俸禄(ホウロク)。わずかな俸給の意。用例(晋書、陶潜伝)吾不レ能下為二五斗米一折上腰(われゴトベイのためにこしをお(を)ることあたわ(は)ず)。↓私は五斗の米(わずかな俸禄)のために人に頭を下げることはしない。

【五斗米道】(ゴトベイドウ) 後漢の張道陵の立てた道教。張道陵より道を受ける人は、米五斗を出したからいう。天師道。

【五△蠹】(ゴト) 国家を害する五つのもの。韓非子の説で、学者・昔のことをいう人・剣を帯びる者・側近者・商工の民。▼蠹は、虫。〔韓非子、五蠹〕

【五等】(ゴトウ) 五つの等級。㋐爵(シャク)の五階級。㊙公・侯・伯・子・男。㊁天子・公・侯・伯・子男。㋑女性の五等。后(天子の夫人)・夫人(諸侯の夫人)・孺人(ジュジン)(大夫の夫人)・婦人(士の夫人)・妻(庶民の配偶)。㋒死をいう時の五等。崩(天子)・薨(コウ)(諸侯)・卒(シュツ)(大夫)・不禄(フロク)(士)・死(庶民)。

【五道】(ゴドウ) ①五つの道路。②体・目・耳・口・志の五つを養う方法。③道家で、天・人・禽獣(キンジュウ)・餓鬼・地獄をいう。④仏天・人・地獄・畜生・餓鬼。五趣。

【五徳】(ゴトク) ①人の五つの徳。温・良・恭・倹・譲。②木・火・土・金・水の五行の徳。中国古代の帝王は、五徳の一つを得てなったという。③国火鉢などの中にすえ、鉄びんなどをかける三脚、または四脚の輪形のもの。鉄製または陶製。

【五内】(ゴナイ・ゴダイ) ①＝五臓。②からだの中全体。③心。

【五覇・五伯】(ゴハ) 五人の覇者。▼覇は、諸侯の旗がしら。㋐古代の五覇。昆吾(コンゴ)・大彭(タイホウ)・豕韋(シイ)・斉の桓公(カンコウ)・晋(シン)の文公。㋑春秋時代の五覇。㊙斉の桓公・晋の文公・楚(ソ)の荘王・呉王闔閭(コウリョ)・越王句践(コウセン)。㊁斉桓・晋文・秦の穆公(ボクコウ)・楚荘・呉王闔閭。㊂斉桓・晋文・秦穆・宋の襄公(ジョウコウ)・楚荘。㊃斉桓・晋文・宋襄・秦穆・呉王夫差。

【五百羅漢】(ゴヒャクラカン) 仏釈迦(シャカ)の死後、その教えをまとめるために集まった諸弟子。

【五△廟】(ゴビョウ) 諸侯の宗廟(みたまや)。二昭・二穆(ニボク)と太祖の廟。→昭穆(六六二ページ上)。

【五品】(ゴヒン・ゴホン) ①父子・君臣・夫婦・長幼・朋友の道をいう。五倫。②勲功の五等。勲・労・功・伐・閲。③魏晋(ギシン)以後の勲位の第五級。

【五不孝】(ゴフコウ) 五つの親不孝。働くことを怠る、賭博(トバク)にふける、妻子の愛におぼれる、欲をほしいままにして父母をはず

コラム

五山文学

平安時代の初期には、我が国の漢文学はその最初の隆盛期を迎えた。しかし、九世紀末の遣唐使の廃止による漢文学の衰退、また平安時代中期ごろよりはじまった文化の国風化——かなの発明による和歌の公式の場への登場、かな文字の日記・物語文学の誕生など——により、公的な文学であった漢詩は勢力を減じていった。

それに息を吹き込んだのが、鎌倉時代末期から室町時代にかけての五山（京都・鎌倉の禅宗の五大寺）に属する僧侶(ソウリョ)たちの間に行われた漢詩文（詩以外に、禅宗本来の法語・偈(ゲ)、さらに論説・日記・随筆など）である。

中世に入って、旧仏教に代わって勢いを増したのは、将軍家の帰依(キエ)をうけ、宋の制度にならった五山十刹(ジッサツ)の制度が整えられるなど、幕府の保護のもとにあった臨済宗(リンザイシュウ)を主とする禅宗であった。

禅僧たちには、中国からの渡来僧や中国に留学した者も多く、五山では宋学の研究が行われ、また、禅の精神的境地を詩に求めようと、詩禅一味のもと詩文の創作も盛んであった。

中国においては、ふるく北宋の時代から禅林に文学があり、それを日本の禅林に将来したのは、鎌倉末期に来朝した一山一寧(イッサンイチネイ)であるといわれる。この一山の門下には、虎関師錬(コカンシレン)・雪村友梅(セッソンユウバイ)などがおり、五山文学の先駆をなした。

また、臨済宗の黄金時代を築き、和歌・連歌・庭園などにも名を残した夢窓疎石(ムソウソセキ)も一山に師事した一人であり、その教えを受けたものに、五山文学の双璧といわれる義堂周信(ギドウシュウシン)と絶海中津(ゼッカイチュウシン)が出ている。この他、五山文学の最盛期である南北朝から室町初期にかけての詩僧には、虎関の弟子の中巌円月(チュウガンエンゲツ)がいる。ここには双璧とうたわれた二僧の詩を掲げる。

小景　　義堂周信

酒旆翩翩弄二晩風一
招二人避暑緑陰中一
誰家釣艇来投レ宿
曲却蓑衣酔二一篷一

応レ制賦二三山一　　絶海中津

熊野峰前徐福祠
満山薬草雨余肥
只今海上波濤穏
万里好風須二早帰一

その後、幕府の権威失墜とともに五山文学も衰退するが、詩文を善くする僧侶たちは「詩に参ずるは禅に参ずるがごとし」と、深い思想的な詩を作り続け、その余勢を維持したのが、頓知(トンチ)話などで有名な一休宗純や、岐陽方秀(キヨウホウシュウ)・桂庵玄樹(ケイアンゲンジュ)などと、それらに続く学僧であった。彼らの苦心により、五山の命脈は江戸初期まで保たれ、宋学の思弁的な学風とともに江戸漢学の隆盛はここに準備されたといってよい。ちなみに、江戸幕藩体制の基礎を築いた藤原惺窩(ふじわらセイカ)・林羅山(はやしラザン)も、五山で学んだのであった。

五山の詩について、江戸時代の江村北海著『日本詩史』は「五山禅林の詩、固(もと)より論じ易からず」と述べている。多くの詩僧の作品を概括するのは容易ではないが、その大体は、平安朝が白居易風であるのに対し、杜甫(トホ)・蘇軾(ソショク)・黄庭堅(コウテイケン)らに範をとったといえよう。

円覚寺（東海道名所図会）

かしめる、勇気にまかせて人と争うこと。〔孟子、離婁下〕

【五不取・五不娶】ゴフシュ 妻にめとってはならない五か条。逆臣の家の娘、みだらな家の娘、代々刑人のある家の娘、代々悪疾のある家の娘、母(または父)のない家の長女。

【五風十雨】ゴフウジュウウ 気候の順調なこと。五日に一たび風が吹き、十日に一たび雨がふること。

【五服】ゴフク ①王畿(王城の周囲千里四方)の外囲を五百里ごとに順次に区切った地域。上古では、甸服・侯服・綏服・要服・荒服。周代では、侯服・甸服・男服・采服・衛服。②喪に服する五段階。斬衰(三年)・斉衰(一年)・大功(九月)・小功(五月)・緦麻(三月)。③天子・諸侯・卿・大夫・士の服装。

【五福】ゴフク 五つの幸福。長寿・富裕・無病息災・道徳を楽しむ・天命を全うする。〔書経、洪範〕

【五兵】ゴヘイ 五種の兵器。戈・戟・鉞(まさかり)・楯・弓矢。ただし、矛・戟・弓・剣・戈とするなど、異説が多い。

【五歩詩】ゴホのシ 唐の史青が、開元中に上書して、魏の曹植は七歩で詩を作ったが、自分は五歩のうちに詩ができるといったので、玄宗は命じて除夕の詩を作らせたところ、ただちに詩を作った故事。〔全唐詩、四〕

【五畝之宅】ゴホのタク 周代の井田法で、一夫の有した宅地。朱子によれば、二畝半は村里に、二畝半は田地にあるという。用例〔孟子、梁恵王上〕五畝之宅、樹レ之以レ桑(これにううるにくわ(は)をもってす)。↓五畝の宅地に、桑を植え(て養蚕をさせ)る。

【五味】ゴミ 五種の味。鹹(しおからい)・苦(にがい)・酸(すっぱい)・辛(からい)・甘(あまい)。〔礼記、王制〕

【五民】ゴミン 五種の人民。㋐士・農・工・商・賈。㋑士・農・工・商賈・兵。

【五門】ゴモン 天子の宮城の五つの門。路門・応門・雉門・庫門・皋門。

【五夜】ゴヤ ＝五更。

【五友】ゴユウ 蘭・菊・蓮・梅・竹をいう。草木のうちで、特に高潔なものとして愛せられた。

【五欲】ゴヨク ①耳・目・鼻・口の欲と心の愛憎の欲。②仏色欲・声欲・香欲・味欲・触欲。

【五里霧中】ゴリムチュウ 方角が分からない。また、心が迷って分別のつかないこと。後漢の張楷が道術によって五里四方にわたる深い霧を起こした故事による。〔後漢書、張楷伝〕

【五律】ゴリツ 「五言律詩」の略。

【五柳先生】ゴリュウセンセイ 陶潜(一五一五ページ・中)をいう。門前に五本の柳を植えて五柳先生と自称した。

【五陵】ゴリョウ ①漢の都長安郊外(渭水の北岸、今の陝西省咸陽市付近)にある漢の高祖以下五帝の墓。長陵(高祖)・安陵(恵帝)・陽陵(景帝)・茂陵(武帝)・平陵(昭帝)。②長安郊外の五陵付近の地。富豪や権力者が多く住んでいた。〔唐、白居易、琵琶行〕

【五倫】ゴリン 人の常によって立つべき五つの道。→五教①。

【五倫十起】ゴリンジッキ 後漢の第五倫は清廉公平で有名であったが、人に答えて、兄の子の病気のときには一夜に十度も起きて見に行っても、帰れば安眠できたが、自分の子の病気には、一度も見に行かなくても心配で眠れない、これ私心のある証拠であると言った故事。〔後漢書、第五倫伝〕

【五輪】ゴリン ①五つの車輪。②仏宇宙を構成している五つの要素。地・水・火・風・空をいう。

【五輪塔】ゴリンのトウ 仏五輪の②にかたどった塔。地は方、水は円、火は三角、風は半月、空は如意珠形。墓標などに用いる。

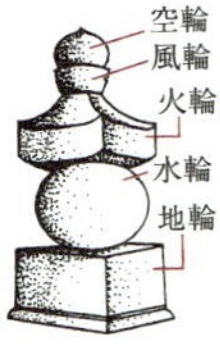

五輪塔

【五礼(禮)】ゴレイ ①吉(祭祀)・凶(喪礼)・賓(賓客)・軍(軍隊)・嘉(冠婚)の五つの礼。②公・侯・伯・子・男の五等の諸侯の礼。③天子・諸侯・卿大夫・士・庶人の礼。

【五霊(靈)】ゴレイ 王者になる前兆として現れる五つの霊妙な動物。麒麟・鳳凰・亀・竜・白虎。

2 【互】 4画 124 常 ゴ たが-い 漢ゴ・呉ゴ 遇 hù 2463 8CDD 一

筆順 一 工 互 互

字義 ❶たが-い。関係のある二つのもの。「相互」❷たがいに。かたみに。かわるがわる。また、双方ともに、おのおの。「互譲」❸たがいにする。かわるがわるする。❹いりまじる。いりみだれる。❺いけにえの獣肉を懸けるたな。

解字 古文 互 篆文 笠 象形。古文は、木わくを交差させて組んだ、なわまき器の形にかたどり、たがいの意味を表す。篆文は、それが竹製であるところから、竹を付した。

互⑤

逆 交互

【互角】ゴカク 優劣がない。五分五分。伯仲。

【互換】ゴカン たがいに取り替えること。また、取り替えられること。

【互訓】ゴクン ふたつの文字で、たがいにそれぞれの説明に用いるもの。たとえば、宮を室といい、室を宮という類い。

【互恵(惠)】ゴケイ たがいに利益や恩恵を与えあうこと。

【互市】ゴシ ①両国がたがいに売買交易する。貿易。②悪人どもがたがいに結託すること。

【互譲(讓)】ゴジョウ たがいにゆずりあう。

【互選】ゴセン 同じ資格の人たちがたがいに選挙し合って、ある人を選び出すこと。

【互文】ゴブン ふたつの文または句で、一方に説くことと他方に説くことがたがいに通じ、相補って意味を完全にするもの。たとえば、「天長地久」(てんはながくちはひさし)といえば、長は地の説明にも、久は天の説明にも補って用い、天も長久、地も長久という類い。雲散霧消、日進月歩など、四字熟語にはこの構成で理解できるものが多い。

2 【亖】 4画 125 シ 四(1809)の古字。→二六八ページ・下。 — — 1630

2 【井】 4画 126 教4 セイ・ショウ い 漢セイ・呉ショウ(シャウ) 梗 jǐng 1670 88E4 一

筆順 一 二 ナ 井

字義 ❶い。いど。地を掘ったり管を通したりして地下水をくみ上げるようにした仕掛け。❷いげた。上から見て井の字形に木を組んだ、井戸の地上部分。また、そのような形をしたもの。「天井」「井井」❸周代の制で、一里四方九百畝の田地。❹むら。まち。人の集まる所。「市井」❺星座の名。二十八宿の一つ。❻易の卦の一つ。☵☴ 巽下坎上。君子が徳をかたく守っているさま。❼おきて。法。

名前 い・きよ 難読 井生・井石・井代・井目戸

解字 甲骨文 井 篆文 井 象形。いげたの象形で、いどの意味を表す。井を音符に含む形声文字に、阱・穽などがある。

逆 塩井・市井・天井・露井

【井蛙不レ可三以語二於海一】セイアはもってうみをかたるべからず 井戸の中のかえるには、広い海の話をしてもわからない。見聞のせまい人には大道を聞かせてもわからないという意味。〔荘子、秋水〕

【井幹】セイカン ①いげた。②いげたのように組みあげたたかどの。

【井魚】いどの中の魚。見聞のせまい人のたとえ。

【井△陘】①山名。河北省井陘県の東北にある。②関所の名。井陘山の上にあり、太行山脈中の要害の地。井陘口ともいう。秦末漢初の武将韓信が、背水の陣を用いて勝利した古戦場として有名。

【井戸】㊀市中の家。㊁国①いど。②古朝鮮焼きの食器を茶人が茶碗として愛用したもの。井戸茶碗。

【井市】まち。市井。

【井井】①区画のきちんとしているさま。また、事をなすにきまりのあるさま。井然。②きよく静かなさま。③国竹添光鴻(一〇七三ページ上)の号。

【井然】＝井井①。

【井地】＝井田。用例〔孟子、滕文公上〕井地不レ均。→井田法による耕地の分けかたが均等ではない。

【井底△蛙】井戸の中のかえる。世間知らず。見聞のせまいたとえ。〔後漢書、馬援伝〕

【井田】周代の土地制度。一里四方(九百畝)の田地を井の字形に九分して、八家にその一区画(百畝)ずつを与えて耕作させ、中央の一区画は公田として八家が共同に耕作し、その収穫を税として納めさせた。井地。

私	私	私
私	公	私
私	私	私

井田

【井△鮒】いどの中のふなは泉に帰ることを望むことから、故居・故郷をしたうたとえ。

【井△閭】むらざと。井里。▼閭は、二十五家。

【△坐レ井観(觀)レ天】井戸の中から天を仰ぐ。見聞のせまいたとえ。〔唐、韓愈、原道〕

2 【夫】4画 (2243) フ 大部。→二四九ページ下。

3 【凷】5画 127 サイ 歳(6000)の古字。→七六六ページ下。 — — 1631

3 【丼】5画 128 常 どんぶり・どん ㊀漢セイ・呉ショウ(シャウ) 梗 jǐng ㊁漢タン・呉トン 感 dǎn 4807 98A5 —

筆順 一 二 キ 井 丼

字義 ㊀いど。＝井(126)。㊁物が井戸の中に落ちこむ音。どんぶり。どぶん。国❶どんぶり。㋐やや深い厚手の陶製の鉢。㋑どんぶりもの。㋒職人などのつける腹がけの前のかくし。❷どん。どんぶりものの名称に用いられる。

注意 『康熙字典』では、丶部に所属する。

解字 象形。いげたの中に、「かめ」または水のある形にかたどり、いどの意味を表す。日本では、井の別体字。井戸に物を投げたさまから、どぶん・どんぶりの音を取って、どんぶりの意味を表す。

4 【亘】6画 129 人 ㊀セン 先 xuān ㊁漢カン(クヮン) 呉ガン(グヮン) 寒 ㊂コウ 径 gèn(gèng) 4743 986A —

筆順 一 厂 冂 日 日 亘

字義 ㊀㊁❶もとめる。めぐる。❷のべる。㊂わたーる。＝亙(130)。

名前 こう・とおる・のぶ・もとむ・わたり・わたる 難読 亘理

解字 甲骨文 篆文 象形。物の旋回する形にかたどり、めぐるの意味を表す。また、亙の字形と混同して、わたるの意味をも表す。

4 【亙】6画 130 人 コウ 径 gèn 4742 9869 —

筆順 一 厂 万 万 亙 亙

字義 わたーる。＝亘(129)。

解字 金文 指事。金文は、二と月とで、月が天空の一方から一方へわたるの意味を示す。亙の字形を誤って亘に作り、亘が亙の意味に用いられることがある。亙を音符に含む形声文字に、姮・恒などがあり、これらの漢字は、「いつも変わらない」の意味を共有している。

5 【亜】7画 131 常 ア 1601 889F —
6 [亞] 8画 132 人 ㊀ア 禡 yà ㊁ア 麻 yā 4819 98B1 —

筆順 一 丅 丆 丙 亜 亜 亜

字義 ㊀❶みにくーい。❷つーぐ。つぎ。次位。「亜聖」❸あいむこ。姉妹のむこがたがいに呼ぶ称。❹亜細亜の略。「東亜」㊁❶また(岐)。分岐点。❷どもる声。国国名。亜爾然丁の略。

名前 あ・つぎ・つぐ 難読 亜鉛・亜爾加里・亜爾然丁・亜弗利加・亜刺比亜・亜刺伯・亜拉毘亜・亜歴・亜非利加・亜払利加・亜馬孫・亜米利加・亜細亜

解字 甲骨文 金文 篆文 象形。古代の墓のへやを上から見た形にかたどる。先祖の墓を造って祭る次の世代の意味からか、つぎのものの意味を表す。亞を音符に含む形声文字に、堊・悪(惡)などがあり、これらの漢字は、「墓穴」の意味を共有している。

逆 欧亜・流亜
【亜△槐】国大納言の別名。三槐、すなわち三公につぐ官という意。亜相。

【亜△卿】①九卿につぐ官。②侍郎。

【亜細亜】Asiaの音訳。大陸の名。六大州の一つ。

【亜相】①御史大夫の称。宰相につぐ地位。②国大納言の別名。

【亜将(將)】副将。次将。

【亜婿(壻)】妻の姉妹のおっと。

【亜聖】道徳・才知が聖人に次ぐこと。また、その人。孔子の弟子の顔回、または孟子をいう。

【亜父】楚の項羽が范増を尊んで呼んだ称。父に次いで尊敬する人。用例〔史記、項羽本紀〕項王・項伯東嚮坐、亜父南嚮坐。→項羽と項伯とは東に向かって座り、亜父(范増)は南に向かって座った。

【亜△弗利加】Africaの音訳。大陸の名。六大州の一つ。

【亜米利加】Americaの音訳。㋐大陸の名。南北アメリカ大陸。㋑アメリカ合衆国。

【亜流】①同じ流れをくむ人。末流。②国まねをする人。

6 【亞】8画 (132) ア 亜(131)の旧字体。→六三ページ中。

6 【亟】8画 133 ㊀漢キョク・呉コク 職 jí ㊁キ 寘 qì 4820 98B2 —
[亟] 7058 同字

字義 ㊀❶すみーやか。はやい。❷いそがしい。あわただしい。❸つつしむ(敬)。❹いつくしむ。❺うける(受)。㊁しばしば。たびたび。

解字 金文 篆文 会意。人＋口＋又＋二。又は手の象形。二は上下のわくの象形。人を一定のわくの中に閉じ込めて、口や手でせめたて問いつめきたてるさまから、すみやかの意味を表す。亟を音符に含む形声文字に、極・殛などがあり、これらの漢字は、「問いつめる」の意味を共有している。

【亟行】すみやか。いそいで行く。

【亟疾】すみやか。性急。火急。▼疾も、はやい。

【亟務】急にすべきつとめ。いそいでおこなう仕事。

6【此二】8画 134 人 標 一シャ 麻 xiē 二サ 箇 suò 慣サ 2619 8DB1

筆順 丨 ⺊ 𣥂 止 止丿 此 此 些

字義 一 いささか。すこし。わずか。「些少」 二 ❶語声を強める助字。楚ッの方言で、訓読では読まない。❷なんぞ。この。これ。

解字 篆文 𧈧 会意。此＋二。二つばかりの・これらの物の意味から、いささかの意味を表す。

【些些】ササ すくないさま。すこしばかり。わずかばかり。
【些細】ササイ わずか。すこしばかり。瑣細サイ。
【些事】サジ ちいさい事がら。細事。
【些少】サショウ すこし。すこしばかり。
【些末】サマツ すこし。わずか。ちっぽけ。

6【亝二】8画 135 セイ 斉(14560)の古字。→一六五四ジ下。 2O117 — 1632

2画 亠 なべぶた けいさんかんむり

〔部首解説〕易の算木サンの形に似ているところから、もと卦算ケサン・ケイサン冠と呼ばれた。通称、鍋蓋なべぶた。部首として特定の意味はない。

0 亠 六三　1 亡 六三　2 亢 六四　文 六三〇　卞 二一九
方 六三九　六 一四八　3 市 四五三　主 三九　4 亦 六四
亥 六四　交 六四　充 一三九　5 弁 四八四　亨 六五
㐬 六五　6 育 六八八　京 六五　享 六六　卒 六六
夜 三三四　7 奇 六七　亯 六七　京 六七　亭 六七
帝 四五五　変 三二九　亮 六七　8 衮 一二七四　高 一五九八
衮 一二七四　衰 一二七五　衷 一二七四　亭 六八　亳 六八
亮 六八　9 髙 一六〇一　毫 八〇〇　衺 一二七五　産 九六四
孰 三八六　商 六八　率 六八　表 一二七五　衰 一二七五
10 就 四二五　11 棄 七五四　襄 一二七六　亶 六九　哀 一二七七
裹 一二七七　雍 一五三六　裏 一二七七　12 裏 一二七七　豪 一三四六
齊 六九　裵 一二七七　13 褒 一二七七　褎 一二七八　褏 一二七八
14 嬴 三七八　褢 一二七八　壅 三三三　15 齋 六九　襄 一二七八
褻 一二七八　褒 六九　16 甕 九六〇　𩫖 一六〇一　囊 一二七八
17 蠻 一五五一　贏 一二六八　蠃 一二五六　18 臝 一三六五　19 齎 一六五五
亹 六九　羸 七二一　20 亹 七〇　饔 一五七九　齺 一六〇一
21 齏 一六五六　羸 一五九四

0【亠】2画 136 漢トウ 呉ズ(ヅ) 因 tóu 4821 98B3 —

字義 部首として用いられる。国 古辞書などで、音(13418)の俗字として使われた。

解字 文字整理の都合上、部首として立てられたもの。文字の頭部となるので、便宜的にトウと読む。

1【亡】3画 137 教6 ボウ・モウ な-い 一 漢ボウ(バウ)・呉モウ(マウ) 陽 wáng 二 漢ブ・呉ム 虞 wú 4320 9653 —

1〖亡〗3画 138 〖入〗721 本字

筆順 丶 亠 亡

字義 一 ❶ほろ-びる。ほろぶ。ほろ-ぼす。用例〔史記、項羽本紀〕此天之亡レ我テンのこれをほろぼすにして、非二戦之罪一也たたかい(ひ)のつみにあらざるなり。↓これは実に天が自分を亡ぼすのであって、自分の戦いのまずいためではない。❷し-ぬ。用例〔世説新語、傷逝〕王子猷・子敬倶病篤オウシユウ・シケイともにやまい(ひ)あつし、而子敬先亡しかしてシケイさきにしぬ。↓王子猷と子敬はふたりとも病状が重かったが、子敬が先に死んだ。❸に-げる。のがれる。用例〔史記、淮陰侯伝〕臣不二敢亡一也シンあえ(へ)てにげずシンにぐるものを。臣追二亡者一おう(ふ)。↓私は逃げたりなどしません、逃げた者を追っていたのです。❹うしな-う。うしなう。なくす。なくなる。用例〔論語、雍也〕亡レ之これをうしなう(ふ)は、命矣夫メイなるかな。↓(伯牛のようなすぐれた人物を病気で)失うというのは、天命であろうか。❺なみ-する。なみす。ないがしろにする。あなどる。軽んじる。用例〔史記、范雎伝〕亡二其言一臣者賤一而不レ可レ用乎そのシンをいやしきをなみしてもちい(ゐ)るべからざるか。↓私を推薦する者が賤しいのを軽んじて用いることができないのでしょうか。❻わすれる。＝忘(3485)。

二 ＝無(7065)。❶な-い。なし。いない。用例〔論語、顔淵〕人皆有二兄弟一ひとみなケイテイあり、我独亡われひとりなし。↓人にはみな兄弟がいるのに、私だけにはいない。❷いな。いいえ。否定の返答に用いる。❸な-かれ。…してはいけない。禁止の意。❹(…と)な-く。…に関わらず。どちらであっても。用例〔漢書、丙吉伝〕亡二軽重一ケイチョウとなく、一切皆殺レ之イッサイみなこれをころす。↓(罪人は)罪の軽重に関係なく、すべて殺す。

難読 亡骸なきがら

使いわけ ない〔無・亡〕⇨無(7065)。

解字 甲骨文  金文  篆文  象形。人の死体にかたどり、人がなくなるの意味を表す。亡を音符に含む形声文字に、盲・忙・慌コウ・氓ボウ・忘・妄などがあり、これらの漢字は、「ない」の意味を共有している。

逆 興亡・荒亡・衰亡・存亡・逃亡・敗亡・流亡

【亡逸・亡佚】ボウイツ ①にげうせる。②散りうせる。
【亡帰(歸)】ボウキ にげかえる。
【亡去】ボウキョ にげさる。
【亡君】ボウクン ①国をほろぼす君。②国 死んだ君。先君。
【亡国(國)】ボウコク ①国をほろぼす。②ほろびた国。
【亡国(國)之音】ボウコクのオン ほろびた国の音楽。また、国をほろぼすようなみだらな音楽。亡国之声。〔礼記、楽記〕→濮上之音ボクジョウのオン(八八五ジ下)。
【亡魂】ボウコン ①死んだ人のたましい。なきたま。②精神を失う。失神。
【亡失】ボウシツ うしなう。ほろぼす。
【亡者】一 ボウシャ ①ほろびるもの。②死亡したもの。死者。二 モウジャ 国 ①成仏できないで冥途メイドに迷っている死者。②利欲などに迷っているもの。「我利我利亡者」
【亡状(狀)】ボウジョウ・ブジョウ・ムジョウ 無礼な態度。無礼な言行。
【亡臣】ボウシン 国をにげ出した家来。亡命の臣。
【亡秦】ボウシン ほろびた秦朝。
【亡人】ボウジン ①他国へにげて行った人。②なき人。死んだ人。③迷える人。
【亡走】ボウソウ にげはしる。
【亡卒】ボウソツ ①逃亡した兵士。②戦死した兵士。
【亡匿】ボウトク にげかくれる。
【亡年交】ボウネンのまじわ(は)り ＝亡年友。
【亡年友】ボウネンのとも 学問や人物を主とし、年齢の長幼を忘れて交わる友。主として年長者が年少者と交わる時にいう。亡年交。忘年友。
【亡八】ボウハチ ばかもの。人をののしることば。仁・義・礼・智チ・孝・悌テイ・忠・信の八つを忘れた人。▼亡は、忘。
【亡命】ボウメイ ①戸籍からぬけて行くえをくらます。▼命は、戸籍。②(特に、政治的理由から)他国へにげかくれること。
【亡滅】ボウメツ ほろびる。滅亡。
【亡友】ボウユウ なき友。死んだ友人。
【亡羊】ボウヨウ 羊をうしなう。二人の羊飼いのうち、一人は読書のために羊を失い、一人はばくちのために羊を失った故事。やることは別でも、同じ失敗をするたとえ。また、本務をおこたって失敗するたとえ。〔荘子、駢拇〕

二 一部 6画〔些亝〕 亠部 0▼1画〔亠亡〕

【亡羊△之嘆・亡羊△之△歎】ボウヨウのタン にげた羊を追うのに、えだ道が多くて、ついに見失って途方にくれること。学問の道が多方面に過ぎると真理をとらえるのに困難なことのたとえ。多岐亡羊。〔列子、説符〕

【亡羊補△牢】ボウヨウホロウ 羊がにげた後で、その檻おりのやぶれを補う。過った後に改めることのたとえ。用例〔戦国策、楚〕亡レ羊而補レ牢ひつじをうしない(ひ)てろうをおぎなう(ふ)も、未レ為レ遅いまだおそしとなさず。↓羊が逃げた後で檻を修理しても、まだ遅すぎない。

【亡△頼】ブライ・ライ たのみにならないもの。やくざなもの。無頼。

【亡△慮】ムリョ おおむね。ざっと。無慮。

【亡△聊】ブリョウ・リョウ 心配ごとがあって楽しまない。また、たいくつ。徒然。無聊。▼聊は、安んじ楽しむ。

【亡霊(靈)】ボウレイ 死者のたましい。

2 【亢】 4画 139 標 ㊀コウ(カウ) 陽 gāng ㊁コウ(カウ) 漾 kàng 4822 98B4 一

字義 ㊀のど。また、くび(首)。㊁❶たかぶる。自負する。❷あがる(挙)。また、あげる。❸きわめる(極)。また、きわまる。❹ふせぐ。さえぎる。＝抗(4058)。❺あたる(当)。＝伉(223)。

参考 現代表記では〔興〕(9700)に書きかえることがある。「亢奮→興奮」

解字 篆文 象形。凸形に中空に盛りあがった、のどぼとけ、または頸ケイ動脈の形にかたどり、のど・たかぶるの意味を表す。亢を音符に含む形声文字に、坑・抗・伉コウなどがあり、これらの漢字は、「アーチ型をした穴」の意味を共有している。

【亢顔】コウガン おごりたかぶった顔つき。抗顔。

【亢傲】コウゴウ おごりたかぶる。

【亢直】コウチョク たかぶって人に屈服しないこと。

【亢奮】コウフン 気がいらだつ。激する。興奮。昂奮コウフン。

【亢陽】コウヨウ ①ひでり。亢旱カン。②高い建物。③易エキの陽爻ヨウで高位にあるもの。転じて、高位をいう。

【亢竜(龍)有レ悔】コウリュウ・コウリョウくいあり 天上に登りつめた竜は後悔することがある。落ちる以外に行き所がないことから、栄達を極めた者は、慎まないと失敗するおそれがあるたとえ。〔易経、乾〕

2 【文】 4画 (4573) ブン 文部。→六三〇ジ下。

2 【卞】 4画 (1180) ベン 卜部。→三八九ジ上。

2 【方】 4画 (4612) ホウ 方部。→六三九ジ中。

2 【六】 4画 (729) リク 八部。→一四八ジ中。

3 【市】 5画 (3081) シ 巾部。→四三三ジ下。

3 【主】 5画 (57) シュ 丶部。→三九ジ下。

4 【亦】 6画 140 人 漢エキ 呉ヤク 陌 yì 4382 9692 一

筆順 丶 亠 ナ 亣 亣 亦

字義 助また。⇩助字・句法解説。❶すべて。❷おおいに。＝奕(2271)。

助字・句法解説

また。

㋐訳…もまた同様に。主語などの後に置かれ、前に述べられていることと同様であることを表す。直前の語に「モ」を付して訓読することが多い。用例〔史記、項羽本紀〕項伯亦抜レ剣起舞コウハクもまたケンをぬきたちてまう(ふ)↓項伯も同じく剣を抜いて立ちあがって舞った。

㋑詠嘆。「不二亦…一乎(また…ずや)」。訳なんと…ではないか。反語の意味、転じて詠嘆の意味を表す。用例〔論語、学而〕学而時習レ之、不二亦説一乎まなびてときにこれをならう(ふ)、またよろこばしからずや↓学問をして、それを機会あるごとに復習して身につけるのは、なんと喜ばしいことではないか。

名前 すえ・ひとし・また

解字 甲骨文 篆文 指事。人の両わきに点を加えて、わきの意味を示す。借りて、またの意味を表す。のち、わきのしたの意味には腋エキが用いられる。亦を音符に含む形声文字に、腋・液・掖エキ・夜などがあり、これらの漢字は、「わき」の意味を共有している。

4 【亥】 6画 141 人 漢カイ 呉ガイ 賄 hài 1671 88E5 一

筆順 丶 亠 亡 亥 亥 亥

字義 ❶いゐ。十二支の第十二位。㋐いの年。㋑陰暦の十月。㋒いの刻。今の午後十時ごろ。また午後九時から十一時の間。㋓五行では、水に配当する。㋔方角では、西北と北との間で、北から三十度西寄りをいう。㋕動物では、いのしし・ぶた。❷根ざす。きざす。十月ころ陰気が極まって陽気がきざす。

名前 い・たけし・より・り

解字 甲骨文 篆文 象形。甲骨文でよくわかるように、いのししの象形。借りて、十二支の第十二位の意味に用いる。亥を音符に含む形声文字に、劾・咳ガイ・孩ガイ・核・該・閡ガイ・駭ガイ・骸ガイなどがある。咳・孩は、擬声語。核・該・骸・閡は、「かたい」の意味を共有している。

【亥月】ガイゲツ 陰暦十月の別名。十月は、北斗の斗柄が亥イ(→字義❶㋔)の方向をさすのでいう。

【亥△豕△之△譌】ガイシのカ 文字の写し誤り。文字の校正の誤り。己と三、亥と豕とが字形が似ているために、衛の人が史書を読んで、己亥キを三豕サンシに誤って、晋師三豕渉レ河シンシサンシカをわたると言ったのを子夏が聞いて、三豕は己亥の誤りであるといった故事による。魯魚ギョの誤り。〔呂氏春秋、察伝〕

4 【交】 6画 142 教2 コウ まじ-わる・まじ-える・まじ-る・まぜる・か-う・か-わす 漢コウ(カウ)・呉キョウ(ケウ) 肴 jiāo 2482 8CF0 一

【校】4996 同字

筆順 丶 亠 六 六 亣 交

字義 ❶まじ-わるまじ(は)る。まじ-る。ま-ざる。㋐交差する。くいちがいになる。㋑あう。調和する。用例〔易経、泰〕上下交而其志同也ジョウゲまじわ(は)りてそのこころざしおなじきなり。↓上下が調和して、その志を同じくすることである。㋒つきあう。交際する。用例〔論語、学而〕与二朋友一交而不レ信乎ホウユウとまじわ(は)りて、まことならざるか。↓友と交際して、誠実に行動したか。㋓いりまじる。㋔男女が関係する。❷まじ-えるまじ(ふ)。ま-ぜるまぜ。㋐交差させる。組みあわせる。㋑調和させる。❸まじ-わりまじ(は)り。交際。用例〔史記、廉頗藺相如伝〕卒相与驩ついにあい(ひ)ともによろこびて、為二刎頸之交一フンケイのまじわ(は)りをなせり。↓結局、二人は互いに親しみ合って、刎頸の交わりを結んだのであった。❹か-わるかは(る)。交代する。❺か-わすかは(す)。か-うか(ふ)。交差するところ。かわりめ。ころ(頃)。「春夏の交」❻こもごも。かわるがわる。用例〔孟子、梁恵王上〕上下交征レ利ジョウゲこもごもリをとりて、而国危矣くにあやう(ふ)し。↓上の者から下の者まで順番に自分の利益ばかりを追求して、国は危機的な状況になる。

名前 いたる・かた・とも・みち・よしみ 難読 交喙・交譲木・交人・交野・交野

参考 現代表記では〔淆〕(6411)の書きかえに用いることがある。「混淆→混交」

使いわけ まじる・まざる・まぜる〔交・混〕
〔交〕溶け合わずにまざる。また、十字にまじわる。「白髪交じりの髪」
〔混〕二つ以上のものが溶け合ってまざる。「赤と緑が混じった絵の具」

解字 金文  篆文  象形。人がすねを組む形にかたどり、まじわるの意味を表す。交を音符に含む形声文字に、佼・効(效)・姣・挍・校・狡・皎・絞・較・郊・鉸などがあり、これらの漢字は、「まじわる」の意味を共有している。また、中でも佼・姣・皎などは「うつくしい」の意味を含むものに派生した。

逆 外交・旧交・混交・私交・社交・修交・手交・情交・辱交・絶交・淡交・断交・隣交

【交印】官印を交付すること。官印を後任者に渡して事務を引きつぐこと。

【交易】①品物を交換すること。品物を売買すること。貿易。〔孟子、滕文公上〕②いきする。往来。

【交河故城】漢代の車師前国、続く高昌国・唐代の交河郡の都城の跡。現在の新疆ウイグル自治区内。⇩コラム シルクロード(二〇四㌻)。

【交会(會)】①まじわりあう。出会う。また、そのこと・所。②交子と会子。ともに宋代の紙幣。→交子②。

【交換】やりとりして物を取りかえる。

【交感】たがいにまじわって感じあう。ふれあって作用しあう。

【交歓(歡)・交驩・交款】よろこびをかわす。うちとけてまじわる。よしみを結ぶ。▼驩・款は、よろこび。用例〔唐、李白、月下独酌詩〕醒時同交歓、酔後各分散 ⬇しらふの間はお互いに楽しむが、酔ってしまうと別れ別れになる。

【交誼】交際のよしみ。友だちのよしみ。交情。友誼。

【交衢】よつつじ。十字路。また、四方に通じる道。

【交契】まじわり。よしみ。用例〔人虎伝〕交契深密、異於常友 ⬇その深密な交際は、並の友人とは違っていた。

【交頸】くびをまじえあう。たがいにくびをこすりつける。転じて、夫婦仲のよいたとえ。

【交戟】①ほこを十文字にまじえる。用例〔史記、項羽本紀〕交戟之衛士、欲止不内。⬇番兵どもは戟を交えてこれを止め、中に入れまいとした。②ほこをまじえて門を守るもの。門番。守衛。

【交結】①まじわる。よしみを結ぶ。②ぐるになる。

【交互】①たがいに。かわるがわる。②入りまじる。

【交午】①たてよこに入りまじる。②標識としてたてる木。

【交媾】①男女・雌雄がまじわる。②陰陽がまじわる。

【交合】①よしみを合わす。なかよく交際する。②男女・雌雄がまじわる。

【交叉・交差】十文字やすじかいに、まじわる。

【交際】まじわる。また、まじわり。つきあい。

【交錯】いりまじる。いりみだれる。

【交子】①突き合わせて間違いのないことをたしかめる証拠書類。②宋代の紙幣の名。真宗の時に成都の富商十六戸が政府の許可を得て発行し、仁宗の時に政府が発行するに至った。中国における紙幣の初めで、南宋には会子という紙幣が発行された。⇩コラム 貨幣(一三五二㌻)。

【交市】たがいに市場を開くこと。互市。

【交趾・交阯】一 漢代の郡名。今のベトナム北部、トンキン・ハノイ地方。二 国中国原産の食肉用鶏。

【交手】①手をこまぬくこと。敬意を示す礼。拱手。②別れを惜しんで手を取りあう。③争う。技を競う。

【交渉】①かかりあい。関係。②かけあう。談判。

【交鈔】金・元代の紙幣。⇩コラム 貨幣(一三五二㌻)。

【交情】交際のよしみ。友人間の親しみの感情。友情。交誼。

【交接】①まじわる。また、まじわり。交際。②男女・雌雄のまじわり。交合。

【交戦(戰)】戦いをまじえる。互いに戦う。

【交争(爭)】こもごも争う。入りまじり争う。

【交窗】壁をうがち、木を組み合せて作ったまど。交窓。

【交代】①いれかわる。交替する。②官吏の任期が満ち、旧官が新官といれかわる。◆「交代」と「交替」は、ともにいれかわる意味。かわりばんこにいれかわる場合には、一般に「交替」と表記する。「議長交代」「男女交替」

【交替】国いれかわる。交代。

【交態】交際のありさま。交際のしかた。

【交通】①いきする。往来。②まじわり通ずる。四方に通ずる。③交際する。

【交配】違った種類の雌雄をかけ合わせる。

【交番】①かわるがわる番をする。②国巡査の派出所。

【交尾】動物の雌雄がまじわる。

【交付・交附】わたす。授ける。

【交分】交際の本分。また、まじわり。つきあい。

【交鋒】ほこをまじえる。戦う。

【交友】友とまじわる。また、交際しているともだち。

【交遊・交游】①交際する。また、交際。②ともだち。交際する人。交友。

【交流】①まじわり流れる。②国㋐たがいにまじわりあう。㋑いれかえる。役所などで役人をいれかえる。③物理学用語。一定時間ごとに、交互に逆方向に流れる電流。

4 【充】 6画 (688) ジュウ 儿部。→一三九㌻中。

5 【弃】 7画 (3282) キ 廾部。→四八四㌻中。

5 【亨】 7画 143 人
一 漢コウ(カウ) 呉キョウ(キャウ) 庚 hēng
二 漢キョウ(キャウ) 呉コウ(カウ) 養 xiǎng
三 漢ホウ(ハウ) 呉ヒョウ(ヒャウ) 庚 pēng
2192 8B9C —

筆順 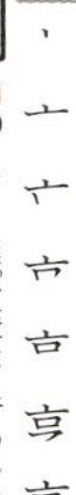

字義 一 ❶とおる。支障なく行われる。❷まつる。まつり。二 たてまつる。すすめる。＝享(146)。三 にる(煮)。＝烹(7060)。

名前 あき・あきら・すすむ・ちか・と・とうる・とおる・とし・なお・なが・なり・みち・ゆき

解字 象形。祖先神を祭った場所の象形で、たてまつる、神意にかなって物事がうまくとおるの意味を表す。もと、享と同一語。→享(146)。

【亨運】順調な運命。

【亨熟・亨孰】十分に煮る。また、よく煮える。

【亨通】①順調にいく。②繁盛する。③出世する。

5 【㐬】 7画 144 リュウ 旒(4632)と同字。→六四三㌻下。 ₂0118 — —

6 【育】 8画 (4921) イク 月部。→六八八㌻中。

6 【京】 8画 145 教2 キョウ・ケイ 2194 8B9E —

【京】 漢ケイ・呉キョウ（キャウ）・唐キン 庚 jīng

［亰］150 俗字

筆順 丶 亠 亠 古 亩 亰 京

字義 ❶みやこ。帝都。用例〔唐詩紀事、賈島〕賈島赴㆑挙至㆑京（キョにおもむきてケイにいたる）（カトウ）。↓賈島は科挙の受験のために都へとやってきた。❷たかいおか（丘）。大きい丘。また、たかい。❸大きい。さかん。❹うれえる形容。❺数の名。兆の十倍。今は、兆の一万倍。⇩コラム 数を表すことば（六二八ページ）。

名前 あつ・おさむ・きょう・たかし・ちか・ひろし・みやこ

難読 京終（きょうばて）・京都（みやこ）

解字 甲骨文 金文 篆文 象形。甲骨文でわかるように高い丘の上に建つ家の形にかたどり、高いおか・みやこの意味を表し、転じて、大きいの意味をも表す。京を音符に含む形声文字に、憬（ケイ）・景などがあり、これらの漢字は、「高く大きな丘」の意味を共有している。

逆 上京・西京・帝京・東京・南京・北京

【京△尹】（ケイイン）①京兆尹（ケイチョウイン）の略。②国江戸時代、京都所司代の別名。

【京華】（ケイカ） 花の都。みやこ。

【京官】（ケイカン） 都に勤務する役人。中央官庁の役人。

【京観（觀）】（ケイカン） 武功を示すために、敵の死体を積み、その上に、土を高くもった塚。大きな見せものの意。

【京畿】（ケイキ） ①国都とその近辺の地。畿内。②唐の道名。今の陝西（センセイ）省中部の関中平原の地。

【京△寓】（ケイグウ） みやこでの仮住まい。

【京劇】（キョウゲキ・ケイゲキ） ①都の繁華なところ。②中国の代表的古典劇。清（シン）代に北京地方で成立した。

【京国（國）】（ケイコク） みやこ。帝都。▼国は、国都。

【京師】（ケイシ） 天子のみやこ。京都。▼京は大、師は衆で、大衆の集まっている所。

【京城】（ケイジョウ） ①天子のおいでになる所。皇居。また、都。②周代、諸侯の子弟または卿大夫（ケイタイフ）の封地をいう。③大韓民国の首都ソウル（朝鮮語で都の意）の旧称。一九一〇年から一九四五年までの日本統治時代に用いられた。

【京兆】（ケイチョウ） ①京兆尹（ケイチョウイン）の略。②京兆尹の治める土地。漢代では、今の陝西（センセイ）省西安市以東の、秦嶺（シンレイ）以北、渭河（イカ）以南の地。東晋（トウシン）では、今の湖北省襄樊（ジョウハン）市の東北。明（ミン）・清（シン）代では、今の北京を中心とする地。③国左京職・右京職の中国風の呼び名。

【京兆△尹】（ケイチョウイン） ①官名。首都の長官。漢の武帝の時に設けられ、長安以下の十二県を治めた。②京兆尹の治める土地。→京兆②。③国㋐左京大夫・右京大夫の中国風の呼び名。㋑江戸時代、京都所司代の別名。

【京都】一（ケイト・キョウト） 天子の都。京師。二（キョウト） 国京都府・京都市の略。

【京△邑】（ケイユウ） みやこ。

【京様（樣）】（ケイヨウ） 優雅な様子。みやこふう。都会風。

【京△洛】一（ケイラク） 洛陽の別称。周の平王が初めて洛陽に都を定め、後漢の光武帝もここを都としたのでいう。二（キョウラク） 国京都をいう。

6【享】 8画 146 常 キョウ 一漢キョウ（キャウ）・呉コウ（カウ） 養 xiǎng 二漢コウ（カウ）・呉キョウ（キャウ） 庚 2193 8B9D 一

［亯］149 古字

筆順 丶 亠 亠 古 亨 享 享

字義 一❶うける（くう）。受け納める。わがものとする。「享年」❷すすめる。たてまつる。ささげる。「享祭」❸もてなす。ふるまう。「享宴」❹まつる。また、祭り。春の祭り。二とおる。＝亨(143)。

名前 あきら・きょう・すすむ・たか・つら・とおる・みち・ゆき

解字 甲骨文 金文 篆文 籀文 象形。甲骨文・金文でわかるように、基礎となる台の上に建っている先祖を祭った場所の象形で、祖先神に飲食物をたてまつるの意味を表す。篆文は、郭の篆文のつくりに似た形で、のちにこの下部が誤って子に変形して、享の字形となった。享は亨と同じ語であったが、享は、人がささげるの意味を、亨は、神が受け入れて、物事がうまくとおるの意味を、それぞれ分担することになる。

逆 献享・配享

【享宴】（キョウエン） もてなしの酒もり。上の者から下の者に賜る酒宴。饗宴。〔左伝、成公十二〕

【享国（國）】（キョウコク） 国を受け継いで君主の位に在ること。

【享祭】（キョウサイ） 物を供えて神をまつる。享祀。

【享△祀】（キョウシ） ＝享祭。

【享寿（壽）】（キョウジュ） 命を受ける。また、天から受けた命。▼寿は、命。

【享受】（キョウジュ） ①物を受ける。②国恩恵などを受け入れて、楽しみ味わう。

【享食】（キョウショク） ①食物をすすめる。饗食。②領地を与えられる。

【享年】（キョウネン） 天から受けた年数の意で、生まれてから死ぬまでの年数をいう。寿齢。

【享福】（キョウフク） さいわいをうける。福を授かる。

【享有】（キョウユウ） うけたもつ。身に受ける。

【享楽（樂）】（キョウラク） ①楽しみを受ける。十分に楽しむ。②楽しみ。

【享礼（禮）】（キョウレイ） 他国の君に謁見（エッケン）する礼が終わってから、主君からあずかってきた贈り物を献上する儀式。

6【卒】 8画 147 教4 ソツ 一漢ソツ・呉ソチ 月 zú 二漢ソツ・呉ソチ 月 cù 三漢シュツ・呉シュチ 質 zú 3420 91B2 一

［卆］1159 俗字

筆順 丶 亠 亠 亣 亣 亣 卒 卒

字義 一❶しもべ。召し使い。下役。「走卒」「卒史」❷下級の兵士。兵卒。用例〔史記、項羽本紀〕旦日饗㆓士卒㆒（タンジツシソツをキョウせよ）。↓明朝、兵士たちに酒食の大振る舞いをせよ。❸あつまり。㋐軍兵百人または二百人。㋑三百家。㋒三十国の一団。❹おおい。多くの人。

二にわか（にはか）。急に。突然に。あわただしい。用例〔史記、刺客伝〕卒惶急（にわか（は）かにコウキュウして）、無㆓以撃㆒㆑軻（もってカをうつなし）。↓突然のことであわてふためき、荊軻（ケイカ）を討つすべがない。

三❶おわる（をはる）。おえる（をふ）。㋐終了する。締めくくる。用例〔韓非子、解老〕人始㆓於生㆒而卒㆓於死㆒（ひとセイにはじまりシにおわ（は）る）。↓人生は生に始まり死に終わる。㋑死ぬ。特に、大夫（タイフ）の死や天寿を全うしての死に用いたものを、のち広く死を婉曲に表現するときに用いるようになった。また、天子の死を崩（ホウ）、諸侯の死を薨（コウ）、士の死を不禄（フロク）、庶人の死を死という。用例〔史記、周本紀〕古公卒（ココウシュツし）、季歴立（キレキたつ）。↓古公亶父（タンポ）が亡くなると季歴が立った。❷ついに（つひに）。結局。用例〔史記、李斯伝〕以輔㆓始皇㆒（もってシコウをたすけ）、卒成㆓帝業㆒（つい（ひ）にテイギョウをなす）。↓始皇帝を補佐して、とうとう天子の事業を成し遂げた。❸ことごとく。すべて。用例〔詩経、小雅、楚茨〕献酬交錯（ケンシュウコウサク）、礼儀卒度（レイギことごとくドあり）。↓酒を酌み交わしあうその様子は、礼義にことごとくかなっている。

国ソツ。シュツ。四位・五位の人が死ぬこと。

名前 たか・むら

難読 卒渓（ひきたに）

注意 『康熙（コウキ）字典』では、十部に所属する。

解字 金文 [古字形] 篆文 [古字形] **指事**。衣の字の下部に一を付し、大夫の死や、天寿を全うした人の死のときに用いる衣服のさまから、おわるの意味を示す。また、このしるしのある衣服は、しもべ・兵士にも用いられたので、しもべ・兵士の意味をも表す。卒を音符に含む形声文字に、卒に通じ、にわかにの意味をも表す。また、突に通じ、にわかにの意味をも表す。卒を音符に含む形声文字に、崒(シュツ)・悴(スイ)・猝(ソツ)・瘁(スイ)・窣(ソツ)・粋(粹)・翠(スイ)・萃(スイ)・誶(スイ)・酔(醉)などがあり、これらの漢字は、「限度にまで達する・尽きる」の意味を共有している。ただし、猝・窣は、「突」に通じて、「にわかに」の意味を表す組である。

逆 騎卒・軽卒・獄卒・士卒・弱卒・従卒・将卒・倉卒・走卒・敗卒・歩卒・吏卒

【卒去】(シュッキョ・ソッキョ) 国昔、四位・五位の人の死をいう。今は一般の人の死去をいう。

【卒遽】(ソッキョ) ①にわか。②あわてる。③そそっかしい。

【卒業】(ソツギョウ) ①仕事をなしおえる。〔荀子、仲尼〕②国学校などで、規定の課業を修め終える。

【卒伍】(ソツゴ) ①卒と伍。周代の住民及び軍隊の編成の名。▼百人の組が卒、五人の組が伍。②卒伍に編入された庶民・兵卒。また、その隊列。また、兵籍。

【卒歳】(シュッサイ・ソッサイ) ①一年中。終年。②年末。

【卒史】(ソツシ) 漢代、下役の書記をいう。

【卒爾・卒而】(ソツジ) ＝卒然。

【卒寿(壽)】(ソツジュ) 九十歳をいう。卒の略体の卆が九十に見えるところからの称。⇩コラム **年齢の別称**(四六六㌻)。

【卒章】(ソッショウ) 詩文の終わりの章。

【卒先】(ソッセン) 人の先に立つこと。率先。

【卒然】(ソツゼン) 同率然。①にわかに。突然。②かるはずみ。軽卒。③ぶしつけ。無作法。

【卒卒】(ソツソツ) ①あわてて落ちつかぬさま。②いそがしいさま。

【卒中】(ソッチュウ) 脳出血など脳血管の障害により急に意識を失って倒れ、手足の麻痺(ヒマ)などをきたす病気。

【卒直】(ソッチョク) 国ありのままでかざりけのないこと。率直。↓率直(六九㌻上)。

【卒都婆・卒堵婆・卒塔婆】(ソトバ・ソトウバ・ソツトウバ) 同率塔婆。仏梵語(ボンゴ) stūpaの音訳。略して塔婆ともいう。㋐仏舎利(仏の骨)を安置する高い塔。今の五重の塔。㋑供養のため上部を塔の形に刻み、梵字(ボンジ)・経文などを書いて、墓のうしろに立てる、細長い板。

【卒倒】(ソットウ) 突然意識を失って倒れること。

【卒年】(ソツネン) ①年末。②死んだ年。没年。歿年(ボツネン)。

【卒暴】(ソツボウ) にわか。にわかに。急遽(キュウキョ)。

6【夜】8画 (2230) ヤ 夕部。↓三三四㌻上。

7【奇】9画 148 キ 奇(2262)の俗字。↓三五二㌻下。

7【亯】9画 149 キョウ 亨(146)の古字。↓六六㌻中。 — — *1633*

7【京】9画 150 キョウ 京(145)の俗字。↓六五㌻下。 4823 98B5 —

7【亭】9画 151 常 テイ 3666 92E0 —

漢テイ・呉ジョウ(ヂャウ) 青 tíng 唐チン

筆順 亠 亠 亡 古 声 亭 亭 亭 亭

〔亭〕153 俗字

字義 ❶あずまや。うてな。庭園などの休息所。「山亭」 ❷しゅくば。やどや。はたごや。「旅亭」 ❸ものみ台。たかやぐら。「亭候」 ❹とどまる(停)。❺たいらか(平)。たいらにする。さだめる。ととのえる。❻いたる。また、当たる。「亭午」 ❼わける。形づくる。万物の形を作って区別する。❽やしなう。

亭①

名前 たか・たかし・てい・なり 難読 亭歴子(あしなずち・はまぜり・はまたかな)

解字 篆文 [古字形] **形声**。高省＋丁音。音符の丁は、くぎの象形で、とどまり立つ意味。人がとどまりくつろぐ建物、あずまやの意味を表す。

逆 駅亭・園亭・山亭・水亭・池亭・茶亭・長亭・郵亭

【亭育】(テイイク) やしないそだてる。亭毒。〔老子、五十一〕

【亭駅(驛)】(テイエキ) 宿場。亭伝。

【亭戸】(テイコ) 唐末、官命によって塩を製造した家。

【亭午】(テイゴ) 正午。まひる。▼亭はいたる、午は正午。

【亭候】(テイコウ) ものみ台。辺境などに築いて敵情をうかがった。

【亭子】(テイシ) ちん。あずまや。▼子は、助字。

【亭次】(テイジ) 宿場。宿駅。▼次は、宿。

【亭主】(テイシュ) ①亭の管理人。②家のあるじ。③国おっと。

【亭然】(テイゼン) そびえ立つさま。

【亭台(臺)】(テイダイ) あずまや。うてな。

【亭長】(テイチョウ) 宿場の長。宿駅の長。秦(シン)・漢代、十里に一亭を置き、盗賊の逮捕や取調べなどをした。

【亭亭】(テイテイ) ①高くそびえ立つさま。②遠くへだたっているさま。③よるべないさま。孤独なさま。

【亭伝(傳)】(テイデン) 宿場。うまつぎば。▼伝は、はたごや。

【亭毒】(テイドク・テイトク) そだてやしなう。化育する。亭育。▼毒は、育てる。

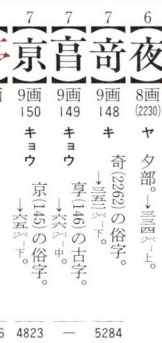

【亭父】(テイフ) 宿場の長。亭長。

【亭郵】(テイユウ) 宿場。うまつぎば。宿駅。

7【帝】9画 (3102) テイ 巾部。↓四五五㌻上。

7【変】9画 (2211) ヘン 夂・夊部。↓三二九㌻上。

7【亮】9画 152 人 漢リョウ(リャウ) 呉リョウ(リャウ) 漾 liàng 陽 liáng 4628 97BA —

筆順 亠 亠 亡 古 声 亭 亭 亮

〔亮〕155 俗字

字義 一 ❶あきらか(明)。また、あかるい。「明亮」 ❷まこと(信)。まことに。二 →亮陰(リョウアン)。国すけ。大宝令で、職(シキ)の四等官の第二位。長官を補佐する官。

名前 あき・あきら・かつ・きよし・すけ・たすく・とうる・とおる・ふさ・まこと・よし・より・りょう・ろ

解字 篆文 [古字形] **会意**。高省＋儿。儿は人の象形。高い人のさまから、物事にあかるいの意味を表す。

【亮陰・亮闇】(リョウアン) 天子が父母の喪に服すること。天子が服喪中は、事を大臣にまかせて、政治上のことは黙して言わないという意。また、喪に服する仮のいおりを指すとの説もある。諒陰(リョウアン)・梁闇(リョウアン)。

【亮月】(リョウゲツ) あきらかな月。また、その光。明月。

【亮察】(リョウサツ) ①あきらかに察する。思いやる。②人の思いやりをいう敬語。諒察(リョウサツ)。

【亮然】(リョウゼン) あきらかなさま。ほがらかなさま。

【亮達】(リョウタツ) 物事のすじみちにあきらかに通じている。

【亮直】(リョウチョク) 心があきらかで正しい。また、その人。

【亮抜】(リョウバツ) 心があきらかで才能がすぐれていること。

8【衾】10画 (10818) キン 衣部。↓一二七四㌻下。

8【高】10画 (13854) コウ 高部。↓一五九八㌻上。

8【衮】10画 (10819) コン 衣部。↓一二七四㌻下。

8【衰】10画 (10820) スイ 衣部。↓一二七五㌻上。

8【衷】10画 (10815) チュウ 衣部。↓一二七四㌻上。

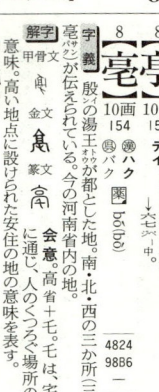

8 【亭】10画 153 テイ 亭(151)の俗字。→六七ページ中。

8 【亳】10画 154 漢ハク 呉バク 薬 bó(bò) 4824 98B6 —

字義 殷の湯王が都とした地。南・北・西の三か所(三亳)が伝えられている。今の河南省内の地。

解字 甲骨文 金文 篆文 会意。高省＋乇。乇は、宅に通じ、人のくつろぐ場所の意味。高い地点に設けられた安住の地の意味を表す。

8 【亮】10画 155 リョウ 亮(152)の俗字。→六七ページ下。

9 【髙】11画 (13855) コウ 高部。→一六〇一ページ上。

9 【毫】11画 (6088) ゴウ 毛部。→八〇〇ページ中。

9 【袞】11画 (10822) コン 衣部。→一二七五ページ中。

9 【産】11画 (7588) サン 生部。→九六四ページ中。

9 【孰】11画 (2583) ジュク 子部。→三八六ページ中。

9 【商】11画 156 教3 ショウ あきなう 3006 8FA4 —

口8 〖商〗11画 157 ショウ(シャウ) 陽 shāng

筆順 丶 亠 亣 产 冏 商 商 商 商

字義 ❶あきなう。あきない。品物を売買して利益を得る。商売。「通商」 ❷あきんど。商人。特に行商人。「隊商」「豪商」 ❸はかる。はかり知る。よしあしを明らかにする。❹五音の一つ。強くて澄み、悲しげな音楽の調子。❺五行では金、方位では西、四時では秋に当てる。「商風」 ❻星の名。東方の星。心宿。❼数学で、割算の答え。↕積(8544)。❽王朝の名。三代(夏・商〔殷〕・周)の第二。→殷(6051)。

名前 あき・あつ・ひさ 難読 商人・商人・商人宿・商陸・商

参考 店を持つ商人を「賈」というのに対し、行商人を「商」といった。

解字 甲骨文 金文 篆文 形声。商＋章省(音)。商は、たかどのの象形。音符の章は、目立つの意味。どこからもだれにも目立つ高殿の意味から、殷の国都の名に用いる。のち、殷が亡びてその亡民が行商を業としたので、あきない・はかるの意味を表す。

逆 宮商・協商・経商・行商・豪商・紳商・隊商・通商

【商鞅】(ショウオウ) 戦国時代、衛の人。秦の孝王に仕えて、法治主義をとなえた。商の君に封ぜられたので商鞅といい、また、衛鞅・公孫鞅ともいわれる。著書に『商子』がある。(?—前三三八)

【商音】(ショウオン) ①殷の国の音楽。②悲しい音。③秋風のひびき。

【商家】(ショウカ) ①殷の朝廷。②民家。③商人の家。

【商歌】(ショウカ) ①悲痛な調子の歌。〔淮南子、道応訓〕②人に認められようとして歌うこと。また、その歌。用例〔東晋、陶潜、辛丑歳七月赴レ仮還二江陵一夜行二塗口一詩〕商歌非二吾事一、依依在二耦耕一。↓人に認められようとして歌うことは自分には関係ないことで、そんなことより畑仕事がなつかしい。

【商搉・商権・商確】(ショウカク) はかり定める。引き比べ考える。

【商鑑不レ遠】(ショウカンとおからず) ＝殷鑑不レ遠(七九四ページ中)。

【商機】(ショウキ) ①商業上の取り引きをするよい機会。②商業上の秘密。

【商議】(ショウギ) 相談する。話し合う。協議。評議。

【商況】(ショウキョウ) あきないの状況(景気)。商状。

【商業】(ショウギョウ) 物品の売買によって生産者と消費者との間の中だちをし、利益をあげる事業。あきない。

【商賈・商估】(ショウコ) 商人。▼商は行商、賈は店あきない、估は商人。用例〔史記、淮陰侯伝〕不レ能二治レ生商賈一。↓生計を立てるために商売することができなかった。

【商工】(ショウコウ) 商人と職人。また、商業と工業。

【商校・商較】(ショウコウ) はかりくらべる。

【商魂】(ショウコン) 商人が商売に専心にうちこむ根性。

【商才】(ショウサイ) 商売をする上のすぐれた才能。

【商山四皓】(ショウザンのシコウ) 秦末に、乱世を避けて商山(今の陝西省商洛市の東南)に隠れた四人の老人、東園公・夏黄公・角里先生・綺里季。ひげもまゆも白かったので皓(白い意)という。商皓。〔漢書、王吉等伝序〕

【商子】(ショウシ) 書名。五巻。秦の商鞅の著と伝えられ、「商君書」ともいう。商鞅の思想を記した書で、もと二十九編あったが、今本は二十四編。法家の思想を説き、『韓非子』に近い。

【商女】(ショウジョ) ①あきないをする女性。女性の行商人。②遊女。妓女。用例〔唐、杜牧、泊二秦淮一詩〕商女不レ知亡国恨、隔レ江猶唱後庭花。↓歌妓たちは亡国の恨みなど知らないまま、むこう岸で亡国の歌ともいえる後庭花の曲を歌っている。

【商声(聲)】(ショウセイ) ①五音の一つ。②秋の声。秋風の音や虫の声など。

【商度】(ショウタク) はかり考える。商量。

【商標】(ショウヒョウ) 他家の製品・商品と区別するため自家の製品・商品につける一定の記号・図形。「登録商標」

【商飆】(ショウヒョウ) 秋に吹くつむじ風。

【商埠】(ショウフ) 外国と通商する港。開港場。貿易港。

【商風】(ショウフウ) 秋の風。西風。金風。商飆。→字義❺。

【商舗・商鋪】(ショウホ) みせ。商店。

【商法】(ショウホウ) ①あきない。商売。②商売のやり方。③商業や商業上の取り引きに関する法律。

【商旅】(ショウリョ) ①たびあきんど。行商。②商人と旅客。

【商量】(ショウリョウ) ①はかり考える。引き比べて考える。②協議する。相談する。

【商量多】(ショウリョウタ) 宋の欧陽脩の文章上達のための三要素の一つ。→三多①(一九ページ中)。

【商論】(ショウロン) はかり論じあう。協議する。

9 【率】11画 158 教5 ソツ・リツ ひきいる 4608 97A6 —

9 〖率〗11画 159 一 漢シュツ・呉ソチ 質 shuài 二 スイ 寘 三 漢リツ・呉リチ 質 lǜ 慣ソツ

筆順 丶 亠 玄 玄 泫 泫 泫 率 率

〖䢦〗1178 古字

字義 一 ❶ひきいる。㋐まとめる。すべる。「統率」 ㋑先頭に立って導く。「引率」「率先」 ❷したがう。㋐まもりしたがう。遵守する。用例〔左伝、哀公十六〕率レ義之謂レ勇。↓義に従うことを勇という。㋑つきしたがう。服従する。用例〔書経、大禹謨〕惟時有苗弗レ率。↓ただこの有苗(という異民族)は服従しない。❸すすめる。㋐励まし勧める。㋑戒め勧める。忠告する。❹おおむね。㋐おおよそ。大体。大方。概数・推定をしめす。用例〔史記、荘子伝〕其著書十余万言、大抵率寓言也(タイテイおお(ほ)むね。グウゲンなり)が、おおよそほぼ寓言であった。↓荘周の著書は十数万字あったが、おおよそほぼ寓言であった。

㋑みな。すべて。用例〔資治通鑑、晋紀〕呉主飲₂群臣酒₁、不₂問₂能否₁、率以₂七升₁為₂限。↓呉の君主は臣下たちに酒を飲ませる際、飲める者と飲めない者とを問わず、一律に七升と定めた。❺にわか。急な。あわただしい。また、慎重さに欠けるさま。軽はずみなさま。＝卒(147)。「率爾」「軽率」「草率」❻ありのままに。そのままで。素直に。「率直」「坦率」

□二 かしら。おさ。＝帥(3101)。「将率」

□三 ❶割合。「比率」「確率」 ❷のり。きまり。法度。基準。標準。＝律(3418)。

国 ソツ。ソチ。昔の大宰府(ダザイフ)の長官。

名前 のり・より 難読 率土浜(そとがはま)

注意 率は、『康熙(コウキ)字典』では、玄部に所属する。

解字 甲骨文 篆文 象形。甲骨文でわかるように、洗った糸の水をしぼる形にかたどり、一か所にひきしめる、まとまりをつけてひきいるの意味を表し、転じて、数などをまとめる、おおむねの意味を表す。

逆 大率・軽率・将率・真率・総率・統率・能率

【率易】(ソツイ) あっさりしていて手軽なこと。

【率意】(ソツイ) 心に従う。意のままに。

【率師】(ソッシ) 軍隊をひきいる。

【率△爾】(ソツジ) 同 率然。①にわかなさま。突然。用例〔論語、先進〕子路率爾対曰、……。↓子路はすぐさまこたえて言った、……。②あわただしいさま。③軽はずみなさま。軽々しいさま。

【率従】(ソツジュウ) 連れ立って服従する。

【率将(將)】(ソツショウ) ひきいる。

【率性】(ソッセイ) 性に従う。生まれつきの本性(誠)に従うこと。用例〔中庸〕天命之謂₂性₁、率₂性之謂₂道₁。↓天の与えたもの、つまり生まれつきを性といい、性に従って行動することを道という。

【率先】(ソッセン) 人に先だってする。帥先(ソッセン)。

【率然】(ソツゼン) ＝率爾(ソツジ)。

【率直】(ソッチョク) 国かざりけなくありのままなこと。すなおでかざりけがない。◈「卒直」と書くのは適切ではない。

【率土△之浜(濱)】(ソットのヒン・ソツドのヒン) 陸地(天下)のはてまでの意。天下中。国中。全国。▼浜は、陸地のはて。用例〔詩経、小雅、北山〕率土之浜、莫₂非₂王臣₁。↓陸地の続き果てるどこまでも、(そこに住む人は)天子の臣でないものはいない(みな天子の臣である)。

【率服】(ソップク・ソツフク) ①相ひきいて付き従う。②服従する。

【率由】(ソツユウ) したがいよる。よりしたがう。

【率履】(ソツリ) したがいふむ。国法を正しくふみ行う。

【率励(勵)・率△厲】(ソツレイ) ひきいはげます。

9 【袠】 11画 (10824) チツ 衣部。↓一三七五㌻下。

9 【袤】 11画 (10825) ボウ 衣部。↓一三七五㌻下。

10 【就】 12画 (2773) シュウ 尢部。↓四三五㌻上。

11 【棄】 13画 (5595) キ 木部。↓七五四㌻下。

11 【襄】 13画 (10835) ジョウ 衣部。↓一三七六㌻下。

11 【亶】 13画 160 4825 98B7 一

□一 タン 旱 dǎn
□二 漢セン・呉ゼン 霰 shàn
□三 漢セン・呉ゼン 先

字義 □一 ❶まこと(誠)。まことに。❷ゆたか。❸あつい(厚)。あつくする。❹ただ(但)。ただし。ただに。□二 もっぱら。ほしいまま。＝擅(4442)。□三 とぶ(飛)。かける。

解字 篆文 形声。亩＋旦㊊。音符の旦は、多に通じ、おおいの意味。亩は、こめぐらの象形。穀物が多い、ゆたかの意味を表す。

【亶父・亶△甫】(タンポ) 周の太王をいう。↓古公亶父(二三九㌻下)。

11 【裒】 13画 (10836) ホウ 衣部。↓一三七七㌻上。

11 【裛】 13画 (10837) ユウ 衣部。↓一三七七㌻上。

11 【雍】 13画 (13188) ヨウ 隹部。↓一五二六㌻下。

11 【裏】 13画 (10838) リ 衣部。↓一三七七㌻上。

12 【裹】 14画 (10839) カ 衣部。↓一三七七㌻上。

12 【豪】 14画 (11479) ゴウ 豕部。↓一三四六㌻中。

12 【齊】 14画 (14561) セイ 齊部。↓一六五四㌻下。

12 【裴】 14画 (10844) ハイ 衣部。↓一三七七㌻下。

13 【褒】 15画 (10845) ホウ 衣部。↓一三七七㌻下。

13 【褎】 15画 (10847) ユウ 衣部。↓一三七八㌻上。

13 【褏】 15画 (10848) ユウ 衣部。↓一三七八㌻中。

14 【嬴】 16画 (2539) エイ 女部。↓三七八㌻下。

14 【襄】 16画 (10853) ジョウ 衣部。↓一三七八㌻中。

14 【壅】 16画 (2161) ヨウ 土部。↓三三三㌻下。

15 【齋】 17画 (14563) サイ 齊部。↓一六五五㌻中。

15 【襄】 17画 (10854) ジョウ 衣部。↓一三七八㌻中。

15 【褻】 17画 (10855) セツ 衣部。↓一三七八㌻下。

15 【襃】 17画 (10846) ホウ 衣部。↓一三七七㌻下。

16 【甕】 18画 (7575) オウ 瓦部。↓九六〇㌻下。

16 【𩫖】 18画 (13857) キョウ 高部。↓一六〇一㌻上。

16 【囊】 18画 (10857) ノウ 衣部。↓一三七八㌻下。

17 【齏】 19画 (13417) セイ 韭部。↓一五五一㌻中。

17 【蠃】 19画 (10765) ラ 虫部。↓一三六八㌻中。

17 【羸】 19画 (9511) ルイ 羊部。↓一一五六㌻下。

18 【贏】 20画 (11619) エイ 貝部。↓一三六五㌻下。

19 【齎】 21画 (14566) セイ 齊部。↓一六五五㌻下。

19 【亹】 21画 161 〔亹〕 162 俗字

□一 漢ビ・呉ミ 尾 wěi
□二 漢ボン・呉モン 元 mén

字義 □一 ❶うつくしい。うるわしい。❷まゆ。＝眉(7973)。□二 水門。水が山間を流れて、両岸が門のように迫っている所。

解字 会意。高省＋興省＋且。興は、力を合わせて物をもちあげるの意味。且は、物をつみかさねるための台の意味。高い方へ物をもちあげるさまから、つとめるの意味を表す。美に通じて、うつくしいの意味、門に通じて、両岸の山が門のように迫っている所の意味をも表す。

【亹亹】ビビ ①やすまず努力する様子。②時が進む様子。また、水の流れる様子。③走る様子。

19【臝】21画 (5176) ラ 月部。→七二一ページ中。

20【亹】22画 162 ビ 亹(161)の俗字。→六九ページ下。 $_2$0120 — *1634*

20【饔】22画 (13662) ヨウ 食部。→一五七九ページ下。

20【𩫕】22画 (13858) ロウ 高部。→一六〇一ページ上。

21【齏】23画 (14567) セイ 齊部。→一六五六ページ上。

21【驘】23画 (13802) ラ 馬部。→一五九四ページ中。

2画 人（イ・𠆢）

ひと〔人〕 にんべん〔イ〕 ひとがしら・ひとやね〔𠆢〕

[イ] $_2$0121 一 一

[𠆢] $_2$0122 一 一

〔部首解説〕イは、人が偏(へん)になるときの形。人・イを意符として、人の性質や状態などを示す文字ができる。それらの意味と字形の分類のために部首にたてられる。ただし、𠆢の形は、特定の意味をもたない。

0 人 仇 仁 仆 仟 仕 仞 代 令 会 伋 伶 伜
七一 七五 七六 七七 七九 七九 七九 八一 八三 八四 八七 八七 八八

1 个 今 仄 仏 仡 仔 仭 仛 4 伌 价 仰 伍 伀
七二 七五 二三三 七七 七九 七九 七九 八一 八三 八六 八七 八七 八八

亼 什 内 仂 仚 仢 仙 仝 伊 企 伒 仵 伈
七四 七五 一五五 七七 七九 七九 七九 八一 八三 八六 八七 八七 八八

2 化 从 仃 仐 仒 伆 仠 付 仮 伎 众 伉 全
七四 七六 七七 七八 七九 七九 八〇 八二 八三 八六 八七 八八 八八

介 仍 仈 3 以 仨 仗 他 仫 伙 休 件 合 仲
七四 七六 七七 七八 七九 七九 八〇 八二 八四 八六 八七 二四七 八八

伍 伐 伏 佚 伵 伺 佘 佂 佁 佃 伴 巫 佣 佾 佪 佶 佼 侈 侏 侄 侙 侎 侔 佬 7 弇 俠 俓 俈 俏 促 俦 侮 俞 俚 俣 俺 倨 倞 候 儕 俶 倩
八九 九〇 九一 九二 九三 九五 九五 九六 九七 九七 九八 四四九 一〇〇 一〇一 一〇三 一〇三 一〇三 一〇三 一〇五 一〇五 一〇五 一〇五 一〇六 一〇七 四八五 一〇七 一〇八 一〇八 一〇九 一一〇 一一一 一一二 一一三 一一三 一一四 一一四 一一四 一一五 一一六 一一六 一一七 一一七

伝 仳 仿 何 佝 似 住 伳 伷 伮 伾 佛 伶 会 侅 供 侊 佌 侚 侑 侄 佰 命 俩 俄 俇 俔 俟 信 俗 侹 俜 臾 侶 8 倭 俛 倣 倪 倖 傳 倏 俴
八九 九〇 九一 九二 九四 九五 九五 九六 九七 九七 九八 七七 一〇〇 一〇一 一〇三 一〇三 一〇三 一〇三 一〇五 一〇五 一〇五 一〇五 一〇六 一〇七 一〇七 一〇八 一〇八 一〇八 一〇九 一一〇 一一三 一一三 一二八二 一一四 一一四 一一四 一一五 一一五 一一六 一一六 九二六 一一七

佊 仯 伃 伽 估 佀 伹 佗 佇 佟 佖 佑 佤 価 佸 侠 佮 佽 御 侘 侗 侮 侑 例 臥 偊 俉 修 侵 俀 俘 便 俋 俍 倚 倌 倶 倹 倥 偌 倡 倉
九〇 九〇 九一 九三 九四 九五 九六 九六 九七 九八 九八 九九 一〇〇 一〇一 一〇三 一〇三 一〇三 一〇三 一〇五 一〇五 一〇五 一〇五 一〇七 一〇七 一二九二 一〇八 一〇八 一〇八 一一〇 一一一 一一二 一一三 一一三 一一四 一一四 一一四 一一五 一一五 一一六 一一六 一一七 一一七

任 份 5 位 含 佐 你 佋 体 低 佞 伻 攸 6 佒 佳 侃 侐 佷 侍 侁 侂 侫 併 佯 侓 俒 俁 侯 俊 倀 俔 俛 保 俑 俤 倄 軌 俱 倦 倗 借 倘 丧
九〇 九〇 九一 二五〇 九四 九五 九六 九六 九七 九八 九九 六二一 一〇〇 一〇一 一〇三 一〇三 一〇三 一〇三 一〇五 一〇五 一〇五 一〇六 一〇七 一〇七 一〇七 一〇八 一〇八 一〇八 一一〇 一一一 一一二 一一三 一一三 一一四 一一四 一一四 一一五 一一五 一一六 一一六 一一七 一一七

佈 伕 佚 佉 作 伱 伸 但 佔 伯 佈 余 依 侉 佹 侀 使 舍 侭 佻 佩 金 來 侖 俅 係 俘 俆 俎 俇 俌 俜 俐 俥 倓 倛 倔 個 俻 修 倢 倧
九〇 九一 九二 九三 九四 九五 九六 九七 九七 九八 九九 九九 一〇〇 一〇三 一〇三 一〇三 一〇三 一〇四 一〇五 一〇五 一〇五 一〇六 七二一 一〇七 一〇七 一〇八 一〇八 一〇九 一一〇 一一一 一一二 一一三 一一三 一一四 一一四 一一四 一一五 一一五 一一六 四九六 一一七 一一七

偬 御 倒 俵 俸 倰 倞 假 偈 做 倐 偅 偰 停 偒 偏 偎 傀 傑 傞 傖 傠 傍 傹 傲 傷 僁 傳 僄 僇 僩 僥 僦 僣 僎 像 僮 僳 儀 儇 儃 僶
一一七 一一八 一一八 一一九 一一九 一二〇 一二〇 八三 一二一 一二三 九二六 一二三 一二三 一二三 一二四 一二四 一二四 一二五 一二七 一二五 一二五 一二六 一二六 一二七 一二七 一二八 一二九 八九 一二九 一三〇 一三〇 一三〇 一三〇 一三一 一三一 一三一 一三一 一三三 一三三 一三三 一三三 一三三

倅 俿 倲 俯 倗 倫 偉 偕 健 偲 偆 偢 偂 偵 偹 偭 10 偉 傕 傔 傘 傁 備 傜 僅 傻 從 僧 條 偋 僳 僖 僡 僬 僝 僊 僔 僨 13 僾 僵 僂 僢 僻
一一七 一一八 一一八 一一九 一一九 一二〇 一二五 一二〇 一二一 一二三 一二三 一二三 一二三 一二三 一二四 一二四 一二四 一二五 一二五 一二五 一二五 一二六 一二六 一二七 一二八 一二九 一二九 一二二五 一二九 一三〇 一三〇 一三〇 一三〇 一三一 一三一 一三一 一三一 一三二 一三三 一三三 一三三 一三三

倬 倀 俳 倵 們 [illegible] 偤 修 倦 偖 偱 條 偬 偙 偑 偠 偩 偺 傆 舒 傣 僃 傛 禽 催 偉 傯 働 僩 僂 僟 儆 僬 僣 僻 僨 僕 億 儌 儀 僻 舗
一一八 一一八 一一八 一一九 一一九 一二〇 一二〇 一二〇 一二三 一二三 一二三 七一九 一二三 一二三 一二四 一二四 一二五 一二五 一二五 一二八四 一二六 一二六 一二六 一二〇四 一二八 一二九 一二九 一二九 一二九 一三〇 一三〇 一三〇 一三〇 一三一 一三一 一三一 一三一 一三二 一三三 一三三 一三三 一三三

倓 倜 倍 倂 倮 俁 偃 偽 偟 斜 偦 偝 側 偸 偵 鄉 傟 僅 傚 傓 傎 傅 傈 傾 債 傜 傺 備 傭 12 僩 僞 僱 儆 僻 僧 僤 僚 價 僘 僿 儋 僂
一一八 一一八 一一九 一〇六 一一九 一二〇 一二〇 一二〇 一二三 六二五 一二三 一二三 一二三 一二三 一二四 一二四 一二五 一二五 一二五 一二五 一二六 一二六 一二六 一二七 一二八 一二五九 一二九 一二九 一二九 一三〇 一三〇 一三〇 一三〇 一三一 一二九 一三一 一三三 一〇一 一三三 一三三 一三三 一三四

値 倎 俾 倣 倆 9 偓 倍 偶 偐 偹 偁 偰 修 偷 偪 偄 偏 傒 傢 傏 偊 11 傴 傑 傪 僉 僀 僤 僘 僴 僑 儝 僳 僐 像 僜 僯 儈 儉 僺 儂 僕
一一八 一一八 一一九 一一九 一一九 一二〇 一二〇 一二一 一二三 六九九 一二三 一二三 一二三 一二四 一二四 一二五 一二五 一二五 一二五 一二六 一二六 一二七 一二七 一二八 一二九 一二九 一二九 一三〇 一三〇 一三〇 一三〇 一三〇 一三一 一三一 一三一 一三二 一三二 一二五 一三三 一三三 一三四

僯 一三四　14 盦 一〇〇〇　舘 一一八五　儗 一三四　傑 一三四
儙 一三四　儕 一三四　儞 一三四　儒 一三四　儘 一三四
儔 一三四　儵 一五四七　儜 一三四　儐 一三五　儛 一三五
儚 一三五　儃 一三五　15 儥 一三五　儧 一三五　價 一三五
儁 一三五　償 一三五　儭 一三五　儲 一三五　儦 一三五
儛 一三五　龠 一六六二　優 一三五　儡 一三六　儖 一三六
16 儭 一三六　儲 一三六　儵 一六二五　儶 一三六　儱 一三六
17 儼 一三六　儳 一三六　儵 一六四八　儴 一三六　19 儹 一三六
儺 一三六　儸 一三六　儷 一三六　20 儼 一三六　儻 一三六

0
【人】
2画　163　教1　ジン・ニン　ひと

漢ジン・呉ニン　真 rén

熟字訓 玄人・素人・仲人・若人・大人・一人・二人

3145　906C　一

筆順 ノ人

［儿］678 古字

字義 ❶ひと。㋐にんげん。人類。㋑たみ。人民。庶民。㋒他人。↔己(3063)。用例〔論語、雍也〕己欲レ達而達レ人。↓自分が達したいと願うなら、他人を達成させるよう力添えをする。㋓りっぱな人。すぐれた人物。❷ひとがら。ひととなり。性質。人品。用例〔論語、学而〕其為レ人也、孝弟而好レ犯レ上者、鮮矣。↓そのひとがらが、父母や年長者によく仕えていながら、上に立つ人に逆らうことを好むようなものは、少ない。❸ひとりびとり。人ごとに。用例〔史記、平準書〕人給家足。↓人ごとに行きわたり、家ごとに満ち足りている。❹人を数える語。

名前 きよ・さね・じん・たみ・と・ひと・ひとし・ふと・め・むと

難読 人形谷・人首・人熱・人里

解字 甲骨文  金文  篆文  象形。横から見た人の形にかたどり、ひとの意味を表す。人を音符に含む形声文字は、「ひと」の意味を含む。

逆 異人・役人・遠人・外人・楽人・佳人・家人・寡人・華人・活人・奇人・貴人・義人・旧人・郷人・挙人・芸人・賢人・原人・工人・後人・行人・黒人・個人・古人・故人・才人・茶人・山人・散人・士人・私人・至人・時人・舎人・囚人・愁人・衆人・主人・小人・上人・情人・職人・庶人・新人・真人・神人・仁人・粋人・成人・聖人・昔人・石人・世人・先人・前人・全人・仙人・騒人・俗人・訴人・大人・達人・他人・知人・治人・痴人・仲人・超人・通人・哲人・天人・党人・豆人・同人・土人・俳人・廃人・犯人・非人・美人・氷人・夫人・婦人・文人・封人・邦人・牧人・凡人・民人・無人・名人・門人・野人・幽人・要人・余人・流人・良人・旅人・輪人・令人・麗人・老人・浪人

【人為(爲)】ジンイ 人間わざ。自然・天然のままでなく、人の手を加えること。「人為淘汰ジンイトウタ」

【人一能レ之、己百レ之】ひとひとたびしてこれをよくせば、おのれこれをヒャクたびす 他の人が一度でできても、自分にできない場合には、百度やってでも成しとげる。大いに努力するたとえ。〔中庸〕

【人影】ジンエイ ひとかげ。人のすがた。

【人役】ジンエキ ①人に使われる者。身分の低い人。②労働。

【人△烟・人煙】ジンエン 人家から立ちのぼる煙。転じて、人・人家。用例〔唐、岑参、磧中作詩〕今夜不レ知何処宿、平沙万里絶二人烟一。↓今宵はどこに宿を借りよう、平らな砂漠が万里も続き、人家から立ち上る炊事の煙など、まったく見えないのに。

【人屋】㊀ジンオク 国人家。㊁ひとや 国牢屋ロウヤ。

【人火】ジンカ 人の過失による火災。

【人家】ジンカ 人の住んでいる家。民家。用例〔唐、杜牧、山行詩〕遠上二寒山一石径斜、白雲生処有二人家一。↓遠く郊外まででかけ、さびしい山を上っていくと石の転がる小道が斜めに続き、白い雲がわき出ているあたりにも、人の住む家があった。

【人禍】ジンカ 人間が起こす災い。

【人我】㊀ジンガ 他人と我。「人我一体」㊁ニンガ 仏人間に不変の実体(我)がある意。

【人界】ジンカイ・ニンカイ 仏人の住んでいる世界。仏教の十法界の一つ。

【人海】ジンカイ 人が多く集まっているたとえ。たくさんな人出。多勢の人。

【人外】㊀ジンガイ 出家の境地。俗世間の外。「人外境」㊁ニンガイ 国①人の守るべき道にはずれている人。人道にそむく人。ひとでなし。②人類以外のもの。

【人格】ジンカク ①ひとがら。人品。②人間。③義務・責任を自覚できる一人前の資格。

【人間】㊀ジンカン ①俗世間。俗界。用例〔唐、李白、山中問答詩〕桃花流水窅然去、別有二天地非一人間一。↓桃の花びらを浮かべた水がはるか遠くに流れて行く。ここに俗界を超越した別天地があるのだ。②仏＝人界。㊁ニンゲン 国①人類。ひと。また、世間。②ひとがら。㊂ひとま 国人のいない間。人の見ていない時・場所。

【人間世】ニンゲンセイ・ジンカンセイ ①人間の世の中。人世。②『荘子ソウジ』の編名。

【人間性】ニンゲンセイ 人間の本性。人間らしさ。

【人間到処(處)有二青山一】ジンカンいたるところセイザンあり 世間にはどこに行っても骨を埋める場所はある。大志を立てて大いに雄飛すべきであるという意。▼青山は、墓場。用例〔釈月性、将二東遊一題レ壁詩〕埋レ骨豈惟墳墓地、人間到処有二青山一。↓骨を埋めるのはどうして先祖代々の墓地のみに限ろうか。世の中には、どこに行っても自分の骨を埋めるのにふさわしい場所があるではないか。

【人間万(萬)事塞翁馬】ニンゲンバンジサイオウがうま・ジンカンバンジサイオウがうま 人の世の禍福の定めがたいたとえ。→塞翁馬(三一七ページ中)。

【人△寰】ジンカン 人の住む所。人境。人間社会。用例〔唐、白居易、長恨歌〕回レ頭下望二人寰処一、不レ見二長安一見二塵霧一。↓ふりかえってはるか下の人間世界を望み見ても、長安は見えず、たちこめる砂煙が目にうつるだけだ。

【人気(氣)】㊀ジンキ ①人の心。②人のにおい。人香。㊁ニンキ 国世間の評判・受け。㊂ニンキ・ジンキ 国その地方の人々の気風。㊃ひとけ 国人のいる気配。㊄ひとげ 国人間らしさ。人並み。

【人紀】ジンキ 人のふむべき道。倫理。

【人鬼】㊀ジンキ 死人のたましい。㊁ニンキ 仏人間と鬼。

【人△祇】ジンギ 人と神。

【人給】㊀ジンキュウ 人ごとにあたえる。㊁ひとだまい(ひ) 国随行者が乗る車。副車。

【人給家足】ひとびとキュウしいえ(へ)いえ(へ)たる どの人もどの家も衣食住に不足のないこと。世の中が太平で生活の豊かなこと。〔史記、太史公自序〕

【人魚】ニンギョ ①魚の名。大さんしょう魚。〔山海経、西山経〕②海中に住むという想像上の動物で、上半身は女性、下半身は魚の形をしており、その肉を食うものは不老不死の寿を得るという怪物。海獣ジュゴンを見誤ったものという。

【人境】ジンキョウ 人の住んでいる所。俗界。用例〔東晋、陶潜、飲酒詩〕結レ廬在二人境一、而無二車馬喧一。↓粗末な家を人里の中に構えているが、それにもかかわらず訪問客の車馬の騒がしさがない。

【人鏡】ジンキョウ 人のかがみ。生きた手本。人鑑。

【人君】ジンクン きみ。君主。人主。用例〔史記、滑稽伝〕請以二人君礼一葬レ之。↓どうか(この馬を)君主にふさわしい儀礼で葬ってやってください。

【人形】ジンケイ・ニンギョウ ①ひとのかたち。ひとがた。②でく。人の形にかたどって作ったもの。③主体性のない人のたとえ。

【人径(徑)】ジンケイ 人の通う小道。
【人傑】ジンケツ 衆人にすぐれた人物。人豪。用例〔史記、高祖本紀〕此三者皆人傑也。↓この三人は、みな傑出した人物である。
【人件】ジンケン 人事に関する事がら。
【人権(權)】ジンケン 国人が人として当然与えられると考えられる権利。
【人権(權)△蹂△躙】ジンケンジュウリン 国役人が職権を利用して人民の自由をふみにじること。また、一般に勝手な行動をして他人の人権を無視すること。
【人言】ジンゲン ①世人のうわさ。②人間のことば。
【落二人後一】ジンゴにおつ 人よりあとになる。人にまける。
【人語】ジンゴ 人の話す声。
【人口】ジンコウ ①ひとかず。人員。人数。②人のくち。人の言葉。人言。
【△膾二△炙人口一】ジンコウにカイシャす なますや焼肉が多くの人に賞味されるように、広く人々に言いはやされること。▼膾はなます、炙はあぶり肉。用例〔唐、林嵩、周朴詩集序〕一篇一詠、膾二炙人口一。↓作品の一つ一つが、広く人々に言いはやされる。
【人工】ジンコウ 人のしわざ。人為。自然に対していう。
【人功】ジンコウ 人の仕事。また、人のてがら。
【人行】ジンコウ ①人の行い。②人の通行。
【人皇】［一］ジンコウ 中国古代神話上の第三代の天子。［二］ニンノウ 国神代と区別して、神武天皇以後の天皇。
【人綱】ジンコウ 人道の大本。人のふむべき根本の道。
【人魂】［一］ジンコン 人のたましい。［二］ひとだま 国①夜間空中を飛ぶ燐火。古来、死人のたましいといわれている。②流れ星。
【人才】ジンサイ 才能のある人。人材。
【人災】ジンサイ 人の起こすわざわい。不注意や備えをしないために起こった災害。↔天災(三四七ジ上)。
【人材】ジンザイ 才能のある人。人才。
【人△之将(將)レ死△其言△也善】ひとのまさにシせんとするやそのゲンやよし 人が死ぬ直前の言葉は真実で、うそはいわないものだ。用例〔論語、泰伯〕鳥之将レ死其鳴也哀、人之将レ死其言也善。↓鳥が死にかかっているときには、その鳴き声は悲しいほどに美しく、人の死ぬ直前の言葉は真実である。
【無レ道二人△之短一、無レ説二己△之長一】ひとのタンをいう(ふ)ことなかれ、おのれのチョウをとくことなかれ 他人の短所を言ってはならない。自分の長所を誇ってはならない。他人をそしること、自分を誇ることを慎めということ。用例〔後漢、崔瑗、座右銘〕無レ道二人之短一、無レ説二己之長一、施レ人慎勿レ念、受レ施慎勿レ忘。↓他人の短所を言ってはならない、自分の長所を誇ってはならない、他人に恩恵をほどこしたら、そのことを誇ってはならない、他人から恩恵を受けたら、そのことを忘れてはならない。
【成二人△之美一】ひとのビをなす 他人の長所・美点を十分に伸ばしてやる。転じて、人を助けて事を成就させること。用例〔論語、顔淵〕君子成二人之美一、不レ成二人之悪一。↓君子は人の長所・美点を十分に伸ばしてやるが、人の短所・悪事はあらわれないようにしてやるものだ。
【人士】ジンシ 教養と地位のあるりっぱな人。
【人師】ジンシ ①人の師。先生。②師と仰ぐべきりっぱな人。③単に経書の読みや意味を教えるのではなく、人としての道を教える先生。↔経師(一一三ジ上)。
【人事】［一］ジンジ ①人のしわざ。②人間としてなすべきこと。③人間社会の事がら。④人に贈る礼物。⑤国人の身分などに関した事がら。［二］ひとごと 国自分と無関係なこと。他人のこと。
【人事不省】ジンジフセイ 意識不明になること。
【尽(盡)二人事一△而待二天命一】ジンジをつくしてテンメイをまつ 人力の限りをつくして、結果は運命にまかせる。〔読史管見、晋紀、武帝〕
【人日】ジンジツ 陰暦の正月七日。一日から六日までは獣畜を占い、七日には人を占うことから。⇩コラム 年中行事(四六五ジ)。
【人爵】ジンシャク 人から与えられる爵位。人が定めた位。↔天爵(三四七ジ中)。
【人主】ジンシュ きみ。君主。人君。↔人臣。
【人種】ジンシュ ①子孫をいう。②人の種類。種族、皮膚の色・骨格などの生物学的特徴で分類する。③国俗に、社会的身分や性癖などで人を区別する場合にもいう。「政治家という人種」
【人寿(壽)】ジンジュ 人の寿命。
【人衆者勝レ天】ひとおお(ほ)ければテンにかつ 悪人が多く集まって盛んな時は、一時天道に勝って非をとげること。多数の悪運が強くて天罰が容易に至らないこと。〔史記、伍子胥伝〕
【人勝】ジンショウ 人日(陰暦正月七日)に用いる首かざり。
【人△蹤】ジンショウ ①人の足あと。人の通ったあと。用例〔唐、柳宗元、江雪詩〕千山鳥飛絶、万径人蹤滅。↓(一面の雪に)山に鳥の飛ぶことがなくなり、小道に人の足あとも見えない。②人通り。
【人情】ニンジョウ ①人の心。人の感情。特に、おもいやり。なさけ。②贈りもの。
【人情翻覆似二波△瀾一】ニンジョウのホンプクハランににたり 人情の変わりやすさは、まるで寄せては返す波のようだ。用例〔唐、王維、酌レ酒与二裴迪一詩〕酌レ酒与レ君君自寛、人情翻覆似二波瀾一。↓君、一杯やりたまえ、そしてのんびりすることだ、人情の変わりやすさは、まるで寄せては返す波のようだ。
【人心】［一］ジンシン ①人の心。人意。②肉体の欲から生ずる心。欲望の心。↔道心(一四二六ジ上)。③人民の心。民心。［二］ひとごころ 国①人の心。②なさけ。③正気。
【人心如レ面】ジンシンはメンのごとし 人の心がそれぞれ違うのは、顔つきが一様でないのと同じである。〔左伝、襄公三十一〕
【人臣】ジンシン けらい。臣下。↔人主。
【人身御供】ひとみゴクウ 国人身をいけにえとして神に供えること。また、他人のために犠牲になること。
【人参(參)】ニンジン ①薬草の名。朝鮮人参。人蔘。②国野菜の名。根は黄赤色で、食用。漢名、胡蘿蔔。
【人数(數)】ニンズ・ニンズウ ①人のかず。人員。人口。②多数の人。おおぜい。
【人世】ジンセイ 世の中。世間。
【人生】ジンセイ ①人の生命。②人の一生。③人がこの世に生きてゆくこと。人間の生活。④人間。人。
【人生観(觀)】ジンセイカン 人生の目的や意義などについての見方・考え方。
【人生感二意気(氣)一】ジンセイイキにカンず 人間は相手の知遇に感激して事をなすべきである。意気は、恩顧・知遇。また、人間は意気投合することを尊ぶ意にも用いる。用例〔唐、魏徴、述懐詩〕人生感二意気一、功名誰復論。↓人間は相手の知遇に感激して事をなすべきである、功績や名声などはだれが問題にしようか。
【人生在レ勤】ジンセイはつとむるにあり 人間がこの世に生きてゆくためには、つとめ働くことが大切である。〔左伝、宣公十二〕
【人生識レ字憂患始】ジンセイジをしるはユウカンのはじめ 人は学問をすることによって苦労を知る。文字を学び学問をすれば、物事の道理が分かって、かえって苦労が多くなるから、無学の方がよい。〔北宋、蘇軾、石蒼舒酔墨堂詩〕
【人生七十古来(來)△稀】ジンセイシチジュウコライまれなり 人の命は短く、七十歳まで生きるものは昔から少ない。古稀を七十歳の意に用いるのは、この句に基づく。〔唐、杜甫、曲江詩〕
【人生如二朝露一】ジンセイはチョウロのごとし 人の一生は、日が出るとすぐにかわく朝つゆのようにはかないものである。〔漢書、蘇武伝〕

【人生如レ夢】人の一生は夢のようにはかないものである。〔北宋、蘇軾、念奴嬌〕

【人性】人の本性。人の生まれつきの性質。

【人跡】人の足あと。人の通ったあと。人蹤。

【人跡未踏】国人がまだ足をふみ入れたことがない。

【人選】多勢の中からえりぬく。選抜。

【人相】人の顔かたち。容貌。

【人足】一①人ごとに満足する。だれでも生活が豊かである。「家給人足」②人の足。二国人の往来をいう。三国かつて、力仕事に従事する労働者を称した語。

【人体(體)】一人のからだ。人身。二国人がら。人品。

【人地】人がらや家がら。才能品格と門閥。

【人畜】①人間と、けもの。②人の道に反する行いをする人。「人畜生」の略。

【人丁】①壮年の人。壮丁。②人口。人数。

【人定】①今の午後八時ごろ。人が寝しずまる時刻であるからいう。甲夏。初更。②国㋐人為的に定めること。㋑法律で、その人であるかどうか確かめること。「人定尋問」

【人定勝レ天】一所懸命にやれば、運命にも、あるいはどんな困難にもうちかてること。〔帰潜志〕

【人彘】豚のような人。漢の高祖(劉邦)の皇后の呂后が高祖の愛した戚夫人の手足を切り、便所に入れて人彘と呼んだ故事。〔史記、呂后本紀〕

【人天】一①君主をいう。②人と天。また、人道と天道。③食物。食物は人になくてはならない天のようなものであるからいう。二仏人間界と天上界との衆生(すべての生物)。

【人頭】①人のあたま。②ひとかず。人数。

【人道】一①人のふみ行うべき道。人倫。↔鬼道(一六〇七ページ下)。②人としての品性。心情。③男女の交わり。④国人が通行する専用道路。二仏人間界。六道の一つ。

【人徳】その人に備わった徳。

【人莫レ不二飲食一也、鮮二能知レ味也】人はだれでも飲んだり食べたりしない者はいない。しかし、飲食物の味わいを真に知ることのできる人は少ないものだ。物事の真髄に迫ることの難しいたとえ。〔中庸〕

【人非人】国ひとでなし。人間でありながら人間としての資格のないもの。人間らしい心を持たない人。


【人必自侮、然後人侮レ之】人は必ず自分で自分を侮った後に、他人がその人を侮るものである。劣等感をいましめた言葉。〔孟子、離婁上〕

【人表】人の手本。人の模範。

【出二于人表一】衆人から抜け出ている。人よりもすぐれている。一頭地を抜く。〔韻府引、鬼谷子〕

【人品】①なりふり。風采。②ひとがら。品格。

【人不レ学(學)不レ知レ道】すぐれた素質を持っている人でも、学問をしなければ立派な人にはなれない。用例〔礼記、学記〕玉不レ琢不レ成レ器、人不レ学不レ知レ道。↓玉もみがいたり細工を加えたりしなければ、器物として役立つことができず、人も学ばなければ道理がわからない。

【人不レ知而不レ慍】他人が自分の学徳を認めてくれなくても、不平不満に思わない。用例〔論語、学而〕人不レ知而不レ慍、不二亦君子一乎。↓世間の人が自分を認めてくれなくても、腹をたてない人は、なんと立派な君子ではないか。

【人夫】①使役に服するもの。人に使われるもの。②昔、公の仕事に使われた民。夫役を課せられた民。役夫。③国かつて、力仕事に従事する労働者を称した語。人足。

【人風】人民の風俗。民風。〔唐、柳宗元、捕レ蛇者説〕

【人物】①人。人のかたち。②人の性質。人がら。人品。③すぐれた人。才能のある人。人材。④人と物。

【人文】一人のふむべき道。人倫。二人類社会の文化。

【人文科学(學)】人類文化に関する学問の総称。政治・経済・歴史・文芸などをいう。

【人柄】一政治。民を治める基本をいう。▼柄は、もとの意。二国ひとどなり。人品。人の品格。

【人別】一人ごとに。ひとりひとり。二国①人民を一人一人数えた数。人口。②「人別帳」の略。

【人別帳】国江戸時代の戸籍簿。

【人望】多くの人が慕い望むこと。多くの人から人気があること。また、人々の期待。

【人牧】人民を養い治める人。人君をいう。また、諸侯。▼牧は、養う意。

【人民】たみ。社会を構成する人。国民。用例〔孟子、尽心下〕諸侯之宝三、土地・人民・政事。↓諸侯の宝は三つある。土地と人民と政治である。

【人面】①人の顔。②人の顔にかたどったためん。

【人面獣(獸)心】顔は人間だが心は獣。義理や人情をわきまえぬもの。〔漢書、匈奴伝賛〕

【人面桃花】美人の顔と桃の花。中唐の文人崔護の詩から出た語。以前、美人に会った場所で、再びその人に会えない意に用いる。崔護が桃の花の下で見そめた美女を忘れかねて翌年尋ねてみると、留守であったので、思慕の情を歌った詩を書き残して帰った。後に女はその詩を見て絶食して死んだ。これを聞いた崔護が死体に向かって呼びかけると、女は生き返ったという。〔本事詩〕

【人妖】①人がひき起こす怪しげな現象。悪政の結果として起こる変事。②人の形をした怪物。人のおばけ。

【人籟】人為をもって出す音。口笛や楽器の音の類い。↔天籟(三四九ページ下)・地籟(三〇三ページ上)。

【人力】一人の力。また、人間わざ。二国「人力車」の略。

【人倫】①人として守るべき道。五倫。五常。②人々。人類。③身内。肉親。「人倫之変」

【人類】人のたぐい。人間。〔荘子、知北遊〕

【為(爲)レ人】一生まれつき。ひとがら。用例〔史記、項羽本紀〕君王為レ人不レ忍。↓君王は人柄が人情もろく残忍なことができない。二人のために、また、人に知られようとして事を行う。用例〔論語、憲問〕今之学者為レ人。↓現代の学問する人は、人に知られるために学問をしている。

【強二人意一】人に心強く思わせる。

【兼レ人】人をしのぐ。また、一人で数人前のことをやる。

【後レ人】他人におくれをとる。劣る。

【適レ人】女性が結婚する。適人。

【不下以レ人廃(廢)上レ言】人柄が悪いからといって、その言葉をすべてしりぞけることはしない。用例〔論語、衛霊公〕君子不下以レ言挙上レ人、不下以レ人廃上レ言。↓君子は、良いことを言ったからといってその人を挙用することはせず、人柄が悪いからといってその人の言葉をすべて退けることはしない。

【無二人色一】①ひどくおそれて青ざめること。②飢えや疲れのために生き生きした顔色のないこと。

【用レ人宜レ取二其所一レ長】国人を挙用する場合は、その人の長所を生かしてやるようにするのがよい。〔青山延寿、皇朝金鑑〕

1【个】3画 164 唐コ カ 簡 箇 gè 4804 98A2 —

字義 ❶物や人を数える語。＝個(421)・箇(8770)。❷ひさし。母屋の四面にある細長い部屋。

解字 象形。もと、竹の一本の幹の象形。箇の別体。物を数える語に用いる。

1【亼】3画 165 漢シュウ(シフ) 呉ジュウ(ジフ) 中 jí 2O123

字義 あつまる。

解字 象形。三つのものが会合した形にかたどる。一説に、人と一の合字とし、指事とする。

2【化】4画 166 教3 カ・ケ ばける・ばかす 漢カ(クワ) 呉ケ 中 huà 1829 89BB

2〖化〗4画 167

〖匕〗1108 古字

筆順 ノ イ イ 化

字義 ❶かわる(かはる)。かえる。「変化」「気化」 ㋐形・性質・位置などがかわる。㋑あらたまる。新しいものになる。❷天地自然が万物を生成させる働き。「造化」❸聖人が人民をよい方に移し変える働き・教え。用例〔老子、五十七〕我無レ為而民自化(われなすことなくしてたみおのずからかす)。↓私が何もしないでいると、人民は自然に感化される。❹うまれる。うむ。「化生」❺ばける(ばく)。ばかす。形を変えて奇怪なものになる。「変化(ヘンゲ)」❻しぬ(死)。ほろびる。「遷化(センゲ)」❼てじな。魔術。❽風俗習慣。

名前 なり・のり　難読 化間(けま)が・化香樹(のぐるみ)・化女沼(けじょぬま)・化粧坂(けわいざか)

注意 化は、『康熙(コウキ)字典』では、匕部に所属する。

解字 金文 篆文 指事。左右の人が点対称になるような形に置かれて、人の変化、すなわち、人の死のさまから、一般に、かわるの意味を表す。化を音符に含む形声文字に、貨・囮(カ)などがあり、これらの漢字は、「かわる」の意味を共有している。

逆 悪化・羽化・欧化・王化・開化・感化・勧化・帰化・教化・功化・皇化・硬化・権化・純化・消化・浄化・神化・進化・聖化・遷化・造化・俗化・大化・退化・転化・同化・道化・徳化・鈍化・軟化・万化・美化・風化・物化・文化・変化

【化育】(カイク) 天地自然が万物を生じ育てること。

【化外】(カガイ) 天子の教化がとどかないこと。また、そのような遠方の土地。

【化言】(カゲン) ねなしごと。根拠のないいつわりごと。訛言。▼化は、訛の誤りという。

【化工】(カコウ) 造物者(宇宙・万物を創造した神)のしわざ。造化のたくみ。天工。

【化日】(カジツ) 太陽。

【化者】(カシャ) 死んだ人。死者。

【化粧・化△妝】(ケショウ・ケソウ) 紅・おしろいをつけて顔を美しく見せること。また、美しくかざること。

【化身】(ケシン) ①仏衆生(シュジョウ)を救うため神仏が人間の姿に形を変えてこの世にあらわれた、その形。神仏の生まれかわり。②国芝居で、妖怪(ヨウカイ)(ばけもの)をいう。

【化生】㊀(カセイ) ①天地・陰陽・男女の精気が結合して新しいものが生まれ出ること。また、うまれる。そだつ。②国生物の器官の形や機能が普通とはいちじるしく変化すること。変態。㊁(ケショウ) ①仏㋐母胎や卵からでなく、忽然(コツゼン)と生まれること。㋑化身。②国ばける。また、ばけもの。

【化成】(カセイ) ①感化されてりっぱになる。②形を変えて新しいものになる。

【化遷】(カセン) うつり変わる。

【化治】(カチ) ①教化し治める。②おさめて変化させる。つくる。こしらえる。

【化転(轉)】(ケテン) 仏教化して悪を善にうつり変わらせる。

【化△膿】(カノウ) 国うみを持つ。うむ。

【乗(乘)レ化】(カにジョウず) 自然の変化にまかせる。▼化は、万物を化育する自然の働き、造化の作用。用例〔東晋、陶潜、帰去来辞〕聊乗レ化以帰レ尽(いささかかにジョウじて、もってつくるにきせん)、楽二夫天命一復奚疑(かのテンメイをたのしみて、またなにをかうたがわん)。↓ともあれ自然の変化にまかせて、(自分の命が)尽きるのを待とう。あの天命というものを楽しみそれに安んじて、その上何を疑うことがあろうか。

2【介】4画 168 常 カイ 漢カイ・呉ケ 中 jiè 1880 89EE

筆順 ノ 人 介 介

字義 ❶たすける(たすく)。また、たすけ。助ける人。「介副」「介抱」❷なかだちする。人をひきあわせる。また、なかだち。仲人(なこうど)。→擯介(ヒンカイ)(六〇六ページ・下)。「仲介」「紹介」❸へだたる。へだてる。くぎる。わける。❹はさむ。はさまる。間にある。「介在」❺きわ(際)。さかい(界)。また、ほとり。❻よろい。また、よろいをつける。「介冑(カイチュウ)」「介士」❼こうら(甲羅)。貝殻。「魚介」❽かたい。堅く守る。❾ひとり。ひとつ。「孤介」❿よる(因)。たよる。⓫大きい。大きくする。「介福」⓬物を数える単位。個。个(カ)。国すけ。四等官で、国司の第二位。守(かみ)の次の位。

名前 あき・かたし・かつ・すけ・たすく・ゆき・よし　難読 介殻(かいがら)・介党鱈(すけとうだら)・介木(けぎ)・介良(けら)

解字 甲骨文 篆文 象形。よろいの中に入った人の象形で、よろい・くぎる・なかだちするの意味を表す。介を音符に含む形声文字に、价(カ)・界などがあり、これらの漢字は、「区切る」の意味を共有している。

逆 魚介・孤介・紹介・節介・仲介・媒介・厄介

【介意】(カイイ) 気にかける。心配する。介心。

【介介】(カイカイ) 世俗と相入れないさま。

【介懐(懷)】(カイカイ) 気にかける。心配する。介意。

【介居】(カイキョ) ①中間にある。介在。②たすけなく、独立している。介立。

【介護】(カイゴ) 病人などに付き添って、日常の世話をすること。

【介甲】(カイコウ) よろい。

【介在】(カイザイ) 間にはさまっている。中間にある。

【介士】(カイシ) ①よろいをつけた兵士。甲士。②節操の固い人物。志操堅固な人。

【介子推】(カイシスイ) 春秋時代、晋(シン)の文公の忠臣。介之推とも書く。文公に従って諸国を流浪したが、文公の帰国後、綿山(メンザン)(今の山西省介休市の東南)に隠れた。文公が呼び出そうとして山に火をつけたため焼け死んだと伝えられる。

【介△恃】(カイジ) たよる。▼恃は、たのむ意。

【介錯】(カイシャク) 国①世話。付きそい。後見。②切腹する人の首をはねること。

【介紹】(カイショウ) とりつぐ。ひきあわせる。紹介。

【介心】(カイシン) ①かたい心。②気にかける。介意。

【介石】(カイセキ) 固く節義を守る。

【介絶】(カイゼツ) ひとりぼっち。孤立。

【介然】(カイゼン) ①堅固なさま。②たちまち。また、しばらくの間。③ちいさいさま。また、大きいさま。④孤立しているさま。⑤気にかけるさま。こだわるさま。

【介虫(蟲)】(カイチュウ) 甲羅のある生物。かめや、かぶと虫など。

【介△冑】(カイチュウ) よろいかぶと。甲冑。甲鎧(コウガイ)。

【介添】(カイぞえ) 国①つきそい。手助け。②嫁入りのとき、実家から付きそっていき世話をする女性。

【介特】(カイトク) ①ひとりぼっち。②節操を守って世に迎合しないこと。また、その人。

【介入】(カイニュウ) 国人と人との間に入る。事件にわりこむ。

【介副】(カイフク) かいぞえ。付きそい。

【介福】(カイフク) 大きな幸福。

【介抱】(カイホウ) 世話をする。看病する。また、そのこと。

【介立】(カイリツ) ①ひとりだち。独立。②かたく節操を守って、世に迎合しない。

【介△鱗】(カイリン) 甲羅と、うろこ。貝類と魚類。

2【仇】4画 169 標 漢キュウ(キウ) 呉グ 因chóu 2156 8B77 一

字義 ❶あだ(讐)。かたき。うらみ。「仇敵」 ❷あだする。かたきとする。また、うらむ。にくむ。 ❸つれあい。あいて。仲間。

名前 とも 難読 仇浪

解字 篆文 形声。人+九音。音符の九は、逑に通じ、求める相手の意味。あいて・つれあいの意味を表す。

【仇英】キュウエイ 明代、十六世紀前半の画家。字は実父、号は十洲。太倉(今の江蘇省内)の人。明代随一の宮廷画家。
【仇怨】キュウエン うらみ。怨恨。
【仇家】キュウカ かたき。
【仇偶】キュウグウ つれあい。配偶者。
【仇隙】キュウゲキ 仲が悪いこと。不和。
【仇恨】キュウコン あだ。うらみ。仇怨。
【仇視】キュウシ かたきと見なす。敵意を持つ。
【仇△讐】キュウシュウ あだ。かたき。仇敵。
【仇人】キュウジン かたき。㊁あだびと 国うわきもの。
【仇敵】キュウテキ かたき。あだ。
【仇波】あだなみ 国表面だけに立つ波。かわりやすい人の心のたとえ。
【仇匹】キュウヒツ 仲間。つれあい。

2【今】4画 170 教2 コン・キン いま 熟字訓 今日・今朝・今年 漢キン・呉コン 侵jīn 2603 8DA1 一

筆順 ノ 人 亼 今

【今】186 俗字

字義 いま。㋐この時。現在。きょう。「現今」㋑今の時代。現代。「即今」「今日」㋒ただちに。すぐに。＝即(1197)。用例(史記、汲鄭伝)吾今召₂君矣₁。↓私は今すぐに君を呼び戻すつもりだ。㋓ここに。これ。㋔もし。あるいは。仮定の意を表す。用例(孟子、公孫丑下)今有₂殺ㇾ人者₁。/(十八史略、春秋戦国、燕)今、王必欲ㇾ致ㇾ士、先従ㇾ隗始。↓たとえば人を殺した者があるとしよう。↓今もし、王様がなんとしても賢人を集めたいとお思いならば、まずは私、隗(を厚遇すること)からお始めください。国いま。その上に。重ねて。もう。「今一度」

名前 いま 難読 今羽・今帰仁・今帰仁・今際

解字 甲骨文 金文 篆文 指事。甲骨文でもわかるように、ある物をすっぽりおおい含むさまを示し、陰・含などの意味に通じる意味を示したものであろうが、借りて、「いま」の意味に用いる。今を音符に含む形声文字に、欽・琴・禽・衾・衿・金・錦・吟・含・陰などがあり、これらの漢字は、「含み込んで、覆う」の意味を共有している。

逆 古今・昨今・自今・如今・即今・当今・方今・今治・今毛人・今来才伎・今良

【今雨】キンウ・コンウ 新しく交わった友。▼雨は、友と音通。↕旧雨(六四七ページ中)。
【今暁(曉)】コンギョウ けさ。きょうのあけがた。
【今月】コンゲツ この月。当月。㊁キンゲツ いまの月。現在、照っている月。
【今歳】コンサイ ことし。今年。
【今次】コンジ こんど。今回。
【今△茲】キンジ・コンジ ①ことし。今年。▼茲は、年の意。②ここに。この時。
【今時】コンジ いまの時代。当今。㊁いまどき 国このごろ。また、いまごろ。いま時分。
【今者】キンシャ・いま ①ちかごろ。このごろ。昨今。用例(史記、晏嬰伝)今者、妾観₂其出₁、志念深矣。↓さきほど、私があの方の外出なさるところを拝見しますと、思慮深そうなごようすでした。②今日。現在。用例(史記、項羽本紀)今者、項荘抜ㇾ剣舞。↓今、項荘が剣を抜いて舞っている。
【今春】コンシュン ことしの春。用例(唐、杜甫、絶句詩)今春看又過、何日是帰年。↓今年の春も、みるみるうちにまた過ぎてゆき、いったいいつ、故郷に戻って春を迎えることができるのだろう。
【今宵】コンショウ こんや。こよい。
【今上】キンジョウ 現在の天子。
【今生】コンジョウ ①いまの世。この世。②生きている間。生存中。
【今是△而昨非】いまはぜにしてサクはヒなり 今日(現在)は正しく昨日まで(過去)はまちがっていた。今是昨非。(東晋、陶潜、帰去来辞)
【今世】キンセイ・コンセイ 現代。
【今夕】コンセキ こんや。こよい。
【今昔】コンセキ・コンジャク いまとむかし。今古。㊁コンセキ ゆうべ。昨夜。
【今昔△之感】コンジャクのカン いまの時代と昔とをくらべて、時代の移り変わりのはなはだしいことに深く感じること。

【今人】キンジン いま生きている人。
【今草】キンソウ 晋・唐以後に作られた草書。「章草」に続くもの。⇩コラム 文字・書体の変遷(六三二ページ)。
【今体(體)】キンタイ・コンタイ ①いまよう。今風。現代風。②＝今体詩。
【今体(體)詩】キンタイシ 漢詩で、絶句・律詩・排律をいう。近体詩。⇩コラム 漢詩(八六六ページ)。
【今代】キンダイ いまの世。現代。
【今旦】コンタン けさ。今朝。
【今朝】コンチョウ けさ。
【今年】コンネン ことし。用例(唐、劉廷芝、代ₜ悲₂白頭₁翁ₜ詩)今年花落顔色改、明年花開復誰在。↓今年、花が散ってしまうと美しい顔の色も変わり、明年、花が咲いた時に昔ながらのすこやかな姿でだれがいるであろうか。
【今文】キンブン ①現代の文字。②漢代に通行した隷書をいう。↕古文(三四〇ページ中)。③いまの文章。
【今文学(學)】キンブンガク 今文経を研究する学問をいう。今文経は漢代通行の文字である隷書に書き改めた、易・書・詩・礼・春秋の五経のことで、儒家のテキスト。↕古文学(三四〇ページ中)。
【今様(樣)】キンヨウ いまの。いまどきの型。㊁いまヨウ 国①当今のはやり。当世風。②「今様歌」の略。
【今様(樣)歌】いまヨウうた 国①当今流行の歌。俗謡。②平安時代に新しくできた、七五調四句の謡物。
【今来(來)】コンライ ①いままで。「古往今来」②ただいま。

2【什】4画 171 漢シュウ(シフ) 呉ジュウ(ジフ) 緝shí, ⑥shén 2926 8F59 一

字義 ❶とお。とを。＝十(1152)。→十の参考。❷十人。十家。また、その組。「什伍」❸十倍。❹ふだん使用する器物。日用品。道具。「什物」❺『詩経』の雅と頌の各十編をいう。転じて、詩歌などの作品をいう。❻いかに。どんな。↓什麼。

難読 什麼生

解字 篆文 形声。人+十音。音符の十は、とおの意味。十人組の意味を表す。

【什一】ジュウイチ・ジュウイツ ①十分の一。一割。②商売上、一割の利益。③井田法で十分の一の地租をいう。→井田(六二ページ上)。
【存₂什一△於千百₁】ジュウイチをセンヒャクにソンす 千に十、百に一を残す。昔多かったものが、わずかしか残っていないこと。
【什器】ジュウキ ふだん使用する家庭道具。什物。
【什具】ジュウグ ふだん使用する道具。日用品。

【什伍】①十人または五人の兵卒の組。②五家または十家の組合。昔は五家を伍として、十家を什として組合を作り、連帯責任を負わせた。

【什伍連坐】五家、または十家の組合の中の家が罪を犯せば、組合全家が処罰されること。秦の商鞅が作った法。

【什襲】①幾重にも包む。②大切に秘蔵すること。珍蔵。愛蔵。

【什長】兵卒十人の長。

【什二】①十分の二。②商売上、二割の利益をいう。

【什伯】①十倍と百倍。②十人または百人の兵卒の組。

【什伯之器】普通の人に十倍百倍するほどの器量。また、武器ともいう。用例〔老子、八十〕小国寡民、使下有二什伯之器一而不上レ用。↓小さい国土に少ない人口で、普通の人の十倍、百倍するほどの才能がある人がいても用いさせない。

【什物】①日用の器具。什は十で、日用の器具は、何十と数えるほど多くあるからいう。②国秘蔵の宝物。什宝。

【什宝(寶)】家宝として秘蔵する宝物。

【什麼】いかに。どう。どんな。「什麼生（ソモサン）」の略。

2 【从】 4画 172 ジュウ 従(3419)の本字。→五六ページ上。 4826 98B8 —

2 【仍】 4画 173 漢ジョウ 呉ニョウ 蒸 réng 4827 98B9 —

字義 ❶よる(因)。したがう(従)。また、よって。したがって。❷しきりに。しばしば。❸なお。やはり。❹かさねる。また、重なる。❺すなわち(乃)。

解字 篆文 形声。人＋乃音。音符の乃は、胎児の象形。成人と胎児と世代が重なるさまから、かさなる・よるの意味を表す。

【仍貫】ふるい慣習に従って改めない。仍旧。

【仍旧(舊)】旧による。前のように。もとどおり。

【仍仍】①志を得ないさま。失意のさま。②多いさま。③しきりに起こるさま。

【仍然】やはり。もとどおり。

【仍孫】①自分から七代めの孫。②孫。

2 【仁】 4画 174 教6 ジン・ニ 漢ジン・呉ニン 眞 rén 3146 906D — 慣ニ

筆順 ノ イ 仁 仁

字義 ❶他者に対する思いやり。㋐したしみ。いつくしみ。愛情。用例〔論語、顔淵〕樊遅問レ仁。子曰、愛レ人。↓樊遅が仁について質問した。先生がおっしゃった、「人を愛することだ」。㋑なさけ。あわれみ。同情。用例〔論語、顔淵〕仲弓問レ仁。子曰、……己所レ不レ欲、勿レ施二於人一。↓仲弓が仁について質問した。先生がおっしゃった、「……自分の望まないことは、人にしてはならない」。／〔孟子、公孫丑上〕惻隠之心、仁之端也。↓あわれみの心は仁の萌芽である。㋒儒家における根本かつ最高の徳目・規範。義・礼・智・信とともに五常と呼ばれる。用例〔論語、顔淵〕顔淵問レ仁。子曰、克レ己復レ礼為レ仁。↓顔淵が仁について質問した。先生がおっしゃった、「私欲にうちかって礼にたち返ることが、仁である」。㋓人の心。また、心の本体。用例〔孟子、告子上〕仁、人心也。↓仁とは、人間が本来持っている心である。❷いつくしむ。したしむ。また、めぐみそだてる。用例〔老子、五〕天地不レ仁。以二万物一為二芻狗一。↓天地は(無為自然であり)仁愛などない。天地にとってはあらゆるものが(祭りがすむと棄てられてしまう)藁で作った犬のようなものだ。❸ひと。人間。＝人(163)。用例〔論語、雍也〕井有レ仁焉。↓井戸に落ちた人がいる。❹徳をそなえた人。用例〔論語、学而〕汎愛レ衆、而親レ仁。↓ひろく民衆を愛して、仁徳をそなえた人に親しみ学ぶ。❺仁にもとづいた政治。徳政。また、徳教。徳化。用例〔孟子、公孫丑上〕以レ徳行レ仁者王。↓徳で仁政を行う者が王者である。❻さね。果実の核中にあり、芽となるやわらかい部分。「杏仁キョウニン」

名前 きみ・きむ・さと・さね・じ・しのぶ・じん・ただし・と・とく・とし・とよ・に・にん・のり・ひさし・ひと・ひとし・ひろ・ひろし・まさ・まさし・み・めぐみ・めぐむ・やすし・よし 難読 仁宇布・仁歩・仁科・仁賀保・仁山・仁田・仁瓶・仁方・仁豊野・仁万・仁輪加

解字 甲骨文 篆文 形声。二＋人音。人と人との間に通う親しみの意味を表す。

逆 寛仁・至仁・上仁・親仁・同仁・不仁

【仁愛】いつくしみ。なさけ。また、いつくしむ。

【仁王】一ニオウ 仏仏法を守る神として、寺門の左右に立っている金剛力士。二王。二ニンオウ・ニンノウ 仏仁王経にみえる印度十六大国の国王。

【仁王経(經)】仏仏典の名。二巻。旧訳は鳩摩羅什訳、新訳は不空訳で、「仏説仁王経般若波羅蜜経」「仁王護国般若波羅蜜多経」という。この経を護持すると、七難が起こらず、災害が生ぜず、万民が豊楽であるといわれ、日本でも昔から、仁王会・仁王講などが行われた。

【仁恩】いつくしみ。なさけ。慈愛。

【仁義】①仁と義。孟子が特に仁義を併称して強調したので、また道徳の意にも用いる。用例〔孟子、梁恵王上〕王何必曰レ利。亦有二仁義一而已矣。↓王よ、どうして利益とばかり言う必要がありましょうか。王にもまた、仁義が必要なだけなのです。②国侠客などの間におこなわれた親分・子分の道、および初対面の挨拶アイサツ。

【仁誼】＝仁義①。

【仁君】①なさけ深い君。②他人に対する敬称。

【仁兄】友人に対する敬称。貴兄。大兄。

【仁恵(惠)】いつくしみめぐむ。また、あわれみ。仁慈。

【仁言】なさけ深いことば。

【仁公】他人に対する敬称。明公。

【仁厚】なさけ深くて親切なこと。

【仁慈】いつくしみめぐむ。また、いつくしみ。仁恵。

【仁者】一ジンシャ ①仁徳のある人。仁徳を体得した人。人格高潔の人。用例〔論語、子罕〕仁者不レ憂。↓仁の徳を備えた人は、むやみな心配をしない。②なさけ深い人。③乳母をいう。二ニンジャ 仏なんじ(汝)。人を呼ぶ称。

【仁者寿(壽)】仁者は道を楽しみ、外物に心が動かされないので長命を保つ。〔論語、雍也〕

【仁者無レ敵】仁者は広く人を愛するから、人々が心から帰服して、敵となって逆らうような者は一人もいない。〔孟子、梁恵王上〕

【仁者楽(樂)レ山】仁者は天命に安んじて、どっしりした山のように心が安定しているので、自然に動かない山を好む。用例〔論語、雍也〕知者楽レ水、仁者楽レ山。↓知恵のある人は流動的な水の姿を好み、仁の徳をそなえた人は安定した山の姿を好む。

【仁寿(壽)】仁徳があって長命である。

【仁獣(獸)】想像上の動物である麒麟キリンをいう。生物を食わず、生草をふまず、聖代に現れるという。

【仁術】ジンジュツ ①仁道を行う方法・手段。②医術をいう。

【仁恕】ジンジョ なさけ深くて思いやりがあること。

【仁心】ジンシン 仁の心。人を愛する心。

【仁人】ジンジン 仁徳のあるりっぱな人。仁者。

【仁瑞】ジンズイ 聖人が世を治めている時に現れるというめでたいしるし。鳳凰ホウオウ・竜・麒麟キリンなどをいう。

【仁声(聲)】ジンセイ 仁を行うという判断。仁聞。

【仁政】ジンセイ なさけ深い政治。

【仁沢(澤)】ジンタク 仁徳をもって他をうるおしめぐむこと。仁愛のめぐみ。

【仁弟】ジンテイ 上の者が下の者を呼ぶ敬称。

【仁徳】ジントク なさけ深い徳。㊁ニントク 国第十六代の天皇。

【仁風】ジンプウ ①仁徳による教化。仁徳は、風のように遠くまでとどくのでいう。②扇の別名。晋シンの袁宏エンコウが餞別センベツに扇を贈られた時、仁風を起こして民衆を慰めよう、と答えた故事による。〔晋書、袁宏伝〕

【仁聞】ジンブン ＝仁声。

【仮(假)仁】かるジンを 仁徳がないのに、表面だけ仁徳をよそおうこと。覇者の政治をいう。〔孟子、公孫丑上〕

2【仄】4画 (1213) ソク 厂部。→三三ジ下。

2【内】4画 (753) ダイ 冂部。→一丟ジ中。

2【仃】4画 175 テイ 酊(12369)と同字。→一四八ジ中。 2 0124 — 1635

2【仈】4画 176 漢ハツ 呉ハチ 黠 bā 2 0125 — —

字義 姓。

解字 形声。人＋八㊥。

2【仆】4画 177 ㊀フ 遇 pū ㊁漢ホク・呉ボク 職 4829 98BB —

字義 ㊀㊁❶たおれる。たおす。ふす。用例〔史記、項羽本紀〕樊噲側二其盾一以撞、衛士仆レ地。(樊噲ハンカイそのたてをそばだててもってつく。衛士エイシ地チにたおる。↓樊噲は持っていた盾を傾けると、それで突きのけて進んだ。番兵が地にたおれた。) ❷たおれ死ぬ。また、ころす。❸くつがえる。

解字 篆文 形声。人＋卜㊥。音符の卜ボクは、ポクッという音を表す擬声語。人がポックリたおれるの意味を表す。

【仆偃】フエン たおれふす。偃仆。

【仆臥】フガ たおれふす。寝る。

【仆僵】フキョウ たおれる。▼僵も、たおれる。

【仆死】フシ たおれて死ぬ。また、その死骸。

【仆斃】フヘイ たおれて死ぬ。斃死。

2【仏】4画 178 教5 ブツ ほとけ 4209 95A7 —

5【佛】7画 179 人 ㊀漢フツ 呉ブツ 物 fú ⑤fó ㊁漢ヒツ・呉ビチ 質 bì ㊂ボツ 月 bó 4839 98C5 —

筆順 ノ イ 仏 仏

字義 ㊀❶ほのか。かすか。＝彿(3407)・髴(13878)。「彷仏」❷もとる。さからう。＝払(4034)。❸ねじる。❹大きい。さかん(壮)。❺仏ほとけ。梵語ボン Buddha の音訳字。仏陀ダ・浮屠トとも音訳する。㋐本義は、覚者、すなわち道をさとった人。㋑釈迦カ。㋒仏教。㋓ほとけの形像。仏像。㋔慈悲深い人。❻フランスの貨幣の単位。仏郎。㊁たすける。補佐する。＝弼(3344)。㊂けしきばむ。顔色をかえる。また、おこる。国❶ほとけ。㋐死去した人。㋑柔和な人。人がらのよい人。❷国名。仏蘭西フランスの略。

名前 さとる・たすく・ほとけ 難読 仏子しぶ・仏掌薯つくいも・仏蘭西フランス・仏勒里達フロリダ

解字 篆文 形声。篆文は、人＋弗㊥。仿佛ホウフツという熟語で、それらしくありながら、はっきり見えないさまを表す擬態語として用いる。また、梵語ボン Buddha の音訳の省略形として、ほとけの意味に用いる。常用漢字の仏は、宋ソウ・元のころから用いられている俗字による。

逆 活仏・詩仏・持仏・儒仏・成仏・石仏・念仏・排仏・老仏

【仏宇】ブツウ てら。寺院。

【仏会(會)】ブツエ ①仏(釈迦シャカ)の説法の会座。②仏や菩薩ボサツの集まる所。③仏を礼する儀式。法事。

【仏縁】ブツエン ①仏道に入る縁。②仏の引き合わせ。

【仏果】ブッカ 仏を信仰することによって得られる、よい結果(むくい)。善い往生。成仏。

【仏戒】ブッカイ 仏のいましめ。仏の戒律。

【仏海】ブッカイ 仏の道。仏道を海の広いのにたとえていう。法海。

【仏閣】ブッカク てら。寺院。また、寺の建物。

【仏間】ブツま 仏(仏像・位牌ハイ)のまつってある室。

【仏龕】ブツガン 仏像を納める厨子ズシ。

【仏教】ブッキョウ 紀元前五世紀ころ、インドで釈迦牟尼シャカムニが開いた宗教。中国には、後漢の明帝の時(六七年)に伝来したという。

【仏経(經)】ブッキョウ 仏教の経文キョウモン。お経。仏典。

【仏具】ブツグ 仏をまつるのに用いる道具。

【仏家】ブッケ ㊀ ①浄土。②仏教の寺院。寺。㊁ブッカ 僧。

【仏偈】ブツゲ 仏教で、仏を賛美する歌。多くは一句四字から成る。

【仏語】ブツゴ ㊀ ①釈迦シャカのことば。釈迦の教え。②国仏教で使用することば。仏教語。㊁フツゴ 国「仏蘭西フランス語」の略。

【仏工】ブッコウ 仏像を彫刻する人。仏師。

【仏国(國)】ブッコク ㊀ほとけの国。インドをいう。㊁フッコク 国フランスの略称。中国では、法国という。

【仏骨】ブッコツ 釈迦シャカの骨をいう。舎利。

【仏刹】ブッサツ ㊀サツ・セツ 寺。寺院。㊁セツ 仏の国。仏の住む所。

【仏子】ブッシ ①仏道に入った人。仏の弟子。仏教徒。②(人がすべて仏性を持つということから)一切の衆生シュジョウをいう。

【仏師】ブッシ ＝仏工。

【仏事】ブツジ 仏に供養する行事。法事。法要。法会ホウエ。

【仏式】ブッシキ 仏教の儀式。特に、葬儀の仕方についていうことが多い。

【仏舎利】ブッシャリ 釈迦シャカの遺骨。仏骨。▼舎利は、梵語ボン śarīra の音訳で、身の意。

【仏者】ブッシャ ①釈迦シャカ。②僧。仏道の修業者。

【仏生会(會)】ブッショウエ 陰暦四月八日の釈迦シャカの誕生日に行う法会ホウエ。その立像に甘茶を灌そそぎかける。灌仏会カンブツエ。

【仏性】ブッショウ ①仏の本性。②一切の衆生シュジョウが持っているという、仏になりうる性質。③国情け深い生まれつき。

【仏心】㊀ブッシン 仏の慈悲深い心。㊁ほとけごころ 仏のように、さとりきった心。また、情け深い心。

【仏籍】ブッセキ ＝仏典。

【仏説】ブッセツ 仏の説いた教え。また、仏教の各種の説。

【仏祖】ブッソ 仏教の開祖。釈迦シャカをいう。

【仏葬】ブッソウ 国仏式で行う葬式。

【仏像】ブツゾウ 仏の姿を彫刻したり描いたりしたもの。

【仏足石歌】ブッソクセキカ 国奈良薬師寺の仏足石歌碑にきざまれた二十一首の歌。仏足石(釈迦シャカが入滅前に残したといわれる足裏のあとの形を石の上にきざんだもの)をたたえたもの。

【仏陀】ブッダ 仏梵語ボン Buddha の音訳。釈迦シャカをいう。→字義㊀❺。

【仏頂面】ブッチョウづら 国無愛想な(怒りを含んだ)顔つき。ふくれづら。釈迦の頭頂から生まれ出た仏頂尊のような顔つきの意。仏頂顔。
【仏弟子】ブッデシ ①釈迦の弟子。②僧。③仏教信者。
【仏典】ブッテン 仏教関係の書籍。仏籍。仏経。
【仏殿】ブッテン 仏を安置してある建物。寺。また、寺の本堂。仏堂。
【仏図(圖)】ブット 寺。また、寺の塔。浮図。浮屠。
【仏塔】ブットウ 寺の塔。
【仏道】ブツドウ 仏法の道。仏の説いた道。
【仏罰】ブツバツ 仏が加える罰。
【仏法】一 ブッポウ 仏の道。釈迦の教え。二 フッホウ 国フランスの法律の略。
【仏法僧(僧)】ブッポウソウ ①仏教でも最も重要な仏と法(仏道)と僧。合わせて三宝という。②ブッポウソウ科の鳥の名。霊鳥として名高い。
【仏名会(會)】ブツミョウエ 国昔、陰暦十二月十九日から三日間、宮中の清涼殿で行われた行事。一年間の罪障を滅ぼす目的で、僧に仏名経(お経の一つ)を読ませ、仏の名を唱えさせた。
【仏滅】ブツメツ ①仏の入滅。釈迦の死。②「仏滅日」の略。陰陽道で、この日は何を行うにも大悪とされている。
【仏門】ブツモン 仏が説いた道。仏道。
【仏△蘭西】フランス 国 France の音訳。ヨーロッパの国名。中国語訳は、法蘭西。
【仏老】ブツロウ ①釈迦と老子。老仏。②仏教と老子の教え。

2【仂】4画 180 一ロク 職 lè 二漢リョク・呉リキ 職 lì 4830 98BC —
字義 一❶あまり。数のあまり。❷十分の一。また、三分の一。二つとめる(務)。=力(992)。
参考 ⇩〔働〕(569)の参考。
解字 形声。人+力音。

2【仐】4画 181 国字 サン 傘(531)の俗字。→二三五ページ下。 20126 — 1636
参考 この字を分解すると八十になるところから、八十寿(八十歳、また、その祝い)のことを傘(仐)寿という。⇩コラム 年齢の別称(四六六ページ)。

3【以】5画 182 教4 イ 紙 yǐ 1642 88C8 —
筆順
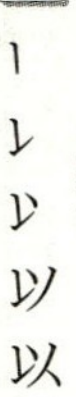

〔㠯〕3067 本字 〔目〕3068 俗字
字義 助 もって。もってす。と。ともに。ともにす。⇩助字・句法解説。
❶もちいる。使用する。
❷ひきいる(率)。用例〔史記、項羽本紀〕令下騎将灌嬰以二五千騎一追上之。⇩騎将の灌嬰に命じ五千騎をひきいて項羽を追わせた。
❸ゆえ。わけ。理由。用例〔唐、李白、春夜宴二桃李園一序〕古人秉レ燭夜遊、良有レ以也。⇩昔の人がともしびをともして夜まで遊び楽しんだのは、まことにもっともなことだ。
❹おもう。おもんみる。おもえらく。…とみなす。用例〔史記、張儀伝〕蘇秦自以不レ及二張儀一。⇩蘇秦は自分はとても張儀にはかなわないと思った。
❺より。から。「以東」「以上」 ❻はなはだ。=已(3064)。
❼すでに(已)。用例〔韓非子、五蠹〕公私之相背也、乃蒼頡固以知レ之矣。⇩公と私とが相反するのは、蒼頡ですらはじめからとっくにわかっていたことである。

助字・句法解説

❶もって。もってす。
㋐「以レA B(Aをもって Bす)」「B以レA(Bするに Aをもってす)」。訳 AでBする。Aを使ってBする。名詞などの前に置かれ、続く語が手段・方法・材料などであることを示す。用例〔韓非子、難一〕以二子之矛一、陥二子之楯一何如。⇩あなたの矛で、あなたの盾を突き通したらどうなるか。/〔論語、為政〕道レ之以レ徳、斉レ之以レ礼、有レ恥且格。⇩人民を導き治めてゆくのに道徳をもってし、人民を統制してゆくのに礼をもってすれば、人民は(犯した罪を)恥じるようになり、そして正しい道に進んでゆく。
㋑訳 …によって。…のために。名詞などの前に置かれ、続く語が理由・条件などであることを示す。用例〔論語、衛霊公〕君子不二以レ言挙一レ人、不二以レ人廃一レ言。⇩君子は、良いことを言ったからといってその人を挙用することはせず、人柄が悪いからといってその人の言葉をすべて退けることはしない。
㋒前の㋐㋑と同じであるが、強調のために倒置されることがある。用例〔論語、里仁〕参乎、吾道一以貫レ之。⇩参(曽参)よ、私の道は一つのことで貫かれているのだ。
㋓訳 そして。類而。順接の接続詞の働きをする。用例〔東晋、陶潜、帰去来辞〕雲無レ心以出レ岫、鳥倦レ飛而知レ還。⇩雲は自然のままに山のほら穴からわき出ており、鳥は飛ぶのにあきてはねぐらに帰って行くのを知っている。
㋔「以レA為レB(AをもってBとなす)」。訳 AをBと思う。AをBにする。用例〔戦国策、楚〕子以レ吾為レ不レ信、吾為レ子先行。⇩あなたが私のことを信用できないと思うなら、あなたの前を歩いてみせましょう。
❷と。ともに。ともにす。類与。用例〔儀礼、郷射礼〕各以二其耦一進。⇩各人はその仲間と前進する。/〔論語、微子〕誰以易レ之。⇩誰と一緒にこの状態を変えてゆこうとするのか。/〔詩経、召南、江有汜〕之子帰、不二我以一。⇩あの人は私と一緒にならずに嫁いでしまった。
【以為】おもう。おもえらく。「以レ為二B一(Bとおもう)」「以為B(おもえ(へ)らくBと)」。訳 Bと思う。①㋔のAが省略された形。用例〔戦国策、楚〕以為畏レ狐也。⇩狐をこわがっていると思った。

名前 い・これ・さね・しげ・とも・のり・もち・ゆき 難読 以仁王(もちひとおう)・以色列(イスラエル)・以太利(イタリア)
解字 甲骨文  篆文 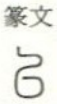 象形。甲骨文でよくわかるように、すきの象形で、すきを用いて耕すの意味から、転じて、用いるの意味を表す。㠯は以の古字。以は形声で、人+㠯(㠯の変形)音。㠯を音符に含む形声文字に、台・始・枱・怠・怡・胎・殆・飴などがあり、これらの漢字は、「堅い・厳しい事態が消えて、やわらぐ」の意味を共有している。始・胎・殆は、特に「前の事態が解消されて、新しい事態がはじまる」の意味を共有している。
【以為(爲)】おもえ(へ)らく ⇩助字・句法解説。
【以往】イオウ ①…からのち。以後。②国…からまえ。以前。
【以下】イカ …から下。…より後。
【以還】イカン ①…よりこのかた。以来。②以下。
【以後】イゴ ①…よりこのかた。その後。②今より後。

【以降】コウ …からこのかた。…からのち。以来。
【以心伝(傳)心】イシンデンシン 心から心につたえる。㋐仏言語で表すことのできない仏法の奥義を、師の心から弟子の心に伝えてさとらせること(弟子の側からいえば、それを無言のうちに心で知ること)。〔景徳伝灯録〕㋑国心がたがいによく通じ合い、ことばを用いないで意志が通ずること。
【以聞】イブン 天子に申し上げること。上聞。
【以来(來)】イライ ①…よりこのかた。その後。以降。②今より後。以後。自今。今後。

3【仟】5画 183 カン 旱 gǎn — — 1639
字義 長い。
解字 形声。人+干音。

3【仡】5画 184 一 漢キツ・呉コチ 物 yì 二 漢ゴツ・呉ゴチ 月 wù 1408 ED4D 1640
字義 一❶いさましい。❷頭をあげる。二舟などのゆれ動くさま。
解字 篆文 形声。人+乞(气)音。音符の气キは、上昇気流の象形。意気盛んな人の意味を表す。
【仡仡】一キツキツ ①勇ましいさま。②高く大きいさま。二ゴツゴツ 舟などのゆれ動くさま。
【仡然】キツゼン 元気よく勇ましいさま。

3【仚】5画 185 ケン 先 xiān 20128 — 1637
字義 ❶人が山の上にいるさま。❷とぶ。
解字 会意。人+山。

3【今】5画 186 コン — — 1637
今(170)の俗字。→七五ページ上。

3【仨】5画 187 サ sā — — 1642
字義 北方の方言で、三個。
解字 形声。人+三音。

3【仕】5画 188 教3 シ・ジ つかえる 漢シ・呉ジ 紙 shì 2737 8E64 —
筆順 ノ イ 仁 什 仕
字義 ❶つかえる。㋐官職につく。役人になる。また、つとめ。官職。「致仕」㋑しごとをする。❷つかえ。❸まなぶ。国つかまつる。㋐「つかう」の謙譲語。㋑「なす」「おこなう」の謙譲語。
名前 あきら・なり・まなぶ 難読 仕種しぐさ・仕舞屋しもたや
解字 金文 篆文 形声。人+士音。音符の士は、軍事などにたずさわる男性の意味。人を付し、つかえるの意味を表す。
逆 給仕・出仕・進仕・致仕・奉仕
【仕官】シカン 役人となって仕えること。
【仕儀】シギ 国事のなりゆき・ありさま。始末。
【仕進】シシン 役人になる。官職につく。仕官。
【仕度】シタク 用意する。準備する。→支度(六一九ページ中)。
【仕丁】ジチョウ 国①律令制で、成年男子に課された雑役。五十戸ごとに二人が割り当てられ、諸官庁で労役に使われた。②平安時代以降、貴族の家などで雑役に使われた使用人。

3【仔】5画 189 人 標 一 シ 支 zī 二 シ 紙 zǐ 2738 8E65 —
筆順 ノ イ 仃 仔 仔
字義 一たえる(克)。任にたえる。二❶こまかい。綿密。❷こ(子)。動物の幼少なもの。
名前 かつ・こ・し・とう
解字 形声。人+子音。
【仔細】シサイ 同子細。①こまか。綿密。また、くわしく。細かく。②国くわしい事情。

3【仢】5画 190 漢シャク 呉ジャク 薬 shuò
【仢】191 俗字
字義 流星。=彴シャク(3391)。
解字 形声。人+勺音。

3【仢】5画 191 シャク — — 1641
仢(190)の俗字。→七九ページ中。

3【仗】5画 192 漢チョウ(チャウ) 養 呉ジョウ(ヂャウ) 漾 zhàng 4831 98BD —
字義 ❶つえ(杖)。❷つく。つえつく。❸よる(倚)。たのむ。❹兵器。刀や戟ほこの総称。「兵仗」❺まもり。そなえ。唐代、天子・宮殿の兵衛。
解字 形声。人+丈音。
【仗衛(衞)】ジョウエイ 儀仗護衛。儀式に参列して護衛する兵士の隊。
【仗義】ジョウギ・ギによる 正義をたのみとする。正しい道に従う。
【仗剣(劍)】ジョウケン =仗レ剣ケンによる(一八五ページ上)。
【仗策】ジョウサク =仗レ策さくをつえ(杖)つく(一〇七八ページ上)。
【仗節(節)】ジョウセツ・セツによる 正しい道による。操を守る。

3【仞】5画 193 漢ジン 呉ニン 震 rèn 4832 98BE —
字義 ❶ひろ。深さ・高さを測る単位。両手をひろげた長さで、周尺の八尺(または七尺)という。「九仞の功」❷はかる。深さ・高さを測る。❸みちる。また、みたす。=牣(7132)。
解字 篆文 形声。人+刃音。音符の刃ジンは、やいばの意味。高さをはかるとき右手を上に左手を下に伸ばして、ちょうど刀のやいばを立てたような形になるところから、高さ・深さを測る単位の意味を表す。

3【仭】5画 194 ジン 4833 98BF —
【仭】194 俗字
仞(193)の俗字。→七九ページ中。

3【仙】5画 195 常 セン セン 先 xiān 3271 90E5 —
筆順 ノ イ 亻 仙 仙
【僊】563 同字 【僲】599 俗字 【僊】602 俗字 【僲】629 俗字
字義 ❶仙人。山に入って不老不死の術を修めた人。また、その術。❷俗界を離れた人。また、その場所。「仙郷」❸すぐれた。非凡な。美しい。「仙骨」「仙楽」❹詩歌・書画などの特に上手な人。「詩仙」❺天子に関する事物にいう。「仙遊」❻仙仙(僊僊)は、舞うさま。❼セント。アメリカ合衆国の貨幣単位centの音訳。
名前 せん・たかし・のり・ひさ・ひと 難読 仙人掌さぼてん・仙美里せんびり
解字 会意。人+山。山に住む人、せんにんの意味を表す。
逆 詩仙・酒仙・昇仙・神仙・水仙・登仙・飛仙・列仙
【仙衣】センイ ①仙人の着物。②高尚清潔で俗臭のない着物。
【仙掖】センエキ ①天子の御殿。▼掖は、宮殿。②翰林院カンリンインの別名。→翰林(一二六〇ページ下)。
【仙苑】センエン ①仙人の花園。②天子の庭園。
【仙果】センカ ①ふしぎな木の実。②桃の別名。
【仙娥】センガ ①仙女。天女。②美人。美女。
【仙駕】センガ 同仙輿セン。①仙人の乗り物。②天子の乗り物。
【仙界】センカイ 同仙郷。①仙人の住んでいる所。②俗気を離れた清浄の土地。
【仙客】センカク ①仙人。②鳥の名。㋐鶴つるの別名。㋑ほととぎすの別名。
【仙楽(樂)】センガク ①仙界の音楽。②たえなる音楽。この世のものとも思えないほどの美しい音楽。用例〔唐、白居易、長恨歌〕驪宮高処入青雲（リキュウたかきところ、セイウンにいり）、仙楽風飄処処聞（センガクかぜにひるがえ(へ)りて。ショショにきこゆ）。↓驪山の離宮の高いところは、はるか雲の中に入りこみ、この世のものとも思えない楽の音が、風のまにまにそこここから聞きとれる。

【仙去】センキョ ①仙人になって俗界を去ること。②死去。仙逝。

【仙郷（鄕）】センキョウ ＝仙界。

【仙窟】センクツ ①仙人の住んでいる所。▼窟は、岩屋。②俗世間を離れた清らかな住まい。

【仙骨】センコツ 仙人の骨相の意で、非凡な風采（フウサイ）をいう。

【仙才】センサイ ①仙人の持っている才能。②人なみすぐれた才能。主として詩文の才能にいう。

【仙山】センザン ①仙人の住む山。②仙人の住む島。

【仙子】センシ ①仙人。②女の仙人。仙女。

【仙姿玉質】センシギョクシツ けだかい姿と美しいからだ。気品の高い美人の形容。▼質は、体質。

【仙質】センシツ 俗離れした清らかな性質。脱俗の気質。

【仙術】センジュツ 仙人の行う不思議な術。

【仙女】センジョ・センニョ ①女性の仙人。②仙人のようにけだかく美しい女。美女。

【仙掌】センショウ ＝仙人掌①。

【仙逝】センセイ 俗界を去って仙界にゆく。人の死をいう。仙去。仙遊。▼逝は、往。

【仙籍】センセキ ①仙人の戸籍。仙人の名を記した札または帳簿。②朝廷の侍臣などの名札。③国㋐昔、殿上人（テンジョウびと）の出仕者の姓名を記し、その日の当番を示した名札。㋑蔵人頭（くろうどのかみ）の唐名。

【仙丹】センタン 仙人が練って作った薬。不老不死の薬。

【仙桃】セントウ ①桃の一種。仙人桃。②桃の木。仙果。

【仙洞】一センドウ 仙人の住んでいる所。▼洞は、ほらあな。二セントウ 国上皇・法皇。また、その御所。仙洞御所。

【仙人】センニン 多くは山に住み、穀物を食べず、不老不死の術を修め、変幻の事を行い、風を起こしたり、天にのぼったりするという人。道士の理想的人物。〔史記、秦始皇本紀〕

【仙人掌】センニンショウ ①仙人が掌（たなごころ）で盤（深い大きな皿）をささげた姿を像にして、これを空中高く銅柱で支え、天から降る甘露（清らかな露）を玉の粉にまぜて飲むと長生きするという。仙掌。②植物の名。さぼてん。

【仙蹕】センヒツ ①仙人が通行するときの先払い。②天子の行幸。

【仙筆】センピツ 非常にすぐれた書画、または詩文。

【仙風道骨】センプウドウコツ 仙人の風姿、道者の骨相の意で、俗気のない非凡な姿をいう。

【仙木】センボク ①桃の木の別名。②桃の木で造った護符。元日に戸口につけて、邪気を払うに用いる。

【仙薬（藥）】センヤク 飲めば仙人になれるという不思議な薬。

【仙遊】センユウ ①仙人のように自由に出かけ歩く。②天子の行幸。▼遊は、旅行の意。③俗界を離れて仙界に行く。人の死をいう。仙逝。

【仙輿】センヨ ①仙人の乗り物。②天子の乗り物。③国上皇・法皇の乗り物。

【仙李】センリ 老子をいう。老子の姓は李であることからいう。

3
【仟】
5画 196 セン 先 qiān　4834 98C0 一

字義 ❶かしら。千人の長。❷数の単位。千。→千(1155)の参考。❸南北に通ずる道。＝阡(13047)。

解字 形声。人＋千音。音符の千は、数の「せん」の意味。千人の集団の統率者の意味を表す。

【仟伯】センパク ①千銭と百銭。転じて、多数の意。千百。②たんぼの道。あぜ道。仟陌（センパク）。▼仟は南北に通じる道、伯は東西に通じる道。

【仟佰】センパク 千人の長と百人の長。

3
【他】
5画 197 タ 歌 tā　教3 タ ほか　3430 91BC 一

筆順 ノ イ 仆 仲 他

字義 ❶ほか。㋐別のことがら。別の人。異なったもの。よそごと。用例〔史記、晋世家〕人生安楽（ジンセイたのしみにやすんず）、孰知其他（たれかそのほかをしらん）。↓人生は楽しみに安んじていればよい、ほかのことなど誰がかまっていられようか。／〔孟子、梁恵王下〕王顧左右而言他（オウサユウをかえ(へ)りみてタをいう(ふ)）。↓王は左右(の臣下)をかえりみて、話題をそらした。㋑血族以外の人。また、自分以外の人。他人。↔己(3063)。❷三人称の代名詞。あの人。彼。彼女。あれ。▼広く自分・相手以外の人物・事物を指す。↔此(5991)。❸かの。あの。その。例の。❹ふたごころ。よこしまな心。異心。用例〔詩経、鄘風、柏舟〕之死矢靡他（シにいたるまでちかい(ひ)てふたごころなし）。↓死ぬまで浮気心は持たないと誓ったのです。

名前 おさ・た・ひと　難読 他処（よそ）・他所（よそ）・他人（あだびと）・他田（おさだ）

使いわけ ほか〔外・他〕⇩外(2226)。

解字 形声。人＋也音。もと、佗(268)の俗字。逆 自他・排他・利他

【他異】タイ 他と異なること。変わったこと。

【他意】タイ ①ほかの考え。別の考え。②ふたごころ。他心。他志。

【他郷（鄕）】タキョウ よその土地。故郷以外の土地。異郷。

【他言】タゲン・タゴン ①そのほかのことば。②ほかの人のことば。③ほかの人に話す(漏らす)こと。また、そのことば。

【他故】タコ ほかの事情。別の理由。

【他国（國）】タコク ①ほかのくに。他郷。②外国。

【他殺】タサツ 他人に殺されること。

【他山之石】タザンのいし ほかの山から出る粗末な石。それに価値はなくとも、自分が持っている宝玉をみがくのに役立つことから、自己の反省・修養の助けとなる、他人の悪い失敗などのたとえ。→他山之石可以攻玉（タザンのいしもってたまをおさむべし）。

【他山之石可以攻玉】タザンのいしもってたまをおさむべし 他山の石でも自分の持っている宝石を磨いて美しくするのに役立つ。他のいかなる悪い事がらも自分の反省・修養の役に立つというたとえ。〔詩経、小雅、鶴鳴〕

【他志】タシ ふたごころ。他心。異心。

【他時】タジ ①将来。いつの日か。②さきに。往時。

【他日】タジツ 別の日。いつか。㋐今日より以前のある日。前日。㋑今日より以後のある日。後日。

【他生】タショウ 仏ほかの世。今生（コンジョウ）に対して、過去または未来の世をいう。前生（ゼンショウ）または後生（ゴショウ）。他世。▼生は、生活している世の意。

【他世】タセイ・タセ 仏現世に対して過去または未来の世をいう。前世、または後世(来世)。他生。

【他席】タセキ ほかの宴席。また、隣席。

【他人】タニン ①ほかの人。自分以外の人。②国㋐血族以外の人。㋑親類縁者以外の人。㋒何のつながりや関係もない人。

【他年】タネン 別のとし。今年以外のある年。

【他聞】タブン 国ほか(関係者以外)の人に聞かれること。ひとぎき。外聞。「他聞を憚（はばか）る」

【他面】タメン 国①ほかの面。②別の側面。一方。他方。

【他門】タモン ①ほかの門。②ほかの家。③仏ほかの宗派。

【他力】タリキ ①国他人の力。他人の助力。↔自力（ジリキ）(二〇ジペー上)。②仏阿弥陀如来（アミダニョライ）の本願の力。浄土宗（ジョウドシュウ）で、衆生（シュジョウ）が極楽往生（ゴクラクオウジョウ）できるのは本人の力によるのではなく、如来の本願力によると説く。

【他力本願】タリキホンガン ①仏阿弥陀如来（アミダニョライ）の本願（過去世

に、一切の衆生(シュジョウ)を救おうとして発起(ホッキ)した誓願)の力によって極楽往生(ゴクラクオウジョウ)を遂げようとすること。②国自分は力を尽くさず、他人の力で事を遂げようとすること。


【他律】(タリツ) 国自分の考えからではなく、他人からの指図で行動すること。↔自律(二八〇ジ上)。

【他流】(タリュウ) 自分と異なった他の流派・流儀。

【無レ他】(タなし) ①ほかの原因・理由・方法があるのではない。これよりほかにはない。②ふた心がない。異心を持たない。

3
【代】
5画 198 教3 漢タイ・呉ダイ 隊 dài
ダイ・タイ かーわる・かーえる・よ・しろ
3469 91E3 —

筆順 ノ イ 仁 代 代

字義 ❶かーわる。かはる。❷かーわり。かはり。かわる者。❸かわるがわる。❹よ。㋐時代。時世。また、王朝。用例〔人虎伝〕未レ行ニ於代一(いまだよにおこなわ(は)れず)。㋑天子や元首がその地位にいる期間。❺よ。代々。❻中国の北方地域。現在の山西省北部から河北省西部あたり。良馬の産地。国❶ダイ。しろ。㋐代金。㋑かわり。「御名代(ゴミョウダイ)」㋒田地。「苗代(なえしろ・なわしろ)」❷しろ。㋐材料。㋑田地。

名前 しろ・だい・とし・のり・よ・より　難読 代田(しろた)・代内(しろない)

使いわけ
①かえる・かわる〔変・代・替・換〕⇩変(2211)。
②ダイ〔代・台〕
〔代〕年齢・年数の範囲を示す場合。「三十歳代」

〔台〕金額・時間・件数の範囲を示す場合。「一万円台・三十分台」

解字 篆文  形声。人＋弋音。音符の弋は、二本の木を交差させて作ったくいの象形。人がたがいちがいになる、かわるの意味を表す。

逆 永代・希代・今代・近代・現代・交代・色代・時代・昭代・上代・神代・身代・聖代・世代・先代・当代・年代・万代・百代・譜代・末代・名代・目代・累代

【代官】(ダイカン) ①先任と交代する新任の役人。②国㋐公職の事務を代行する人。㋑江戸時代、幕府の直轄地を支配した地方官。租税・戸籍などのことをつかさどる。

【代言】(ダイゲン) ①本人にかわって言う。②国「代言人(弁護人)」の略。

【代耕】(ダイコウ) ①官からもらう禄米(ロクマイ)。②仕官すること。土地を耕さずに生活すること。

【代興】(ダイコウ) かわるがわるおこる。

【代講】(ダイコウ) 本人にかわって講義をする。また、その人。

【代参(參)】(ダイサン) 本人にかわって神仏に参ること。

【代舎】(ダイシャ) 戦国時代、斉の孟嘗君(モウショウクン)が食客を住まわせた宿舎のうち、最上等の建物の名。接待役がかわるがわるもてなすのでいう。第二番目が幸舎、第三番目が伝舎。

【代△赭】(タイシャ) ①赤鉄鉱の一種で、中国の山西省代(ダイ)県に産する赭石。絵の具の材料となる。代赭石。②①を原料とする絵の具。また、その色。代赭色(タイシャいろ)。赤褐色。

【代謝】(タイシャ・ダイシャ) 次々と入れかわり移りかわること。代わり来(き)たり辞し去る意。新しいものが来て古いものと交替し、古いものは辞し去ること。▼謝は、去。「新陳代謝(陳は古)」

【代書人】(ダイショニン) 国官庁に出す届書・願書などを、本人にかわって書くことを職業とする人。

【代署】(ダイショ) 本人にかわってその人の名を記すこと。また、その書いた名。

【代序】(ダイジョ) 次々と入れかわる。順序を追って入れかわる。代叙。

【代償】(ダイショウ) ①本人にかわって損害をつぐなうこと。②国与えた損害に対して支払うつぐない。

【代代】(ダイダイ) ①次の世。歴代。累世。②永世。いつの世までも。よよ。

【代納】(ダイノウ) ①本人にかわって税金を納めること。②国他の物を代用して納入する。

【代馬】(ダイバ) 中国の北方、代(ダイ)の地に産する名馬。

【代馬依ニ北風一】(ダイバホクフウによる) 北の代(ダイ)の地から来た馬は北風(自分の故郷の方から吹いて来る風)の方に身を寄せる。胡馬嘶ニ朔風一(コバサクフウにいななく)。▼代は、良馬の産地。〔塩鉄論、未通〕

【代物】(ダイブツ) 国かわりもの。代品。㊀(ダイモツ) 国①品物を売った代金。②銭の別名。㊁(しろもの) 国①売買する品物。商品。②品物を売った代金。③美しい女性。④人をいやしめていう語。やつ。

【代弁(辨)】(ダイベン) ①本人にかわって弁償する。②正規の人に代わって事務をとる。

【代弁(辯)】(ダイベン) 本人に代わって言う。

【代△辦】(ダイベン) 本人にかわって事を処理する。

【代理】(ダイリ) 本人にかわって事をすること。また、その人。▼理は、治める、処理する。

3
【仛】
5画 199 ㊀漢タ 禡 chà ㊁漢タク・呉ダク 薬 tuō
— — 1638 —

字義 ㊀❶おとめ。少女。＝奼(タ)(2316)。❷おごる。㊁❶ほか。他。❷寄せる。頼む。＝侂(タク)(331)。

解字 形声。人＋乇音。

3
【仝】
5画 200 ドウ
0124 8157 —

同(765)の古字。→一五八ジ中。

3
【付】
5画 201 教4 フ 遇 fù
フ つーける・つーく
4153 9574 —

筆順 ノ イ 仁 付 付

字義 ❶つーける。つく。つけ加える。また、つーく。＝附(13073)。❷さずける。与える。渡す。「交付」「添付」❸たのむ。よせる。ゆだねる。託する。「付託」国❶つーき。㋐ゆえに。だから。㋑対して。関して。㋒さま。「顔付き」❷つーけ。かきつけ。勘定書き。

名前 とも　難読 付子(ぶす)・付知(つけち)

使いわけ
①フ〔附・付〕⇩附(13073)。
②つく・つける〔付・着・就〕
〔付〕くっつく。また、所属する。「利子が付く・味方に付く」

〔着〕届く。また、到着する。「手紙が着く・駅に着く」

〔就〕近づく。また、ある位置や仕事などに身を置く。「先生に就いて研究する・定職に就く」

なお、慣用表現では〔付〕を用いるのが一般的。「気を付け！・目に付く」

また、〔着〕や〔就〕は、漢語を和語風に言いかえた場合に多い。「眠りに就く(就眠)・席に着く(着席)」

解字 金文  篆文  会意。人＋寸。寸は、手の意味。人に手で物を与える・たのむ・つけるの意味を表す。付を音符に含む形声文字に、拊(フ)・腑(フ)・柎(フ)・祔(フ)・附などがあり、これらの漢字は、「手をつける」の意味を共有している。

逆 依付・下付・還付・寄付・給付・交付・返付

【付火】㊀(フカ) 火にくべる。火にくべて焼き捨てる。焼却。㊁(つけび) 国火をつける。火つけ。放火。

【付加】(フカ) つけ加えること。つけたすこと。附加。「付加税」

【付会(會)】(フカイ) こじつける。附会。「牽強(ケンキョウ)付会」

【付記】(フキ) つけたして書く。そえ書き。附記。

【付議】(フギ) 議に付する。会議にかける。附議。

【付△梓】シフ 梓に付する。版木にほる。書籍を出版する。上梓。▼梓は、版木にする木の名。

【付属(屬)】フゾク 一 たのむ。まかせる。また、いいつけ。たのみ。付嘱。二 つき従う。また、そのもの。附属。

【付嘱(囑)】フショク ＝付属一。

【付箋】フセン 必要なことを書くため、または、目じるしのためにはりつける小さな紙きれ。はりがみ。附箋。▼箋は、紙きれ。

【付則】フソク あとにつけたした規則。附則。

【付帯(帶)】フタイ ①つけたす。②主なものに伴うこと。附帯。「付帯条件」

【付託】フタク たのむ。まかせる。ゆだねる。また、たのみ。◆「付託」に似た語に「負託」があるが、「付託」に比し新しい用語である。単に「まかせる」「ゆだねる」のではなく、責任・任務を負わされているという意識が強い場合には、「負託」を用いる。「委員会に付託する」「国民の負託にこたえる」

【付与(與)・付予】フヨ あたえる。さずける。

【付録】フロク ①主な文書に付属した記録。つけたし。②書籍・雑誌・新聞などの本文以外につけたされた紙面、または別冊。附録。

【付和雷同】フワライドウ 自分に定まった考えがなく、わけもなく他人の説に賛成し、または行動すること。附和雷同。

3 【仏】 5画 202 ム mù 2 0127

字義 仏佬ムラオは、広西チワン族自治区内の少数民族の名。ムーラオ族。

解字 形声。人＋厶㊂。

3 【令】 5画 203 教4 レイ 4665 97DF

一 漢レイ・呉リョウ(リャウ) 敬 lìng
二 漢レイ・呉リョウ(リャウ) 庚 líng

筆順 ノ 人 𠆢 今 令

字義 一 ❶命ずる。いいつける。法令などを発布する。用例〔論語、子路〕其身正、不レ令行。⇩為政者自身が正しかったならば、たとえ命令しなくても正しい政治が行われる。❷みことのり。君主の命令。❸のり。おきて。法令。布告書。「律令」❹いましめ。おしえ。教訓。❺おさ。長官。「県令」❻よ-い。りっぱな。すぐれた。「令名」❼他人の親族に対する敬称。「令兄」❽文体の名。皇后・太子・諸侯などの命。二 助 し-む。し-めば。も-し。たと-い。⇩助字・句法解説。国 年齢の齢の当て字として用いることがある。「年令」

助字・句法解説

❶し-む。使役。「A令ニB ヲシテC一(セ)(A BをしてC(せ)しむ)」。訳 AはBにCさせる。A、Bは省かれることもある。類 遣・教・使。用例〔史記、廉頗藺相如伝〕秦王与ニ趙王一会飲、令ニ趙王鼓レ瑟。⇩秦王は趙王と会飲して、趙王に瑟をひかせた。

❷し-めば。仮定。「令ニB ヲシテC一(セ)(BをしてC(せ)しめば)」。訳 BがCだとしたら。類 使。①と類似の形をとるが、使役の意味を持たず、仮定を表すもの。「もし」と読むこともある。→③。用例〔唐、白居易、長恨歌〕但令ニ心似ニ金鈿堅一、天上人間会相見。⇩私たちの心を、この黄金や螺鈿のように堅固に保ってさえいたら、天上において、あるいはまた人間世界において、きっとお会いできる日がありましょう。

❸も-し。仮定。訳 もし…なら。類 使。用例〔史記、魏其武安侯伝〕今我在也、而人皆藉ニ吾弟一、令我百歳後、皆魚ニ肉之一矣。⇩今、私の存命中でも弟たちはつらい思いをしています。もし、私が死んだら、誰もが弟たちを魚や肉のように料理してしまうでしょう。

❹たと-い。も-し。仮定。訳 たとえ…だとしても。もし…であっても。多くは「仮令」「縦令」「設令」などのように連用して仮定を表す。用例〔前漢、司馬遷、報ニ任少卿一書〕仮令僕伏レ法受レ誅、若ニ九牛亡ニ一毛一、与ニ螻蟻一何以異。⇩たとえ私が法に従って死罪となったとしても、九牛が一毛を失うようなもので、小さな虫が殺されるのと変わりありません。

名前 なり・のり・はる・よし・れい 難読 令家むねよし・令宗よしむね・令法りょうぶ

解字 甲骨文 金文 篆文 会意。亼＋卩(㔾)。亼は集めるの意味とも、頭上にいただく冠の象形ともいう。㔾は、人のひざまずく形にかたどる。人がひざまずいて神意をきくさまから、いいつけるの意味を表す。令を音符に含む形声文字に、伶・冷・囹・怜・玲・嶺・羚・聆・鈴・零・領・齢などがあり、これらの漢字は、「ひざまずき神意に耳を傾ける」の意味を共有し、そこから「すがすがしい」の語感を伴う玲・冷・怜などの漢字も派生した。

逆 威令・家令・教令・禁令・訓令・軍令・月令・県令・号令・詔令・司令・辞令・制令・政令・伝令・発令・布令・法令・命令・律令

【令△尹】レイイン ①戦国時代の楚ソの最上位の官名。宰相に当たる。②後世、地方長官の別名。

【令岳(嶽)】レイガク よい岳父。他人の妻の父を呼ぶ敬称。

【令顔】レイガン 美しい顔。美人。

【令器】レイキ よいうつわ。よい材物。すぐれた才能。

【令△閨】レイケイ 他人の妻を呼ぶ敬称。令室。

【令月】レイゲツ ①よい月。②陰暦二月の別名。

【令厳(嚴)】レイゲン 他人の父を呼ぶ敬称。▼厳は、厳父。

【令甲】レイコウ ①最初の詔令。第一令。発布の順序によって、令甲・令乙・令丙と言った。②ひろく政令の意。

【令史】レイシ 文書をつかさどる下級の役人。

【令旨】一 レイシ 皇太后の命令。二 リョウジ 国 皇后・皇太后・皇太子・親王・王などの命令。

【令姿】レイシ 美しいすがた。

【令慈】レイジ 他人の母を呼ぶ敬称。▼慈は、慈母。

【令室】レイシツ 他人の妻の敬称。令夫人。

【令日】レイジツ よい日。めでたい日。吉日。

【令終】レイシュウ 物事の終わりをよくする。

【令淑】レイシュク 上品でしとやかなこと。

【令書】レイショ 国①命令書。②皇族がくださる書状。

【令緒】レイショ ①すぐれた功績や事業。②よいあとつぎ。他人のあとつぎを呼ぶ敬称。

【令女】レイジョ 他人のむすめを呼ぶ敬称。

【令称(稱)】レイショウ 同 令名。①よいほまれ・評判。②りっぱな名。

【令△丞】レイジョウ 長官と次官。

【令状(狀)】レイジョウ 国 官庁から出される命令書。

【令嬢(孃)】レイジョウ 国 他人のむすめを呼ぶ敬称。↕令息。

【令色】レイショク こびへつらうような顔色。また、人の機嫌をとるような顔色をすること。用例〔論語、学而〕巧言令色、鮮矣仁。⇩口がうまく、顔色をやわらげて人にこびへつらう人で、仁徳のある人はめったにいない。

【令△辰】レイシン よい日。めでたい日。吉日。佳辰。

【令人】レイジン よい人。りっぱな人。

【令正】レイセイ ①命令書を作ることをつかさどる官の長。②他人の妻を呼ぶ敬称。令政。令室。▼正は、政で、家政をする人の意。

【令声(聲)】レイセイ よい評判。令名。

【令婿(壻)】レイセイ よい婿。人の婿を呼ぶ敬称。
【令節(節)】レイセツ よい日。めでたい日。佳節。令日。
【令息】レイソク 国他人の男の子を呼ぶ敬称。よいむすこの意。令子。令郎。↕令嬢。
【令尊】レイソン 他人の父を呼ぶ敬称。りっぱな父の意。
【令台(臺)】レイダイ 国他人の妻を呼ぶ敬称。▼台は、御台所みだいどころの意。＝令正②。
【令典】レイテン ①おきて。法令。②よいおきて。立派なさだめ。
【令堂】レイドウ 他人の母を呼ぶ敬称。りっぱな母の意。
【令徳】レイトク りっぱな徳。美徳。善徳。
【令夫人】レイフジン 国①他人の妻を呼ぶ敬称。よい夫人の意。令室。②身分の高い人の妻の敬称。
【令聞】レイブン よいほまれ。よい評判。令名。令誉。
【令望】レイボウ ①よい評判。人気のあること。②りっぱな威儀。
【令名】レイメイ ①よい名。りっぱな名。②よい評判。好評。令聞。
【令誉(譽)】レイヨ ＝令聞。
【令郎】レイロウ ＝令息。
【令和】レイワ 国平成の次の元号。(二〇一九―)〔万葉集、五〕

4 【伌】6画 204 漢アイ 呉エ 卦 ài — — 1655

字義 苦しむ。困る。
解字 形声。人＋厄音。音符の厄ヤク＝アイは、苦しむの意味。

4 【伊】6画 205 囚 イ 支 yī 1643 88C9 —

筆順 ノ 亻 仁 伊 伊 伊

字義 ❶これ(此)。この。❷かれ(彼)。かの。❸これ。ただ。語調を整えるに用いる。❹川の名。→伊水。国 国名。伊太利イタリアの略。
名前 い・いさ・これ・ただ・よし 難読 伊尹これただ・伊賀和志いかわし・伊金いがね・伊砂いさご・伊雑いざわ・伊参いさま・伊寺水門いしのみなと・伊集院いじゅういん・伊吹いぶき・伊蘇普イソップ・伊曽保イソップ・伊弉冉尊いざなみのみこと・伊弉諾尊いざなぎのみこと・伊太利イタリア・伊達だて・伊丹いたみ・伊秩いぶ・伊統いとう・伊能いのう・伊弥頭いみず・伊富魚いとう・伊部いんべ・伊福いふき・伊福部いおきべ・伊良湖いらご・伊郎イラ
解字 甲骨文 篆文 形声。人＋尹音。音符の尹インは、おさめるの意味。治める人の意味を表したが、借りて、かれ・これの意味を表す。
【伊尹】イイン 殷インの賢相。湯王を助けて夏カの桀王ケツオウを討った。
【伊吾】イゴ ①言語の不明瞭フメイリョウなさま。②読書や歌声の形容。咿唔イゴ。③地名。ウイグルの音訳、伊吾盧イゴロの略。唐代の伊州。今の新疆シンキョウウイグル自治区哈密ハミ地区。
【伊水】イスイ 川の名。河南省西部を流れ、洛河ラクガに注ぐ。河岸に竜門の石窟セックツがある。伊河。伊川。
【伊川】イセン ①＝伊水。②北宋ホクソウの儒学者、程頤テイイの号。世人が伊川先生と尊称したことによる。
【伊達】だて 国①意気を競うこと。おとこ気を立てること。②いきな風をすること。③見えをはること。飾りよそおうこと。
【伊藤仁斎(齋)】イトウジンサイ 国江戸中期の儒学者。名は維楨これえだ、号は仁斎・古義堂。京都の人。古学を修め、京都の堀川に家塾を開いて教授した。著書に『論語古義』『孟子古義』『童子問』などがある。(一六二七―一七〇五)
【伊藤東涯】イトウトウガイ 国江戸中期の儒学者。伊藤仁斎の長子。名は長胤ながつぐ、字あざなは原蔵、東涯はその号。家学を継ぎ、特に経済・故実・制度に精通した。著書に『用字格』『制度通』などがある。(一六七〇―一七三六)
【伊洛】イラク ①伊水と洛水の二川。②程朱の学。伊は伊川、洛は洛陽。宋ソウの二程子(程顥テイコウ・程頤テイイ)が、学を伊洛の間に講じ、朱子もまた、その学統を受けたのでいう。
【伊呂】イリョ 殷インの伊尹イインと周の呂尚リョショウ。共に建国の功臣。
【伊呂波】いろは 国①いろは歌四十七字最初の三字。②いろは歌四十七字の総称。③けいこ事の初歩。

4 【仮】6画 206 教5 カ・ケ かり 熟字訓 仮名かな 1830 89BC —

9 【假】11画 207 一 漢カ 呉ケ 馬 jiǎ 二 漢カ 呉ケ 麻 xiā 三 漢カ 禡 jià 四 漢カク 呉キャク 陌 gé 4881 98EF —

筆順 ノ 亻 仁 仮 仮 仮

字義 一 ❶かり。かりの。㋐いつわり。にせ。「仮病」㋑かわりに。かわりの。❷かりに。もし。もしも。たとい。❸かりる(借)。㋐かりうける。㋑よる。❹かす(貸)。かし与える。貸与する。用例〔唐、李白、春夜宴二桃李園一序〕況陽春召レ我以二煙景一、大塊仮レ我以二文章一(いわんや陽春我を召くに煙景を以てし、大塊我に仮すに文章を以てするをや)↓まして暖かな春が、かすみたなびく春景色で、私を呼び招き、宇宙万物の造物主が、この私に詩文を作る才能を貸し与えてくれているのだから、なおさらである。❺ゆるす。ゆるくする。二 ❶はるか。とおい。＝遐(12151)。❷のぼる(升)。三 ❶かす(貸)。また、かりる(借)。❷ひま。いとま。＝暇(4824)。四 いたる(至)。
名前 はるか・より 難読 仮漆ニス・ワニス
解字 篆文 形声。人＋叚音。音符の叚カは岩石から取り出したばかりのあら玉、かりの意味。のち人を付し、かりの意味を表す。常用漢字の仮は俗字として用いられていたもの。
逆 給仮・告仮・賜仮・請仮・登仮
【仮寓】カグウ かりずまい。一時住んでいる所。
【仮言】カゲン ①うそ。②仮定のことば。③意味の深いことば。
【仮構】カコウ ①かりにかまえる。②無いことをかりにあるとすること。
【仮使】たとい もし。もしも。仮定のことば。
【仮字】カジ・かな ＝仮名二。
【仮日】カジツ ひまな日。暇日。
【仮借】一カシャ・カシャク ①他の助けをかりる。また、人のものをかりる。②ゆるす。見のがす。大目に見る。用例〔史記、刺客伝〕願大王少仮二借之一、使レ得レ畢二使於前一(願わくは大王少しく之を仮借し、使いを前に畢うるを得しめよ)↓どうか王様には、いましばらくのご寛容を賜り、使者としての役目を御前で果たさせてくださいますようお願いいたします。二カシャ 六書リクショの一つ。漢字の構成法の名。他の字の音義を借りて用いるもの。⇩コラム 六書(一四九ページ)。
【仮初】かりそめ 国①その時限りであること。しばし。②ふとしたこと。③まにあわせ。おろそか。
【仮称(稱)】カショウ ①かりに称する。偽って称する。②かりにつけた名。
【仮粧】ケショウ・ケソウ べに・おしろいなどで顔を美しくする。また、外観を美しくかざること。化粧。
【仮寝(寢)】一カシン かりね。うたたね。ごろね。二かりね 国かりの宿り。たびね。
【仮酔(醉)】カスイ 酔ったふりをすること。にせよい。
【仮睡】カスイ かりね。うたたね。仮寝。
【仮設】一カセツ かりにもうける。一時の間に合わせにつくる。二たとい かりに。もし。仮定のことば。
【仮説】カセツ ある事実・現象を合理的・体系的に説明できるように、かりに立てた説。
【仮葬】カソウ かり埋葬。
【仮貸】カタイ ①かす。また、かりる。②許す。大目に見る。
【仮枕】かりまくら 国①かりね。うたたね。②たびね。
【仮定】カテイ ①かりに定める。仮設。②＝仮説。
【仮寐】カビ うたたね。かりね。仮寝。
【仮病】ケビョウ 国にせの病気。病気のふりをすること。

【仮名】 一 通称。①かりの名。にせの名。②人の名を借りる。二 国漢字をもとに日本で作りだした表音(音標)文字。かたかなとひらがながある。↕真名(一〇〇ページ中)。⇩コラム 仮名(八五ページ)。

【仮名草子】 国江戸時代の初期に出版されたかな書きの平易な小説。

【仮面】 種々なものの顔に似せて作り、顔にかぶって用いるもの。めん。マスク。

【仮令】 ①もしも。かりに。仮定のことば。⇩令(203)の助字・句法解説④。②国㋐およそ。いったい。㋑たとえば。㋒かりそめ。いっとき。㋓たまたま。偶然。

4 【伙】 6画 208 カ(クヮ) 簡 huǒ — — 1660

字義 ❶傢伙は、家具。❷仲間。また、仲間になる。

解字 形声。人＋火音。

4 【会】 6画 209 教2 カイ・エ あ-う 1881 89EF —

曰9 〔會〕 13画 210 漢カイ(クヮイ) 呉エ(ヱ) 漢 huì, ⑪kuài 4882 98F0 —

〔會〕 4789 俗字

筆順 ノ 人 亼 会 会 会

字義 ❶あ-う。㋐出あう。行きあう。会わせる。用例〔史記、項羽本紀〕我持白璧一双、欲レ献二項王一、玉斗一双、欲レ与二亜父一、会二其怒一不二敢献一。↓私は白璧一対を項王に献上しようと思い、玉斗一対を亜父(范増)におくるつもりで持参したが、彼の怒りにあって、とても思いきってさしあげることができなかった。㋑まみえる。面会する。面会させる。対面する。「会見」㋒かなう。一致する。あてはまる。あてはめる。用例〔東晋、陶潜、五柳先生伝〕毎レ有レ会レ意、便欣然忘レ食。↓気持ちにかなうたびに、喜んで食事も忘れてしまうほどだ。
❷ふた。
❸あつまる。また、あつめる。同盟を結ぶ会合を開く。用例〔史記、廉頗藺相如伝〕欲下与レ王為レ好、会中於西河外澠池上。↓趙王と友好関係を結ぶために、黄河の南の澠池にて会合を開きたい。／〔唐、李白、春夜宴二桃李園一序〕会二桃李之芳園一、序二天倫之楽事一。↓桃の花の咲きかおる庭園につどって、兄弟たちの楽しい宴を繰り広げる。
❹あつまり。つどい。同盟の会合。「鴻門之会」❺かなめ。要所。❻とき(時)。おり。機会。❼であい。㋐物のであう所。あつまる所。「都会」㋑道の交差する所。よつつじ。㋒縫いめ。縫い合わせた所。❽さとる。理解する。「会得」❾たまたま。㋐偶然に。㋑ちょうどその時に。❿かなら-ず。きっと。用例〔唐、白居易、長恨歌〕但令三心似二金鈿堅一、天上人間会相見。↓私たちの心を、この黄金や螺鈿のように堅固に保ってさえいたら、天上において、あるいはまた人間世界において、きっとお会いできる日がありましょう。⓫かぞえる。はかる。考える。「会計」⓬え。＝絵(9135)。「図会」⓭あたう。できる。

名前 あい・あう・え・かず・さだ・はる・もち 難読 会地・会洲

使いわけ あう〔会・遭・合〕
〔会〕人と人とが顔をあわせる。また、皆があつまる。「恋人に会う・立ち会い演説」
〔遭〕思いがけないことにであう。また、災難にあう。「事故に遭う」
〔合〕一緒になる。…しあう。一致する。「慰め合う・計算が合う」

解字 金文  篆文  象形。金文は、こしきにふたをした形にかたどり、湯を沸かす部分と湯気を通す部分とふたとが、うまくあうの意味を表す。常用漢字の会は、省略体。會を音符に含む形声文字に、噲・膾・獪・絵(繪)・鱠などがあり、これらの漢字は、「ほどよく合わせる」の意味を共有している。

逆 佳会・期会・機会・議会・後会・際会・茶会・参会・社会・照会・図会・節会・大会・読会・付会・附会・仏会・法会・密会・面会・理会・領会

【会意】 ①心にかなう。会心。②漢字の構成法の名。六書の一つ。二つ以上の漢字を意味の上から組み合わせて新たな一字を作ること。⇩コラム 六書(一四九九ページ)。

【会△肄】 あつまり習う。

【会飲】 あつまって酒を飲む。

【会議】 ①あつまって相談する。また、その相談。②相談のために開く機関。

【会遇】 めぐりあう。出あう。また、会談する。用例〔史記、廉頗藺相如伝〕王行、度二道里一、会遇之礼畢還、不レ過二三十日一。↓王様のお出ましについて、行程をはかってみますと、会談の儀式がすんでお帰りになるまで、三十日をこすことはないでしょう。

【会計】 ①歳末の総決算。②金銭や物品の出納を計算すること。また、その人や係。③功績や政治などの結果をはかり考えること。④国㋐金銭の出納や管理をすること(人)。㋑代金の支払い。

【会稽】 ①山名。浙江省紹興市の南。春秋時代に、越王句践が呉王夫差に攻められてたてこもり、敗れた所。②地名。今の浙江省紹興市。

【会稽△之恥】 敗戦の恥辱。春秋時代の越王句践が呉王夫差に会稽山で敗れ、その後、国力の回復に心を砕き、常に「女、会稽の恥を忘れたるか」と自分を鞭韃し、ついに復讐をとげた故事による。〔史記、越王句践世家〕

【会元】 会試の第一等の合格者。→会試。

【会合】 ①寄りあつまる。また、あつめあわす。②あう。出あう。

【会試】 明・清代に行われた官吏登用の予備試験。各省で行った郷試の及第者(挙人)を都にあつめて行う第二次の試験。その及第者を貢士といい、更に宮中で天子が行う殿試に及第すると進士となる。

【会式】 仏①寺院で行う仏事の寄り合い。②日蓮宗で毎年十月十三日(日蓮の命日)に行う祭り。

【会日】 ①出あう日。会合する日。②期日。

【会者定離】 仏あう(あっている)者は必ず別れ離れる時がくるとの意。人の世の無常をいった語。▼定は、必。〔法華経〕

【会釈(釋)】 ①仏仏の教法を理解し解釈する。②国㋐人の気持ちを考える(思いやる)。㋑うなずく。㋒軽くおじぎをする。あいさつ。㋓相手になる。あしらう。応接。

【会△聚】 寄りあつまる。寄せあつめる。

【会食】 おおぜいが一か所にあつまって食事をすること。また、その宴会。

【会心】 心にかなう。気にいる。満足。

【会戦(戰)】 双方が出あって戦うこと。合戦。

【会沢(澤)正志斎(齋)】 国江戸末期の儒学者。名は安。字は伯民。正志斎はその号。水戸の人。藤田幽谷に学び、彰考館の総裁代理となり、のち弘道館教授・督学となった。その著『新論』は、幕末期の尊王攘夷運動に大きな影響を与えた。(一七八二—一八六三)

【会同】 ①寄りあつまる。また、人々のあつまり。寄り合

コラム

仮名

固有の文字を持たなかったわが国に漢字が初めてもたらされたのは、応神天皇の十六年（二八五）のことというが、さだかではない。しかし、だいたい三〜四世紀のころから朝鮮半島よりの渡来人がもたらす漢字文化に接し、ここに漢字を用いて日本語を表記する術を獲得していく。

それから後、雄略天皇十五年（四七一）の銘を持つ『稲荷山(いなりやま)古墳出土鉄剣』が発見されているが、その剣には「獲加多支鹵」（ワカタケル）などの固有名詞が金象眼されている。

これら銘文類に記される時期を経てのち、『古事記』（七一二）『日本書紀』（七二〇）の歌謡や『万葉集』に至って、漢字を表音文字として用いる万葉仮名が盛んに用いられるようになった。

稲荷山古墳出土鉄剣（左），およびその銘文（上）

海原波　加万目立多都
うなはらは　かまめたちたつ

この場合、「波」は助詞の「は」を表し、「なみ」の意味を表さない。これは漢字の六書でいう〈仮借(かしゃ)〉に似ている。これに文字・意味の〈名〉を付けて〈仮名〉と呼び、漢字を意味する〈真名(まな)〉と区別する。

この万葉仮名は便利な日本語表記術となったが、さらに能率的な速記術を求める要求は平仮名・片仮名の発達を促した。それは九世紀の初めころから見え始める。そして具体的には、

①草体化──→平仮名
②字画省略→片仮名

の二方向を取り、平安朝後半期には普及するに至る。

①は和歌・日記・物語・消息（手紙）などの場面で、②は漢文訓読を記録する男性の領域で、用いられた。次に古い仮名の一例を示す。

平仮名

ん	わ	ら	や	ま	は	な	た	さ	か	あ
无	和	良	也	末	波	奈	太	左	加	安
ん	わ	ら	や	ま	は	な	た	さ	か	あ

ゐ	り	い	み	ひ	に	ち	し	き	い
爲	利	｜	美	比	仁	知	之	幾	以
ゐ	り		み	ひ	に	ち	し	き	い
う	る	ゆ	む	ふ	ぬ	つ	す	く	う
｜	留	由	武	不	奴	州	寸	久	宇
	る	ゆ	む	ふ	ぬ	つ	す	く	う
ゑ	れ	え	め	へ	ね	て	せ	け	え
惠	礼	｜	女	部(阝)	祢	天	世	計	衣
ゑ	れ		め	へ	ね	て	せ	け	え
を	ろ	よ	も	ほ	の	と	そ	こ	お
遠	呂	与	毛	保	乃	止	曽	己	於
を	ろ	よ	も	ほ	の	と	そ	こ	お

＊平仮名・片仮名とも、明治33年「小学校令施行規則」に制定された字体による（いわゆる変体仮名を含まない）。

片仮名

ワ	ラ	ヤ	マ	ハ	ナ	タ	サ	カ	ア
和	良	也	末	八	奈	多	散	加	阿
ワ	ラ	ヤ	マ	ハ	ナ	タ	サ	カ	ア
ヰ	リ	イ	ミ	ヒ	ニ	チ	シ	キ	イ
井	利	｜	三	比	二	千	之	幾	伊
ヰ	リ		ミ	ヒ	ニ	チ	シ	キ	イ
ウ	ル	ユ	ム	フ	ヌ	ツ	ス	ク	ウ
｜	流	由	牟	不	奴	州	須	久	宇
	ル	ユ	ム	フ	ヌ	ツ	ス	ク	ウ
ヱ	レ	エ	メ	ヘ	ネ	テ	セ	ケ	エ
慧	礼	｜	女	部(阝)	祢	天	世	介	江
ヱ	レ		メ	ヘ	ネ	テ	セ	ケ	エ
ヲ	ロ	ヨ	モ	ホ	ノ	ト	ソ	コ	オ
乎	呂	与	毛	保	乃	止	曽	己	於
ヲ	ロ	ヨ	モ	ホ	ノ	ト	ソ	コ	オ

＊エチミメヰは訓仮名。他はすべて音仮名。
＊ンの字源は不明。
＊サ薩、ツ図・川、ヘ反・邊、マ万、エ恵などの説もある。

い。打ち合わせ。会合。②周代、諸侯たちが天子に拝謁すること。来朝。朝覲(チョウキン)。③川が合流する。

【会得】(エトク) 心にさとる。よく理解する。理解して身につける。

【会盟】(カイメイ) 諸侯(各国)があつまって盟約を結ぶこと。

【会面】(カイメン) 顔をあわせる。あう。対面。面会。用例（唐、杜甫、贈₂衛八処士₁詩）主称会面難(シュはショウすカイメンかたしと)、一挙累₂十觴₁(イッキョにジッショウをかさぬ)。↓主人は、再び会うことは難しかろう、と言い、一気に杯を十杯かさねた。

【会友】(カイユウ) ①同じ志の友をあつめる。また、同じ志のもとにあつまった友。②会の正式会員ではないが関係の深い人に与える称号。

【会猟(獵)】(カイリョウ) ①寄りあつまって狩りをする。②戦争をしかけることを遠まわしにいうこと。会戦。

4 【价】 6画 211 カイ 国 jiè 4835 98C1 ー

字義 ❶よ‐い(よ)。大きい。すぐれているさま。❷よろい。また、それを着た人。＝介(168)。❸使用人。下働きに使われる男性。

解字 篆文 形声。人＋介㊥。音符の介(カイ)は、よろいの意味。よろいをまとった人の意味を表す。

【价人】(カイジン) ①徳の高い人。②よろいを着た人。

4 【企】 6画 212 常 キ くわだ‐てる 2075 8AE9 ー
キ 寘 紙 qǐ

筆順 ノ 人 个 仐 介 企

字義 ❶くわだ‐てる(くはだつ)。たくら‐む。計画する。❷くわだて。たくらみ。計画。❸つまだ‐てる(つまだつ)。かかとをあげる。❹つまだって待ち望む。転じて、のぞむ。こいねがう。心をよせる。したう。

名前 き・もと 難読 企救(きく)・企元(のりもと)

解字 甲骨文 篆文 会意。人＋止。止は、足の象形。かかとをあげ、足をまっすぐ伸ばして遠くを望むの意味を表す。

【企画(畫)】(キカク) 国くわだてる。また、くわだて。はかりごと。

【企及】(キキュウ) くわだておよぶ。できる。ある事をめざし、努力してそれに追いつく。

【企業】(キギョウ) 国営利を目的とした事業を計画し、起こす。また、その事業。

【企羨】(キセン) のぞみしたう。企望。▼羨は、慕う。

【企図(圖)】(キト) ①くわだてはかる。もくろむ。②くわだて。もくろみ。

【企望】(キボウ) つまだって待ち望む。心から願い望む。跂踵(キショウ)。

4 【伎】 6画 213 常 キ 2076 8AEA ー
一 漢キ・呉ギ 紙 jì
二 漢キ・呉ギ 支 qí

筆順 ノ イ 仁 什 伎 伎

字義 一❶わざ。うでまえ。はたらき。才能。＝技(4056)。❷たくみ(巧)。たくみにする。❸わざおぎ(わざをぎ)。俳優。また、芸者。芸妓(ゲイギ)。二ゆるやかなさま。「伎伎」

名前 き・くれ・し・たくみ 難読 伎横笛(こまぶえ)・伎楽(くれがく)・伎人(くれ)

解字 篆文 形声。人＋支㊥。音符の支は、枝をささえ持つの意味。枝を持って演ずる、わざおぎの意味を表す。

【伎楽(樂)】(ギガク) ①俳優のする舞楽。②国インド・チベットに起こり、推古天皇の時(六一二年)に日本に伝わった舞楽。仮面をつけ、音楽に合わせて演ずる。呉楽(くれがく)。

【伎伎】(キキ) ゆるやかに歩むさま。

【伎巧】(ギコウ) たくみ。たくみな手わざ。技巧。用例（老子、五十七）人多₂伎巧₁(ひとギコウおおくして)、奇物滋起(キブツますますおこる)。↓巧みな技術が多くなればなるほど、奇怪なものが多く出てくる。

【伎能】(ギノウ) うでまえ。はたらき。わざ。技能。

【伎癢】(ギヨウ) 腕がむずむずする。技能のある人が、人のする技を見てはがゆく思うこと。

【伎倆】(ギリョウ) うでまえ。はたらき。技能。技量。▼倆も、わざ。

4 【休】 6画 214 教1 キュウ やす‐む・やす‐まる・やす‐める 2157 8B78 ー
一 漢キュウ(キウ)・呉ク 尤 xiū
二 ク 遇 xǔ

筆順 ノ イ 仁 什 休 休

字義 一❶やす‐む。やす‐める(やすむ)。やすらう。㋐いこう。休息する。㋑仕事をしない。❷や‐める(やむ)。㋐仕事・官職をやめる。用例（唐、杜甫、旅夜書₁懐詩）名豈文章著(なはあにブンショウもてあらわれんや)、官因₂老病₁休(カンはロウビョウによりてやむべし)。↓いくら詩や文章を書こうとも、我が名を世に知られることもなく、年老いて病気がちの身であれば、官職もやめてしまったのだ。㋑とめる。とどまる。用例（唐、杜甫、月夜憶₂舎弟₁詩）寄₂書長不₁達(ショをよするもながくタッせず)、況乃未₂休₁兵(いわんやすなわちいまだヘイをやめざるをや)。↓手紙を送ってもいつになっても届かない。ましてまだ戦争が終わらない現状では、弟たちのことがひとしお気になってならない。❸やす‐み。いこい。❹幸い。よろこび。また、喜ぶ。❺よい。うるわしい。りっぱな。❻や‐めよ。なかれ。禁止の語。用例（広瀬淡窓、桂林荘雑詠示₂諸生₁詩）休₂道他郷多₁苦辛₁(いう(ふ)をやめよタキョウクシンおお(ほ)しと)、同袍有₂友自相親₁(ドウホウともありおのずからあい(ひ)したしむ)。↓言ってはいけない。異郷にあって勉学するのはつらいなどということを。ここには、同じ綿入れを貸し合って着る親しい学友がいて、はげましあっているではないか。

二❶あたためる。＝煦(7066)。❷いたみなげく。いたみあわれむ。

名前 きゅう・たね・のぶ・やす・やすむ・よし

解字 甲骨文 金文 篆文 会意。人＋木。人が木により、憩うの意味を表す。また、転じて、身心の安息の意味から、さいわいの意味をも表す。休を音符に含む形声文字に、烋(キュウ)・鵂(キュウ)などがあり、これらの漢字は、「いこう・さいわい」の意味を共有している。

逆 帰休・行休・告休・罷休

【休偃】(キュウエン) やすみふす。やすみいこう。

【休暇】(キュウカ) やすみ。休日。

【休嘉】(キュウカ) 善いこと。喜ばしいこと。祝福。嘉祥。

【休休】(キュウキュウ) ①楽しんで安らかなさま。②美しく大きいさま。③つつましいさま。

【休咎】(キュウキュウ) よろこびとわざわい。禍福。吉凶。

【休慶】(キュウケイ) よろこび。さいわい。

【休憩】(キュウケイ) ＝休息。

【休歇】(キュウケツ) やむ。休む。休止。

【休光】(キュウコウ) ①美しい光。「日月之休光(ジツゲツのキュウコウ)」②りっぱないさお。丕績(ヒセキ)。

【休告】(キュウコク) ①官吏の休暇。②辞職を願い出ること。

【休舎】(キュウシャ) ＝休息。

【休祥】(キュウショウ) さいわい。休慶。

【休神】(キュウシン) 精神を休める。安心する。休心。

【休診】(キュウシン) 病院や医院で診察を休むこと。

【休戚・休慼】(キュウセキ) よろこびと、かなしみ。喜憂。用例（人虎伝）修与₂足下₁休戚同焉(サンとソッカとはキュウセキおなじ)。↓私、袁傪(エンサン)とそなたとは喜びも悲しみも共にする仲だ。

【休説】(キュウセツ) やすみいこう。＝休₂道(いう(ふ)をやめよ)(一四六六ページ下)。

【休息】(キュウソク) やすみいこう。休み。

【休惰】(キュウダ) やすみおこたる。休怠。

【休題】(キュウダイ) 話すことをやめる。話を転ずる。さて。▼題は、話題。「閑話休題」

【休沢(澤)】キュウタク 大きなめぐみ。うるわしいめぐみ。
【休致】キュウチ 官吏が老いのために辞表を出してやめること。
【休兆】キュウチョウ めでたいしるし。休徴。
【休徴】キュウチョウ めでたいしるし。めでたいきざし。吉兆。
【休典】キュウテン りっぱな法則。りっぱな手本。
【休図(圖)】キュウト 立派なはかりごと。
【休道】キュウドウ ＝休レ道(いうをやめよ)〔一四三六ページ下〕。
【休徳】キュウトク りっぱな徳。
【休寧】キュウネイ やすんずる。
【休範】キュウハン ＝休典。
【休名】キュウメイ ①よい名。②よい評判。
【休命】キュウメイ 偉大な命令。天や天子の命令にいう。
【休明】キュウメイ 立派であきらか。
【休△沐】キュウモク 官吏の休暇をいう。休暇を得て身体を洗う意。休浴。▼沐は、髪を洗う。
【休養】キュウヨウ ①休んで心身をやしなう。②租税を軽くし、兵士を休ませ、人民の財力や兵力をやしなう。
【休烈】キュウレツ すぐれて立派ないさお。休光。
【休和】キュウワ (世相・時代などが)やすらかで平和なこと。

4 【伋】 6画 215 キュウ(キフ) 緝 jí 1412 ― 1654

字義 ❶いそがしい。＝急(3499)。❷人名。孔子の孫、子思の名。→子思〔三八〇ページ下〕。

解字 篆文 形声。人＋及㊐。音符の及は急に通じ、いそがしいの意味。

4 【仰】 6画 216 常 ギョウ・コウ あお-ぐ・おお-せ 2236 8BC2 ―

㊀漢ギョウ(ギャウ)・呉ゴウ(ガウ) 陽 áng
㊁ゴウ(ガウ) 養 yǎng
慣コウ(カウ)

筆順 ノ イ 亻 化 仰 仰

字義 ㊀あお-ぐ。㋐頭をあげて上を見る。見上げる。「俯仰」㋑あお-むく。あお-のく。「仰臥」㋒あがめる。うやまう。「信仰」㋓たのむ(恃)。たよりすがる。㋔のむ。毒薬などをのむ。㊁たかい。国❶あお-ぐ。㋐命令。㋑おことば。❷おお-せ。ねがう。請う。❸おっしゃる。

名前 たか・もち 難読 仰烏帽子山(のきえぼしやま)・仰木(おおぎ)・仰有(おっしゃる)

解字 篆文 形声。人＋卬㊐。音符の卬は、あおぐの意味。のち、人を付した。

逆 渇仰・景仰・高仰・賛仰・信仰・俯仰
【仰△臥】ギョウガ あおむけにねる。
【仰仰】㊁ゴウゴウ 軍隊の士気の盛んなさま。態度の堂々たるさま。㊀ギョウギョウ 国「仰仰しい」は、おおげさなさま。仰山。
【仰△欽】ギョウキン あおぎしたう。
【仰山】ギョウサン 国①多いさま。②大きいさま。③おおげさ。おぎょう。
【仰視】ギョウシ あおぎみる。
【仰首】ギョウシュ 頭を上げる。上を向く。
【仰△韶】ギョウショウ・ヤンシャオ 地名。今の河南省三門峡市澠池(メンチ)県の村名。一九二一年、スウェーデンの考古学者アンダーソン博士により、新石器時代の彩陶文化の遺跡が発見された所。「仰韶文化」
【仰△瞻】ギョウセン あおぎみる。▼瞻は、見る。
【仰天】ギョウテン ①天をあおぐ。②国びっくりする。㋐嘆息するときのさま。㋑大笑するときのさま。
【仰不△愧二於天一】あお(ふ)いでテンにはじ(ち)ず 天に対して恥ずかしいところがない。心や言行の正しいこと。→三楽〔三ページ中〕。用例〔孟子、尽心上〕仰不レ愧二於天一、俯不レ怍二於人一、二楽也(あお(ふ)いでテンにはじ(ぢ)ず、フしてひとにはじ(ぢ)ざるは、二ラクなり)。↓(公明正大で、)上を向いては天に対して恥ずかしいところがなく、下を向いては他人に対して恥ずかしいところがないのは、第二の楽しみである。
【仰慕】ギョウボ うやまいしたう。
【仰望】ギョウボウ あおぎのぞむ。㋐頭を上げて遠くからながめる。㋑うやまいしたう。また、頼りしたう。

4 【伒】 6画 217 漢キン 呉コン 問 jìn ― ― 1656

字義 助ける。

解字 形声。人＋斤㊐。

4 【众】 6画 218 漢ギン 呉ゴン 侵 yín ― ― 1659

字義 人が多く立つ。

解字 会意。人を三つ合わせて、人が多いの意味を表す。

4 【件】 6画 219 教5 ケン 2379 8C8F ―

漢ケン・呉ゲン 銑 jiàn

筆順 ノ イ 亻 仁 仵 件

字義 ❶わける。区別する。❷くだり。個条。「条件」❸ことがら。もの。また、それを教えることば。「事件」「物件」国❸くだん。くだりの音便。㋐前に書いた(言った)物事。㋑前に書いた文面。→如レ件。㋒「くだんの」は、いつもの。例の。

名前 かず・なか・わか

解字 篆文 会意。人＋牛。人や牛や個々の物を、区別してかぞえる単位の量詞として用いられる。

逆 案件・事件・条件・人件・要件
【件件】ケンケン 一つ一つの事物。品々。どの件もみな。
【件数(數)】ケンスウ ①事件の数。②品物の数。
【如レ件】くだんのごとし 前に記したとおりである。

4 【仱】 6画 220 ₂0129 ― 1644

㊀漢ケン・呉ゲン 塩 qián
㊁キョウ 蒸 jìng
㊂漢キン・呉ゴン 沁

字義 ㊀仱侏(ケンシュ)は、音楽を演奏する人。㊁ほこる。また、つつしむ。＝矜(8108)。㊂北方の異民族の音楽。

解字 形声。人＋今㊐。

4 【伍】 6画 221 人 ゴ 麌 wǔ 2464 8CDE ―

筆順 ノ イ 亻 仃 伍 伍

字義 ❶くみ(組)。㋐五戸を一組とする行政上の単位。㋑五人を一組とする行政、または軍隊編成上の単位。❷なかま。ともがら。用例(人虎伝)生乃与二君等一為レ伍耶(われはすなわ(は)ちきみらとゴをなさんや)。↓おれがなんで君たちと仲間でいられようか。❸くみになる。仲間になる。まじわる。❹隊列。軍隊。「隊伍」❺いつつ。＝五(123)。→五の参考。

名前 あつむ・いつ・くみ・ご・とも・ひとし

解字 篆文 形声。人＋五㊐。音符の五は、いつつの意味。五人組の意味を表す。

【伍員】ゴウン 春秋時代、呉の政治家。楚(ソ)の人。奢(シャ)(?―前五二二)の子。字(あざな)は子胥(シショ)。父と兄が楚の平王に殺されたので、呉に逃げ、呉を助けて楚を討ち、復讐(フクシュウ)を果たした。後に太宰伯嚭(ハクヒ)の中傷により、呉王夫差から死を命ぜられた。(?―前四八五)
【伍長】ゴチョウ ①軍隊で五人の兵卒の長。②五家を一組とした隣組の長。③国旧陸軍の下士官の一階級。軍曹の下。兵長の上。
【伍伯】ゴハク ①＝伍長①②。②貴人の車馬を先導し、先払いをする人。③罪人に体刑を加える役の人。
【伍列】ゴレツ 隊列を組む。また、隊列。

4 【仵】 6画 222 ゴ 麌 wǔ ₂0130 ― 1646

字義 ❶あたる。また、相手。❷仵作は、検死係の役人。

解字 形声。人＋午㊐。

4【伉】6画 223 漢コウ(カウ) 漢kàng 二コウ(カウ) 陽gāng 4836 98C2 —

字義 一❶たぐい。㋐つれあい。配偶者。㋑相手。❷ならぶ。匹敵する。❸あたる(抗)。手向かう。❹たかい(高)。❺おごる。たかぶる。❻つよい。すこやか。「伉健」 二正直なさま。

解字 篆文 形声。人+亢㊥。音符の亢コウは、たかぶるの意味。心が高ぶってくる人、つれあいの意味や、おごりたかぶるの意味を表す。

【伉行】コウコウ おごりたかぶった行い。
【伉直】コウチョク 性質の正しくまっすぐなこと。正道を守って曲げないこと。〔史記、仲尼弟子伝〕
【伉礼(禮)】コウレイ 人との関係で対等に接すること。抗礼。
【伉△儷】コウレイ つれあい。夫婦。伉配。▼儷は、対の意。

4【合】6画 (1338) ゴウ 口部。→二四七㌻上。

4【伜】6画 224 サイ 倅(441)の俗字。→一一七㌻下。 4871 98E5 —

4【伀】6画 225 漢ショウ 呉シュ 四zhōng 20131 ED4F 1650

字義 ❶おおやけ(公)。ひろい。❷おそれる。❸夫の兄。また、舅しゅうと。

解字 形声。人+公㊥。

4【伈】6画 226 シン 漢xǐn — — 1653

字義 おそれる。びくびくする。伈伈は、おそれるさま。

解字 形声。人+心㊥。

4【全】6画 227 教3 ゼン まったく・すべて 3320 9153 —
入4【全】6画 228 漢セン 呉ゼン 四quán

筆順 ノ 入 亼 仐 仝 全

字義 ❶まったく。㋐すべて。用例(唐、王維、酌レ酒与ニ裴迪一詩)草色全経ニ細雨一湿、花枝欲レ動春風寒 ↓草の色はすべて細雨を経て潤い、花の枝はつぼみを開かせようとしているのに春風はまだつめたい。㋑ほんとうに。用例(唐、杜甫、南隣詩)錦里先生烏角巾、園収ニ芋栗一不ニ全貧一 ↓錦里先生は隠者さながら黒い四角の頭巾をかぶっており、その畑には芋や栗が採れるからまったくの貧乏というわけではない。❷まったし。㋐そなわっている。そろっている。欠けるところが無い。用例(周礼、考工記、弓人)得ニ此六材之全一、然後可ニ以為一レ良 ↓この六種の優れた材料がそろって、はじめてよい弓を作ることができる。㋑さわりがない。無事。用例(三国志、魏志、賈詡伝)家与レ身必倶全矣 ↓家族も私自身もきっと無事だろう。㋒なおる(治)。用例(周礼、天官、医師)十全為レ上、十失ニ一次レ之 ↓病人を完治させたものを最上とし、十分の九を治した者をその次とする。❸まっとうする。㋐そろえる。たもつ。完全に保持する。用例(後漢書、董卓伝)時衆軍敗退、唯卓全レ師而還 ↓そのとき諸軍は敗退したが、董卓だけは手勢を保って帰還した。㋑無事にやりぬく。なしとげる。用例(前漢、司馬相如、封禅文)願陛下全レ之 ↓どうぞ陛下におかれましてはこれ(封禅の儀)を無事にまっとうして終えていただきたい。❹あらゆる。すべての。用例(唐、張籍、没レ蕃故人詩)前年伐ニ月支一、城上没ニ全師一 ↓先年には月氏国の地を攻撃し、その城壁のほとりで全軍が大敗した。

名前 あきら・うつ・ぜん・たけ・たけし・たもつ・とも・はる・まさ・また・みつ・やす・よし 難読 全手葉椎まてばしい・全田まった・全剝うつはぎ

解字 篆文 籀文 会意。篆文は、入+工。入は、いり口の象形。工は、工具の象形。入口のある倉庫などに工具を保管するところから、たもつ・まっとうするの意味を表したものか。籀文チュウブンは、入+王。王は、玉の象形。常用漢字の全は、籀文を少し変形させた形。全を音符に含む形声文字に、栓セン・牷セン・痊セン・詮センなどがあり、これらの漢字は、「欠けるところがなく、たもつ」の意味を共有している。

逆 健全・十全・万全・保全・両全

【全軍】一ゼングン 軍隊全部。一軍。二グンをまったくす 戦場で一兵も失わぬこと。
【全功】ゼンコウ 偉大な功労。欠けたところのない功績。
【全治】ゼンチ・ゼンジ ①完全に治まる。②国病気が全快する。
【全真(眞)】ゼンシン 人間の本当の性を完全に保つ。
【全真(眞)教】ゼンシンキョウ 道教の一派。宋ソウ代の道士王嚞オウテツが、儒教の忠孝の説や仏教の戒律などを取り入れて始めた一派。一名、三教平等会。
【全人】ゼンジン ①道徳完備の人。聖人。②身体の完全な人。
【全性】ゼンセイ 天性をそこなわないで、りっぱに保つ。
【全盛】ゼンセイ ①まっさかり。用例(唐、劉廷芝、代下悲ニ白頭一翁上詩)寄ニ言全盛紅顔子一、応レ憐半死白頭翁 ↓一言申し上げたい、今を盛りの美少年たちよ、この死にかけた白髪頭の老人をぜひ気の毒に思ってほしい。②盛んに流行する。客が多い。
【全然】ゼンゼン まったく。そっくり。まるで。
【全体(體)】ゼンタイ ①全身。②完全な本体(本性)。③完全に物事をつかさどる。④すべて。のこらず。⑤国いったい。もともと。
【全知全能】ゼンチゼンノウ 国完全無欠の知識・能力。
【全唐詩】ゼントウシ 書名。九百巻。清シンの康熙コウキ四十二年(一七〇三)、彭定求ホウテイキュウらが編集した勅撰チョクセンの唐詩の総集。唐代の詩人二千二百余人の詩、約四万八千九百余首を収める。
【全唐文】ゼントウブン 書名。一千巻。清シンの嘉慶カケイ十九年(一八一四)、董誥トウコウらが勅命により編集した唐代散文の総集。『全唐詩』の体裁にならい、唐代の三千四十二人の文、約一万八千を収める。
【全徳】ゼントク 完全無欠な徳。
【全能】ゼンノウ 完全な才能。すべてをなし得る能力。
【全△豹】ゼンピョウ 豹の皮の全体。転じて、物事の全体。全貌。「一斑イッパンもて全豹を評す」
【全幅】ゼンプク ①布のはばいっぱい。②国あらんかぎり。全面的。満身。「全幅の信頼」
【全貌】ゼンボウ 全体のすがた。全体のかたち(ようす)。
【全本】ゼンポン 戯曲で首尾完結した本。浄瑠璃ジョウルリの丸本に相当する。

4【仲】6画 229 漢チュウ(チウ) 呉ジュウ(ヂウ) 送zhòng 教4 チュウ なか 熟字訓 仲人なこうど 3571 9287 —

筆順 ノ イ 仆 仲 仲

字義 ❶なか(中)。まんなか。「孟仲季モウチュウキ」❷二番目の兄。次兄。「伯・仲・叔・季」の第二番目。「仲兄」国❶なか。人と人との間がら。❷なかだち。「仲介」

名前 ちゅう・なか・なかし 難読 仲村渠なかんだかり・仲屋いすわ・仲丸子わにこ・仲

使いわけ なか〔中・仲〕⇨中(45)。

解字 甲骨文 篆文 形声。人+中㊥。音符の中は、なかの意味。長子(伯)と末子(季)の間の人の意味を表す。

逆 伯仲

【仲夏】チュウカ 夏三か月のまんなかの月。陰暦五月。中夏。

【仲介】チュウカイ　国①両者の間に立って世話をする。②なかだち。なこうど。仲人。
【仲間】なかま　国とも。くみ。同志。二チュウゲン　国侍と小者との間に位する武家の召し使い。
【仲弓】チュウキュウ　孔子の弟子、冉雍の字。→冉雍(二五七ページ下)。
【仲兄】チュウケイ　二番目の兄。次兄。
【仲裁】チュウサイ　国争う両者の間に立って仲直りさせること。
【仲尼】チュウジ　孔子の字。父母が尼山(今の山東省曲阜市内)に祈って生まれたからという。→孔子(三八一ページ下)。
【仲秋】チュウシュウ　秋三か月のまんなかの月。陰暦八月。→中秋(三六ページ下)。
【仲春】チュウシュン　春三か月のまんなかの月。陰暦二月。中春。
【仲商】チュウショウ　＝仲秋。五音を四季に配当すると商声が秋に当たるからいう。
【仲冬】チュウトウ　冬三か月のまんなかの月。陰暦十一月。中冬。
【仲人】一チュウニン　国なかだちや仲裁をする人。二チュウ・なこ(か)うど　国結婚のなかだちをする人。なかびとの音便。媒酌人。
【仲父】一チュウフ　父の弟。おじ。二チュウホ　君主がたよりにする家来を尊んで呼んだ称。㋐春秋時代の斉の桓公が管仲を称した。㋑秦の始皇帝が呂不韋を称した。
【仲由】チュウユウ　孔子の弟子子路。→子路(三八一ページ中)。
【仲陽】チュウヨウ　＝仲春。

4【伍】6画 230　テイ　低(275)の俗字。→九七ページ中。　―　―　1648

4【伝】6画 231　教4　デン　つた-わる・つた-える・つた-う　熟字訓 伝馬船・手伝う
一 漢テン 呉デン 先 chuán
二 漢テン 呉デン 霰 zhuàn
3733　9360　―

11【傳】13画 232　人　4903　9942　―

筆順　ノ　亻　仁　仁　伝　伝

字義　一❶つたえる。また、つたわる。つたう。㋐さずける。ゆずる。さずかる。ゆずられる。「直伝」㋑つぐ。つづく(続)。㋒のこす。のこる。のこされる。㋓ひろめる。ひろがる。「伝播」㋔いいつぐ。語りつぐ。「口伝」❷つたえ。㋐いいつたえ。㋑かきつたえ。古書。用例〔孟子、梁恵王下〕於伝有之。↓古書にございます。❸のべる。解釈する。❹とりつぐ。通ずる。「伝語」二❶宿つぎの馬車。宿場に備えられている乗り継ぎのための馬車。「伝車」❷宿場。うまつぎば。宿駅。❸わりふ。関所通過の手形。❹経書の解釈。注釈書。「春秋左氏伝」❺伝記。一代記。人の一代をしるした記録。「義民伝」「五柳先生伝」国つて。㋐ことづて。ひとづて。うわさ。㋑てづる。たより。

名前　ただ・つぐ・つた・つたう・つたえ・つとう・つとむ・でん・のぶ・のり・よし

難読　伝手・伝法林・伝法輪

解字　甲骨文 　篆文 　形声。人＋專音。音符の專は、めぐらすの意味。人から人へとぐるぐると事物をまわすの意味を表す。常用漢字の伝は俗字による。

逆　駅伝・外伝・家伝・記伝・経伝・口伝・誤伝・再伝・直伝・史伝・自伝・書伝・宣伝・相伝・俗伝・逓伝・秘伝・評伝・別伝・流伝・列伝

【伝駅(驛)】デンエキ　馬つぎば。宿場。宿駅。
【伝家】デンカ　①家業を子につたえる。②代々、家につたえる。
【伝家宝(寶)刀】デンカのホウトウ　国①代々、家につたわるたいせつな刀。②いざという時にだけ用いるもののたとえ。切り札。
【伝奇】デンキ　①めずらしいことをつたえる。②人生の奇を物語る、唐代に始まった文語体の短編小説。張鷟の『遊仙窟』、白行簡の『李娃伝』など。また、後世、それらの作品に多く題材をとった語り物や戯曲をもいう。
【伝記】デンキ　①人の一代のことをしるした記録。一代記。②賢人の書いた書を伝、事実をしるしたものを記という。
【伝呼】デンコ　ふれまわる。次から次へとふれつたえる。
【伝語】デンゴ　①ことばを出す。言う。②ことば・命令をつたえる。ことづてする。用例〔唐、岑参、逢入京使詩〕馬上相逢無紙筆、憑君伝語報平安。↓旅の馬上であなたに会ったので、紙と筆の用意もない。あなたに伝言を頼み、無事でいることを家族に伝えよう。③言いつたえ。
【伝香】デンコウ　①香をたきながらめぐり歩く。②仏法をつたえる。伝灯。
【伝国(國)璽】デンコクのジ　帝位をつぐものが譲り受けた玉製の印。秦の始皇帝に始まる。唐代には、伝国宝と呼んだ。
【伝賛(贊)】デンサン　史書などの中で、ある人物の伝記のあとに書きそろえる評論。論賛。
【伝車】デンシャ　宿つぎの車。宿駅の車。用例〔唐、李商隠、籌筆駅詩〕徒令上将揮神筆、終見降王走伝車。↓ただ上将軍の諸葛亮に神筆をふるって名文を書き上げさせただけで、結局は降伏した蜀の後主、劉禅が駅馬車を走らせて洛陽に送られるのを目にすることとなった。
【伝舎】デンシャ　①やどや。宿駅の旅館。②戦国時代、斉の孟嘗君が食客をおいた宿舎の一つ。→代舎(八一ページ中)。
【伝授】デンジュ　つたえさずける。秘伝などをつたえ教える。
【伝習】デンシュウ　師から教えられたことを復習する。
【伝習録】デンシュウロク　書名。三巻。明の王守仁(号は陽明)の語録を、門人の徐愛らが編集したもの。
【伝重】デンジュウ　家督をつたえる。また、そのつたえられた人。
【伝承】デンショウ　国(古くからあるもの、風習・信仰などを)つたえ受けつぐ。「民間伝承」
【伝状(狀)】デンジョウ　文体の名。伝記行状の文。⇩コラム 漢文(八六八ページ)。
【伝乗(乘)】デンジョウ　①宿つぎの車にのる。②他の車に乗りかえる。③宿駅においてある車。▼乗は、車。
【伝心】デンシン　言語や文字によらず、心から心につたえて自然に会得させる。「以心伝心」
【伝薪】デンシン　火がたきぎに燃えつたわる。師弟相つたえること。
【伝世】デンセイ　①後世につたえる。②子孫代々相つぐ。
【伝説】デンセツ　いいつたえ。昔から言いつたえてきた話。
【伝宣】デンセン　①仰せをつたえ述べる。②号令をつたえる官。
【伝染】デンセン　①うつしそめる。書画の墨つきのぐあい。②うつりそまる。つたわりうつる。③病気があるものから他の生物体にうつる。
【伝祚】デンソ　①さいわいを後世につたえる。②天子の位をつたえる。
【伝奏】一デンソウ　取りついで天子に申し上げる。二テンソウ　国親王・摂家・諸社及び武家等が天皇・上皇に申し上げることを取りつぐ役。
【伝達】デンタツ　指示・命令などを取り次ぎつたえる。
【伝単(單)】デンタン　宣伝びら。ちらし。また、呼び出し状。令状。
【伝注】デンチュウ　注釈。春秋の三伝(左伝・公羊伝・穀梁伝)、三礼(周礼・儀礼・礼記)の鄭玄注の類い。
【伝逓(遞)】デンテイ　①つたえわたす。宿場で受けついで送る。②男女間の手紙などのやりとりをする。③次々とつたえてゆく。
【伝灯(燈)】デントウ　仏仏法をつたえること。法灯をつたえる。灯は暗やみを照らす明かりで、仏法をいう。
【伝統】デントウ　①系統や血筋を受けつぐ。また、その系統、血筋。②昔からの風俗・習慣・思想などを受けつぐ。また、そのもの。しきたり。
【伝道】デンドウ　①古来の伝説。世につたえられている話。②昔の聖賢の教えを世につたえる。③キリスト教をひろめる。
【伝馬】一デンバ・テンマ　宿つぎの馬。駅馬。二テンマ　国「伝馬船」

人部 4画 (伍 伝)

の略。荷物の運送に用いるはしけ船。

【伝△播】(デンパ) それからそれへとつたわり広がる。デンパンと読むのは誤り。

【伝票】(デンピョウ) 会計事務で、金品の出し入れなどを簡単に書きこむ紙片。

【伝不レ習△乎】(つたえ(へ)られてならわ(は)ざるか) 『論語』学而編にみえる、曽参(ソウシン)のことば。先生からつたえられて、それを自ら学習しないことがなかったか。なお、「習わ(は)ざるを伝え(へ)しか」「伝を習わ(は)ざるか」など読み方に諸説がある。

【伝聞】(デンブン) 人づてやうわさなどにきく。つたえぎき。うわさ。

【伝芳】(デンポウ) 美名を後世に残す。流芳。

【伝法】(デンポウ) ①方法を授ける。また、秘伝の法。②旧法を守りつたえる。③仏仏法を受けつたえる。法脈をつたえる。伝灯。④国見せ物小屋・劇場などに入って無料で見物すること。転じて、悪ずれして乱暴なこと。昔、江戸浅草の伝法院の奴僕(ヌボク)が、寺の威光をかりて乱暴を働き、境内の見せ物小屋に押し入ったことに基づく。

【伝法肌】(デンボウはだ) 国①粗暴な気風。荒っぽい気質。②女性が男だてをまねること。③勇みはだ。

【伝来(來)】(デンライ) ①つたわってくる。渡来。②代々つたえてきたこと。

【伝令】(デンレイ) 命令をつたえる。また、その役。

4 **【伖】** 6画 233 ド 帑(3094)と同字。→四五四ページ中。 2-0132 — 1658

4 **【任】** 6画 234 教5 ニン まか-せる・まか-す
一 漢ジン・呉ニン 侵 rén
二 漢ジン・呉ニン 沁 rèn
3904 9443 —

筆順 ノ 亻 仁 仟 任

字義 一 ❶たもつ。保持する。うけあう。保証する。❷あたる(当)。❸た-える。㋐こらえる。しのぶ。㋑できる。よくする。❹おう。になう。かつぐ。また、荷物。かかえる。また、載せる。❺いだく。❻おとこ気。おとこだて。「任侠(ニンキョウ)」 二 ❶まか-せる。まか-す。㋐ゆだねる。「委任」㋑気ままにさせる。「放任」❷用いる。役目につける。↕免(707)。「任用」❸仕事。つとめ。役目。❹任地。命令を受けて職務にあたる地。

名前 あたる・じん・たえ・たか・たかし・ただ・たね・たもつ・とう・のり・ひで・まかし・まこと・よし 難読 任美(みたく・みたら)

解字 金文 篆文  形声。人＋壬音。音符の壬(ジン)は、長時間にわたって持続的にある重さの物を保つの意味を表す。

逆 一任・委任・解任・兼任・自任・重任・主任・昇任・常任・叙任・信任・責任・専任・選任・大任・退任・適任・転任・背任・赴任・放任・歴任

【任委】(ニンイ) まかせゆだねる。委任。

【任意】(ニンイ) ①心にまかせる。思うままに言動する。随意。②規則・命令などによらず、自己の意思によって言動をするにいう。「任意出頭」

【任気(氣)】(ニンキ) ①任侠(ニンキョウ)の気性。②血気や勇気にまかせて行動すること。

【任△侠】(ニンキョウ) 強者をくじき弱者を助け、義のためには命をも捨てること(気風)。男気。侠気。男達(おとこだて)。

【任子】(ニンシ) 父の官位のおかげで、官に任じられる人。

【任使】(ニンシ) ①仕事をまかせきって部下を使うこと。②使命を承諾すること。

【任重△而道遠】(ニンおもくしてみちとお(ほ)し) 背に負っている荷は重く、それを運ぶ道は遠い。責任の重大なことのたとえ。任務が重く、到達までの道が遠い。→死而後已(シしてのちやむ)(七八九ページ上)。用例〔論語、泰伯〕士不レ可三以不二弘毅一、任重而道遠(シはもってコウキならざるべからず、ニンおもくしてみちとお(ほ)し)。↓道に志す者は心が大きく強くなければならない。なんとなれば、背に負っている荷は重く、それを運ぶ道は遠いからだ。

【任他】(ニンタ) ①人まかせにする。他にまかせる。なりゆきにまかせる。②さもあらばさもあれ。ままよ。どうなろうとままよ。

【任那】(ミマナ) 古代、朝鮮半島南部にあった小国家群である伽倻(カヤ)の日本での呼称。『日本書紀』に現れる。一説に、伽倻の小国家の一つ、金官伽倻国を指す。

【任負】(ニンプ) ①背負う。になう。②(車などに)のせる。積む。

【任放】(ニンポウ) ①心のままに振る舞うこと。②うちまかせて捨てておくこと。③＝任他②。

【任命】(ニンメイ) 国役目を申しつけること。

【任免】(ニンメン) 役目を申しつけることと、やめさせること。任用と罷免。

4 **【伂】** 6画 235 ハイ 泰 pèi — — 1651

字義 顛伂(テンパイ)は、倒れること。＝沛(ハイ)(6202)。

解字 形声。人＋市音。

4 **【伐】** 6画 236 常 バツ
漢ハツ・呉バチ 月 fá
慣バツ
4018 94B0 —

筆順 ノ 亻 仁 代 伐 伐

字義 ❶う-つ。㋐兵力で攻める。用例〔十八史略、春秋戦国、呉〕呉伐レ越(エツをうつ)。↓呉は越を攻めた。㋑ころす。㋒たたく。楽器をたたく。❷き-る。木などを切る。用例〔唐、白居易、売炭翁詩〕売炭翁(バイタンオウ)、伐レ薪焼レ炭南山中(たきぎをきりすみをやくナンザンのうち)。↓炭売りのじいさん、終南山の山中で、たきぎを伐っては炭を焼いて暮らしている。❸ほこ-る。自分の功績を誇る。用例〔論語、公冶長〕願無レ伐レ善、無レ施レ労(ねがわ(は)くはゼンにほこることなく、ロウをほどこすことなけん)。↓自分の善行を自慢せず、つらい仕事を他人に及ぼさないようにしたい。❹そこなう。また、乱す。乱れる。もとる(悖)。❺てがら。いさお。

名前 のり

解字 甲骨文 金文 篆文 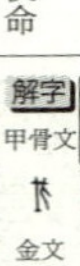 会意。人＋戈。戈は、ほこの意味。人にほこをあててきる、うつの意味を表す。

逆 功伐・殺伐・侵伐・征伐・討伐・放伐・濫伐

【伐閲】(バツエツ) ①功績と経歴。②功績や経歴のすぐれた家がら。

【伐△柯】(バッカ) 斧(おの)の柄にする木を切る。標準とすべきものが眼前にあるたとえ。『詩経』豳風(ヒンプウ)・伐柯の詩に「伐レ柯伐レ柯(カをきり、カをきる)、其則不レ遠(そののりとお(ほ)からず)」とあるのに基づく。

【伐採】(バッサイ) 木などを切りとる。

【伐性△之△斧】(バッセイのおの) 人の本性を切りそこなうおの。女色や僥倖(ギョウコウ)をいう。〔韓詩外伝、九〕

【伐氷△之家】(バッピョウのいえ) 卿大夫(ケイタイフ)の家。身分の高い家。昔、卿大夫の家だけが、喪祭に氷を伐(き)って用いることができたことからいう。〔大学〕

4 **【仳】** 6画 237 ヒ 紙 pǐ — — 1645

字義 わかれる(別)。はなれる。

解字 形声。人＋比音。

4 **【仯】** 6画 238
一 漢ソウ(サウ)・呉ショウ(セウ) 効 chào
二 漢ビョウ(ベウ)・呉ミョウ(メウ) 篠 miǎo
— — 1643

字義 一 仯仯(ショウショウ)は、小児。二 ❶僬仯(ショウビョウ)は、驚き恐れるさま。❷小さいさま。

解字 形声。人＋少音。

4 **【份】** 6画 239
一 ヒン 真 bīn
二 フン fèn
1-1409 — 1647

字義 一 文(外形の飾り)と質(内容・実質)とが兼ねそなわ

ること。＝彬(3383)・斌(4578)。「文質份份」 ㊁部分。また、そろい。組。

解字 形声。人＋分㊥。

4 【伕】 6画 240 フ 虞 fū ― ― 1657

字義 ❶むこ。娘の夫。❷現代中国語で、人夫。

解字 形声。人＋夫㊥。音符の夫は、成人男子の意味。

4 【伏】 6画 241 常 フク ふ-せる・ふ-す 漢フク・呉ブク 屋 fú 4190 959A ―

筆順 ノ イ 亻 什 伏 伏

字義 ❶ふ-せる。ふ-す。㋐うつむく。うつぶせになる。「俯伏」㋑下にかくれる。身をかくす。「潜伏」㋒待ちぶせする。㋓横になる。ねる。❷したがう。頭をたれて服従する。また、感服する。用例〔史記、項羽本紀〕騎皆伏曰、如二大王言一。↓騎兵たちはみな感服していった、「大王さまのおっしゃったとおりです」と。❸待ちぶせする兵。伏兵。❹陰暦六月の節の名。猛暑の時節。「三伏」❺夏祭り。

名前 やす・より 難読 伏丸・伏菟野・伏籠

解字 金文 篆文 会意。人＋犬。犬が人につき従うの意味。また、犬のように腹を地面につけてふせるの意味を表す。伏を音符に含む形声文字に、茯・洑・袱などがあり、これらの漢字は、「はらばう」の意味を共有している。

逆 帰伏・起伏・屈伏・降伏・三伏・山伏・雌伏・承伏・折伏・潜伏・調伏・拝伏・平伏

【伏以・伏△惟】 つつしんで考えますに。▼伏は敬意を表す、以・惟は思。

【伏雨】 長雨。

【伏謁(謁)】 平伏してお目にかかる。

【伏願】 つつしんでお願いしますことは。▼伏は、敬意を表す。

【伏△羲・伏戯(戲)・伏犠(犧)】 中国古代伝説上の帝王の名。文字を作り、狩猟や漁労・牧畜を教え、料理を始めたという。庖犠。

【伏剣】 身を剣の上に伏せて自殺する。

【伏甲】 ＝伏兵。▼甲は、よろいで武装した人。

【伏在】 表面に表れず、隠れていること。

【伏罪】 ①罪に従い服すること。②表面に表れない罪。

【伏△竄】 ふしかくれる。姿をかくす。ひそむ。

【伏士】 ＝伏兵。

【伏△屍・伏△尸】 ①たおれころがっているしかばね。②死体にとりすがる。

【伏事】 ①隠し事。秘密の事。②伏しつかえる。かしずく。

【伏日】 盛夏の日。→字義❹。

【伏暑】 盛夏の暑さ。伏熱。→字義❹。

【伏刃】 やいばに伏して死ぬ。伏剣。

【伏線】 国①文章などで、後述する事がらを前もってほのめかしておくもの。②後の事の準備として前もってそれとなく設けておくもの。

【伏奏】 平伏して天子に申し上げる。恐れつつしみながら天子に申し上げる。

【伏△弩】 奇襲の目的でかくし備えつけてある石弓。また、その石弓を射る兵士。

【伏匿】 ふしかくれる。ひそむ。

【伏読(讀)】 つつしんで読む。臣下が君主の詔勅などを読む場合に用いる敬語。

【伏熱】 ＝伏暑。

【伏波将(將)軍】 漢の武帝の時に置かれた、水軍を率いる武官の名。その威力が風波を静めるという意。

【伏兵】 不意をつくため、敵の来るのを待ち伏せしている兵。伏甲。伏士。

【伏魔】 ①魔ものを屈服させる。②かくれひそんでいる魔もの。

【伏魔殿】 ①魔ものがひそかにかくれている殿堂。②悪事をたくらむ人が大勢集まっている所をいう。

【伏流】 地下を流れる水。地下水。

【伏竜(龍)】 ひそみかくれている竜。世に知られていない大人物のたとえ。潜竜。臥竜。→伏竜鳳雛。

【伏竜(龍)△鳳△雛】 地中にひそむ竜と鳳凰のひな。将来大成する素質がありながら、まだその機会にめぐまれずかくれている人物のたとえ。三国時代、司馬徽が蜀の諸葛亮を伏竜に、龐統を鳳雛にたとえた。

【伏△櫪】 馬がうまやの中で寝ていること。転じて、人が才能をあらわさずにいるのにたとえる。「老驥伏櫪」

【伏△臘】 夏祭りと冬祭り。▼臘は、冬祭り。

4 【仿】 6画 242 ㊀漢ホウ(ハウ) 呉ボウ(バウ) 陽 páng ㊁ホウ(ハウ) 養 fǎng 1410 ― 1649

字義 ㊀さまよ-う。ぶらぶら歩く。＝彷(3396)。＝彷(3396)・髣(13871)。㊁❶ほのかに似たさま。❷まねる。ならう。＝倣(458)。

参考 熟語は〔彷〕(3396)をも見よ。

解字 篆文 形声。人＋方㊥。音符の方は、ならぶの意味。人と並ぼうとする、まねる・にるの意味を表す。

【仿効(效)】 ならう。まねる。倣効。

【仿△偟】 ぶらぶらさまよう。彷徨。

【仿△宋本】 宋代の刊本の行数字画など、そのままにまねた書物。

【仿仏(佛)】 同彷彿・髣髴。①ほのかに見えるさま。②よく似ていること。

【仿△佯】 ぶらぶらさまよう。彷徉。

4 【伃】 6画 243 ヨ 魚 yú 1411 ED50 1652

［妤］ 2340 同字

字義 ❶美しい。❷↓倢伃(二七ページ中)。

解字 篆文 形声。人＋予㊥。音符の予は、ゆるやか・のびやかの意味。のびやかで美しい人やものの意味を表す。

5 【位】 7画 244 教4 イ くらい イ(ヰ) 寘 wèi 1644 88CA ―

筆順 ノ イ 亻 仁 什 位 位

字義 ❶くらい。㋐ところ。位置。㋑朝廷などにおける人々の席次。㋒天子の地位。「在位」㋓官職などの階級。「官位」㋔身分。地位。㋕方角。方向。「方位」❷くらいする。位置をしめる。正しい位置にいる。いるべき所にいる。❸人に対して用いる敬語。「各位」国くらい。㋐品格。おもみ。㋑…ばかり。…ほど。

名前 い・くら・たか・ただ・ただし・つら・なり・のり・ひこ・ひら・み 難読 位田・位高

解字 金文 篆文 会意。人＋立。立は、たつの意味。人がある位置に立つの意味を表す。金文は象形で、人の立つさまにかたどる。

逆 栄位・冠位・官位・空位・勲位・顕位・在位・爵位・主位・譲位・正位・素位・贈位・即位・体位・品位・復位・方位・優位

【位階】 くらい。また、その等級。

【位官】 位と官。

【位極二人臣一】 臣下として最高の官位につく。〔三国志、呉志、孫綝伝〕

【位勲(勳)】 位階と勲等。勲位。

【位次】(ジイ) ①位の順序。位置の次第。②順序。位置。

【位勢】(イセイ) 地位と勢力。

【位△牌】(イハイ) 死者の名や戒名などを書いて死者になぞらえて祭る木のふだ。木主。

【位望】(イボウ) 地位と人望。

5 【佚】 7画 245 ㊀㊥イツ・㊐イチ 簡 yì ㊁㊥テツ・㊐デチ 簡 dié 4837 98C3 —

字義 ㊀❶たの-しむ。やすんじたのしむ。「愉佚」 ❷なまける。あそびなまける。「淫佚(インイツ)」 ❸のがれる。世をのがれかくれる。＝逸(12127)。 ❹ゆるがせにする。また、捨てる。忘れる。失う。「遺佚」 ❺うつくしい。なまめかしい。 ❻あやまち。過失。＝失(2248)。 ㊁❶ゆるい。おおまか。❷たがいに。かわるがわる。＝迭(12058)。

参考 現代表記では〔逸〕(12127)に書きかえることがある。「安佚→安逸」

解字 篆文 形声。人＋失㊥。音符の失は、それるの意味。まともな生活からそれた人、また、その生活の意味を表す。

【佚女】(イツジョ) ①美人。美女。②みだらな女性。

【佚△宕・佚△蕩】(イットウ・テットウ) しまりがない。おおまかなこと。跌宕(テットウ)。

【佚道】(イツドウ) 人民を安楽にさせるような政治のやり方。

【佚文】(イツブン) 散逸して伝わらない文章。逸文。

【佚民】(イツミン) 同逸民。①にげ去った人民。②世をのがれてかくれ住んでいる人。隠者。

【佚遊・佚△游】(イツユウ) 気ままに遊ぶこと。遊びなまけること。

【佚予(豫)】(イツヨ) 安んじ楽しむこと。

【佚欲】(イツヨク) みだらな欲望。

【佚楽(樂)】(イツラク) 遊び楽しむこと。

【佚老】(イツロウ) ①世をのがれた老人。②老人を安楽にさせる。

【以レ佚待レ労(勞)】(イツをもってロウをまつ) ＝以レ逸待レ労(一四三〇㌻上)。

5 【佒】 7画 246 ㊥ヨウ(ヤウ) ㊐オウ(アウ) 簡 yǎng — — 1676

字義 ❶偃佒(エンオウ)は、体の伸びないさま。❷偃佒(エンオウ)は、うつぶして物を取ることができない者。

解字 形声。人＋央㊥。

5 【何】 7画 247 教 2 カ なに・なん ㊀㊥カ・㊐ガ 簡 hé ㊁㊥カ・㊐ガ 簡 hè 1831 89BD —

筆順 ノ イ 仁 仃 何 何 何

字義 ㊀助 なに。なん。なん-の。なん-ぞ。いず-れ(いづれ)。いず-れの(いづれの)。いず-くに(いづくに)。いず-くにか(いづくにか)。⇩助字・句法解説。❶せめる。なじる。＝呵(1395)。❷なん-となれば。なぜなら。㊁になう(荷)。

助字・句法解説

❶なに。なん。なん-の。疑問・反語。訳どの。どのような。なにを。
事物について問う疑問詞。

用例〔史記、項羽本紀〕我何面目見レ之(われなんのメンボクありてこれにまみえん)。⇩私はどのような顔で彼らに会えようか(いや会えない)。

❷いず-れの(いづれの)。疑問・反語。訳いつの。どこの。
時間・場所を表す語を修飾する疑問詞。

用例〔唐、杜甫、絶句詩〕今春看又過(コンシュンみすみすまたすぐ)、何日是帰年(いづ(づ)れのひかこれキネンならん)。⇩今年の春も、みるみるうちにまた過ぎてゆき、いったいいつ、故郷に戻って春を迎えることができるのだろう。

❸いず-くに(いづくに)。いず-くにか(いづくにか)。疑問・反語。訳どこに…か。
場所について問う疑問詞。

用例〔唐、韓愈、左遷至二藍関一示二姪孫湘一詩〕雲横二秦嶺一家何在(くもはシンレイによこたわ(は)りて、いえ(へ)いず(づ)くにかある)、雪擁二藍関一馬不レ前(ゆきはランカンをヨウしてうますすまず)。⇩雲は秦嶺山脈にたなびき、私の家はどこにあるのだろうか(どこにあるかわからない)。雪は藍関あたりをおおい尽くして、馬も進もうとしない。

❹なん-ぞ。
㋐疑問・反語。訳どうして…か。類寧・庸・奚。

原因・理由について問う疑問詞。

用例〔孟子、梁恵王上〕王何必曰レ利(オウなんぞかならずしもリといわ(は)ん)。⇩王よ、どうして利益とばかり言う必要がありましょうか(そんな必要はありません)。

㋑詠嘆。訳なんと…であることよ。

㋐と同じ形で、詠嘆の意味を表す。

用例〔史記、項羽本紀〕是何楚人之多也(これなんぞソひとの おお(ほ)きや)。⇩なんと楚の国の人の多いことよ。


【何如・何若・何奈】

疑問・反語。性質・状態・可否の判断などについて疑問や反語の表現を作る。「如何・若何・奈何」と通用される場合もある(→㋓㋔)。

㋐いかん。訳どうか。どのようか。

文末に用いられ、性質・状態・可否の判断などを問う疑問文を作る。

用例〔韓非子、難一〕以二子之矛一陥二子盾一(シのほこをもってシのたてをとお(ほ)さば)、何如(いかん)。⇩あなたの矛で、あなたの盾を突き通したらどうなるか。／〔史記、蘇秦伝〕得二此三人者一以事二大王一(このサンニンのものをえてもってダイオウにつかえ(へ)ば)、何若(いかん)。⇩(曽参(ソウシン)・伯夷(ハクイ)・尾生の)三人を手に入れ、大王様にお仕えさせるとしたらいかがですか。

㋑いかん。いず-れぞ(いづれぞ)。「A何ヨ如B二(A Bにいかん)」。訳AはBと比べてどうか。類孰与。孰若。

比較の疑問を表す。「A Bにいず(づ)れぞ」と読まれることもある。

用例〔世説新語、任誕〕阮籍何ヨ如司馬相如一(ゲンセキ シバショウジョにいかん)。⇩阮籍は、司馬相如と比べてどうですか(どちらが優れていますか)。▼「ゲンセキ シバショウジョにいず(づ)れぞ」と読むこともできる。

㋒いか-なる。訳どのような。

名詞を修飾して、性質や時間などを問う。

用例〔史記、孔子世家〕孔子何如人哉(コウシはいかなるひとぞや)。⇩孔子はどのような人物か。／〔史記、扁鵲伝〕扁鵲曰(ヘンジャクいわ(は)く)、其死何如時(そのシするはいかなるときぞ)。⇩扁鵲が言った、「(虢(カク)国の太子が)亡くなったのはいつなのか」。／〔墨子、公輸〕此為二何若人一(これいかなるひととなす)。⇩(隣人が捨てる物を盗みとる者について)そのような人物をどのような人とお考えか。

㋓いかん-せん。＝如何・若何・奈何・那何㋐。

用例〔左伝、僖公九〕三怨将レ作(サンエンまさにおこらんとし)、秦・晋輔レ之(シン・シンこれをたすく)。子将二何如一(シまさにいかんせんとす)。⇩三人の公子が謀反を起こそうとして、秦・晋両国が支援しています。あなたはどうしますか。

㋔いかん-ぞ。＝如何・若何・奈何・那何㋑。

用例〔列子、湯問〕何若而不レ平(いかんぞたい(ひ)らかならざらん)。⇩どうして平らにできないことがあろうか、いや必ず平らにできるのだ。


【如何・若何・奈何・那何】

疑問・反語。手段・方法・処置などについて疑問や反語の表現を作る。「何如・何若」と通用される場合もある(→㋒)。

㋐いかん-せん。訳どうするか。どうしようか。どうしようもない。

主に文末に用いられ、手段・方法・処置などを問う疑問・反語表現を作る。名詞などの補語Aをとる時には、「如レAヲ何セン(Aをいかんせん)」の形になる。

用例〔列子、湯問〕如二太行・王屋一何(タイコウ・オウオクをいかんせん)。⇩太行山、王屋山をどうするのか。／〔論語、子罕〕天之未レ喪二斯文一也(テンのいまだこのブンをほろぼさざるや)、匡人其如レ予何(キョウひとそれわれをいかんせん)。⇩天がまだこの聖人の道を滅ぼしていない以上は、国の者どもがこの私をどうすることができようか(どうもできない)。/〔左伝、僖公十五〕晋侯謂二慶鄭一曰、寇深矣。若レ之何。⇩晋侯が慶鄭に言った、「敵がわが領土に深く侵攻してきた。どうしたらよかろう」。/〔左伝、襄公二十七〕趙孟曰、吾左遷入二於宋一、若レ我何。⇩趙孟が言った。我々が東まわりで宋の都に入ることにすれば、(敵は)我々をどうしようもないだろう。/〔史記、廉頗藺相如伝〕取二吾璧一、不レ予二我城一、奈何。⇩(秦が)私の璧を奪ったまま城をよこさなかったらどうするのか。/〔史記、項羽本紀〕騅不レ逝兮可二奈何一、虞兮虞兮奈レ若何。⇩騅の走り進むことのできないのはどうしたらよいか(どうしようもない)。虞姫よ虞姫よ、最愛のそなたをいかにしようか(もはや私の力ではどうすることもできない)。▼「可奈何」の形では、この例のように「いかんすべき」と読まれる。

㋑いかん-ぞ。反語。訳どうして…だろうか、…ではない。述部を修飾して反語表現を作る。名詞などの補語Aをとる時には、「如レAヲ何ッ(Aをいかんぞ)」の形になる。用例〔老子、七十四〕民不レ畏レ死、奈何以レ死懼レ之。⇩民が死を恐れない場合、どうして彼らを死でおどしたりできようか。/〔論語、先進〕有二父兄在一、如レ之何其聞斯行レ之。⇩父や兄がおられるではないか。どうして聞いたままをすぐに実行してよいだろうか。

㋒いかん。=何如・何若・何奈㋐。用例〔晏子春秋、問上〕景公問二晏子一曰、古之盛君、其行如何。⇩景公が晏子に聞いた、「昔の立派な君主の行いは、どのようであったか」。/〔唐、杜甫、復愁詩〕万国尚戎馬、故園今若何。⇩国中で戦乱が続き、故郷は今、どうなっているだろうか。/〔史記、項羽本紀〕為レ之奈何。⇩どのようにしたらよいだろうか。

【何為】なんす-れぞ。疑問・反語。訳どうして。なぜ。どうして…だろうか、いや…ではない。用例〔唐、李白、将進酒詩〕主人何為言レ少レ銭、径須二沽取対一レ君酌一。⇩主人よ、どうしてぜにが少ないなどというのか。ただちにぜひとも、酒を買って来て、客人たちにお酌をしなさい。

【何者】なん-となれば。理由。訳なぜならば。用例〔史記、儒林伝〕冠雖レ敝必加二於首一、履雖レ新必関二於足一。何者、上下之分也。⇩冠は、たとえ破れていても頭に乗せ、履物はたとえ新品であっても足に履いて踏みつける。どうしてかと言えば、それは上下の分であるからだ。

名前 いず・なに 難読 何故・何時・何処・何所・何卒・何方・何某・何鹿

解字 甲骨文 金文 篆文 甲骨文は象形で、人が肩に荷をかつぐ形にかたどる。荷の原字。金文から形声で、人+可音。になうの意味を表し、借りて、なになどの助字に用いる。

逆 如何・若何・幾何・無何

【何以】①なぜ。どうして。疑問・反語の語。②何物(何事)をもって。何物(何事)で。どんな事をして。

【何為(爲)】一 ⇩助字・句法解説。二 何の役に立とうか。何になろうか。反語の語。

【何為(爲)者】どういう人か。どんな身分・職業の人か。詰問または質問の語。用例〔史記、項羽本紀〕項王按レ剣而跽曰、客何為者。⇩項羽は剣に手をかけ、片膝をたてて言った、「お前は何者だ」。

【何許】いずれのところ。どこ。何処。何所。用例〔東晋、陶潜、五柳先生伝〕先生不レ知二何許人一。⇩先生はどこの人かわからない。

【何△遽・何△詎・何△渠】どうして。疑問・反語の語。

【何事】一 疑問。どんなこと。どうしたこと。なんということ。用例〔唐、高適、除夜作詩〕旅館寒灯独不レ眠、客心何事転凄然。⇩旅館の寒々とした灯火のもとで独り眠れずにいると、旅人の私の心はどうしたことかいよいよ寂しくなってゆく。二 ①何を仕事(職業)としているか。②どういう事を心掛けて努力しているか。三 ①何を仕事としたらよいか。②どういう事を心掛けて努力したらよいか。

【何者】一 いかなるもの。どんな身分・職業の人。二 ⇩助字・句法解説。

【何若】⇩助字・句法解説。

【何処(處)】不定の場所。どちら。どこ。用例〔唐、劉禹錫、秋風引〕何処秋風至、蕭蕭送二雁群一。⇩どこから吹いてくるのであろうか、この秋風は。さびしい音をたてて、雁の群を吹き送ってくる。

【何所】=何処。

【何如】⇩助字・句法解説。

【何則】上の語をうけて、その理由を述べることば。何者。

【何等】①なに。どれ。②どのような。③なにも。

【何奈】⇩助字・句法解説。

【何某】国人をそれと明らかに指し示さないでいう語。

【何有】何があろうか。反語。㋐何もない。㋑なんでもない。容易である。やさしい。

5 【伽】 7画 248 人 漢キャ・呉ガ 慣カ 歌 qié 1832 89BE ―

筆順 ノ イ 仂 伽 伽 伽

字義 梵語五十字母の一つ。カ・ガ・キャの音を表すに用いる。阿伽(水)・頻伽(鳥の名)の類い。国とぎ。㋐他人のたいくつを慰めるために、そばに居て相手をする。また、その人。「御伽噺」㋑看病する。また、その人。㋒寝所の相手をすること。

名前 とぎ 難読 伽利略

解字 形声。人+加音。梵語のカ・ガ・キャなどの音を漢字に書き表す時に用いる。

【伽△陀】仏梵語gāthāの音訳。仏を賛美する歌。梵唄。偈。

【伽羅】一 ①仏梵語tagaraの音訳、「多伽羅」の略。また、kālāguruの略ともいう。熱帯地方に産する香木の名。また、それで作った香。沈香。②国㋐禅家で用いる袈裟の一種。㋑よい物をほめていう語。㋒「伽羅色」の略。濃い茶色。二 国古代、朝鮮半島南部にあった小国家群をいう。また、弁韓をいう。

【伽藍】仏梵語saṃgha-ārāmaの音訳、「僧伽藍」の略。寺。仏道を修行する所。

5 【含】 7画 (1354) ガン 口部。→二五〇ページ中。

5 【佉】 7画 249 一 漢キョ・呉コ 魚 qū 二 漢キャ・呉カ 歌 qiā 1415 ― 1673

字義 一 ❶薄佉羅は、国の名。月氏国。❷佉楼は、仙人の名。二 佉沙は、唐代、西域の疏勒国の別名。

解字 形声。人+去音。

5 【佪】 7画 250 キョク 伷(310)と同字。→一〇三ページ下。 ― ― 1665

5
【佝】 7画 251

漢コウ 呉ク 宥 gōu　4840 98C6 一二

字義 背中がかがまり曲がる病気。また、その人。佝僂(ク ル)は、背の曲がった人。

解字 篆文 形声。人＋句音。音符の句は、クルッと曲がるの意味。背の曲がった人の意味を表す。

5
【估】 7画 252

コ 麌 gū　4838 98C4 一二

字義 ❶市場の税。取引税。商品税。❷あたい(価)。値ぶみ。価のみつもり。また、値ぶみする。❸う-る(売)。また、売る人。商人。

解字 形声。人＋古音。音符の古は、価(價)に通じ、あたいの意味。あきないをする人・あたいの意味を表す。

【估価(價)】(コカ) ①ねだん。売り値。②値段をつける。

【估客】(コカク) 商人。

【估券】(コケン) 同沽券(コケン)。国①土地の所有権を証明する手形。②定価を書いた札。③人間の値打ち。品位。

5
【佐】 7画 253

サ 箇 智 zuǒ　教 4　サ　2620 8DB2 一二

筆順 ノ イ 仁 什 佐 佐 佐

字義 ❶たす-ける(たすく)。補佐する。❷たすけ。㋐助力。㋑補佐する人。てつだい。㋒補佐役。次官。㋓下役。属官。㋔そえ(副)。❸勧める。国❶すけ。次官。兵衛府(ヒョウエフ)などの次官。❷軍隊の階級。将の下。尉の上。「佐官」

名前 さ・すけ・たすく・よし　難読 佐々(さざ)・佐佐生(さそう)・佐佐布(さそう)・佐志生(さしう)・佐手(さで)・佐代(さて)・佐伯(さいき)・佐武流山(さぶりゅうざん)・佐分(さぶり)・佐用(さよ)・佐里(さり)・佐理(すけまさ)

解字 形声。人＋左音。音符の左は、たすけるの意味。左のひだりの意味と区別するため、人を付し、人がたすけあうの意味を表す。

逆 王佐・賢佐・書佐・補佐・翼佐・僚佐

【佐久間象山】(サクマショウザン・サクマゾウザン) 国江戸末期の洋学者。信濃(しなの)(今の長野県)の人。名は啓。象山は号。幼少のころ朱子学を学んだが、後には洋学による国防の充実を図った。さらに鎖国をやめ開国することを主張したため、京都で尊王攘夷(ジョウイ)派に暗殺された。(一八一一―一八六四)

【佐弐(貳)】(サジ) 添えの役。補佐官。副官。

【佐証(證)】(サショウ) ①たすけとなる証拠。また、証拠。②たすけ証明する。立証する。

【佐藤一斎(齋)】(サトウイッサイ) 国江戸末期の儒学者。名は坦(タン)。一斎、また愛日楼と号した。美濃(みの)(今の岐阜県)岩村藩の人。昌平黌(ショウヘイコウ)の教官。朱子学を講じたが陽明学にも通じていた。著書に『言志四録』がある。(一七七二―一八五九)

【佐幕】(サバク) 国幕末時代、幕府の方針に同調したこと。また、その人たち。↔討幕(一三〇七ページ中)。

【佐命】(サメイ) 天命を受けた天子を補佐する意味で、建国の大業を補佐すること。そうして働いた人を「佐命の臣」「佐命の士」、その功績を「佐命の勲」という。

【佐△佑】(サユウ) たすける。

【佐吏】(サリ) 上役を助ける下級官吏をいう。属官。佐史。

【佐理】(サリ) 政治を補佐して国を治めること。▼理は、おさめる。

5
【作】 7画 254

一サク 薬 zuò 二サ 箇 慣サ　教 2　サク・サ　つく-る　2678 8DEC 一二

筆順 ノ イ 亻 竹 作 作 作

字義 一❶つく-る。㋐こしらえる。用例(周礼、考工記序)作レ車以行レ陸、作レ舟以行レ水。⇩車を作って陸を進み、舟を作って水を進む。㋑はじめる。はじめてつくる。用例(史記、楽書)聖人作レ楽以応レ天、作レ礼以配レ地。⇩聖人は音楽を創始して天のはたらきに対応させ、礼制度を創始して地のはたらきに相配させた。㋒書物をあらわす。また、文章・詩などをつくる。用例(史記、孟軻伝)述二仲尼之意一、作二孟子七篇一。⇩(孟軻(モウカ)は)孔子の意図を祖述して、『孟子』七編をあらわした。㋓たがやす。たつくる。「耕作」❷な-す(為)。㋐(反乱などを)起こす。用例(史記、五帝本紀)蚩尤作レ乱、不レ用二帝命一。⇩蚩尤は反乱を起こし、皇帝の命令に従わなかった。㋑おこなう。また、なしとげる。用例(唐、韓愈、東都遇レ春詩)得レ閑無レ所レ作、貴三欲辞二視聴一。⇩時間はあるものの何とてすることもないが、耳目をはたらかせることのないようにしたいと願う。㋒はたらく。用例(十八史略、五帝、帝堯)日出而作、日入而息。⇩日が昇れば働き、日が沈めば休む。㋓官職につける。任命する。用例(書経、舜典)僉曰伯禹作二司空一。⇩みな伯禹を司空にせよといった。㋔(ある状態・様子を)つくりだす。変化させる。用例(史記、仲尼弟子伝)田常忿然作レ色曰、子之所レ難、人之所レ易。⇩田常はむっとして顔色を変え、あなたが難しいといっているそのことは、他人はたやすいと考えるものです(まるきりあべこべではないですか)。❸な-る。㋐変化する。用例(唐、白居易、長恨歌)在レ天願作二比翼鳥一、在レ地願為二連理枝一。⇩大空では翼をならべて飛ぶ鳥になりたい、地上では枝と枝とがつながりあった二本の木となりたい。㋑官職につく。用例(書経、舜典)汝作二司徒一。⇩そなたは司徒となれ。❹おこ-る。㋐あらわれる。生ずる。用例(易経、乾)聖人作而万物睹。⇩聖人が現れると万物がそれを仰ぎ見る。㋑はじまる。用例(老子、六十三)天下大事必作二於細一。天下難事必作二於易一。⇩天下の難事はかならずたやすいことからおこり、天下の大事はかならず些細なことからはじまる。❺おこ-す。㋐はじめる。㋑さかんにする。ふるいたたせる。用例(続資治通鑑長編、宋神宗熙寧五年)当二無レ事之時一、作二士気一、令レ不二衰惰一。⇩何事もない時に士気を奮い立たせ怠けないようにさせる。❻お-きる。起きて仕事を始める。用例(唐、柳宗元、送二薛存義一序)蚤作而夜思、勤レ力而労レ心。⇩朝早く起きて、夜遅くまで考えごとをし、力を尽くして仕事をし、心をくだいてものを考える。❼た-つ。立ち上がる。用例(論語、先進)舎レ瑟而作。⇩瑟を置いて立ちあがった。❽いつわる(詐)。また、偽り。❾はたらき。㋐仕事。事業。㋑作用。❿作品。著作。⓫うごき。ふるまい。「動作」

二つくる。なす。＝做(483)。

国❶サク。作物の出来栄え。「作柄」❷つく-り。㋐よそおい。「若作り」㋑体裁。構造。「作りがよい」

名前 あり・さく・たつ・つくり・つくる・とも・なお・なり・ふか

難読 作業(なりわい)・作木綿(ゆうづくり)・作麼生(そもさん)

使いわけ つくる〔作・造・創〕
〔作〕人の手によってつくる。小規模のものや抽象的なものをつくる場合が多い。「料理を作る・規則を作る」
〔造〕大規模なものをつくる。工業的につくる場合に多い。「船を造る」

〔創〕新しいものをつくる。「新しい文化を創る」。ただし、「作」を用いることも多い。

解字 甲骨文 ［古字］ 篆文 ［古字］ 形声。人＋乍㊥。甲骨文は、乍。木の小枝を刃物で切り除く形にかたどり、つくるの意味を表す。それが人によって行われるので、のち、人を付した。

逆 改作・佳作・偽作・戯作・偶作・傑作・原作・工作・耕作・興作・細作・秀作・習作・種作・述作・所作・振作・制作・聖作・操作・創作・造作・大作・多作・駄作・動作・発作・不作・力作・連作・労作

【作為(爲)】サクイ ①なす。する。行う。②つくる。こしらえる。③積極的な意図による行為。

【作意】サクイ ①著作・創作した主意。②著作・創作しようとする意図。③心を用いる。④国たくらみ。

【作家】サッカ 文芸や芸術作品などを専門につくる人。

【作興】サッコウ ①おこる。さかんになる。②ふるいおこす。さかんにする。振作。

【作史三長】サクシのサンチョウ 歴史を書くに必要な三つの長所。才知・学問・見識。〔唐書、劉知幾伝〕

【作者】サクシャ ①制度をつくる人。②立ち去る人。一説に、事をなす人。③国文芸や芸術作品などをつくる人。

【作新】サクシン ふるいたたせてりっぱなものにすること。

【作成】サクセイ ①つくりなす。つくりあげる。②国文書などをつくること。◆「作成」も「作製」もともに、「作る」意であるが、現在は、書類・文書などは「作成」、品物・図面などは「作製」を用いる。「予算案を作成する」「本箱を作製する」

【作製】サクセイ ものをつくること。製作。→作成。

【作戦(戰)】サクセン ①戦いをする。②国「作戦計画」の略。

【作男】サクおとこ 国雇われて農耕に従事している男性。

【作物】一サクブツ つくったもの。製作品。二サクモツ 国①農作物。②詩歌・小説などの作品。三つくりもの 国自然物に対して、人のつくった物をいう。また、偽物。

【作文】一サクブン 文章をつくること。また、その文章。二サクモン 国昔、特に、詩(漢詩)をつくること。また、その詩。

【作文三上】サクブンのサンジョウ 文章をつくる工夫をこらすに最も適した三つの場所。馬上(馬に乗っている時)・枕上(寝ている時)・廁上(便所に入っている時)。〔帰田録、二〕

【作法】一サクホウ ①法律をつくること。②国つくり方。二サホウ 国①立ち居振る舞いの正しい方式。「礼儀作法」②事を行う方法。仕方。「小説作法」

【作略】一サクリャク 国①いいかげんに取扱うこと。②いらない手出し。二サリャク はかりごと。たくらみ。策略。

5 【伺】 7画 255 常 シ うかが-う　シ 支 寘 sì, ㊥cì　2739 8E66

筆順 ノ イ 们 伺 伺 伺

字義 うかが-う(うかがふ)。㋐さぐる。こっそりと様子をさぐる。㋑おしはかる。人の心をおしはかる。㋒ねらう。ひそかに機会を待ちかまえる。㋓のぞく。のぞき見する。㋔きく。きき耳をたてて聞く。㋕はべる。訪問する。「伺候」 国❶うかが-う(うかがふ)。たずねる。㋐質問する。㋑さしずを求める。❷うかが-い(うかがひ)。上役の指示を求めること。「進退伺い」

名前 し・のぶ・み

参考 現代表記では、〔伺〕は、訪問する・尋ねるの謙譲語「うかがう」に用いる。「お宅に伺う・都合を伺う」

解字 篆文 ［古字］ 形声。人＋司㊥。音符の司は、つかさどるの意味。他人の身のまわりの世話をつかさどる人の意味を表し、また、他人の真意をうかがうの意味を表す。

逆 偵伺・奉伺

【伺候】シコウ ①目上の人を訪問する。御機嫌うかがい。②目上の人の側にはべっている。③様子をうかがう。

【伺察】シサツ うかがいみる。さぐる。

【伺△晨】シシン 夜明けを待つ。

【伺△晨鳥】シシンチョウ にわとり。

5 【似】 7画 256 教 5 ジ に-る　㊥シ・㊦ジ 紙 sì　2787 8E97

筆順 ノ イ 化 化 仰 似 似

〔佀〕257 本字

字義 ❶に-る。にせる。まねる。「類似」 ❷ごと-し。にている。…のようである。…らしく見える。用例〔唐、李白、秋浦歌〕白髪三千丈(ハクハツサンゼンジョウ)、縁レ愁似レ箇長(うれえ(へ)によりて、かくのごとくながし)。↓わが白髪が、なんと三千丈。愁いのために、こんなにも長くなってしまったのだ。❸つぐ(継)。❹みせる。示す。また、おくる(贈)。

名前 あえ・あゆ・あり・あれ・い・かた・ちか・つね・に・のり

難読 似我蜂(じがばち)・似而非(えせ)・似内(にたない)

解字 金文 ［古字］ 篆文 ［古字］ 形声。人＋以(㠯)㊥。金文は、司＋㠯。司は、嗣に通じ、先祖のあとをつぐの意味。先祖のあとをつぐ人、まねる人の意味から、にるの意味を表す。

逆 擬似・疑似・近似・克似・酷似・相似・弁似・類似

【似△而非者】にてひなるもの・えせもの 外見はにているが内実はちがうもの。〔孟子、尽心下〕

【似非】えせ 国①にているが実はちがうこと。まやかし。②よくないこと。いやしむべきこと。

【似非者】えせもの 国①身分の低い人。②いかがわしい人。

5 【佀】 7画 257 ジ　似(256)の本字。→㐅ページ中。　— — 1670

5 【你】 7画 258 ㊥ジ(ヂ) ㊦ニ 紙 nǐ　1413 — 1663

〔伱〕259 正字　〔儞〕644 同字

字義 なんじ(なんぢ)(汝)。君。あなた。＝爾(7101)。

解字 形声。人＋尔(爾)㊥。音符の尔は爾の略体で、なんじの意味。爾が、いろいろな意味に用いられるため、区別して人を付し、人称として用いる。

5 【伱】 7画 259 ジ　你(258)の正字。→㐅ページ下。　— — 1662

5 【佘】 7画 260 ㊥シャ ㊦ジャ 麻 shē　20137 — 1679

字義 山の名。→佘山。

解字 会意。人＋示。

【佘山】シャザン 山の名。上海市の東南。蘭筍山(ランジュンザン)。

5 【住】 7画 261 教 3 ジュウ す-む・す-まう　㊥チュウ(チウ)・㊦ジュ(ヂュ) 慣ジュウ(ヂュウ) 遇 zhù　2927 8F5A —

〔住〕 7画 262

筆順 ノ イ 仁 仹 住 住

字義 ❶す-む。す-まう(すまふ)。「居住」 ❷す-まい(すまひ)。すみか。住居。住所。❸すむ人。住人。❹とど-まる。とど-める(とどむ)。❺や-む。や-める(やむ)。中止する。

名前 おき・すみ・もち・よし

難読 住吉(すみのえ)・住処(すみか)・住道(すみのどう)・住良木(すめらぎ)

参考 現代表記では、「すむ」は人間の場合に〔住〕を用いる以外は、仮名書きが一般的。「郊外に住む・獣たちのすむ草原」

解字 形声。人＋主㊥。音符の主は、とどまるの意味。人が長い間とどまる、すむの意味を表す。

逆 永住・去住・在住・常住・定住

【住持】ジュウジ 仏①一寺の主僧。寺にすんで寺務を統べ持する意。住僧。住職。②世に安住して仏法を維持すること。

【住処(處)】ジュウショ すんでいるところ。居所。住所。

【住職】ジュウショク ＝住持①。

【住著・住着】ジュウチャク 一か所にとどまり、すみつく。

5 【伹】 7画 263 ㊀ショ 魚 qū ㊁ソ 麌 zù — ED51 1667

字義 ㊀つたない。鈍い。㊁浅い。

解字 形声。人＋且㊟。

5 【佋】 7画 264 漢ショウ(セウ) 呉ジョウ(ゼウ) 蕭 zhāo — — 1674

字義 宗廟の順序で父に当たるもの。＝昭(4714)。

解字 形声。人＋召㊟。

5 【伸】 7画 265 常 シン のびる・のばす・のべる シン 眞 shēn 3113 904C —

筆順 ノ 亻 个 们 伯 伸

字義 ❶のびる。また、のばす。＝信(373)・申(7603)。↕屈(2793)。㋐長くなる。㋑のびのびする。ゆったりする。㋒背のびする。❷のべる(述)。用例(唐、李白、春夜宴桃李園序)不レ有二佳作一、何伸二雅懐一(佳作有らずんば、何ぞ雅懐を伸べん)⇩よい詩文ができなければ、どうやってこの風雅な胸のうちを述べ表すことができようか(できない)。国❶のす。(勢力・成績・地位が)のびる。❷のし。体を横にしてのばし、あおり足で泳ぐ泳ぎ方。

名前 しん・ただ・のびる・のぶ・のぶる・のぼる・のり　難読 伸烏賊(のしいか)

> **使いわけ** のばす・のびる・のべる〔伸・延〕
> 〔伸〕それ自体を長くする。発展させる。縮んでいるものがのびる。また、手を差し出す。「ひげを伸ばす・学力を伸ばす・体を伸ばす・救いの手を伸ばす」
> 〔延〕つぎ足して長くする。また、日時を遅らせる。「レールを延ばす・予定を延ばす」

解字 篆文 形声。人＋申㊟。音符の申は、のびるの意味。人を付し、人が背のびする・のびるの意味を表す。

逆 引伸・屈伸・追伸

【伸欠】シンケン せのびと、あくび。欠伸。

【伸縮】シンシュク のびちぢみ。また、のびたり縮んだりする。

【伸長】シンチョウ 長くのびる。また、長くのばす。

【伸展】シンテン 国(勢力やその及ぶ範囲が)のびる。発展する。また、のばし広げる。

【伸眉】シンビ・まゆをのぶ ひそめたまゆをのばす。心配が消えてほっとすること。

5 【征】 7画 266 漢セイ 呉ショウ(シャウ) 庚 zhēng — — 1671

字義 征伀(セイショウ)は、恐れあわてる。

解字 形声。人＋正㊟。

5 【伳】 7画 267 漢セツ 呉セチ 屑 xiè — — 1664

字義 おごる。

解字 形声。人＋世㊟。

5 【佗】 7画 268 ㊀タ 歌 tuó, ①tā ㊁漢タ・呉ダ 哿 4841 98C7 —

字義 ㊀❶ほか。＝他(197)。❷せおう。になう。❸他の語にそえて語調を強める助字。「看佗」「笑佗」㊁❶ひく(引)。❷みだす。国侘(330)の字の誤用。❶わびる。㋐思いわずらう。なやむ。㋑さびしく思う。㋒あやまる。謝罪する。❷わびしい。❸わび。茶道や俳句の道などで、その極致としてもとめられた美意識・理念。さび。

解字 金文 篆文 形声。人＋它㊟。音符の它は蛇の象形で、人類でない、かわったものの意味。見知らない世界の人、他人の意味を表す。俗に他に作る。

【佗住居】わびずまい(ひ) 国さびしく静かなすまい。

5 【体】 7画 269 教2 タイ・テイ からだ 漢テイ 呉タイ 薺 tǐ 3446 91CC —

骨13 【體】 23画 270 8183 E993 —

【躰】11844 俗字 【軆】11862 俗字 【骵】13825 俗字

筆順 ノ 亻 仁 什 休 休 体

字義 ❶からだ。み。首・胴・手・足の総称。「身体」「肉体」❷てあし。四肢。「四体」❸かたち。㋐ありさま。すがた。状態。「形体」㋑かた。きまり。規格。「体裁」❹もちまえ。本性。物事の根本となるもの。↕用(7595)。「本体」❺身につける。自分自身で行う。「体験」

名前 なり・み・もと

解字 篆文 形声。篆文は、骨＋豊㊟。音符の豊(レイ＝イテ)は、參(シン)に通じ、多くのものが密度高く集まるの意味。多くの骨からなる、からだの意味を表す。常用漢字の体は、もと人＋本㊟の形声文字で、あらい・おとるの意味を表したが、中国でも古くから體の俗字として用いられたもの。

逆 遺体・一体・液体・解体・合体・気体・客体・玉体・今体・近体・具体・形体・国体・個体・古体・姿体・支体・肢体・詩体・事体・自体・実体・重体・主体・書体・神体・身体・人体・政体・正体・聖体・全体・草体・俗体・大体・天体・肉体・媒体・文体・別体・変体・母体・本体・容体・様体・立体・老体

【体位】タイイ ①体格・健康の程度。②からだの位置。

【体育】タイイク 国①からだの成長・発達を助け、強健にするための教育。↕徳育(五一三ぺ・下)。②学校教育の教科の名。

【体解】タイカイ 昔の最も重い刑罰。からだをばらばらに切り離すもの。八つざき。支解。

【体格】タイカク ①からだつき。骨ぐみや肉づきなどの様子。②詩文や書などの品格。

【体幹】タイカン からだ。

【体軀】タイク からだ。身体。

【体刑】タイケイ ①人のからだに加える刑罰。体罰。②国(罰金刑に対して)自由を奪うことを内容とする刑罰。懲役・禁固などをいう。

【体系】タイケイ 一定の原理によって秩序正しく統一された組織。

【体験(驗)】タイケン 自分で実際に経験すること。また、その経験。

【体言】タイゲン 国名詞・代名詞を合わせていう。語尾活用がなく、文の主語となることのできるもの。

【体現】タイゲン 形にあらわす。具体的に表現する。

【体裁】㊀タイサイ・テイサイ ①ありさま。すがた、かたち。②詩文の形式。㊁テイサイ 国みえ。みかけ。外見。外観。

【体察】タイサツ ①身をもって観察する。詳しく考察する。②身にひきあてて察する。

【体質】タイシツ ①からだの性質。「虚弱体質」②からだの形態・はたらきについての特徴。

【体制】タイセイ ①かたち。こしらえ。②しくみ。くみたて。組織。③詩や文章の体裁。体製。→態勢(五三四ぺ・中)。

【体勢】タイセイ からだ全体の構え。姿勢。→態勢(五三四ぺ・中)。

【体製】タイセイ ＝体制③。

【体操】タイソウ ①からだの発育や健康の増進などを目的として行う、規則正しい肉体運動。②もと、学校教科の名。今の体育。

【体得】タイトク 体験によって会得(エトク)する。十分理解して身につける。体認。

【体膚】タイフ からだと、はだ。また、からだ。

【体貌】①すがたかたち。形体と相貌。容貌。②礼儀を正しくして敬意を表する。

【体面】①体裁。見た目のようす。②世間に対する体裁。みえ。面目。「体面を傷つける」

【体用】①本体と、その作用。②原理と応用。

【体要】物事の大切なところ。要点。

【体例】①物事の具体的内容と細則。②規定や文辞の様式・体裁。

5 **【但】** 7画 271 常 ただし 漢タン・呉ダン 旱 翰 dàn 3502 9241 —

筆順 ノ イ 亻 仴 但 但 但

字義 **ただ**。訓読では、呼応する句末の語に「…ノミ」とそえて読むことが多い。㋐ひとり。それだけ。限定の意味を表す。用例〔文選、古詩十九首、其十四〕出二郭門一直視、但見二丘与レ墳一。↓町の外郭の門を出て前方を見ると、いくつもの墓が見えるだけだ。㋑もっぱら。ひたすら。㋒むなしく。いたずらに。用例〔人虎伝〕此夕渓山対二明月一、不レ成二長嘯一但成レ嗥。↓今宵、山谷の中で明月に向かい、声を長く引いて歌うこともできずにただむなしく咆哮するばかりだ。㋓しかし。国**ただし**。㋐それとも。あるいは。㋑そうでなければ。

名前 ただ 難読 但丁

解字 篆文 形声。人＋旦音。音符の旦は、地平線上に太陽のあらわれる形にかたどる。人が肩をあらわす、はだぬぎの意味を表す。借りて、ただの意味に用いる。

【但書】国本文の後に書きそえて、例外・条件などを説明する文。その初めに「但」を付けるからいう。

【但馬】国旧国名の一つ。今の兵庫県の北部。上代には田道間と書いた。

5 **【佁】** 7画 272 一チ 寘 chì 二アイ 賄 ǎi 三イ 紙 yǐ 四漢シ・呉ジ 紙 sì

字義 一進まぬさま。とどこおるさま。二三おろかなさま。四❶いたる（至）。❷おもう。

解字 形声。人＋台音。

【佁△儗】①進まぬさま。②おおらかなさま。

5 **【伷】** 7画 273 チュウ 冑(4962)と同字。→六九三ページ下。 20134 — 1666

5 **【佇】** 7画 274 標 漢チョ 呉ジョ（ヂョ） 語 zhù 4842 98C8 —

字義 ❶**たたずむ**（躇）。❷まつ。たたずんで待ち望む。

解字 篆文 形声。人＋宁音。音符の宁は、物を貯える器具の象形。安定して置かれる宁のように、人がある場所に不動のままにいる、たたずむの意味を表す。

【佇△眄】たたずんでながめる。佇見。

【佇立】たたずむ。望見するときなどにしばらく立ちどまること。用例〔本事詩〕独倚二小桃斜柯一佇立、而意属殊厚。↓（娘は）自分は傍らの小さな桃の木の斜めにさし出た枝によりかかってたたずみ、よほど彼に心引かれたようすだった。

5 **【低】** 7画 275 教 4 テイ ひく-い・ひく-める・ひく-まる 漢テイ・呉タイ 斉 dī 3667 92E1 —

筆順 ノ イ 亻 亻 仾 低 低

【仾】230 俗字

字義 ❶**ひく-い**。↔高(13854)。㋐たけがひくい。㋑値段がやすい。㋒音声が小さい。㋓位・身分・格式などが劣っている。❷**た-れる**。たれさがる。また、**ひく-める**。**ひく-まる**。ひくくする。用例〔楽府詩集、勅勒歌〕天蒼蒼野茫茫、風吹草低見二牛羊一。↓空は青々と澄み野は広々と果てがない、風が吹いて草原の草がなびくと、牛や羊が姿を現した。／〔唐、孟浩然、宿二建徳江一詩〕野曠天低レ樹、江清月近レ人。↓野は見渡す限り広がり、空は木々の上に垂れこめるように低く、江の水は清らかに澄み、水面に映じた月は人の手が届くほどに近い。

名前 ひら 難読 低人

参考 現代表記では〔秪〕(3405)の書きかえに用いることがある。「秪徊→低回」

解字 篆文 形声。人＋氐音。音符の氐は、そこの意味。人のなかでも背丈が底の方のもの、ひくいの意味を表す。

【低下】①ひくい。②ひくくなること。↔向上(二四六ページ下)。③悪くなること。↔上昇(二三ページ中)。

【低回】①さまよう。立ち去りにくくて歩きまわる。②うねうねとめぐり続く。

【低回顧望】思いに沈みながらゆっくり歩きまわる。思いに沈みながら行きつもどりつして、あたりの景色などをながめること。

【低回趣味】国世俗的な労苦を避け、ゆったりした気分で東洋的な詩境にふける趣味。夏目漱石が提唱したもので、そのような趣味を持つ人々は、低回派・余裕派ともいわれる。

【低△佪・低△徊】＝低回①。

【低減】国へる。へらす。また、値段を安くする。

【低△昂・低△卬・低仰】①低いことと高いこと。②高くなったり低くなったりして安まらないこと。

【低湿(濕)】土地が低くて湿気の多いこと。

【低唱浅(淺)△斟】低い声で静かに歌い、ちびりちびり酒を飲むこと。浅斟低唱。

【低俗】国低くいやしい。下品。低級卑俗。

【低調】国①音楽の調子の低いこと。また、低い調子。②俗悪である。③能率が低い。④調子が悪い。

【低頭】頭を下げる。頭を垂れる。うなだれる。平身低頭。

【低能】国知能の発達が、他と比較して遅いこと。

【低迷】①雲などの低くただようこと。②頭を垂れてさまようこと。③悪い状態を抜け出せず迷うこと。

【低劣】程度が低くおとっていること。

【低廉】価の安いこと。▼廉は、安い。

5 **【佔】** 7画 276 一テン 塩 chān 二セン 塩 chān 20136 — 1677

字義 一**み-る**（視）。また、うかがう。二ささやくさま。

解字 形声。人＋占音。

5 **【佃】** 7画 277 人 標 漢テン 呉デン 先 霰 tián 3649 92CF —

筆順 ノ イ 亻 仃 佃 佃 佃

字義 ❶田（耕作地）を耕す。❷**か-り**（狩）。狩りをする。＝畋(4525)。国**つくだ**。作り田の略された語。新たに開墾した耕地。

解字 金文 篆文 形声。人＋田音。音符の田は、かりをしたり、耕作をしたりする所の象形。その土地の管理をする人の意味を表す。日本では、耕作する田の意味のつくりだの意味から、つくだと読む。

【佃漁】鳥獣をとるのを佃、魚貝をとるのを漁という。畋漁。

【佃戸】田地を借りて耕す人。小作人。佃客。

【佃作】耕作する。農業に従事する。

【佃煮】国小魚・貝などをしょうゆ・みりん・砂糖で煮しめた食品。江戸の佃島で作り出したという。

5 **【伮】** 7画 278 ド 努(1008)と同字。→一九三ページ上。 — — 1661

5【佟】7画 279 漢トウ 呉ドウ 图 tōng ₁1417 — *1680*
字義 姓。
解字 形声。人＋冬音。

5【佞】7画 280 漢ネイ 呉ニョウ(ニャウ) 径 nìng 5304 9B43 —

5〔佞〕336字 俗字
字義 ❶へつらう。おもねる。また、その人。「姦佞」 ❷口がうまい。弁舌がたつ。 ❸はたらき。才能。また、偽善。 ❹よこしま(邪)。ねじける。口先ばかりで心がねじけている。

解字 篆文 形声。女＋仁音。音符の仁は、近づき親しむの意味。女性がなれ親しむの意味から、転じて、へつらうの意味を表す。

【佞△猾】口先がうまくて悪がしこいこと。また、その人。

【佞△姦・佞△奸】口先がうまく心がねじけていること。

【佞険(險)】口先がうまくて腹黒いこと。

【佞言】こびへつらうことば。おべっか。佞弁。

【佞巧】口先がうまいこと。

【佞幸・佞△倖】こびへつらって君主の寵愛を得ること。また、その人。お気に入り。

【佞才】①口だっしゃの才能。②じょうずに人にこびへつらう才能。

【佞臣】①口先うまくこびへつらう家来。②心のよくない家来。腹黒い家来。

【佞舌】おしゃべり。おべっか。

【佞△媚】へつらいこびること。

【佞弁(辯)】へつらいのことば。おべっか。佞言。

【佞△諛】こびへつらうこと。

5【伯】7画 281 常 ハク 3976 948C 一
一 漢ハク・呉ヒャク 陌 bó, ④bǎi
二 ハ 禡 bà
熟字訓 伯父・伯母
筆順 ノ 亻 亻′ 伯 伯 伯
字義 一 ❶おさ。かしら。首長。 ❷一番上の兄。長兄。上から「伯・仲・叔・季」の順。 ❸おじ。父の兄。伯父。↕叔(1282)。 ❹夫の兄。 ❺おっと。妻が夫を呼ぶ時に用いる。 ❻一芸にすぐれている人。「画伯」 ❼五等爵(公・侯・伯・子・男)の第三位。 ❽年長の男子を尊敬していうことば。 ❾馬の神。馬祖。また、その祭り。 二 はたがしら。諸侯の長。覇者。＝覇(11014)。「伯主」 国 ❶かみ。神祇官の長官。 ❷国名。伯刺西爾の略。
名前 お・おさ・く・たか・たけ・とも・のり・はか・はく・ほ・みち
難読 伯者・伯伯部・伯方・伯刺西爾・伯爾加里・伯林
解字 甲骨文 篆文 形声。人＋白音。音符の白は父に通じ、一族の統率者の意味。かしらとなる人の意味を表す。
逆 河伯・画伯・侯伯・叔伯・風伯・方伯・邦伯・牧伯
【伯△夷叔斉(齊)】兄の伯夷と、弟の叔斉。ともに、殷末の賢人。周の武王が殷の紂王を討とうとするのをいさめ、首陽山(今の山西省永済市の南)にかくれ住んで餓死した。

伯夷

【伯牙】春秋時代の琴の名人。その琴の音をよく聞きわけた鍾子期が死んでから、琴の理解者がいなくなったといって、琴の弦を切って以後二度と琴をひかなかったという。「伯牙絶絃」〔呂氏春秋、本味〕→知音(一〇一七ページ中)。

【伯△舅】①母の兄。②天子が異姓の諸侯に対して用いた敬称。

【伯牛】孔子の弟子、冉耕の字。→冉伯牛(一三七ページ下)。

【伯魚】孔子の長男、孔鯉の字。子思の父。

【伯兄】一番上の兄。長兄。

【伯者】＝伯主。

【伯爵】五等爵(公・侯・伯・子・男)の第三位。

【伯主】諸侯のはたがしら。伯者。覇主。覇者。

【伯叔】①兄と弟。②父の兄と弟。伯父と叔父。

【伯仲】①長男と次男。②才能または勢力などが似ていて、優劣を定めがたい状態にいう。「伯仲之間」

【伯父】一 ①おじ。父の兄。②天子が同姓の諸侯に対して用いた敬称。二 国 父母の兄。

【伯母】一 ①おば。父の姉。②伯父の妻。二 国 父母の姉。

【伯楽(樂)】一 ①天馬をつかさどる星の名。②昔、馬の良否をよく見分けた人。姓は孫、名は陽。用例〔唐、韓愈、雑説〕世有二伯楽一、然後有二千里馬一。

↓世間に馬のよしあしを見分ける名人がいてこそ、はじめて一日に千里も走る名馬が世に現れる。③名君・賢相のたとえ。二 馬の良否をよく見分け、その売買・周旋などを業とする人。伯労。

【伯楽(樂)一顧】名馬が伯楽によって見いだされるように、賢臣が名君・賢相に見いだされて知遇を受けるたとえ。〔戦国策、燕〕

【伯林】Berlinの音訳。ドイツの首都。

【伯労(勞)】一 鳥の名。もず。二 ＝伯楽二。

5【伴】7画 282 常 ハン・バン ともなう 4028 94BA 一
5〔伴〕7画 283 漢ハン 呉バン 旱 bàn
筆順 ノ 亻 亻′ 亻″ 伴 伴
字義 ❶とも。つれ。仲間。 ❷ともなう。ともなう。つれだつ。同道する。ひきつれる。 ❸はべる(侍)。「接伴」
名前 すけ・とも・ちか・はん・より
解字 篆文 形声。人＋半(半)音。音符の半は、はんぶんの意味。人のよきはんぶん、ともの意味を表す。
逆 相伴・随伴・接伴・同伴
【伴偶】つれあい。配偶者。
【伴食】①正客といっしょにごちそうになること。相伴。②職にありながら職責をつくさないこと。無能の大官をそしっていう語。
【伴食宰相】無能な宰相。唐の盧懐慎をそしって言ったことに基づく。伴食大臣。〔旧唐書、盧懐慎伝〕
【伴接】そばにはべって、接待する。
【伴僧(僧)】国 葬式の時、導師のお供をして参列する僧。
【伴造】国 上代、都に住み、諸部の長として部民を率い、専門の職務・技芸で朝廷に仕えた世襲の職名。
【伴天連】国 ポルトガル語 padre(父)の音訳。㋐室町時代末期に日本に渡来したキリスト教の宣教師の称。㋑キリスト教やその信徒の俗称。
【伴侶】なかま。とも。つれ。

5【伾】7画 284 一 ヒ 因 pī 二 漢ヒ・呉ビ 紙 ₂0135 — *1669*
字義 一 二 力強いさま。
解字 篆文 形声。人＋丕音。音符の丕は、大きいの意味。大きい人の、力があるさまを表す。

5【佖】7画 285 漢ヒツ 呉ビチ 質 bì ₁1416 ED52 *1678*
字義 ❶威儀のあるさま。 ❷みちる(満)。
解字 形声。人＋必音。

5 【伻】 7画 286 漢ホウ(ハウ) 呉ヒョウ(ヒャウ) 庚 bēng — — 1668

字義 ❶つか-う。人を使う。また、使者。❷しめる。使役の助字。させる。＝使(316)。

解字 形声。人＋平音。

5 【佈】 7画 287 漢ホ 呉フ 遇 bù 1414 — 1672

字義 ❶あまね-し。行きわたっている。❷しらせる。布告する。「佈告」

解字 形声。人＋布音。

5 【巫】 7画 (3061) フ 工部。→四九ページ上。

5 【佛】 7画 (179) ブツ 仏(178)の旧字体。→七七ページ中。

5 【佑】 7画 288 人 漢ユウ(イウ) 呉ウ 宥 yòu 4504 9743 —

筆順 ノ イ 𠆢 仕 佑 佑

字義 ❶たす-ける(佐・祐)。❷たす-け。「天佑」 国じょう。神祇官の判官(次官の下)。

名前 すけ・たすく・ゆう

解字 形声。人＋右音。音符の右は、たすけるの意味。右が、みぎの意味に用いられるようになり、区別するため、人を付した。

【佑啓】ユウケイ たすけて教え導く。▼啓は、(知識を)開く意。

【佑助】ユウジョ たすける。また、たすけ。

5 【攸】 7画 (4518) ユウ 攴部。→六三二ページ上。

5 【余】 7画 289 教5 ヨ あま-る・あま-す 4530 975D —

㊀ 食7 〔餘〕 16画 290 ヨ 魚 yú 8117 E950 —

㊁ 5 〔余〕 7画 ヨ 魚 yú

筆順 ノ 𠆢 亼 今 全 余 余

字義 ㊀〔餘〕❶あま-り。㋐必要以上の分。余裕。余計。用例〔本事詩〕妖姿媚態、綽有二余妍一。↓その美しい姿、なまめかしいようすなど、しとやかで、おくゆかしく、あふれるばかりの美しさがあった。㋑のこり。使わずにそのままになっているもの。「残余」㋒ほど。大体の数を挙げて、端数を略する語。「三千余」「千余斤」㋓ほか。以外。その他の。「余罪」❷ひま。「余暇」❸のち。…のあと。あげく。「雨余」「夢余」❹完全には尽きずに残っていること。「余光」「余怨」「余韻」❺あま-る。あま-す。のこる。のこす。用例〔唐、崔顥、黄鶴楼詩〕昔人已乗二白雲一去、此地空余黄鶴楼。↓昔、仙人が白雲に乗って飛び去ってから、この地には、あるじのいない黄鶴楼のみがさびしく残っている。国あま-りに。度が過ぎて。

㊁〔余〕❶われ。自分。＝予(112)。用例〔史記、伯夷伝〕余甚惑焉。儻所謂天道是邪非邪。↓わたしは大変な途惑いを覚える。どうなのだろう、天道というものは、信じてよいものなのか、そうではないのか。❷あまり。あまる。＝餘ヨ。❸陰暦四月。「余月」

名前 よ・われ 難読 余技・余戸・余子・余市・余田・余奴・余波・余部・余目・余綾・ゆるぎ・よろぎ

解字 ㊀〔餘〕 篆文  形声。食＋余音。音符の余は、のびるの意味。食物があまる、ゆたかの意味を表す。

㊁〔余〕 甲骨文  金文  篆文  象形。甲骨文、金文とも、先の鋭い除草具の象形で、自由にのびるの意味を表すが、借りて、人称代名詞の「われ」の意味に用いる。常用漢字では、餘の俗字としての余を、餘の意味に用いる。余を音符に含む形声文字に、餘・叙・塗・徐・涂ト・畬ヨ・途・除などがあり、これらの漢字は、「自由に伸びる」の意味を共有している。

逆 窮余・刑余・歳余・残余・詩余・自余・剰余・睡余

【余(餘)哀】ヨアイ ①いつまでも消えない悲しみ。②なぐさめきれない悲しみ。

【余(餘)音】ヨイン ①あとまで残っているひびき。なごり。余韻。②前代から伝わった歌曲。③一度鳴きやんだ虫のその後の鳴き声。

【余(餘)音△嫋△嫋】ヨインジョウジョウ 楽曲のひびきが後に長く残って続いている形容。声が細長く続いて絶えない形容。用例〔北宋、蘇軾、前赤壁賦〕余音嫋嫋、不レ絶如レ縷。↓余音は細く長く続き、いとすじのようにとぎれない。

【余(餘)韻】ヨイン ①＝余音①。②(詩歌・文章などの)言外の味わい・おもむき。

【余(餘)△蘊】ヨウン あまっているたくわえ。また、あまり。残余。▼蘊は、たくわえ。

【余(餘)栄(榮)】ヨエイ ①祖先が後に残したほまれ。また、死後にまで残るほまれ。②身にあまるほまれ。非常な光栄。

【余(餘)△裔】ヨエイ ①すえ。末流。②子孫。後裔。

【余(餘)炎】ヨエン ①燃え残りのほのお。余焔ヨエン。②残っている暑さ。残暑。「三伏余炎」

【余(餘)怨】ヨエン あとまで残るうらみ。

【余(餘)△殃】ヨオウ 祖先の悪事の報いとして、子孫にまで残る災い。↔余慶。「積悪の余殃」

【余(餘)花】ヨカ 散り残った花。

【余(餘)暇】ヨカ ひま。あいま。

【余(餘)寒】ヨカン 大寒があけて後の寒気。また、立春後になお残っている寒さ。

【余(餘)間・余(餘)閑】ヨカン ひま。いとま。たっぷりとした余裕。用例〔東晋、陶潜、帰二園田居一詩〕戸庭無二塵雑一、虚室有二余間一。↓庭先には塵ちりやほこりもなく、何もない部屋にはたっぷりとした余裕がある。

【余(餘)△暉・余(餘)輝】ヨキ ①沈みつつある夕日の光。また、空に残っている夕日の光。②ありあまるめぐみ。③偉人・偉業などのなごり。

【余(餘)技】ヨギ 専門以外の技芸。

【余(餘)儀】ヨギ 国他の方法。他に取るべき方法。よんどころ。「余の儀(ほかの事)」

【余(餘)興】ヨキョウ ①宴会などで、おもしろさをそえるための演芸など。②おまけ。

【余(餘)業】ヨギョウ ①先人の残した功業。②本業以外の仕事。

【余(餘)薫】ヨクン ＝余香。

【余(餘)計】ヨケイ 国①余分。②むだ。無益。また、無用。③そのほか。それ以外。

【余(餘)慶】ヨケイ 祖先の善行の報いとして子孫に及ぶ幸せ。↔余殃ヨオウ。用例〔易経、坤〕積善之家必有二余慶一。↓善事を多く行った家では、必ず子孫までが幸いを受ける。

【余月】ヨゲツ 陰暦四月の別名。

【余(餘)光】ヨコウ ①あまっている光。余分の光。②発光体から遠く離れた所を照らす弱い光。③日没後に残っている光。残光。用例〔三国魏、阮籍、詠懐詩〕灼灼西隤日、余光照二我衣一。↓赤々と西に沈む太陽、その残光が私の衣を照らす。④かすかになった光。⑤おかげ。恩恵。

【余(餘)香】ヨコウ ①あとに残っているかおり。また、移り香。②遠くからただよってくるかすかなかおり。③恩恵のなごり。忘れられない恩恵。

【余(餘)財】ヨザイ ①財貨を後に残す。②あまりの財貨。

【余(餘)罪】ヨザイ ①ほかの罪。それ以外の罪。②つぐないきれない罪。

【余(餘)子】ヨシ ①昔の軍制で、毎家ひとりを出して正卒とし、その他を羨卒（センソツ）として余子といった。②嫡子の同母弟。長男以外の子。庶子。③年の若い人。弱年者。

【余(餘)事】ヨジ ①ほかのこと。他事。②余暇にする仕事。余力でする仕事。「余事作ニ詩人一（ヨジシジンとなる）」

【余(餘)日】ヨジツ ①残った日数。②ひまな日。③ほかの日。他日。④余生。老後。残年。

【余(餘)春】ヨシュン 晩春をいう。残春。

【余(餘)所】よそ 国①ほかの所。他所。②遠い所。遠方。③よそよそしいこと。親しくないこと。

【余(餘)剰(剩)】ヨジョウ のこり。あまり。残余。

【余(餘)情】 一ヨジョウ ①つきない思い。あきらめきれない心。②なごりのふぜい。言外の趣。③つきない趣。二ヨセイ 国景気のよい様子。また、みえをはること。

【余(餘)△饒】ヨジョウ ありあまって豊かなこと。▼饒は、ゆたか。

【余(餘)震】ヨシン 大地震のあとに続いて起こる小さな地震。

【余(餘)人】ヨジン ①ほかの人。他人。②残りの人。

【余(餘)△燼】ヨジン ①もえのこり。もえさし。▼燼は、もえのこり。②戦争などでわずかに生き残った兵。

【余(餘)生】ヨセイ ①あまりのいのち。残りの生涯。老い先短い命。残年。②やっと助かったいのち。

【余(餘)声(聲)】ヨセイ ①かすかな声。②残りのひびき。③ほかの声。

【余(餘)△喘】ヨゼン ①死に際の、絶え絶えの呼吸。死に近づいたいのち。②残りのいのち。余生。「余喘を保つ」

【余(餘)沢(澤)】ヨタク 後世まで残った先人の恩恵。おかげ。「蒙ニ余沢一（ヨタクをこうむる）」

【余(餘)地】ヨチ あまりの土地。また、あまりの部分。余裕。「立錐（リッスイ）の余地」

【余(餘)得】ヨトク 余分の利益。もうけ。

【余(餘)熱】ヨネツ ①大暑を過ぎた後の暑さ。残暑。②熱気のさめきらないこと。ほとぼり。

【余(餘)年】ヨネン ①＝余生①。②ほかの年。他年。

【余(餘)念】ヨネン ほかの思い（考え）。他念。雑念。

【余(餘)波】ヨハ ①風がおさまったあとも、なお残っている波。②なごり。遺風。③影響。あおり。

【余(餘)輩】ヨハイ ①われら。われわれ。②国われ。わたし。

【余(餘)病】ヨビョウ ①なおりきらないで後に残っている病気。②もとの病気のほかに新たに起こった病気。

【余(餘)夫】ヨフ 十六歳以上、丁年（二十歳）未満で、まだ一家をなさない人。

【余(餘)風】ヨフウ ①大風のやんだ後に残っている風。②前の時代から残っているならわし。

【余(餘)聞】ヨブン 聞き残し。こぼればなし。

【余(餘)弊・余△敝】ヨヘイ ①残っている弊害。②国あるものごとに伴って生じた弊害。

【余(餘)民】ヨミン 亡びた国の後に残った人民。遺民。

【余(餘)命】ヨメイ 老い先短い命。残り少ない命。余生。

【余(餘)裕】ヨユウ ①ゆったりとして落ちついていること。「余裕綽綽（シャクシャク）」②ゆとり。③ありあまること。

【余(餘)△姚】ヨヨウ 地名。浙江（セッコウ）省東部にある市。明（ミン）の王陽明の生地。

【余(餘)力】ヨリョク ①あまった力。力の余裕。②本務以外に他の事をなすことのできる力。用例〔論語、学而〕弟子入則孝、出則弟、謹而信、汎愛レ衆而親レ仁、行有ニ余力一、則以学レ文（ていしいりてはすなわ(は)ちこう、いでてはすなわ(は)ちてい、つつしみてしんあり、ひろくしゅうをあいして、じんにしたしみ、おこない(ひ)て、よりょくあらば、すなわ(は)ちもっていぶんをまなぶ）。↓人の子弟たる者は、家庭内にあっては孝を尽くし、外に出ては年長者に従い、己を慎んで誠実にして、ひろく民衆を愛し仁者に親しみ、それらを実行してまだ余力がある場合は、典籍を学びなさい。

【余(餘)△瀝】ヨレキ ①さかずきの酒などのあまったしずく。②人のめぐみ。また、小さいめぐみ。

【余(餘)烈】ヨレツ ①先祖の残した功績・功徳。②先人の残した不徳。余毒。

【余(餘)△禄】ヨロク 余分の所得。

【余(餘)論】ヨロン 残りの議論。本論につけ加えた議論。

5【佣】7画 291 ヨウ　傭(575)の俗字。→二三九ページ下。　— — 1681

5【伶】7画 292 囚 漢レイ 呉リョウ（リャウ） líng 青 径　4666 97E0 —

筆順 ノ イ 亻 伶 伶 伶

字義 ❶わざおぎ（をぎ）。楽師。俳優。❷こもの。こまづかい。召し使い。❸さかしい。かしこい。小才がきく。「伶俐（レイリ）」

名前 とし・れい

解字 金文  篆文  形声。人＋令㊥。音符の令は、神意を聴くの意味。音楽を奏し、神意を聴く楽人、わざおぎの意味を表す。

【伶官】レイカン 音楽を奏する役人。楽官。伶人。
【伶工】レイコウ ＝伶人。
【伶人】レイジン ①楽師。楽人。②俳優。役者。
【伶丁・伶△仃】レイテイ ひとりぼっちのさま。零丁。
【伶△俜】レイヘイ 独りぼっちでたよりないさま。落ちぶれたさま。
【伶優】レイユウ わざおぎ。楽師と俳優。また、俳優。
【伶△俐・伶利】レイリ さかしいこと。かしこいこと。怜悧。

5【伭】7画 293 ワ wǎ　2 0133 — —

字義 雲南省内の少数民族の名。ワ族。

解字 形声。人＋瓦㊥。

6【佞】8画 294 アン 寒 ān　2 0145 ED53 1707

字義 やすらか（安）。くつろぐ。

解字 形声。人＋安㊥。

6【依】8画 295 常 イ・エ　一 漢イ・呉エ 微 yī　二 漢イ・呉エ 尾 yǐ　1645 88CB —

筆順 ノ イ 亻 仁 依 依 依

字義 一❶よる。㋐よりすがる。もたれかかる。用例〔文選、古詩十九首、其一〕胡馬依ニ北風一、越鳥巣ニ南枝一（コバはホクフウにより、エッチョウはナンシにすくう（ふ））。↓北方の異民族の地から来た馬は、北風の吹く方に身を寄せ、南の越から来た鳥は、同じ木でも南側の枝を求めて巣を作る。㋑たのむ。たよる。㋒つく。従う。「帰依（キエ）」㋓なぞらえる。準ずる。用例〔唐、李白、春夜宴ニ桃李園一序〕如詩不レ成、罰依ニ金谷酒数一（もししならずんば、バツはキンコクのシュスウによらん）。↓もし詩ができあがらなかったら、罰として三杯の酒を飲ませることにしよう。❷ついたて。＝扆(3987)。❸たとえる。❹さとす。二❶やすんずる。安らか。❷助ける。また、いつくしむ。❸そのまま。以前のまま。

名前 い・え・すけ・つぐ・より　難読 依田（よだ）・依網（よさみ）

解字 甲骨文  篆文  形声。人＋衣㊥。甲骨文では、人にまつわりつく衣服のさまにかたどる。まつわりしたしむ・よるの意味を表す。

逆 帰依・拠依

【依△阿】イア 媚（こ）びへつらう。おもねり従う。
【依依】イイ ①枝や葉の茂っているさま。②細くなよなよしているさま。③離れがたく（なごり惜しく）思うさま。④おどおどしているさま。⑤おぼつかないさま。⑥遠くぼんやりと見えるさま。⑦ゆらゆらと立ちのぼるさま。用例〔東晋、陶潜、帰ニ園田居一詩〕曖曖遠人村、依依墟里煙（アイアイたりエンジンのむら、イイたりキョリのけむり）。↓遠い村里がぼんやりかすんで見え、炊事の煙がゆらゆらと立ちのぼっている。
【依△倚】イイ よりかかる。もたれかかる。たよる。
【依違】イイ どっちつかずであいまいなさま。

【依帰(歸)】一 よりすがる。たよる。倚頼。二 仏 一心に仏道を信ずること。深く信仰する。

【依稀】①よく似ている。②ぼんやりとしている。

【依拠(據)】①よる。よりどころとする。②よりどころ。根拠。証拠。論拠。

【依怙】一 ①たよる。たのみとする。②たのみとなるもの。父母。二 国えこひいき。偏頗。不公平。

【依怙地】国片意地。頑固。

【依怙贔屓】国一方にだけ優遇すること。

【依恃】よりたのむ。たよりにする。依怙。

【依嘱(囑)】(仕事を)たのむ。

【依然】①もとのまま。②草木の茂っているさま。

【依存】国他にたよって生存・成立すること。

【依託】①たよる。たのむ。また、たのみ。②よせる。かこつける。③ゆだねあずける。→委託(三六四ページ下)。

【依遅(遲)】ぐずぐずと行くさま。とぼとぼと行くさま。

【依微】ぼんやりしたさま。

【依付・依附】たよりつく。よりすがる。用例〔世説新語、徳行〕有二一人一欲二依附一。↓一人の者が頼って付き従うことを願った。

【依傍】たよる。依頼する。

【依約】①たよりつく。結びつく。②ほのかに、ぼんやりと見えるさま。③似ていること。髣髴。

【依頼】①たよりにする。②国たのむこと。たのみ。

6【佾】8画 296 漢イツ 呉イチ 簡 yì 1420 — 1691
字義 周代の舞楽の制で、舞人の列をいう。一佾は舞人八人の一列。天子は八佾(六十四人)、諸侯は六佾(四十八人)、大夫は四佾(三十二人)、士は二佾(十六人)の舞人を用いた。一説に、舞人の列は方形であるから、行と列との人数は同じで、天子の舞人は八佾(六十四人)、諸侯は六佾(三十六人)、大夫は四佾(十六人)、士は二佾(四人)であるという。〔論語、八佾〕
解字 篆文 形声。人＋肙音。音符の肙は、八人の人体の意味。一列が八人からなる舞楽の意味を表す。

6【侌】8画 297 イン — — 1704
陰(13098)の古字。→一五二三ページ中。

6【価】8画 298 教5 カ あたい 1833 89BF —

13【價】15画 299 人 漢カ 呉ケ 簡 jià 4911 994A —

筆順 ノ 亻 亻 亻 仜 価 価 価
字義 ❶あたい。あたい。値段。価格。❷ねうち。価値。評判。

使いわけ あたい〔価・値〕

〔価〕値段。「米の価が下がる」

〔値〕数量・値打ち。「xの値を求めよ・値千金」

なお、「あたいする」と動詞で用いるときは、「値する」が一般的。

解字 篆文 形声。人＋賈音。音符の賈は、あきなうの意味。あきなうときの物のあたいの意味を表す。常用漢字の価は、省略体。

逆 高価・真価・声価・評価・廉価
【価格】ねだん。ねうち。

【価額】品物のあたいに相当する金額。

【価直・価値】①あたい。㋐ねだん。価格。㋑ねうち。資格。②人間の欲求を満足させる物事に対して認められるねうち。

【不二一価一】かけ値をいわない。

6【佳】8画 300 常 カ 漢カイ・呉ケ 簡 jiā 慣カ 1834 89C0 —

筆順 ノ 亻 仁 什 仕 佳 佳 佳
字義 ❶よい。よし。美しい。すぐれている。りっぱである。用例〔唐詩紀事、賈島〕敲字佳矣。↓「敲」の字の方がよかろう。／〔東晋、陶潜、飲酒詩〕山気日夕佳、飛鳥相与還。↓山のたたずまいは夕暮れにすばらしく、飛ぶ鳥は、つれだって(山のねぐらに)帰ってゆく。❷よみする。好む。

名前 か・けい・よし 難読 佳木斯
解字 篆文 形声。人＋圭音。音符の圭は、均整がとれているの意味。身心ともに均整がとれていて美しい人の意味を表す。

逆 絶佳
【佳会(會)】楽しい集まり。すばらしい宴会。

【佳客】よい客。りっぱな客。佳賓。

【佳気(氣)】①めでたい気。吉祥の気。②快いなごやかな気。春の気など。

【佳期】①よい時節。②美人とあう期日。③結婚の日。

【佳器】①りっぱなうつわ。②りっぱな人物。

【佳境】①景色や居心地のよい所。②おもしろさのすぐれた所。妙境。③味のよい部分。うまいところ。

【佳興】①すぐれた趣。②風流な興味。

【佳偶】よいつれあい。りっぱな配偶者。佳配。

【佳景】よい景色。美景。

【佳言】りっぱなことば。善言。

【佳肴・佳殽】よいさかな。おいしい料理。

【佳作】よくできた詩文。また、すぐれた芸術作品。用例〔唐、李白、春夜宴二桃李園一序〕不レ有二佳作一、何伸二雅懐一。↓よい詩文ができなければ、どうやってこの風雅な胸のうちを述べ表すことができようか(できない)。

【佳士】品行がりっぱで教養のある人。

【佳日】よい日。めでたい日。佳辰。

【佳趣】よいおもむき。すぐれたおもしろみ。

【佳什】りっぱな詩文。▼什は、作品。

【佳辰】＝佳日。

【佳人】①美しい女性。美人。②うたいめ。妓女。③美男子。また、徳行のりっぱな男性。④妻が夫を、臣下が君主をいう。⑤りっぱな家臣。用例〔前漢、武帝、秋風辞〕蘭有レ秀兮菊有レ芳、懐二佳人一兮不レ能レ忘。↓蘭は美しい花を開き、菊は良い香りを放つ。それらを見るにつけ、優れた部下たちを思い忘れることができない。⑥よい友。

【佳人薄命】美人はとかくふしあわせである。薄命は、命(天命・運命)にうすい、運命がよくない意。転じて、俗に、短命の意に用いる。宋の蘇軾の「薄命佳人詩」に、「自レ古佳人多命薄」とあるのに基づく。

【佳節(節)】めでたい日。佳辰。吉日。用例〔唐、王維、九月九日憶二山東兄弟一詩〕独在二異郷一為二異客一、毎レ逢二佳節一倍思レ親。↓ただ独り異国にあり、めでたい節句の日に出逢うたびに、ますます肉親のことが懐かしく思われる。

【佳絶】すぐれてよいこと。すぐれてりっぱであること。

【佳致】よいおもむき。美しいおもむき。

【佳賓】＝佳客。

【佳聞】よい評判。

【佳編・佳篇】よい作品。詩文についていう。

【佳名】①よい名まえ。②よい評判。

【佳容】美しいすがた。

【佳麗】うるわしいこと。顔や景色などにいう。転じて美人。用例〔唐、白居易、長恨歌〕後宮佳麗三千人三千(サンゼン)寵愛在二一身一(サンゼンのチョウアイ、イッシンにあり)。↓後宮に住むうるわしい美女は三千人(サンゼンニン)、その三千人にそそがれるはずの天子の寵愛は、彼女一身に集まった。

【佳話】(カワ) ①よい話。内容のりっぱな話。②おもしろい話。③ある人のりっぱな言行についての話。美談。

6【侉】8画 301
漢カ(クワ) 呉ケ [麻] kuā, ②kuǎ　— — 1702

字義 ❶おごる。ほこる。❷現代中国語で、言葉になまりがある。

解字 形声。人+夸音。音符の夸は、ほこるの意味。

6【佪】8画 302
漢カイ(クワイ) 呉エ(ヱ) [灰] huái　1418 — 1682

字義 さまよう(さまよふ)。めぐる。=徊(3411)。「俳佪(ハイカイ)」

解字 形声。人+回音。音符の回は、めぐるの意味。人がめぐりさまようの意味を表す。

6【侅】8画 303
漢カイ 呉ガイ [賄] hài　₂0144 — 1701

字義 ❶むせぶ。❷普通でないこと。

解字 形声。人+亥音。

6【佸】8画 304
漢カツ(クワツ) 呉ガチ(グワチ) [曷] huó　₂0140 — 1687

字義 あう(あふ)(会)。あつまる。また、あわせる。あつめる。

解字 篆文 形声。もと、人+昏音。音符の昏(カツ=カイ)は、會(カイ)に通じ、あうの意味。人があうの意味を表す。

6【侃】8画 305 人 カン [旱] [翰] kǎn　2006 8AA4 —

筆順 ノ イ 亻 们 们 侃 侃 侃

字義 ❶つよい(つよし)。正しく強い。❷やわらぎ楽しむ。

名前 あきら・かん・すなお・ただ・ただし・つよし・なお・やす

解字 金文 篆文 会意。㐰+巛。㐰は信の古字。巛は水が流れてやまないの意味。いつまでもただしいの意味を表す。

【侃侃】(カンカン) やわらぎ楽しむさま。また、剛直のさま。

【侃侃△諤△諤】(カンカンガクガク) 剛直で遠慮せずに正論をはくさま。諤諤も、はばかることなく直言するさま。

【侃直】(カンチョク) 強く正しい。剛毅正直(ゴウキセイチョク)。▼

6【佹】8画 306 キ [紙] guǐ　— — 1688

字義 ❶かさなる。❷もとる。さからう。❸あやしい。正しくない。また、あやしげな。奇異な。

解字 形声。人+危音。

【佹弁(辯)】(キベン) 誤っていることを正当らしく思わせる奇怪な言いまわし。こじつけのことば。詭弁(キベン)。

6【佶】8画 307
漢キツ 呉ゴチ [質] jí　4843 98C9 —

字義 ❶ただしい(ただし)。❷すこやかなさま。強い。❸まがる。=詰(11182)。「佶屈」

解字 形声。人+吉音。

【佶屈△聱牙】(キックツゴウガ) 文章・言語のごつごつと堅苦しくむずかしいこと。詰屈(キックツ)聱牙。〔唐、韓愈、進学解〕

6【供】8画 308 教6 キョウ・ク そなえる・とも
一 漢キョウ・呉ク [图] gōng
二 漢キョウ・呉ク [宋] gòng　2201 8B9F —

筆順 ノ イ 亻 亻 什 供 供 供

字義 一 ❶そなえる(そなふ)。また、そなえ(そなへ)。㋐設ける。㋑ささげる。すすめる。❷あてがう。支給する。❸申したて。尋問されて申し述べること。「自供」❹うやうやしい。=恭(3513)。
国 ❶とも。従者。❷ども。複数を表す接尾語。

名前 しん・とも　難読 供花(くげ)・供笥(くげ)

参考 現代表記では[饗](13656)の書きかえに用いることがある「饗応→供応」

使いわけ そなえる〔供・備〕
〔供〕うやうやしく物をそなえる。「お供えもち」
〔備〕そろえて用意する。また、能力や条件をもっている。「備えあれば憂いなし」

解字 篆文 形声。人+共音。音符の共は、そなえるの意味。人を付し、そなえるの意味を表す。

逆 自供・上供

【供応(應)】(キョウオウ) ①ごちそうしてもてなすこと。饗応(キョウオウ)。②必要をまかなう。

【供給】(キョウキュウ) ①物をあてがって需要をみたすこと。↕需要(二五三四ページ下)。②他の要求に応じて物をやること。

【供御】(キョウギョ) 一 天子の用に物を奉ること。二(ゴク) 国天皇の飲食物。皇后・皇子にもいう。

【供具】(キョウグ) 一 ①宴席で用いる器具。②ごちそう。二(グク) 仏①供物を供える器具。②仏の供養のために用いるもの。香華(コウゲ)・音楽など。

【供出】(キョウシュツ) 国政府などに物をさし出すこと。

【供述】(キョウジュツ) 国(裁判所などで尋問に答えて)述べること。

【供状(狀)】(キョウジョウ) 供述する。事の次第を申し立てる。また、その言葉。

【供薦】(キョウセン) 神仏などに物を供えること。

【供託】(キョウタク) 国金銭・有価証券などを政府の定めた機関(供託所)に寄託する(さし出して預ける)こと。

【供帳】(キョウチョウ) ①宴会場や休息所などの幕を張り設備をすること。②かざりつけ。装飾物。

【供奉】(キョウホウ) 一 ①供給する。また、供給して不自由のないようにしてやる。②天子や貴人などのそばに仕えてご用をつとめる。③唐代の官名。すぐれた才能の人が天子のそばで仕えたのでいう。「翰林(カンリン)供奉」二(グブ) 国①特に、行幸・行啓などのお供。②宮中の内道場に奉仕する僧。内供(ナイグ)。

【供米】(キョウマイ) 国神仏に供える米。二(クマイ) 国生産した米を供出すること。供出米。

【供物】(クモツ) 国神仏に供える物。供えもの。

【供養】(キョウヨウ) 一 ①父母などを世話し養うこと。②祖先のみたまやに食物を供えること。③衣食などをもって自らを養うこと。④欲望を満足させること。⑤徳を養成すること。二(クヨウ) 仏三宝(仏・法・僧)または死者の霊に、物を供えて祭ること。

【供覧(覽)】(キョウラン) 観覧に供する。多くの人に見せる。

6【侠】8画 309 キョウ　2202 8BA0 —

俠(357)の俗字。→一〇七ページ下。

6【侐】8画 310
漢キョク 呉ケキ [職] xù　— — 1706

字義 静か。さびしい。

解字 形声。人+血音。

6【伵】250 同字

6【侀】8画 311
漢ケイ 呉ギョウ(ギャウ) [青] xíng

字義 ❶なる(成)。❷鋳型(いがた)。

解字 形声。人+刑音。

6【佼】8画 312
一 漢コウ(カウ) 呉キョウ(ケウ) [巧] jiǎo
二 漢コウ(カウ) 呉キョウ(ケウ) [肴] jiāo　2483 8CF1 —

字義 一 ❶みめよい(みめよし)。顔だちが美しい。=姣(2385)。❷いつわる。また、悪がしこい。=狡(7223)。二 ❶まじわる。また、まじわり。交際。=交(142)。❷ならび。列。

解字 篆文 形声。人+交音。音符の交は姣(コウ)に通じ、うつくしい女性の意味。うつくしいの意味を表す。また、交に通じ、まじわるの意味も表す。

【佼△黠】(コウカツ) 悪がしこい。

【佼佼】①美しいさま。顔だちの美しいさま。②人格・才能などのすぐれているさま。

【佼麗】美しいこと。

6【侊】8画 313 コウ(クヮウ) 陽 guāng 1421 ED54 1703
字義 多いさま。盛んなさま。
解字 形声。人+光音。

6【佮】8画 314 コウ(カフ) 合 gé — — 1684
字義 合わせる。集める。
解字 形声。人+合音。音符の合は、あわせるの意味。人が物をあわせ取るの意味を表す。

6【佷】8画 315 漢コン 呉ゴン 阮 hěn 20139 — 1686
字義 ❶もとる。道義に反する。=很(3414)。❷心がねじけている。いすかし。
解字 形声。人+艮音。

6【使】8画 316 教3 シ つか-う 一シ 紙 shǐ 二シ 寘 shì 2740 8E67 —
筆順 ノ 亻 仁 仁 佢 佢 伊 使
字義 一 助 ❶しむ。しめば。もし。⇩助字・句法解説。❶つか-う。㋐用いる。「使用」㋑費す。銭をつかう。㋒用をさせる。働かせる。❷あげる(挙)。「特使」❷つか-いする。つか-わす。二❶つか-い。使者。

助字・句法解説
❶しむ。使役。「A使B C(セ)」(A BをしてC〔せ〕しむ)」。訳AはBにCさせる。類令・遣・教。A、Bは省かれることもある。
用例〔論語、微子〕使子路問津焉 ⇩子路に渡し場の所在を尋ねさせた。/〔史記、項羽本紀〕項王使都尉陳平召沛公 ⇩項羽は都尉の官にある陳平をやり、沛公を呼ばせた。
❷しめば。仮定。「使B C(セ)」(BをしてC〔せ〕しめば)」。訳もしBがCだとしたら。類令。
①と類似の形をとるが、使役の意味を持たず、仮定を表すもの。「もし」と読むこともある。→③。
用例〔史記、蘇秦伝〕使我有洛陽負郭田二頃、吾豈能佩六国相印乎 ⇩もしも私に洛陽郊外の田が二頃あったならば、六国の宰相の印を腰につけることなどできただろうか(決してできなかった)。
❸もし。仮定。訳もし…なら。類令。「向使」「仮使」の二字でも同様に用いる。
用例〔史記、廉頗藺相如伝〕使趙不将括即已 ⇩もし、趙国が趙括を将軍に任命したりしなければそれでよい。
▼「もし」という読みは、②の「しめば」と本質的には同一のものであり、この用例も「趙をして括を将とせざらしめば即ち已む。」と読んでも意味上の変わりはない。

難読 使主(おみ)・使真(つかい)

使いわけ
つかう〔使・遣〕
〔使〕「用事をさせる、動かす」などの意で、広く一般に用いる。「人を使う・道具を使う・召し使い」
〔遣〕心をあれこれ働かせる。また、役に立つよう工夫して用いる。「気を遣う・言葉遣い」

解字 甲骨文 篆文 形声。人+吏音。音符の吏は、役人の意味。人を付し、つかう・仕える人の意味を表す。
逆 役使・駅使・虐使・駆使・軍使・行使・上使・大使・天使・特使・目使・労使

【使役】①つかう。はたらかせる。②つかわれること。「使役に出る」③国他にはたらきかけてある事をさせる意を表す文法用語。「使役の助動詞」

【使気(氣)】血気にはやる。ほしいままにする。また、鼻っぱしらの強いこと。

【使君】①天子の命を奉じて地方に行く人の尊称。勅使。②漢代、刺史をいう。↔府君(四七二ページ下)。

【使車】①使者の乗る車。②猟のとき、えものを狩り出す車。

【使者】君主の命令を受けて他国などへ使いに行く人。

【使酒】酒の勢いをかって気ままにふるまう。

【使臣】主君の命令で外国に派遣される者。使節。

【使節(節)】①天子の使者の持ち歩く節(割符・手形)。②天子の使者。勅使。使臣。③国家の代表として外国に派遣される使者。

【使嗾】けしかける。そそのかす。指嗾。

【使丁】召し使いの男性。

【使典】召し使い。胥吏。

【使徒】国①キリストの選んだ十二人の弟子をいう。②神聖な事業に献身努力する人をたたえて呼ぶ称。

【使途】国つかいみち。用途。

【使旆】使者の旗。また、それを立てた行列。

【使聘】使者をやって安否を問う。ごきげん伺いをさせる。また、その使者。聘問。

【使幣】使者と(使者にもたせてやる)礼物。

【使命】①君主から命ぜられた使いのやくめ。使いとして果たさなければならない任務。②その人に必ず果たすべきものとして与えられた任務。

【使令】①つかう。指図して人をつかう。②召し使い。家来。


6【侈】8画 317 シ 紙 chǐ 4844 98CA —

字義 ❶おごる。㋐たかぶる。いばる。「驕侈」㋑度をこえる。ぜいたくをする。❷おごり。ぜいたく。「奢侈」❸ほしいまま。みだら。よこしま。「邪侈」❹おおきい。ひろい。また、多い。豊か。「侈大」

解字 篆文 形声。人+多音。音符の多は、おおいの意味。財産の多い人の意味から、おごるの意味を表す。

【侈倹(儉)】ぜいたくと倹約。

【侈言】大言壮語。

【侈傲】おごり。おごりたかぶること。「暴虐侈傲」

【侈奢】おごる。また、おごり。奢侈。

【侈泰・侈汰】おごり。ぜいたく。

【侈靡】おごり。おごってみだらなこと。「淫逸侈靡」

【侈放】おごってわがままなこと。

【侈麗】大きくてりっぱ。美しくりっぱ。

6【佌】8画 318 シ 紙 cǐ — — 1675
字義 ❶ちいさいさま。❷ならぶさま。
解字 形声。人+此音。

6【佽】8画 319 シ 寘 cì 20142 — 1690
字義 ❶すばしこい。身がる。敏捷。❷なら-ぶ。❸助ける。
解字 篆文 形声。人+次音。音符の次は、斉に通じ、ととのうの意味。人がそろうさまから、ならぶの意味を表す。

6【侍】8画 320 常 ジ さむらい 漢シ・呉ジ 寘 shì 2788 8E98 —

筆順 ノ イ 仁 什 仕 仕 侍 侍

字義 ❶はべ-る。さぶら-う。目上の人のそば近くにかしこまって居る。❷目上の人のそば近く奉仕する人。さむらい。側室。「近侍」 国❶さむらい。武士。❷はべ-る。「ある(あり)・おる(をり)」の丁寧語。

名前 じ・ひと 難読 侍婢・侍

解字 篆文 形声。人＋寺㊥。音符の寺は、止に通じ、たちどまるの意味。目上の人の近くにとどまって奉仕する人の意味を表す。

逆 近侍・典侍・内侍・陪侍・扶侍

【侍医(醫)】天子や王侯のおかかえの医者。

【侍衛(衞)】天子や貴人のそばに居て護衛すること。また、その人。

【侍御】天子のそばに仕えること。また、その官。

【侍講】天子や皇太子に講義をすること。また、その役。侍読。

【侍△坐・侍座】貴人のそばにすわる。

【侍史】①貴人のそばに仕える書き役。②手紙のあて名のわきにそえて敬意を表す語。直接本人に読んでもらうことを遠慮して、おそばの書き役にとの意。

【侍児(兒)】そばに仕える年少の女子。腰元。侍女。用例〔唐、白居易、長恨歌〕侍児扶起嬌無レ力、始是新承二恩沢一時 ↓腰元たちが抱きかかえあげると、あだっぽくなよなよとして力もないようすである。いまやまさに、天子の御寵愛を受けようとするそのとき。

【侍者】貴人のそばに仕えている人。侍人。

【侍△豎】貴人のそばに仕える子ども。小姓。侍童。

【侍従(從)】①貴人のそばに仕えること。また、その人。②国㋐天皇のそばに仕えて日常の世話をする官。皇太子には東宮侍従という。㋑練り香の名。

【侍女】貴人のそばに仕えている女性。侍婢。侍児。

【侍臣】おそばづとめの家来。

【侍中】官名。天子の左右につかえて殿中の奏事をつかさどる。魏・晋以後、門下省の長官となり、唐代では中書令、左右僕射(尚書省の次官。長官の尚書令は実際には任命されなかった)と並んで宰相職となった。用例〔資治通鑑、漢紀〕武在レ漢、与二李陵一倶為二侍中一。↓蘇武は、漢王朝に仕えていた頃、李陵とともに侍中であった。

【侍童・侍△僮】＝侍豎。

【侍読(讀)】＝侍講。

【侍△婢】＝侍女。▼婢は、女性の召し使い。

【侍立】目上の人のそばに仕えて立っていること。

【侍郎】官名。秦・漢代、黄門侍郎といって天子への謁見などをつかさどった。唐代では門下侍郎といって侍中につぎ、次官級の職となった。また、六部にも大臣級の尚書の下にそれぞれ次官級の侍郎が置かれた。

6 【舎】 8画 321 教5 シャ 熟字訓 田舎 2843 8EC9

舌2 〔舍〕 8画 322 一シャ 禡 shè 二シャ 馬 shě 三漢セキ・呉シャク 陌 shì 7150 E471

筆順 ノ 𠆢 亼 今 全 全 舎 舎

字義 一❶いえ。や。建物。家屋。やしき。すみか。「校舎」「兵舎」❷やど。やどり。㋐やどや。旅館。用例〔東晋、陶潜、雑詩〕家為二逆旅舎一、我如二当レ去客一。↓家は旅人を迎え入れる宿であり、私はやがては立ち去ることになる旅人のようなものである。㋑いどころ。㋒軍隊の一夜の宿営所。❸星の位置。星次。星座。用例〔東晋、郭璞、遊仙詩〕愧無三魯陽徳廻レ日向二三舎一。↓残念なのはあの魯陽公のように、太陽を三宿分戻すことなどできないということ。❹軍隊の一日の行程。約十二キロ。用例〔左伝、僖公二十三〕其避レ君三舎。↓(私は世話になった返礼として、)君との戦いに道を譲り三舎の距離を引き下がりましょう。❺やど-る。やど-す。とまる。とどまる。おる。いる。用例〔荘子、山木〕荘子出二於山一、舎二於故人之家一。↓荘子は山を下りて友人の家に泊まった。❻いこ-う。やすむ。用例〔礼記、月令〕耕者少舎、乃脩二闔扇一、寝廟畢備。↓農民たちは少し農作業をやすみ、王宮の門扉、寝廟を修理する。❼私。自己の謙称。「舎弟」

二❶お-く。㋐下におろす。すえおく。用例〔論語、先進〕鏗爾舎レ瑟而作。↓コトリと音をたてて瑟を置き立ち上がった。㋑すておく。放置する。のぞく。用例〔孟子、公孫丑下〕当二今之世一、舎レ我其誰也。↓今の世の中で、(王の補佐役として)私をさしおいて誰がいようか。㋒とどめる。休める。やむ。やめる。用例〔論語、子罕〕逝者如レ斯夫、不レ舎二昼夜一。↓過ぎ去ってゆくものはこの(川の水の)ようなものだなあ、昼も夜もとどまることがない。❷す-てる(捨)。見捨てる。投げ出す。用例〔論語、述而〕用レ之則行、舎レ之則蔵。↓自分を見込んで用いてくれるものがあれば出て行ってできることを行い、見捨てられればじっと隠れている。／〔戦国策、燕〕両者不レ肯二相舎一。↓(しぎもどぶ貝も)どちらも互いに離そうとしなかった。❸はな-つ(放)。発射する。用例〔詩経、大雅、行葦〕舎レ矢既均、序レ賓以レ賢。↓矢を放てばみな的に当たり、成績により賓客を序列づける。❹ゆる-す(赦)。ときはなす。釈放する。用例〔周礼、秋官、司圜〕能改者、上罪三年而舎、中罪二年而舎。↓過ちを改めることのできた者については、重罪なら三年で釈放し、軽い罪なら二年で釈放する。

三お-く(置)。＝釈(12454)。「舎奠」

名前 いえ・や・やどる 難読 舎川・舎利弗

注意 舎を口部に所属させる場合もある。

解字 金文 篆文 形声。口＋余(余)㊥。口は、ある場所を示す。音符の余は、のびやかの意味。心身をのびやかにして、やどるの意味を表す。

逆 駅舎・屋舎・外舎・官舎・館舎・帰舎・客舎・休舎・斎舎・施舎・止舎・塾舎・取舎・精舎・草舎・村舎・庁舎・邸舎・伝舎・殿舎・田舎・坊舎・用舎

【舎下】①下に置く。初めの位置に置く。②拙宅。

【舎館】やどや。旅館。

【舎兄】自分の兄。他人に対していう。家兄。

【舎采・舎菜】①昔、学校に入るとき、学校に祭ってある先師(昔の聖人)にささげた野菜。②野菜を供えて孔子を祭ること。学校で孔子を祭る儀式。釈奠。釈菜。

【舎次】軍隊の宿営をいう。

【舎人】一①周代の官名。宮中の政務を執り、財を分けることをつかさどる。②宮中に宿直をして番をする役人。③貴人のそばに仕える人。用例〔史記、廉頗藺相如伝〕臣舎人藺相如可レ使。↓私の家来の藺相如なら、使者によろしいでしょう。④家の雑務を行う人。召し使い。用例〔戦国策、斉〕賜二其舎人巵酒一。↓その使用人たちに大杯に入れた酒を振る舞うことになった。⑤伝達をつかさどる役人。⑥貴人の子弟。

㊁とねり 国①昔、天皇または皇族のそばに仕えて雑務を行った人。②牛車(ギッシャ)の牛飼い、または馬の口とり。

【舎然】(セキゼン) さっぱりと悟るさま。釈然。

【舎弟】(シャテイ) 自分の弟。他人に対していう。家弟。

【舎△奠】(セキテン) ①天子が巡狩から帰って、山川または父祖の廟(ビョウ)で行う祭り。▼舎も奠も、おく意で、進物を供える意。②学校で先師先聖をまつる祭り。孔子祭。釈奠(セキテン)。

【舎匿】(シャトク) かくまう。かくす。

【舎密】(セイミ) 化学の古称。オランダ語chemieの音訳。

【舎利】(シャリ) ①鳥の名。もず。②梵語(ボンゴ) śarīra の音訳。釈迦(シャカ)の遺骨。仏骨。③火葬にした骨。④米つぶ。

【舎利△弗】(シャリホツ) 梵語(ボンゴ) Śāriputra の音訳、「舎利弗多羅(シャリホタラ)」の略。釈迦の十大弟子の一人。最も知恵がすぐれていたといわれる。舎利子。

6 【侏】 8画 323 シュ 虞 zhū | 4845 98CB —
字義 ❶みじか-い(みじかし)。短小。❷くも(蜘蛛)。
解字 形声。人＋朱㊣。音符の朱は株に通じ、きりかぶの意。木のきりかぶのように、背たけの低い人、みじかいの意味を表す。
【侏儒】(シュジュ) ①体の特に小さい人。一寸法師。②役者。俳優。古代の劇は主として滑稽劇(コッケイゲキ)で、体の小さい人が重要な役者であったからいう。用例(荀子、王覇)俳優侏儒(ハイユウシュジュ)、婦女之請謁(フジョのセイエツ)。↓俳優と(体の小さい)役者、女性たちの頼みごと。③うだち(梲)。うだつ。つか。梁(うつばり)の上に立てて棟木をささえる短い柱。④虫の名。蜘蛛(くも)。
【侏離】(シュリ) ①西方の異民族の音楽をいう。②異民族の話すことば(外国語)の意味不明のさま。

6 【侚】 8画 324 漢シュン 呉ジュン 震 xùn | 20146 ED55 1712
字義 ❶はやい。すみやか。❷とな-える(となふ)。あまねく告げ知らせる。＝徇(3415)。
解字 形声。人＋旬㊣。

6 【侞】 8画 325 漢ジョ 呉ニョ 魚 rú | — — 1713
字義 等しい。また、等しくする。
解字 形声。人＋如㊣。

6 【侁】 8画 326 シン 真 shēn | — — 1692
字義 ❶行くさま。❷多くの馬が先を争って走るさま。
解字 形声。人＋先㊣。

6 【侭】 8画 327 ジン 儘(646)の俗字。→一三四ページ下。 | 4389 9699 —

6 【佺】 8画 328 セン 先 quán | 20141 — 1689
字義 偓佺(アクセン)は、仙人の名。
解字 形声。人＋全㊣。

6 【侟】 8画 329 セン 薦(10335)と同字。→一三四〇ページ上。 | — — 1714

6 【侘】 8画 330 標 タ 禡 麻 chà | 4846 98CC —
字義 ❶ほこる。おごる。❷志をうしなうさま。国❶わ-びる(わぶ)。㋐つらく思う。悲しく思う。㋑さびしく暮らす。㋒あやまる。謝罪する。❷わび-しい(わびし)。❸わび。さび。俳句・茶道などの最高の理念。
参考 「わびる」の意のとき、俗に誤って〔侂〕(268)の字を用いる。
解字 形声。人＋宅㊣。音符の宅は、人が屋内にくつろぎとどまるの意味。人の精神活動が止まり、志を失うの意味を表す。日本では、「わぶ」「わびし」として、古くから失意・失望・困惑の状態・動作を表す文字として用いられる。

6 【侂】 8画 331 タク 薬 tuō | 20143 — 1693
字義 ❶よせる(寄)。たのむ。＝託(11115)。❷こぼつ。こわす。

6 【佻】 8画 332 漢チョウ(テウ) 呉ジョウ(デウ) 蕭 tiāo | 4847 98CD —
字義 ❶かる-い(かるし)。また、うすい。㋐愛情が薄い。㋑思慮が浅い。軽々しい。あさはか。「軽佻」❷ぬすむ。とる。❸いどむ。＝挑(4167)。
解字 篆文 形声。人＋兆㊣。音符の兆は、跳に通じ、とびはねるの意味。落ち着きのないさま、あさはかの意味を表す。
【佻薄】(チョウハク) 人情がうすい。また、思慮が足りない。軽薄。

6 【侙】 8画 333 漢チョク 呉チキ 職 chì | — — 1711
字義 ❶おそれる。❷心が動く。
解字 形声。人＋式㊣。

6 【侄】 8画 334 テツ 姪(2392)の俗字。→三七〇ページ上。 | — — 1694

6 【侗】 8画 335 ㊀漢トウ・呉ドウ 東 tōng ㊁トウ 董 tǒng ㊂漢トウ・呉ドウ 送 dòng | 11423 — 1710
字義 ㊀おろ-か。幼稚でおろか。㊁❶まっすぐ。❷物事がすんなり進み何の気がかりもない。㊂少数民族の名。
解字 篆文 形声。人＋同㊣。音符の同は、筒に通じ、つつのようにからっぽの意味。中身がなくておろかな人の意味を表す。
【侗然】(ドウゼン) ①誠実なさま。②大きなさま。③おろかなさま。

6 【侫】 8画 336 ネイ 佞(280)の俗字。→九八ページ上。 | 5305 9B44 —

6 【佩】 8画 337 漢ハイ 呉バイ 隊 pèi | 4848 98CE —
字義 ❶おびだま。腰にさげるかざり玉。また、おびもの。腰におびる物。❷お-びる(おぶ)。は-く。㋐腰につける。用例(史記、項羽本紀)挙ニ所レ佩玉玦一(おぶるところのギョッケツをあぐ)。↓腰におびている玉玦を挙げて合図した。㋑身につける。携える。❸心にとどめる。「感佩」 難読 佩刀(はかし・はかせ)
解字 金文 篆文 会意。人＋凡＋巾。凡は、風をはらむ帆の象形。巾は、布きれの意味。人が帯につける幅のあるたれ布の意味を表す。
【佩環】(ハイカン) おびだま。貴人が腰におびるかざり玉の輪。
【佩玉】(ハイギョク) 腰に帯びるかざり玉。歩くと音を出す。「佩玉鳴鑾(メイラン)」(鑾は、天子や貴人の馬車につける鈴)

佩玉

【佩剣(劍)】(ハイケン) 腰に帯びた剣。

【佩帯(帶)】(ハイタイ) 身に帯びること。

【佩刀】(ハイトウ) 腰に帯びる刀。佩剣。

【佩服】(ハイフク) ①身につけること。②心にとめて忘れないこと。③感服すること。佩用。

【佩用】(ハイヨウ) 身につけること。

6 【侎】 8画 338 ビ 敉(4530)と同字。→六三三ページ下。 | — — 1705

6 【佰】 8画 339 漢バク 呉ミャク 陌 bǎi(bó)、③mò 慣ハク・ヒャク | 4849 98CF —
字義 ❶数の名。＝百(7864)。❷百人の組。また、百人の長。❸道。耕地を東西に走る境の道。＝陌(13079)。
解字 篆文 形声。人＋百㊣。音符の百は、ひゃくの意味。人を付し百人の意味を表す。

6 【侮】 8画 340 常 ブ あなど-る | 4178 958E —

人部 6画 〔侏侚侞侁侭佺侟侘侂佻侙侄侗侫佩侎佰侮〕

7【侮】9画 341 人 漢ブ 呉ム 麌 wǔ 1424 — —

筆順 ノ亻𠂉𠂉侮侮侮

字義 ❶あなどる。軽んずる。見さげる。人を見さげばかにする。❷あなどり。人をばかにした行い。❸しのぐ。おかす。

解字 篆文 形声。人＋毎(毎)音。音符の毎は、晦などに通じ、くらいの意味。暗くて視野にも入らない人、あなどるの意味を表す。

逆 外侮・軽侮・慢侮・陵侮

【侮△翫】ブガン あなどりもてあそぶ。侮弄ブロウ。

【侮辱】ブジョク あなどりはずかしめる。また、はずかしめ。

【侮蔑】ブベツ あなどりさげすむ。ばかにする。

6【併】8画 342 常 ヘイ あわ-せる 一 漢ヘイ 呉ヒョウ(ヒャウ) 敬 梗 bìng 4227 95B9 —

8【倂】10画 343 二 漢ヘイ 呉ビョウ(ビャウ) 迥 bìng 1428 — —

筆順 ノ亻亻亻亻併併併

字義 一二 ❶あわ-せる。あつめる。また、あわ-せて。＝幷(3167)。「合併」「兼併」 ❷なら-ぶ(並)。つらなる。また、並びに。＝並(36)。❸なら-べる。等しくする。❹きそう(競)。あらそう。国しか-し。しかしながら。

名前 つら・とも

使いわけ あわせる〔併・合〕
〔併〕二つ以上のものを一緒にする。「二つの企業を併せる」
〔合〕そろえる。また、一致させる。「手を合わせる・調子を合わせる」

解字 篆文 形声。人＋幷(幷)音。音符の幷は、ならぶの意味。人を付し、人がならぶの意味を表す。

逆 合併

【併肩】ヘイケン 肩をならべる。㋐一緒に連なっていること。㋑同等の地位にあること。

【併行】ヘイコウ ①ならんで行く。②同時に行われる。③みな行われる。

【併合】ヘイゴウ あわせて一つにする。合併。

【併称(稱)】ヘイショウ ①あわせならべていう。②一緒にして呼ぶ名称。

【併△呑】ヘイドン あわせのむ。他国やその領地を奪って自分のものにすること。

【併発(發)】ヘイハツ 同時に起こる。重なって生ずる。

【併用】ヘイヨウ あわせ用いる。幾つかのものをともに用いること。

6【侌】8画 344 ホウ 法(6264)の古字。→六二七ページ下。 — — 1685

6【侔】8画 345 漢ボウ 呉ム 尤 móu 1422 ED56 1709

字義 ❶ひと-しい。ひとしくする。❷とる。むさぼる。

解字 形声。人＋牟音。

6【命】8画 346 教3 メイ・ミョウ いのち 漢メイ・呉ミョウ(ミャウ) 敬 mìng 4431 96BD —

筆順 ノ人𠆢合合合命命

字義 ❶いのち。生命。用例〔史記、項羽本紀〕臣請入与レ之同レ命。↓私は早速宴会場に乗り込んで、わが主君と生死をともにしたい。❷いいつける。申しつける。叙任する。また、いいつけ。おきて。用例〔史記、高祖本紀〕命二雍歯一守レ豊。↓雍歯に命じて豊を守備させた。❸なづける。用例〔韓非子、和氏〕命曰二和氏之璧一。↓和氏の璧という名前を付けた。／〔十八史略、春秋戦国、呉〕呉人憐レ之、立二祠江上一、命曰二胥山一。↓呉の国の人々は気の毒に思い、ほこらを長江のほとりに立てて、胥山となづけた。❹告げる。知らせる。用例〔孟子、梁恵王下〕他日君出、則必命二有司所一レ之。↓これまで公が外出の際は、必ず係の役人に行き先を告げた。❺運命。めぐりあわせ。さだめ。用例〔論語、顔淵〕死生有レ命。↓人の生き死には天命によるものだ。❻ことば。誓いのことば。❼めあて。目標。「命中」 国みこと。昔、神や貴人の名にそえた敬称。「大国主命」

名前 あきら・かた・とし・な・なが・のぶ・のり・まこと・みこと・みち・もり・や・よし・より

注意 『康熙字典』では、口部に所属する。 難読 命尾

解字 甲骨文 金文 篆文 会意。口＋令。令は、いいつけるの意味。口を付し、令であることを区別して示した。とははじめの子音がちがう発音、命であることを区別して示した。

逆 遺命・運命・延命・革命・下命・帰命・懸命・厳命・国命・顧命・冊命・策命・失命・使命・死命・時命・辞命・借命・宿命・寿命・主命・受命・授命・職命・助命・身命・性命・正命・生命・絶命・宣命・存命・尊命・大命・待命・短命・知命・致命・朝命・勅命・帝命・天命・特命・任命・拝命・薄命・反命・非命・復命・亡命・奔命・本命・余命・落命・立命・露命

【命意】メイイ 工夫する。また、工夫。考え。

【命運】メイウン めぐりあわせ。運命。

【命△駕】メイガ 駕を命ずる。出かけるために下僕に命じて馬車の用意をさせること。

【命軽(輕)二於△鴻毛一】いのちはコウモウよりもかろし 場合によっては、いのちを投げ出すのが何でもないことのたとえ。▼鴻毛は、おおとりの毛で、非常に軽い。〔前漢、司馬遷、報二任少卿一書〕

【命在二△旦夕一】メイタンセキにあり 死のさしせまっていること。今にも死にそうなこと。▼旦夕は、朝夕。『漢書』両龔伝に、「命在二朝夕一」とあるのに基づく。

【命在レ天】メイはテンにあり 人の寿命や運命は天の定めるもので、人力ではなんともなし得ない意。〔史記、高祖本紀〕

【命日】一メイジツ 日限をきめる。二メイニチ 仏人が死んだ日。その人が死んだ日に当たる、毎月のその日。毎年の当月当日を祥月命日という。忌日。

【命如二風前灯(燈)一】いのちはフウゼンのともしびのごとし 人生の無常なことのたとえ。また、危険が身に迫ることのたとえ。▼風前の灯は、風の吹く中に立っているともしび。〔倶舎論、疏〕

【命数(數)】メイスウ ①いのちの長さ。天命。寿命。②めぐりあわせ。天から与えられた運命。

【命世】メイセイ 世に名高いこと。また、一世にひいでて名高い人。▼命は、名。

【命世△之才】メイセイのサイ 世にひいでた才能。また、その才能のある人。

【命題】メイダイ ①題名をつけること。また、その題。名題。②国論理学で、判断を言語で表したもの。

【命中】メイチュウ 的に正しく当たる。▼命はめあての所、中は当たる意。

【命長多レ辱】いのちながければはじ(ぢ)おお(ほ)し ＝寿則多レ辱いのちながければすなわ(は)ちはじ(ぢ)おお(ほ)し(四二一ページ中)。

【命筆】メイヒツ 筆をとって書く。

【命婦】一メイフ ①封号を受けた女性。②大夫の妻の称。二ミョウブ 国①四位・五位の女官(内命婦という)、および五位以下の官人の妻(外命婦という)。②内侍司の下級の女官。③宮中女官の階級の一つ。④稲荷

神社の使いのきつね。
【命服】メイフク 諸侯が爵位とともに天子から受ける位階相当の官服。
【命脈】メイミャク ①いのちのつな。いのち。玉の緒。②重要な事物をいう。
【命冥加】メイミョウガ（いのち）国死ぬところだったのが神仏の力で不思議に助かること。
【命名】メイメイ 名をつける。名づける。
【命令】メイレイ 言いつけ。おおせ。さしず。
【安レ命】メイにやすんず 天から授かった自分の運命に満足する。
【授レ命】メイをさずく ＝授命ジュメイ（五六八ぺ・下）。
【知レ命】メイをしる ＝知命（一〇一八ぺ・上）。

6 【侑】 8画 347 人 漢ユウ（イウ） 呉ウ 宥 yòu 4850 98D0 —

筆順 （侑の筆順）

字義 ❶すすめる（勧）。❷たすける（佑）。

名前 あつむ・いく・すけ・すすむ・ゆ・ゆう・ゆき

解字 形声。人＋有㊥。音符の有は、肉を手に取ってすすめるの意味。手を取り合い助ける人の意味から、たすける・すすめるの意味を表す。

6 【佯】 8画 348 ヨウ（ヤウ） 陽 yáng 4851 98D1 —

字義 ❶いつわる。㋐あざむく。㋑うわべをかざる。ふりをする。❷さまよう。

解字 形声。人＋羊㊥。音符の羊は、様に通じ、さまの意味。人為的にあるさまを似せて作りだす、いつわるの意味を表す。

【佯狂】ヨウキョウ 精神に異常をきたしたふりをする。
【佯言】ヨウゲン いつわりのことば。うそ。陽言。
【佯死】ヨウシ 死んだふりをする。
【佯走】ヨウソウ いつわり走る。負けたふりをして逃げる。
【佯北】ヨウホク 負けたふりをして逃げる。▼北は、逃げる。

6 【來】 8画 (5222) ライ 来（5221）の旧字体。→七三一ぺ・中。

6 【佬】 8画 349 リョウ（レウ） 皓 lǎo 1 1419 — 1683

字義 ❶おおきいさま。❷現代中国語で、男性のことをさげすんで言うことば。

解字 形声。人＋老㊥。

6 【倆】 8画 350 リョウ 倆（463）の俗字。→一二九ぺ・下。 2 0138 — —

6 【例】 8画 351 レイ 霽 lì 教 4 レイ たとえる 4667 97E1 —

筆順 （例の筆順）

字義 ❶たぐい。同じ種類のもの。比類。「先例」❷ためし。ならわし。しきたり。「慣例」❸さだめ。おきて。「条例」❹おおむね。あらまし。大部分。❺たとえ。たとえる。国❶たとえる。❷たとえば。㋐たとえて言えば。㋑よしんば。たとえ。

名前 ただ・ため・つね・とも・みち

解字 篆文 形声。人＋列（㓞）㊥。音符の㓞ツは、連に通じ、ならべるの意味。同列に並べることのできる人の意味から、たぐい・ためしの意味を表す。

逆 異例・違例・慣例・吉例・旧例・恒例・常例・条例・事例・先例・通例・適例・凡例・判例・比例・不例

【例言】レイゲン 書籍などで本文の前に書いてある、内容・体裁などの注意書き。凡例。
【例祭】レイサイ 国毎年きまった日に行われる祭り。
【例示】レイジ 一つの例として挙げ示す。
【例証（證）】レイショウ ①証拠となる前例。②例を挙げて証明する。
【例題】レイダイ 例として挙げる問題。
【例年】レイネン としどし。毎年。いつもの年。
【例話】レイワ 例として話す談話。

6 【侓】 8画 352 漢ロツ 呉ロチ 月 lù — — 1708

字義 大きいさま。

解字 形声。人＋律省㊥。

6 【侖】 8画 353 一ロン 元 lún 二リン 真 4853 98D3 —

字義 一❶おもう（思）。❷順序だてる。すじみちをたてる。

解字 篆文 会意。亼＋冊。亼は、三直線が合うさまを示す。冊は、文字を書きつける竹のふだの意味。すじみちをたてて考えをまとめるの意味を表す。侖を音符に含む形声文字に、倫・掄・綸・論・輪などがあり、これらの漢字は、「筋道が立つ」の意味を共有している。

7 【弇】 9画 (3287) エン 廾部。→四六五ぺ・上。

7 【俄】 9画 354 人 標 ガ 歌 é 1868 89E2 —

筆順 （俄の筆順）

字義 ❶にわか。にわかにして。㋐たちまち。すみやか。ほどなく。用例（人虎伝）俄而虎匿二身草中一 にわかにしてとらみをソウチュウにかくす。↓急に虎は草むらに身を隠した。㋑しばらくして。用例（列子、黄帝）俄而匱焉 にわかにしてとぼし。↓やがて家が貧しくなった。／（荘子、斉物論）俄而覚 にわかにしてさむれば、則蘧蘧然周也 すなわちキョキョゼンとしてシュウなり。↓しばらくして目が覚めると、驚くことに自分は荘周シュウであった。❷かたむくさま。なめ。❸高い。高くする。❹国名。俄羅斯オロシャ・オロス（ロシア）の略。

解字 形声。人＋我㊥。

【俄頃】ガケイ ①しばらくの間。暫時ザンジ。②またたく間。瞬時。
【俄然】ガゼン にわかに。急に。突然。
【俄羅斯】オロシャ・オロス Russiaの音訳。ロシア。

7 【臥】 9画 (11021) ガ 臣部。→一三九三ぺ・下。

7 【俒】 9画 355 漢コン・呉ゴン 元 慣カン（クヮン） 願 hùn 2 0153 — 1732

字義 ❶まったし（完）。欠けた所がない。❷けがす。はずかしめる。

解字 形声。人＋完㊥。

7 【俅】 9画 356 漢キュウ（キウ） 呉グ 尤 qiú 2 0150 — 1724

字義 ❶うやうやしいさま。恭順のさま。❷冠のかざりのさま。

解字 形声。人＋求㊥。

7 【俠】 9画 357 人 標 漢キョウ（ケフ） 呉ギョウ（ゲフ） 葉 xiá 1 1426 — 1734

筆順 （俠の筆順）

［侠］309 俗字

字義 ❶おとこだて。義に勇み、強者をくじき弱者を助ける。また、その人。「任俠」❷おとこぎ。おとこだての気性。義俠心。❸はさむ（挾キョウ）。さしはさむ。国きゃん。㋐いさみはだの女性。㋑はすっぱな女性。おきゃん。おてんば。

名前 さとる・たもつ

解字 篆文 形声。人＋夾㊥。音符の夾は、わきの下にはさむの意味。弱者をかばい抱きかかえる力のある人、おとこだての意味を表す。

【俠客】キョウカク おとこ気のある人。おとこだて。俠者。
【俠気（氣）】キョウキ おとこ気。俠骨。
【俠豪】キョウゴウ おとこ気のある豪傑。豪俠。

【侠骨】キョウコツ ＝侠気。
【侠者】キョウシャ ＝侠客。

7 **【侹】** 9画 358
㊀ ㊥**キョウ**(キャウ) ㊦ゴウ(グワウ) 㕜 guàng, kuāng
㊁ ㊥キョウ(キャウ) ㊦コウ(クワウ) 漾 guàng

字義 ㊀あわただしいさま。㊁遠くへ行く。
解字 **形声**。人＋狂㊊。

7 **【偈】** 9画 359
㊥**キョク** ㊦ゴク 沃 jú

字義 ❶背が低い。かがまる。❷迫る。
解字 **形声**。人＋局㊊。

7 **【俁】** 9画 360
グ 麌 yǔ

字義 おおきい。身なりが大きいさま。
解字 **形声**。人＋呉㊊。

7 **【係】** 9画 361 教3 **ケイ** かか-る・かかり
ケイ 霽 xì

筆順 ノ イ 亻 伒 伾 伾 係 係 係

字義 ❶**かか-る**。㋐**かか-わる**。つながる。関係がある。㋑つぐ(継・嗣)。❷**か-ける**(かく)。㋐つなぐ。しばる。くくる。㋑連ねる。続ける。❸かかわり。「関係」 国**かかり**。㋐受け持ち。担当の人。㋑文語文法でいう係助詞。ぞ・なん・こそなど。結びに対していう。

名前 たえ

参考 ①現代表記では〔繫〕(9371)の書きかえに用いることがある。「繫船→係船」「繫争→係争」「繫属→係属」「繫留→係留」「連繫→連係」 ②職名の一つとして「…がかり」という場合に、古くは「掛」が用いられていたが、現代では「係」を用いるのが一般的。

使いわけ かける・かかる〔掛・架・懸・賭・係〕⇩掛(4218)。

解字 篆文 [篆文] **形声**。人＋系㊊。音符の系は、つながりの意味。人と人とをつなぐ、つながりの意味を表す。

逆 連係

【係瑣】ケイサ くさりでつなぐ。
【係嗣】ケイシ あとつぎ。家をつぐ血筋の人。
【係踵】ケイショウ くびすを接して起こる。次々と続いて起こる意。
【係紲】ケイセツ なわでつなぐ。
【係争(爭)】ケイソウ 国両方がかかわり争う。

2324
8C57
—

【係風捕景】ケイフウホエイ 風をつなぎ、影を捕らえる。不可能なこと。雲をつかむようなこと。とりとめのない話。繫風捕影。捕風捉影。
【係虜】ケイリョ 捕らえてつないでおく。また、捕虜。
【係累・係△縲・係壘(壘)】ケイルイ ①しばる。また、しばり捕らえる。②自由を束縛するもの。足手まとい。妻子や一族をいう。

7 **【俓】** 9画 362
㊥**ケイ** ㊦キョウ(キャウ) 徑 jìng

字義 ❶なおい(直)。まっすぐ。❷かたい(堅)。❸へる(経)。
解字 **形声**。人＋巠㊊。

4855
98D5
—

7 **【俔】** 9画 363
㊀ ㊥**ケン** 霰 qiàn
㊁ ㊥**ケン** ㊦ゲン 銑 xiàn

字義 ㊀❶たとえる。たとえ。❷**うかが-う**(うかがふ)。こっそりのぞき見する。㊁❶＝㊀❶。❷うかがい見るさま。一説に、恐れるさま。
解字 **形声**。人＋見㊊。

1425
ED45
1727

7 **【俉】** 9画 364
ゴ 遇 wù

字義 ❶むかえる(迎)。❷あう(遇)。
解字 **形声**。人＋吾㊊。

7 **【侯】** 9画 365 常 **コウ**
㊥**コウ**・㊦グ 尤 hóu

筆順 ノ イ 亻 伫 伫 伫 侯 侯 侯

〔矦〕8115 本字

字義 ❶**まと**。弓の的。❷きみ。領主。大名。❸五等爵(シャク)(公・侯・伯・子・男)の第二位。侯爵。❹王城より五百里から千里の地域。侯服。❺これ。ここに。発語のことば。❻なんぞ(何)。疑問の助字。❼うかがう。

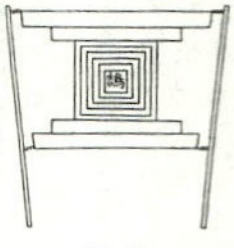
侯①

名前 きぬ・きみ・とき・よし

解字 甲骨文 [甲骨文] 金文 [金文] 篆文 [篆文] **象形**。甲骨文・金文は、まとをうかがい矢を放つ形にかたどり、まと・うかがうの意味を表す。王室のために邪気の侵入をうかがい除く者の意味から、転じて、諸侯の意味を表す。篆文は矦で、刀(人)＋厂＋矢。常用漢字は変形した侯による。侯を音符に含む形声文字に、候・喉・堠(ウコ)・猴などがある。

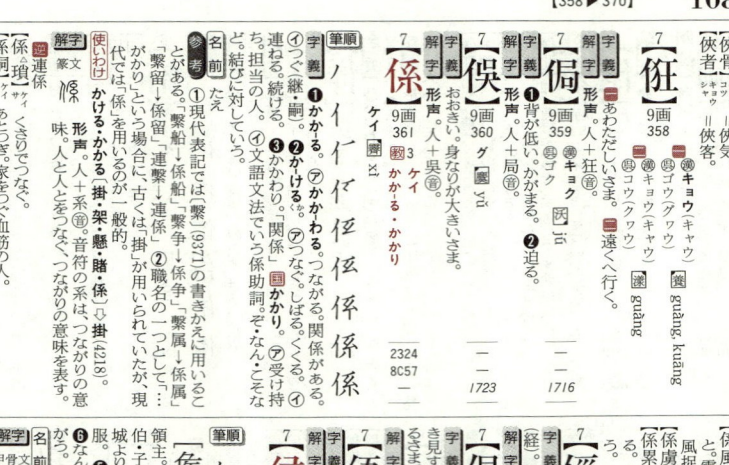

2484
8CF2
—

逆 王侯・君侯・射侯・諸侯・徹侯・藩侯・封侯・列侯
【侯△嬴】コウエイ 戦国時代、魏(ギ)の隠士。魏の信陵君と約束した一言を重んじて自殺した。用例〔唐、魏徴、述懐詩〕季布無二二諾一(キフニダクなく)、侯嬴重二一言一(コウエイイチゲンをおもんず)。⇩季布は、不確かなまま請け合うことはなかったし、侯嬴は口にした言葉は必ず実行した。
【侯王】コウオウ 一国の君主。諸侯。大名。
【侯△鵠】コウコク 弓のまと。▼鵠は、的の中央に描く大鳥の名。
【侯伯】コウハク ㊀①侯爵と伯爵。②諸侯。諸大名。㊁コウハ 諸侯の旗がしら。▼伯は、覇。
【侯服】コウフク 王城を去ること五百里から千里までの地域。
【侯牧】コウボク 大名。領主。▼牧は、やしなう意。
【侯門】コウモン 貴人の家。

7 **【侾】** 9画 366
㊥**コウ**(カウ) ㊦キョウ(ケウ) 肴 xiāo

字義 侾佬(コウリョウ)は、大きいさま。
解字 **形声**。人＋孝㊊。

2 0149
—
1721

7 **【俈】** 9画 367
コク
嚳(1784)と同字。→二八七ページ中。

—
—
1726

7 **【俟】** 9画 368
㊥**シ** ㊦ジ 紙 sì

〔竢〕8645 古字

字義 ❶**ま-つ**。あてにする。用例〔唐、柳宗元、捕レ蛇者説〕故為二之説一(ゆえ(ゑ)にこれがセツをつくりて)、以俟下夫観二人風一者得上焉(もってかのジンプウをみるもののえんことをまつ)。⇩そこでこの一文を書いて、民情を視察する役人がこれを読んでくれることを期待する。❷大きい。
解字 **形声**。人＋矣㊊。

4856
98D6
—

7 **【修】** 9画 369
シュウ
修(3377)の古字。→四九六ページ上。

—
—
1735

7 **【俊】** 9画 370 常 **シュン**
シュン 震 jùn

筆順 ノ イ 亻 仫 仫 伱 伱 俊 俊

〔儁〕593 同字 〔㑺〕656 同字

字義 ❶**すぐ-れる**(すぐる)。すぐれている。❷才知のすぐれている人。「英俊」❸大きい。高い。❹きびしくする。

名前 しゅん・すぐる・たかし・とし・まさり・まさる・よし

参考 現代表記では〔駿〕(13734)の書きかえに用いることがある。「駿才→俊才」

2951
8F72
—

解字 篆文 形声。人＋夋㊄。音符の夋は、出などに通じ、でるの意味。ぬきんでた人の意味を表す。

逆 英俊・賢俊・才俊・雄俊・良俊

【俊異】シュンイ 才知が常人よりもすぐれていること。また、その人。俊逸。俊英。

【俊逸】シュンイツ ＝俊異。▼逸も、すぐれる意。

【俊英】シュンエイ ＝俊異。▼英は、花、すぐれる意。

【俊△穎】シュンエイ すぐれぬきんでていること。俊秀。▼穎は、麦などの穂の先。

【俊△慧】シュンケイ 心の働きのすぐれていること。

【俊△桀・俊傑】シュンケツ 才知や徳のすぐれていること。また、その人。

【俊△彦】シュンゲン 才知のすぐれた人。▼彦は、りっぱな男性。

【俊才】シュンサイ 才知のすぐれていること。また、その人。俊材。

【俊材】シュンザイ ＝俊才。

【俊士】シュンシ ①周代、庶民の子弟の中から選ばれて大学に入学を許可された人。②才知のすぐれた人。

【俊秀】シュンシュウ 才知のすぐれていること。また、その人。

【俊爽】シュンソウ ▼爽は、さわやか・あきらか。①山などの姿の高くすっきりとしていること。②人の容姿のすっきりしてりっぱなこと。「容儀俊爽」

【俊造】シュンゾウ すぐれた人物。俊士と造士。▼造は、造士、学問のできあがった人。

【俊達】シュンタツ 才知がすぐれ道理に明るいこと。

【俊敏(敏)】シュンビン 才知がすぐれて判断や行動がすばやいこと。

【俊△邁】シュンマイ すぐれていること。俊秀。▼邁も、すぐれる。

【俊茂】シュンモ・シュンボウ 才知・学問のすぐれていること。また、その人。「才藻俊茂」

【俊雄】シュンユウ ①才徳のすぐれていること。また、その人。②すぐれて強いこと。また、その人。

7 【徐】 9画 371 漢ショ 呉ジョ 魚 xú, ②shū — — 1725

字義 ❶ゆるやか。遅い。＝徐(3421)。❷徐州は、今の山東省内。

解字 形声。人＋余㊄。

7 【俏】 9画 372 ショウ(セウ) 嘯 qiào, ①xiào 20152 — 1731

字義 ❶にる。かたどる。＝肖(4916)。❷容姿の美しいさま。

解字 形声。人＋肖㊄。音符の肖は、小さいの意味。人のミニチュアの意味から、似るの意味を表す。

7 【信】 9画 373 教4 シン 一シン 震 xìn 二シン 真 shēn 3114 904D —

筆順 ノ イ 仁 仁 信 信 信 信 信

〔訫〕 1128字 古

字義 一❶まこと。㋐ことばにいつわりのないこと。また、発言や約束を守ること。用例〔論語、学而〕与二朋友一交、言而有レ信。⬇友人と交際して、ことばに嘘がない。㋑心持ちや行いが誠実であること。用例〔史記、屈原伝〕信而見レ疑、忠而被レ謗。⬇真心をつくしながら疑われ、忠義でありながらそしられる。／〔論語、顔淵〕民無レ信不レ立。⬇人民は信がなければ、世に処してゆくことができない。❷規則正しいこと。用例〔管子、任法〕如二日月之明一、如二四時之信一。⬇(聖人の作った儀法は)日月が輝くように明るく、四季がめぐるように正確である。❸本当のことと思う。まこととする。用例〔孟子、尽心上〕尽信レ書、則不レ如レ無レ書。⬇書経の内容をすべて本当だと思うようでは、書経などないほうがましだ。❹たよる。信用する。用例〔論語、公冶長〕老者安レ之、朋友信レ之、少者懐レ之。⬇老人には安心してもらい、友人には信頼を得、若者には慕われたい。❺まかーせる。おもむくにまかせる。好きにさせる。用例〔荀子、哀公〕闇主信レ怒不レ任レ計。⬇暗愚な君主は、怒りにまかせるのみで計略には頼らない。／〔唐、白居易、長恨歌〕君臣相顧尽沾レ衣、東望二都門一信レ馬帰。⬇天子も家臣も、たがいに顔をみあわせ、みな涙で衣をぬらし、東方の都の門をさして、馬のすすむがままに、帰ってゆかれた。❻まことーに。㋐たしかに。本当に。用例〔唐、杜甫、兵車行〕信知生レ男悪、反是生レ女好。⬇ほんとうにわかりました。男を生むのはわるく、かえって、女を生むことこそよいということが。㋑もーし。もしも。本当に…であれば。用例〔孟子、公孫丑上〕信能行二此五者一、則隣国之民仰レ之若二父母一矣。⬇もしもこの五つのことをうまく行えば、隣国の民まで父母のように仰ぎ慕うであろう。❼明らかにする。つまびらかにする。❽しるし。あかし。証明。❾わりふ。符契。❿おとずーれ。たよーり。手紙。消息。「家信」「音信」「風信」⓫つかい。使者。⓬ふた晩泊る。「信宿」

二❶のびる。のばす。＝伸(265)。❷ゆるくする。❸のべる。＝申(7603)。

国 信濃(長野県)の略。「信越」

名前 あき・あきら・こと・さだ・さね・しげ・しの・しん・ただ・ちか・とき・とし・のぶ・のぶる・まこと・まさ・みち 難読 信貴山・信級・信砂・信太・信乃・信天翁・信田・信土山・信夫・信楽

解字 篆文 形声。人＋口＋辛㊄。音符の辛は、はりの象形で刑罰の意味。発言にうそがあれば受刑することをちかうさまから、まことの意味を表す。

逆 威信・音信・確信・家信・花信・過信・貴信・近信・私信・自信・所信・書信・忠信・背信・風信・不信・平信・妄信・迷信・来信

【信愛】シンアイ ①信用して愛する。②心から愛する。

【信義】シンギ ①真心があって正しいこと。②信と義。

【信△禽】シンキン 雁をいう。雁は寒くなると北から来、暖かくなると北へ帰り、季節の変化のたよりを運ぶように見えることから。▼禽は、鳥。

【信言】シンゲン まことのことば。うそいつわりのないことば。用例〔老子、八十〕信言不レ美、美言不レ信。⬇実のあることばには飾りがなく、飾られた言葉には実がない。

【信仰】シンコウ 神仏を信ずる(帰依する)こと。

【信士】一シンシ 信義に厚い人。二シンジ 仏↕信女。①出家せずに仏門に入った男性。②男性の戒名に用いる称号。

【信実(實)】シンジツ まこと。うそいつわりのないこと。

【信者】シンジャ 宗教を信仰する人。信徒。

【信宿】シンシュク 二晩宿泊すること。〔左伝、荘公三〕

【信書】シンショ てがみ。書簡。

【信証(證)】シンショウ しるし。あかし。証拠。

【信賞必罰】シンショウヒツバツ 功があれば必ず賞し、罪があれば必ず罰すること。賞罰を正しく行うこと。賞罰を明らかにすること。▼信は、まことで必と同意。〔韓非子、外儲説右上〕

【信条(條)】シンジョウ ①かたく信ずる事がら。②信仰の個条。

【信心】シンジン ①仏仏を信仰する心。②国信仰して祈念すること。

【信託】シンタク 国①信用してまかせること。「信託統治」②一定の目的と手続きにより財産の管理・処分を他人にまかせること。「投資信託」

【信鳥】シンチョウ 鷗をいう。鷗は潮の干満に従って陸に近づいたり遠ざかったりし、潮の干満を知らせるように見えることから。

【信潮】シンチョウ 干満する潮水。うしお。定時にさして来たり引いたりするので信という。
【信天翁】 鳥の名。あほうどり。アホウドリ科の海鳥。
【信女】 仏↔信士。①出家せずに受戒した女性。②女性の戒名に用いる称号。
【信任】 信じて事をまかせる。
【信念】 ①正しいとかたく信じている自分の考え。②自信の心。③信仰心。
【信△憑】 信用してたよる。信頼。▼憑は、よりたのむ意。
【信風】 ①季節風。②東北風。
【信服】 ①信用して服従する。②心から服従する。心服。
【信奉】 信じて大切に守ること。また、大切に信じてそれに従うこと。
【信望】 信用と人望。
【信用】 ①信じて任用する。②信じて疑わない。確かだと信ずること。③国人望のあること。
【信頼】 信用してたよる。
【信陵】 地名。戦国時代の魏の地。魏の昭王の子、無忌の封ぜられた所。今の河南省寧陵県の地。
【信陵君】 戦国時代、魏の昭王の子で、安釐王の弟。名は無忌。食客が三千人もあったということで有名な賢人。(?—前二四三)

7
【侵】 9画 374 常 シン おか-す
〔侵〕 9画 375
一 シン 侵 qīn
二 シン 寑 qǐn
3115 904E 一

筆順 ノ 亻 亻⺈ 亻⺕ 亻⺕ 侵 侵 侵

字義 一 おか-す。㋐次第にはいりこむ。㋑他人の領分に入る。攻め入る。「侵略」 ㋒かすめ取る。横領する。㋓しのぐ。おさえつける。あなどる。「侵陵」 二 たけが低い。風采のあがらぬこと。

使いわけ おかす〔犯・侵・冒〕⇩犯(7193)。

解字 甲骨文 金文 篆文 会意。人＋帚省＋又。帚は、ほうきの象形。又は手の象形。人がほうきを手にして、しだいにはきすすむの意味から、おかすの意味を表す。侵を音符に含む形声文字に、寑・寝・浸・祲・鋟・駸などがある。

【侵淫】 ①次第に進みおかす。②風が吹き流れる様子。
【侵害】 (他人の利益・権利などを)おかし、そこなう。
【侵漁】 漁師が他人の漁場で魚を捕らえるように、次第に他人の物をおかしとること。
【侵△寇】 (他国へ)攻め入って害を与える。
【侵潤】 次第にしみこむ。物事が次第に進み、深くなる。
【侵△擾】 おかし乱す。
【侵食・侵△蝕】 おかしむしばむ。虫が木の葉などを次第に食い尽くすように、次第におかし食いこむこと。
【侵△晨】 一 早朝。朝早く。二 晨を侵(おか)す 夜明けをおかす。朝早いのをものともせず。二 晨を侵(おか)して 早朝に行動する。
【侵尋・侵△潯】 次第に進み至る。また、次第に広がる。
【侵早】 ＝侵晨。
【侵奪】 おかし、うばう。横領する。
【侵盗】 他人のものを、おかし盗む。
【侵入】 他国におかし入る。攻め入る。
【侵伐】 他国をおかし討つ。他国をせめ討つ。
【侵犯】 おかす。㋐他人の領土・財産などに害を加えること。㋑自分の権限を越えて他人の権限内に立ち入ること。「領海侵犯」
【侵△牟】 おかし、むさぼる。▼牟は、ねきり虫、苗の根を食って害をなす虫。
【侵暴】 おかし荒す。乱暴を加える。
【侵略・侵△掠】 おかし取る。
【侵△凌・侵陵】 おかししのぐ。いばって人を侮辱する。

7
【侲】 9画 376 シン 震 zhèn
2 0148 一 1715

字義 ❶よい(善)。❷わらべ。子供。

解字 形声。人＋辰音。

7
【俎】 9画 377 漢ソ 呉ショ 語 zǔ
〔爼〕 7099 俗字
4857 98D7 一

字義 ❶まないた。食品を料理する台。❷祭りのときに牲を載せる、几のような形の台。

解字 甲骨文 篆文 形声。仌＋且音。仌は肉片の象形。音符の且は、肉を載せる台の象形。祭りのとき肉をのせる台の意味を表す。

【俎上肉】 まな板の上にある肉。㋐助かるのも殺されるのも相手次第という境遇のたとえ。㋑運命がきわまって逃れ難い状態にあるたとえ。袋の鼠。

【俎豆】 ①俎と豆。共に祭りの供物を盛る器具。▼豆は、たかつき。②祭器一般をいう。③まつりあげる。偉い人として待遇する。俎豆を設けて待遇する意。

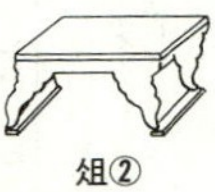
俎②

7
【促】 9画 378 常 ソク うなが-す
一 漢ショク・呉ソク 因 cù
二 サク 覺
3405 91A3 一

筆順 ノ 亻 亻口 亻𠮚 亻𠮚 亻𠯑 促 促

字義 一 ❶うなが-す。せきたてる。「催促」 ❷せま-る。接近する。また、つまる。おしつまる。「促音」 ❸すみやか。速い。❹せわしい。いそがしい。きびしい。

名前 ちか・ゆき

解字 篆文 形声。人＋足音。難読 促織 音符の足は、速に通じ、はやいの意味。人をうながしてはやくさせるの意味を表す。

逆 局促・催促・督促

【促音】 国つまるような感じを与える音。「行った・ラッパ」などの「っ」。促声。
【促急】 ①きびしくせきたてること。急がせること。②せっかち。気みじか。性急。
【促織】 こおろぎ(蟋蟀)の別名。鳴き声が、寒くなるので早く機を織って冬の準備をせよといっているように聞こえるのでいう。
【促進】 ①うながしすすめる。②せきたてる。
【促成】 うながして早くできあがらせること。「促成栽培」
【促促】 ①短いさま。年月の早く過ぎゆくさま。②ゆとりのないさま。さしせまるさま。こせついているさま。
【促迫】 ①きびしい。②うながせまる。催促する。急がせる。
【促歩】 せわしく歩く。

7
【俗】 9画 379 常 ソク
漢ショク・呉ゾク 因 sú
3415 91AD 一

筆順 ノ 亻 亻八 亻𠆢 亻𠔿 俗 俗 俗

字義 ❶ならい。ならわし。風習。習慣。「風俗」 ❷なみ。つね。平凡。「凡俗」 ❸世の中。一般の人々。「世俗」 ❹ひくい。いやしい。ひなびている。↔雅(13182)。「卑俗」 ❺出家しない人。↔僧(564)。「還俗(出家した人が俗人にかえること)」

名前 みち・よ

解字 金文 篆文 形声。人＋谷音。音符の谷は、たにの意味。人が谷のように限られた型の中にいる、ならわしの意味を表す。

逆 雅俗・帰俗・還俗・国俗・習俗・世俗・僧俗・脱俗・超俗・通俗・低俗・土俗・卑俗・風俗・民俗

【俗悪(惡)】ゾクアク 低級で悪い。劣悪なこと。

【俗韻】ゾクイン ①音楽などの、下品な調子。いなかびた音調。②通俗的な調子。

【俗縁】ゾクエン ①俗世間のゆかり。▼縁は、縁故・ゆかり。②仏僧の出家する前の親類。

【俗化】ゾクカ・ゾッカ ①世俗の教化。②国俗悪の風に感化されること。

【俗歌】ゾッカ 民衆に広く歌われるはやり歌。また、卑俗な歌。

【俗界】ゾッカイ・ゾクカイ ①俗人の住んでいる世界。人間の世界。俗世間。僧や世捨て人の世界に対していう。②いやしくけがれた事の行われている場所。俗境。

【俗解】ゾッカイ・ゾクカイ ①学問的に正確な根拠にもとづかない解釈。②一般の人にもわかるように解きあかすこと。

【俗学(學)】ゾクガク 低俗な学問。俗世間むきの学問。

【俗楽(樂)】ゾクガク 俗世間で広く行われる音楽。↔雅楽(一三六ジ上)。

【俗官】ゾッカン・ゾクカン 国俗人(僧以外の人)の任ぜられる官。

【俗間】ゾッカン 世の中。世間。俗世間。

【俗漢】ゾッカン つまらぬ男性。俗人。

【俗眼】ゾクガン つまらない人間の眼力や見識。

【俗気(氣)】ゾッキ・ゾクキ・ゾッケ =俗臭。

【俗忌】ゾッキ 世間でいみきらう事柄。

【俗境】ゾッキョウ・ゾクキョウ ①俗世間。世の中。②下品な風俗の土地。俗地。

【俗曲】ゾッキョク 国世間で(三味線などに合わせて)広く歌われている楽曲。都都逸どどいつ・端唄はうたの類い。また、卑俗な楽曲。

【俗見】ゾッケン・ゾクケン 俗人の(ひくい)みかた・見識・見解。

【俗言】ゾクゲン ①俗世間で常に用いる言葉。↔雅言(一五三六ジ上)。②下品なことば。③世間のうわさ。④=俗諺ゾクゲン。

【俗△諺】ゾクゲン 俗世間でよく用いられていることわざ。

【俗語】ゾクゴ =俗言。

【俗骨】ゾッコツ ↔仙骨(八〇ジ上)。①平凡な風采フウサイ。田舎びた外見。②野卑な気質。③無風流な人。

【俗材】ゾクザイ 平凡な人物。つまらない人物。

【俗士】ゾクシ ①見識の低いつまらぬ人。②下品な人。金銭や地位などにいやしい、風流を解しない人。

【俗字】ゾクジ 字体は正字ではないが、一般に通用している漢字。俗体。↔正字(七〇四ジ上)・本字(七一四ジ下)。⇨コラム異体字(九七三ジ)。

【俗耳】ゾクジ 俗人の耳。情趣の深いことを聞いても、その趣を解せぬ耳。俚耳リジ。

【俗事】ゾクジ 俗世間の雑事。世間のわずらわしい事がら。

【俗儒】ゾクジュ 学問・見識の低いつまらぬ学者。

【俗臭】ゾクシュウ 世俗的な気分・おもむき。いやしい気風。野卑な感じ。俗気。「俗臭紛紛」

【俗習】ゾクシュウ ①世間のならわし(風俗・習慣)。②野卑なならわし。

【俗書】ゾクショ ①高尚でない筆跡。②低級な内容の書物。

【俗称(稱)】ゾクショウ ①世間での通り名。②=俗名。

【俗情】ゾクジョウ ①世俗の人情。②世俗の事がら(地位・金銭など)にあこがれる心。③世俗的なおもむき。

【俗心】ゾクシン =俗情②。

【俗人】一 ゾクジン ①学問教養の低い人。風流を解さぬ人。くだらぬ男性。俗物。②金銭や名誉に執着する人。欲が多く心の卑しい人。俗物。③世間一般の人。↔僧(564)。二 ゾクニン 仏出家していない、世間一般の人。

【俗△塵】ゾクジン 浮世のちり。㋐浮世のけがれ。㋑俗世間のわずらい・わずらわしさ。

【俗世】セイ・ゾクセ =俗世間。

【俗世間】ゾクセケン ①世の中。世の中一般。世間。②仏俗人の世界。この世。仏または僧の世界に対していう。

【俗姓】ゾクセイ・ゾクショウ ①国古く、世間で呼びならわされている姓をいう。②仏僧になる前の姓。

【俗説】ゾクセツ 世間の人の(言い伝える)説。また、くだらない論説。

【俗僧(僧)】ゾクソウ 品格が低く名利に執着する僧。なまぐさ坊主。

【俗体(體)】ゾクタイ ①風雅でないさま。詩文などの俗っぽい文体や形式。②=俗字。③国僧でない俗人のみなり。

【俗諦】ゾクタイ 仏世俗的な真理。方便的な真理。↔真諦(一〇〇八ジ中)。

【俗調】ゾクチョウ いやしい調子。

【俗伝(傳)】ゾクデン 俗世間の言い伝え。

【俗念】ゾクネン 俗事(金・地位など)に引かれるいやしい心。

【俗輩】ゾクハイ 俗人のともがら。くだらぬ人々。▼輩は、複数を表す。

【俗物】ゾクブツ =俗人一①②。

【俗紛】ゾクフン 俗世のごたごた。浮世のわずらい。

【俗文】ゾクブン 通俗な文体で書いた文。くだらない文章。

【俗本】ゾクホン 世間に行われている内容の卑俗低級な書籍。

【俗名】一 ゾクミョウ 仏①出家後の法名ホウミョウに対して、出家前の名をいう。②仏教徒の死後の戒名カイミョウに対して、生前の名をいう。二 ゾクメイ・ゾクミョウ 世間での通り名。通称。俗称。三 ゾクメイ 俗悪な評判。

【俗務】ゾクム 世の中のわずらわしいつとめ。つまらないつとめ。

【俗用】ゾクヨウ ①世間で用いること。②国世の雑事。俗事。

【俗謡(謠)】ゾクヨウ 国民間にはやる世俗的な歌。古くは催馬楽サイバラ・今様いまヨウ、今は小唄こうた・長唄・端唄はうたの類いをいう。また、卑俗な歌謡。俗曲。俗歌。

【俗吏】ゾクリ ①つまらない俗務に従事する役人。②教養のない役人。小役人。役人をさげすんでいう語。

【俗流】ゾクリュウ 凡俗ななかま。くだらない人々。俗輩。

【俗累】ゾクルイ ①俗世(俗事)のわずらわしさ。②俗世間の関係。③俗事。

【俗△陋】ゾクロウ 下品でいやしいこと。低俗卑陋。

【俗論】ゾクロン ①世俗一般の議論・意見。②俗人の(低級な)議論・意見。

【俗話】ゾクワ ①俗世間のはなし。世の中のつまらぬはなし。②=俗諺ゾクゲン。

【易レ俗】ゾクをかう(ふ) 世の風俗・習慣をなおしかえる。易俗ゾクエキ。用例《孝経、広要道章》移レ風易レ俗フウをうつしゾクをかう(ふ)るは、莫レ善ニ於楽一ガクよりよきはなし。⬇人々のよくない風俗をよい方に移して善良な風俗に変えるには、音楽を奨めるのがもっともよい。

【驚レ俗】ゾクをおどろかす 世人をおどろかせる。

【適レ俗韻】ゾクにテキするイン 世俗に適応するような気風。用例《東晋、陶潜「帰ニ園田居一」詩》少無レ適レ俗韻わかくしてゾクにテキするインなく、性本愛ニ丘山一セイもとキュウザンをアイす。⬇若いころから世俗とうまくやっていく風はなく、生来丘や山といった自然を好む性格であった。

7 【俀】 9画 380 漢タイ 呉ツイ 賄 tuǐ — — 1722

字義 弱い。

解字 形声。人+妥音。

7 【侻】 9画 381 一 漢タツ・呉タチ 曷 tuō 二 タイ 泰 tuì — — 1718

字義 一 ❶合う。かなう。❷たやすい。❸醜い。二 ❶好い。ちょうどよい。❷軽々しい。

解字 形声。人+兌音。

7 【侽】 9画 382 ダン 男(7606)の俗字。→九六八ジ中。 — — 1720

7 【俦】 9画 383 チュウ 儔(647)の俗字。→一三四ジ下。 2 0147 — —

7【侹】9画 384 漢テイ 呉チョウ(チャウ) 迥 径 tǐng ―― 1717

字義 ❶長いさま。❷地につく。❸代わる。❹おとこぎ。❺平らか。まっすぐ。❻つつしむ。

解字 形声。人＋廷音。

7【俘】9画 385 フ 虞 fú 4858 98D8 ―

字義 ❶とりこ。捕虜。また、戦利品。❷いけどる。とりこにする。❸とる。うばう。

解字 甲骨文 金文 篆文 形声。人＋孚音。音符の孚は、乳児を抱きかかえるの意味。成人を包みとる、とりこにするの意味を表す。

【俘獲】フカク 生け捕りにする。

【俘馘】フカク 捕虜と、殺したしるしに切り取った敵の耳。

【俘級】フキュウ 捕虜と敵の首。▼級は、くび・首級。

【俘囚】フシュウ ＝俘虜。

【俘醜】フシュウ とりこども。多くの捕虜。▼醜は、衆。

【俘虜(擄)】フリョ とりこ。捕虜。

7【俛】9画 386 一 フ 麌 fǔ 二 漢ベン・呉メン 銑 miǎn 4859 98D9 ―

字義 一 ふせる。うつむく。かがむ。＝俯(456)。二 ❶＝一。❷つとめる(勉)。

解字 会意。人＋免。免は、子を生むためにかがむの意味。人がふしかがむの意味を表す。

【俛焉】ベンエン 努めいそしむさま。▼焉は、助字。

【俛仰】フギョウ うつむくことと、あおむくこと。また、うつむいたり、あおいだりする。俯仰。

【俛首】フシュ 頭を下げる。俛首。

【俛首帖耳】フシュチョウジ ＝俛首帖耳(一五八一ページ上)。

7【俌】9画 387 フ 麌 fǔ ―― 1729

字義 たすけ。＝輔(11912)。

解字 形声。人＋甫音。

7【侮】9画 (341) ブ 侮(340)の旧字体。→一〇五ページ下。

7【俜】9画 388 漢ヘイ 呉ビョウ(ビャウ) 青 pīng ―― 1733

字義 ❶つかう。つかい。❷おとこだて。❸伶俜は、さまよう。さすらう。

解字 形声。人＋甹音。

7【便】9画 389 教4 ベン・ビン たより 4256 95D6 ―

一 漢ヘン・呉ベン 霰 biàn
二 漢ヒン・呉ビン 眞
三 漢ヘン・呉ベン 先 piān

筆順 ノ亻仁佰佰佰便便

【㑹】512 本字

字義 一 ❶たより。おとずれ。音信。「幸便」❷都合がよい。また、利益をはかる。「便利」❸都合。ついて。ついで。❹くつろぐ。安らか。また、普段。「便殿」「便衣」❺すばやい。また、身軽な。手軽な。❻慣れている。習熟している。❼小便。また、大便。二 ❶口先たくみに言う。口がうまい。❷へつらう。三 助すなわ-ち。⇩助字・句法解説。

助字・句法解説

すなわ-ち 類即。

㋐訳すぐに。用例(三国志、魏志、王粲伝)善属レ文、挙レ筆便成 ふでをあぐればすなわ(は)ちなる。⇩文章をまとめるのがうまく、筆をとればすぐに完成した。

㋑順接。訳そうすると。用例(東晋、陶潜、桃花源記)林尽水源、便得一山 はやしつきて、スイゲンあり、すなわ(は)ちイチザンをえたり。⇩林は水源のところで終わり、そこには一つの山があった。

㋒強意。訳とりもなおさず。つまり。用例(唐、白居易、香炉峰下新卜山居草堂初成偶題東壁詩)匡廬便是逃名地 キョウロはすなわ(は)ち、これなをのがるるチ、司馬仍為送老官 シバはなお(ほ)おいをおくるカンたり。⇩ここ廬山こそは、うるさい世俗の名利を忘れるのにふさわしい地であり、司馬は、やはり、老後を送るのにふさわしい官である。

名前 やす

解字 篆文 会意。人＋更(㪅)。㪅は、力を加えて変えるの意味。人のつごうのよいように変えるの意味から、つごうがよいの意味を表す。

逆 音便・穏便・簡便・軽便・幸便・不便・方便

【便衣】ベンイ ①(たけを短く袖を細く作った)動作に便利な衣服。②ふだん着。平常服。私服。

【便益】ベンエキ 便利と利益。

【便宜】ベンギ・ビンギ ①都合のよいこと。好都合。また、便益。便利。②その場に適したやり方。適当な処置。「便宜施行」③都合のよいおり。好機会。④国たより。音信。

【便計】ベンケイ 都合のよいはかりごと。便利な謀。

【便姸】ベンケン 容姿の美しいさま。

【便娟】ベンケン・ベンエン ①容姿がなよなよとして美しいさま。②なよなよと、軽やかに舞うさま。③雪が風に軽く舞うさま。

【便嬛】ベンケン ＝便娟①。

【便言】ベンゲン ことばたくみにしゃべること。また、そのことば。

【便口】ベンコウ 口達者なこと。便言。

【便巧】ベンコウ ①口先のうまいこと。たくみにへつらうこと。②器具などの便利にできていること。③すばやい。敏捷。

【便座】ベンザ ①表座敷でない室。わきの室。居間。また、正式な座所でない所。便坐。②国洋式トイレで尻に接する馬蹄形の器具。

【便室】ベンシツ くつろいで休むへや。居間。別室。

【便習】ベンシュウ なれる。熟練する。

【便所】一ベンジョ かわや。こふじょう。二ベンショ・ビンショ 休息所。三ビンショ 国昔、貴族の家で髪を整えたり衣服を着換えたりした室。

【便捷・便倢】ベンショウ すばやい。敏捷。

【便章】ベンショウ その才能によって明らかにする。平章。

【便乗(乘)】ビンジョウ ①ついでに乗る。②つけこんでうまく利用すること。

【便旋】ベンセン ①さまよいめぐる。徘徊。②小便をする。

【便船】ビンセン ①つごうよく出る船。ついでの船。②両地間をかよっている船。

【便箋】ビンセン 手紙を書く用紙。

【便体】ベンタイ 身体に便利なこと。また、身体の軽やかなこと。

【便殿】ベンデン・ビンデン ①休息のために設けられた御殿。公式用の表御殿に対していう。便室。↔正殿(七八四ページ中)。②国天皇・皇后などが外出する時、休息する臨時の建物や室。

【便佞】ベンネイ 口先がうまくて誠実さがないこと。

【便敏】ベンビン すばやい。敏捷。

【便風】ベンプウ つごうのよい風。追い風。順風。

【便服】ベンプク ふだん着。平服。便衣。

【便腹】ベンプク 肥え太った腹。便々たる腹。太鼓腹。

【便嬖】ベンペイ こびへつらって気に入られようとする人。また、お気に入りの人。

【便辟・便僻】一ベンペキ ①りっぱな態度・動作であるが、心の中は正しくないこと。②こびへつらうこと。二ベンペイ ＝便嬖。

【便便】ベンベン ①腹の肥え太っているさま。②ことばのはっきりしているさま。言語の明晰なさま。③みやびやかなさま。④よく治まるさま。⑤国何もしないで時を過ごすさま。

【便法】ベンボウ 便利な(手軽な)方法。まにあわせのやり方。

【便面】ベンメン 顔をみられたくない時に顔をおおったもの。扇の類い。後、主として扇をさすようになった。

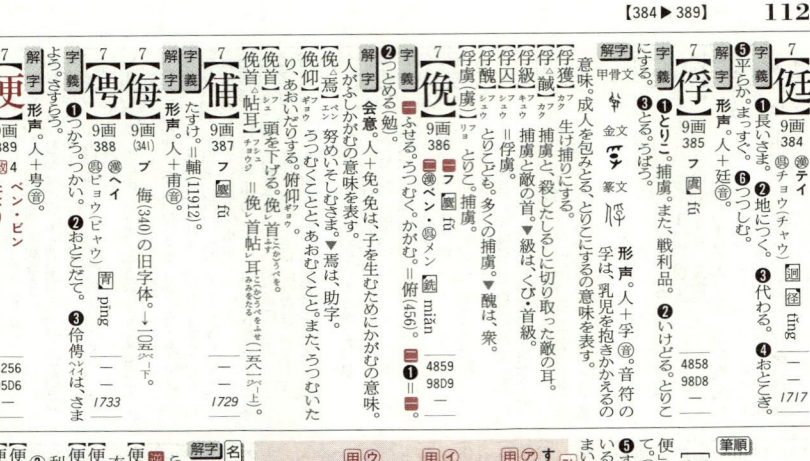

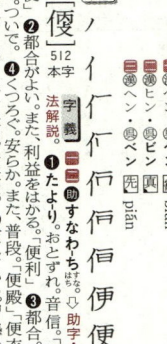

【便門】ベンモン 通用門。裏門。勝手口。便戸。
【便覧(覽)】ベンラン・ビンラン 一見してすぐわかるように内容をまとめて作った本。「国語便覧」
【便利】ベンリ ①すばやいこと。②つごうのよいこと。重宝ホウチョウなこと。便宜。
【便路】ベンロ 近道。便道。

7 【保】 9画 390 漢ホウ・呉ホ・ホウ 晧 bǎo 教5 ホ たもつ 4261 95DB —

筆順 ノ イ 亻 伒 伃 保 保

字義 ❶たも-つ。㋐もち続ける。そのままの状態を続ける。「保持」㋑守る。❷やす-んずる。やすんず。安らかにする。㋐かばう。助ける。また、うけあい。「保証」㋑育てる。養う。「保育」❸うけあう。責任をもつ。❹もり役。かしずき。また、つきそう。❺たのむ(恃ジ)。たのみとする。❻やとい人。使用人。また、使う。❼とりで。小さい城。❽むつき。＝褓(10943)。❾五戸を単位とする組合制度。

名前 お・たもつ・ほ・まもる・もち・もり・や・やす・やすし・より

難読 保科ほしな・保原ほばら・保食神うけもちのかみ・保田ほた

参考 ①享保キョウホウ・天保テンポウなどの年号は、漢音「ホウ」で読む。②現代表記では[哺](1515)の書きかえに用いることがある。「哺育→保育」

解字 甲骨文 金文 篆文 形声。人＋孚省㊥。音符の孚フは、乳児を抱きかかえる形にかたどる。成人が乳児を抱いてまもる、たもつ・やすんずるの意味を表す。甲骨文・金文などは、人が子を背負っている形にかたどる。保を音符に含む形声文字に、堡ホ・緥ホ・褒ホウ・褓ホウなどがあり、これらの漢字は、「たもつ・安んずる」の意味を共有している。

逆 確保・師保・酒保・城保・太保・担保・隣保

【保安】ホアン たもちやすんずる。㋐社会の安寧秩序を維持すること。㋑保護すること。
【保育】ホイク ①保護しそだてる。保護し養育する。②保護し教育する。幼稚園・託児所などで行われる教育。
【保管】ホカン 国「保護管理」の略。ものを預かり守る。
【保険(險)】ホケン ①けわしい土地にたてこもる。②危険から守る。③財産や身体に、偶然に起こる事故の損害をつぐなうため、多数の人が金をつんで補償しあう制度。
【保護】ホゴ かばいまもる。たすけまもる。
【保甲】ホコウ 宋ソウの王安石の新法の一つ。地方の自衛にあたった組合。
【保持】ホジ たもちもつ。もち続けること。維持。
【保釈(釋)】ホシャク 国一定の保証金を納めさせて未決勾留の被告人を釈放すること。
【保守】ホシュ ①たもちまもる。②旧来の伝統・風習を重んずること。↔革新(五四五ページ上)。
【保守退嬰】ホシュタイエイ 旧習に執着していて新しい方に進もうとしないこと。
【保証(證)】ホショウ ①うけあう。責任をもって引き受ける。②責任をもって引き受ける証拠のために、相手に出す金品や書類。担保。
【保△鄣】ホショウ ①＝保障①。②税を軽くし民の生活を安んずる政治。
【保障】ホショウ ①とりで。要塞。▼保は堡とりでに同じ、障は隔て防ぐ物。②ささえ防ぐこと。③障さわりから守る。害のないようにすること。④国障害のないようにするとの保証。
【保身】ホシン 身をたもつ。身の安全を守ること。
【保真(眞)】ホシン 真をたもつ。生まれつきの本性(天真)をもち続けて失わないこと。
【保全】ホゼン 安全にたもつ。完全に維持する。
【保存】ホゾン そのままの状態を続けさせておくこと。
【保△傅】ホフ ①天子の補佐役である太保・太師の併称。②宮中などの教育係。③守役ヤクの女性。幼児教育係の女性。
【保壁】ホヘキ とりで。しろ。堡壁ホヘキ。▼壁は、城壁。
【保母・保△姆】ホボ ①養育係の女性。守役の女性。②女子の養育・教育を担当する女性。③国かつて、保育所・養護施設などで子供の保育に従事する女性をいった。現在は、保育士。
【保命】ホメイ 長生きすること。また、長生きするようにはかること。
【保△佑・保右・保△祐】ホユウ 守り助ける。
【保庸・保△傭】ホヨウ やとい人。やとわれ人。
【保養】ホヨウ 健康をたもちやしなう。体を休めて丈夫にする。
【保留】ホリュウ たもちとどめる。決定しないで一時そのままにとどめておくこと。留保。◆「保留」「留保」とも決定を先に延ばす意。一般の用語としては「留保」が多く用いられ、法令・経済用語としては「保留」が用いられる傾向がある。なお、物については「保留」、意志については「留保」を用いる傾向もある。

7 【俖】 9画 391 漢ホツ 呉ボチ 月 bó — — 1719

字義 ❶強い。❷うらむ。❸もとる。道理に反する。

解字 形声。人＋孛㊥。

7 【俞】 9画 392 ユ 兪(722)の俗字。↓一四二ページ上。

7 【臾】 9画 (9689) ユ 臼部。↓一八三ページ下。

7 【俋】 9画 393 ━ 漢チュウ(チフ) 呉ジュウ(ヂフ) 緝 ━ ユウ(イフ) 緝 yì 20151 — 1728

字義 ━━ 俋俋チュウチュウ・ユウユウは、畑を耕すさま。一説に、勇壮なさま。

解字 形声。人＋邑㊥。

7 【俑】 9画 394 ━ 漢ヨウ・呉ユウ 腫 yǒng 4860 98DA —

字義 ❶ひとがた。死者を埋葬するとき、副葬品としてうめられる人形。草木や土などで作ったでく。土偶。木偶。❷いたむ(痛)。いたみ。

解字 篆文 形声。人＋甬㊥。音符の甬ヨウは、擗踊ヘキヨウ(手でむねを打ち、足で地をはげしくけって泣き悲しむ)の踊に通じ、はげしく悲しむの意味。人の死をいたんで副葬する人形の意味を表す。

【作△俑】ヨウをつくる・ヨウをなす ①(草・木で人に似せた)人形を作ること。②悪例を開くこと。人形を作ることが殉死の風習を生じさせたと考えられたことからいう。〔礼記、檀弓下〕

俑①

7 【俐】 9画 395 人 リ 寘 lì 4862 98DC —

筆順 ノ イ 亻 仟 仟 俐 俐

字義 さと-い。さとし。さかしい。こりこう。「伶俐レイリ」

【悧】 3748 同字

名前 さと・さとし

解字 形声。人＋利㊥。

7 【俚】 9画 396 リ 紙 lǐ 4861 98DB —

字義 ❶いや-しい。いやし。いなかじみている。通俗的な。「鄙俚ヒリ」❷いなか。❸たのむ。また、たのみ。

参考 現代表記では[里](12457)に書きかえることがある。「俚謡→里謡」

解字 篆文 形声。人＋里㊥。音符の里は、さとの意味。村里の人の意味から、いやしいの意味を表す。

また、頼に通じ、たよりにするの意味をも表す。

【俚言】リゲン 同俚語・俚辞。①民間で使われているいやしいことば。↕雅言(一五三六ページ上)。②=俚諺。

【俚諺】リゲン 民間で言われていることわざ。俗諺。

【俚語】リゴ =俚言。

【俚耳】リジ 俗人の耳。高尚なことを理解できない人の耳。俗耳。

【俚辞(俚辭)】リジ =俚言。

【俚俗】リゾク ①いなかの風俗習慣。②世俗のならわし。③いなかびていやしいこと。

【俚鄙】リヒ いなかびていやしいこと。俚俗。

【俚謡(俚謠)】リヨウ 民間で歌われている俗っぽい歌。民謡。俗謡。

7【侶】9画 397 常 リョ 漢リョ・呉ロ 語 lǚ 4623 97B5 —

筆順 ノ イ … 侶

字義 ❶とも。なかま。つれ。「伴侶」 ❷ともとする。一緒に遊ぶ。

名前 くみ・とも・ろ

解字 篆文 形声。人+呂音。音符の呂は、つらなる背骨の象形。同列につらなる人、ともの意味を表す。

【侶▵儔】リョチュウ つれ。友だち。▼儔も、とも。

【侶伴】リョハン みちづれ。伴侶。

7【俍】9画 398 一リョウ(リャウ) 陽 liáng 二ロウ(ラウ) 養 lǎng — ED57 1730

字義 一❶善い。❷巧みな職人。二長いさま。

解字 形声。人+良音。

7【俤】9画 399 国字 標 4863 98DD —

字義 おもかげ。面影。顔つき。容貌ヨウボウ。

解字 会意。人+弟。弟には兄のおもかげを見ることができるところから、おもかげと読ませる。

7【俥】9画 400 国字 4864 98DE —

字義 くるま。人を乗せて人がひくものとして作られた車。人力車。

解字 会意。人+車。人のひく車、人力車の意味を表す。

7【俣】9画 401 国字 人 標 4383 9693 —

筆順 ノ イ … 俣

［俁］467 同字

字義 また。分かれている所。

解字 俟(まつ)の字形を変えて、「また」と読ませた。

8【倭】10画 402 人 一イ(ヰ) 支 wēi 二漢カ(クワ)・呉ワ 歌 wō 4733 9860 —

筆順 ノ イ … 倭

字義 一❶したがうさま。柔順なさま。また、つつしむさま。❷うねって遠いさま。二やまと。昔の日本の名称。

名前 かず・しず・ふさ・まさ・やす・やまと

難読 倭文しず・しずり・しどり

解字 篆文 形声。人+委音。音符の委は、なよやかな女性の意味。したがうの意味や、くねくねと遠いの意味を表す。

【倭▵寇】ワコウ 南北朝時代から室町時代にかけて、中国・朝鮮の沿岸を荒らしまわった日本人の海賊。〔明史、日本伝〕

【倭字】ワジ 日本で作った文字。かな文字。和字。国字。

8【倚】10画 403 一イ 紙 寘 yǐ 二キ 支 jī 4865 98DF —

字義 一❶よる。㋐もたれる。よりかかる。用例〔史記、廉頗藺相如伝〕相如因持ㇾ璧却立倚ㇾ柱（相如、因りて璧を持ち、却立して柱に倚る）↓相如はそこですかさず璧を手に持ち、後ずさりして立ちあがり柱を背にしてよりかかった。㋑たのむ。たよる。すがる。㋒原因する。㋓調子をあわせる。㋔かたよる。偏する。❷立てる。❸まかせる。二❶めずらしい。=奇(2262)。❷=畸(7664)。「倚人」 ❸ひとつ。=奇(2262)。

解字 篆文 形声。人+奇音。音符の奇は、寄に通じ、よるの意味。人が身をもたせるの意味を表す。

【倚▵魁】キカイ あやしいようす。また、あやしいもの。

【倚▵几】イキ よりかかる台。脇息キョウソク。

【倚▵藉】イシャ たよる。たのみとする。

【倚▵仗】イジョウ よる。頼る。たのむ。依頼する。倚杖。

【倚▵杖】一イジョウ =倚仗。二つえ(ゑ)による 杖をつく。

【倚信】イシン 信用してたよる。たのみとして信任する。

【倚人】キジン 身体に障害のある人。畸人キジン。

【倚託】イタク たよる。依託。

【倚伏】イフク (たがいに)よりかかりふす。禍わざわいの中に福があり、福の中に禍がひそんでいることなどにいう。『老子』五十八章に「禍兮福之所ㇾ倚、福兮禍之所ㇾ伏」（禍わざわいは福の倚よる所、福は禍の伏ふくする所）とあるのに基づく。

【倚門望】イモンのボウ・イモンののぞみ 母が家の門によりかかり、遠くをながめながら、子の帰りを待ちわびること。戦国時代、斉の王孫賈オウソンカの母が、外出して夜遅く帰る賈を家門によりかかって待ちわびた故事による。倚ㇾ門望モンによりてのぞむ。倚閭望イリョのボウ。〔戦国策、斉〕

【倚▵閭望】イリョのボウ・イリョののぞみ =倚門望。▼閭は、村里の門。

【倚▵廬】イロ 父母の喪中に住む仮の小屋。

8【倄】10画 404 イク — — 1738

粥(8988)の俗字。→一〇九七ページ上。

8【偀】10画 405 エイ 1433 ED58 1763

英(9855)の俗字。→一一〇〇ページ上。

8【俺】10画 406 常 おれ エン 感 ǎn 1822 89B4 —

筆順 ノ イ … 俺

字義 われ(我)。おれ。自分。

解字 形声。人+奄音。

8【倇】10画 407 漢エン(ヱン)・呉オン(ヲン) 阮 wǎn — — 1744

字義 ❶楽しむ。❷勧める。❸しとやか。=婉(2435)。

解字 形声。人+宛音。

8【倌】10画 408 カン(クヮン) 寒 諫 guān — — 1746

字義 小役人。高官の雑用をしたり、車の世話をしたりする下級官吏。「倌人」

解字 篆文 形声。人+官音。音符の官は、役所の意味。役所にめしかかえられた人、小役人の意味を表す。

8【倝】10画 409 カン 翰 gàn — — 1754

字義 日が出て光が輝く。

解字 金文では、飾りのついた旗ざおの象形。篆文テンブンでは、形声。旦+㫃音。

8【倛】10画 410 キ 支 qī — — 1752

字義 鬼やらいにかぶる面。

解字 形声。人+其音。

8【倨】10画 411 漢キョ・呉コ 御 jù 4866 98E0 —

字義 ❶おごる。あなどる。たかぶる。用例〔史記、廉頗藺相如伝〕大王見₌臣列観₋、礼節甚倨。↓大王様はこの私を愛妾や側近の者の居並ぶ満座の中において引見なされ、その応待ぶりははなはだ人をあなどった傲慢なものであります。／〔十八史略、春秋戦国、趙〕何前倨而後恭也。↓どうして以前は傲慢だったのに、今はへりくだっているのか。❷うずくまる。あぐらをかく。足を投げ出してすわる。＝踞(11739)。

解字 篆文 形声。人＋居㊥。音符の居は、どっかりすわるの意味。人を付し、おごる・あなどるの意味を表す。

【倨気(氣)】キョキ 傲慢な気分。おごりたかぶる気分。

【倨傲・倨△敖・倨△慠・倨△驁】キョゴウ いばって傲慢である。たかぶりあなどる。用例〔人虎伝〕徴性疎逸、恃レ才倨傲。↓李徴は人と親しまない気ままな性格で、自分の才能を鼻にかけて尊大に振る舞うところがあった。

【倨視】キョシ たかぶって人を見さげる。いばって人を見下す。

【倨色】キョショク おごりたかぶった顔つき。

8 【俽】10画 412 ㊥キン ㊧コン 図 xīn ― ― 1739

字義 ❶よろこぶ。＝欣(5948)。❷俽州は、今の山西省内。

解字 形声。人＋欣㊥。

8 【倶】10画 413 人 標 ク 慣グ 虞 jū,jù ı1401 ― ―

〔倶〕414 俗字

筆順 ノ亻们们但俱倶倶

字義 ❶みな。ともに。すべて。用例〔史記、項羽本紀〕赤泉侯人馬倶驚、辟易数里。↓赤泉侯はもとより馬も驚き、数里も後退した。／〔唐、杜甫、春夜喜レ雨詩〕野径雲倶黒、江船火独明。↓野の小道は雲に包まれて黒々と沈み込んでいて、長江を上下する船のいさり火だけが明るく見える。

❷ともにする。㋐連れだつ。一緒にいる。用例〔史記、刺客伝〕僕所₌以留₋者、待₌吾客₋与倶。↓わたしが出発を遅らせているのは、同行する予定の友人を待って一緒に行動しようと考えているからなのです。㋑同じ。等しい。用例〔唐、韓愈、示レ児詩〕嗟我不₌修飾₋、事与₌庸人₋倶。↓ああわたしだって学問などの身を飾る術を得なければ、すべての事は凡庸な者たちと同じになっただろう。

名前 とも・ひろ 難読 倶多楽くったら・倶知安くっちゃん

解字 篆文 形声。人＋具㊥。音符の具は、多くの人がそろってそなえるの意味。人を付し、主として、みな・ともにの意味に用いる。

【倶舎宗】クシャシュウ 仏日本仏教の八宗の一つ。また、南都六宗の一つ。倶舎論をよりどころとする小乗仏教。

【倶存】グソン 皆そろっている。

【倶発】グハツ ①一緒に出発する。②同時に事を起こす。また、同時に起こる。③同一人で複数の犯罪が同時に成立する。

【倶楽(樂)部】クラブ 国英語 club の音訳。研究または交際などの目的で組織した団体やその集会所。

【倶利△伽羅・倶梨△伽羅】クリカラ 仏梵語ボン kulika の音訳。黒い竜王が剣をつけた姿で、不動明王の法形ホウギョウを表す。

8 【倶】10画 414 グ 倶(413)の俗字。→一一五ページ上。 2270 8BE4 ―

8 【倔】10画 415 ㊥クツ ㊧グチ 物 juē,juè 4867 98E1 ―

字義 ❶つよい。意地が強い。強情。❷起こり立つさま。❸かがむ(屈)。

解字 形声。人＋屈㊥。

【倔起】クッキ 低い身分から身をおこす。

【倔強・倔△彊】クッキョウ 強情で屈しないこと。また、強くて屈しないこと。力のきわめて強いこと。

【倔信】クッシン かがむことと、のびること。屈伸。▼信は、のびる。

8 【倞】10画 416 ㊀㊥ケイ ㊧ギョウ(ギャウ) 敬 jìng ㊁リョウ(リャウ) 漾 liàng 20160 ED5B 1755

字義 ㊀つよ-い。つよし。㊁❶もとめる。さがし求める。❷あらそう。＝競(8664)。

解字 篆文 形声。人＋京㊥。音符の京は、強に通じ、つよいの意味。人がつよいの意味を表す。

8 【倪】10画 417 ㊀ゲイ 斉 ní ㊁ガイ 佳 4868 98E2 ―

字義 ㊀❶ます(益)。❷おごる。おごり高ぶる。❸おさなご(児)。また、かよわいもの。❹きわ。かぎり。分際。また、かぎる。わける。区分する。㊁はて。きわ。

解字 篆文 形声。人＋兒㊥。音符の兒(児)は、こどもの意味。おさない人の子、おさなごの意味を表す。

【倪黄】ゲイコウ 元代の画家、倪瓚ゲイサンと黄公望。

【倪△瓚】ゲイサン 元の画家、字あざなは元鎮。号は雲林居士ウンリンコジ。山水画にたくみで詩人でもあった。詩文集『清閟閣集セイヒカクシュウ』十二巻がある。(一三〇一―一三七四)

8 【倹】10画 418 常 ケン 2380 8C90 ―

13 〔儉〕15画 419 人 ㊀㊥ケン ㊧ゲン 琰 jiǎn ㊁ケン 豔 4913 994C ―

筆順 ノ亻亼俭俭侩倹倹

字義 ㊀❶つづま-しやか。つづま-しい。㋐つましい。物をむだ使いしないこと。節約。倹約。「節倹」㋑かざらぬこと。㋒行いを慎んで控えめにすること。❷とぼしい。まずしい。❸凶作。穀物が実らないこと。

名前 よし

解字 篆文 形声。人＋僉(僉)㊥。音符の僉センは、検(檢)に通じ、手かせでしめあげるの意味。生活からむだをはぶいて締める、つづまやかにするの意味を表す。

逆 恭倹・勤倹・謙倹・節倹・約倹

【倹△嗇】ケンショク 倹約と吝嗇リンショク。物惜しみすること。倹吝。

【倹素】ケンソ 質素でかざらないこと。質素。

【倹△吝】ケンリン ＝倹嗇ケンショク。

【倹△陋】ケンロウ ①心が狭くいやしい。②悪がしこくいやしい。

8 【倦】10画 420 人 標 ㊥ケン ㊧ゲン 霰 juàn 2381 8C91 ―

〔劵〕1018 古字 〔倦〕480 俗字

筆順 ノ亻亻⺈㑊倦倦倦

字義 ❶う-む。あ-きる。あく。怠る。なまける。用例〔東晋、陶潜、帰去来辞〕雲無レ心以出レ岫、鳥倦レ飛而知レ還。↓雲は自然のままに山のほら穴からわき出ており、鳥は飛ぶのにあきては、ねぐらに帰って行くのを知っている。❷疲れる。くたびれる。❸うずくまる。国あぐ-ねる。物事が思うように進まず、手段に困る。あぐむ。

名前 あぐみ・うみ

解字 篆文 形声。人＋巻㊥。音符の巻は、人がひざをまげる形にかたどる。人がつかれてひざをまげる、つかれるの意味を表す。

【倦怠】ケンタイ あきれてしまってなまける。いやになっておこたる。いやけがさす。だれる。

【倦△憊】ケンパイ うみつかれる。くたびれる。倦罷ケンピ。

【倦遊】ケンユウ 旅の疲れ。また、遊学・仕官の疲れ。

【倦労(勞)】ケンロウ うみつかれる。

8 【個】10画 421 教5 コ 2436 8CC2 ―

カ 箇 gè
慣コ

筆順 ノ 亻 们 們 們 個 個 個

字義 ❶物を数える時にそえる語。＝箇(8770)。❷全体に対して、ひとつ・ひとりの意。❸副詞の意味を強めるに用いる語。「真個(真に)」 ❹こ-の。か-くの。

名前 かず

解字 形声。人＋固㊥。音符の固は、かたいの意味。独立性のかたい人、ひとりの意味を表す。

逆 各個・好個・真個・別個

【個人】(コジン) ひとり。社会、または公衆に対して一人をいう。

【個性】(コセイ) 国個々別々に持っていて、他と区別される特徴的な性質。

【個体(體)】(コタイ) 国個々別々に独立して存在するもの。

【個別】(コベツ) 国それぞれを切り離して別々にする。また、そのもの。箇別。

8 【候】 10画 422 教4 コウ そうろう
漢コウ・呉グ 宥 hòu
2485 8CF3 —

筆順 ノ 亻 仁 仁 仁 伫 候 候 候

【𠋫】 482 本字

字義 ❶うかが-う(うかがふ)。㋐さぐる。のぞく。様子を見る。㋑訪問する。ごきげん伺いをする。「伺候」 ㋒うらなう。考える。㋓のぞむ。望見する。㋔診察する。❷さぶら-う(さぶらふ)。はべる(侍)。目上の人のそばに仕える。❸ま-つ。待ちうける。待ち迎える。用例〔東晋、陶潜、帰去来辞〕僮僕歓迎(ドウボクよろこびむかへ)、稚子候レ門(チシモンにまつ)。↓召し使いも喜んで出迎え、幼い子どもたちは門のところでようすを見て待っている。❹ものみ。㋐様子をさぐる人。張り番する人。「斥候(セッコウ)」 ㋑ものみ台。番所。❺きざし。しるし。「兆候」 ❻とき。おり。時節。「時候」 ❼一年を七十二に区分した五日。国そうろう(さふらふ)。「有り」「居(を)り」の丁寧語。また謙譲語。候文などに用いる。

名前 きみ・きよ・こう・そろ・とき・み・みよ・よし

解字 篆文 形声。人＋矦㊥。音符の矦(コウ)は、うかがうの意味。矦(侯)が、諸侯の意味に用いられるにつれて、人を増し付し、うかがうの意味を表す。

逆 気候・伺候・時候・斥候・測候・兆候・徴候・偵候

【候火】(コウカ) ①のろし。合図に燃やす火。②客を歓迎するために燃やす火。

【候△雁・候△鴈】(コウガン) 鳥の名。かり。時候によって去来するからいう。

【候騎】(コウキ) 物見の騎兵。馬に乗った斥候の兵。

【候迎】(コウゲイ) 待ちうけて迎えること。また、その人。

【候司・候伺】(コウシ) うかがう。候問。

【候人】(コウジン) ①道路で賓客を送迎する係の人。②敵状を探る人。斥候。

【候虫(蟲)】(コウチュウ) 季節によって現れる虫。春の蝶(チョウ)、秋のきりぎりすの類。

【候鳥】(コウチョウ) 時候によって来たり帰ったりする鳥。渡り鳥。

【候文】(そうろうブン) 国手紙に用いる文体の一種。文語文を用い、句の終わりを「候(そうろう)」で結ぶ。

【候補】(コウホ) ①補任を待つ意。役人が職に任ぜられるのを待機していること。また、補任を待機している役人。②ある地位につく資格のあること。ある地位の適任者として見られていること。また、その人。③将来ある地位につきたいとの意志を表明した人。また、それを望むこと。

【候問】(コウモン) 機嫌をうかがう。見舞う。

【候吏】(コウリ) ①斥候を勤める役人。②道路に出て賓客を送迎する役目の人。

8 【倖】 10画 423 人 漢コウ(カウ) 呉ギョウ(ギャウ) 梗 xìng
2486 8CF4 —

筆順 ノ 亻 仁 仕 仕 伕 倖 倖

字義 ❶さいわ-い(さいはひ)。思いがけないさいわい。「僥倖(ギョウコウ)」 ❷へつらう。したしむ。また、お気に入り。❸こいねが-う(こひねがふ)。願い望む。

名前 さち・ゆき

参考 現代表記では〔幸〕(3166)に書きかえる。ただし、人名は別。「薄倖→薄幸」「射倖心→射幸心」。熟語は〔幸〕をも見よ。

解字 形声。人＋幸㊥。音符の幸は、しあわせの意味。人を付し、思いがけないしあわせの意味を表す。

【倖臣】(コウシン) 気に入りの家来。幸臣。

【倖△嬖】(コウヘイ) 主君の特別の愛を受けている女性。

【倖利】(コウリ) 思いがけないしあわせ。

8 【倥】 10画 424
一 漢コウ・呉ク 東 kōng
二 漢コウ・呉ク 董 kǒng
三 漢コウ・呉ク 送
4869 98E3 —

字義 一おろ-か。無知。二いそがしい。せわしい。三くるしい。また、くるしむ。国ぬか-る。油断してしそんじる。

解字 形声。人＋空㊥。

【倥△傯】(コウソウ) ①いそがしいさま。せわしいさま。「兵馬倥傯」 ②苦しいさま。また、苦しむ。

【倥△侗】(コウドウ) おろか。無知なさま。

8 【俲】 10画 425 コウ 傚(528)の俗字。→一三五ページ中。
20155 — 1737

8 【倄】 10画 426 漢コウ(カウ) 呉キョウ(ケウ) 肴 yáo
— — 1743

字義 ❶もとる。道理に反する。❷そこなう。痛み叫ぶ。

解字 形声。人＋肴㊥。

8 【侪】 10画 427 サイ 儕(643)の俗字。→一三四ページ中。
20154 — —

8 【倳】 10画 428 シ 寘 zì
— — 1761

字義 ❶さす。突きさす。さしこむ。❷立てる。

解字 形声。人＋事㊥。

8 【偌】 10画 429 漢ジャ 呉ニャ 禡 ruò
— — 1769

字義 このような。このように。かかる。

解字 形声。人＋若㊥。

8 【借】 10画 430 教4 シャク か-りる
一 シャ 禡 二 漢セキ・呉シャク 陌 jiè
2858 8ED8 —

筆順 ノ 亻 仁 什 卄 借 借 借

字義 一二❶か-りる(かる)。㋐他人のものをかりる。㋑助力を受ける。たよる。❷か-す(貸)。助ける。力をかす。❸か-り。かりた物。負いめ。負債。❹かりに(仮)。たとい。もし。

解字 篆文 形声。人＋昔㊥。音符の昔は、つみ重ねるの意味。自力に他力をかさねる、かりる・かすの意味を表す。

逆 仮借・租借・貸借・賃借

【借款】(シャッカン) 借金する。また、国と国との間の資金の貸し借り。▼款は、帳簿の項目、また、金銭・経費。

【借光】(シャッコウ) おかげをこうむる。「借光不レ浅(あさからず)」

【借財】(シャクザイ) 借りた金銭。借金。

【借使】(シャシ) 仮定のことば。かりに。たとい(ひ)。もし。

【借問】(シャモン) 問う。質問する。修辞的な自問自答の表現にも用いられる。用例〔唐、杜牧、清明詩〕借問酒家何処有(シャモンすシュカいずこにかある)、牧童遥指杏花村(ボクドウはるかにゆびさすキョウカのむら)。↓お尋ねしますが居酒屋はどのあたりでしょうか。牧童ははるかかなたのあんずの咲く村を指さすのであった。／〔夏目漱石、題二自画一詩〕借問春風何処有(シャモンすシュンプウいずこにかあると)、石前幽竹石間蘭(セキゼンのユウチク、セキカンのラン)。↓春風はいったいどこへ行ってしまったのかとちょっと尋ねてみる。それは庭石の前にひっそりとした趣の竹と庭石の間に生えている蘭のところにわずかに認められたことだ。

【借用】借りて使う。また、借りる。

8【修】10画 (3377) シュウ　彡部。→四九六ページ上。

8【俶】10画 431
㊀シュク 屋 chù, shū　㊁㊊テキ・㊐チャク 錫 tì　4872 98E6 —
字義 ㊀❶よ-い。よし。=淑(6423)。❷はじめ。はじめて。はじめる。㊁すぐれる。高くひいでる。=倜(448)。
解字 形声。人+叔㊅。
【俶装(裝)】身じたくを始める。
【俶儻】①才気が高くすぐれていること。②物事にとらわれないさま。倜儻。

8【倏】10画 (7178) シュク　犬部。→九二六ページ下。

8【倡】10画 432
㊀ショウ(シャウ) 陽 chāng　㊁ショウ(シャウ) 漾 chàng　4873 98E7 —

字義 ㊀❶わざおぎ。わざをぎ。俳優。楽人。また、あそびめ。遊女。❷くるう。たけり狂う。=猖(7249)。㊁とな-える。となふ。一番はじめに言い出す。また、はじめに歌い出す。=唱(1543)。

参考 熟語は〔娼〕(2445)をも見よ。

解字 篆文 形声。人+昌㊅。音符の昌ショウは、唱に通じ、うたうの意味。うたう人、わざおぎの意味を表す。

【倡家】遊女の家。

【倡伎・倡妓】歌や舞で酒宴の興をそえる女性。うたいめ。倡女。倡婦。

【倡首】まっさきにとなえる人。首唱者。

【倡女】=倡伎。

【倡随(隨)】「夫倡婦随」の略。→夫唱婦随(三五〇ページ中)。

【倡道】先に立ってとなえる。率先して言い出す。唱道。

【倡婦】=倡伎。

【倡優】役者。俳優。

【倡乱(亂)】ひどく世を乱すこと。

【倡和】ある人が先にとなえ、他の人がそれに和すること。唱和。

8【倘】10画 433
㊀トウ(タウ) 養 tǎng　㊁ショウ(シャウ) 養 chǎng　1430 — 1751
字義 ㊀❶たちまち止まるさま。また、自失のさま。❷もし(儻)。もしくは。㊁さまよ-う。さまよふ。行きつもどりつする。

【解字】形声。人+尚㊅。

【倘佯・倘徉】さまよう。ぶらぶら歩く。逍遥。

8【倢】10画 434
㊀㊊ショウ(セフ) ㊐ジョウ(ゼフ) 葉 jié　20161 ED59 1756
字義 ㊀さと-い。さとし。すばしこい。身がる。
解字 篆文 形声。人+疌㊅。音符の疌ショウは、はやいの意味。すばやい人の意味を表す。
【倢伃】漢代の女官の名。婕妤。

8【倩】10画 435
㊀セン 霰 qiàn　㊁㊊セイ ㊐ショウ(シャウ) 敬 qìng　4874 98E8 —
字義 ㊀❶うるわしい。うつくしい。また、口もとの愛らしいさま。愛らしく笑うさま。❷男性の字にそえる美称。㊁❶むこ(婿)。❷やとう。また、やとい人。国つらつら。つくづく。
解字 篆文 形声。人+青㊅。音符の青(靑)は、すみきっていてすがすがしいの意味。うつくしく、すがすがしい人の意味を表す。
【倩倩】うるわしいさま。美しく愛らしいさま。
【倩盼】口もとの愛らしさと、目もとのすずしさ。

8【俴】10画 436
㊊セン ㊐ゼン 銑 jiǎn
字義 ❶あさい。うすい。❷身に甲(よろい)をつけないこと。
解字 形声。人+戔㊅。

8【倉】10画 437 教4 ソウ くら
㊀ソウ(サウ) 陽 cāng　㊁ショウ(シャウ) 漾 chuàng　3350 9171 —
筆順 ノ 𠆢 𠆢 今 今 今 倉 倉 倉 倉
字義 ㊀❶くら。穀物を入れるくら。方形のくら。転じて、物を入れておく建物。「倉庫」❷にわか。また、あわてる。あわただしい。「倉卒」❸あおい(青)。=蒼(10182)。「倉海」㊁いたむ。かなしむ。また、うしなう(喪)。=愴(3837)。
名前 くら　難読 倉垰・倉稲魂
参考 現代表記では〔艙〕(9762)・〔蒼〕(10182)の書きかえに用いることがある。「船艙→船倉」「蒼惶→倉皇」

使いわけ
くら〔倉・蔵〕
日本式の土蔵には〔蔵〕を用いるが、一般には〔倉〕を用いる。「蔵屋敷・米倉」

解字 金文 篆文 象形。穀物をしまうための「くら」の象形で、くらの意味を表す。

逆 義倉・社倉・船倉・太倉・発倉
【倉海】大海。あおうなばら。蒼海。

【倉囷】米ぐら。穀倉。▼倉は方形、囷は円形。

【倉頡】中国古代の伝説上の人物。黄帝の史官(記録係)で、鳥獣の足あとを見て初めて文字を作ったという。蒼頡。

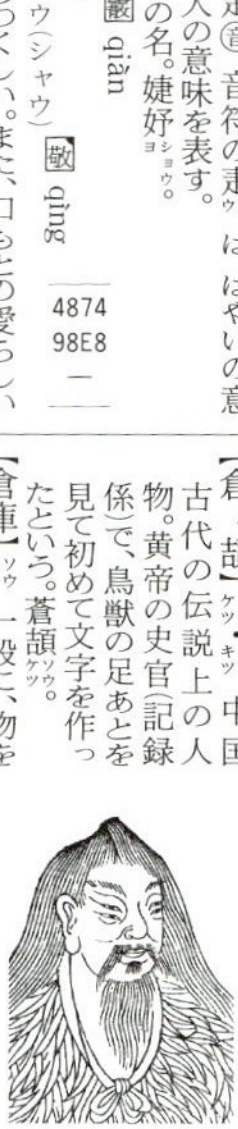
倉頡

【倉庫】一般に、物を入れて置く建物をいう。▼倉は米ぐら、庫は器物を入れて置くくら。

【倉皇・倉黄・倉惶】あわてるさま。急ぐさま。蒼惶。

【倉卒・倉猝】急なさま。また、あわただしいさま。

【倉廩実(實)而囹圄空】米ぐらが満ちる(生活が豊かになる)と(悪事を働く者がいなくなるから)牢屋はからっぽになる。為政者は、罪人を取り締まるよりも、民の生活を豊かにすることに努力すべきだとの教え。〔管子、五輔〕

【倉廩実(實)則知二礼(禮)節(節)一】人間は生活が豊かになって初めて礼儀道徳に関心をもち、これを守り行うようになる。衣食足りて礼節を知る。用例〔管子、牧民〕倉廩実則知二礼節一、衣食足則知二栄辱一。↓食料の心配がなくなって、初めて人は礼儀道徳に関心を持つようになり、衣食の心配がなくなって、初めて人は名誉と不名誉とをわきまえるようになる。

8【丧】10画 438 ソウ　喪(1609)の俗字。→二七六ページ中。

8【倧】10画 439 ソウ 冬 zōng　1431 — 1757
字義 古代の伝説上の神人の名。
解字 形声。人+宗㊅。

8【偬】10画 440 ソウ　傯(496)の俗字。→一三三ページ下。　— — 1745

8【倅】10画 441
㊀サイ 隊 cuì　㊁㊊ソツ・㊐ソチ 月 zú　4870 98E4 —
〔伜〕224 俗字 (147)。
字義 ㊀❶百人一組の兵士。❷にわか。㊁たす-け。そえ(副)。㊂=卒(147)。国せがれ。=悴(3769)。㋐自分のむすこを謙遜していう語。㋑年少の男子をさげすんでいう語。

解字 形声。人＋卒㊥。

【倅然】にわかに。ふと。卒然。

8 **【倬】** 10画 442 タク 覺 zhuō　4875 98E9 —

字義 ❶おおきい。❷あきらか。いちじるしい。❸たか-い。❹こえる。他よりすぐれる。

解字 篆文 形声。人＋卓㊥。音符の卓は、高いの意味。きわだって大きいの意味を表す。

8 **【倓】** 10画 443 ㊀㊥タン・㊤ダン 覃 tān ㊁㊥タン・㊤ダン 勘 tàn　2 0158 — 1749

字義 ㊀しず-か。やすらか。㊁❶＝㊀。❷財貨で罪をつぐなう。また、その財貨。

解字 形声。人＋炎㊥。

8 **【値】** 10画 444 教6 チ ね・あたい　3545 926C —

㊀㊥チ・㊤ジ(ヂ) 寘 (zhì) ㊁㊥チョク・㊤ジキ(ヂキ) 職 zhí

筆順 ノ イ 仁 什 佶 侑 値 値

字義 ㊀㊁❶あたい。ね。ねうち。「価値」❷もつ(持)。❸あ-う(遇)。❹あたる(当)。

名前 あう・あき・もち

使いわけ あたい〔価・値〕⇨価(298)。

解字 篆文 形声。人＋直㊥。音符の直は、持に通じ、もつの意味。人が持つの意味を表す。また、直は、まっすぐ見るの意味。人が見つめあう、あたるの意味を表す。また、交易の際に、物にむきあうねだんの意味をも表す。

逆 価値

【値遇】①出あう。あう。②国＝知遇(一〇一七ページ・下)。

【値段】国物のあたい。代価。

8 **【倁】** 10画 445 ㊥チ ㊤ジ(ヂ) 支 zhī　1 1427 — 1742

字義 ゆく(行)。

解字 形声。人＋知㊥。

8 **【俿】** 10画 446 ㊥チ ㊤ジ(ヂ) 支 紙 chí　— ED5A 1740

字義 車輪。

解字 形声。人＋虒省㊥。

8 **【倀】** 10画 447 チョウ(チャウ) 陽 chāng　2 0156 — 1741

字義 ❶くる-う。精神に異常をきたす。❷鬼の名。虎に食い殺された人の霊が鬼となり、虎に使われて凶悪なことをするという。倀鬼。

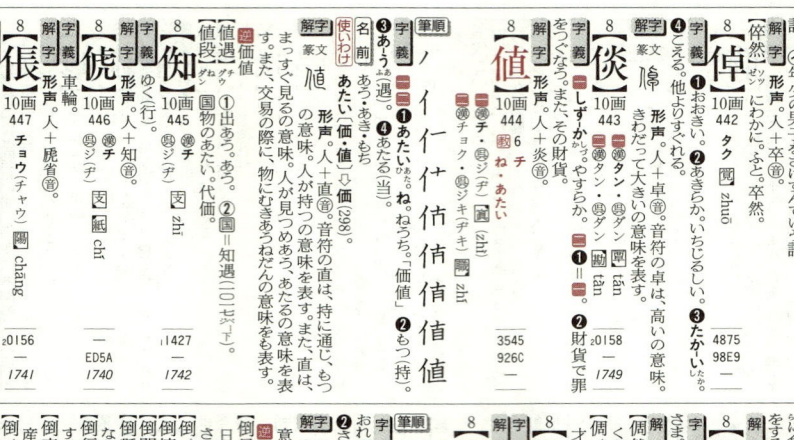

解字 形声。人＋長㊥。

8 **【倜】** 10画 448 ㊀㊥テキ・㊤チャク 錫 tì ㊁チュウ(チウ) 尤 zhōu　2 0159 — 1753

字義 ㊀❶とらわれないさま。拘束されないで独立しているさま。❷すぐ-れる。ぬきんでる。㊁おろか。もとる。

解字 形声。人＋周㊥。

【倜然】①はるかに遠いさま。また、高く遠いさま。②高くあがるさま。③疎遠なさま。

【倜儻】①他に拘束されないで独立していること。②才気が衆人にかけ離れてすぐれていること。

8 **【倎】** 10画 449 テン 銑 tiǎn　1 1429 — 1747

字義 あつい(厚)。

解字 形声。人＋典㊥。

8 **【倒】** 10画 450 常 トウ たお-れる・たお-す　3761 937C —

㊀トウ(タウ) 晧 dǎo ㊁トウ(タウ) 号 dào

筆順 ノ イ 仁 伾 侄 侄 倒 倒

字義 ㊀❶たお-れる。㋐ころぶ。「転倒」㋑死ぬ。たおれ死ぬ。❷たお-す。「打倒」❸さからう。㊁❶さかさま。さかしま。❷さかさまにする。

解字 篆文 形声。人＋到㊥。音符の到は、兆に通じ、はじけ割れるの意味。人がはじけるようにたおれるの意味を表す。

逆 圧倒・既倒・驚倒・傾倒・絶倒・卒倒・転倒

【倒景・倒影】▼景は、影。①西から照り返す日光。夕日の光。②天上の最高の所をいう。③さかさに映るかげ。さかさかげ。

【倒戈】＝倒レ戈(ほこをさかしまにす)(五六〇ページ・中)。

【倒壊(壞)】たおれこわれる。

【倒閣】国内閣をたおすこと。

【倒懸】手足をしばって、さかさまにつるすこと。㋐非常な苦しみをいう。㋑危急のときをいう。「倒懸の急」

【倒行逆施】道理にさからって事を行う。無理押しをすること。横車を押す。〔史記、伍子胥伝〕

【倒産】①子どもが足からさきに生まれること。②国財産を使いはたすこと。破産。

【倒薫】影をさかさまに水面にうつすこと。▼薫は、ひたす意で、水に影をうつすこと。

【倒屣】(あわてて)はき物をさかさにはく。急いで出て行き、心から人を歓迎することにいう。

【倒生】草木をいう。草木は根(首)を地につけ枝(足)を上に伸ばすからいう。

【倒装(裝)】修辞法の一つ。意味や調子を強めるため、普通の語句の順序を逆にすること。「徳之不レ修(トクをこれおさめず)」「賢哉回也(ケンなるかなカイや)」の類い。倒装法。倒置法ともいう。

【倒置】①さかさまにおく。②位置がひっくりかえること。③まちがえる。④＝倒装。

8 **【倲】** 10画 451 ㊀トウ 東 dōng ㊁トウ 送 dòng　— — 1760

字義 ㊀㊁おろかなさま。

解字 形声。人＋東㊥。

8 **【俳】** 10画 452 教6 ハイ　3948 946F —

㊀㊥ハイ・㊤バイ 佳 pái ㊁㊥ハイ・㊤バイ 灰 pái

筆順 ノ イ 仃 付 付 俳 俳 俳

字義 ㊀❶わざおぎ。芸人。俳優。❷おど-け。たわむれ。滑稽。㊁さまよう。行きつもどりつする。ぶらつく。＝徘(3434)。国❶ざれ歌。滑稽味のある歌。俳諧連歌。❷俳句。

難読 俳優(わざおぎ・わざびと)

解字 篆文 形声。人＋非㊥。音符の非は、そむくの意味。常識にそむいた一風変わったふるまいをする、おどけの意味を表す。

【俳画(畫)】国俳句的な趣のある超俗簡素な日本画。

【俳諧】①たわむれ。滑稽。②国㋐和歌の一体。滑稽味を帯びている歌。㋑俳諧連歌(俳諧歌を幾つも連ねて作る)の略称。㋒俳句の別名。

【俳謔】されごと。冗談。

【俳句】国俳諧の発句の略称。㋐俳諧連歌の初句。発句。㋑五・七・五の十七音節からなる、季をよみこんだ定型詩。

【俳号(號)】国俳句を作る時の雅号。

【俳人】国俳句を作る人。

【俳壇】国俳句を作る人たちの社会。

【俳賦】六朝時代に行われた賦の一体。特に修辞を重んじ、対句を用いた。駢賦。

【俳文】国文章の一体。俳句的な趣のある文章。簡潔で機知に富んでいるのが特色。

【俳味】国俳句的な味わい。あっさりとして俗気がなく、庶民的な趣。
【俳優】ハイユウ ①たわむれ。おどけ。②演劇・映画などに出演する役者。わざおぎ。
【俳論】ハイロン 国俳句に関する議論。

8 【倍】10画 453 教3 バイ
漢ハイ・呉バイ 賄 bèi　3960 947B —

筆順 ノ 亻 … 倍

字義 ❶ます。多くする。❷ますます。いよいよ。用例〔唐、王維、九月九日憶二山東兄弟一詩〕独在二異郷一為二異客一(ひとりイキョウにあってイカクとなる)、毎レ逢二佳節一倍思レ親(カセツにあうごとにますますシンをおもう(ふ))。↓ただ独り異国にあり、めでたい節句の日に出逢うたびに、ますます肉親のことが懐かしく思われる。❸二ばい。また、ばいにする。「倍増」。また、重ねる回数を表す。「万倍」❹そむ-く。もとる。離れる。=背(4967)。❺そらよみ。暗唱。

名前 ます・やす

解字 篆文 形声。人+音(音)。音符の音ホウ=ハイは、背に通じ、背を向けるの意味。人を付し、そむくの意味を表す。また、文字に背を向けて読む、そらよみの意味を表す。また、背を向けて二つに離れて、二ばいになるの意味をも表す。

【倍加】バイカ ①二倍に増す。②増し加える。また、増し加わる。③いよいよ増す。
【倍旧(舊)】バイキュウ 旧に倍す。今までより以上に程度を増すこと。
【倍△蓰】バイシ 数倍。▼倍は二倍、蓰は五倍。
【倍反・倍△叛・倍畔】バイハン そむく。

8 【俾】10画 454 — ヒ 紙 bǐ(bì) 二漢ヘイ・呉ハイ 齊　4876 98EA —

字義 一❶し-む。使役の助字。せる。させる。=使(316)・令(203)・遣(12187)・教(4535)。❷ます。=裨(10926)。二にらむ。横目で見る。

解字 金文 篆文 形声。人+卑(音)。音符の卑は、ひくいの意味。身分の低い人、召し使いの意味を表す。転じて、助ける・益するの意味を表す。また、使役の助字、「せる・させる」の意味にも用いる。

【俾益】ヒエキ ます。益する。助ける。裨益ヒエキ。
【俾△倪】ヘイゲイ ①横目でにらむ。しり目にみる。睥睨ヘイゲイ。②城壁の上の短牆ひめがき。

8 【俵】10画 455 教6 ヒョウ たわら　4122 9555 —
ヒョウ(ヘウ) 嘯 biào

筆順 ノ 亻 … 俵

字義 ❶ちる(散)。❷わけあたえる。国❶たわら。穀物などを入れるつつみ。❷ヒョウヘウ。たわらを数える単位。

解字 形声。人+表(音)。

【俵散】ヒョウサン 多くの人に分け与える。

8 【俯】10画 456 標 フ 麌 fǔ　4877 98EB —

字義 ふ-す。㋐うつむ-く。うなだれる。㋑かがむ。上体を前に曲げる。㋒横になる。寝る。㋓とじこもる。かくれる。国うつぶ-せるうつぶす。顔を下に向けて腹ばいになる。

解字 形声。人+府(音)。音符の府は、俛フに通じ、ふすの意味。人を付し、ふすの意味を表す。

【俯△瞰】フカン 高い所から見下ろすこと。「俯瞰図」
【俯仰】フギョウ ①うつむくことと、あおむくこと。②立ち居振る舞い。起きふし。起居動作。「俯仰進退」
【俯仰△之間】フギョウのカン 少しの時間をいう。たちまち。
【俯仰不レ△愧二天地一】フギョウテンチにはじ(ぢ)ず 仰いで天の神に、俯して地の神に恥ずべきところがない。心にやましいところがなく、公明正大なこと。『孟子』尽心上に「仰不レ愧二於天一(あお(ふ)いでテンにはじ(ぢ)ず)、俯不レ怍二於人一(フしてひとにはじ(ぢ)ず)」とあるのに基づく。
【俯伏】フフク ひれふす。平身低頭。

8 【[illegible]】10画 457 漢ブ 呉ム wǔ　— — 1762

字義 三国時代の人名。

解字 形声。人+武(音)。

8 【併】10画 (343) ヘイ 併(342)の旧字体。→一〇六ページ上。

8 【倣】10画 458 常 ホウ なら-う　4279 95ED —
ホウ(ハウ) 養 fǎng

筆順 ノ 亻 … 倣

字義 ❶なら-うならふ。まねする。なぞらえる。=仿(242)。「模倣」❷よる(依)。

名前 より

使いわけ なら-う〔習・倣〕⇩習(9525)。

解字 形声。人+放(音)。

逆 模倣
【倣△傚・倣効(效)】ホウコウ まねする。模倣する。

8 【俸】10画 459 常 ホウ
漢ホウ・呉ブ 宋 fèng　4280 95EE —

筆順 ノ 亻 … 俸

字義 ふち。扶持米フチマイ。奉禄ホウロク。俸給。給料。

名前 たま

解字 形声。人+奉(音)。音符の奉は、両手でささげ持つの意。人がうやうやしく受け取るもの。扶持フチの意味を表す。

逆 月俸・食俸・罰俸
【俸給】ホウキュウ 一定の期間に、その職務に対して支給される給料。俸銭。
【俸銭(錢)】ホウセン =俸給。
【俸秩】ホウチツ 昔、職務に対して支給された米、または金銭。俸禄。▼秩も、ふち。
【俸△禄】ホウロク =俸秩。▼禄も、ふち。

8 【倗】10画 460 一漢ホウ 呉ボウ 蒸 径 pēng 二漢ホウ・呉ボウ 迥 pěng　— — 1750

字義 一❶助ける。❷委ねる。❸依る。二承諾しない。

解字 形声。人+朋(音)。

8 【們】10画 461 一モン 願 mèn 二モン 元 mēn　4878 98EC —

字義 一肥えているさま。肥満のようす。二ともがら。ら。ども。人称代名詞にそえて複数を表す語。「我們われら」

解字 形声。人+門(音)。

8 【倮】10画 462 ラ 哿 luǒ　1432 — 1758

字義 ❶はだか。=裸(10928)。❷昔、中国の西方にあったという伝説上の国の名。その国の人が、みな裸体であったのでいう。

解字 形声。人+果(音)。

8 【倆】10画 463 リョウ(リャウ) 漾 養 liǎng, ②liǎ　4879 98ED —
【俩】350 俗字

字義 ❶わざ(技)。うでまえ。「技倆」❷ふたつ。また、二つ一組のものをいう。=両(31)。

参考 現代表記では〔量〕(12460)に書きかえることがある。「技倆→技量」

解字 形声。人+兩(音)。音符の兩(両)は、天秤テンビンで物をはかるの意味。こまかな物を量る人、わざ、たくみの意味を表す。

8【倰】10画 464 ㊀リョウ 漢 líng ㊁ロウ 径 lèng — — 1759
字義 ㊀❶侵す。越える。❷琴の音の形容。㊁歩き疲れる。

8【倫】10画 465 常 リン 真 lún 4649 97CF —
解字 形声。人+夌音。
筆順 ノ 亻 亽 㑹 侖 倫 倫 倫 倫
字義 ❶みち。㋐人のふみ守るべき道。「人倫」㋑すじみち。道理。❷ともがら。なかま。たぐい（類）。「倫類」❸しな。等級。順序。❹もくめ（木目）。❺ならべる。また、くらべる。
名前 おさむ・しな・つぐ・つね・とし・とも・のり・ひと・ひとし・もと
解字 篆文 倫 形声。人+侖音。音符の侖リンは、すじみちをたてるの意味。すじみちのたどれるともがらの意味や、すじみちの意味を表す。
逆 出倫・人倫・絶倫・天倫・比倫・不倫・明倫
【倫紀】（リンキ）人のふむべき道。人倫。
【倫次】（リンジ）順序。順序次第。秩序。
【倫常】（リンジョウ）人が常に行うべき道。
【倫△敦】（ロンドン）Londonの音訳。イギリスの首都。
【倫匹】（リンピツ）①なかま。同輩。②妻。
【倫理】（リンリ）①すじみち。条理。道理。②人の守り行うべき道。道徳。③国「倫理学」の略。
【倫類】（リンルイ）なかま、同類。

8【㑼】10画 466 漢カ（クヮ）呉ワ 箇 huò — — 1736
字義 和らぐ。
解字 形声。人+和音。

8【俁】10画 467 国字 また 俣(401)と同字。→二一四ページ上。 2 0162 — —

9【偓】11画 468 アク 覚 wò 2 0166 — 1773
字義 かかわる。こだわる。→偓促。
解字 形声。人+屋音。
【偓促】（アクサク・アクセク）小さな事にこだわるさま。こせつくさま。齷齪
【偓△佺】（アクセン）舜帝時代の仙人の名。松の実を食い、体に毛が生え、空中を飛行したという。〔列仙伝〕

9【偯】11画 469 漢イ 呉エ 尾 yǐ — — 1768
字義 なげく。いたみかなしむ。なげく声のかすかなひびき。
解字 形声。人+哀音。

9【偉】11画 (517) イ 偉(516)の旧字体。→一二四ページ下。

9【偊】11画 470 ㊀ウ 麌 yǔ ㊁ク 麌 jǔ
字義 ㊀❶ひとりで行くさま。=踽(11753)。❷せぐくまるさま。体をかがめるさま。❸つつしむさま。
解字 形声。人+禹音。

9【偃】11画 471 ㊀漢エン・呉オン 阮 yǎn ㊁エン 銑 4880 98EE —
字義 ㊀❶ふ-す。たおれる。㋐うつむく。うつぶせになる。㋑横になる。寝る。㋒なびきふす。従う。❷ふせる。倒す。❸止める。とどめる。❹高い。また、おごり高ぶる。❺かわや。便所。❻せき（堰エン）。また、せき止める。
解字 篆文 偃 形声。人+匽音。音符の匽エンは、区切られた、かこいの中でやすらぐの意味。人がふせる、やすむの意味を表す。
【偃△戈】（エンカ）=偃ㇾ戈カをふす（五六〇ページ中）。
【偃月】（エンゲツ）①弓張り月。弦月。②骨相学で、女性のひたいに現れた高貴な相。③三日月の陣形。偃月陣。
【偃月刀】（エンゲツトウ）なぎなた（薙刀）。弦月の形をしている。

偃月刀

【偃△蹇】（エンケン）①高くそびえるさま。②おごりたかぶるさま。③舞うさま。④危怪な岩石の形容。⑤多くさかんなさま。⑥失望するさま。
【偃甲】（エンコウ）武器を用いることをやめる。戦いをやめる。偃兵。偃武。
【偃仰】（エンコウ・エンギョウ）①ふしたりあおいだり。寝たり起きたり。転じて、浮沈する意に用いる。②寝ころんで休む。のんびりしていること。
【偃然】（エンゼン）くつろいで寝ころぶさま。用例〔荘子、至楽〕人且二偃然寝一於巨室一（ひとまさにエンゼンとして、キョシツにい（ね）ねんとす）。↓人がゆったりと天地という巨大な部屋で寝ようとしている。
【偃△鼠飲ㇾ河不ㇾ過ㇾ満（満）ㇾ腹】（エンソかわ（は）にのむもはらをみたすにすぎず）もぐらは河水を飲んでも、小さな腹をいっぱいにするだけだ。人もその分に応じて満足すべきであるというたとえ。「不ㇾ過二満腹一（マンプクにすぎず）」ともいう。〔荘子、逍遥遊〕
【偃草】（エンソウ）草をたおす。風が草を吹きなびかせるように、君子が人民を感化すること。『論語』顔淵編に「君子之徳風也、小人之徳草也、草上二之風一必偃（クンシのトクは、かぜなり、ショウジンのトクは、くさなり、くさこれにかぜをくわ（は）う（ふ）れば、かならずふす）」とあるのに基づく。
【偃息】（エンソク）①寝ころんで休む。②やめる。
【偃武】（エンブ）=偃甲。▼武は、武器。
【偃兵】（エンペイ）=偃甲。

9【倍】11画 472 エン 琰 yǎn 2 0168 — 1779
字義 きよい。
解字 形声。人+音音。

9【假】11画 (207) カ 仮(206)の旧字体。→八三ページ中。

9【偕】11画 473 カイ 佳 xié(jiē) 4883 98F1 —
字義 ❶とも-に。みな。❷つよい。❸とも-にする（ともにす）。また、ともなう。つれだつ。❹ととのう。㋐かなう。適合する。㋑ひとしい。また、ひとしくする。❺あまねし。広い。
難読 偕老根（えびね）
解字 篆文 偕 形声。人+皆音。音符の皆は、みなの意味。人がともにするの意味を表す。
【偕偶】（カイグウ）つれあい。配偶。
【偕行】（カイコウ）①一緒に行く。②一緒に行う。
【偕楽（樂）】（カイラク）（多くの人と）共に楽しむ。
【偕老同穴】（カイロウドウケツ）①夫婦の固いちぎり。生きては共に老い、死んでは同じ穴に葬られる。『詩経』邶風ハイフウ・撃鼓に「与ㇾ子偕老（シとともにおいん）」とあり、また、王風・大車に「死則同ㇾ穴（シせばすなわ（は）ちあなをおなじくせん）」とあるのに基づく。②うみへちまの形をした、海底に住む海綿動物。うみへちま。うみわた。

9【偐】11画 474 ガン 贋(11615)と同字。→一三六五ページ下。 4884 98F2 —

9【偽】11画 475 常 ギ いつわ-る・にせ 2122 8B55 —
12【僞】14画 476 人 ㊀ギ 寘 wěi ㊁ガ（グヮ）歌 é 4906 9945 —
筆順 ノ 亻 伊 伪 伪 偽 偽 偽
字義 ㊀❶いつわ-る（いつはる）。あざむ-く。㋐うそをいう。㋑見せかける。ふりをする。また、まねをする。❷いつわ-り（いつはり）。うそ。つくりごと。用例〔北宋、欧陽脩、朋党論〕当二其同ㇾ利之時一（そのりをおなじくするの、ときにあたり）、暫相党引以為ㇾ朋者偽也（しばらくあい（ひ）トウインしもってともをなすものは、ぎなり）。↓利益をともにするときは、一時的にお互いに協力して集団となるが、それは偽りの仲間なのだ。❸にせ（贋

ン）。「真偽」❹かり（仮）。また、かりに。一時。しばらく。❺人為。自然のままなのに対して、人が意志や手を加えること。用例〔荀子、性悪〕人之性悪、其善者偽也。↓人間の本性は悪である。それが善であるというのは、人為の結果である。❻ならい（習）。後天的な性。
二❶うごく。うごかす。❷変わる。変える。

解字 篆文 形声。人＋為（爲）音。音符の爲イ＝ギは、人が手を加えてつくるの意味。人がつくりごとをする、いつわるの意味を表す。

逆 虚偽・巧偽・詐偽・真偽・大偽

【偽△贋】にせもの。偽物。

【偽経（經）】偽作の経書。

【偽作】①似せて作る。また、似せて作られた物。②他人の名を作者名に用いて作ること。また、その作品。

【偽書】①偽作の書物。②にせの手紙・文書。

【偽称（稱）】いつわりとなえる。また、偽名。

【偽証（證）】①いつわりの証拠・証言。②裁判で証人・鑑定人等がいつわりの証言をすること。

【偽善】うわべだけの善行。

【偽装（裝）】国いつわりよそおう。擬装。フランス語camouflageの訳。

【偽造】似せて作る。にせものを作る。

【偽朝】にせの朝廷。その時代の朝廷に対し、いつわりの朝廷。偽庭。

【偽筆】他人の書きぶりに似せて書いた文字や絵。

【偽名】①うその姓名。いつわりの名。②うその評判。無根のうわさ。

9 【偶】 11画 477 常 グウ
漢ゴウ・呉グ 有 ǒu 慣グウ
2286 8BF4 —

筆順 ノ 亻 㑑 偊 偶 偶 偶 偶

字義 ❶ひとがた。でく。人形。「土偶」❷二で割りきれる数。ちょう。偶数。↔奇（2262）。❸ならぶ。そろう。「対偶」❹つりあう。匹敵する。用例〔国語、越語上〕有帯甲五千人、将以致死、乃必有偶。↓武装した兵五千人が必死の覚悟で臨めば、必ず対等に戦えましょう。❺つれあう。結婚する。用例〔列子、黄帝〕牝牡相偶。↓（鳥獣も）雌と雄はつがいになり、母と子は睦まじく暮らす。❻たぐい。たぐう。㋐仲間。ともがら。用例〔史記、黥布伝〕率其曹偶、亡之江中為群盗。↓仲間を引き連れ、脱走して長江付近で盗賊となった。㋑つれ。つれあい。「配偶」❼かたき。敵。❽あう。かなう。あわせる。用例〔南朝宋、顔延之、五君詠〕中散不偶世、本自餐霞人。↓嵇中散（嵇康）は世俗の人たちと気が合わなかった。もともと彼が仙人のような人であったからだ。／〔唐、綦毋潜、春泛若耶渓詩〕幽意無断絶、此去随所偶。↓幽境を求めるわが思いは途絶えず、この舟遊びも心のかなうままにしたがうのだ。❾たまたま。たまさか。思いがけなく。偶然。ちょうど。用例〔本事詩〕後数日、偶至都城南、復往尋之。↓さて、それから数日たって、ふと都の南の郊外に行ったので、また娘の家を訪ねた。／〔人虎伝〕偶因狂疾成殊類、災患相仍不可逃。↓思いがけず気がふれたことでけだものになりはて、重なり合う災難は逃れるすべもなかった。
国たまに。まれに。

名前 あい・あう・かた・とも・ます

解字 篆文 形声。人＋禺音。音符の禺グウは、寓に通じ、かりるの意味。木をかりて人の形に似せたもの、「でく」の意味を表す。また、禺は、「なまけもの」類の意味から、目的も計画もなく、ただなんとはなしに、たまたまの意味をも表す。

逆 佳偶・対偶・土偶・配偶・匹偶・不偶・木偶

【偶詠】ふと興がわいて詠んだ詩や歌。偶吟。

【偶感】①ふと感ずる。②ふと起こった思い。

【偶吟】＝偶詠。

【偶語】かたりあう。また、二人向かいあって話す。

【偶合】①偶然に出あう。②たまたま一致する。

【偶△坐】①向かいあってすわる。また、その人。②先客（他の客）と同席する。用例〔礼記、曲礼上〕偶坐不辞。↓同輩たちと食事をするときは、（主人の勧めを）辞退しない。

【偶作】詩などを偶然に作る。また、その作品。偶詠。偶成。偶題。

【偶視】向かいあって見る。互いに見あう。

【偶日】偶数の日。↔奇日（三五三ページ中）。

【偶人】土や木で作った人形。でく。ひとがた。

【偶成】思いがけなくできる。偶然の思いつきでできる。また、その作品。偶作。

【偶然】たまたま。思いもかけず。ゆくりなく。ふと。

【偶像】①人形。木石や金属で作った像。②神仏にかたどって作った像。神仏の仮の姿。③人物などで信仰的な尊敬の対象となるもの。「偶像化」「偶像崇拝」

【偶対（對）】対句。

【偶題】偶然に詩を作る。偶作。▼題は、詩を書きつける。

【偶発（發）】ふとおこる。偶然に発生する。

【偶匹】つれあい。夫婦。配偶。

9 【偈】 11画 478 標
一漢ケツ・呉ゲチ 屑 jié
二漢ケイ 呉ゲイ 霽 qì, ②jì 慣ゲ
4885 98F3 —

字義 一❶はやい。また、早く走るさま。❷骨をおるさま。
二❶いこう（息）。＝憩（3608）。❷仏仏の徳をほめたたえた韻文。五字または七字を一句とし、多くは四句を一偈とする。偈頌。「ゲ」と読む。

解字 形声。人＋曷音。

9 【健】 11画 479 教4 ケン すこ-やか
一漢ケン・呉ゴン 願 jiàn
二漢ケン・呉ゲン 銑
2382 8C92 —

筆順 亻 仁 佇 侓 侓 倢 健 健

【徤】3439 俗字

字義 一❶すこ-やか。すく-よか。体が丈夫なこと。「健康」❷たけ-し。強い。おおしい。「雄健」❸おごる。たかぶる。❹よく。非常に。したたか。「健忘」
二かたしとする。むずかしく考える。

名前 かつ・きよ・きよし・たけ・たけし・たける・たつ・たて・たる・つよ・つよし・とし・まさる・やす

難読 健気・健軍・健駄羅

解字 篆文 形声。人＋建音。音符の建は、のびやかに立つふでの意味。のびやかに立つ人の意味から、すこやかの意味を表す。

逆 穏健・頑健・剛健・豪健・壮健・勇健・雄健

【健脚】足が丈夫で歩くことが達者なこと。また、その足。健足。健歩。

【健康】①すこやか。達者。丈夫。②からだの調子。

【健在】達者でくらしている。丈夫でいる。

【健児（兒）】一①元気な若者。②兵士。二国①奈良時代末期、兵部省に属し、諸国の兵庫・国府

などを守った兵士。②江戸時代、仲間(チュウゲン)・足軽などの称。

【健勝】(ケンショウ) 国すこやかで気分がすぐれていること。達者。丈夫。▼勝は、まさる・すぐれる。

【健羨】(ケンセン) むさぼる。欲望を強くする。▼羨は、ほしがる。

【健全】(ケンゼン) 国①からだが丈夫で、悪い所がないこと。すこやか。達者。②精神がしっかりしていてまじめなこと。

【健△啖】(ケンタン) よく食べる。たくさん食べる。大食。▼啖は、食べる。

【健闘(鬪)】(ケントウ) りっぱに戦う。よく戦う。

【健筆】(ケンピツ) 文字や文章を達者に書くこと。また、その才能。

【健婦】(ケンプ) ①強健な女性。②気の強い女性。また、けなげな女性。

【健忘症】(ケンボウショウ) ①一定期間の記憶がなくなる症状。②俗に、もの忘れをする人をいう。

9 【倦】 11画 480 ケン 倦(420)の俗字。→二五ページ下。 — —

9 【偟】 11画 481 漢コウ(クワウ) 呉オウ(ワウ) 陽 huáng — — 1776
字義 ❶さまよう(さまよふ)。たたずむ。=徨(3441)。「仿偟(ホウコウ)」❷いとま。ひま。=遑(12156)。
解字 形声。人+皇音。

9 【𠊱】 11画 482 コウ 候(422)の本字。→二六ページ上。

9 【做】 11画 483 サ 箇 zuò 4886 98F4 —
字義 ❶なす。行う。作る。❷なる。…になる。
解字 会意。人+故。もと、作の俗字。

9 【偲】 11画 484 人 一サイ 灰 cāi 一シ 支 sī 2837 8EC3 —
筆順 ノ イ 仃 伊 伊 伊 偲 偲 偲 偲
字義 一❶つよい。❷かしこい。才能がある。国しのぶ。思いしたう。二互いに励ますさま。忠告しあうさま。
名前 しのぶ
解字 篆文 [篆文] 形声。人+思音。音符の思は、おもうの意味。思慮ある人、かしこいの意味を表す。
【偲偲】(シシ) たがいに励まし合うさま。

9 【偖】 11画 485 シャ 4887 98F5 —
字義 さく(裂)。国さて。発語のことば。=扯(4050)。
解字 形声。人+者音。日本ではもと「さて」を表す合成字として、奢(さ)+扌(手・て)の撦が用いられたが、のち誤って偖の字となった。

9 【斜】 11画 (4586) シャ 斗部。→六三五ページ上。

9 【脩】 11画 (5025) シュウ 月部。→六九九ページ上。

9 【倏】 11画 (7179) シュク 犬部。→九二六ページ下。

9 【偆】 11画 486 シュン 軫 chǔn 2 0164 ED5C 1767
字義 ❶とむ(富)。また、とみ。❷あつい(厚)。❸喜び楽しむさま。❹うごめく。
解字 形声。人+春音。

9 【偱】 11画 487 シュン 真 xún — — 1785
字義 述べる。
解字 形声。人+盾音。

9 【偦】 11画 488 ショ 魚 xū 2 0169 — 1780
字義 ❶十人のかしら。賢い人をいう。=胥(4954)。❷盗賊を探し捕らえる。❸とおる。とおす。
解字 形声。人+胥音。

9 【偁】 11画 489 ショウ 蒸 chēng 1 1435 — 1764
字義 ❶あげる(あぐ)(揚・挙)。ほめ挙げる。=称(8454)。❷となえる。
解字 篆文 [篆文] 形声。人+爯音。音符の爯は、もちあげるの意味。人をほめもちあげるの意味を表す。

9 【偅】 11画 490 漢ショウ 呉シュ 宋 zhōng — — 1766
字義 儱偅(リョウショウ)は、正しく歩けないさま。
解字 形声。人+重音。

9 【偢】 11画 491 ショウ(セウ) 嘯 qiào — — 1778
字義 ❶傸偢(サショウ)は、思いやりがない。❷気にかける。
解字 形声。人+秋音。

9 【條】 11画 (5212) ジョウ 木部。→七一九ページ中。

9 【偗】 11画 492 漢セイ 呉ショウ(シャウ) 梗 shěng 2 0167 — 1774
字義 ❶すなおなさま。❷真っ直ぐなさま。
解字 形声。人+省音。

9 【偰】 11画 493 漢セツ 呉セチ 屑 xiè
〔偰〕494 俗字
字義 人の名。殷(イン)の先祖。=契(2274)。
解字 形声。人+契音。

9 【偰】 11画 494 セツ 偰(493)の俗字。→一三三ページ下。 2 0171 ED5D 1784

9 【偂】 11画 495 セン 先 qián 2 0163 ED5E 1765
字義 すすむ(進)。
解字 形声。人+前音。

9 【偬】 11画 496 〔傯〕566 正字 〔倊〕440 俗字 ソウ 董 送 zǒng 4888 98F6 —
字義 倥偬(コウソウ)は、㋐忙しいさま。㋑苦しむさま。
解字 形声。人+怱音。

9 【側】 11画 497 教4 ソク がわ 漢ショク・呉シキ 職 cè, ③zhāi, ⑨zè 3406 91A4 —
慣ソク
筆順 ノ イ 仴 仴 但 俱 俱 側 側
字義 ❶かたわら(かたはら)。そば。わき。用例〔唐、白居易、長恨歌〕天生麗質難二自棄一(テンセイのレイシツはおのずからすてがたく)、一朝選在二君王側一(イッチョウえらばれてクンオウのかたわらにあり)。↓生まれつきのうるわしい姿かたちは、そのまますてておかれるものでなく、ある日、選ばれて天子のおそばにはべることになった。❷かわ(かは)。がわ(がは)。へり。ふち。周り。❸かたむく。また、かたむける(かたむく)。❹そばだてる(そばだつ)。㋐そびえたたせる。また、端を上にあげる。㋑かたむける。用例〔史記、項羽本紀〕樊噲側二其盾一以撞(ハンカイそのたてをそばだてもってつく)。↓樊噲は持っていた盾を傾けると、それで(番兵を)突きのけて進んだ。❺そばめる(そばむ)。㋐かたよせる。㋑そらす。そむける。❻ほのかに。かすかに。「側聞」❼ひとり(独)。ひとつ(特)。❽いたむ(惻(ソク))。❾漢字の平声(ヒョウセイ)以外の声調。=仄(1213)。
名前 かた 難読 側金盞花(ふくじゅそう)・側妻(そばめ)・側柏(このてがしわ)
解字 金文 [金文] 篆文 [篆文] 形声。人+則音。音符の則は、人の生活の上のものさし、のりの意味。生活上の規則のように人のかたわらにあるもの、そばの意味を表す。
逆 君側・反側
【側△臥】(ソクガ) ①からだを横に向けて寝る。②そばに寝る。
【側近】(ソッキン) ①ごく近い所。②いつも近くに仕えている人。

【側行】ソクコウ・ソッコウ 身をそばめて行く。また、ななめについて行く。敬意・謙遜ケンソンの意を表す。
【側視】ソクシ ①わき見をする。②目をそらして見る。見ないふりをして見る。
【側室】ソクシツ ①正室（表座敷）のわきの部屋。②正式の夫人でない夫人。③嫡子以外の男子。
【側身】ソクシン・みをそばだつ ①身をそばめ、ちぢめる。おそれつつしんでかしこまること。②体を前に乗り出すこと。
【側聴（聽）】ソクチョウ・ソクテイ ①耳をそばだてて聞く。㋐注意して聞く。㋑立ち聞きする。②そばで聞く。③ほのかに聞く。
【側聞】ソクブン ①ほのかに聞く。うわさに聞く。②そばで聞く。
【側面】ソクメン ①そとがわ。②物事のある一面。③顔を横にむける。
【側目】ソクモク 一 そばめ ①目をそらす。横目やふし目で見る。側レ目。㋐恐れや悲しみのために正視できない。用例（十八史略、春秋戦国、趙）昆弟妻嫂サイソウ、側レ目不二敢視一めをそばめてあえてみず ↓兄弟や兄弟の妻たちは、目をそらしてまともに見ようとはしなかった。㋑憎んだり怒ったりして、目をかたよせて横目で見る。用例（人虎伝）其僚友咸側二目之一そのりょうゆうみなこれをソクモクす ↓同僚たちはみな彼を憎々しげに見るのだった。㋒ふし目になってまともに見ない。②目をみはる。二 そばめ 国①そばにいて見る目。②そばから見たようす。
【側△陋】ソクロウ ①身分がいやしい。また、その人。②かたよってせまい。むさくるしい。また、その所。

9【傪】11画 498 タ 爹(2277)の俗字。→三五五ページ下。 — — 1781

9【停】11画 499 教5 テイ 漢テイ・呉ジョウ（ヂャウ） 慣チョウ（チャウ） 青 tíng 3668 92E2 —

筆順 亻 亻 仃 仃 信 停 停 停 停

字義 ❶とどまる。とどまる。用例（東晋、陶潜、桃花源記）停数日辞去とどまることスウジツにしてジキョす ↓数日の間、村に滞在してから、やがて別れを告げた。❷さだまる。固定する。❸とどめる。とどめる。用例（唐、杜甫、登高詩）艱難苦恨繁霜鬢カンナンはなはだうらむハンソウのビン、潦倒新停濁酒杯ロウトウあらたにとどむダクシュのハイ ↓苦労ばかりの毎日で、鬢の毛が白くなってしまったことも恨めしく、年老いたために、つい最近、好きな濁り酒さえやめてしまった。／（唐、李白、将進酒詩）岑夫子シンフウシ、丹丘生タンキュウセイ、将レ進レ酒まさにさけをすすめんとす、杯莫レ停ハイとどむることなかれ ↓岑さん、丹丘君、さあさあ、酒をすすめよう。杯をとどめなさるな。❹やすむ。いこう（息）。❺宿場。宿舎。＝亭（151）。

名前 とどむ 難読 停代しろ

参考 現代表記では［碇］（8204）の書きかえに用いることがある。「碇泊→停泊」

解字 篆文 形声。人＋亭音。音符の亭は、とどまるの意味。亭が、あずまやの意味に用いられるようになったため、人を付し、人がとどまり休むの意味を表す。

逆 調停

【停雲】テイウン ①じっと静止している雲。②親友を思うこと。陶潜の「停雲詩」の序に、「停雲思二親友一也テイウンはシンユウをおもう（ふ）なり」とあるのに基づく。③歌のうまいこと。また、歌声の美しいことの形容。歌の名人の秦青シンセイが歌を歌うと、空行く雲も止まったという話に基づく。遏雲アツウン。〔列子、湯問〕
【停午】テイゴ 正午。まひる。亭午。太陽が午（真南）にとどまるの意。
【停止】一 テイシ ①とどまる。②事を中途でやめること。二 チョウジ 国皇室などに凶事のあった時、鳴り物をさしとめること。
【停職】テイショク 公務員に失態のあった時、ある期間内、その職につくのを停止する懲戒処分。
【停戦（戰）】テイセン 戦争を中止する。また、そのこと。
【停滞（滯）】テイタイ はかどらない。また、とどこおる。
【停停】テイテイ ①とどまって動かないさま。成長のとまったさま。②まだ発動しないで静止しているさま。③高いさま。④美しいさま。
【停頓】テイトン とまる。ゆきづまる。進展しない。
【停泊】テイハク ①船が港にいかりを下ろしてとまること。碇泊。②やどる。とまる。宿泊。

9【偵】11画 500 常 テイ 漢テイ 呉チョウ（チャウ） 庚 zhēn(zhēng) 3669 92E3 —

筆順 亻 亻 亻 仆 伯 伯 偵 偵 偵

字義 ❶うかがう。うかがう。㋐様子をさぐる。「偵察」㋑とう（問）。たずねる。❷まわしもの。しのびもの。「密偵」

名前 さだ・ただ・よし

解字 篆文 形声。人＋貞音。音符の貞は、うらないをして問うの意味。貞が、ただしいの意味をも表すようになり、区別して、人を付し、とう・うかがうの意味を表す。

逆 内偵・密偵

【偵候】テイコウ （敵の様子などを）うかがいさぐる。また、それを任務としている人。斥候。間諜カンチョウ。▼候も、うかがう。
【偵察】テイサツ ＝偵候。▼察は、よく見る。
【偵伺】テイシ ＝偵候。
【偵人】テイジン ①敵の情報を探ることを務めとする人。斥候。間諜カンチョウ。スパイ。②占い問う人。卜問者ボクモンシャ。貞人。
【偵△諜】テイチョウ ＝偵候。▼諜は、探る、また、間諜。
【偵羅・偵△邏】テイラ 見まわってようすを探る。巡察する。また、その人。
【偵吏】テイリ 探偵を職とする役人。めあかし。

9【偙】11画 501 漢テイ 呉タイ 霽 dì — — 1775
［僀］568 同字

字義 ❶苦しみ弱るさま。❷すぐれる。

解字 形声。人＋帝音。

9【偸】11画 502 漢トウ・呉ツ 慣チュウ 尤 tōu 4889 98F7 —
［偷］503 俗字

字義 ❶ぬすむ。そっと取る。また、盗み。盗人。❷かりそめ。なおざり。かりそめにする。いいかげんにする。❸うすい。人情がうすい。まじめでない。

解字 形声。人＋兪音。音符の兪ユは、木をくりぬいたまる木舟の意味。ぬきとる人、ぬすむの意味を表す。

【偸安】トウアン ＝偸レ安やすきをぬすむ（三八九ページ中）。
【偸間・偸閑】トウカン なまける。ひまを求めて心を楽しませること。ひまをぬすむ意。
【偸香】トウコウ ①香こうをぬすむ。男女の私通をいう。晋シンの賈充カジュウの娘が香を盗んで漢寿カンジュに贈って情を通じた故事に基づく。〔晋書、賈充伝〕②仏ひそかに香りをかぐ。厳格な僧は、池を過ぎて蓮はすの香りをかいだだけでも戒律を犯したものとされた。
【偸合】トウゴウ 迎合する。ばつを合わせる。「偸合苟同トウゴウコウドウ」
【偸儒】トウジュ 一時の安楽を求めてなまけること。▼儒は、懦ダと同じで、なまけること。
【偸生】トウセイ ＝偸レ生せいをぬすむ（六六四ページ中）。
【偸惰・偸堕（墮）】トウダ 一時の安楽を求めてなまけること。偸怠。
【偸盗】一 トウトウ ぬすむ。また、ぬすびと。二 チュウトウ 仏ぬすむこと。十悪業・五悪業の第二に数えられている。
【偸薄】トウハク 人情がうすいこと。薄情。
【偸利】トウリ 利益をぬすむ。正道によらないで利益を得ること。また、その利益。

9【偷】11画 503 トウ 偸(502)の俗字。→一二三ページ下。

9【傷】11画 504 トウ(タウ) 養 tǎng, ③dàng ― ― 1772
字義 ❶まっすぐ。❷長いさま。❸ほしいまま。＝蕩(10293)。
解字 形声。人＋昜㊥。

9【偹】11画 505 ビ ― ― 1771
備(540)の俗字。→一〇六ページ上。

9【偑】11画 506 漢フウ 呉フ 東 fēng
字義 ❶地名。不詳。❷姓。伏羲(フッキ)の子孫という。
解字 形声。人＋風㊥。

9【偩】11画 507 漢フウ 呉ブ 有 fù
字義 ❶よる(依)。よりかたどる。❷たのむ。頼りにする。
解字 形声。人＋負㊥。

9【偪】11画 508 漢ヒョク・呉ヒキ 慣フク 職 bī ₂0170 ― 1782
字義 ❶せまーる。さしせまる。❷むかばき。きゃはん。すねに巻く足ごしらえの布。
解字 形声。人＋畐㊥。音符の畐(フク)は、副に通じ、寄りそうの意味。せまる人の意味を表す。
【偪臣】(フクシン) 君主の位にせまる権臣。
【偪△仄・偪側】(フクソク・ヒッソク) せまる。また、せばまる。
【偪促】(フクソク) せまりうながす。催促する。

9【偏】11画 509 常 ヘン かたよーる 4248 95CE ―
9〔偏〕11画 510 ヘン 先 piān

筆順 亻 仁 仨 伊 伻 偏 偏 偏

字義 ❶かたよーる。かたむく。㋐一方に寄る。用例〔唐、白居易、長恨歌〕雲鬢半偏新睡覚(ウンビンなかばかたむき、あらたにねむりさめたり)、花冠不レ整下レ堂来(カカンととのえ(へ)ず。ドウよりくだりきたる) ➡豊かな鬢の毛は、少し傾きくずれ、たった今ねむりより覚めたばかりのようす、美しいかんむりも整えずに奥の部屋からおりてきた。㋑中正でない。公平でない。❷かたよった。いなかの。中央からはなれた。❸左右に組み合せてできている漢字のおおむね左側の部分。↕傍(544)。❹半分、また、片はし。片がわ。❺ひとつ。ひとり。❻たぐい。ともがら。党。❼組。㋐五十人、または二十五人の組。㋑兵車二十五台。❽たすけ。副(そえ)。❾ひとえーに(ひとへに)。ひとえに。いちずに。ひたすら。

名前 つら・とも・なか・より・ゆき

使いわけ かたよる〔偏・片寄〕
不均衡・不公平な状態になる意の場合は「偏る」とし、単に一方に傾く、一方に寄る場合は「片寄る」または「かたよる」とする。「学歴に偏る・偏った意見」「東へ片寄る」

解字 篆文 [篆文] 形声。人＋扁㊥。音符の扁(ヘン)は、辺(邊)に通じ、中心にないの意味。中正でないひとの意味から、一般に、かたよるの意味を表す。

逆 不偏

【偏愛】(ヘンアイ) 特定のものをかたよって愛する。えこひいきする。

【偏安】(ヘンアン) 一地方に割拠して、そこに安んじていること。

【偏依・偏△倚】(ヘンイ) かたよる。

【偏介】(ヘンカイ) 性質がかたよって頑固なこと。偏屈。

【偏奇】(ヘンキ) ①かたよって正しくない。②風変わり。

【偏△諱】(ヘンキ) 二字の名前のうち、一方の字を忌み避けること。また、二字の名の一方の文字。

【偏急】(ヘンキュウ) 気みじか。度量がせまくてせっかちなこと。

【偏狭(狹)】(ヘンキョウ) かたよってせまい。土地の広さや人の度量などにいう。褊狭(ヘンキョウ)。

【偏屈】(ヘンクツ) 心がねじけていること。すなおでない性質。

【偏見】(ヘンケン) かたよった考え。中正でない見解。

【偏険(險)】(ヘンケン) 心がかたよりねじけていること。

【偏固】(ヘンコ) かたよって頑固なこと。かたくな。

【偏枯】(ヘンコ) ①半身がしびれて自由でないこと。半身不随。②かたよって他方に及ばないこと。

【偏向】(ヘンコウ) 一方にかたむくこと。(中正を失った)かたよった傾向。

【偏行】(ヘンコウ) ①かたよって行われる。②かたよった行い。

【偏在】(ヘンザイ) かたよった所にあること。かたよって存在すること。

【偏△衫】(ヘンサン) 仏袈裟(ケサ)に類した僧衣。

【偏死】(ヘンシ) ＝偏枯①。

【偏私】(ヘンシ) えこひいき。不公平。

【偏師】(ヘンシ) 全軍中の一部の軍隊。一組の軍隊。支隊。

【偏執】(ヘンシュウ・ヘンシツ) かたいじ。自分のかたよった考えにとらわれて、他人の意見を聞かないこと。

【偏将(將)】(ヘンショウ) ①全軍中の一部隊の大将。②副将。

【偏食】(ヘンショク) 食べものに好き嫌いがあって、好きなものだけ食べること。

【偏帥】(ヘンスイ) ＝偏将。

【偏△袒】(ヘンタン) 一 かたはだを脱ぐ。→左袒(四四八ページ下)。㋐力を出すことにいう。㋑仏師を敬う時と作業する時に、右肩を脱ぐこと。二(ヘンダン) 一方にひいきすること。

【偏重】(ヘンチョウ・ヘンジュウ) 一方だけを重んずること。

【偏土】(ヘンド) 中央から遠く離れた土地。偏境。

【偏△頗・偏△陂】(ヘンパ) かたよって不公平なこと。

【偏廃(廢)】(ヘンパイ) 一方だけを捨てる。また、一方がすたれる。

【偏△裨】(ヘンピ) 副将。褊裨(ヘンピ)は誤用。

【偏平】(ヘンペイ) たいら。ひらたいこと。

【偏△僻】(ヘンペキ) ①かたよった考えでひがむ。②かたいなか。偏土。

【偏偏】(ヘンペン) ひるがえるさま。

【偏△旁・偏傍】(ヘンボウ) 漢字のへんとつくり。▼偏は左の部分、旁・傍は右の部分。

【偏門】(ヘンモン) くぐり門。傍門。

【偏△邑】(ヘンユウ) かたいなか。辺鄙(ヘンピ)な村。

【無レ偏無レ党(黨)】(ヘンなくトウなし) 一方にかたよらないで中正公平なこと。不偏不党。▼党も、かたよる。〔書経、洪範〕

9【偭】11画 511 漢ベン 呉メン 銑 霰 miǎn ― ― 1783
字義 ❶むーかう(むかふ)。❷そむく(背)。
解字 篆文 [篆文] 形声。人＋面㊥。音符の面は、顔の意味。人の顔をある方向に向かせるの意味を表す。
【偭縛】(メンバク) 両手をうしろ手にしばる。

9【[illegible]】11画 512 ベン
便(389)の本字。→一〇三ページ上。

9【倻】11画 513 ヤ yē ₁1434 ― 1786
字義 伽倻(カヤ)は、四～六世紀ごろ、朝鮮半島南部にあった小国家群。五六二年、新羅(シラギ)に滅ぼされた。
解字 形声。人＋耶㊥。

9【偠】11画 514 ヨウ(エウ) 篠 yǎo ― ― 1777
字義 偠紹は、なよなよとしている。
解字 形声。人＋要㊥。

9【偎】11画 515 ワイ 灰 wēi ₂0165 ― 1770
字義 ❶したーしむ。なじむ。❷ちかよる。よりあう。❸ほのか。
解字 形声。人＋畏㊥。
【偎愛】(ワイアイ) ①親しみ愛する。②かくれたり、見えたりする。隠見。

10【偉】12画 516 常 イ えらーい 1646 88CC ―

9【偉】11画 517 イ(ヰ) 尾 wěi

筆順 亻 亻 伫 伟 偉 偉 偉 偉 偉

字義 ❶えらい。すぐれている。「偉人」❷おおきい(大)。さかんな。りっぱな。「偉大」❸すぐれていると認める。

名前 あや・い・いさむ・おお・たけ・ひで・よし・より

解字 篆文 形声。人＋韋(韋)音。音符の韋ィは、はなれるの意味。並からはなれた人、すぐれている人の意味を表す。

逆 怪偉・奇偉・秀偉・雄偉

【偉観(觀)】イカン すばらしいながめ。壮観。
【偉器】イキ すぐれた才能のある人。
【偉挙(擧)】イキョ すぐれた行為。また、すぐれたくわだて。
【偉業】イギョウ りっぱな事業。大事業。大業。
【偉勲(勳)】イクン すぐれてりっぱな功績。
【偉才】イサイ すぐれた才能。また、その人。偉材。
【偉丈夫】イジョウフ ①すぐれた男性。②体が大きくてりっぱな男性。
【偉大】イダイ すぐれて大きい(りっぱな)こと。
【偉徳】イトク すぐれてりっぱな徳。
【偉容】イヨウ すぐれてりっぱな姿。堂々たる姿。
【偉烈】イレツ すぐれた功績。偉功。偉績。

10【傊】12画 518 イン(ヰン) 軫 yǔn　— — 1791

字義 まさる。すぐれる。豊か。

解字 形声。人＋員音。

10【傟】12画 519 オウ(アウ) 講 yǎng　— — 1808

字義 もとる。そむく。

解字 形声。人＋翁音。

10【傢】12画 520 カ 麻 jiā　— — 1811

字義 傢伙カカは、家具・器物の類い。

解字 形声。人＋家音。

10【傀】12画 521 一カイ(クヮイ) 灰 guī 二キ 紙 三カイ(クヮイ) 賄 kuǐ 四漢カイ(クヮイ)・呉ケ 佳　4890 98F8 —

字義 一二 ❶おおきいさま。偉大なさま。❷わざわい。また、もののけ。あやしいもの。三 あやつり人形。くぐつ。「傀儡カイライ」 四 おおきい。また、おおいにさとるさま。

難読 傀儡くぐつ

解字 篆文 形声。人＋鬼音。音符の鬼は、異常の意味。普通とちがった人の意味を表す。

【傀然】カイゼン ①偉大なさま。②独りでいるさま。③おおいにさとったさま。
【傀儡】カイライ ①からくり人形。あやつり人形。くぐつ。②人の手先になって使われるもの。
【傀儡師】カイライシ 国①人形つかい。でくまわし。②人をあやつって思うままに行動させる人。

10【傕】12画 522 カク 覺 jué　2 0176 — —

字義 人の名。

解字 形声。人＋隺音。

10【傄】12画 523 漢カツ 呉ケチ 黠 xiā　— — 1789

字義 ❶すこやかなさま。❷遠慮しないさま。

解字 形声。人＋覓省音。

10【僅】12画 524 キン 僅(550)の俗字。→一三七ページ上。

10【傒】12画 525 漢ケイ 呉ゲイ 齊 xī　2 0174 — 1801

字義 ❶あやうい(危)。❷東北の異民族の名。❸江西コウセイ(長江中流の南岸の地方)の俗語をさげすんでいう言葉。❹つなぐ。＝繫(9371)。

解字 形声。人＋奚音。

10【傑】12画 (553) ケツ 傑(552)の旧字体。→一二七ページ下。　1 1436 ED5F 1803

10【傔】12画 526 ケン 艶 qiàn

字義 ❶したがう。はべる。お側近くつかえる。また、おそばづき。従者。❷たりる。満足させる。

解字 形声。人＋兼音。

【傔仗】ケンジョウ 国古代、鎮守府将軍・大宰帥ダザイのソチ・按察使アゼチなど、辺境の役人につけられた護衛の武官。

10【傆】12画 527 漢ゲン 呉ガン(グワン) 願 yuàn　— — 1790

字義 ❶こざかしい。❷つつしみ深い。

解字 形声。人＋原音。

10【傚】12画 528 漢コウ(カウ) 呉ギョウ(ゲウ) 效 xiào　4891 98F9 —

【㑫】425 俗字

字義 ならう。㋐まねする。㋑まなぶ(学)。㋒のっとる(法)。

解字 形声。人＋效音。音符の效(効)は、ならうの意味。人がならうの意味を表す。

【傚慕】コウボ まねする。

10【傐】12画 529 漢コウ(カウ) 呉ゴウ(ガウ) 晧 hào　— — 1794

字義 北方の地名。

解字 形声。人＋高音。

10【傞】12画 530 サ 歌 suō　— — 1807

字義 傞傞は、酒に酔って舞うさま。舞ってとまらないさま。

解字 篆文 形声。人＋差音。音符の差は、ふぞろいの意味。人が酔って手足ふぞろいな舞のさまを表す。

10【傘】12画 531 常 サン かさ　サン 旱 sǎn　2717 8E50 —

筆順 ノ 人 仌 仐 仐 仐 傘 傘 傘

【仐】181 俗字

字義 かさ。からかさ。あまがさ。ひがさ。さしがさ。

解字 象形。かさの象形で、かさの意味を表す。

【傘下】サンカ ①かさの下。②中心人物の支配下にあること。また、その人。
【傘寿(壽)】サンジュ 国八十歳をいう。→仐(181)の参考。

10【舒】12画 (9706) ジョ 舌部。→一〇八四ページ下。

10【傓】12画 532 セン 霰 shān　2 0175 — 1802

字義 さかん(盛)。

解字 形声。人＋扇音。

10【傃】12画 533 ソ 遇 sù　— — 1788

字義 ❶向かう。❷守る。分を守る。

解字 形声。人＋素音。

10【傖】12画 534 漢ソウ(サウ) 呉ジョウ(ジャウ) 庚 cāng　2 0177 — 1804

字義 いやしい。また、いやしい人。いなか者。

解字 形声。人＋倉音。

10【傁】12画 535 漢ソウ 呉ス 有 sǒu　— — 1787

字義 おきな。老人を尊んでいう呼称。＝叟(1294)。

解字 形声。人＋叟音。

10【傣】12画 536 タイ dǎi ₂0172 — —

字義 雲南省内の少数民族の名。タイ族。

解字 形声。人＋泰㊥。

10【傎】12画 537 テン 先 diān — — 1792

字義 倒れる。逆さまに落ちる。＝顚(13507)。

解字 形声。人＋眞㊥。

10【傏】12画 538 漢トウ(タウ) 呉ドウ(ダウ) 陽 tāng — — 1793

字義 触れる。突き当たる。

解字 形声。人＋唐㊥。

10【傠】12画 539 漢ハツ 呉ボチ 月 fá — — 1809

字義 ❶そむく。義に反する。❷うつ。＝伐(236)。

解字 会意。人＋討。討は、うつの意味。

10【備】12画 540 教5 ビ そな-える・そな-わる 漢ヒ・呉ビ 寘 bèi 4087 94F5 —

筆順 亻亻亻亻伊伊併併備備

［僃］570本字 ［俻］505俗字 ［偹］541俗字

字義 ❶そな-える。㋐ととのえる。しつらえる。「設備」㋑もうける。前もって用意しておく。「準備」㋒加える。数に入れる。❷そな-わる。㋐欠けたところがない。㋑十分にととのって足りる。㋒準備ができている。㋓地位にいる。❸そな-え。㋐用意。したく。㋑道具。㋒警戒。防備。❹つぶ-さに。みな。ことごとく。すべて。用例〔杜子春伝〕苦しみ、無レ不二備嘗一。（地獄の）苦しみはつぶさに経験しないものはなかった。

名前 そなう・そなわる・そのう・たる・とも・なが・なり・のぶ・び・まさ・みつ・みな・よ・よし・より 難読 備後・備中

使いわけ そなえる〔供・備〕⇩供(308)。

解字 金文 篆文 形声。人＋葡㊥。音符の葡は、えびらをそなえるの意味。人がえびらを背負うさまから、一般に、そなえるの意味を表す。常用漢字の備は省略形による。

逆 完備・具備・警備・兼備・守備・準備・常備・設備・装備・配備・不備・武備・防備・予備

【備禦・備御】ビギョ そなえふせぐ。防備。

【備具】ビグ そなわりととのう。また、十分に用意する。

【備考】ビコウ ①参考のためにそなえること。②つけたして、本文を説明し、または補ったもの。

【備荒】ビコウ 凶年や変災のために、あらかじめそなえておくこと。

【備悉】ビシツ ①十分にそなわっている。②詳しい。詳細で落ちがない。

【備忘録】ビボウロク 忘れたときの用意に書いておくもの。覚え書き。メモ。

【無レ求二備於一人一】イチニンにそなわ(は)るをもとむるなかれ 一人に完全さを望んではならない。〔論語、微子〕

【有レ備無レ患】そなえ(へ)あればうれい(ひ)なし あらかじめ備えがあれば、心配はない。〔書経、説命中〕

10【僃】12画 541 ビ 備(540)の俗字。→一二六ページ上。 — — 1819

10【傅】12画 542 一漢フ・呉フ 遇 fù 二フ 虞 fū 4892 98FA —

字義 一❶もり。もり役。つきそい。「傅育」❷そえ(副)。ひかえ。かわり。＝副(964)。❸つ-く。つ-ける。＝付(201)・附(13073)。㋐近づく。㋑寄る。寄りそう。㋒くっつく。くっつける。❹かしず-く。かしずく。つきそう。助ける。二しく。ならべる。また、述べたてる。＝敷(4564)。

解字 篆文 形声。人＋尃㊥。音符の尃は、扶に通じ、たすけるの意味。たすける人・もり役の意味を表す。

【傅育】フイク かしずきそだてる。そばについて守り育てること。

【傅説】フエツ ①殷の高宗の賢相。高宗が夢に見て、土木工事をしている人の中から見つけ出したといわれる。②星の名。後宮で子を求めるときに祭るという。

傅説①

【傅会(會)】フカイ ①こじつける。付会。「牽強傅会」②つけ合わせる。つなぎ合わせる。③文章の首尾が関連してまとまること。

【傅玄】フゲン 晋の詩人。字は休奕。著書に『傅子』がある。（二一七―二七八）

【傅子】フシ 書名。もと百四十巻、現在一巻。晋の傅玄の著。儒学の教えを尊び、政治の道を説く。

【傅粉】フフン おしろいをつける。化粧する。

【傅母】フボ 子供を育てる老齢の女性。保母。

10【傚】12画 543 ヘイ 並(36)と同字。→三五ページ上。 — — 1810

10【傍】12画 544 常 ボウ かたわ-ら 一漢ホウ(ハウ)・呉ボウ(バウ) 陽 páng 二漢ホウ(ハウ)・呉ボウ(バウ) 漾 bàng 4321 9654 —

筆順 亻亻亻亻亻亻侉侉傍傍

字義 一❶かたわ-ら。かたはら。かた-え。かたへ。そば。わき。はた。❷つくり。＝旁(4620)。左右に組み合わせてできている漢字のおおむね右側の部分。↕偏(509)。二そ-う。そふ。よる。そば近くよりそう。

名前 かた・ちか 難読 傍居・傍惚・傍士・傍目・傍陽

解字 篆文 形声。人＋旁㊥。音符の旁は、かたわらの意味。のち人を付した。また、よりそうの意味も表す。

逆 道傍・路傍

【傍観(觀)】ボウカン 直接関係しないで、そばで見ていること。

【傍訓】ボウクン ①本文のわきにつけた小さな注。傍訓。②国漢字のそばにつけた読みがな。ふりがな。

【傍系】ボウケイ 枝葉の血すじ。直系から分かれた系統。

【傍偟】ホウコウ さまよう。うろつく。彷徨。

【傍若無人】ボウジャクブジン かたわらに人がいないようである。人前もはばからず、きままに振る舞うこと。傍らに人無きがごとし。〔後漢書、延篤伝〕

【傍証(證)】ボウショウ ①他の書物からの証拠。②助けとなる間接の証拠。

【傍聴(聽)】ボウチョウ かたわらで聞く。会議・演説・公判などをそばで聞くこと。

【傍輩】ボウハイ 友人。仲間。

10【傜】12画 545 ヨウ 徭(3455)と同字。→五二三ページ上。 ₂0178 — 1806

10【傛】12画 546 一漢ヨウ・呉ユウ 冬 ②róng 二漢ヨウ・呉ユウ 腫 yǒng — — 1805

字義 一❶傛華は、漢代の女官。❷傛傛は、㋐物事に慣れているさま。㋑病気で不安なさま。二不安。

解字 形声。人＋容㊥。

10【傈】12画 547 漢リツ 呉リチ 質 lì ₂0173 — —

字義 ❶みたまやに安置する木主。廟域に植える栗。❷傈傈は、雲南省内の少数民族の名。リス族。

解字 形声。人＋栗㊥。

11 【傴】 13画 548 ウ 麌 yǔ 4893 98FB —

字義 ❶かがむ。かがまる。腰をまげる。背をまげる。❷背骨がかがまる病気。また、その人。❸あわれむ。

解字 篆文 形声。人＋區音。音符の區は、クルッとするの意味。背がクルッと曲がった人の意味を表す。

【傴僂】ウル・ウロウ ①背がかがまる。身をかがめる。②腰をかがめて敬いつつしむさま。③＝字義❷。

11 【傹】 13画 549 一 漢ケイ 呉ギョウ(ギャウ) 敬 jìng 二 漢キョウ(キャウ) 呉コウ(カウ) 陽 jiāng — — 1815

字義 一 ❶強い。＝倞(416)。❷きそう。＝競(8664)。二 たおす。

解字 形声。人＋竟音。

11 【僅】 13画 550 常 キン わずか 漢キン・呉ギン 震 jǐn, ③jìn 2247 8BCD —

筆順

［僅］524 俗字

字義 ❶わずか。少し。「僅少」❷わずかに。やっと。かろうじて。用例〔杜子春伝〕生二一男一。僅二歳、聡慧無レ敵。イチダンをうむに、わずか(づ)かにニサイにして、ソウケイテキなし。↓やがて一人の男の子が生まれたが、わずかに二歳で、その聡明さはかなう者がないほどであった。❸ほとんど。近い。

名前 よし

解字 篆文 形声。人＋堇音。音符の堇は、斤・巾に通じ、小さいの意味。才能の劣る人のさまから、わずかの意味を表す。

【僅僅】キンキン わずかに。ようやく。やっと。

【僅少】キンショウ 国わずか。すこし。すくないこと。

11 【禽】 13画 (8428) キン 内部。→一〇四四ページ下。

11 【傾】 13画 551 常 ケイ かたむく・かたむける 漢ケイ・呉キョウ(キャウ) 庚 qīng 2325 8C58 —

筆順

字義 ❶かたむく。かたむける。かたぶく。かしぐ。かたむける。かしげる。かたげる。㋐ななめになる。傾斜する。㋑ななめに低くなる。また、高くなる。さがる。あがる。㋒くつがえる。くつがえす。㋓横になる。伏す。㋔心をかたむける。「傾服」㋕耳をそばだてて聞く。㋖危うくなる。危うくする。㋗つくす(尽)。残らず出しきる。つきる。㋘おしたおす。勢いよく押し寄せる。❷かたむき。事の成りゆき。国なだれる。

名前 よし

解字 篆文 形声。人＋頃音。音符の頃は、かたむくの意味。頃が、ころの意味になったので、人を付して区別した。

逆 左傾

【傾意】ケイイ 心をかたむける。傾心。

【傾河】ケイカ ①河水を飲みつくす。②天の川。また、夜明けがたになって西にかたむいた天の川。③明けがた。

【傾家】ケイカ・いえ(へ)をかたむく 家を破産させる。家の財産を使い尽くす。

【傾蓋】ケイガイ 一度会っただけで古くからの友だちのように親しむこと。孔子と程子が途中で出会い、たがいに車の蓋をかたむけて立ち話をした故事に基づく。〔孔子家語、致思〕

【傾危】ケイキ ①かたむいてあやうい。②国などをあやうくすること。③そばだつ。

【傾△葵】ケイキ 太陽に向かってかたむきめぐるあおい。深く心をかたむけ慕うたとえ。

【傾向】ケイコウ 一方にかたむき向かう。いきおい。おもむき。

【傾国(國)】ケイコク ①国をあやうくする。②絶世の美人。国を滅ぼすほどの美人。傾城ケイセイ・ケイジョウ。用例〔唐、白居易、長恨歌〕漢皇重レ色思二傾国一。御宇多年求不レ得。カンコウいろをおもんじて、ケイコクをおもう(ふ)。ギョウタネンもとむれどもえず。↓漢の皇帝は色事を重んじて、国都をかたむけるほどの美人を得たいと思いつつ、御治世の長い間、求めたものの得られなかった。③全国力を挙げる。国人を残らず徴発する。

【傾写(寫)・傾△瀉】ケイシャ かたむけそそぐ。さらけ出す。

【傾斜】ケイシャ かたむいてななめになること。かたむき。

【傾心】ケイシン・こころをかたむく 心をかたむける。心を打ち込む。

【傾身】ケイシン・みをかたむく ①身を滅ぼす。②できるだけの力を出しつくす。

【傾尽(盡)】ケイジン かたむけつくす。出しきる。

【傾城】一 ケイセイ・ケイジョウ ＝傾国②。二 ケイセイ・ケイセン 国歌舞音曲などを提供して客を楽しませた女性。おいらん。

【傾城傾国(國)】ケイセイケイコク 男性がおぼれて町も国もあやうくするほどの絶世の美女。漢の武帝の李夫人の美しさを宣伝した李延年の歌に基づく。傾国傾城。用例〔漢書、孝武李夫人伝〕一顧傾二人城一、再顧傾二人国一。ひとたびかえりみればひとのしろをかたむけ、ふたたびかえりみればひとのくにをかたむく。↓一度振り返って見るだけで、人の心を惑わせて城を滅ぼさせ、二度ふりかえって見ると、その媚態に迷わされて君主も国を忘れ滅ぼすに至る。

【傾△仄】ケイソク ①横にかたむく。かたよる。傾側。②かたすみにいる。

【傾側】ケイソク ①かたむける。また、かたむく。かたむきくずれる。

【傾△頽】ケイタイ ①いきおいよく降りそそぐ。また、流れ込む。②器物を傾けてつぎ込む。③一つのことに心をそそぐ。

【傾注】ケイチュウ

【傾聴(聽)】ケイチョウ 耳をかたむけ(そばだて)て聞き入る。熱心に聞く。

【傾倒】ケイトウ ①かたむきたおれる。また、かたむけたおす。②深く心を寄せる。非常に尊敬・思慕する。③酒壺を傾け倒す意で、大いに酒を飲む。④残らず言う。

【傾服】ケイフク なびき従う。服従する。

【傾覆】ケイフク くつがえる。また、くつがえす。

【傾慕】ケイボ 心を寄せてしたう。思慕の情をよせる。

【傾揺(搖)】ケイヨウ ゆるがす。動揺する。

11 【傑】 13画 552 常 ケツ 2370 8C86 —

10 〖傑〗 12画 553 漢ケツ 呉ゲチ 屑 jié

筆順

［杰］5234 俗字

字義 ❶すぐれる。すぐる。まさる。ぬきんでる。「傑出」❷すぐれた人物。「豪傑」

名前 たかし・たけし・ひで・まさ

解字 篆文 形声。人＋桀音。音符の桀は、高くかかげるの意味。きわだって高くすぐれた人物の意味を表す。

逆 英傑・快傑・怪傑・豪傑・俊傑・女傑・人傑・雄傑

【傑作】ケッサク ①すぐれた作品。②すぐれたできばえ。

【傑士】ケッシ 普通の人よりもすぐれた人物。

【傑出】ケッシュツ すぐれる。他にぬきんでる。

11 【傲】 13画 554 常 ゴウ ゴウ(ガウ) 号 ào 4894 98FC —

筆順

［慠］3849 同字

字義 ❶おごる。たかぶる。おごり。「傲慢」❷あなどる。かろんずる。❸ほしいまま。わがまま。

解字 篆文 形声。人＋敖音。音符の敖は、きままにするの意味。人を付し、おごる・あなどる・わがままの意味を表す。

【傲岸】おごりたかぶって人にへり下らないさま。高くかまえて、いばっているさま。「傲岸不遜」

【傲・倨・傲・踞】おごりたかぶる。

【傲語】えらぶって言うこと。また、そのことば。

【傲兀】おごりたかぶって人に屈しないさま。傲岸。

【傲骨】高くかまえて人に屈しない気質。唐の李白の腰には傲骨があるので、人に屈することができないと世人が評した故事に基づく。

【傲・很・傲・佷・傲・狠】おごって人にさからう。

【傲然】おごりたかぶるさま。

【傲霜】霜におごる。霜の寒さに屈しない。菊の花をいう。

【傲慢】おごりたかぶること。他人をあなどる。

【寄傲】気ままな、のんびりした心境になる。寄傲。用例〔東晋、陶潜、帰去来辞〕倚南窓以寄傲 ↓南側の窓にもたれて気ままにくつろぎ、膝しか入らないほどのこの狭いわが家こそ、もっとも落ち着く場所だと悟った。審容膝之易安

11【傻】13画 555 漢サ 呉セ 馬 shǎ 20183

【傻】624 同字

字義 ❶傻俶は、思いやりがない。❷傻俏は、こざかしいさま。

11【催】13画 556 常 サイ もよおす 漢サイ・呉スイ 灰 cuī 2637 8DC3

筆順 亻 仜 俨 俨 俨 俨 催 催

字義 ❶もよおす。おこる。きざす。❷うながす。せきたてる。用例〔唐、杜甫、秋興詩〕寒衣処処催刀尺 ↓冬着の支度をする季節、方々でそのための裁縫をせよとせきたてているかのように、高くそびえる白帝城のあたりでは、夕暮れの砧の音がせわしなく響いている。白帝城高急暮砧 ❸せまる(迫)。国❶もよおし。❷もよおい。接尾語。今にもそうなりそうなこと。「雨催い」

名前 とき 難読 催合・催馬楽

解字 篆文 形声。人＋崔音。音符の崔は、推に通じ、おしすすめるの意味。人を次の事態へとおしすすめる、うながすの意味を表す。

逆 共催

【催告】催促し告げる。相手方に対して一定の行為(義務の履行など)を請求すること。

【催促】うながす。せきたてる。

【催馬楽(樂)】国古代歌謡の一種。神楽歌の類い。

【催迫】うながす。せきたてる。

【催眠】ねむけをもよおす。

11【債】13画 557 常 サイ 漢サイ・呉シャ 卦 zhài 2636 8DC2

筆順 亻 仁 仕 佳 倩 倩 債 債

字義 ❶かり。負いめ。借金。「負債」❷かりる。❸かし。貸した金銭。

解字 篆文 形声。人＋責音。音符の責は、せめるの意味。借金でせめられる人のさまから、借りの意味を表す。

逆 外債・起債・酒債・負債・募債

【債鬼】借金とり。かけとり。

【債券】①借金の証文。借用書。②政府・銀行・会社などが、債務の証明として発行する有価証券。

【債権(權)】貸したものを取りたてる権利。

【債主】貸し主。債権者。

【債務】借りた金を返す義務。

11【傪】13画 558 サン 覃 cān 20179 — 1812

字義 よい(好)。よいさま。

解字 篆文 形声。人＋參音。音符の參は、髪飾りが光りかがやくの意味。姿などがよいの意味を表す。

11【傷】13画 559 教6 ショウ きず・いたむ・いためる ショウ(シャウ) 陽 shāng 2993 8F9D

筆順 亻 亻 作 作 作 佴 傷 傷

字義 ❶きず。けが。いたみ。損害。「負傷」❷きずつく。きずつける。やぶる。やぶれる。そこなう。㋐身体をいためる。けがをさせる。用例〔後漢書、劉盆子伝〕傷人者償創 ↓人を傷つけた者はその傷の責任を取る。㋑物や事をそこなう。完全なものを不完全にする。害を与える。用例〔三国蜀、諸葛亮、前出師表〕恐託付不効以傷先帝之明 ↓依託にこたえられず、先帝の聖明さをそこなう結果にならないかと心配だ。㋒そしる。悪く言う。用例〔呂氏春秋、察微〕郈昭伯怒、傷之於昭公曰 ↓郈昭伯は怒り、昭公にそしって述べた。❸いたむ。㋐悲しむ。うれえる。あわれむ。用例〔詩経、周南、巻耳〕我姑酌彼兕觥、維以不永傷 ↓わたしはしばし角製の杯に酒を酌み、この尽きぬ憂いを忘れよう。㋑さしつかえる。気にかかる。用例〔戦国策、楚〕魏臣不忠不信、于王何傷 ↓魏の臣である蘇秦が、その主君に不忠、不信であっても、楚王であるあなたにどうして気にかかることがあるでしょう。❹いたましい。心がいたむさま。用例〔唐、白居易、長恨歌〕行宮見月傷心色、夜雨聞鈴腸断声 ↓行宮で月を眺めると、月にも心を悲しませる雰囲気があり、雨の夜に駅馬の鈴の音を耳にすると、はらわたもちぎれるばかりに悲しく聞こえる。❺はなはだ。非常に。用例〔唐、杜甫、曲江詩〕且看欲尽花経眼、莫厭傷多酒入唇 ↓とりあえずは、散りつくそうとする花が目に映るのをながめ、多すぎる酒が口に入ってくるのも嫌がるまい。

参考 現代表記では、身体のきずは〔傷〕を用いるが、それ以外のものについては仮名書きが一般的。「切り傷・柱のきず・名前にきずがつく」

使いわけ いたむ・いためる〔痛・傷・悼〕⇩痛(7742)。

解字 篆文 形声。人＋昜省音。音符の昜は、きずの意味。人を付し、きず・いたむの意味を表す。

逆 哀傷・感傷・殺傷・愁傷・重傷・食傷・刃傷・損傷・中傷・悲傷・負傷

【傷・痍・傷・夷】けが。きず。また、けがをする。傷つく。▼痍も夷も、きず。

【傷懐(懷)】いたみ悲しむ。悲しみ思う。

【傷害】そこない害する。きずつける。けがをさせる。

【傷寒】腸チフスなど伝染性熱病の古称。

【傷弓之鳥】一度矢きずをうけた鳥。前の事にこりて、おじけづくたとえ。〔戦国策、楚〕

【傷痕】きずあと。

【傷魂】心をいためる。また、悲しみ。

【傷嗟】悲しみなげく。

【傷心】①心をいためる。心を悲しくさせる。②きずついた心。心のかなしみ。心配事。③木のしんをきずつける。

【傷神】心をいためる。傷心。

【傷嘆・傷歎】いたみなげく。悲嘆。

【傷痛】いたみ悲しむ。

【傷悲】いたみ悲しむ。

【傷病】ショウビョウ ①きずつけ病ましめる。②きずついて病むこと。
【傷目】ショウモク 目をいたませる。見るにつけてあわれ・苦しみなどを感ずること。
【傷廉】ショウレン 廉をきずつける。廉潔の徳をそこなう。

11【從】13画 560 漢ショウ 呉シュ 圃 sǒng　20181 ― ―
字義 從從は、速く走るさま。
解字 形声。人＋從音。

11【傽】13画 561 ショウ(シャウ) 陽 zhāng　― ― 1817
字義 ❶兄傽ケイショウは、夫の兄。❷傽遑ショウコウ・傽偟ショウコウは、驚きあわてるさま。
解字 形声。人＋章音。

11【翛】13画 (9535) ショウ　羽部。→一二九五ページ上。

11【僉】13画 562 セン 塩 qiān　4901 9940 ―
字義 みな(皆)。ことごとく。
解字 金文 篆文 会意。亼＋兄＋兄。亼シュウは、合に通じ、あわせるの意味。兄は人が口をそろえて言うの意味。口をそろえて多くの人々が言う、「みな」の意味を表す。僉を音符に含む形声文字に、倹(儉)・剣(劍)・喩ケン・険ケン・撿ケン・斂レン・瞼ケン・検(檢)・殮レン・険(險)・験(驗)・鹸ケンなどがあり、これらの漢字は、「厳しくつじつまを合わせる」の意味を共有している。
【僉議】センギ ①みな(一同)で相談する。②ただす。しらべる。さぐる。

11【僊】13画 563 セン　仙(195)と同字。→七九ページ下。　3346 916D ―

11【僧】13画 564 常 ソウ
12〔僧〕14画 565 人 ソウ 蒸 sēng　1441 ― ―
筆順 亻 亻' 亻'' 亻''' 伫 僧 僧 僧
字義 仏門に入った人。出家。法師。僧侶ソウリョ。→僧伽ソウカ。
解字 篆文 形声。人＋曾(曾)音。梵語ボンゴ saṃgha の音訳「僧伽」の略。仏門に入った人の意味から、人を付した。
逆 怪僧・学僧・愚僧・高僧・尼僧・伴僧・売僧・老僧
【僧院】ソウイン 寺。寺院。僧字。
【僧伽】ソウギャ・ソウカ 仏 梵語ボン saṃgha の音訳。和合衆と訳す。もと、衆と和合して仏道を修める団体をいう。のち、仏教に帰依して自ら修業し、これを伝え広める人の団体を称するようになり、転じて、その各個人、すなわち僧をいう。▼僧は、僧伽の略称。
【僧形】ソウギョウ 国僧の姿。
【僧家】ソウケ・ソウカ ①出家した人。僧。僧侶ソウリョ。②僧の家。寺院をいう。
【僧敲月下門】ソウはたたくゲッカのモン 月の夜に、僧が寺門をたたく。中唐の賈島カトウの詩句。〔唐、賈島、題ニ李凝幽居一詩〕→推敲スイコウ(五九ページ上)。
【僧正】ソウジョウ 国僧官の第一位。大僧正・僧正・権ゴンの僧正の三段階がある。
【僧都】ソウズ 国僧官の第二位。大僧都・権大僧都ゴンのダイソウズ・少僧都・権少僧都ゴンのショウソウズの四段階がある。
【僧俗】ソウゾク 僧と俗人。出家と在家。
【僧徒】ソウト ①多くの僧。②師の僧に対して、その弟子をいう。
【僧堂】ソウドウ ①てら。②禅宗で、僧の座禅する堂。
【僧尼】ソウニ 僧と尼。男性の出家と女性の出家。
【僧兵】ソウヘイ 国昔、仏法の保護を名目として、武芸を練り武器を携え、戦闘に従事した僧の称。
【僧坊・僧房】ソウボウ 僧尼の起居する、寺院付属の家屋。僧尼の宿所。
【僧侶】ソウリョ ①僧のともがら。▼侶は、ともがらの意で、複数を表す。②僧をいう。
【僧臘】ソウロウ ①僧となってからの年数。▼臘は、年末の祭りの名。②歳をいう。

11【傯】13画 566 ソウ　傯(496)の正字。→一二三ページ下。　― ― 1813

11【傺】13画 567 テイ 霽 chì　20182 ― 1816
字義 ❶とまる(逗トウ)。とどまる。立ちどまる。❷侘傺タテイは、失意のさま。
解字 形声。人＋祭音。

11【僀】13画 568 テイ　偙(501)と同字。→一二三ページ下。　― ― 1818

11【傳】13画 (232) デン　伝(231)の旧字体。→八九ページ上。

11【絛】13画 (9190) トウ　糸部。→一二三五ページ上。

11【働】13画 569 国字 教4 ドウ はたらく　3815 93AD ―
筆順 亻 亻' 伫 佰 佴 俥 傳 働 働
字義 ❶はたら-く。つとめる(勤)。精を出す。かせぐ。❷はたら-き。勤めぶり。かせぎ。手腕。てがら。作用。
参考 俗に「仂」と略すが、これは「ロク」と読む別字。
解字 形声。人＋動音。人が動く、はたらくの意味を表す国字。中国でも使用されたことがある。
逆 稼働

11【備】13画 570 ビ　備(540)の本字。→一二六ページ上。

11【⿰亻畢】13画 571 ヒツ　韠(11794)と同字。→一三〇三ページ中。　20180 ― ―

11【僄】13画 572 ヒョウ(ヘウ) 嘯 piào　20184 ― 1820
〔⿰彳票〕3460 同字
字義 ❶かるい。また、軽んずる。❷すばや-い。すばしこい。はしっこい。❸つよい。＝剽(973)。
解字 篆文 形声。人＋票(㶾)音。音符の㶾ヒョウは、火の粉が軽く舞いあがるの意味。すばやく軽い人の意味を表す。
【僄悍】ヒョウカン すばやく、あらあらしい。
【僄軽(輕)】ヒョウケイ・ヒョウキン すばやくて身軽なこと。剽軽。
【僄狡】ヒョウコウ 軽くすばやい。▼狡は、すばやい意。

11【偋】13画 573 ━ 漢ヘイ 呉ビョウ(ビャウ) 敬 bìng　━ 漢ヘイ 呉ヒョウ(ヒャウ) 梗 bǐng
字義 ━❶みすぼらしい住まい。あばらや。❷人のいない所。また、かわや。便所。━しりぞける(退)。
解字 形声。人＋屏音。

11【傰】13画 574 漢ホウ 呉ボウ 蒸 bēng　― ― 1814
字義 ❶友。❷おもねって仲間となる。
解字 形声。人＋崩音。音符の崩は、朋に通じ、友の意味。

11【傭】13画 575 人 標 ━ 漢ヨウ 呉ユウ 冬 yōng ━ 漢チョウ 呉チュウ(チウ) 冬 (yōng) chōng　4535 9762 ―
筆順 亻 亻' 伫 伫 傭 傭 傭 傭
〔佣〕291 俗字
字義 ━❶やと-う。やと-う。やと-われる。❷やとい。やとい人。❸あたい。「雇傭」

(価)。仕事の賃金。 一 ❶ひとしい。公平でただしい。❷もちいる。また、作る。

名前 とも・なお

参考 現代表記では〔用〕(7595)に書きかえることがある。「雇傭→雇用」

解字 篆文 形声。人＋庸(音)。音符の庸は、一定してかたよらないの意味。公平で正しい人の意味を表す。また、庸は、もちいるの意味。やとわれ用いられる人の意味も表す。

【傭役】①やとって使う。②やとわれて使われる。

【傭工】①やとわれた職人。②人をやとって仕事をさせること。

【傭耕・傭畊】やとわれて耕す。用例〔史記、陳渉世家〕嘗与レ人傭耕 ↓以前人にやとわれて農夫をしていた。

【傭賃】やといちん。賃金。

【傭兵】国やといの兵隊。国家や民間の有力者が、志願した人に俸給を与えて兵役につかせること。また、そうしてやとわれた兵。

【傭保者】雇い人。使用人。傭保。

【傭僕】男性の召し使い。

11 【僌】13画 576 ヨウ yíng 1437 — 1822

字義 おさめる(理)。

11 【僇】13画 577 一 漢リク・呉ロク lù 二 漢リュウ(リウ)・呉ル 2 0185 — 1821

字義 一 ❶はずかしめる(辱)。また、はずかしめ。はじ。❷ころす(殺)。❸つみ。刑罰。 二 =戮(3967)。 三 ❶やまい(病)。一説に、行動のゆるやかなさま。❷しばらく。いささか。=聊(9620)。

解字 篆文 形声。人＋翏(音)。音符の翏は、戮に通じ、殺すの意味。人を殺すの意味を表す。

【僇死】刑罰によって殺すこと。戮死。

【僇笑】はずかしめ笑う。ものわらい。戮笑。

【僇人】受刑者。罪人。戮人。

11 【傫】13画 578 ルイ 因 léi

字義 つかれる。傫傫・傫然は、つかれたさま。

解字 形声。人＋累(音)。

11 【僂】13画 579 一 漢ロウ・呉ル 尤 lóu 二 ル 麌 lǚ 三 漢ロウ・呉ル 宥 4904 9943 —

字義 一二三 ❶背骨がかがまる病気。また、その人。❷かがめる。背をまげる。❸背をかがめてつつしむさま。

解字 篆文 形声。人＋婁(音)。音符の婁は、擬態語で、クルッと曲がるの意味。背が曲がった人の意味を表す。

【僂傴】背をまげる。背がかがまる。

12 【僩】14画 580 〔僴〕581 俗字 〔僴〕582 俗字 漢カン・呉ゲン 潸 xiàn 2 0193 — 1835

字義 ❶広く大きい。❷美しいさま。また、みやびやか。=嫻(2525)。❸たけだけしいさま。威武のあるさま。

解字 篆文 形声。人＋閒(音)。音符の閒は、あいだの意味。あいだがあいていてゆとりがあるの意味を表す。

12 【僴】14画 581 カン 僩(580)の俗字。→一三〇ページ中。 — ED60 —

12 【僴】14画 582 カン 僩(580)の俗字。→一三〇ページ中。

12 【僖】14画 583 キ 因 xī 4905 9944 —

字義 たのしむ。たのしみ。

解字 篆文 形声。人＋喜(音)。音符の喜は、よろこぶの意味。人がよろこび楽しむの意味を表す。

12 【僟】14画 584 漢キ・呉ケ 微 jī — — 1830

字義 ❶つつしむ。❷近い。

解字 形声。人＋幾(音)。音符の幾は、こまかいの意味。人がこまかく気配りする、つつしむの意味を表す。

12 【僞】14画 (476) ギ 偽(475)の旧字体。→一二〇ページ下。

12 【僑】14画 585 標 漢キョウ(ケウ)・呉ギョウ(ゲウ) 蕭 qiáo 2203 8BA1 —

字義 ❶たびずまい。他郷における住居。❷たびずまいする。また、他郷に何年も滞在していること。❸故国を離れて他国に居住している人。出稼人。「華僑」❹かり(仮)。かりずまい。❺たかい(高)。

解字 篆文 形声。人＋喬(音)。音符の喬は、高いの意味。背の高い人の意味を表す。また、他国に高く飛び離れて住む人の意味をも表す。

【僑居】①旅ずまい。また、旅ずまいする。→字義❶。②かりずまい。仮の住居。

【僑寓】=僑居。▼寓は、やどる、また、かりずまい。

【僑士】他郷に身を寄せている人。

12 【僥】14画 586 一 キョウ(ケウ) 篠 jiǎo 二 ギョウ(ゲウ) 蕭 yáo 慣ギョウ(ゲウ) 4907 9946 —

字義 一 もとめる。ねがう。 二 焦僥は、国の名。中国の西南にあり、身長一尺五寸、または三尺の背丈の低い人が住んでいたという。

解字 形声。人＋堯(音)。

【僥冀】こいねがう。のぞむ。

【僥倖】①倖(偶然の幸)をねがう。②利や幸福を求めてやまないこと。③偶然の(思いがけぬ)さいわい。④天子の行幸する所。天子が行幸する地は、人々がその恩恵を受けることからいう。

12 【僡】14画 587 ケイ 恵(3517)の俗字。→五三五ページ上。 2 0192 — —

12 【儆】14画 588 ケイ 儆(622)の俗字。→一三三ページ上。 1 1442 — 1842

12 【僱】14画 589 コ 雇(13177)の俗字。→一五二四ページ中。 — — 1837

12 【僙】14画 590 漢コウ(クワウ)・呉オウ(ワウ) 陽 huáng 2 0191 — —

字義 たけだけしいさま。

解字 形声。人＋黃(音)。

12 【僦】14画 591 漢シュウ(シウ)・呉シュ 宥 jiù 1 1440 — 1833

字義 ❶やとう。賃金を出してやとう。❷かりる。借り賃を出して借りる。

解字 篆文 形声。人＋就(音)。音符の就は、つくの意味。人をつかせる、やとうの意味を表す。

12 【㒋】14画 592 シュウ 集(13179)と同字。→一五二四ページ中。 2 0189 — —

12 【儁】14画 593 シュン 俊(370)と同字。→一〇八ページ下。 4914 994D —

12 【僘】14画 594 ショウ(シャウ) 養 chǎng — ED61 1827

字義 心が広い。

解字 形声。人＋敞(音)。

12 【僳】14画 595 ス sù 2 0186 — —

字義 傈僳は、雲南省内の少数民族の名。リス族。

解字 形声。人＋粟(音)。

12【僭】14画 596 ㊀セン ㊁シン 艶 jiàn 沁 zèn 4908 9947 —
［僣］598 俗字
字義 ㊀❶なぞらえる。身分を越えて目上の人のまねをする。❷おご-る。身分不相応に飾りおごる。❸おか-す。こえる（越）。身分を越えたことをする。❹たがう（差）。❺いつわる。まことがない。不信。㊁そしる。せめる。＝譖（11381）。
解字 篆文 形声。人＋朁㊥。音符の朁は、かくれるの意味。人がかくれて不信行為をするの意味を表す。
【僭越（センエツ）】身分・分限以上のことをする。思い上がり。
【僭偽（僞）（センギ）】分を越えて上の地位にいること。また、その人。
【僭擬・僭△儗（センギ）】身分を越えて上の者のまねをする。
【僭恣（センシ）】身分を越えてわがままに振る舞うこと。
【僭主（センシュ）】武力によって君主となった者。前の君主の位を奪って君主となった者。
【僭称（稱）（センショウ）】身分を越えた名号。また、それを自ら名のること。
【僭上（センジョウ）】身分を越えておごりたかぶること。
【僭窃（竊）（センセツ）】不正な手段で身分に過ぎた高位高官を得ること。▼窃は、盗む意。
【僭△踰（センユ）】＝僭越。

12【僝】14画 597 ㊀㊥サン・㊦ゼン 剗 chǎn ㊁㊥セン・㊦ゼン 饌 zhuàn — — 1829
字義 ㊀弱々しく力がない。㊁❶そな-える。そなふ。❷あらわす。示す。
解字 篆文 形声。もと、人＋孨㊥。

12【僣】14画 598 セン 僭（596）の俗字。→一三一ページ上。 4909 9948 —

12【僲】14画 599 セン 仙（195）と同字。→七九ページ下。 — — 1849

12【僐】14画 600 ㊥セン ㊦ゼン 銑 shàn 1439 — 1824
字義 つくる。姿をつくる。よそおう。
解字 形声。人＋善㊥。

12【僎】14画 601 ㊥セン ㊦ゼン 銑 霰 zhuàn 20188 — 1823
字義 ❶そなえる（具）。❷かぞえる。❸ととのえる（整）。❹えらぶ。
解字 形声。人＋巽㊥。

12【僊】14画 602 セン 仙（195）の俗字。→七九ページ下。 4902 9941 —

12【僢】14画 603 セン 銑 chuǎn
［僢］630 俗字
字義 ❶そむく。＝舛（9714）。❷向かい合う。
解字 形声。人＋舜㊥。

12【僧】14画 （565） ソウ 僧（564）の旧字体。→一二九ページ上。

12【像】14画 604 教5 ゾウ ㊥ショウ（シャウ）・㊦ゾウ（ザウ） 養 xiàng 3392 919C —
［像］605 同字
筆順 像
字義 ❶に-る。また、にせる。かたど-る。用例（史記、滑稽伝）歳余にして、像ニ孫叔敖ニ（ソンシュクゴウにに）る。→一年余りで、孫叔敖によく似るようになった。❷かたち。すがた。ようす。❸にすがた。えすがた。❹のり（法）。かた（型）。
名前 かた・すえ・のり・み
解字 篆文 形声。人＋象㊥。音符の象は、相に通じ、ものの姿の意味。人の姿・かたちの意味を表す。
逆 影像・偶像・図像・聖像・想像・塑像・尊像・仏像
【像教（ゾウキョウ）】仏教をいう。中国に仏教が伝来したのが、像法の時代であったのでいう。→像法。
【像形（ショウケイ・ゾウケイ）】物の形をかたどる。似たかたち。象形。
【像法（ゾウボウ）】①釈迦（シャカ）の入滅後、五百年から千年までの間の仏教。それ以前のを正法、それ以後のを末法というのに対していう。像は似るの意で、釈迦の正法にほぼ似ていることからいう。②仏法をいう。

12【像】14画 605 ゾウ 像（604）と同字。→一三一ページ中。

12【僔】14画 606 ソン 阮 zǔn 20190 — 1826
字義 ❶あつ-まる。また、集まり語る。＝噂（1712）。❷うやうやしい。つつしむ。❸うずくまる。＝蹲（11803）。
解字 形声。人＋尊㊥。

12【僓】14画 607 ㊥タイ ㊦ズイ（ヅイ） 灰 tuí — — 1825
字義 ❶みやびやか。上品。❷すなおなさま。
解字 会意。人＋貴。貴は、とうといの意味。

12【僤】14画 608 ㊥タン ㊦ダン 翰 寒 旱 dàn — — 1832
字義 ❶速い。❷動く。❸厚い。盛ん。❹ありさま。
解字 形声。人＋單㊥。音符の單は、弾で、はじけるの意味。はじけるように速いの意味を表す。

12【僜】14画 609 ㊀トウ 蒸 dēng ㊁チョウ 蒸 chēng — — 1828
字義 ㊀登る。車に乗る。㊁酔ってふらふら行くさま。
解字 形声。人＋登㊥。音符の登は、のぼるの意味。

12【僮】14画 610 ㊥トウ ㊦ドウ 東 tóng 4910 9949 —
字義 ❶こども。わらべ。未成年者。❷召し使い。しもべ。❸おろか。愚か者。❹身分が低い。❺つつしむさま。うやうやしい。
解字 篆文 形声。人＋童㊥。音符の童は、どれい・こどもの意味。人を付し、ひとのこどもの意味を表す。
【僮△昏・僮△惛（ドウコン）】おろかで道理に暗いこと。
【僮僕（ドウボク）】召し使い。用例（東晋、陶潜、帰去来辞）僮僕歓迎（よろこびむかへ）、稚子候レ門（チシモンにまつ）。→召し使いも喜んで出迎え、幼い子どもたちは門のところでようすを見て待っている。
【僮△蒙（ドウモウ）】おろか。童蒙。▼蒙は、物におおわれている意。

12【僨】14画 611 フン 問 fèn — — 1834
字義 ❶たおれる。❷やぶれる。くつがえる。❸うごく。おちる。
解字 形声。人＋賁㊥。

12【僕】14画 612 常 ボク ㊥ホク・㊦ボク 沃 屋 pū 4345 966C —
［僕］638 本字
筆順 僕
字義 ❶しもべ。召し使い。下僕。❷車の御者。車馬を取り扱う人。❸ともがら。仲間。❹やつがれ。ぼく。われ。自己の謙称。❺つく（附）。したがう。❻つかさどる。❼かくす（隠）。❽うるさいさま。わずらわしいさま。
解字 甲骨文 金文 篆文 会意。甲骨文は、会意で、辛＋其＋人の特殊形。其は箕（み）の象形で、この字の場合、汚物がのせてある。辛は、奴隷のひたいに入れ墨をするための針の象形。人も尾を引いた形となっていて、とらわれ人の意味。罪人・奴隷が汚物を捨てている形から、しもべの意味を表す。そののち、其＋辛の部分を丵と混同し、人＋菐（丵＋廾）㊟の形声文字となった。

逆 学僕・義僕・下僕・公僕・童僕・奴僕

【僕御】ボクギョ しもべ。御者。車馬を取り扱う者。

【僕従(從)】ボクジュウ しもべ。

【僕妾】ボクショウ 男女の召し使い。僕婢ボクヒ。用例〔史記、張儀伝〕坐二之堂下一、賜二僕妾之食一これをドウカにザせしめ、ボクショウのショクをたまう（ふ）。↓張儀を堂下に座らせ、召し使いの食べる（粗末な）食事を与えた。

【僕僮】ボクドウ 年少のしもべ。年端もいかない召し使い。

【僕婢】ボクヒ 男女の召し使い。

【僕夫】ボクフ ①しもべ。②車馬を取り扱う者。③馬をつかさどる官。

【僕僕爾】ボクボクジ わずらわしい様子。うるさい様子。

【僕射】ボクヤ 官名。漢代以後、尚書省（行政事務を総括する）の次官で、左右各一人。射の上手な者を任命したことによる名。唐・宋ソウ以後は宰相の任として天子をたすけた。

【僕隷(隸)】ボクレイ しもべ。召し使い。

12 【僚】14画 613 常 リョウ 4629 97BB 一

一 リョウ（レウ） 蕭 liáo 二 リョウ（レウ） 篠 liǎo

筆順

字義 一 ❶つかさ。役人。「官僚」 ❷同役。同じ役所につとめるなかま。「同僚」 ❸召し使い。下役。 二 ❶みめよいさま。うるわしい。 ❷たわむれる。

名前 あきら・とき・とも・よし

解字 篆文 形声。人＋尞㊟。音符の尞リョウは、かがり火の意味。かがやくようなみめよい人の意味を表す。また、寮に通じて、役所なかまの意味をも表す。

逆 下僚・官僚・群僚・臣僚・属僚・同僚・幕僚

【僚官】リョウカン ①したやく。属官。②同僚の役人。

【僚佐】リョウサ たすけの役。相談相手の下役人。

【僚友】リョウユウ 同役の仲間。同僚。

12 【僯】14画 614 一 リン 軫 lǐn 二 リン 震 lìn

［僯］639 俗字 (12228)。

字義 一 恥じる。 二 ゆきなやむ。＝遴

解字 形声。人＋粦㊟。

12 【亻黒】14画 615 国字 2-0187 一 一

字義 漫画家白土三平の作品「艶䵸亻黒潰いっしみ」に使用された。

13 【僾】15画 616 アイ 隊 ài 一 一 1840

字義 ❶ほのか。かすかに見える。 ❷むせぶ。悲しむ。 ❸→僾逮。

解字 篆文 形声。人＋愛㊟。音符の愛は、まつわりつくの意味。物がまつわりついていてはっきり見えない、ほのかの意味を表す。

【僾逮】アイタイ 凸レンズ。近眼鏡。

13 【億】15画 617 教4 オク 1815 89AD 一

漢ヨク・呉オク 職 yì

筆順

［㐡］3543 古字

字義 ❶数の名。万の万倍。漢代以前は万の十倍。また、数の多いこと。 ❷おしはかる。思いめぐらす。＝臆(5147)。 ❸やすらか。また、やすんずる。

名前 かず・はかる・やす

解字 金文 篆文 形声。篆文は、人＋意（意）㊟。音符の意イは、おもうの意味。人が心の中に思いはかるの意味を表す。借りて、数の単位をも表す。

逆 万億

【億劫】オクコウ・オッコウ 一 仏 きわめて長い時間。↔刹那セツナ（一八一ジ上）。 二 オックウ・オッコウ 国 わずらわしく思うこと。

【億測】オクソク おしはかる。あて推量する。憶測・臆測オクソク。

【億度】オクタク ＝億測。憶度・臆度オクタク。

【億兆】オクチョウ ①非常に多くの数。②人民。万民。

13 【價】15画 (299) カ 価(298)の旧字体。→一〇一ジ上。

13 【儈】15画 618 漢カイ（クワイ） 呉ケ 泰 kuài 2-0301 一 1844

字義 仲買なかがい。利ざや、または口銭を得て売り手と買い手の間を取り持つ。また、その人。仲買人。

解字 篆文 形声。人＋會㊟。音符の會は、あうの意味。売り手と買い手とを引きあわせる、仲買人の意味を表す。

【儈牛】カイギュウ 牛の仲買をする。また、そのこと。

13 【儀】15画 619 常 ギ 2123 8B56 一

ギ 支 yí

筆順

字義 ❶りっぱなようす・ふるまい。用例〔詩経、大雅、烝民〕令レ儀令レ色ギをよくし いろをよくし、小心翼翼ショウシンヨクヨクたり。↓立ち居振る舞いは正しく顔色は和らぎ、慎み深く恭しい。 ❷のり（法）。㋐法則。標準。「儀法」 ㋑模範。手本。「儀表」 ㋒作法。礼儀。また、儀式。「朝儀」「婚儀」 ❸のっとる。かたどる。手本とする。用例〔国語、周語下〕上不レ象レ天かみテンにかたどらず、而下不レ儀レ地しもチにのっとらず。↓天にならうこともせず、地にのっとることもしない。 ❹ならわし。風俗。用例〔荀子、正論〕諸夏之国ショカのくに、同レ服同レ儀フクをおなじくしギをおなじくす。↓中国の諸侯の国は王への服し方も風俗も同様である。 ❺よい。正しい。＝宜(2616)。 ❻たぐい。つれあい。夫婦。また、対になる。夫婦になる。 ❼くる（来）。いたる。「来儀」 ❽贈り物。礼物。「謝儀」「盛儀」 ❾うつわ（器）。また、機械。器具。「地球儀」「渾天儀」

国 ギ。㋐こと。「私儀」「余の儀」 ㋑儀式。行事。

名前 ぎ・きたる・ただ・ただし・のり・よし

難読 儀俄がけ

解字 金文 篆文 形声。人＋義㊟。もと義と同字形で同義であったが、義が抽象的な意味を表すのに対し、儀は、主に具体的な礼法の意味を表す。

逆 威儀・公儀・豪儀・婚儀・仕儀・祝儀・盛儀・大儀・典儀・内儀・難儀・容儀・余儀・流儀・礼儀

【儀羽】ギウ ①飾りとなる羽。②模範となるような立派な姿。

【儀衛(衞)】ギエイ 儀式に参列する護衛の兵士。

【儀軌】ギキ ①手本。②仏 密教で念誦ネンジュ・供養の儀式の規則をいう。

【儀矩】ギク 手本。のり。法則。特に、礼のさだめ。儀法。儀範。

【儀刑】ギケイ のっとる。模範とする。また、手本。典型。

【儀形】ギケイ ①のっとる。また、のり。儀刑。②威儀のある姿。

【儀式】ギシキ・ギショク ①おきて。さだめ。法則。▼式も、のり・おきての意。②のっとる。手本とする。③礼儀のやり方。また、定まった礼法。④国 国家の祝い事や神事・仏事などに関してある形式に従って行う行事。式典。

【儀仗】ギジョウ ①儀式に用いる武器。剣や弓矢など。▼仗は、武器の総称。②「儀仗兵」の略。

【儀仗兵】ギジョウヘイ 儀仗を帯びて天子などの外出や国家の儀式に参列する兵隊。

【儀状(狀)】ギジョウ 顔かたちと、たちいふるまい。また、品行。おこない。容儀行状。
【儀制】ギセイ 儀式のきまり。礼儀制度。
【儀装(裝)】ギソウ 国❶儀式の装飾。儀式の設備。❷儀式用の服装。礼装。
【儀注】ギチュウ ①天文について書いた書物。②礼節をいう。
【儀△狄】ギテキ ①人名。夏カの時代に、初めて酒を造ったという。②酒の別称。
【儀的】ギテキ ①まと。標的。②めあて。目標。
【儀典】ギテン ＝儀法。
【儀同三司】ギドウサンシ ①官名。常務のない高官。元勲者を優待して与えた。②国大臣に準ずる官。
【儀範】ギハン 礼儀の型。行為の手本。模範。法則。
【儀表】ギヒョウ ①のり。模範。②態度・服装などの外見。
【儀服】ギフク 儀式用の服装。式服。
【儀法】ギホウ 儀式や礼儀に関するきまり。儀典。
【儀容】ギヨウ 礼儀にかなった姿・ようす。きちんとした態度。
【儀礼(禮)】一ギレイ 礼儀。礼法。作法。二ギライ 書名。十七巻。三礼の一つ。周代の上流階級の冠婚葬祭などの儀式のやり方を述べたもの。周公旦シュウコウタンの作と伝えられる。

13【僵】15画 620 漢キョウ(キャウ) 呉コウ(カウ) 陽 jiāng 4912 994B —
字義 ❶たおれる。たおす。❷こわばる。固くなる。
解字 篆文 形声。人＋畺音。音符の畺キョウは、硬に通じ、かたくなるの意味。人が固くなってしまう、たおれるの意味を表す。
【僵△仆】キョウフ たおれる。たおれふす。

13【儌】15画 621 キョウ 篠 jiǎo — — 1846
字義 ❶うかがう。求める。かすめ取る。❷ゆく(行)。
解字 形声。人＋敫音。

13【儆】15画 622 漢ケイ 呉キョウ(キャウ) 梗 jǐng
〔儆〕588 俗字
字義 ❶いましめる。＝警(11375)。❷きびしい。また、さし迫ったこと。
解字 篆文 形声。人＋敬音。音符の敬は、いましめるの意味。人をいましめるの意味を表す。

13【儉】15画 (419) ケン 倹(418)の旧字体。→二五ページ下。

13【儇】15画 623 ケン 先 xuān — — 1843
字義 ❶かしこい。さとい。利口。❷すばやい。すばしこい。❸口先がたくみ。へつらう。
解字 篆文 形声。人＋睘音。音符の睘ケイは、めぐるの意味。才知のめぐりのはやい人の意味を表す。
【儇△慧】ケンケイ 利口。また、わるがしこい。
【儇△佻】ケンチョウ すばやい。▼佻は、身軽い。

13【儍】15画 624 サ 傻(555)と同字。→一二八ページ上。 — — 1847

13【儎】15画 625 サイ 載(11900)と同字。→一三九四ページ中。 — — 1848
参考 俗に、舟・車で運ぶものを儎という。

13【僿】15画 626 一サイ 隊 sài 二シ 寘 shì — —
字義 一❶うすい(薄)。誠意がない。軽薄。❷ふさぐ(塞)。
解字 形声。人＋塞音。
【僿野】サイヤ まごころがなく粗野なこと。

13【僺】15画 627 ショウ(セウ) 嘯 qiào — — 1839
字義 僺僺ショウショウは、長いさま。丈の高いさま。
解字 形声。人＋喿音。

13【儃】15画 628 一漢セン・呉ゼン 先 chán 二漢タン・呉ダン 旱 tǎn 三漢タン・呉ダン 翰 dàn 1443 — 1841
字義 一たたずむ。めぐる。二静かなさま。ゆったりしたさま。三❶ほしいまま。❷ただ。いたずらに。＝但(271)・亶(160)。
解字 形声。人＋亶音。

13【僊】15画 629 セン 仙(195)の俗字。→七九ページ下。 1438 — —

13【僲】15画 630 セン 僲(603)の俗字。→一三一ページ中。 — — 1831

13【儋】15画 631 タン 覃 dān 1444 — 1845
字義 ❶になう。かつぐ。また、引き受ける。❷かめ。液体を入れるかめ。❸二石コク。二つのかめに入れて天秤テンビンでかつげる程度の分量。「儋石」
解字 篆文 形声。人＋詹音。音符の詹タンは、户に通じ、ひさしの意味。荷物を肩に、ひさしのように覆ってになうの意味を表す。

儋②

【儋耳】タンジ ①北の果てにあるといわれる伝説上の国の名。〔山海経、大荒北経〕②南方の異民族の名。
【儋石】タンセキ 二石コクや一石の分量。わずかな分量のたとえ。少額。「儋石儲タンセキのたくわ(は)え(へ)」「儋石禄タンセキのろく」→字義❸。

13【儂】15画 632 漢ドウ 呉ノウ 冬 nóng 4915 994E —
字義 ❶われ。わし。おれ。自分の意の俗語。❷きみ。あなた。相手の意の俗語。❸かれ。あの人。彼の意の俗語。
解字 形声。人＋農音。

13【僶】15画 633 呉ミン 漢ビン 軫 mǐn — — 1838
字義 ❶つとめる。❷わずかの間。
解字 形声。人＋黽音。

13【僻】15画 634 標 一漢ヘキ・呉ヒャク 陌 pì 二ヒ 寘 4240 95C6 —
字義 一❶さける。また、かくれる。❷かたよる。中心から遠い。❸ひがみ。よこしま。また、ひがむ。❹あやまちをかざる。また、外面をかざって誠実さが少ない。二❶さける。＝避(12235)。❷ひめがき。高さの低い垣。
解字 篆文 形声。人＋辟音。音符の辟ヘキは、わきへよるの意味。人の性格がかたよる、ひがむの意味を表す。
【僻遠】ヘキエン かたよって中心部から遠い。また、その土地。
【僻偶】ヘキグウ かたすみ。いなか。
【僻見】ヘキケン かたよった見方。ひがんだ考え。
【僻行】ヘキコウ かたよった行い。よこしまな行い。用例〔韓非子、八説〕弱子有二僻行一、使三之随二師一。(ジャクシにヘキコウあれば、これをしてシにしたが(は)わしむ)
↓幼子に非行があると、先生について学ばせる。
【僻在】ヘキザイ かたよった遠い所にある。また、そこに住む。
【僻事】ヘキジ 正しくないこと。ひがごと。
【僻者】一ヘキシャ ①よこしまな人。②かたよった考えの人。二ひがもの 国ひねくれ者。また、変人。
【僻邪】ヘキジャ よこしま。不正。
【僻壌(壤)】ヘキジョウ ＝僻地。
【僻△陬】ヘキスウ ＝僻地。▼陬は、すみ、また、村。
【僻地】ヘキチ 中心部から遠く離れた土地。片田舎。
【僻病】ヘキヘイ かたよった性格。
【僻目】ひがめ 国①両目の視線の方向が異なっている目。斜視。②見誤り。誤った見方。
【僻△陋】ヘキロウ ①土地がかたよって、ひなびていること。中心部から遠く離れていて文化の低いこと。②人がらが洗練されていないこと。教養の低いこと。

13【舗】15画 635 常 ホ 熟字訓 老舗しにせ 4262 95DC —

舌9 【舗】 15画 636 一 漢ホ・呉フ 虞 pū 二 漢ホ・呉フ 遇 pù 7152 E473 —

筆順 ノ 亼 仐 全 舎 舗 舗 舗 舗

［鋪］12673 正字

字義 一 ❶門環(把手(とって)の金輪)をつける金具。❷しく。敷き並べる。＝敷(4564)。用例〔杜子春伝〕取二一虎皮一、鋪二於内西壁一(一虎皮(イチコヒ)を取り、内西壁(うちのセイヘキ)に鋪(し)き)、東向而坐(トウコウしてザせしむ)(杜子春(トシシュン)を)東に向かって座らせた。❸とめる(止)。❹あまねし。＝溥(6601)。❺器物の名。豆(トウ)(たかつき)の類い。二 ❶みせ(店)。たな。❷たてば。宿場。

解字 金文 篆文 形声。篆文は、金＋甫㊥。音符の甫(ホ)は、哺(ホ)に通じ、ふくむの意味。門環をふくむための金具の意味を表す。また、敷に通じて、しきならべるの意味を表し、物品をしきならべる、みせの意味を表す。金を改めて舎とし、常用漢字ではこの舗を用いる。

逆 金舗・酒舗・商舗・典舗・店舗・老舗

【舗錦】(ホキン) にしきをつらねる。美辞麗句を並べた文章。

【舗設】(ホセツ) ①座席などを設ける。②店を出す。

【舗装(装)】(ホソウ) 道路をよくするために、石・れんがなどを敷きつめたり、コンクリートで固めたりすること。

【舗張】(ホチョウ) 敷き広げて言う。大げさにいう。

13 【⿰亻夣】 15画 637 ボウ 儚(651)の俗字。→一三五ページ上。 4919 9952 —

13 【僕】 15画 638 ボク 僕(612)の本字。→一三一ページ下。 20194 — —

13 【僯】 15画 639 リン 僯(614)の俗字。→一三三ページ上。 — — 1836

14 【盦】 16画 (7946) アン 皿部。→一〇〇〇ページ下。

14 【舘】 16画 (9710) カン 舌部。→一一八五ページ上。

14 【儗】 16画 640 ギ 紙 nǐ 20303 — 1851

字義 ❶なぞらえる(なぞらふ)。まねする。身分をこえて長上にならう。❷くらべる。❸しげる。さかん。

解字 篆文 形声。人＋疑㊥。音符の疑は、うたがうの意味。目上の人であると疑われるようなことをする、身分を越えて差し出たことをするの意味を表す。

14 【儝】 16画 641 ケイ qióng — — 1855

字義 待つ。

解字 形声。人＋榮㊥。

14 【⿰亻遣】 16画 642 ケン 霰 qiàn — — 1852

字義 開く。

解字 形声。人＋遣㊥。

14 【儕】 16画 643 漢サイ・呉ザイ 慣セイ 佳 chái 4917 9950 —

［⿰亻斉］427 俗字

字義 ❶ともがら。なかま。❷つれあい。また、つれあいになる。❸ともに。一緒に。

解字 金文 篆文 形声。人＋齊㊥。音符の齊(セイ)は、そろうの意味。同列になる人、なかまの意味を表す。

【儕等】(サイトウ・セイトウ) ともがら。なかま。儕輩(セイハイ)。儕匹(セイヒツ)。

14 【儞】 16画 644 ジ 你(258)と同字。→九五ページ下。 11445 — 1856

14 【儒】 16画 645 常 ジュ 漢ジュ・呉ニュ 虞 rú 2884 8EF2 —

筆順 亻 亻 仁 伊 伊 俜 儒 儒 儒

字義 ❶学者。学問を教える人。❷孔子の教えを奉じている学者。儒者。❸孔子の教え。儒学。儒道。❹孔子学派。❺よわい。臆病(オクビョウ)。❻うるおす(うるほす)(濡(ジュ))。❼やわらか。やさしい。

名前 はか・ひと・みち・やす・よし

解字 篆文 形声。人＋需㊥。音符の需は、雨ごいをする「みこ」の意味や、しなやかの意味。おだやかな人・学者の意味を表す。

逆 巨儒・坑儒・洪儒・朱儒・俗儒・大儒・腐儒・名儒・庸儒・老儒

【儒員】(ジュイン) 国儒学をもって仕える臣。髪をそり、僧の姿をしていた。

【儒家】(ジュカ) ①儒教を奉ずる学派。儒学派。▼家は、学派の意。⇩コラム 諸子百家系統図(一三二四ページ)。②儒学を修めている人。儒者。③儒者の家がら。儒門。

【儒学(學)】(ジュガク) ＝儒教。

【儒官】(ジュカン) 儒学を教える任務の官。また、その官にある人。

【儒教】(ジュキョウ) 孔子を学祖とする学派のおしえ。修己(自己をりっぱに修養する)と治人(人を治める)とに力をつくすことによって、人類の幸福、平和の実現を目的とする。漢の武帝のとき(前一三六)国教とされ、以後清(シン)代まで、支配階層の指導理念となった。

【儒者】(ジュシャ) 儒教を奉じ、儒学を修めている人。

【儒釈(釋)】(ジュシャク) ①儒者と僧侶(ソウリョ)。②儒教と仏教。

【儒術】(ジュジュツ) 儒家のやり方。儒家がその学問を活用して行う実際的な方法。

【儒生】(ジュセイ) 儒学を学んでいる人。

【儒宗】(ジュソウ) 儒者の中の中心人物。儒学の大家。

【儒道】(ジュドウ) ①儒教で説く道。②儒家と道家。儒教と道教。▼道は、老子の学派。

【儒仏(佛)】(ジュブツ) 儒教と仏教。

【儒墨】(ジュボク) 儒家と墨家。→墨家(三二一ページ上)。

【儒門】(ジュモン) 儒者の家がら。

【儒林】(ジュリン) 儒者なかま。儒者の社会。〔史記、儒林伝〕

【儒林外史】(ジュリンガイシ) 清(シン)代の長編小説。呉敬梓(ゴケイシ)の作。科挙(官吏登用試験)に憂き身をやつす知識人の姿を描きながら、当時の腐敗堕落した官僚社会を風刺したもの。

14 【儘】 16画 646 標 漢シン・呉ジン 軫 jǐn 4854 98D4 —

［侭］327 俗字

字義 ❶みな。ことごとく。つくす。きわめる。＝尽(2784)。❷まま。ままよ。まあまあ。宋(ソウ)・元以来、詩のことばに多く用いる。国まま。㋐そのまま。㋑思いどおり。気まま。「儘ならぬ世」

解字 形声。人＋盡㊥。

【儘教】 一(ジンキョウ)・二(さもあらばあれ) 一 そうなるならなれ。なんとでもなれ。ままよ。また、とまれかくまれ。どうあろうとも。ともかく。二(まかす) まかせる。まかせてさせる。▼教は、使役(せる・させる)。

14 【儔】 16画 647 一 漢トウ(タウ)・呉ドウ(ダウ) 号 dào 二 漢チュウ(チウ)・呉ジュウ(ヂウ) 尤 chóu 4918 9951 —

［⿰亻寿］383 俗字

字義 一 ❶かくす。おおいかくす。❷とも。仲間。二 ❶とも。ともがら。仲間。❷ともがら。つれだつ。並ぶ。❸だれ(誰)。

解字 篆文 形声。人＋壽㊥。音符の壽(ジュ)は、つらなるの意味。人のつらなり。ともがらの意味を表す。

【儔匹】(チュウヒツ) ①ともがら。仲間。②つれあい。夫婦。

【儔侶】(チュウリョ) 仲間。同類。儔類。▼侶も、ともがら。

14 【鞗】 16画 (13337) チョウ 革部。→一五四七ページ上。

14 【儜】 16画 648 漢ドウ(ダウ)・呉ニョウ(ニャウ) 庚 níng — — 1854

字義 ❶なやむ。苦しむ。❷よわい(弱)。

14【儐】16画 649 ヒン 𡨴 bīn — 1850

字義 ❶主人をたすけて客を案内する人。主客の間に立って礼儀作法などを扱う人。❷みちびく。導きすすめる。助け導く。❸うやまう。うやうやしい。❹つらねる。陳列する。

解字 形声。人＋賓㊜。甲骨文 篆文 音符の賓は、まろうどの意味。主人を助けて客を導く人の意味を表す。

【儐従(從)】ヒンジュウ お供の者。▼儐は儐者で前方に、従は従者で後方にいる。

14【儛】16画 650 ㊨ブ ㊇ム 麌 wǔ — —

字義 まう。舞わす。＝舞(9719)。

解字 形声。人＋舞㊜。音符の舞は、まうの意味。まう人の意味を表す。

【儛】661 俗字

14【儚】16画 651 ㊨ボウ ㊇モウ 蒸 méng

字義 ❶はかない。おろか。くらい。＝懜(3915)。㋐不安定である。㋑たよりにならない。❷はかなむ。

解字 形声。人＋夢㊜。音符の夢は、暗いの意味。おろかな人の意味を表す。

【儚】637 俗字

14【{亻+国}】16画 652 国字 ₂0302 — —

字義 ほとけ。{亻+国}沢(ほとけざわ)は、青森県上北郡東北町の地名。

15【儣】17画 653 コウ(クヮウ) 養 kuǎng — — 1857

字義 ❶儣良(コウロウ)は、平らでない。❷壙(2174)の誤字。

解字 形声。人＋廣㊜。

15【儹】17画 654 サン 儧(672)の俗字。→一三六ページ中。 — — 1858

15【儨】17画 655 ㊨シツ ㊇シチ 質 zhì — — 1859

字義 正す。＝質(11576)。

解字 形声。人＋質㊜。

15【儁】17画 656 シュン 俊(370)と同字。→一〇八ページ下。

15【償】17画 657 常 ショウ つぐなう 2994 8F9E —

㊨ショウ(シャウ) ㊇ジョウ(ジャウ) 陽 漾 cháng

筆順 亻 亻' 亻" 僧 償 償 償

字義 ❶つぐなう。あがなう。㋐報いる。「報償」㋑返す。㋒うめあわせする。用例〔史記、廉頗藺相如伝〕相如視二秦王無一レ意レ償二趙城一（シンオウのチョウにシロをつぐなう(ふ)にイなきをみる）。↓相如は、秦王が趙に都市を代償として渡す気持ちがないと見てとった。❷つぐない。賃金。代価。報酬。用例〔史記、廉頗藺相如伝〕償城恐不レ可レ得（ショウジョウおそらくはうべからざらん）。↓壁の代償としての都市は、たぶん手に入れることはできないだろう。

解字 金文 篆文 形声。人＋賞㊜。音符の賞は、功績に対して与えられる財貨の意味。金文では、償・賞同字であるが、のち、人を付し、つぐなうの意味を表す。

逆 代償・賠償・弁償・報償・補償・無償

【償還】ショウカン ①つぐないかえす。返済する。②公債などをかえす。

【償金】ショウキン 損害のつぐないとして支払う金。賠償金。

15【儬】17画 658 ㊀㊨セイ ㊇ショウ(シャウ) 径 敬 qìng ㊁㊨ソウ(サウ) ㊇ショウ(シャウ) 梗 jìng — — 1860

字義 ㊀冷ややか。涼しい。㊁清い。

解字 形声。人＋靚㊜。

15【儲】17画 659 チョ 儲(666)の俗字。→一三六ページ上。

15【儦】17画 660 ヒョウ(ヘウ) 蕭 biāo

字義 ❶人の行くさま。❷多いさま。

解字 形声。人＋麃㊜。

15【儛】17画 661 ブ 儛(650)の俗字。→一三三ページ上。 ₂0304 — 1853

15【龠】17画 (14625) ヤク 龠部。→一六六三ページ中。

15【優】17画 662 教6 ユウ やさしい・すぐれる 4505 9744 —

㊨ユウ(イウ)・㊇ウ 尤 yōu

筆順 亻 亻 佢 偪 偪 僡 優 優

字義 ❶やさしい。㋐上品で美しい。みやびやか。㋑おだやか。しとやか。㋒情深い。㋓のびやか。ゆるやか。❷すぐれる。まさる。↔劣(1001)。❸ゆたか。㋐多い。㋑余りがある。㋒手厚い。❹ぐずぐずして決断のにぶいこと。「優柔不断」❺戯れる。おどける。また、戯れ。❻わざおぎ。俳優。役者。また、楽人。

名前 かつ・ひろ・まさ・まさる・ゆ・ゆう・ゆたか

解字 篆文 形声。人＋憂㊜。音符の憂は、大きなかしらをつけて足踏みする意味。面をつけて舞う人、わざおぎの意味を表す。転じて、やさしい・すぐれるの意味を表す。

逆 俳優

【優渥】ユウアク 天子の恩沢や詔勅がねんごろで手厚いこと。▼渥は、厚。

【優位】ユウイ 他よりすぐれている地位。

【優異】ユウイ 手厚く遇すること。また、てあつい。優殊。

【優越】ユウエツ 他のものより、すぐれまさっていること。

【優越感】ユウエツカン 自分が他よりもすぐれているという感じ。他人を見下す心持ち。

【優雅】ユウガ 上品でみやびやかである。気品のすぐれている。

【優閑・優間】ユウカン ①ゆったりとして、暇のあるさま。②しとやかなさま。

【優遇】ユウグウ 手厚くもてなす。特別によく待遇する。

【優秀】ユウシュウ 非常にすぐれている。

【優柔】ユウジュウ ①やさしい。おとなしい。また、やさしくする。②ゆったり落ち着いている。③思いきりが悪く、ぐずぐずしていること。にえきらないこと。「優柔不断」

【優倡】ユウショウ わざおぎ。役者。俳優。

【優勝劣敗】ユウショウレッパイ ①すぐれている者が勝ち、劣っている者が負けること。②生存競争で、強者または環境に適した者が栄え、弱者または環境に適しない者が滅びること。

【優詔】ユウショウ 手厚いみことのり。また、それを発すること。

【優諚】ユウジョウ 国天皇から下された恵み深いお言葉。

【優先】ユウセン 国他に先んずること。

【優待】ユウタイ ＝優遇。

【優長】ユウチョウ ①すぐれていること。②落ち着いて気の長いこと。悠長。

【優寵】ユウチョウ 特に寵愛する。特に目をかける。

【優曇花・優曇華】ウドンゲ ①仏優曇婆羅(ウドンバラ)の花。三千年に一度開花するという伝説上の植物。転じて、めったにないことのたとえ。優曇婆羅は梵語(ボン) udumbara の音訳。②国くさかげろう(虫の名)の卵。白い毛の端に小さい白い玉をつけた形をしており、吉兆とも凶兆ともいわれる。

【優婆夷】ウバイ 仏梵語(ボン) upāsikā の音訳。清信女・近事女と訳す。出家しないで仏道を修める女性。
【優婆塞】ウバソク 仏梵語ボン upāsaka の音訳。清信士・近事男と訳す。出家しないで仏道を修める男性。
【優美】ユウビ みやびやかで美しい。品があってうるわしい。
【優△游・優遊】ユウユウ ゆったりする。また、そのさま。
【優△游自適】ユウユウジテキ ゆったりと気ままに日を送ること。悠悠自適。▼自適は、心のままに楽しむ。
【優優】ユウユウ ①やわらぎ楽しむさま。②ゆったりとしているさま。
【優△伶】ユウレイ 役者。優倡。▼伶は、楽師。
【優麗】ユウレイ 上品でうるわしい。
【優劣】ユウレツ すぐれていることと、おとっていること。よしあし。
【優労(勞)】ユウロウ 手厚くいたわる。

15【儡】17画 663 ㊀ライ 灰 léi ㊁ライ 賄 lěi 4920 9953 —
字義 ㊀やぶ-れる。すたれる。落ちぶれる。㊁❶つかれる。❷傀儡カイライは、でく・くぐつ。人形芝居などで用いる、しかけのある人形。また、その人形を使う人。人形使い。
解字 形声。人＋畾㊉。

15【儖】17画 664 ラン 覃 lán 4916 994F —
字義 ↓儖儳ランザン。
解字 形声。人＋監㊉。
【儖△儳】ランザン みにくいさま。

16【儭】18画 665 ㊀シン 震 qìn,④⑤chèn ㊁シン 真 qīn — — 1861
字義 ㊀❶至る。❷近い。❸畏れる。❹裏。❺布施。㊁❶親。❷ほどこす。
解字 形声。人＋親㊉。

16【儲】18画 666 人 標 漢チョ 呉ジョ(ヂョ) 魚 chǔ 4457 96D7 —
筆順 儲
［儲］659 俗字
字義 ❶たくわえる。そなえる。また、そなえ。蓄え。❷そえ(副)。控え。❸もうけのきみ。皇太子。世継ぎの君。国❶もう-けまう。利益。❷もう-けるくまう。利益を得る。
解字 篆文 形声。人＋諸㊉。音符の諸は、貯に通じ、たくわえておくの意味。人を付し、あとつぎとして備えおく人、太子の意味を表す。
【儲位】チョイ 皇太子のくらい。
【儲宮】チョキュウ ＝儲君。
【儲君】チョクン 世継ぎのきみ。皇太子。もうけのきみ。儲宮。
【儲嗣】チョシ ①あとつぎ。世継ぎ。②皇太子。
【儲副】チョフク ①ひかえ。予備のもの。②皇太子。

16【儵】18画 (14033) チョウ 魚部。→一六二五ページ中。 — — 1862

16【儯】18画 667 漢トウ 呉ドウ 蒸 téng
字義 倰儯ロウトウは、長いさま。
解字 形声。人＋騰省㊉。

16【儱】18画 668 ㊀漢ロウ・呉ル 董 lǒng ㊁漢リョウ 呉リュウ(リウ) 宋 lòng — — 1863
字義 ㊀儱侗ロウトウは、できあがらないさま。㊁儱偅リョウショウは、正しく歩けないさま。
解字 形声。人＋龍㊉。

17【儼】19画 669 ゲン 儼(676)の俗字。→一三六ページ下。 20305 — —

17【儳】19画 670 ㊀漢サン・呉ザン 咸 chān ㊁漢サン・呉ザン 陥 chàn — — 1864
字義 ㊀❶ととのわない。そろわない。乱れている。❷はやい(疾)。近い。❸さしで-る。さしはさむ。「儳言」㊁❶ととのわない。＝㊀❶。❷いやしいさま。
解字 篆文 形声。人＋毚㊉。音符の毚サンは、みだれるの意味。みだれている人の列の意味から、ふぞろいの意味を表す。また、他人の会話の中に自分の言葉をまぜこみみだす、さしでるの意味をも表す。

17【儵】19画 (14476) シュク 黒部。→一六四八ページ上。

17【儴】19画 671 漢ジョウ(ジャウ) 呉ニョウ(ニャウ) 陽 ráng,②xiāng — — 1865
字義 ❶因る。ちなむ。❷儴佯ジョウヨウは、さまようさま。
解字 形声。人＋襄㊉。

19【儹】21画 672 サン 旱 zǎn — — 1868
［儧］654 俗字
字義 ❶集める。集まる。❷集まって事を計る。
解字 形声。人＋贊㊉。

19【儺】21画 673 漢ダ 呉ナ 歌 nuó 4921 9954 —
字義 ❶おにやらい。おにやらひ。三月・五月・十二月に行われた。疫鬼エキキ(疫病神)を追い払う行事。→追儺ツイナ(一四二三ページ下)。❷おだやか。たおやか。
解字 篆文 形声。人＋難㊉。音符の難は、わざわいの意味。人の手でわざわいを追い出すの意味を表す。

19【儸】21画 674 ラ 歌 luó — — 1867
字義 事をさばくのがうまい。機転がきく。
解字 形声。人＋羅㊉。

19【儷】21画 675 漢レイ 呉ライ 霽 lì 4922 9955 —
字義 ❶なら-ぶ。二つならぶ。❷つれあい。夫婦。配偶。また、仲間。❸ひとそろいの。一対イッツイ。
解字 篆文 形声。人＋麗㊉。音符の麗は、きれいに並ぶの意味。並ぶ人、つれあい・ともがらの意味を表す。
【儷皮】レイヒ 雌雄一対イッツイの鹿かしの毛皮。昔、婚礼の結納ゆいノウ、元服の祝儀シュウギに用いた。
【儷匹】レイヒツ 夫婦。

20【儼】22画 676 漢ゲン 呉ゴン 琰 yǎn 4923 9956 —
［儼］669 俗字
字義 ❶おごそ-か。いかめしい。❷うやうやしい。つつしむ。❸あおぐ。
参考 現代表記では〔厳〕(2759)に書きかえることがある。「儼然→厳然」
解字 金文 篆文 形声。人＋嚴㊉。音符の嚴ゲンは、おごそかの意味。おごそかで、つつしみある人の意味を表す。
【儼△恪】ゲンカク おごそかでつつましやかなこと。
【儼然】ゲンゼン おごそかでいかめしいさま。きちんとしているさま。厳然。用例〔東晋、陶潜、桃花源記〕土地平曠ヘイコウ、屋舎儼然オクシャゲンゼンたり。↓土地は平らで広々としていて、家屋のつくりはきちんと整っていた。

20【儻】22画 677 ㊀トウ(タウ) 養 tǎng ㊁トウ(タウ) 漾 tàng 4924 9957 —
字義 ㊀❶がっかりしてぼんやりするさま。「儻然」❷一方に偏っていること。また、不公平なこと。❸広々としているさま。❹ある-いは。も-しくは。もしかすると。用例〔史記、伯夷伝〕儻所謂天道是耶非耶もしくはいわゆるテンドウはぜかひか。↓どうなのだろう、天道というものは、信じてよいものなのか、そうではないのか。❺も-し。「若もし」「如もし」と同じく仮定の意を表す。㊁偶然に。さいわいに。
解字 形声。人＋黨㊉。

儿 にんにょう ひとあし 2画

〔部首解説〕文字の脚(キャク)・(あし)(字形の下部)として用いられ、多くのばあい、人を表している。なお、いま中国では、儿を児の略字(簡化字)として用いる。

画数	字	頁
0	儿	一三七
1	兀	一三七
2	允	一三七
	旡	六四四
	元	一三七
	兂	一三八
	无	六四四
3	兄	一三八
	充	一三八
	先	一三八
4	兇	一三八
	光	一三八
	充	一三九
	先	一三九
	兊	一四〇
	兆	一四〇
5	克	一四一
	児	一四一
	兕	一四一
	兌	一四一
	兏	一四三
	兎	一四三
	秃	一四三
	売	三三七
	皃	九九三
	兔	一四三
6	兖	一四三
	羌	一二五三
	尭	一四三
	兒	一四三
	兔	一四三
	兎	一四三
	免	一四三
	兎	一四三
	免	一四三
7	兗	一四三
	兘	一四三
8	鬼	一六〇七
	兓	一四三
	党	一四三
9	兜	一四三
	覍	一六〇
10	兟	一四三
	兟	一四三
12	兢	一四三
15	兤	一四三
19	兤	一四四

0【儿】2画 678

ジン　人(163)の古字。↓七一ジ上。

4925 9958 —

1【兀】3画 679

㊥ゴツ・㊦ゴチ 慣コツ 円 wù

4926 9959 —

字義 ❶たか-い(たかし)。高くて上が平らなこと。❷はげ山。山に草木のないさま。❸無知なさま。❹動かぬさま。安らかなさま。❺一心不乱に努力するさま。❻あしきる。刑罰として足を切る。また、その刑罰。＝趴(11675)・刖(903)。国はげ(禿)。

解字 篆文 指事。人の上に横の一線を引き、高くて平らの意味を表す。

【兀兀】(ゴツゴツ・コツコツ) ①一心不乱なさま。②動揺して危ういさま。

【兀者】(ゴッシャ・コッシャ) 足切りの刑を受けた人。

【兀然】(ゴツゼン・コツゼン) ①無知のさま。②自分かってでいばっているさま。③動かないさま。④ゆらゆら揺れて危ういさま。

【兀立】(ゴツリツ・コツリツ) ①突き出て高くそびえたつこと。②姿勢正しく立つこと。

2【允】4画 680

人 イン(ヰン) 軫 yǔn

1684 88F2 —

筆順 ㇜ 厶 㐬 允

字義 ❶まこと。まこと-に。❷ゆるす。承認する。承知する。また、許し。許可。❸あたる。当(トウ)を得る。国じょう。昔の官制で、主殿寮(とのもづかさ)などの判官(ホウガン)(第三等官)。

名前 あえ・おか・こと・さね・すけ・たう・ただ・ちか・のぶ・まこと・まさ・みつ・よし

解字 甲骨文 金文 篆文 象形。頭のひいでた人の象形で、知的で誠実な傑出した人の意味を表し、転じて、まことの意味を表す。『説文(セツモン)解字』では、会意で、㠯＋儿(人)。

【允可】(インカ) ゆるす。また、ゆるし。許可。允許。

【允許】(インキョ) ＝允可。

【允恭】(インキョウ) 心からつつしむ。

【允文允武】(インブンインブ・まことにブンまことにブ) 文武ともにすぐれていること。天子が文武の徳を備えているのをほめたたえる語。

2【旡】4画 (4640)

キ　旡部。↓六四四ジ中。

2【元】4画 681

教2 ゲン・ガン もと

㊥ゲン・㊦ガン(グワン) 元 yuán

2421 8CB3 —

筆順 一 二 テ 元

字義 ❶もと。本源。「根元」❷はじ-め。❸一。第一。❹かしら。㋐あたま。頭。㋑おさ。首長。君主。❺たみ。人民。❻年号。「紀元」「改元」❼天。また、天地の気。万物を生ずる気。❽大きい。❾よい(善)。正しい。美しい。❿王朝の名。モンゴル帝国第五代の世祖忽必烈(フビライ)が宋(ソウ)を滅ぼして建国。都は大都(今の北京市)。その領土は、最盛期には朝鮮半島や東南アジアにまで及んだ。十一代続き、明(ミン)に滅ぼされた。(一二七九—一三六八) ⓫中国の貨幣の単位。

名前 あさ・げん・ちか・つかさ・とも・なが・はじむ・はじめ・はる・まさ・もと・もとい・もとし・ゆき・よし

使いわけ もと〔元・本・基・下〕
〔元〕物事の始め・原因。また、以前の状態。「火元・元議員」
〔本〕物事の大切な部分。付け根。「末」の対。「大本・農は国の本」
〔基〕物事を成り立たせる土台の部分。また、助けとして用いる部分。「基になる思想・資料を基にする」
〔下〕上に広がっているものに隠れる部分。また、影響の及ぶ範囲。「灯台下暗し・法の下の平等」

解字 甲骨文 金文 篆文 象形。かんむりをつけた人の象形で、かしらの意味を表す。元を音符に含む形声文字に、完・玩(ガン)・頑・院などがあり、これらの漢字は、「めぐらす」の意味を共有している。

逆 一元・改元・還元・帰元・紀元・乾元・建元・始元・中元・天元・復元

【元化】(ゲンカ) ①造化の神の偉大なはたらき。②帝王の徳化。

【元気(氣)】(ゲンキ) ①万物を産み育てる気。天地の気。玄気。②心身の活動の、根本の気力。③国㋐さかんな意気。威勢。勇気。㋑たっしゃ。健康。

【元九】(ゲンキュウ) ＝元稹(ゲンシン)。▼九は、排行。

【元凶・元△兇】(ゲンキョウ) ①大悪人。②悪人のかしら。元悪。

【元曲】(ゲンキョク) 元代、北方の大都(今の北京市)を中心に盛行した雑劇。原則として四折(幕)で構成され、主役の歌曲を中心に劇を展開する。馬致遠の「漢宮秋」、王実甫(オウジッポ)・関漢卿(カンカンケイ) 合作の「西廂記(セイソウキ・セイショウキ)」などが有名。元雑劇。北曲。

【元君】(ゲンクン) ①りっぱな君主。②父祖。③道教で女性の仙人をいう。↕真人(一〇〇八ジ中)。

【元勲(勳)】(ゲンクン) 大きいてがら。国家を興(おこ)す力となった大功。また、その功のあった人。

【元軽(輕)白俗】(ゲンケイハクゾク) 中唐の詩人、元稹(ゲンシン)・白居易の詩は、軽薄卑俗で格調が高くないとそしった語。〔北宋、蘇軾、祭二柳子玉一文〕

【元結】(ゲンケツ) 🈩 盛唐の詩人・文章家。字(あざな)は次山。(七二三—七七二)。🈔もとゆい(ひ) 国髪をしばり結ぶもの。

【元月】(ゲンゲツ) 陰暦一月の別名。

【元元】(ゲンゲン) 🈩 ①たみ(民)。②よい。③根本。🈔ゲンをゲンとす 根本にさかのぼる。

【元后】(ゲンコウ) ①おおぎみ。天子。▼元は大、后は君。②天子の正式のきさき。皇后。

【元好問】(ゲンコウモン) 金代第一の詩人。字(あざな)は裕之(ユウシ)。号は遺山。著書に『元遺山集』がある。(一一九〇—一二五七)

【元△寇】(ゲンコウ) 国元の国が文永十一年(一二七四)・弘安四年(一二八一)に九州地方に来襲した事件をいう。

【元号(號)】(ゲンゴウ) ＝年号(四六六ジ上)。

【元士】(ゲンシ) ①りっぱな士。善士。②上士。中士・下士に対していう。

【元子】(ゲンシ) ①長子。長男。②天子の第一皇子。

【元史】(ゲンシ) 書名。二百十巻。明(ミン)の宋濂(ソウレン)・王禕(オウイ)らが勅を奉じて作った、元代の歴史を記した書物。叙述が粗略で、正史中最悪の作といわれ、後に中華民国の柯劭忞(カショウビン)は、『新元史』二百五十七巻を編集した。

【元二】(ゲンジ) 盛唐の人。元は姓、二は排行。元結ともいわれる。→元結。

【元日】(ガンジツ) ①一年の最初の日。②よい日。吉日。

【元首】(ゲンシュ) ①かしら。頭。②君主。天子。③年のはじめ。

【元宵】(ゲンショウ) 上元の夜。陰暦正月十五日の夜。元夕。↓上元(三三㌻下)。⇩コラム 年中行事(四六五㌻)。

【元△辰】(ゲンシン) 一月一日。

【元△稹】(ゲンシン) 中唐の詩人。字(あざな)は微之(ビシ)。白居易の親友。著書に『元氏長慶集』がある。(七七九―八三一)

元稹

【元帥】(ゲンスイ) 一番上に立って率いる人の意。㋐総大将。㋑上卿。第一級の家老。㋒国旧陸海軍の大将で、特に選ばれて元帥府に列せられた人に与えられた称号。

【元正】(ゲンセイ) 一月一日。

【元夕】(ゲンセキ) ＝元宵(ゲンショウ)。

【元祖】(ゲンソ) 一(ゲン)・(ガン)ソ 祖先。先祖。一(ガン)ソ 国①物事を始め出した人。鼻祖。②ある商品を初めて発売した家。

【元旦】(ガンタン) 一月一日の朝。元朝。⇩コラム 年中行事(四六五㌻)。

【元朝】一(ガンチョウ) ＝元旦(ガンタン)。二(ゲンチョウ) 元の王朝。→字義⑩。

【元白】(ゲンパク) 中唐の詩人、元稹(ゲンシン)と白居易。二人は平易な詩を作って互いに唱和したので、その詩体は元白体と称された。

【元妃】(ゲンピ) ①第一のきさき。皇后。②正妻。

【元服】(ゲンプク・ゲンブク) 元(頭)に服する意。男子が成人になるしるしに、一定の儀式によって成人の衣冠をつけること。中国では二十歳、日本では十二歳から十五、六歳で行った。

【元来(來)】(ガンライ) もとから。もともと。本来。

【元良】(ゲンリョウ) ①大きな善。②りっぱな人。③皇太子。

【元老】(ゲンロウ) ①役人の長。▼元は、大・長。②長く重要な地位に居た国家の功臣。③国㋐年齢・名望・官位の高い老人。㋑旧制で、皇室から特別な待遇を賜り、国家の大事について下問のあった老臣。㋒長年その分野で功労を積んだ人。

2 【先】 4画 682 シン 簪(8890)の本字。→一〇九〇㌻中。

2 【无】 4画 (4641) ム 无部。→六四四㌻下。

3 【兄】 5画 683 ㊥ケイ・㊎キョウ(キャウ) 庚 xiōng 教2 ケイ・キョウ あに 熟字訓 兄(にい)さん 2327 8C5A ―

筆順 丨 口 口 尸 兄

字義 ❶あに。にいさん。↔弟(3311)。❷同輩の間で用いる敬称。「大兄」「貴兄」❸大きい。すぐれる。❹ます。また、ますます。国え。えと(きょうだい)のえ。十干の甲(きのえ)・丙(ひのえ)・戊(つちのえ)・庚(かのえ)・壬(みずのえ)をいう。

名前 あに・え・えだ・けい・これ・さき・しげ・ただ・ね・よし

難読 兄国(えくに)・兄山(せのやま)・兄矢(はや)・兄部(こうべ)・兄部坊(このこうべ・こんぼう)

解字 甲骨文 金文 篆文 会意。口＋儿。口は、くちの意味。儿(ジン)は、人の意味。上に立って弟妹の世話をやく人、あにの意味を表す。また、頭の大きな人の象形で、あにの意味を表すとする説もある。

逆 家兄・学兄・貴兄・義兄・賢兄・庶兄・大兄・長兄・弟兄・父兄

【兄事】(ケイジ) 兄と見なして仕える。年齢や地位が自分に近い人に対して、兄のように思ってへりくだること。

【兄弟】(ケイテイ・キョウダイ) ①兄と弟。用例〔論語、顔淵〕人皆有二兄弟一、我独亡(ひとみなケイテイあり、われひとりなし)。↓人にはみな兄弟がいるのに、私だけにはいない。②弟。③自分と同じ排行の親戚(シンセキ)の者。④婚姻によって生じた親戚同士。

【兄弟△鬩レ△牆外△禦二△其務一】(ケイテイかきにせめぐもそとそのあなどりをふせぐ) 兄弟はうちわ喧嘩(ケンカ)をしていても、外からの攻撃に対しては力を合わせてこれを防ぐ。兄弟が助け合うのは自然の情愛であることを述べ、兄弟仲よくすべきをいう。〔詩経、小雅、常棣〕

【兄弟△之国(國)】(ケイテイのくに) 婚姻関係を結んだ国。用例〔韓非子、説難〕武公怒而戮レ之曰、胡兄弟之国也(ブコウいかりてこれをリクしていわ(は)く、コはケイテイのくにになり)。↓武公は怒ってその者を死罪にして言った、「胡はわが国と婚姻関係を結んだ国である」。

【難レ為(爲)レ兄、難レ為(爲)レ弟】(ケイたりがたく、テイたりがたし) 兄となることも弟となることもむずかしい。優劣のないこと。負けず劣らずである。伯仲している。〔世説新語、徳行〕

3 【充】 5画 684 ジュウ 充(688)の本字。→一三九㌻中。 ― ― ―

3 【先】 5画 685 シン 簪(8890)の俗字。→一〇九〇㌻中。 ― ― 1869

4 【兇】 6画 686 ㊥キョウ ㊎ク 冬 腫 xiōng 2204 8BA2 ―

字義 ❶おそ-れる。おそる。びくびくする。＝恟(3701)。❷わる-い。わるし。また、わる者。＝凶(856)。

参考 現代表記では〔凶〕(856)に書きかえる。「兇行→凶行」「兇器→凶器」。熟語は〔凶〕をも見よ。

解字 篆文 形声。儿＋凶(音)。音符の凶は、わるいの意味。わるい人の意味を表す。また、悪人をおそれるの意味をも表す。

【兇器】(キョウキ) 人を殺し傷つけるために用いる道具。凶器。

【兇兇】(キョウキョウ) おそれるさま。おそれさわぐさま。恟恟(キョウキョウ)。

【兇行】(キョウコウ) 凶悪な犯行。凶行。

4 【光】 6画 687 コウ(クヮウ) 陽 guāng 教2 コウ ひか-る・ひかり 2487 8CF5 ―

〔炗〕6853 本字 〔炗〕6868 古字 〔灮〕6866 俗字

筆順 丨 丷 业 业 光

字義 ❶ひかり。㋐光線。あかり。かがやき。「日光」㋑つや。いろ。色沢。「光沢」㋒はえ。さかえ(栄)。㋓ほまれ。㋔威勢。㋕めぐみ。恩恵。㋖飾り。㋗景色。「風光」「光景」㋘日・月・星。㋙時間。「光陰」㋚金・玉など、光沢のあるもの。❷ひか-る。てる。かがやく。てらす。❸大きい。また、大いに。❹ひろい(広)。広がる。広める。また、満ちる。

名前 あき・あきら・あり・かぬ・かね・こう・さかえ・てる・ひかり・ひかる・ひこ・ひろ・ひろし・み・みつ・みつる・みち

難読 光一(ぴかいち)・光主(こうし)・光岡(てるおか)・光参(こきん)・光沢(つや)・光満(みつま)

解字 甲骨文 金文 篆文 会意。火＋儿。儿(ジン)は、人の象形。人の頭上にひかる火の意味から、ひかりの意味を表す。光を音符に含む形声文字に、晃(コウ)・洸(コウ)などがあり、これらの漢字は、「ひかる」の意味を共有している。

逆 威光・栄光・円光・観光・眼光・脚光・休光・極光・剣光・後光・国光・寂光・春光・消光・水光・風光・浮光・夜光・陽光・余光・来光・竜光

【光陰】(コウイン) 年月。時間。▼光は太陽・昼、陰は月・夜。

【光陰者百代△之過客】(コウインはヒャクダイのカカクなり) 月日は永遠に休むことなく過ぎてゆく旅人のようなものだ。→天地者万物之逆旅(テンチはバンブツのゲキリョ)(三四八㌻中)。

【光陰如レ矢】(コウインやのごとし) 月日のたつことの速いたとえ。「光陰如レ箭(コウインやのごとし)」「光陰如二流水一(コウインリュウスイのごとし)」ともいう(箭は矢)。▼「如レ矢」は、矢の飛ぶように速い、また、二度と帰らないの意。

【光栄(榮)】①名誉。②さかえ。③照りはえる。

【光炎・光焰・光燄・光爓】①ひかりとほのお。②かがやくほのお。③盛んな勢い。

【光華】①ひかり。輝き。美しい光。②さかえ。③ほまれ。名誉。

【光輝・光暉・光煇・光熙】ひかり。かがやき。

【光景】①ひかり。かがやき。▼景も、光。②景色。ありさま。③めぐみ。恩沢。④威勢。威光。⑤日月。

【光彩・光采】①美しい光(輝き)。②輝くばかり美しい色どり。

【光彩陸離】光(色)が入り乱れて、まばゆいほど光り輝くさま。

【光昭・光照】明らかにひかりてらす。

【光沢(澤)】つや。ひかり。いろつや。

【光背】㐂仏像の背後に作りつけた、光を表す形のもの。俗に後光(御光)という。

【光被】①広く及ぶ。行きわたる。②あまねく照らす。

【光武帝】＝漢光武帝(八六六ジ上)。

【光風】①日光と風。風光。②光る風。㋐五、六月ごろ、太陽に輝く若葉・青葉に吹く風。㋑夏の雨後の草木に吹き渡る風。㋒春光うららかな日の風。

【光風霽月】①雨後に吹くさわやかな風と輝く月。▼霽は、雨がはれること。②心にわだかまりがなく、さっぱりとして高明なこと。③よく治まっている世のさま。

【光芒】ひかり。かがやき。光の放射。▼芒は、稲などののぎ。用例〔杜子春伝〕身長丈余、人馬皆着二金甲一、光芒射レ人。↓身長は一丈あまり、人馬ともに黄金の鎧を着けており、発する光は人を射るほどであった。

【光明】㊀①ひかり。かがやき。明らかな光。②ほまれ、名誉。㊁国希望。成功の見込み。「一縷の光明」

【光明正大】心が潔白で正しく大きいこと。公明正大。

【光曜・光燿・光耀】①ひかりかがやく。また、照らす。②ひかり。かがやき。

【光臨】人の来訪を敬っていう語。光が上から下に来たりのぞむ意。光来。

【光禄池台(臺)】りっぱな邸宅をいう。前漢の光禄大夫(宮中の顧問官)、曲陽侯王根の邸宅が実にりっぱであったことからいう。用例〔唐、劉廷芝、代下悲二白頭一翁上詩〕光禄池台開二錦繡一、将軍楼閣画二神仙一。↓前漢の光禄大夫王根が池のほとりの高殿で開いたような、また後漢の梁冀将軍が神仙を描いた楼閣で開いたような、そういう豪華な宴に加わって若いころは楽しんだ。

4
【充】6画 688 常 ジュウ あ-てる
シュウ(シウ) 慣ジュウ(ジウ) 東 chōng
2928 8F5B 一

筆順

[充] 684 本字

字義 ❶みちる。みたす。用例〔列子、黄帝〕損二其家口一、充二狙之欲一。↓家族の食べる分をへらしてまで、猿の食欲を満足させていた。❷あてる。あたる。用例〔唐、白居易、売炭翁詩〕半疋紅綃一丈綾、繫二向牛頭一充二炭直一。↓わずか半匹の紅絹と一丈ほどの綾を牛の角にひっかけて、炭の代金にあてろという。❸ふさぐ。おおう。ふさがる。❹そなえる。あてがう。備わる。❺多い。わずらわしい。

名前 あつ・じゅう・たかし・ただ・まこと・み・みち・みつ・みつる・よし 難読 充行

使いわけ あてる〔充・当・宛〕
〔充〕割りあてる。振りあてる。「収入の大半をローンの返済に充てる」
〔当〕広く一般に用いる。「的に当てる・手を当てる・光を当てる」
〔宛〕手紙や荷物などを相手に向けて送る。「母に宛てて手紙を書く」

解字 篆文  形声。儿＋育省音。儿は、人の象形。音符の育は、はぐくむの意味。育って成人となるの意味から、みちるの意味を表す。

逆 拡充・補充

【充実(實)】①じゅうぶんにみちる。中身がいっぱいになる。②じゅうぶんな中身。完全な実。

【充羨】①みちる。いっぱいになる。②みちあふれる。

【充足】①みちたりる。②みたす。

【充塞】みたしふさぐ。また、覆いふさぐ。

【充塡】①みたしうめる。あてはめる。②つめる。

【充当(當)】あてはめる。あてがう。

【充棟】むな木にとどく意。蔵書の多いこと。↓汗牛充棟(八一三ジ中)。

【充分】物事のみち足りるさま。いっぱい。十分。

【充満(滿)】①いっぱいにみちる。②気力・怒気などが顔色に表れているさま。

4
【先】6画 689 教1 セン さき
セン 先 xiān
3272 90E6 一

筆順

字義 ❶さき。㋐まえ。先頭。また、はじめ。最初。㋑重要な。第一の。㋒以前の。また、いにしえの。「先例」「先人」「先王」㋓死んだ。なくなった。「先君」㋔祖先。❷さきがけ。さきだち。㋐先鋒。㋑てびき。紹介。㋒さきぶれ。❸さきんずる。さきだつ。㋐先頭に立つ。先に立って進む。「率先」㋑先に立ってみちびく。教導する。用例〔荀子、脩身〕以レ善先レ人者、謂二之教一。↓善によって人を導くことを教という。㋒先手を取る。先制する。「先即制レ人」㋓…よりも前に。用例〔老子、二十五〕有レ物混成、先二天地一生。↓混沌としたひとつのかたまりが、天地に先んじて生まれた。❹さきにする。㋐真っ先にする。最初に行う。用例〔論語、子路〕衛君待レ子而為レ政、子将二奚先一。↓衛の君が先生をお招きになって政務をとることになりましたら、先生は何から先になさいますか。㋑優先する。重んずる。用例〔史記、廉頗藺相如伝〕吾所三以為二此者一、以下先二国家之急一而後中私讎上也。↓私がこのようにしているのは、国家の危急を第一とし、個人的な恨みごとなどは二の次にしているからなのだ。❺まず。さきに。㋐最初に。用例〔大学〕欲レ治二其国一者、先斉二其家一。↓一国を安らかに治めようとするならば、最初に自分の一家をりっぱに治めることだ。／〔戦国策、燕〕今王誠欲レ致レ士、先従レ隗始。↓もし王が本当に賢人を集めたいとお思いならば、まずは私、隗(を厚遇すること)からお始めください。㋑あらかじめ。前もって。用例〔韓非子、外儲説左上〕越伐レ呉、乃先宣言。↓越は呉を討つことにした。そこで事前に宣言した。㋒さし当たり。ひとまず。また、ともかくも。
国さき。将来。

名前 さき・すすむ・ひろ・ゆき 難読 先斗(ぽんと)
参考 現代表記では〔尖〕(2744)の書きかえに用いることがある。「尖鋭→先鋭」「尖端→先端」
解字 甲骨文 金文 篆文 会意。儿＋之。儿は、人の象形。之は、足あとの象形。人の頭部よりもさきに踏み出した足あとの変形したもの。人の頭部よりもさきに踏み出した足あとのさまから、人よりもさきだつの意味を表す。先を音符に含む形声文字に、詵(セン)・洗などがあり、洗は、洒などに通じて、「あらう」の意味を表す。

逆 機先・祖先・卒先・優先

【先塋】(センエイ) 父母の墓。▼塋は、墓。

【先王】(センオウ) ①昔の聖天子。儒教で、理想の王とされた、尭(ギョウ)・舜(シュン)・禹(ウ)・湯・文・武の諸王。用例〔孟子、公孫丑上〕先王有不忍人之心、斯有不忍人之政矣。↓昔の聖王は、他人にむごい行為ができない心を持っていたからこそ、人民にむごくあたらない政治を行ったのである。②先代の王。

【先覚(覺)】(センカク) ①人にさきだってさとること。また、その人。先進。②学問や見識などの非常にすぐれている人。↕後覚(五〇四ページ上)。③昔の大学者。

【先駆(驅)・先驅】(センク) ①行列の先払い。②戦陣のさきがけ。前駆。先鋒(センポウ)。③他にさきだって事をする。「先駆者」

【先君】(センクン) ①先代の君主。また、歴代の君主。②亡父。先考。③祖先。

【先見】(センケン) 事前に見ぬくこと。「先見の明(先のことを見ぬく眼力)」

【先賢】(センケン) 昔の賢人。

【先行】(センコウ) ①さきに行く。②さきに立って案内する。手びきする。③さきに行う。④以前の行い。

【先考】(センコウ) 亡父。▼考は、なくなった父。↕先妣(センピ)。

【先刻】(センコク) 国①さきほど。さっき。②かねて。まえから。

【先子】(センシ) ①亡父。▼子は、尊称。②先祖。③夫の亡父。先舅(センキュウ)。

【先史】(センシ) 有史以前。記録より前の意。↕有史(六八六ページ下)。

【先史時代】(センシジダイ) 記録の方法のまだなかった時代。

【先師】(センシ) ①手本とすべき昔の賢人・学者。②死んだ、先生・師匠。③孔子。

【先室】(センシツ) なくなった妻。亡妻。

【先従(從)隗始】(まず(づ)カイよりはじめよ) ↓従隗始(一五三〇ページ上)。

【先蹤】(センショウ) 昔の人の足跡。㋐前人の行いの跡。㋑前例。

【先秦】(センシン) 秦の始皇帝より以前。春秋・戦国時代。

【先進】(センシン) ①学問・年齢・官位などが他より上にあること。また、その人。先輩。↕後進(五〇四ページ下)。②文化の程度の進んでいること。

【先人】(センジン) ①祖先。②亡父。③むかしの人。前人。④むかしの賢人。

【先世】(センセイ) ①前の世。②祖先。用例〔東晋、陶潜、桃花源記〕先世避秦時乱、率妻子邑人来此絶境、不復出焉。↓私の先祖は、秦の時代の戦乱を避け、妻子や村人をひきつれて、この世間から隔絶した土地にやって来て、それから二度と外へ出ませんでした。

【先生】(センセイ) ①先に生まれる。また、その人。↕後生(五〇四ページ下)。②父兄をいう。③自分よりも先に道を修めた人。④学徳のある人。⑤教師。師匠。⑥人を呼ぶ敬称。⑦国人をからかって、あるいは軽蔑(ケイベツ)して呼ぶ語。

【先制】(センセイ) 先手をとる。さきんじ制する。機先を制する。

【先聖殿】(センセイデン) 孔子を祭った建物。大成殿。

【先即(卽)制人】(さきんずればすなわ(は)ちひとをセイす) 人よりさきに事をすれば、人を支配することができる。用例〔史記、項羽本紀〕先即制人、後則為人所制。↓人に先だってやれば人を押さえつけることができるが、人より遅れれば人に押さえつけられる。

【先代】(センダイ) ①前の世。②今の主人の前の主人。

【先達】(センタツ・センダツ・センダチ) ㊀(センタツ) 学問・官位などが自分より上にある人。その道の先輩。先進。㊁(センタツ) 高僧。㊂(センダツ・センダチ) 国①修験者(山伏)が峰入りする時に道案内してゆく古参者。②一般に、先に立って導く人。案内者。

【先帝】(センテイ・センダイ) 前代の天子。

【先哲】(センテツ) 昔の賢人。先賢。

【先哲叢談】(センテツソウダン) 国書名。八巻。原念斎(はらネンサイ)(名は善)の著。江戸時代の儒者・文人七十二人の伝記を集録した書。後編八巻・続編十二巻は東条琴台の著。

【先天】(センテン) ①天にさきだつ。天よりもさきに存在する。また、天よりもさきに立って行動する。②宇宙の本体をいう。③国生まれる以前の意。生まれる以前から身に備わっていること。「先天性(先天の性質)」「先天的(生まれる以前から身に備わっているもの。生まれながらに持っているもの)」↕後天(五〇五ページ上)。

【先道・先導】(センドウ) さきに立ってみちびく。案内する。

【先入】(センニュウ) ①さきに入る。②最初にまたは以前に心に入ったこと。

【先入観】(センニュウカン) 国前に心に入ったことによって作られた固定観念。それが自由な思考を妨げている場合にいう。

【先入主】(センニュウシュ) 国＝先入観。「先入為主(センニュウシュとなる)」の誤用。

【先輩】(センパイ) ①自分より年齢の上の人。また、自分より先に学業を修めた人。↕後輩(五〇五ページ上)。②妻が夫をいう称。③国自分の出身学校を先に卒業した人。また、勤務先や学校に先に入った人。↕後輩(五〇五ページ上)。

【先妣】(センピ) ①なくなった母。亡母。↕先考。②先祖の母。▼妣は、もと、母、後、もっぱら亡母の意となる。

【先鞭】(センベン) 人よりさきに馬に鞭(むち)を加える意で、人よりさきに進んで功名を立てようとすること。晋(シン)の劉琨(リュウコン)の故事による。「先鞭をつける」

【先鋒】(センポウ) ①軍陣や戦闘のさきがけ。▼鋒は、もと、ほこ(武器の名)・ほこさきの意。↕殿軍(七九六ページ上)。②率先して事をなす人。

【先務】(センム) 第一になすべき仕事。急務。

【先憂後楽(樂)】(センユウコウラク) ①民衆にさきだって天下の事を憂え、民衆が皆安楽な日を送るようになって後に楽しむこと。志士・仁人の心がけをいう。用例〔北宋、范仲淹、岳陽楼記〕先天下之憂而憂、後天下之楽而楽。↓天下の人々が憂える前に天下のことを心配し、天下の人々がすべて楽しんでからのちに自分も楽しむ。②憂苦を切りぬけて後に安楽を得ること。

【先容】(センヨウ) 人を推薦すること。採用してもらう前に、まずその人物をほめたたえてすすめる意。

【先例】(センレイ) ①これまでの例。しきたり。②のちの手本となる例。

4 【兊】 6画 690 ダ 兌(696)の俗字。↓一四一ページ下。 1447 ED62 1870

4 【兆】 6画 691 漢チョウ(テウ)・呉ジョウ(デウ) 教4 チョウ きざ-す・きざ-し 篠 zhào 3591 929B —

筆順 丿 丬 丬 兆 兆 兆

字義 ❶うらかた(占形)。占いのために亀(かめ)の甲を焼いた時にできる割れ目。そのありさまによって吉凶を占う。❷うらな-う(なふ)。また、うらない。❸きざ-し。物事の前ぶれ。しるし。また、きざ-す。しるしがあらわれる。「前兆」❹はじめ。また、はじめる。はじまる。❺かぎり。区域。㋐祭りの庭。祭場。㋑墓地。墓場。❻数の単位。㋐億の十倍。㋑億の万倍。❼数が多い。❽たみ。人民。「億兆」

名前 かず・かた・ちょう・とき・よし 難読 兆向(きと)

解字 甲骨文 [古字] 篆文 [古字] 象形。甲骨文は、うらないのとき亀甲(キッコウ)に現れる割れ目の象形で、きざしの意味を表す。兆を音符に含む形声文字に、佻(チョウ)・挑(チョウ)・挑・桃・眺・祧(チョウ)・誂(チョウ)・跳・逃・銚(チョウ)・鵰(チョウ)などがあり、これらの漢字は、「二つにはじけ割れる」の意味を共有している。

逆 億兆・吉兆・凶兆・占兆・前兆・夢兆

【兆域】(チョウイキ) 墓場。墓地。

【兆候】(チョウコウ) きざし。物事の起こる前ぶれ。前兆。◆「徴候」も「兆候」と意味・用法ともに同じであるが、新聞用語が「兆候」に統一して以来、「兆候」の例が増加している。

【兆占】(チョウセン) ①うらない。②うらかた(占形)。占いのために焼いた亀(かめ)の甲に現れる割れ目。

【兆民】(チョウミン) 多くの民。万民。衆庶。「百姓兆民」

5 【克】 7画 692 常 コク コク 職 kè 2578 8D8E —

筆順 一 十 十 古 古 声 克

字義 ❶よくする(能)。㋐できる。能力がある。㋑しとげる。㋒たえる(耐)。㋓おさめる(治)。整える。❷よく。十分に。「克明」 ❸かつ。㋐争いに勝つ。㋑勝ちたがる。㋒私欲に勝つ。用例〔論語、顔淵〕克己復礼為仁(おのれにかちてレイにかえ(へ)るをジンとなす) ↓私欲にうちかって礼にたち返ることが、仁である。㋓せめる(責)。❹定める。きめる。

名前 いそし・かつ・かつみ・すぐる・たえ・なり・まさる・みつ・よし

参考 現代表記では〔剋〕(930)の書きかえに用いることがある。「下剋上→下克上」「相剋→相克」

解字 甲骨文 [古字] 金文 [古字] 篆文 [古字] 象形。甲骨文・金文でわかるように、重いかぶとを身に着けた人の形にかたどり、重さに耐える、うちかつの意味を表す。

逆 相克

【克己】(コッキ) 自分のわがままな心(欲望)にうちかつこと。剋己(コッキ)。克己(おのれにかつ)。

【克己復礼(禮)】(コッキフクレイ) =克己復礼(おのれにかちてレイにかえ(へ)る)(四三〇ジ上)。

【克期】(コッキ) 期日を決める。

【克似】(コクジ) よく似ていること。酷似。

【克肖】(コクショウ) よく似る。克似。

【克伐怨欲】(コクバツエンヨク) 四つの悪徳。▼克はやたらに勝ちたがる、伐はほこる、怨はうらむ、欲はむさぼる。

【克服】(コクフク) うち勝って服従させること。うち勝つこと。

【克復】(コクフク) ①「克己復礼」の略。自分の欲望にうち勝って礼を守るようにする。②勝ってもとの状態にもどすこと。乱を平らげることなどにいう。剋復(コクフク)。

【克明】(コクメイ) 一 ①細かくくわしいこと。落ちのないこと。②まめやか。実直。二 よく(あきらか) じゅうぶんに明らか。

【克励(勵)・克△厲】(コクレイ) 私欲・私情にうち勝って努め励むこと。剋励(コクレイ)。

5 【児】 7画 693 教4 ジ・ニ 熟字訓 稚児(ちご) 県名 鹿児島(かごしま)県 2789 8E99 —

6 〔兒〕 8画 694 人 一 漢ジ・呉ニ 支 ér 二 ゲイ 斉 ní 4927 995A —

筆順 丨 刂 卩 卬 旧 旧 児

字義 一 ❶こ(子)。㋐ちのみご。わらべ。「乳児」「童児」 ㋑男の子。むすこ。↔婴(2548)。用例〔唐、杜甫、月夜詩〕遥憐小児女未解憶長安(はるかにあわ(は)れむ、ショウジジョのいまだチョウアンをおもう(ふ)をカイせざるを)。↓私は遠くからいとおしく思う、おさない息子や娘たちが、長安にいる私をまだ思いやることさえできないのを。㋒こども。↔親(11048)。❷青年。若者。また、兵士。用例〔唐、岑参、胡笳歌送顔真卿使赴河隴詩〕吹之一曲猶未了、愁殺楼蘭征戍児(これをふきてイッキョクなおわ(は)らざるに、シュウサツすロウランのセイジュのジ)。↓胡笳を吹いてその一曲がまた終わらぬうちに、楼蘭に出征している兵士を深い悲しみに沈ませる。❸子が親に対する自称。また、女性の自称。用例〔楽府詩集、焦仲卿妻〕蘭芝慙阿母、児実無罪過(ランシアボにはず(づ)、ジジツにザイカなし)。↓蘭芝は母にはじて言った、「わたしには実のところなんの罪もありません」と。❹人を軽蔑していう語。小僧・青二才の意。用例〔三国志、魏志、呂布伝〕布因指備曰、是児最叵信者(フよりてビをゆびさしていわ(は)く、このジもっともしんじがたきものなり)。↓呂布(リョフ)はそこで劉備(リュウビ)を指さして言った、「こいつがいちばん信用できないものだぞ」と。❺物の名にそえる接尾語。「蜂児(ホウジ)(はち)」「梨児(リジ)(なし)」 二 年老いて生える歯。

名前 じ・ちご・のり・はじめ・る 難読 児水(ちょうず)・児負(こうがはら)・児原(こうのはら)・児木(いちのき)

解字 甲骨文 [古字] 篆文 [古字] 象形。総角(あげまき)という子供の髪型に結っている幼児の象形で、男の子の意味を表す。兒を音符に含む形声文字に、倪・睨・蜺・霓・鯢・麑などがあり、すべてゲイと読む。

逆 遺児・棄児・健児・蚕児・侍児・小児・女児・稚児・豚児・乳児

【児戯(戲)】(ジギ) 子どもの遊び。転じて、取るに足らぬつまらぬやり方をいう。「児戯に類す」

【児女】(ジジョ) ①男の子と女の子。むすこと、むすめ。②子ども。③女の子。④女性や子ども。児女子。

【児曹】(ジソウ) 子どもら。▼曹は、ともがら、複数を表す。

【児孫】(ジソン) 子や孫。子孫。

【不下為(爲)児孫買美田上】(ジソンのためにビデンをかわ(は)ず) 国子孫のために立派な田地を財産として買い残すことはしない。子に苦労させるのを家訓としている。用例〔西郷隆盛、偶成詩〕一家遺事人知否、不為児孫買美田(イッカのイジひとしるやいなや、ジソンのためにビデンをかわ(は)ず)。↓わが一家の子孫に残しておく家訓を人は知っているだろうか、それは、子孫のために良い田地を残すようなことはしないという教えなのだ。

【児童】(ジドウ) 子ども。

【児輩】(ジハイ) ①=児曹。②人を軽蔑していう語。→字義❹。

5 【兕】 7画 695 漢シ 呉ジ 紙 sì 1449 — 1873

字義 ❶野牛に似た一角の獣。皮は堅厚でよろい(兕甲)を作り、角はさかずき(兕觥(ジコウ))を作る。❷犀(サイ)の雌。

解字 篆文 [古字] 古文 [古字] 象形。野牛に似た一角獣にかたどり、その意味を表す。

【△匪兕△匪虎率△彼△曠野】(ジにあらずとらにあらず かのコウヤにしたがう(ふ)) 兕や虎(とら)でもないのに、はてしない野原をさまよう。時の為政者に用いられず流浪の旅をしている賢人や長期間出征している兵士などの嘆き。孔子が天下を周遊して陳・蔡(サイ)の軍隊に囲まれたときにも、この詩句を引いて慨嘆した。〔詩経、小雅、何草不黄〕

兕①

5 【兌】 7画 696 一 漢タイ・呉ダイ 泰 duì 二 エイ 霽 ruì 三 漢エツ・呉エチ 屑 yuè 慣ダ 4928 995B —

［兊］ 690 俗字

字義 一 ❶よろこぶ(悦)。❷かえる。引き換える。❸あつまる。❹とおる。通ずる。❺なおい。まっすぐ。❻あな(穴)。目・耳・口・鼻など。❼易(エキ)の八卦(カ)の一つ。☱。沢・秋・少女・西方などに配する。❽易の六十四卦の一つ。☱☱ 兌

⇩ コラム 八卦(一四五ジ)。

下兌上。心を正しくすれば、事がすべて成就するかたち。㊁するどい。＝鋭(12635)。㊂よろこぶ。＝悦(3724)。

解字 甲骨文 篆文 会意。八＋兄。八は、分散するの意味。兄は、いのるの意味。いのることによって、むすぼれた気持ちが分散し、よろこぶの意味を表す。兌を音符に含む形声文字に、帨・悦(悅)・脱(脫)・税(稅)・蛻・説(說)・鋭(銳)などがあり、これらの漢字は、「抜け落ちる」の意味を共有している。

【兌換】 取りかえること。貨幣を他種の貨幣と取りかえる。また、紙幣を正金に引きかえること。

5 【厐】 7画 697 チョウ 長(12955)と同字。→一四九〇ジ下。 — — 1871

5 【兎】 7画 698 人 標 3738 9365 —

6 〖兔〗 8画 699 漢ト 呉ツ 週 tù

筆順 兎

【兔】 705 同字 【兎】 706 俗字

字義 ❶うさぎ。❷月の別名。兎は月を望んではらむという伝説に基づく。

名前 う・うさぎ 難読 兎荷・兎児傘・兎道・兎並・兎和野

解字 甲骨文 篆文 象形。甲骨文でよくわかるように、うさぎの象形で、うさぎの意味を表す。

【兎烏】 月日。歳月。光陰。月の中に兎がおり、太陽の中に三本足の烏がいるとの伝説に基づく。烏兎。

【兎角亀毛】 うさぎのつのと亀の毛。この世に有り得ない物事のたとえ。〔楞厳経〕

【兎死狗烹】 →狡兎死良狗烹(九三二ジ上)。

【兎糸燕麦】 ねなしかずらとからす麦。兎糸は糸の名があっても織ることができず、燕麦は麦の名があっても食べることができないことから、有名無実のたとえ。兎葵燕麦。〔資治通鑑、梁紀〕

【兎唇・兎脣】 上唇が縦に裂けている状態。

【兎走烏飛】 月日の速く過ぎ去るたとえ。→兎烏。

【兎魄】 月をいう。

5 【秃】 7画 700 標 トク 屋 tū 3837 93C3 —

字義 ❶はげ。㋐はげあたま。禿頭。㋑はげやま。樹木のない山。❷はーげる。㋐頭髪がぬけ落ちてなくなる。㋑山の樹木がなくなる。㋒木の葉が落ち尽くす。㋓ちーびる。筆の毛などがすり切れる。国かぶろ。かむろ。㋐はげあたま。㋑短くきりそろえた、子どもの髪。また、その子ども。㋒遊女に仕える少女。

名前 かむろ 難読 禿筆

注意 『康熙字典』では、禾部に所属する。

解字 篆文 会意。禾＋儿。禾は、穀物のまるいつぶの意味。儿は、人の象形。頭髪がなく穀物のつぶのようにつるつるしている、はげるの意味を表す。

【禿翁】 はげ頭の老人。

【禿筆】 ①穂さきのすりきれた筆。ちびふで。②自由に書けない詩文の意。自作の詩文の謙称。

5 【売】 7画 (2192) バイ 士部。→三二七ジ上。

5 【皃】 7画 (7868) ボウ 白部。→九九三ジ上。

5 【兔】 7画 (708) メン 免(707)の旧字体。→一四三ジ下。

6 【兖】 8画 701 エン 兗(709)の俗字。→一四三ジ上。

6 【羌】 8画 (9480) キョウ 羊部。→一一五三ジ中。

6 【尭】 8画 702 人 2238 8BC4 —

土9 〖堯〗 12画 703 人 ギョウ(ゲウ) 蕭 yáo 8401 EA9F —

筆順 一 十 土 尭

字義 ❶たかーい。たかし。❷ゆたか。❸中国古代伝説上の帝王の名。陶唐氏。舜とともに理想的な聖天子とされる。

名前 あき・たか・たかし・のり

解字 甲骨文 篆文 会意。垚＋兀。垚は、土を高く盛るの意味。兀は高くて上が平らの意味。たかいの意味を表す。堯を音符に含む形声文字に、嶢・暁(曉)・焼(燒)・翹・驍などがあり、これらの漢字は、「(人の注目を引くほどに)高い」の意味を共有している。

【尭尭】 山などの非常に高いさま。

【尭桀】 ①聖天子といわれる尭帝と、代表的暴君といわれる夏の桀王。②聖天子と暴虐な天子。

【尭舜】 中国古代伝説上の帝王の名。尭と、尭が位をゆずったという舜。儒家で理想の聖天子とし、道家で無為の治を行った天子としたところから、転じて、聖天子、りっぱな天子をいう。↔桀紂(七三八ジ中)。

【尭天】 尭のようにすぐれた天子。聖天子。

【尭風舜雨】 尭・舜の二帝の恩徳が、風雨のように広くゆき渡る。また、尭舜の世のように気象状態が順調(五風十雨)なこと。太平の世の形容。尭雨舜風ともいう。

6 【兒】 8画 (694) ジ 児(693)の旧字体。→一四一ジ中。

6 【兟】 8画 704 ㊀シン 侵 jìn ㊁サン 翰 zàn

【兓】 711 俗字 (賛)。

字義 ㊀するどーい。㊁たすーける。

解字 篆文 会意。先＋先。先は、かんざしの意味。かんざしのように先がするどいの意味を表す。

6 【兔】 8画 (699) ト 兎(698)の旧字体。→一四二ジ上。

6 【兔】 8画 705 ト 兎(698)と同字。→一四二ジ上。 4929 995C —

6 【兎】 8画 706 ト 兎(698)の俗字。→一四二ジ上。

6 【免】 8画 707 常 メン まぬかーれる 4440 96C6 —

5 〖免〗 7画 708 ㊀漢ベン・呉メン 銑 miǎn ㊁漢ブン・呉モン 問 wèn 1448 — —

筆順 免

字義 ㊀❶まぬかーれる。まぬがーれる。㋐のがれる。ぬけ出す。㋑止める。また、さける。はなれる。❷ゆるす。㋐聞き入れる。許可する。㋑罪を許す。「赦免」❸しりぞける。やめさせる。解職する。「任免」「罷免」❹去る。また、脱ぐ。脱ぎすてる。❺子を産む。＝娩(2426)。㊁喪服。また、喪服をつけて死者を弔う。

解字 金文 篆文 象形。金文でわかるように、開かれた「また」から新生児が生まれ出る形にかたどり、子を生むの意味を表す。娩の原字。子がぬけ出るの意味から、ある状態をまぬがれるの意味を表す。免を音符に含む形声文字に、冕・勉・娩・挽・晩・輓などがあり、これらの漢字は「(力を込めて)ある物を引き抜く・ある事からまぬがれる」の意味を共有している。

逆 解免・減免・赦免・除免・任免・罷免・放免

【免役】 服役や徴兵などの義務を除かれること。

【免疫】 体内に病原菌や毒素が入っても発病しないだけ

の抵抗力を持っていること。

【免△而無レ恥】受けなければよいとして、恥ずかしいとは思わない。良心の欠けていること。〔論語、為政〕

【免状(狀)】①赦免の意をしるした文書。赦免状。②免許状。③卒業証書の俗称。国④江戸時代、領主がその年の年貢の高をしるして領民に下した文書。

【免身】子を産む。分身。分娩。

【免税】租税を免除する。

【免△黜】官職をやめさせ、しりぞける。罷免。

7【兗】9画 709 エン 銑 yǎn ‖1450 ― 1874

［兖］701 俗字

字義 ❶夏王朝時代の九州の一つ。今の山東省の北西から河北省の南西にわたる地方。❷まこと(信)。また、正しい。

解字 形声。㕣+台音。㕣は、おかの意味。音符の台は、「そう」の意味。黄河に沿う丘陵地帯の意味を表す。

7【兘】9画 710 シ 始(2347)の古字。→三六五ページ中。 ― ― 1875

8【鬼】10画 (13940) キ 鬼部。→一六〇七ページ上。 ― ―

8【兓】10画 711 シン 兟(704)の俗字。→一四二ページ下。 ― ― 1872

8【党】10画 712 教6 トウ 3762 937D ―

黒8【黨】20画 713 トウ(タウ) 養 dǎng 8362 EA7D ―

筆順 丶 丷 𫩏 𫩏 尚 尚 尚 党 党 党

字義 ❶むら。村里。㋐周代の行政区画の単位。五百家をいう。㋑生まれ故郷。ふるさと。「郷党」❷なかま。ともがら。一派。用例〔論語、子路〕吾党之直者異ニ於是一 ↓私の仲間で言う正直者は、それとは違います。❸みうち。親族。親類。❹したしむ。親しく交わる。❺たすける。助け合って悪事を隠し合う。用例〔論語、述而〕君子不レ党 ↓君子は助け合って悪事を隠し合うようなことをしない。❻へつらう。おもねる。❼かたよる。公平でない。❽よい。美しい。正しい。=讜(11436)。❾たまたま。また、あるいは。=儻(677)。用例〔荀子、天論〕夫日月之有レ食、風雨之不レ時、怪星之党見、是無ニ世而不一レ常有レ之 ↓そもそも日食や月食が起きたり、暴風雨がその季節でもないのに突然襲ってきたり、不思議な星がたまたま現れたりするようなことは、いつの世でもきまってあることだ。❿こいねがわくは。国同じ地域に住む同族の武士の集団。

名前 あきら・とも・まさ

解字 篆文 黨 形声。黒+尚音。音符の尚は、堂に通じ、一堂に集まった、ともがらの意味を表す。黒は、その連帯感を表すためのシンボルとしての色であったかもしれない。常用漢字の党は省略体による。

逆 郷党・結党・残党・私党・徒党・比党・野党・与党・郎党

【党引】なかまになって助け合うこと。用例〔北宋、欧陽脩、朋党論〕当ニ其同レ利之時一、暫相党引以為レ朋者偽也 ↓利益をともにするときは、一時的にお互いに協力して集団となるが、それは偽りの仲間なのだ。

【党△魁】徒党のかしら。

【党規】党の規則。党のきまり。党則。

【党議】①その党派の主張する議論。決議。②党派を作って反抗したとして罪に問われること。

【党言】①正しいことば。讜言。②徒党の言説。

【党錮】後漢の末、宦官が政権をほしいままにしたとき、清節気概のある志士たちが集まってこれに対抗しようとしたが、失敗し、かえって宦官のために終身禁錮の罰を受けたこと。党錮之禁。党錮之禍。

【党錮△之禁】=党錮。

【党人】①同じなかまの者。②同じ政党に属する人。③同じ郷里の人。

【党正】①正しくてよい。讜正。②周代の官名。党(五百家)の長。

【党争(爭)】党派間の争い。政党間の争い。

【党同伐異】善悪・理非は別として、なかま同士助け合い、他の者を排斥し、責めたてること。

【党派】①なかま。くみ。主義・目的を同じくする人の組織する一つの集まり。②党の中の分派。

【党弊】①党派を作ることから生じる弊害。②党派の内部に存在する弊害。

【党△朋】なかま。朋党。

【党論】①その党派の主張する議論。党議。②正しい議論。▼党は、正。

【党与(與)】なかま。くみ。一味。徒党。党類。

9【兜】11画 714 人 標 漢トウ・呉ツ 尤 dōu 1985 8A95 ―

筆順 亻 㐌 白 白 白 白 白 白 兜 兜

［兠］716 俗字

字義 ❶かぶと。また、帽子。頭巾。❷かこむ。つつむ。❸まどう(惑)。

解字 篆文 兜 会意。兜+皃省。兜は、人の頭をおおうかぶとの象形。皃は、人の頭の意味。かぶとの意味を表す。

9【冕】11画 (772) ベン 冂部。→一六〇ページ下。 ― ―

10【兟】12画 715 シン 真 shēn ― ― 1876

字義 すすむ。進むさま。

解字 会意。先+先。

10【兠】12画 716 トウ 兜(714)の俗字。→一四三ページ中。 20306 ― ―

12【兢】14画 717 漢キョウ 呉コウ 蒸 jīng 4930 995D ―

字義 ❶つつしむ。また、いましめる(戒)。❷おそれる。❸きそう(競)。❹かたい(堅)。つよい。

参考 現代表記では[恐](3514)に書きかえることがある。「戦々兢々→戦々恐々」

解字 甲骨文 金文 篆文 会意。克+克。克は、重いかぶとをつけた人の象形。その二人が並びあらそうの意味を表す。

【兢兢】①おそれつつしむさま。恐恐。用例〔菅原道真、不レ出レ門詩〕一従ニ謫落在一柴荊一、万死兢兢跼蹐情 ↓一たん(九州の大宰府に)配流されて粗末な家にわび住まいをするようになってからは、罪は万死にも相当するほどであるかと思うと、恐れ慎み身の置きどころもない気持ちだ。②堅く強いさま。

【兢△惶】おそれる。おそれつつしむ。

【兢△悚】おそれる。▼悚も、恐れる。

【兢△惕】おそれる。おそれつつしむ。▼惕も、恐れる。

15【毚】17画 718 慣ザン 漢サン・呉ゼン 咸 chán 27809 ― 3825

字義 ❶ずるいうさぎ。はしこいうさぎ。また、足の速いうさぎ。「毚兎」❷わずか(纔)。=纔(9397)。❸むさぼる。欲が深い。

注意 『康熙字典』では、比部に所属する。

解字 篆文 毚 会意。㲋+兔(兎)。㲋は、うさぎに似た獣の意味。兔は、うさぎの象形。すばしっこいうさぎが、同時に逃げて人の目をくらますさまから、足の速いうさぎ、ずるがしこいうさぎの意味を表す。

19 【黶】 21画 719 コウ（クヮウ） 養 kuǎng ― ED63 1877

字義 明るい。

解字 形声。光＋廣㊥。

2画 入 にゅう いる

〔部首解説〕「内」「全」の人の形は、旧字体では入の形であり、また、「両」の旧字体も「兩」と書かれ、いずれもこの部首に属していた。いま入部に属している文字と「入（はいる）」の意味とは直接のつながりはない。

0入 一四四　1亾 一四四　2内 一五五　4全 八八　6兩 三四
7兪 一五五　9兩 一五五

0 【入】 2画 720 教1 ニュウ いる・いれる・はいる　漢ジュウ（ジフ）・呉ニュウ（ニフ） 緝 rù　慣ジュ・ニッ　3894 93FC ―

筆順 ノ 入

字義 ❶いる。いれる。↔出（859）。㋐はいる。外から内に移る。用例〔唐、王維、過二香積寺一詩〕不レ知香積寺、数里入二雲峰一。↓香積寺がどこにあるかも知らずに、数里ほど雲の立ちこめる峰に分け入った。㋑しみいる。侵入する。用例〔唐、杜甫、奉レ酬二李都督表丈早春作一詩〕紅入桃花嫩、青帰柳葉新。↓紅がしみたようにほんのり色づき桃の花はまだ若々しく、青色が戻り柳の葉はみずみずしい。㋒朝廷にはいる。出仕する。用例〔南朝斉、王倹、褚淵碑文〕泰始之初、入為二侍中一。↓秦始年間の始めに、出仕して侍中となった。㋓とつがせる。また、人質にする。＝納（9091）。用例〔列女伝、晋羊叔姫〕雍子入二其女於叔魚一。↓雍子は自分の娘を叔魚にとつがせた。㋔おさめる。献ずる。用例〔墨子、貴義〕農夫入二其税於大人一。↓農夫は租税を君主におさめる。㋕しずむ。おちる。用例〔前漢、司馬相如、上林賦〕日出二東沼一、入二乎西陂一。↓太陽が東の沼からのぼり、西の堤に沈む。㋖かかわる。関与する。用例〔戦国策、魏〕吾為レ子外レ之、令レ毋三敢入二子之事一。↓私はあなたのために彼を遠ざけて、あなたのすることに決して立ち入らせないようにしよう。㋗ある境地に達する。状況にすすむ。用例〔文心雕竜、誄碑〕巧二於序一レ悲、易レ入二新切一。↓悲哀の情を述べるのに巧みで、容易に新鮮で適切な表現に到達する。㋘仏真理を悟る。「悟入」㋙受ける。聞き入れる。用例〔国語、呉語〕其臣箴諫以不レ入。↓臣下がいくらいさめても聞き入れなかった。㋚没収する。用例〔後漢書、王暢伝〕尽入二財物一。↓財産をすべて没収した。㋛あう。符合する。用例〔淮南子、主術訓〕曲直之不二相入一。↓曲と直は互いにあわさらない。❷いり。収入。❸漢字音の四声の一つ。入声。

国❶いる。必要である。❷いり。季節や時期のはじまり。「彼岸の入り」❸興行などの客の数。❹しお。染め物を染料にひたす度数を数える語。「一入」

名前 いり・いる・しお・なり　難読 入間・入交・入之波・入生田・入部・入母屋・入野・入来

使いわけ いる〔入・要〕
「必要とする」の意で〔要〕を用いる以外は、広く一般に〔入〕を用いる。「早急にお金が要る」「月が山に入る」

解字 甲骨文 入 金文 入 篆文 入 象形。いり口の形にかたどり、はいるの意味を表す。入を音符に含む形声文字に、内・納・訥・汭などがあり、これらの漢字は、「はいる」の意味を共有している。

逆 移入・介入・吸入・購入・悟入・歳入・算入・収入・出入・侵入・先入・納入・搬入・編入・没入・乱入

【入寇】 攻めてくること。また、攻め入ること。

【入魂】 ㊀ 国物事に精神をうちこむ。昵懇。㊁

国心やすく交わること。昵懇。

【入山】 ①山にはいる。転じて、隠居する。②出家する。

【入室】 ①室に入る。②女性が結婚すること。③＝入レ室（三九八ジ中）。

【入寂】 仏僧の死をいう。入滅。

【入相】 ㊀ 朝廷にはいって宰相となる。㊁ 国①日のくれるころ。夕ぐれ。くれがた。②「入相の鐘（夕方に寺でつく鐘）」の略。

【入定】 仏①禅定にはいる。心を一所に定めて人間的な欲望をとめる。②聖者が死去する。入滅。

【入神】 神の域に入る。人格・学問・技芸などが非常な高さに達する。「入神之作（神わざのような傑作）」

【入水】 ㊀ 水にはいる。㊁ 国身投げする。また、身投げ。

【入声（聲）】 四声の一つ。日本語音では、音尾にフ・ツ・ク・チ・キ音のあるもの（例えば入・薬）。↓四声（三九〇ジ上）。

【入籍】 ①他国に帰化して、その国籍にはいる。②結婚などをして他家の戸籍にはいる。

【入内】 国内裏に入る意。中宮または皇后にきまった女性が、正式に皇后となる前に皇居に入ること。

【入唐】 国唐の国へ行く。また、中国へ行く。

【入道】 ①仏門に入ること。②国㋐仏門に入った三位以上の人。㋑僧。また、在家のままで、僧の姿をしている人。㋒坊主頭の人。㋓坊主頭の化け物。㋔坊主頭のような形をしているもの。「入道雲」㋕まわり道。

【入念】 国ねんいり。注意のゆきどいているさま。

【入梅】 梅雨の季節にはいる。また、梅雨期。つゆの季節。

【入滅】 仏①生死を超越した境地に入ることで、聖者の死をいう。滅度（涅槃）に入る意。②僧の死。入寂。

【入門】 ①門にはいる。門をはいる。②弟子になること。③手引き。初学者の手引きとして書かれた書籍につける名。

【入洛】 ㊀ ①洛陽（中国の昔の都）にはいること。②都にはいること。㊁ 国京都にはいること。

【入力】 ①電気回路などの装置に、動力または信号を入れること。②コンピューターで処理をさせるデータを入れること。インプット。

【量レ入倹（儉）レ用】 収入を計算して支出を節約する。〔唐、白居易、与二微之一書〕

1 【亾】 3画 721 ボウ 亡（137）の本字。→六三ジ中。 ― ― 1878

2 【内】 4画 （754） ナイ 内（753）の旧字体。→一五五ジ中。

4【全】6画 (228) ゼン 全(227)の旧字体。→八八ページ上。

6【兩】8画 (32) リョウ 両(31)の旧字体。→三四ページ上。

7【兪】9画 722 [一]ユ [虞] yú [二]ユ [麌] yù 4933 9960 —

【俞】392 俗字

[字義] [一]❶しかーり(然)。はい。承諾の返事。❷こたえる(答)。❸ますます(益)。いよいよ。=逾(12176)。❹安らか。おちつく。また、よろこぶさま。❺丸木舟。[二]❶顔かたちがやわらぐ。❷なおる。いえる。=癒(3572)。

[解字] 金文 篆文 会意。亼+舟。亼は、木をくりぬくための工具の象形。『説文解字(セツモンカイジ)』では、亼を亼+巜とし、巜は水の流れの象形という。丸木舟の意味を表す。転じて、すすむ・ますますの意味をも表す。兪を音符に含む形声文字に、喩ユ・愉ユ・揄ユ・渝ユ・瘉ユ・窬ユ・覦ユ・諭ユ・踰ユ・輸ユ・逾ユなどがあり、これらの漢字は、「一部分を抜き取る」の意味を共有している。

【兪△樾】ユエツ 清(シン)末の学者。徳清(今の浙江(セッコウ)省内)の人。字(あざな)は蔭甫(インポ)、号は曲園。著書に『春在堂全集』三百三十巻がある。(一八二一—一九〇六)

【兪△扁】ユヘン 兪跗(ユフ)と扁鵲(ヘンジャク)。ともに古代の名医。

【兪兪】ユユ 安らかにゆったりとした様子。また、よろこぶ形容。

9【㒼】11画 723 [一][漢]バン・[呉]マン [寒] mán [二][漢]ベン・[呉]メン [銑] 2031I — —

[字義] [一]❶たいら(平)。穴のないさま。❷あたる(当)。❸明けかける。

[解字] 会意。㒳+廿。

2画 八(丷) はち

[部首解説] 八には、わかれるの意味があり、刀部に所属する「分」はその例であるが、部首としての八には、特定の意味はない。字形の下部にある八は、おもに「廾(キョウ)」(両手でささげ持つ)の変形であり、また、「典」のばあいは、「丌(キ)」(物をのせる台)の形に基づく。

0【八】2画 724 [漢]ハツ・[呉]ハチ [黠] bā 教1 ハチ や・やーつ・やっーつ・よう [熟字訓] 八百屋(やおや)・八百長(やおちょう) 4012 94AA —

[筆順] ノ 八

[字義] ❶やーつ。やっーつ。数の名。❷やーたび。八度。❸八番め。❹わかれる(別)。わける。[国]❶やーつ。時刻の名。現在の午前・午後の二時ごろ。❷数の多い意。「八つ裂き」

[名前] かず・はち・や・やつ・わ・わかつ [難読] 八街(やちまた)・八角金盤(やつで)・八岐大蛇(やまたのおろち)・八九十三(やくとみ)・八橋(やばせ)・八月一日(ほずみ)・八月朔日(ほずみ)・八月十五日(なかあき)・八戸(はちのへ)・八朔(ほずみ)・八咫烏(やたがらす)・八咫鏡(やたのかがみ)・八社宮(はさみ)・八戸鏡野(やたかの)・八尺瓊曲玉(やさかにのまがたま)・八手木(やつで)・八十一鱗(くくり)・八十梟師(やそたける)・八十場(やそば)・八十八間(はとやま)・八十八騎(とどろき)・八女(やめ)・八神(はがみ)・八仙花(あじさい)・八多喜(はたき)・八太(はた)・八知(やち)・八頭(やず)・八幡(ばはん・やはた・やわた)・八百津(やおつ)・八百万(やおよろず)・八祐(やけし)・八鹿(ようか)

[参考] 金銭の記載などには、文字の改変を防ぐため、〔捌〕(4204)の字を用いることがある。

[解字] 甲骨文 篆文 象形。二つに分かれているものの形にかたどり、わかれるの意味を表す。借りて、数のやつの意味に用いる。

[逆] 王八・尺八・二八・亡八

【八△佾】ハチイツ ①周代の天子の舞楽。一列八人ずつ八列にならんで(六十四人)行った。→佾(296)。②『論語』の編名。

【八音】ハチオン・ハチイン ①金・石・糸・竹・匏(ホウ)・土・革・木で作った八種の楽器。すなわち鐘・磬(ケイ)・絃(こと)・管(ふえ)・笙(ショウ)・壎(ケン)・鼓・柷敔(シュクギョ)。②楽器。鳴り物。また、音楽。

【八△卦】[一]ハッカ・ハッケ 八種の卦。乾(ケン)☰・兌(ダ)☱・離(リ)☲・震(シン)☳・巽(ソン)☴・坎(カン)☵・艮(ゴン)☶・坤(コン)☷をいう。この八卦を二つずつ組み合わせて六十四卦とし吉凶禍福を占う。▼卦は掛で、物の象(すがた)を掛けて人に示す意。⇩[コラム] 八卦(一四五ページ)。[二]ハッケ [国]うらない。占。

【八家文】ハッカブン 唐宋(トウソウ)の文豪八人の文章。→唐宋(トウソウ)八大家(二六七ページ中)。

【八旗】ハッキ 清(シン)の八軍団の近衛兵(コノエヘイ)。旗は、軍団に授与された旗。太祖が清朝の創業に功労のあった人の子孫をもって組織し、黄・白・紅・藍(ラン)の四旗を置いたが、後に各々を正・鑲(ジョウ)に分けて八旗とした。さらに後、蒙軍八旗(モウグンハッキ)(蒙古人をもって組織)・漢軍八旗(漢人をもって組織)を置くに及び、満軍(俗に満州(マンシュウ)八旗と称し、八旗の中心とした。

【八逆・八虐】ハチギャク [国]大宝令に定められた八種の大罪。謀反(ムヘン)・謀大逆・謀叛(ムホン)・悪逆・不道・大不敬・不孝・不義。

[コラム]

八卦

『易経(エキキョウ)』(周易)では、陰陽説にもとづき、奇数の爻(コウ)⚊(陽爻)と偶数の爻⚋(陰爻)とを三本ずつ組み合わせ、八組の符号とする。これを〈八卦(ハッカ・ハッケ)〉という。

易では、この八卦をもって天地の間の万物、自然界や人事の百般を象徴する兆象(うらかた)とする。八卦のそれぞれの名と、それが何を象徴するかを表にすると、次のようになる。

八卦	自然	人	性質	動物	身体	方位
乾(ケン) ☰	天	父	健	馬	首	北西
兌(ダ) ☱	沢	少女	説(よろこぶ)	羊	口	西
離(リ) ☲	火	中女	麗(くっつ)	雉(きじ)	目	南
震(シン) ☳	雷	長男	動	竜	足	東
巽(ソン) ☴	風	長女	入	鶏	股	南東
坎(カン) ☵	水	中男	陥	豕(ぶた)	耳	北
艮(ゴン) ☶	山	少男	止	狗(いぬ)	手	北東
坤(コン) ☷	地	母	順	牛	腹	南西

この八卦を二つずつ組み合わせると〈六十四卦〉となる。これによってあらゆる事象、吉凶禍福を占うのである。

【八苦】ハック 仏人生における八つの苦しみ。生苦・老苦・病苦・死苦・愛別離苦・怨憎会苦・求不得苦・五陰盛苦。

【八景】ハッケイ 景色のよい八つの場所。㋐瀟湘(今の湖南省瀟湘地方)八景。平沙の落雁・遠浦の帰帆・山市の晴嵐・江天の暮雪・洞庭の秋月・瀟湘の夜雨・煙寺の晩鐘・漁村の夕照。㋑国近江(今の滋賀県)八景。比良の暮雪・矢橋の帰帆・石山の秋月・瀬田の夕照・三井の晩鐘・堅田の落雁・粟津の晴嵐・唐崎の夜雨。

【八元八愷】ハチゲンハチガイ 八元と八愷。太古の高辛氏の八人の才子と高陽氏の八人の才子。▼元は善、愷は和または楽、共にりっぱの意。〔左伝、文公十八〕

【八股文】ハッコブン 明・清の時代に、科挙(官吏登用試験)の答案に用いた文体。対句法により、文章の段階を八つに分けて論ずる。▼股は、対偶の意。

【八口】━ハッコウ 八人家族。━やつくち 国衣服のわきあけ。

【八荒】ハッコウ 八方の遠い地の果て。▼荒は、果て。

【八紘】ハッコウ 天地の八方の隅。転じて、全世界。▼紘は、天地をつなぐ綱。用例(日本書紀、神武紀)掩二八紘一而為レ宇(八紘をおおいていえとなす)↓全世界を一つの家とする。

【八州】ハッシュウ ①中国全土。②国㋐日本。大八洲。本州・四国・九州・淡路・壱岐・対馬・隠岐・佐渡の八州。▼州は、島。㋑関東の八州。武蔵・相模・安房・上総・下総・常陸・上野・下野。

【八宗】ハッシュウ 仏日本に伝わった仏教の八つの流派。倶舎・成実・律・法相・三論・華厳・天台・真言の八宗。

【八十八夜】ハチジュウハチヤ 国立春から数えて八十八日めの日。太陽暦の五月一・二日ころ。種まきの時期とされる。

【八駿】ハッシュン 周の穆王がこれを駆って天下をめぐったという八匹のすぐれた馬。

【八条目(條目)】ハチジョウモク 『大学』で説いている、修養の順序・方法および目的についての八箇条。格物・致知・誠意・正心・修身・斉家・治国・平天下。→三綱領八条目(一六ページ上)。

【八陣図(圖)】ハチジンのズ 三国時代、蜀の諸葛亮の作った八陣(八つの陣形)の図形。洞当・中黄・竜騰・鳥飛(鳥翔)・虎翼・折衝・衡(連衡)・握機(握奇)。

【八姓】ハッセイ 国古代の八つのかばね。真人・朝臣・宿禰・忌寸・道師・臣・連・稲置。

【八節(節)】ハッセツ 年間の八つの気候の変わりめ。立春・春分・立夏・夏至・立秋・秋分・立冬・冬至。

【八朶】ハチダ ①八つに分かれた花弁。また、蓮の花。②国富士山の形容。富士山を遠望したとき、その頂の凹凸が蓮の花の先端に似ているので、富士山を八朶の峰、芙蓉峰(蓮の峰)という。▼朶は、もと花の群がりを数える語、誤って花弁の意に用いた。

【八大地獄】ハチダイジゴク 仏八つの大地獄。等活・黒縄・衆合・叫喚・大叫喚・焦熱・大焦熱・無間。

【八代】ハチダイ ①次々と伝えた八人の世。②後漢・魏・晋・宋(劉宋)・斉・梁・陳・隋の八つの時代。宋の蘇軾は、唐の韓愈の古文復興をたたえて、「文は八代の衰を起こす」といった。〔北宋、蘇軾、潮州韓文公廟碑〕

【八達】ハッタツ 道路が八方に通ずること。交通の非常に便利なさま。「四通八達」

【八達嶺】ハッタツレイ 山名。北京市の西北にある。南東約十キロには居庸関があり、万里の長城の要害の地として知られた。現在はここにある長城は明代に改修したもの。

【八道】ハチドウ 全国を区分した八つの地方。㋐国東海・東山・北陸・北海・山陰・山陽・南海・西海の八道。㋑朝鮮では、京畿・江原・咸鏡・平安・黄海・忠清・慶尚・全羅の八道。

【八難】ハチナン ①八つの欠点。②八つの災難。飢・渇・寒・暑・水・火・刀・兵。③仏修行をさまたげる八つの障害。地獄・畜生・餓鬼・長寿天・北鬱単越・盲聾瘖瘂・世智弁聡・仏前仏後。④国多くの欠点。

【八表】ハッピョウ ①八方の果て。▼表は、外。②天下。

【八分】━ハップン 書体の名。篆書と隷書の中間の字体。━ハチブ 国のけ者にすること。「村八分」

【八方】ハッポウ ①東西南北と乾(西北)・坤(西南)・艮(東北)・巽(東南)。四方と四隅。②あらゆる方角。

【八面玲瓏】ハチメンレイロウ ①どの方面も曇りがなく、透き通って明るいこと。②心中の清らかなこと。③多くの人との交際を円満に処理すること。

【八面六臂】ハチメンロッピ ①八つの顔と六つのひじ。仏像の作りの一つ。②どの方面に当たっても巧みに処理する手腕・力量のあること。

1 【亠】 3画 725 ⺈8587 一一

字義 並・前などの漢字の一部分。字形分類のために部首として立てられる場合がある。

2 【兮】 4画 726 漢ケイ 呉ゲイ 斉 xī 4934 9961 一

字義 ⇨助字・句法解説。

助字・句法解説 韻文の句間や句末に置いて語調を整える。訓読では読まない。用例(史記、伯夷伝)登二彼西山一兮、采二其薇一矣(かのセイザンにのぼり、そのビをとる)↓あの西山に登り、山中の野豌豆を採って(食べて)いた。

【兮】 727字 俗

2 【兮】 4画 727 ケイ 兮(726)の俗字。→一四六ページ下。

解字 甲骨文 金文 篆文 会意。八+丂。八は分散するの意味。丂は、曲がった形の彫刻刀の象形。古代漢語の韻文中で、語勢を整える助字として用いられる。

2 【公】 4画 728 漢コウ・呉ク 東 gōng 教2 コウ おおやけ 2488 8CF6 一

筆順 ノ 八 公 公

字義 ❶表むきなこと。あからさまなこと。公然。❷かたよらず正しいこと。公平。公正。❸おおやけ。個人のことでなく、国家・社会などに関すること。みなが共にすること。↕私(8430)。「公用」「公金」 ❹きみ。天子。諸侯。国君。主人。❺五等爵(公・侯・伯・子・男)の第一位。❻最高位の官名。三公。❼祖父・父・長老・年長者などに対する敬称。転じて、他人に対する敬称としても用いる。用例(史記、項羽本紀)公為レ我献レ之(こうわがためにこれをけんぜよ)↓貴公が私に代わって献上してくれ。国コウ。人名などの下につけて親しみや軽蔑の意を表す語。「八公・熊公」

名前 あきら・いさお・き・きみ・きん・くに・こう・さと・たか・ただ・ただし・とうる・とおる・とも・なお・ひと・ひろ・ひろし・まさ・ゆき 難読 公魚(わかさぎ)・公使・公庄(ぐじょう)・公孫樹(いちょう)・公任(きんとう)・公文(くもん)・公平(たかひら)・公額(ごこん)・公果(ごこん)

解字 甲骨文 金文 篆文 指事。八は、開くの意味とも、行の甲骨文・金文の上半分と同形で、通路の象形ともいう。口は場所を示す。みなが共にする広場のさまから、おおやけの意味を示す。常用漢字の公は口の部分がムに変形したもの。公を音符に含む形声文字に訟・頌・翁などがあり、これらの漢字には、「おおやけ」の意味を共有するものが多い。

[逆]王公・郭公・貴公・君公・黄公・至公・相公・諸公・尊公・大公・太公・奉公・雷公・老公

【公安】(コウアン) 公共の安全と秩序。社会の秩序と平和。

【公案】(コウアン) ①[仏]禅宗で、修行者が禅の道理をさとるために課せられる問題。②役所の調書。③[国]思案。くふう。

【公営(營)】(コウエイ) [国]国家または公共団体が経営すること。

【公益】(コウエキ) 社会一般の利益。公共の利益。

【公家】[一](コウカ) ①君主の家。王室。②国家。[二](コウケ・クゲ) [国]①朝廷。朝家。②主上。天皇。③朝臣。④殿上に伺候する資格のある家。堂上家。

【公開】(コウカイ) 公衆に対して開放する。広く公衆に見聞させる。

【公害】(コウガイ) 公衆の生活や衛生などに害を与えること。

【公館】(コウカン) ①地方官の役所。②官吏の住宅。官舎。③身分の高い人の自宅。④大使館・公使館・領事館をいう。

【公器】(コウキ) ①宮中で用いる器具。②おおやけの物。多くの人々の共有物。

【公義】(コウギ) ①おおやけの(一般に通ずる)道理。②公正な道理。③正しさ。④公人として守るべき正しい道。

【公儀】(コウギ) ①おおやけの事がら。②[国]㋐おもてむき。㋑朝廷。政府。㋒将軍家。幕府。㋓世間の儀礼。

【公議】(コウギ) ①公衆の是認する議論。世論。②公平な議論。③おおやけの評議。

【公共】(コウキョウ) ①共にする。共有する。▼公も、共。②おおやけ。社会一般。公衆。私に対する公、個人に対する衆人の意。

【公△卿】[一](コウケイ) ①公と卿。三公九卿。②高位高官をいう。[二](クギョウ) [国]①公と卿との併称。摂政・関白・大臣を公、大・中納言・参議及び三位以上の朝官を卿という。②殿上人の総称。宮廷の貴族。

【公権(權)】(コウケン) ①朝廷の権力。②[国]公法上の個人の権利。選挙権など。

【公言】(コウゲン) ①あからさまにいう。②公正な議論。どこにでも通ずる正しい言論。公論。

【公庫】(コウコ) ①政府の倉庫。②[国]政府の金庫。政府の設置した金融機関。

【公行】(コウコウ) ①公然と行われる。②官許の貿易商。

【公侯】(コウコウ) 公爵と侯爵。大名と小名。諸侯。

【公侯伯子男】(コウコウハクシダン) ①古代の諸侯の五等の爵位(階級)の名。大国の諸侯は公、中国は侯・伯、小国は子・男。②[国]もと、華族の五等の爵位(階級)の名。

【公算】(コウサン) [国]確実さの度合い。確率。

【公山△弗△擾】(コウザンフツジョウ) 春秋時代、魯の季氏の家老。公山は姓、弗擾は名。逆臣陽虎と結んで三桓を滅ぼそうとして失敗した。公山不狃。〔論語、陽貨〕

【公子】(コウシ) ①諸侯や貴族の子。きんだち。[用例]〔史記、管仲伝〕鮑叔事斉公子小白、管仲事公子糾。[↓]鮑叔は斉の公子の小白に仕え、管仲は公子の糾に仕えた。②諸侯の女子。③天子・諸侯の庶子。

【公子王孫】(コウシオウソン) 貴公子たち。諸侯王の子女や孫。また、貴族一般。[用例]〔唐、劉廷芝、代悲白頭翁詩〕公子王孫芳樹下、清歌妙舞落花前。[↓]公子貴公子たちと、香り高い花の咲く木の下で宴を張り、清らかな歌やみごとな舞いで落花のもとで楽しんだ。

【公司】(コウシ・コンス) 商行為をもって営業する団体。会社。コンスは、現代中国語でcompanyの音訳。

【公私】(コウシ) ①おおやけとわたくし。公事と私事。「公私混同」②君主と人民。

【公示】(コウジ) ①広く一般に示し知らせること。②官庁などが官報・公報・掲示などによって大衆または特定の人に示し知らせること。

【公事】[一](コウジ) おおやけの仕事。公務。また、公共の事がら。[二](クジ) [国]①表立った事がら。②平安時代、朝廷の政務・儀式をいう。③うったえ。訴訟。④租税。武家時代、租・庸・調の総称。

【公式】(コウシキ) ①おおやけの方式(儀式)。②正しいと認められている方式に従ってする仕方。③おもてむき。おおやけ。④一般的な法則を記号を用いて示したもの。

【公爵】(コウシャク) 爵位の一つ。五等爵の第一位。↓公侯伯子男。

【公主】(コウシュ) 天子のむすめ。春秋時代、天子のむすめが諸侯に嫁する時、同姓の諸侯に事をつかさどらせたことに基づく。漢代には三公(三人の最高官)にこれをつかさどらせた。

【公輸班】(コウシュハン) 春秋時代の魯の名工。公輸が姓。別名、魯班・魯般。攻城の兵器、雲梯を作ったといわれる。公輸子。公輸盤。

【公衆】(コウシュウ) 社会の人々。一般の人々。民衆。

【公女】(コウジョ) 諸侯のむすめ。

【公相】(コウショウ) ①「三公宰相」の略。最高官の意。②宰相と太師を兼ねる者。

【公正】(コウセイ) ①私心がなくて正しいこと。公平でかたよらないこと。公明正大。②明白で正しいこと。

【公西赤】(コウセイセキ) 公西華。孔子の弟子。字は子華。儀式・礼式に通じていた。(前五〇九—?)

【公選】(コウセン) ①公平に選ぶこと。②広い範囲から選ぶこと。③[国]一般国民の投票によってなされる選挙。その団体の所属員の投票によってなされる選挙。

【公然】(コウゼン) おおやけなさま。秘密でないさま。おおっぴら。

【公孫】(コウソン) ①国君の孫。諸侯の孫。また、公子の子。②貴族の孫。

【公孫△衍】(コウソンエン) 戦国時代の政論家。魏の人。秦のために斉・魏に説いて趙を攻めさせ、趙を中心とする六国同盟をやめさせた。

【公孫△鞅】(コウソンオウ) →商鞅(六八ページ中)。

【公孫△僑】(コウソンキョウ) →子産(三八〇ページ下)。

【公孫△弘】(コウソンコウ) 前漢の政治家・儒学者。武帝に仕え宰相となった。(前二〇〇—前一二一)

【公孫樹】(コウソンジュ) 木の名。いちょう。公(祖父)が種をまき、孫の代でその実が食べられるようになるからという。

【公孫述】(コウソンジュツ) 後漢の群雄の一人。王莽の末年に今の四川省に自立して蜀王と称したが、十四年後に後漢の光武帝に滅ぼされた。(?—三六)

【公孫△丑】(コウソンチュウ) ①戦国時代、斉の人。孟子の弟子。②『孟子』の編名。

【公孫竜(龍)】(コウソンリュウ) ①戦国時代の名家(論理学派)の学者。趙の人。弁論術に優れ、堅白異同(堅い石と白い石とは同じではない)・白馬非馬(白い馬は馬ではない)などの説を唱えて有名。著書に『公孫竜子』(三巻)がある。(前三二〇ころ—前二五〇ころ) ②孔子の弟子。楚の人。

【公達】[一](コウタツ) [国]政府からの通達。[二](きんだち) [国]①諸王をいう。②摂家・清華など、上流貴族の子弟をいう。

【公聴(聽)】(コウチョウ) 広く意見をきくこと。諸種の意見を公平な心できくこと。「公聴会」

【公田】(コウデン) ①周代の土地制度で、共同で耕して収穫を税として収める土地。↓井田(六二ページ上)。②君主の田地。官有の田地。

【公堂】(コウドウ) ①学校。②裁判所。③役所の建物。

【公道】(コウドウ) ①正しい道。時と所を超えて、常に正しいとされる道。②公平なやり方。③一般の人が通行するための道。

【公徳】(コウトク) ①正しくりっぱな徳。②[国]社会公衆に対する徳義。「公徳心(公徳を重んずる精神)」

【公判】裁判所が、原告・被告を呼び出して公開で裁判をすること。

【公布】①(法律・条約などを)広く一般に告げ知らせる。②おおやけに敷き施す。広く行う。▼布は、ひろげしく。

【公府】①役所。②三公(三人の最高官)の役所。③三公の官。

【公武】国公家と武家。朝廷と幕府。「公武合体」

【公憤】正義感から発する、公共のためのいきどおり。↕私憤(一〇四六ページ中)。

【公文】公文書。㋐公儀の文書。㋑政府や官庁の発した文書。

【公平】かたよらず正しく、平等であること。「公平無私」

【公方】[一]私心がなくて正しい。[二]国①おおやけ。公事。②朝廷。③幕府または将軍の尊称。

【公僕】国公衆に奉仕する人の意。官吏・公務員などをいう。▼僕は、しもべ・使用人。

【公民】国国政に参与する資格を有する国民。市民。

【公務】おおやけの仕事。公事。公用。

【公明】私心がなく公平でかくしだてしないこと。

【公明正大】心が潔白で正しく大きいこと。潔白で私心のないこと。公明正大。

【公冶長】①孔子の弟子。公冶は姓、長は名。字は子長。鳥のことばを解したという。②『論語』の編名。

【公約】社会公衆に対してする約束。

【公用】①おおやけのために用いる。また、そのもの。②おおやけの仕事・用事。公務。↕私用(一〇四六ページ下)。

【公羊学(學)】『春秋公羊伝』の説に拠って春秋を解釈する学問。王朝の革命・社会の進化を説き、国家を論じ政治を批判する点に特徴があるとされる。

【公羊伝(傳)】書名。十一巻。戦国時代の斉の公羊高の著。孔子の整理した『春秋』の注解書の一つ。『左氏伝』『穀梁伝』と共に春秋三伝といわれる。

【公吏】①役人。②国公共団体の事務に従事する職員。県庁などの職員。直接国家(政府)の事務に従事する職員は官吏という。公務員。

【公里】キロメートル。

【公理】①おおやけに通ずる道理。正しい道理。公道。②国証明することができず、しかもだれもがその正しいことを認めざるを得ない、根本命題。

【公廉】かたよらず清潔であること。公平廉潔。

【公論】①おおやけに(公然と)論ずる。②公衆の議論。世上一般の議論。③公平な議論。

2 【分】4画 (875)

フン 刀部。→一七三ページ下。

2 【六】4画 729

漢リク・呉ロク 屋 liù 教1 ロク む・む-つ・むっ-つ・むい

4727 985A 一 二

筆順 丶 亠 六 六

字義 ❶む-つ。むっ-つ。むい。数の名。❷む-たび。六度。❸六番目。❹易の陰爻。⚋。↕九(93)。国む-つ。時刻の名。現在の午前・午後六時ごろ。「明け六つ」

名前 む・むつ・ろく 難読 六月一日・六甲山・六合・六十・六十谷・六十里・六平・六名

参考 金銭の記載などには、文字の改変をふせぐため、〔陸〕(13108)の字を用いることがある。

解字 甲骨文 篆文 象形。甲骨文は、家屋の形にかたどる。転じて、数のむつの意味を表す。

逆 丈六・双六

【六花】雪の別名。六出花。六葩。

【六界】仏①地獄・餓鬼・畜生・修羅・人間・天上。②地・水・火・風・空・識。六大。

【六骸】首・胴体・両手・両足。〔荘子、徳充符〕

【六気(氣)】①天地間の六つの現象。㋐陰・陽・風・雨・晦・明。〔左伝、昭公元〕㋑寒・暑・燥・湿・風・火。㋒朝・日中・日没・夜半・天・地。②人間の六つの感情。好・悪・喜・怒・哀・楽。

【六義】①「詩経」の詩の三種の内容上の体裁(風・雅・頌)と表現上の三種の作法(賦・比・興)。②＝六書①。

【六宮】天子の後宮として建てられた六つの宮殿。

【六宮粉黛】天子の後宮として建てられた六つの宮殿に仕える、化粧をこらした美女たち。用例〔唐、白居易、長恨歌〕回レ頭一笑百媚生、六宮粉黛無二顔色一。↓(楊貴妃が)ふりむいてニコッと笑うとなまめかしさがあふれ、天子の後宮として造られた六つの宮殿に仕える、化粧をこらした美女たちも見劣りがしてしまった。

【六極】＝六合。

【六軍】天子の軍隊。▼軍は、軍団。周の制度では、一軍は一万二千五百人。用例〔唐、白居易、長恨歌〕六軍不レ発無二奈何一、宛転蛾眉馬前死。↓近衛の軍隊は出発しようとせずどうにもならなくなり、すんなりと美しい眉の美人(楊貴妃)は、天子の馬前で死んだのである。

【六経(經)】儒学の基本の教典とされる六種の書物。『易経』『詩経』『書経』『春秋』『礼記』『楽経』。ただし、『楽経』は書物としては伝わっていない。また、『楽経』を除いて『周礼』を加えていう。

【六卿】①六軍の長たる六人の大将。②周代の天・地・春・夏・秋・冬の六官の長たる六人の大臣。

【六芸(藝)】①士(上流階級)の学ぶべき六種の技芸。礼・楽・射・御・書・数。御は車馬の操縦、数は計算。②漢代ころから、六経の別名。→六経。

【六合】天地と四方。天下中。全世界。

【六国(國)】戦国時代の強国の中、秦を除いた六国。燕・斉・楚・韓・魏・趙。

【六国(國)相印】六か国の宰相の印綬。これを身につけるのは、六か国の宰相を兼ねること。用例〔十八史略、春秋戦国、趙〕使三我有二洛陽負郭田二頃一、豈能佩二六国相印一乎。↓もしも私に洛陽郊外の一等地に田が二頃あったならば、六国の宰相の印を腰につけることができただろうか(決してできなかった)。

【六根】[一]目・耳・鼻・口・心・知。[二]仏目・耳・鼻・舌・身・意。▼根は、感覚・念慮の根本。

【六根清浄(淨)】仏六根によって生ずる欲望や迷いを断ち切って心身を清らかに保つこと。〔智度論〕

【六時】国一昼夜を六つに分けた時刻法での半日。

【六十四卦】易の八卦を二つずつに組み合わせた卦。⇩コラム 八卦(一四五ページ)。

【六十而耳順】六十歳になると何を聞いても素直に受け入れられるようになる。孔子の言葉。このことから六十歳を「耳順」という。用例〔論語、為政〕六十而耳順、七十而従二心所一レ欲不レ踰レ矩。↓六十歳になると何を聞いても素直に受け入れられ、七十歳になると自分の望むままに行動しても、道徳からはずれることがなくなった。

【六十六部】仏①六部。書写した法華経を、日本全国六十六か国の霊場(寺)に一部ずつ納めること。②諸国行脚の僧。雲水。

【六書】①漢字のなりたちと応用に関する六種の原理。象形・指事・会意・形声・転注・仮借。〔後漢、許

コラム

六書

漢字を成り立ちと用法のうえから六種に分類したもの。後漢の許慎が中国最古の字書『説文解字』(紀元一世紀ころ成立)で行った分類法。象形・指事・会意・形声・転注・仮借をいう。

象形 物の形にかたどる意味で、物の形を簡略化して絵画的に表現したもので、〔日〕〔月〕などがそれである。

指事 抽象的概念などを線や点画などの符号によって関係的に指示するもので、木の上の方が〔末〕、下の方が〔本〕などの造字法がそれである。

会意 前記の象形・指事などの独体文字を組み合わせて意義を合成する文字で、〔林〕(木＋木)、〔明〕(日＋月)などがそれである。

形声 意味を表す意符(義符)と音韻を表す音符(声符)との両成分を合体させた文字で〔河〕(水＋可音)、〔江〕(水＋工音)などがそれであり、漢字の八割以上はこの形声文字が占める。上例で音を付した可・工がそれぞれ音符。

転注 同じ字形でありながら、意義の関連する別の語に転用していく文字使用法をいう。この転注は、古く甲骨文・金文などではしきりに活用されたが、文字構成法が特に形声の形をとって発展するにつれ、次第に姿を消してしまった。そのため、この転注の解釈には後世さまざまな説を生じる結果となった。〔樂〕は、転注の数少ない例で、ガクと読んでどんぐりに似た楽器、鈴の象形から「音楽」の意味を表す一方、ラクと読んで「たのしい」の意味を表すのに転用されている。

仮借 本来、その語に固有の文字がなく、音韻の類似した他の字を、仮に借りて、その語を表そうとするものである。〔來〕は、本来「むぎ」の象形であるが、「くる」の意味に仮借される。〔豆〕は、本来は「たかつき」の象形であるが、「まめ」の意味に仮借される。

慎、説文解字叙〕⇩ コラム 六書(一四九ページ)。②漢代の六種の書体。古文・奇字・篆書・隷書・繆篆・虫書。〔後漢、許慎、説文解字叙〕

【六情】㊀ 喜・怒・哀・楽・愛・悪。㊁ 仏六根によって生ずる情。→六根㊁。

【六親】六種の親族。㋐父・母・兄・弟・妻・子。㋑父・子・兄・弟・夫・婦(妻)。㋒六親については他にも異説が多いが、転じて、すべての身内、または家族をいう。

【六親不ㇾ和有二孝慈一】親子・兄弟・夫婦の仲がよくないから、よく親に仕え、子孫をいつくしむ徳が目立つのだ。孝や愛を美徳とする儒家に対する逆説的反論。用例〔老子、十八〕六親不ㇾ和有二孝慈一、国家昏乱有二忠臣一。⇩親子・兄弟・夫婦の仲がよくないから、よく親に仕え子孫をいつくしむ徳が目立ち、国家が乱れるから、忠義な家臣が目立つのだ。

【六△塵】仏六根(目・耳・鼻・舌・身・意)に触れて心をけがす六種のもの。色・声・香・味・触・法。

【六尺】㊀ 十五歳をいう。一尺は二歳半。一説に、今の四尺八寸。周の一尺は今の八寸。㊁ 国昔、貴人のかごをかついだ人。かごかき。陸尺。

【六尺△之孤】十四、五歳の、父に死に別れた幼い君主。用例〔論語、泰伯〕可三以託二六尺之孤一。⇩十四、五歳の幼君を預けることができる。

【六大】仏地・水・火・風・空・識。世界の構成要素。大は、要素の意。▼

【六畜】六種の家畜。馬・牛・羊・豚・犬・鶏。用例〔史記、滑稽伝〕請、為二大王六畜一葬ㇾ之。⇩どうぞ、大王さまの六種の家畜の一つとして葬ってください。

【六朝】建業(建康、今の南京市)に都した呉(三国の一つ)・東晋・宋・斉・梁・陳の六国。一名、南朝。文化史では、三国の魏から南北朝を経て隋までをいう。貴族政治と貴族文化の発達を特色とした時代。魏・蜀・西晋と北朝をあわせ、魏晋南北朝時代と呼ぶ。⇩ コラム

六朝の文学(一五〇ページ)。

【六天】六人の天帝。青帝(蒼帝・木帝。東・春をつかさどる)・赤帝(炎帝・火帝。南・夏)・白帝(金帝。西・秋)・黒帝(水帝。北・冬)・黄帝(土帝。中央・土用)の五帝と上帝(北極大帝)。転じて、天。

【六典】①周代、国家を治める六種の国法。治典・教典・礼典・政典・刑典・事典。▼典は、のり・法。②唐の法律・制度を記した本の名。『唐六典』。

【六△韜三略】①『六韜』と『三略』。共に兵法の書。『六韜』は呂尚(太公望)の、『三略』は黄石公の著と伝えられる。②国兵法の極意。虎の巻。奥の手。

【六道】仏人間がそれぞれの業によって、死後におもむき住む六種の世界。天上・人間・修羅・地獄・餓鬼・畜生。

【六道銭】仏死者を葬る時、三途の川の渡し銭として棺に入れる六文の銭。

【六徳】①六つの徳。㋐知・仁・聖・義・忠・和。〔周礼、大司徒〕㋑礼・仁・信・義・勇・智。〔司馬法、仁本〕②小さな数の名。一〇のマイナス一九乗。⇩ コラム **数を表すことば**(六二八ページ)。

【六波羅密】仏理想の境地(涅槃)に達するために修める六種の行。布施・持戒・忍辱・精進・禅定・知慧(知恵)。波羅密(蜜とも書く)は梵語pāramitāの音訳「波羅密多」の略で、「彼岸に至る」の意。

【六馬】天子の馬車をひく六匹の馬。

【六府】①水・火・金・木・土・穀。②＝六腑。

【六△腑】六種の内臓。諸説がある。大腸・小腸・膀胱はどの説も入れており、他に胃・胆・咽喉・三焦のどれか三つを入れる。「五臓六腑」

【六部】㊀ 隋から清にかけての六つの中央行政機関の総称。六科。㊁ 仏六十六部の略称。

【六法】①規準とすべき六つのもの。規(コンパス)・矩(さしがね)・権(おもり)・衡(はかり)・準(みずもり)・縄(すみなわ)。②六種の画法。③国憲法・刑法・民法・商法・刑事訴訟法・民事訴訟法の六つの総称。

【六味】苦・酸・甘・辛・鹹・淡の六種の味。

【六△幺】唐代の琵琶の曲名。

【六欲・六△慾】仏①六根から生ずる欲情。②色欲・形貌欲・威儀欲・言語欲・細滑欲・人相欲。

【六律】音楽の十二律の中の陽に属する六つの音。黄鐘・大簇・姑洗・蕤賓・夷則・無射。↔六呂。

【六呂】音楽の十二律の中の陰に属する六つの音。夾鐘・中呂・林鐘・南呂・応鐘・大呂。↔六律。

【六竜(龍)】＝六馬。▼竜は、駿馬(すぐれた馬)。

【六礼(禮)】①重要な六種の礼。冠礼・昏礼(婚礼)・喪礼・祭礼・郷飲酒礼・相見礼。②婚姻に関する六種の礼。納采・問名・納吉・納徴・請期・親迎。

コラム

六朝の文学

「六朝」とは、今の南京市（当時の建業・建康）を都とした呉・東晋・宋・斉・梁・陳の六つの王朝を指す。しかし、呉は、魏・蜀の二国とともに三国鼎立した中の一国であるので、この時代は「六朝」と通称されるとともに、「魏晋南北朝」の称呼も行われている。いずれにしてもそれは、三国時代から南朝陳までの四世紀に近い時期を指す。

三国時代の文学は、まずは曹操・曹丕・曹植の三曹と呼ばれる父子と、王粲を始めとする建安の七子（孔融・陳琳・徐幹・阮瑀・応瑒・劉楨）などの建安文学と称される力強い詩文によって代表される。

続いて魏末から晋初にかけて、王朝交替の暗い時代に生きた「竹林の七賢」（山濤・阮籍・向秀・劉伶・嵆康・王戎・阮咸）の苦悩に満ちた五言詩が傑出している。中でも阮籍の「詠懐」八十二首や、嵆康の「幽憤」の詩などは、建安のころの五言詩を、更に象徴的、思索的なものとして、その質を向上させている。次に掲げるのは、阮籍の「詠懐八十二首 其の一」である。

夜中不能寐　起坐弾鳴琴
薄帷鑑明月　清風吹我衿
孤鴻号外野　翔鳥鳴北林
徘徊将何見　憂思独傷心

また、上述した魏の文帝曹丕は、文学批評の先駆ともいうべき「典論」を著してもいる。

続く両晋南北朝期において特筆されるべきは、南朝梁の時代である。それは『文選』『玉台新詠』『文心雕竜』『詩品』などが前後して編集された時代であった。

『文選』は、梁の昭明太子蕭統を中心に編修された、古代から梁代までの詩・賦（散文的な韻文）・文章など約七百六十編の詞華集。その中にあって、自然美を追求した山水詩人謝霊運や、ともに典故の多用と華麗な修辞を特色とした顔延之・鮑照などが宋代を代表し、謝朓・沈約などの作品が斉代を代表している。

しかし、『文選』に収められた詩文の多くが、内容の充実よりも表現の技巧に走る傾向にあったのに対し、その時流に超然として、平易な表現と深い人生への省察や、自然への凝視に徹した晋末宋初の田園詩人陶潜、字は淵明の文学がきわだっている。次にその代表作である「飲酒二十首 其の五」を挙げる。

結盧在人境　而無車馬喧
問君何能爾　心遠地自偏
采菊東籬下　悠然見南山
山気日夕佳　飛鳥相与還
此中有真意　欲弁已忘言

『玉台新詠』は昭明太子の弟で、後に簡文帝となった蕭綱が、徐陵に命じて編修させた宮廷詩人の総集である。『文選』の典雅な詩文に対して、「宮体」と称せられる甘美な艶情詩がその中心であった。その中の一人として、後に北朝に仕えた庾信も見える。

『文心雕竜』は、梁の劉勰の文体論・表現論であり、『詩品』は、鍾嶸の詩人論である。

以上四書の中で、後代に最も大きな影響を与えたのは『文選』であり、中国のみならずわが国においても大いにもてはやされた。『枕草子』にも「文は文集・文選」（「文集」は、『白氏文集』を指す）と記されている。

この時代にはまた、駢文と呼ばれる美文が流行し、唐の半ばに古文復興運動が起こるまで、文章のスタイルの主流をなした。さらに、干宝の『捜神記』を始めとする、怪異を志す「志怪」小説や、劉義慶の『世説新語』を始めとする、人物について志す「志人」小説が書かれ、中国古典小説の源流となったことも注目される。

3【半】5画（1163） ハン 十部。↓二三ページ上。

4【共】6画 730 教4 キョウ とも

2206 8BA4 一

㊀漢キョウ・呉グ 宋 gòng
㊁漢キョウ・呉ク 冬 gōng
㊂漢キョウ・呉ク 腫 gǒng

筆順 一 十 廾 廾 共 共

字義 ㊀❶とも。ともに。一緒になって。「共存」❷ともにする。一緒にする。共有する。用例〔論語、公冶長〕願車馬衣軽裘、与朋友共、敝之而無憾。自分の車や馬、着物や皮衣を友だちと共用し、使い古して破損しようともくよくよしないようにしたい。㊁❶そなえる。＝供（308）。❷うやうやしい。つつしむ。＝恭（3513）。㊂❶むかう。＝向（1336）。❷こまぬく。＝拱（4152）。手をこまぬく。手を胸の前に合わせてあいさつする。

国❶とも。㋐いっしょ。同じ。「共ぎれ」㋑それら全部。「二人共」❷ども。㋐複数を表す。「悪者共」㋑謙遜の意を表す。「私共」❸キョウ。共産主義・共産党の略。

名前 しげ・たか・とも

解字 金文  篆文  指事。金文では、口が大きな物の形、廾が両手で、大きな物を両手でささげる事を示す。物をそなえる・ともに事をするの意味を示す。

共を音符に含む形声文字のうち、「ともにする」の意味の系列のものに、供・巷・恭・拱・港・鬨などがあり、「大きい」の意味の系列のものに、洪・烘などがある。

逆 公共・不共

【共感】キョウカン 他人の意見や主張などに、その通りだと感ずること。

【共工】キョウコウ ①官名。㋐堯の時、治水をつかさどった官。㋑舜の時、百工（各種の職人）の事をつかさどった官。②天神の名。頭は人で身体は蛇。

【共済（濟）】キョウサイ ①ともに助けあう。②ともに事をなす。

【共催】キョウサイ 二つ以上の団体が共同で催し物をする。

【共産】キョウサン 資産を共有する。

【共産主義】キョウサンシュギ 財産の私有を認めず、すべての生産手段や生産物を共有にして、各人の労働・消費を平等にしようとする主義。

【共賛（贊）】キョウサン ①ともにたすける。②力ぞえしてたすける。

【共存共栄（榮）】キョウソンキョウエイ ともに生存しともに栄えること。たがいに助けあってともに繁栄すること。

【共同】キョウドウ ともにする。▼同も、とも・ともにする。㋐二人以上の人が力を合わせて事をすること。㋑二人以上の人が同じ資格で結合すること。㋒他人と共有すること。他人と共に事にあずかること。◈「協同」との意味の違いがほとんどないので、現在では「共同」を用いることが多い。

【共犯】キョウハン 二人以上の者が共同して罪を犯すこと。また、人と一緒に罪を犯した者。↔主犯（四一㌻上）。

【共鳴】キョウメイ 国①一つの発音体が鳴る時、これと同一振動数の他の発音体がこれに感じて鳴ること。ともなり。②他人の言動に同感賛成の気持ちを起こすこと。

【共和】キョウワ ①西周のとき、厲王レイオウが都から逃げ出していた十四年間、周公・召公が協議して行った政治。〔史記、周本紀〕②世襲などによる一人の君主を置かず、直接・間接の選挙によって選ばれた複数の議員からなる議会などが、国政の主体となる政体。

【不ニ共戴一レ天】ともにはテンをいただかず →不倶戴天フグタイテン（三八㌻下）。

【关】4 6画 731 ⊖ショウ（セウ） 嘯 xiào ⊜キ 紙 guǐ　20308 ─ ─

字義 ⊖わらう。笑（8688）の古字。⊜みずのと。癸（7859）の俗字。

【并】4 6画 732 ヘイ　5485 9BF3 ─ ─

幷（3167）の簡易慣用字体。→四六七㌻中。

【龹】4 6画 733　20307 ─ ─

字義 巻（卷）・圏（圈）などの漢字の一部分。字形分類のために部首として立てられる場合がある。

【呉】5 7画（1360） ゴ 口部。→二五三㌻中。

【兑】5 7画（696） ダ 儿部。→一四一㌻下。

【弟】5 7画（3311） テイ 弓部。→四八八㌻中。

【兵】5 7画 734 教4 ヘイ・ヒョウ 漢ヘイ・呉ヒョウ（ヒャウ） 庚 bīng　4228 95BA ─

筆順 （筆順図）

字義 ❶つわもの。軍人。兵士。兵隊。「軍兵」❷武器。兵器。用例〔史記、項羽本紀〕持ニ短兵一接戦。タンペイをジしてセッセンす ↓刀剣を持って白兵戦をした。❸いくさ。戦争。❹軍隊。軍備。用例〔論語、顔淵〕足レ食足レ兵、民信レ之矣。ショクをたし、ヘイをたし、たみこれをシンにす ↓食料を十分にし、軍備を完全にして、人民は教育して信を持つように導く。❺武器で殺傷する。斬り殺す。用例〔史記、伯夷伝〕左右欲レ兵レ之。サユウこれをヘイせんとほっす ↓側近の者が斬り殺そうとした。

名前 たけ・ひと・ひょう・へ・べ・へい・ぺい・むね　難読 兵児帯へこおび・兵主ひょうず

解字 金文 篆文 会意。廾＋斤。廾は両手の象形。斤は、おのの象形。両手で持つ手斧ておのの意味から、武器の意味を表す。

逆 衛兵・鋭兵・観兵・奇兵・疑兵・義兵・強兵・挙兵・憲兵・甲兵・降兵・散兵・私兵・手兵・勝兵・将兵・神兵・精兵・僧兵・造兵・賊兵・短兵・徴兵・撤兵・天兵・鈍兵・農兵・白兵・派兵・伏兵・用兵・良兵・練兵・老兵

【兵営（營）】ヘイエイ 軍隊が宿営している所。軍陣。

【兵衛（衞）】⊖ヘイエイ 兵士の護衛。護衛兵。番兵。⊜ヒョウエ 国律令制下で、兵衛府に属し、宮門や、行幸の行列などを守護した武官。職員に、督かみ・佐すけ・尉じょう・志さかんなどがある。

【兵役】ヘイエキ ①軍籍に編入されて軍務に服すること。②戦争。

【兵戈】ヘイカ ほこ。転じて、戦争をいう。干戈。

【兵火】ヘイカ 戦いのために起きる火災。戦火。

【兵家】ヘイカ ①兵学を研究する人。兵法に通じた人。兵法家。②諸子百家の一つ。用兵の道を講じた一派で、春秋・戦国時代の孫武・呉起・尉繚ウツリョウなど。⇩コラム 諸子百家系統図（一三四㌻）。

【兵械】ヘイカイ 戦争に用いる器。いくさ道具。兵器。武器。

【兵革】ヘイカク ①武器と甲冑カッチュウ（よろいかぶと）。いくさ道具。兵甲。▼革は、皮で作ったよろいかぶとの類い。②戦争。

【兵学（學）】ヘイガク 戦争のしかたを研究する学問。兵法の学問。軍学。

【兵気（氣）】ヘイキ ①戦いのきざし。②兵士の元気。士気。

【兵貴ニ神速一】ヘイはシンソクをたっとぶ 兵を用いるには、非常にすばやいことが大切である。〔三国志、魏志、郭嘉伝〕

【兵器】ヘイキ 戦争に用いる道具の総称。武器。

【兵機】ヘイキ ①戦争の機会。戦機。②戦いの計略。

【兵権（權）】ヘイケン ①兵馬のちから。軍隊の威力。②兵書。③軍隊を率いる権限。

【兵庫】ヘイコ 武器をしまっておくくら。武器ぐら。

【兵伍】ヘイゴ 軍隊で一番下の組みわけ。▼伍は、兵五人。

【兵甲】ヘイコウ ①＝兵革。②兵卒。兵士。

【兵寇】ヘイコウ 軍隊の侵入。また、攻めて来る兵。

【兵士】ヘイシ つわもの。兵卒。士卒。軍兵。兵隊。

【兵死地也】ヘイはシチなり 戦いは命をかけた場である。生きて帰ることを予期し得ない場所の意。〔史記、趙奢伝〕

【兵児（兒）】へこ 国わかもの。薩摩さつま（今の鹿児島県）で十五歳以上、二十五歳以下の青年をいった。

【兵事】ヘイジ 軍隊・戦争に関する事柄。軍事。

【兵車】ヘイシャ 戦争に用いる車。戦車。

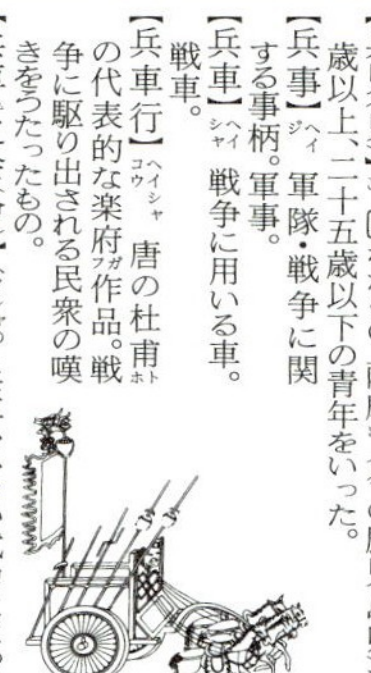
兵車

【兵車行】ヘイシャコウ 唐の杜甫トホの代表的な楽府ガフ作品。戦争に駆り出される民衆の嘆きをうたったもの。

【兵車之会（會）】ヘイシャのカイ 兵車をひきい武力によって行う会合。兵車之属ともいう。↔乗車之会（四五㌻中）・衣冠之会（一二七㌻下）。

【兵者詭道也】ヘイはキドウなり 兵の用い方は、いかにして敵をいつわり欺くかということである。▼詭は、不正。〔孫子、始計〕

【兵者凶器】ヘイはキョウキ 武器は、人を損う不吉な道具である。戦争は人をそこなう、不吉なものである意。〔国語、越語下〕

【兵者不祥之器】ヘイはフショウのキ ＝兵者凶器。〔老子、三十一〕

【兵戎】ヘイジュウ ①兵士。②武器。③戦争。戦乱。

【兵書】ヘイショ 兵法の書物。軍書。

【兵仗】⊖ヘイジョウ 武器。▼仗は、ほこ。⊜ヒョウジョウ 国①昔、随身ズイジンの持った、太刀たち・弓・矢などの護衛の武器。②随身の別称。③兵難。

【兵刃】ヘイジン 武器。▼刃は、やいばのついた武器。用例〔孟子、梁恵王上〕塡然鼓レ之、兵刃既接。テンゼンとしてこれをこし、ヘイジンすでにセッす ↓ドンドンと戦闘開始の合図の太鼓が鳴り、敵味方が武器を交えた。

【兵籍】ヘイセキ ①兵卒を登録する帳簿。②軍人としての身分。軍籍。

【兵燹】ヘイセン 戦いのために起きる火事。▼燹は、野火。

【兵争（爭）】ヘイソウ 兵力を用いてあらそうこと。戦争。

【兵曹】ヘイソウ ①漢代に兵事をつかさどった官。隋ズイ・唐代にもおかれた。②国旧海軍下士官の階級名。上等・一等・二等に分ける。少尉の下。

【兵站】ヘイタン 作戦部隊の後方で食糧や軍用品の調達・補給などを任務とする機関。

【兵団（團）】ヘイダン ①軍隊の組織。軍隊。②独立して作戦できるよう、系統の異なるいくつかの部隊をあわせたもの。

【兵難】ヘイナン 戦争のわざわい。兵厄。

【兵馬】ヘイバ ①武器と軍馬。②軍隊。軍備。軍事。③戦争。

【兵馬倥偬】ヘイバコウソウ 戦争でいそがしいこと。▼倥偬は、いそがしい、また、苦しいこと。

【兵符】ヘイフ いくさに使う割り符。銅や玉などで作り、二つに割って一方を王、一方を出陣する大将が持ち、王からの命令を伝えるときなどの証拠にした。

【兵部】㊀ヘイ 軍隊・兵馬などのことをつかさどった官。周の司馬が、後周・隋の時代から兵部といわれ、清末に陸軍部と改められた。㊁ヒョウ 国兵部省をいう。律令制下で、武官・兵士の徴発・訓練、軍馬・兵器のことをつかさどった役所。つわもののつかさ。

【兵聞拙速】ヘイはセッソクをきく 兵を用いるには、まずくても速い方法がよい、と聞いている。〔孫子、作戦〕

【兵柄】ヘイヘイ 軍隊を率いる権限。兵権。

【兵変(變)】ヘイヘン 軍隊による内乱。

【兵法】ヘイホウ・ヒョウホウ ①いくさのしかた。軍法。兵術。②国剣術・柔術など。

【兵猶火】ヘイはなお(ほ)ひのごとし 武力は火のようなもので、うまく処理しないと、かえって自分を焼き滅ぼす。〔左伝、隠公四〕

【兵乱(亂)】ヘイラン ①戦争のために世が乱れること。戦乱。②兵士の反乱。

【兵糧・兵粮】ヒョウロウ ①軍隊の食糧。②国人の活動力のもとになるもの。

【兵糧攻】ヒョウロウぜめ 国①敵の食糧を運ぶ道をたち切って飢えにおとしいれ、敵を降伏させようとする攻め方。②衣食を与えず人を苦しめ困らせること。

【按兵・案兵】ヘイをアンず 軍隊を抑えとどめる。

【観(觀)兵】㊀ヘイをしめす 味方の兵力を敵にみせつける。㊁ヘイをみる 兵隊の訓練が十分かどうかを見る。

【構兵】ヘイをかまう(ふ) 戦争する。構兵コウヘイ。

【不能将(將)兵、而善将(將)将(將)】ヘイにショウたるあたわ(は)ざるも、よくショウにショウたり 大将として兵士を統率することはできないが、大将の上に立って統率する人物となることができる。兵士の隊長となるよりも、その隊長たちを統率する大将となれる。〔史記、淮陰侯伝〕

【伏兵】ヘイをふす 敵にさとられぬように軍兵をかくす。

【養兵千日用在一朝】ヘイをやしなう(ふ)はセンニチもちい(ゐ)るはイッチョウにあり ふだん長い間、兵士を養っておくのは、一朝、事の起こったときに用いるためである。〔水滸伝、六十回〕

【勒兵】ヘイをロクす 兵士の隊列を整え、訓練する。▼勒は、おさめととのえる。

5【皃】7画 735 ボウ 貌(11502)の俗字。→一三四八ページ中。 1451

6【其】8画 736 人 標 ㊀漢キ・呉ギ 図qí ㊁漢キ 図jī 3422 91B4

筆順 一 十 廾 廾 甘 甘 其 其

字義 ㊀❶そ-の。それ。人や物をさす指示代名詞。用例〔論語、学而〕夫子至於是邦也、必聞其政。↓先生はこの国にいらっしゃると、必ず政治の相談をうけた。
❷それ。㋐語意を強めるために添える助字。用例〔論語、学而〕孝弟也者、其為仁之本与。↓親孝行と年長者への敬意とは、仁を行う根本であろうか。
㋑発語の助字。そもそも。いったい。用例〔論語、憲問〕其言之不怍、則為之也難。↓自分の言葉に恥じないようでは、それを実行するのは難しい。

㋒疑問・反語の助字。用例〔論語、子罕〕天之未喪斯文也、匡人其如予何。↓天がまだこの聖人の道を滅ぼしていない以上は、匡の者どもがこの私をどうすることができようか(どうもできない)。

㊁か。疑問の助字。疑問詞の後に置き、訓読しなくともよい。用例〔詩経、小雅、庭燎〕夜如何其、夜未央。↓今、夜の何時か。夜はまだ明けない。

名前 き・ぎ・その・とき・もと 難読 其許そこもと・其処そこ・其所そこ・其奴そいつ・其方そちら・其方そっち・其方そなた

解字 甲骨文 金文 籀文(箕)

象形。甲骨文・金文でよくわかるように、農具の箕の象形で、みの意味を表す。箕の原字。借りて、それの意味の代名詞として用いる。其を音符に含む形声文字に、基・旗・期・棋・欺・箕などがあり、これらの漢字は、「(方形をして)整っている」の意味を共有している。

【其帰(歸)一也】そのキイツなり 帰着するところは同じである。〔史記、儒林伝〕
【其揆一也】そのキイツなり よるところの道は同じである。〔孟子、離婁下〕
【其争(爭)也君子】そのあらそい(ひ)やクンシ その争いが徳のある君子にふさわしい。君子はつまらないことでは争わないが、争うべき競技では礼儀をつくして争う。〔論語、八佾〕
【不知其子視其友】そのこをしらざればそのともをみよ 人の子の善悪はその友人をみれば判断できる。〔荀子、性悪〕
【無出其右】そのみぎにいず(づ)るなし その上に出る者がない。最もすぐれている。▼右は、上。〔史記、田叔伝〕

6【具】8画 737 教3 グ 6【具】8画 738 漢ク 呉グ 図jù 2281 8BEF

筆順 丨 冂 冃 月 目 且 具 具

字義 ❶そな-わる。ととのう。そろっている。用例〔礼記、楽記〕其功大者其楽備、其治弁者其礼具。↓王者の功績が大きければ音楽はそろい、平和が世の隅々に及べば礼儀はととのう。
❷そな-える。そろえる。ととのえる。㋐用意する。準備する。＝備(540)。用例〔東観漢記、苻融伝〕苻融妻亡、貧無殯斂、郷人欲為具棺服。↓苻融は妻を亡くしたが、貧しくてかりもがり(葬るまでの間、死者を棺に納めておくこと)をできなかったので、村人たちは彼のために棺や喪服を準備しようとした。
㋑もうける。配する。用例〔史記、孔子世家〕古者諸侯出彊、必具官以従。↓むかし諸侯が国境を出るときは、必ず文武の官を配して随行させた。

㋒つらねる。陳述する。用例〔夢渓筆談、雑誌二〕順初起、悉召郷里富人大姓、令具其家所有財粟。↓李順は決起するや、郷里の金持ちや有力者をことごとく呼び集め、家々の財産や穀物を申告させた。
❸そな-え。㋐したく。準備。㋑そなえもの。❹うつわ。器物。道具。「家具」
❺ともに。みな。＝俱(413)。用例〔後漢、張衡、東京賦〕君臣歓康、具酔熏熏。↓君主も家臣も喜び楽しみ、ともに酔っぱらって酒くさい。
❻つぶ-さに。詳しく。こまかく。用例〔東晋、陶潜、桃花源記〕具答之。↓こまごまとこれに答えた。
国グ。㋐手段。道具。「政争の具」㋑料理で、きざんで汁や混ぜ飯などに入れるもの。

名前 かね・ぐ・とも 難読 具下場くげつか

解字 金文 篆文

形声。目(貝)＋廾(音)。音符の廾キョウ→クは、両手でささげ置く、そなえるの意味。貝は、かいの象形。金品を両手でささげ置く、そなえるの意味を表す。

逆 器具・敬具・香具・表具・不具・仏具・文具
【具官】グカン ①官吏の員数を備える。役人を置く。②官にそなわる。㋐官位につく。㋑才能がないのに官位についていること。③官爵を書くべき時に、略していうことば。文章の草稿などに用いる。

【具眼】ものごとの善悪を判断する眼識(見識)のあること。また、その人。

【具慶】①ともに祝う。②父母ともに元気であること。

【具現】①ことこまかにあらわす。②実際にあらわす。また、実際にあらわれる。

【具獄】取り調べの調書ができ上がって、宣告文が完全に備わること。

【具象】形にあらわれていること。具体。↔抽象(五六六ページ上)。

【具上】ことこまかに申し上げる。具申。

【具状(狀)】事情をこまかに書いてさし出すこと。また、その文書。

【具申】ことこまかに申し上げる。具上。

【具臣】員数に入っているだけで、無能な家来。

【具足】①完全にそろっている。具備。②器具の総称。道具。③国甲冑(よろいかぶと)。鎧。

【具体(體)】①全体を完全にそなえていること。②形をそなえていて、それとはっきりわかること。また、実際的な内容をそなえていること。具象。↔抽象(五六六ページ上)。

【具体(體)的】形にあらわれて(実際的に内容があって)わかりやすいさま。

【具陳】ことこまかに申しのべる。

【具備】完全にそろっている。具足。

【具文】①文章の形式だけをそなえる。形式だけが整って実のない文。②文章を整備する。十分に書きつくす。

【具礼】礼を整える。

【具論】つぶさに論ずる。十分に論じつくす。

【治ㇾ具】饗応の用意をする。▼具は、酒食の道具。

6【典】8画 739 教4 テン
テン 銑 diǎn
3721 9354 一

筆順 丶 冂 巾 由 曲 曲 典 典

【敟】4551 同字

字義 ❶ふみ。㋐貴ぶべき書物。「経典」㋑書籍。「古典」❷のり(法)。法則。手本。❸みち(道)。おしえ(教)。つね(常)。❹礼。礼式。「祝典」❺よりどころ。しきたり。用例(近古史談、織篇、稲葉一徹)一徹一一分解、併説二其典一、甚詳。↓一徹は一語一語について細かに解き明かし、そのいわれまでも非常にくわしく解説した。❻ただしい。また、みやびやか。上品。「典雅」❼つかさど-る(主)。❽質に入れる。国さかん。大宝令の官制で、大宰府の四等官。

名前 おき・すけ・つかさ・つね・とも・のり・ひろ・ふみ・みち・もり・よし・より 難読 典侍(ないしのすけ)・典鋳(いもじ)

参考 現代表記では[奠](2295)の書きかえに用いることがある。「香奠→香典」

解字 金文 篆文 会意。冊+六。冊は、書物の象形。六は、物をのせる台の象形。とうとい書物の意味から、転じて、みち・のりの意味を表す。

逆 栄典・恩典・旧典・慶典・経典・外典・原典・香典・古典・祭典・事典・辞典・出典・賞典・盛典・聖典・大典・特典・内典・仏典・墳典・文典・宝典

【典衣】①衣服を質に入れる。典ㇾ衣(衣を典す)。②君主の衣服をつかさどる官。用例(韓非子、二柄)其罪二典衣一、以為ㇾ失二其事一也。↓衣服を管理する役人を処罰したのは、自分の職責を果たさなかったと判断したからである。

【典委】水が曲がりくねって流れるさま。

【典謁(謁)】来客の取り次ぎをつかさどる。また、その役。

【典雅】①正しくみやびやか。②古い書籍。古書。

【典客】官名。秦代、九卿の一つで、諸侯及び異民族のことをつかさどる。漢では大鴻臚と改めた。

【典楽(樂)】昔、音楽をつかさどった官。

【典冠】君主の冠をつかさどる官。用例(韓非子、二柄)典冠者見二君之寒一也。↓冠を管理する役人は、君主(が寝ているの)を見て、寒いのではないかと思った。

【典儀】①のり。てほん。②儀式。③中国、南北朝時代、朝廷の儀式をつかさどった官。④国昔、朝賀・即位礼などの儀式をつかさどった官。多く少納言を任じた。

【典却】質に入れる。▼却は、強意の助字。

【典拠(據)】正しいよりどころ。

【典訓】おしえ。人の道のおしえ。

【典刑】①一定不変の刑罰。②古いおきて。古い手本。旧法。③刑罰をつかさどる。

【典型】かた。てほん。模範。儀型。

【典故】典拠となる故事。しきたり。

【典午】①司馬の官。▼典は司、午は馬。②晋代の呼称。晋の天子が司馬氏であったため。

【典獄】①裁判をつかさどること。また、その官。②国もと、刑務所の長。

【典策】書物をいう。

【典侍】国①内侍司の次官。ないしのすけ。②宮中の女官で最も地位の高いもの。

【典章】のり。おきて。典制。制度文物。

【典掌】つかさどる。

【典常】人として常に守るべき道。

【典制】のり。おきて。典章。制度文物。

【典籍】書物。書籍。

【典膳】天子の食事をつかさどる官。

【典属(屬)国(國)】前漢の武帝のとき設けた官で、降服した異民族のことをつかさどった。

【典当(當)】品物を質に入れて金をかりること。また、その品物。質ぐさ。抵当。担保。

【典範】のり。おきて。てほん。規則。

【典墳】①中国古代の三皇・五帝が書いたと伝える『三墳・五典』の略称。②古書。古典。

【典舗・典△鋪】質屋。

【典△謨】①『書経』の二典(堯典・舜典)・三謨(大禹謨・皐陶謨・益稷)をいう。②古代の聖賢のりっぱなことば。

【典法】のり。おきて。てほん。法式。典則。

【典薬(藥)寮】国昔、宮内省にあった役所で、宮中の薬のことをつかさどった。その長官は、典薬頭。

【典要】①一定の法。②正しく上品でしめくくりのあること。

【典礼(禮)】①一定の儀式。儀式作法。②儀式をつかさどる役。

【典例】よりどころとなる先例。しきたり。

【典麗】正しく美しい。整って美しい。

【典論】書名。三国時代、魏の文帝(曹丕)の著。もと、五巻。六朝文学批評論の先駆であるが、現在はその一部しか伝わらない。

7【茲】9画 740 ジ 茲(9929)の俗字。→一三〇八ページ上。

7【酋】9画(12367) シュウ 酉部。→一四四八ページ中。

7【前】9画(934) ゼン 刂部。→一八三ページ中。

8【益】10画(7923) エキ 皿部。→九九七ページ中。

8【翁】10画(9516) オウ 羽部。→一二五七ページ下。

8【兼】10画 741 常 ケン か-ねる
2383 8C93 一

8【兼】10画 742 ケン jiān

筆順 兼

[兼]90同字 [兼]744俗字

字義 ❶かーねる。あわせる。あわせて手に入れる。❷かーねて。あわせて。ともに。用例〔韓非子、二柄〕君因兼二罪典衣与一典冠一（きみよりてテンイとテンカンとをかねつみせり）。↓君主はそこで、衣服を管理する役人と冠を管理する役人と、両方とも処罰した。国 ❶かーねる。…しがたい。…できない。❷かーねて。前もって。あらかじめ。「兼題」

名前 かず・かた・かぬ・かね・けん・とも

解字 金文 篆文 会意。ヨ(又)＋秝。又は、手の象形。秝は、並んで植えられている稲の意味。並んだ稲をあわせて手につかむさまから、かねるの意味を表す。兼を音符に含む形声文字に縑・鎌・廉・簾・謙・嫌などがあり、これらの漢字は、「かねる」の意味を共有している。

逆 摂兼

【兼愛】ケンアイ 自分と他人とを区別せず、すべての人を自分同様に、無差別平等に愛すること。中国の戦国時代に墨子の唱えた説。
【兼学(學)】ケンガク 二種類以上の学問を兼ね学ぶ。
【兼官】ケンカン 本官のほかに、別の官をかけもつこと。
【兼業】ケンギョウ 本業のほかに、別の業務をかねること。
【兼行】ケンコウ ①昼夜休まずに行く。二日の道のりを一日で行く。兼程。②かねおこなう。
【兼資】ケンシ 文武の才をかねる。
【兼人】ケンジン ＝兼レ人ひとをかぬ（七三ページ下）。
【兼摂(攝)】ケンセツ 本職以外の事務を代理で行う。
【兼帯(帶)】ケンタイ ①二つ以上の職務をかけもつこと。兼任。②国 一つの物が二つ以上の役に立つこと。
【兼題】ケンダイ 国 和歌や俳句などで、前もって出しておく題。↕即題(三三ページ下)。
【兼珍】ケンチン 二品以上のおいしい料理を合わせ食べる。
【兼程】ケンテイ ＝兼行①。▼程は、みちのり。
【兼任】ケンニン 本職のほかに、別の職をかねること。兼務。兼職。
【兼備】ケンビ （二つ以上のものが）かねそなわる。また、かねそなえる。兼該。「才色兼備」
【兼△幷・兼併(倂)】ケンペイ かね合わせて、一つにする。また、合わせ取る。「兼幷之徒ケンペイのト（他人の財産を合わせてうばい取る連中）」
【兼味】ケンミ 二品以上の料理を合わせ食べる。食事をぜいたくにすること。
【兼務】ケンム ＝兼任。
【兼用】ケンヨウ ①あわせ用いる。二つ以上の物を一緒に用いる。②一つの物・人を二つ以上の事に使う。
【兼領】ケンリョウ かねすべる。高い官位の者が低い官職を兼ねること。

9【異】11画 (7644) イ 田部。→九七二ページ下。
9【兹】11画 743 ジ 滋(6499)の俗字。→八五八ページ下。 2 8636 ― ―
10【兼】12画 744 ケン 兼(741)の俗字。→一五三ページ下。
10【曾】12画 (4777) ソウ 日・曰部。→六七一ページ下。
10【尊】12画 (2732) ソン 寸部。→四一五ページ下。
10【巽】12画 (3076) ソン 己部。→四五三ページ上。
10【奠】12画 (2295) テン 大部。→三五七ページ下。
11【兾】13画 745 キ 冀(747)の俗字。→一五四ページ中。 ― ― 1879
11【與】13画 (16) ヨ 与(15)の旧字体。→二六ページ下。
12【𢍰】14画 746 キ 冀(747)と同字。→一五四ページ中。
14【冀】16画 747 キ ji 4935 9962 ―

[冀]748本字 [𢍰]746同字 [兾]745俗字

字義 ❶こいねがーう。ねがう。のぞむ(望)。用例〔韓非子、五蠹〕釈二其耒一而守レ株、冀二復得一レ兎（そのすきをすてて、かぶをまもり、またうさぎをえんことをこい(ひ)ねがう(ふ)）。↓自分の鋤すきを放り出して切り株を見守り、もう一度うさぎを手に入れたいと願った。❷こいねがーわくは。ねがうことには。どうか。用例〔唐、韓愈、与二孟東野一書〕冀足下一来相視也（こい(ひ)ねがわ(は)くはソッカ。ひとたびきたりてあい(ひ)みよ）。↓どうぞ一度こちらに会いに来てください。❸古代、中国を九州に分けたときの一州。現在の河北・山西の二省と河南省の黄河以北、遼寧リョウネイ省遼河以西の地。❹河北省の別名。

解字 金文 篆文 形声。北＋異音。音符の異は、ことなるの意味。北方の異民族の住む地の意味を表す。金文は、飾りのある面をかぶった舞人の象形。神に幸福を求め祈る、こいねがうの意味を表す。

【冀願】キガン ねがい。のぞみ。
【冀△闕】キケツ 物見のついた宮門。
【冀幸】キコウ ①ねがう。こいねがう。▼幸は、願う意。②万一のしあわせをこいねがう。▼幸は、思いがけない幸福。
【冀馬】キバ 冀州の北部地方(今の山西・河北省の地)に産する良馬。
【冀望】キボウ のぞむ。また、のぞみ。希望。
【冀北】キホク 冀州の北部地方。今の山西・河北省の地。古来、良馬の産地として有名。

14【興】16画 (9700) キョウ 臼部。→一八三ページ下。
15【冀】17画 748 キ 冀(747)の本字。→一五四ページ中。
15【輿】17画 (11956) ヨ 車部。→一三九九ページ上。
19【夔】21画 (2221) キ 夊・夂部。→三三〇ページ下。
21【蠲】23画 (10788) ケン 虫部。→一三六九ページ下。

2画

冂 けいがまえ まきがまえ・えんがまえ

〔部首解説〕まきがまえの名称は、この文字を郊外の牧場の意味にとり、「まき」と読んだことにもとづく。冋ケイは、冂の古字。冋を音符に含む形声文字に、迥ケイ・駉ケイなどがある。

0 冂 一五四	2 円 一五五	冄 一五五	丹 三九	内 一五五
冃 一五七	3 冋 一五七	同 一五七	冊 一五七	册 一五七
冉 一五七	冉 一五七	丙 三三	4 冎 一五七	再 一五七
冊 一五八	同 一五八	両 三四	5 冏 一六〇	6 岡 四三七
周 二五七	冒 一六〇	罔 一二四七	7 冑 一六〇	冒 六六四
8 尋 一六〇	冓 一六〇	冓 一六〇	9 冕 一六〇	

0【冂】2画 749 漢ケイ 呉キョウ(キャウ) jiōng 4936 9963 ―

字義 ❶まき。遠く離れた国境の地。❷はるか。遠い。

解字 篆文 指事。縦の二線に横の一線を引いて、遠く離れた行きづまりを表す。

2 【円】 4画 750 教1 エン まる-い

口10 〖圓〗 13画 751 人 漢エン（ヱン） 呉オン（ヲン） 囲 yuán

1763 897E — / 5204 9AA2 —

筆順 丨 冂 円 円

〔貟〕1851 俗字

字義 ❶まる。まるい形。たま。❷まる-い。まど-か。まろ-やか。↕方(4612)。用例〔唐、岑参、磧中作詩〕走レ馬西来欲レ到レ天、辞レ家見二月両回円一。↓馬を走らせて、西に進むと、このまま天にまでも上ってしまいそうだ。わが家に別れを告げてから、もう二回の満月を見た。❸つぶ-ら。❹まったし。欠けたところがない。国エン。㋐あたり。一帯。「九州一円」㋑通貨の単位。

名前 かず・つぶら・のぶ・まど・まどか・まる・みつ 難読 円居・円谷・円井・円満・円城

使いわけ まるい〔丸・円〕⇩丸(95)。

解字 篆文 形声。口+員音。音符の員は、口の丸いかなえの意味。口は、めぐるの意味。まるいの意味を表す。円は略字。

逆 一円・大円・団円・方円

【円滑】エンカツ ①まるくなめらかなこと。②故障なく行われること。

【円覚(覺)】エンガク 仏完全なさとり。

【円孔方木】エンコウホウボク まるい穴と四角なほぞ。丸い穴に四角な木のほぞをはめこむ意。物事がうまく合わないことのたとえ。円鑿方枘エンサクホウゼイ。〔伝灯録〕

【円光】エンコウ ①太陽や月の光。また、太陽。月。②仏釈迦シャカ・菩薩ボサツの頭上に現れたという円形の光。また、それにまねて作った(描いた)仏像の頭上にある円形の光。

【円△坐】エンザ 多くの人が集って円形にすわること。

【円△鑿方△枘】エンサクホウゼイ ＝円孔方木。▼鑿はのみで掘った穴、枘はほぞ。〔史記、孟軻伝〕

【円熟】エンジュク 人格・知識・技術などが、十分に熟達すること。「円満熟達」の略。

【円旋】エンセン ぐるぐるまわる。

【円頂】エンチョウ ①丸い頭。②髪をそった丸い頭。僧の頭。③僧。

【円転(轉)滑脱】エンテンカツダツ 言動や処置が角立たずとどこおりなく、自由自在なこと。滑脱はなめらかにすすむこと。

【円仁】エンニン 国平安初期の天台宗の僧。慈覚大師。最澄に師事し、八三八年に唐に渡り、帰国後に天台宗山門派の祖となった。在唐中の記録『入唐求法巡礼行記』がある。(七九四—八六四)

【円木警枕】エンボクケイチン まるい木で作った、ころがりやすいまくら。宋の司馬光が、少しでも眠るとまくらが動いて目がさめるようにとこれを用い、睡眠時間を節約して勉強した故事から。眠らずに苦心努力して勉強することのたとえ。〔書言故事〕

【円満(滿)】エンマン ①あまねく満ちる。十分に満ちる。②少しも欠けた所のないこと。③国人柄がおだやかなこと。

【円融】エンユウ ①あまねくゆきわたる。また、あまねくほどこす。②なだらかで滞らない。③まるくてかどがない。二エンニュウ 仏よく融和する。

2 【冄】 4画 752 ゼン 1881

冉(760)と同字。→一五七ページ下。

2 【丹】 4画 (56) タン

、部。→三九ページ上。

2 【内】 4画 753 教2 ナイ・ダイ うち 3866 93E0 —

入2 〖內〗 4画 754 一漢ダイ・呉ナイ 隊 nèi 二漢ドウ(ダフ)・呉ノウ(ナフ) 合 nà

筆順 丨 冂 内 内

字義 一❶うち。↕外(2226)。㋐なか。うちがわ。内部。㋑あいだ。ある時期。用例〔史記、張儀伝〕秦兵之攻レ楚也、危難在二三月之内一。↓秦軍が楚を攻めるときは、危難が三か月のうちにやってくる。㋒宮中。朝廷。用例〔史記、汲黯伝〕以二数切諫一不レ得二久留レ内。↓しばしば天子を強くいさめたために、宮中に長くはとどまれなかった。㋓みうち。親族。また、身うちの女性。母。妻。そばめ。「内艱」「内兄弟」㋔親しい人。㋕いえ。室家。部屋。また、家事。用例〔礼記、内則〕男不レ言レ内、女不レ言レ外。↓男性は家の中のことに口を出さず、女性は家の外のことに口を出さない。㋖心。おもい。用例〔易経、坤〕君子敬以直レ内、義以方レ外。↓君子は敬によってその心をまっすぐにし、義によって外に現れる行いを正しくするものである。㋗はら。腹中。内臓。用例〔前漢、枚乗、七発〕扁鵲治レ内。↓扁鵲に内臓を治療させる。㋘国内。「内乱」❷うちうち。また、ひそかに。こっそり。↕公(728)。用例〔漢書、翟義伝〕内謁径入。↓ひそかに面会しようと気楽に入った。❸うち-にする。だいじにする。したしむ。用例〔大学〕外レ本内レ末、争レ民施レ奪。↓本を軽んじて末を重んずれば、民を利のために争わせ奪い取る心を起こさせることになる。

二い-れる。おさ-める。＝納(9091)。㋐おさめる。納付する。すすめる。用例〔史記、秦始皇本紀〕百姓内二粟千石一、拝二爵一級一。↓庶民で穀物千石を納めた者には、爵一級を与えた。／〔新唐書、蔣儼伝〕不レ屈、内二窟室中一。↓従わなければ、地下室に放り込んだ。㋑引き入れる。受け入れる。用例〔史記、項羽本紀〕交戟之衛士、欲二止不レ内。↓番兵どもは戟を交えてこれを止め、中に入れまいとした。／〔漢書、陳平伝〕予二酒肉之資一以内レ婦。↓婚礼の費用を与えて妻を娶らせた。

名前 うち・うつ・ただ・ちか・ない・のぶ・はる・まさ・みつ

難読 内衣・内海・内儀・内匠・内障・内生・内船・内膳司・内蔵助・内法

解字 甲骨文 金文 篆文 形声。冂+入音。冂は、家屋の形にかたどる。入は、はいるの意味。家に入るの意味を表す。また、入ったなか、うちの意味も表す。

逆 案内・宇内・海内・宮内・境内・圏内・参内・入内

【内意】ナイイ ①ひそかな思い。内心。②したごころ。

【内謁(謁)】一ナイエツ ①〔天子・諸侯に〕内密にお目にかかる。▼謁は、まみえる。②奥向きに取り入ること。内々にたのみこむこと。▼謁は、請う。二ノウエツ 謁(名刺)を内れる(出す)。名刺を出して取り次ぎをたのむ。

【内△苑】ナイエン ①宮中の庭。御苑。②国神社の奥庭。

【内宴】ナイエン ①宮中で催す内々の宴。②国昔、陰暦の正月二十一日ころ、仁寿殿で催した宴。

【内縁】ナイエン ①仏意識の中で諸法を分別すること。↕外縁(三三一ページ下)。②婚姻届を出さないために法律上夫婦と認められない男女関係。③内々の縁故。

【内応(應)】ナイオウ ①内部からひそかに敵に通ずること。裏切り。内通。②ひそかにかげで援助すること。

【内海】ナイカイ 四方を陸地に囲まれ、海峡で大洋と通じている海。うちうみ。↕外海(三三一ページ下)・外洋(三三二ページ下)。

【内界】ナイカイ 仏内部の世界。心をいう。身体または自己の外を外界というのに対していう。
【内外】[一]ナイガイ ①内と外。②国内と国外。[二]うちと [国]①内典と外典。②仏教と儒教。③伊勢神宮の内宮と外宮。
【内外学(學)】ナイガイガク 六経を内学といい、讖緯(未来記)を外学という。
【内閣】ナイカク ①妻女のいる室。②役所。③明・清代、宰相の官署。④[国]内閣総理大臣及び国務大臣で組織する合議体で、行政を担当する最高機関。
【内学(學)】ナイガク ①讖緯(未来記)の学。(三三一ジ下)。②仏学。仏教の学。↔外学(三三一ジ下)。
【内官】ナイカン ①在京の官署に勤務している官吏。↔外官(三三一ジ下)。②宮中に奉仕する官吏。また、女官。③宦官。
【内患】ナイカン ＝内憂②③。
【内観(觀)】ナイカン ①[仏]自己そのものを詳細に観察すること。②内省、反省。
【内艱】ナイカン 母の喪をいう。内憂。↔外艱(三三二ジ上)。
【内記】ナイキ ①[国]中務省の属官。大・中・小に分かれ、詔勅・宣命の起草と宮中の記録をつかさどる。②[仏]長老に仕え書状をしたためる禅宗の僧職。
【内規】ナイキ 内部だけに通用するように作った規定。内約。
【内儀】ナイギ [国]①内密の評議。内議。②内々のこと。内証。③身分ある人の妻。④一般に人の妻をいう敬称。後には主として町家の主婦をいう。おかみさん。
【内宮】[一]ナイキュウ 周代、後宮で夫人以下の女性のいる所。内第。[二]ナイクウ [国]伊勢の皇大神宮。天照大神を祭る。↔外宮(三三二ジ上)。
【内教】ナイキョウ ①女性に対する教え。内訓。女訓。②[仏]㋐仏教。㋑仏教の経典。
【内教坊】ナイキョウボウ ①唐の宮中に置かれた舞楽教習所。②[国]平安時代、宮中で、舞姫を置き、女楽・踏歌を練習させた所。
【内兄弟】ナイケイテイ ①母方のいとこ。②妻の兄弟。
【内△郤・内隙】ナイゲキ うちわもめ。内紛。内訌。
【内言】ナイゲン 家庭内の女性のことば。
【内顧】ナイコ [同]後顧。①頭をめぐらして見る。ふりかえり見る。また、わき見をする。②家事や妻子のことを考える。
【内向】ナイコウ 内気。自分だけで考え込んだりくよくよしたりすること。また、その性格。→内攻。
【内攻】ナイコウ ①内に向かってせめる。②内の仕事。③[国]病気が、からだの内部に広がること。◆似た語に「内向」があるが別語。使用されるようになったのは新しい。
【内△訌】ナイコウ 内部の乱れ。うちわもめ。内鬨。▼訌は、乱。
【内債】ナイサイ 国内で募集される公・社債。↔外債(三三二ジ上)。
【内在】ナイザイ 哲学用語。①ある事物やある性質が他のものの中に含まれてあること。②神が世界の本質として、世界の内に存在するという考え方。
【内子】ナイシ ①卿大夫の正妻。奥方。②他人の妻の敬称。③他人に対して自分の妻をいう。
【内史】ナイシ ①国家の法典や宮中の記録をつかさどる官。②秦・漢代に京師(天子の都)を治めた官。③[国]内記①の唐名。④＝内記②。
【内旨】ナイシ 天子からの内々のおことば・命令。
【内侍】[一]ナイジ ①宮中に仕えること。②隋・唐代の官名。内侍省に属し、雑務をつかさどる。宦官または女官がこれに当たった。[二]ナイシ [国]内侍司の女官。皇后宮の諸礼式や事務をつかさどる。
【内室】ナイシツ ①奥の部屋。②[国]他人の妻の敬称・奥方。
【内実(實)】ナイジツ ①家の中にある財貨。また、妻妾。②内部の実情。内幕。③真実のところ。実際。本当。④なかみ。内容。⑤内部が充実する。
【内△豎・内△竪】ナイジュ ①周代の官名。宮中に仕えて雑役に服する役。②漢以後には宦官をいう。③[国]朝廷の諸行事および宮中の雑役に召し使われる子ども。
【内柔外剛】ナイジュウガイゴウ 内心は柔弱でありながら、外面だけ強そうに見えること。また、そのように振る舞うこと。
【内助】ナイジョ ①内部から与える援助。②妻が家庭内にいて夫の働きを助けること。妻の援助。③妻をいう。
【内相】ナイショウ ①翰林学士の美称。唐の陸贄が翰林院に入り、年少ながらよく天子の相談をうけたので、人が内相といった。②妻がよく家を治めること。また、その妻。③[国]もと、内務大臣の略称。
【内証(證)】[一]ナイショウ ①内密の証拠。②[仏]内心のさとり。仏道の真理を自分の心証によって体得すること。↔外相(三三二ジ中)。[二]ナイショ [国]①内密。秘密。内緒。②奥向き。勝手向き。③身うち。家内。うちわ。④妻。⑤一家の財政。くらし向き。内所は、当て字。
【内情】ナイジョウ ①心の中。内心。＝中情(三七ジ上)。②内部の事情。内部の様子。③内々の情実。
【内心】ナイシン ①心のうち。心中。②数学用語。多角形に内接する円の中心。
【内臣】ナイシン ①宮中の側近の臣。[用例]〔史記、刺客伝〕願挙₂国為₁内臣₁ 一国をあげて大王の臣下となることを願う。②[国]もと、内大臣の別名。
【内寝(寢)】ナイシン 奥座敷。
【内親】ナイシン 父方の親類。内戚。↔外戚(三三二ジ中)。
【内親王】ナイシンノウ ①天皇の姉妹、または皇女。うちのみこ。②皇女から皇玄孫に至るまでの女性。
【内人】ナイジン ①天子・皇后の側近に仕えている人。宮人。②宮中に仕える女性。女官。宮女。また、女御。③宮中の妓女(うたいめ)。④自分の妻の謙称。家内。
【内政】ナイセイ ①国内の政治。②後宮のまつりごと。③家庭のきりもり。一家のとりしまり。女性の仕事。④他人の妻の敬称。
【内省】[一]ナイセイ 自分の心を省みる。自分で自分を省察すること。反省。[二]ナイショウ 宮中。御所。
【内省不△疚夫何憂何△懼】うちにかえ(へ)りみてやましからずんばそれなにをかうれえ(へ)なにをかおそれん 自分の良心に反省してみて何ひとつ後めたいところがなければ、何を心配したりおそれたりすることがあろうか。〔論語、顔淵〕
【内清外濁】ナイセイガイダク・うちきよくしてそとにごる 内に清い心をもっているが、外は濁り汚れているふりをすること。乱世に処して身を全うする法。
【内戚】ナイセキ ①父方の親戚。内親。↔外戚(三三二ジ中)。②天子の側近に仕えている女性の親戚。
【内蔵(藏)】ナイゾウ ①心中にたくわえて、表面に表さない。②内部にかくし持つ。③宮中にある倉庫。
【内則】[一]ナイソク 一家内のおきて。家憲。[二]ダイソク 『礼記』の編名。家庭生活の礼法を述べている。
【内大臣】ナイダイジン 官名。㋐清代の最高武官。㋑[国]㊀藤原鎌足が最初に任ぜられ、左右大臣の上にあったが、後には下になる。任務は左右大臣とほぼ同じ。㊁明治十八年から昭和二十年まで、天皇の側近に奉仕し、皇室・国家の事務について常に輔弼の任に当たった官名。
【内題】ナイダイ 書物の扉や本文の初めに記された書名。↔外題(三三二ジ中)。
【内治】ナイチ [同]内政。①国内の政治。↔外交(三三二ジ上)。②家の内の務め。
【内朝】ナイチョウ ①周代、天子が政務をつかさどる治朝と、休息する燕朝とをいう。↔外朝(三三二ジ中)。②奥御殿。
【内△寵】ナイチョウ ▼内は私的・奥向きの意、寵は愛せられる意。①君主のお気に入りの女官。↔外寵(三三二ジ中)。②奥向きに仕えているお気に入りの臣。
【内通】ナイツウ ①＝内応①。②男女がひそかに通ずること。私通。密通。

【内偵】ﾃｲ 国ひそかにさぐる。内々に探偵する。内探。
【内典】ﾃﾝ ①国内の書籍。↔外典ﾃﾞﾝ(三三ﾍﾟ中)。②仏仏典(仏教の本)。↔外典ﾃﾝ(三三ﾍﾟ中)。
【内伝】ﾃﾞﾝ 春秋内伝。『左伝』をいう。↔外伝①㋑(三三ﾍﾟ下)。
【内△帑】ﾄﾞ ①天子の私有の財貨を入れておく倉。▼帑は、かねぐら。②天子の私有の財貨。「内帑金」は、お手もと金。
【内府】ﾌ ①周代の官名。みつぎ物や兵器などを入れておく宮中の倉をつかさどる官。②国内の倉。おもてぐら。③国もと、内大臣の別名。
【内服】ﾌｸ ①帝城の地域。天下を五服に分けた要服以内の地域。↓五服(六ﾍﾟ上)。②国薬をのむこと。内用。▼服は、用いる。「内服薬(のみぐすり)」↔外用(三三ﾍﾟ下)。
【内紛】ﾌﾝ 内部のごたごた。うちわもめ。
【内△嬖】ﾍｲ ＝内寵ﾁｮｳ①。▼嬖は、お気に入り。
【内包】ﾎｳ ①内部に含むこと。②論理学で、一概念に含まれる属性。例えば「空」の内包は、「上、青色、広い」など。↔外延(三三ﾍﾟ下)。
【内報】ﾎｳ 内々のしらせ。
【内務】ﾑ ①国内の政務。②宮中の事務。③国「内務省」の略。もとの内務行政の最高官庁。④国旧軍隊で、日常の室内での仕事。
【内憂】ﾕｳ ①心にうれえる。ひそかにうれえる。②心のうれい。内々のうれい。③内部(国内・家庭)に起こる災い・心配事。④母の喪。＝内艱ｶﾝ。
【内憂外患】ﾕｳｶﾞｲｶﾝ ①国内に起こる災い・心配事と、外国から受ける災い。▼憂と患は同意、外患は外国から攻められることなどをいう。②内部(例えば家庭)に起こる心配事と外部からの災い。
【内乱(亂)】ﾗﾝ ①国内の乱。↔外寇ｶﾞｲｺｳ(三三ﾍﾟ上)。②家庭内の乱れ。③国法律用語。政府を倒し、一地方の独立を企てるなど、国家の基本的な制度を乱す目的で暴動を起こすこと。
【内裏】ﾀﾞｲﾘ ①天子の宮殿。また、宮中。禁裏。②国「内裏雛ﾋﾞﾅ」の略。天皇・皇后の姿に似せてつくった男女一対ﾂｲのひな。
【好ﾚ内】うちをこのむ 女性を好む。女色を好む。

2 【冃】4画 755 ㊀漢ボウ・呉モウ 号 mào ₂0309 ― 1880
字義 ㊀ずきん。こどもや未開の異民族のかぶりもの。＝帽(3124)。㊁漢ボウ・呉モ 宥 おおう(覆)。
参考 冃(752)は別字。
解字 篆文  象形。顔をすっぽり覆って、目の部分だけが開いたかぶりものの象形。子供や未開の異民族のかぶりものの意味を表す。冃を音符に含む形声文字に、帽・瑁ﾎﾞｳ・冒などがあり、これらの漢字は、「帽子をかぶる」の意味を共有している。

3 【囘】5画 756 カイ 回(1813)の古字。↓二九一ﾍﾟ下。 4937 9964 ―

3 【冋】5画 757 漢ケイ 呉キョウ(キャウ) 青 jiōng ₂0310 ― 1882
字義 ❶まき。遠く離れた国境の地。❷はるか。遠い。
解字 指事。冂ｹｲの古字で、縦の二線に横の一線を示し、遠い郊外、また、はるかに遠いの意味を表す。

3 【冊】5画 758 教6 サツ・サク 漢サク・呉シャク 陌 cè 慣サツ 2693 8DFB ―
筆順 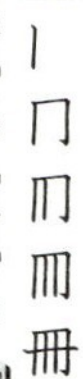
【冊】764 正字 【册】759 同字
字義 ❶ふみ。かきつけ。文書。書物。手紙。＝策(8730)。❷天子が諸侯に爵位・封録を授けるときの命令。また命令書。＝策(8730)。「封冊」❸書物を数える単位。「冊数」
名前 なみ・ふみ・ふん
解字 甲骨文  金文  篆文  象形。文字を書きつけるために、ひもで編んだふだの形にかたどり、文書の意味を表す。冊を音符に含む形声文字に、柵ｻｸなどがあり、これらの漢字は、「並べたふだ」の意味を共有している。
逆 詔冊・書冊・丹冊
【冊子】ｻｯｼ ㊀本。書物。書籍。㊁ｻｯｿｳ 国①とじほん。袋綴ﾌｸﾛとじなど、書物の装幀ｿｳﾃｲの上から、折本ｵﾘﾎﾝ・巻子本ｶﾝｽﾎﾞﾝ・粘葉本ﾃﾞｯﾁｮｳﾎﾞﾝなどに対していう。普通の和本じたての本。草紙(草子・双子)は、冊子(の音の変化)から出た語。⇩ コラム 書籍(六六ﾍﾟ)。②物語・日記・随筆などの書物。また、江戸中期にあらわれた通俗読み物。
【冊書】ｻｸｼｮ ①天子から臣下に授ける命令書。爵位ｼｬｸｲ・俸禄ﾎｳﾛｸ・尊号・諡号ｼｺﾞｳ(おくりな)などを授けるときの勅命書。策書。②書物。③文書。記録。
【冊文】ｻｸﾌﾞﾝ ①＝冊書①。②冊書の文句。
【冊封】ｻｸﾎｳ 冊書を下して領地を与えること。
【冊命】ｻｸﾒｲ ①冊書をもって命ずること。また、その命令。策命。②冊封の命令。
【冊立】ｻｸﾘﾂ 冊書を下して皇后を定め立てること。

3 【册】5画 759 サク 冊(758)と同字。↓一五七ﾍﾟ中。 4938 9965 ―

3 【冉】5画 760 漢ゼン 呉ネン 琰 rǎn
【冄】752 同字 【冉】761 俗字
字義 ❶よわ-い(よわし)。しなやか。❷ゆく。すすむ。また、そのさま。↓冉冉。❸ひげなどがやわらかに垂れるさま。また、ひげ。
解字 甲骨文  篆文  象形。ほおひげが伸びて垂れた形にかたどり、しなやかの意味を表す。冉を音符に含む形声文字に、苒ｾﾞﾝ・聃ﾀﾝなどがあり、これらの漢字は、「しなやかに伸びる」の意味を共有している。
【冉求】ｾﾞﾝｷｭｳ 春秋時代の魯ﾛの人。字ｱｻﾞは子有。冉有ともいう。孔門の十哲の一人で、政事にすぐれていた。(前五二二―前四八九)
【冉冉】ｾﾞﾝｾﾞﾝ ①次第に進み行くさま。②年月の経過するさま。③むくむくと動くさま。④柔らかくたれさがるさま。⑤しなやかなさま。
【冉伯牛】ｾﾞﾝﾊｸｷﾞｭｳ 春秋時代の魯ﾛの人。冉は姓、伯牛は字ｱｻﾞ。名は耕。孔門の十哲の一人で、徳行にすぐれていた。(前五四四―?)
【冉有】ｾﾞﾝﾕｳ ＝冉求。
【冉△雍】ｾﾞﾝﾖｳ 春秋時代の魯ﾛの人。冉は姓、雍は名。字ｱｻﾞは仲弓。孔子の弟子。孔門の十哲の一人で、徳行にすぐれていた。(前五二二―?)

3 【冉】5画 761 ゼン 冉(760)の俗字。↓一五七ﾍﾟ下。 4939 9966 ―

3 【丙】5画 (28) ヘイ 一部。↓三三ﾍﾟ中。

4 【冎】6画 762 漢カ(クワ) 呉ケ 馬 guǎ ― ― 1883
【剮】959 同字
字義 えぐ-る(えぐる)。わける。さく。
解字 篆文  象形。肉をけずりとり、頭部をも備えた人の骨の意味を表す。冎を音符に含む形声文字に、禍・窩ｶなどがある。なお、越に通じて用いられる過、亘ｶﾝに通じて用いられる渦・蝸ｶなどもある。

4 【再】6画 763 教5 サイ・サ ふたた-び 2638 8DC4 ―

サイ 漢 zài
慣サ

筆順 一 丆 冂 而 再 再

字義 ❶ふたた-び。㋐二度。二回。用例〔史記、淮陰侯伝〕時者難レ得而易レ失也（ときはえがたくしてうしないやすし）。時乎時（ときか、ときか）、不二再来一（ふたたびはきたらず）。↓時機は得難く失いやすい。時よ、時というものは、二度とはやってこない。㋑二回目の。二番目の。❷ふた-たびする（ふたたびす）。二度おこなう。二度繰り返す。用例〔論語、公冶長〕季文子三思而後行（キブンシみたびおもいてしかるのちにおこなう）。子聞レ之曰（シこれをききていわく）、再斯可矣（ふたたびせばこれカなり）。↓季文子は三度考えてようやく実行した。先生はそれを耳にして、二回考えればそれでよいのだ、とおっしゃった。❸ふたつ。

解字 甲骨文 金文 篆文 象形。一つを持ちあげることによって左右二つが同時にあがる形にかたどり、ある一つの事がらが起きて、それに重ねてもう一つの事がらが起こる、ふたたびの意味を表す。

逆 一再

【再嫁】（サイカ） 二度嫁入りする。二度目の嫁入り。再縁。再婚。

【再寒暑】（サイカンショ） 暑さ寒さを二度くりかえす意で、二か年間をいう。〔南宋、文天祥、正気歌〕

【再起】（サイキ） ふたたび立ちあがる。失敗した人や重病であった人などが、力をとりもどして活動を始めること。

【再挙（擧）】（サイキョ） ①ふたたび事を起こす。②ふたたび兵を挙げる。二度めの旗あげ。

【再見】（サイケン） 一 ①ふたたびあう。②二度あらわれる。二（ツァイチエン）現代中国語で、また会いましょう。さようなら。

【再建】（サイケン） 一 たてなおす。二（サイコン）神社や寺などを建てなおす。

【再顧傾二人国（國）一】（サイコすればひとのくにをかたむく） 美人の媚を呈する形容。二度ふりかえって流し目に見ると、その媚に迷わされて君主も国を忘れ滅ぼすに至るとの意味。傾国。用例〔漢書、孝武李夫人伝〕一顧傾二人城一（イッコすればひとのしろをかたむけ）、再顧傾二人国一（サイコすればひとのくにをかたむく）。↓一度振り返って見るだけで、人の心を惑わせて城を滅ぼさせ、二度ふりかえって見ると、その媚態（ビタイ）に迷わされて君主も国を忘れ滅ぼすに至る。

【再興】（サイコウ） ふたたびさかんにする、さかんになる。

【再昨】（サイサク） 再昨日の略。前々日。おとつい。おととい。

【再昨日】（サイサクジツ） おととい。一昨日。再昨。

【再三】（サイサン） 二度も三度も。何度も。たびたび。「再三再四」

【再思】（サイシ） 一度考えたことをふたたび考える。思いなおす。考えなおす。

【再従（從）兄弟】（サイジュウケイテイ） ①父方のまたいとこ。父のいとこの子の中で同姓の男子をいう。②国またいとこ。

【再宿】（サイシュク） ふた晩とまる。ふた晩どまり。二宿。二泊。

【再△醮】（サイショウ） 再婚。再嫁。

【再生父母】（サイセイのフボ） ①死の状態から生きかえらせてくれた、父母のようにありがたい人。元の烏古孫沢（ウコソンタク）の仁徳を民がたたえて呼んだ語。②自分の父母の生まれかわり。

【再全△之錦】（サイゼンのにしき） 一度裁ちあやまっても、また完全にもと通りになる錦。そのような錦はないことから、一度政治をあやまれば、二度と回復できないことのたとえ。

【再△祚】（サイソ） 二度帝位に即く。重祚。

【再造】（サイゾウ） ①ふたたび作る。また作りなおす。②おとろえたものがふたたびさかんになること。再興。③生きかえる。よみがえる。再生。

【再造△之恩】（サイゾウのオン） ほとんど生きる望みのないのを、生きかえらせてくれた恩。また、おとろえきっているのをふたたびさかんにしてくれた恩。

【再伝（傳）】（サイデン） 一度伝わって、そこから更にもう一度ほかに伝わること。また、伝授を二度重ねること。「再伝の弟子」

【再読（讀）文字】（サイドク・サイドクモジ） 国日本で漢文を訓読する上の特殊な工夫で、一字を二度読むもの。⇩コラム 再読文字（一五八ページ）。

【再然・再燃】（サイネン） ①一度消えた火がふたたび燃え上がる。②一度おとろえたものがふたたびさかんになること。③一時おさまっていたことがふたたび問題にされること。

【再拝（拜）】（サイハイ） 二度おじぎをする。㋐敬意や謝意などの深いことを表すときにするしぐさ。㋑手紙の末尾に書く語。敬意を表すことば。「頓首再拝（トンシュサイハイ）」

【再来（來）】（サイライ） ふたたび来る。二度重ねて来る。

コラム

再読文字

再読文字とは、訓読する際に二度読む文字のことである。

漢字の中には、日本語の文法でいう副詞的な意味と助動詞（および形式動詞「す」）的な意味を、一字の中に合わせ持つものが存在する。これらの漢字を訓読しようとした時、一度読むだけではその字の意味を十分には表現できない。そこで、一つの漢字に二つの訓を固着させ、一度目は語順のままに副詞的な意味として読み、二度目は後から返って助動詞（および形式動詞「す」）の意味として読むことにしたのである。

この再読という習慣は、漢籍が渡来した当初からあったのではない。たとえば平安初期ごろまでは、「当」は「べし」、「未」は「ず」とのみ読んでいた。しかし、平安中期以降は、訓読法の固定化とともに、再読されることが多くなっていったのである。

主な再読文字は、次に挙げる通りである。各字の用法・用例については、それぞれの「助字・句法解説」の欄を参照されたい。

未（七一六ページ）・将（四一四ページ）・且（三一ページ）
当（四三〇ページ）・応（五一八ページ）・宜（三九四ページ）
須（一五五六ページ）・猶（九三五ページ）・由（九六八ページ）
盍（九九八ページ）・蓋（一二三六ページ）

なお、方（まさに…す）・合（まさに…べし）・容（まさに…べし）などの文字も、再読されることがある。

4 【冊】 6画 764 サク 冊（758）の正字。→一五七ページ中。

4 【同】 6画 765 教2 ドウ おな-じ 3817 93AF 一 漢トウ・呉ドウ 東 tóng

筆順 丨 冂 冂 同 同 同

［仝］ 200 古字

字義 ❶おな-じ。ひとしい。一緒。一様。共通している。↔異（7644）。用例〔唐、劉廷芝、代下悲二白頭一翁上詩〕年年歳歳花相似（ネンネンサイサイはなあいにたり）、歳歳年年人不レ同（サイサイネンネンひとおなじからず）。↓来る年も来る年も、花は同じように咲くが、それを見る人は、毎年毎年違った人なのだ。❷おな-じくする（おなじくす）。㋐とも-にする（ともにす）。㊀共通する。一致する。用例〔易経、繋辞下〕天下同レ帰而殊レ塗（テンカキをおなじくしてみちをことにす）。↓天下の道理は、その帰着するところは同じだが、ただその途中（手段・方法）が違うだけだ。㊁共有する。共同する。また、かかわる。関与する。用例〔淮南子、兵略訓〕将必与レ卒同二甘苦一（ショウかならずソツとカンクをおなじくす）。↓武将はかならず兵卒と苦楽をともにする。㋑あ-わせる（あはす）。ひとつにする。用例〔荀子、強国〕上下一レ心（ジョウゲこころをひとつにし）、三軍同レ力（サングンちからをあわ(は)す）、是以百事成（ここをもってヒャクジ…

るな。↓上下は心をひとつにし、三軍は力をあわせ、そのためにすべての事が成功した。㋒統一する。用例〔書経、舜典〕同二律度量衡一(リツドリョウコウをおなじくす)。↓法律・尺度(長さ)・量器(容積)・衡権(重さ)を統一した。❸こびる。へつらう。慣れ合う。特に、「和」に対して、主体性なく迎合することをいう。用例〔論語、子路〕君子和而不レ同(クンシはワしてドウぜず)。↓君子は、人々と調和するが、他人の意見におもねり従ったりはしない。❹ともに。おなじく。一緒に。みな。用例〔漢書、高帝紀上〕天下同苦レ秦久(テンカともにシンにくるしむことひさし)。↓天下はみな秦のために苦しむこと長きにわたりました。❺あつまる。あつめる。あつ。あつむ。「合同」❻あつまり。つどい。周代、諸侯が同時に天子におめにかかること。「会同」❼周代、百里四方の地。❽さかずき。

名前 あつ・あつむ・とも・のぶ・ひとし　難読 同胞(はらから)

注意 『康熙字典』では、口部に所属する。

解字 甲骨文・金文・篆文

象形。甲骨文や金文でわかるように、上下二つのつつの象形で、同じ直径のつつが、あう・おなじの意味を表す。同を音符に含む形声文字に、侗・恫・胴・桐・洞・筒・銅などがあり、これらの漢字は、「つつ」の意味を共有している。

逆 異同・共同・協同・合同・混同・参同・賛同・帯同・大同・雷同・和同

【同悪(惡)】ドウオ ㊀ドウアク いっしょになって悪事をはたらく。また、その人。㊁ドウオ 憎しみをともにする。また、その人。

【同悪(惡)相助】㊀ドウアクあい(ひ)たすく 悪人どうしはたがいに助け合って悪事をはたらく。㊁ドウオあい(ひ)たすく 憎しみを共にする者がたがいに助け合ってその憎む相手にたちむかう。〔史記、呉王濞伝〕

【同異】ドウイ 同じと違い。同じ点と違っている点。

【同意】ドウイ ①同じ意見。②同じ意味。同義。③賛成。

【同一】ドウイツ ①同じ。ひとつのもの。②合わせて一つにする。

【同一視】ドウイツシ ①同じにみなす。②平等に取り扱う。

【同音】ドウオン ①同じねいろの音。②文字の音が同じであること。「同音異義」③同じことを言う。口をそろえて言う。「異口同音(イクドウオン)」

【同化】ドウカ ①他人を感化して自分と同じようにすること。②生物が外界から取った栄養物を自分の成分にすること。③他人から得た知識を完全に自分のものとすること。

【同学(學)】ドウガク ①いっしょに学ぶ。②同じ師について学んだもの。同門。

【同気(氣)相求】ドウキあい(ひ)もとむ 同じ気質の人は互いに相集まる。同類相求。〔易経、乾〕

【同軌】ドウキ ①車輪の間隔を同じくする。天下が統一されていることにいう。▼軌は、わだちで、車輪のあと。「同文同軌」②同一の王者に治められている諸侯をいう。

【同義】ドウギ 同じ意味。同意。

【同業】ドウギョウ ①同じ職業。また、その人。②同学の人。同門。

【同△衾】ドウキン 同じしとねに寝る。ともね。通常、男女についていう。

【同訓異義】ドウクンイギ 国文字の訓(読み)が同じで、その意味の異なること。

【同契】ドウケイ ①ぴったりと一致する。契はわりふで、わりふの両片のようによく合う意。②たがいに深い交わりを結ぶ。

【同慶】ドウケイ いっしょによろこぶ。互いによろこばしいこと。

【同穴】ドウケツ 一つ穴に入る(葬られる)。夫婦の仲のむつまじいことにいう。「同穴契(ドウケツのちぎり)」「偕老同穴(カイロウドウケツ)」

【同工】ドウコウ ①同じさいく。②同じうまさ。同じ手ぎわ。

【同工異曲】ドウコウイキョク ①音楽演奏の技術は同じであるが、その調子が違うこと。②詩文を作る手ぎわは同じであるが、作品の趣が違うこと。③違っているように見えて実は同じ手ぎわであること。④大同小異。〔唐、韓愈、進学解〕

【同甲・同△庚】ドウコウ 同じ年齢のもの。▼甲・庚は、年齢の意味。

【同好】ドウコウ 同じ好みを持つ。また、その人。「同好の士」

【同行】㊀ドウコウ・ドウギョウ いっしょに行く。また、その人。同伴。同道。㊁ドウギョウ 仏いっしょに仏道を修行する人。修法の仲間。同じ信者。㊂ドウアン 仏いっしょに行脚(アンギャ)巡礼をする。また、その仲間。

【同根】ドウコン ①同じ根。また、一つの根を共有する。②同一の親。また、同じ親から生まれた兄弟をいう。

【同△爨】ドウサン 同居して、同じ一つのかまどの飯を食べること。また、その人。同居人。

【同士】ドウシ 国同じなかま。つれ。→同志。

【同志】ドウシ ①志を同じくする。②同じなかま。同士。◆同じ意見・主張を持つ人を「同志」、単なる仲間・つれは「同士」と使いわけるが、一般に画然とはしていない。ただ、「男同士・弱い者同士」のように接尾語的に用いる場合は、「同士」が一般的。

【同室】ドウシツ ①同じ家や同じ部屋に住む。また、その人。家族。②夫婦をいう。

【同舟】ドウシュウ ①同じ舟。②同じ舟に乗る。また、その人。「呉越同舟」

【同舟相救】ドウシュウあい(ひ)すくう(ふ) 利害を同じくする者は、だれでもたがいに助けあうたとえ。同病相憐(ドウビョウあい(ひ)あわ(は)れむ)。〔孫子、九地〕

【同宿】ドウシュク ①同じ宿屋にとまる。②仏同じ寺院に仮住まいしている僧。③国キリスト教の同じ信者をいう。

【同出】ドウシュツ 兄弟。同じ父親、または、同じ母親を持つ人。

【同床異夢・同△牀異夢】ドウショウイム ①夫婦がいっしょに寝ながら、違った夢を見る。②同居していながら、心が離れているたとえ。また、共同して事に当たりながら、意見・目的などを異にするたとえ。〔南宋、陳亮、与二朱元晦一書〕

【同情】ドウジョウ ①同じ思いを持つ。②国思いやり。気の毒に思うこと。特に、他人の不幸・苦悩をわがことのように思うこと。

【同心】ドウシン ①同じ心。②心を合わせること。③男女が約束をかわす。④中心を同じくする。「同心円」⑤国㋐武家に属した最下級の兵。㋑江戸時代、与力の下で警察事務にあたった役員。㋒歌の欠点の一つ。同語が重出すること。㋓同意。賛成。

【同心結】㊀ドウシンのケツ ①固く解けない結び方。また、その結び方をした物。②夫婦の固いちぎり。③別離の時、結んで贈る物。㊁ドウシンむすび 仏袈裟(ケサ)の紐(ひも)の結び方の一。華鬘(ケマン)の形に結んだもの。けまんむすび。

【同心△之言△其臭如△蘭】ドウシンのゲンそのシュウランのごとし 心の合った者同士のかわすことばは蘭の花のかおりのようにかぐわしい。〔易経、繋辞上〕

【同人】㊀ドウジン ①易(エキ)の六十四卦(カ)のうちの一つ。☰☲離下乾上(リカケンジョウ)。公平無私の心で万人が協同すれば、どんな困難ものりきれるかたち。②同志の人。同じ趣味の人。気の合った友だち。㊁ドウジン・ドウニン ①なかま。「同人雑誌」②同じ人。同一の人物。

【同仁】ドウジン ①平等に愛する。▼仁は、愛。「一視同仁」②仁愛の心を持っている同士。

【同△塵】ドウジン 俗世間と歩調を合わせる。▼塵は、世俗の意。「和光同塵」〔老子、五十六〕

【同生】ドウセイ ①兄弟。②同年に生まれる。

【同姓不婚】ドウセイフコン 中国の家族制で、同じ姓の人は結婚しないこと。特に周代でやかましかったといわれる。

【同△棲】ドウセイ ①同じ家に住む。②正式の結婚をしない男女が、一緒にくらすこと。

【同△儕】ドウセイ 同じ仲間。同輩。▼儕は、なかま。

【同然】ドウゼン 同じであること。同様。

【同宗】㊀ドウソウ 同じ血統の人。㊁ドウシュウ 同じ宗派。

【同窓】ドウソウ ①同じ師について学んだ人。同業。②同じ学校の出身者。
【同中書門下平章事】ドウチュウショモンカヘイショウジ＝同平章事。
【同△儔】ドウチュウ 同じなかま。同輩。同僚。
【同調】ドウチョウ ①同じ調子。②他人の主義・主張などに賛成して同じ行動をとること。
【同道】ドウドウ いっしょに(同じ道を)行く。同行。
【同年】ドウネン ①同じ年齢。おないどし。②同じ年に進士の試験に及第した人。③同時に。④同じ年。その年。
【同伴】ドウハン いっしょにつれて(ついて)行く。同行。
【同病相△憐】ドウビョウあい(ひ)あわ(は)れむ 同じ病気にかかっている者はたがいにあわれみ合う。同じ境遇に苦しむ者はたがいにあわれみ合うたとえ。〔呉越春秋、闔閭内伝〕
【同風】ドウフウ ①同じ風俗。天下が統一されていることにいう。②同じ趣。
【同腹】ドウフク 同じ母から生まれる。また、その兄弟。
【同文】ドウブン ①同一の文字(を用いる)。②天下が統一されること。③国同一の文章。
【同文同軌】ドウブンドウキ 文字を同じくし、車の両輪の間隔を同じにする。王者が天下を統一すること。▼軌は、車の輪と輪との距離。〔中庸〕
【同文同種】ドウブンドウシュ 使用する文字もまた人種も同じであること。多く日本と中国との関係にいう。
【同平章事】ドウヘイショウジ・ドウベンショウジ 官名。同中書門下平章事の略。唐・宋の時、宰相の実権を握った役。唐・宋代は尚書・中書・門下の三省の長官を宰相としたが、常に専任とせず、他の官にある人に兼任させた。平章事ともいう。
【同△朋】ドウホウ・ドウボウ ①ともだち。②国㋐禅家で雑役に従事する僧。㋑武家で雑役に使用した髪をそった小役人。
【同胞】ドウホウ ①同じ腹から生まれた人。兄弟。はらから。②同じ国の民。
【同△袍】ドウホウ ①友だち。親しい学友。一枚の袍(どてら)を貸し合って助け合う意。用例〔広瀬淡窓、桂林荘雑詠示諸生詩〕休道他郷多苦辛、同袍有友自相親 ドウホウともありみず(づ)からあい(ひ)したしむ。(いう(ふ)をやめよタキョウ、クシンおお(ほ)しと)↓言ってはいけない、異郷にあって勉学するのはつらいなどということを。ここには、同じ綿入れを貸し合って着る親しい学友がいて、はげましあっているではないか。②軍人同志。「同袍同沢(沢は下着)」
【同夢】ドウム・ドウボウ ①同じ夢を見る。②親愛のはなはだしいこと。夫婦にいう。
【同盟】ドウメイ ①諸侯が盟約を結ぶこと。②共同の目的のために同一の行動をとることを約束すること。
【同門】ドウモン 同じ門下。同じ師に学んだ人。相弟子。
【同流】ドウリュウ ①二つの川が合流すること。②世俗にしたがう。③傾向を同じくする。また、同じたぐい。なかま。同類。
【同僚】ドウリョウ 同じ職場につとめる人。あいやく。
【同力】ドウリョク ①力を合わせる。協力する。②力を同じくする。力が匹敵する。
【同類】ドウルイ ①同じなかま。②同姓の親族。同姓。
【同列】ドウレツ ①同じ列・ならび。②同じ地位。また、その人。
【同和】ドウワ ①和合する。ともにやわらぐ。一致する。②同じようにやわらぐ。③国被差別部落の解放と差別撤廃に関する、政府・自治体の諸活動。「同情融和」「同胞一和」などに由来する語。

4 【両】 6画 (31) リョウ 一部→三四ジ上。

5 【冏】 7画 766 漢ケイ 呉キョウ(キャウ) 梗 jiǒng 4940 9967 一

〔囧〕 1825 本字

字義 ❶あきらか。❷まど(窓)。

解字 金文 篆文 象形。『説文解字(セツモンカイジ)』では篆文の囧(冏は変形)を窓に光がさして明るいさまの象形とするが、金文によれば、太陽の光り輝くさまの象形である。

【冏冏】ケイケイ 光り輝くさま。烱烱(ケイケイ)。

6 【岡】 8画 (2868) コウ 山部。→四三七ジ上。

6 【周】 8画 (1416) シュウ 口部。→二五七ジ下。

6 【冒】 8画 767 ボウ 冐(4728)の俗字。→六六四ジ上。 7078 E3EC 一

6 【罔】 8画 (9431) モウ 网部。→一二四七ジ上。

7 【冑】 9画 768 標 漢チュウ(チウ) 呉ジュウ(ヂウ) 宥 zhòu 4941 9968 一

字義 かぶと。国よろい。

参考 ①原義は、〔甲〕がよろい、〔冑〕がかぶとであるが、日本では、普通、逆にして用いている。②月部の〔冑〕(4962)は別字だが、古くから混用される。

冑

解字 金文 篆文 形声。篆文は冃+由音。冃はかぶり物の象形。音符の由は、深いあなの意味。目深におおうかぶとの意味を表す。金文は、目びさしの深いかぶとの象形。

【冑△纓】チュウエイ かぶとの緒(お)。かぶとの結びひも。
【冑甲】チュウコウ かぶとと、よろい。甲冑(カッチュウ)。

7 【冐】 9画 (4729) ボウ 冐(4728)の旧字体。→六六四ジ上。

8 【冔】 10画 769 ク 麌 xǔ

字義 殷(イン)代の冠の名。↔弁(3276)・収(1268)。

解字 形声。冃+吁音。冃は、ぼうしの意味。

8 【冓】 10画 770 漢コウ 呉ク 宥 gòu 4942 9969 一

〔冓〕 771 俗字

字義 ❶く-む(組)。くみたてる。かまえる(構)。❷へや。家の奥まった所。宮中の女官のいる所。

解字 甲骨文 篆文 象形。かがり火をたくときに用いるかご、篝の原字で、上下同形に組み合わせたかごの形にかたどる。冓を音符に含む形声文字は、「組み合わせる」の意味を共有し、篝(コウ)・溝(コウ)・遘(コウ)・覯(コウ)・構・媾(コウ)・購・講などがある。

8 【冓】 10画 771 コウ 冓(770)の俗字。→一六〇ジ下。

9 【冕】 11画 772 漢ベン 呉メン 銑 miǎn 4943 996A 一

字義 かんむり。天子から大夫までが礼式に用いる。冠の上に織物でおおわれた板(冕版(ベンバン))をのせ、その前後の端に旒(リュウ)(ひもでつづったかざり玉)をたれたもの。

解字 篆文 形声。冃+免音。冃は、ぼうしの意味。音符の免は、ぬけ出るの意味。頭がぬけ出てくるという感じの、深いかんむりの意味を表す。

【冕者】ベンシャ 冕服(ベンプク)をつけた人。尊い身分の人をいう。
【冕服】ベンプク 貴人が礼装としてつける冠と衣服。

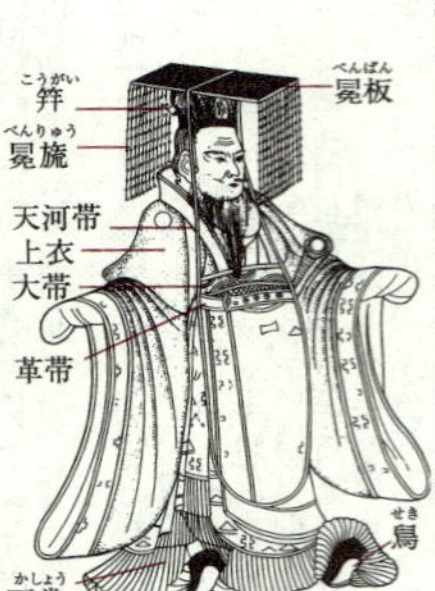

冕服

【冕旒ベンリュウ】冕の前後にたれ下げるかざりの玉。その本数は、天子は十二、諸侯は九、上大夫は七、下大夫は五。

冖 2画 わかんむり

〔部首解説〕形が片仮名のワに似ているところからいう。冖を音符に含む形声文字に、幎ベキ・冪ベキ・冥メイ・溟メイ・瞑メイなどがあり、おおい・おおうなどの意味を含む文字ができている。また、宀(うかんむり)の省略形で冖となる場合もあり、この場合は文字としての冖とは関係がない。

0 冖 一六一　2 宂 一六一　冗 一六一　3 写 一六一　5 宜 一六一
7 冠 一六一　軍 一三八九　8 冤 一六二　冤 一六二　冦 一六二
冣 一六三　冢 一六三　冥 一六三　冡 一六三　9 冨 一六三
10 幂 一六三　12 冩 一六三　13 冪 一六三　鼏 一六五

0【冖】2画 773 ㊥ベキ ㊒ミャク 錫 mì 4944 996B 一
字義 布などで物を覆う。また、覆い。
解字 篆文 冂 象形。おおいの形にかたどり、おおいの意味を表す。

2【宂】4画 774 イン 侵 yín ₂0312 一 *1884*
字義 ❶ゆく(行)。❷おこたる。
解字 象形。人がまくらをしている形にかたどり、まくらをして寝ているさまから、沈滞する、おこたるの意味を表す。

2【冗】4画 775 常 ジョウ ㊥ジョウ・㊒ニュウ 腫 rǒng 3073 8FE7 一
【宂】2596 正字
筆順 ⺍ 冖 冗 冗
字義 ❶むだ。あまる。不必要な。「冗費」❷みだれる。まじる。❸わずらわしい。くだくだしい。

解字 篆文 宂 会意。冖(宀)＋几(儿)。宀は家屋の象形。儿は、人の象形。農事がなく人が暇で屋内にいるさまから、ひま・あまるの意味を表す。

【冗員ジョウイン】①＝冗官。②国むだな人員。

【冗官ジョウカン】①つかさどるべき一定の職務を与えられていない官職。また、その官職にある人。散官。②国むだな官職。なくてもよい官職。

【冗冗ジョウジョウ】①入り乱れるさま。②わずらわしいさま。③忙しいさま。

【冗食ジョウショク】むだぐい。また、働かずに俸禄ホウロクをむさぼること。

【冗職ジョウショク】＝冗官。

【冗舌ジョウゼツ】国おしゃべり。むだぐち。もと、饒舌ジョウゼツの誤記から生じた語。

【冗談ジョウダン】国①言わなくてもすむ、余分の話。むだばなし。むだぐち。②ふざけたわむれて言う話。むだぐち。

【冗長ジョウチョウ】だらだらと長くてしまりがないこと。冗漫。

【冗費ジョウヒ】むだな費用。

【冗文ジョウブン】むだで長い文句・文章。

【冗漫ジョウマン】くだくだしくて、しまりのないこと。むだが多く、とりとめのないこと。冗長。

3【写】5画 776 教3 シャ うつ-す・うつ-る 2844 8ECA 一
宀12【寫】15画 777 シャ 馬 xiě 5377 9B8D 一
筆順 ⺍ 冖 ⺳ 写 写
【寫】789 俗字
字義 ❶うつ-す。もとのものをまねて、また、そのとおりに書きうつす。また、うつ-したもの。❷うつ-し。書きうつしたもの。❸のぞく(除)。❹そそぐ。「写レ心こころをそそぐ(心を尽くす)」

使いわけ うつす・うつる〔写・映・移〕
〔写〕物の形をそのまま書いてあらわす。また、撮影する。「ノートを写す・写真を写す」
〔映〕物の形や影などを、他のものの上にあらわす。「スライドを映す」
〔移〕動かす。「本籍を移す」

解字 篆文 寫 形声。篆文は、宀＋舄㊥。音符の舄セキは、席に通じ「しく」の意味。宀は、覆うの意味。実物を下に敷き、その上に紙などをかぶせて、かきうつすの意味を表す。常用漢字の写は省略形による。

逆 活写・誤写・手写・書写・図写・転写・透写・謄写・描写・複写・模写
【写意シャイ】①意をそそぐ。誠意を表す。②事物の外形よりも、対象物の精神を写そうとする画法。

【写経(經)シャキョウ】仏供養などを目的として経文を筆写すること。

【写実(實)シャジツ】実際の姿をありのままにうつし出すこと。

【写照シャショウ】＝写真①②。▼照は、すがた・かがやき。

【写真(眞)シャシン】①本当の姿・形を写しえがくこと。②肖像画。似顔。③写真機で写した像。

【写生シャセイ】実物・風景をそのままに写し描くこと。スケッチ。(七三九ジページ上)・刻本(一八〇ジページ下)・版本(九一九ジページ中)・刊本(一七六ジページ下)。

【写本シャホン】①手で書き写した本。筆写本。↕板本
②本を書き写すこと。

5【宜】7画 778 ギ 1452 ED64 *1885*
宜(2616)の俗字。→三九四ジページ上。

7【冠】9画 779 常 カン かんむり 2007 8AA5 一
㊀カン(クヮン) 寒 guān
㊁カン(クヮン) 翰 guàn
筆順 ⺍ 冖 冖 冖 冖 冠 冠 冠 冠
字義 ㊀❶かんむり。❷とさか。「鶏冠」
㊁❶かんむりをつける。かぶる。❷男子が二十歳で成人式をあげ、かんむりをつけること。元服。❸成年。二十歳になること。❹衆人のかしら。第一等。「世界に冠たり」国かんむり。漢字の部首で、上部にかぶせるもの。草かんむり(艹)、雨かんむり(⻗)など。⇩コラム

冠㊀①

部首と画数(一四四五ジページ)。
名前 かむり　難読 冠城かぶらぎ・冠石野かぶしの・冠着かむりき・冠木かぶき
解字 篆文 冠 形声。冖＋寸＋元㊥。音符の元は、かんむりをかぶった人の象形。これに、おおうの意味の冖、手にするの意味の寸を付し、かんむりをつけるの意味を表す。
逆 衣冠・栄冠・掛冠・加冠・花冠・鶏冠・弱冠・弾冠・典冠・宝冠
【冠位カンイ】国①冠とくらい。②昔、かんむりの色と形によって表した位階。十二階に分けた。
【冠蓋相望カンガイあい(ひ)のぞむ】使者の冠と車のおおいとが前後に遠く見渡される意で、使者の車が次々と長く続いていること。〔戦国策、魏〕
【冠玉カンギョク】冠の飾りの白玉。色白の美男のたとえ。また、容貌ヨウボウだけ美しくて、内容のない人のたとえ。
【冠軍カングン】①武功が軍中第一番であること。一軍(全軍)に冠たりの意。②大将軍。楚ソの宋義ソウギ、漢の霍去病カクキョヘイ

をいう。③科挙(官吏登用試験)の首席合格者。

【冠△笄】①男女が成人となる式。▼冠は男子が二十歳で元服する礼、笄は女子が十五歳で笄をさす礼。②冠をとめるこうがい。

【冠婚葬祭】元服(成人式)・結婚・葬式・祖先の祭りの、四つの重要な礼式。

【冠者】㊀元服して、冠をつけた青年。成年に達した若者。〔論語、先進〕㊁国①元服を終えた若者。②昔、六位で無官の人。③若い召し使い(けらい)。

【冠省】国手紙の初めの「拝啓」や気候のあいさつなどを省略し、すぐに用件を書く時に、冒頭に書くことば。前略。

【冠絶】最もすぐれている。最上で他からかけ離れている。

【冠帯(帶)】①かんむりと、おび。②冠をつけ、帯を結ぶ。㋐礼装すること。礼服を身につけること。㋑身分のある人をいう。官吏。紳士。㋒礼儀の厚い風俗をいう。

【冠△冕】①かんむり。▼冠はかんむりの総称、冕は大夫以上の礼冠。②首位。第一位。③官職。地位。また、高位高官。④うわべの飾り。

【冠木門】国門柱の上部を貫く横木を渡した、屋根のない門。

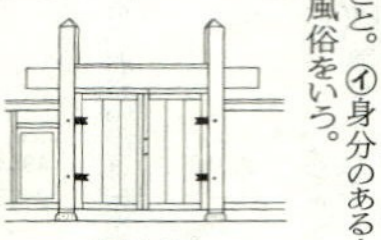
冠木門

【冠履倒易】冠とくつをとりちがえて逆につける意で、上下の秩序が乱れてさかさまになること。冠履顚倒。〔後漢書、楊賜伝〕
【貴二冠履一忘二頭足一】頭あっての冠、足あってのくつであるのに、冠やくつばかりを大切にして頭や足を忘れる意。根本を軽んじ、末を重んずることのたとえ。〔淮南子、泰族訓〕
【冠礼(禮)】元服の儀式。→字義㊁❷。
【△挂レ冠】＝挂冠(五八九ページ下)。
【弾(彈)レ冠振レ衣】冠をはじき着物をふるって、ちりを払う。㋐礼服の準備を整えて、お上からのお召しを待つこと。㋑礼服をかたづけて、官職を退くこと。

7【軍】9画 (11869) グン 車部。→一三八九ページ上。

8【冤】10画 780 標 漢エン(ヱン) 呉オン(ヲン) 中 yuān 4945 996C 一
［冤］781 俗字 ［寃］2657 俗字
字義 ❶ぬれぎぬ。無実の罪。冤罪。❷うらみ。あだ。不平不満。

解字 甲骨文 [甲骨文] 篆文 [篆文] 会意。甲骨文は、冂＋兔。冂は、あみの象形。兔は、うさぎの象形。網の中に身をかがめるうさぎのさまから、ぬれぎぬ・うらみの意味を表す。

【冤△枉】無実の罪。▼枉は、事実を曲げる意。

【冤鬼】無実の罪で死んだ人の幽霊。

【冤獄】無実の罪で牢屋につながれること。

【冤恨】無実の罪におとされたうらみ。

【冤魂】無実の罪で死んだ人のたましい。

【冤罪】無実の罪。

【冤死】無実の罪におとされて死ぬ。

【冤声(聲)】無実の罪におちた人のうらみの声。

【冤訴】無実の罪をうったえる。

【冤憤】無実の罪におとされたいきどおり。

8【冤】10画 781 エン 冤(780)の俗字。→一六三ページ上。

8【寇】10画 782 コウ 寇(2660)の俗字。→四〇三ページ中。 4946 996D 一

8【冣】10画 783 サイ 最(4796)の俗字。→六七四ページ上。 20313 一 1887

8【冢】10画 784 漢チョウ 呉チュウ(チウ) 中 zhǒng 4947 996E 一
字義 ❶つか。大きい墓。❷おか(丘)。❸やしろ(社)。もり土をして神をまつる場所。❹大きい。❺長子。嫡子。

参考 〔冢〕(786)は別字。

解字 金文 [金文] 篆文 [篆文] 形声。篆文は勹＋豖音。勹は、おおいつつむの意味。音符の豖は、足を縛ったぶたの象形。いけにえの豚をそなえておおう、「つか」の意味を表す。

【冢△塋】はか。また、墓地。

【冢君】きみ。君長。大君。親しい国の諸侯を尊んでいうことば。

【冢△卿】最高の地位の家来。重臣。大臣。

【冢宰】周代の官名。六官の長で、天子を助け、百官をひきいる役。後世の吏部尚書。今の総理大臣に当たる。

【冢子】①太子。世子。よつぎのみこ。冢嗣。②本妻の生んだ、家を相続する長男。長子。嫡子。

【冢△祀】先祖のまつり。宗廟の祭り。

【冢嗣】太子。世子。よつぎのみこ。冢子。

【冢上】つかのほとり。墓辺。

【冢嫡・冢適】本妻の生んだ、家を相続する長男。

【冢土】土地の守り神として王が万民のために建てたやしろ。社。

【冢墓】はか。


8【冥】10画 785 常 メイ・ミョウ 漢メイ 呉ミョウ(ミャウ) 中 míng 4429 96BB 一
［冥］2668 俗字
筆順 冖 冖 冃 冝 冥 冥 冥
字義 ❶くら-い。くらし。くらい。㋐光がなくてくらい。㋑道理にくらい。おろか。「頑冥」❷よる。やみ。くらがり。❸ふかい。奥深いところ。㋐空。天。「青冥」㋑海。＝溟(6604)。用例 〔荘子、逍遥遊〕北冥有レ魚、其名為レ鯤。⬇北方の大海に魚がいる、その名を鯤といった。㋒心のおくそこ。㋓あの世。死後の世界。「冥途」❹目に見えない、神仏の作用についていう。「冥助」❺目をとじる。思いにふける。＝瞑(8061)。

名前 うみ・そら・めい 難読 冥府
解字 篆文 [篆文] 形声。日＋六＋冖音。音符の冖は、おおいの意味。日は、もと口で、場所を示し、六は、もと廾で、両手の意味。ある場所におおいを両手でかけるの意味から、くらいの意味を表す。

【冥応(應)】神仏の報い・加護。

【冥加】①仏知らない間に受ける仏の加護。目に見えぬ神仏の助け。冥助。②国おかげ。おたすけ。

【冥界】＝冥土・冥途。

【冥△晦】まっくら。また、くらやみ。晦冥。

【冥感】神仏の感動。

【冥頑】道理にくらくがんこなこと。頑冥。

【冥鬼】仏冥土のおに。地獄の鬼。

【冥護】仏仏のまもり。仏の加護。

【冥△鴻】暗い中を飛ぶ鴻(おおとり)。世を避けて志を高尚にする者のたとえ。

【冥合】知らないうちに一致する。

【冥婚】この世で夫婦になれなかった男女を、死後に、一つの墓に葬るなどして、夫婦にしてやること。幽婚。

【冥助】目に見えぬ神仏のたすけ。冥加。

【冥数(數)】人間の知恵でははかり知れない運命。

【冥捜(搜)】はるか奥深いところまでさがし求める。

【冥想】目を閉じて静かに思いにふけること。じっと考えこむ。瞑想。

【冥土・冥途】仏死者のたましいの行くところ。よみじ。あの世。冥界。冥府。

【冥罰】メイバツ・ミョウバツ 仏①仏が人知れず与えるばち。天罰。②死後にあの世で受けるばち。
【冥府】メイフ ＝冥土・冥途。
【冥福】メイフク・ミョウフク 死後のしあわせ。あの世での幸福。
【冥報】メイホウ 死後、冥途から報いること。また、その報い。
【冥△茫】メイボウ うす暗く広々として果てしないさま。
【冥昧】メイマイ くらい。また、物事の道理にくらい。
【冥冥】メイメイ ①暗くかすかなさま。②奥深く遠いさま。③人の目につかぬこと(ところ)。④おろかなさま。無知のさま。
【冥△濛・冥△蒙】メイモウ うすぐらい。
【冥黙(默)】メイモク ①奥深く静かで、測ることのできないさま。②静かに目を閉じて沈黙していること。瞑目。
【冥△祐・冥△佑】メイユウ 神仏のたすけ。▼祐・佑は、たすけ。
【冥利】ミョウリ ①仏善業ゼンゴウの報いとして受ける幸福。②国㋐知らない間に神仏からさずかるしあわせ。㋑知らない間にある物事から受けている恩恵。「役者冥利」
【冥霊(靈)】メイレイ 冥海(青海原)の霊物の意で、亀かめをいう。一説に、木の名ともいう。いずれも、長命なものの代表。

8【冢】10画 786 漢ボウ 呉モウ 東 méng　—　—　1886
字義 ＝蒙(10198)。❶おおーう おほふ。❷くらい。おろか(愚)。
参考 〔冡〕(784)は別字。
解字 篆文 会意。冃＋豕。冃は、おおうの意味。豕は、ぶたの意味。豚などの家畜におおいをかける、おおう、くらいの意味を表す。

9【冨】11画 787 人 フ　富(2678)の俗字。→四〇六ジー中。　4158　9579　—
10【冪】12画 788 ベキ　幎(3131)と同字。→四六〇ジー中。
12【冩】14画 789 シャ　写(776)の俗字。→一六一ジー中。　4948　996F　—
13【冪】15画 790 漢ベキ 呉ミャク 錫 mì　4949　9970　—
［羃］9473 俗字
字義 ❶おおーう おほふ。覆いかぶせる。❷たれまく。ものを覆うきれ。❸数学用語。同じ数の相乗積。
解字 形声。幕＋冖音。音符の冖ベキは、おおうの意味。幕でおおうの意味を表す。
【冪冪】ベキベキ 雲などのおおいたれるさま。

13【鼏】15画 (14513) ベキ　鼎部。→一六五一ジー上。

2画 冫 にすい

〔部首解説〕 冫を三水サンズイというのに対して、冫は二画で書くので二水ニスイという。もとの字形は仌で、冫は偏へんになったときの形。冫を意符として、凍る・寒いなどの意味を含む文字ができている。また、冫の省略形で冫となる場合もある。

0 冫 一六三	5 冴 一六三	况 一六三	7 冷 一六四	浣 一六四	准 一六四	凋 一六五	凑 一六六	溟 一六六	14 凞 一六七
3 仌 一六三	次 七七七	6 冴 一六三	冶 一六四	凃 一六四	凄 一六四	凍 一六五	10 凒 一六六	凓 一六六	凝 一六七
冬 三二八	冲 一六三	冸 一六三	冼 一六四	凂 一六四	凊 一六五	凌 一六五	準 一六六	12 凘 一六六	15 凞 一六七
4 决 一六三	冰 一六三	冺 一六三	津 一六四	浴 一六四	凈 一六五	凉 一六六	凔 一六六	13 凜 一六六	
冱 一六三	沃 一六三	冶 一六三	冽 一六四	8 凅 一六四	凋 一六五	9 減 一六六	凴 一五八四	凛 一六七	

0【冫】2画 791 ヒョウ 蒸 bīng　4950　9971　—
字義 凍る。また、氷。
解字 象形。篆文テンブンでは仌で、氷の結晶にかたどる。氷の原字。

3【仌】5画 792 タイ 泰 tài　20314　—　1888
字義 ❶なめらか。❷大きい。❸とおる(通)。❹泰(6132)の古字。
解字 形声。冫(仌)＋大音。

3【冬】5画 (2202) トウ　冬(2201)の旧字体。→三二八ジー中。
4【决】6画 793 ケツ　決(6181)の俗字。→八一六ジー上。　4951　9972　—
4【冱】6画 794 漢コ 呉ゴ 遇 hù　4952　9973　—
字義 ❶こおーる こほる。いーてる いつ。＝涸(813)。「凝冱」❷さむーい さむし。非常に寒い。❸ふさぐ。とじる。＝涸(813)。
解字 形声。冫(仌)＋互音。音符の互は、固に通じ、かたまるの意味。こおる・さむいの意味を表す。
【冱寒】ゴカン 寒くて物が凍ること。また、きびしい寒さ。
【冱△涸】ココ (寒くて)こおりつく。

4【冴】6画 (800) ゴ　冴(799)の旧字体。→一六三ジー下。
4【次】6画 (5944) シ　欠部。→七七七ジー中。
4【冲】6画 795 チュウ　沖(6198)の俗字。→八一八ジー中。　4953　9974　—
参考 一説に、〔冲〕は別字ともいう。
4【冰】6画 796 ヒョウ　氷(6124)の正字。→八〇七ジー中。　4954　9975　—
4【沃】6画 797 国字　20315　—　—
字義 沃野のただは、姓氏。
5【况】7画 798 キョウ　況(6230)の俗字。→八二三ジー中。　4955　9976　—
5【冴】7画 799 人　2667　8DE1　—
4［冱］6画 800 漢コ 呉ゴ 遇 hù
筆順 丶 冫 冫一 冫丆 冫工 冴 冴
字義 冱(794)の俗字。❶こおーる こほる。❷さむーい さむし。❸ふさぐ。国さーえる さゆ。㋐にごりなどがなく、きわだってあざやか。㋑頭の働きや腕前があざやかだ。㋒しんしんと冷える。
名前 さえ
解字 形声。冫(仌)＋牙(互)音。音符の牙は、互の変形。日本では、冴を「さえる」の意味に用いる。冱(794)をも見よ。

5【泮】7画 801 ハン 翰 pàn　—　—　1889
字義 とーける とく。氷がとける。＝泮(6259)。
解字 形声。冫(仌)＋半音。音符の半は、二つに分かれるの意味。こおりが二つになる、われとけるの意味を表す。

5【泯】7画 802 ビン　泯(6261)の俗字。→八二七ジー中。　—　—　1890
5【冶】7画 803 常 ヤ ヤ 馬 yě　4474　96E8　—
熟字訓 鍛冶かじ
筆順 丶 冫 冫厶 冫𠮛 冶 冶
字義 ❶とーける とく。とかす。金属をとかす。❷いる(鋳)。金属をとかして器物をつくる。「鍛冶かじ」❸かじや。鋳物師いものシ。

❹ねって作る。ねりあげる。「陶冶」 ❺なまめかしい。なまめく。

名前 じ・はる・や・よし

参考〔冶〕(6237)は別字。

解字 篆文 形声。冫(仌)＋台音。音符の台イ=ャは、やわらかくするの意味。氷がゆるみやわらかくなる、とかすの意味を表す。

【冶金】ヤキン ①ふきわけ。鉱石から金属を分析して採ること。②金属を精製加工すること。

【冶工】ヤコウ 鍛冶屋かじや。鋳物師いものし。冶匠。冶人。冶者。

【冶鋳(鑄)】ヤチュウ 金属をふきわけること。

【冶遊】ヤユウ 心のとろけるあそび。芸者遊び。遊冶。

【冶容】ヤヨウ なまめかしいようす。また、なまめかしく装う。

【冶郎】ヤロウ 冶遊にふける男性。やさ男。うわき男。遊冶郎。

5 【冷】 7画 804 教4 レイ つめ-たい・ひ-える・ひ-や・ひ-やす・ひ-やかす・さ-める・さ-ます

漢レイ・呉リョウ(リャウ) 梗 lěng 4668 97E2 —

筆順 丶 冫 冫 冷 冷 冷

字義 ❶ひ-える。ひ-やす。さ-める。さ-ます。❷つめ-たい。ひ-ややか。㋐さむい。すずしい。「秋冷」㋑ぞっとする。ひやりとする。㋒ひ-やかす。ばかにする。㋓情がうすい。❸きよい。すがすがしい。「清冷」❹おちぶれる。おとろえる。国❶ひ-や。つめたい飲食物。「冷や酒」❷ひ-え。㋐気温が下がること。㋑体がひえること。

名前 きよ・すず・すずし・れい 難読 冷水浦しみずうら・冷泉れいぜい・ぜいぜん・冷牟田ひやむだ

解字 篆文 形声。冫(仌)＋令音。仌は、こおりの意味。音符の令は、神意を聴いてすがすがしいの意味。すがすがしいこおり・ひえるの意味を表す。

逆 秋冷・清冷

【冷艶(艷)・冷△豔】レイエン ひややかな美しさ。白い花や雪などの形容。

【冷害】レイガイ ①寒冷による被害。②季節はずれの寒さのために農作物が害を受けること。また、その被害。

【冷汗】レイカン・ひやあせ はずかしいときや驚いたときなどに出るあせ。

【冷官・冷△宦】レイカン つとめのひまな官職。閑職。冷職。

【冷却】レイキャク つめたくなる。ひえる。また、ひやす。

【冷遇】レイグウ つめたいあしらい。冷淡な待遇。

【冷血漢】レイケツカン 心のつめたい男性。薄情な男性。

【冷酷】レイコク むごたらしいこと。無慈悲。不人情。

【冷渋(澁)】レイジュウ つめたくてとどこおりがちなこと。

【冷笑】レイショウ ひややかな笑い。あざ笑い。さげすんで笑う。ばかにして笑う。冷咲レイショウ。

【冷静(靜)】レイセイ 感情にかられず、おちついて、物事に動ぜぬこと。

【冷△箭】レイセン ①不意に射かける矢。不意撃ちの矢。また、不意撃ちの中傷。②肌を刺すような冷たい風。

【冷然】レイゼン ①軽妙なさま。一説に、すずしいさま。②心のつめたいようす。冷淡。

【冷淡】レイタン ①情愛や同情がない。つれない。また、よそよそしい。②熱意がない。無関心。③かざりけがない。あっさりしている。淡泊。

【冷徹】レイテツ 心が静かにおちついていて、よく物事を見通すこと。冷静で透徹。

【冷評】レイヒョウ ひややかな批評。さげすんだ批評。

【冷落】レイラク 落ちぶれてものさびしい。また、さびれる。零落。

【冷冷】レイレイ ①清くすずしいさま。②音のすがすがしいさま。

【冷△冽】レイレツ つめたくてきよらか。

6 【洽】 8画 805 キョウ(ケフ) 洽 qià — ED65 1892

字義 ❶和らぐ。❷うるおう。

解字 形声。冫(仌)＋合音。

6 【洗】 8画 806 一ショウ 迥 shěng 二セン 銑 xiǎn 20316 — 1891

字義 一洗洗キョウショウは、寒いさま。二=洗(6315)。

解字 形声。冫(仌)＋先音。

6 【津】 8画 807 セン 塩 jiān — — 1893

字義 進む。

解字 形声。冫(仌)＋聿音。

6 【冽】 8画 808 漢レツ 呉レチ 屑 liè 4956 9977 —

字義 ❶さむ-い。さむし。つめたい。「清冽」❷きよい(清)。=洌(6328)。

参考〔冽〕(6328)は本来別字であるが、通じて用いる。

解字 篆文 形声。冫(仌)＋列(㓞)音。音符の㓞レツは、烈に通じ、きびしいの意味。身を切るような、きびしいつめたさ・さむさの意味を表す。

7 【涜】 9画 809 漢キョウ 呉ゴウ 迥 jìng

字義 涜洗キョウショウは、寒いさま。

7 【涂】 9画 810 ト 11453 — —

涂(6361)と同字。→八三九ページ下。

7 【浼】 9画 811 バイ — — 1894

浼(6372)の俗字。→八四一ページ上。

7 【浴】 9画 812 国字 20317 — —

字義 浴には、地名。

8 【涸】 10画 813 コ 遇 gù 4957 9978 —

字義 =冱(794)。❶こお-る(凍)。❷ふさぐ。とじる。

解字 形声。冫(仌)＋固音。仌は、こおるの意味。音符の固は、かたまるの意味。こおりかたまるの意味を表す。

8 【准】 10画 814 常 ジュン シュン 軫 zhǔn 慣ジュン・ジュ 2958 8F79 —

筆順 丶 冫 冫 冫 准 准 准 准

字義 準(6578)の俗字。❶なぞら-える。なぞらふ。❷ゆるす。許可する。「批准」❸よる(依)。「准拠」

名前 じゅん・のり

参考 ①准は準の俗字であるが、法律用語の「批准」、また「准尉」(旧陸軍の階級の一つ)などの語には習慣として准が用いられる。②〔淮〕(6469)は別字。

使いわけ ジュン〔準・准〕⇨準(6578)。

解字 形声。冫(仌)＋隹(隼省)音。

逆 批准

【准三后】ジュサンゴウ・ジュンサンゴウ 国昔、皇族・宮妃・外戚ガイセキ・名臣などに年金を賜り優遇するために設けられた称号。三后(太皇太后・皇太后・皇后)に準ずるの意。准后ジュゴウ。准三宮ジュサングウ。

8 【凄】 10画 815 常 セイ 漢セイ・呉サイ 斉 qī 3208 90A6 —

筆順 丶 冫 冫 冫 凄 凄 凄 凄

字義 =淒(6436)。❷さむい。すずしい。❶すさま-じい。すさまじ。すご-い。すごし。ぞっとするような。㋐おそろしい。気味が悪い。❸さみしい。いたましい。国すご-い。すごし。㋐おそろしい。㋑おそろしいほどすぐれている。㋒程度がはなはだしい。「凄い勉強家」

参考〔淒〕(6436)は本来別字であるが、通じて用いる。熟語は〔淒〕をも見よ。

解字 形声。冫(仌)＋妻音。音符の妻は、凄(イセ)に通じ、寒けがするの意味。氷の象形の仌を付し、さむいの意味を表す。

【凄雨】(セイウ) ものさびしく降る冷たい雨。

【凄惨(慘)】(セイサン) 非常にいたましいさま。ひどくみじめなさま。

【凄日】(セイジツ) はださむい秋の日。凄辰(セイシン)。

【凄凄】(セイセイ) ①ひえびえとしたさま。②さびしく、いたましいさま。③悲しみうらむさま。

【凄切】(セイセツ) ①非常にものさびしい(もの悲しい)さま。②非常にすさまじいさま。ものすごいさま。

【凄絶】(セイゼツ) ＝凄切。▼絶は、他からかけ離れていることで、程度が高いの意。

【凄然】(セイゼン) ①ひえびえとしたさま。②さびしく、いたましいさま。用例〔唐、高適、除夜作詩〕旅館寒灯独不レ眠(リョカンのカントウひとりねむらず)、客心何事転凄然(カクシンなにごとぞうたたセイゼンたる)。↓旅館の寒々とした灯火のもとで独り眠れずにいると、旅人の私の心はどうしたことかいよいよ寂しくなってゆく。③ものすごいさま。

【凄△楚】(セイソ) ひどく悲しみ痛むこと。▼楚は、悲しみ痛む意。

【凄風】(セイフウ) ①すさまじい風。すごい風。②西南の風。

【凄涼】(セイリョウ) ①ものさびしい。②いたましい。③つめたい。

【凄△寥】(セイリョウ) さびしい。さびしく静か。

8【凊】10画 816 漢セイ 呉ショウ(シャウ) 敬 qìng 1454 — —
字義 ❶すず-しい(すずし)。また、すずしくする。「冬温夏凊」❷さむい。❸つめたい。ひややか。
参考 〔清〕(6435)は別字。
解字 篆文 形声。冫(仌)＋青音。音符の青は、すみきっているの意味。すきとおった、こおりの意味から、さむい・すずしいの意味を表す。

8【淨】10画 817 漢ソウ(サウ) 呉ショウ(シャウ) 庚 jìng — — 1901
字義 冷ややか。冷たい。また、冷ややかなさま。
解字 形声。冫(仌)＋爭音。

8【凋】10画 818 〔凅〕819 俗字 チョウ(テウ) 蕭 diāo
字義 ❶しぼ-む。しお-れる(しをる)。(寒気・霜などで)草木がしおれる。なえる。おとろえる。「凋落」❷おちぶれる。勢いがなくなる。
解字 篆文 形声。冫(仌)＋周音。音符の周は、弔に通じ、いたましいの意味。寒さのために草木がいたましいさまになる、しぼむの意味を表す。

【凋残(殘)】(チョウザン) ①かれのこり。また、枯れていたむ。彫残。②つかれおとろえる。また、その民。

【凋謝】(チョウシャ) ①しぼみおちる。▼謝は、辞し去る意。②人の死をいう。

【凋傷】(チョウショウ) しぼみおとろえる。おとろえてみすぼらしくなる。用例〔唐、杜甫、秋興詩〕玉露凋傷楓樹林(ギョクロチョウショウすフウジュのはやし)、巫山巫峡気蕭森(フザンフキョウキショウシン)。↓玉のような露が下りて、楓樹の林も赤く色づきしおれ始め、ここ巫山・巫峡のあたりは、静寂で厳粛な身のひきしまるような雰囲気に満ちている。

【凋△悴・凋△瘁・凋衰】(チョウスイ) しぼみおとろえる。やせおとろえる。

【凋喪】(チョウソウ) しぼみおとろえる。意気消沈する。

【凋年】(チョウネン) 暮れゆく年。年の暮れ。年末。

【凋兵】(チョウヘイ) つかれて勢いのない兵。

【凋△敝・凋弊】(チョウヘイ) おとろえつかれる。おとろえやぶれる。

【凋落】(チョウラク) ①しぼみおちる。②死ぬ。③おとろえる。おちぶれる。

【凋零】(チョウレイ) ＝凋落。

8【凅】10画 819 チョウ 3592 929C —
凋(818)の俗字。→一六五ページ上。

8【凍】10画 820 常 トウ こお-る・こご-える 漢トウ 送 東 dòng 3764 9380 —
筆順 、冫冫汇沪洹凍凍
字義 ❶こお-る(こほる)。い-てる(いつ)。「凍結」❷こご-える(こごゆ)。しーみる(しむ)。「凍死」❸さむい。つめたい。
難読 凍傷(しもやけ)
使いわけ こおる〔氷・凍〕⇩氷(6124)。
解字 篆文 形声。冫(仌)＋東音。仌は、こおりの象形。音符の東は、重に通じ、おもいの意味。物がこおって重い感じになることから、こおるの意味を表す。

逆 飢凍
【凍雨】(トウウ) ①冬のあめ。ひさめ。みぞれ。②はげしい雨。

【凍餓】(トウガ) こごえうえる。凍飢。凍餒(トウダイ)。

【凍結】(トウケツ) ①こおりつくこと。氷結。②資産・資金などをそのままとどめおいて、その移動や使用を禁止すること。

【凍△餒・凍△餧】(トウダイ) こごえうえる。衣食の乏しいこと。

8【凌】10画 821 人 リョウ 蒸 líng 4631 97BD —
筆順 、冫冫冫冫汁冼凌凌
字義 ❶しの-ぐ。おかす(侵・犯)。おしのける。＝淩(6465)・陵(1311)。用例〔北宋、王安石、梅花詩〕牆角数枝梅(ショウカクスウシのうめ)、凌レ寒独自開(カンをしのぎてひとりみずからひらく)。↓土塀の隅に数本の梅の枝がのぞいている。寒さを乗り越え梅だけが花を開いているのだ。❷こえる(越)。❸あなどる。❹いりまじる。「凌乱」❺こおり(氷)。
名前 しのぎ・しのぐ・りょう
参考 〔淩〕(6465)は別字だが、通じて用いることがある。
解字 篆文 形声。冫(仌)＋夌音。仌は、こおりの象形。音符の夌(リョウ)は、おかにのぼるの意味。氷がおかのように盛りあがって、こおるの意味を表す。

【凌雲】(リョウウン) ①雲をしのぐ。雲の上に高くそびえ、また、高く飛ぶこと。②浮世を離れて世外に超脱することのたとえ。③人格・志操の非常にすぐれていることのたとえ。

【凌雲△之志】(リョウウンのこころざし) 俗世を離れて別天地に遊びたいという願い。

【凌雲集】(リョウウンシュウ) 国書名。日本最初の勅撰(チョクセン)漢詩集。一巻。嵯峨(サガ)天皇の勅命により小野岑守(おののみねもり)らが編集し、延暦(エンリャク)元年(七八二)から弘仁(コウニン)五年(八一四)までの作者二十四人、詩九十一首をおさめている。正しくは『凌雲新集』という。『文華秀麗集』『経国集』と合わせて、勅撰三集と呼ばれる。⇩コラム 平安漢詩(一六六ページ)。

【凌煙】(リョウエン) ①＝凌雲。▼煙は、自然現象によって起こる雲やもやなどをいう。②「凌煙閣」の略。

【凌煙閣】(リョウエンカク) 唐の太宗が功臣二十四人の像を描かせた楼閣。

【凌△駕】(リョウガ) 人をしのいでその上に出ること。陵駕。▼駕は、上に乗ること。

【凌△遽】(リョウキョ) おそれおののく。一説に、勇ましい。

【凌△兢】(リョウキョウ) おそれおののくさま。一説に、寒さにふるえる場所。また、そのこと。

【凌空】(リョウクウ) そらをしのぐ。空高くそびえる(飛ぶ)こと。

【凌室】(リョウシツ) 氷を貯蔵する室。氷室(ひむろ)。

【凌△霄】(リョウショウ) ＝凌空。▼霄は、空、大空。

【凌△霄花】(リョウショウカ) のうぜんかずら。つる性の落葉樹。七・八月ごろ橙色(だいだいいろ)の花を開く。陵苕(リョウショウ)。

【凌辱】(リョウジョク) ①無礼なことをする。②暴力で女性を犯す。

【凌△晨】(リョウシン) あかつきをしのぐ(おかす)。まだ暗いのをものともせずに(行動する)の意。また、早朝。

【凌人】(リョウジン) ①周の官名。天官の属官で、氷室をつかさどる。②人をあなどる。人を見下す。軽蔑する。陵人。

【凌△濛初】(リョウモウショ) 明(ミン)末の戯曲家。字(あざな)は初成。別号は即空観主人。小説集『初刻拍案驚奇』『二刻拍案驚奇』の

コラム

平安漢詩

平安時代四百年のなかでも、嵯峨天皇の弘仁元年(八一〇)から醍醐天皇の延喜年間に至る約百年は、漢文学が極めて隆盛におもむいた時代であった。その最初のころの十数年間に相次いで成立した漢詩集『凌雲集』一巻、同じく『文華秀麗集』三巻、漢詩文集『経国集』二十巻(現存六巻)を、「勅撰三集」という。日本漢文学史上、これら以外に勅撰集は編まれていない。本邦最初の漢詩集『懐風藻』の成立(天平勝宝三年〈七五一〉)より六十有余年後のことであった。

この時代は、当時有数の漢詩人でもあった嵯峨天皇を始め歴代天皇が漢文学を奨励したために、唐風謳歌の風潮が高まり、漢詩についても六朝詩の模倣の多かった『懐風藻』の生硬さを脱してようやくすぐれた作品が作られるようになった。第一の勅撰集である『凌雲集』が作者別、官位順の配列だったのに対して、それに続く『文華秀麗集』は、遊覧、宴集、餞別、贈答など、『凌雲集』とは全く異なった部門別編集になっている。そして『経国集』も、現存する巻が、賦、楽府、雑詠などと類別されていることから、やはり同様の編集であったことが類推できる。これは『文選』や類書などの影響だといわれている。

個々の作品を見ると、『懐風藻』に比べて七言詩が増え、雑言や楽府体の作品も多く、唱和詩や詠物詩が盛んに作られるなど、総じて初唐詩の影響が濃厚になった。

勅撰三集の代表的な詩人に、嵯峨天皇・小野岑守・巨勢識人・朝野鹿取・空海(詩文集『性霊集』がある)、また女流詩人に有智子内親王などがいる。ここには、『文華秀麗集』から次の二首を掲げる。

秋日別友人　巨勢識人

林葉翩翩秋日曛
行人独向辺山雲
唯余天際孤懸月
万里流光遠送君

王昭君　嵯峨天皇

弱歳辞漢闕
含愁入胡関
天涯千万里
一去更無還
沙漠壊蝉鬢
唯余長安月
照送幾重山

『経国集』の成立後約二十年にして、平安朝随一の文人・学者である菅原道真の出現を見る。このころ唐風讃美の風潮はますます盛んになり、『文選』『白氏文集』などが好んで読まれた。特に菅原道真の詩文集『菅家文草』十二巻、詩集『菅家後集』(後草とも)一巻には、白居易の影響が顕著に見られる。また、日本固有の情趣美の詠出があるのも見逃せない。道真の岳父島田忠臣にも詩集『田氏家集』三巻が残っている。ここには道真の絶唱「九月十日」を掲げる。

去年今夜侍清涼
秋思詩篇独断腸
恩賜御衣今在此
捧持毎日拝余香
(『菅家後集』)

平安時代の後半になると、仮名文学の発達に伴い漢詩文は衰えを見せ始めるが、それでも漢詩漢文を知識人の教養の基盤とする意識は根強く残っていた。大江匡衡には漢詩集『江吏部集』三巻があり、『本朝無題詩』(応保二年〈一一六二〉?)には大江匡房・藤原忠通など三十人の作品が収められている。また、佳句麗章の集『和漢朗詠集』(長和元年〈一〇一二〉以後か)には、邦人の名句も多く収められ、ほかに詩文集としては『本朝文粋』『本朝続文粋』が編まれている。

編集刊行に当たった。(?—一六四)

【凌乱(亂)】リョウラン 入りみだれもつれる。秩序のないさま。

【凌厲】リョウレイ しのぎすぐれていること。勇ましくふるうさま。

8 【涼】10画 822 人 リョウ 涼(6464)の俗字。→八五四ページ中。 4958 9979 —

9 【減】11画 823 ゲン 減(6488)の俗字。→八五七ページ中。 — — 1902

9 【湊】11画 824 ソウ 湊(6518)の俗字。→八五九ページ下。 — — 1903

10 【溰】12画 825 ガイ 灰 ái — — 1904
字義 溰溰は、霜や雪が一面に白いさま。→皚皚(九九五ページ上)。
解字 形声。冫(仌)+豈音。

10 【準】12画 826 ジュン 準(6578)の俗字。→八六九ページ下。 5037 99C3 —

10 【滄】12画 827 漢ソウ(サウ) 呉ショウ(シャウ) 漾 chuàng
字義 さむい(寒)。つめたい。
解字 篆文  形声。冫(仌)+倉音。音符の倉は、蒼に通じ、あおいの意味。さむいの意味を表す。

10 【馮】12画 (13682) ヒョウ 馬部。→一五八四ページ中。

10 【溟】12画 828 漢メイ 呉ミョウ(ミャウ) 迥 mǐng — — 1906
字義 ❶凍るさま。❷寒いさま。
解字 形声。冫(仌)+冥音。

10 【溧】12画 829 漢リツ 呉リチ 質 lì — — 1905
字義 ❶さむい。また、寒さのきびしいさま。❷溧冽は、寒さのきびしいさま。
解字 篆文  形声。冫(仌)+栗音。音符の栗は、いがのあるくりの象形。いがのつきさすような寒さのきびしいさまを表す。

12 【澌】14画 830 シ 支 sī — — 1907
字義 こおり。溶けだして水になって流れる氷。
解字 篆文  形声。冫(仌)+斯音。音符の斯は、小さく裂き分けるの意味。水に流れる小さな氷片の意味を表す。

13 【凜】15画 831 人 リン 寝 lǐn 8405 EAA3 —

筆順 冫 广 汸 沛 澶 澶 凜 凜

ま。心がひきしまるさま。

【凜】832 俗字 字義 ❶さむい。寒さがきびしい。❷きびしい。はげしい。❸おそれつつしむさま。心がひきしまるさま。

解字 篆文 形声。もと、冫(仌)+稟(廩)音。音符の廩リンは、身のひきしまるさまを表す擬態語。

【凜乎】リンコ ＝凜凜。

【凜秋】リンシュウ 身がひきしまるようなきびしい秋の季節。

【凜然】リンゼン ＝凜凜。

【凜慄】リンリツ ①寒さで身がふるえるさま。②おそれおののくさま。

【凜凜】リンリン ①寒さのきびしいさま。②恐れつつしむさま。③りりしいさま。心身がひきしまっていて冒しがたいさま。④勇気のさかんなさま。

【凜烈・凜冽】リンレツ ①寒さのきびしいさま。②威光などの、人をぞっとさせるほどにはげしいさま。

13 【凛】15画 832 人 リン 凜(831)の俗字。→一六六ページ下。 4959 997A ―

14 【凞】16画 833 キ 支 xī 字義 やわらぐ(和)。 解字 形声。冫(仌)+熙音。

【凞】835 俗字

14 【凝】16画 834 常 ギョウ こ-る・こ-らす 漢ギョウ・呉ゴウ 蒸 níng 2237 8BC3 ―

筆順 冫 冫 冫 冫 凝 凝 凝 凝

字義 ❶こ-る。こ-らす。㋐かたまる。かためる。㋑一心になる。㋒集中する。❷とどまる。とどこおる。「凝滞」 国❶こ-る。㋐筋肉がはって堅くなる。㋑意匠・細工などの細かな所にまで心を用いる。また、度を越して趣味などに心を奪われる。❷しこり。㋐筋肉などのこり固まったところ。㋑物事がすんだあとに残る、すっきりしない気持ち。

名前 かた・こうる・こおる・こり・さだ

解字 形声。冫(仌)+疑音。音符の疑ギ=ギョウは、止まって動かないの意味を表す。水がこおること。

【凝雨】ギョウウ 雪。

【凝寒】ギョウカン こおりつくような寒さ。

【凝議】ギョウギ 相談をこらす。熟議。

【凝結】ギョウケツ ①こりかたまる。こおりつく。②＝凝縮②。

【凝沍・凝涸】ギョウコ こおる。

【凝固】ギョウコ ①こりかたまる。②液体または気体の状態から固体になること。

【凝思】ギョウシ 思いをこらす。じっと考える。「凝思精考」

【凝脂】ギョウシ ①かたまったあぶら。②きめのこまかな、白くつやのある肌のたとえ。用例〔唐、白居易、長恨歌〕春寒賜レ浴華清池(はるさむくしてヨクをたまう(ふ)カセイのいけ)、温泉水滑洗二凝脂一(オンセンみず(づ)なめらかにしてギョウシをあらう(ふ))。↓春なお寒く華清の池に浴をたまわると、温泉の湯は固まった脂あぶらのような白い肌にするすると注いだ。

【凝視】ギョウシ じっと見つめる。凝眺。

【凝集】ギョウシュウ こりかたまって集まる。凝聚シュウ。

【凝縮】ギョウシュク ①こりかたまってちぢまる。②気体が液化する。

【凝妝・凝粧】ギョウショウ よそおいをこらす。念入りに化粧する。

【凝神】ギョウシン 心をこらす。精神を集中する。

【凝絶】ギョウゼツ とどこおり、やがて絶える。

【凝然】ギョウゼン ①心が一つの事に集中しているさま。②じっとして動かぬさま。

【凝想】ギョウソウ おもいをこらす。

【凝霜】ギョウソウ こりかたまった霜。

【凝滞(滯)】ギョウタイ ①とどまりとどこおる。はかどらない。渋滞。②こりかたまる。③こだわる。拘泥する。

【凝湛】ギョウタン 淵ふちなどの水が清らかにたたえていること。転じて、清く静かな心のたとえ。

【凝睇】ギョウテイ ひとみをこらす。じっと見つめる。凝眸ボウ。

【凝念】ギョウネン おもいをこらす。じっと考える。凝思。

【凝閉】ギョウヘイ 霜が降り地がこおること。

【凝碧池】ギョウヘキチ 池の名。唐代、長安の禁苑キンエンの中にあった。

【凝望】ギョウボウ じっと遠くをながめること。遠景に見いること。

【凝眸】ギョウボウ ひとみをこらす。見つめる。凝視。

【凝立】ギョウリツ 身動きしないで、じっと立つ。凝佇チョ。

15 【凞】17画 835 キ 凞(833)の俗字。→一六七ページ上。 1455 ― 1908

2画 几(八) つくえ かぜかんむり〔八〕

[八] 20318 ― ―

〔部首解説〕きにょう(几繞)ともいうが、実際に繞ニョウの位置にくる文字はなく、鬼繞ニョウと同じ読みにもなりまぎらわしいため、あまり用いない。几を意符として、つくえの意味を含む文字ができるが、例は少ない。また、「凩こがらし」「凪なぎ」などで用いられる、風を意味する「八」(かぜかんむり)も、形が似ているため、便宜上この部に含めた。

0 几 一六七	凧 一六八	6 兕 三五七	10 凱 一六九
1 凡 一六七	4 凩 一六八	凭 一六九	凲 一六九
凢 一六八	凪 一六九	凮 一六九	12 凳 一六九
3 凥 一六八	凬 一六九	7 皃 一六九	凴 一六九
処 一六八	5 凮 一六九	9 凰 一六九	鳳 一六三

0 【几】2画 836 標 キ 紙 jī 4960 997B ―

字義 ❶つくえ。＝机(5184)。用例〔先哲叢談〕仁斎隠レ几閲レ書(ジンサイ キによりてショをけみす)。↓仁斎は机によりかかって書物を読んでいた。❷ひじかけ。脇息キョウソク。❸ものをのせる台。

解字 篆文 象形。脚が伸び、しかも安定している机の形にかたどり、つくえの意味を表す。几を音符に含む形声文字に、肌キ・机がある。

【几案】キアン つくえ。机案。▼案も、つくえ。

【几筵】キエン ①＝几席。②祭りや儀式にいけにえなどを載せる台と、祭場や式場に敷く敷物。

【几杖】キジョウ ひじかけと、つえ。共に老人が体を支えるもの。

【几席】キセキ ひじかけと、しきもの。座席の意。几筵エン。

【几帳】キチョウ 国昔、貴人の室内で、座のわきに立てて、隔てとした家具。台に柱を立てて、その上にわたした横木に布をたれたもの。

【几帳面】キチョウメン 国行いが厳格で規律正しいこと。

【倚レ几】キによる 机または脇息キョウソクによりかかる。

1 【凡】3画 837 常 ボン・ハン 漢ハン・呉ボン 咸 fán 4362 967D ―

筆順 丿 几 凡

【凢】838 俗字

字義 ❶およ-そ。㋐おおかた。総じて。一般に。用例〔唐、柳宗元、送二薛存義一序〕凡吏二于土一者(およそドにリたるもの)、若知二其職一乎(なんじ(ち)そのショクをしるか)。↓総じて地方の政治にたずさわる役人について、君はその職分を理解しているか。㋑すべて。あら-ゆる。みな。ことごとく。また、すべて合わせて。合計して。用例〔史記、陳渉世家〕陳勝王凡六月(チンショウおうたることおよそリクゲツ)。↓陳勝が王であったのは合計六か月であった。❷なみ(並)。つね(常)。普通。また、ありふれた。つまらない。「平凡」

名前 ちか・ちなみ・つね 難読 凡河おおし・凡河内おおしこうち・凡海おおしあま・おしぬみ・おしうみ・凡川内おおしこうち

解字 甲骨文 篆文 象形。甲骨文は、風をはらむ帆の象形で、風を受ける帆の意味などを直接には表したが、風のあまねく吹きわたるところから、すべて・おしなべての意味を表す。凡を音符に含む形声文字に、帆・汎・芃・風・楓・諷などがあり、これらの漢字は、「(風のように)全てに行きわたる」の意味を共有している。

逆 大凡・超凡・非凡・平凡

【凡眼】①平凡な眼識。②見識の低いこと。また、その人。

【凡愚】平凡でおろかなこと。

【凡骨】①平凡な生まれつき。②平凡な才能・力量の人。凡人。↕仙骨(八〇ジペ上)。

【凡才】普通の才能。とるに足らぬ才能。また、その者。つまらぬ人物。凡材。

【凡材】=凡才。

【凡手】平凡なうでまえまた、その人。

【凡小】平凡で器量の小さい人。

【凡人】①平凡な人。②仏俗人。

【凡俗】①下品でいやしいこと。②平凡な人。また、身分の低い人。

【凡百】あらゆる。すべての。また、すべての人。

【凡夫】①平凡な人。②仏仏道に入らず、煩悩に迷っている人。在俗。また、衆生の意。

【凡民】一般の人民。▼凡は、貴族や為政者に対して身分が低い意をも含む。

【凡庸】平凡。普通。また、普通の人。▼庸は、常。

【凡慮】国平凡な、ありふれた考え。凡人の思慮。

【凡例】書物のはじめにかかげて、その書の要領・例則などを述べた文。

1【凢】3画 838 ボン 凡(837)の俗字。→一六七ジペ下。 |1456 — 1909

3【凥】5画 839 漢キョ 呉コ 魚 jū — — 1910

字義 おる。いる。=居(2792)。

解字 会意。几+尸。几は、台の象形。尸は、人の象形。人が台にいるの意味を表す。また、几+居省音の形声か。

3【処】5画 840 教6 ショ 2972 8F88 —

虍5〔處〕11画 841 一ショ 語 chǔ 二ショ 御 chù 4961 997C —

筆順 ノ ク 夂 夂 処

〔処〕1181 俗字 〔處〕10472 俗字

字義 一❶おーる(居)。⑦とまっている。おちつく。位置を占める。用例〔老子、三十一〕偏将軍処レ左、上将軍居レ右。↓副将軍は左におり、上将軍は右にいる。④仕えないで、また、嫁がないで家にいる。「処士」「処女」❷おーく(置)。すえる。❸とりさばく。しかるべく決める。用例〔韓非子、説難〕処レ知則難也。↓見抜いた道理にどのように対処するかこそがむずかしいのだ。二❶ところ。⑦場所。「随処」④時。折。用例〔唐、王維、九月九日憶二山東兄弟一詩〕遥知兄弟登レ高処、偏挿二茱萸一少二一人一。↓はるか遠く故郷を離れていても私にはわかる、今ごろ兄弟たちが小高い丘に登っていることが。兄弟たちはみんなそろって頭に茱萸をさしているのに、私一人だけが欠けている。❷つね(常)。一定不変。国ところ。接続のことば。「…した処」

名前 おき・おる・さだむ・すみ・ところ・ふさ・やす

解字 金文 篆文 別体 会意。几+夂。几は台の象形。夂は下向きの足の象形。台におりる・腰掛ける、おるの意味を表す。處は、音符の虍が加わった形で、虍は居に通ずる。『説文解字』では処が本字、處は別体であるが、後世、処は處の俗字とみなされた。

逆 帰処・出処・随処・善処・対処・妙処・野処・幽処

【処刑】刑罰を加える。刑を執行する。

【処決】①とりさばく。処置をつける。②覚悟を決める。

【処士】①官に仕えないで民間にいる人。②後世、人物を優遇する号に用いる。臣として扱わない意。

【処子】①まだ結婚していない女性。処女。②=処士①。

【処事】①事がらを適正に処置する。②漢字の六書の一つ、指事。象事ともいう。

【処守】るすい。また、るすい役。るすばん。留守。

【処処】①どこもかも。到るところ。あちらでもこちらでも。用例〔唐、孟浩然、春暁詩〕春眠不レ覚レ暁、処処聞二啼鳥一。↓春の眠りは気怠くて、夜が明けたのに気づかずにいると、いつの間にかあちらからもこちらからも小鳥の鳴く声が聞こえてくる。②ところどころ。

【処所】いどころ。定まったところ。居場所。

【処暑】二十四気の一つ。立秋と白露の間。陽暦の八月二十三日ごろ。⇩コラム気候(二十四気)(八〇三ジペ一)。

【処女】①結婚していない女性。きむすめ。処子。②おとなしいさまのたとえ。また、柔弱なさまのたとえ。用例〔孫子、九地〕始如二処女一、後如二脱兎一。↓はじめは処女のようにおとなしく、(敵が油断した)後はうさぎが逃げるようにすばやく襲いかかる。③国⑦人が手をつけていないこと。自然のままであること。汚れていないこと。「処女地」④はじめて物事をすること。はじめて経験すること。「処女航海」

【処世】①世の中におる。社会に住む。②世に処する。よわたり。

【処断(斷)】とりさばく。さばいて決める。

【処置】①しまつする。②しまつ。はからい。

【処分】①とりはからう。処置する。②処罰する。

【処方】病気に応じた薬の調合法。処方箋は、それを書いたかきつけ。

【処約】困窮した境遇にいる。

【処理】=処置。▼理は、おさめる意。

3【凧】5画 842 国字 人 標 3492 91FA —

筆順 ノ 几 凡 凧 凧

字義 たこ。いかのぼり。

解字 会意。八(風)+巾。几は、風をはらむ「ほ」の意味。巾は、ぬのの意味。帆のように布・紙を張って飛ばす「たこ」の意味を表す。

4【夙】6画 843 漢シク 呉シク・シュク 屋 sù 2940 8F67 —

字義 ❶つとーに。早く。⑦朝早く。「夙起」④むかしから。以前から。「夙怨」❷あさ。早朝。❸はやい。はやめる。❹つつしむ。

注意 『康熙字典』では、夕部に所属する。

解字 金文 篆文 会意。金文・篆文ともに、月+丮。丮は、手にとるの意味。月の残る、夜のまだ明けやらぬうちから仕事に手をつけるさまで、早朝からつつしみ深く仕事をするの意味や、早朝の意味を表す。

【夙怨】前からのうらみ。宿怨。

【夙義】義侠心。命をかけて弱いものを助けようとする心。

【夙△慧】幼い時から賢いこと。夙悟。

【夙悟】幼い時からさとい。

【夙興】朝早く起きる。夙起。▼興は、起きる意。

【夙興夜△寐】朝は早く起き、夜はおそくねる。日夜仕事にはげむ意。〔詩経、小雅、小宛〕

【夙志】早くからのこころざし。若い時からの望み。年来の志望。夙心。
【夙儒】シュクジュ 年老いた学者。老儒。宿儒。
【夙宵】シュクショウ 朝と晩。朝夕。
【夙心】シュクシン はやくからの心。夙志。夙意。
【夙成】シュクセイ ①早くからできあがる。②早くおとなびる。ませる。早熟。
【夙昔】シュクセキ 昔から。以前から。また、むかし。宿昔。
【夙賊】シュクゾク 古くからの賊。老賊。旧賊。
【夙夜】シュクヤ ①朝早くから夜おそくまで。②早朝。夜のまだ明けない時。
【夙齢(齡)】シュクレイ 早い(若い)年齢。若年。

4 【凪】 6画 844 国字 人 3868 93E2 —
筆順 ノ 几 凡 凧 凪 凪
字義 なーぐ。また、なぎ。風や波が静まること。
解字 会意。几(風)＋止。風が止む、なぎの意味を表す。

4 【凩】 6画 845 国字 4962 997D —
字義 こがらし。秋の末から冬の初めにかけて吹く風。
解字 会意。几(風)＋木。木を枯らす風、こがらしの意味を表す。

5 【凬】 7画 846 フウ 風(13525)の古字。→一五六六ページ上。 — ED66 —

6 【咒】 8画 (1415) ジュ 口部。→二五七ページ下。

6 【凭】 8画 847 漢ヒョウ 呉ビョウ 蒸 píng 4963 997E —
字義 よる。もたれる。よりかかる。
[凴] 854 同字 =馮(13682)・憑(3615)。
解字 篆文 会意。任＋几。任は、たよりにするの意味。几はひじつきの意味。ひじつきにもたれかかる、よるの意味を表す。
【凭几】ヒョウキ すわったとき、ひじをもたれさせよりかかるもの。ひじかけ。凴几ヒョウキ。

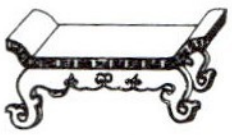
凭几

6 【凮】 8画 848 フウ 風(13525)の古字。→一五六六ページ上。 1457 — 1911

7 【凫】 9画 849 フ 鳧(14187)の俗字。→一六三三ページ中。 8275 E9E9 —

9 【凰】 11画 850 人 標 漢コウ(クヮウ) 呉オウ(ワウ) 陽 huáng 4964 9980 —
筆順 ノ 几 凡 凤 凨 凮 凰 凰
字義 おおとり。鳳凰ホウオウ(天下が泰平のとき現れるという、想像上の霊鳥)の雌。鳳は雄。
解字 形声。几(凡)＋皇㊥。音符の皇は、大きいの意味。凡は、風にはためくの意味。風に羽ばたきする大きな鳥、おおとりの意味を表す。

10 【凱】 12画 851 人 カイ 慣ガイ 賄 kǎi 1914 8A4D —
筆順 ﹅ 山 屮 岂 岂 豈 豈 凱
字義 ❶かちどき。戦いに勝ってあげる、ときの声。凱声。❷やわ-らぐ。やわらぐ。たのしむ。=愷(3825)。
名前 かつ・たのし・とき・やす・よし
解字 形声。几＋豈㊥。几は、祭りに用いるつくえの象形。音符の豈は、戦いに勝ったときの喜びの音楽の意味。戦いに勝って祭りよろこぶの意味を表す。
【凱歌】ガイカ 戦いに勝って帰るときにうたう祝い歌。
【凱旋】ガイセン 戦いに勝ち(凱歌をうたいながら)帰ること。凱還。▼旋は、帰る意。
【凱弟・凱悌】ガイテイ やわらぎ楽しむ。愷悌ガイテイ。
【凱風】ガイフウ 初夏に吹くそよ風。南風。また、その南風が万物を長じ養うことから転じて、恩沢のたとえ。愷風。用例(詩経、邶風、凱風)凱風自レ南ガイフウみなみよりす、吹二彼棘心一かのキョクシンをふく。↓初夏のそよ風は南より、あの堅いいばらの若芽をはぐくみ育てるように吹く。

10 【⿵几甚】 12画 852 カン 嵁(2775)と同字。→四三五ページ下。 — — 1912

12 【凳】 14画 853 トウ 径 dèng 20319 — 1913
[櫈] 5878 同字
字義 ❶こしかけ。板で作り、背のないもの。❷ひじかけ。
解字 形声。几＋登㊥。

12 【凴】 14画 854 ヒョウ 凭(847)と同字。→一六九ページ上。 20320 — 1914

12 【鳳】 14画 (14191) ホウ 鳥部。→一六三三ページ下。

2画 凵 かんにょう うけばこ

〔部首解説〕部首として特定の意味を持たず、もっぱら字形分類の上から部首に立てられる。

0 凵 一六九 2 凶 一六九 3 凹 一七〇 凷 一七〇 出 一七〇
凸 一七一 6 画 一七一 画 一七二 函 一七二 函 一七三
7 凾 一七三 幽 四六八 11 畵 一七三

0 【凵】 2画 855 漢カン 呉コン 鎌 qiǎn 4965 9981 —
字義 口を開き張る。また、落とし穴。
参考 単独の文字としての用例はない。
解字 象形。落とし穴の形にかたどる。

2 【凶】 4画 856 常 キョウ 漢キョウ 呉ク 冬 腫 xiōng 2207 8BA5 —
筆順 ノ メ 区 凶
字義 ❶わる-い。わるい(悪)。わるもの。=兇(686)。「凶悪」「元凶」❷わざわい。不吉。↔吉(1328)。❸不作。ききん。↔豊(11457)。用例(孟子、梁恵王上)河内凶カダイキョウなれば、則移二其民於河東一すなわちそのたみをカトウにうつし、移二其粟於河内一そのゾクをカダイにうつす。↓河内が凶作であれば、そこの民を河東に移し、河東の食糧を河内に輸送する。❹人の死に関して用いる。「凶服」
参考 現代表記では[兇](686)の書きかえに用いる。「兇行→凶行」「兇器→凶器」
解字 篆文 指事。使者の胸に施された不吉なしるしを示し、わるいの意味を表す。『説文解字セツモンカイジ』では、落とし穴にはまって混乱したさまの象形と説く。凶を音符に含む形声文字に、匈キョウ・胸キョウ・洶キョウ・詾キョウなどがあり、これらの漢字は、「不吉」の意味を共有している。
逆 吉凶・群凶・元凶・大凶・豊凶
【凶悪(惡)】キョウアク 非常に悪い。また、その人。兇悪キョウアク。
【凶音】キョウイン 悪いしらせ。不吉なたより。凶報。
【凶悍】キョウカン 心が悪くあらあらしい。兇悍キョウカン。
【凶漢】キョウカン わるもの。悪漢。凶賊。
【凶器】キョウキ ①不吉な道具。㋐人を殺傷するのに使う道具。兇器キョウキ。㋑凶事に使う道具。葬式に使う道具。②不吉なもの。わざわいを招く原因となるもの。
【凶逆】キョウギャク 心がねじけていて道理にさからう。また、その人。凶悖キョウハイ。兇逆キョウギャク。
【凶虐】キョウギャク 心がねじけてむごい。また、その人。兇虐キョウギャク。
【凶行】キョウコウ 殺人などの、凶悪な行為。兇行キョウコウ。

【凶荒】キョウコウ 穀物のみのらぬこと。ききん。
【凶歳】キョウサイ ＝凶年。
【凶札】キョウサツ ききんと疫病。
【凶事】キョウジ 不吉な事。不祥事。人の死亡・殺傷・戦争などのことをいう。↔吉事(二四五ページ中)。
【凶手】キョウシュ 同兇手キョウシュ。①悪者の毒手。悪者のしわざ。②人を殺傷した者。
【凶醜】キョウシュウ 悪者の仲間。兇醜。凶党。▼醜は、衆。
【凶兆】キョウチョウ 不吉なことの起こるきざし(前兆)。凶祥。
【凶徒】キョウト 同兇徒キョウト・凶党。①悪者の仲間。②謀反の仲間。暴動の仲間。
【凶党】キョウトウ ＝凶徒。
【凶年】キョウネン 作物の実らぬ年。↔楽歳(七五四ページ中)・豊年(一三四ページ下)。
【凶服】キョウフク ①喪中のきもの。喪服。②武装。戦争は人命をそこなうことから。
【凶変(變)】キョウヘン 不吉な変事。また、凶悪な出来事。
【凶報】キョウホウ ①悪いしらせ。②不吉なしらせ。死亡の通知。
【凶暴】キョウボウ 悪くてあらあらしいこと。兇暴キョウボウ。
【凶礼(禮)】キョウレイ とむらいの礼。喪の礼。五礼の一つ。
【凶戾】キョウレイ 心があらあらしく、道理にそむくこと。

3 【凹】 5画 857 常 オウ 熟字訓 凸凹でこぼこ 1790 899A ─
〔一〕(漢)オウ(アフ)・(呉)ヨウ(エフ) 洽 wā
〔二〕(漢)オウ(アウ)・(呉)ヨウ(エウ) 肴 āo

筆順 ㇅ 𠃋 ⺆ 凹 凹

字義 〔一〕〔二〕❶くぼ-む。へこ-む。くぼます。へこます。↔凸(860)。❷くぼ-み。へこ-み。↔凸(860)。

解字 象形。中央がくぼんでいる形にかたどる。

3 【凷】 5画 858 カイ(クワイ) 隊 kuài ─ ─ 1915

字義 つちくれ。土のかたまり。＝塊(2077)。

解字 篆文 会意。土＋凵。凵は、角ばった土くれの象形。土を付し、つちくれの意味を表す。塊は、もと凷の俗字。

3 【出】 5画 859 教 1 シュツ・スイ で-る・だ-す 2948 8F6F ─
〔一〕(漢)シュツ・(呉)シュチ 質 chū
〔二〕スイ 寘

筆順 丨 屮 屮 出 出

【岀】2838 俗字

字義 〔一〕❶で-る。いづ。↔入(720)。㋐内から外へでる。「外出」㋑外にあらわれる。「露出」㋒家からでる(仕えたり、嫁に行ったりする)。↔処(840)。「出処」㋓中央から地方官に転出する。「出将」㋔ぬきんでる。ひいでる。「傑出」㋕はなれる。のがれる。「出世間」㋖ある範囲を超える。超過する。㋗生まれる。つくられる。用例〔老子、十八〕智慧出有二大偽一(チエいでて、タイギあり)。↓知恵がある者が出てきてから、ひどいいつわりが行われだした。㋘臨む。「出席」❷だ-す。いだす。↔入(720)。㋐内から外へだす。㋑離縁する。㋒すてる。しりぞける。のぞく。㋓支出。㋔甥おいや姪めいなど、ある家系から出たもの。〔二〕だ-す。いだす。＝〔一〕❷。「出納スイトウ」
国で。㋐出身。うまれ。㋑出ること。「日の出」「人の出」㋒出動・出勤すること。「出初め」「出番」

名前 いず・いずる・で 難読 出羽いずりは・でわ・出雲いずも・あだかい・出射いで・出汁だし・出水いずみ・出石いずし・出馬いずま・出目でめ・出鱈目でたらめ

解字 甲骨文 象形。甲骨文でよくわかるように、あし(止)が、くぼみ(凵)から出るさまにかたどり、でるの意味を表す。出を音符に含む形声文字に、拙・祟スイ・絀チュツ・黜チュツなどがあり、これらの漢字は、「でる・だす」の意味を共有している。

逆 演出・供出・傑出・歳出・抄出・帯出・退出・嫡出・抽出・摘出・突出・輩出・派出・搬出・放出・露出

【出御】シュツギョ 国天皇がおでましになること。
【出家】シュッケ・スケ 仏①俗界を出て仏道に入ること。②僧侶。坊主ボウズ。↔在家(三〇一ページ上)。
【出塞】シュッサイ ①とりでを出る。②とりでは多く国境にあることから)国境を越えて出る。用例〔唐、李頎、古意詩〕今為二羌笛出塞声一(いまキョウテキシュツサイのこえ(声)をなし)、使三我三軍涙如二雨(わがサングンをしてなみだあめのごとくならしむ)。↓今羌笛で出塞の曲が奏でられると、(望郷の念がつのり)わが全軍に涙を雨のように流させる。
【出山】シュツザン・シュッサン 山を出る。隠者が世に出て仕える。
【出仕】シュッシ ①官に仕える。仕官。②国公式の席に出る。
【出死】シュッシ 死力を出してがんばる。全力をつくす。
【出師】スイシ 軍隊を(戦場に)くり出すこと。
【出師表】スイシのヒョウ 三国時代、蜀ショクの諸葛亮ショカツリョウが、魏ギと戦うために軍隊を率いて出征する時に、後主コウシュ(劉備リュウビの子の劉禅)に奉った上奏文。前・後の二文がある。
【出自】シュツジ 国①生まれ。素性。②でどころ。出所。
【出狩】シュッシュ ①出かけて狩りをする。狩りに出かける。②天子が戦乱などを避けて都から他の地に行くこと。
【出処(處)】シュッショ ①出て官につくことと退いて家にいること。役人になっていることと仕えずに家にいること。②物事のでどころ。出所。出典。
【出処(處)進退】シュッショシンタイ 社会における身の処し方。身のふりかた。
【出所】シュッショ 国①＝出処②。②刑を終えて刑務所を出ること。
【出将(將)入相】いでてはショウ いりてはショウ 文武の才を兼ね備えていて、戦乱の起きた時には戦場に出て将軍となり、平時には朝廷にあって宰相となる。戦時にも平時にも重責を負って国のために尽くすこと。用例〔枕中記〕出将入相いでてはショウ いりてはショウ。↓地方に転出しては将軍となり、入朝しては大臣となる。
【出色】シュッショク ①ひときわ目だって見える色。②他よりもすぐれていること。
【出身】シュッシン ①身命を投げ捨てること。②官職に挙げ用いられる人。試験に及第した官吏候補者。③＝出世〔一〕②。④その地方・学校などから世に出ること。「東京出身」「工業学校の出身者」
【出陣】シュツジン ＝出陳〔一〕。
【出陳】〔一〕シュツジン 兵士が戦場に出ること。出陣。〔二〕シュッチン 出してならべること。
【出△塵】シュツジン ▼塵は、ちり・よごれ。①俗世間からのがれ出ること。脱俗。②仏㋐煩悩ボンノウからのがれ出ること。㋑僧になること。出家。
【出世】〔一〕シュッセイ・シュッセ ①世に出る。この世に現れる。②立身し栄えること。仕官してりっぱな身分になること。立身。出身。③俗世間を離れ、神仙の境遇に入ること。〔二〕シュッセ 仏①仏がこの世に現れること。②世事を捨てて仏道に入ること(人)。僧。出家。③出世間の略。
【出世間】シュッセケン 仏①世間、すなわち煩悩ボンノウや迷いの世界を超脱すること。出世。②俗界を世間というのに対して、法界をいう。また、僧になること。
【出生】〔一〕シュッセイ ①命を投げ出して、つくすこと。出死。②生ずる。また、産する。〔二〕シュッセイ・シュッショウ 人の生まれること。
【出征】シュッセイ ①旅する。▼征は、行。②戦争に行くこと。
【出典】シュッテン 故事・成語・引用句などの出所である書籍。また、その出所。典拠。
【出納】スイトウ・シュツノウ 金銭や物品の出し入れ。
【出頭】シュットウ ①頭角を出す。他よりすぐれていること。②その場に出る。特に、法的機関へ出向くことにいう。
【出入】〔一〕シュツニュウ ①でることとはいること。また、出し入れ。②役人になることと仕えずに家にいること。進退。③外務官になったり内務官になったりすること。㋐地方官になったり中央の役人になったりすること。㋑武官になったり文官になったりすること。→出将入相。④往来する。②交交際する。⑤支出と収入。二国①ではいり。④超過と不足。差。相違。③もめごと。争い。⑤支出と収入。

【出母】離縁になった母。

【出没】あらわれたりかくれたりする。見えかくれする。

【出奔】よそへにげて跡をくらます。逐電。

【出遊・出△游】①外出して遊ぶ。②勉学や仕官のために故郷を出て他国に行くこと。

【出来(來)】一①あらわれでてくる。②おこる。発生する。③実現する。④できあがる。成就。完成。二国①できあがっていること。「出来合い」②できたさま。できぐあい。③なりたち。おいたち。④みのり。⑤成績。⑥偶然な。にわかな。「出来心」⑦売買。「出来高」

【出藍】藍という草からとる青い染料が、その藍より青いように、弟子が勉強して師よりりっぱになること。用例〔荀子、勧学〕青取$_{二}$之於藍$_{一}$而青$_{二}$於藍$_{一}$ ↓青の染料は藍草から取るが、もとの藍草よりも青い。

【出離】仏世俗のわずらいを離れて雑念を断つこと。俗世間をのがれ捨てること。

【出倫】同類のものから抜きん出てすぐれていること。出類。▼倫は、なかま。「出倫之才」

【出類】＝出倫。〔孟子、公孫丑上〕

【出△廬】草のいおりから出る。世をさけて隠れ住んでいた人が、世に出て活動するために隠れ家を出ること。三国時代、諸葛亮が蜀の劉備の三顧の礼に感激して蜀の軍師として仕えたことから。→三顧(一五ページ中)。

3【凸】5画 860 常 トツ 漢トツ・呉ドチ 月 tū 熟字訓 凸凹(でこぼこ) 3844 93CA 一

筆順 ｜ ┘ ㇄ 凸 凸

字義 ❶でこ。なかだか。↔凹(857)。❷たかい。❸でる。突き出る。「凸起」「凸面」国でこ。㋐突きでた額。㋑木偶と混同して、軽べつの意を含む語。「凸坊」「凸助」

名前 たかし 難読 凸柑(ポンカン)

解字 象形。中央が突き出ている形にかたどり、つきでるの意味を表す。音形上は突に通じる。

6【画】8画 861 教2 ガ・カク 1872 89E6 一

田7【畫】12画 862 一漢カク(クヮク) 呉ワク 陌 huà 二漢カイ(クヮイ) 呉ゲ 慣ガ(グヮ) 卦 huà 6533 E160 一

筆順 一 丆 丙 再 画 画 画

【画】863 俗字 【畫】867 俗字

字義 一❶かぎる。くぎる。㋐分ける。㋑さかいをする。限界をつける。❷しきり。さかい。「区画」❸はかる。❹はかりごと。「計画」「画策」❺漢字の点や線を数えることば。二❶えがく。かく。絵をかく。用例〔戦国策、斉〕請画$_{レ}$地為$_{レ}$蛇、先成者飲$_{レ}$酒 ↓ひとつ地面に蛇の絵を描き、最初に仕上げた者が酒を飲めるということにしようではないか。❷え。「絵画」

名前 え・かき・こと・わく 難読 画部(えかきべ)

参考 現代表記では〔劃〕(975)の書きかえに用いる。「劃期的→画期的」「区劃→区画」

解字 甲骨文 金文 篆文 甲骨文・金文は、象形で、筆を手にして、交差する図形を描くさまにかたどる。篆文は、会意で、聿＋田＋口。聿は、ふでの象形。口は、わく・しきりの意味。耕地のしきりを図形上にえがくの意味を表す。常用漢字の画は省略体による。

逆 戯画・企画・区画・参画・心画・図画・挿画・総画・南画・俳画・壁画・北画

【画一】同劃一。①一の字を引いたように整っていること。また、明らかなさま。②同じようにそろえること。

【画角】楽器の名。表面に絵のかかれているつの笛。竹あるいは銅で作り、軍中に用いた。

【画期的】国今までにないような、新しい時代を開くと思われるほどのもの。劃期的。

【画△戟】美しく装飾した戟(ほこの一種)。

【画工】絵かき。画家。画師。用例〔西京雑記、二〕使$_{二}$画工図$_{レ}$形 ↓絵かきに顔かたちを描かせた。

【画策】はかりごとをたてる。計画する。また、はかりごと。計画。

【画賛(贊)・画△讃】絵の上やわきに、その絵をほめて書く詩文。〔文体明弁、賛〕

【画脂△鏤氷】あぶらにえがいたり氷に彫刻したりする。苦労しても効果のないたとえ。〔塩鉄論、殊路〕

【画趣】絵のようなおもむき。絵の題になるようなおもむき。

【画匠】＝画工。

【画障】①絵のかかれたついたて。②そびえたつ美しい山。

【画△帖】①絵の手本。②絵を集めて一冊の本にしたもの。画集。画帳。

【画然】はっきりとした区別のあるさま。劃然。

【画像】①像をかく。肖像画をかく。②絵にかいたすがた。絵姿。肖像画。

【画像石】中国で、神仙・聖賢・孝子・車馬・鳥獣などの画像を石に刻んだもので、宮殿・祠堂・墳墓などの壁面に用いられた。漢代の山東省孝堂山の祠堂や武梁祠の画像が有名である。

【画伯】画家の敬称。また、絵の上手な人。

【画眉】①まゆずみでまゆをかくこと。②まゆずみでかいた美しいまゆ。③美人をいう。④鳥の名。ほおじろ。

【画譜】①画家の伝統・系譜・画法などを集めた書物。②絵を分類してまとめた書物。

【画幅】絵のかけじく。絵画の軸物。画軸。

【画△屏】絵のかかれたついたて。

【画餅】①絵にかいたもち。②絵にかいたもちは食べることができないことから、転じて、役に立たない事物や、計画倒れのたとえ。〔三国志、魏志、盧毓伝〕

【画△舫】絵をかいたり、色をぬったりした遊覧船。

【画欄】美しく彩色した欄干。

【画△梁】色彩をほどこした美しいうつばり。

【画竜(龍)点(點)△睛】①最後のたいせつな所に手を加えて物事を完成することのたとえ。梁の名画家の張僧繇が竜を描いて、最後に睛をかき入れたら、たちまち竜が絵から抜け出して、天に飛び去ったという故事による。〔歴代名画記〕②わずかなことで全体がひきたってくるたとえ。「画竜点睛を欠く」

【画廊】①美しく絵でかざった廊下。②国㋐絵を陳列する所。ギャラリー。㋑画商の店。

【画楼(樓)】①美しくぬりかざったたかどの。②絵にかいたように美しいたかどの。

武梁祠画像石(漢代)

6【画】8画 863 ガ 画(861)の俗字。→一七一ページ上。

6【函】8画 864 人 標 一 漢カン 呉ゲン 國 hán 二 漢カン・呉ガン 覃 4001 949F 一

筆順 一 丂 丂 丂 丂 函 函

［凾］1843 本字 ［凾］865 俗字 ［凾］866 俗字

字義 一 ❶はこ(箱)。㋐大きい箱。㋑ひつ(櫃)。❷ふばこ。文書を入れる小箱。❸書状・封書。「投函」 二 ❶いれる。つつむ。❷よろい。

名前 すすむ 難読 函南かんなみ

解字 甲骨文 篆文 象形。甲骨文でよくわかるように、矢袋に矢が入れてあるさまにかたどり、ふくむ・はこの意味を表す。函を音符に含む形声文字に、涵カン・菡カンなどがあり、これらの漢字は、「含む」の意味を共有している。

【函関(關)】カンカン ①函谷関の略。②国箱根の関所。

【函△崤】カンコウ ①函谷関と崤関。共に東方からの長安(今の西安市)への入り口にあたる関所。②長安地方をいう。

【函谷関(關)】カンコクカン 関所の名。新旧の二関がある。㋐旧関。河南省霊宝市の東北。秦シの時に置かれた。天険の地として、また、孟嘗君モウショウクンの故事で有名。→鶏鳴狗盗ケイメイクトウ(一六三〇ページ中)。㋑新関。河南省新安県の東。漢の武帝の時(前一一四年)に旧関を移し置いた。

【函使】カンシ 手紙を運ぶ使い。

【函書】カンショ ①文箱ふばこに入れた書状(手紙)。②手紙。書簡。

【函丈】カンジョウ ①師と自分の席の間に一丈(約三メートル)の距離をおくこと。▼函は、入れる意。②師にあてた手紙のあて名のわきにそえて敬意を表す語。③師をいう。

【函人】カンジン よろいを作る職人。〔孟子、公孫丑上〕

【函封】カンプウ 箱に入れて封をする。用例〔史記、刺客伝〕謹斬ニ樊於期之頭一、及献ニ燕督亢之地図一、函封、燕王拝ニ送于庭一、使ニ使以聞ニ大王一。↓謹んで樊於期の首を切り、また燕の督亢の地図を献上するために、箱に入れて封をし、燕王みずから謹んで秦シの宮廷に送り出し、使者に命じて大王に奏上させようとしております。

【函△嶺】カンレイ 国箱根山の別名。▼嶺は、峰・山。

6【凾】8画 865 カン 函(864)の俗字。→一七三ページ上。

7【凾】9画 866 カン 函(864)の俗字。→一七三ページ上。 4966 9982 一

7【幽】9画 (3171) ユウ 幺部。→四六八ページ中。

11【畫】13画 867 ガ 画(861)の俗字。→一七一ページ上。

2画 刀 かたな

〔部首解説〕刀が字形の右側におかれて傍つくりになるとき、多くリの形になり、立刀リットウと呼ばれる。刀とリとは、本来は一つの部首であったが、形が異なるので分け、刀部のあとにリ部を設けた。刀・リを意符として、刃物・切るの意味を含む文字ができ、それらの意味と字形をまとめるために部首にたてられる。力と字形が近いため、俗に混同されることがある。

0 刀 一七三	刅 一七三	屶 一七五	券 一七五	9 剱 一七六	劔 一七六
刁 一七三	分 一七三	4 刕 一七五	刱 一七五	剪 一七六	辨 一七六
1 刃 一七三	3 刋 一七四	5 刦 一七五	7 剏 一七五	11 剿 一七六	
刄 一七三	召 二四三	初 一七五	8 剣 一七五	13 劈 一七六	
2 切 一七三	切 一七四	6 刼 一七五	剙 一七五	14 劒 一七六	

0【刀】2画 868 教2 トウ かたな 熟字訓 太刀たち・竹刀しない トウ(タウ) 豪 dāo 3765 9381 一

筆順 フ 刀

［釖］12471 同字

字義 ❶かたな。はもの・包丁など。❷通貨の名。中国古代の、刀の形をした青銅製の貨幣。❸小舟。

名前 かたな・はかし 難読 刀根とね・刀西とせ・刀豆なたまめ・刀禰とね・刀佩たちはき・刀背打みねうち

解字 甲骨文 篆文 象形。かたなの形にかたどり、かたなの意味を表す。刀を音符に含む形声文字に、到・召・招・昭・沼・照・詔・紹などがあり、これらの漢字は、「まねく」の意味を共有している。

刀②

逆 鉛刀・金刀・契刀・錯刀・銭刀・抜刀

【刀△鋸】トウキョ ①刀と、のこぎり。昔、刑罰に用いた器具。「刀鋸鼎鑊テイカク」②刑罰。

【刀△鋸△之余】トウキョのヨ 刑罰を受けて生き長らえている身。〔史記、晋世家〕

【刀△圭】トウケイ ①薬をもるさじ。②医術。「刀圭家(医者)」

【刀痕】トウコン 刀きずのあと。

【刀自】一 トウジ 老母の称。また、女性の尊称。二 とじ 国①家事をつかさどる女性。主婦。②年老いた女性。老女。③昔、宮中の御厨子所みズシどころ・台盤所ダイバンどころ・内侍所ナイシどころに奉仕した女官。

【刀室】トウシツ 刀のさや。刀鞘トウショウ。

【刀尺】トウシャク・トウセキ ①裁縫用のはさみと、ものさし。転じて、裁縫をいう。②人の才能を裁量して任免すること。

【催ニ刀尺一】トウセキをうながす 裁縫をせよとせきたてる。用例〔唐、杜甫、秋興詩〕寒衣処処催ニ刀尺一、白帝城高急ニ暮砧一。↓冬着の支度をする季節、方々でそのための裁縫をせよとせきたてているかのように、高くそびえる白帝城のあたりでは、夕暮れの砧きぬたの音がせわしなく響いている。

【刀△錐】トウスイ ①刀と錐きり。②ごくわずかな利益。

【刀脊】トウセキ ①刀のみね。刀背。②山の尾根のけわしい道のたとえ。

【刀折矢尽(盡)】かたなお(を)れやつく 刀も折れ矢だねもなくなる。㋐激戦の結果、武器が尽き果て、戦闘不可能なこと。〔後漢書、段熲伝〕㋑一般に、万策つきる意。

【刀泉】トウセン ぜに。▼泉は、銭。→字義❷。

【刀△俎】トウソ ①包丁とまな板。用例〔史記、項羽本紀〕如今、人方為ニ刀俎一、我為ニ魚肉一。↓今、彼らは包丁とまな板であり、われわれは魚肉のような立場である。②料理すること。

【刀創・刀△瘡】トウソウ 刀きず。

【刀△槍・刀△鎗】トウソウ 刀と、やり。

【刀頭】トウトウ ①刀の柄つかの端。②刀の先。③還かえるという意の隠語。還は音が刀の環に通ずる。

【刀把】トウハ 刀の柄つか。刀欛トウハ。

【刀△瘢】トウハン 刀きずのあと。刀痕トウコン。

【刀筆】トウヒツ ①昔、竹簡に字をしるすときに用いた筆とその誤りを削り取るのに用いた小刀。②筆。また、文書。③「刀筆吏」の略。

【刀筆吏】トウヒツのリ　文書をつかさどる役人。書記。また、小役人。
【刀布】トウフ　①古代の青銅製の貨幣。②貨幣。
【刀兵】トウヘイ　①かたな。武器。②戦争。

0【刁】2画 869　チョウ(テウ)　蕭 diāo　1458 — 1916

字義 ❶刁斗は、銅鑼の一種。↓刁斗。❷わるい。ずるい。ずるがしこい。❸うごく。ゆれる。刁刁は、風の吹くさま。そよそよ。

解字 指事。刀の字の一画を変形させて、チョウ(テウ)の音を示す。

【刁斗】チョウト　どら。どらなべ。銅製の軍用道具。容量は一斗。昼はなべに用い、夜は打ち鳴らして陣中を警戒した。

1【刃】3画 870　常　ジン　は　3147 906E —

1【刅】3画 871　漢ジン　呉ニン　震 rèn

筆順 フ 刀 刃

【刄】872 俗字

字義 ❶は。やいば。❷はもの。刀剣の類い。また兵器。❸きる(切)。さす。やいばする。「自刃」

難読 刃切山(つるきりやま)

解字 甲骨文 篆文 指事。刀のやいばに相当する部分に、の記号を付し、やいばの意味を示す。刃(刅)を音符に含む形声文字に、忍(忍)・紉・訒・認(認)などがあり、これらの漢字は、「弾力性があって、しかも強い」の意味を共有している。

逆 自刃・霜刃・毒刃・白刃・氷刃・兵刃

【刃傷】ジンジョウ・ニンジョウ　①やいばで人をきずつける。②刀きず。
【迎レ刃而解】やいばをむかえ(へ)てとく　竹がやいばの進むままに割れてゆくこと。物事が難なく簡単に解決するたとえ。〔晋書、杜預伝〕
【血レ刃】やいばにちぬる　刃物に血をつける。刃物で人を殺傷すること。

1【刄】3画 872　ジン　刃(870)の俗字。→一七三ページ上。　4967 9983 —

2【切】4画 873　教2　セツ・サイ　き-る・き-れる　一漢セツ・呉セチ　屑　①〜③qiē、④〜⑥qiè　二漢セイ・呉サイ　霽　①qiè、②qì　3258 90D8 —

筆順 一 七 切 切

【切】877 俗字

字義 一❶き-る。き-れる。❷さく(割)。きざむ(刻)。❸みがく。こする。「摩切」❹さしせまる。あわただしい。❺程度の深刻さをあらわす。㋐しきりに。ふかく。㋑きびしい。「痛切」㋒ぴったり。「適切」❻かえし。きり。ある漢字の音を、他の二字で示す法。↓反切(二三三ページ上)。二❶すべて。「一切」❷みぎり。その時。＝砌(8143)。国❶き-れ。断片。❷き-り。くぎり。段落。

難読 切籠(きりこ)

使いわけ きる〔切・斬〕
〔切〕広く一般に用いる。「はさみで紙を切る・スイッチを切る」
〔斬〕刃物で人をきる。また、批判する。「敵を斬り殺す・世相を斬る」。ただし、「切」を用いることも多い。

解字 篆文 形声。刀＋七音。音符の七は、縦横にきりつけるさまを示す。七が、ななつの意味を表すようになって、刀を加えて区別した。きるの意味を表す。

逆 哀切・一切・緊切・懇切・深切・痛切・適切・迫切・反切

【切韻】セツイン　①反切によって韻を分けること。②韻書の名。五巻。隋の陸法言らの著。漢字を音によって百九十三に分類し、それぞれの音を反切で示す。後の増訂版に唐代の『唐韻』、宋代の『広韻』がある。
【切諫】セッカン　強くいさめる。
【切言】セツゲン　①適切なことば。②ねんごろにいう。また、強くいう。また、そのことば。
【切磋琢磨】セッサタクマ　骨や角を刃物で切り、やすりで磋き、玉や石を槌で打ち、石で磨く。転じて、学問・道徳を励みみがくこと。また、友人同士が励まし合うこと。『詩経』衛風・淇奥に「如レ切如レ磋、如レ琢如レ磨」とあるのに基づく。
【切至】セッシ　親切のかぎりを尽くす。
【切支丹】キリシタン　＝吉利支丹(三四五ページ下)。
【切歯(齒)】セッシ　①歯と歯とをきしり合わせること。歯をくいしばること。はぎしり。②はげしくいきどおるさま。「切歯腐心」③はなはだしく残念がるさま。
【切歯(齒)扼腕・切歯(齒)搤腕】セッシヤクワン　①歯ぎしりをし腕をにぎりしめる。②＝切歯②③。
【切実(實)】セツジツ　①適切で実際によく当てはまっていること。②ねんごろ。まこと。心をこめること。③さしせまって必要なこと。
【切祝】セツシュク　①切なる願い。心からの願い。用例〔人虎伝〕此吾之切祝也(これわれのセツシュクなり)。↓これが私の切なる願いだ。②相手の幸福を祈る意の書簡用語。
【切峻】セッシュン　きわめてきびしい。
【切身】セッシン　一①身を切る。痛切に感ずる。②二字をあつめて一体の字としたもの。自反。二きりみ　国魚・肉などの薄くひらたく切ったもの。
【切責】セッセキ　きびしく責める。しきりに責める。
【切切】セツセツ　①すすめはげますさま。また、ねんごろなさま。用例〔論語、子路〕朋友切切偲偲(ホウユウにはセツセツシシ)。↓友達には、すすめはげます。②思いが強く心に迫るさま。「帰心切切」③秋風の音のさびしいさま。④声が細く絶え絶えに続くさま。ひそひそとささやく声のさま。用例〔唐、白居易、琵琶行〕大絃嘈嘈如二急雨一、小絃切切如二私語一。(タイゲンはソウソウとして、キュウウのごとく、ショウゲンはセツセツとしてシゴのごとし)↓太い弦の音は騒々しくにわか雨のようで、細い弦の音は細く絶え絶えと続き、ひそかなささやきのようだ。
【切直】セッチョク　①邪悪・欠点などを正すこと。②人がらやことばづかいがきわめて正しいこと。
【切迫】セッパク　国期限・事態などがさしせまっていること。
【切望】セツボウ　強く熱心に望むこと。しきりに望むこと。
【切問】セツモン　①熱心にたずねる。②きびしく問う。③実際の問題に関連させて問う。自分に切実なことがらを問いただす。用例〔論語、子張〕切問而近思(セツにとい(ひ)てちかくおもう(ふ))。↓自分に切実なことがらを問いただし、身近に考える。
【切要】セツヨウ　きわめて重要(必要)なこと。肝心。
【切論】セツロン　①＝切言。②はばからず議論する。

2【办】4画 874　漢ショウ(シャウ)　呉ソウ(サウ)　陽 chuāng　— — 1918

字義 ❶傷つける。傷。＝創(969)。❷両刃の剣。

解字 象形。創(969)の原字。

2【分】4画 875　教2　ブン・フン・ブ　わ-ける・わ-かれる・わ-かる・わ-かつ　一フン　文 fēn　二漢フン・呉ブン　問 fèn　慣ブ　県名 大分(おおいた)県　4212 95AA —

筆順 ノ 八 分 分

字義 一❶わ-ける。わ-かつ。わ-かれる。わ-かる。㋐二つにわける。さく。さける。㋑はなす。はなれる。へだたる。㋒わけ与える。くばる。㋓明らかにする。見わける。❷ちがい。差異。❸なかば。「夜分」❹一部分。❺二十四気の一つ。「春分」

「秋分」❻度合い。❼尺度・重量・角度・時間・面積・貨幣・小数の単位の一つ。[二]❶さだめ。きまり。㋐人倫上のけじめ。「名分」㋑つとめ。義務。当然行うべきこと。「職分」「本分」㋒もちまえ。才能。「天分」㋓運命。境遇。❷さかい(界)。かぎり。❸分とする。あまんじる。[国]❶わ-かる。理解する。❷ブン。㋐わりあて。「取り分」㋑そうある状態・様子。「気分」㋒人間関係。「親分」「子分」❸ブ。㋐度合い。㋑尺度・温度・貨幣などの単位の一つ。

名前 くまり・ちか・わか 難読 分校ぶんぎょう・分葱わけぎ・分倍ぶばい・ぶんばい

使いわけ **わかれる〔分・別〕**
〔分〕一つのものが二つ以上になる。「分かれ道・意見が分かれる」
〔別〕人が離れていく。「別れ話・生き別れ」

解字 甲骨文  金文  篆文  会意。八＋刀。八は、二つに分かれるの意味。刀で切りわけるの意味を表す。分を音符に含む形声文字に、紛・芬フン・氛フン・翂フン・貧・盼ハンなどがあり、これらの漢字は、「わかれる」の意味を共有している。

逆 応分・過分・気分・区分・検分・才分・秋分・充分・十分・分・春分・職分・処分・随分・寸分・性分・節分・大分・天分・本分・名分・夜分・領分

【分異】ブンイ ①わかれことなる。②別々になる。別居する。
【分陰】フンイン 一分ブンの光陰。きわめて短い時間。寸陰。▼陰は、時間。「惜二分陰一フンインをお(を)しむ」
【分解】ブンカイ ときわける。解剖する。とき明かす。用例(近古史談、織篇、稲葉一徹)一徹一一分解イッテツイチイチブンカイし、併説二其典一甚詳あわ(は)せてそのテンをとくこと。はなはだつまびらかなり ↓一徹は一語一語について細かに解き明かし、そのいわれまでも非常にくわしく解説した。
【分外】ブンガイ 身分にはずれること。身分不相応。過分。
【分割】ブンカツ わける。幾つかにわけること。
【分轄】ブンカツ わけて支配する。区分して管轄する。
【分甘】ブンカン ①甘味を分ける。慈愛を広く施すこと。②楽しみを同じくする。共に楽しむ。
【分岐】ブンキ (枝がわかれるように)わかれる。
【分糾】ブンキュウ ①調べ正す。②取り締まる。
【分暁(曉)】ブンギョウ ①夜がまさに明けようとすること。夜明けの光が輝きはじめること。②明らかなこと。
【分襟】ブンキン 襟えりをわかつ。人と別れること。

【分家】ブンケ 家族がその属する家から分れて別に一家を立てること。また、その家。
【分遣】ブンケン (本隊・本部から)わけて派遣する。
【分限】[一]ブンゲン ①その人の持ち分。定められた任務や権力の範囲。②上下尊卑の別。身分。身のほど。分際。③かぎり。限度。[二]ブンゲン・ブゲン [国]①金持ち。富豪。②程度。段階。③名目上や表向きそうだとすること。
【分減】ブンゲン わけへらす。わかちへらす。
【分光】ブンコウ ①光をわけ与える。転じて、恩恵をほどこすこと。②極めて短い時間。
【分行】ブンコウ 別々に行く。わかれて行く。
【分毫】ブンゴウ ほんの少し。寸毫。▼毫は、獣の細い毛。
【分際】ブンサイ・ブンザイ ①けじめ。区別。②身のほど。身分。分限。
【分散】ブンサン ①わかれわかれになる。用例(唐、李白、月下独酌詩)醒時同交歓さむるときにはともにコウカンし、酔後各分散よ(ゑ)い(ひ)てのちはおのおのブンサンす ↓しらふの間はお互いに楽しむが、酔ってしまうと別れ別れになる。②ばらまく。
【分至】ブンシ 春分・秋分と夏至ゲシ・冬至トウジ。
【分手】ブンシュ ＝分レ手てをわかつ(五七〇ﾍﾟｰ下)。
【分銖】ブンシュ ①ごくわずかな分量。わずかの利益。②弩いしゆみの目もり。矢の到達距離の遠近をはかるもの。
【分掌】ブンショウ 仕事を手わけして受け持つ。「分掌事務」
【分身】ブンシン ①一つの身がいくつかにわかれること。また、そのわかれた身。②身二つになる。子を産む。また、生まれた子。③[仏]仏がさまざまな姿に身を変えて現れること。また、その姿。
【分水嶺】ブンスイレイ 分水界(川の流れを違った方向に分ける境界)をなす山のみね。
【分数(數)】ブンスウ ①身についた天の理数。②暦数の区分。③数学用語。整数を0以外の整数で割った商の形。
【分寸】ブンスン わずか。すこし。
【分析】ブンセキ ①わかちさく。また、わかれる。②複雑なものを細かくわけて説き明かす。③化学で、物質の組成を検出すること。④哲学で、対象・概念などを、その要素・部分に分解すること。↔総合(二三八ﾍﾟｰ中)。
【分疏】ブンソ ①箇条をわけて(詳しく)述べること。②言い分けをすること。弁解。
【分張】ブンチョウ ①分離する。②分布する。
【分庭亢礼(禮)】ブンテイコウレイ それぞれ庭に場所を分けて対座し、対等の礼で会見すること。
【分背】ブンパイ ①わかれそむく。②背を向けあう。③人に別れる。

【分半】ブンパン 半分をわけ与える。また、半分ずつわけ合う。
【分泌】ブンピ・ブンピツ 体内の腺細胞センサイボウの作用によって、特殊な液汁を生成・排出すること。
【分秒】ブンビョウ 一分一秒。非常に短い時間。
【分付】ブンプ ①わけあたえる。②割り当てて事をさせること。③言いつける。
【分賦】ブンプ ①わけくばる。分配する。②割りつける。租税などを割り当てること。
【分別】[一]ブンベツ ①ときはなす。切り割く。わける。②けじめをつける。区別する。また、けじめ。区別。[二]フンベツ ①[仏]対象を知る心のはたらき。②[国]わきまえ。考え。また、計略。
【分袂】ブンベイ ＝分レ袂たもとをわかつ(三八〇ﾍﾟｰ中)。
【分娩】ブンベン 子を産むこと。出産。分身。
【分封】ブンポウ 天子が土地を与えて諸侯を建てること。
【分崩】ブンポウ わかれくずれる。ばらばらにくずれる。離散する。
【分崩離析】ブンポウリセキ 国が治まらず、民心が離反してばらばらになる。〔論語、季氏〕
【分明】ブンメイ・ブンミョウ・フンミョウ あきらか。はっきりしている。明瞭メイリョウ。
【分野】ブンヤ ①戦国時代、中国全土を天の二十八宿に配当してわけた区画。宿星の変化によってそれに応ずる分野の国の吉凶をうらなった。②区域。範囲。
【分与(與)・分予】ブンヨ わけあたえる。
【分理】ブンリ ①手分けして処理する。②言い訳をする。③続き連なっているものの分かれをいう。川の支流など。分脈。
【分流】ブンリュウ わかれ流れる。また、その川。支流。派流。
【分竜(龍)】ブンリョウ 陰暦の五月二十日をいう。一説に五月二十九日とも。この頃は雨が多く竜がわかれて住むという。また、四月二十日を小分竜、五月二十日を大分竜という。
【分量】ブンリョウ ①身のほど。分限。②めかた。ますめ。かさ。
【分裂】ブンレツ わかちさく。また、わかれさける。
【安レ分】ブンにやすんず 身分相応な程度に満足し、心やすらかにしていること。
【守レ分】ブンをまもる 身分を守る。身のほどを越えないこと。

3 【㓛】5画 876 コウ 功(995)の俗字。→一九一ﾍﾟｰ上。 1459 二一

3 【召】5画 (1316) ショウ 口部。→二四三ﾍﾟｰ中。

3 【切】5画 877 セツ 切(873)の俗字。→一七三ﾍﾟｰ上。

3 【屶】 5画 878 国字 5407 9BA5 —

字義 なた。姓氏・地名に用いられる。

解字 会意。山＋刀。山で用いる刀、なたの意味を表す。

4 【刕】 6画 879 リ 呉 lí 1461 ED67 1921

字義 さく(割)。

解字 会意。刀を三つ合わせて、さくの意味を表す。

5 【刧】 7画 880 キョウ 4971 9987 —

刼(1003)の俗字。→一九二ページ上。

5 【初】 7画 881 教4 漢ソ・呉ショ 魚 chū ショ はじ-め・はじ-めて・はつ・うい・そ-める 2973 8F89 —

筆順 丶 ラ ネ ネ 衤 初 初

字義 ❶はじ-め。㋐はじ-まり。おこり。㋑むかし。それ以前。当初。叙述の途中で過去にさかのぼって話題をはじめる際に用いる。用例〔十八史略、春秋戦国、趙〕初出游、困而帰(はじめシュツユウし、くるしみてかえ(へ)る)。↓それ以前に(蘇秦は)遊説に出かけ、困窮して帰ってきた。㋒もと。根本。❷はつ。うい。はじめの。最初の。❸はじ-めて。やっと。…したばかり。用例〔唐、白居易、長恨歌〕楊家有女初長成、養在深閨人未識(ヨウカにむすめあり、はじめてチョウセイし、やしなわ(は)れてシンケイにあり、ひといまだしらず)。↓楊家にむすめがあり、折しも、年ごろに成長していたが、奥深い女性の住む部屋に養育されていたので、だれもしらない。❹はじ-める。そ-める。❺陰暦で、月の一日から十日までの日付をあらわす。「初一」「初九」 国❶そ-め。はじめ。「書き初め」 ❷うぶ。㋐ういういしいこと。世間なれしていないこと。「初な娘」 ㋑はじめ。最初。「初着」 ❸うい。名詞の上につけて、はじめての意を表す。「初孫」

名前 のぶ・はじめ・はつ・もと 難読 初冠(ういこうぶり)・初月(みかづき)・初心(うぶ)・初心娘(おぼこ)・初生谷(ういだに)・初切(しょっきり)・初中終(しょっちゅう)・初瀬(はせ)・初鹿(はじか)・初鹿野(はじかの)

使いわけ はじめ〔始・初〕⇩始(2347)。

解字 甲骨文 金文 篆文 会意。衤(衣)＋刀。衣は、ころもの意味。刀(刃物)であるため、衣服を裁断する意味から、それが衣服を作る手はじめであるため、転じて、はじめの意味を表す。

逆 仮初・太初・当初

【初衣】(ショイ) 初めに着ていた着物の意。㋐仕官する以前に着ていた着物。㋑隠棲(インセイ)する以前に着ていた着物。 国生まれた子に初めて着せる着物。産衣(うぶぎ)。

【初一】(ショイチ・ショイツ) 月の第一日。朔日(ついたち)。→字義❺。

【初学(學)】(ショガク) 学問・技芸などを学びはじめたばかりで、未熟なこと。また、その人。

【初寒】(ショカン) ①初めて寒さを感ずる。陰暦八、九月ころ。②冬の初めの寒さ。

【初吉】(ショキツ・ショキチ) 月の第一日。朔日(ついたち)。

【初九】(ショキュウ) ①易の卦(カ)の最下位の陽爻(ヨウコウ)。②月の第九日。

【初月】(ショゲツ) ①三日月。新月。②初めの月。正月。

【初更】(ショコウ) 今の午後八時ころ。初夜。→五更(五八ページ中)。

【初校】(ショコウ) 印刷物の最初の校正。

【初志】(ショシ) 最初に立てたこころざし。初心。「初志貫徹」

【初日】(ショジツ) 一あさひ。朝日。日の出。二(ショニチ) 国物事を始める最初の日。三(はつひ) 国一月一日の日の出。

【初春】(ショシュン) 一陰暦一月の別名。正月。二(ショシュン・はつはる) 春のはじめ。国「初春月(はつはるづき)」の略。正月。

【初筍】(ショジュン) 出たばかりのたけのこ。

【初心】(ショシン) ①＝初志。②世なれぬ心。うぶな心。③まだ修業をつまないこと。学び初め。初学。④国世なれぬこと。物事になれないこと。うぶ。未熟。

【初戦(戰)】(ショセン) 第一戦。最初の試合。→緒戦(一一三七ページ下)。

【初度】(ショド) ①生まれた時。②生まれた時の容貌(ヨウボウ)・性向など。③誕生日。

【初唐】(ショトウ) 詩風による唐代の区分の一つ。開元の初めまで(六一八―七一三)をいう。⇩コラム 唐詩(三六八ページ)。

【初年】(ショネン) ①年の初め。新春。②初めの年。第一年。

【初発(發)】(ショハツ・ショホツ) 一(ショハツ) はじめてひらく。また、咲いたばかりの花。二(ショハツ) はじめておこる。「初発心(ショホッシン)(新発意(シンポチ))」

【初伏】(ショフク) 三伏のはじめ。→三伏(二〇ページ下)。

【初服】(ショフク) ＝初衣一。

【初夜】(ショヤ) 一①戌(いぬ)の刻の称。今の午後八時ころ。初更。②漏刻で亥(い)の二刻から子(ね)の二刻までの称。二(ショヤ・ソヤ) 国①昔は、夜半から朝まで、後世では、夕方から夜半までをいう。↔後夜(五〇五ページ上)。②第一夜。③結婚後の第一夜。

【初陽】(ショヨウ) あさひ。朝日。

【初六】(ショリク) 易の卦(カ)の最下位の陰爻(インコウ)。

【初涼】(ショリョウ) 秋の初めのすずしさをいう。新涼。

【初老】(ショロウ) 国四十歳をいう。また、老年にはいりはじめた時期(六十歳前後)をいう。

【靡不有初、鮮克有終】(はじめあらざるなし、よくお(を)わ(は)りあるはすくなし) 生まれた時に天から善性を与えられていない者はないが、それを最後まで完全に保持する者はすくない。初めはだれでもが努力するが、最後までやり通して有終の美をなす人はまれである。〔詩経、大雅、蕩〕

6 【刼】 8画 882 キョウ — — 1929

刼(1003)の俗字。→一九二ページ上。

6 【券】 8画 883 教6 ケン 2384 8C94 —

6 〔劵〕 8画 884 漢ケン 呉カン(クヮン) 願 quàn

筆順 丶 ソ 丷 半 关 券 券

字義 ❶わりふ(割符)。てがた(手形)。❷信用証書。切符・切手・印紙・証券の類い。

参考 〔劵〕(1018)は別字。

解字 篆文 形声。もと、刀＋𢍏音。音符の𢍏(ケン)は、まくの意味。刃物で木片にきざみ目をつけ約束したものを二つに割って両者がそれぞれひもで巻いて後日の証拠とする手形の意味を表す。券は、𢍏の省略形。

逆 契券・債券・証券・符券

【券契】(ケンケイ) 約束のしるしの割り符・手形(てがた)。

【券書】(ケンショ) 契約の書きつけ。証文。証書。証券。

【折券】(ケンをおる) 相手の借用証書を破り捨てる。借金を返さなくてもよいという意。昔は木や竹の札に字を書いたので「折る」という。用例〔史記、高祖本紀〕折券弃責(ケンをお(を)りサイをすつ)。↓借用証書を破って帳消しにし、借金の取り立てをやめた。

6 【刱】 8画 885 — — 1926

一 漢ショウ(シャウ) 呉ソウ(サウ) 漾 chuàng
二 漢ショウ(シャウ) 呉ソウ(サウ) 陽 chuāng

〔剏〕 886 俗字 〔刱〕 888 俗字

字義 一はじ-める。また、はじめ。＝創(969)。二きずつける(傷)。やぶる。そこなう。

解字 金文 篆文 形声。井(丼)＋刅音。音符の刅(ソウ)は、きずつけるの意味。丼は、くびかせの象形。きずつけるの意味を表し、転じて、はじめるの意味も表す。創(969)の古字。

7 【剏】 9画 886 ソウ 4976 998C —

刱(885)の俗字。→一七五ページ下。

8 【剣】 10画 887 ケン 20324 — —

剣(945)の俗字。→一八四ページ下。

8 【刱】 10画 888 ソウ

刱(885)の俗字。→一七五ページ下。

9【剱】11画 889 ケン 剣(945)の俗字。→一八四ジベー下。 4991 999B 一

9【剪】11画 890 セン 㮾 jiǎn 4982 9992 一

【翦】9546 正字

字義 ❶き-る。た-つ。切りそろえる。断ち切る。用例〔唐、李商隠、夜雨寄北詩〕何当共剪西窓燭、却話巴山夜雨時(いつかまさにともに西窓の燭を剪り、かえ(へ)って巴山夜雨の時を話るべき)。↓いつの日にか共に西向きの窓辺で灯心を切りつつ、ふり返ってこの巴山の夜雨のことを語り合えるのだろうか。❷さく。そぐ。けずる。❸ほろぼす。つくす(尽)。❹はさみ。

難読 剪刀(はさみ)

解字 形声。刀＋前㊌。前(原義は、きりそろえる)が、まえの意に用いられるようになり、刀を加えて、その原義を表す。

【剪夷】(センイ) きり平らげる。伐ち平らげる。▼夷は、平。

【剪裁】(センサイ) ①布などを裁ち切ること。②花の美しいさまの形容。③手入れをする。文章の推敲(スイコウ)など。

【剪削】(センサク) ①きりけずる。けずる。②山などのそぎ立ってけわしいこと。③物欲をたちきること。

【剪截】(センセツ) はさみ切る。たちきる。

【剪剪】(センセン) ①知恵がせまく劣っているさま。一説に、よくしゃべるさま。また、おもねりへつらうさま。②風のうすら寒いさま。③心をそろえ合うさま。④草などの生えそろうさま。

【剪定】(センテイ) ①平定する。②国樹木のかりこみ。

【剪剃】(センテイ) 切りそろえ、かみそりでそり取る。

【剪屠】(セント) 切り殺す。また、皆殺しにする。

【剪刀】(セントウ) はさみ(鋏)。

【剪灯(燈)新話】(セントウシンワ) 書名。四巻。付録一巻。明(ミン)の瞿佑(クユウ)の著。牡丹灯記(ボタントウキ)・愛卿伝(アイケイデン)など二十一編を収める怪奇小説集。日本の江戸時代の怪奇小説に大きな影響を与えた。

【剪灯(燈)余(餘)話】(セントウヨワ) 書名。四巻、付録一巻。明(ミン)の李禎(リテイ)の著。二十一編の怪奇談を収めている。

【剪髪】(センパツ) 髪の毛を切る。断髪。

【剪伐】(センバツ) ①きる。木をきる。②征伐する。ほろぼす。

【剪滅】(センメツ) うちほろぼす。

11【剸】13画 891 ソウ 剿(971)と同字。→一八七ジベー下。

13【劈】15画 892 ㊀ヘキ ㊁ヒャク 錫 pī, pǐ 4992 999C 一

字義 ❶つんざ-く。つきやぶる。❷さく(裂)。わける。

解字 篆文 [篆文] 形声。刀＋辟㊌。音符の辟(ヘキ)は、人をひきさく罰の意味。刀を付し、刃物でさくの意味を表す。

【劈砕(碎)】(ヘキサイ) わりくだく。

【劈頭】(ヘキトウ) まっさき。最初。第一番。頭部を一撃する意から。

【劈歴(歷)】(ヘキレキ) かみなりがなり響く。また、その雷。霹靂(ヘキレキ)。

14【劒】16画 893 ケン 剣(945)と同字。→一八四ジベー下。 4990 999A 一

14【劔】16画 894 ケン 剣(945)の俗字。→一八四ジベー下。 4989 9999 一

14【辧】16画 895 ベン 辨(3277)の本字。→一四〇二ジベー下。 5001 999F 一

2画 刂 りっとう(立刀) [刂] 20321 一 1917

〔部首解説〕 刀が字形の右側におかれて傍(つくり)になるときの形。→〔刀〕の部首解説(一七二ジベー)。

2 刈 一七六	3 刊 一七六	刋 一七六	4 划 一七六	刓 一七六
刑 一七七	刔 一七七	刖 一七七	刖 一七七	刎 一七七
刘 一七七	列 一七七	5 刦 一七八	刪 一七八	删 一七八
判 一七八	別 一七八	刨 一七九	利 一七九	刟 一八〇
6 刮 一八〇	刑 一八〇	刲 一八〇	刳 一八〇	刻 一八〇
刷 一八〇	利 一八〇	删 一八一	刺 一八一	刵 一八一
制 一八一	到 一八一	7 剄 一八一	荆 一二〇七	剋 一八二
剉 一八二	削 一八二	前 一八二	則 一八三	剃 一八四
剅 一八四	剌 一八四	8 剡 一八四	剦 一八四	剞 一八四
剘 一八四	剢 一八四	剣 一八四	剛 一八五	剤 一八五
剗 一八五	剸 一八五	剔 一八五	剟 一八五	剝 一八六
剥 一八六	剕 一八六	剖 一八六	剜 一八六	9 剮 一八六
剩 一八六	剾 一八六	剳 一八六	副 一八六	10 剴 一八七
割 一八七	罰 一八七	剩 一八六	創 一八七	11 蒯 一三二六
劄 一八七	剿 一八七	剸 一八七	剽 一八七	剹 一八八
12 劃 一八八	劀 一八八	劂 一八八	劄 一八八	13 劊 一八八
劌 一八八	劇 一八八	劍 一八八	剿 一八八	劉 一八八
劅 一八八	劉 一八八	14 劓 一八九	劑 一八九	15 劕 一八九
17 劖 一八九	19 劗 一八九	劘 一八九	21 劚 一八九	

2【刈】4画 896 常 か-る ㊀ガイ・㊁ゲ 隊 yì 2002 8AA0 一

筆順 ノ メ 刈 刈

【苅】9820 俗字

字義 ❶か-る。草をかる。かりとる。＝乂(62)。❷たつ(断)。きる。❸ころす(殺)。

難読 刈羽(かりわ)・刈萱(かるかや)・刈田(かった)・

名前 かる・たつ・つくす

解字 別体(乂) [別体] 形声。刂(刀)＋乂㊌。音符の乂は、草刈り用のはさみの象形。刀を加え、かるの意味を表す。乂の別体。

【刈穫】(ガイカク) 穀物を刈りとる。刈禾(ガイカ)。

3【刊】5画 897 教5 カン 寒 kān 2009 8AA7 一

筆順 一 二 千 刊 刊

【刋】898 俗字

字義 ❶けず-る(けづる)。のぞく。切る。切り除く。❷きざ-む(刻)。ほる(彫)。❸書物を出版する。「刊行」

参考 〔刊〕は音カン、木を彫って書物を出版する意、〔刋〕は音セン、けずるの意で、無用・過誤をけずりただすこととして、二字を区別する説もあるが、結局は同字で、筆勢の異なったものと見るべきであろう。

解字 篆文 [篆文] 形声。刂(刀)＋干㊌。音符の干は、おかすの意味。刃物でおかす、けずる・切り除くの意味を表す。

逆 季刊・近刊・旬刊・創刊

【刊記】(カンキ) その書籍の出版年月・出版地・出版者などをしるした部分。今の奥付(おくづけ)のようなもの。

【刊誤】(カンゴ) 文字・文章の誤りを正すこと。

【刊行】(カンコウ) 書物を印刷して世に出すこと。版行。出版。

【刊本】(カンポン) 印刷した書籍。刊行した本。版本・板本・刻本などともいう。↕写本(一六一ジベー下)。

3【刋】5画 898 カン 刊(897)の俗字。→一七六ジベー下。 4968 9984 一

4【划】6画 899 ㊀カ(クワ) ㊁ゲ 麻 huá 20322 一 1919

字義 ❶舟をこぐ。さおさす。❷→划子。

解字 形声。刂(刀)＋戈㊌。

【划子】(カシ) 小舟。

4【刓】6画 900 ガン(グワン) 寒 wán 11460 一 1920

字義 ❶けず-る(けづる)。かどをけずり取る。❷すりへる。すれて

まるくなる。

解字 篆文 形声。刂(刀)+元音。音符の元は、丸に通じ、まるいの意味。方形のもののかどをけずってまるくするの意味を表す。

【刓削】ガンサク かどをけずってまるくする。

【刓敝・刓弊】ガンペイ すり減る。つぶれこわれる。また、疲れる。

4【刑】6画 901 常 ケイ 漢ケイ・呉ギョウ(ギャウ) 青 xíng 2326 8C59 ー

筆順 一 二 チ 开 刑 刑

[刑] 918 本字

字義 ❶つみする。罰をくわえる。また、しおき。❷のっとる。手本とする。また、のり(法)。おきて。模範。手本。用例〔孟子、梁恵王上〕刑二于寡妻一、至二于兄弟一、以御二于家邦一(カサイにのっとり、ケイテイにいたり、もってカホウをぎょす) 自分の妻の手本となり、兄弟に広げてゆき、そして国家を治めてゆく。❸おさめる。ただす。とりしまる。

名前 おさか・のり 難読 刑事おさかべ・かたべ・刑坂おさか・刑部おさかべ・おさべ・おたえ・かたべ・ぎょうぶ

解字 金文 篆文 形声。刂(刀)+幵(幵)音。音符の幵ケンは、わく・かたの象形。刀や手かせ足かせを受ける、しおきの意味を表す。刑を音符に含む形声文字に、型・荊ケイがある。

逆 虐刑・宮刑・求刑・極刑・私刑・重刑・賞刑・体刑・典刑・天刑・徒刑・肉刑・腐刑・流刑

【刑官】ケイカン 司法官。裁判官。

【刑禁】ケイキン おきて。法律。特に刑罰に関するおきて。

【刑獄】ケイゴク ①刑罰。しおき。②牢屋ロウや。刑務所。

【刑書】ケイショ 刑罰の法文。また、それをしるした書。

【刑賞】ケイショウ 刑罰と恩賞。

【刑人】ケイジン ①刑罰を受けた人。また、そのために身体に障害を生じた人。②しもべ。奴隷。

【刑徒】ケイト つみびと。罪人。刑人。

【刑徳】ケイトク ①刑罰と徳化。②刑罰と恩賞。③陰気の働き(刑)と陽気の働き(徳)。

【刑罰】ケイバツ 刑法に照らして罰すること。また、刑(死刑・流刑・徒刑・杖刑ジョウ・笞刑チなど)と罰(実刑のかわりに金品を納めさせる)。〔孟子、梁恵王上〕

【刑部】■ケイブ 刑罰をつかさどった役所。六部の一つ。■ギョウブ 国律令制下で、裁判・処罰をつかさどった役所。八省の一つ。

【刑辟】ケイヘキ 刑法。また、刑罰。▼辟は、法、また、しおき。

【刑法】ケイホウ ①刑罰のおきて。②犯罪と刑罰とを定めた法律。

【刑名家】ケイメイカ ①中国古代の法家、特に形名の一致を主張した学派。刑は形に通じ、実の意。名(その人の言った言葉)によってその実(行為)を責め、言行の一致を要求し、その一致・不一致によって厳重に賞罰すべきを主張した。韓非子カンピシがその代表的人物。②法律家。

【刑余(餘)】ケイヨ ①刑罰を受けてなお生きながらえていること。また、その人。前科者。②宦官カンガン。宮刑を受けた人が任ぜられたからいう。③僧。昔、髪を剃そり落とす刑罰(髠刑コンケイ)があったからいう。

【刑戮・刑僇】ケイリク ①刑罰を加えること。また、刑罰。②罰して殺す。▼戮・僇は、殺す意。

4【刔】6画 902 ケツ 抉(4057)と同字。→五七八ジペー中。 4969 9985 ー

4【刖】6画 903 漢ゲツ 呉ガチ(グワチ) 月 yuè

[刖] 904 俗字

字義 ❶あしきる。足を断ち切る刑罰。＝跀(11675)→五刑(五八ジペー中)。❷きる。断ち切る。

解字 篆文 形声。刂(刀)+月音。音符の月は、かきとるの意味。刀を付して、切るの意味を明らかにした。

【刖罪】ゲツザイ 足切りの刑に相当する罪。

【刖趾適屨】ゲッシテキク・ゲッシしてクにテキせしむ 足を切って履くつに合わせる。本末を転倒するたとえ。〔三国志、魏志、明帝紀、注〕

【刖者】ゲッシャ 足切りの刑を受けた罪人。

4【刖】6画 904 ゲツ 刖(903)の俗字。→一七七ジペー中。 20323 ー 1922

4【刎】6画 905 漢ブン・呉モン 慣フン 吻 wěn 4970 9986 ー

字義 ❶くびはねる。はねる。首を切る。自分で自分の首を切る。❷きる(切)。たつ(断)。

解字 篆文 形声。刂(刀)+勿音。音符の勿ブツは、払うの意味。刀を払って首をはねるの意味を表す。

【刎頸之交】フンケイのまじわり(はり) 互いのために頸くびをはねられる(殺される)ことがあっても後悔しないほどの親しい交わり。生死をともにする親しい交わり。用例〔史記、廉頗藺相如伝〕卒相与驩、為二刎頸之交一(ついに(ひに)あい(ひ)ともによろこび、フンケイのまじわり(はり)をなす) 結局、二人は互いに親しみ合って、刎頸の交わりを結んだのであった。

【刎死】フンシ 自分で自分の首を切って死ぬ。自殺。自刎。

4【刘】6画 906 リュウ 劉(985)の俗字。→一八八ジペー下。 ー ー 1923

4【列】6画 907 漢レツ・呉レチ 屑 liè 教3 レツ 4683 97F1 ー

筆順 一 ア 万 歹 列 列

字義 ❶わける。わかれる。❷つらなる。つらねる。ならぶ。ならべる。❸ならび。行列。❹くらい(位)。順序。順序だてる。用例〔史記、廉頗藺相如伝〕相如毎二朝時一、常称レ病、不レ欲下与二廉頗一争上レ列(ショウジョ、チョウジごとに、つねにやまい(ひ)としょうして、レンパとレツをあらそう(ふ)ことをほっせず) 相如は、朝廷に出仕すべきときは、いつも病気と称して、廉頗と序列を争うことをのぞまなかった。❺つれ。くみ(組)。仲間。❻多数の。「列国」

名前 しげ・つら・とく・のぶ 難読 列田なみた・列列椿つらつらつばき

解字 篆文 会意。刂(刀)+歹(歺)。歺ガツは、毛髪のある頭骨の象形。刀で首を切るさまから、わけるの意味を表し、裂の原字。また、連に通じ、つらなるの意味をも表す。列を音符に含む形声文字に、例・冽レツ・洌レツ・烈・裂などがあり、これらの漢字は、「さける」「つらなる」の意味を持つ。

逆 環列・系列・参列・序列・歯列・整列・隊列・陳列・等列・同列・排列・配列・並列・編列・羅列

【列観(觀)】レッカン ①多くの人々が並んで見る。用例〔史記、廉頗藺相如伝〕大王見二臣列観一、礼節甚倨(ダイオウシンをレッカンにみて、レイセツはなはだおごれり) 大王様はこの私を愛妾や側近の者の居並ぶ満座の中において引見なされ、その応待ぶりははなはだ人をあなどった傲慢なものであります。②つらなり並んでいる高殿。▼観は、館。

【列禦寇】レツギョコウ →列子①。

【列強】レッキョウ 国強大な国々。

【列卿】レッケイ 多くの卿。多くの高官。▼卿は、今の大臣に相当する官位。

【列欠(缺)・列闕】レッケツ 天が裂け欠ける。いなずまが閃ひらめくたとえ。いなずま。電光。電照。▼列は、裂に通ずる。

【列侯】レッコウ ①漢代、人臣の二十等の爵位シャクイの第一位にあたる国君。通侯。秦シン代の徹侯にあたる。②諸大名。

【列座・列坐】レツザ ならびすわる。また、その人々。

【列士】レッシ ①多くの士。②志や操の固い人。りっぱな人。烈士。

【列子】レッシ ①戦国時代の思想家。道家の傾向を持ち、孟子モウシより以前の人といわれるが不明。列は姓、子は尊称。

名は禦寇。②書名。八巻。列禦寇の著といわれていたが、漢または魏・晋のころの偽作らしい。老子の無為の説を説く。『老子』『荘子』とともに道家の代表的著作とされる。

【列△肆】レッシ つらなり並んだ店。また、多くの店。

【列次】レツジ 順序。次第。列序。

【列侍】レツジ つらなり侍すること。また、その人々。

【列宿】レッシュク・レッシュウ 多くの星。列星。▼宿は、星宿・星座。

【列女】レツジョ 気性が強く操の正しい女性。烈女。

【列女伝(傳)】レツジョデン 書名。七巻。前漢の劉向の著。中国古代の優れた女性の伝記集。

【列序】レツジョ 順序。次第。序列。

【列叙(敍)】レツジョ ①ならぶ。②ならべる。ならべ述べる。

【列将(將)】レッショウ 多くの大将。将軍たち。

【列世】レッセイ 世々。代々。列代。

【列星】レッセイ つらなる星。多くの星。列宿。

【列聖】レッセイ ①代々の天子。②多くの聖人。

【列席】レッセキ 席につらなる。出席する。

【列仙】レッセン 多くの仙人。

【列祖】レッソ 代々の先祖。歴代の先祖。

【列伝(傳)】レツデン 紀伝体の歴史書の中で、天子・諸侯以外の人々の伝記を一人ずつ分けて書いた部分。漢の司馬遷が『史記』を作り、初めて列伝の項を設け、以下の正史がこれにならった。

5 【刔】 7画 908 キョウ 劫(1003)の俗字。→一九二ジペー上。

5 【删】 7画 909 漢サン 呉セン 刪 shān 4972 9988 —
［刪］924 正字 ［刪］910 同字

字義 ❶けずる。けずる。除く。余分な字句を取り除く。❷さだめる。選定する。作品を選んで編集する。

解字 篆文 会意。刂(刀)+冊。冊は、文字の書かれたふだを編んだ形にかたどる。書かれた文字の不適当なものを刀でけずるの意味を表す。

【删詩】サンシ 孔子が三千余編の古い詩を取捨して三百余編の『詩経』を編集したということ。

【删拾】サンシュウ 文章の不適当な字句を削って適当なものを拾いあげること。删修。删定。

【删修】サンシュウ 文章の余分な字句を削り整理すること。

【删述】サンジュツ 古典の内容を取捨整理して、その思想・精神を述べ明らかにすること。

【删正】サンセイ 文章の字句をけずり正す。

5 【刪】 7画 910 サン 删(909)と同字。→一七八ジペー上。

5 【判】 7画 911 教5 ハン・バン 4029 94BB —
5 〔判〕 7画 912 ハン 翰 pàn 慣バン・ホウ(ハウ)

筆順 丶 丷 亠 半 半 判

字義 ❶わかれる。❷わける。わかつ。見わける。区別する。❸さばく。さばき。「審判」 ❹きめる。さだめる。きめ。さだめ。❺なかば。半分。かたわれ。国❶ハン。書きはん。花押。印章。❷バン。㋐昔の金貨の称。「大判」「小判」 ㋑紙などの大きさの称。「A5判」

名前 さだ・ちか・なか・ゆき 難読 判門田

解字 篆文 形声。刂(刀)+半(音)。音符の半は、二つにわけるの意味。刀ではっきり分けるの意味を表す。

逆 菊判・誤判・裁判・書判・談判・批判・評判・連判

【判押】ハンオウ かきはん。花押。

【判官】一ハンガン ①唐・宋代に、節度使・観察使などの下に置かれた属官。②国裁判官。二ハンガン・ホウガン 国①平安時代、各役所の第三等官「じょう」の別称。次官のつぎの官。②特に、検非違使・兵衛府・衛門府の尉の別称。③検非違使の尉であったことから、源義経をいう。◆源義経を指す場合は「ホウガン」とよむ。したがって、「判官びいき」は「ホウガンびいき」と言いならわしてきたが、現在では「ハンガンびいき」と読む例も多い。

【判決】ハンケツ ①=判断①。②裁判官が法律によって訴訟事件をさばき、最終的に決定すること。

【判正】ハンセイ よしあしをわけただす。断定。

【判然】ハンゼン はっきりしているさま。

【判断(斷)】ハンダン ①物事の是非善悪を見わけてきめること。②国うらない。

【判定】ハンテイ 見わけ定める。

【判読(讀)】ハンドク むずかしい文字や文章を、推し量って読むこと。

【判明】ハンメイ (調査した結果)真相が明らかによく分かること。

【判例】ハンレイ 訴訟事件の判決の先例。判決例。

5 【別】 7画 913 教4 ベツ わかれる 漢ヘツ・呉ベチ 別 bié 慣ベツ 4244 95CA —

筆順 丨 冂 口 号 另 別 別

字義 ❶わける。わかつ。わかれる。はなす(離)。区別がある。区別する。はなれる。❷わかれ。支流。子孫。分岐。❸わかち。けじめ。ちがい。用例(孟子、滕文公上)夫婦有レ別。↓夫婦にもけじめがある。❹ほか。「特別」 ❺とりわけ。とくに。「格別」

名前 のぶ・わき・わく・わけ・わた 難読 別宮・別奴・別当賀・別役

使いわけ わかれる〔分・別〕⇨分(875)。

解字 篆文 会意。另(冎)+刂(刀)。冎は、ほねの象形。骨から肉をわけとるの意味から、わけるの意味を表す。

逆 哀別・永別・鑑別・決別・告別・個別・戸別・差別・識別・死別・人別・生別・惜別・送別・特別・分別・弁別・離別・留別・類別

【別異】ベツイ ①ことなる。ちがう。また、ちがい。②異なるものを分ける。区別する。弁別する。

【別意】ベツイ ①ほかの考え。②別れを惜しむ心。

【別院】ベツイン ①別の建てもの。②仏本寺のほかに建てた寺。

【別△筵】ベツエン 別れのさかもり。別宴。▼筵は、敷き物。

【別格】ベッカク ①特別なおきて。②国きまった格式のほか。

【別館】ベッカン ①天子の別荘。別観。②国学校・旅館などで本館とは別に建てられたもの。

【別業】ベツギョウ ①=別荘。②別の職業。

【別乾△坤】ベッケンコン =別天地。

【別個】ベッコ 他の一個の意。べつ。別の物。別々。

【別語】ベツゴ ①ほかの言葉。②別れの言葉。

【別行】一ベッコウ ①別れ別れに行く。②(異本などが)別々に進行する。二ベツギョウ 文章中で行を改めること。また、別の行。

【別恨】ベッコン 別離の悲しみ。▼恨は、深い悲しみ。

【別懇】ベッコン 国特別に親しいこと。昵懇。

【別才】ベッサイ 特別な才能。

【別集】ベッシュウ 個人の詩文集。↕総集(一二八ジペー中)。

【別△墅】ベッショ 別荘。別宅。別業。▼墅は、田園の家。

【別条(條)】ベツジョウ 国常と変わった事がら・事情。◆「別条(常と変わった事柄)」と「別状(常と変わったようす)」とは実際には区別しがたいことが多い。新聞などでは「別条」を用いる。

【別状(狀)】ベツジョウ 他と、または普通と異なったようす。異状。→別条。

【別情】 別離の情。別れの悲しみ。
【別席】 ①別れの宴席・宴会。②別の席・室。
【別荘(莊)】 本宅から離れた土地に別に設けてある家。▼荘は、田園、また、田園にある家。
【別体(體)】 ①別の体裁。異なった形。②漢字の字体で、正字に対して俗字・略字など。
【別態】 ほかとちがっているようす。
【別天地】 俗世間から離れた環境。別世界。用例〔唐、李白、山中問答詩〕桃花流水窅然去、別有二天地一非二人間一。↓桃の花びらを浮かべた水がはるか遠くに流れて行く。ここに俗界を超越した別天地があるのだ。
【別伝(傳)】 ある人や事件に関する珍しい話を小説的に書いた作品。
【別途・別塗】 別の道。違った方法。
【別当(當)】 国①検非違使庁・蔵人所などの長官。別の官を兼ねていたのでいう。②僧職の一つ。寺務を統御する。③盲人の官位。検校の次。④皇族関係の職員の長。⑤馬の口とり。
【別杯】 別れのさかずき。
【別△嬪】 国美しい女性。別品。▼嬪は、ひめ。
【別来(來)】 別れて以来。
【別離】 人と別れること。わかれ。離別。
【別涙】 別れの時の悲しみの涙。
【恨レ別鳥驚レ心】 〔一家の〕離別の状態を恨めしく思っては〔愛らしい春の〕小鳥の鳴き声を聞いても、はっと心を痛ましめられるばかりである。→感レ時花濺レ涙(六六六ジ下)。
【贈レ別】 人の旅立ちに、詩文・物品をはなむけにおくる。贈別。

5【刨】7画 914 漢ホウ(ハウ) 呉ボウ(バウ) 有 pāo, ③bào ー ー 1925

字義 ❶ほ-る(掘)。❷除去する。さし引く。❸かんな。また、かんなでけずる。

解字 形声。刂(刀)+包音。

5【利】7画 915 教4 リ き-く 熟字訓 砂利 4588 9798 ー
リ 眞 lì

筆順 ノ 二 千 禾 利 利

字義 ❶と-し。㋐するどい。よく切れる。用例〔韓非子、難一〕吾矛之利、於レ物無レ不レ陥也。↓私の矛の鋭利なことといったら、突き通すことのできないものがないほどだ。㋑かしこい。さとい。㋒はやい。すばやい。用例〔晋書、王濬伝〕風利、不レ得レ泊也。↓風がはげしくて、〔船が〕停泊できない。❷と-くする。するどくする。用例〔論語、衛霊公〕工欲レ善二其事一、必先利二其器一。↓職人がよい仕事をしようとすれば、必ずまずその用いる道具を鋭利にするものである。❸よい。順調な。都合がよい。用例〔史記、項羽本紀〕力抜レ山兮気蓋レ世、時不レ利兮騅不レ逝。↓わが力は動かない山を引き抜くに足り、わが盛んなる気力は世間の人々を圧倒するのに足る。けれども時の運は私になく、愛馬の騅もすすもうとしない。❹ききめがある。役に立つ。利点がある。用例〔史記、淮南王安伝〕毒薬苦レ口、利二於病一。↓強い薬は口にはからく苦いが、病気には効果がある。／〔資治通鑑、漢紀〕漢多二車騎一、車騎利二平地一。↓漢軍には戦車や騎馬が多く、戦車や騎馬は平地で有利である。❺もうけ。利益。また、もうける。用例〔論語、里仁〕君子喩二於義一、小人喩二於利一。↓君子は正義のことをまず考え、徳のない者は利益のことをまず考える。❻利子。利息。❼物の効用。有益なこと。「水利」❽かち。「勝利」

国❶き-く。ものを言う。「口を利く」❷き-き。技量がある。「腕利き」

名前 かが・かず・さと・と・とうる・とおる・のり・まさ・みち・みのる・よし・より 難読 利苅・利光・利根・利井・利島・利南・利波河・利波費児・利比亜・利馬

参考 現代表記では〔悧〕(3748)の書きかえに用いることがある。「悧口→利口」

使いわけ きく〔効・利〕⇩効(1019)。

解字 甲骨文  金文  篆文  会意。刂(刀)+禾。刀は、するどい刃物の象形。禾は、いねの象形。甲骨文は、刀+禾+又+土で、いねに手をかけ、鋭いすきで土をすきおこすさまを表す。転じて、するどいの意味や、農耕などに役立つの意味を表す。

逆 営利・栄利・鋭利・権利・功利・財利・舎利・砂利・私利・水利・地利・鈍利・薄利・福利・不利・便利・暴利・名利

【利益】 一リエキ ①もうけ。②ためになること。二リヤク 仏仏などのめぐみ。
【利害】 利益と損害。「利害得失」
【利器】 ①するどい刃物。するどい武器。②すぐれた道具。便利な道具。用例〔老子、五十七〕民多二利器一、国家滋昏。↓人民に文明の利器が普及すると、国家はますます混乱する。③すぐれた才能。また、その人。④為政や用兵の実権。老子がこれらを国の利器と言ったのに基づく。用例〔老子、三十六〕国之利器不レ可二以示一レ人。↓国の為政や用兵の実権は、人に示してはならない。
【利銀】 利息の金。また、もうけた金。利金。
【利剣(劍)】 するどいつるぎ。
【利権(權)】 ①有利な立場。②財政をつかさどる役目。③利益を伴う権利。特に、政治家や業者などがその立場を利用して利益を得る権利。
【利己】 他人をかえりみずに、自分の利益だけをはかる。↕利他。
【利口】 ①口さきのうまいこと。②国かしこいこと。また、わるがしこいこと。利巧。
【利巧】 かしこいこと。また、わるがしこいこと。利口。
【利根】 仏かしこい生まれつき。↕鈍根(二四六五ジ下)。
【利潤】 もうけ。利益。▼潤は、うるおい。
【利殖】 国利が利を生み、もうけが重なって金がふえる。
【利心】 ①利益を追い求める心。欲心。②さとい心。利発な心。
【利刃】 するどいやいば。
【利他】 自分のことをかえりみず、他人を益する。↕利己。
【利沢(澤)】 ㋐めぐみ。恩沢。「利益恩沢」の略。うるおい。㋑もうけ。利益。
【利達】 身分がよくなること。立身出世すること。用例〔孟子、離婁下〕求二富貴利達一。↓豊かで身分が高くなり、立身出世することを求める。
【利敵】 敵に利益を与えること。「利敵行為」
【利鈍】 ①するどいことと、にぶい(なまくらな)こと。用例〔顔氏家訓、文章〕学問有二利鈍一。↓学問をする人には鋭い人と鈍い人があるものだ。③幸運と不運。②賢いことと、おろかなこと。
【利尿】 小便の通じをよくすること。
【利発(發)】 かしこいこと。利口発明の意。
【利兵】 するどい武器。▼兵は、武器。
【利病】 ①利益と損害。利害。「利病得失」②長所と短所。

【利弊】利益と弊害。

【利用厚生】物を役だつように用いて生活をゆたかにすること。〔書経、大禹謨〕

【利欲・利慾】利益をむさぼる心。

【利禄(祿)】利益と俸給。用例〔北宋、欧陽脩、朋党論〕小人所レ好者、利禄也。→小人が好むものは利益である。

【利腕】国よくきくうで。

【見レ利思レ義】利益を得る時、それを得ることが正しいかどうかを考える。〔論語、憲問〕

【放ニ於利一而行多レ怨】利益ばかりを中心として行動すると、人のうらみを受けることが多い。〔論語、里仁〕

5【刢】7画 916 漢レイ 呉リョウ(リャウ) 普 líng ― ― 1924
字義 刀で物を割き分ける。
解字 形声。刂(刀)+令音。

6【刮】8画 917 漢カツ(クヮツ) 呉ケチ 普 guā 4973 9989 ―

字義 ❶けずる。こそげる。かきとる。へらす。❷こする。摩擦する。

解字 篆文 形声。篆文は、刂(刀)+舌(𠯑)音。音符の𠯑は、えぐるの意味。刀を付し、かきとるの意味を表す。刮は、𠜾の変形。

【刮刷】❶こすり除く。❷けずり取る。

【刮摩・刮磨】❶こすりみがく。❷修業する。

【刮目】目をこすってよく見る。刮眼。

【刮目相待】注意・期待して将来の結果を待つこと。〔三国志、呉志、呂蒙伝、注〕

6【刑】8画 918 ケイ 刑(901)の本字。→一七〇ページ上。 ― ―

6【刲】8画 919 ケイ 普 kuī ― ― 1927
字義 ❶さく(刲)。切りさく。また、切りとる。❷ほふる(屠)。家畜などを殺す。
解字 篆文 形声。刂(刀)+圭音。音符の圭は、先のとがる意。鋭利な刃物で切りさく意味を表す。

6【刳】8画 920 漢コ 呉ク 普 kū 4974 998A ―
字義 ❶えぐる。えぐり取る。くる。❷さく。切りさく。
解字 篆文 形声。刂(刀)+夸音。音符の夸は、弓なりの曲線の意味。弓なりの曲線に刀でえぐるの意味を表す。
【刳心】私心を取り去る。
【刳剔】切りさく。断ち割る。

6【刻】8画 921 教6 コク きざむ コク 普 kè 2579 8D8F ―

筆順 丶 亠 亡 亥 亥 刻
字義 ❶きざむ。ほる(彫)。しるす。けずる。また、心にきざむ。「彫刻」❷きびしい。むごい。「深刻」「苛刻」❸きざみ。㋐きざまれた跡。㋑水時計のめもり。「漏刻」❹とき。時刻。❺時間の単位。㋐一昼夜の百分の一。㋑現在では十五分。国❶コク。一昼夜を十二等分し、十二支に配し、子の刻・丑の刻などといい、毎刻をさらに三分して上刻・中刻・下刻という。❷きざみ。きざみ煙草の略。

名前 とき
解字 篆文 形声。刂(刀)+亥音。音符の亥は、己に通じ、かたい力が入るの意味。刀に力を入れてきざむの意味を表す。

逆 印刻・午刻・深刻・数刻・石刻・先刻・即刻・彫刻・板刻・復刻・翻刻・銘刻・漏刻
【刻意】同剋意。❶心を苦しめる。苦心する。❷深く心を用いる。専心する。「刻意励行」

【刻下】ただ今。現在。現下。目下。

【刻画(畫)】きざむ。彫刻する。飾る。

【刻肌】❶肌にきざみつける。深く自ら戒める形容。❷墨(いれずみ)・劓(はなきり)・臏(あしきり)・刖(あしきり)の刑をいう。

【刻期】期日をきめること。また、定められた期日。刻日。

【刻急】きびしい。むごい。刻深。▼急は、きびしい。

【刻苦】力をつくし心を労する。非常に努力をすること。

【刻限】国❶きめられた時間。❷時。時間。

【刻鵠類鶩】白鳥を彫刻すれば、失敗してもあひるに似る。りっぱな人を手本に学べば、同じになれなくても、それに近い人にはなれる。刻レ鵠類レ鶩。〔後漢書、馬援伝〕

【刻骨】＝刻レ骨(一五九六ページ上)。

【刻削】一 きざみけずる。二 ❶きびしい。また、むごい。残酷。「刻削の法」❷山のけわしくそびえ立つさま。

【刻日】期日を限定する。日をきる。

【刻舟】舟にきざむ。川の中に剣を落とした者が、落とした場所の目印を舷に刻みつけ、舟が移動するのを知らなかった故事。→刻レ舟求レ剣(一一八六ページ中)。

【刻峻】きびしい。むごい。

【刻石】❶石に文字や絵などを刻む。また、石を刻む。彫刻する。❷石に刻んだ文字。碑などの文字。

【刻剝】❶しいたげ害する。❷むごい。残酷。

【刻薄】残忍で薄情なこと。冷酷。

【刻本】板木に彫って印刷した本。木版本。版本。↔写本(一六一ページ下)。

【刻励(勵)・刻厲】精を出してはげむ。刻苦精励。

【刻轢】きびしく抑えつける。刑法を用いることが酷烈なこと。刻剝凌轢。

【刻露清秀】山形がはっきりと露われて、すがすがしい秋の景色。〔北宋、欧陽脩、豊楽亭記〕

【刻漏】水時計。漏刻。

【刻鏤】ほりつける。きざむ。彫刻。▼木にほることを刻、金属にほることを鏤という。

6【刷】8画 922 教4 サツ する 漢サツ 呉セチ 普 shuā 2694 8DFC ―
筆順 コ 尸 尸 局 吊 刷 刷
字義 ❶する。こする。印刷する。❷はく。のぞく(除)。はき清める。❸はけ。ほうき。物を払い、またはこする道具類。
名前 きよ 難読 刷子
使いわけ する〔擦・刷〕⇨擦(4455)。
解字 篆文 形声。刂(刀)+㕞(𠬷)音。音符の㕞は、ぬぐうの意味。布や刃物でけがれたものをとり除く、ぬぐうの意味を表す。
逆 縮刷・振刷
【刷新】国悪い所を改めて新しくすること。
【刷毛】国獣毛を柄に植え汚れをとるもの。ブラシ。

6【刹】8画 923 常 サツ・セツ 漢サツ 呉セチ 慣セツ 普 chà 4975 998B ―
筆順 ノ メ 㐅 杀 杀 刹
字義 ❶梵語ksetraの略音訳。旗を建てる柱。僧が一法を悟ると、一つの旗を建てて遠方に知らせた、その旗の柱。❷寺。「古刹」❸塔。仏骨を納める塔。

名前 くに・せち・せつ・てら

解字 篆文 形声。刂(刀)＋杀(殺)音。音符の殺は、梵語の kṣetra の音訳で、修行僧の建てる旗の柱の意味を表す。刀を付した意味は未詳。

【刹鬼】仏おに。悪魔。

【刹帝利】仏梵語 kṣatriya の音訳。インド人を四つの身分(階級)に分けた第二位で、王族・武人の階級。婆羅門(僧)の次位。刹利。

【刹那】①仏梵語 kṣaṇa の音訳。きわめて短い時間。指を一度はじく間に六十刹那あるという。↔劫(1003)。②小さな数の名。一〇のマイナス一八乗。⇩

コラム 数を表すことば(六三八ページ)。

6 【刪】 8画 924 サン 刪(909)の正字。→一七八ページ上。 2741 8E68

6 【刺】 8画 925 常 シ さ-す・さ-さる 一シ 漢 cì 二 漢セキ・呉シャク 陌 qì 慣シ

筆順 一 厂 冂 市 朿 朿 刺 刺

字義 一 ❶さ-す。つきさす。さし殺す。また、さ-さる。❷とる。かりとる。採取する。❸そし-る。「風刺」❹せめる(責)。いさめる。❺とげ。はり(針)。細長く先端のとがっているもの。

二 ❶さ-す。＝一❶。❷ぬう(縫)。ぬいとり(刺繡)する。❸さおさす。船をこぐ。❹さぐる。うかがう。❺ものの形容。→刺刺。

名前 さし・さす 難読 刺青・刺草・刺虫

参考 〔刺〕(939)は別字。

使いわけ さす〔指・刺・挿・差〕⇩指(4156)。

解字 篆文 形声。刂(刀)＋朿音。音符の朿は、とげの意味。刀でとげのようにさすの意味を表す。

逆 謁刺・撃刺・通刺・投刺・毒刺・風刺・名刺・門刺

【刺謁(謁)】名刺を出し、取り次ぎをたのみ面会する。

【刺客】暗殺を行う人。暗殺者。

【刺幾・刺譏】せめそしる。人のことを悪くいう。

【刺激・刺戟】国①感覚器官に感覚を発生させ、または感覚の変化や興奮を誘起する作用。②感覚器官を通じて感情を興奮させること。

【刺股】戦国時代、蘇秦が読書中のねむけをさますため股に錐をつきさして勉学に励んだ故事。〔戦国策、秦〕

【刺口】おしゃべり。多言。饒舌。

【刺候】様子をうかがいさぐる。伺候。偵察。刺探。

【刺殺】さしころす。突きころす。

【刺史】①地方長官の一つ。州の長官。②国国守の中国風の呼び名。

【刺字】①名刺の字。また、名刺をいう。②罪人の顔と肘にいれずみをする。

【刺繡】布地に種々の色糸で絵や模様を縫いつづること。ぬいとり。

【刺蹙】①こせこせとする。あくせくする。②＝刺繡。

【刺青】肌に文字や絵をほりつける。いれずみ。

【刺刺】①よくしゃべるさま。ぺちゃくちゃ。②風の激しいさま。

【刺促】あくせくする。安らかでないさま。刺蹙。

【刺胳・刺絡】関節の静脈に針をさして血を取る、漢方医術の治療法。

【還刺】名刺をかえす。面会をことわる。

【通刺】名刺を出して面会を求める。通刺。

6 【刵】 8画 926 漢ジ 呉ニ 寘 èr 一 一 1928

字義 みみきる。耳を切り落とす。昔の刑罰の一種。

解字 形声。刂(刀)＋耳音。

6 【制】 8画 927 教5 セイ セイ 霽 zhì 3209 90A7

筆順 ノ 𠂉 𠂉 㐄 告 伟 制 制

字義 ❶おさえる。押さえつける。束縛する。従わせる。❷とる。占める。手におさめる。「制レ勝」❸きる(切)。たつ(断)。❹つくる(製)。整えつくる。また、調整する。❺おさめる。つかさどる。あやつる。❻のり。おきて。とりきめ。❼みことのり(詔)。また、その文書。

名前 いさむ・おさむ・さだ・すけ・せい・ただ・のり

解字 篆文 会意。篆文は、刀＋未。未は、枝の重なる木の象形。余分な枝をそぎおさえるの意味を表す。制は利の変形。制を音符に含む形声文字に、掣・猘・製などがあり、これらの漢字は、「そぎ、おさえる」の意味を共有している。

逆 圧制・遺制・応制・王制・管制・規制・強制・禁制・軍制・自制・職制・聖制・節制・先制・専制・体制・帝制・統制・服制・編制・法制・抑制

【制可】天子の許可。

【制御・制馭】相手をおさえて自分の思うように動かす(支配する)。

【制誥】みことのり。詔勅。詔書。

【制獄】①訴訟をさばく。②天子の詔による裁判。

【制裁】国道徳や法律を犯した人に罰を加えること。また、その罰。しおき。こらしめ。

【制作】つくる。こしらえる。芸術作品などをつくること。◆物品を、主として大量につくるのを「製作」、美術作品をつくることを「制作」という。ただ、映画などについては両方用いている。

【制札】国禁止の箇条を書いた立て札。

【制止】押さえとめる。ひきとめる。

【制式】国定められたかた。制定された方式。

【制詔】みことのり。天子の命令。

【制肘】人のひじをおさえること。他人に干渉して行動をおさえつけること。掣肘。「制肘を加える」

【制定】規則などを作り定めること。

【制度】さだめ。法律や社会生活上のきまり。

【制覇】国覇者の地位をかちとる。首位をかちとること。▼覇は、旗頭・諸侯の長。

【制約】国①物事の成立するために必要な規定、または条件。②条件づける。制限する。

【制令】①おきて。制度。②おふれ。法令。

6 【到】 8画 928 常 トウ トウ(タウ) 号 dào 3794 939E

筆順 一 ㄗ ㄙ 㐅 至 至 到 到

字義 ❶いた-る(至)。㋐やって来る。いたり着く。㋑ゆきとどく。きわまる。「周到」❷あざむく。❸さかさま。＝倒(450)。

名前 いたる・ねむる・ゆき・よし 難読 到津

解字 篆文 形声。至＋刂(刀)音。音符の刀は、召に通じ、まねくの意味。まねかれていたるの意味を表す。

逆 殺到・周到・精到・想到

【到底】①底にとどく。②つまるところ。つまり。結局。③国とても。どうしても。

【到頭】①つまるところ。②国ついに。

【到来(來)】①やって来る。「好機到来」②国人から物を贈られる。「到来物」

7 【剄】 9画 929 漢ケイ 呉キョウ(キャウ) 迥 jǐng 4977 998D

字義 くびは-ねる。刀でくびを切る。「自剄」

解字 篆文 形声。刂(刀)+巠㊖。音符の巠は、頸に通じ、くびの意味。くびきるの意味を表す。

7 【荆】 9画 (9916) ケイ 艸部。→一三〇七ページ上。

7 【剋】 9画 930 標 コク 職 kè 4978 998E —

【尅】 2723 俗字

字義 ❶かつ(克・勝)。用例〔後漢書、陳寔伝〕宜下深剋二己反一善上(よろしくふかくおのれにかちてぜんにかえ(へ)るべし)。↓自分自身によく打ち勝って善に立ち返るようにするのがよい。❷ころす(殺)。❸よく。よくする(克・能)。できる。たえる(耐)。❹きざむ(刻)。きめる。❺むごい。きびしい。

参考 ①熟語は〔克〕(692)をも見よ。②現代表記では〔克〕に書きかえることがある。「下剋上→下克上」「相剋→相克」

解字 形声。刂(刀)+克㊖。音符の克は、うちかつの意味。刀でうちかつの意味を表す。

【剋意】コクイ 心にきざむ。深く心を用いる。専心する。

【剋心】コクシン 心にきざむ。

【剋薄】コクハク きびしくして容赦しないこと。残酷。剋剝。

7 【剄】 9画 931 サ 箇 cuò 慣ザ 1462 — 1931

字義 ❶くじく(挫)。また、折れ傷つく。❷きる。きざむ。❸かく。かどをけずりとる。

解字 篆文 形声。刂(刀)+坐(㘴)㊖。音符の㘴は、ひざをおってすわるの意味。刃物で短くきる・きざむの意味を表す。

【剄碓】ザタイ ①まぐさを切る道具。押し切る。②刑具の一。押し切りに似た、足で踏んで人体を切断するもの。

7 【削】 9画 932 常 サク けずる 2679 8DED —

7 〖𠜈〗 9画 933 一 漢シャク・呉サク 薬 xiāo, xuē 二 ショウ(セウ) 嘯 qiào

筆順 丨 丷 ⺌ 肖 肖 肖 削 削

字義 一 ❶けずる。そぐ。けずりとる。除く。消す。うばう。❷書刀。むかし、木や竹の簡に字を彫りつけるのに用いた小刀。

削一②

二 ❶さや。刀のさや。＝鞘(13335)。❷きびしい。けわしい。＝峭(2908)。

参考 現代表記では〔鑿〕(12952)の書きかえに用いることがある。「開鑿→開削」「掘鑿→掘削」

解字 篆文 形声。刂(刀)+肖㊖。音符の肖は、小さくするの意味。刀で小さくする、けずるの意味を表す。

逆 刻削・筆削

【削減】サクゲン けずりへらす。

【削除】サクジョ (文章や記録の、ある部分を)けずりのぞく。

【削成】サクセイ ①けずって作る。②山などが刀でけずったようにけわしく高くそびえ立つこと。

【削跡・削迹】サクセキ あとをかくす。身をかくす。〔荘子、漁父〕

【削籍】サクセキ 籍を除き去る。㋐官職をやめさせる。免職。㋑芸者などの身受け。落籍。

【削紬・削黜】サクチュツ 領地をけずり官位をおとすこと。

【削髪】サクハツ 同 剃髪。①髪をそる。②髪をそって僧・尼になること。出家すること。

【削立】サクリツ そそりたつ。山や断崖などが、けずったように急傾斜にそびえ立つこと。

7 【前】 9画 934 教 2 ゼン まえ 3316 914F —

7 〖前〗 9画 935 一 漢セン・呉ゼン 先 qián 二 セン 銑 jiǎn

【歬】 5997 古字

筆順 丶 丷 䒑 广 前 前 前 前 前

字義 一 ❶まえ。さき(先)。空間的・時間的な、まえ。↕後(3413)。㋐正面。前方。手前。「庭前」㋑過去。いにしえ。「以前」❷すすむ(進)。すすみでる。用例〔史記、項羽本紀〕若入前為レ寿(なんじいりすすみてじゅをなせ)。↓そなたは宴会場に入り、進みでてさかずきをすすめて健康を祝福せよ。❸さきだつ。みちびく。さきだち。みちびき。用例〔周礼、秋官、大司寇〕及ニ納亨一前レ王(のうきょうにおよびてはおうにさきだつ)。↓いけにえを納めるときには王を先導する。❹さきに。あらかじめ。以前に。用例〔中庸〕言前定則不レ跲(げんさきにさだまればすなわ(は)ちつまず(づ)かず)。↓言論は前もって考えておけば、詰まることがない。

二 ❶きる。きりそろえる。＝剪(890)・翦(9546)。❷浅黒色。

国 まえ。㋐りっぱな状態。「腕前」「男前」㋑わりあてた部分。「五人前」㋒身分の高い女性の名にそえる敬称。「玉藻前(たまものまえ)」

名前 くま・さき・すすむ・ちか 難読 前妻(こなみ)・前刀(さきと)・前波(ぜんなみ)

解字 篆文 形声。もと歬に作る。刂(刀)+歬㊖。切りそろえる意。歬(止と舟とから成る会意文字)は、進む、転じて「まえ」の意。後世、前を歬の意に用いるに至り、更に刀を加えて剪の字を作った。

逆 階前・向前・従前・承前・尊前・直前・馬前・目前

【前楹】ゼンエイ 建物の前面の柱。玄関の柱。

【前衛(衞)】ゼンエイ ①前方の守り。②国㋐前方で警戒・戦闘・護衛する人員。㋑社会運動や芸術運動などで時代の先端を行くこと。㋒テニスやバレーボールなどで前方を守る人。

【前縁】ゼンエン 前世からの因縁(インネン)。

【前燕】ゼンエン 国名。五胡十六国の一つ。鮮卑族の慕容儁(ボヨウシュン)が鄴(ギョウ)(今の河北省臨漳県の西)に都して建てた国。(三五二—三七〇)

【前科】ゼンカ 以前に法を犯して刑罰を受けていること。

【前過】ゼンカ 以前に犯したあやまち。

【前漢】ゼンカン 王朝の名。→漢(6559)の字義❺。

【前漢書】ゼンカンジョ 『漢書』の別称。『後漢書』に対していう。→漢書(八六六ページ上)。

【前駆(驅)】ゼンク (貴人の行列などを)騎馬で先導すること。また、その人。さきばらい。

【前言】ゼンゲン ①前に言ったことば。用例〔論語、陽貨〕前言戯レ之耳(ぜんげんはこれにたわ(は)むれしのみ)。↓前にいった言葉は、からかっただけだ。②古人のいい残したことば。「前言往行(前人・先聖の言行)」

【前古未曽(曾)有】ゼンコミゾウ 昔からまだ一度も例がない。「前古より未だ曽て有らず」の意。〔史記、秦始皇本紀〕

【前虎後狼】ゼンココウロウ →前門拒レ虎、後門進レ狼(ぜんもんとらをふせげば、こうもんおお(ほ)かみをすすむ)(一八三ページ中)。

【前後不覚(覺)】ゼンゴフカク 全然覚えがなくなること。また、ひどくあわてている時などの心の状態。

【前行】ゼンコウ ①すすむ。②さきになって行く。また、その人・軍隊。③以前の行い。

【前栽】センザイ・ゼンザイ・ゼンサイ 国①庭に植えてある草木。また、草木を植えてある庭園。②野菜。

【前日】ゼンジツ ①その日のまえの日。②むかし。先日。以前。

【前車覆後車戒】ゼンシャのくつがえ(へ)るはコウシャのいましめ 先行の車がくつがえるのは、後から行く車のいましめとなる。前人の失敗を見て、後人は失敗しないように注意すべきであるというたとえ。覆轍(フクテツ)の戒め。殷鑑不レ遠(インカンとおからず)。〔漢書、賈誼伝〕

【前者】ゼンシャ ①前の人。また、前の物。②前に述べた二つのもののうち、初めの方。↕後者(五〇四ページ中)。③さきに。前に。先日。昔。

【前書】一 ゼンショ ①前代の書物。昔の書物。②前に出した手紙。③『前漢書』をいう。二 まえ(へ)がき 国本文の前に書かれている文。
【前除】ゼンジョ 家の正面(南)の階段。▼除は、きざはし。
【前生】ゼンショウ 仏 前世の生涯。まえの世。↔後生ゴショウ(五〇四ページ下)。→前世三。
【前△哨】ゼンショウ 軍隊がとどまっている時、その前方に配慮する見はりの兵、または部隊。
【前△哨戦(戰)】ゼンショウセン ①前哨どうしの戦闘。②大きな戦いの前におこる小さな戦い。こぜりあい。
【前△蜀】ゼンショク 国名。五代十国の一つ。王建が今の四川省成都市に都して建てた国。後唐に滅ぼされた。(九〇七―九二五)
【前身】ゼンシン ①仏この世に生まれる前の身。②国その人の以前の身分。組織・団体の以前の状態。
【前△秦】ゼンシン 国名。五胡十六国の一つ。氐族の苻健が建てた国。都は長安。(三五一―三九四)
【前人】ゼンジン 昔の人。父祖。先輩。
【前人未踏・前人未到】ゼンジンミトウ 国今までの人がまだ足をふみ入れたことがない。今までにだれも到達したことがない。
【前世】ゼンセイ 一 前の世。昔。ゼンセ 二 仏三世の一つ。この世に生まれる前に居たと考えられている世界。
【前聖】ゼンセイ 昔の聖人。先聖。
【前跡・前△迹】ゼンセキ ①昔の遺跡。②過去の事がら。
【前線】ゼンセン 国①敵に近い地点にいる部隊の構成する横の戦線。最も敵に近いものを最前線という。②気団が進行してゆく時の前面をいう。「寒冷前線」「温暖前線」③全体のまっさきに立って活動すること。また、その地位。
【前代未聞】ゼンダイミモン 昔から今までに聞いたことのないこと。
【前兆】ゼンチョウ 事のおこるきざし。まえじらせ。
【前△趙】ゼンチョウ 国名。五胡十六国の一つ。匈奴の劉淵が建てた国。都は平陽(今の山西省臨汾市の西北)、後に長安(今の陝西省西安市)。五代二十六年で石勒に滅ぼされた。(三〇四―三二九)
【前提】ゼンテイ 国①ある事物の成立する基礎となるもの。②推理を行う場合、結論の基礎となる判断。三段論法の大前提・小前提。③話などの前置き。
【前程】ゼンテイ 行くさきのみちのり。前途。「前程万里」
【前哲】ゼンテツ 前代のすぐれた人物。先賢。〔左伝、成公八〕
【前途】ゼント・ゼント ①これから行く道。用例〔唐、杜甫、石壕吏詩〕天明登二前途一、独与二老翁一別。↓明け方、続く旅路に出発したが、そのとき、ただじいさんに別れをつげたのみであった。②行くさき。将来。
【前途程遠】ゼントほどとお(ほ)し 行くべき道はなお遠い。用例〔和漢朗詠集、大江朝綱、餞別〕前途程遠、馳二思於雁山之暮雲一、後会期遥、霑二纓於鴻臚之暁涙一。↓これから行く道は果てしない、はるか雁門山の夕暮れの雲を思いやりつつ旅を続けることだろう。後日、再び会うのははるか先であり、ここ鴻臚館で夜明けの別れに冠のひもを涙にぬらすのだ。
【前途△遼遠】ゼントリョウエン ①行くさきのはるかに遠いこと。②目的・結末に至るまでに多くの時日を要すること。
【前導】ゼンドウ さきに立ってみちびくこと。また、その人。
【前非】ゼンピ 過去に犯したあやまち。
【前門拒レ虎、後門進レ△狼】ゼンモンとらをふせげば、コウモンおお(ほ)かみをすすむ 表門でとらを防いでいると、裏門からおおかみが進んで来る。災難が次々とやって来ることのたとえ。一難去ってまた一難。前門の虎、後門の狼。前虎後狼。〔明、趙弼、評史〕
【前略】ゼンリャク 国①文章の初めを省略すること。②手紙文で、あいさつを省き、すぐ用件をかく時に使う語。冠省。
【前涼】ゼンリョウ 国名。五胡十六国の一つ。漢人の張軌が姑臧(今の甘粛省武威市)を都として建てた国。(三一七―三七六)
【前歴(歷)】ゼンレキ 以前の経歴。
【前烈】ゼンレツ ①前人のいさお。②前人の事業。
【前△聯】ゼンレン 律詩の第三・第四句をいう。前連。↔後聯(五〇五ページ中)。
【前路】ゼンロ ＝前途。用例〔東晋、陶潜、帰去来辞〕問二征夫一以二前路一、恨二晨光之熹微一。↓旅人に故郷までの道のりをたずね、(まだかなり道のりを残すというのに夕暮れになって)日の光がかすかになったのをうらめしく思う。
【前不レ見二古人一、後不レ見二来(來)者一】まえ(へ)にコジンをみず、のちにライシャをみず 自分より前に生まれた過去の人たちに会うことはできないし、自分よりあとから生まれてくる未来の人たちにも会うことはできない。人の命の有限であることを自覚した句。〔唐、陳子昂、登二幽州台一歌〕

7
【則】
9画 936 ソク 職 zé 教5 ソク
3407 91A5 一

筆順 丨 冂 冃 月 目 貝 貝 貝 則

字義 ❶のり(法)。㋐法則。用例〔詩経、大雅、烝民〕天生二烝民一、有レ物有レ則。↓天が万民を生んだからは、万物おのおのに拠るべき規則がある。㋑法律。㋒模範。てほん。❷のっと-る。手本とする。❸くだり。箇条。「士規七則」
助すなわ-ち ⇨助字・句法解説。

助字・句法解説

すなわ-ち
㋐**順接**。訳**そこで**。用例〔史記、項羽本紀〕項王曰、壮士。賜二之卮酒一。則与二斗卮酒一。↓項羽が言った、「強そうな男だ。この者に大杯の酒を与えよ」。そこで一斗入りの大杯に酒をなみなみとついで与えた。
㋑**仮定条件**。「A則B(Aせばすなわ(は)ちBせん)」「則A、B(すなわ(は)ちAせばBせん)」。訳**もしAならBしよう。もしAならBだろう**。類即。用例〔論語、述而〕子行二三軍一、則誰与。↓もし先生が大軍を指揮する場合には、誰とともになさいますか。／〔史記、高祖本紀〕今則来、沛公恐不レ得レ有レ此。↓もし、今(項羽が)やってきたら、沛公、あなたは恐らくこの関中の地を維持することはできないでしょう。
㋒**確定条件**。「A則B(Aすればすなわ(は)ちBす)」。訳**Aすると(その結果)Bとなる。AなのでBする**。用例〔十八史略、春秋戦国、斉〕至則止囚欲レ殺レ之。↓(秦に)到着すると捕まえて殺そうとした。
㋓**逆接**。訳**しかし**。用例〔論語、子路〕欲レ速則不レ達。見二小利一則大事不レ成。↓(政治では)業績をはやくあげようと思うとかえってうまくいかず、小さな利益にばかり目をやると大きな事が成功しない。
㋔**強調**。「A則B(Aすなわ(は)ちB)」。訳**AこそがBだ**。判断を強調する。用例〔韓非子、説難〕処レ知則難也。↓見抜いた道理にどのように対処するかこそがむずかしいのだ。
㋕**強調・対比**。「A則B、C則D(Aすればすなわ(は)ちBし、Cすればすなわ(は)ちDす)」。訳**AすればBし、CすればDする**。用例〔論語、学而〕弟子入則孝、出則弟。↓人の子弟たる者は、家庭内にあっては孝を尽くし、外に出ては年長者に従うものだ。
㋖訳**すぐに**。類即。時間が短いことを表す。

用例（史記、項羽本紀）荘則入為レ寿ソウすなわ(ち)いりてジュをなす。↓（范増ハンソウの指示に従い項荘はすぐに（会見場に）入り、全員の長寿を祝った。

ク 訳 わずかに…だけ。数量や同類が少なく、範囲が限られることを表す。

用例（荀子、勧学）口耳之間則四寸耳コウジのカンはすなわ(ち)ヨンスンのみ。↓口と耳との距離はわずかに四寸しかない。／（北宋、欧陽脩、朋党論）小人無レ朋ショウジンにはともなし、惟君子則有レ之ただクンシにはすなわ(ち)これあるのみ。↓小人には仲間などなく、ただ君子にだけ仲間というものがあるのだ。

名前 つね・とき・のり・みつ

解字 金文 篆文 会意。刂(刀)＋貝。貝の部分は、金文では、鼎かなえの象形。昔、かなえに刀で重要な法律を刻したことから、のりの意味を表す。則を音符に含む形声文字に、側・惻ソク・測などがあり、これらの漢字は、「ものさし・はかる」の意味を共有している。

逆 準則・総則・通則・鉄則・内則・反則・付則・附則・変則・法則・補則

【則闕之官】ソクケツのカン 適当な人物がなければ空席にしておく官職。唐代では太師・太傅タイフ・太保、日本では太政大臣ダイジョウダイジン。則闕官。

【則天去私】ソクテンキョシ 国天にのっとり、私心を用いない。自我を去って自然の中に物事を見きわめる。夏目漱石ソウセキの晩年に到達した文学観。

【則天武后】ソクテンブコウ 唐の女帝。姓は武。高宗の皇后。高宗の死後、中宗・睿宗エイソウを立て、また、これを廃して自ら帝位につき、則天大聖皇帝（則天武后）と号し、国号を周と改めた。在位十六年。中宗に廃された。（六二四―七〇五）

則天武后

【則度】ソクド のり。手本。標準。

7 【剃】9画 937 標 漢テイ 呉タイ 霽 tì 3670 92E4 —

字義 そる。髪をそる。

解字 形声。刂(刀)＋弟音。音符の弟は、しだいにの意味。一気に切るのでなく、じわじわと切る、そるの意味を表す。

【剃度】テイド 仏髪をそって仏道に入ること。剃髪得度の略。

【剃刀】一テイトウ・二かみそり 髪やひげをそる小刀。二国才気のするどいたとえ。

【剃髪】テイハツ ＝剃度。

7 【剅】9画 938 漢トウ 呉ツ 尤 dōu — — 1930

字義 ❶裂く。裂ける。❷排水用の小さい穴。

解字 形声。刂(刀)＋豆音。

7 【剌】9画 939 漢ラツ 呉ラチ 曷 là ④lā 4979 998F —

字義 ❶もとる。たがう。そむく。❷よこしま(邪)。❸潑剌ハツラツは、魚が元気よくとびはねるさま。❹外国語の「ラ」の音訳字として用いる。「亜剌比亜アラビア」 難読 剌甸ラテン

参考 【剌】(925)は別字。

解字 金文 篆文 形声。刂(刀)＋束(朿)音。音符の朿ラツは、ふくろに物をとじこめた形にかたどる。固くとじこめ束ねたものに刃物で切れ目を入れる、はなれる・そむくの意味を表す。

8 【剡】10画 940 一漢エン 琰 yǎn 二漢セン 呉ゼン 琰 shàn 1464 — 1939

字義 一❶けずる(削)。そぐ。するどくする。❷きる(斬)。❸するどい(鋭)。❹きっさき。ほこさき。❺ものの形容。→剡剡。二昔の県名。今の浙江セッコウ省嵊州ジョウシュウ市。付近を剡渓が流れ、紙の産地として有名。剡中。

解字 篆文 形声。刂(刀)＋炎音。音符の炎は、淡に通じ、ほのか・あわいの意味。ほのかな光のある刀、するどいの意味を表す。

【剡剡】エンエン ①光るさま。輝くさま。②急いで立ち上がるさま。

8 【剦】10画 941 エン 閹(13005)と同字。→一五〇三ジ下。 — — 1940

8 【剞】10画 942 キ 紙 支 jī 4980 9990 —

字義 ❶彫刻に使う曲がった小刀。❷ほる。きざむ。彫刻する。

解字 篆文 形声。刂(刀)＋奇音。音符の奇は、曲がるの意味。彫刻に用いる曲がった刀の意味を表す。

【剞劂】キケツ ①彫刻用の小さな刃物。▼劂は、曲がった小刀。②ほる。える。彫刻する。また、版木をほる。

【剞劂氏】キケツシ 彫刻師。版木屋。

8 【剘】10画 943 漢キ 呉ギ 支 qí — — 1934

字義 ❶まこと(信)。❷ただす。❸裂く。断つ。

解字 形声。刂(刀)＋其音。

8 【剠】10画 944 一漢ケイ 呉ギョウ(ギャウ) 庚 qíng 二リャク 薬 lüè — — 1938

字義 一いれずみ。顔にいれずみをする刑罰。＝黥(14478)。二かすめとる。＝掠(4279)。

解字 形声。刂(刀)＋京音。

8 【剣】10画 945 常 ケン つるぎ 2385 8C95 —

13 【劍】15画 946 人 ケン 艶 jiàn 4988 9998 —

筆順 ノ 𠆢 亼 今 合 刍 刍 刍 剣 剣

【劒】893 同字 【劎】894 俗字 【劔】887 俗字 【釼】12478 俗字 【剱】889 俗字

字義 ❶つるぎ。㋐両刃もろはのそりのないまっすぐな刀。㋑あいくち。匕首ヒシュ。❷さす。きる(斬)。❸つるぎを使う術。剣術。国ケン。刀。

名前 あきら・たち・つとむ・つるぎ・はや 難読 剣橋ケンブリッジ

解字 金文 篆文 形声。金＋僉音。音符の僉ケンは、みなそろうの意味。もとから先まで均等にきたえられた両刃もろはのつるぎの意味を表す。のち、剣の刂(刀)＋僉(僉)音に変形した。

剣①㋐

逆 撃剣・孤剣・銃剣・書剣・真剣・舌剣・帯剣・弾剣・利剣

【剣一人敵】ケンはイチニンのテキ 楚ソの項羽のことば。剣術は一人を相手にして闘うだけで学ぶに足りないとし、兵術を学んだ。〔史記、項羽本紀〕

【剣影】ケンエイ つるぎの光。剣光。

【剣花】ケンカ 剣と剣が打ち合って出る火花。

【剣閣】ケンカク 山名。長安(今の西安市)から成都(今の四川省)に行く途中にあり大剣山(今の四川省剣閣県の北)を主峰とする七十二峰が連なる。閣道(かけはし)が通じているので剣閣といい、険しい要害の地として有名。剣門山。

用例（唐、杜甫、哀二江頭一詩）清渭東流剣閣深セイイはひがしにながれケンカクはふかし、去住彼此無二消息一キョジュウヒシショウソクなし。↓清らかな渭水は東へと流れ、剣閣の山々は深い。蜀ショクに去った人(玄宗)も、ここに死んだこの人(楊貴妃ヨウキヒ)も、ともに今では消息は途絶えてしまった。

【剣気(氣)】ケンキ つるぎの殺気。

【剣△夾・剣△鋏】ケンキョウ つるぎのつか。剣把ケンパ。
【剣△俠】ケンキョウ 剣術にひいでたおとこぎのある人。
【剣△戟】ケンゲキ ①つるぎとほこ。②武器。③きりあい。
【剣光】ケンコウ つるぎの光。剣影。用例〔北宋、曽鞏、虞美人草詩〕香魂夜逐二剣光一飛、青血化為二原上草一。↓かぐわしい魂は剣の光とともに飛び去り(自殺して)、その血は姿を変えて野原の草となったのだ。
【剣豪】ケンゴウ 剣術の達人。
【剣璽】ケンジ ①王者のしるしの剣とたま。②国三種の神器のうちの草薙剣くさなぎのつるぎと八尺瓊曲玉やさかにのまがたま。
【剣書】ケンショ ①剣(道)と書(道)。②文武の道。文武両道。
【剣南】ケンナン 唐代に置かれた道(行政区画)名。今の四川省剣閣の南部地方。治所は、益州(今の成都市)。
【剣△呑】ケンノン 国あぶないこと。険難の音転。
【剣把】ケンパ =剣夾ケンキョウ。
【剣△佩・剣△珮】ケンパイ 腰に帯びた剣と、腰さげの玉。昔の中国の身分のある人(男性)の正装にはこれを帯びた。
【剣幕】ケンマク 国①ものすごい顔つき。怒った容貌ヨウボウ。②はげしい態度。
【剣門】ケンモン ①=剣閣。②昔の四川省の県名。剣閣県の東北。
【△按レ剣】ケンをアンず つるぎのつかに手をかける。剣をぬこうとするさま。用例〔史記、項羽本紀〕項王按レ剣而跽曰、客何為者。↓項羽は、剣に手をかけ、片膝をたてて言った、「お前は何者だ」。
【△仗レ剣】一 ケンにつえ(あ)つく・よる 剣を杖につく。二 ケンによる 剣をたよりにする。
【弾(彈)レ剣】ケンをダンず 剣のつかをたたく。㋐剣のつかをたたいて拍子をとり、不平の心を歌った斉の馮驩フウカンの故事から、不平をもらす意。弾剣ダンケン。弾鋏ダンキョウ。〔史記、孟嘗君伝〕㋑はげしい怒りを表現する動作。
【売(賣)レ剣買レ牛】ケンをうりうしをかう 戦争をやめて農業に従事すること。〔漢書、龔遂伝〕
【負レ剣】ケンをおう(ふ) 抜き打ちに便利なように、剣を背に負うこと。
【△撫レ剣】ケンをブす ①剣をなでる。②=按レ剣ケンをアンず。
【伏レ剣】ケンにふす 剣の上に身を伏せる意で、自殺すること。

8【剛】10画 947 常 ゴウ　コウ(カウ) 慣ゴウ(ガウ) 陽 gāng　2568 8D84 —

筆順 冂 冂 円 円 岡 岡 岡 剛

[罡] 968 俗字

字義 ❶つよ-い。かた-い。こわ-い。用例〔老子、七十八〕弱之勝レ強、柔之勝レ剛。↓しなやかなものが強いものに勝ち、柔らかなものが固いものに勝つ。❷気性などがはげしい。❸たちきる。❹陰陽の陽の性質。また、その性質を有すること。昼・雄・奇数など。「剛日」❺あたかも。まさに。いましがた。国武芸や腕っぷしのつよいこと。「剛の者」「剛力」

名前 かた・かたし・こ・ごう・こわし・たか・たかし・たけ・たけし・たける・つよ・つよし・のり・ひさ・まさ・よし

解字 甲骨文 金文 篆文 形声。刂(刀)+岡㊞。音符の岡コウは、強に通じ、つよいの意味。つよい刀の意から、たちきる・つよいの意味を表す。

逆 外剛・金剛・至剛・太剛

【剛果】ゴウカ 心が強く思いきりのよいこと。剛毅果断ゴウキカダン。
【剛気(氣)】ゴウキ 強い気性。勇ましい気質。
【剛△毅果断(斷)】ゴウキカダン =剛果。剛気果断。
【剛△毅木△訥】ゴウキボクトツ 心が強くしっかりしていて、かざりけがなく無口なこと。用例〔論語、子路〕剛毅木訥近レ仁。↓心が強くしっかりしていて、かざりけがなく無口なことは、(ただちに仁とはいえないが)仁に近いものである。
【剛強・剛△彊】ゴウキョウ 非常に強い。また、その人。用例〔老子、三十六〕柔弱勝二剛強一。↓柔らかくてしなやかなものは、非常に強いものに勝つ。
【剛健】ゴウケン ①強くすこやか。「質実剛健」②力強いさま。
【剛日】ゴウジツ 奇数の日をいう。↔柔日(七三〇ページ・上)。
【剛柔】ゴウジュウ ①かたいことと、やわらかいこと。②強いことと、やさしいこと。③陽と陰。④男性と女性。⑤昼と夜。
【剛情】ゴウジョウ 国いじっぱり。がまんづよい。強情。
【剛胆(膽)】ゴウタン 国きもったまの太く強いこと。度胸のよいこと。豪胆。大胆。
【剛腸】ゴウチョウ 強い心。強い気質。しっかりした度胸。
【剛直】ゴウチョク 気性が強く、信ずる所を曲げない。
【剛△愎】ゴウフク 強情で他人に従わないこと。
【剛△邁】ゴウマイ 気性が強く積極的なこと。また、人よりすぐれていること。豪邁。
【剛力】ゴウリキ 同強力ゴウリキ。「金剛力コンゴウリキ」の略。国㋐非常に強い力。また、その人。㋑修験者シュゲンジャの荷物を負って従う人。㋒登山者の荷物を負って案内する人。
【剛戻】ゴウレイ 強情で人にさからい道理にそむくこと。用例〔史記、伍子胥伝〕員為レ人剛戻。↓伍員ゴウンは性格が強情で人に逆らい、道理に背く(行為をも平気で押し通す)。

8【剤】10画 948 常 ザイ　2662 8DDC —
14[劑]16画 949 一 漢セイ・呉ザイ 霽 jì 二 スイ 因　4993 999D —

筆順 亠 ナ 文 产 产 斉 斉 剤 剤

字義 一❶切りそろえる。ととのえる。❷まぜあわせる。薬を調合する。また、その薬。二❶手形。割符。❷切りそろえる。=一❶。

解字 篆文 形声。刂(刀)+斉(齊)㊞。音符の齊セイは、そろえるの意味。刃物で切りととのえる、そろえるの意味を表す。また、一枚の札を二分し、他日あわせそろえて証拠とするもの、てがたの意味を表す。

逆 下剤・調剤・配剤・薬剤

8【剗】10画 950 一 漢サン・呉セン 潸 chǎn 二 漢サン・呉セン 諫 chàn　1463 — 1933

字義 一❶けず-る。たいらにする。❷かる(刈)。除き去る。❸ほろぼす(滅)。二おさめる(治)。手入れする。

解字 形声。刂(刀)+戔㊞。音符の戔センは、こまかくうすくするの意味。刃物でけずるの意味を表す。

8【剚】10画 951 シ 寘 zì　— — 1935

字義 さ-す。さしこむ。㋐刃物をつきさす。㋑物を地面に挿す。

解字 形声。刂(刀)+事㊞。音符の事は、立てるの意味。刃物を地面などにつき立てるの意味を表す。

8【剔】10画 952 一 漢テキ・呉チャク 錫 tī 二 漢テイ・呉タイ 霽 tì　4981 9991 —

字義 一❶えぐ-る。くじ-る。ほじくり出す。❷さく(割)。切り開く。解剖する。❸き-る(切)。切り除く。二そ-る。=剃(937)。

解字 篆文 形声。刂(刀)+易㊞。音符の易エキは、かわるの意味。刃物で原形からちがう形にかえる、切り開く、えぐるの意味を表す。

【剔△抉】テキケツ ほじくり出す。えぐり出す。また、切開して取り出す。
【剔出】テキシュツ =剔抉。

8【剟】10画 953 漢テツ 呉テチ 屑 duō　— — 1937

字義 ❶けずる。そぐ。❷さく(割)。❸さす(刺)。

解字 篆文 形声。刂(刀)＋叕(テツ)㊥。音符の叕は、絶に通じ、たちきるの意味。刀でたちきるの意味を表す。

8 【剝】 10画 954 常 ハク はがす・はぐ はがれる・はげる ㊀ハク 覚 bāo, bō ㊁ホク 屋 pū　1594

筆順 剝

【剥】955 同字

字義 ㊀❶はぐ。むく。はがす。はぎとる。「剝奪」 ❷はがれる。はげる。落ちる。「剝離」 ❸さく(劈)。わる。 ❹へぐ。へずる(へつる)。けずる。 ❺みだれる。 ❻易の六十四卦(カ)の一つ。☷☶ 坤下艮上(コンカゴンショウ)。小人の勢いが盛んで君子のなやむかたち。 ㊁❶うつ(打)。＝撲(4427)。 ❷とる(取)。 国すく。薄く切る。そぎ切る。「剝肉(すきにく)」

解字 篆文 形声。刂(刀)＋彔㊥。音符の彔(ロク)は、もと暴(ハク)と同形であったものが変形した。暴は獣皮をはいで日にさらすさまにかたどる。刀を付し、皮をはぐの意味を表す。

【剝△蝕】(ハクショク) (碑文などが)風雨によって侵食されてはげ落ちること。

【剝製】(ハクセイ) 鳥獣などの皮をはぎ、肉や内臓を除き、綿などをつめて縫い合わせ、生きた姿に似せて作ったもの。

【剝△啄】(ハクタク) ＝剝剝。

【剝脱】(ハクダツ) ①削り去る。②＝剝落。

【剝奪】(ハクダツ) はぎうばう。はぎ取る。無理に奪うこと。

【剝剝】(ハクハク) こつこつという音。剝啄(ハクタク)。剝剝啄啄。㋐訪問者の足音。また、訪問者が門をたたく音。㋑鳥が木をついばむ音。

【剝落】(ハクラク) 自然にはげおちる。おちる。また、はぎおとす。

【剝離】(ハクリ) ①はがれて離れる。②はぎ離す。

8 【剥】 10画 955 ハク 剝(954)と同字。→一八六ページ上。　3977 948D

8 【剕】 10画 956 漢ヒ 呉ビ 未 fèi　2 0325 1932

字義 あしきる。五刑の一つで、膝蓋骨(シツガイコツ)をきりさる。

解字 形声。刂(刀)＋非㊥。音符の非は、ひらくの意味。刃物で足を切り開くの意味を表す。

8 【剖】 10画 957 常 ボウ 漢ホウ・呉フ 有 pōu　4322 9655

筆順 剖

字義 ❶さく。さける(さく)。わる。二分する。分析する。↔合(1338)。「解剖」 ❷わける。わかれる。はなれる。 ❸やぶる。こわす。 ❹見分ける。判断する。

解字 篆文 形声。もと、刂(刀)＋咅(否)㊥。音符の咅(ホウ)は、いまは音に作るが、北に通じ、一つのものが二つに離れるの意味。刃物で離す、さくの意味を表す。

逆 解剖

【剖決】(ホウケツ) よしあしを見分けて定めること。判断する。

【剖心】(ホウシン) 胸を割く。㋐胸をたち割る。㋑真心をあらわす。

【剖析】(ホウセキ) 分解する。分析する。

【剖判】(ホウハン) ①分かれ開ける。用例〔史記、孟軻伝〕天地剖判(テンチホウハンす)。 ↓天地が分かれ開ける。②分ける。

【剖符】(ホウフ) 任命・封爵(ホウシャク)などの、証拠としての割符を、二つにさき、一方を朝廷または役所に置き、一方をその人に与えること。

8 【剜】 10画 958 ワン 寒 wān　2 0326 1936

字義 ❶けずる。❷えぐる。

解字 篆文 形声。刂(刀)＋宛㊥。音符の宛(エン)は、しなやかに曲がるの意味。刃物でゆるやかな曲線になるようにえぐるの意味を表す。

9 【剮】 11画 959 カ 冎(762)と同字。→一五七ページ下。　1941

9 【剰】 11画 960 常 ジョウ　3074 8FE8

10 『剩』 12画 961 人 漢ショウ 呉ジョウ 径 shèng　4984 9994

筆順 剰

字義 ❶あまる(余)。あます。「過剰」 ❷あまり。余分。 ❸あまつさえ(あまっさへ)。そのうえ。「余剰」

名前 のり・ます

解字 形声。刂(刀)＋乗(乘)㊥。音符の乗は、上のせするの意味。利益が上のせされる、あまるの意味を表す。

逆 過剰・余剰

【剰員】(ジョウイン) あまり(余分)の人員。

【剰語】(ジョウゴ) 余分なことば。むだぐち。贅言(ゼイゲン)。

【剰水残(殘)山】(ジョウスイザンザン) 戦乱後の荒れ果てた山や川。

【剰余(餘)】(ジョウヨ) あまり。余分。余剰。

9 【剬】 11画 962 ㊀タン 寒 duān ㊁セン 銑 tuǎn　2 0327

字義 ㊀❶たつ(断)。❷そろえる。❸ただす。とりしまる。 ㊁❶さく(割)。細かく割く。❷切りそろえる。❸ほしいまま(専)。

9 【剳】 11画 963 トウ 劄(978)の俗字。→一八八ページ中。　4985 9995

解字 形声。刂(刀)＋𠯑㊥。

9 【副】 11画 964 教4 フク ㊀フ 宥 fù ㊁フク 屋 pì 慣フク　4191 959B

筆順 副

字義 ㊀❶そう(そふ)。そえる(そふ)。㋐つきそう。㋑かなう。適合する。用例〔人虎伝〕当力副厚命(まさにつとめてコウメイにそう(ふ)べし)。↓きっと君の頼みにそうよう努めよう。㋒たすけ。補佐。「副賞」 ❸かもじ。そえ髪。 ❷そえ(そへ)。↔正(5990)。㋐ひかえ。予備のもの。㋒つけたし。付属。 ㊁わける(分)。さく(剖)。わる(割)。 国すけ。四等官で、神祇官(ジンギカン)の第二位。

名前 すえ・すけ・そえ・つぎ・ふく・ます

解字 篆文 形声。刂(刀)＋畐㊥。音符の畐(フク)は、北に通じ、一つのものが二つに離れるの意味。刀でさくの意味を表す。また、二つのものでありながら、寄りそっているの意味を表す。

逆 介副

【副君】(フククン) 国君のあととり。太子。皇太子。

【副啓】(フクケイ・フッケイ) 付け加えて述べる意。手紙の後に更に付加して述べる文の最初に書くことば。二伸。追伸。追白。追啓。

【副弐(貳)】(フクジ) ①そえ。主となるものに付け加わるもの。副次。②付きそいとなって助力すること。また、その人。補佐役。③ひかえ。写し。副本。

【副車】(フクシャ) そえ車。かえ車。別に用意した車。用例〔史記、留侯世家〕撃二秦皇帝博浪沙中一(シンのコウテイをハクロウサチュウにうち)、誤中二副車一(あやまりてフクシャにあつ)。↓秦の皇帝を博浪沙という土地で狙い撃ちしたが、誤って副車にあたった。

【副署】(フクショ) 国明治憲法下で、天皇の署名を必要とする公文書の、天皇の名の次に国務大臣がする署名。

【副馬】(フクバ) ひかえの馬。馬車のそえ馬。

10【剴】12画 965 ㊀カイ 㶣 kǎi ㊁ガイ 㶣 ái 慣ガイ 4983 9993 —

字義 ㊀❶きる(切)。❷する(摩)。こする。❸あたる。よくあてはまる。❹大きな鎌。㊁ちかい(近)。ちかづく。

解字 篆文 形声。刂(刀)＋豈㊥。音符の豈は、開に通じ、ひらくの意味。刃物できりひらくの意味を表す。

【剴切】①地に近づいて草を切ること。②急所に当たる。ぴったり当てはまる。また、事のよろしきにかなう。

【剴到】適切で行き届くこと。

10【割】12画 966 教6 カツ わ-る・わり・わ-れる・さ-く 1968 8A84 —

10【割】12画 967 漢カツ 呉カチ 曷 gē

筆順 ㇔ 宀 宀 宇 宇 害 害 割 割

字義 ❶わ-る。さ-く。㋐刃物でさく。㋑いくつかに分ける。「分割」㋒分けてうばう。さいて取る。㋓分けて与える。㋔やぶる。また、へらす。❷たつ。断ち切る。切りとる。国❶わ-る。㋐こわす。㋑割り算をする。㋒わりあてる。㋓押し分ける。わって入る。㋔多くの物の中に少しの物を混ぜる。「酒に水を割る」㋕こまかにする。「事を割って話す」㋖うちあける。「腹を割る」㋗一定の限度をはずれて下まわる。「千円の大台を割る」❷わ-れる。わるの自動詞。❸わり。㋐わりあい。わりまえ。わりあて。「部屋割り」㋑十分の一。「五割引」

名前 さき 難読 割殻虫

使いわけ さく〔裂・割〕⇩裂(10830)。

解字 金文 篆文 形声。刂(刀)＋害㊥。音符の害は、たちきるの意味。刀を付し、たちきるの意味を表す。

逆 分割

【割愛】①愛する心をたち切ること。②惜しいと思いながら手放すこと。③愛を分け与えること。

【割拠(據)】各人が土地を分かち取り、そこを本拠として勢力を張ること。「群雄割拠」

【割譲(讓)】土地や物の一部分をさいてゆずり与える。

【割地】土地の一部分を割き与える。また、分けて取る。また、その分割した土地。割土。

【割注・割△註】国本文の中途に二行に記した注釈。

【割符】㊀札の中央に文字や印をしるし、それを二つに割って、一方を手もとにとどめて一方を相手に与え、後に合わせて証拠とするもの。㊁わり 国①後日の証拠とするための文書。②両替に用いた手形。また、替え銭。③国日本料理店。

【割△亨・割△烹】①肉を切って煮ること。②料理する。

10【剅】12画 968 ゴウ 剛(947)の俗字。→一八五ページ上。

10【剩】12画 (961) ジョウ 剰(960)の旧字体。→一八六ページ中。

10【創】12画 969 教6 ソウ つく-る ㊀漢ショウ(シャウ)・呉ソウ(サウ) 陽 chuāng ㊁漢ショウ(シャウ)・呉ソウ(サウ) 漾 chuàng 3347 916E —

筆順 ノ 𠆢 今 今 今 今 今 倉 倉 創

【戧】3962 古字

字義 ㊀❶きず-つける。きずつく。❷きず(傷)。きりきず。㊁❶はじ-める。つく-る。初めて作り出す。初めて事を起こす。また、きずつく。❷はじめ。❸こりる(懲)。また、こらす。

名前 そう・ぞう・はじめ・はじむ

使いわけ つくる〔作・造・創〕⇩作(254)。

解字 金文 篆文 別体 形声。刂(刀)＋倉㊥。音符の倉は、きずつくの意味。刀できずつくの意味を表す。原字は、刅。

逆 金創・銃創・草創・刀創・独創

【創△痍・創△夷】①刃物で受けたきりきず。②戦争などで、国や社会が受けたいたで。

【創意】新しく考え出すこと。また、新しい思いつき。新しい工夫。

【創△乂・創△艾】こりて、おそれる。

【創刊】継続して出す新聞・雑誌などを初めて刊行すること。「創刊号(雑誌などの最初に刊行した号)」

【創業】①新たに事業をはじめる。②国を建てる基礎を作ること。↔守成(三九〇ページ下)。用例(十八史略、唐、太宗)創業守成孰難(創業と守成と孰れか難き)⇩国を建てることと、建てた国を衰退させないように保持してゆくことと、どちらが難しいか。

【創業守文】国家の基礎をつくりはじめることと、つくった制度を守り維持すること。創業守成。▼文は、文物制度。

【創見】新しい見解。今までにだれも考え出さなかった、新しい考え・意見。

【創建】建物や組織などをはじめて作ること。主として神社・仏閣についていう。

【創痕】きずあと。創瘢。

【創作】①自分の考えにもとづいてはじめてつくる。②国文芸作品をつくること。また、その作品。

【創残(殘)】きずつく。▼残は、そこなう。

【創始】はじめる。また、はじめ。

【創傷】きず。また、きずつく。

【創世】世界をはじめて作る。また、世界のはじめ。

【創制】①はじめて造り出す。②制度をはじめる。

【創設】新たに設立すること。

【創草】同草創。①事のはじめ。②事をはじめる。

【創造】はじめてつくる。「創造主(天地万物を作った神)」

【創痛】きずのいたみ。

11【蒯】13画 (10152) カイ 艸部。→一三三六ページ上。

11【剷】13画 970 漢サン 呉セン 潸 譧 chǎn 20328 — 1942

字義 ❶けずる。けずって平らにする。❷かる(刈)。

解字 形声。刂(刀)＋産㊥。

11【剿】13画 971 ㊀漢ソウ(サウ) 篠 jiǎo ㊁漢ショウ(セウ)・呉ショウ(セウ) 肴 chāo 4986 9996 —

〔勦〕891 同字 〔𠞰〕982 同字

字義 ㊀❶たつ(絶)。たやす。滅ぼす。❷切る。殺す。㊁かすめ取る。＝抄(4064)。

参考 ①〔勦〕(1063)に通用する。熟語は〔勦〕を見よ。②現代表記では〔掃〕(4246)に書きかえることがある。「剿滅→掃滅」

解字 形声。刂(刀)＋巢㊥。

11【剸】13画 972 ㊀漢タン・呉ダン 寒 tuán ㊁セン 霰 zhuān — — 1943

字義 ㊀きる。首をきる。さく(割)。㊁ほしいまま。もっぱら。＝専(2719)。

解字 形声。刂(刀)＋專㊥。音符の專は、断に通じ、きるの意味。刀できるの意味を表す。

11【剽】13画 973 ㊀ヒョウ(ヘウ) 嘯 piào ㊁ヒョウ(ヘウ) 篠 biǎo 4987 9997 —

字義 ㊀❶おびや-かす。おどす。❷さす(刺)。❸きる(切・截)。けずる。❹はぐ。かすめとる。❺はやい。すばやい。身軽。❻強い。荒々しい。「剽勇」❼うつ(撃)。せめる(攻)。

まう。 ■すえ(末)。さき。末端。 国ヒョウ-げる。ひょうきんにふるまう。

解字 篆文 形声。刂(刀)+票(㶾)音。音符の㶾は、暴に通じ、あばれるの意味。刀を持ってあばれる、刺す・おびやかすの意味を表す。

【剽悍・剽捍】すばしこく荒々しい。また、悪事にたけている。

【剽劫】おびやかす。おどす。

【剽軽(輕)】■①すばやい。②軽々しい。荒々しくて軽薄。■国性質が気軽でこっけいなこと。

【剽疾】すばやい。▼疾も、はやい意。「剽疾軽悍」

【剽窃(竊)】①人目をかすめてぬすむ。剽襲。剽賊。②他人の詩文を盗み、自分のものとみせかけて使うこと。

【剽盗】おびやかしてかすめ取る。

【剽剝】①はぎとる。②はげ落ちる。③非難・攻撃する。〔史記、荘周伝〕

【剽勇】気性が荒く勇ましいこと。

【剽略・剽掠】おどしとる。

11 【⿰翏刂】 13画 974 ■漢リク・呉ロク 屋 lù ■漢キュウ(キウ)・呉ク 尤 jiū — — 1944

字義 ■❶けずる。❷殺す。■⿰翏刂流は、めぐる。

解字 形声。刂(刀)+翏音。

12 【劃】 14画 975 ■漢カク(クワク) 陌 huà ■漢カク(クワク)・呉ワク 陌 huà 1936 8A63 —

字義 ■=画(861)。❶かぎる。区分する。❷はかる。計画する。❸思いがけなく。にわかに。■❶切り開く。❷さく(割)。❸こする。

参考 現代表記では〔画〕(861)に書きかえる。「劃期的→画期的」「区劃→区画」。熟語は〔画〕をも見よ。

解字 金文 篆文 形声。刂(刀)+畫音。音符の畫は、くぎるの意味。刀で区切るの意味を表す。

【劃一】一様に整っているさま。画一。

【劃然】①物の裂ける音。物を打ち割る音の形容。②かん高く鋭い声の形容。③はっきりした区別のあること。画然。

12 【劀】 14画 976 漢カツ(クワツ) 呉ケチ 黠 guā — — 1945

字義 腫物の肉(一説に、血膿)を削り取る。

解字 形声。刂(刀)+矞音。

12 【劂】 14画 977 漢ケツ 呉カチ(クワチ) 月 jué ₂0330 — 1946

字義 ❶彫刻用の曲がった小刀。「剞劂」❷ほる。彫刻する。

解字 形声。刂(刀)+厥音。音符の厥は、ほるの意味。彫刻の小刀の意味を表す。

12 【劄】 14画 978 ■漢トウ(タフ) 呉チョウ(テフ) 洽 zhā ■サツ zhā ₂0329 — —

【箚】8790 同字 【剳】963 俗字

字義 ■さ-す(刺)。竹針で刺す。■=札(5179)。❶公文書の一種。下からの上申書と上からの通達書とがある。「劄子」❷→劄記。

解字 形声。刂(刀)+荅音。

【劄記】読書をして得た知識や感想などを随時書きしるしたもの。札記。

13 【劊】 15画 979 漢カイ(クワイ) 呉ケ 泰 guì(kuài) — — 1948

字義 断つ。切る。

解字 形声。刂(刀)+會音。

13 【劌】 15画 980 漢ケイ 呉ケ 霽 guì — — 1949

字義 ❶つきさ-す。きずつける。切りさく。❷はり(針)。とげ。

解字 篆文 形声。刂(刀)+歲音。音符の歲は、また、歩+戉音。音符の戉は、まさかりの象形。刀やまさかりで、きずつけるの意味を表す。

13 【劇】 15画 981 教6 ゲキ 漢ケキ・呉ギャク 陌 jù 慣ゲキ 2364 8C80 —

筆順 ⺊ ⺊ 广 卢 虍 虏 豦 豦 劇

字義 ❶はげ-しい。㋐はなはだしい。用例(唐、韓愈、与孟東野書)愈眼疾比劇、甚無聊。↓私は眼病が近頃ひどくなり、まったくやりきれません。㋑きびしい。㋒つよい。「劇薬」㋓さかん。㋔多い。㋕いそがしい。わずらわしい。「劇務」㋖多い。❷かたい(難)。むずかしい。❸たわむれる。たわむれ。用例(唐、李白、長干行)妾髪初覆額、折花門前劇。↓私の髪が額を覆うようになったばかりのころ、花を折っては門のあたりで遊んでいました。❹しばい。演劇。❺交通の要所。

使いわけ ゲキ〔劇・激〕
「はげしい」の意で用いる場合、「劇薬・劇毒」などを除き〔激〕を用いるのが一般的。「激戦・激動」

解字 篆文 形声。刂(刀)+豦音。音符の豦は、獣のはげしいとっくみあいの意味。刂(刀)を付し、はげしいの意味を表す。転じて、しばいの意味をも表す。

逆 旧劇・京劇・雑劇・惨劇・繁劇・悲劇

【劇易】①はげしいことと、おだやかなこと。②むつかしいことと、やさしいこと。難易。

【劇飲】酒などをはげしく飲むこと。痛飲。暴飲。

【劇雨】はげしい雨。猛雨。

【劇寒】きびしいさむさ。酷寒。

【劇語】はげしいことば。激語。

【劇疾】苦痛のはげしい病気。また、急病。

【劇暑】きびしい暑さ。酷暑。猛暑。

【劇職】非常にいそがしい役目(つとめ)。劇務。

【劇甚】非常にはげしい。激甚。

【劇賊】強暴な盗賊。大どろぼう。

【劇談】①はげしい口調で言うこと。②口ばやに言うこと。③国演劇に関する話。

【劇痛】はげしいいたみ。激痛。

【劇動】はげしいうごき。はげしい変動。激動。

【劇変(變)】はげしく変わる。急に変わる。激変。

【劇務】はげしいつとめ。非常にいそがしい仕事。激務。

【劇薬(藥)】使用法や使用量を間違えると生命に危険な薬。

【劇烈】非常にはげしい。激烈。

【劇論】はげしい議論。また、はげしく議論をする。激論。

13 【劍】 15画 (946) ケン 剣(945)の旧字体。→一八四ページ下。

13 【剿】 15画 982 ソウ 剿(971)と同字。→一八七ページ下。

13 【⿰⿱㓁亞刂】 15画 983 タク 斲(4606)と同字。→六三九ページ上。 ₂0331 — —

13 【劅】 15画 984 タク 覚 zhuó — — 1947

字義 刑罰の一種。去勢の刑。

13 【劉】 15画 985 人 標 漢リュウ(リウ) 呉ル 尤 liú 4613 97AB —

解字 形声。刂(刀)+𠜓音。

筆順 劉

［刘］906 俗字

まばらなこと。また、その木。

字義 ❶ころす。❷刃物。刀。まさかり。❸かつ(勝)。❹めぐる。❺葉が落ちて

名前 つら・のぶ・りゅう

解字 篆文 形声。金＋刂(刀)＋卯(丣)音。音符の丣は、二つにひきさくの意味。刀でひきさく、ころすの意味を表す。

【劉安】リュウアン 漢の高祖(劉邦)の孫。前漢の淮南王(今の安徽省寿県を中心とする地方)の王。『淮南子』の編者。(前一七九—前一二二)

【劉禹錫】リュウウシャク 中唐の詩人。字は夢得。白楽天との贈答詩が多く、また、白楽天が「詩豪」として高く評価した友人。(七七二—八四二)

【劉希夷】リュウキイ 初唐の詩人。字は廷芝。また、名は庭芝あるいは廷芝で、希夷は字ともいう。「代下悲二白頭一翁上(ハクトウをかなしむおきなにかわ(は)る)」の詩の作者として有名。(六五一—六七九?)

【劉義慶】リュウギケイ 南朝宋の臨川王。『世説新語』の著者。(四〇三—四四四)

【劉向】リュウキョウ 前漢末の学者。字は子政。宮中の蔵書を校訂し、その図書目録を作り、また、『列女伝』『新序』『説苑』などを著し、『楚辞』『戦国策』などを改編した。(前七七?—前六)

【劉勰】リュウキョウ 南朝梁の文学評論家。字は彦和。文学評論の『文心雕竜』の著者。(四六五?—五二〇?)

【劉歆】リュウキン 前漢末の学者。字は子駿。劉向の子。父と共に宮中の蔵書を校訂し、図書目録の『七略』を作る。また、『春秋左氏伝』を紹介し、『三統暦』を作った。(?—二三)

【劉玄徳】リュウゲントク ＝劉備。

【劉細君】リュウサイクン ＝烏孫公主(九〇七ページ上)。

【劉秀】リュウシュウ 後漢の光武帝。→漢光武帝(八六六ページ上)。

【劉禅(禪)】リュウゼン 三国時代、蜀の劉備の子。蜀の後主。(在位、二二三—二六三)

【劉宋】リュウソウ 南朝の宋の国(姓が劉氏)。趙宋(唐の次の宋)と区別する。→宋(2610)の字義❷。

【劉知幾】リュウチキ 唐の歴史学者。字は子玄。中国最初の史論書である『史通』の著者。(六六一—七二一)

【劉長卿】リュウチョウケイ 中唐の詩人。字は文房。河間(今の河北省内)の人。随州刺使となったので劉随州とも呼ばれた。(七〇九?—七八五?)

【劉楨】リュウテイ 三国時代、魏の詩人。東平寧陽(今の山東省内)の人。字は公幹。建安七子の一人。(?—二一七)

【劉廷芝】リュウテイシ ＝劉希夷。

【劉備】リュウビ 三国時代、蜀の昭烈帝。涿郡(今の河北省涿州市)の人。字は玄徳。関羽・張飛・諸葛亮を用いて蜀(今の四川省)の地に独立し、魏の曹操、呉の孫権とともに天下を三分した。(一六一—二二三)

【劉邦】リュウホウ 前漢の初代の天子、高祖。在位十二年。字は季。沛(今の江蘇省内)の人で、沛公とも称された。秦を降服させて漢王となり、後、項羽を滅ぼして天下を統一した。(前二四七—前一九五)⇩

劉備

劉邦

コラム 漢楚の興亡(一五五五ページ)。

【劉夢得】リュウボウトク ＝劉禹錫。

【劉喨】リュウリョウ 晴れやかな、ラッパ・うぐいすの声などの形容。

【劉伶】リュウレイ 西晋の詩人・思想家。字は伯倫。竹林の七賢の一人。「酒徳頌」の作者。(二二一?—三〇〇?)

14 【劓】16画 986 ギ 寘 yì　1465 — 1950

字義 ❶はなきる。鼻をそぎ取る。また、その刑罰。→五刑(五八ページ中)。❷さく(割)。

解字 会意。刂(刀)＋鼻。刀で鼻を切るの意味を表す。

14 【劑】16画 (949) ザイ 剤(948)の旧字体。→一八五ページ下。

15 【劕】17画 987 一 漢シツ・呉シチ 質 zhì 二 チ 寘 zhì　— — 1951

字義 一 割り符。＝質(11576)。二 しち。抵当。＝質(11576)。

17 【劖】19画 988 漢サン 呉ゼン 咸 chán　— — 1952

字義 ❶断ち切る。❷刺す。❸削る。❹穴をあける。

解字 形声。刂(刀)＋毚音。

19 【劗】21画 989 漢サン 呉ザン 寒 zuān　— — 1953

字義 ❶切る。髪を切る。❷そる。髪を剃る。

解字 形声。刂(刀)＋贊音。

19 【劘】21画 990 漢バ 呉マ 歌 mó　₂0332 — 1954

字義 ❶けずる(削)。❷する。こする。

解字 形声。刂(刀)＋靡音。音符の靡は、する・つぶすの意味。刃物でけずりとるの意味を表す。

21 【劚】23画 991 漢チョク 呉トク 沃 zhǔ　— — 1955

字義 ❶すき(鋤)。農具の一種。❷掘る。また、切る。削る。

解字 形声。刂(刀)＋屬音。

2画・

力 ちから

〔部首解説〕 力を意符として、力がある・力を入れるなどの意味を含む文字ができている。

0 力 一八九	4 劦 一九一	边 一九二	劭 一九三	労 一九三	協 二一四	㔉 一九四	勅 一九四	勔 一九五	势 一九六	9 勘 一九六	勔 一九七	勛 一九七	甥 一九九	勳 一九九	勠 二〇〇	辦 二〇〇	17 勸 二〇〇
1 乢 一九〇	劤 一九一	5 劫 一九二	男 九六八	6 劼 一九三	券 一九四	劽 一九四	勈 一九五	助 一九五	勉 一九六	勖 一九六	務 一九七	勝 一九七	勤 一九七	勠 一九九	勱 二〇〇	勵 一九三	勷 二〇〇
3 加 一九〇	劥 一九一	劶 一九二	努 一九三	劾 一九三	効 一九四	7 勁 一九四	勉 一九六	8 脅 六九五	勏 一九六	勗 一九六	勒 一五四五	募 一九八	勢 一九九	12 勩 一九九	13 勮 二〇〇	15 勴 二〇〇	18 勸 一九八
功 一九一	劧 一九一	劯 一九二	劬 一九三	劼 一九四	励 一九四	勀 一九四	勃 一九五	勍 一九六	勔 一九六	勗 一九六	10 勜 一九七	勞 一九三	勣 一九九	勳 二〇〇	勰 二〇〇	勶 二〇〇	
幼 一九一	劣 一九一	助 一九二	励 一九三	劻 一九四	劮 一九四	劵 一九四	勇 一九五	勦 一九六	勑 一九六	11 動 一九六	勤 一九七	勧 一九八	勦 一九九	勦 二〇〇	14 勳 九一三	勴 二〇〇	

筆順 フ カ

0 【力】2画 992 教 1 リョク・リキ ちから 漢リョク・呉リキ 職 lì　4647 97CD —

字義 ❶ちから。㋐筋肉のはたらき。体力。「腕力」㋑はたらき。作用。能力。「視力」「力量」㋒いきおい。「財力」「筆力」㋓ききめ。しるし。「効力」㋔おかげ。恩徳。援助。「助力」❷つと-める(つと-む)。㋐仕事をする。はげむ。力をつくす。㋑はげしい。はなはだしい。❸つと-めて。力をつくして。用例〔人虎伝〕当三力副二厚命一まさにつとめてコウメイにそう(ふ)べし。↓きっと君の頼みにそうよう努めよう。❹つとめ。ほねおり。「努力」「労力」❺えだち。ぶやく。政府から人民に課せられる労働。また、力仕事をする人。❻しもべ。召し使い。家来。❼つわもの。兵士。国❶リキ-む。㋐ちからをこめる。㋑いばる。❷リキ。ちからの量を表す語。「五人力」「五馬力」

名前 いさお・いさむ・お・か・ちか・ちから・つとむ・よし・りき

解字 金文  篆文  象形。金文を見ると、力強い腕の形にかたどっているのがよくわかる。篆文はその変形。ちからの意味を表す。力を音符に含む形声文字に、扐ロク・勒ロクなどがあり、これらの漢字は、「ちから」の意味を共有している。

逆 圧力・威力・怪力・角力・活力・眼力・願力・脚力・協力・強力・極力・気力・筋力・権力・剛力・効力・合力・国力・財力・主力・助力・自力・死力・資力・心力・神力・人力・尽力・勢力・精力・他力・胆力・地力・帝力・努力・念力・能力・迫力・馬力・筆力・非力・微力・物力・武力・暴力・魔力・魅力・勇力・余力

【力役】リョクエキ・リキエキ ①政府から人民に課せられる、税のかわりの労働。えだち。夫役ブヤク。②ちからしごと。筋肉労働。

【力学(學)】一 リョクガク つとめまなぶ。勉学。二 リキガク 物理学の一部門で、物体の運動とこれに作用する力の法則について研究する学問。

【力△諫】リョクカン・リョッカン 力をつくしていさめる。力争。

【力行】リョッコウ・リキコウ ①努力して行う。②実際の行い。

【力作】一 リョクサク 力をつくして作業する。二 リキサク 国力を入れ心をこめて作った作品。

【力士】一 リョクシ・リキシ 力の強い男性。二 リキシ ①仏金剛力士の略。仏法の守護をつとめる大力の者。金剛神。②国すもうとり。

【力征】リョクセイ・リキセイ ①=力政②。②=力役①。

【力政】リョクセイ・リキセイ ①武力でする政治。武断政治。②武力で征伐すること。③=力役。

【力戦(戰)】リョクセン・リキセン 力をつくして闘う。力闘。

【力争(爭)】リョクソウ・リキソウ ①武力であらそう。②極力争う。③はげしくいさめる。力諫リョクカン。苦諫クカン。

【力田】リョクデン・リキデン 農事につとめはげむ。力耕。力穡リョクショク・リキショク。

【力量】リキリョウ はたらき。うでまえ。能力の程度。

【力抜レ山△兮気(氣)蓋レ世】ちからはやまをぬき きはよをおお(ほ)う(ふ) 力は山をひきぬくほどに強く、意気は世の中全体をおおうほどにさかんである。気力にあふれたさま。楚ソの項羽が漢の高祖に垓下ガイカで囲まれたとき作った歌の一句。抜山蓋世バツザンガイセイの語はこの句にもとづく。〔史記、項羽本紀〕

【力不レ足者中道△而廃(廢)】ちからたらざるものはチュウドウにしてハイす 真に力量の足りぬ者ならば、途中で力尽きてやめてしまうであろう。用例〔論語、雍也〕力不レ足者中道而廃ちからたらざるものはチュウドウにしてハイす、今女画いまなんじ(ぢ)はかぎれり。↓真に力量の足りぬ者ならば、途中で力尽きてやめてしまうであろう、それなのにお前は自分で自分はだめだと、初めから見限っている。

【力不レ同レ科】ちからしなをおなじくせず 人の体力にはそれぞれ別があって一様ではない。一説に、人民に力役を課するのに、老若男女それぞれに適した区別を設けることをいう。〔論語、八佾〕

【以レ力仮(假)レ仁】ちからをもってジンをかる 実際には武力で自国の勢力を拡張しながら、表面だけはいかにも仁道を守っているかのように見せかける。仁道を守る王者に対して覇者のやり方をいう。〔孟子、公孫丑上〕

【角レ力】ちからをくらぶ 力の強さをくらべる。転じて、すもうをとる。角力カクリョク。

【△恃レ力】ちからをたのむ ①武力にたよる。②勇気や腕力をたのみとする。

【△勠レ力】ちからをあわ(は)す =勠力リクリョク(一九九ページ下)。

1 【劜】 3画 993 漢アツ 呉エチ 黠 yà — ED68 *1956*

字義 強い。

解字 形声。力+乚(乙)音。

3 【加】 5画 994 漢カ・呉ケ 麻 jiā 教4 カ くわ-える・くわ-わる 1835 89C1 —

筆順 フ カ 加 加

字義 ❶くわ-える(くは-ふ)。くわ-わる(くは-はる)。㋐ます。ふやす。㋑かさねる。かさなる。㋒おおくなる。「増加」㋓ほどこす(施)。おくる。㋔のせる。おく。㋕着る。着せる。㋖仲間にする。仲間になる。㋗しのぐ。たかぶる。あなどる。㋘こえる。かつ。㋙その人にとって好ましくないことをする。「罰を加ふ」「兵を加ふ」❷くわうるに。くわえて。その上に。❸足し算。「加減」国国名。加奈陀(または加拿太)カナダの略。

名前 か・ます・また 難読 加悦かや・加宜かが・加計かけ・加子かこ・加舎かや・加州カリフォルニア・加須かぞ・加生野かようの・加拿太カナダ・加太かだ・加太越かぶと・加答児カタル・加特力カトリック・加奈太カナダ・加奈陀カナダ・加比丹カピタン・加必丹カピタン・加布里かふり・加名生かのう・加陽かや・加里カリ・加留多カルタ・加湿弥羅カシミール・加布爾カブール・加爾各搭カルカッタ・加利福尼カリフォルニア

解字 金文  篆文  会意。力+口。力は、「ちから」。口は、「のりと」。力とのりとで、ある作用をくわえるの意味を表す。加を音符に含む形声文字には、外来音の力を表すために用いられる伽・迦・袈や、「くわえる」の意味を共有する嘉カ・賀・駕ガ・架カ・痂カなどがある。

逆 倍加・付加・奉加・累加

【加階】カカイ 位が上がる。位を上げる。

【加官】カカン ①官職を加える。また、加えた官職。②官位がのぼる。加級。

【加冠】カカン 男子が二十歳で初めてかんむりをつけ、成人になったことを祝う儀式。元服。

【加△笄】カケイ ①女子が十五歳で婚約して髪に笄こうがいをさすこと。②女子の十五歳をいう。③婚約しないでも、二十歳になれば笄をさすことから、女子の二十歳にもいう。

【加減】カゲン ①くわえることと、へらすこと。②足し算と、引き算。「加減乗除」③国㋐程度・調子などの、ほどあい。㋑からだのぐあい。

【加護】カゴ 保護をくわえる。まもる。また、まもり。たすけ。

【加△餐】カサン =加レ餐サンをくわ(は)う(ふ)(一五七六ページ上)。

【加△之】しかのみならず そのうえ。あまつさえ。

【加持】カジ 仏梵語ボンゴ adhiṣṭhāna の訳語。①諸仏の大悲が行者ギョウジャに加わり、行者の信心シンジンに仏が応じてたがいに通じ合うこと。②真言宗シンゴンシュウなどでする祈禱キトウ。仏力の加護を祈る。

【加勢】カセイ ①力をそえる。すけだちをする。助力する。②力をかしてくれる人。助けの兵。援兵。

【加増(增)】カゾウ ①加え増す。ふえる。増加。②国武士の禄高ロクだかをまし加える。増俸。

【加担(擔)】カタン 国味方する。仲間になる。荷担。

【加点(點)】カテン ①文章をなおすとき、文字に点を打って消すことで、文章の添削をいう。②国㋐漢文に返り点・送りがななどを書き加えること。㋑点数をまし加えること。

【加添】カテン 加え増す。また、加わる。増す。添加。

【加年】カネン 一つ年をとる。年を加え増す。加歯。加齢。

【加筆】カヒツ 国詩文や絵に筆を入れてなおすこと。添削。

【加盟】カメイ 同盟や団体に加入すること。

【加養】カヨウ 国養生する。

【加齢(齡)】カレイ ①新年または誕生日を迎えて年齢が一つ

ふえること。②高齢になること。

3 【功】 5画 995 漢コウ・呉ク 東 gōng 教4 コウ・ク 2489 8CF7 —

筆順 一 T I 巧 功

字義 ❶いさお。てがら。「功績」 ❷仕事。わざ。はたらき。＝工(3057)。 ❸できあがり。仕事の結果。 ❹たくみ(巧)。精巧。また、堅牢。 ❺ききめ。しるし。＝効(1019)。 ❻喪服の名。また、喪期の名。「大功」「小功」

【切】876 俗字

名前 あう・あつ・いさ・いさお・いさおし・かた・かつ・こう・こと・つとむ・とし・なり・なる・のり・よし 難読 功刀・功力

解字 篆文 形声。力＋工㊥。音符の工は、工作するの意味。しごと・いさおの意味を表す。

逆 勲功・軍功・考功・歳功・首功・小功・女功・神功・人功・寸功・成功・聖功・奏功・大功・年功・婦功・武功・辺功・論功

【功化】功績と感化。また、功績による感化。

【功過】てがらとあやまち。功績と過失。功罪。

【功課】①仕事や学業の成績。②課業。

【功業】てがら。いさお。また、功績の大きな事業。

【功勲(勳)】てがら。いさお。勲功。

【功罪】てがらと、つみ。勲功と罪過。功過。

【功臣】てがらのあるけらい。〔書経、大禹謨〕

【功成名遂身退、天之道】仕事・事業をりっぱにしとげ、名声をあげ得たならば、いつまでもその地位にとどまらないで身を引く、それが天の道にかなったことである。〔老子、九〕

【功績】てがら。いさお。功業。功迹。

【功徳】[一]てがらと、徳の高い行い。功績と仁徳。[二] ①仏 ㋐神仏からの果報を期待し得る行為。祈禱・喜捨など。㋑神仏のめぐみ。御利益。②国他人のためにする善行。

【功能】①功績と才能。②はたらき。うでまえ。③ききめ。効能。

【功伐】てがら。伐も、てがら。〔史記、項羽本紀〕

【功夫】[一]①仕事。②方法。手段。[二]国＝工夫[一]。

【功名】てがらと、ほまれ。功績とそれによる名誉。

【功名誰復論】(人間は意気に感じて働くものなので)、功績や名誉などは一体だれが問題にしようか、そんなものはとるにたりないものだ。用例〔唐、魏徴、述懐詩〕 人生感意気、功名誰復論。⇩人間は相手の知遇に感激して事をなすべきである、功績や名声などはだれが問題にしようか。

【功用】[一]①実際に役立つこと。はたらき。ききめ。②てがら。成績。[二]仏身・口・意のはたらきをいう。

【功庸】①国の仕事と民の仕事。②＝功用[一]。

【功利】①功績と利得。また、功績による出世と、それによって得る利益。また、仕事をしたことや、功績によって得る利益。②実利。また、それを念頭に置くこと。

【功略】①てがらと、はかりごと。②事業。経略。経営。

【功力】[一]①ききめ。効験。②てがら。功業。③ちから。[二]仏修行によって得た力。功徳の力。

【功烈】大きなてがら。大功。

【功労(勞)】①仕事。②ほねおり。③てがら。

【功虧一簣】＝九仞功虧一簣(四七ページ上)。

3 【幼】 5画 996 [一]ユウ(イウ) 宥 yòu [二]ヨウ(エウ) 嘯 yào 慣ヨウ(エウ) 教6 ヨウ おさない 4536 9763 —

筆順 く 幺 幺 幻 幼

字義 [一] ❶おさない。年が小さい。㋑知識や技量の未熟なこと。㋐いとけない。❷おさない子。おさなご。❸いつくしむ。幼児をかわいがる。用例〔孟子、梁恵王上〕幼吾幼以及人之幼。⇩自分の幼児をかわいがり、(その心を)他人の幼児にも及ぼす。[二] ❶くらい(暗)。かすか。❷奥深い。また、おくゆかしい。❸あでやか。しとやか。

名前 わか 難読 幼気・幼発拉的

注意 『康熙字典』では、幺部に所属する。

解字 甲骨文 篆文 形声。力＋幺㊥。音符の幺は、ちいさいの意味。力が小さい、おさないの意味を表す。

逆 長幼・童幼

【幼艾】①年若く美しい。また、その人。美少年。美少女。②幼少の人と年長の人。

【幼孩】おさなご。ちのみご。▼孩は、あかご。

【幼学(學)】①おさない時の学問。②昔、十歳で先生に学んだことから、転じて、十歳をいう。〔礼記、曲礼上〕⇩

コラム 年齢の別称(四六六ページ)。

【幼君】おさない君主。↕長君(一四九一ページ下)。

【幼孤】父母のいないおさなご。

【幼弱】①おさない。いとけない。また、おさない子ども。▼弱も、おさない。②おさなくて弱い。

【幼孺】おさなご。▼孺は、幼児。

【幼少・幼小】おさない。いとけない。また、おさない子ども。

【幼稚・幼稺】①おさない。また、おさなご。②未熟。

【幼冲・幼沖】おさない。幼少。▼冲・沖も、おさない。

【幼童】子ども。わらべ。童幼。

【幼眇】①奥深くてすぐれていること。②奥ゆかしいさま。③あでやかなさま。

【幼名】おさない時の名。元服以前の名。

【幼蒙】①子ども。おさない者。▼蒙は、知能の未熟なこと。②おさなくて道理に暗いこと。

4 【劦】 6画 997 [一]漢キョウ(ケフ) 呉ギョウ(ゲフ) 葉 xié [二]リョウ(レフ) 葉 liè 20335 ED69 1959

字義 [一]力を合わせる。＝協(1168)。[二]つとめて止めない。
国州(3052)の俗字。

解字 会意。力を三つ合わせて、協力の意味を表す。

4 【劤】 6画 998 漢キン 呉コン 問 文 jìn 20334 — 1957

字義 ❶ちから(力)。❷力が多い。

解字 形声。力＋斤㊥。

4 【劥】 6画 999 漢コウ(カウ) 呉キョウ(キャウ) 庚 kēng — — 1958

字義 力のあること。

解字 形声。力＋亢㊥。

4 【劧】 6画 1000 シ 紙 zhǐ — — 1960

字義 堅い。しっかりした。

解字 会意。力＋手。

4 【劣】 6画 1001 漢レツ・呉レチ 屑 liè 常 レツ おとる 4684 97F2 —

筆順 丨 小 小 少 劣 劣

字義 ❶おとる。およばない。↕優(662)。㋐よわい。力が弱い。「劣弱」 ㋑しながおちる。質がおちる。「劣等」 ㋒いやしい。「下劣」 ㋓おろか。にぶい。つたない。「愚劣」「拙劣」 ❷おとっている人。弱小者。❸わずかに。やっと。

力部 3▼4画 〔功幼劦劤劥劧劣〕

解字 篆文 会意。力＋少。力が少ないの意味から、おとるの意味を表す。

逆 愚劣・拙劣・浅劣・低劣・卑劣・優劣・庸劣

【劣悪(惡)】(レツアク) 国品質・人格などがおとって悪い。

【劣情】(レツジョウ) 国いやしいこころ。みだらな気持ち。また、卑劣な心情。

【劣勢】(レッセイ) 国勢いがおとっている。また、その勢力。

【劣等】(レットウ) 国おとっている。等級・品格が下である。

【劣敗】(レッパイ) おとっているものが競争に負けること。「優勝劣敗」

4 【边】 6画 1002 国字 2-0333 — —

字義 「つよし」などと読んで、人名に用いられる。

5 【劫】 7画 1003 人 標 漢キョウ(ケフ) 呉コウ(コフ) 慣ゴウ(ゴフ) [業] jié 2569 8D85 —

【刧】880 俗字 【刼】882 俗字 【刦】908 俗字

筆順 一 十 土 去 去 刦 劫

字義 ❶おびやかす。せまる。おどす。❷かすめとる。奪いとる。「略劫」❸おいはぎ。強盗。❹きざはし。階段。また、塔。❺囲碁の手法。たがいに一手の間をおかなければ取ることのできない石を争う場合をいう。❻仏梵語(ボンゴ) kalpa の音訳。劫波(コウハ)の略。きわめて長い時間。「コウ」「ゴウ」と読む。↕刹那(一八一ページ上)。「永劫」 国「劫(コウ)を経る」は、㋐長い年月を経る。㋑年功を積む。

名前 こう・つとむ

解字 篆文 形声。力＋去(盇省)音。音符の盇(コウ)は、ふたをするの意味。力ずくで相手をおしふせる、おびやかすの意味を表す。

【劫火】(ゴウカ) 仏人の住む世界を焼きつくして灰にするという大火。世界の滅びるときに起こるという。

【劫灰】(キョウカイ) 一兵火。二(ゴウカイ) 仏劫火のときの灰。

【劫劫】(キョウキョウ) 一つとめはげむさま。二(コウコウ) 世々。代々。

【劫脅】(キョウキョウ) おびやかす。おどす。

【劫奪】(キョウダツ・ゴウダツ) おびやかしてうばいとる。劫略。

【劫風】(ゴウフウ) 仏地獄に吹くという、はげしい風。

【劫略・劫掠】(キョウリャク・ゴウリャク) おびやかして、かすめとる。

5 【劬】 7画 1004 漢ク 呉グ [虞] qú 5002 99A0 —

字義 ❶つかれる(疲)。ほねおり苦しむ。❷しばしば。

解字 篆文 形声。力＋句音。音符の句は、クルッと曲がるの意味。力つきて体が曲がる、つかれるの意味を表す。

【劬労(勞)】(クロウ) 一所懸命にほねおる。ほねおり苦しむ。用例〔詩経、邶風、凱風〕棘心夭夭(キョクシンヨウヨウたり)、母氏劬労(ボシクロウす)。

↓いばらの若芽は暖かい南風に吹かれてつやつやとなり、その南風のように子を育てた母は、ほねおり苦しむばかりであったのだ。

5 【劯】 7画 1005 ショ [魚] zhǔ 2-0336 EE5B 1961

字義 つよい。

解字 会意。力＋石。

5 【助】 7画 1006 教 3 漢ソ・呉ジョ [御] zhù 2985 8F95 —

ジョ たす-ける・たす-かる・すけ

筆順 丨 冂 月 月 且 助 助

字義 ❶たす-ける(たすく)。す-ける(すく)。力をそえる。また、たす-かる。❷たす-け。援助。❸殷(イン)・周代に行われた租税法。田地を井の字形に九等分して、外側の八区画を八家に与え、中央を公田として共同耕作し、その収穫を租税にあてたもの。 国すけ。㋐大宝律令制の四等官で、寮の第二位。㋑たすけ。てつだい。加勢。「助人(すけっと)」㋒人の特徴などを表す語にそえて呼ぶ語。「飲み助」

名前 すけ・たすく・ひろ・ます 難読 助宗鱈(すけそうだら)・助惣鱈(すけそうだら)

解字 篆文 形声。力＋且音。音符の且(ショ)は、積み重ねるの意味。力を上に重ねてたすけるの意味を表す。

逆 援助・語助・賛助・自助・神助・内助・扶助・補助

【助教】(ジョキョウ) ①教授の次の官。晋(シン)代、国子助教をおき、国子博士を助けて生徒に教授させた。唐代にも国子学・大学・広文館・四門学にみな助教をおいた。②国㋐律令制下で、大学寮の属官。㋑教授・教官を補助する職。

【助言】(ジョゲン・ジョゴン) ことばをそえて助ける。口ぞえする。また、そのことば。

【助字・助辞(辭)】(ジョジ) 漢文で、主として名詞・動詞・形容詞などの実質的な意味を表す語を実字というのに対して、実字を助けてある種の意味をそえる働きをする語をいう。虚字。⇩コラム 助字(一九二ページ)。

【助成】(ジョセイ) 力をそえて、なしとげさせること。助けて完成させること。〔書経、酒誥〕

【助長】(ジョチョウ) ①助けようとしてむりに外から力を加え、かえっ

コラム

助字

漢文においては、漢語をその役割から「実字」と「助字（虚字）」の二つに分類することが、古くから行われてきた。「実字」とは、①「山」「海」など実体のあるものを表す語、②「行」「走」など動作を表す語、③「高」「広」などの状態を表す語を指し、それぞれ現代でいう名詞・動詞・形容詞にほぼ相当する。

これに対して、「助字」とは、実字以外の語を指し、それらの語は実字を助けてさまざまな働きをする。助字には、次のようなものが含まれる。

①英語の前置詞のように、語と語の関係を示すもの。原則として文中に置かれる。訓読では、その働きを送りがなによって示し、読まないことが多い。「於」「乎」「于」など。

②日本語の助動詞や副詞のように、動詞・形容詞などを修飾するもの。「不」「無」などの否定の助字や、「所」「被」などの受身の助字、「令」「使」などの使役の助字、また「将」「未」などの再読文字など。

③日本語の助動詞や終助詞のように、文全体に断定・疑問などの意味を添える働きをするもの。文末・句末に置かれる助字「矣」「也」「乎」「哉」などは、基本的にこのグループに属する。

④接続詞の働きをして、文と文・句と句の関係を示すもの。原則として、文頭・句頭に置かれる。「唯」「雖」「則」など。

⑤疑問詞・指示詞などの働きをするもの。「何」「誰」「幾」、「此」「其」など。

⑥動詞や形容詞などの直後に付いて、その語にある種の意味を添える働きをするもの。「偶然」の「然」、「忙殺」の「殺」、「喝破」の「破」など。

なお、本辞典では、重要な助字約九十字について、各字の解説中に「助字・句法解説」の欄を設けたので、詳細についてはそれを参照されたい。

て害すること。春秋時代、宋の国の農夫が、苗の生長を助けようと苗を引っぱり、かえって苗が枯れた故事による。〔孟子、公孫丑上〕②助けてのばす。助けて成長させる。

【助命】いのちを助ける。死ぬべき生命を助ける。

【助力】力をそえる。助ける。助勢。加勢。

5【劭】7画 1007 漢ショウ(セウ) 呉ジョウ(ゼウ) 拼 shào 5003 99A1 —

字義 ❶つとめる。はげむ。精を出す。❷うつくしい。「劭美」

解字 形声。力＋召音。

5【男】7画 (7606) ダン 田部。→六八〇ページ・中。

5【努】7画 1008 教4 ド つとめる 漢ド・呉ヌ 拼 nǔ 3756 9377 —

[伮] 278 同字

筆順 く 女 女 奴 奴 努 努

字義 ❶つとめる。力をつくす。はげむ。❷書法で、永字八法の一つ。縦画。国ゆめ。ゆめゆめ。決して。多く下に打ち消しの語をともなう。

名前 つとむ 難読 努努(ゆめゆめ)

使いわけ つとめる・つとまる〔務・努・勤〕⇩務(1050)。

解字 形声。力＋奴音。音符の奴は、力をつくして働かされる奴隷の意味。力を付し、つとめるの意味を表す。

【努力】一 力をつくす。ほねおる。用例〔文選、古詩十九首、其一〕棄捐勿二復道一 努力加二餐飯一 ↓私はあなたに捨てられようとも、これ以上、二度と何も言いますまい。どうか、つとめて食事をじゅうぶんにとって、おからだをたいせつにしてください。二 国 禁止の意を伴う副詞。決して…(するな)。

5【劰】7画 1009 漢バク 呉マク 拼 mò — — 1962

字義 つとめる。力をつくす。

解字 形声。力＋白音。

5【励】7画 1010 常 レイ はげむ・はげます 4669 97E3 —

14【勵】16画 1011 レイ 拼 lì 5015 99AD —

筆順 一 厂 厂 厉 厉 励 励

字義 ❶はげむ。つとめる。「勉励」❷はげます。すすめる(勧)。「奨励」

名前 い・すすむ・つとむ・はげむ・れい

解字 形声。力＋厲音。音符の厲は、みがくの意味。つとめてみがくの意味から、はげむの意味を表す。常用漢字の励は、勵の省略体。

逆 激励・奨励・精励・督励・奮励

【励行】はげみおこなう。また、行いをはげむ。

【励志】こころざしをはげます。意志をふるいおこす。

【励声】(聲) 声をはげます。声をはりあげる。大声を出す。

【励精】精神をふるいはげます。

5【労】7画 1012 教4 ロウ 4711 984A —

10【勞】12画 1013 一ロウ(ラウ) 拼 láo 二ロウ(ラウ) 拼 (lào) 5009 99A7 —

筆順 、 丶 ⺍ ⺍ 𰃮 学 労

字義 一❶つかれる。くるしむ。ほねおり。「疲労」「苦労」❷はたらく。つとめる。つとめ。しごと。「勤労」❸ほこる。てがらとする。てがら。用例〔史記、廉頗藺相如伝〕藺相如徒以二口舌一為レ労、而位居二我上一。↓藺相如はただ口がうまくて手柄を立てたということだけで、地位は私より上になっている。❹なやむ。うれえる。なやみ。「心労」❺農具の一種。歯のないまぐわ。二❶いたわる。ねぎらう。なぐさめる。用例〔詩経、魏風、碩鼠〕三歳貫レ女、莫二我肯労一。↓三年、お前に仕えてきたけれども、私を少しもいたわってはくれなかった。❷たまう(賜)。国いたわしい。気の毒に思う。ふびんだ。

名前 つとむ・もり

参考 現代表記では〔撈〕(4431)の書きかえに用いることがある。「漁撈→漁労」

解字 金文 篆文 会意。力＋𤇾(熒省)。熒は、たいまつを組み合わせて立てた、かがり火の意味。かがり火が燃焼するように力を燃焼させて、つかれるの意味を表す。また、そのつかれをねぎらうの意味を表す。常用漢字の労は、勞の省略体による。

逆 慰労・過労・漁労・勤労・苦労・功労・心労・辛労・足労・徒労・博労・疲労・服労・優労

【労逸・労佚】ほねおることと、楽をすること。労苦と安楽。

【労役】ほねおり働く。また、ほねおりしごと。

【労咳・労欬】肺結核。▼咳・欬は、せき。

【労苦】①心や体をいためくるしめること。ほねおり。くるしみ。苦労。②ほねおりをいたわる。苦労をなぐさめいたわる。

【労倦・労勌】つかれうむ。くたびれる。また、つかれうんだ民。

【労作】国ほねおりして作った作品。

【労使】①こきつかう。②国労働者と使用者。

【労而不レ怨】一 親のためにどんな苦労をさせられても、その親をうらまない。孝子の心がけ。〔論語、里仁〕二 人民に勤労はさせても、人民からうらみを受けることがない。政治をなす者の心がけ。〔論語、尭曰〕

【労而無レ功】ほねおるばかりで、そのかいがない。骨折り損。〔荘子、天運〕

【労卹・労恤】ねぎらいなぐさめる。

【労心】①心を使う。また、心をくるしめる。労神。②うれえ苦しむ心。③つかれた心。

【労悴・労瘁】苦労してつかれ弱ること。

【労生】苦しみ多い人生。

【労勉】①つとめはげむ。②ねぎらいはげます。

【労務】①ほねおりつとめる。また、ほねおりしごと。②国賃金を得るための、体力または知力による労働。

【労問】いたわりみまう。見舞いなぐさめる。

【労来(來)・労徠】①いたわってなつかせる。また、たすける。②来る者を迎えねぎらう。

【労労】①つかれたさま。②名残りを惜しむさま。③はるかに遠いさま。

【労労亭】昔、金陵(今の江蘇省南京市)の南にあった亭。金陵から旅立つ人の送別の所であった。

6【劸】8画 1014 漢アイ 呉エ 拼 wā — — 1965

字義 迫る。

解字 形声。力＋圭音。

6【劾】8画 1015 常 ガイ 一漢カイ・呉ガイ 拼 hé 二カイ 拼 kài 1915 8A4E —

筆順 丶 亠 亡 亥 亥 亥 劾 劾

字義 一❶きわめる。しらべる。追究する。罪状を取り調べる。❷告発する。罪をあばいて訴える。「弾劾」❸しらべがき。罪状の調書。「劾案」❹さばく。法によって罪人を処断する。二つとめる。はげむ。

解字 篆文 形声。力＋亥音。音符の亥は、亟に通じ、せきたて問いつめるの意味。人の罪を問いつめ

る の意味を表す。

逆 奏劾・弾劾

【劾案・劾按】罪を調べて告発すること。

【劾状(狀)】他人を法律にてらしてさばくように願い出る。告発する。また、その文書。告発状。弾劾書。

【劾奏】官吏の罪を調べて天子に申しあげる。

【劾弾(彈)】他人の罪過を調べてあばくこと。弾劾。

【劾詆】罪をあばいてそしる。罪を告げる。

6 【劼】 8画 1016 漢カツ 呉ケチ 黠 jié 5004 99A2 —

字義 ❶つつしむ(愼)。❷かたい(固)。❸つとめる。力をつくす。

解字 篆文 形声。力＋吉音。音符の吉は、よいの意味。よりよくなるようにつつしみ力をつくすの意味を表す。

6 【劻】 8画 1017 漢キョウ(キャウ) 呉コウ(クワウ) 陽 kuāng ₂0338 — 1967

字義 劻勷は、差し迫るさま。

解字 形声。力＋匡音。

6 【協】 8画 (1168) キョウ 十部。→二四ページ上。

6 【劵】 8画 1018 ケン 倦(420)の古字。→一一五ページ下。 5005 99A3 —

参考 〔券〕(883)は別字。

6 【効】 8画 1019 教5 コウ きく 2490 8CF8 —

攴6 〔效〕 10画 1020 漢コウ(カウ) 呉ギョウ(ゲウ) 效 xiào 5835 9DC1 —

筆順 丶 亠 ナ 六 ㇀ 交 交 効 効

字義 ❶きく。よい結果が得られる。また、ききめ。しるし(験)。「特効薬」❷ならう。のっとる。まねる。まなぶ。❸いたす。㋐つくす。つとめる。㋑あらわす。㋒さずける。㋓たてまつる。㋔とどける。❹いさお。てがら。功績。

名前 いたる・かず・かた・こう・すすむ・なり・のり

使いわけ きく〔効・利〕
〔効〕効果がある。「宣伝が効く・薬の効き目」
〔利〕思うようになる。また、ある機能がきちんと働く。「気が利く・目が利く・ブレーキが利く・からしが利く」
ただし、実際には紛らわしい場合が多い。

解字 甲骨文 金文 篆文 形声。篆文は、攴＋交音。攴は、たたくの意味。音符の交は、學(学)に通じ、まなぶの意味。むちうってならわせるの意味を表す。転じて、ききめの意味も表す。常用漢字の効は俗字による。

逆 時効・失効・殊効・即効・特効・無効・有効

【効験(驗)】ききめ。しるし。

【効死】命をすてる。全力をつくす意。

【効績】てがら。いさお。功績。

【効能】国①はたらき。効力。②ききめ。効験。

【効顰・効矉】善悪の区別なく他人のまねをすることのたとえ。また、私も致してみましょうという場合の謙遜のことば。春秋時代、呉王夫差の愛人西施が胸を病んで、眉をひそめ、顔をしかめた姿が美しかったので、その里の醜婦がこれをまねた故事による。効レ顰。〔荘子、天運〕

【効命】命をささげる。生命を犠牲にする。

【効用】①役に立てる。用いる。②役に立つ。③はたらき。また、ききめ。

【効力】一 はたらき。また、ききめ。効験。二 力をつくす。

6 【劶】 8画 1021 漢コウ 呉ク 有 kǒu — — 1963

字義 劶励は、精を出すさま。

解字 形声。力＋后音。

6 【劺】 8画 1022 漢ボウ 呉ム 尤 móu ₂0337 — 1966

字義 すすめはげます。

解字 形声。力＋牟音。

6 【劷】 8画 1023 ヨウ(ヤウ) 陽 yǎng — — 1964

字義 勧める。

解字 形声。力＋羊音。

6 【劽】 8画 1024 漢レツ 呉レチ 屑 liè — — 1968

字義 力がある。

解字 形声。力＋列音。

7 【勁】 9画 1025 人 漢ケイ 呉キョウ(キャウ) 敬 jìng, jìn 5006 99A4 —

筆順 一 ㇀ ㇀ ㇀ 巠 巠 巠 勁 勁

字義 ❶つよい(強)。するどい。❷すこやか(健)。❸かたい。「堅勁」

名前 かた・つよし

解字 篆文 形声。力＋巠音。音符の巠は、まっすぐの意味。まっすぐで力づよいの意味を表す。

【勁陰】非常な寒さ。また、寒い冬。

【勁果】強くて思い切りがよい。勁勇果断。

【勁悍・勁捍】強くて、あらあらしい。悪事にたける。

【勁健】強くて、すこやか。強くて、しっかりしている。

【勁寇】強い敵。強い外敵。

【勁士】①節操が固く正しい人。②勇気のある人。強い人。

【勁疾】強くてすばやい。勁捷。

【勁秋】風霜のきびしい秋。

【勁松】強い松。霜や雪にもしぼまない松。転じて、忠貞の臣のたとえ。

【勁草】風になびかぬ強い草。節操の堅い人にたとえる。

【勁卒】強い兵卒。

【勁直】強くて正しい。剛直。

【勁弩】張りの強い石弓。強弩。

【勁風】強い風。はげしい風。猛風。

【勁兵】①鋭利な武器。②強い兵士。「精卒勁兵」

【勁旅】強い軍隊。

7 【勀】 9画 1026 コク 職 kè — ED6A 1969

字義 ❶つとめる。❷かつ。＝克(692)。

解字 形声。力＋克音。

7 【勊】 9画 1027 コク ₂0339 — —

〔勊〕 1027 俗字 勀(1026)の俗字。→一九四ページ下。

7 【勅】 9画 1028 常 チョク 3628 92BA —

攴7 〔敕〕 11画 1029 チョク 職 chì 5837 9DC3 —

筆順 一 ㇀ 㠯 㠯 申 束 束 剌 勅

字義 ❶いましめる。㋐さとす。注意を与える。㋑せめる(責)。せめただす。とがめる。㋒つつしむ。過失のないようにつとめる。❷ただす(正)。ととのえる(整)。おさめる(理)。❸みことのり。天子のことば。また、天子の命令。用例〔唐、白居易、売炭翁詩〕手把二文書一口称レ勅、迴レ車叱レ牛牽向レ北。↓書きつけを手につかみ、「勅命じゃ」と口ばしり、炭焼きじいさんの車のむきをかえさせて、牛を「しっしっ」とおいたて、北のほうにひっぱらせた。

名前 きみ・ただ・て・とき 難読 勅市・勅使河原

参考 〔勑〕(1043)は別字であるが、誤用することがある。

解字 金文 篆文 会意。金文は、束＋攴。束は、木に固く結びつけた袋の象形。のちに束に変形した。攴は、むちうつ形にかたどる。常用漢字の勅は、力に変形したもの。まっすぐになるように固くしめつける、いましめるの意味を表す。

逆 戒勅・謹勅・聖勅・奉勅

【勅戒・勅△誡】ただしいましめる。また、いましめ。

【勅額】①天子が自ら書いた額。②天子の命によって建てられた寺に賜う、天子自筆の額。

【勅勘】国天皇のとがめ。免罪の勅許があるまで、閉門・蟄居して謹慎するのを例とした。

【勅願】国天皇のたてた祈願。天皇が神仏にたてた願いごと。

【勅許】天子の許し。勅免。

【勅裁】天子のさばき。天子の決定。勅断。

【勅旨】天子の意志。天子の考え。

【勅書】天子の命令を書きしるした文書。

【勅△諚】国天皇のことば。みことのり。

【勅信】勅命で巡察する役人。▼信は、あきらかにする。

【勅宣】天子のことば。みことのり。勅令の宣旨。

【勅△撰】①天子が自ら詩歌・文章を選ぶこと。②臣下が天子の勅命を受けて書物を作ること。また、その書物。

【勅題】国天皇の出す詩歌の題。御題。

【勅答】①天子のこたえ。天子が臣下に答えること。②国天皇の質問に臣下が答えること。

【勅封】㊀国勅命によって封印すること。㊁国勅命によって功臣などに爵位や称号を与えること。

【勅命】天子の命令。みことのり。勅令。

【勅諭】天子の教え。

【勅△勒】チュルク(Türk)の音訳。南北朝時代、バイカル湖の南、陰山山脈の北に住んでいたトルコ系の種族の名。また、その住んだ地。回紇・グルともいう。用例〔楽府詩集、勅勒歌〕勅勒川、陰山下。↓勅勒川が陰山のふもとを流れてゆく。

7 【勄】 9画 1030 ビン 敏(4531)の古字。→六二四ページ上。 — — 1970

7 【勉】 9画 (1040) ベン 勉(1039)の旧字体。→一六六ページ上。

7 【勃】 9画 1031 常 ボツ 4354 9675 —

漢ホツ・呉ボチ 慣ボツ 月 bó

筆順 一 十 十 古 古 孛 孛 勃 勃

字義 ❶急に起こるさま。「勃興」❷さかんに起こるさま。「勃勃」❸顔色をかえるさま。むっとするさま。「勃然」❹にわかに。急に。「勃発」❺もとる。＝悖(3743)。❻海の名。勃海。＝渤(6539)。国国名。勃牙利の略。

名前 おき・ひら・ひろ

解字 篆文 形声。力＋孛音。音符の孛は、急にさかんになるの意味。急に勢いよくさかんにおこるの意味を表す。

【勃△焉】急に物事がさかんになるさま。勃爾・勃然。

【勃海・勃解】＝渤海(八六二ページ上)。

【勃起】にわかにおこり立つ。急に力強く立つ。

【勃興】さかんに起こる。また、急に起こる。

【勃如】顔色を変えるさま。改まって顔のひきしまるさま。用例〔論語、郷党〕色勃如也。↓顔色が改まってひきしまる。

【勃然】①顔色を変え、むっとするさま。用例〔孟子、万章下〕王勃然変乎色。↓王はむっとして、顔色を変えた。②急に(さかんに)起こり立つさま。③にわか。だしぬけ。卒然。

【勃発(發)】①勢いのさかんなさま。国急に始まる。にわかに起こる。

【勃勃】①さかんにわき起こるさま。②においのよいさま。

7 【勇】 9画 1032 教4 ユウ いさ-む 4506 9745 —

7 【〔勇〕】 9画 1033 漢ヨウ 呉ユウ 腫 yǒng

筆順 マ マ 丙 丙 甬 甬 勇 勇

【勈】 1034 同字

字義 ❶いさ-ましい。元気がある。気力がある。⇔怯(3668)。用例〔論語、泰伯〕勇而無礼則乱。↓勇ましいばかりで礼によって節度を加えないと乱暴になる。⑦おおしい。❷思いきりがよい。④つよい。たけだけしい。敵を恐れない。「猛勇」❸いさ-む。ふるいたつ。勢いこむ。❹つわもの。兵士。国いさ-み。⑦いさむこと。勢いこむこと。「勇み足」①おとこだて。任侠。「勇みはだ」

名前 いさ・いさお・いさみ・いさむ・お・さ・そよ・たけ・たけし・とし・はや・ゆ・ゆう・よ 難読 勇魚・勇駒別・勇仁・勇足・勇払

解字 篆文 形声。力＋甬音。音符の甬は、重い鐘の象形。重い物をもちあげる気力の意味から、たけだけしい・いさましいの意味を表す。

逆 義勇・豪勇・小勇・壮勇・大勇・胆勇・知勇・忠勇・沈勇・蛮勇・武勇・猛勇

【勇往△邁進】(目的に向かって、困難をものともせず)勇ましくまっしぐらに進んで行く。

【勇△悍】勇ましくて強い。〔史記、淮陰侯伝〕

【勇敢】勇気があり物事を思いきってする。

【勇△侠】勇気があり、おとこ気に富むこと。また、その人。

【勇健】勇気があって、しっかりしていること。

【勇士】勇ましい人。勇気のある武人。

【勇姿】勇ましいすがた。武人・兵士などにいう。

【勇者】勇気のある人。用例〔論語、憲問〕勇者不レ懼。↓勇気のある人は恐れない。

【勇将(將)下無二弱卒一】勇気のある大将の部下には弱い兵卒はいない。〔蘇軾、題二連公壁一詩〕

【勇戦(戰)】勇ましく戦う。「勇戦奮闘」

【勇壮(壯)】勇ましく元気さかんなこと。

【勇退】思いきりよく身をひく。いさぎよく自分の地位からしりぞくこと。

【勇断(斷)】(非常事態で)思いきりよくきめる。勇決。

【勇武】①たけく勇ましい。②勇気があって武術にすぐれていること。

【勇憤】①いさみいきどおる。②勇気と、いきどおり。

【勇名】勇ましいとの評判。勇者の名声。

【勇猛果敢】勇ましくて強く決断力に富んでいること。〔漢書、翟方進伝〕

【勇躍】国おどりあがって勇みたつ。踊躍。

【勇略】勇気があって計略に富むこと。

【勇力】勇気があり力が強いこと。また、勇気。

【鼓レ勇】勇気をふるいおこす。勇気を鼓舞する。

7 【勈】 9画 1034 ユウ 勇(1032)と同字。→一九五ページ中。 1466 — 1972

7 【勆】 9画 1035 ロウ(ラウ) 陽 láng — — 1971

字義 力がある。強い。

解字 形声。力＋良音。

8 【脅】 10画 (4987) キョウ 月部。→六九五ページ下。

8【勍】10画 1036 ㊥ケイ ㊇ギョウ(ギャウ) 庚 qíng 5007 99A5 —

字義 つよ-い(つよし)。たけだけしい。

解字 篆文 形声。力＋京㊜。音符の京は、強に通じ、つよいの意味。力を付し、意味を明らかにした。

8【勬】10画 1037 ㊀ケン 先 ㊁㊥ケン・㊇カン(クワン) 願 ㊂㊥ケン・㊇ゲン 霰 juàn 1468 — 1973

字義 ㊀つとめる(勉)。㊁はげます。すすめる(勸)。㊂う-む(つかれる)。＝倦(420)。「勬怠」

解字 形声。力＋卷㊜。

8【勢】10画 1038 セイ 勢(1061)の俗字。→一九九ページ上。 20340 — —

8【勉】10画 1039 教3 ベン 4257 95D7 —

7〖勉〗9画 1040 人 ㊥ベン ㊇メン 銑 miǎn 1467 — —

筆順 ⺈ ⺈ 㐫 免 免 免 免 勉 勉

字義 ❶つと-める(つとむ)。はげむ。また、はげます。すすめる。用例〔後漢書、陳寔伝〕夫人不レ可レ不ニ自勉一(それひとはみずからつとめざるべからず)。↓そもそも人は努力しなければならない。❷しいる(強)。

名前 かつ・つとむ・まさる・ます・やす

解字 篆文 形声。力＋免(免)㊜。音符の免は、新生児を生み出す形にかたどり、りきんで出すの意味。力をこめてつとめるの意味を表す。

逆 強勉・勤勉・労勉

【勉学(學)】(ベンガク) つとめ学ぶ。学問にはげむ。

【勉強・勉△彊】(ベンキョウ) ①つとめはげむ。精を出す。〔中庸〕 ②国㋐学問にはげむこと。㋑品物を安く売ること。

【勉行】(ベンコウ) つとめはげんで行う。努力して行う。〔中庸〕

【勉勉】(ベンベン) つとめはげんでやまないさま。

【勉励(勵)・勉△厲・勉△礪】(ベンレイ) つとめはげむ。また、はげます。勉力。用例〔東晋、陶潜、雑詩〕及レ時当ニ勉励一(ときにおよんでまさにベンレイすべし)、歳月不レ待レ人(サイゲツはひとをまたず)。↓時を失うことなく、つとめ励む(楽しみを尽くす)べきである。年月はどんどん過ぎ去って、人を待っていてはくれないのだから。

8【勂】10画 1041 ㊥ホウ ㊇ブ 有 bù — — 1974

字義 勂励(ホウコウ)は、精を出すさま。

解字 形声。力＋咅㊜。

8【勐】10画 1042 モウ 猛(7257)の俗字。→九四四ページ下。 1469 — —

8【勑】10画 1043 ㊀ライ 隊 lài ㊁㊥チョク・㊇チキ 職 chì 20341 — 1975

字義 ㊀ねぎら-う(ねぎらふ)。いたわる。㊁勅(1028)に誤って通用する。→勅の 参考。❶いまし-める(いましむ)。❷ただす(正)。❸みことのり。

解字 篆文 形声。力＋來㊜。音符の來(ライ)は、賚(ライ)に通じ、たまものの意味。たまものを与えて労力に対してねぎらうの意味を表す。

9【勘】11画 1044 常 カン ㊀カン 勘 kān ㊁カン 覃 2010 8AA8 —

筆順 一 卄 甘 甘 甚 甚 甚 勘 勘

字義 ㊀❶かんが-える(かんがふ)。よく考える。考えてくらべる。「勘考」「校勘」❷罪人を取り調べる。罪を問いただす。「勅勘」㊁よくする(能)。できる。国カン。第六感。感覚や推理によらないでわかる心の作用。「山勘」

名前 かん・さだ・さだむ・のり 難読 勘解由小路(かでのこうじ)・勘角(かんかど)

解字 篆文 形声。力＋匹＋甘㊜。匹は、ならべるの意味。音符の甘は、はさむの意味。本などを並べ、両側からはさみ合わせるようにして、くらべかんがえるの意味を表す。

逆 校勘・勅勘

【勘案】(カンアン) 調べ考える。また、考え。

【勘解由】(カゲユ) 国官名。勘解由使の略。昔、国司が交代するとき、前任者から後任者に引き継ぐ、財政上の書類を審査した職。

【勘契】(カンケイ) 割符。また、それを合わせて適否を調べる。

【勘誤】(カンゴ) 文字などの誤りを調べて正す。正誤。

【勘考】(カンコウ) よく考える。思案する。熟考。

【勘校】(カンコウ) くらべ合わせて文字の異同を正すこと。校勘。

【勘合】(カンゴウ) ①割符をつき合わせる。②比べ合わせて調べ考える。③割符。証明書。

【勘合符】(カンゴウフ) 国室町時代、貿易船と海賊船とを区別するために、明(ミン)に行く正式の貿易船に対して明から交付された割符。その割符を持つ船を勘合船という。

【勘書】(カンショ) 書物の文字の異同を照らし合わせ調べる。書物を校訂する。

【勘定】㊀(カンテイ) 考え定める。㊁(カンジョウ) 国①数える。計算する。②代金を支払うこと。③見積り。予定。

【勘亭流】(カンテイリュウ) 国書道の一流派。芝居の看板や番付などを書くとき用いられる。江戸中村座の手代、岡崎屋(おかざきや)勘六(号は勘亭)が始めたもの。

【勘当(當)】㊀(カントウ) 罪を調べ考えて法に当てる。とがめ。不興。臣子が君父から受けるとがめ。②㊁(カンドウ) 国①子、または臣下あるいは弟子が、親や主君や師匠の怒りにふれて、その縁を切られること。

【勘忍】(カンニン) →堪忍(三一三ページ下)。

【勘能】(カンノウ) 国深くその道に通じていること。また、その人。

【勘弁(辨)】(カンベン) ①考えて見分けること。また、しらべて区別すること。②国人の過失を許すこと。

【勘文】㊀(カンモン) 国昔、国司が交代するとき、前任者から後任者に引き継ぐ、財政上の書類。㊁(カモン・カンモン) 国昔、博士・外記(ゲキ)・神祇官(ジンギカン)・陰陽師(オンミョウジ)などが先例故実を考え、または、占いの結果について吉凶を考えて差し出した意見書。かんがえぶみ。勘状。勘注。

【勘問】(カンモン) 調べ問う。また、責め問う。

9【勖】11画 1045 ㊥キョク ㊇コク 沃 xù 1470 — 1977

〔勗〕1046 同字 〔勗〕1047 俗字

字義 つと-める(つとむ)。はげむ。はげます。

解字 篆文 形声。力＋冒㊜。音符の冒(ボウ＝キョク)は、押し切って進むの意味。困難を押し切って努力するの意味を表す。

9【勗】11画 1046 キョク 勖(1045)と同字。→一九六ページ下。 5008 99A6 —

9【勗】11画 1047 キョク 勖(1045)の俗字。→一九六ページ下。

9【動】11画 1048 教3 ドウ うご-く・うご-かす ㊀㊥トウ・㊇ドウ 董 ㊁㊥トウ・㊇ドウ 送 dòng 3816 93AE —

筆順 ノ 二 千 㐬 百 亩 重 重 動 動

字義 ㊀❶うご-く。↔静(13283)。㋐うつる。位置をかえる。「移動」「出動」㋑ゆれる。ゆれうごく。「動揺」「震動」㋒さわぐ。みだれる。「騒動」「暴動」㋓心がときめく。心にひびき感ずる。むなさわぎがする。用例〔史記、予譲伝〕襄子如レ廁(ジョウシかわ(は)やにゆくに)、心動(こころうごく)。↓趙襄子が便所に行ったところ、胸さわぎがした。㋔おどろく。「驚動」㋕かわる。「変動」

㋖はたらく。おこなう。ふるまう。用例〔論語、雍也〕知者動、仁者静。↓知者は活動し、仁者は安静である。㋗おこる。はじまる。「発動」 ❷うごき。「動静」 ❸いきもの。↔植(5529)。「群動」 ❹ややもすれば。ともすれば。そのたびにいつも。用例〔唐、杜甫、贈衛八処士詩〕人生不相見、動如参与商。↓人生において再会が難しいのは、ややもすれば(同時に天空に現れることのない)参星(オリオン座のみつ星)と商星(さそり座のアンタレス)のようだ。

㊁うごかす。

名前 いつ・おき　難読 動橋・動木

解字 金文 篆文 形声。力+重音。音符の重は、おもいの意味。おもい物に力を加えて、うごかすの意味を表す。

逆 運動・感動・機動・挙動・劇動・鼓動・衝動・振動・震動・扇動・騒動・胎動・能動・発動・反動・微動・不動・変動・暴動・脈動・躍動・雷動・律動・流動

【動員】①ある目的のために多くの人を集めること。②国㋐軍隊の平時の編成を戦時の編成にきりかえること。㋑戦時に国内の資源や工場などを統一し、国家が管理すること。

【動△悸】①心のときめき。むなさわぎ。②国心臓の鼓動が普通より激しいこと。

【動機】①事のおこるきっかけ。はずみ。機会。②意志決定や行為の原因・理由・目的など。

【動言】動作とことば。言動。

【動向】心・行動・情勢などの動いてゆく方向。「政局の動向」

【動作】たちいふるまい。挙動。動止。起居。

【動産】移動することのできる財産。金銭・家具・商品など。↔不動産(三〇ページ・中)。

【動止】①動くことと、止まること。②たちいふるまい。動作。

【動心】心を動かす。驚く。びくびく恐れる、また疑うこと。

【動静(靜)】①動くことと、静止すること。②物のうつりかわり。③たちいふるまい。日常の行動。④人の様子。消息。安否。⑤世の中の様子。治乱。⑥動物と植物。

【動体(體)】国①動いているもの。②物理学で、常に形態の変わる物体、液体や気体をいう。流動体。

【動態】国動く状態。活動している状態。

【動△顛】国非常に驚くこと。動転。

【動脈】①心臓から新しい血液を全身に送り出す血管。↔静脈(一五四二ページ・中)。②重要な交通路。

【動容】①たちいふるまい。②顔つき・態度を変える、また、正す。

【動容周旋】たちいふるまい。▼周旋は、進退。〔孟子、尽心下〕

【動揺(搖)】①ゆれうごく。②乱れさわぐ。③不安。心配。④さわぎ。騒擾。

---

9 【勔】 11画 1049 漢ベン 呉メン 銑 miǎn　— — 1976

字義 ❶つとめる(勉)。❷すすめる。

解字 形声。力+面音。

---

9 【務】 11画 1050 教5 ム つと-める・つと-まる　㊀漢ブ・呉ム 遇 wù　㊁漢ブ・呉ム 麌 wǔ　4419 96B1 —

筆順 マ ヌ 予 矛 矛 矜 務 務

字義 ㊀❶つと-める。㋐はげむ。いそしむ。㋑はたらく。「勤務」 ❷つと-め。なすべき仕事。やくめ。「事務」「職務」 ❸はげます。すすめる(勧)。❹つとめて。努力して。できるだけ。
㊁あなどる。あなどり。=侮(340)。

名前 かね・ちか・つとむ・つよ・なか・みち・む

使いわけ つとめる・つとまる〔務・努・勤〕
〔務〕与えられた仕事をする。「司会を務める」
〔努〕(「つとめる」のみ)はげむ。「問題解決に努める」
〔勤〕会社などで毎日のように仕事する。また、仏道にはげむ。「研究所に勤める」・念仏に勤める」
ただし、〔勤〕と〔務〕の使いわけには紛らわしい場合が多い。

解字 金文 篆文 形声。力+敄音。音符の敄は、また、攵(攴)+矛音で、ほこでうちかかるの意味。困難にたち向かう、つとめるの意味を表す。

逆 外務・義務・急務・勤務・劇務・兼務・公務・国務・債務・時務・職務・庶務・世務・政務・責務・専務・総務・俗務・内務・農務・服務・法務・本務・要務・労務

【務光】中国の古代伝説上の人物。殷の湯王から天下を譲られると聞いて、石を背負って投身自殺したという。

---

9 【勒】 11画 (13299) ロク　革部。→一五四五ページ・中。

---

10 【勜】 12画 1051 オウ(ヲウ) 董 wěng　— — 1979

字義 勜劜は、強い。

解字 形声。力+翁音。

---

10 【勤】 12画 1052 教6 キン・ゴン つと-める・つと-まる　2248 8BCE —

11 〔勤〕 13画 1053 人 漢キン 呉ゴン 文 qín　1472 — —

筆順 一 艹 艹 芇 芇 莗 堇 勤 勤

字義 ❶つと-める。いそ-しむ。はたらく。心力をつくす。❷つと-め。しごと。職務。「勤務」 ❸苦しむ。疲れる。↔惰(3808)。❹ねぎらう。いたわる。❺つと-まる。職務に堪える。
国つと-め。僧の日課としての修行。「勤行」

名前 いそ・いそし・きん・つとむ・とし・のり

使いわけ つとめる・つとまる〔務・努・勤〕⇩務(1050)。

解字 金文 篆文 形声。力+堇音。音符の堇は、粘土を塗りこむの意味。力をこめて粘土を塗りこむさまから、つとめるの意味を表す。

逆 恭勤・欠勤・在勤・辛勤・精勤・忠勤

【勤王】王事につとめはげむこと。王室のことに力を尽くすこと。日本の皇室に対する場合には多く「勤皇」と書く。〔左伝、僖公二十五〕

【勤△恪】つとめつつしむ。忠実につとめる。恪勤。勤慎。

【勤学(學)】つとめ学ぶ。学問にはげむ。

【勤勤】①つとめはげむさま。②誠意を尽くすさま。

【勤苦】つとめ苦しむ。ほねおりつとめる。

【勤倹(儉)】しごとにはげむことと、倹約すること。勤勉で倹約。〔書経、大禹謨〕

【勤行】㊀努力して行う。また、りっぱに行いはげむ。力行。㊁仏毎日、時をきめて仏前で読経・回向すること。おつとめ。

【勤慎(愼)】つとめつつしむ。勤恪。

【勤惰】=勤怠。

【勤怠】つとめはげむことと、おこたること。勤惰。

【勤勉】つとめはげむ。勉強。

【勤務】職務につとめはげむ。また、つとめ。

【勤労(勞)】努力して働く。力を尽くす。〔書経、金縢〕

---

10 【勛】 12画 1054 クン　1471 ED6B 1978

勲(7077)の古字。→九二三ページ・中。

---

10 【勝】 12画 1055 教3 ショウ か-つ・まさ-る　3001 8F9F —

10【勝】12画 1056 漢ショウ 呉ショウ 圏shēng 径shēng

筆順 丿 月 月 月' 月䒑 胖 朕 勝 勝

字義 一❶た-える。よくする。できる。こらえる。もちこたえる。用例〔史記、伯夷伝〕不レ可レ勝レ数也。（不幸な目にあったものは）数えることのできないほどいる。／↓〔唐、杜甫、春望詩〕白頭搔更短、渾欲レ不レ勝レ簪。↓白髪頭を手でかきむしると、髪はいよいよ薄く短くなり、もはやまったく、冠をとめるピンも支えられなくなろうとしている。❷あ-げて。ことごとく。残らず。用例〔孟子、梁恵王上〕穀不レ可二勝食一也。↓穀物は全部を食べ尽くすことができない（ほどとれるでしょう）。
二❶か-つ。敵にうちかつ。おさえこむ。また、かち。勝利。↕敗(4543)・負(11519)。用例〔孟子、公孫丑下〕戦必勝矣。↓戦えば必ず勝つ。❷まさ-る。すぐ-れる。すぐれたこと。すぐれた所。用例〔唐、白居易、琵琶行〕別有二幽愁暗恨生一、此時無レ声勝レ有レ声。↓（音楽が続いている時とは）別の深い憂いや人知れぬ恨みが生まれ、音が無いのは音に満ちているのより効果があることを、この時感じた。❸さかん。用例〔管子、治国〕農事勝則入粟多。↓農業が盛んになると税として収められる穀物が多くなる。

名前 かず・かち・かつ・しょう・すぐれ・すぐる・すぐろ・とう・のり・まさ・まさる・ます・よし 難読 勝賀勢・勝原・勝鬨・勝成・勝木原・勝呂

解字 篆文 形声。力＋朕音。音符の朕は、上に向かってあげるの意味。力を入れてあげ、もちこたえるの意味を表す。転じて、かつ・まさるの意味をも表す。

逆 圧勝・奇勝・形勝・景勝・決勝・健勝・賢勝・殊勝・常勝・辛勝・絶勝・探勝・名勝・幽勝

【勝引】すぐれたよい友。勝友。▼引は、進で、自分の徳を進めてくれる友。

【勝因】①仏すぐれた因縁。②勝利の原因。

【勝会(會)】さかんな会合。盛大な宴会。

【勝概(槪)】よいけしき。勝景。勝致。

【勝気(氣)】一すぐれた気質。二国人にまけまいとする気性。まけずぎらい。

【勝境】けしきのよいところ。

【勝区(區)】＝勝地。▼区は、地区・場所。

【勝景】すぐれたけしき。よいながめ。

【勝国(國)】現在の王朝に滅ぼされた前代の王朝。

【勝算】勝つみこみ。敵に勝つための成算。

【勝残去殺】残忍で暴虐な人を善人に変えて、悪事を行わせないこと。

【勝事】一すぐれていること。りっぱなこと。二国大事件。異常な事件。

【勝状(狀)】けしきのすぐれたようす。よい景色。

【勝跡・勝△迹・勝△蹟】すぐれて名高い景勝の地。用例〔唐、孟浩然、与二諸子一登二峴山一詩〕江山留二勝跡一、我輩復登臨。↓山や川はすぐれて名高い景勝の地を残しており、我々もまた山に登り川に臨む。

【勝絶】非常にすぐれている。また、そのところ。

【勝訴】訴訟に勝つ。↕敗訴（六三五ページ下）。

【勝地】地形、または、けしきのすぐれた地。

【勝致】＝勝概。▼致は、おもむき。

【勝敗】勝つこととやぶれること。勝負。用例〔唐、杜牧、題二烏江亭一詩〕勝敗兵家事不レ期、包レ羞忍レ恥是男児。↓戦いの勝敗は時の運であるから、兵法に通じた名将でも前もって予期できるものではない。（負けたとしても）恥辱に堪えて再起をはかることこそが男らしさなのだ。

【勝負】①かちまけ。②かちまけを争う。

【勝負兵家常勢】勝つこともあれば負けることもあるのは、いくさをする者にとって、あたりまえのことである。『唐書』裴度伝に「一勝一負、兵家常勢」とあるのに基づく。

【勝兵】①戦いに勝つ兵。②すぐれて強い兵。よりぬきの強い兵隊。精兵。③戦いに勝った兵。

【勝友】①すぐれたよい友。良友。勝引。②松。

【勝流】すぐれた身分。上流の階級。

【勝侶】すぐれた友。▼侶は、友。

【決二勝△於千里△之外一】（本営で策略を立てて）はるか千里も遠い所の敵に打ち勝つ。戦術にすぐれ、いながらにして、遠地の軍隊に指令を与えて敵を破ること。用例〔史記、高祖本紀〕運二籌策帷帳之中一、決二勝於千里之外一。↓はかりごとを陣幕の中でめぐらし、はるかかなたの地での勝利を決める。

【乗(乘)レ勝】勝った勢いにのる。

【不レ勝】（あまり多くて）…しきれない。

10【募】12画 1057 常 ボ つの-る 漢ボ・呉モ 圏mù 4271 95E5 一

筆順 一 艹 艹 苎 苜 荁 莫 募 募

字義 つの-る。招き集める。広く求め集める。「募集」「徴募」国つの-る。㋐ますますひどくなる。㋑つけあがる。増長する。

名前 つのる

解字 篆文 形声。力＋莫音。音符の莫は、求めるの意味。つとめて広く求めるの意味から、つのるの意味を表す。

逆 召募・徴募

【募縁】寄付をつのる。有縁の人から浄財をつのる意。

【募債】国公債や社債などをひろくつのり集めること。

【募選】つのりえらぶ。志望者を招き寄せる。

【募兵】兵士をつのり集める。また、その兵士。

10【勞】12画 (1013) ロウ 労(1012)の旧字体。→一九三ページ中。

11【勧】13画 1058 常 カン すす-める 2011 8AA9 一

18【勸】20画 1059 漢ケン 呉カン(クワン) 圏quàn

筆順 𠂉 𠂉 𠂉 𠂉 𠂉 𠂉 雈 勧

【勸】1077 俗字

字義 ❶すす-める(奨)。㋐すすめて行わせる。はげます。㋑教えみちびく。たすけ行わせる。❷すすむ。㋐よろこんで従う。㋑増す。加わる。❸つとめる(勉)。

名前 すけ・すすむ・ゆき

使いわけ すすめる〔勧・薦・進〕

〔勧〕何かをさせようと働きかける。「入会を勧める」

〔薦〕採用・採択を働きかける。「よい辞典を薦める」

〔進〕前の方へ行かせる。「一歩進める」

なお、「奨励する」の意で「奨める」と書く例もあるが、この場合も「勧める・薦める」を用いることが多い。

解字 篆文 形声。力＋雈(藋)音。音符の藋は、援に通じ、努力するのを助ける、すすめるの意味を表す。

逆 懲勧・誘勧

【勧戒・勧△誡】善をすすめ悪をいましめること。

【勧学(學)】学問をすすめる。〔左伝、閔公二〕

【勧学(學)院】国弘仁十二年(八二一)、藤原冬嗣が京都の三条に建てた、藤原氏一門の学問所。

【勧業】①業にはげむ。また、仕事をすすめはげます。②国農業・工業などを勧める(奨励する)こと。

【勧化】＝勧進□①②。

【勧告】すすめさとす。説きさとす。すすめる。

【勧奨(獎)】すすめはげます。すすめる。奨励。

【勧請】仏①神仏の霊を別の所に迎えて祭ること。②神仏の降臨をこうこと。

【勧進】□一 さそいすすめる。□二 ①仏善行をすすめて仏道にはいるようにさせる。②国社寺・仏像の建立・修繕などのために、人に勧めて金品を募集すること。また、その人。③国人に金品を乞うこと。また、その人。

【勧進元】国①勧進のためにする芝居や相撲などの興行主。②一般の興行などの主催者をもいい、また、あることを言いだして、その世話をする人をいう。

【勧善懲悪(惡)】よいことをすすめ、悪いことをこらしめること。〔左伝、成公十四〕

【勧懲】勧善懲悪の略。

【勧農】農業をすすめはげます。

【勧勉】すすめはげます。また、はげむ。

【勧誘】すすめさそう。すすめる。

11 【勥】13画 1060 漢キョウ(キャウ) 呉ゴウ(ガウ) 陽 qiǎng ―― 1981

字義 ❶強いる。❷凶暴。

解字 形声。力＋強音。音符の強は、しいるの意味。

11 【勤】13画 (1053) キン 勤(1052)の旧字体。→一九七ページ下。

11 【勢】13画 1061 教5 セイ いきおい セイ 霽 shì 3210 90A8 ―

筆順 一 十 土 夫 坴 坴 埶 埶 勢

【勢】1038 俗字

字義 ❶いきおい。㋐活動する力。行動の力。用例〔三国志、蜀志、諸葛亮伝〕強弩之末勢、不レ能レ穿二魯縞一。↓強い大弓で射た矢でも、最後には力が弱くなってしまい、薄絹を貫くこともできなくなってしまう。㋑意気。気概。用例〔西晋、陸機、漢高祖功臣頌〕威亮二火烈一、勢踰二風掃一。↓(淮陰侯の)威力は火の勢いより明らかで、意気は風よりも激しい。㋒他を支配する力。威力。権威。用例〔唐、杜甫、麗人行〕炙レ手可レ熱勢絶倫、慎莫二近前一丞相嗔。↓手をかざせばやけどするほどの権勢に並ぶものはない、注意して近づかない方がよい、丞相ににらまれるから。㋓ありさま。ようす。用例〔唐詩紀事、賈島〕引レ手作二推敲之勢一、未レ決。↓手を前に持ってきて、押すとたたくの両方のしぐさをしてみたけれど、まだ(どちらにするか)決められないでいた。㋔なりゆき。傾向。用例〔史記、廉頗藺相如伝〕今、両虎共闘、其勢不二倶生一。↓いまかりに二頭の虎ともいうべき私たちがお互いに争ったならば、そのなりゆきとして、共存することはできなくなるだろう。㋕はずみ。機会。その時の調子。「乗レ勢」❷男性の性器。睾丸。「去勢」

名前 せ・せい・なり 難読 勢喜門

解字 篆文 形声。力＋埶音。音符の埶は、ある物を手もとに長時間ひきつけとおすの意味。他のものを自分の手もとにひきつけとおす力、いきおいの意味を表す。

逆 威勢・運勢・加勢・気勢・擬勢・弓勢・去勢・虚勢・軍勢・形勢・権勢・攻勢・豪勢・国勢・語勢・姿勢・時勢・守勢・情勢・大勢・態勢・多勢・地勢・敵勢・劣勢

【勢位】権勢と地位。また、権勢のある地位。

【勢援】力ぞえ。援助。

【勢家】権勢のある家がら。勢門。権門。勢族。

【勢至△菩△薩】仏阿弥陀仏の右脇士。知恵の光で一切を照らし、無上の力を得させるという菩薩。略して、勢至ともいう。

【勢如二破竹一】勢いが猛烈で、当たる敵のないさま。竹は初めの一節を割れば、あとは刃の向かうままに割れてゆくので、勢いがはげしくて止めることのできないさまにたとえたもの。破竹の勢い。〔晋書、杜預伝〕

【勢不レ可二両(兩)立一】自然のなりゆきとして、両方が同時にならび立つことはできない。勢不二両立一。▼勢は、一説に勢力。〔史記、孟嘗君伝〕

【勢望】勢力と人望。勢いと、よい評判。

【勢利】①権勢と利益。②形勢の便利さ。

【勢利△之交】権勢や利益を目的とする交際。〔漢書、張耳伝賛〕

【勢力】いきおい。力。威力。威勢。

【乗(乘)レ勢】勢いにつけ入る。機会につけ込む。用例〔孟子、公孫丑上〕不レ如レ乗レ勢。↓その時の勢いに乗る者には及ばない。その時のいきおいに乗る。

11 【勣】13画 1062 漢セキ 呉シャク 錫 jì 5010 99A8 ―

字義 いさお(功)。てがら。功績。＝績(9332)。

解字 形声。力＋責音。音符の責は、績に通じ、いさお・てがらの意味を表す。

11 【勦】13画 1063 □一 漢ソウ(サウ) 呉ジョウ(ゼウ) □二 ショウ(セウ) 篠 jiǎo 肴 chāo 5011 99A9 ―

字義 □一 ❶つかれる。つかれさせる。❷つくす(尽)。❸たつ。たちきる。殺す。滅ぼす。＝剿(971)。□二 ❶かすめる。盗み取る。奪い取る。＝抄(4064)・鈔(12514)。❷すばやい。

解字 篆文 形声。力＋巣(巢)音。音符の巣は、鳥のす・すみかの意味。力つきて巣につく、つかれるの意味を表す。

【勦窃(竊)】ぬすむ。他人の文章などを盗んで自分のものにすること。

【勦説】他人の説を盗みとって自分の説とすること。

【勦絶】ほろぼしつくす。皆殺しにする。勦滅。

【勦滅】＝勦絶。

11 【勡】13画 1064 ヒョウ(ヘウ) 嘯 piào ―― 1980

字義 かすめ取る。おどして金品を奪い取る。＝剽(973)。

解字 形声。力＋票音。

11 【勠】13画 1065 漢リク 呉ロク 屋 lù 5013 99AB ―

字義 あわせる。力を合わせる。＝戮(3967)。「勠力」

解字 篆文 形声。力＋翏音。音符の翏は、両翼と尾羽とをつらねた形にかたどる。力を連ね合わせるの意味を表す。

【勠力】力をあわせる。戮力。勠レ力。用例〔史記、項羽本紀〕臣、与二将軍一勠レ力而攻レ秦。↓私は、将軍閣下と力を合わせて秦を攻めました。

12 【勩】14画 1066 エイ 霽 yì ―― 1983

字義 ❶つかれ。苦しみ。労苦。つかれる。❷すり減る。

解字 篆文 形声。力＋貰音。音符の貰は、曳に通じ、ひきのばすの意味。労力をひきのばして、つかれるの意味を表す。

12【勪】14画 1067 (漢)キャク (呉)ガク [薬] qiāo — — 1984
字義 足を高くあげて進む。＝蹻(11796)。
解字 形声。力＋喬(音)。音符の喬(キョウ)は、高いの意味。

12【勬】14画 1068 ケン [先] juān — — 1985
字義 ❶つとめる。はげむ。❷健やか。
解字 形声。力＋綣省(音)。

12【勨】14画 1069 (漢)ショウ(シャウ) (呉)ゾウ(ザウ) [養] xiàng — — 1982
字義 ❶徭役(ヨウエキ)(国家が人民に課す労働)がゆるやか。❷動く。
解字 形声。力＋象(音)。

12【勱】14画 1070 (漢)バイ (呉)マイ [卦] mài — — 1987
字義 つとめる。はげむ。はげます。＝邁(12224)。
解字 形声。力＋萬(音)。

13【勮】15画 1071 (漢)キョ (呉)ゴ [御] jù
字義 ❶つとめる。❷はやい(疾)。❸大きい。❹恐れる。
解字 形声。力＋豦(音)。

13【勰】15画 1072 (漢)キョウ(ケフ) (呉)ギョウ(ゲフ) [葉] xié ı1473 — 1986
字義 ❶かな-う(かなふ)。あう。思いが合う。和合する。＝協(1168)。❷おもう(思)。
解字 篆文 形声。思＋劦(音)。音符の劦(キョウ)は、力を合わせるの意味。思いがあうの意味を表す。

14【勳】16画 (7078) クン 勲(7077)の旧字体。→九二三ページ中。

14【辦】16画 1073 (漢)ハン (呉)ベン [諫] bàn ı9250 — 6518
字義 ❶つと-める(つとむ)(努)。物事に力をつくす。❷あつかう。処理する。さばく。❸そなえる(具)。ととのえる。
注意 『康熙(コウキ)字典』では、辛部に所属する。
参考 ①〔辦〕と〔辨〕(3277)とは別字であるが、厳密な区別なく用いられることが多い。②日本では〔弁〕(3276)で代用することがある。
解字 篆文 辦 形声。力＋辡(音)。音符の辡(ベン)は、二人の罪人が言い争うの意味。つとめて言い争いをとりさばくの意味を表す。
【辦事】(ベンジ) とりさばく。事務をとる。「辦事処(事務所)」
【辦装(装)】(ベンソウ) 旅じたくをする。辦厳。
【辦理】(ベンリ) 事務を処理する。

14【勵】16画 (1011) レイ 励(1010)の旧字体。→一九三ページ上。

15【勵】17画 1074 (漢)カク (呉)キャク [陌] kè ₂0342 — —
字義 つとめはたらく。
解字 会意。力＋廣。

15【勶】17画 1075 (漢)テツ (呉)デチ [屑] chè — — 1989
字義 ❶放つ。❷取り去る。
解字 形声。力＋徹(音)。

15【勴】17画 1076 (漢)リョ (呉)ロ [御] lǜ — — 1988
字義 助ける。心で助ける。
解字 形声。力＋慮(音)。音符の慮は、思いめぐらすの意味。心配りをして助けるの意味を表す。

17【勸】19画 1077 カン 勧(1058)の俗字。→一九八ページ下。 5016 99AE —

17【勷】19画 1078 (漢)ジョウ(ジャウ) (呉)ニョウ(ニャウ) [陽] rǎng ₂0343 — 1990
字義 ❶走るさま。❷国勷(ジョウジョウ)は、差し迫るさま。
解字 形声。力＋襄(音)。

18【勸】20画 (1059) カン 勧(1058)の旧字体。→一九八ページ下。

2画

勹 つつみがまえ

〔部首解説〕 勹(包)を音符に含む形声文字に、包・抱・胞・飽・庖(ホウ)・炮(ホウ)・皰(ホウ)・匏(ホウ)・雹(ハク)などがある。勹をもとにして、かかえこむ・つつむの意味を含む文字ができる。

0【勹】2画 1079 ホウ 包(1093)の本字。→二〇一ページ下。 5017 99AF —

1【勺】3画 1080 [人] 2859 8ED9 —
1【勺】3画 1081 シャク [薬] shāo(shuō)
筆順 ノ 勹 勺
字義 ❶ひしゃく。酒などの液体をくむ器具。＝杓(5209)。❷く-む(酌(シャク))。❸わずか。少量。❹容積の単位。ひしゃく一杯ほどの量の意。一合の十分の一。約〇・〇一八リットル。国シャク。㋐土地の面積の単位。一坪の百分の一。約〇・〇三三平方メートル。㋑登山の路程で、一合の十分の一。

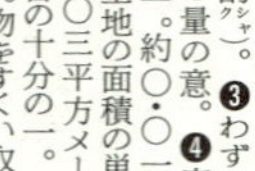

勺①

解字 篆文 象形。物をすくい取ったひしゃくの形にかたどる。勺(勺)を音符に含む形声文字に、妁(シャク)・酌・釣(チョウ)・的などがあり、これらの漢字は、「すくう(掬)」の意味を共有している。

2【匀】4画 1082 一 イン(ヰン) [真] yún 二 キン [真] jūn ı1475 ED6C 1991
【匀】1083 正字
字義 一❶すくない。❷あまねし。ゆきわたる。❸ととのう(斉)。ひとしい。二ひとしい。＝均(1895)。国におう。におい。→匂(1086)の解字。
解字 金文 篆文 象形。弦楽器の調律器の象形で、ひとしくする・ととのえるの意味を表す。匀を音符に含む形声文字に、均・鈞(キン)などがあり、これらの漢字は、「ひとしい」の意味を共有している。

2【匀】4画 1083 キン 匀(1082)の正字。→二〇〇ページ下。 ı1474 — —

2【勾】4画 1084 (漢)コウ・(呉)ク [尤] [宥] gōu, ⑤gòu [常] コウ 2491 8CF9 —
筆順 ノ 勹 勾 勾
字義 ❶まがる(曲)。まげる。❷かぎ。ひっかける。＝鉤(12544)。❸とらえる。＝拘(4101)。❹くぎりをつける。くぎり。❺ひく(引)。ひっぱる。❻→勾当。
名前 あたる・く・こう
難読 勾玉(まがたま)・勾金(まがりかね)・勾欄(てすり)
参考 〔句〕(1307)の俗字ともいわれるが、「文のひとくぎり」の意味では〔勾〕は用いない。熟語は〔句〕をも見よ。
解字 形声。ム＋勹(音)。

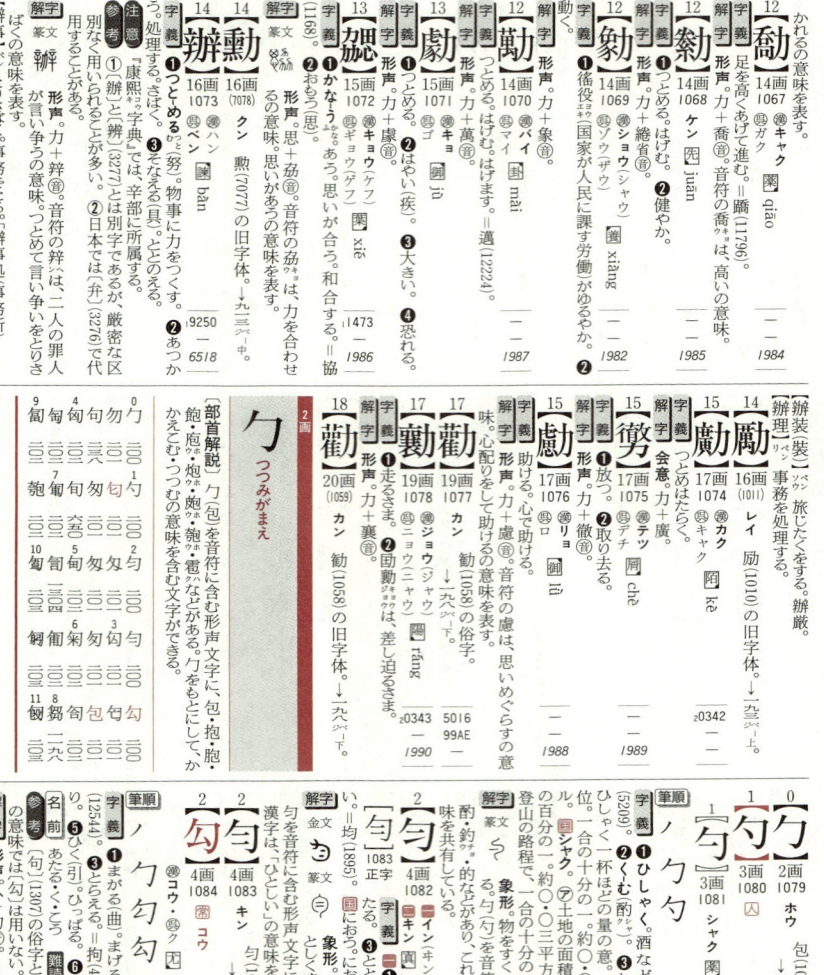

【勾引】(コウイン) 同拘引。①とらえてひきつれる。②かどわかす。

【勾検(檢)】(コウケン) とらえて取り調べる。また、帳簿などを手もとに取り寄せて調べること。

【勾践(踐)】(コウセン) ＝句践(コウセン)(三三九ページ上)。越王句践。

【勾当(當)】(コウトウ) ①もっぱらそれを担当して処理する。②官職名。③ことがら。④国㋐「勾当内侍」の略。掌侍(ナイシのじょう)四人の中の第一位。天皇への伝達などをつかさどった女官。㋑摂政・関白家で、別当の下で事務をつかさどった人。㋒盲人の官名。検校(ケンギョウ)と座頭の間。㋓仏真言宗・天台宗などで、別当の下で寺務をつかさどった人。

【勾配】(コウバイ) 国①傾斜の度合い。②傾斜。斜面。

【勾欄・勾△闌】(コウラン) ①てすり。らんかん。宮殿の廊下などの、端のそり曲がったてすり。②妓楼(ギロウ)。芸者屋。

【勾留】(コウリュウ) ①とらえてとどめおく。②国逃亡や証拠隠滅などを防ぐため、裁判所が、有罪の確定していない人を一定の場所にとどめておくこと。未決勾留。◆「勾留」と「拘留」は、法令用語では明確に使いわけられている。「勾留」はあくまで被疑者や被告人をとどめておくものであって、刑罰ではない。一方、「拘留」は犯罪者を拘留場などの刑事施設にとどめておく刑罰である。

2
【勿】
4画 1085 人 標 漢ブツ 呉モチ 物 wù 4462 96DC —

筆順 ノ 勹 勺 勿

字義 ❷助なかれ。なし。⇩助字・句法解説。❶↓勿勿。❷はた。人民を集めるしるしの旗。

助字・句法解説

❶なかれ。禁止。訳…するな。類毋。
動詞の前に置かれ、禁止を表す。
用例〔論語、衛霊公〕己所レ不レ欲(おのれのほっせざるところ)、勿レ施二於人一(ひとにほどこすことなかれ)。
⇩自分の望まないことは、人にしてはならない。

❷なし。否定。訳…ない。類無。
①と同じ形で否定の意味を表す。用例は少ない。
用例〔孟子、告子上〕賢者能勿レ喪耳(ケンジャはよくうしなう(ふ)ことなきのみ)。
⇩賢者は失わないでいられるだけだ。

名前 な　難読 勿忘草(わすれなぐさ)・勿来(なこそ)

解字 甲骨文 篆文 象形。甲骨文は、弓のつるをはじいて、払い清めるさまにかたどり、借りて、禁止の意味を表す助字に用いる。勿を音符に含む形声文字に、忽(コツ)・惚(コツ)・歿(ボツ)・物・笏(コツ)などがあり、これらの漢字は、「ない」の意味を共有している。

【勿怪】(モッケ) 国思いがけない。予期しない。物怪。「勿怪の幸い」

【勿体(體)】(モッタイ) 国ものものしいこと。尊大なこと。物体。

【勿勿】(ブツブツ) ①あわただしいさま。にわかなさま。匆匆(ソウソウ)。②つとめてやまないさま。

【勿△罔】(ブツモウ) ①はっきりしないさま。②広大なさま。

【勿論】(モチロン) 国いうまでもなく。もとより。無論(ムロン)。

2
【匂】
4画 1086 国字 常 におう 3887 93F5 —

筆順 ノ 勹 匂

字義 ❶におう(にほふ)。㋐かおる。香気を発する。㋑うつる(映)。美しく照りはえる。㋒おもむきがある。❷におい(にほひ)。㋐かおり。香気。㋑つや。光沢。㋒おもむき。気韻。㋓日本刀の刃の面に見えるあや模様。

使いわけ におう〔匂・臭〕
不快な香りやうさんくさい気配について〔臭〕を用いる以外は、広く一般に〔匂〕を用いる。「生ゴミが臭う」「梅の花が匂う」

解字 勹(匀)＋匕。平安時代中期ころから用いられた国字。匀は中国で「ととのう」の意味を表すが、それを日本で「におい」の意味に用いた上、文字の一部ニを「ニホヒ」のヒに改めた。

2
【匁】
4画 1087 国字 人 4472 96E6 —

筆順 ノ 勹 匁

字義 もんめ。㋐重さの単位。一貫の千分の一。三・七五グラム。㋑江戸時代の貨幣の単位。一両の六十分の一。

解字 夂(文)＋メ。もと日本で重さの単位「もんめ」を、文(モン)とメの合成字で表した。

3
【匃】
5画 1088 カイ 秦 gài — — 1992

[匄] 1089 同字

字義 ＝丐(17)。❶こう。もとめる。ねがう。❷あたえる(与)。

参考 ①〔匃〕(1095)は別字。②熟語は〔丐〕(17)を見よ。

解字 甲骨文 金文 篆文 会意。勹(人)＋亾(亡)。亡は、死者の象形。死者の前で人が、死者のよみがえることなどを請い求めるさまから、「こう」の意味を表す。匃を音符に含む形声文字には、基本字形の基本義「請いもとめる」の意味に近いものに謁(謁)、「かかげる」の意味のものに、褐(褐)・葛(カツ)・竭(ケツ)・碣(ケツ)・掲(掲)・喝(喝)、「たちきる」の意味のものに、渇(渇)などがある。

3
【匄】
5画 1089 カイ 匃(1088)と同字。→二〇一ページ中。

3
【句】
5画 (1307) ク 口部。→二二八ページ下。

3
【匆】
5画 1090 ソウ 東 cōng 5018 99B0 —

[匇] 1091 同字

字義 ＝怱(3504)。❶あわただしい。いそがしい。❷あわてる。いそぐ。

解字 怱(3504)の省略形。

【匆匆】(ソウソウ) 国①そわそわしておちつかないさま。②手紙の末に書きそえて、とり急ぎ走り書きした意を表す。草々。

3
【匇】
5画 1091 ソウ 匆(1090)と同字。→二〇一ページ下。

3
【匈】
5画 1092 ソウ 怱(3504)と同字。→五三三ページ中。 1476 ED6D —

3
【包】
5画 1093 教4 ホウ つつむ 4281 95EF —

3
[包] 5画 1094

ホウ(ハウ) 肴 bāo

筆順 ノ 勹 勺 匀 包

[勹] 1079 本字

字義 ❶つつむ。㋐くるむ。おおう。「包装」㋑おさめる。かくす。ふくむ。「包蔵」「包含」㋒とりかこむ。「包囲」㋓かねる(兼)。くくる。ひとまとめにする。「包括」㋔いれる(容)。ゆるす。「包容」❷つつみ。つつんだもの。❸はらむ。みごもる。❹しげる(茂)。草木が茂る。＝苞(9894)。❺くりや。台所。＝庖(3191)。❻パオ。モンゴル人など遊牧民の住む組立式のテント。

包⑥

名前 かた・かつ・かぬ・かね・しげ・さか・さぎ・かね・さか　難読 包子(パオズ)・包坂(さかさか)

参考 現代表記では〔繃〕(9341)・〔庖〕(3191)の書きかえに用いることがある。「繃帯→包帯」「庖丁→包丁」

解字 篆文 形声。巳(已)+勹(音)。巳は、胎児の象形。音符の勹は、つつむの意味。みごもるさまから、一般に、つつむの意味を表す。

【包囲(圍)】とりかこむ。とりまく。
【包△裹】つつむ。くるむ。▼裹も、つつむ意。
【包懐(懷)】①つつみいだく。また、所有する。②心の中にいだくこと。思いを胸につつむ。
【包括】ひとまとめにする。総括。
【包含】つつみふくむ。あわせもつ。ふくみもつ。
【包犠(犧)】＝伏義(九一ページ上)。
【包挙(擧)】残らずつつむ。また、残らず取る。
【包荒】①けがれたものを包みいれる。人のことばを聞きいれる度量のあること。〔易経、泰〕②欠点を包みかくす。
【包摂(攝)】哲学用語。ある概念を、より一般的な概念に取り入れること。
【包蔵(藏)】①つつみかくす。また、内にもっていること。ひそかに心にいだいていること。②つつみしまう。
【包背装(裝)】装丁の一つ。書写面を外にして二つに折り、重ねてとじたもの。⇩コラム 書籍(六六八ページ)。
【包△茅】たばねたちがや。昔、祭りに酒をそそいで供えたもの。転じて、みつぎもの。
【包容】つつみいれる。受けいれる。度量が広くて、他人の説などをうけ入れること。
【包羅】ひきくるめる。▼羅は、つらねる。

4【匈】6画 1095 標 (漢)キョウ (呉)ク 匈 xiōng 5019 99B1 ―

字義 ❶むね(胸)。＝胷(4989)。❷さわぐ。みだれる。＝訩(11121)。❸おそれる。わるい。＝兇(686)。❹北方の異民族の名。「匈奴」 難読 匈牙利(ハンガリー)

解字 篆文 形声。勹+凶(音)。音符の凶は、胸にしるされる不吉を払うしるしの意味。勹は、胸をかかえる人の象形。むねの意味を表す。

【匈匈】①やかましく議論するさま。②乱れさわぐさま。
【匈奴】前四世紀末から約五百年間、モンゴル地方を根拠に繁栄した遊牧騎馬民族。戦国時代、中国北方を攻め、秦末、冒頓単于のとき全蒙古を支配し、秦・漢代を通じて漢民族と戦争と和平を繰り返した。その間、南北に分裂し、南匈奴はその後、漢人と同化し、北匈奴はキルギス地方に移住した。四世紀に、ゲルマン民族の大移動のきっかけをなしたフンは北匈奴の子孫であるという。フンヌ。用例〔世説新語、賢媛〕後匈奴来和、求美女於漢帝。(後に匈奴がやってきて和睦を結ぶと、美女を漢の皇帝に要求してきた。)

4【旬】6画 (4656) ジュン 日・曰部。→六五〇ページ下。

5【甸】7画 1096 [一](漢)テン・(呉)デン 甸 diàn [二](漢)テン・(呉)デン 甸 tián 5020 99B2 ―

字義 [一]❶周代、国都の周囲五百里以内の土地(周代の一里は約四〇五メートル)。天子に直属した。甸服。畿内。❷郊外。都の周囲百里以内を郊といい、郊の外二百里を甸という。❸周代の税制で、六十四井の土地(一井は、一里四方の田地で、これを八家で耕作する)。ここから税の一つとして兵車一台・兵士七十五人を出す。❹耕作地。また農作物。[二]かり(狩)。また、狩りをする。

注意 『康熙字典』では、田部に所属する。

解字 金文 篆文 形声。勹+田(音)。音符の田は、狩猟・耕作地の象形。勹は、つつむの意味。王城を包む周囲五百里以内の地の意味を表す。

【甸甸】車・太鼓などのひびき渡る音の形容。
【甸服】①五服の一。王城から四方へ去ること五百里以内の地。②九服の一。王畿から四方へ去ること五百里から千里の間の、幅五百里の地。甸畿。③国京畿(京都近辺、畿内の地)の外の地。

6【匊】8画 1097 キク 匊 jū 20344 ― 1993

字義 ❶すくう。両手ですくいとる。＝掬(4222)。❷たなごころ(掌)。両の手のひら。

解字 金文 篆文 会意。勹+米。勹は、つつむの意味。こめをつつむ・両手ですくうの意味を表す。匊を音符に含む形声文字に、掬・鞠・菊・鞫・麴などがあり、これらの漢字は、「両手の指をそろえてすくいとる」の意味を共有している。

6【匌】8画 1098 コウ(カフ) 匌 gé ― ― 2001

字義 めぐる。

解字 形声。勹+合(音)。

6【匋】8画 1099 [一](漢)トウ(タウ) (呉)ドウ(ダウ) 匋 táo [二]ヨウ(エウ) 匋 yáo 20345 ― 1994

字義 [一]❶陶器をつくる。陶器を焼く。＝陶(13105)。❷やきもの。陶器。❸陶器を焼くかま。[二]＝[一]❸。＝窯(8610)。

解字 金文 篆文 象形。金文でよくわかるように、人が陶器をかかえている形にかたどり、やきものを焼くの意味を表す。匋を音符に含む形声文字に、掏・淘・陶などがあり、これらの漢字は、「陶器を作る」の意味を共有している。

7【⿹勹車】9画 1100 グン 軍(11869)の本字。→一三八九ページ上。

7【訇】9画 (11101) コウ 言部。→一三〇四ページ中。

7【匍】9画 1101 (漢)ホ (呉)ブ 匍 pú 5021 99B3 ―

字義 はう。はらばう。ふす(伏)。

解字 金文 篆文 形声。勹+甫(音)。音符の甫は、いねの苗を一面に平らにひろげるの意味。身をかがめ地面に平らになるように、人の前かがみの形にかたどる。勹は、人の前かがみの形にかたどる。はらばうの意味を表す。

【匍伏】はう。はらばいになって進む。匍匐。蒲伏。
【匍△匐】①＝匍伏。②たおれころげる。「匍匐悲号」③ふしつまろびつして(力をつくして)急ぐ。ころがるようにして急ぐ。

8【芻】10画 (9836) スウ 艸部。→二九八ページ上。

9【匐】11画 1102 [一](漢)ホク・(呉)ボク 匐 [二](漢)フク・(呉)ブク 匐 fú 5022 99B4 ―

字義 [一][二]はう。はらばう。伏す。「匍匐」

解字 篆文 形声。勹+畐(音)。勹は、人がからだを曲げてものを包みこむ形にかたどる。音符の畐は伏に通じ、犬のように四つんばいになるの意味。はらばうの意味を表す。

9【匏】11画 1103 (漢)ホウ(ハウ) (呉)ボウ(バウ) 匏 páo 5023 99B5 ―

字義 ❶ひさご。ふくべ。ひょうたん。❷ひさごで作った容器。❸楽器の名。八音の一つ。竽・笙の類い。

解字 篆文 形声。夸(瓠)+包(音)。音符の包は、つつむの意味。物を包んだようにふっくらした、ひさごの意味を表す。

【匏△瓜】①瓜の一種。ひさご。ふくべ。②星の名。
【匏△繫】匏のごとく繫かる。ふくべのように、ぶらさがったままになっていること。役に立たない人のたとえ。〔論語、陽貨〕
【匏△樽・匏尊】ひさごで作った酒の容器。
【匏竹】楽器。▼匏は、ひさごをくりぬいて作ったもので、笙の類い。竹は、笛の類い。
【匏土】楽器。▼匏は、ひさごをくりぬいたもので、笙の類い。土は、つちを焼いて作った楽器。

10【匋】12画 1104 オウ(アフ) 㕭 ē
字義 ねがけ(根掛)。女性の髻につける髪飾り。
解字 形声。勹+盍㊥。音符の盍は、おおう、勹は、つつむの意味。女性の髪を包みおおう髪飾りの意味を表す。

10【匑】12画 1105 ㊥キュウ(キウ) ㊥ク 東 qiōng — — 2002
字義 身をかがめてつつしみ敬うさま。
解字 形声。勹+躳㊥。

11【匓】13画 1106 ㊥キュウ(キウ) ㊥ク 宥 jiù — — 2003
字義 ❶飽きる。❷謀る。
解字 形声。勹+㱿(㱿)㊥。

2画 匕 さじ さじのひ

〔部首解説〕この部首に所属する匙や日部の旨に含まれる匕は、さじの意味を示す。北・比の匕は、人(𠆢)を右向きにした形(𠤎)。また、人部の化(化)の七は、人を逆さにした形(𠤎)で、人が形を変えるの意味から、変化する意味を表す。両者は別字で、後者の字形を含む化・花・貨などカ(クヮ)と読む文字は、もとの旧字体では七であった。新字体ではそれらの七を匕に改め、両者を区別していない。

0 匕 二〇三	3 北 二〇三	皀 九九二	匙 二〇五
七 二〇三	4 旨 六四九	皂 九九二	匘 二〇五
2 化 七四	此 七八四	8 眞 一〇〇七	11 肆 一一七六
尤 二〇三	老 一一六二	啚 一六〇五	12 疑 九七六
比 七九八	5 壱 三二六	9 頃 一五五三	14 冀 一五四

0【匕】2画 1107 ヒ 紙 bǐ 5024 99B6 一 二
字義 ❶さじ。しゃもじ。スプーン。❷やじり。❸あいくち。短剣。匕首。❹ならぶ。したしむ。難読 匕首(あいくち)
参考〔匕〕(1108)は別字。
解字 甲骨文 篆文 象形。年老いた女性の形にかたどり、なき母の意味を表す。妣の原字。音形上は、比に通じ、なき父とならぶ人の意であろう。はしと並ぶものとして、さじの意味をも表す。
【匕首】あいくち。短剣。懐剣。用例〔史記、刺客伝〕図窮而匕首見(ヒシュあらわる)。↓地図をひろげ終わるとあいくちが現れた。

匕首

【匕箸】さじと、はし。また、さじ。はし。匕筯。
【失二匕箸一】(驚いたり、恐れたりして)はしをとり落とす。三国時代、蜀の劉備が魏の曹操と会食中、天下の英雄はこの二人だけだと言われ、自分の野心を見破られたと驚き、はしを落とした故事による。〔三国志、蜀志、先主伝〕

0【匕】2画 1108 カ 化(166)の古字。→七四ページ上。
2【化】4画 (166) カ 人部。→七四ページ上。
2【尤】4画 1109 サ 左(3059)の俗字。→四四八ページ上。
2【比】4画 (6079) ヒ 比部。→七九八ページ中。

3【北】5画 1110 教2 ホク きた 一ホク 職 běi 二㊥ハイ・㊥ヘ 隊 bèi 4344 966B 一 二
筆順 丨 ㇀ 丬 北 北
字義 一❶きた。㋐方角の一つ。↔南(1172)。㋑きたする。北に行く。㋒きたのかた。北に向かって。用例〔三国蜀、諸葛亮、前出師表〕当下奨二率三軍一、北定中中原上(まさに三軍を奨率して、北のかた中原を定むべし)。↓三軍をはげまし率いて、北に向かって中原を平定すべきだ。❷にげる。敗れてにげる。用例〔十八史略、春秋戦国、呉〕呉三戦三北(ごみたびたたかいみたびにぐ)。↓呉は戦うたびに敗北した。二❶そむく。=背(4967)。❷わける(分)。
名前 きた・きたばしり・た・ほく 難読 北一己(きたいちゃん)・北蟹谷(きたかんだ)・北吸(きたしお)・北鳩原(きたはっぽう)・北郷(ほんごう)・北斎院(きたさや)・北蛇草(きたはぐさ)・北上神(きたにわ)・北長太(きたなご)・北風原(ならいはら)
解字 甲骨文 篆文 会意。人+匕。二人の人が背をむけている、そむくの意味を表し、転じて、にげるの意味を表す。また、人は明るい南面に向いているのを好むが、そのとき背にする方、きたの意味を表す。北を音符に含む形声文字に、背などがあり、これらの漢字は、「そむく」の意味を共有している。
逆 窮北・研北・降北・逐北・敗北・漠北
【北越】①越(今の広西チワン族自治区から浙江省にわたる南方の地方)の北の地方。②国越中(今の富山県)・越後(新潟県)の二国の地方。主に越後の国。

【北燕】国名。五胡十六国の一つ。漢人の馮跋が後燕の後に建てた国。竜城(今の遼寧省朝陽市)に都した。(四〇九—四三六)

【北画(畫)】=北宗画。

【北海】①北方の海。用例〔荘子、応帝王〕南海之帝為レ儵、北海之帝為レ忽(南海の帝を儵となし、北海の帝を忽となす)。↓南海の帝を儵といい、北海の帝を忽という。②渤海の別名。③漢代、シベリアのバイカル湖の称。④北京市の旧宮城内にある池の名。

【北客】①北方地方から来た人。②北方地方の旅にある人。

【北郭・北廓】①城壁の北方に接してその外側にある町。②町の北側の城郭。外城の北側。町の北方。郭北。用例〔唐、李白、送二友人一詩〕青山横二北郭一、白水遶二東城一(青山北郭に横たわり、白水東城をめぐる)。↓青々とした山が町の北に横たわっていて、白く輝く川は町の東をとりまくように流れている。③=北邙。洛陽の町の北方にあるからいう。④国=北里④。

【北岳(嶽)】①北方にある山。②五岳の一つ。恒山(五四四ページ中)の別名。

【北漢】国名。㋐晋代、匈奴の劉淵が建てた国。後、趙と改めた。前趙。(三〇四—三二九)㋑五代十国の一つ。劉旻の建てた国。今の山西省太原市以北、河北省・陝西省の一部の地を領有した。東漢。四代、二十九年。(九五一—九七九)

【北雁】北方から来たかり。北方のかり。

【北魏】国名。後魏(五〇四ページ中)の別称。

【北魏書】=魏書(一六〇九ページ中)。

【北宮黝】戦国時代の勇者。〔孟子、公孫丑上〕

【北嚮・北郷(鄕)】①北へ向かって行く。▼嚮・郷は、向。②北向きにいる。天子は南を向いているところから、臣位につくこと。用例〔史記、項羽本紀〕沛公北嚮坐(沛公北嚮して坐す)。↓沛公は北を向いて座った。

【北曲】①北の隅。②北方系の戯曲。元代に都の大都(今の北京市)を中心として発達したもの。明以後に発達した南曲に対していう。→元曲(一三七ページ下)。

【北極星】北極の上空に、位置を変えずに輝いている星。物事の不動の中心にたとえる。北辰。

【北京】一北の都の意。㋐唐代、今の山西省太原市の西南。㋑宋代、今の河北省大名県の東北。㋒金代、今の内モンゴル自治区巴林左旗。後、内モンゴル自治区寧城県。㋓明代、今の河南省開封市。後、今

コラム

北京

北京周辺の地域は人類発祥の地のひとつで、約五十万年前の北京原人（シナントロプス）の化石が、旧市街の南西五十キロの周口店（房山区内）で発見されている。前十二世紀、周代の初めには、北京は燕の都で薊と呼ばれていた。薊城は、秦・前漢には広陽郡の治所、後漢には幽州の治所が置かれた。

隋は幽州を涿郡と改称し、大業四年（六〇八）には煬帝により永済渠が竣工して、杭州から涿郡に至る南北の運河の大動脈が完成した。唐では幽州・范陽郡が置かれ、玄宗の時代に幽州節度使（のち范陽節度使）が置かれた。天宝十四年（七五五）には、安禄山・史思明が范陽郡を根城に唐王朝の屋台骨を揺るがす大反乱を起こした。

五代の後晋を滅ぼした契丹（後の遼）はここに幽都府を置き、燕京とも称した。のち幽都府は析津府と改称される。十二世紀中期には金の国都になり、中都と称された。十三世紀初頭、中都は蒙古軍の手に落ち、元の世祖フビライは金の中都の東北郊にあった離宮を中心に新都城を建設し、一二六七年、ここを都として大都と称した。このの ち北京は、長安・洛陽・開封などの古都にとってかわり、中国の政治の中心となる。元の大都の繁栄は、マルコ・ポーロ『東方見聞録』によって西洋にも伝えられた。

明朝は大都を北平府と改称し、さらに北京と改めたのち、永楽帝の一四二一年、金陵（今の南京）から遷都した。城壁は三重で、最も内側が宮城（紫禁城）、その外側が皇城（官庁街・官員居住区）、最も外側が京城で、その外には濠が巡らされた。明代中期には城南に〈外城〉が増築され、最初は南郊にあった天壇は外城の中に取り込まれた。この外城に対して、宮城・皇城・京城の旧城を〈内城〉という。

一六四四年、清朝が成立し、北京を首都とした。清朝は皇城内に広大な池を造り、郊外に多くの園林を造営した。中でも円明園は〈万園の園〉として内外に名を知られたが、一八六〇年、英仏連合軍によって徹底的に破壊された。他の園林もまた同様であった。

一九一一年、民国革命（辛亥革命）により、北京は中華民国の首都となるが、二八年の南京遷都により北平と改称された。一九四九年十月、中華人民共和国の成立とともに北京の称に復されて首都となった。現在の北京は、政治・経済・学術・教育・文化の中心であるのみならず、鉄鋼・石油化学・電子工学・自動車・機械など、あらゆる工業部門が立地する工業都市でもある。

〔主な遺跡〕

故宮　旧称は紫禁城。明・清両朝の宮城で、東西七五〇メートル、南北九六〇メートルの城壁に囲まれ、七二万平方メートルの面積をもつ。宮殿は外朝（前朝）と内廷とに分かれる。外朝は皇帝が式典を行ったり群臣を召見する場所で、太和・中和・保和の三殿を中心として文華・武英の両殿が両翼の位置にある。内廷は皇帝が日常の政務を処理し、皇妃や皇子たちが居住する場所で、乾清宮・交泰殿・坤寧宮の三宮がある。内廷にはまた御花園・慈寧宮花園・寧寿宮花園などの花園がある。建築は豪華壮麗で、現在、内部は博物館として貴重な文物が保存され、明・清両朝の歴史と芸術を究明する重要な資料を提供してくれる。

故宮太和殿

天壇　故宮を中心にして、東に日壇、西に月壇、北に地壇、南に天壇があり、それぞれの神が祭られている。そのうちの天壇は崇文区永定門内大街の東側にあり、明・清両朝の皇帝が五穀豊穣を天の神に祈ったところ。圜丘壇と祈穀壇から成る。圜丘壇では歴代皇帝が冬至の日に天を祀り、祈穀壇では豊年を祈った。

頤和園　市の中心から北西へ約一五キロ離れた所にある。北に人工の万寿山、南に昆明湖が広がり、面積は二九〇万平方メートル。金以来の歴代皇帝の行宮が置かれていた地に、清の乾隆十五年（一七五〇）に清漪園の名で建造されたが、一八六〇年に英仏連合軍により破壊された。一八八八年、西太后が海軍拡張のための費用三千万両を流用して再建し、頤和園と改称した。万寿山頂からふもとまで、多くの宮殿や楼閣が立ち並び、封建中国の建築・造園の集大成といえるものである。

円明園　清朝の御苑で、付園である長春・綺春（万春と改称）の二園を合わせて〈円明三園〉という。周囲一〇キロにのぼる広大な庭園で、十八世紀初からほぼ一世紀を費やして建造された。中には、政務をとる正大光明殿、宴会に使用する九洲清宴殿、祭祀をする安佑宮、図書館である文源閣などの建物のほか、江南の無数の名園を模した勝景が造られていた。とりわけ長春園の北端に建てられた西洋楼はベルサイユ宮殿を模した豪華な大理石の建築であった。しかし、一八六〇年のアロー戦争時の英仏連合軍の破壊により、現在では西洋楼の遺跡である大理石の彫柱群が廃墟の中に立つのみである。

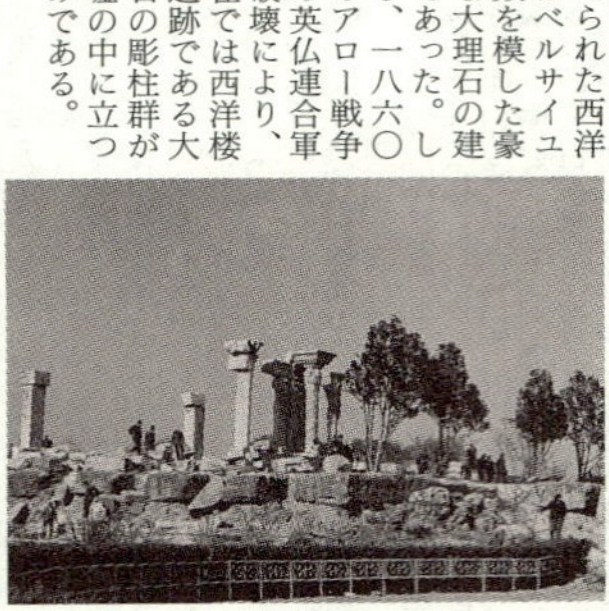

円明園

の北京市。[二]ペキン 遼・金・元・明・清代の都で、現在、中華人民共和国の首都。明の成祖の永楽元年(一四〇三)、それまでの呼称である北平を北京と改称した。⇩コラム

北京(二〇四ジペー)。

【北△闕】(ホッケツ) ①宮城の北の門。上奏・謁見する人などが出入する。②天子の宮城。皇城は都の一番北の方にあったからいう。

【北固】(ホッコ) 山名。江蘇省鎮江市の北。長江に臨み、金・焦二山とともに、京口の三山ともいう。

【北△朔】(ホクサク) 北方の異民族の地。朔北。▼朔も、北。

【北山】(ホクザン) ①きたやま。北にある山。②＝北邙。③『詩経』小雅の詩編名。王に使役されて、父母に孝養をつくすことができないことをなげいた詩。

【北史】(ホクシ) 書名。一百巻。唐の李延寿の著。北魏・北斉・北周・隋の北朝、二百四十二年の歴史を書いたもの。二十四史の一つ。

【北市】(ホクシ) 町の北の地域にある市場。

【北枝】(ホクシ) 北に向いている木の枝。多く、梅の木にいう。

【北首】(ホクシュ) ①頭を北にする。きたまくら。死者の寝かせかた。②北に向かう。北嚮。

【北周】(ホクシュウ) 南北朝の一国。宇文覚が西魏から位を譲られ、長安に都した。五代、二十五年。(五五七—五八一)

【北周書】(ホクシュウショ) 書名。五十巻。唐の令狐徳棻が勅命により北周の歴史を書いたもので、『周書』ともいう。二十四史の一つ。

【北宗画(畫)】(ホクシュウガ・ホクソウガ) 唐の李思訓・李昭道を祖とする、東洋画の一流派。五代・宋・元の画壇の主流で、北画ともいう。日本には、鎌倉時代に伝わり、室町時代にさかんとなった。雪舟派・狩野派などはこれに属する。↔南画(三二五ジペー上)。

【北△辰】(ホクシン) 北極星をいう。用例〔論語、為政〕譬如下北辰居二其所一而衆星共上レ之(たとえ(へ)ばホクシンの、そのところにい(ゐ)て、シュウセイのこれにキョウするがごとし)。⇩たとえるならば、北極星がじっと動かないでいて、周りの全ての星がそれを中心に動いているようなものだ。

【北△陲・北垂】(ホクスイ) 北方の果ての地。北辺。▼陲・垂は、果て。

【北征】(ホクセイ) 北にゆく。また、北方を征伐する。

【北斉(齊)】(ホクセイ) 王朝名。南北朝時代、北朝の一つ。高洋が東魏の譲りを受け、鄴(今の河南省臨漳県の西)に都を置いて、河北・山東・山西・河南と遼寧西部の地領を有した。六代、二十八年。(五五〇—五七七)

【北斉(齊)書】(ホクセイショ) 書名。五十巻。唐の李百薬の著。北斉の歴史を書いたもので、二十四史の一つ。

【北△宋】(ホクソウ) 宋の高祖の即位から高宗が臨安(今の浙江省杭州市)に都を移すまでの、九代、百六十八年間(九六〇—一一二七)をいい、以後を南宋という。

【北△叟】(ホクソウ) 北方の国境のとりでのほとりに住む老人。塞翁。▼叟は、おきな。

【北窓三友】(ホクソウのサンユウ) 琴・酒・詩をいう。唐の白楽天の詩に基づく。▼北窓は、北向きの窓。

【北朝】(ホクチョウ) ①後魏(北魏)が長江北方の地を統一してから、西魏・東魏・北斉・北周を経て、隋が南・北を統一するまでの王朝の総称。その期間を南北朝時代という。二百十八年間(三七〇—五八八)。北朝の諸国は鮮卑族の建てたもの。↔南朝(漢民族の建てた南方の諸国)。②国足利氏が京都に擁立した朝廷で、延元元年(一三三六)から元中九年(一三九二)までの、五代、五十六年間。

【北庭】(ホクテイ) ①北方の匈奴の朝廷。転じて、北方の異民族の地。②唐代、西域の地方(今の新疆ウイグル自治区の方面)。

【北△狄】(ホクテキ) 古代中国で、北方の異民族を軽べつしていう称。「東夷西戎南蛮北狄」

【北斗】(ホクト) 北斗七星。大熊座の七つの星。北の空に斗(ひしゃく)の形にならぶからいう。その斗の柄が一昼夜に一回転することから昔はこれによって時を測った。七曜星。

【北都】(ホクト) 国京都の別名。↔南都④㋐(三二五ジペー下)。

【北堂】(ホクドウ) ①主婦の居室。堂(表座敷)の北にある。②主婦。③母。母堂。④廟の中の位牌を置く所。

【北道主人】(ホクドウシュジン) あるじとして賓客の世話をする人。南道主人・東道主人ともいう。

【北△蕃蛮(蠻)△夷】(ホクバンバンイ) 北方の文化未開の地。用例〔史記、刺客伝〕北蕃蛮夷之鄙人、未三嘗見二天子一(ホクバンバンイの、いまだかつてテンシにまみえず)。⇩(この者は)北方の未開の地の田舎者で、これまで天子にお目にかかったことがありません。

【北△鄙】(ホクヒ) 北方のへんぴな土地。▼鄙は、いなか。

【北平】(ペーピン・ホクヘイ) 北京の旧名。

【北方△之強】(ホッポウのキョウ) 死をもいとわぬ、向こう見ずな勇士。北方人は気質が激しく強いとされたことからいう。〔中庸〕

【北△邙・北△芒】(ホクボウ) ①河南省洛陽市の東北にある邙山。漢代以来、多くの王侯貴族が葬られた墓地。北山。②墓地をいう。

【北△溟・北冥】(ホクメイ) 北方の大海。▼溟・冥は、海。用例〔荘子、逍遥遊〕北冥有レ魚、其名為レ鯤(ホクメイにうお(を)あり、そのなをコンとなす)。⇩北方の大海に魚がいる、その名を鯤といった。

【北面】(ホクメン) [一]①北の方を向く。②臣として君に仕える意。君主が南向きにすわるのに対して臣下は北向きにすわるからいう。③弟子の礼を取ること。相手を師としてこれに仕えること。④国昔、院の御所を守護した北面の武士の略称。[二]きたおもて 国①北に向いた方。②北面の武士。

【北△牖】(ホクユウ) 北向きのまど。▼牖は、壁の格子窓。

【北里】(ホクリ) ①北にある村ざと。②殷の紂王の作った、みだらな舞楽の名。③花柳街。遊里。④国江戸時代、吉原遊郭の別称。北郭。

【北涼】(ホクリョウ) 国名。五胡十六国の一つ。匈奴の沮渠蒙遜が建て甘粛省北部を領有した。(三九七—四三九)

【北△嶺】(ホクレイ) 国比叡山延暦寺をいう。↔南都④㋑(三二五ジペー下)。

4【旨】6画(4655) シ 日・曰部。→六四九ジペー下。

4【此】6画(5991) シ 止部。→七八四ジペー下。

4【老】6画(9567) ロウ 老部。→一一六三ジペー中。

5【壱】7画(2188) イチ 士部。→三二六ジペー中。

5【皀】7画(7865) キュウ 白部。→九九二ジペー下。

5【皁】7画(7867) ソウ 白部。→九九二ジペー下。

8【眞】10画(7985) シン 目部。→一〇〇七ジペー下。

8【慁】10画(13926) チョウ 慁部。→一六〇五ジペー上。

9【頃】11画(13432) ケイ 頁部。→一五五三ジペー下。

9【匙】11画 1111 漢シ 呉ジ 図 chǐ, ②shì 2692 8DFA —

字義 ❶さじ。＝匕(1107)。❷かぎ。

解字 篆文  形声。匕＋是音。匕は、さじの意味。音符の是も長いさじの象形。さじの意味を表す。

9【匘】11画 1112 ノウ 脳(5036)と同字。→七〇〇ジペー上。 — — 2004

11【肆】13画(9654) イ 聿部。→一一七六ジペー中。

12【疑】14画(7682) ギ 疋部。→九七六ジペー下。

14【冀】16画 (747) キ 八部。→一四四ジ-中。

匚・匸 2画 はこがまえ(匚) かくしがまえ(匸)

〔部首解説〕匚部と匸部とはもともと別の部首であるが、新字体では匸部の文字もみな匚に改め、両者を区別しないので、便宜上、部首も一つに合わせた。なお「巨」は、もと工部に所属した。

匚(はこがまえ)は、四角な物入れの箱の形にかたどり、はこの意味を表す。

匸(かくしがまえ)は、かくす・しまう・かこうといった意味を表す。

0 匚 二〇六　匸 二〇六　2 巨 二〇六　区 二〇六　匹 二〇六
3 匜 二〇七　匛 二〇七　匞 二〇七　匝 二〇七　叵 二〇四
4 匡 二〇七　匟 二〇七　匠 二〇七　5 医 二〇八　匤 二〇八
匣 二〇八　匥 二〇八　6 匼 二〇八　7 匽 二〇八　匧 二〇八
匩 二〇八　匪 二〇八　8 匫 二〇八　匿 二〇八　匪 二〇八
9 匭 二〇九　區 二〇六　區 二〇九　匾 二〇九　匬 二〇九
11 匯 二〇九　12 匱 二〇九　匰 二〇九　匳 二〇九　13 匲 二〇九
15 匵 二〇九

0【匚】2画 1113 漢ホウ(ハウ) 呉ボウ(バウ) 陽 fāng 5025 99B7 —

字義 箱。四角形の容器。

注意 『康熙字典』では、匚部に所属する。

解字 篆文 象形。四角い箱の形にかたどる。

0【匸】2画 1114 漢ケイ 霽 xì 5030 99BC —

字義 かくす。

注意 『康熙字典』では、匸部に所属する。

解字 篆文 指事。物を隠すことのできる場所を表す斜めの線の上に、横の一線を引いて、ふたをして隠すの意味を表す。

2【巨】5画 1115 常 キョ 2180 8B90 —

工2〔巨〕5画 1116 漢キョ・呉ゴ 語 jù 慣コ

筆順 一 厂 F 巨 巨

字義 ❶おおきい。「巨人」❷さしがね。ものさし。定規。＝矩(8117)。❸なんぞ。反語の意味を表す。＝詎(11144)。

名前 お・おう・おお・きょ・なお・ひろ・まさ・み 難読 巨勢(こせ)・巨万(まこ)・巨椋(おおくら)・巨(おぐら)

参考 巨は、他の匚(はこがまえ)の文字とは筆順が異なるので、総画数は五画になる。

解字 金文 篆文 象形。とってのあるさしがね、定規の象形。矩(ク)の原字。借りて、大きいの意味を表す。巨を音符に含む形声文字のうち、定規の意味の系列のものに、矩(ク)・渠(キョ)があり、大きいの意味の系列のものに、炬(キョ)・鉅(キョ)などがあり、へだてる・こばむの系列のものに、拒・距などがある。

【巨魁】キョカイ かしら。おやだま。首領。張本人。
【巨漢】キョカン からだの大きな男性。大男。
【巨勲(勳)】キョクン 偉大なてがら。
【巨細】キョサイ・コサイ ①大と小。②大小すべて。細大。
【巨材】キョザイ ①大きな材木。②すぐれた才能。また、すぐれた才能のある人。
【巨刹】キョサツ 大きな寺。大寺院。
【巨室】キョシツ ①大きな家。大家屋。用例〔荘子、至楽〕人且偃然寝於巨室(ひとまさにエンゼンとしてキョシツにいねんとす)。↓人がゆったりと天地という巨大な部屋で寝ようとしている。②先祖代々君に仕えていて、権勢のある家。〔孟子、離婁上〕
【巨儒】キョジュ 学問の深い儒学者。大学者。
【巨匠】キョショウ 国その道にすぐれた人。特に、芸術方面の大家。
【巨星】キョセイ 国①形と光の大きな恒星。②大人物。偉人。泰斗。「巨星墜(お)つ(偉大な人物の死にいう)」
【巨族】キョゾク 権勢のある家がら。豪族。
【巨頭】キョトウ 国①大きなあたま。②おも立った人。大立て者。
【巨擘】キョハク ①おやゆび。②衆にすぐれた人。人の上に立つ人。③親分。
【巨筆】キョヒツ ①大きな筆。②りっぱな文章。
【巨砲・巨礮】キョホウ 大砲。
【巨万(萬)】キョマン (金銭や財産などの)数量の非常に多いこと。「巨万の富」

2【区】4画 1117 教3 ク 2272 8BE6 —

9〔區〕11画 1118 旧 一ク 二漢オウ・呉オ 虞 qū 尤 ōu

筆順 一 ア ヌ 区

〔區〕1143 俗字

字義 一❶さかい。境界。地域。❷ところ。場所。また、小さい家屋。❸小分けされた場所。❹わける。くぎる。しきる。小分けする。❺かくす。二❶物をかくす(蔵する)場所。❷量の名。一区は十六升。約三・一リットル。国ク。㋐行政区画の一つ。㋑法令施行の目的で定められた地域の区画。「選挙区」

難読 区界(くざかい)・区区(まちまち)

注意 區は、『康熙字典』では、匸部に所属する。

解字 金文 篆文 会意。品＋匸。品は、多くの物の意味。匸は、くぎってかこうの意味。多くの物をくわけするの意味を表す。區を音符に含む形声文字に、嘔(ク)・軀(ク)・驅(ク)・歐(オウ)・毆(オウ)・謳(オウ)・鷗(オウ)などがある。常用漢字の区は區の省略体。

逆 管区・勝区

【区宇・区寓】クウ さかいの内。㋐区域。㋑天下。宇内。
【区画(畫)・区劃】クカク くぎり。さかい。また、くぎる。土地などについていう。
【区区】クク ①わずかなことの形容。「区区の衆」②つまらない・とるにたりないことの形容。「区区の節」③努力するさま。④いつくしむさま。⑤得意な(満足している)さま。
【区処(處)】クショ ①区分して処理する。②根拠としている所。また、かくれ家。いどころ。すまい。
【区署】クショ 区分して配置すること。
【区分】クブン ①しきりをして分ける。別々に分ける。弁別する。②分類。また、区別。

2【匹】4画 1119 常 ヒツ ひき 4104 9543 —

2〔匹〕4画 1120 漢ヒツ・呉ヒチ 質 pǐ 慣ヒキ

筆順 一 ア 兀 匹

字義 ❶織物の長さの単位。一匹は四丈。❷牛馬などを数える単位。❸たぐい(類)。㋐つがい。つれあい。㋑対をなす二つのもの。㋒とも。仲間。同類。❹ひとつ。ひとり。❺身分が低い。いやしい(卑)。「匹夫」❻たぐう。つりあう。つれそう。並ぶ。対になる。国ひき。㋐布地の単位。二反。㋑動物を数える単位。㋒むかしの金銭の単位。十文または二十五文。

名前 あつ・とも 難読 匹見・匹相・匹他・匹如身

注意 匹は、『康熙字典』では、匸部に所属する。

参考 俗に〔疋〕(7678)と書く。

解字 金文 篆文 象形。金文でよくわかるように、馬の尾の象形で、馬を数えるときに用いる助字として用いる。また、布地の長さを示す単位としても用いる。また、比に通じて、たぐいの意味を表す。

逆 偶匹・妃匹・馬匹・良匹

【匹偶・匹耦】①つれあい。なかま。相手。②合う。かなう。

【匹雛】一匹のひな。一説に、ボクスウと読んで、あひるのひな。〔孟子、告子下〕

【匹儔】①たぐい。▼儔も、たぐい・仲間。②つれあい。配偶者。③相手。

【匹敵】①つりあう。対等である。②対等の相手。③つれあい。配偶者。

【匹馬】一匹の馬。

【匹配】①相ならぶ。②つれあい。配匹。

【匹夫】①ひとりの男性。②身分の低い男性。用例〔韓非子、五蠹〕人主兼挙二匹夫之行一、而求レ致二社稷之福一、必不レ幾矣。↓君主が庶民の善行を取り上げながら、国家の福利をもたらすことも追求するとは、望むべくもないことではないか。③教養のない男性。愚夫。

【匹夫之勇】血気にはやる小勇。腕力などをふるう低級な勇気。〔孟子、梁恵王下〕

【匹夫匹婦】一人の男性と一人の女性。平凡な男女。一人の夫と一人の妻。低い身分の夫婦。中国古代においては、身分の高い人は複数の夫人をもてたが、身分の低い庶民は男女各一人ずつで夫婦になったことからいう。〔論語、憲問〕

【匹夫不レ可レ奪レ志】教養のない男性でもその志が堅ければ、他人がそれを変えさせることはできない。用例〔論語、子罕〕三軍可レ奪レ帥也、匹夫不レ可レ奪レ志也。↓敵がいかに大軍勢でも(全軍の心が一致していなければ)、その総大将を奪い取ることができるが、教養のない男でもその志が堅ければ、他人がそれを変えさせることはできない。

【匹夫無レ罪、懐(懷)レ璧其罪】ふだん善良な者でも、身分にふさわしくない財宝を所有すると、人からねらわれて災いを招く危険がある。〔左伝、桓公十〕

【匹婦】①ひとりの女性。②身分の低い女性。③教養のない女性。愚婦。

3 【匜】5画 1121 イ 囡 紙 yí 1477 — 2006

字義 はんぞう(半挿)。ひさげ。水や酒などを入れて、他の容器に注ぐために用いる器。

注意 『康熙字典』では、匚部に所属する。

解字 金文 金文 篆文 形声。匚+他音。音符の也は、ひさげ、または女性の生殖器の象形。女性の生殖器に似た、水・酒の注ぎ口を兼ねた柄のある容器、ひさげの意味を表す。

匜(周代)

3 【医】5画 1122 キュウ 柩(5297)と同字。→七三二ページ中。 — — 2005

注意 『康熙字典』では、匚部に所属する。

3 【匠】5画 1123 ショウ 匠(1127)の本字。→二〇七ページ下。 — — 2007

注意 『康熙字典』では、匚部に所属する。

3 【匝】5画 1124 ソウ(サフ) 合 zā 3357 9178 —

〔帀〕3079 本字 〔迊〕12035 同字

字義 ❶めぐる。めぐり。❷あまねし。ゆきわたる。

注意 『康熙字典』では、匚部に所属する。

難読 匝嵯・匝瑳・匝瑳

解字 甲骨文 篆文 指事。篆文は、ゆくの意味を表す之の字形をさかさまにして、進みゆかないの意味を示す。音形上では習・襲などに通じ、同じ所や時をくりかえし踏む、めぐるの意味を表す。

【匝旬】十日間。一旬。十日ひとまわりの意。

3 【叵】5画 (1321) ハ 口部。→二四四ページ下。

4 【匡】6画 1125 人 漢キョウ(キャウ) 呉コウ(クワウ) 陽 kuāng 2209 8BA7 —

筆順 一 二 干 王 王 匡

〔匩〕1136 本字

字義 ❶ただす。ただしくする。「匡正」❷ただしい。❸すくう。たすける。ただし助ける。「匡救」❹はこ。ひつ。めしびつ。❺地名。春秋時代、衛の地。今の河南省長垣県の西。

名前 きょう・こう・たすく・ただ・ただし・ただす・まさ・まさし

注意 『康熙字典』では、匚部に所属する。

解字 金文 篆文 形声。匚+王(𡈼)音。匚は、柳・竹を曲げて造ったはこの象形。音符の𡈼は、枉に通じ、曲げるの意味。竹などを曲げて造ったはこの意味を表す。また、曲げて形を直す、ただすの意味も表す。

【匡益】悪い点を正し、ためになるようにする。その時代の弊害を正す。

【匡諫】悪を正し、いさめる。

【匡救】悪を正し危険を救う。

【匡済(濟)】悪を正し救って、人々を善に導く。▼済は、すくう。

【匡正】正しくする。わくにはめて正す。

【匡弼】正し、たすける。▼弼は、助ける。

【匡復】①正し救ってもとどおりにする。②助けて復興させる。

【匡輔】正し、たすける。▼輔は、助ける。

【匡廬】廬山の別名。江西省九江市の南にあり、殷・周の時代に仙人の匡俗が隠れ住んだので名づけた。用例〔唐、白居易、香炉峰下新卜二山居一、草堂初成偶題二東壁一詩〕匡廬便是逃レ名地、司馬仍為二送レ老官一。↓ここ廬山こそは、うるさい世俗の名利を忘れるのにふさわしい地であり、司馬は、やはり、老後を送るのにふさわしい官である。

4 【匟】6画 1126 コウ(カウ) 漾 kàng — — 2008

字義 匟床は、オンドル。床下に熱気を通して暖を取る装置。

4 【匠】6画 1127 常 ショウ 漢ショウ(シャウ)・呉ゾウ(ザウ) 漾 jiàng 3002 8FA0 —

注意 『康熙字典』では、匚部に所属する。

解字 形声。匚+亢音。

筆順 一 厂 厂 厅 斤 匠

〔匞〕1123 本字

字義 ❶たくみ。㋐大工。木工。「匠人」㋑細工師。職人。技術者。技芸家。「工匠」❷かしら。棟梁。先生。「師匠」「宗匠」❸さいく。こしらえ。製作。❹もくろみ。くふう。考案する。趣向などをこらす。「意匠」

名前 しょう・たくみ・なり・なる

注意 『康熙字典』では、匚部に所属する。

解字 篆文 会意。匚＋斤。匚は、さしがねの象形。斤は、おのの象形。さしがねやおのを用いる技術者の意味を表す。

逆 意匠・学匠・巨匠・工匠・巧匠・師匠・宗匠・大匠・番匠・名匠

【匠意】ショウイ もくろみ。くふう。考え。考案。意匠。

【匠気(氣)】ショウキ 職人などが好評を得ようと工夫クフウや技巧をこらす気持ち。また、その技術をほこり、みせびらかそうとする気持ち。

【匠者】ショウシャ だいく(大工)。木工。匠人。匠氏。用例(荘子、逍遥遊)立二之塗一、匠者不レ顧 これをみちにたつるも、ショウシャかえりみず。↓この木が道ばたに立っていても、大工は見向きもしません。

【匠人】ショウジン 大工。

【匠石】ショウセキ 昔の名工。石は名、字あざなは伯。匠伯。

【匠伯】ショウハク ①匠石。②大工のかしら。棟梁トウリョウ。

5【医】7画 1128 教3 イ 1669 88E3 —

酉11【醫】18画 1129 ㊀イ 因 yī ㊁イ 紙 7848 E7CE —

筆順 一 丆 匚 匛 医 医

【毉】6071 同字

字義 ㊀❶いやす。病気をなおす。すくう。❷くすし。医者。「名医」❸みこ。かんなぎ。㊁あまざけ。うめず(梅酢)。

名前 おさむ 難読 医王野いおの・医師くすし

解字 篆文 形声。篆文は、酉＋殹音。音符の殹エイは、エイッという、まじないの声の擬声語。治療に薬草酒などを用いるようになり、酉を付し、病気をなおす人の意味を表す。常用漢字の医は、醫の省略体による。

逆 高医・侍医・大医・庸医・良医

【医三世】イサンセイ 医者は、父祖三代をへて、初めて経験を積み、名医になれるという意。転じて、三代続いた医者の薬でなければ服用すべきでないという意にも用いる。用例(礼記、曲礼下)医不二三世一、不レ服二其薬一 イサンセイならざれば、そのくすりをフクせず ↓三代にわたる医師でなければ、その薬を飲まない。

【医師】イシ ①周代の官名、医療をつかさどる。医者の長。②医者。医人。くすし。

【医伯】イハク 医師の敬称。国手。

5【匤】7画 1130 漢キョク 呉コク 因 qū ₂0346 ED6E —

字義 ❶はこ(匣コウ)。❷匡(1125)の俗字。

注意 『康熙コウキ字典』では、匚部に所属する。

解字 形声。匚＋玉音。

5【匣】7画 1131 漢コウ(カフ) 呉ギョウ(ゲフ) 洽 xiá 5026 99B8 —

字義 ❶はこ。ふたつきの小箱。用例(史記、刺客伝)荊軻奉二樊於期頭函一、而秦舞陽奉二地図匣一、以レ次進 ケイカはハンオキのトウカンをホウじ、シンブヨウはチズのコウをホウじ、ジをもってすすむ ↓荊軻は樊於期の首を納めた箱を捧げ持ち、秦舞陽は地図の入った小箱を捧げ持ち、正使・副使の順序に従って進んだ。❷おり(檻)。＝柙(5302)。

注意 『康熙字典』では、匚部に所属する。

解字 篆文 形声。匚＋甲音。匚は、方形のはこの意味。音符の甲は、かめのこうの象形。入れた品物をかめの甲のようにおおいかくす、こばこの意味を表す。

【匣剣(劍)】コウケン はこに入れてある剣。

5【匥】7画 1132 漢ヘン 呉ベン 銑 biǎn — — 2009

字義 竹製の箱。

注意 『康熙字典』では、匚部に所属する。

解字 形声。匚＋弁音。

6【匼】8画 1133 ㊀漢アン・呉オン 感 ǎn ㊁オウ(アフ) 合 ē — — 2019

字義 ㊀こびへつらう。㊁烏匼オウは、ずきんの名。

注意 『康熙字典』では、匚部に所属する。

解字 会意。匚＋合。

7【匽】9画 1134 ㊀漢エン・呉オン 阮 yǎn ㊁漢エン・呉オン 願 yàn — — 2020

字義 ㊀❶かくす(匿)。また、便所。❷ふせる。たおす。＝偃(471)。㊁どぶ。汚水をためる溝。

注意 『康熙字典』では、匚部に所属する。

解字 金文 篆文 形声。匚＋妟音。音符の妟アン・エンは、まるい敷物か、枕まくらかをあててやすらぐ女性の象形。匚は、はこ形に区切られたかこいの意味。かこいの中にかくれてやすらぐの意味を表す。

【匽武】エンブ 武器をふせる。戦いをやめること。匽兵。偃武エンブ。

7【匧】9画 1135 キョウ(ケフ) 葉 qiè — — 2010

字義 ❶物を入れる箱。＝篋(8802)。❷収める。

注意 『康熙字典』では、匚部に所属する。

解字 形声。匚＋夾音。

7【匩】9画 1136 キョウ 匡(1125)の本字。→101ページ中。 — — 2012

注意 『康熙字典』では、匚部に所属する。

7【匨】9画 1137 ㊀漢ソウ(サウ) 呉ゾウ(ザウ) 漾 zàng ㊁ソウ(サウ) 陽 zāng — — 2011

字義 ㊀蔵(10289)の古字。㊁臧(11024)の古字。

注意 『康熙字典』では、匚部に所属する。

8【匫】10画 1138 漢コツ 呉コチ 月 hū — — 2013

字義 古い器。

注意 『康熙字典』では、匚部に所属する。

解字 形声。匚＋曶音。

8【匿】10画 1139 常 トク 3831 93BD —

8【匿】10画 1140 慣トク 漢ジョク(ヂョク)・呉ニョク 職 nì

筆順 一 ㄧ 廾 芇 芉 若 若 匿

字義 ❶かくれる。かくす。ひそむ(潜)。にげる。さける(避)。用例(史記、廉頗藺相如伝)相如引レ車避匿 ショウジョくるまをひきてさけかくる ↓相如は車を引きかえして避けてかくれた。❷かくす。かくまう。つつみかくす。用例(人虎伝)俄而虎匿二身草中一 にわかにしてとらみをソウチュウにかくす ↓急に虎は草むらに身を隠した。❸かくれた悪事。よこしま。

名前 のく

注意 匿は、『康熙字典』では、匚部に所属する。

解字 金文 篆文 形声。匚＋若音。音符の若は、すなおでおとなしいの意味。個性を出さずにかくすの意味を表す。

逆 隠匿・潜匿・蔵匿・秘匿・避匿・亡匿

【匿竄】トクザン ①かくれのがれる。②のがれにげる。

【匿名】トクメイ ①名をかくす。文書などに自分の名をしるさないこと。②かくし名。本名をかくすために仮につけた名。

8【匪】10画 1141 ヒ 尾 fěi 4059 94D9 —

字義 ❶あらず。否定の助字。＝非(13288)。❷わるもの。「匪賊」❸はこ。長方形の竹のかご。＝篚(8845)。❹かの。かれ。＝彼(3406)。

注意 『康熙字典』では、匚部に所属する。

解字 篆文 形声。匚＋非音。音符の非は、ふたつに分かれるの意味。「ふた」と「み」に分かれる長方形の竹製のはこの意味を表す。篚ヒの原字。借りて、否定のあらずの意味に用いる。

【匪躬之節(節)】ヒキュウのセツ 自分の利害を捨てて、君主のた

めにつくす忠節。▼匪躬は、身を顧みないこと。〔唐、韓愈、争臣論〕
【匪人】ヒジン 正しくない人。人でなし。悪人。
【匪石△之心】ヒセキのこころ 石のようにかたいが、石のようにはころがすことのできない心。かたくて動かすことのできない心。用例〔詩経、邶風、柏舟〕我心匪レ石わがこころいしにあらず、不レ可レ転也すべからざるなり。⇩わが心は（石のように固いが）石ではないから、（石をころがすように）簡単に変えることはできない。
【匪賊】ヒゾク ＝匪徒。
【匪徒】ヒト ①暴動をひき起こすわるもの。②隊を組んで強盗や人殺しをする悪者の仲間。匪党。匪類。

9 【匭】 11画 1142 キ 紙 guǐ ― ― 2015
字義 ❶はこ。小ばこ。❷くくる。包みしばる。
注意 『康熙コウキ字典』では、匚部に所属する。
解字 形声。匚＋軌音。

9 【區】 11画 (1118) ク 区(1117)の旧字体。→二〇六ページ中。

9 【區】 11画 1143 ク 区(1117)の俗字。→二〇六ページ中。 5031 99BD ―

9 【匾】 11画 1144 ヘン 銑 biǎn 20348 ― 2021
字義 ❶うすい。ひらたい。❷横に長い額ガク。匾額。
注意 『康熙コウキ字典』では、匚部に所属する。
解字 形声。匚＋扁音。匚は、おおいかくすの意味。音符の扁ヘンは、ひらたいの意味。ひらたいの意味を表す。

9 【匬】 11画 1145 ユ 麌 yǔ ― ― 2014
字義 ❶十六斗入りの升。❷もたい。酒を入れる容器。
注意 『康熙コウキ字典』では、匚部に所属する。
解字 形声。匚＋兪音。

11 【匯】 13画 1146 漢カイ（クワイ） 呉ガイ（グワイ） 慣ワイ 賄 huì 5027 99B9 ―
［滙］6557 同字 字義 ❶めぐる。水流が旋回する。❷あつまる。多くの水流が集まる。❸為替かわせ。
注意 『康熙コウキ字典』では、匚部に所属する。
解字 篆文 形声。匚＋淮音。音符の淮ワイは、囲に通じ、めぐらすの意味。匚は、器の象形。はこの形を表す。借りて、水がめぐるの意味を表す。

12 【匱】 14画 1147 漢キ 呉ギ 寘 guì、②③kuì 5028 99BA ―
字義 ❶ひつ。はこ。大きなはこ。＝櫃(5868)。❷とぼしい（乏）とぼし。また、つきる。用例〔列子、黄帝〕俄而匱焉にわかにして（はっ）とぼし。⇩やがて家が貧しくなった。❸もっこ。あじか。＝簣(8885)。

匱①

注意 『康熙コウキ字典』では、匚部に所属する。
解字 篆文 形声。匚＋貴音。音符の貴は高価な品物の意味。高価な品物を入れるはこの意味を表す。
【匱窮】キキュウ とぼしく苦しむ。貧しく難儀する。貧窮。貧苦。
【匱△竭】キケツ つきる。また、とぼしくなる。貧乏になる。
【匱△櫝】キトク はこ。ひつ。
【匱乏】キボウ とぼしい。衣食が足りない。また、その者。

12 【匰】 14画 1148 タン 寒 dān ― ― 2016
字義 ❶厨子ズシ。宗廟ソウビョウ（先祖のおたまや）の祭りに、位牌イハイをのせる器。❷四角い箱。
注意 『康熙コウキ字典』では、匚部に所属する。
解字 形声。匚＋單音。

12 【匳】 14画 1149 レン 奩(2301)の俗字。→三五八ページ中。 ― ― 2017
注意 『康熙コウキ字典』では、匚部に所属する。

13 【匲】 15画 1150 レン 奩(2301)の正字。→三五八ページ中。 5029 99BB ―
注意 『康熙コウキ字典』では、匚部に所属する。

15 【匵】 17画 1151 漢トク 呉ドク 屋 dú 20347 ― 2018
字義 ひつ（匱キ）。はこ（函カン）。
注意 『康熙コウキ字典』では、匚部に所属する。
解字 形声。匚＋賣音。

2画 十 じゅう

〔部首解説〕 十をもとにして、廿(二十)・卅(三十)・世(三十年)など、十の倍数を表す文字ができているが、部首としての十の形には、一定した意味はない。

0 十 二〇九	1 干 四六二	才 五七五	廿 二一〇	卂 二一〇	千 二一〇	2 午 二一一	仐 七八	支 六九
廾 二一一	升 四八三	卅 二一三	卆 二一三	斗 六三四	斗 二一三	3 卉 二一三	古 二三九	卌 二一三
朮 七一四	世 三二	半 二一三	4 卉 二一四	开 四六五	卋 二一四	卍 二一四	5 克 一四一	6 協 二一四
尭 一四三	卒 六六	卓 二一四	直 一〇〇三	早 二一四	卑 二一七	阜 一五〇六	車 二一四	7 南 二一四
卑 二一七	8 真 一〇〇七	9 乾 五〇	斟 二一八	章 一〇六八	率 六八	10 辜 一四〇一	傘 一二五	準 一六六
博 二一八	11 幹 四七	準 八六九	12 斡 六三五	嘏 二八〇	兢 一四三	14 翰 一二六〇	16 韓 一五五〇	蕺 一六五三
19 韡 二一八	22 矗 一〇二五							

0 【十】 2画 1152 教1 ジュウ・ジッ とお・と 2929 8F5C ―
熟字訓 十重二十重とえはたえ・二十はたち・二十歳はたち・二十日はつか
漢シュウ（シフ）・呉ジュウ（ジフ） 唐シン 慣ジッ 緝 shí

筆順 一 十

字義 ❶とおとを。と。そ。数の名。❷とたび。十回。❸十倍。❹多数。❺十分。完全。❻全部。いっさい。「十中八九」

名前 かず・しげ・じつ・じゅ・じゅう・そ・ただ・と・とう・とみ・ひさし・みち・みつ・みつる 難読 十河そごう・十九淵つづらぶち・十九島つるしま・十五月もちづき・十三じゅうそう・十三里とみさと・十姉妹じゅうしまつ・十時ととき・十七夜かのう・十寸見ますみ・十川そごう・十大功労ひいらぎなんてん・十島とおしま・十二月しわす・十二月晦日しわすづめ・十二月田しわすだ・十二社じゅうにそう・十二神おちふるい・十二仏おちふるい・十里とじり・十八女わかいろ・十八成くくなり・十八番おはこ・十弗とおふつ・十六合いざあい・十六島うっぷるい・十六盤そろばん・十六夜いざよい・十和じっか

参考 ①金銭の記載などには、文字の改変を防ぐため、〔什〕(171)・〔拾〕(4159)の字を用いることがある。②前後の音韻の調和をもとめて、特に「シン」と読む場合がある。「南朝四百八十寺ナンチョウシヒャクハッシンジ」

解字 甲骨文 篆文 象形。甲骨文でわかるように、針の形にかたどり、はりの意味を表す。針の原字。借りて、数の「とお」の意味に用いる。

【十悪(惡)】ジュウアク 十種の悪行。㋐謀反ムホン・謀大逆・謀叛ボウハン・悪逆・不道・大不敬・不孝・不睦フボク・不義・内乱。㋑仏殺生・偸盗チュウトウ・邪婬ジャイン・妄語・両舌・悪口・綺語キゴ・貪欲ドンヨク・瞋恚シンイ・邪見。

【十一】ジュウイチ・ジュウのイチ 十分の一。一割。

【十一税】ジュウイチのゼイ 収入の十分の一の税。

【十雨】ジュウウ 十日に一度雨の降ること。農作物の生長に適した降雨とされた。「五風十雨」

【十△駕】ジュウガ 馬車に馬をつないで十日間走る。のろまな馬でも十日間走ると、一日に千里を行く馬に追いつく。転じて、鈍才でも努力すれば成功することのたとえ。用例(荀子、勧学)駑馬十駕、功在レ不レ舎(ドバもジュウガすれば、コウはおかざるにあり)。↓足の遅い馬でも十日間走ると、その成果は捨て置けない。

【十戒・十△誡】ジッカイ 十か条のいましめ。㋐仏沙弥・沙弥尼の守るべき十戒。殺生・偸盗・邪婬・妄語・飲酒・香鬘を塗飾する・歌舞観聴・高広の大牀に坐する・非時の食・金銀宝を蓄える。一説に、飲酒までの五つに食肉・邪見・毀・謗・欺誑を加える。また、食肉以下のかわりに、過罪を説く・自ら讃え他を毀る・慳・瞋・三宝を謗るを加える。㋑キリスト教で、神がモーゼに与えた十戒。モーゼの十戒。他神崇拝・偶像礼拝・神名濫称・安息日不履行・父母に対する不敬・殺人・姦淫・偸盗・偽証・貪欲。▼戒・誡は、仏教では十戒と書き、キリスト教では十誡とも書く。

【十界】ジッカイ ＝十法界。

【十月△朔】ジュウガツサク 陰暦十月一日をいう。⇩コラム 年中行事(四六六ページ)。

【十干】ジッカン 五行(木・火・土・金・水)を兄と弟とに分けたもの。甲(木の兄)・乙(木の弟)。以下これに準ずる)・丙・丁・戊・己・庚・辛・壬・癸と書き表す。干は幹、また、母の意。十干は十母ともいい、十二支と合わせて干支といい、年や日の順序を示すのに用いる。→干支(四六二ページ中)。⇩コラム 十干・十二支(四六三ページ)。

【十行△倶下】ジュウギョウともにくだる 読書の速度の速いこと。一度に十行を読みくだす意。〔梁書、簡文帝紀〕

【十三経(經)】ジュウサンギョウ 儒教で基本とする十三種の経典。周易(易経)・尚書(書経)・毛詩(詩経)・周礼・儀礼・礼記・春秋左氏伝・春秋公羊伝・春秋穀梁伝・論語・孝経・爾雅・孟子。宋代以後にできた呼称。

【十室△之△邑】ジッシツのユウ 家が十軒しかないような小さな村。〔論語、公冶長〕

【十日菊】とおかのキク 陰暦九月九日の菊の節句の翌日の菊。時期おくれで役にたたない物事のたとえ。六日の菖蒲も同じたとえ。六菖十菊。

【十千】ジュウセン・ジッセン ①数量の多いこと。②一万銭。多くの銭。また、値段の高いこと。

【十全】ジュウゼン 少しも欠点がないこと。完全。

【十善】ジュウゼン 仏十悪を犯さないこと。前世で十善を行えば現世に天子に生まれるという。↔十悪。

【十霜】ジッソウ 十年。十星霜。十秋。十春秋。

【十哲】ジッテツ 十人のすぐれた人。孔門の十哲(孔子の門人中の十哲)は、顔淵・閔子騫・冉伯牛・仲弓・宰我・子貢・冉有・季路・子游・子夏。

【十二因縁】ジュウニインネン 仏人間の過去・現在・未来の三世にわたる生死流転の十二の因果。無明・行・識・名色・六処・触・受・愛・取・有・生・老死。

【十二支】ジュウニシ 子・丑・寅・卯・辰・巳・午・未・申・酉・戌・亥。時日・方角などを示すのに用い、十干と組み合わせて干支という。十干を一に十母というのに対して、十二子ともいう。▼支は枝、また、子の意。→干支(四六二ページ中)。⇩コラム 十干・十二支(四六三ページ)。

【十二時】(一)ジュウニジ 一日を十二の時に分けたもの。夜半・鶏鳴・平旦・日出・食時・隅中・日中・日昳・晡時・日入・黄昏・人定。(二)ジュウニとき 国昔、真夜中・真昼をそれぞれ九つとし今の二時間を単位として順次に八つ・七つ・六つ・五つ・四つとしたもの。また、真夜中を起点として今の二時間を単位とし、これに十二支を子から順次に配したもの。それぞれを子の刻・未の刻などと呼ぶ。(三)ジュウニとき 一昼夜。一日中。二六時中。

【十二獣(獸)】ジュウニジュウ 十二支に配当した十二種の動物。鼠(子)・牛(丑)・虎(寅)・兎(卯)・竜(辰)・蛇(巳)・馬(午)・羊(未)・猿(申)・鶏(酉)・犬(戌)・猪(亥)。

【十二律】ジュウニリツ 音楽の十二の調子。大体、今の一オクターブ(八度音程)を十二分したもので、黄鐘の律を基本とする。なお、十二律を六律と六呂とに分ける。

【十二郎】ジュウニロウ 排行(一族のうちで同じ世代に属する兄弟やいとこなどを年齢順に番号で示したもの)が十二番目の男性。〔唐、韓愈、祭二十二郎一文〕

【十年磨二一剣(劍)一】ジュウネンイッケンをみがく 長年、苦心して武芸を練ること。唐の賈島の「剣客詩」の句。

【十八公】ジュウハチコウ 松の字は十と八と公に分けられることから、松をいう。

【十八史略】ジュウハッシリャク 書名。七巻。宋末元初の曽先之が、『史記』から宋代の史書に到るまでの十八の史書から重要で興味のある話を集めて編修した、初学者用の上古から宋末までの通史。

【十八番】ジュウハチバン 国①歌舞伎の市川家に伝わる新旧各十八番の得意な芝居。おはこ。②得意な芸。おはこ。

【十風五雨】ジップウゴウ 十日に一度風が吹き、五日に一度雨が降る。農作物に適した天気ぐあい。五風十雨ともいう。

【十分】ジュウブン 物事の満ち足りること。充分。

【十方】ジッポウ 仏四方(東西南北)と四隅(四方の中間である南東・南西・北東・北西)と上下。転じて、世界・宇宙。

【十法界】ジッポウカイ 仏地獄・餓鬼・畜生・修羅・人間・天上・声聞・縁覚・菩薩・仏の十種の世界。十界。

【十万(萬)億土】ジュウマンオクド 仏「十万億仏土」の略。㋐現世から極楽に至る間にあるという仏の国の称。㋑その向こうにあるという極楽。非常に遠い土地。

【十目所レ視、十手所レ指】ジュウモクのみるところ、ジッシュのゆびさすところ 多くの人々が見、指さすところ。その批判は厳正で、かくしようもないとされる。用例(大学)十目所レ視、十手所レ指、其厳乎(ジュウモクのみるところ、ジッシュのゆびさすところ、それゲンなるかな)。↓多くの人が見、多くの人が指さすところ、それはなんと厳正なものであることよ。

【十有五△而志二于学(學)一】ジュウユウゴにしてガクにこころざす 十五歳の時に学問で身を立てようと決意する。孔子の言葉。このことから十五歳を「志学」という。▼有は、又と同じ。用例(論語、為政)吾十有五而志二于学一、三十而立(われジュウユウゴにしてガクにこころざし、サンジュウにしてたつ)。↓私は十五歳で学問で身を立てようと決心し、三十歳になると学問・思想の基礎が確立した。

【十六国(國)】ジュウロッコク →五胡十六国(五八ページ中)。

1【干】3画 (3161) カン 干部。→四六三ページ上。

1【才】3画 (4029) サイ 扌部。→五七五ページ下。

1【廾】3画 1153 ジュウ 廾(1157)の俗字。→二三ページ下。

1【卂】3画 1154 シン 震 2-0349 — 2022

字義 ❶はやく飛ぶ。❷はやい。＝迅(12017)。

解字 会意。乙+十。乙は、彫刻刀を、十は切り傷をかたどる。素早く切りつけるさまから、はやいの意味を表す。

1【千】3画 1155 教1 ち セン セン 囲 qiān 3273 90E7 —

筆順 ノ 二 千

字義 ❶ち。数の名。百の十倍。❷千たび。千回。また、千たびする。❸数の多い意を表す。「一騎当千」

名前 かず・せん・ち・ゆき 難読 千屋・千岩・千厩・千曲・千屈菜・千剣破・千五百秋・千歳・千種・千装・千代・千旦・千年・千破屋・千夫・千万億・千明・千役・千路

参考 ①金銭の記載などには、文字の改変を防ぐために、〔仟〕(196)・〔阡〕(13047)の字を用いる。②⇩〔万〕(13)の参考。

解字 甲骨文 金文 篆文  会意。人＋一。人は、多くのものの意味を示す。一はひとつの意味。数の「せん」の意味を表す。

逆 秋千・十千・百千

【千岳(嶽)万(萬)峰】多くの山々。用例〔木戸孝允、偶成詩〕山堂夜半夢難結、千岳万峰風雨声。⇩山荘に夜半眠れずにいると、多くの山々には風雨が吹きすさび、激しい音をたてている。

【千客万(萬)来(來)】店などに、多くの客が次々と来ること。

【千金】①大金。非常に高価な価。②金持ち。富豪。

【千金△之裘、非一△狐△之△腋】非常に高価な皮衣は、多くの狐の腋(わきの下)の皮を集めて作ったもので、一匹の狐のものだけではできない。国を治めるには多数の賢者の協力を必要とするのたとえ。〔史記、劉敬叔孫通伝賛〕

【千金△之子、△坐不垂堂】富豪の子は墜落することを恐れて、座敷のはずれにはすわらない(垂は端、外に近い所)。自分の身のたいせつにすべき価値のあることを知っているの意。重要な地位にある人、大望をもっている人は、つまらない事のために危険を冒してはならないという戒め。〔史記、袁盎伝〕

【千金△之子、不死△於盗賊】富豪の子は、盗賊などと争って命を失うようなつまらない事をしないの意。〔北宋、蘇軾、留侯論〕

【千金△之珠、必在九重△之△淵】非常にすぐれた珠は、必ず深い淵に産する。それを得るためには危険を冒さねばならぬことから、危険を冒さねば大業・功名を成し得ないことのたとえ。〔荘子、列禦寇〕

【千軍万(萬)馬】①多くの軍隊と多くの軍馬。②多くの(また、はげしい)戦い。また、その経験のあること。「千軍万馬の間」

【千古】①おおむかし。遠い昔。②遠いのちの世。③永久。永遠。

【千古不磨】永久にほろびない。永久につたわる。千古不朽。▼磨は、すりへってなくなる。

【千呼万(萬)喚】幾度となくしきりに呼ぶこと。▼喚も、よぶ。用例〔唐、白居易、琵琶行〕千呼万喚始出来、猶抱琵琶半遮面。⇩何度も声をかけると、ようやく姿を現したが、なお琵琶を抱えて顔を半分隠している。

【千差万(萬)別】いろいろさまざま。種々雑多。多種多様。

【千歳△之後】①千年後。遠い未来。②生きている人の未来の死を、「死ぬ」ということを忌んで言う語。

【千歳憂】千年も先のことに対する心配。用例〔文選、古詩十九首、其十五〕生年不満百、常懐千歳憂。⇩一生は百年にも満たないのに、いつも千年分もの憂いを抱えている。

【千載】千歳。千年。ちとせ。遠い年月。用例〔唐、崔顥、黄鶴楼詩〕黄鶴一去不復返、白雲千載空悠悠。⇩伝説の黄鶴は飛び去って二度とは戻らず、白雲は千年の間、空しく悠々と流れている。

【千載一遇】千年に一度遭遇するほどの機会。めったにない好機。千載一時。〔東晋、袁宏、三国名臣序賛〕

【千載列青史】永遠に歴史に名をとどめる。▼青史は、歴史。紙のなかった時代、竹の青皮を火であぶり、その上に書いたことからいう。用例〔頼山陽、述懐詩〕安得類古人、千載列青史。⇩何とかして昔の偉人のようにすぐれた功績を挙げて、名を永遠に歴史に残したいものだ。

【千山万(萬)岳(嶽)】多くの山々。

【千山万(萬)△壑】多くの山や谷。山々谷々。

【千山万(萬)水】多くの山川。果てしなく続く山川。

【千紫万(萬)紅】花などの色の種々様々なこと。また、いろとりどりの花。千紅万紫。

【千字文】書名。一巻。南朝梁の周興嗣の著。文字を習得するための初級教科書。「天地玄黄」から「焉哉乎也」に亙る四字句二百五十句、一千字から成る。なお、他にも『広千字文』などがある。

【千秋】一千回の秋の意。㋐千年。㋑永久。

【千秋節(節)】唐代、天子の誕生日をいう。後、天長節と改めた。皇后・皇太子には千秋令節という。

【千秋万(萬)古】＝千秋万歳。

【千秋万(萬)歳】①千年万年。非常に長い年月。千万年の後まで。永久。②人の長生きを祈るにいう語。「いつまでも健康であるように」との意。万歳。

【千秋楽(樂)】①唐の玄宗の誕生日(千秋節)に演奏した楽曲の名。②国㋐雅楽の曲名。㋑法会の時の雅楽の最後にこの曲を演奏する習慣から、演劇・相撲などの興行の最終日をいう。演劇などでは秋を穐(龝)とも書く。㋒物事の最後をいう。

【千丈△之堤以△螻△蟻△之穴潰】高大な堤防も小さな螻や蟻の穴からくずれる。きわめて小さい事にも注意していないと、その失敗からついに大事が破れることのたとえ。油断大敵。〔韓非子、喩老〕

【千状(狀)万(萬)態】いろいろなさま。

【千乗(乘)△之家】兵車千乗(千台)を出すことのできる領地を有する家。家老の家。大諸侯の家老の家。▼家は、卿・大夫。用例〔孟子、梁恵王上〕万乗之国、弑其君者、必千乗之家。⇩兵車万乗を出す国で、その主君を殺すものは、必ず兵車千乗を出すことのできる領地を有する家老だ。

【千乗(乘)△之国(國)】諸侯の国。また、大諸侯の家老の国。→千乗之家。

【千乗(乘)万(萬)騎】非常に多くの車と騎馬。天子の一行の行列をいう。用例〔唐、白居易、長恨歌〕九重城闕煙塵生、千乗万騎西南行。⇩天子の宮殿は兵馬が行き交うために煙や砂ぼこりに包まれ、天子の一行は西南の蜀をめざして進んでいった。

【千畳(疊)】①山などの幾重にもかさなりあっていること。②国千枚のたたみ。「千畳敷き(非常に広いたとえ)」

【千辛万(萬)苦】国かずかずの難儀。非常に多くの苦難。

【千△仞・千尋】千ひろ。非常に深い、または高いこと。「千仞の渓に」

【千声(聲)万(萬)声】きわめて多くの音声。おびただしい響き。

【千千】①数の非常に多いこと。千万。②草木の青々と茂っているさま。芊芊に通ずる。

【千村万(萬)落】多くの村落。用例〔唐、杜甫、兵車行〕君不聞漢家山東二百州、千村万落生荊杞。⇩諸君もご存知であろう、漢の東半分の二百州ではどの村々でも雑草が生い茂っていることを。

【千△朶】多くの、花のついた枝。多くの花。

【千態万(萬)状(狀)】＝千状万態。

【千変(變)万(萬)化】非常に変化すること。変化き

わまりないこと。〔列子、周穆王〕

【千△篇一律】①多くの詩文が皆似た調子であること。▼一律は、同じ調子。②物事の一本調子なこと。

【千万(萬)】①千と万。また、一千万。②千たび万たび行う。③いろいろ。さまざま。④いくえにも。くれぐれも。⑤どのような場合でも、必ず。きっと。万々。⑥かたじけなく思うの意。多謝。⑦国㋐はなはだしい。この上もない。非常に。「迷惑千万」㋑万一。万が一にも。

【千万(萬)無量】国はかり知れぬほど多い。はなはだしい。

【千門】①非常に数多くの門。②多くの家。千家。③宮殿の門。用例〔唐、杜甫、哀二江頭一詩〕江頭宮殿鎖二千門一。↓河のほとりの宮殿は、門という門はみなとざし、柳やがまの細い新芽は、いったいだれのために美しい緑色にもえているのか(それに値する人はいない)。

【千門万(萬)戸】①禁中に宮室の多いこと。②市中にこみあって立ち並んでいるたくさんの家をいう。

【千羊△之皮、不レ如二一△狐△之△腋一】千匹の羊の皮の価も、一匹の狐の腋(わきの下)の毛皮の価に及ばない。つまらない人(物)がいかに多くとも、一人(一個)のすぐれた人(物)に及ばないこと。〔史記、趙世家〕

【千葉】①草木のたくさんの葉。②八重咲きの花の花弁。③千年。

【千里】①一里の千倍。また、非常に遠い距離をいう。用例〔孟子、梁恵王上〕叟不レ遠二千里一而来。↓老先生におかれては千里の道のりをいとわずにお出でくださった。②千里四方。非常に広い面積。いたるところ。用例〔唐、杜牧、江南春詩〕千里鶯啼緑映レ紅、水村山郭酒旗風。↓広々とした江南地方には、うぐいすが鳴き、柳の緑が桃の紅に照りはえ、水辺の村里、山辺の村里には、居酒屋の目印の旗が風になびいている。

【千里眼】遠く千里まで見る力をもっている目の意で、目に見えない事物、または将来のことなどを見通す能力。また、その能力のある人。

【千里客】遠来の客。遠方から来た旅人。

【千里駒】①=千里馬。②年少で才能のすぐれている者のたとえ。▼駒は、子馬。

【千里月】はるか遠くまで明るく照らす月。

【千里国(國)】①遠国。②千里四方もある強大な国。


【千里△之外】千里も遠いところ。遠く離れた土地。

【千里△之行始二△於足下一】千里もの遠くへ行く旅行も最初の一歩から始まる。大事業も最初はごく小さいところから出発するたとえ。また、物事は一足とびに成就することのできないことのたとえ。用例〔老子、六十四〕九層之台起二於累土一、千里之行始二於足下一。↓九層にもなる高殿の建設も、わずかの土を積み上げることから始まり、千里もの遠方への旅も、最初の一歩から始まる。

【千里△之志】①千里も遠い所へ行こうという志。②大きな志。高い志。

【千里舟】①千里も遠くから来た、または、行く舟。②一日に千里も走る速い舟。

【千里同風】①千里四方に同じ風が吹く。世の中がよく治まっていること。②広い地域が同一風俗であること。

【千里馬】一日に千里も走るすぐれた馬。名馬。駿馬。用例〔唐、韓愈、雑説〕世有二伯楽一、然後有二千里馬一。↓世間に馬のよしあしを見分ける名人がいてこそ、はじめて一日に千里も走る名馬が世に現れる。

【千里目】遠方をながめる目。また、その視界。用例〔唐、王之渙、登二鸛鵲楼一詩〕欲レ窮二千里目一、更上一層楼。↓千里かなたの眺望を極め尽くそうとして、更に楼を一層上まで登って行った。

【千慮一失】常に失敗しない人のたまの失敗。また、十分に注意していながら生じた手ぬかり・失敗。また、わずかな失敗。思わぬ失敗。用例〔史記、淮陰侯伝〕智者千慮必有二一失一。↓すぐれた知恵者でもたまには失敗することもある。

【千慮一得】常に失敗ばかりしている人のたまの成功。愚者の成功。↕千慮一失。

2
【午】
4画 1156 教2 ゴ 圏 wǔ
2465 8CDF 一

筆順 ノ ㇒ 㐅 午

字義 ❶うま。㋐十二支の第七位。㋑月では陰暦五月。「端午」㋒時刻では正午。うまの刻。今の昼の零時、およびその前後二時間。一説に、正午から後の二時間。㋓方位では南。㋔五行では火。㋕動物では馬。❷さからう。そむく。もとる。❸まじわる。交錯する。十文字に交わる。

名前 うま・ご・ま

解字 甲骨文 金文 篆文
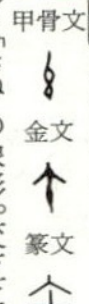
象形。金文でわかるように、両人がかかわるがわる手にしてつく「きね」の象形。交互になるの意味から、陰陽の交差する十二支の第七位のうまの意味を表す。杵の原字。午を音符に含む形声文字に、許・迕などがあり、これらの漢字は、「きね」の意味を共有している。

逆 子午・正午・端午・亭午・丙午

【午院】昼さがりの庭。▼院は、庭園。用例〔夏目漱石、題二自画一詩〕唐詩読罷倚二闌干一、午院沈沈緑意寒。↓唐詩を読むのをやめて、手すりによりかかると、昼の中庭はひっそりと静まりかえっていて、草木の緑のたたずまいは寒々と見える。

【午陰】真昼の木陰。

【午影】真昼の日光。真昼の日ざし。

【午下】昼過ぎ。昼さがり。午後。

【午月】①陰暦の五月。②午夜の月。夜の十二時の月。↓午夜。

【午刻】うまの刻。↓字義❶㋒。

【午日】陰暦の五月五日。端午の日。

【午睡】ひるね(昼寝)。

【午熱】真昼の暑さ。正午ごろの暑さ。

【午砲】正午を知らせるために鳴らす大砲。

【午夜】①夜の十二時ころ。ま夜中。▼午は、正午の午の転用。②=五夜(六一ページ上)。▼午は、五の代用。

2
【仐】
4画 (181) サン 人部。↓七八ページ上。

2
【支】
4画 (4506) シ 支部。↓六一九ページ上。

2
【廿】
4画 1157 人 標 漢ジュウ(ジフ) 呉ニュウ(ニフ) 圏 niàn
3891 93F9 一

筆順 一 十 廿 廿

[廿] 1153 俗字

字義 にじゅう(二十)。はたち。

難読 廿山・廿日・廿日出・廿楽

注意 『康熙字典』では、廾部に所属する。

解字 甲骨文 金文 篆文

会意。十+十。十を二つ合わせて、二十の意味を表す。

2
【升】
4画 (3275) ショウ 廾部。↓四八三ページ上。

2 【卅】 4画 1158 ソウ(サフ) 〔合〕 sà 5033 99BF

字義 さんじゅう(三十)。みそ。

解字 金文 篆文 会意。十＋十＋十。十を三つ合わせて、三十の意味を表す。

2 【卆】 4画 1159 ソツ 卒(147)の俗字。→六六ﾍﾟ下。 5032 99BE

2 【斗】 4画 (4582) ト 斗部。→六三四ﾍﾟ上。

2 【斗】 4画 1160 国字 20350

字義 斗木(とどき)は、姓氏。

参考 十を二つ合わせて「とと」と読ませたものか。

3 【卉】 5画 1161 標 ㊀キ 尾 未 huì ㊁漢クッ・呉クチ 物 5035 99C1

字義 ㊀❶くさ。草の総称。「花卉」❷くさき。草木の総称。❸さかん(盛)。㊁❶はやい。❷さかん。❸風の音の形容。

[卉] 1165 正字 [芔] 9801 本字

解字 甲骨文 篆文 会意。屮＋屮。草がたくさん集まったさまから、多くの草の意味を表す。

3 【古】 5画 (1308) コ 口部。→二三九ﾍﾟ上。

3 【卌】 5画 1162 シュウ(シフ) 緝 xì 2023

字義 四十。

解字 会意。十を四つ合わせて、四十の意味を表す。

3 【朮】 5画 (5180) ジュツ 木部。→七二四ﾍﾟ上。

3 【丗】 5画 (26) セイ 一部。→三三ﾍﾟ中。

3 【半】 5画 1163 教2 ハン なかば 4030 94BC

3 [半] 5画 1164 ハン 翰 bàn

筆順 丶 丷 丷 兰 半

字義 ❶なかば。㋐半分。㋑まんなか。中央。「夜半」㋒なかほど。途中。最中。㋓たけなわ。❷かたはし。はし(端)。はしきれ。はんぱ(半端)。＝片(7109)。❸わける(分)。中分する。二分する。❹わずか。少し。❺完全でない。終わらない。中途半端。「一知半解」❻小さい。「半鐘」❼なかばする。半分ぐらいである。同じぐらいである。国ハン。さいころの目で奇数。↔丁(7)。「丁半」

名前 なか・なかば・なからい・はん

難読 半家(はげ)・半靴(ほうか)・半城(はんき)・半井(なからい)・半銭(きなか)・半布(にゅう)・半風子(しらみ)・半平(はんぺん)

解字 金文 篆文 会意。八＋牛。八は、わけるの意味。牛は、うしの象形。牛のように大きな物を二つに分けるの意味を表す。半(半)を音符に含む形声文字に、伴・判・胖・畔・袢・絆などがあり、これらの漢字は、「はんぶん」の意味を共有しているものが多い。

逆 過半・少半・折半・太半・丁半・夜半

【半可通】ハンカツウ 国①少しばかりわかって満足している人。なまわかり。②知ったかぶりをする人。

【半開】ハンカイ ①なかば開く。②(雨・雪などが)なかば晴れる。③花がなかば咲く。

【半解】ハンカイ ①二つに分ける。②なかばとける。③少しばかり理解する。なまわかり。「一知半解」

【半酣】ハンカン たけなわ。さかん。酒の席などにいう。

【半眼】ハンガン 目を少し開いた状態。

【半規】ハンキ 半円。また、半円形の物。▼規は、コンパス。

【半期】ハンキ ①半年。②一期間の半分。

【半旗】ハンキ 国不幸を弔う意を表すために、旗を、旗竿の先から、少し下の所に掲げるもの。弔旗の一つ。

【半弓】ハンキュウ ①丸いものが半ば欠けて弓形になった形。弓形。②国大弓の半分ほどの長さの弓。

【半空】㊀ハンクウ 一定の空間の中ほど。また、半天。中空。㊁なかばむなし 半分ほどは、ない。

【半夏】ハンゲ ①草の名。半夏草。からすびしゃく。②「半夏生」の略。半夏草の生えるころの意。七十二候の一つ。夏至の第三候。夏至から数えて十一日目。陽暦の七月二日ごろ。田植えの終期とされた。③国夏安居の結夏と夏解の中間の時期をいう。

【半月】㊀ハンゲツ 半分ほどかけた月。陰暦七・八日ごろの弓張り月。弦月。㊁ハンつき 一か月の半分。

【半山】ハンザン 山の中腹。山腹。

【半子】ハンシ むこ。女婿。なかば子に当たる意。

【半死】ハンシ なかば死ぬ。死にかかる。用例(唐、劉廷芝、代悲白頭翁詩)寄言全盛紅顔子、応憐半死白頭翁 ↓一言申し上げたい、今を盛りの美少年たちよ、この死にかけた白髪頭の老人をぜひ気の毒に思ってほしい。

【半死半生】ハンシハンショウ なかば死に、なかば生きている状態。死にかかっているさま。生死の境。

【半寿(壽)】ハンジュ 国八十一歳をいう。半という字を分解すると、八十一になるところからいう。⇩コラム 年齢の別称(四六六ﾍﾟ)。

【半菽】ハンシュク ①すこしのまめ。また、豆をまぜたかゆ。②わずかな食糧。また、粗末な食べ物。

【半宵】ハンショウ ＝半夜。

【半霄】ハンショウ ＝半天②。▼霄は、おおぞら。

【半鐘】ハンショウ 国小さいつりがね。火事などを知らせるのに用いる。

【半畳(疊)】ハンジョウ 国①一畳の半分の広さのたたみ。②昔、芝居小屋で見物人が敷いた小さな畳。また、ござ。③悪口。やじ。ひやかしのことば。昔、役者の芸に対する不満を表明するために、見物人が半畳を舞台に投げてののしったことに基づく。「半畳を入れる」④さしで口。

【半信半疑】ハンシンハンギ なかば信じ、なかば疑う。

【半酔(醉)】ハンスイ なかばよう。ほろよい。

【半世】ハンセイ ＝半生㊀。

【半生】㊀ハンセイ 一生の半分。半生涯。半世。㊁ハンショウ 死にかかっていること。半死半生。

【半切】㊀ハンセツ ①半分に切る。②唐紙(書画用の紙)を縦に半分に切ったもの。㊁ハンきれ 国手紙を書く紙。巻紙。㊂ハンぎり 国①能装束の袴の一種。②底の浅い桶。

【半折】ハンセツ ①半分に分ける。②半分に折れる。③半分がだめになる。④＝半切㊀②。

【半天】ハンテン ①天(空)の半分。②天の中ほど。中空。③国羽織に似た上っぱり。半纏。

【半点(點)】㊀ハンテン 少しばかり。㊁なかばテンず なかば開く。

【半点(點)鐘】ハンテンショウ ①半時間ごとに打ち鳴らす鐘。②三十分。

【半途・半塗】ハント ①道のなかば。②事のなかば。

【半道】㊀ハンドウ 道のなかば。㊁ハンみち 国一里の半分。

【半白】ハンパク ①半分が白い。②白髪まじりの髪。斑白。頒白。

【半帆】ハンパン ①ななめになっている帆。片帆。②なかば揚げた帆。

【半百】ハンピャク 百の半分。五十。年齢などにいう。

【半腹】ハンプク 山の中ほど。中腹。

【半壁】ハンペキ 壁の半分。また、断崖や急傾斜でそびえ立つ山などの中ほど。

【半璧】ハンペキ ①半分に欠けた璧玉。②弓張り月。弦月。

【半面】ハンメン ①顔の半分。②平たい面の半分。③物の片側。物事の一面。

【半面△之識】少しばかり知りあっていること。

【半夜】①よなか。夜半。「半夜鐘」②一夜の半分。

【半輪】半分のわ。半月をいう。陰暦七・八日ごろの弓張り月。用例〔唐、李白、峨眉山月歌〕峨眉山月半輪秋（峨眉山月半輪の秋）、影入二平羌江水一流（影は平羌江の水に入りて流る）。▷峨眉山にかかる秋の半円の月。その月の光は、平羌江の水にさし入って、江水とともに流れている。

【半△嶺】山のみねのなかば。山腹。

4【卉】6画 1165 キ 卉（1161）の正字。→二二三㌻上。

4【玕】6画（3164） ケン 干部。→四六五㌻上。

4【吉】6画 1166 セイ 世（25）の古字。→三三㌻上。 — — 2024

4【卍】6画 1167 漢バン 呉マン 簡 wàn 5036 99C2 —
字義 まんじ（万字の意）。仏書に用いられる万の字。もと、仏の胸上にある吉祥万徳（幸福と功徳）の標識。それを中国の訳者が万の字の代わりに用いた。国まんじ。ア卍のような形や紋所。イ入りみだれるさま。「卍巴（まんじともえ）」
参考 一説に、字形卍は誤りで、卐が正しいともいう。卍を「ひだりまんじ」、卐を「みぎまんじ」という。
解字 象形。もと、インドのヴィシュヌ（クリシュナ）神の胸の旋毛の象形で、吉祥万徳（幸福と功徳）のしるしの意味を表す。

5【克】7画（692） コク 儿部。→一四一㌻上。

6【協】8画 1168 漢キョウ（ケフ）・呉ギョウ（ゲフ） 簡 xié 教4 キョウ 2208 8BA6 —
筆順 一 十 †⁻ 协 協 協 協
〔恊〕3700 同字
字義 ❶かなう。かなう。ア あう（合）。一致する。イ和合する。❷あわせる。あわす。力をあわせる。❸ともにする。一致させる。「妥協」❹やわらぐ（和）。親しくなる。「和協」❺従う。服従する。
名前 かのう・きょう・やす
参考 『説文解字』では、〔恊〕は衆人が力を合わせる意、〔協〕は衆人が心を合わせる意とするが、同字として用いられる。
解字 篆文 形声。十＋劦音。音符の劦（キョウ）は、力を合わせるの意味。十は多いの意味。二つの仕事に二人以上の力をあわせる、かなうの意味を表す。
逆 妥協

【協規】①一緒に計画する。ともにはかる。②計画を一致させる。目的を同じくする。

【協議】話し合う。話し合い。相談。

【協賛（賛）・協△讃】力をあわせ、助けること。

【協商】①＝協議。▼商は、相談。②国国家間で、同盟関係に至らぬ程度の協定をすること。

【協心】心を一つに合わせる。「協心戮力（リクリョク）」

【協奏】種々の楽器をあわせて演奏すること。

【協調】①たがいに仲よくする。協和。和合。②他人と調子をあわせる。

【協定】国①話しあってきめる。②国際間の条約の一種。条約文に厳密な形式をとらぬもの。

【協同】①一致する。②多くの人・団体が、力をあわせて、一緒に物事をする。→共同（一五一㌻上）。

【協約】①協議して約束する。②国家間の略式の条約。

【協力】力をあわせること。

【協和】心をあわせ仲よくすること。


6【尭】8画（702） ギョウ 儿部。→一四三㌻中。

6【卒】8画（147） ソツ 亠部。→六六㌻下。

6【卓】8画 1169 タク 簡 zhuō 常 タク 3478 91EC —
筆順 ｌ ト ⺊ 占 卢 卣 卓 卓
〔桌〕5409 同字
字義 ❶すぐれる。すぐる。すぐれている。❷たかい。たかし。高く抜け出ている。❸たつ。たてる。❹つくえ（机）。テーブル。「食卓」
名前 すぐる・たか・たかし・たく・つな・てい・とお・まこと・まさる・もち
難読 卓子（テーブル）・卓袱（しっぽく）・卓袱台（ちゃぶだい）
解字 金文 篆文 会意。匕＋早。匕は、人の象形。早は、あけがたの意味。人が、昇り始めた朝の太陽より高いさまから、高くすぐれるの意味を表す。卓を音符に含む形声文字に、倬（タク）・悼（トウ）・掉（トウ）・罩（トウ）・棹（トウ）・踔（タク）・逴（タク）などがあり、これらの漢字は、「高くおどりあがる」の意味を共有している。
逆 超卓

【卓異】ずばぬけてすぐれていること。

【卓逸】＝卓越。「卓逸不群」

【卓越】すぐれていること。とびぬけている。「出群卓越」

【卓見】すぐれた考え。ひいでた見識。卓識。◈「達見」もほぼ同意。ただ、新聞用語などでは、「卓見」に統一しているので「卓見」が一般的になってきている。

【卓行】すぐれた行い。高行。

【卓才】すぐれた才能。

【卓子】つくえ。テーブル。

【卓△爾】高くすぐれているさま。また、高遠なさま。

【卓識】すぐれた見識。卓見。

【卓説】すぐれてりっぱな説・意見。

【卓絶】＝卓越。▼絶は、他から高くかけ離れていること。

【卓然】＝卓爾。

【卓文君】前漢の司馬相如の妻。蜀（今の四川省）の富豪、卓王孫の娘。文才があった。

【卓△犖・卓△礫・卓△躒】①非常にすぐれていること。②謀略に秀で才気のすぐれていること。

【卓立】他よりはるかにぬきんでていること。

【卓論】＝卓説。


6【直】8画（7957） チョク 目部。→一〇〇三㌻下。

6【畀】8画 1170 ヒ 卑（1173）の俗字。→二一七㌻中。

6【卑】8画（1174） ヒ 卑（1173）の旧字体。→二一七㌻中。

6【阜】8画（13044） フ 阜部。→一五〇六㌻上。

6【卓】8画 1171 2̲0351 — —
字義 乾・幹などの漢字の一部分。字形分類のために部首として立てられる場合がある。

7【南】9画 1172 一ナン 簡 nán 二ナ nā 教2 ナン・ナ みなみ 3878 93EC —
筆順 一 十 ナ 冂 内 冇 南 南 南
字義 一❶みなみ。↕北（1110）。❷南方。南国。❸みなみする。南へ行く。❹南方異民族の音楽。❺『詩経』の二つの編名。周南・召南。❻君主。南面の君。❼五等爵（公・侯・伯・子・男）の男。二→南無。
名前 あけ・な・なみ・なん・み・みな・みなみ・よし
難読 南下（げのう）・南界（そじ）・南向（おなか）・南井（おおい）・南白亀（なばき）・南百（なんど）・南

部・南風・南風崎・南平・南茅部・南木曽

解字 甲骨文 篆文 会意。甲骨文は、中＋入＋凡。中は、草の象形。入は、はいるの意味。凡はかぜの意味。春になってしのび入り、草木の発芽を促す南風の意味から、みなみの意味を表す。一説に、南方に行われた楽器の象形から、みなみの意味を表すという。篆文は、形声、宋＋羊㊥。

逆 指南・図南・漢南

【南夷】南方地方の未開の異民族。南蛮。

【南越・南粤】南方の越の地方。昔の百越（未開人の一つ）の地。今の福建・広東・広西チワン族自治区の各省とベトナム北部。秦末から漢の武帝時代まで、南越国があった。

【南苑】唐代、長安の宮殿の南にあった庭園。用例〔唐、杜甫、哀江頭詩〕憶昔霓旌下南苑、苑中万物生顔色。↓思い出すのは、その昔、天子の虹色の御旗がこの南苑にお出ましになった時には、苑中すべてのものが行幸を迎えいきいきとしたことだ。

【南燕】国名。五胡十六国の一つ。鮮卑族の慕容徳が建てた国。今の山東省東部を領有した。（四〇〇―四一〇）

【南音】南方の音楽。

【南瓜】うり類の一種。とうなす。

【南柯夢】人生のはかないことのたとえ。唐の淳于棼が槐の木の南柯（枝）の下に寝て、夢に槐安国に至り、大いに出世して栄華をきわめたが、夢がさめてから、その国が蟻の穴（巣）であることを知ったという故事による。〔異聞集〕

【南華真（眞）経（經）】書名。『荘子』（一三一〇ページ上）の別名。→南華真人。

【南華真（眞）人】荘周（一三一〇ページ上）の別名。唐の玄宗の天宝元年（七四二）に追贈された諡。

【南画（畫）】＝南宗画。

【南海】①南方の海。②南シナ海。③昔の郡の名。今の広東省の中部以西、及び広西チワン族自治区の東部沿岸地方。④昔の県の名。中心は今の広東省広州市。⑤春秋時代の楚（長江流域）の地方。南の地方の意で、海は、晦（暗い）で、中央から遠い地方。

【南海道】国八道の一つ。紀伊（今の和歌山県と三重県の一部）・淡路（今の兵庫県の一部）・阿波（今の徳島県）・讃岐（今の香川県）・伊予（今の愛媛県）・土佐（今の高知県）の六か国。

【南学（學）】①昔、都にあった五学の一つ。太子の学ぶ学舎。②南北朝時代の南朝の学術。③国江戸時代、南村梅軒を祖として土佐（今の高知県）に起こった朱子学派の学問。

【南岳（嶽）】①南の方にある山。②山名。五岳の一つ。今の湖南省洞庭湖の南にある衡山。

【南漢】国名。五代十国の一つ。劉龑の建てた国。都は今の広東省広州市。（九一七―九七一）

【南澗・南磵】南にある谷、また、谷川。

【南去北来（來）】あるいは南へ行き、あるいは北に来る。南北に往来する。用例〔頼山陽、送母路上短歌〕南去北来人如織、誰人如我児母歓。↓南へ北へと、人々が織るように続いているが、我々母と子のように喜びに満ちた者があろうか。

【南曲】明の戯曲。南宋の雑劇が元曲の影響を受けて発達したもの。明曲・崑曲ともいう。

【南京】①江蘇省の長江南岸の都市で江蘇省の省都。古くは、金陵・建業・建康・応天府と呼ばれ、明代、都を北京に移してから南京と呼ばれた。⇩コラム 南京（三一六ページ）。②国㋐昔、中国・東南アジア方面から渡来したものにつける語。「南京米」 ㋑かぼちゃの別名。 国 奈良の別名。南都。

【南薫】①中国古代伝説上の舜帝の作といわれる「南風之詩」をいう。その詩に「南風之薫兮、可以解吾民之慍兮」とあるのによる。→南風之詩。②唐の宮殿の名。

【南荒】南方の果ての地。南方の未開の地。

【南郊】南の郊外。町の南に続いている野原。

【南山】①南の方にある山。用例〔東晋、陶潜、飲酒詩〕采菊東籬下、悠然見南山。↓菊の花を、家の東のまがきのあたりにつみながら、ゆったりと南山（廬山）をながめる。②長安（今の陝西省西安市）の南方にある終南山の別名。〔詩経、召南、草虫〕

【南山之寿（壽）】終南山が永久に変わらないように、その事業の末長く続くこと。転じて、人の長寿を祈るのにいう語。用例〔詩経、小雅、天保〕如南山之寿、不騫不崩。↓終南山が永久に変わらないように、かけ損ずることもなく崩れ壊れることもない。

【南山不落】終南山のように、永久に崩壊しないの意。城などの堅固なこと。

【南史】書名。八十巻。唐の李延寿の著。南朝の宋・斉・梁・陳の百七十年間の歴史を記した書。二十四史の一つ。

【南至】冬至。太陽が南の極点に至るの意。

【南州】南の地方。南方。南国。

【南宗画（畫）】唐の王維を祖とする（という）東洋画の一派。水墨または淡彩をもって描き、主観的写実を特色とする。明・清代に盛行し、沈石田とその門人の文徴明、董其昌らが有名。日本では江戸中期から受け入れ、池大雅・与謝蕪村などの描いたものが有名。南画・文人画ともいう。↕北宗画（三〇五ページ上）。

【南垂・南陲】南のはて。また、その地方。

【南斉（齊）】王朝の名。南北朝時代、南朝の一つ。始祖は蕭道成。都は建康（今の江蘇省南京市）。七代、二十四年（四七九―五〇二）。

【南斉（齊）書】書名。五十九巻。南朝の梁の蕭子顕の著。南朝斉の歴史を記した書。二十四史の一つ。

【南船北馬】①南方地方の交通は川が多いので船により、北方地方は山野が多いので馬によるの意。②各地をいそがしくかけ回ること。東奔西走。

【南宋】宋の高宗が金に追われ都を汴（今の河南省開封市）から臨安（今の浙江省杭州市）に移し、旧領土の南半分を保っていた百五十三年間（一一二七―一二七九）をいう。↕北宋。

【南内】①唐代、長安にあった興慶宮の別名。②南宋の時、皇居の総称。

【南中】①南方の地方。特に嶺南の地方（広東・広西チワン族自治区・福建の各省）。②天体が子午線を通過する現象。天体の高度はこの時最大となる。

【南朝】①東晋の後を受けて建康（今の江蘇省南京市）に都した宋・斉・梁・陳の四国をいう。↕北朝（三〇五ページ中）。②国第九十六代後醍醐天皇が一三三六年に吉野（奈良県内）に移ってから後の三代五十七年間、吉野にあった朝廷をいう。↕北朝（三〇五ページ中）。

【南都】①南方の都。②今の河南省南陽市（洛陽の南にある）の古名。③明代、北京に遷都してからの南京をいう。④国㋐奈良の別名。↕北都（三〇五ページ中）。㋑奈良の興福寺をいう。↕北嶺（三〇五ページ下）。

【南渡】①川を渡って南方に行くこと。②南方の渡し場。③晋や宋が長江を渡って都を南に移したこと。

【南唐】国名。五代十国の一つ。→唐（1511）の字義❻㋒。

【南陌】①南方の道。②唐代の長安の遊楽街の名。

【南蛮（蠻）】①古代中国で、南方の異民族を軽べつし

コラム

南京

南京市は江蘇省の西南部、東から南は紫金山（鍾山）を主峰とする丘陵に囲まれ、北と西が長江に面する要害の地である。金陵・江寧など、別称も多い。

春秋・戦国時代、この地は呉・越・楚によりかわるがわる領有された。前三三三年、越を滅ぼした楚の威王が石頭山（今の清涼山）に金陵邑を築いた。金陵の名は、この地から立ち昇る王気を鎮めるために金を埋めたことに由来するという。

後漢末期、豪族の孫権が京口（江蘇省鎮江市）からここに根拠地を移し、建業と改称した。武昌（湖北省武漢市）で呉国の帝位に即いた孫権は、二二九年、武昌から建業に遷都した。南京に首都が置かれるのはこれに始まる。

西晋の時代、建業は建鄴、さらに建康と改称され、三一七年に西晋が滅びると、その王族の一人、司馬睿が建康に政権を樹立する。これを東晋という。晋の南渡により、北方の伝統文化の担い手であった士大夫たちが大量に建康に移住し、建康は南方の政治・経済の中心であるのみならず、中国伝統の文化芸術を継承発展させる中心都市となった。この性格は、宋・斉・梁・陳と、建康を首都とする短命王朝が交替する南北朝時代を通じて保持された。文学では謝霊運・顔延之・謝朓・鮑照・沈約・徐陵らが活躍し、天文学では虞喜・何承天、数学では祖沖之、医薬学では葛洪・陶弘景などがあらわれ、さらに『文選』『玉台新詠』などの詞華集、『詩品』『文心雕竜』などの文学評論集も生まれた。

東晋以後、仏教の浸透はめざましく、多くの寺院が建立された。とりわけ梁の武帝は信仰心が篤く、しばしば捨身（仏門に入ること）を行った。『南史』郭祖深伝に「都下の仏寺五百余所、宏麗を窮極す」とあるように、建康には多くの寺院が甍を連ねた。今に残る鶏鳴寺・棲霞寺などは、みな南朝期の開基である。

しかし、南朝末期の不安定な政治状況の中で建康は活力を失い、豪壮華麗を誇った宮殿・邸宅・寺院や、華林園など都城の内外に造営された多くの庭園にいろどられた花の都も、廃墟と化して往年の輝きを回復することはなかった。

五代、金陵を首都とした南唐は小国に過ぎなかったが、皇帝の李璟・李煜は著名な詩人であり、また、優れた書家・画家を輩出した文化国家であった。

十四世紀中葉、明を建てた朱元璋はこの地を攻め陥して応天府と改め、一三六八年、ここで帝位に即いて南京と改称した。北方に都を設けることを前提に、応天を南京と称したのである。日本語の呼び名「ナンキン」は、南方方言の音が入って定着したものである。清朝初期に応天府は江寧府と改称される。

清末、アヘン戦争のおり英国軍艦が南京城下に迫り、一八四二年、江寧条約（南京条約）が結ばれ、南京も開港された。五三年、南京は洪秀全の太平天国軍に占領され、天京と改称されるが、六四年に清朝の曾国藩に攻め陥された。現存する古建築の大部分は、清末の同治・光緒年間に再建されたものである。

一九一一年、孫文の辛亥革命が成功し、翌年、南京に中華民国臨時政府が成立するが、ほどなく袁世凱が北京に遷都した。二七年、蔣介石が南京に国民政府を置くが、十年後、日本軍の侵攻により放棄される。一九四九年の中華人民共和国成立後は都市建設と重工業の立地に力が注がれ、一九六九年に竣工した長さ六八〇〇メートルの長江大橋は、南京の発展のみならず、新中国建設のシンボルとなった。

〔主な遺跡〕

鶏鳴寺　南京最古の寺院。三国時代の呉の後苑があった所で、東晋には廷尉署が置かれた。梁の普通八年（五二七）、武帝はここに同泰寺を建立し、みずから四度にわたって捨身した。梁末の侯景の乱によって破壊されたのち、五代・宋の時期に再建され改修されるが、明の洪武二十年（一三八七）に鶏鳴寺として重建された。その後も破壊と再建が繰り返され、現在では韋駄殿・正殿などが残るのみである。

棲霞寺　南京の東北二二キロの棲霞山（海抜三一三メートル）中峰の西麓にある。南斉の永明元年（四八三）に隠士の住宅を棲霞精舎としたのが起源である。唐の高祖は功徳寺と改称し、四十九か所の殿宇・楼閣を増築して、山東の霊巌寺、荊州の玉泉寺、天台の国清寺とともに〈四大叢林〉と称された。明の洪武二十五年（一三九二）に棲霞寺に復称。清代に焼失し、現存する山門・天王殿・毗盧殿・蔵経楼などは清末から民国初期に再建されたものである。

中山陵　鍾山中部の小茅山の南麓にある、中国革命の父孫文（号は中山）の墓。面積は三千余ヘクタール。墓室の海抜は一五八メートル、三百九十二段の石段を登って到達する。一九二五年三月一二日、孫文は北京で死去したが、生前の彼の願望によって、一九二六年から三年の歳月をかけて建設され、二九年六月一日、孫文の遺体をここに安置した。

孝陵　鍾山南麓の独竜阜の玩珠峰下にある、明の太祖（朱元璋）と馬皇后の陵墓。馬后は一三八三年に、太祖は同九八年に葬られた。周囲二二・五キロの広大な陵墓で、下馬坊から陵丘までの神道（参道）の両側には石獣・石柱・石人などの石刻が立ち並び、陵丘には孝陵殿・宝城・大石橋・碑亭などが残る。

孝陵の石刻

ていう称。↕北狄（ホクテキ）（三〇五㌻中）。②国㋐昔、タイ・ルソン・ジャワその他の東南アジア地方をいう。㋑それらの地を経て来た西欧人（特にポルトガル人・スペイン人）をいう。㋒それらの地から渡来した物や、異国風の珍しい物の名に付ける語。「南蛮辛子（ナンバンがらし）（とうがらし）」

【南蛮（蠻）△鴃舌】（ナンバンゲキゼツ） 南方の異民族の意味の通じないことば。ただやかましくて意味の分からぬことばのたとえ。▼鴃舌は、もずの鳴き声。

【南風】（ナンプウ） ①南の風。②夏の風。五、六月ころの風。温和で生物を育てる風。③南方地方の音楽。

【南風△之詩】（ナンプウのシ） 中国古代の聖天子である舜（シュン）が、天下が治まり人民の生活が豊かになることを願って歌ったといわれる詩。用例〔十八史略、五帝、帝舜〕南風之薫兮、可㆔以解㆓吾民之慍㆒兮、南風之時兮、可㆔以阜㆓吾民之財㆒兮。↓南風がそよそよ心地よく吹きわたれば、わが民の不平不満の情を和らげることができる。南風が適当なときに吹きわたれば、わが民の財を豊かにすることができる。

【南風不㆑競】（ナンプウきそわ（は）ず） ①南方の音楽の調子が微弱で活気のないこと。南方の国の勢力の微弱なことのたとえ。〔左伝、襄公十八〕②国南朝（南北朝時代の吉野朝廷）の衰微をいう。

【南北朝時代】（ナンボクチョウジダイ） 南朝と北朝とが対立していた時代。→南朝・北朝（三〇五㌻中）。㋐東晋（トウシン）が滅びてから隋（ズイ）が天下を統一するまでの間（四二〇―五八九）。㋑国後醍醐（ゴダイゴ）天皇が吉野に移ってから、北朝と統一されるまでの間（一三三六―一三九二）。

【南無】（ナム・ナモ） 仏梵語（ボンゴ）namasの音訳。仏を拝する時に唱える語。帰命頂礼（キミョウチョウライ）（厚く信仰し、頭を地につけておがむ）の意。恭敬・信従などと訳す。絶対的信頼を表す語。

【南無△阿弥（彌）△陀仏（佛）】（ナムアミダブツ） 仏阿弥陀如来（アミダニョライ）に帰依（キエ）して救いを願う意。これを唱えることを念仏という。六字の名号（ロクジのミョウゴウ）。

【南無三】（ナムサン） ＝南無三宝。

【南無三宝（寶）】（ナムサンボウ） ①仏仏・法・僧の三宝に帰依（キエ）し、これを尊ぶこと。同南無三。②国失敗した時などに発する語。しまった。三宝よ、危急を救いたまえという意から。

【南無妙法△蓮華経（經）】（ナムミョウホウレンゲキョウ） 仏法華経（ホケキョウ）（妙法蓮華経）に帰依（キエ）する意。日蓮宗でこれを唱えてその意志を表明する。七字の題目。お題目。

【南△溟・南冥】（ナンメイ） 南方の大海。〔荘子、逍遥遊〕

【南面】（ナンメン・みなみおもて） ①南側。②南に面する。南の方に向く。③天子。南面王。天子の座は南向きにおかれる。

【南洋】（ナンヨウ） ①清（シン）代、江蘇（コウソ）省以南の沿海各省、及び長江沿岸の地。②国西太平洋の、赤道の南北に沿う海洋。

【南陽】（ナンヨウ） 地名。㋐戦国時代の斉の町。今の山東省の鄒城（スウジョウ）市の地。㋑河南省新野県の北。三国時代、蜀（ショク）の諸葛亮（ショカツリョウ）の雌伏の地。

【南呂】（ナンリョ） ①十二律の一。②陰暦八月の別名。

【南涼】（ナンリョウ） 国名。五胡（ゴコ）十六国の一つ。鮮卑族の禿髪烏孤（トクハツウコ）が建てた国。今の青海省西寧地方を領有した。（三九七―四一四）

7 【卑】 9画 1173 常 ヒ いや-しい・いや-しむ・いや-しめる

囚 ㊀ヒ 因 bēi 4060 94DA

6 〔卑〕 8画 1174 ㊁ヒ 紙 bǐ 1478

〔毋〕 1170 俗字

筆順 ′ ľ 冂 巾 甶 由 鱼 卑 卑

字義 ㊀❶いや-しい（いやし）。ひくい。㋐身分・地位が低い。用例〔唐、韓愈、師説〕位卑則足㆑羞（くらい（ゐ）ひくければすなわ（は）ちはず（づ）るにたり）、官盛則近㆑諛（カンさかんなればすなわ（は）ちへつらう（ふ）にちかしとす）。↓（師とすべき人の）官位が低ければ恥ずかしいことだとし、官位が高くてはぶりがよいとこびへつらっているようだとする。㋑教養・人がらが低い。「野卑」㋒下品・下等である。❷ひく-い（ひくし）。㋐土地などが低い。低い土地。㋑位置が低い。㋒さかんでない。おとろえた。小さい。❸自己に関する謙称。「卑見」❹いや-しむ。いや-しめる（いやしむ）。みくびる。いやしくする。へりくだる。用例〔十八史略、春秋戦国、燕〕以招㆓賢者㆒（もってケンジャをまねく）。↓（昭王は）戦死者の霊をとむらい遺族を慰問し、へりくだった言葉を使って進物を厚くして、賢人を招いた。❺弔㆑死問㆑生（シをとむらいセイをとい（ひ））、卑㆑辞厚㆑幣（ジをひくくしヘイをあつくして）。❻てぢか。分かりやすい。「卑近」㊁し-む。させる。使役の助字。＝俾（454）。

難読 卑弥呼（ひみこ）

参考 現代表記では〔鄙〕（12343）の書きかえに用いることがある。「野鄙→野卑」

解字 金文  篆文  象形。とってのついたまるい酒だるに手をかけている形にかたどり、日常使用の「たる」の意味から、転じて、（祭器に比べ）いやしいの意味を表す。卑（卑）を音符に含む形声文字に、俾（ヒ）・埤（ヒ）・婢（ヒ）・脾（ヒ）・碑・裨（ヒ）・陴（ヒ）・髀（ヒ）などがあり、これらの漢字は、「小さくて、低い」の意味を共有している。

逆 高卑・尊卑・野卑

【卑汚】（ヒオ） ①いやしみけがす。見下げる。②低くいやしい。

【卑下】（ヒゲ・カゲ） ①ひくい。いやしい。②いやしめる。③へり下る。

【卑官】（ヒカン） ①低い官職。②官吏の謙称。

【卑△怯】（ヒキョウ） ①気が弱くて物事を恐れること。勇気がなくずるいこと。臆病（オクビョウ）。②心のいやしく曲がっていること。

【卑近】（ヒキン） ①高尚でない。また、高遠でない。②てぢか。ありふれた。通俗。また、たやすい。

【卑屈】（ヒクツ） 国気力がなく品性のいやしいこと。心がいじけていること。

【卑見】（ヒケン） つまらぬ意見。自分の意見の謙称。愚見。

【卑語】（ヒゴ） いやしいことば。また、いなかびたことば。鄙語（ヒゴ）。

【卑行】（ヒコウ） ①いやしいおこない。②＝卑属。

【卑湿（濕）】（ヒシツ・ヒシュウ） ①土地が低くてしめりけの多いこと。用例〔唐、白居易、八月十五日夜禁中独直対㆑月憶㆓元九㆒詩〕猶恐清光不㆓同見㆒（なお（ほ）おそるセイコウおなじくはみざるを）、江陵卑湿足㆓秋陰㆒（コウリョウはヒシツにしてシュウインたる）。↓わが友はこの明月の澄みきった光を私と同じようには見ていないかもしれないことが気がかりだ、江陵の地は土地が低くて湿り気が多く、秋は曇りの日が多いのだから。②へりくだる。また、心いやしく品がない。

【卑弱】（ヒジャク） ①力のよわいこと。②年の若いこと。

【卑称（稱）】（ヒショウ） 自分・他人をさげすんで言う呼び方。

【卑職】（ヒショク） ①低い官職。②官吏の謙称。

【卑浅（淺）】（ヒセン） 心がいやしく、考えのあさはかなこと。

【卑△賤】（ヒセン） 身分・地位の低いこと。

【卑俗】（ヒゾク） いやしい風俗。また、いやしいこと。下品。

【卑属（屬）】（ヒゾク） 自分より目下の親族。子・孫・おい・めいなど。卑行。↕尊属（四一六㌻上）。

【卑薄】（ヒハク） 土地が低くてやせていること。

【卑△鄙】（ヒヒ） 身分や人格などが低いこと。用例〔三国蜀、諸葛亮、前出師表〕先帝不㆘以㆓臣卑鄙㆒（センテイシンがヒヒなるをもってせず）。↓先帝は私の身分が低いことを問題としなかった。

【卑劣】（ヒレツ） 品性や行為のいやしくきたないこと。陋劣（ロウレツ）。「卑劣漢」。

【卑△陋】（ヒロウ） ①家や室の低く狭いこと。②地位・身分の低いこと。③＝卑劣。④低く劣っていること。⑤下品。

【卑△猥】（ヒワイ） いやしくてみだらなこと。下品でけがらわしいこと。鄙猥（ヒワイ）。

8 【真】 10画 (7984) シン 目部。→一〇〇七㌻下。

9 【乾】 11画 (108) カン 乙部。→五〇㌻下。

9【斟】11画 1175 シュウ(シフ) 漢 jí, ②chì — — 2025
字義 ❶斟斟シンシンは、盛んなさま。❷集まる。
解字 形声。十+甚㊖。

9【章】11画 (8643) ショウ 立部。→一〇六八㌻下。

9【卒】11画 (158) リツ 亠部。→六八㌻下。

10【辜】12画 (11984) コ 辛部。→一四〇一㌻中。

10【傘】12画 (531) サン 人部。→一一五㌻下。

10【準】12画 (826) ジュン 氵部。→一六六㌻下。

10【博】12画 1176 教4 ハク・バク 熟字訓 博士はかせ 3978 948E —

10〖博〗12画 1177 ハク 漢 bó 慣バク

筆順 一 十 … 博 博

[愽] 3841 字 俗

字義 ❶ひろ-い。ひろし。㋐ゆきわたっている。㋑広く通じている。「該博」㋒おおきい。㋓おおい(多)。❷ひろ-める。ひろむ。ひろ-まる。❸ひろさ。はば。❹える(得)。「博二巨利一キヨリをハクす」❺すごろく・囲碁・ばくちの類い。また、それをすること。「賭博トバク」❻かける(賭ト)。

名前 とうる・とおる・はか・ひろ・ひろし・ひろむ 難読 博奕ばくち・博多はかた・博打ばくち

解字 金文 篆文 形声。十+尃㊖。十は、四方の意味。音符の尃フは、田のなえを広く植えるの意味。ひろいの意味を表す。

逆 該博・寛博・広博

【博愛】ハクアイ わけへだてなく広く人々を愛する。

【博引△旁証(證)】ハクインボウショウ 事を論ずるのに、広く資料を引いてよりどころを示すこと。

【博△弈・博△奕】ハクエキ・バクエキ 勝負を争う遊び。すごろくや囲碁など。転じて、ばくち。賭博トバク。〔論語、陽貨〕

【博雅】ハクガ ①学問が広くて守る道の正しいこと。②書名。『広雅』の別名。

【博学(學)】ハクガク ①広く学ぶ。『中庸』で説く、学問をする五つの方法(博学・審問・慎思・明弁・篤行)の一つ。②学問に広く通じていること。「博学多通」「博学洽聞コウブン」

【博戯(戲)】ハクギ ばくち。すごろく。また、ばくちをする。博弈。

【博言学(學)】ハクゲンガク 国英語 philology の訳語。言語学の古称。

【博古】ハッコ ①広く古事に通ずること。②古い器物。

【博△洽】ハッコウ 「博学洽聞」「博学洽識」の略。広く物事を知っていること。▼洽は、あまねし。

【博済】ハクサイ ひろくすくう。広済。

【博山】ハクザン 彝器イキ(祭礼用の道具の一)の上に山の形を飾りにつけたもの。博山鐘。博山炉。

【博士】一 ハクシ・ハカセ ①博学の人。学者。碩学セキガク。また、物知り。②官名。秦シン代に始まる。学識ある人を任じた。漢以後、今の大学教授のような官となる。二 ハカセ 国①昔、大学寮・陰陽寮オンミョウリョウの教官。②規範。手本。三 ハクシ ①国学位の名。今の文学博士・理学博士など。②俗に、学位をもっている人をいう。

【博識】ハクシキ 広く物事を知っていること。

【博捜(搜)】ハクソウ 広くさがす。

【博大】ハクダイ 広く大きい。

【博徒】バクト ばくちうち。

【博物】ハクブツ ①広く物事を知っていること。博識。②もろもろの事物。③国「博物学」の略。動物・植物・地質・鉱物・生理の学問の総称。

【博物志】ハクブツシ 書名。十巻。晋シンの張華の著とされるが、後の人の編と考えられている。

【博文】ハクブン 広く学問を修める。

【博文約礼(禮)】ハクブンヤクレイ 広く学問をして知識を身に付け、礼をもって正しい行動をすること。『論語』雍也ヨウヤ編に「君子博二学於文一ブンをまなびクンシひろく、約レ之以レ礼これをヤクするにレイをもってす」とあるのに基づく。

【博聞】ハクブン 広く聞き知る。見聞が広い。博覧。

【博聞強記】ハクブンキョウキ 見聞が広く、よく記憶していること。博聞彊志ハクブンキョウシ。博聞彊識ハクブンキョウシ。博覧強記。

【博聞△彊志】ハクブンキョウ(キャウ)シ ＝博聞強記。

【博覧(覽)】ハクラン 広く見ること。見聞の広いこと。

【博覧(覽)強記】ハクランキョウキ ＝博聞強記。

【博労(勞)】一 ハクロウ ①鳥の名。もず。伯労。②昔、よく馬の良否を見分けた人。伯楽ハクラク。二 バクロウ・ハクロウ 馬の売買を業とする人。

【博浪沙・博△狼沙】ハクロウサ・ハクロウシャ 今の河南省原陽県の南。張良が秦シンの始皇帝を殺そうとして鉄椎テッツイを投げつけて失敗した所。〔史記、留侯世家〕

11【幹】13画 (3168) カン 干部。→四六七㌻下。

11【準】13画 (6578) ジュン 氵部。→八六九㌻下。

12【斡】14画 (4589) アツ 斗部。→六三五㌻中。

12【瑕】14画 (1660) カ 口部。→二八〇㌻下。

12【兢】14画 (717) キョウ 儿部。→一四三㌻下。

14【翰】16画 (9549) カン 羽部。→一一六〇㌻下。

16【韓】18画 (13389) カン 韋部。→一五五〇㌻上。

16【鼖】18画 (14518) フン 鼓部。→一六五三㌻上。

19【繂】21画 1178 ソツ 卒(158)の古字。→六八㌻下。 — — 2026

22【矗】24画 (8103) チク 目部。→一〇一五㌻中。

2画 卜(⺊) ぼく ぼくのと

〔部首解説〕 卜ボクをもとにして、うらないの意味を含む文字ができている。そのほか、卜や⺊の形をもつ文字で、便宜上、この部首に所属するものがある。

0 卜 二一八 2 卝 一九三 卞 二一九 3 外 三二一 処 二一九
占 二一九 卡 二一九 5 卣 二一九 6 卦 二一九 卤 二一九
卓 二二四 7 貞 一二四九 9 㮚 一六三七 12 睿 一〇一三 17 鹼 一六三七
18 鹹 一六三七 19 鹻 一六三八 鹺 一六三八 22 鹼 一六三八

0【卜】2画 1179 人 標 ホク 漢 bǔ 慣ボク 4346 966D —

筆順 丨 卜

字義 ❶うらかた(占形)。❷うらな-う。うらなふ。吉凶を判断する。うらな-い。うらなひ。❸うらないを業とする人。易者。❹えらぶ。うらなって選び定める。❺あたえる(与)。 難読 卜兆うらかた

解字 甲骨文 金文 篆文 象形。うらないのために、亀かめの甲や牛の骨を焼いて得られた割れ目の形(占形うらかた)にかたどり、うらなうの意味を表

す。卜を音符に含む形声文字に、攴ホク・朴・仆フ・赴などがあり、これらの漢字は、「ボクという音がして割れ目が走る」の意味を共有している。

【卜居】ボクキョ・ボッキョ 土地のよしあしをうらなって住居を定めること。転じて、居所を定めること。卜宅。

【卜師】ボクシ ①周代の官名。亀の甲を焼いてうらなうことをつかさどる。②うらない師。卜者。

【卜△肆】ボクシ うらない師の店。

【卜辞(辭)】ボクジ ①亀の甲でうらなったことをしるした文。②甲骨文字。

卜辞

【卜商】ボクショウ ＝子夏(三八〇ページ下)。孔子の門人。

【卜△筮】ボクゼイ うらない。▼卜は亀の甲を焼いて占い、筮は筮竹で占う。〔易経、繫辞上〕

【卜占】ボクセン うらない。また、うらなう。

【卜相】ボクソウ うらない見る。また、卜占で見ることと、人相などでうらなうこと。

【卜宅】タク・タクを ボク・ボクす ①都とすべき候補地の吉凶をうらなう。②住宅をうらない定める。③墓場を造る土地をうらなって選ぶ。

2 【丱】 4画 (9790) カン 丱部。→一二九三ページ下。

2 【卞】 4画 1180 漢ヘン 呉ベン 簡 biàn 5038 99C4 —

字義 ❶のり(法)。きまり。❷軽々しくさわがしい。せっかち。❸素手で打つ。❹かんむり(冠)。＝弁(3276)。

解字 象形。もと、弁と書き、かんむりの形にかたどったものの略体か。かんむりの意味を現わし、派生して法律の意味を表す。また、あわてるの意味をも表す。

【卞和】ベンカ 周代の楚ソの人。山中で見つけたみがいていない玉を宝石だと言って厲王レイオウに献じたが信じられず、左足を切られ、次代の武王に献じたがまた右足を切られた。次代の文王が、その玉をみがかせると、世にもまれな宝玉を得たという。その玉を卞和の璧ヘキ・和氏シカの璧・連城の璧などという。〔韓非子、和氏〕

【卞急】ベンキュウ せっかち。短気。また、そそっかしい。

【卞荘(莊)子】ベンソウシ 春秋時代の魯ロの卞という町(今の山東省内)の大夫タイフ(町長)。勇気と武力をもって有名。

3 【外】 5画 (2226) ガイ 夕部。→三三一ページ中。

3 【处】 5画 1181 ショ 処(840)の俗字。→一六八ページ上。

3 【占】 5画 1182 常 セン しーめる・うらなーう 一セン 臨 zhān 二セン 艶 zhàn 3274 90E8 —

筆順 丨 ト 卜 占 占

字義 一❶うらなーう。吉凶を判断する。うらなーい。❷たずねる。㋐問いただす。㋑調べる。❸みる。うかがう。ぬすみ見る。❹はかる。考える。判断する。二❶しーめる。㋐自分のものとする。「独占」㋑よる(拠)。占拠する。領有する。❷まもる(守)。たもつ(保)。

名前 うら・しめ 難読 占冠しむかっぷ・占守しゅむしゅ・占地しめじ

解字 甲骨文 篆文 会意。卜＋口。卜はうらないに表れた形の象形。うらなうの意味を表す。また、うらないは、亀の甲に特定の点を刻んで行われるところから、特定の点をしめるの意味をも表す。占を音符に含む形声文字に、佔テン・店・沾テン・点・覘テン・霑セン などがあり、これらの漢字は、「特定の点をしめる」の意味を共有している。

逆 易占・兆占・独占

【占拠(據)】センキョ ①ある場所を占有してたてこもり、他人の入るのを許さぬこと。②占領。

【占形】うらかた 国うらないのために焼いた亀の甲に現れた裂け目のように、うらないの資料となる形。占象。占状。

【占験(驗)】センケン うらなって出たしるし。

【占候】センコウ 日・月・星・雲気などを観察して、吉凶をうらなう。

【占星】センセイ 星の運行を見て吉凶をうらなう。

【占△筮】センゼイ うらない。▼筮は、筮竹でうらなう。

【占相】センソウ うらないみる。

【占兆】センチョウ ＝占形。

【占募】センボ 自分で考え、募集に応じる。

【占△卜】センボク うらなう。また、うらない。

【占夢】センム ①夢の吉凶をうらなう。②夢うらないをする人。

【占有】センユウ 自分の所有とする。一人じめ。

【占領】センリョウ ①一定の場所を占有する。占拠。②自国領土外の地域を軍隊権力下に占有・保持する。

3 【卡】 5画 1183 一 漢ソウ(サフ) 呉ゾウ(ザフ) 咼 qiǎ 二サ 禡 1479 — 2027

字義 一関所。要害の地などに設けた警備所。二道がけわしい。

解字 会意。上＋下。人がのぼりくだりする交通の要所におかれた関所の意味を表す。

5 【卣】 7画 1184 漢ユウ(イウ) 呉ユ 尤 有 yǒu 1480 — 2028

字義 さかだる。大を彝イ、小を罍ライといい、その中間の大きさの、酒を入れる青銅製のつぼ状の器。

解字 象形。さかだるを横から見た形にかたどり、さかだるの意味を表す。酉ユウ・由などと同一語の異体字である。

卣

6 【卦】 8画 1185 漢カイ(クワイ)・呉ケ 慣カ(クワ) 卦 guà 2321 8C54 —

字義 ❶うらかた(占形)。筮竹ゼイチクを操作して陰陽を得、それに従って陽を表す算木(⚊)と陰を表す算木(⚋)とを並べて表された形で、易の判断の資料。☲のような三爻サンコウから成るものが八種あるので、これを八卦と総称し、それを二つずつ組み合わせたもの(例、☲☰)が六十四種あり、六十四卦と総称する。❷うらなう。吉凶を判断する。また、うらない。

解字 篆文 形声。卜＋圭音。卜は、うらないの意味。音符の圭ケイは、系に通じ、かける・つなげるの意味。うらないのときに現れるさまざまなつながり、うらかたの意味を表す。

【卦兆】カチョウ 卜筮ボクゼイのうらかた。うらないに現れたかたち。

6 【卤】 8画 1186 セイ 西(11006)の古字。→一三八ページ下。 — — 2029

6 【卓】 8画 (1169) タク 十部。→二二四ページ中。

7 【貞】 9画 (11518) テイ 貝部。→一二四九ページ下。

9 【鹵】 11画 (14390) ロ 鹵部。→一六三七ページ下。

12 【睿】 14画 (8045) エイ 目部。→一〇二二ページ中。

17 【鹸】 19画 (14391) ケン 鹵部。→一六三七ページ下。

18 【鹹】 20画 (14392) カン 鹵部。→一六三七ページ下。

19 【鹻】 21画 (14393) ケン 鹵部。→一六三八ページ上。

19 【鹺】 21画 (14394) サ 鹵部。→一六三八ページ上。

22【鹼】24画(14395) ケン 鹵部。→一六三八ジー上。

2画 卩(㔾) ふしづくり

〔部首解説〕節(ふし)の傍(つくり)になるのでいう。㔾は、卩が文字の下部(脚(キャク)・あし)にくるときの形。卩をもとにして、ひざまずくことに関係する文字や、しるしの意味を含む文字ができている。

0 卩 二二〇　2 卬 二二〇　厄 二二四　3 卭 二二〇　卮 二二〇
卯 二二〇　夘 二二〇　4 印 二二〇　危 二二一　5 却 二二一
卲 二二一　即 二二一　卵 二二一　6 巻 四二一　𠨬 二二二
卺 二二二　卹 二二三　7 卻 二二三　卸 二二三　卽 二二三
11 㔩 二二三　8 卿 二二三　9 鄂 二二三　10 卿 二二三　卿 二二三

0【卩】2画 1187 漢セツ 呉セチ 屑 jié 5039 99C5 ―
字義 しるし。割り符。手形。
解字 甲骨文 篆文 象形。甲骨文は、人のひざまずく形にかたどり、ひざの関節の意味を表す。節の原字。両足の関節が向き合うように、符合するしるしの意味に用いる。卩を音符に含む文字に、節・櫛(シツ)がある。

2【卬】4画 1188 一 ゴウ(ガウ) 陽 áng 二 漢ギョウ(ギャウ) 呉ゴウ(ガウ) 養 yǎng 20353 ― 2030
字義 一 ❶のぞむ(望)。㋐欲する。願う。㋑遠くを見る。❷あがる。高くなる。❸たかぶる。激する。❹たかい。高い形容。→卬卬。二 ❶あおぐ(あふぐ)。=仰(216)。「卬望」❷むかえる。=迎(12030)。❸まつ。期待する。
解字 篆文 会意。匕+卩(卪)。匕は、立つ人、卪は、ひざまずく人の象形。ひざまずいて、立つ人をあおぎ見る、のぞむの意味を表す。卬を音符に含む形声文字に、仰・昂(コウ)などがあり、これらは、「あおぐ」の意味を共有している。

【卬卬】ゴウゴウ ①山の高いさま。②徳の高いさま。

2【厄】4画(1214) ヤク 厂部。→二二四ジー上。

3【卭】5画 1189 キョウ 邛(12253)の俗字。→一四三八ジー中。 ― ― 2031

3【卮】5画 1190 シ 支 zhī 5040 99C6 ―
〔巵〕3069 俗字
字義 ❶さかずき(さかづき)。四升を入れる大杯。一杯になれば傾き、空(から)になるとうわむき、常に入っている量によって変わるという。❷ばらばら。とりとめがない。支離滅裂。=支(4506)。❸その時の状況によって変化すること。臨機応変。❹べに。臙脂色(エンジいろ)。
解字 篆文 会意。𠂆+卩(卪)。𠂆は人の象形。卪は、節度の意味。飲食に節度を守らせるように造られた器の意味を表す。一説に、𠂆は立つ人、卪は、ひざまずく人の象形で、たがいに杯を交わしあう酒器の意味を表すという。

卮①

【卮言】シゲン ①支離滅裂でつじつまの合わないことば。②その場その場に合うように言うことば。臨機応変の巧みなことば。〔荘子、寓言〕
【卮酒】シシュ 大杯についだ酒。用例〔史記、項羽本紀〕臣死且不レ避(シスラかつさけず)、卮酒安足レ辞(シシュいずくんぞジするにたらん)。↓私は死ぬことでさえも何とも思っていない、大杯の酒などどうして辞退しようか(決してしない)。／〔戦国策、斉〕賜ニ其舎人卮酒一(そのシャジンにシシュをたまう(ふ))。↓その使用人たちに大杯に入れた酒を振る舞うことになった。

3【卯】5画 1191 人 漢ボウ(バウ) 呉モウ(マウ) 巧 mǎo 1712 894B ―
筆順
〔丣〕3975 本字 〔夘〕1192 俗字
字義 ❶う。㋐十二支の第四位。㋑月では陰暦二月。㋒時刻では明け六つ。午前六時、及びその前後二時間。一説に、その後の二時間。㋓方位では東。㋔五行では木。㋕動物では兎(うさぎ)に当てる。❷しげる(茂)。❸おかす(冒)。
名前 あきら・う・しげ・しげる　難読 卯花腐(うのはなくたし)・卯子酉(うねとり)・卯木(うつぎ)
解字 甲骨文 金文 篆文 象形。同形のものを左右対称において、等価の物と交易するの意味を表す。貿の原字。借りて十二支の第四位として用いる。一説に、左右に開いた門の象形で、万物が冬の門からとび出す、陰暦二月の意味を表す。

【卯飲】ボウイン 卯う(朝六時ごろ)に酒を飲む。また、その酒。卯酒。
【卯月】一 ボウゲツ 陰暦二月の別称。二 うづき 国「卯の花月」の略。陰暦四月の別称。卯の花は、うつぎの花。

3【夘】5画 1192 ボウ 卯(1191)の俗字。→二二〇ジー中。 5041 99C7 ―

4【印】6画 1193 教4 イン しるし イン 震 yìn 1685 88F3 ―
筆順
字義 ❶しるし。しるしをつける。❷はん(判)。はんこ。はんを押す。→印鑑。❸あと。痕跡(コンセキ)。あとをつける。❹みち。方法。❺官職。❻印刷する。❼仏指先で作る、法徳を示す形。❽国名。印度(インド)の略。国しるし。㋐紋所。㋑証拠。㋒くび。首級。㋓きざし。前兆。㋔かたち。形式。㋕心おぼえ。
名前 あき・おき・おし・かね・しる　難読 印巻(いかねまき)・印具(いぐい)・印支(いなき)・印南(いなみ)・印貝(いそがい)・印旛(いんば)・印牧(かねまき)・印具(おしずみ)
参考 「しるし」は、現代表記では、識別のための記号の類いに〔印〕を用いる以外は仮名書きが一般的。「目印・感謝のしるし・おめでたのしるし」

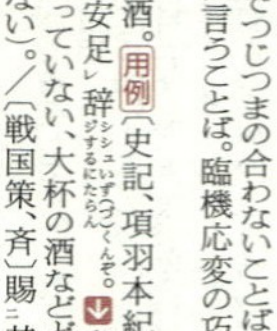
「平南将軍」印(漢代)

解字 甲骨文 金文 篆文 会意。爪+卩(卪)。爪は、下向きの手の象形。卪は、節の省略体で、しるしの意味。手でしるしをつけるさまから、しるしの意味を表す。
逆 影印・押印・金印・契印・交印・朱印・相印・石印・調印・封印・法印

【印影】インエイ 紙などにおした印の跡。
【印可】インカ ①仏弟子の得たさとりを認め許すこと。②承認する。許す。認可。
【印鑑】インカン 国①印。はんこ。②印影。地方公共団体などにあらかじめ届け出ておく印形。◆現今、「印鑑」を一般に①の意に用いていることが多いが、法令用語としては、②の意味である。「印鑑証明」
【印形】一 インケイ ＝印影。二 ギョウ 国はん。はんこ。印。
【印行】インコウ 書籍・書画などを印刷して世に出すこと。刊行。
【印刻】インコク ①しるしきざむ。②はんこを彫ること。

【印璽】インジ　しるし。印。特に、天子の印。
【印△綬】インジュ　印は官吏の身分を証明する印。綬は印につけてあるひも。天子から任命と同時に与えられる。「印綬を佩(お)びる」は、官職につく。「印綬を解く」は、辞任する。用例〔史記、項羽本紀〕佩二其印綬一(そのインジュをおぶ)。↓（項羽は郡守の首を切り落とし、）その印綬を身に付けた。
【印書】インショ　書籍を印刷する。また、その本。刊本。印本。
【印章】インショウ　はん。印判。▼章は、印判の文字。
【印象】インショウ　①水や鏡にうつし出された形。②国英語 impressionの訳語。㋐対象が心に与える直接の影響。㋑心にうつって長く残っている感じ。
【印信】インシン　①しるし。証拠。②はんこ。印判。
【印度】インド　国名。アジア州南部の国。身毒。天竺(テンジク)。
【印譜】インプ　種々の印影を集めて編集した本。
【印本】インポン　印刷した書籍。刊本。↔写本(一六一ページ下)。
【印籠】インロウ　国四角(よすみ)を丸くした長方形の携帯用小箱。もとは印や印肉を入れたが、江戸時代には薬類を入れた。

4
【危】6画 1194 教6 キ　あぶ-ない・あや-うい・あや-ぶむ
ギ 困 wēi(wēi)
慣キ
2077 8AEB 一

筆順 ノ ク 𠂊 产 厃 危

字義 ❶あや-うい(あやふし)。㋐あぶ-ない(あぶなし)。不安である。「安危」㋑滅びかかっている。死にかかっている。㋒はかない。もろい。❷あや-ぶむ。㋐恐れる。不安に思う。㋑疑う。気づかう。❸あやうくする。㋐あぶなくする。そこなう。㋑きびしくする。はげしくする。❹あやうく。㋐やっと。㋑もう少しで。❺たか-い(たかし)(高)。たかくする。❻ただしい。❼そばだつ。そばだてる。❽むね(棟)。屋根の最も高い所。国あや-める(あやむ)。人を殺す。

難読 危寸(そき)

解字 甲骨文  篆文  形声。⺈+厄音。音符の厄は、ひざまずくの意味。⺈も、人のひざまずく形。不安定にひざまずくさまから、あやういの意味を表す。危を音符に含む形声文字に、詭(キ)・跪(キ)などがあり、これらの漢字は、「あやうい」の意味を共有している。

逆 傾危

【危△峨】ガキ　山が高いさま。
【危害】キガイ　①そこないやぶる。②わざわい。③危険。④国人の生命をそこなうこと。
【危岸】キガン　高くそばだっている岸。断崖。
【危△巌(巖)】キガン　①今にもころげ落ちそうな岩。②高くそびえ立つ岩。
【危機】キキ　①生死・成敗の分かれる重要な時(おり)。②危難の生ずる原因となる事がら。
【危機一髪】キキイッパツ　一本の髪の毛で重い物を引いて今にも切れそうな、非常に危険な状態。用例〔唐、韓愈、与二孟尚書一書〕其危如三一髪引二千鈞一(そのあやう(ふ)きこと イッパツ一もてセンキンをひくがごとし)。↓一本の髪の毛で千鈞の重さのものを引くように危うい。
【危疑】ギキ　あやぶむ。あやぶみうたがう。
【危急】キキュウ　危険がさしせまってあぶない状態。
【危急存△亡之秋】キキュウソンボウのとき　存続するか滅亡するかの分かれ目になる危険に直面している重大な時。▼秋は、収穫の時で、重大な時の意。用例〔三国蜀、諸葛亮、前出師表〕今天下三分(いまテンカサンブンして)、益州罷弊(エキシュウヒヘイす)、此誠危急存亡之秋也(これまことにキキュウソンボウのときなり)。↓今、天下は三つに分かれ、わが益州は疲れ果てており、これはまさに我々が存続するか滅亡するかの分かれ目です。
【危惧・危△懼】キグ　あやぶみおそれる。不安に思う。◆現代日本では、「危惧」と書くのが一般的。
【危険(險)】キケン　①あぶない。安全でない。②要害の地。
【危言】キゲン　正しいことば。また、正論をはく。「危言覈論(カクロン)」
【危語】キゴ　はげしいことば。激越なことば。
【危行】キコウ　行いを正しくする。また、正しい行い。
【危△坐】キザ　正しくすわる。▼危は、正・高。
【危若二朝露一】あやう(ふ)きことチョウロのごとし　いつ消えるか分からぬ朝つゆのようにあやうい。〔史記、商君伝〕
【危如二累卵一】あやう(ふ)きことルイランのごとし　積み重ねた卵のようにあやうい。〔史記、范雎伝〕
【危△檣】キショウ　高い帆柱。用例〔唐、杜甫、旅夜書レ懐詩〕細草微風岸(サイソウビフウのきし)、危檣独夜舟(キショウドクヤのふね)。↓細い草の葉がかすかな風にそよぐ岸辺で、高く帆柱を立てた舟の中、一人さびしく夜を過ごしている。
【危礁】キショウ　海上に見えかくれする岩。
【危城】キジョウ　①今にもおちそうになっている城。②高い城。
【危△脆】キゼイ　あやうくて、もろい。
【危石】キセキ　①今にもたおれそうな石。②高くそばだっている石。高くきりたった岩。
【危浅(淺)】キセン　人の命のはかなくもろいこと。用例〔西晋、李密、陳情表〕人命危浅(ジンメイはキセンにして)、朝不レ慮レ夕(あしたにゆう(ふ)べをはからず)。↓人の命ははかなくもろいもので、朝方に夕方まで生きていることを予測することはできない。
【危然】キゼン　ひとり正しい様子。
【危巣(巢)】キソウ　高い所にある巣。
【危△殆】キタイ　非常にあやういこと。▼殆も、危の意。
【危地】キチ　あぶない所・立場・場合。「危地を脱す」
【危△惙】キテツ　(病状などを)あやぶみうれえる。また、その状態。危篤。
【危道】キドウ　①あぶない道。②あぶない方法。
【危篤】キトク　病気が非常に重くて命があぶないこと。
【危独(獨)】キドク　あやうくて、助けるものがない。
【危難】キナン　わざわい。災難。また、困難。難儀。
【危敗】キハイ　あやうくなり、やぶれる。やぶれて危険におちいる。
【危邦】キホウ　乱れて今にも滅亡しそうな国。用例〔論語、泰伯〕危邦不レ入(キホウにはいらず)、乱邦不レ居(ランボウにはお(を)らず)。↓乱れて今にも滅亡しそうな国には入らず、乱れた国には止まらない。
【危法】キホウ　しいて作った刑法。
【危峰】キホウ　高くそびえているみね。危嶺(キレイ)。
【危亡】キボウ　あやうくなってほろびる。かたむきほろびる。
【危欄】キラン　高いてすり。高欄。
【危楼(樓)】キロウ　高いうてな。たかどの。高楼。危榭(キシャ)。
【見レ危授レ命】あやう(ふ)きをみてはメイをさず(づ)く　国や人のあやうい状態を知った時は、命を捨てる覚悟で、それを救うことに努力する。〔論語、憲問〕
【見レ危致レ命】あやう(ふ)きをみてはメイをいたす　＝見レ危授レ命。〔論語、子張〕

5
【却】7画 1195 常 キャク
漢キャク・呉カク 薬 què
2149 8B70 一

筆順 一 + 土 去 去 却

［卻］1203 正字　［㕁］1200 俗字

字義 ❶しりぞ-く(しりぞく)。㋐さがる。去る。ひく。「退却」㋑やむ。とまる。とじる。❷しりぞ-ける(しりぞく)。㋐こばむ。ことわる。㋑おさえる(抑)。用いない。のぞく。㋒さげる。おろす。❸かえ-って(かへって)。㋐逆に。用例〔唐、杜牧、贈別詩〕多情却似総無情(タジョウはかえ(へ)ってすべてムジョウなるに)、唯覚樽前笑不レ成(ただおぼゆソンゼンわらい(ひ)のならざるを)。↓感受性が豊かである故、かえってつれないようにしている。ただ酒だるを前にして笑うことができずにいるのに気づくだけである。㋑また。㋒さて、そのときこそは。用例〔唐、李商隠、夜雨寄レ北詩〕何当共剪二西窓燭一(いつかまさにともにセイソウのショクをきり)、却話巴山夜雨時(かえ(へ)ってハザンヤウのときをかたるべき)。↓いつの日にか共に西向きの窓辺で灯心を切りつつ、ふり返ってこの巴山の夜雨のことを語り合えるのだろうか。❹助字。動詞のあとにつけて、その意味を強める。「…しおわる」「…してしまう」の意を示す。「売

却」「忘却」 難読 却却（なかなか）・却説（さて）

解字 篆文 形声。卩（⼙）＋去㊐。音符の去は、去るの意味。ひざであとずさるの意味を表す。『説文解字』では、⼙＋谷㊐。

逆 遺却・間却・閑却・棄却・減却・困却・消却・焼却・退却・脱却・売却・破却・返却・忘却・没却・滅却・冷却

【却下】キャッカ ①すだれなどをおろしさげる。②国願書・訴訟などを受けつけないでしりぞけること。

【却回・却廻】キャッカイ 退きかえる。また、退けかえすこと。

【却月】キャクゲツ 半月。片割れ月。

【却行】キャッコウ あとずさりする。

【却坐】キャクザ 退いてすわる。

【却説】キャクセツ ①逆に…と言う。②さて。そこで。

【却走】キャクソウ 退きはしる。しりごみしてにげる。

【却立】キャクリツ あとへ退いて立つ。用例〔史記、廉頗藺相如伝〕相如因持レ璧却立倚レ柱 ↓相如はそこですかさず璧を手に持ち、後ずさりして立ちあがり柱を背にしてよりかかった。

【却老】キャクロウ ①老いを退ける。若返る。②木の名。くこの木。

5 【卲】 7画 1196 ㊥ショウ（セウ） ㊐ジョウ（ゼウ） 㘝 shào ― ED6F 2032

字義 高い。すぐれる。

解字 形声。卩（⼙）＋召㊐。

5 【即】 7画 1197 常 ソク 3408 91A6 ―

7 〖卽〗 9画 1198 人 ㊥ショク ㊐ソク 職 jí ₁1481 ― ―

筆順 ㇆ ㇇ ㇋ 艮 即 即

［皀］7876 古字 ［卽］1205 俗字

字義 ❶つく（就）。㋐位置・地位につく。㋑ぴったりつく。接する。「不即不離」㋒近づく。㋓従う。追う。❷おわる（終）。「即世」 ❸もし。⇩助字・句法解説。 助すなわち（すなはち）。

助字・句法解説

❶すなわち（すなはち）。㋐訳とりもなおさず。つまり。前後の語が等しい関係にあることを示す。用例〔史記、項羽本紀〕梁父即楚将項燕（リョウのちちはすなわち（は）ちソショウコウエンなり）。↓梁の父はつまり楚の将軍項燕である。㋑訳すぐその場で。ただちに。前後のできごとがひきつづいて起こることを表す。用例〔史記、項羽本紀〕噲曰、此迫矣。臣請入与レ之同レ命。噲即帯レ剣擁レ盾入レ軍門（カイいわく、これせまれり。シンこう、いりてこれとメイをおなじくせんと。カイすなわち（は）ちケンをおびたてをヨウしてグンモンにいる）。↓樊噲が言った、「それは緊迫した状況だ。私は、早速宴会場に乗り込んでわが君と生死をともにしよう」。樊噲はすぐさま剣を帯び盾をかかえて軍門に入っていった。

❷もし。順接の仮定条件。「即Ａ、Ｂ（もしＡせば、Ｂす）」。訳もしＡならばＢするだろう。類若・如。用例〔史記、呂后本紀〕我即崩、帝年少、大臣恐為レ変（われもしホウぜば、テイのとし、わかし、ダイジンおそらくはヘンをなさん）。↓私がもし死んだならば、帝は年齢が若いから、大臣はたぶん事変をおこすだろう。

名前 あつ・ただ・ちかし・ひと・みつ・より

解字 甲骨文 金文 篆文 会意。皀（皀）＋卩（⼙）。皀は、食物の象形。⼙はひざまずく人の象形。人が食事の座につくの意味から、一般に、つくの意味を表す。

【即位】ソクイ・くらい（ゐ）につく 定められた位置につくこと。㋐天子・諸侯の位につくこと。㋑席につく。着席。

【即詠】ソクエイ ＝即吟。

【即応（應）】ソクオウ 物事にすぐに応ずる。そのまま従う。

【即興】ソッキョウ 国①その場でおこった興味。②興に乗って、即座に詩歌などを作ること。即吟。即詠。

【即吟】ソクギン 国その場ですぐ詩歌を作ること。即詠。

【即決】ソッケツ その場ですぐに決定すること。

【即効（效）】ソッコウ すぐにきく。その場できく。また、そのききめ。

【即刻】ソッコク その時すぐ。すぐさま。即事。

【即今】ソッコン ただ今。目下。

【即座】ソクザ 国その場。すぐそのとき。即席。

【即死】ソクシ その場で（その時に）すぐ死ぬ。

【即事】ソクジ ①事につく（とりかかる）。②その場の出来事。③事にふれて、その場のことを題材として詩を作ること。

【即日】ソクジツ ①すぐその日。当日。②いつか。そのうち。近日。

【即且】ソクショ むかで。蝍蛆（ショクショ）。

【即戎】ソクジュウ 戦争に従う。

【即身成仏（佛）】ソクシンジョウブツ 仏人間が現在の肉体のままで仏になること。

【即世】ソクセイ 死ぬ。世を終わる。即命。

【即席】ソクセキ ①座席につく。②その席。その場。③国㋐その席ですぐ作ること。「即席料理」㋑てまのかからぬこと。当座のまに合わせ。

【即祚】ソクソ・ソにつく ＝即位㋐。

【即即】ソクソク ①充実している様子。一説に、高位にあってもへり下ること。②鳳凰（ホウオウ）の雄の鳴き声。

【即題】ソクダイ 国①その場で題を出して詩歌や文章を作らせること。また、その題。↕兼題（一五四ページ上）。②その場で答えさせる問題。③即席に作曲してピアノなどを演奏すること。

【即答】ソクトウ 直ちに答える。その場で答える。

【即物】ソクブツ 個々の事物にぴったりつき従っていること。個々の事物に即して考えること。

【即墨】ソクボク 地名。現在の山東省平度市の東南。戦国時代、斉の田単が火牛の計を用いて燕を破った地。

【即妙】ソクミョウ 国その場ですぐ、たくみに働く才能・知恵。「当意即妙」

【即命】ソクメイ・メイにつく ①天命につく。②死ぬ。

【即目】ソクモク 目に触れる。また、そのもの。

【即夜】ソクヤ その晩。その夜。

5 【卵】 7画 1199 教 6 ラン たまご ㊥ラン 旱 luǎn ㊥コン 阮 kūn 4581 9791 ―

筆順 ノ ㇀ 𠂎 卯 卯 卵

字義 ㊀たまご。鳥などのたまご。㊁はららご。魚のたまご。＝鯤（14050）。

使いわけ たまご〔卵・玉子〕

「修業中の人」の意では〔卵〕と表記する。「医者の卵」食品としての鶏のたまごは、〔玉子〕と表記することも多い。「玉子焼き」

解字 篆文 象形。たまごの象形。陰と陽、卵子と精子とがひきあって生ずる、たまごの意味を表す。

逆 累卵

【卵生】ランセイ 卵から生まれること。↕胎生（六九三ページ中）。

【卵塔】ラントウ 卵形に作った塔婆。墓に用いる。

【卵有レ毛】たまごにけあり 無から有は生じない。鶏に毛があり、その鶏は卵から生れるから、卵にも毛があるはずであるという、戦国時代の名家（詭弁（キベン）学派）の説。〔荘子、天下〕

【以レ卵投レ石】たまごをもっていしにトウず 卵を石に投げつける。弱いものが強いものに向かうこと・邪が正に向かうことなどのたとえで、直ちに砕かれる（負ける）意。〔荀子、議兵〕

6 【巻】 8画 (3071) カン 巻（3070）の旧字体。→四五一ページ中。

6【刧】8画 1200 キャク 却(1195)の俗字。→二二一ジ下。 20354 — —

6【卺】8画 1201 キン 卺(3072)の俗字。→四三一ジ下。 — — —

6【卹】8画 1202 ジュツ 恤(3715)と同字。→五四五ジ上。 — — 2033

7【郤】9画 1203 キャク 却(1195)の正字。→二二一ジ下。 5042 99C8 —

7【卸】9画 1204 常 シャ 禡 xiè おろす・おろし 1823 89B5 —

筆順 ノ ㇀ 𠂉 午 午 𠂉 年 缶 釒 卸

〔卸〕9408 俗字

字義 ❶おろ-す。荷物を下に移し置く。❷解く。ぬぐ。のぞく。用例〔先哲叢談〕直卸₌其所₋著外套₋以授ₗ妻（ただちにそのきるところのガイトウをぬぎてもってつまにさずく）すぐさま着ていた外套を脱いで妻に与えた。❸おちる。おりる。国おろ-す。おろし。商品を問屋が小売商に売り渡すこと。「卸値」「卸売」

使いわけ おろす〔降・下・卸〕⇨降(13086)。

解字 篆文 形声。卩(㔾)＋止＋午音。音符の午ゴ＝ヤシは、両人が向きあって、かわるがわるつきおろすきねの象形。㔾は、ひざまずく人の象形。止は、足の象形で、いくの意味。ひざまずく二人が一本のきねをかわるがわるつきおろすように、昔、荷物を宿駅ごとにおろしては別の馬に積み代えていくところから、おろすの意味を表す。

【卸冠】シャカン かんむりを脱ぐ。

【卸頭】シャトウ 婦人が頭のかざりを取り去ること。

7【卽】9画 (1198) ソク 即(1197)の旧字体。→二二二ジ上。

7【卽】9画 1205 ソク 即(1197)の俗字。→二二二ジ上。

8【卿】10画 1206 ケイ 卿(1208)の俗字。→二二三ジ上。

9【咢】11画 1207 ガク 薬 è うわあご。 — — 2034

10【卿】12画 1208 人 標 漢ケイ 呉キョウ(キャウ) 庚 qīng 2210 8BA8 —

筆順 ノ ㇀ 乡 乡' 𠨍 𠨍 卿 卿

字義 ❶爵位・官職の名。きみ。長官。大臣。㋐天子・諸侯の臣で、国政をつかさどる最高の官。天子直属の臣。六卿。九卿。諸侯の臣の上大夫。㋑特定の官署の長官。また、軍の大将。❷第二人称の代名詞。㋐君が臣を呼ぶ称。㋑同じ位の人、または下位の人を呼ぶ称。用例〔唐、李白、山中与₌幽人₋対酌詩〕我酔欲ₗ眠卿且去（われよ(ゑ)い(ひ)てねむらんとほっす、きみしばらくされ）明朝有ₗ意抱ₗ琴来（ミョウチョウ イあらば、ことをいだいてきたれ）私は酔って眠くなってきた、君はいったん帰ってくれ。明朝、まだ気持ちがあるようなら、琴を抱えてやっておいで。㋒夫婦間でたがいに呼ぶ称。用例〔楽府詩集、焦仲卿妻〕卿但暫還ₗ家（ケイただしばらくいえ(へ)にかえ(へ)れ）、吾今且ₗ報ₗ府（われいままさにフにホウぜんとす）。お前はひとまず実家に戻れ、私はいまから役所に出かけなければならない。❸男子に対する尊称。姓にそえて用いる。先生。「荀卿ジュンケイ」❹めでたい。＝慶(3589)。「卿雲」国㋐かみ。大宝令の四等官で、省の第一位。㋑大・中納言、三位以上の官人。㋒上記の人に対する敬称。㋓三位以上の人。「公卿クギョウ」

名前 あき・あきら・きみ・けい・のり

参考 〔郷(鄕)〕(12307)は別字。

解字 甲骨文 篆文 象形。甲骨文でもよくわかるように、二人が食物を間に向き合う形にかたどり、むかう・もてなすの意味を表す。王室でのもてなし役の意味から、貴人の意味を表す。

【卿雲】ケイウン 太平の世に現れるというめでたい雲。瑞雲ズイウン。慶雲。景雲。〔史記、天官書〕

【卿卿】ケイケイ 妻が夫を呼ぶ称。

【卿士】ケイシ 卿・大夫タイフ・士の総称。

【卿子冠軍】ケイシカングン 楚ソの懐王が臣の宋義ソウギを尊び呼んだ称号。

【卿相】ケイショウ ①天子・諸侯を助けて政治を行う高位の臣。大臣。家老。②国三位以上の公卿クギョウ(卿)と、大臣・大納言ダイナゴン・中納言・参議(相)。参議は四位の者もある。

【卿曹】ケイソウ 主君が臣下を呼ぶ称。おんみら。

【卿大夫】ケイタイフ 卿と大夫。政治をつかさどる高位者。周代、天子直轄地の臣下の位に卿・大夫・士の三階級があった。また、一般に、官位の高い人をいう。

10【卿】12画 1209 ケイ 卿(1208)と同字。→二二三ジ上。

11【厀】13画 1210 シッ 膝(5125)の本字。→七〇七ジ下。

厂 2画 がんだれ

〔部首解説〕雁ガンの略字を厂と書くことから、雁垂ガンだれという。厂をもとにして、がけ・石の意味を含む文字ができている。また、俗に广(まだれ)の省略形で厂になるばあいがある。

0【厂】2画 1211 カン 慣ガン 旱 hǎn 5044 99CA —

〔厈〕1215 古字

字義 ❶がけ(厓・崖)。❷きし(岸)。❸石。国❶雁(13176)の略字。❷歴(6003)・暦(4851)の略字。

解字 金文 篆文 象形。けずりとられた、がけの形にかたどる。がけの意味を表す。

2【产】4画 1212 ㊀セン 塩 zhān ㊁ギ 紙 wěi ㊂エン 琰 yǎn — — 2035

字義 ㊀❶仰ぎ見る。❷危うい。＝危(1194)。㊁のき。ひさし。

解字 象形。屋根の棟から流れ落ちるひさしの象形。

2【仄】4画 1213 標 漢ショク・呉シキ 職 zè 慣ソク 4828 98BA —

字義 ❶ほの-か。かすか。また、ほのかに。かすかに。「仄聞」❷かたむ-く(傾)。❸いやしい。せまい。❹漢字の四声のうち、上声ジョウショウ・去声・入声ニッショウの総称。「平仄」国❶ほのめかす。それとなく示す・言う。❷ほの-めく。ほのかに見える。

難読 仄仄ほのぼの

注意 『康熙コウキ字典』では、人部に所属する。

解字 篆文 籀文 会意。人＋厂。厂カンは、がけの意味。人が危険ながけで、身を斜めによせる、傾けるの意味を表す。籀文チュウは、厂＋矢ソク音の形声文字。音符の矢ソクは、頭を傾けた人の象形で、傾けるの意味。仄を音符に含む形声文字は、「かたむく」の意味を共有し、昃ショクがある。

【仄韻ソクイン】漢字を平・上・去・入の四声に分けたうち、上声ジョウショウ・去声・入声ニッショウに属するもの。

【仄起ソッキ・ソクおこり】絶句及び律詩の第一句目の二字目が、仄字であるもの。↔平起(四四ページ上)。

【仄字ソクジ】仄韻に属する漢字をいう。→仄韻。

【仄日ソクジツ】かたむく日。夕日。斜陽。

【仄聞ソクブン】ほのかに聞く。風のたよりに聞く。側聞。

【仄△陋ソクロウ】みすぼらしい。低い身分。

2 【反】 4画 (1272) ハン 又部。→二三一ページ上。

2 【厄】 4画 1214 常 ヤク 一漢アク・呉ヤク 陌 è 二ガ(グヮ) 歌 é 4481 96EF 一

筆順 一 厂 厅 厄

【厄】1217字 俗 字義 一ふし。木の節。 国ヤク。 二わざわ-い。苦しみ。また、苦しむ。不吉なめぐりあわせ。「厄年ヤクどし」 難読 厄除やくよけ・厄神やくじん・厄瓜多ルエクアドル

参考 〔戹〕(3974)は本来別字だが、混同して用いられる。

解字 篆文 会意。厂＋卩(㔾)。厂は曲がった形にかたどる。卩は人がひざまずくときのひざがしらの意味。木のふしのふくらんだ部分の意味を表す。軛ヤクのつくりの厄は別語で、戹が正しいが、この厄と混同した。

逆 窮厄

【厄介ヤッカイ】国①他人の苦しみを助ける。世話をする。また、世話になる。世話。②手数がかかって迷惑なこと。めんどう。じゃま。③いそうろう。食客。寄食。

【厄窮ヤッキュウ】わざわいにあって苦しむ。

【厄日ヤクび】国①陰陽家オンミョウケで、災難にあう可能性があるから忌み慎むべきとしている日。②農家で天候による災害が多いとしている日。二百十日など。③運の悪い日。

【厄難ヤクナン】わざわい。災難。

【厄年ヤクどし】国①陰陽家オンミョウケで、災難にあう可能性が多いから忌み慎むべきであるとしている年齢。数え年で、男性は二十五・四十二、女性は十九・三十三。②運の悪い年。

3 【圧】 5画 (1870) アツ 土部。→三〇〇ページ上。

3 【厈】 5画 1215 カン 厂(1211)の古字。→二二三ページ下。 — — 2037

3 【厇】 5画 1216 漢タク 呉チャク 陌 zhé, ②zhái — — 2036

字義 ❶開く。❷住居。＝宅(2605)。

解字 形声。厂＋乇音。

3 【厄】 5画 1217 ヤク 厄(1214)の俗字。→二二四ページ上。

3 【厉】 5画 1218 レイ 厲(1250)の俗字。→二二七ページ上。

4 【压】 6画 1219 アツ 圧(1870)の俗字。→三〇〇ページ上。

4 【灰】 6画 (6850) カイ 火部。→六九二ページ上。

5 【厎】 7画 1220 一シ 紙 dǐ, zhǐ 二チ 寘 — — 2038

字義 一❶といし。❷とぐ。みがく。❸平らにする。❹いたる(至)。いたす(致)。❺さだめる(定)。❻とどまる。おちつく。二いたす(致)。

解字 篆文 形声。厂＋氐音。厂は、がけの象形。音符の氐テイは、といしの意味。がけから採掘した、といしの意味を表す。

【厎石シセキ】といし。

【厎△厲シレイ】とぎみがく。砥礪シレイ。

6 【厓】 8画 1221 一漢ガイ・呉ゲ 佳 yá, ái 二漢ガイ・呉ゲ 卦 1482 ED70 2039

字義 一❶がけ(崖ガイ)。❷きし(岸)。水ぎわ。涯。❸果て。かぎり。二まなじり。また、にらむ。＝睚(8022)。

参考 熟語は〔崖〕(2920)をも見よ。

解字 篆文 形声。厂＋圭音。音符の圭ケイは、傾に通じ、かたむくの意味。かたむいたがけの意味を表す。

【厓山ガイザン】広東カントン省江門市の南の海中にある小島。南宋ナンソウが元に侵攻された南宋軍の最後の根拠地。一二七九年、この地に拠った南宋軍は元将張弘範に敗れ、陸秀夫は幼帝昺ヘイを背負って海中に身を投じた。崖山ガイザン。厓門山。

【厓△眥ガイサイ・ガイシ】目にかどをたてて見ること。にらむ。睚眥ガイサイ。

6 【厔】 8画 1222 漢シツ 呉シチ 質 zhì — — 2040

字義 ❶くま。水流の湾曲して入り組んだところ。❷盩厔チュウシツは、県名。今の陝西センセイ省内。

解字 形声。厂＋至音。

7 【厚】 9画 1223 教5 コウ あつ-い 漢コウ・呉グ 宥 hòu 2492 8CFA 一

筆順 一 厂 𠂆 戸 戸 戸 戸 厚 厚

【𠩺】1954字 古 【𠪋】4664字 古

字義 ❶あつ-い(あつ-し)。㋐ぶあつい。↔薄(10341)。㋑ねんごろ。丁寧。親切。「厚意」「厚遇」㋒程度がはなはだしい。多い・大きい・長い・濃い・たっとい・りっぱなど。用例〔韓非子、説難〕厚者為レ戮、薄者見レ疑あつきものはリクせられ、うすきものはうたがわ(は)る。↓ひどい場合には殺され、軽い場合には疑われた。㋓厚かましい。「厚顔」 ❷あつ-くする(あつ-くす)。㋐ぶあつくする。㋑ねんごろにする。㋒度合・程度を高める。豊かにする・大きくする・濃くする・たっとぶ・りっぱにするなど。❸非常に厚いもの。山・大地など。

名前 あつ・あつし・こう・ひろ・ひろし 難読 厚岸あっけし・厚狭あさ・厚床あっとこ・厚真あつま・厚沢部あっさぶ・厚東ことう・厚保あつ・厚朴ほおのき

使いわけ あつい〔暑・熱・厚〕⇨暑(4801)。

解字 篆文 会意。厂＋旱。厂は、がけの意味。旱は、高を倒した形で、物見のある城郭の象形。たかくてあついがけの意味から、一般に、あついの意味を表す。

逆 温厚・寛厚・顔厚・謹厚・重厚・純厚・深厚・仁厚・忠厚・篤厚・濃厚・富厚

【厚意コウイ】ねんごろな心。親切な心。思いやりの心。厚志。→好意(三〇四ページ下)。

【厚顔コウガン】あつかましいこと。鉄面皮。

【厚顔無恥コウガンムチ】あつかましくて恥を知らぬこと。

【厚△誼コウギ】①心のこもったつきあい。②親切。

【厚遇コウグウ】てあついもてなし。厚待。

【厚志コウシ】＝厚意。

【厚賞コウショウ】てあつくほめる。また、たくさんのほうび。

【厚情コウジョウ】①深いなさけ。②＝厚意。

【厚生コウセイ】①人間の生活を豊かにすること。『書経』大禹謨編に「正レ徳利レ用厚レ生惟和」(徳を正しくし、用を利し、生を厚くし、これ和す)とあるのに基づく。②身体を健康にすること。

【厚沢(澤)コウタク】てあついめぐみ。大きな恩沢。厚恩。

【厚秩コウチツ】＝厚禄。

【厚徳コウトク】①大きな徳。りっぱな徳。②大きなめぐみ。

【厚薄コウハク】①あついことと、うすいこと。②てあついことと、冷淡なこと。③多と少。④大と小。⑤善と悪。⑥尊と

卑。

【厚幣】コウヘイ てあつい贈り物。

【厚命】コウメイ ①運に恵まれる。②丁重な依頼。用例〔人虎伝〕当ニ力副ニ厚命一（まさにつとめてコウメイにそう（ふ）べし）。↓きっと君の頼みにそうよう努めよう。

【厚△禄】コウロク 俸禄の多いこと。厚秩。

7【厙】9画 1224 シャ 㮚 shè ―― 2041

字義 村。江蘇省地方で地名に用いられる。

解字 形声。厂＋車㊟。

7【厖】9画 1225 ㊥ボウ（バウ） ㊦モウ（マウ） 江 máng

【厐】1226 俗字

字義 ❶おおきい。石が大きい。❷ゆたか（豊）。厚い。❸いりまじる。黒と白の毛がいりまじる。みだれる。

参考 現代表記では〔膨〕(5145)に書きかえることがある。「厖大→膨大」

解字 篆文 形声。厂＋尨㊟。音符の尨ボウは、毛の豊かなむく犬の象形で、ゆたかの意味。厂は、石の意味。大きい石の意味から、大きい・ゆたかの意味を表す。

【厖雑（雑）】ボウザツ 不純・粗悪なものがいりまじっていること。不純・粗悪。▼厖も雑も、いりまじる。

【厖大】ボウダイ 非常に大きいこと。膨大。

7【厐】9画 1226 ボウ 厖(1225)の俗字。→三二五ジペ上。 5045 99CB ―

7【厘】9画 1227 常 リン 4650 97D0 ―

㊀㊥テン・㊦デン 㢆 chán
㊁リ 支 lí
慣リン

筆順 一 厂 厂 斤 戸 厄 厏 厘 厘

字義 ㊀みせ（店）。廛テン(3244)の俗字。㊁釐リ(12461)の俗字。国リン。数量の単位。釐の俗用。㋐貨幣の単位。一銭の十分の一。㋑長さの単位。一分の十分の一。㋒重さの単位。一匁の百分の一。㋓歩合の単位。一割の百分の一。㋔小数の単位。一の百分の一。

解字 〔廛〕(3244)・〔釐〕(12461)の俗字。日本で借りて、度量衡の単位として用いた。解字は〔廛〕・〔釐〕を見よ。

【厘毛】リンモウ 国①厘と毛。ごくわずかな金銭。②ごくわずか。ほんの少し。

8【原】10画 1228 教2 ゲン はら 2422 8CB4 ―

㊥ゲン ㊦ガン（グワン） 元 yuán, ⑥yuàn

熟字訓 海原うなばら・河原かわら・川原かわら

筆順 一 厂 厂 斤 戸 戸 原 原 原 原

【厡】1230 本字

字義 ❶もと。㋐みなもと。＝源(6564)。㋑はじめ。おこり。㋒もともと。元来。❷もとづく。❸たずねる。物の根元をたずねる。❹はら。広くて平らな土地。❺ゆるす。罪をゆるす。❻すなお。きまじめ。つつしむ。＝愿(3579)。

名前 おか・げん・たず・はじめ・はら・もと 難読 原向ほらむこう

解字 金文 篆文 会意。厂＋泉。厂は、がけの意味。泉は、いずみの意味。がけ下からわきはじめたばかりの、いずみの意味から、みなもとの意味を表す。源の原字。また、邍ゲンに通じ、高く平らな土地、はらの意味を表す。

逆 起原・郷原・高原・語原・根原・川原・大原・中原・病原・平原・本原

【原案】ゲンアン 最初の案。もとの案。

【原因】ゲンイン 国ある状態をひき起こすもととなったもの。↔結果（一一八ジペ下）。

【原義】ゲンギ 国最初の意味。本来の意味。原意。本義。↔転義（一三九一ジペ上）。

【原拠（據）】ゲンキョ 国ある事のより所となっているもの。

【原型】ゲンケイ 彫刻や鋳造などの製作物のもとになる型。

【原憲】ゲンケン 孔子の弟子。字あざなは子思。清貧に安んじて道を楽しんだ。「原憲の貧」（前五一五―？）

【原告】ゲンコク 訴訟を起こした人。原造。↔被告（一三八一ジペ下）。

【原采△蘋】はらサイヒン 国江戸後期の女流詩人。筑前（今の福岡県）の人。名は猷みち。『采蘋詩集』がある。（一七九八―一八五九）

【原罪】ゲンザイ ①罪をゆるして罰しないこと。▼原は、ゆるす。②国キリスト教で、original sin の訳語。人類の祖アダムとイヴが神の命にそむいて禁断の木の実をたべたために得たという罪。人間が生まれながらに負わされている罪。

【原作】ゲンサク 国①（翻訳物・改作物・模造物などに対して）もとの作品。②（脚本に対して）素材となった小説・戯曲。

【原始】ゲンシ ①はじめをたずねる。本原を推究する。〔易経、繋辞上〕②はじめ。おこり。おおもと。元始。③自然のままであること。未開なこと。

【原△隰】ゲンシュウ 土地の高く広く平らな所と、低く湿っている所。

【原書】ゲンショ ①複写やにせ本などに対して、それのもとになった本。②国翻訳のもとになった本。原本。

【原色】ゲンショク ①野原の色・景色ケシキ。②あらゆる色のもとになる色。赤・青・黄。三原色。③もとの色。④国原色に近い、強い感じの色。

【原心定罪】ゲンシンテイザイ こころをたず（づ）ねてつみをさだむ 罪を犯した時の心理状態を究明して罪を決める。〔漢書、哀帝紀〕

【原人】ゲンジン ①つつしみ深くまじめな人。愿人ゲンジン。②人類の進化の一段階で、猿人と旧人の間に位置する化石人類。火や石器などを用いていた。北京原人・ジャワ原人など。

【原籍】ゲンセキ ①もとの戸籍。本籍。②「原籍地（原籍のある土地）」の略。

【原泉】ゲンセン わき出るいずみ。また、水のわき出る源。水源。

【原泉混混不レ舎ニ昼（晝）夜一】ゲンセンコンコンとしてチュウヤをおかず 泉はこんこんと昼夜休まずわき出ている。休まず努力することのたとえ。用例〔孟子、離婁下〕原泉混混不レ舎ニ昼夜一（ゲンセンコンコンとしてチュウヤをおかず）、盈レ科而後進（あなにみちてしかるのちにすすみ）、放ニ乎四海一（シカイにいたる）。↓泉は盛んに昼夜休まずわき出て、低いくぼ地があればそこを満たしてから先に進んで、ついに四方の海に流れ注ぐ。

【原典】ゲンテン 国引用文の出所になっていたり、複製・書写などの拠り所となっている、もとの文章・書籍。

【原頭】ゲントウ ①野原のほとり。②野原。

【原版】ゲンバン 国①印刷で、鉛版に対して、そのもとの活字の組版。②複製・翻刻などに対するもとの版。

【原文】ゲンブン ①もとの文章。②国改作・解釈・翻訳などをしないもとの文。

【原本】ゲンポン ①もと。根本。②もとづく。③謄写・抄録・訂正などをしたものに対し、そのもとの書物。また、謄本・抄本などのもとになる書類。

【原由】ゲンユウ・ゲンユ もとづきよる所。おこり。原因。由来。

【原△宥】ゲンユウ ゆるす。罪をゆるすこと。▼宥も、ゆるす。

【原理】ゲンリ ①おおもとの道理。㋐もののよって立つ根本法則。原則。㋑認識や行為の根本前提。規範。②存在の根本原因。根源物。本質。

【原流】ゲンリュウ みなもと。源流。また、おこり。

8【厝】10画 1229 ㊀サク 薬 cuò ㊁ソ 遇 cuò ‖1483 ― 2042

字義 ㊀❶といし。❷まじる。＝錯(12701)。㊁おく（置）。＝措(4245)。用例〔列子、湯問〕命ニ夸蛾氏二子一負ニ二山一（コガシのニシにメイじて、ニザンをおわ（は）しめ）、一厝ニ朔東一（イツはサクトウにおき）、一厝ニ雍南一（イツはヨウナンにおく）。↓夸蛾氏の二人の息子に命じて二つの山を背負わせ、一つは朔北の東の方に置かせ、もう一つは雍州の南の方に置かせた。

解字 篆文 形声。厂＋昔㊚。音符の昔は、つみかさねるの意味。厂は、がけ・岩の意味。その上に物をのせて磨きとぐ石、といしの意味を表す。

9【原】11画 1230 ゲン 原(1228)の本字。→三五ページ中。 ― ― 2043

9【厠】11画 1231 シ 廁(3217)の俗字。→四七七ページ上。 5046 99CC ―

9【廂】11画 1232 ショウ 廂(3218)の俗字。→四七七ページ上。

10【厦】12画 1233 カ 廈(3225)の俗字。→四七八ページ上。 5047 99CD ―

10【雁】12画 (13176) ガン 隹部。→一五三四ページ上。

10【厩】12画 1234 キュウ 廐(1245)の俗字。→二二六ページ下。

10【厥】12画 1235 一 漢ケツ 呉カチ(クヮチ) 月 juē 二 漢クツ・呉クチ 物 慣ケツ 5048 99CE ―

字義 一 ❶ほる。ほりおこす。❷ぬかずく。下げる。たれる。❸そ-の。そ-れ。二 突厥(トッケツ・トックツ)は、トルコ族の一種。六世紀中ごろから八世紀にかけ中央アジア一帯に大帝国をたてた。

解字 篆文 形声。厂＋欮㊚。音符の欮(ケツ)は、人が大きな口をあけてせきこむの意味。厂は、がけの象形。口をあけるように石を掘るの意味。削りとられたがけに、大きな口をあけるように石を掘るの意味を表す。

【厥角】(ケッカク) 額を地につけて礼をいう。▼角は、額。

10【厨】12画 1236 人 標 3163 907E ―

广12【廚】15画 1237 漢チュウ(チウ) 呉ジュ(ヂュ) 慣ズ(ヅ) 虞 chú 5504 9C43 ―

筆順 一 厂 斤 戶 戸 戸 厨 厨

[厨] 1249 俗字 [橱] 5815 俗字

字義 ❶くりや。だいどころ。炊事場。「庖厨(ホウチュウ)」 ❷ぬし。主人。❸ひつ。はこ。たんす。

解字 篆文 形声。厂(广)＋尌(尌)㊚。广は、建物の意味。音符の尌(チュウ)は、つけ物を入れる食器を手にする形。つけ物など料理をする台所の意味を表す。

【厨下】(チュウカ) 台所。勝手。くりや。

【厨子】(チュウシ) 一 料理人。二 (ズシ) 国 ①調度や書物などを入れる、二枚とびらの、たなをつけた箱。②神や仏の像を入れる二枚とびらの堂形の箱。

【厨人】(チュウジン) 料理人。コック。厨宰。厨夫。

【厨房】(チュウボウ) 台所。くりや。炊事場。

10【厤】12画 1238 漢レキ 呉リャク 錫 lì 20355 ― 2044

字義 ❶おさめる(治)。❷暦(4851)の古字。

解字 形声。厂＋秝㊚。

11【厵】13画 (14185) ガン 鳥部。→一六三三ページ上。

11【厩】13画 1239 キュウ 廐(1245)の俗字。→二二六ページ下。

11【厩】13画 1240 キュウ 廐(1245)の俗字。→二二六ページ下。

11【廑】13画 1241 キン 廑(3234)の俗字。→四七九ページ上。 ― ― 2045

11【廒】13画 1242 ゴウ 廒(3236)の俗字。→四七九ページ上。 ― ― 2046

11【厯】13画 1243 漢レキ 呉リャク 錫 lì ― ― 2047

字義 ❶曆(4851)と同字。❷歷(6003)と同字。

参考 清(シン)代、高宗乾隆(ケンリュウ)帝の諱(いみな)を避けて、この字を用いた。

12【厭】14画 1244 標 1762 897D ―

一 エン 艶 yàn
二 エン 琰 yǎn
三 エン 塩 yān
四 ヨウ(エフ) 葉 yā
五 オウ(アフ) 洽 yā
六 漢ユウ(イフ) 呉オウ(オフ) 緝 yì
慣オン

字義 一 ❶あ-きる。あ-く。みちたりる。用例〔戦国策、趙〕此貪欲無レ厭也(これタンヨクにしてあくなければなり)。↓これは貪欲で飽くことを知らなかったからである。❷いと-う。いと-ふ。いや-がる。うむ(倦)。❸したがう。服従する。❹よい。うるわしい。二 ❶とざす。おおいかくす。❷うなされる。悪夢におそわれる。＝魘(13961)。三 やすらか。静か。四 五 ❶せまる(迫)。❷あう(合)。当たる。❸おさえる。＝圧(1870)。㋐おさえつける(抑)。㋑しずめる(鎮)。用例〔史記、高祖本紀〕於レ是因東游以厭レ之(ここにおいてよりてトウユウしてもってこれをヨウせんとす)。↓そこで東へ巡幸することによって、これを鎮めようとした。❹おかす。邪魔する。六 露にうるおうさま。

名前 あき

解字 金文 篆文 形声。厂＋猒㊚。音符の猒(エン)は、奄(エン)に通じ、おおうの意味。厂は、岩石の意味。岩石でおおう・おしつぶすの意味を表す。また、猒に通じ、あきるの意味をも表す。

【厭厭】(エンエン) ①さかんに茂るさま。また、伸びそろうさま。②安らかで静かなさま。

【厭悪(惡)】(エンオ) きらいにくむ。いやがる。

【厭△倦】(エンケン) あきる。きらう。

【厭殺】(オウサツ) おし殺す。おしつぶして殺す。圧殺。

【厭死】(オウシ) おしつぶされて死ぬ。圧死。

【厭勝】(ヨウショウ) まじないで人を伏する。また、そのまじない。

【厭世】(エンセイ) 世の中を忌みきらう。世の中がいやになる。

【厭戦(戰)】(エンセン) 戦争をきらいさける。

【厭△賤】(エンセン) いとい、いやしむ。きらってさげすむ。

【厭然】(エンゼン) ①従順なさま。②おおいかくすさま。③非常に美しいさま。④安らかなさま。

【厭足】(エンソク) 十分に足りる。満足する。

【厭伏】(ヨウフク・オウフク) ①おさえしずめる。②邪気などを払い除く。③ひれ伏す。従う。

【厭服】一 (エンプク) 満足して従う。二 (ヨウフク・オウフク) 服従させる。

【厭夢】(エンム) ①恐ろしい夢。悪夢。②夢にうなされる。

【厭△浥】(ユウユウ) うるおうさま。ぬれるさま。

【厭△飫】(エンヨ) ①食い飽きる。満足する。②忌みきらう。また、あいそをつかす。

【厭離】(エンリ・オンリ) 世の中をいとい、俗世間を捨てる。出離。

【厭離△穢土】(エンリエド・オンリエド) 仏けがれたこの世をきらって、俗世間から離れること。

12【厩】14画 1245 人 標 1725 8958 ―

广11【廐】14画 1246 漢キュウ(キウ) 呉ク 宥 jiù 5494 9BFC ―

筆順 一 厂 厂 戶 戶 戶 戶 厩

[厩] 1234 俗字 [厩] 1239 俗字 [厩] 1240 俗字 [廏] 3233 俗字

字義 うまや。馬小屋。厩舎。厩閑。

解字 金文 篆文 形声。厂(广)＋既(㲃)㊚。音符の㲃(キュウ)は、かがめるの意味。馬が身をかがめて入る、うまやの意味を表す。

12 **【厮】** 14画 1247 **シ** 廝(3241)の俗字。→四七九ページ中。 5049 99CF —

12 **【廠】** 14画 1248 **ショウ** 廠(3242)の俗字。→四七九ページ中。 5050 99D0 —

12 **【厨】** 14画 1249 **チュウ** 厨(1236)の俗字。→二二六ページ上。

12 **【厲】** 14画 1250 ㊀**レイ** 霽 lì ㊁**ライ** 泰 lài ㊂漢レツ・呉レチ 屑 1484 ED71 *2048*

［厉］1218 俗字

字義 ㊀❶**といし**。❷**みが-く**。といしでみがく。とぐ。こする。❸たかい。高くする。掲げる。❹**はげ-しい**。きびしい。また、はげしくする。❺**はげ-む**(励)。また、はげます。❻正しい。いかめしい。おごそか。❼はやい(速)。また、いそがしい。さしせまる。❽わたし場。また、水をわたる。❾やむ(病)。えやみ(疫)。また、もののけ。たたり。わざわい。㊁❶たよる。たのむ。❷病名。ハンセン病。㊂はげしい。また、おごそか。＝烈(7056)。

解字 金文 篆文 **形声**。もと、厂＋蠆省音。音符の蠆は、さそりの象形。さそりの毒針のようにするどく刃物をとぐ石の意味を表す。礪の原字。転じて、はげむ・はげしいの意味をも表す。

【厲疫】レイエキ 疫病。悪病。癘疫。
【厲王】レイオウ 周の第十代の王。夷王の子。暴虐な政治をおこなった。
【厲階】レイカイ 災いのもと。うらみを招くもと。
【厲鬼】レイキ ①たたりをするもののけ。②疫病神。悪病神。同癘鬼。③たたりをする死霊(死んだ人の魂)。
【厲行】レイコウ はげみおこなう。励行。また、はげしく行わせる。
【厲志】レイシ 志を励ます。励志。
【厲疾】㊀レイシツ ①はげしくて速い。②やまい。疾病。癘疾。㊁ライシツ ハンセン病。
【厲色】レイショク 怒ってきびしい顔色をする。血相を変える。
【厲飾】レイショク 軍服を着る。いくさじたく。
【厲人】ライジン ハンセン病にかかった人。
【厲精】レイセイ はげみつとめる。精を出す。励精。
【厲風】レイフウ ①はげしい風。大風。②北西の風。
【厲民】レイミン 民を苦しませる。

12 **【暦】** 14画 (4851) **レキ** 日・曰部。→六七九ページ下。

12 **【歴】** 14画 (6003) **レキ** 止部。→七八七ページ中。

13 **【鴈】** 15画 (14196) **ガン** 鳥部。→一六三五ページ上。

15 **【磿】** 17画 (8288) **レキ** 石部。→一〇三一ページ下。

17 **【靨】** 19画 1251 **エン** 琰 yǎn 20356 — *2049*

字義 ❶蟹の下腹。❷へた。巻き貝の殻の口の蓋。

解字 **形声**。甲＋厭音。

17 **【贋】** 19画 (11615) **ガン** 貝部。→一三六五ページ下。

21 **【醫】** 23画 (13296) **ヨウ** 面部。→一五四四ページ下。

22 **【魘】** 24画 (13961) **エン** 鬼部。→一六一〇ページ上。

24 **【黶】** 26画 (14489) **エン** 黑部。→一六四八ページ下。

28 **【厵】** 30画 1252 漢**ゲン** 呉ガン(グワン) 元 yuán — — *2050*

字義 ❶原(1228)の古字。❷源(6564)と同字。

ム　む　2画

〔**部首解説**〕部首としてのムには、一定した意味がなく、もっぱら字形分類のために部首にたてられる。文字の要素としては、同じ文字の中で、强と強、員と貟、句と勾のように、口の形が、ムになることがある。また、常用漢字の広や仏・払などは、もと廣・佛・拂で、複雑な字形の一部を省略するために、ムを用いている。

0 ム 二二七　1 𠫓 二二七　2 允 一二七　公 一四六　厷 二二七
𠫔 二二七　厸 二二七　3 去 二二七　厺 二二八　台 二四
弁 四八三　4 牟 九二一　厽 二二八　5 矣 一〇一六　叏 二二八
6 参 二二八　叀 二二九　7 負 一二四九　畆 九七〇　8 能 六九七
奄 二二九　畚 九七一　9 參 二二八　10 叅 二二九

0 **【ム】** 2画 1253 ㊀**シ** 支 sī ㊁漢ボウ・呉モ 有 mǒu ㊂コウ 東 gōng 5051 99D1 —

字義 ㊀私(8430)の古字。㊁❶わたくし。❷よこしま。なにがし。＝某(5344)。㊂かいな。うで。肱(4929)の古字。㊂**ござ-る**。「ある」の丁寧語。

解字 篆文 **指事**。小さくとり囲むことを示し、私有する、わたくしするの意味を表す。ムを音符に含む形声文字には、「公的ではない」の意味を共有する私がある。

1 **【𠫓】** 3画 1254 漢**トツ** 呉トチ 月 tū

［𠫔］1256 俗字

字義 ❶不意に出る。❷子が産まれる。

解字 **指事**。子の字をさかさまにした形。頭を先にして産まれるさまから、子が産まれるの意味を表す。

2 **【允】** 4画 (680) **イン** 儿部。→一二七ページ上。

2 **【公】** 4画 (728) **コウ** 八部。→一四六ページ下。

2 **【厷】** 4画 1255 **コウ** 蒸 gōng 20358 — *2051*

字義 ❶かいな。ひじから肩までの間。❷まるい。

解字 **会意**。又＋ム。又は、手の意味。ムは、曲線の意味。かいなの意味を表す。

2 **【𠫔】** 4画 1256 **トツ** 𠫓(1254)の俗字。→二二七ページ下。 20357 — —

2 **【厸】** 4画 1257 **リン** 隣(13159)の古字。→一五三三ページ中。 — — *2052*

3 **【去】** 5画 1258 教3 **キョ・コ** さ-る ㊀漢**キョ**・呉**コ** 御 qù ㊁漢キョ・呉コ 語 jǔ 2178 8B8E —

［厺］1259 本字

筆順 一 十 土 去 去

字義 ㊀❶**さ-る**。㋐はなれる。用例〔唐、李白、送₂友人₁詩〕揮ㇾ手自ㇾ茲去(てをふるい(ひ)て、ここよりさればしょうしょうとして)、蕭蕭班馬鳴(ハンバなく)。⇒手をふって、ここから別れ去ろうとすると、別れゆく馬でさえ、さびしい声でいなないている。㋑距離や時間がへだたる。遠ざかる。用例〔穀梁伝、荘公三十二〕去ㇾ斉八百里(セイをさること ハッピャクリ)。⇒斉から八百里離れていた。㋒のぞく(除)。取りのぞく。用例〔左伝、閔公二〕衛公不ㇾ去₂其旗₁(エイコウその はたをさらず)。⇒衛公は旗をおろさなかった。㋓すてる。用例〔孟子、告子下〕君臣・父子・兄弟終去₂仁義₁(クンシン・フシ・ケイテイ ついに(ひ)にジンギをさる)。⇒君臣・父子・兄弟は、ことごとく仁義をすててしまう。㋔行く。うつる。用例〔唐、李白、与₂史郎中欽₁聴₂黄鶴楼上吹笛詩〉一為遷客去長沙、西望長安不見家。⇩すでに流罪の身となり長沙へ向かう、黄鶴楼に登り西方の長安を望んだが家は見えない。

㋕うしなう(失)。そこなう。用例〈史記、李斯伝〉胥人者去其幾也。⇩他人を待ってばかりいる者は時機を逸してしまう。

㋖むかし。過去の。以前の。用例〈唐、韓愈、進順宗実録表状〉去八年十一月、臣在史職。⇩去る八年十一月、私は歴史記録官の職務にあった。

㋗助字。動詞や動詞句の後について、その動作の継続を表す。用例〈東晋、陶潜、形影神詩、神釈〉甚念傷吾生、正宜委運去。⇩思いつめると命を害してしまうので、運に任せてゆくべきだ。

❷漢字音の四声の一つ。去声。

㊁おさめる。しまう。かくす。用例〈資治通鑑、漢紀〉掘野鼠去草実而食之。⇩穴を掘って野鼠を捕まえ、草の実を採ってそれらを食べた。

名前 きょ・さる・なる 難読 去童・去年・去来見・去来山

解字 甲骨文  篆文  会意。大+ム。大は、ひとの象形。ムの部分は、甲骨文では、口で、いのりのことばの意味。祈って人についたけがれを除去する、さるの意味を表す。去を音符に含む形声文字に、胠・祛・袪などがあり、これらの漢字は、「はなす・はなれる」の意味を共有している。

逆 過去・決去・辞去・七去・卒去・逝去・撤去

【去去】①去れ。行け。②どんどん去ってゆく。歳月のとどまらないこと。

【去歳】①昨年。先年。②以前。往年。

【去私】私心を捨てること。「則天去私」

【去思】去って行った人を別れた後に慕うこと。

【去者日疎】死んだ人は日ごとに忘れられてゆく。また、遠く離れてしまった人はその間がらが次第にうとくなる。用例〈文選、古詩十九首、其十四〉去者日以疎、生者日以親。⇩死んだ人は日ごとに忘れられ、生きて身近にいる人は日増しに親しくなるものだ。

【去就】①去ることと就くこと。進退。②そむくことと従うこと。

【去住】①去ることと、とどまること。②去って行った人と、残りとどまっている人。用例〈唐、杜甫、哀江頭詩〉清渭東流剣閣深、去住彼此無消息。⇩清らかな渭水は東へと流れ、剣閣の山々は深い。蜀に去った人(玄宗)も、ここに死んだこの人(楊貴妃)も、ともに今では消息は途絶えてしまった。

【去処(處)】①行くべき所。②所。場所。

【去心】そこを去ろうとする考え。

【去△塵】先人の遺風。

【去声(聲)】四声の一つ。→四声(三九〇ページ上)。

【去勢】①権勢を捨てる。②雄の睾丸・雌の卵巣を除去すること。③反抗の気力を奪う。

【去来(來)】㊀①行くことと来ること。行ったり来たり。往来。②去ってからずっと。㊁さあ。誘いの語。来がいざの意であるのを、このように読んだもの。用例〈東晋、陶潜、帰去来辞〉帰去来兮、田園将蕪、胡不帰。⇩さあ帰ろう、故郷の田園は今まさに荒れはてようとしている。どうして帰らずにおられようか(帰らずにはいられない)。

【去来(來)今】仏過去・未来・現在の三世。

【去留】①去ることと、とどまること。②死ぬことと生きること。死生。③自然のなりゆき。④成功と失敗。成敗。

3 【厺】5画 1259 キョ 去(1258)の本字。→三三七ページ下。 2053

3 【台】5画 (1317) タイ 口部。→二四四ページ上。

3 【弁】5画 (3276) ベン 廾部。→四八三ページ中。

4 【牟】6画 (7131) ボウ 牛部。→九三一ページ下。

4 【厽】6画 1260 ルイ 紙 lěi 2054

字義 土を積み重ねる。土を積んで作った垣や壁。

解字 象形。重ねた土くれの象形。土を重ねた壁の意味を表す。

5 【矣】7画 (8113) イ 矢部。→一〇一六ページ下。

5 【叜】7画 (2205) シュン 夂・夊部。→三二八ページ下。

6 【参】8画 1261 教4 サン まい-る 2718 8E51 —

9 【參】11画 1262 ㊀サン 覃 cān, ⑥sān ㊁シン 侵 shēn, ②cēn 5052 99D2 —

筆順 

〔叅〕1265 俗字

字義 ㊀❶まい-る。宮中などに行く。❷あずか-る。加わる。かかわる。「参加」❸まみえる。目上の人に、お目にかかる。❹しらべる。くらべる。照らし合わせる。「参照」❺まじえる。いっしょにする。入りまじる。❻み-つ。みっつ。みたび。=三(10)。→三の参考。㊁❶星座の名。→参宿・参商。❷参差は、ものの形容。→参差。国まい-る。㋐神社や寺・墓などに、もうでる。「墓参」㋑負ける。降参する。㋒こまりはてる。また、弱る。へたばる。

名前 かず・さん・ちか・なか・ほし・み・みち・みつ 難読 参木

解字 金文  篆文  形声。篆文は、晶+㐱(音)。晶は、頭上に輝く三星の象形。音符の㐱は、密度が高いの意味を表す。みつ・加わる・参加するの意味を表す。

逆 持参・新参・推参・代参・遅参・人参

【参賀】参内してお喜びを申し上げる。

【参会(會)】①まじり集まる。②会合する。

【参画(畫)・参△劃】計画に参加する。

【参看】①しらべる。あれこれと広くよく調べること。参観。②国照らし合わせて見る。参照。

【参観(觀)】①=参看①。②国㋐その場所へ行って見る。㋑多くの人が集まって見ること。また、多くの人に加わって見ること。

【参議】①相談にあずかる。②元・明代の官名。③国㋐昔、太政官で国政を議した官。中納言の次の官で、四位以上の人がこれに任ぜられた。㋑明治維新後、太政官にあって国政に参与した官。左右大臣の次で、三位に相当。明治十八年廃止。

【参勤交代・参△覲交代】国江戸時代、大名が隔年ごとに江戸に住む制度。▼参勤は出仕する、参観は出仕して主君にお目にかかる。

【参詣】①集まり至る。▼詣は、いたる・ゆく。②国神社・仏閣などにおまいりすること。

【参検(檢)・参験(驗)】あれこれ照らしあわせて考えること。

【参考】①事がらや資料となるべきものをあれこれと合わせて考えること。②考えをまとめるためのたしになるもの。

【参候】出向いて行って、ごきげんうかがいをする。

【参差】①長短・高低いりまじりふぞろいのさま。②ならび続くさま。③まばらにちらばっているさま。④よく似ているさま。用例〈唐、白居易、長恨歌〉中有一人字玉真仙女の中の一人に、字が玉真という方がいて、雪のように白い肌、花のように美しい顔は、あの人(楊貴妃)によく似ている。


【参事】事にあずかり関係すること。また、その人。

【参酌】比較して善を取り悪を捨てること。

【参宿】星宿(星座)の名。二十八宿の一つ。オリオン座の三つの星とその付近の星。からすき星。

【参商】参星と商星。参は西方の星、商は東方の星。二星は同時に天に現れないことから、遠く離れて会う機会のないことのたとえ。参辰。

【参照】国＝参看②。

【参上】国まいる。うかがう。行く・至る・訪れるなどの敬語。

【参乗(乘)】車に乗っている君主の側に乗ること。また、その人。陪乗。驂乗。用例〔史記、項羽本紀〕沛公之参乗樊噲者也。↓これは沛公のそえのりで樊噲という者であります。

【参参】①むらがり立つさま。②長いさま。③草などのさかんに伸び茂っているさま。④長短のふぞろいのさま。

【参政】政治にあずかる。政治に参加する。

【参星】①＝参宿。②参宿中の明らかに輝いている三つの星。

【参禅(禪)】仏①禅の道に入る。禅をまなぶ。②座禅に参加する。

【参内】国内裏(宮中)に参上すること。

【参殿】国①貴人の御殿に参上すること。②人の家を訪問することの謙譲語。

【参同】①一致する。合わせ考えて、両者が一致すること。「形名参同」②あずかる。参加する。③賛成する。

【参堂】①表座敷(客間)に行く。②仏僧になった人が初めて僧堂に入ること。③国＝参殿②。

【参道】国神社に参拝するために設けてある道路。

【参謀】①計画や謀略に参与する。②指揮官に直属して戦略の相談にあずかる官。

【参与(與)・参預】あずかる。加わる。関係する。

【参列】①たちならぶ。加わりならぶ。②式に列席する。

【参籠】国神社・仏閣などに昼夜こもって祈願すること。おこもり。

6【叀】8画 1263 セン 囲 zhuān ₂0359 — 2055

字義 ❶つつしむ。❷ひく。ひっかかる。❸もっぱら。

解字 象形。糸をつむぐときの糸巻きの象形。糸を引いて巻きつけるさまから、ひっかけるの意味を表す。

7【貟】9画 (11517) イン 貝部。→一三四九ページ下。

7【畆】9画 (7630) ホ 田部。→九七〇ページ上。

8【能】10画 (5013) ノウ 月部。→六九七ページ下。

8【奄】10画 1264 ホン 畚(7641)の俗字。→九七一ページ上。 — — 2486

注意『康熙字典』では、大部に所属する。

8【畚】10画 (7641) ホン 田部。→九七一ページ上。

9【參】11画 (1262) サン 参(1261)の旧字体。→二二八ページ中。

10【叅】12画 1265 サン 参(1261)の俗字。→二二八ページ中。 — — 2056

又 また 2画

〔部首解説〕又をもととして、手の動作に関係する文字ができている。俗に、攴(ぼくにょう)の省略形で又になることがある。また、複雑な字形の一部を省略するために、又を用いることがある。

0 又 二二九 1 叉 二二九 2 及 四二 支 六二九 収 二三〇
双 二三〇 反 二三一 𠬝 二三一 友 二三一 3 𠬤 二三一
4 叏 二三二 叒 二三二 5 叓 二三二 叐 二三二 6 取 二三二
受 二三二 叔 二三三 敍 二三四 叕 二三四 7 叚 二三四
㕛 二三四 叙 二三四 叜 二三四 叟 二三四 叛 二三四
叛 二三四 8 叞 二三四 隻 一五三三 叟 二三四 9 曼 六七二
11 叠 二三四 14 叡 二三四 叡 二三五 15 燮 九〇二 16 叢 二三五
雙 二三〇 18 矍 一〇二五

0【又】2画 1266 常 また 漢ユウ(イウ)・呉ウ 宥 yòu 4384 9694 —

筆順 フ 又

字義 ❶て(手)。右手。❷また。㋐さらに。その上。㋑ふたたび。重ねて。㋒それから。話題を変える時にいう。国また。㋐同じく。等しく。㋑ならびに。㋓間接的な関係を示す語。「又貸し」「又聞き」

名前 すけ・たすく・また・やす・ゆう

使いわけ〔又は・若しくは〕
「又は」と「若しくは」は、幾つかの同じ資格・条件のもののうち、どちらか一つを選択する場合に用いる語で、一般には二つとも同じように用いられる。法令では、①等しい格のものが二つ並ぶ場合は、「又は」を用いる。「姉又は妹」。②等しい格のものが三つ以上並ぶ場合は、その最後のものに「又は」をつける。「国語、数学又は英語」。③等しくない格のものが三つ以上並ぶ場合は、その選択の大きいものには「又は」、小さいものには「若しくは」を用いる。「父若しくは母、又は保証人」

解字 篆文 象形。右手の形にかたどり、みぎの意味を表す。転じて、またの意味に用いられる。又を音符に含む形声文字に、祐・囿・宥・右・有・友・鮪・灰・賄・醢・怪などがあり、これらの漢字は、「右手」の意味を共有している。

1【叉】3画 1267 人 標 一 漢サ・呉シャ 麻 chā 二 漢サイ 呉シャ 佳 chāi 2621 8DB3 —

筆順 フ ヌ 叉

字義 一❶また。ふたまた。分岐。❷先端が分かれた、物を刺し取る器。やす・さすまたなど。❸はさむ。❹くむ(組)。組み合わせる。手をこまねく。❺まじわる。また、まじえる。❻さす(刺)。刺して取る。二かんざし。＝釵(12481)。

名前 さ・しゃ・また 難読 叉手網・叉焼

参考 現代表記では〔差〕(3062)に書きかえることがある。「交叉→交差」

解字 篆文 象形。指の間に物をはさんだ形にかたどり、はさみとる・さすまたの意味を表す。叉を音符に含む形声文字は、「さすまた」の意味を共有し、杈がある。

【叉交】互いに組み合わさる。十文字に交わる。また、十文字に組み合わせる。

【叉手】手をこまねく。腕組みをする。転じて、手出しをしないこと。拱手。

2【及】4画 (70) キュウ 及(69)の旧字体。→四二ページ下。

2 【支】 4画 (4506) シ 支部。↓六一九ページ上。

1268
2 【収】 4画 1268 教6 シュウ おさ-める・おさ-まる
1269
支2〔收〕 6画 1269 人 漢シュウ(シウ) 呉シュ 宥 shōu

2893	5832
8EFB	9DBE
―	―

筆順 丨 丩 収 収

字義 ❶おさ-める。㋐受け入れる。取り入れる。めしあげる。手に入れる。用例〔史記、張儀伝〕子不レ足レ収也。↓君は取り立てるに値しない。㋑とらえる。召しとる。㋒持つ。手にする。にぎる。㋓元へかえる。やむ。おわる。❷おさ-まる。㋐ちぢむ。❸夏の時代の冠の名。

名前 おさむ・かず・さね・しゅう・すすむ・なお・なか・のぶ・もと・もり・もろ

参考 ①現代表記では〔蒐〕(10171)の書きかえに用いることがある。「蒐集→収集」 ②収を又部三画とすることもある。

使いわけ おさめる・おさまる〔納・収・修・治〕⇩納(9091)。

解字 篆文 形声。又(攴)＋丩音。音符の丩は、まつわるの意味。攴は、強制するの意味。物をまつわらせる・からめとる・おさめるの意味を表す。

逆 押収・回収・吸収・査収・拾収・接収・徴収・撤収・買収・没収

【収益】 利益を得ること。また、もうけ。

【収穫】 ①農作物を取り入れる。取り入れ。②取り入れた農作物。③国手に入れた物。

【収監】 ろうやに入れる。投監。

【収△繫】 とらえて獄につなぐ。拘禁。

【収結】 ①しめくくりをつける。②味方につけること。

【収考】 ①とらえしらべる。②入場を許し試験を受けさせる。

【収責】 ━ 貸金などをとりたてる。収債。━ 罪を引きうける。自ら責めを負う。

【収載】 ①おさめ入れて車にのせる。②国新聞・雑誌などに取り上げて書きのせる。登載。

【収支】 収入と支出。金銭の出し入れ。

【収拾】 ①ひろいあつめる。②混乱などをとりまとめる。

【収集・収△輯】 あつめる。蒐集。コレクション。

【収△聚】 おさめあつめる。あつめる。

【収縮】 ちぢまる。ちぢむ。また、ちぢめる。

【収責】 貸した金を取り立てる。

【収蔵(藏)】 ①農作物を取り入れて、たくわえる。②品物をおさめて、しまうこと。

【収束】 ①集めたばねる。②しめくくる。まとめる。③おさまりがつく。まとまる。

【収族】 ①一族すべてをとらえる。用例〔資治通鑑、漢紀〕収二族陵家一。↓(漢は、)わたくし李陵の一族を捕らえ、為二世大戮一。よのタイリクと。↓世の見せしめとして死刑にしました。②一族をまとめる。用例〔北宋、王安石、傷二仲永一〕其詩以下養二父母一収上族為レ意。↓その詩は、父母を養い、一族をまとめるということを主意としていた。

【収△孥】 罪人の妻子を捕らえて官の奴隷とすること。▼孥は、妻子。

【収入】 ①金銭や物品などを自分の方におさめ入れること。②みいり。所得。

【収納】 ①取り入れる。②受け取る。

【収縛】 捕らえて、しばる。

【収用】 ①集めて用いる。とりまとめて(ととのえて)用いる。②とりあげて用いる。特に、国家が、所有権を取り上げて公共の用に使うこと。③召し出して用いる。

【収容】 人や品物を一定の場所におさめいれる。

【収△攬】 集めとる。集めてにぎりもつ。▼攬は、取る・持つ・つかむ。「人心収攬」

【収△斂】 ①租税をとりたてる。②農作物をとりいれる。収穫。③物を集めおさめる。④ひきしめる。収縮させる。↔発散(九八七ページ下)。⑤まとめる。

【収録】 ①とり入れて記載する。②国録音や録画をする。

【収賄】 賄賂を取る。↔贈賄(一三六五ページ中)。「収賄罪」

1270
2 【双】 4画 1270 常 ソウ ふた
1271
隹10〔雙〕 18画 1271 ソウ(サウ) 江 shuāng

3348	5054
916F	99D4
―	―

筆順 フ ヌ 刄 双

字義 ❶ふた-つ。ふた。↔隻(13173)。❷二つで一組のもの。ペア。対。たぐい。❸一対のものを数えることば。「屛風一双」❹なら-ぶ。なら-べる。ならび。匹敵する。用例〔唐、杜甫、月夜詩〕何時倚二虚幌一、双照涙痕乾。↓いったい、いつになったら、人けのない寝室のとばりに寄り添って、二人で月の光に照らされながら涙のあとを乾かすことができるのであろうか。

名前 なみ・ならぶ・ふ 難読 双見・双石・双肩・双木

使いわけ ふた〔二・双〕⇩二(118)。

解字 篆文 会意。雔＋又。雔は、二羽の鳥の意味。二羽の鳥を手にするさまから、ふたつの意味を表す。常用漢字の双は俗字。又＋又。手ふたつで、ふたつの意味を示す。

逆 無双

【双△蛾】 ①美人のまゆをいう。ふたつならんだ蛾眉の意。②美人。

【双角】 ①二本のつの。ならび立つつの。②つのがみ。あげまき。両方に角形に結んだ髪。主として子どもの結ぶ髪形。③角笛の一種。

【双関(關)法】 漢詩文を作るときの修辞法の一つ。相対する文句を並べて一編・一段の骨子とする法。唐の韓愈の「原毀」の文の類い。

【双△鬟】 ①＝双角②。②処女。未婚の女性。また、少女。幼女。

【双魚】 ①二匹(一対)の魚。②手紙をいう。昔、遠方から来た客が置いていった二匹の鯉の腹の中に手紙があったという故事による。双鯉。

【双△闕】 ①門の両側に台を築き、それを基礎として門の上に楼観(物見台)を作ったもの。楼観のある門。②宮城の門。③宮城。

【双肩】 ①左右両方の肩。②国自分の負担や責任。

【双△鉤】 ①運筆法の一つ。親指に対して食指と中指と二本かけて筆を持って字を書くこと。双勾。②筆跡などをうつしとるとき、中を白いままにし、へりだけ二重文字にうつしとること。籠字。

【双紙】 国①とじた本の総称。②かな書きの本。物語・日記などの類い。③室町・江戸時代に行われた絵入りの本。④習字の帳面。

【双珠】 ①ふたつのたま。一対の真珠。②すぐれたもの一そろいのたとえ。すぐれた兄弟・すぐれた二人の子など。

【双生】 ふたご。また、ふたごを生む。

【双声(聲)】 漢字二字の熟語の上下の文字の語頭子音がひとしいもの。参差・磊落の類い。これに対し、両字の韻のひとしいものを畳韻という。

【双△栖・双△棲】 夫婦・雌雄が一緒に住む。同棲。

【双双】 ふたつずつ。一対ずつ。

【双飛翼】 二羽並んで飛ぶ鳥。夫婦の鳥。用例〔唐、杜甫、哀二江頭一詩〕翻レ身向レ天仰射レ雲

(くもを、いれば)一箭正堕双飛翼(イッセンまさにおつソウヒヨク)。↓身を翻して天を仰ぎ雲に向かって射て、一本の矢が放たれると、夫婦で並んで飛ぶ二羽の鳥が射られて、落ちてきた。

【双幅】(ソウフク) 国一対のかけもの。対幅。

【双璧】(ソウヘキ) ①ふたつのたま。一対のたま。②相並んで美しいもの。相並んですぐれた人物。

【双葉】(ソウヨウ) ①種子が発芽した時最初に出る葉。②幼児。

【双六・双陸】(ソウリク・スゴロク) 一盤の中央をくぎって領分をきめ、ふたりで交互にさいを振って、出た数だけこまを進める遊び。二(スゴロク)国紙面に区画を設け、数人が互いにさいを振って、出た数だけ進んで、早くあがりに達することをきそう遊び。

【双竜(龍)】(ソウリョウ・ソウリュウ) ①二匹の竜。②二人のすぐれた人物。

2

【反】

4画 1272 教3 ハン・ホン・タン そ-る・そ-らす

一漢ハン・呉ホン 阮 fǎn
二漢ハン・呉ホン 元 fān
慣タン

4031 94BD 一

筆順 一 厂 反 反

字義 一❶かえ-す(かへ-す)。㋐裏がえす。逆にする。用例〈孟子、公孫丑上〉以レ斉王(セイをもって、オウたるは)、由レ反レ手也(なお(ほ)てをかえ(へ)すがごときなり)。↓斉のような大国をもって天下に王者となるのは、ちょうど手を裏がえすように簡単なことだ。㋑くりかえす。「反復」 ㋒元へもどす。元へかえす。㋓恩に報いる。また、しかえしする。報復する。❷かえ-る(かへ-る)。㋐くつがえる。ひっくりかえる。逆になる。㋑そる。そりかえる。㋒もどる。元へかえる。用例〈十八史略、春秋戦国、呉〉句践反レ国(コウセンくににかえ(へ)り)、懸ニ胆於坐臥一(きもをザ・ガにかけ)、即仰レ胆嘗レ之(すなわ(は)ちきもをあお(ふ)ぎ、これをなむ)。↓句践は国都の会稽に帰ると、苦い胆を自分の寝起きする所にぶらさげておき、寝起きするたびごとに仰ぎむいて胆を嘗めた。❸かえ-って(かへ-って)。㋐逆に。あべこべに。用例〈唐、杜甫、兵車行〉信知生レ男悪(まことにしる、おとこ(を)をうむはあしく)、反是生レ女好(かえ(へ)ってこれおんな(を)をうむはよきを)。↓ほんとうにわかりました。男を生むのはわるく、かえって、女を生むことこそよいということが。㋑更に。❹かえり-みる(かへり-みる)。「反省」 ❺そむ-く。謀反(ムホン)する。用例〈史記、項羽本紀〉日夜望ニ将軍至一(ニチヤショウグンのいたるをのぞむ)。豈敢反乎(あにあえ(へ)てそむかんや)。↓日夜将軍の到着をお待ちしていたのだ。どうして進んでそむいたりしようか。

二漢字の音を別の二つの漢字を用いて表す方法。→反切。

国❶タン。㋐織物の長さの単位。鯨尺で二丈八尺(約一〇・六メートル)。㋑帆の長さの単位。三尺(約〇・九メートル)。㋒面積の単位。十畝(九・九一七アール)。㋓距離の単位。六間(約一〇・九メートル)。❷かえ-し(かへ-し)。反歌。❸そ-る。また、そ-らす。そ-り。❹ハン。あるものに反対・反抗する意を表す。英語のantiに当たる。「反帝国主義」

難読 反橋(そりばし)・反町(そりまち)・反吐(へど)

参考 ①現代表記では〔叛〕(1291)の書きかえに用いる。「叛逆→反逆」「離叛→離反」 ②「タン」と読むのは、段の草書体による。③現代表記では、反対側に曲げる意の「そらす」に〔反〕を用いる。はずすの意の「そらす」は仮名書きが一般的。「胸を反らす」「目をそらす・ボールをそらす」

解字 甲骨文  篆文  会意。又＋厂。又は、手の象形。厂は、がけの象形。のしかかる岩のような重圧を手でくつがえすの意味を表す。反を音符に含む形声文字に、版・販・返・鈑(ハン)・阪・飯などがあり、これらの漢字は、「かえす」の意味を共有している。

逆 違反・往反・顧反・背反・倍反・謀反・離反

【反意】(ハンイ) ①謀反(ムホン)の心。②意志に反する。

【反宇】(ハンウ) ①先が上にそりかえった軒。高大な建物の軒が多くその造りなので、転じて、高くそびえている軒をさす。②頭の中ほどがくぼんでいること。孔子の頭の様子。反羽。

【反映】(ハンエイ) ①反射してうつる。②色などがたがいにうつりあう。③影響が他に及んで現れる。また、そのこと。

【反景・反影】(ハンエイ) 光が照りかえってうつること。また、その光。夕日の光。

【反応(應)】(ハンノウ) ①うらぎり。内通。②物質間の化学変化。③国刺激を受けておこす動作。手ごたえ。

【反歌】(ハンカ・かえ(へ)しうた) 国和歌で、長歌の後に添える短歌。

【反間】(ハンカン) ①敵国にはいって敵状を探ったり、敵国に不利な言いふらしをする人。間者。スパイ。②敵の間者を逆に利用してわが用をさせること。

【反眼】(ハンガン) ①目をそらす。②そしらぬ顔をすること。

【反旗】(ハンキ) 謀反(ムホン)の旗。叛旗(ハンキ)。「反旗を翻(ひるがえ)す」

【反詰】(ハンキツ) なじる。詰問する。

【反逆】(ハンギャク) ①反対になる。②そむきさからう。謀反(ムホン)。

【反求】(ハンキュウ) 事の原因をわが身にふりかえり求める。反省して求める。用例〈人虎伝〉若反求ニ其所一レ自恨(もしそのみずか(づ)からうらむところを、ハンキュウせば)、則吾亦有レ之矣(すなわ(は)ちわれもまたこれあり)。↓もし私が自身で後悔していることを振り返って考えるならば、やはり思い当たるふしがあるのだ。

【反△躬】(ハンキュウ) わが身にかえりみる。自分自身をかえりみる。反省する。

【反響(響)】(ハンキョウ) ①はねかえって聞こえる音響。こだま。やまびこ。②国ある言論や行動に影響されて起こる現象。

【反具】(ハング) 反逆用の武具。

【反訓】(ハンクン) 訓詁(クンコ)学で、一つの字が相反する意味を持つ場合、反義を用いてその字義を解釈すること。たとえば、乱の「みだれる」を「おさめる」と解釈する類い。

【反形】(ハンケイ) 反逆の形跡。

【反計】(ハンケイ) むほんのはかりごと。

【反撃(擊)】(ハンゲキ) 引きかえして敵をうつ。攻めかえす。

【反古】(ハンコ) ①古に反る。②先祖の祭をする。▼古は、先祖。③＝反故①。

【反故】(ハンコ・ホゴ・ホグ・ホウグ・ホウゴ) ①文字などを書いて不用になった紙。一度使った紙を裏がえす意。反古。②約束を履行しないこと。

【反顧】(ハンコ) ①ふりかえる。後をふりかえってみる。後顧。「反顧の憂え」②後の事を心配すること。

【反語】(ハンゴ) 表現を強めるために、一見反対の意味のようにいうことば。多く疑問の形を用いる。「焉知(いずくんぞしらん)」が、「不レ知(しらず)」の意を表す類い。

【反抗】(ハンコウ) さからう。たてつく。

【反攻】(ハンコウ) 一度退いたものが逆に進み攻める。守勢から攻勢に転ずる。逆襲。

【反獄】(ハンゴク) ①むほん人の裁判事件。②囚人が牢獄を破って脱走すること。破牢。

【反骨】(ハンコツ) ①骨を裏がえす。②いつの日にか謀反(ムホン)を起こしそうな骨相。③国容易に権威に屈従しない気骨。

【反魂香】(ハンゴンコウ) 香料の名。この香をたくと死者が姿を現すという。漢の武帝が李夫人の死後、この香をたかせたところ夫人のおもかげが現れたという故事による。返魂香。

【反△坐】(ハンザ) ①自分の席に戻る。②人を陥れようとした者が、逆に陥れようとした罪と同じ刑に処せられること。

【反始】(ハンシ) はじめにかえる。祖先を思い敬うこと。▼始は、祖先。

【反事】(ハンジ) ①物事を反対にする。②むほんの事実。

【反手】(ハンシュ・てをかえ(へ)す) てのひらをかえす。転じて、非常にたやすいたとえ。反掌。

【反書】(ハンショ) 反乱をつける文書・手紙。

【反将(將)】(ハンショウ) むほんを起こした将軍。

【反証(證)】(ハンショウ) 反対の証拠。

【反照】(ハンショウ) ①てりかえす。反映。反射。②夕やけ。夕ばえ。

【反状(狀)】ハンジョウ むほんの状況。
【反心】ハンシン そむく心。むほんの意志。反意。叛心。
【反信】ハンシン 返事の手紙。返信。
【反△脣】ハンシン ①脣くちびるをそらす。口をとがらす。不平の意を表す。②ののしる。
【反△芻】ハンスウ ①牛・羊等の草食動物が、一度のみこんだ食物を再び口にもどしてかむこと。②国くりかえして味わう。
【反正】ハンセイ もとの正しい道にかえすこと。太平の世にすること。「撥乱ハツラン反正」
【反省】ハンセイ わが身をかえりみること。
【反△噬】ハンゼイ ①追いつめられて、かえってかみつくこと。②(恩に)そむいてかみつく。恩人にそむき、かえって害をなすこと。
【反切】ハンセツ 漢字の音を表すために、他の既知の二つの文字の音韻をかりる方法。上の字の声母(頭子音)と下の字の韻母とを合わせて別の一音を生み出す。たとえば、東(tung)の音韻は、徳紅反トクコウ(切ともいう)といい、徳(tək)のtと紅(hung)のungとからtungを導き出す類い。
【反接】ハンセツ うしろ手にしばる。反縛。
【反舌】ハンゼツ ①鳥の名。もず、百舌。②わかりにくいことばのたとえ。未開人の言語。
【反然】ハンゼン・ホンゼン 改め変えるさま。翻然。
【反則】ハンソク 規則にそむく。法則にもとる。
【反側】ハンソク ①法度にそむくこと。反則。②謀反ムホンを起こす。うらぎる。「反側子」③眠れないで寝がえりをうつ。「輾転テンテン反側」
【反対(對)】ハンタイ ①あべこべ。さかさま。②さからう。↔賛成(三三〇ジベ・上)
【反△坫】ハンテン 周代、諸侯が会見して宴会をする時、飲み終わった杯をふせておく台。杯だい。
【反転(轉)】ハンテン 国①ひっくりかえる。②ひきかえす。③方向をかえる。④まろぶ。ころがる。⑤糸まき車。
【反動】ハンドウ ①ある運動にさからって起こる運動。反作用。②時勢に逆行して進歩をくいとめようとすること。
【反背】ハンパイ そむく。背反。
【反△駁・反△駮】ハンバク 他人の意見に対して、反論すること。
【反△撥・反発(發)】ハンパツ 国①はねかえす。また、はねかえる。②他人の意見などに反対し、また、受けつけないこと。
【反反】ハンパン ①慎み深く重々しいさま。おちついたさま。②くりかえし習う。また、したがい習うさま。
【反覆】ハンプク ①もとにもどす。もどる。②くりかえす。③そむく。うらぎる。④くつがえす。⑤往復する。

【反△袂】ハンペイ たもとをかえす(顔に持ってくる)こと。涙をぬぐうこと。
【反璧】ハンペキ・たまをかえ(へ)す ①人の贈り物を辞退してかえすこと。反錦。晋の重耳チョウジ(後の文公)の故事。②水神が璧を返して、秦シンの始皇帝の滅亡を告げた故事。
【反哺】ハンポ 食物を口移しにして食べさせること。成長して、親の恩に報いることのたとえ。烏からすは生まれてから、母鳥に養われた六十日間の恩がえしに、成長してから母鳥に食物を口移しにして食べさせるといわれる。これを「烏に反哺の孝あり」という。▼哺は、口中にある食物。〔本草、慈烏〕
【反本】ハンポン・もとにかえ(へ)る ①もと(根本)にたちかえる。②うまれ出たもと(天・父母)を思う。
【反命】ハンメイ ①使者がもどって報告すること。復命。②命令にそむく。
【反目】ハンモク ①にらみあう。②仲たがいする。
【反問】ハンモン 問いかえす。
【反乱(亂)】ハンラン そむきみだす。謀反ムホンを起こす。特に軍人の謀反をいう。叛乱ハンラン。
【反戻】ハンレイ そむきもとる。そむく。違背。違反。
【反論】ハンロン 相手の意見や批判などに対して反対意見を述べること。また、その議論。

2【𠬝】4画 1273 一漢フク・呉ブク 屋 fú 二漢セツ・呉セチ 屑 20360 ― ―
字義 一二おさめる。
解字 会意。又+卩。又は、手の意味。人を上から手で押さえつけている形で、人を従える・おさめるの意味を表す。

2【友】4画 1274 教2 ユウ とも 熟字訓 友達ともだち 漢ユウ(イウ)・呉ウ 有 yǒu 4507 9746 ―
筆順 一 ナ 方 友
字義 ❶とも。ともだち。なかま。同志。「親友」❷ともとする。友として交際する。❸兄弟の仲がよいこと。「友愛」
名前 すけ・とも・ゆ・ゆう
解字 甲骨文 金文 篆文 形声。又+又音。音符の又ユウは、右手の象形。手に手を取り合う「とも」の意味を表す。
逆 益友・雅友・旧友・交友・孝友・師友・死友・辱友・戦友・損友・知友・亡友・盟友・僚友・寮友
【友愛】ユウアイ ①兄弟の仲がよいこと。また、兄弟間の情愛。②友達の間のしたしみ。
【友△于】ユウウ ①兄弟の仲がよいこと。『書経』の「友二于兄弟一ケイテイにユウに」から出た語。②兄弟。
【友△誼】ユウギ 友達のよしみ。友情。
【友好】ユウコウ 友達の親しいこと。
【友禅(禪)】ユウゼン 国江戸中期、京都の画工、宮崎友禅が始めた染模様。「友禅染」「友禅模様」の略。
【友邦】ユウホウ 親しい国。交わりを結んでいる国。
【友睦】ユウボク ①兄弟が仲むつまじいこと。②友達のよしみ。

3【叏】5画 1275 カイ 夬(2240)の本字。→三四三ジベ・中。 ― ― 2057

4【𠬛】6画 1276 シ 史(1312)の本字。→三四一ジベ・上。

4【叒】6画 1277 漢ジャク 呉ニャク 薬 ruò ― ― 2058
字義 ❶神木の一種。扶桑フソウ。❷従う。=若(9871)。
解字 象形。『説文解字セツモンカイジ』では、東方の日の出る所に生える神木の象形という。しかし実は、ひざまずいて神意に従う人の象形で、したがうの意味を表す。若(9871)の原字。

5【𠭁】7画 1278 ジ 事(117)の古字。→五三ジベ・上。 ― ― 2059

5【叓】7画 1279 ジ 事(117)の古字。→五三ジベ・上。 20361 ― ―

6【取】8画 1280 教3 シュ と-る 漢シュウ(シウ)・呉シュ 麌 qǔ 2872 8EE6 ―
筆順 一 丅 F F E 耳 耴 取
字義 ❶耳をきる。捕虜や捕獲した動物を数えるために、その耳を切る。用例〔周礼、夏官、大司馬〕獲者取二左耳一かくしゃはさじをとる。↓禽獣を捕獲した者は(その証拠として)左の耳を切り取っておく。
❷と-る。㋐自分のものとする。手に入れる。用例〔論語、公冶長〕無レ所レ取レ材ザイをとるところなし。↓材料を手に入れることができない。
㋑とりあげる。とりだす。用例〔荀子、勧学〕青取二之於藍一而青二於藍一あおはこれをあい(あゐ)よりとりて、あい(あゐ)よりもあお(を)し。↓青の染料は藍草から取るが、もとの藍草よりも青い。
㋒うけとる。受領する。用例〔孟子、万章上〕一介不三以取二諸人一イッカイもってこれをひとよりとらず。↓一本の草であっても、人から受け取ろうとしなかった。
㋓手に取る。持つ。用例〔論語、陽貨〕取レ瑟而歌シツをとりてうたう(ふ)。↓瑟を手にとって歌う。
㋔とらえる。つかまえる。用例〔詩経、豳風、七月〕取二彼狐狸一(かのコリを)、為二公子裘一(コウシのキュウをつくらん)。↓きつねやたぬきをつかまえて、若君のかわごろもにしよう。

㋕もとめる。追求する。用例〔後漢、張衡、西京賦〕列レ爵十四一(シャクをレッすること、ジュウシ)、競レ媚取レ栄(こびをきそい(ひ)て、エイをとる)。↓十四の位をつらねる後宮の女性たちは、媚態を競って天子の寵愛を求めようとした。

㋖まねく。いたす。用例〔左伝、昭公十三〕大福不レ再(ダイフクはふたたびせ)ず、祇取レ辱焉(ただはず(づ)かしめをとらんのみ)。↓大きな幸福は二度やってくることはなく、ただ辱めをまねくだけだ。
❸めとる。嫁を迎える。用例〔国語、越語上〕令二壮者無一レ取二老妻一(ソウシャをしてロウサイをとるなからしむ)。↓壮年の男子には年老いた女性をめとらせない。
❹た-だ。わずかに。用例〔史記、酷吏伝〕丞相取充レ位(ジョウショウはただくらい(ゐ)にあたるのみ)、天下事皆決二於湯一(テンカのこと、みなトウにケッす)。↓丞相はただその位にあるだけで、天下の事はすべて張湯によって決められた。

名前 とり・とる　難読 取石(とっし・とろし)

使いわけ とる〔取・執・採・撮・捕〕

〔執〕物事をとり行う。「指揮を執る」

〔採〕選んでとる。また、拾い上げる。「嘱託として採る」

〔撮〕撮影する。「ビデオに撮る」

〔捕〕つかまえる。「生け捕る」

〔取〕前述の四つ以外で、広く一般に用いる。「責任を取る・命を取る・気取る・取り締まる・メモを取る・見取り図」

解字 甲骨文　金文　篆文　会意。又＋耳。昔、戦争で殺した敵の左耳を切り取り首級の代わりに集めたところから、とらえる・とるの意味を表す。取を音符に含む形声文字に、娶(シュ)・聚(シュウ)・諏(シュ)などがあり、これらの漢字は、「とる」の意味を共有している。
逆 看取・観取・搾取・詐取・摂取・窃取・奪取・聴取・略取

【取引】(とりひき・シュイン) 国売買。交易。また、受け渡し。

【取舎】(シュシャ) ①＝取捨㊀。②進むことと休むこと。

【取捨】(シュシャ) ㊀とることと、すてること。㊁(とりすて) 国取り去ること。投げすてること。

【取得】(シュトク) ㊀①手に入れる。②国収入。㊁(とりえ) 国長所。

6 【受】 8画 1281 教3 ジュ う-ける・う-かる　漢シュウ(シウ)・呉ジュ　有 shòu　2885 8EF3 一

筆順 ノ ㇀ ⺈ ⺤ 爫 爫 㓁 受

字義 ❶う-ける。㋐受け取る。さずかる。用例〔論語、郷党〕康子饋レ薬(コウシくすりをおくり)、拝而受レ之(ハイしてこれをうく)。↓季康子が薬を贈ると、拝礼して受け取った。

㋑いれる。受け入れる。したがう。用例〔易経、咸〕君子以レ虚受レ人(クンシはキョをもってひとをうく)。↓君子は心を虚にして他人を受け入れるものである。

㋒つぐ。受け継ぐ。用例〔孟子、滕文公下〕舜受二尭之天下一(シュン、ギョウのテンカをうく)。↓舜は尭の天下を受け継いだ。

㋓買い取る。用例〔管子、海王〕釜十五吾受(フごとにジュウゴ、われうけて)、而官出レ之以レ百(カンこれをいだすにヒャクをもってす)。↓〔海から得た塩を〕一釜あたり十五銭で我が国が買い取り、役所はそれを百銭で売り出す。

㋔回収する。用例〔周礼、春官、司干〕祭祀舞者既陳則授二舞器一(サイシにまうもの、すでにチンすればすなわ(は)ちブキをさずけ)、既舞則受レ之(すでにまえばすなわ(は)ちこれをうく)。↓祭祀に舞う者たちがならび終わると舞に使う器具を渡し、舞いおわると回収する。

㋕こうむる。いやなめにあう。用例〔詩経、邶風、柏舟〕覯レ閔既多(うれい(ひ)にあう(ふ)こと、すでにおお(ほ)く)、受レ侮不レ少(あなどりをうくることすくなからず)。↓つらい思いも沢山したし、侮辱を受けたことも少なくない。
❷さずける(授)。用例〔唐、韓愈、師説〕師者所二以伝レ道受レ業解一レ惑也(シはみちをつたえ(へ)ギョウをさず(づ)け、まどい(ひ)をとくゆえ(ゑ)んなり)。↓師というのは、道理を伝え、学業を伝授し、迷いを解決するためのものである。
国 ❶う-け。人気。評判。❷う-かる。合格する。

名前 うけ・うく・おさ・しげ・つぐ

使いわけ うける〔受・請〕
〔請〕引きうける。また、保証する。「安請け合い」
〔受〕前述の〔請〕の意以外で、広く一般に用いる。「郵便受け・試験を受ける」

解字 甲骨文　金文　篆文　形声。甲骨文・金文は爪＋又＋舟㊥。音符の舟は、わたしぶねの象形。上下に手の象形の爪・又を付し、うけわたすの意味を表す。のち、舟の部分が冖に変形し省略された。受を音符に含む形声文字は、うけわたすの意味を共有し、授・綬(ジュ)などがある。
逆 甘受・享受・口受・授受・聴受・拝受・膚受

【受戒】(ジュカイ) ①いましめを受ける。②仏仏門に入る人が戒律を受けること。

【受業】(ジュギョウ) ①弟子が師から学業をうけ学ぶこと。②師に対する弟子の自称。

【受検(検)】(ジュケン) 検査を受ける。

【受験(験)】(ジュケン) 試験を受ける。

【受降】(ジュコウ) ①降服者を受けいれること。②漢の武帝のとき、匈奴(キョウド)の降服者を受けいれるために、今の内モンゴル自治区烏拉特(ウラト)中旗の東、陰山の北に築いた城の名。受降城。唐代には、東・西・中の三城があった。

【受授】(ジュジュ) うけることと、さずけること。

【受章】(ジュショウ) 勲章・褒章などを受ける。

【受賞】(ジュショウ) 賞をさずけられる。賞を受ける。

【受身】(うけみ) 国①他から働きをうけること。②文法用語。他から動作をうける意を表す。受動。↔能動(六九八ジベー上)。

【受信】(ジュシン) ①手紙や電報などを受け取ること。②電信や放送などを受けること。

【受診】(ジュシン) 医師の診察を受けること。

【受禅(禪)】(ジュゼン) 帝位をゆずり受ける。天子の位を受けつぐこと。▼禅は、ゆずる。

【受胎】(ジュタイ) はらむ。みごもる。

【受託】(ジュタク) たのみを受ける。また、依頼される。

【受諾】(ジュダク) 引き受ける。承諾する。↔拒絶(五八四ジベー上)。

【受動】(ジュドウ) ＝受身②。↔能動(六九八ジベー上)。

【受難】(ジュナン) ①わざわいにあう。②国特にキリストが十字架で刑を受けたことをいう。

【受納】(ジュノウ) うけおさめる。うけいれる。

【受命】(ジュメイ) ①命令をうける。②天の命令をうけること。また、そうして天子になること。「受命之君(ジュメイのきみ)」③教えをうける。

【受理】(ジュリ) 受け入れて処理する。また、受けとる。受けおさめる。◆「受理」も「受領」も「受けとる」意。法令では、申請・請願・届出などを受けとるのは「受理」、給付・弁償などを受けとるのを「受領」とする。

【受領】(ジュリョウ) ㊀受けとる。→受理。㊁(ズリョウ・ズロウ) 国昔、国司に任命されること。転じて、国司をいう。

6 【叔】 8画 1282 常 シュク　シュク 屋 shū　熟字訓 叔父(おじ)・叔母(おば)　2939 8F66 一

筆順 丨 ト 上 ᆠ 未 赤 叔 叔

【尗】 3283 俗字

字義 ❶ひろ-う(拾)。❷わかい(若)。おさない。年少者。❸おとうと。弟の中で年下の弟。❹おじ。父の弟(日本では母の弟をもいう)。❺こじゅうと。夫の弟。❻すえ。また、末世。❼字(あざな)にそえることば。兄弟の年齢順を表し、第三番目(伯・仲・叔・季)を示す。❽父親よりも年少の人を呼ぶときに用いる語。

おじさん。❾よい(善)。

名前 はじめ・よし

解字 甲骨文 金文 篆文 形声。又＋尗㊥。音符の尗は、枝についている豆の象形。豆をひろうの意味を表す。また、尗は、弔に通じ、いたみあわれむの意味。あわれむべきいとけない者・善良な者の意味をも表す。転じて、おとうとの意味や、父のおとうとに当たる、おじの意味などをも表す。

逆 伯叔

【叔季】①すえの弟。末弟。▼季も、末。②世の末。末世。

【叔△舅】①おじ。母の弟。②天子が異姓の小諸侯を呼ぶ称。

【叔世】すえの世。末世。叔代。叔季。

【叔斉(齊)】殷末の人。孤竹君の子で、伯夷の弟。兄と互いに父のあとを継ぐことを譲りあって国をのがれ去った。周の武王が殷の紂王を討った時、兄と共にいさめたが聞かれず、武王が天下を統一すると、首陽山(今の山西省永済市の南)にかくれて餓死した。〔史記、伯夷伝〕

【叔伯】①臣下の年下の者と年上の者。②兄弟。または姉妹。

【叔父】㊀①おじ。父の弟。②天子が同姓の小諸侯を呼ぶ称。㊁国父母の弟。

【叔母】㊀父の弟の妻。㊁国父母の妹。

【叔△梁△紇】春秋時代の魯の人。孔子の父。郰邑の大夫。背が高く、武力にすぐれた。顔氏の三女の徴在を妻とし、尼山に祈って孔子を生み、孔子が三歳のときに没したという。〔史記、孔子世家〕

6 【㕞】 8画 1283 ㊊セツ ㊎セチ 㕞 shuā — ₂0362 — —

字義 ぬぐう。きよめる。

解字 会意。尸＋巾＋又。

6 【叕】 8画 1284 ㊊テツ ㊎テチ 㕞 zhuó — ₂0363 — 2060

字義 ❶つづる。つらなる。つらねる。＝綴(9230)。❷みじかい(短)。

解字 篆文 象形。糸をつなぎあわせた形にかたどり、つづるの意味を表す。叕を音符に含む形声文字に、啜・惙・掇・畷・綴などがあり、これらは「つづく」の意味を共有している。

7 【叚】 9画 1285 ㊊カ ㊎ケ 馬 jiǎ — ₂0364 — 2061

字義 ❶かりる。かす(貸)。❷かりに。＝仮(206)。

解字 金文 篆文 会意。金文は、厂＋二＋𠬤。厂は、岩石の意味。二は、未加工の玉の意味。𠬤は、両手の象形。岩石の中から取りだしたばかりの未加工の玉の意味から、かりの意味を表す。瑕の原字。叚を音符に含む形声文字に、假・蝦・暇・瑕・葭・豭・遐・霞などがあり、これらは「かり」の意味を共有している。

7 【圾】 9画 1286 コウ(カウ) 号 gào — ED72 2062

字義 つつしんで告げる。

7 【叙】 9画 1287 常 ジョ 2986 8F96 —

支7 〔敍〕 11画 1288 人 ㊊ショ ㊎ジョ 語 xù 5838 9DC4 —

筆順 ノ 𠆢 亼 今 全 余 余 叙 叙

〔敘〕 4540 俗字

字義 ❶ついず。㋐順序をつける。㋑官職や勲位を授ける。「叙勲」❷順序。次第。❸のべる。順序だてて述べる。また、ありのままを述べる。「自叙伝」「叙景」❹はじまり。いとぐち。また、書物のはしがき。

名前 のぶ・みつ

難読 叙利亜

参考 現代表記では〔抒〕(4063)の書きかえに用いることがある。「抒情→叙情」

解字 甲骨文 篆文 形声。又(攴)＋余㊥。音符の余は、自由に伸びるの意味。攴は、たたくの意味。たたいて制約を加えながら伸ばす、順序だてる・のべるの意味を表す。

逆 昇叙・追叙・平叙・列叙

【叙位】①くらいを授ける。②国昔、正月五日、また六・七日に諸臣に位を賜った公事。

【叙勲(勳)】国勲等を授け、勲章を賜ること。

【叙景】国けしきをのべしるす。

【叙事】事実をありのままに述べ記す。また、その文。

【叙事詩】意見や感情をまじえず、事実や、民族の歴史、英雄の事績などをありのままに述べた詩。↕叙情詩。

【叙爵】①爵位を授ける。②国昔、初めて従五位下に任ぜられること。

【叙述】順序だててのべる。

【叙情】感情をのべあらわす。抒情。

【叙情詩】主として自己の感情を主観的に表現する詩。抒情詩。↕叙事詩。

【叙任】位を授け、官職につかせる。

【叙録(錄)】①順序だてて記録する。また、その文。②本論の初めか終わりに、その大要を述べたもの。序録。

【叙論】①順序だてて論ずる。②国本論のいとぐちとなる議論。書物の初めに書く議論。序論。

7 【叜】 9画 1289 ソウ 叟(1294)の本字。→二三四ページ下。

7 【叟】 9画 1290 ソウ 叟(1294)の俗字。→二三四ページ下。

7 【叛】 9画 1291 標 ㊊ハン・㊎バン 慣ホン 翰 pàn 4032 94BE —

〔叛〕 1292 俗字

字義 ❶そむく。謀反する。反逆する。用例〔史記、項羽本紀〕天下皆叛レ之(天下の民は皆これにそむいた)。❷みだれる。❸かがやく。

参考 現代表記では〔反〕(1272)に書きかえる。「叛逆→反逆」「離叛→離反」。熟語は〔反〕をも見よ。

解字 篆文 形声。反＋半㊥。音符の半は、わかれるの意味。反抗してはなれる、そむくの意味を表す。

【叛徒】謀反をするものども。

【叛乱(亂)】そむき乱す。謀反を起こすこと。内乱。反乱。

7 【叛】 9画 1292 ハン 叛(1291)の俗字。→二三四ページ下。

8 【叞】 10画 1293 イ 尉(2728)と同字。→四一五ページ上。 — — 2063

8 【隻】 10画 (13173) セキ 隹部。→一五三三ページ下。

8 【叟】 10画 1294 標 ㊀ソウ 有 sǒu ㊁シュウ(シウ) 尤 sōu 5055 99D5 —

〔叜〕 1289 本字 〔叟〕 1290 俗字

字義 ㊀❶おきな。としより。❷老人を呼ぶ尊称。長老。㊁叟叟は、米をとぐ音の形容。＝溲(6576)。

解字 篆文 会意。篆文は、宀＋火＋又。屋内で手に火を持って物をさがすの意味を表す。借りて、おきなの意味を表す。

9 【曼】 11画 (4782) マン 日・曰部。→六七二ページ中。

11 【叠】 13画 1295 ジョウ 畳(7657)の俗字。→九七四ページ上。 — — 2064

14 【叡】 16画 1296 人 エイ 霽 ruì 1735 8962 —

筆順 …叡

【叡】1297同字【壡】2176古字【睿】8045古字

字義 ❶さとい。あきらか。道理に明るい。かしこい。❷天子に関することを尊んでいうときにそえる語。「叡慮」

名前 あき・あきら・えい・さと・さとし・ただ・とうる・とおる・とし・まさ・よし

参考 現代表記では〔英〕(9855)に書きかえることがある。「叡智→英知」

解字 篆文 古文 会意。𣦼＋目＋谷省。𣦼は、えぐるの意味。谷はたに・あなの意味。谷をえぐるように深く物事を見る目のさまから、あきらか・さといの意味を表す。

【叡感】エイカン 天子が感心する。天子のおほめ。
【叡才】エイサイ すぐれた才能。また、それを持っている人。英才。
【叡算】エイサン 天子の年齢。宝算。
【叡旨】エイシ 天子の考え。聖旨。
【叡聖】エイセイ すぐれてさとい。知徳がすぐれて道理に明るいこと。また、その人。特に、天子の徳にいう。
【叡達】エイタツ かしこくて物事の道理に通じていること。
【叡知・叡△智】エイチ すぐれてさとい知恵。英知。
【叡哲・叡△喆】エイテツ すぐれてかしこい。また、その人。
【叡敏】エイビン 物事の道理に通じてかしこいこと。
【叡明】エイメイ ＝叡哲。
【叡覧(覽)】エイラン 天子が見ること。
【叡慮】エイリョ 天子の気持ち。天子の考え。

14【叡】16画 1297 エイ 叡(1296)と同字。→二三四ページ下。

15【燮】17画 (7013) ショウ 火部。→九〇二ページ下。

16【叢】18画 1298 人 標 漢ソウ 呉ゾウ 東 cōng 3349 9170 一

筆順 …叢

【藂】5810同字

字義 ❶むらがる。あつまる。「叢竹」❷くさむら。❸低い木のしげみ。❹わずらわしい。くどい。

難読 叢雨むらさめ・叢雲むらくも・叢祠ほこら・叢濃むらご・叢柏しのぶ・ひば

解字 篆文 形声。丵＋取㊐。丵サクは、のこぎり状の歯のついた工具の象形。音符の取は、聚シュウに通じ、あつめるの意味。むらがるの意味を表す。

【叢雲】ソウウン むらがり集まっている雲。むらくも。
【叢菊】ソウキク むらがりはえた菊。むらぎく。用例〔唐、杜甫、秋興詩〕叢菊両開他日涙ソウキクふたたびひらく、タジツのなみだ 孤舟一繫故園心コシュウひとえ(へ)につなぐ、コエンのこころ。↓群がる菊が花を開くのは(旅にでてから)二度目、去年の涙がよみがえる。一そうの小舟に、ただひたすらに故郷を思う心をつなぎとめているのだ。
【叢雑(雜)】ソウザツ 生い茂っている。こんもりと茂っている。また、むらがって多いこと。
【叢書】ソウショ ①書籍をあつめる。②同系統の書籍を集めて、一組とした本。叢刊・叢刻ともいう。シリーズ。双書。
【叢生】ソウセイ むらがりはえる。
【叢談】ソウダン いろいろな物語を集めた書物。叢譚ソウダン。
【叢林】ソウリン ①やぶと林。また、やぶ。林。②㊍僧の集まり住む所。
【叢話】ソウワ いろいろな話を集めた書物。

16【雙】18画 (1271) ソウ 双(1270)の旧字体。→二三〇ページ中。

18【矍】20画 (8099) カク 目部。→一〇二五ページ中。

口 くち　3画

〔部首解説〕口を意符として、声や息を出すこと、飲食など、口のはたらきに関係する文字ができている。また、吋チインや噸トンなど、度量衡の単位を表す外国語の翻訳字にも、口偏が用いられる。

0 口 二三六
1 中 三五
2 右 二三七　合 二三八　可 二三八　加 一九〇　另 二三八　叱 二三八　叴 二三八　叶 二三八　叫 二四六　句 二三八　兄 一三八　古 二三九　叩 二四〇　号 二四〇　史 二四一　司 二四一　只 二四三　叱 二四三　召 二四三　占 二一九　台 二四四　叮 二四四　叨 二四四　叵 二四四　叭 二四四　另 二四五　另 二四五　叺 二四五
3 各 二四五　吓 二四五　吉 二四五　吉 二四五　吃 二四五　吸 二四六　叫 二四六　吁 二四六　向 二四六　后 二四七　合 二四七　舌 一一八四　吒 二四八　吊 二四八　吐 二四八　吋 二四八　同 一五八　旨 二四八　名 二四八　吏 二四九
4 呷 二五〇　吽 二五〇　呍 二五〇　呕 二五〇　吡 二五〇　或 二五〇　呀 二五〇　吩 二五〇　串 三八　含 二五〇　吸 二四六　吟 二五〇　听 二五一　君 二五一　冏 一六〇

启 二五三　呇 二五三　呉 二五三　吾 二五三　吴 二五三　吭 二五三　吼 二五三　告 二五三　咎 二五四　吱 二五四　吽 二五四　吹 二五四　呎 二五四　吮 二五四　吵 二五四　呈 二五四　吶 二五四　吨 二五四　呑 二五四　吞 二五五　吧 二五五　吠 二五五　否 二五五　吡 二五五　呅 二五五　吻 二五五　吩 二五五　呆 二五五　呃 二五五　邑 一四三八　呂 二五五　吝 二五六
5 咏 二五六　呭 二五六　咉 二五六　呵 二五六　咖 二五六　咍 二五六　哎 二五六　咁 二五六　呬 二五六　呗 二五六　呿 二五六　咎 二五六　咎 二五六　亟 八三　呴 二五六　呟 二五七　呼 二五七　咕 二五七　呷 二五七　咋 二五七　弗 三八　哃 二五七　呩 二五七　呢 二五七　舎 一〇四　呪 二五七　咒 二五七　周 二五七　尚 四二一　呻 二五八　咀 二五八　咤 二五九　咃 二五九　知 一〇一七　呫 二五九　呧 二五九　呶 二五九　咄 二五九　咐 二五九　咈 二五九　亀 一六四九　音 二五九　咆 二五九　味 二五九　命 一〇六　呦 二五九　呤 二五九　和 二五九　咊 二六一　咑 二六一
6 哀 二六一　哇 二六一　咹 二六一　咿 二六二　咦 二六二　哊 二六二　咽 二六二　咼 二六二　咳 二六二　咯 二六二　咟 二六二　咢 二六二　咸 二六二　咥 二六二　咕 二六二　咻 二六二　响 二六二　咺 二六二　呱 二六三　咬 二六三　哄 二六三　哈 二六三　咱 二六三　哉 二六三　咨 二六三　咫 二六三　呰 二六三　哆 二六三　咡 二六三　昝 二六三　咲 二六三　哂 二六四　咤 二六四　咮 二六四　咷 二六四　哃 二六四　咩 二六四　品 二六四　咪 二六四　唙 二六四　咧 二六四　咾 二六四　哷 二六四
7 唖 二六四　唉 二六四　韋 一五四九　員 二六四　哥 二六五　哿 二六五　啊 二六五　唗 二六五　哦 二六五　唍 二六五　哈 二六五　唏 二六五　哯 二六五　唁 二六五　唔 二六五　哮 二六五　哽 二六五　哼 二六五　哠 二六五　哭 二六五　唆 二六五　哨 二六六　哨 二六六　唇 二六六　哾 二六六　唌 二六六　啅 二六六　哪 二六六　啄 二六六　哳 二六六　哲 二六六　唐 二六六　唄 二六七　啐 二六七　哺 二六七　哱 二六七　唈 二六七　唀 二六七　哩 二六七　唎 二六九　唳 二六九　唖 二六九
8 啞 二六九　啊 二六九　唲 二六九　唵 二六九　唹 二六九　啀 二六九　喝 二六九　唫 二六九　啓 二六九　啓 二六九　唔 二七〇　唬 二七〇　啌 二七〇　啐 二七〇　啛 二七〇　啫 二七〇　喏 二七〇　售 二七〇　唱 二七〇　商 六八　啇 六八　唽 二七〇　唼 二七〇　啑 二七〇　唾 二七〇　啄 二七一　啅 二七一　啖 二七一　啗 二七一　啇 二七一　啜 二七一　啠 二七一　唸 二七一　啁 二七一　㖦 二七一　啍 二七一　啡 二七一　啤 二七一　啚 二七二　唪 二七二　問 二七二　唯 二七三　唻 二七三

啉 二七二　〓 二七二　唳 二七二　啦 二七二　啄 二七二
啝 二七二　啘 二七二　9 喔 二七二　喂 二七二　喑 二七二
営 四三二　嗢 二七三　喎 二七三　咢 六三五　唶 二七三
喙 二七三　喀 二七三　喝 二六九　喚 二七三　喊 二七三
喞 二七三　喭 二七三　嗙 二七三　喜 二七三　喟 二七三
〓 六三三　喫 二七四　嗅 二七四　喬 二七四　喁 二七四
喣 二七四　喗 二七四　喧 二七四　嗍 二七四　喉 二七四
喤 二七五　喉 二七五　嗁 二七五　喰 二七五　喈 二七五
啻 二七五　嗞 二七五　啾 二七五　唧 二七五　喞 二七五
善 二七五　喘 二七六　喪 二七六　〓 二七七　單 四三二
喋 二七七　啼 二七七　喆 二七七　嗒 二七七　喃 二七七
喲 二七七　喩 二七七　喩 二七七　喓 二七七　喇 二七七
喨 二七七　〓 二七七　10 嗉 二七七　嗌 二七七　嗚 二七八
嗢 二七八　嘩 二七八　嗝 二七八　嗝 二七八　嗅 二七八
嗋 二七八　〓 二七八　嗘 二七八　嗛 二七八　嗥 二七八
嗑 二七八　嗃 二七八　嗟 二七八　嗄 二七九　嗩 二七九
嗣 二七九　嗜 二七九　嗤 二七九　嗇 二七九　嗔 二七九
嗉 二七九　喿 二七九　嗆 二七九　嗓 二七九　嘆 二七九
嗁 二七九　嗎 二七九　嘌 二八〇　〓 二八〇　嗃 二八〇
11 嘔 二八〇　嘉 二八〇　嘏 二八〇　嗶 二八〇　嘅 二八〇
嘊 二八一　嘎 二八一　噓 二八一　嘒 二八一　嘑 二八一
嘐 二八一　嘷 二八一　嗷 二八一　嘖 二八一　嘇 二八一
嘗 二八一　嘯 二八一　嘈 二八一　嗾 二八一　嗽 二八一
噌 二八一　嘆 二七九　嗿 二八一　嘜 二八二　嘩 二八二
嘛 二八二　鳴 一六二四　嗹 二八二　嘍 二八二　噏 二八二
12 噎 二八二　噁 二八二　嘖 二八二　噶 二八二　〓 二八二
嘓 二八二　器 二八二　噐 二八二　嘻 二八二　嘰 二八二
嘿 二八三　嘌 二八三　嗡 二八三　罯 二八三　噓 二八三
嘺 二八三　嘵 二八三　〓 二八三　嘷 二八三　嘬 二八三
噆 二八三　噍 二八三　囑 二八三　嘶 二八三　噌 二八三
噂 二八三　噀 二八三　噂 二八三　噉 二八三　嘽 二八三
嘲 二八三　嘲 二八四　噇 二八四　噔 二八四　噋 二八四
噃 二八四　嘸 二八四　噴 二八四　舖 一三三　嘿 二八四
嘹 二八四　13 噯 二八四　噫 二八四　噢 二八四　噦 二八四
噲 二八四　嚄 二八四　噩 二八四　器 二八二　噱 二八五
噭 二八五　噤 二八五　噞 二八五　嚆 二八五　嘴 二八五
嘯 二八五　噬 二八五　噲 二八五　噪 二八五　噠 二八五
噣 二八五　噹 二八五　噵 二八五　噥 二八五　嚬 二八五
噴 二八四　嘶 二八五　14 嚇 二八六　嚄 二八六　〓 二八六
嚐 二八六　嚅 二八六　嚌 二八六　嚋 二八六　嚔 二八六
嚀 二八六　嚊 二八六　嚈 二八六　嚙 二八六　嚝 二八六
嚏 二八六　嚞 二八六　嚓 二八六　15 嚠 二八六　嚕 二八六

0【口】

3画 1299 漢コウ・呉ク 教1 コウ・ク くち 有 kǒu

2493 8CFB 一

16 嚥 二八六　嚮 二八六　嚮 二八六　嚚 二八六　嚫 二八七
嚪 二八七　嚩 二八七　嚭 二八七　嚬 二八七　嚦 二八七
嚧 二八七　嚨 二八七　17 嚶 二八七　嚱 二八七　嚴 四三三
嚳 二八七　嚷 二八七　嚲 二八七　18 嚾 二八七　〓 二八七
囂 二八七　〓 二八七　嚼 二八七　囁 二八七　〓 二八七
囀 二八八　19 囋 二八八　囌 二八八　囅 二八八　囊 二八八
〓 一四〇〇　囉 二八八　囎 二八八　20 囃 二八八　〓 二八八
囐 二八八　21 囓 二八八　囓 二八八　囑 二八三　囍 二八八
22 〓 一六五〇

筆順 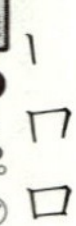

字義 ❶くち。㋐飲食し音声を発する器官。五官の一つ。「鶏口」「虎口(ココウ)」㋑入口。あな。関門。㋒港。❷くちをきく。しゃべる。また、そのことば。「悪口」❸くちずから。親しく自分の口から。❹人。また、人を数える単位。❺ふり。刀剣を数える単位。国くち。㋐はし(端)。はじめ。㋑たぐい。種類。㋒てづる。㋓つとめどころ。

名前 あき・くち・ひろ　難読 口永良部(くちのえらぶ)・口之津(くちのつ)・口惜(くや)しい・口直海(くちのみ)・口伝(くちづ)て・口分田

解字 篆文  象形。くちの形にかたどり、くちの意味を表す。口を音符に含む形声文字に、釦(コウ)・哭(コク)・谷・浴・欲・俗・容・溶・鎔(ヨウ)・裕などがあり、これらは「くち」の意味を共有している。

逆 海口・家口・金口・鶏口・黄口・戸口・人口・生口・多口・渡口・百口・閉口・便口・弁口・滅口・利口

【口過】(コウカ) 発言上のあやまち。失言。

【口禍△之門】(くちはわざわい(はい)のモン) 口はわざわいを招くもとである。ことばはつつしまなければならないとのいましめ。後唐の馮道(フウドウ)の「舌詩」の、「口是禍之門(くちはこれわざわい(はい)のモン)」による。

【口角】(コウカク) ①口の両わきの、上下の唇の接合した所。転じて、口のまわり。②口論する。また、口論。

【口角流△沫】(コウカクあわをながす) 口角飛△沫(コウカクあわをとばす)。つばきを飛ばし、いきおい激しく議論するさま。

【口給】(コウキュウ) 口がよくまわること。口だっしゃ。▼給は、次から次とよどみなく出てくること。

【口業】㊀(コウギョウ) 詩文を作ること。文学の仕事。㊁(クゴウ) 仏しゃべることによって作られる罪。妄語(でたらめ)・綺語(キゴ)(いつわりかざる語)・悪口・両舌(二枚舌(たじ))。

【口吟】(コウギン・クギン) ①くちずさむ。②どもって言語がはっきりしないこと。また、口の中でくどくど言っていること。

【口径(徑)】(コウケイ) 器物の口のさしわたし。

【口語】(コウゴ) ①口に出して言うことば。②そしり。③話しことば。↔文語(六三一ページ・中)。

【口△腔】(コウコウ) 口からのどまでの部分。医学では「コウクウ」という。

【口講指画(畫)】(コウコウシカク) 口で説明し、指で描く。丁寧に教えること。親切に教えさとすこと。

【口号(號)】(コウゴウ) ①詩を文字に書かず、思い浮かぶまま直ちに口ずさむこと。口吟。②詩題の一つ。①に基づくもので、南朝梁(リョウ)の簡文帝に始まり、唐代に流行した。③詩体の名。宋(ソウ)・元代、楽人が盛徳を祝って奉った詩。

【口才】(コウサイ) 口の才能。弁舌にすぐれていること。また、口先の上手なこと。弁才。

【口算】(コウサン) ①人数割りにかける税。人頭税。十五歳から五十六歳まで、一人あたり賦銭(フセン)百二十を出すのを一算という。②家畜の頭数にかける税。

【口耳△之学(學)】(コウジのガク) 耳で聞いたことをすぐ口に出すうすっぺらな学問。人から聞いたことを十分に理解しないで、物知り顔にすぐ人に告げ、少しも自分に益しない学問。〔荀子、勧学〕

【口事】(コウジ) 人の悪口を言うこと。讒言(ザンゲン)。

【口辞(辭)】(コウジ) ことば。〔論語、公冶長〕

【口実(實)】(コウジツ) ①言いわけ。かこつけ。②語りぐさ。③口先だけで、実行の伴わないことば。④食物。⑤俸給。ふち。⑥使者の口に含ませる玉。

【口受】(コウジュ・クジュ) 口ずから教えを受ける。師から直接に教えを受けることなど。

【口授】(コウジュ・クジュ) 口ずから授ける。自ら直接に教える。

【口△誦】(コウショウ) 声を出して読むこと。口ずさむこと。

【口尚乳臭】(くちなお(ほ)ちちくさし・くちなお(ほ)ニュウシュウあり) 口がまだ乳くさい。年少で経験にとぼしいことのたとえ。〔史記、高祖本紀〕

【口上】(コウジョウ) 国①口もと。また、口中。②ことばで言うこと。口頭で用向きを述べること。また、そのことば、その文。③興行などのとき、そのしくみや襲名の披露などを客に述べること。

【口数(數)】㊀(コウスウ) 人数。人口。㊁(くちかず) 国①しゃべる度数や分量。ことばかず。②事がら・事件などの数。

【口説】㊀(コウセツ) ①ことば。言説。②口から口へと伝えられた事がら。口伝。伝説。㊁(クゼチ・クゼツ) 国＝口舌㊁。㊂(くどき) 国くり返して説く。国芝居などで、述懐・ざんげなどして心中を述べたてること。

【口舌】［一］①口と舌。②くちさき。弁舌。［二］くちさき。おしゃべり。②ものいい。いさかい。［同］口説。

【口占】［一］考えた文を声に出して伝えること。また、詩を文字に書かず、ただちに口ずさむこと。また、その詩。［二］国①人のことばを聞いて吉凶を占うこと。②ことばつきでその人の心を察すること。また、それとなく言ういいぶり。口裏。

【口宣】［一］①口で天子の命令をのべつたえる。②宋の文体の名。詔令類の一種。君主から臣下にさとす文辞。［二］仏師が学僧に与えるいましめ。転じて、小言・叱責の意ともする。［三］国昔、五位以上の官位を授けるとき、頭の弁が上卿に伝達した口頭のみことのり。

【口銭(錢)】①人数割りに課する税。人頭税。漢では兵役に服しない七歳から十四歳までの者に課した。②国売買の取り次ぎをして取る手数料。コミッション。

【口体(體)】からだ。

【口沢(澤)】口をふれたあとのつや。長く用いた茶わんのふちなどについたよごれ。

【口中雌黄】一度言った説をすぐ改めることのたとえ。昔、文字の訂正に雌黄(黄色い顔料)を用いたことによる。〔晋書、王衍伝〕

【口中△蝨】口の中のしらみ。かみつぶしやすいことから、たやすいこと、また、極めて危険なこと。

【口調】国ことばの調子。ことばのいいまわし。

【口勅(敕)】口ずからの天子のお言葉。

【口伝(傳)】語り伝える。口で伝える。また、言い伝え。言いつぎ。

【口到】三到(二〇ページ上)の一つ。読書に際しては、口に唱えることが大切であることをいう。

【口答】(その場で)口で答える。↔筆答(一〇七九ページ下)。

【口頭】①口のほとり。また、口さき。②書類に書かないで口で言うこと。

【口頭交】口先ばかりの交際。うわべのつきあい。

【口頭禅(禪)】口さきで禅を説くばかりで、禅の道理を会得もせず、実行もしないこと。

【口碑】世間の言いつたえ。伝説。▼碑は、永久にほろびない意。

【口腹】①くちと腹。②飲食。③生活。

【口△吻】①くちさき。▼吻は、口もと。②国くちぶり。言いよう。

【口分田】人ごとに等分に分け与える田地。㋐唐の制度では、丁男(二十一歳から五十九歳までの男性)には百畝、身障者には四十畝、寡妻・妾には三十畝を与え、そのうち二十畝を永業田とし、その余を口分田とした。㋑国大化改新以後、六歳以上の男性には二段、女性にはその三分の二を給した。

【口弁(辯)】口で説く。また、口さきのたっしゃなこと。

【口亡二択(擇)言一】言うことがすべてよいことばかりで、えらび捨てるところがない。〔孝経、卿大夫章〕

【口有レ蜜、腹有レ剣(劍)】うわべのことばは親切だが、心の内は陰険なたとえ。口蜜腹剣。〔唐書、李林甫伝〕

【口△粮・口糧】①兵や役夫・臨時雇いなどに、日ごとまたは月ごとに給する食糧。②流民・貧民に与える食物。③くいぶち。食糧。兵糧。

【口論】①口で論ずる。議論する。②国言い争い。口争い。口喧嘩。

1【中】4画 (45) チュウ　丨部。↓三五ページ下。

2【右】5画 1300　漢ユウ(イウ)・呉ウ　有　有　yòu　教1 ウ・ユウ　みぎ　1706 8945 一

筆順　ノ ナ 才 右 右

字義　❶みぎ。㋐みぎて。みぎがわ。↔左(3059)。㋑西。天子が南面すると右にあたるため。古く中国では地図は南が上になるように置いた。「江右(江西)」「山右(山西)」㋒上位。うえ。古く中国では右を尊んだ。用例(史記、廉頗藺相如伝)位在二廉頗之右一。↓その地位は、廉頗より上位であった。㋓そば。かたわら。「座右」

❷みぎ-する。右へ行く。

❸みぎ-にする。㋐右へ置く。右手に位置する。用例(史記、淮陰侯伝)兵法右二倍山陵一、前二左水沢一。↓兵法には山や丘陵は右にし背にして(陣を構え)、河や沼沢は前にし左にするとございます。㋑とうと-ぶ(尊)。たっと-ぶ。用例(唐、劉禹錫、天論)右レ賢尚レ功。↓賢人を尊重し功績を崇尚する。

❹勢力のある。また勢力のある家柄。「右族」「豪右」

❺たす-ける。＝佑(288)。用例(左伝、襄公十)天子所レ右、寡君亦右。↓天子が味方された方に、我が君も味方する。

❻したしむ(親)。ちかづける。

❼(飲食を)すすめる(勧)。＝侑(347)。用例(詩経、小雅、彤弓)鐘鼓既設、一朝右レ之。↓鐘鼓はすでにととのった、さあ(諸侯に)酒食をすすめよう。

名前　あき・あきら・う・え・これ・すけ・たか・たすく・みぎ・ゆう

難読　右衛・右衛佐・右近・右左口・右手・右沢

参考　⇩左(3059)の参考。

解字　金文　篆文　形声。口＋又音。音符の又は、みぎ手の象形。口は、祈りのことばの意味。神の助けの意味を表す。祐の原字。また、みぎの意味も表す。

逆　関右・左右・座右・保右

【右軍】①三軍の中の右の軍隊。また、一般に右翼の軍隊をいう。②晋代の書家、王羲之の称。もと右軍将軍であったからいう。③鳥の名。鵞鳥の別名。王羲之が鵞鳥を愛したからいう。

【右券】割符を二分した右半分。昔、木片に証文を書いて左右に二分し、債権者は右券を、債務者は左券を所有し、後日あわせて証拠とした。右契。

【右賢】①賢者をたっとぶ。②「右賢王」の略。匈奴の貴族の称号の一つ。

【右顧左△眄】国右を見たり左を見たりする。ためらうさま。左顧右眄ともいう。

【右史】昔の史官。天子のそばにいて、天子の言を記録した。↔左史(四四八ページ下)。

【右手画(畫)レ円(圓)、左手画(畫)レ方】右手で円形をかき、同時に左手で四角形をかく。同時に二つのことのできないことのたとえ。また、一度にさまざまなことのできるすぐれた才能のたとえ。

【右省】中書省をいう。↔左省(四四八ページ下)。

【右相】［一］宰相(尚書右丞相、または中書令)をいう。［二］国右大臣の唐名。右府。

【右姓】貴い家がら。勢力のある家がら。名門。

【右族】＝右姓。

【右△袒】右の肩をはだぬぐ。反対すること。↔左袒(四四八ページ下)。

【右筆】国昔、貴人のそばにいて記録をつかさどった人。祐筆。また、文章にすぐれた人。

【右武】武をたっとぶ。尚武。

【右文】学問をたっとぶ。

【右文左武】文を右にし武を左にする。文武の両道で天下を治めること。また、文武両道を兼備する意。

【右翼】ヨク ①右の陣。▼翼は、陣形を鳥のつばさにたとえたもの。②保守主義・国粋主義の団体。

【出レ右】みぎにいず(づ) 他よりもすぐれていること。右を上位とするからいう。

2 【㕣】 5画 1301 エン 銑 yǎn 20365 ― ―

字義 ❶どろぬま。山合いの泥沼。❷川の名。沇(6174)の古字。

解字 象形。口は、谷口の象形。八は、谷川まで迫る急なきりぎしの象形。山沿いの泥沼の意味を表す。

2 【可】 5画 1302 教5 カ ■カ 哿 kě ■コク 職 kè 1836 89C2 ―

筆順 一 丁 𠮛 可 可

字義 ■助 べ-し。ほぼ。ばか-り。⇩助字・句法解説。❶よ-い。よし。用例〔荘子、天運〕其味相反、而皆可二於口一。⇩(美味な果実の)味はそれぞれ異なるが、どれもうまい。❷まあよい。用例〔論語、学而〕子貢曰、貧而無レ諂、富而無レ驕何如。子曰、可也。⇩子貢が尋ねた、「貧しくても人にへつらわず、富んでいても威張らないというのはいかがでしょう」。孔子が答えた、「まあよいだろう」。❸き-く。きき入れる。してよいとする。用例〔十八史略、春秋戦国、呉〕請レ成於越一、范蠡不レ可。⇩越国に和平を提案したが、范蠡は聞き入れなかった。■→可汗。

助字・句法解説

❶べ-し。動詞の前に置かれ、以下の意味を表す。

㋐可能。訳…できる。用例〔論語、子罕〕三軍可レ奪レ帥也。⇩敵がいかに大軍勢でも(全軍の心が一致していなければ)、その総大将を奪い取ることができる。

㋑適当。訳…するのがよい。用例〔史記、商君伝〕汝可二疾去一。⇩お前は早く立ち去るほうがよい。

㋒許可。訳…してよい。用例〔孟子、離婁下〕可二以取一、可二以無レ取、取傷レ廉。⇩取ってもよく取らないでもよい場合、取れば清廉さを傷つけることになる。

㋓意志。訳…しよう。用例〔楚辞、漁父〕滄浪之水清兮、可三以濯二吾纓一。⇩滄浪の流れが澄んでいる時には、私の冠のひもを洗おう。

㋔当然。訳当然…しなければならない。用例〔史記、季布伝〕季布曰、樊噲可レ斬也。⇩季布が言った、「樊噲を斬罪に処すべきだ」。

❷ほぼ。ばか-り。概数。訳ほぼ…。…ばかり。…くらい。数量を表す語の前に置き概数を表す。用例〔史記、高祖本紀〕項羽之卒可十万。⇩項羽の兵はほぼ十万人である。▼「可二十万一」と読むこともできる。

【不レ可】べからず。

㋐訳…してはいけない。用例〔伝、南宋、朱熹、偶成詩〕少年易レ老学難レ成、一寸光陰不レ可レ軽。⇩若者はすぐに老いてしまい、学問は成就しがたい。だから、少しの時間もむだにしてはならない。

㋑訳…することができない。用例〔列子、湯問〕汝心之固、固不レ可レ徹。⇩あなたの心の頑固なことといったら、その頑固さはとうてい取り除くことができない。

名前 あり・か・とき・よく・よし・より 難読 可愛・可口・可楽・可児・可笑・可惜・可部・可楽崎

解字 金文 [金文字形] 篆文 [篆文字形] 会意。口＋丁(丂)。口は、くち、丂は口の奥の象形。口の奥から大きな声を出すさまから、転じて、よいの意味を表す。可を音符に含む形声文字に、何・河・呵・柯・歌・珂・苛・荷・軻などがあり、これらの漢字には、基本字・基本義が表すある種の擬声語、呵・歌や、河・柯・軻などのような「かぎがたに曲がる」の意味を共有するものが多い。

逆 印可・献可・裁可・制可・奏可・認可・不可

【可汗】カカン・コクカン モンゴル語で、王をいう。

【可口】カコウ 口に適する。うまい。

【可及的】カキュウテキ 国できるだけ。

【可決】カケツ 国よいときめる。会議などでよいと認めて決定すること。↔否決(三五五㌻中)。

【可笑】カショウ 笑うべき。おかしい。

【可人】カジン よい人物。取りえのある人物。

【可能】カノウ たえる。できる。なしうる。

【可否】カヒ よしあし。是非。

【可△憐】カレン ①愛らしい。②かわいそう。あわれ。ふびん。③感嘆を示すことば。ああ。→可レ憐(五五九㌻上)。

【不レ可】■べからず ⇩助字・句法解説。■かならず よいと考えない(言わない)。

【無レ可無二不可一】カもなくフカもなし 言行にゆき過ぎや不足のところがない。よくもなく、悪くもない。〔論語、微子〕

2 【加】 5画 (994) カ 力部。→一九〇㌻中。

2 【另】 5画 1303 漢カ(クヮ) 呉ケ 馬 guǎ ― ― 2066

字義 分ける。解く。肉を骨から削り離す。

解字 形声。刀＋口(冎)音。音符の冎は、わけるの意味。

2 【叱】 5画 1304 ■漢カ(クヮ)・呉ケ 禡 huà ■漢シツ・呉シチ 質 chì 2824 8EB6 ―

字義 ■口を開くさま。■叱(1315)の誤字。

参考 〔叱〕(1315)は本来別字であるが、混用する。⇩〔叱〕の参考。

解字 形声。口＋化省音。

2 【叴】 5画 1305 漢キュウ 呉グ 尤 qiú 20366 ― ―

字義 ❶声を高くする。❷矛の名。

解字 形声。口＋九音。

2 【叶】 5画 1306 人 漢キョウ(ケフ) 呉ギョウ(ゲフ) 葉 xié 1980 8A90 ―

筆順 丨 口 口 口一 叶

字義 かな-う。＝協(1168)。㋐合う。一致する。㋑和合する。調和する。国かな-う。㋐望みどおりになる。㋑なしうる。できる。㋒匹敵する。及ぶ。

名前 かない・かのう・とも・やす 難読 叶水

解字 古文 [古文字形] 会意。口＋十。十は、多いの意味。多くの人のことばとことばが調和するの意味を表す。協の古字。

2 【叫】 5画 (1334) キョウ 叫(1333)の旧字体。→二四六㌻上。

2 【句】 5画 1307 教5 ク ■ク 遇 jù ■漢コウ・呉ク 宥 gòu ■漢コウ・呉ク 尤 gōu 2271 8BE5 ―

筆順 ノ 勹 勺 句 句

字義 ■❶ことばや文章・詩歌のひとくぎり。「詩句」❷文法上では、それだけで文になることばのまとまり。❸まがる。

㊁あたる。取り扱う。＝勾(1084)。→句当。㊂まがる(曲)。かがまる(屈)。＝勾(1084)。国ク。俳句の略。

名前 く・ふし

参考 ⇩勾(1084)の参考。

解字 甲骨文 金文 篆文 形声。口＋勹音。音符の勹は、曲がったかぎのひっかかった形にかたどり、まがるの意味を表す。また勹は區に通じ、区切るの意味。言葉を区切るの意味を表す。句を音符に含む形声文字のうち、「クルッと曲がる」の意味の系列のものに、佝・劬・姁・拘・朐・枸・狗・痀・鉤・雊・駒・齣などがあり、フッと息を吹きかける音の擬声語の系列のものに、呴・欨・煦などがある。

逆 活句・起句・禁句・金句・警句・結句・秀句・承句・章句・上句・成句・節句・絶句・長句・対句・転句・俳句・発句・文句・類句・連句

【句践(踐)】春秋時代の越の王。呉王夫差と戦って大敗したが、後に范蠡を用いて呉を破り、諸侯の盟主となった。勾践。(?―前四六五)

【句題】国①三代集の和歌の一句、または漢詩の一句を題として歌をよむこと。その和歌を句題和歌という。②俳句の題。

【句点(點)】文の言い切るところにつける点。→句読①。↕読点(一三二ページ上)。

【句当(當)】取りあつかう。任務を受けて処理する。

【句読(讀)】①句と読。文中で、言い切るところを句といい、「。」をつけ、息を入れるところを読といい、「、」をつける。②文の読み方。文の素読。用例(唐、韓愈、師説)彼童子之師、授二之書一而習二其句読一者也(かのドウジのシは、これにショをさずけて、そのクトウをならわ(は)しむるものなり)。⇩あの子供の師というのは、子供に書物を与えてその読み方を習わせる者である。

【句法】①詩文などの句の組み立て方。②漢文の文章構造についての法則。

【句萌】草木の生え初めの形。曲がったものを句、直立したものを萌という。

【句欄】同勾欄。①橋や建物などの曲がったてすり。②宋・元代には劇場のさじきをいい、後に役者や芸者のいる所をいう。

2【兄】5画(683) ケイ 儿部。→一三八ページ中。

2【古】5画 1308 教2 コ ふる-い・ふる-す コ 𥫗 gŭ 2437 8CC3 ―

筆順 一 十 十 古 古

字義 ❶いにしえ。昔。↕今(170)。用例(唐、韓愈、師説)古之学者必有レ師(いにしえ(へ)の、まなぶものはかならずしあり)。⇩昔の学問修養に志した者には、必ず師があった。❷ふる-い。ふるめかしい。❸ふ-る。古くなる。年月を経る。❹昔のきまり。昔の道徳。国ふる-す。ふるくさせる。見捨てる。

名前 こ・たか・ひさ・ひさし・ふる 難読 古閑・古厩・古馬牧・古郡家・古戸・古座・古井・古都・古渡・古平・古来・古立

解字 金文 篆文 象形。金文は、克の金文、胄の金文の上部の形と似て、固いかぶとの象形。固くなる・古い・いにしえの意味を表す。古を音符に含む形声文字に、個・固・姑・居・故・胡・枯・沽・涸・湖・祜・箇・糊・罟・苦・詁・辜・酤・醐などがあり、これらの漢字は、「ふるくてかたい」の意味を共有しているものが多い。ただし、胡を音符とする糊・醐などは、「はっきりしない」の意味を共有する擬態語である。

逆 往古・懐古・擬古・近古・考古・修古・終古・尚古・上古・振古・千古・太古・中古・万古・盤古・復古・訪古・覧古・隷古

【古意】①古めかしいおもむき。②昔をなつかしむ心。③＝擬古(六二五ページ下)。詩の題名。前代の事を述べて現代を諷刺し、または新体を用いて昔の精神をうたったもの。

【古逸・古佚】むかしどこかへいってしまったもの。散逸したもの。

【古往】いにしえ。むかし。「古往今来」

【古音】①秦・漢以前の音韻。隋の陸法言の『切韻』が著される前の詩歌などに用いられている音韻。⇩コラム 日本の漢字音(八六四ページ)。②昔の楽曲。

【古賀精里】国江戸後期の儒者。肥前(今の佐賀県)の人。本姓は劉、名は樸、字は淳風。精里はその号。朱子学者として、幕府の儒官、また昌平黌の教官となり、柴野栗山・尾藤二洲と共に寛政の三博士と称せられた。(一七五〇―一八一七)

【古賀侗庵】国江戸後期の幕府の儒官・昌平黌の教官。古賀精里(三三九ページ中)の末子。名は煜、字は季曄。侗庵はその号。諸子百家の学に通じた。(一七八八―一八四七)

【古雅】古めかしくて趣があること。

【古学(學)】①先秦時代の古い形の文字で書かれた経書を研究する学問。古文学。②古代の学術を研究する学問。

【古学(學)派】国江戸時代の儒学の一派。程・朱(程顥・程頤・朱熹)などの学は、孔子や孟子の真意を得たものでないとし、漢・唐の注釈によって孔・孟の真意を明らかにしようとする学派。山鹿素行・伊藤仁斎・荻生徂徠の三人の学派がある。

【古稀】七十歳をいう。唐の杜甫の「曲江詩」に「人生七十古来稀」とあるのに基づく。古希。⇩コラム 年齢の別称(四六六ページ)。

【古義】①古い意味。②昔の解釈。③昔の正しい道理。

【古義学(學)】国江戸時代、伊藤仁斎の唱えた古学の別称。

【古誼】昔の正しい道理。

【古丘・古邱】①古いおか。②古い墓。

【古訓】①先王の残したりっぱな教え。昔から伝わるりっぱな道。②国古いよみ。昔の訓読。

【古憲】昔のおきて。いにしえの法。

【古公亶父】周の文王の祖父。有徳の人で民の人望があつく、岐山(今の陝西省内)のふもとに国を建て、国号を周と称した。武王の時、追尊して太王と称した。

【古国(國)】①昔の国。②昔から存続している国。③ふるさと。故国。

【古今】㊀①昔と今。②昔も今も。③昔から今に至るまで。㊁国『古今和歌集』の略。

【古今独(獨)歩】昔から今までにならぶ者がないこと。古今無双。古今無比。

【古今未曽(曾)有】昔から今までにあったためしがない。▼未曽有は、訓読では、「いまだかつてあらず」と読む。

【古今無双(雙)】＝古今独歩。▼双は、ならぶ。

【古刹】古い寺。古寺。

【古之学(學)者為(爲)レ己】(いにしえ(へ)のガクシャはおのれのためにす) かつて、学問をする人は、自己自身の人格を高めるために学問をした。他人に認められるために学んだのではない意。用例(論語、憲問)古之学者為レ己(いにしえ(へ)のガクシャはおのれのためにし)、今之学者為レ人(いまのガクシャはひとのためにす)。⇩昔の学問する人は、自己自身の人格を高めるために学問をし、現代の学問する人は、人に知られるために学問をしている。

【古詩】①古代の詩。②漢詩の一体。古体詩。唐代の近体詩に対し、それ以前に作られたもの。また、唐代以後に、その法則に従って作られたものをいう。平仄や句数に制限がなく、五言・七言・長短句などがある。⇩コラム漢詩(八六六ページ)。

【古詩源】 書名。十四巻。清の沈徳潜の編。一七一九年成立。上古から隋までの詩七百余首を、時代順・作者別に集めたもの。

【古詩十九首】 『文選』第二十九巻の雑詩の中に載せてある五言古詩十九首。作者は不明だが、後漢ころの作とされる。

【古詩賞析】 書名。二十二巻。清の張玉穀の編。一七七二年成立。上古から隋に至るまでの詩・楽府など七百五十一首を時代順に集めて評釈を加えたもの。

【古字】 昔用いられた文字。⇩コラム **異体字**(九七三ページ)。

【古事記】 国書名。三巻。天武天皇の勅により、稗田阿礼が誦習した帝紀・旧辞を、元明天皇の勅によって太安万侶が記録したもの。和銅五年(七一二)に成り、日本現存最古の歴史書。天地創造から推古天皇までのことを記し、神話・伝説が多く含まれている。注釈書に本居宣長の『古事記伝』四十巻がある。

【古者】 昔の人。また、むかし。往時。昔者。

【古△戍】 古いとりで。古くからある関所。

【古書】 ①古い文書。昔の書物。②古い文字。古代の文字。古字。

【古色】 古びた色。古びたおもむき。「古色蒼然」

【古人】 ①昔の人。②死んだ人。故人。

【古人△之△糟△魄】 昔の聖賢の言語や著書として今日に伝わっているものは、聖賢の真精神ではなく、そのかすであり、真精神は言語や文章に伝えることはできないという老荘流の考え方。▼糟魄は、かす。〔荘子、天道〕

【古△迹・古跡・古△蹟】 ①昔のあと。歴史的な建物や出来事のあった場所。②古人の筆跡。

【古拙】 書画などで、古風なつたなさの中に趣のあること。

【古体(體)】 ①古風な文体。また、古文の文体。②漢詩で、絶句・律詩などの近体詩以前の詩体をいう。古詩。古体詩。

【古淡】 古びたなかに、あっさりとして趣があること。

【古注・古△註】 漢・唐代の、経書の注釈。↕新注(六三八ページ下)。

【古△籀】 古文と籀文。古文は先秦の文字。籀文も先秦時代の文字の一種で、周の宣王の時の太史籀の作といわれるが、紀元前四、三世紀ごろの秦の文字との説もある。大篆ともいう。⇩コラム **文字・書体の変遷**(六三三ページ)。

【古塚・古△冢】 古い墓。古丘。

【古調】 ①昔の音調。②古詩の調子。③他人の詩をほめて言う語。昔の名作のような調子の詩の意。

【古典】 ①昔の法度・制度。②昔の書物・典籍。③昔の書物で、長く後世に伝える価値があるとして評価の定まったもの。

【古点(點)】 国昔の訓点。ヲコト点。▼点は、日本で漢文を読む際に、字のわきにつけた符号。

【古渡】 ━ 古びた渡し場。━ 国古く外国から渡ってきた品物。

【古△董】 ①骨董品。②古くさい人。古董先生。

【古道】 ①昔の道徳。また、昔のやり方。昔から伝わっている道徳。また、方法。また、昔の賢人の教え。②昔の道路。また、古くなった道路。荒れはてたこみち。用例〔唐、耿湋、秋日詩〕古道少二人行一秋風動二禾黍一。⇩古びた道には行きかう人もほとんどなく、秋風が稲やきびを揺らしているばかりである。

【古筆】 ①古人の書いた書画。②国古人の筆跡を鑑定する人。古筆見。

【古風】 ①昔のおもむき。昔ふうの考え方ややり方。②古体の詩。古詩。

【古墳】 古い墓。古墓。

【古文】 ①先秦の文字(篆文のつくられた以前の蝌蚪文字・籀文など)、またはその文字で書かれた書物。↕今文(七五一ページ下)。②文体の名。外形の美を重んずる修辞的文章に対し、内容を主とし論旨の徹底を重んじた文章。→古文復興。⇩コラム **漢文**(八六八ページ)。③国奈良時代以前の文。また、江戸時代以前の文語体の文。

【古文学(學)】 先秦の古文でかかれた経書を研究する学問で、今文学に対抗した経学の一派。前漢末の劉歆以来、さかんになり、後漢の賈逵・馬融・鄭玄などがその大家である。

【古文辞(辭)学(學)】 明の李攀竜・王世貞らが唱えた文学主張で、文は西漢以前、詩は唐の天宝以前(盛唐)を理想として作ることを主張し、宋学を排斥した。日本では荻生徂徠がこれに和した。

【古文書】 国過去の時代の、史料となる古い文書(かきもの・かきつけ・手紙など)。

【古文真(眞)宝(寶)】 書名。二十巻。宋末元初の黄堅の編といわれるが未詳。戦国末から宋に至るまでの詩文を集めたもの。前後二集に分かれ、前集十巻は詩集(古体詩だけを載せる)、後集十巻は文集。

【古文復興】 魏・晋以来の外形的修辞を重んじた駢儷文に対抗して、内容を重んじ達意を主とする漢以前の古い文章にかえそうとした運動をいう。唐の韓愈がさかんに唱えて柳宗元がこれに和し、宋の欧陽脩に至って達成された。⇩コラム **漢文**(八六八ページ)。

【古墓△犁為(爲)レ田、松△柏△摧為(爲)レ薪】 古い墓は、いつのまにかすき耕されて田畑となってしまい、墓地に植えられた常緑の松やこのてがしわも、いつのまにか切り倒されてたきぎとなってしまう。世の中の変転のはげしさのたとえ。〔文選、古詩十九首、其十四〕

【古来(來)】 昔から今にいたるまで。用例〔唐、王翰、涼州詞〕酔臥二沙場一君莫レ笑、古来征戦幾人回。⇩酔って砂漠に横になるが、君よ、笑ってくれるな、昔から戦争に行って何人が無事で帰ったことか(一人もいない)。

【古陵】 古いみささぎ。古い、天子の墓。

【古老】 ①老人。②もの知りの老人。故老。

【古論】 先秦の古文で書かれた『論語』。前漢の景帝の時、魯の恭王が孔子の邸宅の壁の中から得たという。

2 【叩】 5画 1309 標 漢コウ 呉ク 㕣 㕣 kòu 3501 9240 ―

字義 ❶たた-く。軽く打つ。用例〔唐、白居易、長恨歌〕金闕西廂叩二玉扃一、転教三小玉報二双成一。⇩黄金造りの御殿の西側の部屋へ行って、玉で飾ったかんぬきをたたいて案内をこい、侍女の小玉にさらに双成へと順次とりつがせた。❷ひか-える。引きとめる。❸ぬかずく。「叩頭」 国❶はた-く。㋐ごみやほこりをたたいて払う。㋑中のものをすっかり出す。❷はた-き。柄の先に束ねた布や羽根のついた掃除道具。 難読 叩頭虫

解字 **形声**。卩+口㊥。音符の口は、たたいた時の音を表す擬声語。卩は、人のひざまずく形。ひざまずいて頭を地にコツコツとうちあてて礼をするの意味を表す。

【叩舷】 ふなばたをたたく。

【叩叩】 ①繰り返したたく音の形容。②誠意のあるさま。また、ていねいに問うさま。

【叩頭】 ぬかずく。頭を地にすりつけておじぎをすること。罪をわびたり、長者または長官に面会する時の礼。

【叩氷】 晋の王延が継母に求められ、冬に汾水の氷をたたき割って魚を得た故事。〔晋書、王延伝〕

【叩門】 門をたたく。人を訪ねること。

2 【号】 5画 1310 教3 ゴウ 2570 8D86 ―

虍7〔號〕13画 1311

一 漢コウ(カウ) 呉**ゴウ**(ガウ) 豪 háo
二 漢コウ(カウ) 呉**ゴウ**(ガウ) 号 hào

7343 E56A —

筆順 

〔号乕〕1599 俗字

字義 一 ❶**さけ-ぶ**。大声で呼ぶ。「怒号」「呼号」 ❷なく。大声で泣く。声をあげて泣く。用例(詩経、魏風、碩鼠)楽郊楽郊(ラクコウラクコウ)、誰之永号(たれかこれながくさけばん)。⇩楽しい田舎、楽しい田舎、そこでは誰がいつまでも泣き叫んだりするものか。 二 ❶**よ-ぶ**。㋐呼び寄せる。㋑名づける。㋒言いふらす。誇張して言う。となえる。❷名。名称。呼び名。別名。「元号」「雅号」⇩コラム**姓名の慣習**(三六七ページ)。❸しるし。記号。「暗号」「略号」 ❹合図。合図のしるし。「信号」「号砲」 ❺数詞の下につけて、順位・等級などを示す字。

名前 な・なずく

解字 篆文  **形声**。口＋丂(音)。音符の丂(コウ)は、曲がったものの象形。声がまっすぐ伸びないで、緊張のあまり曲がってしまう、痛ましいさけびの意味を表す。のち、虎を付し、とらがさけぶ・大声で呼ぶの意味を表したが、常用漢字の号は號の省略体。

逆 哀号・雅号・叫号・狂号・驚号・呼号・称号・尊号・追号・怒号・年号・俳号・符号・法号・名号

【号火】(ゴウカ) のろし。合図にあげる火。

【号外】(ゴウガイ) 新聞などで、突発的な大事件を急報するために、臨時に発行されるもの。

【号叫】(ゴウキュウ) 泣きさけぶ。

【号泣】(ゴウキュウ) なきさけぶ。号哭(ゴウコク)。

【号呼】(ゴウコ) 大声でさけぶ。用例(唐、柳宗元、捕ㇾ蛇者説)号呼而転徙(ゴウコしてテンシし)、饑渇而頓踣(キカツしてトンボクす)⇩わめき叫びながら移住して行ってしまうか、飲まず食わずのためにつまずき倒れてしまう。

【号△哭】(ゴウコク) 大声をあげて泣く。▼哭は、人の死を悲しんで大声で泣くこと。

【号召】(ゴウショウ) よび出す。召し出す。呼び招く。

【号△鍾・号鐘】(ゴウショウ) ①昔のすぐれた琴の名。②合図の鐘の音。

【号砲・号△礮】(ゴウホウ) 合図のためにうつ鉄砲、または大砲。

【号令】(ゴウレイ) ①さしず。命令。ふれ。②大声で命令する。

2【史】5画 1312 教5 シ

2743 8E6A —

シ 紙 shǐ

筆順 

〔叏〕1276 本字

字義 ❶**ふびと**。主君や国の記録をつかさどる役人。史官。御史。太史。「侍史」 ❷**ふみ**。歴史の書。「正史」「修史」 ❸天文をつかさどる役人。また、裁判や占いをつかさどる役人。 ❹**さかん**(さくわん)。長官に従属する役人。属官。書記官。 ❺はでやか。かざりがあって美しいが誠実さに乏しい。用例(論語、雍也)文勝ㇾ質則史(ブンシツにかてば、すなわち(は)シなり)。⇩外見が実質よりまさっていれば、派手な物知りのようになる。国**さかん**(さくわん)。律令制下で、太政官(ダジョウカン)・神祇官(ジンギカン)などの四等官。

名前 さかん・し・じ・ちか・ちかし・てる・のぶ・ひさ・ひと・ふの・ふひと・ふみ・み

解字 甲骨文  篆文  **会意**。中＋又。中は、神への祈りのことばを書きつけ、木の枝などに結びつけた形にかたどる。又は、手の意味。祭事にたずさわる人、ふびとの意味を表す。

逆 逸史・詠史・外史・御史・国史・散史・刺史・私史・詩史・侍史・修史・書史・女史・正史・先史・戦史・通史・内史・野史・右史・有史・良史・令史・歴史

【史官】(シカン) 君主の言行や国の出来事などを記録する役人。歴史を編修する役人。

【史漢】(シカン) 司馬遷の『史記』と班固の『漢書』とをいう。

【史館】(シカン) 歴史を編修する役所。修史館。修史局。史局。

【史鑑】(シカン) ①『史記』と『資治通鑑(シジツガン)』とをいう。②歴史上で人のかがみ(手本)となるもの。

【史記】(シキ) ①史官の書いた記録。歴史書。魯(ロ)では春秋といい、晋(シン)では乗と称した。②書名。百三十巻。前漢の司馬遷の著。上古の黄帝から漢の武帝までの紀伝体の歴史書。十二本紀・十表・八書・三十世家・七十列伝から成る。後世の歴史書の模範となり、以後の中国の正史は、みなこの書の体裁にならって作られた。二十四史の一つ。⇩コラム**司馬遷と『史記』**(二四二ページ)。

【史策】(シサク) 歴史上の記録。史書。

【史思明】(シシメイ) 唐の玄宗の臣。もと突厥(トッケツ)人で初め窣干(ソッカン)と称したが、玄宗から思明の名を賜った。安禄山(アンロクザン)と同郷で、禄山に続いて乱を起こし、その子の朝義に殺された。(?—七六一)

【史詩】(シシ) 歴史上の事がらをよんだ詩。また、叙事詩をいう。

【史実(實)】(シジツ) 歴史上、確かにあった事実。

【史乗(乘)】(シジョウ) 歴史の書物。▼乗は、記載の意で、周代、晋(シン)の歴史を乗といった。

【史籍】(シセキ) 歴史の書物。史書。

【史跡・史△蹟】(シセキ) 歴史上に残った事がら。また、その残っているあと。

【史遷】(シセン) 前漢の司馬遷をいう。司馬遷は『史記』を著し、良史のほまれが高いのでいう。

【史△籀】(シチュウ) 周の宣王の時の太史(記録官)。それ以前の古体文字を改めて大篆(ダイテン)(籀文(チュウブン)ともいう)という書体を作ったといわれる。

【史通】(シツウ) 書名。二十巻。唐の劉知幾(リュウチキ)著。中国最初の史論書。歴史書の体裁について論じ、また、その源流と古代の史家に対する批評などを記す。

【史伝(傳)】(シデン) ①歴史の書物。史書。②歴史や伝記の書物。

【史評】(シヒョウ) 歴史上の事実に対する批評。

【史料】(シリョウ) 歴史上参考となる資料。史材。

【史論】(シロン) 歴史についての評論。『史記』『漢書』などの論賛がその例。

2【司】5画 1313 教4 シ

一 シ 因 sī　二 シ 寘 sì

2742 8E69 —

筆順 

字義 一 ❶**つかさ**。㋐役人。官吏。㋑つとめ。官職。公務。㋒役所。❷**つかさど-る**。職務として行う。責任者として行う。管理する。「司会」 二 うかがう。観察する。＝伺(255)。

名前 おさむ・かず・し・じ・つかさ・つぐ・つとむ・もと・もり

難読 司城(つかさぎ)・司辻(つかつじ)

解字 甲骨文  金文  篆文  **会意**。㇆＋口。㇆は、まつりの旗の象形。口は、祈りのことばの意味。神意をことばによって祈りうかがい知る、祭事をつかさどるの意味から、つかさどる・つかさの意味を表す。金文は、乱れた糸を秩序づけるさまから、治める・治める人、つかさの意味を表す。『説文(セツモン)解字』は指事とし、后の反対形によって、后(きみ)が内にあるのに対し、外にあって事を処理する臣、つかさの意味を示すと説く。司を音符に含む形声文字に、伺・嗣・祠(シ)・笥(シ)・覗(シ)・詞・飼などがあり、これらは「つかさどる」の意味を共有している。

逆 下司・公司・国司・上司・所司・諸司・曹司・有司

【司業】(シギョウ) 隋(ズイ)の煬帝(ヨウダイ)の時、国子監(今の大学)に置いた教官。司業博士。今の大学教授。

【司空】①周代の六卿の一つ。土地・人民をつかさどる役。②漢代の三公の一つ。御史大夫を改めて大司空と称し、大司馬・大司徒とともに三公といい、後、大の字をつけずに司空といった。③牢獄の名。

【司△寇】周代の六卿の一つで、司法と警察をつかさどる官名。今の法務大臣。

【司書】①周代、天官の属官で会計の簿記をつかさどった役。今の書記。②図図書館などで、書籍の整理・保存や閲覧などの事務に従事する職員。

【司城】官名。春秋時代の宋が司空を司城と改めた。→司空①。用例〔新序、節士〕宋人有得玉者。献諸司城子罕。子罕不受。（宋の人で玉を手に入れたものがいた。それを司城の子罕に献上しようとした。）

【司職吏】周代に牧畜をつかさどった役人。司職吏。▼職は、檝で牛馬をつなぐ杙。

【司直】裁判官。法律によって正邪曲直をさばく人。▼直は、公明正直の意。

【司徒】①周代六卿の一つで、教育をつかさどる官名。今の文部大臣。②漢代、丞相（宰相）を改めて大司徒と称し、大司馬・大司空とともに三公と称した。後、大をつけずに、司徒と称した。

【司農】漢代の九卿の一つで、農事をつかさどる官名。大司農と称したときもある。今の農林大臣。

【司馬】①周代の六卿の一つで、軍事をつかさどる官名。大司馬と称した。陸軍大臣にあたる。②漢代は大司徒・大司空・大司馬を三公と称し、後に大の字をつけずに司馬と称した。③唐代、州の刺史（長官）を補佐する次官。主として軍事をつかさどったが後には閑職となった。用例〔唐、白居易、琵琶行〕就中泣下誰最多。江州司馬青衫湿。（中でも最も多く涙を流したのは誰であったか、（それはほかならぬ私で、）江州の司馬（私）の青い上衣は、涙でしっとりとぬれるのであった。）／〔唐、白居易、香炉峰下新卜山居、草堂初成偶題東壁 詩〕匡廬便是逃名地、司馬仍為送老官。（ここ廬山こそは、うるさい世俗の名利を忘れるのにふさわしい地であり、司馬は、やはり、老後を送るのにふさわしい官である。）

【司馬△懿】三国時代、魏の曹操の臣。字は仲達。文帝の時、蜀の諸葛亮と戦った。「死せる諸葛、生ける仲達を走らす」のことばで有名。（一七九—二五一）

【司馬△徽】三国時代、蜀の隠者。字は徳操。よく人を見る明があり、諸葛亮を劉備に推薦した。

コラム

司馬遷と『史記』

司馬遷は、前漢の武帝の時の太史令（史官の長）司馬談の子として、竜門（今の陝西省内）で生まれた。字は子長という。幼少のころから古代の文献に親しみ、また全国各地を旅行して見聞をひろめた。

父の司馬談は、周の史官という名門の伝統を継承し、漢王朝の史官の職責を果たそうとして、歴史書編纂という大事業を企てたが、業半ばにして失意のうちに世を去った。臨終の際に父から修史事業の完成を遺命された司馬遷は、やがて三十八歳の時、父の職を継いで太史令となり、上古の黄帝から現王朝の武帝に至るまでの通史の編修に着手した。

天漢二年（前九九）、漢の武将李陵が、北方深く匈奴を征して敗れ、敵に降った。この報に接した武帝は激怒して、翌年、李陵の一族を処刑した。武帝の前にあって、ひとり李陵を救おうと弁護した司馬遷は、かえって武帝の怒りにふれて獄に下され、宮刑に処せられてしまった。司馬遷は悲憤やるかたなく、生ける屍として苦悶の日々を過ごしたが、父の遺命による修史事業の完成を心の支えとして、よくこの恥辱に耐えた。前九六年、大赦にあって獄を出て、それから数年の後に、全百三十巻、五十二万六千五百字に及ぶという大著『史記』を完成した。

司馬遷の没年（前八七）からあまり遠くない時期に、その生涯を閉じたと考えられる。

『史記』は、もと『太史公書』と名付けられていた。これが『史記』と称されるようになったのは、魏晋以降である。

この書は、司馬遷の創成による紀伝体という体裁をとって、上は黄帝から下は漢の武帝に至るまでのおよそ三千年余の歴史を、十二本紀・十表・八書・三十世家・七十列伝に著録したものである。

政治的人間が歴史を動かし、歴史を作りなすとの考えから、司馬遷は歴代の帝王の伝記である「本紀」を『史記』の中心とし、これに世系年表である「表」と、礼・楽・制度・経済などの記録の「書」を配した。次に政治的人間である帝王の血縁関係者と、これに類似する功労者、つまり「本紀」より派生した集団を「世家」に収め、さらに独立する個人については「列伝」に述べた。このうち、彼の史観が明らかなのは本紀であり、文学的ニュアンスが濃厚なのは列伝である。その筆は、過去の歴史的事実を公正に記述し、さらにそこに自己の歴史観に基づく是非の判断を下し、人間が歴史的必然のうちに演ずる多様な姿を、如実に描き出そうとしている。特に過去に埋没しかけている、すぐれた人物や事実を掘り起こし、これを顕彰して後世に伝えようとした。また自己の不運な経験によるのであろうか、歴史上の不遇な人物に対して強い関心をいだき、その人物のたどる運命の数奇さを余すところなく述べ、興味深い文学としての成功も収めている。

このように構成といい、内容といい、文章といい、史学史上に比類のない大著である『史記』は、長く中国の歴史書の模範となり、後世、『漢書』『後漢書』以下の歴代の正史は、みなこの体裁にならって作られ、また多くの史家もこれを模範とした。

『史記』の日本への伝来は、聖武天皇の天平七年（七三五）に、吉備真備が唐より帰朝した時であるといわれる。平安時代には、大学寮の紀伝博士がその講読をつかさどり、『文選』や『白氏文集』とともに、有識者の必読すべき古典として尊重された。また、室町時代には、五山の僧侶たちによって盛んに講読され、その講義録は、いわゆる抄物の一つとして後世に伝わっている。また江戸時代以降、幾たびか出版され、日本の史書や文学に多大の影響を与えている。

（？―二〇八）

【司馬牛】シバギュウ 孔子の門人。名は犂リ、または耕。字あざなは小牛。兄の向魋ショウタイが謀反人ムホンニンであったことを常に気にしていたといわれる。

【司馬光】シバコウ 北宋ホクソウの名臣。字あざなは君実。温国公、温公とも称される。神宗の時、王安石の新法に反対して官を去り、哲宗の時、再び仕えて新法を廃した。著書に『資治通鑑シジツガン』がある。（一〇一九―一〇八六）

司馬光

【司馬相如】シバショウジョ 前漢の文人。字あざなは長卿チョウケイ。成都（今の四川省内）の人。辞賦にたくみで、「子虚賦」「上林賦」などが有名。（前一七九―前一一七）

【司馬遷】シバセン 前漢の歴史家。司馬談の子。字あざなは子長。武帝の時に父の職をついで太史令となる。匈奴キョウドに降った友人李陵リリョウを弁護して宮刑に処せられ、憤激して父の意志をつぎ、『史記』百三十巻を著した。（前一四五、または一三五―前八六？）⇩コラム 司馬遷と『史記』（二四二ページ）。

司馬遷

【司法】シホウ ①官名。刑罰をつかさどる。②国法律によって、民事・刑事の裁判をすること。また、それに関する国家行政。

【司牧】シボク 地方長官。地方の人民を治める人。▼牧は、やしなう。

【司命】シメイ 人の寿命をつかさどる神。

【司令】シレイ ①官名。元代、塩の生産地の監督。②指図する。特に軍隊・艦隊を統率・指揮すること。また、その人。

2【只】 5画 1314 入

一 シ 紙 zhǐ　二 シ 支 zhī　3494 91FC 一

筆順 丨 口 口 只 只

字義 一 助字。㋐語調をととのえるために句中や句末に置く。訓読では読まない。用例〔詩経、小雅、南山有台〕楽只君子たのしめる、クンシは 邦家之基ホウカのもとい（る）。⇩楽しんでいる祖先の霊は、国家のもとい。㋑のみ（耳）。二 ただ。それだけ。限定の意を示す。＝祇（8349）。国 ただ。無料。ロハ（俗に、只の字を分解していう）。

名前 これ・ただ　難読 只管ひたすら・ひたぶる・只且しばらく

解字 篆文 指事。口に八を加え、語気の余韻を示し、句末の助字に用いる。また、「ただ」と読み、限定の意を表す助字に用いる。

【只管】カン ただひとすじ。いちずに。

【只今】ただいま ①現在。まさに今。用例〔唐、李白、越中懐古詩〕宮女如レ花満二春殿一 キュウジョははなのごとく、シュンデンにみつ 只今惟有二鷓鴣飛一 ただいまただシャコのとぶあるのみ。⇩宮女が花のように春の宮殿に満ちていたが、今ではただ鷓鴣があたりをさびしく飛んでいるだけである。②国㋐すぐさま。㋑外から帰って来たときのあいさつのことば。

2【叱】 5画 1315 常 シツ しか-る

漢シツ 呉シチ 質 chì　4752 一 一

筆順 丨 口 口 叱 叱

字義 ❶しか-る。どなる。ののしる。せめる（責）。用例〔史記、項羽本紀〕項王瞋レ目而叱レ之 コウオウめをいからしてこれをシッす。⇩項王は目を見張ってにらみ、これを叱りつけた。❷舌うちする音。しかる声・いかる声の形容。

参考 〔𠮟〕（1304）は本来別字であるが、混用する。常用漢字表では、「〔𠮟〕と〔叱〕は本来別字とされるが、その使用実態から見て、異体の関係にある同字と認めることができる」としている。

解字 金文 篆文 形声。口＋七音。音符の七は、縦横にきりつけるさまを示す。口で切りかかる、しかるの意味を表す。

【叱△呵】シッカ しかる。▼呵も、しかる。

【叱叱】シツシツ ①舌うちする声・しかる声の形容。②畜類を追う声の形容。③四十九の隠語。叱の音を七に通わせたもの。七七、四十九の意。

【叱正】シッセイ 詩文などの添削をうける時の謙遜ケンソンの語。「どうぞしかって直してください」の意。

【叱斥】シッセキ しかってしりぞける。▼斥は、しりぞける。

【叱責】シッセキ しかりせめる。小言をいう。

【叱△咤・叱△吒】シッタ ①大声でしかる。また、その声の形容。▼咤も、しかる。②大声で、しかりつけながら指揮すること。「叱咤激励」

2【召】 5画 1316 常 ショウ め-す

一 漢チョウ（テウ）・呉ジョウ（デウ） 嘯 zhào　二 漢ショウ（セウ）・呉ジョウ（ゼウ） 慣ショウ（セウ） 嘯 shào　3004 8FA2 一

筆順 フ 刀 刀 召 召

字義 一❶め-す。呼び出す。❷まね-く（招）。招待する。用例〔唐、李白、春夜宴二桃李園一序〕陽春召レ我以二煙景一 ヨウシュンわれをまねくにエンケイをもってし ⇩暖かな春が、かすみたなびく春景色で、私を呼び招いている。二 周代の国名。周初の召公奭セキの領地で、初め陝西セン省岐山県の南西にあり、周が東遷の後、山西省垣エン曲キョク県の東に移る。国 め-す。動詞にそえて尊敬の意を示す。「おぼしめす」「きこしめす」

名前 めし・めす・よし・よぶ

解字 甲骨文 金文 篆文 形声。口＋刀音。音符の刀は、かたなの意味。神秘の力を持つ刀をささげながら、のりとを唱えて神まねきをするさまから、まねくの意味を表す。

逆 応召・徴召

【召△按】ショウアン よびよせて取り調べる。

【召喚】ショウカン ①よびよせる。よび出す。②よびだし。役所で人を一定の場所に出頭させること。

【召還】ショウカン 呼びもどす。めしかえす。▼還は、もとの所にかえす。

【召見】ショウケン よびよせて対面する。

【召公】ショウコウ 周の政治家。名は奭セキ。文王の子。武王の死後、周公旦タンとともに成王を助け、人望が厚かった。召伯ともいう。

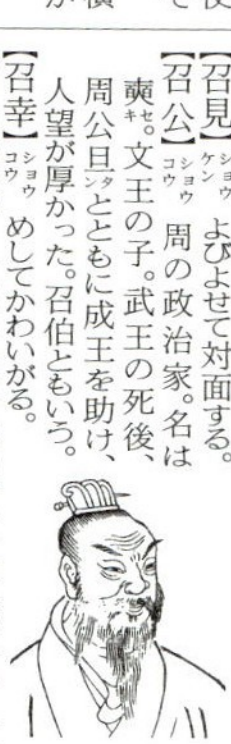
召公

【召幸】ショウコウ めしてかわいがる。

【召△忽】ショウコツ 人名。春秋時代の斉セイの大夫。公子糾キュウの教育係。桓公カンコウ（公子小白）との争いに敗れて死んだ。

【召試】ショウシ 天子の前にめして試問する。人材を採用する特別の方法。

【召集】ショウシュウ よび集める。

【召書】ショウショ めしぶみ。おめし出しの文書。

【召対（對）】ショウタイ 天子にめされて下問にこたえる。

【召南】ショウナン 『詩経』の編名。召は地名で、今の陝西セン省岐山県の南西の地。ここは周の初め召公奭セキの治めた所で、その地方から採録した歌謡十四編をいう。

【召伯】ショウハク ＝召公。▼伯は、方伯で、召公が召の君となり、その地方の諸侯に号令したのでいう。

【召△辟】ショウヘキ 任用するためによびよせる。

【召募】ショウボ ①よび集める。②兵隊をつのる。

2【占】5画 (1182) セン ト部。→三九ジ中。

2【台】5画 1317 教2 ダイ・タイ 3470 91E4 —

㊀至8【臺】14画 1318 ㊊タイ ㊉ダイ 灰 tái 7142 E469 —

㊁2【台】5画 ㊀イ 支 yí ㊁タイ 灰 tái ㊜ダイ

筆順 ㇐ ㇜ 厶 台 台

㊀【坮】1925 古字 【墓】9684 俗字

字義 ㊀〔臺〕❶うてな。高い建物。ものみやぐら。たかどの。また、そのような土地。台地。「灯台」❷物を載せるもの。「鏡台」「台座」❸つかさ。朝廷。中央官庁。また、御史台。また、その長官。❹他人の尊称。「貴台」国ダイ。㋐仕事などのもとになるもの。「台帳」㋑機械や車両を数える語。「台数」㋒数の大体を示す語。「三十分台」

㊁〔台〕㊀❶よろこぶ。❷われ(我)。私。㊁❶星の名。三台星。転じて、三公の位、または他人に対する敬意を表す。「台臨」❷=臺。

名前 たい・だい・たか・もと

参考 現代表記では〔颱〕(13530)の書きかえに用いることがある。「颱風→台風」

使いわけ ダイ〔代・台〕⇨代(198)。

解字 ㊀〔臺〕篆文 形声。至+高省+㞢㊜。至は、いたるの意味。高は、ものみだいの象形。音符の㞢は、趾に通じ、どだいの意味。土台のしっかりした、人がよく行く見はらし台の意味を表す。常用漢字の台は、もとは別字であるが、臺の俗字として用いられた。

㊁〔台〕金文 篆文 形声。篆文は口+厶(㠯)㊜。金文は、㠯(以)と同形。㠯は、農具のすきの象形。大地にすきを入れてやわらかくするの意味から、転じて、心のやわらぐこと、よろこぶの意味を表す。怡の原字。また、借りて、われの意味も表す。

逆 玉台・銀台・荒台・高台・尊台・池台・鎮台・天台・灯台・土台・舞台・砲台・霊台・楼台・露台

【台安】タイアン 手紙の文末に用いることば。御安泰。御多祥。

【台位】タイイ 三公の位。転じて、宰相の称。台司。

【台(臺)下】ダイカ ①うてなの下。物見台の下。②尊敬する人に対する敬称。貴下。③仏真宗で、東本願寺の法主に対する名称。

【台階】タイカイ ①星の名。紫微星を守る三つの星。②三公の位。

【台槐】タイカイ 三公の位。周代、三本の槐を朝廷に植え、これに面して三公の座位を定めたことによる。▼台は、三台星で三公にたとえる。

【台(臺)閣】ダイカク ①台榭(物見台)と高閣(たかどの)。②尚書省。一説に、朝廷。転じて、内閣。

【台(臺)諫】ダイカン 官名。唐・宋代に置かれた。台官と諫官。▼台は百官を糾弾することをつかさどり、諫は規諫(ただしいさめること)をつかさどる。

【台(臺)観(觀)】ダイカン ①たかどの。②ものみだい。▼観も、たかどの。

【台司】タイシ =台位。

【台(臺)詞】ダイシ・せりふ 国①芝居で役者のいうことば。科白。②苦情のことば。文句。③儀礼的なことば。④きまり文句。いいぐさ。

【台(臺)榭】ダイシャ・タイシャ うてなとたかどの。▼台は、土を高く築いて上を平らにした物見台、また、その上に建てた建物。榭は、木造で屋根のある物見台。

【台(臺)収(收)】ダイシュウ お受けとりください。手紙の封筒のあて名の下につけることば。

【台(臺)所】ダイショ ㊀六朝時代、宮中をいう。㊁ダイどころ 国「台盤所」の略。料理場。

【台書】タイショ 人の手紙の敬称。台翰。台墨。

【台(臺)省】ダイショウ ①尚書省の別名。②唐代、尚書・門下・中書の三省の総称。尚書省を中台、門下省を東台、中書省を西台と称した。③内閣。役所。

【台(臺)臣】ダイジン ①諫官(天子の過失をいさめる役)。②台閣の臣。大臣。

【台鼎】タイテイ 三公の位。三台星と三本足のあるかなえにたとえていう。

【台(臺)盤】ダイバン 食物を盛った盤(食器)を置く台。食卓。

【台(臺)盤所】ダイバンどころ 国①台盤を置く所。宮中では食物を調理する台所。②貴人の妻の称。みだいどころ。

【台弼】タイヒツ 宰相。宰相の位。台輔。台宰。▼弼は、天子を補弼する意。

【台風】タイフウ 多く、夏から秋にかけて、南方海上に発生して日本・中国などに来襲する、熱帯低気圧。現代では、そのうち特に最大風速が毎秒一七・二メートル以上のものを指す。台風は、颱風の書きかえ。

【台(臺)命】ダイメイ ①朝廷の命令。朝命。②他人のことばに対する敬称。

【台命】タイメイ ①三公の命令。また、朝廷の命令。②目上の人の命令の敬語。仰せ。③国皇族の命令。

【台覧(覽)】タイラン ①見るの敬語。②国㋐身分の高い人が見ること。㋑三后と皇族が見ること。

【台臨】タイリン 国三后と皇族が儀式・集会などに臨席すること。

【台嶺】タイレイ ①天台山。②国比叡山をいう。

【台(臺)郎】ダイロウ 尚書郎をいう。御史をいう。

【台(臺)湾(灣)】タイワン 福建省の東方海上に横たわる島で、台湾本島・澎湖列島などから成る。中国で古くは流求・琉球と称し、日本では高砂・高山国と呼んだ。

2【叮】5画 1319 ㊊テイ ㊉チョウ(チャウ) 青 dīng 5058 99D8 —

字義 ❶→叮嚀ネイ。=丁(7)。❷→叮噹トウ。

参考 現代表記では〔丁〕(7)に書きかえることがある。「叮嚀→丁寧」

解字 形声。口+丁㊜。

【叮噹】テイトウ ①腰におびる玉や鈴の音などの形容。②琵琶の音の形容。

【叮嚀】テイネイ 物事に念を入れること。ねんごろ。丁寧。

2【叨】5画 1320 トウ(タウ) 豪 tāo, ③dāo 5059 99D9 —

字義 ❶むさぼる(貪)。=饕(13659)。❷みだりに。みだりにする。分に過ぎた恩恵を受けること。謙遜のことば。❸→叨叨。

解字 形声。口+刀㊜。もと、饕(13659)の俗字。

【叨恩】トウオン 恩をみだりにする。分外の恩恵を受けること。恩恵を受けることをへりくだっていうことば。

【叨竊(竊)】トウセツ みだりにぬすむ。分に過ぎた高位高官にあることなどにいう。

【叨叨】トウトウ ①まことのあるさま。②口数の多いさま。おしゃべりの声の形容。

2【叵】5画 1321 ハ 哿 pǒ 20367 — 2067

字義 ❶できない。…しがたい。不可。可の字を反対にしてできた字。❷ついに(遂)。

解字 篆文 指事。可の字を反対にして、不可の意味を表す。

2【叭】5画 1322 ㊀㊊ハツ・㊉ハチ 黠 pā ㊁ハ bā 5060 99DA —

字義 ㊀口を開いて出す声・呼吸の声の形容。㊁喇叭は、金属製の管楽器。

解字 形声。口+八㊜。

2【叧】5画 1323 ハイ bǎi

字義 わ-ける(わく)。

2【另】5画 1324 漢レイ 呉リョウ(リャウ) 径 lìng — — 2065

字義 ❶わか-れる(わかる)。別居する。❷さく。わかつ。❸べつの。べつに。

解字 指事。別の字から刂(刀)を除去して、近世、俗語として用いられている、「べつの」の意味を示す。

2【叺】5画 1325 国字 5061 99DB —

字義 かます。かまけ。わらむしろで作った袋。穀物・石灰などを入れる。

解字 会意。口＋入。口をあけて物を入れるかますの意味を表す。

3【各】6画 1326 教4 カク おのおの カク 薬 gè 1938 8A65 —

筆順 ノ ク 夂 冬 各 各

字義 おのおの。ひとりひとり。ひとつひとつ。それぞれ。用例 〔論語、公冶長〕盍$_{三}$各言$_{二}$爾志$_{一}$(なんぞおのおのなんじ(ぢ)のこころざしをいわ(は)ざる)。↓どうして各自お前たちの希望を話さないのか。／〔文選、古詩十九首、其一〕相去万余里(あい(ひ)さること バンヨリ)、各在$_{二}$天一涯$_{一}$(おのおのテンのイチガイにあり)。↓へだたることすでに一万余里、おたがいに天の一方のはてに、はなればなれの身を置いている。

名前 とも・まさ 難読 各田(ぬかた)・各牟(かがみ)・各務(かがみ)

参考 この一字で「おのおの」と読むが実際には「カク」と紛らわしいので、「おのおの」は仮名書き、または「各々」とすることが多い。日本国憲法では「各〻」の形を用いているが、この「〻」は今は通常用いない。

解字 甲骨文 篆文 会意。夂＋口。夂は、上から下へ向かう足の形にかたどる。口は、いのりの意味。神霊の降ってくるのをいのるの意味から、いたるの意味を表す。借りて、「おのおの」の意味にも用いる。各を音符に含む形声文字は、「つきでてくる」の意味を共有し、客・恪(カク)・挌(カク)・擱(カク)・格(カク)・烙(ラク)・絡(ラク)・落(ラク)・貉(カク)・酪(ラク)・閣(カク)・額(ガク)・骼(カク)・駱(ラク)などがある。特に貉・酪・駱などは、外来の物の意味を表す。

【各位】(カクイ) おのおのがた。みなさん。

【各界】(カクカイ・カッカイ) 職業・職務などによって分けた社会の各方面。いろいろの分野。

【各個・各箇】(カクコ・カッコ) それぞれ。おのおの。めいめい。

【各種各様(様)】(カクシュカクヨウ) いろいろ。さまざま。

【各般】(カクハン) いろいろ。さまざま。種々。

【各論】(カクロン) こまかに分けたものについての論説。↕総論〔二三八ページ下〕・汎論(ハンロン)〔八二五ページ上〕。

3【吓】6画 1327 カク hè, xià — — 2069

字義 ❶おどす。脅かす。❷おそれる。驚く。

解字 形声。口＋下音。

3【吉】6画 1328 常 キチ・キッ 漢キツ・呉キチ 質 jí 2140 8B67 —

筆順 一 十 士 吉 吉 吉

［吉］1329 俗字

字義 ❶よ-い(よし)。㋐すぐれている。りっぱ。善。「吉士」㋑めでたい。↕凶(856)。❷さち。さいわい。しあわせ。❸ついたち。「吉日」❹「大吉」吉礼。五礼の一つ。四時の祭り。

名前 き・きち・さち・とみ・はじめ・よ・よし 難読 吉隠(よなばり)・吉彦(よなばり)・吉侯(きみこ)・吉左右(きっそう)・吉事(よごと)・吉識(よしも)・吉舎(きさき)・吉田(きった)・吉年(よとし)・吉弥侯部(きみこべ)・吉備(きび)・吉蔑(くめる)・吉方(えほう)・吉野(えしぬ)・吉野生(よしのぶ)・吉里吉里(きりきり)・吉良(きら)

解字 甲骨文 金文 篆文 会意。士＋口。士は、甲骨文・金文では、おの(斧)などの刃物の象形。口は、めでたいことを祈ることばの意味。のりとの上に、その内容を確保するための刃物を、まじないとして置くさまから、めでたいの意味を表す。吉を音符に含む形声文字は、「固くひきしめる」の意味を共有し、姞(キツ)・拮(キツ)・結(ケツ)・纈(ケツ)・詰(キツ)・頡(キツ)・髻(キツ)・黠(カツ)などがある。

逆 初吉・択吉・納吉・不吉

【吉凶】(キッキョウ) ①さいわいとわざわい。めでたいことと不吉なこと。吉凶禍福。②四時の祭りと葬礼。婚礼と葬礼。

【吉慶】(キッケイ) 一 めでたいこと。二 キッキョウ 仏よろこぶべき幸福。

【吉月】(キツゲツ) ①ついたち。月のはじめ。②よい月。

【吉士】(キッシ) 一 ①よい人。りっぱな人。②仲介者。媒介人。二 シキ ①新羅(シラギ)の官名。十七等官の第十四位。②国古代、朝鮮半島から渡来した官吏に与えられた姓(かばね)。

【吉師】(キッシ・キシ) ＝吉士二。

【吉事】(キツジ・キチジ) ①めでたいこと。よろこびごと。②お祭り。

【吉日】(キツジツ・キチニチ) ①よい日。めでたい日。吉日良辰(リョウシン)。吉辰。吉旦(キッタン)。②ついたち。

【吉祥】(キッショウ) ①よいきざし。めでたいしるし。②さいわい。

【吉祥天】(キッショウテン・キッショウ) 仏「吉祥天女」の略。もと婆羅門(バラモン)教の神で、仏教に取り入れられた、美しい女性のほとけ。毘沙門(ビシャモン)天王の妹にあたる。衆生(シュジョウ)に幸福を与えるという。

【吉△辰】(キッシン) よい日。めでたい日。吉日。

【吉△瑞】(キツズイ・キチズイ) めでたいしるし。吉祥。

【吉相】(キッソウ) めでたい人相。よい相。

【吉旦】(キッタン) ①よい日。めでたい日。吉日。②ついたち。

【吉兆】(キッチョウ) めでたいしるし。よいきざし。

【吉徴】(キッチョウ) 君主からのめでたいお召し。

【吉田松陰】(よしだショウイン) 国江戸末期の志士。長州(山口県)藩士。名は矩方(のりかた)。字(あざな)は義卿(ギケイ)。松陰は号。海外密航を企てて失敗、入獄し、のち松下村塾を開いて門下から多くの人材を出した。安政の大獄で、死刑となった。著書に『講孟箚記(コウモウサッキ)』『留魂録』などがある。(一八三〇―一八五九)

【吉報】(キッポウ) よいしらせ。めでたいしらせ。吉語。

【吉夢】(キツム・キチム) めでたいゆめ。

【吉利支丹】(キリシタン) 国後に切支丹と書く。ポルトガル語Christãoの訳。①天文十八年(一五四九)、耶蘇会士(ヤソカイシ)フランシスコ・ザヴィエルらによって伝えられた天主教(カトリック教の別称)。また、その信徒。②天主教の伝来当時、布教の方便に用いた理化学的な技術。また転じて、魔術の意。吉利支丹伴天連(バテレン)の法(伴天連は宣教師の意)。

【吉礼(禮)】(キツレイ・キチレイ) ①神を祭る礼。②冠礼・婚礼などのめでたい儀式。

【吉例】(キツレイ・キチレイ) えんぎのよい前例。

3【𠮷】6画 1329 キツ 吉(1328)の俗字。→二四五ページ中。

3【吃】6画 1330 標 漢キツ 呉コチ 物 chī 2141 8B68 —

字義 ❶ども-る。❷しぶる。進まない。❸吃吃(キツキツ)は、笑うさま。また、その声。❹くう。くらう。食べる。また、飲む。吸う。＝喫(1587)。

参考 現代表記では〔喫〕(1587)に書きかえることがある。「吃水→喫水」 難読 吃逆(しゃっくり)・吃驚(びっくり)

解字 篆文 形声。口＋乞(气)音。音符の乞(キツ)は、乙に通じ、ジグザクするの意味。口が滑らかに動かない意味を表す。

【吃△烟・吃煙】(キツエン) ①たばこを吸う。喫煙。②アヘンを吸う。

【吃音】(キツオン) どもる声。吃舌。

【吃驚】(キッキョウ) びっくりする。おどろく。

【吃緊】(キッキン) だいじ。大切。緊急。

3【吸】 6画 1331 教6 キュウ す-う
4［吸］ 7画 1332 漢キュウ(キフ) 呉コウ(コフ) 拼 xī 2159 8B7A —

筆順 丨 口 口 叨 吸 吸

字義 す-う。息や液体をすいこむ。「呼吸」

解字 篆文 形声。口＋及音。音符の及キュウは、息を内にすいこむときの音の擬声語。口を付し、すいこむの意味を表す。

逆 呼吸

【吸引】キュウイン ①すいこむ。ひきつける。②味方に引き入れる。
【吸収(收)】キュウシュウ ①すいとる。②取り入れる。
【吸入】キュウニュウ すいこむ。すい入れる。
【吸風飲露】キュウフウインロ 仙人の生活をいう。吸レ風飲レ露。〔荘子、逍遙遊〕

3【叫】 6画 1333 常 キョウ さけ-ぶ
2［叫］ 5画 1334 キョウ(ケウ) 拼 jiào 2211 8BA9 —

筆順 丨 口 口 叫 叫

字義 ❶さけ-ぶ。わめ-く。大声をあげる。❷よ-ぶ。よびたてる。 難読 叫天子ひばり

解字 篆文 形声。口＋丩音。音符の丩キュウは、糸がもつれるの意味。話がもつれて高い声でさけぶの意味を表す。

逆 号叫・絶叫

【叫△聒】キョウカツ やかましくなきさけぶ。
【叫喚】キョウカン わめく。どなる。「阿鼻叫喚アビキョウカン」
【叫喚地獄】キョウカンジゴク 仏八大地獄の一つ。地獄の番人に責められて、泣きさけぶ世界。無間ムゲン地獄。
【叫叫】キョウキョウ ①大声でさけぶさま。②声が遠くまで聞こえるさま。
【叫呼】キョウコ ①大声でさけぶ。②悪口を言って笑う。ばかにして笑う。
【叫号(號)】キョウゴウ 大声をあげて呼ぶ。また、なきさけぶ。
【叫△囂】キョウゴウ やかましくさけぶ。わめきたてる。用例〔唐、柳宗元、捕レ蛇者説〕悍吏之来二吾郷一、叫二囂乎東西一、隳二突乎南北一。↓荒々しい役人が私の村にやって来ると、あちこちにわめき立てて、当たり散らして暴れ回ります。
【叫△哭】キョウコク 泣く。大声で泣く。
【叫△噪・叫△譟】キョウソウ 大声でさけんでさわぐ。
【叫断(斷)】キョウダン ①さけびやむ。なきやむ。②なき叫ぶ。▼断は、助字。
【叫天子】キョウテンシ 鳥の名。ひばりの別名。叫天児。叫天雀キョウテンジャク。
【叫売(賣)】キョウバイ ①よびうり。②せりうり。

3【吁】 6画 1335 一 ク 拼 xū 二 ウ 遇 5062 99DC —

字義 一 二 ❶ああ。なげき・驚き・疑い・怪しみ・うれえるときなどに発する声。嗚呼ああ。❷うれえる。なげく。

解字 金文 篆文 形声。口＋于(亏)音。音符の亏クは、のどの奥から、フッと出る驚き・なげきなどの声の擬声語。

【吁吁】ウウ・クク ①ああ。なげくさま。また、驚くさま。②いきせき切ってことば多く語るさま。
【吁△嗟】ウサ ああ。なげく。また、なげくさま。

3【向】 6画 1336 教3 コウ む-く・む-ける・む-かう・む-こう
一 漢キョウ(キャウ)・呉コウ(カウ) 拼 xiàng 二 ショウ(シャウ) 拼 xiǎng 2494 8CFC —

筆順 ノ 丿 冂 冋 向 向

字義 一 ❶む-かう。む-く。また、む-ける。㋐対する。むきあう。面と向かう。その方向に進む。↕背(4967)。用例〔三国志、蜀志、馬良伝〕亮出レ軍向二祁山一。↓諸葛亮は、出軍して祁山に向かった。㋑おもむく。心がむく。こころざす。「向学」。また、したう。㋒敵対する。はむかう。てむかう。㋓気持ちがむかう。㋔えこひいきする。㋕なんなんとす。近づく。もうすぐ…になる。用例〔東晋、陶潜、帰去来辞〕木欣欣以向レ栄、泉涓涓而始流。↓木はさかんに茂り花を咲かせようとし、泉の水はちょろちょろと流れはじめている。／〔唐、李商隠、登二楽遊原一詩〕向レ晩意不レ適、駆レ車登二古原一。↓夕暮れが近づくにつれて心がはれず、馬車を走らせて歴史の古い楽遊原に登った。
❷む-き。むかう方向。「傾向」
❸む-かいて。㋐…に対して。…にむかって。動作のむかう方向・対象をしめす。用例〔唐、白居易、哭二孔戡一詩〕払レ衣向レ西来、其道直如レ絃。↓ころもの塵をはらって西に向かってやってくると、その道のまっすぐであること弦のごとくである。㋑…に。…で。於(4613)と同じく、動作の時間・場所・対象をしめす。▼語順が、述語＋向＋時間・場所・対象の場合、「向」は、置き字として訓読しない。用例〔唐、白居易、売炭翁詩〕半疋紅綃一丈綾、繋二向牛頭一充二炭直一。↓わずか半匹の紅絹と一丈ほどの綾を牛の角にひっかけて、炭の代金にあてろという。
❹さき-に。さき-の。㋐以前。昔。用例〔東晋、陶潜、桃花源記〕扶二向路一、処処誌レ之。↓元来た道をたどって戻りながら、ところどころに目印を付けた。㋑さっき。いま。いましがた。用例〔世説新語、文学〕聴二君向言一、多与レ吾同。↓あなたの先ほどのお話を聞いていましたが、ほぼ私の考えと同じでした。
❺も-し。もし…であったとしたら。❻窓。北向きの窓。
二 ❶周代の国名。今の山東省莒キョ県の南西。❷姓。
国 ❶む-く。適合する。❷む-き。適合性。❸む-かい。む-こう。正面。

名前 こう・ひさ・むか・むかう・むき・むけ 難読 向淵むこうじ・向加周生むかいのう・向花むけ・向之原むかいのはる・向市場むかいちば・向日葵ひまわり・向日町むこうまち・向島むこうじま・向坂さきさか・向坂むこさか・向洋むかいなだ・向笠むかさ

参考 現代表記では〔嚮〕(1771)の書きかえに用いることがある。「意嚮→意向」

解字 甲骨文 篆文 象形。家の北側についているまどの象形で、たかまどの意味を表す。卿ケに通じ、むくの意味に用いる。

逆 意向・回向・帰向・傾向・志向・趣向・性向・転向・動向・背向・偏向

【向学(學)】コウガク 学問に心をかたむけ、はげむ。
【向寒】コウカン 寒さにむかう。晩秋初冬の季節にいう。
【向後】コウゴ・キョウゴ・キョウコウ 今からのち。今後。
【向使】もし・たとい(ひ)・たとえ(へ) 仮定のことば。もし…とすれば。かりに…としても。
【向日△葵】コウジツキ・キョウジツキ 草の名。ひまわり。花は夏に咲き、常に太陽の方にむかう性質があるとされていた。
【向者】キョウシャ さきに。いつぞや。嚮者キョウシャ。▼者は、助字。
【向秀】ショウシュウ 西晋セイシンの人。字あざなは子期。老荘の学を好み、『荘子』の注を作った。竹林の七賢の一人。
【向暑】コウショ 暑さにむかう。晩春初夏の季節にいう。
【向上】コウジョウ ①のぼる。昇天する。②上にむかって進む。進歩。③仏末から本に進む。
【向前】キョウゼン さき。今まで。従来。嚮前キョウゼン。

【向背】(コウハイ) ①前と後ろ。前むきと後ろむき。②従うことと背くこと。つくことと離れること。③ようす。なりゆき。

【向来(來)】(キョウライ) ①これまで。従来。②以前から。③いま(今)。

【所レ向無レ敵】(むかう(ふ)ところテキなし) むかい進んで行く先々で相手となるべき敵がない。軍隊の勢いの強いことなどにいう。

3
【后】
6画 1337 教6 コウ
漢コウ・呉ゴウ 有 宥 hòu 慣ゴ
2501 8D40 —

筆順 一 厂 斤 斤 后 后

字義 ❶きみ。㋐天子。君主。㋑諸侯。㋒長官。役人の長。❷きさき。天子の夫人。皇后。❸土地の神。后土。❹のち。うしろ。＝後(3413)。「午后」

名前 きみ・のち・み

参考 常用漢字表には、この字の音は「コウ」しかないので、現代表記で〔後〕(3413)の代わりとして「戦后」「午后」「食后」など公の場で用いるのは、適切ではない。

解字 甲骨文 篆文 会意。人＋口。人は座するひとの象形。口は、命令を発するくちの意味。命令を発する人、きみの意味を表す。音形上、厚に通じ、厚い徳あるきみの意味を表す。また、後に通じて、のちの意味にも用いる。后を音符に含む形声文字は、「厚い」の意味を共有し、垢(コウ)・姤(コウ)・詬(コウ)などがある。

逆 王后・元后・高后・皇后・太后・天后・母后・立后

【后王】(コウオウ) 天子。君主。

【后宮】(コウキュウ) ①星の名。北極五星の第四星。②后妃のいる所。また、宮中の女官のいる所。後宮。国(きさいのみや) 皇后。

【后稷】(コウショク) ①古代、農事をつかさどった長官。②周の始祖といわれる伝説上の人物。名は棄。舜(シュン)の時、后稷の官についたので后稷と称した。▼稷は五穀、后は長官。

【后土】(コウド) ①(中央の)土地の神。②土地。国土。③河川や土地をつかさどる官。

【后妃】(コウヒ) きさき。皇后。

3
【合】
6画 1338 教2 ゴウ・ガッ・カッ あ-う・あ-わす・あ-わせる
漢コウ(カフ)・呉ゴウ(ガフ) 合 hé、⑥gě 慣カッ・ガッ
2571 8D87 —

筆順 ノ 入 亼 亼 合 合

字義 ❶あ-う。㋐同じになる。一つになる。ぴったりあう。あてはまる。「符合」「投合」「暗合」㋑まじる。まざる。㋒夫婦となる。㋓集まる。「集合」❷あ-わせる。あ-わす。㋐同じにする。一つにする。ぴったりあわせる。あてはめる。「迎合」「照合」「統合」㋑まぜる。㋒夫婦にする。㋓集める。❸はこ。ふたのある容器。また、それを数える語。❹戦いや試合の回数を数える語。❺まさ-に…べ-し。当然の意を示す再読文字。＝当(2745)。❻容量の単位。一升の十分の一。現在の約〇・一八リットル。国ゴウ。㋐土地の面積の単位。一坪の十分の一。約〇・〇〇三三アール。㋑山の頂上までの道程の十分の一。「五合目」

名前 あい・あう・かい・はる・よし 難読 合羽(かっぱ)・合歓(ねむ)・合歓垣(ねむがき)・合志(こうし)・合志(あわし)・合田(あいだ)

使いわけ ①あう〔会・遭・合〕⇩会(209)。②あわせる〔併・合〕⇩併(342)。

解字 甲骨文 篆文 会意。亼＋口。亼は、おおい・ふたの象形。口は、容器の身の象形。容器にふたをする、あわせるの意味や、こばこの意味を表す。合を音符に含む形声文字に、洽(コウ)・盒(ゴウ)・祫(コウ)・蛤(コウ)・給(コウ)・閤(コウ)・頜(コウ)などがあり、これらの漢字は、「あう」の意味を共有している。

逆 暗合・勘合・九合・糾合・契合・迎合・結合・交合・校合・香合・従合・照合・整合・接合・総合・談合・調合・適合・投合・統合・配合・複合・符合・併合・縫合・野合・融合・六合・離合・連合・和合

【合囲(圍)】(ゴウイ) ①四方からかこむ。狩りや戦いにいう。②ひとかかえほどの大きさ。

【合意】(ゴウイ) ①心をあわせる。②心にかなう。気にいる。③国双方ともに承知する。同意。

【合一】(ゴウイツ) あわせて一つになる。また、合して一つにする。

【合格】(ゴウカク) ①一定の格式に適合する。②試験に及第する。

【合歓(歡)】(ゴウカン) ①よろこびを共にする。よろこびあう。②夫婦がともねすること。男女がむつみあう。国(ゴウカン・ねむ) 木の名。ねむの木。合歓木。

【合議】(ゴウギ) 二人以上のものが集まって相談すること。

【合卺】(ゴウキン) さかずきを合わせる。婚礼をいう。▼卺は、一つの瓢(ふくべ)を二つに割って作ったさかずき。〔儀礼、士昏礼〕

【合計】(ゴウケイ) あわせ数える。総計。

【合憲】(ゴウケン) 憲法に違反していないこと。↔違憲(一四三八ページ下)。

【合口】(ゴウコウ) ①口をすぼめる。②口に合う。国(あいくち) ①つばのない短刀。②話がよくあうこと(人)。③物と物とが密着するところ。

【合婚】(ゴウコン) 結婚すること。

【合祭】(ゴウサイ・ガッサイ) ①天地の神々を合わせ祭る。②先祖代々の廟主(ビョウシュ)を太祖の廟に合わせ祭ること。祫祭(コウサイ)。

【合算】(ガッサン) ①いっしょに計算する。合計する。②比較して勘定する。

【合子】(ゴウシ・ゴウス) ①ふたのある器。はこ。盒子(ゴウシ)。▼子は、助字。②国ふたと身とある椀(ワン)の類い。

【合祀】(ゴウシ) ①＝合祭。②国一つの神社に二柱以上の神霊を合わせ祭る。

【合従(從)・合縦(縱)】(ガッショウ) 戦国時代、燕(エン)・斉・楚(ソ)・韓(カン)・魏(ギ)・趙(チョウ)の六国が南北に同盟を結んで西の秦(シン)に対抗した外交策。蘇秦(ソシン)が唱えた。▼従は、縦(たて)で、南北を合わせる意。↔連衡(一四一八ページ下)。

【合従(從)連衡】(ガッショウレンコウ) 合従と連衡。衡は、横で、東西の意。〔史記、孟軻伝〕

【合掌】(ガッショウ) ①両方の手のひらを合わせて拝む。②材木を山形に組み合わせたもの。

【合成】(ゴウセイ) ①二つ以上のものが結合して一つになる・すること。②二種以上の元素や簡単な化合物から、複雑な組成の化合物をつくること。有機化合物を作り出すこと。

【合戦(戰)】(カッセン) たたかい。両軍が相戦う。

【合奏】(ガッソウ) ①種々の楽器を同時に演奏する。②合わせて奏上する。

【合葬】(ガッソウ) いっしょにほうむる。また、後から死んだ人を前に死んだ人の墓にほうむること。

【合体(體)】(ガッタイ) ①いっしょになる。②心を合わせる。

【合致】(ガッチ) たがいに一致する。ぴったりと合う。

【合点(點)】(ガッテン・ガテン) 国①詩文などを批評し、よいところに点をつけること。②承知する。うなずく。

【合同】(ゴウドウ) ①いっしょになる。一つに合わせる。②契約書。

【合評】(ガッピョウ) 幾人かの人が集まって批評すること。

【合符】(ゴウフ) ①割符を合わせる。②物事がぴったり一致する。符合。

【合併(倂)・合弁】(ガッペイ・ゴウヘイ) 合わせて一つにする。いっしょになる。合同。用例〔唐、韓愈、与二孟東野一書〕各以レ事牽、不レ可二合弁一(おのおのことをもってひかれ、ガッペイすべからず)。↓それぞれ用事に追われて、会うことができません。

【合璧】(ガッペキ) たまを合わせる。美しいものを二つ合わせること。

【合浦珠還】(ガッポたまかえ(へ)る・ゴウホたまかえ(へ)る) 善政を行うこと。合浦(今の広東(カントン)省西南部から広西チワン族自治区の南東部の地)はもと美しい珠を産出したが、欲深な役人が多く

て、しばらく産出がとまった。後漢の孟嘗が太守となるに及んで、清潔な政治を行ったため、再び珠を産出したという故事による。〔後漢書、孟嘗伝〕

【合抱】(ゴウホウ) ひとかかえの大きさ。両手でかかえるほどの大木。

【合法】(ゴウホウ) 法律に合う。ある行為が法律に触れないこと。

【合理】(ゴウリ) 道理にかなう。

【合流】(ゴウリュウ) ①二つ以上の川が一つに合う。また、その流れ。②一つに合わさる。いっしょになる。

【合力】㊀(ゴウリョク)・(ゴウリキ) 力を合わせる。協力する。㊁(ゴウリキ) 国①金銭・物品を人にめぐむこと。めぐみ。ほどこし。②人に力を貸す人。登山で人の荷物をかつぐ人夫。強力。

3 【舌】 6画 (9702) ゼツ 舌部。→一二八四ページ中。

3 【吒】 6画 1339 タ 咤(1469)の本字。→二六四ページ上。 1485 — —

3 【吊】 6画 1340 標 チョウ(テウ) diào 3663 92DD —

字義 弔(3302)の俗字。❶つ-る。つる-す。❷とむらう。

参考 元来は〔弔〕(3302)の俗字であるが、日本では「つる」意味に〔吊〕、「とむらう」意味に〔弔〕と使い分ける。字義・解字・熟語は、〔弔〕を見よ。

3 【吐】 6画 1341 常 ト はく 3739 9366 —

㊀漢ト・呉ツ 慶 tǔ ㊁漢ト・呉ツ 遇 tù

筆順 丨 冂 口 口一 叶 吐

字義 ㊀❶は-く。㋐口からものをはき出す。もどす。㋑出す。内にあるものを外に出す。㋒はき捨てる。㋓のべる。言う。声を出す。❷ことば。音声。「音吐朗朗」㊁は-く。もどす。また、へど。「嘔吐」 国つ-く。㋐口から息をはき出す。㋑好ましくないことばを口に出す。 難読 吐葛喇・吐噶喇・吐合・吐山・吐師・吐生

解字 篆文  形声。口＋土音。音符の土は、つち、草木をはき出す大地の意味。口を付し、口からはき出すの意味を表す。

逆 欧吐・音吐

【吐握】(トアク) →吐哺握髪。

【吐下】(トカ) はいたりくだしたりする。嘔吐と下痢。

【吐気(氣)】㊀(トキ) ①気をはき出す。②おさえられていた志を存分に伸ばす。㊁(はきケ) 国胃中のものをはき出したい気分。

【吐血】(トケツ) 血をはくこと。特に、胃の血をはくのを咯血という。

【吐谷渾】(トヨクコン・トコクコン) 国名。隋・唐代に今の甘粛省の南部から青海省一帯を根拠として鮮卑族の建てた国。遊牧生活を主とした。六六三年に吐蕃に敗れ衰滅した。

【吐瀉】(トシャ) ①はく。▼瀉も、はく。②はいたりくだしたりする。吐下。

【吐出】(トシュツ) はき出す。

【吐息】(トイキ) 国ため息。

【吐納】(トノウ) ①道家修練の術で、腹中の悪い気をはき出し、新鮮な気を吸い入れること。深呼吸の類い。吐故納新。②出したり入れたりすること。

【吐蕃】(トバン) 唐代、中国での、チベット王国およびその国人の呼び名。その国は、今のチベット自治区の地。

【吐哺握髪】(トホアクハツ) 賢人を求めることに熱心なこと。周公旦が、来客があると食事中でも口中の食物をはき、髪を洗っている時でも髪を握ってすぐに出迎えた故事による。〔韓詩外伝、三〕

【吐哺捉髪】(トホソクハツ) ＝吐哺握髪。

【吐露】(トロ) かくさずに心中をうちあける。

3 【吋】 6画 1342 ㊀漢トウ・呉ドウ 有 dòu ㊁スン cùn 1705 8944 —

字義 ㊀しかる(叱)。㊁インチ。ヤード・ポンド法の長さの単位。一インチは約二・五センチメートル。

解字 形声。口＋肘省音。

3 【同】 6画 (765) ドウ 冂部。→一五八ページ中。

3 【㠯】 6画 1343 ㊀漢ボウ(バウ) 呉モウ(マウ) 陽 māng ㊁漢ボウ(バウ) 呉モウ(マウ) 漾 màng — — 2068

字義 ㊀承知しないことを表す感動詞。㊁ぼける。

解字 形声。口＋亡音。

3 【名】 6画 1344 教1 メイ・ミョウ な 4430 96BC —

熟字訓 仮名・名残

漢メイ・呉ミョウ(ミャウ) 庚 míng

筆順 ノ ク タ タ 名 名

字義 ❶な。なまえ。物や事の実体を指し示すもの。↕実(2618)。㋐人や事物などの呼び名。㋑人倫上の名称。君臣・父子の類い。→名分。用例〔論語、子路〕必也正レ名乎。↓まずもって名分を正しくすることだ。㋒文字。用例〔儀礼、聘礼〕百名以上書ニ於策一。百名不レ及ニ於方一。↓百字以上であれば策(竹の札)に記し、百字に及ばなければ方(一枚の板)に書く。❷な-づける。㋐人や物に名をつける。用例〔東晋、陶潜、命レ子詩〕名レ汝曰レ儼、字レ汝求思。↓お前を儼と名づけ、字は求思とする。㋑言い表す。名状する。用例〔論語、泰伯〕蕩蕩乎民無ニ能名一焉。↓ひろくのびやかで、人民が表現できるようなものではない。❸ないう。なよぶ。名をいう。人の名をいう。→参考。用例〔礼記、曲礼下〕国君不レ名ニ卿老世婦一。↓国君は上卿と世婦(女官)に対しては本名を呼ばない。❹すぐれている。りっぱである。用例〔史記、管仲伝〕有ニ封邑一者十余世、常為ニ名大夫一。↓領地を保有する者十余代にわたって領地を保ち続け、どの時代もすぐれた大夫とされた。❺ほまれがある。有名である。名が聞こえる。用例〔新唐書、韓思復伝〕復為ニ襄州刺史一、治行名ニ天下一。↓襄州の刺史となり、すぐれた政治は天下に有名であった。❻人数。人を数えるときにつけることば。❼諸子百家の一派。名家のこと。

名前 あきら・かた・な・なづく・もり 難読 名越・名寄・名古木・名告・名細・名氏・名生定・名田・名来・名理・名立

参考 〔名〕は生後三か月に父がつけ、元服するとさらに〔字〕(呼び名)をつける。以後、親・師・君主以外は通常、〔名〕を呼ばない。また、自分については〔名〕をいう。⇩

コラム 姓名の慣習(三六七ページ)。

解字 甲骨文 金文 篆文 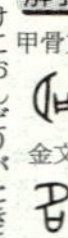 会意。夕＋口。夕は、明の省略体。鳴と同じく、夜明けにおんどりがときをつくるの意味であったろう。転じて、名をよぶ・なのるの意味を表す。『説文解字』では、夕は、ゆうべの意味で、冥に通じ、夕やみに自分の名をなのるの意味を表すと説く。名を音符に含む形声文字に、酩・銘などがある。ただし、酩は、酩酊と熟して、冥の意味に通じる擬態語。

逆 悪名・英名・汚名・戒名・改名・仮名・佳名・家名・偽名・虚名・空名・形名・嫌名・功名・高名・才名・指名・臭名・襲名・醜名・小名・称名・署名・除名・声名・正名・盛名・俗名・尊名・大名・題名・知名・著名・逃名・

匿名・売名・筆名・美名・武名・法名・芳名・無名・命名・勇名・有名・幼名・呼名・雷名・令名・連名

【名案】メイアン よい思いつき。うまい考え。

【名位】メイイ ①名声と官位。②官名と官位。

【名王】メイオウ ①すぐれた君主。名君。②匈奴の王のうち、特に位の高い王。

【名花】メイカ ①すぐれて美しい花。②牡丹をいう。③海棠をいう。④女性の美称。また、名高い妓女(芸者)。名妓。

【名家】メイカ ①名高い家がら。名門。②専門の学問で世に知られている人。③周代、諸子百家の一つ。名と実との関係を明らかにしようとした学派。多く論理をもてあそび、詭弁的傾向が強い。公孫竜・恵施などがその代表的学者。⇩コラム 諸子百家系統図(二三四ページ)。

【名△豈文章著】なはあにブンショウもてあらわ(は)れんや 詩文の道でどうして名を世に知られよう。文筆で名をあげることに絶望した気持ちをいう。用例(唐、杜甫、旅夜書レ懐詩)名豈文章著、官因ニ老病一休 ↓いくら詩や文章を書こうとも、我が名を世に知られることもなく、年老いて病気がちの身であれば、官職もやめてしまったのだ。

【名学(學)】メイガク ①大学者。②論理学。ギリシャ語のlogikeの訳。

【名貫】メイカン 姓名と本籍。

【名器】メイキ ①すぐれた器物。名高い器具。②爵号(爵位)と、(その爵位によって賜る)車や衣服。③才能のすぐれた人。

【名義】メイギ ①名まえ。②名称と(それの持つ)意味。名分。③きこえ。評判。④表むきの名まえ。名儀。

【名教】メイキョウ 名分に関する教え。人倫の教え。道徳上の教え。儒教では君臣・父子・仁・義・礼・智などの名目を立てて秩序を正すことを主としたので、儒教の別名となった。魏・晋の時代、老荘の無名の教えに対して用いられる。

【名君】メイクン 名高い君主。りっぱな主君。すぐれた君主。

【名月】メイゲツ 陰暦八月十五夜の月。また、九月十三夜の月。

【名言】メイゲン ①すぐれたことば。有名なことば。②もっともなことば。

【名工】メイコウ うでのすぐれた職人。りっぱな工芸作家。名匠。

【名高】メイコウ りっぱなほまれやみさお。名聞高節。

【名号(號)】㊀メイゴウ ①なまえ。②名声。評判。③地位・職責などを表すよび名。㊁ミョウゴウ 仏諸仏の名。特に阿弥陀仏・南無阿弥陀仏をいう。「六字の名号」

【名刹】メイサツ 名高い寺院。りっぱな寺。

【名士】メイシ ①才徳のすぐれた人。②有名な人。

【名刺】メイシ 氏名・住所・身分などをしるした紙片。なふだ。

【名字】㊀メイジ ①名とあざな。実名と呼び名。②名誉。③なまえ。名称。④名目。㊁ミョウジ 国氏。苗字。

【名実(實)】メイジツ ①名目と実際。名称と内容。②名誉と実利。

【名者実(實)之賓】なはジッのヒン 名は実質という主人に招かれる客である。名声は実質に伴うものである。徳があってはじめて名誉が伴うこと。▼賓は賓客、実は主で、名は客。〔荘子、逍遥遊〕

【名手】メイシュ 技芸のすぐれた人。名人。

【名主】㊀メイシュ すぐれた君主。㊁ミョウシュ 国昔、領主に代わって名田(私田の一種)を支配し、年貢などをつかさどった人。㊂なぬし 国江戸時代、村や町のかしらとして行政や司法をつかさどった人。今の町村長。庄屋。

【名儒】メイジュ すぐれた儒者。名高い儒学者。

【名匠】メイショウ ＝名工。

【名相】メイショウ すぐれた(名高い)宰相。

【名称(稱)】メイショウ ①ほまれ。名誉。②名まえ。

【名勝】メイショウ ①景色のよいところ。名所。②名高い人。名士。

【名状(狀)】メイジョウ ①名前とありさま。名前と形状。②状態を言い表す。形容する。「名状し難い」

【名乗(乘)】なのり 国①相手に自分の名をいうこと。また、その名。②公家や武家の男子が元服した時、通称以外につけた実名。藤吉郎(通称)に対する秀吉(名乗)の類い。③謡曲の独白の一種。登場人物が自分の身分・氏名・来歴などを述べること。④行商人が売り物の名を呼ばわること。⑤名前にのみ用いる特有の訓。

【名場】メイジョウ 名を争う晴れの場所。科挙の試験場。

【名人】メイジン ①評判の高い人。すぐれた人。②国一芸にすぐれた人。腕まえの特にすぐれた人。名手。

【名数(數)】メイスウ ①名まえと人数。戸籍。②同類の著名なものを幾つかまとめたもの。数字を頭にかぶせた名詞。四書・五経の類い。③数学用語。単位の名を添えた数。三円・五人・十枚の類い。

【名声(聲)】メイセイ ほまれ。名誉。評判。名聞。

【名姓】メイセイ 氏名。姓名。

【名跡】㊀メイセキ すぐれた行い。りっぱな業績。名蹟。㊁ミョウセキ 国うけつぐべき苗字・家名。

【名籍】メイセキ・ミョウセキ 戸籍。人の姓名や身分などを書き載せた台帳。また、名簿。

【名節(節)】メイセツ ほまれと、みさお。名誉と節操。用例(北宋、欧陽脩、朋党論)所レ守者道義、所レ行者忠信、所レ惜者名節 ↓彼らが守るものは物事の道理や正義であり、実践するものは忠信であり、大切にするものは名誉と節義である。

【名族】メイゾク ①名高い家がら。名門。②名と氏。氏名。

【名代】㊀ミョウダイ 国代理。かわり。㊁なダイ 国名高い。有名な。㊂なしろ 国昔、天皇・皇子・皇后などの名を後世に伝えるために、その名をつけた、皇室の私有民。

【名筆】メイヒツ ①すぐれた書画。有名な書画。②書道・絵画にすぐれた人。

【名物】メイブツ ①土地の種類・等級の名と、それらの土地の産物。②品物の名と性質。③名と事。④国㋐(その社会や地域で)有名なもの。「名物先生」㋑その土地特有の有名な産物。名産。㋒すぐれた茶道具。

【名分】メイブン 人の身分・地位・職分などの名称と、それに伴う本分。

【名問・名聞】メイブン・ミョウモン ほまれ。世のきこえ。評判。

【名簿】㊀メイボ 名まえをしるした帳面。㊁ミョウブ 国官位・姓名・年月日などをしるした名札。昔、弟子入りの時などに差し出したもの。なふだ。

【名望】メイボウ 名誉と人望。また、それをもっている人。

【名目】メイモク・ミョウモク ①なまえ。呼び方。②口実。理由。

【名門】メイモン 名高い家がら。名族。

【名誉(譽)】メイヨ ①ほまれ。よい評判。名声。「名誉毀損(そこなう)」②名高いこと。有名。③尊敬のしるしとして贈られる称号。「名誉教授」

【名利】メイリ・ミョウリ 名誉と利益。功名と利禄。

【名流】メイリュウ ①有名な(一流の)人々。▼流は、なかま、たぐい。②名声が伝わる。

【名論】メイロン ①すぐれた議論。「名論卓説」②名誉と評判。

【垂ニ名竹△帛一】なをチクハクにたる 名を歴史に残して後世に伝える。竹帛は、竹の札と絹のきれで、紙のなかった時代に記録に用いられたもの。転じて、史書・書物の意。〔後漢書、鄧禹伝〕

3
【吏】
6画 1345 常 リ

リ 眞 ㄌㄧˋ

4589 9799 一

【筆順】 一 丆 冂 百 叓 吏

【字義】❶つかさ。役人。地方採用の下級役人の場合が多い。「官吏」「能吏」❷おさ-める(をさむ)。役人になる。役人になっておさめる。用例〔唐、皎然、桃花石枕歌送ニ安吉康丞ニ詩〕君吏ニ桃州ニ尚ニ奇跡ニ、桃州采得ニ桃花石ニ。↓あなたは桃州に役人としてつとめ珍しいものを愛し、桃州で桃花石という石を手に入れた。

名前 おさ・さと・つかさ・り

解字 金文 篆文 象形。官吏の象徴となる旗ざおを手に持つ形にかたどり、役人・つかさの意味を表す。

逆 駅吏・汚吏・下吏・軍吏・計吏・警吏・公吏・酷吏・獄吏・循吏・小吏・俗吏・属吏・天吏・能吏・捕吏・廉吏・老吏

【吏幹】 役人としてのすぐれた才能。吏才。

【吏議】 ①役人の論議。役人の意見。②司法官が下した判決。

【吏才】 役人としての才能。また、その才能のある人。吏能。吏幹。

【吏卒】 下級官吏。小役人。

【吏道】 一 役人として政務にたずさわる心得。二 朝鮮上代文字の名。新羅の薛聡がはじめたというもので、朝鮮語を写すのに漢字の音訓を借りたもの。日本の万葉がなに似ている。吏読・吏吐。

【吏読(讀)】 ＝吏道二。

【吏能】 ＝吏才。

【吏部】 ①魏・晋以来置かれた中央官庁で、唐代は吏・戸・礼・兵・刑・工の六部の一つとなった。文官の選任・勲階・懲戒などをつかさどる。その長官を吏部尚書、次官を吏部侍郎という。②国式部省の唐名。

【吏民】 官吏と人民。官民。

4【呷】7画 1346 一イ 図 yī 二キ 寘 xì ― ― 2070

字義 一 喔呷は、心にもなく笑う。また、わざと笑うさま。二うめく。うなる。

解字 形声。口＋伊省音。

4【吽】7画 1347 一 漢コウ・呉ク 有 hǒu 二 漢イン・呉オン 侵 三 漢ゴウ・呉グ 尤 ōu 四ウン hōng 5063 99DD ―

字義 一 ほ-える。どなる声。＝吼(1365)。二かみあう。犬がかみあう。四 仏呪文をとなえるときに用いる、口を閉じて出す声。

解字 会意。口＋牛。うしが口から声を出すの意味を表す。

4【吰】7画 1348 ウン hōng 1487 ― 2082

字義 仏呪文などをとなえるときに用いる、口を閉じて出す声。＝吽(1347)。

解字 形声。口＋云音。

4【呕】7画 1349 オウ 嘔(1658)の俗字。→二六〇ページ上。 20368 ― ―

4【吪】7画 1350 一ガ(グワ) 歌 é 二 漢カ(クワ)・呉ケ 麻 huā ― ― 2074

字義 一 ❶うごく(動)。❷か-わる。かえる。＝化(166)。❸なまり。また、あやまったことば。訛言。＝譌(11370)。二口が開く。

解字 形声。口＋化音。

4【戓】7画 1351 カ 歌 gē ― EDAB 3108

字義 地名。

注意 『康熙字典』では、戈部に所属する。

解字 形声。口＋戈音。

4【呀】7画 1352 一 漢カ・呉ケ 麻 xiā 二 漢ガ・呉ゲ 麻 yā 5064 99DE ―

字義 一❶口を大きく開くさま。❷大きく空しいさま。❸笑うこえ。二❶驚きを表す感動詞。❷なげく。

解字 形声。口＋牙音。

【呀呀】 ①口を大きく開く様子。②笑う声の形容。

【呀然】 谷などの広くがらんとした様子。

4【吤】7画 1353 カイ 卦 jiè 20369 ― ―

字義 こえ(声)。

解字 形声。口＋介音。

4【串】7画 (48) カン ｜部。→三八ページ上。

4【含】7画 1354 常 ガン ふく-む・ふく-める 一 漢カン・呉ゴン 覃 hán 二 漢カン・呉ゴン 勘 hàn 慣ガン 2062 8ADC ―

筆順 ノ 人 亼 今 今 含 含

字義 一 ❶ふく-む。ふく-める。㋐口に入れる。㋑中に入れる。包みこむ。「内含」㋒しのぶ。こらえる。❷みな(皆)。二ふくみ玉。昔、葬礼で死者の口にふくませた玉。

名前 もち

難読 含羞草・含嗽

解字 篆文 形声。口＋今音。音符の今は、すっぽり覆い包むの意味。口の中に覆い包む、ふくむの意味を表す。

逆 包含

【含英】 ①美しいものをふくみもつ。光を帯びる。②花のつぼみをもつ。▼英は、花。

【含英咀華】 文章のすぐれたところをかみ味わって胸中にたくわえること。英華を含咀する意。▼咀は、かみ味わう。〔唐、韓愈、進学解〕

【含胡・含糊】 ことばがはっきりしないさま。

【含羞】 はじらう。はにかむ。

【含笑】 ①笑いをふくむ。ほほえむ。②花が咲き始める。

【含情】 ①風情のあること。②感情をおさえて胸中におさめておく。思うことをそれとなくそぶりで見せる。

【含嗽】 うがいする。また、うがい。

【含蓄】 ①ふくみたくわえる。②深みがあること。言外にふくまれている深い意味。

【含哺鼓腹】 ＝含レ哺鼓レ腹(二六七ページ下)。

【含味】 ①かみしめて味わう。②物事の意味を考えきわめる。「熟読含味」

4【吸】7画 (1332) キュウ 吸(1331)の旧字体。→二四六ページ上。

4【吟】7画 1355 常 ギン 漢ギン・呉ゴン 侵 yín 2267 8BE1 ―

筆順 ｜ 口 口 口ノ 口人 口亼 吟

【訡】 11123 同字

字義 ❶うめ-く。うなる。「呻吟」❷どもる。どもる声。❸なげく(嘆)。❹うた-う。詩歌を口ずさむ。また、詩歌を作る。「苦吟」「吟詠」「詩吟」❺うた。うたいもの。詩歌。「梁甫吟」❻なく。さけぶ。うそぶく。また、鳥獣や虫などの鳴くこと。また、その声。「鶯吟」「猿吟」

名前 あきら・うた・おと・こえ

解字 篆文 形声。口＋今音。音符の今は、含に通じ、ふくむの意味。ふくみ声で言う、口に含んで味わうなどの意味を表す。

逆 哀吟・詠吟・閑吟・空吟・苦吟・行吟・高吟・詩吟・秀吟・酔吟・即吟・長吟・沈吟・独吟・微吟・放吟・朗吟

【吟詠・吟咏】 ①詩歌をうたう。詩歌を口ずさむ。②詩歌を作る。また、その詩歌。

【吟哦】 詩歌をうたう。▼哦も、うたう意。

【吟月】ギンゲツ 月をながめて詩歌を口ずさむ。

【吟行】ギンコウ ①詩歌をうたいながら歩く。②国和歌・俳句を作るため郊外などへ出かけること。

【吟髭】ギンシ 詩人のひげ(髭)。口ひげをひねりながら詩を作ったりすることから。

【吟社】ギンシャ 作詩や吟詠を目的として集まる団体。

【吟△誦】ギンショウ ①詩歌を高らかにうたう。②声をあげて書物を読む。

【吟△嘯】ギンショウ ①声を長くひいて詩歌を歌う。②悲しみなげいて声を発する。

【吟風弄月】ギンプウロウゲツ 風に吹かれて詩歌を詠じたり、名月を観賞したりする。風月などの自然に接して詩歌を作ること。

【吟△諷】ギンプウ 口ずさみ詠ずる。吟哦ギンガ。

【吟味】ギンミ ①詩歌を口ずさみ、そのおもむきを味わう。②詩歌のあじわい。詩趣。③国㋐(罪状を)よく調べただす。㋑物事をよく調べること。

4 【听】 7画 1356 一ギン 軫 yǐn 二㊥ギン・㊢ゴン 吻 yǐn 三テイ ting 5065 99DF 一

字義 一二❶笑うさま。「听听」「听然」❷口が大きい。また、そのさま。三きく。聴(9641)の俗字。国ポンド(磅・封度)。イギリスの貨幣の単位。一ポンドは約四五三・六グラム。また、ヤード・ポンド法の重さの単位。

解字 篆文 形声。口+斤㊥。音符の斤は、こまかくするの意味。呼吸を小刻みにして笑うの意味を表す。

4 【君】 7画 1357 クン 文 jūn 教3 クン きみ 2315 8C4E 一

筆順 フ ヨ 尹 尹 君 君

字義 ❶きみ。㋐天子。主上。「主君」「暗君」㋑諸侯・卿・大夫など。大名。用例(十八史略、春秋戦国、燕)燕人立二太子平一為レ君 ↓燕の大臣たちは、皇太子の平を立てて王とした。㋒君主の正妻。㋓他者に対する敬称。用例(文選、古詩十九首、其一)行行重行行、与レ君生別離 ↓どんどん、どんどんあなたは遠い旅路を続けて行ってしまうばかり。私はあなたと悲しい生き別れの身。❷君主としての役目を果たす。❸君主とする。君主と仰ぐ。用例(国語、晋語八)三世仕二家一、君レ之 ↓三代にわたって大夫の家に仕える者は、その大夫を君主としてあおぐ。

名前 きみ・きん・こ・すえ・なお・よし 難読 君家やおお・君府コンスタンチノープル・君士但丁コンスタンチノープル

解字 甲骨文 金文  篆文 形声。口+尹㊥。音符の尹イン→クンは、神事をつかさどる族長の意味。のりとの意味を表す口を付し、きみの意味を表す。

逆 隠君・家君・寡君・貴君・厳君・細君・嗣君・主君・神君・人君・仁君・聖君・先君・尊君・大君・夫君・父君・封君・邦君・亡君・暴君・名君・明君・庸君・老君・郎君

【君△冤】クンエン 主君の無実の罪。▽冤は、無実の罪。

【君王】クンオウ ①国君。君主。②諸侯と天子。

【君△汲二川流一我拾レ薪】きみはセンリュウをくめわれはたきぎをひろわ(は)ん 国朝飯の仕度のために、君は川の水をくんで来い、わたしは薪を拾ってこよう。塾で学業に励む姿をうたった詩句。用例(広瀬淡窓、桂林荘雑詠示二諸生一詩)柴扉暁出霜如レ雪、君汲二川流一我拾レ薪 ↓粗末な柴の扉を開けて明け方に外に出ると、霜が真っ白に降りていて雪のようだ。君は川の流れに水を汲みたまえ、私は薪を拾ってこよう。

【君君臣臣】きみはきみたりシンはシンたり 君主は君主らしく君主としての道をつくし、臣下は臣下としての道をつくすべきこと。地位・身分によって人それぞれその本分をつくすべきこと。名分を正すことの教え。用例(論語、顔淵)君君臣臣、父父子子 ↓君主は君主らしく君主としての道をつくし、臣下は臣下としての道をつくす、父は父としての、子は子としての道を尽くす。

【君公】クンコウ ①自分の仕えるきみ。②諸侯をいう。

【君侯】クンコウ ①諸侯の尊称。とのさま。②高官や貴人に対する尊称。

【君国(國)】クンコク ①君主と国家。②君主が統治する国。

【君山】クンザン 山名。湖南省岳陽市の南西、洞庭湖中にある。別名、湘山ショウザン。帝舜シュンの妃、娥皇ガコウ・女英の墓がある。

【君子】クンシ ①学徳のあるりっぱな人。用例(論語、雍也)文質彬彬ヒンピン、然後君子 ↓実質と文飾とがほどよく調和して、はじめて君子と言えるのである。②官職にある人。在位者。③君主。為政者。④妻から夫をいう。⑤亡父などの尊称。⑥植物の名。㋐竹の別名。㋑蓮はすの花の別名。㋒菊の花の別名。

【君子遠二庖△厨一】クンシはホウチュウをとお(ほ)ざかる 徳のある人は、いつくしみの心が深いから、鳥獣を料理する台所に近寄らない。〔孟子、梁恵王上〕

【君子花】クンシカ ①蓮はすの花の別名。=君子⑥㋑。②菊の花の別名。

【君子求二諸己一、小人求二諸人一】クンシはこれをおのれにもとめ、ショウジンはこれをひとにもとむ 君子は責任を自分に求めるが、小人は責任を他人に求める。〔論語、衛霊公〕

【君子固窮】クンシもとよりキュウす 君子ももちろん苦しいめにあうことがある。〔論語、衛霊公〕

【君子交絶不レ出二悪声一】クンシはまじわ(は)りたゆるもアクセイをいださず 立派な人物は、人と絶交した後も、相手の悪口は言わない。〔史記、楽毅伝〕

【君子国(國)】クンシコク ①東海中にあるという礼儀正しい国。②日本国の称。③新羅シラギの自称。

【君子三楽(樂)】クンシのサンラク 君子の三つの楽しみ。父母がともに健在で兄弟に事故がないこと、自分の行いが天や人に恥ずるところがないこと、天下の英才を集めて教育することの三つ。〔孟子、尽心上〕

【君子△之交淡若レ水】クンシのまじわ(は)りはあわ(は)きことみず(づ)のごとし 君子の交際は、水のように淡々としている(がいつまでも続いて変わることがない)。用例(荘子、山木)君子之交淡若レ水、小人之交甘若レ醴 ↓君子の交際は水のように淡々としており、小人の交際は甘酒のように甘い(が長くは続かない)。

【君子△之徳風】クンシのトクはかぜなり 人の上に立つ者の徳は風のようなもので、下の者は、草が風になびくようにみな感化される。〔論語、顔淵〕

【君子儒】クンシジュ りっぱな学者。自己を修め人を治めることを心がける学者。↔小人儒(四〇八ページ・中)。用例(論語、雍也)女為二君子儒一、無レ為二小人儒一 ↓お前は立派な学者となれ、単なる物識りの学者になるな。

【君子上達小人下達】クンシはジョウタツしショウジンはカタツす 君子は道義に従い学問修養につとめるので次第に立派になり、小人は利欲に従うために次第に堕落する。〔論語、憲問〕

【君子人】クンシジン 君子たる人。立派な人物。君子。

【君子成二人△之美一】クンシはひとのビをなす 君子は人の美点・長所を助けのばして完成させる。〔論語、顔淵〕

【君子盛徳容貌若レ愚】クンシはセイトクあるもヨウボウぐなるがごとし 君子は立派な徳を有していても、外見を気にかけないので、一見、愚者のように見える。〔史記、老子伝〕

【君子争(爭)】クンシのあらそい(ひ) 弓を射る競争をいう。→君子無レ所レ争

【君子△豹変(變)】クンシヒョウヘン ①君子は、豹ヒョウの皮の模様がはっきりしているように、あやまちを改めて善にうつることがあ

ざやかなこと。君子が善にうつることのはっきりしているたとえ。〔易経、革〕②国態度や主張を急に変えることにいう。

【君子不ニ以レ言挙(擧)レ人】君子は、良いことをいったからといって、その人を挙用することはしない。人物は行動によって評価すべきだという孔子のことば。用例〔論語、衛霊公〕君子不ニ以レ言挙レ人、不ニ以レ人廃レ言。⇩君子は、良いことを言ったからといってその人を挙用することはせず、人柄が悪いからといってその人の言葉をすべて退けることはしない。

【君子不レ愧ニ于屋漏一】君子は、人の見ていない奥座敷にいても、恥ずべき行為をしない。▼屋漏は、西北隅の、外からは見えない奥まった場所。〔詩経、大雅、抑〕

【君子不レ器】器物はそれぞれ一つの用にのみ適して他に役立たないが、徳の高い人は一材一芸に通ずるだけではない。何事にも役立つ意。〔論語、為政〕

【君子無レ所レ争(爭)】君子は人と争うということがない。孔子のことばで、君子は人と争うことがないが、もし争うことがあるならば、射礼(六芸の一つ)の場合だけであり、それも礼にかなった君子の争いであるという。〔論語、八佾〕

【君子喩ニ於義一、小人喩ニ於利一】君子は義に対して敏感であり、小人は利に対して敏感である。〔論語、里仁〕

【君子有ニ三畏一】君子には、天命・有徳の大人・聖人の言の三つのおそれ慎むべきものがある。〔論語、季氏〕

【君子憂レ道不レ憂レ貧】君子は、道から外れることを憂えるが、貧乏は憂えない。〔論語、衛霊公〕

【君子欲下訥ニ於言一而敏中於行上】君子は口べたであっても、すばやく実行することを願うものである。〔論語、里仁〕

【君子和而不レ同】君子は、人々と調和するが、おもねり従うことはない。用例〔論語、子路〕君子和而不レ同、小人同而不レ和。⇩君子は、人々と調和するが、他人の意見におもねり従ったりはせず、小人は、すぐに他人の意見におもねり従うが、調和しない。

【君主】世襲による国家の統治者。きみ。王。天子。皇帝。

【君主国(國)】主権が君主にある国家。

【君上】きみ。天子。君主。

【君辱臣死】君主が恥を受ければ、臣は決死の覚悟でその恥をそそぐ。臣はその君主と生死困難をともにするべきであること。

【君臣】君主と臣下。また、その関係。主従。

【君臣水魚】君主と臣の仲が水と魚のように密接であること。水魚之交。

【君臣相遇】明君と賢臣とがであうこと。

【君臣有レ義】君主と臣との間は義をもって第一とする。▼義とは、君主と臣との守るべき道。〔孟子、滕文公上〕

【君側】①君主のそば。「君側の奸(悪者)」②君主のそば近くに仕える臣。

【君長】①君主と長上。国君とその卿・大夫。②君主。③部族のかしら。

【君△寵】君主のお気にいり。君主の寵愛。

【君道】君主の行うべき道。

【君不レ君】君主たるものがその道を守らない。人君でありながら不義不道を行うこと。

【君夫人】国君の夫人を、その国民または他国人が呼ぶ称。

【君父】君主と父。

【君臨】①君主として国民を治めること。君主として万民の上に立つこと。②主位に立って他を支配すること。

【不レ辱ニ君命一】君主から命ぜられた任務を完全にやりとげること。〔論語、子路〕

4【冏】7画 (766) ケイ 冂部。→一六〇ページ中。

4【启】7画 1358 ケイ 啓(1532)の本字。→二六九ページ中。 — — 2075

4【呇】7画 1359 ケイ 𝗰 qǐ — — 2081

字義 明星。

4【呉】7画 1360 常 ゴ 2466 8CE0 —

4〔吳〕7画 1361 ゴ 𝗰 wú

筆順 丶 ㄇ 口 吕 呉 呉

〔呉〕1363 俗字

字義 ❶かまびすしい。やかましい。大声でいう。❷おおきい。❸国名。㋐周代、周の太王の長子太伯が今の江蘇省に建てた国で、呉(今の江蘇省蘇州市)に都した。前四七三年、夫差が越王句践に敗れて自殺するまで、二十五代七百五十九年続いた。㋑三国時代、孫権が長江下流に建てた国で、建業(今の南京市)に都した。晋に滅ぼされるまで、四代、約六十年続いた。(二二二—二八〇)⇩コラム『三国志』の時代(一七ページ)。㋒五代十国の一つ。楊行密が建てた国で、揚州に都した。四代三十六年。(九〇二—九三七)❹地名。昔の呉の地名。江蘇省の別名。国❶くれ。㋐昔、日本で中国(主として東南地方)をさして呼んだ称。㋑中国から渡来した事物に添える語。「呉竹」「呉服」❷くれる。与える。やる。

名前 く・くに・くれ・ご 難読 呉漢・呉公・呉茱萸・呉床・呉作・呉淞・呉織・呉竹・呉服・呉妹

参考 日本から見ると、中国は太陽の没するほう、日暮れの方向だからというので、「呉」に「くれ」の訓を与えたものといわれる。

解字 甲骨文 金文 篆文 象形。頭に大きなかぶりものをつけて、舞いくるうさまにかたどり、はなやかにたのしむの意味を表す。呉を音符に含む形声文字に、娯・蜈・誤などがある。

【呉越】①呉と越との地方。②国名。㋐春秋時代の呉と越。㋑五代十国の一つ。→越(11646)の字義❼㋑。③仲の悪い間がら。かたき同士。呉王夫差と越王句践が隣国どうしで長い間争った故事による。

【呉越同舟】敵同士がいっしょにいること。→呉越③。

【呉音】①呉の地方の発音。②呉の音楽。③国日本に伝わる漢字音の一種。もと中国東南地方(長江下流地方)の発音で、日本に最も古く伝来したもので、仏教関係の語に多い。男女の類い。↕漢音(八六五ページ下)・唐音(二六七ページ上)。⇩コラム日本の漢字音(八六四ページ)。

【呉下△阿△蒙】相変わらずの無学者。いつまでたっても学問の進歩しない人。呉下は呉の地方(下はそのあたりの意)、阿蒙は蒙さんの意(阿は親しみの意を表す接頭語)。昔のままの呉国の蒙さん、の意。三国時代、呉の呂蒙が孫権に学問をすすめられて勉学に励み、のちに魯粛が呂蒙に会ってその学問のあることに感服して、「呉下の阿蒙にあらず」と言った故事による。〔三国志、呉志、呂蒙伝、注〕

【呉歌】呉の地方の歌。呉詠。

【呉姫(姬)】呉の地方の美女。

【呉起】戦国時代の兵法家。孫子と並び称され、魏と楚の宰相となった。『呉子』一巻は、その著といわれる。(前四四〇?—前三八一?)

【呉牛△喘レ月】呉は南の暑い地方であるため、

牛が月を見ても日と見誤ってあえぐこと。ひどく恐れるたとえ。また、取り越し苦労のたとえ。

【呉広(廣)】秦の武将。字は叔。秦の二世皇帝の元年、陳勝と共に兵を挙げ、秦を滅ぼすさきがけをなした。(?—前二〇八)

【呉子】①呉起をいう。②書名。呉起の著した兵法書。一巻。呉起の自作でないとする説もある。

【呉志】『三国志』のうち、呉の国の歴史を記した部分。呉書。→三国志(二六ジペー上)。

【呉△楚】①春秋・戦国時代の呉と楚の二つの国。②呉・楚の二国のあった地方。長江沿岸および下流地方。用例(唐、杜甫、登二岳陽楼一詩)呉楚東南坼、乾坤日夜浮。↓呉の地と楚の地は洞庭湖によって東と南に分けられ、天地間の万物が昼も夜もこの湖に映っている。

【呉道子】唐の画家。名は道玄。呉道子は通称。玄宗に召されて供奉となる。作品に孔子像などがある。(?—七九二)

【呉服】国①織物の総称。反物。②呉の国から渡来した織物。また、その製法による織物。雄略天皇の時、呉国から渡来した織工の呉服を音読したもの。

4【吾】7画 1362 [人] ゴ 麌 wú　2467 8CE1 —

筆順 一 丆 丌 五 五 吾 吾

字義 ❶われ。じぶん。わ-が。じぶんの。用例(論語、為政)吾十有五而志二于学一。↓私は十五歳で学問で身を立てようと決心した。❷相手を親しんで呼ぶ時にそえる語。「吾子」 ❸ふせぐ。とどめる。

名前 あ・ご・ごろう・みち・わが・われ　難読 吾亦紅・吾河・吾妻・吾城野・吾川・吾全・吾孫子・吾平・吾木香・吾妹子・吾野

解字 金文 [金文] 篆文 [篆文] 形声。口＋五音。口は、神のおつげの意味。音符の五は、棒を交差させて組み立てた器具の象形。神のおつげを汚れから守るための器具のさまから、ふせぐの意を表す。借りて、われの意味を表す。

【吾兄】一 親しい友人を呼ぶ称。わが兄の意。二 国男性を親しんで呼ぶ称。

【吾子】①あなた。相手を親しんで呼ぶ称。用例(人虎伝)吾子以二文学一立レ身、位登二朝序一。↓君は学問で身を立て、朝廷の高官にまで出世された。

②わが子。あこ。自分の子供。

【吾氏】自分の家。わが家。

【吾△儕】われわれ。われら。▼儕は、仲間。

【吾曹】＝吾儕。

【吾属(屬)】われわれ仲間。われら。▼属は、仲間。

【吾徒】①自分の門人。②わが仲間。

【吾輩】①われわれ。②われ。わたくし。

4【呉】7画 1363 ゴ　呉(1360)の俗字。→二五二ジペー中。　— — 2077

4【吭】7画 1364 一 漢コウ(カウ) 呉ゴウ(ガウ) 陽 hāng　二 漢コウ(カウ) 呉ゴウ(ガウ) 養 hàng　5066 99E0 —

字義 一のど。二❶こえ(声)。❷のむ。

解字 形声。口＋亢音。音符の亢は、のどぼとけの意味。口を付し、のどの意味を表す。

4【吼】7画 1365 標 漢コウ 呉ク 有 宥 hǒu　5067 99E1 —

字義 ❶ほ-える。牛や虎などがほえる。「獅子吼」 ❷大きい声をたてる。どなる。わめきたてる。

解字 形声。口＋孔音。

【吼号(號)】ほえさけぶ。また、大声をあげて泣く。

4【告】7画 1366 教 5 コク つ-げる　一 コウ(カウ) 号 gào　二 コク 沃 gào　2580 8D90 —

4〔告〕7画 1367

筆順 ノ ㇐ 㐄 生 生 告 告

字義 一❶つ-げる。㋐しらせる。おしえる。さとす。また、話しきかせる。用例(論語、学而)告二諸往一而知レ来者。↓過去のことを話して聞かせると、(それをもととして)未来のことを察知する者である。㋑申し上げる。下の者が上の者に告げる。報告する。用例(史記、項羽本紀)良乃入具告二沛公一。↓張良はそこで奥に入り、沛公にくわしく報告した。㋒うったえる。「告訴」 ❷つ-げ。つげることば。❸役人が休暇を請求する。また、その休暇。

名前 じ・しめす・つぐ・のり　難読 告天子

解字 甲骨文 [甲骨文] 篆文 [篆文] 会意。口＋牛。牛は、甲骨文では、とらえられた牛の象形。いけにえとしてとらえられた牛をささげて神や祖霊につげるの意味を表す。常用漢字は、牛の部分を変形させた、告による。告を音符に含む形声文字に、窖・誥などがある。

逆 戒告・勧告・訓告・警告・原告・抗告・控告・催告・上告・宣告・忠告・通告・被告・布告・報告・密告・無告・諭告・予告・論告

【告引】互いに他人の悪事をひきあいに出して、自分の罪をのがれようとすること。

【告仮(假)】ひまをもらう。休暇をとる。また、辞職する。▼仮は、暇。

【告戒・告△誡】さとしいましめる。言いきかせていましめる。戒告。

【告帰(歸)】①君につげて故郷に帰る。辞職を願い出て故郷に帰る。②官吏が吉事のために休暇を願い出て故郷に帰ること。凶事には告寧という。

【告休】＝告仮。

【告急】急をつげる。危急を告げて、救いを求める。

【告△訐】人の隠れた悪事をあばいて上へ訴える。告猟。▼訐は、あばく。

【告△朔】諸侯が毎年十二月に天子から翌年の暦を受けて祖廟(おたまや)に蔵し、毎月の朔に羊を供えて廟に告げ、その月の暦を請い受けて国内に発布したこと。

【告△朔△餼羊】告朔に供えるいけにえの羊。餼は、いけにえをおくる意。春秋時代、魯の文公のときから告朔の礼が行われず、ただいけにえの羊を供える習慣だけが残っていたこと。たとえ虚礼でも害のないものは保存して、他日の用を待つべきたとえ。また、形式だけの虚礼のたとえ。〔論語、八佾〕→告朔。

【告子】①戦国時代の人。名は不害。孟子と性説について議論し、人の性(うまれつき)は本来、善もなく悪もないと主張した。〔孟子、告子上〕②『孟子』の編名。

【告辞(辭)】①つげのべる。②つげさとすことば。③＝告別。

【告謝】①つげてあやまる。②辞職する。致仕。また、辞職させる。

【告身】唐代、官に任じられた者が受ける辞令書。

【告成】事の成功を上に申しあげる。

【告訴】①事情をうったえて請い願う。②被害者またはその法定代理人が、検事または警察官に犯罪を申し出て犯人の処罰を求めること。

【告△愬】＝告訴①。▼愬は、訴。

【告知】つげしらせる。通知する。

【告天】①帝王が即位後、天を祭って即位を天に告げること。②天にうったえる。③鳥の名。ひばり。告天子。告天鳥。雲雀。

【告寧】コクネイ ①乱の平定したことを知らせる。②凶事のために休暇を願い出て家に帰ること。吉事には告帰という。
【告白】コクハク ありのままに言う。また、そのことば。▼白は、あきらかにする意。
【告発(發)】コクハツ あばきつげる。被害者以外の人が検事や警察官に犯罪事実を訴え出ること。
【告別】コクベツ 別れをつげること。いとまごい。
【告命】コクメイ ①政令を出す。②辞令書。告身。
【告諭】コクユ 一般につげさとす。
【告老】コクロウ ＝告レ老(二六四ページ・中)。

4【呇】7画 1368 コク 𦤎 gě — — 2080
字義 財産が多い。

4【吱】7画 1369 ㊀シ 因 zhī, zī ㊁キ 寘 qì — — 2076
字義 ㊀吱吱は、声の形容。㊁歩いて息切れするさま。
解字 形声。口+支㊥。

4【吽】7画 1370 ショウ shēng — — 2083
字義 ガロン。英米の液体の容積の単位。イギリスの一吽は約四・五リットル、アメリカの一吽は約三・八リットル。
解字 形声。口+升㊥。

4【吹】7画 1371 常 スイ ふく 熟字訓 息吹(いぶき)・吹雪(ふぶき) ㊀スイ 因 chuī ㊁スイ 寘 chuì 3165 9081 —
筆順 丨 ㄇ 口 口' 叮 吵 吹
字義 ㊀❶ふく。㋐息を急にはく。㋑楽器をふき鳴らす。「吹奏」㋒風がふく。風が物をふき動かす。「吹断」㋓ふきさます。ひやす。❷たく。もやす。㊁❶ふえ・ひちりきなどの吹奏楽器。❷かぜ(風)。国ふく。金属をとかして器物をつくる。
名前 かぜ・ふ・ふき・ふけ 難読 吹越(ふっこし)・吹革(ふいご)・吹子(ふいご)・吹智(しゅうち)・吹田(すいた)・吹田(ふけだ)・吹浦(ふくら)

使いわけ ふく〔吹・噴〕
〔吹〕風や呼吸に関する場合。また、表面に発生・出現した場合。「風が吹く・笛を吹く・草木が芽を吹く・粉を吹いたいも」
〔噴〕勢いよくふき出す場合。「鯨が潮を噴く・火を噴きながら落ちた」

解字 甲骨文 金文 篆文 会意。口+欠。欠は、大きく口をあけた人の象形。ふくの意味を表す。吹を音符に含む形声文字に、炊・歠などがある。
逆 歌吹・鼓吹・山吹・夕吹・濫吹
【吹楽(樂)】スイガク 音楽を奏すること。
【吹管】スイカン 笛をふく。吹笛。
【吹嘘】スイキョ ①息をふき出す。②互いに助け合うこと。③上へ推しすすめる。推薦。吹挙。推挙。
【吹呴・吹响】スイク 息を吐いたり吸ったりすること。一説に、息をふきかけて冷やしたりあたためたりすること。
【吹竽】スイショウ ①竽の笛をふく。②そっとすすりこむ。窃嘗(セッショウ)の意。
【吹簫】スイショウ ①簫の笛をふく。②物もらいをいう。春秋時代、楚(ソ)の伍子胥(ゴシショ)が簫をふいて食を乞うた故事による。〔史記、范雎伝〕
【吹雪】スイセツ ㊀ふぶき 風にふかれて乱れとぶ雪。㊁ふぶき 国白髪まじりの乱れ髪。
【吹奏】スイソウ ①笛などの楽器をふき鳴らす。②音楽を奏すること。
【吹断(斷)】スイダン ふきたつ ふきちぎる。風のはげしい形容。用例〔唐、岑参、胡笳歌送顔真卿使赴河隴詩〕涼秋八月蕭関道(リョウシュウハチガツ ショウカンのみち)、北風吹断天山草(ホクフウふきたつ テンザンのくさ)。↓秋八月に蕭関の道を行けば、北風が天山山脈の草を吹きちぎるばかりに吹いているのが見えるであろう。
【吹弾(彈)】スイダン 笛をふき、琴をひく。音楽をかなでること。
【吹聴(聽)】スイチョウ ふいちょう 国言いふらす。宣伝する。披露する。
【吹毛】スイモウ ①毛をふく。ごくたやすいことのたとえ。②しいて他人の欠点などをさがし求めること。「毛を吹いて疵(きず)を求む」③ふきかけた毛をも切るほどの名剣。

4【呎】7画 1372 セキ chǐ 5072 99E6 —
字義 フィート。ヤード・ポンド法の長さの単位。一フィートは、約三〇・四センチメートル。
解字 形声。口+尺㊥。

4【吮】7画 1373 ㊀漢セン・呉ゼン 銑 ㊁漢シュン 呉ジュン 軫 shǔn 5068 99E2 —
字義 ㊀❶す-う。すする。❷ねぶる。なめる。
解字 篆文 形声。口+允㊥。允の字のような形に、口を上に顔をあげて、すうの意味を表す。

4【吵】7画 1374 ㊀漢ソウ(サウ) 呉ショウ(セウ) 巧 chǎo ㊁漢ビョウ(ベウ) 呉ミョウ(メウ) 篠 miǎo — — 2078
字義 ㊀❶声。❷現代中国語で、ののしる。やかましい。❸現代中国語で、さわがしい。㊁雉(きじ)が鳴く。
解字 形声。口+少㊥。

4【呈】7画 1375 常 テイ 3672 92E6 —
4【呈】7画 1376 漢テイ 呉ジョウ(ヂャウ) 庚 chéng
筆順 丨 ㄇ 口 旦 早 呈 呈
字義 ❶たいらか。公平。❷あらわす。しめす。さしだす。また、あらわれる。「露呈」❸たてまつ-る。すすめる。さしあげる。「進呈」「呈上」
名前 しめ・すすむ・のぶ
解字 篆文 形声。口+王(壬)㊥。音符の壬(テイ)は、突き出すの意味。口から突き出る、あらわれるの意味を表す。
逆 謹呈・献呈・進呈・贈呈・拝呈・露呈
【呈示】テイジ さしだして見せる。
【呈上】テイジョウ さしあげる。献上する。

4【吶】7画 1377 漢ドツ・呉ノチ 月 nè, nà 慣トツ 5069 99E3 —
字義 ❶ども-る。❷→吶喊。
解字 甲骨文 篆文 形声。口+内㊥。音符の内は、はいるの意味。言葉が口中に入って出てこない、どもるの意味を表す。
【吶喊】トッカン ときの声をあげる。
【吶吶】トツトツ 口ごもる。また、その形容。訥訥(トツトツ)。

4【吨】7画 1378 漢トン 呉ドン 元 tūn 20370 — 2073
字義 吨吨は、言葉がはっきりしない形容。
解字 形声。口+屯㊥。

4【呑】7画 1379 人 標 トン 元 tūn 慣ドン 14794 — —
筆順 一 二 チ 天 呑 呑 呑
【吞】1380 同字
字義 ❶のど。❷の-む。㋐のみ下す。まる飲みにする。㋑ふくみかくす。「呑声(こえをのむ)」㋒あわせつつむ。とりこむ。「併呑」㋓ほろぼす(滅)。

㋔かろんじる(軽)。ばかにする。「呑レ敵(テキをのむ)」

名前 のみ 難読 呑気(のんき)

解字 篆文 会意。口＋天。天は、のどひこの象形の変形したもの。のどの意味を表す。口を付し、のどの意味や、歯でかまずに、まる飲みするの意味を表す。

【呑牛之気(氣)】(ドンギュウのキ) 牛をまる飲みにするほどのさかんな意気。食牛之気(ショクギュウのキ)。

【呑舟之魚】(ドンシュウのうお(を)) ①舟をまる飲みにするほどの大魚。②すぐれた大人物。〔荘子、庚桑楚〕

【呑食】(ドンショク) ①まる飲みにして食う。②侵略する。滅ぼして併合する。

【呑声(聲)】(ドンセイ・こえ(ゑ)をのむ) ①声を出さない。だまる。沈黙する。②声を出さないようにして泣く。しのびなき。

【呑△噬】(ドンゼイ) ①飲むことと、かむこと。食べること。②飲み合いかみ合う。猛獣毒蛇の争いにいう。③侵略する。

【呑炭】(ドンタン) 炭を飲んで声をつぶすこと。戦国時代、晋(シン)の予譲が智伯(チハク)のあだを討つために行った苦心。転じて、あだうちの苦心をいう。〔戦国策、趙〕

【呑敵】(ドンテキ・テキをのむ) 敵を恐れないこと。敵をのんでかかる。

4【呑】7画 1380 ドン 呑(1379)と同字。→二五四ページ下。 3861 93DB —

4【吧】7画 1381 漢ハ 呉ヘ 麻 bā, ③ba 1486 — 2072

字義 ❶吧呀(ハガ)は、口の大きいさま。❷現代中国語で、㋐吧吧は、言葉数の多いさま。㋑吧呀は、子どもの怒り争うさま。㋒擬声語。ものを打つ音。ぱちん。❸句末の助字。

解字 形声。口＋巴音。

4【吠】7画 1382 標 漢ハイ・呉バイ 慣ベイ 隊 fèi 4342 9669 —

字義 ❶ほ-える(ほゆ)。犬が声を立てる。犬がなく。❷仏梵語(ボンゴ)の ve 音の音訳字。「吠陀(ベイダ)(古代インドのバラモン教の聖典)」「吠舎・吠奢(ベイシャ)(インドのカースト制の第三階級)」

解字 甲骨文 篆文 会意。口＋犬。いぬとくちで、犬がほえるの意味を表す。

【吠声(聲)】(ハイセイ) ①ほえる声。②声にほえる。一匹の犬がほえるのを聞いて、多くの犬がほえる。一人のうそが多くの人に真実として伝わるたとえ。

4【否】7画 1383 教6 ヒ いな 一フ 有 fǒu 二漢ヒ・呉ビ 紙 pǐ 慣ヒ 4061 94DB —

筆順 一 ア 不 不 否 否

字義 一❶いな。いや。いいえ。不承知・不同意・打消しを表す。❷いな-む。こばむ。「拒否」❸いな-や。…か、どうか。句末につけて疑問の意を表す。❹あらず。ない。❺しか-らず。そうではない。また、しか-らずんば。しからざれば。そうでなければ。上文を受けてその意を否定する。二❶ふさがる。とじる。「否塞(ヒソク)」❷易(エキ)の六十四卦(カ)の一つ。☰☷坤下乾上。閉じふさがって通じないかたち。❸わるい。よくない。「否徳」(コンカ ケンショウ)❹いやしい。＝鄙(12343)。国いな-や。すぐに。即時に。

解字 金文 篆文 形声。口＋不音。音符の不は、…しないの意味。口を付し、ことばで否定する、「いな」の意味を表す。

逆 安否・可否・拒否・遇否・賢否・賛否・成否・正否・存否・諸否・適否・当否・良否

【否応(應)】(いやオウ) 断ることと承知すること。「否応なしに(是非を言わさず、むりやりに)」

【否決】(ヒケツ) 国提案された議案を不可と議決すること。

【否△臧】(ヒゾウ) ①悪と善。是非。▼否は悪、臧は善。②よくない。

【否塞】(ヒソク) ①閉じふさがる。②ふしあわせになる。うまく行かないことと順調に行くこと。不運と幸運。▼否も泰も、易の卦(カ)の名。

【否泰】(ヒタイ)

【否定】(ヒテイ) 国そうでないときめる。↔肯定(六六九ページ上)。

【否認】(ヒニン) 国否と認定する。そうだと認めない。↔是認(六六二ページ下)。

【否否】(ヒヒ・いないな) いやいや。決してそうでない。強く否定する語。

4【吡】7画 1384 一漢ヒツ・呉ビチ 質 bì 二ヒ 紙 bǐ — — 2071

字義 一吡吡は、鳥の鳴き声の形容。二そしる。

解字 形声。口＋比音。

4【㕮】7画 1385 漢フ 呉ブ 麌 fǔ 20371 — —

字義 㕮咀(フショ)は、かみこなす。薬を歯でかみ砕く。

解字 形声。口＋父音。

4【吻】7画 1386 人 標 漢ブン・呉モン 慣フン 吻 wěn 4213 95AB —

筆順 丨 口 口 口' 吻 吻 吻

字義 ❶くちさき。くちわき。くちもと。❷くちびる。「接吻」❸ことばつき。「口吻」❹物の突き出たところ。

解字 篆文 形声。口＋勿音。音符の勿(ブツ=ブン=モン)は、門に通じ、かどの意味。口のかど、くちびるの意味を表す。

【吻合】(フンゴウ) ①上下のくちびるがぴったりと合う。②物事が相合する。両方がしっくり合う。

4【吩】7画 1387 一フン 二フン fēn 5070 99E4 —

字義 一噴(1724)の俗字。二→吩咐。

解字 形声。口＋分音。

【吩△咐】(フンプ) いいつける。命令する。また、言いつけ。命令。

4【呆】7画 1388 標 一ホウ 皓 bǎo 二漢タイ・呉ダイ 灰 dāi 慣ホウ(ハウ)・ボウ(バウ) 4282 95F0 —

字義 一保(390)の古字。二おろ-か。国❶あき-れる(あきる)。事の意外なのに驚く。「呆然(ボウゼン)」「呆気(あっけ)」❷ぼ-ける(ぼく)。ほう-ける(ほうく)。頭の働きがにぶくなる。

難読 呆気(あっけ)

解字 古文(保) 象形。おむつで包まれた幼児の象形。保の古字。

4【呃】7画 1389 一漢アク・呉ヤク 陌 è 二アイ 卦 ài 20372 — 2079

字義 一❶鶏の声。❷おくび。げっぷ。二不平の声。

解字 形声。口＋厄音。

4【邑】7画 (12250) ユウ 邑部。→一四三八ページ上。

4【呂】7画 1390 常 ロ 漢リョ・呉ロ 語 lǚ 4704 9843 —

筆順 丨 ㄇ 口 口 呂 呂 呂

字義 ❶せぼね。❷長い。❸音楽の調子で、ほぼ今の一オクターブを十二分したものを十二律といい、その中の陰の音律をいう。↔律(3418)。「六律六呂」❹周代の国名。今の河南省南陽県の西。国低い音。

名前 おと・とも・なが・ふえ・ろ 難読 呂宋(ルソン)

解字 甲骨文 篆文 象形。人の背骨がつらなる形にかたどり、せぼねの意味を表す。呂を音符に含む形声文字に、侶(リョ)・閭(リョ)などがあり、これらの漢字は、「(同型の物が)つらなる」の意味を共有している。

【呂翁枕】(リョオウのまくら) 人生のはかないたとえ。唐の開元年間(七一三—七四一)に、盧生(ロセイ)が邯鄲(カンタン)(今の河北省内)の宿屋で、道士呂翁の枕(まくら)を借りて眠り、黄粱(コウリョウ)(あわ)がまだ炊きあがらない間に、八十年間の栄華を夢みたという故事による。〔枕中記〕→邯鄲之夢(一四三九ページ中)。
【呂后】 前漢の高祖(劉邦)の皇后。名は雉。才略に富んで高祖を助け、恵帝を生んだ。恵帝の死後、権力をふるうこと八年、呂氏の乱のもとをなした。(?—前一八〇)
【呂氏春秋】 書名。二十六巻。秦の呂不韋が、賓客を集めて作らせたもので、『呂覧』ともいう。道家の思想が中心となっている。
【呂尚】 周の政治家。太公望・師尚父ともいう。文王・武王を助けて殷の紂王を滅ぼし、斉に封ぜられた。→太公望(三四四ページ上)。
【呂祖謙】 南宋の学者。字は伯恭。東萊先生と称された。歴史学・詩文にすぐれ、『春秋左氏伝説』『東萊左氏博議』などの著書のほかに、朱熹との共著に『近思録』がある。(一一三七—一一八一)
【呂不韋】 戦国時代、秦の宰相。もと陽翟(今の河南省禹州市)の豪商。始皇帝の実の父といわれる。後に蜀に流されて自殺した。(?—前二三五)
【呂律】 ㊀ 音楽の調子。→六律(一四九ページ下)・六呂(一四九ページ下)。㊁ 国ことばの調子。ものを言う調子。

4 【吝】 7画 1391 リン 震 lìn 5071 99E5 —
[㕹] 1476 俗字
字義 ❶やぶさか。おしむ。しわい。=悋(3750)。❷むさぼる。❸くいる(悔)。うらむ(恨)。「悔吝」 難読 吝嗇
解字 甲骨文  篆文 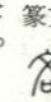 会意。文+口。文は、かざるの意味。失われたものを美化して言い、おしむの意味を表す。
【吝愛】 ものおしみする。けち。
【吝情】 おしむ心。未練な気持ち。吝心。
【吝嗇】 ものおしみすること。けち。

5 【咏】 8画 1392 エイ 5073 99E7 —
詠(11140)と同字。→一一三〇九ページ下。

5 【呭】 8画 1393 エイ 霽 yì — — 2091
字義 ❶しゃべる。くどくど言う。❷楽しむ。
解字 形声。口+世㊞。

5 【咉】 8画 1394 ㊀オウ(アウ) 陽 yāng ㊁オウ(アウ) 養 yǎng — — 2105
字義 ㊀❶応える声。❷映咽は、ふさがる。㊁映映・映咽は、むせび悲しむ。
解字 形声。口+央㊞。

5 【呵】 8画 1395 標 カ 歌 hē 5074 99E8 —
字義 ❶しかる。せめる。とがめる。なじる。=訶(11142)。❷呼びあう。❸わらう(笑)。「呵筆」 ❹息を吹きかけてあたためる。また、息を吹きかける。「呵筆」
解字 形声。口+可㊞。音符の可は、しかったり、わらったりする声の擬声語。
【呵呵】 大声で笑う声。「呵呵大笑」
【呵禁】 =呵止。
【呵欠】 あくび。あくびする。
【呵譴】 しかり責める。▼譴は、責める意。
【呵止】 しかっておしとめる。しかり禁ずる。
【呵叱】 大声でしかる。訶叱。用例〔杜子春伝〕呵叱之声、震動天地。↓叫び声が天地をふるわせた。
【呵責】 ㊀ きびしく責めしかる。㊁ 仏僧を罰する七種法の一つ。衆僧の面前で責めること。苛責。
【呵罵】 しかりののしる。▼罵は、ののしる意。
【呵筆】 息を吹きかけて筆をあたためる。寒い時に詩文の下書きをすること。転じて、詩文に力を注ぐこと。呵レ筆。呵凍。

5 【咖】 8画 1396 カ kā ₁1493 — 2109
字義 外来語の音訳字。現代中国語で、㋐咖啡は、コーヒー。㋑咖啡因は、カフェイン。
解字 形声。口+加㊞。

5 【咍】 8画 1397 カイ 灰 hāi ₂0377 — 2106
字義 ❶わらう(笑)。あざけり笑う。❷よろこぶ。たのしむ。
解字 篆文  会意。口+台。台は、よろこぶの意味。口を付し、わらうの意味を表す。

5 【哎】 8画 1398 ガイ āi — — 2128
字義 嘆息の声。
解字 形声。口+艾㊞。

5 【咁】 8画 1399 ㊀㊥カン・㊥ゲン 咸 xián ㊁カン gǎn — — 2101
字義 ㊀口に物を含む。㊁現代中国の広東・湖南省の方言で、このような。
解字 形声。口+甘㊞。

5 【呬】 8画 1400 ㊀キ 寘 xì ㊁チ 寘 ₂0375 — —
字義 ㊀❶いき。❷いこう。休息する。㊁ひそかに知る。
解字 形声。口+四㊞。

5 【呮】 8画 1401 キ 寘 qì — — 2092
字義 足をぶらぶらさせて腰かける。
解字 形声。口+只㊞。

5 【呿】 8画 1402 ㊀キャ 歌 kā ㊁㊥キョ・㊥コ 魚 御 qù ₁1491 — 2094
字義 ㊀❶ひらく。口を開く。❷仏梵語の音 kha(キャ)にあてる。五十字門(密教で、五十字を選び特殊な意味を付したもの)の一つ。むなしい意。㊁❶口がひらく。❷あくびする。あくび。
解字 形声。口+去㊞。音符の去は、大きな口をあけて、人についたけがれを除くの意味。口を付し口をひらくの意味を表す。また、梵語のkha(キャ)の漢訳音として用いられる。

5 【咎】 8画 1403 標 ㊥キュウ(キウ) ㊥グ 有 jiù 5075 99E9 —
[咎] 1404 同字
字義 ❶とが。とがめ。㋐わざわい。天のくだすこらしめ。ばち。「天咎」 ㋑さしさわり。さしつかえ。あやまち。つみ。「咎過」 ㋒にくしみ。憎悪。㋓そしり。非難。❷とがめる。㋐つみする。責める。㋑にくむ。仇とする。㋒そしる。なじる。非難する。国とがめる。怪しんで問いただす。難読 咎人
解字 篆文  会意。人+各。各は、格に通じ、いたるの意味。神から人にいたる、とがめの意味を表す。
【咎殃】 わざわい。災難。▼殃は、わざわい。
【咎戒】 ①とがめ、いましめる。②とがめ。いましめ。
【咎悔】 とがめと、くい。咎責と後悔。
【咎愆】 とがめ。あやまち。
【咎罪】 ①つみ。とがめ。②とがめる。罰する。
【咎徴】 とがめのしるし。わざわいのきざし。

5 【咎】 8画 1404 キュウ 咎(1403)と同字。→二五六ページ下。

5 【亟】 8画 (133) キョク 二部。→六三ページ下。

5 【呴】 8画 1405 ㊀ク 麌 xǔ ㊁㊥コウ・㊥ク 有 hǒu ㊂㊥コウ・㊥ク 宥 gòu ₁1490 — 2093
字義 ㊀❶いきをはく。❷あたためる。いきをかけてあ

たためる。＝煦(7066)。❸ことばがおだやかなさま。㊁ほえる。㊂なく(鳴)。

解字 形声。口＋句㊝。音符の句は、口をすぼめてフッと息を吹きつける音の擬声語。息をフッと吹きつけるの意味を表す。

【呴呴】㊀コウコウ 鶏が驚いて鳴くさま。㊁クク ことばがおだやかなさま。

5 【呟】8画 1406 標 ケン 銑 juǎn 5076 99EA —

字義 大きな声の形容。国つぶや-く。小声でぶつぶつひとりごとをいう。また、つぶやき。

解字 形声。口＋玄㊝。

5 【呼】8画 1407 教6 コ よ-ぶ 虞 hū 2438 8CC4 —

筆順 丨 口 口 口' 口𠂊 口𠂌 口乎 呼

字義 ❶いきをはく。また、はくいき。口から吐き出す意。↔吸(1331)。❷よ-ぶ。㋐声を出す。声をかける。「連呼」㋑声をかけて招く。よびよせる。㋒となえる。名づける。「称呼」㋓さけぶ。大声を出す。❸ああ。つかれて出す声。また、嘆く声。「嗚呼ああ」「呼嗟ああ」

名前 うん・おと・こえ・よぶ 難読 呼吩おお・呼人よびと

解字 金文 篆文 形声。口＋乎㊝。音符の乎コは、呼の原字で、よぶの意味。乎が助字に用いられるようになったため口を付して区別した。

逆 喚呼・歓呼・叫呼・驚呼・号呼・指呼・疾呼・称呼・点呼・伝呼

【呼応(應)】コオウ ①一方の者がよべば相手がそれにこたえる。②たがいに示し合わせる。たがいに気脈を通ずる。③文章の中で、上の語と下の語とが対応する修辞法。照応。

【呼喝(喝)】コカツ 声をはりあげてしかる。▼喝は、大声でしかる。

【呼喚】コカン よぶ。わめく。▼喚も、よびさけぶ。

【呼韓邪単(單)于】コカンヤゼンウ 漢代の匈奴キョウドの単于ゼンウ。漢の宣帝のころから中国と親交し、その援助により匈奴を統一。元帝の時、王昭君を漢の後宮から迎えた。在位、前五八—前三一。

【呼吸】コキュウ ①いき。息を出すことと、吸うこと。▼呼は出る息、吸は入る息。②きわめて短い時間。③国はずみ。かねあい。ぐあい。調子。

【呼嘘】コキョ 呼吸する。▼嘘は、息を吐く。用例〔唐、柳宗元、捕ㇾ蛇者説〕呼ㇾ嘘毒癘ドクレイを。↓毒気を吸い込む。

【呼号(號)】コゴウ よびさけぶ。大声でよぶ。

【呼子】こよぶ・こよび 国「呼子の笛」の略。合図にふく小笛。

【呼称(稱)】コショウ ①よびとなえる。なづける。②よび名。名称。称呼。◆別に、「呼唱(号令をかける意)」という語があるが、「呼称」が一般的。

【呼名】よびな 国①ふだんよぶ名。通称。②平安時代、宮中の女官に官名・国名などをつけて呼んだ名。弁内侍ベンのナイシ・讃岐典侍さぬきのすけなど。

5 【咕】8画 1408 コ 麌 gū ₂0378 — 2108

字義 咕嚅コドウは、小声で話す。

解字 形声。口＋古㊝。

5 【呷】8画 1409 ㊥コウ(カフ) ㊦キョウ(ケフ) 洽 xiā 5078 99EC —

字義 ❶す-う。のむ。❷かまびすしい。大声。❸衣装のピンとなっているさま。国あお-る。あおむきながら(酒などを)一息に飲む。

解字 篆文 形声。口＋甲㊝。音符の甲は、おおうの意味。飲物を上からおおいかぶさるようにして口をつけてすするの意味を表す。

5 【咋】8画 1410 ㊀㊥サク・㊦シャク 陌 zé ㊁㊥サク・㊦ジャク 陌 zé ㊂㊥サ・㊦シャ 禡 zhà 2680 8DEE —

字義 ㊀おおごえ。大きな声。「咋咋」㊁❶か-む。くう。＝齚(14578)・齰(14596)。❷やかましい。かまびすしい。㊂しばらく。たちまち。＝乍(76)。

解字 形声。口＋乍㊝。音符の乍サクは、積に通じ、つむの意味。口中に積む、かむの意味を表す。

5 【丳】8画 (49) サン 丨部。→三八ページ上。

5 【呞】8画 1411 シ 図 shi — — 2084

字義 食べた食物を再び口に戻してかむ。

解字 形声。口＋司㊝。

5 【呩】8画 1412 シ 嗜(1643)の古字。→二七九ページ上。 — — 2089

5 【呢】8画 1413 ㊥ジ(ヂ) ㊦ニ 図 紙 nǐ, ②ne ₂0373 — 2085

字義 ❶呢喃ジナンは、小声でぺちゃくちゃしゃべること。また、燕つばめなどが鳴き交わすこと。❷助字。疑問・確定・進行中などを示す。

解字 形声。口＋尼㊝。

5 【舎】8画 (321) シャ 人部。→一〇四ページ中。

5 【呪】8画 1414 常 ジュ のろ-う ㊥シュウ・㊦シュ 宥 zhòu 慣ジュ・ズ 2886 8EF4 —

筆順 丨 口 口 口' 口口 口叩 叩 呪

【咒】1415 同字

字義 ❶いのる(祈)。❷のろ-う。のろう。❸まじな-う。まじなう。病気や悪魔を追い払うよう神仏に祈る。❹うらなう(占)。❺のろ-い。のろい。いのり。まじな-い。まじない。また、そのことば。

解字 形声。口＋兄(祝)㊝。音符の祝は、いのるの意味。口を付し、いのるの意味や、のろうの意味を表す。

【呪禁】ジュゴン・ズゴン まじないをして、わざわい・たたりをはらい清めようとすること。また、それをつかさどる官職名。「呪禁師」

【呪術】ジュジュツ まじない。魔法。

【呪詛】ジュソ のろう。憎んでいる人に災いが降りかかるようまじないをする。また、のろい。まじない。

【呪罵】ジュバ のろい、ののしる。▼罵は、ののしる。

【呪文】ジュモン まじないの文句。のろいの文句。

5 【咒】8画 1415 ジュ 呪(1414)と同字。→二五七ページ下。 5080 99EE —

5 【周】8画 1416 教4 シュウ まわ-り 2894 8EFC —

5 【周】8画 1417 ㊥シュウ(シウ) ㊦シュ 尤 zhōu

筆順 丿 冂 冂 円 用 周 周 周

字義 ❶まわ-り。まわり。周囲。「円周」❷あまね-し。ゆきとどく。ゆきわたる。手落ちがない。「周知」「周到」❸めぐ-る。ひとまわりする。「一周」❹いたる(至)。❺誠実である。用例〔論語、為政〕君子周而不ㇾ比クンシはシュウしてヒせず。↓君子は誠実で親密であり、一部の人だけにおもねらない。❻王朝の名。㋐殷インの次の王朝で、文王(西伯)の子の武王が殷の紂王チュウオウを滅ぼして天下を統一し、鎬京コウケイ(今の陝西省西安市の南西)に都した。前七七〇年平王に至って洛邑ラクユウ(今の河南省洛陽市)に都を移した。それまでの約三百年を西周といい、以後約五百年を東周という。戦国時代には洛陽付近を領するのみとなり、前二四九年秦シンに滅ぼされた。㋑南北朝時代、北朝の一つ。北周。宇文覚の建てた国で、五代二十五年で隋に滅ぼされた。（五五六—五八一） ㋒五代十国の一つ。郭威の建てた国。後周。三代十年で滅びた。（九五一—九六〇） ❼国名。唐の高宗の皇后の則天武后が一時称した国号。（六九〇—七〇五）

名前 あまね・いたる・かた・かぬ・かね・しゅう・す・ただ・ちか・ちかし・なり・のり・ひろ・ひろし・まこと 難読 周西・周参見・周章・周船寺・周布・周防

使いわけ
①シュウ〔週・周〕⇩週（12133）。
②まわり〔周・回〕
〔周〕周囲。周辺。「池の周り」
〔回〕前述の〔周〕の意以外で、広く一般に用いる。「火の回りが速い・回り道」

解字 甲骨文 金文 篆文 指事。甲骨文・金文は、方形の箱または鐘などの器物に彫刻がいちめんに施されているさまから、あまねくゆきわたるの意味を表す。金文・篆文で口が付くのは、気持ちをゆきとどかせて祈るさまを示す。周を音符に含む形声文字に、彫・琱・調・鯛などがある。

逆 宗周・比周・不周

【周囲（圍）】 ①まわり。②ひとめぐりする。
【周易】 ＝易経（六五三ページ上）。↕連山（一四一八ページ下）・帰蔵（四五六ページ中）。
【周円（圓）・周員】 ①めぐり。まわり。周囲。②円周をめぐる。まるくまわる。
【周縁】 まわり。ふち。
【周恩来（來）】 中華人民共和国の政治家。江蘇省淮安市の人。国務院総理として毛沢東を補佐し、内政・外交両面に活躍した。（一八九八—一九七六）
【周官】 書名。→周礼㊁。
【周忌】 死後、毎年めぐってくる命日。
【周期】 ①ひとまわりする時期、また時間。②一定時間ごとに同じ現象がくりかえされるとき、その一定時間を、その現象の周期という。
【周急】 危急を救う。あぶないところを助ける。
【周公】 周の文王の子で、武王の弟。名は旦。武王の子の成王を助けて、周の制度・礼楽を定め、周王朝の基礎を築いた。周（今の陝西省岐山県）を治めたので周公という。孔子が理想とした人。（前一〇〇〇年ごろ）

周公

【周甲】 満六十歳をいう。昔の暦法では、十干十二支を組み合わせて年を数え、六十一年目に同じ干支がめぐってくるのでいう。▼甲は、甲子の甲で干支をいう。
【周行】 ①めぐり行く。②あまねく行きわたる。③公衆の歩く道。大道。④最上の道。
【周洽】 あまねし。広くゆきわたる。▼洽も、あまねし。
【周済】 ①広く万物を知り、広く天下のものを養う。聖人の智徳をいう。②すべて行う。③救う。助ける。救済する。
【周晬】 生後一周年。一歳の誕生日。
【周至】 広くゆきわたる。
【周室】 周の王室。武王から赧王に至る三十七代、八百六十七年間。
【周樹人】 魯迅（一六一三ページ中）の本名。
【周恤】 救いあわれむ。▼恤は、あわれむ。
【周書】 ＝北周書（二〇五ページ上）。
【周浹】 広くゆきわたる。
【周章】 ①めぐりあそぶ。②あわてる。うろたえさわぐ。「周章狼狽（狼狽も、あわてうろたえる意）」
【周頌】 『詩経』の編名。周の王朝が宗廟を祭る時の歌、三十一編が集められている。
【周身】 体中残すところがないこと。
【周慎（愼）】 よくゆきとどいてつつしみ深いこと。
【周親】 この上もなく親しいもの。▼周は、至る。
【周正】 周王朝で用いた暦。周暦。▼正は、暦。⇩コラム 三正（一八ページ）。
【周星】 ①木星が天を一周すること。十二年をいう。②一年たつこと。→四周星（三八九ページ下）。
【周旋】 ①たちいふるまい。動作。②とりもつ。世話。③追いかけあう。④めぐる。まわる。周流。
【周匝・周帀】 ①めぐる。まわる。また、とりまく。▼匝も、めぐる。②ゆきわたる。
【周知】 あまねく知る。また、あまねく知らせる。
【周到】 手落ちなくよくゆきとどいていること。あまねくいたる意。「用意周到」
【周道】 ①人の往来する道。大道路。②周代の政教。
【周敦頤】 北宋の儒学者。字は茂叔。濂渓先生と呼ばれた。宋学の先駆者で、『太極図説』『通書』などを著した。（一〇一七—一〇七三）
【周南】 ①洛陽（今の河南省内）の古名。②『詩経』の編名。周公の領地で採集した歌。

【周年】 ①満一年。一周年。②死者の一周忌。
【周髀算経】 書名。二巻。撰者未詳。天文・数学の書。
【周弼】 南宋の文人。竹の墨書に優れ、詩に巧みで『三体詩』を編んだ。（一二五〇年ごろ）
【周必大】 南宋の詩人。平園老叟と号した。（一一二六—一二〇四）
【周布】 あまねくしく。すみずみまで広がる。
【周辺（邊）】 めぐり。まわり。
【周邦彦】 北宋の詞の詩人。銭塘の人。字は美成。北宋の詞の大家。音楽に通じ、神宗の時大晟楽正に任じられた。著に『片玉詞』がある。（一〇五六—一一二一）
【周勃】 漢、沛の人。高祖に従い兵を起こした功臣。（？—前一六九）
【周密】 ①こまかに（あまねく）ゆきとどいている。②南宋末期の詩人・随筆家。字は公謹。華不注山人・浩然斎などと号した。宋の滅亡後は仕えず、泗水潜夫と号した。著書に『癸辛雑識』『斉東野語』『武林旧事』『絶妙好詞』などがある。（一二三二—一二九八）
【周瑜】 三国時代、呉の武将。孫権に仕え、魏の曹操の大軍を赤壁（今の湖北省赤壁市）に破って名をあげた。周郎と敬称された。（一一七五—一二一〇）
【周遊】 あまねく旅行する。広くめぐりあそぶ。
【周覧（覽）】 あまねくみる。広くめぐりみる。
【周流】 ①めぐり流れる。②広くゆきわたる。
【周礼（禮）】 ㊀周代の礼。㊁書名。六編。儒教の経典の一つ。周公旦が周代の官制を記したものといわれるが、後代のものらしい。『儀礼』『礼記』とあわせて三礼という。周官。
【周郎】 ＝周瑜。

5 【尚】 8画 (2747) ショウ 小部。→四三一ページ中。

5 【呻】 8画 1418 標 シン 真 shēn 5081 99EF 一二

字義 ❶うたう。となえる。❷うめく。うなる。「呻吟」

解字 篆文 形声。口＋申音。音符の申は、のびるの意味。口から声をのばす、うなる・うたうの意味を表す。

【呻吟】 ①うたう。となえる。②うめく。苦しんでうなる。

5 【咀】 8画 1419 漢ショ・呉ジョ 語 jŭ 慣ソ 5082 99F0 一一

字義 ❶かむ。かみくだく。くう。❷かみしめる。あじわう。

解字 篆文 咀 形声。口+且音。音符の且は、そなえ物を載せる台の象形。舌に食物を載せて味わうの意味を表す。

【咀嚼】ソシャク ①食物をかみこなす。②詩文などをよく読んでその深い意味を味わうこと。

5 【咤】 8画 1420 タ 咤(1469)の俗字。→二六四ページ上。 1488 ED74 2110

5 【咃】 8画 1421 タ 歌 tuō — — 2102

字義 仏梵語ボンthaの音訳字。五十字門の一つ。そなわる意。

5 【知】 8画 (8114) チ 矢部。→一〇一七ページ上。

5 【呫】 8画 1422 一漢チョウ(テフ) 呉ショウ(セフ) 葉 tiè 葉 chè 1489 — 2090

字義 一なめる。すする。二❶ささやく。❷しゃべる。❸小さなさま。

解字 形声。口+占音。

5 【呧】 8画 1423 漢テイ 呉タイ 薺 dǐ — — 2088

字義 しかる。そしる。なじり責める。

解字 形声。口+氐音。

5 【呶】 8画 1424 漢ドウ(ダウ) 呉ニョウ(ネウ) 慣ド 肴 náo 5083 99F1 —

字義 かまびすしい。やかましい。くどくどしい。「呶呶ドド」

解字 形声。口+奴音。

5 【咄】 8画 1425 漢トツ 呉トチ 標 月 duō(duò) 5084 99F2 —

字義 ❶しかる。したうち。また、その声。❷呼びかける声。❸驚き怪しんで発する声。国はなし。また、はなす。

解字 形声。口+出音。

【咄嗟】トッサ ①物事の急なこと。またたくま。すぐに。あわや。瞬間。②しかる。「咄嗟叱咤トッサシッタ」

【咄叱】トッシツ ①しかる。②しかる声の形容。

【咄咄】トツトツ 物事の意外なのに驚いて発する声。おやおや。これはこれは。さてさて。「咄咄怪事」

5 【咐】 8画 1426 一漢ホ 呉フ 麌 fǔ 二フ fù 5085 99F3 —

字義 一❶ふく。息を吐き出す。❷嘔咐オウフは、養い育てる。二→吩咐フンプ(二五五ページ下)。

解字 形声。口+付音。

5 【咈】 8画 1427 漢フツ 呉ブチ 物 fú 1492 — 2104

字義 たがう(違)。もとる。=払(4034)。

解字 形声。口+弗音。

5 【黾】 8画 (14496) ベン 黽部。→一六四九ページ下。

5 【咅】 8画 1428 一漢ホウ・呉フ 有 pǒu 二漢トウ・呉ツ 有 tǒu — — 2103

字義 一二 ❶つばをはいてこばむ。❷とおる。=透(12113)。

解字 篆文 象形。篆文は杏で、花びらの元のふっくらとした子房の形にかたどる。借りて、こばむの意味を表す。本来、否と同一語。

5 【咆】 8画 1429 漢ホウ(ハウ) 呉ボウ(バウ) 肴 páo 5086 99F4 —

字義 ❶ほえる。獣がほえる。❷いかるさま。たけだけしいさま。

解字 篆文 形声。口+包音。音符の包は、猛獣のほえ声の擬声語。口を付し、ほえるの意味を表す。

【咆哮・咆烋・咆咻】ホウコウ ①獣がほえたてる。たけりほえる。用例(人虎伝)虎自林中躍出咆哮、巌谷皆震(虎 林中より躍り出でて咆哮し、巌谷皆震ふ)。⬇虎が林の中から躍り出てほえ叫び、あたりの山や谷がみな震動したのであった。②どなりたてる。

5 【味】 8画 1430 教3 漢ビ・呉ミ 未 wèi 熟字訓 三味線しゃみせん 4403 96A1 —

ミ あじ・あじわう

筆順 丨 ㄇ 口 口一 口二 吽 咊 味

字義 ❶あじ。あじわい。㋐甘い・辛い・苦い・すっぱい(酸サン)・しおからい(鹹カン)など、舌の受ける感覚。「風味」「五味」㋑おもむき。物事のおもしろみ。「趣味」「興味」❷あじわう。㋐飲食物のあじをみる。あじをためす。飲食する。㋑物事の意味・おもむきをよく考える。「味読」「玩味ガンミ」国あじ。㋐経験によって得る感じ。「苦労の味」㋑気がきいていること。おつ。「味なまね」

名前 あじ・うまし・ちか・み 難読 味欕岡あまかしのおか・味尺うまさか・味酒うまさけ・味淳うまさけ・味生あじゅう・味舌ました

解字 篆文 形声。口+未音。音符の未は、まだ明らかでない、かすかの意味。甘い・辛いなどの微妙な味を口に感じるさまから、あじわうの意味を表す。

逆 一味・意味・異味・含味・気味・興味・吟味・滋味・臭味・趣味・賞味・情味・地味・調味・珍味・毒味・俳味・風味・妙味・無味・薬味

【味覚(覺)】ミカク 物の味をあじわう感覚。

【味噌】ミソ ①国大豆を煮て、こうじと塩をまぜて作る調味料。②特色とする点。

【味読(讀)】ミドク 国文章の内容を深く読みあじわう。

【味醂・味淋】ミリン 国飲料・調味料に用いる甘い酒。

5 【命】 8画 (346) メイ 人部。→一〇八ページ中。

5 【呦】 8画 1431 漢ユウ(イウ) 呉ヨウ(エウ) 尤 yōu 20374 — 2087

字義 ❶鹿の鳴く声。「呦呦」❷鳥獣の鳴く声。❸むせびなく。また、その声。

解字 篆文 形声。口+幼音。音符の幼は、鹿の鳴き声の擬声語を表す。

5 【呤】 8画 1432 漢レイ 呉リョウ 青 líng — — 2086

字義 ささやく。ささやき。

解字 形声。口+令音。

5 【和】 8画 1433 教3 4734 9861 —

ワ・オ やわらぐ・やわらげる・なごむ・なごやか

一漢カ(クワ)・呉ワ 歌 hé 二漢カ(クワ)・呉ワ 箇 hè ②huò 唐オ(ヲ) 熟字訓 日和ひより・大和やまと

筆順 一 二 千 千 禾 禾 和 和

【咊】1434本字 【龢】14627古字

字義 一❶やわらぐ。なごむ。なごやか。㋐音声がほどよく響き合う。転じて、かなう。つりあう。また、ととのえる。用例(礼記、楽記)其声和而柔(其の声は和して柔なり)。⬇その音は調和しておだやかである。㋑おだやかになる。何事もなく安らかである。「柔和」「緩和」㋒気が合う。うちとける。仲よくなる。仲よくする。用例(論語、子路)君子和而不同(君子は和して同ぜず)。⬇君子は、人々と調和するが、他人の意見におもねり従ったりはしない。❷やわらぎ。うまくまとまった状態。用例(論語、学而)礼之用、和為貴(礼の用は、和を貴しと為す)。⬇礼のはたらきとしては、調和が最も重要である。

❸(気候などが)のどか。うららか。❹ほどよい。行き過ぎも不足もない。用例〔中庸〕発而皆中レ節、謂二之和一。↓感情の発露がみな節度に合致している、これを和という。❺軾(車の前部にある横木)につけて調子をとる鈴。❻と。…とともに。❼二つ以上の数を加えて得た値。「総和」

二❶こたえる。応ずる。また、調子を合わせる。用例〔史記、項羽本紀〕歌数闋、美人和レ之。↓数回くり返して歌い、虞美人もこれにあわせて詩をつくった。❷他人の詩に韻や題材などをあわせて詩を作る。「酬和」❸あ-える。まぜ合わす。調合する。「飽和」

国❶ワ。㋐やまと。日本。＝倭(402)。「和製」㋑接頭語。親愛の意を表す。「和御許」❷なぎ。海上の風波のおだやかなさま。❸にぎ。接頭語。くわしい・やわらかい・ととのったの意。

名前 あい・あき・か・かず・かた・かつ・かのう・たか・ちか・とし・とも・な・のどか・ひとし・ふみ・まさ・ます・みきた・やす・やすし・やまと・やわ・やわら・よし・より・わ・わたる 難読 和宇慶・和介・和気・和会・和寒・和琲・和爾・和邇・和仁・和泉・和束・和田・和坂・和布・和布刈・和物・和毛・和蘭・和蘭陀・和林

解字 金文 篆文 形声。口＋禾㊥。音符の禾は、會(会)に通じ、あうの意味。人の声と声とが調和する、なごむの意味を表す。

逆 違和・温和・穏和・緩和・休和・共和・協和・講和・酬和・唱和・昭和・親和・随和・大和・中和・調和・同和・不和・平和・飽和・鳴和・融和・陽和・養和

【和易】ワイ おだやかでやさしい。〔礼記、学記〕

【和一・和壱(壹)】ワイツ やわらぎ合って一つになる。わけへだてなくむつみあう。和合。

【和韻】ワイン ①他人の詩と同じ韻を用いて詩を作ること。②風雅の趣のあること。

【和悦・和説】ワエツ うちとけ合ってよろこぶ。

【和音】ワオン 国①漢字の漢音・呉音に対して、日本で用いてきた慣用音をいう。②平安時代、漢音に対して、呉音をいう。③国語の五十音図の音。

【和歌】ワカ 国古代から日本に行われている定型の歌。やまと歌。今は主として五七五七七の形の短歌をいう。↕漢詩(八六六ページ上)。

【和解】ワカイ ①仲直りする。②国日本語で解釈すること。

【和諧】ワカイ やわらぎ整う。調和する。むつみあう。

【和学(學)】ワガク 国日本固有の文学・歴史などを研究する学問。倭学。↕漢学(八六六ページ上)。

【和姦】ワカン 男女合意の上で行う姦通。↕強姦(四九一ページ上)。

【和漢】ワカン 国①日本と中国。②和学と漢学。③和文と漢文。

【和漢混淆文】ワカンコンコウブン 国和文の中に漢文系統、漢文訓読文系統の文体をとりいれた文語体の一種。和漢混交文。

【和漢三才図(圖)会(會)】ワカンサンサイズエ 国書名。百五巻。寺島良安の著。明の王圻の『三才図会』にならった一種の百科事典で、和漢古今の天地人の事項を分類し、図を入れ、漢文で解釈・考証を施した。一七一五年刊。

【和漢朗詠集】ワカンロウエイシュウ 国書名。二巻。藤原公任の編。日本・中国の漢詩の秀句約五百九十句に、和歌約二百二十首をそえ、朗詠の用に供したもの。倭漢朗詠集。

【和気(氣)】ワキ ①なごやか(おだやか)な気分。②のどかで、あたたかな気候。

【和気(氣)靄靄】ワキアイアイ なごやかな気分のいっぱいに満ち満ちているさま。

【和協】ワキョウ ①うち解けて親しくする。やわらぎ親しむ。②音声が調和すること。

【和煦】ワク のどかであたたかい。▼煦は、暖か。

【和訓】ワクン 国漢字の意味を日本語にあてて読む読み方。山の「やま」・川の「かわ」の類い。訓読み。倭訓。

【和敬】ワケイ 心をやわらげつつしむ。おだやかでつつしみ深い。

【和語】ワゴ 国①日本のことば。日本語。国語。②日本固有のことば。やまとことば。↕漢語(八六六ページ上)。

【和光同塵】ワコウドウジン ①知恵の光をやわらげ隠して、俗世の間に交わっていること。『老子』第四章の「和二其光一、同二其塵一」に基づく。②仏仏が衆生を救うために、知恵の光(本地)をやわらかくして、けがれた人間の世に姿を変えて現れること。本地垂迹。

【和好】ワコウ 仲よくする。また、そのこと。

【和寇】ワコウ ＝倭寇(一一四ページ中)。

【和羹】ワコウ ①種々の肉・野菜をまぜ合わせ、味をうまく調えて作った吸い物。②君主を補佐して政務をととのえおさめる宰相。

【和合】ワゴウ ①仲よくする。うちとけてむつみあう。②調和する。③まぜあわせる。④男女を結婚させる。⑤婚礼に祭る神の名。笑い顔をした寒山と拾得の二神。和合神。

【和魂漢才】ワコンカンサイ 国日本固有の精神と、中国から伝来した学問。心には日本固有の精神をしっかり持ち、教養として漢学を修めること。〔菅家遺誡〕

【和讃】ワサン 仏仏の功徳をほめたたえる歌。

【和氏之璧】カシノヘキ 周代、卞和が楚の山中で得たという宝玉。和璧。和璞。〔韓非子、和氏〕→卞和(二一九ページ上)。

【和字】ワジ 国①日本の文字。かな。②日本で漢字の造字法にならって作られた文字。峠・躾の類い。国字。③もと漢字で、日本で特別の訓をつけて読むもの。伽・偲・咄・嘘などの類い。⇩コラム 国字(三九六ページ)。

【和而不同】ワシテドウゼズ 人とやわらぎ楽しむが、よからぬことには同調しない。用例〔論語、子路〕君子和而不レ同、小人同而不レ和。↓君子は、人々と調和するが、他人の意見におもねり従ったりはせず、小人は、すぐに他人の意見におもねり従うが、調和しない。

【和臭】ワシュウ 国①日本のものらしい特殊な傾向。②和習②㋑の誤用。

【和習】ワシュウ ①歌などをいっしょに歌って習う。用例〔史記、高祖本紀〕令三児皆和二習之一。↓(高祖は)子供たちにこの歌を一緒に歌い習わせた。②国㋐日本のならわし。㋑日本人の作った漢詩文にあらわれる日本人独特の癖。

【和集・和輯】ワシュウ やわらぐ。なかよくする。▼集・輯ともに、やわらぐ意。

【和春】ワシュン 春に調和する。和レ春。用例〔唐、白居易、長恨歌〕金屋粧成嬌侍レ夜、玉楼宴罷酔和レ春。↓りっぱな御殿で、化粧を終えるとあでやかな姿で夜のお仕えをし、美しい高殿で宴会が終わると、酔って春の雰囲気にとけこんでしまう。

【和順】ワジュン ①やわらぎしたがう。②おだやかですなおなこと。③気候がおだやかなこと。

【和書】ワショ 国①日本語で書かれた書物。②日本の古書の形態に製本した書物。③日本で出版された書物。↕漢籍(八六七ページ上)。

【和上】ワジョウ ＝和尚。特に真言宗で使う。

【和尚】ワジョウ・カショウ・オショウ 仏①梵語で、仏法を伝える人・教師の意。真言宗で「ワジョウ」、天台宗で「カショウ」、禅宗・浄土宗で「オショウ」という。和上。②修行を積んだ僧の敬称。高僧。③僧の敬称。④住職。

【和親】ワシン 仲よくし親しむ。和らぎ親しむ。

【和戦(戰)】ワセン 平和と戦争。

【和衷】ワチュウ 心を合わせる。心の底からうちとける。一説に、やわらいで善良なこと。▼衷は、中・内の意味で、心をいう。
【和暢】ワチョウ おだやかでのどかなこと。やわらげのどかにする。
【和調】ワチョウ 同調和。①やわらぎととのう。②やわらげととのえる。
【和糴】ワテキ 売り方と買い方とがたがいに損のないように値を協定し合った上で、米を買い入れること。同様にして米を売る場合を、和糶（ワチョウ）という。
【和同】ワドウ やわらぎ一致する。うちとけ合って一つになる。「天地和同」
【和徳】ワトク おだやかな徳。
【和璞】カハク ＝和氏之璧（カシのヘキ）。▼璞は、あらたま（まだみがかない玉）。
【和比】ワヒ やわらぎあう。和合。
【和附】ワフ ①やわらいで、つき従う。②是非を確かめないで、人の説に同調する。附和雷同。
【和風】ワフウ ①のどかな風。春風。②国㋐日本風。㋑気象学で、木の葉を動かす程度のそよ風。
【和文】ワブン 国①日本語の文章。邦文。②平安時代の仮名文体の系統に属する文章。雅文。
【和平】ワヘイ やわらいでおだやかなこと。戦争もなくおだやかなこと。平和。
【和璧】カヘキ ＝和氏之璧（カシのヘキ）。
【和睦】ワボク ①うちとけてむつみあう。仲むつまじい。和合。②仲直りする。
【和穆】ワボク やわらぐ。うちとけてむつみあう。▼穆は、睦（ボク）に通じて、やわらぐ意。
【和本】ワホン ↔唐本（三六七ページ中）。国①日本で作られた本。日本人が著した本。②日本紙を用い、日本の古書の形態に製本した本。和装本。
【和鳴】ワメイ ①鳥が声を合わせてなく。②種々の楽器が調和して鳴る。
【和約】ワヤク 戦争をやめて平和な関係に復帰する条約を結ぶこと。また、その条約。
【和予（豫）】ワヨ うちとけあって楽しむ。
【和洋折衷】ワヨウセッチュウ 国日本と西洋との様式を程よくあわせまぜること。
【和楽（樂）】■ワラク やわらぎ楽しむ。うちとけあって楽しむ。■ワガク ①調子のよく調った音楽。②国日本固有の音楽。
【和蘭】オランダ Olandaの音訳。ヨーロッパの国名。阿蘭。
【和鑾・和鸞】カラン 乗り物につけてある鈴。▼和は、軾（ショク）（車の前部にある横木）につけた鈴。鑾・鸞は、馬のくつわにかけた鈴。

【以レ和為（爲）レ貴】ワをもってたっとしとなす 和合の道を守ることが最も貴いことである。〔礼記、儒行〕〔聖徳太子、十七条憲法〕

5 【味】 8画 1434 ワ 和（1433）の本字。→二五九ページ下。 20376 ED75 —

5 【町】 8画 1435 音未詳。 — — 2107
字義 飛嘽町は、昔の日本の地名。

6 【哀】 9画 1436 常 アイ あわれ・あわれむ アイ 灰 āi 1605 88A3 —
筆順 丶 亠 亠 古 亨 亨 哀 哀 哀
字義 ❶かなしい（かな-し）。かなしむ。かなしみ。↔楽（5593）。「悲哀」❷あわれむ（あは-れむ）。かわいそうに思う。ふびんに思う。いたむ。❸あわれ（あは-れ）。いたましい感じ。❹うれい。も（喪）。
解字 金文 篆文 形声。口＋衣㊥。音符の衣は、まとう意味。同情の声を寄せあうさまから、かなしむ・あわれむの意味を表す。
逆 挙哀・顧哀・発哀・悲哀・余哀
【哀哀】アイアイ 悲しみの深いさま。
【哀咽】アイエツ 悲しんでむせび泣く。
【哀怨】アイエン 悲しみうらむ。
【哀婉】アイエン あわれに美しくしとやかなこと。しとやかな美しさの中に悲しみをたたえていること。
【哀音】アイオン・アイイン 悲しげな声。悲しげな声色。
【哀歌】アイカ ①悲しげに歌う。②悲しい調子の歌。悲歌。
【哀歓（歡）】アイカン 悲しみと、喜び。
【哀願】アイガン 事情をなげきうったえて願いたのむ。
【哀毀骨立】アイキコツリツ 父母の喪などに、なげき悲しんでやせおとろえ、骨と皮ばかりになること。〔世説新語、徳行〕
【哀泣】アイキュウ 悲しんでなく。
【哀矜】アイキョウ 悲しみあわれむ。かわいそうに思う。
【哀吟】アイギン ①悲しげに鳴く。②悲しんで詩歌を吟じる。また、その詩歌。
【哀号（號）】アイゴウ ①悲しみさけぶ。②中国・朝鮮で、葬式のとき悲しみを表して大声で泣きさけぶこと。
【哀哭】アイコク 悲しんで声をあげて泣く。
【哀祭】アイサイ 文体の名。死者をいたみ祭る文。⇩コラム 漢文（八六八ページ）。
【哀子】アイシ ①母のいない子供。②父母の喪に服している子。
【哀史】アイシ ①あわれな史実の書かれた書物。②不幸な身の上話。悲しい物語。
【哀詞】アイシ 死者をいたみ悲しむ文章。弔辞。追悼文。
【哀愁】アイシュウ 国悲しみうれえる。
【哀詔】アイショウ 悲しみのみことのり。天子のなくなられたことや国の一大凶事を国民に知らせる詔。
【哀傷】アイショウ 悲しみいたむ。哀痛。哀悼。哀戚（アイセキ）。
【哀情】アイジョウ 悲しい気分。もの悲しい心。用例〔前漢、武帝、秋風辞〕簫鼓鳴兮発二棹歌一（ショウコなりて、トウカをハッす）、歓楽極兮哀情多（カンラクきわ（は）まりて、アイジョウおお（ほ）し）。⇩笛や太鼓の調べが響いて舟歌が歌い出された。楽しみが極まると、かえって悲しみの情が生ずる。
【哀惜】アイセキ 人の死を悲しみおしむ。
【哀戚・哀慽・哀慼】アイセキ 悲しみいたむ。
【哀切】アイセツ 悲しみのひしひしと身に迫ること。
【哀訴】アイソ 悲しみ訴える。泣きつく。愁訴。
【哀調】アイチョウ もの悲しい調子。悲しみを帯びたしらべ。
【哀痛】アイツウ 悲しみいたむ。
【哀悼】アイトウ 人の死を悲しみいたむ。哀惜。哀痛。
【哀憫・哀閔・哀愍】アイビン あわれむ。かわいそうに思う。
【哀別】アイベツ 悲しいわかれ。
【哀鳴】アイメイ 悲しんでなく。鳥や獣の悲しげな鳴き声。
【哀憐】アイレン あわれむ。かわいそうに思う。

6 【哇】 9画 1437 ■㊥漢アイ・呉エ 佳 wā ■漢ワ・呉エ（ヱ） 麻 wā 5087 99F5 —
字義 ■❶へつらう声。❷みだらな声。下品な声。「哇咬（アイオウ）」❸はく（吐）。■❹こどもの声。わらう声。
解字 篆文 形声。口＋圭㊥。音符の圭（ケイ）は、擬声語で、口を付し、へつらう声・みだらな声・こどもの声などの意味を表す。

6 【咹】 9画 1438 ■漢アツ・呉アチ 曷 è ■アン 翰 àn — — 2121
字義 ■❶どもる。❷ささやく。❸やむ。とどめる。■声が止まる。
解字 形声。口＋安㊥。

6 【咿】 9画 1439 イ 支 yī 20385 — 2124
字義 ❶しいてわらう。つくり笑い。❷声や音の形容。
解字 形声。口＋伊㊥。
【咿啞】イア ①小児がことばを学ぶ声。かたことまじりのことば。②舟のかいのきしる音。
【咿喔】イアク ①鶏などの鳴く声。②へつらって笑う。また、おせじ笑い。③櫓をこぐ音の形容。

【咿唔】読書の声の形容。伊吾。

【咿呦】①ことばのはっきりしないようす。②鹿の鳴く声の形容。

6 【咦】 9画 1440 2̲0380 — 2113
㊀イ 支 yí ㊁キ 支 xī
字義 ㊀❶吐息。大息。❷仏 禅林で、冷笑・軽侮・驚覚・指示などの情を示す嘆声。㊁❶わらう。失笑する。❷驚き怪しんだり、思い当たったりした時に発する声。
解字 形声。口＋夷㊅。

6 【哊】 9画 1441 — — 2126
イク 屋 yòu
字義 ❶吐く。❷吐く声。
解字 形声。口＋有㊅。

6 【咽】 9画 1442 常 イン 1686 88F4 —
㊀エン 先 yān ㊁エン 霰 yàn ㊂漢エツ・呉エチ 屑 yè ㊃イン 真 yīn 慣イン
筆順
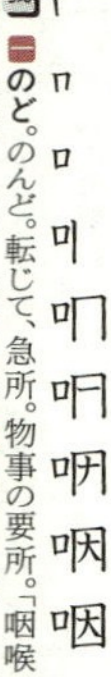
字義 ㊀のど。のんど。転じて、急所。物事の要所。「咽喉」(1685)。㊁の-む。飲みこむ。＝嚥(1770)。㊂❶むせ-ぶ。＝噎 ㋐むせる。息がつまる。「嗚咽」 ㋑胸がふさがって声がつまる。❷ふさがる。㊃短くたたみかけて打つ、つづみの音。「咽咽」

解字 篆文  形声。口＋因㊅。音符の因は、よるの意味。食物や呼吸が、そこをよりどころとする口の部分。のどの意味を表す。エツの音のときには、ものがのどにからまりついて、むせぶの意味を表す。

【咽咽】㊀つづみの音の形容。㊁むせび悲しむようす。

【咽下】のみくだす。嚥下。

【咽喉】①のど。のどぶえ。②急所。大切なところ。咽吭。

6 【咼】 9画 1443 5105 9A44 —
㊀漢カイ(クワイ) 呉ケ 佳 wāi ㊁カ(クワ) 歌 hé
【喎】1576 同字
字義 ㊀口がゆがむ。㊁＝和(1433)。「咼氏之璧」→和氏之璧(二六〇ページ下)。
解字 形声。口＋冎㊅。

6 【咳】 9画 1444 標 1917 8A50 —
㊀カイ 隊 kē, kài ㊁漢カイ・呉ガイ 灰 hāi
字義 ㊀せき。せ-く。しわぶき。せきをする。＝欬(5952)。㊁幼児が笑う。＝孩(2579)。

解字 篆文  形声。口＋亥㊅。音符の亥は、せきをする声の擬声語。また古字は孩に作り、赤ん坊が笑う声の擬声語。

【咳嬰】ちのみご。笑いはじめたころ(二、三歳)の幼児。

【咳嗽】せき。▼嗽も、せき。

【咳唾】①せきと、つばき。②年長者のことばを敬っていう語。

【咳唾成レ珠】せき・つばきまでも珠玉となる。㋐一言一句がみな珠玉のように尊ばれる意で、権勢のさかんなたとえ。㋑一言一句がみな珠玉のように美しい意で、詩文の才能の豊かなたとえ。

6 【咯】 9画 1445 5130 9A5D —
㊀カク 薬 gē, ②kǎ ㊁ラク 薬 luò
字義 ㊀❶雉の鳴く声。❷は-く(吐)。＝咯(1579)。㊁いいあらそう。
解字 形声。口＋各㊅。

6 【咟】 9画 1446 — — 2111
漢カク(クワク) 呉ワク 陌 huò
字義 ❶叫ぶ。❷心の乱れるさま。
解字 会意。口＋百。百は、百たびの意味。

6 【咢】 9画 1447 5088 99F6 —
ガク 薬 è
字義 ❶おどろ-く。＝愕(3790)。❷つづみを打つ。❸冠などの高くつき出るさま。❹きっさき。＝鍔(12743)。❺やかましく言い争う。❻直言するさま。＝諤(11295)。「咢咢」
解字 甲骨文 金文 篆文 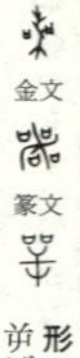 形声。吅＋屰㊅。音符の屰は、さかさまの意味。吅は、多くの口が声を出してやかましいの意味。やかましく声を出して気が動転するくらいにおどろかすの意味を表す。噩は異体字。咢を音符に含む形声文字に、愕・萼・諤・鍔などがあり、これらの漢字は、不意の出来事に「アッと驚く」の意味を共有している。

6 【咸】 9画 1448 標 5089 99F7 —
漢カン 呉ゲン 咸 xián
字義 ❶みな。ことごと-く。すべて。用例〔東晋、陶潜、桃花源記〕村中聞レ有ニ此人一、咸来問訊。↓この人がやってきたことを村中が聞きつけて、みんなやってきては質問攻めにした。❷同じ。同じにする。❸あまねし。ゆきわたる。用例〔国語、魯語上〕不レ咸民弗レ帰也。↓(下賜品が少なく)行き渡らないと民は帰服しないでしょう。❹やわらぐ。なごむ。心を一つにして睦み合う。用例〔左伝、僖公二十四〕周公弔ニ二叔不レ咸。↓周公は、管叔・蔡叔の二兄弟との不和(でついには二人を滅ぼしたこと)に心を傷めた。❺易の六十四卦の一つ。䷞艮下兌上。陰陽が互いに感じ合う象。
解字 甲骨文 金文 篆文  会意。戌＋口。戌は、大きな刃のある、まさかりの象形。大きなまさかりの威圧の前に口から大声を出しきるさまから、みなの意味を表す。喊の原字。咸を音符に含む形声文字に、喊・憾・撼・減・緘・鹹などがあり、これらの漢字は、「あるだけすべて」の意味を共有している。
【咸陽】秦の都。今の陝西省咸陽市の東北。秦の孝王のとき初めて都とし、宮殿を築いたが、後に楚の項羽に焼かれた。唐代、南西の郊外の渭水にかけた橋が咸陽橋で、西方に通ずる要路、ここで多く旅人を送別した。

6 【咥】 9画 1449 5090 99F8 —
㊀漢キ・呉ケ 寘 xì ㊁漢テツ・呉デチ 屑 diē
字義 ㊀わら-う。大笑する。また、その声。㊁❶わら-う。❷かむ。かたい物をかむ。また、そのさま。
解字 形声。口＋至㊅。

6 【咭】 9画 1450 2̲0381 — 2117
㊀漢キツ・呉ギチ 質 xī ㊁漢カツ・呉ケチ 黠 qià
字義 ㊀❶わらう。笑うさま。❷咭咭は、喜ぶさま。㊁ねずみの鳴き声。
解字 形声。口＋吉㊅。

6 【咻】 9画 1451 — — 2123
㊀ク 麌 xǔ ㊁漢キュウ(キウ)・呉ク 尤 xiū ㊂ク 遇 xù
字義 ㊀うめき声。痛み、または病んで発する声。㊁やかましい。㊂息を吹きあたためる。
解字 形声。口＋休㊅。音符の休は、うめき声や、息を吹きかける声の擬声語。

6 【响】 9画 1452 — — 2127
キョウ 響(13427)の俗字。→一五五三ページ上。

6 【咺】 9画 1453 2̲0384 — 2122
㊀漢ケン 呉カン(クワン) 阮 xuǎn ㊁漢ケン 呉カン(クワン) 元 xuān
字義 ㊀❶なく(泣)。こどもがなき続ける。❷威儀容姿のきわだっているさま。㊁ゆったりとくつろぐさま。

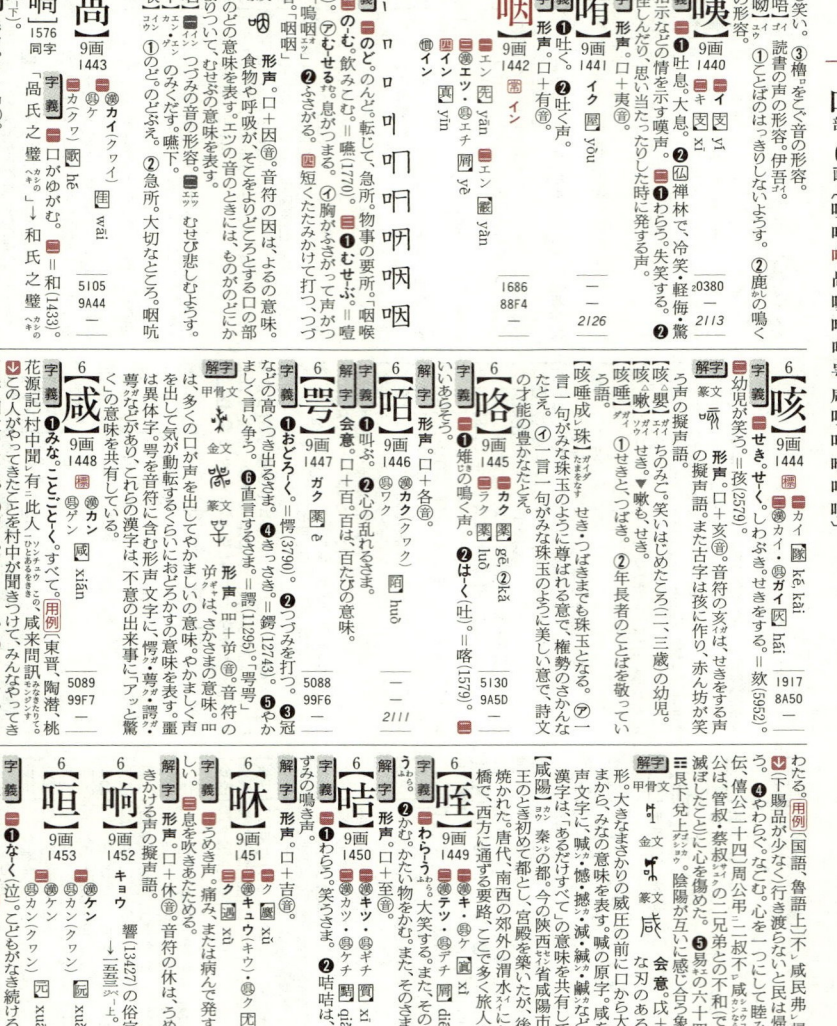

解字 形声。口＋亘㊥。

6 【呱】 9画 1454
コ 虞 gū, guā　5077 99EB 一

字義 ちのみごの泣き声。「呱呱(ココ)」 難読 呱哇(ジャワ)

解字 篆文 形声。口＋瓜㊥。音符の瓜(カ)は、赤ん坊の泣き声の擬声語。それに口を付した。

6 【咬】 9画 1455
標
[一] ㊈ゴウ(ガウ) ㊇ギョウ(ゲウ) 巧 yǎo
[二] ㊈コウ(カウ) ㊇キョウ(ケウ) 肴 jiāo
[三] ㊈オウ(アウ) ㊇ヨウ(エウ) 肴 yāo
慣コウ(カウ)
5091 99F9 一

字義 [一]かむ。かじる。かみつく。 [二]鳥の鳴く声。「咬咬」 [三]みだらな声。

解字 形声。口＋交㊥。

【咬菜(コウサイ)】野菜を食う。粗食に甘んじるたとえ。

【咬嚼(コウシャク)】①かみこなす。②文字をくわしく味わって読むこと。

6 【哄】 9画 1456
㊈コウ ㊇グ 送 hōng　5092 99FA 一

字義 どよめき。また、どよめく。多くの人の声。ときの声をあげる。

解字 形声。口＋共㊥。音符の共は、多くの人の声を表す擬声語。

【哄笑(コウショウ)】大声でわらう。大笑い。高笑い。

6 【哈】 9画 1457
[一] ゴウ(ガフ) 合 hā
[二] ㊈ソウ(サフ) ㊇ショウ(セフ) 洽 shà
[三] コウ(カフ) 合 hē
[四] カ hā
唐ハ
5093 99FB 一

字義 [一]❶魚の多いさま。❷魚が口を動かすさま。❸哈は、笑い声の形容。はっはっは。 [二]すする。 [三]❶＝[二]。❷くう(食)。 [四]哈喇(カラ・ハラ)は、モンゴル語で、人を殺す。 難読 哈密(ハミ)

解字 形声。口＋合㊥。音符の合は、あうの意味。口を合わせてすするの意味を表す。また、音符の合は、はっはっと笑う声の擬声語をも表す。

【哈△爾浜(濱)(ハルピン・ハルビン)】地名。黒竜江省の省都。省の南部、松花江中流の西岸にあたり、中国東北地区の文化・交通・商工業の中心地。哈爾賓とも書く。

6 【咱】 9画 1458
サ 麻 zán, ②zā　一 一 2119

字義 ❶われ(我)。われわれ。❷文末に添える助字。元曲で多く用いる。

解字 会意。口＋自。もともと自家の二字の音がちぢまったもので、われの意味を表す。

6 【哉】 9画 1459
人 サイ 灰 zāi　2640 8DC6 一

筆順 一 十 土 圭 吉 吉 哉 哉 哉

字義 助 や。か。かな。⇩助字・句法解説。❶はじめる。❷はじめ。はじまり。

助字・句法解説

❶や。か。疑問・反語。訳…か。どうして…か。文末に置かれ、多くは句頭の「何」「安」「敢」「豈」などと呼応する。反語の意味の場合は「や」と読むことが多い。

用例〔史記、留侯世家〕漢王曰(カンオウいわ(は)く)、何哉(なんぞやと)。⇩漢王が言った、「どうしてか」。／〔史記、陳渉世家〕燕雀安知鴻鵠之志哉(エンジャクいずくんぞコウコクのこころざしをしらんや)。⇩つばめやすずめのような小人物に、どうしておおとりのような大人物の志がわかろうか(わかるまい)。

❷かな。詠嘆。訳…であるなあ。文末・句末に置かれ、詠嘆の語気を表す。強調のために主述が倒置されることも多い。

用例〔論語、雍也〕賢哉(ケンなるかな)、回也(カイや)。⇩本当に賢者だなあ、顔回は。

名前 えい・か・かな・き・すけ・ちか・とし・なり・はじめ・や

解字 金文 篆文 形声。口＋𢦏(𢦏)㊥。音符の𢦏(サイ)は、疑問・反語・感嘆などを表す。語気を表現するため、口を付した。

6 【咨】 9画 1460
シ 支 zī　5094 99FC 一

字義 ❶はかる。とう。たずねる。相談する。＝諮(11307)。「咨問」❷なげく。なげき。「咨嗟(シサ)」❸ああ。あ。嘆く声。また、感心する声。❹これ。この。ここに。❺対等の官庁の間でやりとりする公文書。

解字 篆文 形声。口＋次㊥。音符の次は、吐息をつくさまの象形。口を付し、吐息をついてなげくの意味を表す。また、次は、斉に通じ、ととのえるの意味。いろいろな意見を整える、はかるの意味を表す。

【咨△嗟(シサ)】なげく。ためいきをついて嘆く。嘆息する。用例〔人虎伝〕呼吟咨嗟(コギンシサし)、殆不自勝遂泣(ほとんどみずからたえずしてついに(ひ)になく)。⇩低くうなってため息をつくと、こらえかねたように、そのまま泣き出した。

【咨△諏(シシュ)】＝咨詢(シジュン)。▼諏も、はかり問う。

【咨△詢(シジュン)】問いはかる。相談する。咨諏(シシュ)。諮詢。▼詢も、はかり問う。

【咨△稟(シヒン)】申し上げて意見をきく。相談して命令を受ける。

【咨問(シモン)】はかり問う。たずねる。相談する。諮問。

6 【咫】 9画 1461
シ 紙 zhǐ　5101 9A40 一

字義 ❶長さの単位。周の尺で八寸。約一八センチメートル。❷短い・近いたとえ。「咫尺(シセキ)」❸わずか。少し。 国 た。あた。古代の長さの単位。親指と中指とを開いた長さ。「八咫鏡(やたのかがみ)」

解字 形声。尺＋只㊥。

【咫尺(シセキ)】①周の尺度。▼咫は八寸、尺は十寸。②きわめて近い距離。③ごく近くまで接近する。拝謁(ハイエツ)する。「天顔に咫尺す」④短い。簡単なこと。「咫尺の書」⑤わずか。少し。せまい。「咫尺の地」

【不レ弁(辨)ニ咫尺一(シセキをベンぜず)】国 一寸先も見分けがつかない。まっくらやみ。

6 【呰】 9画 1462
シ 紙 zǐ, ④cī　5079 99ED 一

字義 ❶せめる(むせ)。しかる。❷そしる。そしり。❸よわい(弱)。また、なまける。❹きず。あやまち。欠点。＝疵(7727)。

解字 篆文 形声。口＋此㊥。音符の此(シ)は、くいちがうの意味。くいちがいがあって、せめるの意味を表す。

6 【哆】 9画 1463
[一] シ 紙 chǐ
[二] タ 禡 zhà
[三] シャ 馬 chě
11502 一 2125

字義 [一]❶口をはる。口を開く。❷大きい口。❸大きいさま。❹おおい(衆)。❺寛大なさま。❻ほしいまま。 [二]口を開く。 [三]❶大きいさま。❷唇のたれさがる形容。

解字 形声。口＋多㊥。

6 【咡】 9画 1464
㊈ジ ㊇ニ 寘 支 èr　11494 一 2112

字義 くちもと。くちのまわり。口わき。 国 ささやく。耳もとで話す。

解字 形声。口＋耳㊥。

6 【茸】 9画 1465 シュウ(シフ) 緝 qì
字義 ❶ささやく。❷茸茸は、ぺちゃくちゃ話す声。
解字 会意。口＋耳。口を耳に寄せて語る意味を表す。
20379 — —

6 【咲】 9画 1466 常 さ-く
2673 8DE7 —
6 〔咲〕 9画 1467 ショウ(セウ) 嘯 xiào
筆順 丨 口 口 口' 口'' 口ゾ 口ビ 咩 咲
字義 笑(8688)の古字。わら-う。国 さ-く。花が開く。
名前 えみ・さ・さき・さく 難読 咲来(きっくる)
解字 形声。口＋芺省音。音符の芺(ヨウ)は、わらうの意味。芺はのちに关に変形し、それにさらに口を付した。

6 【哂】 9画 1468 シン 軫 shěn
字義 わら-う。㋐ほほえむ。㋑あざ笑う。そしり笑う。
解字 形声。口＋西音。
5102 9A41 —

6 【咤】 9画 1469 標 タ 禡 zhà, ③chà
〔吒〕1339 本字 〔咜〕1420 俗字
字義 ❶しか-る。怒りしかる。「叱咤(シッタ)」❷舌打ちする。舌打ち。❸ほこる(誇)。＝詑(11208)。❹かなしむ。いたむ。
解字 篆文 形声。篆文は、口＋乇音。音符の乇(タク)は、舌うちするときの声の擬声語。
5103 9A42 —

6 【咮】 9画 1470 チュウ(チウ) 宥 zhòu
字義 ❶くちばし。鳥の口。❷星の名。柳。→鶉火(ジュンカ)(一六三二ページ上)。
解字 篆文 形声。口＋朱音。音符の朱は、あかいの意味。鳥のあかいくちばしの意味を表す。
20382 — 2118

6 【咷】 9画 1471 漢トウ(タウ) 呉ドウ(ダウ) 豪 táo
字義 号咷は、泣きさけぶ。大声で泣く。
解字 形声。口＋兆音。
20383 — 2120

6 【哃】 9画 1472 漢トウ 呉ドウ 東 tóng
字義 ❶大言する。❷そらごと。
解字 形声。口＋同音。
20386 — —

6 【咩】 9画 1473 漢ビ 呉ミ 紙 miē
11501 ED76 2115
〔咩〕1514 同字
字義 羊が鳴く。また、その声。
解字 会意。口＋羊。
4142 9569 —

6 【品】 9画 1474 漢ヒン 呉ホン 寝 pǐn 教3 ヒン しな
筆順 丨 口 口 口 口口 口口 品 品 品
字義 ❶しな。㋐しなもの。物品。「作品」「天下一品」㋑種類。たぐい。「品詞」㋒物の区別。物の等級。㋓人の等級。人がら。人格。「人品」「品格」㋔官位の等級。官位の順序。❷等級をつける。しなさだめする。「品評」❸仏 仏典の中で、章・段・編などに相当するもの。仏典の章段。「ホン」とよむ。国 ホン。昔、親王に賜った位で、一品(イッポン)から四品までである。
名前 かず・かつ・しな・ただ・のり・ひで 難読 品之木(ほのき)・品治(ほんち)・品部(ともべ)
解字 甲骨文 篆文 会意。口＋口＋口。口は器物をかたどる。とりどりの個性をもつ、しなの意味を表す。
逆 一品・逸品・下品・気品・詩品・殊品・上品・神品・人品・絶品・廃品

【品位】 ㊀ヒンイ ①人がら。品格。②国 金銀の地金(じがね)または、金貨・銀貨の中に含まれる金・銀の割合。㊁ホンイ 国 昔、親王に賜った位。一品(イッポン)から四品までであった。
【品彙】ヒンイ ＝品類①。
【品格】ヒンカク ①品物のねうち。しながら。②人がら。気品。
【品行】ヒンコウ おこない。身もち。「品行方正」
【品騭】ヒンシツ 国 しなさだめ。品評。▼騭は、さだめる。
【品種】ヒンシュ ①物の種類。②家畜・作物などの中で、遺伝的に形質が同じもの。
【品性】ヒンセイ ①人がら。人がらと性格。人格。②倫理学で、性格を道徳的価値としてみる場合の呼び方。
【品第】ヒンダイ しなさだめして順序・優劣をつける。また、その順序・序列。
【品題】ヒンダイ ①しなさだめする。人の値打ちを批評してきめる。②見だし。種類分けの題目。
【品秩】ヒンチツ くらいと扶持(フチ)。爵位(シャクイ)と俸給。
【品評】ヒンピョウ しなさだめする。批評してよしあしや値打ちをきめる。優劣をつける。品騭(ヒンシツ)。
【品目】ヒンモク ①しなさだめ。品評。②題目。③品物の目録(種目)。
【品流】ヒンリュウ しながら。家がら。門閥。
【品類】ヒンルイ ①種類によって分ける。また、種類。②種々(さまざま)のもの。万物。

6 【咪】 9画 1475 漢ビ 呉ミ 紙 miē, ②mī
字義 ❶羊が鳴く。❷猫の鳴き声。❸にっこり笑うさま。
解字 形声。口＋米音。
— — 2116

6 【[illegible]】 9画 1476 リン 吝(1391)の俗字。→二六六ページ上。

6 【咧】 9画 1477 漢レツ 呉レチ 屑 liě
字義 咧咧は、㋐鳥の鳴き声の形容。㋑子供が泣く形容。
解字 形声。口＋列音。
— — 2114

6 【咾】 9画 1478 ロウ(ラウ) 晧 lǎo
字義 文末につく助字。 難読 咾分(おとなぶん)
解字 形声。口＋老音。
5104 9A43 —

6 【哘】 9画 1479 国字
字義 さそ-う。 難読 哘崎(こうのさき・そうざき・ゆきざき)
解字 会意。口＋行。行くように声をかける、さそうの意味を表す。
5106 9A45 —

7 【唖】 10画 1480 ア 啞(1523)の簡易慣用字体。→二六九ページ上。
1602 88A0 —

7 【唉】 10画 1481 ㊀アイ 灰 āi ㊁アイ 队 ài
字義 ㊀❶ああ。おお。㋐こたえる声。㋑飽きて、思わずもらす声。あくびの声。❷おどろいて問う。㊁ああ。なげきうらむ声。また、承知する声。用例〔史記、項羽本紀〕唉(ああ)、豎子不足与謀(じゅしともにはかるにたらず)↓ああ、小僧め、ともに大事をはかるわけにはいかぬ。
解字 形声。口＋矣音。音符の矣は、答える声の擬声語。
20394 — 2141

7 【韋】 10画 (13378) イ 韋部。→一五九九ページ中。

7 【員】 10画 1482 ㊀エン(ヱン) 元 yuán ㊁ウン 文 yún 慣イン(ヰン) 教3 イン
1687 88F5 —
筆順 丨 口 口 ロ 冃 冐 冐 昌 員 員

つかさ。「職員」「教員」 ❸まるい。＝円(750)。 ❹まわり。周囲。「幅員」 □❶かず。 ❷ます(益)。

【貟】11517 俗字

字義 □❶かず。物のかず。また、人のかず。「員数」「人員」 ❷かかり。かかりの人。

名前 かず・さだ 難読 員弁(いなべ)

解字 金文 篆文 会意。貝＋口。貝は、金文では、かなえの象形。口は、まるい口の象形。丸いかなえの意味から転じて、物の数の意味を表す。員を音符に含む形声文字に、殞(イン)・隕(イン)・韻などがあり、これらの漢字は、「まるい」の意味を共有している。

逆 金員・欠員・冗員・剰員・生員・動員・幅員・方員

【員外郎】(インガイロウ) 郎中(長官)の補佐役。定員外の官であったところからいうが、後には定員化された。員外ともいう。

【備レ員】□(インにそなわ(は)る) 人数の中に加わる。□(インにそなう(ふ)) 人数の中に加える。

7【哥】10画 1483 カ 歌 gē 5107 9A46 —

字義 ❶うた-う。うた。また、こえ。歌(5971)の古字。 ❷あに(兄)。また、父・君主・長上や、親しい年長者などを呼ぶ称。 難読 哥兄(あにい)・哥倫比亜(コロンビア)・哥木哈牙(コペンハーゲン)

解字 篆文 形声。可＋可音。可は、口の奥から大きな声を出すさま。可を二つ重ねて、うたうの意味を表す。歌の古字。

【哥哥】(カカ) ①父の子に対する自称。 ②兄や年上の男性を呼ぶ敬称。

7【哿】10画 1484 カ 哿 gě, ②jiā 11503 ED77 2136

字義 ❶よ-い。めでたい。結構である。 ❷女性の髪かざり。玉をたれさげた、一種のかんざし。＝珈(7349)。

解字 篆文 形声。可＋加音。可はよいの意味。加は、くわわるの意味。大いによいの意味を表す。

7【啊】10画 1485 カ 訶(11142)と同字。→三三〇ページ上。 20388 — 2131

7【咶】10画 1486 カ 嘩(1627)の俗字。→二七八ページ上。 20387 — —

7【哦】10画 1487 ガ 歌 哿 é, ②㋐ó, ②㋑ò 5108 9A47 —

字義 ❶うたう。吟じる。「吟哦(ギンガ)」 ❷感嘆詞。㋐軽い驚きの意味を表す。㋑納得・合点の意味を表す。

7【唍】10画 1488 漢カン(クワン) 呉ゲン 潸 wǎn — — 2143

解字 形声。口＋完音。

字義 ほほえむさま。

解字 形声。口＋完音。

7【唅】10画 1489 漢カン 呉ゴン 覃 hán — — 2139

字義 ❶唅呀(カンガ)は、口を大きく開いたさま。 ❷口に物を含む。 ❸死者の口に含ませる玉。

解字 形声。口＋含音。

7【唏】10画 1490 □漢キ・呉ケ 尾 xī □漢キ・呉ケ 微 xī 5109 9A48 —

字義 □❶いた-む。かなしむ。 ❷笑う。また、その声。□なく(泣)。すすりなく。むせびなく。＝欷(5956)。

解字 形声。口＋希音。

7【哯】10画 1491 漢ケン 呉ゲン 銑 xiàn 20389 — 2132

字義 はく(吐)。㋐吐き気がなくて吐く。㋑赤子が乳を吐く。つだみ。 難読 哯吐(つだみ)

解字 形声。口＋見音。

7【唁】10画 1492 ゲン 霰 yàn 20393 — 2138

字義 とむら-う(とむらふ)。みまう。不幸にあった人をたずね見舞う。

解字 篆文 形声。口＋言音。音符の言は、つつしんでいうの意味。人の不幸をとむらい、なぐさめるの意味を表す。

7【唔】10画 1493 ゴ wú 5110 9A49 —

字義 咿唔(イゴ)は、読書の声の形容。伊吾(イゴ)。＝吾(1362)。

解字 形声。口＋吾音。

7【哮】10画 1494 漢コウ(カウ) 呉キョウ(ケウ) 肴 xiāo 5112 9A4B —

字義 ❶ほ-える(ほゆ)。たけ-る。猛獣が怒りほえる。「咆哮(ホウコウ)」 ❷わめく。さけぶ。

解字 形声。口＋孝音。

【哮▵闞】(コウカン) 猛獣がほえたてる。怒りほえる。▼闞は、虎の怒りほえる声。

【哮▵噬】(コウゼイ) ①たけりほえてかみつく。 ②反乱軍の威力の猛烈なこと。

【哮▵咆】(コウホウ) ほえたてる。たけりほえる。咆哮。

7【哽】10画 1495 漢コウ(カウ) 呉キョウ(キャウ) 梗 gěng 5111 9A4A —

字義 ❶むせ-ぶ。悲しんで声がつまる。また、食物がのどにつまる。 ❷ふさがる。つかえてとどこおる。 ❸ども-る。ことばがつまる。

解字 篆文 形声。口＋更音。音符の更は、かたくなるの意味。口の動きがかたくなる、どもるの意味を表す。

【哽咽・哽▵噎・哽▵饐】(コウエツ) 涙にむせぶ。むせび泣く。

【哽塞】(コウソク) 悲しみで胸やのどがふさがる。

7【哼】10画 1496 漢コウ(カウ) 呉キョウ(キャウ) 庚 hēng, ③hng — — 2134

字義 ❶喨哼(ソウコウ)は、おろかでびくびくするさま。 ❷ひとりごとを言うさま。また、うなる声。 ❸現代中国語で、擬声語。フン。怒ったり、他人をさげすむ時に用いる。

解字 形声。口＋亨音。

7【咵】10画 1497 漢コウ(カウ) 呉ゴウ(ガウ) 号 hào — — 2129

字義 しゃべる。多言する。

解字 形声。口＋告音。

7【哭】10画 1498 標 コク 屋 kū 5113 9A4C —

字義 ❶な-く。大声をあげて泣く。↔泣(6229)。「痛哭」「慟哭(ドウコク)」 ❷人の死を悲しんで声をあげて泣く礼。用例〔論語、先進〕子哭レ之慟(これをコクしてドウす)。↓孔子は、声をあげて激しく泣き悲しんだ。

解字 篆文 形声。犬＋口＋口音。音符の口は、くちの意味。犬は、いけにえの犬の意味。二口は、多くの口の意味。人の死に臨んで、犬をいけにえとし、多くの人が口を開けて大声で泣くの意味を表す。『説文(セツモン)解字』は、吅＋獄省音の形声文字とする。

【哭泣】(コッキュウ・コクキュウ) なきさけぶ。

【哭声(聲)】(コクセイ) 悲しんで泣く声。用例〔唐、杜甫、兵車行〕牽レ衣頓レ足攔レ道哭(ころもをひきあしをトンし、みちをさえ(へ)ぎりてコクす) 哭声直上干二雲霄一(コクセイチョクジョウしてウンショウをおかす)。↓(見送る人々は)兵士たちのきものを引っぱり、足をばたばたさせ、道をさえぎって泣きさけぶ。その泣き声は、まっすぐに立ちのぼって、大空をつきささんばかりだ。

7【唆】10画 1499 常 サ そそのか-す サ 歌 suō 2622 8DB4 —

筆順 丨 ㇆ 口 口厶 口㕣 口夋 唆 唆 唆

字義 そそのか-す。けしかける。「教唆」「示唆」

解字 形声。口＋梭省音。音符の梭(サ)は、左右にひんぱんに往復する織布の工具、「ひ」の意味。人の心を不安にさせ

口部 7画 〔哥哿啊咶哦唍唅唏哯唁唔哮哽哼咵哭唆〕

て、けしかけるの意味を表す。
逆 教唆・示唆

7 **【哨】** 10画 1500 人 標 漢ソウ(サウ) 効 呉ショウ(セウ) shào 一ショウ(セウ) 嘯 qiào 3005 8FA3 —

筆順 丨 ㄇ 口 口' 口'' 叫 叫 哨 哨 哨

【哨】1501 俗字

字義 一 ❶ちいさい。口がすぼまって小さい。❷よぶこの笛を吹く。❸みはり。ものみ。また、その詰め所。二 ❶かまびすしい。やかましい。❷ゆがむ。つぼの口がゆがむ。

名前 しょう・そう 難読 哨吶チャルメラ

解字 篆文 形声。口＋肖㊂。音符の肖は、ちいさくするの意味。口をすぼめるの意味を表す。また、入口を小さくして敵の侵入を見張る、ものみの意味をも表す。

【哨戒】ショウカイ 国敵の襲撃に備えて見張りをして警戒する。
【哨兵】ショウヘイ 見張りの兵。

7 **【哨】** 10画 1501 ショウ 哨(1500)の俗字。→二六六ページ上。

7 **【唇】** 10画 1502 常 シン くちびる シン 眞 chún 3116 904F —

筆順 一 厂 尸 尸 尼 辰 辰 辰 唇 唇

【脣】5027 正字

字義 ❶くちびる。❷ふち(縁)。物のへり。

解字 篆文 形声。口＋辰㊂。音符の辰シンは、くちびるの意味を表す。

逆 花唇・欠唇・丹唇

【唇歯(齒)】シンシ ①くちびると歯。②利害関係が非常に密接であることのたとえ。
【唇歯(齒)輔車】シンシホシャ くちびると歯・輔(頬骨ほお)と車(下あごの骨)との関係のように、互いに助け合って離れがたい関係にあること。
【唇亡歯(齒)寒】くちびるほろぶればはさむし くちびるがなくなれば歯が寒い。互いに密接な関係にある一方が滅びると、片方も危険になるたとえ。唇竭而歯寒くちびるつきてはさむし。〔左伝、僖公五〕
【揺(搖)レ唇鼓レ舌】くちびるをうごかしたをこす やたらに人を批評すること。〔荘子、盗跖〕

7 **【哾】** 10画 1503 漢セツ 呉セチ 屑 shuō — — 2135

字義 なめる。

解字 形声。口＋兌㊂。

7 **【唌】** 10画 1504 漢セン 呉ゼン 先 xián — — 2142

字義 ❶嘆きながら話す。❷しぶき。また、よだれ。

解字 形声。口＋延㊂。

7 **【唕】** 10画 1505 ソウ(サウ) zào — — 2145

字義 さわがしい。

解字 形声。口＋皁㊂。

7 **【哪】** 10画 1506 一 漢ダ・呉ナ 歌 nē 二 漢ダ・呉ナ 箇 nǎ. ③na — — 2130

字義 一 鬼やらいの時に張り上げる声。二 ❶驚きや軽い疑問を表す助字。❷現代中国語で、時間・場所・人・物に関する疑問の助字。❸現代中国語で、文末に付く助字。

解字 形声。口＋那㊂。

7 **【啄】** 10画 1507 人 タク 覺 zhuó 3479 91ED —
8 **【啄】** 11画 1508

筆順 丨 口 口 口一 叮 吖 叮 啄 啄 啄

字義 ❶ついばむ。鳥がくちばしで物をつつきくう。〔戦国策、燕〕鷸啄二其肉一(イツそのニクをついばむ)。↓しぎがどぶ貝の肉をつつこうとした。❷永字八法の七番目の筆法。❸たたく。また、その音。こつこつ。「啄啄」用例

名前 たく・とく 難読 啄木きつつき・啄木鳥きつつき・けら

解字 篆文 形声。口＋豖㊂。音符の豖タクは、こつこつと木をつつく音を表す擬声語。鳥が口ばしでつつくの意味を表す。人名用漢字の啄は省略体による。

【啄啄】タクタク ①門をたたく音。②鶏のついばみ食べる音。
【啄木】タクボク 鳥の名。きつつき。啄木鳥。雷公。

7 **【哳】** 10画 1509 漢タツ 呉テチ 黠 zhā 20391 — —

字義 哳哳タツタツ・嘲哳チョウタツは、㋐鳥の声。㋑鳥の声が入りまじるさま、すっきりしないさま。人の声、楽器の音などについてもいう。

解字 形声。口＋折㊂。

7 **【哲】** 10画 1510 常 テツ 漢テツ・呉テチ 屑 zhé 3715 934E —

筆順 一 十 才 扌 扩 扩 折 折 哲 哲

【喆】1613 同字 【悊】3538 同字 【嚞】1766 古字 【晢】1553 俗字

字義 ❶あきらか。さとい。かしこい。賢明で物事の道理に明らかなこと。「明哲」❷しる。明らかに知る。❸かしこい人。賢明な人。見識が高く道理の明らかな人。「先哲」

名前 あき・あきら・さと・さとし・さとる・てつ・てつし・てる・のり・よし

解字 金文 篆文 形声。口＋折(斵)㊂。音符の斵セツは、からみあった複雑な物や事がらを、ばらばらに分離させるの意味。ことばで、道理を明らかにするの意味を表す。金文は会意で、自＋斤＋心。自は階段の象形。階段をおのではっきりつけるように、はっきりした心の意味を表す。

逆 英哲・賢哲・聖哲・先哲・前哲・明哲・来哲

【哲学(學)】テツガク 国人生や宇宙の根本原理を求める学問。
【哲人】テツジン ①道理にあきらかで、見識のすぐれた人。哲士。哲夫。用例〔史記、孔子世家〕哲人萎乎てつじんしおれんか。↓哲人が病死するぞ。②哲学者。思想家。
【哲理】テツリ ①奥深い道理。②哲学上の道理。

7 **【唐】** 10画 1511 常 トウ から 漢トウ(タウ) 呉ドウ(ダウ) 陽 táng 3766 9382 —
7 **【唐】** 10画 1512

筆順 ㇔ 广 户 户 户 庚 庚 唐 唐 唐

字義 ❶大言。ほら。また、とりとめがない。「荒唐無稽コウトウムケイ」❷広い。大きい。❸むなしい。❹にわか。だしぬけ。「唐突」❺つつみ。どて。＝塘(2092)。❻王朝の名。㋐李淵リエンが隋ズイに次いで建てた国。長安(今の陝西セン省西安市)に都し、哀帝に至る二十代二百八十九年で朱全忠に滅ぼされた。李唐リトウ。(六一八—九〇七) ㋑五代の一つ。李存勗ソンキョクが後梁コウリョウを継いで建てた国。四代十四年で後晋シンに譲った。後唐。(九二三—九三六) ㋒十国の一つ。李昪ベンが建てた国。三代三十九年で宋ソウに滅ぼされた。南唐。(九三七—九七五) 国❶から。もろこし。昔、中国をさしていった。転じて、ひろく外国の称。❷トウ。ひろく中国をさす。また、外国。

名前 から・つね 難読 唐芥子とうがらし・唐櫃からうど・からと・からびつ・唐黍とうきび・もろこし・もろこし・唐椒とうがらし・唐川からこ・唐棣花はねず・唐丹とうに・唐土もろこし・もろくに・唐笠からかさ

解字 甲骨文 金文 篆文 会意。もと、庚＋口。庚コウは、きねを両手で持ちあげてつき固める形にかたどる。口は、場所の意味を表す。塘トウの

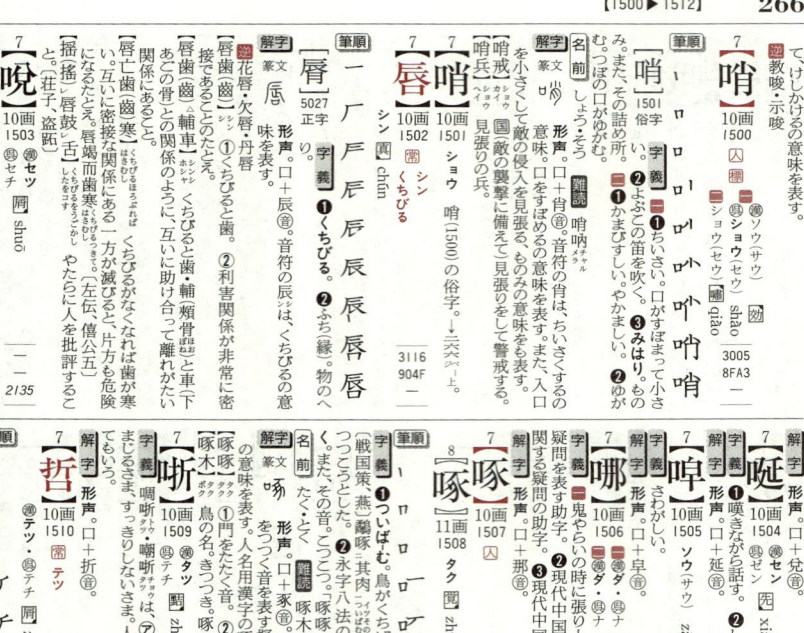

原字で、「つつみ」の意味を表す。借りて、王朝の名に用いる。また、蕩に通じ、荒唐と熟して、ほしいままに大きなことを言うの意味をも表す。

逆 荒唐・大唐・入唐

【唐音】(トウイン・トウオン) 国漢字音の一つ。漢音・呉音以外の漢字の音で、宋・元・明・清の時代に伝えられたもの。宋音。唐宋音ともいう。⇩ コラム 日本の漢字音(八六四ページ)。

【唐金】(からかね) 国銅と錫との合金。製法が中国から伝わったのでいう。青銅。

【唐虞三代】(トウグサンダイ) 中国古代伝説中の堯(姓は陶唐氏)と舜(姓は有虞氏)の時代と、夏・殷・周の三代。天下が理想的に治まったといわれる。

【唐玄宗】(トウのゲンソウ) 唐の第六代の天子。姓は李、名は隆基。玄宗は死後の諡。睿宗の第三子。治政の前半は政治に励んで天下がよく治まったから、その年号から開元の治と称された。年号を天宝と改めて以後、政治を怠ったため、安史の乱をひきおこした。(六八五—七六二)

唐玄宗

【唐三彩】(トウサンサイ) 唐代に焼かれた陶器の一種。多く軟らかな白堊質(または藍色)・褐色・白色の釉薬を施したもの。主として明器(墓の副葬品)として用いられ、多く長安や洛陽などから出土する。

唐三彩

【唐紙】 一(トウシ)・(からかみ) 国中国産の紙の一種。孟宗竹の繊維で製し、黄色。江戸時代以来、書画に用いる。 二(からかみ) 国唐紙障子。ふすま。

【唐△獅子】(からジシ) 国①しし。昔、猪・鹿(しか)と区別していう。ライオン。②ししを美術的に装飾化したものの称。

【唐詩】(トウシ) ①唐代の詩。⇩ コラム 唐詩(三六八ページ)。②中国人の詩。漢詩。

【唐詩三百首】(トウシサンビャクシュ) 書名。六巻。清の蘅塘退士(孫洙の別号)の編。唐詩の選集で、名作三百十首を、詩体別に収録したもの。

【唐詩選】(トウシセン) 書名。七巻。明の李攀竜の編集ともいわれるが、実際は明の本屋がその名を借りて出版したものと考えられている。唐詩の選集で、百二十八人の詩を五言古詩・七言古詩・五言律詩・五言排律・七言律詩・五言絶句・七言絶句の詩体別に収録したもの。日本では江戸時代中期からさかんに読まれた。

【唐詩別裁集】(トウシベッサイシュウ) 書名。二十巻。清の沈徳潜の編集。唐詩の選集で、詩体別に千九百二十八首を収録する。

【唐書】(トウジョ) 書名。㋐＝旧唐書(六四八ページ上)。㋑＝新唐書(六三八ページ下)。

【唐人】 一(トウジン) ①唐代の人。②中国人。 二(トウジン・からびと) 国①外国人。異人。②物の道理のわからない人をののしっていう語。「唐人の寝言」

【唐△宋八大家】(トウソウハチダイカ) 唐の韓愈・柳宗元と、宋の欧陽脩・曾鞏・王安石・蘇洵・蘇軾・蘇轍の、八人の古文の大作家。その文章を集めた書に、明の茅坤編集の『唐宋八大家文鈔』と、清の沈徳潜編集の『唐宋八家文読本』がある。

【唐太宗】(トウのタイソウ) 唐の第二代の天子。姓は李、名は世民。太宗は死後の諡。高祖李淵の第二子で、高祖を助けて天下を統一した。房玄齢・杜如晦・魏徴・李靖らの名臣を用いて政治に励み、学問・文学を奨励して天下がよく治まったので、その年号によって貞観の治という。(五九八—六四九)

唐太宗

【唐△棣】(トウテイ) すももの一種。にわうめ。

【唐突】(トウトツ) ①つきあたる。抵触する。用例(人虎伝)不幸にも旧友の君に不意に唐突故人。(不幸にして故人に唐突す。)②だしぬけ。突然。⇩ 飛びかかってしまった。

【唐物】(トウブツ・トウモツ・からもの) 国中国、または他の諸外国から渡来した品物。

【唐本】(トウホン) 国中国から渡来した書物。

7 【唄】 10画 1513 常 うた 漢ハイ・呉バイ 卦 bài 1720 8953 —

筆順 丨 口 口 口冂 口月 口目 口貝 唄

字義 仏の功徳をほめたたえる歌。また、その歌をうたうこと。国 うた。民謡。俗謡。また、うた-う。「小唄」「長唄」

名前 うた

使いわけ うた〔歌・唄〕⇩ 歌(5971)。

解字 形声。口＋貝音。音符の貝は、梵語pāthaka(唄匿)の音訳。外国語の音訳であることを示す口を付ける。日本では、仏の賛歌の意味から転じて、うたの意味を表す。

7 【哶】 10画 1514 ビ 咩(1473)と同字。→二六四ページ上。 — — 2133

7 【哺】 10画 1515 常 ホ 漢ホ・呉ブ 遇 bǔ(bù) 5114 9A4D —

筆順 丨 口 口 口一 口丆 口丙 口甫 哺 哺

字義 ❶ふく-む。食う。口中に食物をふくんでかむ。❷はぐくむ(育)。養う。口移しに食物を与えてそだてる。❸口中にふくんだ食物。「吐哺握髪」

参考 現代表記では〔保〕(390)に書きかえることがある。「哺育→保育」

解字 篆文 形声。口＋甫音。音符の甫は、しきひろげるの意味。口中に食物をひろげる、ふくむ・食うの意味を表す。

【哺育】(ホイク) はぐくみ育てる。

【哺乳】(ホニュウ) 乳を飲ませて育てる。

【含レ哺鼓レ腹】(ホをふくみはらをつづみうつ・ホをふくみはらをコす) 口いっぱい食物を食べ、腹つづみを打つ。生活が楽で、平和を楽しむさま。太平の世をいう。含哺鼓腹。〔荘子、馬蹄〕

7 【哱】 10画 1516 一 漢ホツ・呉ホチ 月 bō 二 ハイ 隊 20390 — —

字義 一 ❶吐く息の音。❷乱れる。❸哱囉は、軍隊で用いるラッパの類い。法螺。 二＝一❷。

解字 形声。口＋孛音。

7 【唈】 10画 1517 漢ユウ(イフ) 呉オウ(オフ) 緝 yì — — 2140

字義 うれえる。うれえるさま。

解字 形声。口＋邑音。

7 【唀】 10画 1518 ユウ 誘(11246)と同字。→一三三二ページ下。 20392 — 2137

7 【哩】 10画 1519 人 リ 寘 lì, ③lǐ 4373 9689 —

筆順 丨 口 口 口冂 口日 口日 口甲 口甲 哩 哩

字義 ❶語調を整えるためにそえる助字。元代には詞曲の助字に用いた。❷意味を強めるために語末にそえる助字。

コラム

唐詩

唐代（六一八―九〇七）に作られた詩を唐詩という。この時代は、詩仙といわれる李白、詩聖と称された杜甫をはじめ、我が国、王朝以降の文学に多大の影響を及ぼした白居易など多くの詩人たちが活躍し、数々の名作を残している。詩の黄金時代といわれるゆえんである。

そもそも詩は『詩経』以来、学問や教養の重要な部分を占めるものとして伝統的に尊重されてきたが、特に唐代に入って盛んになったのは、唐王朝の泰平の気運のもとに文人が厚遇されたのに加えて、科挙（官吏登用試験）に詩が課せられたのもその一因と見られている。こうした時代の流れの中で、この時期に押韻や平仄についてのきまりが厳格な近体詩（八六六ページ参照）が確立し、その一方で規則にとらわれない古体詩や歌いものを基調とした楽府体の詩なども盛んに作られた。

それらの精華はおよそ四万八千九百余首（作者二千二百余人）が、『全唐詩』九百巻（清、康熙帝勅撰の唐詩の総集）に収められている。これらの作品について、その詩風の変遷を一般的には次のような四期に分けて説明する。各期の境目については諸説があって一定しないが、いま通説（明、高棅『唐詩品彙』）に基づいて、次のように分けてみよう。

初唐（六一八―七一二）高祖の武徳元年から睿宗の太極元年まで、約九十五年間。

この時期は唐王朝の国威上昇の気運に乗じて、多くの宮廷詩人が輩出した。その詩は多く前代の華麗な六朝詩風の延長線上にあって、さらに修辞的に洗練の度が加えられた。この時期を代表する詩人に、いわゆる「初唐の四傑」、王勃・楊炯・盧照鄰・駱賓王などがいる。一方で、漢魏の詩風への復帰を唱えた陳子昂、近体律詩の祖といわれ沈・宋と並称される沈佺期・宋之問なども活躍した。また、七言長編の古詩に優れた劉廷芝の「代悲白頭翁」は、我が国で最も親しまれた名作の一つである。次にその中から人口に膾炙した名句を挙げておく。

年年歳歳花相似
歳歳年年人不同

盛唐（七一三―七六五）玄宗の開元元年から代宗の永泰元年まで、約三十五年間。

玄宗の開元・天宝の治により、海内和平にして国勢は極めて盛んとなった。そのため文学もいっせいに開花して、すぐれた詩人たちが輩出した。なかでも、李・杜と並称される李白・杜甫は史上最大の詩人といってよい。李白は豪放な性格で自由闊達にうたい、杜甫は時世を嘆き憂国の心情を吐露するなど、その詩風は対照的であった。これに対して脱俗的な自然を愛した山水詩人、王維・孟浩然らは、後の韋応物・柳宗元らと共に王・孟・韋・柳と並称されている。一方、厳しい砂漠の異国的情趣をうたった岑参や高適らは、辺塞詩人として知られている。

次にこれらの人々の作品のうち、代表的な絶唱を掲げてみよう。

静夜思　李白
牀前看月光　疑是地上霜
挙頭望山月　低頭思故郷

春望　杜甫
国破山河在　城春草木深
感時花濺涙　恨別鳥驚心
烽火連三月　家書抵万金
白頭掻更短　渾欲不勝簪

春暁　孟浩然
春眠不覚暁　処処聞啼鳥
夜来風雨声　花落知多少

中唐（七六六―八二六）代宗の大暦元年から敬宗の宝暦二年まで、約六十一年間。

百花斉放の観を呈した盛唐の詩の後をうけて、安史の乱以後、中唐の詩はかげりを見せはじめる。その中で、「大暦の十才子」と称された盧綸・吉中孚・韓翃・銭起・司空曙・苗発・崔峒・耿湋・夏侯審・李端などは都下に文名を馳せた。また、平易流麗を旨とした白居易は、親友元稹と共にその詩風を元白体（活躍した年号をもって元和体とも）と称された。特に白居易は、社会の矛盾を鋭くついた諷喩詩で知られる。また、その親しみやすい表現による多彩な作品は我が平安文学にも大きな影響を与えた。この時期は古文復興が提唱され、韓愈・柳宗元などは文章家としても活躍した。他に韋応物・張継・孟郊・賈島などがいる。次に白居易の代表作「長恨歌」から、主要な佳句を抜き出しておく。

「後宮佳麗三千人
三千寵愛在一身」
「行宮見月傷心色
夜雨聞鈴腸断声」
「夕殿蛍飛思悄然
孤灯挑尽未成眠」
「玉容寂寞涙闌干
梨花一枝春帯雨」
「在天願作比翼鳥
在地願為連理枝」

晩唐（八二七―九〇七）文宗の大和元年から昭宣帝の天祐四年まで、約八十一年間。

唐王朝が衰微崩壊に到る時期で、世紀末的な混乱を反映して文学も退廃的な傾向が強まった。そうした中で、李商隠・温庭筠などは唯美的で艶麗な作品に特色が見られ、杜甫と区別して小杜と呼ばれる杜牧は、甘美で洒脱な作風で知られる。このほか許渾・于武陵・韋荘などがいる。ここには、井伏鱒二の名訳（『厄除け詩集』）で知られる于武陵の「勧酒」を紹介しよう。

勧君金屈巵　満酌不須辞
花発多風雨　人生足別離

…だ。…だわい。❸マイル。ヤード・ポンド法の距離の単位。一マイルは、約一・六キロメートル。

名前 り

7【唎】10画 1520 リ 寘 lì ı1504 — 2144
解字 形声。口＋里㊥。
字義 明・清の小説などで用いられる語気詞。語声を調える語。

7【唳】10画 1521 レイ 唳(1567)の俗字。→二七二ページ下。 5126 9A59 —

7【哢】10画 1522 ロウ 送 lòng 5115 9A4E —
解字 形声。口＋利㊥。
字義 さえずる。鳥が鳴く。また、その声。
解字 形声。口＋弄㊥。

8【啞】11画 1523 標 一ア 馬 yǎ 二ア 麻 yā 三ア 禡 yà 四㊥アク・㊉ヤク 陌 è ı1508 — 2164
［唖］1480 簡易
字義 一発声機能の障害などによって話すことができないこと。また、その人。「聾啞」一→啞啞一。二ああ。驚いてあげる声。四笑い声の形容。
解字 篆文 形声。口＋亞㊥。音符の亞は、アということばにならない声を示す。口を付し、わらう・口がきけないの意味を表す。
【啞啞】一アア ①烏などの鳴く声。②幼児のしゃべるかたこと。二アクアク 笑い声。
【啞子】アシ 口のきけない人。
【啞子夢】アシのゆめ 自分ではよく知っているが、言い表し得ないことのたとえ。
【啞然】一アゼン 驚きあきれて口もきけないさま。二アクゼン 大声で笑うさま。

8【啊】11画 1524 ア 箇 ā, á, ǎ, à, a ₂0405 — 2157
字義 感嘆詞。讃嘆・驚き・疑問などを表す。
解字 形声。口＋阿㊥。

8【唲】11画 1525 一㊥ジ・㊉ニ 支 ér 二アイ 佳 wā — — 2148
字義 一へつらって笑うさま。二幼児のかたこと。
解字 形声。口＋兒㊥。

8【唵】11画 1526 アン 感 ǎn ı1506 — 2149
字義 ❶ふくむ(含)。❷手で食物をさし出す。❸仏 まじないに用いる発声のことば。梵語 om の音訳。密教では、この一語を唱えれば無上の功徳を得るという。
解字 形声。口＋奄㊥。

8【唹】11画 1527 ㊥ヨ ㊉オ 魚 yū 5116 9A4F —
字義 わらう(笑)。笑うさま。国❶唹見・唹唹は、姓氏。❷囎唹は、鹿児島県の旧郡名。
解字 形声。口＋於㊥。

8【啀】11画 1528 ㊥ガイ ㊉ゲ 佳 āi, yá 5117 9A50 —
［喈］1662 同字
字義 いがむ。いがみ合う。犬がかみ合う。また、その声。
解字 形声。口＋厓㊥。

8【喝】11画 1529 常 カツ 1969 8A85 —
9〖喝〗12画 1530 ㊥カツ ㊉カチ 曷 hè, ④hē ı1512 — —
筆順 ｜ ｎ ロ ㅁ 叫 叩 叩 喝 喝 喝
字義 ❶しかる。どなりつける。「大喝」❷おどす。声をあらげておびやかす。「恫喝」「恐喝」❸さけぶ。声をはりあげる。❹仏 禅宗で、言語や文字で表現できないときや、あやまった考えをしかって反省させるときに発する声。「カツ」と読む。
解字 篆文 形声。口＋曷㊥。音符の曷は、高くかかげるの意味。声を高くして、しかるの意味を表す。
逆 一喝・恐喝・脅喝・呼喝・大喝
【喝采】カッサイ やんやと、ほめそやす。「拍手喝采」
【喝破】カッパ ①どなりつける。しかりつける。▼破は、強意の助字。②大声で人のことばを説き破る。堂々たる論陣を張り論破する。また、邪説をしりぞけ真理を説きあかす。

8【唫】11画 1531 一㊥キン・㊉ゴン 寝 jìn 二㊥ギン・㊉ゴン 侵 yín ı1505 — 2147
字義 一❶どもる。❷つぐむ。口をとじる。＝噤(1737)。❸すう(吸)。二❶＝一❶。❷なげく。うめく。うたう。＝吟(1355)。❸けわしい。
解字 形声。口＋金㊥。

8【啓】11画 1532 常 ケイ 2328 8C5B —
8〖啓〗11画 1533 ケイ 齊 qǐ
［启］1358 本字 ［啟］4537 本字 ［晵］11300 同字 ［啔］1534 俗字
筆順 一 ョ 戸 戸 戸 戸 戸 啓 啓
字義 ❶ひらく。㋐明ける。開放する。㋑導く。教える。「啓発」㋒広がる。広げる。㋓始める。始まる。❷軍隊の先鋒。さきぞなえ。おこす。また、さきばらい。↕殿(6065)。❸もうす。申し上げる。「拝啓」❹公文書。上申書。❺立春・立夏の時候。
名前 あき・あきら・けい・さとし・たか・てる・のぶ・のり・はじめ・はる・ひ・ひで・ひら・ひらき・ひらく・ひろ・ひろし・ひろむ・よし
解字 甲骨文 金文 篆文 形声。口＋攴㊥。音符の攴は、手で戸を開くの意味。口をひらいてものを言うの意味を表し、一般に、ひらくの意味を表す。常用漢字の啓は啓の変形による。
逆 還啓・行啓・謹啓・粛啓・上啓・拝啓・副啓
【啓龕】ケイガン ほこら、または厨子のとびらをひらいて、中に安置した仏像をおがませること。開帳。
【啓行】ケイコウ ①道をひらく。先導する。②旅立ちする。
【啓示】ケイジ ①ひらきしめす。うちあける。②神が人の心のくもりをひらいて、真理を教え示すこと。おさとし。
【啓処(處)】ケイショ 家にくつろいでいる。家の中で安らかにひざまずいている。
【啓上】ケイジョウ 申し上げる。手紙に用いる語。「一筆啓上」
【啓蟄】ケイチツ 二十四気の一つ。冬眠した虫が動きはじめる、陽暦三月五日ごろ。▼蟄は、虫が地中にこもること。↕閉蟄(一四九六ページ中)。⇩コラム 気候(二十四気)(八〇三ページ)。
【啓迪】ケイテキ おしえみちびく。啓発する。
【啓白】ケイハク 申し上げる。啓上。▼白も、申す意。
【啓発(發)】ケイハツ 教え導いて知識を向上させる。
【啓閉】ケイヘイ ①ひらくこととじること。開閉。②立春・立夏と、立秋・立冬。
【啓蒙】ケイモウ 無知な者の知識をひらく。古くかたよった物の考え方を改めて、合理的に物事を考えられるようにすること。〔風俗通、皇覇〕
【啓沃】ケイヨク 自分の心をひらいて、君主の心につぎこむ。よいと思うことをすべて主君に申し上げること。

8【啓】11画 1534 ケイ 啓(1532)の俗字。→二六九ページ中。

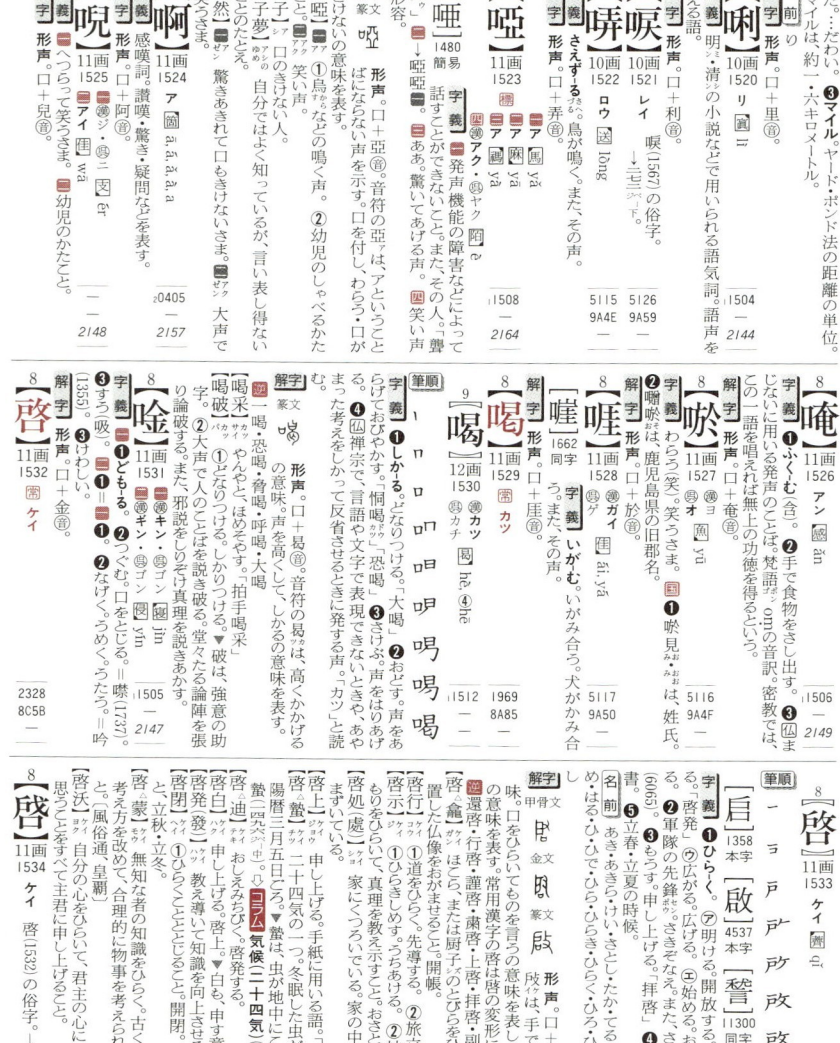

8 【啎】 11画 1535 ［牾］ 7150 同字 ゴ [遇] wǔ
字義 ❶さからう(逆)。=忤(3650)。❷あう(逢ホウ)。
解字 篆文 形声。午+吾(音)。午は、きねの形をした神体の象形。音符の吾ゴは、まもりふせぐの意味。さからうの意味を表す。

8 【唬】 11画 1536 〔一〕(漢)コウ(カウ) (呉)キョウ(ケウ) [肴] xiāo 〔二〕(漢)コウ(カウ) (呉)ゴウ [豪] hǎo
字義 〔一〕虎とらのほえる声。=虓(10465)。〔二〕よぶ。さけぶ。ほえる。=号(1310)。
解字 金文 篆文 形声。口+虎(音)。音符の虎コは、とらの声の意味。とらの声の意味を表す。

8 【啌】 11画 1537 コウ(カウ) [江] xiāng 5119 9A52 —
字義 ❶しかる。また、怒る声。❷すすぐ。口をすすぐ。❸せき(咳ガイ)。
解字 形声。口+空(音)。

8 【啐】 11画 1538 (漢)サイ・(呉)スイ [隊] cuì (慣)ソツ 1507 — 2159
字義 ❶おどろく(驚)。❷さけぶ。呼ぶ。❸子供をあやす声。❹なめる(嘗ショウ)。
解字 形声。口+卒(音)。
【啐啄ソツタク】 (仏)啐は、卵の内側から雛ひなが声を発して殻から抜け出る意を告げること。啄は、親鳥が殻をつついて雛の出るのを助けること。逃がすべからざる絶好の機会。禅宗で、師と修行者の呼吸がぴったり合って寸分の隙間すきまもない意にいう。両者の気分の合一すること。〔碧巌録〕

8 【啛】 11画 1539 (漢)サイ (呉)スイ [隊] cuì — — 2163
字義 なめる。先になめる。
解字 形声。口+妻(音)。

8 【唶】 11画 1540 〔一〕(漢)サク (呉)ジャク [陌] zé, ②jí 〔二〕シャ [禡] jiè — — 2150
字義 〔一〕❶さけぶ。大声で呼ぶ。また、大声。❷鳥の鳴き声。「唶唶」❸すう(吸)。〔二〕❶なく(鳴)。❷ほめたたえる。
解字 形声。口+昔(音)。

8 【喏】 11画 1541 (漢)ジャ (呉)ニャ [馬] rě — — 2175
字義 ❶丁寧に答える声。はい。❷会釈をする時に出す声。
解字 形声。口+若(音)。

8 【售】 11画 1542 (漢)シュウ(シウ) (呉)ジュ [宥] shòu 5120 9A53 —
字義 ❶うる(売)。うれる。「出售」❷行われる。用いられる。流通する。
解字 篆文 形声。口+隹(雔)(音)。音符の雔シュウは、讎シュウに通じ、むくいるの意味。代金を手にして、それ相当のものでむくいる、「うる」の意味を表す。

8 【唱】 11画 1543 (教)4 ショウ となえる ショウ(シャウ) [漾] chàng 3007 8FA5 —
［誯］ 11266 同字
筆順 丨 ㇕ 口 口丨 口冂 口日 唱 唱
字義 ❶となえる(となふ)。㋐うたう(うたふ)(歌)。吟ずる。「独唱」「斉唱」㋑よみあげる。声高く読む。「暗唱」「万歳三唱」㋒言いはじめる。先に立って言う。❷うた。歌曲。
名前 いざ・うた・となう・となお・みち
参考 現代表記では〔誦〕(11233)の書きかえに用いることがある。「暗誦→暗唱」「吟誦→吟唱」
解字 篆文 形声。口+昌(音)。音符の昌ショウは、さかんの意味。すばらしくさかんな声、となえる・うたうの意味を表す。
逆 暗唱・高唱・酬唱・主唱・首唱・清唱・斉唱・絶唱・提唱・独唱
【唱義ショウギ】 人に先だって正しい道をとなえる。
【唱言ショウゲン】 となえいう。先に立って言う。
【唱酬ショウシュウ】 自作の詩歌・文章をたがいにやりとりする。▼唱は言いやる、酬は返事する。
【唱籍ショウセキ】 名簿を見て名を呼ぶ。点呼する。また、そのこと。
【唱道ショウドウ】 ①先だってとなえる。▼道は、言う。②先だって他を導く。唱導。▼道は、導く。
【唱導ショウドウ】 ①となえみちびく。先に立ってとなえる。②(仏)法を説いて人々を導きさとす。
【唱名】 〔一〕ショウメイ 名を呼ぶ。名前を呼びたてる。〔二〕ショウミョウ (仏)仏を信仰して、その名号ミョウゴウをとなえること。「南無阿弥陀仏ナムアミダブツ」と唱えることなど。念仏。
【唱和ショウワ】 ①一方が先にとなえ、他方がこれに調子を合わせてとなえる。②詩歌を互いに贈答し合う。③他人の詩の韻をふんで詩を作る。

8 【商】 11画 (156) ショウ 亠部。→六八ジー上。

8 【商】 11画 (157) ショウ 商(156)の旧字体。→六八ジー上。

8 【唽】 11画 1544 (漢)セキ (呉)シャク [錫] xī — — 2153
字義 鳥の声。
解字 形声。口+析(音)。

8 【唼】 11画 1545 〔一〕ソウ(サフ) [合] zā 〔二〕(漢)ソウ(サフ) (呉)ショウ(セフ) [洽] shà 〔三〕ショウ(セフ) [葉] qiè 20401 — 2152
字義 〔一〕すする。すすって飲む。また、すすりこんで食べる。〔二〕ついばむ。鳥がえさを食う。また、その音。〔三〕そしる。つげぐちする。
解字 形声。口+妾(音)。

8 【啑】 11画 1546 〔一〕ソウ(サフ) [合] zā 〔二〕(漢)チョウ(テフ) (呉)ジョウ(デフ) [葉] diē 〔三〕(漢)テイ・(呉)タイ [霽] tì — — 2160
字義 〔一〕唼(1545)と同字。〔二〕喋(1611)と同字。〔三〕嚏(1759)の俗字。

8 【唾】 11画 1547 (常) ダ つば タ [箇] tuò(tù) (慣)ダ 熟字訓 固唾かたず 3435 91C1 —
筆順 丨 口 口ㇷ 口𠂉 口乛 呍 唾 唾
字義 ❶つば。つばき。「咳唾ガイダ」❷つばする。つばきする。つばを吐く。
解字 篆文 形声。口+垂(𠂹)(音)。音符の𠂹イは、たれるの意味。口からたれる液、つばの意味を表す。
【唾棄ダキ】 つばきを吐きすてるように捨ててかえりみない。さげすむ。また、いみきらう。
【唾手ダシュ】 手につばきする。転じて、物事の簡単にできるたとえ。また、勇気を奮って着手するたとえ。唾レ手てにつばす。唾掌。
【唾罵ダバ】 つばを吐きかけてののしる。ひどくきらって悪口をいう。
【唾面ダメン】 人の顔につばを吐きかける。ひどい侮辱を与えること。

8【啄】11画 (1508) タク 啄(1507)の旧字体。→二六六ページ中。

8【啅】11画 1548 ㊀タク 覺 zhuó ㊁漢トウ(タウ) 呉チョウ(テウ) 効 zhāo 5122 9A55 —

字義 ㊀❶やかましい。かまびすしい。❷ついば-む。=啄(1507)。㊁さえずる。また、小鳥の声。

解字 形声。口+卓音。

8【啖】11画 1549 標 ㊀漢タン・呉ダン 感 dàn ㊁漢タン・呉ダン 勘 dàn 5123 9A56 —

【啗】1550 同字 【噉】1775 同字

字義 ㊀くら-う。むさぼりくう。用例(墨子、魯問)楚之南有二啖人之国者一(ソのみなみにタンジンのくにになるものあり)。↓楚の南に、人をくらうという国がある。㊁くらわす。くわせる。

解字 篆文 形声。口+炎音。音符の炎は、さかんにもえあがるほのおの意味。さかんに口にする、むさぼりくうの意味を表す。

【啖呵】タンカ 国いきおいするどく、歯切れのよいことば。▼呵は、しかり責めるの意。「啖呵を切る」

【啖食】タンショク くう。むさぼり食う。

【啖啖】タンタン むさぼり食うようす。また、他国や他人の所有物を自分の支配下におくさま。

8【啗】11画 1550 タン 啖(1549)と同字。→二七一ページ上。 5124 9A57 —

8【啇】11画 1551 漢テキ 呉チャク 錫 dí 2-0404 — 2155

字義 ❶もと。ねもと。❷したたる。=滴(6647)。

参考 〔商〕(156)は別字。

解字 形声。口+帝省音。

8【啜】11画 1552 標 ㊀漢テツ・呉テチ 屑 zhuó ㊁漢セツ・呉セチ 屑 chuò 5121 9A54 —

字義 ㊀❶すす-る。また、なめる。❷くう。くらう。㊁❶すすり泣く。❷しゃべりつづける。

解字 篆文 形声。口+叕音。音符の叕は、つづるの意味。息をつぎながら吸いこむの意味を表す。

8【啠】11画 1553 テツ 哲(1510)の俗字。→二六六ページ中。 2-0407 — 2165

8【唸】11画 1554 標 テン 霰 艶 diàn 5125 9A58 —

字義 うな-る。うめく。苦しみのあまり声を出す。呻吟する。国❶うな-る。㋐感心のあまり声を出す。㋑低い力んだ声で歌う。❷うなり。凧につけて風でならすもの。

解字 篆文 形声。口+念音。音符の念は、口をとじて声だけを出すの意味。口を付し、うなる・うめくの意味を表す。

8【啁】11画 1555 ㊀漢トウ(タウ) 呉チョウ(テウ) 肴 zhāo ㊁チュウ(チウ) 尤 zhōu 2-0402 — 2154

字義 ㊀❶大声をはりあげる。❷たわむれる。また、あざける。=嘲(1717)。㊁小鳥の鳴く声。

解字 形声。口+周音。

【啁啾】チュウシュウ・トウシュウ ①楽器の音が入りまじるさま。②鳥の鳴く声。

【啁噍】チュウショウ ①小鳥の集まり鳴く声。②鳥の名。みそさざい。

【啁哳】チュウタツ・トウタツ 鳥の鳴く声。鳥が細い声でしきりにさえずるさま。また、声のすっきりしないさま。

8【㖦】11画 1556 漢トウ 呉ツ 董 dǒng 2-0403 — —

字義 おしゃべり。多言。

解字 形声。口+東音。

8【啍】11画 1557 ㊀漢トン・呉ドン 元 tūn ㊁シュン 真 — — 2158

字義 ㊀❶いき。ゆるい息。❷ゆったりしたさま。❸ほしいままに教える。❹おろかなさま。❺おしゃべり。㊁❶ねんごろにさとす。=諄(11263)。❷いつわる。

解字 形声。口+享音。

8【啡】11画 1558 ㊀ハイ 賄 pēi ㊁ヒ fēi 2-0408 — 2166

字義 ㊀❶つば(唾)。❷つばを吐く音。㊁音訳字。㋐咖啡は、コーヒー。㋑嗎啡は、モルヒネ。

解字 形声。口+非音。

8【啤】11画 1559 ヒ pí 2-0409 — 2167

字義 音訳字。啤酒は、ビール。

解字 形声。口+卑音。

8【啚】11画 1560 ㊀ヒ 紙 bǐ ㊁漢ト・呉ズ(ヅ) 虞 tú — — 2162

字義 ㊀おしむ。けちけちする。㊁図(1830)の俗字。

解字 象形。米蔵の形にかたどり、米蔵の意味を表す。米蔵にしまって出さない意味から、おしむの意味を表す。

8【唪】11画 1561 ㊀漢ホウ・呉ブ 董 běng ㊁漢ホウ・呉ブ 腫 fěng — — 2146

字義 ㊀❶大声で笑う。❷大きな声。㊁❶大声で笑う。❷大声で朗唱する。

解字 形声。口+奉音。

8【問】11画 1562 教3 漢ブン・呉モン 問 wèn モン とう・とい・とん 4468 96E2 —

筆順 丨 Ｐ 尸 門 門 門 門 問

字義 ❶とう。㋐たずねる。質問する。↔答(8741)。用例(論語、顔淵)樊遅問レ仁(ハンチジンをとう)。子曰、愛レ人(ひとをアイす)。↓樊遅が仁について質問した。先生がおっしゃった、「人を愛することだ」。㋑といただす。取り調べる。追及する。「審問」「訊問」㋒責める。問題だとして非難する。用例(左伝、襄公二十五)晋人問二陳之罪一(シンひとチンのつみをとう)。↓晋は(鄭を非難して)陳にどのような罪があって(陳を攻め)たのかとたずねた。㋓考慮する。問題として取り上げる。勘定に入れる。▼多く打ち消しの語をともなって、「…は問題としない」「…の区別なく」という意味で用いられる。用例(漢紀、高后紀)諸呂無レ問二長幼一皆斬レ之(ショリョはチョウヨウをとうなくみなこれをきる)。↓呂氏の一族であれば、年齢に関係なく、みな切り殺す。㋔関与する。口出しする。用例(史記、陳丞相世家)恣レ所レ為(なすところをほしいままにせしめ)、不レ問二其出入一(そのシュツニュウをとわず)。↓(漢王は陳平に黄金四万金を与えて)好きなようにさせ、その収支については、とやかく言わないことにした。㋕おとずれる。「訪問」㋖見舞う。「慰問」❷とい。質問。❸たより。手紙。音信。「問信」❹贈る。❺知らせる。告げる。❻命令する。国とん。問屋は、「とい(ひ)や」の音便。

名前 ただ・よ 難読 問寒別・問叶

解字 甲骨文 金文 篆文 形声。口+門音。音符の門は、かどの意味。人の家の門や神域で、安否や神意をたずねるの意味を表す。

逆 慰問・学問・下問・勘問・喚問・詰問・究問・糾問・験問・候問・考問・拷問・顧問・策問・査問・試問・諮問・借問・審問・尋問・請問・責問・切問・素問・弔問・答問・反問・不問・訪問・名問

【問遺】モンイ ①安否をたずねて物を贈る。②食物を贈る。

【問学(學)】モンガク 問い学ぶ。学問。

【問候】モンコウ 時候みまい。候問。

【問罪之師】モンザイのシ 罪を問いただすためにさしむける軍隊。

【問津】モンシン 同問レ津(シンをとう)。①渡し場のあり場所を問う。▼

津は、渡し場。用例〔論語、微子〕使二子路問一レ津焉。↓子路に渡し場の所在を尋ねさせた。②学問への入り口を教えてほしいとたのむ。③疑問のところを問いただす。

【問△訊】モンジン ①問いただす。訊問。用例〔東晋、陶潜、桃花源記〕村中聞レ有二此人一、咸来問訊。↓この人がやってきたことを村中が聞きつけて、みんなやってきては質問攻めにした。②おとずれる。訪問する。③仏体を曲げ合掌し口で安否を問う礼法。④閉口する。降参する。

【問世】モンセイ ①世に問う。評価を期待して著作物を出版、あるいは言論を発表すること。②世を問う。世間に出て人々と交わること。

【問責】モンセキ 問いせめる。また、責任をせめ問う。

【問対(對)】モンタイ ①うけこたえ。問答。応対。②答え方を問い尋ねる。③文体の名。問答体の文章。

【問△鼎】モンテイ ＝問二鼎軽重一(一六五一ページ上)。

【問難】モンナン ①問いたずねる。②問いただして、なじる。

【問名】モンメイ 婚礼に関する礼法の一。主人が使者を送り、相手の女の姓氏(生母の姓氏をいう)を問わせる礼。

【問柳尋花】モンリュウジンカ 春の景色を愛でること。

【問労(勞)】モンロウ ほねおりを問い慰める。問いねぎらう。

8
【唯】11画 1563 常 ユイ・イ
一 漢イ(ヰ)・呉ユイ 支 wéi
二 漢イ(ヰ)・呉ユイ 紙 wěi
4503 9742 ―

筆順
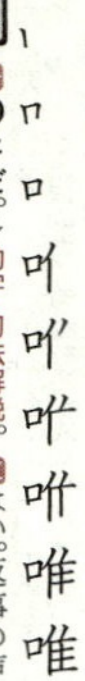

字義 一 助 ただ。⇩助字・句法解説。 二 はい。返事の声。すぐ丁寧に返事をすること。→唯諾。用例〔論語、里仁〕子曰、参乎、吾道一以貫レ之。曾子曰、唯。↓孔子が言った、「参(曽参)よ、私の道は一つのことで貫いているのだ」。曽子は(答えて)言った、「はい」。

助字・句法解説

ただ。
㋐限定。訳ただ…だけ。類惟・但・只・秖・啻・徒・直。続く内容を限定する働きをする。「ただ…のみ」と呼応させて訓読することが多い。
用例〔唐、李白、黄鶴楼送三孟浩然之二広陵一詩〕孤帆遠影碧空尽、唯見長江天際流。↓友を乗せた船の帆が遠く碧空のかなたに消え、あとにはただ長江が天の果てへと流れて行くのが見えるばかりである。
㋑訳ひたすら。一心に。
用例〔史記、高祖本紀〕人又益喜、唯恐沛公不レ為二秦王一。↓(秦の)人々はますます喜び、沛公が秦王にならないことばかりをひたすら心配した。

名前 い・ただ・ゆい

解字 甲骨文  金文  篆文 
形声。口＋隹音。音符の隹は、「はい」とすぐに答える声を表す擬声語。口を付し、「はい」の意味を表す。また、借りて、「ただ」の意味をも表す。

逆 諾唯

【唯△阿】イア ①唯と阿。ともに返事のことば。▼唯は丁寧な返事、阿はいいかげんな返事。②差のひどくないこと。

【唯唯】イイ ①はいはい。ていねいに承知することば。②人の意に従うさま。

【唯唯諾諾】イイダクダク はいはいと、事のよしあしに関係なく、他人の言うままに従うこと。〔韓非子、八姦〕

【唯一】ユイイツ・ユイイチ・ユイツ ただひとつ。ほかにはない。「唯一無二」

【唯我独(獨)尊】ユイガドクソン ①仏宇宙間で自分が最もたっとい。人格の尊厳を表したことばで、釈迦が生まれた時言ったという。天上天下唯我独尊。〔長阿含経〕②自分だけがすぐれているとうぬぼれる。ひとりよがり。

【唯心論】ユイシンロン 国哲学で、精神が宇宙の本体であり、物質的現象も精神のあらわれであるとする説。↕唯物論。

【唯諾】イダク はいと返事すること。▼唯は間をおかずていねいにする返事、諾はゆっくりとそまつにする返事。

【唯美主義】ユイビシュギ 国十九世紀後半にフランス・イギリスを中心に起こった思潮で、美的なものに最高の価値を認める処世上・芸術上の態度。耽美主義。

【唯物論】ユイブツロン 国哲学で、物質が宇宙の本体であり、精神的現象も物質の作用であるとする説。↕唯心論。

8
【唻】11画 1564 ライ 隊 lài ― ― 2151
字義 ❶歌う声。❷呼ぶ声。
解字 形声。口＋來音。

8
【啉】11画 1565 ラン 覃 lán, ③lěn ― ― 2156
字義 ❶酒が一巡する。❷むさぼる。＝婪(2454)。❸おろか。
解字 形声。口＋林音。

8
【㖝】11画 1566 リン 臨(11026)の俗字。→一三九三ページ上。

8
【唳】11画 1567 漢レイ 呉ライ 霽 lì
【唳】1521 俗字
字義 なく。鶴や雁の鳴く声。「風声鶴唳」
解字 形声。口＋戾音。

8
【啦】11画 1568 ロウ(ラフ) lā, ②la ― ― 2168
字義 ❶嘩啦は、くずれる音の形容。❷現代中国語で、文末の助字。完了・変化の語気を表す。
解字 形声。口＋拉音。

8
【唲】11画 1569 ロク 屋 lù 20406 ― ―
字義 ❶わらう。❷鳥の声。 難読 唲己呑
解字 形声。口＋彔音。

8
【啝】11画 1570 漢カ(クワ) 呉ワ 歌 hé 5127 9A5A ―
字義 ❶したがう(順)。❷小児が泣く。
解字 形声。口＋和音。

8
【啘】11画 1571 ワ wā ― ― 2161
字義 江南地方の方言で、文末の助字。語気を強める。
解字 形声。口＋宛音。

9
【喔】12画 1572 アク 覚 wō ― ― 2179
字義 ❶鶏の鳴く声。「喔喔」❷わらう。へつらい笑う。むりに笑う。
解字 形声。口＋屋音。

9
【喂】12画 1573 イ(ヰ) 微 wèi 20412 ― 2171
字義 ❶おそれる(恐)。❷はぐくみやしなう。❸現代中国語で、もしもし。
解字 形声。口＋畏音。

9
【喑】12画 1574
一 漢イン・呉オン 侵 yīn
二 漢イン・呉オン 沁 yìn
20414 ― 2176
字義 一 ❶なく(泣)。子供が泣きやまない。❷口がきけない(人)。また、口をつぐむ。口をとじる。＝瘖(7771)。 二 ❶なく。むせび泣く。声が出なくなるまで泣く。❷鳥が鳴く。❸さけぶ。よぶ。
解字 篆文 
形声。口＋音音。音符の音は、口に物を含んで言葉にならない声の意味。口をつぐむ・子供

がなくの意味を表す。

【喑啞】(インア) ①生まれつき口のきけないこと。また、口をつぐむ。だまる。②怒気をふくむ。喑噁(インオ)。

【喑噫】(インイ) むせび泣く。

【喑噁】(インオ) ＝喑啞(インア)②。

【喑默(默)】(インモク) 口をつぐむ。沈黙する。

9【営】12画 (2757) エイ ⺍部。→四三三ページ中。

9【嗢】12画 1575 オツ 嗢(1626)の俗字。→二七八ページ上。

9【喎】12画 1576 カ 咼(1443)と同字。→二六二ページ上。 1511 — 2174

9【斝】12画 (4587) カ 斗部。→六三五ページ中。

9【喈】12画 1577 カイ 佳 jiē 20413 — 2173

字義 ❶やわ-らぐ(やはらぐ)(和)。鳥がおだやかに鳴く声。また、笛や鈴などの調和のある音。「喈喈」 ❷はやい(疾)。

解字 篆文 形声。口＋皆音。音符の皆は、人が声をそろえて言うの意味。気心がそろって、やわらぐの意味を表す。

9【喙】12画 1578 漢カイ(クワイ) 呉ケ 隊 huì 5128 9A5B —

字義 ❶くちばし。くち(口)。㋐鳥のくちさき。用例〔戦国策、燕〕蚌合箝二其喙一(ボウガッしてそのくちばしをはさむ)。↓どぶ貝は殻を閉じてしぎのくちばしをはさんだ。㋑獣の口。㋒口。くちさき。また、ことば。❷いき(息)。呼吸。❸呼吸が短くせまるさま。くるしむ。

解字 篆文 会意。口＋彖。彖(タン)は、いのししの象形。いのししの口の意味から、くちばしの意味を表す。

9【喀】12画 1579 標 漢カク 呉キャク 陌 kā 5129 9A5C —

字義 ❶は-く。のどにつかえたものを吐く。＝咯(10805)。❷物を吐く声。「喀喀」 難読 喀爾喀(ハルハ)・喀刺昆侖(カラコルム)「喀血」

参考 〔咯〕(1445)は本来別字だが、今は通じて用いる。

解字 形声。口＋客音。

【喀血】(カッケツ) 血を吐く。咯血(カッケツ)。◈現代では、特に肺の血をはくこと。胃の血を吐くのを吐血という。

【喀痰】(カクタン) たんを吐く。また、その痰。咯痰(カクタン)。

9【喝】12画 (1530) カツ 喝(1529)の旧字体。→二六九ページ中。

9【喚】12画 1580 常 カン カン(クワン) 翰 huàn 2013 8AAB —

筆順 丨 ㅁ 口 口' 口ク 口ク 口ク 喚 喚 喚

字義 よ-ぶ。㋐わめ-く。おめ-く(をめく)。さけぶ。「阿鼻(アビ)叫喚」 ㋑まねく。声をかけてよびよせる。「召喚」

解字 篆文 形声。口＋奐音。音符の奐(カン)は、手もとにあるものをとりかえるため遠くのものを求めるの意味。遠くにあるものを求めるため、よぶの意味を表す。

逆 叫喚・呼喚・召喚・招喚・万喚

【喚起】(カンキ) ①よびおこす。注意をひきたてる。②百舌(もず)の別名。喚春鳥。

【喚呼】(カンコ) よびさけぶ。大声でよぶ。

【喚声(聲)】(カンセイ) よびさけぶ声。

【喚問】(カンモン) (役所などに)よびだして問いただす。

9【喊】12画 1581 一 漢カン・呉ゲン 二 漢カン・呉ケン 豏 hǎn 咸 5131 9A5E —

字義 一 さけ-ぶ。❶怒ってどなる。大声でしかる。❷勇みたって大きな声をあげる。鬨(きと)の声をあげる。「喊声」「吶喊(トッカン)」 二 ❶しかる。❷つぐむ。口をとじる。＝緘(9264)。

解字 形声。口＋咸音。音符の咸(カン)は、喊で、大声を出しきるの意味。咸が、みなの意味に用いられるようになり、口を付し、大声に叫ぶ声の意味を表す。

9【喞】12画 1582 カン 衜(12596)の俗字。→一四〇ページ中。 5118 9A51 —

9【喭】12画 1583 一 ゲン 二 ガン 霰 yàn 翰 yàn 1513 — 2183

字義 一 とむら-う(とむらふ)。みまう。慰問する。＝唁(1492)。 二 ❶いやしい。あらあらしい。粗雑。❷つよい(剛)。

解字 形声。口＋彥音。

9【喗】12画 1584 漢ガン 呉ゴン 覃 ān 20411 — —

字義 ❶いびき。❷とじる。口をつぐむ。

解字 形声。口＋弇音。

9【喜】12画 1585 教 5 キ よろこ-ぶ 一 キ 紙 xǐ 二 キ 寘 2078 8AEC —

筆順 一 十 士 吉 吉 吉 吉 壴 喜

〔歖〕5980 古字 〔㐂〕33 俗字

字義 一 ❶よろこ-ぶ。㋐うれしがる。たのしく感ずる。「一喜一憂」「随喜」 ㋑祝う。❷よろこ-び。㋐うれしい気持ち。㋑めでたいこと。幸い。 二 このむ。めで愛する。

名前 き・きよ・このむ・たのし・のぶ・はる・ひさ・ゆき・よし

難読 喜生(きぶ)・喜熨斗(きのし)・喜屋武(きゃん)・喜生(きさぶ)・喜早(きそ)・喜入(きいれ)・喜茂別(きもべつ)・喜連川(きつれがわ)・喜馬拉(ヒマラヤ)

使いわけ よろこぶ〔喜・慶〕
広く一般に〔喜〕を用いる。祝賀の気持ちを強く表したい場合には〔慶〕を用いることがあるが、常用音訓には含まれていない。「合格を喜ぶ」「新年をお慶び申し上げます」

解字 甲骨文 篆文 会意。壴＋口。壴は、掛けた打楽器の象形。口は祈りのことばの意味。楽器を打ち神に祈り、神を楽しませるの意味から、よろこぶの意味を表す。喜を音符に含む形声文字に、僖(キ)・嘻(キ)・嬉(キ)・憙(キ)・禧(キ)などがあり、これらの漢字は「よろこぶ」の意味を共有している。

逆 悦喜・歓喜・狂喜・驚喜・娯喜・随喜・悲喜

【喜雨】(キウ) ほどよい時に降る雨。よい雨。甘雨。時雨。滋雨。

【喜慍】(キウン) よろこびと、いかり。喜怒。▼慍は、むっとする。

【喜悦・喜説】(キエツ) よろこぶ。また、よろこび。

【喜歓(歡)】(キカン) よろこぶ。用例〔唐、陳鴻、長恨歌伝〕生レ男勿二喜歓一(おとこをうむもキカンすることなかれ)。↓男の子が生まれても喜んではいけない。

【喜捨】(キシャ) 仏 進んで寺に寄付したり、貧者に施しをすること。

【喜寿(壽)】(キジュ) 国 七十七歳の祝い。喜の字の草書、㐂が七十七に見えるからいう。⇩コラム 年齢の別称(四六六ページ)。

【喜色】(キショク) うれしそうな顔つき。「喜色満面」

【喜戚】(キセキ) よろこびと、心配。喜憂。

【喜怒哀楽(樂)】(キドアイラク) よろこび・怒り・悲しみ・楽しみ。人間の感情の総称。

【喜躍】(キヤク) よろこんで、おどりあがる。欣喜雀躍(キンキジャクヤク)。

9【喟】12画 1586 キ 寘 kuì 5132 9A5F —

字義 ❶ためいき。ためいきの声。といき。❷なげく。悲しむ。

解字 篆文 形声。口＋胃音。音符の胃は、ためいきの音を表す擬声語。口を付し、ためいきの意味を表す。

【喟然】(キゼン) ため息をつくさま。喟爾(キジ)。㋐なげくさま。㋑感にたえぬさま。

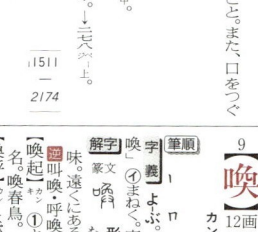

9【暠】12画（4791） キ 日・曰部。↓六七三ページ上。

9【喫】12画 1587 常 キッ 2142 8B69

9〘喫〙12画 1588 漢ケキ・呉キャク 慣キッ 錫 chī

筆順 口 口' 叶 呋 喫 喫 喫 喫

［喫］1696 俗字 ［噄］1697 俗字

字義 ❶口に入れる。＝吃（1330）。㋐くう。くらう。食べる。「満喫」 ㋑のむ（飲）。「喫茶」 ㋒すう。「喫煙」 ❷うける（受）。…される。「大敗を喫す」 難読 喫驚

参考 現代表記では〔吃〕（1330）の書きかえに用いることがある。「吃水→喫水」

解字 篆文 形声。口＋契音。音符の契は、きざむの意味。口の中で刻む、くうの意味を表す。

逆 満喫

【喫煙・喫△烟】たばこを吸う。

【喫驚】びっくりする。おどろかされる。吃驚。

【喫緊】たいせつなこと。かんじんかなめ。

【喫茶】①茶を飲むこと。吃茶。②女性が婚約すること。茶は一度植えると移植のできないことから、女性が一度婚約すれば他と婚約できない意にたとえる。

【喫飯】①食事をする。②生活する。くらす。

9【嗅】12画 1589 キュウ 嗅（1631）の俗字。↓二七八ページ中。

9【喬】12画 1590 人 漢キョウ（ケウ） 呉ギョウ（ゲウ） 蕭 qiáo 2212 8BAA

筆順 一 二 夭 夭 乔 乔 乔 喬 喬

字義 ❶たかい。高くそびえる。高く立つ。「喬木」 ❷高くて上の曲がっている木。 ❸おごる。たかぶる。ほしいままにする。＝驕（13793）。

名前 きょう・すけ・たか・たかし・ただ・のぶ・もと

解字 金文 篆文 象形。高い楼閣の上に旗がたてられた形にかたどり、高いの意味を表す。高の字と音形・字形とともに意味も近い。喬を音符に含む形声文字に僑・嬌・嶠・撟・橋・矯・趫・蹻・轎・驕などがあり、これらの漢字は「たかい」の意味を共有している。

【喬岳（嶽）】①高い山。峻嶺。②泰山（八〇九ページ上）の別名。

【喬吉】元の戯曲作家。名は吉甫ともいう。太原（今の山西省内）の人。元曲の六大家の一人。（?—一三四五）

【喬詰】心がたかぶって平静を欠くこと。不平不満。

【喬志】心をおごりたかぶらせる。また、おごりたかぶる心。

【喬松】①高い松の木。②不老・不死の二人の仙人、王子喬と赤松子。

【喬松△之寿（壽）】長寿のこと。▼喬は王子喬、松は赤松子、ともに不老・不死の仙人。

【喬△竦】高くそびえる。▼竦は、そびえる。

【喬遷】①高いところに移る。②人の転居・仕官・栄転を祝っていう。

【喬木】①高い木。年数を経た大きな木。喬樹。②幹が堅く、高さが三メートル以上にのびる木。松・杉・檜などの類い。高木の旧称。↔灌木（八八八ページ下）。

9【喁】12画 1591 一漢ギョウ・呉グ 图 yóng 二グ 虞 yú 1509 — 2170

字義 一❶あぎとう。魚が水面で口をぱくぱくする。❷→喁喁。❸かけ声。互いにかけかわす声。「于喁」 二

解字 形声。口＋禺音。

【喁喁】①魚が口を水面に出してぱくぱくするさま。②あおぎしたうさま。③待ちこがれるさま。④何か求めていながら何もしないさま。

9【煦】12画 1592 ク 麌 xǔ — — 2181

字義 ❶ふく。息を吹きかける。❷あたためる。日光であたためる。＝煦（7066）。❸煦煦は、㋐へつらい笑うさま。㋑喜ぶさま。

解字 形声。灬（火）＋呴音。音符の呴は、息を吹きかけるの意味。温かい息を吹きかけるの意味を表す。

9【喗】12画 1593 グン 吻 yǔn — — 2180

字義 大きい口。

解字 形声。口＋軍音。

9【喧】12画 1594 人 標 漢ケン 呉カン（クワン） 元 xuān 2386 8C96 —

筆順 口 口 口' 口亠 吅 喧 喧 喧

字義 ❶かまびすしい。やかましい。大声でがやがや言う。用例〔東晋、陶潜、飲酒詩〕結レ廬在二人境一、而無二車馬喧一。↓粗末な家を人里の中に構えているが、それにもかかわらず訪問客の車馬の騒がしさがない。❷盛大なさま。きわだって現れるさま。

名前 はる

解字 形声。口＋宣音。音符の宣は、のべるの意味。口を付し、大声でのべる、かまびすしいの意味を表す。

【喧△嘩】①やかましい。やかましく言いたてる。②国争い。言い合い。なぐりあい。

【喧△豗】うるさくぶっつかりあう。

【喧△聒】やかましい。▼聒も、やかましい。

【喧喧】やかましいさま。

【喧喧△囂△囂】大勢の人が口やかましく騒ぎ立てる様子。

【喧呼】やかましくよびさけぶ。

【喧△囂】やかましい。口やかましく騒ぐ。

【喧△擾】さわぎ乱れる。さわぎたてる。

【喧争（爭）】やかましく言いあらそう。

【喧騒（騷）】やかましい。さわがしい。

【喧△闐】やかましく騒ぎたてる。

【喧伝（傳）】やかましく（世間に）言いふらす。

【喧△鬧】やかましく騒がしい。

9【喖】12画 1595 漢コ 呉ゴ 虞 hú ₂0415 — —

字義 ❶怒る声。❷あごの垂れ肉。

解字 形声。口＋胡音。

9【喉】12画 1596 常 コウ のど 漢コウ・呉グ 尤 hóu 2502 8D41 —

筆順 口 叮 吖 吘 咿 喉 喉 喉

［㗋］1598 本字

字義 ❶のど。のどぶえ。「咽喉」 ❷かなめ。要所。急所。 難読 喉吭

解字 篆文 形声。口＋侯音。音符の侯は、うかがうの意味。外部からその形をうかがうことができる口、のどぼとけの意味を表す。

【喉△衿】①のどと、えりくび。②要害の地。③かなめ。最も重要なもの。眼目。

【喉舌】①のどと、した。②ことば。③天子の言を下の者に伝え、下の者の言を天子に伝える官。宰相。④要害の地。

【喉△吻】①のどと、口もと。②重要な場所のたとえ。

【△扼レ喉】同扼喉。①のどをしめつける。②要害の地を占領する。急所を押さえる。

9 【喤】 12画 1597 ㊀㊥コウ(クヮウ) ㊤オウ(ワウ) 陽 huáng ㊁㊥コウ(クヮウ) ㊤オウ(ワウ) 庚 huáng ── ── 2182

字義 ㊀子供の泣く声。子供が大声で泣く。㊁❶いかる(怒)。❷やかましい。かしましい。❸子供の泣く声。❹よぶ。よばわる。先ばらいする。また、その声。先ばらいの声。

解字 篆文 形声。口＋皇㊥。音符の皇は、大きいの意味。大いにしゃべるの意味。大声に泣く子供の泣き声の意味などを表す。

9 【喉】 12画 1598 コウ 喉(1596)の本字。→二七四ページ下。

9 【號】 12画 1599 ゴウ 号(1310)の俗字。→二四〇ページ下。

9 【喰】 12画 1600 人 標 サン cān 2284 8BF2 ──

筆順 丨 口 … 喰

字義 くう。くらう。食べる。食事する。＝餐(13600)。

解字 会意。口＋食。

9 【喒】 12画 1601 サン 覃 zá, zǎn ── ── 2177

字義 ❶味わう。❷われ。おいら。自称の俗語。

解字 形声。口＋昝㊥。

9 【啻】 12画 1602 シ 寘 chì 5133 9A60 ──

字義 ❶ただ。それだけ。❷ただに。否定の「不」や、反語の「何」「奚」などの下につけて、「不啻…(ただに…のみならず)」「何(奚)啻…(なんぞただに…のみならんや)」のように読み、単にそればかりではないという意味を表す。

解字 金文 篆文 形声。口＋帝㊥。音符の帝は、しめる・一つにしぼるの意味から、「ただ」の意味を表す。

9 【嗞】 12画 1603 シ 支 zī ── ── 2205

字義 ❶嘆く。❷泣きやまない。

解字 形声。口＋茲㊥。

9 【啾】 12画 1604 ㊥シュウ(シウ) ㊤シュ 尤 jiū 5134 9A61 ──

字義 ❶小声で泣く。すすり泣く声。❷鳥や虫などの悲しげに鳴く声。❸子供の泣く声。

解字 篆文 形声。口＋秋㊥。音符の秋は、かぼそい鳴き声の擬声語。口を付し、こごえの意味を表す。

【啾啾】シュウシュウ ①鳥の鳴く声。②虫の鳴く声。③猿の鳴く声。④小声で悲しげに泣く声。また、死者の魂が泣く声。用例〔唐、杜甫、兵車行〕新鬼煩冤旧鬼哭、天陰雨湿声啾啾(シンキはハンエンし、キュウキはコクし、テンくもりあめうるおう(ほ)うとき、こえ(ゑ)シュウシュウたり)。↓戦死したばかりの亡霊はもだえうらみ、古い亡霊はなきさけび、空が曇り雨がしっとりと降る時、亡霊のうらみ泣く声がしくしくと聞こえてくる。

【啾△喞】シュウショク・シュウソク ①かぼそい声。②集まってうるさい声の形容。

9 【喞】 12画 1605 ㊥ショク ㊤ソク 職 jí 5136 9A63 ──

【唧】 1606 同字

字義 ❶なく。すだく。小さい声が集まってうるさいこと。❷そそぐ。水をつぎこむ。国かこつ。なげく。

難読 喞筒(ポンプ)

解字 形声。口＋卽㊥。

【喞喞】ショクショク ①機織りの小さな音のしきりに聞こえるさま。②虫・小鳥・ねずみなどのしきりに鳴く声。③嘆息の声。

【喞筒】ソクトウ ポンプ。消火用ポンプ。

9 【唧】 12画 1606 ショク 喞(1605)と同字。→二七五ページ中。

9 【善】 12画 1607 ㊥セン・㊤ゼン 銑 shàn 3317 9150 ── 教6 ゼン よい

筆順 丷 䒑 羊 𦍌 羊 𦍍 𦍍 善

【譱】 11403 古字

字義 ❶よい。よし。いい。㋐正しい。道理にかなっている。↔悪(3531)。「善道」「善行」 ㋑すぐれている。りっぱ。美しい。「善家」「善声」 ㋒たくみ。じょうず。「善手」「善戦」。㋓むつまじい。仲がよい。親しい。用例〔戦国策、秦〕秦楚之交善(シンソのまじわ(は)りよし)。↓秦と楚は親しい関係にある。

❷よく。㋐正しく。たくみに。適切に。用例〔論語、子罕〕夫子循循然善誘レ人(フウシジュンジュンゼンとしてよくひとをいざなう(ふ))。↓先生は順序よくたくみに人を導かれる。㋑てあつく。親切に。丁寧に。用例〔東晋、陶潜、詠二荊軻一詩〕燕丹善養レ士、志在レ報二強嬴一(エンタンよくシをやしない(ひ)、こころざしはキョウエイにむくゆるにあり)。↓燕の太子丹は手厚く士を養い、その決意は強国秦への報復にあった。㋒多く。しばしば。…しがち。用例〔史記、河渠書〕岸善崩(きしよくくずる)。↓岸がしばしば崩れた。

❸よくする。㋐みごとにおさめる。正しく行う。用例〔孟子、尽心上〕窮則独善二其身一、達則兼善二天下一(キュウすればすなわ(は)ちひとりそのみをよくし、タッすればすなわ(は)ちかねてテンカをよくす)。↓困窮の時にはひとり自分の身を正しく保ち、世に出れば広く天下を正しくする。㋑たくみに行う。長じる。用例〔淮南子、人間訓〕近二塞上一之人、有二善レ術者一(サイジョウにちかきのひとに、ジュツをよくするものあり)。↓ある城塞の近くに住んでいる人で、占いの法にたくみな人がいた。㋒仲よくする。むつまじくする。用例〔呂氏春秋、貴公〕夷吾善二鮑叔牙一(イゴはホウシュクガとよくす)。↓わたくし夷吾は鮑叔牙と仲よくしております。㋓よい方向に導く。改善する。用例〔礼記、楽記〕楽也者、聖人之所レ楽也、而可三以善二民心一(ガクは、セイジンのたのしむところなり、しかしてもってミンシンをよくすべし)。↓音楽というものは聖人の楽しむものであり、またこれによって民心を良い方向に導くことができるものである。

❹よいこと。よい行い。また、よい人。「勧善懲悪」

❺徳目の一つ。道理にかない、良心に反しない完全な徳。

❻よみする。よみす。㋐よいと認めてほめる。是認する。用例〔韓非子、説林上〕夫以二人言一善レ我、必以二人言一罪レ我(それひとのゲンをもってわれをよみせば、かならずひとのゲンをもってわれをつみせん)。↓人の意見で私を褒めるならば、きっと人の意見で私を罰することにもなろう。㋑心にかなう。喜ぶ。このむ。用例〔東晋、陶潜、帰去来辞〕善二万物之得一レ時、感二吾生之行休一(バンブツのときをえたるをよみし、わがセイのゆくゆくキュウするをカンず)。↓すべてのものがよい時にめぐり合っていることに満足し、私の生涯が次第に死に近づいていることを感じる。

❼ぬぐう。「善刀」

名前 さ・ぜん・ただし・たる・よし　難読 善正(せば)・善知鳥(うとう)

使いわけ よい〔良・善〕⇨良(9783)。

解字 金文 篆文 古文 会意。誩＋羊。誩は、原告と被告の発言の意味。羊を神のいけにえとして、両者がよい結論を求めるさまから、よいの意味を表す。善を音符に含む形声文字に、膳(ゼン)・繕などがあり、これらの漢字は「よい」の意味を共有している。

逆 改善・偽善・至善・慈善・上善・親善・聖善・積善・責善・忠善・追善・独善

【善意】ゼンイ ①よい心。りっぱな心。②親切な心。好意。③よい意味。

【善因】ゼンイン 仏よい結果を招く原因となる行い。善業。善根。「善因善果」

【善果】ゼンカ 仏よい報い。善行の報い。

【善△賈】ゼンカ ㊀①よいあたい。高いねだん。高価。②うまく買う。商売がうまい。㊁よい商人。大商人。名君にたとえることがある。

【善教】①よい教え。りっぱな教え。②たくみに教える。丁寧に教える。

【善後策】あと始末の方策・手段。

【善業】仏=善因。

【善根】仏=善因。

【善才】①人名。唐代の琵琶の名手。②唐代、琵琶師をいう。

【善△哉】㊀よいと感心する語。ありがたや。㊁①仏仏を賛美することば。②国汁粉の一種。

【善士】①りっぱな人物。良士。②天子から爵位などを与えられた人。

【善柔】へつらうだけで誠実さのないこと。また、その人。

【善処(處)】①よい所。よい地位。②りっぱに処置する。うまくしまつする。

【善書】①内容も校訂もよくゆきとどいている本。善本。②文字をたくみに書く。また、その人。用例〔後山談叢、一〕善書不択紙筆。↓文字を巧みに書く人は、筆や紙など用具のよしあしを問題としない。③明・清代、儒・仏・道の三教融合の考え方で道徳を説いた書。民間に広く行われた宗教の経典類。

【善声(聲)】①よい評判。②よい声。美声。

【善戦(戰)】(非力であるが)よく戦う。じょうずに戦う。

【善知識】仏人を導いて仏道に入らせる徳の高い僧。ひじり。高僧。

【善刀】刀をぬぐってきれいにする。転じて、事前に準備すること。

【善道】①よい道。人としての正しい道。②よい方に(じょうずに)教え導く。▼道は、導。③仏極楽浄土。

【善導】=善道②。

【善男善女】仏仏教をかたく信仰している多くの男女。善男信女。

【善謀】よいはかりごと。たくみな計略。

【善本】①=善書①。②=善因。

【善△游者溺】泳ぎのじょうずな者はかえっておぼれることがある。心に油断を生じて、長所・技能がかえって災いとなるたとえ。用例〔淮南子、原道訓〕善游者溺、善騎者堕。↓泳ぎのじょうずな者はかえっておぼれることがあり、乗馬のうまい者はかえって落馬する。

【善用】うまく使う。じょうずに使う。↔悪用(五二七ページ下)。

【善隣】隣国または隣人と仲よくすること。

【△勿以善小而不為(爲)】わずかな善行だからといってそれをやらないということがあってはならない。用例〔三国志、蜀志、先主伝、注〕勿以悪小為之、勿以善小而不為。↓小さな悪事だからといって、それをしてはならない、小さな善行だからといってやらないことがあってはならない。

【遷善】=遷善(一四三五ページ中)。

9 【喘】12画 1608 標 セン 慣ゼン 銑 chuǎn 5135 9A62 一

字義 ❶あえぐ。いきぎれする。❷せき。せく。また、その病気。喘息。❸いき。気息。「余喘」❹ささやく。こっそり言う。❺にわか。あわただしい。

解字 篆文 形声。口+耑音。音符の耑は、遄に通じ、あわただしく、数多く行き来するの意味。呼吸があわただしく、あえぐの意味を表す。

9 【喪】12画 1609 常 ソウ も ㊀ソウ(サウ) 陽 sāng ㊁ソウ(サウ) 漾 sàng 3351 9172 一

筆順 一 十 … 喪 喪

〔丧〕438 俗字

字義 ㊀も。㋐死者をほうむる儀式。とむらい。また、人が死んだとき、縁故者が悲しんで一定の期間、家にとじこもる礼。もとは親疎によって、その期間や礼装に差があった。→喪服㊀。用例〔左伝、襄公三十一〕居喪而不哀。↓父君の喪中にあっても悲しまなかった。㋑しかばね。遺体。また、ひつぎ。用例〔春秋、僖公元〕夫人氏之喪至自斉。↓夫人のなきがらが斉の国から届いた。

㊁❶うしなう。うしなう。㋐なくす。用例〔易経、坤〕西南得朋、東北喪朋。↓西南では友が得られ、東北では友を失う。㋑わすれる。用例〔荘子、斉物論〕今者吾喪我。↓いま私は私という存在を忘れてしまった。❷ほろぼす。ほろびる。用例〔論語、子罕〕天之将喪斯文也、後死者不得与於斯文也。↓天が、この文王の道を滅ぼそうとしているなら、文王の後に生まれ死んでゆくこの私は、この文王の道に関与する機会はないはずである。❸うせる。死ぬ。なくなる。用例〔東晋、陶潜、帰去来辞序〕尋程氏妹喪于武昌。↓間もなくして程氏に嫁いだ妹が武昌でなくなった。❹すて去る。にげる。用例〔詩経、唐風、葛生、小序〕献公好攻戦、則国人多喪矣。↓晋の献公は戦争を好んだので、人民は多く国を捨てて逃げた。

解字 金文 篆文 会意。哭+亡。哭は口をあけて大声でなくの意味。亡は人の死の意味。悲しい人の死の意味から、一般に、ものを失うの意味を表す。

逆 除喪・心喪・阻喪・大喪・得喪

【喪家】①人の死んだ家。喪中の家。②家をうしなう。

【喪家△之△狗】死者のある家の、えさも与えられずやせおとろえた犬。一説に、帰るべき家を失った犬。転じて、見るかげもなく落ちぶれた人のたとえ。用例〔史記、孔子世家〕累累若喪家之狗。↓疲れ切ったさまは、喪中の家の飼い犬のようだった。

【喪祭】葬式とまつり。▼喪は人の死んだ直後のとむらい、祭は喪を終わった後のまつり。

【喪失】うしなう。なくす。

【喪主】葬式をとり行う主人。施主。

【喪章】喪服を着るかわりに、平常服につける服喪のしるし。

【喪心】①本心をなくす。②気をうしなう。気ぬけする。失心。喪神。

【喪神】気をうしなう。気ぬけする。喪心。

【喪葬】とむらい。葬式。

【喪中】喪にこもっている期間。服喪中。

【喪服】㊀喪中に着る着物。麻で作り、斬衰(期間三年)・斉衰(一年)・大功(九か月)・小功(五か月)・緦麻(三か月)の五服にわける。㊁国喪中に着る着物。薄墨色や黒色のものを用いる。

【喪与(與)其易也寧戚】喪礼は形式がりっぱにととのっているというよりは、むしろ心からいたみ悲しむことが大切だ。孔子が礼の根本について述べた言葉。用例〔論語、八佾〕礼与其奢也寧倹、喪与其易也寧戚。↓礼は派手にするよりは、むしろ控えめにするのがよい、喪礼は形式をりっぱにととのえるよりは、むしろ心からいたみ悲しむことが大切だ。

【喪乱(亂)】死亡と戦乱。世の乱れ。一説に、土地を失い、人民が離散すること。

【喪礼(禮)】ソウレイ ①葬式や喪中の礼法。②とむらい。

9 【〓】 12画 1610 漢タン 呉ダン 感 dǎn — — 2169
字義 〓〓は、ゆたかなさま。
解字 形声。口+甚音。

9 【單】 12画 (2754) タン 単(2753)の旧字体。→四三ジ中。 — — —

9 【喋】 12画 1611 人 標 一 漢チョウ(テフ) 呉ジョウ(デフ) 葉 diē 二 漢トウ(タフ) 呉ジョウ(デフ) 洽 zhā 3593 929D —
筆順 丨 ロ 口一 口廿 口廿 口世 呭 呭 喋
字義 一 ❶喋喋は、とめどなくしゃべるさま。ぺちゃくちゃ。❷すする。＝唼(1545)。❸ふむ。＝蹀(11761)。二 喋呷チョウコウは、鳥が群れてえさをついばむさま。国 ❶しゃべ-る。話す。また、口かず多く話す。❷喋喋喃喃チョウチョウナンナンは、男女が小声でむつまじく語り合うさま。
解字 形声。口+枼音。
【喋△聒】チョウカツ がやがやとうるさいさま。

9 【啼】 12画 1612 標 漢テイ 呉ダイ 齊 tí 5138 9A65 —
字義 なく。さけぶ。㋐涙を流し声をあげてなく。用例〔唐、杜甫、石壕吏詩〕吏呼一何怒リのよぶイッに、なんぞはげしき 婦啼一何苦フのなくイッに、なんぞはなはだしき。↓役人のよび声の、なんと興奮してけたたましいこと、老婦の泣き声の、なんとひどいこと。㋑鳥・虫や獣がなく。用例〔唐、杜牧、江南春詩〕千里鶯啼緑映レ紅センリうぐいすないてみどりくれない(ゐ)にエイず、水村山郭酒旗風スイソンサンカクシュキのかぜ。↓広々とした江南地方には、うぐいすが鳴き、柳の緑が桃の紅に照りはえ、水辺の村里、山辺の村里には、居酒屋の目印の旗が風になびいている。
解字 形声。口+帝音。音符の帝は、高い鳴き声の擬声語。口を付し、なくの意味を表す。
【啼泣】テイキュウ 涙を流して泣く。
【啼血】テイケツ 鳴いて血をはく。ほととぎすの鳴き声の悲痛なさまにいう。
【啼△哭】テイコク 大声をあげて泣く。泣き叫ぶ。
【啼痕】テイコン ないて流した涙のあと。
【啼粧】テイショウ おしろいを目の下で薄くぬぐい、涙を流したように見せる化粧法。
【啼鳥】テイチョウ ①鳴いている鳥。②鳥の鳴き声。用例〔唐、孟浩然、春暁詩〕春眠不レ覚レ暁シュンミンあかつきをおぼえず、処処聞二啼鳥一ショショテイチョウをきく。↓春の眠りは気怠だるくて、夜が明けたのに気づかずにいると、いつの間にかあちらからもこちらからも小鳥の鳴く声が聞こえてくる。

9 【喆】 12画 1613 テツ 哲(1510)と同字。→二六六ジ中。 1510 ED78 2172

9 【嗒】 12画 1614 トウ(タフ) 合 tà 20416 — 2194
字義 われを忘れてうっとりするさま。
解字 形声。口+荅音。

9 【喃】 12画 1615 ナン 感 nán 5139 9A66 —
字義 しゃべ-る。ぺちゃぺちゃしゃべる。くどくど話す。また、その声。＝諵(11317)。「喋喋チョウチョウ喃喃」国 ❶のう。人に呼びかける声。もうし。もし。❷→喃語ナンゴ。
解字 形声。口+南音。
【喃語】ナンゴ 国男女がむつまじくささやき語ること。
【喃喃】ナンナン ①小さな声で絶えず言うさま。ぺちゃぺちゃしゃべるさま。「喋喋チョウチョウ喃喃」②読書の声。

9 【喲】 12画 1616 ヤク yo — — 2184
字義 助字。驚いたり、いぶかったり、感嘆したりする意味を表す。
解字 形声。口+約音。

9 【喩】 12画 1617 常 ユ 一 ユ 遇 yù 二 ユ 虞 yú 5140 9A67 —
筆順 丨 ロ 口ノ 口𠆢 口亼 吟 哈 喻 喩 喩
【喻】1618 俗字
字義 一 ❶さと-す。おしえさとす。さとし。＝諭(11323)。「訓喩」❷さと-る。さとり。また、敏感である。❸たと-える。たと-え。たとえ。たとえ。用例〔孟子、梁恵王上〕請以レ戦喩こう(ふ)たたかい(ひ)をもってたとえ(へ)ん。↓どうか、戦争の話で喩えさせてください。❹つける。❺文体の名。物事をたとえに引いてそれとなくいましめるもの。二 ＝愉(3817)。❶こころよい(快)。❷たのしむ。やわらぐ。やわらぎよろこぶ。用例〔荘子、斉物論〕自喩適レ志与みずから(づ)からたのしみてこころざしにかなえ(へ)るかな。↓みずから楽しんで、思いのままである。
名前 あき・さとる
解字 形声。口+兪音。音符の兪ユは、ぬけだすの意味。無知・不明からぬけだすように口で言う、つげる・さとすの意味を表す。
【喩教】ユキョウ さとしおしえる。
【喩旨】ユシ わけを言いきかせる。さとし。
【引レ喩失レ義】たとえ(へ)をひきぎをうしなう(ふ) よくない前例をたとえに引いて、正しい道をふみはずす。用例〔三国蜀、諸葛亮、前出師表〕引レ喩失レ義たとえ(へ)をひき、ぎをうしない(ひ)、以塞二忠諫之路一もってチュウカンのみちをふさぐ。↓よくない前例をたとえに引き、道義を失って、臣下がいさめる方法をなくしてしまう。

9 【喻】 12画 1618 ユ 喩(1617)の俗字。→二七七ジ中。 — — 2178

9 【喓】 12画 1619 ヨウ(エウ) 蕭 yāo — — —
字義 虫の鳴き声。
解字 形声。口+要音。

9 【喇】 12画 1620 漢ラツ・呉ラチ 慣ラ 曷 lǎ 5141 9A68 —
字義 ❶はやくち。しゃべり方が速いこと。❷→喇叭ラッパ。
解字 形声。口+剌音。
【喇△叭】ラッパ 金属製の管楽器。
【喇△嘛教】ラマキョウ チベットを中心としてモンゴル・中国東北地区などに行われる仏教の一派。その僧を喇嘛(無上者・勝者の意)といい、首長(法王)を達頼喇嘛ダライラマという。チベット仏教の通称。

9 【喨】 12画 1621 リョウ(リャウ) 漾 liàng 5142 9A69 —
字義 ほが-らか。音声がさえわたり遠くに響きわたるさま。「嚠喨リュウリョウ・嘹喨リョウリョウ(奏楽の音などのさえわたり遠くまで聞こえること)」
解字 形声。口+亮音。

9 【〓】 12画 1622 国字 20410 — —
字義 ゆり。
解字 百合ゆりを一字にしたものか。

10 【〓】 13画 1623 イ 寘 huì 20426 — —
字義 怒る声。
解字 形声。口+恚音。

10 【嗌】 13画 1624 一 漢エキ・呉ヤク 陌 yì 二 漢アク・呉ヤク 陌 wò 三 アイ 卦 ài 20421 — 2191
字義 一 ❶のど。咽喉インコウ。❷のどをしめる。二 むせぶ。むせる。三 へつらい笑いの声の形容。「嗌喔アクアク」
解字 篆文 嗌 形声。口+益音。音符の益エキは、戹ヤクに通じ、せまくるしいの意味。口の奥のせまくなっている

口部 9▼10画 〔〓單喋啼喆嗒喃喲喩喻喓喇喨〓〓嗌〕

所、のどの意味を表す。また、益は、あふれるの意味。のどから呼気があふれる、むせぶの意味を表す。

10【嗚】13画 1625 標 一漢オ(ヲ)・呉ウ 虞 wū 二漢オ(ヲ)・呉ウ 遇 wù 5143 9A6A —

字義 一ああ。㋐ため息の声。感心したり、悲しんだりするときの声。「嗚呼(ああ)」 ㋑歌う声。二なげく。いたむ。

解字 形声。口＋烏音。音符の烏(ウ)は、ため息の擬声語。

【嗚咽△歔△欷】(オエツキョキ) 涙にむせび、すすり泣く。

【嗚嗚】(オオ) ①歌をうたう声。②なげきむせぶような音声のさま。用例〔北宋、蘇軾、前赤壁賦〕其声嗚嗚然(そのこえオオゼンとして)、如レ怨如レ慕如レ泣如レ訴(うらむがごとくしたう(ふ)がごとくなくがごとくうったう(ふ)るがごとし)。↓その音声は、なげきむせぶような音で、怨むような、慕うような、泣くような、訴えているような感じである。

【嗚呼】一(ああ) ため息の声。感心したり、悲しんだりするときの声。嗚虖・嗚嘑。用例〔唐、韓愈、雑説〕嗚呼(ああ)、其真無レ馬邪(それシンにうまなきか)、其真不レ知レ馬也(それシンにうまをしらざるか)。↓いったいほんとうに名馬はいないのか、それともほんとうに名馬を見ぬくことができないのか。二(コオ) おろかなこと。烏滸(コオ)。

10【嗢】13画 1626 [嗢]1575 俗字 漢オツ(ヲツ) 呉オチ(ヲチ) 月 wà, wò 20425 — 2206

字義 ❶むせぶ。「嗢咽(オツエツ)」 ❷のむ(飲)。❸わらう。大声で笑う。

解字 形声。口＋昷音。

10【嘩】13画 1627 人 標 11[嘩]14画 1628 カ(クワ) 麻 huā 1862 89DC —

筆順 丨 口 口一 口艹 口芔 口芔 嘩 嘩 嘩

[譁]11357 正字 [口花]1486 俗字 [譁]11331 俗字

字義 かまびすしい(かまびすし)。やかましい。さわがしい。

名前 か

解字 篆文 譁 形声。口＋華音。音符の華は、はなやかの意味。はなやかなことば、かまびすしいの意味を表す。

【嘩笑】(カショウ) やかましくさわぎ笑う。

【嘩然】(カゼン) かまびすしいさま。がやがやとさわがしいさま。用例〔唐、柳宗元、捕レ蛇者説〕譁然而駭者(カゼンとしておどろくもの)、雖ニ鶏狗一不レ得レ寧焉(ケイクといえ(へ)どもやすきをえず)。↓がやがやと騒ぎ立てて驚き恐れ、鶏や犬のたぐいまで、安らかにしている暇はありません。

10【嗝】13画 1629 漢カク 呉キャク 陌 gé

字義 ❶鳥の鳴き声。❷現代中国語で、しゃっくり。

[嗝]1630 俗字

解字 形声。口＋鬲音。

10【嗝】13画 1630 カク 嗝(1629)の俗字。→二七八ページ中。 20423 — —

10【嗅】13画 1631 常 キュウ かぐ 漢キュウ(キウ)・呉ク 宥 xiù 5144 9A6B —

筆順 丨 口 口' 口白 口自 咱 嗅 嗅 嗅

[齅]14558 本字 [嗅]1589 俗字

字義 かぐ。においをかぐ。国かぐ。さがす。ようすを探り知る。

解字 篆文 齅 形声。篆文は、鼻＋臭音。音符の臭(シュウ=キュウ)は、においの意味。鼻でにおいをかぐの意味を表す。のち、鼻を口に変えて、嗅になった。

【嗅覚(覺)】(キュウカク) 鼻でにおいをかぐことによって起きる感覚。また、においをかぎ分ける鼻の働き。

10【嗋】13画 1632 漢キョウ(ケフ) 呉コウ(コフ) 葉 xié — — 2190

字義 ❶すう(吸)。❷あう(合)。❸おどす。おびやかす。

解字 形声。口＋脅音。音符の脅(キョウ)は、あわせるの意味。口があう、すうの意味を表す。

10【嗰】13画 1633 ク 20418 — —

字義 嗰囉仿謨は、クロロホルム。コロロホルム。吸入麻酔薬の一種。現在ではあまり用いられない。

解字 形声。口＋哥音。

10【嗘】13画 1634 ケイ 斉 jī — — 2203

字義 声。しゃべるさまを表す擬声語。

解字 形声。口＋奚音。

10【嗛】13画 1635 一ケン 琰 qiàn, ③qiǎn 二ケン 塩 qiān 三漢カン・呉ガン 咸 xián 四キョウ(ケフ) 葉 qiè — — 2204

字義 一❶たりない。満たない。少ない。=歉(5973)。❷小さいさま。❸獣が食物をほおばること。また、そのほおばるところ。二へりくだる。ひかえ目にする。=謙(11336)。三ふくむ。=銜(12596)。㋐口に物を含む。ほおばる。㋑心にふくむところがある。ひそかにうらむ。四たりる。あきたる。満足する。こころよい。=慊(3830)。

10【嗥】13画 1636 漢コウ(カウ) 呉ゴウ(ガウ) 豪 háo

[嘷]1668 俗字 [嘷]1704 俗字

解字 形声。口＋皐音。

字義 ❶ほえる(ほゆ)。猛獣がほえる。用例〔人虎伝〕此夕渓山対ニ明月一(このゆう(ふ)べケイザンメイゲツにむかい(ひ))、不レ成ニ長嘯一但成レ嘷(チョウショウをなさずしてただほゆるをなす)。↓今宵(こよい)、山谷の中で明月に向かい、声を長く引いて歌うこともできずにただむなしく咆哮(ホウコウ)するばかりだ。❷さけぶ。なく。大声をだす。=号(1310)。

10【嗑】13画 1637 一コウ(カフ) 合 kè 二漢コウ(カフ) 呉キョウ(ケフ) 洽 xiá 20422 — 2193

解字 形声。口＋盍音。

字義 一❶べちゃべちゃしゃべる。また、そのさま。「嗑嗑」 ❷すう。❸あう(合)。二❶笑い声。❷吸う。飲む。

10【嗃】13画 1638 一カク 薬 hè 二漢コウ(カウ) 呉キョウ(ケウ) 肴 xiāo — — 2187

解字 形声。口＋高音。

字義 一嗃嗃は、厳しいさま。二誉嗃(エイコウ)は、㋐叫ぶ声。㋑笛の音。

10【嗟】13画 1639 標 一シャ 麻 jiē 二シャ 禡 jiè 慣サ 5145 9A6C —

字義 一❶ああ。なげく声。また、感嘆の声。❷なげく。なげき。二咄嗟(トッサ)は、㋐驚きなげく声。㋑事の急なこと。

解字 形声。口＋差音。音符の差は、感動やなげきのとき舌うちする音の擬声語。口を付し、なげき・ああの意味を表す。

【嗟泣】(サキュウ) すすり泣く。用例〔人虎伝〕虎呼吟数声(とらコギンすることスウセイ)、若ニ嗟泣状一(サキュウするジョウのごとし)。↓虎は数回うなり声をあげたが、それはまるですすり泣いているかのようであった。

【嗟△乎・嗟呼・嗟△虖】(ああ) なげく声。用例〔唐、韓愈、師説〕嗟乎(ああ)、師道之不レ伝也(シドウのつたわ(は)らざるや)、久矣(ひさし)。↓ああ、師の正しいあり方が失われてから、長い年月がたっている。

【嗟嗟】(ああ) ①感嘆する声。②なげき悲しむ声。

【嗟△咨】(サシ) なげく。嗟嘆。▼咨も、なげく。

【嗟称(稱)】(サショウ) 感心してほめる。ほめそやす。嗟賞。

【嗟嘆・嗟△歎】①なげく。なげき。嗟咨。②感心してほめる。嗟称。
【嗟悼】なげき悲しむ。なげきいたむ。
【嗟夫】なげく声。

10【嗄】13画 1640 漢サ 呉シャ 禡 shà 5146 9A6D —
字義 かーれる。しわがーれる。しゃがーれる。声がかれる。また、かーらす。
解字 会意。口＋夏。夏は、なつの意味。夏の暑さで草がかれるように声がかれるの意味を表す。

10【嗩】13画 1641 サ suǒ 20427 — 2207
字義 嗩吶は、楽器。チャルメラの類い。
解字 形声。口＋貟音。

10【嗣】13画 1642 常 シ 漢シ・呉ジ 寘 sì 2744 8E6B —
筆順 丶 口 吕 吕 𠳊 嗣 嗣 嗣 嗣
字義 ❶つーぐ。あとをうけつぐ。用例〔唐、柳宗元、捕レ蛇者説〕今吾嗣為レ之十二年、幾死者数矣 ➡現在、私は蛇捕りの跡を継いで十二年になりますが、その間、あやうく死にそうになったことも、何度もありました。❷あとつぎ。よつぎ。「嗣子」
名前 あき・さね・し・じ・つぎ・つぐ・ひで・みつぐ
解字 金文 篆文 形声。冊（㒶）＋口＋司音。㒶は、あとつぎを立てるときの、みことのりの意味。口は、その㒶を廟で読むことを示す。音符の司は、つかさどるの意味。廟であとつぎを立てる文書を読みあげる儀式をつかさどるさまから、あとつぎ・つぐの意味を表す。
逆 係嗣・継嗣・後嗣・皇嗣・聖嗣・嫡嗣・適嗣
【嗣君】あとつぎの君。世継ぎの君。皇太子。儲君。
【嗣子】あとつぎ。あととり。嗣人。

10【嗜】13画 1643 標 漢シ 呉ジ 寘 shì 5147 9A6E —
〔哧〕1412 古字
字義 ❶たしなーむ。このむ。特別にこのむ。用例〔戦国策、趙〕自強歩、日三四里、少益レ嗜レ食、和ニ於身一 ➡自分で無理矢理、日に三、四里歩くようにいたしましたところ、少し食欲がでるようになり、体調がよくなりました。❷たしなーみ。このみ。「嗜好」国たしなーみ。㋐こころがけ。㋑つつしみ。
解字 篆文 形声。口＋耆音。音符の耆は、旨に通じ、うまいの意味。うまいとして口にする、たしなむの意味を表す。
【嗜好】たしなむ。すき好む。また、好み。
【嗜欲・嗜△慾】特に好む心。むさぼり好む心。

10【嗤】13画 1644 シ 支 chī 5148 9A6F —
字義 ❶わらーう。あざわらう。さげすみ笑う。❷わらーい。あざわらい。冷笑。
解字 形声。口＋蚩音。音符の蚩は、笑い声の擬声語。

10【嗇】13画 1645 漢ショク 呉シキ 職 sè 5207 9AA5 —
字義 ❶おーしむ。ものおしみする。❷やぶさーか。しわーい。けち。「吝嗇」❸ひかえめにする。むやみに浪費しない。❹むさぼる。❺とりいれ。作物の収穫。＝穡(8559)。
解字 甲骨文 篆文 会意。來＋㐭。來は、むぎの象形。㐭は田園地帯にある穀倉の象形。収穫の意味を表す。とりこむの意味から、ものおしみするの意味をも表す。
【嗇夫】①低い官。下級の役人。②農夫。③官名。漢代に地方の訴訟・租税をつかさどった役人。

10【嗔】13画 1646 シン 真 chēn 5149 9A70 —
字義 いかーる。いかり。＝瞋(8058)。
解字 篆文 形声。口＋眞音。音符の眞は、いっぱいにつまるの意味。声や気力がいっぱいにつまって盛んの意味を表す。

10【嗉】13画 1647 ソ 遇 sù 20420 — 2189
字義 のどぶくろ。鳥ののどにある、えさを受ける袋。
解字 形声。口＋素音。

10【喿】13画 1648 一 ソウ（サウ） 号 zào 二 ショウ（セウ） 蕭 qiāo 20419 — 2185
字義 一❶さわーぐ。鳥がむらがって鳴く。❷かしましい。やかましい。二くわ。すき。国こまい。㋐檜の垂木にわたす細長い材。㋑壁の下地に組みわたす竹。
解字 金文 篆文 会意。品＋木。品は、多くの物の意味。多くの鳥が木の上で鳴き、さわがしいの意味を表す。喿を音符に含む形声文字に、噪・懆・澡・燥・藻・譟などがあり、これらの漢字は、操・澡以外はすべて「さわぐ」の意味を共有している。

10【嗆】13画 1649 一 漢ショウ（シャウ） 呉ソウ（サウ） 陽 qiāng 二 漢ソウ（サウ） 呉ショウ（シャウ） 庚 chēng — — 2188
字義 一❶ついばむ。❷おろかなさま。二嗆哼は、おろかでびくびくするさま。
解字 形声。口＋倉音。

10【嗓】13画 1650 ソウ（サウ） 養 sǎng — — 2201
字義 ❶のど。❷馬などの家畜の病気。
解字 形声。口＋桑音。

10【嘆】13画 1651 常 タン なげーく・なげーかわしい 3518 9251 —
11〔嘆〕14画 1652 人 タン 翰 寒 tàn 1515 — —
筆順 丶 口 口 口一 口艹 嘆 嘆 嘆 嘆
字義 ❶なげーく。うめく。ためいきをつく。また、なげーき。「慨嘆」「嗟嘆」「風樹の嘆」❷なげーかわしい。❸たたーえる。感心してほめる。＝歎(5978)。「感嘆」「嘆美」❹うたう。感動があふれて声となること。「詠嘆」
参考 現代表記では〔歎〕(5978)の書きかえに用いる。「歎願→嘆願」「慨歎→慨嘆」。熟語は〔歎〕をも見よ。
解字 篆文 会意。口＋難省。難は、くるしみの意味。苦しみになげくの意味を表す。
逆 永嘆・詠嘆・慨嘆・感嘆・驚嘆・賛嘆・傷嘆・称嘆・賞嘆・痛嘆
【嘆願】国実情を説明して心からお願いする。歎願。
【嘆傷】なげき、いたむ。なげき悲しむ。
【嘆賞】感心してほめる。ほめたたえる。嘆称。
【嘆声(聲)】同歎声。①ためいき。なげきのあまり出す声。②感心して思わず出す声。
【嘆訴】なげきうったえる。哀訴。愁訴。
【嘆息】同歎息。①なげいてためいきをつく。ためいき。②ひどく感心する。嘆美。
【嘆△惋】おどろきなげく。▼惋は、もだえなげく。

10【嗁】13画 1653 漢テイ 呉ダイ 斉 tí — — 2186
字義 ❶さけーぶ。❷なく。悲しみ泣く。＝啼(1612)。
解字 形声。口＋虒音。

10【嗎】13画 1654 マ mǎ, ②ma 11514 — 2192

字義 ❶音訳字。嗎啡(ヒ)は、モルヒネの音訳。❷助字。現代中国語で、文末について疑問・反語を表す。…か。
解字 形声。口＋馬音。

10【㗚】13画 1655 漢リツ 呉リチ 質 lì ₂0424 — —
字義 言葉がはっきりしない。
解字 形声。口＋栗音。

10【嚠】13画 1656 リュウ(リウ) liú ₂0417 — —
字義 咬嚠吧(バ)は、じゃがたら。インドネシアのジャカルタ。
解字 形声。口＋留音。

10【嗗】13画 1657 漢ワツ 呉エチ(ヱチ) 黠 wà — — 2202
字義 ❶飲む音。❷嗗吶(ワツゼツ)は、声が出ないさま。
解字 形声。口＋骨音。

11【嘔】14画 1658 標 一漢オウ・呉ウ 尤 ōu 二漢オウ・呉ウ 有 ǒu 三ク 虞 xū 5150 9A71 —
【呕】1349 俗字
字義 一❶うたう。うた。＝謳(11356)。❷こえ。子どもの話す声。また、やかましい声。❸よろこぶさま。よろこんで物をいうさま。❹おだやかなさま。二はく(吐)。もどす。＝欧(5946)。「嘔吐」三❶慈愛のこもった声。❷あたためる。❸喜んでしゃべる。
難読 嘔吐(へど)
解字 形声。口＋區音。
【嘔啞】(オウア) ①子供の話す声。②鳴り物のやかましいさま。調子はずれの管弦の音。また、むやみにどなる声。③車の走る音。また、舟をこぐ櫓(ロ)の音。④多くの鳥の鳴く声。
【嘔嘔】一(オウオウ) 言葉の穏やかな形容。二(クク) 愛情のこもった声の形容。
【嘔吟】(オウギン) 歌い口ずさむ。歌い吟じる。
【嘔泄】(オウセツ) はいたり下したりする。嘔吐と下痢。
【嘔吐】(オウト) はく。もどす。あげる。

11【嘉】14画 1659 入 漢カ 呉ケ 麻 jiā 1837 89C3 —
筆順 一 十 士 吉 吉 吉 壴 嘉 嘉 嘉
字義 ❶よ-い(よし)。けっこうである。㋐りっぱ。すぐれている。美しい。㋑めでたい。㋒うまい。おいしい。「嘉肴(カコウ)」❷よみ-する(よみす)。よいとしてほめる。好む。用例〔唐、韓愈、師説〕余嘉ニ其能行一古道一、作ニ師説一以貽レ之(ヨそのよくコドウをおこなう(ふ)をよみし、シセツをつくりてもって。これにおくる)↓私は彼が伝統的な学問の学び方を実践した態度を喜ばしく思い、「師の説」を作って贈るのである。❸よろこぶ。たのしむ。❹幸い。❺五礼の一つ(冠婚など)。→嘉礼。
名前 か・ひろ・よし・よしみ・よみし
難読 嘉悦(かや)・嘉魚(いわな)・嘉年(かね)・嘉陽(かや)
解字 金文 篆文 形声。壴＋加音。壴(シュ)は、香の字で、かおりの意味とも、打楽器の象形で、音楽の意味ともいう。神へのそなえ物に香をくゆらせ(または、音楽を奏し)清く美しくするの意味を表す。また、賀に通じ、贈り物をして祝い、よろこぶの意味をも表す。

【嘉運】(カウン) よい運命。よいめぐりあわせ。良運。

【嘉宴】(カエン) りっぱな酒盛り。めでたい酒宴。佳宴。

【嘉音】(カオン) ①よい(めでたい)便り。また単に、人からの便りをいう。お便り。②よいねいろ。

【嘉禾】(カカ) 実の多くついたりっぱな稲。よい穀物。

【嘉会(會)】(カカイ) ①めでたい集まり。②楽しい集まり。風流な会合。③めでたいめぐりあい。

【嘉楽(樂)】一(カガク) りっぱな音楽。正しい音楽。二(カラク) 喜び楽しむ。

【嘉況・嘉貺】(カキョウ) りっぱないただきもの。人からの贈り物をいう。

【嘉偶・嘉耦】(カグウ) よいつれあい。よい夫婦。

【嘉恵(惠)】(カケイ) よいめぐみ。りっぱなたまもの。嘉沢。

【嘉慶】(カケイ) ①よろこびごと。めでたいこと。②清(シン)の仁宗の時の年号(一七九六—一八二〇)。

【嘉月】(カゲツ) 陰暦三月の別名。

【嘉言】(カゲン) よいことば。りっぱなことば。佳言。

【嘉好】(カコウ) ①よしみ。親しい交わり。②よしみをかわす会合。親しい交わりの会。

【嘉肴・嘉殽】(カコウ) おいしいごちそう。▼肴・殽は、副食物。用例〔礼記、学記〕雖レ有ニ嘉肴一、弗レ食不レ知ニ其旨一也(カコウありといえ(へ)ども、くらわ(は)ざればそのうまきをしらざるなり)↓どんなおいしいごちそうでも、食べてみなければそのおいしさはわからない。

【嘉号(號)】(カゴウ) よい名前。りっぱな名前。嘉名。

【嘉穀】(カコク) ①よい穀物。りっぱな五穀。②めでたい穀物。稲をいう。

【嘉歳】(カサイ) よい年。めでたい年。豊年。

【嘉祉】(カシ) しあわせ。善福嘉祚(カソ)。

【嘉時】(カジ) ①よい時。よい時節。②春。

【嘉実(實)】(カジツ) ①りっぱな果実。佳実。②梅の実をいう。

【嘉羞】(カシュウ) りっぱなごちそう。

【嘉淑】(カシュク) りっぱな物。一説に、ほめたたえることば。

【嘉尚】(カショウ) よしとしてたっとぶ。ほめたたえる。賛美する。

【嘉招】(カショウ) よいまねき。りっぱな招待。おまねき。

【嘉祥】(カショウ) よいしるし。めでたいしるし。吉祥。

【嘉称(稱)】(カショウ) ほめたたえる。また、そのことば。

【嘉賞】(カショウ) よい名。りっぱな名声。ほまれ。

【嘉辰】(カシン) よい日。めでたい日。吉日。佳辰。

【嘉瑞】(カズイ) めでたいしるし。吉兆。

【嘉靖】(カセイ) ①よく治めて平和にする。②明(ミン)の世宗の時の年号(一五二二—一五六六)。▼靖は、安らかにする。

【嘉石】(カセキ) きれいな筋目模様のある石。犯罪が軽く、刑法に触れない者を、この石の上に座らせ、そのりっぱな模様を見ることで改悛(カイシュン)させた。

【嘉節(節)】(カセツ) めでたい日。祝いの日。吉日。佳節。

【嘉饌】(カセン) りっぱなごちそう(そなえ物)。佳饌。

【嘉沢(澤)】(カタク) ①よいめぐみ。めぐみ。嘉恵。②ほどよい時に降る雨。慈雨。

【嘉納】(カノウ) よろこんで、言葉や物を受け入れること。

【嘉美】(カビ) ①ほめたたえる。②美しいさま。

【嘉賓】(カヒン) ①よい、りっぱな客。②雀(すずめ)の別名。

【嘉聞】(カブン) ほまれ。よい評判。令聞。

【嘉平】(カヘイ) 陰暦十二月の祭りの名。臘祭(ロウサイ)の別名。

【嘉謨】(カボ) りっぱなはかりごと。嘉謀。嘉猷(カユウ)。

【嘉名】(カメイ) よい名前。りっぱな名前。また、よい評判。美名。令名。

【嘉祐】(カユウ) よいしあわせ。さいわい。幸福。

【嘉猷】(カユウ) りっぱなはかりごと。嘉謀。嘉謨(カボ)。

【嘉礼(禮)】(カレイ) ①五礼(吉・凶・軍・賓・嘉)の一つ。婚礼・元服の儀式など。②めでたい儀式。

【嘉例】(カレイ) よいためし。めでたいしきたり。吉例。佳例。

11【嘏】14画 1660 漢カ 呉ケ 馬 gǔ, jiǎ — — 2215
字義 ❶とおい。はるかに遠い。❷おおきい。❸ながい。❹さいわい。幸福。❺祝福のことば。祭りのとき、神主が主人のために幸福を祝うことば。
解字 金文 篆文 形声。古＋叚音。音符の叚(カ)は、未加工の玉の意味。古は、祜(コ)に通じ、しあわせの意味。約束されたしあわせの意味を表す。

11【嘩】14画 (1628) カ 譁(1627)の旧字体。→二七八ページ上。 — — 2210

11【嘅】14画 1661 カイ 慣ガイ 隊 泰 kài
字義 なげ-く(嘆)。

11【嘊】14画 1662 ガイ ― ― 2212
啀(1528)と同字。→二六九ページ・中。
解字 篆文 形声。口＋既㊥。音符の既は、むせぶの意味。心がつまる・なげくの意味を表す。

11【嘎】14画 1663 ㊥カツ ㊤ケチ 黠 gā, gá 1517 ― 2214
字義 鳥の鳴く声。
解字 形声。口＋戛㊥。

11【嘘】14画 1664 キョ 1719 8952 ―
噓(1700)の俗字。→二八三ページ・上。

11【嘒】14画 1665 ㊥ケイ ㊤ケ 霽 huì ― ― 2218
字義 ❶声の形容。㋐小さな声。㋑調和してなごやかな声。❷星の形容。㋐かすかな星。小さな星。㋑たくさんの星。
解字 形声。口＋彗㊥。
【嘒嘒】ケイケイ ①蟬の鳴き声のせわしいさま。②声がよく合ってなごやかなさま。

11【嘑】14画 1666 ㊀コ 虞 hū ㊁コ 遇 hù ― ― 2217
字義 ㊀さけ-ぶ。よぶ。＝謼(11360)。㊁どなりつける。↓嘑爾。
解字 篆文 形声。口＋虖㊥。音符の虖は、呼ぶの意味。口を付し、さけぶの意味を表す。
【嘑爾】コジ 人を見下げてどなりつけるさま。

11【嘐】14画 1667 ㊥コウ(カウ) ㊤キョウ(ケウ) 肴 xiāo 2 0431 ― 2216
字義 ❶おおきい。志や言うことが大きい。ほらを吹く。❷鶏の鳴く声。
解字 形声。口＋翏㊥。
【嘐嘐】コウコウ ①志や言うことが大きいこと。②鶏の鳴く声。

11【嘷】14画 1668 コウ
嗥(1636)の俗字。→二七八ページ・下。

11【嗷】14画 1669 ゴウ(ガウ) 豪 áo 5151 9A72 ―
字義 かまびすしい。やかましい。＝囂(1789)・敖(4538)。
解字 篆文 形声。口＋敖㊥。音符の敖は、気ままにするの意味。気ままにさわぐの意味を表す。
【嗷嗷】ゴウゴウ ①やかましく呼ぶ声。②多くの人が心配してさわぐ声。③雁の鳴く声。
【嗷訴】ゴウソ 仲間を集めてうったえ出る。強訴。

11【嘖】14画 1670 ㊥サク ㊤シャク 陌 zé 5152 9A73 ―
字義 ❶さけ-ぶ。大声で呼ぶ。大声で言い争う。❷かまびすしい。やかましい。ことばの多いさま。❸さいな-む。責める。
解字 篆文 形声。口＋責㊥。音符の責は、せめるの意味。人をせめて大声でさけぶの意味を表す。
【嘖嘖】サクサク ①大声で言い争うさま。②口々にやかましくうわさするさま。口々にほめそやすさま。「名声嘖嘖」③鳥の鳴く声。

11【嘇】14画 1671 ㊥サン ㊤セン 咸 shān 2 0430 ― ―
字義 口の中に物を含む。
解字 形声。口＋參㊥。

11【嘗】14画 1672 人 標 ㊥ショウ(シャウ) ㊤ジョウ(ジャウ) 陽 cháng 3008 8FA6 ―
筆順 嘗
［甞］7584 俗字
字義 ❶な-める。㋐舌でなめ味わう。用例〔十八史略、春秋戦国、呉〕句践反国、懸胆於坐臥、即仰胆嘗之。↓句践は国都の会稽に帰ると、苦い胆を自分の寝起きする所にぶらさげておき、寝起きするたびごとに仰ぎむいて胆を嘗めた。／〔唐、杜甫、野人送朱桜詩〕金盤玉筯無消息、此日嘗新任転蓬。↓黄金の大皿と玉の箸の消息も途絶えたまま、この日私は初物を味わいながらころがる蓬のような流浪の境遇に身を任せている。㋑経験する。用例〔杜子春伝〕苦無不備嘗。↓(地獄の)苦しみはつぶさに経験しないものはなかった。❷こころ-みる。ためす。「嘗試」❸かつ-て。あるとき。以前。いままでに。用例〔十八史略、春秋戦国、魏〕嘗遊楚、為楚相所辱。↓以前、楚の国を訪ねたときに、楚の宰相から辱めを受けた。／〔論語、衛霊公〕吾嘗終日不食、終夜不寝、以思。↓わたしはある時、一日中食物を取らず、一晩中寝もしないで、思索にふけったことがあった。／〔史記、項羽本紀〕嘗一日行千里。↓かつて一日に千里も走ったことがある。❹新しく取れた穀物を神に供える祭り。秋の祭り。「新嘗祭」
名前 しょう・じょう
解字 金文 篆文 形声。旨＋尚(㕯)㊥。音符の尚は、當(当)に通じ、あてるの意味。旨は、うまいものの意味。うまいものに舌をあてる、あじわうの意味を表す。
【嘗試】ショウシ ①こころみる。ためす。また、こころみ。計画。②こころみに。用例〔荘子、応帝王〕嘗試鑿之。↓ためしに、穴をあけてやろう。
【嘗胆(膽)】ショウタン ＝嘗胆(六九三ページ・下)。
【嘗味】ショウミ なめ味わう。

11【嘨】14画 1673 ショウ 2 0428 ― ―
嘯(1741)の俗字。→二八五ページ・中。

11【嘈】14画 1674 ㊥ソウ(サウ) ㊤ゾウ(ザウ) 豪 cáo 1516 ― 2211
字義 ❶物の音。❷かまびすしい。さわがしい。嘈嘈・嘈然は、さわがしい音の形容。
解字 形声。口＋曹㊥。

11【嗾】14画 1675 ソウ 有 sǒu 5153 9A74 ―
字義 ❶けしか-ける。犬をけしかけて、相手に向かわせる。❷そそのか-す。おだてる。扇動する。「使嗾」
解字 篆文 形声。口＋族㊥。音符の族は、促に通じ、うながすの意味。けしかけるの意味を表す。

11【嗽】14画 1676 ㊀ソウ 宥 sòu ㊁㊥シュウ(シウ) ㊤シュ 宥 shù ㊂ソク 屋 shuò ㊃ソウ 5154 9A75 ―
字義 ㊀せきをする。しわぶく。せき。しわぶき。「咳嗽」㊁くちすす-ぐ。うがいする。＝漱(6643)。「含嗽」㊂すう。すする。
解字 形声。口＋欶㊥。音符の欶は、口をすぼめてすするの意味。口を付し、すする・くちすすぐ・せきこむの意味を表す。

11【噌】14画 1677 ソウ
噌(1711)の俗字。→二八三ページ・下。

11【嘆】14画 (1652) タン
嘆(1651)の旧字体。→二七九ページ・下。

11【嗿】14画 1678 ㊥タン ㊤トン 感 tǎn ― ― 2209
字義 多くの人が飲食するときのさわがしいさま。
解字 形声。口＋貪㊥。

11【嘙】14画 1679 ハ 歌 pō — — 2219
字義 まじないのことば。仏教の呪文(ジュモン)に見られる音訳字。
解字 形声。口+婆音。

11【嗶】14画 1680 漢ヒツ 呉ヒチ 質 bì — — 2208
字義 嗶嘰(ビーチー)は、現代中国語で、サージ。毛織物の一種。
解字 形声。口+畢音。

11【嘛】14画 1681 マ mā 5155 9A76 —
字義 喇嘛教(ラマキョウ)は、仏教の一派。チベット仏教。
解字 形声。口+麻音。音符の麻は、チベット語 Lama(ラマ)のマを表す。口を付し、音訳漢字であることを示す。

11【鳴】14画 (14192) メイ 鳥部。→一六二四ページ中。

11【嗹】14画 1682 レン 先 lián 5156 9A77 —
字義 →嗹嘍。国レン。洋紙を数える単位。千枚(旧制では、五百枚)を一嗹という。ream の訳字。いま、連と書く。
難読 嗹馬(デンマーク)
解字 形声。口+連音。日本では、音符の連は、ream の音を示し、口は、外来語の音訳であることを示す字として用いられる。

11【嘍】14画 1683 漢ロウ 呉ル 有 lǒu — — 2213
字義 嗹嘍(レンロウ)は、くどくど言うさま。
解字 形声。口+婁音。
【嗹△嘍】(レンロウ) くどくど言うさま。

11【[口蚤]】14画 1684 国字 ₂0429 — —
字義 池[口蚤](いけすき)は、姓氏。

12【噎】15画 1685 一 漢エツ・呉エチ 屑 yē 二 漢イツ・呉イチ 質 5157 9A78 —
字義 一二 むせぶ。ア むせる。食物がのどにつかえる。イ ふさがる。胸がつまって息ができない。
解字 篆文  形声。口+壹音。音符の壹(イツ)は、つぼを密閉するさまにかたどる。食物が口をふさぐ、むせぶの意味を表す。

12【噁】15画 1686 漢オ(ヲ) 呉ウ 遇 wù — — 2231
字義 喑噁(オイン)は、怒るさま。
解字 形声。口+惡音。

12【嘳】15画 1687 一 漢カイ(クヮイ)・呉ケ 卦 kuì 二 キ 寘 kuì — — 2222
字義 一 あわれむ(憐)。二 ためいきをつく。太息。=喟(1586)。
解字 形声。口+貴音。

12【噶】15画 1688 漢カツ 呉カチ 慣ガ 曷 gá, gě ₁1520 — —
字義 外来語の音訳字。「ガ」の音を表す。
解字 形声。口+葛音。

12【[口閒]】15画 1689 漢ガン 呉ゲン 刪 yán
【[口間]】1690 俗字
字義 ❶犬が互いにかみ合う。❷争う。
難読 [口閒]口(まぐち)
解字 形声。口+閒音。

12【[口間]】15画 1690 ガン ₂0434 — —
[口閒](1689)の俗字。→二八二ページ中。

12【器】15画 1691 教4 キ うつわ 2079 8AED —

13【器】16画 1692 人 キ 寘 qì ₁1522 — —

【噐】1693 俗字
筆順 丨 口 口 吅 吅 㗊 哭 哭 器 器
字義 ❶うつわ(うつは)。ア いれもの。容器。イ 道具。器具。「武器」ウ 度量。才能。「器量」エ 一つの事には役立つが、応用のきかないもののたとえ。→不レ器(きならず)。オ はたらき。才能。❷うつわにする。その人の才能に従って用いる。❸有用の人材として重んずる。

名前 かた・き
使いわけ キ〔機・器〕⇩機(5789)。

解字 金文  篆文  会意。㗊+犬。㗊は祭器の並べられた形にかたどる。犬は、いけにえの犬の意味。祭りに用いられるうつわの意味から、一般に、うつわの意味を表す。

逆 飲器・火器・貨器・凶器・公器・才器・祭器・磁器・将器・小器・神器・大器・茶器・重器・土器・徳器・鈍器・不器・兵器・名器・明器・利器・良器・礼器
【器宇】(キウ) 人がら。人品。才能。度量。心の広さ。

【器械】(キカイ) ①道具。器具。②武器。▼器は鎧(よろい)・兜(かぶと)の類い、械は弓・矛(ほこ)の類い。→機(5789)の使いわけ。

【器楽】(キガク) 楽器だけによって演奏される音楽。

【器幹】(キカン) 才能のはたらき。働き。才能。

【器局】(キキョク) 才能と度量。器量。

【器具】(キグ) 道具。うつわ。器物。

【器才】(キサイ) 器量と才気。心の広さと、才知のはたらき。

【器財】(キザイ) うつわ。道具。家財道具。

【器重】(キチョウ) 才気があるとして重んずる。才能を認めて重く用いる。

【器度】(キド) 心が広くゆったりしていること。度量。

【器物】(キブツ) 道具。調度。器具。

【器用】(キヨウ) ①はたらき。役に立つ才能。また、その人。②日用の器具。③国ア手先がきいて何事にもじょうずなこと。イ容姿・態度などのすぐれているさま。ウ頭がよくまわる。要領がよい。

【器略】(キリャク) 心の広さと、才知のはたらき。度量と才略。

【器量】(キリョウ) ①才能と度量。▼器は才能のあること、量は心が広いこと。②国みめ。(女性の)顔かたち。容貌(ヨウボウ)。

【不レ器】(きならず) 一つのきまった用途だけにしか役立たぬ器物ではない意。多方面に役立つ才能のあること。不器(フキ)。用例〔論語、為政〕君子不レ器(クンシはきならず)。⇩君子は一つの用にしか役立たないものではない(どんなことの役にも立つ)。

【不レ成レ器】(きをなさず) 役に立つ器物として完成されない意で、完全なものにならないたとえ。用例〔礼記、学記〕玉不レ琢(たまみがかざれば)不レ成レ器。⇩玉もみがいたり細工を加えたりしなければ、器物として役立つことができない。

12【噐】15画 1693 キ 5158 9A79 —
器(1691)の俗字。→二八二ページ中。

12【嘻】15画 1694 キ 支 xī ₁1518 — 2226
字義 ❶わらう。よろこんで笑う。❷ああ。賛嘆・驚き・怒り・悲しみ・恐れなどから発する声。用例〔史記、張儀伝〕嘻、子毋レ読レ書遊説(シショをよみユウゼイすることなくんば)、安得レ此辱レ乎(いずくんぞこのはずかしめをえんや)。⇩ああ、あなたがお勉強なさったり遊説なさったりしなければ、こんな辱めにはあわなかったでしょうに。
解字 形声。口+喜音。音符の喜は、よろこぶの意味。口を付し、たのしみやわらぐの意味を表す。
【嘻嘻】(キキ) ①楽しんで笑う声の形容。②喜び楽しむさま。
【嘻戯(戲)】(キギ) よろこびたわむれる。あそびたわむれる。嬉戯(キギ)。

12【嘰】15画 1695 漢キ 呉ケ 微 jī ₂0432 — 2221
字義 ❶くう(食)。少し食べる。❷なく。嘆く。
解字 形声。口+幾音。

12 【嚛】15画 1696 キツ 喫(1587)の俗字。→二五四ページ上。 — — —

12 【嚛】15画 1697 キツ 喫(1587)の俗字。→二五四ページ上。 — — 2233

12 【噏】15画 1698 漢キュウ(キフ) 呉コウ(コフ) 緝 xī — — 2238
字義 ❶すう。❷おさめる(斂)。❸軽くあがるさま。
解字 形声。口＋翕音。

12 【嘼】15画 1699 一 漢キュウ(キウ)・呉ク 宥 chù 二 キク 屋 xù — — 2227
字義 一家畜。二養う。畜(7635)の古字。
解字 象形。はじき弓の形にかたどり、はじき弓で捕らえたけものの意味を表す。

12 【噓】15画 1700 標 漢キョ 呉コ 魚 xū 18407 — —
［嘘］1664 俗字
字義 ❶ふ-く(吹)。はく(吐)。ゆっくり息を吐きだす。❷すすりなく。＝歔(5982)。
国うそ。いつわり。
解字 篆文 形声。口＋虚音。音符の虚は、息をはくときの音を表す擬声語。ふく・はくの意味を表す。
日本では、実のない言葉、うその意味に用いる。
【嘘呵】キョカ 息を吐く。息を吹きかける。
【嘘気(氣)】キョキ 息を吐く。また、吐き出した息。
【嘘唏】キョキ ため息をついてなげく。また、すすり泣く。
【嘘吸】キョキュウ ①吐いたり、すったりする。呼吸。〔荘子、天運〕②泣く。すすり泣く。
【嘘言】キョゲン うそ。いつわりごと。虚言。
【嘘枯吹生】キョコスイセイ 息を吹きかけて枯れたものを生かし、生きているものを枯れさせる。人物批評に生彩があって、人の価値を容易に上下させるたとえ。〔後漢書、鄭太伝〕

12 【嘺】15画 1701 一 漢キョウ(ケウ) 呉ギョウ(ゲウ) 蕭 qiāo 二 キョウ(ケウ) 嘯 qiào
字義 一知らない。二口が正しくない。
解字 形声。口＋喬音。

12 【嘵】15画 1702 キョウ(ケウ) 慣ギョウ(ゲウ) 蕭 xiāo — — 2223
字義 おそれる。おそれる声。「嘵嘵」
解字 形声。口＋堯音。

12 【噛】15画 1703 ゲツ 嚙(1763)の簡易慣用字体。→二六六ページ中。 1990 8A9A —

12 【嘷】15画 1704 コウ 嘷(1636)の俗字。→二七八ページ下。 20433 — 2224

12 【嘬】15画 1705 サイ 卦 zuō, chuài — — 2220
字義 ❶か-む。かじって食う。❷一口に食いつくす。❸むさぼる。
解字 形声。口＋最音。音符の最は、つまむの意味。つまんで口に入れるの意味を表す。

12 【噆】15画 1706 サン 感 zǎn
［𠿟］1755 俗字
字義 ❶口に含む。❷かむ。虫が人をかむ。
解字 形声。口＋朁音。

12 【噍】15画 1707 一 漢ショウ(セウ) 呉ジョウ(ゼウ) 嘯 jiào 二 ショウ(セウ) 蕭 jiāo — — 2237
字義 一❶か-む。❷くう。たべる。二❶噍噍・啁噍は、小鳥の鳴き声。❷せかせかした声のさま。
解字 形声。口＋焦音。
【噍殺】ショウサイ 音調がのびやかでないこと。▼殺は、衰。

12 【嘱】15画 1708 常 ショク 3092 8FFA —
21 ［囑］24画 1709 漢ショク 呉ソク 沃 zhǔ 5186 9A96 —
筆順 嘱
字義 たの-む。ゆだねる。また、言いつける。「委嘱」
解字 形声。口＋属(屬)音。音符の屬は、したがいつくの意味。口で言って人を従わせる、いいつけるの意味を表す。
逆 依嘱・委嘱・遺嘱・付嘱
【嘱託】ショクタク ①たのみ任せる。②国臨時に事務を任せたのむ。また、そのたのまれた人。属託。
【嘱付】ショクフ 言いつける。たのむ。
【嘱目】ショクモク 目をつける。気をつけて見る。矚目。注目。

12 【嘶】15画 1710 漢セイ 呉サイ 斉 sī(xī) 5161 9A7C —
字義 ❶いなな-く。馬が鳴く。「嘶馬」❷むせぶ。むせび鳴く。雁の鳴く声などにいう。❸しわがれる。声がかれる。
解字 形声。口＋斯音。音符の斯は、馬のいななきの擬声語を表す。

12 【噌】15画 1711 人 標 漢ソウ(サウ) 呉ショウ(シャウ) 慣ソ 庚 chēng 3325 9158 —
［噌］1677 俗字
筆順 噌
字義 かまびす-しい。がやがやとやかましい。国味噌は、調味料の一種。
名前 しょう・そ・そう
参考 〔噲〕(1732)は別字。
解字 形声。口＋曾音。

12 【噂】15画 1712 人 標 ソン 阮 zǔn 1729 895C —
［噂］1714 俗字
筆順 噂
字義 集まってしゃべる。また、うわさをする。国うわさ。
解字 篆文 形声。口＋尊音。音符の尊は、屯に通じ、あつまるの意味。多くの人が集まって話すの意味を表す。

12 【噀】15画 1713 ソン 願 xùn 20437 — 2230
字義 ふく(噴)。はく(吐)。口に含んだ水などを噴き出す。
解字 形声。口＋巽音。

12 【噂】15画 1714 ソン 噂(1712)の俗字。→二八三ページ下。

12 【噉】15画 1715 漢タン 呉ダン 感 dàn 11519 — 2235
字義 く-らう。く-う。「噉食」
解字 会意。口＋敢。敢は、おもいきってするの意味。しいて口の中に入れる、くうの意味を表す。

12 【嘽】15画 1716 一 タン 寒 tān 二 セン 先 chǎn 三 タン 旱 20435 — 2228
字義 一❶あえ-ぐ。❷よろこぶ。❸おおい(衆)。❹さかん。❺ゆとりのあるさま。二ゆったりしたさま。三❶おののく。❷声のゆるやかなさま。
解字 篆文 形声。口＋單音。音符の單は、且に通じ、たいらかの意味。声が平らかでのびやかの意味を表す。また、殫に通じ、力つきてあえぐの意味を表す。

12 【嘲】15画 1717 常 チョウ あざけ-る 漢トウ(タウ)・呉チョウ(テウ) 肴 chāo, zhāo 5162 9A7D —

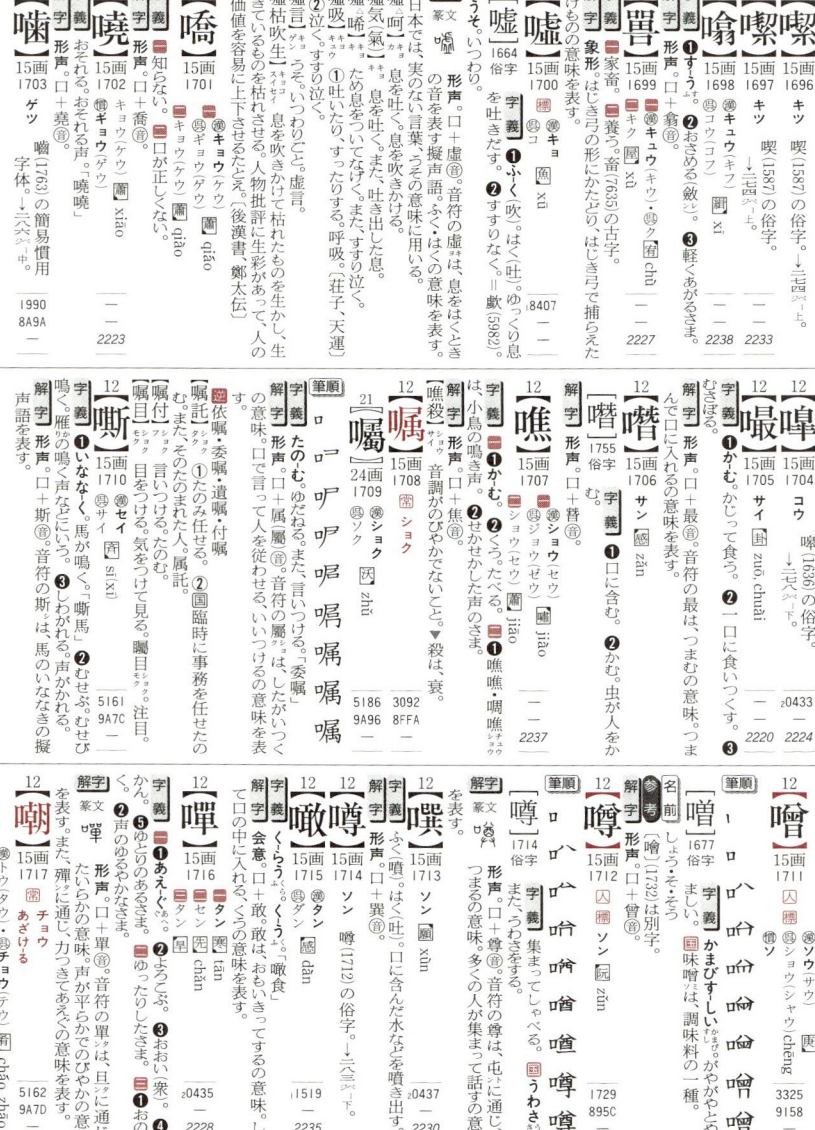

筆順

［嘲］1718 俗字

字義 ❶あざける。人を悪く言ったり笑ったりして、ばかにする。あざけり。❷あざわらう。ばかにして笑う。❸たわむれる。からかう。

解字 篆文 形声。口＋朝㊥。音符の朝は、口からつばを飛ばしてしゃべる声の擬声語。人のことをあざけりからかう・鳥のさわがしい鳴き声の意味を表す。

【嘲戯(戲)】チョウギ あざけりたわむれる。

【嘲△謔】チョウギャク あざけり、たわむれる。からかう。

【嘲笑】チョウショウ あざけりわらう。また、あざ笑い。

【嘲△哳】チョウタツ 同嘲哳チュウタツ・トウタツ。①ぺちゃくちゃ話す声。②鳥のやかましくさえずる声。③鳴り物の音の調子はずれで下品なさま。

【嘲罵】チョウバ あざけりののしる。

【嘲弄】チョウロウ あざけりからかう。なぶる。

12 【嘲】15画 1718 チョウ 嘲(1717)の俗字。→二八三ページ下。

12 【噇】15画 1719 漢トウ(タウ) 呉ドウ(ダウ) 江 chuáng ₂0438 — —

字義 むさぼり食う。国どっと。多くの人が一度に声をあげるさま。

解字 形声。口＋童㊥。

12 【噔】15画 1720 トウ 蒸 dēng — — 2239

字義 ❶人名。❷重い物が落ちる音の擬声語。

解字 形声。口＋登㊥。

12 【噋】15画 1721 一トン tūn 二カク(クヮク) 薬 kuò — — 2236

字義 一噋噋は、重たくてのろいさま。二たたく音。

解字 形声。口＋敦㊥。

12 【噃】15画 1722 漢ハン 呉ボン 元 fān — — 2232

字義 声。

解字 形声。口＋番㊥。

12 【嘸】15画 1723 漢ブ 呉ム 麌 fǔ 5163 9A7E —

字義 はっきりしないさま。あいまいなさま。「嘸然」国さぞ。さだめし。推量の意を表すことば。

解字 形声。口＋無㊥。音符の無は、ないの意味。口にはっきり言葉として出てこないの意味を表す。

12 【噴】15画 1724 常 フン ふく 4214 95AC —

13 ［噴］16画 1725 慣フン 一ホン 元 pēn 二ホン 願

筆順

字義 一❶ふく。はく。吹き出す。吐き出す。「噴火」❷鼻をならす音。❸しかる。しかりつける。

使いわけ ふく〔吹・噴〕⇩吹(1371)。

解字 篆文 形声。口＋賁(賁)㊥。音符の賁ホンは、盛んに走るの意味。口から盛んに走り出る、ふきだすの意味を表す。

【噴煙】フンエン 煙を吹きだす。また、その煙。

【噴火】フンカ 火を吹きだす。火山が爆発する。

【噴激】フンゲキ ①はげしく吹き上げる。②はげしく怒る。憤慨。

【噴泉】フンセン 高く水を吹きだすいずみ。飛泉。

【噴飯】フンパン 口に含んだ飯を吹きだす意で、おかしくてたまらず、おもわず吹きだすこと。

【噴霧】フンム 霧を吹きだす。

12 【舗】15画 (635) ホ 人部。→一三三ページ下。

12 【嘿】15画 1726 漢ボク 呉モク 職 mò ₂0436 — 2229

字義 だまる。しずか(静)。＝默(14467)。

解字 形声。口＋黑㊥。音符の黑コクは、默に通じ、だまるの意味。

12 【嘹】15画 1727 リョウ(レウ) 蕭 liáo — — 2225

字義 ❶なく(鳴)。また、夜に鳴く。❷声のすみとおるさま。また、声の遠くまで聞こえるさま。

解字 形声。口＋尞㊥。

13 【噯】16画 1728 アイ 泰 ǎi ₁1523 — 2248

字義 ❶いき。気息。あたたかい息。❷おくび。食べすぎて出す息。げっぷ。

難読 噯気おくび

解字 形声。口＋愛㊥。

13 【噫】16画 1729 一イ 支 yī 二アイ 卦 ài 5164 9A80 —

字義 一❶ああ。あ。嘆息の声。感嘆の声。あわれみ痛む声。驚きうらむ声。用例〔唐、柳宗元、三戒〕噫あ、形之尨也類ニ有徳一かたちのボウなるや、ユウトクにルイすⅤああ、驢馬ロバの外形の大きいことといったら立派な徳を備えているようである。❷なげく。二おくび。食べすぎて出す息。げっぷ。「噫気」

解字 篆文 形声。口＋意㊥。音符の意は、なげき悲しむときの声を表す擬声語。

【噫気(氣)】アイキ ①はき出す息。呼気。②おくび。げっぷ。

【噫△嘻】ああ ①感嘆の声。②驚きうらむ声。③相手をさげすむ声。

【噫△乎】ああ ①嘆息の声。②あわれみいたむ声。

13 【噢】16画 1730 一イク 屋 yù 二ウ 麌 yǔ — — 2243

字義 一噢咿イクイは、悲しむ。二噢咻ウクは、うめく。

解字 形声。口＋奥㊥。

13 【噦】16画 1731 一漢エツ(ヱツ) 呉オチ(ヲチ) 月 yuē 二漢カイ(クヮイ) 呉ケ 泰 huì ₁1521 — 2245

字義 一❶しゃっくり。しゃくりあげる。❷はきそうになるが出る物がない状態。二❶鳥の声。❷声がしぶる。だみ声。❸車の鈴のゆったりとした音。❹あかるい。❺深く広い。

難読 噦噎しゃっくり

解字 篆文 形声。口＋歳㊥。音符の歳は、欬ケッに通じ、せきこむの意味。口を付し、しゃっくりの意味を表す。

13 【噲】16画 1732 漢カイ(クヮイ) 呉ケ 卦 kuài ₁1525 — 2250

字義 ❶のど。❷こころよい。ゆったりして明るい。＝快(3645)。「噲噲」

参考 〔噌〕(1711)は別字。

解字 篆文 形声。口＋會㊥。音符の會カイは、あうの意味。呼気や声のあつまって出てくる部分、のどの意味を表す。

13 【嚄】16画 1733 カク 嚄(1753)の俗字。→二八六ページ上。 — — 2252

13 【噩】16画 1734 ガク 薬 è — — 2246

字義 ❶おごそかなさま。❷おどろく。＝愕(3790)。❸作噩サクガクは、酉とりの年のこと。

解字 形声。吅＋吅＋王(玉)㊥。音符の玉は、屰ゲキに通じ、さからうの意味。吅センは、多くの口が声をだしてやかましいの意味。意にさからって多くの声が発せられて、おどろくの意味を表す。咢ガクの金文 に似ていて、咢・噩がもと同一語であったことがわかる。

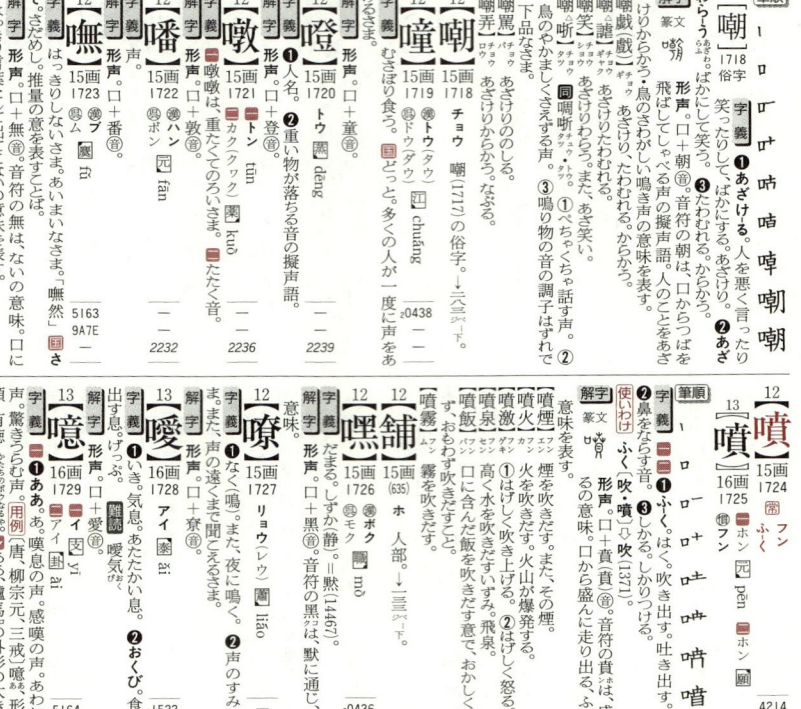

13【器】16画 (1692) キ 器(1691)の旧字体。→二八二ジ中。

13【噱】16画 1735 漢キャク 呉カク jué, xué
字義 ❶わらう。大笑いする。❷あえぐ。
解字 形声。口＋豦音。
1524 — 2249

13【噭】16画 1736 キョウ(ケウ) jiào
字義 ❶さけぶ。大声を出す。❷ほえる。❸大声で泣く。また、その声。❹口。
解字 形声。口＋敫音。
【噭噭】キョウキョウ 悲しんで泣く声。用例〔荘子、至楽〕我噭噭然随而哭レ之、自以為不レ通二乎命一（われキョウキョウぜんとしてしたがいてこれにコクせば、みずから(み)メイにツウぜずとおもえらく）↓私がわあわあと付き従って泣きわめくのは、天命と悟っていないということになる。
【噭△哮】キョウコウ さけぶ。ほえる。咆哮ホウコウ。▼哮は、ほえる。
20441 — 2247

13【噤】16画 1737 漢キン 呉ゴン jìn
字義 ❶つぐむ。口を閉じてものを言わない。❷とじる。
解字 篆文  形声。口＋禁音。音符の禁は、タブーの意味。口に出さない、つぐむの意味を表す。
5165 9A81 —

13【噞】16画 1738 ゲン yǎn
字義 ❶あぎとう。魚が水面に浮かび口をぱくぱくする。❷はげしい。
解字 形声。口＋僉音。
20439 — 2240

13【嚆】16画 1739 漢コウ(カウ) 呉キョウ(ケウ) hāo
字義 ❶さけぶ。よぶ。❷なる。矢が鳴る。「嚆矢コウシ」
解字 形声。口＋蒿音。
【嚆矢】コウシ ①かぶらや。鳴りひびく矢。②昔、戦いを始めるしるしに、かぶらやを敵陣に射かけたことから、物事のはじまり・おこりをいう。〔荘子、在宥〕
5169 9A85 —

13【嘴】16画 1740 標 シ zuǐ
字義 ❶くちばし。はし。鳥類のくちさき。＝觜(11080)。❷地形や器物のとがって突き出ているところ。「沙嘴サシ」
解字 形声。口＋觜音。音符の觜シは、くちばしの意味。口を付し、くちばし・くちばしのように突き出た地形や器物の部分の意味を表す。
【嘴爪】シソウ くちばしとつめ。用例〔唐、白居易、燕詩示二劉叟一〕嘴爪雖レ欲レ弊、心力不レ知レ疲（シソウつかれんとほっすといえども、シンリョクつかれをしらず）↓くちばしやつめは疲れそうになっていても、気力は衰えを知らない。
5160 9A7B —

13【嘯】16画 1741 ［嘯］1673 俗字 一 ショウ(セウ) xiào 二 漢シツ・呉シチ chì
字義 一 うそぶく。㋐口をすぼめて声を出す。また、口笛を吹く。用例〔杜子春伝〕老人者方嘯二于一檜之陰一（ロウジンはまさにニカイのかげにうそぶく）↓老人は、二本の檜樹の陰で口をすぼめて声を出しているところだった。㋑声を長くひいて詩歌をうたう。「長嘯」㋒うなる。ほえる。なく。用例〔唐、杜甫、登高詩〕風急天高猿嘯哀（かぜキュウにテンたかくしてエンショウかなし）渚清沙白鳥飛廻（なぎさきよくすなしろくしてとりとびめぐる）↓風は強く吹きわたり、空は高く澄みきって、猿の鳴き声があたりに哀しくこだまする。長江の川辺は清らかに、砂は白く、その上を鳥が飛び交う。二 しかる。＝叱(1315)。「嘯咤シッタ」
解字 篆文  形声。口＋肅音。音符の肅シュクは、縮に通じ、すぼめるの意味。口をすぼめて声を出すの意味を表す。
【嘯詠】ショウエイ ゆるやかな調子で歌う。嘯歌。
【嘯歌】ショウカ ＝嘯詠。
【嘯月】ショウゲツ 月に向かって歌う。月を眺めながら詩歌を吟ずること。
【嘯風弄月】ショウフウロウゲツ（かぜにうそぶきつきをもてあそぶ）国自然や詩歌を友として楽しむこと。
5166 9A82 —

13【噬】16画 1742 漢セイ 呉ゼイ shì
字義 ❶かむ。くいつく。用例〔唐、柳宗元、三戒〕虎大駭、遠遁、以為レ且レ噬レ己也（とらおおいにおどろき、とおくのがれ、まさにおのれをかまんとすとなすなり）↓虎はたいそう驚き、遠くへ逃げ、あれは今にも自分にかみつこうとしたのだと思った。❷くらう。くう。❸およぶ。いたる。
解字 形声。口＋筮音。
【噬△嗑】ゼイコウ 易えきの六十四卦カの一つ。☲☳震下離上シンカリショウ。あごの中に物のあるかたちで、かみ食う意。また、罪人として捕らえられる意。
【噬斉(齊)・噬△臍】ゼイセイ ほぞをかむ。へそをかもうとしても、口が届かない。後悔しても及ばないたとえ。〔前漢、揚雄、太玄賦〕
5167 9A83 —

13【噡】16画 1743 一 セン zhān 二 タン dān
字義 一 ❶しゃべる。よくしゃべる。❷噡唯は、はいと返事をする。二 ＝一❶。
解字 形声。口＋詹音。
— — 2242

13【噪】16画 1744 ソウ(サウ) zào
字義 ❶鳥がむらがり鳴く。❷さわぐ。さわがしい。＝譟(11404)。「呼噪」
解字 形声。口＋喿音。音符の喿ソウは、さわぐの意味。口を付し、さわがしいの意味を表す。
【噪△聒】ソウカツ さわがしい。▼聒も、さわがしい意。
【噪急】ソウキュウ 口やかましく気の短いこと。
5168 9A84 —

13【噠】16画 1745 漢タツ 呉タチ dā
字義 嚈噠ヨウタツは、南北朝時代の西域の国名。エフタル。
解字 形声。口＋達音。
20440 — 2241

13【噣】16画 1746 一 漢チュウ(チウ) 呉チュ zhòu 二 タク zhuó
字義 一 ❶くちばし。❷星の名。畢星ヒッセイ。二 ついばむ。＝啄(1507)。
解字 形声。口＋蜀音。
— — 2244

13【噹】16画 1747 トウ(タウ) dāng
字義 おび玉などの触れ合って音を立てるさま。

13【噵】16画 1748 ドウ 道(12167)と同字。→一四三五ジ上。
— — 2251

13【噥】16画 1749 漢ドウ 呉ヌ nóng
字義 ❶でたらめを言う。❷ささやく。
解字 形声。口＋農音。

13【噸】16画 1750 トン dūn
字義 トン。tonの音訳字。㋐重量の単位。(甲)メートル法で、一〇〇〇キログラム(仏トン)。(乙)ヤード・ポンド法で、一〇一六・一キログラム(英トン)。(丙)ヤード・ポンド法で、九〇七・二キログラム(米トン)。㋑容積の単位。(甲)船舶の容積は一〇〇立方フィートを一噸とし、軍艦では排水量を英トンで表す。(乙)貨物の容積は四〇立方フィートを一噸とする。
解字 形声。口＋頓音。音符の頓トンは、tonの音を示す。口は、外来語の音訳であることを示す。
3853 93D3 —

13【噴】16画 (1725) フン 噴(1724)の旧字体。→二四四ジ中。
4024 94B6 —

13【噺】16画 1751 国字 標

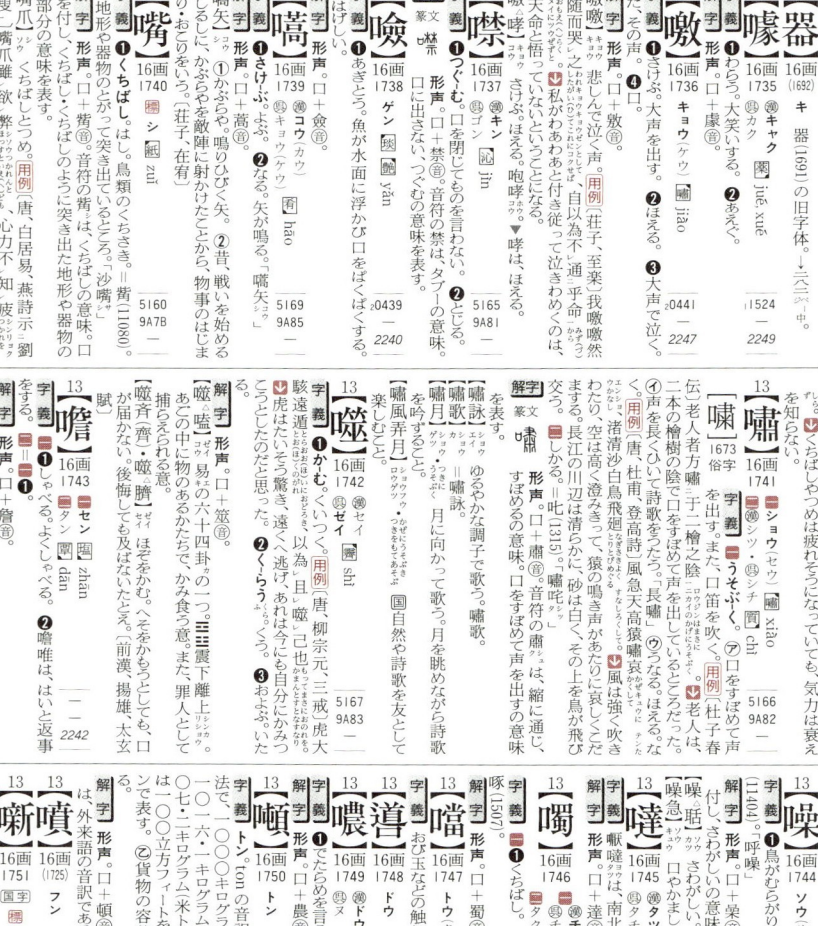

字義 はなし。ものがたり。説話。
解字 会意。口＋新。耳新しいことを話す意。

14【嚇】17画 1752 常 カク 漢カク・呉キャク 陌 hè 1937 8A64 —

筆順 丨 口 口 吐 吐 吽 吽 哧 嚇

字義 ❶いかる。はげしく怒る。しかる。また、怒って発する声。「嚇怒」 ❷おどす。おどかす。用例〔荘子、秋水〕今子欲下以二子之梁国一而嚇上我邪（いまシのリョウコクをもって、われをおどさんとほっするか）。↓いまあなたは自分の梁国での地位のことで私を威嚇しようというのか。

解字 形声。口＋赫音。音符の赫（カク）は、あかいの意味。顔を赤くしていかるの意味を表す。

逆 脅嚇
【嚇怒】（カクド） あらあらしく怒る。ひどく怒る。

14【嚄】17画 1753 漢カク（クワク） 呉ワク 陌 huò
［嚄］1733 俗字
字義 ❶わめ-く。大声でさけぶ。❷大笑いする。❸ああ。驚きおそれる声。
解字 形声。口＋蒦音。

14【[口+衘]】17画 1754 カン 衘(12596)と同字。→一四七〇ページ中。 ₂0442 — —

14【[口+替]】17画 1755 サン 噆(1706)の俗字。→二八三ページ中。 — — 2234

14【嚅】17画 1756 漢ジュ 呉ニュ 虞 rú — — 2253
字義 →嚅囁。
解字 形声。口＋需音。
【嚅囁】（ジュジョウ） ①べちゃくちゃしゃべる。②ささやく。ぶつぶついう。③言いかけて口をつぐむ。

14【嚌】17画 1757 ━ 漢セイ・呉ザイ 霽 jì ━ 漢セイ・呉ザイ 斉 ₂0444 — 2256
字義 ━なめる。━鳥の悲しげな声。
解字 形声。口＋齊音。

14【嚋】17画 1758 ━ 漢チュウ（チウ） 呉チュ 尤 chōu ━ 漢チュウ（チウ） 呉ジュ（ヂュ） 尤 zhōu — — 2255
字義 ━だれ。疑問の人称代名詞。━嚋張（チュウチョウ）は、たぶらかす。
解字 形声。口＋壽音。

14【嚔】17画 1759 漢テイ 呉タイ 霽 tì 5174 9A8A —
［嚏］1765 正字
字義 くさめ。くしゃみ。また、くしゃみする。はなひる。
解字 形声。口＋疐音。
【嚔有二人説一】（はなひるときはひとのとくあり） くしゃみの出たときは、人が自分のうわさをしている。〔詩経、邶風、終風〕

14【嚀】17画 1760 漢ネイ 呉ニョウ（ニャウ） 青 níng 5170 9A86 —
字義 ねんごろ。＝寧(2694)。「叮嚀（テイネイ）」
参考 現代表記では〔寧〕(2694)に書きかえることがある。「叮嚀→丁寧」
解字 形声。口＋寧音。

14【嚊】17画 1761 ヒ 寘 pì 5171 9A87 —
字義 はないき。あえぐ息。国かかあ。かか。自分の妻や他家の主婦をぞんざいにいう称。＝嬶(2554)。
解字 形声。口＋鼻音。

14【嚈】17画 1762 ヨウ（エフ） 葉 yà ₂0443 — 2254
字義 嚈噠（ヨウタツ）は、南北朝時代の西域の国名。エフタル。
解字 形声。口＋厭音。

15【嚙】18画 1763 標 ━ 漢ゲツ・呉ゲチ 屑 niè ━ 漢ゴウ（ガウ） 呉ギョウ（ゲウ） 巧 ₁1526 — 2258
［啮］1703 簡易
字義 ━━かむ。かじる。＝齧(14587)。
解字 会意。口＋歯(齒)。

15【嚝】18画 1764 コウ（クワウ） 庚 hōng ₂0447 — 2260
字義 ❶叫ぶ声。❷鐘や太鼓の音。
解字 形声。口＋廣音。

15【嚏】18画 1765 テイ 嚔(1759)の正字。→二八六ページ中。 5173 9A89 —

15【嚞】18画 1766 テツ 哲(1510)の古字。→二六六ページ中。 ₁1527 — 2261

15【嚟】18画 1767 リ 支 lí — — 2262
字義 芳嚟馬哈札剌（ファリマハサラ）は、占城国王の呼称。
解字 形声。口＋黎音。

15【嚠】18画 1768 漢リュウ（リウ） 呉ル 尤 liú 5172 9A88 —
字義 嚠喨（リュウリョウ）は、楽器の音などのさえわたって遠くまで響きわたるさま。＝瀏(6793)。

15【嚕】18画 1769 ロ 麌 lǔ ₂0445 — 2257
字義 ❶かたる（語）。くどくど言う。❷へつらう。
解字 形声。口＋魯音。

16【嚥】19画 1770 標 エン 霰 yàn 5175 9A8B —
字義 の-む（呑）。のみこむ。「嚥下」
解字 形声。口＋燕音。音符の燕（エン）は咽（エン）に通じ、のむの意味を表す。

16【嚮】19画 1771 ━ 漢キョウ（キャウ） 呉コウ（カウ） 漾 xiàng ━ 漢キョウ（キャウ） 呉コウ（カウ） 養 xiǎng
［嚮］1772 俗字
字義 ━❶む-かう（むかふ）。むく。＝向(1336)。用例〔史記、項羽本紀〕項王・項伯東嚮坐（コウオウ・コウハク、ひがしにむかってザし）、亜父南嚮坐（アホ、ナンキョウしてザす）。↓項羽と項伯とは東に向かって座り、亜父（范増（ハンゾウ））は南に向かって座った。❷さき-に。前に。用例〔唐、柳宗元、捕蛇者説〕嚮吾不レ為二斯役一、則久已病矣（さきにわれこのエキをなさずんば、すなわち（は）ちひさしくすでにやめるならん）。↓以前から私がこの（蛇捕りの）仕事をしていなかったなら、私はとうに困窮していたでしょう。また、もてなし。＝饗(13656)。━❶うける。もてなしを受ける。❷ひびく。ひびき。＝響(13427)。
参考 現代表記では〔向〕(1336)に書きかえることがある。「意嚮→意向」
解字 形声。鄕＋向音。鄕は、向かいあうの意味。さらに、むかうの意味の音符、向を付した。
【嚮応(應)】（キョウオウ） ひびきが音声に応ずる意。転じて、人のすることにすぐに応ずること。響応。
【嚮日】（キョウジツ・コウジツ） さきごろ。先日。
【嚮者】（キョウシャ・さきに） 前に。以前。
【嚮道・嚮導】（キョウドウ） 道案内する。
【嚮背】（キョウハイ・コウハイ） 味方になることと、そむくこと。向背。

16【嚮】19画 1772 キョウ 嚮(1771)の俗字。→二八六ページ下。 5176 9A8C —

16【嚚】19画 1773 ギン 真 yín ₂0446 — 2259
字義 ❶話す声。また、声が悪い。❷おろか。❸つれない。まことがない。❹口がきけない。
解字 甲骨文  篆文  形声。㗊＋臣音。音符の臣（シン＝ギン）は、固めるの意味。㗊は、かまびすしいの

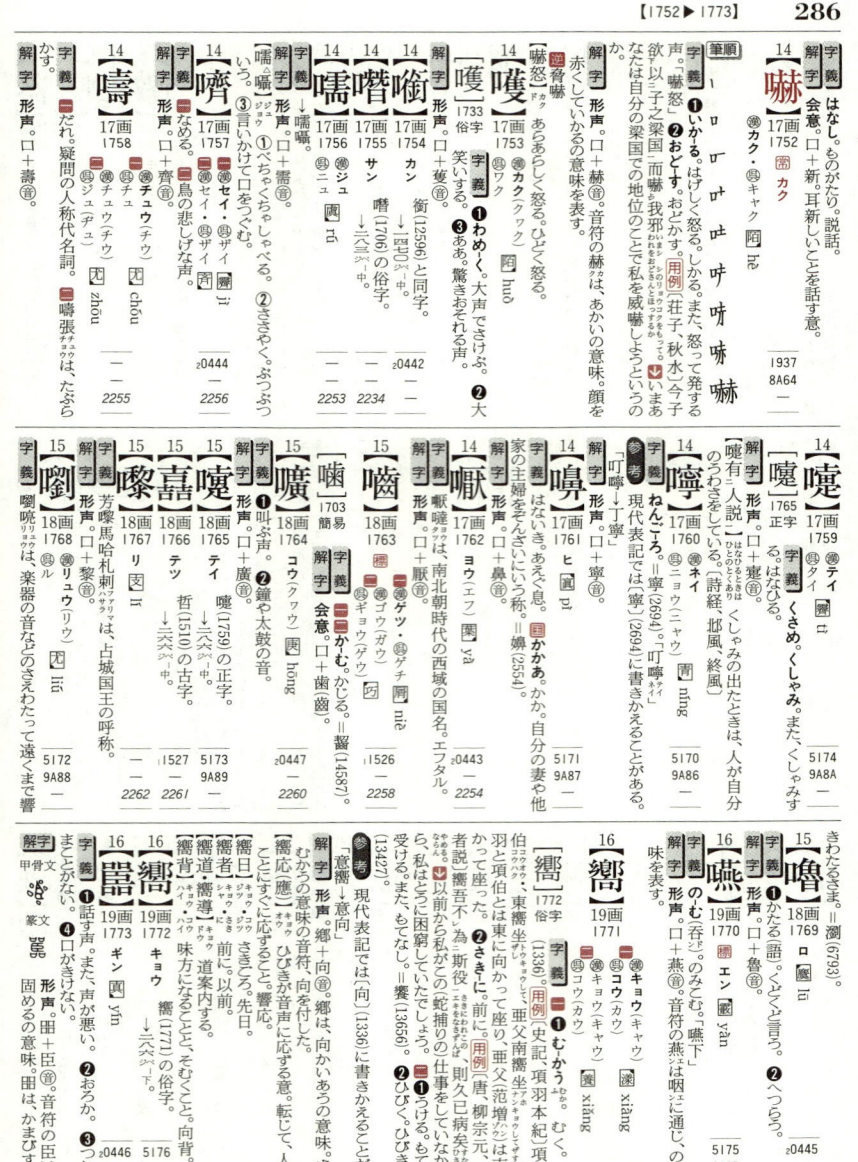

意味。かまびすしさで固める、声が悪い・言葉にまとことがないの意味を表す。

16【嚫】19画 1774 シン 震 chèn
字義 ほどこす。お布施を与える。
解字 形声。口＋親音。
— — 2267

16【嚪】19画 1775 タン 啖(1549)と同字。→二七一ページ上。

16【嚩】19画 1776 ハク mó
字義 まじないの言葉。呪文ジュモンの語。
解字 形声。口＋縛音。
1528 — 2266

16【嚭】19画 1777 ヒ 紙 pǐ
字義 ❶おおきい。❷大いに喜ぶ。❸人名。伯嚭は、春秋時代の呉の宰相。太宰嚭タイサイヒ。
解字 篆文 形声。喜＋否音。音符の否は、大きいの意味。喜は、よろこぶの意味。大いに喜ぶ・大きいの意味を表す。
2 0449 — 2269

16【嚬】19画 1778 漢ヒン 呉ビン 真 pín
字義 ひそ-める。眉まゆにしわをよせる。顔をしかめる。また、そのこと。ひそみ。＝顰(13519)。用例(唐、李白、怨情詩)美人巻二珠簾一、深坐嚬二蛾眉一 ↓美人が珠の簾すだれを巻き上げ、部屋の奥深くに座り、美しい眉をひそめてもの思いに沈んでいる。
解字 形声。口＋頻音。音符の頻は、しわの意味。まゆにしわを寄せる、まゆをひそめるの意味を表す。
【嚬蹙】ヒンシュク まゆをひそめ、鼻すじにしわをよせる。顔をしかめる。心配したり、非難したりするときの表情。「嚬蹙を買う(非難される)」
【嚬笑】ヒンショウ 顔をしかめることと、笑うこと。
【嚬呻】ヒンシン 顔をしかめてうめく。▼呻は、うめく。
1529 — 2268

16【嚦】19画 1779 漢レキ 呉リャク 錫 lì
字義 嚦嚦は、玉を転がすような、さえずりの声。
解字 形声。口＋歴音。
— — 2263

16【嚧】19画 1780 ロ 虞 lú
字義 ❶嚧嚧は、いのこを呼ぶ声。❷呼嚧コロは、笑う声。
解字 形声。口＋盧音。
— — 2264

16【嚨】19画 1781 ロウ 東 lóng
字義 のど。
解字 形声。口＋龍音。
2 0448 — 2265

17【嚶】20画 1782 漢オウ(アウ) 呉ヨウ(ヤウ) 庚 yīng
字義 鳥が仲よく鳴きかわす声。転じて、友人がたがいに励まし合う声。「嚶嚶」
解字 形声。口＋嬰音。
【嚶嚶】オウオウ 鳥が仲よく声を合わせて鳴くさま。転じて、友人同士が声をかけあってはげまし合うさま。
【嚶鳴】オウメイ 鳥が仲よく声を合わせて鳴く。
5177 9A8D —

17【嚱】20画 1783 キ 寘 xì
字義 ❶ああ。感動して発する声。❷笑い合う。
解字 形声。口＋戯音。
— — 2270

17【嚴】20画 (2760) ゲン 厳(2759)の旧字体。→四三ページ下。

17【嚳】20画 1784 コク 沃 kù
〔俈〕367 同字
字義 ❶急いで告げる。❷中国古代の伝説上の帝王の名。高辛氏。黄帝の曽孫という。「帝嚳」
解字 形声。學(学)＋告音。
1530 — 2271

17【嚷】20画 1785 ジョウ(ジャウ) 養 rǎng
字義 わめく。どなる。
解字 形声。口＋襄音。
— — 2272

17【嚲】20画 1786 タ 哿 duǒ
字義 ❶垂れる。❷広い。❸厚い。
解字 形声。亨＋單音。
2 0450 — —

18【嚾】21画 1787 ㊀カン(クワン) 翰 huàn ㊁カン(クワン) 寒 huān
字義 ㊀わめ-く。よびさけぶ。＝喚(1580)。㊁かまびすしい。やかましい。また、そのさま。＝讙(11433)。「嚾嚾」
解字 形声。口＋雚音。音符の雚カンは、喚に通じ、よぶの意味。口を付し、よぶの意味を表す。
— — 2273

18【囈】21画 1788 ゲイ 霽 yì
字義 うわごと。ねごと。また、たわごと。とりとめのないことば。「囈語」
解字 形声。口＋藝音。
5184 9A94 —

18【囂】21画 1789 ㊀ゴウ(ガウ) 豪 áo ㊁キョウ(ケウ) 蕭 xiāo
〔嚻〕1790 同字
字義 ㊀❶かまびす-しい。かしま-しい。かしがま-しい。やかましい。さわがしい。＝敖(1669)。❷おおい(多)。㊁❶＝㊀❶。❷しずかなさま。❸分に満足して欲のないさま。❹声。
解字 篆文 会意。㗊＋頁。㗊は、さわぐの意味。頁は、あたまの意味。頭から熱気があがるほどさわぐ、かまびすしいの意味を表す。
【囂譁】ゴウカ やかましい。さわがしい。▼譁も、やかましい。
【囂豗】ゴウカイ がやがやと、やかましい。
【囂諠】ゴウケン ＝囂譁ゴウカ。▼諠も、やかましい。
【囂囂】ゴウゴウ ①声のやかましいさま。②うれえ嘆くさま。③自分の分に満足して欲のないさま。〔孟子、万章上〕④静かに落ち着いているさま。
【囂然】ゴウゼン ＝囂囂。
5179 9A8F —

18【嚻】21画 1790 ゴウ 囂(1789)と同字。→二八七ページ下。

18【嚼】21画 1791 漢シャク 呉ザク 薬 jiáo, jué
字義 か-む。㋐かみくだく。かみこなす。「咀嚼ソシャク」㋑かみしめる。あじわう。意味を了解する。「嚼味」
解字 形声。口＋爵音。音符の爵は、雀ジャクなどに通じ、こまかいの意味。物を口中に入れて細かくする、かむの意味を表す。
【嚼齧】シャクケツ かむ。歯でかむ。▼齧も、かむ。
5180 9A90 —

18【囁】21画 1792 標 ㊀ショウ(セフ) 葉 ㊁漢ジョウ(ゼフ) 呉ニョウ(ネフ) 葉 niè
字義 ㊀❶ささや-く。ひそひそと話す。❷言いかけてやめる。言いよどむ。口が動くだけで、ことばのはっきりしないこと。㊁❶＝㊀❶。❷べらべらとしゃべる。
解字 形声。口＋聶音。音符の聶ショウは、耳を寄せるの意味。耳を寄せて、ささやく・ひそかにののしるの意味を表す。
【囁嚅】ショウジュ ①ものを言いかけてやめるさま。口が動くだけでことばのはっきりしないさま。②ささやく。③べらべらしゃべる。かまびすしい。
5181 9A91 —

18【囃】21画 1793 標 ソウ(サフ) 合 cà
字義 はやし。歌や舞に合わせて調子をとるかけ声。また、鳴りもの。囃子はやし。国はや-す。㋐はやしの鳴り物をならす。
5182 9A92 —

㋑声をあげて歌や舞の拍子をとる。㋒おだてる。調子にのせる。㋓言いたてる。評判する。㋔声を立ててあざける。

解字 形声。口＋雜㊅。

18 【囀】 21画 1794 標 テン 霰 zhuàn 5183 9A93 —

字義 ❶さえずる。鳥が声を続けて鳴く。❷しらべ。調子。声の移り変わる調子。❸ころがす。動かす。＝転(11875)。

解字 形声。口＋轉㊅。音符の轉テンは、ころがすの意味。口の中で声をころがす、さえずるの意味を表す。

【囀レ喉】のどをテンず のどを動かす。歌うこと。

19 【囋】 22画 1795 ㊀漢サツ・呉ザチ 曷 zá ㊁漢サン・呉ザン 翰 zàn — — 2277

字義 ㊀ことば数が多い。かまびすしい。話に節制がないこと。㊁そしる。あざける。

解字 形声。口＋贊㊅。

19 【嚛】 22画 1796 ソ sū — — 2280

字義 よくしゃべる。

解字 形声。口＋蘇㊅。

19 【囅】 22画 1797 テン 銑 chǎn 20451 — 2274

字義 笑うさま。大笑いするさま。

解字 形声。單＋展㊅。

19 【囊】 22画 1798 標 ノウ(ナウ) 陽 náng 11532 — 2276

［嚢］10857 俗字

字義 ❶ふくろ。㋐大きな袋。「土囊」㋑かねいれ。財布。「囊中」㋒ものを包み入れるもの全般についていう。「知囊」❷ふくろにする。ふくろに入れる。つつむ。おさめる。

解字 篆文 形声。もと、𣎆＋㲉㊅。𣎆は、ふくろの象形。音符の㲉ジョウ＝ノウは、中に物をつめこむの意味。物をつめこむふくろの意味を表す。

【囊括】ノウカツ ふくろに入れてその口をくくるの意で、残らず包み取ること。

【囊沙之計】ノウサのケイ 漢の韓信カンシンが、土囊で川の上流をせきとめ、敵が川を渡ろうとしたとき一度に水を流して、大いに敵を破った計略。▼沙は、砂。〔史記、淮陰侯伝〕

【囊笥】ノウシ 衣類・書物などを入れる袋やかご。

【囊書】ノウショ 袋に入れた書物。

【囊錐】ノウスイ ＝囊中之錐。

【囊銭(錢)】ノウセン 財布の中の金銭。持ち合わせの金。

【囊装(裝)】ノウソウ ①旅支度。また、荷造り。②袋で包んだ物。

【囊橐】ノウタク 袋。旅人の荷物袋。また、財布。

【囊中之錐】ノウチュウのきり ふくろの中のきり。きりをふくろに入れても、すぐその先が突き出るように、すぐれた人は多くの人の中にまじっていても、すぐにその才能を現すたとえ。趙チョウの平原君の客、毛遂モウスイの故事による。〔史記、平原君伝〕

【囊中無一物】ノウチュウムイチブツ さいふの中に一文イチモンの銭もない。いちもんなし。

【探二囊中物一】ノウチュウのものをさぐる ふくろの中に入れた物をさぐり取る意で、非常にたやすいたとえ。〔五代史、南唐世家〕

【囊土】ノウド 袋に入れた土。また、土を袋に入れる。土俵を作る。

19 【轡】 22画 (11977) ヒ 車部。→一四〇〇ページ下。

19 【囉】 22画 1799 ラ 歌 luō 11531 — 2275

字義 ❶歌の調子をたすける声。❷声がもつれる。

解字 形声。口＋羅㊅。

19 【囎】 22画 1800 国字 5185 9A95 —

字義 囎唹そおは、鹿児島県の旧郡名。

解字 形声。口＋贈㊅。

20 【㘎】 23画 1801 カン hǎn

字義 ほえる。さけぶ。用例〔唐、柳宗元、三戒〕跳踉大㘎チョウリョウしておおいにほえ(さけび)て、断二其喉一そののどをたち、尽二其肉一そのニクをつくして乃去すなわち(はち)さる。↓おどりあがってはねまわり、大声で吠ほえて驢馬ロバの喉のどをかみ切り、肉を食い尽くして立ち去った。

20 【囏】 23画 1802 カン 艱(9784)の古字。→一一九一ページ上。 — — 2278

20 【囐】 23画 1803 漢サツ 呉ザチ 曷 zá — — 2279

字義 嘈囐ソウサツは、太鼓の音の形容。

解字 会意。口＋獻。獻は、音楽を奏して神を祀るの意味。太鼓の音の擬声語。

21 【囓】 24画 1804 ゲツ 齧(14587)の俗字。→一六五七ページ下。 5187 9A97 —

21 【囓】 24画 1805 ゲツ 齧(14587)と同字。→一六五七ページ下。

21 【囑】 24画 (1709) ショク 嘱(1708)の旧字体。→二八三ページ中。

21 【囍】 24画 1806 20452 — 2281

字義 二重のおめでた。重ね重ねの喜びごと。結婚の祝いの席などに使われるマークで、双喜字ソウキジという。中国語で、シュアンシー shuāngxǐ。

解字 会意。喜を二つ並べて、二重のおめでたの意味を表す。

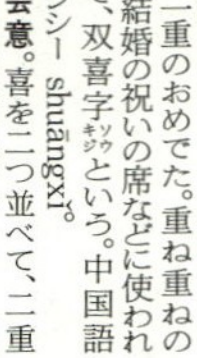
双喜字

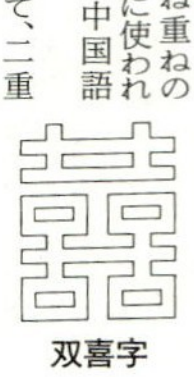

22 【鼉】 25画 (14506) ダ 黽部。→一六五〇ページ上。

3画 囗 くにがまえ

〔部首解説〕囗をもとにして、かこむ・かこい、また、めぐるの意味を含む文字ができている。

0 囗 二八八	3 因 二九〇	団 二九二	园 二九三	困 二九三	5 囷 二九四	6 圀 二九六	圂 二九七	圊 二九七	圌 二九七	圕 二九八	13 圛 二九八
2 囙 二八八	回 二九一	4 囲 二九三	囧 二九三	図 二九三	固 二九四	囿 二九七	圃 二九七	圇 二九七	圉 二九七	11 圙 二九八	圜 二九八
四 二八八	囝 二九二	囦 二九三	囥 二九三	囪 二九四	国 二九四	7 圅 二九七	8 圉 二九七	9 圍 二九三	10 園 二九七	圖 二九三	14 圚 二九八
囚 二九〇	囡 二九二	囮 二九三	囯 二九三	囤 二九四	囶 二九六	圄 二九七	圈 二九七	圎 二九七	圓 一五五	團 二九三	19 圝 二九八
囜 二九〇	囟 二九二	囬 二九三	囫 二九三	困 二九四	囹 二九六	圁 二九七	國 二九四	圏 二九七	團 二九八	12 圚 二九八	23 圞 二九八

0 【囗】 3画 1807 ㊀イ(ヰ) 微 wéi ㊁コク 職 guó 5188 9A98 —

字義 ㊀❶めぐる。めぐらす。❷かこい。かこむ。㊁国(1837)の古字。

解字 篆文 指事。周辺をとりまく線により、かこむ・めぐらすの意味を表す。

2 【囙】 5画 1808 イン 因(1812)の俗字。→二九〇ページ下。 — — 2282

2 【四】 5画 1809 シ 寘 sì 教1 シ よ・よ-つ・よっ-つ・よん 2745 8E6C —

筆順 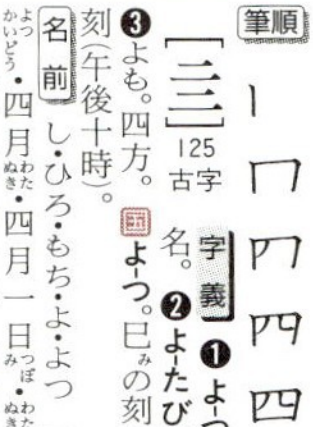

［亖］125 古字

字義 ❶よ-つ。よっ-つ。よん。よ。数の名。❷よ-たび。四回。また、よたびする。❸よも。四方。 国 よ-つ。巳の刻(今の午前十時)と、亥の刻(午後十時)。

名前 し・ひろ・もち・よ・よつ 難読 四阿・四海道・四極・四月一日・四月朔日・四十九院・四十四院・四十雀・四十住・四十日・四十八願・四十八朝・四十物・四十万・四所・四条畷・四丁目・四尾連湖・四幅・四方・四方山・四方手・四方津・四方田・四万・四万十川

参考 ①〔亖〕(9433)は別字。②金銭の記載などには、文字の改変を防ぐため、〔肆〕(9655)の字を用いることがある。

解字 甲骨文 金文 篆文  指事。甲骨文・金文は、四本の横線で、数のよっつの意味を表す。篆文は、呬の原字。四は、口の中に歯・舌の見える形にかたどり、いきの意味を表すが、これを借りて、よつの意味に用いる。

【四悪(惡)】 四つの悪。虐(教えないで民を死に追いやる)・暴(平素の注意を怠りながら民に成果を求める)・賊(命令はゆるやかにしながら期限を厳守させる)・有司(当然与えるべきものを出し惜しみする)。〔論語、尭曰〕 四つのいやなもの。憂労・貧賤・危墜(かたむきおちる)・滅絶。

【四夷】 四方の異民族。中国の四辺に住む未開の異民族。東夷・西戎・南蛮・北狄。〔書経、大禹謨〕

【四囲(圍)】 ①四人でかかえるほどの大きさ。②四方から囲む。③周囲。四周。

【四維】 ①四本の太い綱。②大地の四隅をつるしているという四本の太い綱。転じて、方角の四隅。巽(南東)・坤(南西)・艮(北東)・乾(北西)。③国家・社会の平和を維持するのに重要な四つの道。礼・義・廉・恥。用例(管子、牧民)国有二四維一。⇩国家には、その平和を維持する重要な四つの道(大綱)がある。

【四運】 春・夏・秋・冬。四季。四時。

【四裔】 四方の遠いはて。また、その土地・国。▼裔は、着物のすそ。

【四筵】 四方の座席。また、そこに座っている人。満座。

【四檐・四簷】 家の四方のひさし。四方の軒。

【四恩】 仏①四種の恩。㋐父母・師長・国王・施主の恩。㋑父母・衆生・国王・三宝の恩。②恩を施す四種の方法。布施・慈愛・化導(教化し導く)・共歓(喜びを共にする)。

【四科】 孔子が門人に教えた四つの学科。徳行・言語(弁論)・政事(政治)・文学(学問)。〔論語、先進〕

【四海】 ①四方の海。②天下。③東海・西海・南海・北海。

【四海為(爲)レ家】 ①天下を自分の一家とする。天下を統一して帝位にいること。〔史記、高祖本紀〕②天下中をさすらって定まった住所のないこと。

【四海同胞】 天下中(全世界)の人は皆兄弟のようなものである。四海兄弟。

【四海波静(靜)】 波がおさまって世の中の平和なこと。用例(南宋、楊万里、文)六合塵清、四海波静。⇩天地四方のけがれが清められ、波がおさまって平和な世の中である。

【四角】 ①四方のすみ。よすみ。②四角形。

【四角号(號)碼】 漢字の検索法の一つ。漢字の四隅の形を0から9の番号に置き換え、四けたの数字にして漢字を検索する方法。

【四岳(嶽)】 ①四方の名山。東岳は泰山、西岳は華山、南岳は衡山、北岳は恒山。②尭の時の官名。四方の諸侯を統治する官。③四方の諸侯。地方長官。

【四気(氣)】 ①四時(春・夏・秋・冬)の気候。春温・夏熱・秋冷・冬寒。②四時の気候に対応する人間の感情。喜(春)・楽(夏)・怒(秋)・哀(冬)。

【四凶・四兇】 四人の悪者の意。舜の時代の共工・驩兜・三苗・鯀の四人。〔書経、舜典〕

【四教】 ①詩・書・礼・楽の四つの教え。〔礼記、王制〕②孔子が門人に教えた四項目。文・行・忠・信。〔論語、述而〕③女性に対する四つの教え。婦徳・婦言・婦容・婦行。〔礼記、昏儀〕

【四竟・四境】 ①四方の国境。②四辺。四囲。

【四境之内】 天下。〔孟子、梁恵王下〕

【四苦八苦】 仏いろいろな苦しみ。非常な苦しみ。四苦は生苦・老苦・病苦・死苦、八苦は四苦と愛別離苦(親・兄弟など愛する人と別れる苦しみ)・怨憎会苦(怨み憎む者に会う苦しみ)・求不得苦(求めるものが得られない苦しみ)・五陰盛苦(心身の苦しみ)。〔涅槃経〕

【四衢八街】 大通りがいくつもある大きな市街。ちまた。▼衢・街は、ともに道が諸方に分かれている所。

【四君子】 唐画でその気品を君子に見立てた四つの植物。蘭・菊・梅・竹。

【四弦・四絃】 ①楽器の四本の糸。用例(唐、白居易、琵琶行)曲終収レ撥当二心画一、四絃一声如二裂帛一。⇩曲が終わりばちを引いて胸のあたりでまわすと、四本の弦が一度に、絹を裂くような鋭い音を鳴らす。②四本の糸を張った楽器。琵琶など。

【四庫全書】 書名。乾隆三十七年(一七七二)、清の乾隆帝の勅命により国内の書籍を集めた叢書。経・史・子・集に分類し、著録本七万九千七十巻、存目本九万三千五百五十六巻。同じ写本を七部作らせ、北京市の宮中(文淵閣)・北京市郊外の円明園(文源閣)・奉天、今の遼寧省瀋陽市(文溯閣)・熱河、今の河北省承徳市(文津閣)・江蘇省揚州市(文匯閣)・江蘇省鎮江市(文宗閣)・浙江省杭州市の西湖の孤山(文瀾閣)の七か所に設けた七庫に、それぞれ一部ずつ蔵した。

【四顧】 四方を見わたす。転じて、四方。

【四更】 夜間を五更に分けた第四番目。今の午前二時及びその前後の二時間。一説に、午前二時から四時までの二時間。

【四荒】 ①＝四裔。②四方のはてにある未開の土地。

【四皓】 四人の白髪の人の意。秦・漢の時、商山(今の陝西省内)にかくれ住んでいた四人の老人。東園公・綺里季・夏黄公・角里先生。商山の四皓。〔漢書、王吉等伝序〕

【四塞】 ■ 四方の(険阻な)とりで。■ ①四方がふさがる。②四方に満ちふさがる。

【四散】 四方に散る。あちこちに飛び散る。

【四支・四肢・四枝】 両手と両足。

【四時】 ①一年の四時。春・夏・秋・冬。四季。②一か月の四時。晦・朔・弦・望。③一日の四時。朝・昼・夕・夜。

【四周星】 四か年。星が天を四度めぐる意。用例(南宋、文天祥、過二零丁洋一詩)辛苦遭逢起二一経一、干戈落落四周星。⇩この苦しみにあうという人生は経書を学ぶことから始まり、転戦するうちにむだな四年がすぎた。

【四十而不レ惑】 孔子が四十歳になり、外界の事物のために迷いを生ずることがなく、万事に処して平静を保ち得るようになったこと。このことから四十歳を不惑という。用例〈論語、為政〉四十而不ㇾ惑、五十而知ニ天命一（四十にして惑わず、五十にして天命を知る）↓四十歳になると心に迷いがなくなり、五十歳になると天が自分に与えた使命を自覚した。

【四獣（獸）】シジュウ ①四つの獣。虎・豹・熊・羆。②その形を動物になぞらえて名づけた四つの星座。東を青竜、西を白虎、南を朱雀、北を玄武という。③四方。東西南北。

【四書】シショ 宋以来、儒学に志す人が必ず学ばねばならぬとされた四種類の書籍。大学・中庸・論語・孟子。

【四生】シショウ 仏生物の生まれ方の四種類。胎生（人・獣）・卵生（鳥）・湿生（かえる・魚）・化生（蝶）。

【四声（聲）】シセイ 漢字音の四種の声調（アクセント）。平・上・去・入。平声は、平らで高低がないもの、上声はしりあがり、去声はしりさがり、入声は終わりのつまったもの。元以後の北方音では入声を欠き、平声を陰陽二つに分けたが、やはり四声という。⇨コラム 韻目（二五三ページ）。

【四姓】シセイ 一 インドのカースト制度での四つの階級。婆羅門（僧侶）・刹帝利（王族・武人）・毗舎（庶民）・首陀羅（奴隷）。カースト。二 国四つのかばね。源氏・平氏・藤原氏・橘氏。源平藤橘。

【四川】シセン 省名。中国の南西、長江上流に位置する。地味豊かで天然資源に富む。省都は成都市。昔の蜀の地。

【四体（體）】シタイ ①両手両足。四肢。②からだ。全身。

【四諦】シタイ 仏迷いとさとりの因果を説明する四つの真理。苦（現世の苦悩）・集（肉体・財産への執着）・滅（安楽の境地）・道（実践修行）。「四聖諦」の略。

【四大】シダイ ①道・天・地・王。〈老子、二十五〉②仏万物を構成するという四つの基本的な要素。地・水・火・風。四大種。

【四大奇書】シダイキショ 明・清代に作られた小説中の四つの傑作。『水滸伝』『三国志演義』『西遊記』『金瓶梅』。▼奇は、すぐれている。

【四達】シタツ ①道路が四方にのびていること。また、その分岐点・交差点。②四方にとどく。至る所にゆきわたる。

【四端】シタン 人間が生まれながらにもっており、修養によって仁・義・礼・智の四徳になるべき四つの心。惻隠の心（あわれむ心、仁の端）・羞悪の心（はじる心、義の端）・辞譲の心（ゆずる心、礼の端）・是非の心（判断する心、智の端）。〈孟子、公孫丑上〉▼端は、もと（本）、一説に、いとぐち。

【四知】シチ 天・地（あるいは神）・相手・自分の四者が知っているとの意。秘密に事を行っても、必ず露顕するとのいましめ。後漢の楊震に王密が夜こっそり賄賂をもって来た時、「天知る、地知る、我知る、子（おまえ）知る」といましめて賄賂を受けなかった故事による。〈後漢書、楊震伝〉

【四鎮（鎭）】シチン ①四方のしずめとなる四つの大山。揚州の会稽山（今の浙江省内）・青州の沂山（今の山東省内）・幽州の医無閭山（今の遼寧省内）・冀州の霍山（今の山東省内）。②唐代の西域の四つの藩鎮（辺境の軍隊駐屯地）。亀茲・于闐・焉耆・疏勒。

【四通八達】シツウハッタツ 四方八方に通ずる。

【四天王】シテンノウ ①仏帝釈の下で、四方の仏法・仏教徒を守護する神。（東方）持国天王・（南方）増長天王・（西方）広目天王・（北方）多聞天王。②国部下・門人などの中の、武勇・才能・学問などの最もすぐれている四人をいう。

【四百四病】シヒャクシビョウ 多くの病気。五臓にはそれぞれ八十一種の病気があり、その合計から死を引けば四百四になる。

【四百八十寺】シヒャクハッシンジ 南朝時代、仏教が盛んで寺院が非常に多かったことの形容。用例〈唐、杜牧、江南春詩〉南朝四百八十寺、多少楼台煙雨中（南朝四百八十寺、多少の楼台煙雨の中）↓南朝の昔、寺院の多いこと四百八十といわれたが、その名残をとどめる多くの高い建物が、煙ったように降る春雨の中に見えている。

【四百余（餘）州】シヒャクヨシュウ 昔、中国全土をいう。

【四表】シヒョウ ①四方の果て。②四方。

【四分五裂】シブンゴレツ いくつにもさける。ばらばらになること。〈六韜、竜韜、奇兵〉

【四方】シホウ ①東・西・南・北。よも。②あらゆる方向。諸方。③四方の国々。諸国。④天下。全世界。

【四望】シボウ ①四方をながめる。また、四方のながめ。②天子が遠く望んで祭るもの。㋐日・月・星・海。㋑五岳・四鎮・四瀆。

【四民】シミン 人民の四階級。士・農・工・商。〈書経、周官〉

【四△溟】シメイ 四方の海。四海。天下。

【四面△楚歌】シメンソカ ①楚の項羽が垓下（今の安徽省霊璧県の南東）で漢の高祖の軍に囲まれたとき、夜、漢軍が城壁のまわりで盛んに楚の地方（項羽の本拠地）の歌を歌うのを聞き、頼みとして来た楚の人民も漢に降服したかと絶望した故事。用例〈史記、項羽本紀〉夜聞ニ漢軍四面皆楚歌一（夜、漢軍の四面皆楚歌するを聞く）↓夜、周りにいる漢軍の兵士がみんな、楚の国の歌を歌うのを聞いた。②まわりに反対者または敵が多くて孤立していること。孤立無援。

【四野】シヤ 四方の野原。四方に広がる平原。

【四隣】シリン ①となり近所。近隣。②あたり。四辺。③四方の隣国。まわりの国。

【四礼（禮）】シレイ 四つの重要な儀式。冠（元服の式）・婚（婚礼）・喪（死者に対する礼、葬式など）・祭（先祖の祭り）。

【四六文】シロクブン 主として四字句・六字句を対にし、声調美を主眼として作った一種の美文。魏・晋に起こり、六朝時代に栄えた。駢文・駢儷文ともいう。⇩コラム 漢文（六六ページ）。

2 【囚】 5画 1810 常 シュウ 2892 8EFA —

漢シュウ（シウ）・呉ジュ 尤 qiú

筆順 丨 冂 冂 囚 囚

字義 ❶とらえる。とらえられる。罪人をとらえて牢などに入れる。また、とらわれる。用例〈十八史略、春秋戦国、斉〉至則止囚欲ㇾ殺ㇾ之（至れば則ち止めとらえて之を殺さんと欲す）↓（秦に）到着すると捕まえて殺そうとした。／〈史記、管仲伝〉及ニ小白立為ニ桓公一、公子糾死、管仲囚焉（小白立ちて桓公となるに及び、公子糾は死し、管仲は囚えらる）↓小白が即位して桓公となると、公子糾は殺され、管仲は捕らえられてしまった。❷束縛する。❸とらわれびと。㋐とりこ。俘虜。㋑めしゅうど。罪を犯し牢に捕らわれている人。

解字 甲骨文 篆文 会意。囗＋人。囗は、囲いの意味。人が囲いの中に入れられる、とらえるの意味を表す。

難読 囚人めしゅうど

【囚△繫】シュウケイ ①とらえしばる。牢につなぐ。②とらわれ人。めしゅうど。罪人。

逆 拘囚・獄囚・死囚・幽囚・憂囚・虜囚

【囚獄】シュウゴク ろうや。刑務所。監獄。

【囚人】シュウジン 罪を犯して牢屋に入れられている人。めしゅうど。罪人。囚徒。

【囚縛】シュウバク とらえしばる。囚絆。

【囚△俘】シュウフ とりこ。捕虜。囚虜。

2 【囜】 5画 1811 漢ジン 呉ニン 真 nín — — 2283

字義 かしこい。

3 【因】 6画 1812 教5 イン よ-る 1688 88F6 —

イン 真 yīn

筆順 丨 冂 冃 冃 因 因

〔曰〕1808 俗字

字義 ❶よ-る。㋐つく(就)。身を置く。㋑たよる。頼みにする。また、利用する。用例〔史記、李斯伝〕能薄而材譾、強因人之功、是不能也。↓能は足りず才は浅いのに、無理に人の手柄に頼るのは、無能である。㋒うけとめる。したがう。用例〔呂氏春秋、貴因〕尭授舜之禅位、因人之心也。↓尭が(舜に)位をゆずったのは人々の気持ちに従ったのである。㋓うけつぐ。踏襲する。用例〔論衡、書虚〕二帝之道、相因不殊。↓(尭から舜へとつづく)二帝の道は、しっかり継承され異なるところがない。㋔もとづく。ふまえる。用例〔論語、為政〕殷因於夏礼、所損益可知也。↓殷王朝は夏王朝の礼制度にもとづいており、そのやめたり加えたりした部分はよく分かる。㋕うける。自分のものとする。用例〔後漢書、呂強伝〕姦吏因其利、百姓受其敝。↓不正を働く役人が私利を得、万民がその被害をこうむる。㋖よりそう。親しむ。用例〔唐、韓愈、祭薛助教文〕日得相因。↓日々親しみ合えた。❷かさ-ねる。用例〔論語、先進〕千乗之国、摂乎大国之間、加之以師旅、因之以飢饉。↓小国が大国の間にはさまれ、さらに他国との戦争があり、その上に飢饉が襲っております。❸もと。原因。おこり。↔果(5230)。「起因」「因由」 ❹ちな-む。ゆかりを持つ。縁がある。❺よすが。わけ。理由。❻よ-りて。よ-って。…によって。名詞や名詞句の前に置かれて、その人・物・事が、理由・条件・手がかりなどとなっていることを示す。㋐…にもとづいて。▼理由・根拠。用例〔韓非子、外儲説左上〕法者、見功而与賞、因能而授官。↓法は、功績に従って賞を与え、能力にもとづいて官職を与えるものである。㋑…に従って。…に乗じて。▼条件・契機。用例〔史記、項羽本紀〕此天亡楚之時也。不如因其機而遂取之。↓天が楚を滅ぼそうとしている今こそ、この機会に乗じてこのまま(楚を攻撃し)天下を取るべきです。㋒…を通じて。▼手がかり・仲立ち。用例〔史記、廉頗藺相如伝〕因賓客至藺相如門謝罪。↓(廉頗は)賓客のつてで藺相如の門前で罪を詫び許しを請うた。❼よ-りて。よ-って。そのために…。そこで。こうして。前述の内容をうけて、それが原因・契機となって事態が展開することを示す。しいて訳出しない方が自然な場合も多い。用例〔史記、項羽本紀〕王召宋義与計事而大説之、因置以為上将軍。↓楚王は宋義を呼び一緒に計略を練ったところ大いに気に入った。そこで彼を上将軍とした。／〔史記、秦始皇本紀〕風雨暴至、休於樹下、因封其樹為五大夫。↓(始皇帝が泰山から下ってくる途中で)急に雨風が降ってきたので木の下で休憩し、その木に五大夫の爵位を授けることにした。

国ちな-みに。ついでにいうと。

名前 ちなみ・なみ・ゆかり・よし・より・よる　難読 因香池

使いわけ よる〔寄・因〕⇨寄(2659)。

解字 甲骨文  篆文  会意。口＋大。口は、しとねの象形。大は、ひとの象形。人がしとねにふしたさまから、よるの意味を表す。因を音符に含む形声文字に、咽・姻・茵などがあり、これらの漢字は、「より親しむ」の意味を共有している。

逆 遠因・基因・起因・近因・原因・業因・主因・成因・善因・素因

【因依】イン イ たがいに寄り合う。たより合う。

【因縁】一 イン エン・イン ネン ①つて。てづる。私的関係。また、その人。②機会。③よる。より所とする。二 イン ネン ①仏物事を成立させる起源(因)と、それを助けて果を結ばせる力(縁)。②仏因と縁とによって定められる生滅の関係。③由来。来歴。ゆかり。④宿命。運命。⑤国言いがかり。

【因果】イン ガ ①仏㋐物事を成立させる因縁と、それによって生成されたもの(果)。因縁と果報(結果)。㋑因縁から生じた果報。②国㋐過去や前世の悪業の応報として現在の不幸があるとの俗信から、悪業の報い、不幸・不運の意となる。㋑原因と結果。㋒結果が悪くなることがわかっていてもやめられない。「因果な性分」

【因果応(應)報】イン ガ オウ ホウ 仏善因からは必ず善果が、悪因からは必ず悪果が生ずること。

【因果律】イン ガ リツ 哲学で、自然界のあらゆる現象の発生には必ずその原因があるという法則。

【因業】イン ゴウ ①仏㋐善悪の果を招く原因となる言行。㋑特に、その悪い言行をいう。②国残酷。無情。頑固で思いやりのないこと。

【因習・因襲】イン シュウ ①前のものに従ってそれを受けつぐこと。しきたりに従うこと。②(弊害のある)古くからのならわし。

【因循】イン ジュン ①より従う。古い習慣にそのまま従う。②ぐずぐずしてにえきらない。積極性がない。

【因循△姑息】イン ジュン コ ソク 従来の方法ばかり守っていて、進取の気性がなく、一時のがれをすること。

【因明】イン ミョウ 仏梵語 hetu-vidyā の訳語。古代インドの論理学で、五明の一つ。宗(論証する命題)・因(理由)・喩(例証)の三つからなる。

【因由】イン ユウ 事の起こり。原因。由来。

3 【回】 6画 1813 教 2 カイ・エ まわ-る・まわ-す 1883 89F1 —

一 漢カイ(クワイ)・呉ガイ(グワイ) 灰 huí
二 漢カイ(クワイ)・呉ガイ(グワイ) 隊
唐ウイ
慣エ(ヱ)

筆順 

〔囘〕756 古字 〔囬〕1823 俗字

字義 一 ❶まわ-る(まは-る)。めぐ-る。㋐ぐるぐるまわる。「回転」㋑一まわりする。経めぐる。あちこちまわる。「回遊」㋒とりまく。囲む。㋓向きが変わる。❷まわ-す(まは-す)。めぐ-らす。ぐるぐるまわす。向きを変える。囲いを設ける。❸かえ-る(かへ-る)。戻る。また、かえ-す(かへ-す)。もどす。用例〔唐、王翰、涼州詞〕酔臥沙場君莫笑、古来征戦幾人回。↓酔って砂漠に横になるが、君よ、笑ってくれるな、昔から戦争に行って何人が無事で帰ったことか(一人もいない)。❹まわ-り(まは-り)。周囲。❺たび(度)。回数。「初回」❻たがう。そむく。❼→回紇。二 ❶まがる。❷まわる。遠まわりする。「迂回」❸さける(避)。忌みさける。「回避」 難読 回顧・回立

参考 現代表記では〔廻〕(3269)の書きかえに用いる。「廻転→回転」「廻廊→回廊」。また、〔蛔〕(10555)・〔恢〕(3695)・〔佪〕(3411)の書きかえに用いることがある。「蛔虫→回虫」「恢復→回復」「低佪→低回」

使いわけ まわり〔周・回〕⇨周(1416)。

解字 篆文  象形。ものの回転するさまにかたどり、めぐるの意味を表す。回を音符に含む形声文字に、佪・廻・洄・蛔などがあり、これらの漢字は、「めぐる」の意味を共有している。

逆 逆回・巡回・旋回・低回・撤回・盤回

【回隠(隱)】カイ イン 不都合なことがあって避けかくれる。また、不都合なことがあって避けかくす。

【回易】カイ エキ ①宋代、使者が外国に行く時、自国の産物を

先方の君主に持って行き、帰国の時、先方の産物を持ち帰ること。②各地をまわり物と物とを交換する。交易。

【回回】㊀①めぐりめぐる。ぐるぐるまわる。②たびたび。③いつでも。④光り輝くさま。⑤心の乱れるさま。⑥うらめしそうな声のさま。⑦大きなさま。㊁①国の名。アラビア。②イスラム教。回教。回回教。

【回看】ふりかえって見る。回観。回顧。

【回△翰・回簡】返書。

【回△雁・回△鴈】北方へ帰るがん。帰雁。

【回忌】①忌み(きらって)さける。②仏年忌。㋐「年回忌」の略。年ごとに回って来る忌日(死者の死んだ日)。㋑回忌に行う仏事。

【回帰(歸)】もとへもどる。めぐり帰る。一周してもとに帰る。

【回教】→回回㊁②。

【回訓】国外国にいる全権が本国の政府に求めた指図に対する返事。▼訓は、指図。↔請訓(一三六六ページ上)。

【回穴・回△泬】①一様でない。②よこしまである。道理にはずれている。

【回顧】①ふりかえって見る。回看。②過去をふりかえって思う。回想。追懐。

【回向】仏自分の善行の結果を他の人にめぐらし向かわせる意。読経・念仏などによって死者の冥福を祈ること。廻向。

【回皇・回△遑】あちこち歩きまわる。さまよう。

【回△紇・回△鶻】西域の異民族の名。Uighur の音訳。南北朝から元代にかけて栄えた。廻紇・畏兀児・維吾爾ともいう。

【回視】=回顧。

【回邪】よこしま。

【回首】こうべをめぐらす。ふりかえって見る。過去のことをふりかえって思う。回頭。▼首は、頭。用例〔唐、白居易、長恨歌〕君王掩レ面救不レ得。回レ首血涙相和流。（君王面を掩いて救い得ず、首を回らせば血涙相和して流る）↓天子は、顔を手でおおったまま、救うこともできない。ふりかえりみるその顔には、悲憤の涙が流れる。

【回収(收)】国取りもどす。取り返す。配った物を集める。

【回春】①春になる。②若がえる。③病気がなおる。

【回書】手紙の返事。返書。

【回章】①返事の手紙。返信。②=回文①。

【回△翔】空中を飛びまわる。▼翔は、空中をかける。

【回状(狀)】=回文①。廻状。

【回心】①心を改める。改心する。②以前の心にもどる。昔の愛情を回復する。

【回生】(死んだような状態から)生き返る。よみがえる。蘇生。「起死回生」

【回雪】ひるがえり舞う雪。また、そでを動かし舞うさま。

【回旋】ある点を中心としてめぐること。旋回。廻旋。

【回想】過去のことをふりかえり思うこと。回顧。

【回△漕】船ではこぶこと。廻漕。▼漕は、はこぶ。

【回腸】①心の中でいろいろ考えること。心の安らかでない様子。②腸の名。

【回天】天をめぐらす。転じて、天下の形勢をがらりと変えさせる。おとろえた勢いをもとにもどす。廻天。

【回天事業】天地を動かすほどの大事業。

【回転(轉)】ぐるぐるまわる。また、まわす。

【回頭】=回首。

【回避】さける。にげる。免れようとしてさけること。廻避。

【回△蹕】天子が帰ること。▼蹕は、道路を警戒する先ばらい。

【回△猋・回△飆】=回風。

【回風】つむじ風。旋風。廻風。

【回復】①帰る。②なおる。③とりかえす。◆②に関連して「病気がなおる」ことも「回復」と言うが、これは「恢復」の書き換えである。ただ、「回復」では病気治癒の喜びが不十分というところから、「快復」の語が書簡などを中心に用いられるようになってきた。

【回文】①まわしぶみ。多くの人に回覧する書状。回状。廻文。②回文詩の略。③始めから読んでも終わりから読んでも同音の文や語。

【回文詩】初め・終わりのどちらから読んでも意味が通じ、かつ詩の規則にあてはまっている詩。廻文詩。

【回報】返事。回答。また、返事の手紙。返信。

【回遊】めぐり遊ぶ。

【回△鑾】天子の巡行のこと。▼鑾は、天子の馬のくつばみにつける鈴。転じて、天子の乗物。

【回流】うず巻く流れ。

【回礼(禮)】①他人から受けた礼に報いる礼。返礼。答礼。②国㋐順次にあいさつして回ること。お礼まわり。㋑特に、新年の祝いのことばを述べて回ること。年始まわり。

【回暦】①回教のこよみ。②こよみが改まる。

【回廊】建物のまわりにつけた廊下。廻廊。

【回△禄】①火の神。②火事。火災。

3
【囝】6画 1814 ケン 銑 jiǎn ―― ―― 2284

字義 福建語で、息子。

解字 会意。口＋子。

3
【囡】6画 1815 漢ジュウ(ヂフ) 呉ニュウ(ニフ) 緝 niè, ②nān ―― ―― 2286

字義 ❶囡囡は、ひそかに物を取るさま。❷昔の呉の地方の方言で、女の子。

解字 会意。口＋女。

3
【囟】6画 1816 ㊀シン 震 xìn ㊁シ 眞 2 0453 ―― 2285
［顖］13510 同字 ［顋］13505 古字

字義 ㊀㊁ひよめき。乳児の頭頂部の、ぴくぴく動くところ。

解字 篆文 
象形。乳児の脳のふたの骨が、まだつかない状態の象形で、ひよめきの意味を表す。

3
【**団**】6画 1817 教5 ダン・トン 3536 9263 ――
11
〖團〗14画 1818 人 漢タン・呉ダン 唐トン 寒 tuán 5205 9AA3 ――

筆順 丨 冂 冃 団 団 団

字義 ❶まる-い。まるし。まろ-い。まろし。❷まどか。安らか。「団欒」❸集まる。集まり。組。かたまり。また、かたまる。「楽団」「師団」「団結」❹ころがる。まろぶ。❺みせ(店)。

名前 あつ・だん・まどか・まる 難読 団居・団居・団扇・団栗

解字 金文  篆文 
形声。口＋寸(專)音。音符の專は、糸を糸巻にまきつけるの意味。口は、めぐるの意味。まるくなるようにころがす、まるい・かたまりの意味を表す。常用漢字の団は、省略体による。

逆 軍団・集団・兵団・民団

【団円(圓)】①まるい。②むつまじい。③演劇用語。演劇の最後の幕。劇の結末は諸事円満に解決するのが通例であることからいう。転じて、まるくおさまる、完全に終結する意。大団円。

【団結】①唐・宋代、その地方の人民を秋冬の季節に兵として集めること。また、その兵。②多くの人々が固まり結びあう。団体をつくる。③こり固まる。

【団月】まるい月。まどかな月。満月。

【団焦】草のいおり。

【団扇】うちわ。

【団団】ダンダン ①まるいさま。②露のまるくなっているさま。③垂れ下がるさま。④ぐるぐる回転するさま。
【団△茶】ダンチャ 茶を粉にして練り固めた茶。
【団△匪】ダンピ ①団体を形成している賊。馬賊など。②義和団を反対者が賊徒とみなして呼んだことば。拳匪ケンピ。
【団△欒・団△圞・団△圝】ダンラン ①集まって楽しむ。まどい。②丸いさま。③丸める。④だんご。団子。

4 【囲】7画 1819 教5 イ かこ-む・かこ-う 1647 88CD
9 【圍】12画 1820 イ(ヰ) 微 wéi 5203 9AA1

筆順 丨 冂 冂 冃 冄 冊 囲

字義 ❶かこ-む。とりまく。「包囲」 ❷かこ-み。かこい。周囲をとりまいたもの。「重囲」 ❸まもる。とりかこみまもる。 ❹まわり。周囲。「胸囲」 ❺長さの単位。㋐かかえ。両手を広げてひと囲みする長さ。㋑一囲は五寸、または一尺。 国 ❶かこ-う。㋐かくしておく。かくまう。㋑貯えておく。 ❷かこ-い。周囲をかこうもの。塀など。

名前 もり

解字 金文 篆文 形声。篆文は、囗+韋音。音符の韋イは、かこむの意味。囗は、めぐるの意味。かこいをめぐらすの意味を表す。常用漢字の囲は俗字による。

逆 合囲・四囲・周囲・重囲・範囲
【囲碁】イゴ 碁をうつこと。また、碁。囲棋。
【囲△繞】イジョウ・イニョウ ぐるりととりまくこと。

4 【囦】7画 1821 エン 淵(6477)の古字。→六五一ジ下。 2289

4 【囮】7画 1822 ガ(グワ) 歌 é 慣カ(クワ) 5189 9A99
字義 おとり。㋐他の鳥獣虫魚をだましておびき寄せるために使われる生き物。㋑何かをおびき寄せるために利用されるもの。
解字 篆文 形声。囗+化音。音符の化は、かわるの意味。囗はかこいの意味。野生の鳥獣をならし変えて、かこいの中に入れ、同類の鳥獣をだましとる、おとりの意味を表す。

4 【囬】7画 1823 カイ 回(1813)の俗字。→二九一ジ下。 2294

4 【园】7画 1824 一ガン(グワン) 寒 wān 二エン(ヱン) yuán
字義 一まるく削る。二まるい。
解字 形声。囗+元音。音符の元は、丸いの意味。

4 【囧】7画 1825 ケイ 冏(766)の本字。→一六〇ジ中。 2290

4 【囥】7画 1826 コウ(カウ) 漾 kàng 2288
字義 蔵。
解字 形声。囗+亢音。

4 【国】7画 1827 コク 國(1837)の俗字。→二九四ジ下。 2293

4 【囫】7画 1828 漢コツ 呉コチ 月 hú
字義 囫圇コツリンは、物の完全に整っていること。
解字 形声。囗+勿音。

4 【困】7画 1829 教6 コン こま-る コン 願 kùn 2604 8DA2

筆順 丨 冂 冂 冃 困 困 困

字義 ❶こま-る。くる-しむ。こう-ずる。こう-じる。なやむ。また、くる-しみ。なやみ。用例〔史記、項羽本紀〕今卒困二於此一(いまつひにここにくるしむ)。↓今とうとう、ここで苦境に立たされることとなった。／〔北宋、蘇軾、前赤壁賦〕此非下孟徳之困中於周郎上者乎(これモウトクのシュウロウにくるしめられしところにあらずや)。↓ここは、孟徳(曹操ソウソウ)が周郎(周瑜シュウユ)に苦戦した場所ではないか。 ❷つか-れる。用例〔唐、白居易、売炭翁詩〕牛困人飢日已高(うしはつかれひとはうえて、ひすでにたかし)。市南門外泥中歇(シのナンモンのそと、デイチュウにやすむ)。↓牛はつかれ、人は腹ぺこ、日は、もう空高くのぼった。市場の南門の外がわの、泥んこの道で休息した。 ❸みだれる。乱れ。 ❹易エキの六十四卦カの一つ。☵☱ 坎下兌上カンカダショウ。進退きわまる象かたち。

解字 篆文 会意。木+囗。木が囲みの中にあって伸びなやみ、こまるの意味を表す。困を音符に含む形声文字に、梱コン・閫コンなどがあり、これらの漢字は、「囲みの中にとじこめる」の意味を共有している。

逆 窮困・酒困・衰困・屯困・貧困・弊困・乏困
【困畏】コンイ 弱くていくじがない。
【困学(學)】コンガク ①行きづまりこまってから、はじめて学ぶ。〔論語、季氏〕 ②心が鈍くて苦しみながら学ぶ。 ③貧乏で苦しみながら学ぶ。苦学。
【困学(學)紀聞】コンガクキブン 書名。二十巻。南宋ナンソウの王応麟オウリンの著。経・史・子・集の諸書の考証を経説・天道・地理等の七編に分けて記した書。
【困△匱】コンキ 難儀し貧乏する。また、その人。
【困却】コンキャク こまりきる。▼却は、強意の助字。
【困急】コンキュウ こまり苦しむ。▼急は、きびしく迫る。
【困窮】コンキュウ ①こまり果てる。②生活になやむ。きわめて貧しいこと。
【困△窘】コンキン こまり苦しむ。こまり果てる。
【困苦】コンク こまり苦しむ。また、苦しみ。なやみ。
【困△蹶】コンケツ ▼蹶は、つまずく。①失敗する。②志がくじける。③苦しみなやむ。
【困辱】コンジョク 苦しめはずかしめる。
【困△餒】コンダイ 飢える。
【困知勉行】コンチベンコウ 苦心して学び努めて行う。『中庸』に「或生而知レ之(あるいはうまれながらにして、これをしり)、或学而知レ之(あるいはまなびて、これをしり)、或困而知レ之(あるいはくるしみて、これをしる)、及二其知一レ之(そのこれをしるにおよびては)、一也イツなり」とあるのに基づく。↔生知安行(六六三ジ下)。
【困頓】コントン ①疲れ果てる。②こまり果てる。苦しみ倒れる。
【困難】コンナン ①むずかしい。②なやみ。苦しみ。また、貧苦。貧困。
【困△憊】コンパイ 苦しみつかれる。つかれ果てる。▼憊も、苦しむ・疲れる。「疲労困憊」
【困縛】コンバク しばる。しばり上げる。
【困△敝・困弊】コンペイ 苦しみ疲れる。
【困乏】コンボウ ①貧乏で苦しむ。②つかれおとろえる。
【困厄・困△戹・困△阨】コンヤク ①わざわい。災難。②苦しみ悩む。また、苦しみ。悩み。
【困約】コンヤク 困苦窮乏する。非常に貧しく苦しい。
【困惑】コンワク こまりまどう。どうしてよいか分からぬ。

4 【図】7画 1830 教2 ズ・ト はかる 3162 907D
11 【圖】14画 1831 呉ズ(ツ) 漢ト 虞 tú 5206 9AA4

筆順 丨 冂 冂 冂 冈 図 図

【啚】1859 俗字

字義 ❶はか-る。㋐くわだてる。計画する。用例〔近古史談、織篇、稲葉一徹〕窃使下其臣三人託二伴接一、以図上レ之(ひそかにそのシンサンニンをしてハンセツにタクして、もってこれをはからしむ)。↓こっそりと三人の家臣に接待にかこつけて、殺害させようとした。㋑工夫する。検討する。㋒考える。 ❷はかりごと。くわだて。計画。「壮図」 ❸物の形状を描いたもの。絵・地図の類い。また、描くこと。用例〔史記、刺客伝〕図窮而匕首見(ずきわまりて、ヒシュあらわる)。↓地図をひろげ終わるとあいくちが現れた。 ❹書籍。本。「図書」 ❺中国古代伝説で、竜馬が黄河から背負って出たという八卦の図。未来記。「河図洛書(カトラクショ)」❻えが-く。用例〔世説新語、賢媛〕漢元帝(カンのゲンテイ)、宮人既多(キュウジンすでにおおければ)、乃令二画工図一レ之(すなわ(は)ちガコウをしてこれをえがかしむ)↓漢の元帝には宮女が多かったので、絵師にその姿を描かせた。国 ズ。ア思うつぼ。はかりごと。イ調子。

名前 つ・と・のり・はかる・みつ 難読 図伯特(チベット)

使いわけ はかる〔計・測・量・図・謀・諮〕⇩計(11099)。

解字 金文 篆文 会意。口＋啚。口は、かこむの意味。啚は、米倉の象形で、耕作地のある境界区域の意味を表す。境界などをはっきりさせるための縮図・地図の意味を表す。また、度に通じて、はかるの意味をも表す。

逆 意図・異図・海図・企図・系図・後図・構図・洪図・皇図・聖図・戦図・壮図・長図・帝図・覇図・版図・譜図・仏図・不図・浮図・謀図・雄図・竜図

【図緯】イ 河図と緯書。未来の事や占いの事を書き記した書物。

【図会(會)】エズ ある特殊な図画を集めた書籍。「名所図会」

【図絵(繪)】エズ・カイ ①絵。図。②えがく。

【図画(畫)】ズガ・ガト 一 ①えがく。絵にかく。②絵。絵画。二 トカク はかる。はかりごとをめぐらす。

【図巻】ズカン 絵巻物。

【図議】ズギ・トギ 相談する。また、相談。

【図工】ズコウ ①えかき。画工。〔淮南子、氾論訓〕②国ア製図工。イ図画・工作の併称。

【図賛(贊)・図△讃】ズサン その絵について、余白に書き入れた詩・歌・文章。画賛。

【図写(寫)】ズシャ・トシャ えがきうつす。えがく。

【図書】ズショ・トショ ①書籍。②地図と記録の帳簿。③河図洛書(カトラクショ)(八三三ジ下)。④私印。昔の人が自分の蔵書に「某氏図書」というような印をおしたことから起こる。

【図△讖】トシン 未来の吉凶を記した予言書。未来記。

【図籍】ズセキ・トセキ ①地図と戸籍などの帳簿。②書籍。

【図説】ズセツ 図によって説明すること。また、そのもの。

【図像】ズゾウ・トショウ ①絵にかいた肖像。えすがた。画像。②黒い線で描いた仏の絵。白描の仏像画。

【図南】トナン 南海に行くことをくわだてる意。鵬(ホウ)という大鳥が九万里も高く空にまいのぼり、南の大海に飛んで行こうとくわだてた話。『荘子』逍遥遊(ショウヨウユウ)編に基づく。ア大志をいだいて南方に行くこと。イ遠征または大業をくわだてること。

【図譜】フズ 動植物などを絵によって分類・説明した書籍。図鑑。

【図録】一 ズロク・トロク ＝図讖。図籙(ズロク)。二 ズロク 器物などを描いた図。また、それを集めた書籍。

4 【囱】 7画 1832 ソウ — — 2292

窓(8590)の本字。→一〇六三ジ中。

4 【囤】 7画 1833 一 漢トン・呉ドン 阮 dùn 二 漢トン・呉ドン 元 tún — — 2287

字義 一 ❶米蔵。❷ざる。二 現代中国語で、買い占める。

解字 形声。口＋屯音。

4 【囨】 7画 1834 ヘン 先 piān 20454 — 2291

字義 唾(つば)を吐く音。

5 【囷】 8画 1835 キン 真 qūn 20456 — 2302

字義 ❶くら。こめぐら。❷円形の穀物倉。↔鹿(14396)。「囷囷」まがりくねるさま。

解字 篆文 会意。口＋禾。口は、かこいの意味。禾は、穀物の意味。穀物ぐらの意味を表す。

囷①

5 【固】 8画 1836 教4 コ 遇 gù 2439 8CC5 —

熟字訓 固唾(かたず)

コ かた-める・かた-まる・かた-い

筆順

字義 ❶かた-め。守り。そなえ。❷かた-い。アしっかりとしている。丈夫。強い。頑固。用例〔列子、湯問〕汝心之固(なんじ(ぢ)がこころの)、固不レ可レ徹(コなること、テッすべからず)↓あなたの心の頑固なことといったら、その頑固さはとうてい取り除くことができない。イきびしい。厳重。「断固」❸かた-める。アかたくする。イこりかたまらせる。「凝固(ギョウコ)」ウしっかりと安定させる。❹かた-まる。かたくなる。❺かた-く。しっかりと。強く。用例〔史記、廉頗藺相如伝〕秦王恐二其破一レ璧(シンオウそのたまをやぶらんことをおそれ)、乃辞謝固請(すなわ(は)ちジシャしてかたくこう(ふ))↓秦王は、藺相如(リンショウジョ)が璧をうち砕いては大変だと思って、そこでやむなく無礼をわびてたってたのんだ。／〔史記、刺客伝〕厳仲子固進(ゲンチュウシかたくすすむ)↓厳仲子は、どうしても受けとって欲しいと(金貨を)渡そうとした。❻もと-より。もともと。元来。言うまでもなく。用例〔戦国策、斉〕蛇固無レ足(へびもとよりあしなし)↓へびにはもともと、足なんかない。／〔史記、項羽本紀〕今日固決レ死(きょう(けふ)もとよりシをケッす)↓今日もとより討ち死にすることを覚悟している。❼まこと-に。本当に。用例〔北宋、蘇軾、前赤壁賦〕固一世之雄也、而今安在哉(まことにイッセイのユウなり、しかるにいまいずくにありや)↓(曹操は)ほんとうに同時代にただ一人の英雄だ。しかし今どこにいるか(いやしない)。

国 かた-め。約束。ちぎり。「夫婦の固め」

名前 かた・かたし・かたむ・たか・み・もと

使いわけ かたい〔硬・堅・固・難〕⇩硬(8183)。

解字 篆文 形声。口＋古音。口は、城郭のかこいの意味。音符の古は、かたいの意味。城郭の固い守りの意味から、かたいの意味を表す。

逆 確固・頑固・強固・凝固・禁固・警固・堅固・断固・貞固・偏固

【固窮】一 コキュウ 非常に困ること。二 もとよりキュウす もちろん苦しいめにあう。一説に、どんな困難にあっても、安んじていること。用例〔論語、衛霊公〕君子固窮(クンシもとよりキュウす)↓君子ももちろん苦しいめにあう。

【固拒】コキョ かたくこばむ。

【固持】コジ ①しっかり持ちこたえる。②＝固執。

【固辞(辭)】コジ あくまでも断る。かたく辞退する。〔書経、大禹謨〕

【固疾】コシツ 長い間なおらない病気。痼疾(コシツ)。

【固執】コシツ・コシュウ かたく守る。自分の考えに執着する。

【固守】コシュ かたくまもる。しっかり守る。

【固然】一 コゼン 無理のない当然のところ。二 もとより・まことに・しかり もちろんそうである。もとからそうである。

【固着・固著】コチャク しっかりとつく。

【固有】コユウ ①もとからある(所有する)。〔易経、益〕②国 そのものだけが所有する。特有。もちまえ。「固有名詞」

【固△陋】コロウ 考えがせまくてかたくななこと。頑固で見方のせまいこと。「頑迷固陋」

5 【国】 8画 1837 教2 コク くに 2581 8D91 —

8 【國】 11画 1838 入 コク 職 guó 5202 9AA0 —

筆順

〔圀〕1841 同字 〔囗〕1839 古字 〔国〕1827 俗字

字義 ❶くに。㋐一つの政府に属する土地。「母国」「建国」㋑諸侯の領地。㋒都。首都。㋓ふるさと。故郷。用例〔唐、盧僎、南楼望詩〕去レ国三巴遠、登レ楼万里春。↓故郷を去り、遠く三巴にいて、高楼に登り眺めると、見渡す限りすべて春である。㋔一定の境界内の土地。わが国。日本。「国語」「国文」 ❷くにーする。国を建てる。また、都を定める。国

名前 くに・とき 難読 国英(くにふさ)・国後(くなしり)・国栖(くず)・国造(くにのみやつこ)・国東(くにさき)・国背宍人(くせしし)・国府(こう)・国府津(こうづ)・国府台(こうのだい)・国風(くにぶり)・国分(こくぶ)・国包(くにかね)・国縫(くんぬい)

参考 国土の大きいものを〔邦〕(12264)、小さいものを〔国〕と区別することがある。

解字 甲骨文 金文 篆文 会意。甲骨文は、口+戈。口は、むらの象形。戈は、ほこの象形。武装したむらの意味を表す。のち、囗を付し、外のかこいを持つ、くにの意味を表す。

逆 愛国・海国・開国・帰国・貴国・旧国・郷国・挙国・君国・軍国・傾国・経国・建国・皇国・興国・古国・孤国・故国・鎖国・殉国・相国・神国・生国・戦国・宗国・祖国・大国・他国・柱国・中国・通国・敵国・廃国・売国・万国・弊国・亡国・母国・民国・憂国・与国

【国威】コクイ 国の威光。

【国維】コクイ 国の綱紀。国内の法令・秩序など。

【国恩】コクオン 国の恩。天子の恩恵。用例〔西晋、李密、陳情表〕尋蒙二国恩一。↓間もなく天子の恩恵をこうむった。

【国花】コッカ その国で最も親しまれて代表とされている花。日本は桜。中国は牡丹。

【国家】コッカ ①くに。国土と王室。〔易経、繋辞下〕 ②天子。王。③朝廷。政府。④一定の地域に居住する多数の人から成り、統治権によって組織されている団体。領土・人民・統治権が、その概念の三要素とされている。

【国家△昏乱(亂)有二忠臣一】コッカコンランしてチュウシンあり 国家が乱れると忠義の家来が現れる。無為自然の大道が行われて世の中が治まっておれば、忠臣は出ないという、老子の逆説。用例〔老子、十八〕六親不レ和有二孝慈一、国家昏乱有二忠臣一。↓親子・兄弟・夫婦の仲がよくないから、よく親に仕え子孫をいつくしむ徳が目立ち、国家が乱れるから、忠義な家臣が目立つのだ。

【国華】コッカ 国の栄光。国のほまれ。

【国歌】コッカ ①国民の理想や精神などを歌い、儀式に歌うべきものと定まっている歌。国際関係上、その国を代表する歌。②国やまとうた。和歌。

【国学(學)】コクガク ①昔、国都にあって天子・諸侯・貴族の子弟や国中の秀才を教育した学校。晋以後は国子学または国子監と称した。②中国固有の学問。外来の学に対していう。③国㋐平安時代、諸国に設けて主として郡司(地方行政官)の子弟を教育した学校。㋑『古事記』『日本書紀』『万葉集』などの古典を中心として研究し、仏教や儒学が渡来する以前の日本固有の生活及び精神を明らかにしようとした学問。賀茂真淵・本居宣長などによって確立された。和学。皇学。㋒国語・国文の俗称。↔漢学(八六六ページ上)。

【国患】コッカン 国の災難。国の難儀。国難。

【国基】コッキ =国本。〔左伝、昭公十三〕

【国旗】コッキ その国の標識とされている旗。

【国器】コッキ・コクキ 国の政治をまかせるに足る、すぐれた人物。

【国技】コクギ ①その国固有の(愛好している)わざ。武術・競技・音楽などについていう。②国相撲。

【国教】コッキョウ ①その国の教え。②国国家が認め国民が信奉すべきものと定めた教えや宗教。

【国禁】コッキン・コクキン 国家の禁制。国が法令で禁じていること。

【国訓】コックン 国漢字の意味を日本のことばに訳して読んだ読み。訓読み。花(音カ)を「はな」と読む類い。和訓。

【国計】コッケイ ①国の政策。②国の財政。

【国慶】コッケイ 国家のよろこびごと。

【国権(權)】コッケン ①国家の権力。国家の支配・統治権。②国家の権威。③国家の権益。

【国憲】コッケン 国家の(根本)法規。国のおきて。国法。

【国語】コクゴ ①その国固有の言語。②書名。二十一巻。春秋時代の諸国の事件を国別に記す。周の左丘明の著といわれるが、明らかでない。

【国光】コッコウ ①国の威光。国のほまれ。また、国家の盛徳。②その国の民情・風俗などの状態。

【国策】コクサク ①国の政策。②『戦国策』の略称。

【国産】コクサン 自分の国の産物や製品。↔舶来(一二八八ページ上)。

【国士】コクシ ①一国の中で最もすぐれた人物。②国家のために命をささげて尽くす人。

【国士無双(雙)】コクシムソウ 一国の中で並ぶ者のないほどすぐれている人。用例〔史記、淮陰侯伝〕至レ如レ信者一、国士無双。↓韓信のような人物は、国中に並ぶものがないすぐれた人物である。

【国子】コクシ 公卿・大夫(貴族)の子ども。

【国子学(學)】コクシガク 晋代以後、国都に設けられ、国子や秀才を教育した学校。

【国子監】コクシカン ①隋代以後、国子学などの政府直轄学校及び教育行政をつかさどった役所。②国子学の別名。

【国子祭酒】コクシサイシュ 国子監の長官。国子学の長も兼ねた。

【国史】コクシ ①国の記録をつかさどる役人。②国の歴史。③国日本の歴史。日本史。

【国司】コクシ 国大化の改新以降、朝廷が諸国に赴任させた地方官。守・介・掾・目・史生の五等に分かれた。

【国師】コクシ ①国の軍隊。私家の軍隊に対する語。②一国の師表。その国の人々の手本となるすぐれた人。③官名。天子の師。④=国子祭酒。⑤仏㋐天子から禅宗の高僧に賜った称。㋑仏教に関して天子に教えた僧。⑥国奈良時代の僧官で、諸国の僧尼の監督などを職務とした。

【国字】コクジ ①その国の固有の文字。その国の通行文字。②国㋐日本の通行文字。㋑日本で、漢字にならって作った字。辻・榊・裃など。和字。㋒かな(仮名)。⇩

コラム 国字(二九六ページ)。

【国事】コクジ 国家に関する事がら。一国の政治。用例〔十八史略、春秋戦国、呉〕呉王闔閭、挙二伍員一謀二国事一。↓呉王の闔閭は伍員を抜擢して、国政に当たらせた。

【国事犯】コクジハン 国国家や国家権力、国家の行政・司法・軍事などを侵害する犯罪。政治犯。

【国璽】コクジ 国家の表章として押す官印。

【国手】コクシュ ①医術・技芸などで、非常にすぐれた手腕を持つ人。名人。②特に医者を呼ぶ敬称。名医。

【国守】コクシュ 国①国司の長官。くにのかみ。↓国司。②江戸時代、一国またはそれ以上を領有した大名。薩摩・大隅の二国を領した島津氏など。国主大名。国持ち大名。

【国書】コクショ ①国と国の間の贈答文書。一国の元首がその国の名で出す外交文書。②その国の文字。また、書籍。

【国状(狀)】コクジョウ 国のありさま。国の状態。

【国情】コクジョウ 国の内情(事情)。国状。

【国色】コクショク ①国中で第一等の美人。②国花。

【国辱】コクジョク 国家のはじ。

【国粋(粹)】コクスイ 国民の特性や歴史・国土の関係から生じた、その国固有の精神上・物資上の美点。

囗部 5画 〔国〕

コラム

国字

一般に、その国の言語を表記するために公的に採用している文字を、その国の国字という。漢字文化圏にある日本では、特に中国の漢字に対して、日本で独自に工夫された、①仮名、②日本製漢字を指して、国字または和字（倭字）という。ここでは日本固有のニュアンスを伴う概念を表すために、中国にはない純日本製漢字が出現する。

(1)日本語固有のニュアンスを伴う概念を表すために、中国にはない純日本製漢字が出現する。

俤（おもかげ）・働（はたらく）・凩（こがらし）・峠（とうげ）・榊（さかき）・樒（しきみ）・杤（とち）・杣（そま）・畑（はた）・畠（はた）・辻（つじ）・笹（ささ）・糀（こうじ）・襷（たすき）・鯡（しっけ）・鱈（たら）・鰯（いわし）・鳰（にお）・鴫（しぎ）

(2)日本製漢字を求める過程で、中国の漢字とは意味の異なるものの、それでいて結果的には字体は偶然一致してしまうものも生じる。これらも日本製漢字の一種だと考えることができる。

偲（㊐しのぶ㊥忠告しあう）・噓（㊐うそ㊥息を吹く）・咄（㊐はなし㊥しかる）・杈（㊐さて㊥はさみとる）・杜（㊐もり㊥やまなし）・柏（㊐かしわ㊥ひのき）・鮎（㊐あゆ㊥なまず）

以上のほか、国字の典型として地名・姓など固有名詞に現れるものがある。

国字の造字は会意文字の類いが多いが、麿（麻＋呂）・匁（文＋メ）・粂（久＋米）のような一種の日本的形声文字もある。

【国粋(粹)主義】 [国]自国の歴史・文化・政治などをすぐれたものと認め、その伝統精神を維持・発展させようとする主張や立場。

【国是】 国家の方針。世論にささえられている国家の方針。▼是は、よいと認められたもの。

【国勢】 ①国のいきおい。②国のありさま。③[国]人口・資源・産業など、国力のもとになるものの総合的な状態。

【国籍】 その国に所属する人間であることを示す戸籍。船舶・航空機などについてもいう。

【国姓△爺・国性△爺】 鄭成功（一四四七ページ中）をいう。明の唐王に仕えて明の王室の姓「朱」を姓として賜ったことから。▼爺は、父または老人。

【国△祚】 ①国の幸い。②国王の位。王位。

【国俗】 国の風俗。国のならわし。

【国賊】 国家に不利益をもたらす者。自国を乱す悪人。

【国体(體)】 ①国の性格。国がら。国の成り立ち。国家の状態。②君主の手足となって働く家来。③[国]㋐統治権の存在状態によってわけた国家の区別。君主国体・民主国体など。㋑「国民体育大会」の略称。

【国△儲】 ①国君の後継者。皇太子。②国家のたくわえ。

【国朝】 ①当代の朝廷。他国・他の朝廷に対していう。②[国]日本の朝廷。また、日本。本朝。皇朝。

【国典】 ①国家の法令・制度・儀式など。②[国]日本固有の書籍。

【国△蠹】 国民でありながら、その国家に害を与える者。▼蠹は、害虫の類い。

【国土】 ①一国の統治権の行われる境域。領土。②土地。③ふるさと。郷土。④[仏]すべての有情（生あるもの）の住む所。この世界。

【国土成就】 [仏]世界中の万物が十分に栄えて、人間が幸福に暮らすこと。

【国△帑】 国家の財貨を入れておく倉。また、国家の財産。▼帑は、金庫。

【国度】 ①国家の費用。②国の法令・制度。

【国破山河在】 国都長安は賊のために破壊されてしまったが、自然の山河はもとのままで少しも変わりがない。安禄山の乱後、杜甫が都長安をながめて悲しんで作った「春望詩」の一句。人間及び人間の作ったものははかなく、自然は永久に変わらないとの意。用例（唐、杜甫、春望詩）国破山河在、城春草木深。⬇国都長安は反乱軍のために破壊されてしまったが、自然の山河はもとのままで少しもかわりなく存在している。長安の町には今春が来て、草木が青々と茂っている。

【国賓】 ①国君から賓客として待遇される人。②[国]国家の賓客として皇室及び政府から待遇される外国人。

【国夫人】 諸侯の母または高官の妻で特別の勲功のある人に与える封号。南朝宋に始まる。

【国風】 ①国の風俗。国のならわし。国俗。②『詩経』の詩の一体。おもに諸国の民謡。③地方の国々の民謡。④[国]和歌。

【国△秉】 ＝国柄[一]。

【国柄】 [一] 国の政治を動かす権力。政権。▼柄は、物の柄で、物を自由に動かす重要な所。[二] [国]①国家成立の状態。国体。②その国または地方の風格・性格。

【国歩】 国家の進んで行くあしどりの意。国家の運命。国の情勢。国運。国勢。「国歩艱難」

【国母】 [一] 皇后。万民の母の意。[二] [国]皇太后をいう。天子の母の意。

【国本】 国家の独立・繁栄の基礎。国基。

【国脈】 国家の命脈（寿命）。

【国務】 国家の政務。

【国命】 国の命令。国家の政令。一国の政治。

【国門】 ①国都の門。都の城門。②国境の門。国の出入り口の関門。

【国△邑】 ①諸侯の領地。②みやこ。国都。

【国用】 ①国の費用。②国の役に立つこと。

【国乱(亂)思二良相一】 国家が乱れたときには、りっぱな宰相を得たいと思う。→家貧思二良妻一（四〇〇ページ上）。

【国利民福】 国家の利益と人民の幸福。

【国力】 ①国の力。国の経済・軍事などの総合力。②国の勢力。

【国老】 ①卿大夫の、退職して後も卿大夫の待遇を受けている人。②国家の老臣。③[国]大名の家老。

【国論】 ①国家の大計に関する議論。②[国]国民一般の議論・主張。世論。輿論。

【傾レ国傾レ城】 ＝傾城傾国（一二七ページ中）。

【就レ国】 ①与えられた領国に君として行くこと。②領国に帰る。

【殉レ国】 国事のために命を捨てる。殉国。

【靖レ国】 ＝靖国（一〇七〇ページ上）。

5 【囶】 8画 1839 コク 国（1837）の古字。→二九四ページ下。 20455 — 2301

5 【囹】 8画 1840 (漢)レイ (呉)リョウ（リャウ） ling 5190 9A9A —

字義 ひとや。おり（檻）。牢獄。

解字 篆文 形声。口＋令(音)。音符の令は、ひざまずき神意を聴く人の象形。かこみの中にひざまずく人のさまから、ひとやの意味を表す。

【囹△圄・囹△圉】 ひとや。牢獄。▼圄・圉も、ひとや。

6 【圀】 9画 1841 コク 国（1837）と同字。→二九四ページ下。 5191 9A9B —

6 【囿】 9画 1842 漢ユウ(イウ) 呉ウ 宥 yòu　5192 9A9C ―

字義 ❶その(園・苑)。にわ(庭)。㋐垣をめぐらし動物を放し飼いにしておく庭。㋑林や池のある庭。❷ものの多く集まっている所。❸区域。❹とらわれる。こだわる。

解字 甲骨文 金文 篆文 形声。囗+有音。音符の有は、食事をすすめるの意味。宮廷の食事に供するための鳥獣を放し飼いにする場所の意味を表す。

【囿苑】ユウエン 鳥獣を飼うその。動物園。苑囿。

【囿人】ユウジン ①官名。宮廷の動物の番人。②花や木を栽培する人。

【囿游】ユウユウ 周代、宮中の庭園内につくられた離宮。〔周礼、囿人〕

7 【圅】 10画 1843 カン　函(864)の本字。→一七二ジペ上。

7 【圄】 10画 1844 漢ギョ 呉ゴ 語 yǔ　5193 9A9D ―

字義 ❶ひとや。牢獄ロウゴク。「囹圄レイギョ・レイゴ」 ❷とらえる。罪人を捕らえて留置する。❸まもる。ふせぐ。

解字 篆文 形声。囗+吾音。音符の吾ゴは、守り防ぐの意味。罪人を留置する、ひとやの意味を表す。

7 【圁】 10画 1845 漢ギン 呉ゴン 図 yín　― ― 2303

字義 川の名。今の窟野ヤクッ河。内モンゴル自治区から陝西セイセン省を流れる川。

解字 形声。囗+言音。

7 【圂】 10画 1846 一 漢コン・呉ゴン 顧 hùn　二 漢カン(クヮン) 呉ゲン 諌 huàn　― ― 2304

字義 一 ❶ぶたごや。❷かわや。便所。=溷(6570)。❸気おくれする。=惲(3788)。 二 家畜。家で飼う豚や犬の類い。

解字 甲骨文 金文 篆文 会意。囗+豕。囗は、かこいの意味。豕は、ぶたの意味。合わせてぶた小屋の意味を表す。

7 【圃】 10画 1847 人 標 漢ホ 呉フ 麌 遇 pǔ　4264 95DE ―

筆順 丨 冂 冂 冂 冃 甫 甫 圃 圃 圃

字義 ❶はたけ。その。野菜や果樹の畑。「圃園」 ❷畑仕事。畑つくり。また、農夫。「老圃」 ❸大きい。広い。

名前 その

解字 甲骨文 金文 篆文 形声。囗+甫音。音符の甫ホは、いねのなえを植えるの意味。なえを植えてあるはたけの意味を表す。

【圃園】ホエン ①畑。②庭。庭園。

【圃畦】ホケイ 畑のうね。

8 【圉】 11画 1848 一 漢ギョ・呉ゴ 語 yǔ　二 漢ギョ・呉ゴ 御　5194 9A9E ―

字義 一 ❶ひとや。牢獄ロウゴク。❷馬を飼っておく所。また、馬の世話をする人。馬丁。❸かう。家畜などを飼う。❹ふせぐ。とどめる。❺辺境の地。❻ものの形容。「圉圉」 二 ふせぐ。とどめる。

解字 甲骨文 篆文 会意。囗+幸(㚔)。㚔は、手かせの象形。囗は、かこむの意味。周囲をかこまれた、ひとやの意味を表す。

【圉圉】ギョギョ つかれはててゆったりしないさま。また、苦しんでちぢんでいるさま。

【圉禁】ギョキン ふせぎとめる。

【圉人】ギョジン 官名。周代、馬を飼育する役人。転じて、馬の世話をする役の人。馬丁。

8 【圈】 11画 (1853) ケン　圏(1852)の旧字体。→二九七ジペ中。

8 【國】 11画 (1838) コク　国(1837)の旧字体。→二九四ジペ下。

8 【圊】 11画 1849 漢セイ 呉ショウ(シャウ) 庚 青 qīng　1533 ― 2306

字義 かわやカハヤ。便所。

解字 形声。囗+青音。音符の青セイは、きよいの意味。囗は、かこいの意味。清潔にしておかなければならない場所の意味を表す。

【圊△圂・圊△溷】セイコン かわや。便所。

【圊△廁】セイシ かわや。便所。

8 【圇】 11画 1850 リン 真 lún　― ― 2305

字義 まるごと。その形のまま。

解字 形声。囗+侖音。

9 【圍】 12画 (1820) イ　囲(1819)の旧字体。→二九三ジペ上。

9 【圎】 12画 1851 エン　円(750)の俗字。→一五五ジペ上。

9 【圏】 12画 1852 常 ケン　2387 8C97 ―

8 【圈】 11画 1853 人 一 漢ケン 呉ガン(グヮン) 阮 juàn　二 漢ケン 呉ゲン 先 quān　5201 9A9F ―

筆順 丨 冂 冂 冂 冂 冂 冂 圏 圏 圏

字義 一 ❶家畜を飼っておく所。動物を入れるおり。囲いをした所。❷境界。さかい。❸限られた区域。範囲。「北極圏」 二 ❶まげもの。木を曲げて作った器物。❷まるい。わ(輪)。

解字 篆文 形声。囗+巻(卷)音。音符の巻は、まくの意味。家畜を飼うために、まくようにしたかこいの意味を表す。

【圏外】ケンガイ 限られた区域の外。範囲外。↔圏内。

【圏点(點)】ケンテン 詩文の妙所・要所を示すために、そのかたわらにつけた丸い点。

【圏内】ケンナイ 限られた区域の内。範囲内。↔圏外。

【圏発(發)】ケンパツ 漢字の四声を示すために字の四すみの一つにつけるしるし。左下は平声、左上は上声、右上は去声、右下は入声ニッセイ・ニッショウ。

9 【圌】 12画 1854 一 漢セン・呉ゼン 先 chuán　二 漢スイ・呉ズイ 支 chuí　― ― 2307

字義 一 ❶丸い。❷竹かご。二 山名。浙江セッコウ省内。

解字 形声。囗+耑音。

9 【圕】 12画 1855 国字　20457 ― ―

字義 くに。人名。

解字 会意。囗+皇。

10 【園】 13画 1856 教2 エン その　漢エン(ヱン)・呉オン(ヲン) 元 yuán　1764 8980 ―

【薗】10310 同字

筆順 丨 冂 冂 冂 冃 冃 冃 周 園 園 園

字義 ❶その。㋐果樹・野菜・草花の畑。「農園」「梅園」 ㋑庭。「庭園」「動物園」 ❷天子の墓。みささぎ。❸畑のかきね。❹はか(墓)。みささぎ。陵墓。

名前 その

参考 現代表記では〔苑〕(9856)の書きかえに用いることがある。「苑地→園地」

解字 篆文 形声。囗+袁音。音符の袁エンは、圜エンに通じ、めぐるの意味。かこいをめぐらせた、「その」の意味を表す。
逆 果園・学園・郷園・禁園・故園・菜園・漆園・寝園・荘園・池園・竹園・茶園・田園・芳園・楽園・林園

【園寝(寢)】エンシン 陵墓(みささぎ)のそばにあって、その祭りの時に用いる建物。
【園葵】エンキ 畑の野菜。園菜。園蔬ソ。
【園苑】エンエン その。庭園。
【園蔬】エンソ 畑の野菜。園菜。
【園丁】エンテイ 庭または畑の作業をするために雇われている人。
【園亭】エンテイ ①庭園内のあずまや。②庭園。
【園田】エンデン 畑。また、庭と畑。転じて、農村。田園。用例〔東晋、陶潜、帰園田居詩〕開荒南野際、守拙帰園田(コウをナンヤのサイにひらかんと、セツをまもりてエンデンにかえへる)。↓家の南の荒地をひらこうと、世渡りの下手な自分の本性そのままに田園に帰った。
【園廟】エンビョウ 陵墓(みささぎ)のそばにあるみたまや。
【園圃】エンポ ①畑。用例〔墨子、非攻上〕今有一人、入人園圃、窃其桃李(いまイチニンあり、ひとのエンポにいりて、そのトウリをぬすむ)。↓今、他人の果樹園に侵入して、そこの桃や李を盗んだ者がいたとする。②庭。
【園囿】エンユウ ①畑。②庭。庭園。③動物を放し飼いにしておく所。また、狩猟場。〔孟子、滕文公下〕
【園陵】エンリョウ みささぎ。陵墓。〔史記、叔孫通伝〕
【園林】エンリン ①園中の林。②そのと林。
【園令】エンレイ みささぎを守る官。
【園廬】エンロ ①畑と小屋。②畑の中にある小屋。
【不窺園】(そのをうかがわず) 庭園をうかがい見ない。学問に精励すること。前漢の学者董仲舒トウチュウジョが三年間も部屋に閉じこもって学問に励んだ故事による。〔漢書、董仲舒伝〕

10 【圓】13画 (751) エン 円(750)の旧字体。→一五五ページ上。

10 【圑】13画 1857 漢フ 呉ブ 遇 pǔ —— 2308
字義 野菜畑。菜園。
解字 形声。囗+專音。

10 【圕】13画 1858 2O458 — 2309
字義 図書館の三字を一字にまとめて表記したもの。
解字 会意。囗+書。

11 【圗】14画 1859 ズ 図(1830)の俗字。→二九三ページ下。

11 【圖】14画 (1831) ト 図(1830)の旧字体。→二九三ページ下。

11 【團】14画 (1818) ダン 団(1817)の旧字体。→二九二ページ下。

12 【圚】15画 1860 漢カイ(クヮイ) 呉ガイ(グヮイ) 隊 huì —— 2310
字義 外門。
解字 形声。囗+貴音。

13 【圛】16画 1861 漢エキ 呉ヤク 陌 yì —— 2311
字義 めぐって行く。
解字 形声。囗+睪音。

13 【圜】16画 1862 5208 9AA6 —
一 漢エン(ヱン) 先 yuán
二 漢カン(クヮン) 呉ゲン 刪 huán
字義 一 ❶まるい。まる。=円(750)。❷まわる(回)。❸天。❹ひとや。牢獄ゴク。二 めぐる。かこむ。また、めぐらす。
解字 篆文  形声。囗+瞏(睘)音。音符の瞏ケイは、めぐるの意味。囗と合わせて、めぐるの意味を表す。
【圜丘】エンキュウ まるい丘。天子が冬至に天を祭る丘。
【圜視】一エンシ 目をまるくして見張って見る。二カンシ (四方から)とり囲んで見る。
【圜繞】カンジョウ めぐる。囲む。めぐらす。
【圜陣】エンジン 円形に敷いた陣地。円陣。〔史記、李将軍伝〕
【圜土】エンド ひとや。牢獄ゴク。

14 【(囗+獄)】17画 1863 ゴク 獄(7288)の古字。→九三七ページ上。

19 【圝】22画 1864 ラン 寒 luán —— 2312
字義 まるい。まどか。=欒(5931)。「団圝」 圞 1865 俗字
解字 形声。囗+䜌音。音符の䜌ランは、卵に通じ、まるいたまごの意味。まるくかこむの意味を表す。

23 【圞】26画 1865 ラン 圝(1864)の俗字。→二九八ページ中。

3画 土 つち・つちへん

〔部首解説〕土をもとにして、土でできたもの、土の状態、土に手を加えることなどに関係する文字ができている。

塤三一七 嗇二七九 塡三一八 塌三一八 塱三一九 境三一九 塾三一九 塵三一九 墊三二〇 墉三二一 墠三二一 墒三二一 墼三二二 墨三二〇 墺三二二 塵一六三九 墳三二三 壅三二三 壕三二四 壗三二四 壝三二四 壚三二四 21鼇一六五〇

塙三一七 塝三一七 塡三一八 塌三一八 11塸三一九 墐三一九 墅三一九 墌三二〇 墖三二〇 塿三二一 墡三二一 墀三二一 墢三二二 壄三二二 壊三二二 墻三二三 壁三二三 墷三二三 壍三二四 15壙三二四 壑三二四 壟三二四 壖三二四

塞三一七 塑三一七 塗三一八 墓三一八 墈三一九 墔三一九 墇三一九 塼三二〇 塀三二五 12墪三二一 增三二〇 墜三二一 墦三二三 墹三二三 壃三二三 壌三二三 壅三二三 14壓三〇〇 壐三二四 壘三一六 壞三二三 壠三二四

塒三一七 塖三一七 塘三一八 塯三一八 塹三一九 塹三一九 塲三一九 墊三二〇 墨三二〇 墟三二一 墫三二一 墱三二三 墲三二三 墼三二三 壇三二三 壅三二三 壑三二三 壖三二四 16壛一六四九 壜三二四 17壤三二三

塍三一七 塚三一五 塘三一八 塰三一八 塈三一九 塹三一九 墋三一九 增三二〇 墁三二一 墝三二一 墮三二四 墩三二三 墳三二三 13壒三二三 墾三二三 壂三二三 壈三二三 壔三二四 壔三二四 竈一六四九 壢三二四 壥三二四

0 【土】 3画 1866 教1 ド・ト つち
熟字訓 土産(みやげ)
漢ト・呉ド 慶 tǔ
3758 9379 一一

筆順 一 十 土

【𡈽】1868 俗字 【圡】1869 俗字

字義 ❶つち。どろ。土壌。❷土地。大地。❸領土。国土。また、住所。人の住んでいる所。「風土」❹地方。郷土。いなか。「土臭」❺土地の神。❻五行(ゴギョウ)の一つ。方位では中央、季節では土用、音では宮、味では甘、人間では君主、十干では戊(ボ)と己に当てる。❼八音の一つ。土を焼いて作った楽器。❽七曜の一つ。土曜日。国国名。土耳古(トルコ)の略。

名前 ただ・つち・つつ・と・ど・のり・はに・ひじ

難読 土下(はした)・土海(はなみ)・土塊(つちくれ)・土気(とけ)・土器(かわらけ)・土古(どんこ)・土庫(どこ)・土師(はじ・はにし)・土庄(とのしょう)・土神(わに)・土深(どぶか)・土生(はぶ)・土生田(とちうだ)・土竜(もぐら・もぐらもち・むぐらもち)・土当帰(うど)・土肥(どい)・土筆(つくし)・土方(ひじかた)・土万(ひじま)・土弥尼加(ドミニカ)・土耳其(トルコ)・土耳古(トルコ)

解字 甲骨文  篆文  象形。甲骨文でよくわかるように、土地の神を祭るために柱状に固めた土の形にかたどり、つちの意味を表す。社(社)の原字。土を音符に含む形声文字に、吐・徒・社などがあり、これらの漢字は、「つち」の意味を共有している。

逆 漢土・客土・后土・荒土・黄土・国土・故土・撮土・焦土・壌土・浄土・風土・辺土・封土・方土・邦土・楽土・領土

【土域】(イキ) ①国内。領内。②土地。

【土宇】(ウ) ①土地と住宅。②住民。③国土。領土。

【土音】(オン・イン) ①その地方の発音。なまり。②五行の土に当たる音。宮(キュウ)の音。

【土△芥】(カイ) 土とあくた。取るに足らない物のたとえ。

【土階三等】(ドカイサントウ) 家の入口に土の階段が三段しかないこと。宮殿の質素なたとえ。〔史記、五帝本紀〕

【土塊】(カイ) ①土のかたまり。土くれ。②国墓。

【土器】(キ) ①うわ薬を使わない、すやきの焼き物。かわらけ。②原始時代の土製の器物。「縄文式土器」

【土△簋】(キ) 土製の簋。▼簋は、穀物を盛って神に供える器。

【土宜】(ギ) ①その土地に適する農作物。②その土地の産物。土産(みやげ)。

【土牛】(ギュウ) 立春のころ、迎春の式に祭る土製の牛。

【土牛木馬】(ドギュウモクバ) 見かけはりっぱで内容のないもののたとえ。家がらが高くて才能のない人をいう。

【土偶】(グウ) 土人形。土偶人。

【土△圭】(ケイ・トケイ) 古代、日かげの長さによって時を計測した道具。日時計。

【土語】(ゴ) その土地のことば。方言。

【土工】(コウ) ①陶器などを作る人。焼き物師。陶工。②土木工事。また、それに従事する人。

【土公】(コウ) ①土をつかさどる神。春はかまど、夏は門、秋は井戸、冬は庭に住み、その時にその場所を動かせば、たたりがあるという。②土民中のかしらだつ者。村長(むらおさ)。

【土功】(コウ) 土木工事。▼功は、仕事。

【土貢】(コウ) その地方のみつぎ物。

【土△寇】(コウ) 土民の盗みや反乱。また、その土民。土匪(ドヒ)。

【土梗】(コウ) ①土人形。でく。土偶。②粗悪なもの。

【土豪】(ゴウ) その地方の豪族。その土地の勢力者。

【土産】(一サン) その土地に産すること(物)。(二みやげ) 国旅先から持ち帰る土地の産物。また、広く贈物をいう。

【土耳古】(トルコ) 国国名。Turcoの音訳。アジアとヨーロッパにまたがる共和国の名。現代中国では、土耳其と表記する。


【土壌(壤)】(ジョウ) ①(作物の育つ)土。②国。国土。

【土神】(シン) ①五行の土の神。②その土地の神。氏神。産土神(うぶすながみ)。③土木・家相の神。

【土人】(ジン) ①土人形。でく。土偶。②土着の住民。③未開地に元からいる住民。

【土星】(セイ) ①北斗七星の第一星。②太陽系中の惑星の一つ。太陽から数えて六番目にあり、木星に次いで大きい。

【土葬】(ソウ) 死体をそのまま土中にほうむること。

【土俗】(ゾク) その土地の風俗・習慣。土習。

【土台(臺)】(ダイ) ①土で築いた高い台。②国㋐建物の基礎。いしずえ。㋑物事の根本。

【土地鑑】(トチカン) 国その土地の事情に通じている。「犯人は土地鑑があるようだ」◆「土地勘」と書く向きもあるが、本来の書き方は「土地鑑」である。鑑(12922)の字義❹にあるように「みわけ。めきき。見識。判断」が、「鑑」の意味の一つであって、土地について「みわけられる、判断できる」ので「土地鑑」があるということになる。

【土着・土著】(チャク) その土地に初めから住んでいること。

【土△珍】(チン) その土地の珍しい産物。

【土△嚢】(ノウ) ①大きな穴。②谷の口。③土をつめた袋。

【土△匪】(ヒ) その土地に居て盗みや乱をなすもの。土着民の乱をなす者。土寇(コウ)。

【土風】(フウ) ①その土地の歌。民謡。②その土地の風俗。土俗。

【土崩】(ホウ) 土がくずれ落ちるように、もろくめちゃめちゃにくずれること。

【土崩瓦解】(ドホウガカイ) ＝土崩。▼瓦解は、かわらがばらばらに散らばること。〔史記、秦始皇本紀〕

【土木】(ボク) ①土石や木を使ってする工事。土木工事。②かざりけのないこと。ぶこつ。粗野。

【土△饅頭】(マンジュウ) 土をまるく盛りあげた墓。

【土民】(ミン) 土着の住民。

【土毛】(モウ) 野菜や穀物。土に生えるものの意。

【土用】(ヨウ) 国①暦の節の名。土気のさかんな時。立春・立夏・立秋・立冬の前十八日間。土旺(オウ)。②特に、夏の土用。暑さの最もきびしく感じられる期間。

【土竜(龍)】(リョウ・リュウ) ①雨請いに用いる土製の竜。②もぐらの別名。

【食△於土△者】(ドにショクするもの) 農地で生活している人。農民。

【列土】(レツド) 諸侯となって、領地を所有する。

1 【圠】 4画 1867 漢アツ 呉エチ 黠 yà
一一 一 2313

1【圡】4画 1868 ド 1534 ― ―
字義 ❶山のくま。山の屈曲した所。❷土が固まる。
解字 形声。土＋乚(乙)音。

1【圡】4画 1869 ド 1535 ― ―
土(1866)の俗字。→二九九ページ上。

2【圧】5画 1870 教5 アッ 1621 88B3 ―
土(1866)の俗字。→二九九ページ上。

14【壓】17画 1871 漢オウ(アフ) 呉ヨウ(エフ) 慣アッ 洽 yā 5258 9AD8 ―

筆順 一厂圧圧圧

［压］1219 俗字

字義 ❶くずす。くずれる。❷おさ-える おす。おさえつける。おしつぶす。「重圧」「指圧」❸おさえる力。圧力。「血圧」「気圧」

解字 篆文 壓 形声。篆文は、土＋厭音。音符の厭は、おしつぶすの意味。土でおしつぶすの意味を表す。
常用漢字の圧は、省略体。

逆 威圧・高圧・重圧・弾圧・鎮圧・覆圧・抑圧

【圧巻(卷)】(アッカン) ①巻中第一の詩文。最も優れた詩文。昔、科挙(官吏登用試験)の最優等の答案を他の答案の上に載せた故事による。▼巻は、答案。〔文章弁体、弁詩〕②一番優れたもの。

【圧搾】(アッサク) ①おししぼる。おしてしめつける。②(圧力を加えて)おしちぢめる。圧縮。

【圧殺】(アッサツ) おしころす。

【圧死】(アッシ) おしつぶされて死ぬ。

【圧縮】(アッシュク) おしちぢめる。

【圧勝】(アッショウ) ①邪気などをおさえ除く。②国 大きく差をつけて勝つ。一方的勝利。圧倒的勝利。

【圧制】(アッセイ) むりやりおさえつける。権力でむりに従わせる。

【圧倒】(アットウ) ①おしたおす。②相手をはるかにしのぐこと。

【圧迫】(アッパク) おしつけ、せまる。強くおさえつける。

【圧服】(アップク) おさえつけて従わせる。むりに従わせる。圧伏。

【圧力】(アツリョク) ①おしつける力。圧迫する力。②物理学で、二つの物体の接触面に垂直に働く、おし合う力。

2【去】5画 (1258) キョ ム部。→三七ページ下。

2【圣】5画 1872 一 漢コツ・呉コチ 月 二 セイ shèng 20459 ― 2315
字義 一 精出して耕す。二 聖(9624)の俗字。

2【圢】5画 1873 漢テイ 呉チョウ(チャウ) 迥 tǐng ― ― 2314
字義 平ら。土地が平らなこと。
解字 形声。土＋丁音。

2【圤】5画 1874 ハク 覚 pú ― ― 2316
字義 つちくれ。土のかたまり。
解字 形声。土＋卜音。

2【圥】5画 1875 ロク 屋 lù ― ― 2317
字義 菌光(キンロク)は、きのこの別名。
解字 象形。傘のあるきのこの形にかたどり、きのこの意味を表す。

2【圦】5画 1876 国字 5209 9AA7 ―
［圦］6151 同字
字義 いり。水を通すために堤(つつみ)に埋めた樋(ひ)。水門。
解字 会意。土＋入。入は、日本語の「いり」の意味を表し、土手の意味の土を付して水が入っていく水門の意味を表す。

3【圯】6画 1877 一 イ 支 yí 二 シ 紙 11536 ― 2322
字義 はし。土の橋。どばし。「圯橋」
参考 〔圮〕(1887)は別字。
解字 形声。土＋巳音。

【圯橋書】(イキョウのショ) 漢の張良が土橋の上で黄石公から与えられたといわれる兵法書。→圯上老人。

【圯上老人】(イジョウのロウジン) 下邳(カヒ)(今の江蘇(コウソ)省内)の圯橋(土橋)の上で、漢の張良に兵法書を授けた老人。黄石公をいう。〔北宋、蘇軾、留侯論〕

3【圩】6画 1878 一 ウ 虞 yú 二 イ(ヰ) 囡 wéi 20461 ― 2318
字義 ❶つつみ。堤防。❷くぼむ。へこむ。❸むら(村)。
解字 形声。土＋于音。

3【圬】6画 1879 漢オ(ヲ) 呉ウ 虞 wū ― ― 2320
字義 こて。壁などを塗るこて。また、それを使う人。左官。＝杇(5198)。
解字 形声。土＋亏音。音符の亏(ウ)は、柄のついた、こての象形。どろを塗る、こての意味を表す。

3【圪】6画 1880 漢ギツ 呉ギチ 質 yì ― ― 2319
字義 高いさま。
解字 形声。土＋乞音。

3【圭】6画 1881 人 ケイ 斉 guī 2329 8C5C ―

筆順 一十土圭圭圭

字義 ❶たま。かどのある玉。上がとがり下が四角な玉。古代の諸侯が身分の証として天子から受けた玉。❷かど。「圭角」❸いさぎよい(潔)。❹容量の単位。黍(きび)六十四粒の量。❺ごく少ない量。❻目方の単位。粟(あわ)十粒の重さ。

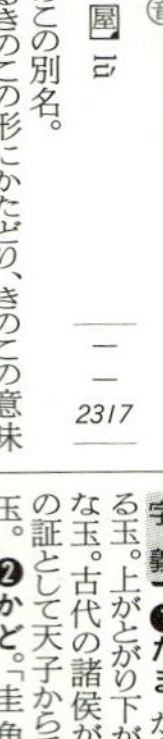
圭①(漢代)

名前 か・かど・きよ・きよし・け・けい・たま・よし 難読 圭冠(はしはこうぶり)

解字 金文 圭 篆文 圭 古文 珪 象形。縦横の線を重ねて、幾何学的な製図のさまにかたどり、上が円錐(エンスイ)形、下が方形の玉の意味を表す。圭を音符に含む形声文字に、佳・畦(ケイ)・街・閨(ケイ)などがある。また、「がけ」を意味する音符となって、厓(ガイ)・崖(ガイ)・涯・睚(ガイ)などの形声文字をも形成する。古文の珪は、圭に意符として玉(王)を付したもの。

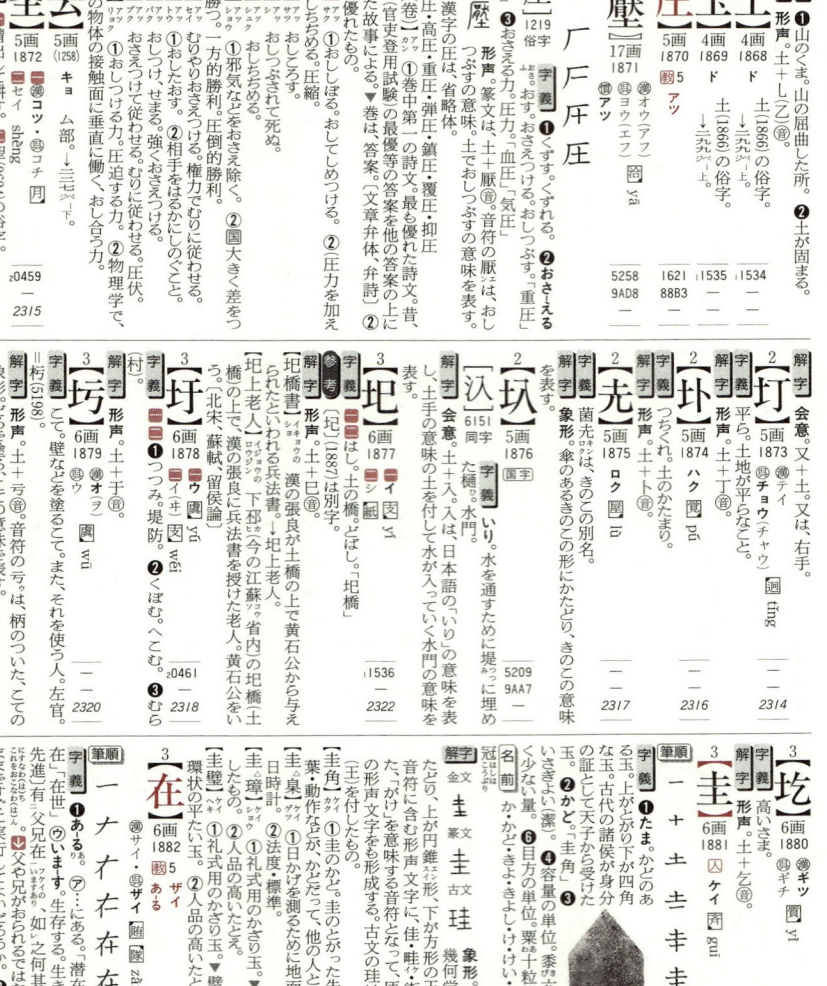

【圭角】(ケイカク) ①圭のかど。圭のとがった先。②人の性格や言葉・動作などが、かどだって、他の人と融和しないさま。

【圭△臬】(ケイゲツ) ①日かげを測るために地面に立てた柱。一種の日時計。②法度・標準。

【圭△璋】(ケイショウ) ①礼式用のかざり玉。▼璋は、圭を縦に二分したもの。②人品の高いたとえ。

【圭璧】(ケイヘキ) ①礼式用のかざり玉。▼璧は、中央に穴のある、環状の平たい玉。②人品の高いたとえ。

3【在】6画 1882 教5 ザイ あ-る 漢サイ・呉ザイ 賄 隊 zài 2663 8DDD ―

筆順 一ナオ右在在

字義 ❶あ-る(あり)。㋐…にある。「潜在」㋑いる。住む。「滞在」「在世」㋒います。生存する。生きている。用例〔論語、先進〕有二父兄在一(フケイのいますあり)、如レ之何其聞斯行レ之(これをいかんぞそれきくがままにすなわち(は)ちこれをおこなわ(は)ん)。↓父や兄がおられるではないか。どうして聞いたままをすぐに実行してよいだろうか。❷みる。はっきり見る。

❸ほしいまま。自由自在。国❶いまーす。おわーす。ましまーす。まーす。「ある」「いる」の敬語。❷ザイ。いなか。在郷から出た語。

名前 あき・あきら・あり・すみ・とお・まき・みつる 難読 在狭田・在処・在藤

使いわけ ある〔有・在〕⇩有(4907)。

解字 甲骨文 金文 篆文 形声。金文は、士＋才音。音符の才は、川のはんらんをせきとめるための良質の木の象形。士は、まさかりの象形。ともに災害から人を守って、存在させるものの意味から、あるの意味を表す。篆文は、士が土に変形した。

逆 行在・介在・健在・顕在・現在・見在・散在・自在・実在・所在・潜在・存在・駐在・点在・内在・遍在

【在位】 位にいる。㋐天子の位にいる。㋑高い官職にいる。また、その人・その期間。

【在家】[一] 自分の家にいること。[二] 仏在俗の人。↔出家(一七〇ジ中)。[三] いなかの家。また、いなか。

【在外】 外にいること。㋐外国にいる。外国に留まっている。㋑地方にいる。

【在郷(郷)】[一] 郷里にいること。[二] 国都会に遠い地方。いなか。

【在勤】 勤務についている。在職。

【在在】 ①ところどころ。ここかしこ。②いたるところ。所在。「在在処処」

【在室】 ①部屋にいること。②部屋住み。㋐未婚の女性にいう。㋑離婚して生家にいる女性にいう。

【在住】 そこに住んでいること。

【在宿】 国外に出ずに家にいること。在宅。

【在所】 ①すみか。ありか。②国㋐実家のあるいなか。くにもと。郷里。㋑いなか。地方。

【在世】 世にある。この世に生きていること。生存する。存命。

【在昔】 むかし。いにしえ。往昔。

【在籍】 ①本籍地に居住する。②国団体・学校などに籍のあること。

【在俗】 仏出家せずに俗世間にいること。

【在朝】 ①朝廷に出仕していること。②朝廷の官職を持っていること。↔在野②。

【在天△之霊(靈)】 天にましますみたま。

【在府】 ①役所にいること。②家にいること。在宅。③国江戸時代、江戸に在勤すること。▼府は、府中(首都)。

【在銘】 刀剣・器物などに作者名・製作年月日などが刻みつけてあること。

【在野】 ①野原にいること。〔書経、大禹謨〕↔在朝②。②官に仕えないでいること。また、その人。

【在来(來)】 国もとから。これまで。また、ありきたり。

【在留】 国①一時ある地にとどまっていること。②外国にとどまっていること。「在留邦人」

3 【寺】 6画 (2712) ジ 寸部。→四二一ジ上。

3 【均】 6画 1883 シャク 薬 ‖1538 — 2324

字義 あと(跡)。

解字 形声。土＋勺音。

3 【圳】 6画 1884 シン 慣セン 沁 zhèn ‖1537 — 2323

字義 みぞ。田地のわきの溝。

解字 会意。土＋川。田地沿いの川、溝の意味を表す。

3 【辵】 6画 1885 ソウ 走(11638)の俗字。→一三六八ジ中。 7665 E6DF —

3 【地】 6画 1886 教2 チ・ジ 熟字訓 心地・意気地 漢チ・呉ジ(ヂ) 眞 dì 3547 926E —

筆順 地

字義 ❶つち。㋐地面。大地。↔天(2242)。㋑国土。領土。用例〔史記、春申君伝〕接地於斉 ⇩国土を斉の国に接している。㋒所。場所。地点。「墓地」「産地」㋓耕地。田畑。❷地の神。后土。用例〔礼記、楽記〕祀天祭地 ⇩天の神を祭り、地の神を祭る。❸身分。家がら。また、境遇。立場。「窮地」「実地」❹下地。生地。「素地」❺下。下部。低位。❻語尾にそえて語調をととのえる助字。「忽地(たちまち)」国ジ。㋐郷土。その地方。「地酒」㋑本性。「地金」㋒織物の生地。㋓紙や布の模様のない部分。「白地」㋔文章中の会話以外の部分。地の文。㋕実地。実際。「地で行く」㋖素質。生まれつき。㋗地紙。扇・からかさなどに張る紙。㋘舞踊などの伴奏。

名前 くに・じ・ただ・ち・つち 難読 地震・地震滝・地銭・地革利斯

解字 篆文 形声。土＋也音。音符の也は、蛇の象形で、うねうねしたさまを表す。うねうねと連なる土地の意味を表す。

逆 外地・閑地・危地・窮地・境地・見地・現地・耕地・故地・死地・失地・実地・勝地・壌地・心地・陣地・井地・生地・絶地・素地・拓地・天地・田地・辺地・封地・盆地・満地・門地・要地・余地・立地・略地・領地・霊地・路地・露地

【地衣】 ①地面に敷く敷物。毛氈・むしろの類い。②植物学で、菌類と藻類の共生体。こけ・いわのりなど。↔水衣(八〇五ジ上)。

【地位】 ①地上の位置・場所。座席。②身分。くらい。③立場。立脚地。

【地異】 地上に起こる変わった出来事。洪水・地震など。

【地維】 ①大地を維持すると考えられた維。②大地。

【地下】[一] ①大地の下。②あの世。冥土。[二] 国①昔、殿上にあがることを許されない身分の低い官人。↔堂上(三二二ジ下)。②身分の低い人。庶民。

【地角】 ①大地のすみ(はて)。②みさき(岬)。③人のほお骨。相術家の語。

【地核】 地球の中心部。

【地殻】 地球の表面。地球の外表部。地皮。

【地△祇】 大地の神。国つ神。天にいる神に対して、地上の神。↔天神(三四七ジ下)。

【地久】 大地が永久に滅びないで続く意。用例〔老子、七〕天長地久 ⇩大地は永久に滅びないで続く。

【地形】[一] 土地の高低・広狭などの状態。[二] 国家などを建てる前に、地面をならし固めること。地固め。

【地皇】 中国伝説時代の天子の号。

【地△窖】 あなぐら。地中に穴を掘って物を蓄えておく所。

【地獄】 ①仏この世で罪悪を行った人が死後に責め苦を受けるという世界。→六道(一四九ジ下)。②国㋐非常な苦しみを受ける所。㋑噴火山や温泉地などでたえず火煙や熱湯がふき出ている所。㋒劇場の舞台の床下。

【地誌・地志】 地域・山川・風俗・産物などを記した書。地理書。

【地軸】 ①大地を支えていると想像された心棒。②大地の深奥。③地球の自転の中心軸。南北両極を結んだ仮想軸。

【地主】[一] ①諸侯が会合した時、会合の場所となった国の主君。②土地の神。[二] 土地の所有主。

【地水火風】 仏宇宙万物の成り立っている根源の要素。四大。四元素。

【地勢】 ①土地の起伏・山川の位置などの状態。地形。②高い地位と権勢。

【地脊】山脈。土地の背骨の意。

【地租】①土地所有者に課する税。②借地料。

【地層(層)】地殻を構成している岩石や土砂などの層。

【地蔵(藏)】一①地中にかくれること。②地中のあなぐら。③大地。二仏「地蔵菩薩」の略。釈迦の死後、弥勒菩薩の現れるまで六道の衆生を教え救うという仏。俗説では、児童を守護するという。地蔵尊。

【地頭】①地位。地歩。②国鎌倉時代、公領・荘園を管理し、租税や警察事務をつかさどった役人。

【地道】一①地の道。大地に備わる道。↔天道(三四八ジ下)・人道(七三ジ上)。②地下道。二国①普通の速度の歩み。②正常な方法。③堅実。地味。

【地盤】国①地の表面。地殻。②建物・工作物などをすえおく基礎の地面。土台。③事をなす根拠地。社会的活動をなすときの勢力範囲。なわばり。

【地符】地上に現れるめでたいしるし。↔天瑞(三四七ジ下)。

【地文】大地のあや(模様)の意。山川・丘陵・沼沢・海陸などのありさま。地球上のさまざまな自然現象。

【地歩】①自分のいる位置。②土地の区域。地区。㋐場所。㋑地位。身分。㋒立場。

【地方】一①ある一帯の土地。②土地の広さをいうときの一辺の長さ。用例〔史記、項羽本紀〕江東雖レ小。↓地方千里、衆数十万人。江東は小さな土地ですが、広さは千里四方、人口は数十万人あります。③首都以外の土地。いなか。二国①踊りで音楽を受け持つ人。②江戸時代、町方に対して、田舎。また、田舎の人をいう。在方。

【地望】地位と名望。門地勢望。高い家がらとほまれ。

【地味】一土地の性質。土地の肥沃さのぐあい。二国質素でかざりけのないこと。

【地脈】①地層の筋道。地のうねうねとした連なり。②地中の流水の通路。

【地目】国土地をその利用上から分類した種目。田・畑・宅地・原野・墓地など。

【地△輿】大地。地球。世界。天を車の蓋にたとえて天蓋というのに対し、地を輿(車の物をのせる台)にたとえた語。坤輿。輿地。

【地△籟】大地の発する音。木や石に風があたって発する音。〔荘子、斉物論〕↔人籟(七三ジ下)・天籟(三四九ジ下)。

【地利】①土地の有利な状態。守りやすく攻めにくい地勢。便利な地形。用例〔孟子、公孫丑下〕天時不レ如二地利一。↓天候の有利なときに攻めても、地形の要害に拠っている者には勝てない。②土地から生ずる利益。生産物や地代など。

【地理】①山川・丘陵・沼沢・海陸などの分布の状態。用例〔易経、繫辞上〕仰以観二天文一、俯以察二地理一。↓上を向いては(日月星辰の)天文を観察し、下を向いては(山川丘陵の)地理を観察する。②その土地の様子。③大地。地脈。④水陸・気候・生物・人口・都市・産業・交通・政治などの状態。

【地力】土地の生産力。

【地霊(靈)】①大地の神霊。また、大地の霊妙さ。②土地がらが非常にすぐれていること。「地霊人傑」

【地炉(爐)】床下や地中を通した暖炉。

【委レ地】①地につく。②地に落ちる。③地上に置く。また、地に捨てる。

【易レ地】①土地をとりかえる。②境遇や立場をとりかえる。〔孟子、離婁下〕

【画(畫)レ地△而△趨】地面に線を引いて区切り、その中で動作すること。世人が、礼法や規則を定め、それに束縛されて、自由に行動のできないことを、あわれみそしった語。▼趨は、礼場における歩み方の一つ。〔荘子、人間世〕

【△徇レ地】土地をかすめとる。他国の土地を征服すること。▼徇は、略(うばい取る)。

【掃レ地】①地をはらい清める。②座る場所を掃除する。同掃地。③すべてなくなる(倒れ敗れる)こと。

【塗レ地】地上に倒れ落ちてどろによごれること。もと、完敗して内蔵物まで泥まみれになる意。転じて、敗れ滅ぶこと。「一敗塗レ地」

3 【圮】 6画 1887 漢ヒ 呉ビ 紙 pǐ ―― ―― 2321
字義 ❶やぶる。やぶれる。そこなう。❷くつがえす(覆)。
参考 〔圯〕(1877)は別字。
解字 篆文 圮 形声。土+己音。音符の己は、非に通じ、ふたつにわれるの意味。今まで整っていたものが、くずれわれるの意味を表す。

3 【坏】 6画 1888 国字 5210 9AA8 ―
字義 あくつ。低い土地の意。茨城県内の地名に多く用いられる。

3 【执】 6画 1889 国字 20460 ― ―
解字 会意。土+下。下の方の土地の意味を表す。

3 【圸】 6画 1890 国字 5211 9AA9 ―
字義 くろ。平地の中で、すこし高く盛り上がった所。圸の上は、山形県長井市の地名。

4 【圿】 7画 1891 漢カツ 呉ケチ 黠 jiá ― ― 2327
字義 垢。ちり。ほこり。
解字 形声。土+介音。

4 【坎】 7画 1892 カン 感 kǎn 5212 9AAA ―
【埳】1997 同字
字義 ❶あな。㋐地面に掘った穴。㋑墓穴。❷穴に埋める。また、穴に落とす。穴に落ちる。❸はかる(銓)。❹易の八卦の一つ。☵。水・かくれる・なやむ・月・北方などの象。
解字 篆文 形声。土+欠音。音符の欠は、口をあけるの意味。地面に口をあけている、おとしあなの意味を表す。
【坎△坷・坎△軻】①けわしい。行きなやむ。②不遇。志を得ない。同轗軻。
【坎坎】①物を打つ音。鼓をうつ音・木をきる音など。②喜ぶさま。③不安なさま。平らかでないさま。④むなしいさま。
【坎井△之△蛙】井戸の中のかえる。見聞のせまい者のたとえ。井底之蛙。▼坎井は、古くなってこわれた井戸。また、浅い井戸。〔荘子、秋水〕
【坎△穽・坎△阱】おとし穴。陥穽。

4 【圻】 7画 1893 一漢キ・呉ゲ 微 qí 二ギン 真 yín 5213 9AAB ―
字義 一❶王城の四周の千里四方の地。=畿(7670)。周代の一里は約四〇五メートル。❷さかい(境)。❸さき。みさき。二かぎり。はて。=垠(1949)。
解字 形声。土+斤音。

4 【圾】 7画 1894 一漢ギュウ(ギフ) 緝 jí 二ゴウ(ガフ) 呉ゴウ(ゴフ) 洽 jiē, ②jí ― ― 2326
字義 一危うい。二❶つちくれ。❷垃圾は、現代中国語で、ごみ。
解字 形声。土+及音。

4 【均】 7画 1895 教5 キン 一キン 真 jūn 二ウン 問 yùn 慣イン(キン) 2249 8BCF ―

筆順 一 十 土 圴 均 均 均

字義 一 ❶ひとしい。㋐同じ。平等。程度がそろっている。「均一」「平均」 ㋑ととのっている。「均整」 ❷ひとしくする。ならす。公平にする。❸ひとしく。あまねく。皆。❹はかる。比較する。用例〔史記、廉頗藺相如伝〕均二之二策一、寧許以負二秦曲一。↓この二つの方策を比べてみますと、(璧を渡すことを)許諾した上で、秦に非を負わせた方がよろしいでしょう。❺治める。❻ろくろ(轆轤)。土器を作る回転台。二 ひびき。＝韻(13426)。

名前 お・きん・ただ・なお・なり・ひら・ひとし・まさ

解字 金文 篆文 形声。土＋匀㊜。音符の匀は、ととのえるの意味。土をならすの意味を表す。

逆 淑均・斉均・平均

【均一・均壱(壹)】キンイツ 差別なく同じであること。等しいこと。

【均衡】キンコウ つりあい。バランス。平衡。平均。

【均斉(齊)】キンセイ ①等しい。均一。②よくつりあいのとれていること。また、一様にそろっていること。→均整。

【均整】キンセイ ＝均斉②。◆「均整」と「均斉」とはほぼ同意。新聞用語で「均整」に統一されて以来、一般に「均整」の例が多い。

【均田】キンデン 田地を平等に分け与えること。また、その田地。

【均等】キントウ ①等しい。均一。平等。②等しい等級。また、等しい等級にする。

【均分】キンブン 平等に分ける。平均に分ける。

【均輸法】キンユホウ・キンシュホウ 前漢の武帝の時に始められた経済政策。均輸官を各地に置き、その土地に多く産する物を税として出させ、その物が不足している地方に送って売り払い、価格の調節をはかった方法。

4【玪】7画 1896 ㊊キン ㊋コン 寝 qīn 20463 — 2328

字義 あな。

解字 形声。土＋今㊜。

4【垆】7画 1897 コ 20467 — —

字義 義未詳。国 墟(2179)の俗字。

4【坑】7画 1898 常 コウ ㊊コウ(カウ)・㊋キョウ(キャウ) 庚 kēng 2503 8D42 —

筆順 一 十 土 圵 圹 坑 坑

字義 ❶あな。地に掘った穴。＝阬(13055)。❷あなにする。穴に落とす。また、生き埋めにする。

解字 形声。土＋亢㊜。音符の亢は、アーチ形の穴の意味。土に掘ったあなの意味を表す。

逆 炭坑

【坑殺】コウサツ 穴に落としいれて殺す。また、生き埋めにして殺す。

【坑儒】コウジュ 儒者を穴埋めにする。〔史記、秦始皇本紀〕→焚書坑儒(八九七ジペー中)。

【坑道】コウドウ ①鉱山などの坑内の通路。②要塞戦で、地下に掘った道。

4【坐】7画 1899 人 標 ㊊ザ ㊋サ 箇 zuò 2633 8DBF —

【唑】1920 俗字

筆順 ノ ㇏ 人 人人 坐 坐 坐

字義 ❶すわる。膝をおって席につく。また、腰かける。いる。とどまる。本来は、膝を折ってすわる正座をいう。のち、腰を下ろすことも指すようになった。用例〔論語、郷党〕席不レ正、不レ坐。↓席がきちんとしていなければすわらなかった。❷すわる所。座席。席上。＝座(3202)。用例〔史記、項羽本紀〕撃二沛公於坐一、殺レ之。↓沛公を座席のところで攻撃し、殺してしまえ。❸罪に触れる。また、関わり合いで罪におちいる。まきぞえ。用例〔史記、淮陰侯伝〕坐レ法当レ斬。↓法に触れて斬首の刑ときまった。❹よる。…が原因で。…のために。用例〔史記、夏侯嬰伝〕嬰坐二高祖一繫歳余。↓夏侯嬰は高祖(の事件)のおかげで一年余りも投獄された。❺いながらに。何もせずに。労せずに。用例〔史記、酈生伝〕天下之士帰二於漢王一、可二坐而策一也。↓(敵の項王が人心を失っているのですから)天下の人材が漢王に帰属するであろうこと、ここにいながらにして見てとれましょう。❻むなしく。なすところなく。いたずらに。用例〔唐、孟浩然、望二洞庭湖一贈二張丞相一詩〕坐観二垂レ釣者一、徒有二羨レ魚情一。↓(誰からも必要とされぬ私は)むなしく魚を釣る者をながめて、ただ(釣り人に求められている)魚をうらやましいと思うばかりである。❼そぞろに。なんとはなしに。思わず。また、自然と。国 おわす。まします。ます。居る・在る・来る・行くの敬語。

参考 ①現代表記では〔座〕(3202)に書きかえる。「坐視→座視」「坐禅→座禅」。熟語は〔座〕をも見よ。②⇩〔座〕の参考。

解字 篆文 古文 会意。土＋人＋人。向きあう二人が土にひざをつけてすわるさまから、すわるの意味を表す。坐を音符に含む形声文字に、剉・座・挫・莝・銼などがあり、これらの漢字は、「膝を折ってすわる」の意味を共有する。

【坐愛】ザアイ 一 すわってめでてながめる。うっとりとながめる。二 そぞろに 何とはなしにめでる。用例〔唐、杜牧、山行詩〕停レ車坐愛楓林晩、霜葉紅二於二月花一。↓馬車をとめて、何とはなしに、楓樹の林の夕暮れをめでる。霜によって赤く色づいた木の葉は、春の花よりも、なおくれない色にさえている。

【坐以待レ旦】ザシテモッテタンヲマツ 夜中に起きあがって夜明けを待つ。

【坐△臥】ザガ すわったり寝たりする。日常の起きふし。用例〔十八史略、春秋戦国、呉〕句践反レ国、懸二胆於坐臥一、即仰レ胆嘗レ之。↓句践は国都の会稽に帰ると、苦い胆を自分の寝起きする所にぶらさげておき、寝起きするたびごとに仰ぎむいて胆を嘗めた。

【坐観(觀)】ザカン すわって見る。よそごとのように見る。

【坐起】ザキ ①すわることと立ちあがること。立ち居ふるまい。坐作。②そぞろに起きあがる。思わず立ちあがる。③起き上がってすわる。用例〔唐、元稹、聞二楽天授二江州司馬一詩〕垂死病中驚坐起、暗風吹レ雨入二寒窓一。↓死にそうな重病の床から、驚きのあまり起き上がって座りなおすと、暗やみを吹く風が雨とともに、冷たい冬の窓から吹きこんできた。

【坐△繫】ザケイ まきぞえの罪で獄につながれる。

【坐作】ザサ すわったり立ったり。立ち居ふるまい。

【坐作進退】ザサシンタイ 立ち居ふるまい。身のこなし。行儀。

【坐罪】ザザイ ①罪によって刑罰を受ける。②罪により刑罰を加える。

【坐視】ザシ ①すわったまま見る。②助力をしようとしないで平気で見ていること。座視。③そぞろに見る。ぼんやり見る。無心に見る。

【坐若レ△尸】ザスルコトシノゴトシ 身動きもせずきちんとすわっていること。▼尸は、祭場に神霊の代理としてすわる人。〔礼記、曲礼上〕

【坐守】ザシュ 留まって守る。積極的な方策をとらず、ただ消極的に守る。

【坐収(收)】ザシュウ ①連座させて逮捕すること。また、連座して逮捕されること。②居ながらにして収め取る。たやすく我が物とする。

【坐商】ザショウ 常設の店で商売をすること。また、その人。↔行商(五〇〇ページ上)。

【坐乗(乘)】ザジョウ 舟や車に乗ること。

【坐食】ザショク 働かずに食う。徒食。

【坐睡】ザスイ いねむりする。また、いねむり。

【坐禅(禪)】ザゼン 禅宗などで、静座して精神を統一し雑念を去って思いをこらす修行法。座禅。

【坐談】ザダン すわって語る。対座して語る。また、その話。座談。

【坐不レ垂レ堂】ざするにドウにスイせず 落ちる危険があるから堂の端には座らない。一説に、堂の端は瓦が落ちてきて危険であるからすわらない。富める人は、危険な場所に近寄らず、自ら深く身を愛すること。

【坐部伎】ザブギ 唐代の教坊楽の一部。唐の玄宗の時、楽を二部に分け、堂下で立って演奏するものを立部伎といい、堂上ですわって演奏するのを坐部伎といった。

【坐忘】ザボウ 意識せずに、自然に物我の区別を忘れること。無我の境地になること。〔荘子、大宗師〕

【坐来(來)】ザライ いながらにして。ほどなく。▼来は、助字。

4 【址】 7画 1900 標 シ 紙 zhǐ 5214 9AAC —

字義 ＝阯(13056)。❶もと(基)。もとい。基礎。❷地点。所在地。「旧址」 国 あと(跡)。昔、建造物などのあった場所。「城址」

解字 篆文 形声。土＋止音。音符の止は、あしの意味。地上の立脚点、もといの意味を表す。

4 【埣】 7画 1901 ソツ 埣(2016)の俗字。→三一二ページ上。 ₂0462 — —

4 【坍】 7画 1902 タン 覃 tān ₂0466 — 2331

字義 ❶水が岸を打って崩す。❷崩れた岸。

解字 形声。土＋丹音。

4 【坏】 7画 1903 ハイ 灰 pī ③④pēi 5215 9AAD —

字義 ❶おか(丘)。低い丘。❷しらじ(白地)。まだ焼かない瓦や陶器。＝坯(1933)。❸ふさぐ。とじる。土ですきまをふさぐ。❹かき(牆)。土塀。かべ(壁)。国 つき。物を盛る器。

参考 〔壊〕(2150)の俗字としても用いる。

解字 金文 篆文 形声。土＋不音。音符の不は、ふっくらしているの意味。ふっくらした形の丘の意味や、ふっくらした土器の意味を表す。

4 【坆】 7画 1904 ━漢バイ・呉マイ 灰 méi ━漢フン・呉ブン 文 fén ₂0464 — 2329

字義 ━梅(5414)の古字。━墳(2143)の俗字。

4 【坂】 7画 1905 教3 ハン さか 漢ハン・呉ホン 阮 bǎn 慣バン 2668 8DE2 —

筆順 一 十 土 圹 坜 坂

字義 ❶さか。山の斜面。傾斜地。❷つつみ(堤)。土手。国 さか。坂道。

名前 さか 難読 坂越・坂於・坂下・坂戸・坂合部・坂祝・坂城・坂茂

解字 形声。土＋反音。

【坂東】バンドウ 国 相模と駿河の境の足柄の坂(峠)から東の地。箱根に関所を置いてから後は箱根以東の地をいう。関東。

4 【坒】 7画 1906 漢ヒ 呉ビ 寘 bì — — 2332

字義 ❶連なる。❷きざはし。階段。

解字 形声。土＋比音。

4 【坌】 7画 1907 ━漢フン・呉ブン 吻 fěn ━漢ホン・呉ボン 願 bèn ₂0465 — 2330

〔坋〕 1908 同字

字義 ━❶ちり。ほこり。❷あつまる。むらがる。また、ならぶ。❸わき出るさま。

解字 形声。土＋分音。音符の分は、分散するの意味。土が散る、ちりの意味を表す。

4 【坋】 7画 1908 フン 坌(1907)と同字。→三〇四ページ中。

4 【坊】 7画 1909 常 ボウ・ボッ 漢ホウ(ハウ)・呉ボウ(バウ) 陽 fāng, fáng 慣ボッ 4323 9656 —

筆順 一 十 土 圹 坊 坊

字義 ❶まち。㋐村や町の一区画。市街。㋑いちば。市場。❷みせ(店)。また、工作場所。❸へや(室)。＝房(3981)。❹建物。㋐皇太子の宮殿。「春坊」㋑役所の名。「典書坊」㋒僧の住居。てら。「宿坊」❺つつみ(堤)。❻ふせぐ(防)。国 ボウ。㋐僧。また、僧のように頭をそった人。㋑幼児を親しんで呼ぶ語。㋒他人を親しむ意、または、あざける意を表す語。「けちん坊」㋓昔、都の行政区画。十六町をいう。 難読 坊津・坊ケ迫・坊本

解字 篆文 形声。土＋方音。音符の方は、左右に広がるの意味。左右にひろがる村里の意味を表す。

逆 街坊・教坊・茶坊・宿坊・僧坊

【坊間】ボウカン まちの中。また、世間。民間。

【坊市】ボウシ まち。市街。また、市場。

【坊舎】ボウシャ 僧の住んでいる所。僧坊。坊寮。

【坊本】ボウホン 民間の書店で出版した書籍。

【坊門】ボウモン ①町の門。②国 まちすじ。平安京の区画で、東西の町筋。小路。

【坊里】ボウリ むらざと。村。

4 【坲】 7画 1910 漢ボツ 呉モチ 月 mò — — 2325

字義 埋める。身を埋める。死ぬ。終わる。

解字 形声。土＋勿音。

5 【坨】 8画 1911 ━イ 支 yí ━タ 歌 tuó ₂0468 — 2336

字義 ━地名。━❶野積みの塩。❷陀(13068)の俗字。

解字 形声。土＋它音。

5 【坳】 8画 1912 漢オウ(アウ)・呉ヨウ(エウ) 肴 āo 効 ào ₂0470 — 2343

字義 くぼみ。土地のくぼんでいる所。

解字 篆文 形声。土＋幼音。音符の幼は、奥深いの意味。奥深くくぼんだ土地の意味を表す。

【坳堂】オウドウ 庭先にできた地面のくぼみ。

5 【坱】 8画 1913 オウ(アウ) 養 yǎng — — 2342

字義 ❶ちり。ほこり。❷平らかでないさま。❸際限のないさま。広大でぼんやりしているさま。

解字 形声。土＋央音。

5 【坷】 8画 1914 カ 哿 箇 kě ₁1540 — 2346

字義 平らでない。でこぼこしている。「坎坷」

解字 形声。土＋可音。

5 【坩】 8画 1915 カン 覃 gān 5216 9AAE —

字義 るつぼ。つぼ。土製の壺。

解字 形声。土+甘音。

【坩△堝】カン・カ・るつぼ ①金属をとかすのに用いる土製のつぼ。②国熱狂的な状態のたとえ。「興奮の坩堝るつぼ」

5【坵】8画 1916 キュウ 丘(23)の俗字。→三一ページ上。 2O472 — 2345

5【卦】8画 (1185) ケ 卜部。→一二九ページ下。

5【坰】8画 1917 漢ケイ 呉キョウ(キャウ) 青 jiōng 1539 — 2341

［坰］1951俗字

字義 都から遠くはなれた地。郊外。「坰野」

解字 形声。土+同音。音符の同ケイは、遠く離れた地の意味。

5【坹】8画 1918 漢ケツ 呉ゲチ 屑 xuè — — 2347

字義 ❶うつろで深いさま。❷深い。❸穴。

解字 形声。土+穴音。

5【幸】8画 (3166) コウ 干部。→四六七ページ上。

5【坤】8画 1919 コン 元 kūn 2605 8DA3 —

［堃］2008同字

字義 ❶つち。大地。❷易エキの八卦ハッカの一つ。☷。⇩コラム八卦(一四五ページ)。❸六十四卦の一つ。䷁坤下坤上コンカコンショウ。共に陰(⚋)ばかりから成る。地・母・女・下・臣・皇后・妻・柔順などの象かたち。↔乾(108)。❹ひつじさる。南西。

解字 篆文 会意。土+申。申は、どこまでものびるの意味。どこまでものびている大地の意味を表す。

【坤儀】コンギ 地。大地。↔乾儀ケンギ(五〇ページ下)。

【坤元】コンゲン 大地。〔易経、坤〕

【坤軸】コンジク 大地を支えていると信じられた心棒。地軸。

【坤道】コンドウ ①大地の道。大地に象徴される道義。②女性の守るべき道。婦道。③柔順の道。

【坤徳】コントク ①大地の徳。大地が万物を育てる力をいう。②女性の徳。婦徳。③皇后の徳。④柔順の徳。

【坤△輿】コンヨ 大地。輿は、車の物を載せる部分。大地が万物を載せているからいう。『易経』説卦セッカ編に「坤為二大輿一コンをダイヨとなす」とあるのに基づく。

5【坐】8画 1920 ザ 坐(1899)の俗字。→三〇三ページ中。 — —

5【坭】8画 1921 漢ジ 呉ニ 紙 nǐ — — 2338

字義 泥。

解字 形声。土+尼音。

5【坥】8画 1922 ショ 魚 jū 御 qū ②jù — ED7A 2334

字義 ❶みみずの吐いた土。❷堤。

解字 形声。土+且音。

5【垂】8画 1923 教6 スイ たれる・たらす 漢スイ 呉ズイ 支 chuí 3166 9082 —

筆順

［埀］1979俗字

字義 ❶ほとり。辺境。また、端は。ふち。=陲(13101)。❷た-れる。たれさがる。㋐たれさがる。「下垂」㋑しだ-れる。枝が長くたれさがる。㋒(教訓などを)後世に示し伝える。「垂統」❸た-らす。さげる。「垂涎」❹なんなんとす。もう少しで…になろうとする。ほとんど…である。「垂死」国しで(四手)。しめなわ・玉串たまぐしなどにつけて垂れさげる紙。

名前 しげる・す・たり・たる・たれ・たるみ・たるみず 難読 垂水たるみ・垂乳根たらちね・垂髪うない・すべらかし・垂氷たるひ・垂柳しだれやなぎ・垂桜しだれざくら

解字 金文 篆文 形声。土+𠂹音。音符の𠂹スイは、草木の花や葉の長くたれさがった形にかたどる。大地の果ての遠くたれさがった辺地の意味を表す。𠂹は、のちに簡略化した。垂を音符に含む形声文字に、捶スイ・睡・箠スイ・錘・陲スイなどがあり、これらの漢字は、「たれさがる」の意味を共有している。

逆 懸垂・辺垂

【垂恩】スイオン 恩恵を施す。

【垂戒】スイカイ いましめをたれる。いましめを後世に残す。

【垂泣】スイキュウ 涙を流す。しのびなきする。▼泣は、涙の意。

【垂△拱】スイキョウ ①手をこまぬいて上体を前に曲げてする敬礼。その時たもとがたれさがるので垂という。②手をこまぬいて何もしないでいること。「垂拱の治」

【垂△拱△之化】スイキョウのカ 天子の徳によって、特に手を下さなくても臣下や人民が自然に感化されること。

【垂教】スイキョウ =垂訓。

【垂訓】スイクン 教えをたれ示す。また、たれ示した教え。

【垂示】スイシ ㊀スイ =垂訓。㊁ジ 仏禅で、師が学人に示す短い教訓。

【垂死】スイシ 死にかかっている。また、そのこと。危篤の状態。用例(唐、元稹、聞三楽天授二江州司馬一詩)垂死病中驚坐起スイシのビョウチュウ、おどろきてザキすれば、暗風吹レ雨入二寒窓一アンプウあめをふきて、カンソウにいる。↓死にそうな重病の床から、驚きのあまり起き上がって座りなおすと、暗やみを吹く風が雨とともに、冷たい冬の窓から吹きこんできた。

【垂糸(絲)】スイシ 糸をたれる。柳の枝などのたれさがること。また、その枝。

【垂△翅】スイシ つばさをたれる。転じて、行動しないで休息すること。活躍しないたとえ。

【垂跡・垂△迹】スイジャク 仏本地(本体)の仏が衆生シュジョウを救うために、種々の姿をしてこの世に出現すること。↔本地垂迹(七一五ページ上)。

【垂象】スイショウ あや(模様)をあらわし示す。▼象は、天象、日・月など。〔易経、繫辞上〕

【垂△裳】スイショウ 衣裳をたれる。衣服の制を定めて貴賤キセンを正しただけで天下の治まること。〔易経、繫辞下〕

【垂条(條)】スイジョウ ①たれ下がった枝。②枝をたれる。

【垂心】スイシン ①下位の者に対して心を用いる。②三角形の各頂点からその対辺に下した、三本の垂直線の交点。

【垂仁】スイジン めぐみをたれる。仁恵をほどこす。

【垂垂】スイスイ ①だんだんと。次第に。②たれ下がっているさま。

【垂△涎】スイゼン・スイセン ①食べ物を見てよだれを流すこと。②非常にほしがっている形容。俗にスイエンと読みならわしているが、涎が音エンのときは、水の流れるさまの意。

【垂釣】スイチョウ つりをする。つり針をたれている意。

【垂△髫】スイチョウ たれ髪。さげ髪。転じて、幼童。用例(東晋、陶潜、桃花源記)黄髪垂髫コウハツスイチョウ、並怡然自楽ならびにイゼンとしてみずからたのしむ。↓老人も子供も、みなのんびりとして楽しそうである。

【垂△涕】スイテイ =垂泣。▼涕は、なみだ。

【垂天△之雲】スイテンのくも 空いっぱいにたれさがっている雲。用例(荘子、逍遥遊)其翼若二垂天之雲一そのつばさはスイテンのくものごとし。↓その翼は空いっぱいに垂れ下がった雲のようだ。

【垂統】スイトウ =垂レ統トウをたる(一一三ページ中)。

【垂堂】スイドウ =垂レ堂ドウにスイす(三一三ページ下)。

【垂白】スイハク 白髪になろうとする。また、老年。

【垂範】スイハン =垂レ範ハンをたる(一〇六ページ中)。

【垂名】スイメイ 名声を後世に残す。垂芳。

【垂楊】スイヨウ しだれやなぎ。垂柳。

【垂柳】スイリュウ =垂楊スイヨウ。

【垂△簾△之政】スイレンのセイ すだれのかげで政事をきく。幼少の天子に代わって、太后・皇太后などが政治をすること。

【垂老】スイロウ 七十歳に近い老人。▼老は、七十歳。七十歳以上。

5【坧】8画 1924 セキ 墌(2115)と同字。→三二〇ページ中。 — — 2335

5 【坮】 8画 1925 ダイ 台(1317)の古字。→二四〇ページ上。 — — 2339

5 【坼】 8画 1926 漢タク 呉チャク 陌 chè ı1541 — 2350

字義 ❶さ-く(裂)。また、さ-ける。分かれる。ひらく(開)。=拆(4110)。用例〔唐、杜甫、登₂岳陽楼₁詩〕呉楚東南坼(ゴソトウナンにさけ)、乾坤日夜浮(ケンコンニチヤうかぶ)。↓呉の地と楚の地は洞庭湖によって東と南に分けられ、天地間の万物が昼も夜もこの湖に映っている。❷さけめ。ひび。

【坼裂】(タクレツ) さける。さけ破れる。破裂する。

解字 篆文 形声。土+斥(㡿)音。音符の㡿(セキ)は、しりぞけるの意味。土をしりぞける、さくの意味を表す。

5 【坦】 8画 1927 人 標 タン 旱 tǎn 3519 9252 —

筆順 一 十 土 圠 圳 坦 坦 坦

字義 ❶たい-ら(たひら)。「平坦」 ❷ひろい。大きい。用例〔論語、述而〕君子坦蕩蕩(クンシはタントウトウ)。↓君子はおおらかでのびのびしている。❸やすらか。❹あきらか。

名前 あきら・かつ・しずか・たいら・ひら・ひろ・ひろし・ひろむ・やす

解字 篆文 形声。土+旦音。音符の旦(タン)は、地平線上の朝日のさまから、たいらの意味を表す。土を付し、たいらかの意味を明らかにした。

【坦△夷】(タンイ) たいらか。なだらか。平坦。坦平。▼夷も、平ら。

【坦懐(懷)】(タンカイ) 広く平らかな心。わだかまりのない心。あっさりした心。「虚心坦懐」

【坦然】(タンゼン) ①平らなさま。②平穏なさま。安らかなさま。

【坦坦】(タンタン) ①広々として平らなさま。②平凡で、他と異なる所のないさま。また、変わったことがなく無事なさま。

【坦途・坦塗】(タント) 平らな道。平らで広い道。坦道。

【坦△蕩】(タントウ) ①広く平らなさま。②ゆったりとしているさま。

【坦腹】(タンプク) 腹ばいになるさま。寝ころぶ。

5 【坻】 8画 1928 ㊀漢チ・呉ジ(ヂ) 支 chí ㊁シ 紙 zhǐ ㊂漢テイ・呉タイ 齊 dǐ ₂0473 — 2349

字義 ㊀❶小さな島。中洲(なかす)。❷なぎさ。岸。また、堤防。❸建物の土台。㊁❶さか(坂)。❷にわ(庭)。❸とどまる。㊂❶山のがけがくずれる。❷さか(坂)。

解字 篆文 形声。土+氐音。音符の氐(テイ)は、低く平らの意味。水面に低く平らに現れている土地、なぎさ・なかすの意味を表す。

5 【垁】 8画 1929 漢チ 呉ジ(ヂ) 紙 zhì — — 2352

字義 城壁の大きさを計る単位。

解字 形声。土+矢音。

5 【坾】 8画 1930 漢チョ 呉ジョ(ヂョ) 語 zhù — — 2351

字義 積もったちり。

解字 形声。土+宁音。

5 【坫】 8画 1931 テン 豔 diàn — — 2337

字義 ❶古代、諸侯が会見する時、献酬の礼が終わって、杯を置く台。土で作り、中央の二本の柱の間に置く。「反坫」 ❷食物や物を置く台。土を重ねて作り、へやの北東のすみに置く。❸堂のすみ。❹しきり。ついたて。

解字 篆文 形声。土+占音。音符の占は、一定の場所をしめるの意味。土で造った台で、堂の隅に置かれるものの意味を表す。

5 【坡】 8画 1932 ハ 歌 pō 5219 9AB1 —

字義 ❶さか(坂)。❷つつみ(堤)。どて。=陂(13072)。

解字 篆文 形声。土+皮音。音符の皮は、波に通じ、なみの意味。なみうつさかの意味を表す。

【坡下】(ハカ) 堤の下。どてのほとり。また、坂道のあたり。用例〔唐、白居易、長恨歌〕馬嵬坡下泥土中(バカイのハカ、デイドのうち)、不₂見₁玉顔₁空死処(ギョクガンをみずむなしくシせしところ)。↓馬嵬の坂道の泥の中、楊貴妃(ヨウキヒ)の美しい顔も見えず、ただ殺された場所が空しく目にうつるのみ。

【坡公】(ハコウ) =坡老。

【坡△陀】(ハダ) 同陂陀(ハダ)。①斜めに傾き平らでないさま。②山などのうねうねと連なり続くさま。

【坡△塘】(ハトウ) つつみ。どて。堤防。

【坡老】(ハロウ) 北宋(ホクソウ)の蘇東坡(ソトウバ)(二二四五ページ下)をいう。坡仙(ハセン)。坡公。

5 【坯】 8画 1933 ハイ 灰 pī ₂0469 — 2340

字義 しらじ(白地)。瓦・陶器などのまだ焼かない生地(きじ)のもの。=坏(1903)。

解字 形声。土+丕音。

5 【坺】 8画 1934 漢ハツ 呉バチ 曷 bá — — 2348

字義 ❶土をすき起こす。❷ちりのさま。

解字 形声。土+犮音。

5 【坢】 8画 1935 バン 旱 pǎn — — 2333

字義 ❶平ら。❷地を起こす。

解字 形声。土+半音。

5 【坿】 8画 1936 漢フ 呉ブ 遇 fù, ②fú 5220 9AB2 —

字義 ❶つ-く。つける。ます(益・増)。=付(201)・附(13073)。❷石英。水晶の類い。

解字 形声。土+付音。

5 【坪】 8画 1937 常 つぼ 3658 92D8 —

5 【坪】 8画 1938 漢ヘイ 呉ビョウ(ビャウ) 庚 píng

筆順 一 十 土 圹 圹 坪 坪 坪

字義 ❶土地の平らかなこと。❷平地。土地の平らかな所。国つぼ。㋐土地の面積の単位。六尺平方。三・三〇五八平方メートル。=歩(5993)。㋑土砂などの六尺立方。㋒錦(にしき)・皮革・壁などの一尺平方。㋓彫刻・印刷製版などの一寸平方。㋔殿舎の間、垣の内の庭など、一区画のせまい土地をいい、壺(つぼ)の字をも借用する。

名前 つぼ・ひら

解字 金文 篆文 形声。土+平(平)音。音符の平は、たいらの意味。土地の平らな所の意味を表す。

5 【垉】 8画 1939 漢ホウ(ハウ) 呉ビョウ(ベウ) 肴 páo 5221 9AB3 —

字義 かく(掻)。

解字 形声。土+包音。

5 【垃】 8画 1940 ラ lā — — 2353

字義 垃圾(ラージー)は、現代中国語で、ごみ。

解字 形声。土+立音。

5 【坴】 8画 1941 漢リク 呉ロク 屋 lù ₂0471 — 2344

字義 土のかたまりの大きいさま。

解字 形声。屮+土+土+六音。

5 【垈】 8画 1942 国字 5218 9AB0 —

字義 ぬた。泥田。湿田。山梨県の地名に用いられる。ぬまた・ぬたと読む。

解字 会意。土+代。代は、しろ・田の意味。

6 【垔】 9画 1943 イン 真 yīn — — 2355
〔陻〕13114 同字
字義 ふさぐ。土で塞ぐ。
解字 形声。土＋西(㢴)音。

6 【垣】 9画 1944 漢エン(ヱン)・呉オン(ヲン) 元 yuán 常 かき 1932 8A5F —
筆順 一 十 土 圹 圻 垣 垣 垣 垣
字義 ❶かき。低い土塀。❷役所。❸星の名。国かきね。
名前 かき・たか・はん 難読 垣内・垣外・垣見・垣生・
解字 篆文 形声。土＋亘音。音符の亘は、周囲にかこいをめぐらせた形にかたどり、めぐらすの意味。城にめぐらした「かき」の意味を表す。
逆 禁垣・女垣・藩垣
【垣△墻・垣△牆】かき。低い土塀。
【垣有耳】秘密の話がとかくもれやすいたとえ。壁有耳。〔唐、姚元崇、口箴〕
【垣△籬】まがき。竹・しばなどを編んだ目の粗いかき。籬垣。

6 【垓】 9画 1945 一カイ 灰 gāi 二カイ 佳 慣ガイ 5222 9AB4 —
字義 一❶はて。地の果て。きわみ。❷さかい(境)。かぎり。❸数の単位。㋐億の千倍。㋑京(兆の万倍)の一万倍。二きざはし。階段。
⇩コラム 数を表すことば(六二八ページ)。
解字 形声。土＋亥音。
【垓下】地名。今の安徽省霊璧県の南東。楚の項羽が漢軍に包囲された所。
【垓下歌】楚の項羽が垓下で漢軍に囲まれた時、運命のきわまったのを嘆き、虞美人をあわれんで作った歌。抜山蓋世の歌。〔史記、項羽本紀〕↓力抜レ山兮気蓋レ世(一九〇ページ中)。

6 【垝】 9画 1946 キ 紙 guǐ ₂0478 — 2360
字義 ❶やぶれる。土塀などが、くずれる。❷くずれた土塀。
解字 篆文 形声。土＋危音。音符の危は、不安定であるの意味。くずれやぶれた土塀の意味を表す。

6 【垍】 9画 1947 漢キ・呉ギ 寘 jì
字義 ❶かたい土。❷やきもの。陶器。
解字 形声。土＋自音。

6 【垚】 9画 1948 ギョウ(ゲフ) 蕭 yáo ₂0477 — 2358
字義 たかい。土の高いさま。＝尭(702)。
解字 会意。土を三つ重ねて高いの意味を表す。

6 【垠】 9画 1949 一ギン 真 yín 二漢ギン・呉ゴン 文 5223 9AB5 —
字義 一❶はて。地の果て。きわみ。かぎり。❷きし。がけ。

解字 篆文 形声。土＋艮(皀)音。音符の皀は、限に通じ、かぎりの意味。地の果て、かぎりの意味を表す。

【垠崖】切り立ったようにそびえる岸。

【垠垠】連なりそびえるようす。

【垠際】はて。かぎり。

6 【型】 9画 1950 漢ケイ・呉ギョウ(ギャウ) 青 xíng 教5 ケイ かた 2331 8C5E —
筆順 一 二 チ 开 刑 刑 刑 型 型
字義 ❶かた。㋐いがた(鋳型)。↓笵(8712)の字義❷。㋑もとになるかたち。「原型」❷のり。手本。「典型」国かた。㋐能楽・演劇・柔剣道などで、一定の動作。㋑一定の様式。タイプ。
使いわけ かた〔形・型〕⇩形(3370)。
解字 篆文 形声。土＋刑(荆)音。音符の荆は、かた・わくの意味。土を付し、鋳型の意味を表す。
逆 原型・造型・鋳型・典型・模型
【型録】国英語catalogueの当て字。商品目録。

6 【垧】 9画 1951 ケイ — — 2365
坰(1917)の俗字。↓三〇五ページ上。

6 【垢】 9画 1952 漢コウ・呉ク 有 gòu 標 2504 8D43 —
字義 ❶あか。㋐身体のあか。㋑ほこり。ちり。❷よごれる。けがれる。❸けがれ。はじ(恥)。用例〔老子、七十八〕受国之垢、是謂社稷主。↓国の恥辱を引き受ける人こそを、国の主という。

解字 篆文 形声。土＋后音。音符の后は、厚に通じ、あついの意味。厚くたまった土ぼこりの意味を表す。

【垢△穢】あかがついてよごれる。また、そのよごれ。けがれ。

【垢衣】あかのついた衣服。

【垢△滓】あかと、かす。けがれ。よごれ。

【垢△膩】あかやあせあぶらのよごれ。垢脂。

【垢△塵】あかやちり。よごれ。けがれ。

【垢面】あかのついた顔。

【垢離】国あかがはなれる。神仏に願をかける時、水を浴びて身心を清めること。水垢離。一説に、川降の約で、川におりて禊をする意の当て字という。

【△刮レ垢磨レ光】人の欠点を削り去って知徳の光をみがき出す(発揮させる)。人材を完成させる意。〔唐、韓愈、進学解〕

【含レ垢】①人の欠点を許してとがめない。用例〔左伝、宣公十五〕国君含レ垢。↓国君はひとの欠点を許してとがめない(それが天の道にかなったことだ)。②はずかしめをたえしのぶ。用例〔宋、胡銓、上高宗封事〕含レ垢忍レ恥。↓はずかしめをしのび、恥を耐える。

6 【垬】 9画 1953 コウ 東 hōng ₂0476 ED7B 2368
字義 土で造ったせき(堰)。難読 大垬
解字 形声。土＋共音。

6 【垕】 9画 1954 コウ — — 2364
厚(1223)の古字。↓三二四ページ下。

6 【垙】 9画 1955 コウ(クヮウ) 陽 guāng — — 2357
字義 ちまた。市中の道。
解字 形声。土＋光音。

6 【垨】 9画 1956 シュ ₂0480 — 2366
守(2604)と同字。↓三九〇ページ上。

6 【城】 9画 1957 漢セイ・呉ジョウ(ジャウ) 庚 chéng 教4 ジョウ しろ 3075 8FE9 —
7 【城】 10画 1958
県名 茨城県・宮城県
筆順 一 十 土 圹 圻 圻 城 城 城
字義 ❶しろ。㋐都市のまわりを囲んでいる壁。城壁。もと、土で作り、後、煉瓦(塼)で作った。内側のを城、外側のを郭という。用例〔史記、田単伝〕已而燕軍攻安平、城壊。↓やがて燕軍が安平を攻撃し、城壁がくずれた。

㋑城壁をめぐらした町。用例〔唐、杜甫、春望詩〕国破山河在、城春草木深。↓国都長安は反乱軍のために破壊されてしまったが、自然の山河はもとのままで少しもかわりなく存在している。長安の町には今春が来て、草木が青々と茂っている。㋒とりで。土石を積み重ねた壁を連ねたとりで。「万里長城」「金城湯池」

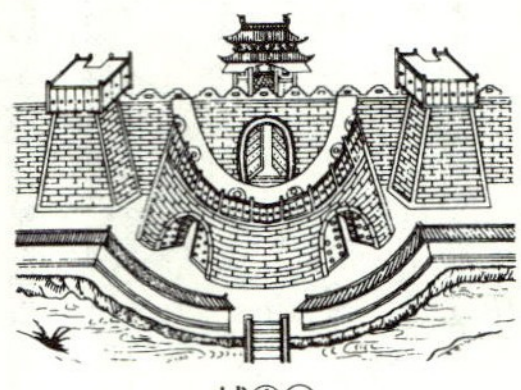
城①㋐

❷きずく。城壁を造築する。用例〔詩経、小雅、出車〕天子命我、城彼朔方。↓天子は私に命じて、あの北辺の地に城壁を築かせた。

国しろ。き。敵を防ぐために築いた軍事的構造物。古くは柵・石垣・濠などをもってし、戦国時代以降は、領内統治・城内居住・権勢表示などをも兼ねた、壮麗な建築に発達した。

名前 き・くに・さね・しげ・じょう・しろ・なり・むら 難読 城崎・城戸・城上・城端・城島・城有

解字 金文 篆文 籀文 形声。土+成音。音符の成は、安定するの意味。土の部分は、金文・籀文では、望楼の象形。望楼があり、土を盛りあげ、人を入れて安定させる、しろの意味を表す。

逆 王城・外城・干城・危城・禁城・金城・京城・傾城・江城・皇城・築城・長城・帝城・登城・辺城・落城・竜城

【城下】①城壁の下。城壁の外。城壁の周辺。②国大名の城の付近。また、城の所在地の町。城下町。

【城下△之盟】敵に城下まで攻め寄せられて、そこでする降服の誓い(講和)。最も屈辱的なこととされている。〔左伝、桓公十二〕

【城外】城の外。

【城郭・城△廓】城壁。→字義❶㋐。

【城曲】城郭のすみ。城隅。

【城隅】①城郭のすみ。城曲。②城壁の角・すみの上に建てた小楼。

【城△闕】①城門。▼闕は、上が楼観(ものみだい)、下が通路になっている門。②まち。都市。③王者の居所(宮殿)。宮闕。用例〔唐、白居易、長恨歌〕九重城闕煙塵生、千乗万騎西南行。↓天子の宮殿は兵馬が行き交うために煙や砂ぼこりに包まれ、天子の一行は西南の蜀をめざして進んでいった。

【城△狐社△鼠】城壁中に住む狐と、社(土地の神を祭る建物)の中にいる鼠。その狐・鼠を捕らえようとすると城・社をこわす恐れがあるから、その身は安全である。転じて、主君のそばにいる悪人のたとえ。稷狐社鼠。〔説苑、善説〕

【城△隍】①城壁の周囲に掘った空堀。②城壁と堀。③「城隍神」の略。都市の守護神。

【城△砦・城塞・城△寨】とりで。要塞。

【城市】まち。城壁で囲まれた町。

【城△址・城△趾】国城のあと。しろあと。城跡。

【城△牆】城壁の上のかき。また、城壁。

【城旦】秦・漢代の刑罰の名。また、その服役者。朝早くから城壁を築く労役に服した。刑期は四年。

【城池】城のまわりの堀。

【城△雉】＝城牆。

【城中】①都城のなか。町の内。②城内の人。

【城頭】①城(町)のほとり。②城壁の上。

【城府】①まち。都市。②都市の囲い。③囲い。仕切り。へだて。「不設城府」(人に対してへだてをおかない)」

【城壁】都市などの周囲をとりまくかべ(障壁)。また、とりでのかべ。城のかべ。

【城辺(邊)】城壁のあたり。

【城保・城△堡】しろ。とりで。城塁。

【城△邑】まち。都市。城壁をめぐらしたまち。用例〔史記、廉頗藺相如伝〕臣観大王無意償趙王城邑。↓私は大王様には趙王に代償として都市をさし出すご意志がないものと見てとりました。

【城裏】城壁の中。町の中。城中。城内。

【城塁(壘)】とりで。要塞。

【城楼(樓)】城門の上の楼台。

6【垩】9画 1959 セイ 聖(9624)の俗字。→一二七二ページ上。 — — 2367

6【垞】9画 1960 漢タ 呉ダ 麻 chā 2 0479 — 2361

字義 おか。小さな丘。

解字 形声。土+宅音。

6【垜】9画 1961 漢タ 呉ダ 哿 duǒ, ②duò 1 1542 — 2359

［垛］1962 同字 土。

字義 ❶門のそばにある部屋。❷積み土。❸あずち。弓のまとをたてかけておく盛り土。

解字 篆文 形声。土+朶音。音符の朶は、しだれるの意味。門の両側に枝が垂れるように伸びた堂の意味を表し、転じて、土べいの意味をも表す。

6【垛】9画 1962 ダ 垜(1961)と同字。→三〇八ページ中。

6【垗】9画 1963 漢チョウ(テウ) 呉ジョウ(デウ) 篠 zhào — — 2356

字義 ❶祭りを行う、四方に土手をめぐらした所。また、そこで祭りを行うこと。❷はかば。墓所。

解字 篆文 形声。土+兆音。音符の兆は、割るの意味。耕地を割って走るあぜの意味を表す。また、そこで行われる祭りの意味をも表す。

6【垤】9画 1964 漢テツ 呉デチ 屑 dié 5225 9AB7 —

字義 ❶ありづか。蟻が穴のまわりに運び出して積みあげた土。また、蟻の作った柱状の巣。❷墓前にたてる石門。

解字 形声。土+至音。

6【垌】9画 1965 トウ 董 tǒng — — 2354

字義 ほとぎ。つぼ。

解字 形声。土+同音。

6【垡】9画 1966 漢ハツ 呉バチ 月 fá — — 2363

字義 土をすき起こす。また、すき起こした土くれ。

解字 形声。土+伐音。

6【封】9画 (2722) ホウ 寸部。→四二三ページ下。

6【垟】9画 1967 ヨウ(ヤウ) 陽 yáng — — 2362

字義 土の精。土中の怪物。

解字 形声。土+羊音。

6【垰】9画 1968 国字 5227 9AB9 —

字義 たお。峠。おもに山口県・広島県の地名に用いられる。→峠(2897)の参考。

解字 会意。土+上+下。山地をのぼって、くだりにかかるところ、とうげの意味を表す。

6【垳】9画 1969 国字 まま 壗(2173)の俗字。→三二四ページ上。 2 0474 — —

6 【垳】9画 1970 国字
字義 垳がけは、埼玉県の地名。
5224 9AB6 —

6 【垪】9画 1971 国字
字義 垪和がはは、岡山県の地名。また、姓氏。
5226 9AB8 —

6 【⿰土会】9画 1972 国字
字義 持⿰土会沢もちくれざわは、宮城県の地名。
2 0475 — —

7 【埃】10画 1973 標 アイ 灰 āi
字義 ❶ちり。ごみ。❷ほこり。砂けむり。風でまいあがったちり。❸もや。❹国名。埃及エジプトの略。難読 埃田えだ
解字 篆文 形声。土＋矣㊥。音符の矣アイは、疑の字の左半分の変形したもので、たちどまり思いまようの意味。人をたどろがす土けむり・ちりの意味を表す。
【埃靄】アイアイ ①もやのように見えるほこり。砂煙。②この世のけがれ。
【埃及】エジプト 国名。Egyptの音訳。
【埃塵】アイジン ちり。ほこり。塵埃。
【埃土】アイド ①きたない土。②けがれた土地。塵土ジンド。
【埃氛】アイフン ①たちこめるちりほこり。②俗世間のけがれ。
【埃滅】アイメツ ほこりのように滅びる。
5228 9ABA —

7 【埏】10画 1974 ㊀エン 先 yán ㊁漢セン・呉ゼン 先 shān
字義 ㊀❶地の果て。また、さかい。❷低くて湿気の多い地。❸はかみち。墓穴に入る道。㊁うつ。こねる。土に水を加え、こねて柔らかにする。
解字 篆文 形声。土＋延㊥。音符の延は、のびるの意味。墓までのびる道の意味を表す。
1 1548 — 2374

7 【袁】10画 (10816) エン 衣部。→一二七四ページ中。

7 【埆】10画 1975 カク 覚 què
字義 ❶そね。地味のやせている土地。＝确(8180)。「墝埆コウカク」❷とぼしい。みのりが少ない。❸けわしい。
解字 形声。土＋角㊥。音符の角は、ごつごつしてかたい意味。土を付し、やせた土地の意味を表す。
5229 9ABB —

7 【垸】10画 1976 漢カン(クワン) 寒 翰 呉ガン(グワン) huán(huàn)
字義 ❶漆と灰とを混ぜて塗る。❷ころがる(転)。❸重さや貨幣の単位。＝鍰(12744)。
解字 形声。土＋完㊥。
1 1545 — 2369

7 【垽】10画 1977 ギン 震 yìn
字義 ❶澱おり。かす。❷めぐる。垽淪ギンリンは、水のうずまくさま。
解字 形声。土＋沂㊥。
— — 2370

7 【埈】10画 1978 シュン 震 jùn
字義 ❶そばだつ。険しく高い。また、その所。❷きびしい。
解字 形声。土＋夋㊥。
1 1547 ED7C 2372

7 【城】10画 (1958) ジョウ 城(1957)の旧字体。→三〇七ページ下。

7 【埀】10画 1979 スイ 垂(1923)の俗字。→三〇五ページ中。
5217 9AAF —

7 【埕】10画 1980 テイ chéng
字義 ❶酒びん。口の細い素焼きの酒びん。❷塩田。❸福建語で、まてがい養殖場。
解字 形声。土＋呈㊥。
— — 2375

7 【埗】10画 1981 フ 埠(2029)と同字。→三一三ページ上。
2 0481 — —

7 【埔】10画 1982 ホ bù ②③pǔ
字義 ❶大埔は、広東カントン省の県名。❷黄埔は、広東省の地名。❸柬埔寨カンボジアは、カンボジア。東南アジアの国名。
解字 形声。土＋甫㊥。
5230 9ABC —

7 【埋】10画 1983 常 マイ うーめる・うーまる・うーもれる 漢バイ・呉マイ 佳 mái
4368 9684 —
筆順
【薶】10381 古字
字義 ❶うーめる。うずーめる。㋐いーける。土の中に入れておおう。用例(釈月性、将ニ東遊一題二壁詩一)埋レ骨豈惟墳墓地ほねをうづむるあにただふんぼのちのみならんや、人間到処有二青山一じんかんいたるところせいざんあり ↓骨を埋めるのはどうして先祖代々の墓地に限ろうか。世の中には、どこに行っても自分の骨を埋めるにふさわしい場所があるではないか。㋑おおいかくす。㋒いけにえをうずめて山林を祭る。❷うーまる。うーもれる。うずーまる。うずーもれる。㋐土の中に入り見えなくなる。㋑世に知られなくなる。国うーめる。他の物で補う。補充する。
名前 うめ 難読 埋火うずみび・埋炭いけずみ
解字 篆文(薶) 形声。土＋貍省㊥。音符の貍バイは、うずめるの意味。土中にうずめるの意味を表す。
【埋玉】マイギョク ①玉をうずめる。②英才・美人などを埋葬すること。
【埋蔵(藏)】マイゾウ ①うずめる。うずめかくす。②うずもれていること。「埋蔵量」
【埋没】マイボツ うずもれる。うずもれてかくれる。

7 【⿱野土】10画 1984 ヤ 野(12459)の俗字。→一四五七ページ下。
1 1544 — —

7 【埇】10画 1985 漢ヨウ 呉ユウ 腫 yǒng
字義 おきつち。道路に土を加えること。難読 大埇おおそね・埇田そねた・そねだ・そめた・高埇たかそね
解字 形声。土＋甬㊥。
1 1546 ED7D 2371

7 【埒】10画 1986 標 漢レツ・呉レチ 屑 liè 慣ラチ・ラツ
【埓】1987 俗字
字義 ❶ませがき。低い垣。かこい。❷つつみ(堤)。土手。❸しきり。さかい。❹ひとしい。❺かたち。国ラチ。㋐馬場の周囲の囲い。㋑物事の範囲・限界・秩序。「埒があく」は、物事が解決する。
解字 篆文 形声。土＋寽㊥。音符の寽ラツは、両手で物を取る形にかたどる。両手で土を寄せ集めたほどの低い垣の意味を表す。
【埒外】ラチガイ 国かこいのそと。転じて、一定の範囲の外。↔埒内。
【埒内】ラチナイ 国かこいのうち。転じて、一定の範囲の中。↔埒外。
5231 9ABD —

7 【埓】10画 1987 ラチ 埒(1986)の俗字。→三〇九ページ下。
5232 9ABE —

7 【埌】10画 1988 ロウ(ラウ) 漾 làng
字義 ❶つか(冢)。❷原野の果てしないさま。
解字 形声。土＋良㊥。
2 0483 — 2373

7 【埖】10画 1989 国字
字義 ごみ。埖渡ごみわたりは、青森県三戸さんのへ郡の地名。
解字 会意。土＋花。散る花のような土。ほこりの意味を表す。
5234 9AC0 —

7 【⿰土谷】10画 1990 国字
字義 さこ(迫)。山あいの谷。
1 1543 ED7E —

7【埖】10画 1991 国字 ₂0482 — —

字義 はけ。関東から東北にかけての丘陵の崖(がけ)。

8【堊】11画 1992 ㊀漢アク 薬 è ㊁漢オ(ヲ)・呉ウ 遇 慣ア 5233 9ABF —

字義 ㊀❶しろつち。白い土。しっくい。石灰など。「白堊(ハクア)」 ❷つち。どろ。❸ぬる。白土をぬる。一般に、上ぬりをする。❹わるい。粗末。＝悪(3531)。

解字 篆文 形声。土＋亞㊥。音符の亞は、古代の墓室の象形。墓室の壁にぬる、しろつちの意味を表す。

【堊室】アクシツ 土塊などを積み重ねて壁とした粗末な室。上ぬりをしない荒壁の室。喪に服する人の居室。▼堊は、悪。

【堊筆】アクヒツ・アヒツ 国チョーク。白墨。

【堊慢・堊漫】オマン・アクマン ①白土でよごす(ぬる)。②ぬる。また、よごす。

8【域】11画 1993 教6 イキ 漢ヨク・呉イキ(ヰキ) 職 yù 1672 88E6 —

筆順 一 十 土 圹 坷 坷 域 域 域

字義 ❶くぎり。さかい。❷くぎる。かぎる。❸くぎられた土地。ある区画の内側。「区域」 ❹くに。国土。「邦域」

名前 くに・むら

解字 形声。土＋或㊥。音符の或(ワク=ヰキ)は、くぎられた土地の意味。或が、「あるいは」の意味に用いられるようになり、土を付した。

逆 異域・界域・禁域・寿域・浄域・職域・神域・聖域・西域・絶域・辺域・封域・方域・邦域・流域・領域

【域中】イキチュウ ①世の中。天下。〔老子、二十五〕 ②国内。③区域のうち。域内。

8【堉】11画 1994 イク 屋 yù ₁1554 — 2393

字義 肥えた土。

解字 形声。土＋育㊥。

8【埸】11画 1995 漢エキ 呉ヤク 陌 yì ₂0490 — 2386

字義 ❶さかい。国ざかい。❷耕地のさかい。あぜ。くろ。

参考 〔場〕(2050)は別字。

解字 形声。土＋易㊥。

8【埡】11画 1996 漢オ(ヲ)・呉ウ 禡 è 慣ア — — 2394

字義 ❶村。❷ぬる。白土をぬる。＝亞(132)。

解字 形声。土＋亞㊥。

8【埳】11画 1997 カン 坎(1892)と同字。→三〇二ページ下。

8【基】11画 1998 教5 キ もと・もとい キ 支 jī 2080 8AEE —

筆順 一 十 廾 甘 甘 其 其 基 基

字義 ❶もとい(もとゐ)。もと。㋐建物の土台。㋑根本。根底。㋒よりどころ。根拠。❷もと-づく。もととする。❸すき(鋤)。❹一周年。❺理化学で、化学変化の際に分子間を移動する原子の集まり。ラジカル。「塩基」 国キ。墓・灯籠(トウロウ)などを数えるに用いる語。「石塔一基」

名前 き・のり・はじむ・はじめ・みき・もと・もとい・もとき・もとし・もとや 難読 基隆(キールン)

使いわけ もと〔元・本・基・下〕⇩元(681)。

解字 金文 篆文 形声。土＋其㊥。音符の其(キ)は、方形でととのっているの意味。四角で整然とした土台、もといの意味を表す。

逆 開基・洪基・皇基・国基・主基

【基因】キイン 国おこり。もと。原因。→起因(一三六九ページ下)。

【基宇】キウ ①器量。度量。また、規模。②もとい。国のもとい。③国土。

【基業】キギョウ ①もととなる事業。②祖先伝来の財産。

【基址・基阯・基趾】キシ いしずえ。土台。基礎。

【基軸】キジク 国(思想や機構の)中心。土台。基幹。→機軸(七〇六ページ中)。

【基準】キジュン 国物事のもととなる一定のきまり。よりどころとなるもの。標準。◈「基準」が「よりどころ」に重点を置くのに対し「規準」は「手本」に重点を置く。ただ、実際にはほとんど意味の違いがないので、現在では「基準」の方に統一されてきている。

【基緒】キショ もととなる事業。基業。▼緒は、業。

【基礎】キソ ①建物の土台。いしずえ。②物事のもと。根底。

【基兆】キチョウ もとい。また、はじめ。

【基調】キチョウ 国①一つの楽曲の中心となる調子。主調。②思想・学説などの基本的な傾向。

【基督】キリスト 国Christoの音訳「基利斯督」の略。

【基盤】キバン 国もとい。基礎。▼盤は、磐(バン)(いわ・大石)。

【基本】キホン もと。もとい。物事の成り立つ根本。物事の土台となるもの。

8【埼】11画 1999 教4 さい 漢キ・呉ギ 支 qí 2675 8DE9 —

筆順 一 十 土 圹 坎 坽 培 埼 埼

【碕】8197 同字 【碕】8217 俗字

字義 きし。くま。岸の湾曲した所。＝崎(2922)。国❶さき。㋐みさき。海中や湖中に突き出た陸地の先端。㋑山の出張った先端。山の鼻。❷さい。地名の「埼玉(さいたま)」に用いる。

名前 き・ぎ・さき

解字 形声。土＋奇㊥。音符の奇は、曲がるの意味。曲がった切岸(きりぎし)の意味を表す。

8【堇】11画 2000 ㊀漢キン・呉ギン 真 qín ㊁漢キン・呉ゴン 吻 jǐn

字義 ㊀❶ねばつち。粘土。❷まこと。❸つつしむ。＝謹(11333)。㊁❶ぬる(塗)。＝墐(2105)。❷わずか。堇堇は、わずかなさま。＝僅(550)。

参考 〔菫〕(10026)は別字。

解字 甲骨文 金文 篆文 会意。土＋黄。黄は、きいろの意味。土は、つちの意味。きいろのねばつちの意味や、それを塗るの意味を表す。墐(キン)の原字。

8【埧】11画 2001 漢ク 呉グ 遇 jù 〔埧〕2002 俗字

字義 堤防。

解字 形声。土＋具㊥。

8【埧】11画 2002 ク 埧(2001)の俗字。→三一〇ページ下。 — — 2380

8【堀】11画 2003 常 ほり ㊀漢コツ・呉コチ 月 kū ㊁漢クツ・呉グチ 物 jué 慣クツ 4357 9678 —

筆順 一 十 土 圹 圻 坼 堀 堀 堀

字義 ㊀あな。穴室(あなむろ)。地下室。＝窟(8600)。㊁ほる。＝掘(4226)。国ほり。地を掘って作った川または池。「堀割(ほりわり)」「堀切(ほりきり)」

名前 ほり 難読 堀戸(くつと)

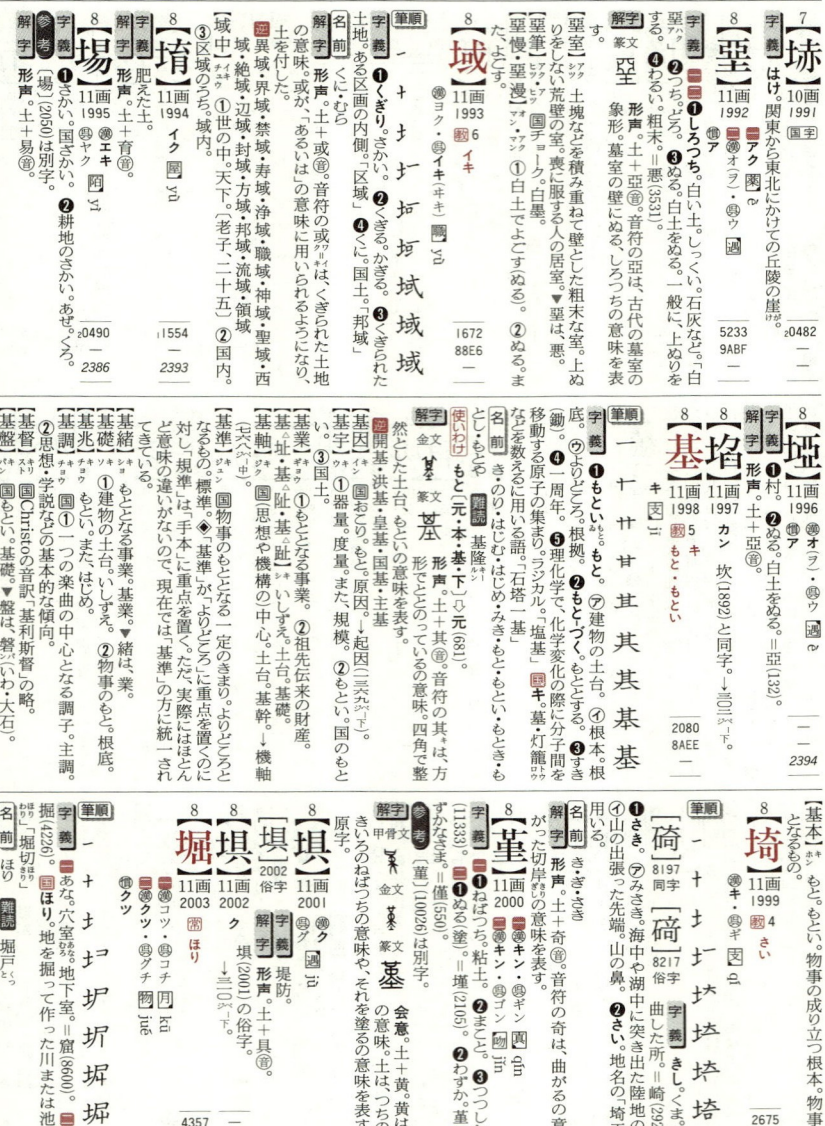

解字 篆文 形声。土＋屈音。音符の屈は、かがむの意味。身をかがめて穴をほる、また、そのあなの意味を表す。

【堀室】 地下室。また、いわや。窟室。

【堀川学(學)派】 国伊藤仁斎の学派。仁斎が京都の堀川に住んだからいう。仁斎学派。古義学派。

8 【埶】 11画 2004 一ゲイ 齊 yì 二セイ 霽 shì ㅣ1552 — 2385

字義 一うーえる。草木を植える。種をまく。また、わざ。はたらき。＝芸(9826)・蓺(10214)。二いきおい。＝勢(1061)。

解字 甲骨文 金文 篆文 象形。甲骨文・金文でよくわかるように、人が若木を持つ形にかたどり、うえるの意味を表す。金文の一種には、若木の部分が木・土となるものがあり、のち、篆文では、坴に変形した。藝(芸)の原字。

8 【垷】 11画 2005 ゲイ 霽 薺 nì ₂0493 — 2391

字義 ひめがき。城壁の上の低い垣。

解字 形声。土＋兒音。

8 【堌】 11画 2006 漢コ 呉ク 遇 gù — — 2401

字義 ❶堤。土手。黄堌は、山東省内の地名。❷塚。古塚。

解字 形声。土＋固音。

8 【堽】 11画 2007 コウ(カウ) 陽 gāng — — 2392

字義 ❶かめ。もたい。❷丘。

解字 形声。土＋岡音。

8 【埿】 11画 2008 コン 坤(1919)と同字。→三〇五ページ上。 — — 2390

8 【埰】 11画 2009 サイ 隊 cài, ②cǎi ₂0488 — 2383

字義 ❶知行所。領地。＝采(5241)。❷つか(塚)。墓。

解字 形声。土＋采音。

8 【執】 11画 2010 常 シツ・シュウ とーる シュウ(シフ) 緝 zhí 慣シツ 2825 8EB7 —

筆順 一 十 土 圥 坴 幸 幸ノ 執 執

字義 ❶とーる。㋐手にとる。手に持つ。用例〔論語、微子〕夫執レ輿者為レ誰。↓あそこで車の手綱を持っている人は、だれなのか。㋑保つ。守る。㋒扱う。とり行う。つかさどる。「固執」㋓こだわる。しつこく取りつく。「執事」㋔おさえる。断つ。❷とーらえる。召しとる。つかまえる。用例〔史記、張儀伝〕共執二張儀一、掠笞数百不レ服。↓みんなで張儀を捕まえて、むちで数百回も打ったが、どうしても罪を認めない。❸とも。友人。同志。用例〔唐、杜甫、贈二衛八処士一詩〕怡然敬二父執一、問レ我来二何方一。↓お父さんの友人に素直に敬意を表し、私に尋ねる、どこから来たのですかと。

名前 とる・もり

使いわけ とる〔取・執・採・撮・捕〕⇩取(1280)。

難読 執行・執行

解字 甲骨文 金文 篆文 象形。甲骨文・金文でわかるように、手かせに手をとらえられてひざまずく人の形にかたどり、とらえるの意味を表す。執の意味と音符とを含む形声文字に、蟄・贄などがある。

逆 確執・我執・拘執・固執・偏執・迷執・妄執

【執一】 ＝執レ一(九ページ上)。

【執金△吾】 漢代、宮殿の門を警衛し、非常事態に備えた役の長官。近衛の大将。

【執権(權)】 ①政治の権力を握ること。②国鎌倉幕府で、将軍を助けて政務をとり行った役。

【執行】 一 ①とり行う。実行する。②国家や役人が法律で定められたことをそのとおりとり行うこと。二 仏 ①事務をとりあつかうこと。②寺院の庶務を取り締まる職。

【執行吏】 →執達吏。

【執△贄】 ①臣下が主君にお会いするとき、玉帛を手にとって敬意を表すること。②束脩の礼を修めて門人となること。

【執事】 ①事を取り行うこと。また、その人。侍者。②貴人の宛名の下にそえて書く語。執事に取り次ぎを請う意から出た語。③あなた。相手への尊称。直接名指しするのをはばかり、その左右にいる者を指して二人称に代えたもの。用例〔人虎伝〕往者吾与二執事一同レ年成レ名。↓以前、私とそなたとは同じ年に進士に及第して名声を得た。④国㋐平安時代、院の庁(上皇・法皇の政務機関)の長官。㋑鎌倉・室町幕府の職名の一つ。

【執着・執著】 仏 心が物事にとりつくこと。深く思いこむこと。

【執心】 一 心を守る。本心を失わないように守る。二 国深く思いつめること。熱中すること。

【執政】 政治をとり行う人。宰相など。

【執奏】 意見書などを取り次いで天子に奏上すること。

【執達】 国上の意を下に通達すること。

【執達吏】 国「執行吏」の旧称。地方裁判所に属する職員。差し押え・競売などの裁判に伴う業務を行う。

【執中】 中庸の道を守る。

【執念】 国思いこんで片時も忘れない心。しつこいこと。

【執筆】 ①筆を持つこと。②文学・文章を書くこと。

【執柄】 ①政治の実権を握ること。また、その人。②国関白の別称。

【執△鞭】 人の使用人となり、むちをとって御者になる。→執鞭之士。

【執△鞭△之士】 ①むちを持つ人。むちをとって馬車をあやつる人。御者。②いやしい仕事に従事する人。〔論語、述而〕

【執法】 法令をとり行うこと。また、その人。

【執友】 ①志を同じくする友。同志。②父の友人。

【執△拗】 どこまでも自己の意志を通し、事を行おうとすること。片意地なこと。しつこいこと。

【執礼(禮)】 とり守るべき礼。礼儀作法。〔論語、述而〕

8 【堅】 11画 2011 漢シュ 呉ジュ 遇 jù — — 2388

字義 積んだ土。

解字 形声。土＋取(聚)音。

8 【埻】 11画 2012 シュン 軫 zhǔn ₂0491 — —

字義 ❶まと。❷のり(法)。

解字 形声。土＋享音。

8 【埴】 11画 2013 人 標 漢ショク 呉ジキ 職 zhí 3093 8FFB —

筆順 一 十 土 圵 圵 埴 埴 埴

字義 ❶はに。ねばつち。粘土。❷どろ。つち(土)。大地。

難読 埴科・埴丘・埴原・埴生・埴

解字 篆文 形声。土＋直音。音符の直は、まっすぐのびるの意味。ねばってのびる、陶器などの原料となる、ねんどの意味を表す。

【埴師】 国埴輪を作る職人。はじ。土師。

【埴土】 ねばつち。粘土。

【埴木】 ねばつちと樹木。陶土と樹木。

【埴輪】 国埴土で作った円筒や人馬などの像。古墳の周囲に輪形に埋めた副葬品。

【挻レ埴】 ＝挻埴(五九四ページ中)。

8【埩】11画 2014 漢ソウ(サウ)・呉ショウ(シャウ) 庚 zhēng ―― ―― 2381
字義 治める。土を耕し治める。耕す。
解字 形声。土＋争音。

8【埽】11画 2015 ソウ 掃(4246)と同字。→六〇〇ページ上。 2 0492 ―― 2387

8【埣】11画 2016 一漢サイ・呉スイ 隊 suì 二漢ソツ・呉ソチ 月 sū 5235 9AC1 ――
［⿰土卆］1901 俗字
字義 一かれつち。粘りけのない土。二土がくずれ落ちる。国そね。石の多いやせ地。上埣(かみそね)・中埣は、宮城県の地名。
解字 形声。土＋卒音。

8【埵】11画 2017 タ 哿 duǒ 1 1551 ―― 2384
字義 ❶かたい土。❷もりあげた土。❸つつみ。堤防。❹ふいごの鉄筒。
解字 篆文 形声。土＋垂(𡍮)音。音符の𡍮(イ ス)は、たれるの意味。枝が垂れたように伸びている、土をつきかためた、つつみの意味を表す。

8【堆】11画 2018 常 タイ 漢タイ・呉ツイ 灰 duī 3447 91CD ――
筆順 一 十 土 圠 圹 圻 坿 埠 堆
［𠂤］80 本字
字義 ❶小さい丘。地のうずたかい所。❷うずたか-い。また、うずたかく積もる。「堆積」
名前 たか・たかし・のぶ 難読 堆橋(うずはし)
解字 形声。土＋隹音。音符の隹(イ ス)は、ずんぐりした小鳥の象形。土を付し、ずんぐりした形の土の丘の意味を表す。
【堆金積玉】(タイキンセキギョク) 黄金・宝玉をうず高く積むこと。富豪のたとえ。
【堆朱】(ツイシュ) 朱の漆を厚く塗りあげ、それに模様を彫った漆器。堆紅(ツイコウ)・ツイク。
【堆積】(タイセキ) ①うず高くつもる。積み重なる。累積。②岩石や土砂などが水・風・氷河などによって運搬されて、ある場所にたまること。
【堆肥】(タイヒ) 草やわらなどを積み、腐らせた肥料。

8【埭】11画 2019 漢タイ・呉ダイ 隊 dài 1 1550 ―― 2382
字義 土で築いたせき。往来する船から通行税を取る所。
解字 形声。土＋隶音。

8【⿰土長】11画 2020 一チョウ(チャウ) 漾 zhàng 二漢チョウ(チャウ)・呉ジョウ(ヂャウ) 陽 chāng 2 0489 ―― ――
字義 一沙が盛り上がる。二場(2050)と同字。
解字 形声。土＋長音。

8【埞】11画 2021 テイ 堤(2058)と同字。→三二五ページ上。 2 0486 ―― 2377

8【埿】11画 2022 漢デイ・呉ナイ 斉 ní, ②③霽 nì 1 1553 ―― 2389
字義 ❶どろ。＝泥(6253)。❷こて。また、ぬる(塗)。❸こだわる。国うき。泥深い地。
解字 形声。土＋泥音。

8【埝】11画 2023 一テン 艶 diàn, ②niàn 二漢ジョウ(デフ)・呉ニョウ(ネフ) 葉 niè ―― ―― 2376
字義 一❶土地が低い。❷現代中国語で、小さな堤防。二❶増す。❷おちいる。
解字 形声。土＋念音。

8【堵】11画 2024 ト 堵(2060)の俗字。→三二五ページ上。

8【堍】11画 2025 ト tù ―― ―― 2402
字義 橋のたもと。
解字 形声。土＋兔音。

8【堂】11画 2026 教5 ドウ 漢トウ(タウ)・呉ドウ(ダウ) 陽 táng 3818 93B0 ――
筆順 丶 丷 ⺌ 当 尚 尚 堂 堂 堂
字義 ❶高い建物。㋐おもてざしき。昔、土を高く盛り上げて、その上に家を造り、左右の壁を序、中央以北の、小部屋に仕切った、居住する所を室と呼んだ。中央以南の平土間(ひらドま)で広い所を堂、㋑朝廷や役所で、君主や長官が執務する所。㋒多くの人の集まる建物。役所・学校・神社・寺院など。「議事堂」「食堂」㋓すまい。住居。「草堂」❷他人の母に対する敬称。「母堂」「令堂」「家堂」❸父系の同祖親族。「堂兄弟」❹他人の敬称。「高堂」
名前 あき・たか・どう・ひら

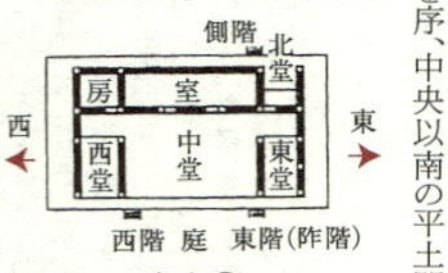

堂室①

解字 篆文 形声。土＋尚音。音符の尚は、屋内で祈るの意味。土を高く盛った土の祭殿、おもてざしきの意味を表す。

逆 下堂・金堂・公堂・講堂・高堂・黄堂・参堂・垂堂・正堂・聖堂・禅堂・僧堂・草堂・尊堂・庁堂・殿堂・北堂・母堂・満堂・明堂・令堂
【堂奥】(ドウオウ) ①堂の奥まった所。▼奥は、室の西北のすみ。②学問などの奥深い所。奥義。

【堂兄弟】(ドウケイテイ) 父方の男性のいとこ。従父兄弟。

【堂構】(ドウコウ) ①父が設計し、子がそれを受けついで建築すること。②父祖の業をつぐこと。③宮殿のかまえ。

【堂姉妹】(ドウシマイ) 母方の女性のいとこ。従母姉妹。

【堂室】(ドウシツ) ①堂(表座敷)と室(奥座敷)。→字義❶㋐。②母と妻。

【堂上】一(ドウジョウ) ①堂の上。②父母。堂上にいるのでいう。③長官。④朝廷。または、長官室。二(ドウジョウ・トウショウ) 国昔、昇殿を許された公家(クゲ)。

【堂堂】(ドウドウ) ①いかめしくりっぱなさま。②雄大なさま。③ひいでているさま。④ととのって意気のさかんなさま。⑤明らかに現れているさま。⑥土地が高く見晴らしがよいさま。⑦公明正大なさま。人前を恥じることがないさま。⑧物のきしる音。

【堂廡】(ドウブ) 堂のひさし(正堂のわきにあるへや)。▼廡は、堂のまわりの廊下、また、廊下のような細長い室。

【堂房】(ドウボウ) 表座敷と居間。家の内。

【下ㇾ堂】(ドウよりくだす) 妻を離縁する。

【升ㇾ堂入ㇾ室】(ドウにのぼりシツにいる) まず堂にのぼってから、次にその奥にある室に入る意。学問・技芸などが次第に上の段階に進んで、ついに最高の境地に至るたとえ。『論語』先進編に「由也升ㇾ堂矣(ユウやドウにのぼれり)、未ㇾ入二於室一也(いまだシツにいらず)」とあるのに基づく。

【垂ㇾ堂】(ドウにスイす) 堂(へや)の中で外に近い端に居ること。そこに居ると外に落ちる危険があることから、危険に近づく・危険を冒す意。垂堂(スイドウ)。〔漢書、爰盎伝〕

【入ㇾ堂】(ドウにいる) 学問・技芸などが非常にすぐれていることのたとえ。「升ㇾ堂入ㇾ室(ドウにのぼりシツにいる)」から出た語。

8【培】11画 2027 常 バイ つちか-う 一漢ハイ・呉バイ 灰 péi 二漢ホウ・呉ブ 有 pǒu 三慣バイ 3961 947C ――

筆順 一 十 土 圹 圹 圹 垃 垃 培 培

字義 一 ❶つちか-う。つちかう。㋐草木の根に土をかける。転じて、草木を養い育てる。「栽培」 ㋑素質や能力を伸ばす。❷ます(増)。 二 ❶つか。小さい丘。「培塿」 ❷耕地のあぜ。 三 ❶かさねる。❷よる(馮)。よりかかる。また、乗る。

名前 すけ・ます

解字 篆文 形声。篆文は、土＋咅音。音符の咅は、ふっくらとして大きいの意味。土をふっくらと盛る、つちかうの意味を表す。常用漢字の培は土＋音音の形声文字。

逆 栽培

【培△漑】つちかい水を注ぐ。植物を育てることをいう。

【培植】①つちかい植える。②人材を養成する。

【培風】(鵬という大鳥が)風に乗ること。▼培は、馮と同義で、乗る意。〔荘子、逍遥遊〕

【培養】①草木などを育て養うこと。②細菌などを増殖させること。③物事を発達・強化させること。

【培△壅・培△壅】つちかいまもる。つちかう。

【培△塿】①小さい丘。また、小高い墓。②自己の謙称。

---

8 **【埤】** 11画 2028 一 漢ヒ・呉ビ 支 pí 二 漢ヒ・呉ビ 紙 bì, ❷bēi 三 ヘイ 霽 pì ｜1549 — 2378

字義 一 ❶ます(増・益)。ふやす。おぎなう(補)。❷あつい。厚くする。❸ひくい。 二 ❶低くて湿気の多い土地。❷＝❸。 三 ひめがき。城壁の上の低い垣。

解字 篆文 形声。土＋卑音。音符の卑は、ひくいの意味。ひくいかきね、ひめがきの意味を表す。また、俾に通じ、加えるの意味を表す。

【埤益】①厚く増し加える。増加する。〔詩経、邶風、北門〕②ためになる。裨益。

【埤△堄】城壁の上の低いひめがき。

8 **【埠】** 11画 2029 漢ホ・呉ブ 遇 bù 慣フ 4154 9575 —

〔埗〕1981 同字

字義 はとば。船着き場。「埠頭」

解字 形声。土＋阜音。音符の阜は、段のあるおかの意味。

8 **【堋】** 11画 2030 一 ホウ 径 bèng 二 漢ホウ・呉ボウ 蒸 pēng

〔堋〕2031 俗字

字義 一 ❶うずめる。棺を地中に埋める。❷せき。いせき。 二 射場に設けた垣。また、的場。あずち。

解字 形声。土＋朋音。

8 **【堋】** 11画 2031 ホウ 堋(2030)の俗字。→三三ページ上。 5236 9AC2 —

8 **【埜】** 11画 2032 人 ヤ 野(12459)の古字。→一四五七ページ下。 3924 9457 —

8 **【埦】** 11画 2033 ワン 慣オウ(ワウ) 旱 wǎn ₂0487 — 2379

字義 わん(椀)。食物を盛る小鉢。

解字 形声。土＋宛音。

8 **【⿰土並】** 11画 2034 国字 ₂0484 — —

字義 ⿰土並は、姓氏。

8 **【⿰土居】** 11画 2035 国字 ₂0485 — —

字義 ⿰土居田は、姓氏。

参考 土と居の二字を合わせて「どい」と読ませたものか。

9 **【堨】** 12画 2036 一 漢アツ・呉アチ 曷 è 二 アイ 泰 ài

字義 一 せき。土を盛って水をせきとめた所。堰。 二 ❶ほこり。❷壁のすきま。

解字 形声。土＋曷音。

9 **【堙】** 12画 2037 イン 真 yīn

〔⿰土亜〕2038 俗字

字義 ❶ふさ-ぐ(塞)。うずめる。❷ふさがる。また、うずまる。＝湮(6475)。❸ほろびる。ほろぼす。❹つきやま。土を積んで作った小山。❺はしご。

解字 形声。土＋垔音。音符の垔は、ふさぐの意味。土でふさぐ・うもれるの意味を表す。

【堙鬱】心がふさがり重苦しい。

【堙滅】うずもれてなくなる。滅びて、また、消えてなくなる。

9 **【⿰土亜】** 12画 2038 イン 堙(2037)の俗字。→三一三ページ中。 5237 9AC3 —

9 **【堰】** 12画 2039 人 標 エン 霰 yàn 1765 8981 —

〔隁〕13115 同字

筆順 十 土 圹 圻 坧 埧 堰 堰 堰

字義 ❶せき。いせき。土を積んで水をせき止めるしかけ。❷せ-く。せき止める。

解字 形声。土＋匽音。音符の匽は、とめるの意味。水の流れをとめる、せきの意味を表す。

【堰堤・堰△隄】川や谷の水をせきとめるために石や土砂で築いた堤防。ダム。

9 **【堝】** 12画 2040 カ(クワ) 歌 guō 5238 9AC4 —

字義 るつぼ。金属をとかすための土の壺。「坩堝」

解字 形声。土＋咼音。

9 **【堺】** 12画 2041 人 標 カイ 卦 jiè 2670 8DE4 —

筆順 一 十 土 圠 坍 坍 坢 坢 堺

字義 界(7620)と同字。さかい。

参考 元来は〔界〕(7620)と同字であるが、日本では地名などで使い分けることが多い。字義・解字・熟語は〔界〕を見よ。

9 **【堦】** 12画 2042 カイ 階(13116)と同字。→一五一七ページ上。 — — 2407

9 **【堪】** 12画 2043 常 カン た-える 漢カン 覃 kān 慣タン 2014 8AAC —

筆順 一 十 土 圹 坩 坩 堪 堪 堪

字義 ❶突き出ている土地。❷天。天の道。「堪輿」 ❸た-える。㋐十分任に当たることができる。㋑こた-える。もちこたえる。㋒こら-える。忍ぶ。がまんする。「堪忍」 ㋓勝つ。すぐれている。

名前 かつ・たえ・ひで

使いわけ たえる〔耐・堪〕⇩耐(2721)。

解字 篆文 形声。土＋甚音。音符の甚は、おきかまどの意味。もと、土で築いたかまどの煙突の意味を表したが、借りて、戡などに通じて、弱気や欲望や自分に加えられた圧力に、うちかつ・たえるの意味を表す。

【堪忍】①こらえしのぶ。がまんする。②国㋐ゆるす。㋑経済上の負担。生計。◆「堪忍」を「勘忍」と書く例があるが、誤りである。昭和三十年ごろからしばらく新聞界などで「勘忍」と書き換えていたことの影響と思われる。

【堪能】一 才能がすぐれている。また、すぐれた才。二 国①あきたりる。満足する。また、気を晴らすこと。気が済むこと。②技芸などにすぐれていること。

【堪△輿】①あめつち。天地。②天地の神。

【堪△輿家】①人を葬る土地の吉凶を占う人。風水家。②天文を説き占星を行う者。③地理学者。

9 **【城】** 12画 2044 漢カン 呉コン 感 kǎn ― ― 2412
字義 ❶平らかでない。ゆきなやむ。❷堤防。貯水池。
解字 形声。土＋咸音。

9 **【堯】** 12画 (703) ギョウ 2388 8C98 ―
尭(702)の旧字体。↓一四三ページ中。

9 **【堅】** 12画 2045 常 ケン かた-い ケン 先 jiān
筆順 一 厂 丆 戶 臣 臤 臤 竪 堅
字義 ❶かたい土。❷かた-い。つよい。しっかりしている。「強堅」❸かた-める。かたくする。❹かた-く。しっかりと。あくまで。
名前 かき・かた・かたし・けん・すえ・たか・つよし・み・よし
難読 堅魚・堅莢樹・堅香子
使いわけ かたい〔硬・堅・固・難〕⇩硬(8183)。
解字 篆文 形声。土＋臤音。音符の臤は、かたいの意味。かたい土の意味から、かたいの意味を表す。
逆 中堅

【堅強・堅△彊】 かたくつよい。かたくこわばる。用例〔老子、七十六〕堅強者死之徒、柔弱者生之徒 ⇩堅くて強そうなものは死んでいるものの仲間であり、柔らかくて弱そうなものは生きているものの仲間である。
【堅固】 ①かたい。じょうぶ。②心がしっかりしていること。③国㋐すこやか。たっしゃ。健全。㋑厳重。
【堅甲利兵】 堅固なよろいと鋭利な武器。転じて、強い兵力。〔孟子、梁恵王上〕
【堅持】 国かたく保持して離さない(譲らない)こと。
【堅実(實)】 ①かたい果実。②かたくしまっている。しっかりしている。③国てがたい。確実でまちがいがない。
【堅△忍・堅△靭】 強くてしなやかなこと。
【堅陣・堅陳】 守りのかたい陣地。
【堅貞】 かたく正しい。操の正しいこと。「堅固貞潔」
【堅忍】 かたくしのぶ。がまんづよい。かたく強い。「堅忍不抜(がまん強くてくじけない)」「堅忍果決(がまん強くしかも思い切りがよい)」
【堅白】 主義・節操が堅固で変わらないこと。
【堅白同異△之弁(辯)】 戦国時代の公孫竜が唱えた詭弁。石の白色は目で見て知り得るもの、堅さは手で触れて知るもの、だから白石と堅石とは同一の石ではないとする。こじつけの議論をいう。〔公孫竜子、堅白論〕↓白馬非馬論(九九一ページ上)。
【堅氷】 かたい氷。
【堅利】 かたくてするどい。
【堅塁(壘)】 堅固なとりで。
【堅△牢】 かたくてじょうぶなこと。堅固。▼牢も、かたい。

9 **【堠】** 12画 2046 漢コウ 呉グ 宥 hòu ₂0501 ― 2406
字義 ❶つか(塚)。一里づか。土を積んで作った里程標。❷ものみ台。敵の動静をうかがったり、のろしをあげたりするための小高いとりで。「堠台」
解字 形声。土＋侯音。音符の侯は、うかがうの意味。遠方をうかがい見るための、ものみ台の意味を表す。
【堠△槐】 ①一里づかの代わりに植えたえんじゅの木。②一里づか。
【堠子】 一里づか。里程標。
【堠樹】 一里づかの上に植えた、めじるしの木。

9 **【堽】** 12画 2047 コウ 5246 9ACC ―
岡(2868)と同字。↓四三七ページ上。

9 **【堭】** 12画 2048 漢コウ(クヮウ) 呉オウ(ワウ) 陽 huáng ― ― 2409
字義 ❶堂堭は、四方の壁のない建物。❷城外の水のない堀。
解字 形声。土＋皇音。

9 **【堲】** 12画 2049 一漢シツ・呉シチ 質 jí 二漢ショク・呉ソク 職 ₂0503 ― 2410
字義 一❶やきつち(焼土)。瓦で造った棺の周囲にさらに土を塗り、火で焼き固めるもの。❷燃えさし。❸ねたむ。
難読 堲岡
解字 形声。土＋即音。

9 **【場】** 12画 2050 教2 ジョウ ば 漢チョウ(チャウ) 呉ジョウ(ヂャウ) 陽 chǎng, chǎng 3076 8FEA ―
筆順 一 十 土 圠 坦 坦 坦 坦 場 場
【塲】 2112 俗字
字義 ❶ば。㋐神を祭るために掃き清めた地。㋑畑。耕作地。㋒広場。平地。㋓所。場所。「劇場」「満場」㋔試験場。❷とき。場合。国ば。㋐劇の一場面。「三幕五場」㋑産地。「本場」「場違い」㋒取引所の立ち会い。「前場」
参考 〔場〕(1995)は別字。
解字 篆文 形声。土＋昜音。音符の昜は、日があがるの意味。あがる太陽を祭るきよめられた土地、一般に、場所の意味を表す。
逆 官場・教場・斎場・上場・壇場・登場・道場・馬場
【場屋】 ①試験場。官吏登用の試験場。貢院。②芝居小屋。劇場。
【場師】 ①庭園を管理する役人。②植木屋・庭師。
【場△圃】 ①畑。また、園。用例〔唐、孟浩然、過故人荘詩〕開軒面場圃、把酒話桑麻 ⇩窓を開けて畑を眺めながら、杯を手にとって桑や麻の成長ぶりを語り合う。②穀物を処理する場所。秋に畑の一部の土を築き固めて作る。

9 **【堧】** 12画 2051 漢ゼン 呉ネン 先 ruán ₂0502 ― 2408
字義 ❶川沿いの柔らかな土地。❷城郭の周りの地。❸廟(みたまや)の内垣と外垣との間の地。
難読 堧水尾
解字 形声。土＋耎音。

9 **【喪】** 12画 (1609) ソウ 3436 91C2 ―
口部。↓二七六ページ中。

9 **【堕】** 12画 2052 常 ダ
12 **【墮】** 15画 2053 漢タ 呉ダ 哿 duò 5256 9AD6 ―
筆順 フ 了 阝 阝 阝 陏 陏 陏 陏 随 堕
【墯】 2133 同字 【憜】 3881 同字
字義 ❶こわす。こぼつ。くずす。やぶる。❷こわれる。くずれる。やぶれる。❸お-とす。お-ろす。「堕胎」❹お-ちる。落下する。また、身をもちくずす。用例〔淮南子、人間訓〕其子好騎、堕而折其髀 ⇩その息子は馬に乗ることを好み、馬から落ちてももの骨を折ってしまった。❺おこた-る。なまける。「怠堕」
解字 篆文 形声。もと、阝(自)＋𡋯音。音符の𡋯は、くずれおちるの意味。くずれ落ちた城壁の意味から、くずれおちるの意味を表す。篆文は、土＋隋音。常用漢字の堕は墮の変形。
【堕弱】 なまけて弱い。いくじがない。気力がない。
【堕怠】 なまけおこたる。怠堕。
【堕胎】 胎児を人工流産させること。
【堕落】 ①おちる。落下。②やぶれる。失敗する。③品行が悪くなる。身をもちくずす。④仏信仰心を失って悪道におちいること。

9【塚】12画 2054 常 つか 3645 92CB —
10〖塚〗13画 2055 漢チョウ 呉チュウ(チウ) 腫 zhǒng 1555 ED80 —

筆順 一 十 土 … 塚

字義 つか。土を高く盛りあげた墓。＝冢(784)。国つか。小高い土盛り。「一里塚」

参考 字義と熟語は、〔冢〕(784)をも見よ。

解字 形声。土＋冢音。

逆 丘塚・荒塚

9【堞】12画 2056 漢チョウ(テフ) 呉ジョウ(デフ) 葉 diē 20494 — 2404

字義 ひめがき。城壁の上にめぐらした低い垣。

解字 形声。もと、土＋葉音。

9【堹】12画 2057 漢チョウ 呉チュウ(チウ) 宋 zhǒng 20504 — 2411

字義 つつみ。くろ。あぜ。難読 堹下(ままた)

解字 形声。土＋重音。

9【堤】12画 2058 常 ティ つつみ 3673 92E7 —
一 漢テイ・呉タイ 齊 二 漢テイ・呉タイ 斉 dī

〔埞〕2021 同字

筆順 一 十 土 … 堤

字義 一 ❶つつみ。土手。堤防。＝隄(13128)。❷いとぞこ。茶碗(チャワン)類の底。 二 とどこおる(滞)。とまる。

解字 篆文 形声。土＋是音。音符の是は、柄の長くつき出た、さじの意味。長くつき出た、つつみの意味を表す。

逆 突堤

【堤△塘】(テイトウ) ＝堤防。
【堤防】(テイボウ) どて。つつみ。堤塘(テイトウ)。

9【墂】12画 2059 漢テン 呉デン 銑 zhuàn — — 2405

字義 ❶土を耕して畝(うね)を作る。❷畝(うね)。

解字 形声。土＋彖音。

9【堵】12画 2060 人 標 漢ト 呉ツ 麌 dǔ 3740 9367 —

〔堵〕2024 俗字

筆順 一 十 土 … 堵

字義 ❶かき(垣)。かきね。へい。家のまわりのかき。❷かきの大きさの名。二尺はばの板を五枚重ねた高さ。❸居所。すまい。かきに囲まれた中の意。❹物をさしていう語。「阿堵(アト)(この・この物)」❺ふせぐ。ふさぐ。さまたげる。

名前 と

解字 金文 篆文 形声。土＋者音。音符の者は、台上にしばなどを集め重ねたものの象形。版築法という両側の板の間に粘土を入れ、つき固め重ねあげる方法で造られた土壁の意味を表す。

【堵△墻・堵△牆】(トショウ) かき。かきね。
【堵列】(トレツ) かきねのように並ぶ。大勢が整列して横に連なり並ぶこと。
【安レ堵】(トにやすんず) ＝安堵①(三八九ページ上)。
【如レ堵】(トのごとし) 人が多く集まりかこんでいること。人垣を築いていること。

9【塔】12画 2061 常 トウ 3767 9383 —
トウ(タフ) 合 tǎ

〔墖〕2121 同字

筆順 一 十 土 … 塔

字義 ❶梵語(ボンゴ) stūpa の音訳、卒塔婆(ソトバ)の略。墳墓の意。遺体や舎利を埋蔵し、その上に土や石を積みあげて高くしたもの。後、石・塼(セン)・木で数層も高いものが作られた。→塔婆。❷てら(寺)。仏堂。❸高くそびえ立つ建造物。

塔①

解字 篆文 形声。土＋荅音。梵語(ボンゴ) stūpa の音訳。土で作られるので土を付した。

逆 石塔・仏塔・宝塔・砲塔・卵塔

【塔勢】(トウセイ) 塔が高くそびえ立っているありさま。
【塔頭】一(トウトウ) 仏塔の先。二(タッチュウ) 仏「タッチュウ」は唐音。①禅宗で高僧の死後、その徳を慕って塔のそばに立てた僧坊。▼頭は、ほとりの意。②大きな寺の境内にある小さな寺。
【塔婆】(トウバ) 仏①「卒塔婆(ソトバ)」の略。梵語(ボンゴ) stūpa(俗語 thūpa)の音訳。土または石を高く積みあげ、中に仏骨を納めるために作った一種の墓標。②供養のために墓石のうしろに立てる塔形の細長い板。

9【塇】12画 2062 漢ヒョク 呉ヒキ 職 bì — — 2403

字義 つちくれ。土のかたまり。

解字 形声。土＋畐音。

9【塀】12画 2063 国字 常 ヘイ 4229 95BB —
11〖塀〗14画 2064 1558 — —

筆順 一 十 土 … 塀

字義 へイ。かき。＝屏(2808)。難読 塀和(かきわ・がは)

解字 形声。土＋屏(屛)音。音符の屏(へイ)には元来、へいの意味がある。これに土偏を加えた国字。

9【堡】12画 2065 漢ホウ 呉ホ・ホウ 晧 bǎo 5240 9AC6 —

〔堢〕2066 同字

字義 ❶とりで。土や石を積み上げて造った小城。「橋頭堡」❷つつみ(堤)。土手。❸おか(丘)。

解字 形声。土＋保音。音符の保は、まもる・たもつの意味。外敵の侵入から身を守るための、とりでの意味を表す。

【堡△砦・堡塞・堡△寨】(ホサイ) とりで。
【堡塁(壘)】(ホルイ) とりで。

9【堢】12画 2066 ホ 堡(2065)と同字。→三二五ページ下。

9【報】12画 2067 教5 ホウ むく-いる 4283 95F1 —
ホウ 号 bào

筆順 一 十 土 … 幸 … 報

字義 ❶むく-いる。むく-い。㋐かえす。おかえし。「報酬」㋑しかえしする。しかえし。「報復」㋒答える。❷しらせる。しらせ。「吉報」「時報」❸さばく。❹合わせる。重ねる。❺新聞。

名前 お・つぐ・のり

解字 金文 篆文 会意。幸(㚔)＋𠬝。㚔は、手かせの象形。𠬝は、従うの意味。罪人に刑に従わせる、さばくの意味を表す。転じて、むくいる・しらせるの意味をも表す。

逆 応報・回報・快報・確報・果報・官報・吉報・凶報・誤報・詳報・情報・通報・内報・飛報・返報・予報・朗報

土部 9画 〔塚 堞 堹 堤 墂 堵 塔 塇 塀 堡 堢 報〕

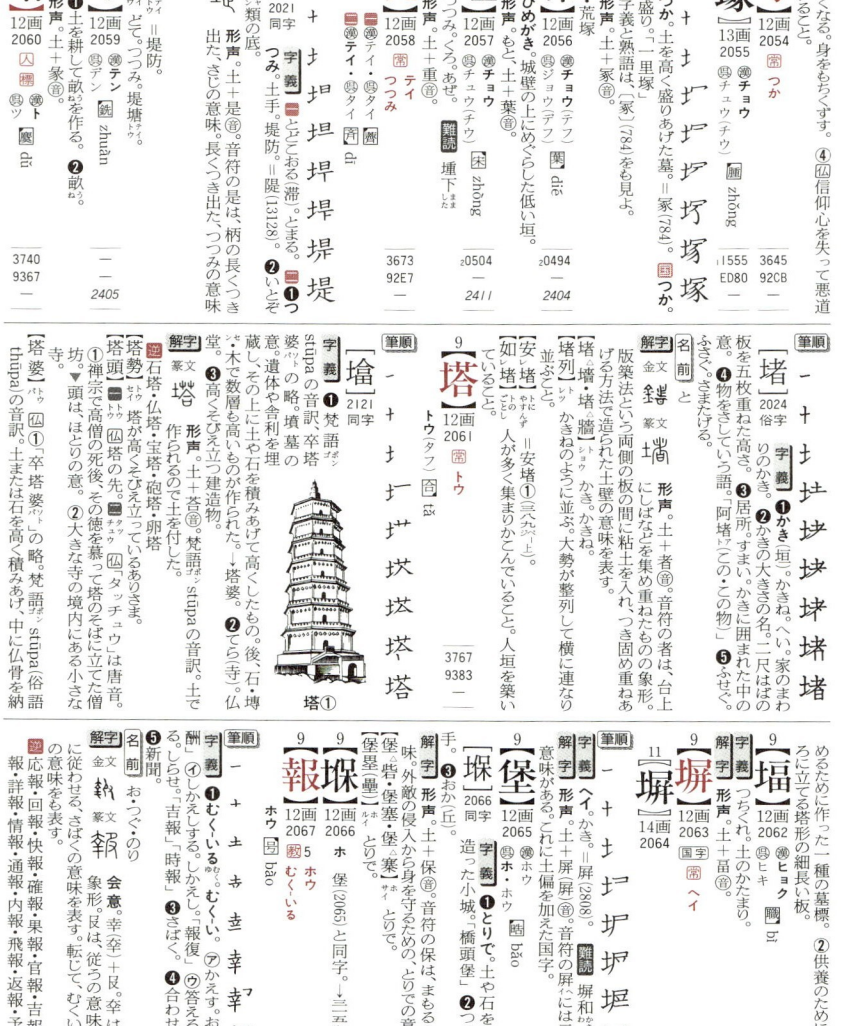

【報応(應)】(ホウオウ) むくい。また、むくいる。応報。

【報△仇】(ホウキュウ) あだにむくいる。かたきをとる。復讐。

【報効(效)】(ホウコウ) 恩に感じて力を尽くすこと。恩返しのために努力すること。

【報告】(ホウコク) ①つげしらせる。しらせ。通報。②受けた任務についてその経過や結果を申し述べること。「報告書」

【報祭】(ホウサイ) 礼祭。また、礼祭をする。毎年、秋に田の仕事が終わってから、五穀の神にむくいるために行う祭り。

【報△賽】(ホウサイ) 祈願成就の御礼として、神仏に参拝すること。お礼参り。

【報施】(ホウシ) むくいほどこす。よい行いにむくいて、恩恵をほどこす。

【報謝】(ホウシャ) ①恩にむくいる。お礼する。②仏㋐仏祖の恩に感じて浄業を修める。㋑仏や巡礼に物を施し与える。

【報囚】(ホウシュウ) 罪を決定する。

【報酬】(ホウシュウ) ①むくい。かえし。返礼。②お礼の金銭・物品。代金。給金。

【報書】(ホウショ) ①しらせの文面。②返事の手紙。

【報章】(ホウショウ) ①あや模様を織る。②返事。返書。

【報奨(獎)】(ホウショウ) 国善行に対するむくい。ほうび。▼奨は、すすめる、また、ほめる。◆別に、ほめて賞を与える意の「報賞」という語があり、これとの紛らわしさを避けて「報奨」を「奨励」と言い換えるようになってきた。「報償」は別語。

【報償】(ホウショウ) ①しかえしをする。報復。②損害をつぐなう。→報奨。

【報辱】(ホウジョク) はずかしめに対し仕返しをする。

【報道】(ホウドウ) ①しらせ。また、知らせる。▼道は、言う。②国新聞などのニュース。

【報徳】(ホウトク) 徳にむくいる。受けた恩をかえすこと。用例〔論語、憲問〕以レ直報レ怨(うらみにむくい)、以レ徳報レ徳(トクをもって、トクにむくゆ)。↓自分が恨んでいる者には正しい道をもって返報し、恩徳には恩徳で返報する。

【報復】(ホウフク) ①しかえしをする。かたきをうつ。②むくいる。返礼。③受け答えする。④めぐり返る。

【報本反始】(ホウホンハンシ) もとにむくい、はじめにかえる。根本に帰って、その恩にむくいる。天地や祖先の恩や功にむくいること。〔礼記、郊特牲〕

【報命】(ホウメイ) 命ぜられた仕事の結果を報告する。

9【墅】12画 2068 ヤ 野(12459)の俗字。→一四五七ページ下。 4661 97DB —

9【塁】12画 2069 常 ルイ

15〔壘〕18画 2070 人 漢ルイ 紙 lěi 呉ルイ 支 léi 5262 9ADC —

筆順 口 罒 田 畀 畀 畏 畢 塁

字義 ㊀❶とりで。「城塁」❷つむ。かさねる。㊁つながる。つづく。つなぐ。かさなる。＝纍(9392)。

名前 かさ・たか

解字 篆文 形声。土＋畾(音)。音符の畾(ライ)は、重ねるの意味。土を重ねて造った、とりでの意味を表す。常用漢字の塁は、壘の省略形。

逆 玉塁・堅塁・険塁・孤塁・故塁・城塁・敵塁・壁塁・防塁・摩塁

【塁塊】(ルイカイ) わだかまる。また、わだかまり。心中の不平。

【塁△砦】(ルイサイ) とりで。▼砦も、とりで。

【塁壁】(ルイヘキ) とりで。城のかこい。城壁。

【堅レ塁】(ルイをかたくす) とりでをかたく守る。

【摩レ塁】(ルイをマす) ①敵のとりでに迫る。②ほぼ同じくらいの地位・技量に達しようとすること。〔左伝、宣公十二〕

10【塧】13画 2071 漢アイ 呉エ 国 ài ₂0508 — 2422

字義 けわしい。

解字 形声。土＋益(音)。

10【塋】13画 2072 漢エイ 呉ヨウ(ヤウ) 庚 yíng 5242 9AC8 —

字義 ❶はか。墓の区域。墓地。「墳塋」❷いとなむ(営)。はかる。

解字 篆文 形声。土＋營省(音)。音符の營(エイ)は、ぐるりととり巻いて張った夜の陣営の意味。ぐるりと地を限って造った墓の意味を表す。

【塋域】(エイイキ) はかば。墓地。

【塋田】(エイデン) 墓地。

10【塩】13画 2073 教4 エン しお 1786 8996 —

鹵14〔鹽〕25画 2074 ㊀エン ㊁エン 塩 yán 艶 yàn 8337 EA64 —

筆順 一 ナ 士 圹 圹 坞 埼 塩 塩

〔塩〕11025 俗字

字義 ㊀❶しお(しほ)。㋐海水を煮つめた人造の塩。食塩。↔鹵(14390)。㋑しおの総称。❷元素の一つ。黄褐色で、臭気のはげしい気体。「塩素」❸歌曲のふしの名。㊁しおづけにする。しおにつける。

名前 しお 難読 塩河(しゅうが)・塩坂越(しゃくし)・塩数子(でぬるしふ)・塩鮏木(でぬるしふ)・塩飽(しわく)

解字 篆文 形声。鹵＋監(音)。音符の監は、厳に通じ、きびしいの意味。舌にきびしい刺激を与え、農耕にも適さない、しおつちの意味を表す。常用漢字の塩は俗字による。

逆 魚塩・米塩

【塩官】(エンカン) ①漢代、塩を産する郡県に置かれ、塩の税を扱った役人。②後世、塩の専売のために置かれた役人。

【塩戸】(エンコ) 塩の製造業者の家。

【塩井】(エンセイ) 塩水のわき出る井戸。四川・雲南地方に多い。

【塩△竈】(エンソウ・しおがま) 塩焼きのかまど。

【塩鉄(鐵)△之利】(エンテツのリ) 塩と鉄とを政府が専売して得る利益。漢の武帝以後、ほぼ全時代にわたって行われた。

【塩鉄(鐵)論】(エンテツロン) 書名。十二巻。前漢の桓寛(カンカン)の著。当時の塩・鉄専売制度の是非について論議したもの。

【塩田】(エンデン) ①塩分を含んだ土地。②国海水を引き入れ、水分を蒸発させて塩を取るために設けた、海岸の砂地。しおはま。

【塩梅】(エンバイ・アンバイ) ①塩と酢(す)。しおからさと、すっぱさ。②料理の味を程よく調和すること。料理の味加減。③臣下が君主を助けて調和した政治を行わせること。④国㋐物事を程よく処理すること。㋑ぐあい。かげん。

【塩冶】(エンヤ) 製塩と冶金。海水を煮て塩を製し、鉱石を掘り出して精錬する。

10【塢】13画 2075 漢オ(ヲ) 呉ウ 麌 wù 5241 9AC7 —

〔隝〕13134 同字

字義 ❶どて。小さなどて。❷とりで。小さなとりで。小城。「塢壁」❸むら。村落。「村塢」❹山のくま。「山塢」

解字 形声。土＋烏(音)。

10【塕】13画 2076 オウ(ヲウ) 董 wěng — — 2418

字義 ちり。ほこり。

解字 形声。土＋翁(音)。

10【塊】13画 2077 常 カイ かたまり 漢カイ(クヮイ)・呉ケ 卦 隊 kuài 1884 89F2 —

筆順 一 ナ 圹 圹 坤 坤 塊 塊 塊

字義 ❶つちくれ。土のかたまり。「土塊」❷つち。地。「大塊」❸かたまり。「金塊」「肉塊」❹ひとりぼっちのさま。孤立のさま。「塊然」「塊独」❺安らかなさま。

解字 篆文 形声。土＋鬼㊥。音符の鬼は、グロテスクな頭の人の象形。土のかたまりの意味を表す。もと、凷の俗字。

逆 大塊・土塊・肉塊

【塊茎】 地下茎の一種。養分を蓄えた部分が球根状になる。じゃがいもの類い。

【塊然】 ①ひとりぼっちのさま。②安らか。

【塊独】 ひとりぼっちのさま。孤立。

10 【塏】 13画 2078 カイ ㊥ガイ 賄 kǎi ― ― 2416

字義 高くてかわいている地。高台。

解字 形声。土＋豈㊥。

10 【塨】 13画 2079 キョウ gōng ― ― 2423

字義 人名。李塨は、清代の学者。

解字 形声。土＋恭㊥。

10 【塤】 13画 2080 ケン 壎(2167)と同字。→三四〇ジー上。 1557 ― 2421

10 【塙】 13画 2081 ㊇ 一 カク 二 ㊥コウ(カウ) ㊤キョウ(ケウ) 覚 què 肴 qiāo 4025 94B7 ―

筆順 一 十 土 圹 圹 圹 圹 塙 塙

字義 一 ❶かたい。土がかたい。❷たかい。土が高い。石が多いやせ地。㊐❶はなわ。山のさし出た所。また、小高い所。❷ばん。姓氏。

名前 きょう・こう

解字 形声。土＋高㊥。

10 【塞】 13画 2082 ㊇ サイ・ソク ふさ-ぐ・ふさ-がる 一 サイ 隊 sài 二 ソク 職 sāi, sè 2641 8DC7 ―

筆順 丶 宀 宀 宑 実 寒 寒 塞

字義 一 ❶とりで。けわしい土地。要害の地。「要塞」❷国ざかい。辺境。「塞外」❸神にお礼参りする。用例〔三国魏、阮籍、為鄭沖勧晋王牋〕西塞江源、望祀岷山。↓西は長江の水源で江の神をまつり、岷山で山の神をまつる。❹すごろく。さいころ。用例〔唐、杜甫、今夕行〕咸陽客舎一事無、相与博塞為歓娯。↓咸陽の宿屋ではすることもないので、一緒にさいころで博打を楽しむ。

二 ❶ふさ-ぐ。ふた-ぐ。㋐せ-く。とじる。さえぎる。用例〔南朝梁、江淹、恨賦〕閉関却掃、塞門不仕。↓門を閉ざして来客を断わり、出仕しようとしなかった。㋑うずめる。みたす。つめこむ。用例〔荀子、富国〕五味芬芳以塞其口。↓五味や芳香物を備えて、口を美味で充たす。㋒満足させる。用例〔史記、汲黯伝〕謝天下之苦塞百姓之心。↓天下の人々の苦労をねぎらい、人々の気持ちを満足させる。❷ふさ-がる。㋐とじる。しまっている。用例〔列子、湯問〕懲山北之塞、出入之迂也。↓山の北側に閉じこめられたような状態で、南の町へ行くにも遠回りしなければならない不便をかこっていた。㋑みちる。充満する。用例〔礼記、孔子閑居〕志気塞乎天地。↓意気ごみは天地の間に満ちみちた。

解字 篆文 形声。もと、土＋寒㊥。音符の寒は、つめこみふさぐの意味。土を付し、土でふさぐの意味を表す。また、転じて、外敵の侵入をさえぎるとりでの意味をも表す。

【塞淵】 充実して深遠なさま。思慮が深く充実しているさま。

【塞翁馬】 人生の禍福は定まりなく変わるので、一々悲しんだり喜んだりすべきではないというたとえ。昔、北辺のとりでのほとりに住む老人の馬が塞外に逃げたが、やがて北方の良馬をつれて帰り、その子が喜んで乗ったら負傷して足が不自由となり、それが幸いして戦争の徴発をまぬかれたという故事による。「人間万事塞翁馬」〔淮南子、人間訓〕

【塞下】 ①とりでのそば。②万里の長城付近。

【塞外】 ①とりでの外。②国境の外。万里の長城以北の地。北西方の辺土。

【塞雁】 辺境の雁。故郷や肉親への思いを表す。〔唐、杜甫、登舟将適漢陽詩〕

【塞原・塞源】 みなもとをふさぎとめる。根本の原因をふさぎとめる。根をたやす。「抜本塞源」

【塞鴻】 ＝塞雁。

【塞上】 とりでのほとり。▼上は、ほとり。用例〔唐、杜甫、秋興詩〕江間波浪兼天湧、塞上風雲接地陰。↓長江の川波は、天を包むほどに高くわき立ち、とりでのあたりの風をはらんだ雲は、地面に届くほどに低くたれ込めていて暗い。

【塞北】 北方の辺土。朔北。

【塞虜】 北方の異民族。辺境の異民族。

10 【塒】 13画 2083 ㊥シ ㊤ジ 支 shí 5245 9ACB ―

字義 ねぐら。とや。鶏のねどこ。転じて、広く鳥の寝る所。

解字 篆文 形声。土＋時㊥。音符の時は、止に通じ、じっととまるの意味。土塀に穴をあけて、にわとりをとまらせる所、ねぐらの意味を表す。

10 【塍】 13画 2084 ㊥ショウ ㊤ジョウ 蒸 chéng ― ― 2415

【堘】 7667 同字

字義 あぜ。くろ。田と田の間に土を盛り上げたもの。

解字 金文 篆文 形声。土＋朕(𦨖)㊥。音符の𦨖は、上にあげるの意味。土を盛りあげた、あぜの意味を表す。

10 【畣】 13画 (1645) ショク 口部。→二七九ジー中。

10 【塉】 13画 2085 ㊥セキ ㊤ジャク 陌 jí 20506 ― 2413

字義 やせつち。やせている土地。

解字 形声。土＋脊㊥。

10 【塑】 13画 2086 ㊇ ソ 3326 9159 ―

10 【塐】 13画 2087 ソ 遇 sù

【塐】 2088 同字

筆順 丷 丷 屰 屰 朔 朔 塑 塑

字義 ❶土をこねて物の形をつくる。「彫塑」❷でく。土でつくった人形。また、神仏の形。「塑像」

解字 形声。土＋朔㊥。音符の朔は、さかのぼるの意味。粘土のかたまりを次第にけずり上げて目的の像を作る、での意味を表す。

逆 絵塑・彫塑

【塑像】 土でつくった像。今は主として彫刻の原型に用いる。殷の帝乙が偶人をつくって天神としたのが塑像の初めという。〔史記、殷本紀〕

10 【塐】 13画 2088 ソ 塑(2086)と同字。→三一七ジー下。 ― ― 2417

10 【塚】 13画 (2055) チョウ 塚(2054)の旧字体。→三一五ジー上。

土部 10画 〔塏塨塤塙塞塒塍畣塉塑塐塚〕

10 **【塡】** 13画 2089 常 テン

㊀漢テン・呉デン 先 tián
㊁チン 真 chēn
㊂チン 震 zhèn

1556 — 2420

筆順 一 十 土 圹 圻 坾 埴 埴 塡 塡 塡

［填］2090 俗字

字義 ㊀❶ふさぐ。うずめる。❷みたす。つめる。「充塡」「補塡」❸ふさがる。みちる。❹太鼓の音。「塡然」❺満足なさま。❻従う。㊁しずめる。定める。❶ふさぐ。❷ひさしい(久)。＝陳(13104)。㊂しずめる。＝鎮(12813)。国❶はまる。㋐穴や枠にぴたりと合う。㋑落ち込む。おちいる。㋒条件などにぴたりと収まる。❷はめる。㋐穴や枠にぴたりと収める。㋑おちいるようにする。おとしいれる。

名前 さだ・ます・みつ・やす

解字 篆文 塡 形声。土＋眞音。音符の眞は、つめるの意味。土をつめて穴をふさぐの意味を表す。

【塡詞】テンシ 漢詩の一体。楽府から変化した歌曲の一種で、一定の譜面に合わせて、文字を塡めて作るからいう。宋代に最もさかんであった。「詞」または「詩余」ともいう。

【塡然】テンゼン 太鼓の音がさかんなさま。でんでんと鳴る。用例〔孟子、梁恵王上〕塡然鼓之、兵刃既接。↓ドンドンと戦闘開始の合図の太鼓が鳴り、敵味方が武器を交えた。

【塡塞】テンソク うずめふさぐ。▼塞も、ふさぐ。

【塡塡】テンテン ①満足なさま。また、重々しいさま。②雷の鳴り響く音。③車馬の多いさま。④鼓の鳴る音。

10 **【填】** 13画 2090 テン

3722 9355 —

塡(2089)の俗字。→三一八ページ上。

10 **【塗】** 13画 2091 常 ト ぬ-る

漢ト・呉ズ(ヅ) 虞 tú

3741 9368 —

筆順 丶 氵 氵 沙 氵 泠 泠 浍 涂 涂 塗

字義 ❶どろ。「塗炭」❷ぬかるみ。「泥塗」❸ぬる。「糊塗」❹まみれる。血・汗・どろなどによごれる。ぬれよごれる。けがれる。用例〔漢書、蘇武伝〕肝脳塗レ地。↓(腹を切り裂かれ、頭を割られて)肝臓や脳髄が泥まみれになる(ほどむごたらしい死に方をする)。❺みち。道路。＝途(12111)。用例〔東晋、陶潜、帰去来辞〕実迷二塗其未一レ遠、覚二今是而昨非一。↓ほんとうに進路をあやまったが、まだそれほど深入りしてしまったわけではない。現在の自分が正しいのであって、昨日までの自分がまちがっていたことがはっきりとわかった。国まぶす。全体にまんべんなく付ける。

名前 みち

解字 篆文 塗 形声。土＋氵(水)＋余音。音符の余は、こての象形。どろをこてでぬるの意味を表す。また、途に通じて、みちの意味をも表す。

逆 首塗・長塗・泥塗・当塗・道塗・半塗・末塗

【塗改】トカイ 文字をぬり消して書き改める。

【塗△之人】とのひと 通行の人の意で、普通の人。なみの人。

【塗師】ぬし・ぬりシ うるし細工をする職人。漆工。

【塗人】トジン 同途人。①道を行く人。往来の人。②見知らぬ人。また、普通の人。

【塗説】トセツ 人に聞いたことをすぐ路上で説く。人の話をすぐ受け売りして説く。「道聴塗説」〔論語、陽貨〕

【塗装(裝)】トソウ 装飾や保護のために、物の表面に塗料を塗ること。また、塗料を吹きつけること。

【塗炭】トタン ①どろとすみ。きたないもののたとえ。②どろ水と炭火。どろにまみれ、火にやかれる苦しみ。水火の苦しみ。非常な難儀。用例〔書経、仲虺之誥〕民墜二塗炭一。↓人民は、泥にまみれ火にやかれる苦しみに陥った。

【塗中】トチュウ どろの中。用例〔荘子、秋水〕寧生而曳二尾於塗中一。↓やはり、生きていて尾をどろの中に引きずっていたいでしょう。

【塗布】トフ ぬりつける。一面にぬる。

【塗抹】トマツ ①ぬり消す。ぬりつける。②ぬって色をつける。化粧する。

【殊レ塗同レ帰(歸)】みちをことにしキをおなじくす 行う道は違うが、結果は同じ所に帰着する。〔易経、繫辞下〕

10 **【塘】** 13画 2092 漢トウ(タウ) 呉ドウ(ダウ) 陽 táng

3768 9384 —

［塘］2093 俗字

字義 ❶つつみ。どて。❷いけ(池)。ためいけ。土を築いて水をためた池。「池塘」

解字 形声。土＋唐音。

【塘△坳】トウオウ 水のたまったくぼ地。

10 **【塘】** 13画 2093 トウ

塘(2092)の俗字。→三一八ページ中。

10 **【塌】** 13画 2094 トウ トウ(タフ) 合 tā

［塌］2095 俗字

字義 ❶土地が低い。❷おちる。おとす。

解字 形声。土＋塌音。

10 **【塌】** 13画 2095 トウ

20507 — 2414

塌(2094)の俗字。→三一八ページ中。

10 **【墓】** 13画 2096 教5 ボ はか

漢ボ・呉モ 遇 mù

4272 95E6 —

筆順 一 艹 艹 苩 苩 莫 莫 莫 墓 墓

字義 ❶はか。おくつき。㋐土を盛らない、平らなはか。土を盛ったものを冢、高く築いたものを墳という。㋑はかの総称。❷はかのある地。はかば。

名前 つか

解字 篆文 墓 形声。土＋莫音。音符の莫は、おおいかくすの意味。死者を土でおおいかくした、はかの意味を表す。

逆 省墓・展墓・墳墓・陵墓

【墓穴】ボケツ はかあな。「墓穴を掘る(自分から滅亡の道を求めるたとえ)」

【墓△碣】ボケツ 墓に立てる石。墓石。▼碑は方形、碣は円形。

【墓志・墓誌】ボシ 死者の略歴・徳行などを金石に刻みこんで墓側に埋める(また、立てる)もの。

【墓誌銘】ボシメイ 墓誌の文章の終わりにつける韻文。▼銘は、終わりにつける韻文。

【墓碑】ボヒ 墓標として立てる石。墓石。碑は方形のもの。↓墓碣。

【墓表】ボヒョウ ①文体の名。墓に立てるいしぶみ。後漢に始まる。②＝墓標。

【墓標】ボヒョウ 墓のしるしに立てる石や木。

【墓木△已△拱】ボボクすでにキョウす 墓に植えた木が両手でかかえるほど太くなった。人が死んでから多くの年月を経たこと。〔左伝、僖公三十二〕

10 **【塯】** 13画 2097 漢リュウ(リウ) 呉ル 宥 liù

字義 飯を盛る素焼きの食器。

解字 形声。土＋留音。

10 **【墋】** 13画 2098 国字

5243 9AC9 —

字義 あま。海に潜って貝類などを採る人。墋泊は、鹿児島県西之表市の地名。

解字 会意。海＋土(士)。あまの意味の海士の士を土に変えた上で合字とした。

10【⿱⿰礻里土】13画 2099 国字 2 0505 — —
字義 導⿱⿰礻里土は、姓氏。

11【塸】14画 2100 ㊥オウ ㊨ウ 尤 ōu — — 2424
字義 ❶墓。❷砂の山。❸小さな甕。
解字 形声。土+區㊟。

11【墈】14画 2101 カン 勘 kàn — — 2430
字義 ❶険しい岸。❷境界の土手。
解字 形声。土+勘㊟。

11【墍】14画 2102 ㊀㊥キ・㊨ギ 寘 jì ㊁㊥キ・㊨ケ 未 xì ［⿰土既］2103 同字 ［塈］2127 俗字
字義 ㊀㊁ ❶ぬる(塗)。上向きになって塗る。❷かざる(飾)。❸とる(取)。❹いこう。休む。
解字 形声。土+既㊟。

11【⿰土既】14画 2103 キ 墍(2102)と同字。→三一九ページ上。

11【境】14画 2104 教5 キョウ・ケイ さかい ㊥ケイ・㊨キョウ(キャウ) 梗 jìng 2213 8BAB —
筆順 一 ‡ 圹 垃 培 培 培 境
字義 ❶さかい。境界。くぎり目。「国境」❷さかいの内側。しきられた地域。領地。❸ところ。場所。「異境」❹場合。めぐりあわせ。地位。「境遇」❺ありさま。様子。「心境」
名前 さかい・たけ
参考 現代表記では〔疆〕(7675)の書きかえに用いることがある。「辺疆→辺境」
解字 篆文 形声。土+竟㊟。音符の竟は、くぎりの意味。くぎりの土地、さかいの意味を表す。
逆 越境・佳境・環境・逆境・窮境・苦境・四境・詩境・殊境・順境・勝境・心境・進境・人境・絶境・俗境・悲境・秘境・辺境・封境・妙境・夢境・幽境・老境
【境域】①さかい。境界。②境界内の地。国内。
【境界】㊀①区域。②場所。境地。㊁仏自分が報いとして受ける境遇。
【境涯】①さかい。②身のおきどころ。境遇。
【境遇】①身のおきどころ。めぐりあわせ。立場。運命。②環境。周囲の場所。
【境地】①場所。②立場。運命。境遇。③心のようす。精神の状態。心境。
【境内】㊀さかいの中。囲いのうち。国内。㊁国 神社や寺の囲いの中。

11【墐】14画 2105 ㊥キン ㊨ギン 震 jìn 2 0513 — 2436
字義 ❶ぬる(塗)。ぬりふさぐ。❷みぞのほとりの道。❸つか。墓。また、うずめる。❹ねばつち。
解字 篆文 形声。土+堇㊟。音符の堇は、ぬりふさぐの意味で、墐の原字。

11【墔】14画 2106 ㊥サイ ㊨ズイ 灰 cuī 2 0514 — 2437
字義 墔堆は、土の高く積もるさま。
解字 形声。土+崔㊟。

11【塹】14画 2107 セン ㊧ザン 豔 qiàn ［⿰土斬］2108 同字 ［壍］2169 同字 5247 9ACD —
字義 ❶ほり。あな。敵の侵入を防ぐため城の周囲などの土を掘り起こしたところ。❷ほる(掘)。
解字 篆文 形声。土+斬㊟。音符の斬は、きるの意味。土を切りとった、ほりの意味を表す。
【塹△壕・塹△濠】①城の周囲の堀。②敵の攻撃から身を守るために土を掘って作った、からだを隠すみぞ。
【塹塁(壘)】とりで。

11【⿰土斬】14画 2108 ザン 塹(2107)と同字。→三一九ページ中。

11【塾】14画 2109 常 ジュク ㊥シュク・㊨ジュク 屋 shú 2946 8F6D —
筆順 亠 亩 亨 享 孰 孰 孰 塾
字義 ❶もんべや(門部屋)。門の両側にある建物。❷まなびや。学舎。昔、門の両側の建物で家中の子弟を教えたのに基づく。「塾舎」❸まど。国私設の小規模な学舎。「進学塾」
名前 いえ
解字 篆文 形声。土+孰㊟。音符の孰は、よく煮こむの意味。児童によくものをのみこませるように、門のわきの部屋などに設けた私設の教場の意味を表す。
逆 家塾・義塾・私塾・門塾
【塾舎】学業を修める家。私立の学校。また、塾生の寄宿舎。
【塾頭】塾舎のかしら。塾生のとりしまり役。塾長。

11【墅】14画 2110 ㊀㊥ショ・㊨ジョ 語 shù ㊁ヤ 馬 yě 5248 9ACE —
字義 ㊀❶いなかや。田舎の家。❷しもやしき。別荘。「別墅」㊁の(野)。郊外。=野(12459)。
解字 形声。土+野㊟。

11【墇】14画 2111 ショウ(シャウ) 漾 zhàng — — 2429
字義 囲んで水を防ぐ。
解字 形声。土+章㊟。音符の章は障に通じ、防ぐの意味。土で囲んで防ぐの意味を表す。

11【塲】14画 2112 ジョウ 場(2050)の俗字。→三一四ページ中。 5239 9AC5 —

11【墋】14画 2113 シン 寝 chěn 2 0510 — —
字義 ❶つち。砂土。❷砂が食物の中に混じる。❸にごる。
解字 形声。土+參㊟。

11【塵】14画 2114 標 ㊥チン ㊨ジン(ヂン) 真 chén ［尘］2743 古字 3148 906F —
字義 ❶ちり。ごみ。ほこり。用例〔唐、王維、送元二使安西詩〕渭城朝雨浥軽塵、客舎青青柳色新。↓渭城に降った朝の雨が軽い土ぼこりをしめらせ、旅館の周囲は青々とした柳の新緑があざやかである。❷つちけむり。「黄塵万丈」❸(世の中の)けがれ。「俗塵」「塵劫」❹わずらわしい。多い。うるさい。世俗的な。❺仏修行のさまたげとなる欲望。
難読 塵芥・塵泥
解字 篆文 会意。もと、麤+土。麤は、あらいの意味。あらくねばりのない土の意味から、ちりの意味を表す。塵は省略形。
【塵△埃】①ほこり。ごみ。特に、風で舞い上がっているちり。つちけむり。用例〔唐、杜甫、兵車行〕耶嬢妻子走相送、塵埃不見咸陽橋。↓父母や妻子は、走りながら(出征する兵士を)見送り、土ぼこりがたちこめて、咸陽の橋も見えない。②世の中のけがれ。転じて、この世。俗世間。〔史記、屈原伝〕③奥深く暗い。
【塵△穢】①ちりほこりのよごれ。②けがれ。
【塵衣】ちりにけがれた衣。きたない着物。
【塵意】けがれた心。俗心。
【塵△纓】よごれた冠のひも。官職をさげすんでいう。俗世の官職。
【塵縁】①世間のうるさい関係。②仏俗縁。さとりのさまたげとなる色・香・声・味・触・法の六塵をいう。
【塵汚】ジンオ ちりのけがれ。世のけがれ。
【塵芥】ジンカイ ちりあくた。ごみ。▼芥も、ごみ。
【塵界】ジンカイ ①けがれた世。俗世間。②仏＝塵縁②。
【塵外】ジンガイ うき世の外。けがれたこの世の外。
【塵境】ジンキョウ ＝塵界。
【塵涓】ジンケン ①一すじのちりや一滴の水。きわめて細小なたとえ。②自分の行った仕事を卑下する謙辞。
【塵喧】ジンケン けがれてやかましい所。
【塵垢】 一 ジンコウ ①ちりと、あか。②世の中のけがれ。 二 ジンク 仏煩悩ボンノウをいう。
【塵劫】ジンゴウ 仏①物と時。②非常に長い年代。③世間。
【塵囂】ジンゴウ けがれてさわがしい所。▼囂は、さわがしい。
【塵沙】ジンサ ①ちりと、すな。②物事の多いたとえ。
【塵雑（雜）】ジンザツ 俗世の雑事。うき世のわずらわしい事がら。また、ちり・ほこりなど、ごちゃごちゃとわずらわしいもの。用例〔東晋、陶潜、帰二園田居一詩〕戸庭無二塵雑一、虚室有二余閒一。（コテイ ジンザツなく、キョシツ ヨカンあり）↓庭先には塵やほこりもなく、何もない部屋にはたっぷりとした余裕がある。
【塵滓】ジンシ ①ちりとおり。けがれ。②世の中のけがれ。俗気。
【塵事】ジンジ 世俗の煩わしいことがら。世事。
【塵習】ジンシュウ 煩わしい世のならい。世間の風俗習慣。
【塵心】ジンシン 俗界のけがれた心。名利を求める心。俗念。
【塵世】ジンセイ けがれた世の中。俗世間。
【塵俗】ジンゾク ＝塵世。
【塵土】ジンド ①ちりと、つち。ごみつち。②けがれた世。
【塵念】ジンネン ①世俗を思う心。②＝塵心。
【塵表】ジンピョウ 世俗の外。この世の外。塵外。
【塵氛】ジンプン けがれた気。俗気。
【塵務】ジンム 世俗の煩わしいつとめ。
【塵霧】ジンム ①ちりと、きり。たちこめるすなぼこり。用例〔唐、白居易、長恨歌〕回レ頭下望二人寰処一、不レ見二長安一見二塵霧一。（こうべをめぐらしてしも、ジンカンのところをのぞめば チョウアンをみずして ジンムをみる。）↓ふりかえってはるか下の人間世界を望み見ても、長安は見えず、たちこめる砂煙が目にうつるだけだ。②行く手をはばむ難事件。
【塵蒙】ジンモウ ちりのかかること。俗世のつとめにわずらわされることのたとえ。
【塵網】ジンモウ けがれたあみ。転じて、けがれた世の中。俗界。俗世。また、仕官すること。用例〔東晋、陶潜、帰二園田居一詩〕誤落二塵網中一、一去十三年。（あやまりて ジンモウのうちにおち、イッキョ ジュウサンネン）↓間違って、俗世の中におちて、あっという間に十三年が経った。
【塵累】ジンルイ ①世のわずらわしさ。俗世間の関係。②仏自分にわずらいを及ぼす煩悩ボンノウ。
【塵労（勞）】ジンロウ ①俗事の苦労。②仏煩悩ボンノウ。煩悩は身心を労することからいう。

11 【墌】14画 2115 一 漢セキ・呉シャク 陌 zhí 二 シャク 薬 zhuó —— 2433
［坧］1924 同字
字義 一 土台。基礎。 二 土を築いて土台とする。
解字 形声。土＋庶音。

11 【塼】14画 2116 一 セン 先 zhuān 二 漢タン・呉ダン 寒 tuán 1559 — 2425
字義 一 かわら。＝甎(7570)。 二 まどか。まるい。＝団(1817)。
解字 形声。土＋專音。音符の專センは、まるくするの意味。粘土をこねて造った、かわらの意味。

11 【墏】14画 2117 漢ソウ(サウ) 呉ショウ(シャウ) 養 qiǎng 20512 — 2435
字義 もとい(基)。
解字 形声。土＋將音。

11 【増】14画 2118 教5 ゾウ ま-す・ふ-える・ふ-やす 3393 919D —
12 〔增〕15画 2119 人 慣ゾウ ソウ 蒸 zēng 1561 ED81 —
筆順 一 ± 扌 扩 坮 坳 増 増 増
字義 ❶ま-す。ふ-える。ふゆ。多くなる。加わる。重なる。高くなる。また、ふ-やす。多くする。加える。重ねる。高くする。↔減(6488)。「増加」「激増」❷ますます。❸高い。
名前 なが・ま・ます　難読 増毛ましけ・増野ましこの
使いわけ ふえる・ふやす〔増・殖〕
〔増〕他から加わって多くなる。「人口が増える・悩みが増える」
〔殖〕そのもの自体の持つ力によって多くなる。「利息が殖える」
解字 金文 篆文 形声。土＋曾(曽)音。音符の曾は、積み重なるの意味。ゆたかにますの意味を表す。
逆 加増・逓増・累増
【増援】ゾウエン 人数を増して助ける。加勢。
【増修・増脩】ゾウシュウ ①徳を増し修める。②書物の内容を増し改める。③建て増しする。
【増上慢】ゾウジョウマン 仏まださとりを得ないうちに、得たと思って高慢になること。
【増殖】ゾウショク ふやす。ふえる。▼殖も、ふやす、ふえる。
【増進】ゾウシン 増しすすむ。増しすすめる。「健康増進」
【増秩】ゾウチツ 俸給をふやす。▼秩は、俸給。
【増注・増註】ゾウチュウ ①書物の注釈をふやす。②あとからつけ加えた注釈。補注。
【増長】ゾウチョウ ①しだいに増す。②仏増長天。四天王中の南方天の名。③国つけあがる。
【増訂】ゾウテイ 足らぬ所を増し、誤った所を正す。増補訂正。
【増派】ゾウハ あとから人数を増し送る。増員を派遣すること。
【増補】ゾウホ 足らぬ所を増し加える。補足。
【増封】ゾウホウ ①土を高く盛って祭る。②領地を増し加える。

11 【墊】14画 2120 テン 霰 diàn 20509 — 2432
字義 ❶くだる。土地がひくい。じめじめしている。❷ほる。ほりさげる。❸おちいる。❹おぼれる。
解字 篆文 形声。土＋執音。音符の執は、湿に通じ、低くてしめっているの意味。低い土地の意味を表す。
【墊隘】テンアイ ①土地が低くしめり、狭いこと。②つかれ苦しむ。難儀する。
【墊没】テンボツ 落ち沈む。くだり沈む。

11 【墖】14画 2121 トウ 塔(2061)と同字。→三五ページ中。 — — 2438

11 【塀】14画 (2064) ヘイ 塀(2063)の旧字体。→三五ページ下。

11 【墨】14画 2122 常 ボク すみ 4347 966E —
12 〔墨〕15画 2123 人 漢ボク 呉モク 職 mò 1562 — —
筆順 口 日 甲 里 里 黒 黒 黒 墨 墨
字義 ❶すみ。「筆墨」❷書画。また、書画を書くこと。「名墨」❸黒い。また、黒ずむ。❹けがれる。よごれる。❺だまる(黙)。❻すみなわ。大工が直線を引くのに用いる道具。❼うらかた。占いに用いた亀甲キッコウの割れ目。❽周代の長さの単位。五尺。約一一三センチメートル。❾五刑の一つ。いれずみの刑。❿墨家・墨翟ボクテキの略。「墨守」 国 ❶隅田すみだ川の雅名。「墨堤」「墨東」❷国名。墨西哥メキシコの略。

名前 すみ　難読 墨西哥メキシコ・墨子ぼくし・墨俣すのまた

解字 篆文 形声。土＋黒(黒)音。音符の黒は、くろいすすの意味。すすと土とで作った、すみの意味を表す。

逆 遺墨・孔墨・紙墨・朱墨・儒墨・縄墨・水墨・石墨・淡墨・筆墨・文墨・芳墨・零墨

【墨衣】ボクイ すみぞめの衣。黒衣。喪服に用いる。

【墨花】ボッカ ①すずりの表面の模様。②すみの色つや。③すみで描いた花。

【墨家】ボッカ 諸子百家の一つ。戦国時代、兼愛の説をとなえた墨翟ボクテキの学説を奉ずる学派・人。→墨翟。⇩コラム 諸子百家系統図(三三四ページ)。

【墨海】ボッカイ すずりの別名。

【墨客】ボッカク 書画や詩文にたくみな人。文人。

【墨魚】ボクギョ いか。烏賊ウゾク。

【墨君】ボックン・ボックン 墨絵の竹。墨竹。▼君は、竹の別名。

【墨痕】ボッコン すみのあと。筆で書いたあと。

【墨子】ボクシ ①墨翟ボクテキの尊称。→墨翟。②書名。もと七十一編、今五十三編だけ残っている。戦国時代初期の墨翟及びその門人の学説を集めたもので、墨翟の弟子や後人が著したものといわれる。

【墨子泣レ糸(絲)】ボクシいとになく 人は環境・習慣によって善にも悪にもなるたとえ。墨子が白いねり糸を見て、その黄にも黒にも染まるのを知って泣いた故事による。〔淮南子、説林訓〕

【墨守】ボクシュ 自説を固く守って改めないこと。墨子が固く城を守った故事による。〔後漢書、鄭玄伝〕

【墨場】ボクジョウ 文人書家の仲間。

【墨水】ボクスイ ①墨のしる。②学問。③国東京の隅田すみだ川の雅名。

【墨跡・墨△迹・墨△蹟】ボクセキ 墨で書いたあと。墨で書いたもの。筆跡。

【墨池】ボクチ ①墨つぼ。②筆やすずりを洗う池。また、すずりの池。すずりのへこんでいる部分。③文字を習うこと。

【墨竹】ボクチク ①墨絵の竹。②竹の一種。

【墨堤】ボクテイ 国すみだ堤。東京の隅田(墨田)川の堤。

【墨△翟】ボクテキ 戦国時代の思想家。魯ロ(今の山東省内)の人、または、宋ソウ(今の河南省内)あるいは楚ソ(今の湖南・湖北省)の人といわれる。兼愛(博愛平等)・非戦・節倹を主張した。孟子に異端邪説として大いに攻撃された。墨子と称される(子は、先生の意味)。(前四六八?―前三七六)

墨翟

【墨斗】ボクト ①墨つぼ。②矢立やたて。

【墨突不レ黔】ボクトツくろまず いそがしく奔走するたとえ。墨子が教えを広めようとして四方に奔走したので、家に落ち着いている時がなく、かまどの煙突が黒くならなかったという故事による。〔後漢、班固、答ニ賓戯一論〕

【墨梅】ボクバイ 墨絵の梅。

【墨墨】ボクボク ①声のないさま。無言のさま。黙々。②暗黒のさま。まっくら。くらやみ。

11 【墁】14画 2124 マン 翰 màn —— —— 2428

字義 ❶こて。塗りごて。＝鏝(12856)。❷土塀のかざり。

解字 形声。土＋曼音。

11 【墉】14画 2125 漢ヨウ 呉ユウ 冬 yōng(yóng) 1560 — 2431

[牗] 7107 同字

字義 ❶かき。城のかき。❷城。❸かべ。

解字 篆文 形声。土＋庸音。音符の庸は、鏞ヨウに通じ、つりがねの意味。大きなつりがねのように筒形にめぐらされた城壁の意味を表す。

11 【塿】14画 2126 漢ロウ 呉ル 有 尤 lǒu —— —— 2426

字義 ❶つち(土)。かわいてあらい土。❷つか。㋐小さいつか。㋑ありづか。「蟻塿ギロウ」

解字 篆文 形声。土＋婁音。音符の婁ロウは、樓(楼)に通じ、たかどのの意味。土でつくられた楼、ありづかの意味を表す。

12 【墍】15画 2127 キ 塈(2102)の俗字。→三一九ページ上。 20511 — 2434

12 【墟】15画 2128 標 漢キョ 呉コ 魚 xū 5250 9AD0 —

字義 ❶おか。大きなおか。❷ふもと。山のふもと。❸あと。荒れはてたあと。「廃墟」

解字 形声。土＋虚音。音符の虚は、大きなおかの意味。また、むなしいの意味。土を付し、おかの意味や、むなしくなった土地、あれはてたあとの意味を表す。

【墟△巷】キョコウ さびれた町。▼巷は、ちまた、横町。

【墟墓】キョボ 荒れはてた墓。無縁づか。

【墟落】キョラク 荒れはてた村里。さびれた村落。

【墟里】キョリ 荒れはてた村里。墟落。また、村里。用例〔東晋、陶潜、帰ニ園田居一詩〕曖曖遠人村アイアイたりエンジンのむら、依依墟里煙イイたりキョリのけむり。⇩遠い村里がぼんやりかすんで見え、炊事の煙がゆらゆらと立ちのぼっている。

12 【墝】15画 2129 コウ 磽(8277)と同字。→一〇三二ページ中。 20515 — 2439

12 【墠】15画 2130 漢セン 呉ゼン 銑 霰 shàn —— —— 2440

字義 ❶祭の庭(禅)。神を祭るために、はききよめた郊外の地。❷地をはらう。地をはらい清める。

解字 篆文 形声。土＋單音。音符の單タンは、壇に通じ、野外の祭りの場の意味。土を付し、祭りのにわの意味を表す。

12 【墡】15画 2131 漢セン 呉ゼン 銑 shàn —— —— 2441

字義 白土。

解字 形声。土＋善音。

12 【增】15画 (2119) ゾウ 増(2118)の旧字体。→三三〇ページ中。

12 【墫】15画 2132 ソン 樽(5811)と同字。→七四〇ページ中。 5251 9AD1 —

12 【墮】15画 (2053) ダ 堕(2052)の旧字体。→三一四ページ下。

12 【墯】15画 2133 ダ 堕(2052)と同字。→三一四ページ下。

12 【墀】15画 2134 漢チ 呉ジ(ヂ) 支 chí —— —— 2427

字義 ❶にわ。階段の上の空地で、漆喰シックイなどでぬり、または石を敷いたりしてある庭。❷きざはし。階段。

解字 形声。土＋犀音。

12 【墜】15画 2135 常 ツイ

12 [墜] 15画 2136 漢ツイ 呉ズイ(ヅイ) 寘 zhuì 3638 92C4 —

筆順 ㇇ 阝 阝' 阝" 隊 隊 墜 墜

字義 おちる。おとす。㋐落下する。用例〔呂氏春秋、察今〕其剣自ニ舟中一墜ニ於水一そのケン シュウチュウより みず(づ)におつ。⇩その者の剣が舟から水に落ちてしまった。㋑失う。なくす。すたれる。「失墜」

解字 甲骨文 篆文 難読 墜栗花つゆ・つゆり・墜栗花ついり

会意。甲骨文は、自＋人の倒形。段を人がさかさまにおちるの意味を表す。のち、隊となり、さらに土を付し、墜となる。墜は、土＋隊

㊀の形声文字。

逆 撃墜・失墜・転墜・覆墜

【墜景】(ツイエイ) 入り日。落日。

【墜死】(ツイシ) 高い所から落ちて死ぬ。

【墜緒】(ツイショ) おとろえた事業。すたれた仕事。

【墜典】(ツイテン) すたれた法度。すたれた儀式。

【墜葉】(ツイヨウ) おちば。落葉。

【墜落】(ツイラク) おちる。高い所から落ちる。墜下。

12 【墱】 15画 2137 トウ 径 dèng　₂0517 — 2445

字義 ❶きざはし。土の階段。また、小さい坂。❷かけはし。高い所にかけた橋。❸水を分流する所。

解字 形声。土＋登㊀。音符の登は、のぼるの意味。土の階段の意味を表す。

12 【墩】 15画 2138 トン 元 dūn　₁1563 — 2444

［墪］ 2139 同字

字義 平地に土を盛り上げた所。平地の小高い丘。

解字 形声。土＋敦㊀。

12 【墪】 15画 2139 トン　₂0516 — —

墩(2138)と同字。→三三㌻上。

12 【墢】 15画 2140 ㊀ハツ 曷 bá ㊁ハイ 隊 fèi　— — 2442

字義 ㊀＝坺(1934)。㊁坂。堤。

解字 形声。土＋發㊀。

12 【墦】 15画 2141 漢ハン 呉ボン 元 fán　— — 2443

字義 はか(墓)。つか。「墦間」

解字 形声。土＋番㊀。音符の番は、放射状にひろがるの意味。まんじゅう形の土を盛った、はかの意味を表す。

【墦間】(ハンカン) はかのあいだ。墓地。〔孟子、離婁下〕

12 【墲】 15画 2142 ㊀漢ボ・呉モ 虞 mú ㊁漢ブ・呉ム 虞 wǔ　— ED82 2446

字義 ㊀墓に適した地をはかり定める。㊁墓地。

解字 形声。土＋無㊀。

12 【墳】 15画 2143 常 フン　4215 95AD —

13 〖墳〗 16画 2144 漢フン 呉ブン 文 fén

筆順 一 十 ﾅ 圵 圹 坮 埣 墳 墳

字義 ❶はか。土を高く盛りあげた墓。「墳墓」「古墳」❷おか。❸つつみ。堤防。❹す。なかす(中州)。しま。❺大きい。❻古代の書物の名。伏羲(フッキ)・神農・黄帝の書という。「三墳」。

解字 篆文 形声。土＋賁(賁)㊀。音符の賁(フン)は、噴に通じ、さかんにふき出すの意味。土がふきだしたようにに盛りあがった、はか(墓)の意味を表す。

逆 丘墳・古墳・典墳

【墳塋】(フンエイ) はか。はかば。▼塋は、墓地。

【墳衍】(フンエン) 水ぎわと低地。▼衍は、低地。

【墳策】(フンサク) 古代の書物。昔の聖賢の著した書。墳籍。

【墳樹】(フンジュ) はかに植えてある木。

【墳典】(フンテン) ①＝典墳①(一五三㌻下)。②聖賢の述べた書物。墳策。墳籍。

【墳墓】(フンボ) はか。おくつき。

【墳墓之地】(フンボのチ) ①祖先代々のはかのある所。②故郷。

12 【墨】 15画 (2123) ボク

墨(2122)の旧字体。→三三〇㌻下。

12 【壄】 15画 2145 ヤ　— — 2447

野(12459)の古字。→一四五七㌻下。

12 【墹】 15画 2146 国字　5249 9ACF —

字義 まま。墹中(ままなか)は、姓氏。墹之上(ままのうえ)は、静岡県田方郡の地名。

解字 会意。土＋間。間は間間(まま)で日本語の「まま」には、がけの意味がある。土を付し、がけの意味を表す。

12 【墸】 15画 2147 音義未詳。　5255 9AD5 —

参考 JIS漢字に採られているが、典拠不明。〔躇〕(11806)の異体字か。

13 【壒】 16画 2148 アイ 泰 ài　₁1565 — 2454

字義 ちり(塵)。土ぼこり。

解字 篆文 形声。土＋蓋㊀。音符の蓋(ガイ)は、おおうの意味。あたりをおおう土けむりの意味を表す。

13 【墺】 16画 2149 オウ(アウ) 号 ào　5252 9AD2 —

字義 ❶おか。❷きし(岸)。国 国名。墺太利(オーストリア)(または墺地利)の略。

解字 形声。土＋奥㊀。

13 【壊】 16画 2150 常 カイ こわ-す・こわ-れる　1885 89F3 —

16 〖壞〗 19画 2151 人 ㊀漢カイ(クワイ) 呉ケ 卦 ㊁漢カイ(クワイ) 呉エ(ヱ) 卦 huài　5253 9AD3 —

筆順 ｷ ｷ ｷ 圹 坾 堙 堙 壊 壊 壊

字義 ㊀❶やぶ-れる(やぶる)。こわ-れる(こはる)。くずれる。用例〔韓非子、説難〕天雨牆壊(テンあめふりかきやぶる)。↓雨が降り土塀が崩れた。❷やぶ-る。こわ-す(こはす)。くずす。「破壊」

名前 つち　難読 壊島(えしま)・つくれ・ほところじま

参考 現代表記では、〔潰〕(6668)の書きかえに用いることがある。「潰滅→壊滅」「潰乱→壊乱」「決潰→決壊」「全潰→全壊」「倒潰→倒壊」「崩潰→崩壊」

解字 篆文 形声。土＋褱(褱)㊀。音符の褱(カイ)は、毀(キ)に通じ、つぶれるの意味。土をつぶす、くずすの意味を表す。

逆 朽壊・決壊・損壊・倒壊・敗壊・破壊・不壊・崩壊

【壊道】(カイドウ) こわれた道路。すたれた道。

【壊敗】(カイハイ) ①やぶれる。こわれる。②やぶる。こわす。

【壊廃(廢)】(カイハイ) やぶれすたれる。

【壊崩】(カイホウ) やぶれくずれる。▼崩は、くずれる。

【壊滅】(カイメツ) ①組織がめちゃめちゃになってほろびる。②めちゃめちゃにしてほろぼす。潰滅(カイメツ)。

【壊乱(亂)】(カイラン) ①やぶれみだれる。「風化壊乱」②やぶりみだす。そこなう。

【壊爛】(カイラン) やぶれただれる。

13 【壃】 16画 2152 キョウ　₂0519 — —

疆(7675)と同字。→九七五㌻中。

13 【墼】 16画 2153 漢ケキ 呉キャク 錫 jī　— — 2448

字義 ❶敷き瓦(がわら)。❷まだ焼いていない煉瓦(レンガ)。

解字 形声。土＋毄㊀。

13 【墾】 16画 2154 常 コン 阮 kěn　2606 8DA4 —

筆順 ノ ﾑ 乎 豸 豸ｮ 貇 貇 貇 墾

字義 ❶たがや-す。ひらく。荒れ地をきりひらく。用例〔列子、湯問〕叩レ石墾レ壌(いしをたたき、つちをひらき)、箕畚運ニ於渤海之尾一(キホンもて ボッカイのおにはこぶ)。↓石を叩き割り、土を掘り起こし、みやもっこを使って渤海の端まで土石を運んだ。❷やぶれる。いたむ。

名前 つとむ・ひらく　難読 墾田(はりた)・墾道(はりみち)

解字 篆文 墾 形声。土＋豤(豤)音。音符の豤コンは、開に通じ、ひらくの意味。土地をひらく、たがやすの意味を表す。

逆 開墾

【墾荒】コンコウ 荒れ地をひらき耕す。
【墾耕】コンコウ 土地をきりひらいて耕す。
【墾植・墾殖】コンショク 田畑をきりひらいて作物をうえつける。
【墾田】コンデン ①田地をきりひらき耕す。②開墾した田地。
【墾△闢】コンペキ 荒れ地をきりひらく。▼闢は、ひらく意。

13 【塵】16画 (14404) シュ 鹿部。→一六三九ページ上。 5254 9AD4 —

13 【墻】16画 2155 ショウ 牆(7108)と同字。→九一八ページ中。 3077 8FEB —

13 【壌】16画 2156 常 ジョウ

17 【壤】20画 2157 漢ジョウ(ジャウ) 呉ニョウ(ニャウ) 養 rǎng 5265 9ADF —

筆順 土 圹 圹 垆 垆 埣 壌 壌

字義 ❶つち。耕作に適するやわらかい土地。「壌土」❷大地。「天壌」❸みのる。＝穣(8556)。❹肥えている。

解字 篆文 壤 形声。土＋襄(襄)音。音符の襄ジョウは、女に通じ、やわらかいの意味。やわらかくて肥えた土の意味を表す。

逆 雲壌・撃壌・天壌・土壌

【壌地】ジョウチ 土地。国土。＝壌土②。
【壌△奠】ジョウテン 田畑からできた野菜などのお供え物。祭りに用いる。土貢。
【壌土】ジョウド ①つち。耕作に適する土地。②土地。国土。③居所。居場所。
【壌墳】ジョウフン ①耕作に適する軟らかな土地。肥えた土地。②つか。はか(墓)。
【撃(撃)レ壌】つちをうつ ＝撃壌ゲキジョウ(五七三ページ下)。

13 【壇】16画 2158 常 ダン・タン 漢タン・呉ダン 寒 tán 3537 9264 —

筆順 土 圹 圹 垆 垆 壇 壇 壇

字義 ❶土を盛りあげて築いた高い所。祭り・大将の任命・盟約などの式場に用いた。「天壇」「祭壇」❷一段と高くつくった所。「花壇」「演壇」❸ば。ところ。❹同じ学芸に従事する専門家仲間。「文壇」

解字 篆文 壇 形声。土＋亶音。音符の亶タンは、坦タンに通じ、平地の意味。太陽神を祭るための、一段高くなっている平地の意味を表す。

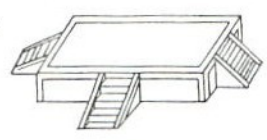
壇①

逆 戒壇・楽壇・歌壇・講壇・祭壇・斎壇・詩壇・天壇・登壇・俳壇・文壇・霊壇・論壇

【壇宇】ダンウ ①だんと、室。②範囲・おきて・のり。
【壇場】ダンジョウ ①祭りや大将を任命するために、土を高く盛りあげてつくった式場。②仏仏の教えを説く所。

13 【壂】16画 2159 漢テン 呉デン 霰 diàn — — 2449

字義 ❶澱おり。かす。❷土台。建物の基礎。

解字 形声。土＋殿音。

13 【墳】16画 (2144) フン 墳(2143)の旧字体。→三三一ページ上。

13 【壁】16画 2160 常 ヘキ かべ 漢ヘキ・呉ヒャク 錫 bì 4241 95C7 —

筆順 ㇇ ㇇ 尸 启 辟 辟 壁 壁

字義 ❶かべ。家の回り。家の中の土塗りの仕切り。「壁画」「面壁」❷かき。建物の周囲の土塀。「牆壁ショウヘキ」❸かべのようにきりたった所。「氷壁」「絶壁」❹とりで。敵の侵入を防ぐ陣地。❺とりでの中にたてこもる。用例〔史記、項羽本紀〕項王軍壁二垓下一(コウオウのグン、ガイカにヘキす)。↓項羽の軍は、垓下の城にたてこもった。❻星座の名。なまめ。二十八宿の一つ。

名前 かべ 難読 壁虎やもり・壁蝨だに・壁田へきだ

解字 篆文 壁 形声。土＋辟音。音符の辟ヘキは、わきへ寄るの意味。へやのわきに土で作られた、かべの意味を表す。

逆 隔壁・岸壁・障壁・城壁・絶壁・題壁・鉄壁・面壁・塁壁

【壁画(畫)】ヘキガ かべに描いた絵。
【壁経(經)】ヘキケイ かべの中から出た経書。漢の武帝時代、魯の恭王が、孔子の邸宅をこわした時、かべの中から出てきた古文(漢以前の文字)の経書。『書経』『孝経』など。特に『古文尚書』をいう。壁中書。
【壁光】ヘキコウ 苦労すること。漢の匡衡キョウコウが貧乏で灯火がないため、かべをうがち隣家のあかりで読書した故事による。〔漢書、匡衡伝〕
【壁蔵(藏)】ヘキゾウ かべの中にぬりこめて保存する。
【壁中書】ヘキチュウのショ ＝壁経。
【壁有レ耳】かべにみみあり どこで人が聞いているかわからない意で、秘密がもれやすいたとえ。〔博聞録〕
【壁立】ヘキリツ ①かべのようにつっ立つ。垂直にきり立つ。「壁立千仞センジン」②かべが立っているだけで何の家財もない。貧乏ぐらしの形容。
【壁塁(壘)】ヘキルイ とりで。

13 【壅】16画 2161 漢ヨウ 呉オウ 冬 yōng 5257 9AD7 —
【𡓏】2162 同字

字義 ❶ふさぐ。ふさがる。❷ふせぐ。❸へだてる。さえぎる。❹つちかう。植物の根元に土や肥料を施す。

解字 形声。土＋雍音。音符の雍ヨウは、やわらかくかかえつつむの意味。外部からの侵入を防ぐように、土でふさぎつつみこむの意味を表す。

【壅隔】ヨウカク ふさぎへだてる。中におしこめ外部と隔てる。へだてて近づけない。また、ふさがり隔たる。
【壅塞】ヨウソク ふさぐ。ふさがる。
【壅滞(滯)】ヨウタイ ふさがりとどこおる。不遇なこと。
【壅閉】ヨウヘイ ふさぎとじる。また、ふさがって通じない。
【壅蔽】ヨウヘイ ふさぎおおう。君主が耳をふさいで人の善言を聞かない。また、臣下が君主をそうさせること。

13 【𡓏】16画 2162 ヨウ 壅(2161)と同字。→三三三ページ下。

13 【壈】16画 2163 ラン 感 lǎn — — 2450

字義 坎壈カンランは、失意のさま。

解字 形声。土＋稟音。

13 【塛】16画 2164 国字 1564 — —

字義 ソク。奈良時代に唐から伝来した漆工技術。乾漆。

13 【𡑿】16画 2165 国字 20518 — —

字義 𡑿木場くればは、宮城県の地名。

14 【壓】17画 (1871) アツ 圧(1870)の旧字体。→三〇〇ページ上。

14 【壑】17画 2166 カク 慣ガク 薬 hè(huò) 5259 9AD9 —

字義 ❶みぞ。❷ほり。からぼり。❸たに。用例〔東晋、陶潜、帰去来辞〕既窈窕以尋レ壑(すでにヨウチョウとしてもってたにをたずね)、亦崎嶇而経レ丘(またキクとしておかをふ)。↓奥深い谷をおとずれてみたし、また、けわしい丘を通りすぎて自然を楽しんでもみたのだった。❹あな。❺いわや。

解字 形声。土＋叡㊚。音符の叡カは、たにの意味。

14 【壎】17画 2167 一 漢ケン 呉カン(クヮン) 元 xūn ı1566 — 2452

［塤］2080 同字 二 クン 文 xūn

字義 一二 つちぶえ。卵形をした陶製の笛。中空で数個の穴があり、上方のややとがった部分に吹き口がある。八音の土にあたる。

壎

解字 形声。土＋熏㊚。

【壎△篪相和】ケンチあい(ひ)ワす 仲のよい兄弟のたとえ。壎も篪も楽器で、兄が壎を吹き、弟が篪を吹いて合奏すること。篪は、竹で造り、子供のなくような声を出す。如レ壎如レ篪ケンのごとくチのごとし。『詩経』小雅・何人斯に「伯氏吹レ壎ハクシケンをふき、仲氏吹レ篪チュウシチをふく」とあるのに基づく。

14 【壕】17画 2168 人 標 漢コウ(カウ) 呉ゴウ(ガウ) 豪 háo 2572 8D88 —

筆順 扌 扩 垆 垆 垆 埗 塆 壕 壕

字義 ほり。㋐城の周囲の土を掘り水をたたえたもの。＝濠(6763)。㋑陣地などの前に掘ったみぞ。「塹壕ザンゴウ」

名前 こう・ごう

解字 形声。土＋豪㊚。

14 【壍】17画 2169 ザン 塹(2107)と同字。→三一九ページ・中。 ₂0520 — 2451

14 【壐】17画 2170 ジ 璽(7522)と同字。→九五七ページ・下。 — — 2453

14 【壖】17画 2171 漢ゼン 呉ネン 先 ruán — — 2456

字義 空き地。

解字 形声。土＋需㊚。

14 【壔】17画 2172 トウ(タウ) 晧 dǎo ı1567 — 2455

字義 ❶とりで。土を築いて作った小城。❷つか(塚)。おか(丘)。❸つつみ(堤)。国つつ(筒)。

解字 形声。土＋壽㊚。

14 【壗】17画 2173 国字 5260 9ADA —

［坔］1969 俗字

字義 まま。壗下ままLたは、神奈川県南足柄市の地名。

解字 会意。土＋盡。盡は儘(まま)の省略形。日本語の「まま」には、がけの意味がある。土を付し、がけの意味を表す。

15 【壙】18画 2174 標 コウ(クヮウ) 漾 養 kuàng 5261 9ADB —

字義 ❶あな。つかあな。墓穴。用例〔史記、滑稽伝〕発二甲卒一為穿レ壙コウソツをハッシて、ためにコウをうがつ。↓兵士たちを徴発して馬のために墓穴を掘る。❷つか。❸野原。原野。❹むなしい(曠コウ)。また、むなしくする。

解字 篆文 壙 形声。土＋廣㊚。音符の廣(広)は、ひろいの意味。土の中のひろい穴の意味を表す。

15 【壘】18画 (2070) ルイ 塁(2069)の旧字体。→三一六ページ・上。

16 【鼃】19画 (14501) ア 黽部。→一六四九ページ・下。

16 【鼃】19画 (14502) ア 黽部。→一六四九ページ・下。

16 【壝】19画 2175 漢イ(ヰ) 呉ユイ 紙 wěi — — 2458

字義 ❶壇ダン。土を高く盛り上げて築いた所。❷らち。壇を取り囲む低い垣。

解字 形声。土＋遺㊚。

16 【壡】19画 2176 エイ 叡(1296)の古字。→一三四ページ・下。 — — 2459

16 【壞】19画 (2151) カイ 壊(2150)の旧字体。→三二三ページ・中。

16 【壜】19画 2177 漢タン 呉ドン 覃 tán 5264 9ADE —

［罎］9424 同字

字義 かめ。酒がめ。国びん(瓶)。ガラス製のとっくり型の容器。

解字 形声。土＋曇㊚。

16 【壢】19画 2178 漢レキ 呉リャク 錫 lì ₂0521 — 2460

字義 あな(坑)。地に掘った穴。

解字 形声。土＋歷㊚。

16 【壚】19画 2179 ロ 虞 lú ı1568 — 2457

字義 ❶くろつち。黒くあらい土。❷いろり。❸黄黒色の土。

16 【壟】19画 2180 一 漢リョウ・呉リュウ 腫 lǒng 二 ロウ 東 5266 9AE0 —

解字 形声。土＋龍㊚。

［壠］2181 同字

字義 一❶おか。高丘。＝隴(13166)。❷うね。くろ。畑の中の土を盛り上げたところ。「壟畝ロウホ」❸つか。はか。「壟墓」「高壟」

解字 篆文 壟 形声。土＋龍㊚。音符の龍(竜)は、身をくねらせたりゅうの象形。りゅうの背のようにうねりくねったおか・うねの意味を表す。

【壟△竈】ロウソウ かまど。用例〔史記、滑稽伝〕以二壟竈一為レ槨ロウソウをもって、カクとなし銅歴為レ棺ドウレキをカンとなす ↓かまどを外棺とし、銅の釜を内棺とする。

【壟断(斷)】ロウダン ①丘の高く切りたっている所。②利益を独占する。ひとりじめにする。昔、ある商人が高いところに登って市場を見まわし、安い物を買って高く売り、一人で利益を占めた故事による。竜断ダンロウ。〔孟子、公孫丑下〕

【壟畝】ロウホ ①畑。②いなか。

16 【壠】19画 2181 ロウ 壟(2180)と同字。→三二四ページ・中。 ı1569 — —

17 【壤】20画 (2157) ジョウ 壌(2156)の旧字体。→三二三ページ・上。

17 【壥】20画 2182 テン 廛(3244)の俗字。→四七九ページ・下。 5263 9ADD —

21 【鼇】24画 (14505) ゴウ 黽部。→一六五〇ページ・上。

21 【壩】24画 2183 ハ 禡 bà ı1570 — 2461

字義 せき。水流をさえぎりとめるせき。

解字 形声。土＋霸㊚。

士 さむらい 3画

〔部首解説〕 武士(さむらい)の士であることからいう。士を意符として、男子の意味を含む文字ができているが、例は少ない。

0 士 三二五	声 三二六	8 壷 三二七	喆 二七七	壽 四二一	17 馨 一五八二
1 壬 三二五	壮 三二五	9 壹 三二六	10 鼓 一六五一	臺 二四四	18 鼙 一六五三
3 吉 二四五	売 三二七	喜 二七三	鼓 一六五二	12 賣 三二七	鼟 一六五三
壮 三二五	5 壳 三二七	壺 三二七	壼 三二七	15 鼛 一六五三	19 懿 五三八
4 壱 三二六	6 壴 三二七	壻 三七四	11 嘉 二八〇	16 嚭 二八七	

0
【士】 3画 2184 教5 シ

熟字訓 海士・居士・博士

漢シ・呉ジ 紙 shì

2746 8E6D 一

筆順 一 十 士

字義 ❶事。職務。また、事を処理する才能のある人。用例〔論語、述而〕富而可求也、雖執鞭之士、吾亦為之。↓富というものが追求できるものであるなら、王侯の先払いのような仕事でも甘んじて勤めよう。❷ことする。従事する。用例〔詩経、豳風、東山〕制彼裳衣、勿士行枚。↓着物を作り、戦争に従事することはない。❸役人。中堅の役人。㋐天子・諸侯の臣で卿大夫の下に位する、支配者の中で下位の人。㋑一般に役人をいう。㋒検察・裁判をつかさどる役人。㋓村長。むらおさ。❹つわもの。兵士。軍人。用例〔荀子、王制〕王者富民、覇者富士。↓王者は民を富ませ、覇者は兵士を富ませる。❺りっぱな人。学識・徳行のある人。また、学問・知識によって身を立てる人。道に志す人。知識人。用例〔論語、泰伯〕士不可以不弘毅。↓道に志す者は心が大きく強くなければならない。❻男性の称。㋐未婚の男子。㋑成年男子。㋒男性一般の美称。❼女性の美称。「女士」❽つかえる。出仕する。＝仕(188)。用例〔書経、康誥〕百工播民和見、士于周。↓百官たちは民衆を引き連れて喜び至り、周に仕えた。

国❶さむらい。武士。「士農工商」❷一定の資格・技能を持つことを示す語。「学士」「弁護士」

名前 あき・あきら・お・おさむ・こと・さち・し・じ・ただ・つかさ・と・のり・ひと・まもる

難読 士篤恒

解字 金文 篆文 象形。金文でわかるように、ある種のまさかりの象形で、まさかりを持つような男性の意味を表す。士の意味と音符とを含む形声文字に、仕がある。

逆 英士・衛士・介士・海士・学士・下士・寒士・奇士・騎士・義士・傑士・賢士・甲士・高士・豪士・国士・居士・策士・志士・死士・秀士・俊士・上士・処士・庶士・女士・信士・紳士・進士・人士・壮士・造士・俗士・達士・朝士・貞士・闘士・同士・道士・博士・文士・兵士・弁士・方士・名士・猛士・勇士・力士・良士・列士・烈士・浪士

【士為(爲)知己者死】 男性は自分のねうちを知って待遇してくれる人のためには生命を惜しまず働く。〔史記、刺客伝〕

【士官】 ①裁判官。法官。②国兵を指揮する軍人。将校。

【士気(氣)】 ①兵士の意気。戦士の意気。②最後までやり抜こうという、人々の気持ち。③国さむらいかたぎ。武士の意気。◆「志気」と「士気」とは本来別語。意気ごみの意の用字は「志気」であったが、現代ではどちらの意の場合も一般に「士気」を用いている。

【士規】 士たる者の行うべき規則。「士規七則(七か条)」

【士君子】 学問があり、徳行の高い人。

【士子】 ①官吏。役人。②科挙(官吏登用試験)の受験生。③男子学生。

【士師】 裁判官。司法官。

【士庶人】 官吏と農工商の庶民。大夫(高級官吏)に対する語。一般の民衆。

【士女】 ①男性と女性。男女。②美人。

【士臣】 戦争に従事する家来。戦士。将兵。

【士人】 ①学問修養を積んだりっぱな人。②戦闘員。③庶民。

【士節(節)】 士の守るべきみさお。士の節操。士節。＝士操。

【士操】 士の節操。士節。

【士卒】 ①戦士の総称。②下士官と兵卒。また、一般に軍人。

【士大夫】 ①官職についている人。身分のある人。上流階級。②兵卒に対して将校をいう。③貴族。④読書人。知識人。また、人格者。⑤官吏。特に、宋以後は、胥吏に対して科挙出身の文官をいう。

【士道】 国士たる者の守るべき道。人の守るべき道。武士道。

【士農工商】 人民を職分から分けた四階級。㋐官僚・農民・職人・商人。用例〔管子、小匡〕士農工商四民者、国之石民也。↓士農工商の四民は、国家にとって柱石ともなる大切な民である。㋑国武士・農民・職人・商人。

【士夫】 ①若い人。壮年の男性。②男性の通称。

【士風】 ①りっぱな人の気風。また、一般人の気風。②武士の気風。士気。

【士民】 ①役人と人民。一般の人々。②道徳・学芸を学ぶ人。修養を重んずる人。

【士林】 ①りっぱな人々。読書人の仲間。▼林は、多数の意。用例〔人虎伝〕将碎足下於歯牙間、終成士林之笑焉。↓あなたを牙で嚙み砕こうとし、結局は世の教養人たちの間で笑い者にされてしまうだろう。②館の名。梁の武帝が建てたもので、学者を集めたところ。

1
【壬】 4画 2185 人 標

漢ジン 呉ニン 侵 rén

3149 9070 一

筆順 ノ 二 千 壬

字義 ❶みずのえ。十干の第九位。五行では水、方位では北にあてる。❷へつらう。おもねる。❸はらむ(妊)。❹大きい。

名前 あきら・つぐみ・みず・よし

難読 壬生・壬生菜・壬生川

解字 甲骨文 金文 篆文 象形。はた糸を巻きつけた形にかたどり、はた糸の意味を表す。紝の原字。借りて、十干の第九位の意味に用いる。織物を織るときに持続的に提供される素材としてのはた糸の意味から、形声文字の音符となるときには、持続的に耐えるの意味を共通して持つ。壬を音符に含む形声文字に、任・妊・紝・衽などがあり、これらの漢字は、「耐える」の意味を共有している。

【壬人】 こびへつらう人。

3
【吉】 6画 (1328) キツ 口部。→二四五ページ中。

3352 9173 一

3
【壮】 6画 2186 常 ソウ

4
【壯】 7画 2187 人

漢ショウ(シャウ) 呉ソウ(サウ) 漾 zhuàng

5267 9AE1 一

筆順 丨 丬 丬 壮 壮 壮

字義 ❶年若く元気さかんな時。また、その年ごろの人。「壮年」「丁壮」❷さかん。㋐大きい。大きくて勢いがよい。りっぱで大きい。「壮大」「豪壮」㋑気力があふれている。勇ましい。「壮烈」「勇壮」㋒体力がみちている。強健である。「壮健」「強壮」❸さかんにする。㋐大きくする。大きくりっぱにする。盛大にする。「壮行会」㋑気力や体力をさかんにする。❹陰暦八月の別名。「壮月」❺そこなう。やぶれる。＝戕(3946)。

名前 あき・お・さかり・さかん・そう・たけ・たけし・まさ・もり

解字 篆文 **形声**。士＋爿(音)。士は、男性の意味。音符の爿(ショウ)は、ながいの意味。背たけの高い男の意味を表し、転じて、さかんの意味を表す。常用漢字は省略体の壮による。

逆 強壮・広壮・豪壮・少壮・盛壮・丁壮・貞壮・悲壮・勇壮・雄壮・老壮

【壮観(觀)】ソウカン すばらしいながめ。偉観。

【壮気(氣)】ソウキ さかんな意気。

【壮挙(擧)】ソウキョ 国スケールの大きな計画。すばらしい仕事。

【壮月】ソウゲツ 陰暦八月の別名。

【壮健】ソウケン 年が若くて健康なこと。元気でたっしゃなこと。

【壮語】ソウゴ 意気がさかんなことば。また、えらそうなことば。「大言壮語」

【壮行】ソウコウ 国さかんな門出。また、門出をさかんにする。

【壮歳】ソウサイ 働きざかりの年ごろ。壮年。

【壮士】ソウシ ①血気さかんな男性。壮夫。用例〔史記、陳渉世家〕壮士不ㇾ死則已、死即挙ニ大名ㇾ耳。↓一人前の男たるもの、死なないならともかく、どうせ死ぬならりっぱな名声を天下にとどろかせることだ。／〔史記、項羽本紀〕壮士。能復飲乎。↓まことに勇ましい男だ。もっと酒が飲めるか。②若者。青年。壮丁。③国一定の職業がなく、人に頼まれて相手を脅迫、談判する人。

【壮志】ソウシ さかんな志。勇ましい志。

【壮児(兒)】ソウジ 青年。元気さかんな青年。

【壮事】ソウジ ①さかんな事業。②力仕事。③壮年の頃のこと。

【壮者】ソウシャ 元気さかんな人。年若いもの。

【壮節】ソウセツ つよい節操。固くまもる自分の主義や信念。

【壮絶】ソウゼツ 他に比べもののないほど勇ましく激しいこと。▼絶は、程度の最上を示す。

【壮大】ソウダイ ①りっぱで規模が大きい。また、強く大きい。②働き盛り。壮年。

【壮胆】ソウタン 勇ましいきもだま。物に動じない度胸。壮烈な胆力。

【壮丁】ソウテイ ①若い男性。働きざかりの男性。②国もと、満二十歳になって徴兵検査を受ける人。

【壮図(圖)】ソウト スケールの大きなはかりごと。すばらしいくわだて。壮猷。

【壮途】ソウト 国意気さかんな門出。いさましい出発。

【壮年】ソウネン はたらきざかりの年ごろ。三、四十歳代。

【壮夫】ソウフ ①若い、働き盛りの男性。壮丁。②血気さかんな男性。

【壮勇】ソウユウ ①意気さかんで勇ましい。②血気ざかりの若者。

【壮△猷】ソウユウ ＝壮図。

【壮容】ソウヨウ ①壮年の容貌。青年の姿。②元気さかんな姿。

【壮麗】ソウレイ 規模が大きくりっぱ。荘麗。

【壮烈】ソウレツ 意気さかんで勇ましい。勇壮義烈。

4 【壱】 7画 2188 常 イチ

9 〘壹〙 12画 2189 漢 イツ 呉 イチ 質 yī

1677 88EB ―
5269 9AE3 ―

筆順 一 十 士 … 壱

字義 ❶**もっぱら**。専一。ひとえに。用例〔資治通鑑、漢紀〕子卿壱聴ニ陵言一。↓子卿殿、ぜひとも私のいうことを聞いてください。❷**ひとつ**。＝一(三)。→一の二。❸ひとたび。一度。❹みな。すべて。❺ひとしい。同じ。❻合う。また、集まる。

名前 いち・いっ・かず・さね・もろ **難読** 壱岐・壱体比・壱礼比

参考 熟語は〔一〕(二)をも見よ。

解字 篆文 **形声**。篆文は、壺＋吉(音)。音符の吉は、めでたさをたもつの意味。壺は、つぼの意味。つぼを密閉して酒を発酵させるさまから、事が成功するように力を保ち、力をこらす・もっぱらにするの意味を表す。また、転じて、一つの意味をも表す。常用漢字の壱は俗字による。

逆 混壱・誠壱・専壱・統壱

【壱意】イチイ 一つのことに心を集中する。一意。「壱意専心」

【壱是】イッシ すべて。いっさい。もっぱら。

【壱切】イッセツ・イッサイ すべて。いっさい。一切。

4 【声】 7画 2190 教2 セイ・ショウ こえ・こわ

耳11 〘聲〙 17画 2191 漢 セイ 呉 ショウ(シャウ) 庚 shēng

3228 90BA ―
7065 E3DF ―

筆順 一 十 士 … 声

字義 ❶**こえ**。人の声。ことば。動物の鳴き声。また、物のひびき。音。「肉声」「鐘声」。また、名詞などの上に付いて、**こわ**。用例〔唐、孟浩然、春暁詩〕夜来風雨声、花落知多少。↓ゆうべ寝しなに風や雨の音を聞いたが、庭の花はどのくらい散っただろう。❷音楽。音律。歌。また、そのふし。用例〔唐、李白、春夜洛城聞ㇾ笛詩〕誰家玉笛暗飛ㇾ声、散入ニ春風一満ニ洛城一。↓どこからともなく流れてくるあの美しい笛の音は、だれの家のものだろうか。春風に乗って洛陽の町中に響きわたる。❸**ふれる**。**ならす**。ことばを出す。述べる。用例〔国語、晋語五〕伐備ニ鐘鼓一、声ニ其罪一也。↓大罪の征伐に鐘と太鼓を用意して打ち鳴らすのは、その罪をふれて広く知らせるためである。❹ことづて。音信。用例〔漢書、趙広漢伝〕亭長寄ㇾ声謝ㇾ我。↓亭長が私に伝言してくれた。❺世間のうわさ。評判。用例〔孟子、公孫丑上〕非ㇾ悪ニ其声一而然上也。↓悪い評判をおそれてそのようにしたのではない。❻中国語のアクセント。平・上・去・入の四声に分ける。→四声(三九〇ジペー上)。❼中国語の語頭子音。声母。「双声」

名前 おと・かた・せい・ちか・な・のぶ・もり

解字 篆文 **形声**。篆文は、耳＋殸(音)。音符の殸は、中国の古代の楽器で、高い音のする、けいの意味。耳に達する高い音・こえの意味を表す。常用漢字の声は、省略体としての俗字による。

逆 悪声・角声・寒声・喚声・去声・虚声・軍声・形声・渓声・失声・秋声・醜声・上声・新声・仁声・泉声・善声・双声・嘆声・天声・徳声・肉声・入声・馬声・蛮声・美声・平声・風声・辺声・民声・名声・余声・令声・励声・連声・漏声

【声威】セイイ ①名声と威望。評判と権威。②評判でおどす。

【声栄(榮)】セイエイ よい評判。

【声援】セイエン 声をかけて励ます。

【声音】セイオン・セイイン ①鳴り物の音曲。音楽。②こわね。こわいろ。

【声価(價)】セイカ ほまれ。ねうち。評判。

【声華】セイカ りっぱなほまれ。よい評判。声誉。

【声気(氣)】セイキ ①いきおい。②声といきおい。

【声△妓】セイギ うたひめ。うたいめ。芸者。歌妓。

【声教】セイキョウ 天子の威厳とおしえ。声威文教。

【声響(響)】セイキョウ ①音声のひびき。声調。②名誉。ほまれ。

【声偶】セイグウ 四声を整え、対句をならべること。▼偶は、対句。

【声偶△摘裂】セイグウテキレツ 文章を作るとき、四声を整え、対句をならべ、また古人の句を用いて応用すること。

【声訓】セイクン ①人民を感化する教え。②評判の高い教え。

【声言】セイゲン いいふらす。声明。

【声実(實)】評判と実際。

【声称(稱)】よいほまれ。名声。

【声色】㊀①音楽と女色。用例〔荀子、性悪〕生而有耳目之欲、有レ好声色焉。↓生まれたときから美しい音楽や美しい容色を好む心を持っている。②声と顔色。㊁国①声の様子。②(役者などの)せりふのものまね。声帯模写。

【声△塵】①音楽。②名声。

【声△迹】後世に残る名声。

【声調】①声の調子。②音声が調和すること。③平・上・去・入の四声の調子。

【声動二梁△塵一】歌声がうつばり(柱の上にわたす横木)のちりを動かす。歌ごえのすぐれている形容。

【声聞】㊀よい評判。用例〔孟子、離婁下〕声聞過レ情、君子恥レ之。↓名声が実際以上に高いことを、君子は恥とするものである。㊁仏仏の教えを聞いてさとりを開くこと。

【声病】文章詩賦の、平仄声調にのみこだわる弊害。

【声望】名声と人望。よい評判。

【声名】よい評判。名声。

【声明】㊀①いいふらす。声言。②明らかにいう。言明する。③政治・外交などの問題について意見を発表する。㊁仏①音韻を研究する学問。②仏の徳をほめたたえる歌。

【声問】おとずれ。たより。音信。消息。

【声誉(譽)】ほまれ。よい評判。

【声容】①声とすがた。音容。用例〔人虎伝〕自二声容間阻一、去日如レ流。↓声も姿も遠く隔たってから、流れるように時が過ぎた。②歌ひめ。

【声利】名声と利益。名利。

【声律】①漢字の発音についての四声の規則。②①の規則にかなった詩賦。

【声涙△倶下】泣きながら話すこと。

【失レ声】声がかれる。泣き過ぎて声が出なくなる。失声。

【△呑レ声】①だまって声を出さない。②すすり泣きをする。

4 【壮】7画 (2187) ソウ 壮(2186)の旧字体。→三五ページ下。 3968 9484 —

4 【売】7画 2192 教2 バイ う-る・う-れる

士部 4▼10画 〔壮売壳壴壷壹喜壺壻喆鼓鼓壼〕

貝8 〔賣〕15画 2193 人 漢バイ 呉マイ 卦 mài 7646 E6CC —

筆順 一 十 士 㐅 声 壳 売

字義 ❶う-る。ひさぐ。㋐代金を受取り、物を渡す。↕買(11545)。「専売」㋑あざむく。だます。裏切る。㋒広める。「売名」❷う-れる。

参考 読(讀)・贖などの傍になる〔賣〕(11571)は、別字。

難読 売豆紀

解字 篆文 形声。篆文は、出＋買(買)音。音符の買は、あきなうの意味。買が、かうの意味に用いられたため、区別して、出を付し、うるの意味を表す。常用漢字の売は省略形の俗字による。

逆 競売・叫売・転売・販売

【売官】金銭を受け取って官位を授ける。

【売却】売り払う。

【売国(國)】自分の利益のために、国を裏切って他国に通ずること。「売国奴」〔史記、蘇秦伝〕

【売僧】商売をする僧。こびへつらう僧をののしって呼ぶことば。売子。

【売炭翁】中唐の白居易の詩の題。炭焼きの老人の、苦労して焼いた炭が、わずかの代価で、宮中の役人に、ほとんど没収同様に買い上げられたことをうたったもの。

【売文】文を書いて、原稿料をもらう。文章を書いて、その報酬で生活する。

【売△卜】占いを商売にして生活する。

【売名】自分の名まえをひろめる。自分の名声をてらう。

【売友】自分の利益のために、友を裏切る。

5 【壳】8画 2194 カク 殼(6056)の俗字。→七九五ページ上。 20522 — 2462

6 【壴】9画 2195 ㊀シュ 廛 ㊁チュ 遇 zhù 20523 — —

字義 ❶連ねた楽器の頭の見えるさま。❷立てる。

解字 形声。屮＋豆音。

8 【壷】11画 2196 コ 壺(2197)と同字。→三二七ページ中。 3659 92D9 —

9 【壹】12画 (2189) イチ 壱(2188)の旧字体。→三二六ページ中。

9 【喜】12画 (1585) キ 口部。→二七三ページ中。

9 【壺】12画 2197 標 漢コ 呉ゴ 虞 hú 5268 9AE2 —

〔壷〕2196 同字

字義 ❶つぼ。口がつぼんで、胴がふくれた容器。❷ふくべ。夕がおの一種。❸なつめの一種。❹水時計。「漏壺」国つぼ。㋐見込み。ずぼし。「思う壺」㋑急所。要点。「壺を押さえる」㋒中庭、また、つぼね。宮中の部屋。坪とも書く。㋓灸をすえる場所。

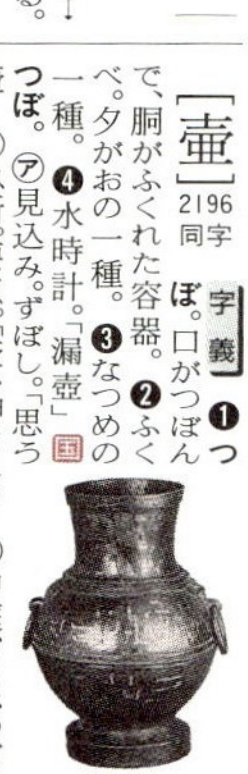
壺①

参考 〔壼〕(2198)は別字。

解字 甲骨文 金文 篆文 象形。蓋つきのつぼの象形。つぼの意味を表す。

【壺公】後漢の仙人。薬を売り、商売を終えると店頭のつぼの中に飛びこみ、酒を楽しんでいたという。〔漢書、費長房伝〕

【壺△飧】つぼに入れた食物。

【壺△漿】つぼに入れた飲み物。また、それを用意すること。▼漿は、飲み物。用例〔孟子、梁恵王下〕簞食壺漿、以迎二王師一。↓おひつに食事を盛り、つぼに入れた飲み物を用意して、王の軍隊を迎える。

【壺△觴】酒つぼとさかずき。用例〔東晋、陶潜、帰去来辞〕引二壺觴一以自酌、眄二庭柯一以怡レ顔。↓酒つぼとさかずきとを引き寄せて自分で酒をくみ、庭の木の枝に目をやりながら顔をほころばせる。

【壺尊】酒だる。▼尊は、たる。

【壺△飡】つぼに入れた食物。▼飡は、食物。

【壺中天】①別天地。別世界。壺公の故事による。壺中天地。→壺公。②酒を飲んで世俗を忘れる楽しみ。③きわめて狭いことのたとえ。

【壺天】＝壺中天①。

9 【壻】12画 (2467) セイ 婿(2466)の旧字体。→三七四ページ中。

9 【喆】12画 (1613) テツ 口部。→二七七ページ中。

10 【鼓】13画 (14515) コ 鼓部。→一六五一ページ中。

10 【鼓】13画 (14516) コ 鼓部。→一六五二ページ上。

10 【壼】13画 2198 コン 阮 kǔn 5271 9AE5 —

字義 ❶宮中の道。❷つぼね。宮中の女性の居間。大奥。転じて、女性の意。❸広い。

参考 〔壺〕(2197)は別字。

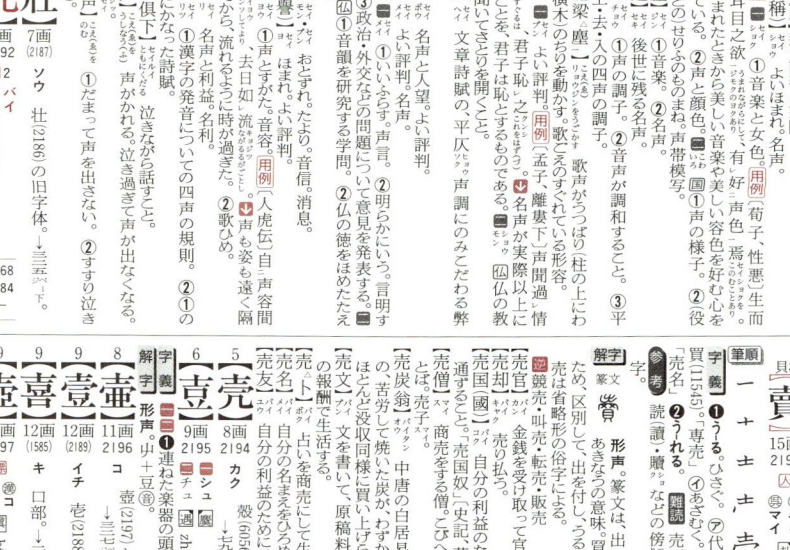

解字 篆文 象形。『説文解字(セツモン)』では、亞の部分は囲として、士の部分は巾に作る。囲は、周囲を垣に囲まれた宮中の道の象形。巾は、宮門にたてられた飾りの象形。宮中の道の意味を表す。

【壼奥】(コンオウ) ①宮中の奥深い所。②物事の奥深い所。奥義。

【壼訓】(コンクン) 女性のおしえ。女訓。

11【嘉】14画 (1659) カ 口部。→二八〇ページ上。

11【壽】14画 (2714) ジュ 寿(2713)の旧字体。→四一一ページ上。

11【臺】14画 (1318) ダイ 台(1317)の旧字体。→二四四ページ上。

12【賣】15画 (2193) バイ 売(2192)の旧字体。→三二七ページ上。

15【鼕】18画 (14517) トウ 鼓部。→一六五三ページ上。

16【嚭】19画 (1777) ヒ 口部。→二八七ページ上。

17【馨】20画 (13679) ケイ 香部。→一五八二ページ下。

18【鼛】21画 (14520) コウ 鼓部。→一六五三ページ中。

18【鼙】21画 (14523) ヘイ 鼓部。→一六五三ページ中。

19【懿】22画 (3633) イ 心部。→五三八ページ下。

3画

夂・夊

ふゆがしら(冬頭)〔夂〕
すいにょう(夊繞)〔夊〕
なつのあし

〔部首解説〕 夂部と夊部とはもともと別の部首であるが、常用漢字ではみな夂と書き、同形なので、部首も一つに合わせた。ただし、ふゆがしらは字形の頭部に、すいにょうは脚部にくる。なお、夂部の文字以外で、愛・憂・俊・陵などに含まれる夂の形も、厳密には夊であるが、一般にはそこまでの区別は行われていない。

0【夂】3画 2199 5273 9AE7 —
■チ 紙 zhǐ ■シュウ(シウ) 東 zhōng
字義 ■おくれる。ついて行く。■終(9113)の古字。
注意 『康熙(コウキ)字典』では、夂部に所属する。
解字 篆文 象形。下向きの足にかたどり、遅れて行くの意味を表す。もと、夂(イス)と同字。

0【夊】3画 2200 5274 9AE8 —
スイ 支 suī, cuī
字義 ゆっくり行く。静かに行く。
注意 『康熙(コウキ)字典』では、夊部に所属する。
解字 篆文 象形。下を向いた足あとにかたどり、しりごみしながら下るの意味を表す。

0【久】3画 (68) キュウ ノ部。→四二ページ中。

2【処】5画 (840) ショ 几部。→一六八ページ上。

2【冬】5画 2201 教2 トウ ふゆ 3763 937E —

⺀3〖冬〗5画 2202 トウ 冬 dōng

筆順 ノ ク 夂 冬 冬

字義 ❶ふゆ。四季の第四の季節。十二月から翌年の二月まで。陰暦で、十・十一・十二月の三か月。立冬から立春まで。❷ふゆごもりする。また、ふゆを越す。❸ものの形容。→冬冬。

名前 かず・とし・ふゆ　難読 冬瓜(とうがん)・冬青(そよご)・冬葱(わけぎ)・冬木(もちのき)

解字 金文 篆文 会意。金文は、日+夂。夂は終の原字で、糸の最後の結び目の部分の象形。一年の月日の終わりの季節、ふゆの意味を表す。のち、冰(仌)の季節の意識が作用して、篆文は夂+仌の会意で冬となった。冬の意味と音符とを含む形声文字に、終などがある。

逆 季冬・旧冬・窮冬・厳冬・残冬・仲冬・立冬

【冬栄(榮)】(トウエイ) 冬に咲く花。冬花。

【冬温夏凊】(トウオンカセイ) 冬はあたたかにし、夏は涼しくする。親に仕える子の心がけを示したことば。〔礼記、曲礼下〕→定省温凊(三九六ページ中)。

【冬官】(トウカン) ①周代の六官(天・地・春・夏・秋・冬の各官)の一つ。土木工作をつかさどる。司空。②唐代、工部省をいう。

【冬至】(トウジ) 二十四気の一つ。北半球で、一年のうちで、昼が最も短く、夜が最も長い日。陽暦十二月二十二日ごろ。南半球はその逆。冬節。↔夏至(ゲシ)(三三〇ページ上)。⇩コラム 気候(二十四気)(八〇三ページ)。

【冬日可ㇾ愛】(トウジツアイすべし) 冬の日光はあたたかで、愛すべきものである。温和で恵み深い人のたとえ。用例(左伝、文公七、注)冬日可ㇾ愛(トウジツアイすべく)、夏日可ㇾ畏也(カジツおそるべし)。⬇冬のあたたかな日光は、愛すべきものであり、夏の非常に熱い太陽は、恐るべきだ。

【冬扇夏炉(爐)】(トウセンカロ) 冬のおうぎと夏の火ばち。無益・無用の物のたとえ。夏炉冬扇。〔論衡、逢遇〕

【冬冬】(トウトウ) とんとんと、門をたたく音。

3【各】6画 (1326) カク 口部。→二四五ページ上。

3【夅】6画 2203 コウ 降(13086)の古字。→一五一〇ページ下。
注意 『康熙(コウキ)字典』では、夊部に所属する。

4【夆】7画 2204 コウ 降(13086)の俗字。→一五一〇ページ下。 2̣0524 — 2463
注意 『康熙(コウキ)字典』では、夊部に所属する。

4【夋】7画 2205 シュン 真 震 qūn
字義 そろそろ行くさま。

〔夋〕2206 俗字

4【夋】7画 2206 シュン 夋(2205)の俗字。→三二八ページ下。 2̣0526 ED83 2465
注意 『康熙(コウキ)字典』では、夊部に所属する。
解字 形声。夊+允㊥。

4【麦】7画 (14423) バク 麥部。→一六四一ページ上。

4【夆】7画 2207 漢ホウ 呉ブ 冬 fēng 2̣0525 — 2464
字義 ❶さからう。❷ひく。❸あう。＝逢(12118)。
注意 『康熙(コウキ)字典』では、夂部に所属する。
解字 金文 篆文 形声。夂+丰㊥。夂は下向きの足の象形。音符の丰(ホウ)は、草木の葉の寄り合い茂るさまの象形。足が一点に寄り合っていく、あうの意味を表す。

5【夌】8画 2208 リョウ 蒸 líng

［夌］2209俗字

字義 ❶しのぐ。越える。おかす(犯)。＝凌(821)・淩(6465)。❷おか。高大な丘。＝陵(1311)。❸次第にすたれる。

注意 『康熙コウキ字典』では、夊部に所属する。

解字 篆文 会意。先＋夊。先は、高く大きいの意味。夊は、おそく行くの意味。高い地をこえるの意味を表す。甲骨文では、先は片足をあげた人の象形。足をあげて高い地をこえるの意味を表す。いま、淩・凌・陵に作られる。夌を音符に含む形声文字に、凌リョウ・崚リョウ・棱リョウ・淩リョウ・稜リョウ・綾リョウ・菱リョウ・蔆リョウ・陵などがあり、これらの漢字は、「越える丘」の意味を共有している。

5【夌】8画 2209 リョウ 夌(2208)の俗字。→三二九ジ上。 1571 — 2466

6【复】9画 2210 フク 復(3445)の俗字。→五一〇ジ下。 20527 — —

6【変】9画 2211 教4 ヘン かーわる・かーえる 4249 95CF —

攴19［變］23画 2212 ヘン 霰 biàn 5846 9DCC —

筆順 丶 亠 亣 亦 亦 亦 亦 変 変

字義 ❶かーわる。今までと違ったようになる。改まる。うつりかわる。「変動」「変遷」「変化」 ❷かーえる。今までと違ったようにする。改める。「変心」「変装」 ❸乱れる。また、乱す。❹不思議。普通でない。奇怪。また、そのような現象。「変死」 ❺突然の出来事。内乱や戦争、天変地異など。「事変」 ❻非常の際のやり方。非常手段。「変則」

使いわけ **かえる・かわる〔変・代・替・換〕**
〔変〕「前と違った状態にする」の意で、広く一般に用いる。「試合の流れを変える」
〔代〕別の人や物がその役をする。「ピッチャーを代える」
〔替〕前のことをやめて別の新しいことを行う。「塗り替える・振り替える」
〔換〕他のものに取りかえる。「ドルに換える」
ただし、〔替〕と〔換〕の使いわけには紛らわしい場合が多い。

解字 篆文 会意。篆文は、䜌＋攴。䜌は、つづくの意味。攴は、うつの意味。連続するものをたち切って、かえるの意味を表す。常用漢字の変は俗字による。

逆 応変・改変・急変・凶変・劇変・激変・事変・神変・政変・大変・転変・不変・兵変

【変異】ヘンイ ①ふしぎな事がら。かわった出来事。怪異。天変地異の類い。②同種の生物の個体間に現れる、形態的な差異。
【変移】ヘンイ ＝変遷。
【変易】ヘンエキ ①かわる。②かえ改める。
【変化】ヘンカ 一 ①かわる。かわって別のものになる。かわり改まる。②かえる。かえ改める。二 ヘンゲ ①仏 仏や菩薩ボサツの神通力によって万物に変化すること。権化ゴンゲ。②国 動物などが姿をかえて現れること。また、ばけもの。「妖怪ヨウカイ変化」
【変雅】ヘンガ 雅(詩経の詩体の一)の一種。衰世の時に作られた雅であるという。→六義(一四八ジ中)。
【変改】ヘンカイ・ヘンガイ ①かわり改まる。②かえ改める。
【変怪】ヘンカイ ばけもの。もののけ。
【変革】ヘンカク かえ改める。根本からかえる。また、かわる。
【変格】ヘンカク 普通と変わった様式。
【変宮】ヘンキュウ 音階の七音の一つ。宮の半音低いもの。
【変局】ヘンキョク ふだんと異なる局面。非常の場合。
【変幻】ヘンゲン まぼろしのように、たちまち現れ、たちまち消えること。変化がすみやかで、はかり知れないこと。「変幻出没」
【変故】ヘンコ かわった出来事。非常の事。事変。
【変更】ヘンコウ かえる。かえあらためる。変改。
【変詐】ヘンサ そむきいつわる。また、かけひきをじょうずにする。
【変災】ヘンサイ わざわい。思いもかけぬ災難。天変地異の災難。
【変死】ヘンシ 国 普通でない死に方。自然死以外の死。災難による死や、自殺など。
【変事】ヘンジ かわった出来事。事変。「一大変事」
【変辞(辭)】ヘンジ いつわりのことば。
【変質】ヘンシツ ①性質をかえる。②病的な性質。正常でない性質。「変質者」
【変色】ヘンショク ①物の色がかわる。色がわり。かわった色。②顔色をかえる。
【変心】ヘンシン 心をかえる。気がかわる。心がわり。
【変身】ヘンシン 姿を他のものにかえる。また、そのかわった姿。
【変節(節)】ヘンセツ ①時節の移りかわること。季節の変化。②みさおをかえる。従来の主義主張をかえる。③心を入れかえる。
【変遷】ヘンセン うつりかわる。うつりかわり。
【変相】ヘンソウ ①顔や姿をかえること。また、かわった顔や姿。②仏 極楽・地獄のありさま。また、それを描いた図。
【変装(裝)】ヘンソウ 顔や姿をかえること。また、その身なり。
【変則】ヘンソク 国 普通の規則・規定にはずれていること。
【変体(體)】ヘンタイ かわった形。一風変わった姿。
【変態】ヘンタイ ①いろいろに形をかえる。また、その形態。②動物などが成長する間に、いろいろその形をかえること。③国 心理的・生理的に正常でない状態。
【変置】ヘンチ 置きかえる。とりかえて置く。
【変徴】ヘンチ 音階の七音の一つ。徴の半音低いもの。
【変通】ヘンツウ 自由自在に変化適応すること。臨機応変に事を処理すること。「変通自在」
【変転(轉)】ヘンテン うつりかわる。「変転無窮」
【変動】ヘンドウ ①かわり動く。種々にかわる。②かえ動かす。
【変風】ヘンプウ 風(詩経の詩体の一)の一種。『詩経』の邶風ハイフウから豳風ヒンプウに至る百三十五編。衰世の時に作られた歌であるという。↔正風(七〇四ジ中)。→六義リクギ(一四八ジ中)。
【変文】ヘンブン 韻文と散文とを交えた一種の語りもの。敦煌トンコウ発見の俗文学書の一つ。
【変法】ヘンポウ 法律をかえる。また、かわった法律。
【変法自強】ヘンポウジキョウ 政令・法律を改革して国力を強くする。清シン末に康有為が主張した。
【変貌】ヘンボウ 姿をかえる。また、かわった姿。
【変容】ヘンヨウ 姿・形をかえる。また、かわった姿。
【変乱(亂)】ヘンラン ①国の乱れ。いくさ。兵乱。②かわり乱れる。また、かえ乱すこと。

7【夏】10画 2213 教2 カ・ゲ なつ 一 漢カ・呉ゲ 禡 xià 二 漢カ・呉ゲ 馬 xià, ⑥jiǎ 1838 89C4 —

7［夏］10画 2214

［夓］2217本字 ［夓］2218俗字

筆順 一 丆 丆 百 百 百 頁 夏 夏

字義 一 ❶なつ。四季の第二。六月から八月。陰暦では四月から六月まで。❷仏 僧の夏九十日間の座禅修行。「ゲ」と読む。二 ❶大きい。さかん。❷中国。中国で自国を称する語。中華。「中夏」❸中国の人。❹王朝の名。禹ウから桀ケツ王まで、十七代、四四〇年(四七一年ともいう)続き、殷インの湯王に滅ぼされたと伝えられる。伝説上の王朝とも、山西省南部に実在したともいわれる。❺国名。㋐五胡十六国の一。後秦コウシンの将の赫連勃勃カクレンボツボツが建てた国。三世二十五年で滅びた。(四〇七―四三一)「大夏」 ㋑宋ソウ代、党項タングート族が建てた国。「西夏」→西夏(一二八九ジ上)。❻木の名。ひさぎ。むちを作る。

名前 か・なつ 難読 夏安居(げあんご)・夏越(なごし)・夏足(なたせ)・夏油(げとう)

注意 夏は、『康熙(コウキ)字典』では、夊部に所属する。

解字 金文 [glyph] 篆文 [glyph] 会意。頁＋臼＋夊。頁は、冠や面などをつけた人の頭の象形。臼は、両手、夊は、両足の象形。冠などをつけ両手両足を動かして、みやびやかに舞う夏祭りの舞のさまから、なつの意味を表す。夏の季節の盛んなさまから、転じて、大きいの意味、大いなる国、中国の意味をも表す。

逆 炎夏・華夏・季夏・結夏・江夏・残夏・大夏・中夏・仲夏・長夏・半夏・陽夏・立夏

【夏育】カイク 周代の衛の勇士の名。力持ちで、孟賁(モウホン)とならび称される。

【夏官】カカン 周代の官名。六官の一つ。軍政をつかさどる。長官を大司馬という。

【夏屋】カオク ①夏(カ)代の家の屋根。棟木(むなぎ)から前後にだけ流れ、左右の面がない。②大きな家。③りっぱなごちそうを設け礼物を備えること。

【夏△珪】カケイ 南宋(ナンソウ)の画家。浙江(セッコウ)の人。字(あざな)は禹玉(ウギョク)。馬遠とともに南宋院体画山水の双璧(ソウヘキ)といわれる。

【夏△畦】カケイ ①夏の暑い日に田のあぜを手入れする。②辛苦して労働すること。③地位の低い労働者をいう。

【夏△桀】カケツ 夏(カ)王朝の最後の桀王。暴虐を極め、殷(イン)の湯王に滅ぼされた。殷の紂王(チュウオウ)とともに桀紂と併称される。

夏桀

【夏后】カコウ 禹(ウ)の建てた王朝。夏を一に夏后氏と称した。▼后は、きみ。

【夏至】ゲシ 二十四気の一つ。陽暦六月二十二日ごろ。北半球では、一年のうちで、昼が最も長く、夜が最も短い日。南半球ではその逆。↔冬至(三二八ページ下)。⇩コラム **気候(二十四気)**(八〇三ページ)。

【夏時】カジ ①夏(カ)王朝の暦法。②夏(カ)の時代。③夏(なつ)の時節。夏季。

【夏日】カジツ ①夏の日。用例〔唐、高駢、山亭夏日詩〕緑樹陰濃夏日長(リョクジュかげこまやかにして、カジツながく)、楼台倒影入池塘(ロウダイかげをさかしまにして、チトウにいる)。↓緑の木々が濃い陰を落とし、夏の日は長く、池辺の楼台は水にさかさまに姿を映す。②夏の太陽。また、その熱さの激しいことから、転じて、おそるべき人物のたとえ。用例〔左伝、文公七、注〕冬日可愛(トウジツアイすべく)、夏日可畏也(カジツおそるべし)。↓冬のあたたかな日光は、愛すべきものであり、夏の非常に熱い太陽は、恐るべきだ。

【夏書】カショ 『書経』の中の夏(カ)王朝の記録に関する部分。

【夏正】カセイ 夏(カ)王朝で用いた暦。夏暦。▼正は、暦。⇩コラム **三正**(一八ページ)。

【夏△楚】カソ ①人をこらしめるのに用いるむち。▼夏はひさぎ、楚はいばら。②むちうって教えさとす。

【夏台(臺)】カダイ 夏(カ)代の牢獄(ロウゴク)の名。転じて広く、牢獄をいう。

【夏虫(蟲)】カチュウ 夏の虫。夏だけ生きている虫は冬の氷を知らないことから、世間知らずの見識のせまい者のたとえ。「夏虫疑氷(カチュウこおりをうたがう)」〔東晋、孫綽、遊天台山賦〕

【夏熱】カネツ 夏の暑さ。夏炎。

【夏炉(爐)冬扇】カロトウセン 夏の火ばちと冬のおうぎの意で、無益・無用のもののたとえ。〔論衡、逢遇〕

【夏△臘】ゲロウ 僧の年齢。臘は、冬。僧は夏冬の二期を安息の時とするので、夏臘を一年の意に用いる。

【用夏変(變)△夷】カをもってイをヘンず 中国のりっぱな風俗で夷狄(イテキ)の未開の風俗をかえて改めさせる。〔孟子、滕文公上〕

7 【畂】10画 (7639) ホ 田部。↓九七〇ページ下。

8 【麥】11画 (14424) バク 麥部。↓一六四一ページ上。

11 【夐】14画 2215 ㊀漢ケイ 呉キョウ(キャウ) 𠃊 xiòng ㊁ケン 𠃊 xuàn
[夐] 4561 本字 [敻] 2216 俗字
字義 ㊀はるか。とおい。㊁もとめる(求)。

注意 『康熙(コウキ)字典』では、夊部に所属する。

解字 篆文 [glyph] 会意。内＋目＋攴。内は、女性のまたの象形。攴はある動作をしいてするの意味。奥の深い女性のまたをしいて見るさまから、もとめる・はるかの意味を表す。

【夐絶】ケイゼツ はるかにかけへだたっているさま。

【夐然】ケイゼン はるかに遠いさま。夐遠。

11 【敻】14画 2216 ケイ 夐(2215)の俗字。↓三三〇ページ中。 5275 9AE9 —

12 【憂】15画 (3600) ユウ 心部。↓五三五ページ下。

16 【夓】19画 2217 カ 夏(2213)の本字。↓三二九ページ下。

16 【夓】19画 2218 カ 夏(2213)の俗字。↓三二九ページ下。 — — 2468

16 【夒】19画 2219 漢ドウ(ダウ) 呉ノウ(ナウ) 𠃊 náo
[夒] 2220 俗字
字義 おおざる。顔や手足が人間に似た、大きな猿。

注意 『康熙(コウキ)字典』では、夊部に所属する。

解字 象形。頭が大きく両手を広げて立つ動物にかたどり、欲の深いさるの意味を表す。

16 【夒】19画 2220 ドウ 夒(2219)の俗字。↓三三〇ページ下。 — — 2467

18 【夔】21画 2221 漢キ 呉ギ 𠃊 kuí
[夔] 2223 同字 [夔] 2222 俗字 [夔] 2224 俗字

字義 ❶一本足の怪物。木石の怪で、人間に似た顔の竜といわれる。❷一本足の怪獣の名。❸舜(シュン)の臣の名。音楽をつかさどった。❹おそれつつしむさま。❺周代の国名。今の湖北省秭帰(シキ)県の東。

注意 夔は、『康熙(コウキ)字典』では、夊部に所属する。

解字 篆文 [glyph] 象形。人の顔で、角があり、大きな耳を持ち、足が一本の神獣の形にかたどり、一本足の怪物・音楽をつかさどった舜(シュン)の臣の意味を表す。

【夔△鳳】キホウ 一本足の鳳(おおとり)。多く左右対称で銅器にあらわされた。

【夔文・夔紋】キモン 蛇状の怪獣の夔竜や夔鳳の模様。

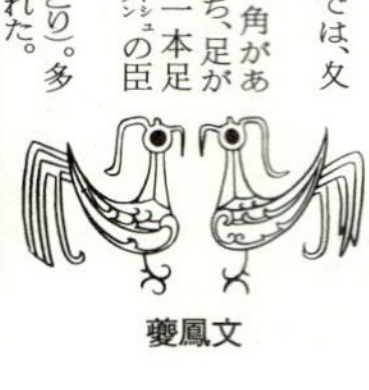
夔鳳文

18 【夔】21画 2222 キ 夔(2221)の俗字。↓三三〇ページ下。 ₂0528 — 2469

20 【夔】23画 2223 キ 夔(2221)と同字。↓三三〇ページ下。

20 【夔】23画 2224 キ 夔(2221)の俗字。↓三三〇ページ下。 ₁1572 — 2470

注意 『康熙(コウキ)字典』では、夊部に所属する。

3画 夕 ゆうべ

〔部首解説〕 夕をもととして、夜に関係する文字ができている。

0 夕 三三一	2 外 三三一	夘 三三〇	3 夙 一六八
舛 一〇八五	多 三三三	夛 三三四	名 二四八
5 姓 三三四	夜 三三四	8 梦 三三五	9 夠 三三五
飧 一五七二	10 夢 三三五	11 夤 三三五	夥 三三五
夣 三三五	夢 三三五	12 舞 一〇八五	

0【夕】 3画 2225 教1 セキ ゆう 漢セキ・呉ジャク 陌 xī 熟字訓 七夕(たなばた) 4528 975B 一

筆順 ノ ク タ

字義 ❶ゆう(ゆふ)。ゆうべ(ゆふべ)。ひぐれ。用例〔唐、韓愈、左遷至藍関示姪孫湘詩〕一封朝奏九重天(イッぷウあしたにソウすキュウチョウのテン)、夕貶潮州路八千(ゆう(ふ)べにチョウシュウにへんせらるみちハッセン)。⇩一通の上奏文を、朝、九重の御殿においでになる天子に奉ったところ、夕方には、遠く潮州へ左遷されることになった。❷よる(夜)。「除夕」❸月を祭る。「夕月(せきげつ)」❹すえ。年・月の末。「月夕」

名前 すえ・ゆ・ゆう　難読 夕星(ゆうずつ)・夕凪(ゆうなぎ)・夕食(ゆうげ)・夕餉(ゆうげ)・夕

参考 ⇩夜(2230)の参考。

解字 甲骨文 金文 篆文 象形。『説文(セツモン)解字』は、月の半ば見える形にかたどり、日ぐれの意味とするが、甲骨文は、月の象形で、「よる」の意味を表した。夕の意味と音符とを含む形声文字に、汐(セキ)・穸(セキ)などがある。

逆 今夕・七夕・宿夕・除夕・朝夕・通夕・日夕

【夕靄】セキアイ・ゆう(ふ)もや　夕方に立つもや。夕嵐(セキラン)。

【夕陰】セキイン　夕ぐれ。日ぐれどきのうすぐらさ。

【夕映】セキエイ　一①夕焼け。②夕日に照りはえる。二ゆう(ふ)ばえ 国夕焼け。夕日が雲に反射して、美しく見えること。

【夕影】セキエイ　一①夕日の光。ゆうひかげ。②夕日のためにうつるかげ。二ゆう(ふ)かげ 国夕日にうつる姿。

【夕霞】セキカ・セッカ・ゆう(ふ)がすみ　夕方に立つもや。また、夕やけ。

【夕暉・夕輝】セキキ・セッキ　夕日。夕陽。▼暉は、ひかり。

【夕曛】セキクン・セックン　夕日。夕日かげ。▼曛は、入り日の余光。

【夕景】一セキケイ・セッケイ　くれがた。また、夕景色。二セキエイ　夕日。また、夕日の光。夕影。

【夕月】セキゲツ・ゆう(ふ)づき　夕方出ている月。

【夕室】セキシツ　①墓地。一説に、地名。②斜めに傾いた部屋。

【夕照】セキショウ　夕日のこと。また、夕ばえ。夕焼け。

【夕吹】セキスイ　夕ぐれの風。▼吹は、かぜ。用例〔唐、白居易、江楼宴別詩〕寒流帯月澄如鏡(カンリュウつきをおびてすめることかがみのごとく)、夕吹和霜利似刀(セキスイしもにワしてときことかたなににたり)。⇩冬の川には月影が映って澄んだ鏡のように見え、夕方の風は霜気を帯びて吹き、刀のように鋭く冷たい。

【夕鳥】セキチョウ　夕方に飛んでいる鳥。

【夕殿】セキデン　夕方の宮殿。用例〔唐、白居易、長恨歌〕夕殿蛍飛思悄然(セキデンにほたるとびて、おもい(ひ)ショウゼン)、孤灯挑尽未成眠(コトウかかげつくしていまだねむりをなさず)。⇩夕暮れ、御殿のあたりに蛍が飛ぶのを見ては、しょんぼりと物思いにかられ、ぽつんとわびしい灯火のしんをかきたてて燃やしつくしてしまっても、まだ眠れないでいる。

【夕暮】セキボ・ゆう(ふ)ぐれ　①日のくれ方。たそがれ。②老境のたとえ。

【夕陽】セキヨウ　①夕日。用例〔唐、李商隠、登楽遊原詩〕夕陽無限好(セキヨウかぎりなくよし)、只是近黄昏(ただこれコウコンにちかし)。⇩夕日の輝きは限りなくすばらしい。だがたそがれ時へと近づいてゆくのだった。②山の西面。山の東面を朝陽というの対。③老境のたとえ。

【夕嵐】一セキラン　夕方のもや。夕靄(セキアイ)。二ゆう(ふ)あらし 国夕方に吹く強い風。

【夕涼】一セキリョウ　夕方のすずしさ。二ゆう(ふ)すずみ 国夏の夕方、戸外などに出てすずむこと。

【夕輪】セキリン　夕方の月。夕月。

【夕麗】セキレイ　夕焼けの美しさ。

【夕話】セキワ　夕方の茶ばなし。

2【外】 5画 2226 教2 ガイ・ゲ そと・ほか・はず-す・はず-れる 漢ガイ(グヮイ)・呉ゲ 泰 wài 唐ウイ 1916 8A4F 一

筆順 ノ ク タ 夕 外

字義 ❶そと。ほか。↔内(753)・中(45)。㋐ある範囲のそと。「域外」「塞外」「望外」㋑おもて。表面。うわべ。また、前面。前部。「外見」「外柔内剛」㋒よそ。他国。他郷。「外国」㋓朝廷に対して、民間のこと。在野のもの。また、公的でないもの。「外史」「外伝」㋔後宮に対して、朝廷のこと。「外朝」㋕中央に対して、地方のこと。また、遠方。㋖母方。また、妻の身うち。「外戚(ガイセキ)」❷はず-す(はづ-す)。そと-にする(そとにす)。㋐遠ざける。うとんずる。おろそかにする。用例〔易経、泰〕内君子而外小人(クンシをうちにしてショウジンをそとにす)。⇩君子を内に入れ、小人を遠ざける。㋑わける。よける。別にする。「除外」㋒よそにする。気にかけない。顧みない。用例〔荘子、大宗師〕能外天下(よくテンカをそとにす)。⇩この世の事を忘れることができた。❸そむ-く。はなれる。離反する。用例〔管子、版法〕民心乃外(ミンシンすなわ(は)ちそむく)。⇩民心が離れてしまう。国❶はず-す(はづ-す)。㋐そらす。「ねらいを外す」㋑のがす。「機会を外す」㋒取り付けてあるもの、身につけているものを取る。「眼鏡を外す」❷はず-れる(はづ-る)。それる。あわない。あたらない。「抽選に外れる」「音程が外れる」

名前 がい・そと・と・との・ひろ・ほか　難読 外海(そとめ)・外記(げき)・外国(とつくに)・外山(とやま)・外山(こんぴら)・外山(はしだて)・外城田(ときだ)・外村(そとむら)・外面(ともも)

使いわけ ほか〔外・他〕
〔外〕ある基準の範囲外にあること。「思いの外」
〔他〕前述の〔外〕の意以外で、広く一般に用いる。「他の人・他をあたる」

解字 甲骨文 金文 篆文 形声。卜＋夕(月)音。音符の夕は、月の変形で、刖(ゲツ)に通じ、かきとるの意味。うらないのために、かめの甲から肉をかき取るさまから、はずす・そとの意味を表す。

逆 雲外・河外・郭外・局外・圏外・言外・在外・渉外・除外・心外・人外・疎外・存外・中外・天外・度外・内外・排外・法外・望外・欄外・慮外・論外

【外夷】ガイイ　外国人をいやしんでいうことば。

【外延】ガイエン　論理学で、その概念が適用される事物の範囲。例えば、金属という概念の外延は、金・銀・銅・鉄の類い。↔内包(一五七ページ上)。

【外苑】ガイエン　御所・神宮などの外側に設けられた庭園。

【外援】ガイエン　外部からのたすけ。外救。

【外縁】一ガイエン　そとから来る欲望。二ゲエン 仏仏がそとから力を与えて衆生(シュジョウ)を助ける縁。↔内縁(一五五ページ下)。

【外家】ガイカ　①皇后の生家。②母または妻の身うち。

【外海】ガイカイ　①湾や陸地のそとがわにある海。そとうみ。↔内海(一五五ページ下)。②陸地を遠くはなれた海。公海。

【外界】ガイカイ　①外国。よその世界。②その物のそとがわ。環境。③五官に触れ心に感じるすべての事物。④仏衆生(シュジョウ)の身体。↔内界(一五五ページ下)。

【外郭・外廓】ガイカク　①そとぐるわ。そとまわり。②赤道の南。

【外学(學)】一ガイガク　①宋(ソウ)代の学校の名。②緯書(イショ)を信奉した後漢の学者が、緯書を内学といい、経書を外学といった。二ゲガク 仏仏学を内学というのに対して、儒学をいう。

【外官】一ガイカン　①政府の役人。↔内官(一五六ページ上)。②地方官。↔京官(六六㌻上)。■ゲカン 国古代の地方官。国司・郡司・大宰府ダザイフ・鎮守府などの役人。

【外△姦】ガイカン 外から攻めてくるあだ。外敵。

【外患】ガイカン 外国から受ける心配ごと・災難。外難。外憂。

【外△艱】ガイカン ①父の喪。↔内艱(一五六㌻上)。②＝外患。

【外観(觀)】ガイカン ①うわべのみえ。おもてむき。外見。②都の外に設けた宮殿。

【外記】ゲキ 国律令制下で、太政官ダジョウカンに属し記録をつかさどった官。

【外求】ガイキュウ ①そとに求める。他国の救いを求める。②世俗の名利を求める。

【外宮】ガイキュウ ■ゲクウ 国伊勢いせの豊受大神宮とようけダイジングウの称。↔内宮ナイクウ(一五六㌻上)。

【外見】ガイケン ①そとにあらわれる。用例(唐、韓愈、雑説)才美不二外見一サイのびそとにあらわれず。↓天分のよさも外に現せない。②外から見たようす。みかけ。うわべ。

【外言不レ入二於△梱一】ガイゲンはコンにいらず 公務に関することばを家で言わない。▼外言は門外の言で、公務に関することば。梱は門のしきみで、自分の家。〔礼記、曲礼上〕

【外交】ガイコウ ①国と国との交際。外国との交渉。↔内治(一五六㌻下)。②他人との交際。③国外部の訪問を仕事とすること。また、人。外交員。

【外△寇】ガイコウ そとから攻めて来る敵。外敵。↔内乱(一五七㌻上)。

【外剛】ガイゴウ うわべが強いこと。「内柔外剛」

【外債】ガイサイ 国家が他国から借り入れる金。外国で発行する公・社債。↔内債(一五六㌻中)。

【外氏】ガイシ 母の生家。舅家キュウカ。

【外史】ガイシ ①周代の官名。外交文書の作成をつかさどる。②民間で歴史を書く人。また、その歴史記録。野史。③文人が雅号にそえて用いることば。④国㋐外記ゲキの唐名。㋑『日本外史』(六四㌻下)の略。

【外史氏】ガイシシ ①民間で歴史を書く人。②国『日本外史』の著者、頼山陽の自称。

【外師】ガイシ ①外国との戦い。②外国の軍隊。③郷里を離れた他所で、ついて学ぶ先生。

【外事】ガイジ ①外国のこと。②一家の外のこと。また、世間のこと。世事。③ほかのこと。よそごと。他事。④郊外の祭り。⑤外で仕事をする。

【外舎】ガイシャ ①皇后の実家をいう。外家。②昔、王の子がそとで学問したところ。③宋ソウ代、官吏登用試験の学舎の一つ。

【外集】ガイシュウ ①僧の詩文集をいう。仏典を内学というの対。②正集の外に後人が補遺編集したもの。また、他人の偽作で正集に入れることのできないもの。③奏議(上奏文)の類いをいう。

【外書】ガイショ 仏仏書・道書以外の書物。外典ゲテン。

【外相】■ガイショウ ①外部で政治を執る人。②外務大臣。■ゲソウ 国①姿。体裁。②外に現れた形。

【外城】ガイジョウ ①そとじろ。でじろ。②北京の正陽門外一帯の地。③城を囲む外まわりの城。外郭。

【外心】ガイシン ①心を外に用いる。②ふたごころ。二心。異心。③数学で、外接円の中心をいう。

【外臣】ガイシン ①他国の臣。②臣が他国の君主に対する自称。

【外寝(寢)】ガイシン 居間。居室。

【外人】ガイジン ①仲間以外の人。門人以外の人。②ほかの人。よその人。外部の人。用例(東晋、陶潜、桃花源記)遂与二外人一間隔ついにガイジンとカンカクせり。↓そのまま外部の人と交渉がなくなってしまった。③外国の人。外国人。④愛人である男性。

【外征】ガイセイ 外国へ遠征して戦争する。

【外△甥】ガイセイ ①妻の兄弟。②他にとついだ姉妹の生んだ男の子。

【外戚】ガイセキ 皇后の身うち。また、母方(妻)の親類。↔内戚(一五六㌻下)。

【外祖】ガイソ 母の父母。外祖父母。

【外宗】ガイソウ ①周代の官名。宗廟ソウビョウの祭りをつかさどる。②王のおば(姉妹)の娘。

【外孫】ガイソン 他家にとついだ娘の子。

【外題】ゲダイ 国①表紙に書いた書名。↔内題(一五六㌻下)。②語りものや演劇などの題目。

【外宅】ガイタク ①別宅。②正妻以外の夫人。

【外地】ガイチ ①地方。都に対していう。②よその土地。他地。③国もと、日本で海外にあった領土をいう。

【外治】ガイチ 国のまつりごと。朝廷の表向きの政治。外政。

【外朝】ガイチョウ ①天子が政治をとる表向きの役所。外廷。↔内朝(一五六㌻下)。②外国の朝廷。

【外△寵】ガイチョウ 君主の気にいりの臣。↔内寵(一五六㌻下)。

【外廷】ガイテイ ①＝外朝。②星の名。北斗七星の第五星から第七星に至る三星。斗柄。

【外邸】ガイテイ ①宮殿外のやしき。②王室の親戚シンセキ。

【外庭】ガイテイ ＝外朝。

【外典】■ガイテン 国外の書籍。↔内典(一五七㌻上)。■ゲテン・ゲデン 仏仏書・道書に対し、それ以外の書物。特に儒家の書物をいう。外書。

【外伝(傳)】ガイデン ①本伝(経書の本文の解釈)以外の伝。経書に関する雑記類。㋐詩の外伝。『韓詩外伝カンシガイデン』㋑春秋外伝。『国語』をいう。↔内伝(一五七㌻上)。②正史以外に別に記録した伝記。

【外殿】ガイデン おもて御殿。表向きの政務を執る宮殿。

【外道】■ガイドウ 外がわの道。■ゲドウ ①仏仏道以外の教え。②仏真理にはずれた道。③国㋐人を邪道におとしいれるもの。また、それを信じる人。㋑悪相に作った仮面。㋒(釣りで)目的以外の魚。㋓人をののしることば。

【外藩】ガイハン ①大名。諸侯。②自国の守りとなる属国。③外国。④国外様とざま大名。

【外賓】ガイヒン 外国から来たお客。

【外父】ガイフ 妻の父。外舅ガイキュウ。

【外府】ガイフ ①周代の官名。国の財貨の出入をつかさどる。②国外にあるくら。③国の財貨を蔵するくら。④地方の役場。また、首都以外の地方。州郡。

【外婦】ガイフ ＝外宅②。

【外△傅】ガイフ 外にあって数える人。学校教師の類い。▼傅は、先生。

【外侮】ガイブ 外国や他人から受けるあなどり・はずかしめ。

【外物】ガイブツ 自分の心身以外のもの。富貴・名利の類い。

【外聞】ガイブン ①外にあって政治などに参与する。②外に聞こえる。③世間の評判。世間のきこえ。

【外△嬖】ガイヘイ 君主の気にいりの男性。

【外貌】ガイボウ ①顔かたち。②うわべの様子。みかけ。

【外妹】ガイマイ 同母異父の妹。

【外務】ガイム ①世の中に対する務め。②自分が当然なすべきこと以外のこと。世俗のつまらないこと。③外交に関する事務。

【外面】ガイメン ①そとがわ。そとも。外部。②うわべ。表面。

【外面如△菩△薩内心如夜△叉】ゲメンニョボサツナイシンニョヤシャ 仏女性は容姿がやさしく慈悲深い仏のようであるが、その実(男性を惑わせて種々の悪業をさせるから)恐ろしい悪魔のようなものである。転じて広く、うわべはやさしく、心の中が悪魔のように恐ろしい者にいう。〔華厳経〕

【外憂】ガイユウ ＝外患。

【外用】ガイヨウ ①そとに対して働きかける。②外の用事。③皮膚などからだの外部に薬を用いる。「外用薬」↔内服(一五七㌻上)。

【外洋】ガイヨウ ①そとうみ。外海。②外国の貨幣。

【外様(樣)】とざま ①そとの方。②鎌倉時代、代々将軍に仕えた御家人。③国 ①江戸時代、関ヶ原の戦以後、徳川家に臣従した大名。↔譜代(一三三九ページ上)。

【外来(來)】ガイライ ①そとから来る。外国から来る。「外来語」②国患者が外から診察や治療を受けに来ること。↔往診(五〇一ページ下)。「外来患者」

【外郎】㊀ガイロウ ①官名。漢の中郎の正員外のもの。②下級の官吏。㊁ウイロウ 国①礼部員外郎であったという元ゲンの陳宗敬が、日本に帰化して売り始めた薬の名。外郎薬。②菓子の名。ういろうもち。

2 【夘】 5画 (1192) ボウ 卩部。↓二三〇ページ下。

3 【夙】 6画 (843) シュク 几部。↓一六八ページ下。

3 【舛】 6画 (9714) セン 舛部。↓一一八五ページ中。

3 【多】 6画 2227 教2 タ おお-い 歌 duō 3431 91BD

筆順 ノ ク タ 多 多 多

[夛] 2228 俗字

字義 ❶おお-い おほ-し。数や量がたくさんある。↔少(2738)・寡(2689)。「多数」「多量」❷おお-く おほ-く。また、おおくは。用例〔論語、為政〕多聞闕レ疑、慎言二其余一、則寡レ尤。↓たくさん聞いて、真偽のはっきりしない疑問の点は省いて残しておき、それ以外の(確実な)ことを口にすれば、過ちは少なくなる。❸おおくする。増す。❹ありがたいと思う。また、たたえほめる。❺まさっていると思う。また、重視する。用例〔老子、四十四〕名与レ身孰親、身与レ貨孰多。↓名誉と身体とでは、どちらが自分にとって親しいものであろうか。身体と財産とでは、どちらが自分にとって重要なものであろうか。❻まさに。ただ。まさしく…だけであってそれ以外ではない。用例〔論語、子張〕多見二其不一レ知レ量也。↓自分の身のほど知らずを示すだけだ。

名前 おうし・おお・おおの・かず・た・ただ・とみ・な・なお・まさ・まさる 難読 多芸たぎ・多田ただ・多般竹ほていちく・多武保たんぼ・多武峰とうのみね・多門おかど・多良たら・多良木たらぎ・多悩ナウド

解字 甲骨文  篆文  会意。夕＋夕。夕は、肉の象形とも、ゆうべの意味の半月の象形ともいう。量が多いの意味を表す。

逆 幾多・過多・居多・許多・数多・繁多・煩多・滅多

【多寡】タカ ①多いことと少ないこと。多少。②分量。

【多感】タカン 感じることが多い。ものに感じやすい。感受性が強い。「多情多感」

【多岐】タキ ①分かれ道が多い。道がいくつにも分かれていること。②多方面なこと。「多岐多様」

【多岐亡羊】タキボウヨウ 逃げた羊を追う者が、分かれ道の多い所で、ついに羊を見失った故事。学問の道もあまり多方面になりすぎると、真理をつかむことがむずかしいたとえ。用例〔列子、説符〕大道以二多岐一亡レ羊、学者以二多方一喪レ生。↓大きな道は、分かれ道が多いので羊を逃がしてしまうし、学問をする者は、その方法が多いので生き方を見失ってしまう。

【多義】タギ 一つの語が多くの意味を持っていること。

【多芸(藝)】タゲイ 多くの芸能に通じていること。「多才多芸」

【多血漢】タケッカン ものごとに感激しやすい男性。血の気の多い男。

【多元論】タゲンロン 哲学で、宇宙の諸現象はそれぞれ独立する多くの実在の集合であると説く考え方。↔一元論(三ページ上)・二元論(五四ページ中)。

【多言】タゲン 口数が多い。おしゃべり。多弁。用例〔老子、五〕多言数窮。↓おしゃべりはよく行きづまる。

【多故】タコ ①事故が多い。面倒が多い。多難。多事。②巧偽・作為の多いこと。

【多祜】タコ しあわせが多い。多幸。多福。

【多口】タコウ おしゃべり。多言。多弁。〔孟子、尽心下〕

【多幸】タコウ 多くのしあわせ。「多幸多福」〔左伝、宣公十六〕

【多恨】タコン ①うらみが多い。「多情多恨」②名残り惜しい。

【多才】タサイ 才能に恵まれている。多材。「多芸多才」

【多彩】タサイ ①いろどりの多いこと。色彩が多く美しいこと。②種類が多くはなやかなこと。

【多罪】タザイ ①罪の多い者。②失礼をわびる言葉。

【多作】タサク 作品をたくさん作ること。

【多士】タシ ①多数の人材。衆士。②『書経』の編名。

【多士済(濟)済(濟)】タシサイサイ・タシセイセイ りっぱな人物の多い形容。『詩経』大雅・文王に「済済多士」とあるのに基づく。▼済済は、多いさま。

【多事】タジ ①仕事が多い。することが多くて忙しい。「多事多患」②事件や事故が多い。「多事多難」③よけいなことをする。

【多事多患】タジタカン 事が多ければ憂いが多い。

【多時】タジ 長い間。長時間。

【多識】タシキ 多く物事を知っていること。博識。

【多謝】タシャ あつくお礼をのべる。▼多は、厚。

【多少】タショウ ①多いと少ない。多寡。②多い。▼少は、助字。用例〔唐、杜牧、江南春詩〕南朝四百八十寺、多少楼台煙雨中。↓南朝の昔、寺院の多いこと四百八十といわれたが、その名残をとどめる多くの高い建物が、煙ったように降る春雨の中に見えている。③いかほど。どのくらい。用例〔唐、孟浩然、春暁詩〕夜来風雨声、花落知多少。↓ゆうべ寝しなに風や雨の音を聞いたが、庭の花はどのくらい散っただろう。④国すこし。いくらか。若干。

【多生】タショウ 仏生死を重ねて何回も生まれ変わること。「袖触れ合うも多生の縁」

【多情】タジョウ ①＝多感。②愛情が深い。③うつりぎ。うわき。異性への愛情が移りやすいこと。

【多情多感】タジョウタカン 物事に感じやすいこと。用例〔唐、陸亀蒙、自遣詩〕多情多感自難レ忘、祇有二風流共一レ古長。↓感じやすい心は憂さを忘れることも難しく、ただ風流の思いだけは昔と変わることなくいつまでも続いている。

【多情多恨】タジョウタコン 物事によくあわれを感じ心を多く痛めること。↓多恨。

【多情仏(佛)心】タジョウブッシン 多情であることが仏心(慈悲の心)であること。また、多情でうつりぎであるが、なさけ深くて薄情なことのできないこと。

【多心】タシン ①疑い深い。②あれこれと心が引かれる。気が多い。

【多勢】タゼイ おおぜい。多人数。

【多銭(錢)善賈】タセンよくかう(ふ) 金持ちは何でも買うことができる。資力のある者は成功しやすいたとえ。〔韓非子、五蠹〕

【多多】タタ ①多ければ多いほど。②多く。沢山。大層。非常に。

【多多益弁(辨)】タタますますベンず ①多ければ多いほど、うまく処理する。「多多益善」ともいう。▼弁は、処理する意。〔漢書、韓信伝〕②国多ければ多いほどよい。

【多大】タダイ 非常に多い。たくさん。

【多端】タタン 仕事が多い。忙しい。多忙。▼端は、事業のいとぐち。

【多難】タナン 難儀が多い。また、多くの災難。「前途多難」

【多能】タノウ 才能に恵まれている。〔論語、子罕〕

夕部 2▼3画 〔夘夙舛多〕

【多病】タビョウ・タヘイ 病気がちであること。用例〔唐、杜甫、登高詩〕万里悲秋常作レ客、百年多病独登レ台。↓故郷を離れること一万里、もの悲しい秋を迎えている私は、いつも旅人であり、生涯病気がちの私は、(この重陽の日に)ただ一人でこの高台に登ってきた。

【多福】タフク ＝多幸。〔書経、畢命〕

【多聞】タブン 一 多く聞く。また、見聞の多い人。博識の人。用例〔論語、季氏〕友レ直、友レ諒、友二多聞一、益矣。↓正直な人を友とし、誠実な人を友とし、博識な人を友とするのは、有益だ。二タモン 仏＝多聞天。

【多聞天】タモンテン 仏毘沙門天。福徳を守護し、夜叉・羅刹を眷属として、北方の天を支配する。多聞天王。

【多弁(辯)】タベン よくしゃべる。多言。多口。

【多方】タホウ ①四方の国々。多くの国。②いろいろの方法。用例〔杜子春伝〕多方引レ之、終無レ辞。↓あれこれと気を引いてみたけれども、遂に彼女は一言も発しなかった。③種々の方面。多方面。

【多忙】タボウ いそがしい。

【以レ多問二於寡一】見聞・学識の多い者が少ない者に問い尋ねる。謙虚に人に学ぶこと。〔論語、泰伯〕

3 【夛】 6画 2228 タ 多(2227)の俗字。→三三ページ上。 5276 9AEA —

3 【名】 6画 (1344) メイ 口部。→二四八ページ中。

5 【姓】 8画 2229 セイ 晴(4805)と同字。→六七四ページ下。 — — 2471

5 【夜】 8画 2230 教2 ヤ よ・よる ヤ 禡 yè 4475 96E9 —

筆順 丶 亠 广 亣 夜 夜 夜

字義 ❶よ。よる。㋐日没から日の出までの間。↕日(4647)・昼(4720)。用例〔唐、杜甫、春夜喜レ雨詩〕随レ風潜入レ夜、潤レ物細無レ声。↓風とともに、静かに夜まで降り続け、音も立てずに万物を潤している。㋑くれがた。日ぐれ。㋒よわ。夜中。夜ふけ。夜半。↕夙(843)。用例〔詩経、衛風、氓〕夙興夜寐、靡レ有二朝矣一。↓朝早くから夜遅くまで、まるで朝などないようにはたらきました。❷くらい(暗)。

名前 やす・よ・よる 難読 夜久野・夜業・夜更・夜須・夜半

参考 日没から夜半までは、ふつう「夕・暮・昏・宵・夜」の順序で呼ばれている。

解字 金文 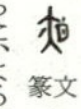 篆文  形声。夕＋亦音。音符の亦は、わきの下の意味。月が、わきの下よりも低く落ちた、よるの意味を表す。

逆 乙夜・永夜・客夜・午夜・後夜・残夜・子夜・時夜・終夜・初夜・除夜・星夜・清夜・早夜・大夜・逮夜・中夜・長夜・通夜・徹夜・当夜・独夜・日夜・白夜・薄夜・半夜・暮夜・涼夜・良夜・連夜

【夜以継(繼)レ日】よもってひにつぐ 昼夜休まずにはげむこと。〔孟子、離婁下〕

【夜陰】ヤイン 夜のくらやみ。また、夜。夜間。「夜陰に乗ずる」

【夜雨】ヤウ 夜に降る雨。用例〔唐、白居易、長恨歌〕行宮見レ月傷レ心色、夜雨聞レ鈴腸断声。↓行宮で月を眺めると、月にも心を悲しませる雰囲気があり、雨の夜に駅馬の鈴の音を耳にすると、はらわたもちぎれるばかりに悲しく聞こえる。

【夜営(營)】ヤエイ 夜、陣営をはること。また、その陣営。

【夜宴】ヤエン 夜の宴会。夜のさかもり。夜飲。

【夜猿・夜△猨】ヤエン 夜鳴くさる。また、その声。

【夜客】ヤカク ぬすびと。盗賊。

【夜鶴】ヤカク 夜に巣ごもっているつる。また、夜に鳴くつるの声。つるは子を守って夜もねないことから、愛情の深いたとえにも用いる。用例〔唐、白居易、五絃弾詩〕第三第四弦冷冷、夜鶴憶レ子籠中鳴。↓第三、第四の弦の清らかな調べは、夜、親鶴が子鶴を思ってかごの中で鳴いているようだ。

【夜気(氣)】ヤキ ①夜の空気。②夜間、ひるの雑念を去った清らかな心。孟子はこの夜気を養うことを修養法の一つとした。用例〔孟子、告子上〕夜気不レ足二以存一、則其違二禽獣一不レ遠矣。↓夜間、昼の雑念を去った清らかな心が(仁義の心を)存在させることができないならば、鳥や獣と変わりないものとなってしまう。

【夜景】ヤケイ 夜のけしき。夜色。

【夜警】ヤケイ 夜間の警戒。よまわり。夜番。

【夜弦・夜△絃】ヤゲン 夜ひいている琴。また、その音。夜琴。

【夜光】ヤコウ ①夜、ひかる。また、夜の光。②月をいう。③虫の名。蛍の別名。④宝石の名。夜光珠。

【夜光珠】ヤコウのたま 暗夜に光る名玉の名。夜光。夜珠。夜光璧。

【夜光杯】ヤコウのハイ 名玉で作ったさかずき。夜中に光を放つという。一説に、ガラスのコップ。用例〔唐、王翰、涼州詞〕葡萄美酒夜光杯、欲レ飲琵琶馬上催。↓葡萄のうまい酒を夜光の玉杯にたたえ、飲もうとすると、せきたてるかのように馬上で琵琶を奏でる者がいる。

【夜行】ヤコウ ①夜に行くこと。よあるき。②国夜行列車。

【夜行被レ△繡】よるゆくにシュウをきる 夜、ぬいとりの着物を着て歩く。だれも知る者がない意。功名をなしとげても故郷に帰らなければ、だれも知る者がないたとえ。『史記』項羽本紀に「富貴不レ帰二故郷一、如二衣レ繡夜行一」とあるのに基づく。

【夜更】ヤコウ ①よまわり。②よふけ。深更。

【夜合】ヤゴウ ①夜にあわさる。②合歓の木。夜に葉をあわせるのでいう。

【夜△坐】ヤザ ①夜、すわる。また、夜中、寝ずにすわっている。②仏禅宗で日没から十二時まで行う座禅。

【夜思】ヤシ ①夜の物思い。②夜間に工夫をめぐらす。

【夜△叉】ヤシャ 仏梵語 yakṣa の音訳。地上または空中に住み、人を害するが、仏に帰依して後は、正しい仏法を守護する鬼神となる。薬叉。

【夜珠】ヤシュ ＝夜光珠。

【夜襲】ヤシュウ 夜間に敵の不意をついて攻める。夜討ち。

【夜色】ヤショク 夜のけしき。夜景。また、夜のけはい。

【夜台(臺)】ヤダイ はかあな。墓の中。長夜の台の意で、ひとたび閉じると再び明るさが見られないことからいう。夜室。

【夜△柝】ヤタク 夜まわりの打つ拍子木の音。

【夜直】ヤチョク 夜、宮中に宿直すること。

【夜△砧】ヤチン 夜、聞こえるきぬたの音。

【夜熱】ヤネツ 夜まで残っている暑さ。↕夜涼。

【夜泊】ヤハク ①夜、船が停泊すること。②夜、船中に泊まること。

【夜△魄】ヤハク 夜のさびしい心。

【夜発(發)】ヤハツ 夜、出発する。

【夜半】ヤハン よわ。よなか。半夜。用例〔唐、張継、楓橋夜泊詩〕姑蘇城外寒山寺、夜半鐘声到二客船一。↓姑蘇の町はずれの寒山寺の、夜半を告げる鐘の声が旅の船にまで響いてくる。

【夜分】ヤブン ①よなか。夜半。②夜。

【夜明】ヤメイ ①よがあける。また、あかつき。②昔、月を祭る壇の名。

【夜夜】ヤヤ 毎夜。用例〔唐、岑参、胡笳歌送二顔真卿使赴二河隴一詩〕辺城夜夜多二愁夢一、向レ月胡笳誰喜レ聞。↓辺境の町では毎夜さびしい夢をみることであろう。月に向かって吹く胡笳の悲しげな音を、だれが喜んで聞くだろうか。

【夜△邏】ヤラ よまわり。夜間、警戒に見まわる人。夜巡。

【夜来(來)】ヤライ ①夜に来る。②夜がくる。夜になる。③昨夜。▼来は、助字。用例〔唐、孟浩然、春暁詩〕夜来風雨声ヤライフウウの、こえ(ゑ) 花落知多少はなおつることしるタショウ ↓ゆうべ寝しなに風や雨の音を聞いたが、庭の花はどのくらい散っただろう。

【夜△闌】ヤラン・よるたけなわ(は) 夜がふけること。真夜中になる。

【夜涼】ヤリョウ 夜のすずしさ。↕夜熱。

【夜郎自大】ヤロウジダイ 知識や実力もないのに人に対して尊大にかまえるたとえ。夜郎は漢代、中国の西南(今の貴州省北西部)に拠った異民族。西南夷ィ中、勢力があったのをたのんで、この族長が漢の使者に自分の国と漢の国との大小を問うた故事による。〔史記、西南夷伝〕

【夜漏】ヤロウ ①夜の水時計。②夜の時間。

【夜話】ヤワ よばなし。また、夜話を書いた本。

【専(專)レ夜】よるをもっぱらにす・よをもっぱらにす 妻や側室などが一晩中、一人で主人の愛を受けること。用例〔唐、白居易、長恨歌〕承レ歓侍レ宴無ニ間暇一カンをうけエンに、ジしてカンカなく 春従ニ春遊一夜専レ夜はるははるのあそびにしたがい(ひ)、よるはよるをもっぱらにす。↓天子の気持ちを察して気に入られるようにふるまい、宴席にはべって天子のおそばにつきっきり、春は春の遊びのおともをし、夜は天子の夜を独り占めにする。

【冒レ夜】よをお(を)かす 夜をもいとわず事を行うこと。

8【梦】11画 2231 ム 夢(2233)の俗字。→三三五ジペー上。 5277 9AEB —

9【結】12画 2232 キ 寘 qì — — 2472
字義 多い。
解字 形声。多＋吉㊟。

9【飧】12画 (13561) ソン 食部。→一五七二ジペー下。

10【夢】13画 2233 教5 ムゆめ 4420 96B2 —

11〖夢〗14画 2234 ㊀漢ボウ・呉ム 送 東 mèng ㊁漢ボウ・呉ム 東 méng

筆順 一 艹 艹 艹 苎 苎 苗 夢 夢

【寢】2709 本字 【梦】2231 俗字 【夣】2237 俗字

字義 ㊀❶ゆめ。㋐眠っている間に見る心的現象。㋑はかない現象。また、ぼんやりしたさま。実在しないものを在るように思うこと。まぼろし。「夢幻」 ❷ゆめ-みる。夢を見る。㊁くらい。あきらかでない。「子供のころの夢」 国❶実現するかどうかわからないがやりたいと思うこと。「子供のころの夢」 ❷現実のきびしさを忘れている状態。「新婚の夢」

名前 ゆめ 難読 夢現ゆめうつつ・夢前ゆめさき

解字 もと、「ゆめ」は〔寢〕、「くらい」は〔夢〕で別の字であったが、後世、寢の字が廃れて、夢を「ゆめ」の意味で用いる。

〔寢〕篆文  形声。宀＋爿＋夢㊟。宀はおおう屋根の意味。爿は寝台の象形。音符の夢は、暗いの意味。人が屋内の寝台に寝て暗い中で見るもの、ゆめの意味を表す。

〔夢〕篆文  形声。夕＋瞢省㊟。夕は夜の意味。苜は、瞢ボウの省略形で、目がはっきりしないの意味。暗いの意味を表す。この字をゆめと訓ずるのは寢の字の仮借。

逆 悪夢・吉夢・客夢・旧夢・昨夢・残夢・愁夢・迷夢

【夢境】ムキョウ ゆめの中。夢路。

【夢幻】ムゲン ゆめまぼろし。物事のはかないことのたとえ。「夢幻泡沫ホウマツ」「夢幻泡影」

【夢魂】ムコン ゆめを見ているたましい。ゆめの中での切ない気持ち。また、死者のたましい。用例〔唐、白居易、長恨歌〕聞道漢家天子使きくならくカンカテンシの、つかい(ひ)なりと 九華帳裏夢魂驚キュウカのチョウリ、ムコンおどろく。↓漢朝の天子の使いであると言うのを聞いて、花の刺繡を施したカーテンの中で、寝ていた死者の魂が目を覚ました。

【夢死】ムシ 何事もしないでむなしく死ぬ。無意味に一生を送る。「酔生夢死」

【夢窓疎石】ムソウソセキ 国鎌倉・室町時代の禅僧。伊勢いせ(今の三重県)の人。一山一寧に学び、禅の興隆に努めた。門下に義堂・絶海などのすぐれた僧を出した。(一二七五—一三五一)

【夢想】ムソウ ①ゆめにまで思う。また、その思い。②国㋐ゆめの中に神仏が現れて告げ知らせること。ゆめの中のお告げ。㋑あてもないことを思うこと。とりとめもない思い。空想。

【夢中】ムチュウ ①ゆめのなか。②国㋐本心を失ったさま。㋑物事に熱中して、他を顧みるゆとりのないさま。

【夢中占レ夢】ムチュウゆめをうらなう(ふ) ゆめの中でそのゆめを考える。人生はみなゆめのようにはかないのにそれに気づかずにいるたとえ。〔荘子、斉物論〕

【夢兆】ムチョウ ゆめの知らせ。ゆめじるし。夢徴。

【夢枕】㊀ムチン ①それをして寝るとゆめを見るといわれるまくら。②ゆめを見ているまくらもと。㊁ゆめまくら 国睡眠中、神仏などがまくらもとに現れて告げること。

【夢△寐】ムビ ゆめを見ている間。ねている間。

【夢夢】ボウボウ ①乱れたさま。②遠くて明らかでないさま。

【夢△卜】ムボク ①ゆめとうらない。ゆめうらない。②ゆめによって吉凶をうらなうこと。また、そのうらない。ゆめうらない。③帝王が賢臣を見いだすこと。殷ィンの高宗が夢で傅説フエツを、周の文王が占いで呂尚リョショウを得た故事。

【夢魔】ムマ 眠っている時、ゆめの中に現れて苦しめるという悪魔。

【夢裏・夢△裡】ムリ ゆめのうち。夢中。

【若レ夢】ゆめのごとし ぼんやりしている。とりとめがない。また、はかない意。用例〔唐、李白、春夜宴ニ桃李園一序〕浮生若レ夢フセイはゆめのごとし。↓定まりのない人生というものは、夢のようにはかない。

11【夤】14画 2235 イン 眞 yín ₂0529 — 2474
字義 ❶つつしみおそれる。❷のびる(延)。連なる。からみつく。
解字 金文  篆文  形声。夕＋寅㊟。夕は肉の象形。音符の寅シンは、愼に通じ、つつしむの意味。いけにえの肉をささげて、つつしむの意味を表す。

11【夥】14画 2236 漢カ(クワ) 呉ワ 哿 huǒ 5278 9AEC —
字義 おびただ-しい おびただし。おおい。「夥多」
解字 篆文  形声。多＋果㊟。音符の果は、木の実の意味。多は、おおいの意味。木の実のように多いの意味を表す。

11【夣】14画 2237 ム 夢(2233)の俗字。→三三五ジペー上。 — — 2473

11【夢】14画 (2234) ム 夢(2233)の旧字体。→三三五ジペー上。

12【舞】15画 (9719) ブ 舛部。→一〇八五ジペー下。

3画 大 だい

〔部首解説〕文字の要素としては、多くのばあい、人の姿を表している。また、大きいの意味を示すこともある。大の形をもつ文字や夾の形も含めて部首に立てられる。

0 大 三三六 天 三四五
尢 四二四 夫 三四九
夨 三四三 尤 四二四
1 夬 三四三 夭 三五〇
2 太 三四三 央 三五〇

夕部 8▼12画〔梦 結 飧 夢 夤 夥 夣 夢 舞〕 大部

夰 三五〇	夯 三五一	失 三五一	夳 三五一	夲 三五一
夹 三五一	3 夷 三五一	夸 三五二	夵 三五二	夶 三五二
㚇 三五二	4 夾 三五二	夽 三五二	奁 三五二	5 奄 三五二
㚉 三五二	奇 三五二	奆 三五四	臭 三五四	奃 三五四
卓 三五四	奈 三五四	奉 三五四	奔 三五四	6 奕 三五五
奒 三五五	奐 三五五	契 三五五	奎 三五五	奓 三五五
臭 一一八〇	耎 一一六七	奏 三五六	美 一一五三	奔 三五四
7 奚 三五六	奘 三五六	套 三五六	莫 三五七	8 奝 三五七
研 三五七	奞 三五七	爽 九一七	奩 三五七	匏 二〇三
斎 三五七	9 奥 三五七	奣 三五七	奤 三五七	軼 三五七
奡 三五七	奢 三五七	奠 三五七	業 三五七	寮 四三二
10 奧 三五七	㚗 三五八	奨 三五八	11 奬 三五八	奪 三五八
盇 三五八	12 奫 三五八	奭 三五八	樊 七六六	13 奯 三五八
奮 三五八	21 奲 三五八			

0

【大】

3画 2238 教1 ダイ・タイ おお・おお-きい・おお-いに 3471 91E5 一

一 漢タイ・呉ダイ 泰 dà, dài, tài
二 漢タ・呉ダ 箇 dà

熟字訓 大人・大和

筆順 一ナ大

字義 一 ❶おお-きい。㋐形体がおおきい。「肥大」㋑多い。数・量が多い。「大衆」「大量」㋒広い。及ぶ範囲が広い。度量が広い。「大空」「大度」㋓はなはだしい。程度がひどい。非常な。はげしい。「甚大」「大事」㋔すぐれている。地位・身分・人格などが高くりっぱ。「偉大」「大人」㋕強い。力・勢いなどが強い。「大力」「大敵」㋖おごっている。態度などが横柄である。「尊大」㋗久しい。長い。㋘遠い。㋙あらい(粗)。㋚重い。❷おお-いに。㋐多く。こぞって。みな。㋑広く。あまねく。㋒さかんに。また、非常に。はなはだ。用例〔史記、項羽本紀〕又聞沛公已破咸陽、項羽大怒。↓その上、沛公がもう咸陽を破ったと耳にして、項羽は非常に怒った。❸だいとする。㋐重んずる。尊ぶ。㋑ほこる。おごる。「誇大」❹あらまし。おおかた。おおよそ。「大概」「大旨」❺年かさ。年長。㋐年をとっている。「老大」㋑排行(一族の同世代中の年齢順を示す呼称)の一番目。❻人を尊んで上にそえることば。「大王」「大先生」 二 ❶おおきい。❷はなはだしい。 国 おお。尊敬・広大などの意味を表すのに用いる接頭語。

名前 お・おい・おう・おうい・おうき・き・た・たい・だい・たか・たけし・とも・なが・はじめ・はる・ひろ・ひろし・ふと・ふとし・まさ・まさる・もと・ゆたか

難読 大雲川・大堰・大河内・大晦日・大海・大海原・大角・大角豆・大鋸屑・大御座・大仰・大曲・大君畑・大兄・大穴牟遅・大原女・大胡・大鼓・大口魚・大工廻・大江田・大更・大根占・大西風・大歳・大山祇・大蒜・大子・大私・大耳・大児・大治田・大蛇・大洲・大嘗・大食・大神・大・大仁・大臣・大炊・大生・大ケ生・大声・大船渡・大即・大岱・大宅・大庭・大殿・大殿油・大刀・大豆越・大豆生・大豆生田・大塔山・大湯人・大日・大日子・大日方・大日本・大伯皇女・大迫・大飯・大夫・大府・大風・大副・大仏・大仏供・大分・大平・大米・大歩・大歩危・大輔・大凡・大門・大誉地・大甕・大嵐・大楽毛・大略・大連・大畑・大笹生

使いわけ タイ〔大・太〕
〔大〕比較的大きい。「大国・大木」
〔太〕絶対的に大きい。「太古・太陽」

解字 甲骨文 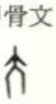 金文  古文  象形。両手両足をのびやかにした人の形にかたどり、おおきいの意味を表す。大の意味と音符とを含む形声文字に、太・泰・仸・杕などがある。

逆 偉大・遠大・拡大・過大・寛大・高大・誇大・細大・自大・甚大・正大・絶大・壮大・措大・尊大・多大・長大・肥大・膨大・雄大・老大

【大安】①大いに安らかなこと。②国「大安日」の略。陰陽家で万事に吉であるという日。

【大位】①天子の位。帝位。②尊い(高い)官位。

【大医(醫)】①宮中の侍医。②すぐれた医師。

【大尉】①＝太尉(三四三ページ下)。②国㋐太政大臣の唐名。㋑もと、陸海軍の尉官の最上位。少佐の下。

【大意】①あらまし。大体の意味。②大きい志。大志。

【大一】①非常に大きい。この上もなく大きい。②＝太一①②(三四三ページ下)。

【大尹】①天子の側近に仕えるお気に入りの臣。②郡の長官。郡守。

【大陰】一 ①地。大地。②北極。二 国大陰神。陰陽家で祭る神。

【大隠(隱)隠(隱)朝市】さとりきった真の隠者は、山林などにかくれず、町中に住んでいる。衆人の中に住んで、一見衆人と異ならない生活をしながら、しかもその身の清さを保つ意。▼朝市は、朝廷と市場で、ともに人の多く集まるところ。〔文選、王康琚、反招隠詩〕→小隠(四一七ページ上)。

【大宇】宇宙。天下。

【大禹惜寸陰】夏の禹王は、聖人でありながらわずかな時間も惜しんで努力した。まして一般人はなおさらそうしなければならないという意。▼大禹は、禹王の美称。〔晋書、陶侃伝〕

【大瀛】大きい海。大海。

【大役】一 ①国家の大きな仕事。②大戦争。大戦役。二 国重い役目。

【大越】国名。インドシナ半島の東岸にベトナム人の建てた国。㋐宋代、李公蘊が建て、八世で陳氏に滅ぼされた。(一〇一〇—一二二五) ㋑明代、黎利が建てた国。(一四二八—一七八九) ㋒中国から独立後のベトナム。

【大閲】戦争に用いる車馬を検閲し、訓練を行うこと。また、三年ごとに軍隊を検閲すること。▼閲は、しらべる。

【大円(圓)・大圜】天をいう。↔大方。

【大宛】漢代の西域の国名。中央アジアのシル河の上流域フェルガーナ盆地にあったという。イラン系民族で、農耕を主とし、葡萄・汗血馬(名馬の称)を産した。東西交通の要地で、前漢時代から、漢と密接な関係があった。

【大衍】①五十。占いに用いるめどぎが五十本であるのによる。②広大な湿地。

【大王】一 ①偉大な王者。②周の古公亶父太王。③晋の書家、王羲之。二 国君主の敬称。三 国親王・王子・王女の敬称。

【大王父】①曽祖父。②祖父。

【大化】①大きな変化。②徳教をもって大いに人心を善導すること。③国日本の最初の年号。第三十六代孝徳天皇の即位元年に始まった。(六四五—六五〇)

【大火】①大火事。大火災。②夏のはなはだしい暑さ。③星の名。二十八宿中の心星の大赤星。今のさそり座のアンタレス。単に火ともいう。

【大哥】長兄。あに。

【大夏】①夏の禹王の音楽の名。▼夏も、大の意で、禹が洪水を治めて中国を大にした功業をたたえる意。②

夏の季節をいう。

【大家】一 大きな家。富貴な家。また、身分の高い家。勢力のある家。二 ①側近の者が天子を呼ぶ称。②その道の達人。学問・芸術にすぐれた人。③他人の敬称。三 ①しゅうとめ。②女性の尊称。③太后、または皇后の称。四 国本家。また、貸家の持ち主。

【大過】①易の六十四卦の一つ。☱☴巽下兌上。②他より大いにすぐれること。③大きなあやまち。④大きなわざわい。大禍。

【大△廈】大きな家屋。▼廈は、家。「大廈高楼」

【大△廈将(將)△顚】非二一木所一レ支】大きな家屋が倒れる時は、一本の木では支えきれない。国家が倒れる大勢にある時は、一人の力では支えきれないたとえ。〔文中子、事君〕

【大禍】大きなわざわい。大過。

【大牙】天子・将軍の本陣にたてる旗。大きな象牙をかざりとしてつけるのでいう。牙旗。

【大我】①哲学用語。宇宙の本体としての唯一絶対の精神。↔小我(四一七ページ中)。②仏せまい見解や執着を離れて、自由自在な働きをする境地。

【大河】①大きい川。②黄河。

【大雅】①すぐれて正しい。また、その人。②学識のある人をいう。転じて、文人がたがいに敬称として用いる語。③『詩経』の詩の一体。宴会の時に用いる楽歌。↔小雅(四一七ページ中)。

【大△駕】①天子の乗り物。②天子をいう。

【大会(會)】①大いに集まる。大ぜい集まる。②大ぜいが集まるさかんな会合。③国ある組織や会に所属する人全部が集まる会合。

【大戒】①大いにいましめる。②(犯すことのできない)大きないましめ。

【大塊】①地をいう。大地。②天地・自然・造物主をいう。〔荘子、斉物論〕用例〔唐、李白、春夜宴二桃李園一序〕大塊仮レ我以二文章一 ⇩宇宙万物の造物主が、この私に詩文を作る才能を貸し与えてくれた。

【大△魁】①大勢力の頭目。おやだま。巨魁。②官吏登用試験である科挙の最優秀合格者。状元。

【大△晦日】十二月三十一日。また、その夜。⇩コラム 年中行事(四六五ページ)。

【大害】大きな損害。大きな災害。

【大角】①大きな角。②楽器の名。大きな角ぶえ。③星の名。蒼竜(東方の星)の一本の角に当たる。農業の神として祭られ、また、船乗りの間にも重んじられる。牛飼座のアルクトゥールス。

【大覚(覺)】一 ①大いにさとる。②大いにさとった人。二 仏①さとりを開く。大悟。②仏の別称。

【大較】①おおむね。あらまし。大略。②大きなおきて。

【大△濩】殷の湯王の音楽の名。湯王が天下を救い、万民を安らかに治めた功をたたえて歌ったもの。▼濩は、護。

【大学(學)】①昔、天子の建てた学校。修己治人の道を教える最高学府。天子・公卿・大夫の子、および一般人の俊秀な人を入学させた。漢の武帝の時、董仲舒の建議により官吏養成のために設けられ、五経博士を置き、後世、これに従った。↔小学(四一七ページ中)。②書名。四書(『大学』『中庸』『論語』『孟子』)の一つ。もと『礼記』の中の一編であったが、南宋の朱熹が四書の一つとして表章(広く明らかにすること)し、大いに世に行われた。③国㋐大宝令によって制定された「大学寮」の略。貴族の子弟を教育した学校。↓大学寮。㋑現行の最高学府。

【大学(學)士】官名。唐の中宗が修文館に大学士四人を置いたことに始まり、宋代には昭文館大学士・集賢殿大学士を置き、宰相がこれを兼ねた。明・清代には、宰相の権限を有する官職となった。

【大学(學)章句】書名。一巻。南宋の朱熹が『礼記』の一編であったものを抜き出して、これを経一章と伝十章とに分けて注釈を施したもの。↓大学②。

【大学(學)寮】国天智天皇の時に設けた学校で、式部省に属し、文章・紀伝(歴史)・算道・明経(経書)・明法(律令・格式)などを教えた。

【大△壑】海の別称。巨壑。

【大喝(喝)】大声でしかる。どなりつける。「大喝一声」

【大△奸・大△姦】大悪人。また、大悪事。用例〔宋史、呂誨伝〕大姦似レ忠 ⇩大悪人は(自分の本性を隠してへつらうので)、一見すると忠臣のように見える。

【大△旱望二雲△霓一】おおひでりに雨雲や虹を望んで、雨の降ることを待ちこがれる。りっぱな王者の出現などを大いに待望するたとえ。『孟子、梁恵王下』に「民望レ之、若三大旱之望二雲霓一也」とあるのに基づく。

【大官】①地位の高い官職。また、その官職についている人。②卿をいう。③漢代、天子の食事をつかさどる官。

④天子をいう。

【大巻(卷)】一 大部の書物。紙数の多い書物。黄帝の音楽の名。黄帝の徳があまねく及んで多くの族類が安楽な生活をすることができる意を歌ったものという。▼巻は、族類。

【大患】①重い病気。大病。②大きな心配。大憂。③身のわずらいとなる、名声などに執着する心。〔老子、十三〕

【大寒】①二十四気の一つ。陰暦の十二月のうち、小寒の後、十五日目。陽暦では一月二十日ごろ。小寒と立春との間。⇩コラム 気候(二十四気)(八〇三ページ)。②非常な寒さ。

【大漢】①漢王朝を尊んでいう称。②体の大きな男。巨漢。

【大△諫】①大いにいさめる。②君をいさめることを職とする官名。③唐代、諫議官(天子をいさめる役)の別名。

【大簡】①＝大諫①。②大いに検閲する。車馬・兵士などを検閲するのにいう。▼簡は、しらべる。③はなはだしく簡略なこと。おおまかすぎること。〔論語、雍也〕

【大観(觀)】①広く見とおす。大局から事物を観察する。②雄大なながめ。壮大なながめ。偉観。

【大願】①大きな願い。②大いに願い望む。③仏大きな祈願。「大願成就」

【大帰(歸)】①女性が離縁されて実家に帰ること。②根元に帰る。死をいう。また、万物の帰するところ。

【大器】①天をいう。②大きな器量。偉大な人物。③大きなうつわ。大切なうつわ。転じて、天子の位・国家・権力などをいう。

【大器晩成】大きくりっぱなうつわは容易にできあがらぬものである。転じて、大人物は早くから頭角を現さないが、ついには大成するというたとえ。〔老子、四十一〕

【大△槻△磐渓(溪)】国江戸末期の儒学者。仙台の人。名は清崇、字は士広、磐渓は号。詩文に巧みで、また、西洋の砲術をきわめ、開港論を主張した。著書に『近古史談』などがある。(一八〇一—一八七八)

【大機】①天子の政治。大政。②重大なきっかけ。機は、変化を起こすきっかけ。

【大△諱】①大いにいむ。また、大いにいむべきもの。②天子の崩御。

【大偽(僞)】大きないつわり。また、大きな人為。用例〔老子、十八〕智慧出有二大偽一 ⇩知恵がある者が出てきてから、ひどいいつわりが行われだした。

【大義・大△誼】①人間としてふみ行うべき大切な道。

君臣・父子などの道をいう。〔易経、家人〕②根本精神。本来の精神。③あらましの意味。

【大義名分】大義と名分。臣下として行わなければならない大きなすじ道と本分。

【大義滅レ親】人としてふみ行うべき道義を全うするためには肉親をも犠牲にする。君国の大事のためには父子兄弟の親族を捨てて顧みない。〔左伝、隠公四〕

【大儀】①人として重大な事。②万物の根源。太極。③国㋐重大な儀式。㋑ほねのおれること。めんどうなこと。㋒他人の骨折りを慰労する語。御苦労。

【大吉】国おみくじなどで、運勢が非常にいいこと。↔大凶。

【大虐】①大きなわざわい。大災。②大残虐。非常にむごたらしい行い。

【大逆】はなはだしく人間の道にそむく悪い行い。君や父を殺すなどの行為にいう。

【大逆無道】①はなはだしく人倫に背き道理を無視した行為。〔史記、高祖本紀〕②謀反をいう。

【大舅】①父のしゅうと。②母の兄。

【大挙（擧）】①多人数でくり出す。大勢で一時にかかる。また、大軍を起こす。②大いに人材を挙げ用いる。

【大凶】㊀凶年。不作の年。㊁国①はなはだ悪いこと。②おみくじなどで、運勢が非常に悪いこと。↔大吉。

【大教】①りっぱな教え。②仏の教え。③儒教・仏教・道教の総称。④他人の教示を尊んでいう。高教。

【大饗】①天子が祖先を祭る儀式。②賓客などをもてなす盛大な酒宴。

【大業】①大事業。偉大な事業。偉業。②深遠な学業。深い学問。③儒学者。大いに儒業をなすものの意。

【大局】国①囲碁の盤面における大体の形勢。②時局の大勢。天下の大勢をいう。

【大鈞】①天。また、造化。②五音中の宮・商の音。▼鈞は、調の意。③魏の音楽の名。鈞は、平で、北朝の魏は、よく太平に治めたのでいう。

【大禁】大きないましめ。国の法度・禁令。

【大愚】非常におろか。また、その人。〔荘子、天地〕

【大君】①おおぎみ。天子。②天神をいう。③長子。④朝鮮王の子弟で君に封ぜられた人。⑤国江戸時代、外国に対して用いた将軍の称。

【大袈裟】国①大きな僧衣。②事実より大きく言うこと。

【大兄】①兄の通称。②男性同士で、同輩や年長者を呼ぶ敬称。

【大計】①大きなはかりごと。②三年ごとに官吏の成績を考査すること。③会計の総計。

【大経（經）】①人が常にふむべき大道。不変の大道。常道。②唐・宋代、大学の教科及び進士の試験に、経書を大・中・小の三種に分け、唐では『礼記』『左伝』を、宋では『詩経』『礼記』『周礼』『左伝』を大経とした。

【大慶】①大いにめでたい。大きなさいわい。大きなよろこび。②国家の大慶典。③老年者の誕生日。

【大決】河川の堤防が大いに決壊すること。

【大月氏】秦・漢代、西域の国の名。トルコ系、あるいは、イラン系、またチベット系ともいわれ、中央アジアのアム川流域に活躍した民族。漢の張騫の使いした所として有名。

【大権（權）】①天子の権限。統治権。②国明治憲法では、天皇の国土・人民を統治する権限（統治権）をいう。

【大憲】①大きなおきて。大法。②憲法をいう。

【大賢】非常な賢者。知識・徳行の非常にすぐれた人。

【大言】①すぐれてよいことば。②おおげさに言うこと。③高慢なことば。

【大言壮（壯）語】おおげさに言う。えらそうな口のきき方。おおぼらを吹く。また、そのことば。

【大言難レ入二俚耳一】りっぱなことばは俗人には理解されにくい。▼俚は、俗。→大声不レ入二於里耳一
【大原】おおもと。大本。根本。

【大戸】①大酒飲み。上戸。②かねもち。大家。富家。③国大宝令の制で、戸を四等に分けた中の第一等の戸。一戸に八人以上の成年男子のあるものをいう。

【大姑】夫の姉。こじゅうとめ。

【大故】①非常に悪い行い。大罪。〔論語、微子〕②父母の喪。大喪。③大きなできごと。

【大鼓】①楽器の名。軍中で鳴らすつづみ。②木をくりぬいて胴とし、両面に獣皮を張り、ばちでたたき鳴らす楽器。太鼓。

大鼓①

【大悟徹底】仏まよいの心を打破して真理をさとり、何らの疑惑もなくなること。さとりきること。
【大工】㊀①すぐれた職人。②大工事。③船頭。㊁国①職名。律令制下で、木工寮や大宰府などに属し、諸営作の工事に従事した職。②主として木造の建築職人。木工。
【大公】①この上もなく公平なこと。至公。②太公望をいう。
【大功】①大きなてがら。「大功臣」②喪服の名。九か月間服する喪に用いる。大紅。↔小功(四〇七ページ中)。
【成二大功一者不レ謀二於衆一】大事業を企てる者は、独断決行して衆人には相談しない。〔戦国策、趙〕
【大巧若レ拙】真の巧妙なものは、小細工を用いないので、俗人にはかえってつたないように見える。〔老子、四十五〕
【大行】①大いに行われる。②遠く行く。③りっぱな行為。大きな事業。④天子の崩御。また、崩御されてまだ諡を付けない間の天子の称。⑤太上皇、または皇后の崩御。⑥＝大行人。
【大行人】周代の官名。外国の賓客の接待をつかさどる。漢代は大鴻臚という。
【大行不レ顧二細謹一】大きな事をなす時は、小さなつつしみなど気にかけていられない。大事の前に小事にかかわっていてはならないという戒め。用例〔史記、項羽本紀〕大行不レ顧二細謹一、大礼不レ辞二小譲一。⇩大事をなす時は、小さなつつしみなど気にかけていられず、大礼を行うに当たっては小さな譲りごとは問題にしない。
【大江】①長江をいう。用例〔唐、杜甫、旅夜書レ懐詩〕⇩星垂二平野一闊、月湧二大江一流。星は平野に垂れ下がるように夜空にまたたき、平野はどこまでも広がり、月光は長江からわき出るように水面にきらめき、長江は流れてゆく。②大きな川。大川。
【大江音人】国平安前期の漢学者。故実に明るく大江家の家学の祖。江相公。家集に『江音人集』がある。(八一一―八七七)
【大江匡衡】国平安中期の漢学者。祖父から家学を受け、一条天皇の侍読となった。詩文・和歌にすぐれた。(九五二―一〇一二)
【大江匡房】国平安後期の漢学者。京都の人。後三条天皇の親任を受け、中納言・大蔵卿に至った。故実に通じ、詩文・和歌をよくした。著書に『江家次第』『江談抄』などがある。(一〇四一―一一一一)
【大江朝綱】国平安中期の学者・書家。音人の孫。音人を江相公というのに対して後江相公の

ゴウショウという。詩文にすぐれ、村上天皇の命を奉じて『新国史』『坤元録』を著した。（八八六—九五七）

【大皇】タイコウ ①天。②非常に美しい。▼皇は、美。③三国時代の呉の孫権をいう。

【大荒】タイコウ ①大凶年。大饑饉。②中国から遠く離れた所。日月の没する所。③遠地・海外。

【大祫】タイコウ 歴代の祖先を併せまつる祭り。

【大黄】㊀タイコウ 石弓の名。色が黄色で大きいもの。㊁ダイオウ 薬草の名。

【大較】タイコウ ①おおむね。あらまし。②重要な法則。大法。また、大権。

【大綱】タイコウ ①おおづな。おおもと。根本。②あらすじ。

【大鴻臚】タイコウロ 漢代の官名。＝大行人。

【大豪】タイゴウ ①豪傑。②富豪。

【大国(國)】タイコク ①大きな国。強大な国。②国 太宝令で、戸数・田地などで国の等級を四つに分けた、第一級の国。

治二大国(國)一若レ烹二小鮮一 タイコクをおさむるはショウセンをにるがごとし 大きな国を治めるには、小魚を煮るときかきまぜないように、寛大にして自然にまかせるのがよいとの教え。〔老子、六十〕

【大獄】タイゴク ①重大な犯罪事件。②また、そのために多数の犯罪者が捕らえられること。

【大才】タイサイ 大材。りっぱな才能。また、その才能をもつ人。

【大宰】タイサイ ①周代の官名。六卿の首位で、国政をつかさどる。宰相。大臣。冢宰。太宰。②春秋時代、諸侯のおいた官。諸政をすべ行う。家老。執政。

【大宰府】ダザイフ 国 律令制下、筑前の国（今の福岡県）に置かれた役所で、西海道（九州・壱岐・対馬）を治め、外交を処理した。→太宰府（三四四ページ中）。

【大作】タイサク ①大事業をおこす。大いに土木工事をおこす。②すぐれた製作をする。また、傑作。③国 ㋐大著述。大きな作品。㋑他人の作品に対する敬称。高著。

【大札】タイサツ ①はげしい流行病。大疫。②人の手紙に対する敬称。おてがみ。貴札。

【大散関(關)】タイサンカン 関所の名。陝西省宝鶏市南西の大散嶺にあり、関中から蜀に通ずる道の要衝で、諸葛亮が魏を討った時もここを通り、宋代にはここで金と国境を接した。散関ともいう。

【大士】㊀タイシ ①神の祭りをつかさどる官。②周代、刑罰をつかさどる官。③りっぱな人物。㊁ダイジ 仏 菩薩の通称。㊂ますらお(を) 国 剛強な男性。

【大子】タイシ 天子及び諸侯のあとつぎ。太子。

【大史】タイシ 周代の官名。史官の長。

【大司楽(樂)】タイシガク 周代、楽官の長。大楽正。

【大司教】ダイシキョウ ローマ・カトリック教会の高位の聖職。

【大司空】タイシクウ 周代、六卿の一つ。国の土地・民事をつかさどる官の長。漢代は御史大夫を改めて大司空と称し、後世、工部尚書をいう。

【大司寇】タイシコウ 周代、秋官の長。国の刑罰及び警察をつかさどった法官の長。

【大司徒】タイシト 周代、地官の長。教化をつかさどる。前漢は丞相を改めて大司徒と称し、後漢以後は司徒という。後世は戸部尚書を大司徒と称した。

【大司農】タイシノウ 漢代、穀物・貨幣などをつかさどった官の長官。

【大司馬】タイシバ 周代、夏官の長。軍事をつかさどる。前漢では大将軍・驃騎将軍を改めて大司馬とし、後漢では太尉と称した。後世、兵部尚書を大司馬という。

【大旨】タイシ 大体の意義。大要。大指。

【大使】タイシ ①天子の命を奉じて事を代行する正使（最高の使者）。②節度使。③元・明代、長官の下にあって事務を管理した官。④国 ㋐遣唐使の長官。㋑一国を代表して外国に駐在する外交官。

【大始】タイシ ①大道のはじめ。天地の開けるはじめ。おおもと。太初。元始。太始。②はじめを大いにする。はじめを尊ぶ。

【大姉】㊀タイシ ①一番年上の姉。また、姉の尊称。②天女。㊁ダイシ 仏 尼僧または地位のある女性の敬称。後世、日本で女性の法名（戒名）の下につける。↔居士（四一八ページ下）。

【大祀】タイシ ①天子が自ら行う最も大きな祭り。周代では天地・祖先、隋では上帝・日月・地神・社稷・祖先、清では天地・上帝・祖先・社稷・先師孔子などを祭るまつり。②国 日本では大嘗祭の類をいう。

【大指】タイシ ①大体の意味。大旨。②おやゆび。

【大師】㊀タイシ ①大軍。②官名。㋐周代、楽工の長。㋑三公の一つ。天子を助け天下を教化することをつかさどる。太師。③大学者。大先生。④大衆。⑤国 太政大臣の唐名。㊁ダイシ 仏 ①朝廷から高徳の僧に賜る尊号。②弘法大師の特称。

【大児(兒)】タイジ ①年の多い子。兄。②二人のすぐれた人物のうち、年長者をいう。↔小児（四一七ページ下）。

【大姒】タイジ 周の文王の妃。武王の母。賢夫人の誉れ高く、文母と称せられた。太姒。

【大事】㊀タイジ ①大きい事業。②大きな事件。③祭りと戦争。④＝大祫。㊁ダイジ 国 ①大切。丁寧。②容易でないこと。危ういこと。③重大なこと。

【大慈大悲】ダイジダイヒ 仏 非常に大きないつくしみ。観世音菩薩の徳をほめたたえた語。

【大室】タイシツ ①祖廟（祖先を祭るおたまや）の中央の室。太室。②魯の伯禽の廟（おたまや）。③大きい室。

【大社】タイシャ ①国土を守る社で、王が建てたもの。▼社は、土地の神。②国 最高の格式の神社。「出雲大社」

【大車】タイシャ ①平地で荷物を運ぶ大きな車。牛車。②大夫の車。

【大赦】タイシャ ①天子が十悪以外の罪人をゆるして放免すること。→十悪①（三〇九ページ下）。②国 恩赦の一つ。皇室や国家によろこびごとがあったとき、ある種の犯罪人全体を同時に赦免すること。

【大謝】タイシャ 南朝宋の謝霊運（一三三五ページ上）をいう。↔小謝（四一七ページ下）。

【大手】㊀タイシュ 大きい手。㊁おお(ほ)て 国 城の正面。↔搦手（六〇七ページ下）。

【大守】タイシュ 郡の長官。太守。

【大受】タイジュ 大事に任ずる。大きな任務を引き受ける。

【大儒】タイジュ すぐれた学者。また、すぐれた儒学者。

【大樹】タイジュ ①大きな樹木。大木。②後漢の馮異が謙虚な性格のために、諸将が功を論じあう時、常に樹木の下に避けていたので、大樹将軍と呼ばれた故事。〔後漢書、馮異伝〕③国 大将・将軍の唐名。

【大修】タイシュウ 大いに修得すること。

【大衆】㊀タイシュウ ①おおぜい。多人数。②国 一般の人々。民衆。㊁ダイシュ 仏 多くの僧。

【大醜】タイシュウ ①悪者の頭目。元凶。②大きな恥。

【大順】タイジュン ①大いに道にかなっていること。②自然の道・順序。天理。③それぞれの分に安んずること。

【大暑】タイショ ①二十四気の一つ。夏の終わりの季節。陽暦七月二十三日ごろ。小暑と立秋の間。⇩コラム 気候（二十四気）（八〇三ページ—）。②夏のひどい暑さ。

【大署】タイショ 大きな字で書く。大書する。

【大除】タイジョ 大みそか。

【大小】タイショウ ①大きなものと小さいもの。②大きさ。寸法。③国 ㋐長短一対の腰刀。大刀と脇差。㋑大鼓と小鼓。㋒大の月と小の月。㋓こよみ。柱暦。

【大匠】タイショウ ①すぐれた工人。また、大工の長。②漢代の官名。宮室・宗廟などの建築・改修及び土木・植樹などをつかさどる。

【大将(將)】タイショウ ①軍の総指揮官。②国 ㋐昔、近衛府の長官。だいしょう。㋑旧陸・海軍武官の階級の名。

将官の最上位。㋒団体や一群の者を率いる人。

【大将(將)軍】タイショウグン・ダイショウグン ①＝大将①。②集団のかしら。頭領。③陰陽道でいう八将軍の一つ。この神のいる方向は縁起が悪いとされた。

【大祥】タイショウ ①葬式後の祭りの名。二十五か月で行う祭り。三周忌。↕小祥(四一七ページ下)。②大きな幸い。大福。③大変異の起こるきざし。

【大象】タイショウ ①易の一卦のかたちを説明したことば。②大きなおきて。大法。③極めて大きい形象。用例〔老子、四十一〕大象無形（大象は形無し）。↓極めて大きい形象は形がない。④天地間の現象。

【大上】タイジョウ ＝太上(三四四ページ下)。

【大丈夫】[一]ダイジョウフ 意志のしっかりしたりっぱな男性。ますらお。▼大は美称、丈夫は一人前の男性。用例〔孟子、滕文公下〕富貴不レ能レ淫、貧賤不レ能レ移、威武不レ能レ屈、此之謂二大丈夫一。↓富貴も心を乱すことができず、貧賤も心を変えることができず、威厳や武力でも心をくじくことができない、こういう人こそ立派な男子というのである。[二]ダイジョウブ 国①あぶなげがない。確実。堅固。②壮健。

【大乗(乘)】ダイジョウ 仏仏教の深遠な義理を説いたもの。慈悲博愛によって一切の衆生を救う意。▼大は、教理の広大無限なこと、乗は、衆生を乗せて生死を超越し、涅槃の彼岸(さとりの境地)に達せしめること。↕小乗(四一八ページ上)。

【大常】タイジョウ 同 太常。①天子の用いる旗。②漢代、宗廟の儀式をつかさどった官。③常法。

大常①

【大食】[一]タイショク 大いに食う。おおぐい。[二]タージ 国の名。Tazi またはTaziksの音訳。サラセン。アラビア。

【大身】[一]タイシン 国身分の高い人。高位・高禄の人。[二]おお(ほ)み 国①天子の御身。玉体。②刃わたりの長く大きいこと。「大身の槍」

【大侵】タイシン 大饑饉。五穀がすべて実らない饑饉をいう。凶作。大祲。

【大△秦】タイシン 国名。㋐中国人が西方の大国を称したもので、漢・魏代の大秦国はローマ帝国を指すとする説、また、ローマ帝国の東方領を指すとする説などがある。宋代にはイスラム帝国の首都バグダードを指す。㋑五胡十六国の一つ。㊀苻健の建てた前秦。(三五一―三九四) ㊁姚萇の建てた後秦。(三八四―四一七)

【大△秦寺】タイシンジ・ダイシンジ 唐の太宗が貞観十二年(六三八)に長安に建てたキリスト教ネストリウス派(景教)の寺。波斯寺。

【大人】[一]タイジン ①有徳者や長上などに対する敬称。②昔の官名。夢を占うことをつかさどる。③漢代の女官の称。夫人。④権勢のある家がら。⑤体の大きい人。巨人。[二] 国①領主または貴人の称。②男性の師匠・学者の称。③書簡文で男性のあて名の下にそえる敬語。[三]おとな・うし 国成人になった人。成人。

【大尽(盡)】タイジン・ダイジン ①陰暦で大の月の最終日。↕小尽(四一八ページ中)。②国㋐資産家。富豪。百万長者。㋑遊里で豪遊する客。

【大臣】ダイジン ①政務を執る最高の官。②清代、行政官庁の長官。③国㋐太政官の上官の称。太政大臣・左右大臣・内大臣等の称。おとど。㋑国務大臣、または各省大臣の称。

【大水】タイスイ ①おおみず。洪水。大浸。②大きな海・河・湖など。③星の名。

【大数(數)】タイスウ ①定まった数。また、運命。②非常に多いかず。③おおよその数。④大きなはかりごと。大謀。

【大成】タイセイ ①大いに功を成し遂げて世を太平にすること。②大いにたいらぐ。また、大きな平和。③事をりっぱに成し遂げること。多くの資料を集め、一つの研究を成すこと。

【大成殿】タイセイデン 孔子を祭る廟(みたまや)の正殿の名。宋の仁宗の時、名づけられたもので、『孟子』に、「孔子は集めて大成すという」とあるのに基づく。日本では寛永九年(一六三二)に徳川義直が江戸上野忍岡の林道春の私邸に先聖殿を建てて孔子を祭り、その後、元禄三年(一六九〇)に徳川綱吉が江戸湯島に聖堂を建てたのに始まる。現在、東京都文京区にある「湯島聖堂」の大成殿は、これを昭和十年(一九三五)に復興したもの。

孔子廟大成殿(曲阜)

【大声(聲)不レ入二於里耳一】タイセイはリジにいらず 高雅な音楽は俗人には分からない。高尚な言論が俗人には理解されないたとえ。〔荘子、天地〕

【大姓】タイセイ 代々続いた勢力のある家がら。

【大勢】[一]タイセイ ①天下のなりゆき。自然のなりゆき。また、おおよそのありさま。②位が高く権力のあること。[二]タイゼイ・おお(ほ)ぜい 人数の多いこと。多人数。

【大聖】[一]タイセイ この上もなく知徳のすぐれた人。至聖。〔礼記、楽記〕[二]タイショウ 仏如来をいう。

【大刹】タイサツ・タイセツ 大きな寺。巨刹。

【大雪】タイセツ・ダイセツ ①おおゆき。②二十四気の一つ。小雪の次の気節で、陽暦十二月七日ごろ。陰暦では十一月。⇩

コラム 気候(二十四気)(八〇三ページ)。

【大節(節)】タイセツ ①守るべき重要な事がら。②職分上の大事。大任。③国家の大事変。また、死生存亡に関する大事件。用例〔論語、泰伯〕臨二大節一不レ可レ奪也。↓大事件に臨んでも(その志は)奪うことができない。④手足の節の大きいこと。

【大祖】タイソ ①始祖をいう。→太祖②(三四四ページ下)。②物の始め。原始。

【大△蘇】タイソ 北宋の蘇軾をいう。父の洵を老蘇、弟の轍を小蘇といい、合わせて三蘇という。

【大壮(壯)】タイソウ ①大いに盛んなこと。②易の六十四卦の一つ。☳☰乾下震上。陽が盛んで君子の道が勝つ象。

【大宗】タイソウ ①物のはじめ。原始。②昔、諸侯の嫡子の弟を始祖とし、その後をつぐ弟の長男の系統をいう。③天子。④勢力のある一族。

【大宗伯】ダイソウハク 周代、国の祭事・典礼をつかさどった官の長官。

【大喪】タイソウ ①天子・皇后・皇太子の喪。②親の喪。③国が亡びること。また、大いに人が死ぬこと。④手厚く期間の長いとむらい。⑤国天皇が大行天皇・太皇太后・皇太后・皇后の喪に服すること。

【大葬】タイソウ ①君臣の礼をもって行うりっぱな葬式。②国天皇または太皇太后・皇太后・皇后の葬儀。

【大△嫂】タイソウ ①長男の妻。②長上の者の妻。

【大造】タイゾウ 大功を成す。▼造は、なす、成就すること。

【大蔵(藏)経(經)】ダイゾウキョウ 仏書名。仏教聖典の全集。経(教説)・律(戒律)・論(研究)の三蔵の仏書を網羅したもの。一切経。蔵経。

【大息】タイソク ためいき。また、ためいきをついてなげく。

【大率】タイソツ・おお(ほ)むね あらまし。大略。

【大△儺】タイダ・タイナ ①おにやらい。冬至後の第三の戌の日の前日に行う悪魔を追い払う行事。②国昔、十二月末日の禁中の追儺で、悪魔を払う役の人。

【大体(體)】①おおよそ。あらまし。②大きなかたち。完全なすがた。③大きなからだ。④大きなからだ。⑤心をいう。〔孟子、告子上〕↔小体(四一八ページ中)。

【大帯(帶)】祭服をつける時の大きな帯。

【大戴礼(禮)】書名。前漢の戴徳が周末から漢末までの儒者の礼に関する記録を整理して八十五編としたもの。今、三十九編が残っている。

【大宅】①大きな邸宅。②天地。③道家で顔をいう。

【大沢(澤)】①大きな沢地。▼沢は、湖沼地帯。②大きな恩恵。天子のめぐみ。

【大胆(膽)】①物ごとにおじない心。度胸のあること。「大胆不敵」②ずぶといこと。横着なこと。

【大端】①おおもと。大きな端緒。大根原。▼端は、はじめ。②あらまし。大体。

【大団(團)円(圓)】（物語・芝居・事件などで）最終の場面。おわり。終局。

【大致】おおむね。あらまし。大概。

【大知・大△智】すぐれた知識、また、知恵。また、それを備えた人。〔中庸〕

【大畜】①易の六十四卦の一つ。☶☰乾下艮上。②大いにたくわえる。身に積みたくわえた徳の大きい象。

【大虫(蟲)】①虎の別名。②毒蛇。

【大朝】①諸侯または諸臣がそろって天子におめにかかること。漢以後は、元旦と冬至とに行い、宋・元では聖節に、清では元旦・万寿節・冬至の三大節に行った。②自己の仕える王朝を尊んでいう。

【大△椿】太古の大木の名。八千年を春として八千年を秋とし、三万二千年が人間の一年に当たるという。転じて、人の長寿にこの語を用いる。「大椿の寿を祝う」〔荘子、逍遥遊〕

【大通】[一] ①道家で万物を生成する大道をいう。②（ふさがっているものが）大いに通じる。③人目につくような言行をしないで、しかも融通自在で困窮しないこと。また、その人。④よく物事に通達すること。[二] 国（町の中のはばの広い道。

【大弟】①男性同士で、同輩の年少者を呼ぶ敬称。②皇太弟を称する語。太弟。

【大帝】①天。天の神。②紫微宮をいう。北極星。③特に徳の高い帝王の称号。また、弱小国を一挙に大国にした帝。

【大典】①重要な書物。また、大部な記録。②重要な法典。③（国家の）重大な儀式。

【大△篆】書体の名。周の宣王の時、史籀が作ったという。籀文。⇩コラム 文字・書体の変遷(六三三ページ)。

【大田錦城】国江戸後期の漢学者。加賀(今の石川県)の人。名は元貞、字は公幹。錦城は号。皆川淇園・山本北山に学び、宋儒の空理を排して考証を主とし、折衷学派の大家となる。加賀藩儒。著書に『大学原解』『中庸原解』『九経談』などがある。(一七六五—一八二五)

【大△杜】唐の杜甫(七三二ページ上)をいう。老杜。↔小杜(四一八ページ下)。

【大都】[一] ①大きな都市。②おおむね。あらまし。[二] 北京の元時代の称。

【大度】大きな度量。心が広く大きいこと。用例〔史記、高祖本紀〕常有大度。↓(高祖は)つねに度量が大きかった。

【大刀頭】還えるの隠語。大刀頭は刀頭と同じで、刀剣の頭の環をいい、環は還と音が通ずることからいう。

【大東】①東のはて。極東。②国日本の称。

【大唐】①唐の美称。②尭をたたえた歌。大章。

【大唐西域記】書名。十二巻。唐の玄奘の述、弁機の編。玄奘が貞観三年(六二九)から十七年間にわたって西域、インド地方を旅行した時の見聞録。

【大統】①天子の位。皇統。②国家統一の大事業。③僧官の名。隋代、僧を取り締まる官。

【大△纛】①節度使がたてる旗。②天子の旗。天皇旗。

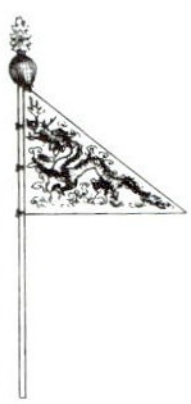

大纛②

【大同】①差別をつけない。②天地と一体になる。よく同化する。③太古、無為自然の大道の行われた平和な世。④公羊学でいう、天下が統一され、民族の差別がない平和な世の中。→大同書。⑤人心がよく和同すること。⑥大同小異。⑦地名。今の山西省大同市。北魏の中期ごろに作られた雲崗の石窟寺院で名高い。

【大同書】書名。十部。清の康有為の著。公羊学派の立場に立ち、さらにこれに『礼記』の礼運編の拠乱・小康・大同の三世説とをたくみに合わせて、人類平等の太平大同の世を理想の社会として述べたもの。今日の世界主義の思想に近いものがある。

【大同小異】少しのちがいはあっても大体においては同じこと。〔荘子、天下〕

【大同団(團)結】分立する多くの党派がある目的のために小異を捨てて団結すること。

【大道】①大きな道路。②人がふみ行うべき道。大法。用例〔孟子、滕文公下〕行天下之大道。↓天下の人がふみ行うべき道を行う。③老子のいう宇宙の本体としての道。無為自然の道。用例〔老子、十八〕大道廃有仁義。↓無為自然の道が衰えたために、仁義の道などというものが説かれるようになった。④正しい道。正しい方法。

【大徳】[一] ①りっぱな徳。また、その徳のある人。大得。②天地の造化のはたらき。③大きな節義。④大きなめぐみ。▼徳は、恩沢。⑤高位。大位。[二] 仏高僧の称。

【大納言】国太政官の次官。右大臣の次位。大政に参与して可否を奏上し、宣旨を伝達する職。亜相。亜槐。

【大内】[一] ①天子の寝所。太内。②天子の御所。宮城。禁裏。③天子の府庫をつかさどる官。また、京師の府庫。[二] 国宮中。内裏。

【大内裏】国平城京・平安京の宮城の称。禁中。

【大難】[一] 大きなわざわい。大きな災難。[二] =大儺①。

【大日本史】国書名。三百九十七巻。徳川光圀の撰。神武天皇から後小松天皇に至る歴史を漢文の紀伝体で記したもの。本記七十三巻、列伝百七十巻、志百二十六巻、表二十八巻から成る。明暦三年(一六五七)に着手し、光圀は未完のうちに没したが、明治三十九年(一九〇六)に完成した。その大義名分論の史観は、幕末の尊王思想に大きな影響を与えた。

【大日如来(來)】仏梵語Mahāvairocana(摩訶毘盧遮那)。大遍照の意。真言密教の本尊。知徳の光で日輪のように全宇宙を照らし、一切の万物を育てる慈母と説かれる。大日。遍照如来。

【大任】[一] 重大な任務。だいじな役目。用例〔孟子、告子下〕天将降大任於是人、必先苦其心志、労其筋骨。↓天がある人に大任を授けようとするときは、必ずまずその人の心身を苦しめて試練の境遇に置くものである。[二] 殷の人。周の王季の妃となり、文王を生んだ。太任。

【大年】としより。高年。長寿。

【大念仏(佛)】多くの人が集まり、大声で念仏を唱えること。また、その法会。

【大杯・大盃】タイハイ 大きなさかずき。
【大白】タイハク ①この上もなく潔白。また、その人。②大きなさかずき。大杯。▼白は、罰杯の名。③星の名。太白星。金星のこと。太白。
【大漠・大幕】タイバク ①広い砂はら。大砂漠。②ゴビ砂漠。
【大貉小貉】タイバクショウバク 文化の程度の低い為政者をいう。古来、理想的な税法とされた十分の一の税率を、更に多くしようとする者をいう。▼貉は、北方の未開の異民族。
【大凡】タイハン おおよそ。あらまし。大旨。おおかた。
【大半】タイハン ①ほとんど。②三分の二。↔少半〔四二九ページ・下〕。
【大盤石・大磐石】ダイバンジャク ①きわめて大きな岩石。②物事の堅固で動かないこと。また、丈夫なもののたとえ。
【大比】タイヒ ①三年ごとに国民の人数を調査すること。今の国勢調査の類い。②三年ごとに役人の成績を考査すること。③科挙（官吏登用の試験）。
【大廟】タイビョウ ①天子・諸侯の始祖を祭るおたまや。宗廟。太廟。②国伊勢大神宮の称。
【大夫】㊀タイフ ①周代の官名。卿ケイの下、士の上。用例〔史記、晏嬰伝〕晏子薦以為二大夫一（アンシすすめてタイフとせり）↓晏子は御者を推薦して大夫にした。②爵位シャクイの名。秦シン代、功労を賞するために制定したもの。第五級の位。③ひろく官位のある人をいう。④医者。⑤松。↓大夫樹。⑥国大名の家老。㊁ダイブ 国職シキ（中宮職・春宮職トウグウ）の長官。㊂タユウ 国①五位の通称。②俳優・能役者などのおもなもの。③歌舞伎カブキの女形おやま。④上位の遊女。⑤神職。神主。
【大夫樹】タイフジュ 松の別名。秦シンの始皇帝が泰山に登り、風雨を松樹の下に避け、その木を五大夫に封じた故事による。〔史記、秦始皇本紀〕
【大父】タイフ ①父の父。祖父。②母方の祖父。外祖。③天。↔大母。
【大不敬】ダイフケイ ①はなはだしい不敬。②天子・皇后その他王室及び社寺に対する不敬罪。十悪の一つ。
【大布】タイフ ①粗末な布。地のあらい布。粗布。②新の王莽オウモウの時の貨幣。布貨十品の一。
【大府】タイフ ①朝廷の府庫。▼府は、文書庫。②丞相ジョウショウの府。③上級の官庁。また、上官。④周代、財貨をつかさどる官名。⑤国㋐大蔵省の唐名。㋑幕府の敬称。㋒大名の家老の別名。
【大傅】タイフ ①天子のおもり役。三公の一つ。太傅。②国左大臣の唐名。

【大武】タイブ ①周の武王の音楽の名。武王が殷インの紂王チュウオウを討ち、武功をもって天下を平定したことをたたえたもの。②りっぱな武徳。
【大部】タイブ ①書物の冊数、またはページ数の多いこと。②大部分。
【大風】タイフウ ①おおかぜ。はげしい風。②ハンセン病。用例〔唐、柳宗元、捕蛇者説〕已二大風・攣踠・瘻癘一（タイフウ・レンエン・ロウライをいやす）↓ハンセン病・手足の曲がる病気・首に腫はれ物ができる病気を治す。
【大風歌】タイフウのうた 漢の高祖劉邦リュウホウが天下を平定して故郷の沛ハイに帰り、昔なじみを招いて酒宴を開いた時に自ら歌った歌。〔史記、高祖本紀〕
【大幅】㊀タイフク 大きな掛軸。㊁おおはば 国①もめん幅の二倍の幅。また、その布。②数量・価格などの変動の大きいこと。
【大分】㊀タイブン ①おおよそのきまり。大綱。②大きな名分。③寿命。④親しい交際。㊁ダイブ・ダイ 国よほど。かなり。
【大兵】㊀タイヘイ ①多くの兵士。大軍。②大戦争。㊁ダイヒョウ 国体の大きいこと。また、その人。↔小兵〔四一八ページ・下〕。
【大柄】㊀タイヘイ 大きな権力。㊁おおがら 国①体が普通より大きいこと。②模様が大きくはでなこと。
【大辟】タイヘキ ①古代の五刑の一つ。死刑。▼辟は、罪。②死。
【大変（變）】タイヘン ①大きな変化。②大いに驚くべき出来事。③自然の変化。④国はなはだ。大いに。非常に。
【大弁（辯）若訥】タイベンはトツなるがごとし すぐれた雄弁家は、かえって口べたのようで、むやみにしゃべらない。〔老子、四十五〕
【大便】㊀タイベン 大きな便益。㊁ダイベン ふん。くそ。大用。
【大輔】㊀タイホ 天子の補佐役。㊁ダイフ 国古代の官名。省の次官。
【大酺】タイホ 官から庶民に酒食を賜うこと。
【大母】タイボ ①祖母。②太后。③地。↔大父。
【大方】タイホウ ①大きな四角。②非常に品行方正なこと。③地。大地。↔大円。④かたよらないこと。⑤大きな法則。⑥正しい方法。⑦えらい人。⑧世間一般の人。
【大法】㊀タイホウ 重要な法則。㊁ダイホウ 仏すぐれた仏の教え。また、大乗の仏法。
【大宝（寶）】タイホウ ①貴いたからもの。至宝。②天子の位。帝位。③自分の身。④富貴栄華をいう。
【大砲・大礮】タイホウ 大きな弾丸を発射する兵器。おおづつ。
【大鵬】タイホウ 想像上の大鳥の名。〔荘子、逍遥遊〕
【大望】タイボウ・タイモウ ①大いにうらむ。▼望は、うらむ。②国大きなのぞみ。分に過ぎた願い。

【大謀】タイボウ 大きなはかりごと。
【大卜】タイボク ①殷イン代、神をつかさどった官。②周代、卜筮ボクゼイ（うらない）の官の長。太卜。
【大本】タイホン おおもと。根本。用例〔中庸〕中也者天下之大本也（チュウなるものはテンカのタイホンなり）↓中こそは、天下が秩序正しく治まるための大根本である。
【大夢】㊀タイム ①長い間の夢。②道にくらいものは常に夢の中にあるようなものだということから、迷える人生にたとえる。㊁タイボウ 湿地帯の名。雲夢の沢。
【大名】㊀タイメイ りっぱな名声。㊁ダイミョウ 国①平安時代末期、多くの名田を有した人の称。②鎌倉時代に、将軍の家臣の中で領地の多い守護・地頭に与えた称号。③江戸時代、一万石以上の武家の称。諸侯。
【大命】タイメイ ①天命。天子となる命。王位。②君（天子）の命令。③大きな運命。④寿命。⑤命の綱。命脈。⑥軍隊を出す命令。
【大明】㊀タイメイ ①太陽。②日月。③大いに明らかなこと。また、明らかにする。④宮殿の名。唐代、長安城（今の陝西センセイ省西安市）の北にあった。㊁タイミン 明ミン朝の尊称。
【大目】タイモク ①大きな目。②大まかに分けた項目。また、重要な項目。
【大門】タイモン・ダイモン ①大きな門。正門。②寺の総門。③りっぱな家がら。④碁の打ち方の一つ。げたをはかせること。
【大冶】タイヤ ①かじや。鋳鉄工。②地名。湖北省武漢市の南東。鉄を産する。
【大夜】タイヤ ①死の世界。黄泉。②火葬の前夜。逮夜。
【大約】タイヤク おおよそ。大略。
【大有】タイユウ 易エキの六十四卦カの一つ。☲☰乾下離上ケンカリショウ。盛大にして善を明らかにし悪を抑える象かたち。
【大邑】タイユウ ①大きな都会。②大きな支配地。③大きい国。
【大勇】タイユウ まことの勇気。真の勇気。また、真の勇者。用例〔孟子、公孫丑上〕吾嘗聞二大勇於夫子一矣（われかつてタイユウをフウシにきけり）↓私はかつてまことの勇気を孔子からきいた。
【大猶】タイユウ 大きな道。大きなはかりごと。
【大憂】タイユウ ①大きなうれえ。②天子の崩御。また、父母の喪。
【大用】㊀タイヨウ ①大いに用いる。②大きな使い道。荘子は、無用の用の意に用いる。〔荘子、人間世〕㊁ダイヨウ 国大便。
【大要】タイヨウ ①あらまし。概略。②おおもと。
【大吏】タイリ 高い地位の役人。大官。
【大理】タイリ・ダイリ ①大きな道理。②大いに治める。③官名。司法をつかさどる。後世、大理寺という。④国検非違使の別当(長官)の唐名。

【大理寺】司法をつかさどる役所。昔、大理と称し、秦・漢代は廷尉と称し、北斉の時、また大理と称し、更に大理寺と称した。宋以後、左右に分かれた。▼寺は、官署。

【大理石】石灰岩が高熱・強圧を受けて変質し再び結晶したもの。普通白色で、美しい模様があり、建築・彫刻などに用いられる。大理府(今の雲南省大理市)に多く産したのでこの名がある。マーブル。

【大△戮】①死刑に処し、しかばねをさらす刑罰。用例〔資治通鑑、漢紀〕収二族陵家一、為二世大戮一。↓(漢は、)わたくし李陵の一族を捕らえ、世の見せしめとして死刑にしました。②大きな恥辱。

【大略】①大きなはかりごと。②人なみすぐれた知略。③おおむね。大体。

【大呂】①周の宗廟(おたまや)の大鐘の名。九鼎とともに周の宝器。転じて、貴重なもののたとえ。九鼎大呂。②十二律の一つ。陰暦十二月に配するので、陰暦十二月の別名とする。

【大慮】①遠大な思慮。②大きなはかりごと。

【大△梁】①大きなうつばり。②戦国時代の魏の都。今の河南省開封市の北西。

【大僚】位が高く任務の重い役人。大官。大吏。

【大倫】①大きな道理。②人間のふむべき大道。

【大令】①大きな法令。天子の命令。②中書令をいう。のち、晋の王献之の称となる。

【大礼(禮)】①すぐれた礼。②王が行う天地人の鬼神を祭る礼。③朝廷の重大な儀式。④君臣間の大きな礼。⑤大きな法則。大法。⑥君主のお召し。⑦一生のうちの最も重要な礼式。冠・婚・葬・祭の類い。⑧国推古天皇十一年(六〇三)に制定した冠位十二階の第五位。

【大礼(禮)不レ辞(辭)二小譲(讓)一】重大な礼を行うには、ささいなゆずりは問題にしない。↓大行不レ顧二細謹一。

【大路】①大きな道。大道。②天を祭る時に天子の乗る車。また、諸侯の乗る車。大輅。

大路②

【大老】①すぐれた老人。年老いた賢人。②祖父。③国㋐豊臣家の置いた最高の執政官。大年寄。㋑江戸時代、老中の上に位し、将軍を補佐して政務を総括した職。

【大△牢】天子が社稷を祭る時の供え物。牛・羊・豕(豚)の三種の犠牲をいう。転じて、盛大なごちそう。太牢。↕小牢(四一九ページ上)。

【大麓】①山のふもとの広大な林。②大いにすべ治める。また、天子の事をすべ治める官。

【大和】㊀①最良のものをいう。②大いに調和する。また、すぐれた調和。㊁国①旧国名。五畿内の一つ。今の奈良県。もと倭・大倭などと書かれたが、天平宝字元年(七五七)以来、地名は二字を用いることと定められ、倭に通ずる和に美称の大の字を冠したもの。②都が大和にあったことから、転じて、日本国の称。やまとのくに。

【大△倭】国日本国の古名。

【大△窪詩仏(佛)】国江戸後期の詩人。常陸(今の茨城県)の人。字は天民。詩仏は号。市河寛斎に詩を学び、宋・元の詩風をとりいれ、古文辞学派末流の詩風を一変させた。著書に『詩聖堂詩集』などがある。(一七六七―一八三七)

0 【尢】3画 (2761) オウ 尢部。↓四三四ページ中。

0 【夨】3画 2239 漢ショク 呉シキ 職 zè — — 2475

字義 頭を傾ける。

解字 象形。頭を傾ける人の形にかたどり、頭を傾けるの意味を表す。

1 【夬】4画 2240 ㊀漢カイ(クワイ) 呉ケ 卦 guài ㊁漢ケツ・呉ケチ 屑 jué 5279 9AED —

〔叏〕1275 本字

字義 ㊀❶わける(分)。❷きめる。決断する。❸易の六十四卦の一つ。☱☰乾下兌上。小人がすくみ君子がのび出るかたち。㊁ゆがけ。弓を射るときにはめる皮製の手袋。

解字 篆文 象形。象牙製で、中がえぐられた、弦を引くための道具を手にした形にかたどり、ゆがけの意味を表す。夬が形声文字の音符となるときには、えぐりとられて欠けるの意味を共通して表す。夬を音符に含む形声文字に、袂・訣・抉・缺・決などがあり、これらの漢字は、「えぐる」の意味を共有している。

【夬夬】思いきりのよいさま。決断力のあるさま。

1 【太】4画 2241 教2 タイ・タ ふと-い・ふと-る 熟字訓 太刀 3432 91BE —

タイ 泰 tài 慣タ

筆順 一 ナ 大 太

字義 ❶はなは-だしい。はなは-だ。非常に。…すぎる。用例〔唐、杜甫、新婚別詩〕暮婚晨告レ別、無二乃太怱忙一。↓夕暮れに婚礼をして次の朝にはもう別れを告げるとは、あまりにもせわしいことではないか。❷大きい。きわめて大きい。＝大(2238)・泰(6132)。❸極限の。「太極」「太始」 ❹やすらか。＝泰(6132)。❺貴人や年長者に対する尊称として用いる。「太后」「太公」「太君」 国❶ふと-い。㋐周囲や幅が大きい。㋑肥えている。㋒気がつよい。大胆。㋓ずうずうしい。ふてぶてしい。❷ふと-る。肥える。

名前 うず・おう・しろ・た・だ・たい・だい・たか・と・ひろ・ふと・ふとし・ます・み・もと 難読 太海・太占・太秦・太田窪・太刀・太刀魚・太良・太馬士革

参考 熟語は〔大〕(2238)をも見よ。

使いわけ タイ〔大・太〕⇩大(2238)。

解字 形声。二＋大音。本来は、泰の古文の、借りて、大きい上にも大きい、はなはだの意味を表す。

逆 猶太

【太△阿】古代の宝剣の名。泰阿。

【太医(醫)】官名。皇帝・皇室の侍医。秦・漢以来、歴朝にあった。用例〔唐、柳宗元、捕レ蛇者説〕太医以二王命一聚レ之、歳賦二其二一。↓宮中の侍医が、天子の命令によってこの蛇を集め、年に二回納入するように割り当てた。

【太尉】官名。秦代、武事をつかさどる。漢もこれにより、武帝の時、大司馬と改名したが、後漢の光武帝のとき、旧名に改めて三公の首とし、以後歴朝に置いた。

【太一】①万有を包含する大道。天地創造の時の混沌たる気。②いちばん初め。太初。太始。③天帝。また、星の名。太乙。④山名。秦嶺山脈の終南山。

【太陰】①陰気ばかりで陽気が少しもない状態。また、そのもの。②北。③冬。④月。⑤天神の名。

【太陰暦(曆)】月のみちかけを基礎として作った暦。また、広く太陰太陽暦のことをいう。▼太陰は、月。↓陰暦(一五一三ページ下)。↕太陽暦。

【太易】宇宙混成以前をいう。まだ気のあらわれない時。

宇宙は、太易・太初・太始・太素の順に成立するという。〔列子、天瑞〕

【太液】池の名。㋐漢代、長安城外の建章宮の北（今の陝西省西安市の北西）にあり、漢の武帝が造ったという。㋑唐代、長安城北の大明宮の北にあった。用例（唐、白居易、長恨歌）帰来池苑皆依旧、太液芙蓉未央柳。↓帰って来てみれば庭の様子は昔のままであり、太液の池のはすも未央宮の柳も（昔のままである）。㋒清代以後、北京の西苑内の池をいう。

【太河】黄河の別名。大河。河。

【太学（學）】昔、天子の建てた最高の学校。大学。

【太楽（樂）】官名。音楽をつかさどる。

【太虚（虛）】①宇宙の根源たる大元気。また、宇宙生成の初め。②おおぞら。天空。

【太極】①宇宙の大元気。宇宙を構成する陰陽二元気の根本。②宮殿の名。長安にあった。

【太極拳】拳法（拳）の名。北宋の張三丰が創始したという。

【太極図（圖）】太極、すなわち宇宙の根本を図解し、万物発展の過程を明らかにしたもの。北宋の周敦頤がくふうした図形で、この解釈書を『太極図説』という。

【太極殿】㊀宮中の正殿の名。天子が居住する御殿。㊁国天皇が政務を執り、また、即位などの大礼を行った宮殿。大極殿。

【太△鈞】造物者。造物者が万物を造るのは、陶工が器物を鈞（ろくろ）で造るのに似ているからいう。

【太君】①役人の母で封地を与えられている人。②他人の父をいう。尊太君。

【太玄】①道家の道。②書名。十巻。前漢の揚雄の著した『太玄経』をいう。『易経』の体裁により、宇宙万物の生成を論じている。

【太原】地名。今の山西省の省都。秦代に太原郡が置かれ、唐代以後、太原府となった。

【太古】①おおむかし。②時代区分の名。学問上で区割りした年代の最も古い期間。

【太湖】湖の名。江蘇、浙江両省にまたがり、湖中に小山多く、風景絶佳。震沢、笠沢、五湖ともいった。

【太公】①祖父。②父。③他人の父の尊称。④高年者の尊称。⑤曽祖父の俗称。⑥→太公望。

【太公望】①＝呂尚（三五六㌻上）。文王が渭水でつりをしていた呂尚をわが太公（父）の時から待ち望んでいた方であるといって、迎えて師とし、太公望と号した。〔史記、斉太公世家〕②つりをする人。

【太后】天子の母をいう。

【太△昊・太△皞】伝説上の帝王、伏羲をいう。

【太皇】①昔の帝王の最も尊い人。泰皇。②天。③＝太皇太后①。

【太皇太后】①天子の祖母の尊称。②国天皇の祖母で、皇后の位についた人。

【太康】＝太平。

【太剛】はなはだつよい。剛強すぎる。

【太宰】百官の最高位官。今の総理大臣。大宰。

【太宰春台（臺）】国江戸中期の儒学者。信濃（今の長野県）の人。名は純。字は徳夫。春台は号。荻生徂徠の門下。農本主義的経済活動を主張した。著書に『経済録』『産語』『和読要領』『老子特解』などがある。（一六八〇—一七四七）

【太宰府】国福岡県にある地名。昔、大宰府が置かれた所。→大宰府（三三九㌻上）。◆古くから、官名は「大」、地名は「太」と使いわける。

【太歳】木星の別名。約十二年で天を一周する。

【太山】山東省にある名山。→泰山（八〇九㌻上）。

【太山△之安】太山のようにきわめて安泰なこと。

【太山不譲（讓）土壌（壤）】太山はどんな土でもえり好みせずに受けいれるから、あのように高い山となった。大成しようと思うなら、度量を大きくして、広く受け入れよという教え。〔戦国策、秦〕→河海不択細流（八三三㌻中）。

【挟（挾）太山超北海】太山（泰山）をこわきにかかえて北海（渤海湾）を飛び越す。不可能なことのたとえ。〔孟子、梁恵王上〕

【太子】もと、天子及び諸侯の長男。漢代以後は、天子の長男を皇太子、諸王の子を太子という。

【太史】①天文・暦法をつかさどる官。②国の記録をつかさどる官。史官。

【太史簡】春秋時代、斉の崔杼がその君を殺したとき、太史が身の危険を顧みず、その事実を簡（竹のふだ）にそのまま書きしるしたこと。転じて、世をはばかることなく、事実をそのまま歴史に書きしるすことをいう。用例（南宋、文天祥、正気歌）在斉太史簡、在晋董狐筆。↓（天地間にみなぎる正しい気は、）斉では太史の竹簡となり、晋では史官の董狐の筆録となっ（て顕現し）た。

【太史公】①官名。太史令（太史の長官）のこと。②前漢の司馬談と、その子の司馬遷をいう。ともに太史令になったのでいう。太史公書は、『史記』のこと。

【太始】天地のはじめ。宇宙のはじめ。形の初め。太初の次。→太易。

【太師】①周代、三公（太師・太傅・太保）の一つ。天子の師表（手本）の意で、文官の最高官。大師。②昔、楽官の長。

【太△姒】＝大姒（三三九㌻中）。

【太室】①＝大室①（三三九㌻下）。②嵩山（五岳の一つ）の東峰。山に石室があるので名づける。また、嵩山（四四三㌻中）の別名。

【太守】①郡の長官。地方長官。用例（東晋、陶潜、桃花源記）太守即遣人随其往、尋向所誌。↓長官はすぐに人をつかわして漁師が行くのについて行かせ、以前に付けた目印を捜させた。②国㋐親王が上総・常陸・上野の国守に任じられたときの称。㋑国守。地方の領主。

【太初】①万物の根源である気のはじめ。ものごとの初め。太易の次。→太易。②道のもと。〔荘子、知北遊〕

【太上】①おおむかし。太古。三皇五帝の世。②最上のもの。

【太上皇】皇帝の父。また、天子が位を譲った後の称号。

【太政官】国大宝令による中央官庁。今の内閣に当たる。長官は太政大臣。

【太真（眞）】①宇宙を構成する陰陽の二元気。②金（国名）の別名。③人名。㋐西王母の使用人。㋑唐の玄宗皇帝の愛妃、楊貴妃の号。楊太真。→楊貴妃（七五八㌻中）。

【太清】①道家で、天道（自然の大法則）をいう。〔荘子、天道〕②天をいう。

【太祖】①もののはじめ。原始。②初代の帝王の号。始祖。大祖。

【太素】①もののはじめ。物質のはじめ。太始の次。〔列子、天瑞〕→太易。②かざりのない性質。また、質素。

【太宗】①物事のもとをいう。②太祖についで王室に功績のあった帝王に付ける号。多くは第二代。

【太倉】都に設けた政府の米倉。

【太△簇】①六律の一つ。②陰暦一月の別名。

【太息】ためいき。また、ためいきをする。大息。用例（南宋、陸游、入蜀記）遊客摩挲太息、僧及童子輩往往窃笑也。↓見物人は石を撫でて嘆息しているのであるが、僧侶や子供らは、しばしば陰で笑っている。
【太白】タイハク ①はなはだ潔白なこと。②星の名。金星。③大きいさかずき。大白。④唐の詩人、李白の字。
【太半】タイハン 三分の二を太半、三分の一を少半という。転じて、おおかた。過半。
【太夫】タイフ・タユウ 国＝大夫 一⑥(三四二ページ上)。
【太夫人】タイフジン ①諸侯が母を呼ぶ称。②老母。
【太父】タイフ 祖父をいう。
【太△傅】タイフ ①周代の官名。天子の補佐役。三公(太師・太傅・太保)の一つ。大傅。②国天皇がまだ成年に達しない時、その保育の任にあたる職。
【太平】タイヘイ 世の中がよく治まって安らかなこと。
【太平御覧(覽)】タイヘイギョラン 書名。一千巻。宋の李昉らが天子の命令で編集した類書(百科辞書)。宋の太宗が一年かかって閲覧し終わったので名づけた。太平興国八年(九八三)に完成した。
【太平広(廣)記】タイヘイコウキ 書名。五百巻。宋の李昉らが天子の命令で編集した説話小説集。漢代から宋初までの短編小説(伝説・怪談の類い)が九十二類に分類されている。太平興国三年(九七八)に完成した。
【太平天国(國)】タイヘイテンゴク 清の咸豊元年(一八五一)、広西省金田村で洪秀全が起こした国の名。一時は南京を攻略して首都とするなど、清代最大の反乱であったが、同治三年(一八六四)滅ぼされた。
【太保】タイホ 周の官名。天子の補佐役。三公(太師・太傅・太保)の一つ。大保。
【太母】タイボ ①祖母。②天子の母。
【太僕】タイボク 官名。周代、夏官の属。車馬や牧畜の事をつかさどる。秦・漢以後、多くこれによった。
【太陽】タイヨウ ①陽気ばかりで、陰気のない状態、また、そのもの。②日。③夏。④南。
【太陽暦(曆)】タイヨウレキ 地球が太陽を一周する日数を一年とした暦。現在使用されている暦。↔太陰暦。
【太△牢】タイロウ 祭りに牛・羊・豕(豚)の三種の犠牲が備わること。転じて、りっぱなごちそうをいう。大牢。

1
【天】
4画 2242 教1 テン あめ・あま
3723 9356 一

テン 先 tiān

筆順 一 ニ チ 天

字義 ❶あめ。あま。空。↔地(1886)。「天空」❷天体。また、その運行。❸太陽。日。❹宇宙の主宰者。造化の神。造物主。用例〔孟子、離婁上〕順レ天者存、逆レ天者亡。↓天にしたがうものは存続し、天に逆らうものは滅亡する。／〔論語、子罕〕天之将レ喪二斯文一也、後死者不レ得レ与二於斯文一也。↓天が、この文王の道を滅ぼそうとしているなら、文王の後に生まれ死んでゆくこの私は、この文王の道に関与する機会はないはずである。❺自然。無為自然の道。❻君。帝王。❼父、または、夫。❽天気。「晴天」❾時節。気候。「天候」❿ひ。一日。「今天」「明天」⓫運命。めぐりあわせ。用例〔論語、顔淵〕死生有レ命、富貴在レ天。↓人の生き死には天命によるものだし、富貴も天から与えられるものだ。⓬生まれつき。性。「天性」「天才」⓭世の中。境遇。⓮易では乾☰の卦にあてる。また、その神々が住む霊妙な世界。梵語devaまたはsūraの訳語。⓯仏天上界に住む神々。
国あめ。あま。日の神。また、天地創造の神の住む所。

名前 あま・あめ・かみ・そら・たか・たかし 難読 天塩・天鵞絨・天牛・天皇・天降・天蚕糸・天狗・天爾乎波・天主・天生・天生目・天晴・天叢雲剣・天孫・天満・天離

解字 甲骨文  篆文  指事。甲骨文でよくわかるように、人の頭部を大きく強調して示し、うえ・いただき・そらの意味を表す。

逆 一天・雨天・炎天・回天・干天・仰天・暁天・極天・後天・皇天・高天・終天・春天・昇天・衝天・上天・人天・青天・先天・早天・霜天・中天・沖天・脳天・普天・弁天・暮天・楽天・涼天・戻天・漏天・露天

【天衣】テンイ ①天子の衣服。②仙人の衣服。③仏天人の衣で、極めて軽いという。
【天衣無縫】テンイムホウ 天女の着物には、ぬいめがない。転じて、詩や文章などに技巧のあとがなく、ごく自然に書かれていること。また、天真爛漫の意。〔霊怪録〕
【天位】テンイ ①天の位。②天子の位。③天が与えた官位。
【天威△咫尺】テンイシセキ 天子の威光がすぐ眼前にある。天子に接近して恐れ多いこと。▼咫は、八寸。〔左伝、僖公九〕
【天為(爲)】テンイ 天のしわざ。自然のはたらき。↔人為(七一ページ中)。
【天意】テンイ ①天の心。主宰者の意志。②帝王の心。
【天一】テンイツ・テンイチ ①星の名。天帝の神。戦争をつかさどり人の吉凶を知るという。天乙。②天の数。一は陽、天は陽であるからいう。③北極神の別名。
【天乙】テンイツ ①＝天一①。②殷の湯王。
【天韻】テンイン ①天子の作った詩歌。②ごく自然に作られて巧みな詩をいう。
【天宇】テンウ ①天下。あめがした。②みやこ。帝都。③おおぞら。天空。
【天運】テンウン ①天から授かった運命。自然のまわりあわせ。②天体の運行。
【天媛】テンエン ①たなばたひめ。②天女。
【天△淵】テンエン ①天とふち。天地。②へだたりのはなはだしいたとえ。「天淵氷炭」
【天王】テンオウ・テンノウ ①天子の称。②星の名。天の王。心宿の輝きの最も強い星。③仏欲界第六天の最下天で、須弥山の山腹の四方にある四人の天王をいう。
【天恩】テンオン ①造化の恩。上帝のめぐみ。②天子のめぐみ。皇恩。君恩。
【天下】テンカ・テンゲ 一テンカ ①あめがした。世の中。世界中。一テンカ ①国全体。一国内。②世の中の人々。人民。③国㋐江戸時代、将軍を指していう。㋑思うままにふるまうこと。「嬶天下」㋒国家の政務。
【天下三分】テンカサンブン 三世紀ごろ、中国が魏・蜀・呉の三国に別れて、たがいに対立したこと。用例〔三国蜀、諸葛亮、前出師表〕今天下三分、益州罷弊、此誠危急存亡之秋也。↓今、天下は三つに分かれ、わが益州は疲れ果てており、これはまさに我々が存続するか滅亡するかの分かれ目です。
【天下△之広(廣)居】テンカノコウキョ 孟子が仁をたとえたことば。広居は、広い居所、広い住み家。仁の中にいれば、天地にも恥じず、人からも愛され、これほど安全な住宅はないからいう。〔孟子、滕文公下〕
【天下△之正位】テンカノセイイ 孟子が礼をたとえたことば。〔孟子、滕文公下〕
【天下△之大道】テンカノタイドウ 孟子が義をたとえたことば。〔孟子、滕文公下〕
【天下太平】テンカタイヘイ 天下がよく治まって平和なこと。天下泰平。〔礼記、仲尼燕居〕
【天下無双(雙)】テンカムソウ 天下にならぶ者がない。天下第一。用例〔史記、李将軍伝〕李広才気天下無双。↓李広の才気は天下に並ぶものがない。
【天下無敵】テンカムテキ 天下に匹敵するものがない。〔荘子、説剣〕
【先二天下△之憂一△而憂、後二天下△之楽(樂)一△而楽(樂)】

天下の人々が憂える前に天下のことを心配し、天下の人々がすべて楽しんでからのちに自分も楽しむ。志士・仁人の心構えをいったもの。〔北宋、范仲淹、岳陽楼記〕

【天火】①自然に起こって原因のわからない火。②病気の名。丹毒。

【天花・天華】[一]①雪の別名。②ほうそう。天然痘。[二]囜天上の妙花。

【天河】天の川。銀河。天漢。雲漢。

【天海】①大空。広い空を海にたとえたもの。②天と海。③非常にへだたっているたとえ。

【天界】①大空。②囜天にある世界。天上界。

【天階】①天に登る階段。②天子の左右にある役所。③星の名。三台星をいう。

【天外】天のそと。はるかに遠い所や高い所。

【天涯】天の果て。ごく遠いところ。用例〔唐、孟浩然、送杜十四之江南詩〕日暮孤舟何処泊、天涯一望断人腸。↓友を送り、夕暮れになって思う。友の乗る小舟は今ごろどこに停まっているだろう。はるか天のはてを眺めては、別れのつらさにはらわたもちぎれんばかりだ。

【天涯孤独(獨)】故郷を遠く離れて、ひとりぼっちなこと。

【天涯地角】天の果てと、地のすみ。遠く離れていることのたとえ。

【天蓋】①地をおおう空。天。②囜仏具の名。仏像・棺などの上にかざす絹がさ。③国㋐虚無僧の用いる深編笠。㋑僧家で蛸の隠語。

【天楽(樂)】[一]①天上の(たえなる)音楽。②宮中の音楽。③元代の、音楽をつかさどる役所。[二]天と和合する楽しみ。〔荘子、天道〕

【天官】①周代、六官の一つ。長官を冢宰といい、今の総理大臣に当たる。②天子に仕える役人。③天文をいう。④耳・目・口・鼻・皮膚の五官。

【天漢】天の川。天河。銀河。雲漢。

【天眼】①囜肉眼で見ることのできない物事を見とおす眼力。千里眼。②眼球が上方にひきつること。

【天眼鏡】①人相見の用いる凸レンズのめがね。②望遠鏡の古称。

【天眼通】①囜衆生の生死・苦楽の相や一切世間の種々相を見とおすことのできる神通力。六神通の一つ。②事物を見とおすこと。先見の明。

【天顔】天子の顔。竜顔。

【天顔咫尺】=天威咫尺。

【天気(氣)】[一]①天空の気。②空模様。天候。気象状態。「天気晴朗」[二]国①天子のごきげん。天皇のおぼしめし。天機。②よいひより。晴天。

【天紀】天の綱紀。天体の運行するきまり。

【天機】①天の秘密。造化の機密。②重大な機密。「泄天機」③自然にそなわっている機関。手足・心・能力など。④天の運行する機関。天のはたらき。⑤天子の位。⑥天子の行う政治。⑦星の名。南斗六星。⑧天馬。千里の馬。⑨国天子のごきげん。天気。

【天弓】虹の別名。帝弓。

【天宮】[一]①天帝の宮殿。②天空。[二]囜天人の宮殿。

【天鏡】①天上のかがみ。②月。③湖水。

【天極】①自然の道。②天道の至り極まるところ。③星の名。天極星。北極星。④地軸の延長と天球との交点。天球の南北極。

【天鈞】①自然平等の理。〔荘子、斉物論〕②極北の寒地。③楽器の名。

【天空海闊】天が空虚で海が広々していること。気性が大きくからりとして、何のわだかまりもないこと。度量が大きく何でも包容すること。

【天隅】①天空のかたすみ。大空の果て。②極遠の地。遠い果ての地。

【天刑】①自然の法則。②天が降す刑罰。天罰。③去勢すること。

【天恵(惠)】①天子のめぐみ。②国天のめぐみ。自然の恩恵。

【天経(經)】①天の常道。天の正しい道。②孝。「天経地義」③礼。④日。⑤月経。

【天慶】天からたまわる喜び。

【天倪】①自然のけじめ。②天の果て。天際。

【天闕】①天帝の居所。②天子の宮殿の門。③天子。④宮城。

【天眷】①天のめぐみ。②天子のめぐみ。

【天険(險)】天然の険しいところ。自然の要害の地。

【天憲】天子・朝廷の定めた法律。国家の法令。

【天顕(顯)】①天の明らかな道。尊卑上下の分をいう。②天が明らかにすること。

【天譴】天のとがめ。天罰。▼譴は、とがめ。

【天元】①天の元気(万物生育のもととなる気)が運行すること。②陰暦の十一月を正月とする周の暦をいう。天正。③君主の称。④宋末・元初に発達した代数学の称。一元。すなわち一つの未知数を用いて行ったもの。天元術。⑤碁盤の面の九個の黒星のうち、中央の星。

【天鼓】①天上のつづみ。雷をいう。また、雷鳴に似た音。②星の名。③仏寺でならす夜明けの鐘。

【天工】①天が天下を治める働き。②天然の力でできた細工。自然のわざ。↔人工(七三ページ上)。③技芸のたくみなこと。

【天工人其代之】天の行う仕事を人が代わって行う。人君は天に代わって天下を治めるのであるから、大いにつつしまなければならないという意。〔書経、皐陶謨〕

【天公】①天子。②天帝。③司徒。

【天光】①天にかがやく光。日の光。②霊妙な光。霊光。

【天后】①天子。②唐の則天武后の称。③天子の母。

【天行】①天の運行。また、天道の流行。用例〔荀子、天論〕天行有常。↓天の運行には、不変のものがある。②はやりやまい。時節によって流行する病気。

【天狗】[一]①星の名。流星で音と火を発するもの。②怪獣の名。狸に似て白首。[二]国①人の形をして鼻が長く、羽があって深山に住み、空中を飛行するという、想像上の怪物。②自慢する人。高慢な人。

【天皇】[一]①天帝。天の神。②中国古代伝説上の帝王の号。三皇(天皇・地皇・人皇)のはじめ。③天子の称。中国では、唐の高宗が天皇と称した以外は、みな王、または皇帝と称した。[二]国日本国憲法下における、日本国および日本国民統合の象徴。

【天荒】①遠い果ての地。②天地が未開の時の混沌としたさま。③進士(官吏登用試験の科目名)の試験に一名も及第したことのない、人知の開けない地方。天荒解。「破天荒」

【天香】①天からきたような香り。非常によい香り。②元旦・節句・朔望(陰暦で、月のついたちと十五日)などに、香をたいて天をまつること。また、その香。

【天香国(國)色】ぼたんの別名。天下第一のよい香りと国中第一の美しい色とをもつという意。〔唐詩紀事、李正封〕

【天潢】①天の川。②皇族。③軍隊が大海などを渡るのに用いる橋のようなもの。天船。

【天高馬肥】テンたかくうまこゆ 秋の空が高く澄みわたって、馬も肥える季節となった。もと北方辺境の地の情景をいった。唐の杜審言の「贈二蘇味道一」詩に、「雲浄妖星落、秋高塞馬肥」とあるのにもとづく。

【天才】テンサイ 生まれつきすぐれた才能。また、その人。

【天災・天△戕】テンサイ 天のくだすわざわい。自然の災害。↕人災（七三ページ上）。

【天際】テンサイ 天の果て。そらのかなた。用例〔唐、李白、黄鶴楼送二孟浩然之一レ広陵一詩〕孤帆遠影碧空尽、唯見長江天際流。↓友を乗せた船の帆が遠く碧空のかなたに消え、あとにはただ長江が天の果てへと流れて行くのが見えるばかりである。

【天作△孽猶可レ違】テンのなせるわざわ(は)いはなお(ほ)さくべし 天の下した災いは、（いかにひどいものでも）なんとかのがれることはできる。用例〔孟子、離婁上〕天作孽猶可レ違、自作孽不レ可レ活。↓天の下した災いはなんとかのがれることはできるが、自分で招いた災いは、のがれることはできない。

【天産】テンサン ①天然の物産。②動物、特に牛・馬などの畜類。

【天山】テンザン 山脈の名。新疆ウイグル自治区中央部を東西に走る大山脈で、北と南のふもとに、天山北路・天山南路があり、東西交流の重要な交通路であった。もと白山・雪山・祁連と並び、天山山脈東方の一高山であったが、後にこの山脈全体の名称となる。祁連は、匈奴の語で、天の意。

【天△之暦（曆）数（數）】テンのレキスウ 帝王となる自然の順序。〔論語、尭曰〕

【天子】テンシ ①天命を受けて、天に代わって天下を治める人。天帝の子の意。皇帝の尊称、また自称。②国天皇。

【天旨】テンシ 天子の意向。天子の心。

【天使】テンシ ①天の使い。天帝の使者。②天子の使者。③天のしわざ。㋐日月。㋑流星。㋒火星。④キリスト教で、上帝の意を奉じて人間界につかわされるという使者。

【天姿】テンシ ①天然のすがた。生まれつきの美しい姿。②天子の顔かたち。③生まれつき。生まれつきの才能。天資。

【天師】テンシ ①天子の軍隊。②すぐれた道士。③後漢の張道陵（道教の創始者）をいう。

【天資】テンシ 生まれつき。生まれつきの才能。

【天時】テンジ ①天のとき。寒暑・晴雨・昼夜、日の吉凶などをいう。②天の降すわざわい。③天子のきげん。

【天時不レ如二地利一】テンのときはチのリにしかず 戦争などで、寒暑・晴雨・昼夜など、天の時のよろしきを得て攻めても、地形の要害堅固を得ている者には勝てない意。用例〔孟子、公孫丑下〕天時不レ如二地利一、地利不レ如二人和一。↓天候の有利なときに攻めても、地形の要害に拠っている者には勝てず、どんなに城壁や地勢に堅固な有利さがあっても、戦う人の心が和合しているのには勝てない。

【天△竺】テンジク インドの古称。身毒。

【天質】テンシツ 生まれつき。天資。天性。「天質自然」

【天日】テンジツ ①太陽。②天子。「天日の表（天子の相）」

【回二天日△於既（旣）墜一】テンジツをキツイにかえ(へ)す 国西に没した太陽をもとの位置にひきもどす。おとろえた皇室の威光を再びもりかえす意に用いる。▼天日は、天子。〔頼山陽、日本外史、楠氏論〕

【見二天日一】テンジツをみる 再び太陽の光を見る。㋐帝位にかえること。㋑罪人が許されること。㋒盲目がなおって視力を回復すること。

【天△錫】テンシャク・テンセキ 天からたまわる。また、そのもの。天授。天賜。

【天爵】テンシャク 天から受けた、自然にそなわった尊い爵位。仁義忠信など、天賦の徳性をいう。↕人爵（七三ページ中）。用例〔孟子、告子上〕仁義忠信、楽レ善不レ倦、此天爵也。↓仁義忠信（を重んじ）、楽しんで善を行ってあきないのは、まさに天から受けた尊い爵位である。

【天主】テンシュ ①神の名。八神の一つ。②国＝天守②。③キリスト教で、天にいます神。ラテン語Deusの音訳。

【天主教】テンシュキョウ ローマ法王を教主と仰ぐキリスト教の一派。切支丹。

【天守】テンシュ ①自然の道を保ち守る。天性を守る。②国城の本丸の中に築いた高いやぐら。天守閣。

【天寿（壽）】テンジュ 自然に定まっている寿命。天年。

【天授】テンジュ 天からのさずかり。うまれつき。用例〔史記、淮陰侯伝〕陛下所謂天授、非二人力一也。↓陛下（高祖）の場合はいわゆる天から授かった能力で、人間の能力ではございません。

【天女】テンジョ・テンニョ ①織女星。たなばた。②天上にいる女性。あまつおとめ。③美人の形容。④燕の別名。

【天上】テンジョウ ①天のうえ。天空。また、空。②中国をいう。③天へのぼること。昇天。④仏人が死んでから行くという所。天上界。用例〔唐、白居易、長恨歌〕但令三心似二金鈿堅一、天上人間会相見。↓私たちの心を、この黄金や螺鈿のように堅固に保ってさえいたら、天上において、あるいはまた人間世界において、きっとお会いできる日がありましょう。⑤国㋐死。㋑最高。「天上の栄花」

【天上界】テンジョウカイ 仏最善の世界。六道（地獄・餓鬼・畜生・修羅・人間・天上）の一つ。天上にある世界。天界。

【天上天下唯我独（獨）尊】テンジョウテンゲユイガドクソン 仏釈迦が生まれた時、自ら言ったということば。広い天地間で自分より尊い者はないという意。〔大唐西域記、六〕

【天情】テンジョウ ①人が天から受けた（喜・怒・哀・楽・好・悪の）感情。②天の心。③天の正しい道理。④天子の愛情。

【天壌（壤）】テンジョウ ①あめつち。天と地。天地。②へだたりのはなはだしいさま。また、きわまりのないたとえ。

【天壌（壤）無窮】テンジョウムキュウ 国天地とともに永久にきわまりないこと。皇位の長久などにいう。〔日本書紀、神代紀下〕

【天職】テンショク ①天の職分。②天が与えた職務。人がつくさなければならない職分。③国自分の性質にあった職業。

【天心】テンシン ①天帝の心。②天子（帝王）の心。③天の中心。空の真ん中。「月到二天心一」

【天神】テンシン 一テンシン 天にいる神。あまつかみ。日本では、テンジンと読むことが多い。↕地祇（三〇一ページ下）。二テンジン 国菅原道真の霊をまつる神社。天満宮。

【天津】テンシン ①星の名。銀河の中の星。②市名。北京の南東にある華北最大の貿易港。また商工業都市。中央政府直轄市。③橋の名。河南省洛陽市の南西。隋の煬帝が洛陽に遷都した時、城中を貫流している洛水を銀河に比し、これにかけた橋を天津と名づけた。

【天真（眞）】テンシン ①天から与えられた純粋の性。生まれつきの本性。②道教の神の名。

【天真（眞）△爛漫】テンシンランマン 生まれつきのすなおな心を言動にあらわして、つつみかくしのないこと。自然のままがありありとあらわれること。〔輟耕録、狷潔〕

【天人】一テンジン・テンニン ①天と人。また、天意と人事。②天界の人。仙人の類い。③顔かたちの美しい人。美人。④天子。⑤学問・武勇などのすぐれた人。⑥道を修めた人。⑦天下の人。二テンニン 仏天上界の人。三テンニン・あまびと 国天女。

【天人合一】テンジンゴウイツ 天意と人道との一体を理想とし、修養や政治の極致を天意・天道との一致に求めようとする中国古代の思想。

【天△瑞】テンズイ 天がくだす瑞祥（めでたいきざし）。天祥。

【天枢（樞）】テンスウ ①天の中心。②星の名。㋐北極星。㋑北斗の第一星。③国土の中央。都をいう。④天下の政治の大権。⑤ほぞ。へそ。

【天数(數)】①天の数。一・三・五・七・九の奇数をいう。②天の道。自然のなりゆき。③天文。

【天井】一 日・月・星。昔、墓の中を天地にかたどり、その上をおおう部分を天井という。二 国①建物の上部の板張り。②ものの一番高い所。

【天生・天性】生まれつき。

【天生麗質難二自棄一】美しい生まれつきは、そのまますてられて世にうずもれ果てるはずのものではない。楊貴妃の生来の美貌をいう。用例〔唐、白居易、長恨歌〕天生麗質難二自棄一、一朝選在二君王側一 ↓生まれつきのうるわしい姿かたちは、そのまますてておかれるものでなく、ある日、選ばれて天子のおそばにはべることになった。

【天成】①天の運行が順序だって万物がよく生成すること。②自然で、道に合うこと。③自然になる。意を用いないでたくみなこと。

【天声(聲)】①天が発する声。雷の音をいう。また、雷のような大きな声。②天子の声。

【天旋地転(轉)】時間がたって、天下の情勢が一変すること。天地旋転。用例〔唐、白居易、長恨歌〕天旋地転回二竜馭一、到レ此躊躇不レ能レ去 ↓天下の情勢が一変し、天子は都へ帰ることとなったが、(楊貴妃の亡くなった)この場所へ来ると、ためらって立ち去ることができない。

【天祖】国天皇の祖先。多く、天照大神をいう。皇祖。

【天聡(聰)】①天の与えたすぐれた能力。▼聡は、聞いたことを正しく理解判断する能力。②天子の耳。天聴。

【天造】①天が万物を創造すること。②天然につくられたもの。

【天孫】①織女星の別名。たなばた。②天子の諸孫。③泰山(八〇九ページ上)の別名。④国天神の子孫。特に、天津彦火瓊瓊杵尊の称。

【天尊】①天が高く上方にあること。▼尊は、高。②神仙の尊称。③仏仏の別称。

【天尊地卑】天は高く上にあり、地は低く下にあること。転じて、君臣上下の分の定まっていること。〔易経、繋辞上〕

【天体(體)】天上の物体。日・月・星などの総称。

【天台】①山名。ア浙江省天台県の北にある。一名、桐柏山。陳の太建七年(五七五)智者大師智顗が天台宗を開いた地。イ国比叡山の別名。②仏天台宗。日本では桓武天皇の時、伝教大師最澄が中国の天台宗の智者大師七世の法孫、道邃について学び、帰朝後、比叡山で広めた。

【天壇】天子が天を祭る祭壇。北京市の正陽門外の南郊にあるのが有名。

天壇(北京)

【天地】①天と地。あめつち。②非常な違いがあることにいう。雲泥。③世の中。世界。「別天地」

【天地一指】天地は一本の指である。相対の世界を超越して見れば、天地間の万物はすべて同一であるという意。用例〔荘子、斉物論〕天地一指也 ↓天地は一本の指である。

【天地玄黄】天の色は黒、地の色は黄。『千字文』の最初の句。〔易経、坤〕

【天地者万(萬)物之逆旅】天地は、その間に万物が生滅してやむ時がないから、たとえてみれば旅人を送り迎える宿屋のようなものである。▼逆旅は、宿屋。用例〔唐、李白、春夜宴二桃李園一序〕夫天地者万物之逆旅、光陰者百代之過客 ↓そもそも天地というものは万物の宿屋のようなものであり、月日というものは永遠の旅人のようなものである。

【天池】①天然の大池。海をいう。用例〔荘子、逍遥遊〕南冥者天池也 ↓南の海とは天然の大池である。

【天柱】①天を支えているという柱。②世の中を支える道義。③星の名。ア紫微宮の中にある五星。イ三台星。

【天衷】①天の心。②天が人に与えた良心。

【天誅】①天の行う征伐。②有徳者が天に代わって行う征伐。

【天長節(節)】①唐の玄宗皇帝の誕生日。もと千秋節といったのを天宝七年(七四八)に改めたもの。②国もと四大節の一つ。天皇誕生の祝日。明治元年制定。戦後、天皇誕生日と改称。

【天長地久】天地が永久につきないこと。極めて長久なことにいう。〔老子、七〕用例〔唐、白居易、長恨歌〕天長地久有レ時尽、此恨綿綿無二絶期一 ↓天地は永久に変わらないといってもいつか滅びることもあろうが、この二人の満たされない恋心は、いつまでも長く続いて絶え尽きることはないだろう。

【天頂】①天。そら。②いただき。てっぺん。

【天朝】朝廷の尊称。皇朝。

【天聴(聽)】①天が聞くこと。②天子の耳。天子が聞くこと。また、天子の思考・判断。

【天寵】天帝、または、天子のいつくしみ。

【天定亦能勝レ人】悪人が一時栄えることがあるが、天が本来の力を発揮するようになると、悪人に懲罰を加えて滅ぼすようになる。〔史記、伍子胥伝〕

【天帝】①天の主宰者。造化の神。上帝。②北極五星のうちで最も明るい星。帝星。

【天庭】①天帝の宮廷。②天。③天子の宮廷。④崑崙山のいただき。⑤相術(人相をみる術)で、ひたいの中央。

【天都】①天帝の居所。②天。③天子のみやこ。帝都。④七星。

【天怒】①天の怒り。暴風・雷鳴など。②天子の怒り。逆鱗。

【天統】①陰暦の十一月を正月とする周の暦。天正。②天の綱紀。③天子の正しい血すじ。天子の位。

【天道】一 ①天の道。天の道理。天が万物を生成・存在させる法則。天理。②天地を支配する神。③天の運行。④天をいう。⑤仏欲界・色界・無色界の総称。二 国太陽。日輪。

【天道是邪非邪】(善を行って禍を得、悪を行って福を得ることがある)天道は果たして正しいのか正しくないのか。常に正しい者の味方であるはずの天に疑問を発した言葉。〔史記、伯夷伝〕

【天道無レ親】天は公平で、特定の人だけにえこひいきすることがない。用例〔老子、七十九〕天道無レ親、常与二善人一 ↓天にはえこひいきはなく、善行ある者に対していつも味方するものである。

【天徳】①天が万物を作り育てる広大なはたらき。②天子の徳。

【天年】天から受けた命数。寿命。用例〔荘子、山木〕此木以二不材一、得レ終二其天年一 ↓この木は、役に立たない材木と判断されたことが理由で、寿命を全うすることができた。

【天然】①自然。人為の加わらないこと。②造化の神。造物主。③生まれつき。天性。④人力ではどうにもできないもの。

【天馬】①天帝が乗って空をかける馬。②すぐれた馬。駿馬。③特に、大宛国産の馬をいう。④漢の武帝の時、大宛国から天馬が来たので作ったという楽府の名。郊祀歌十九首の一つ。④獣の名。白犬に似て黒頭、人を見ると飛び去るという。

天馬③

【天馬行空】天馬が大空をかけめぐる。文章・筆勢のすぐれたさま。

【天罰】天の加える罰。悪事に対する自然のむくい。天刑。

【天畔】天のあたり。遥かな地の果て。

【天表】①＝天外。②天子のしるし。

【天飆】空高く吹く強風。▼飆は、つむじ風。用例〔藤井竹外、芳野詩〕古陵松柏吼天飆 ↓古陵の松柏は天高く吹く強風にうなっている。山寺尋春春寂寥 山寺に春をたずねると春はもう過ぎ、ものさみしいようすだ。

【天稟】天から受けた性質。うまれつき。天賦。天質。天性。

【天秤】両方の重みを平均させて目方をはかるはかり。

【天府】①自然の宝庫。天然の要害で地味が肥え、物資の多い土地をいう。〔史記、留侯世家〕②宮中の倉庫。天子の倉。③周代の官名。祭器・宝物・公文書などを管理する。④星の名。

【天符】天のくだすめでたいしるし。天祥。天瑞。

【天賦】天が与えたもの。生まれつき。もちまえ。

【天覆地載】天は万物をおおい、地は万物をのせている。転じて、天地のように広大なめぐみをいう。

【天物】①天の分け与えたもの。生まれつきの才能。②自然に産する物。天産物。

【天分】天が分け与えたもの。生まれつきの才能。天賦。

【天兵】①天子の軍隊。②天意に合った軍隊。

【天辺(邊)】①空の果て。②遠隔の地。

【天変(變)地異】天地に現れる不思議な現象。日食や暴風、地震や洪水などをいう。

【天歩艱難】天の運行に支障があって順調でない。転じて、時運が悪く困難の多いこと。〔詩経、小雅、白華〕

【天宝(寶)】①天の与えた宝物。また、天然の珍宝。②道家の語で、道教はその進境を初中上の三つに分け、上の部を洞真天宝という。唐の玄宗の年号である天宝(七四二—七五六)はこれに基づく。

【天魔】①舞の名。元の順帝が遊宴にふけり、官女十六人を仏菩薩の姿をさせて舞わせた舞。②仏四魔(衆生を悩ます四つの魔)の一つ。天上にいる悪魔で、人の心を迷わせ、人を邪道に誘うという。

【天民】①天道をよくわきまえている民。〔孟子、尽心上〕②天が生んだ民。人民。用例〔孟子、万章上〕予天民之先覚者也 ↓私は人民の中の先覚者である。③道を体得した人。

【天無二日】天に二つの太陽はない。国に二君のないたとえ。〔礼記、曾子問〕

【天命】①天の命令。天子となって天下を治めよという天の命令。②天から受けた運命。また、天の与えた使命。用例〔東晋、陶潜、帰去来辞〕聊乗化以帰尽、楽夫天命復奚疑 ↓ともあれ自然の変化にまかせて、(自分の命が)尽きるのを待とう。あの天命というものを楽しみそれに安んじて、その上何を疑うことがあろうか。③天の与えたいのち。寿命。④天の与えたもの。用例〔中庸〕天命之謂性、率性之謂道 ↓天の与えたもの、つまり生まれつきを性といい、性に従って行動することを道という。

【天明】①天から受けた命令。②天の明らかな道。③天にある明らかなもの。日月の類い。④天の与えた明らかな視力。⑤夜があける。また、明け方。用例〔唐、杜甫、石壕吏詩〕天明登前途、独与老翁別 ↓明け方、続く旅路に出発したが、そのとき、ただじいさんに別れをつげたのみであった。

【天網恢恢疎而不失】天が悪人を捕らえるために張るあみの目はあらくて大きいが、結局とりにがすことはない。善は必ず栄え、悪は必ずほろびるたとえ。▼「不失」は、「不漏」ともいう。〔老子、七十三〕

【天文】天体の現象。日・月・星など。▼文は、もよう。

【天門】①万物の生ずる門戸。②天上の門。天帝の住居の門。③宮中の門。宮門。④道家で、鼻の穴。また眉と眉との間。また、心。⑤塔のいただき。⑥山名。安徽省にある二つの山の総称。東の当塗県の博望山と西の和県の梁山とが、長江をはさんで門のように向かい合ってそびえているのでいう。用例〔唐、李白、望天門山詩〕天門中断楚江開 ↓天門の山は二つに断たれて、その間を楚江が流れ、(長江の)緑色の水は東へ流れていたが、ここで方向を変える。碧水東流至此廻

【天佑・天祐】天の助け。「天佑神助」

【天与(與)】①天が与える。②天の与えたもの。天賦。

【天籟】①自然の音響。風の音など。〔荘子、斉物論〕↔地籟(三〇三ページ上)・人籟(七三ページ下)。②詩文などの円熟してすぐれているたとえ。

【天覧(覽)】国天皇が見ることを敬っていうことば。

【天吏】①天の命を奉じて行う役人。②天子の役人。

【天理】①万物が生成する自然の道理。②天賦の本性。正しい道理をそなえている人の本性。

【天竜(龍)寺船】国室町時代、足利尊氏が天竜寺を立てる費用を作ろうとして元に派遣した船。天竜船。

【天倫】①自然に備わった、人の順序。父子・兄弟など。天然の倫次。用例〔唐、李白、春夜宴桃李園序〕序天倫之楽事 ↓兄弟たちの楽しい宴を繰り広げる。②天の道理。天理。

【天路】①天子のまつりごと。②天の法則。③天上の道。また、はるかに遠い道。

【天禄】①天から授かる幸福。天のめぐみ。②天子の位。天位。

【仰天而唾】天に向かってつばをはけば、自分の顔に返ってくる。人に害を加えようとして、かえって自分自身をそこなうたとえ。〔雲笈七籤〕

【局天蹐地】天は高いのに、頭をうたないかと心配して背を低くまげ、地は厚いのに、踏み破って落ちないかと心配してぬき足で歩くこと。恐れおののくことの甚だしいさま。局天蹐地。局蹐。▼局は、跼とも書く。

【後天】①天時に遅れる。天の時・運行に後れて行動する。②長寿をいう。「後天の寿」

1
【夫】
4画 2243 教4 フ・フウ おっと
一フ 圓 fū 二漢フ・呉ブ 圓 fú
慣フウ
4155 9576 一

筆順 一 二 チ 夫

字義 一 ❶おっと。妻のある男性。↔妻(2345)。❷おとこ。一人前の男性。↔婦(2450)。「丈夫」❸公共の仕事を割り当てられた男性。ぶやく。また、その割り当て。「夫役」

❹兵士。または、戦争のために徴発された人夫。 ㊁助かな。それ。かの。⇩助字・句法解説。

助字・句法解説

❶かな。詠嘆。訳…なのだなあ。
文末に置かれ、詠嘆の語気を表す。
用例〔論語、子罕〕逝者如斯夫、不舎昼夜。⇩過ぎ去ってゆくものはこの(川の水の)ようなものだなあ、昼も夜もとどまることがない。

❷それ。発語。訳だいたい。いったい。そもそも。
文頭に置かれる言い始めの言葉。
用例〔唐、李白、春夜宴桃李園序〕夫天地者万物之逆旅、光陰者百代之過客。⇩そもそも天地というものは万物の宿屋のようなものであり、月日というものは永遠の旅人のようなものである。／〔史記、項羽本紀〕夫秦王有虎狼之心。⇩そもそも秦王には、虎や狼のように残忍で飽くことを知らぬ貪欲な心がある。

❸かの。指示詞。訳あの。
用例〔論語、微子〕長沮曰、夫執輿者為誰。⇩長沮が言った、「あそこで車の手綱を持っている人は、だれなのか」。／〔東晋、陶潜、帰去来辞〕聊乗化以帰尽、楽夫天命復奚疑。⇩ともあれ自然の変化にまかせて、(自分の命が)尽きるのを待とう。あの天命というものを楽しみそれに安んじて、その上何を疑うことがあろうか。

名前 あき・お・すけ・ぶ・ゆう・よし 難読 夫子・夫神・夫婦・夫恋

解字 甲骨文  篆文  指事。成人を表す大に、冠のかんざしを表す一を付し、成人の男性の意味を表す。夫の意味と音符とを含む形声文字に、扶がある。

逆 一夫・役夫・駅夫・褐夫・寡夫・火夫・頑夫・義夫・狂夫・工夫・功夫・士夫・丈夫・情夫・征夫・潜夫・船夫・壮夫・大夫・太夫・田夫・独夫・人夫・薄夫・販夫・匹夫・病夫・武夫・僕夫・牧夫・凡夫・野夫・老夫

【夫役】 おおやけの仕事に民を使役すること。また、使役される民。
【夫家】 ①男女。②夫と妻。夫妻。③夫の家。
【夫家△之征】 周代、定職がなく勤労しない民に、罰金として出させた税。農民の一組の夫婦が出す百畝の田地に対する税に相当する額の税。
【夫君】 ①妻が夫を呼ぶ敬称。あなた。②かのきみ。友人をいう。③国他人の夫を呼ぶ敬称。
【夫差】 春秋時代、呉王闔閭の子。越王句践を夫椒に破ったが、後、句践に会稽で滅ぼされた。在位、前四九五―前四七三。→臥薪嘗胆(二二九二ページ下)。
【夫妻】 夫と妻。夫婦。
【夫子】 ①昔、男性の通称。②大夫・先生・長者を呼ぶ尊称。孔子の弟子がもっぱら孔子を夫子と称してから、後世、師の尊称となる。用例〔論語、里仁〕夫子之道、忠恕而已矣。⇩先生の説かれる道は、まごころのこもった思いやり、ただそれだけである。③妻が夫を呼ぶ称。④子が父を呼ぶ称。
【夫唱婦随(隨)】 夫がまず言いだして、妻がそれに従うのが、夫婦のよく和合する道であるということ。▼唱は、倡とも書く。〔関尹子、三極〕
【夫人】 ①諸侯の正妻。②貴人の妻。③皇后。王后。▼夫は、扶で、夫を助ける。④皇后の次に位する後宮の女性。⑤母の敬称。⑥女性の尊称。⑦多くの人々。衆人。⑧かの人。あの人。⑨国他人の妻の敬称。
【夫婿(壻)】 おっと。妻が夫を呼ぶ称。
【夫婦】 ①夫と妻。②一夫一婦の意で、凡人をいう。匹夫匹婦。
【夫婦有レ別】 夫と妻とは、それぞれ定まった本分があり、その分限を守らなければならない。また、夫婦の間にはおのずから礼儀の存すべきもので、互いに慣れ合ったりけなし合ったりしてはならない。〔孟子、滕文公上〕
【夫里△之布】 夫布と里布の税。夫布は、定職がなく勤労しない人に課する税。里布は、宅地に桑・麻を植えない人に課する税。〔孟子、公孫丑上〕

1【尢】 4画 (2764) ユウ 尢部。→四三四ページ下。

1【夭】 4画 2244 ㊀ヨウ(エウ) 蕭 yāo ㊁オウ(アウ) 晧 ǎo ㊂ヨウ(エウ) 篠 yǎo 5280 9AEE 一

字義 ㊀❶わか-い。わかし。❷のびやか。やわらぐさま。❸わざわい。災難。㊁❶わかじに。わかじにする。❷わかい木。㊂❶わかじに。生まれたばかりの鳥獣の子。❷わか木。用例〔荘子、逍遥遊〕不夭斤斧、物無害者。⇩おの、まさかりで切られて若死にすることなく、危害を加えるようなものもありません。❷ふさぐ。とめる。

解字 甲骨文  篆文  象形。若いみこ(巫女)がしなやかに身をくねらせて神を招く舞いをするさまにかたどり、わかいの意味を表す。夭を音符に含む形声文字に、妖・殀・祅・突などがあり、これらの漢字は、「若いみこ」の意味を共有している。

【夭閼】 ①ふさぎとどめる。②わかじに。夭死。
【夭昏】 ①わかじに。▼昏は、名をつけないうちに死ぬ。②わかじにと精神に障害のある人。
【夭寿(壽)】 わかじにと長命。
【夭殤】 わかじに。▼殤は、成年に達しないで死ぬこと。
【夭折】 わかじに。夭死。夭逝。夭化。
【夭没・夭歿】 わかじに。夭死。
【夭夭】 ①若く美しいさま。若く生き生きとしたさま。用例〔詩経、周南、桃夭〕桃之夭夭、灼灼其華。⇩若く生き生きとした桃の木に、今、盛んに輝くような花が咲いている。②やわらいで、のびのびしているさま。「夭夭如」

2【央】 5画 2245 教3 オウ ㊀漢ヨウ(ヤウ)・呉オウ(アウ) 陽 yāng ㊁漢エイ・呉ヨウ(ヤウ) 庚 yīng 1791 899B 一

筆順 丨 冂 冋 央 央

字義 ㊀❶なか-ば。㋐まんなか。中心。「中央」㋑中途。㋒たけなわ。真っ最中。❷ひさしい(久)。遠い。❸つきる(尽)。また、やむ(已)。❹ひろい。㊁❶あざやかなさま。❷声のやわらぐさま。

名前 あき・あきら・お・おう・ちか・てる・なか・なかば・ひさ・ひさし・ひろ・ひろし・よう

解字 金文  篆文  象形。首かせをつけられた人の象形。人の首が首かせの中央にあるところから、まんなかの意味を表したものであろう。央を音符に含む形声文字に、怏・映・殃・泱・瑛・盎・秧・英・霙・鞅などがあり、これらの漢字には、怏・殃・鞅など「くびかせ」の意味を共有するものと、景に通じた英・霙など「高まる光」の意味を共有するものがある。

逆 中央・未央

【央央】 ①音声のやわらぐさま。②あざやかなさま。㊁広いさま。

2【夰】 5画 2246 漢コウ(カウ) 呉ゴウ(ガウ) 晧 hào 一一 2477

字義 ❶放つ。❷気。天の気。

解字 会意。大＋八。大は人の意味。八は分かち放つの意味。人を分かち放つの意味を表す。

2【夯】5画 2247　コウ（カウ）　養 hāng　—　—　2476

字義 ❶かつぐ。❷木で土地をたたいて固めること。

解字 会意。大＋力。大いに力を用いてかつぐ、地固めをするの意味を表す。

2【失】5画 2248　教 4　シツ　うしな-う　2826　8EB8　—
一 漢シツ・呉シチ　質 shī
二 漢イツ・呉イチ　質 yì

筆順 ノ 𠂉 𠂊 㐄 失

字義 一 ❶うしな-う。うしなふ。㋐う-せる。なくする。消える。なくなる。用例〔左伝、荘公十二〕得一夫而失一国。▷悪人をかばい一国を失った。㋑にがす。にげる。見のがす。用例〔史記、趙世家〕今坐受城市邑十七、此大利不可失也。▷いまいながらにして十七の城市を手に入れようとしている。この大きな利益を見逃してはならない。㋒見うしなう。用例〔史記、孔子世家〕孔子適鄭、与弟子相失。▷孔子は鄭国に行き、門人達とはぐれてしまった。㋓あやまる（誤）。たがう。見あやまる。用例〔論語、子張〕上失其道、民散久矣。▷上の者が道をあやまり、人民がばらばらになって久しい。㋔くるう。みだれる。用例〔東晋、陶潜、飲酒詩〕父老雑乱言、觴酌失行次。▷年長者は酔って言葉が乱れ、杯をかわす順序もくるった。❷あやま-ち。しくじり。油断してしくじる。用例〔漢書、路温舒伝〕秦有十失。▷秦には十の失政があった。❸がまんできない。思わず。用例〔唐、宋之問、牛女詩〕失喜先臨鏡、含羞未解羅。▷喜びのあまりまず鏡に向かい、はじらって薄絹の衣を脱がずにいる。

二 ❶はなつ。ほしいままにさせる。＝泆(6222)。用例〔国語、周語下〕虞于湛楽、淫失其身。▷楽しみにふけり、身をもちくずした。❷のが-れる。にげる。＝逸(12127)。用例〔淮南子、人間訓〕馬失食農夫之稼。▷馬が逃げて畑の作物を食い荒らした。

難読 失物（うせもの）

解字 篆文 
指事。手＋乙。乙は、手からそれた物を示し、手から物がそがれる、うしなうの意味を表す。失を音符に含む形声文字に、佚（イツ）・帙（チツ）・泆（イツ）・秩・軼（イツ）などがあり、これらの漢字は、「それる」の意味を含むものが多い。

逆 遺失・過失・自失・焼失・喪失・得失・紛失・忘失

【失意】（シツイ）①人の機嫌を損なう。おもしろくなく思われる。②自分の思うようにならない。また、そのためにがっかりする。↔得意（五〇九ジペー上）。

【失火】（シッカ）あやまって火災を起こすこと。また、その火災。

【失格】（シッカク）国資格をうしなう。

【失気（氣）】（シッキ）①勇気をうしなう。意気沮喪する。②気をうしなう。気絶する。

【失機】（シッキ）・（キをシッす）機会をうしなう。ふさわしい機会を逃す。

【失儀】（シツギ）礼儀を失する。

【失脚】（シッキャク）①足をふみはずす。つまずく。②地位をうしなう。③しくじる。

【失計】（シッケイ）＝失策。

【失敬】（シッケイ）①礼儀にはずれる。無礼。失礼。②国㋐別れるときのことば。さよなら。㋑挙手の礼。㋒無断で盗みとる。

【失言】（シツゲン）言ってはならないことをいう。言いそこない。

【失効（效）】（シッコウ）国効力をうしなう。無効になる。

【失策】（シッサク）はかりごとや方法を誤る。しくじる。また、しそこない。失計。

【失守】（シッシュ）①守りつづけていた志をうしなう。操をうしなう。②守り通さない。③守るべき本分を怠る。④守備をうしなう。陥落する。落城する。

【失笑】（シッショウ）こらえきれず、吹き出して笑う。「失笑噴飯」

【失色】（シッショク）①顔色をかえる。驚き恐れる。②威厳のある顔つきをすべきなのに、それをやわらげて人にへつらうこと。

【失職】（シッショク）①職務を怠り、または職務上の過ちを犯すこと。②父祖の業をかえる。③職業をうしなう。失業。④正当な地位が得られない。〔史記、淮陰侯伝〕

【失心・失神】（シッシン）①本心をうしない、ぼんやりする。②気が狂う。③気絶する。正気をうしなう。

【失身】（シッシン）①身をもちくずすこと。不義におちいること。特に、女子が貞操をなくすこと。②生命をうしなう。

【失声（聲）】（シッセイ）＝失声（こえ（ゑ）をうしなう（ふ））（三二七ジペー上）。

【失政】（シッセイ）政治を誤る。また、誤った政治。

【失節】（シッセツ）・（セツをうしなう（ふ））節操をうしなう。節操を守らない。失身。

【失措】（シッソ）処置をあやまる。あわてふためく。

【失踪】（シッソウ）①ゆくえを見うしなう。▼踪は、蹤（ショウ）（足あと）。②姿をかくす。③人の所在や生死が不明なこと。

【失足】（シッソク）足を重々しくしてふるまうべきなのに、その節度をうしなって軽々しく進退すること。

【失体（體）・失態】（シッタイ）①標準の体裁に合わない。体裁をうしなう。②面目をうしなう。対面をけがす。③国あやまち。しくじり。

【失地】（シッチ）戦いに敗れたりして、土地をうしなうこと。また、そのうしなった土地。「失地回復」

【失墜】（シッツイ）①おとす。うしなう。②やりそこなう。③地位を失う。

【失度】（シッド）・（ドをうしなう（ふ））平常の態度をうしなう。あわてふためく。

【失当（當）】（シットウ）道理に合わない。正当でない。不当。

【失得】（シットク）うしなうことと得ること。失敗と成功。得失。

【失念】（シツネン）わすれる。

【失望】（シツボウ）望みをうしなう。あてがはずれる。

【失名】（シツメイ）・（ナをシッす）①人の姓名を忘れる。また、姓名が分からない。②原稿などに名を記し忘れること。記さないこと。

【失命】（シツメイ）①命令にそむく。②生命をうしなう。

【失明】（シツメイ）①視力をうしなう。②かがやきをうしなう。

【失約】（シツヤク）・（ヤクをうしなう（ふ））約束を外す。約束をたがえる。背約。

【失礼（禮）】（シツレイ）①礼儀をうしなう。礼に合わない。無礼。②国相手に別れを告げることば。

【失路】（シツロ）①道に迷う。②人生行路をまちがえる。出世しそこなう。

【失鹿】（シツロク）帝位をうしなう。▼鹿は、天子のたとえ。

2【夳】5画 2249　タイ　泰 tài　—　—　2478

字義 ❶滑らか。すべる。❷大きい。❸泰(6132)の古字。

解字 形声。二（＝仌）＋大（音）。

2【夲】5画 2250　ホン　5281　9AEF　—

本(5181)の俗字。→七二四ジペー上。

2【𡗗】5画 2251　2-0530　—　—

字義 奉・奏などの漢字の一部分。字形分類のために部首として立てられる場合がある。

3【夷】6画 2252　人　標　イ　支 yí　1648　88CE　—

筆順 一 ㇕ 弓 弓 弔 夷

字義 ❶えびす。㋐特に、東方の未開の異民族。「東夷」㋑四方の異民族の総称。㋒外国。遠方。❷たい-らげる。たひらぐ。㋐敵をうち滅ぼす。㋑治める。治まる。㋒平らにする。ならす。㋓刈りとる。除く。㋔殺す。❸たい-らか。たひらか。㋐ひらたい。㋑おだやか。❹なみ。普通。等しい。❺つね。人が常によるべき道。❻傷。きり傷。また、傷つける。そこなう。「傷夷」国**えびす**。㋐えぞ。えみし。古代、関東以北に住んでいたアイヌ民族をさした。㋑あらあらしい武士。㋒七福神の一つ。恵比須。

名前 ひな・ひら　難読 夷曲・夷隅

解字 甲骨文　金文　篆文　**象形**。ひものまきついた矢の象形。いぐるみの意味や、いぐるみで傷つけたいらげる意味を表す。また、東方のえびすの意味を表した尸に通じ、えびすの意味をも表す。夷の意味と音符とを含む形声文字に、痍・荑などがある。夷は、字の形・音・意味の上で、矢と近い関係にある。

【夷険（險）】①土地の平らな所とけわしい所。②順境と逆境。同険夷。

【夷斉（齊）】伯夷・叔斉の兄弟をいう。

【夷然】落ち着いて、動じないさま。平然。平気。

【夷則】①十二律の一つ。黄鐘から九番目の律。②陰暦七月の別名。

【夷俗】異民族の風俗。

【夷△坦】①平らな道。②心が平らなこと。

【夷△狄】未開の異民族。▼東方を夷、北方を狄という。

【夷△貉・夷△貊】東北方の未開の異民族。▼貉・貊は、北方の異民族。

【夷服】九服の一つ。蛮服の外、方五百里をいう。→九服（四八ページ上）。

【夷滅】平らげ滅ぼす。一族をみな殺しにする。用例〔資治通鑑、漢紀〕大臣無レ罪夷滅者、数十家。↓大臣で罪なくして一族皆殺しの目にあったものが数十にものぼります。

【夷吏】外国の役人。

【以レ夷制レ夷】自分は手を下さないで、外敵を利用して外敵をおさえること。以レ夷攻レ夷。

3【夸】6画 2253　漢カ（クヮ）・呉ケ　麻 kuā　慣コ　5282 9AF0 —

字義 ❶**おごる**。❷**ほこる**（誇）。大げさに言う。❸はびこる。❹大きい。

解字 金文　篆文　**形声**。大＋亏音。音符の亏は、弓なりに曲がった、またの意味。またを大きくするの意味から、おごる・ほこるの意味を表す。

【夸言】大げさな話。ほら。誇言。

【夸詐】ほらをふく。大言を吐いていつわる。誇詐。

【夸者】ほこりたかぶる人。また、栄誉を好む人。誇者。用例〔史記、伯夷伝〕夸者死レ権。↓栄誉を好むものは、権力を一生追い求めてやまない。

【夸大】大げさ。誇大。

【夸△耀】ほこりみせびらかす。大げさに言って自慢する。誇耀。

3【奈】6画 2254　㊀エン　琰 yǎn　㊁トウ（タウ）　豪 tāo　— — 2479

字義 ㊀物の上部が大きくて、下部が小さいこと。㊁進む。

3【夶】6画 2255　ヒ　— — 2480

字義 比（6079）の古字。→七九八ページ中。

解字 **会意**。大＋小。

3【灵】6画 2256　レイ　2 0531 — —

字義 霊（13234）の俗字。→一五三五ページ中。

4【夾】7画 2257　㊀漢コウ（カフ）・呉キョウ（ケフ）　洽 jiā　㊁キョウ（ケフ）　葉 jiā　5283 9AF1 —

字義 ㊀❶**はさ-む**。㋐左右から持つ。㋑さしはさむ。＝挟（4150）。用例〔東晋、陶潜、桃花源記〕夾レ岸数百歩、中無二雑樹一。↓岸をはさんで数百歩の間、その中にほかの木はない。㋒帯びる。❷助ける。そばから助ける。❸近づく。また、近い。㊁❶つか。刀のにぎり。❷せまい。＝狭（7220）。

解字 金文　篆文　**象形**。手をひろげて立つ人の両わきを左右から手ではさむさまにかたどり、はさむの意味を表す。夾（夹）を音符に含む形声文字に、侠・峡（峽）・挟（挾）・狭（狹）・陜・莢・惬・蛺・篋・鋏・頬などがあり、これらの漢字は、「はさむ」の意味を共有している。

【夾岸】川をはさむ両岸。

【夾撃（擊）】はさみうつ。夾攻。

【夾谷】春秋時代の地名。孔子が前五〇〇年に魯の定公を助けて斉の景公と会見した所。今の江蘇省贛楡県の西といわれる。

【夾雑（雜）】まじる。また、まじりもの。

【夾侍】①左右にはべること。また、その人。②仏仏像の左右にはべる者。釈迦に対する文殊・普賢など。↓脇士（六九六ページ上）。

【夾△鍾・夾鐘】①十二律の一つ。②陰暦二月の別名。

【夾帯（帶）】①他の荷物の中にかくして持ちこむ。ひそかに携帯する。②科挙の受験者が試験場に書物などをかくして持ちこむこと。

【夾△輔】左右からはさみ助ける。補佐する。

4【会】7画 2258　グン　吻 yǔn　2 0532 — —

字義 おおきい。

解字 **形声**。大＋云音。

4【仓】7画 2259　漢ハ・呉へ　麻 bā　— — 2481

字義 おおきい。

解字 **形声**。大＋巴音。

5【奄】8画 2260　人 標　㊀エン　琰 yǎn　㊁エン　塩 yān　1766 8982 —

筆順
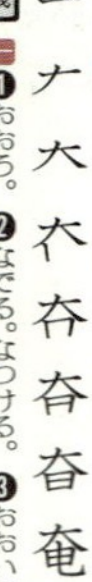

字義 ㊀❶おおう。❷なでる。なつける。❸おおいに。おおきい。❹**たちま-ち**。にわか。❺ものの形容。「奄奄」㊁❶ひさしい（久）。ひさしく。❷去勢されて後宮に仕える男性。宦官。

名前 ひさ・ひさし　難読 奄美

解字 金文　篆文　**会意**。大＋电（申）。大は人の象形。申は、いなずまの象形。雷雲が人の頭上をおおうの意味から、おおうの意味を表し、また、長時間ある事がらがおおう、久しいの意味をも表す。奄を音符に含む形声文字に、庵・掩・晻・淹・罨・醃・閹・黤などがあり、これらの漢字は、「覆おおう」の意味を共有している。

【奄奄】①息がふさがって絶えそうなさま。虫の息。「気息奄奄」②暗いさま。

【奄△忽】たちまち。にわか。奄然。

【奄人】宦官のこと。→宦官（四〇〇ページ下）。

【奄然】①ぴったり合うさま。②おおわれるさま。暗いさま。③にわかなさま。④息の絶えそうなさま。⑤いこうさま。

【奄有】おおって自分のものにする。土地を残らず取ってその主となる。用例〔書経、大禹謨〕奄有四海。↓四方をことごとくおおって自分のものにする。

【奄留】久しく（長く）とどまる。長く滞在する。

5【架】8画 2261　カ　jiā　2 0533 — —

字義 義未詳。国伊架留我は、三重県の地名。

5【奇】8画 2262　常　㊀漢キ・呉ギ　支 qí　㊁キ　支 jī　キ　熟字訓 数奇屋　2081 8AEF —

筆順 一 ナ 大 太 夲 夼 奇 奇

［奇］ 148 俗字

字義 一 ❶**めずら-しい**（めづ-らし）。㋐ことなる。かわっている。普通でない。「珍奇」「奇抜」「奇貨」 ㋑すぐれる。ぬきんでる。貴重である。用例〔東晋、陶潜、飲酒詩〕青松在二東園一、衆草没二奇姿一（セイショウトウエンにあり、シュウソウキシをボッす）。⬇青々とした松が庭の東に生えていて、雑草がそのすぐれた姿を隠している。 ㋒**あや-しい**（あや-し）。あやしげ。不思議。思いがけない。用例〔老子、五十七〕以レ正治レ国、以レ奇用レ兵（セイをもってくにをおさめ、キをもってヘイをもちいる）。⬇国を治めるには正統な方法を用い、兵を動かすには意表を突いた方法を用いる。 ❷特殊であると見なす。変わっていると思う。㋐驚く。あやしむ。用例〔水経注、濁漳水〕人奇二其不一レ老（ひとそのおい（ゐ）ざるをキとす）。⬇人々は年をとらないことに驚いた。 ㋑重んじる。ほめる。用例〔三国志、魏志、武帝紀〕世人未二之奇一也（セジンいまだこれをキとせざるなり）。⬇人々はまだ彼を重んじていなかった。 ❸はなはだ（甚）。非常に。用例〔酉陽雑俎、語資〕今歳奇寒（コンサイキカンなり）。⬇今年は非常に寒い。 二 ❶ひとつ。対の片方。❷二で割りきれない数。はん。奇数。↔偶（477）。❸あまり。はした。❹めぐりあわせが悪い。不運。「数奇」 国 ❶**あや-に**。不思議に。わけもなく。❷**く-しくも**。偶然にも。

名前 あや・き・くし・くす・より **難読** 奇稲田姫（くしなだひめ）

参考 現代表記では〔畸〕（7664）の書きかえに用いる「畸人→奇人」「畸形→奇形」。また、〔綺〕（9201）の書きかえに用いることがある。「綺談→奇談」

解字 篆文 奇 **形声**。大＋可㊥。大は、両手両足をひろげて立つ人の象形。音符の可は、かぎ型に曲がるの意味。かわっている人の意味を表す。奇を音符に含む形声文字に、寄・倚（イ）・剞（キ）・埼（キ）・崎（キ）・掎（キ）・攲（キ）・旖（イ）・漪（イ）・猗（イ）・琦（キ）・畸（キ）・碕（キ）・綺（キ）・羇（キ）・觭（キ）・踦（キ）・騎などがあり、これらの漢字は、「かたむく・かたよる」の意味を共有している。

逆 怪奇・高奇・新奇・数奇・絶奇・珍奇・伝奇・猟奇

【奇異】（キイ）普通とちがってめずらしいこと。

【奇偉】（キイ）すぐれてりっぱなこと。すぐれて偉大なこと。

【奇△穎】（キエイ）めずらしく、すぐれる。

【奇△羸】（キエイ）余分のお金で買い集めためずらしいもの。▼奇も羸も、残余の意。

【奇縁】（キエン）国不思議な縁。思いがけない関係。

【奇貨】（キカ）①めずらしい品物。②うまい金もうけ。もっけのさいわい。

【奇貨可レ居】（キカおくべし）めずらしい品は後に値上がりするから、買っておいて時機を待つべきである。転じて、よい機会に乗ずるたとえ。秦（シン）の商人呂不韋（リョフイ）が、趙（チョウ）に人質となって冷遇されている秦の王子の子楚（シソ）を見て、「此奇貨可レ居（これはめずらしい品物なので手元に置いておこう）」と言って子楚に金を与え、のちに子楚が荘襄王（ソウジョウオウ）となるや、その宰相となり、文信侯に封ぜられた故事に基づく。〔史記、呂不韋伝〕

【奇禍】（キカ）思いがけないわざわい。

【奇怪】（キカイ）一（キカイ）あやしい。また、あやしいもの。二（キカイ・キッカイ）国けしからぬこと。不都合なこと。

【奇観（觀）】（キカン）めずらしいながめ。めずらしいみもの。

【奇奇怪怪】（キキカイカイ）非常に不思議なこと。きわめてあやしいこと。

【奇矯】（キキョウ）人とちがった言行をすること。

【奇句】（キク）すぐれた詩句。用例〔南宋、陸游、入蜀記〕崔灝詩最伝（サイコウのシもっともつたわ（は）り）、而太白奇句得二於此一者（しこ（か）うしてタイハクのキクここにえたるもの）、尤多（もっともおお（ほ）し）。⬇崔灝の詩が最もよく伝わっているが、李白の優れた詩句もここで作られたものが、とりわけ多い。

【奇偶・奇△耦】（キグウ）奇数と偶数。

【奇遇】（キグウ）思いがけなくめぐりあう。思いがけない対面。

【奇△崛】（キクツ）①山がけわしく、変化のあるさま。②詩文が奇抜ですぐれているさま。

【奇形】（キケイ）①変わっためずらしい形。異様な形。奇状。②国生物で、変異の範囲を超えた形態。

【奇計】（キケイ）人の意表をついたはかりごと。すぐれたはかりごと。

【奇警】（キケイ）すぐれてかしこい。

【奇言】（キゲン）めずらしい言葉。面白い言葉。奇語。

【奇功】（キコウ）意外な功績。めずらしい手柄。奇勲。奇効。

【奇巧】（キコウ）①めずらしい技巧。②いつわり多いたくらみ。

【奇行】（キコウ）風がわりな（普通でない）行い。

【奇骨】（キコツ）①人とちがう骨相。②めずらしい気骨のあること。③節操をまげないりっぱな人物。

【奇才】（キサイ）すぐれた才能。また、その人。奇材。

【奇策】（キサク）＝奇計。

【奇士】（キシ）すぐれた人物。

【奇日】（キジツ）奇数の日。↔偶日（二三二ページ・中）。

【奇邪】（キジャ）理にあわないこと。よこしま。

【奇趣】（キシュ）めずらしいおもむき。妙趣。

【奇襲】（キシュウ）国不意に敵を攻撃する。ふいうち。

【奇△峭】（キショウ）山などが険しくそばだつこと。

【奇勝】（キショウ）①めずらしくすぐれたけしき。②奇計を用いて敵に勝つ。

【奇人】（キジン）①風がわりな人。かわりもの。畸人（キジン）。②ひまな人。▼奇は、あまり。

【奇△瑞】（キズイ）不思議なめでたいしるし。

【奇数（數）】（キスウ）①二で割りきれない数。②不思議な方術。奇術。

【奇正】（キセイ）敵の側面から不意を打つ奇兵と正面から堂々と攻める正兵。また、奇襲と正攻とを用いること。〔孫子、兵勢〕

【奇跡・奇△蹟】（キセキ）常識では考えられない不思議な現象や出来事。神わざ。

【奇絶】（キゼツ）すぐれてめずらしい。

【奇羨】（キセン）①商売で出た利益。②あまり。剰余。

【奇想】（キソウ）風がわりな（奇抜な）思いつき。

【奇想天外】（キソウテンガイ）国きわめて奇抜な思いつき。普通人の想像もつかぬ思いつき。

【奇態】（キタイ）①めずらしいかたち。かわった様子。②国不思議。奇妙。

【奇談】（キダン）めずらしい話。奇譚（キタン・キダン）。綺談（キダン）。

【奇△智】（キチ）すぐれた知恵。すぐれた考え。奇才。

【奇△挺】（キテイ）なみはずれてぬきんでる。

【奇童】（キドウ）めずらしい才知のある（すぐれた）子供。神童。

【奇道】（キドウ）①めずらしい方法。非凡な方法。②ふだん通らない道路。③正しくない方法。

【奇特】（キトク・キドク）一（キトク）特にすぐれていること。たぐいなくめずらしい。二国①すぐれている。②不思議なしるし。③思いもよらないこと。めずらしいこと。④普通の人にはできないことを進んでやること。

【奇抜】（キバツ）①すぐれぬきん出る。なみなみでない。②思いもよらぬこと。

【奇福】（キフク）おもいがけない幸い。僥倖（ギョウコウ）。

【奇物】（キブツ）めずらしいもの。奇妙なもの。用例〔老子、五十七〕人多二伎巧一（ひとギコウおお（ほ）くして）、奇物滋起（キブツますますおこる）。⬇巧みな技術が多くなればなるほど、奇怪なものが多く出てくる。

【奇聞】（キブン）めずらしい話。珍談。奇談。

【奇兵】（キヘイ）奇襲を用いて敵の不意を打つ兵。

【奇癖】（キヘキ）不思議なくせ。かたよったくせ。

【奇味】（キミ）めずらしい味わい。珍味。

【奇妙】キミョウ ①めずらしく不思議なこと。②なみはずれてたくみなこと。③めずらしくすぐれる。④国物事が予期しないで思うつぼにはまること。
【奇略】キリャク 非凡なはかりごと。
【奇麗】キレイ すぐれて美しい。綺麗キレイ。

5 【奆】 8画 2263 漢ケン 呉ガン(グワン) 阮 juǎn ₂0534 — 2483
字義 はなはだおおきい。
解字 会意。大+巨。

5 【臭】 8画 2264 タク 沢(6196)の古字。→六八六ページ上。 ₂0535 — —

5 【奃】 8画 2265 漢テイ 呉タイ 斉 dī — — 2482
字義 おおきい。
解字 形声。大+氐㊥。

5 【奌】 8画 2266 テン 点(7049)の俗字。→九六六ページ上。

5 【奈】 8画 2267 教4 ナ 3864 93DE —
一 漢ダイ・呉ナイ 泰 nài
二 漢ダ・呉ナ 箇
筆順 一 ナ 大 太 夳 夽 奈
【㮈】 5552 字 俗
字義 一二 ❶木の名。からなし。べにりんご。❷いかん。いかん-せん。いかん-ぞ。なんぞ。どうしたらよいであろうか。どうしようか。どうして。▼多く「奈何・奈…何」のように、「何」と複合して疑問・反語の意を表す。⇨何(247)の助字・句法解説。❸いかんとも。どうにも。「不レ可二奈何一いかんともすべからず」
名前 な・なに・なん 難読 奈翁ナポレオン・奈癸私なきさいち・奈川渡ながわど・奈破崙ナポレオン・奈半利なはり
解字 篆文 会意。大(木)+示。示は、神事に関する語に用いられる。神事に用いられる果樹の意味を表す。借りて、疑問の「いかん」の意味に用いる。
【奈何】いかん ⇨何(247)の助字・句法解説。
【奈落】ナラク ①仏地獄。梵語ボン naraka の音訳。②国㋐どん底。どんづまり。㋑劇場で舞台の下に設けた地下室。

5 【奉】 8画 2268 常 ホウ・ブ たてまつる 4284 95F2 —
漢ホウ・呉ブ 腫 fèng
筆順 一 二 三 夫 夫 夫 奉 奉
字義 ❶たてまつる。献上する。また、ささげ物。献上品。❷ささげ持つ。うやうやしく持つ。用例(韓非子、和氏)楚人和氏ソシ、得二玉璞楚山中一ギョクハクをソザンのうちにえ、奉而献二之厲王一ホウじてこれをレイオウにケンず。⇩楚の国の和氏が、あら玉を楚山の中で手に入れ、捧げもって厲王に献上した。❸うけたまわる。つつしんでうける。用例(人虎伝)陳郡袁傪チングンのエンサン、以二監察御史一カンサツギョシをもって、奉レ詔使二嶺南一みことのりをホウじてレイナンにつかいす。⇩陳郡の袁傪が、監察御史として、天子の命をうけて嶺南地方への使者に立った。❹やしなう。まかなう。また、まかない。「奉養」❺つかえる。つとめる。❻天子・神仏などのことに対する敬語。「奉迎」「奉納」❼国たてまつる。まつる。自己の動作にそえて、先方へ敬意を表す語。謙譲の補助動詞。
名前 うけ・とも・な・ほう・まさ・やす・よし 難読 奉膳
解字 金文 篆文 形声。廾+手+丰㊥。廾は、両手をささげた形にかたどる。音符の丰ホウは、葉の寄り集まった草木の象形。両手を寄せて物をささげるの意味を表す。
逆 供奉・遵奉・信奉・順奉・進奉
【奉安】ホウアン ①君主や父を葬ること。②清シン代、帝王のひつぎを山陵に葬ること。③国神仏などを一定の場所に安置すること。
【奉加】ホウガ 仏堂の造営などに財貨を寄付すること。転じて、寄付。「奉加銀」「奉加帳」
【奉還】ホウカン 国かえしたてまつる。お返しする。「大政奉還」
【奉迎】ホウゲイ 貴人をむかえる。
【奉献(獻)】ホウケン 差し上げる。献上する。奉呈。
【奉公】ホウコウ ①おおやけの仕事につくす。また、主君のためにつくす。②国㋐主君に仕える。また、召し使いなどが主人の家にやとわれて住み込むこと。主どり。「奉公人」㋑忠実に仕える。サービスにつとめる。
【奉行】一ホウコウ 主君の命令を受けて行う。二ブギョウ 国①命令によって物事をとり行うこと。また、その責任者。②武家時代の職名。各種の職の長官。
【奉△朔】ホウサク 天子が新たに定めた正朔セイサク(こよみ)を奉ずる。王朝の治下にあってその政令に従う意。
【奉賛(贊)】ホウサン つつしんでお助けする。助ける。
【奉仕】ホウシ 国①主君や神仏に仕える。②他人のためにつくす。サービス。
【奉伺】ホウシ おうかがい申しあげる。
【奉△祠】ホウシ ①神をまつる。②宋ソウ代、功臣や学者を優遇するため、各地の道教の寺などを管理させた恩典をいう。
【奉書】ホウショ ①君主の文書をたずさえる。②国㋐室町時代、役人が将軍の命を受けて出す書きつけ。㋑江戸時代、老中が将軍の命を受けて出す書きつけ。㋒紙の一種。奉書紙。
【奉承】ホウショウ ①うやうやしくお受けする。②仕える。
【奉上】ホウジョウ ①君に仕える。②差し上げる。贈呈する。
【奉職】ホウショク 職を奉ずる。官職につく。
【奉体(體)】ホウタイ 上意をうけ、謹んで実行する。
【奉戴】ホウタイ おしいただく。君主としていただき、うやうやしく仕える。
【奉勅(敕)・奉△勅】ホウチョク 天子の命令を受ける。奉詔。
【奉答】ホウトウ つつしんで答える。
【奉納】ホウノウ 神社・仏閣に金品を寄付すること。
【奉幣】ホウヘイ ①幣物ヘイモツ(礼物)を献上する。②国神社に幣帛ヘイハク(ごへい)をたてまつる。「奉幣使(神社にごへいをたてまつる、天皇の使い)」
【奉養】ホウヨウ ①父母や目上の人に仕えて世話をする。②日常の飲食・起居をいう。

5 【奔】 8画 2269 常 ホン 4359 967A —
6 【奔】 9画 2270 ホン 元 bēn
筆順 一 ナ 大 太 本 夲 奔 奔
字義 ❶はしる。㋐かける。勢いよくかけだす。疾行。用例(東晋、陶潜、帰去来辞)乃瞻二衡宇一すなわちコウウをみて、載欣載奔すなわちよろこびすなわちはしる。⇩ようやくにしてわが家の門や屋根を遠く望み見て、喜びながら走り出した。㋑おもむく。かけつける。㋒にげる。負けてにげる。用例(十八史略、春秋戦国、呉)奢誅而奔シャチュウせられてはしる。⇩(父の)伍奢が殺されたので、(伍子胥ゴショは)呉の国に亡命した。㋓正式でなく結婚する。「淫奔インポン」❷はやい(疾)。
解字 金文 篆文 会意。大+卉(芔)。大は人の走るさまにかたどる。芔は、多くの足あとの象形。さかんに走るの意味を表す。奔(卉)を音符に含む形声文字に、僨フン・噴・墳・憤・濆フン・賁ホン・餴フンなどがあり、これらの漢字は、「盛んにはしりまわる」の意味を共有している。
逆 狂奔・出奔・逃奔・跳奔・来奔・雷奔
【奔育】ホンイク 孟賁モウホンと夏育。古代の勇者。
【奔逸】ホンイツ ①はしりにげる。②思いのままの行動をする。
【奔競】ホンキョウ はしりきそう。競走する。争って虚名や利益を追求する。

【奔△竄】ホンザン はしりのがれる。にげ隠れる。
【奔△駛】ホンシ ①走る。駆ける。②騎馬や水流などの勢いの急なこと。
【奔車△之上無二仲尼一】ホンシャのうえ(へ)にチュウジなし はしりくるう車上には孔子はいない。人主が国を治めず、国内が乱れると聖知の人はその国を去ることをいう。▼奔車は、乱れた国のたとえ。
【奔出】ホンシュツ (水などが)ほとばしり出る。
【奔△趨】ホンスウ・ホンシュ はしりおもむく。
【奔走】ホンソウ ①はしりまわる。東奔西走。②世話をする。尽力する。「奔走の友」
【奔喪】ホンソウ 他郷で親の死を聞き、走り帰って喪に服すること。古くは、親族にもいう。
【奔△湊・奔△輳】ホンソウ はしり集まる。会合にかけつける。
【奔△湍】ホンタン はやせ。水が速く流れる所。急湍。
【奔馳】ホンチ 馬に乗って駆ける。
【奔注】ホンチュウ 勢いよく流れそそぐ。
【奔△濤】ホントウ はげしい大波。怒濤。▼濤は、大波。
【奔騰】ホントウ ①駆けあがる。②物価などが急に高くなる。
【奔波】ホンパ ①速く流れる水。急流。②はげしくうち寄せる波。③争いおもむく。奔走する。④苦労するさま。
【奔馬】ホンバ にげ走る馬。あばれ馬。
【奔北】ホンボク(ハイ・ホク) 戦って敗走すること。▼北は、背、敗走の意。
【奔放】ホンポウ ①勢いよく走る。②水勢の速いこと。③詩や文章の勢いがよいたとえ。④思うままに(勝手に)ふるまう。「奔放自在」
【奔命】ホンメイ ①君命により走りまわる。②忙しく駆けまわる。
【奔雷】ホンライ 激しく鳴る雷。
【奔流】ホンリュウ 勢いよく流れる。また、速い流れ。急流。用例〔唐、李白、将進酒詩〕君不レ見黄河之水天上来きみみずやコウガのみず(づ)のテンジョウよりきたるを、奔流到レ海不二復回一ホンリュウうみにいたりてまたかえ(へ)らず ごらんなさい、黄河の水が大空から流れ下るのを、勢いよく海に流れ込んで、二度と元には戻らないのだ。
【奔浪】ホンロウ はしり狂う波。荒れる波。

6【奕】9画 2271 漢エキ 呉ヤク 陌 yì 5285 9AF3 ―

字義 ❶おおきい(大)。❷うつくしい。さかん。❸ならう。❹かさなる(重)。つづく。❺いご(囲碁)。ばくち。＝弈(3286)。「博奕」

参考 ⇨〔弈〕(3286)の参考。

解字 篆文 形声。大＋亦音。大は、おおきいの意味。音符の亦エキは、人の両わきの象形で、かさなるの意味。かさねて大きいの意味や、かさなるの意味を表す。

【奕奕】エキエキ ①大きいさま。②美しいさま。③さかんなさま。④光りかがやくさま。⑤うれえるさま。⑥行くさま。⑦舞うさま。⑧世代などのかさなるさま。
【奕棋】エキキ 囲碁。碁を打つこと。
【奕世】エキセイ 世々。よよ。累代。累世。奕代。
【奕葉】エキヨウ ＝奕世。

6【奒】9画 2272 カイ 灰 kāi ― ― 2484

字義 おおきい。

解字 形声。大＋亥音。

6【奐】9画 2273 カン(クワン) 翰 huàn 5286 9AF4 ―

字義 ❶とりかえる。交換する。❷さかん。おおい。また、あきらか。あやかざりの美しいさま。「輪奐」

解字 篆文 象形。産婦のまたに両手をあてた形にかたどり、つぎつぎにあるときは男児を、また女児をというように赤子をとりだすさまから、とりかえる・さかん・変化に富むいろどりの意味を表す。奐の意味と音符とを含む形声文字に、喚・換・渙カン・煥カンなどがある。

6【契】9画 2274 常 ケイ ちぎる 2332 8C5F ―

6【契】9画 2275 一ケイ 霽 qì 二漢ケツ・呉ケチ 屑 qiè 三漢セツ・呉セチ 屑 xiè 四漢キツ・呉コチ 物 qì

筆順

字義 一❶わりふ。かきつけ。手形。「符契」❷ちぎり。㋐ちかい。約束。「契約」㋑まじわり。交際。「交契」㋒前世からの因縁インネン。❸ちぎる。約束する。❹うらなうために亀かめの甲を焼く。また、その道具。❺刻む。切る。❻うれえ苦しむ。また、あわただしい。二❶つとめ苦しむ。また、あわただしい。❷久しい。うとい。三人名。殷インの湯王の先祖。禹ウを助けて商に封ぜられた。四→契丹キッタン。

名前 けい・ちぎる・ひさ

解字 篆文 形声。大＋㓞音。音符の㓞ケイは、刃物で刻むの意味。大は、人の象形。人の肌や骨に符号を刻みつけるさまから、きざむ・ちぎる・しるし等の意味を表す。

逆 勘契・券契・賢契・交契・書契・心契・深契・同契・符契・盟契・黙契・約契

【契印】ケイイン 書類が二枚以上あるとき、二枚にまたがらせて押す印。割り印。
【契△闊】一ケッカツ ①つとめ苦しむ。②久しぶり。久しくあわない。遠くへだたる。疎遠になる。久闊。二ケイカツ ①誓約を結ぶ。固い交わりを結ぶ。②歩きまわる。
【契機】ケイキ 国①物事の動機。きっかけ。原因。②物事の変化・発展の過程を決定する本質的な要素。モメント。
【契券】ケイケン わりふ。手がた。
【契合】ケイゴウ わりふを合わせたように、ぴったりと合うこと。
【契丹】キッタン 中国東北部にいた種族で、北魏ホクギのころに契丹と称し、唐末に興隆した。九一六年、耶律阿保機ヤリツアボキが契丹国を創建し、九四七年、遼リョウと号したが、一一二五年、金に滅ぼされた。キタイ(キッタンはキタイの複数形)。
【契刀】ケイトウ 漢代、王莽オウモウが作った貨幣。刀の形で「契刀五百」の文字がある。

契刀

【契符】ケイフ わりふ。木片などに文を書いてまん中に証印をおし、二つに割ったもの。後日の証拠に、その一片を与え、他の一片を保存しておく。
【契文】ケイブン ①獣骨や亀めの甲に刻んだ文字。殷インの遺跡から出土した。甲骨文字。⇨コラム 文字・書体の変遷(六三ページ)。②契約書。
【契約】ケイヤク ①とりきめ。約束。②二人以上の意志が一致して法律上の効果を生じさせる約束。

6【奎】9画 2276 人 一ケイ 斉 kuí 二キ 紙 kuǐ 5287 9AF5 ―

筆順

字義 一❶また(股)。またぐら。❷星宿の名。二十八宿の一つ。西方にあり、十六星ある。アンドロメダ座にあたる。文章をつかさどるという。奎星。二大股で歩くさま。

名前 けい・ふみ

解字 形声。大＋圭音。

【奎運】ケイウン 文運。学芸の進歩する勢い。
【奎章】ケイショウ 天子の書。また、文章。奎画カク。

6【奓】9画 2277 一タ 禡 zhà 二シャ 麻 shē ― ED84 2485
【⿰亻奓】498 俗字

字義 一❶はる(張)。❷ひらく(開)。あける。二おごる(奢シャ)。

解字 形声。大＋多音。音符の多は、おおいの意味。大きくて多い、おごるの意味を表す。

6【臭】9画 (9669) シュウ 自部。→二八〇ページ上。

6【耎】9画 (9581) ゼン 而部。→二六七ページ中。

6【奏】9画 2278 教6 ソウ かな-でる　ソウ 宥 zòu, ④zǒu, ⑤còu 3353 9174 ―

筆順 一 = 三 夫 夫 夫 奏 奏 奏

字義 ❶すすめる。㋐さし上げる。㋑申しあげる。「奏上」❷申しぶみ。「上奏文」❸かなでる。音楽を演奏する。「奏楽」❹はしる(走)。おもむく。=走(11638)。❺あつまる。=湊(6517)。❻なす。なしとげる。「奏功」

名前 かな・そう

解字 篆文 会意。屮＋夲＋収。屮＋夲は、はっきりしないが、一説に、裂いた「けもの」の意味という。あるいは物を両手を寄せながらあげて、おしすすめるさまから、すすめる・さしあげるの意味を表す。奏の意味と音符とを含む形声文字に、湊ソウ・輳ソウなどがある。

逆 合奏・議奏・協奏・章奏・上奏・申奏・進奏・吹奏・節奏・弾奏・伝奏・伏奏・覆奏

【奏案】ソウアン ①上奏文をのせる机。②上奏文の下書き。③上奏して罪を調べる。④上奏して天子の許可を得た事がら。

【奏可】ソウカ 上奏の事がらを裁可する。

【奏劾】ソウガイ 天子に申しあげて役人の罪過をただす。奏弾。

【奏楽(樂)】ソウガク 音楽をかなでる。演奏する。奏曲。

【奏議】ソウギ 文体の名。天子に意見を上奏する文章。上奏文。⇩コラム 漢文(八六八ページ)。

【奏功・奏効】ソウコウ ①てがらをたてる。②事の成功を君主に申しあげる。③できあがる。成就する。④ききめがあらわれる。奏効。◆一般に、功は手柄、効はききめとされる。しかし、功にはききめの意、また効にも手柄の意があり、「奏功」と「奏効」はほぼ同意と考えられる。ただ、昭和三十六年の国語審議会報告などの影響もあって「奏功」が一般的となっている。

【奏書】ソウショ 天子に申しあげる文書。奏章。

【奏章】ソウショウ 天子に申しあげる文章。上奏文。奏書。

【奏上】ソウジョウ 天子に申しあげる。奏陳。

【奏請】ソウセイ 上奏して許しを求めること。

【奏△疏】ソウソ 文体の一つ。臣下が君主に対して意見を述べる上奏文書の総称。

【奏草】ソウソウ 上奏文の草稿。奏案。

【奏対(對)】ソウタイ 天子に申しあげる。また、天子の問いに答える。

【奏弾(彈)】ソウダン =奏劾。

【奏聞】ソウブン・ソウモン 臣下が天子に申しあげること。

6【美】9画 (9482) ビ 羊部。→二二五三ページ下。

6【奔】9画 (2270) ホン 奔(2269)の旧字体。→三五四ページ下。

7【奚】10画 2279 漢ケイ 呉ゲイ 斉 xī 5288 9AF6 ―

字義 助なに-をか。なん-ぞ。いず-れ。いず-く。⇩助字・句法解説。❶女性の奴隷。また、召し使い。❷中国東北地方にいた種族の名。鮮卑族。

助字・句法解説

❶なに-をか。疑問・反語。訳なにを。類何。主に事物について問う疑問詞。用例〔論語、子路〕子将㆓奚先㆒。⇩先生は何から先になさいますか。／〔東晋、陶潜、帰去来辞〕聊乗㆑化以帰㆑尽、楽㆓夫天命㆒復奚疑。⇩ともあれ自然の変化にまかせて、(自分の命が)尽きるのを待とう。あの天命というものを楽しみそれに安んじて、その上何を疑うことがあろうか。

❷なん-ぞ。疑問・反語。訳どうして…か。類何。原因・理由について問う疑問詞。用例〔論語、為政〕或謂㆓孔子㆒曰、子奚不㆑為㆑政。⇩ある人が孔子に尋ねた、「先生はどうして政治をとらないのか」。／〔東晋、陶潜、帰去来辞〕既自以㆑心為㆓形役㆒、奚惆悵而独悲。⇩これまでは自分は心を体の下僕としてきたが、どうして恨み嘆き、ひとり悲しむことがあろうか(そんなことをしても仕方のないことだ)。

❸いず-れ。いず-く。疑問。訳どこ。場所について問う疑問詞。用例〔論語、憲問〕晨門曰、奚自。⇩門番が言った、「どこから来たか」。

【奚若・奚如】いかん。いかん-せん。疑問。訳どのようか。類何如。文末に置き、状態や意見・方法を尋ねる疑問の言葉。用例〔列子、仲尼〕子夏問㆓孔子㆒曰、顔回之為㆑人奚若。⇩子夏が孔子に尋ねた、「顔回はどのような人ですか」。／〔国語、周語中〕君以為㆓奚若㆒。⇩あなたはどのように思いますか。／〔管子、大匡〕桓公問㆓鮑叔㆒曰、奚若。⇩(斉の)桓公は、鮑叔に尋ねた、「どのようにしたらよいか」。

【奚為】なんす-れぞ。疑問。訳どうして。用例〔孟子、梁恵王下〕君奚為不㆑見㆓孟軻㆒也。⇩あなたはどうして孟軻にお会いにならないのですか。

解字 甲骨文 金文 篆文 形声。大＋𡿺(繇)音。音符の繇ケイは、系の古字で、つなぐの意味。大は人の象形。つながれた人、召し使いの意味を表す。借りて、「なんぞ」の意味の疑問や反語に用いられる。奚(奊)の意味と音符とを含む形声文字には、渓・鶏・蹊ケイなどがある。

【奚若】いかん ⇩助字・句法解説。

【奚奴】ケイド ①宮中で使われる女性の奴隷ドレイ。②しもべ。召し使い。

【奚童】ケイドウ 子供の召し使い。

7【奘】10画 2280 漢ソウ(サウ) 呉ゾウ(ザウ) 慣ジョウ(ジャウ) 養 zhuǎng 5289 9AF7 ―

字義 ❶おおきい(大)。❷さかん。❸すこやか(健)。

解字 篆文 形声。大＋壯音。音符の壯(壮)は、さかんの意味。

[奘] 3288 俗字

7【套】10画 2281 人 標 一トウ(タウ) 皓 tǎo 二トウ(タウ) 号 tào 3769 9385 ―

筆順 一 ナ 大 衣 衣 套 套 套 套 套

字義 一おおきく長い。二❶かさねる(重)。重ねもの。❷おおい(被)。「外套」❸ひとそろい。一組。❹ふるくさい。きまったとおり。「常套」「旧套」

名前 なが

解字 会意。大＋長。おおきくて長いの意味を表す。また、転じて、おおきくて長い・おおいの意味や、それまである事物にかさねる・かさねて古くさいの意味などを表す。

【套印本】トウインボン 色刷りの本。明ミン末から清シン初にかけてさかんに行われた多色刷りの本。朱墨本シュボクボンともいう。▼套印は、上から重ねて印刷する意。

【套語】トウゴ ありきたりの(きまり)文句。常套語。

7【𦰩】10画 2282 ₂0536 — —
字義 難・嘆などの漢字の一部分。

8【奛】11画 2283 コウ(クヮウ) 養 huǎng
字義 からりと明るい。あきらか。
解字 会意。大＋明。

［奛］2284 俗字

8【奛】11画 2284 コウ ₂0537 ED85 2487
奛(2283)の俗字。→三五七ページ上。

8【奞】11画 2285 シュン 震 xùn — — 2489
字義 はばたく。
解字 会意。大＋隹。隹は、鳥の意味。大は、おおきいの意味。鳥が大きく羽毛をふくらませる意味から、はばたくの意味を表す。

8【爽】11画 (7100) ソウ 爻部。→九一七ページ上。

8【奝】11画 2286 チョウ(テウ) 蕭 diāo ₁1573 ED86 2488
字義 ❶おおきい(大)。❷おおい(多)。
解字 形声。大＋周㊥。
【奝然】チョウネン 国平安中期、東大寺の僧。九八三年に宋に渡航し、『今文鄭注孝経キンブンテイチュウコウキョウ』を宋の太宗に献上した。(九三八?—一〇一六)〔宋史、日本伝〕

8【匏】11画 (1103) ホウ 勹部。→二〇二ページ下。

8【奟】11画 2287 漢ホウ(ハウ) 呉ヒョウ(ヒャウ) 庚 bēng ₂0538 — 2490
字義 おおきな力。
解字 形声。大＋朋㊥。

9【奥】12画 2288 常 オウ おく 1792 899C —

10［奧］13画 2289 人 一オウ(アウ) 号 ào 二イク 屋 yù 5292 9AFA —

筆順 ′ ｢ 门 冂 冋 冏 囪 奥 奥

字義 一おく。㋐昔、へやの南西のすみをいい、へやの中で最も尊いところ。ここに神を祭った。用例〔論語、八佾〕与三其媚二於奥一、寧媚二於竈一(そのオウにこびんよりは、むしろかまどにこびよ)。↓部屋の神様の機嫌取りより、むしろかまどの神様の機嫌を取れ(君主よりも権臣の機嫌をとれ)。㋑おく座敷。寝室。㋒内部へ深く入りこんだところ。終極の所。「奥義」「蘊奥ウンオウ」㋓深くかすかで知りがたいところ。「深奥」㋔かなめ。主要な点。㋕おくて。おくいね。晩稲。＝澳(6723)。二❶くま。川の水が折れ曲がって入りこんだところ。＝澳(6723)。❷あたたか。＝燠(7010)。国おく。㋐奥方。夫人。㋑身心の発達のおそいこと。また、その子。㋒おくて。おくいね。晩稲。㋓陸奥みちのく。奥州。東北地方。㋔書物の奥書。㋕終わり。また、将来。行く末。㋖右を辺へというのに対し左。

名前 うち・おき・おく・すみ・ふか・むら 難読 奥海おおみ・奥津城おくつき・奥入瀬おいらせ・奥克蘭オークランド

解字 篆文 会意。審省＋廾。審は、つまびらかにするの意味。廾は、両手の象形。目がとどかず手でしかつまびらかにすることができない、おくの意味を表す。

逆 胸奥・玄奥・枢奥・堂奥・秘奥

【奥義】オウギ・おくギ 学問・技芸などの奥深い意味。奥の手。奥旨。極意。
【奥旨】オウシ 奥深い意味。学問・技芸などの奥深いところ。奥義。
【奥書】おくがき 国①巻軸・写本などの終わりに、その来歴などを記した書き入れ。②芸能などを伝授するとき、師匠から門人に与える証文。奥義を授ける文書の意。③書物の終わりに、著作の年月日や著者の氏名・経歴などを記した文章。奥付おくづけ。
【奥博】オウハク ふかくて広い。ふかく蔵し広くたくわえること。
【奥秘(祕)】オウヒ 奥深くかくれて、あらわれぬところ。奥深い秘密。奥義。
【奥妙】オウミョウ ①学問・技芸などの奥深くてすぐれたところ。おくのて。奥義。②奥深くてすぐれる。

9【奣】12画 2290 オウ(ワウ) 梗 wěng — — —
［奣］2291 俗字
字義 ❶明らか。❷蘇州ソシュウにある橋の名。
解字 会意。天＋明。

9【奣】12画 2291 オウ — ED87 2492
奣(2290)の俗字。→三五七ページ中。

9【缺】12画 2292 ケツ ₂0539 — —
欠(5942)と同字。→七七七ページ上。

9【奡】12画 2293 ゴウ(ガウ) 号 ào — — 2491
字義 ❶あなどる。おごる。❷つよい。大力のさま。❸人名。夏カの時代の、怪力の人。陸地で舟を押し動かしたという。
解字 篆文 象形。大きな顔をした人の象形で、あなどるの意味を表す。

9【奢】12画 2294 標 シャ 麻 shē 5290 9AF8 —
字義 ❶おごる。㋐ぜいたくする。↔倹(418)。用例〔論語、八佾〕礼与二其奢一也寧倹(レイはそのおごらんよりは、むしろケンなれ)。↓礼は派手にするよりは、むしろ控えめにするのがよい。㋑ほこる(誇)。大げさにいう。㋒たかぶる。尊大にかまえる。「奢傲シャゴウ」❷おごり。ぜいたく。「奢侈シャシ」
解字 金文 篆文 形声。大＋者㊥。音符の者は、多くのものを集めるの意味。おおきくて多いの意味から、ぜいたくの意味を表す。
【奢佚】シャイツ おごりなまける。ぜいたくをして遊び暮らす。
【奢華】シャカ ぜいたくで、はでなこと。おごり飾ること。
【奢傲】シャゴウ おごりたかぶる。
【奢侈】シャシ ぜいたく。
【奢恣】シャシ ぜいたくで、勝手気ままなこと。奢放。
【奢僭】シャセン 身分不相応にぜいたくをする。▼僭は、分に過ぎておごる。
【奢蕩】シャトウ ぜいたくで、だらしのないこと。
【奢靡】シャビ ぜいたくで、はでなこと。奢華。▼靡は、はなやか。
【奢放】シャホウ ＝奢恣。
【奢欲】シャヨク ぜいたくを好む欲望。

9【奠】12画 2295 漢テン 呉デン 霰 diàn 5291 9AF9 —
字義 ❶まつる。神仏に物を供えて祭る。「釈奠セキテン」❷すすめる(薦)。そなえる。神仏に物を供える。また、その供え物。「香奠コウデン」❸おく(置)。すえおく。安置する。❹さだめる。位置をきめる。決定する。「奠都」
参考 現代表記では〔典〕(739)に書きかえることがある。「香奠→香典」
解字 甲骨文 篆文 会意。甲骨文は、酉＋一。酉は、酒の意味。一は、台を示す。神に酒をそなえてまつるの意味を表す。篆文は酋＋丌の奠に変形した。
【奠菜】テンサイ 神前に野菜を供える。また、その供え物。
【奠羞】テンシュウ 神仏へのお供えもの。▼羞は、すすめる。
【奠枕】テンチン ①まくらを安置する。②おちつく・安定する。
【奠都】テント 都を定める。

9【菐】12画 2296 一漢ホク・呉ボク 屋 沃 pū 二フク 屋 ₂8628 — 5626
字義 一二わずらわしい。
解字 会意。丵＋廾。

9 【尞】12画 (2749) リョウ 小部。→四三㌻上。

10 【奥】13画 (2289) オウ 奥(2288)の旧字体。→三五七㌻上。

10 【𡚁】13画 2297 コウ 敲(4558)の古字。→六〇九㌻上。 2 9317 — —

10 【奨】13画 2298 常 ショウ 3009 8FA7 —

11 〖獎〗14画 2299 人 漢ショウ(シャウ) 呉ソウ(サウ) 養 jiǎng 5293 9AFB —

筆順 丨 丬 丬 丬 丬 将 将 将 奨 奨

［獎］7188 本字 ［弉］3289 同字

字義 ❶すすーめる(すすむ)。㋐はげます。「奨励」㋑とりもつ。推す。推薦する。❷ほめる。❸たすける。

名前 しょう・すけ・すすむ・つとむ

解字 篆文 形声。大(犬)＋將㊜。音符の將(将)は、肉をささげすすめるの意味。犬にけしかけて肉をくわせる、すすめるの意味を表す。常用漢字の奨は省略形による。

逆 勧奨・推奨・報奨・褒奨

【奨学(學)】ショウガク 国学問をすすめ励ます。
【奨率】ショウソツ はげまし率いる。奨帥ショウソツ。
【奨励(勵)・奨△厲】ショウレイ すすめはげます。

11 【獎】14画 (2299) ショウ 奨(2298)の旧字体。→三五八㌻上。

11 【奪】14画 2300 常 ダツ うばーう 漢タツ・呉ダチ 曷 duó 慣ダツ 3505 9244 —

筆順 大 衣 衣 衣 衣 奞 奞 奪 奪 奪

字義 ❶うばーう(うばふ)。とる。㋐取りあげる。しいて取る。㋑うち取る。㋒盗む。かすめる。❷うしなう。なくす。❸みだす。乱れる。

解字 金文 篆文 会意。金文は、衣＋雀＋寸。衣服の中にはいっている小鳥を手でとりだすさまから、うばうの意味を表す。のち、奞＋又。奞は、羽ばたくの意味。はばたく鳥を手にする、うばうの意味を表す。

逆 強奪・争奪・与奪・略奪

【奪還】ダッカン うばいかえす。とりかえす。
【奪取】ダッシュ うばいとる。
【奪胎】ダッタイ 古人の詩文の要旨をとり、表現を変えて自分の詩文に作りなおすこと。つくりかえ。やきなおし。「換骨奪胎」
【奪目】ダツモク 強い光で目がくらむ。
【奪与(與)・奪予】ダツヨ うばうこととあたえること。与奪。
【奪△掠】ダツリャク うばいかすめること。掠奪。

11 【奩】14画 2301 レン 塩 lián 5294 9AFC —

［匳］1150 正字 ［籨］8949 同字 ［匲］1149 俗字

字義 ❶くしげ(櫛笥)。鏡ばこ。化粧用具を入れる小箱。❷はこ。広く一般に、物を入れる小箱をいう。❸嫁入り道具。

解字 匳(1150)の俗字。匳は、形声で、匚＋僉㊜。匚は、こばこの象形。音符の僉は、おさめるの意味。小物をおさめるこばこの意味を表す。

12 【奫】15画 2302 イン(ヰン) 真 yūn — — 2493

字義 ❶泉の水。わき出る水。❷奫淪インリンは、水のうずまくさま。

解字 形声。大＋淵㊜。

12 【奭】15画 2303 漢セキ 呉シャク 陌 shì 1574 — 2494

字義 ❶さかん(盛)。❷怒るさま。❸赤いさま。❹人名。召公奭キセは、周の文王の子。→召公(二四三㌻下)。

解字 甲骨文 篆文 会意。大＋皕。大は、人の象形。皕は、甲骨文では、人の両側に盛んに燃える火の象形で、さかんの意味。さかん・あかいの意味を表す。

12 【樊】15画 (5767) ハン 木部。→七六六㌻下。

13 【奯】16画 2304 漢カツ(クワツ) 呉カチ(クワチ) 曷 huò — — 2501

字義 ❶穴のおおきいさま。❷目を大きく開く。

解字 形声。大＋歳㊜。

13 【奮】16画 2305 教6 フン ふるーう 問 fèn 4219 95B1 —

筆順 大 衣 衣 衣 奞 奞 奮 奮 奮

字義 ふるーう(ふるふ)。ふるわす。㋐はばたく。飛ぶ。㋑ふるいたつ。きおいたつ。いさむ。はげむ。「奮戦」「奮起」㋒いかる。いきどおる。「奮怒」㋓ひらく。明らかにする。発揚する。㋔うごく。ゆれる。振動する。㋕ふる(振)。ふりはらう。ふりまわす。

使いわけ ふるう〔奮・振・震〕
〔奮〕意気を盛んにする。「奮って参加してください」
〔振〕ふって動かす。また、物事が盛んになる。「刀を振るう・事業が振るわない」
〔震〕繰り返し細かく動く。ふるえる。「身震いする」

解字 金文 篆文 会意。金文は、衣＋隹＋田。田は、竹かごの象形。かごや衣服の中のとりが、いのちがけではばたくさまから、ふるうの意味を表す。のち、変形して奮となった。

逆 感奮・興奮・発奮

【奮起】フンキ ＝奮発①。
【奮撃(擊)】フンゲキ 勇気や力をふるって敵を撃つ。
【奮激】フンゲキ はげしくふるいたつ。はげしく怒る。
【奮迅】フンジン たけりはやる。勢いすさまじくふるいたつ。「獅子奮迅シシフンジン」
【奮戦(戰)】フンセン ふるいたってたたかう。力戦。奮闘。
【奮然】フンゼン ふるいたつさま。きおいたつさま。
【奮怒】フンド・フンヌ ふるいたっていかる。はげしく怒る。
【奮闘(鬪)】フントウ ＝奮戦。
【奮発(發)】フンパツ ①ふるいおこる。ふるいたつ。奮起。「勇気奮発」②もれて出てくる。③国思いきって金品を出す。
【奮飛】フンピ 強くはばたいて勢いよく飛ぶ。
【奮躍】フンヤク 勢いよくおどり上がる。勇み進む。
【奮励(勵)・奮△厲】フンレイ ふるいはげむ。はげます。「奮励努力」

21 【奲】24画 2306 ㊀シャ 馬 chě ㊁タ 哿 duǒ — — 2502

字義 ㊀ゆるやかでおおきい。㊁富むさま。重くて垂れるさま。

解字 形声。單＋奢㊜。

3画 女 おんな・おんなへん

〔部首解説〕 女を意符として、いろいろな女の人、女性的な性状・行為、男女関係などに関する文字ができている。

0

【女】

3画 2307 教1

ジョ・ニョ・ニョウ おんな・め

熟字訓 海女(あま)・乙女(おとめ)

㊀㊂ジョ(ヂョ)・㊁ニョ 語 nǚ
㊁㊂ジョ(ヂョ)・㊁ニョ 語 rǔ
㊂㊂ジョ(ヂョ)・㊁ニョ 御 nǜ
慣ニョウ

2987 8F97 一

筆順 く 夊 女

字義 ㊀❶おんな(をんな)。め。おみな。女性。↔男(7606)。㋐自分の娘。↔子(2563)。❷むすめ。㋑結婚していない若い女性。処女。↔婦(2450)。用例〔唐、白居易、長恨歌〕楊家有レ女初長成(ヨウカにむすめありはじめてチョウセイし)、養在二深閨一人未レ識(やしなわ(は)れてシンケイにありひといまだしらず)。↓楊家にむすめがあり、折しも、年ごろに成長していたが、奥深い女性の住む部屋に養育されていたので、だれもしらない。❸小さくかよわいもののたとえ。用例〔詩経、豳風、七月〕以伐二遠揚一(もってエンヨウをきり)、猗二彼女桑一(かのジョソウをイす)。↓高く伸びた大きな枝を伐り、小さな桑の木の葉は手でしごいて取る。❹星座の名。二十八宿の一つ。うるき。

㊁なんじ(なんぢ)。なんぢ。＝汝(6164)。用例〔論語、為政〕由(ユウ)、誨二女知一之乎(なんじ(ぢ)にこれをしるを(お)しえ(へ)んか)。↓由よ、お前に知るということを教えてやろう。

㊂❶め-あわす(めあはす)。人の妻とする。とつがせる。❷つか-える(つかふ)。仕官する。用例〔前漢、揚雄、反騒〕覧二四荒一而顧懐兮(シコウをみて、コカイすれば)、奚必云女二彼高丘一(なんぞかならずしもここにかのコウキュウにつかえ(へ)ん)。↓四方の果てまでを見て思えば、どうして楚(ソ)に仕える必要があろうか。

名前 こ・たか・ひめ・め・よし 難読 女子(おなご)・女(め)の子(こ)・女将(おかみ)・女川(おながわ)・女貞(ねずみもち)・女夫(みょうと)・女方(おやま)・女満別(めまんべつ)・女蘿(さるおがせ)・女良(めら)・女連(うなづれ)・女鹿(めか)

解字 甲骨文  篆文  象形。甲骨文でよくわかるように、両手をしなやかに重ね、ひざまずく女性の象形。おんなの意味を表す。女の意味と音符とを含む形声文字に、如・恕(ジョ)・絮(ジョ)・茹(ジョ)・奴・努・弩(ド)・怒・砮(ド)・笯(ド)などがある。

逆 悪女・乙女・海女・宮女・皇女・妻女・士女・子女・侍女・児女・淑女・商女・織女・処女・信女・神女・静女・石女・績女・仙女・息女・貞女・天女・童女・魔女・遊女・令女・列女・烈女・老女

【女英】(ジョエイ) 帝堯(ギョウ)の次女。娥皇(ガコウ)の妹。女瑩(ジョエイ)・女匽(ジョエン)とも書く。娥皇と同じく舜(シュン)の妃となった。娥皇とともに湘水(ショウスイ)に身を投げたことから、俗に湘君・湘夫人と呼ばれる。

【女謁(謁)】(ジョエツ) 君主から愛されている女性が、その愛をたのんで君主に請い求めること。女性の内密のたのみごと。

【女垣】(ジョエン) 城の上の低いかき。ひめがき。女牆(ジョショウ)。

【女家】(ジョカ) 嫁の生家。嫁のさとかた。

【女禍】(ジョカ) 女性との情事から起こるわざわい。女難。

【女△媧氏】(ジョカシ) 中国古代の伝説の女帝の名。五色の石を練って天の割れ目を補い、鼇(おおがめ)の足を切って天をささえる柱を立てたという。〔史記、三皇本紀〕

【女戒・女△誡】(ジョカイ) 女色におぼれないためのいましめ。

【女楽(樂)】(ジョガク) ①女性の奏する舞楽。②舞楽を奏する女性。うたいめ。

【女官】㊀(ジョカン) ①宮中に奉仕する女性。②女道士。㊁(ニョカン)・(ニョウカン) 国宮中に仕える下級の女性の役人。

【女御】㊀(ジョギョ) 周代の女官。天子の食事・寝所につきそった。㊁(ニョウゴ)・(ニョゴ) 国昔、天皇の寝所につきそった、皇后・中宮に次ぐ高位の女官。

【女君】(ジョクン) ①側室が正妻を呼ぶ称。②皇后。女王。

【女兄】(ジョケイ) あね。↔女弟。

【女形】㊀(ジョケイ) 女性の容貌。㊁お(を)やま・お(を)んながた 国芝居などで、女性に扮(フン)する男性の役者。

【女傑】(ジョケツ) とりわけすぐれた女性。男まさりの女性。女丈夫。

【女△衒】(ゼゲン) 国江戸時代、遊女の口いれを業とした人。▼

【女護島】(ニョゴのしま・ニョゴがしま) 国①女性ばかりが住むという想像上の島。②女性ばかりであることのたとえ。

【女工・女功・女紅】(ジョコウ) 女性の仕事。はたおり・裁縫など。

【女士】(ジョシ) ①女性でりっぱな行いのある人。教養のある女性。②女性の姓名の下にそえる敬称。女史。

【女子与(與)二小人一難レ養】(ジョシとショウジンとはやしないがたし) 女性や小人(教養のない人)は、優しくすればつけ上がり、きつくすれば恨

みやすくて、なかなか扱いにくい。〔論語、陽貨〕
【女史】ジョシ ①後宮の記録をつかさどる女官。②国女性の学者・芸術家や、有名な女性の敬称。女士。
【女児(兒)】ジョジ ①女の子。小娘。うら若い女性。おとめ。②蚕の俗称。
【女△倡】ジョショウ 女優。女性の役者。
【女将(將)】ジョショウ ①女性の将軍。②国客商売の家の女主人。おかみ。
【女△牆】ジョショウ ＝女垣ジョエン。
【女色】ジョショク ①女性の顔かたち。女性の色香いろか。②女性との情事。いろごと。
【女真(眞)】ジョシン・ジュルチン 民族の名。松花江・黒竜江下流域・沿海州地方に住んでいたツングース系民族。隋ズイ・唐のころ靺鞨マッカツといい、五代の時、女真と称し、また、後に女直とも称した。北宋ホクソウの末に国を建てて金といい、遼リョウ・北宋を滅ぼして最盛期を迎えたが、元に滅ぼされた。後に、その一族の満州族が明ミンを滅ぼして清シン朝を建てた。
【女婿(壻)】ジョセイ むこ。娘の夫。
【女装(裝)】ジョソウ 女性のよそおい。男性が女性のよそおいをすること。
【女弟】ジョテイ いもうと。↔女兄。用例〔資治通鑑、漢紀〕独有二女弟二人、両女一男一。（ひとりジョテイニニン、リョウジョイチダンあり）↓ただ妹御お二人と二女一男がおられるだけです。
【女奴】ジョド ①官に没収された女性の奴隷。②下女。女婢ジョヒ。③猫の別名。
【女徳】ジョトク ①女性のふみ行うべき道徳。婦徳。②女性の性情。
【女△巫】ジョフ 周代の官名。春官に属し、神に仕えて祈禱キトウし、また、神のお告げを伝える女性。みこ。かんなぎ。
【女房】㊀ジョボウ 女性のへや。㊁ニョウボウ 国①女官のへや。②宮廷でへやをもらっている高位の女官。③貴族の家に仕える女性。④女性。婦人。⑤妻。
【女△蘿】ジョラ 地衣類の名。さるおがせ。さがりごけ。松苔ショウタイ。
【女流】ジョリュウ 女性の仲間。女性。
【女郎】㊀ジョロウ ①若い女性。少女。②国㋐貴族や大名の奥向きに勤めた女性。㋑遊女。㊁めロウ 国①女の子。②女性をいやしめていう語。
【女郎花】㊀ジョロウカ ①もくれんの別名。②こぶしの別名。㊁おみなえし（をみなへし） 国秋の七草の一つ。

2【奶】5画 2308 ダイ
嬭(2551)の俗字。→三七九ページ中。
2 0541 — 2504

2【奵】5画 2309 ㊀漢テイ 呉チョウ(チャウ) 青 dīng ㊁テン 銑 tiǎn
2 0540 — 2503
字義 ㊀❶女性の名。❷顔が平たい。㊁みめよいさま。
解字 形声。女＋丁音。

2【奴】5画 2310 常 ド 漢ド・呉ヌ 虞 nú
3759 937A —
筆順 く 女 女 奴 奴
字義 ❶やっこ。㋐奴隷。罪人・捕虜やその子女で、役人に使役される人。㋑召し使い。㋒小者。身分が低い人。❷やつ。自分または他人をさげすんでいう語。やつがれ。きゃつ。❸動物・植物・器物などの名につける語。「竹奴（竹夫人）」 国やっこ。㋐昔、武家に仕えた、雑務をする男性。仲間チュウゲン。ぞうり取り。㋑江戸時代のおとこだて。「町奴」㋒方形のもの。「奴豆腐」
難読 奴借屋いかりや・ぬかりや・奴児哈赤ヌルハチ
解字 甲骨文  金文  篆文  形声。又＋女音。音符の女は、おんなの意味。又は、手の象形。捕らえられた女性の奴隷の意味を表す。
逆 下奴・農奴・蛮奴・庸奴・老奴
【奴視】ドシ 見下げる。軽蔑ケイベツする。
【奴輩】ドハイ ①しもべども。召し使いども。②あいつら。人をさげすんでいう称。③わたくしども。てまえども。自分の謙称。
【奴△婢】ドヒ・ヌヒ 男女のしもべ。召し使い。
【奴僕】ドボク・ヌボク 男性のしもべ。男性の召し使い。
【奴隷(隸)】ドレイ ①しもべ。男性の召し使い。奴僕。用例〔唐、韓愈、雑説〕雖レ有二名馬一、祇辱二於奴隷人之手一。（メイバありといえ（へ）ども、ただドレイジンのてにはずかしめらる）↓せっかく名馬がいるのに、使用人の手によって粗末に扱われるだけだ。②自由を奪われ、売買されて、労働を強制された人。③国あるものにしばりつけられている人。「金銭の奴隷」

3【奸】6画 2311 標 ㊀カン 寒 gān ㊁漢カン・呉ケン 刪 jiān
5301 9B40 —
字義 ㊀❶おか-す（をか-す）（犯）。㋐女性をけがす。㋑してはならないことをする。きまりを乱す。＝干(3161)。❷もとめる（求）。＝干(3161)。㊁よこしま。＝姦(2377)。㋐悪い。ずるい。㋑いつわる。わたくしする。㋒みだら。男女関係が正しくない。
参考 熟語は〔姦〕(2377)を見よ。
解字 篆文  形声。女＋干音。音符の干は、おかすの意味。男女間の道徳をおかす、よこしまの意味を表す。

3【好】6画 2312 教4 コウ この-む・す-く ㊀コウ(カウ) 晧 hǎo ㊁コウ(カウ) 号 hào
2505 8D44 —
筆順 く 女 女 好 好 好
字義 ㊀❶よ-い。い-い。㋐このましい。正しい。用例〔唐、杜甫、兵車行〕信知生レ男悪、反是生レ女好。（まことにしる おとこ（をとこ）をうむはあしく、かえ（へ）ってこれ おんな（をんな）をうむはよきを）↓ほんとうにわかりました。男を生むのはわるく、かえって、女を生むことこそよいということが。㋑すぐれている。㋒人がらがよい。㋓美しい。みめよい。㋔むつまじい。仲がよい。❷よしみ。したしみ。親しい交わり。親善。用例〔史記、廉頗藺相如伝〕欲三与レ王為レ好、会二於西河外澠池一。（オウとよしみをなし、セイガのそとのメンチにカイせんとほっす）↓趙王と友好関係を結ぶために、黄河の南の澠池にて会合を開きたい。❸よ-く。㋐よろしく。うまく。㋑ともすれば。しばしば。❹よ-し。ままよ。よろしい。それならば。軽い肯定のことば。詩語に用いる。用例〔唐、韓愈、左遷至二藍関一示二姪孫湘一詩〕知汝遠来応レ有レ意、好収二我骨一瘴江辺。（しるなんじ（ぢ）のとおく（ほく）きたる まさにイあるべし、よしわがほねをおさめよ（をさめよ） ショウコウのほとりに）↓私には分かる。お前がはるばるここまで見送りに来てくれたのは、きっと心に期することがあってのことだ、と。よろしい、それなら私の骨を毒気のたちこめる南方の大川のほとりで拾い収めてくれ。
㊁❶この-む。す-く。よろこぶ。↔憎(3856)。用例〔論語、雍也〕弟子孰為レ好レ学。（テイシたれかガクをこのむとなす）↓弟子の中で誰が学問好きといえますか。❷この-み。すき。「嗜好シコウ」❸このんで。❹ひきで物。❺はなはだ。用例〔東晋、陶潜、乙巳歳三月為二建威参軍一使レ都経二銭渓一詩〕我不レ践二斯境一、歳月好已積。（われこのキョウをふまざるに、サイゲツはなはだすでにつめり）↓私がこの地域を訪れなくなって久しい。
名前 こ・こう・この・このむ・すみ・たか・み・みよし・よし・よしみ
解字 甲骨文 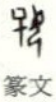 篆文  会意。女＋子。甲骨文は、母＋子の会意。母親が子を抱くさまから、このましく、うつくしいの意味を表す。
逆 愛好・旧好・時好・情好・親好・絶好・同好・友好
【好意】コウイ 親切な気持ち。親愛感。◆「好意」と「厚意」は意味が似通っているが、「好意」の方が意味が広い。新聞用語では「好意」に統一している。
【好雨】コウウ ちょうどよい時に降るうるおいの雨。用例〔唐、杜甫、春夜喜レ雨詩〕好雨知ニ時節一、当レ春乃発生(はるにあたりてすなわ(は)ちハッセイす)。㊦よい雨は降るべき時を心得ており、春になった今こそ降りはじめたのである。

【好音】(コウイン・コウオン) ①よい声。うるわしい音声。②よいおとずれ。よいたより。

【好悪(惡)】(コウオ) このむこととにくむこと。すききらい。愛憎。

【好会(會)】(コウカイ) よしみ(親善友好)を結ぶ会合。

【好看】(コウカン) ①よいけしき。好景。②このましい。きれいな。

【好感】(コウカン) 気持ちのよい感じ。

【好漢】(コウカン) よい男。役に立つりっぱな男性。快男子。

【好奇心】(コウキシン) ものずきな心。珍しいものに興味や関心を持つ心。

【好機】(コウキ) ちょうどよいおり(機会)。チャンス。

【好仇・好逑】(コウキュウ) よい相手・仲間。似合いの配偶者。▼仇・逑は、つれあい。用例〔詩経、周南、関雎〕窈窕淑女(ヨウチョウたるシュクジョは)、君子好逑(クンシのコウキュウ)。㊦しとやかな淑女は、君子のよきつれあい。

【好況】(コウキョウ) 景気がよいこと。好景気。↔不況(三八ページ下)。

【好景】(コウケイ) よいけしき。佳景。好風景。

【好個・好箇】(コウコ) ほどよい。ちょうどよい。適当な。▼個・箇は、助字。

【好好爺】(コウコウヤ) 国人のよい老人。

【好合】(コウゴウ) 心があう。仲がよい。親密。

【好在】(コウザイ) 壮健でいらっしゃい。ごきげんよう。別れの時に相手にいうことば。健在。

【好事】(コウジ) ㊀①よい(有益な)こと。善事。②めでたいこと。㊁(コウズ) 変わった物事をこのむ。ものずき。「好事家(コウズカ)」

【好事多レ魔】(コウジマおお(ほ)し) よいことには、とかくじゃまが入りやすい。〔琵琶記、幾言諫レ父〕

【好事不レ出レ門、悪(惡)事行ニ千里一】(コウジモンをいでず、アクジセンリをゆく) よいことはなかなか世間に知られないが、悪いことはすぐに知れ渡る。〔北夢瑣言、六〕

【好日】(コウジツ) よい日。良日。吉日。

【好尚】(コウショウ) このみたっとぶところ。このみ。嗜好(シコウ)。

【好色】(コウショク) ①いろごのみ。おんなずき。②美人。

【好戦(戰)】(コウセン) 争いを好む。「好戦的」

【好男子】(コウダンシ) 国①りっぱな男性。男らしい男性。②男ぶりのよい男性。いろおとこ。美男子。

【好調】(コウチョウ) 国①音声の調子がよい。②調子(ぐあい)がよい。③景気がよい。

【好敵手】(コウテキシュ) 国良い相手。不足のない相手。

【好転(轉)】(コウテン) (状態などが)よい方に変わる。↔悪化(五二七ページ中)。

【好評】(コウヒョウ) よい評判。よい批評。

【好風】(コウフウ) こころよい風。気持ちのよい風。「好風好月」

【好物】(コウブツ) ①よいもの。②国すき好む食物。

【好文】(コウブン) ①学問をこのむ。②梅。好文木の略。

【好文木】(コウブンボク) 梅の別名。晋(シン)の武帝が学問に親しめば梅が開き、学問をやめると開かなかったという故事による。〔東見記〕

3 【妁】 6画 2313 シャク 㯳 shuò

字義 なこうど(なかうど)。結婚の媒妁人。

[妁] 2314 俗字

参考 媒妁(バイシャク)は、日本では媒酌とも書く。

解字 篆文  形声。女＋勺㊥。音符の勺(シャク)は、ひしゃくの意味。両姓をくみとるの意味から、結婚のなかだちをするの意味を表す。

3 【妁】 6画 2314 シャク 妁(2313)の俗字。→三六一ページ中。 5302 9B41 —

3 【如】 6画 2315 常 ジョ・ニョ ㊥ジョ・㊉ニョ 魚 rú 3901 9440 —

筆順 

字義 ❶ゆく。いたる。おもむく。用例〔史記、項羽本紀〕沛公起如レ廁(ハイコウたちてかわ(は)やにゆき)、因招ニ樊噲一出(よりてハンカイをまねきていず(づ))。㊦沛公は座を立ち便所に行き、そのついでに樊噲を手まねきして外へ出てしまった。❷「何如」「如何」の形で、疑問、または反語の意を表す。＝奈(2267)。⇩何(247)の助字・句法解説。❸語尾につけて形容語を作る。＝然(7064)。「突如」❹仏ありのままの真のすがた。「ニョ」と読む。

助字・句法解説

❶もーし。仮定。訳もし…ならば。類若・儻。後の内容を受けて、順接の仮定条件を表す。「もし…ば」と呼応させて訓読することが多い。用例〔論語、雍也〕如有下博施ニ於民一、而能済上レ衆(もしひろくたみにほどこして、よくシュウをすくう(ふ)ことあらば)、何如(いかん)。㊦もし人民にあまねく恩恵を施して、民衆を救済することができるなら、どうでしょうか。

❷ごとーし。比況。訳…のようである。類若。前後のものを比較した結果、同じようなものだとの判断を下していることを表す。

❸しーく。比較。

㋐「A不レ如レB(AはBにしかず)」。訳AはBに及ばない。AよりBがよい。前の内容Aが後の内容Bに対して程度が低いことを表す。Aは省略されることもある。用例〔漢書、趙充国伝〕百聞不レ如ニ一見一(ヒャクブンはイッケンにしかず)。㊦百度聞いても、一度実際に見るのには及ばない。／〔史記、滑稽伝〕必如ニ孫叔敖一(かならずソンシュクゴウのごとくんば)、不レ如ニ自殺一(ジサツするにしかず)。㊦必ずや孫叔敖さまのようになるのであれば、自ら命を絶ったほうがましです。

㋑「A莫レ如レB(AはBにしくはなし)」。訳Aについて はBに及ぶものはない。Aということにおいては、Bが一番であることを示す。用例〔左伝、僖公七〕知レ臣莫レ如レ君(シンをしるはきみにしくはなし)。㊦臣下を理解することにかけては君主にまさるものはない。

用例〔論語、述而〕不義而富且貴(フギにしてとみかつとうと(たっと)き(ふ)ときは)、於レ我如ニ浮雲一(われにおいてフウンのごとし)。㊦不義をなして財産を得たり高い身分になったりするのは、自分にとっては浮雲のようにはかないものである。

名前 いく・すけ・なお・もと・ゆき・よし

解字 甲骨文  篆文  形声。口＋女㊥。音符の女は、従順な女性の意味。口は、神に祈るの意味。神に祈って従順になるの意味を表す。転じて、にているの意味に用いる。

逆 一如・欠如・自如・真如・突如・躍如・翼如

【如意】(ニョイ) ①思うままになる。②道教の僧の持つ道具。木・玉・鉄などで作る。振り上げたら、思うままの物が出たという伝説に基づく。③仏僧が説教のとき持つ道具。鉄や木竹製で、まごの手の形をした棒。如意杖(ニョイジョウ)。

【如意輪】(ニョイリン) 仏①自由自在に法の功徳(クドク)を表すこと。②六本の手があり、如意宝珠(ホウジュ)・如意輪宝を持っている観世音の像。如意輪観音。

【如何】(いかん) ⇩何(247)の助字・句法解説。

【如月】(ジョゲツ・きさらぎ) 国陰暦二月の別名。

【如故】(ジョコ・もとのごとし) ①以前のとおりである。もとどおりである。②昔からの友人のようである。

【如今】(ジョコン) ただいま。いま。現今。用例〔史記、項羽本紀〕如今(ジョコン)、人方為ニ刀俎一(ひとはまさにトウソたり)、我為ニ魚肉一(われはギョニクたり)。㊦今、彼らは包丁とまな板であり、われわれは魚肉のような立場である。

【如是】(ジョゼ・ニョゼ) ㊀もっとも。そのとおり。㊁(かくのごとく) このように。

【如是我聞】仏かくのごとくわれきく。経文の書き出しのことばで、このように自分は聞いているという意。

【如実(實)】あるがまま。実際そのまま。さながら。

【如如】①互いにつきしたがう様子。②変わらないこと。

【如上】先に述べた通り。

【如法】仏法にかない、理にかなうこと。

【如来(來)】仏仏の尊称。「阿弥陀如来」

3 【妊】 6画 2316 タ 馮 禡 chà ₂0542 — 2507
字義 ❶おとめ。❷美女。❸ほこる(誇)。
解字 形声。女＋乇㊅。

3 【她】 6画 2317 ㊀㊥チ・㊁ジ(ヂ) 支 chí ㊁タ tā — — 2505
字義 ㊀女性の字。㊁現代中国語で、女性の三人称代名詞。彼女。
解字 形声。女＋也㊅。

3 【妏】 6画 2318 ㊥ダン ㊁ナン 刪 諫 nuǎn — — 2506
字義 争う。言い争う。
解字 会意。女＋女。二人の女性が同居して言い争うの意味を表す。

3 【妃】 6画 2319 常 ヒ ㊀ヒ 微 fēi ㊁ハイ 隊 pèi 4062 94DC —
筆順 く 女 女 妃 妃 妃
字義 ㊀❶きさき。㋐天子の第二夫人。皇后の次に位するもの。㋑皇太子の正妻。❷つれあい。妻。❸女神の尊称。㊁❶＝㊀❷。❷つれそう。配偶者となる。また、組み合わせる。
国 ヒ。皇族の妻。
名前 え・き・ひめ
解字 甲骨文 金文 篆文 会意。女＋己。甲骨文の己の形は、へびの象形で、雨の神の意味。へびの形をした雨の神にそいつかえる女性の意味から、きさきの意味を表すにいたった。
逆 貴妃・元妃・后妃・正妃・明妃・麗妃
【妃妾】貴人のそばに仕える女性。側室。
【妃匹】つれあい。配偶。妃耦。妃合。
【妃嬪】①天子のそばに付きそう女性。▼皇后の次を妃、妃の次を嬪という。②身分の高い女官をいう。

3 【妄】 6画 2320 常 モウ・ボウ 4449 96CF —

3 〘妄〙 6画 2321 ㊥ボウ(バウ) ㊁モウ(マウ) 漾 wàng
筆順 丶 亠 亡 妄 妄 妄
字義 ❶みだり。でたらめ。㋐すじ道の立たないこと。道理に合わないこと。㋑遠慮のないこと。不作法。㋒あとさきを考えないこと。分別のないこと。㋓うそ。いつわり。「虚妄」❷みだりに。でたらめに。むやみに。無遠慮に。分別もなく。

参考 現代表記では〔盲〕(7958)に書きかえることがある。「妄動→盲動」

解字 金文 篆文 形声。女＋亡(亾)㊅。音符の亡は、ないの意味。道理がない、でたらめの意味を表す。女は、心理状態を表す語に付される。

逆 虚妄・詐妄・誕妄・無妄・迷妄
【妄覚(覺)】①実在しない現象を実在するかのように感覚すること。幻覚。②幻覚と錯覚の総称。

【妄挙(擧)】①でたらめに挙げ用いる。②むやみに事をおこす。③あとさきを考えない行動。でたらめな計画。

【妄言】㊀口から出まかせにいう。また、そのことば。妄語。「妄言妄聴」「妄言綺語」㊁仏五戒・十悪の一つ。うそをいうこと。いつわり。

【妄語】＝妄言㊀。

【妄行】①みだりに行う。②行いをみだりにする。かってきままに行う。

【妄作】むやみに事をする。また、つくりごと。でたらめ。

【妄執】仏善悪の分別もなく、ただ一つの物事に執着する。思いこんで離れぬ迷いの心。妄習執見。

【妄信】真実かどうかを確かめずに、むやみに信用する。わけもわからず信じこむ。盲信。

【妄人】わけのわからぬ人。むちゃな人。

【妄説】みだりに説く。また、でたらめな言説。

【妄想】㊀①でたらめな(とりとめのない)考え。「誇大妄想」②みだらな考え。㊁仏＝妄念。

【妄誕】うそ。いつわり。用例(歴代名画記)人以為二妄誕一、固請点レ之。↓人々は、でたらめだと思い、強引にひとみを描き入れさせた。

【妄動】①むやみに事をおこす。②あとさきを考えない無分別な行動。盲動。「軽挙妄動」

【妄念】仏みだりな考え。迷いの心。妄想。

【妄批】＝妄評。

【妄評】同妄批。①いいかげんな、また、無遠慮な批評。②他人に対してする批評の謙称。

4 【晏】 7画 2322 ㊀㊥アン・㊁エン 諫 yàn ㊁エン 霰 yàn ₂0543 — 2514
字義 ㊀やすんずる(安)。やすらか。＝晏(4735)。㊁さわやかな日の出。
解字 会意。女＋日。

4 【妎】 7画 2323 ㊥カイ ㊁ガイ 泰 hài — — 2510
字義 ❶ねたむ。❷わずらわしい。❸覆う。
解字 形声。女＋介㊅。

4 【妓】 7画 2324 標 ㊥キ ㊁ギ 紙 jì 2124 8B57 —
字義 うたいめ。歌舞音曲などをして遊び客の相手をする女性。まいひめ。芸者。「芸妓」「倡妓」

名前 ひめ
解字 篆文 形声。女＋支㊅。音符の支は、木の枝を持つの意味。枝を持ち、たくみに演ずるわざおぎの意味を表す。

【妓院】＝妓楼。

【妓楽(樂)】うたいめの奏する音楽。

【妓女】酒席にはべり、歌や舞で客をもてなす女性。うたいめ。まいひめ。芸者。倡妓。娼妓。

【妓楼(樓)】うたいめなどを置いて酒食を供して遊び客の相手をする店。青楼。倡家。妓院。

4 【妍】 7画 2325 ケン 姸(2381)の俗字。→三六九ページ中。 5311 9B4A —

4 【妗】 7画 2326 ㊀ケン 塩 xiān ㊁㊥キン・㊁ゴン 沁 jìn — — 2513
字義 ㊀❶品良く笑う。❷美しい。㊁母の兄弟の妻。
解字 形声。女＋今㊅。

4 【妧】 7画 2327 ㊀㊥ゲン ㊁ガン(グヮン) 元 yuān ㊁ガン(グヮン) 翰 wàn — — 2516
字義 ㊀女性の字。㊁みめよいさま。
解字 形声。女＋元㊅。

4 【姊】 7画 2328 シ 姉(2348)の正字。→三六六ページ上。 — — 2529

4 【妝】 7画 2329 ㊥ソウ(サウ) ㊁ショウ(シャウ) 陽 zhuāng 5303 9B42 —
〔妝〕2412 同字 〔娤〕2413 同字
字義 ＝粧(8989)。❶よそおう。かざる(飾)。❷よそおい。化粧。
参考 熟語は〔粧〕(8989)をも見よ。

解字 金文 篆文 形声。女＋爿(音)。音符の爿(ショウ)は、装に通じ、よそおうの意味。女性がよそおう・かざるの意味を表す。

【妝閣】(ショウカク) 化粧をするためのたかどの。化粧部屋。粧閣。

【妝匣】(ショウコウ) 化粧箱。妝奩(ショウレン)。▼匣は、こばこ。

【妝靚】(ショウセイ) よそおいかざる。めかす。▼靚は、装飾。

【妝梳】(ショウソ) 化粧をする。▼梳は、くしけずる。

【妝奩】(ショウレン) 化粧箱。妝匣(ショウコウ)。▼奩は、鏡ばこ。

4【姘】7画 2330 漢セイ 呉ジョウ(ジャウ) 梗 敬 jìng ― ― 2509
字義 ❶静か。❷潔い。女性の貞潔なこと。
解字 形声。女＋井(音)。井(セイ)は、清・静に通じ、清く静かな女性の意味を表す。

4【妥】7画 2331 常 ダ 3437 91C3 ―
4〖㚣〗7画 2332 タ 慣ダ 哿 tuǒ
筆順 妥
字義 ❶おだ-やか。やすらか。「妥協」 ❷安らかに座る。座に落ち着く。
名前 やす
解字 甲骨文 金文 篆文 会意。爪＋女。爪は、上からさしのべた手の象形。やさしく上から手をさしのべて、女性をすわらせるさまから、やすんじるの意味を表す。

【妥協】(ダキョウ) ①適合する。②片づく。③国折りあう。たがいにゆずり合っておだやかに話をまとめる。

【妥結】(ダケツ) 国たがいにゆずり合って約束を結ぶ。おだやかに話をまとめる。

【妥当(當)】(ダトウ) よくあてはまる。穏当で適切なこと。

4【妕】7画 2333 チュウ(チウ) 送 zhòng ― ― 2512
字義 女性の字(あざな)。
解字 形声。女＋中(音)。

4【妒】7画 2334 ト ı1576 ― 2511
妬(2360)と同字。→三六六ページ下。

4【妊】7画 2335 常 ニン 漢ジン・呉ニン 沁 侵 rèn 3905 9444 ―
筆順 妊

〔姙〕2393 同字
字義 はら-む。みごも-る。身おもになる。「懐妊」
名前 さね・もつ
解字 金文 篆文 形声。女＋壬(音)。音符の壬(ジン)は、ある重さのものを持続的にいだくの意味。女性が胎児を体内にいだく、みごもるの意味を表す。
逆 懐妊

【妊娠】(ニンシン) 子をはらむこと。懐妊。姙娠(ニンシン)。妊孕(ニンヨウ)。

【妊婦】(ニンプ) 妊娠した女性。姙婦(ニンプ)。

4【妣】7画 2336 ヒ 紙 寘 bǐ 5306 9B45 ―
字義 ❶なきはは。亡母。生前には母、死後には妣という。↔考(9568)。「考妣」 ❷はは(母)。
解字 甲骨文 金文 篆文 形声。女＋比(音)。音符の比は、ならぶの意味。なき父と並ぶ人、なき母の意味を表す。甲骨文は、年老いた女性の象形。

4【妋】7画 2337 ㊀フ 虞 fū ㊁ユウ(イウ) 尤 yōu ı1575 ― 2508
字義 ㊀むさぼるさま。㊁うらむ。国せ。しょうと。夫。
解字 形声。女＋夫(音)。また、会意。女＋夫。女性が夫に対して恨むの意味を表す。

4【妨】7画 2338 常 ボウ さまた-げる ホウ(ハウ) 慣ボウ(バウ) 漾 陽 fáng 4324 9657 ―
筆順 妨
字義 ❶さまた-げる。邪魔をする。また、さまた-げ。さしつかえ。邪魔。「妨害」 ❷そこなう。いためる。
解字 篆文 形声。女＋方(音)。音符の方は、左右に突き出すの意味。手を左右に突き出し、さまたげるの意味を表す。

【妨遏】(ボウアツ) ＝妨止。▼遏は、止める。

【妨害】(ボウガイ) さまたげそこなう。さまたげる。じゃまする。また、さまたげ。じゃま。妨礙(ボウガイ)。

【妨碍・妨礙】(ボウガイ) さまたげる。じゃまする。また、さまたげ。じゃま。▼碍・礙は、さえぎる。

【妨止】(ボウシ) じゃまをして止める。防止。妨遏(ボウアツ)。

4【妙】7画 2339 常 ミョウ 漢ビョウ(ベウ)・呉ミョウ(メウ) 嘯 miào 4415 96AD ―
〔玅〕7321 同字
筆順 妙
字義 ❶たえ(たへ)。この上なくたくみで、言い表しようのないほどすぐれること。㋐この上なく美しい。すぐれてよい。「妙麗」 ㋑すぐれてたくみ。「絶妙」 ㋒くわしい(精)。念入りである。「精妙」 ㋓人知ではかり知れない、すぐれた働きがある。不思議。「神妙」 ㋔この上もなく奥深い。「妙遠」 ❷わかい。「妙齢」 国ミョウ(メウ)。普通でない。変わっている。変な。「奇妙」
名前 さ・たえ・ただ・たふ・たゆ・み 難読 妙見(みよし)・妙泉(しょみず)
解字 形声。女＋少(眇)(音)。音符の眇(ビョウ＝ミョウ)は、目にかすかに小さく映るの意味。奥床しい女性の意味から、美しい・不思議ではかり知れないの意味を表す。
逆 奇妙・極妙・軽妙・玄妙・巧妙・高妙・至妙・衆妙・神妙・精妙・絶妙・即妙・微妙・霊妙

【妙案】(ミョウアン) すぐれたよい考え(思いつき)。名案。

【妙技】(ミョウギ) すぐれてたくみなわざ(うでまえ)。巧妙な技術。妙伎(ミョウギ)。

【妙境】(ミョウキョウ) なんともいえないすばらしい境地。佳境。妙処。

【妙曲】(ミョウキョク) すぐれた音楽。たえなる音色。

【妙計】(ミョウケイ) すぐれたはかりごと(考え)。巧妙な計略。妙策。妙略。

【妙見】(ミョウケン) 仏菩薩(ボサツ)の名。妙見菩薩。国土を守り、貧しい人を救い、諸願を成しとげさせる仏。北斗七星の神格化されたもの。

【妙悟】(ミョウゴ) 十分にさとる。また、この上なく深いさとり。

【妙語】(ミョウゴ) すぐれた、いうにいわれぬ味のあることば。

【妙姿】(ミョウシ) すぐれてよいすがた。たえなる姿。

【妙手】(ミョウシュ) ①すぐれたうでまえ。また、その人。名人。②碁・将棋などの勝負ごとで、あざやかな手。

【妙趣】(ミョウシュ) すぐれたおもむき。妙味。妙致。

【妙処(處)・妙所】(ミョウショ) ＝妙境。

【妙絶】(ミョウゼツ) 非常にすぐれること。絶妙。

【妙想】(ミョウソウ) すぐれた考え(思想)。妙思。

【妙年】(ミョウネン) 若い年ごろ。また、その年ごろの人。少年。

【妙筆】(ミョウヒツ) すぐれた筆のあと。すぐれた書画。

【妙舞】(ミョウブ) たくみにまう。また、非常にたくみな舞。用例〔唐、劉廷芝、代下悲二白頭一翁上詩〕公子王孫芳樹下(コウシオウソンホウジュのもと)、清歌妙舞落花前(セイカミョウブラッカのまえ(へ))。訳貴公子たちと、香り高い花の咲く木の下で宴を張り、清らかな歌やみごとな舞いで落花のもとで楽しんだ。

【妙法】ミョウホウ ①すぐれてよい方法。巧妙な手段。②仏㋐たえなる仏の道。この上なくすぐれた仏法。㋑特に、妙法蓮華経ミョウホウレンゲキョウ（日蓮ニチレン宗の経文）をいう。
【妙味】ミョウミ すぐれた、いうにいわれぬおもむき（あじ）。妙趣。
【妙妙】ミョウミョウ すぐれてたくみなさま。
【妙薬（藥）】ミョウヤク 不思議によくきくくすり。神薬。霊薬。
【妙用】ミョウヨウ ①たくみな使い方。②不思議なはたらき。
【妙齢（齡）】ミョウレイ 若い年ごろ。うら若い。主として女性にいう。妙年。妙歯。
【妙麗】ミョウレイ （女性の姿の）この上なく美しいこと。

4 【妤】 7画 2340 ヨ 1577 ED88 *2515*
伃(243)と同字。→九一ページ下。

4 【妖】 7画 2341 常 ヨウ あや-しい 4537 9764 —
ヨウ（エウ） 蕭 yāo

筆順 く 女 女 女 妖 妖

字義 ❶なま-めく。あでやか。しなを作る。笑顔でこびる。「妖艶ヨウエン」 ❷あや-しい。あやし。また、怪しいもの。ばけもの。もののけ。「妖術」「妖怪」 ❸わざわい。

名前 よう

使いわけ あやしい〔怪・妖〕⇩怪(3666)。

解字 篆文 形声。篆文は、女＋芺㊟。音符の芺ヨウは、髪をふり乱したみこ（巫女）の象形で、なまめかしくもあやしいの意味を表す。女性の一種の姿態であるところから女を付した。

【妖艶（艶）】ヨウエン 妖婉ヨウエン。なまめいて、あやしいほどの美しさ。あでやかな姿。また、その女性。▼艶は、つやっぽい美しさ。
【妖怪・妖恠】ヨウカイ ばけもの。もののけ。「妖怪変化ヨウカイヘンゲ」
【妖気（氣）】ヨウキ 何か悪い事でも起こりそうな、あやしいけはい。
【妖教】ヨウキョウ あやしい教え。まやかしの宗教。邪教。
【妖孽】ヨウゲツ わざわい。また、そのきざし。▼孽は、わざわい。
【妖言】ヨウゲン 世人をまどわす、あやしいうわさ。あやしい流言。
【妖姿】ヨウシ なまめかしい姿。用例〔本事詩〕妖姿媚態ヨウシビタイ、綽有二余妍一シャクとしてヨケンあり。⇩その美しい姿、なまめかしいようすなど、しとやかで、おくゆかしく、あふれるばかりの美しさがあった。
【妖術】ヨウジュツ あやしい術。魔術。
【妖女】ヨウジョ ①なまめいて美しい女性。あでやかな女性。②顔が美しくて心の悪い（男性をまどわす）魔性の女性。毒婦。妖婦。③魔女。魔法使いの女性。
【妖星】ヨウセイ 天災など不吉な事が起きるしるしとして現れる、あやしい星。彗星スイセイなど。
【妖精】ヨウセイ あやしい精霊。もののけ。
【妖僧（僧）】ヨウソウ あやしい僧。人をまどわす悪僧。
【妖態】ヨウタイ なまめいてこびるようなそぶり。人を迷わす、なまめいたようす。
【妖童・妖僮】ヨウドウ なまめいて美しい少年。美少年。
【妖婦】ヨウフ ＝妖女。
【妖氛】ヨウフン ①あやしい（不吉な）けはい。②災い。戦乱。
【妖魔】ヨウマ 人に害を加える、あやしいまもの。
【妖麗】ヨウレイ なまめいてうつくしい。また、その女性。

5 【委】 8画 2342 教3 イ ゆだ-ねる 1649 88CF —
㊀イ（ヰ） 紙 wěi ㊁イ（ヰ） 寘 wèi ㊂イ（ヰ） 支 wēi

筆順 一 二 千 禾 秂 委 委

字義 ㊀❶ゆだ-ねる。ゆだぬ。まか-せる。まかす。用例〔東晋、陶潜、帰去来辞〕曷不三委レ心任二去留一なんぞこころをゆだねて、キョリュウにニンぜざる、胡為乎遑遑欲二何之一なんすれぞコウコウとしていずくにゆかんとほっする。⇩どうして心を自然にゆだねて運命に身を任せないのか。なぜ心おちつかず、うろうろとして、いったいどこに行こうとするのか。❷くわ-しい。くはし。つぶさ。ことこまか。「委細」 ❸まげる。かがめる。❹つむ（積）。かさねる。「委積」 ❺す-てる。すつ。すておく。みすてる。用例〔唐、白居易、長恨歌〕花鈿委レ地無二人収一カデンチにすてられて、ひとのおさむるなく、翠翹金雀玉搔頭スイギョウキンジャクギョクソウトウ。⇩花かんざしは地に捨てられたままでとり上げる者もなく、かわせみの羽の髪飾りも、黄金のすずめの形をしたかんざしも、玉のかんざしも（うち捨てられたままであった）。❻しおれる。なえる。「委靡イビ」 ㊁役所にたくわえておく穀物。また、その倉庫。 ㊂美しいさま。また、ゆったりしたさま。

名前 くつ・つく・とも・もろ 難読 委文しずり・しどり・委内瑞拉ベネズエラ

解字 篆文 会意。禾＋女。禾は、穂先のなよやかに垂れたいねの象形。なよやかな女性の意味から、転じて、すなおにしたがう、ゆだねるの意味を表す。委の意味と音符とを含む形声文字に、萎イ・諉イ・餧イ・痿イ・矮ワイなどがある。

【委委佗佗】イイ・イイタタ のびやかで美しいさま。
【委迤】イイ ＝委蛇㊀。
【委蛇】イイ ㊀ 同 委迤イイ・委它・委佗タイ・イイ。①ゆったりと落ち着いたさま。②顔を地につけてはって行くさま。③うねり曲がるさま。④素直に従うさま。⑤旗のひるがえるさま。㊁ダイ 泥鰌どじょうの別名。
【委員】イイン 選挙あるいは任命などによって、ある仕事をするように任された人。
【委棄】イキ ①物をすてる。②すておく。ほったらかし。
【委曲】イキョク ①くわしくこまかなこと。すみずみまですべて。委細。委悉イシツ。②身をかがめて従うさま。
【委屈】イクツ 身を屈して人に従うこと。また、下位にいて思うままでないこと。
【委結】イケツ ①あつまり結ぶ。②うらみをいだく。
【委細】イサイ ＝委曲①。
【委質】イシ・イシツ はじめて仕官すること。質は贄シで、礼物、委は置く意。仕官の初めに礼物の雉キジをささげて君の前に置いたからいう。委贄イシ。〔左伝、僖公二十三〕
【委積】イシ ①つみたくわえる。▼委は少し積む、積は多く積む。②凶年に備えて、米をたくわえること。
【委悉】イシツ くわしくつぶさ。委曲。
【委順】イジュン ①自然のはこび。自然のなりゆき。②自然のなりゆきにまかせる。死をいう。
【委譲（讓）】イジョウ ゆだねゆずる。譲りまかせる。
【委属（屬）・委嘱（囑）】イショク ゆだねまかす。たのむ。委託。依嘱。
【委随（隨）】イズイ ①おとなしくすなおな様子。温和。温順。柔順。②柔弱な様子。③屈伸の自由でない様子。④道が曲がりくねったさま。逶随。
【委它・委佗】イタ・イイ ＝委蛇㊀。
【委托・委託】イタク ゆだねまかせる。あずけたのむ。委嘱。◆「依託」も同義。ただ国語審議会が「委託」を標準的な表記としたことと、新聞用語も「委託」に統一したことなどによって「委託」が一般的になっている。
【委頓】イトン くじける。力がぬける。
【委任】イニン ゆだねまかせる。まかせる。
【委靡】イビ なえしおれる。おとろえる。弱る。
【委付・委附】イフ ゆだね渡す。まかせる。
【委命】イメイ ①いのちをまかせる。いのちをさし出す。②天運にまかせる。
【委用】イヨウ 仕事を任せる。任用する。
【委吏】イリ 米穀の出し入れをつかさどる役人。穀物倉庫を管理する役人。

5 【姁】 8画 2343 ㊀ク 遇 xǔ ㊁ク 虞 xū — — *2525*

字義 ㊀老女。おうな。㊁やわらぎ親しむさま。

解字 篆文 形声。女＋句音。音符の句は、クルッと曲がるの意味。背が曲がった女性、おうなの意味を表す。

5 【姑】 8画 2344 標 コ 虞 gū 2440 8CC6 —

字義 ❶しゅうとめ。夫または妻の母。❷おば。父の姉妹。❸しばらく（且）。とりあえず。一時。「姑息」

解字 金文 篆文 形声。女＋古音。音符の古は、ふるいの意味。ふるい女性の意味から、夫の母、しゅうとめの意味を表す。

【姑△舅】コキュウ しゅうとめと、しゅうと。夫の母と父。
【姑且】コショ しばらく。
【姑娘】コジョウ・クーニャン ①むすめ。年若い女性。②おば。父の姉妹。
【姑洗】コセン ①十二律の一つ。②陰暦三月の別名。
【姑△蘇】コソ ①山名。江蘇省蘇州市の南西にある。別名、姑胥。また、姑余。②台の名。春秋時代、呉王の闔廬が築き、その子の夫差が越を破って得た美人の西施と遊んだところで、姑蘇山上にあった。③今の江蘇省蘇州市の旧名。用例〔唐、張継、楓橋夜泊詩〕姑蘇城外寒山寺、夜半鐘声到客船。↓姑蘇の町はずれの寒山寺、そこでつく、夜半を告げる鐘の声が旅の船にまで響いてくる。
【姑息】コソク ①一時のがれ。まにあわせ。②女性や子供。▼姑は女性、息は小児。
【姑射山】コヤサン 同藐姑射之山。①仙人の住むという山。②国上皇の御所。仙洞御所。

5 【妻】 8画 2345 教5 サイ つま 2642 8DC8 —
一 漢セイ・呉サイ 斉 qī
二 漢セイ・呉サイ 霽 qì

筆順 一 ㇕ ⺕ 㓁 妻 妻 妻

字義 一つま。夫の配偶者。生きているつまを妻というのに対し死んだつまを嬪という。↔夫(2243)。二❶めあわす。とつがせる。よそにとつがせて妻とさせる。用例〔韓非子、説難〕以其女妻胡君、以娯其意。↓自分の娘を胡王にとつがせ、その歓心を買った。❷めとる。自分の妻とする。用例〔史記、魯周公世家〕宋女至而好、恵公奪而自妻之。↓宋の公女が到着してみると美しかったので、恵王はこれを奪って自分の妻とした。国つま。料理のそえ物。

名前 つま・め 難読 妻沼・妻鳥・妻夫・妻良

解字 篆文 会意。屮＋又＋女。屮は、かんざしの象形。かんざしに手をやり、髪を整え飾る女性のさまから、つまの意味を表す。妻を音符に含む形声文字に、凄・悽・棲・淒・萋などがあり、これらは単に音符に妻を借りている漢字が多い。

逆 寡妻・継妻・山妻・小妻・拙妻・嫡妻・適妻・夫妻・良妻

【妻子】サイシ・めこ ①妻と子。②妻。▼子は、助字。
【妻子△眷属(屬)】サイシケンゾク 妻と子と親族。一家一門。
【妻女】サイジョ ①妻。②妻と、むすめ。
【妻△妾△之奉】サイショウのホウ 妻や妻以外の女性などを養うに十分な費用。妻妾の生活費。〔孟子、告子上〕
【妻△嫂】サイソウ 妻と兄よめ。
【妻帯(帶)】サイタイ 妻を持つ。男性が結婚すること。
【妻△孥】サイド 妻と子。妻帑。▼孥も、妻子。用例〔人虎伝〕非不念妻孥思朋友。↓妻子のことを案じたり、友人のことをなつかしく思ったりしないわけではない。

5 【姍】 8画 2346 20547 — 2530
一 漢サン・呉セン 刪 shān
二 セン 先 xiān

字義 一そしる。けなす。二❶よろめき歩くさま。なよなよと歩くさま。「姍姍」❷衣のゆれ動くさま。「便姍」

解字 形声。女＋冊（刪省）音。

5 【始】 8画 2347 教3 シ はじめる・はじまる 2747 8E6E —
シ 紙 shǐ

筆順 ㇛ 女 女 女ム 始 始 始

〔乨〕100 古字 〔乭〕710 古字

字義 ❶はじめ。はじまり。↔終(2347)。㋐もと。おこり。起源。㋑以前。最初。当初。用例〔論語、公冶長〕始吾於人也、聴其言而信其行。↓これまで私は人に対して、その言葉を聞くとその行いも信じていた。❷はじめる。はじまる。新しくおこす。「開始」❸はじめて。㋐新たに。この時はじめて。用例〔東晋、陶潜、還旧居詩〕今日始復来、惻愴多所悲。↓今日新たにまた来てみると、胸が傷み悲しい思いがわき起こる。㋑ようやく。やっと。用例〔東晋、陶潜、戊申歳六月中遇火詩〕果菜始復生、驚鳥尚未還。↓果樹や野菜はようやくまた芽を出したが、驚いて逃げ去った鳥はまだ戻ってこない。㋒まさにいま。ちょうど…したばかり。用例〔荘子、至楽〕是其始死也、我独何能無概然。↓妻が死んだばかりのときには、私だって悲しい思いがしなかったわけではない。❹はじめより。かつて。▼「未始」の形で用いて、「かつて…(ない)」の意を表す。用例〔荘子、斉物論〕有以為未始有物者。↓もとより物などないという(無の)立場がある。

名前 し・とも・はじめ・はる・もと 難読 始神

使いわけ はじめ〔始・初〕
〔始〕継続する事柄の出発点。また、物事の起こり。「仕事始め・人類の始め」
〔初〕ある期間や時間の最初の部分。「咲き初め・年の初め」
なお、動詞「はじめる・はじまる」は〔始〕、副詞「はじめて」は〔初〕を用いる。

解字 甲骨文 金文 篆文 形声。女＋台音。音符の台は、農具のすきの象形で、大地を掘りおこして柔らかにするの意味。子供から思春期を迎え、女性らしいやわらかさを迎えた、はじめの意味を表す。

逆 経始・原始・事始・終始・正始・創始・年始

【始元】シゲン はじめ。起こり。もと。始原。
【始皇帝】シコウテイ 秦の初代皇帝。→秦始皇(一〇五〇ペー上)。
【始終】シジュウ・シシュウ ①終始。㋐はじめとおわり。㋑はじめからおわりまで。②つねに。たえず。③ついに。結局。
【始如処(處)女、後如脱△兎】はじめはショジョのごとく、のちにはダットのごとし はじめは処女のようにおとなしくして敵に油断させ、のちには逃げるうさぎのように急速で、敵に防ぐ暇を与えない。最初はおとなしくしていて、後に大活躍する意にも用いる。〔孫子、九地〕
【始祖】シソ 初代の人。先祖。鼻祖。
【始末】シマツ ①はじめとすえ。もととおわり。本末。始終。終始。②はじめからおわりまで。事の起こりから落着まで。顚末。③国㋐ととのえおさめる。かたづける。処分する。㋑倹約する。

5【姉】8画 2348 シ 紙 zǐ 教2 シ あね 熟字訓 姉(ね)さん 2748 8E6F —

筆順 く 夊 女 女' 女亠 女𠂉 姉 姉

[姊]2328 正字

字義 ❶あね。年上の女性のきょうだい。↕妹(2366)。❷はは。生母。＝姐(2354)。❸女性を親しみ、また、尊敬してよぶ言葉。

名前 あね・え 難読 姉体(あねたい)

解字 篆文 形声。女＋市(𠂔)㊀。音符の𠂔(シ)は、進に通じ、先に進むの意味。先に生まれた女性、あねの意味を表す。𠂔の字形そのものが意味するものはよくわからないが、のち、市の形をとるようになった。

逆 大姉

【姉姉】(シシ) ①乳母。②生母。③あね。

【姉婿(壻)】(シセイ) 姉の夫。あねむこ。

【姉妹】(シマイ) ①あねと、いもうと。②女性のきょうだい。③あそびめ。遊女。妓女(ギジョ)。④国同じ系統でたがいに類似点を持つ二つ、または二つ以上のもの。「姉妹編」

5【姒】8画 2349 漢シ 呉ジ 紙 sì 1579 — 2531

[娰]2411 同字

字義 ❶あによめ。兄の妻。「姒婦(ジフ)」❷あね。特に、一緒に同じ夫のもとに嫁いだ姉。

解字 形声。女＋以㊀。

5【妮】8画 2350 漢ジ(ヂ) 呉ニ 支 nī, nì 20544 — 2518

字義 ❶女性の召し使い。❷女性の字(あざな)。

解字 形声。女＋尼㊀。

5【妾】8画 2351 標 ショウ(セフ) 葉 qiè 3010 8FA8 —

字義 ❶側室。正妻以外の夫人。「妻妾」❷高貴な人の身辺の世話をする女性。こしもと。侍女。用例〈十八史略、春秋戦国、呉〉越王句践(コウセン)、以余兵棲会稽山(余兵を以(もっ)て会稽山に棲(す)み)、請為臣妻為妾(臣と為り妻は妾と為らんことを請(こ)う)。⇩越王の句践は、敗残兵をひきつれて会稽山にたてこもり、自分は臣下となり、妻は召し使いとして差し出しますと(夫差に)嘆願した。❸わらわ。わたし。女性がへりくだって言う自称。用例〈唐、李白、長干行〉妾髪初覆額(妾(ショウ)が髪初めて額(ひたい)を覆(おお)い)、折花門前劇(花を折(を)りて門前に劇(たわむ)る)。⇩私の髪が額を覆うようになったばかりのころ、花を折っては門のあたりで遊んでいました。

解字 甲骨文 金文 篆文 会意。辛＋女。辛は、針の象形で、入れ墨の意味。貴人に近づき奉仕する入れ墨をほどこされた女性、こしもとの意味を表す。

【妾婦】(ショウフ) 側室。こしもと。

【妾腹】(ショウフク) 正妻以外の夫人の生んだ子。妾出。

【妾△媵】(ショウヨウ) 貴人のそばに仕える女性。▼媵は、嫁に付きそって夫の家に入った女性。

5【姓】8画 2352 漢セイ・呉ショウ(シャウ) 敬 xìng 常 セイ・ショウ 3211 90A9 —

筆順 く 夊 女 女' 女𠂉 姓 姓 姓

字義 ❶かばね。家系の由来を示す呼称。氏が家がらを表すのに対する。みょうじ。⇩コラム 姓名の慣習(三六七ページ)。❷うじ。家がらを表す名称。漢以後、氏と混同して用いられている。❸うむ。＝生(7585)。❹子。❺やから。うから。家族。一族。❻人民。「百姓」 国かばね。古代、家がらと世襲の官職とを表した名称。臣(おみ)・連(むらじ)・稲置(いなぎ)・真人(まひと)・朝臣(あそみ)など。

名前 うじ

解字 金文 篆文 形声。女＋生㊀。音符の生は、うまれるの意味。人が母から生まれたところの意味から、かばねの意味を表す。金文は、人＋生㊀。

逆 素姓・俗姓・族姓・百姓・複姓・名姓

【姓系】(セイケイ) 氏族の系統。系図。系譜。

【姓氏】(セイシ) 姓(かばね)と氏(うじ)。→字義❶❷。

【姓字】(セイジ) ①名字と、あざな。②姓名。用例〈東晋、陶潜、五柳先生伝〉不詳其姓字(其の姓字を詳(つまび)らかにせず)。⇩その姓名ははっきりしない。

【姓名】(セイメイ) 姓と名。名姓。⇩コラム 姓名の慣習(三六七ページ)。

【冒姓】(姓を冒(おか)す) 他の姓を名のる。

5【姃】8画 2353 漢セイ 呉ショウ(シャウ) 庚 敬 zhēng 1578 — 2526

字義 ❶女性の字(あざな)。❷女性の容姿が美しいさま。

解字 形声。女＋正㊀。

5【姐】8画 2354 シャ 馬 jiě 慣ソ 1625 88B7 —

字義 ❶あね。女性のきょうだいのうちの年長者。❷はは(母)。❸女性の通称。また、女性の名の下につけて、親愛の意を表す。「小姐」 国あねご。

参考 〔妲〕(2356)は別字。

解字 篆文 形声。女＋且㊀。音符の且(ショ)はつみ重ねるの意味。年を重ねた女性、はは・あねの意味を表す。

5【妳】8画 2355 ダイ 嬭(2551)の俗字。→三七九ページ中。 — — 2521

5【妲】8画 2356 漢タツ・呉タチ 曷 dá 慣ダツ 5307 9B46 —

字義 女性のあざな。

参考 〔姐〕(2354)は別字。

解字 形声。女＋旦㊀。

【妲己】(ダッキ) 殷(イン)の紂王(チュウオウ)の妃(きさき)で、紂王と酒池肉林にふけるなど悪行多く、殷が滅びるもとを作ったといわれる。

5【妷】8画 2357 一 漢チツ 呉ジチ(ヂチ) 質 zhí 二 漢イツ・呉イチ 質 yì — — 2522

字義 一 兄弟の子。めい。おい。＝姪(2392)。二 みだら。

解字 形声。女＋失㊀。

5【妰】8画 2358 チャク 薬 zhuó — — 2520

字義 ❶静か。❷静妰(セイチャク)は、女性のしとやかなさま。

解字 形声。女＋乍㊀。

5【妯】8画 2359 漢チュウ(チウ) 呉ジュ(ヂュ) 尤 chōu — — 2519

字義 ❶動く。❷さわぐ。みだれる。❸悼(いた)む。

解字 形声。女＋由㊀。

5【妬】8画 2360 漢ト・呉ツ 遇 dù 常 ト ねた-む 3742 9369 —

筆順 く 夊 女 女一 女𠂆 妬 妬 妬

[妒]2334 同字

字義 ねた-む。そね-む。やく。やきもちをやく。他の男女の仲をにくむ。また、他人のよいところをうらやみ憎む。用例〈史記、高祖本紀〉項羽妬賢嫉能(項羽は賢(ケン)をねたみ、能(ノウ)をにくみ)、有功者害之(功(コウ)ある者は之(これ)を害(ガイ)し)、賢者疑之(賢者は之を疑(うたが)う)。⇩項羽は賢者を妬み能力のあるものに嫉妬し、功績をあげたものは迫害し、賢者を信用しませんでした。

解字 篆文 形声。女＋石㊀。音符の石(セキ＝ト)は、貯に通じ、積もりたくわえられるの意味。女性の夫に対する積もった感情、ねたみの意味を表す。

【妬忌】(トキ) ねたみ、いやがる。嫉妬(シット)する。

【妬△猜】(トサイ) ねたむ。そねむ。ねたみ。

【妬婦】(トフ) ねたみ深い女性。やきもちやきの女性。

コラム

姓名の慣習

姓　中国人の〈姓〉はもともと同じ血筋であることを表す名称であり、〈氏〉はその同姓の中で居住地や職業・身分などによって枝分かれした家柄を表す名称であって、姓と氏とは本来区別して用いられていた。しかし、漢代以後は混同して姓・氏ともに血統や家系の由来を示す呼称として使われている。

中国の姓は、盛唐の詩人李白(リハク)や杜甫(トホ)の李・杜のように一字の〈単姓〉が圧倒的に多く、前漢の史家司馬遷の司馬、三国時代の蜀(ショク)の宰相諸葛亮(ショカツリョウ)の諸葛、唐代の名筆欧陽詢(オウヨウジュン)の欧陽などのような二字からなる〈複姓〉は数が少ない。

約三億人を対象としたある調査では、四千種類ほどの姓が集められた。姓について扱った書物には、六千に迫る種類の姓が収められているものもあるが、二十万、三十万の数字もあげられることのある日本の名字の種類に比較すると、大変に少ないといえる。

それらの姓の中で多いものは、一位から順に、李・王・張・劉・陳である（調査によっては、李と王が入れ替わる場合がある）。この五つの姓だけで、約三・五億人に上るといわれ、中国の全人口の約四分の一を占めることとなる。また、三大姓といわれる李・王・張はそれぞれ人口の七〜八％程度を占めるとされる。すなわち、約一億人、日本の人口の八十％程度が同じ姓を名乗っていることとなる。

中国では、女性は結婚しても夫の姓を名乗らずに、自分の実家の姓のままである。近代中国の革命家孫文の夫人は宋慶齢、その妹の宋美齢は同じ革命家の蒋介石(ショウカイセキ)夫人、また周恩来夫人は鄧穎超(トウエイチョウ)である。このように夫婦は別姓であるが、生まれた子は一般に父の姓を名乗ることになる。また、中国では、先祖を同じくする者、すなわち姓が同じ者とは結婚しない「同姓不婚」「同姓を娶(めと)らず」という習慣が古くからあり、法律で禁じられてはいないのに、現在でも同姓間の結婚は少ないといわれる。

名　〈名〉は、生まれた時に親が付けるもので、一般に男女ともに漢字一字または二字を用い、三字以上のものは少数民族の間などに見られる。名に用いられる文字に男女の区別はあまり顕著には見られないが、女性の名には女偏や玉偏の文字、また美・静・淑・香などの女性らしさを表す文字、華・桃・蓮(レン)・燕(エン)・月・雪・霞(カ)などの花鳥風月を表す文字がよく用いられている。

幼い子どものころだけに用いる〈幼名〉（小名・乳名ともいう）という一種の愛称がある。この幼名を付ける風習はすでに漢代からあり、前漢の司馬相如は犬子といい、三国時代蜀の後主劉禅(リュウゼン)は阿斗(アト)、魏(ギ)の曹操は阿瞞(アマン)、唐の玄宗も同じく阿瞞といった。「阿」は親愛感を表す接頭辞で、昔の日本で、女性の名に「お」を付けて愛称とした類い。「瞞」は目の形容に用いる語だが、幼児の目に特徴があったのであろうか。あるいはちょっとした言動とか、幼名はそういう些細なことから付けられることが多い。

幼児が成長して学齢に達し勉学が始まると、正式の名で呼ぶようになる。これを〈学名〉とか〈大名〉という。

字　〈字(あざな)〉は、男子が二十歳の成人に達した時に、生まれた時に付けた〈名〉とは別に付ける呼び名である。他人に対して自分自身の名をいう時、および目上の人（君主・親・師）が目下の者（臣下・子・弟子）を呼ぶ時には名を用いるが、それ以外の場合には、この字を用いて呼ぶことが礼儀とされた。

字は、名と意味上関連のある文字を用いることが普通であり、たとえば杜甫は、甫というのが男子の美称なので、子美という字が付けられた。

号　〈号〉は、居住地や書斎などにちなんで付けた名で、雅名・雅号・ペンネームといったものである。昔の士大夫階級の人々や文人は、自分の官職や住んだ土地の名にちなむもの、趣味あるいはその志を表す語などをも好んで号に用いたので、いろいろな号が多く用いられるようになった。中唐の詩人白居易（字は楽天）の号は酔吟先生、また香山居士。香山は白居易が住んだ洛陽(ラクヨウ)の地の山名にもとづく。

排行　何世代もの親族が一つ屋敷の中に生活する大家族制度の中国にあっては、〈排行〉による呼称が用いられた。排行とは、同姓の一族の同じ世代に属する兄弟・姉妹、従兄弟(いとこ)・従姉妹を、年齢順に男女別にして番号をつけて、某大（一番めには大を用いる）・某二・某三などと呼んで、その通称とするものである。たとえば、杜甫を杜二拾遺ともいうのは、杜甫の排行が二番めで、左拾遺の官にあったからである。白居易は白二十二郎、かれと親交を結び、「元白」と並称される詩人元稹(ゲンシン)（字は微之(ビシ)）は元九と呼ばれている。

諡・諱　〈諡(おくりな)〉（贈り名）は、死後その人の生前の功績にもとづいて付けられる名で、諡号(シゴウ)ともいう。たとえば、春秋時代の思想家孔子（名は丘、字は仲尼(チュウジ)）は文宣王、宋(ソウ)代の文人蘇軾(ソショク)（字は子瞻(シセン)）は文忠と贈り名されている。

〈諱(いみな)〉とは生前の〈名〉で、在世中はこの名で呼ぶが、死後には遠慮して生前の名を忌みはばかって用いない。代わって諡を用いることになる。

以上で例として挙げた人物のうちの幾人かについて、姓・名・字・号・諡をまとめて掲げる。

姓	名	字	号	諡
孔	丘	仲尼		文宣王
諸葛	亮	孔明		忠武
李	白	太白	青蓮(セイレン)居士	
杜	甫	子美	少陵野老・杜陵布衣	
白	居易	楽天	酔吟先生・香山居士	
蘇	軾	子瞻	東坡(トウバ)居士	文忠

5【妭】8画 2361 漢ハツ 呉バチ 曷 bá — — 2517
字義 ❶美しい女性。❷天子の射撃。❸女妭ジョハツは、ひでりの神。
解字 形声。女＋犮音。

5【妹】8画 2362 漢バツ 呉マチ 曷 mò — ED89 2523
字義 女性のあざな。
参考 〔妹〕(2366)は別字。
解字 形声。女＋末音。
〔妹△嬉・妹喜〕バッキ・マッキ 夏カの桀王ケツオウの妃きさき。桀王と共に日夜、遊楽にふけり、夏の滅ぶもとをなしたといわれる。末喜。

5【妼】8画 2363 一 漢ヒ・呉ビ 寘 bì 二 漢ヒツ・呉ビチ 質 bì ₂0545 — 2524
字義 一二 女性の立ち居振る舞いの正しいこと。
解字 形声。女＋必音。

5【姄】8画 2364 漢ビン 呉ミン 真 mín — — 2527
字義 女性の字あざな。
解字 形声。女＋民音。

5【姆】8画 2365 一 漢ボ・呉モ 麌 mǔ 二 漢ボウ・呉モ 有 mǔ 5308 9B47 —
字義 一二 ❶うば(乳母)。めのと。また、付きそって婦道を教える女性。❷あによめ。
参考 現代表記では〔母〕(6074)に書きかえることがある。「保姆→保母」
解字 篆文 [glyph] 形声。女＋母(每)音。音符の每は、母に通じ、ははの意味。母にかわって幼児を養育する女性、うばの意味を表す。

5【妹】8画 2366 漢バイ・呉マイ 隊 mèi 教2 マイ いもうと 4369 9685 —
筆順 く 女 女 女 奸 妹 妹 妹
字義 ❶いもうと。いもと。年下の女性のきょうだい。↔姉(2348)「姉妹」❷年下の女性や妻を親しんでいうことば。
名前 おせ・せ 難読 妹兄いもせ・妹背牛もせうし・妹背山いもせやま・妹尾せのお
参考 〔妹〕(2362)は別字。
解字 甲骨文 [glyph] 金文 [glyph] 篆文 [glyph] 形声。女＋未音。音符の未は、まだ若いの意味。まだ小さい、いもうとの意味を表す。
逆 外妹・姉妹
〔妹妹〕マイマイ ①よめ。また、妻。②妹。

5【姈】8画 2367 漢レイ 呉リョウ(リャウ) 青 líng ₂0546 — 2528
字義 ❶女性の字あざな。❷女性のこざかしいこと。
解字 形声。女＋令音。

6【娃】9画 2368 人 漢アイ 呉エ 佳 wá 1603 88A1 —
筆順 く 女 女 女ˉ 女+ 娃 娃 娃 娃
字義 ❶うつくしい。みめよい。❷美女。たおやめ。
解字 篆文 [glyph] 形声。女＋圭音。音符の圭ケイは、佳に通じ、美しい人の意味。うつくしい女性の意味を表す。

6【姲】9画 2369 漢アン 呉エン 諫 yàn — — 2541
字義 女性の字あざな。
解字 形声。女＋安音。

6【威】9画 2370 常 イ イ(ヰ) 微 wēi 1650 88D0 —
筆順 ノ 厂 厂 反 反 反 威 威 威
字義 ❶たけ-し。強い。いかめしい。おごそか。「威厳」❷おど-す。おど-かす。恐れさす。「威嚇イカク」❸おそれる。おそろしい。おそれ。❹いきおい。ちから。人を従わせる力。「権威」
名前 あきら・い・おどし・たか・たけ・たけし・たける・つよ・とし・なり・のり 難読 威尼斯ベニス
解字 金文 [glyph] 篆文 [glyph] 会意。女＋戉。戉は、大きなおのの象形。おので女性をおどすさまから、おどすの意味を表す。
逆 王威・恩威・脅威・権威・厳威・示威・武威・猛威
〔威圧(壓)〕イアツ 威勢・威力によって相手の活動をおさえること。
〔威嚇〕イカク おどす。おどかす。「威嚇射撃」
〔威儀〕イギ ①おごそかでいかめしい態度。重々しい挙動。②礼法にかなった、りっぱな動作。③礼の細則。礼儀作法上のこまかなきまり。
〔威厳(嚴)〕イゲン おごそかなこと。いかめしいこと。
〔威光〕イコウ 人におそれうやまう気持ちを起こさせる力。おかしがたい気品。
〔威信〕イシン 威光と信用。貫禄カンロク。重み。
〔威神〕イシン 重みがあって奥ゆかしいこと。気高さ。
〔威勢〕イセイ ①人をおそれさせる力。たけく勇ましい勢い。②いきおい。
〔威徳〕イトク ①おごそかでおかしがたい徳。②威と徳。刑罰と恩恵。威沢。
〔威△逼〕イヒョク・イヒツ おどしせまる。おびやかす。
〔威武〕イブ ①権力と武力。用例〔孟子、滕文公下〕威武不レ能レ屈イブもクッするあたわず。↓威厳や武力でも心をくじくことができない。②強く勇ましい力。
〔威風〕イフウ おごそかでおかしがたいようす。威容。「威風堂堂」
〔威服〕イフク ①おどかして服従させる。②おそれ従う。
〔威望〕イボウ 威光と人望。貫禄カンロクと信望。
〔威名〕イメイ 威光と名声。
〔威命〕イメイ 威光と命令。また、おごそかな命令。
〔威容〕イヨウ ＝威風。
〔威△稜〕イリョウ みいつ。天子の威光。稜威。威霊。
〔威力〕イリョク 人をおそれ従わせる力・勢い。
〔威令〕イレイ ①威光と命令。②おごそかな命令。部下に徹底する命令。
〔威霊(靈)〕イレイ いかめしく尊い、ふしぎな力。神霊の威光。
〔威烈〕イレツ さかんな威光。

6【姨】9画 2371 イ 支 yí 5309 9B48 —
字義 ❶おば。母の姉妹。❷妻の姉妹。一説に、妻の妹。 難読 姨捨おばすて
解字 篆文 [glyph] 形声。女＋夷音。音符の夷イは、弟に通じ、年下のおとうとの意味。妻の妹の意味から、一般に妻の姉妹の意味を表す。
〔姨父〕イフ 母の姉妹の夫。姨夫。
〔姨母〕イボ おば。母の姉妹。

6【姻】9画 2372 常 イン イン 真 yīn 1689 88F7 —
筆順 く 女 女 如 如 姻 姻 姻 姻
字義 ❶えんぐみ。よめいり。結婚。「婚姻」❷みうち。結婚によってできた親族。親類。縁者。「姻戚インセキ」
【婣】2458 古字
解字 篆文 [glyph] 形声。女＋因音。音符の因は、より親しむの意味。女性がより親しむ婿の家の意味や、とつぐの意味を表す。

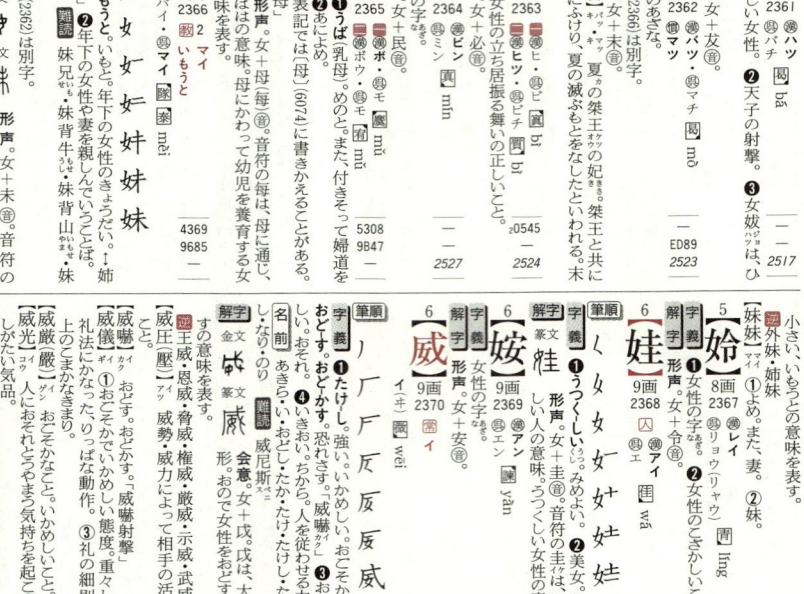

逆婚姻・締姻・連姻

【姻家】インカ 縁組みした家。縁組みによってできた親族。みうち。親類。姻戚(インセキ)。姻族。姻類。

【姻△媾】インコウ 親類の間で結婚すること。

【姻親】インシン 婚姻関係で成立した親類。親族。

【姻戚】インセキ ＝姻家。「姻戚関係」

6 【𡜊】 9画 2373 漢エツ(ヱツ) 呉オチ(ヲチ) 月 yuē ―― 2

字義 ❶肥えたさま。❷女性のさま。

解字 会意。女＋色。

［𡜊］ 2374 俗字

6 【𡜊】 9画 2374 エツ 𡜊(2373)の俗字。→三六九ページ上。 ₂0553 ― ―

6 【姶】 9画 2375 オウ(アフ) 㕛 è 1608 88A6 ―

字義 ❶女性の字(あざな)。❷うつくしいさま。みめよいさま。❸しずか。 難読 姶罪(あいの)・姶良(あいら)

解字 形声。女＋合音。

6 【姟】 9画 2376 カイ 灰 gāi ― ― 2534

字義 数の名。万万兆。十の二十乗。＝垓(1945)。

解字 形声。女＋亥音。

6 【姦】 9画 2377 標 漢カン 呉ケン 刪 jiān 2015 8AAD ―

［奸］ 2378 同字

字義 ❶よこしま。わるい。心がねじけて正しくない。また、その人。＝奸(2311)。用例〔史記、滑稽伝〕恐下受レ賕枉レ法、為レ姦触二大罪一、身死而家滅上(まいないをうけホウをまげ、カンをなしてタイザイにふれ、みシしていえほろびんことをおそる)。↓賄賂を収めて法を破り、悪事をはたらき大罪を犯し、身は死し一族も滅んでしまうのを心配する。❷いつわる。わたくしする。盗む。❸みだす。おかす。❹みだれ。内乱。また、外敵。❺みだら。淫行(インコウ)。国かしまーしい(かしまし)。やかましい。

男女関係の正しくないこと。「姦通」

解字 金文  篆文  会意。女＋女＋女。女性がひしめくさまから、みだら・よこしまの意味を表す。

【姦淫・姦△婬】カンイン 男女のみだらな(不正な)交わり。

【姦回】カンカイ よこしま。また、悪人。奸回(カンカイ)。▼回は、よこしま。

【姦△猾】カンカツ わるがしこい。また、その人。▼猾は、わるがしこい。

【姦軌・姦△宄】カンキ よこしまな。また、悪人。姦回。

【姦凶・姦△兇】カンキョウ わるもの。悪人。奸凶(カンキョウ)。

【姦曲】カンキョク よこしま。心がねじけて正しくない。奸曲(カンキョク)。

【姦計】カンケイ わるだくみ。姦策。奸計(カンケイ)。

【姦険(険)】カンケン 心がよこしまで、ねじけている。姦邪陰険。

【姦△狡】カンコウ わるがしこい。▼狡は、ずるい。

【姦詐】カンサ わるがしこく、いつわりが多い。

【姦才】カンサイ 悪知恵。姦知。奸才(カンサイ)。

【姦細】カンサイ ①心のよこしまな小人。ずるがしこい小人。②軍事上の機密や、国内の動静を敵国に密報する者。まわし者。スパイ。

【姦策】カンサク わるだくみ。姦計。奸策(カンサク)。

【姦邪】カンジャ よこしま。不正。奸邪(カンジャ)。

【姦臣】カンシン よこしまな家来。不正な臣下。奸臣(カンシン)。

【姦人】カンジン わるもの。悪人。

【姦知・姦△智】カンチ 悪知恵。よこしまな知恵。奸知(カンチ)。

【姦通】カンツウ ①夫のある女性が他の男性と密通すること。②男女が不倫の関係を結ぶこと。

【姦△佞】カンネイ 心がねじけていて人にへつらうこと。また、その人。奸佞(カンネイ)。

【姦夫】カンプ ①わるもの。②他人の妻に密通する男性。まおとこ。

【姦婦】カンプ 夫以外の男性と密通する女性。

【姦雄】カンユウ 悪知恵にたけた英雄。奸雄(カンユウ)。「乱世之姦雄」

【姦吏】カンリ 不正な役人。不正を行って私利をはかる役人。奸吏(カンリ)。

【姦利】カンリ 不正な利益。

6 【奸】 9画 2378 カン 姦(2377)と同字。→三六九ページ上。 ₂0551 ― 2537

6 【姞】 9画 2379 漢キツ 呉ギチ 質 jí ₂0548 ― 2533

字義 つつしむ(謹)。

解字 形声。女＋吉音。

6 【姜】 9画 2380 漢キョウ(キャウ) 呉コウ(カウ) 陽 jiāng 5310 9B49 ―

字義 ❶川の名。姜水。岐水の別名。源は陝西(センセイ)省の岐山。❷姓。呂尚(リョショウ)は姜姓で、斉に封じられた。後、斉の姓となる。❸しょうが(生姜)。生薑(セイキョウ・ショウガ)。薑(キョウ)(10314)の俗用。

解字 形声。女＋羊音。

6 【姸】 9画 2381 標 慣ケン ゲン 先 yán ₁9490 ― ―

［妍］ 2325 俗字

字義 うつくーしい(うつくし)。あでやか。清らか。用例〔本事詩〕妖姿媚態(ヨウシビタイ)、綽有二余姸一(シャクとしてヨケンあり)。↓その美しい姿、なまめかしいようすなど、しとやかで、おくゆかしく、あふれるばかりの美しさがあった。

解字 篆文  形声。女＋幵音。音符の幵(ケン)は、みがくの意味。みがかれた女性、うつくしいの意味を表す。

【姸△媸・姸△蚩】ケンシ ＝姸醜。

【姸醜】ケンシュウ 美しいことと、みにくいこと。美醜。

【姸麗】ケンレイ 美しい。きれい。あでやか。

【争(爭)レ姸】ケンをあらそう(ふ) 美しさを争う。美をきそう。

6 【娟】 9画 2382 ケン 娟(2406)の俗字。→三七一ページ上。

6 【姱】 9画 2383 一漢カ(クワ)・呉ケ 麻 kuā 二漢コ・呉ゴ 麌 ― ― 2540

字義 一❶おごるさま(奢)。❷うつくーしい(うつくし)。みめよい。❸大きい。二うつくしい。みめよい。

解字 形声。女＋夸音。音符の夸(カ)は、おごるの意味。ほこらしげに美しい女性の意味を表す。

6 【姤】 9画 2384 漢コウ 呉ク 宥 gòu ₂0550 ― 2536

字義 ❶あう(遇)。出会う。「邂逅(カイコウ)」❷うつくーしい(うつくし)。みめよい。❸易(エキ)の六十四卦(カ)の一つ。☰☴巽下乾上(ソンカケンショウ)。女性の勢いのさかんなかたち。

解字 篆文  形声。女＋后音。音符の后は、厚に通じ、あついの意味。女性の女性らしさが厚い、みめよいの意味を表す。

6 【姣】 9画 2385 一漢コウ(カウ) 呉キョウ(ケウ) 巧 jiāo(jiǎo) 二漢コウ(カウ) 呉ギョウ(ゲウ) 効 肴 xiáo ₂0549 ― 2535

字義 一❶うつくーしい(うつくし)。みめよい。なまめかしい。❷あなどる(侮)。二みだら(淫)。淫乱(インラン)。

解字 篆文  形声。女＋交音。音符の交は、人がすねを組む形で、まじわるの意味。女性が足組みなどして、一種の媚態(ビタイ)を示す意味から、うつくしい・みだらの意味を表す。

6 【姮】 9画 2386 漢コウ 呉ゴウ 蒸 héng ₂0552 ― 2538

字義 →姮娥。＝嫦(2514)。

参考 漢代・文帝の名の恒をさけ、〔姮〕を〔嫦〕と書いた。

解字 形声。女＋亘音。音符の亘(コウ)は、月が空を渡るの意味。月の世界に住む女性の意味を表す。

【姮△娥】コウガ 月の別名。また、月世界に住むという美人の名。中国古代の伝説によれば、姮娥はもと羿(ゲイ)の妻で、夫が西王母から得た不死の薬を盗んで飲み、仙女(センニョ)となって月に逃げ、月の精になったという。嫦娥コウガ・ジョウガ。

6【姚】9画 2387 コウ(クヮウ) 陽 guāng — — 2539
字義 ❶女性の字あざな。❷みめよい。顔かたちが美しい。
解字 形声。女+光音。

6【要】9画 (9579) サ 西部。→一二六七ページ上。

6【姿】9画 2388 教6 シ すがた
〔姿〕9画 2389 ㊀シ 支 zī ㊁シ 寘 zì 2749 8E70 —
筆順 丶 冫 冫 次 次 咨 姿 姿
字義 ㊀❶すがた。㋐からだつき。「容姿」㋑みなり。なりふり。風采。「風姿」㋒ようす。おもむき。態度。❷もと。たち。天分。素質。＝資(11552)。㊁こびる。しなを作る。
名前 かた・しな・たか
解字 篆文 形声。女+次(次)音。音符の次は、リラックスするの意味。リラックスしたときの女性のさまざまなすがたの意味から、一般に、すがたの意味を表す。
逆 英姿・聖姿・天姿・風姿・妙姿・勇姿・雄姿・容姿・令姿・麗姿
【姿質】シシツ (外面的な)姿かたちと、(内面的な)性質。
【姿色】シショク すがたと器量。姿かたちと、顔の美しさ。
【姿勢】シセイ 国①体の構え。体つき。②態度。やり方。
【姿体(體)】シタイ すがた。かたち。
【姿態】シタイ すがた。体つき。姿体。
【姿△媚】シビ しなを作ってこびる。

6【姝】9画 2390 ㊀シュ 虞 shū ㊁チュ 遇 11580 — 2532
字義 ㊀❶うつくしい。みめよい。❷すなおにつき従うさま。また、ういういしいさま。
解字 篆文 形声。女+朱音。音符の朱は、あかいの意味。ほほくれないに、みめよい女性の意味を表す。

6【娀】9画 2391 慣ジュウ シュウ(シウ) ジュウ(ジウ) 東 sōng — — 2544
字義 有娀ユウジュウは、昔の国の名。その国の娘の簡狄カンテキは、帝嚳テイコクの妃きさきで、玄鳥(つばめ)の卵をのんで、殷インの国の始祖の契セツを生んだという。〔史記、殷本紀〕
解字 形声。女+戎音。

6【姪】9画 2392 人 標 漢テツ 呉デチ 屑 zhí 4437 96C3 —
筆順 く 女 女 女 妊 妊 姪 姪 姪
〔侄〕334 俗字
字義 兄弟の子。↔甥(7591)。㋐めい。ひめ。㋙女性から見て、兄弟の子。㋚男性から見て、姉妹の子。兄弟姉妹の娘。㋑おい。ひを。兄弟の男の子。国 めい。ひめ。
解字 甲骨文 金文 篆文 形声。女+至音。音符の至シ＝テツは、迭テツに通じ、かわるがわるするの意味。嫁ぐ女性についてゆき、その女性にかわってかわるがわる仕事を分担する女性、つきそいの意味から、転じて、めいの意味を表す。
【姪△甥】テッセイ めいと、おい。
【姪孫】テッソン おいの子。兄弟の孫。

6【姙】9画 2393 ニン 妊(2335)と同字。→三六三ページ上。 5312 9B4B —

6【姥】9画 2394 人 標 漢ボ 呉モ 麌 mǔ 1724 8957 —
筆順 く 女 女 女 女 女 姥 姥 姥
字義 ❶うば。また、ばば。年老いた女性。老婦。❷はは。年老いた母。老母。
解字 会意。女+老。老いた女性、ばば・うばの意味を表す。

6【姷】9画 2395 漢ユウ(イウ) 呉ウ 宥 yòu — — 2543
字義 たぐう。ならぶ。親しみ助け合う。
解字 形声。女+有音。

6【姚】9画 2396 ヨウ(エウ) 蕭 yáo 5313 9B4C —
字義 ❶うつくしい。❷はるか。＝遥(12179)。
解字 形声。女+兆音。
【姚江】ヨウコウ 川の名。浙江セッコウ省余姚市の南を流れる。明ミンの学者、王陽明(余姚の出身)の学派を姚江学派という。
【姚△秦】ヨウシン 晋シン代、五胡ゴ十六国の一つ。姚萇ヨウチョウの建てた秦の国。後秦。
【姚崇】ヨウスウ 唐の政治家。字あざなは元之。玄宗の宰相となって政治の改革に努め、開元の治の基礎を作った。(六五〇―七二一)
【姚△鼐】ヨウダイ 清シンの学者・文章家。字あざなは姫伝キデン・夢穀ボウコク、号は惜抱。安徽アンキ省桐城トウジョウの人で、桐城学派の中心人物。古文に精通し、著書に『古文辞類纂コブンジルイサン』がある。(一七三一―一八一五)
【姚冶】ヨウヤ 容姿が美しくなまめかしい。妖冶ヨウヤ。

6【要】9画 (11007) ヨウ 西部。→一二五〇ページ上。

6【裂】9画 2397 漢レツ 呉レチ 屑 liè — — 2542
字義 美しい。
解字 形声。女+列音。

6【娄】9画 2398 ロウ 婁(2456)の俗字。→三七四ページ上。 — — 2545

7【娥】10画 2399 ガ 歌 é 5314 9B4D —
字義 ❶うつくしい。みめよい。また、美人。❷月の別名。→娥影。
解字 甲骨文 篆文 形声。女+我音。音符の我は、ぎざぎざのあるおのの象形。ぎざぎざの髪かざりをつけた、みめよい女性の意味を表す。
【娥影】ガエイ ①月の光。つきかげ。▼娥は、姮娥コウガ(三六九ページ下)のこと。月の別名にも用いる。②鏡にうつる美人のかげ。月中の姮娥にたとえていう。
【娥娥】ガガ 女性の顔の美しい形容。
【娥皇】ガコウ 中国古代の伝説で、尭ギョウの娘で、舜シュンの妻となった。妹の女英とともに舜に嫁ぎ、よく舜につかえ、舜の死後、姉妹共に湘江ショウコウに身投げして死んだという。〔列女伝、母儀〕
【娥眉】ガビ 美しいまゆ。転じて、女性の顔の美しいさま。蛾眉ガビ。
【娥眉山】ガビサン →峨眉山ガビサン(四三八ページ下)。

7【娨】10画 2400 漢カン 呉ゲン 諫 xiàn — — 2555
字義 おごりあなどる。
解字 形声。女+旱音。

7【姫】10画 2401 常 ひめ
〔姬〕10画 2402 慣キ ㊀イ 支 ㊁キ 支 jī 4117 9550 —
筆順 く 女 女 女 如 如 姫 姫 姫
字義 ㊀❶ひめ。㋐天子のむすめ。㋑女性の美称。❷きさき。皇后。王妃。❸貴人のそばに仕える女性。「姫妾キショウ」㊁姓。㋐中国古代の王、黄帝の姓。姫水のほとりにいて姫を姓とした。㋑周の王室の姓。姫は、あと(跡)の意。周の先祖の后稷コウショクは、母が巨人の足跡を踏んで生んだ子なので、姫を姓とした。㊀ひめ。㋐女性の名にそえる美称。↕彦(3374)。㋑貴人の娘。㋒小さくて愛らしいものにつけることば。「姫百合」

名前 ひめ

解字 金文 篆文 形声。女＋𦣝音。金文でわかるように、音符の𦣝は、二つの乳の象形。子を養い育てることのできる女性、ひめの意味を表す。常用漢字の姫は、もと別字で、音はシン、つつしむという意味であるが、姫の新字体として用いる。

逆 愛姫・幸姫・美姫・舞姫

【姫△姜】①大国の姫君。また、宮中の女性。▼姫は周の姓、姜は斉の姓で、共に大国であることから。②美女。▼姫は黄帝の姓、姜は炎帝の姓で、この二つの姓の人に美女が多かったことから。

【姫周】周王朝のこと。▼姫は、周の王室の姓。

【姫△妾】貴人のそばに仕える女性。姫媵。

7【娭】10画 2403 キ 囡 xī ₂0560 — 2557

字義 ❶たわむれる。＝嬉(2528)。❷召し使いの女性。

解字 形声。女＋矣音。

7【⿰女求】10画 2404 漢キュウ(キウ) 呉グ 宂 qiú ₂0555 — —

字義 女性の字。

難読 吾妹

解字 形声。女＋求音。

7【娎】10画 2405 漢ケツ 呉ケチ 屑 xiè — — 2548

字義 ❶こころよい。❷喜ぶ。

解字 形声。女＋折音。

7【娟】10画 2406 ㊀漢ケン・呉ゲン 先 juān ㊁エン(ヱン) 先 juān 5315 9B4E —

［娟］2382 俗字

字義 ㊀❶あで-やか。美しい。また、姿の美しいさま。「嬋娟」❷曲がりうねるさま。少し曲がるさま。また、かすかで遠いさま。㊁美しいさま。みめよいさま。

解字 篆文 形声。女＋肙音。音符の肙は、細く小さいの意味を表す。細くしなやかな女性、あでやかの意味を表す。

【娟娟】㊀美しいさま。美しく清らかなさま。㊁①かすかで遠いさま。②しなやかに舞うさま。

【娟好】みめうるわしい。器量がよい。娟秀。

7【娯】10画 2407 常 ゴ 2468 8CE2 —

7〖娛〗10画 2408 ゴ 遇 yú

筆順

字義 たの-しむ。たのしませる。また、たのしい。たのしみ。

用例〔韓非子、説難〕以二其女一妻二胡君一、以娯二其意一。自分の娘を胡王にとつがせ、その歓心を買った。

解字 篆文 形声。女＋呉音。音符の呉は、人が舞い楽しむ形にかたどり、たのしむの意味。呉が国名として用いられたため、女を付し、区別した。

逆 歓娯

【娯△嬉・娯喜】たのしみよろこぶ。

【娯楽(樂)】笑い興じてたのしむ。また、たのしみ。悦楽。愉楽。

用例〔史記、廉頗藺相如伝〕請奉二盆缻秦王一、以相娯楽。盆缻をささげたてまつって、ご一緒に楽しみあいたいものです。

7【娪】10画 2409 ゴ 虞 wú — — 2556

字義 美しい女性。

解字 形声。女＋吾音。

7【娑】10画 2410 標 ㊀サ 歌 suō ㊁サ 哿 suǒ 慣シャ 5316 9B4F —

字義 ㊀ま-う。また、舞うさま。「婆娑」㊁仏梵語saの音訳字。

解字 形声。女＋沙音。

【娑婆】㊀舞うさま。婆娑。㊁①仏梵語sahāの音訳。人間がいろいろの苦悩を堪え忍んでいる所の意で、この世。現世。②国刑務所や軍隊などからみて、外部の自由な世界。

【娑羅双(雙)樹】→沙羅双樹(八一七ページ中)。

7【娰】10画 2411 ジ 姒(2349)と同字。→三六六ページ上。 — — 2558

7【娤】10画 2412 ショウ 妝(2329)と同字。→三六三ページ下。 — — 2553

7【⿰女壮】10画 2413 ショウ 妝(2329)と同字。→三六三ページ下。 ₂0554 — —

7【娘】10画 2414 常 むすめ 漢ジョウ(ヂャウ) 呉ニョウ(ニャウ) 陽 niáng 4428 96BA —

筆順

字義 ❶むすめ。少女。❷母。＝嬢(2542)。↕爺(7097)。❸女性の通称。

名前 ら

参考 中国では一般に、〔娘〕は〔嬢〕の略字として用いられるが、日本では〔娘〕はむすめ、〔嬢〕はその敬称に用いる。

解字 会意。女＋良。良い女性、むすめの意味を表す。

逆 花娘・秋娘・老娘

【娘子】①むすめ。若い女性。少女。②婦女。女性。③母。④妻。

【娘娘】㊀①母。②皇后。王妃。㊁子を授けるという女神。「娘娘廟」

7【娠】10画 2415 常 シン シン 眞 shēn 3117 9050 —

筆順

字義 ❶はら-む。みごもる。「妊娠」❷うごく(動)。

解字 篆文 形声。女＋辰音。音符の辰は、ふるえるの意味。身ごもった子が動くの意味から、みごもるの意味を表す。

逆 妊娠

7【娍】10画 2416 漢セイ 呉ジョウ(ジャウ) 庚 敬 chéng ₂0557 — 2547

字義 ❶女性の名。❷すらりとしてみめよいさま。

解字 形声。女＋成音。

7【娜】10画 2417 漢ダ 呉ナ 哿 nuó 5317 9B50 —

［娜］2418 俗字

字義 しな-やか。たおやか。なよなよとして美しいさま。

解字 形声。女＋那音。

7【娜】10画 2418 ダ 娜(2417)の俗字。→三七一ページ下。

7【娧】10画 2419 タイ 泰 tuì ₂0559 — 2554

字義 うつくしい。いとしい。

解字 形声。女＋兌音。

7【娞】10画 2420 ㊀漢ダイ・呉ナイ 賄 něi ㊁スイ 支 suī — — 2551

字義 ㊀あでやか。みめよい。㊁やすらか。

解字 形声。女＋妥音。

7【娣】10画 2421 漢テイ 呉ダイ 霽 dì | 1582 — 2552

字義 いもうと(妹)。㋐女兄弟のうちの年少者。㋑同じ夫に仕える妻妾(サイショウ)のうちの年少者。㋒側室。㋓弟の妻。おとうとよめ。

解字 篆文 形声。女＋弟音。音符の弟は、おとうとの意味。女性の年少者、いもうと・側室・弟嫁の意味を表す。

【娣姒(テイジ)】一緒に同じ夫のもとにとついだ妹と姉。

【娣妾(テイショウ)】側室。

7【娗】10画 2422 漢テイ 呉ジョウ(ヂャウ) 迥 tǐng | 20558 — —

字義 ❶すらりとしてみめよいさま。❷あなどる。

解字 形声。女＋廷音。

7【娚】10画 2423 ドウ 嫐(2499)の俗字。→三六六ジー中。 | 5319 9B52 —

難読 娚杉(めおとすぎ)

7【娓】10画 2424 漢ビ 呉ミ 尾 wěi | 1581 — 2550

字義 ❶したが-う(したがふ)。すなお。❷美しい。❸つとめる(勉)。❹娓娓(ビビ)は、話がながながと続いて飽きないさま。

解字 形声。女＋尾音。

7【娉】10画 2425 一 漢ヘイ 呉ヒョウ(ヒャウ) 敬 pìn 二 漢ホウ(ハウ) 呉ヒョウ(ヒャウ) 庚 pīng | 5318 9B51 —

字義 一❶と-う(とふ)(問)。たずねる。❷めす。よぶ。＝聘(9626)。❸めと-る。自分の妻とする。二うつくしいさま。「娉婷(ホウテイ)」

解字 篆文 形声。女＋甹音。音符の甹(ヘイ)は併(併)に通じ、あわせるの意味。女性を男性にあわせる、めとるの意味や転じて、問うの意味を表す。

7【娩】10画 2426 人 標 一 漢バン 呉マン 阮 wǎn 二 漢ベン 呉メン 銑 miǎn | 4258 95D8 —

筆順

［娩］2452 俗字

字義 一❶う-む。「分娩」❷こびる。❸おどる。とびはねる。二しなをつくる。

解字 形声。女＋免音。音符の免は、新生児の生まれる形にかたどり、娩の原字。免が、まぬがれるの意味に用いられるようになったため、女を付し、区別した。

【娩痛(ベンツウ)】お産のときの腹のいたみ。陣痛。

7【娒】10画 2427 一 漢ボ・呉モ 麌 mǔ 二 漢ブ・呉ム 麌 wǔ | — — 2549

字義 一姆(2365)の本字。二侮(340)と同字。

7【娌】10画 2428 リ 紙 lǐ | 20556 — 2546

字義 妯娌(チクリ)は、あいよめ。兄弟の妻が互いに呼び合う称。

難読 娌谷(よめたに)

解字 形声。女＋里音。

7【⿰女君】10画 2429 国字

字義 こなみ。前妻。本妻。↔嫐(2499)。

解字 会意。女＋君。君は、かしらの意味。一夫多妻の時代に、かしらとなる妻、前妻の意味を表す。また、君は、コ＋ナ＋口と分解でき、このコナとキミのミで、コナミの読みをも含ませた造字であろう。

8【婀】11画 2430 ア 歌 ē, ě | 5320 9B53 —

［娿］2432 同字

字義 しな-やか。たおやか。女性の姿が弱々しく美しいさま。「婀娜(アダ)」

解字 形声。女＋阿音。

【婀嬌(アキョウ)】しなやかで美しい姿。なまめかしい体つき。

【婀娜(アダ)】体つきのしなやかで美しいさま。たおやか。また、その人。美人。

8【婭】11画 2431 ア 禡 yà | 1584 — 2570

字義 ❶あいむこ(あひむこ)。自分の妻の姉妹の夫。❷こびる。

解字 形声。女＋亞音。

8【娿】11画 2432 ア 婀(2430)と同字。→三七二ジー中。

8【婬】11画 2433 イン 侵 yín | 5321 9B54 —

字義 ❶みだ-ら。男女間の交わりの正常でないこと。＝淫(6387)。❷たわむれる。楽しみ遊ぶ。

参考 熟語は〔淫〕(6387)を見よ。

解字 篆文 形声。女＋㸒音。音符の㸒(イン)は、むさぼり求めるの意味。異性をむさぼり求める、みだらの意味を表す。

8【媖】11画 2434 漢エイ 呉ヨウ(ヤウ) 庚 yīng | — — 2578

字義 女性の美称。

解字 形声。女＋英音。

8【婉】11画 2435 標 漢エン 呉オン(ヲン) 阮 wǎn | 5322 9B55 —

字義 ❶したがう。また、すなお。おとなしい。柔順。❷しと-やか。ものごしが静かで上品なこと。❸うつくしい。みめよい。若くて美しい。「妖婉(ヨウエン)」❹したしむ。親愛。❺遠まわし。露骨でない。「婉曲」❻めぐる。まとう。また、曲がる。

解字 篆文 形声。女＋宛音。音符の宛(エン)は、身をしなやかに曲げるの意味。しなやかで美しい女性の意味を表す。

【婉婉(エンエン)】①素直なさま。②しなやかなさま。③美しいさま。④曲がりくねるさま。

【婉曲(エンキョク)】①柔らかで、かどがないこと。②遠まわしに言うこと。「婉言」

【婉然(エンゼン)】素直で美しいさま。しとやかなさま。

【婉転(轉)(エンテン)】まといからまる。また、めぐりくねる。宛転(エンテン)。

【婉容(エンヨウ)】しとやかな姿。やさしい態度。

【婉麗(エンレイ)】しとやかで美しい。

【婉孌(エンレン)】①年若くて美しい。②愛ししたう。

8【婐】11画 2436 漢カ(クワ) 呉ワ 哿 wǒ | — — 2564

字義 ❶しとやか。たおやか。❷侍(はべ)る。付き添う。❸思い切りがよい。

解字 形声。女＋果音。

8【婅】11画 2437 キク 屋 jū | — — 2560

字義 女性の名。

解字 形声。女＋匊音。

8【婞】11画 2438 一 漢ケイ 呉ギョウ(ギャウ) 迥 xìng 二 漢コウ(カウ) 呉ギョウ(ギャウ) 梗 xìng | — — 2566

字義 一❶もとる。従わない。❷まっすぐ。二幸いを当てにする。

解字 形声。女＋幸音。

8【婚】11画 2439 常 コン 元 hūn | 2607 8DA5 —

筆順

［婚］2464 同字

字義 えんぐみ。よめとり。むことり。また、縁組みする。夫婦になる。「婚礼」「結

婚」金文 篆文

解字 **形声**。女＋昏㊅。音符の昏は、日ぐれの意味。結婚式が日ぐれに行われたところから、えんぐみの意味を表す。

逆 結婚・合婚・重婚・成婚

【婚姻】夫婦になること。縁組み。結婚。
【婚期】結婚の時期。結婚適齢期。
【婚儀】結婚の儀式。結婚式。婚礼。
【婚△媾】結婚。また、結婚をしている間がら。▼婚は新しい縁組み、媾は親族との縁組み。
【婚約】縁組みのとりきめ。結婚の約束。
【婚礼(禮)】結婚式。婚儀。

8【婇】11画 2440 **サイ** 賄 cǎi ― ― 2561

字義 女性のあざな。国 **うねめ**。うねべ。采女。㋐姓氏。㋑昔、天皇の食事に奉仕した女官。

解字 **形声**。女＋采㊅。

8【婥】11画 2441 **シャク** 薬 chuò 20562 ― 2568

字義 **うつくしい**。みめよい。なよなよとして美しい。＝綽(9211)。「婥約」

解字 **形声**。女＋卓㊅。

8【娶】11画 2442 標 漢シュウ(シウ) 呉**シュ** 遇 麌 qǔ 5324 9B57 ―

字義 **めとる**。自分の妻とする。用例〔唐、韓愈、与二孟東野一書〕李習之娶二吾亡兄之女一。↓李習之が私の亡き兄の娘をめとる。国 **めあわせる**。妻として添わせる。

解字 篆文 **形声**。女＋取㊅。音符の取は、とるの意味。女性をめとるの意味を表す。

8【娵】11画 2443 一 ソウ 有 二 漢シュウ(シウ) 呉**シュ** 虞 jū 5323 9B56 ―

字義 一 優美な女性。美女。二 娵訾は、星宿(星座)の名。国 **よめ**。息子の妻。また、結婚した女性。

解字 **形声**。女＋取㊅。

8【婌】11画 2444 漢**シュク** 呉ジュク 屋 shū ― ― 2563

字義 後宮に仕える女官の職名。

解字 **形声**。女＋叔㊅。

8【娼】11画 2445 標 **ショウ**(シャウ) 陽 chāng 3011 8FA9 ―

字義 歌舞音曲などをして遊び客の相手をする女性。うたいめ。遊女。＝倡(432)。

参考 熟語は〔倡〕(432)をも見よ。

解字 **形声**。女＋昌㊅。音符の昌は、唱に通じ、うたうの意味。うたいめの意味を表す。

【娼家】娼妓をおいて遊び客を相手に商売をする家。妓楼。倡家。
【娼△妓】歌舞音曲などをして遊び客の相手をする女性。娼女。倡妓。
【娼女】＝娼妓。
【娼婦】＝娼妓。倡婦。

8【婕】11画 2446 **ショウ**(セフ) 葉 jié 20561 ― 2565

字義 ❶**うつくしい**。みめよい。❷→婕妤。

解字 **形声**。女＋疌㊅。

【婕△妤】漢代の女官の名。爵位は列侯に相当した。倢伃。

8【婧】11画 2447 漢**セイ** 呉ジョウ(ジャウ) 敬 梗 庚 jìng 11583 ― 2569

字義 ❶つつしんで立つ。身を整える。❷女性の賢いこと。また、貞節なこと。❸あでやかなさま。また、しなやかなさま。

解字 **形声**。女＋青㊅。

8【婆】11画 2448 常 バ 漢ハ・呉**バ** 歌 pó 3944 946B ―

筆順 氵 氵 沪 沪 波 波 婆 婆

字義 ❶**ばば**。㋐年老いた女性。老女。「老婆」㋑年老いた母。❷物のさま。「婆娑」

名前 ばば

解字 **形声**。女＋波㊅。

逆 塔婆・老婆

【婆△娑】①舞うさま。衣のひるがえるさま。②歩きまわるさま。③影などのゆれ動くさま。④しおれて垂れ下るさま。⑤乱れ散るさま。⑥琴の調子が変化に富むさま。
【婆心】老婆のように親切な心。また、必要以上の親切心。老婆心。
【婆羅門】①梵語 brāhmaṇa(浄行の意)の音訳。インドの四つの階級中の最高階級(その下に武人・平民・奴隷の三階級がある)で、バラモン教の僧の部族。宗教・学問をつかさどり、国民に対し絶大な権力を持っていた。②バラモン教。仏教以前に起こったインドの宗教で、梵天を宇宙の創造神とし、難行苦行の修養を重んずる。

8【婢】11画 2449 漢**ヒ** 呉ビ 紙 bì 5325 9B58 ―

字義 ❶召し使いの女性。「下婢」❷わらわ。女性がへりくだって自分のことをいうことば。

難読 婢女

解字 篆文 **形声**。女＋卑㊅。音符の卑は、いやしいの意味。身分の低い女性の意味を表す。

【婢子】①女性が自分をへりくだっていうことば。わらわ。②身分の低い女性。下女。婢女。③貴人のそばに仕える女性。
【婢僕】下働きに使われる男女。男女の召し使い。婢僮。

8【婦】11画 2450 教5 フ 4156 9577 ―
8〖婦〗11画 2451 漢**フ** 呉ブ 有 fù

筆順 ㇛ 女 女 女 妇 妇 婦 婦 婦

〔媍〕2480 同字

字義 ❶一家の主婦。一家のきりもりをする女性。↕夫(2243)。❷よめ。子の妻。❸つま。夫のある女性。用例〔唐、李白、長干行〕十四為二君婦一。羞顔未二嘗開一。↓十四歳であなたの妻となりましたが、恥じらいの表情もかたく、緊張をといてほほえむこととてありませんでした。❹おんな。女子。用例〔史記、項羽本紀〕今入レ関、財物無レ所レ取、婦女無レ所レ幸。↓今関中に入って以来、宝を貪り取らず、婦女もそばに近づけ愛したりしない。

名前 ふ・め

難読 婦中・婦負

解字 甲骨文 金文 篆文 **会意**。女＋帚(帚)。帚は、ほうきの意味。ほうきを持つ女性、家事に服する人の意味を表す。

逆 家婦・寡婦・健婦・賢婦・主婦・小婦・少婦・織婦・新婦・石婦・節婦・貞婦・田婦・毒婦・妊婦・匹婦・夫婦・命婦・老婦

【婦翁】妻の父。婦公。岳父。
【婦家】妻の生家。嫁のさと。
【婦言】①女性のいうことば。②女性としてのことばづかい。女性の身につけるべき四つの教え(四教)の一つ。
【婦公】妻の父。外舅。
【婦功】女性の仕事。妻としてなすべき仕事。女性の身につけるべき四つの教え(四教)の一つ。

【婦寺】(ジフ) ①婦人と宦官(カンガン)。また、そば仕えの女性。婦侍。▼寺は、侍。②女性を近づけ愛する。▼寺は、近。

【婦女子】(フジョシ) ①女性。婦女子。②女性やこども。③弱い者。

【婦人】(フジン) ①女性。婦女子。②人の妻となった女性。庶人の妻に対し、士の身分の人の妻をいった。

【婦道】(フドウ) 女性として守るべき道徳。

【婦徳】(フトク) 女性として守るべき道徳。女性の身につけるべき四つの教え(四教)の一つ。

【婦容】(フヨウ) 女性としての適切な身だしなみ。女性の身につけるべき四つの教え(四教)の一つ。

8 【娩】 11画 2452 ベン 娩(2426)の俗字。→三七二ページ上。 — — 2559

8 【婄】 11画 2453 〈一〉(漢)ホウ・(呉)フ 有 pǒu 〈二〉ハイ 灰 péi
字義 〈一〉みにくい。〈二〉おろか。
解字 形声。女＋咅(音)。

8 【婪】 11画 2454 〈一〉ラン 覃 lán 〈二〉ラン 感 lǎn 5326 9B59 —
字義 〈一〉むさぼ-る。ほしがる。「貪婪(ドンラン)」〈二〉つつしまない。
解字 篆文 形声。女＋林(音)。音符の林は、立に通じ、ある位置を独占してたつの意味。ただ金品にばかり心が位置をしめる、むさぼるの意味を表す。

8 【婈】 11画 2455 リョウ 蒸 líng — — 2562
字義 女性の字(あざな)。
解字 形声。女＋夌(音)。

8 【婁】 11画 2456 〈一〉(漢)ロウ・(呉)ル 尤 lóu 〈二〉ル 遇 lǚ 〈三〉ル 虞 lǘ 4712 984B —
［娄］ 2398 俗字
字義 〈一〉❶ひく。衣のすそをひく。❷ちりば-める。ちりばむ。〈二〉しばしば。＝屢(2819)。〈三〉❶むなしい。中がうつろなこと。❷星座の名。たたら。二十八宿の一つ。「婁宿」
解字 篆文 象形。長い髪を巻きあげて、その上にさらに装飾を加えた女性の形にかたどり、ちりばめる・つなぐ・しばしばするの意味を表す。婁(娄)を音符に含む形声文字には、「とぎれずにつづく」の意味を共有する字群と、「クルッとまがる」の意味を共有する字群とがある。塿(ロウ)・屢(ル)・髏(ロウ)・僂(ロウ)・寠(ロウ)などがある。慺(ロウ)・摟(ロウ)・膢(ロウ)・楼(樓)(ロウ)・瘻(ロウ)・簍(ロウ)・縷(ル)・螻(ロウ)・褸(ロウ)・鏤(ロウ)・

9 【媙】 12画 2457 イ(ヰ) 微 wēi — — 2579
字義 女性の美しいさま。
解字 形声。女＋威(音)。

9 【媦】 12画 2458 イン 姻(2372)の古字。→三六八ページ下。 — — 2567

9 【媛】 12画 2459 教 4 エン 県名 愛媛(えひめ)県 4118 9551 —
【媛】 12画 2460 エン(ヱン) 霰 yuàn
筆順 く 夂 女 女 女 媛 媛 媛 媛 媛
字義 ❶ひめ(姫)。たおやめ。美しくしとやかな女性。美女。「才媛」❷うつくしい。たおやか。国ひめ。貴人の女性に添える敬称。「橘媛(たちばなひめ)」
名前 ひめ・よし
解字 篆文 形声。女＋爰(爰)(音)。音符の爰(エン)は、ひくの意味。心をひかれる美しい女性の意味を表す。

9 【媪】 12画 2461 オウ 媼(2484)と同字。→三七五ページ中。

9 【媧】 12画 2462 (漢)カ(クヮ)・(呉)ケ 麻 wā 1589 — 2585
字義 中国古代伝説上の帝王の名。→女媧氏(三五九ページ下)。
解字 形声。女＋咼(音)。

9 【媓】 12画 2463 (漢)コウ(クヮウ)・(呉)オウ(ワウ) 陽 huáng — — 2577
字義 ❶母。❷女媓(ジョコウ)は、帝堯(テイギョウ)(四五五ページ中)の妃。
解字 形声。女＋皇(音)。

9 【婚】 12画 2464 コン 婚(2439)と同字。→三七二ページ下。

9 【媋】 12画 2465 シュン 真 chūn 20564 — 2575
字義 ❶女性の字(あざな)。❷女性の美しいこと。
解字 形声。女＋春(音)。

9 【婿】 12画 2466 常 セイ むこ 4427 96B9 —
士9 【壻】 12画 2467 (漢)セイ・(呉)サイ 霽 xù 5270 9AE4 —
［聟］ 9629 俗字
筆順 く 女 女 女 女 女 婿 婿
字義 ❶むこ。むすめの夫。「女婿」❷妻が自分の夫を呼ぶことば。❸わかもの。男子。
解字 篆文 別体 会意。士＋胥。士は、おとこの意味。胥は、同居するの意味。自分の娘と同居する男性、むこの意味を表す。常用漢字の婿は別体で、女＋胥。

9 【媟】 12画 2468 (漢)セツ・(呉)セチ 屑 xiè 20566 — 2582
逆 亜婿・女婿・令婿
字義 ❶な-れる。なる。㋐なれなれしくする。㋑あなどる。❷けがす。けがれる。❸みだれる。秩序が乱れる。
解字 篆文 形声。女＋枼(音)。音符の枼(ヨウ)は、褻(セツ)に通じ、なれるの意味。女を付し、なれあってあなどるの意味を表す。

【媟近】(セッキン) (君主に)なれ近づく。また、その人。

【媟黷】(セットク) ①なれけがす。なれなれしすぎて礼を失う。②男女の別が乱れる。

9 【嫂】 12画 2469 ソウ 嫂(2498)の本字。→三七六ページ中。

9 【媣】 12画 2470 ソウ 嫂(2498)の俗字。→三七六ページ中。 5331 9B5E —

9 【媠】 12画 2471 〈一〉タ 哿 tuǒ 〈二〉(漢)タ・(呉)ダ 箇 duò 慣ダ 20567 — 2583
字義 〈一〉うつくしい。りっぱな。〈二〉おこたる。惰(3808)の古字。
解字 形声。女＋育(音)。

9 【婷】 12画 2472 (漢)テイ・(呉)ジョウ(ヂャウ) 青 tíng 11585 — 2571
字義 娉婷(ホウテイ)は、みめよいさま。美しいさま。
解字 形声。女＋亭(音)。

9 【媞】 12画 2473 (漢)テイ・(呉)ダイ 斉 tí 11588 — 2581
字義 ❶うつくしいさま。❷やすらか。落ち着いている。
解字 形声。女＋是(音)。

9 【媜】 12画 2474 (漢)テイ・(呉)チョウ(チャウ) 庚 zhēng 20565 — 2580
字義 女性の字(あざな)。
解字 形声。女＋貞(音)。

9 【媮】 12画 2475 〈一〉(漢)トウ・(呉)ツ 尤 tōu 〈二〉ユ 虞 yú 11586 — 2574
字義 〈一〉❶わるがしこい。❷ぬす-む。＝偸(502)。❸ごまかす。「媮合(トウゴウ)」❹かりに。かりそめに。❺うすい。うすくする。「媮薄(トウハク)」〈二〉たのしむ。＝愉(3818)。あなどる。

解字 篆文　形声。女＋兪音。音符の兪は、ぬけでるの意味。人の意表に出てごまかす・ぬすむの意味を表す。また、愉に通じ、たのしむの意味をも表す。

9【婻】12画 2476　漢ダン 呉ナン　勘 nǎn　―　―　2573

字義 ❶美しいさま。❷少し肥える。

解字 形声。女＋南音。

9【媒】12画 2477　漢バイ・呉マイ　常 バイ　灰 méi　3962　947D　―

筆順

字義 ❶なかだち。はしわたし。とりもち。㋐男女の間に立って結婚をとりもつ。また、その人。なこうど。仲人(チュウニン)。「媒酌」「媒妁(バイシャク)」㋑人と人との間に立って物事をとりもつ。また、その人。仲介(チュウカイ)。「媒介」㋒さそいだす働きをするもの。「媒体」❷おとり。「媒鳥」

解字 篆文　形声。女＋某音。音符の某は、神木に祈る・はかるの意味。男女の結婚をはかるの意味を表す。

逆 触媒・鳥媒・良媒・霊媒

【媒介】(バイカイ) 仲立ちする。また、仲立ち。仲介。

【媒氏】(バイシ) 周代の官名。男女の結婚をとりもつことをつかさどる。媒官。

【媒酌・媒妁】(バイシャク) 結婚の仲立ちをすること。また、その人。媒酌人。なこうど。▼酌は、妁のかり字。

【媒体(體)】(バイタイ) 媒質となる物体。また、情報の仲立ち。メディア。

9【媚】12画 2478　漢ビ 呉ミ　標　寘 mèi　5327　9B5A　―

字義 ❶こびる。こび。㋐へつらう。人の気に入るようにふるまう。「阿媚(アビ)」㋑あだめく。なまめく。人の気を引くように色っぽくする。❷うつくしい。「風光明媚」❸いつくしむ。かしずく。❹よろこぶ。

解字 甲骨文　篆文　形声。女＋眉(𥃩)音。音符の𥃩は、まゆ毛の意味。女性がまゆ毛を動かし、こびるの意味を表す。

【媚笑】(ビショウ) 人にこびて笑う。おせじ笑い。

【媚態】(ビタイ) こびるさま。なまめかしいようす。用例〔本事詩〕妖姿媚態、綽有余妍。↓その美しい姿、なまめかしいようすなど、しとやかで、おくゆかしく、あふれるばかりの美しさがあった。

【媚付・媚附】(ビフ) こびへつらって、つき従う。

9【媄】12画 2479　漢ビ 呉ミ　紙 měi　1587　―　―

字義 みめよい。うつくしい。

解字 形声。女＋美音。

9【媍】12画 2480　フ　遇 wù　　婦(2450)と同字。→三七三ページ下。

9【婺】12画 2481　漢ブ 呉ム　2 0563　―　2572

字義 ❶したがわない。❷隋(ズイ)代におかれた州名。今の浙江(セッコウ)省金華市。婺州。❸星の名。婺女(ブジョ)。

解字 形声。女＋敄音。

9【媬】12画 2482　漢ホウ 呉ホ・ホウ　晧 bǎo　―　―　2586

字義 貴族の子弟を育て、教育する女性。

解字 形声。女＋保音。

9【媢】12画 2483　漢ボウ 呉モウ　号 晧 mào　2 0568　―　2584

字義 ❶ねたむ。そねむ。❷にくむ。

解字 形声。女＋冒音。

【媢嫉】(ボウシツ) そねみにくむ。いみきらう。媢疾。

10【媼】13画 2484　オウ(アウ)　晧 ǎo　5328　9B5B　―

〔媪〕2461 同字

字義 ❶おうな。年老いた母。また、年老いた女性。用例〔戦国策、趙〕老臣窃以為媼之愛燕后賢於長安君。↓私めは、あなた様が燕后をいとおしむ気持ちは、長安君(をいとおしむ気持ち)より強いとお見受けしておりました。❷はは(母)。また、祖母。❸土地の神。「媼神」

解字 形声。女＋𥁕音。

【媼△媪】(オウウ) 年取った女性。老婆。老媼(ロウオウ)。

10【嫈】13画 2485　漢オウ(アウ) 呉ヨウ(ヤウ)　庚 yīng　―　―　2603

字義 ❶はにかむさま。小心なさま。❷みめよい。

解字 形声。女＋熒省音。

10【嫁】13画 2486　漢カ・呉ケ　常 カ よめ・とつぐ　禡 jià　1839　89C5　―

筆順

字義 ❶とつぐ。女性が結婚する。「降嫁」❷ゆく(往)。❸なすりつける。自分の責任や罪などを人におしつける。「転嫁」国よめ。㋐むすこの妻。㋑結婚したての女性。新婦。

解字 篆文　形声。女＋家音。音符の家は、いえの意味。女性が生家から夫の家にゆく、とつぐの意味を表す。

逆 下嫁・帰嫁・許嫁・降嫁・転嫁

【嫁帰(歸)】(カキ) 女性が結婚する。▼帰も、とつぐ。

【嫁期】(カキ) 女性が結婚する時期。婚期。

【嫁子】(カシ) ①むすめを結婚させる。嫁女。②結婚する娘。

【嫁△娶】(カシュ) 結婚すること。

10【媿】13画 2487　キ　　2 0573　―　2594

愧(3827)と同字。→五三三ページ中。

10【嫛】13画 2488　キ　支 xī　―　―　2576

字義 ❶喜ぶ。喜び楽しむ。❷よい。

解字 形声。女＋配音。

10【嫌】13画 2489　常 ケン・ゲン きらう・いや　2389　8C99　―

10〖嫌〗13画 2490　漢ケン 呉ゲン　塩 xián

筆順

字義 ❶きらう。いとう。いやがる。気持ちよく思わない。にくむ。また、いや。きらい。「嫌悪」❷うたがう。うたがわしい。うたがい。「嫌疑」❸まぎらわしい。難読 嫌呂(きろ)

解字 篆文　形声。女＋兼(兼)音。音符の兼は、かねるの意味。心が二つのことにまたがって安らかでないの意味から、うたがう・きらうの意味を表す。

逆 機嫌

【嫌△厭】(ケンエン) きらう。いやがる。いやに思う。

【嫌悪(惡)】(ケンオ) きらいにくむ。にくみきらう。

【嫌忌】(ケンキ) いみきらう。いやがる。

【嫌疑】(ケンギ) ①うたがい。うたがわしいこと。②罪を犯した事実があると推測されること。

【嫌隙】(ケンゲキ) うたがい合って仲が悪いこと。

【嫌△猜】(ケンサイ) きらいうたがう。にくみうたがう。▼猜は、うたがう。用例〔唐、李白、長干行〕同居長干里、両小無嫌猜。↓ともに長干の里に住み、幼い二人はきらったりねたんだりすることがなかった。

【嫌名】(ケンメイ) 音が似かよって紛らわしい名前。また、君主や父などの名と同音または同意の名前。もと嫌名は問題にしなかったが、後世、天子の名前と紛らわしいものは禁じられた。

10【嫄】13画 2491 ㊄ゲン ㊇ガン(グヮン) 元 yuán 1590 — 2601

字義 周の先祖后稷(コウショク)の母のあざな。姜嫄(キョウゲン)。

解字 形声。女+原㊀。

10【媾】13画 2492 ㊄コウ ㊇ク 宥 gòu ［媾］2493 俗字

字義 ❶親戚同士の結婚。血族結婚。「婚媾」❷いつくしむ。かわいがる。いつくしみ。❸仲なおりする。よしみを結ぶ。また、仲なおり。＝講(11340)。「媾和」❹まじわる。交合。「媾合」 難読 媾曳(あいびき)

参考 現代表記では〔講〕(11340)に書きかえることがある。「媾和→講和」

解字 金文  篆文  形声。女+冓㊀。音符の冓は、組み合せるの意味。男女が交わるの意味を表す。

【媾解】(コウカイ) 仲直りする。和解する。講解。

【媾和】(コウワ) 戦争を終わらせ、平和を回復するための、交戦国間の合議。仲直りの会議。講和。

10【媾】13画 2493 コウ 5329 9B5C —

媾(2492)の俗字。→三七六ページ上。

10【媸】13画 2494 シ 支 chī — — 2591

字義 ❶あなどる。❷みにくい。❸みだら。

解字 形声。女+蚩㊀。

10【嫉】13画 2495 ㊄シツ・㊇ジチ 質 jí 常 シツ 2827 8EB9 —

筆順 

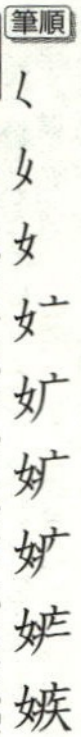

字義 ❶ねた-む。そね-む。やく。また、ねたみ。そねみ。「嫉妬(シット)」❷にくむ。 難読 嫉妬(やきもち)

解字 形声。女+疾㊀。音符の疾は、やまいの意味。心が病む、ねたむの意味を表す。

【嫉悪(惡)】㊀(シツアク) 悪事をにくみきらう。㊁(シツオ) ひどくにくみきらう。

【嫉妬・嫉△妒】(シット) ねたむ。そねむ。また、ねたみ。そねみ。

【嫉視】(シッシ) ねたみ(そねみ)見る。

10【嫋】13画 2496 ㊄ジョウ(デウ) ㊇ニョウ(ネウ) 篠 niǎo 5330 9B5D — ［嬝］2544 俗字

字義 ❶たお-やか(たをやか)。動作や態度がしなやかで美しい。❷風にそよぐさま。❸音声の細く長くつづくさま。

解字 篆文  形声。女+弱㊀。音符の弱は、なよやかの意味。女性のもつしなやかさの意味を表す。 難読 嫋竹(なよたけ)

【嫋嫋】(ジョウジョウ) ①風にそよぐ様子。風に揺れ動く様子。②しなやかで美しいさま。③音声が細く長く続いて絶えないさま。 用例 (北宋、蘇軾、前赤壁賦)余音嫋嫋(ヨインジョウジョウとして)、不レ絶如レ縷(たえざることルのごとし) →余音は細く長く続き、いとすじのようにとぎれない。

【嫋△娜】(ジョウダ) たおやか。なよやか。しなやかで美しいさま。

10【媳】13画 2497 ㊄セキ ㊇シャク 陌 xí 20570 — 2589

字義 よめ。息子のよめ。「媳婦」

解字 形声。女+息㊀。

10【嫂】13画 2498 ソウ(サウ) 慣ソク 晧 sǎo ［嫂］2469 本字 ［嫂］2470 俗字

字義 ❶あによめ。兄の妻。❷年をとった女性の称。老人の称。＝叟(1294)。

解字 形声。女+叟(叜)㊀。

10【嫐】13画 2499 ㊄ドウ(ダウ) ㊇ノウ(ナウ) 晧 nǎo 5344 9B6B — ［娚］2423 俗字

字義 たわむ-れる(たはむる)。もてあそぶ。なぶる。国 うわなり(うはなり)。歌舞伎(カブキ)十八番の一つで、男一人に女二人の嫉妬(シット)の所作をいう。うわなりうち(後妻打)の風習を劇化したもの。

解字 会意。女+男+女。

10【媻】13画 2500 ㊀㊄ハン・㊇バン 寒 翰 pān ㊁㊄ハ・㊇バ 歌 pō — — 2593

字義 ㊀❶おご-る(奢(シャ))。❷側室。❸年をとった女性。老女。❹媻媻は、行きつもどりつするさま。❺媻娑(ハンサ)は、舞うさま。❻媻姍(ハンサン)は、よろめくさま。

解字 形声。女+般㊀。

10【媺】13画 2501 ㊄ビ ㊇ミ 紙 měi 20572 — 2592

字義 ❶よい。善美。❷みめよい。うつくしい。

解字 形声。女+𢼸㊀。

10【媲】13画 2502 ㊄ヘイ ㊇ハイ 霽 pì — — 2588

字義 つれあい。妻。妃。

解字 形声。女+毘㊀。

10【媽】13画 2503 ㊄ボ ㊇モ 麻 mā 5332 9B5F —

字義 ❶はは(母)。「媽媽」❷ばば。老婦。❸女性の召し使い。「阿媽(アマ)」❹めす馬。

解字 形声。女+馬㊀。

10【嫫】13画 2504 ㊄ボ ㊇モ 虞 mó ［嫫］2505 同字

字義 みにくい女性。醜女。

解字 形声。女+莫㊀。

【嫫母・嫫△姆】(ボボ) ①中国古代の伝説で、黄帝の四番目の妃の名。賢徳があったがみにくい女性であったという。〔淮南子、説山訓〕②みにくい女性。

10【嫫】13画 2505 ボ

嫫(2504)と同字。→三七六ページ下。

10【媵】13画 2506 ヨウ 径 yìng 20571 — 2590

字義 ❶おく-る(送)。㋐物をやる。㋑見送る。❷つきそい。侍女。貴人の女性が結婚する時に付きそってゆく女性。側室となる慣習であった。「媵侍」

解字 形声。女+勝省㊀。音符の勝は、上に向かって送るの意味。貴人に嫁ぐ女性を送ってつきそう、つきそいの意味や、おくるの意味を表す。『説文(セツモン)解字』では倴と書き、人+弁㊀の形声文字。

【媵侍】(ヨウジ) 昔、貴人の女性が結婚する時に付きそっていった女性。こしもと。

【媵△妾】(ヨウショウ) こしもと。侍女。媵人。媵御。

【媵△嬙】(ヨウショウ) 宮中に仕える女官。宮仕えの女性。▼皇后の次の位を妃、その次を嬪(ヒン)、その次を媵(ヨウ)、その次を嬙(ショウ)という。

10【媱】13画 2507 ヨウ(エウ) 蕭 yáo 20569 — 2587

字義 ❶みめよい。美しい。❷婬(イン)(2433)の俗字。

10【嫆】13画 2508 ㊄ヨウ ㊇ユウ 冬 róng — — 2602

字義 女性の字(あざな)。

解字 形声。女+容㊀。

10【嫏】13画 2509 ロウ(ラウ) 陽 láng — — 2604

字義 嫏嬛(ロウカン)は、天帝の書庫。

解字 形声。女+郎㊀。

11
【嫗】 14画 2510
㊁ウ 遇 yù ㊁ウ 麌 yǔ 慣オウ

字義 ㊀❶おうな。年をとった女性。ばば。老女。「老嫗」❷女。女性。㊁あたた-める。抱いてからだで暖める。

解字 篆文 形声。女＋區㊟。音符の區(ク)は、クルッとするの意味を表す。背がクルッと曲がった女性、おうなの意味を表す。

【嫗煦(ウク・オウク)】あたためそだてる。親が子を大事に育てる。転じて、人民を大切にいつくしみ育てること。煦は、息をかけて温める。煦嫗。

5334 9B61 —

11
【嫣】 14画 2511
エン 先 yān

字義 ❶にこやかに笑うさま。あでやかに笑うさま。「嫣然」❷すらりとして美しいさま。美しい。

解字 形声。女＋焉㊟。

5333 9B60 —

11
【嫮】 14画 2512
㊌コ ㊉ゴ 遇 hù

字義 ❶おとめ。少女。❷みめよい。❸おごる。

解字 形声。女＋雩㊟。

₂0579 — 2610

11
【嫭】 14画 2513
㊌コ ㊉ゴ 遇 hù

字義 ❶おとめ。少女。❷目の美しいさま。❸ねたむ。

解字 形声。女＋虖㊟。

11
【嫦】 14画 2514
㊀コウ 蒸 héng ㊁㊌ショウ(シャウ) ㊉ジョウ(ジャウ) 陽 chāng

字義 ㊀㊁→嫦娥。

解字 形声。女＋常㊟。漢代、文帝の名の恒を避け、姮(コウ)を嫦と書き、のちに、ジョウの音が生じた。

【嫦娥(コウガ・ジョウガ)】月の別名。また、月に住むという美人の名。→姮娥(コウガ)(三六九ページ下)。

5335 9B62 —

11
【嫜】 14画 2515
ショウ(シャウ) 陽 zhāng

字義 しゅうとと、しゅうとめ。夫の父母。

解字 形声。女＋章㊟。

₂0575 — 2606

11
【嫥】 14画 2516
セン 先 zhuān

字義 ❶もっぱら。＝専(2719)。❷愛らしいさま。❸ととのえる。

解字 形声。女＋専㊟。

₂0577 — 2608

11
【嫡】 14画 2517 常
㊌テキ・㊉チャク 錫 dí　チャク

筆順 く 女 女 女亠 女立 嫡 嫡 嫡 嫡

字義 ❶よつぎ。あととり。本妻の生んだ男の子で家を継ぐ人。嫡子。↔庶(3207)。❷正夫人。正妻。「嫡妻」

名前 きみ・ただ　難読 嫡妻(こなみ)

解字 篆文 形声。女＋啇(啻)㊟。音符の啻(シ)は、中心に向かって寄るの意味。夫がその最も中心的な女性として向かう相手、正夫人の意味を表す。

逆 世嫡・正嫡・長嫡・廃嫡

【嫡妻(チャクサイ・テキサイ)】正妻。嫡室。嫡配。

【嫡子(チャクシ・テキシ)】①本妻の生んだ男の子で、家を継ぐ人。よつぎ。あととり。総領。嫡嗣(チャクシ)。嫡男。②本妻の生んだ子。↔庶子(四七六ページ上)・支子(六一九ページ中)。

【嫡嗣(チャクシ・テキシ)】＝嫡子①。

【嫡出(チャクシュツ・テキシュツ)】本妻から生まれること。「嫡出子」

【嫡孫(チャクソン・テキソン)】嫡子の本妻が生んだ男の子。家を継ぐべき孫。

【嫡長(チャクチョウ・テキチョウ)】本妻の生んだ長男。嫡長子。

【嫡伝(傳)(チャクデン・テキデン)】代々、正しい血筋を伝える。

【嫡男(チャクナン・テキダン)】本妻が生んだ長男。嫡子。

【嫡母(チャクボ・テキボ)】庶子(正妻以外の夫人の子)から父の正妻を呼ぶ称。

【嫡流(チャクリュウ)】本家の血筋。正統。正系。

3568 9284 —

11
【嫩】 14画 2518
㊌ドン ㊉ノン 願 nèn(nùn)

[嫰] 2519 俗字

字義 わか-い。若くて弱々しい。若くてしなやか。柔らか。　難読 嫩葉(わかば)

解字 形声。女＋敕(軟)㊟。本字は媆であったが、輭(ナン)の俗字が軟となるのと平行し、字形が嫩にくずれてしまった。音符の軟は、やわらかいの意味。女性のようにしなやか、柔軟でわかいの意味を表す。

【嫩芽(ドンガ)】草や木の柔らかい若い芽。新芽。

【嫩草(ドンソウ)】わかくさ。萌(も)えはじめの草。

【嫩葉(ドンヨウ)】わかば。新葉。

【嫩緑(ドンリョク)】わかばのみどり。新緑。嫩碧(ドンペキ)。

5336 9B63 —

11
【嫰】 14画 2519
ドン

嫩(2518)の俗字。→三七七ページ中。

₂0578 — —

11
【嫖】 14画 2520
ヒョウ(ヘウ) 嘯 蕭 piào, ②piāo

字義 ❶かる-い。すばやい。軽くすばやい。❷芸者遊びをする。

解字 篆文 形声。女＋票(䙴)㊟。音符の䙴(ヒョウ)は、軽く舞いあがるの意味。

【嫖姚(ヒョウヨウ)】同 剽姚(ヒョウヨウ)・票姚。①軽くすばやいさま。軽疾。②もと漢代の武官の名。武帝の時、霍去病(カクキョヘイ)が嫖姚校尉となり匈奴(キョウド)を討って戦功を立てたことから、特に、霍去病をいう。

5337 9B64 —

11
【嫚】 14画 2521
㊌バン ㊉マン 諫 màn

[嫚] 2522 俗字

字義 ❶あなど-る(侮)。みくだす。軽蔑(ケイベツ)する。❷けがす(汚)。いやしめけがす。❸おこたる(怠)。

解字 篆文 形声。女＋曼㊟。音符の曼(マン)は、のばすの意味。ことの核心を率直に言わずにひきのばす、あなどる・おこたるの意味を表す。

— — 2605

11
【嫚】 14画 2522
マン

嫚(2521)の俗字。→三七七ページ下。

₂0574 — —

11
【嫠】 14画 2523
リ 支 lí

字義 やもめ。未亡人。夫をなくした女性。寡婦。「嫠婦」

解字 篆文 形声。女＋𠩺㊟。音符の𠩺(リ)は、釐(リ)に通じ、すじ道をたてておさめるの意味。夫との区切りのついてしまった女性、やもめの意味を表す。

【嫠婦(リフ)】やもめ。未亡人。寡婦。用例〔北宋、蘇軾、前赤壁賦〕舞₂幽壑之潜蛟₁(ユウガクのセンコウをまわ(は)しめ)、泣₂孤舟之嫠婦₁(コシュウのリフをなかしむ)。↓奥深い谷にかくれひそむ竜も舞いださせ、一そう浮かぶ小舟に乗るやもめも泣かせてしまうほどである。

【嫠不△恤レ緯(リイをうれえ(へ)ず)】自分の職業を捨て置いて国事をうれえるたとえ。機織りのやもめが、緯(よこいと)の少ないのを心配しないで、祖国の滅びるのを心配した故事による。〔左伝、昭公二十四〕

₂0576 — 2607

11
【嫪】 14画 2524
ロウ(ラウ) 号 lào

字義 恋い慕う。未練を残す。

解字 形声。女＋翏㊟。

— — 2609

12
【嫺】 15画 2525
㊌カン ㊉ゲン 刪 xián

[嫻] 2527 同字　[嫺] 2526 俗字

字義 ❶みやび-やか。しとやか。静か。❷なれる。ならう。なれている。熟達している。

解字 形声。女＋閒㊟。

12 【嫺】15画 2526 カン 嫺(2525)の俗字。→三七七ページ下。 5338 9B65 —

12 【嫻】15画 2527 カン 嫺(2525)と同字。→三七七ページ下。 5339 9B66 —

12 【嬉】15画 2528 (人) キ (支) xī 2082 8AF0 —

筆順 く 女 女' 女⁺ 女吉 女喜 嬉 嬉

字義 ❶たのしむ(楽)。よろこぶ(喜)。❷たわむれる(戯)。❸あそぶ(遊)。❹うつくしい。国うれしい(うれし)。

名前 よし 難読 嬉野(うれしの)

解字 形声。女＋喜(音)。音符の喜は、よろこぶの意味。うれしい・よろこぶの意味を表す。

【嬉嬉】キキ ①喜び楽しむさま。②喜んだ時に発する声。
【嬉戯(戲)】キギ 遊びたわむれる。
【嬉笑】キショウ たわむれ笑う。
【嬉遊・嬉△游】キユウ 楽しみ遊ぶ。

12 【嬀】15画 2529 (慣)ギ キ (支) guī ₂0581 — 2614

字義 ❶川の名。㋐山西省の歴山から、山西省永済市の南を経て、黄河に注ぐ。嬀水(ギスイ)。㋑中央アジアのアム河の古称。❷舜帝(シュンテイ)(中国古代伝説上の天子)の姓。

解字 形声。女＋爲(音)。

【嬀△汭】ギゼイ 嬀水の曲(くま)。汭は水流の屈曲している内側。

12 【嬌】15画 2530 (標) キョウ(ケウ) (蕭) (篠) jiāo 5340 9B67 —

字義 ❶なまめかしい(なまめかし)。なよなよとして愛らしい。用例〔唐、白居易、長恨歌〕侍児扶起嬌無レ力(ジジたすけおこすに、キョウとしてちからなし)、始是新承二恩沢一時(はじめてあらたにオンタクをうくるときに)。↓腰元たちが抱きかかえあげると、あだっぽくなよなよとして力もないようすである。いままさに、天子の御寵愛(チョウアイ)を受けようとするそのとき。❷愛する。かわいがる。❸美女。また、娘。❹おごる。＝驕(13793)。 難読 嬌態(しな)

解字 篆文 形声。女＋喬(音)。音符の喬(キョウ)は、高いの意味。すらりとしてみめよい女性の意味を表す。

【嬌児(兒)】キョウジ ①愛らしい子供。やんちゃな子。②愛する子。
【嬌羞】キョウシュウ なまめかしく(愛らしく)はじらう。
【嬌態】キョウタイ なまめかしい様子。こびを含んだ姿。嬌姿。嬌容。
【嬌恥】キョウチ ＝嬌羞(キョウシュウ)。
【嬌痴(癡)】キョウチ 愛らしくあどけない、また、その子。おぼこ。
【嬌名】キョウメイ ①なまめかしい名声。芸者などの美人であるとの評判。②なまめいたうわさ。
【嬌面】キョウメン 愛らしい顔。なまめかしい顔。嬌顔。

12 【嬃】15画 2531 (呉)ス (漢)シュ (虞) xū

字義 女性の名前に用いられた。女嬃は、屈原の姉。

解字 形声。女＋須(音)。

12 【嫶】15画 2532 (呉)ジョウ(ゼウ) (漢)ショウ(セウ) (蕭) qiáo — — 2612

字義 やつれる。心を痛める。

解字 形声。女＋焦(音)。

12 【嬈】15画 2533 ■一 (呉)ニョウ(ネウ) (漢)ジョウ(ゼウ) (篠) rǎo ■二 (呉)ニョウ(ネウ) (漢)ジョウ(ゼウ) (蕭) ráo ■三 ヨウ(エウ) (篠) yǎo ₂0582 — 2616

字義 ■一❶わずらわしい(わずらわし)。また、むごい。❷たわむれる(戯)。なぶる。もてあそぶ。■二あでやか。■三弱々しい。「嬈嬈」

解字 篆文 形声。女＋堯(音)。音符の堯(ギョウ)は、繞(ジョウ)に通じ、まといつくの意味。女性にまといつかれて、わずらわしいの意味を表す。

12 【嬋】15画 2534 (呉)ゼン (漢)セン (先) chán 5341 9B68 —

字義 ❶うつくしい(うつくし)。なまめかしい。たおやか。❷つづく(続)。つながる。

解字 篆文 形声。女＋單(音)。音符の單は、ひとえでうすいの意味。ひとえの衣服のように、女性の姿態がしなやかの意味を表す。

【嬋△娟】センケン・センエン あでやかで美しいさま。また、なよなよとして美しいさま。

12 【嬁】15画 2535 トウ (蒸) dēng — — 2615

字義 女性の美しいさま。

解字 形声。女＋登(音)。

12 【嫵】15画 2536 (呉)ム (漢)ブ (麌) wǔ ₂0580 — 2611

字義 ❶こびる(媚)。なまめく。❷みめよい。美しい。「嫵媚(ブビ)」

解字 形声。女＋無(音)。

12 【嫽】15画 2537 ■一 リョウ(レウ) (蕭) liáo ■二 リョウ(レウ) (篠) liǎo — — 2613

字義 ■一❶女性の字(あざな)。❷たわむれる。■二❶みめよい。❷かしこい。

解字 形声。女＋尞(音)。

13 【嬡】16画 2538 アイ ài — — 2622

字義 令嬡(レイアイ)は、他人の娘の敬称。

解字 形声。女＋愛(音)。

13 【嬴】16画 2539 (呉)ヨウ(ヤウ) (漢)エイ (庚) yíng ₂0584 — 2618

字義 ❶みちる(満)。また、のびる(伸)。❷あまる。また、あまり。❸めぐる。めぐらす。❹秦(シン)の王室の姓。「嬴秦」「嬴政(秦始皇)」

解字 金文 篆文 形声。女＋羸省(音)。音符の羸(エイ)は、のびのびするの意味。のびのびとしてみめよい・ゆたか・みちるの意味を表す。

【嬴余(餘)】エイヨ 余り。余分。剰余。

13 【嬛】16画 2540 ■一 ケン (先) xuān ■二 (呉)ギョウ(ギャウ) (漢)ケイ (庚) qióng — — 2620

字義 ■一❶かたい(かたし)。質が細かく、つまっている。緻密(チミツ)。❷しなやか。たおやか。「嬛嬛」❸かるい。身のこなしが軽い。すばやい。「便嬛」■二ひとりぼっち。孤独のさま。「嬛嬛」

解字 形声。女＋瞏(音)。

13 【嬙】16画 2541 ■一 (呉)ゾウ(ザウ) (漢)ショウ(シャウ) (陽) qiáng ■二 (呉)シキ (漢)ショク (職) qiáng ₁1592 — 2619

字義 ■一❶女官の名。妃(きさき)の下位。❷毛嬙(モウショウ)は、昔の美人の名。また、王昭君(九四ページ上)の名。

解字 形声。女＋牆省(音)。

13 【嬢】16画 2542 (常) ジョウ 3078 8FEC —

17 〔孃〕20画 2543 (人) (呉)ニョウ(ニャウ) (漢)ジョウ(ヂャウ) (陽) niáng 5348 9B6F —

筆順 く 女 女' 女ᵗ 女宀 嬢 嬢 嬢

字義 ❶はは(母)。↔爺(7097)。「爺嬢(父母)」❷むすめ。少女。＝娘(2414)。❸わずらわしい。国ジョウ(ヂャウ)。未婚の女性の名にそえる敬称。また、むすめの敬称。

解字 篆文 形声。女＋襄(襄)(音)。音符の襄(ジョウ)は、おんなの意味。はは・むすめの意味を表す。

逆 令嬢

13 【嬝】16画 2544 ジョウ 嫋(2496)の俗字。→三七六ページ上。 — — 2621

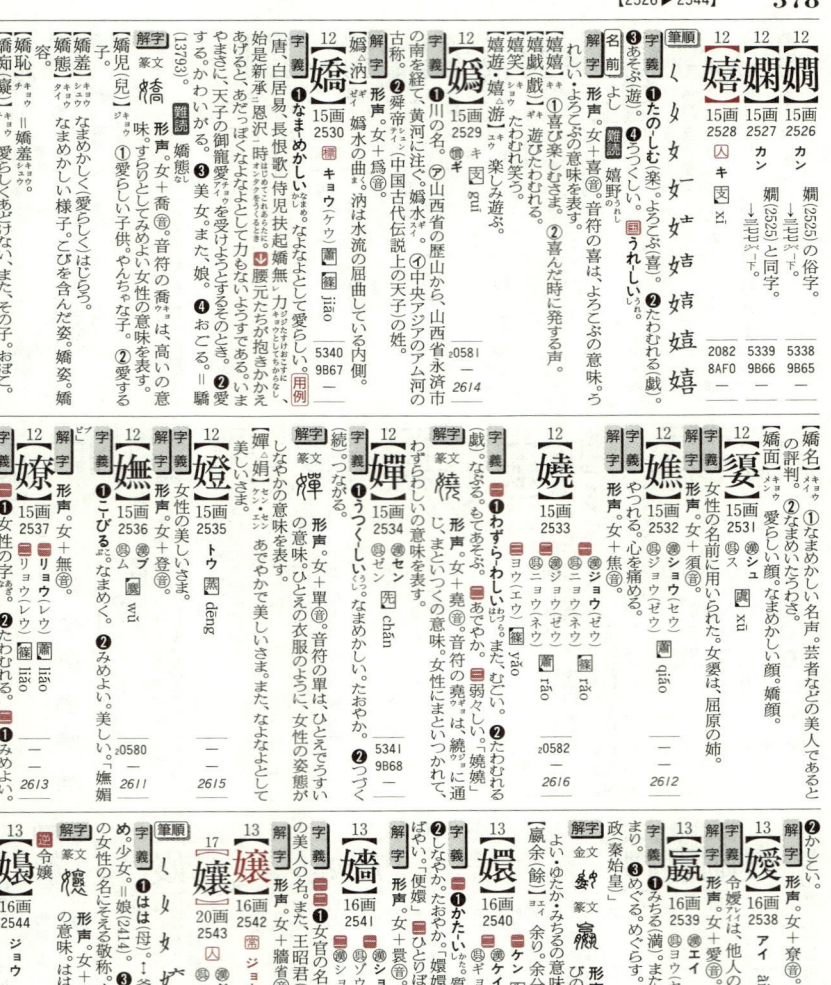

13【嬗】16画 2545 一㊥セン・㊤ゼン 銑 shàn 二タン 旱 寒 2O583 — 2617
字義 一ゆるい。ゆるやか。二
解字 形声。女＋亶㊅。

13【嬖】16画 2546 ㊥ヘイ ㊤ハイ 霽 bì 5342 9B69 —
字義 ❶お気にいり。貴人に愛される、身分の低い女性。また、男性。❷いつくしむ。愛する。身分の低い人を愛する。❸なれる。なれなれしくする。❹身分が低い。
解字 甲骨文 篆文 形声。女＋辟㊅。音符の辟ヘキは、つみの意味。つみのある女性の意から転じて、身分は低いが君主のお気にいりの者の意味を表す。
【嬖幸・嬖△倖】ヘイコウ 身分の低い人が、君主などに特にかわいがられること。また、その人。嬖人。
【嬖臣】ヘイシン 君主のお気に入りの家来。
【嬖人】ヘイジン ＝嬖幸。

13【⿰女雷】16画 2547 国字 1591 — —
字義 ⿰女雷髪おんななるかみは、女鳴神。⿰女雷髪歌仙桜は、歌舞伎の演目の一。

14【嬰】17画 2548 標 ㊥エイ ㊤ヨウ(ヤウ) 庚 yīng 1737 8964 —
字義 ❶みどりご。乳のみご。赤ん坊。❷くびかざり。❸めぐる。めぐらす。❹おびる。まとう。また、(病気などに)かかる。❺かける(繋)。つなぐ。また、連なる。❻ふれる(触)。❼くわえる(加)。❽女の子。↔児(693)。 難読 嬰児みどりご
解字 金文 篆文 形声。女＋賏㊅。音符の賏エイは、首飾りの意味。女性の首飾りの意味から、まとう・めぐらすの意味を表す。
【嬰△孩】エイガイ みどりご。赤ん坊。▼孩も、赤子。
【嬰児(兒)】エイジ 生まれたばかりの乳飲みご。みどりご。
【嬰疾】エイシツ 病にかかる。嬰病。用例(人虎伝)忽嬰レ疾発狂たちまちやまい(ひ)にかかりてハッキョウす ↓突然病気にかかって精神に異常をきたした。
【嬰城】エイジョウ 城壁をめぐらす。城壁をめぐらして守る。籠城する。嬰壁。
【嬰△鱗】エイリン 竜のあごの下にあるうろこにふれる。臣下が君主をいさめて怒りにふれること。

14【嬬】17画 2549 ㊥ジュ ㊤ニュ 虞 rú 3660 92DA —
字義 ❶つま(妻)。❷貴人のそばに仕える女性。❸よわい(弱)。 難読 嬬恋つまごい
解字 篆文 形声。女＋需㊅。音符の需は、しなやかの意味。しなやかな女性のさまから、よわい・つまの意味を表す。

14【嬲】17画 2550 ㊥ジョウ(デウ) ㊤ニョウ(ネウ) 篠 niǎo 5343 9B6A —
字義 ❶なぶる。おもしろがっていじめたり、からかったりする。＝嬈(2533)。❷みだす(乱)。
解字 会意。男＋女＋男。男性が女性につきまとう、なぶるの意味を表す。

14【嬭】17画 2551 一㊥ダイ・㊤ナイ 蟹 nǎi 二㊥デイ・㊤ナイ 薺 nǐ 2O585 — 2624
［奶］2308 俗字 ［妳］2355 俗字
字義 一❶はは(母)。❷ちち(乳)。また、乳を飲ませる。二はは(母)。
解字 形声。女＋爾㊅。

14【嬥】17画 2552 ㊥チョウ(テウ) ㊤ジョウ(デウ) 篠 tiǎo 1593 — 2623
字義 ❶すらりとして、美しい。❷おどる。❸嬥嬥は、行き来するさま。
解字 形声。女＋翟㊅。

14【嬪】17画 2553 ㊥ヒン ㊤ビン 眞 pín 5345 9B6C —
字義 ❶よめ。つま。❷貴人のそばに仕える女性。側室。❸周代、天子につかえる女官の名。九嬪。三夫人の下位、二十七世婦の上位。❹女性の美称。❺死んだ妻。↔妻(2345)。❻したがう。つれそう。夫に従う。妻となる。
解字 甲骨文 篆文 形声。女＋賓㊅。音符の賓は、まろうどの意味。よそから夫の所に来た女性、つまの意味を表す。
【嬪△娥】ヒンガ 美しい宮女。宮中の美人。
【嬪御】ヒンギョ 天子に仕える女官。天子のそばめ。嬪嬙ヒンショウ・嬪媵ヒンヨウ。

14【嬶】17画 2554 国字 5346 9B6D —
字義 かかあ。かか。妻を軽蔑ケイベツして、また、親しんでいう俗語。＝嚊(1761)。
解字 会意。女＋鼻。

15【嬸】18画 2555 シン 寑 shěn — — 2625
字義 ❶叔母。❷現代中国語で、母と同年輩、またはやや年少の既婚女性を呼ぶ言葉。
解字 形声。女＋審㊅。

15【嬻】18画 2556 ㊥トク ㊤ドク 屋 dú
字義 けがす。なれなれしくして礼儀を失う。
解字 形声。女＋賣㊅。

16【嬾】19画 2557 ラン 旱 lǎn 5347 9B6E —
字義 おこたる。なまける。また、ものうい。おっくう。＝懶(3924)。
解字 篆文 形声。女＋賴㊅。音符の賴は、物をとじこめるの意味。仕事をためこんで、なまけるの意味を表す。
【嬾惰】ランダ なまけおこたる。懶惰ランダ。

17【孃】20画 (2543) ジョウ 孃(2542)の旧字体。→三七八ページ下。

17【孅】20画 2558 セン 塩 xiān 5349 9B70 —
字義 ❶こまかい。小さい。細い。❷かよわい かよわし。弱い。しなやか。
解字 篆文 形声。女＋韱㊅。音符の韱センは、かぼそいの意味。かぼそい女性、かよわいの意味を表す。
【孅介】センカイ 小さい。細かい。纖介。
【孅△妍】センケン 小作りで美しい。細くて美しい。纖妍。

17【孀】20画 2559 ㊥ソウ(サウ) ㊤ショウ(シャウ) 陽 shuāng 5350 9B71 —
字義 やもめ。夫と死別した女性。未亡人。用例(列子、湯問)隣人京城氏之孀妻有二遺男一リンジンケイジョウシのソウサイにイダンあり ↓隣家の京城氏の未亡人には亡夫の残した男の子がいた。
解字 形声。女＋霜㊅。音符の霜は、喪に通じ、うしなうの意味。夫を失った妻の意味を表す。

17【孁】20画 2560 ㊥レイ ㊤リョウ(リャウ) 青 líng 4753 — 2626
字義 女性の字あざな。国め。みこ(巫女)。霊の意に用いる。
解字 形声。女＋霝㊅。

19【孋】22画 2561 一リ 支 lí 二㊥レイ・㊤ライ 霽 lì — — 2627
字義 一❶国名。昔、山西省にあった異民族の国。＝驪(13812)。❷孋姫リキは、孋国のむすめ。二うつくしい(美)。
解字 形声。女＋麗㊅。

19【孌】22画 2562 一レン 銑 luán 二レン 霰 liàn 2O586 — 2628
字義 一❶みめよい みめよし。美しい。❷したがう(順)。二したう(慕)。恋いしたう。＝恋(3528)。

解字 金文 篆文 形声。女＋䜌㊥。音符の䜌は、捋に通じ、両手で引きあってとるの意味。心が引かれる、したわしいの意味を表す。

子 3画 こ・こへん こども・こどもへん

〔部首解説〕子をもとにして、いろいろな子供やそれに関する文字ができている。

0 子 三八〇	孒 三八一	孑 三八一	1 孔 三八一	2 孕 三八二
3 孖 三八二	字 三八九	存 三八二	4 孛 三八二	孝 一〇六五
孜 六二一	孞 三八二	孛 三八二	孚 三八二	李 七三三
5 学 三八三	季 三八四	孥 三八四	孟 三八四	6 孩 三八五
孤 三八五	孨 三八六	7 孫 三八六	8 孰 三八六	孮 三八六
9 孯 三八六	孳 三八六	孶 三八六	孱 四三〇	11 孵 三八六
13 學 三八三	14 孺 三八七	16 孼 三八七	孽 三八七	17 孾 三八七
19 孿 三八七				

0 【子】 3画 2563 教1 シ・ス こ 2750 8E71 一

シ 紙 zǐ 唐ス 熟字訓 迷子・息子

筆順 ㇇ 了 子

字義 ❶こ。㋐（おとなに対する）こども。㋑（親にとっての）こども。むすこ。また、むすめ。男にも女にも用いるが、男女を区別する場合、むすこを子、むすめを女という。用例〔韓非子、八説〕子母之性愛也。↓子供に対する母親の本性は愛情である。㋒子孫。用例〔荀子、正論〕聖王之子也、有天下之後也。↓聖王の子孫であり、天下を保有した者の後裔である。㋓動物の子。用例〔論語、雍也〕犂牛之子、騂且角、雖欲勿用、山川其舎諸。↓まだら牛の子でも、赤い毛並みでさらに角が立派であれば、用いないでおこうと思っても、山川の神が捨てておくだろうか（きっと祭祀の供物に用いられるであろう）。❷み。果実。また、種。「果子（果実）」「桃子（桃の実）」「松子（松かさ、また、松の実）」「種子」「瓜子（瓜の種）」❸たまご。「魚子」「鶏子」❹利息。「利子」❺男性の尊称。学徳・地位のある人に用いる。特に、論語では孔子を指す。また、姓氏の上に冠することもある。「孟子」「韓非子」「子墨子」「子程子」❻あなた。きみ。おんみ。第二人称の代名詞。用例〔資治通鑑、漢紀〕天知、地知、我知、子知。何謂無知者。↓（あなたが賄賂を持ってきたことを）天も地も私もあなたも知っている。どうして知る者がいないなどといえようか。❼男性の自称。用例〔北宋、蘇軾、前赤壁賦〕蘇子与客泛舟、遊於赤壁之下。↓私は客と共に小舟を浮かべて、赤壁のあたりを遊覧した。❽…する者・人。「遊子（旅人）」「舟子（船頭）」❾物の名にそえる接尾語。特に、小さい意を表すことが多い。「帽子」「瞳子（ひとみ）」❿思想家。学者。また、その著書。「諸子百家」⓫書籍を経・史・子・集の四部に分類するときの一部門。思想書（諸子）を中心に、農業・医術・天文・暦算などの技術書、また、芸術関係の書物を含む。子部。⓬五等爵（公・侯・伯・子・男）の一つ。⓭ね。十二支の第一位。㋐方位では北。㋑月では陰暦十一月。㋒時刻では夜の十二時。または、その前後二時間。㋓動物では、ねずみ。㋔五行では、水。⓮いつくしむ。愛する。

国こ。多く女性の名に用いられる。「洋子」

名前 こ・さね・し・しげ・しげる・たか・ただ・たね・ちか・つぐ・とし・ね・み・みる・やす 難読 子養原・子子子・子子・子生・子不知

解字 甲骨文 金文 篆文 象形。頭部が大きく、手足のなよやかな乳児の形にかたどり、「こ」の意味を表す。また、借りて、十二支の第一位、「ね」の意味にも用いる。子の意味と音符とを含む形声文字に、字・牸・耔・秄などがある。

逆 遺子・花子・菓子・季子・鬼子・金子・銀子・君子・継子・公子・孝子・格子・合子・黒子・骨子・妻子・才子・冊子・嗣子・死子・弱子・舟子・種子・樹子・小子・松子・障子・娘子・処子・庶子・諸子・世子・赤子・扇子・草子・息子・賊子・太子・卓子・稚子・嫡子・弟子・適子・天子・童子・敗子・拍子・夫子・父子・附子・瓶子・胞子・母子・払子・面子・遊子・様子・乱子

【子愛】①自分の子のように愛する。②いつくしみ。慈愛。

【子雲】漢の揚雄の字。→揚雄（六〇六ページ下）。

【子嬰】秦の始皇帝の長男扶蘇の子。趙高が二世皇帝胡亥を殺し、秦王として子嬰を立てたが、在位四十六日で沛公に降服し、後、項羽に殺された。（？―前二〇六）

【子曰】『論語』を始めとする経書で、孔子のことばを引く場合、「孔子曰」とするところを、孔子の聖徳が著明で、その氏を記す必要がないため、単に「子」といった。

【子夏】孔門の十哲の一人。姓は卜。名は商。子夏は、その字。文学に通じ、孔子の詩学を後世に伝えた。（前五〇七？―前四二〇？）

【子我】孔子の弟子、宰予（四〇一ページ下）の字。

【子罕】戦国時代の宋の家臣。皇喜ともいう。子罕は字。

【子規】鳥の名。ほととぎす。また、杜宇・杜鵑・不如帰などという。

【子虚烏有】うそ。虚言。漢の司馬相如の『子虚賦』中に仮設された人物として、公子子虚がいる。

【子衿】①男性の服のえり。②書生。学生。

【子禽】春秋時代、陳の人。姓は陳、名は亢。子禽は字。孔子の弟子。

【子月】陰暦十一月の別称。

【子午】十二支のね（子）とうま（午）。方角では、北と南。時刻では、真夜中の十二時と正午。

【子羔】孔子の弟子。姓は高。名は柴。子羔は、その字。温厚で親孝行であった。（前五二一？―？）

【子貢】孔門の十哲の一人。姓は端木。名は賜。子貢は、その字。才知があり、弁説に長じ、魯や衛のためにしばしば外交談判に当たって成功した。また、理財の才があり、金持ちであった。（前五二〇―前四五六？）

【子細】同仔細。①こまかいわけ。くわしい事情。②綿密。こまか。

【子産】春秋時代、鄭の名宰相、公孫僑の字。四代の君主に仕え、強国に挟まれた鄭の平和と繁栄をよく保った。（前五八五？―前五二二）

【子子孫孫】子や孫のずっと後の者。子孫の続く限り。〔書経、梓材〕

【子思】孔子の孫。名は伋。子思は、その字。曽参に学んだ。『中庸』の著者といわれる。（前四八三？―前四〇二？）

【子字】漢字の反切で、一字目の韻を表す字。→母字②（七九七ページ中）。

【子爵】五等爵の第四位。

【子女】①息子と娘。子供。また、年少者。②娘。③おんな。◆法令では、「年少者」「若者」の意としては「子弟」を用いず、「子女」を用いている。「帰国子女」

【子城】(シジョウ) 大城に付属している小城。出城でじろ。

【子壻】(シセイ) むこ。女婿。

【子銭(錢)】(シセン) 利子。↔母銭(七九七ページ・中)。

【子息】(シソク) ①男の子供。息子。②元金から生ずる利益。利息。

【子孫】(シソン) ①子と孫。②子・孫と続いた血筋の人々。

【子男】(シダン) ①男子。②子爵と男爵。

【子張】(シチョウ) 孔子の弟子。姓は顓孫センソン。名は師。子張は、その字あざな。(前五〇三―?)

【子弟】(シテイ) ①子と弟。↔父兄(九一六ページ・中)。②(その人より)年少者。↔父老(九一六ページ・下)。用例(史記、項羽本紀)籍与二江東子弟八千人一、渡レ江而西(籍セキ、江東コウトウの子弟シテイ八千人ハッセンニンと、江コウを渡りて西にしす)。↓私、籍(項羽)は江東の若者八千人と共に、長江を渡って西の方に進んだ。

【子程子】(シテイシ) 北宋ホクソウの儒学者、程顥テイコウ(一〇五三ページ・中)・程頤テイイ(一〇五三ページ・中)兄弟の尊称。二程子ともいう。

【子部】(シブ) 漢籍分類の名。経・史・子・集の四部の一つで、諸子百家の書。歴代の分類では分け方に違いがあるが、四庫提要では、儒家・兵家・法家・農家・医家・天文算法・術数・芸術・譜録・雑家・類書・小説家・釈家・道家の十四類に分ける。

【子母】(シボ) ①子と母。母子。②利息と元金。元利。③大小・前後があるものについていう。

【子房】(シボウ) ①めしべの下部のふくれている部分。②前漢の張良(四九二ページ・中)の字あざな。

【子本】(シホン) 利息と元金。子母銭。

【子民】(シミン) 民を子のように愛する。国君となり、民をいつくしみ治める。

【子夜】(シヤ) ①今の夜の十二時。また、その前後二時間。ねの刻。三更。丙夜ヘイヤ。②東晋トウシンの女性の名。歌がうまく、その調子に哀愁をおびていた。

【子夜歌】(シヤカ) 楽府ガフの作品。東晋トウシンの子夜が作った歌曲。また、後世これにならって作られた歌曲についてもいう。子夜呉歌。

【子夜呉歌】(シヤゴカ) =子夜歌。子夜のいた東晋トウシンが、昔の呉の地であったことから。

【子有】(シユウ) ①孔子の弟子、有若(六八六ページ・下)の字あざな。②冉求ゼンキュウ(一五七ページ・下)の字あざな。

【子△游】(シユウ) 孔門の十哲の一人。姓は言。名は偃エン。子游は、その字あざな。礼や文学にすぐれていた。(前五〇六―?)

【子△輿】(シヨ) ①孔子の弟子、曽参ソウシン(六七二ページ・上)の字あざな。②孟軻モウカ(孟子・三八四ページ・下)の字あざな。


【子養】(シヨウ) ①子としてやしなう。②自分の子のようにいつくしみ養う。

【子欲レ養△而親不レ待】(こやしなわ(は)んとほっすれどもおやまたず) 子が親に孝行をつくしたいと思う時には、親は死んで世にいない。〔韓詩外伝、九〕→樹欲レ静而風不レ止(七六九ページ・下)。

【子来(來)】(シライ) 子が親をしたうように庶民が君主をしたって来ること。用例(詩経、大雅、霊台)経始勿レ亟、庶民子来(ケイシいそぐにあらざるも、ショミンこのごとくきたる)。↓(霊台を)築くのを急いだわけではないのに、人々は子が親のところに来るように集まって完成させた。

【子路】(シロ) 孔門の十哲の一人。姓は仲。名は由。子路または季路は、その字あざな。勇気があり信義を重んじた。(前五四二―前四八〇)

【易レ子△析レ骸】(こをかえ(へ)ガイをさく) 自分の子は食うに忍びないので、互いに子を取り替えて食らい、骸骨を砕いて炊事をする。籠城の苦しみを極めること。〔左伝、宣公十五〕

0
【孓】 3画 2564
一 漢ケツ 呉カチ(クヮチ) 月 jué
二 漢キョウ・呉クウ 腫 juě
20587 — 2629

字義 一 左の腕がない。↔孑(2565)。二 孑孓ゲッキョウは、ぼうふら。

解字 篆文 指事。子の左腕を欠き、左の腕がないの意味を示す。

0
【孑】 3画 2565
漢ケツ・呉ケチ 慣ゲツ 屑 jié
5351 9B72 —

字義 ❶右の腕がない。↔孓(2564)。❷のこる。また、のこり。❸ちいさい。❹ひとり。ひとつ。❺孑孓ゲッキョウは、ぼうふら。

難読 孑孓ぼうふら・ぼうふり・孑然つくねん

解字 篆文 指事。子の右腕を欠き、右の腕がないの意味を示し、また、いとけない・ひとりの意味を示す。

【孑遺】(ゲツイ) のこり。生き残りの人。

【孑孑】(ゲツゲツ) ①一つ抜け出ているさま。孤立のさま。②小さいさま。

【孑然】(ゲツゼン) ひとりぼっちのさま。孤独のさま。

【孑立】(ゲツリツ) ひとりぼっちで立っている。孤立。

1
【孔】 4画 2566 常 コウ
漢コウ・呉ク 董 kǒng
2506 8D45 —

筆順 ㇇ 了 孑 孔

字義 ❶あな(穴)。また、すきま。=空(8571)。「眼孔」❷とおる(通)。達する。❸むなしい。❹おおきい。❺はなはだ。❻孔子の略称。

名前 うし・こう・ただ・みち・よし 難読 孔王部あまにえ・あまにべ・孔舎衛くさか

解字 金文 篆文 指事。子は、こどもの意味。乚は、乳房を示し、子を育てるための乳の出る穴の意味を示す。また、深い穴の意味から、ふかいの意味や、程度がはなはだしいの意味も表す。

逆 眼孔

【孔安国(國)】(コウアンコク・クアンコク) 前漢の儒学者。字あざなは子国。孔子の十二代目の子孫。漢の武帝の時の博士。孔子の家の壁から出た古文の書物を解読し、『古文尚書』の注釈を書いたといわれる。

【孔△穎達】(クエイタツ・クヨウダツ・コウエイタツ) 唐初の儒学者。字あざなは仲達。孔子の三十二代目の子孫。勅命により『五経正義』を編集した。(五七四―六四八)

【孔丘】(コウキュウ) =孔子。

【孔△伋】(コウキュウ) =子思(三八〇ページ・下)。

【孔子】(コウシ) 春秋時代の思想家・教育者・政治家。孔は姓。子は尊称。名は丘キュウ。字あざなは仲尼チュウジ。魯ロの昌平郷ショウヘイキョウ、陬邑スウユウ(今の山東省曲阜キョクフ市の南東)の人。初め魯に仕え、後、十余年間、遊歴して諸侯に説いたが用いられず、晩年、魯に帰って門人の教育と『詩経』『書経』などの古典の整理に力を尽くし、『春秋』を著した。儒教の始祖として尊ばれてきた。(前五五二、一説に五五一―前四七九)

孔子(唐、呉道子筆)

【孔子家語】(コウシケゴ) 書名。十巻。著者不詳。現在のものは三国時代、魏ギの王粛の偽作とされる。孔子の言行や門人との問答などを記した説話集。

【孔△雀】(クジャク・コウジャク) 鳥の名。キジ科に属す。熱帯産。

【孔聖】(コウセイ) ①はなはだすぐれた聖人。大聖。②孔子の尊称。

【孔席不レ暇レ暖】(コウセキあたたまるにいとまあらず) 孔子の座席はあたたまる暇がなかった。孔子が世を救おうとして諸国を周遊したことをいう。〔唐、韓愈、争臣論〕

【孔△叢子】(クゾウシ・コウソウシ) 書名。十巻。秦の孔鮒コウフの著と伝えられる。「連叢子」ともいう。孔子とその子孫に関する記事を集めた書。

【孔鼎】孔子廟の鼎。

【孔徳】老子の唱えた、無為の大きな徳。▼孔は、大。一説に、孔は、空で、空虚でよく包容する徳という。

【孔夫子】孔子をいう。▼夫子は、先生。

【孔墨】孔子と墨子。

【孔明】①はなはだ明らか。②三国時代、蜀の名相、諸葛亮(一三三三ページ中)の字。

【孔孟】孔子と孟子。

【孔門】孔子の門人。

【孔門四科】孔子が弟子の長所を評した時に挙げた四科目。徳行・言語・政事・文学。〔論語、先進〕↓孔門十哲。

【孔門十哲】孔子の門人の中の学徳のすぐれた十人。徳行(道徳)では、顔淵・閔子騫・冉伯牛・仲弓、言語では、宰我・子貢、政事(政治)では、冉有・季路、文学(学問)では、子游・子夏をいう。

【孔融】後漢末の詩人。魯の人。字は文挙。孔子の子孫。建安七子の一人。(一五三―二〇八)

【孔鯉】春秋時代の魯の人。孔子の子。字は伯魚。

【孔老】孔子と老子。

2
【孕】
5画 2567 標 ヨウ 径 yùn

5352 9B73 ―

字義 はら-む。㋐みごもる。妊娠する。㋑物を含む。物を含んでふくれる。「孕レ風」

解字 篆文 形声。子＋乃㊂。音符の乃ダイ＝ヨウは、胎児の象形で孕の原字。乃が、すなわち等の助字に用いられるようになったので、それと区別するために、子を付した。

【孕乳】子をはらみ、生むこと。

【孕婦】妊娠している女性。妊婦。

3
【孖】
6画 2568 ㊀シ 支 ㊁㊁漢シ・呉ジ 寘 zī zì

ı4754 ED8A 2630

字義 ㊀❶ふたご。❷しげる。

解字 会意。子二つで、ふたごの意味を表す。

3
【字】
6画 (2603) ジ 宀部。→三八九ページ下。

3
【存】
6画 2569 教6 ソン・ゾン 漢ソン・呉ゾン 元 cún

3424 91B6 ―

筆順 一ナナ亻存存

字義 ❶あ-る。存在する。↔亡(137)。用例〔論語、泰伯〕籩豆之事、則有司存。祭器のことなどは、係の役人がいる。❷ながら-える。生きながらえる。生存する。用例〔唐、杜甫、石壕吏詩〕存者且偸レ生、死者長已矣。生きているものは、まあまあともかくも、しばらくはかりそめのいのちをむさぼれますが、死んでしまった者は、もうどうにもなりません。❸たも-つ(保)。保存する。そのままの状態で存在させる。❹とう(問)。㋐安否を問う。見舞う。また、訪ねる。用例〔三国魏、武帝、短歌行〕越レ陌度レ阡、枉用相存。東西南北はるか遠い道を踏み越えて、わざわざ私を訪ねてくれた。㋑ねぎらう。なぐさめる。❺みる。観察する。用例〔孟子、離婁上〕存二乎人一者、莫レ良二於眸子一。人を観察するのに、瞳よりよいものはない。国ゾン-ずる。㋐思う。考える。㋑知る。心得る。承知している。

名前 あきら・あり・ありや・ある・さだ・すすむ・たもつ・つぎ・なが・のぶ・のり・まさ・やす・やすし

解字 篆文 形声。在省＋子(孫)㊂。在は、あるの意味。孫は、ひとすじにつなぎとめるの意味。そのままある状態につなぎとめておく、たもつの意味を表す。

逆 依存・遺存・温存・恵存・現存・残存・実存・所存・保存

【存外】国予想した以上。思いのほか。案外。

【存候】㊀見舞う。たずねる。安否を問う。㊁存じます。考えます。手紙用語。

【存在】①人がいること。事物が有ること。また、そのもの。②哲学で、有るということ、および有るものの意。

【存恤・存卹】なぐさめめぐむ。ねぎらいあわれむ。

【存心・存神】本心を保持すること。本心を失わぬこと。↓存養①。

【存身】身を全うすること。生き長らえること。

【存全】無事に生き長らえること。

【存念】①常に思って忘れぬこと。②国考え。

【存廃(廢)】保存と廃止。残しおくことと捨てること。

【存否】①有るか無いか。②生きているかいないか。

【存撫】なぐさめ安んじる。あわれみ、なぐさめる。▼撫は、手でなでてやること。

【存亡】①存続することと滅びること。「危急存亡の秋」②生きていることと死ぬこと。生死。③亡を存す。滅びそうになっているものを助ける。「断絶存亡」

【存命】生きていること。命があること。

【存問】安否を問う。見舞ってなぐさめる。存候。

【存養】①本心を保持して失わず、生まれながらに持っている善なる性を養い育てること。一説に、自己の心を省察して善性を養うこと。▼存は、察。『孟子』尽心上編に「存二其心一養二其性一」とあるのに基づく。②なぐさめやしなう。めぐみやしなう。

【存立】滅びないで立ちゆくこと。

4
【孝】
7画 2570 ガク 学(2574)の俗字。→三八三ページ上。

5361 9B7C ―

4
【孝】
7画 (9569) コウ 老部。→一二六五ページ上。

4
【孜】
7画 (4517) シ 支部。→六三一ページ上。

4
【忎】
7画 2571 シン

― ― 2631

字義 義未詳。

4
【孛】
7画 2572 ㊀漢ハイ・呉バイ 隊 bèi ㊁漢ホツ・呉ボチ 月 bó 慣ボツ

5354 9B75 ―

字義 ㊀❶ほうきぼし。彗星。孛彗。孛星。❷くらい(暗)。❸顔色が変わる。むっとする。❹草木のしげるさま。

難読 孛魯西

解字 篆文 象形。へたの下の子房が、さかんに満ちふくらむ形にかたどり、草木のしげるさま・光かがやくさまを表す。また、艴に通じ、顔色を変えておこるの意味をも表す。孛の意味と音符とを含む形声文字に、勃・悖・浡・渤などがある。

4
【孚】
7画 2573 フ 虞 fú

5353 9B74 ―

字義 ❶卵をかえす。卵がかえる。❷はぐくむ。やしないそだてる。「孚育」❸つつむ。おおう。❹から。もみがら。種子の外皮。❺まこと。「孚信」「信孚」

解字 金文 篆文 会意。爪＋子。爪は、手の象形。子は、乳児の象形。乳児を抱きかかえるさまから、卵をかえすの意味を表し、借りて、まことの意味をも表す。孚の意味と音符とを含む形声文字に、俘・孵・桴・浮・艀・蜉などがある。

【孚育】やしないそだてる。孚養。

【孚信】まこと。

4【李】7画 (5223) リ　木部。↓七三ページ中。

5【学】8画 2574 教1 ガク まなぶ　1956 8A77

13【學】16画 2575　5360 9B7B

㊀漢カク・呉ガク　覚 xué
㊁漢コウ(カウ)　呉キョウ(ケウ)　効 jiào

筆順　、ゝ゛ヅ𭕄𭕄学学

【斆】4572 古字　【斈】2570 俗字

字義　㊀❶まなぶ。㋐勉強する。教えられたことを習得する。用例〔論語、雍也〕君子博学二於文一。↓君子は幅広く学問をする。㋑ならう(倣)。見習う。用例〔唐、杜甫、北征詩〕学レ母無レ不レ為。↓(娘たちは)母親のすることならなんでもまねをする。❷まなぶこと。学問。また、学説。用例〔論語、為政〕吾十有五而志二于学一。↓私は十五歳で学問で身を立てようと決心した。❸まなぶ人。学問する者。「碩学(セキガク)」「篤学」 ❹まなびや。学校。学舎。❺学科。学問の一分野。「文学」「兵学」 ❻学派。学統。「朱子学」「陽明学」 ㊁おしえる。＝教(4535)。

名前　あきら・さと・さとる・さね・たか・のり・ひさ・まさ・まな・まなぶ・みち　難読　学田(がくでん)・学文路(かむろ)

解字　甲骨文　篆文　古文

形声。甲骨文は、臼＋冂＋爻(コウ)音。臼は、両手でひきあげる形、冂は、建物の形。音符の爻(コウ)は、まじわるの意味。教える人が学ぶ人を向上させる交わりの場である建物、がっこうの意味を表す。篆文は、臼＋冂＋𡥈(教)音の形声文字。常用漢字の学は省略体による。

逆　異学・韻学・王学・家学・科学・勧学・官学・漢学・教学・曲学・勤学・苦学・軍学・経学・顕学・向学・後学・就学・皇学・講学・古学・国学・私学・視学・耳学・実学・就学・従学・儒学・術学・小学・初学・心学・進学・聖学・絶学・俗学・大学・哲学・同学・道学・督学・篤学・農学・博学・晩学・武学・文学・兵学・勉学・末学・無学・名学・遊学・幼学・理学・力学・老学・和学

【学園】(ガクエン)　まなびのその。学校。学苑(ガクエン)。

【学稼】(ガッカ)　五穀を植えることを学ぶ。

【学海】(ガッカイ)　①川の水が流れてやまず、海に入るように、学問にいそしむたとえ。②学問の広大で限りないことを海にたとえていう。

【学官】(ガッカン)　①学校の建物。学舎。②学校の教官。③大学の講座。漢の武帝が五経博士をおいて以後、五経の専門家が博士となり、大学において専門の講座を担当した。これを学官に立つという。

【学館】(ガッカン)　学校。

【学究】(ガッキュウ)　①まなびきわめる。②学者。③書生。④他事に目もくれず、研究一筋に打ちこむ学者。

【学宮】(ガッキュウ)　学校。学舎。学館。

【学兄】(ガッケイ)　国①学問上の先輩。②学問上の友人に対する敬称。

【学芸(藝)】(ガクゲイ)　①学問と技芸。②学問。学術。③まなびのわざ。学業。

【学行】(ガッコウ)　㊀学問と品行。㊁(ガクギョウ)　仏学問。仏道の修行。

【学校】(ガッコウ)　学問・芸術・技術・道徳などを学ぶ所。学舎。学館。学堂。▼学は国学、校は郷校。

【学才】(ガクサイ)　学問上の才能。学問によって得た才能。

【学士】(ガクシ)　①学問をする人。学者。②唐代の官名。詔勅などの起草に当たった。③国㋐大宝令(タイホウリョウ)に定められた宮中の官職。㋑大学卒業者に与えられる称号。

【学△而時習△之】(まなびてときにこれをならう(ふ))　学問をして、その学んだことを機会あるごとに復習し体得するように努める。用例〔論語、学而〕学而時習レ之、不二亦説一乎。↓学問をして、それを機会あるごとに復習して身につけるのは、なんと喜ばしいことではないか。

【学△而不レ思則△罔】(まなびておもわ(は)ざればすなわ(は)ちくらし)　物事を学んでも、自分でそれについて深く考えてみなければ、本当の理解には到達しない。▼罔は、うすぼんやりしていて不確実なこと。用例〔論語、為政〕学而不レ思則罔、思而不レ学則殆。↓物事を学んでも、自分でそれについて深く考えてみなければ、本当の理解には到達せず、物事を考えるだけで、それについて深く学ばなければ、(独断に陥って)危険である。

【学識】(ガクシキ)　①学んで得た知識。②学問と見識。③学問的な知識と一般的な常識。

【学舎】(ガクシャ)　学校。

【学者】(ガクシャ)　①学ぶ人。学問をする人。学生。用例〔論語、憲問〕古之学者為レ己、今之学者為レ人。↓昔の学問する人は、自己自身の人格を高めるために学問をし、現代の学問する人は、人に知られるために学問をしている。②学問を積んだ人。学問にすぐれた人。

【学術】(ガクジュツ)　①学問と技芸。学芸。②学問と、その応用の方面をあわせていう。

【学如レ不レ及】(ガクはおよばざるがごとくす)　学問をするには、にげる者をいくら追っても追いつけない時のように、少しも休まず続けるべきである。〔論語、泰伯〕

【学匠】(ガクショウ)　①仏仏道を修めて、師匠たる資格のある人。②学者。物知り。

【学殖】(ガクショク)　学問の素養。学問の深いこと。

【学△箴】(ガクシン)　学問する人のいましめ。学生の心得。

【学人】(ガクジン)　学問をする人。㊁(ガクニン)　仏仏道の修行者。

【学△須静】(ガクはすべからくセイなるべし)　学業を修めるには、心を静め、一意専心してむかうべきであること。

【学生】(ガクセイ)　㊀①学問をする人。②国大学以上の学校に学ぶ人。㊁(ガクショウ)　①仏㋐仏寺に寄宿して仏典以外の書を学ぶ人。㋑大寺で仏典を修学する人。②国昔、大学寮または国学に籍を置いた生徒。

【学政】(ガクセイ)　①教育上の行政。教育行政。学校行政。②学問と政治。

【学窓】(ガクソウ)　国学校のまど。転じて、学校。

【学僧(僧)】(ガクソウ)　①学問のある僧。②修業中の僧。

【学灯(燈)】(ガクトウ)　①学問または学界の光明・目当て。また、学問または学界を照らすともしび。②読書を照らすともしび。勉強室のともしび。読書の灯。

【学統】(ガクトウ)　学問の系統。

【学堂】(ガクドウ)　①＝学校。②男の子を合葬した所。女の子を合葬した所を繡堂(シュウドウ)というのに対する語。

【学徳】(ガクトク)　①学問と人徳。②学問の功徳(クドク)。

【学閥】(ガクバツ)　国同じ学校出身者による排他的党派。

【学府】(ガクフ)　①学問の大家。▼府は、くら。②学問の中心となる所。学者の集まる所。③国学校。「最高学府」

【学風】(ガクフウ)　①学問上の態度・傾向・やり方。②学校の気風・習慣。校風。

【学僕】(ガクボク)　国昔、先生の家や家塾・学校などで使用人としての仕事をしながら学問をする人。

【学問】(ガクモン)　①学ぶことと、問うこと。勉強すること。②学び問うべきもの。修学の対象。③学んで得た知識。

【学庸】(ガクヨウ)　『大学』(三三七ページ中)と『中庸』(三七ページ下)。共に儒家の経典。

【学侶】(ガクリョ)　①学問上の友だち。学友。②学問する僧侶。学僧。

【学林】(ガクリン)　学問の多くある所。㋐学界の中心。㋑学者の多く集まる所。㋺その時代にその学問に最も優れた人をいう。㋑仏仏教の学校。㋒国学校。

5
【季】
8画 2576 キ 𝑗ì 教4 キ
2108 8B47 —

筆順 一 二 千 千 禾 季 季 季

字義 ❶すえ。㋐末っ子。兄弟姉妹のうちで最年少の人。出生の順序を、伯・仲・叔・季で表す。㋑四季の各三か月の終わりの月。その三か月の順は、孟・仲・季で表す。「季春」「季冬」 ㋒おとろえた世。末年。❷わかい。幼い。「季女」 ❸ちいさい。こまかい。ほそい。❹とき。㋐春夏秋冬の各期間、三か月をいう。㋑季節。時節。また、時期。時のひとくぎり。

名前 き・すえ・とき・とし・のり・ひで・みのる

使いわけ キ〔期・季〕⇩期(5056)。

解字 甲骨文 篆文 会意。子＋禾。禾は、穀物の象形。穀物の霊に扮して舞う年少者のさまから、わかい・すえの子の意味を表す。

逆 群季・叔季・節季・年季

【季夏】(キカ) 夏の終わりの一か月。晩夏。陰暦六月の別名。

【季刊】(キカン) 定期刊行物を三か月ごとに出すこと。→字義❹㋐。

【季月】(キゲツ) ①四季の終わりの月。陰暦の三月・六月・九月・十二月。②一年の最終の月。

【季語】(キゴ) ＝季題。

【季候】(キコウ) 気候。時候。また、季節。時節。

【季札】(キサツ) 春秋時代の呉の賢者。呉王寿夢の第四子。徐の国の君主が自分の剣を欲しがったことを忘れず、徐君の死後に墓にかけて贈った。これを「季札挂剣」といい、信義を重んじることにたとえる。〔史記、呉太伯世家〕

【季子】(キシ) ①すえの子。末子。②あによめが夫の弟を呼ぶ称。③呉の季札。

【季氏】(キシ) 春秋時代、魯の大夫の家がら、三桓(孟孫・叔孫・季孫)の一つ、季孫氏の略称。三桓中、最も権力をふるった。

【季秋】(キシュウ) 晩秋。陰暦九月の別名。

【季春】(キシュン) 晩春。陰暦三月の別名。

【季女】(キジョ) ①末の娘。②若い娘。〔詩経、召南、采蘋〕

【季世】(キセイ) ①末の世。②風俗・道義などの衰えた時代。

【季孫氏】(キソンシ) →季氏。

【季題】(キダイ) 国俳句に詠み込む、季節感を表すための特定のことば。季語。

【季冬】(キトウ) 晩冬。陰暦十二月の別名。

【季年】(キネン) 末年。晩年。

【季父】(キフ) 末のおじ。父の末弟。

【季布】(キフ) 秦末・漢初の武将。初め項羽の将となり、後に漢の高祖に仕えた。一たび引き受けたことは必ず実行したので人々に信用された。用例〔史記、季布伝〕得二黄金百斤一、不レ如レ得二季布一諾一(黄金百斤を得るは、季布の一諾を得るに如かず)。季布の快諾を得る方がよい。⇩黄金百斤を手に入れるよりは、季布の快諾を得る方がよい。

【季母】(キボ) 末のおば。父母の末の妹。

【季孟之間】(キモウのカン) ①春秋時代、魯の三桓の季氏(上卿)と孟氏(下卿)との中間程度の礼遇。〔論語、微子〕②伯仲する。差がない。

【季路】(キロ) 孔子の弟子、仲由の字。→子路(三八一ページ中)。

5
【孥】
8画 2577 一㊥ド・㊥ヌ 圓 nú 二㊥ド・㊥ヌ 遇
5355 9B76 —

字義 一❶こ(子)。「妻孥」❷やっこ。しもべ。奴隷。＝奴(2310)。❸とりこ。捕虜。二❶妻と子。❷父・夫の罪によって妻子まで罰する刑。

解字 形声。子＋奴㊥。

【孥輩】(ドハイ) 召し使いの者ども。

【孥戮】(ドリク) 罪を犯した人の妻子をもあわせて罰すること。一説に、罰して奴隷にすること。

5
【孟】
8画 2578 人 一㊥モウ(マウ) 敬 二㊥ミョウ(ミャウ) ㊥モウ(マウ) 養 三㊥バン・㊥マン mèng
4450 96D0 —

筆順 了 子 子 孟 孟 孟 孟

字義 一❶かしら。㋐長男。長女。兄弟姉妹のうちで最年長の人。出生の順序を、伯(孟)・仲・叔・季で表す。↕季(2576)。㋑おさ(長)。❷はじめ。㋐物事のはじめ。㋑四季、各三か月の初めの月。三か月の順は、孟・仲・季で表す。「孟夏」❸大きい。たけだけしい。❹つとめる(勉)。❺孟子の略称。二三とりとめがない。でたらめ。「孟浪」

名前 おさ・たけ・たけし・つとむ・とも・なが・はじむ・はじめ・はる・もと

難読 孟買・孟加拉

解字 金文 篆文 形声。子＋皿㊥。音符の皿は、萌に通じ、めばえ・はじめの意味。はじめの子の意味を表す。

【孟夏】(モウカ) 初夏。陰暦四月の別名。

【孟軻】(モウカ) →孟子①。

【孟月】(モウゲツ) 四季、春夏秋冬の初めの月。陰暦の正月・四月・七月・十月。

【孟郊】(モウコウ) 中唐の詩人。字は東野。韓愈と親しかった。(七五一—八一四)

【孟浩然】(モウコウネン) 盛唐の詩人。襄陽(今の湖北省襄樊市)の人。名も字も浩然。王維とならんで自然詩人と称される。(六八九—七四〇)⇩コラム 唐詩(三六八ページ)。

【孟子】(モウシ) ①戦国時代中期の思想家。鄒(今の山東省鄒城市)の人。名は軻。字は子輿・子車。子は「先生」の意。子思の門人に学び、後、諸国を周遊して王道・仁義を説き、儒教の伝道者をもって任じた。また、人間の本性を善とする性善説を説いた。(前三七二—前二八九) ②書名。七編。十四巻。孟子の言行を記したもの。四書の一つ。

孟子

【孟秋】(モウシュウ) 初秋。陰暦七月の別名。

【孟春】(モウシュン) 初春。陰暦正月の別名。

【孟嘗君】(モウショウクン) 戦国時代、斉の王族・政治家。姓は田、名は文。斉の大臣となり、食客数千人を養い、薛(今の山東省内)に封ぜられた。鶏鳴狗盗(一六三〇ページ中)の故事は有名。(?—前二七九?)

【孟蜀】(モウショク) 五代十国の一つ。後蜀の別称。孟知祥が蜀に拠って建てた国。同じ五代の時に王建が建てた蜀と区別していう。(九三三—九六五)

【孟津】(モウシン) 昔の黄河の渡し場の名。今の河南省孟津県の北東。周の武王が殷の紂王を討った時に諸侯とここで盟ったので、盟津ともいう。今、河陽渡という。

【孟宗】(モウソウ) ①三国時代、呉の人。孝子として有名。冬、母が筍を求めたので竹林の中で祈ると、たちまち筍が出てきたという。二十四孝の一人。〔三国志、呉志、孫皓伝、注引、楚国先賢伝〕②竹の一種。

【孟冬】(モウトウ) 初冬。陰暦十月の別名。

【孟東野】(モウトウヤ) →孟郊。

【孟母三遷】(モウボサンセン) 孟子の母が、環境が及ぼす感化を恐れて、孟子の教育のために、三か所に住居を移した故事。〔列女伝、母儀〕

【孟母断(斷)機】(モウボダンキ) 孟子が学問の完成しないうちに遊学から帰って来た時、孟子の母が織っていた織物を断ち切って、学問を中途でやめるのは織りかけた機織物を断ち切るようなものだといましめた故事。〔列女伝、母儀〕

【孟賁】(モウホン) 戦国時代、衛の勇者。

【孟浪】モウ・ラン ①とりとめのないこと。粗雑なこと。でたらめ。おろか。②放浪する。さすらう。

6 【孩】 9画 2579 漢カイ 呉ガイ 因 hái 5356 9B77 —

字義 ❶みどりご。ちのみご。また、みどりごが笑う。❷おさない(幼)。いとけない。❸あやす。

解字 形声。子＋亥音。音符の亥は、あかごの笑い声の擬声語。あかごが笑うの意味や、あかごの意味を表す。

【孩笑】ガイショウ ちのみごが笑うこと。

【孩提】ガイテイ ちのみご。また、二、三歳の幼児。孩提の童。孩提者。▼提は、手を引くの意。用例〔孟子、尽心上〕孩提之童、無不知愛其親也。⇩孩提の幼児でもその親を愛することを知らないものはない。

6 【孤】 9画 2580 常 コ 漢 呉 コ 虞 gū 2441 8CC7 —

筆順 ㇇ 了 子 孑 孤 孤 孤 孤 孤

字義 ❶みなしご。父または両親をなくした子供。「孤児」❷ひとりもの。よるべのない人。「孤独」❸ひとり。ひとつ。ひとりぼっち。㋐仲間のないこと。用例〔論語、里仁〕徳不孤。⇩徳のある人はひとりぼっちではない。㋑助けのないこと。「孤立」❹いやしい(卑)。❺そむく。「孤負」❻離れる。遠ざかる。遠ざける。「孤臣」❼王侯の謙称。用例〔十八史略、春秋戦国、燕〕斉因孤之国乱、而襲破燕。⇩斉国は私の国が混乱しているのに乗じて、燕国を攻撃して破壊したのだ。

名前 かず・とも 難読 孤児みなしご

解字 篆文 形声。子＋瓜音。音符の瓜は、懼に通じ、おそれておどおどするの意味。父がなくおどおどした子、みなしごの意味を表す。

逆 窮孤・幼孤

【孤雲】コウン ①はなれ雲。用例〔唐、李白、独坐敬亭山詩〕衆鳥高飛尽、孤雲独去閑。⇩一群の鳥が空高く飛び去って見えなくなり、一つだけ離れた雲がぽつねんと去って、あたりは静かだ。②寄るべのない人のたとえ。

【孤雲野鶴】コウンヤカク はなれ雲と、群をはなれた一羽のつる。世俗を捨てた隠者をいう。

【孤景・孤影】コエイ ひとりぼっちのかげ。ひとりぼっちのさびしい姿。「孤影悄然コエイショウゼン」

【孤煙】コエン ひとすじのけむり。

【孤往】コオウ ひとり行くこと。独行。独往。用例〔東晋、陶潜、帰去来辞〕懐良辰以孤往、或植杖而耘耔。⇩天気の良い日を選んで、一人で行き、時にはつえを地に突き刺しておいて、雑草取りをしたり草の根に土をかけたりする。

【孤寡】コカ ①身寄りのない人。②夫をなくした女性。③親をなくした子と、夫をなくした女性。④孤も寡も、共に王侯の自称。〔老子、三十九〕

【孤介】コカイ 偏屈で他人と調和しないこと。孤立狷介ケンカイ。▼介は、ひとり・ひとつ。

【孤客】コカク・コキャク ひとりぼっちの旅人。用例〔唐、劉禹錫、秋風引〕朝来入庭樹、孤客最先聞。⇩秋風がけさがた庭の樹々に吹き入ったのを、ひとりぼっちの旅人である私がだれよりも先に聞きつけた。

【孤鶴】コカク 仲間から離れた一羽のつる。

【孤寒】コカン 身寄りがなく、貧しいこと。

【孤苦】ココク 身寄りがなく、非常に貧しい。また、ひとりぼっちで苦労する。〔西晋、李密、陳情表〕

【孤軍】コグン 孤立している、援軍のない軍隊。「孤軍奮闘」

【孤月】コゲツ ぽつんと空に輝く一輪の月。孤月輪。

【孤剣(劍)】コケン ①ひとふりの剣。一剣。②簡単な武装をいう。③ただひとりで、助けのない武士。

【孤高】ココウ ①群をぬいて一つ高くそびえていること。②ひとり世俗から離れて超然としていること。「孤高を保つ」

【孤△鴻】ココウ 群れから離れた、ただ一羽のおおとり。孤独ですぐれた人物のたとえ。

【孤国(國)】ココク 一 助けがなく孤立している国。二 コのくに わたしの国。自国の謙称。

【孤魂】ココン ひとりぼっちのたましい。また、弔う人のない魂。

【孤山】コザン ①一つぽつんと立っている山。②浙江セッコウ省杭州コウシュウ市の西湖の中にある島。宋ソウ代の詩人、林逋リンポ(林和靖リンワセイ)がかくれ住んだ所。梅花の名所。

【孤弱】コジャク 助ける人がなくかよわい。身寄りがなく、年が若い(人)。用例〔人虎伝〕必望念其孤弱。⇩ぜひともこの父親のいない幼子のことを気にかけてやってくれるようお願いしたい。

【孤舟】コシュウ ただ一つの舟。つれのない舟。用例〔唐、柳宗元、江雪詩〕孤舟蓑笠翁、独釣寒江雪。⇩ただ一そうの小舟にみのと笠を着けた老人が、ひとりで寒々とした雪の川で釣り糸を垂れている。

【孤愁】コシュウ ひとりぼっちで物思いに沈むこと。また、孤独の寂しさ。

【孤松】コショウ 一本松。用例〔東晋、陶潜、帰去来辞〕景翳翳以将入、撫孤松而盤桓。⇩夕日の光はほの暗くなってゆき、いまにも沈もうとしている。私は一本松をなでながら、立ち去りかねて留まっている。

【孤△峭】コショウ ①一つけわしくそびえていること。②心がきびしくて世俗と合わず、超然と孤立していること。

【孤城落日】コジョウラクジツ 孤立して援軍の来ない城に夕日がさしていること。たよりなく心細いさまのたとえ。〔唐、王維、送韋評事詩〕

【孤臣】コシン ①主君に見捨てられた臣。②主君から遠くはなれた土地にいる臣。

【孤生】コセイ 寄るべない身。孤独な身。用例〔唐、柳宗元、南澗中題詩〕孤生易為感、失路少所宜。⇩孤独な身は感じやすく、進むべき道を失った身では物事がうまくいくことが少ない。

【孤征】コセイ ひとりぼっちで旅路を行く。▼征は、行く。

【孤△栖・孤△棲】コセイ ひとりぼっちで住む。ひとりずまい。

【孤△孀】コソウ ①親をなくした子と、夫をなくした女性。②夫をなくした女性。

【孤村】コソン 一つぽつんとある村。

【孤竹】コチク ①一本だけ生えている竹。②殷代ダインの国名。今の河北省から遼寧リョウネイ省にかけての地。「孤竹君」

【孤灯(燈)】コトウ 一つさびしくともるともしび。用例〔唐、白居易、長恨歌〕夕殿蛍飛思悄然、孤灯挑尽未成眠。⇩夕暮れ、御殿のあたりに蛍が飛ぶのを見ては、しょんぼりと物思いにかられ、ぽつんとわびしい灯火のしんをかきたてて燃やしつくしてしまっても、まだ眠れないでいる。

【孤特】コトク ＝孤独。

【孤独(獨)】コドク ①幼くて父のない子供と、老いて子のない人。『孟子』梁恵王下に「老而無子曰独、幼而無父曰孤」とあるのに基づく。②ひとりぼっち。

【孤帆】コハン 一そうのほかけ舟。孤舟。用例〔唐、李白、黄鶴楼送孟浩然之広陵詩〕孤帆遠影碧空尽、唯見長江天際流。⇩友を乗せた船の帆が遠く碧空のかなたに消え、あとにはただ長江が天の果てへと流れて行くのが見えるばかりである。

【孤負】コフ そむく。違背。

【孤△蓬】コホウ 一つのよもぎ。ただ一つ風にひるがえって飛んでゆくよもぎ。ひとりで遠くに旅する人などのたとえ。▼蓬は、アカザ科の二年草。枯れると、強風で原野を転がるという。用例（唐、李白、送二友人一詩）此地一為レ別、孤蓬万里征。↓この地でいったん別れを告げると、君は風に吹かれて転がり飛ぶ一本のよもぎのように、万里のかなたへと旅立っていくのだ。

【孤立】コリツ ①ひとりぼっちで助けがない。また、その人。「孤立無援」②対立するものがないこと。

【孤塁（壘）】コルイ 孤立したとりで。たった一つのとりで。

6【孨】9画 2581 ㊀セン 銑 㞼 zhuǎn ㊁漢ジュウ（ヂフ）呉ニュウ（ニフ）緝 nǐ 20588 — 2632

字義 ㊀❶つつしむ（謹）。❷よわい。年齢。❸親のいない子。㊁あつまるさま。

解字 会意。子を三つ合わせて、つつしむの意味を表す。

7【孫】10画 2582 教4 ソン まご ㊀ソン 元 sūn ㊁ソン 願 xùn 3425 91B7 —

筆順 ㇇ 了 孑 孒 孫 孫 孫 孫

字義 ㊀❶まご。子の子。❷子孫。孫以下の血すじの人。❸分かれ出たもの。分かれ生じたもの。「孫竹」㊁＝遜（12194）。❶ゆずる。へりくだる。❷したがう。❸のがれる。

国まご。「間接」の意。「孫引（まごびき）」

名前 さね・ただ・ひこ・ひろ・まご

解字 甲骨文 金文 篆文 会意。子＋系。系は、甲骨文では幺、金文では糸と書かれ、ひとすじにつながる糸の意味。子の子へとひとすじにつながる、まごの意味を表す。孫を音符に含む形声文字に、遜などがある。

逆 雲孫・王孫・外孫・玄孫・公孫・昆孫・子孫・児孫・慈孫・従孫・耳孫・嫡孫・適孫・天孫・末孫・来孫

【孫△卿】ソンケイ 荀子（一三〇八ページ中）をいう。

【孫堅】ソンケン 後漢末の武将。三国時代、呉の孫権の父。（一五七—一九三）

【孫権（權）】ソンケン 三国時代、呉の第一代の君主。字は仲謀。父の堅・兄の策の業を継いで、長江下流以南の地を領有し、建業（今の南京市）に都した。（一八二—二五二）

【孫呉△之略】ソンゴのリャク 孫武と呉起（共に兵法家）の兵略。

【孫康】ソンコウ 東晋の御史大夫。幼少の時、貧乏で油が買えないので、雪の反射光で本を読んだ。→蛍雪之功（一三五五ページ下）。

【孫策】ソンサク 後漢末の武将。呉の孫権の兄。長江下流以南の地を平定したが、事業半ばで、刺客に殺された。（一七五—二〇〇）

【孫子】ソンシ ①子孫。まご。②孫武をいう。③書名。一巻十三編。春秋時代末の孫武の著。中国最古の兵法書で、『呉子』と並び称せられる。中国や日本のみならず、ヨーロッパでも愛読された。

【孫叔△敖】ソンシュクゴウ 春秋時代、楚の政治家。楚の荘王の宰相となり、荘王の覇業を助けた。→両頭蛇（三四ページ下）。

【孫△臏】ソンピン 戦国時代、斉の兵法家。孫武の子孫。魏の龐涓にその才をそねまれて足きりの刑を受けたが、後、斉の兵を率いて魏軍と戦い、龐涓を大敗させた。その著とされるものに『孫臏兵法』がある。

【孫武】ソンブ 春秋時代、呉の兵法家。呉王闔閭に仕えて四方を征伐し、大功を建てた。兵法の書『孫子』を著し、後世、兵法の祖と称せられる。

【孫文】ソンブン 清末・民国初期の革命家・政治家。字は逸仙。中山先生と呼ばれる。広東省香山（今の中山市）の人。三民主義を唱え、中国国民党を組織し、中国の民主化に努めた。近代中国の父といわれる。（一八六六—一九二五）

8【孰】11画 2583 漢シュク 呉ジュク 屋 shú 5357 9B78 —

字義 ❶にる（煮）。にえる。❷みのる。成熟する。＝熟（7080）。助 たれ。たれか。いずれか。⇩助字・句法解説。

助字・句法解説

❶たれ。たれか。疑問・反語。訳 だれが…か。類 誰。人物について問う疑問詞。

用例（論語、雍也）弟子孰為レ好レ学。↓弟子の中で誰が学問好きといえますか。／（唐、韓愈、師説）人非二生而知一レ之者一、孰能無レ惑。↓人は生まれた時から道理を知っている者ではないから、だれが惑いがないと言えようか（みな惑いがある）。

❷いずれか。選択疑問。訳 どれが…か。比較する表現中で、どれを選択するかを尋ねる。

用例（韓非子、外儲説左上）斉王問曰、画孰最難者。↓斉王が尋ねた、「絵で描くのに何が最も難しいか」。／（論語、公冶長）女与レ回也孰愈。↓おまえと顔回とどちらがまさっているか。／（史記、陸賈伝）問二陸生一曰、我孰レ与二蕭何・曹参・韓信一賢。↓（南越の王尉他は）陸賈に聞いた、「私と蕭何・曹参・韓信では、誰が有能か」。

【孰与・孰若】いずれぞ。選択疑問。訳 どちらか。どれか。

用例（史記、廉頗藺相如伝）公之視二廉将軍一、孰二与秦王一。↓あなたたちは、廉頗将軍と秦王とのどちらが（恐ろしいと）思うか。／（史記、陳丞相世家）陳平曰、陛下精兵孰二与楚一。↓陳平が言った、「陛下の精鋭軍は、楚と比較していかがでしょうか」。

解字 金文 篆文 会意。金文は、享＋女＋丮。享は、土なべに食物を盛って煮て人をもてなすの意味。丮は、手にとるの意味。女性が土なべに手をかけて食物を煮るさまから、よく煮るの意味を表す。借りて、疑問の、たれ・なにの意味に用いる。のち、𦎧＋丮となり、さらに、享＋丸に変形した。孰の意味と音符とを含む形声文字に、塾・熟などがある。

【孰若】いずれぞ ⇩助字・句法解説。

【孰与】いずれぞ ⇩助字・句法解説。

8【孮】11画 2584 漢ソウ 呉ゾウ 冬 cóng — — 2633

字義 子孫が栄える。

解字 形声。子＋宗音。

9【孯】12画 2585 漢カン 呉ケン 刪 qiān 20589 — 2634

字義 かたい（固）。

解字 形声。子＋臤音。

9【孶】12画 2586 ジ 孳（2587）の俗字。→三八六ページ下。

9【孳】12画 2587 ㊀シ 支 zī ㊁漢シ・呉ジ 寘 zì 5358 9B79 —

【孶】2586 俗字

字義 ㊀❶うむ（生）。子を多く生む。「孳生」❷しげる。ふえる。ふやす。❸つとめる。はげむ。＝孜（4517）。㊁子をもつ。子をうむ。さかる。

解字 金文 篆文 形声。子＋茲音。音符の茲は、ふえるの意味。子がつぎつぎにふえるの意味を表す。

【孳孳】シシ・ジジ つとめはげむさま。孜孜。

9【孱】12画（2811） セン 尸部。→四三〇ページ下。

11【孵】14画 2588 標 フ 虞 fū 5359 9B7A —

字義 **かえ-る**。卵がかえる。また、**かえ-す**。卵をかえす。

解字 **形声**。卵＋孚㊮。音符の孚フは、乳児を抱きかかえるさまを表す。卵を付し、卵をかえすの意味を表す。

【孵化】カフ ①卵がかえる。②卵をかえす。
【孵卵】フラン 卵をかえす。

13【學】16画 (2575) ガク 学(2574)の旧字体。→三八三ジペー上。

14【孺】17画 2589 漢ジュ 呉ニュ 遇 虞 rú 5362 9B7D —

字義 ❶**ちのみご**。おさなご。また、子供。年少者。❷小僧。こぞっこ。人を見さげていう語。❸おさない。いとけない。❹したう(慕)。したしむ。❺つく(付)。したがう。また、つながる。

解字 篆文 **形声**。子＋需㊮。音符の需は、しなやかの意味。しなやかな子、ちのみごの意味を表す。

【孺子】ジュシ ①おさなご。幼児。用例〔孟子、公孫丑上〕乍見孺子将入於井。⇩突然、幼い子どもが井戸に落ちそうになっているのを目にする。②人を見さげていう語。小僧。こぞっこ。用例〔史記、留侯世家〕孺子可教。⇩小僧、お前に教えてやろう。③若くて美しい女性。
【孺人】ジュジン 妻をいう。▼孺は、したがう、つながる。

16【孼】19画 2590 漢ゲツ 呉ゲチ 屑 niè ₂0590 — 2635
［孽］2591 俗字

字義 ❶嫡出でない子。妾腹ショウフク。庶子。「孼庶」❷ひこばえ。＝蘖(5903)。❸**わざわい**。用例〔書経、太甲中〕天作孼猶可違。⇩天の下した災いは、いかにひどいものでものがれることができる。❹わるい。不吉な。

解字 篆文 **形声**。子＋辥㊮。音符の辥ゲツは、蘖(蘗)ゲツに通じ、ひこばえの意味。正妻の子ではない意味を表す。

【孼遺】ゲツイ ①忘れがたみ。②残り。余り。
【孼子】ゲッシ 嫡出でない子。庶子。孼庶。
【孼臣】ゲッシン 悪い家来。姦臣カンシン。
【孼党(黨)】ゲットウ 悪者ども。姦党。孼類。

16【孽】19画 2591 ゲツ 孼(2590)の俗字。→三八七ジペー上。 ₁4755 — 2636

17【孾】20画 2592 エイ yīng — — 2637

字義 みどりご。あかご。

19【孿】22画 2593 レン 先 luán ₂0591 — 2638

字義 ❶ふたご。双生児。「孿子」❷つなぐ(繋)。また、つながる。

解字 **形声**。子＋䜌㊮。

宀 3画 うかんむり

〔部首解説〕形が片かなのウに似ているところからいう。宀を意符として、いろいろな家屋や付属物、屋内の状態などに関する文字ができている。

0【宀】3画 2594 漢ベン 呉メン 先 mián 5363 9B7E —

字義 屋根を四方に垂れた家。

解字 篆文 **象形**。切妻屋根にかたどる。

2【宄】5画 2595 キ 紙 guǐ ₂0593 — 2640

字義 ❶みだれ。よこしま。邪悪。「姦宄カンキ」❷わるもの。ぬすびと。

解字 金文 篆文 **形声**。宀＋九㊮。音符の九は、曲がっていきどまりになるの意味。宀は、家屋の意味から、人の心の内面の意味。曲がった心・よこしまの意味を表す。

2【宂】5画 2596 ジョウ 冗(775)の正字。→一六一ジペー上。

2【它】5画 2597 タ 歌 tā, tuō 5364 9B80 —

字義 ❶へび。まむし。＝蛇(10535)。❷ほか。よそ。＝他(197)。

解字 甲骨文 篆文 **象形**。身をくねらせ、尾を垂れるへびの形にかたどる。甲骨文では、特に上部に、止(あし)を付し、人の足にかみつくへび、まむしの意味を表す。蛇の原字。借りて、よそ・ほかの意味をも表す。它の意味と音符とを含む形声文字に、佗タ・拖タ・沱タ・舵ダ・駝タ・鴕タなどがある。

2【宁】5画 2598 漢チョ 呉ジョ(ヂョ) 語 zhù ₂0592 — 2639

字義 ❶**たたず-む**。＝佇(274)。「宁立」❷たくわえる。＝貯(11543)。

解字 甲骨文 篆文 **象形**。物を貯え積むための器具の象形で、たくわえるの意味を表す。貯の原字。また、その器具の安定感から、たちどまる・たたずむの意味を表す。宁を音符に含む形声文字に、佇チョ・貯などがある。

3【安】6画 2599 アン 寒 ān 教3 アン やす-い 1634 88C0 —

筆順 丶 丶 宀 安 安 安

字義 助**いず-くに**。**いず-くにか**。**いず-くんぞ**。**いず-れの**。⇨助字・句法解説。❶**やす-い**。**やす-らか**。㋐しずか。おだやか。「平安」㋑落ち着く。㋒おもむろ。ゆるや

子部 13▼19画〔學孺孼孽孾孿〕 宀部 0▼3画〔宀宄宂它宁安〕

か。❷やすんずる。㋐やすらかになる。落ち着く。治まる。安心する。用例〔東晋、陶潜、帰去来辞〕倚南窓以寄傲、審容膝之易安。↓南側の窓にもたれて気ままにくつろぎ、膝しか入らないほどのこの狭いわが家こそ、もっとも落ち着く場所だと悟った。／〔老子、八十〕甘其食、美其服、安其居、楽其俗。↓食物をうまいと食べ、彼ら自身の衣服を心地よく着、彼らの住居に落ち着き、自分たちの風俗習慣を楽しむようにさせる。㋑やすらかにする。落ち着かせる。やすらかに治める。❸やすらぎ。やすらかさ。楽しみ。㋓甘んずる。㋒楽しむ。好む。㋐値段がやすい。㋑やさしい。容易である。㋔おく(置)。すえる。❸やすらぎ。やすらかさ。楽しみ。❹やすんじて。安心して。静かに落ち着いて。国やすい。㋐値段がやすい。㋑やさしい。容易である。

助字・句法解説

❶いずくに。いずくにか。疑問。訳どこ。どこに。類何・悪。場所について問う疑問詞。用例〔史記、黥布伝〕王怒曰、汝安従知之。↓淮南王英布は怒って言った、「お前はどこから彼のことを知ったのか」。／〔史記、項羽本紀〕沛公安在。↓沛公はどこにいるか。

❷いずくんぞ。反語。訳どうして…か。類悪・焉・寧。原因・理由を問う反語表現を作る。用例〔戦国策、斉〕子安能為之足。↓おまえはどうして蛇の足なんか描くことができようか。／〔史記、項羽本紀〕卮酒安足辞。↓酒なんかなんで辞退いたしましょう。

❸いずれの。疑問。訳どこ。「安所(いず〔づ〕れのところ)」の形で場所を問う。用例〔北宋、蘇軾、後赤壁賦〕顧安所得酒乎。↓どこから酒が手に入るだろう(どこかから酒を得たい)。

名前 あ・あん・さだ・やす・やすし 難読 安乎あが・安家あっか・安居院あぐい・安芸あき・安芸津あきつ・安口あぐち・安子島あこがしま・安宿あすか・安食あじき・安心院あじむ・安寝やすい・安栖里あせり・安積あさか・安詮院あぜぶ・安足間あんたろま・安孫子あびこ・安宅あたか・安達太良あだたら・安土あづち・安登あと・安曇あずみ・安曇川あどがわ・安倍あべ・安比あっぴ・安平あびら・安房あわ・安幕あまかか・安茂里あもり・安毛あたげ・安来やすぎ・安楽城あらき・安特堤アムステルダム

参考「やすい」の意で常用漢字表に含まれている漢字は〔安〕のみ。「書きやすい・雨の降りやすい時季」のような場合は仮名書きが一般的。

解字 甲骨文 篆文 会意。宀＋女。家の中で女性がやすらぐさまから、やすらかの意味を表す。
安を音符に含む形声文字に、按・案・頞などがあり、安の変形と思われる晏(晏)を音符に含む形声文字に、宴・偃・堰・蝘などがある。これらの漢字は、「やすらぐ」の意味を共有している。

逆 慰安・公安・大安・治安・鎮安・平安・保安・奉安

【安安】アンアン やすんずべきものをやすんずる。また、天性のままで、すこしも努めずにいて徳性がうるわしいこと。やすらかなさま。

【安易】アンイ ①くつろぐ。なげやり。②国㋐たやすい。㋑手軽。㋒のんき。㋓軽はずみ。

【安慰】アンイ 安らかに慰める。慰めて心を落ちつける。

【安逸・安佚】アンイツ ①やすんじ楽しむ。また、安楽。▼逸は、楽しむ、怠ける。②何もせずに遊んでいること。用例〔十八史略、唐、太宗〕莫不得之於艱難、失之於安逸。↓天下を辛苦の末に得て、これを安楽無事に過ごすうちに失わない者はない。

【安燕】アンエン ①やすんじ楽しむ。▼燕も、安。②宴会を楽しむ。

【安穏(穩)】アンオン・アンノン やすらか。おだやか。

【安閑】アンカン ①心が落ち着いて、ゆったりとしたさま。②国気楽なこと。無為にすごすこと。

【安危】アンキ やすらかなことと危いこと。

【安釐王】アンキオウ 戦国時代の魏の第七代の王。信陵君(一一〇ページ上)の兄。(?—前二四三)

【安居】一アンキョ ①やすらかにいる。やすらかにくらす。②やすらかな住居。③居にやすんずる。自分の生活している場所に満足していること。二アンゴ 仏陰暦四月十六日から七月十五日までの九十日間(インドでは雨期に当たる)、僧が外出せず、一室に静居して修行すること。

【安行】アンコウ ①やすんじて行う。〔中庸〕②静かに行く。

【安康】アンコウ やすらか(に治まる)。太平無事。

【安国】アンコク・くにをやすんず ①国家をやすんじる。国を安定させる。②安定した国。③隋・唐代の西域の国名。

【安座・安坐】アンザ ①やすらかにすわる。また、何事もしないでいる。②仏㋐仏像を安置する。㋑座禅のとき、両脚を組んで座る。

【安史】アンシ 唐の安禄山(三八九ページ中)とその部将の史思明(三四一ページ中)。

【安史乱(亂)】アンシのラン 唐代、玄宗の天宝十四年(七五五)、安禄山と史思明が相次いで起こした反乱。

【安肆】アンシ あそび楽しんで自分勝手にする。ほしいままに楽しんで礼儀作法をかえりみないこと。

【安車】アンシャ 座って乗る、老人・女性用の小さな馬車。古代の一般の車は四頭だてで、立って乗る。

【安車蒲輪】アンシャホリン 車輪を蒲で包み、揺れないようにしたもの。老人を手厚く待遇する意。

安車

【安舒】アンジョ 落ち着いてしずかなこと。のんびりとやすらかなこと。安閑。

【安心】一アンシン やすらかな心。心配がないこと。二アンジン 仏信仰によって心を落ちつけること。

【安心立命】アンシンリツメイ・アンジンリュウメイ 仏信仰によって天命をさとり、心をやすらかにし、生死利害などを超越すること。▼安心は仏教語、立命は儒教語。

【安身】アンシン ①身をたてる。立身。②身をやすらかにする。身心をやすんずる。③やすらかな身。

【安人】アンジン 人々をやすらかに治める。人々の心や生活をやすらかにすること。安民。用例〔論語、憲問〕修己以安人。↓自分の修養をして、人々を安らかに治める。

【安井息軒】やすいソッケン 国江戸末期の漢学者。名は衡。字は仲平。息軒は号。日向(今の宮崎県)の人。昌平黌の教授となった。著に『左伝輯釈』『息軒遺稿』などがある。(一七九九—一八七六)

【安西】アンセイ ①地名。唐代、安西都護府が置かれた。今の新疆ウイグル自治区庫車県。②地名。今の甘粛省瓜州県。

【安積艮斎(齋)】あさかゴンサイ 国江戸後期の漢学者。名は重信。字は思順。艮斎は号。佐藤一斎・林述斎に学び、昌平黌の教授となった。(一七九一—一八六〇)

【安積澹泊】あさかタンパク 国江戸中期の漢学者。名は覚。字は子先。澹泊は号。朱舜水に師事し、彰考館総裁として『大日本史』の編修に従った。(一六五六—一七三七)

【安全】アンゼン あぶなげがない。つつがない。無事息災。平穏。

【安禅】アンゼン 静かに座禅すること。用例〔唐、王維、過香積寺詩〕薄暮空潭曲、安禅制毒竜。

竜(煩悩)を制御(滅却)している僧がいる。

【安息】アンソク ①やすらかに憩う。休息。②紀元前三世紀にイラン系民族が西アジア(今のイラン地方)に建てたパルティア国の中国風の呼び名。

【安泰】アンタイ やすらか。無事。安穏。▼泰も、やすらかの意。

【安宅】アンタク ①やすらかな(安全な)住まい。②やすらかに居る。やすらかに住む。③仁をいう。人が身を置くべき場所の意。一説に、身を置くのに最も安全な場所の意。用例〔孟子、公孫丑上〕仁、人之安宅也。⇩仁は人民の安住できる家である。 国石川県南西部の日本海沿岸にあった関所の名。

【安置】アンチ ①やすらかにおく。動かないように置く。すえつける。②寝る。寝につく。

【安帝】アンテイ ①後漢の第六代皇帝。劉祐。②東晋の第十代皇帝。司馬徳宗。

【安△堵】アンド やすらかにくらす。家をとりまく堵(土塀)の中に安んじている意。案堵。安レ堵。〔三国志、蜀志、諸葛亮伝〕 国①心配のないこと。②鎌倉・室町時代、武士や寺社の旧領地の所有権をそのまま主君が公認すること。「本領安堵」

【安南】アンナン インドシナ半島の東海岸地方。また、この地方にベトナム人が建てた国。ベトナム。安南の名は、唐代、安南都護府が今のハノイに置かれたのに始まる。

【安忍】アンニン ①忍にやすんずる。平気で残忍なことをすること。②仏安心して忍耐すること。

【安寧】アンネイ ①やすらかなこと。▼寧も、やすらか。②冬の別名。

【安排】アンバイ・アンパイ ①ほどよく並べる(加減する)。按排。②物のあるがままにやすんずること。

【安倍仲麻△呂】あべのなかまろ ＝阿倍仲麻呂(一五〇八ページ上)。

【安否】アンピ 安全かどうか。無事かどうか。

【安△撫】アンブ 人を、やすらかに落ち着かせるようにすること。

【安民】アンミン 民をやすんずる。人民を教化し、その衣食を豊かにして、平和で安楽な生活をさせること。安人。

【安命】アンメイ ①天命にやすんずる。自らの分を守ってみだりに求めないこと。②生まれた時、月によってその人の運命を占う法。

【安△邑】アンユウ 地名。夏の禹王の都。また、戦国時代の魏の初期の都。今の山西省夏県の北西。

【安陽】アンヨウ 河南省の市名。殷末期に都があった。西郊の小屯村を中心とした殷代の都城の遺跡(殷墟)から、甲骨文字など考古学上の貴重な史料が数多く出土している。

【安養】アンヨウ・アンニョウ 仏極楽浄土。浄土に住めば、心をやすんじ身を養って、すみやかに仏に等しい知徳を得ることから。安養国。安養浄土。安養世界。

【安養浄(淨)土】アンヨウジョウド 仏極楽浄土。安養。

【安流】アンリュウ 静かに流れる。また、静かな流れ。

【安△禄山】アンロクザン 唐の武将。突厥族の出身。玄宗に重んじられ、范陽(今の北京市の南西)の節度使となったが、天宝十四年(七五五)に謀反を起こし長安に攻め上り、帝号を称した。後、その子慶緒に殺された。(七〇五—七五七)

【△偸レ安】やすきをぬすむ 眼前の安楽をむさぼる。また、一時の安穏をはかる。偸安。

3【宇】6画 2600 教6 ウ ウ 奧 yǔ

1707
8946
—

[寓] 2669 古字 [宇] 2601 俗字

筆順 丶 丶 宀 宀 宇 宇

字義 ❶のき(軒)。ひさし。のきば。❷いえ(家)。また、屋根。「屋宇」❸天地四方。無限の空間。↔宙(2623)。「宇宙」❹天。空。❺ところ。あたり。「眉宇」❻心。魂。精神。器量。「気宇」

名前 いえ・う・うま・たか・のき 難読 宇甘・宇合・宇宿・宇津谷・宇泥須・宇土・宇都井・宇奈比処女・宇野気・宇柳貝

解字 篆文 籀文 形声。宀＋于㊟。音符の于は、弓なりに曲がってまたがるの意味。家屋の中で、またぐように覆う部分、のき(軒)の意味を表す。

逆 営宇・屋宇・館宇・器宇・気宇・胸宇・区宇・結宇・大宇・宅宇・壇宇・殿宇・棟宇・飛宇・仏宇

【宇下】ウカ のきした。簷下。近いところ。

【宇県(縣)】ウケン 中国をいう。天下。寓県。▼宇は宇宙、県は赤県神州。

【宇内】ウダイ 天地の間。あめがした。天下。世界。用例〔東晋、陶潜、帰去来辞〕已矣乎、寓二形宇内一復幾時。⇩ああ、もう、おしまいだなあ。この世に生きながらえているのも、いったいあとどのくらいであろうか(たいした時間ではない)。

【宇宙】ウチュウ ①天地四方と過去・現在・未来にわたる無限の時間。宇は空間、宙は時間。また、ありとあらゆる存在物の一切を包括する空間。無限の空間。②天地。世界。③天文学上では、すべての天体を含む全空間。

【宇文泰】ウブンタイ 北周の太祖文帝。北魏の孝武帝を殺して文帝を立て、西魏を建国し、その宰相となって実権を振った。子の覚は北周初代の孝閔帝。(五〇五—五五六)

3【宇】6画 2601 ウ 宇(2600)の俗字。→三八九ページ中。

20594
—
—

3【穹】6画 2602 キュウ 穹(8570)と同字。→一〇六〇ページ上。

—
—
2641

3【字】6画 2603 教1 ジ あざ 漢シ・呉ジ 眞 zì

2790
8E9A
—

筆順 丶 丶 宀 宀 字 字

字義 ❶うむ(生)。子を産む。❷はらむ(孕)。妊娠する。❸やしなう。そだてる。乳を飲ませる。また、いつくしむ。愛する。❹ます。ふえる。❺もじ(文字)。もと、象形文字・指事文字を文といい、それらを組み合わせて作られた会意文字・形声文字を字という。❻あざな。また、あざなする。中国で元服の時に、実名のほかにつける名。⇩ コラム 姓名の慣習(三六七ページ)。用例〔十八史略、春秋戦国、呉〕員、字子胥。⇩伍員は字を子胥といい、楚人、伍奢の子である。 国あざ。町村内の小区分。

名前 さね・つぐ・な

注意 『康熙字典』では、子部に所属する。

参考 ⇩〔名〕(1344)の参考。

解字 金文 篆文 形声。宀＋子㊟。音符の子は、おさなごの意味。家の中で子を育てるの意味を表す。また、もじの意味も表す。→字義❺。

逆 遊字・韻字・音字・解字・仮字・活字・虚字・金字・検字・国字・古字・実字・集字・植字・助字・姓字・正字・俗字・題字・本字・苗字・名字・文字・倭字

【字育】ジイク はぐくみ育てる。いつくしみ育てる。字養。

【字音】ジオン 国中国伝来の日本語化した漢字の音。漢音・呉音・唐音などがある。山・川の類い。↔字訓。⇩ コラム 日本の漢字音(八六四ページ)。

【字画(畫)】ジカク 漢字を組み立てている点と線。 ガジ 文字と絵画。書画。

【字眼】ジガン ある詩文の中の、全体の出来ばえを左右する重要な文字。

【字義】ジギ 文字の意味。

【字訓】ジクン 国漢字の日本読み。漢字の意味を言い表す日本語がその字の読み方として固定したもの。山・川の類い。↕字音。

【字体(體)】①文字の形。文字の骨組み。②書体。実際の文字の様式。楷書・行書・草書、明朝体・ゴシック体など。

【字乳】やしなう。育てる。乳を飲ませる。

【字母】①漢字の声母(頭子音)を表す代表字。三十六字母。②文字の音を表す符号。アルファベットや注音字母など。③活字を作るもとになる文字型。母型。

【字謎】文字を材料としたなぞ。「出頭天」が「夫」を意味する類い。

【字養】＝字育。

【識字憂患始】文字を学び学問をすると悩みが生ずる。無学の方が気楽でよろしい。〔北宋、蘇軾、石蒼舒酔墨堂詩〕

3
【守】
6画 2604 教3 シュ・ス まも-る・もり
一 漢シュウ(シウ)・呉シュ 宥 shǒu
二 漢シュウ(シウ)・呉シュ 宥 shòu
慣ス
2873 8EE7 一

筆順 丶 丷 宀 宁 守 守

［垨］1956 同字

字義 一 ❶まも-る。㋐たもつ。保持する。用例〔戦国策、魏〕受地於先王、願終守之。↓先王から拝領した土地を、最後まで保ちたい。

㋑ふせぎまもる。用例〔国語、斉語〕以守則固、以征則強。↓敵から守れば強固であるし、敵を攻撃すれば強力である。

㋒保護する。用例〔国語、越語上〕将免者以告、公医守之。↓出産しようとしている者は申し出ると、国の医師が養護する。

㋓見はる。番をする。「看守」「守株」

㋔ま-つ(待)。まちうける。用例〔国語、越語下〕上帝不考、時反是守。↓天帝が成功させようとしないうちは、時機がもどってくるのを待つ。

㋕つかさどる。処理する。用例〔荀子、王覇〕知者之知、固以多矣、有以守少、能無察乎。↓物事をよく知る者の知識は、もともと広く、狭い範囲を処理するのであれば、当然明察である。

㋖大切にする。また、つつしむ。用例〔孟子、滕文公下〕守先王之道、以待後之学者。↓先王の道を大切に守り、後世の学者に伝え残そうと努める。
❷まも-り。㋐そなえ。防備。
㋑みさお。節操。用例〔列女伝、陳弁女〕柔順而有守。↓おとなしく素直で節操がある。
❸もと-める。請求する。用例〔漢書、外戚伝〕数守大将軍光、為丁外人求侯。↓何回も大将軍の霍光に求めて、丁外人を侯に封じるようお願いした。
二 ❶まも-る。天子が諸国を視察してまわる。＝狩(7225)。「巡守」
❷地方の長官。郡守・太守・刺史などを指す。また、地方長官となる。用例〔南柯太守伝〕自守郡二十載、風化広被。↓郡の太守となってから二十年が経ち、民衆への教化が広くゆきわたった。
❸地方の行政機関の所在地。
❹官職を兼務、代行する。多くは官位の低い者がより高い位の官職を兼務した。用例〔後漢書、王允伝〕代楊彪為司徒、守尚書令如故。↓楊彪に代わって司徒となり、もとのまま尚書令を兼務した。
❺つとめ。役目。職務。「官守」「職守」
国 ❶まも-る。見つめる。❷まも-り。神仏のお守り札。❸もり。もり役。子もり。❹かみ。昔の官名で、一国の長官。国守。

名前 え・さね・し・ま・まもる・もり・もれ 難読 守瓜・守宮・守道・守内

解字 金文  篆文 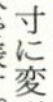 形声。宀＋寸(手)音。音符の手は、寸に変形したが、「て」の意味。宮殿などを手で守るの意味を表す。

逆 監守・看守・郡守・攻守・国守・固守・死守・巡守・遵守・順守・大守・太守・鎮守・墨守・保守・留守

【守一】①一事に専心すること。「守一無適」②道(特に道家の道)に専心し、あるいは、それを執り守ること。

【守旧(舊)】ふるい習慣をまもる。保守。

【守宮】やもり。一説に、蜥蜴の別名。

【守御・守禦】敵の攻撃を防ぎ、城などをまもる。防禦。

【守愚】＝守愚(五三三ページ中)。

【守護】①まもる。保護。②国鎌倉時代、源頼朝が警備のために諸国に置いた官。守護職。

【守歳】おおみそかに眠らないで夜をあかすこと。

【守死】死ぬ覚悟をして事に当たること。死守。

【守株】いつまでも旧習を守って時勢の変化に応じることをしないたとえ。昔、一農夫が、うさぎが木の切り株にぶつかって死んだのを見て、もう一度うさぎを得ようと、耕作をやめて、いつまでも切り株を見守り、世のもの笑いとなった故事による。守株。用例〔韓非子、五蠹〕釈其耒而守株、冀復得兎。↓自分の鋤を放り出して切り株を見守り、もう一度うさぎを手に入れたいと願った。

【守戍】辺境をまもること。また、その人。

【守成】すでに出来上がった事業などを、衰退させないように保持してゆくこと。↕創業(一八七ページ中)。用例〔十八史略、唐、太宗〕創業守成孰難。↓国を建てることと、建てた国を衰退させないように保持してゆくことと、どちらが難しいか。

【守勢】まもり防ぐ立場。受身。↕攻勢(六三一ページ上)。

【守拙】＝守拙(五八五ページ中)。

【守節(節)】①節義をまもって変えない。みさおをまもる。守貞。②夫に死なれたあとも再婚しないこと。

【守銭(錢)奴】金銭をためることに異常な執着心を持っていて、少しの金も出し惜しみする人をののしった語。

【守蔵(藏)史】書庫をつかさどる役人。司書官。

【守備】城または陣地をまもり、敵の攻撃に備えること。守り。固め。

【守分】自らの分限をまもる。自分の置かれた状況に満足し身のほどを知ること。

【守文】①文をまもる。従来の成法をまもり、武力などを用いず国を治めること。②旧説をまもること。

【守望】敵や賊を防ぐための見張りを置くこと。また、その見張り。見張り台。

【守約】まもることが要を得ている。守要。

【守令】①郡の長官と県の長官。②地方の長官。郡守・県令・邑令(町村の長)など。

3
【宅】
6画 2605 教6 タク
漢タク・呉ジャク(ヂャク) 陌 zhái
3480 91EE 一

筆順 丶 丷 宀 宀 宅 宅

字義 ❶すまい。家。屋敷。「住宅」❷いる所。また、おるべき所。用例〔孟子、離婁上〕仁、人之安宅也。↓仁は人民の安住できる家である。❸住む。居住する。また、居る。❹墓。墓地。
国 ❶タク。おっと。妻が夫をさしていう語。❷やか。やけ。家。

名前 いえ・おり・たく・やか・やけ

解字 甲骨文 篆文 形声。宀＋乇㊨。音符の乇は、くつろぐ人の象形。人が身をのびやかにしくつろぐ家屋の意味を表す。

逆 安宅・外宅・火宅・故宅・私宅・第宅・本宅・方宅

【宅宇】家。すまい。また、家の軒。

【宅兆・宅△垗】はか。墓場。墓穴。

【△徙レ宅△而忘二△其妻一】転居して、その妻を忘れる。大切なものを忘れるたとえ。また、ひどい健忘者、愚者のたとえ。〔説苑、敬慎〕

【△トレ宅】①都とすべき候補地の吉凶を占う。②(占って)住居地を選び定める。③墓場を選び定める。

4 【完】 7画 2606 教4 カン

漢カン(クヮン)・呉ガン(グヮン) 寒 wán

2016 8AAE —

筆順 丶 丶 宀 宀 宁 完

字義 ❶まったーし。そなわる。欠けた所がない。完全。❷まっとーうする。㋐保つ。しっかりと守る。そこなわない。「完璧」㋑つくろう。治める。㋒はたす。仕遂げる。完成する。❸おわる。

名前 かん・さだ・たもつ・なる・ひろ・ひろし・まさ・また・またし・みつ・ゆたか 難読 完戸・完草・完道

解字 篆文 形声。宀＋元㊨。音符の元は、院に通じ、ぐるりとめぐらした垣の意味。周囲を垣でめぐらし、内部がしっかりと守られるさまから、まったしの意味を表す。

【完△裙】完全なスカート。破れていないスカート。用例〔唐、杜甫、石壕吏詩〕有レ孫母未レ去、出入無二完裙一 ↓孫がいますので、その母親(よめ)は、立ち去らずにまだ家におりますが、よそへ出かけるのに、満足なスカートもないといった状態です。

【完結】すっかり終わる。完全に終了する。完了。

【完済(濟)】国借金を残らず返すこと。

【完遂】完全に成し遂げる。

【完全無欠(缺)】十分に整っていて少しも欠点のないこと。

【完備】十分にそなわる。完全にそなわる。↕不備(三〇ページ中)。

【完膚】①傷のない完全な皮膚。②無傷の個所。「完膚無きまでに打ち破る」

【完璧】①委託された宝玉を無事に持ち主に返すこと。転じて、借り物を損なわずに返すこと。戦国時代、趙の藺相如が、璧を持って秦に使いし、その璧を無事に持ち帰った故事による。用例〔史記、廉頗藺相如伝〕城不レ入、臣請完レ璧帰レ趙 ↓城が手に入らなければ、私が璧をそのまま守り抜いて趙に持ち帰って参りましょう。②傷のない玉。転じて、物事に全く欠点のないこと。

【完本】巻数が全部そろっている本。↕欠本(七七ページ中)。

4 【宆】 7画 2607 ギ

宜(2616)の本字。→三九四ページ上。

— — 2644

4 【宏】 7画 2608 人

漢コウ(クヮウ) 呉オウ(ワウ) 庚 hóng

2508 8D47 —

筆順 丶 丶 宀 宀 宏 宏 宏

字義 ❶ひろーい。ひろ。「宏放」❷おおきい。用例〔唐、柳宗元、三戒〕声之宏也類二有能一 ↓(驢馬の)声の大きいことといったら、有能な者のようである。❸家が奥深い。

名前 あつ・こう・ひろ・ひろし

参考 現代表記では〔広〕(3175)に書きかえる。ただし、人名は別。「宏大」→「広大」「宏壮」→「広壮」。熟語は〔広〕をも見よ。

解字 金文 篆文 形声。宀＋厷㊨。音符の厷は、ひろいの意味を表す擬声語。屋内の深い広がりの意味を表す。

【宏△豁】野原などの、広々と開けていること。

【宏器】①おおきな(立派な)器具。②おおきな器量。人物がおおきく立派なこと。

【宏儒】すぐれた儒学者。また、大学者。大儒。碩儒。

【宏壮(壯)】広くておおきい。立派でおおきい。広壮。

【宏図(圖)】遠大なはかりごと。立派なはかりごと。宏謨。宏猷。

【宏度】①おおきな度量。立派な才略。②立派なのり(法度)。

【宏弁(辯)】立派な弁論。雄大な弁論。

【宏△謨】＝宏図。

【宏放】心がひろく、小さな事にはこだわらない。

【宏△猷】＝宏図。

4 【宑】 7画 2609

漢セイ 呉ショウ(シャウ) 梗 jǐng

— — 2645

字義 屋内にある井戸。

解字 形声。宀＋井㊨。

4 【宋】 7画 2610 人 標 ソウ 宋 sòng

3355 9176 —

筆順 丶 丶 宀 宀 宇 宋 宋

字義 ❶国名。春秋時代の国。殷の宗族の微子啓が周から封ぜられた国。今の河南省商丘市の地。三十二代続き、前二八六年、斉に滅ぼされた。❷王朝の名。㋐南北朝時代、南朝の劉裕が四二〇年に建てた国。建康(今の南京市)に都し、八代五十九年で、四七九年に、斉に滅ぼされた。劉宋ともいう。㋑趙匡胤が建てた国。九六〇年、汴(今の河南省開封市)に都し、第十代の高宗の時、金に圧迫されて、一一二七年、臨安(今の浙江省杭州市)に移った。それ以前を北宋、以後を南宋という。合計十八代三百二十年続き、一二七九年、元に滅ぼされた。趙宋ともいう。

名前 おき・くに・すえ

解字 金文 篆文 会意。宀＋木。屋内に木のあるさまで、国名や姓を表すのに用い、他には用例がない。

【宋音】国鎌倉時代に禅僧などによって日本に伝えられた漢字音。行灯のアン・ドンなど。宋代の江南地方の字音に基づく。唐音ともいう。→唐音(二六七ページ上)。

【宋学(學)】宋代の学者によってなされた儒教の哲学的解釈・論説。経書の字句の解釈を主とした漢唐の学(漢学)に対していう。その代表的な学者が程明道・程伊川兄弟及び朱熹であることから、程朱学・朱子学ともいい、内容から、理学・性理学ともいう。⇩ コラム 宋代の文学と宋学(三九二ページ)。

【宋玉】戦国時代、楚の文学者。屈原の弟子。(前二九〇—前二二三)

【宋△之問】初唐の詩人。字は延清。武后に仕えたが、後、流されて死罪となった。詩は沈佺期と並んで沈宋と称された。(?—七一二)

【宋史】書名。四百九十六巻。元の托克托(脱脱)らが勅命により編集したもので、宋代の歴史を記した書物。二十四史の一つ。

【宋儒】宋代の学者。特に、宋学の学者をいう。→宋学。

【宋書】書名。百巻。南朝梁の沈約が勅命により編集した南朝宋の歴史を記した書物。二十四史の一つ。

【宋△襄△之仁】つまらない、行き過ぎたなさけ・あわれみをいう。宋の襄公の仁。春秋時代、宋の襄公が楚と戦った時、敵の陣立てが整わないうちに攻めようと言った目夷の言を用いないで、かえって負けた故事による。〔十八史略、春秋戦国、宋〕

コラム

宋代の文学と宋学

古文復興運動 宋代（九六〇－一二七九）の約三百二十年間はまた、北宋（九六〇－一一二七）と南宋（一一二七－一二七九）との両期に分けられる。この時代の文学としてまず触れなければならないのは、散文の分野における、古文復興運動であろう。

古文復興運動の担い手は、まず唐代の韓愈・柳宗元であり、宋代に入っては、三蘇と称せられた蘇洵・蘇軾・蘇轍父子や、欧陽脩・曽鞏・王安石の、唐宋八大家と称される文豪たちであった。それは、外形的修辞を重んずる駢文の弊風を改め、『孟子』『史記』などの古文に返って、達意の明快さを旨とする文章を作るべしとする、文芸復興とも称すべき主張であり、運動であった。欧陽脩は、簡潔かつ理知的、蘇軾は博大な知識を駆使して奔放、王安石は常識にとらわれない気迫に富む文章を、それぞれに残している。特に、蘇軾が『三国志』の古戦場、赤壁に船遊びをした際の感慨を記した「前赤壁の賦」は、古今の名文として、我が国でも愛読されてきた。このほかの北宋の散文家としては、「岳陽楼記」を書いた范仲淹や、古代より北宋に至るまでの通史である『資治通鑑』の著者、司馬光などがいる。

宋代の詩歌 一方、北宋の詩歌は、唐代のそれに学びつつも、その主情的な傾向から、人生の道理を説く主知的な方向へと移行した。それは熱情を抑えた平静な境地と、日常生活に対する細かな観察とを表現する洗練された詩風であった。その代表が、三蘇以下、梅尭臣・司馬光・黄庭堅などの詩人たちである。次に、蘇軾の「春夜」の詩を掲げる。

春宵一刻直千金
花有清香月有陰
歌管楼台声細細
鞦韆院落夜沈沈

南宋の詩人の代表は、陸游・范成大・楊万里の三者とされる。中でも陸游は、今に残る詩数九千余首、率直な叙情と対句を中心とする修辞の冴えとによって、南宋第一の詩人と評価されている。その「山西の村に遊ぶ」の詩は、次のようなものである。

莫笑農家臘酒渾
豊年留客足鶏豚
山重水複疑無路
柳暗花明又一村
簫鼓追随春社近
衣冠簡朴古風存
従今若許閑乗月
拄杖無時夜叩門

陸游・范成大・楊万里に共通するのは、北宋詩の叙述的・論理的な性格に対して、叙情性を回復したことであり、そこから新たな田園詩をも成立させた。また、この時代の大儒・古典学者として令名ある、朱熹の詩人としての評価も高い。

「詞」の盛衰 「詩」とは別に、この時代にはまた、「詞」と呼ばれる新たな韻文の形式が盛行した。それは曲に合わせて作られた歌詞で、俗に「詞」と呼ばれ、句がふぞろいなので「長短句」、旋律に従って歌詞を塡めるので「塡詞」などとも称された。すでにその萌芽は唐代に見られ、晩唐の温庭筠・韋荘に至って成立した新しい詩歌のジャンルである。五代に編まれた『花間集』は、その集である。

それが北宋の欧陽脩・蘇軾・柳永・李清照、南宋の陸游・辛棄疾などによって多作され、その綺麗軽艶さが競われたが、それも宋王朝の滅亡とともに衰えていった。

宋学の展開 以上の文学と並び、忘れてはならない宋代の文化遺産は、宋学である。宋学とは、宋代の儒学という意味で、宋代の学者によって行われた儒学の哲学的解釈・論説をいう。従来の儒学とは、もっぱら経書の字句の解釈である訓詁学が中心となっていたが、宋代になると仏教哲学（特に中国化した禅学）の影響により、宇宙の原理（天理）や人間の本性（人性）など、儒教の根本に立ち入った研究に重点が置かれるようになった。この宋学の開祖は周敦頤であり、程顥・程頤の兄弟にひきつがれ、南宋の朱熹によって大成されたので、「程朱の学」「朱子学」ともいう。また、その内容から「理学」「性理学」ともいう。

朱熹は「聖人、学んで至るべし」（聖人には、どんな人でも努力次第で到達することができる）として、学問研究と道徳実践とによって自己を完成すべきことを説いた。そのための入門書として四書（『論語』・『孟子』・『大学』・『中庸』）を重視し、自らその注釈書（『四書集注』）を著した。朱熹の注は、それ以前の注が「古注」と呼ばれるのに対して「新注」と呼ばれ、朱子学における経典の解釈書の最高権威となった。

朱子学は、最初は異端の学とされていたが、やがて元代に入って科挙の標準的なテキストとして採用されるに至った。これ以来、科挙の廃止される二十世紀の初めまで、約六百年の間、中国の国家公認の学として君臨することになった。朱子学はさらに、朝鮮半島や日本にまで広がり、それぞれの文化に大きな影響を及ぼした。日本では、江戸時代に幕府が官学として保護したので盛んに行われ、多くの学者が輩出している。

【宋人】ソウひと ①春秋・戦国時代の宋の国の人。おろか者の例として用いられることが多いが、宋人が周に征服された殷人(イン)の子孫であったから、征服者たる周人からさげすまれたためと思われる。②宋代の人。
【宋版・宋板】ソウハン 宋代、木版によって印刷された書物。宋代に出版された本。現存の版本中、最も古く、また、善本とされている。宋本。
【宋本】ソウホン 宋代に出版された本。宋版。

4【宊】7画 2611 ㊀漢トツ・呉トチ 月 tū ㊁漢カ・呉ケ 麻 jiā — — 2642
字義 ㊀突(8573)と同字。㊁家(2637)と同字。

4【宍】7画 2612 ㊀漢ジク・呉ニク 屋 ròu(rù) ㊁漢ジュウ(ジウ)・呉ニュウ(ニウ) 宥 2821 8EB3 —
字義 ㊀㊁しし。肉(9659)の俗字。 難読 宍喰(ししくい)・宍戸(しっくい)・宍道(しんじ)
参考 日本語では、いま一般に、「肉」を「にく」、「宍」を「しし」と読むことが多い。「しし」も肉の意味。

4【宎】7画 2613 ヨウ(エウ) 篠 yǎo — — 2643
字義 ❶部屋の東南の隅。❷風が洞穴などに吹き込んで発する音。
解字 形声。宀＋夭㊥。

4【牢】7画 (7135) ロウ 牛部。→六三二ページ上。

5【宛】8画 2614 常 あ-てる 漢エン(ヱン)・呉オン(ヲン) 阮 wǎn 1624 88B6 —
筆順 丶 丷 宀 宀 宂 宆 宛 宛
字義 ❶かがむ(屈)。まがる。かがめる。まげる。❷あたかも。さながら。まるで。❸そぞろ。何となく。❹したがう(順)。国❶あ-てる(あつ)。あてがう。㋐割り当てる。㋑当てはめる。㋒名ざす。❷あて。「宛名」❸ずつ(づつ)。
名前 ひとし・ゆずる 難読 宛行(あてがい)・宛然(さながら)
使いわけ あてる〔充・当・宛〕⇩充(688)。
解字 篆文  形声。宀＋夗㊥。音符の夗(エン)は、くつろぎふすの意味。屋内で身をくつろぎ曲げて休む、かがむの意味を表し、転じて、あたかもの意味をも表す。
【宛延・宛△蜒・宛宛】エンエン ①へびなどがうねうね曲がりくねって行くさま。②うねうねと長く続いているさま。「宛延長蛇(チョウダ)の列」(宛は、婉・蜿とも書く)
【宛然】エンゼン ①さながら。あたかも。まるで。そっくり同じさま。②たくみに身をかわすさま。
【宛転(轉)】エンテン ①変化するさま。転じて、顔かたちの美しいさま。②三日月形の美しい眉のさま。用例〔唐、白居易、長恨歌〕六軍不レ発無二奈何一(リクグンハッせずいかんともするなく)、宛転蛾眉馬前死(エンテンたるガビバゼンにシす) ⇩近衛の軍隊は出発しようとせずどうにもならなくなり、すんなりと美しい眉の美人(楊貴妃(ヨウキヒ))は、天子の馬前で死んだのである。／〔唐、劉廷芝、代下悲二白頭一翁上詩〕宛転蛾眉能幾時(エンテンたるガビよくいくときぞ) ⇩すらりとした美しい眉の美人も、いつまでそのままでいられようか。たちまちにして白髪が糸のように乱れたおばあさんになってしまうだろう。〔糸乱如(いとみだれていとのごとし)〕③柔らかく自由に動くさま。④ゆるやかに舞うさま。⑤臥(ふ)しまろぶさま。やたらに寝返りをするさま。⑥玉などの転がるさま。⑦ゆるやかに曲がり巡るさま。⑧従うさま。⑨とけ散るさま。

5【官】8画 2615 教4 カン 漢カン(クヮン) 寒 guān 2017 8AAF —
筆順 丶 丷 宀 宀 宁 宁 官 官
字義 ❶つかさ。㋐役所。官庁。㋑つとめ。役目。公務。用例〔唐、韓愈、師説〕官盛則近レ諛(カンさかんなればすなわ(は)ちへつらう(ふ)にちかし) ⇩師の官位が高くてはぶりがよいとこびへつらっているようだとする。㋒つかさびと。役人。官吏。❷おおやけ。朝廷。また、政府。↔民(6105)。❸つかさどる。❹任用する。役職を授ける。また、つかえる。役人になる。❺感覚器官。また、その働き。❻のっとる。手本としてまねる。
名前 おさ・きみ・これ・たか・のり・ひろ 難読 官奴(みやっこ・やっこ)
解字 甲骨文  篆文  会意。宀＋𠂤。𠂤は祭り用の肉の象形で、軍隊の意味。のちに、少し変形した。軍隊が長くとどまる家屋の意味から、役所の意味を表す。官を音符に含む形声文字に、棺・管・菅(カン)・館などがある。
逆 尉官・外官・学官・貴官・刑官・兼官・権官・県官・顕官・左官・散官・仕官・史官・士官・儒官・小官・上官・冗官・庶官・女官・除官・職官・素官・俗官・属官・大官・代官・天官・内官・拝官・売官・買官・判官・卑官・微官・文官・本官・僚官・猟官・暦官
【官位】カンイ ①官職と位階。②官の等級。官等。
【官家】カンカ・カンケ ①天子。②朝廷。政府。
【官△衙】カンガ 役所。官庁。
【官戒】カンカイ 役人をいましめる。また、役人の守るべきいましめ。
【官学(學)】カンガク ①政府で建てた学校。清(シン)の国子監・府州県学の類い。②国㋐国立の学校。↔私学(一〇四五ページ下)。㋑政府で制定した学問。江戸時代の朱子学の類い。
【官△妓】カンギ 官に仕え、また、公家に養われて歌舞を行った女性。漢代に始まる。
【官権(權)】カンケン 官庁や役人の権限、または権力。
【官憲】カンケン ①国家の規則・命令。②役人。官吏。
【官差】カンサ 官命による使者。
【官寺】カンジ ①役所。官庁。▼寺も、役所。②朝廷が建てた寺。
【官事】カンジ 役所の事務。役人の仕事。〔論語、八佾〕
【官舎】カンシャ ①役所。官庁。②官で建てて官吏に貸し与える住宅。③旅館。館舎。
【官守】カンシュ ①役目。官職。②官職上の責任。
【官情】カンジョウ ①役人になりたいと望む心。②役人らしい気分。役人かたぎ。役人根性。
【官場】カンジョウ ①役所。官庁。②役人の社会。官界。
【官職】カンショク ①官庁の機構上分類された職務。②官吏として割り当てられた職務。
【官人】カンジン・カンニン ①役人。官吏。②人を呼ぶ敬称。
【官△撰】カンセン 政府で編修した書物。
【官属(屬)】カンゾク 属官。属吏。用例〔資治通鑑、漢紀〕単于召二会武官属一(ぜんうブのカンゾクをショウカイするに)、前已降(まえにすでにくだり)、及物故(およびブッコす) ⇩単于が蘇武(ソブ)の属官を召集してみると、すでに匈奴にくだるか死ぬかしていた。
【官秩】カンチツ ①官の階級。官位。②官の俸給。
【官邸】カンテイ ①官で建て、官吏に与える家。↔私邸(一〇四六ページ中)。②国高級官吏や大臣などのために政府が与える官舎。
【官途】カント ①官吏になる道。②官吏の勤務・地位など。③＝官場②。
【官能】カンノウ ①生物の生理的な働き。②肉体的快楽を感じる諸器官の働き。
【官板・官版】カンパン ①政府や官庁で刊行した書籍。官本。②国江戸時代、幕府の昌平坂(ショウヘイざか)学問所出版の書。
【官費】カンピ 政府・公共団体などから出る費用。↔私費(一〇四六ページ中)。
【官府】カンプ ①朝廷。政府。官庁。②長官。
【官符】カンプ 国朝廷の命令書。
【官房】カンボウ ①公務を行う部屋。②国役所などで、長官に直属し、職員の進退・文書の受付などを行う機関。

【官報】(カンポウ) ①役所や兵営の門にいて通報する人。②国ア政府が、叙任・法律などの公事を記して発行する日刊の公報。イ役所が公務で打つ電報。

【官遊】(カンユウ) ①仕官を求めて他郷に旅すること。②官吏となって他郷に勤務すること。

【官理】(カンリ) 国家の政治。▼理は、治。唐代には高宗の諱(いみな)を避けて、治を理といった。

【官僚】(カンリョウ) 官吏。役人。また、同僚。現代では、主として国の役人をいう。

【官寮】(カンリョウ) ①役所。官庁。②役人。官僚。③役所の事務。

【官△禄】(カンロク) ①官位と俸給。②官からの俸給。

【官話】(カンワ) 清(シン)代の標準語。公用語。北京官話・南京官話・西方官話の三種があった。

5【宜】8画 2616 常 ギ
ギ 図 yí
2125 8B58 —

筆順 丶 丷 宀 宂 宜 宜 宜 宜

［宐］2607 本字 ［䆁］2691 古字 ［冝］778 俗字

字義 助よろしく…べし。⇩助字・句法解説。❶よろしい。よい。ア筋道にかなっている。正しい。イ都合がよい。ウふさわしい。このましい。用例〔詩経、周南、桃夭〕之子于帰、宜二其室家一。⇩この娘が嫁いでいったら、きっと夫の家族に調和して幸せになるだろう。❷やすんずる。また、落ちつく。落ちつく所。❸むべ。うべ。むべなり。当然である。もっともである。用例〔北宋、周敦頤、愛蓮説〕牡丹之愛、宜乎衆矣。⇩牡丹を愛する人が多いのは、まことにもっともなことである。❹さかな(肴)。肉や魚。国うべなう。承知する。

助字・句法解説
よろしく…べし。再読文字。適当・当然。訳…するのがよい。
用例〔後漢書、陳寔伝〕宜二深剋レ己反一レ善。⇩自分自身によく打ち勝って善に立ち返るようにするのがよい。

名前 き・すみ・たか・なり・のぶ・のり・のる・まさ・やす・よし・よろし 難読 宜保(ぎぼ)・宜野湾(ぎのわん)

解字 甲骨文  金文  篆文  象形。甲骨文・金文は、まないたの上に肉片をのせた形にかたどり、調理した鳥・けもの・魚などの肉、さかなの意味を表す。特に、出陣にあたり行われる儀礼にかなった調理の意味から、転じて、よろしいの意味を表す。篆文は、宀を付加し、特に、屋内で行われる調理のさまを表す会意文字。

逆 機宜・事宜・時宜・適宜・土宜・便宜
【宜春】(ギシュン) ①立春をいう。気候の順調な、よい春の意で、春を迎えて祝うことば。②秦(シン)・漢の宮殿の名。

5【弦】8画 2617 漢コウ(クヮウ) 呉オウ(ワウ) 中 hóng
ｚ0801 — 2648

字義 ❶風などで家屋が鳴り響くこと。❷やすらか。
解字 形声。宀＋弘音。

5【実】8画 2618 教3 ジツ み・みのる
2834 8EC0 —
11【實】14画 2619 人 漢シツ・呉ジチ 慣ジツ 中 shí
5373 9B89 —

筆順 丶 丷 宀 宀 宀 宝 宝 実

［实］2620 俗字

字義 ❶みちる。みつ。ア一杯になる。充実する。富む。用例〔国語、越語下〕府倉実、民衆殷。⇩穀物は蔵にみち、民衆は盛んである。イ中身がつまってしっかりしている。かたい。用例〔孫子、虚実〕避レ実而撃レ虚。⇩守備の強固なところを避け、手薄な場所を攻撃する。ウ伸びる。育つ。用例〔淮南子、時則訓〕十月失レ政、四月草木不レ実。⇩十月に政令を間違えると、四月に草木が育たない。❷みたす。一杯にする。つめこむ。用例〔老子、三〕聖人之治、虚二其心一、実二其腹一、弱二其志一、強二其骨一。⇩聖人の行う政治は、人民の心を無知無欲にして、腹一杯に食べさせ、人民の意志を弱めて、体を強くさせる。❸みのる。また、みのり。用例〔論語、子罕〕苗而不レ秀者有矣夫、秀而不レ実者有矣夫。⇩苗のままで穂を出さないものもいれば、穂を出したまま実らないものもいる。❹み。アくだもの。また、穀物。「果実」イたね。種子。さね。ウなかみ。内実。実質。用例〔荘子、知北遊〕異レ名同レ実。⇩名前は異なっても実質は同じである。❺とみ。財産。物資。用例〔礼記、表記〕君子尊レ仁畏レ義、恥レ費軽レ実。⇩君子は仁義を重んじ、無駄遣いを恥じて財を軽んじる。❻まこと。真なるもの。まごころ。「真実」「誠実」❼実行する。用例〔左伝、宣公十二〕実二其言一、必長二晋国一。⇩そのことば通りに実行すれば、きっと晋の政治を執ることになろう。❽あきらかにする。証明する。用例〔淮南子、精神訓〕吾将下挙レ類而実上レ之。⇩私が類例を挙げて実証しましょう。❾まことに。げに。本当に。たしかに。用例〔東晋、陶潜、帰去来辞〕実迷レ塗其未レ遠、覚二今是而昨非一。⇩ほんとうに進路をあやまったが、まだそれほど深入りしてしまったわけではない。現在の自分が正しいのであって、昨日までの自分がまちがっていたことがはっきりとわかった。国ジツ。親切な心。

名前 これ・さね・ざね・じつ・ちか・つね・なお・のり・ま・まこと・み・みつ・みのる・みる・よし 難読 実葛(さねかずら)・実籾(みもみ)

解字 金文  篆文  会意。金文は、宀＋貝＋周。周は、いきわたるの意味。屋内に財貨がいきわたるの意味から、みちるの意味を表す。常用漢字の実は省略形による。

逆 確実・華実・虚実・結実・堅実・現実・口実・故実・史実・質実・写実・充実・情実・信実・誠実・切実・着実・忠実・篤実・如実・不実・無実・名実

【実演】(ジツエン) 国①実際にして見せる。②俳優などが劇場の舞台の上などで実際に劇を演ずること。映画への出演などに対する語。

【実学(學)】(ジツガク) 実用的な、実行を目的とした学問。

【実感】(ジッカン) 国実物に接して起こる感じ。実際の感じ。

【実業】(ジツギョウ) 国①農・工・商・漁など、すべて実用に属する事業。②実際の仕事。実務。

【実検(檢)】(ジッケン) 国実際にほんとうかどうかを調べること。

【実権(權)】(ジッケン) 国名義だけでない実際の権力。

【実験(驗)】(ジッケン) ①実際の事実にあたってためす。②実際の経験。③自然現象に人為を加え、変化を生じさせて行う観察。

【実現】(ジツゲン) 実際にあらわれる。また、実際にあらわす。

【実語教】(ジツゴキョウ) 国書名。一巻。儒教の古典の中から格言などを抜き出して、暗唱に便利なようにまとめた児童向きの教訓書。弘法大師(コウボウダイシ)の作と伝える。

【実際】(ジッサイ) ①仏真如(不変の真理)を見きわめて、その窮極に達すること。②国アまこと。ほんとう。イ実地の場合。

「理論と実際」㋒本当に。

【実在】ジツザイ ①現実にあること。②哲学で、主観的な体験・認識・思惟(イシ)などから独立し客観的に存在すると考えられるもの。精神の対象としての自然。現象に対して不変不滅の実体。

【実字】ジツジ 名詞・動詞・形容詞などを表す文字。文中で実質的内容のある意味を表す文字。狭義では、名詞のみを指すこともある。↓助字(一九二ジペー中)。

【実事求是】ジツジキュウゼ 事実に基づいて物事の真相や真理をたずね求めること。清(シン)代の考証学の学風。

【実質】ジッシツ 事物の内容・性質。本質。正味。↕形式(四九五ジペー中)。

【実証(證)】ジッショウ ①確かな証拠。②実際に、現地で証明する。

【実状(狀)】ジツジョウ 実際の状況。→実情。

【実情】ジツジョウ 物事の(特に内面的な)本当の姿。また、本当の気持ち。◈内面的なことに関しては「実情」、外面的なことに関しては「実状」と使い分ける向きもあるが、実際には区別しがたいことが多いので「実情」と表記するのが一般的。

【実践(踐)】ジッセン 実際に行う。自ら行う。実行。▼践は、踏む・ふみ行う。「実践躬行(キュウコウ)(自分で実際に行動すること)」

【実相】ジッソウ ①実際の姿。②仏万物の真実の姿。真相。

【実存】ジツゾン 哲学用語。国㋐(本質に対して)現実に存在すること。㋑人間の、現実および真実の存在として考えられるあり方。

【実体(體)】㊀ジッタイ ①まことの形体。真実の姿。用例(西晋、陸機、浮雲賦)有二軽虚之艶象一、無二実体之真形一(ケイキョのエンショウありて、ジッタイのシンケイなし)。↓ふわふわとしていて中身がない見た目で、実質的な真の形はない。②常に変わることのない内容。本質。◈「実体」が、本質的なもの、ものの本体を意味するのに対し、「実態」は、その時点でのありのままの状態を意味する。「夢の実体」「本校進学の実態」㊁ジッテイ 国まじめで正直なこと。律義(リチギ)。実直。

【実態】ジッタイ 実際のありさま。実情。→実体㊀。

【実地】ジッチ 国①実際の土地。ほんとうの場所。「実地検証」②まこと。ほんとう。実際。

【実直】ジッチョク 国＝実体㊁。

【実問】ジツモン ありのままを話して尋ねる。

【実用】ジツヨウ 実際に用いる。また、実際に役にたつ。

【実録】ジツロク 事実をありのままに書いたもの。事実の記録。

5【实】8画 2620 ジツ 実(2618)の俗字。↓三九四ジペー中。

5【宝】8画 2621 シュ 慶 zhǔ ― ― 2647

字義 宗廟(ソウビョウ)(先祖のおたまや)の位牌(ハイ)を納める石の櫃(ひつ)。

解字 形声。宀＋主(主)音。音符の主は、木主(位牌)の意味。

5【宗】8画 2622 教6 シュウ・ソウ ソウ 冬 zōng 慣シュウ 2901 8F40 ―

筆順 丶 丶 宀 宀 宁 宇 宗 宗

字義 ❶みたまや。おたまや。祖先の廟屋(ビョウオク)。「宗廟」❷もと。分かれ出たもののもと。㋐祖先。「祖宗」㋑本家。「宗家」㋒おおもと。本源。❸むね。㋐おもだったもの。中心となるもの。㋑おさ(長)。かしら。第一人者。「詩宗」㋒人の仰ぎ尊ぶ者。「宗師」❹よつぎ(世嗣)。長子。正妻から生まれた長男。❺同一の祖先から出た一族。❻たっとい(尊)。また、たっとぶ。❼まみえる。諸侯が天子に拝謁する。春の謁見を朝、夏の謁見を宗という。❽あつまる。また、おもむく。❾仏教の流派。「真言宗」

名前 かず・しゅう・そう・たか・たかし・とき・とし・のり・ひろ・むね・もと 難読 宗像(むなかた・むねかた)・宗太鰹(そうだかつお)・宗右馬(そうま)

解字 甲骨文  篆文  会意。宀＋示。宀は、家屋の意味。示は、神事の意味。神事の行われる家屋、おたまやの意味を表し、転じて、祖先の意味や、祖先をまつる一族の長の意味をも表す。宗の意味と音符とを含む形声文字に、崇・綜(ソウ)などがある。

逆 改宗・帰宗・皇宗・師宗・邪宗・儒宗・真宗・正宗・禅宗・祖宗・朝宗・律宗

【宗彝】ソウイ ①宗廟(ソウビョウ)の祭りに用いる祭器。②天子の祭服に施された模様の一つ。

【宗家】㊀ソウカ 一族。一門。㊁ソウケ ①本家。②国家元。芸道などの一派の正統を伝える中心の人。

【宗器】ソウキ ①宗廟(ソウビョウ)に用いる礼楽の器。祭器と楽器。②祭器。③伝家の宝物。

【宗教】シュウキョウ 国神や仏などの絶対者を信仰して祭り、それによって慰安・幸福を得ようとするもの。

【宗国(國)】ソウコク 宗主と仰ぐ国。本家すじの国。

【宗子】ソウシ ①本家のあととり。嫡子。②同族の子。

【宗旨】㊀ソウシ おもな意味。根本義。主旨。㊁シュウシ ①仏㋐その宗教の主義。教義の中心となっているもの。㋑同一宗教の中での分派。宗派。②国主義・主張。

【宗祀】ソウシ ①祖先として祭る。②尊び祭る。

【宗師】㊀ソウシ ①尊んで手本とする。②仰ぎ尊ばれる師匠。③宗族の子弟を取り締まる官。㊁シュウシ 仏①正法を伝えて人々に尊ばれる人。②各宗の祖。

【宗室】ソウシツ ①祖先のみたまや。②王族。③一族。一門。④本家(ホンケ)。⑤おおもと。より所。

【宗社】ソウシャ ①宗廟(ソウビョウ)(祖先のみたまや)と社稷(シャショク)(社は土地の神、稷は穀物の神)。②王室と国土。③国家。

【宗主】ソウシュ ①本家のあととり。②祖先のみたまやの位牌(ハイ)。③かしら。中心として尊ばれるもの。④もと。根本。

【宗周】ソウシュウ ①周代の王都(豊・鎬(コウ)・洛邑(ラクユウ)と地が変わった)をいう。②周の国。

【宗匠】㊀ソウショウ ①師としてすぐれ、尊ばれる人。②国和歌・連歌・俳諧(ハイカイ)・茶道などの師匠。㊁シュウショウ 仏＝宗師㊁。

【宗臣】ソウシン ①国家の重職について尊敬されている臣。重臣。②君主と同族の臣。

【宗親】ソウシン ①一族。親族。②同母兄弟。

【宗人】ソウジン ①同族の人。一族。身うち。②王族。

【宗正】ソウセイ 官名。皇族の族籍のことをつかさどる。周代は小宗伯、漢代は宗伯、以後は宗正卿(ケイ)といった。

【宗祖】㊀ソウソ 先祖。祖宗。㊁シュウソ 仏一宗の開祖。

【宗族】ソウゾク ①本家と分家。②父方の一族。③一族。中国独特の大家族制による集団。三族、また、九族がその範囲という。

【宗祧】ソウチョウ ①祖先を祭るみたまや。宗廟(ソウビョウ)。②国家。

【宗徒】㊀シュウト 国その宗教の信仰者。信徒。㊁むねト 国宗(むね・主・中心)たる者。おもだった人。たのみになる臣。

【宗派】㊀ソウハ ①一族の分かれ。②学芸などの流派。㊁シュウハ 仏同一宗教の中での分派。

【宗伯】ソウハク ①周官の六卿(リクケイ)の一。礼儀・祭祀(サイシ)をつかさどる。隋(ズイ)以後は礼部といった。②漢代の官名。王族のことをつかさどる。

【宗廟】ソウビョウ ①祖先のみたまや。神主(いはい)を祭ってある所。王城を背にして左側に宗廟をたて、右側に社稷(シャショク)(土地・穀物の神を祭る所)をたてる。用例(史記、刺客伝)奉二守先王之宗廟一(センオウのソウビョウをホウシュす)。↓先王の宗廟を守護し奉る。②国家。

【宗法】㊀ソウホウ 宗族の規則。大宗(諸侯の別子のたてた家)と小宗(大宗の別家)の系統を明らかにする規則。大宗は本家として小宗を統制した。後世は、各層の社会にも存したといわれる。

【宗門】㊀一族。宗族。㊁仏宗門のおきて。㊂＝宗派。

5【宙】8画 2623 教6 漢チュウ(チウ)・呉ジュウ(ヂウ) 宥 zhòu 3572 9288 — チュウ

筆順 宙

字義 ❶そら(空)。大空。天。❷天地間の広がり。空間。「宇宙」❸とき。時間。過去・現在・未来に及ぶ無限の時間。↔宇(2600)。用例〔淮南子、斉俗訓〕往古来今、謂二之宙一、四方上下、謂二之宇一(往古来今これをチュウといい、四方上下これをウという)。⇩ 国チュウ。そら。そらでおぼえていること。暗記。「宙で覚える」

名前 おき・ちゅう・ひろし・みち

解字 篆文 形声。宀＋由音。音符の由は、深く通じるあなの意味。奥深く通じる建築物のさまから、むなぎ・永遠に通じる「とき」の意味を表す。『説文解字』は、宙の音が舟と通じ、由に経由の意味があるところから、舟がこちらを経由して、あちらに至るように循環する時間の意味を表すと説く。

逆 宇宙

5【定】8画 2624 教3 漢テイ・呉ジョウ(ヂャウ) 径 dìng 3674 92E8 — テイ・ジョウ さだ-める・さだ-まる・さだ-か

筆順 定

字義 ❶さだ-まる。㋐安らかになる。静まる。落ち着く。「安定」㋑止まる。やむ。用例〔唐、杜甫、茅屋為二秋風所レ破歌〕俄頃風定雲墨色、秋天漠漠向二昏黒一(ガケイかぜさだまりて、くもはボクショク、シュウテンバクバクとしてコンコクにむかう(ふ))。⇩しばらくすると風はやんで雲は墨を流したようにまっ黒になり、秋の空ははてしなく広がって夕闇に近づいてゆく。㋒成る。できあがる。㋓まとまる。帰着する。❷さだ-める。㋐安らかにする。治める。㋑整える。正す。また、きめる。規則。㋒平らげる。「平定」㋓やめる。❸さだめ。まり。規則。㋑運命。❹さだ-めて。必ず。❺仏雑念を去って無念無想の境地に入る。「ジョウ」と読む。「禅定」国❶さだ-め。㋐決定。㋑約束。❷さだ-か。たしかである。はっきり。

名前 さだ・さだむ・さだめ・つら・てい・また・やす 難読 定義

解字 金文 篆文 形声。宀＋正音。音符の正は、まっすぐの意味。のちに、少し変形した。家屋がまっすぐ建つ、さだまるの意味を表す。

逆 一定・確定・仮定・勘定・鑑定・規定・議定・協定・決定・限定・考定・肯定・裁定・査定・暫定・制定・測定・断定・鎮定・認定・判定・必定・否定・評定・不定・平定・約定・略定

【定遠侯】後漢の班超(九四八ページ中)の封号。西域に遠征し五十余国を平定したのでいう。

【定款】①定まった条項。規定。規則。②国会社・銀行などの、組織及び業務上の規定。

【定義】国あるものの意味を(他のものと区別できるように)はっきり決めること。また、その決められた意味。

【定業】㊀一定の職業。㊁仏前世から決まっている報い。前世からの約束ごと。

【定見】定まった意見。しっかりした見解。

【定策】大臣などが天子を立て定めること。→定策功。

【定策功】天子を助けて位につけた勲功。▼策は、竹簡(竹のふだ)で、天子を位につけることを策に書き、宗廟(祖先のみたまや)に告げることから。

【定住】きまった場所に住むこと。

【定情】＝定レ情(五四九ページ下)。

【定神】心を一点に集中する。精神を落ち着ける。

【定数(數)】①自然に定まっている運命。②一定の数量、または員数。

【定省】子が親によく仕えること。「昏定晨省」の略。▼定は晩に親の寝具を安らかに整えること、省は朝にその安否をうかがいみること。

【定省温(溫)△凊】親に仕えて、晩にはその寝具を安らかに整え(定)、朝にはその安否の様子をうかがい(省)、冬には暖かくし(温)、夏にはすずしくしてあげる(凊)こと。親孝行のしかた。〔礼記、曲礼上〕

【定石】㊀どっしりとして、動かぬ石。㊁国①囲碁で、攻守両面から見て、最もすぐれた打ち方として定められた石の置き方。②物事を処理するための、きまりきった順序・方法。将棋については「定跡」という。

【定説】人々に正しいと認められている確定した説。

【定△鼎】都を定めること。王位継承の宝器である九鼎を都に安置することから。

【定評】①品定めをする。②国㋐世間の一定した評判。世評。㋑世間に行われているよい評判。

【定分】①君臣・父子・夫婦などの定まった身分。②自然に定まっている運命。定数。③定まった制限。一定の制限。④地位・身分を定めること。

【定法】㊀きまった法則。また、法を定める。㊁仏定まった教え。

【定本】(異本の多い古典などで)誤りや異同を正した、標準となるべき本。

【定命】㊀①自然に定まっている運命。天命。②変更することのできない(天や君主などの)命令。③天命を全うすること。㊁仏もって生まれた寿命。前世の因縁できめられているという寿命。

【定理】①絶対の真理。用例〔南宋、朱熹、中庸章句〕中者、天下之正道、庸者、天下之定理(中は、天下の正道、庸は、天下の定理なり)。⇩中とは、天下の正しい道、庸とは天下の絶対の真理である。②国数学で、公理・定義から証明されたもの。

【定離】仏必ず別れ離れること。「会者定離」

【定連】国いつも連れ立って行動する仲間。また、飲食店などの常客。→常連(四五九ページ上)。

【定論】人々に正しいと認められている議論。定説。

5【宕】8画 2625 人 標 漢トウ(タウ)・呉ドウ(ダウ) 漾 dàng 3770 9386 —

筆順 宕

字義 ❶ひろい(広)。大きい。❷すぎる(過)。㋐度を超える。㋑気まま。わがまま。❸あらい。おおまか。❹いわや。石の穴の住居。

解字 甲骨文 篆文 会意。宀＋石。宀は、家屋の意味。石は、いしの意味。石のほら穴の住居、いわやの意味を表す。また、蕩に通じて、気ままの意味を表す。

5【宓】8画 2626 ㊀漢ビツ・呉ミチ 質 mì ㊁漢フク・呉ブク 屋 fú 慣ヒツ 4756 — 2646

字義 ㊀❶やすらか(安)。また、安んずる。❷ひそか。静か。㊁人名。＝伏(241)。

解字 篆文 形声。宀＋必音。音符の必は、閉に通じ、とじるの意味。屋内にとじこもってひっそり静かにするの意味を表す。

【宓△羲・宓犠(犧)】＝伏羲(九一ページ上)。

【宓子】孔子の弟子。名は不斉。字は子賤。

【宓妃】宓羲のむすめ。洛水に落ちて死に、水神になったという。虚妃。

5【宝】8画 2627 教6 ホウ たから 4285 95F3 ―
17【寶】20画 2628 ホウ 皓 bǎo 5379 9B8F ―

筆順 丶 丶 宀 宀 宇 宇 宝 宝

【寚】2688 古字 【寳】2708 俗字

字義 ❶たから。㋐金・銀・珠玉などの類い。㋑最も尊重すべきもの。❷たから-とする(たからとす)。㋐尊ぶ。㋑大切にする。❸たっとい。また、美しい。りっぱな。❹天子・天・神仏・仙人(センニン)、あるいは他人に関することに冠していう敬語。「宝算」「宝灯」

名前 かね・たか・たかし・たから・たけ・とみ・とも・ほ・ほう・みち・よし 難読 宝槻(ほうつき)・宝登山(ほどさん)・宝飯(ほい)・宝木(ほうぎ)・宝来(たからき)

解字 甲骨文  金文  篆文  形声。もと、宀＋玉＋貝＋缶(音)。音符の缶(フ＝ホウ)は、つぼの意味。屋内に宝石と金銭とつぼとがあるさまから、たからの意味を表す。常用漢字の宝は略字による。

逆 貨宝・財宝・至宝・重宝・神宝・大宝・珍宝・通宝・天宝・秘宝

【宝愛】(ホウアイ) 宝として愛する。大切にする。

【宝位】(ホウイ) 天子の位。皇位。

【宝蓋】(ホウガイ) 仏 仏・菩薩(ボサツ)や講師・読師の上にかける、宝玉で飾った天蓋(覆い)。

【宝冠】(ホウカン) ①宝玉でかざった冠。②昔、女帝が儀式に用いた冠。天冠。

【宝鑑】(ホウカン) ①立派な鏡。②人の手本となることを書いてある書物。③その道での粋を集めた書物。また、実用的な知識を書いた一種の百科事典。

【宝庫】(ホウコ) ①宝物を収める倉。②よい産物を多く産出する土地。物資の多くある土地。③役に立つものが集まっている所。「知識の宝庫」

【宝算】(ホウサン) 天子の年齢。宝齢。

【宝珠】(ホウシュ) ①大切な宝玉。②仏 ほしいと思うものをなんでも出すという玉。如意珠。

【宝船】一(ホウセン) 仏 ①珊瑚(サンゴ)・琥珀(コハク)・金剛石を乗せた船。②衆生(シュジョウ)を救う仏の道。二(たからぶね) 国 正月二日の夜、枕(まくら)の下にしいて、よい夢を祈る船の図。種々の宝と七福神を乗せた船。

【宝祚】(ホウソ) 天子の位。皇位。

【宝蔵(藏)】(ホウゾウ) ①宝物を収めておく倉。②さまざまの物資を産する土地。③大切にしまっておく。④仏 衆生(シュジョウ)の苦しみを救う仏の教えのたとえ。

【宝典】(ホウテン) ①最も重んずべき書籍。貴重な本。また、役に立つ本。②仏教の経典の美称。

【宝灯(燈)】(ホウトウ) 神仏などの前のともしび。

【宝塔】(ホウトウ) 仏 ①宝石でかざった塔。②寺の塔の敬称。③多宝如来を安置する塔。

6【客】9画 2629 教3 キャク・カク 漢カク・呉キャク 陌 kè 2150 8B71 ―

筆順 丶 丶 宀 宀 穷 安 客 客 客

字義 ❶まろうど(まらうど)。本来住むべき所を離れて、臨時によそへ行っている人。↔主(57)。「賓客」㋐訪問者。招きよんだ人。㋑旅人。旅行者。「旅客」㋒いそうろう。用例〔十八史略、春秋戦国、斉〕客有㆓能為㆒狗盗㆒者(カクによくクトウをなすものあり)。↓食客の中に犬のように忍び込んで物を盗み出すことができる者がいた。㋓外来者。❷商売の目あてとなる人。「顧客」「乗客」「上客」❸中心となるもの・重要なものに対して、付属なもの・重要でないもの。「主客転倒(シュカクテントウ)」❹相手。また、敵。❺各地を転々とする人士。「剣客」「墨客」❻他所に身を寄せる。旅する。用例〔三国魏、応瑒、侍㆓五官中郎将建章台集㆒詩〕往春翔㆓北土㆒(オウシュンは、ホクドにかけり)、今冬客㆓南淮㆒(コントウはナンワイにカクたり)。↓昨年の春は北の土地をかけめぐり、今年の冬には南の淮水のほとりへ旅する。❼客としてもてなす。用例〔史記、田敬仲完世家〕斉荘公厚客㆑之(セイのソウコウあつくこれをカクとす)。↓斉の荘公は賓客として手厚くもてなした。❽たび。旅行。❾過ぎ去った。前の。「客歳」「客冬」❿哲学用語。自己の意識に対して、外界。↔主(57)。「客観」

名前 せ・ひと・まさ

解字 甲骨文  金文  篆文  形声。宀＋各(音)。宀は、家屋の意味。音符の各は、いたるの意味。よそから家にやってくるの意味を表す。

逆 異客・雲客・佳客・華客・過客・雅客・棋客・行客・顧客・孤客・刺客・詩客・主客・酒客・食客・酔客・政客・接客・仙客・遷客・騒客・賓客・墨客・野客・遊客・旅客・論客

【客衣】(カクイ・キャクイ) たびごろも。旅衣。

【客位】(カクイ・キャクイ) 客のすわる位置・座席。客席。

【客意】(カクイ・キャクイ) たびごころ。旅人の(さびしい)思い。客恨。

【客観(觀)】(キャッカン・カッカン) 自己の認識・行為の対象となる外物と考えられるもの。また、主観の作用とは独立して存在すると考えられたもの。自然・世界など。客体。↔主観(四〇ページ・中)。

【客気(氣)】(キャッキ・カッキ) ①一時のから元気。ものにはやる勇気。血気。②遠慮がちで堅くなっている気分・態度。③よそ行きの態度・挙動。

【客居】(カクキョ・キャッキョ) 旅ずまい。

【客寓】(カクグウ・キャクグウ) ＝客居。▼寓は、かりずまい。

【客卿】(カクケイ・キャクケイ) 他国から来て大臣となっている人。用例〔史記、張儀伝〕恵王以為㆓客卿㆒(ケイオウもってカクケイとなし)、与謀㆑伐㆓諸侯㆒(ともにショコウをうたんことをはかる)。↓恵王は張儀を他国出身の大臣として取り立て、張儀とともに諸侯討伐について謀った。

【客月】(カクゲツ・キャクゲツ) 先月。去月。

【客語】(カクゴ・キャクゴ) 目的語。他動詞の目的となる語。

【客行】(カクコウ・キャクコウ) 旅の道中。旅行。

【客恨】(カクコン・キャッコン) 旅人のさびしい思い。旅愁。

【客歳】(カクサイ・キャクサイ) 去年。昨年。客年。

【客子】(カクシ・キャクシ) 旅人。

【客死】(カクシ・キャクシ) 旅先(他郷)で死ぬこと。

【客思】(カクシ・キャクシ) ＝客意。

【客車】一(カクシャ) ①賓客の乗る車。②旅人の乗る車。二(キャクシャ) 国 旅客用の列車。

【客舎】(カクシャ・キャクシャ) やどや。旅館。用例〔唐、王維、送㆓元二使㆒安西㆒詩〕渭城朝雨浥㆓軽塵㆒(イジョウのチョウウ ケイジンをうるおす)、客舎青青柳色新(カクシャ セイセイ リュウショクあらたなり)。↓渭城に降った朝の雨が軽い土ぼこりをしめらせ、旅館の周囲は青々とした柳の新緑があざやかである。

【客愁】(カクシュウ・キャクシュウ) 旅路のうれえ。旅愁。用例〔唐、孟浩然、宿㆓建徳江㆒詩〕移㆑舟泊㆓煙渚㆒(ふねをうつして エンショにハクす)、日暮客愁新(ニチボ カクシュウあらたなり)。↓舟を移して夕もやのたちこめた渚に停泊する。日が暮れて旅愁があらためて生じてくる。

【客将(將)】(カクショウ・キャクショウ) 他国から来て大将の地位にある人。客人待遇の大将。

【客情】(カクジョウ・キャクジョウ) 旅人の思い。故郷を離れて他郷にある人の寂しい心。旅情。客思。客心。客恨。

【客心】(カクシン・キャクシン) ＝客情。用例〔唐、杜甫、登楼詩〕花近㆓高楼㆒傷㆓客心㆒(はなはコウロウにちかくカクシンをいたましむ)、万方多難此登臨(バンポウ タナンここにトウリンす)。↓花は高殿の間近で咲き満ちているが、それがかえって旅人の私の心を悲しませる。国中が戦乱に苦しむ中、この高殿に登って下方を眺めているからだ。

【客心何事転(轉)凄然】(カクシンなにごとぞうたたセイゼン) 旅にいる私の気持ちはどうしたことか、ますます物悲しくなるばかりである。用例〔唐、高適、除夜作詩〕旅館寒灯独不㆑眠(リョカンのカントウ、客心何事転凄然。↓旅館のわびしいともし火のもと、ひとり眠れずにいると、旅人の私の心はどうしたことかいよいよ寂しくなってゆく。

【客身】キャク・シン　旅にある身。旅行中の身。

【客星】キャク・セイ　ふだんは出ず、臨時に現れる星。

【客船】キャク・セン　旅路のふね。客を乗せるふね。用例〔唐、張継、楓橋夜泊詩〕姑蘇城外寒山寺、夜半鐘声到二客船一。↓姑蘇の町はずれの寒山寺、そこでつく、夜半を告げる鐘の声が旅の船にまで響いてくる。

【客体（體）】キャク・タイ　＝客観。

【客土】キャク・ド　①旅の土地。他郷。②置き土。もり土。性質の違う土を他から持ってきて土質を改良すること。

【客夢】キャク・ム　旅中のゆめ。

【客夜】キャク・ヤ　①旅の夜。②昨夜。

【客遊・客△游】キャク・ユウ　他郷を旅する（また、流浪する）こと。

【客路】キャク・ロ　たびじ（旅路）。客途。客塗。

6 【宩】 9画 2630　シ　屎(2797)と同字。→四二九ジ・下。　— — 2650

6 【室】 9画 2631　教2　シツ　むろ　漢シツ・呉シチ　質 shì　2828 8EBA —

筆順 … 室

字義 ❶へや。㋐奥のへや。↔堂(2026)。「入レ室」 ㋑居間。寝室。
❷いえ（家）。住宅。用例〔唐、杜甫、石壕吏詩〕室中更無レ人、惟有二乳下孫一。↓家には他には人はおりません、ただ乳飲み子がいるばかりです。
❸つま（妻）。また、めとる。とつがせる。用例〔礼記、曲礼上〕三十曰レ壮、有レ室。↓三十歳を壮といい、妻を迎える。／〔韓非子、外儲説右下〕丈夫二十而室、婦人十五而嫁。↓男は二十歳になったら妻をめとるようにし、女は十五歳になったら嫁ぐようにせよ。
❹家族。一族。用例〔列子、湯問〕聚レ室而謀曰、……。↓家族の者を集めて相談して言うには、……。
❺墓穴。用例〔詩経、唐風、葛生〕百歳之後、帰二于其室一。↓百歳の後に、あなたの眠るお墓へ帰りましょう。
❻さや。刀剣のさや。用例〔史記、刺客伝〕抜レ剣、剣長、操二其室一。↓剣を抜こうとしたが、剣が長すぎて抜きにくいので、刀のさやを握った。
❼家財。財産。用例〔国語、楚語上〕燮及儀父施二二帥一而分二其室一。↓燮と儀父は二人の将軍に罪を科してその財産を分け合った。
❽星座の名。二十八宿の一つ。はついぼし。ペガサス座の付近にあたる。「室宿」
国むろ。㋐ぬりごめ。上代、家の奥に設けた、土で塗りこめた室。寝室などに使う。㋑山腹などに掘った岩屋。㋒住みこもる所。特に僧のすみか。㋓物を入れたり、苗を育てたりするために外気に触れないような特別な構造に作った所。温室。「室咲きの花」

名前 いえ・むろ・や　難読 室生

解字 甲骨文 金文 篆文　形声。宀＋至音。音符の至は、いたるの意味。人が至りとどまるへやの意味を表す。

逆 王室・家室・漢室・宮室・巨室・虚室・後室・在室・蚕室・正室・石室・宗室・蔵室・側室・茶室・帝室・同室・堂室・入室・便室・密室・令室

【室家】シッ・カ　①いえ。家屋。へや。家族。家庭。室廬。②夫婦。用例〔詩経、周南、桃夭〕之子于帰、宜二其室家一。↓この娘が嫁いでいったら、きっと夫の家族に調和して幸せになるだろう。

【室△鳩巣（巢）】むろ・キュウソウ　国江戸中期の漢学者。江戸の人。名は直清。鳩巣は号。木下順庵の門に学び、朱子学を信奉した。新井白石の推薦で、幕府の儒官となり、将軍吉宗の侍講となった。著書に『駿台雑話』『赤穂義人録』などがある。（一六五八—一七三四）

【室人】シツ・ジン　①主人。②家族。家人。③妻。また、側室。④こじゅうと。夫の姉妹。

【入レ室】シツにいる　学問技芸などの最も奥深い所をきわめ尽くしていること。用例〔論語、先進〕由也升レ堂矣、未レ入二於室一也。↓由は表座敷にはあがっているがまだ奥の部屋までは入っていない。

6 【宲】 9画 2632　セキ　寂(2664)の本字。→四〇三ジ・中。

6 【宣】 9画 2633　教6　セン　囲 xuān　3275 90E9 —

筆順 … 宣

字義 ❶の-べる。㋐行き渡る。行き渡らせる。広める。㋑示す。知らせる。㋒言う。述べる。用例〔史記、廉頗藺相如伝〕廉君宣二悪言一、而君畏匿レ之。↓廉頗様は悪口を言いふらしているのに、殿様は彼をおそれて逃げかくれしておられます。㋓明らかにする。表明する。㋔あげる（揚）。発揚する。❷の-る。のたま-う。言うの敬語。また、みことのり。詔勅。「勅宣」❸とおす。流れを通す。また、通る。❹あまねし（遍）。明らか。

名前 しめす・すみ・せん・ぜん・たか・つら・のぶ・のぶる・のり・ひさ・ひろ・ふさ・むら・よし

解字 甲骨文 金文 篆文　形声。宀＋亘音。音符の亘は、めぐりわたるの意味。天子が臣下に自分の意志をのべ、ゆきわたらせるへやの意味から、一般に、のべるの意味を表す。

逆 院宣・口宣・託宣・勅宣・伝宣・不宣

【宣王】セン・オウ　周の第十一代の王。名は静。周の中興の祖。

【宣下】㊀セン・カ ㊁セン・ゲ　詔勅を下す。国臨時に任官の命令を下すこと。

【宣化】セン・カ　民を教化し、善政を行うこと。

【宣教】セン・キョウ　教えを世間に述べ広めること。布教すること。

【宣言】セン・ゲン　①大衆（世間・相手）に向かって（公然と）言う。言いふらす。用例〔史記、廉頗藺相如伝〕宣言曰、我見二相如一、必辱レ之。↓「私は相如を見かけたら、きっと恥辱を与えてやる」と言いふらした。②国個人や団体が世間に対してその意志や方針を表明する。

【宣告】セン・コク　①あまねく告げ知らせる。②言い渡す。③裁判の申し渡し。

【宣旨】㊀セン・シ　天子のみことのり。㊁セン・ジ　国①みことのりを、上卿から外記に伝えて下知すること。また、その下知。詔勅の内輪のもの。②天皇の言を蔵人に伝える女官。

【宣尼】セン・ジ　孔子をいう。漢の平帝の時、孔子に追謚して褒成宣尼公とした。宣尼公。▼尼は、孔子の字、仲尼。

【宣示】セン・ジ　のべ示す。広く示し知らせる。

【宣戦（戰）】セン・セン　戦争を始める意思を、相手国に通告すること。「宣戦布告」

【宣託】セン・タク　神仏のお告げ。託宣。

【宣伝（傳）】セン・デン　①上から下にのべ伝える。②あまねく伝え知らせる。③言い広める。多くの人の理解・共鳴を求めるため、述べ伝える。④国おおげさに言いふらす。

【宣読】セン・ドク　読みあげて知らせる。

【宣布】セン・プ　広く知らせる。広く行き渡らせる。

【宣△撫】セン・ブ　君主・政府などの意志を述べ伝えて、人心をやわらげ安んずること。
【宣命】一センメイ ①みことのり。また、みことのりする。②みことのりを伝える。二センミョウ 国神事・改元・立太子などの際の、国文体で書いた詔勅。
【宣明】センメイ ①明らかに表れる。②述べ明らかにする。
【宣揚】センヨウ 天下にはっきりと表し示す。

6 【宨】 9画 2634 チョウ（テウ） 篠 tiǎo ― ― 2649
字義 ほしいまま。
解字 形声。宀＋兆音。

6 【宥】 9画 2635 人 漢ユウ（イウ） 呉ウ 宥 yòu 4508 9747 ―
筆順 宀 宀 宀 宥 宥 宥
字義 ❶ゆるす。おおめに見る。また、ゆるめる。❷ひろい。寛大。国なだめる。やわらげ静める。
名前 すけ・ひろ
解字 金文 篆文 形声。宀＋有音。音符の有は、囿ユウに通じ、「その」の意味。庭園のように広い家屋の意味から、ゆるめる、ゆるすの意味を表す。
【宥坐之器】ユウザのキ 座右に置いていましめとする道具。
【宥赦】ユウシャ 罪をゆるす。宥罪。
【宥恕】ユウジョ 罪をゆるす。大目にみる。見のがす。
【宥和】ユウワ 国敵対的な態度を大目にみて、ゆるして仲よくすること。「宥和政策」

7 【案】 10画 (5354) アン 木部。↓七三五ページ下。

7 【宴】 10画 2636 常 エン 1767 8983 ―
エン 霰 yàn
筆順 宀 宀 宀 宀 宴 宴 宴
字義 ❶やすらか。❷やすんずる。くつろぐ。いこう。❸たのしむ。また、たのしみ。❹うたげ。さかもり。さかもりをする。＝燕(7082)・讌(11423)。「宴会」
名前 もり・やす・よし
解字 金文 篆文 形声。宀＋妟音。音符の妟アンは、やすらかの意味。屋内にあっていこう、やすらかの意味を表す。
逆 飲宴・花宴・賀宴・享宴・曲宴・高宴・賜宴・酒宴・寿宴・招宴・送宴・朝宴・内宴・夜宴・遊宴
【宴安酖毒】エンアンチンドク いたずらに遊び楽しむことは、酖毒のように その人を損なう。▼宴安は、のんびり遊びくらす。酖毒は鴆チン(鳥の名)から取った猛毒。〔左伝、閔公元〕
【宴飲】エンイン 酒盛り。また酒盛りをする。燕飲エンイン。
【宴居】エンキョ 家でのんびりとしていること。燕居エンキョ。
【宴餞】エンセン 送別の宴を開くこと。
【宴息】エンソク やすんじいこう。のんびりくつろぐ。燕息エンソク。
【宴游・宴遊】エンユウ 酒盛りをして遊び楽しむ。
【宴楽(樂)】一エンラク ①やすんじ楽しむ。②酒宴を開いて楽しむ。二エンガク 酒宴と音楽。
【侍宴】ジエンす 宴会に列席する。

7 【家】 10画 2637 教2 カ・ケ いえ・や 漢カ・呉ケ 麻 jiā 1840 89C6 ―
熟字訓 母家おもや
筆順 宀 宀 宀 宁 家 家 家
字義 ❶いえ。うち。㋐すまい。や。居住する建物。「民家」㋑家族。家庭。「一家」㋒一族。一門。㋓家がら。「良家」㋔財産。また、くらし向き。「家計」㋕夫または妻。㋖ふるさと。故郷。「家郷」㋗卿大夫ケイタイフ。また、その領地。❷都城。また、国。「国家」❸学問・技芸の流派。学派。また、それに属する学者・技芸者。「儒家」「道家」❹いえする。居住する。世帯を持つ。国や。屋号や雅号の下に添える語。「鈴の家」
名前 いえ・え・お・か・や・やか・やす
難読 家鴨あひる・家守やもり・家城いえき・家苞いえづと・家野いえの・家和楽やわら
使いわけ や〔屋・家〕⇩屋(2794)。
解字 甲骨文 金文 篆文 会意。宀＋豕。宀は、家屋の意味。豕は、ぶたの意味。家の意味と音符とぶたなどのいけにえを供える屋内の神聖なところのさまから、そこを中心とする「いえ」の意味を表す。家の意味と音符とを含む形声文字に、稼・嫁などがある。
逆 姻家・王家・貴家・挙家・公家・豪家・高家・故家・国家・在家・作家・雑家・山家・蚕家・私家・自家・室家・主家・酒家・儒家・出家・商家・人家・世家・宗家・大家・伝家・田家・当家・道家・農家・夫家・仏家・兵家・法家・邦家・母家・名家・良家
【家翁】カオウ ①家の主人。家長。②＝家君。
【家学(學)】カガク その家に代々伝えられている専門の学問。
【家給人足】いえ(へ)ごとにキュウし ひとごとにたる・いえ(へ)いえ(へ)キュウし ひとびとたる どの家もどの人も生活の豊かなこと。〔漢書、貢禹伝〕
【家居】一カキョ ①住居。②役人にならないで家に居ること。③嫁に行かないで家にいること。④家にひきこもっていること。二いえ(へ)い(る) 国①家。住居。②家に居ること。
【家郷(鄕)】カキョウ ふるさと。故郷。家山。
【家君】カクン 他人に対して、自分の父をいう。家厳。
【家訓】カクン ①先祖が子孫に残した一家の教え。②家庭における親の教え。庭訓テイキン。
【家兄】カケイ ①他人に対して、自分の兄をいう。②金銭の別名。
【家憲】カケン 家のおきて。家族や子孫の守るべきおきて。家法。
【家厳(嚴)】カゲン ＝家君。
【家口】カコウ ①家族。②家族の人数。〔列子、黄帝〕
【家公】カコウ ①家の主人。②他人に対して、自分の父・祖父・外祖父(母の父)をいう。
【家刻】カコク 個人で書物を出版すること。また、その本。
【家宰】カサイ 家臣の長。家老。家令。
【家産】カサン 家の財産。身代。また、家業。
【家山】カザン ①故郷の山。②ふるさと。故郷。家郷。
【家事】カジ ①一家の私事。家庭の用事。↕公事(一四七ページ中)。②国家政。
【家慈】カジ 他人に対して、自分の母をいう。
【家室】カシツ 同室家。①家。家屋。②夫婦。家族。用例〔詩経、周南、桃夭〕之子于帰このこゆきとつぐ、宜其家室そのカシツによろしからん。⇩この娘が嫁いでいったら、きっと夫の家族に調和して幸せになるだろう。
【家主】一カシュ 一家の長。戸主。二やぬし 国家賃をとって家を貸す人。
【家集】カシュウ 個人(家人)の詩・文を集めたもの。↕撰集センジュウ(六一三ページ上)。
【家塾】カジュク 個人の経営する小規模な学校。私塾。
【家書】カショ ①その家に伝わる書籍。②家族からの手紙。用例〔唐、杜甫、春望詩〕烽火連三月ホウカサンゲツにつらなり、家書抵万金カショバンキンにあたる。⇩のろしの火は春の三か月の間、うち上げ続けられていて(戦乱はおさまるようすもないので)、家族からの便りは、一万金に相当するほど(貴重なもの)に思われる。③家族に送る手紙。用例〔唐、張籍、秋思詩〕洛陽城裏見秋風ラクヨウジョウリシュウフウをみる、欲作家書意万重カショをつくらんとほっしてイバンチョウ。⇩(故郷を離れた)洛陽の町で秋風の訪れに故郷を思いだし、家族に手紙を書こうとすると、さまざまな思いで胸がいっぱいになる。
【家常茶飯】カジョウサハン ありあわせの食事。転じて、ありふれた、平凡な物事。家常飯。
【家臣】カシン ①卿大夫ケイタイフに仕える家来。公臣に対して、一家に仕える臣をいう。②国家に属する家来。家の子。
【家信】カシン ＝家書②③。
【家人】一 カジン ①家族。②庶民。家にいて官職のない人。③しもべ。召し使い。④妻。二 ケニン 国譜代（代々その家に仕える）の家来。家の子。
【家声（聲）】カセイ 家の名誉。家のほまれ。
【家政】カセイ ①一家の取り締まり。家事のきりもり。②一家のくらし向き。
【家尊】カソン 他人に対して、その人の父をいう。
【家蔵（藏）】カゾウ 家に所蔵する。また、家の秘蔵物。
【家大人】カタイジン ＝家父。
【家庭】カテイ ①家の庭。②いえ。家族が生活している所。③家族の生活のさま。④国夫婦を中心とした家族の生活体。
【家伝（傳）】カデン ①その家の記録。家乗。家史。②その家に先祖から伝わって来たこと。また、そのもの。
【家童・家僮】カドウ 個人の家の召し使い。
【家道】カドウ ①家庭の人として守るべき道徳。家庭内の道徳。②家庭を治める道。③くらし向き。家計。
【家督】カトク ①一家を監督する意から、家を継ぐ子をいう。あとつぎ。②国家長・戸主の身分。また、その身分に伴う権利と義務。
【家範】カハン ＝家憲。
【家貧思二良妻一】いえ(へ)まずしくしてリョウサイをおもう(ふ) 家が貧しくなるとはじめて、家の内を治めるりっぱな妻を得たいと思う。用例〔十八史略、春秋戦国、魏〕家貧思二良妻一(いえ(へ)まずしくしてリョウサイをおもい(ひ))、国乱思二良相一(くにみだれてリョウショウをおもう(ふ))。↓家が貧しくなるとはじめて、家の内を治めるりっぱな妻を得たいと思い、国家が乱れたときには、りっぱな宰相を得たいと思う。
【家父・家府】カフ 他人に対して、自分の父をいう。
【家婦】カフ 主婦。妻。
【家風】カフウ その家庭特有の生活様式。家のしきたり。
【家邦】カホウ 国。国家。邦家。
【家法】カホウ ①師から門人に伝えて行く、その学派の学問。②家を治める道。③その家のおきて。家憲。
【家名】カメイ ①その家の名称。家号。②一家の名誉。家のほまれ。家声。
【家門】カモン ①家の門。②いえ。家庭。③家族。一族。④家筋。家がら。⑤大夫(タイフ)の一家。重臣の一族。⑥郷里。故郷。
【家令】カレイ ①一家の者の守るべきおきて。家憲。②一家の取り締まりをする人。
【家老】カロウ ①大夫(タイフ)などの家臣の長。家宰。②一族中の長老。③国江戸時代、大小名の家臣の長。
【傾レ家】一 いえ(へ)をかたむく ①財産の全部を費やす。財産を使いはたす。②家をおとろえさせる。家を滅ぼす。二 いえ(へ)をかたむけて 一家を挙げて。全家族で。
【作レ家】いえ(へ)をなす ①家を治める。②財産をつくる。
【斉（齊）レ家】いえ(へ)をととのう(ふ) 一家をりっぱに治める。『大学』の八条目の一つ。斉家(セイカ)。〔大学〕

7【害】10画 2638 教4 ガイ　1918 8A51 一

7【害】10画 2639 一 漢カイ・呉ガイ 泰 hài　二 漢カツ・呉ガチ 曷 hé

筆順 丶 丷 宀 宀 宇 宔 宔 害 害

字義 一 ❶そこなう。㋐傷つける。また、殺す。用例〔人虎伝〕其家窃知レ之(そのいえ(へ)ひそかにこれをしり)、常有二害レ我心一(つねにわれをガイするこころあり)。↓その家人がひそかにそれに気づき、いつも私に危害を加えようと企んでいた。㋑こわす。❷さまたげる。「妨害」❸きらう。にくむ。ねたむ。❹わざわい(はひ)。災難。また、うれい。❺防ぐに都合よく、攻めるに困難な場所。「要害」二 助字。㋐なに。いずれ(づれ)。いつか。疑問を表す。＝何(247)。用例〔孟子、梁恵王上〕時日害喪(このひいつかほろびん)。↓太陽はいつ消滅するのだろう。㋑なんぞ…ざる。再読文字。疑問または反語を表す。＝盍(7929)。

参考 現代表記では〔碍〕(8196)の書きかえに用いることがある。「障碍→障害」「妨碍→妨害」 難読 害人(しし)

解字 金文 篆文 形声。宀＋口＋丯(カイ)音。音符の丯は、刻みつけるの意味。宀は、おおうの意味。口は、いのりの言葉の意味。いのりの言葉を切り刻み、ふさぎさまたげる、わざわい・さまたげの意味を表す。

逆 禍害・干害・危害・公害・災害・殺害・惨害・残害・自害・傷害・障害・侵害・阻害・損害・大害・迫害・被害・弊害・妨害・無害・要害・利害・冷害

【害悪（惡）】ガイアク 国他を損なう悪事。害となる悪事。害毒。
【害意】ガイイ ＝害心。
【害心】ガイシン 人や物を損なおうとする心。害意。
【害馬】ガイバ 馬の天性を損なう。転じて、害となるもの。また、政治の妨げとなるもの。〔荘子、徐無鬼〕

7【宦】10画 2640 標 漢カン(クヮン) 呉ゲン 諫 huàn　5365 9B81 一

字義 ❶つかえる。宮仕えする。また、宮仕え。❷官職。また、役人。❸去勢されて宮中の奥に仕える男性。「宦官」❹学ぶ。役人となる心得を学ぶ。

解字 金文 篆文 会意。宀＋臣。臣は臥に通じ、身をかがめてつかえるけらいの意味。宮中につかえる人の意味を表す。

【宦学（學）】カンガク 仕官の道を学び、六芸を学ぶ。一説に、仕官してから学ぶことと、仕官する前に学ぶこと。
【宦官】カンガン ①去勢した男性で宮中の奥むきに仕えている人。宮刑に処せられた罪人、異民族の俘虜(フリョ)、自宮者(自分から去勢して志願した人)などで、時には、政治上の実権を握ったこともある。宦者。宦人。寺人。②官吏。
【宦寺】カンジ ＝宦官①。▼寺は、寺人で、宮中の奥むきに仕える人。
【宦事】カンジ 役人として仕える。
【宦者】カンジャ ＝宦官①。
【宦者令】カンジャレイ 宦官の長官。
【宦女】カンジョ ①宮中に仕えている女性。宮女。官婢(カンピ)。②宦官と女性。
【宦情】カンジョウ 同官情。①官吏になりたいと望む心。②役人かたぎ。
【宦達】カンタツ 官吏として立身する。
【宦途】カント 同官途。①官吏になるみち。②役人の勤務・地位など。用例〔人虎伝〕宦途不レ致二淹留一乎(カントエンリュウをいたさざるか)。↓官途も順調だっただろうか。③官界。
【宦遊】カンユウ ①役人となって他郷にいること。用例〔唐、王勃、杜少府之二任蜀州一(詩)〕与レ君離別意(きみとリベツのイ)、同是宦遊人(ともにこれカンユウのひと)。↓君と別れる私の思い、ともに異郷にさすらう役人の身。②仕官するために郷里を出ること。

7【宮】10画 2641 教3 キュウ・グウ・ク みや　2160 8B7B 一
漢キュウ(キウ)・呉ク・クウ 慣グウ 東 gōng

筆順 丶 丷 宀 宀 宀 宮 宮 宮 宮 宮

字義 ❶いえ。すまい。古代は身分の別なく住居をいう。用例〔本事詩〕一畝之宮(イッポのキュウにして)、而花木叢萃(カボクソウスイ)、寂若レ無レ人(セキとしてひとなきがごとし)。↓小さな屋敷で、花をつけた木々が生い茂り、ひっそりとして人がいないかのようであった。❷みや。㋐壮大な家。また、屋敷。㋑天子の住居。皇居。用例〔世説新語、賢媛〕漢元帝(カンのゲンテイ)、宮人既多(キュウジンすでにおお(ほ)ければ)、乃令二画工図一レ之(すなわ(は)ちガコウをしてこれをえが(ゑが)かしむ)。↓漢の元帝には宮女が多かったので、絵師にその姿を描かせた。㋒祖先のみたまや。祖廟(ソビョウ)。㋓神社・仏閣。また、道教の寺。㋔仙人の住居。❸

へや。室。❹かこむ。とりかこむ。❺五音（宮・商・角・徴（チ）・羽）の一つ。❻刑罰の一つ。生殖機能を除去する刑。↓宮刑。また、宮刑を施す。去勢する。国みや。皇族の尊称。

名前 いえ・たか・みや　難読 宮山（みやま）・宮首（みやじ）・宮処（みやこ）・宮道（みやじ）

解字 甲骨文　金文　篆文　象形。建物の中のへやが連なった形にかたどり、「みや」の意味を表す。

逆 行宮・外宮・学宮・玉宮・金宮・月宮・后宮・後宮・故宮・斎宮・紫宮・春宮・深宮・中宮・天宮・東宮・迷宮・幽宮・離宮・六宮・竜宮

【宮娃】（キュウアイ）宮中に仕える美女。宮女。御殿女中。

【宮闈】（キュウイ）奥御殿。宮掖（キュウエキ）。▼闈は、宮中の小門。

【宮掖】（キュウエキ）①奥御殿。御所の内。▼掖は、女官の居る建物。②宮城。

【宮監】（キュウカン）①宮中の事務をとる役人。②宮中。

【宮観（觀）】（キュウカン）①離宮。転じて、一般に、御殿。壮大な建物。②道教の寺。道宮。

【宮禁】（キュウキン）①宮中の禁令。②天子の居室。③宮中。

【宮刑】（キュウケイ）五刑の一つ。死刑に次ぐ重刑で、その生殖機能を除去するもの。腐刑。

【宮闕】（キュウケツ）①宮城の門。②宮城。皇居。

【宮市】（キュウシ）宮中の必要物資を満たすために、一般から物資を安く徴発する機関。宦官（カンガン）を係官とした。

【宮室】（キュウシツ）①すまい。家。家屋。②宮殿。御殿。

【宮女】（キュウジョ）宮中に仕える女。御殿女中。

【宮相】（キュウショウ）①太子を補佐する官。②国もと宮内大臣をいう。

【宮商】（キュウショウ）①五音（宮・商・角・徴（チ）・羽）の中の、基本となる宮・商の二音。②音楽の調子。音楽。音律。

【宮墻・宮牆】（キュウショウ）家屋とまわりのかき。▼墻・牆は、土で作ったかき、ついじ。

【宮鐘】（キュウショウ）昔、宮中で時刻をしらせた鐘の音。

【宮扇】（キュウセン）宮中で用いるうちわ。

【宮中】（キュウチュウ）①家の中。②皇居の中。宮廷。用例〔三国蜀、諸葛亮、前出師表〕宮中府中（キュウチュウ、フチュウは）、俱為二一体一（ともにイッタイたり）。↓もともと宮廷と軍営は一体のものである。③宦官（カンガン）や女官の事務所。また、そこにいる人々。日本の侍従職に当たる。

【宮廷・宮庭】（キュウテイ）宮城。天子の日常おられる所。

【宮内】（キュウナイ・クナイ）①宮中。②家の中。室内。

【宮葉】（キュウヨウ）宮中の御殿の庭の落ち葉。用例〔唐、白居易、長恨歌〕西宮南苑多二秋草一（セイキュウナンエンに、シュウソウおお（ほ）く）、宮葉満レ階紅不レ掃（キュウヨウ カイにみちて、くれない（ゐ）はらわ（は）ず）。↓西の御殿も南の御所も秋草が茂り、宮殿の階段に落ち葉がいっぱいになっても、掃除されないままになっている。

【宮裏】（キュウリ）宮殿の中。

【宮楼（樓）】（キュウロウ）宮殿。御殿。

【宮漏】（キュウロウ）宮中の水時計。一時刻ごとに鼓をうって時を報じた。

---

7 【宭】10画 2642　漢クン　呉グン　文 qún　—　—　2652

字義 群がって住む。

解字 形声。宀＋君音。音符の君は、群に通じ、群がるの意味。

7 【宼】10画 2643　コウ　寇（2660）の俗字。→四〇三ページ中。　—　—　2658

7 【宯】10画 2644　漢コウ（カウ）　呉キョウ（ケウ）　肴 xiāo　—　—　2653

字義 気が上り蒸す。

解字 形声。宀＋孝音。

7 【宺】10画 2645　コウ（クヮウ）　養 huǎng　—　—　2657

字義 広い。

解字 形声。もと、宀＋巟音。

7 【宱】10画 2646　漢サ　呉ジャ　禡 zhà　—　—　2654

字義 心が広い。

解字 形声。宀＋作音。

7 【宰】10画 2647　常 サイ　サイ　賄 zǎi　2643　8DC9　—

筆順 丶 丶 宀 宀 宁 宇 宰 宰

字義 ❶つかさ。事を主となってつかさどる人。㋐おさ（長）。かしら。㋑大臣。宰相。「太宰」㋒諸官の長。㋓家老。家令。㋔県の長官。地方の町・村の長。用例〔論語、雍也〕子游為二武城宰一（シユウ ブジョウのサイとなる）。↓子游が武城の長官となった。❷つかさど-る。きりもりする。治める。❸官吏。役人。❹料理する。ほふる。また、料理人。用例〔唐、李白、将進酒詩〕烹レ羊宰レ牛且為レ楽（ひつじをに うしをほふり、しばらくたのしみをなせ）、会須二一飲三百杯一（かならずすべからく イチインサンビャッパイなるべし）。↓羊を煮、牛を料理して、まあまあ、ともかく楽しもう。必ず一回の宴席で、三百杯を飲みほすべきだ。

名前 い・おさむ・かみ・さい・すず・ただ・つかさ

解字 金文　篆文　会意。宀＋辛。宀は、家屋の意味。辛は、調理用の刃物の象形。祭事や宴会のために調理するの意味や、仕事を処理する人、「おさ」の意味を表す。

逆 家宰・主宰・真宰・大宰・太宰

【宰我】（サイガ）＝宰予。

【宰割】（サイカツ）①料理する。②主となって処理すること。

【宰執】（サイシツ）宰相で、国の政治をとるもの。大臣。

【宰相】（サイショウ）①天子を補佐して役人を統率し政治を行う人。大臣。②国㋐参議（太政官（ダジョウカン）の職員の一つ）の別名。㋑総理大臣の別名。

【宰予】（サイヨ）春秋時代、魯（ロ）の人。孔門十哲の一人。字（あざな）は子我。弁舌にすぐれた。（前五三二―前四五八）

【宰領】（サイリョウ）①取りしまる。かしらとなって事を処理すること。②運送の仕事を監督する役の人。

7 【宵】10画 2648　常 ショウ　よい　3012　8FAA　—

7 【宵】10画 2649　ショウ（セウ）　蕭 xiāo

筆順 丶 丶 宀 宀 宀 宀 宵 宵 宵

字義 ❶よい（よ）。㋐よる（夜）。㋑夜のまだふけない間。㋒夜ふけ。「宵寝」❷おろか。道理に暗い。❸小さい。❹にる（似）。＝肖（4916）。

名前 よ・よい

参考 ⇩〔夜〕（2230）の参考。

解字 金文　篆文　形声。宀＋月＋小音。音符の小は、ちいさいの意味。宀は、まどの意味。月がわずかに窓にさしこむの意味から、よい（日暮時）の意味を表す。

逆 元宵・今宵・終宵・昼宵・通宵・徹宵・良宵

【宵衣旰食】（ショウイカンショク）夜の明けないうちに起きて衣服を着、日がくれてから食事をする。天子が政務に励むこと。宵旰。〔唐書、劉蕡伝〕

【宵旰】（ショウカン）宵衣旰食の略。

【宵寝（寢）】㊀（ショウシン）夜ふけてから寝ること。㊁（よいね）国日がくれてまもなく寝ること。早寝。

【宵分】（ショウブン）夜のなかば。夜半。

7 【宸】10画 2650　標　漢シン　呉ジン　真 chēn　5366　9B82　—

字義 ❶のき（軒）。❷天子の住まい。❸天子に関する語の上にそえて用いる語。❹そら。大空。虚空(コクウ)。

解字 篆文 形声。宀＋辰㊥。音符の辰(シン)は、くちびるの意味。家屋のへり、のきの意味から、帝王の居所の意味を表す。

【宸△翰】(シンカン) 天子の自筆の文書。宸章。

【宸極】(シンキョク) ①天子の居所。皇居。②天子の位。

【宸襟】(シンキン) ＝宸念。▼襟は、胸・心。

【宸△眷】(シンケン) 天子の心、また、天子の恩・寵愛(チョウアイ)。

【宸章】(シンショウ) ＝宸翰(シンカン)。

【宸念】(シンネン) 天子の心。宸襟。宸慮。

【宸筆】(シンピツ) 天子が自分で書いたもの。天子の自筆。

【宸遊・宸△游】(シンユウ) 天子がお出ましになること。行幸。

【宸慮】(シンリョ) ＝宸念。

7 【宷】 10画 2651 シン 審(2700)の古字。→四九㌻中。 — — 2656

7 【宬】 10画 2652 ㊥セイ ㊦ジョウ(ジャウ) 𝄞 chéng ₂0802 — 2651

字義 くら。特に、書物を収める蔵をいう。書庫。

解字 形声。宀＋成㊥。

7 【宩】 10画 2653 セキ 寂(2664)の俗字。→四〇三㌻中。

7 【宲】 10画 2654 ホウ 𝄞 bǎo — — 2655

字義 収める。しまいこむ。

解字 形声。宀＋呆㊥。

7 【容】 10画 2655 ㊥ヨウ・㊦ユウ 𝄞 róng 教5 ヨウ 4538 9765 —

筆順 容

字義 ❶いれる(いる)。㋐器物などの中に入れる。盛る。また、置く。㋑つつむ。つつみこむ。「包容」㋒受ける。受け入れる。「受容」㋓ゆるす。聞き入れる。「許容」❷かたち。㋐すがた。ようす。「容姿」㋑立ちいふるまい。身のこなし。また、礼にかなった動作。❸かたちづくる。化粧をする。しなを作る。また、かざる。かざり。用例〔史記、魯仲連伝〕女為(ニ)説(レ)己者(一)容(おんなはおのれをよろこぶもののためにかたちづくる)。↓女性は自分を愛してくれる男性のために化粧する。❹なかみ。「内容」❺ゆとりあるさま。安らかなさま。「従容(ショウヨウ)」❻たやすい。やさしい。「容易」❼まさに…べし。再読文字。推量や当然の意を表す。

名前 いるる・おさ・かた・なり・ひろ・ひろし・まさ・もり・やす・よ・よう・よし

解字 篆文 古文 形声。宀＋谷㊥。音符の谷(コク＝ヨウ)は、口に通じ、くちの意味。宀は、家屋の意味。口や家のように多くのものを入れるの意味を表す。また、谷は、古文に見るように公に通じ、宗廟(ソウビョウ)などの公共広場での、つつましやかな姿の意味も表す。

逆 偉容・威容・音容・海容・寛容・顔容・儀容・玉容・許容・軍容・形容・言容・山容・収容・従容・縦容・陣容・声容・壮容・美容・舞容・変容・包容・礼容

【容易】(ヨウイ) たやすいこと。

【容隠(隱)】(ヨウイン) 隠し立てをした罪を許す。隠し立てをすることは、それ自体罪ではあるが、肉親の罪を隠したものは、特別に許された。

【容悦】(ヨウエツ) こびへつらう。他人の気に入るようにする。

【容華】(ヨウカ) ①顔かたちの美しさ。容色の華麗さ。②漢代の女官の一階級。傛華(ヨウカ)。

【容△喙】(ヨウカイ) 国くちばしをいれる。そばから口を出す。余計な口出しをする。さしで口。開喙。

【容顔】(ヨウガン) 顔かたち。かんばせ。容色。

【容疑】(ヨウギ) 国疑いをいれる。疑問をさしはさむ。特に、犯罪の疑いのあること。

【容儀】(ヨウギ) ①すがたかたち。容姿。②立ちいふるまい。③礼儀にかなった態度や動作。

【容光】(ヨウコウ) ①すきまからさしこむ光。②顔や姿の美しい(りっぱな)こと。③おもかげ。おもざし。

【容斎(齋)随(隨)筆】(ヨウサイズイヒツ) 書名。十六巻。宋(ソウ)の洪邁(コウマイ)の著。経典・故実・占卜(センボク)・芸術等、広い事柄にわたって考証した随筆礼記。

【容止】(ヨウシ) 身のこなし。ふるまい。

【容姿】(ヨウシ) なりかたち。すがた。器量と姿。「容姿端麗」

【容膝】(ヨウシツ) ＝容(レ)膝(ひざをいる)(七〇七㌻下)。

【容質】(ヨウシツ) みめかたち。容貌(ヨウボウ)体質。

【容赦・容捨】(ヨウシャ) ①ゆるす。大目にみる。②国控えめにする。遠慮する。

【容色】(ヨウショク) ①姿や顔の美しさ。▼色は、つや・輝き。②容貌(ヨウボウ)と顔色。姿と顔の様子。転じて、顔かたち。器量。③和らいだ態度・表情。

【容飾】(ヨウショク) ①態度や動作のりっぱな(美しい)こと。②身体のかざり。

【容接】(ヨウセツ) ちかづきになる。交際する。

【容体(體)・容態】(ヨウタイ) 一(ヨウタイ) すがた。態度。二(ヨウダイ) 国①ようす。特に、病気のようす。病状。②もったいぶること。

【容忍】(ヨウニン) 大目にみる。許してがまんする。

【容認】(ヨウニン) 国許し認める。認容。

【容範】(ヨウハン) ①すがたかたち。様子。②顔かたち。

【容貌】(ヨウボウ) すがたかたち。容貌や態度。

【容与(與)】(ヨウヨ) ①ゆったりとしているさま。②遊びたわむれるさま。③舟や車が静かに行くさま。

【容容】(ヨウヨウ) ①飛びあがるさま。②変動するさま。一説に、まぎれ乱れるさま。③世俗に従って上下するさま。世俗と調子を合わせるさま。④前後に数多く連なり並ぶさま。⑤仰ぎ望むさま。

【△斂(レ)容】(ヨウをおさむ) 容姿・衣服をととのえてつつしみ深い態度をとること。斂容(レンヨウ)。

8 【寅】 11画 2656 人 イン 𝄞 yín 3850 93D0 —

筆順 寅

字義 ❶とら。㋐十二支の第三位。㋑月では陰暦の正月。㋒時刻では、今の午前四時、及びその前後二時間。一説に、その後の二時間。㋓方位では東北東。㋔五行(ゴギョウ)では木。㋕動物では虎(とら)。❷つつしむ(敬)。

名前 つら・とも・とら・のぶ・ふさ

解字 甲骨文 甲骨文 篆文 象形。甲骨文には矢そのものの象形と、矢を両手でひっぱる形にかたどるものとがあり、ひっぱる・のばすの意味を表す。今日の寅は、その後者の変形したものである。借りて、十二支の第三位、とらの意味に用いる。演の原字。寅の意味と音符とを含む形声文字に、演・縯(エン)などがある。

8 【寃】 11画 2657 エン 冤(780)の俗字。→一六三㌻上。 5367 9B83 —

8 【寉】 11画 2658 カク 隺(13171)の俗字。→一五三三㌻下。 5369 9B85 —

8 【寄】 11画 2659 キ 𝄞 jì 教5 キ よる・よせる 熟字訓 数寄屋(すきや)・最寄(もより)・寄席(よせ) 2083 8AF1 —

筆順 寄

［寄］2673 俗字

字義 ❶よせる(よす)。㋐たのむ。「託寄」㋑まかす。あずける。㋒やる。送る。与える。㋓かたむける。心をよせる。❷よる。㋐たよる。すがる。㋑かりずまいする。❸たより。たのみ。期待。国❶よる。集まる。立ちよる。❷よせる(よす)。加える。やって来る。来させる。❸より。おできのよりなど。❹よせ。寄席。

【名前】より 寄畑(よりはた) 【難読】寄居虫(ごうな・やどかり)・寄生木(やどりぎ)・寄木(やどりぎ)・

使いわけ よる【寄・因】
〔寄〕近づく。「左へ寄る」
〔因〕基づく。「不注意に因る事故」
前述の二つ以外では、仮名書きが一般的。「城によって抵抗する・しわがよる」

解字 篆文 形声。宀＋奇(音)。音符の奇は、身体を曲げて立つ人の意味。つりあいが保てずに片方によ る、屋根の下に身をよせるの意味を表す。

逆 数寄・託寄

【寄款】キカン ①まごころを寄せる。②金を送る。
【寄居】キキョ ①かりに住む。また、かりずまい。旅ずまい。寓居(グウキョ)。②やどかり。かみな。寄居蟹(キキョカイ)。寄居虫。
【寄寓】キグウ 一時、仮に住んでいること。仮ずまい。
【寄言】キゲン ＝寄語。
【寄語】キゴ ことづてする。伝言。寄言。
【寄航】キコウ 船が港に立ち寄ること。寄港。
【寄稿】キコウ 新聞・雑誌などに原稿を送ること。投稿。
【寄傲】キゴウ ＝寄レ傲(ゴウによす)(二六八ページ上)。
【寄書】一 キショ ①手紙をやる。②＝寄稿。二 よせがき 国 多数の人が、一枚の紙に名前・短文などを書くこと。また、その書いたもの。
【寄食】キショク 他人の家に身を寄せて生活すること。居候(いそうろう)していること。
【寄進】キシン 国 神社や寺に、金品を寄付すること。
【寄生】キセイ ①他人の力に頼って生活すること。②生命を託する。③ある生物が、他種の生物に取り付き、その養分を吸い取って、自分の身を養うこと。
【寄贈(贈)】キゾウ・キソウ おくりあたえる。寄与。
【寄題】キダイ その地に至らずに題詠すること。
【寄託】キタク あずけたのむ。人に物を預け、その保管を頼むこと。たのみ。委託。
【寄付・寄附】キフ ①たよる。たのむ。②身を寄せる。宿泊する。③物をあたえること。④国 公共事業などに無償で金品を出すこと。
【寄命】キメイ ①現世に一時、仮に宿り生きている命。②命を寄す。㋐政治を任せる。用例〔論語、泰伯〕可三以寄二百里之命一(もってヒャクリのメイをよすべし)。↓百里四方の国の政治を預けることができる。㋑生命を任す。
【寄与(與)】キヨ ①おくりあたえる。②国 社会・他人などに力を貸して、利益をあたえること。
【寄留】キリュウ 一時、他郷や他家に住むこと。

8 【寇】11画 2660 漢コウ 呉ク 宥 kòu 5368 9B84 —
【冦】782 俗字 【宼】2643 俗字 【寇】2661 俗字

字義 ❶あだ。㋐かたき。敵。㋑国外から侵攻して来る敵。外敵。また、外敵の難。「外寇」㋒群をなしている盗賊。❷あだ-する(あだす)。㋐害を加える。そこなう。あらす。㋑しいたげる。乱暴する。㋒かすめ取る。うばい取る。

解字 金文 篆文 会意。宀＋元＋攴。宀は、屋内の意味。元は、人の意味。攴は、うつの意味。他人の家に入りこんで、人をたたくさまから、他人に害を与えるの意味を表す。

【寇讐】コウシュウ あだ。かたき。
【寇敵】コウテキ ①外敵。②あだ。かたき。
【寇盗】コウトウ 群をなして乱暴し、盗むこと。また、その人。
【寇乱(亂)】コウラン 外敵と内乱。
【寇略・寇掠】コウリャク 攻め入ってかすめ取ること。
【藉二寇兵一、而齎二盗糧一】コウにヘイをかしてトウにリョウをもたらす 敵に武器を貸し与え、盗賊に食糧をやる。わざわざ敵を助けて自分が不利になるようなことをするたとえ。〔史記、李斯伝〕

8 【寇】11画 2661 コウ 寇(2660)の俗字。→四〇三ページ中。

8 【寀】11画 2662 サイ 賄 隊 cǎi ₂0804 ED8B 2659

字義 領地。知行所。采地。国 うつぼ。矢を入れて腰に負う具。靫(うつぼ)。空穂(うつぼ)。寀を片仮名のウツホに分けた読み。

解字 形声。宀＋采(音)。

8 【㝡】11画 2663 サイ 最(4796)の俗字。→六四〇ページ上。 ₂0803 — —

8 【寂】11画 2664 常 ジャク・セキ さび・さびしい・さびれる 漢セキ・呉ジャク 錫 jì 2868 8EE2 —

筆順 寂

【〔宀＋尗〕】2632 本字 【〔宀＋尗＋攵〕】2653 俗字

字義 ❶さび-しい(さびし)。さみ-しい(さみし)。しずか。用例〔唐、王維、辛夷塢詩〕澗戸寂無レ人(カンコセキとしてひとなく)、紛紛開且落(フンプンとしてひらきかつおつ)。↓谷川のほとりの家は、ひっそりとして、人の気配もなく、花が盛んに咲いてはまた散っている。❷やすらか(安)。❸仏 ㋐死をいう。特に、僧が死ぬこと。涅槃(ネハン)。「入寂」「帰寂」㋑煩悩(ボンノウ)を滅しつくして解脱(ゲダツ)の境地に入る。国 ❶さび。閑寂なおもむき。古くなって閑寂なおもむきが出る。❷さ-びる(さぶ)。❸さび-れる(さぶ)。景気が悪くなる。

名前 しず・じゃく・ちか・やす

解字 篆文 形声。宀＋叔(音)。篆文は、宀＋尗(音)。音符の叔(尗)は、いたむの意味。屋内がいたましく、さびしいの意味を表す。

逆 閑寂・間寂・空寂・静寂・入寂・幽寂

【寂光】ジャッコウ 仏 ①衆生(シュジョウ)を解脱(ゲダツ)させる真理と真知の力。②寂光浄土(解脱したさとりの境地)。

【寂若レ無レ人】セキとしてひとなきがごとし ひっそりとして人のいないようである。

【寂静(靜)】一 セキセイ 世俗を離れて静かなこと。二 ジャクジョウ 国 煩悩(ボンノウ)を離れ苦しみを絶つこと。解脱(ゲダツ)の境地。

【寂寂】セキセキ・ジャクジャク さびしく静かなさま。

【寂然】セキゼン・ジャクネン ひっそりとして静かなさま。

【寂寞・寂漠】セキバク・ジャクマク ひっそりとしてものさびしいさま。用例〔唐、白居易、長恨歌〕玉容寂寞涙闌干(ギョクヨウセキバクなみだランカン)、梨花一枝春帯レ雨(リカイッシはるあめをおぶ)。↓さびしそうな美しい顔からは涙がはらはらとこぼれ、梨の花の白く咲いた小枝が、春の雨に打たれているようなおもむきである。／〔唐、李白、将進酒詩〕古来聖賢皆寂寞(コライセイケンみなセキバク)、唯有二飲者留一其名一(ただインジャのそのなをとどむるあるのみ)。↓昔から聖人賢者などというものは、みな、かげのうすいものだ。ただ酒飲みが、その名をとどめているだけ。

【寂滅】一 セキメツ 物が自然に消えうせること。二 ジャクメツ 仏 ①煩悩(ボンノウ)から脱却し生死を超越すること。②死ぬこと。

【寂滅為(爲)楽(樂)】ジャクメツイラク 寂滅の境地に達して、初めて楽しみの世界が開ける。生死の苦に対して涅槃(ネハン)の境地を楽とすること。〔涅槃経〕

【寂慮】セキリョ さびしくもの静かな思い。

【寂寥】セキリョウ ＝寂寞(セキバク)。

【寂歴(歷)】セキレキ ＝寂寞(セキバク)。

8 【宿】11画 2665 教3 シュク やど・やど-る・やど-す 漢シュク・呉スク 屋 sù ③㋑xiù 2941 8F68 —

筆順 宿

【宿】2666 本字

字義 ❶やど-る。一夜とまる。❷やど-す。やどらせる。❸やど。やどり。㋐やど。旅館。「宿次」「投宿」㋑星のやどり。星座。「二十八宿」

ⓤ住み家。❹とのい。宿直。❺とどまる。とどめる。❻もとからの。㋐前々からの。「宿願」㋑前夜からの。「宿雨」㋒前世からの。「宿世」❼年功を積んだ。「宿将」「宿老」国シュク。馬継ぎ場。宿場。

名前 いえ・おる・すみ・やど 難読 宿戸(しゅくのへ)・宿酔(ふつかよい)・宿禰(すくね)・宿田(やすだ)・宿尼(すくに)・宿毛(すくも)

解字 甲骨文 篆文 会意。甲骨文は、人＋百。百は寝具の象形。寝具にやどるの意味を表す。のち、宀を付し、屋内にやどるの意味を表す。夙に通じ、はやくからの意味や、肅(粛)に通じて、いましめるの意味をも表す。宿を音符に含む形声文字に、縮・蹜(シュク)・蓿(シュク)などがある。

逆 在宿・星宿・投宿・同宿・独宿・房宿・野宿・旅宿・列宿・露宿

【宿痾】(シュクア) ずっと以前からの病気。持病。

【宿悪(惡)】(シュクアク) 古くからの悪事。積もり積もった悪事。

【宿因】(シュクイン) 仏前世からの因縁(インネン)。前世からのきまり・約束。宿縁。

【宿雨】(シュクウ) ①連日降り続いている雨。ながあめ。②前夜からの雨。

【宿雲】(シュクウン) 前夜からたれこめていた雲。

【宿営(營)】(シュクエイ) ①兵士の泊まるための宿舎。②国軍隊が兵営以外の所で泊まること。

【宿衛(衞)】(シュクエイ) 宿直して警衛すること。また、その人。

【宿駅(驛)】(シュクエキ) 国宿場。旅人を宿し、また荷物を運ぶ人や馬を用意したり交換したりする所。

【宿怨】(シュクエン) 長年の、積もり積もったうらみ。

【宿縁】(シュクエン) 仏＝宿因。

【宿学(學)】(シュクガク) 長年学問をした偉い学者。老儒。碩学(セキガク)。

【宿願】(シュクガン) ①かねてからの願い。②仏前世からの願い。

【宿好】(シュクコウ・シュッコウ) ①以前からのこのみ。②昔からのよしみ。以前からの友好。

【宿業】(シュクゴウ) 仏前世でしたことのむくい。

【宿恨】(シュクコン・シュッコン) ＝宿怨(シュクエン)。

【宿根】(シュクコン・シュッコン) ①仏前世から定まっている、人の能力・素質。②生まれ。素性。③冬、枝葉が枯れても、根は越年して再び芽を出すもの。宿根草。

【宿志】(シュクシ) 前々からの志。かねての希望。宿心。宿意。

【宿儒】(シュクジュ) ＝宿学。

【宿将(將)】(シュクショウ) 多年の経験を積んだ大将。

【宿心】(シュクシン) ＝宿志。

【宿酔(醉)】(シュクスイ) 二日よい。宿酒。

【宿世】(シュクセ・スクセ・スグセ) 仏①過去の世。前世。②＝宿因。

【宿夕】(シュクセキ) ①一晩。一夜。②わずかの時間。つかの間。③＝宿昔①。

【宿昔】(シュクセキ) ①むかし。以前。また、昔から。前々から。用例〔唐、張九齢、照ㇾ鏡見ニ白髪一詩〕宿昔青雲志(シュクセキセイウンのこころざし)、蹉跎白髪年(サタたりハクハツのとし)。↓昔、若い時には立身出世の大きな志を抱いていたが、つまずいて思うにまかせぬままに、白髪の年となってしまった。／〔資治通鑑、漢紀〕此陵宿昔之所ㇾ不ㇾ忘也(これリョウのシュクセキのわすれざるところなり)。↓これはわたくし李陵(リリョウ)がずっと忘れずに思っていたことです。②長い間。平生。③＝宿夕①。

【宿諾】(シュクダク) 一旦請け合ったことを躊躇(チュウチョ)して、すぐには実行しない。

【宿鳥】(シュクチョウ) ねぐらで寝ている鳥。

【宿直】(シュクチョク) 一(シュクチョク・とのい(る)) 役所・学校・工場などで、交代に泊まる勤め。二(とのい(る)) 国天皇の寝所に皇后・女御(ニョウゴ)などが奉仕すること。

【宿敵】(シュクテキ) 前々からのかたき。

【宿徳】 一(シュクトク) 徳のある老人。また、徳のある老師。二(シュウトク) 国修行して徳を積むこと。また、その人。

【宿弊】(シュクヘイ) 古くからの弊害。積もり積もった弊害。

【宿坊】(シュクボウ) ①寺院で、参拝人の休憩・宿泊する所。②自分の信仰する寺。③僧の住む所。

【宿望】(シュクボウ) ①長年の人望。②老成して名望のある人。③年来の望み。宿願。

【宿命】(シュクメイ・シュクミョウ) 仏前世から定まっている運命。

【宿留】(シュクリュウ・シュウリュウ) ①滞在する。停滞する。待つ。②心にとどめて忘れない。③とめてかくす。

【宿老】(シュクロウ) ①経験を積み、事理に通じている老人。②国武家の重臣。江戸幕府の老中、大名の家老など。

8 【宿】 11画 2666 シュク 宿(2665)の本字。→四〇三ジー下。

8 【寁】 11画 2667 漢ショウ(セフ) 呉ジョウ(ゼフ) 中 jiē ―― 2660

字義 ❶速やかに住む。❷速やか。速い。

解字 形声。宀＋疌音。音符の疌(ショウ)は、いそぐの意味。

8 【密】 11画 (2944) ミツ 山部。→四四一ジー中。

8 【冥】 11画 2668 メイ 冥(785)の俗字。→一六三ジー下。

9 【寓】 12画 2669 ウ 宇(2600)の古字。→三八九ジー中。 20805 ― ―

9 【寒】 12画 2670 教3 カン さむ-い 2008 8AA6 ―

9 〖寒〗 12画 2671 漢カン 呉ガン 中 hán

筆順 丶 丷 宀 宀 宑 寒 寒 寒 寒

字義 ❶さむ-い。さむし。つめたい。また、さむさ。↔暑(4801)。❷おののく。ぞっとする。恐れる。❸こごえる。ひえる。「饑寒(キカン)」❹ひやす。つめたくする。❺まずしい(貧)。身分が低い。「貧寒」❻さびしい。さむざむとした。「寒山」❼二十四気の一つ。大寒と小寒。小寒(寒の入り、陽暦一月六日ごろ)から大寒の終わり(寒の明け、立春の前日)までの三十日間。❽くるしい。また、苦しむ。なやむ。

名前 さむ・ふゆ 難読 寒河(そうご)・寒河江(さがえ)・寒水(こうず・そうず・みず)・寒川(さむかわ・さんがわ・そうかわ)・寒蟬(かなかな・つくつくぼうし・ひぐらし)

解字 金文 篆文 会意。もと、宀＋茻＋人＋仌。茻は、草のしとねの意味。仌は、氷の象形。寒さにこごえてしとねに身をまるくする人のさまから、こごえる・さむいの意味を表す。寒を音符に含む形声文字に、搴(ケン)・攐(ケン)・褰(ケン)・蹇(ケン)などがある。

逆 悪寒・飢寒・苦寒・劇寒・厳寒・向寒・歳寒・残寒・春寒・傷寒・小寒・大寒・避寒・余寒

【寒鴉】(カンア) 冬の飢えたからす。冬のさびしげなからす。

【寒衣】(カンイ) ①寒さを防ぐ衣服。冬の着物。用例〔唐、杜甫、秋興詩〕寒衣処処催ニ刀尺一(カンイショショトウセキをうながし)、白帝城高急ニ暮砧一(ハクテイジョウたかくしてボチンキュウなり)。↓冬着の支度をする季節、方々でそのための裁縫をせよとせきたてているかのように、高くそびえる白帝城のあたりでは、夕暮れの砧(きぬた)の音がせわしなく響いている。②薄い着物。冬の薄ごろも。

【寒威】(カンイ) ①寒さのいきおい。②きびしい寒さ。

【寒燠】(カンイク) 寒さと暑さ。寒暑。

【寒雨】(カンウ) ①寒々とした冷たい冬の雨。②さびしく降る雨。

【寒烏】(カンウ) ＝寒鴉(カンア)。

【寒雲】(カンウン) 冬空の雲。寒々と見える雲。

【寒煙・寒烟】(カンエン) 寒々と見えるもや(けむり)。

【寒温(溫)】(カンオン) ①寒さと暖かさ。寒暖。②寒さ暑さのあいさつ。時候のあいさつ。

【寒郷(鄕)】(カンキョウ) ①寒い土地。②さびれた土地・村。

【寒行】(カンギョウ) 寒中三十日間、信仰のために行う修行。

【寒玉】①冷たく光る美しい玉。②竹の別名。③清らかな水。しみず。④清らかなたとえ。⑤さえわたる月・月影。⑥琴瑟の名。

【寒苦】①寒さが厳しい。▼苦は、はだはだしい。②はなはだしい貧乏。③くるしみ。▼寒も、くるしみ。

【寒空】さむぞら。寒々とした空。

【寒径(徑)】さびしい小道。寒々とした小道。

【寒渓(溪)】寒い谷川。冬の谷川。また、ものさびしい谷川。

【寒閨】寂しい閨房(女性の部屋)。

【寒月】①寒い夜の月。②(さえた光の、寒そうな)冬の月。

【寒暄】①寒さと暖かさ。②気候。③寒さと暑さのあいさつ。④春秋。歳月の意。

【寒光】①寒々とした風光。冬の風景。②冬の太陽の光。③月の光。④寒々とした光。またさびしい光。刀剣・鏡・滝などについていう。

【寒江】冬の川。寒々とした川。用例〔唐、柳宗元、江雪詩〕孤舟蓑笠翁、独釣寒江雪。↓ただ一そうの小舟にみのと笠を着けた老人が、ひとりで寒々とした雪の川で釣り糸を垂れている。

【寒酸】貧しく生活が苦しい。貧苦。

【寒山】①秋から冬にかけての、ものさびしい山。用例〔唐、杜牧、山行詩〕遠上寒山石径斜、白雲生処有人家。↓遠く郊外まででかけ、さびしい山を上っていくと石の転がる小道が斜めに続き、白い雲がわき出ているあたりにも、人の住む家があった。②冬枯れの山。③人名。→寒山拾得。

【寒山寺】寺の名。江蘇省蘇州市の西、楓橋の近くにある。唐の高僧、寒山・拾得が住んだという。用例〔唐、張継、楓橋夜泊詩〕姑蘇城外寒山寺、夜半鐘声到客船。↓姑蘇の町はずれの寒山寺、そこでつく、夜半を告げる鐘の声が旅の船にまで響いてくる。

寒山寺の鐘楼

【寒山拾得】唐の憲宗時代(八・九世紀)の高僧、寒山と拾得。拾得は寒山の弟子。共に独特の詩を作り、寒山寺に住んだという。

【寒士】貧しい人。また、地位の低い人。→寒門①。

【寒枝】①冬の枝。②葉の落ちた寒々とした枝。さびしい姿の枝。

【寒疾】寒気のする病気。

【寒樹】冬の木立。葉の落ちた樹林。

【寒暑】①寒さと暑さ。②冬と夏。③寒暑を通じて、いつも。始終。④歳月。

【寒宵】冬の夜。寒い夜。

【寒螿】①蟬の類い。ひぐらし。寒蟬。②晩秋初冬に鳴く虫。こおろぎの類い。③水鳥。

【寒色】①冬の寒そうな景色。さびしい景色。②ぞっとしておそれる様子、顔色。③寒い感じを与える色。冷色。緑色から紫色に至る色。また、青色などをいう。

【寒食】①冷たい食物。②冬至から百五日目の前後三日間にする行事の名。この三日間は火を用いず、冷たいものを食べる。春秋時代、晋の文公が介子推の山中での焼死をあわれみ、その日には火を禁じ冷食を用いさせたことによるという。〔後漢書、周挙伝〕

【寒心】きもをひやす。ぞっとする。心配し恐れる。

【寒人】貧しい人。貧民。寒民。

【寒水】①冷たい水。さむざむとした川の水。②氷。

【寒声(聲)】一 ①冬の風の音。②冷たい水の音。③寒々とした声。二 国寒中に歌をうたったり、経を読んだりして声をきたえること。

【寒泉】冬のつめたい泉。

【寒戦(戰)】①寒さにふるえる。②身ぶるいする。

【寒蟬】①ひぐらしぜみ。②鳴かない蟬。

【寒素】倹約で質素なこと。

【寒窓・寒窗】①冬の窓。また、寒々としてさびしい窓。用例〔唐、元稹、聞楽天授江州司馬詩〕垂死病中驚坐起、暗風吹雨入寒窓。↓死にそうな重病の床から、驚きのあまり起き上がって座りなおすと、暗やみを吹く風が雨とともに、冷たい冬の窓から吹きこんできた。②貧しい家の破れた窓。また、あばらや。

【寒村・寒邨】①さびれた村。②貧しい村。

【寒餒】①寒さと飢え。②こごえ飢える。

【寒柝】冬の夜に打ちならす拍子木。寒々とひびく拍子木の音。

【寒竹】①寒中の竹。冬の竹。②竹の一種。節の間がつまっていて、杖などに用いる。漢竹。

【寒中】一 病名。ひえ込み。寒さあたり。二 小寒の初めから大寒の終わりに至る約三十日間。

【寒虫(蟲)】①こおろぎ。②晩秋初冬のころ鳴いている虫。また、その声。

【寒鳥】①冬の鳥。②寒々として、さびしい感じに見える鳥。

【寒砧】晩秋のころの、さびしいきぬたの音。

【寒灯(燈)】①冬の夜のともしび。②さびしい灯火。用例〔唐、高適、除夜作詩〕旅館寒灯独不眠、客心何事転凄然。↓旅館のわびしいともし火のもと、ひとり眠れずにいると、旅人の私の心はどうしたことかいよいよ寂しくなってゆく。

【寒梅】冬の梅。寒中に咲いている梅。

【寒風】①冬の風。北風。寒吹。②古代の人物の名。馬の能力を見分けることができたという。

【寒門】①貧しい一族。寒族。南北朝時代、士と庶の二つの身分のうち、士階層の中の下層に属する家がらの人。②極北の地。③自分の家の謙称。

【寒流】①冬の川。用例〔唐、白居易、江楼宴別詩〕寒流帯月澄如鏡、夕吹和霜利似刀。↓冬の川には月影が映って澄んだ鏡のように見え、夕方の風は霜気を帯びて吹き、刀のように鋭く冷たい。②冷たい水流。③＝寒門①。④南北両極地方から、赤道の方向に流れる海流。↔暖流(六七〇ページ中)。

【寒林】①冬の林。②さむざむとした林。人気のないさびしい林。

【寒露】①冷たいつゆ。ひえびえとして見えるつゆ。②二十四気の一つ。陰暦九月の節。陽暦の十月八日ごろ。秋分の十五日あと。⇨コラム 気候(二十四気)(八〇三ページ)。

【寒陋】貧しくいやしい。寒微。

9 【寏】12画 2672 漢カン(クワン) 呉ガン(グワン) 寒 huán ― ― 2662

字義 ぐるりと巡らせた垣。

解字 形声。宀＋奐(音)。

9 【寄】12画 2673 キ 寄(2659)の俗字。→四〇二ページ下。

9 【寓】12画 2674 人 標 グ 慣グウ 遇 yù 2287 8BF5 ―

筆順 丶 宀 宀 宀 寓 寓 寓 寓

［庽］3216 同字

字義 ❶よる(寄)。身をよせる。泊まる。仮住まい。「仮寓」「客寓」「旅寓」 ❷すまい。やど。仮住まいをする。❸よせる。㋐近づける。また、泊まらせる。用例〔孟子、離妻下〕無下寓二人於我室一、毀中傷其薪木上。↓人をこの家に入れたり、庭の草木を傷めさせたりしないように。㋑ことづける。託す。また、送る。与える。用例〔左伝、襄公二十四〕子産寓二書於子西一、以告二宣子一。↓子産は手紙を子西に託して宣子に告げた。㋒たとえる。ほのめかす。かこつける。用例〔北宋、蘇軾、宝絵堂記〕君子可三以寓二意於物一、而不レ可三以留二意於物一。↓君子は気持ちを物にことよせるべきで、ものに気持ちをとどめるべきではない。㋓向ける。そそぐ。「寓目」

解字 金文 篆文 形声。宀＋禺(音)。音符の禺は、さるに似たなまけもの類の象形。きまった住みかを持たず木の枝にぶらさがって眠る、なまけもの類の家の意味から、かりずまいの意味を表す。

【寓意】思っていることを他の物事にかこつけて、それとなくぼかして述べること。

【寓懐(懷)】①思いを寄せる。また、心をものに託する。②即興詩の題名。

【寓居】仮の住まい。仮住まい。自分の家をへりくだって言うときにも用いる。

【寓形】形をやどす。身を置く。(この世に)仮に身を寄せる。用例〔東晋、陶潜、帰去来辞〕已矣乎、寓二形宇内一復幾時。↓ああ、もう、おしまいだなあ。この世に生きながらえているのも、いったいあとどのくらいであろうか(たいした時間ではない)。

【寓言】他の物事にことよせて、意見や教訓を含めたたとえばなし。〔荘子、寓言〕

【寓宿】①仮のやど。仮住まい。②やどる。宿泊する。

【寓食】他人の家に身を寄せてくらすこと。いそうろう。寄食。

【寓直】泊まり番。順番の宿直。

【寓目】目を向けて見る。じっと見る。目をとめる。

【寓話】国教訓または風刺を含めたたとえ話。寓言。

9【寔】12画 2675 漢ショク 呉ジキ 職 shí 5370 9B86 ―

字義 ❶まことに。まさしく。❷これ。この。

解字 形声。宀＋是(音)。

9【盗】12画 2676 ネイ 寧(2694)の古字。→四〇八ページ中。 ― ― 2661

9【甯】12画 (7600) ネイ 用部。→九六六ページ上。

9【寐】12画 2677 漢ビ 呉ミ 寘 mèi 5371 9B87 ―

字義 ねーる。いーぬ。ねむる。寝(寢)は横になる・ねころぶ。寐は眠る・まどろむ。「夢寐」

解字 甲骨文 篆文 形声。宀＋爿＋未(音)。宀は、家屋の象形。爿は、ベッドの象形。音符の未は、目をつむるの意味。ねるの意味を表す。

9【富】12画 2678 教4 フ・フウ と-む・とみ 4157 9578 ―

県名 富山県

フ 宥 fù

慣フウ

筆順 富

【冨】787 俗字

字義 ❶と-む。㋐財産や物などが、多くなる。↔貧(11534)。「殷富」㋑多くある。豊かにする。「富国強兵」❷と-ませる。豊かにする。また、満ち足りている。「豊富」❸とみ。財産。また、財産が多くあること。「富豪」「巨富」

名前 あつ・あつし・さかえ・と・とます・とみ・とめり・とめる・とよ・ひさ・ふく・みつる・ゆたか・よし 難読 富取・富津・富田林・富来・富良野・富永・富海・

解字 金文 篆文 形声。宀＋畐(音)。音符の畐は、神に供える酒だるのふっくらした形にかたどる。宀は、家屋の意味。家に物が豊かにそなわるさまから、とむの意味を表す。

逆 貧富・豊富

【富岳(嶽)】国富士山の別名。

【富貴】家が富んでいて身分が高いこと。また、富と高い身分。↔貧賤(一三五四ページ中)。

【富貴花】ぼたんの別名。宋の周敦頤の「愛蓮説」に「牡丹、華之富貴者也」とあるのに基づく。

【富貴在レ天】富貴は天から与えられるもので、人力で自由になるものではない。用例〔論語、顔淵〕死生有レ命、富貴在レ天。↓人の生き死には天命によるものだし、富貴も天から与えられるものだ。

【富貴不レ帰(歸)二故郷(鄉)一、如二衣レ繡夜行一】富貴の身分になって帰郷しないのは、刺繡をしたりっぱな着物を着て闇夜を歩くようなものだ。出世しても帰郷しなければ、そのかいがないたとえ。〔史記、項羽本紀〕

【富貴不レ能レ淫】富貴を与えることを条件にして誘っても、その人の心を動かすことができない。利に動かされぬ、節操の堅固な人にいう。〔孟子、滕文公下〕

【富強・富彊】①すべて、多いこと。②財産の多いこと。用例〔史記、伯夷伝〕終身逸楽富厚。↓一生、安楽に暮らし富み栄える。

【富厚】財力が豊かで兵力が強いこと。

【富国(國)安民】国を富ませ人民の生活を安楽にする。

【富国(國)強兵】①国が富んで兵力が強いこと。②国を富ませ兵力を強くする。〔戦国策、秦〕

【富歳】穀物の収穫の多い年。豊年。

【富室】金持ち。富家。

【富潤レ屋】財産が豊かになると、家屋も自然にうるおってくる。人も修養を積むと、自然に品格が生まれるたとえ。用例〔大学〕富潤レ屋、徳潤レ身。↓財産が豊かになると自然に家庭が立派になり、徳があると自然に(それが外に表れて)わが身が立派になる。

【富庶】①人民が多く且つ富んでいる。②多い。また、富んでいる。

【富饒】たくさんあること。豊か。豊富。▼饒も、豊か。

【富贍】①たくさんある。豊か。②財産がたくさんある。▼贍は、豊か。

【富有】①たくさんあること。また、たくさん持っていること。②財産の多くあること。

【富裕】＝富有②。▼裕は、豊か。

9【病】12画 2679 漢ヘイ 呉ヒョウ(ヒャウ) 敬 梗 bǐng ₂0806 ― ―

字義 ❶おびえる。おそわれる。❷寝入る。❸三月の別名。

解字 形声。㝱(寢省)＋丙(音)。

10【寛】13画 2680 常 カン 2018 8AB0 ―

12【寬】15画 2681 カン(クヮン) 寒 kuān

筆順 寛

【寛】2690 俗字

字義 ❶ひろーい。㋐家などが広い。㋑心がゆったりしてゆとりがある。度量がゆたか。㋒ゆるーやか。ゆるい。また、のびやか。おだやか。↔厳(2759)。「寛大」❷ゆるやかにする。ゆるめる。ゆるす。❸くつろーぐ。のんびりする。

名前 お・おき・かん・ちか・とう・とみ・とも・とら・のぶ・のり・ひと・ひろ・ひろし・ひろじ・みつ・むね・もと・ゆたか・よし

解字 篆文 [篆文字形] **形声**。宀＋萈㊟。音符の萈は、角と目とを強調した、やぎの象形。小屋の中にゆったりしているやぎのさまから、ひろいの意味を表す。

逆 裕寛

【寛雅】ゆったりとして上品なこと。

【寛△闊】①ひろびろとして果てしないこと。②心が広くてゆったりとしている。

【寛簡】心が広く大まかなこと。鷹揚で気軽なこと。

【寛厚】心が広く親切なこと。心が広くおだやかなこと。

【寛△恕】①心が広くて思いやりのあること。②ゆるす。大目に見る。

【寛仁】心が広くあわれみ深いこと。

【寛大】心が広くゆったりしていること。心を大きくもち、人に対してゆるやかにすること。用例〔史記、高祖本紀〕独沛公素寛大長者。↓沛公だけは、もともと心が広くゆったりしている有徳者だ。

【寛博】①(心が)広い。(度量が)大きい。②だぶだぶした衣服。身分が低い人の衣服。「褐寛博」

【寛△宥】大目にみて許すこと。▼宥は、許。

【寛裕】心が広くゆったりとしている。度量が大きくて、よく人を受けいれる。

【寛容】①心が広く人の過ちを許すこと。②広い心で人の言うことを聞き入れること。③ゆったりとしてこせつかないこと。

【寛和】寛大で温和。おだやかでやわらいでいる。

10 【塞】13画 (2082) サイ　土部。↓三一七ジ上。

10 【寘】13画 2682 シ 寘 zhì　4757 ED8D 2665

字義 ❶おく(置)。❷とめる(止)。止め置く。捨て置く。❸いれる(納)。おさめる。蔵する。

解字 篆文 [篆文字形] **形声**。宀＋眞㊟。音符の眞(真)は、つめるの意味。屋内に物をつめこんでおくの意味を表す。

10 【寝】13画 2683 常 シン ね-る・ね-かす　3118 9051 —
11 〔寢〕14画 2684 人 シン 寢 qǐn　5374 9B8A —

筆順 丶 丷 宀 宀 宇 宇 寝 寝 寝

字義 ❶ね-る。い-ぬ。㋐横になる。ねころぶ。用例〔韓非子、二柄〕昔者、韓昭侯、酔而寝。↓昔、韓の昭侯が、酒に酔って横になって休んだ。㋑病気で床につく。❷ねむる。やすむ。❸ね-かす。❹ねむり。「午寝」❺へや。㋐奥座敷。また、寝室。㋑表座敷。客間。❻おたまや。祖先の霊を祭ってある建物。主として、祭神の生前の衣服を蔵する。❼やめる。すたれる。用例〔人虎伝〕安得₂寝而不₁伝歟。↓どうして棄てたまま伝えないでいられようか。❽みにくい。風采があがらない。

難読 寝屋川・寝刃・寝腐髪

解字 甲骨文 [甲骨文字形] 篆文 [篆文字形] **形声**。宀＋爿(爿)＋𠬶(侵省)㊟。爿は、ベッドの意味。音符の侵は、奥深くに入りこむの意味。家の奥にあるへやの意味や、へやでねるの意味を表す。

逆 外寝・仮寝・高寝・正寝・内寝・陵寝・路寝

【寝園】＝寝殿③④。

【寝食】寝ることと食べること。

【忘₂寝食₁】寝ることも食べることも忘れる。物事に熱中するたとえ。用例〔三国志、蜀志、譙周伝〕誦₂読典籍₁、欣然独笑、以忘₂寝食₁。↓書物を声に出して読んでひとりで笑い、寝ることも食べることも忘れて熱中する。

【寝息】一①やすむ。ねる。②やむ。止まる。二 国 寝ている時のいきづかい。

【寝殿】①正殿。表座敷。②寝室。③祖先のみたまやの奥にある、衣冠を蔵する室。↓寝廟①。④天子のみささぎの上にある正殿。⑤国㋐寝殿造(建築様式の一つ)の正殿。主人が居住し、客を接待した所。㋑天皇が平素生活する宮殿。

【寝△廟】①祖先のみたまやの建物の前部を廟といって、祖先の像や木主(いはい)を安置し、後部を寝といって、その生前の衣冠などを蔵しておく。②みたまや。

【寝△陋】たけが低く顔かたちのみにくいこと。風采のあがらぬこと。

10 【寖】13画 2685 シン　浸(6351)と同字。↓八三八ジ下。　20807 — 2663

10 【寗】13画 2686 ネイ　甯(7600)の俗字。↓九六六ジ上。　— — 2664

10 【寞】13画 2687 漢バク 呉マク 寞 mò　5375 9B8B —

字義 しずか(静)。さびしい。「寂寞」「落寞」

解字 **形声**。宀＋莫㊟。音符の莫は、日がくれるの意味。日ぐれ時のようにしずかの意味を表す。

10 【寚】13画 2688 ホウ　宝(2627)の古字。↓三九七ジ上。　— — 2667

11 【寡】14画 2689 常 カ 漢カ(クワ)・呉ケ 馬 guǎ　1841 89C7 —

筆順 丶 宀 宀 宀 宜 宜 寘 寡 寡

字義 ❶すく-ない。すく-なし。また、少ないこと。少ないもの。↔衆(10807)。用例〔論語、為政〕言寡₂尤₁、行寡₂悔₁、禄在₂其中₁矣。↓発言に過誤が少なく、行動に後悔が少なければ、俸禄は求めずして得られる。❷よわい。力が少ない。寡力。❸やもめ。未亡人。夫を失った女性。また、やもお。妻を失った男性。「鰥寡孤独」❹王侯の自称。また、自分の主君や自分を謙遜していう語。徳の少ない意。「寡人」「寡君」「寡臣」

難読 寡男・寡夫・寡婦

解字 金文 [金文字形] 篆文 [篆文字形] **会意**。宀＋憂省。憂は、うれえるの意味。屋内でひとりうれえる人のさまから、やもめの意味を表す。転じて、すくないの意味をも表す。

逆 孤寡・衆寡・多寡

【寡居】やもめぐらし。また、やもめ。

【寡君】臣下が他国人に対して自国の君主を謙遜していう語。

【寡言】ことばかずの少ないこと。無口。

【寡妻】①自分の妻をいう。用例〔孟子、梁恵王上〕刑₂于寡妻₁、至₂于兄弟₁、以御₂于家邦₁。↓自分の妻の手本となり、兄弟に広げてゆき、そして国家を治めてゆく。②正妻以外の夫人に対して、正妻をいう。③やもめ。夫を失った妻。

【寡小君】自分の主君の夫人を、他国人に対していう謙称。また、夫人が諸侯に対していう自称。

【寡少】すくない。

【寡臣】臣下が自分をへりくだっていう語。

【寡人】徳の少ない人。㋐諸侯の自称。用例〔史記、廉頗藺相如伝〕寡人窃聞₂趙王好₁レ音。↓私が内々に聞くところによると、趙王には音楽をお好みとのこと。㋑諸侯の夫人の自称。

【寡徳】徳の少ないこと。(君主が)自分をへりくだっていう語。

【寡独(獨)】ひとりもの。孤独な老人。▼寡は老いて夫のないもの、独は老いて子のないもの。

【寡夫】妻を失った男性。やもお。鰥夫。

【寡婦】カフ 夫を失った女性。やもめ。
【寡聞】カブン 見聞がせまい。知識が少ない。謙遜ケンソンしていう場合が多い。「浅見寡聞」「寡聞小見」
【寡民】カミン わずかの民。少ない民。用例〔老子、八十〕小国寡民ショウコクカミン。⇩小さな国に少ない人口。
【寡黙(默)】カモク 平素あまり口をきかないこと。無口。寡言沈黙の意。
【寡欲】カヨク 欲望の少ないこと。

11 【寬】 14画 2690 人 カン 寛(2680)の俗字。→四〇六ジー下。 4758 ED8E —

11 【[illegible]】 14画 2691 ギ 宜(2616)の古字。→三四一ジー上。

11 【搴】 14画 (4014) ケン 手部。→五七三ジー中。

11 【寤】 14画 2692 ゴ 漢 wù 5372 9B88 —

字義 ❶さーめる。目がさめる。❷さとる。＝悟(3732)。「改寤」❸ゆめ。夢にみる。❹さかさ(逆)。

解字 篆文 形声。㝱(寢省)＋吾音。音符の吾ゴは、交互になるの意味。㝱ムは、ゆめの意味。夢にかわって、目がさめるの意味を表す。

【寤言】ゴゲン ①めざめてひとりごとをいう。心に忘れがたいたとえ。②向かいあって話す。晤言ゴゲン。
【寤生】ゴセイ 逆子さかご。また、母の睡眠中に生まれるとも、目を開いて生まれるともいう。〔左伝、隠公元〕
【寤△寐】ゴビ 目が覚めていることと眠ること。寝ても覚めても。
【寤夢】ゴム ①昼間あったことを、その夜夢にみること。また、その夢。②ねることとさめること。寤寐ゴビ。

11 【寨】 14画 (5681) サイ 木部。→七六一ジー上。

11 【察】 14画 2693 教4 サツ 漢サツ・呉セチ 黠 chá 2701 8E40 —

筆順 宀 宀 宀 宀 宀 宀 宀 宀 察

【詧】1191 古字

字義 ❶つまびらかにする。明らかにする。明らかに知る。❷つまびらか。明らか。❸みる。㋐よく見る。くわしく見る。調べ見る。「観察」㋑見わける。❹よく考える。調べ考える。また、考える。「考察」「推察」❺えらぶ。また、選んで登用する。国❶サッする。推量する。思いやる。❷サッし。推量。思いやり。

名前 あき・あきら・み・みる

解字 篆文 形声。宀＋祭音。音符の祭は、まつるの意味。屋内でまつり、神の心をはっきりさせるの意味を表す。

逆 監察・観察・警察・検察・賢察・考察・高察・査察・視察・巡察・照察・詳察・診察・推察・省察・精察・偵察・洞察・拝察・明察・了察

【察挙(擧)】サッキョ 選んで挙げ用いる。
【察察】サッサツ ①いさぎよく清らかなさま。潔白なさま。②遠慮しないではっきりものを言うさま。③細かなことまで明らかに吟味するさま。④わずらわしく細かいさま。行為などの厳しいさま。
【察知】サッチ ①明らかに知る。はっきり理解する。②国推量して知る。
【察納】サツノウ よく聞きいれる。理解して受けいれる。また、明らかなさとい心で受けいれる。用例〔三国蜀、諸葛亮、前出師表〕察二納雅言一サツノウす。⇩正しい言葉をよく受けいれる。
【察問】サツモン 詳しく調べ尋ねる。

11 【實】 14画 (2619) ジツ 実(2618)の旧字体。→三九四ジー中。

11 【寢】 14画 (2684) シン 寝(2683)の旧字体。→四〇七ジー上。

11 【寧】 14画 2694 常 ネイ 3911 944A —

11 【寗】 14画 2695 漢ネイ 呉ニョウ(ニャウ) 青 níng, 助 níng

筆順 宀 宀 宀 宀 宀 宀 宀 寧

【寍】2676 古字

字義 ❶やすーい。やすらか。㋐変わりがない。無事。用例〔唐、白居易、香炉峰下新卜二山居一草堂初成偶題二東壁一詩〕心泰身寧是帰処こころやすくみやすきは、これキするところ。⇩心身ともにやすらかであることこそ、人間本来の安住の地、故郷何独在二長安一コキョウなんぞひとりチョウアンにあるのみならんや。故郷はどうして、長安だけにあるだろうか。㋑のんびり落ち着いている。❷やすーんずる。安らかにする。しずめる。❸ねんごろ。「丁寧」❹里帰りする。「帰寧」

助 いずーくんぞ。なんーぞ。むしーろ。⇩助字・句法解説。

助字・句法解説
❶いずーくんぞ。なんーぞ。反語。訳どうして…だろうか。類安・焉・悪。
原因・理由を問う反語表現を作る。用例〔史記、陳渉世家〕王侯将相オウコウショウショウ、寧有レ種乎いずくんぞシュあらんや。生まれつきの血筋によろうか(そんなものは関係ない)。⇩王・大名・大将・大臣になるのに、どうして生まれつきの血筋によろうか(そんなものは関係ない)。／〔世説新語、徳行〕既以納二其自託一すでにそのジタクをいる、寧可二以レ急相棄一邪なんぞキュウをもってあいすつべけんや。⇩すでに頼みを引き受けたのであれば、どうして危なくなったことを理由に捨て去ることなどできようか。
❷むしーろ。比較。訳…がよい。
二つのものを比べて一方を選択する意味を表す。用例〔史記、廉頗藺相如伝〕均二之二策一このニサクをはかるに、寧許以負二秦曲一むしろゆるしてもってシンにキョクをおわ(は)しめん。⇩この二つの方策を比べてみますと、(璧を渡すことを)許諾した上で、秦に非を負わせた方がよろしいでしょう。
▼以下のような文型をとることも多い。
㋐「寧ロA、不レB(むしろAすとも、Bせず)」「寧ロA、無カレB(むしろAすとも、Bするなかれ)」。訳BするよりもAする方がよい。
AとBを比較し、結果としてAが選択される。用例〔史記、蘇秦伝〕寧為二鶏口一むしろケイコウと(なるとも)、無レ為二牛後一ギュウゴとなるなかれ。⇩むしろ鶏の口となっても、牛の尻になるべきでない。
㋑「寧ロA、寧ロB(むしろAせんか、むしろBせんか)」。訳Aするのがよいか、Bするのがよいか。用例〔荘子、秋水〕此亀者このかめなるもの、寧其死為二留レ骨而貴一乎むしろそれシしてほねをとどめて、とうとばるるをなさんか、寧其生而曳二尾於塗中一乎むしろそれいきておをトチュウにひかんか。⇩この亀としては、死んでから骨を残して貴ばれているほうがいいか、むしろ生きていて尾をどろの中に引きずっているほうがいいか。
㋒「与リハA寧ロB」。⇩与(15)の助字・句法解説⑥。

名前 さだ・しず・やす・やすし

参考 現代表記では〔嚀〕(1760)の書きかえに用いることがある。「叮嚀→丁寧」

解字 甲骨文 金文 篆文 会意。甲骨文は、宀＋皿＋示。皿は水盤の意味。屋内に水盤を置いて神に願いごとをし、心をやすらかにするの意味を表す。のち、心を付した。借りて、むしろ・なんぞ等の助字に用いる。

逆 安寧・帰寧・清寧・静寧・丁寧・無寧

【寧為(爲)二鶏(鷄)口一、無レ為(爲)二牛後一】むしろケイコウとなるとも、ギュウゴとなるなかれ 鶏の口になっても牛の尻にはなるな。大きな者の後ろにつくよりは、小さい者の頭になった方がよいということ。〔史記、蘇秦伝〕

【寧一・寧壱(壹)】ネイイツ 安定して乱れないこと。
【寧居】ネイキョ 安心している。安らかに日を過ごす。寧処。
【寧△馨児(兒)】ネイケイジ 「このような子」の意。元来、善悪両方にいったが、後にはもっぱら良い方に用い、非常にすぐれた少年・青年をいう。▼寧馨は、六朝時代の俗語。
【寧日】ネイジツ 安らかな日。無事な日。
【寧処(處)】ネイショ 落ち着いて居る。安らかにくらす。
【寧静(靜)・寧△靖】ネイセイ 安らか。おだやか。安らかに治まっている。▼靖も、安らか。
【寧波】ニンポー 地名。浙江省北東海岸の寧波市。唐代の明州。古くから海上交通の中心地として栄えた。
【寧楽(樂)】ネイラク 一 心安らかに楽しむ。二 なら 国奈良のこと。

11【鈇】14画 2696 ホ 簠(8896)と同字。→一〇九一ページ上。 2 0808 — —

11【蜜】14画 (10633) ミツ 虫部。→一二六二ページ中。

11【寥】14画 2697 標 リョウ(レウ) 蕭 liáo 5376 9B8C —
字義 ❶むなしい。空虚。❷さびしい。しずか。ひっそりとしている。「寂寥」❸からりと広い。また、奥深く広い。❹大空。そら。虚空。
解字 形声。宀＋翏音。
【寥△廓】リョウカク ①からりとして広いさま。②度量が広いこと。「天下寥廓之士」③大空。④久しく遠い。
【寥落】リョウラク ①(星などの)少ないさま。まばら。②おちぶれたさま。③荒れ果ててすさまじいさま。
【寥寥】リョウリョウ ①しんとして静かなさま。②空虚なさま。③数の少ないさま。

11【窶】14画 2698 一 ク 麌 jù 二 漢 ロウ・呉 ル 尤 lóu — — 2668
字義 一 ❶やつれる。みすぼらしい。❷貧しい。二 甌窶オウロウは、高い所にある狭い土地。
解字 形声。宀＋婁音。

12【寛】15画 (2681) カン 寛(2680)の旧字体。→四〇六ページ下。

12【寫】15画 (777) シャ 写(776)の旧字体。→一六一ページ中。

12【寯】15画 2699 シュン 震 jùn — — 2669
字義 ❶集める。集まる。❷才能がすぐれる。
解字 形声。宀＋雋音。

12【審】15画 2700 常 シン 寝 shěn 3119 9052 —
筆順
【宷】2651 古字
字義 ❶つまびらかにする。つまびらかにす。㋐くわしく知る。知りつくす。㋑明らかにする。はっきりさとる。用例〔東晋、陶潜、帰去来辞〕倚二南窓一以寄レ傲、審二容レ膝之易一レ安(南窓によりて以て傲をよせ、膝を容るるの安んじやすきを審らかにす) ↓南側の窓にもたれて気ままにくつろぎ、膝しか入らないほどのこの狭いわが家こそ、もっとも落ち着く場所だと悟った。㋒くわしく調べる。くわしく考える。❷つまびらか。㋐くわしい。「精審」㋑明らか。きちんとしている。正しい。
名前 あき・あきら・しん
解字 篆文 形声。番＋宷省音。番ハは、播ハに通じ、ばらまくの意味。音符の宷シは探に通じてさぐるの意味。深く物事の本質をさぐるために、要素的なものにばらばらにして、つまびらかにするの意味を表す。
逆 結審・誤審・詳審・省審・陪審・不審
【審核・審△覈】シンカク くわしく調べる。
【審議】シンギ 十分に、くわしく討議すること。
【審合】シンゴウ つまびらかに考え合わせる。突き合わせて詳しく考察する。
【審査】シンサ 詳細に照合する。
【審察】シンサツ ①よくみる。よく考える。②周密で明らか。
【審詳】シンショウ つまびらか。詳しく明らかなこと。
【審△訊】シンジン つまびらかに問いただす。裁判で問いただす。審問。
【審美】シンビ 国①美の本質・法則などを研究すること。②美醜をよく見分けること。「審美眼」
【審問】シンモン ①くわしく問いただす。つまびらかに問う。『中庸』で説く、学問をする五つの方法(博学・審問・慎思・明弁・篤行)の一つ。②国法律で、裁判所が、裁判の当事者や関係者に陳述の機会を与えて、くわしく聞くこと。
【審理】シンリ ①くわしく調べて処理する。②国裁判所が、裁判の基礎となる事実関係や法律関係を、取り調べて明らかにすること。

12【賓】15画 (11585) ヒン 貝部。→一三六三ページ上。

12【寙】15画 2701 ユ 麌 yǔ — — 2666
字義 ものうい。なまける。
解字 形声。宀＋㼌音。

12【窿】15画 2702 リュウ 窿(8622)と同字。→一〇六六ページ上。 2 0809 — —

12【寮】15画 2703 常 リョウ リョウ(レウ) 蕭 liáo 4632 97BE —
筆順
字義 ❶つかさ。役人。❷同役の人。同僚。＝僚(613)。❸小さい窓。❹小さい室。小さい家。❺勉学中の僧の宿舎。「僧寮」 国リョウ ㋐令制の省に付属した役所。「図書寮」㋑すきや(数寄屋)。茶寮。また、しもやしき。別荘。㋒寄宿舎。
名前 いえ・つかさ・とも・まつ
解字 形声。宀＋尞音。
逆 群寮・茶寮
【寮佐】リョウサ 下役ヤク。＝僚佐。▼佐は、手助けする人。
【寮属(屬)】リョウゾク・【寮友】リョウユウ ①同じ官職にあるもの。同僚。②同じ寄宿舎に住む人。

13【寰】16画 2704 漢 カン(クワン) 呉 ゲン 刪 huán 5378 9B8E —
字義 ❶封建時代の天子の直轄の領地。畿内キナイ。❷あめのした。天下。世界。❸区域。地域。❹宮殿の周囲の垣(土塀)。
解字 篆文 形声。宀＋睘音。音符の睘カンは、めぐらすの意味。一つの屋根の下のものとしてめぐらされた地域の意味を表す。
【寰宇】カンウ 世界。天下。天地。
【寰海】カンカイ 世界。天下。陸と海とを合わせていう。
【寰中】カンチュウ ①世界中。②畿内ナイ(帝都の四方五百里以内の土地)の中。寰内。

13【憲】16画 (3611) ケン 心部。→五三六ページ下。

14【褰】16画 (10852) ケン 衣部。→一二七八ページ中。

14【寱】17画 2705 ゲイ 霽 yì 2 0810 — 2670
字義 ❶ねごと。❷おどろく。
解字 形声。㝱(寢省)＋臬音。

14【謇】17画 (11338) ケン 言部。→一三三四ページ上。

14【蹇】17画 (11770) ケン　足部。→一三八一ページ下。

14【賽】17画 (11601) サイ　貝部。→一三六四ページ中。

16【寴】19画 2706 ㊀シン 真 qīn ㊁シン 震 qìn　—— —— 2671
字義 ㊀親(11048)の古字。㊁家の中が空しいさま。
解字 形声。宀＋親㊞。

16【寵】19画 2707 人 標 漢チョウ 呉チュウ(チウ) 腫 chǒng　3594 929E ——
筆順 宀 宀 宀 宀 宀 寵 寵 寵 寵
字義 ❶めぐむ。いつくしむ。かわいがる。「愛寵」 ❷めぐみ。恩恵。いつくしみ。 ❸はえ(栄)。名誉。「寵辱」 ❹お気に入りの家臣。また、女性。 ❺おごり。 ❻たっとぶ。また、尊い。
名前 たか・めぐみ・めぐむ・よし
解字 金文 [古字形] 篆文 [古字形] 会意。宀＋龍。龍は、りゅうの意味。竜神をまつるたっとい家の意味から、たっといの意味を表す。

【寵愛】チョウアイ　いつくしみかわいがる。特に貴人についていう。用例〔唐、白居易、長恨歌〕後宮佳麗三千人、三千寵愛在二一身一。↓後宮に住むうるわしい美女は三千人、その三千人にそそがれるはずの天子の寵愛は、彼女一身に集まった。
【寵異】チョウイ　特別に目をかける。特別扱い。
【寵栄(榮)】チョウエイ　君主に寵愛されて栄える。
【寵姫(姬)】チョウキ　お気に入りの女性。愛妾。
【寵光】チョウコウ　君主のめぐみ。君主から与えられる栄誉。
【寵賜】チョウシ　寵愛されて物を賜ること。また、その物。
【寵児(兒)】チョウジ　国①お気に入りの子。②世にときめく人。③好運の人。
【寵△錫】チョウシャク・チョウセキ　＝寵賜。
【寵招】チョウショウ　お招き。ご招待。人から招かれることの敬称。
【寵辱】チョウジョク　ほめられることとそしられること。名誉と恥辱。用例〔老子、十三〕寵辱若レ驚。↓(世の人は)名誉と恥辱に心を動かすようだ。
【寵臣】チョウシン　特別に愛される、お気に入りの家来。用例〔史記、刺客伝〕厚遺二秦王寵臣中庶子蒙嘉一。↓丁重に秦王のお気に入りの家臣である中庶子の蒙嘉に贈った。
【寵命】チョウメイ　天子の深いめぐみ。その命令。
【寵用】チョウヨウ　めで愛してとり用いる。

16【寳】19画 2708 ホウ　宝(2627)の俗字。→三九七ページ上。　5380 9B90 ——

17【騫】20画 (13772) ケン　馬部。→一五九一ページ下。

17【寶】20画 (2628) ホウ　宝(2627)の旧字体。→三九七ページ上。

18【鶱】21画 (14318) ケン　鳥部。→一六三三ページ下。

18【㝱】21画 2709 ム　夢(2233)の本字。→三三五ページ上。

3画　寸　すん

〔部首解説〕 文字の要素としての寸(篆文 [古字形])は、多くのばあい、右手を表す又(篆文 [古字形])が変化して寸になったもので、又と同じく、手の意味を表す。

0 寸 四一〇　寽 四一二　7 尅 四一三　8 尉 四一五　尊 四一五　13 導 四一六
2 対 四一一　5 导 四一二　射 四一三　將 四一四　11 壽 四一六　14 爵 九一五
3 寺 四一一　6 専 四一二　将 四一三　專 四一三　對 四一二　23 爵 七七六
4 寿 四一一　耐 四一三　辱 一四〇三　9 尌 四一五　奪 三五八
対 四一一　封 四一二　専 四一五　尋 四一五　12 導 四一六

0【寸】3画 2710 教6 スン　㊀ソン 願 cùn ㊁ソン 阮 cǔn 慣スン　3203 90A1 ——
筆順 一 十 寸
字義 ㊀❶長さの単位。尺の十分の一。日本では三・〇三センチ、周代では二・二五センチ。 ❷長さ。寸法。 ❸すこし。わずか。「寸陰」 ㊁はかる。おしはかる。＝忖(3641)。 国❶とき。時(4746)の略字。 ❷き。馬のたけを測る語。
名前 き・す・ちか・のり　難読 寸莎(すさ)・寸寸(ずたずた)
解字 篆文 [古字形] 指事。右手の手首に親指をあて、脈をはかるさまから、はかるの意味を示す。また、その親指ほどの長さ、一尺の十分の一の単位をも表す。寸の意味と音符とを含む形声文字に、噂ソン・尊ソン・忖ソン・樽ソン・罇ソン・蹲ソンなどがある。

逆 火寸・尺寸・方寸
【寸陰】スンイン　わずかな時間。一寸の光陰。▼陰は、光陰で、時間。用例〔晋書、陶侃伝〕大禹聖者、乃惜二寸陰一。↓夏の禹王は聖人でありながらも、わずかな時間を惜しんで努力した。
【寸暇】スンカ　少しのひま。短い時間。寸隙スンゲキ。
【寸功】スンコウ　わずかの手がら。自分の功績を謙遜していう。
【寸△毫】スンゴウ　わずか。少し。▼毫は、細い毛。
【寸志】スンシ　①わずかの志。②自己の志の謙称。③国心ばかりの贈り物。自己の贈り物の謙称。
【寸謝】スンシャ　国心ばかりのお礼。
【寸心】スンシン　こころ。方寸。
【寸寸】スンスン　①一寸ごとに。②ずたずた。③少しずつ。
【寸善尺魔】スンゼンシャクマ　国世の中は、とかくよい事は少なく、わるい事が多いこと。一寸の善に一尺の魔。
【寸草心】スンソウのこころ　子供の、父母の恩に報いようとする心。▼寸草は、小さな草、子供のたとえ。用例〔唐、孟郊、遊子吟〕誰言寸草心、報二得三春暉一。↓だれが言えただろうか、小さな草のような私の心が、春の日差しのような母の愛に恩返しできるだろうと(そんなことができるとは思わなかった)。
【寸断(斷)】スンダン　①一寸ほどの長さに切る。②ずたずたに切る。寸裂。
【寸△楮】スンチョ　①名刺。②短い手紙。自分の手紙の謙称。寸書。寸箋スンセン。▼楮こうぞは、紙の材料にする木の名、転じて、紙の意。
【寸腸】スンチョウ　わずかばかりの真心。
【寸鉄(鐵)】スンテツ　短い武器(刃物)。小さな武器。
【寸鉄(鐵)殺レ人】スンテツひとをころす　短い刃物で人を殺す。短いことばで人の急所をつくたとえ。警句などにいう。〔鶴林玉露、殺人手段〕
【寸土】スンド　わずかの土地。
【寸馬豆人】スンバトウジン　遠くて小さく見える人馬の形容。また、画中の遠景の人馬の形容。
【寸評】スンピョウ　ごく短い批評。短評。
【寸分】スンブン・スンプン　すこしばかり。「寸分の狂いもない」
【寸歩】スンポ　少しのあゆみ。ごくわずかな距離。
【寸法】スンポウ　①長さ。大きさ。②計画。手だて。手順。
【△詘レ寸伸レ尺】スンをまげてシャクをのぶ　一寸を曲げ、一尺を伸ばす。小事を捨てて大事を成就する、小利を捨てて大利を得るたとえ。〔淮南子、氾論訓〕

【対】5画 2711 タイ 対(2715)の俗字。→四二一ジー下。

3【寺】6画 2712 漢シ・呉ジ 寘 sì 教2 ジ てら　2791 8E9B —

筆順 一 十 土 𡈽 寺 寺

字義 ❶てら。寺院。❷やくしょ。朝廷。官庁。❸はべる(侍)。 難読 寺谷(てらやつ)

解字 金文 篆文 形声。寸＋土(㞢)音。寸は、手の象形。音符の㞢(シ)は、止に通じ、とどまるの意味。法を持して役人が駐在するところ、役所の意味を表す。仏教伝来以後、てらの意味を表す。寺を音符に含む形声文字のうち、「とどまる」の意味を共有するものに、侍・峙(ジ)・待・恃(ジ)・畤(ジ)などがある。

逆 氏寺・官寺・府寺・末寺

【寺院】ジイン てら。寺字。
【寺宇】ジウ ＝寺院。
【寺観(觀)】ジカン ①仏寺と道観(道教のてら)。②てら。
【寺社】ジシャ てらとやしろ。神社仏閣。社寺。
【寺主】ジシュ ①寺の住職。②天台宗で、寺院三綱の一である僧官をいう。
【寺人】ジジン 宮中の奥向きに仕える小臣。宦官(ガン)。
【寺門】ジモン ①役所の門。②寺の門。③国三井寺(みいでら)(園城寺(オンジョウジ))。↔山門(四二四ジー下)。

4【寿】7画 2713 常 ジュ ことぶき　2887 8EF5 —

士11【壽】14画 2714 人 漢シュウ(シウ) 呉ジュ 慣ス 宥 shòu　5272 9AE6 —

筆順 一 二 三 丰 圭 寿 寿

【壽】2734 俗字

字義 ❶ひさしい(ひさ-し)。いのちながし。寿命が長い。❷いのち。とし。よわい。「長寿」❸としより。❹ことほぐ。いわう。また、ことほぎ。ことぶき。尊者に杯を進め、健康を祝福したり喜びをいわうこと。また、そのことば。❺星座の名。二十八宿の一つ。人の生命をつかさどるという。

名前 いき・かず・かつ・ことぶき・じ・じゅ・じゅう・す・ず・たもつ・つね・とし・としなが・なが・のぶ・ひさ・ひさし・ひで・ひろ・ひろし・ほぎ・ます・やす・やすし・よし 難読 寿歌(ほぎうた)・寿都(すっつ)・寿府(ジュネーブ)

解字 金文 篆文 形声。篆文は、耂(老)＋𠷎音。音符の𠷎(ジュ)は、長くつらなるの意味。年老いるまで生命が長くつらなる、いのちながいの意味を表す。この篆文は、壽と書き改められ、常用漢字の寿は、この壽の草書体による。壽(寿)の意味と音符とを含む形声文字に、鋳(鑄)・儔(チュウ)・幬(チュウ)・疇(チュウ)・籌(チュウ)・譸(チュウ)・躊(チュウ)などがある。

逆 延寿・賀寿・喜寿・高寿・上寿・人寿・仁寿・聖寿・長寿・天寿・年寿・白寿・万寿・福寿・米寿・老寿

【寿域】ジュイキ ①よく治まった世。②生存中につくる墓。寿宮。寿城。③長寿の境地。
【寿宴・寿△讌】ジュエン 長寿を祝う宴。
【寿賀】ジュガ 長寿の祝い。日本では、還暦(六十歳)・古稀(七十歳)・喜寿(七十七歳)・米寿(八十八歳)・白寿(九十九歳)など。
【寿器】ジュキ かんおけの別名。特に、生存中から備えておくかんおけ。
【寿考】ジュコウ 長生き。長寿。▼考は、老に同じ。
【寿康】ジュコウ 長生きで健康なこと。
【寿山福海】ジュザンフクカイ 人の長寿を祝うことば。
【寿詞】㊀ジュシ 酒をすすめ、長寿を祝うことば。祝詞(のりと)の一種。㊁よごと 国天皇の御代(みよ)の長久繁栄を祝うことば。
【寿△昌】ジュショウ 命が長くて栄える。長命でさかんなこと。
【寿星】ジュセイ ①星座の名。角と亢(コウ)との二宿にあたる。②星の名。南極老人星。竜骨座の首星。カノープス。これをまつって長寿を祈る。③陰暦八月の別称。④馬の両眉(まゆ)の間にある旋毛(まき)。
【寿則多レ辱】いのちながければすなわ(は)ちはじ(ぢ)おお(ほ)し 長生きをしていると、はじを受けることが多い。〔荘子、天地〕
【寿長】ジュチョウ ①長命。長寿。②髪の神。
【寿杯】ジュハイ 祝いのさかずき。祝杯。
【寿福】ジュフク 長生きと幸い。また、長生きで幸福なこと。
【寿命】ジュミョウ いのち。生命。また、生命の長さ。
【寿△夭】ジュヨウ 長生きと若死に。長命と短命。
【寿楽(樂)】ジュラク 長生きして楽しむ。また、長寿で安楽なこと。
【寿齢(齡)】ジュレイ 長いいのち。長命。
【寿老人】ジュロウジン 長い頭の老人で、手に団扇(うちわ)と杖(先端に巻き物をつける)を持ち、鹿をつれていた。日本では、七福神の一つ。長寿を授ける神とされている。
【為(爲)レ寿】ジュをなす 尊者に杯をすすめて長寿(健康)を祈ること。→字義❹。
【上レ寿】ジュをたてまつる ＝上寿(ジョウジュ)②(三三ジー中)。

4【対】7画 2715 教3 タイ・ツイ　3448 91CE —

11【對】14画 2716 漢タイ 呉ツイ 隊 duì　5384 9B94 —

筆順 丶 亠 ナ 文 文 対 対

【対】2711 俗字

字義 ❶こたえる(こた-ふ)。返答する。多く、目上の人に対して答えるのに用いる。また、こたえ。用例〔史記、晏嬰伝〕御以レ実対(ギョ、ジツをもってこたう(ふ))。↓御者はありのままを答えた。❷むかう(むか-ふ)。むく。むき合う。用例〔人虎伝〕此夕渓山対二明月一、不レ成二長嘯一但成レ嘷(このゆう(ふ)べケイザン、メイゲツにむかい(ひ)、チョウショウをなさずして、ただほゆるをなす)。↓今宵(こよい)、山谷の中で明月に向かい、声を長く引いて歌うこともできずにただむなしく咆哮(ホウコウ)するばかりだ。❸あたる。相手になる。また、つりあう。ひとしい。「敵対」❹あいて。つれあい。配偶者。❺そろい。二つで一組のもの。「対句」❻上奏文の一体。天子の下問に対し意見を申し述べるもの。「対策」国タイ。対等であること。同等。 難読 対雁(ついしかり)・対島(たじま)・対馬(つしま)

解字 甲骨文 金文 篆文 会意。篆文は、丵＋口＋又。丵は、上がのこぎりの歯のような形の、のみの象形。又は、手の象形。のみを手にして、天子の命令である言葉にこたえる、目上の人の問いに答えるの意味を表す。常用漢字の対は、省略形による。

逆 応対・召対・絶対・専対・相対・敵対・反対

【対飲】タイイン 向かい合って酒を飲むこと。対酌。
【対応(應)】タイオウ 国①向きあう。②つりあう。③相手の出方に応ずる。
【対境】タイキョウ ①国境の向こう側。②対象。
【対局】タイキョク さし向かいで碁や将棋をする。対棋。
【対句】ツイク ことばの意味や調子のよく似た、相対する二つの句。対句は古来、中国の詩文に広く用いられ、特に、律詩の三・四句、五・六句には、必ず用いる。⇩コラム 漢詩(六六六ジー)
【対偶】タイグウ ①二つそろったもの。それぞれが、相対する詩文の対句。四六文の類い。②たぐい。仲間。友。
【対△耦】タイグウ 夫婦。対匹(タイヒツ)。▼耦は、相対する組。
【対決】タイケツ 国①法廷で原告と被告とを向かい合わせて行うさばき。②両方が向かい合って正否をきめること。
【対抗】タイコウ ①たがいに張りあうこと。たがいに競争すること。②向かいあう。
【対座・対△坐】タイザ 向かいあってすわること。

【対策】タイサク ①策問に答える文章。漢代の官吏登用試験の答案の一つ。▼策は、政治や経書に関する問題を書いた札。②相手の出方や事件に対する方策。
【対△峙】タイジ ①向かいあって高くそびえ立つ。②国対立しているものが、じっと向きあって動かずにいること。
【対酌】タイシャク 向かいあってたがいに酒をくみかわす。用例〔唐、李白、山中与二幽人一対酌詩〕両人対酌山花開、一杯一杯復一杯 ↓二人で向き合って盞を交わすと、美しい山の花が咲いている。一杯、また一杯、また一杯。
【対手】タイシュ ①てあわせをする。②相手。技量の等しい相手。
【対処(處)】タイショ ある事件や情勢に対して適当な処置をとること。
【対称(稱)】タイショウ ①つりあう。ふさわしい。②人称代名詞で、第二人称。③数学用語。ある点、直線・平面を中心として、二つの点、直線・平面の距離が等しく、方向が正反対のこと。英語symmetryの訳語。
【対象】タイショウ ①目標。相手。②国哲学用語。あるものに、認識や意志などの主観的活動が向けられたとき、そのものを対象という。(主観に対する)客観にほぼ同じ。英語 objectの訳語。
【対照】タイショウ ①照らし合わせる。見くらべる。②国たがいに対立する二つの要素が対立によって一種の統一を形づくること。英語contrastの訳語。
【対審】タイシン 国=対決①。
【対△蹠】タイセキ・タイショ 正反対のこと。「タイショ」は慣用読み。▼蹠は、足のうら。「対蹠的」
【対等】タイトウ 二つの物の間に優劣・上下などの差がないこと。
【対比】タイヒ 二つの物をつき合わせてくらべる。比較。
【対面】タイメン・タイメ たがいに、直接顔をあわせること。
【対立】タイリツ 異なったものが、同じぐらいの力で向かい、張りあうこと。
【対△聯】ツイレン ①=対句。②対の掛け物で、意味が違って形式の同じ句を並べ書いたもの。門や柱などにかける。対子。
【対話】タイワ 二人が向かい合って話すこと。対談。

4 【守】 7画 2717 漢リツ 呉リチ lü — 2_0811 — 2672

字義 とる。つまむ。

解字 会意。爪+寸。爪は、下向きの手の象形。寸は、右手首に指をあてている形。五本指でつまむの意味を表す。

5 【导】 8画 2718 ガイ 礙(8303)と同字。→一〇三三ページ中。 2_0812 — —

6 【専】 9画 2719 教6 セン もっぱら 3276 90EA —

8 〖專〗 11画 2720 人 セン zhuān 5383 9B93 —

筆順 一 冖 冂 冃 由 亩 亩 専 専

字義 ❶もっぱら。もはら。㋐その事だけで占められていること。ひたすら。いちず。㋑ほしいまま。かってきまま。❷もっぱらにする。その事だけで占める。また、気ままにする。❸あつい。てあつい。❹ひとえ。また、一枚だけにすること。

名前 あつし・あつむ・せん・たか・もろ

参考 現代表記では〔擅〕(4442)の書きかえに用いることがある。「擅権→専権」「擅横→専横」

解字 甲骨文  篆文  会意。叀+寸。叀は、糸まきの象形。糸を糸巻にまきつけるの意味から、転じて、一つの中心をめぐる、もっぱらの意味を表す。常用漢字の専は、省略体による。専の意味と音符とを含む形声文字に、傳(伝)・剸・慱・團(団)・摶・轉(転)などがある。

【専一・専壱(壹)】センイツ ①もっぱら。ひたすら。一事にはげんで他を顧みないこと。②一様で変化しないこと。
【専横】センオウ ほしいままにする。かってきまま。擅横。
【専決】センケツ ひとりでかってにきめること。
【専権(權)】センケン・センケンをもっぱらにす 権力をひとりで握っていること。自分の思うにままに権力をふるうこと。擅権。
【専行】㊀センコウ ひとりできめて行う。かってにふるまう。㊁センギョウ 仏ひたすら一つの法を修行すること。
【専攻】センコウ 一事を専門に修め習うこと。
【専殺】センサツ ほしいままに殺すこと。
【専恣】センシ わがまま。ほしいまま。
【専修】㊀センシュウ もっぱら一つの事を勉強する。専攻。㊁センジュン 仏浄土宗で極楽往生をとげるために称名念仏の行を一心に修めること。
【専心】センシン 心を一つのことに向ける。専念。
【専制】センセイ ①独断で思うがままに物事を処置する。②支配者がかってに法文を作ること。
【専征】センセイ ①天子から大権をゆだねられて、征伐すること。②天子の命令を待たず、かってに征伐すること。
【専政】センセイ ①政治の権をひとりで握っていること。独断で思うままに政治を行うこと。②専制の政治。
【専△擅】センセン ほしいままにする。▼擅も、ほしいまま。
【専対(對)】センタイ ひとりで受け答えすること。独断で受け答えすること。
【専断(斷)】センダン =専決。擅断。
【専任】センニン そのことだけを受け持つこと。また、その人。
【専念】センネン そのことだけを一途に思う。専意。
【専務】センム 主として一つの事をつとめる。また、一事を主として取りしまる。
【専門】センモン ①ある書籍・学問・技術を特に修めること。②ある一つの学科や仕事だけに従事すること。
【専有】センユウ 自分ひとりで持つ。ひとりじめ。

6 【耐】 9画 2721 常 タイ た-える ㊀漢ダイ・呉ナイ 隊 nài ㊁漢ドウ・呉ノウ 蒸 nēng 慣タイ 3449 91CF —

筆順 一 丆 丆 丙 而 而 而 耐 耐

字義 ㊀❶た-える。㋐負担することができる。ささえることができる。また、することができる。㋑しのぶ。こらえる。がまんする。こらえしのぶ。「忍耐」❷ひげをそりおとす刑。㊁よく。また、よくする。できる。=能(5013)。

名前 たう・つよし

注意 『康熙字典』では、而部に所属する。

使いわけ たえる〔耐・堪〕
「我慢する」の意の場合、〔耐〕〔堪〕どちらも用いられるが、〔耐〕の例の方が多い。「寒さに耐える」
「能力がある・値打ちがある」の意の場合は〔堪〕を用いる。「鑑賞に堪える・聞くに堪えない」

解字 形声。寸+而㊥。寸は、ひじの意味。音符の而は、ひげの象形で、ひげのように、やわらかいの意味。ひじをやわらかくして、もちこたえるの意味を表す。

逆 忍耐

【耐火】タイカ 国火にたえる。燃えにくいこと。
【耐久】タイキュウ ながもちする。ながく持続する。
【耐震】タイシン 国地震にたえる。地震にあっても簡単にはこわれない。
【耐乏】タイボウ 国物のとぼしいのをたえしのぶこと。

6 【封】 9画 2722 常 フウ・ホウ 4185 9595 —

(封 continued)

筆順 一 十 土 圭 丰 圭 圭 封 封

㊥ホウ・㊦フウ 图 fēng

字義 〔ホウ〕❶盛り土。㋐境界を示すために築いた盛り土。㋑つか(塚)。また、墓。盛り土状の墓。「坐封」❷さかい。国境。→❶㋐。❸諸侯の領地。「封建」❹土を盛る。土を盛って境界や墓を造る。❺領地を与えて諸侯とする。領地を与えられていた。用例〔十八史略、春秋戦国、斉〕封於薛。↓薛に領地を与えられていた。❻封禅の祭り(天と山川とを祭る)を行う。❼大きい。富んでいる。「素封」❽周代の土地の広さの単位。同(百里四方)の十倍。

〔フウ〕❶とじる。とどこめる。封印する。用例〔史記、項羽本紀〕籍吏民、封府庫、而待将軍。↓役人や人民を登録し、政府の倉庫に封印して、将軍をお待ちしていた。❷封書。封じた手紙。また、そのふうじめ。❸上奏文。

国ポンド。ヤード・ポンド法の質量の単位 pound の音訳の「封度」の略。

名前 かね 難読 封戸・封度

参考 土地に関する意のとき「ホウ」と読み、とじる意のとき「フウ」と読むのは、日本の習慣。

解字 甲骨文 金文 篆文 形声。土＋寸＋土(丰)㊥。甲骨文は、丰と同形で、よく茂った草の象形。金文では、これに、土と寸とを付す。篆文は、㞢＋土＋寸の会意と説かれるが、㞢は丰の変形したもの。音符の丰は、草が密生するさまから、寄り集まるの意味。土を寄せ集めて盛るさまから、盛り土の意味を表す。また、盛り土をして境界を作り、領土を与えて諸侯とするの意味をも表す。

逆 移封・開封・冊封・襲封・食封・増封・勅封・分封

【封域】①国境。▼域も、境。②国境の内。領土。領地。

【封印】袋・箱などの封じ目に印を押すこと。また、その印。

【封界】①さかい。②国境。また、国境の内。領土。③区別。

【封△緘】手紙などの封をすること。

【封境・封△疆】＝封界①②。

【封君】諸侯。大名。

【封建】天子が土地を分け与えて諸侯を置くこと。

【封建制度】天子が諸侯を置いて各自の領土及び領土内の兵・政の権利を世襲させる、国家統治の制度。中国では周代から行われた。西洋のフューダリズムの訳語としての封建制度は、支配階層内部の主従関係を意味し、中国の封建とは異なる。

【封建的】国専制的・因襲的で個人の自由・権利を認めず、上下の従属関係を重視する傾向。

【封侯】諸侯。大名。また、諸侯に封ずる。

【封鎖】①とざして出入りさせぬこと。②錠をおろす。③国経済の働きを止める。

【封冊】諸侯を封ずるとき天子から賜る詔書。王侯に封ずる旨をしるした勅書。

【封△豕長蛇】大きなぶたと長いへび。欲の深い邪悪な人をいう。〔左伝、定公四〕

【封事】天子一人だけに見せるために封入して提出する機密の意見書。

【封爵】領土を与え、爵位を授ける。

【封樹】墓の盛り土の上に植えた木。

【封植】①領地を与えて大名にとりたてる。諸侯に封ずる。②土を盛って樹木を植える。

【封殖】①養って成長させる。また、富強にする。②財物を集める。

【封人】国境を守る役人。〔論語、八佾〕

【封禅(禪)】天子の行う祭りの名。▼封は、土を積んで壇を造り、天を祭ること。禅は、地をはらって山川を祭ること。

【封題】手紙に封をして表書きを書くこと。用例〔唐、白居易、与微之書〕封題之時、不覚欲曙。↓手紙に封をして表書きを書こうとした時、知らない間に夜が明けようとしていた。

【封地】諸侯の領地。

【封泥】古代、竹帛に文字を書いた時代に、書状を入れた箱を縄で縛り、その結び目を泥で封じて、その上に印を押したことをいう。泥封。

封泥(馬王堆漢墓)

【封伝(傳)】関所通行の手形。旅行券。

【封土】①高く盛りあげた土。②土を積みあげて造った祭壇。③諸侯の領地。封地。

【封閉】とじる。とじこめる。用例〔史記、項羽本紀〕封閉宮室、還軍覇上、以待大王来。↓秦の宮室を封じ閉ざし、引き返して覇上に陣取り、大王のおいでになるのを待っていたのです。

【封△邑】領地。封地。封土。

【封△禄】知行。扶持。今の給料にあたる。

7 【尅】 10画 2723 コク 剋(930)の俗字。→一八二ページ上。 5381 9B91 ―

7 【射】 10画 2724 教6 シャ い-る 2845 8ECB ―

㊀㊥シャ・㊦ジャ 图 shè
㊁㊥セキ・㊦ジャク 陌 shè
㊂㊥エキ・㊦ヤク 陌 yì
㊃ヤ 图 yè

筆順 ′ 亻 ⺅ 自 身 身 射 射

字義 ㊀❶いる。㋐弓の矢などを放つ。㋑あてる。ねらう。さす。「射倖」❷弓をいる術。六芸の一つ。❸勢いよく発する。「噴射」「放射」㊁❶いとう。いやになる。❷無射は、音階の名。十二律の一つ。㊃❶僕射は、官名。尚書省の次官で、左右各一人置いた。❷射姑は、人名。❸姑射は、山名。

名前 い・いり 難読 射屋・射和・射干・射干玉

解字 甲骨文 金文 篆文 象形。甲骨文・金文は、弓に矢をつがえている形にかたどり、「いる」の意味を表す。常用漢字の射は、身＋寸の会意。身は、弓矢の変形。寸は、手の意味。

逆 暗射・騎射・速射・弾射・注射・直射・放射

【射干】①ひおうぎ。アヤメ科の多年草。花は黄赤色、実は黒色。その実を射干玉という。しゃが。②伝説上の悪獣。狐に似ているという。野干。

【射御】弓を射る術と、馬をあやつる術。六芸のうちの二つ。

【射幸・射△倖】偶然(まぐれ)の利益をねらうこと。「射幸心」

【射侯】㊀弓のまと。㊁まとを射る。

【射策】漢代の官吏登用試験の科目の一。経書または政治上の問題を何枚かの策(竹の札)に書いて伏せておき、受験者はその中から選んで解答した。

【射的】㊀①まと。②コルク玉などでまとを撃つゲーム。㊁まとを射る。

【射利】(手段を選ばずに)利益をねらうこと。

【射猟(獵)】弓矢で鳥獣をとること。また、その狩り。

7 【将】 10画 2725 教6 ショウ 3013 8FAB ―

8
〔將〕

11画 2726 ㊇

㊀ 漢ショウ(シャウ) 呉ソウ(サウ) jiàng 漾
㊁ 漢ショウ(シャウ) 呉ソウ(サウ) 陽 jiāng, ③qiāng

5382 9B92 ─

筆順 将

字義 ㊀ ❶ひきいる。従える。用例〔淮南子、人間訓〕居数月、其馬将ニ胡駿馬一而帰。↓数か月経ったのちに、その逃げた馬が、胡の地の名馬をひきつれて帰ってきた。❷軍隊をひきいる人。将軍。

㊁ 助 ❶まさ-に…す。はた。もっ-て。ほとん-ど。と。もて。もち。⇩助字・句法解説。❶もつ(持)。用例〔唐、李白、将進酒詩〕五花馬、千金裘、呼レ児将出換ニ美酒一、与レ爾同銷万古愁。↓美しい毛なみの名馬、極めて高価な皮ごろも、小僧を呼んで、持ち出して美酒にかえさせ、おまえさんたちといっしょに、永遠の愁いを消してしまおう。❷おくる(送)。❸ねがう。こう(請)。❹たすける。❺すすむ(進)。ゆく。❻すすめる。❼たてまつる。献上する。贈る。また、申し上げる。❽おこなう。❾したがう。❿ととのえる。⓫大きい。さかん。長い。

助字・句法解説

❶まさ-に…す。再読文字。類且。動詞の前に用い、以下の各種表現を作る。

㋐訳今にも…となりそうだ。すぐに起きそうな事態・状況を表す。用例〔孟子、公孫丑上〕今、人乍見ニ孺子将レ入ニ於井一、皆有ニ怵惕惻隠之心一。↓もし今、人が突然、幼い子どもが井戸に落ちそうになっているのを目にしたとしたら、誰でも驚きはっとしてかわいそうに思う気持ちがおこるであろう。

㋑訳すぐに…するつもりだ。すぐに実行しようという意志を表す。用例〔唐、柳宗元、捕レ蛇者説〕君将ニ哀而生一レ之乎。↓あなたはかわいそうに思ってこの私を助けてくださるつもりですか。

㋒訳ほぼ…。数量を言う語の前に置かれ、概数を表す。用例〔孟子、滕文公上〕今滕絶レ長補レ短、将ニ五十里一也。↓滕国は、小さいとはいえ、領土の長い所をつめ、短い所を補って、平均して考えたとしたら、ほぼ五十里四方の広さはあるでしょう。

❷はた。選択・逆接。

㋐選択疑問。「AB将タC(ABはたC)」。訳Aか B か、それともまたCか。二つ以上のものを列挙して、そのうちのどれであるかを問う。「与」「邪」「歟」などと共に用いられることが多い。用例〔唐、李華、弔ニ古戦場一文〕秦歟、漢歟、将近代歟。↓秦か、漢か、それともまた近代か。

㋑㋐と類似で、「将タA将タB(はたAはたB)」。訳Aか、あるいはBか。用例〔唐、李華、弔ニ古戦場一文〕人或有レ言、将信将疑。↓言う人がいても、信じようか、あるいは疑おうか。

㋒逆接。訳しかし。用例〔戦国策、魏〕君之レ楚、将奚為北面。↓あなたは(南の)楚国に行くのにどうして北に向かうのか。

❸もっ-て。訳…によって。…のために。類以。名詞などの前に置かれ、続く語が手段・方法・理由などであることを示す。用例〔唐、韓愈、左遷至ニ藍関一示ニ姪孫湘一詩〕欲下為ニ聖明一除中弊事上、肯将ニ衰朽一惜ニ残年一。↓聖明な天子のために、国家の悪弊を除こうと思ってしたことであるから、老い朽ちたこの身のために、今さら余生を惜しんだりしようか。

❹ほとん-ど。訳ほとんど。類殆。類似のものであることを表す。用例〔論語、子罕〕固天縦レ之将聖、又多能也。↓もちろん天の許した聖人同様であって、しかも多くのことができるのだ。

❺と。並列。訳…と。類与。用例〔唐、李白、月下独酌詩〕暫伴ニ月将レ影、行楽須レ及レ春。↓とりあえず月と影とをおともとして、楽しく過ごすのは春の時期に限る。

❻もて。もち。動詞の後に添えて用い、特に訳すべき意味はないもの。用例〔唐、白居易、売炭翁詩〕一車炭重千余斤、宮使駆将惜不レ得。↓車一台ぶんの炭は、千余斤もあるが、宮中の役人があまりに追いたてるので、惜しんでも、どうにもならないのだ。

名前 しょう・すけ・すすむ・たか・たすく・ただし・たもつ・のぶ・はた・ひとし・まさ・もち・ゆき 難読 将曹(さかん)

解字 篆文 形声。寸+夕(肉)+爿㊥。音符の爿は、長い調理台の象形。寸は、手の象形。肉を調理してささげるの意味を表し、神に肉をささげる人、統率者の意味をも表す。常用漢字の将は省略形による。

逆 騎将・客将・宿将・女将・神将・大将・敗将・飛将・辺将・謀将・猛将・雄将・良将・虜将・列将・老将

【将家】ショウカ ①将軍の家柄。②一家を引き連れる。
【将器】ショウキ 大将となるべき器量。また、その人。
【将御】ショウギョ すべおさめる。統御。
【将軍】ショウグン ①一軍の総大将。②国勅命を奉じて軍隊をひきい外敵と戦う職名。陸奥鎮東将軍など。鎌倉時代以降は、征夷大将軍の略。幕府の長。
【将軍楼(樓)閣】ショウグンのロウカク りっぱな邸宅をいう。後漢の梁冀将軍が、大将軍となった時、その屋敷に神仙の図を描いて室をかざったことからいう。用例〔唐、劉廷芝、代下悲ニ白頭一翁上詩〕光禄池台開ニ錦繡一、将軍楼閣画ニ神仙一。↓前漢の光禄大夫王根が池のほとりの高殿で開いたような、また後漢の梁冀将軍が神仙を描いた楼閣で開いたような、そういう豪華な宴に加わって若いころは楽しんだ。
【将迎】ショウゲイ ①送ることと迎えること。②養い育てる。たすけ守る。
【将護】ショウゴ たすけ守る。
【将校】ショウコウ ①軍隊の指揮官。②国もと、陸海軍の少尉以上の武官。
【将作】ショウサク 官名。宮室の造営をつかさどる。秦代に始まる。初め将作少府といい、後に将作大匠に改めた。
【将指】ショウシ 手の中指。足の親指。▼将は、大。
【将種】ショウシュ 大将の家柄に生まれた者。将軍の子孫。
【将順】ショウジュン 行い従う。従って行う。
【将相】ショウショウ 将軍と宰相。大将と大臣。
【将将】ショウショウ・ソウソウ ①物の鳴る音の形容。②厳正なさま。③りっぱで美しいさま。④高いさま。
【将レ将】ショウにショウたり 大将の上に立って、それを統率する大将になる。将軍を率いる技量がある。用例〔史記、淮陰侯伝〕不レ能レ将レ兵而善将レ将。↓大将として兵士を統率することはできないが、大将の上に立って統率する人物となることができる。
【将帥】ショウスイ 軍をひきいる将軍。大将。
【将星】ショウセイ ①大将になぞらえられる星。②将軍。大将。
【将星△隕】ショウセイおつ 大将の死をいう。転じて、偉人・英雄の死にもいう。蜀の諸葛亮が陣中で病死したとき、流星が陣営に落ちたという故事に基づく。
【将聖】ショウセイ ①ほとんど聖人に近い。▼将は、ほとんど。②大聖。
【将息】ショウソク 養生の意。「健康を祈る」との意で、送別の際や手紙の末尾などに用いる語。
【将卒】[一]ショウソツ 将校と兵卒(下級の兵)。将士。[二]ショウスイ 軍の長。将軍。大将。
【将率】[一]ショウソツ・ショウシュツ ひきいる。[二]ショウスイ 大将。将軍。
【将兵】ショウヘイ 将校と兵卒(下級の兵)。
【将命】ショウメイ ①取り次ぐ。▼将は、行。②大将の命令。
【将門】ショウモン 大将の家柄。
【将門有レ将】ショウモンショウあり 代々将軍を出してきた家がらにはまた将軍が出る。〔史記、孟嘗君伝〕
【将欲】ショウヨク ほっする。…しようと思う。欲と同意。
【将来(來)】ショウライ ①未来。前途。②もたらす。
【将略】ショウリャク 大将としての用兵のはかりごと。
【将領】ショウリョウ ①将軍。大将。②すべひきいる。

7【辱】10画 (11996) ジョク 辰部。→一四〇三ページ・中。

7【専】10画 2727 [一]フ 虞 fū [二]漢ホ・呉フ 遇 [三]フ 麌 ₂0813 — —
字義 [一]❶しく。❷あまねし。[二]あまねし。[三]❶もと。❷はらう。
解字 形声。寸＋甫音。

8【尉】11画 2728 常 イ 1651 88D1 —
[一]イ(ヰ) 未 wèi [二]漢ウツ・呉ウチ 物 yù
筆順 ㇕ コ 尸 尸 𡰪 𡰪 屋 尉 尉
〔尉〕1293 同字
字義 [一]❶おさえる。ひのしをかけてしわを伸ばす。❷上からおさえて正しくする。❸ひのし。❹なぐさめる(慰)。❺官名。警察・軍事等に関する官。[二]ひのし(熨ウツ)。国じょう。㋐衛門府エモンフ・兵衛府ヒョウエフ・検非違使ケビイシなどの三等官。㋑おきな。老翁ロウオウ。㋒炭火の白くなった灰。
名前 やす・じょう 難読 尉鶲じょうびたき
解字 篆文 会意。𡰪＋又＋火。𡰪は、ひのしの象形。火であたためたひのしを手にしたさまから、ひのしをかけて、しわをのばす、転じて、しわのように縮んだ心をのばす、なぐさめるの意味をも表す。

逆 衛尉・校尉・廷尉・都尉
【尉官】イカン 国もと陸海軍の武官の大尉・中尉・少尉。
【尉△繚子】ウツリョウシ ①戦国時代の兵法家。鬼谷子(二六〇七ページ・上)の弟子という。②書名。五巻。二十四編。尉繚子の著。兵法書。

8【將】11画 (2726) ショウ 将(2725)の旧字体。→四一三ページ・下。

8【專】11画 (2720) セン 専(2719)の旧字体。→四一二ページ・中。

9【尌】12画 2729 漢シュ・呉ジュ 遇 shù — — 2673
字義 ❶立てる。立つ。❷尌子シュシは、わらわ。しもべ。
解字 会意。壴＋寸。壴ユシは、立てるの意味。寸は、手の意味。手で立てるの意味を表す。

9【尋】12画 2730 常 ジン たず-ねる 3150 9071 —
9〔尋〕12画 2731 漢シン・呉ジン 侵 xún
筆順 ㇕ ヨ ヨ 크 큭 큭 𢔶 尋 尋 尋
字義 ❶たず-ねるたづ-ぬ。㋐さぐる。さがす。㋑聞きただす。質問する。㋒おとずれる。訪問する。❷つぐ。㋐ひきつぐ。㋑かさねる。㋒つづく。❸いたる。及ぶ。つく。❹もちいる(用)。❺ひろ。両手を左右に伸ばした長さ。周代では八尺(約一・八メートル)。「万尋」❻つね。なみ。「尋常」❼ついで。まもなく。用例〔東晋、陶潜、桃花源記〕未レ果いまだはたさず、尋病終ついでやみておわ(は)る。↓まだそのことを果たさないまま、しばらくして病気でなくなった。
名前 じん・ちか・つね・のり・ひつ・ひろ・ひろし・みつ 難読 尋来津しきつ・ひろきつ
参考 現代表記では〔訊〕(11112)の書きかえに用いることがある。「訊問→尋問」

使いわけ たずねる〔尋・訪〕
〔尋〕聞き出す。また、探し求める。「安否を尋ねる」
〔訪〕おとずれる。「生家を訪ねる」

解字 篆文 形声。篆文は、左＋右＋彡音。音符の彡サンは、同じ種類のものが次々に加わっていくの意味。両手を交互に動かして、手もとに引き寄せる動作をくりかえすの意味から、たずねる・つぎかさねるの意味を表す。
逆 千尋・万尋

【尋引】ジンイン ものさし。▼尋は八尺、引は十丈。
【尋△繹】ジンエキ ①繰り返して行う。再三復習する。②事の道理を研究する。たずねきわめる。
【尋究】ジンキュウ たずねさぐる。調査究明する。
【尋思】ジンシ たずね思う。物事をたずねきわめて考える。
【尋章摘句】ジンショウテキク 細かい章句をほじくり考えること。全体の内容に通じない読み方。尋レ章摘レ句ショウをたず(づ)ねクをつむ。
【尋常】ジンジョウ ①八尺と一丈六尺。②わずかの長さ・広さ。③なみ。普通。④国㋐りっぱ。㋑けなげ。㋒すなお。
【尋常一様】ジンジョウイチヨウ 普通で、特に他とかわりがない。
【尋問】ジンモン ①たずねとう。②国法律用語。裁判官・警察官が、被告人・証人・被疑者などに、口頭で聞きただすこと。訊問ジンモン。
【尋幽】ジンユウ ①奥深くけしきのよい所を尋ね求める。②深い道理をきわめる。
【尋陽】ジンヨウ ①郡名。今の江西省九江市。②県名。今の湖北省黄梅県。
【尋歴(歷)】ジンレキ たずね回る。

9【尊】12画 2732 教6 ソン たっと-い・とうと-い・たっと-ぶ・とうと-ぶ 3426 91B8 —
9〔尊〕12画 2733 ソン 元 zūn
筆順 丷 亠 亣 酋 酋 酋 尊 尊
字義 ❶たっと-いたつとし。とうと-いたふとし。身分・価値などが高く近寄りがたい。↔卑(1173)。❷たっと-ぶ。とうと-ぶたふとぶ。うやまう。重んずる。「尊重」❸たかい。また、重い。❹たかぶる。「尊大」❺敬称の一つ。他人に関する事物の上につけて敬意を表す。「尊顔」❻たる(樽)。酒だる。国みこと。神や貴人の敬称。「日本武尊やまとたけるのみこと」
名前 きみ・そん・たか・たかし

尊⑥

使いわけ たっとい・たっとぶ・とうとい・とうとぶ〔尊・貴〕
〔尊〕尊敬・尊厳の意。「祖先を尊ぶ・尊い犠牲」
〔貴〕貴重・高貴の意。「真実を貴ぶ・貴い人命」
ただし、実際には紛らわしい場合が多い。

解字 甲骨文 金文 篆文 **形声**。酋+寸㊥。音符の酋は、酒だるの象形。ずんぐりした酒だるの意味。寸は、ずんぐりした親指の象形。篆文は、酋+廾の会意。廾は、両手の象形。両手で酒だるをささげて、たっとぶの意味を表す。

逆 犠尊・金尊・至尊・自尊・釈尊・世尊・達尊・追尊・天尊・独尊・本尊

【尊栄(榮)】ソンエイ ①とうとい身分になって栄える。栄達。②高い地位にのぼらせて優遇する。
【尊影】ソンエイ ①とうとい人や神仏の肖像・写真。②あなたのお姿(写真)。
【尊下】ソンカ 手紙などの宛名(あて)の下に書く敬語。
【尊顔】ソンガン 他人の顔の敬称。「尊顔を拝す(おめにかかる)」
【尊君】ソンクン 他人の父に対する敬称。
【尊厳(嚴)】ソンゲン とうとくおごそか。
【尊公】ソンコウ 他人の敬称。また、他人の父の敬称。
【尊号(號)】ソンゴウ とうとんでいう呼び名。天子・上皇・太上皇などの称号。秦(シン)の始皇帝を秦皇、漢の高祖を高皇帝と呼ぶ類い。
【尊者】ソンシャ・ソンジャ ①とうとい人。②仏有徳の人。③国昔、大臣の主催する宴で、正座にすわる人。
【尊爵】ソンシャク とうとい位。〔孟子、公孫丑上〕
【尊△攘】ソンジョウ 「尊王攘夷(王室を尊び外夷(外敵)を討ち払う)」の略。
【尊信】ソンシン とうとんで信頼する。あがめて帰依(キエ)する。
【尊親】ソンシン ①なつく。②親をとうとぶ。③他人の親の敬称。
【尊崇】ソンスウ とうとびあがめる。とうとぶ。あがめる。
【尊前】ソンゼン ①身分の高い人の前。手紙などであなたの意に用いる。②酒だるの前。▼尊は、樽(たる)。
【尊△俎】ソンソ ①さかだると、犠牲をのせる台。樽俎(ソンソ)。②宴席や国際間の会見をいう。→尊俎折衝。
【尊△俎折衝】ソンソセッショウ 敵国の君臣や使者と、宴会の席の談笑の間に外交交渉をすること。〔戦国策、斉〕
【尊像】ソンゾウ ①とうとい人の像。②他人の肖像の敬称。
【尊属(屬)】ソンゾク ①目上の血族。父母・祖父母など。②国法律上、父母と同系列以上の親族。↔卑属(三一七ページ下)。
【尊体(體)】ソンタイ 他人の身体や像などの敬称。
【尊大】ソンダイ おごりたかぶる。
【尊大人】ソンタイジン 他人の父、または他人の父の敬称。
【尊台(臺)】ソンダイ 自分よりやや目上の人に対する敬称。
【尊重】ソンチョウ ①とうとび重んずる。②身分が高く、権勢の盛んなこと。
【尊堂】ソンドウ ①他人の母親の敬称。尊母。②国㋐他人の家の敬称。㋑相手の人を呼ぶ敬称。
【尊卑】ソンピ とうといことと、いやしいこと。
【尊母】ソンボ 他人の母の敬称。尊堂。令堂。
【尊名】ソンメイ ①りっぱな評判。②たっとい称号。③他人の名の敬称。お名前。
【尊命】ソンメイ 他人の命令の敬称。お申しつけ。仰せ。
【尊来(來)】ソンライ 他人の来ることの敬称。おいで。光来。
【尊立】ソンリツ たっとび立てる。天子を立てる。

11 【壽】14画 2734 **ジュ** 寿(2713)の俗字。→四二一ページ上。

11 【對】14画 (2716) **タイ** 対(2715)の旧字体。→四二一ページ下。

11 【奪】14画 (2300) **ダツ** 大部。→三五八ページ上。

12 【導】15画 2735 教5 **ドウ** **みちびく** 3819 93B1 一

13 【導】16画 2736 漢トウ(タウ) 呉ドウ(ダウ) 中 dǎo(dào)

筆順 丷 䒑 首 首 道 道 道 導 導

字義 ❶**みちびく**。㋐案内する。手びきする。「先導」㋑教える。指導する。「教導」❷**みちびき**。㋐案内。また、その人。㋑教え。指導。また、指導者。

名前 おさ・みち

解字 篆文 **形声**。寸+道(道)㊥。寸は、手の意味。音符の道は、みちの意味。手を引いて道をいく、みちびくの意味を表す。

逆 引導・教導・訓導・指導・先導・善導・補導・誘導

【導引】ドウイン ①道案内。②道家で、大気を導いて体内に引き入れる養生法。
【導△呵】ドウカ しかりみちびく。▼呵は、しかる。
【導師】ドウシ 仏①人を導いて正道に入らせる人。仏・菩薩(ボサツ)の通称。②死者に引導をわたす僧。また、法要のとき、中心となる僧。
【導制】ドウセイ 統御する。導き統御する。

13 【導】16画 (2736) **ドウ** 導(2735)の旧字体。→四一六ページ中。

14 【爵】17画 (7091) **シャク** 爪部。→九一五ページ下。

23 【鬱】26画 (5937) **ウツ** 木部。→七七六ページ下。

3画 小(⺌) しょう・しょうがしら なおがしら(⺌)

〔**部首解説**〕 小は少と字源的にも共通し、小・少をもとにして、小さい・すくないの意味を含む文字ができている。⺌の形は、党(黨)・常・賞など、尚が音符になっている文字に多く見られるが、これらと小とは関係がない。常用漢字で、旧字体では小の形であった尙・肖・消・鎖などがすべて⺌(尚・肖・消・鎖)になっているので、便宜上、小の部首に⺌の形を含めた。

0 【小】3画 2737 教1 **ショウ** **ちい-さい・こ・お** 3014 8FAC 一
ショウ(セウ) 熟字訓 小豆(あずき) 中 xiǎo

筆順 亅 小 小

字義 ❶**ちい-さい**(ちひさし)。形体・面積・数量・範囲・規模・程度・価値などのわずかなこと。また、そのようなもの。↔大(2238)。㋐(大きさ・広さ・太さ・長さなどが)こまかい。せまい。ほそい。ひくい。みじかい。**用例**〔韓非子、喩老〕有形之類(ユウケイのたぐい)、大必起於小(ダイはかならずショウよりおこる)。↓有形のものは、大きなものは必ず小さなものからはじまる。
㋑(数量・分量・時間が)少ない。みじかい。
㋒(年齢が)わかい。おさない。**用例**〔晋書、趙至伝〕我小未能栄養(われショウにしていまだエイヨウするあたわず)、使老父不免勤苦(ロウフをしてキンクをまぬかれざらしむ)。↓私は幼く親を扶養することができないので、父を力仕事から解放し楽にしてあげることができません。
㋓(範囲・規模が)せまい。おおきくない。**用例**〔孟子、梁恵王下〕惟智者為能以小事大(ただチシャのみよくショウをもって大につかうることをなす)。↓ただ智者のみが小国をもって大国とつきあわせることができる。

㋔（程度が）かるい。用例〔史記、魯仲連伝〕亡小南陽之害小。⇩南陽を失う損害は軽い。

㋕（価値が）とるにたらない。つまらない。用例〔論語、八佾〕管仲之器小哉。⇩管仲の器量は小さいものだ。

❷すこーしく。わずかに。やや。用例〔孟子、尽心上〕其為人也小有才。⇩その人となりは、わずかばかりの才があるだけだ。

❸ちいさくする。ちいさくなる。

❹ちいさいと考える。用例〔孟子、尽心上〕登泰山而小天下。⇩（孔子は）泰山に登り天下を小さいと思った。

❺あなどる。軽んずる。用例〔塩鉄論、利議〕心卑卿相、志小万乗。⇩心は高位高官を見下げ、志は大国を軽んずる。

❻自分に関することにつける謙称。「小著」

国こ。お。さ。語調をととのえる接頭語。「小脇」「小田」「小男鹿」「小夜」

名前 お・こ・さ・ささ・ちいさ・わか 難読 小火・小河内・小牛田・小旧・小櫃・小鰭・小灰蝶・小魚・小墒・小郡・小月・小鉤・小合・小雀・小谷松・小墾田・小佐々・小山内・小手指・小諸・小女淵・小女子・小城・小生・小石・小千谷・小値賀・小竹・小竹島・小長・小鳥谷・小鳥遊・小汀・小田和・小湾・小奴河・小豆・小豆島・小泊・小筒・小動・小童・小督・小波・小波渡・小瀬・小半・小百合・小父・小歩危・小母・小夜・小夜曲・小友・小来川・小栗栖・小槍・小柳津・小連翹・小和清水・小和田・小保

解字 甲骨文 篆文  象形。ちいさな点の象形で、ちいさいの意味を表す。小の意味と音符とを含む形声文字に、俏・削・哨・宵・峭・悄・肖・消・梢・稍・霄などがある。

逆 過小・狭小・群小・弱小・少小・大小・短小・幼小

【小隠（隱）】ショウイン ①世をのがれてはいるが、まだ徹底せぬ隠者。②小さい隠宅（かくれが）。

【小汚】ショウオ ①（才知などが）少しいやしいこと。②病気と死亡。

【小過】ショウカ ①小さなあやまち。小疵。↔大過 ②易の六十四卦の一つ。☳☶艮下震上。小事によろしきを得る象。

【小我】ショウガ ①考えのせまい利己心。②国自分一個にとらわれた小さな自我。↔大我（三三七ページ上）。

【小雅】ショウガ 『詩経』の詩の分類の一つ。↔大雅（三三七ページ上）。▼雅は、主として朝廷貴族の宴会に用いられた歌。

【小閣】ショウカク ①小さい家。ささやかな高殿。一説に、中二階の家。▼閣は、二階造りの家。用例〔唐、白居易、香炉峰下新卜山居草堂初成偶題東壁詩〕日高睡足猶慵起、小閣重衾不怕寒。⇩日は高くあがり、眠りは足りているが、なお起きるのはものうい。ささやかな高殿に布団を重ねて眠っているので、寒さの心配はない。②女性の部屋。

【小学（學）】ショウガク ①古代、太子・王子・諸侯の子などに初歩的な学問を教えた学校。↔大学（三三七ページ中）。②文字の形や音や意味などを研究する学問。文字学。③書名。六巻。宋の朱熹の命を受けて、門人の劉子澄が、経書や歴史などから、教養の資となる話をぬき集めたもの。

【小官】ショウカン ①位の低い役人。また、小役人。②官吏が自己をいう謙称。

【小寒】ショウカン 二十四気の一つ。冬至から十五日目で、陽暦一月六日ごろ。寒気が強くなる。寒の入り。⇩コラム 気候（二十四気）（八〇三ページ）。

【小閑】ショウカン 少しのひま。小暇。

【小器】ショウキ ①小さい器物。②度量のせまい人。

【小妓】ショウギ 年若い芸娼妓。雛妓。少妓。

【小舅】ショウキュウ ①母の弟。おじ。②配偶者の兄弟。こじゅうと。

【小君】ショウクン 諸侯の臣が君主の妻を呼ぶときの語。後、転じて、妻の通称。細君。

【小径（徑）・小逕】ショウケイ 小さな道。こみち。

【小計】ショウケイ ①小さなはかりごと。わずかばかりの利害の打算。②一部分の合計。

【小慧】ショウケイ 小さいちえ。こざかしいちえ。

【小憩】ショウケイ すこし休む。短時間の休息。

【小決】ショウケツ 大水のときに、堤防を少しだけ切ること。

【小言】ショウゲン ①口先だけで巧みに話す。また、口の巧みな者のことば。②さして重要でないことば。小事に関することば。小語。■こごと 国①わずかなことを言いたてて叱ること。②不平を言うこと。③他からの苦情や非難。

【小姑】ショウコ ①夫の妹。こじゅうとめ。②配偶者の姉妹。

【小功】ショウコウ 五か月間の服喪。一説に、三か月。↔大功②（三三八ページ下）。

【小康】ショウコウ ①世の中がややおだやかなこと。②国重い病気が少し落ち着いているさま。

【小国（國）寡民】ショウコクカミン 小さい国と少ない人口。国土が小さく人民の少ないこと。老子が理想とした国家の形態。〔老子、八十〕

【小妻】ショウサイ 貴人のそばに仕える女性。

【小宰】ショウサイ ①周代の官名。大宰の次官で、宮中の刑罰政令をつかさどる。少宰。②村里の長。小さな領地の代官。邑宰。

【小子】ショウシ ①こども。②自分を卑下していう語。わたくし。③身分の高い人が低い人を呼ぶ語。④師が弟子を呼ぶ語。⑤他人をあなどって呼ぶ語。こぞう。

【小史】ショウシ ①周代の官名。国の記録系譜などをつかさどる。②下級の書記。③小姓。近侍。④自分の雅号の下につける語。⑤簡単な歴史。

【小疵】ショウシ ①小さなきず（欠点）。②わずかなあやまち。小過。

【小字】ショウジ ①幼少の時の呼び名。幼名。②小さい文字。細字。

【小児（兒）】ショウジ・ショウニ ①小さいこども。幼者。②小さい方のこども。③自分の子をいう謙称。④人をさげすんでいう語。

【小時】ショウジ・しばらく 短い時間。

【小車】ショウシャ 小さな車。四頭立ての馬車。田車・兵車・乗車の類い。↔大車（三三九ページ下）。

【小謝】ショウシャ ①南朝宋の謝恵連（一三三四ページ下）をいう。↔大謝（三三九ページ下）。②斉の謝朓（一三三五ページ上）をいう。

【小弱】ショウジャク ①小さくて弱い。②幼少。幼少の者。

【小豎】ショウジュ 人をさげすんでいう語。こわっぱ。青二才。

【小秋】ショウシュウ 秋の初め。初秋。

【小術】ショウジュツ 小さいはかりごと。くだらないてだて。小数。小策。小細工。

【小春】ショウシュン・こはる 陰暦十月の別名。⇩コラム 年中行事（四六五ページ）。

【小暑】ショウショ 二十四気の一つ。夏至の次の季節。陽暦七月七日ごろ。⇩コラム 気候（二十四気）（八〇三ページ）。

【小序】ショウジョ ①『詩経』の各編の初めにある序。②文体の名。詩文の前に付して著作の大意を略述したもの。

【小小】ショウショウ ①きわめて小さい。わずかばかり。②若い。

【小相】ショウショウ 君主の礼を助ける世話役。

【小祥】ショウショウ 人の死後一年目に行う祭り。一周忌。↔大祥（三四〇ページ上）。

【小照】ショウショウ ①小さい肖像画・写真。②自分の肖像画・

写真の謙称。

【小丈夫】①心のいやしい男性。②せの低い男性。こおとこ。

【小乗(乘)】仏自己の救済を第一とし、卑近な教えを説く仏教の一派。↔大乗(三四〇㌻上)。

【小譲(讓)】小さなゆずりあい。用例〔史記、項羽本紀〕大礼不辞小譲。⬇大礼を行うに当たっては、小さな譲りごとは問題にしない。

【小心】①小さい心。㋐おずおずする心。㋑せまい心。②注意深い心。

【小心文】文体の名。細かな点にまで周到な注意をし、微妙な筆法で綿密に議論するもの。↔放胆文(六三二㌻下)。

【小心翼翼】①つつしみ深く、小さなことまでよく気をくばるさま。②気が小さく、びくびくしているさま。

【小臣】①身分の低い家来。②家来が自分をいう謙称。

【小身】国身分の低い者。↔大身(三四〇㌻上)。

【小寝(寢)】天子・諸侯の居所の表座敷の東西両側の休息室。寝殿。便殿。

【小人】一①身分の低い人。しもじもの者。庶民。②徳のない人。教養がなく、心の正しくない人。用例〔論語、里仁〕小人喩於利。⬇徳のない者は利益のことをまず考える。／〔史記、項羽本紀〕今者有小人之言、令将軍与臣有郤。⬇今つまらぬ者の口出しがあり、将軍と私とをなかたがいさせようとしています。③召し使い。④自己の謙称。⑤たけの低い人。こびと。二国こども。↔大人(三四〇㌻中)。三こびと国①背たけの特に低い人。②童話などに登場する、背たけの低い人。

【小人間居為(爲)不善】小人がすることもなくひとりでいると、よくないことをしがちである。〔大学〕

【小人窮斯濫矣】小人はゆきづまり困窮すると、したい放題な、いいかげんな事を行う。

【小人之過必文】小人は、あやまちを犯すと、(改めようとはせずに)必ず弁解し、それをとりつくろう。〔論語、子張〕

【小人之交甘若醴】小人の交際は甘酒のように甘い(が長くは続かない)。▼醴は、甘酒。↓君子之交淡若水(三五一㌻下)。

【小人之勇】血気にはやる、あさはかな勇。匹夫の勇。

【小人儒】徳のない学者。名利を求め人に誇ろうとする学者。〔論語、雍也〕↔君子儒(三五一㌻下)。

【小尽(盡)】陰暦で小の月の最終日。↔大尽(三四〇㌻中)。

【小水】①小さい流れ。小さい川。②小便。尿。

【小数(數)】①小さな技芸。とるにたりないわざ。小術。②一より小さい数。

【小生】①後輩の者。また、人をさげすんでいう語。②自己の謙称。わたくし。③初学者。

【小成】わずかな(ちょっとの)成功。

【小雪】①二十四気の一つ。陽暦十一月二十二日ごろ。⇩コラム 気候(二十四気)(八〇三㌻)。②わずかに降っている雪。こゆき。

【小節(節)】①小さい事がら。小さい義理・節操。用例〔史記、管仲伝〕知我不羞小節、而恥功名不顕于天下也。⬇わたしが小さい節義などを気にかけず、功名が天下にあらわれないことを恥じる者であると知っていたからである。②国楽曲の最も小さい区切り。

【小説】①取るに足らない議論。②昔、中国で、俗世間の出来事などのおもしろい話。また、それを書いた書籍。六朝の志怪小説、唐代の伝奇小説などの文語体の短編小説と、宋以後の白話の長編小説の二大系統がある。③近代文学の形式の一つ。作者が創造し、または事実を脚色した散文形式の文学。novelの訳語。

【小説家】①諸子百家の一つ。世俗のおもしろい説話を語り伝えた一派。⇩コラム 諸子百家系統図(一三三四㌻)。②小説を書くことを職業としている人。

【小鮮】小魚。用例〔老子、六十〕治大国、若烹小鮮。⬇大国を統治するのは、小魚を(形をくずさないように)煮るようなものだ(難しいことのたとえ)。

【小姐】①未婚の女性の通称。むすめ。②他人の娘に対する敬称。お嬢さん。③宋代には、宮女・妓女の称にも用いた。

【小蘇】北宋の蘇轍(一二四五㌻下)をいう。↔老蘇

【小体(體)】①身体の一部。耳・目の類い。↔大体(三四〇㌻下)。②小さな体。

【小知】①小さな事がらを知る。また、細かな事をつかさどる。②少しの知識。また、少しばかりの知恵。小智。

【小畜】易の六十四卦の一つ。☴☰ 乾下巽上。

【小弟】①末の弟。②弟。③自己の謙称。

【小篆】漢字の字体の一つ。秦の始皇帝の時、李斯が作ったという。周の大篆を簡略にし実用的にしたもの。⇩コラム 文字・書体の変遷(六三三㌻)。

【小杜】晩唐の詩人、杜牧(七三一㌻上)をいう。↔大杜(三四一㌻中)・老杜(一〇六三㌻下)。

【小奴】年少の下男。小僧。

【小盗】こぬすびと。狗盗。

【小童】①こども。わらべ。②諸侯の夫人が主君である夫に対していう自己の謙称。③先代の喪中にある時の王の自称。

【小道】①小さい道。こみち。②聖賢の道(儒学)以外の諸子百家の説く道。また、農業・医薬・占い・技芸など。③小さい道義。

【小徳】①小さな徳。小さな義理。小さな節義。②宇宙造化の作用の、部分的に表現されたもの。③国冠位十二階(推古天皇の十一年制定)の第二位。

【小年】①年若いこと(人)。少年。②生命の短いこと。③一年近く。小一年。

【小半】三分の一。

【小婦】①年若い妻。②若い女性。③そばめ。側室。

【小腹】人体の臍以下をいう。したばら。少腹。

【小兵】一小さい戦争。二国①弓の力の弱いこと。②体の小さいこと。↔大兵(三四三㌻中)。

【小満(滿)】二十四気の一つ。立夏の次の気節。陽暦五月二十一日ごろ。⇩コラム 気候(二十四気)(八〇三㌻)。

【小民】人民。庶民。下民。

【小名】一①つまらぬ名(誉れ)。②幼時の名。小字。二国領地の小さい諸侯。↔大名(三四三㌻下)。

【小野篁】国平安初期の漢学者。文章生より東宮学士となり、『令義解』を著した。一時隠岐に流されたが、刑部大輔・蔵人頭・参議を歴任した。詩文・書にすぐれた。(八〇二—八五二)

【小野岑守】国平安初期の詩人。漢詩にすぐれ、『凌雲集』『文華秀麗集』『経国集』にその作品が収められている。(七七八—八三〇)

【小野妹子】国日本最初の遣唐使。推古天皇の十五年(六〇七年)、隋に渡り、煬帝に謁して国書を呈し、翌年、隋使裴世清を伴って帰国した。同年、裴世清の帰国にあたり、大使となって隋に赴いた。

【小勇】つまらぬ事に対する勇気。血気の勇。匹夫の

勇。小人の勇。〔孟子、梁恵王下〕

【小用】ショウヨウ　①わずかな出費。少しの費用。②小さく用いる。つまらぬ使い方をする。③国㋐ちょっとした用事。㋑小便。こよう。

【小吏】ショウリ　身分の低い役人。小役人。

【小利】ショウリ　小さな利益。すこしの利益。

【小△牢】ショウロウ　羊と豚をいけにえにすること。また、そのご馳走。↕太牢（三四五ページ上）・大牢（三四三ページ中）。

【小郎】ショウロウ　妻が夫の弟を呼ぶ語。

1【少】4画 2738 教2　ショウ　すく-ない・すこ-し

㊀ショウ（セウ）篠 shǎo
㊁ショウ（セウ）嘯 shào

3015 8FAD —

筆順 亅 小 小 少

字義 ㊀❶すく-ない。すく-なし。すこ-し。まれ。わずか。数がとぼしい。↕多（2227）。用例〔唐、白居易、長恨歌〕峨嵋山下少二人行一、旌旗無レ光日色薄。↓峨嵋山のほとり、道ゆく人も少なくなり、はたさしものは色あせて光なく、太陽の光線までうすれて見える。

❷か-ける（欠）。すくなくする。へらす。すくなくなる。へる。用例〔唐、王維、九月九日憶二山東兄弟一詩〕遥知兄弟登レ高処、偏挿二茱萸一少二一人一。↓はるか遠く故郷を離れていても私にはわかる、今ごろ兄弟たちが小高い丘に登っているのに、私一人だけが欠けている。兄弟たちはみんなそろって頭に茱萸をさしているのに、私一人だけが欠けている。

❸すくないとする。㋐不足とする。不満に思う。用例〔史記、曹相国世家〕豈少レ朕与。↓わたしを不足とするのか。

㋑そしる。軽んずる。用例〔史記、蘇秦伝〕顕王左右素習二知蘇秦一、皆少レ之。↓顕王の側近たちはもともと蘇秦をよく知っていたので、皆彼を軽んじた。

❹しばら-く。しばらくして。用例〔孟子、万章上〕少則洋洋焉。↓（魚を池に放ち）少したつとのびやかに、悠然と泳ぎ去った。

❺すこ-し。すこ-しく。やや。ちょっと。用例〔荀子、尭問〕徳若二尭禹一、世少レ知レ之。↓その徳は尭や禹のようにすぐれていたが、世間ではわずかに知られるのみであった。

㊁❶わか-い。わかし。おさない。用例〔論語、子罕〕吾少也賤、故多二能鄙事一。↓私は若いころ貧しかったから、いろいろとつまらないことに多くの才能を持つことになっただけなのだ。

❷子供。若者。❸添え役。副官。次官。「太師・太傅」の次官を「少師・少傅」という。

国ショウ。㋐諸省の次官。㋑大宝令での年齢区分。三歳以上十六歳以下。

名前 お・すく・すくな・まさ・まれ　難読 少女・少草・少輔

解字 甲骨文　金文　篆文　象形。ちいさな点の象形で、すくないの意味を表す。少を音符に含む形声文字に、抄などがある。

逆 寡少・過少・希少・鮮少・多少・年少・幼少・老少

【少△焉】しばらくにして　少したって。用例〔北宋、蘇軾、前赤壁賦〕少焉月出二於東山之上一、徘二徊於斗牛之間一。↓しばらくすると月が東の山の上から姿を現し、斗宿と牛宿との間をさまよい始めた。

【少△艾】ショウガイ　若くて美しい。また、その人。

【少間】ショウカン　①少しのひま。②少しのすきま。③少し休む。④病気が少しよくなること。

【少閑】ショウカン　=少間①。

【少許】ショウキョ　少しばかり。

【少君】ショウクン　①諸侯の夫人。小君。②幼い君主。少主。幼君。

【少頃】ショウケイ　しばらく。少しの間。また、しばらくして。

【少孤】ショウコ　年若く身寄りのないこと。年少孤独。また、その人。幼少の孤児。

【少好】ショウコウ　若くて美しい。

【少△昊・少△皥】ショウコウ　中国古代の伝説上の帝王。金天氏。黄帝の子。五行の金徳をもって王となり、後世、秋をつかさどる神とされた。

【少子】ショウシ　幼い子ども。年の少ない子ども。また、年の少ない方の子ども。また、末子。

【少師】ショウシ　①周代の官名。少保・少傅とともに三公を補佐する役。②音楽をつかさどる役人。大師の次位。

【少時】ショウジ　①年少（幼年）の時。②しばらく。

【少小】ショウショウ　年が若い。また、その人。年少。↕老大（二一六三ページ下）。

【少少】ショウショウ　①少し。わずか。②国並み。普通。

【少将（將）】ショウショウ　①主将の下で、一部隊を指揮する者。小将。②国㋐昔、近衛府の次官。中将の次位。㋑もと、陸海軍の武官で、将官の最下位。大佐の上。

【少正】ショウセイ　①副官。次官。②春秋時代の官名。執政に次ぐ官。

【少壮（壯）】ショウソウ　年が若くて血気さかんなこと。用例〔前漢、武帝、秋風辞〕少壮幾時兮奈レ老何。↓少壮の時はどれほど続くか（ほんのわずかしか続かない）、間もなく老いてしまうのをどうしようか（どうしようもない）。

【少壮（壯）有為（爲）】ショウソウユウイ　少壮で、将来大いに活動することが期待されること。

【少長】ショウチョウ　①年の少ないことと多いこと。②年少者と年長者。③少しく生長する。やや年が多くなる。④やや年長なこと。

【少年】ショウネン　①年の若い人。わかもの。②わずかな年月。

【少年易レ老学（學）難レ成】ショウネンおいやすくガクなりがたし　若い者は老いやすく、年月は過ぎやすいが、その学問は成就しがたい。〔伝、南宋、朱熹、偶成詩〕

【少半】ショウハン　三分の一。小半。↕大半（三四二ページ上）。

【少府】ショウフ　①官名。㋐税をつかさどり、天子の私府に供給する役。㋑県尉の別称。②強い弓の名。

【少婦】ショウフ　①年若い妻。②若い女性。

【少陵】ショウリョウ　昔の地名。長安（今の陝西省西安市）の南。もと、漢の宣帝の皇后許氏の陵。宣帝の杜陵に比してやや小さいことによる名。盛唐の詩人杜甫はその西に住んで少陵の布衣・少陵の野老と号したので、杜少陵と称せられる。用例〔唐、杜甫、哀二江頭一詩〕少陵野老呑レ声哭。↓少陵の田舎おやじである私は声をしのんで泣き、この春の日に人目を避けて、ひとりひそかに曲江の流れの湾曲したあたりを歩いてゆく。

【少△牢】ショウロウ　=小牢（四一九ページ上）。

2【尒】5画 2739　ジ　爾（7101）と同字。→九一七ページ中。

2【尓】5画 2740　ジ　爾（7101）の俗字。→九一七ページ中。　5385 9B95 —

2【尔】5画 2741　ジ　爾（7101）の俗字。→九一七ページ中。　4759 — —

3【光】6画（687）　コウ　儿部。→一三八ページ下。

3【尗】6画 2742　シュク　屋 shū, shú　— — 2674

字義 豆。

解字 象形。地上に両葉、地下に根の伸びた豆にかたどる。

3【尘】6画 2743　ジン　塵（2114）の古字。→三一九ページ下。

3 **【尖】** 6画 2744 人 標 セン 㽷 jiān 3277 90EB 一

筆順 丨 小 小 尐 尖 尖

字義 ❶**とが-る**。物の先が細くするどい。「尖鋭」「尖利」 ❷とがり。とがっている部分。㋐さき（先）。はし（端）。「筆尖」 ㋑山のとがった峰。「峰尖」 ㋒指の先。

名前 かど・とし

参考 現代表記では〔先〕(689)に書きかえることがある。「尖鋭→先鋭」「尖端→先端」

解字 **指事**。小＋大。大の字の上に小の字を置き、下が大きく上にいって小さい物を示し、とがるの意味を表す。

【尖鋭】センエイ ①(とがって)するどい。②国急進的なこと。先鋭。

【尖端】センタン ①とがった端。先端。②国時代や流行のさきがけ。思想や風俗の最新。先端。

【尖塔】セントウ 先のとがった塔。

【尖兵】センペイ 軍隊の行軍で、本隊の前方を進み敵情をさぐり、敵の斥候などを警戒・撃破する小部隊。

3 **【当】** 6画 2745 教2 トウ あ-たる・あ-てる 3786 9396 一

田8 **〖當〗** 13画 2746 ㊀トウ(タウ) 陽 dāng ㊁トウ(タウ) 漾 dàng 6536 E163 一

筆順 丨 丷 ⺌ 当 当 当

字義 ㊀ 助 **まさ-に…べ-し**。**あ-たり**。**も-し**。⇩助字・句法解説。

❶**あ-たる**。㋐向かい合う。向き合う。㋑つり合う。匹敵する。用例〔韓非子、二柄〕功当$_{二}$其事$_{一}$、事当$_{二}$其言$_{一}$則賞。↓功績が職務に一致し、職務が述べた言葉に一致すれば、賞を与える。㋒あたいする。値打ちがある。該当する。㋓かなう。あてはまる。適合する。的中する。「当選」 ㋔正しい。「正当」「不当」 ㋕ぶつかる。つきあたる。出会う。はり合う。用例〔史記、項羽本紀〕所$_{レ}$当者破、所$_{レ}$撃者服。↓敵対するものは撃破し、攻撃した相手は征服した。 ㋖はばむ。ふさぐ。用例〔史記、高祖本紀〕前有$_{二}$大蛇$_{一}$当$_{レ}$径。↓ゆくてに大蛇がおり、道をふさいでいます。 ㋗引き受ける。仕事を受け持つ。つかさどる。守る。用例〔唐、李白、蜀道難詩〕一夫当$_{レ}$関、万夫莫$_{レ}$開。↓一人の兵士が関所を守備すれば、一万の軍が攻めても開くことはできない。

❷**あ-てる**。㋐あてはめる。㋑ぶつける。㋒仕事を与える。㋓わりあてる。㋔充当する。用例〔唐、柳宗元、捕$_{レ}$蛇者説〕募$_{下}$有$_{二}$能捕$_{レ}$之者$_{上}$、当$_{二}$其租入$_{一}$。↓この蛇を捕らえることのできる人を募集して、それを租税代わりに充てることにした。

❸法律を適用して罪人を処断する。

❹問題になっているところの。目下のところの。こちらの。ちょうどそこにあるところの。「当地」「当座」

㊁ ❶そこ(底)。❷あたる。＝㊀❶。❸しち(質)。質のかた。

国 ❶**あ-たる**。㋐さぐる。こころみる。㋑火で暖まる。❷**あ-たり**。㋐的中。㋑めあて。手がかり。❸**あ-て**。めあて。見込み。

助字・句法解説

❶**まさ-に…べ-し**。再読文字。

㋐**当然**。訳…するのが当然である。用例〔世説新語、排調〕語$_{二}$王武子$_{一}$、当$_{二}$枕$_{レ}$石漱$_{レ}$流、誤曰、漱$_{レ}$石枕$_{レ}$流。↓王武子に(自分の気持ちを)語ろうとして、当然、「石を枕とし小川の流れにうがいをするつもりだ」と言うべきところを、誤って、「石でうがいをし、流れを枕としようと思う」と言ってしまった。

㋑**推量**。訳きっと…だろう。用例〔唐、韓愈、与$_{二}$孟東野$_{一}$書〕李習之娶$_{二}$吾亡兄之女$_{一}$、期在$_{二}$後月$_{一}$、朝夕当$_{レ}$来$_{レ}$此。↓李習之が私の亡き兄の娘をめとることとなり、来月に予定していますので、そのうちこちらにやって来ることでしょう。

㋒**義務**。訳…すべきだ。用例〔北宋、欧陽脩、朋党論〕為$_{二}$人君$_{一}$者、但当$_{下}$退$_{二}$小人之偽朋$_{一}$用$_{中}$君子之真朋$_{上}$。↓君主たる者、ただ小人たちが作る偽物の仲間を退けて、君子が作る本当の仲間を登用するべきなのである。

❷**あ-たり**。訳…の時に。…の場合に。

「…にあたり」の形で、時を表す表現とともに用いる。用例〔史記、項羽本紀〕当$_{二}$是時$_{一}$、項羽兵四十万、在$_{二}$新豊鴻門$_{一}$。↓ちょうどこの時、項羽の兵四十万は、新豊の鴻門に駐屯していた。／〔北宋、欧陽脩、朋党論〕当$_{二}$其同$_{レ}$利之時$_{一}$、暫相党引以為$_{レ}$朋者偽也。↓利益をともにするときは、一時的にお互いに協力して集団となるが、それは偽りの仲間なのだ。

❸**も-し**。**仮定**。訳もし…なら。

「当使」の二文字を用いる場合もある。用例〔本事詩〕我当在、即以$_{二}$是日$_{一}$訪$_{レ}$之。↓もし私が生きていたら、その日にそこをおとずれよう。／〔韓非子、人主〕当使虎豹失$_{二}$其爪牙$_{一}$、則人必制$_{レ}$之矣。↓もし虎や豹が爪や牙を失ったなら、人間はきっとこれを捕らえ制御するだろう。

名前 あつ・たえ・とう・まさ・まつ 難読 当縁・当帰・当所・当世・当麻・当麻

使いわけ あてる〔充・当・宛〕⇩充(688)。

解字 篆文 當 **形声**。篆文は、田＋尚㊥。音符の尚ショウ＝トウは、ねがうの意味。田間に実りを願って事にあたるの意味を表す。

逆 穏当・該当・過当・勘当・失当・至当・充当・順当・正当・相当・妥当・担当・抵当・配当・不当・別当・郎当

【当為(爲)】トウイ ①当然そうすべきこと。②哲学で、「あるべきこと」「なすべきこと」の意。独語 Sollen の訳語。↔存在(三八二ページ中)・実在(三九五ページ上)。

【当意】トウイ ①心にぴったりあてはまる。心にかなう。気に入る。②国＝当座。

【当意即(卽)妙】トウイソクミョウ 国その場にあてはまるように、即座に機転をきかすこと。即座の機転。

【当家】㊀トウカ ①この家。その家。②家業をいとなむ。③家政をつかさどる下男。管家。④美しい筆墨。㊁トウケ 国自分の家。

【当該】トウガイ ▼該は、あたる・その・それ。国①そのこと。そのもの。②その事に当たること。そのかかり。受け持ち。

【当関(關)】トウカン ①門番。②関の守備にあたる。

【当局】トウキョク ①局(碁盤)に当たる意で、碁をうつこと。②直接その事にあたって仕事をすること(人・機関)。

【当国】トウコク 国政の権柄を握る。一説に、君主にかわって事務をとる。

【当今】㊀トウコン いまの時。ただ今。現時。現今。㊁トウギン 国当代の天皇。今上天皇。

【当座】トウザ 国①その席上。その場。②すぐその場。即座。③その場かぎり。④しばらくの間。当分。さしあたり。

【当罪】トウザイ 罪の軽重に従って相当の刑にあてる。抵罪。

【当事】トウジ ①直接そのことにあたる。②＝当事者。

【当事者】トウジシャ 直接その事にあたっている(関係している)

人。
【当時】トウジ ①この時。現在。②その時。むかし。③即座に。即時に。すぐ。
【当日】トウジツ ①この日。②その日。その事のあった日。③ありし日。むかし。
【当初】トウショ はじめ。最初。
【当世】トウセイ ①君主の位について国政をつかさどる。②現在の世。今の時代。いまどき。「当世風」
【当代】トウダイ ①今の世。現代。②その時代。過去のある時代をさしていう。③国今の主人。
【当調】トウチョウ 任官する。また、転任する。
【当直】トウチョク 当番で、日直や宿直をすること。また、その人。
【当途・当塗】トウト 道にあたる。㋐要路にいること。重要な地位にいて権力を握っていること(人)。㋑道のまん中にいる。道をさえぎる。
【当道】トウドウ ①道をさえぎる。②要路に居る。直接事にあたる。政柄セイヘイを執る。また、その人。当路。当局。③草の名。おおばこの別名。車前草。
【当年】トウネン ①ことし。今年。②そのとし。そのころ。その昔。往年。昔年。当時。
【当否】トウヒ ①正しいか正しくないか。②あてはまっているかどうか。適当かどうか。
【当方】トウホウ ①その方面。②国私のほう。
【当面】トウメン ①面前に存在すること。まのあたり。眼前。②国さしあたり。今の場合。
【当夜】トウヤ ①今夜。②その夜。その事のあった夜。
【当用】トウヨウ 国①さしあたっての用事。②さしあたっての需要・必要。
【当用漢字】トウヨウカンジ 国昭和二十一年(一九四六)十一月に内閣告示として公布された当用漢字表の漢字をいう。その後、昭和二十三年に当用漢字音訓表・当用漢字別表(教育漢字とも呼ばれるもの)、昭和二十四年に当用漢字字体表、さらに昭和四十七年に当用漢字改定音訓表が公布されたが、昭和五十六年に常用漢字表が施行されるに伴い廃止された。
【当路】トウロ =当途。
【当惑】トウワク 事にあたってどうしてよいかわからず、処置に困ること。

3【劣】6画(1001) レツ 力部。→一九一ページ下。

4【肖】7画(4916) ショウ 月部。→六八八ページ上。

5【尚】8画 2747 常 ショウ

5【尙】8画 2748

漢ショウ(シャウ) 呉ジョウ(ジャウ) 漢 shàng 3016 8FAE 一

筆順

字義 ❶こいねがう(こひねがふ)。こいねがわくは(こひねがはくは)。たのむ。希望する。
❷たっとぶ。とうとぶ(たふとぶ)。㋐うやまう。尊重する。用例〔論語、憲問〕尚レ徳哉若人トクをたふとぶかな、かくのごときひと。↓徳を尊重するのだね、あのような人は。／〔老子、三〕不レ尚レ賢ケンをたっとばざれば、使二民不一レ争たみをしてあらそはざらしむ。↓賢者を重んじなければ、人民を争わせずに済む。
㋑このむ。したう。用例〔三国魏、嵆康、幽憤詩〕抗レ心希レ古、任二其所一レ尚。↓高みを目指して古人の道を慕い、自分の好むところにまかせる。
❸たすける(たす く)。用例〔詩経、大雅、抑〕肆皇天弗レ尚。↓だから天は王室をたすけない。
❹たかい(たか し)。
❺たかくする(たか くす)。程度を高める。高尚にする。用例〔孟子、尽心上〕尚レ志。↓志を高尚にする。
❻たかいとする(たか しとす)。ほこる。得意のさまを示す。用例〔礼記、表記〕君子不三自大二其事一、不三自尚二其功一。↓君子は自分の仕事を大きくは見ず、その功績を誇ったりしない。
❼くわえる(くは ふ)。上に重ねる。㋐そえる。用例〔詩経、斉風、著〕充耳以レ素乎而、尚レ之以二瓊華一乎而。↓耳飾りは白糸を下げ、そのうえに美しく輝く玉を添える。／〔論語、里仁〕好レ仁者無三以尚二之。↓仁を好む人にはそれ以上加えるものがない。
㋑こえる。しのぐ。まさる。用例〔後漢書、馬援伝〕浩大之福莫レ尚二於此一。↓陛下のもたらす幸いはしのぐものがないほどです。
❽ひさしい(ひさ し)。古い。遠い。また、昔。かみ(上)。用例〔史記、三代世表序〕五帝三代之記、尚矣。↓五帝・三代の記録は、はるか昔のことで明らかでない。
❾めとる。めあわせる。特に天子の娘(公主)をめとること。用例〔史記、張耳伝〕以レ尚二魯元公主一故、封為二宣平侯一。↓魯元公主を妻としていたために、宣平侯に封ぜられた。
❿なお(なほ)。㋐かつ。その上。㋑やはり。それでもまだ。用例〔世説新語、徳行〕幸尚寛、何為不レ可。↓幸いにもまだ余裕がある、どうしてだめなはずがあるものか。／〔孟子、滕文公上〕今吾尚病。↓今自分はまだ病気がなおっていない。㋒さえ。すら。用例〔唐、白居易、与二微之一書〕此句他人尚不レ可レ聞。↓この詩句は他人でさえ聞くに堪えない。
⓫つかさどる。=掌(4008)。特に天子の衣食の管理についていう。用例〔史記、呂后本紀〕襄平侯通尚二符節一。↓襄平侯の通は割り符のことをつかさどっていた。

名前 さね・しょう・たか・たかし・なお・なか・なり・ひさ・ひさし・まさ・まし・ます・よし・より 難読 尚侍ないしのかみ

解字 金文 篆文 会意。八+向。八は、神の気配がくだるさまを示す。向は、屋内で祈るさまを示す。こいねがう・たっとぶの意味を表す。常用漢字は、尚の形をとる。尚の意味と音符とを含む形声文字に、償・黨(党)・堂・嘗・常・當(当)・掌・裳・賞などがある。

逆 高尚・好尚・崇尚・風尚・和尚

【尚絅】ショウケイ 錦を着た時、その上に単衣を加え、その美麗のめだつことを避ける。内を美にして外形にあらわさないことのたとえ。▼絅は単衣で薄絹のこと、尚は加える。
【尚賢】ショウケン 賢人をたっとぶ。
【尚古】ショウコ 古いにしえをとうとぶ。昔の文物制度をとうとぶこと。
【尚志】ショウシ 志を高くする。〔孟子、尽心上〕
【尚歯(齒)】ショウシ 老人を敬うこと。▼歯は、年齢。「尚歯会」
【尚主】ショウシュ 公主(天子の娘)をめとること。
【尚書】ショウショ ①書名。十三巻。上代の書の意。『書経』の別名。五経の一つ。堯ギョウ・舜シュンと夏カ・殷イン・周三代の政道を記した書。②官名。㋐秦シンの時、宮中の文書をつかさどる。㋑隋ズイ・唐以後は、大体、今の大臣に当たる官。
【尚書省】ショウショショウ 役所の名。南朝梁リョウに始まり、唐代は三省の一つ。一般行政を執行した中央官庁で、今の内閣に当たる。元代に廃せられた。
【尚書令】ショウショレイ 官名。秦シン代に、少府から派遣した四名に殿中で文書発行を担当させたことに始まる。漢代には少府の属官にすぎなかったが、魏ギ・晋シン以降その職位は次第に重くなり、唐では尚書省の長官として宰相に当たる地位となった。しかし唐の太宗が即位前にこの地位に任じられた関係から、以後は、その重要さの故にあえてこの職に居る者はなく欠員とされ、次官の左右僕射がその職務を行った。明ミン代に至って廃止された。
【尚書郎】ショウショロウ 官名。尚書省の郎官。漢では四人を置いて尚書の職務を分掌させた。以降の職掌・定員は時代により変化した。

【尚早】ショウソウ まだ早い。まだその時期でないこと。「時期尚早」

【尚武】ショウブ 武をとうとぶ。武徳・武事を重んずる。

【尚父】ショウホ 尊んで父のように扱う。また、そのように扱われる人に対する尊称。

【尚方】ショウホウ ①天子の御物を作る官。②薬品の調合をつかさどる官。

【尚友】ショウユウ 昔の賢人を友とすること。古人を友とする。

【尚論】ショウロン 昔の人のことを論評すること。用例〔孟子、万章下〕尚論古之人（いにしえ(へ)のひとをショウロンす）。↓昔の人のことを論評する。

5【毟】8画 (6082) むしる 毛部。→八〇〇ページ上。

7【党】10画 (712) トウ 儿部。→一四三ページ上。

8【雀】11画 (13175) ジャク 隹部。→一五三四ページ上。

8【常】11画 (3114) ジョウ 巾部。→四五八ページ中。

8【堂】11画 (2026) ドウ 土部。→三一三ページ中。

9【掌】12画 (4008) ショウ 手部。→五七三ページ下。

9【棠】12画 (5549) トウ 木部。→七五三ページ上。

9【尞】12画 2749 リョウ 燎(7008)と同字。→九〇二ページ中。 4760 ED8F 2675

10【嘗】13画 (7584) ショウ 甘部。→九六三ページ上。

10【尠】13画 2750 セン 銑 xiǎn 字義 すくない(すくなし)(少)。＝鮮(14019)。 5386 9B96 —

［尟］2751 本字

10【尟】13画 2751 セン 尠(2750)の本字。→四三三ページ上。 — — 2676

解字 篆文 会意。甚＋少。篆文は、是＋少。はなはだ少ないの意味を表す。

10【當】13画 (2746) トウ 田部。→四三〇ページ上。

11【嘗】14画 (1672) ショウ 口部。→三八一ページ中。

11【裳】14画 (10840) ショウ 衣部。→一一三七ページ中。

12【輝】15画 (11918) キ 車部。→一三九六ページ上。

12【賞】15画 (11578) ショウ 貝部。→一三六一ページ上。

17【黨】20画 (713) トウ 党(712)の旧字体。→一四三ページ上。

17【耀】20画 (9565) ヨウ 羽部。→一一六二ページ中。

3画 ⺍ つ

〔部首解説〕⺍は、ある種の複雑な字形の一部を簡略化するときに、符号的に用いられる。常用漢字では、旧字体で單・嚴、勞・榮・螢・營、學・譽、學・覺、巢・獵であった字形の一部が⺍に略されて、単・厳、労・栄・蛍・営、挙・誉、学・覚、巣・猟になっている。これらの新字体のうち、もとの所属部首に分類することができなくなった文字をまとめるため、新しい部首として⺍部を設けた。したがって、部首としての特定の意味はない。

4 労	一九三	5 学	三八三	6 栄	七三〇
⺍	四三三	単	四三三	7 挙	五七一
8 蛍	一三五五	巣	四三三	9 営	四三三
覚	一二九五	10 誉	一三一七	14 厳	四三三

4【労】7画 (1012) ロウ 力部。→一九三ページ中。

5【学】8画 (2574) ガク 子部。→三八三ページ上。

5【⺍】8画 2752 ソ 鼠(14525)の俗字。→一六五三ページ下。 8375 EA8B —

6【栄】9画 (5282) エイ 木部。→七三〇ページ上。

6【単】9画 2753 教4 タン 3517 9250 —

口9［單］12画 2754 人 5137 9A64 —

一 タン 寒 dān　二 タン 旱 dǎn　三 漢セン 呉ゼン 先 chán

筆順 丶 丷 ⺍ 𫩏 肖 当 㫃 単 単

字義 一 ❶ひとつ。ただひとつ。また、ひとり。「単一」❷ひとえ(ひとへ)。＝襌(10972)。用例〔唐、白居易、売炭翁詩〕可憐身上衣正単（あわれむべしシンジョウころも、まさにひとえ(へ)なるを）。心憂炭賤願天寒（こころにすみのやすきをうれえ(へ)。テンのさむからんことをねがう(ふ)）。↓気の毒にも、身につけた着物は、まぎれもなくひとえもの一枚、それでいて、じいさんは炭のねだんが安くなることを心配し、かえって寒い日が続くことを願っている。❸つきる。つくす。＝殫(6038)。❹かきつけ。カード。「伝単」 二 ❶まこと。まことに。❷あつい(厚)。あつくする。❸たんに。ただ。 三 ❶めぐる。めぐらす。❷→単于(ゼンウ)。

名前 いち・ただ・ひと　難読 単冠(ひとかっぷ)

解字 甲骨文 篆文 象形。甲骨文でわかるように、先端が両またになっている、はじき弓の象形。常用漢字の単は省略体。借りて、ひとつの意味に用いる。單を音符に含む形声文字に、嬋(セン)・彈(弾)・憚(タン)・戰(戦)・燀(セン)・癉(タン)・蟬(セン)・襌(タン)などがあり、これらの漢字は、「はじく」の意味を共有している。また、借りて、「一つ」の意味を表すものもある。

逆 伝単

【単衣】タンイ・ひとえ(へ) ①ひとえの着物。②一枚の着物。

【単△于】ゼンウ 匈奴(キョウド)の王の称。

【単△舸】タンカ ①一そうの舟。▼舸は、小形で舟足の速い舟。②はしけぶね。小舟。

【単記】タンキ 国①そのことだけ記すこと。②一枚の投票用紙にひとりの候補者だけを書き入れること。↕連記

【単騎】タンキ ①ただひとり馬に乗って行くこと。②ただひとりの騎兵。一騎。(一四一八ページ中)。

【単語】タンゴ 英語wordの訳語。文法上で、意味や機能を持つ言語の最小単位。

【単行】タンコウ ①ひとりで行く。独行。②他と関係なく、それだけが行われること。「単行法」③ただ一回だけ行うこと。

【単行本】タンコウボン それだけが単独で出版された書物。↕雑誌(一五二七ページ中)・叢書(ソウショ)(三三五ページ中)。

【単△褰】タンサ ①一枚のみの。②みのに身を包んだ、ただひとりの人。転じて、ただひとり。単身。

【単細胞】タンサイボウ ①ただ一つの細胞。②考え方の単純な人のたとえ。

【単辞(辭)】タンジ ①片方のいい分だけで証拠にならないことば。②かたよって中正でないことば。

【単車】タンシャ ①ただ一台の車。②ただひとり車に乗ること。

転じて、ただひとり、単独・単身の意。③国オートバイの訳語。

【単純】国①まじりけのないこと。純一。②こみいっていないこと。簡単。一本調子。

【単身】①ただひとり。一人。②ひとり身。独身。

【単調】国一本調子で、変化のないこと。

【単刀】①ひとふりの刀。また、ひとふりの刀を帯びること。②単身。

【単刀直入】①ただひとりで敵の陣に切りこむこと。②前おき・予告などなしに、いきなり要点にふれること。遠回しにせず、直接要点に突き入ること。

【単独(獨)】ただひとり。ただ一つ。また、ひとり者。よるべのない者。

【単葉】飛行機の翼が一枚であること。↕複葉(二六五ページ中)。

7【挙】10画 (3999) キョ　手部。→五七一ページ中。

8【蛍】11画 (10529) ケイ　虫部。→一三五ページ中。

8【巣】11画 2755 教4 ソウ す　3367 9183

巛8【巢】11画 2756 人 漢ソウ(サウ) 呉ジョウ(ゼウ) 宥 cháo　18408

筆順 丶 丷 ⺍ 𭕄 当 単 巣 巣

字義 ❶す。㋐鳥のす。また、獣や虫・魚のすみか。㋑鳥のすのように木の上に設けた人のすみか。㋒すみか。すまい。また、かくれが。❷す-くう。すを作る。用例〔文選、古詩十九首、其一〕胡馬依₂北風₁、越鳥巣₂南枝₁。↓北方の異民族の地から来た馬は、北風の吹く方に身を寄せ、南の越から来た鳥は、同じ木でも南側の枝を求めて巣を作る。❸あつまる。むらがる。

名前 す

解字 篆文 象形。上部は「す」の中のひな鳥、中部の臼は「す」、下部の木は「き」の形にそれぞれかたどり、樹上の鳥の「す」の意味を表す。常用漢字の巣は省略体による。

逆 危巣

【巣居】鳥のように樹上にすまいを作って住んでいること。

【巣窟】①樹上の住居と土中の住居。②かくれが。

【巣車】車上に物見やぐらを設けた兵車。遠くから見ると鳥の巣のようであるからいう。

【巣△燧】有巣氏と燧人氏。転じて、太古の時代。

【巣父】堯の時代の隠者。山ずまいをし、木の上に巣を作って寝ていたので巣父といわれる。堯が許由(二三〇八ページ上)に天下を譲ろうとするのを聞いて、許由は耳のけがれであるといって潁川で耳を洗ったが、巣父はその水がけがれていると言って、この川を渡らなかったという。〔潜夫論、交際〕

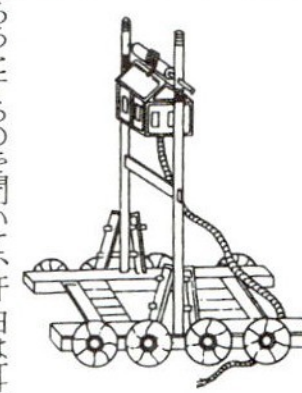
巣車

【巣由】巣父と許由。ともに堯の時代の隠者。→巣父。

【巣林一枝】鳥は林の中に巣を作っても、一本の枝に巣を作るにすぎない。転じて、小さい家に満足して住むたとえ。また、分に安んじ満足するたとえ。『荘子』逍遥遊編に「鷦鷯巣₂於深林₁、不₂過₁一枝₁」とあるのに基づく。

9【営】12画 2757 教5 エイ いとな-む　1736 8963

火13【營】17画 2758 漢エイ 呉ヨウ(ヤウ) 庚 yíng　5159 9A7A

筆順 丶 丷 ⺍ 𭕄 𭕄 㐅 営 営 営

〔莒〕10081 俗字

字義 ❶いとな-む。㋐つくる。こしらえる。「造営」㋑はかる。計画する。工夫する。「営利」㋒おさめる(治)。㋓いそしむ。とり行う。仕事をする。「経営」❷いとな-み。しごと。しわざ。❸めぐる。めぐらす。＝縈(9295)。❹まどう。まどわす。みだれる。❺とりで。陣屋。「陣営」「兵営」❻くみ(組)。こわけ。❼清代の兵制の名。❽漢方医学の用語。食物から摂取するエネルギー。「営養」

名前 いえ・えい・のり・よし

解字 篆文 形声。宮＋熒省㊟。音符の熒は、夜の陣中にめぐらすかがり火の意。宮は、部屋の多い家屋の意。周囲にかがり火をめぐらせた陣屋の意味を表す。

逆 軍営・経営・公営・行営・自営・宿営・陣営・造営・屯営・幕営・兵営・本営・夜営・野営・柳営・露営

【営為(爲)】いとなむ。また、いとなみ。

【営宇】①すまい。住居。②宮室。建物。

【営営】①はげしく往来するさま。②せっせと働くさま。

【営衛(衞)】陣屋のまもり。

【営求】世話をする。苦労する。

【営救】人のために弁護する。また、さまざまな方法で人を困難から助け出す。

【営業】営利の目的で事業を行うこと。また、その事業。

【営窟】岩穴を造って住むこと。穴居。

【営私】自分の利益だけを考える。

【営室】①家屋をつくる。②星の名。二十八宿の一つ。今のペガサス座中の二星。

【営繕】いとなみつくろう。建物を新築したり、修繕すること。

【営造】家屋をいとなみつくる。普請する。造営。

【営中】①軍営の中。②国将軍のいる所。幕府。

【営田】①土地をたがやす。②屯田の制度で、ふだんは耕作し、事あるときは戦う。③流民を集め、宿舎を与え、官のために耕作させること。また、その田地。④国平安時代、官府が壮丁に耕作させた土地。公営田という。

【営△魄】たましい。一説に、営は熒で、まよえるたましいという。営魂。〔老子、十〕

【営養】生物が他から養分を取って生活力を維持すること。→栄養(七三〇ページ中)。

【営落】陣営。また、陣営と村落。

【営利】利益をはかること。金もうけ。

【営塁(壘)】とりで。軍営。

【営惑】まどう。まどわす。営或。

9【覚】12画 (11036) カク　見部。→一三九五ページ中。

10【誉】13画 (11214) ヨ　言部。→一三一七ページ中。

14【厳】17画 2759 教6 ゲン・ゴン おごそ-か・きび-しい　2423 8CB5

口17【嚴】20画 2760 人 漢ゲン 呉ゴン 塩 yán　5178 9A8E

筆順 ⺍ 㓁 产 产 岸 岸 岸 岸 厳

字義 ❶きび-しい。はげしい。ひどい。また、きびしくする。「厳寒」❷おごそ-か。いか-めしい。いか-つい。「壮厳」❸たっとい。たっとぶ。❹いましめる。いましめ。「戒厳」❺おそ-れる。尊重する。敬意を払う。用例〔史記、廉頗藺相如伝〕厳₂大国之威₁以修₂敬也。↓大国の権勢をおそれて、敬意を払う。❻父。↕慈(3564)。「令厳」「家厳」

名前 いかし・いず・いつ・いつき・いわ・いわお・かね・げん・こう・たか・つね・つよ・ひろ・よし 難読 厳原(いずはら)・厳根(いわね)・厳山(いずやま)・厳島(いつくしま)・厳美(いずみ)・厳(いつくしみ)・厳(いわみ)・厳木(きゅうらぎ)

参考 現代表記では〔儼〕(676)の書きかえに用いることがある。「儼然→厳然」

解字 金文 篆文 形声。吅＋㕫(音)。吅は、きびしくつじつまを合わせるの意味。のち、音符の㕫(カン)を付し、音を明らかにした。

逆 威厳・戒厳・家厳・謹厳・華厳・森厳・荘厳・尊厳・端厳・令厳

【厳威】(ゲンイ) ①きびしくたけだけしい。おごそかで威光のあること。②おそれつつしむ。厳畏(ゲンイ)。

【厳羽】(ゲンウ) 南宋(ナンソウ)の詩人。字(あざな)は儀卿(ギケイ)・丹邱(タンキュウ)。号は滄浪逋客(ソウロウホカク)。著書に『滄浪集』『滄浪詩話』などがある。

【厳家】(ゲンカ) 家風のきびしい家。

【厳戒・厳△誡】(ゲンカイ) きびしくいましめる。厳重に警戒する。また、きびしいいましめ。厳重な警戒。

【厳△恪・厳△愨】(ゲンカク) おごそかでつつしみ深い。▼恪は、つつしむ。

【厳格】(ゲンカク) 国きびしくただしい。厳正。きびしくて、過失や不正をゆるさない。

【厳寒】(ゲンカン) きびしいさむさ。酷寒。

【厳禁】(ゲンキン) きびしくさしとめる。また、厳重な禁止命令。

【厳君】(ゲンクン) 父を敬っていう語。厳父。また、父母の敬称。

【厳訓】(ゲンクン) おごそかなおしえ。きびしい教訓。

【厳潔】(ゲンケツ) おごそかであざやか。おごそかできよらか。また、きわめてきよい。用例〔杜子春伝〕厳潔非二常人居一(ゲンケツにしてジョウジンのキョにあらず)。↓それはおごそかで目にも鮮やかであり、とても普通の人の住まいではないようであった。

【厳△乎】(ゲンコ) きびしい、また、おごそかなさま。厳然。

【厳刻・厳酷】(ゲンコク) きびしくてむごい。また、非常にむごい。

【厳師】(ゲンシ) ①きびしい先生。厳格な師匠。②師を敬っていう語。

【厳粛(肅)】(ゲンシュク) おごそか。おごそかでいかめしい。おごそかでつつしみ深い。

【厳△峻】(ゲンシュン) おごそかできびしい。また、きびしい。峻厳。▼峻は、高くけわしい。

【厳△恕】(ゲンジョ) 厳格でありながら、しかも思いやりが深い。

【厳森】(ゲンシン) 身が引きしまるようにおごそかなこと。森厳。

【厳正】(ゲンセイ) ①きびしくただしい。厳格。②いかめしく、また、おごそかで端正。

【厳正中立】(ゲンセイチュウリツ) 国争っている人のどちらにも味方しない立場を守ること。

【厳切】(ゲンセツ) きびしい。非常にきびしい。

【厳然】(ゲンゼン) おごそかでおもおもしいさま。威厳があって犯しがたいさま。儼然(ゲンゼン)。

【厳霜】(ゲンソウ) ①きびしい霜。草木を枯らすほどの、ひどい霜。②刑罰などのきびしいこと。

【厳談】(ゲンダン) 国きびしくかけあう。厳重に談判する。また、強硬な談判。

【厳重】(一ゲンチョウ 二ゲンジュウ) 一①威厳があっておもおもしい。②たっとび重んずる。二国きびしい。いかめしい。

【厳程】(ゲンテイ) ①きちんときめられて、余裕のない日程。②期日を限られた旅行。また、その期限。③人の旅行の日程を問うのにいう語。▼厳は、尊敬の意を表す。

【厳冬】(ゲントウ) 寒さのきびしい冬。

【厳父】(ゲンプ) ①きびしい父親。②自分の父の敬称。

【厳法】(ゲンポウ) きびしいおきて。きびしい法律。

【厳密】(ゲンミツ) きびしく、すきまがない。

【厳命】(ゲンメイ) きびしく言いつける。また、きびしい命令。

【厳明】(ゲンメイ) おごそかで明らか。厳格で公明。

3画

尢(尣・兀) おうにょう(尢繞) まげあし

尣は四画。

〔部首解説〕 尢をもとにして、足や歩行が不自由であるという意味をもつ文字ができている。尣・兀は尢の異体字で、繞(ニョウ)の形になるときにもこの三体がある。ほかに尤(ユウ)の形も含め、部首に立てられる。

0 尢 四二四	4 尪 四二五	尨 四二五	12 尵 四二五
尣 四二四	尫 四二五	6 尮 四二五	15 尷 四二五
尢 四二四	尩 四二五	9 就 四二五	
1 尤 四二四	尬 四二五	尰 四二五	
3 尥 四二四	尨 四二五	10 尲 四二五	

0 【尢】 3画 2761 オウ(ワウ) 陽 wāng

〔尪〕2766 正字 〔尣〕2762 同字 〔尫〕2768 同字 〔尩〕2767 俗字

字義 ❶歩行の不自由な人。足の曲がった人。❷よわい。体が弱い。

解字 古文 篆文 象形。古文は、すねの曲がった人の形にかたどり、歩行が不自由な人の意味を表す。尪(2766)の古字。

0 【尣】 4画 2762 オウ 尢(2761)と同字。→四二四ページ中。 | 4761 — 2677

0 【尢】 3画 2763 一オウ(ワウ) 陽 wāng 二漢ユウ(イウ)・呉ウ 尤 yóu 一尢(2761)の俗字。二尤(2764)の本字。 | 5387 9B97 —

1 【尤】 4画 2764 人 標 漢ユウ(イウ) 呉ウ 尤 yóu | 4464 96DE —

筆順 一ナ尢尤

字義 ❶かけはなれている。特異である。突出している。すぐれている。また、最もすぐれたもの。用例〔唐、劉禹錫、天論〕人動物之尤者也(ひとはドウブツのユウなるものなり)。↓人間は動物の中で最もすぐれたものである。

❷もっとも(最)。はなはだ。とりわけ。用例〔史記、張丞相伝〕無レ所レ不レ通、而尤善二律暦一(ツウぜざるところなし、しかしてもっともリツレキをよくす)。↓(張蒼(チョウソウ)は学問が好きで)通じないものはなかったが、とりわけ楽律と暦法をよくした。

❸とが。とがめ。あやまち。過失。また、わざわい。災難。用例〔論語、為政〕多聞闕レ疑、慎言二其余一、則寡レ尤(おお(ほ)くききてうたがわ(は)しきをかき、つつしみてそのあまりをいえ(へ)ば、すなわ(は)ちとがすくなし)。↓たくさん聞いて、真偽のはっきりしない疑問の点は省いて残しておき、それ以外の(確実な)ことを口にすれば、過ちは少なくなる。

❹とが-める(とがむ)。過失を責める。また、うらむ。憎む。用例〔論語、憲問〕不レ怨レ天、不レ尤レ人(テンをうらみず、ひとをとがめず)。↓天をうらみもせず人をとがめもしない。

国もっと-も。㋐道理に合っている。全くその通り。㋑ただし(但)。とはいえ。

名前 あや・もと・ゆう

解字 甲骨文 篆文 指事。甲骨文でわかるように、手の先端に一線を付し、異変としてとがめるの意味を示す。

【尤異】(ユウイ) はなはだすぐれている。

【尤悔】(ユウカイ) とがめと悔い。

【尤隙】(ユウゲキ) いさかい。口論。

【尤最】(ユウサイ) もっともすぐれる。この上なくすぐれている。最上。

【尤物】(ユウブツ) ①すぐれた人物。また、すぐれてよいもの。②美人。美女。

3 【尥】 7画 2765 リョウ(レウ) 嘯 liào | — — 2678

字義 ❶足がもつれてよたよたする。❷足をからめる。
解字 形声。尢＋勹音。

4 【尩】 8画 2766 オウ 尪(2761)の正字。→四二四ページ中。 20814 — 2679

4 【尫】 7画 2767 オウ 尪(2761)と同字。→四二四ページ中。

4 【尪】 7画 2768 オウ 尪(2761)と同字。→四二四ページ中。 14762 — 2680

4 【尬】 7画 2769 カイ 卦 gà — — 2681

字義 尲尬は、㋐正しく歩けないさま。㋑食い違う。
解字 形声。尢＋介音。

4 【尨】 7画 2770 一 漢ボウ(バウ) 呉モウ(マウ) 江 māng, ②páng 二 漢ボウ・呉モウ 東 mēng
［尨］ 2771 俗字
字義 一 ❶むくいぬ。毛のむくむくと多い犬。❷大きい。＝厖(1225)。用例〔唐、柳宗元、三戒〕虎見レ之尨然大物也。↓一頭の虎がその驢馬を見つけたが、とても大きなやつであった。❸まじる。㋐毛髪に白髪がまじる。㋑いろんな色がまじる。 二 みだれる。
難読 尨毛
解字 甲骨文 篆文 象形。毛の多い犬にかたどり、むくいぬの意味を表す。尨を音符に含む形声文字に、厖がある。
【尨茸】 毛などがひどく入り乱れているさま。
【尨大】 非常に大きいさま。厖大。
【尨眉皓髪】 半白のまゆと、白い髪。老人をいう。

4 【尨】 7画 2771 ボウ 尨(2770)の俗字。→四二五ページ上。 5388 9B98 —

6 【尮】 9画 2772 タ 箇 duǒ — — 2682
字義 すねが曲がっていること。
解字 形声。尢＋朶音。

9 【就】 12画 2773 教6 シュウ・ジュ つ-く・つ-ける 漢シュウ(シウ)・呉ジュ 宥 jiù 2902 8F41 —
筆順 亠 亠 古 亨 京 京 就 就 就
字義 ❶つ-く。また、つ-ける。㋐つきしたがう。用例〔論語、学而〕就二有道一而正焉。↓道義を身につけた人につきしたがって、(善し悪しを)正す。㋑近づく。接近する。用例〔孟子、梁恵王上〕望レ之不レ似二人君一、就レ之而不レ見レ所レ畏焉。↓遠くからながめても人君らしいところがないし、近づいても畏敬の念をおこさせるところがない。㋒おもむく。そこへ行く。身を寄せる。用例〔孟子、告子上〕猶二水之就一レ下也。↓ちょうど水が低い方へ低い方へと流れおもむくようなものである。㋓とりかかる。従事する。職につく。用例〔三国志、魏志、田疇伝〕三府並辟、皆不レ就。↓三府がともに招聘したが、どこにも就任しなかった。㋔…し始める。…になりかかる。用例〔東晋、陶潜、帰去来辞〕三径就レ荒、松菊猶存。↓三本の小道は荒れはてようとしているが、松や菊はそれでもなお残っている。❷な-る〈成〉。な-す。できあがる。しあげる。用例〔史記、刺客伝〕軻自知二事不一レ就。↓荊軻は計画の失敗をさとった。❸すなわ-ち。すぐに。そこで。用例〔晋書、景帝紀〕就加二詔許一レ之。↓すぐに重ねて詔をくだしてそれを認めた。❹たと-い。もし。用例〔後漢書、荀彧伝〕就能破レ之、尚不レ可レ保。↓たとえ撃ち破っても、維持することはできない。
国 …につき。それゆえに。「不在に就き…」
名前 しゅう・なり・ゆき
使いわけ つく・つける〔付・着・就〕⇩付(201)。
解字 篆文 会意。京＋尤。京は高い建物の象形。尤は、犬の象形。高貴な人の家に飼われた番犬のさまから、つくの意味を表す。また、ある事がらが目的につくの意味から、なるの意味を表す。
逆 去就・成就
【就学(學)】 ①学問を始める。②学校に入る(入っている)。
【就義】 ①正しい道に従う。②身を殺して義に合わせる。義に赴いて死ぬ。
【就業】 ①仕事(また、学業)に従事する。②業をなす。仕事をなしとげる。
【就使】 仮に条件を設けていう語。就令。
【就日】 ①太陽の方に向く。太陽を慕って近づく。②天子を慕って来る。天子の近くに侍る。天子の徳を慕い仰ぐ。③月が太陽に蔽われる意。月と太陽との位置関係によって月の欠けた状態の時についていう。
【就将(將)】 学問や人格が日に月に進歩すること。「日就月将」の略。〔詩経、周頌、敬之〕
【就食】 ①食べに行く。②生活の資を得るために、移って行くこと。
【就△褥】 寝床に入る。就寝。▼褥は、しとね。
【就寝(寢)】 床につく。寝る。就眠。
【就世】 ①世を終える。死ぬ。▼就は、終。②世事につく。世俗に交わり、俗事に従事する。
【就正】 ①学徳の高い人について、自分の是非を問いただす。②正しいことにつき従う。③詩文の添削をたのむこと。
【就中】 その中でも。とりわけ。ことに。レ点を打って「なかんずく」と読むこともある。用例〔唐、白居易、琵琶行〕就中泣下誰最多、江州司馬青衫湿。↓中でも最も多く涙を流したのは誰であったか、(それはほかならぬ私で、)江州の司馬(私)の青い上衣は、涙でしっとりとぬれるのであった。
【就木】 死ぬこと。死んでひつぎの中にはいること。
【就養】 父母につきそって、孝養をすること。
【就令】 ＝就使。

9 【尰】 12画 2774 漢ショウ 呉ジュ 腫 zhǒng 20815 — 2683
字義 すねのはれる病気。足のむくむ病気。脚気の類い。
解字 形声。尢＋重音。

10 【尲】 13画 2775 漢カン 呉ケン 咸 gān — — 2684
［尶］ 852 同字 ［尷］ 2777 俗字
字義 尲尬は、㋐正しく歩けないさま。㋑食い違う。
解字 形声。尢＋兼音。

12 【尵】 15画 2776 漢タイ 呉ズイ(ヅイ) 灰 tuí — — 2685
字義 虺尵は、㋐病むさま。㋑馬の疲労するさま。
解字 形声。尢＋積省音。

15 【尷】 18画 2777 カン 尲(2775)の俗字。→四二五ページ下。 — — 2686

3画

尸 しかばね

〔部首解説〕 文字としては屍(死体)を意味するが、文字の要素としては、人体を表しているばあいが多い。その他、家屋や履き物に関する文字で尸がつくものがある。

0 尸 四二六	3 凥 四二七	尾 四二七	屖 四二九	屏 四二九	屑 四三〇	屛 四三〇	属 四三〇	層 四三一	14 屨 四三二
1 尹 四二六	尽 四二七	5 届 四二八	咫 二六三	屎 四二九	展 四三〇	屚 四三〇	屠 四三一	屢 四三二	15 屩 四三二
尺 四二六	4 局 四二七	居 四二八	屍 四二九	7 屓 四二九	8 屙 四三〇	9 犀 九二四	屡 四三一	12 屧 四三二	18 屬 四三〇
2 尻 四二六	尿 四二七	屈 四二八	屎 四二九	屐 四二九	屜 四三〇	屟 四三〇	11 屣 四三一	層 四三一	21 屭 四三二
尼 四二六	屁 四二七	6 屋 四二九	昼 六六三	屑 四三〇	屠 四三〇	孱 四三〇	鳲 一六六三	履 四三二	

0【尸】3画 2778 シ 囡 shī 5389 9B99 一

字義 ❶しかばね(屍)。死骸。用例〔十八史略、春秋戦国、呉〕夫差取二其尸一、盛以二鴟夷一投二之江一。↓夫差は子胥の遺体を取って、馬の皮で作った袋の中につめこみ、長江に投げこんだ。❷つらねる。並べる。さらす。❸死人のように、手足をだらりと伸ばしてあおむけに寝る。❹かたしろ(形代)。㋐祖先などを祀る時、その霊の代わりになる人。祀られる人の子孫がこれになる。㋑位牌。❺つかさどる。また、つかさ。❻おこたる。職責を全うしない。

解字 金文 篆文 象形。死んで手足を伸ばした人の象形で、しかばねの意味を表す。屍の原字。

【尸位素△餐】 その地位にいながら、責任をつくさず、むだに禄をもらっていること。▼尸位は、かたしろがその位置にいて動かないように、何もしないこと。素餐は、何もせずに食うこと。〔漢書、朱雲伝〕

【尸解】 道家の術の一つ。体だけをこの世に残して、魂だけが体外にぬけ去る術。

【尸△諫】 しかばねになっていさめること。衛の国の史魚が、主君の霊公をいさめるために、自分の死体をほうむらせず、ついにそのあやまちを改めさせた故事による。〔韓詩外伝、七〕

【△鞭レ尸】 死体をむち打って、深い恨みをはらすこと。〔史記、伍子胥伝〕

1【尹】4画 2779 標 イン(ヰン) 軫 yǐn 5390 9B9A 一

字義 ❶おさ-める(治)。つかさどる。❷ただす(正)。また、ただしい。❸つかさ(官)。また、おさ。長官。正台・左右京職の長官。かみ。国イン。弾

解字 甲骨文 篆文 象形。神聖な物を手にする形にかたどり、氏族の長の意味から、おさの意味を表す。尹を音符に含む形声文字に、君がある。また、むらがるの意味を共有するものに、群・郡・裙などがある。

【尹喜】 周代、秦の人。函谷関の役人の長で、老子が通ったとき、『道徳経』を授けられたという。

【尹文子】 書名。一巻。戦国時代の斉の尹文の著。主として道家の思想が述べられている。

1【尺】4画 2780 教6 漢セキ・呉シャク 陌 chǐ シャク 2860 8EDA 一

筆順 ㇕ コ 尸 尺

字義 ❶長さの単位。十寸。周代では、約二二・五センチメートル。日本では、約三〇・三センチメートル。鯨尺の一尺は、曲尺の一尺二寸五分、約三七・八センチメートル。❷ものさし。さし。「巻尺」❸ながさ。たけ。「縮尺」❹小さい。短い。わずか。「咫尺」❺年齢の二歳半。❻てがみ。「尺素」

名前 かね・さか・さく 難読 尺蠖・尺度

解字 篆文 象形。親指と他の四本の指との間を開いてはかる形とも、ひじの形ともいわれるが、人を横から見た形にかたどり、両足の間の長さ、歩幅くらいの長さの単位を表す。

逆 曲尺・縮尺・書尺・刀尺

【尺一】 天子のみことのり。詔勅。漢代、詔書を書くのに一尺一寸の木の板を用いたことによる。

【尺△蠖△之屈以求レ信△也】 しゃくとり虫のかがむのは、後でのびようとするためである。成功するためには、忍耐しなければならないたとえ。〔易経、繋辞下〕

【尺簡】 手紙。尺翰。→尺牘。

【尺材】 わずかな才能。

【尺書】 ①手紙。②短い文書。③書物。

【尺寸】 ①一尺か一寸の意。わずか。少し。用例〔史記、刺客伝〕秦法、群臣侍二殿上一者、不レ得レ持二尺寸之兵一。↓秦の法律では、臣下で殿上に仕える者は、ごく小さな武器さえも身に帯びることは禁止されていた。②ものさし。③のり。法度。

【尺寸△之功】 わずかばかりのてがら。

【尺素】 手紙。▼素は、絹。昔は絹に文字を書いた。

【尺沢(澤)△之△鯢】 小さい池にすむさんしょう魚。一説に、めだか。見聞のせまいたとえ。井底之蛙。〔戦国楚、宋玉、対二楚王問一〕

【尺度】 ①ものさし。②ながさ。寸法。

【尺△牘】 手紙。▼牘は、木札。昔、文字を書きつけた物の一つ。

【尺八】 笛の一種。竹を、根に近いところから、七節、一尺八寸の長さに切り、五孔(表に四つ、裏に一つ)をあけて縦にして吹く。

【尺兵】 短い兵器。

【△枉レ尺直レ尋】 八尺(尋)をまっすぐにするために一尺をまげる。大のために小を犠牲にするたとえ。〔孟子、滕文公下〕

2【尻】5画 2781 常 しり コウ(カウ) 豪 kāo 熟字訓 尻尾 3112 904B 一

筆順 ㇕ コ 尸 尸 尻

【凥】2783 俗字

字義 ❶しり。けつ。❷そこ(底)。根もと。物の地に着いている所。国しり。末の方。終わり。

難読 尻手

解字 篆文 形声。尸(尸)+九音。音符の九は、曲がって尽きる形にかたどる。人体のきわまりにある、しりの意味を表す。

2【尼】5画 2782 常 ニ あま 一漢ジ(ヂ)・呉ニ 囡 ní 二漢ジツ(ヂツ)・呉ニチ 質 nì 3884 93F2 一

筆順 ㇕ コ 尸 尸 尼

字義 一❶あま。出家して仏門に入った女性。比丘尼の略。転じて、カトリックの修道女をもいう。❷ちかづく。二❶ちかづく。❷とどめる。

名前 あま・さだ・ただ・ちか 難読 尼生・尼羅

解字 篆文 会意。尸(尸)+匕。尸も匕も、人の象形で、人と人とが近づき親しむの意味を表す。また、梵語を漢訳した比丘尼の略称、あまの意味をも表す。尼を音符に含む形声文字に、怩・昵・泥などがあり、これらの漢字は、「したしむ」の意味を共有している。

逆 禅尼・僧尼・摩尼

【尼山】 尼丘。尼丘山。山東省曲阜市の南東にある山。孔子の母がこの山に祈って孔子が生まれたという。それ

より、孔子は名を丘、字を仲尼という。〔史記、孔子世家〕

【尼僧(僧)】あま。女性の僧。出家した女性。

【尼父・尼△甫】孔子の尊称。▼尼は、孔子の字仲尼。

3【屄】6画 2783 コウ　4763 — —

屄(2781)の俗字。→四六ページ下。

3【尽】6画 2784 常 ジン つ-くす・つ-きる・つ-かす　3152 9073 —

3【盡】皿9 14画 2785 人 ㊀漢シン・呉ジン 軫jìn ㊁漢シン・呉ジン 軫jìn　6624 E1B6 —

筆順 フ コ 尸 尺 尽 尽

字義 ㊀❶つ-きる。㋐なくなる。終わる。きわまる。用例〔唐、王維、送別詩〕但去莫二復問一、白雲無二尽時一。↓立ち去りなさい、もう何もたずねまい。(君が行くあたりには)白い雲が湧いて尽きる時がないであろう。㋑死ぬ。命がつきる。

❷つ-くす。㋐なくす。すっかりとり去る。用例〔唐、王維、送三元二使二安西一詩〕勧レ君更尽一杯酒、西出二陽関一無二故人一。↓さあ君、もう一杯の酒を飲みほしたまえ。西に進んで陽関を出ると、もう古くからの友人はいなくなるのだ。㋑きわめる。究明する。用例〔呂氏春秋、明理〕五帝三皇之於レ楽、尽レ之矣。↓五帝三王は音楽について究明した。㋒すべてを出す。出しきる。「尽力」㋓皆殺しにする。用例〔左伝、閔公二〕雖レ欲レ勉レ之、狄可レ尽乎。↓いくら努力してみたところで、狄を全滅させることができましょうか。

❸ことごと-く。すべて。みな。用例〔史記、項羽本紀〕頭髪上指、目皆尽裂。↓髪の毛が逆立ち、まなじりが裂けるほどに目を見開いた。

❹つごもり。陰暦で、月の三十日を大尽、二十九日を小尽という。

㊁=儘(646)。❶できるだけ。可能な限り。用例〔礼記、曲礼上〕虚座尽レ後、食座尽レ前。↓飲食をしない場合にはできるだけ後ろにさがって座り、飲食をする場合にはできるだけ前に出て座る。

❷まかせる。用例〔唐、白居易、題二山石榴花一詩〕争及此花簷戸下、任二人采弄一尽二人看一。↓この花が軒先に咲きほこっているのを、人が採ったりめでたりするのに任せたり、人が眺めるのに任せているのには及ばない。

❸たとい。もし。用例〔唐、杜甫、朱鳳行〕願分二竹実一及二螻蟻一、尽使二鴟梟相怒号一。↓けらや蟻のたぐいにまで竹の実を分けてやろうと思う、たとえびやふくろうのような悪鳥を怒号させておくとしても。

名前 じん・みな

参考 現代表記では〔甚〕(7581)の書きかえに用いることがある。「蝕甚→食尽」

解字 甲骨文  篆文  会意。甲骨文は、聿+皿。聿は、はけを手にした形にかたどる。皿は、うつわの意味。うつわの中をはけではらってからにするさまから、つきるの意味を表す。篆文は皿+㶳音。常用漢字の尽は省略体による。盡を音符に含む形声文字に、燼などがある。

逆 傾尽・自尽・焼尽・大尽・不尽・無尽

【尽日】(ジンジツ) ①一日中。ひねもす。終日。②月の末の日。また、一年の最後の日。みそか。おおみそか。

【尽心】(ジンシン) ①心をつくす。精いっぱいやる。②心の本体をきわめる。

【尽信レ書、則不レ如レ無レ書】(ことごとくショをシンずれば、すなわち(は)ちショなきにしかず) 『書経』の記事には誤りもあるから『書経』に書いてあることを全部信用するようなら、いっそ『書経』がない方がましである。書籍を読むには批判力が必要であることをいう。〔孟子、尽心下〕

【尽△瘁】(ジンスイ) 全力をつくして労苦する。▼瘁は、病み疲れる。

【尽忠報国(國)】(ジンチュウホウコク) 忠義をつくして、国恩にむくいること。宋の忠臣岳飛は、この語を背中にいれずみしていたという。〔宋史、岳飛伝〕

【尽年】(ジンネン) 寿命を全うして死ぬこと。

【尽命】(ジンメイ) 生命をささげる。死ぬ。

【尽力】(ジンリョク) ①力をつくす。ありったけの力を出しつくす。②ほねをおる。せわをする。また、ほねおり。

4【局】7画 2786 教3 キョク 漢キョク・呉ゴク 因jú　2241 8BC7 —

筆順 フ コ 尸 月 局 局 局

字義 ❶くぎる。しきる。また、くぎり。しきり。❷つぼね。へや。❸役所。事務所。「当局」❹つとめ。職責。❺才能。度量。「器局」❻碁・将棋などの勝負・回数。「対局」❼事件の情勢や結果。「戦局」「時局」「結局」❽かがまる。曲がる。ちぢまる。せぐくまる。❾せまい。小さい。国つぼね。へやもちの女官。へやもちの遊女。

名前 ちか・つぼね・なか

解字 篆文  形声。尸(尺)+句音。尺は、人体の象形。音符の句は、曲げるの意味。背をまげるの意味を表す。また、區(区)に通じて、区切るの意味を表す。

逆 器局・棋局・結局・時局・終局・書局・政局・戦局・大局・当局・難局・破局・変局

【局外】(キョクガイ) ①囲碁の対局者以外の人。また、その位置。②その事に関係のない立場。また、その無関係な立場にある人。「局外中立」

【局限】(キョクゲン) 限る。しきる。また、限り。しきり。

【局所】(キョクショ) 国①全体の中の一部分。②身体の一部分。

【局勢】(キョクセイ) ①囲碁・将棋の勝敗の様子。②世の中や事件などのなりゆき・様子。

【局△蹐】(キョクセキ) 「局天蹐地」の略。

【局束・局促】(キョクソク) ①身をかがめ小さくなる。こせこせする。②ちぢまりせばまる。③びくびくして恐れる。

【局天△蹐地】(キョクテンセキチ) =局レ天蹐レ地(テンにせぐくまりチにぬきあしす)(三四九ページ下)。

【局面】(キョクメン) ①碁盤・将棋盤の面。また、その勝敗の様子。②事件のなりゆき。

4【尿】7画 2787 常 ニョウ 漢ジョウ(デウ)・呉ニョウ(ネウ) 嘯niào　3902 9441 —

筆順 フ コ 尸 尸 屎 尿 尿

字義 しと。いばり。ゆばり。小便。

難読 尿前(しとまえ)・尿瓶(しびん)

解字 篆文  会意。篆文は、尾+水。後尾から出る水、小便の意味を表す。

逆 利尿

4【屁】7画 2788 標 ヒ 寘pì　5391 9B9B —

字義 へ。おなら。

解字 形声。尸(尸)+比音。尸は、人のしりの意味。音符の比は、擬声語。

4【尾】7画 2789 常 ビ お 漢ビ・呉ミ 尾wěi,yǐ 熟字訓 尻尾(しっぽ)　4088 94F6 —

筆順 フ コ 尸 尸 尸 尾 尾

字義 ❶お。動物のしっぽ。❷うしろ。しりえ。すえ(末)。さき。おわり。「首尾」「尾行」❸つるむ。交尾する。❹星座の名。二十八宿の一つ。あしたれ星。❺魚を数える語。

名前 お・すえ・つぐ

難読 尾高(すえたか)・尾西(びさい)・尾鷲(おわせ)・尾

上・尾岱沼・尾道・尾籠・尾留満

解字 篆文 [篆文] 会意。尸(尸)＋毛。尸は、獣のしりの象形の変形したもの。毛を付し、毛のあるしっぽの意味を表す。

逆 魚尾・結尾・交尾・首尾・焼尾・竜尾

【尾行】 こっそりと、人の後をつけて行くこと。また、その人。

【尾生之信】 かたく約束を守って融通のきかないことのたとえ。春秋時代の魯の尾生が、女性と橋の下で会う約束をし、待っていたが女性は来ず、やがて川の水が増し、ついに橋の柱に抱きついて死んだという故事による。抱柱信。〔荘子、盗跖〕

【尾大不レ掉】 獣の尾があまりに大きいときは自力ではその尾をふるうことができない。上より下の勢力が強く制しがたいたとえ。〔左伝、昭公十一〕

【尾端】 ①尾のはし。②物のはし。

【尾藤二洲】 国江戸後期の儒学者。名は孝肇、字は志尹。良佐ともいう。二洲は号。寛政の三博士の一人。(一七四五—一八一三)

【尾聯】 漢詩で、律詩の最後の聯である第七句・第八句をいう。

【尾籠】 「おこ」の当て字「尾籠」の音読。国①礼を失すること。無作法。②きたない。けがらわしい。

【曳二尾於塗中一】 貧しくとも自由な生活をしていること。仕官して地位が高くなっても束縛されていることに対していう。占いに用いられる亀は死んで神亀として尊ばれるが、それよりも、泥の中に尾をひきずって生活している方が亀にとって幸福である、との寓話に基づく。〔荘子、秋水〕

【露レ尾蔵(藏)レ頭】 頭かくしてしりかくさず。悪事は、かくしたと思っても一方からすぐわかるたとえ。〔帰潜志〕

5 【届】 8画 2790 教6 とど-ける・とど-く

5 〔屆〕 8画 2791 カイ 国 jiè

3847 93CD —

5392 9B9C —

筆順 一 コ 尸 尺 吊 屈 届 届

字義 ❶ゆきなやむ。❷いたる(至)。きわまる。❷とどける。わたす。申し出る。国❶とどく。到着する。およぶ。❷とどける。わたす。申し出る。❸とどけ。役所などへ提出する文書。「出生届」

名前 あつ・ゆき

5 【居】 8画 2792 教5 キョ い-る

━ 漢キョ・呉コ 魚 jū

━ キ 因 jī

熟字訓 居士

2179 8B8F —

解字 篆文 [篆文] 形声。尸(尸)＋由(出)音。音符の出は、詣などに通じ、いたるの意味。いたる・きわまるの意味を表す。日本では、とどけるの意味に用いる。

筆順 一 コ 尸 尸 尸 居 居 居

字義 ━ ❶いる。おる。そこにいる。㋐すわる。腰をおろす。用例〔論語、陽貨〕居、吾語レ女。↓まあ、おすわり。わたしが話してあげよう。㋑とどまる。身をおく。住む。用例〔史記、項羽本紀〕沛公居二山東一時、貪二於財貨一、好二美姫一。↓沛公は、山東にいた時は、宝を貪り取り、美人を好んで近づけたものです。㋒役人にならず家にいる。用例〔東晋、束晳、補亡詩〕彼居之子、罔レ或二遊盤一。↓あの仕官せずに家におる者よ、遠くに出かけ遊びふけるようなことがあってはいけない。㋓ふだん。平常。日常。用例〔論語、先進〕居則曰、不二吾知一也。↓君たちは普段世の人々が自分をわかってくれないと言っている。㋔たつ(経)。時間が経過する。用例〔淮南子、人間訓〕居数月、其馬将二胡駿馬一而帰。↓数か月経ったのちに、その逃げた馬が、胡の地の名馬をひきつれて帰ってきた。❷おく。㋐おく(置)。住まわせる。用例〔礼記、王制〕度レ地以居レ民。↓土地を測量して人民を住まわせる。㋑つむ(積)。たくわえる。また、たくわえ。用例〔書経、益稷〕懋遷二有無一化レ居。↓天下に奨励して余分の物と不足の物とを交易し貯蔵物を交換させた。❸いどころ。すまい。「卜居」❹いながら。いながらにして。すわったままで。用例〔易経、繫辞下〕居可レ知矣。↓いながらにして知ることができる。❺うずくまる。＝踞(11739)。

━ や。か。疑問・呼びかけに用いる助字。用例〔詩経、邶風、柏舟〕日居月諸、胡迭而微。↓日よ月よ、どうしてかわるがわるに欠けるのか。

名前 い・おき・おり・さや・すえ・やす・より 難読 居初・居能

解字 金文 [金文] 篆文 [篆文] 形声。尸(尸)＋古音。尸は腰掛ける人の象形。音符の古は、固に通じ、しっかりするの意味。しっかりすわるの意味から、いるの意味を表す。

逆 安居・隠居・宴居・家居・寡居・間居・閑居・起居・窮居・群居・穴居・広居・巣居・端居

【居移レ気(氣)】 居所や境遇は人の気持ちを変える。〔孟子、尽心上〕

【居延】 地名。今の内モンゴル自治区の北西部の額済納旗(行政区画の一。県に当たる)。漢代、匈奴の侵入を防ぐ居延塞が築かれた。一九三〇年、スウェーデン人のスウェン・ヘディンにより、漢代の木簡(文字を記した木札)が多数発見された。

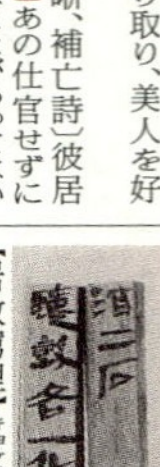

居延漢簡

【居敬窮理】 朱子学の学問修養の目標。▼居敬は、内的修養法で、心を専一にし反省して怠らず、常に起居動作に注意すること。窮理は、外的修養法で、広く事物の道理を窮めて正確な知識を得ること。〔南宋、朱熹、朱子語類、学三〕

【居恒(恆)】 つね。ふだん。▼恒は、つね。

【居士】 ①学徳がありながら、官に仕えずに家にいる人。処士。②雅号の下にそえる称号。③国㋐仏の信仰にはいった(僧でない)人。㋑法名の下にそえる、男性の称号。↕大姉(三三九㌻中)。

【居諸】 つきひ。太陽と月。年月。『詩経』の「日居月諸」の句から出た語。▼居・諸は、もと呼びかけの助字。

【居常】 ①道を守って変わらない。②つねづね。ふだん。居恒。

【居然】 ①すわって動かぬさま。物に動じないさま。②安らかなさま。③つれづれなさま。④そのままに。いながらに。

【居多】 多きにおる。大部分をしめる。

【居留】 ①一時的にその地にとどまり住むこと。②外国で、特別に定められた所に住むこと。

5 【屈】 8画 2793 常 クツ

漢クツ・呉クチ 物 qū

2294 8BFC —

筆順 一 コ 尸 尸 尸 尸 屈 屈

字義 ❶かが-む。かが-まる。かが-める。こご-む。㋐曲がる。曲げる。㋑ちぢむ。ちぢめる。㋒くじける。くじく。「不屈」 ❷へりくだる。服従する。「卑屈」 ❸つきる。つくす。きわまる。きわめる。 ❹つよい。「屈強」 難読 屈斜呂・屈惑

参考 現代表記では〔窟〕(8600)の書きかえに用いることがある。「理窟→理屈」

解字 金文 篆文 会意。尸(尾)+出。出は、くぼみの象形の変形したもの。くぼみに尾を曲げて入れるさまから、かがむの意味を表す。屈を音符に含む形声文字に、堀・崛・掘・窟などがある。

逆 詰屈・窮屈・退屈・盤屈・卑屈・不屈・偏屈・理屈

【屈起】 起き上がる。そびえ立つ。

【屈強・屈△彊】 力・勢い・意地などが強いこと。▼彊も、強。

【屈曲】 折れ曲がる。曲がりくねる。また、折り曲げる。

【屈原】 戦国時代、楚の王族。『楚辞』の代表的作家。名は平。原はその字。おとろえかけている国勢をもり返そうと努力したが、反対派の讒言によって退けられ、汨羅の淵に身を投げて死んだ。作品に「離騒」「九歌」「漁父」などがある。(前三四〇?―前二七八?)

屈原

【屈指】 ①指折り数える。②数多い中で、特にすぐれていること。

【屈膝】 ①=屈レ膝(七〇七ページ下)。②蝶番。

【屈従(從)】 身を曲げて従う。屈服。

【屈辱】 おさえつけられて恥辱を受けること。身を屈してはずかしめを受けること。

【屈伸・屈申・屈信】 かがむこととのびること。▼申・信も、伸。

【屈△宋】 屈原(四二九ページ上)とその弟子の宋玉(三九一ページ下)。ともに戦国時代、楚の文学者。

【屈託】 国①一つのことにこだわり、くよくよ心配すること。②くたびれて飽きること。③たいくつでこまること。

【屈致】 服従させ呼び寄せる。

【屈伏】 ①かがみふす。②=屈服。→屈服。

【屈服】 力が及ばないで従う。恐れ従う。◈「屈服」「屈伏」は同意。新聞用語が「屈服」に統一して以来、「屈服」が一般的。

【屈平】 =屈原。

【屈抑】 おさえつける。

6 【屋】 9画 2794 教3 オク や

オク(ヲク) 屋 wū 熟字訓 母屋・部屋

1816 89AE ―

筆順 一 コ 尸 尸 层 层 层 屖 屋

字義 ❶や。いえ。すみか。「家屋」 ❷やね。むね。「屋上」 ❸おおい。屋根のように物をおおう物。「黄屋」 国や。㋐商店の名や職業の名の下にそえる語。「質屋」 ㋑人。ややあなどる意の接尾語。「きどり屋」

名前 いえ・や・やか 難読 屋久

使いわけ や〔屋・家〕
「建物」を意味する場合は、〔屋〕〔家〕ともに用いる。「借屋・借家」
職業・商店や性質については、〔屋〕を用いる。「事務屋・酒屋・皮肉屋」

解字 篆文 会意。尸(尸)+至。尸は、居の省略形で、すまいの意味。至は、いたるの意味。人がいたるいえの意味を表す。屋を音符に含む形声文字に、幄・握・渥などがあり、これらの漢字は、「へや」の意味を共有している。

逆 華屋・金屋・高屋・場屋・廃屋・破屋・弊屋・漏屋

【屋宇】 家。すみか。

【屋△烏△之愛】 その人を愛するあまり、その家の屋根の上にとまるからすまで愛すること。偏愛することのたとえ。〔尚書大伝、周伝〕

【屋△檐・屋△簷】 家ののき。また、屋根。

【屋下架レ屋】 屋根の下にさらに屋根をつくる。人のまねをして、新味のない、何のねうちもないことをするたとえ。また、すでにあってそれ以上必要のないことを重ねて行うことのたとえ。屋上架レ屋。〔世説新語、文学〕

【屋舎】 家。屋宇。

【屋上架レ屋】 =屋下架レ屋。

【屋△椽】 屋根のたるき(椽)。

【屋△廡】 ①屋根。②のき。また、ひさし。

【屋△溜・屋△霤】 家の雨だれ。

【屋△廬】 家、すまい。

【屋漏】 ①室の西北のすみで、中霤の神(土神)を祭る所。家の最も奥深い暗い場所。②人の見ていない所。③屋根の雨もりすること。

【不△レ愧△二于屋漏△一】 人の居ない所においても恥ずべきことはしないこと。ひとりをつつしむこと。〔中庸〕

6 【屖】 9画 2795 サイ 犀(7158)と同字。→九二四ページ下。

6 【咫】 9画 (1461) シ 口部。→二六三ページ下。

6 【屍】 9画 2796 標 シ 支 shī

2751 8E72 ―

字義 しかばね。かばね。むくろ。なきがら。死体。「屍骸」

参考 現代表記では〔死〕(6009)に書きかえることがある。「屍体→死体」

解字 篆文 形声。死+尸(尸)音。音符の尸は、しかばねの象形。死は、しぬの意味。しかばねの意味を表す。

6 【屎】 9画 2797 標 シ 紙 shǐ

5393 9B9D ―

【桼】 2630 同字

字義 くそ。大便。「屎尿」

解字 形声。米+尸(尸)音。音符の尸は、死体の象形。米の死体、くその意味を表す。

6 【昼】 9画 (4720) チュウ 日・日部。→六六三ページ下。

6 【屏】 9画 2798 ヘイ 屛(2808)の簡易慣用字体。→四三〇ページ中。

5402 9BA0 ―

6 【屎】 9画 2799 国字

₂0816 ― ―

字義 つび。くぼ。女性器。

7 【屓】 10画 2800 キ 寘 xì

5394 9B9E ―

【贔】 2824 本字

字義 ❶力を出すさま。つとめるさま。また、力のあるさま。「贔屓」 ❷さかん。きびしい。 国贔屓は、特別に便宜をはかってやること。

解字 会意。尸(尸)+貝(贔)。尸は、人体の象形。贔は、財貨が多いさまを表す。財物をかかえこんでしまったさまから、気力をふるいおこすの意味を表す。「贔屓」は、力む時に出す声の擬声語。これを日本語では、「ひいき」と言い、自分が好意を持つ人に特別に力を入れるの意味を表す。

7 【屐】 10画 2801 慣ゲキ 漢ケキ・呉ギャク 陌 jī

5401 9B9F ―

字義 はきもの。木製のはきもの。げた・あしだの類い。「木屐」

解字 篆文 形声。履省+支音。履は、はきものの意味。音符の支は、枝わかれの意味。下に枝のように歯のあるはきもの、げたの

木屐

尸部 6▼7画 〔屋屖咫屍屎昼屏屓屐〕

意味を表す。
【不レ覚(覺)ニ屐歯(齒)折一】(ゲキシのおるるをおぼえず) 喜びのあまり、こおどりして、下駄の歯の折れたことにも気づかない。晋の謝安が囲碁の最中に戦勝の報を受け、碁が終わってからこおどりして喜んだときの故事による。〔晋書、謝安伝〕

7【屑】10画 2802 人 標 漢セツ 呉セチ 屑 xiè 2293 8BFB —

筆順 一 コ 尸 尸 屄 屑 屑 屑 屑 屑

【屑】2803 俗字

字義 ❶こせこせする。細かい。かるがるしい。❷いさぎよ-い(いさぎよし)。いさぎよしとする。❸かえりみる(顧)。心にかける。❹くず。小さい破片。「玉屑」「不屑之教誨(フセツのキョウカイ)」

名前 きよ・きよし・よし

解字 篆文 会意。尸(尸)+肖。尸は、人体の意味。肖は、小さいの意味。肉体をこなごなにする、こせこせするの意味や、心をくだく、心にかけるの意味や、小さいくずの意味を表す。

【屑屑】セツセツ ①こせこせするさま。また、落ちつかないさま。用例〔北宋、曾鞏、虞美人草詩〕英雄本学万人敵(エイユウもとまなぶバンニンのテキ) 何用屑屑悲二紅粧一(なんぞもちい(る)んセツセツとしてコウショウをかなしむを) ↓英雄(項羽)は、本来万人を相手とするものとして兵法を学んだ。くよくよと化粧した女性のことなど、どうして悲しむ必要があろうか。②雨などの細かく降るさま。
【屑然】セツゼン ①こまごまとして数の多いさま。②にわか。だしぬけに。③声のかすかなさま。一説に、つとめるさま。また、いさぎよいさま。

7【屑】10画 2803 セツ 屑(2802)の俗字。→四三〇ページ上。

7【展】10画 2804 教6 テン 3724 9357 — テン 銑 zhǎn

筆順 一 コ 尸 尸 屈 屏 屏 屏 展 展

字義 ❶ころがる。まろぶ。「展転」❷の-びる。広がる。進む。のびのびする。「進展」❸の-べる。の-ばす。広げる。並べる。「親展」❹ながめる。お参りする。「展望」「展墓」

名前 のぶ・ひろ・より

解字 篆文 形声。篆文は、尸(尸)+襄省音。音符の襄は、また、衣+㠭で、衣服に㠭をのせてのばしひろげるの意味。㠭は、重しとなる物の象形。尸は、のびた死体の象形。のばしひろげるの意味を表す。また、ひろげて見るの意味を表す。

【展開】テンカイ 逆 開展・伸展・親展・進展・発展 ①のび広がる。また、のばし広げる。②広く散らばる。③行きづまりの状態から一変してひらけること。
【展観(觀)】テンカン ①広げて見る。また、広げて見せる。②=展示。
【展示】テンジ ならべて見せる。「展示会」
【展転(轉)】テンテン 同 輾転。①(眠れずに)寝返りする。用例〔唐、白居易、長恨歌〕為レ感ニ君王展転思一(クンオウテンテンのおもい(ひ)にかんずるがために) 遂教二方士殷勤覓一(ついに(ひ)にホウシをしてインギンにもとめしむ) ↓道士は帝が夜も眠れずに楊貴妃を思っているという御心に感じ、部下の方士に命じて、ねんごろに(楊貴妃の魂のゆくえを)さがし求めさせた。②ついたりそむいたりする。③ころがるように急いで行く。
【展眉】テンビ 喜んでまゆをのばす。心配事がなくなること。
【展墓】テンボ 墓まいり。墓参。
【展望】テンボウ ①広く(遠く)ながめ渡す。②見晴らし。
【展覧(覽)】テンラン =展観。

8【屙】11画 2805 ア 歌 ē — — 2687

字義 厠(かわや)に行く。

解字 形声。尸+阿音。

8【屜】11画 2806 漢テイ 呉タイ 霽 tì — — 2689

字義 ❶靴しき。しきわら。❷引き出し。かけご。

解字 形声。履省+世音。

8【屠】11画 2807 ト 屠(2814)の俗字。→四三一ページ中。

8【屛】11画 2808 標 一 漢ヘイ 呉ビョウ(ビャウ) 青 píng 二 漢ヘイ 呉ヒョウ(ヒャウ) 梗 bǐng 19491 — —

【屏】2798 簡易

字義 一❶ついじ。かき。塀。❷ついたて。びょうぶ。おおい。目かくし。❸おおう。かくす。さえぎる。ふせぐ。二❶しりぞ-く(退)。さがる。かくれる。ひっこむ。❷しりぞ-ける(退)。さける。遠ざける。捨てる。除く。ひっこめる。ひそめる。❸おさめる(蔵)。しまいこむ。

参考 〔塀(塀)〕(2063)は、屛に土偏を加えた国字。

解字 篆文 形声。尸(尸)+并音。尸は、居の省略形で、すまいの意味。音符の并は、ならぶの意味。人を並べたような建築物、おおいの意味を表す。転じて、おおって中にあるものをかばい、他をしりぞけるの意味をも表す。

【屛帷・屛幃】ヘイイ ①ついたて。とばり。②室内。
【屛営(營)】ヘイエイ ①さまよう。うろうろする。兵盈(ヘイエイ)。②心うろたえて安んじないさま。恐れる様子。
【屛気(氣)】ヘイキ 息をひそめる。息を殺して恐れつつしむ。屛息。
【屛居】ヘイキョ ①家にひきこもる。②世をのがれてかくれ住む。
【屛語】ヘイゴ ひそひそ話。また、ひそひそ語る。
【屛除】ヘイジョ しりぞけのぞく。
【屛幛・屛障】ヘイショウ ①ふすま・ついたて・びょうぶの類い。②切り立った険しい山の形容。
【屛息】ヘイソク 息をひそめる。息をころしておそれつつしむこと。
【屛黜】ヘイチュツ しりぞける。
【屛当(當)】ヘイトウ 品物をかたづける。
【屛風】ヘイフウ・ビョウブ 室内に置いて、風を防いだり、仕切り・おおい・装飾などに用いる具。ついたて。
【屛蔽】ヘイヘイ さえぎり、おおう。かばいおおう。また、おおい守るもの。

8【屚】11画 2809 漢ロウ 呉ル 宥 lòu — — 2688

字義 もる。雨がもる。

解字 会意。尸(尸)+雨。

9【犀】12画 (7158) サイ 牛部。→九四二ページ下。

9【屟】12画 2810 ショウ 屧(2820)の俗字。→四三三ページ上。 20817 — —

9【孱】12画 2811 一 漢セン・呉ゼン 因 chān 二 漢サン・呉ゼン 刪 chán 5403 9BA1 —

字義 一二❶よわ-い(よわし)。また、おとる。❷つつしむ(謹)。❸ちいさい。小さいさま。

注意 『康熙字典』では、子部に所属する。

解字 篆文 会意。尸+孨。屋内に小さな子供たちが多くいるさまから、せまくるしいの意味を表す。

9【属】12画 2812 教5 ゾク 3416 91AE —

18【屬】21画 2813 一 漢ショク・呉ソク 沃 zhǔ 二 漢ショク・呉ゾク 沃 shǔ 慣ゾク 5404 9BA2 —

筆順 一 コ 尸 尸 居 居 属 属 属 属

字義 一❶つづ-く。つづ-ける(つづく)。㋐つらなる。連続する。用例〔後漢、馬融、長笛賦〕岡連嶺属(おかはつらなりみねはつづく)。↓山は連なり嶺は続く。

㋑つきしたがう。後続する。用例〔史記、項羽本紀〕騎能属者、百余人耳。↓ついて来た騎馬の士はわずか百人余りであった。

❷つく。つける。㋐くっつく。付着する。㋑身につける。おびる。

❸つづる。文章を作る。用例〔漢書、賈誼伝〕能誦二詩書一属レ文。↓『詩経』『書経』をそらんじ文章をつづることが上手であった。

❹つなぐ。結ぶ。❺およぶ。至る。

❻あつまる。あつめる。用例〔孟子、梁恵王上〕属二其耆老一而告レ之。↓長老たちを集めて告げた。

❼そそぐ。一点に集中する。注意する。「属目」「属レ耳」

❽すすめる。〈酒を〉勧める。そそぐ。つぐ。用例〔北宋、蘇軾、前赤壁賦〕挙レ酒属レ客、誦二明月之詩一、歌二窈窕之章一。↓酒をとって客人に勧め、『詩経』の明月の詩（陳風「月出」）を歌い、窈窕の章（周南「関雎」）を歌った。

❾頼む。委ねる。＝嘱（1708）。用例〔三国志、蜀志、諸葛亮伝〕召二亮於成都一、属以二後事一。↓諸葛亮を成都におよび、後事を託した。

❿いいつける。また、いましめる。

⓫ことよせる。口実にする。用例〔資治通鑑、斉紀〕常属レ疾不レ治レ事。↓いつも病気にかこつけて仕事をしなかった。

⓬たまたま。㋐ちょうど。まさに。用例〔唐、韋応物、秋夜寄二丘二十二員外一詩〕懐レ君属二秋夜一、散歩詠二涼天一。↓君のことを思っている今は、ちょうど秋の夜だ。ぶらぶらと歩を進め、涼しい空の下、詩を詠じている。

㋑ようやく。やっと。用例〔史記、留侯世家〕天下属安定、何故反乎。↓天下がようやく安定したというのに、どうして謀反などおこすのか。

⓭このごろ。近頃。

㊁❶たぐい。ともがら。種類。同類。「魚属」「金属」

❷やから。㋐一族のもの。家族。血族。用例〔史記、項羽本紀〕若属皆且レ為レ所レ虜。↓おまえの一族は、みな捕まってしまうぞ。

㋑部下。配下のもの。「官属」㋒仲間。同類のもの。

❸したがう。…のものになる。従属する。所属する。「隷属」「帰属」❹…である。

国さかん。昔の官制の第四等官。主典。

名前　さか・つら・まさ・やす

解字　篆文　形声。尾＋蜀音。音符の蜀は、つづくの意味。尾のあとにつづくの意味から、つらなるの意味を表す。常用漢字の属は俗字による。

逆　帰属・支属・私属・従属・親属・尊属・配属・卑属・付属・附属・隷属

【属意】ショクイ・ゾクイ　望みをかける。期待を寄せる。属心。

【属怨】ゾクエン　うらみを結ぶ。

【属厭・属饜】ショクエン　あきる。あきたりる。

【属官】ゾッカン　部下の役人。属吏。属僚。

【属国（國）】ゾッコク　①独立せず他国に付き従う国。属邦。②国を他人にゆだねまかせる。③国を放棄する。

【属耳】ショクジ・ゾクジ　（立ち聞きなどをするため、ふすまなどに）耳を付ける。耳をそばだてる。注意して聞こうとすること。

【属辞（辭）比事】ゾクジヒジ　春秋の経文における類似の言葉や事件を合わせつらねて、帰納的に褒貶の意を明らかにすること。春秋の筆法の一つ。

【属車】ゾクシャ　①天子のそえ車。副車。佐車。②天子。

【属者】㊀ゾクシャ　付き従う人。㊁このごろ　近ごろ。

【属心】ショクシン・ゾクシン　＝属意。

【属性】ゾクセイ　そのものが本来もっている性質。

【属籍】ゾクセキ　①戸籍。②宗族の名籍。一門に所属している戸籍。③図籍（地図と人民の戸籍などの帳簿）を付託する。

【属託】ショクタク・ゾクタク　①たのむ。たのみ。②国（嘱託）事務などの担当を頼むこと（人）。

【属文】ショクブン・ゾクブン　文章をつづる。文を作る。

【属望】ショクボウ・ゾクボウ　望みをかける。期待を寄せる。

【属目】ショクモク・ゾクモク　①目をそそいで（注意して）見ること。属レ目。②国目にふれること。「属目吟」

【属吏】ゾクリ　①部下の役人。②地位の低い役人。

【属僚・属寮】ゾクリョウ　地位の低い役人。下役人。属吏。

【属鏤】ショクル　春秋時代、呉王が伍子胥に自殺を命じた時に与えた名剣の名。〔史記、伍子胥伝〕

9
【屠】12画　2814　標　漢ト　呉ズ（ヅ）　虞　tú　3743　936A　—

【屠】2807 俗字

字義　❶ほふる。㋐牛馬などを殺す。「屠殺」㋑虐殺する。皆殺しにする。㋒敵の城（町）をおとし人民を殺す。城を攻め滅ぼす。❷さく（割）。牛馬などの肉を裂いてばらす。

解字　篆文　形声。尸（尸）＋者音。尸は、しかばねの象形。音符の者は、多く集まるの意味。死体が多く集まる、牛馬などを殺すの意味を表す。

【屠狗】トク　犬を殺す。また、それを生業とする者。屠児。

【屠沽・屠酤】トコ　畜類を殺し、また、酒を売ることを生業とする者。屠戸と売酒者。

【屠宰】トサイ　死刑にする。屠殺する。料理する。

【屠殺】トサツ　肉や皮をとるために牛馬など家畜を殺すこと。

【屠肆】トシ　①牛馬などを殺して売る店。肉屋。②殺して肉をさらす。

【屠者】トシャ　牛馬などを解体する人。〔戦国策、韓〕

【屠所之羊】トショのひつじ　屠殺場に連れて行かれる羊。死が目前に迫っている人のたとえ。また、人生のはかないことのたとえ。うちしおれた様子にもいう。〔涅槃経〕

【屠蘇】トソ　さんしょうなどを混ぜた薬の名。正月一日にこれを酒に入れてのめば、病を除くという。

【屠中】トチュウ　牛馬などを解体する人の仲間。〔史記、淮陰侯伝〕

【屠釣】トチョウ　畜類を殺し魚を釣る。卑しい者をいう。

【屠販】トハン　獣を殺して売る。また、それを生業とする者。屠販児。

【屠腹】トフク　腹を切って自殺すること。切腹。

【屠戮】トリク　ほふりころす。ころす。

【屠竜（龍）之技】トリュウのギ　竜を殺す技術。世の中の役に立たない妙技のたとえ。〔荘子、列禦寇〕

9
【屢】12画　2815　ル　屢（2819）の俗字。→四三三ページ上。　2840　8EC6　—

11
【屣】14画　2816　シ　紙　xǐ　20818　—　2691

字義　❶はきもの。❷つっかける。ぞうりなどを引きずる。

解字　形声。徙＋尸音。

11
【鳲】14画　（14190）　シ　鳥部。→一六三三ページ下。

11
【層】14画　2817　教6　ソウ　3356　9177　—

12
【層】15画　2818　人　漢ソウ　呉ゾウ　蒸　céng　14765　—　—

筆順　一　コ　尸　尸　屌　屌　層　層　層

字義　❶かさなる。また、かさなったもの。かさなり。「断層」❷たかどの（高殿）。二階以上の建物。❸階段。階級。

解字　篆文　形声。尸（尸）＋曽（曾）音。尸は、居の省略形で、すまいの意味。音符の曾は、積み重なるの意味。屋根の積み重なった、たかどのの意味を表す。転じて、一般に、かさなるの意味をも表す。

逆 一層・階層・下層・九層・高層・断層・地層

【層雲】ソウウン 幾重にも重なっている雲。

【層閣】ソウカク たかどの。二階以上の建物。層楼。

【層△榭】ソウシャ 幾階も重ねた高い台。

【層△嶂】ソウショウ 重なりつらなった峰。

【層畳(疊)】ソウジョウ 幾重にも積み重なる。層累。層重。

【層層】ソウソウ 幾重にも重なっているさま。

【層△巓】ソウテン 重なった山のいただき。

【層氷】ソウヒョウ 重なってはった厚い氷。

【層△巒】ソウラン 重なり連なっている山。

【層楼(樓)】ソウロウ 幾階にも重なったたかどの。高い楼閣。

11 【屢】14画 2819 標 ル 遇 lǚ 14764 ― 2690

【屡】2815 俗字

字義 ❶しばしば。たびたび。くりかえし。❷わずらわしい。

解字 篆文 形声。尸(尸)+婁音。音符の婁ロウは、しばしばするの意味。尸も、のびつらなるの意味。しばしば・くりかえしの意味を表す。

12 【屧】15画 2820 ショウ(セフ) 葉 xiè 20819 ― 2692

【屟】2810 俗字

字義 ❶くつしき。靴の底皮。❷木ぐつ。木げた。

解字 形声。尸(履省)+葉音。

12 【層】15画 (2818) ソウ 層(2817)の旧字体。→四三一ページ下。

12 【履】15画 2821 常 リ はく 4590 979A ―

リ 紙 lǚ 熟字訓 草履ぞうり

筆順 [stroke order] 履

字義 ❶はきもの。㋐はきものの総称。㋑くつ。❷はく。くつをはく。❸ふむ。㋐足でふむ。ふみつける。㋑その位置につく。㋒歩く。行く。㋓おこなう。経験する。「履歴」❹おこない。行為。❺領土。ふみ歩く土地の意。❻易エキの六十四卦カの一つ。☱☰兌下乾上ダカケンショウ。ふみ進むかたち。

名前 さき・ふみ

解字 篆文 会意。もと尸(尸)+彳+夂+舟。尸は、人の象形。彳は、道の象形。夂は、下向きの足の象形。舟は、はき物の象形。のち、この舟の部分が変形した。人が道を行くときにはく、はき物の意を表す。

逆 珠履・糸履・践履・草履・弊履・木履

【履行】リコウ ふみ行う。実際に行う。

【履新】リシン ①新しきをふむ。新年をいう。履端。②官吏が新しく赴任すること。

【履践(踐)】リセン ふみ行う。

【履△祚】リソ 天子の位につく。即位。践祚。

【履霜△之戒】リソウのいましめ 前兆を見たら、やがてくる災害に対してあらかじめ用心せよといういましめ。『易経』の「履霜堅氷至しもをふんでケンピョウいたる」に基づく語。〔易経、坤〕

【履端】リタン ①暦を定める原点とする。朔サクと冬至との合する所を定めて暦を推算する始めとすること。②暦の初め。元旦ガンタン。新年。

【履道】リドウ ①ふみ行う道。②正しい道をふみ行う。

【履氷】リヒョウ 薄い氷をふむ。危険をおかすたとえ。

【履約】リヤク ①倹約の道を行う。②約束を履行する。

【履歴(歷)】リレキ 今までに経てきた地位・職業・学業などの次第。経歴。

14 【屨】17画 2822 ク 遇 jù 20820 ― 2693

字義 ❶はきもの。㋐はきものの総称。㋑革ぐつ。㋒麻製のくつ。㋓粗末なくつ。❷はく。❸ふむ。足でふむ。また、その位置につく。

解字 篆文 形声。尸(履省)+婁音。履リは、はきものの意味。

15 【屩】18画 2823 漢キャク 呉カク 薬 juē 20821 ― 2694

字義 ❶くつ。麻で作ったはきもの。❷くつしき。しきわら。

解字 形声。尸(履省)+喬音。

18 【屬】21画 (2813) ゾク 属(2812)の旧字体。→四三〇ページ下。

21 【屭】24画 2824 キ 屓(2800)の本字。→四二九ページ下。 ― ― 2701

3画 屮(屮) てつ めばえ

〔部首解説〕屮テツは、草の芽生えを表し、これを重ねて艸ソウ(艹くさかんむり)の原字。草)・芔キ(卉の本字)。多くの草のように草を表す文字ができている。

0 【屮】3画 2825 ㊀漢テツ 呉テチ 屑 chè 14766 ― ―

㊁ソウ(サウ) 晧 cǎo

字義 ㊀め(芽)。めばえ。また、めばえる。めぐむ。㊁艸(9789)の古字。

解字 金文 篆文 象形。草のめばえた形にかたどる。

0 【屮】3画 2826 サ 哿 zuǒ 5405 9BA3 ―

【ナ】4 同字

字義 ひだり。左の手。＝左(3059)。

解字 甲骨文 篆文 象形。左手の形にかたどり、ひだりの意味を表す。左の原字。

1 【屯】4画 2827 常 トン 3854 93D4 ―

㊀漢トン・呉ドン 元 tún ㊁チュン 真 zhūn

筆順 [stroke order] 屯

字義 ㊀❶たむろする。㋐一か所に集まる。㋑集まりとどまって守る。「駐屯」❷たむろ。集まり守っている場所。また、その集団。❸つらねる。つらなる。㊁❶なやむ(悩)。苦しむ。❷易の六十四卦カの一つ。☳☵震下坎上シンカカンショウ。険しくて行きなやむかたち。国トン。tonの音訳。噸トン。

名前 たむろ・みつ・むら・より

難読 屯家みやけ・屯倉みやけ・屯田たみ

解字 金文 篆文 象形。金文でよくわかるように、幼児が髪をたばね飾った形にかたどり、多くのものをたばね集める、たむろするの意味を表す。金文では、のちの純の意味で用いられることが多く、まじりけのない美しい飾りの意味を表す。

逆 雲屯・駐屯

【屯営(營)】トンエイ 兵士が集まって守っている所。陣営。屯所。

【屯衛(衞)】トンエイ たむろして守る。また、その人・場所。

【屯騎】トンキ ①駐屯している騎兵。②多くの騎兵。③お供の騎兵。

【屯険(險)】チュンケン ①けわしくて行きなやむ。②けわしさ。困難。

【屯△蹇】チュンケン ＝屯困。

【屯困】チュンコン ①なやみ苦しむ。②なやみ。苦しみ。

【屯△戍】トンジュ たむろして守る。また、その兵士・陣営。

【屯所】トンショ ＝屯営。

【屯△邅・屯△亶】チュンテン 行きなやむさま。また、ふしあわせ。

【屯田】トンデン 兵士が、平時は農耕に従事し、事変があると武器を取って守ること。また、その田地・兵士。「屯田兵」

【屯屯】㊀トントン ①集まっているさま。②誠実なさま。㊁チュンチュン 苦しむさま。

【屯難】チュンナン ①なやみ苦しむ。②時運や国家の困難。

3 【屰】 6画 2828 ㊀㊥ゲキ・㊦ギャク 陌 nì ㊁㊥ハク・㊦ヒャク 陌 pò ₂0822 — 2702

字義 ㊀❶さか-らう(さからふ)。さか。❷ふたつの枝のあるほこ(戟ゲキ)。㊁＝覇(13262)。

解字 甲骨文 篆文 象形。甲骨文でわかるように、人をさかさまにした形にかたどり、さからう・不順の意味を表す。屰の意味と音符を含む形声文字に、愬サク・槊サク・朔サク・逆・塑ソ・遡ソなどがある。

6 【𡴭】 9画 (9801) キ 艸部。→一一九四ページ中。

7 【蚩】 10画 (10509) シ 虫部。→一三五四ページ中。

15 【巂】 18画 (13202) ケイ 隹部。→一五二八ページ中。

3画

山 やま・やまへん

〔部首解説〕山を意符として、いろいろな種類の山や、山の名を表す文字などができている。

0 【山】 3画 2829 ㊥サン・㊦セン 刪 shān 教1 サン やま 熟字訓 山車だし・築山つきやま 2719 8E52 —

筆順 丨 山 山

字義 ❶やま。また、山の形をしたもの。「火山」「氷山」❷はか(墓)。つか。❸寺院。「山門」国やま。㋐物事の頂点・重点。㋑万一の幸運をねらって行う冒険的な行為。「山をはる」㋒昔、特に比叡山ヒエイザンをいう。

名前 さん・ざん・たか・たかし・のぶ・やま 難読 山桜桃ゆすらうめ・ゆすら・ひざくら・山科やましな・山家やまえ・やんべ・山香やまが・山谷さんや・やつえ・やまがい・山葵わさび・山峡やまかい・山県やまがた・山査子さんざし・山樝子さんざし・山梔子くちなし・山車だし・だんじり・山雀やまがら・山女あけび・やまめ・山女魚やまめ・山賤やまがつ・山鼠やまね・山茶つばき・山都やまと・山刀なた・山背やましろ・山脈やまなみ・山毛欅ぶな・山門やまと・山羊やぎ・山楝蛇やまかがし・山鹿やまが

解字 金文 篆文 象形。山の形にかたどり、やまの意味を表す。

逆 開山・家山・寒山・関山・帰山・丘山・仰山・玉山・銀山・空山・江山・孤山・故山・湖山・出山・青山・雪山・仙山・泰山・築山・治山・道山・入山・半山・芳山・本山・満山・遊山・連山

【山阿】サンア 山の入りこんだ所。山のくま。山の奥。

【山靄】サンアイ 山のもや。

【山陰】サンイン ①山の北側。山の日の当たらない方。↕山陽。②国「山陰道(中国地方の日本海側の地域)」の略。

【山雨欲来(來)風満(滿)楼(樓)】サンウきたらんとほっしてかぜロウにみつ 山からの雨が降りこもうとして、まず一陣の風が楼いっぱいに吹き込んで来た。事件が起ころうとする前、何となくおだやかでない形勢がただようたとえ。〔唐、許渾、咸陽城東楼詩〕

【山煙】サンエン 山にかかっているもや。山靄サンアイ。

【山家】㊀サンカ やまが。山中の家。㊁サンケ 仏天台宗の正系(比叡山ヒエイザンの延暦寺エンリャクジ)をいう。

【山歌】サンカ いなかの歌。ひなびた歌。きこりの歌など。

【山窩】サンカ 国定住せず、山奥などにテントを張って自然人のような生活をする漂泊民。

【山河】サンガ・サンカ ①山と川。やまかわ。また、自然のありさま。②世の中。また、その移り変わりのたとえ。③遠くへだたっているたとえ。④永久不変のたとえ。⑤大きいたとえ。

【山海関(關)】サンカイカン 関所の名。河北省の東北部、秦皇島シンコウトウ市の東北。昔の渝ュ関。万里の長城の東端にあたり、古来、要害の地として知られた。

山海関

【山海経(經)】書名。十八巻。著作・成立年代不詳。中国古代の地理書で、神話や伝説なども多く載せられている。

【山海珍味】山や海の珍しい食品。大変なごちそう。

【山郭】山べの村。山村。▼郭は、村里をかこんでいるくるわ(土や石で築いたへい)。用例(唐、杜牧、江南春詩)千里鶯啼緑映レ紅、水村山郭酒旗風 ↓広々とした江南地方には、うぐいすが鳴き、柳の緑が桃の紅に照りはえ、水辺の村里、山辺の村里には、居酒屋の目印の旗が風になびいている。

【山岳(嶽)】①山。②永久不変の形容。③大きい形容。④重い形容。⑤高い形容。また、ひいでている形容。

【山△澗】たにがわ。谷川。

【山気(氣)】[一]①山の(ひえびえとしてさわやかな)空気。山のけはい。用例(東晋、陶潜、飲酒詩)山気日夕佳、飛鳥相与還 ↓山のたたずまいは夕暮れにすばらしく、飛ぶ鳥は、つれだって(山のねぐらに)帰ってゆく。②山にただよう(たちこめる)もや。[二]国投機・冒険を好む心。

【山鬼】山中の怪物。

【山崎闇斎(齋)】国江戸前期の儒学者。名は嘉。闇斎は号。京都の人。江戸で数千人の門人に教えた。朱子学のほかに神道を学び、垂加神道を創始した。(一六一八—一六八二)

【山△祇】山の神。やまつみ。

【山居】山中に住む。また、山中の住居。

【山峡(峽)】山と山との間の谷あい。山のはざま。やまかい。

【山△禽】山の中の鳥。山鳥。

【山隅】山のすみ。山のふもと。

【山光】山のかがやき(色・景色)。

【山行】①山を行く(歩く)。②山歩き。山遊び。山登り。

【山△肴・山△蔌】山に産する、酒のさかな。わらび・たけのこなど。▼肴・蔌は、酒のさかな。

【山谷△之士】世をのがれて山中に住む人。

【山骨】①山の表に現れているごつごつした岩石。②山の真髄。

【山妻】山家(いなか)育ちの妻。自分の妻の謙称。

【山△砦・山塞・山△寨】山上のとりで。

【山斎(齋)】①山中のいこいの室。②山中の書斎。


【山紫水明】国山が紫色で水が清らか。山川のけしきの清らかで美しいこと。頼山陽が京都東山の紫色と賀茂川の清らかなことをほめて言った語。

【山車】[一]めでたいきざしの一つ。自然に円く曲がった木でできた車。天下太平の時、山に現れるという。[二]国祭りに、山や岩などのかざり物をつけて引く車。だんじり。

【山△岫】①山のいただき。②山のほら穴。

【山△椒】①山頂。②落葉低木の一つ。香り高く、香料・薬用に用いる。

【山上有レ山】出の字の隠語。山の上に山がある意。〔玉台新詠、古絶句四首〕

【山色】山の色。山のけしき。

【山人】①世をのがれて山中に住んでいる人。山客。②雅号にそえていう語で、雅号の一部をなす。「漁洋山人」③昔の官名。山林をつかさどる官。

【山水】①山と水。また、山川のけしき。山川。②山からでる水。③山水画。風景画。④築山と池のある庭園。

【山吹】[一]山から吹く風。[二]国①バラ科の低木。初夏に黄金色の花を開く。②大判・小判の金貨。③金銭の別名。

【山西】①山の西側。②陝西省の華山以西の地。③太行山脈から西の地。昔の晋、今の山西省の地。④省名。太行山脈の西にあるのでいう。省都は太原市。

【山精】①山の神。②山中の怪物。

【山積】山のようにつみ重なる。物や仕事の多いたとえ。

【山荘(莊)】山中の別荘。

【山△藪】①山と沢。山沢。一節に、沢のある山。②山野にいて仕えないこと。在野。

【山沢(澤)】山や沼地。山水・山野の自然。

【山茶花】木の名。ツバキ科。秋から冬にかけて花を開く。「サザンカ」は、「サンサカ」の転音とも、「茶山花」と誤読したともいう。

【山中宰相】①山中に隠退していながら、国家の大事には相談を受けている人物。〔南史、陶弘景伝〕②宰相になる才能を持ちながら、空しく山中にくらしている人物。〔宋史、鄧孝甫伝〕

【破二山中賊一易、破二心中賊一難】山賊を打ち破るのはやさしいが、私心・欲心を打ち破るのはむずかしい。精神修養のむずかしさを言った、明の王陽明の語。〔陽明全書、一〕

【山長水遠】①山や川が遠く連なっていること。②永遠に続くたとえ。③遠く隔たっているたとえ。

【山亭】①山中のあずまや。②山中の宿屋。

【山△顛・山△巓】山のいただき。山頂。

【山東】①山の東側。②函谷関から東の地方。③戦国時代の燕・斉・楚・韓・魏・趙の六国の地。④太行山脈から東の地。また、中国の東半分の地一帯をさす。⑤省名。中国の東部、黄河の下流域に位置する。東は黄海・渤海に臨む。省都は済南市。

【山△濤】西晋の詩人。竹林の七賢の一人。老荘の思想を好んだ。(二〇五—二八三)

【山堂】山の家。山荘。用例(木戸孝允、偶成詩)山堂夜半夢難レ結、千岳万峰風雨声 ↓山荘に夜半眠れずにいると、多くの山々には風雨が吹きすさび、激しい音をたてている。/〔菅茶山、冬夜読レ書詩〕雪擁二山堂一樹影深、檐鈴不レ動夜沈沈 ↓雪が山中の家を埋めつくして、木々の影がくろぐろと奥深い。軒端につるしたままになっている風鈴は、静かに垂れていて、夜はしんしんと更けてゆく。

【山童】山中に育った子ども。山に住んでいる子ども。

【山扉】山中の家のとびら。転じて、山中の家。

【山伏】[一]山の中にかくれる。[二]国山野に起居して神仏の道を修行する人。修験者。

【山腹】山の頂上とふもとの中ほど。山の中腹。

【山房】①山中の別荘・家・寺院・書斎。②人名や号などの下に添え、その人の書斎の意を表す。「漱石山房」

【山本北山】国江戸後期の儒学者。名は信有。北山は号。性霊説を主張し、漢詩文に大きな影響を与えた。(一七五二—一八一二)

【山門】①山中の門。②寺の楼門。③禅宗の寺院。④国比叡山延暦寺(天台宗)の別称。↕寺門(四一一ページ上)。

【山野】①山と野原。山や野原。②いなか。③いなかじみて、洗練されていないこと。

【山容】山のすがた。山態。

【山陽】①山の南側。▼陽は、山の南、川の北。↕山陰。②終南山・太華山の南の地。山南の国。③国㋐「山陽道(中国地方の瀬戸内海側の地域)」の略。㋑頼襄の号。→頼山陽(一五六一ページ上)。

【山陽詩△鈔】国書名。八巻。江戸時代の儒学者頼山陽の漢詩集。

【山△梁】①山間のかけ橋。②雉の別名。

【山陵】サンリョウ ①山岳と丘陵。山とおか。②高原。③天子の墓(土を積んだ塚)。みささぎ。
【山鹿素行】やまがソコウ 国江戸前期の儒学者・兵学者。会津あいづ(今の福島県)の人。『聖教要録』を著して朱子学を非難し、赤穂あこうに流された。後、許されて江戸に帰り、日本的儒学と武士道の体系づくりを行った。(一六二二～一六八五)
【山麓】サンロク ①山のふもと。②ふもとの林。

0【屮】3画 (2826) サ 屮部。→四三三ページ下。

1【⿰山乙】4画 2830 漢アツ 呉エチ 黠 yà 2 0823 — —
字義 ❶山のくま。山の屈曲した所。❷土が固まる。❸かすか。暗くてはっきりしない。
解字 形声。土＋乚(乙)音。

1【乢】4画 2831 国字 5406 9BA4 —
字義 たわ。たお。峠とうげ。中国地方の地名に多く用いられる。＝嵶(2988)・垰(1968)。
参考 「たわ・たお」は、山の尾根がたわんで低くなった所、峠の意味で、中国地方の地名に多く使われる。ほかに嵶・垰・峠とも書かれ、いずれも国字。⇩〔峠〕(2897)の参考。
解字 会意。山＋乚。乚は曲がるの意味。山のくまの意味を表す。山の頂上のたわんだように見える所、たわの意味をも表す。

2【屵】5画 2832 一漢ガツ・呉カチ 曷 è 二漢ゲン・呉ゴン 阮 yǎn — — 2704
字義 一❶岸が高い。❷山の高いさま。二仰ぐ。
解字 形声。山＋厂音。

2【出】5画 (859) シュツ 凵部。→一七〇ページ上。

2【屴】5画 2833 漢リョク 呉リキ 職 lì, lè — — 2703
字義 ❶屴崱リョクショクは、山が高く険しいさま。❷態度がまじめである。
解字 形声。山＋力音。

2【屶】5画 (878) なた 刀部。→一七五ページ上。

3【屽】6画 2834 ガン 岸(2859)の俗字。→四三六ページ中。 — — 2708

3【屺】6画 2835 キ 紙 qǐ 1 4768 — 2705
字義 はげやま。はだか山。草木のない山。↕岵(2866)。
⇩〔岵〕(2866)の参考。
解字 形声。山＋己音。

3【屹】6画 2836 標 漢ギツ・呉ゴチ 慣キツ 物 yì 5408 9BA6 —
字義 ❶そばだつ。また、そばだつさま。直立しているさま。❷たかい。けわしい。
解字 形声。山＋乞音。音符の乞キツは、高くわきあがる雲の意味。山のそばだつさまを表す。
【屹屹】キツキツ そびえ立つさま。また、高大なさま。
【屹然】キツゼン ①そびえ立つさま。②きちんと立つさま。③ものに屈せぬさま。
【屹度】キット 国「きっと」の当て字。㋐厳しいさま。㋑必ず。
【屹立】キツリツ ①そびえ立つ。②きちんと立つ。

3【屼】6画 2837 漢ゴツ・呉ゴチ 慣コツ 月 wù 2 0825 — 2707
字義 ❶はげやま。❷はげやまのさま。
解字 形声。山＋兀音。音符の兀ゴツは、高くて上がのっぺりしているの意味。はげやまの意味を表す。

3【岀】6画 2838 シュツ 出(859)の俗字。→一七〇ページ上。 — — —

3【岃】6画 2839 漢ジン 呉ニン 震 rèn — — 2706
字義 山が高いさま。
解字 形声。山＋刃音。

3【⿱山川】6画 2840 国字 2 0824 — —
字義 ほき。崖がけ。

3【𡚴】6画 2841 国字 1 4767 — —
字義 𡚴原あけんばらは、滋賀県犬上郡多賀町の地名。
［妛］2853 俗字

4【⿰山尺】7画 2842 エキ 嶧(3020)の俗字。→四四四ページ下。 2 0826 — —

4【岈】7画 2843 カ 谺(11440)と同字。→一三四二ページ下。

4【岏】7画 2844 ガン(グワン) 寒 wán 1 4769 — 2712
字義 巑岏サンガンは、山の鋭くとがったさま。また、その山。
解字 形声。山＋元音。

4【岐】7画 2845 教 4 キ 県名 岐阜ぎふ県 漢キ・呉ギ 支 qí 2084 8AF2 —
筆順 丨 山 山 山 屲 岐 岐
［𡶇］2924 古字
字義 ❶わかれる。わかる。ふたまたに分かれる。「分岐」❷分かれ道。
名前 き・ちまた・ふなど・みち　難読 岐波きわ・岐陸きえ
解字 形声。山＋支音。音符の支は、えだの意味。山のえだ道・わかれ道の意味を表す。本来は郊の別体であったが、郊が廃されて岐が用いられるようになった。
逆 多岐・分岐
【岐山】キザン 山名。陝西センセイ省岐山県の東北。周王朝の祖先の古公亶父ココウタンポがこのふもとの地に都したと伝えられる。
【岐周】キシュウ 岐山のふもとにあった周(西周)。
【岐路】キロ わかれ道。ふたまた道。えだ道。
【△哭レ岐泣レ練】キにコクしレンになく 本もとは同じでも末の異なることを嘆くたとえ。楊朱ヨウシュが、岐路(どちらにも行けるわかれ道)を見て泣き、墨子が練糸ねりいと(どんな色にも染まる白い糸)を見て泣いた故事による。〔淮南子、説林訓〕

4【岌】7画 2846 漢ギュウ(ギフ) 呉ゴウ(ゴフ) 慣キュウ(キフ) 緝 jí 5409 9BA7 —
字義 ❶たかい。たかし。❷あやうい(危)。❸岌嵑キュウコウは、鉄をつちうつ音。
解字 篆文  形声。山＋及音。音符の及は、手がとどくの意味。天にまでとどきそうなほど、山の高いさまを表す。
【岌岌】キュウキュウ ①高いさま。②あやういさま。③きびしく速いさま。④さかんなさま。

4【岒】7画 2847 漢ケン 呉ゲン 塩 qián — — 2713
字義 ❶山の名。❷岒峨ケンガは、高さがふぞろいなさま。
解字 形声。山＋今音。

4【岇】7画 2848 ゴウ(ガウ) 陽 áng — — 2709
字義 山が高いさま。
解字 形声。山＋卬音。

4【岔】7画 2849 一漢サ・呉シャ 麻 二タ 禡 chà 三フン fēn 5411 9BA9 —
字義 一二山と山との分かれ目。また、その分岐点。また、本道から分かれでた道。三山のさま。
解字 会意。山＋分。

4 【岑】 7画 2850 漢シン 呉ジン 侵 cén 5410 9BA8 —
字義 ❶みね。やま。高くつき出ている小さい山。❷たかい。けわしい。❸するどい。
解字 形声。山＋今音。
【岑参（參）】シン・シン 盛唐の詩人。嘉州カシュウ（今の四川省内）の刺史（長官）となったので、岑嘉州とも呼ばれ、その集を『岑嘉州集』という。多く辺境の地の風物を歌ったので辺塞ヘンサイ詩人と称される。（七一五—七七〇）
【岑楼（樓）】シンロウ 高くとがった峰。また、山のように高いたかどの。

4 【岊】 7画 2851 漢セツ 呉セチ 屑 jié 2 0829 — 2711
字義 ❶山のくま。❷山の高いさま。
解字 形声。山＋巴音。

4 【岌】 7画 2852 国字 2 0827 — —
字義 岌下なぎのしたは、愛知県の地名。

4 【岦】 7画 2853 国字 5412 9BAA —
岦(2841)の俗字。→四三五ジ・中。

5 【峡】 8画 2854 漢ヨウ（ヤウ） 呉オウ（アウ） 養 yǎng 1 4770 — 2715
字義 ❶ふもと。❷山林が奥深い。
解字 形声。山＋央音。

5 【岢】 8画 2855 カ 哿 kě 2 0834 — 2717
字義 →岢嵐。
解字 形声。山＋可音。
【岢嵐】カラン ①山の名。今の山西省内。②県名。今の山西省内。

5 【岈】 8画 2856 カ 2 0828 — 2710
谺(11440)の俗字。→一三四三ジ・下。

5 【岳】 8画 2857 常 ガク たけ 1957 8A78 —

14 〖嶽〗 17画 2858 ガク 覚 yuè 5454 9BD4 —
筆順 ノ 亻 仁 丘 乒 岳 岳
字義 たけ。高大な山。
名前 おか・たか・たかし・たけ
参考 〔岳〕は〔嶽〕の古字で一般にはどちらでも書かれるが、姓（岳飛）・地名（岳陽・岳州）には〔岳〕を用い、〔嶽〕は用いない。また、岳父（妻の父親）の意味でも〔岳〕を用いることが多い。
解字 甲骨文 [glyph] 篆文 [glyph] 会意。丘＋山。丘は、おかの象形。けわしい山の意味を表す。篆文は嶽で、山＋獄音。音符の獄ゴクは、人をおさえつけるろうやの意味。人をおさえつけるような、けわしい山の意味を表す。
逆 河岳・山岳・令岳
【岳岳】ガクガク ①かどばっていかめしいさま。②文章の格調が高い形容。
【岳飛】ガクヒ 南宋ナンソウの武将。字あざなは鵬挙ホウキョ。金と戦ってしばしばその軍を破ったが、和議を唱える秦檜シンカイに反対して殺された。忠義をたたえられ、武穆ブボクと諡おくりなされ、のちに忠武と改められた。（一一〇三—一一四一）

岳飛

【岳父】ガクフ 妻の父をいう。岳公。岳翁。
【岳牧】ガクボク ①四岳と十二牧。中国古代の諸侯と地方長官の類い。②国境を守る役人。
【岳陽楼（樓）】ガクヨウロウ 楼の名。湖南省岳陽市の西門の城楼。洞庭湖に面し、楼上からの眺めが雄大で美しいことで有名である。用例〔唐、杜甫、登二岳陽楼一詩〕昔聞洞庭水むかしきくドウテイのみず（ヲ）、今上岳陽楼いまのぼるガクヨウロウ。↓以前から聞いていた洞庭湖の水（の広がり）を、今ここに、岳陽楼に登って眺めている。

岳陽楼

5 【岸】 8画 2859 教3 ガン きし 熟字訓 河岸かし ガン 翰 àn 2063 8ADD —
筆順 ' 山 山 屵 岸 岸 岸
［屽］2834 俗字 ［岍］2861 俗字 ［岓］2862 俗字
字義 ❶きし。がけ。みぎわ。「海岸」「対岸」❷たかい。けわしい。かどばっている。❸うったえる。訴訟。❹ひとや。牢獄ロウゴク。＝犴(11488)。
名前 きし
解字 篆文 [glyph] 形声。屵＋干音。音符の干は、けずりとるの意味。水でけずりとられた高いがけ、きしの意味を表す。
逆 涯岸・危岸・断岸・彼岸
【岸△芷△汀△蘭】ガンシテイラン 岸べの芷（よろいぐさ）とみぎわの蘭。▼芷も蘭も、香草。〔北宋、范仲淹、岳陽楼記〕
【岸頭】ガントウ 岸のほとり。岸辺。
【岸壁】ガンペキ ①けわしく切り立った岸。②船をつけるために造った、コンクリートや石の岸。

5 【岩】 8画 2860 教2 ガン いわ 漢ガン・呉ゲン 咸 yán 2068 8AE2 —
筆順 ' 山 山 屵 岸 岩 岩
字義 いわ。いわお。＝巖(3035)。
名前 いわ・いわお・かた・せき・たか 難読 岩槻いわつき・岩魚いわな・岩子島いわしじま・岩城いわき・岩代いわしろ・岩動いするぎ・岩峅いわくら
参考 字義と熟語は〔巖〕(3035)をも見よ。
解字 会意。山＋石。
【岩窟】ガンクツ いわや。岩屋。
【岩礁】ガンショウ 水中にかくれている岩。かくれいわ。

5 【岍】 8画 2861 ガン 2 0830 — —
岸(2859)の俗字。→四三六ジ・中。

5 【岓】 8画 2862 ガン 2 0832 — —
岸(2859)の俗字。→四三六ジ・中。

5 【岠】 8画 2863 漢キョ 呉ゴ 語 jù 2 0833 — 2716
字義 ❶大きな山。❷いたる（至）。❸さる（去）。へだたる。
解字 形声。山＋巨音。
＝距(11683)。

5 【岲】 8画 2864 漢キョウ（キャウ） 呉コウ（クヮウ） 漾 kuàng — — 2721
字義 山の名。
解字 形声。山＋兄音。

5 【岴】 8画 2865 ク — — 2722
嶇(2990)と同字。→四四三ジ・中。

5 【岵】 8画 2866 漢コ 呉ゴ 麌 hù 2 0839 — 2723
字義 しげやま。あお山。草木の多い山。↔屺(2835)。
参考 〔屺キ〕（はげやま）・〔岵コ〕（しげやま）の解釈には古来、別の説があり、『詩経』魏ギ風・陟岵チョクコの詩の注（毛伝）では逆に〔岵〕を草木のない山、〔屺〕を草木のある山とする。

5【岬】8画 2867 常 みさき　漢コウ(カフ)・呉キョウ(ケフ)　洽 jiǎ　4408 96A6 —
筆順 丨 山 山 山 岬 岬 岬 岬
字義 ❶山のかたわら。❷山あい。はざま。山と山の間。国みさき。陸地の海中に突き出した部分。
名前 みさき
解字 形声。山＋甲音。音符の甲は、脅に通じ、わきの意味。山のかたわらの意味を表す。また、峡に通じて、はざまの意味をも表す。日本では、みさきの意味に用いる。現在では中国にも逆輸入されて、中国語でも、みさきの意味に用いる。

5【岡】8画 2868 教4 おか　コウ(カウ)　陽 gāng　1812 89AA —
筆順 丨 冂 冂 冈 冈 岡 岡 岡
〔堽〕2047 同字　〔罡〕9434 俗字
字義 ❶おか(丘)。小山。❷山の背。❸みね。❹さか(坂)。
名前 おか・こう
解字 金文 篆文 形声。山＋网音。音符の网は、亢に通じ、アーチ形の意味。アーチ形の山、おかの意味を表す。さらに上に山を付した崗は、同字。

5【岣】8画 2869 漢コウ 呉ク 有 gǒu　4771 — 2718
字義 →岣嶁。
解字 形声。山＋句音。
【岣嶁】コウロウ 山のいただき。また、山の名。湖南省衡陽市の北にある衡山の主峰。夏の禹王の廟がある。

5【岝】8画 2870 漢サク 呉ザク 薬 zuò　— — 2714
字義 岝崿は、㋐山の高くけわしいさま。㋑山のけわしく高低のあるさま。

5【岫】8画 2871 漢シュウ(シウ) 呉ジュ 宥 xiù　5413 9BAB —
解字 形声。山＋午音。
字義 ❶くき。山のほら穴。また、ほら穴のある山。用例〔東晋、陶潜、帰去来辞〕雲無心以出岫、鳥倦飛而知還。(雲は自然のままに山のほら穴からわき出ており、鳥は飛ぶのにあきては、ねぐらに帰って行くのを知っている。) ❷みね。山のいただき。
解字 篆文 形声。山＋由音。音符の由は、酉に通じ、酒器の意味。酒つぼのように深い、山のあなの意味を表す。

5【岨】8画 2872 ㊀漢ソ・呉ショ 魚 jū　㊁漢ソ・呉ショ 語 jǔ　3327 915A —
字義 ㊀❶いしやま。頂に土をかぶっている石山。❷そばだつ。けわしい。❸そわ。そば。山のけわしい所。がけ。㊁けわしい。山のけわしいさま。
参考 現代表記では〔阻〕(13066)に書きかえることがある。「嶮岨→険阻」
解字 篆文 形声。山＋且音。音符の且は、積み重なるの意味。上に土の積もった岩山の意味を表す。

5【岱】8画 2873 漢タイ 呉ダイ 隊 dài　3450 91D0 —
字義 山の名。五岳の一つ。泰山をいう。山東省泰安市の北にある。
解字 形声。山＋代音。
【岱宗】タイソウ 泰山の別名。岱岳。▼宗は、本家・長の意。

5【岧】8画 2874 漢チョウ(テウ) 呉ジョウ(デウ) 蕭 tiáo　20836 — —
字義 高い。また、高いさま。「岧岧」
解字 形声。山＋召音。

5【岻】8画 2875 漢テイ 呉タイ 斉 chí　5414 9BAC —
字義 山の名。
解字 形声。山＋氏音。

5【岶】8画 2876 漢ハク 呉ヒャク 陌 pò　5415 9BAD —
字義 嶼岶は、草木の密生するさま。国さこ。山のはざま。小さい谷。＝迫(12061)。
解字 形声。山＋白音。

5【岷】8画 2877 漢ビン 呉ミン 真 mín　5417 9BAF —
字義 ❶山の名。四川・甘粛両省の境にある。❷川の名。→岷江。❸岷山・岷江付近の地方。
解字 篆文 形声。篆文は、山＋敃音。岷は略体。
【岷江】ビンコウ 川の名。岷山に発して四川省を南流し、成都市を経て、宜賓市で長江に合流する。

5【⿱弟山】8画 2878 漢フツ 呉ブチ 物 fú　14772 — 2720
〔岪〕2879 同字
字義 ❶やまみち。山のふところにある道。❷山がけわしく奥深いさま。❸山のくま。山脈の湾曲している所。
難読 ⿱弟山(へつり)
解字 形声。山＋弗音。

5【岪】8画 2879 フツ　⿱弟山(2878)と同字。→四三七ページ下。　20837 — —

5【岦】8画 2880 リュウ(リフ) 緝 lì　20835 ED90 2719
字義 山のさま。
解字 形声。山＋立音。

5【岺】8画 2881 レイ　岭(2882)と同字。→四三七ページ下。　14773 ED91 2724

5【岭】8画 2882 漢レイ 呉リョウ(リャウ) 青 líng　20838 — —
〔岺〕2881 同字
字義 山が深い。
解字 形声。山＋令音。

5【峅】8画 2883 国字　5418 9BB0 —
字義 くら。谷。芦峅寺・岩峅寺は、富山県中新川郡立山町の地名。
解字 会意。山＋弁。弁は、かんむりの意味。かんむりのように深い山中の谷。くらたにの意味を表す。

5【⿰山半】8画 2884 国字　20831 — —
字義 さこ。谷。

5【岼】8画 2885 国字　5416 9BAE —
字義 ゆり。山の中腹の小さな平地。丹波高原の地名に用いられる。
解字 会意。山＋平。

5【岾】8画 2886 国字　5419 9BB1 —
字義 広岾は、京都市左京区の旧地名。

6【峐】9画 2887 カイ 灰 gāi　14775 — —
字義 はげやま。草木のない山。
解字 形声。山＋亥音。

6【峉】9画 2888 漢ガク 呉ギャク 陌 è　20841 — 2725

山部 5▼6画 〔岬岡岣岝岫岨岱岧岻岶岷⿱弟山岪岦岺岭峅⿰山半岼岾峐峉〕

字義 ❶山の高いさま。❷岝峉は、㋐山の高くけわしいさま。㋑山のけわしく高低のあるさま。
解字 形声。山＋各音。

6【峗】9画 2889 キ 紙 wěi — — 2729
字義 峗巍は、山が高く険しいさま。
解字 形声。山＋危音。

6【峡】9画 2890 常 キョウ 2214 8BAC —

7〔峽〕10画 2891 人 漢コウ(カフ) 呉ギョウ(ゲフ) 慣キョウ(ケフ) 洽 xiá 5423 9BB5 —

筆順 丨 山 山 山 山 山 峡 峡 峡

字義 ❶はざま。かい。谷あい。また、谷川。「海峡」❷谷間のように細長くせまい所。「峡谷」
解字 形声。山＋夾(夹)音。音符の夾は、はさむの意味。二つの山がはさんでいる水の流れる道、はざまの意味を表す。
逆 山峡
【峡雨】谷間に降る雨。
【峡谷】たに。たにあい。

6【峇】9画 2892 コウ(カフ) 洽 kē 5420 9BB2 —
字義 ❶岌峇は、鉄をつちうつ音。❷ほらあな。山の洞窟。
解字 形声。山＋合音。

6【峙】9画 2893 標 漢チ 呉ジ(ヂ) 紙 zhì 5421 9BB3 —
字義 ❶そばだ-つ。㋐山が高くそびえたつ。㋑背骨を伸ばして立つ。❷おか。高い丘。❸そなえる。また、積む。
解字 形声。山＋寺音。音符の寺は、止に通じ、立っていて不動の意味。不動の山、そばだつの意味を表す。

6【峋】9画 2894 シュン 真 xún 4774 — 2726
字義 嶙峋は、㋐がけが重なりあって奥深いさま。㋑山の険しく起伏のあるさま。
解字 形声。山＋旬音。

6【炭】9画 (6888) タン 火部。→八九五ページ上。

6【耑】9画 (9582) タン 而部。→一一六七ページ中。

6【峒】9画 2895 一 漢トウ・呉ドウ 東 tóng 二 漢トウ・呉ドウ 送 dòng 4776 — 2727
字義 一 崆峒は、甘粛省にある山の名。→崆峒(四四〇ページ中)。二 ❶山のほら穴。＝洞(6320)。❷中国西南地方に住む部族の称。また、その居住地区をいう。
解字 形声。山＋同音。

6【峝】9画 2896 漢トウ 呉ドウ 送 dòng — — 2728
字義 中国西南地方に住む部族。
解字 形声。山＋同音。

6【峠】9画 2897 国字 常 とうげ 3829 93BB —

筆順 丨 山 山 山 山 山 峠 峠 峠

字義 とうげ。㋐山を越える坂道の頂上。㋑ものごとが最高に達した時をいう。
難読 峠之内(たわのうち)
参考 ①「とうげ」は「たむけ」の転じた語で、ここで峠の神に手向けして道中の安全を祈ったからいうといわれる。一説に「たわ越え」の転じた語。「たわ」は、山の尾根の低くたわんだ所。②とうげを意味する国字には、ほかに乢・嶍・垰などがある。

6【峅】9画 2898 国字
［峅］2916 俗字
字義 峅台は、福島県本宮市の地名。
解字 会意。山＋上＋下。山の背を上下するための道の意味を表す。

7【崋】10画 2899 カ 5428 9BBA —
崋(2919)の俗字。→四三九ページ下。

7【峨】10画 2900 人 標 ガ 歌 é 1869 89E3 —

筆順 丨 山 山 山 峠 峠 峨 峨 峨 峨

［峩］2901 同字
字義 ❶たかい。けわしい。また、山が高くけわしいさま。❷たかね。高くけわしい峰。❸いかめしい。おごそか。
名前 たか・たかし
解字 篆文 形声。山＋我音。音符の我は、ぎざぎざした刃のある斧の象形。鋭いぎざぎざのある、けわしい山の意味を表す。
【峨峨】①山の高くけわしいさま。②姿のりっぱでいかめしいさま。
【峨眉山・峨△嵋山】四川省峨眉山市の南西にある山。峰の相対する形が、蛾の眉に似ているので名づけられたという。標高三〇九九メートル。▼峨は、蛾・娥とも書く。

7【峩】10画 2901 ガ 5422 9BB4 —
峨(2900)と同字。→四三八ページ中。

7【豈】10画 (11452) ガイ 豆部。→一二四三ページ下。

7【崁】10画 2902 カン kàn — — 2734
字義 赤崁は、台湾の地名。国くぼみ。穴。
解字 形声。山＋坎音。

7【峽】10画 (2891) キョウ 峡(2890)の旧字体。→四三八ページ上。

7【峮】10画 2903 クン 文 qūn — — 2730
字義 峮嶙・嶙峮は、山の連なり合うさま。
解字 形声。山＋君音。

7【峴】10画 2904 漢ケン 呉ゲン 銑 xiàn 4777 — 2733
字義 山の名。湖北省襄樊市の南にある。
解字 形声。山＋見音。

7【峺】10画 2905 漢コウ(カウ) 呉キョウ(キャウ) 梗 gěng 5424 9BB6 —
字義 山のけわしい所。
難読 峺迫(がいざこ)
解字 形声。山＋更音。

7【峵】10画 2906 コウ — ED92 —
嶸(3029)と同字。→四四五ページ上。

7【峻】10画 2907 人 シュン 震 jùn 2952 8F73 —

筆順 丨 山 山 山 山 峻 峻 峻 峻 峻

字義 ❶たか-い。高く大きい。「高峻」❷けわ-しい。けわしい。❸きび-しい。はげしい。むごい。「峭峻」
名前 しゅん・たか・たかし・ちか・とし・みち・みね
解字 篆文 別体 形声。篆文は、山＋陵音。音符の陵は、丘陵が高いの意味。山がけわしいの意味を表す。
【峻△隘】①高く迫ってけわしい。②性質がけわしくて度量がせまい。
【峻急】①性質がきびしくて人をゆるす度量がないこと。②流れのはげしく急なさま。

【峻険(險)・峻嶮】(シュンケン) 高くけわしい。また、その場所。

【峻厳(嚴)】(シュンゲン) ①きびしくおごそか。②きびしくむごい。人の過失やごまかしを許さず、妥協をきらう性格。峻刻。③けわしく高い。

【峻刻・峻酷】(シュンコク) きびしくむごい。

【峻秀】(シュンシュウ) ①山などの高くぬけ出てそびえているさま。②人物のすぐれていること。

【峻峭】(シュンショウ) ①高くけわしい。②きびしい。③すぐれてけだかい。

【峻竦】(シュンショウ) 高くそびえる。

【峻絶】(シュンゼツ) 非常にけわしい。

【峻爽】(シュンソウ) すぐれて勢いがよい。

【峻徳】(シュントク) すぐれた徳。大きな徳。俊徳。高徳。

【峻別】(シュンベツ) 国きびしく区別する。また、その区別。

【峻烈】(シュンレツ) きびしくはげしい。

7 【峭】 10画 2908 ショウ(セウ) 嘯 qiào　5425 9BB7 —

字義 ❶けわしい。けはし。高くけわしい。「峻峭(シュンショウ)」❷きびしい。きびし。はげしい。

解字 形声。山＋肖(音)。音符の肖(ショウ)は、けずるの意味。けずりとられたようなけわしい山の意味を表す。

【峭刻】(ショウコク) きびしく残忍なこと。

【峭峻】(ショウシュン) ①山のけわしいさま。②きびしいさま。③けだかいさま。

【峭絶】(ショウゼツ) 高くけわしいさま。

【峭直】(ショウチョク) 性質がむごくきびしく、妥協しないこと。

【峭壁】(ショウヘキ) 壁のようにけわしくそばだつがけ。

7 【島】 10画 2909 (教)3 トウ しま　トウ(タウ) 皓 dǎo　3771 9387 —

[㠀] 3000 本字　[嶋] 2998 同字　[嶌] 2999 同字　[嶹] 3030 同字　[隝] 13164 同字　[陦] 13096 俗字

筆順 ′ ſ 卢 白 自 鳥 鳥 島 島 島

字義 しま。海中や湖中の小陸地。国しま。㋐周囲とかけ離れたせまい土地。㋑池・築山(つきやま)のある庭園。

名前 しま・とう

解字 篆文  形声。篆文は、山＋鳥(音)。音符の鳥は、とりの意味。渡り鳥がよりどころとして休む海中の山、しまの意味を表す。

(逆)遠島・絶島
【島夷】(トウイ) ①島に住む未開の異民族。②中国の北方人が南方人をさげすんで言う語。
【島嶼】(トウショ) 島。大小の島々。▼島は大きい島、嶼は小さい島。

7 【[山+投]】 10画 2910 (漢)トウ (呉)ドウ 尤 tóu　₂0842 — —

字義 山の高くけわしいさま。

解字 形声。山＋投(音)。

7 【峱】 10画 2911 (漢)ドウ(ダウ) (呉)ノウ(ナウ) 豪 náo　— — 2731

[嶩] 3044 同字

字義 ❶山の名。山東省内。❷犬。

解字 形声。山＋狃(音)。

7 【峰】 10画 2912 (常) ホウ みね　(漢)ホウ・(呉)フウ 冬 fēng　4286 95F4 —

[峯] 2913 同字

筆順 ｌ 山 山 山′ 岎 峂 峂 峯 峰

字義 ❶みね。山のいただき。国みね。むね。刀の背。❷やま。けわしく高い山。

名前 お・たか・たかし・ね・ほう・みね

解字 篆文  形声。山＋夆(音)。音符の夆(ホウ)は、寄り集まるの意味。山の尾根の集まってくるところ、みねの意味を表す。

(逆)雲峰・危峰・秀峰・主峰・畳峰・霊峰
【峰嶂】(ホウショウ) 高くそびえる峰(山)。また、山々。
【峰巒】(ホウラン) 連なっている山。山々。

7 【峯】 10画 2913 (人) ホウ　4287 95F5 —
峰(2912)と同字。→四三九ページ中。

7 【峪】 10画 2914 ヨク 沃 yù　5427 9BB9 —

字義 たに(谷)。谷あい。さこ。

解字 形声。山＋谷(音)。音符の谷(コク＝ヨク)は、たにの意味。

7 【峲】 10画 2915 リ 紙 lǐ　— — 2732

字義 山が並ぶさま。

解字 形声。山＋利(音)。

7 【[山+舛]】 10画 2916 国字　₂0840 — —
[山+舛](2898)の俗字。→四三八ページ中。

8 【崣】 11画 2917 イ(ヰ) 紙 wěi　— — 2739

字義 摧崣(サイイ)は、山が高いさま。

解字 形声。山＋委(音)。

8 【崦】 11画 2918 エン 塩 琰 yān　₂0850 — 2741

字義 崦嵫(エンジ)は、山の名。→崦嵫。

解字 形声。山＋奄(音)。

【崦嵫】(エンジ) 山の名。昔、日が没する所と考えられていた山。

8 【崋】 11画 2919 (漢)カ(クヮ) (呉)ゲ 麻 禡 huà

[山+華] 2899 俗字

字義 山の名。五岳の一つ。陝西(センセイ)省東部にある。→華山(二三二ページ中)。

解字 形声。もと、山＋雩(音)。

8 【崖】 11画 2920 (常) ガイ がけ　(漢)ガイ・(呉)ゲ 佳 yá(yái)　1919 8A52 —

[崕] 2921 同字

筆順 ﾞ 山 山 山 屵 岸 岸 崖 崖

字義 ❶がけ。「断崖」❷かど。また、かどだつ。「崖異」❸きし(岸)。みぎわ。＝涯(6399)。❹さかい。かぎり。果て。

解字 篆文  形声。山＋厓(音)。音符の厓(ガイ)は、がけの意味。山を付し、意味を明らかにした。

【崖異】(ガイイ) ①きわだって異なる。②他人と和合しないこと。孤独で世人と交わらないこと。

【崖岸】(ガイガン) ①水ぎわのがけ。②＝崖異②。

【崖谷】(ガイコク) 深い谷。用例〔杜子春伝〕旌旗・戈甲(セイキ・カコウ)、千乗・万騎(センジョウ・バンキ)、偏満ニ崖谷(あまねくガイコクにみつ)。↓旗をたなびかせ、武器を持ち、よろいをつけた兵士、そして数知れぬ車馬や騎馬武者が谷間いっぱいにあふれた。

【崖樹】(ガイジュ) がけの上の樹。

【崖略】(ガイリャク) あらまし。おおよそ。概略。

8 【崕】 11画 2921 ガイ　5429 9BBB —
崖(2920)と同字。→四三九ページ下。

8 【崎】 11画 2922 (教)4 さき　一キ 支 qí　二キ 紙 qǐ　三(漢)キ・(呉)ゲ 微 qí　2674 8DE8 —

[嵜] 2923 同字　[山/竒] 2955 俗字　[﨑] 2956 俗字

筆順 ｌ 山 山 山一 山ナ 岥 峼 峼 崎 崎

字義 一けわしい。山がけわしいこと。二あやうい。やすらかでないさま。三きし。くま。岸の湾曲した所。＝埼(1999)・碕

(8197)。国**さき**。先の意。㋐みさき。陸地が海中や湖中に突き出した所。㋑山の出張った先端。山の鼻。

名前 き・さき

解字 **形声**。山＋奇音。音符の奇は、曲がるの意味。曲がりくねった山の意味を表す。

【崎嶇】①山路のけわしいさま。用例〔東晋、陶潜、帰去来辞〕既窈窕以尋レ壑すでにヨウチョウとして、たにをたずね、亦崎嶇而経レ丘また、キクとしておかをふ。↓奥深い谷をおとずれてみたし、また、けわしい丘を通りすぎて自然を楽しんでもみたのだった。②なやむさま。苦労するさま。人生行路の困難なさま。

【崎陽】国長崎を中国風に呼んだ名。

8 【嵜】11画 2923 キ　崎(2922)と同字。→四三九ページ下。　ı4779 — —

8 【崊】11画 2924 キ　岐(2845)の古字。→四三五ページ中。

8 【峣】11画 2925 ギョウ　嶢(3006)の俗字。→四四四ページ上。　₂0843 — —

8 【崟】11画 2926 漢ギン 呉ゴン 侵 yín　5432 9BBE —

字義 ❶みね。❷高く大きいさま。❸けわしいさま。

解字 **形声**。山＋金音。

8 【崛】11画 2927 一 漢クツ・呉グチ 物 jué　二 漢グツ・呉グチ 物 yù　5433 9BBF —

字義 一❶そばだつ。山が高くぬきんでる。❷岩穴。二そばだつさま。そびえるさま。

解字 篆文 **形声**。山＋屈音。音符の屈は、かがむの意味。不安定なかがむ形の山、そばだつの意味を表す。

【崛起】急にそびえ立つ。そばだつ。

【崛崎】山のけわしいさま。

8 【崫】11画 2928 漢クツ 呉クチ 物 jué　₂0846 — 2738

字義 山のさま。難読 崫田・崫屋

解字 **形声**。山＋屈音。

8 【崄】11画 2929 ケン　嶮(3025)の俗字。→四四五ページ上。　ı4778 — —

8 【崤】11画 2930 漢コウ(カウ) 呉ギョウ(ゲウ) 肴 xiáo, yáo　₂0849 — 2740

字義 山の名。河南省洛寧県の北西にある。嶔崟山。

解字 **形声**。山＋肴音。

【崤函】崤山と函谷関。ともに河南・陝西両省間の要害の地。

8 【崆】11画 2931 一 漢コウ・呉ク 東 kōng　二 コウ(カウ) 江 kōng　₂0844 — 2735

字義 一山の高いさま。二山のけわしいさま。

解字 **形声**。山＋空音。

【崆峒】①山の名。甘粛省平涼市の西。②伝説上の山の名。その所在については諸説がある。

8 【崗】11画 2932 標 コウ(カウ) 陽 gāng　5430 9BBC —

字義 おか。

解字 〔岡〕(2868)と同字。日本では、「花崗岩」などという時、〔崗〕を用いる。字義・解字は、〔岡〕を見よ。

8 【崑】11画 2933 コン 元 kūn　5434 9BC0 —

【崐】2934 同字

字義 崑崙は、山の名。昔、中国の西方にあると考えられた霊山で、西王母が住む所といわれた。今、チベット自治区と新疆ウイグル自治区の境を東西につらなるコンロン山脈をいう。

解字 **形声**。山＋昆音。

【崑曲】戯曲の名。崑山腔。南曲の一種。明代、崑山(江蘇省内)の魏良輔の創始したもの。

【崑玉】①崑崙山から出る美しい玉。②すぐれた詩文をいう。

8 【崐】11画 2934 コン　崑(2933)と同字。→四四〇ページ中。　₂0845 — —

8 【崔】11画 2935 一 漢サイ・呉ザイ 灰 cuī　二 スイ 支　三 サイ 賄　5435 9BC1 —

字義 一大きく高い。山の高大なさま。二❶うごくさま。❷すみやかなさま。❸まじわる。いりみだれる。

解字 篆文 **形声**。山＋隹音。音符の隹は、䧹に通じ、厚い、高いの意味。高大な山の意味を表す。

【崔嵬】①石をいただく土の山。②土をいただく石の山。③山のいただき。④山の高くけわしいさま。⑤建物などの高くそびえるさま。⑥心中のおだやかでないさま。

【崔顥】盛唐の詩人。汴州(今の河南省開封市)の人。「黄鶴楼」の詩は有名。(七〇四?—七五四)

【崔隤】つまずく。つまずいて、思うようにならないさま。

【崔頽】①くずれやぶれる。②つかれるさま。

8 【崒】11画 2936 一 スイ 寘 cuì　二 漢シュツ・呉ジュツ 質 zú　— — 2737

字義 一❶たかくけわしい。❷くずれる。二あつまる。

解字 篆文 **形声**。山＋卒音。音符の卒は、限度にまで達するの意味。山が山らしさの極限まで達する、けわしいの意味を表す。

【崒乎】山などの高くけわしいさま。崒然。

8 【崇】11画 2937 常 スウ　漢シュウ(シウ)・呉ズウ 東 chóng　慣スウ・ソウ　3182 9092 —

筆順 丶 山 山 屵 屵 岂 崇 崇

字義 ❶たか-い。山が高く大きい。また、たか-くする。❷たっと-ぶ。あが-める。「尊崇」❸たてる。樹立する。❹終わる。終える。❺みたす。みちる。用例〔唐、柳宗元、送二薛存義一序〕載二肉于俎一、崇二酒于觴一。↓肉をまな板に載せ、杯に酒を満たした。❻山名。＝嵩(2983)。

名前 かた・かたし・し・たか・たかし・なり・むね

解字 篆文 **形声**。山＋宗音。音符の宗は、おさの意味。山の中のかしら、高い山の意味を表す。

逆 尊崇

【崇敬】たっとびうやまう。尊敬。

【崇玄館】唐代、道教を教えた学校。初め崇玄学といい、天宝二年(七四三)、崇玄館と改めた。

【崇高】たっとくたかい。けだかい。

【崇山】①高い山。②山名。→嵩山(四四三ページ中)。

【崇尚】あがめたっとぶ。尊崇。

【崇飾】敬って美しく飾る。用例〔歴代名画記〕武帝崇二飾仏寺一、多命二僧繇一画レ之。↓武帝が仏教の寺を美しく飾るときには、多くの場合、張僧繇に命じて、絵を描かせていた。

【崇信】とうとび信ずる。尊信。

【崇替】①物事が終わってやむこと。▼崇は終、替は廃。②勢いのさかんなこととおとろえること。盛衰。

【崇朝】夜明けから朝食までをいう。終朝。

【崇徳】徳をたっとぶ。また、有徳者を尊敬する。

【崇拝(拜)】尊敬する。また、信仰する。「偶像崇拝」

【崇文】①(武に対して)文をたっとぶ。②文官。

【崇文館】唐の三館の一つ。貞観十三年(六三九)に設け、書籍の校正整理をつかさどった。初め、崇賢館といい、後に太子の名を避けて崇文館と改めた。

8 【崧】11画 2938 スウ　嵩(2983)と同字。→四四三ページ上。　ı4781 ED93 2742

8【崢】11画 2939 漢ソウ(サウ) 呉ジョウ(ジャウ) 庚 zhēng 5436 9BC2 —

字義 ❶山の高くけわしいさま。❷高いみね。

解字 形声。山＋爭㊀。音符の爭は、あらそうの意味。高さを争うみねの意味を表す。

【崢嶸】ソウコウ ①高くけわしいさま。②深くて危険なさま。③奥深いさま。④寒さのきびしいさま。⑤年月の積み重なるさま。⑥年末のいそがしいさま。⑦才能のすぐれているさま。

8【崝】11画 2940 漢ソウ(サウ) 呉ジョウ(ジャウ) 庚 zhēng 20847 — —

字義 ❶けわしく高いさま。❷深い。

解字 形声。山＋青㊀。

8【崠】11画 2941 トウ 東 送 dōng, ②dòng 20848 — —

字義 ❶山の名。❷山の背。

解字 形声。山＋東㊀。

8【崩】11画 2942 常 ホウ くず-れる・くず-す 熟字訓 雪崩(なだれ) 4288 95F6 —

8【崩】11画 2943 ホウ 蒸 bēng

筆順

字義 ❶くず-れる。㋐山やがけがくずれる。㋑こわれる。やぶれる。すたれる。㋒ばらばらになる。❷くず-す。❸かくれる。みまかる。天子の死をいう。「崩御」 国くず-す ㋐字画を省いて簡略に書く。㋑ひざをみだす。㋒こまかにする。

難読 崩平(くえびら)

解字 篆文 形声。山＋朋㊀。音符の朋(ホウ)は、鳳の象形が変形したもの。鳳は凡に通じ、ひろがり散るの意味。山がひろがりおちる、くずれるの意味を表す。

逆 壊崩・土崩

【崩解】ホウカイ くずれてばらばらになること。

【崩壊(壞)・崩潰】ホウカイ くずれやぶれる。くずれ落ちる。

【崩御】ホウギョ 国天皇・皇后・皇太后のなくなること。昔は上皇・法皇にもいう。崩殂(ホウソ)・登遐(トウカ)。

【崩弛】ホウシ くずれやぶれる。また、くずしすてる。

【崩殂】ホウソ 天子の死去をいう。崩御。

【崩墜】ホウツイ くずれおちる。

【崩落】ホウラク ①くずれおちる。②物の相場が急にさがる。暴落。

8【密】11画 2944 漢ビツ・呉ミチ 慣ミツ 教6 ミツ 質 mì 4409 96A7 —

筆順

字義 ❶ひそ-か。ひそ-かに。ひそ-やか。㋐かくして人に知られない。もらさない。「内密」「隠密」 ㋑しずか。ひっそりしている。㋒奥深くて知りがたい。❷こまか。こまかい。こまやか。㋐すき間がないごみあっている。↔疎(7680)。「稠密(チュウミツ)」 ㋑ぬかりがない。行き届く。「緻密(チミツ)」「精密」 ㋒くわしい。つまびらか。「綿密」 ❸ちかい。親しい。また、近づく。親しむ。

名前 たか・たかし・ちか・ひそか・みつ 難読 密士失比(ミシシッピー)・密河(ミシシッピー)

注意 『康熙(コウキ)字典』では、宀部に所属する。

解字 金文 篆文 形声。山＋宓㊀。音符の宓(ビツ)は、ひっそりしているの意味。ひっそりしている山の意味から、ひそかの意味を表す。また、必に通じ、すきまがないの意味を表す。

逆 隠密・機密・緊密・謹密・厳密・細密・周密・詳密・枢密・精密・疎密・秘密・綿密

【密雲】ミツウン 厚く重なっている雲。厚い雲。

【密会(會)】ミッカイ ①心の奥深くで相通ずる。②秘密の会合。③国男女のあいびき。

【密教】ミッキョウ 仏法身大日如来が説いた秘密の教え。日本には、最澄(サイチョウ)の伝えた台密(天台宗)と空海の伝えた東密(真言宗)の二系統がある。仏教を密教と顕教(ケンキョウ)(禅宗・浄土宗など)に二大別する。

【密告】ミッコク 他人に知れないようにひそかに告げ知らせること。

【密察】ミッサツ 詳細に調べる。綿密に見きわめる。

【密邇】ミツジ 間近く接近する。▼邇は、近。

【密室】ミッシツ ①しめきった部屋。②国㋐秘密の部屋。㋑入室を禁じてある部屋。

【密接】ミッセツ 国①ぴったりと透き間なく着く。密着。②深い関係があって、離すことができないこと。「密接不離」

【密葬】ミッソウ 国ひそかに、内々で葬式を行うこと。

【密偵】ミッテイ 国ひそかに敵の様子や他人の内情などを調べること。また、その人。

【密密】ミツミツ ①細かいさま。②茂っているさま。③努め励むさま。

【密網】ミツモウ ①目の細かい網。②きびしい法令。

【密約】ミツヤク 秘密の約束。

8【崍】11画 2945 ライ 灰 lái 14780 — 2736

字義 山の名。→崍山。

解字 形声。山＋來㊀。

【崍山】ライザン 山の名。四川省、岷江(ビンコウ)の西側にある山脈。

8【崚】11画 2946 人 リョウ 蒸 líng 5437 9BC3 —

筆順

字義 山の高くけわしいさま。

名前 たかし

解字 形声。山＋夌㊀。音符の夌(リョウ)は、高い地をこえるの意味。いくえにも越えなければならない、高く連なる山のさまを表す。

8【崙】11画 2947 ロン 元 lún 5438 9BC4 —

【崘】2948 同字

字義 崑崙(コンロン)は、山の名。→崑(2933)。

解字 形声。山＋侖㊀。

8【崘】11画 2948 ロン 崙(2947)と同字。→四四一ページ下。 5439 9BC5 —

9【崿】12画 2949 ガク 薬 è — — 2747

字義 ❶崖(がけ)。❷険しい。切り立って高い。

解字 形声。山＋咢㊀。

9【嵁】12画 2950 カン 覃 kān

字義 山のけわしいさま。

解字 形声。山＋甚㊀。

9【嵌】12画 2951 標 一漢カン・呉ケン 咸 qiàn 二漢カン・呉ケン 陷 qiàn 慣ガン 5440 9BC6 —

字義 一❶山の奥深いさま。❷けわしい。❸あな。ほら。「嵌谷」 ❹谷の深いさま。❺そばだつさま。二❶は-める。は-まる。はめこむ。＝篏(2951)。❷える。ちりばめる。

参考 現代表記では〔眼〕(7996)に書きかえることがある。「象嵌→象眼」

解字 形声。山＋𣢑(歁省)㊀。

【嵌空】カンクウ ①うつろ。ほら穴。②清らかで美しいさま。

9【嵈】12画 2952 漢カン(クワン) 呉ガン(グワン) 旱 huàn — — 2751

字義 山の名。

解字 形声。山＋爰㊀。

9 【嵒】12画 2953 漢ガン 呉ゲン 國 yán　5441 9BC7 —
[嵓] 2954 同字
字義 ❶いわお(いはほ)。いわ(いは)。＝岩(2860)・巌(3035)。❷けわしい。
解字 甲骨文  篆文  会意。品＋山。品はいろいろな物の意味。山にあるさまざまな形のいわの意味を表す。

9 【嵓】12画 2954 ガン 嵒(2953)と同字。→四四二ページ上。　4785 ED94 —

9 【嵜】12画 2955 キ 崎(2922)の俗字。→四三九ページ下。　5431 9BBD —

9 【崎】12画 2956 キ 崎(2922)の俗字。→四三九ページ下。　4782 ED95 —

9 【嵎】12画 2957 グ 慣グウ 麌 yú　5442 9BC8 —
字義 ❶山のくま。山脈のまがりかど。❷すみ(隅グウ)。❸高くけわしい。
解字 篆文  形声。山＋禺音。音符の禺グウは、ぼんやりしているの意味。山地の奥まったぼんやりしている所、山のくまの意味を表す。
【嵎夷グウイ】中国の古代神話で、太陽が出てくる所と想像された東方の山。
【負レ嵎グウをおう(ふ)】山の一角を背にしてかまえる。転じて、英雄が一地方に立てこもっているたとえ。〔孟子、尽心下〕

9 【嵆】12画 2958 漢ケイ 呉ゲイ 斉 jī　4783 — 2750
[嵇] 2959 同字
字義 ❶山名。安徽省宿州市にある。❷姓。
解字 形声。山＋稽省音。
【嵆康ケイコウ】三国時代、魏ギの人。字あざなは叔夜。竹林の七賢の一人。琴・画・詩をよくし、老荘の思想を好み、「養生論」を著した。中散大夫になったが、鍾会ショウカイに嫌われ、その中傷により司馬昭に殺された。著書に『嵆中散集』がある。(二二三―二六二)

9 【嵇】12画 2959 ケイ 嵆(2958)と同字。→四四二ページ上。　4784 — —

9 【嵑】12画 2960 一 漢ケツ・呉ゲチ 月 jié 二 漢カツ・呉カチ 曷 kě　— — 2753
字義 一 ❶そびえる。❷円形の石碑。二 岩が高く険しいさま。
解字 形声。山＋曷音。

9 【嵃】12画 2961 ゲン 銑 yǎn　— — 2749
字義 ❶険しい。❷楼台の高いさま。
解字 形声。山＋彦音。

9 【崽】12画 2962 サイ 佳 賄 zǎi　— — 2746
字義 ❶子ども。❷こせがれ。小僧。人をののしって呼ぶことば。
解字 形声。山＋思音。

9 【嵫】12画 2963 慣ジ シ 支 zī
字義 崦嵫ジエンは、山の名。
解字 形声。山＋茲音。

9 【崱】12画 2964 漢ショク 呉ジキ 職 zè　20851 — 2743
字義 山がつらなるさま。
解字 形声。山＋則音。

9 【嵕】12画 2965 漢ソウ 呉ス 東 董 zōng　— — 2752
字義 ❶九嵕キュウソウは、山の名。❷群がっている峰。
解字 形声。山＋嵏音。

9 【嵔】12画 2966 タン 寒 duān　20854 — —
字義 山の名。国 人名に用いられる。
解字 形声。山＋耑音。

9 【崹】12画 2967 漢テイ 呉ダイ 斉 tí　20852 — 2745
字義 山が次第に平らかになるさま。
解字 形声。山＋帝音。

9 【嵋】12画 2968 漢ビ 呉ミ 支 méi　5443 9BC9 —
字義 峨嵋ガビは、山の名。→峨眉山(四三八ページ下)。
解字 形声。山＋眉音。

9 【嵐】12画 2969 常 ラン 覃 lán あらし　4582 9792 —
筆順 山 屵 岚 岚 嵐 嵐 嵐 嵐
字義 ❶山にたちこめる青々とした空気。山中のもや。山気。「青嵐」❷山の風。❸つむじ風。また、烈風。国 あらし。暴風雨。
名前 あらし
解字 篆文  形声。山＋風音。音符の風フウ＝ランは、かぜの意味。山の風の意味を表す。
【嵐陰ランイン】青々とした山気のかげり。山気の色の濃いさまにいう。
【嵐影湖光ランエイココウ】青々とした山気の色と、湖面のかがやき。山水の風景をいう。
【嵐煙ランエン】青々とした山気。▼煙は、もや。
【嵐気(氣)ランキ】①青々とした山気。②山おろしの風。

9 【嵂】12画 2970 漢リツ 呉リチ 質 lǜ　20853 ED96 2748
字義 嵂崒リツジュツは、山の高くけわしいさま。
解字 形声。山＋律音。

9 【崴】12画 2971 ワイ 灰 wēi　— — 2744
字義 山の高低のはげしいさま。また、たかくけわしいさま。
解字 形声。山＋威音。

9 【嵙】12画 2972 国字　— — 2754
字義 やましな。
解字 山科の合字。

10 【嵡】13画 2973 漢オウ(ヲウ) 呉オ(ヲ) 董 wěng　20855 — 2758
字義 山のさま。国 ところ。おにどころ。ヤマイモ科のつる性多年草。野老。
解字 形声。山＋翁音。

10 【嵬】13画 2974 一 ガイ(グワイ) 灰 wéi, ②guī 二 ワイ 灰 wéi 慣カイ(クワイ)　5444 9BCA —
字義 一 ❶けわしい(けはし)。高くけわしい。❷あやしい。でたらめ。＝傀(521)。二 山の高低のはげしいさま。＝崴(2971)。

解字 篆文 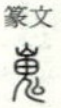 形声。山＋鬼音。音符の鬼は、なみでないの意味。高くけわしい山の意味を表す。

【嵬峨カイガ】①高くそびえたつさま。②声の高いさま。③科挙(官吏登用試験)に最高で及第すること。④酒に酔ったさま。

【嵬嵬カイカイ】高くそびえたつさま。

【嵬説カイセツ】でたらめな説。また、とるにたらない説。

10 【嵔】13画 2975 一 カイ(クワイ) 賄 kuǐ 二 イ(ヰ) 尾 wěi　20857 — —
字義 一 二 山の高いさま。
解字 形声。山＋鬼音。

10【嵤】13画 2976 一 漢ケイ 呉ギョウ(ギャウ) 青 yíng 二 漢コウ(クワウ) 呉オウ(ワウ) 庚 róng — — 2760

字義 一 嶺嵤(レイケイ)は、山が高く険しいさま。 二 崝嵤(ソウコウ)・崢嵤(ソウコウ)は、山が深いさま。

10【嵠】13画 2977 ケイ 渓(6407)と同字。→八四六ページ・中。 — — 2757

10【嵰】13画 2978 一 ケン 琰 二 漢カン・呉ケン 塩 咸 qiǎn 20858 — 2763

字義 一 山の高くけわしいさま。

解字 形声。山＋兼音。

10【嵪】13画 2979 コウ(カウ) 豪 kāo 20856 — 2761

字義 山がけわしい。

解字 形声。山＋高音。

10【嵯】13画 2980 人 一 漢サ・呉ザ 歌 cuó 二 シ 支 cī 2623 8DB5 —

筆順 

［嵳］2981 同字

字義 一 ❶山石がごろごろしているさま。❷山がけわしいさま。❸高い。 二 山に高低があってふぞろいなさま。

解字 篆文  形声。山＋差音。音符の差は、ふぞろいの意味。山のふぞろいでそびえたってけわしいさまを表す。

【嵯△峨】ガサ 高くそびえたってけわしいさま。

10【嵳】13画 2981 サ 嵯(2980)と同字。→四四三ページ・上。 5445 9BCB —

10【嵊】13画 2982 漢ショウ 呉ジョウ 径 shèng 14786 — 2755

字義 ❶山の名。→嵊山。❷宋代から置かれた県名。浙江(セッコウ)省紹興県の南東。

解字 形声。山＋乗音。

【嵊山】ジョウザン 山の名。浙江(セッコウ)省内。

10【嵩】13画 2983 人 シュウ(シウ) 慣スウ 東 sōng 3183 9093 —

筆順 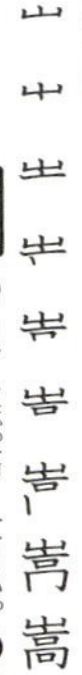

［崧］2938 同字

字義 ❶たか-い(たかし)。高く大きい。❷そばだつ。❸山の名。→嵩山。 国 ❶かさ。❷かさ-む。かさばる。分量。

名前 たか・たかし・たけ

解字 篆文  会意。山＋高。山がたかいの意味を表す。

【嵩呼】スウコ 嵩山のさけび。君主の万歳をとなえること。漢の武帝が嵩山に登ったとき、どこからともなく万歳を三唱する声が聞こえてきたという故事による。〔漢書、武帝紀〕

【嵩山】スウザン 山の名。五岳の一つ。中岳。河南省登封市の北にある名山。標高一四四〇メートル。崧山(スウザン)。崇山。

10【嵢】13画 2984 ソウ(サウ) 陽 cāng — — 2759

字義 山の起伏。山なみ。

解字 形声。山＋倉音。

10【嵟】13画 2985 漢タイ 呉ツイ 灰 duī — — 2756

字義 高い。高いさま。

解字 形声。屵＋隹音。音符の隹(スイ＝タイ)は、もと、厚みがあるの意味。がけに厚みがあるの意味を表す。

10【嵮】13画 2986 漢バク 呉ミャク 陌 mò

字義 嵮岶(バクハク)は、草木の密生するさま。

10【嵭】13画 2987 漢ホウ(ハウ) 呉ヒョウ(ヒャウ) 庚 bēng 14787 ED97 2762

字義 くずれる。

解字 形声。山＋旁音。

10【嵶】13画 2988 国字 5446 9BCC —

字義 たわ。たお(たを)。たおり。峠(とうげ)。岡山県の地名に用いられる。＝乢(2831)・垰(1968)。

参考 ⇩〔乢〕(2831)・〔峠〕(2897)の 参考 。

解字 会意。山＋弱。

11【嵹】14画 2989 漢キョウ(キャウ) 呉ゴウ(ガウ) 漾 jiàng — — 2764

字義 山の名。嵹台(キョウダイ)山。青海・甘粛・四川三省の境。

解字 形声。山＋強音。

11【嶇】14画 2990 ク 虞 qū 5447 9BCD —

［岴］2865 同字

字義 ❶けわ-しい(けはし)。山道が平らでない。❷なやむ。くるしむ。❸そばだつ。

解字 形声。山＋區音。音符の區は、区切られるの意味。山が他の山と区別できるほど高くけわしいの意味を表す。

11【嶊】14画 2991 サイ 賄 zuǐ — — 2771

字義 ❶山が高大なさま。❷摧嵬(サイイ)は、険しいさま。❸林が高く重なるさま。

解字 形声。山＋推音。

11【嶄】14画 2992 慣ザン 一 漢サン・呉ゼン 豏 zhǎn 二 漢サン・呉ゼン 咸 chán 5448 9BCE —

［嶃］2993 同字

字義 一 たか-い(たかし)。けわしい。また、そのさま。 二 ❶たかいさま。＝巉(3038)。❷える。彫りつける。＝鏨(12843)。

解字 形声。山＋斬音。音符の斬(ザン)は、きるの意味。山が切りたってけわしいの意味を表す。

【嶄△巖(巖)】ザンガン ①山がとがってけわしいさま。②谷が深くけわしいさま。

【嶄新】ザンシン 目新しい。斬新(ザンシン)の誤用という。

【嶄然】ザンゼン ①山が高くそびえたつさま。②多くの中で、ひときわ目だってすぐれているさま。

【嶄然見二頭角一】ザンゼンとトウカクをあらわ(は)す 多くの人の中で、ひときわ目だってすぐれていること。▼頭角は、頭のさき。〔唐、韓愈、柳子厚墓誌銘〕

11【嶃】14画 2993 ザン 嶄(2992)と同字。→四四三ページ・下。 — — 2769

11【嶂】14画 2994 ショウ(シャウ) 漾 zhàng 5449 9BCF —

字義 ❶高くけわしい山。❷びょうぶのように連なる峰。「連嶂」

解字 形声。山＋章音。音符の章は、障に通じ、へだてるの意味。視野をさえぎる、けわしい山の意味を表す。

11【嶈】14画 2995 漢ショウ(シャウ) 呉ソウ(サウ) 陽 qiāng 20861 — 2770

字義 ❶山の高いさま。❷嶈嶈は、岩山にぶつかる水の音。

解字 形声。山＋將音。

11【嵾】14画 2996 一 シン 侵 cēn 二 サン 覃 cān — — 2766

字義 一 嵾嵯(シンシ)・嵾差(シンシ)は、等しくないさま。山が険しく高低のあるさま。 二 山の姿の形容。

解字 形声。山＋參音。

11【嵿】14画 2997 漢テイ 呉チョウ(チャウ) 迥 dǐng — — 2767

字義 山の名。

解字 形声。山＋頂音。

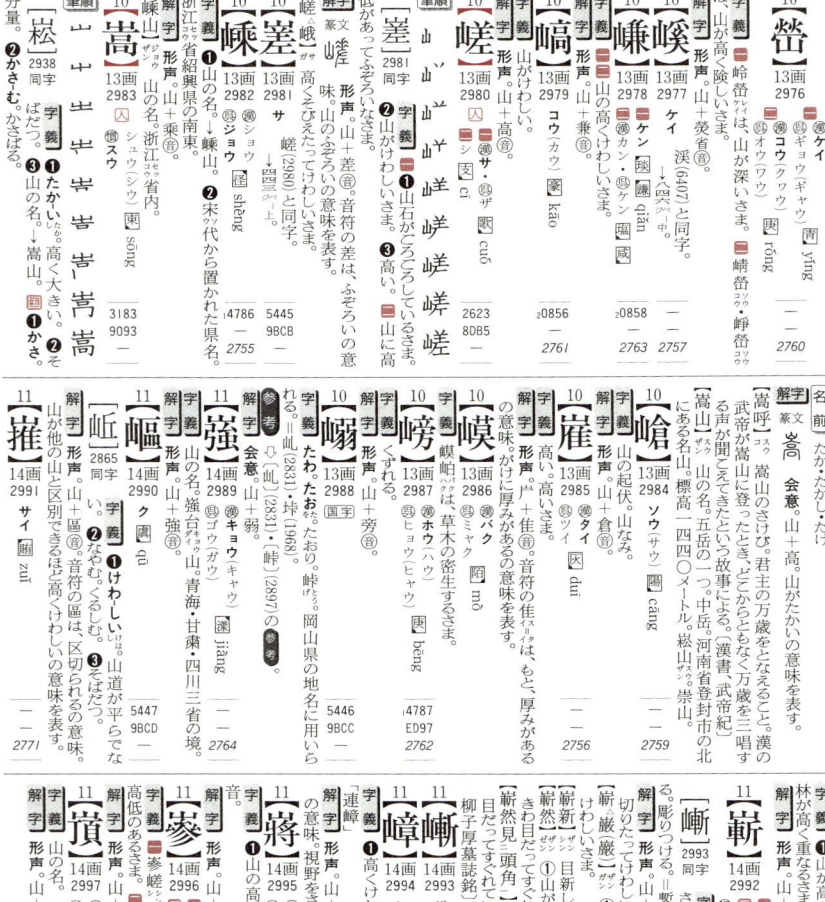

11【嶋】14画 2998 人 トウ 島(2909)と同字。→四三九ページ上。 3772 9388 —

11【嶌】14画 2999 トウ 島(2909)と同字。→四三九ページ上。 5426 9BB8 —

11【㠀】14画 3000 トウ 島(2909)の本字。→四三九ページ上。 20862 — —

11【𡾰】14画 3001 ヒョウ(ヘウ) 篠 biāo 20860 — —
字義 ❶いただき。みね。❷山の峰の突き出ているさま。
解字 形声。山＋票音。

11【嵺】14画 3002 一 リョウ(レウ) 蕭 liāo 二 漢コウ(カウ) 呉キョウ(ケウ) 肴 jiāo — — 2765
字義 一 二 ❶高い。山のそびえ立つさま。❷何もなくて広々としているようす。
解字 形声。山＋翏音。

11【嶁】14画 3003 一 ル 麌 lǘ 二 漢ロウ・呉ル 宥 lǒu 14788 — 2768
字義 一 二 岣嶁は、山のいただき。また、山の名。→岣(四三七ページ上)。
解字 形声。山＋婁音。

11【𡽶】14画 3004 国字 𡽶(3019)の俗字。→四四四ページ下。 20859 — —

12【嶠】15画 3005 漢キョウ(ケウ) 呉ギョウ(ゲウ) 嘯 jiào 14789 — 2779
字義 ❶するどくて高い。また、その山。❷やまみち。❸みね。
解字 篆文 形声。山＋喬音。音符の喬は、たかいの意味。高い山の意味を表す。
【嶠道】山中のけわしい道。嶠路。

12【嶢】15画 3006 ギョウ(ゲウ) 蕭 yáo 5450 9BD0 —
［嶤］3007 同字 ［峣］2925 俗字
字義 ❶山が高い。また、そのさま。❷あやういさま。
解字 篆文 形声。山＋堯音。音符の堯は、たかいの意味。山の高くけわしいさまを表す。
【嶢△屼】山が高くけわしいさま。

12【嶤】15画 3007 ギョウ 嶢(3006)と同字。→四四四ページ上。 14790 — —

12【嶔】15画 3008 漢キン 呉コン 侵 qīn 20864 — 2774
字義 ❶山が高くけわしい。また、そのさま。❷高くそびえるさま。
解字 形声。山＋欽音。
【嶔崎】①山の高くけわしいさま。②世俗を脱して人格の高潔なたとえ。
【嶔△崟】山が高くそびえるさま。

12【嶕】15画 3009 漢ショウ(セウ) 呉ジョウ(ゼウ) 蕭 jiāo — — 2775
字義 ❶高い。❷嶕嶢は、山が高く険しいさま。❸山嶕は、山の頂上。
解字 形声。山＋焦音。

12【嶲】15画 3010 スイ 紙 xǐ 20868 — —
字義 ❶州名。今の四川省内。❷越嶲は、郡名。
解字 会意。山＋隽。

12【嶒】15画 3011 一 漢ショウ・呉ゾウ 蒸 céng 二 漢ソウ(サウ) 呉ジョウ(ジャウ) 庚 zhēng 20863 — 2772
字義 一 二 崚嶒は、山の高くけわしいさま。
解字 形声。山＋曾音。

12【嶟】15画 3012 一 ソン 元 阮 zǔn 二 シュン 真 zūn — — 2778
字義 一 山が高いさま。二 そばだつさま。
解字 形声。山＋尊音。

12【嶝】15画 3013 トウ 径 dèng 5451 9BD1 —
字義 ❶さかみち。小さい坂。❷あおぐ(仰)。
解字 形声。山＋登音。音符の登は、のぼるの意味。山をのぼる坂道の意味を表す。

12【嶓】15画 3014 ハ 歌 箇 bō — — 2773
字義 嶓冢は、山の名。㋐陝西省内。㋑甘粛省内。
解字 形声。山＋番音。

12【嶐】15画 3015 リュウ(リウ) 東 lóng 5455 9BD5 —
字義 高い。山の隆起したさま。
解字 形声。山＋隆音。音符の隆は、たかいの意味。

12【嶚】15画 3016 リョウ(レウ) 蕭 liáo — — 2777
字義 高い。山が高い。
解字 形声。山＋尞音。

12【嶙】15画 3017 リン 真 lín
［嶙］3027 俗字
字義 嶙峋は、㋐がけの深いさま。㋑階段の高くけわしいさま。
解字 形声。山＋粦音。

12【嶗】15画 3018 ロウ(ラウ) 豪 láo 20865 — —
字義 山の名。山東省内。
解字 形声。山＋勞音。

12【𡽶】15画 3019 国字
［𡽶］3004 俗字
字義 拔𡽶は、徳島県の地名。

13【嶧】16画 3020 漢エキ 呉ヤク 陌 yì 14791 — 2780
［峄］2842 俗字
字義 ❶つらなり続く山。❷山の名。鄒嶧・鄒山ともいう。山東省鄒城市の南東にある。秦の始皇帝が、この山に登り石に刻して秦の功績をしるした。「嶧山碑」
解字 形声。山＋睪音。

13【嶴】16画 3021 オウ(アウ) ào 20869 — 2783
字義 章嶴は、山の名。今の浙江省内。
解字 形声。山＋奥音。

13【嶰】16画 3022 漢カイ 呉ゲ 蟹 xiè 20867 — 2782
字義 ❶たに。たにあい。❷谷の名。嶰谷は、崑崙の北にあり、黄帝のとき、伶倫がその竹を取って笛を作り、音律を定めたという。
解字 形声。山＋解音。

13【嶬】16画 3023 ギ 支 yí 5452 9BD2 —
［𨼆］13156 同字
字義 けわ-しい。山が高くけわしい。
解字 形声。山＋義音。

13【嶫】16画 3024 一 漢ギョウ(ゲフ) 呉ゴウ(ゴフ) 葉 yè 二 漢ギュウ(ギフ) 呉ゴウ(ゴフ) 緝 yè — — 2781
字義 一 岌嶫は、山が高く立派なさま。二 嶫峨は、山が高いさま。
解字 形声。山＋業音。

13【嶮】16画 3025 ケン 㠄 xiǎn 5453 9BD3 —

[崄] 2929 俗字

字義 けわしい。高くけわしい。

参考 現代表記では〔険〕(13099)に書きかえることがある。「嶮岨→険阻」

解字 形声。山＋僉㊥。音符の僉は、険に通じ、けわしいの意味。けわしい山の意味を表す。

【嶮△岨】けわしい。また、その場所。険阻。

13【嶼】16画 3026 ㊉ショ ㊇ジョ 語 yǔ(xù) 5457 9BD7 —

字義 ❶しま。小島。「島嶼」 ❷おか。小山。

解字 形声。山＋與㊥。

13【嶙】16画 3027 リン 嶙(3017)の俗字。→四四四ページ下。 20866 — 2776

14【嶽】17画 (2858) ガク 岳(2857)の旧字体。→四三六ページ上。

14【嶷】17画 3028 ㊀ギ 支 yí ㊁㊉ギョク・㊇ゴク 職 nì 5456 9BD6 —

字義 ㊀九嶷は、山の名。湖南省寧遠県の南にある。舜の墓があるといわれる。㊁❶たかい(高)。また、そのさま。❷さとい。子どものかしこいこと。

解字 篆文 形声。山＋疑㊥。音符の疑は、じっととどまるの意味。山が不動のまま立っているの意味を表す。

【嶷然】高くぬきんでたさま。

【嶷立】ひときわ高くそびえ立つこと。

14【嶸】17画 3029 ㊀㊉コウ(クワウ) ㊇オウ(ワウ) 庚 róng ㊁㊉エイ ㊇ヨウ(ヤウ) 庚 róng 14792 ED98 2784

[崝] 2906 同字

字義 ㊀㊁けわしい。深くけわしい。「崢嶸」

解字 篆文 形声。山＋榮㊥。音符の榮は、營に通じ、めぐるの意味。山がめぐりとりまき、けわしいの意味を表す。

14【嶹】17画 3030 トウ 島(2909)と同字。→四三九ページ上。 20871 ED99 2785

14【嶺】17画 3031 人 ㊉レイ ㊇リョウ(リャウ) 梗 lǐng 4670 97E4 —

筆順 山 … 嶺

字義 ❶みね。山のいただき。❷やまなみ。連山。❸やまみち。❹さか。❺五嶺(湖南・広東両省の境にある大庾・始安・臨賀・桂陽・掲陽の五つの山)の略。

名前 ね・みね

解字 篆文 形声。山＋領㊥。音符の領は、すべる(統)の意味。多くの山々をしめくくる、いただきの意味を表す。

【嶺△阨】山のけわしくせまい場所。

【嶺南】五嶺の南の地。広東省・広西チワン族自治区の二地方。→字義❺。

【嶺表】＝嶺南。

【嶺陸】みねと陸。

14【嶼】17画 3032 国字

[嶼] 3033 俗字

字義 やまのはな。はな。山の端。

14【嶼】17画 3033 国字 嶼(3032)の俗字。→四四五ページ中。 20870 — —

16【巃】19画 3034 ㊉ロウ ㊇ル 東 lóng — — 2786

字義 山が高く険しいさま。

解字 形声。山＋龍㊥。

17【巌】20画 3035 人 2064 8ADE —

20【巖】23画 3036 人 ㊉ガン ㊇ゲン 咸 yán 5462 9BDC —

筆順 山 … 巌

[巗] 3046 同字

字義 ❶いわお。いわ。大きい岩。❷がけ。❸あな。ほらあな。❹＝嵒(2953)。たかい。けわしい。

名前 いわ・いわお・お・みち・みね・よし 難読 巌谷

解字 篆文 形声。山＋厳(嚴)㊥。音符の嚴は、きびしいの意味。きびしい山の意味から、けわしい、いわおの意味を表す。

【巌巌】①石が高く積み重なるさま。②山の高くけわしいさま。③宮殿などの高くそびえるさま。

【巌居】世俗を離れて岩あなにかくれ住むこと。

【巌窟】いわや。岩あな。

【巌穴】①岩あな。②世俗を離れた所。③→巌穴之士。

【巌穴△之士】岩あなにかくれて世をしのぶ人。世俗に汚されない、心清らかな人。巌穴隠者。〔史記、伯夷伝〕

【巌△岫】岩のほらあな。巌穴。

【巌処(處)】世をのがれていわやにすむ。

【巌△牆△之下】高い石垣の下。危険な場所のたとえ。一説にくずれそうな土塀の下。

【巌△栖・巌△棲】①いわやに住む。②世を避けて隠居すること。

【巌阻】けわしい要害の地。

【巌△巒】けわしい山々。

【巌△稜】岩角のとがった所。岩のかど。

17【巇】20画 3037 キ 支 xī — — 2787

字義 ❶けわしい。❷すきま。すき。

解字 形声。山＋戲㊥。

17【巉】20画 3038 ㊉サン・㊇ゼン ㊀ザン 咸 chán 5458 9BD8 —

字義 ❶山のけわしいさま。❷高くけわしい。

解字 形声。山＋毚㊥。音符の毚は、人の判断を乱すの意味。おそろしいほど高い山の意味を表す。

【巉△巌(巖)】山や岩石がけわしく高いさま。また、その岩石。

【巉△峭】山のけわしくきり立っていること。

18【巋】21画 3039 ㊀キ 支 kuī ㊁キ 賄 kuǐ 14793 — 2788

字義 ㊀❶多くの小山が集まっている山。❷高くけわしいさま。高大なさま。㊁独立のさま。

解字 形声。山＋歸㊥。

18【巍】21画 3040 ギ 微 wēi(wéi) 5459 9BD9 —

字義 ❶たかい。❷高大なさま。

解字 篆文 形声。嵬＋委㊥。嵬は、山が高いの意味。音符の委は、語の音形を示すために添えられた。たかいの意味を表す。

【巍巍】高大なさま。また、富貴で勢力の強いさま。巍巍然。巍巍乎。用例〔呂氏春秋、本味〕善哉乎鼓レ琴、巍巍乎若二太山一。↓実にすばらしい、この琴の演奏は、まるで山が高くそびえて太山にいるかのようだ。

【巍△闕】宮城の門外の二つの台で、上に物見やぐらがある。昔、法令をここに掲げて民に示した。

【巍然】①山の高大なさま。②人物のすぐれているさま。

18 **【巐】** 21画 3041 **チョウ**(テウ) 〔篠〕 chǎo ― ED9A *2789*

字義 ❶山の姿の形容。❷高くいびきをかくさま。

解字 **会意**。山＋高＋昇。

19 **【巑】** 22画 3042 漢**サン** 呉ザン 〔寒〕 cuán ₂0872 ― ―

字義 巑岏(サンガン)は、㋐するどくそびえたつ山。また、山の鋭くとがるさま。㋑山がそびえ連なるさま。㋒枯木などの高くとがっているさま。

解字 **形声**。山＋贊㊟。音符の贊(サン)は、鑽(サン)に通じ、のみ・きりの意味。「きり」のように鋭くそびえる山の意味を表す。

19 **【巓】** 22画 3043 **テン** 〔先〕 diān 5460 9BDA ―

字義 ❶**いただき**。㋐みね。山頂。㋑かしら。頭。❷おちる。くだる。

解字 **形声**。山＋顚㊟。音符の顚(テン)は、いただきの意味。山のいただきの意味を表す。

19 **【巎】** 22画 3044 **ドウ** 猱(2911)と同字。→四三九ページ中。 ― ― *2790*

19 **【巒】** 22画 3045 **ラン** 〔寒〕 luán 5461 9BDB ―

字義 ❶小さくてとがった山。❷長くてせまい山。❸小山。❹**みね**(峰)。❺やまなみ。連なる山。

解字 篆文  **形声**。山＋䜌㊟。音符の䜌(ラン)は、みだれもつれるの意味。山のみねみねの意味を表す。

【巒△巘】(ランケン) 長くけわしく続く峰。

20 **【巖】** 23画 (3036) **ガン** 巌(3035)の旧字体。→四四五ページ中。

20 **【巗】** 23画 3046 **ガン** 巌(3035)と同字。→四四五ページ中。 ₂0873 ― ―

20 **【巘】** 23画 3047 ゲン 慣**ケン** 〔銑〕 yǎn ₂0874 ― *2791*

字義 ❶**けわしい**(けはしい)。❷みね。❸がけ。❹大きな山からわかれ出ている小山。

解字 **形声**。山＋獻㊟。

21 **【巙】** 24画 3048 ㊀漢**キ**・呉ギ 〔支〕 kuí ㊁漢ドウ(ダウ) 呉ノウ(ナウ) 〔豪〕 nāo ― ― *2792*

字義 ㊀人の名。㊁＝猱(2911)。❶山の名。❷犬の名。

解字 **形声**。山＋夔㊟。

3画 **巛(川)** かわ まがりがわ〔巛〕 さんぼんがわ〔川〕

〔部首解説〕 巛(セン)は、川の本字。巛・川を意符として、川の意味を含む文字ができている。

0 巛 四四六 川 四四六 1 𡿧 四四六 3 州 四四六 4 巠 四四六 巠 四四七 巡 一二〇六 6 𡿺 四四七 7 邕 一三三八 8 巢 四三三 9 順 一三五四 10 𢀖 一八六五 12 巤 四四七

0 **【巛】** 3画 3049 **セン** 川(3050)の本字。→四四六ページ中。 5463 9BDD ―

0 **【川】** 3画 3050 **セン** 〔先〕 chuān 教1 セン かわ 熟字訓 川原(かわら) 3278 90EC ―

筆順 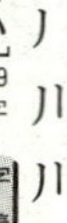 〔巛〕3049 本字

字義 ❶**かわ**(かは)。水流。❷あな。❸はら。平原。❹四川省の略称。

名前 かわ・せん・とおる 難読 川額(かわはけ)・川岸(かわし)・川鰆(かわばた)・川水流(かわずる)・川代(かわだい)・川渡(かわたび)・川内(かわうち・せんだい)・川反(かわばた)

参考 ⇩〔河〕(6227)の参考。

解字 甲骨文 金文 篆文 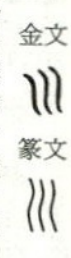 **象形**。流れる水、かわの象形で、かわの意味を表す。川を音符に含む形声文字に、釧(セン)・巡・順・馴(ジュン)・訓などがあり、これらの漢字は、「川のようにうまく流れる」の意味を共有している。

逆 晴川・逝川

【川原】(センゲン) ㊀①川のみなもと。川源。②かわ。川流。③川の流域の原野。④川と高原。はてしなく広々として人影も見えない所をいう。㊁(かわ(は)ら) 国川のほとりの、水がなく砂や石の多い所。河原。

【川上】(センジョウ) ㊀①川のほとり。②川の水面。㊁(かわ(は)かみ) 国川の上流。みなかみ。

【川上△之嘆・川上△之△歎】(センジョウのタン) 孔子が川のほとりに立ち、流れ去る水を見て、時は過ぎてしまえば二度と帰らず、万物の移り変わってやまないのを嘆いた故事。『論語』子罕(シカン)編に「子在二川上一曰(シ センジョウにありていわ(は)く)、逝者如レ斯夫(ゆくものはかくのごときかな)、不レ舎二昼夜一(チュウヤをおかず)」とあるのに基づく。→逝者如レ斯夫(一二一四ページ上)。

【川流】(センリュウ) ①川が流れる。また、川の流れ。水流。②川の流れのように続くこと。③川の流れが流域をうるおすように、恩恵がおよぶこと。

1 **【𡿧】** 4画 3051 **サイ** 〔灰〕 zāi

字義 **わざわい**(わざはひ)。災(6857)の本字。

解字 甲骨文 篆文 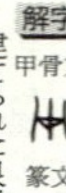 **形声**。甲骨文は、川＋才㊟。音符の才は、川のはんらんをせきとめるために建てられた良材の意味。水害の意味を表す。

3 **【州】** 6画 3052 漢**シュウ**(シウ)・呉ス・シュ 〔尤〕 zhōu 教3 シュウ す 2903 8F42 ―

筆順 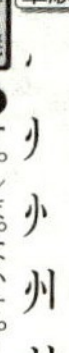

字義 ❶**す**。しま。なかす。＝洲(6303)。❷行政区画の称。㋐中国の古代は、天下を十二州、または九州に分けた。㋑周代、二百十国の称。伯が統治した。㋒周代、二千五百戸の集落。また、一万二千五百戸ともいう。㋓漢以後は大体、㋐の区分を継承して郡の上に位したが、唐以後は郡を州と改めた。❸むら。さと。❹**くに**。

名前 くに・す

参考 現代表記では〔洲〕(6303)の書きかえに用いる。「欧洲→欧州」「坐洲→座州」

解字 金文 篆文 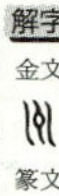 **象形**。金文でよくわかるように、川の流れの中に囲まれた土地、なかすの象形で、なかすの意味を表す。

逆 江州・砂州・神州・中州・本州

【州学(學)】(シュウガク) 州に設けられた学校。州序。

【州郡】(シュウグン) ①州と郡。ともに古代から各時代によって設けられた地方の行政区域。②地方。田舎。③州や郡の長官。

【州祭酒】(シュウのサイシュ) 州の学制を監督する長官。

【州牧】(シュウボク) 州の長官。地方の長官。▼牧は、民を養う意。

【州里】(シュウリ) むらざと。▼州は二千五百戸の家、里は二十五戸の家。

【州△閭】(シュウリョ) ＝州里。▼閭は、里と同じ。

4 **【巠】** 7画 3053 漢**ケイ** 呉キョウ(キャウ) 〔青〕 jīng ₂0875 ― *2793*

〔坙〕3054 俗字

字義 ❶地下水。地中の水みち。❷まっすぐに立つ波。❸水の広々としたさま。

解字 金文 篆文 古文  **象形**。はたをおるときの、たて糸の象形で、たていとの意

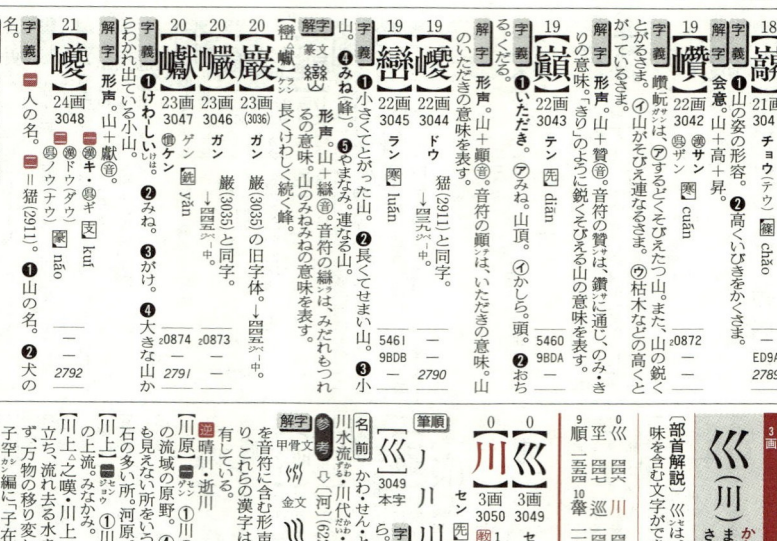

味を表す。古文は、それにまっすぐのびる意味の壬を書き、まっすぐのびるたていとの意味を表す。巠(坙)を音符に含む形声文字は、力強くまっすぐにのびるの意味を共有し、莖(茎)・徑(径)・勁(ケイ)・剄(ケイ)・涇(ケイ)・脛(ケイ)・痙(ケイ)・經(経)・逕(ケイ)・輕(軽)・頸(ケイ)などがある。

4【巠】7画 3054 ケイ 巠(3053)の俗字。→四四六ページ下。 — ED79 —

4【巡】7画(12016) ジュン 辵部。→一四〇六ページ上。

6【甾】9画 3055 **字義** 惱(悩)・腦(脳)などの漢字の一部分。 ₂0876 — —

7【邕】10画(12255) ヨウ 邑部。→一四三八ページ中。

8【巢】11画(2756) ソウ 巣(2755)の旧字体。→四三三ページ上。

9【順】12画(13436) ジュン 頁部。→一五五四ページ下。

10【鞏】13画(9717) カツ 舛部。→一八〇五ページ中。

12【巤】15画 3056 リョウ(レフ) 関 liè ₂0877 — 2794
字義 ❶たてがみ。❷もと。❸ねずみの毛。
解字 **象形**。ひづめと尾の上に頭があり、またその上にたてがみがある象形で、たてがみの意味を表す。

工 たくみ 3画

〔**部首解説**〕工を意符として、工具・工作の意味を含む文字ができている。

0工 四四七　2巨 四四七　巧 四四七　功 一九一　左 四四八
3全 八一　3巩 四四九　邛 一四三八　4攻 六〇　巫 四四九
6缸 一四六六　7貢 一三五一　差 四四九　9項 一五五四

0【工】3画 3057 教2 コウ・ク 漢コウ・呉ク 東 gōng 2509 8D48 —

筆順 一 丅 工

字義 ❶**たく-む**。作る。❷**たく-み**。㋐上手なこと。㋑仕事。作業。細工や技術。「加工」「人工」❸**たくみ**。細工や技術を心得ている人。器物を作る職人。特に大工を指す。「名工」❹楽師。楽人。❺占い師。❻つかさ。役人。「百工」❼工業。「商工」

名前 こう・たくみ・ただ・つとむ・のり・よし　**難読** 工匠(たくみ)・工人(てひと)・工造(きぬぬい)

解字 甲骨文 金文 篆文 **象形**。にぎるところのある、のみ(鑿)の象形とも、さしがねの象形ともいう。工具の象形から、工作するの意味を表す。工を音符に含む形声文字に、功・攻・訌(コウ)・腔(コウ)・控(コウ)・空・紅・虹(コウ)・江・貢・扛(コウ)・項などがあり、これらの漢字には、「大きい」の意味を含む紅・虹(コウ)・江など、音符だけを借りる漢字も多く含まれる。画数の少ない基本字は仮借されて、さまざまな意味に用いられる。

逆 化工・画工・楽工・起工・鬼工・玉工・細工・手工・上工・女工・神工・人工・図工・大工・天工・陶工・同工・土工・農工・百工・仏工・木工・名工・良工

【工役】(コウエキ) 土木などの工事。普請(フシン)。功役。

【工芸(藝)】(コウゲイ) 工作(製作)に関する芸術。陶磁器・織物・染色など。

【工巧】(コウコウ) ①たくみなこと。じょうず。②たくみな大工。良匠。③うすっぺら。軽薄。

【工作】(コウサク) ①土木の仕事。②大工の仕事。③はたらき。また、はたらきかけ。④工芸の基礎として学習する学科。

【工師】(コウシ) ①工作の職人を監督する役人。②大工のかしら。棟梁(トウリョウ)。

【工匠】(コウショウ) ①大工。木材を使って仕事をする人。職人。②工作物の意匠(デザイン)。

【工△廠】(コウショウ) ①工場。②国もと、陸海軍に直接所属し、軍需品を製造した工場。

【工人】(コウジン) ①物を作る職人。②大工。③労働者。

【工拙】(コウセツ) 上手と下手。巧拙。

【工程】(コウテイ) ①仕事の進みぐあい。②仕事の順序。

【工部】(コウブ) ①官庁の名。六部の一つ。隋(ズイ)・唐以後、造営工作のことをつかさどった。②盛唐の詩人、杜甫(トホ)をいう。杜甫が工部員外郎であったからいう。杜工部。③国宮内省の中国風の呼び名。

【工夫】 一(コウフ) ①仕事と労働者。②時間。ひま。③国土木工事をする人。 二(クフウ) 手段を考える。思慮をめぐらす。また、そのこと。くめん。

【工欲(レ)善(ニ)其事(一)必先利(ニ)其器(一)】(コウそのことをよくせんとほっすればかならずまず(ヿ)そのキをりにす)

2【巨】5画(1116) キョ 巨(1115)の旧字体。→三〇六ページ上。

職人がその仕事をりっぱに行おうとするときは必ずまずその道具を鋭利にする。事を行うためには、まず準備が必要であるように、仁を行うためには、まず自己の徳を養わなくてはならないことのたとえ。

2【巧】5画 3058 常 コウ たく-み 漢コウ(カウ)・呉キョウ(ケウ) 巧 効 qiǎo 2510 8D49 —

筆順 一 丅 工 工一 巧

字義 ❶**たく-み**。㋐うまい。上手なこと。↔拙(4105)。「精巧」㋑わざ。うでまえ。「技巧」㋒つくり。こしらえ。㋓くわだて。たくらみ。しかけ。からくり。㋔いつわり。㋕よい。❷**たく-みに**。上手に。❸**たく-む**。はかる。くわだてる。❹**たく-みにする**(たくみにす)。上手にする。はかる。

名前 こう・たえ・たく・たくみ・よし

解字 篆文 **形声**。工＋丂(コウ)(音)。工は、のみの象形。音符の丂(コウ)も曲がった彫刻刀の象形。合わせて、たくみの意味を表す。

逆 奇巧・技巧・精巧・繊巧・便巧・弁巧・利巧・老巧

【巧△猾】(コウカツ) わるがしこい。ずるい。狡猾。

【巧官・巧△宦】(コウカン) たくみに上官に取り入ること。また、その人。

【巧偽(僞)】(コウギ) ①巧みにいつわる。また、巧みないつわり。②いつわり。▼巧も、いつわり。

【巧月】(コウゲツ) 陰暦七月の別名。乞巧奠(キッコウテン)(たなばた)の月の意。

【巧言令色】(コウゲンレイショク) 上手にしゃべり、顔色をやわらげて人にこびへつらうこと。真心のないようす。用例〔論語、学而〕巧言令色(コウゲンレイショク)、鮮矣仁(すくなしジン)。↓口がうまく、顔色をやわらげて人にこびへつらう人で、仁徳のある人はめったにいない。

【巧詐】(コウサ) ことばたくみに人をあざむく。

【巧詐不(レ)如(ニ)拙誠(一)】(コウサはセッセイにしかず) たくみにいつわるのは、まずくともまごころのあるのには及ばない。「巧偽不(レ)如(ニ)拙誠(一)」(コウギはセッセイにしかず)ともいう。〔韓非子、説林上〕

【巧匠】(コウショウ) うでのよい大工。良匠。

【巧笑】(コウショウ) 愛らしく笑うこと。

【巧拙】(コウセツ) たくみなこととつたないこと。上手と下手。巧妙と拙劣。

【巧舌】(コウゼツ) 口先のたくみなこと。たくみなことば。巧言。

【巧知・巧△智】(コウチ) ①たくみでさとい。はしこい。②たくみな知恵。

【巧遅不如拙速】コウチはセッソクにしかず　上手で遅いよりは、下手でも速い方がよい。『孫子』作戦編に「兵聞拙速、未睹巧之久也」とあるのに基づく。

【巧緻】コウチ　たくみでこまかい。上手でよくゆきとどいている。工緻。

【巧佞】コウネイ　たくみにへつらう。へつらってうまくとりいること。

【巧婦】コウフ　①裁縫や機織りなど仕事の上手な女性。②みそさざいの別名。たくみどり。

【巧妙】コウミョウ　すぐれて上手なこと。また、その人。

2【功】5画 (995) コウ　力部。→一九一ページ上。

2【左】5画 3059 教1 サ ひだり　2624 8DB6 一
サ 簡 簡 zuǒ

筆順 一ナ左左左

［𠂇］1109 俗字

字義 ❶ひだり。↔右(1300)。㋐左の手。また、左側。㋑東。天子が南面すると左にあたるため。古く中国では地図は南が上になるように置いた。「江左(江東)」「山左(山東)」㋒陽の位。㋓した。下位。昔は右を尊んだ。→参考。

❷ひだり-する　ひだり。左に行く。用例〔史記、項羽本紀〕左乃陷大沢中　↓左に進むとなんと大きな沼の中に入ってしまった。

❸ひだり-にする　ひだり。㋐左に置く。左につける。左に向ける。「左衽」㋑右(尊位)に次いで尊ぶ。「右文左武」㋒下げる。遠ざける。うとんずる。用例〔史記、孝文本紀〕右賢左戚、先民後己。↓賢者を上に置き親戚は下に置き、民のことを先にし自分のことを後回しにする。

❹たが-う　たがふ。くいちがう。おもうようにいかない。右手・右足が利き手・利き足の人が多いことからいう。また、ただしくない。不正な。用例〔北宋、蘇軾、論書詩〕鍾張忽已遠、此語与時左　↓鍾繇、張芝らのように時代が遠ければいよいよ(書の)気韻が高いという、そのことばは今どきの考えとは違っている。

❺たす-ける　たすく。＝佐(253)。❻あかし。証拠。しるし。また、あかしを立てる。「証左」❼政治思想の上で、急進的な。「左翼」

国 酒好き。「左党」

名前 さ・ざ・すけ・ぞう　難読 左見右見・左手・左沢・左部・左右・左右田

参考 左右いずれを尊位とするかは、時代や国によって一様ではない。中国では、ほぼ周は左を尊び、戦国時代は右を尊び、秦・漢も同じく右、六朝時代には左、唐・宋もこれと同じく左、元は右、明・清は左を尊び清に及んでいる。

解字 金文 篆文 会意。ナ＋工。ナは、ひだり手の象形。工は、工具の象形。工具を持つひだり手、ひだりの意味を表す。また、左右の手が相互に助けあうことから、たすけるの意味をも表す。たすけるの意味には、のちに佐を用いるようになる。左を音符に含む形声文字に、佐・差があり、また、差が音符となって、傞・嵯・搓・槎・瑳・蹉などがある。

逆 験左・江左・証左

【左尹】サイン　周代、楚の官名。大臣に相当した。

【左掖】サエキ　①宮城の正門の左の小門。②諫議の官のいる役所。

【左官】サカン　①諸侯に仕える役人。漢代には右をとうとんだので、天子を捨てて諸侯に仕えるものを左官といった。②国 壁を塗る職人。

【左丘明】サキュウメイ　春秋時代、魯の人とも、戦国時代の人ともいう。姓は左、または左丘ともいう。『左伝』『国語』の作者といわれているが疑わしい。

【左契】サケイ　①二分したわりふの左半分。契約を書いた木の札を二つに割って、左右の一片ずつを約束をした人それぞれが持って、後日の証拠とする。②約束の証拠。

【左傾】サケイ　①左にかたむく。心の平らかでないたとえ。②国 左翼思想に傾くこと。

【左券】サケン　＝左契。

【左験(驗)】サケン　かたわらで見た人の証拠・しるし。証左。また、証人。

【左顧右眄】サコウベン　左右を見わたす。㋐得意のさま。〔三国魏、曹植、与呉季重書〕㋑ためらうさま。

【左降】サコウ　①左の階段をくだる。②官位をおとされること。左遷。

【左国(國)史漢】サコクシカン　『左伝』『国語』『史記』『漢書』。中国古代の代表的歴史書・文学書として文章家の必読書とされた。

【左驂】ササン　四頭だての馬車の左のそえ馬。

【左氏伝(傳)】サシデン　書名。三十巻。『春秋左氏伝』の略。魯の左丘明の著といわれるが明らかでない。孔子の制作した『春秋』の解釈書で、史実に詳しい。『公羊伝』『穀梁伝』と合わせて、春秋三伝という。

【左史】サシ　昔の史官。天子のそばにいて、天子の行動を記録した。↔右史(三三七ページ下)。

【左思】サシ　西晋の文人。字は太沖。「三都賦」を作り、洛陽の紙価を高からしめたという。(二五〇?—三〇五?)

【左手】サシュ　一 ひだりて。二 ゆんで　国 弓を持つ手。ひだり手。↔馬手(一五八三ページ下)。

【左手画(畫)方、右手画(畫)円(圓)】サシュにはホウをえがき、ユウシュにはエンをえがく　左手では四角を描き、右手では円形を描く。同時に二つのことはできにくいたとえ。また、明敏なことのたとえ。

【左省】サショウ　唐代、門下省をいう。中書省(右省)に対して左にあったのでいう。

【左相】サショウ　①左右二人の宰相のうち、左の宰相。↔右相(三三七ページ下)。②唐代は、侍中をいう。

【左証(證)】サショウ　あかし。証拠。左券。

【左衽・左袵】サジン　①えりを左まえにあわせること。辺地の異民族の衣服の着かた。用例〔論語、憲問〕微管仲、吾其被髪左衽矣　↓もしも管仲がいなかったら、われわれは、髪を結わず着物を左前に着る未開の地の風俗をさせられていたであろう。②異民族の風俗。

【左遷】サセン　官位をさげる。官位をさげて遠地に転任させる。左降。

【左袒・左襢】サタン　①左のかたはだをぬぐこと。②他人に同意すること。味方する。漢の周勃が呂氏の乱を鎮定しようとして、軍中で「呂氏に荷担する者は右袒せよ、劉氏(漢王)を助けようとする者は左袒せよ」と言ったとき、全軍左袒した故事による。〔史記、呂后本紀〕▼袒は、衣の袖をぬいで肩をあらわすこと。

【左提右挈】サテイユウケツ　左にひっさげ、右にたずさえる。手を取りあって助け合うこと。

【左伝(傳)】サデン　＝左氏伝。

【左道】サドウ　正しくない道。邪道。

【左文右武】サブンユウブ　文武両道をともに尊び用いること。

【左右】サユウ　①ひだりみぎ。②左右に動かす。③そば。かたわら。④同列の人。同僚。⑤近臣。おそばの者。用例〔史記、項羽本紀〕左右皆泣、莫能仰視　↓左右のものは皆泣き伏し、誰も顔をあげて見ることができなかった。⑥直接その人をさすことをはばかって、おそばにいる人をさしていう語。⑦たすける。⑧補佐する大臣。⑨自由にする。勝手にする。⑩ばかり。ほど。その前後。

【顧左右而言他】サユウをかえりみてタをいう　左右の臣下をかえりみて話題と関係のないことを言う。話題をそらしてごまか

すこと。〔孟子、梁恵王下〕

【左翼】(サヨク) ①鳥の左のつばさ。②中央軍の左方にある軍隊。③急進的・革新的な思想をもっている人・団体。↕右翼(三三八ページ上)。

2 【仝】 5画 (200) ドウ 人部。→八一ページ下。

3 【巩】 6画 3060 漢キョウ 呉ク 匯 gǒng ₂0878 — 2801

字義 いだく(抱)。つつみかかえる。

解字 形声。卂(丮)+工音。

3 【邛】 6画 (12253) キョウ 邑部。→一四三八ページ中。

4 【攻】 7画 (4516) コウ 支部。→六三〇ページ下。

4 【巫】 7画 3061 人 標 漢ブ・呉ム 慣フ 匯 wū(wú) 5464 9BDE —

字義 ❶みこ。かんなぎ。舞楽をして神がかりの状態になり、神意を知り、これを人に伝えるという女性。もと、男女ともに巫といったが、後に女性を巫、男性を覡(ゲキ)と称した。❷医師。❸みだり。でたらめ。

難読 巫山戯(ふざ)ける・巫女(みこ)

解字 甲骨文 篆文 象形。甲骨文は、神を祭るとばりの中で、人が両手で祭具をささげる形にかたどり、神を招きもとめる人、みこの意味を表す。篆文は、両そでの衣装を舞わせている形にかたどると説かれるが、甲骨文の字形の変形したものであろう。

【巫医(醫)】(フイ) みこと、医者。また、医者をいう。

【巫峡(峽)】(フキョウ) 峡谷の名。瞿塘(クトウ)峡・西陵峡とともに、長江三峡の一つ。四川省巫山県の大寧河口から湖北省巴東県の官渡口に至る約四〇キロメートル。

【巫△覡】(フゲキ) 女性のみこと、男性のみこ。また、みこ。かんなぎ。→字義❶。

【巫△蠱】(フコ) ①巫は、みこ。蠱は、まじないなどをして人をまどわす者。②みこなどが邪道をもって人をまどわすこと。

【巫山】(フザン) ①山名。重慶市と湖北省の境にあり、その真中を長江が横切って流れる。②男女の情事。↓巫山之夢(フザンのゆめ)

【巫山雲雨】(フザンウンウ) ①巫山の雲と雨。②男女の情事。↓巫山之夢(フザンのゆめ)

【巫山△之夢】(フザンのゆめ) ①楚(ソ)の懐王が高唐に遊び、夢の中で巫山の神女とちぎったが、神女が去るに臨み、「妾(ショウ)は巫山の陽(みなみ)、高丘の岨(ソ)に在り、旦(あした)には朝雲となり、暮れには行雨となる。」と言って立ち去ったという故事。〔戦国楚、宋玉、高唐賦〕②男女の情事。

【巫史】(フシ) 神につかえて祭事や神事をつかさどるもの。かんなぎ。はふり。

【巫呪】(フジュ・フシュウ) まじない。のろい。

【巫祝】(フシュク) =巫史。

【巫術】(フジュツ) みこのわざ。まじない。

【巫女】(フジョ) ①みこ。②巫山の神女。→巫山之夢(フザンのゆめ)。

6 【缸】 9画 (9409) コウ 缶部。→一一四六ページ上。

7 【貢】 10画 (11521) コウ 貝部。→一三五一ページ上。

7 【差】 10画 3062 教 4 サ さ-す 熟字訓 差(さ)し支(つか)える 2625 8DB7 —

一 漢サ・呉シャ 匯 chā
二 シ 支 cī
三 漢サイ・呉シャ 佳 chāi
四 漢サイ・呉シャ 卦 chài
慣 サ

筆順 丶 丷 䒑 羊 羊 差 差 差 差 差

字義 一 ❶たが-う(ふ)。㋐くいちがう。合わない。㋑そむく。二心を持つ。❷たが-い(ひ)。あやまり。間違い。「誤差」「差失」❸まじわる。❹残り。さしひき。↕和(1433)。二 ❶ちがい。わかち。へだたり。「差別」❷しなさだめする。❸ひとしくない。そろわない。「参差(シンシ)」「差差(シシ)」三 ❶つかわす。「差遣」❷つかう。使役する。賦役(フヤク)。「差役」四 ❶いえる。病気が治る。❷やや。国 ❶さ-す。㋐潮が満ちて来る。㋑現れる。「赤味が差す」㋒光線が入る。㋓水を入れる。❷さ-し。㋐ものさし。㋑さしむかい。

名前 しな・すけ　難読 差塩(さいそ)

参考 現代表記では〔叉〕(1267)の書きかえに用いることがある。「交叉→交差」

使いわけ さす〔指・刺・挿・差〕⇩指(4156)。

解字 金文 篆文 形声。𠂹(𠂹)+左音。𠂹は、金文では禾で、ふぞろいの穂が出た稲の象形。左は叉に通じ、指をばらばらに開いて、その間に物を挟むさまを表す。ふぞろいで、ばらばらの意味、事物のちがいの意味を表す。

逆 過差・交差・誤差・参差・等差・落差

【差異】(サイ) ちがい。たがい。相違。◆「差違」と書く例もあるが、極めて少ない。新聞用語も「差異」に統一している。

【差役】(サエキ) ①宋(ソウ)代、人民に課した力役の一つ。貧富によって九等に分け、上の四等から働き手を徴発し、下の五等は免除した。②土地の治安を取り締まる下級役人。③用人。

【差肩】(サケン) 肩をならべて、やや後ろに立つこと。

【差遣】(サケン) 役人を地方に出張させる。派遣。

【差錯】(ササク) ①まじわる。入り乱れる。②ちがう。

【差次】(サジ) 等級をつけて順序を定めること。また、等級。差等。差級。また、差別。

【差池】(シチ) ひとしくないさま。ふぞろいのさま。

【差等】(サトウ) 等級のちがい。等差。また、差別。

【差配】(サハイ) ①手分けして事務を取り扱うこと。②国㋐所有主にかわって貸地・貸家などを管理すること。㋑取り扱い。

【差別】(サベツ) ①ちがい。けじめ。分別。②国不当な区別。

9 【項】 12画 (13435) コウ 頁部。→一五五四ページ中。

3画

己(已・巳) おのれ

〔部首解説〕 文字の要素としての己には一定した意味はなく、もっぱら字形分類のために部首にたてられる。なお、常用漢字で己の形をもつ文字のうち、巻はもと巻で卩(㔾)部に属した。また、起・選・包・抱などはもと起・選・包・抱で巳の形で、いずれも新字体で己の形に改められた。

0 己 四四九　已 四五〇　巳 四五〇　1 巴 四五一　2 㔾 四五一
巳 四五一　4 改 六三〇　巵 四五一　6 巻 四五一　巹 四五一
巷 四五二　巷 四五二　7 巸 四五二　9 巽 四五二

0 【己】 3画 3063 教 6 コ・キ おのれ 漢キ・呉コ 紙 jǐ 2442 8CC8 —

筆順 フ コ 己

字義 ❶おのれ。おの。㋐自分。私。↕他(197)。「自己」㋑私欲。「克己」❷つちのと。十干の第六位。五行で土に配する。国 おのれ。同等以下の人をののしって呼ぶ語。

名前 おと・き・これ・つち・な・み　難読 己惚(うぬぼ)れ・己西(こせ)・己等(おいら)

参考 〔己〕・〔已〕・〔巳〕はそれぞれ別字。古い歌に「キ・コ

工部 2▼9画〔仝巩邛攻巫缸貢差項〕 己部 0画〔己〕

の声、オノレ・ツチノト、下につき、イ・スデニ半ば、シ・ミはみなつく」「ミは上に、オノレ・ツチノト下につき、スデニ・ヤム・ノミ中ごろにつく」などとある。

解字 甲骨文 金文 篆文 象形。人のひざまずく形に似た三本の横の平行線を持ち、その両端に糸を巻き、中の横線を支点とする糸巻きの象形。紀の原字で、糸すじをわける器具の意味を表したが、借りて、おのれ・つちのとの意味を表す。己を音符に含む形声文字に、忌・紀・記・起・跽などがあり、これらの漢字は、「糸すじを整える」の意味を共有している。

逆 一己・克己・知己・利己

【己所レ不レ欲、勿レ施二於人一】自分のいやだと思うことは、他人にしてはならない。一説に、他人にさせてはならない。〔論語、顔淵〕

【己欲レ達△而達レ人】自分が達したいと願うなら、他人もそうであろうと推量して、達成させてやるように力添えをする。▼達は、栄達など、自分の志望をとげること。用例〔論語、雍也〕夫仁者己欲レ立而立レ人、己欲レ達而達レ人。↓さて人徳ある人は自分が立ちたいと願うなら、他人もそうであろうと推量して立たしてやり、自分が達したいと願うなら、他人を達成させるよう力添えをする。

【為(爲)レ己】自分自身の修養のために学問をする。↕為レ人(七三ページ下)。用例〔論語、憲問〕古之学者為レ己。↓昔の学問する人は、自己自身の人格を高めるために学問をした。

【克レ己】＝克己(一四一ページ上)。

【克レ己復レ礼(禮)】私欲にうちかって礼にたち返る。克己復礼。▼礼は、社会秩序を維持する制度やおきて。用例〔論語、顔淵〕克レ己復レ礼為レ仁。↓私欲にうちかって礼にたち返ることが、仁である。

【修レ己治レ人】＝修己治人(四九六ページ中)。

0【已】3画 3064 人 標 イ 寘 紙 yǐ 5465 9BDF 一

筆順 ㇕ コ 已

字義 ❶やむ。やめる。中止する。終わる。辞職する。用例〔唐、杜甫、兵車行〕辺庭流血成二海水一、武皇開レ辺意未レ已。↓戦争が行われている辺境地帯では、血が海の水のように大量に流されているのだが、武帝様の国境を開拓しようという意志は、まだやもうとしない。❷いえる(癒)。いやす。なおる。なおす。用例〔史記、太倉公伝〕病已、三十日如レ故。↓病気が治り、三十日でもとどおり元気になった。❸はなはだ(甚)。はなはだしい。▼「已甚」の二字でも同様に用いられる。用例〔孟子、離婁下〕仲尼不レ為二已甚一者。↓孔子は極端なことをしない方であった。❹より。から。▼以(182)に類似の用法で、「上」「下」「来」「往」「前」「後」などの語の前に置かれ、時や場所、方角、数量などの範囲を表す。用例〔漢書、文帝紀〕年八十已上、賜二米人月一石肉二十斤酒五斗一。↓八十歳以上の者には、ひとりにつき毎月、米一石、肉二十斤、酒五斗を下賜する。

助 のみ。すでに。⇩助字・句法解説。

助字・句法解説

❶のみ。文末に置かれて、断定や強意・限定の語気を表す。類 爾・耳。

㋐断定・強意。訳…なのだ。用例〔孟子、梁恵王上〕苟無二恒心一、放辟邪侈、無レ不レ為已。↓もしも一定不変の道徳心がなかったならば、勝手気ままにふるまい、どんな悪いことでもしてしまう。

㋑限定。訳だけだ。…にすぎない。単独に「已」のみを用いないで、「而已」「而已矣」「也已」などのように複合して限定の意味を表すことが多い。その場合も「のみ」と読むことに変わりはない。用例〔論語、里仁〕夫子之道、忠恕而已矣。↓先生の説かれる道は、まごころのこもった思いやり、ただそれだけである。

❷すでに。動詞の前に置き、過去や完了を表す。↕未(5183)。類 既。

㋐訳とっくに…する。状況がすでにそのようになったことや、動作がすでに進行していることなどを表す。用例〔論語、微子〕道之不レ行也、已知レ之矣。↓(今の時代)正しい道が行われないことはとっくにわかっている。

㋑訳まもなく。やがて。前の句で述べたことを受け、短時間で後の句で述べる状況が生じたことを表す。用例〔韓非子、内儲説上〕始鄭梁一国也、已而別。↓もと鄭と梁とは一つの国であったが、まもなく分かれたのだ。

㋒完了・確定。訳…した後に～した。用例〔史記、項羽本紀〕沛公已去、間レ至二軍中一、張良入謝曰、……。↓沛公がもはや立ち去り、自分の陣営に到着するころをみはからって、張良は宴席にもどり、陳謝して言うことには、……。

名前 い・おわる・これ・すえ・のみ・はや・もち・やむ

参考 ⇩〔己〕(3063)の参考。

解字 象形。農具のすきの形にかたどり、すきの意味を表す。耜の原字。借りて、やむ・すでに・のみ等の意味に用いる。

【已△矣】もうだめだ。これまでだ。絶望のことば。用例〔資治通鑑、漢紀〕陵尚復何顧乎已矣。↓わたくし李陵はさらに何を顧みましょう。もう何もないのです。

【已△矣△乎】＝已矣。用例〔東晋、陶潜、帰去来辞〕已矣乎、寓二形宇内一復幾時。↓ああ、もう、おしまいだなあ。この世に生きながらえているのも、いったいあとどのくらいであろうか(たいした時間ではない)。

【已往】以前。過去。用例〔東晋、陶潜、帰去来辞〕悟二已往之不一レ諫、知二来者之可一レ追。↓過去のことはいさめて改めることはできないことを悟り、将来のことこそ追い求めることができることがわかった。

【已下】それより下。その下。以下。

【已還】その後。以来。以後。

【已業】もはや。業已。▼已も業も、すでにの意。

【已後】その後。以後。

【已降】それより後。その後。以降。

【已甚】程度がはなはだしいこと。▼已も甚も、はなはだの意。

【已然】すでにそうなっていること。↕未然(七一六ページ中)。

【不レ得レ已】どうしようもない。用例〔論語、顔淵〕必不レ得レ已而去、於二斯三者一、何先。↓どうしてもやむを得なくなって取り除く場合には、この(兵・食・信の)三者のうちで、どれを先にするのでしょうか。

0【巳】3画 3065 人 漢シ 呉ジ 紙 sì 4406 96A4 一

筆順 ㇕ コ 巳

字義 ❶み。十二支の第六位。月では陰暦四月。方位では南東と南南東の間。時刻では午前十時、およびその前後二時間。動物ではへび(蛇)。五行では火に当てる。❷子。はらみご。胎児。

名前 み

参考 ⇩〔已〕(3063)の参考。

解字 甲骨文 篆文 象形。『説文解字』では、へびの象形とする。また、胎児の象形とも考えられる。十二支の第六位に用いられる。巳の意味と音符とを含む形声文字に、祀などがある。

1【巴】4画 3066 人 ハ 麻 bā 3935 9462 —

筆順 ㇇ ㇆ ㇋ 巴

字義 ❶虫の名。一説に、象を食うへび。❷うずまき。水流が巴の字の形のようにうずまくもの。❸地名。現在の重慶市地方。国ともえ。㋐鞆(昔、弓を射るとき、左のひじにつけた皮製の道具)に描いた絵。㋑㋐の絵の形をした模様。

名前 とも・ともえ 難読 巴波・巴那馬・巴波那・巴拉圭・巴里・巴黎・巴爾幹・巴勒斯且・巴西

解字 篆文 象形。へびが地面にぺったりはっている形にかたどり、へび・うずまきの意味を表す。巴の意味と音符とを含む形声文字に、把・杷・爬・葩などがある。

【巴猿】巴峡で鳴くさる。転じて、山の峡谷で鳴くさる。巴峡の両岸にさるが多いのでいう。

【巴峡(峽)】長江上流の峡谷の名。湖北省巴東県の西にある。巫山から巴東までの間の急流。

【巴山】山名。陝西省西郷県の南西にある。大巴山。巴嶺。また、この他にも同名の山がいくつかある。

【巴蜀】四川省の別名。▼巴は今の重慶市地方、蜀は四川省成都市地方。

【巴旦杏】杏の別種。もと大宛の産。

【巴調】①巴人の歌う歌の(いやしい)調子。②俗歌。俗曲。③自作の詩文の謙称。

【巴里・巴黎】Parisの音訳。フランスの首府。

【巴陵】①山名。湖南省岳陽市の南西にある。下は洞庭湖に臨み、景勝の地である。一名、東陵。②郡名。南朝の宋の時に置く。郡都は、今の湖南省岳陽市。

2【㠯】5画 3067 イ 以(182)の本字。→七八ジ・上。

2【㠯】5画 3068 イ 以(182)の俗字。→七八ジ・上。 20879 — —

4【改】7画 (4514) カイ 支部。→六三〇ジ・上。

4【巵】7画 3069 シ 卮(1190)の俗字。→三二〇ジ・中。 5466 9BE0 —

6【巻】9画 3070 教6 カン まく・まき 2012 8AAA —

卩6〔卷〕8画 3071 人 ⊟漢ケン 呉ゲン 先 quān ⊜ケン 霰 juàn ⊝ケン 銑 juǎn 慣カン(クヮン) 5043 99C9 —

筆順 丶 ㇒ 䒑 兰 类 券 巻 巻

字義 ⊟❶まく。㋐長い物の一方を中心にしてくるくるとまるめる。㋑たばねる。まとめる。収束する。㋒とりまく。囲む。㋓まき上げる。=捲(4229)。❷ひざがまがる。⊜❶まがる(曲)。まげる。❷まき。巻き物や書物。また、それを数える語。「巻子」「上巻」 ⊝❶まがる。❷にぎりこぶし(拳)。❸髪が美しい。

名前 まき・まる 難読 巻向・巻子塚・巻繊

解字 篆文 形声。㔾(卩)+𢍏(𢍏)音。卩は、人がひざをまげている形にかたどる。音符の𢍏は、まくの意味。まくの意味を表す。巻(卷)を音符に含む形声文字に、倦・圏・拳・捲・棬・眷・綣・蜷などがあり、これらの漢字は、「まく」の意味を共有している。

逆 圧巻・開巻・経巻・首巻・書巻・図巻・席巻・万巻

【巻曲】まがる。用例〔荘子、逍遥遊〕其小枝巻曲而不レ中ニ規矩一 ⬇その小枝は曲がりくねっていて、コンパスや定規をあてることができません。

【巻巻】①親切・忠実なさま。②おちぶれたさま。③やわらかく、かよわいさま。

【巻耳】植物の名。みみなぐさ。ナデシコ科の越年生草木。〔詩経、周南、巻耳〕

【巻舒】①まくこととのばすこと。②才能をかくすことと表すこと。③縮んだり伸びたりすること。

【巻子本】巻き物に作った本。⇩コラム 書籍(六六八ジ・一)。

【巻石】にぎりこぶしほどの石。▼巻は、拳に通ずる。

【巻舌】=巻レ舌(一一八四ジ・下)。

【巻帙】書籍。▼帙は、和装の書籍をおおい包む物。

【巻土重来(來)】砂ほこりを巻きあげて再び来る。一度敗れた者が勢力を盛りかえして再び攻めて来ること。転じて、一度失敗した者が勢力をたくわえ準備をととのえて再び試みること。▼巻は、捲とも書く。用例〔唐、杜牧、題ニ烏江亭一詩〕江東子弟多ニ才俊一、巻土重来未レ可レ知 ⬇江東地方の若者には才能ある者も多かったのだから、砂ぼこりを巻き上げて再び攻め寄せたならば、天下の情勢はどうなったかわからない。

【巻頭】①書籍の本文の書き初めの所。巻首。②書物の本文の最初にある書名や編著者名の部分。③本文の前にある序文・目次などの付録的な部分。④その本の中の最もすぐれた詩文。⑤物事のはじめをいう。

【掩レ巻】書籍を閉じる。読むことをやめること。

【不レ釈(釋)レ巻】書籍をはなさない。いつも読んでいること。

6【巹】9画 3072 漢キン 呉コン 吻 jǐn — 2803

〔丞〕1201 俗字

字義 ❶したがう。また、つつしむ。また、受ける。❷さかずき。ひさごを二つに割って作ったもの。婚礼に用いる。

解字 篆文 会意。丞+己。丞は、両手をあげて受けるの意味。わが身を屈して、つつしんで受けるの意味を表す。

6【巷】9画 3073 人 標 漢コウ(カウ) 呉ゴウ(ガウ) 絳 xiàng 2511 8D4A —

〔衖〕3442 同字 〔巷〕3074 俗字

筆順 一 十 廾 土 共 共 共 巷 巷

字義 ❶ちまた。㋐町や村里の小道。また、町村。㋑路地。❷門の外側。❸世間。「巷の声」 国ちまた。❶道の分かれる所。つじ。❷町の中。世間。❸場所。「戦火の巷」

名前 こう・ごう・さと

解字 篆文 形声。篆文は、邑+共音。邑は、むらの意味。音符の共は、ともにするの意味。むらの人が共有する村なかの道の意味を表す。

【巷歌】町の中で歌う。また、その歌。

【巷間】①まちのなか。②世上。世間。

【巷議】①街頭で論議する(悪口をいう)。②世間の風説。世評。「街談巷議」

【巷衢】ちまた。まち。▼衢は、つじ道。

【巷説】コウセツ ちまたのうわさ。巷談。巷議。
【巷談】コウダン ＝巷説。

6【巷】9画 3074 コウ 巷(3073)の俗字。→四二一ページ下。

7【巸】10画 3075 イ 囡 yí —— 2802

字義 ❶広いあご。❷広い。❸さかんで大きい。❹美しい。

9【巽】12画 3076 囚 ソン 顒 xùn 3507 9246 —

解字 形声。㔾＋巳㊝。

9〘巽〙12画 3077

筆順 ㇕ ㇕ 己 㔾 巳 巺 巺 巽 巽

字義 ❶易の卦の名。㋐八卦の一つ。☴。表面は強いが、内心は従順である意。風に当てる。⇩ コラム 八卦(一四三ページ)。㋑六十四卦の一つ。䷸巽下巽上。柔順である意。❷たつみ。南東の方角。❸供える。❹したがう。また、うやまう。つつしむ。❺ゆずる。＝遜(12194)。

名前 たつみ・ゆく・よし

解字 篆文 巺 会意。㔾(卯)＋丌。卯は二人のひざがそろうの意味。丌は物を供える台の象形。物をきちんと供えるの意味を表す。また、遜に通じて、つつしみゆずるの意味をも表す。

【巽与(與)之言】ソンヨのゲン うやうやしく人にさからわないことば。婉曲なことば。▼与は、やわらぐ。〔論語、子罕〕

3画

巾 はば・はばへん きんべん

〔部首解説〕 巾が幅の略字として用いられるところから、はば・はばへんという。また、巾の音キンから、きんべんともいう。巾を意符として、布や、布で作ったものを表す文字ができている。

0 **巾** 四五二	3 师 四五三	帍 四五四	帖 四五四	帗 四五四
1 帀 四五二	帇 四五三	帋 四五四	帑 四五四	6 帟 四五四
市 四五二	**帆** 四五三	5 帚 四五四	帛 四五四	帠 四五五
2 **市** 四五二	帆 四五三	帒 四五四	帕 四五四	**帥** 四五五
布 四五三	4 **希** 四五三	帙 四五四	帔 四五四	**帝** 四五五

7 **帰** 四五五	**帯** 四五七	**帳** 四五九	幀 四五九	幉 四六〇	幎 四六〇	幓 四六〇	幔 四六一	幡 四六一	幪 四六一	幭 四六二
帬 四五六	帮 四五八	帲 四五九	帾 四五九	10 幌 四六〇	**幕** 四六〇	幛 四六〇	12 幖 四六一	**幣** 四六一	14 幬 四六一	16 幰 四六二
師 四五六	8 帷 四五八	帵 四五九	**幅** 四五九	幐 四六〇	11 幗 四六〇	幓 四六一	幟 四六一	幤 四六一	幭 四六二	幰 四六二
帨 四五七	**常** 四五八	9 幄 四五九	幇 四六〇	幙 四六〇	徽 四六〇	幖 四六一	幮 四六一	幞 四六一	幫 四六二	18 幱 四六二
席 四五七	帶 四五七	幃 四五九	**帽** 四六〇	幣 四六〇	幘 四六〇	幔 四六一	幢 四六一	13 幨 四六一	15 幮 四六二	

0【巾】3画 3078 常 キン キン 眞 jīn 2250 8BD0 —

筆順 丨 冂 巾

字義 ❶てふき。てぬぐい。「手巾」❷おおう。また、おおい。❸ずきん(頭巾)。❹えりかけ。ひれ。❺お膳などのおおい。❻おおきれ。ぬの。織物。
国 ❶はば。幅(3122)の略字。❷ちきり。❸べき。数学用語。＝冪(790)。

巾③

解字 甲骨文 巾 篆文 巾 象形。布きれにひもをつけて、帯にさしこむ形にかたどり、布きれの意味を表す。

【巾幗】キンカク ①女性の髪かざり。一説に、女性が喪中にかぶる冠。②女性。
【巾笥】キンシ 布張りの小箱。手文庫。巾箱。また、その中に入れること。用例〔荘子、秋水〕王巾笥而蔵二之廟堂之上一。王はそれを布で包んで箱に入れ、先祖を祀るみたまやの上にしまいこんだ。
【巾櫛】キンシツ てぬぐいと、くし。
【侍二巾櫛一】キンシツにジす 妻となることを謙遜していう。てぬぐいとくしをとって夫に仕える意。
【巾車】キンシャ ほろをかけた車。ほろ馬車。用例〔東晋、陶潜、帰去来辞〕或命二巾車一、或棹二孤舟一。 ある時にはほろをかけた車を出すことを命じ、またある時には、一そうの小舟を漕いで出かける。
【巾箱】キンソウ 布張りの小箱。座側に置いて手回り品や書物などを入れる小さい箱。手文庫。
【巾箱本】キンソウボン 小型(半紙四半分以下)の本。巾箱にはいるほどの小さな本。南宋時代、科挙がさかんで、受験勉強する人の携帯の便をはかって作られたものという。

1【帀】4画 3079 ソウ 匝(1124)の本字。→一〇七ページ中。 2 0880 — 2804

1【巿】4画 3080 漢フツ 呉フチ 物 fú

字義 ひざかけ。まえだれ。＝韍(13383)。
参考 〔市〕(3081)は別字。巿は、縦棒を一画で書く。
解字 金文 巿 篆文 韍 象形。古代の礼制として天子・諸侯などが身につけたまえだれの形にかたどり、まえだれの意味を表す。

2【市】5画 3081 教 2 シ いち 漢シ・呉ジ 紙 shì 2752 8E73 —

筆順 丶 亠 广 市 市

字義 ❶いち。㋐人が集まって物品の売買をするところ。市場。用例〔唐、白居易、売炭翁詩〕牛困人飢日已高 市南門外泥中歇。 ⇩牛はつかれ、人は腹ぺこ、日は、もう空高くのぼった。市場の南門の外がわの、泥んこの道で休息した。㋑人や物の多く集まるところ。㋒あきない。とりひき。また、あきないをする。売り買いをする。❷しおきば。さらしば。刑場。昔は人の多く集まる場所で刑罰を施行した。❸まち。人家が多くてにぎやかなところ。国 シ。行政上の自治団体。都道府県の下に属する。
名前 いち・いっ・ち・なが・まち 難読 市塙・市正・市来・市俄古・市高加
参考 〔巿〕(3080)は別字。
解字 金文 篆文 形声。冂＋乁＋㞢(㞢)㊝。音符の㞢(之)は、ゆくの意味。冂は、市場の一定の区域を示す。乁は、及の古字。物品を売買するために人々が行く場所、いちの意味を表す。
逆 海市・街市・棄市・宮市・港市・城市・井市・朝市・馬市・坊市

【市隠(隱)】シイン 町なかに住んでいる隠者。
【市易】シエキ 宋の王安石の新法の一つ。都に交易所を設け、政府の金で物価の安いときに買い、高いときに売る法。
【市価(價)】シカ 市場で売買される商品の値段。
【市河寛(寬)斎(齋)】いちかわ(は)カンサイ 国江戸後期の儒学者・詩人。上野(今の群馬県)の人。名は世寧。字は子静・

嘉祥。寛斎は号。詩・書をよくした。著書に『江湖詩話』『日本詩紀』などがある。(一七四九—一八二〇)

【市街】シガイ まちなみ。人家が続いてにぎやかな所。

【市況】シキョウ 国①まちの景気。②取引・売買のようす。

【市虎】シコ 「市中に虎(とら)がいる」と、三人も同じうそを言えば、それが事実として信用される。無根のことばも、これを言う者が多いと、人を惑わすというたとえ。「三人言い(ひ)て虎を成す」「市虎三人に成る」などともいう。〔戦国策、魏〕

【市肆】シシ みせ。商店。

【市場】一シジョウ 売り手と買い手が規則的に会合する組織。二シジョウ・いち 商人が集まって商品を売買する所。

【市井】シセイ まち。人家の多い所。昔は、井戸のある所に市(いち)ができたのでいう。

【市井之臣】シセイのシン 町にいる人民。また、仕官しないで国都にいる人。

【市井之人】シセイのひと 市中の俗人。町に住む庶民。

【市井之徒】シセイのト 市中のならず者。市井無頼。

【市曹】シソウ ①町役人。②官職を売ること。また、金で買った官職。③人を刑罰に処する所。昔、人を市で刑したからいう。→字義❷。

【市朝】シチョウ ①市中。まちなか。市中の公衆が集まる所。▼朝は、朝廷に役人が並んでいるように、人が並んでいること。②市(まちなか)と朝廷。

【市廛】シテン 町の店。商店街。

【市道】シドウ ①市中の道路。②商売道。利を重んじ義を忘れること。「市道の交わり」

【市販】シハン 市中で売っていること。また、その商人。

【市民】シミン 都市の住民。

4159 957A 一

2【布】5画 3082 教5 フ ぬの 漢ホ・呉フ 遇 bù

筆順 ノナ𠂇冇布

字義 ❶ぬの。㋐植物の繊維で織った織物。麻や葛(くず)の織物や綿布。㋑織物の総称。❷ぜに。貨幣。「泉布」❸しく。広げる。行き渡らせる。くばる。「公布」「頒布」

名前 しき・しく・たえ・ぬの・のぶ・よし

難読 布哇(ハワイ)・布佐(ふさ)・布忍(ぬのしせ)・布団(ふとん)・布良(めら)

布②

解字 金文 篆文 形声。巾+ナ(父)音。音符の父は、木づちを手にする形にかたどる。きぬたで「つや」を出した、ぬのの意味を表す。また、敷に通じ、しくの意味をも表す。

逆 絹布・公布・散布・宣布・泉布・銭布・調布・刀布・塗布・配布・発布・頒布・羅布・流布

【布衣】一フイ ①布製の(一般庶民の)着物。②官位のない人。二ホイ 国①六位以下の役人が着る無紋の狩衣(かりぎぬ)。また、それを着る身分の人。②江戸時代、武士の第四級の礼服。

【布衣之極】フイのキョク 庶民としての最高の出世。

【布衣之交】フイのまじわり(まじはり) 身分や地位を離れてのつきあい。庶民的なつきあい。布衣の友。用例〔史記、廉頗藺相如伝〕布衣之交(フイのまじわり(はり))、尚不二相欺一(なお(ほ)あいあざむかず)、況大国乎(いわ(は)んやタイコクをや)。↓庶民の付き合いでさえ、だますということはしない。まして大国の付き合いではそんなことのあるはずがない。

【布衍】フエン のべひろめる。敷衍。

【布教】フキョウ 教え(宗教)を広める。

【布巾】フキン ①ぬのきれ。②国食器などをふくのに用いる小さなぬのきれ。

【布衾】フキン ぬので作った粗末な夜具。

【布告】フコク 告示して一般にしらせること。また、その文。

【布施】一フシ 人に物を施す。二フセ 仏僧に金銭や品物の施しを与える。また、その金品。

【布陣】フジン 戦いの陣をしく。また、しかれた陣立て。

【布政】フセイ 政治を行う。施政。

【布設】フセツ 設ける。→敷設(六二九ページ下)。

【布袋】一フタイ ①ぬので作った袋。②いりむこ。二ホテイ ①「布袋竹(ホテイチク)」の略。幹が短く節が多い。杖(つえ)に用いる。②五代後梁(コウリョウ)の高僧。布袋和尚(ホテイオショウ)。杖で布の袋を背負い、太った腹を出し、人の吉凶を占った。(?—九一七?) ③国七福神の一つ。布袋和尚をまねたものという。

【布置】フチ くばりならべる。配置。

【布陳】フチン ①つらなりならぶ。また、しきならべる。敷陳。②ばらばらになる。

【布帛】フハク ①もめんと絹。②織物。

【布帆】フハン ①ぬのの帆。②舟をいう。

【布被】フヒ 木綿のふとん。質素なことをいう。

【布縷】フル ぬのとより糸。昔、賦税として徴収した。

【布令】フレイ 法令や命令などを一般に広く示すこと。ふれ。

3【师】6画 3083 シ 師(3107)の俗字。→四六〇ページ下。

3【帇】6画 3084 漢ジョウ(デウ) 呉ニョウ(ネフ) 葉 niè

字義 手が速く巧みなこと。

解字 会意。又+巾。巾(きれ)を持つ手が素早く巧みであるの意味を表す。

一 一 2805

3【帆】6画 3085 常 ハン ほ 一漢ハン・呉ボン 咸 fān 二漢ハン・呉ボン 陥 fàn

筆順 丨冂巾帆帆帆

【帆】3086 同字 【颿】9758 同字

字義 一❶ほ。風を受けて舟を走らせる布。「順風満帆」❷ほかけぶね。帆船。「孤帆」二❶ほ。❷ほをあげて走らせる。

名前 ほ

解字 形声。巾+凡音。音符の凡は、帆の象形。凡が、「すべて」の意味に用いられるようになったので、巾を付して区別し、「ほ」の意味を表す。

逆 帰帆・軽帆・孤帆・征帆・風帆・布帆・片帆・満帆

【帆影】ハンエイ ①ほかげ。ほのすがた。②遠くに見える帆。また、その舟。

【帆檣】ハンショウ ほばしら(帆柱)。マスト。帆竿(ハンカン)。用例〔南宋、陸游、入蜀記〕蓋帆檣映二遠山一(けだしハンショウのエンザンにエイずるは)、尤可レ観(もっともみるべし)。↓思うに、帆柱が遠くの山に映えているというのは、たいそう見ごたえがあったことだろう。

【帆船】ハンセン ほかけぶね。ほまえせん。ほぶね。

4033 94BF 一

3【帆】6画 3086 ハン 帆(3085)と同字。→四五三ページ下。

2 0881 一 一

4【希】7画 3087 教4 キ 漢キ・呉ケ 微 xī

筆順 ノ㐅㐫肴肴希希

字義 ❶まれ。=稀(8480)。㋐すくない。㋑うとい。まどおい。❷かすか。声がないので聞くことができない。❸のぞむ(望)。あおぐ(仰)。❹こいねがう(こひねがふ)。もとめる。ねがう。「希望」❺かわく。=晞(4763)。国国名。希臘(ギリシャ)の略。

名前 き・け・のぞ・まれ・やす 難読 希臘(ギリシャ)

参考 現代表記では〔稀〕(8480)の書きかえに用いる。「稀少→希少」「稀代→希代」

解字 会意。爻+巾。爻は、織り目の象形。巾は、ぬのきれ

2085 8AF3 一

の意味。織り目が少ない、まれの意味を表す。また、祈に通じ、のぞみもとめるの意味をも表す。希の意味と音符とを含む形声文字に、晞・睎・稀などがある。

【希有】めったにない。めずらしい。ふしぎな。稀有。
【希△冀】こいねがいのぞむ。希望。
【希求】こいねがい求める。冀求。
【希△覯】まれに見る。めったにない。めずらしい。「希覯本」
【希少】めずらしいほど少ししかないこと。稀少。
【希世】①世にまれな。めずらしい。稀世。②世俗の名誉を求める。
【希代】世にもまれな。めずらしい。ふしぎな。稀代。
【希薄】(気体・液体などの)うすいこと。稀薄。
【希望】こいねがいのぞむ。また、のぞみ。冀望。
【希△臘】国 Hellas の音訳。バルカン半島の南端にある共和国。

4 【帍】 7画 3088 漢コ 呉ゴ 㬰 hù
— — 2806
字義 女性の襟首に巻く飾りのきれ。

4 【帋】 7画 3089 シ
5467 9BE1 —
解字 形声。巾+戸音。
紙(9083)と同字。→一一〇八ページ中。

5 【帚】 8画 3090 標 漢シュウ(シウ) 呉シュ 慣ソウ(サウ) 有 zhǒu
5468 9BE2 —
字義 ほうき。ははき。 難読 帚木
参考 〔箒〕(8787)の本字。日本では「帚木」の時に「帚」を用いる。解字は〔箒〕を見よ。

5 【帒】 8画 3091 タイ
2 0882 — 2807
袋(10823)と同字。→一三七五ページ中。

5 【帙】 8画 3092 漢チツ 呉ジチ(ヂチ) 質 zhì
5469 9BE3 —
〔袠〕10824 同字
字義 ❶ふまき。ふみづつみ。和とじ本を包むおおい。「書帙」「巻帙」 ❷書物。用例〔菅茶山、冬夜読書詩〕閑収乱帙思疑義一穂青灯万古心
↓取り散らかした書物を心静かに片づけながら、(今読んだ本の)疑問の箇所を考えていると、一本の稲穂のような青白いともし火が、昔の聖賢の心を明るく照らし出してくれるような感じがする。 ❸書物の次第・編序。

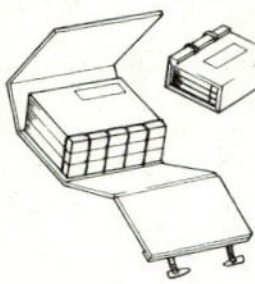
帙①

解字 篆文 形声。巾+失音。音符の失は、秩に通じ、秩序だててつめるの意味。書物を秩序だててつめこむ覆いの意味を表す。
【△繙レ帙】書物を開く。書を読むこと。開巻。

5 【帖】 8画 3093 人 標 チョウ(テフ) 慣ジョウ(デフ) 葉 tiē, ③tiě
3601 929F —
筆順 丨 冂 巾 巾丨 巾卜 帖 帖
字義 ❶うわがき。絹布に記した標題。 ❷石ずりの書。習字の手本。法帖。 ❸かきもの。㋐帳簿。書類。帳面。「手帖」 ㋑ふれぶみ。布告の書。 ㋒手紙。書簡。 ㋓張り紙。張りふだ。 ❹とばり。カーテン。 ❺さだまる。さだめる。おちつく。 ❻たれる(垂)。 国ジョウ。㋐折り本。 ㋑半紙二十枚。また、美濃紙四十八枚、海苔十枚。 ㋒屏風・畳などを数える語。
名前 さだ・ただ 難読 帖木児
参考 現代表記では〔帳〕(3115)に書きかえることがある。「手帖→手帳」
解字 篆文 形声。巾+占音。音符の占は、牒に通じ、うすくてひらたいの意味。ものを書きつけるためのうすい布、かきつけの意味を表す。また、寝室の前のとばりの意味をも表す。
【帖耳】耳をたれる。ごきげんを取り、あわれみを請うさま。
【帖装(装)】書物の装丁法の一つ。横に長くつなぎあわせた紙を、同じ幅に折って作った本。⇩コラム 書籍(六六八ページ)。
【帖帖】①ゆったりと落ちついているさま。②ついて離れないさま。③たれさがっているさま。④心服するさま。

5 【帑】 8画 3094 漢ド 呉ヌ 虞 nú
5470 9BE4 —
〔伖〕233 同字
字義 ❶かねぐら。金銀をいれておく所。「帑庫」 ❷子。妻子。子孫。＝孥(2577)。 ❸鳥の尾。 ❹とりこ。捕虜。
解字 形声。巾+奴音。

5 【帛】 8画 3095 標 漢ハク 呉ビャク 陌 bó
5471 9BE5 —
字義 ❶きぬ。うすぎぬ。しろぎぬ。にしき。絹織物の総称。 用例〔孟子、梁恵王上〕五十者可三以衣二レ帛矣 ↓五十歳の老人は絹の着物を着ることができる。 ❷ぬさ。贈り物にするきぬ。
解字 甲骨文 篆文 形声。巾+白音。音符の白は、しろいの意味。しろぎぬの意味を表す。
【帛書】絹に書いた文字や手紙。⇩コラム 書籍(六六八ページ)。用例〔資治通鑑、漢紀〕足有レ係二帛書一 ↓その足には絹布に書かれた手紙が結んでありました。

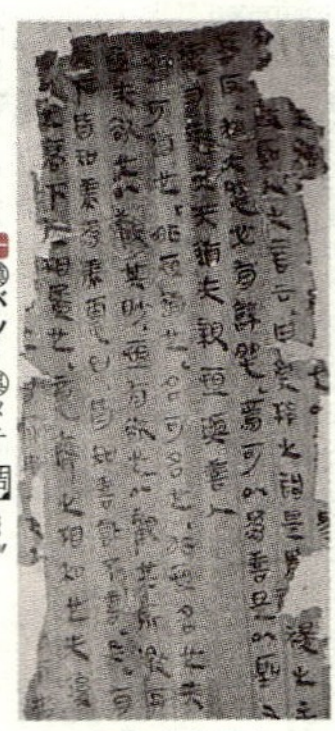
帛書『老子』

5 【帕】 8画 3096 一漢バツ・呉メチ 黠 mò 二ハ 禡 pà 三漢バク・呉ミャク 陌 慣ハク
2 0883 — 2809
〔帞〕9125 同字
字義 一❶はちまき。ひたいあて。❷つつむ(包)。 二三❶ふくさ。❷とばり。カーテン。 ❸ハンカチ。手帕。
解字 会意。巾+白。

5 【帔】 8画 3097 ヒ 寘 支 pēi
1 8409 — 2808
字義 ❶すそ。はかま。スカート。 ❷うちかけ。そでのない衣。また、ショール。 ❸てぬぐい。 国たれぎぬ。昔、女性が外出のとき、笠のまわりに長くたらした、からむしの薄い布。
解字 篆文 形声。巾+皮音。音符の皮は、かわの意味。かわのように胴をおおう布、チョッキの意味を表す。

5 【㡀】 8画 3098 漢ヘイ 呉ベイ 霽 bì
2 0884 — —
字義 ❶破れた衣。 ❷小さい。 ❸破れる。
解字 指事。衣服の破れたさまを表す。

6 【帟】 9画 3099 漢エキ 呉ヤク 陌 yì
2 0885 — 2811
字義 ひらはり。ひらとばり。上に張って、ごみを防ぐ小さな幕。
解字 篆文 形声。巾+亦音。音符の亦は、両わきの意味。本幕の上部に平らに張る小さな幕の意味を表す。

6 【帛】 9画 3100 ゲイ 𝄂 yì — — 2812

字義 のり。法。また、法にのっとる。

解字 形声。巾＋兒省㊥。

6 【帥】 9画 3101 常 スイ 3167 9083 —

㊀スイ 𝄂 shuài
㊁㊥シュツ・㊠シュチ・ソチ 𝄂
慣ソツ・ソチ

筆順
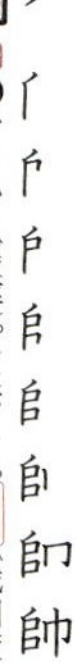

字義 ㊀❶ひきいる（率）。したがえる。用例〔戦国策、趙〕今智伯帥二二国之君一伐レ趙、趙将レ亡矣。↓いま智伯は（韓と魏の）二国の君主をひきいて趙を伐ち、趙はいまにも滅びようとしております。❷かしら。おさ。軍をひきいる最高の将官。「元帥」 ❸したがう。❹ただす。 国ソツ。ソチ。大宰府の長官。
㊁＝㊀❶。㊁❷＝㊀❷。

名前 そち・そつ

解字 金文 篆文
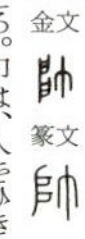
会意。巾＋𠂤。金文の𠂤の部分は、両手で物をひきあげているさまにかたどる。巾は、人をひきいる時に用いた布の象形。ひきいるの意味を表す。

逆 元帥・主帥・将帥・総帥・統帥

【帥先】 さきに立って人をみちびく。率先。

6 【帝】 9画 3102 常 テイ 3675 92E9 —
6 〔帝〕 9画 3103 ㊥テイ ㊠タイ 𝄂 dì

筆順
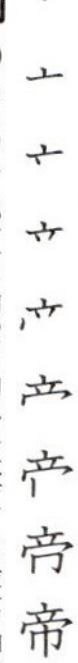

字義 ❶あまつかみ。天の神。万物を主宰する最高神。用例〔列子、湯問〕操蛇之神聞レ之、懼二其不一レ已也、告二之於帝一。↓蛇をあやつる山の神がこの話を聞いて、愚公がそのことを止めないのを心配し、これを天帝に報告した。❷かみ。五行の神。また、特定の方面をつかさどる神。用例〔荘子、応帝王〕南海之帝為レ儵、北海之帝為レ忽、中央之帝為二渾沌一。↓南海の帝を儵といい、北海の帝を忽といい、中央の帝を渾沌という。❸みかど。きみ。天子。「皇帝」「帝王」❹大きい。

名前 ただ・みかど

難読 帝魂

解字 甲骨文 篆文

象形。甲骨文でわかるように、木を組んで締めた形の、神をまつる台の象形。天の神の意味から、天下を治める、みかどの意味を表す。帝を音符に含む形声文字に、締・諦・蹄・禘などがあり、これらの漢字は、「しめくくる」の意味を共有している。

逆 義帝・皇帝・黄帝・上帝・聖帝・先帝・大帝・天帝・廃帝

【帝胤】 天子の血統（子孫）。皇胤。
【帝掖】 天子のいる所。皇城。宮城。
【帝王】 ①天子。天皇。みかど。②五帝と三王。
【帝王切開】 ドイツ語kaiserschnittの訳語。難産の時、産婦の腹を切開してそこから胎児を出す手術。古代ローマのシーザーがこの方法で産まれたので帝王という語をつけたという。
【帝紀】 ①帝王のことを述べた歴史書。②天帝の位。③帝王の守るべき道。
【帝畿】 天子が直接治める領地。また、帝都のある地方。畿内。王畿。
【帝居】 ①天帝のいる所。②五帝のいる所。③天子のいる所。皇居。
【帝京】 天子の都。皇都。帝都。帝城。
【帝郷（鄕）】 ①天帝のいる所。②仙人のいる所。用例〔東晋、陶潜、帰去来辞〕富貴非二吾願一、帝郷不レ可レ期。↓富や高い地位は私の願いではなく、仙人の住む世界など、思いも寄らないことだ。③天子の郷里（出身地）。④天子のいる所。帝都。
【帝尭（堯）】 中国古代伝説上の帝王の名。平陽（今の山西省臨汾市の南西）に都したと伝えられる。姓は陶唐氏。帝舜とともに理想的な聖天子とされる。
【帝業】 天子の（天下を統治する）事業。
【帝系】 天子の血統。皇統。帝胤。
【帝闕】 ①宮城の門。②宮城。
【帝嚳】 中国古代伝説上の帝王の名。黄帝の曽孫という。帝尭の父。姓は高辛氏。
【帝魂】 天子のみたま。
【帝師】 帝王の師。天子の先生。王師。
【帝室】 天子の家。皇居。また、天皇の一家。皇室。
【帝釈（釋）天】 仏須弥山の頂上、善見城にあり、仏法を擁護し、阿修羅を征服するという神。
【帝舜】 中国古代伝説上の帝王の名。顓頊七世の孫。尭に用いられて位を譲られた。姓は有虞氏。帝尭とともに理想的な聖天子とされる。
【帝緒】 天子の事業。帝王が天下を統治経営する事業。帝業。
【帝城】 ①天子のいる城。皇城。宮城。②天子のいる都。帝京。帝都。
【帝心】 天帝の心。
【帝制】 ①天子の定めた制度。②皇帝が最高主権者として国を統治する制度。
【帝藉】 昔、天子みずから耕した田。天神を祭るため民の力を借りて天子が耕した田。▼藉は、借。
【帝祚】 天子の位。帝位。
【帝儲】 ①天子のあとつぎ。皇太子。東宮。②星の名。五帝座の北にある。
【帝図（圖）】 天子のはかりごと。
【帝道】 ①帝王が行う理想的な政治のやり方。徳をもって民を治める道。②天子の位。帝位。
【帝傅】 ①天子の師。帝師。②宰相をいう。
【帝謨】 ①帝王のはかりごと。②『書経』の皐陶謨をいう。
【帝命】 ①天子の命令。②天帝の命令。
【帝猷】 ①天子のはかりごと。②帝王の道。
【帝力】 ①天子の力。②天子のめぐみ。用例〔十八史略、五帝、帝尭〕帝力何有二於我一哉。↓天子の恩徳など、どうしてわれわれに関係があろうか（何の関係もない）。

7 【帰】 10画 3104 教2 キ かえる・かえす 2102 8B41 —
止14 〔歸〕 18画 3105 ㊀キ 微 guī ㊁㊥キ・㊠ギ 𝄂 kuì 6137 9F64 —
〔帰〕 5998 古字 〔皈〕 7872 俗字

筆順
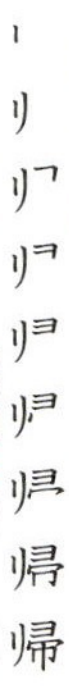

字義 ㊀❶かえる。もどる。引き返す。❷かえす。もどす。❸とつぐ。女性が結婚する。用例〔詩経、周南、桃夭〕之子于帰、宜二其室家一。↓この娘が嫁いでいったら、きっと夫の家族に調和して幸せになるだろう。❹ゆく（往）。落ち着くべきところに落ち着く。用例〔唐、杜甫、石壕吏詩〕老嫗力雖レ衰、請従レ吏夜帰。↓わたくしは、力は衰えておりますが、お願いです。役人（のあなた）といっしょに、夜のうちにおもむかせてください。❺身を寄せる。また、その所。❻くみする。味方する。また、集まる。❼まかせる。ゆだねる。❽終わる。死ぬ。
㊁おくる（贈）。与える。

巾部 6▼7画 〔帛帥帝帰〕

名前 もと・ゆき・より

使いわけ かえす・かえる〔帰・返〕
〔帰〕人間や動物がもとの場所に戻る。「帰らぬ旅」
〔返〕もとの状態に戻る。反対になる。また、反応がある。「野性に返る・手のひらを返す・答えを返す」

解字 甲骨文 金文 篆文
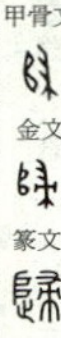
会意。甲骨文・金文は、𠂤＋帚。𠂤は、神に供える肉の象形。帚は、ほうきの象形。人が無事にかえったとき、清潔にした場所で神に感謝をささげたさまから、かえるの意味を表す。金文の一部から、のち「あし」の意味を表す止を付加し、その歩行にかかわる意味を明らかにした。常用漢字の帰は省略形による。

逆 詠帰・回帰・還帰・指帰・適帰・不帰・復帰

【帰安】(キアン) 結婚した女性が実家に帰って父母の安否を問うこと。

【帰一】(キイチ) 分かれたものが一つにまとまる。同じ所に帰着する。結局同じになる。

【帰隠(隱)】(キイン) 官職をやめて帰り、世を捨てて隠居する。

【帰依】(キエ) ①仏あつく信仰して仏にすがる。②すぐれたものに頼みすがること。

【帰往】(キオウ) おもむく。また、たよって行く。

【帰化】(キカ) ①(都から遠い地方の人が)君主の徳に感化されてつき従う。②他国の国籍を得て、その国民となる。

【帰嫁】(キカ) とつぐ。女性が結婚する。

【帰△臥】(キガ) 家に帰っていこう。また、官職をやめて故郷に帰り余生を送る。隠退すること。

【帰客】(キカク) 帰って来た旅人。

【帰還】(キカン) もとの所へかえる。特に外地・戦地から内地へ帰る。

【帰△雁】(キガン) ①春、北に帰る雁。②夕方、ねぐらに帰る雁。

【帰休】(キキュウ) ①家に帰って休む。②美名を他人に帰すること。よい評判は他人の手柄にする。一説に、帰ることをうながすこと。③死をいう。

【帰去来(來)△兮】(キキョライ・かえ(へ)りなんいざ) さあ故郷に帰ってゆこう。役人をやめて故郷に帰る決意を述べたことば。▼兮は、助字。用例〔東晋、陶潜、帰去来辞〕帰去来兮(かえ(へ)りなんいざ)、田園将レ蕪(まさにあれんとす)、胡不レ帰(なんぞかえ(へ)らざる)。⇩さあ帰ろう、故郷の田園は今まさに荒れはてようとしている。どうして帰らずにおられようか(帰らずにはいられない)。

【帰△禽】(キキン) 夕方のねぐらに帰る鳥。


【帰結】(キケツ) 物事のおちつくこと。また、事の終局。結果。

【帰元】(キゲン) 仏死、特に僧の死をいう。生滅界(この世)を出て本元の世界に帰る意。

【帰向】(キコウ) ①おもむき向かう。②心を寄せる。なつく。

【帰耕】(キコウ) (それまでの仕事をやめて)故郷に帰り耕作する。

【帰国(國)】(キコク) 本国に帰る。また、故郷に帰る。

【帰山】(キザン) ①故山に帰る。故郷に帰る。②道家で、死をいう。③国僧がその住んでいる寺にもどる。

【帰思】(キシ) 故郷に帰りたいという気持ち。望郷の気持ち。

【帰舎】(キシャ) ①家に帰る。帰家。②国寄宿舎に帰る。帰寮。

【帰趣】(キシュ) ＝帰趨(キスウ)。

【帰順】(キジュン) (敵対していた人が)心を改めて服従する。なつき従う。

【帰処(處)】(キショ) ①帰るべきところ。②たより安んずること。③心安らかに住むべきところ。安住の地。

【帰心】(キシン) ①故郷に帰りたいと思う心。「帰心矢のごとし」②なつき従う心。

【帰真(眞)】(キシン) ①本来の心にかえる。いつわりを捨てて真実に帰る。②仏死をいう。

【帰△趨】(キスウ) ①おもむく。かえる。②おもむき。③帰着点。

【帰省】(キセイ) ①故郷に帰り父母の安否をたずねる。②単に故郷に帰ることをいう。

【帰宗】(キソウ) ①宗家(本家)に帰る。他家に嫁いだ女性が、父の喪に実家に帰る類い。②他家の養子となった人、または妻となった人が、夫の死や離婚などによって実家に帰る。

【帰葬】(キソウ) 遺体を故郷に持ち帰ってほうむる。

【帰蔵(藏)】(キゾウ) 殷の易。夏の連山と、周易と合わせて三易という。一説に、黄帝の易という。

【帰俗】(キゾク) 僧をやめて俗人となる。還俗。

【帰属(屬)】(キゾク) ①つきしたがう。②ある人、またはある団体に従属する。

【帰著・帰着】(キチャク) ①かえりつく。②議論や意見などが一点におちつく。また、その点。③経過はどうあれ、結局そうなること。

【帰朝】(キチョウ) ①朝廷に帰属する。②君主の命令で他国に行った人が朝廷に帰る。また、外国から本国に帰ること。

【帰田】(キデン) ①田地をかえす。②公田をかえす。③官職をやめて故郷に帰って農耕に従事する。

【帰寧】(キネイ) ①結婚した女性が実家に帰って父母の安否をたずねること。▼寧は、安。②男性が故郷に帰って父母の安否を問うこと。③家に帰って喪祭をとり行うこと。

【帰年】(キネン) 故郷に帰る年。用例〔唐、杜甫、絶句詩〕今春看又過(みすみすまたすぐ)、何日是帰年(いずれのひかこれキネンならん)。⇩今年の春も、みるみるうちにまた過ぎてゆき、いったいいつ、故郷に戻って春を迎えることができるのだろう。


【帰念】(キネン) 帰りたいと思う心。帰思。

【帰納】(キノウ) ①寄せ集める。②反切によって漢字の音を出す。③国個々の事実の間に共通点を求めて、一般的な法則を引き出すこと。↕演繹(エンエキ)(八七三ページ上)。

【帰農】(キノウ) 官職をやめ、故郷に帰って農業をする。

【帰馬放牛】(キバホウギュウ) 戦争をやめるたとえ。周の武王が殷に勝って、馬を華山の南に帰し、牛を桃林の野に放った故事による。〔書経、武成〕

【帰帆】(キハン) 帰る帆かけ船。帰途につく船。帰舟。

【帰付・帰附】(キフ) したがいつく。心をよせて従う。

【帰伏】(キフク) ①降伏して従う。帰降。②故郷に帰りかくれる。

【帰服】(キフク) なつきしたがう。帰順する。

【帰妹】(キマイ) 易の六十四卦の一つ。☳☱兌下震上(ダカシンショウ)。女性を結婚させるに際する戒めの象。

【帰命】■(キメイ) なつきしたがう。帰順。■(キミョウ) 仏梵語(ボンゴ) na-mas(南無)の意訳。心から仏を信仰すること。

【帰命頂礼】(キミョウチョウライ) 仏厚く信仰し、頭を地につけておがむこと。

【帰△沐】(キモク) ①家に帰って髪を洗う。②役人が休暇をもらって家に帰り休息すること。

【帰養】(キヨウ) 家に帰って父母をやしなう。

【帰来(來)】(キライ) ①帰る。また、帰ってから。②帰ってこい。帰れ。

【帰老】(キロウ) ①老いて官職をやめる。官をやめて故郷に帰る。②生涯を終える。

【同レ帰異レ塗】(キをおなじくしてみちをことにす) →殊レ塗同レ帰(三一八ページ中)。

7【帬】10画 3106 クン 裙(10903)と同字。→一三八二ページ下。

7【師】10画 3107 教5 シ
シ 支 shī
熟字訓 師走(しわす)
2753 8E74 一

筆順
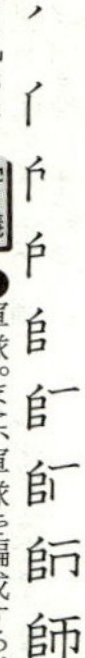

〔师〕3083 俗字

字義 ❶軍隊。また、軍隊を編成する単位。周代では二千五百人の軍隊をいう。用例〔詩経、秦風、無衣〕王于興レ師(オウここにシをおこせば)、修ニ我戈矛一(わがカボウをおさめ)、与レ子同レ仇(きみとあだをともにせん)。⇩王が軍隊をおこせば、我らの矛などの武具を準備して、君とともに戦おう。

❷易の六十四卦の一つ。☵☷坎下坤上。多くの人を統率する人君・将軍を表す。❸かしら。おさ。長官。❹人を教え導く人。先生。模範。また、先生と仰ぐこと。師とする。手本とする。用例〔唐、韓愈、師説〕師者所〓以伝〓道受〓業解〓惑也。↓師というのは、道理を伝え、学業を伝授し、迷いを解決するためのものである。❺天子の最高の補佐官。太師。❻音楽や礼儀の専門家。また、一般に技芸のすぐれた人。用例〔論語、衛霊公〕師冕見。↓楽師の冕が面会に来た。❼風や雨をつかさどる神。「雨師」「風師」❽もろもろ。多くの人。衆人。また、多いこと。用例〔詩経、大雅、文王〕殷之未〓喪〓師、克配〓上帝〓。↓殷が民衆を失う以前は、よく上帝の心にかなっていた。

名前　かず・し・つかさ・のり・みつ・もと・もろ　難読　師歯迫山

解字　甲骨文　金文　篆文　形声。金文は、𠂤＋辛省㊉。音符の辛シン＝シは、刃物の象形で、つみするの意味。𠂤は大きな切り肉の象形。敵を処罰するという目的で祭肉を奉じて出発する軍隊の意味を表す。甲骨文と早期の金文では、𠂤のみで音符はまだついていなかった。転じて、指導者の意味をも表す。辛の省略形が、帀となった。

逆　医師・雨師・鋭師・王師・外師・楽師・旧師・漁師・軍師・京師・経師・厳師・講師・国師・士師・常師・人師・出師・先師・禅師・宗師・祖師・大師・導師・道師・読師・父師・仏師・法師・牧師・薬師・律師・猟師・老師

【師役】シエキ　いくさ。戦争。
【師家】シカ　①先生の家。②先生。一ケシ　仏学徳のある禅僧。一般の禅僧の師となる禅僧。特に座禅の師をいう。
【師訓】シクン　先生の教え。師匠のいましめ。
【師△曠】シコウ　春秋時代、晋シンの国の楽師(音楽の官)で、名を曠といった人。よく音調を聞き分け、吉凶を占ったという。
【師子】シシ　ライオン。獅子シシ。
【師資】シシ　①先生。▼資は、たすけ。②師匠と弟子。
【師事】シジ　先生としてその人につかえる。用例〔十八史略、春秋戦国、燕〕昭王為〓隗改築〓宮、師〓事之〓。↓昭王は隗のために邸宅を新築して、彼を先生としてつかえた。
【師授】シジュ　先生から教え授けられること。
【師匠】シショウ　①手本となる人。②学問・技術を教える人。先生。③国日本的芸能を教える人。
【師承】シショウ　先生から教えを受ける。また、その伝承。
【師△襄】シジョウ　春秋時代、魯ロの国の楽師(音楽の官)で、名を襄といった人。琴の名手で、孔子もこれに琴を学んだ。
【師帥】シスイ　①二千五百人の軍隊の長。②模範。手本。
【師走】しわ(は)す　国陰暦十二月の別名。
【師宗】シソウ　師として尊ぶ。
【師長】シチョウ　①先生。②目上の人。③百官の長。▼師は、もろもろ。④二千五百人の軍隊の長。
【師弟】シテイ　先生と生徒。師匠と弟子。
【師徒】シト　①軍隊。軍勢。士卒。②先生と弟子。
【師道】シドウ　①先生の伝える道。先生から授けられた道。②先生につかえる道。③国人の師として守るべき道。
【師範】シハン　①手本。また、手本となる人。師表。模範。②南宋ナンソウの臨済宗の高僧。字あざなは無準。理宗から仏鑑禅師の号を賜った。(一一七八―一二四九)③国武道や技芸などの先生。
【師表】シヒョウ　手本。また、世の中の手本となる人。
【師父】シフ　①先生。父としてつかえる先生。②先生と父。③僧侶や道士などの敬称。
【師△傅】シフ　①太師と太傅。ともに天子を助ける高官。②教えみちびきながら守り育てる役。もりやく。
【師風】シフウ　先生の人格・気風、また、学風。
【師保】シホ　①太師と太保。ともに天子を助ける高官。②教え助ける。教え養う。
【師法】シホウ　①手本。手本とする。②先生の教え。師匠から授けられた正しい道。用例〔荀子、性悪〕必将〓有〓師法之化・礼義之道〓、然後出〓於辞譲〓、合〓於文理〓、而帰〓於治〓。↓人間には必ず指導者から受ける教化と礼・義によるみちびきとが必要になって、そこで初めて譲り合いの心が生じ、秩序正しくなって、うまく治まってゆくのである。③軍隊を出動させる法。
【師友】シユウ　①先生とも仰ぐ友人。②先生と友人。
【師旅】シリョ　①軍隊。二千五百人を師、五百人を旅という。②戦争。
【老〓師】シをロウせしむ　長く戦争をして、軍隊を疲れさせる。

7【帨】10画 3108　漢セイ・呉サイ　慣ゼイ　shuì　――2814

字義　❶てふき。腰にさげ手をふくのに用いるきれ。❷ぬぐう。手をふく。

解字　形声。巾＋兌㊉。音符の兌タイ＝セイは、ぬけおちるの意味。手の水滴をぬぐう、てふきの意味を表す。

7【席】10画 3109　教4　セキ　漢セキ・呉ジャク　熟字訓 寄席よせ　陌 xí　3242 90C8 ―

筆順　席

字義　❶むしろ。草や竹などで編んだ敷物。ござ。❷すわる場所。占める位置。「座席」「首席」❸多くの座席を設けた場所。会場。「宴席」❹しく。敷物をしく。座席を設ける。用例〔史記、滑稽伝〕席以〓露牀〓。↓とばりのない寝台を敷く。❺よる。たよる。国セキ。寄席よせ。

名前　すけ・のぶ・やす・より　難読　席田むしろた

解字　甲骨文　篆文　形声。巾＋庶省㊉。音符の庶は、藉に通じ、草を編んだ「しきもの」の意味を表す。

逆　研席・講席・主席・首席・上席・薦席・即席・陪席・別席・臨席・列席

【席巻・席△捲】セッケン　むしろを巻くように、かたはしから土地を攻め取ること。
【席不〓暇〓暖】セキあたたまるにいとまあらず　あちこち忙しくかけ回って、座席のあたたまるひまもない。ひと所におちついているひまもないほど多忙なこと。〔唐、韓愈、争臣論〕
【席末】セキマツ　同末席。①しもざ。座席の下のほう。②自分の座席をへりくだっていうことば。

7【帯】10画 3110　教4　タイ　おびる・おび　3451 91D1 ―
8【帶】11画 3111　人　タイ　泰 dài　5472 9BE6 ―

筆順　帯

字義　❶おび。㋐腰のあたりに巻いて着物のおさえとするもの。「束帯」㋑着物のおびのように、物のまわりに巻くもの。「包帯」㋒すじ。帯状に長く続いているもの。「緑地帯」❷おびる。㋐はく。腰にさげる。身につける。手に持つ。「帯刀」「携帯」㋑含み持つ。㋒おびのようにめぐらす。まく。❸へび(蛇ダ)。❹へた。＝蔕(10239)。

名前　おび・たい・たらし・よ　難読　帯王たらしこ・帯刀おびなた・たてわき

解字　篆文　象形。おびに飾りのたれ布の重なり垂れさがった形にかたどり、おびの意味を表す。常用漢字の帯は省略形。帶(帯)を音符に含む形声文字に、蔕テイ・蝃

巾部 7画 〔帨席帯〕

滞(滯)などがあり、これらの漢字は、「おびる」の意味を共有している。

逆 衣帯・一帯・拐帯・魚帯・襟帯・携帯・兼帯・妻帯・所帯・世帯・束帯・付帯・連帯

【帯金】タイ・おび キン・がね 刀剣のさやにつけた輪形の金具。それに刀剣のひもを通して腰におびる。

【帯剣(劍)】タイケン 刀剣を腰につける。また、その刀剣。

【帯甲】タイコウ よろいを着けた兵士。甲士。

【帯鉤】タイコウ おびがね。おびの両端をかけ合わせて締める金具。

【帯出】タイシュツ 物を持ち出す。

【帯同】タイドウ いっしょに連れていく。同行。

7 【帮】10画 3112 ホウ 幇(3123)の俗字。→四〇〇㌻上。 ₂0886 — 2813

8 【帷】11画 3113 標 イ(ヰ) 図 wéi 5473 9BE7 —

字義 ❶とばり。たれぬの。たれぎぬ。カーテン。用例(史記、項羽本紀)噲遂入、披レ帷西嚮立、瞋レ目視ニ項王一(カイつひにいり、とばりをひらきてセイキョウしてたち、めをいからしてコウオウをみる)。↓樊噲ハンカイは、そのままさっと宴会場に突入し、とばりをまき上げて西に向かって立ちはだかり、目をむいて項羽をにらみつけた。❷ひきまく。まんまく。❸車の覆い。また、柩ひつぎの覆い。❹おおう。かくす。難読 帷子かたびら

解字 篆文 形声。巾＋隹音。音符の隹イは、圍(囲)に通じ、めぐらすの意味。めぐらした布、とばりの意味を表す。

【帷幄】イアク ①とばりを張りめぐらした所。▼幄は、上方と四周を囲む幕。②作戦計画をする所。また、大将の陣営。参謀本部。③参謀官をいう。

【帷幄之臣】イアクのシン いつも君主のそばにいて計略をめぐらす臣。謀臣。参謀。

【帷裳】イショウ ①縫い目のない裳も。一はばを、帷(どんちょう)のように作るからいい、出仕・祭典のとき着用する。▼裳は、腰から下につける衣。②女性の車のひきまく。車帷。

【帷帳】イチョウ ①とばり。②作戦計画をする所。用例(史記、高祖本紀)運ニ籌策帷帳之中一(チュウサクをイチョウのうちにめぐらし)、決ニ勝於千里之外一(かちをセンリのそとにケッするは)、吾不レ如ニ子房一(われシボウにしかず)。↓はかりごとを陣幕の中でめぐらし、はるかかなたの地での勝利を決めるという点において、私は子房におよばない。

【帷幕】イバク・イマク ①＝帷帳。②女性の居室。

【帷房】イボウ ①とばりを垂れた部屋。②ねや。寝室。

【帷幔】イマン まく。とばり。▼帷は、ひき幕。

【下レ帷】イをくだす とばりを垂れおろす。家にこもって読書すること。後世、塾を開いて弟子たちに教えること。下帷カイ。〔漢書、董仲舒伝〕

8 【常】11画 3114 漢ショウ(シャウ)・呉ジョウ(ジャウ) 陽 cháng 教5 ジョウ つね・とこ 3079 8FED —

筆順 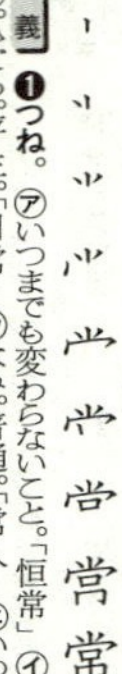

字義 ❶つね。㋐いつまでも変わらないこと。「恒常」㋑ふだん。ひごろ。平生。「日常」㋒なみ。普通。「常人」㋓いつまでも変わらない道。のり。おきて。規律。法則。また、ならわし。「五常」❷つねに。とこしえに。いつも。いつまでも。用例(唐、李白、長干行)常存ニ抱柱信一(つねにホウチュウのシンをソンし)、豈上ニ望夫台一(あにボウフダイにのぼらんや)。↓いつも橋げたを抱いて死んだ尾生のような固い信義で結ばれていたので、どうして夫の帰りを待ち望む妻が登ったという高台に登ったりしようか。❸かつて。昔。以前。用例(史記、高祖本紀)高祖常繇ニ咸陽一(コウソかつてカンヨウにヨウす)。↓高祖は以前咸陽で夫役に従事した。❹旗の一種。日月・黄竜を描いた旗。天子が用いる。❺長さの単位。尋(八尺)の二倍。周代の尺度で三・六メートル。「尋常」国とこ。接頭語。永久不変の意。「常夏」

名前 つね・つら・とき・ときわ・とこ・のぶ・ひさ・ひさし

難読 常夏とこなつ・常滑とこなめ・常山とこやま・常世とこよ・常田ときた・常磐津ときわづ・常葉ときわ・常陸ひたち・常呂ところ

解字 金文 篆文 形声。巾＋尚音。音符の尚は、長に通じ、ながいの意味。長い布の意味から、転じて、長く変わらない、つねの意味を表す。

逆 居常・恒常・綱常・尋常・非常・平常・無常

【常可】ジョウカ 一定不変の基準。固定した基準。

【常娥】ジョウガ ＝姮娥コウガ(三六九㌻下)。

【常軌】ジョウキ つねにふみ行うべき道。常道。「常軌を逸する」

【常規】ジョウキ つねに変わらない法則。普通のきまり。

【常期】ジョウキ 定まった期限。定期。

【常経(經)】ジョウケイ つねに守るべき、永久不変の道。

【常行】ジョウコウ ①古来から変わることなく行われている道。②普通の行為。だれでも行うべき行為。

【常山舌】ジョウザンのした 節を守って、死ぬまで敵をののしること。唐の安史の乱に、常山郡(今の河北省)の太守、顔杲卿ガンコウケイは、賊と戦って捕らえられたが、あくまでも安禄山ロクザンの罪をののしり、ついに舌をたち切られた故事による。用例(南宋、文天祥、正気歌)為ニ張睢陽歯一(チョウスイヨウのはとなり)、為ニ顔常山舌一(ガンジョウザンのしたとなる)。↓(天地間にみなぎる正しい気は、)安禄山の乱で睢陽を死守して歯ぎしりしてくだいた張巡の歯となり、節を守って死ぬまで敵をののしった顔杲卿の舌となって(て顕現し)た。

【常山蛇勢】ジョウザンのダセイ 前後左右どこにもすきのないこと。また、そのような陣形、または文章。常山(河北省曲陽県の北西の山)に両頭の蛇がいて、その体のどこを打っても反撃してきて、すきがなかった故事による。〔孫子、九地〕

【常師】ジョウシ きまった師匠。一定の先生。

【常侍】ジョウジ 天子のそばにいて用を務める者。側用人。中常侍。散騎常侍・郎騎常侍などがある。

【常識】ジョウシキ 普通の人が持っており、また、持っているべき、あたりまえの知識や見識。

【常赦】ジョウシャ 特別の恩典によって、一定の範囲内で刑罰を減ずること。恩赦の一つ。

【常住】ジョウジュウ ①いつも一つの場所にとどまり住むこと。②いつも。ふだん。「常住不断」③仏生滅ショウメツも変化もすることなく、つねに生存すること。

【常住坐臥】ジョウジュウザガ ふだんの行動(において)の意。転じて、いつも。つねに。ふだん。

【常勝】ジョウショウ 戦うごとにきまって勝つ。「常勝軍」

【常常】ジョウジョウ ①つねづね。つねに。いつも。②無心のさま。

【常情】ジョウジョウ 人として普通にもつ気持ち(考え)。

【常職】ジョウショク 一定の職務。また、職業。定職。

【常心】ジョウシン ①一定不変の心。②ふだんの心。

【常人】ジョウジン ①つねに道を守って変わらない人。常徳のある人。②普通の人。平凡な人。凡人。

【常数(數)】ジョウスウ ①一定の数。②自然の定め。一定の運命。

【常世】一ジョウセイ 一般の世間。二とこよ 国①つねに変わらぬこと。永久不変。②「常世の国」の略。㋐遠く離れたところにあるという想像上の国。㋑不老不死の仙境。㋒人が死後に行く国。よみじ。黄泉。

【常川】ジョウセン つねに。毎日。川の流れはつねにやむことがないことから。

【常体(體)】ジョウタイ ふつうのありさま・状態。

【常態】ジョウタイ きまった状態。ふだんのようす。

【常談】ジョウダン ①普通の話。平凡な話。②日常の談話。

【常駐】ジョウチュウ 久しく(また、いつも)そこにとどまっていること。

【常度】ジョウド ①いつも変わらない法則。②ふだんの態度。また、いつも変わらない態度。

【常套】ジョウトウ ありふれたやりかた。また、きまったやりかた。「常套手段」

【常道】ジョウドウ ①いつもきまって変わることのない道理。不変不易の道理。人間のつねに守るべき正しい道。②普通のやり方。ありふれた方法。

【常任】ジョウニン つねにその任務にあたること。

【常馬】ジョウバ なみの馬。普通の馬。凡馬。

【常磐】ときわ(は) 国①とこ岩の意。いつも変わらないこと。永久不変。②とこ葉の意。松・杉など、草木の葉が、一年中緑色で変わらないこと。常緑。

【常備】ジョウビ いつも備えておく。「常備軍」「常備薬」

【常不レ有】つねにあらず いつもない。つねにない。全部否定。

【常平倉】ジョウヘイソウ 米の値段を平均に維持するため政府が設けた倉庫。米価の安いときはその貯蔵米を安く売り、高いときはその貯蔵米を安く売り、消費者を利した。漢の宣帝の時に置かれ、以後歴代これを設けた。

【常法】ジョウホウ ①つねに守るべきおきて。②一定の規則。③普通のやりかた。

【常用漢字】ジョウヨウカンジ 国昭和五十六年(一九八一)十月に内閣告示として公布された常用漢字表の漢字。同表は、従来の当用漢字表の制限的な性格を緩和し、一般の社会生活における漢字使用の目安を定めるとしたもので、その字種と字体、および音訓が示されている。その後、情報機器の普及により、社会生活で目にする漢字の量が増加したことを受け、平成二十二年(二〇一〇)に改定された。

【常羊】ショウヨウ・ジョウヨウ ①さまよい歩く。逍遥ショウヨウ。②進退のさだまらないさま。③虫の名。はたおり。

【常理】ジョウリ 定まった道理。一定不変の道理。また、普通の道理。

【常緑】ジョウリョク 草木が秋冬になっても落葉せず、一年中、緑色をしていること。常磐ときわ。「常緑樹」

【常鱗凡介】ジョウリンボンカイ 普通の魚やありふれた貝類。平凡な人のたとえ。

【常例】ジョウレイ いつものしきたり。恒例。慣例。

【常連】ジョウレン 国いつも連れだって行動する仲間。また、飲食店などの常客。定連。◈「定連」が本来の用字だが、現代では「常連」と書くのが一般的。

【不二常有一】つねにはあらず いつもあるとはかぎらない。ないときもある。一部否定。

8【帶】11画 (3111) タイ 帯(3110)の旧字体。→四五七ページ・下。

8【帳】11画 3115 教3 チョウ 熟字訓 蚊帳かや チョウ(チャウ) 漢 zhàng 3602 92A0 —

筆順 [stroke order]

字義 ❶とばり。室内に使うたれぬの。たれぎぬ。カーテン。用例〔唐、白居易、長恨歌〕雲鬢花顔金歩揺ウンピンカガン、キンポヨウ、芙蓉帳暖度二春宵一フヨウのとばりあたたかにして、シュンショウをわたる。↓雲のように豊かな鬢の毛、花のようなかんばせ、そして歩くと揺れる黄金のかんざし。はすの花のぬいとりがあるとばりのなかは暖かく、春の宵が過ぎてゆく。❷ひきまく。まんまく。陣営の幕。❸はり。とばり・まくなどを数える語。❹帳面。帳簿。ノート。

名前 はる

参考 現代表記では〔帖〕(3093)の書きかえに用いることがある。「手帖→手帳」

解字 篆文 形声。巾+長音。音符の長は、ながく張るの意味。布をはりめぐらした、とばりの意味を表す。

逆 開帳・記帳・玉帳・紙帳・組帳・蚊帳・羅帳

【帳幄】チョウアク まく。あげばり。

【帳帷】チョウイ とばり。たれぎぬ。

【帳飲】チョウイン 野外に幕を張って送別の酒盛りをすること。帳餞チョウセン。

【帳下】チョウカ ①とばりの下。②戦場で大将のいる陣屋。また、その大将の支配下。幕下バッカ。旗下。麾下キカ。

【帳中】チョウチュウ とばりの中。幕の内。陣営の中。帳裏。用例〔史記、項羽本紀〕項王則夜起飲二帳中一コウオウすなわ(は)ちよるたちてチョウチュウにインす。↓項羽は夜になって起き出し、とばりの中で酒を飲んだ。

【帳殿】チョウデン とばりで作った仮の宮殿。

【帳裏】チョウリ とばりのうち。たれぎぬの内。帳中。

8【帲】11画 3116 呉ヒョウ(ヒャウ) 漢ヘイ 梗 青 píng — — 2815

字義 ❶覆う。おおい。❷とばり。

解字 形声。巾+并音。

8【帵】11画 3117 一ワン 寒 wān 二呉オン(ヲン) 漢エン(ヱン) 元 — — 2816

字義 一二 裁って余ったきれ。

解字 形声。巾+宛音。

9【幄】12画 3118 アク 覚 wò 5474 9BE8 —

字義 ❶てんまく。テント。上方・四方をおおい囲む、大きな幕。「帷幄イアク」❷ひきまく。まんまく。四方を囲む幕。陣屋の幕。❸とばり。たれぎぬ。たれぬの。

解字 形声。巾+屋音。音符の屋は、へやの意味。布のへや、まんまくの意味を表す。

【幄帷】アクイ たれぎぬ。とばり。また、とばりをめぐらした所。

【幄舎】アクシャ 国神事または朝廷の儀式などに、庭に設けた仮屋。四周に幕を張り、上方を布でおおったもの。幄屋アクのや。幄座アクのざ。

【幄幕】アクマク・バクマク 陣中に用いるまく。じんまく。

9【幃】12画 3119 イ(ヰ) 微 wéi 5475 9BE9 —

字義 ❶とばり。一重ひとえのたれぎぬ。=帷(3113)。❷においぶくろ。香ぶくろ。

解字 金文 篆文 形声。巾+韋音。音符の韋イは、圍(囲)に通じ、かこむの意味。かこむための布、とばりの意味を表す。

9【幀】12画 3120 呉チョウ(チャウ) 漢トウ(タウ) 慣テイ 敬 zhèng 5476 9BEA —

字義 ❶木わくに張った絵ぎぬ。また、絹地にかいた絵。❷絵絹を木わくに張ること。また、かけものを仕立てること。「装幀」❸書画のかけものを数える語。一幅を一幀という。「水墨画一幀」

参考 現代表記では〔丁〕(7)に書きかえることがある。「装幀→装丁」

解字 形声。巾+貞音。

9【帾】12画 3121 呉ツ 漢ト 麌 dǔ 20887 — 2817

字義 ❶はた(旗)。旗印。❷綿入れ。=褚(10937)。

解字 形声。巾+者音。

9【幅】12画 3122 常 フク はば 一フク 屋 fú 二漢ヒョク 呉ヘキ 職 4193 959D —

筆順 [stroke order]

字義 一❶はば。㋐織物の横の広さ。周代、二尺二寸を一幅とした。約四七・二五センチメートル。㋑物の横の長さ。さしわたし。「幅員」❷ぬのじ。きれじ。布帛フハク。❸ふち。へり。転じて、うわべ。みえ。「辺幅」❹かけもの。かけじく。また、かけものを数える語。「双幅」二むかばき。脚絆キャハン。国はば。はぶり。威勢。「幅が利きく」

解字 篆文 形声。巾＋畐音。音符の畐フクは、鄙ヒに通じ、ある広がりをともなうものの周辺部の意味。巾は、布きれの意味。布はば、へりの意味を表す。

逆 全幅・双幅・大幅・辺幅

【幅員・幅△隕】フクイン ①はば。②はばと、まわり。広さ。周囲。
▼員・隕は、圓エンに通じて、まわりの意。

【幅巾】フッキン ひとはばの布で作ったずきん。隠士などのかぶりもの。

9 【幇】12画 3123 ホウ(ハウ) 陽 bāng 5483 9BF1 —

【幫】3155 同字 【帮】3112 俗字

字義 たすける。手伝う。力をそえる。 難読 幇間たいこもち

解字 形声。巾＋封音。

【幇間】ホウカン ①両方の間をとりもち助ける人。仲介者。②酒席をとりもち、客の遊興を助ける人。たいこもち。③他人にこびる人。

【幇助】ホウジョ たすける。手伝う。「殺人幇助」

9 【帽】12画 3124 常 ボウ 4325 9658 —

9 [帽] 12画 3125 漢ボウ 呉モウ 号 mào

筆順 帽

字義 ❶ぼうし。かぶりもの。頭巾ズキン。❷物の頭にかぶせるものの総称。

解字 形声。巾＋冒(冐)音。音符の冒は、ぼうしの意味。巾を付し、ぼうしの意味を表す。原字は冃であったが、目、月などの字との区別がしにくいためこの字形となった。

9 【幉】12画 3126 国字 z0888 — 2820

字義 たづな(手綱)。

10 【幌】13画 3127 人 標 漢コウ(クワウ) 呉オウ(ワウ) 養 huǎng 4358 9679 —

筆順 幌

字義 ❶ほろ。車などのおおい。❷とばり。たれぬの。たれぎぬ。❸看板の旗。酒屋ののぼり。国ほろ。母衣ほろ。㋐人力車・馬車の覆い。雨・風・日光などを防ぐもの。㋑鎧よろいの背に負い、矢を防ぐ布。

名前 あきら 難読 幌延ほろのべ・幌向ほろむい

解字 形声。巾＋晃音。

10 【幐】13画 3128 漢トウ 呉ドウ 蒸 téng — — 2819

字義 ❶匂い袋。❷袋。

解字 形声。巾＋朕音。

10 【幙】13画 3129 バク 幕(3132)と同字。→四六〇ページ中。 — —

10 【幋】13画 3130 漢ハン 呉バン 寒 pán — — 2818

字義 ❶衣を包む大ふろしき。❷頭の飾り。

解字 形声。巾＋般音。音符の般は、大きいの意味。

10 【幎】13画 3131 漢ベキ 呉ミャク 錫 mì 5477 9BEB —

【冪】788 同字

字義 ❶おおう。おおいかくす。❷うわおおいのぬの。また、かおかくし。死者の顔をおおいかくす布。幎冒ベキボウ。❸すだれ。

解字 篆文 形声。巾＋冥音。音符の冥は、おおうの意味。おおい布の意味を表す。

【幎冒】ベキボウ かおかくしで死者の顔をおおう。また、その物。
▼冒は、おおう。また、おおい。

用例 (十八史略、春秋戦国、呉)為二幎冒一乃死すなわ(はち)シせり。 ↓ 顔隠しの覆い布をつくり、それで顔をおおって自殺した。

幎冒

10 【幕】13画 3132 教6 漢バク・呉マク 薬 mù 4375 968B — マク・バク

筆順 幕

字義 ❶まく。てんまく。上方をおおうまく。❷とばり。たれまく。❸将軍の陣営。将軍が政務を執る所。幕府。❹おおう。また、おおい。おおいのぬの。❺こてあて。すねあて。❻すなはら。砂漠。＝漠(6599)。国マク。㋐芝居の一くぎり。「第二幕」㋑相撲番付の最上位のグループ。幕内マクうち。㋒場面。場合。「出る幕ではない」㋓おわり。しまい。終結。「幕になる」 難読 幕間まくあい

【幙】3129 同字

解字 甲骨文 篆文 形声。巾＋莫音。音符の莫バクは、日が草むらにかくれるさまから、おおいかくすの意味。おおうための布、「まく」の意味を表す。

逆 開幕・剣幕・終幕・序幕・討幕

【幕営(營)】バクエイ ①幕を張って設けた陣屋。②将軍の本陣。本営。

【幕下】一 バク・バッカ ①垂れまくの下。②将軍のひざもと。また、将軍直属の家来。③将軍の尊称。④国近衛エコノ大将の中国風の呼び名。二 マクした 国相撲で、十両の次の位の力士。

【幕議】バクギ 国幕府の評議。幕府の人々の主張。幕論。

【幕臣】バクシン 国将軍直属の家来。旗本はたもと。幕下バッカ。

【幕南】バクナン ゴビ砂漠の南。漠南。↔幕北・漠北(六七一ページ下)。

【幕府】バクフ ①将軍の本営。いくさの時、行くさきざきで幕を張って本陣としたことから。②官署。役所。③国㋐近衛コノエ大将の中国風の呼び名。㋑鎌倉・室町・江戸時代、将軍が政治を執った所。㋒将軍。

【幕北】バクホク ゴビ砂漠の北。漠北。幕朔バクサク。↔幕南・漠南(六七一ページ下)。

【幕僚】バクリョウ ①将軍の本営にあって将軍を助ける人。②人の相談に加わる者。顧問。③国軍隊で参謀総長や司令官などの下で参謀事務や副官事務を執る将校。

11 【幗】14画 3133 カク(クヮク) 陌 guó 5478 9BEC —

字義 ❶女性の髪かざり。髪をつつむ飾りのきれ。大きなリボン。「巾幗キンカク」❷女性の、喪中のかぶりもの。

解字 形声。巾＋國音。

11 【幑】14画 3134 キ 微 huī — — 2821

字義 ❶目印の旗。❷旗。のぼり。

解字 形声。巾＋微省音。音符の微は、小さいの意味。

11 【幘】14画 3135 漢サク 呉シャク 陌 zé 8411 — 2823

字義 ❶かみづつみ(髪包)。頭巾ズキン。ひたいあて。かんむりした。❷鶏のとさか。「鶏幘」

解字 形声。巾＋責音。

11 【幓】14画 3136 一 漢サン・呉セン 咸 shān 二 シン 侵 shēn 三 ショウ(セウ) 蕭 qiāo

字義 一長い旗の末端。二❶車の飾りのたれさがるさま。❷衣裳などのたれるさま。＝襂(10958)。三ずきん。

解字 形声。巾＋參音。

11 【幛】14画 3137 ショウ(シャウ) 漾 zhàng — — 2824

字義 ❶題字を記し、慶弔の礼として贈る布。❷垂れ幕。

解字 形声。巾＋章音。

11【⿰巾祭】14画 3138 ㊀セイ 霽 ㊁㊀漢セツ・呉セチ 屑 ㊁漢セツ・呉セチ 屑 ₂0889 — —
字義 ㊀きぬぎれ。㊁つくりばな。造花。
解字 形声。巾＋祭㊥。

11【幖】14画 3139 ヒョウ（ヘウ） 蕭 biāo ₂0890 — 2822
字義 ❶はた。しるし。のぼり。❷酒屋の印の旗。
解字 形声。巾＋票（㶾）㊥。

11【幔】14画 3140 マン 翰 màn
［幔］3141 俗字
字義 ❶ひきまく。まんまく（幔幕）。四方を囲む幕。❷とばり。たれぬの。カーテン。❸看板の旗。酒屋ののぼり。❹ほろ。おおい。「車幔」
解字 篆文 形声。巾＋曼㊥。音符の曼マンは、長くのびていくの意味。のびていく引き幕の意味を表す。
【幔幕】マンマク 引きめぐらしたまく。

11【幔】14画 3141 マン 幔（3140）の俗字。→四六一ページ上。 5479 9BED —

12【幜】15画 3142 漢ケイ 呉キョウ（キャウ） 梗 jǐng — — 2825
字義 ❶きぬ。❷かずき。貴婦人の上っ張り。
解字 形声。巾＋景㊥。

12【幟】15画 3143 標 シ 寘 zhì 5480 9BEE —
［旘］4635 同字
字義 ❶のぼり。はた。「旗幟」❷しるし。めじるし。標識。＝識（11379）。「標幟」
解字 篆文 形声。巾＋戠㊥。音符の戠シは、識に通じ、区別するしるしの意味。しるしとする布の旗の意味を表す。

12【幮】15画 3144 チュウ 㡡（3156）と同字。→四六二ページ上。 ₂0891 — —

12【幢】15画 3145 ㊀漢トウ（タウ）呉ドウ（ダウ） 江 chuáng ㊁漢トウ（タウ）呉ドウ（ダウ） 絳 zhuàng ㊂漢トウ・呉ドウ 東 5481 9BEF —
字義 ㊀❶はた。円筒形で、鳥の羽根やししゅうで飾られた。軍の指揮や儀式に用いた。❷かざし。おおい。㊁ほろ。皇后の車の屋根に下げるかざりのたれぎぬ。㊂❶ほろ。車のとばり。❷→幢幢。

幢㊀①

解字 篆文 形声。巾＋童㊥。音符の童は、鐘に通じ、つりがねの意味。布をつりがねのような形に作った、はたの意味を表す。
【幢牙】トウガ 大将の立てる旗。
【幢蓋】トウガイ はたと朱のかさ。大将軍や州郡の長官などが用いる。
【幢棨】トウケイ 旗をつけたほこ。
【幢幢】トウトウ ①羽毛が風にゆれるさま。②火の光がゆらゆらゆれ動くさま。
【幢△幡・幢△旛】㊀トウハン はた。㊁ドウバン 仏仏堂にかざる旗。

12【幡】15画 3146 人 標 漢ハン 呉ホン 元 fān 4008 94A6 —
筆順 幡 幡 幡
字義 ❶のぼり。はた。＝旛（4637）。❷ひるがえす。また、ひるがえる。＝翻（9560）。❸ふきん。 難読 幡屋はたや・幡生はたぶ・幡豆はず
解字 篆文 形声。巾＋番㊥。音符の番は、放射状にひろがるの意味。ひろがる布きれ、ふきんの意味を表す。また、旛ハンに通じ、はたの意味にも用いる。
【幡旗】ハンキ はた。のぼり。
【幡△幟】ハンシ はたじるし。しるしのはた。旗幟キシ。
【幡然】ハンゼン・ホンゼン ①旗などのひるがえるさま。②心をさらりとひるがえすさま。
【幡幡】ハンハン・ハンパン ①しきりにひるがえるさま。②威厳がなく軽々しいさま。

12【幣】15画 3147 常 ヘイ 4230 95BC —
12〖幣〗15画 3148 漢ヘイ 呉ベイ 霽 bì
［幤］3149 俗字
筆順 幣 幣
字義 ❶みてぐら。神に供える絹。幣帛ヘイハク。❷贈り物。㋐天子へのみつぎもの。㋑客への贈り物。ひきでもの。用例（十八史略、春秋戦国、燕）卑レ辞厚レ幣ジをひくくしヘイをあつくくして、以招二賢者一もってケンジャをまねく。↓ていねいな言葉を尽くし多くの品物を贈って、賢者を招いた。㋒一般に、贈り物をいう。進物シンモツ。❸たから。宝物。財宝。❹ぜに。かね。「貨幣」国ヘイ。ごへい。おんべ。ぬさ。しで。神を祭るのに使う、白紙を切って柄にはさんだもの。「幣束」
名前 しで・ぬさ 難読 幣原しではら・幣帛みてぐら
解字 篆文 形声。巾＋敝（㡀）㊥。音符の敝ヘイは、拝に通じ、おがむの意味。神におがみささげる布の意味を表す。
逆 貨幣・厚幣・紙幣・泉幣・造幣・重幣・皮幣・奉幣
【幣制】ヘイセイ 国家の規定した貨幣の制度。
【幣△帛】㊀ヘイハク ①神にささげるぬさ。②天子に奉る礼物のきぬ。③客への贈り物のきぬ。④贈り物。進物シンモツ。⑤ぜにと、きぬ。㊁みてぐら 国神に供える品物の総称。
【幣物】ヘイモツ・ヘイブツ 贈り物。進物シンモツ。礼物。幣財。
【幣△聘】ヘイヘイ ①贈り物をして人を招くこと。②礼をもって賢者を招くこと。
【厚レ幣】ヘイをあつくす てあつい贈り物をする。

12【幤】15画 3149 ヘイ 幣（3147）の俗字。→四六一ページ中。 5482 9BF0 —

12【幞】15画 3150 漢ホク 呉ボク 因 fú ₁8412 — 2826
字義 頭巾ズキン。幞頭ボクトウ。頭にかぶるきれ。また、はちまき。
解字 形声。巾＋菐㊥。

13【幨】16画 3151 ㊀セン 塩 chān ㊁セン 豔 chàn — — 2827
字義 ㊀❶とばり。寝台や車などの垂れ布。❷前かけ。膝ひざかけ。㊁❶羽織る。❷襟えり。
解字 形声。巾＋詹㊥。音符の詹セン は、檐エンに通じ、のきの意味。のきのように垂れている布の意味を表す。

13【幪】16画 3152 ㊀漢ボウ・呉モウ 東 méng ㊁漢ボウ・呉モウ 董 měng — — 2828
字義 ㊀❶おおーう おほふ。また、おおい（覆）。❷ひたいあて。頭巾ズキン。昔、刑の軽い人につけさせた。「幪巾」㊁しげってさかんなさま。
解字 形声。巾＋蒙㊥。音符の蒙モウは、おおうの意味。

14【幬】17画 3153 ㊀漢チュウ（チウ）呉ジュウ（ヂウ） 尤 chóu ㊁漢トウ（タウ）呉ドウ（ダウ） 号 dào ₂0893 — 2830
字義 ㊀❶とばり。たれまく。たれぎぬ。❷車のこしきをおおう革かわ。㊁おおう（覆）。
解字 金文 篆文 形声。巾＋壽㊥。音符の壽チュウは、つらねるの意味。つらねた布、とばりの意味を表す。
【幬帳】チュウチョウ かや。蚊帳ブンチョウ。蚊幬。

14【幭】17画 3154 ベツ
幭(3157)の俗字。→四六二ページ上。
20894 — 2831

14【幫】17画 3155 ホウ
幇(3123)と同字。→四六〇ページ上。
20892 — 2829

15【幮】18画 3156 慣チュウ 漢チュ・呉ジュ(ヂュ) 圓 chú
字義 ❶とばり。たれぬの。❷かや。
解字 形声。巾＋廚㊥。
21201 — 2832

〔⿰巾厨〕3144 同字

15【幭】18画 3157 漢ベツ 呉メチ 屑 miè
字義 ❶おおい(覆)。物をおおう布。❷夜着。ねまき。
解字 篆文 形声。巾＋蔑㊥。音符の蔑は、見えないの意味。布で見えなくするおおいの意味を表す。

〔幭〕3154 俗字

16【幰】19画 3158 漢ケン 呉コン 阮 xiǎn
字義 ほろ。車のとばり。
解字 形声。巾＋憲㊥。

〔幰〕3159 俗字

16【幰】19画 3159 ケン
幰(3158)の俗字。→四六二ページ上。
— — 2833

18【⿰巾雙】21画 3160 ソウ(サウ) 江 shuāng
字義 ふねの帆。
解字 形声。巾＋雙㊥。
21202 — —

3画

干 かん ほす

〔部首解説〕この部首の文字で干が意符になっている例はなく、もっぱら字形分類のために部首にたてられる。

0 干 四六二　于 五六　2 平 四六二　3 幵 四六五　年 四六五
并 一五一　4 罕 一〇四六　5 幸 四六七　幷 四六七　10 幹 四六七

0【干】3画 3161 教6 カン ほ-す・ひ-る
カン 寒 gān
2019 8AB1 —

筆順 一 二 干

字義 ❶ほ-す(乾)。かわかす。また、ひ-る。かわく。「干物」「干潮」❷おか-す。㋐してはならないことをする。そむく。さからう。㋑しのぐ。越える。用例〔唐、杜甫、兵車行〕牽衣頓足攔道哭、哭声直上干雲霄 ↓(見送る人々は)兵士たちのきものを引っぱり、足をばたばたさせ、道をさえぎって泣きさけぶ。その泣き声は、まっすぐに立ちのぼって、大空をつきささんばかりだ。❸もと-める。手に入れようと努める。用例〔人虎伝〕後迫衣食、乃東遊呉楚間、以干郡国長吏 ↓その後、衣食に事欠くようになったため、そこで東の呉楚の地方に出かけてゆき、各地の長官に援助を乞うた。❹あずか-る。かかわる。関係する。「干渉」❺ふせぐ(扞)。❻たて(盾)。「干戈」❼きし(岸)。みぎわ。❽えと。十干(甲・乙・丙・丁・戊・己・庚・辛・壬・癸)。❾欄干は、てすり。❿若干は、いくつか。いくばく。

干⑥

名前 たく・たて・ほす・もと
難読 干海鼠・干潟・干飯崎・干鰯
参考 現代表記では〔旱〕(4660)の書きかえに用いることがある。「旱害→干害」「旱天→干天」

解字 金文 篆文 象形。先のふたまたになっている武器の象形で、おかす・ふせぐの意味を表す。干を音符に含む形声文字に、奸・刊・肝・汗・骭などがある。また、幹に通じて、さお・はしらの意味を表すものに、竿・軒などがある。

逆 射干・支干・若干・水干・野干・欄干

【干羽】カンウ 夏の禹王がはじめた舞楽の名。干舞・羽舞。この舞によって有苗(南方の異民族)が帰服したという。干はたてで、武の舞に用い、羽は鳥の羽のかざしで、文の舞に用いた。〔書経、大禹謨〕
【干越】カンエツ 呉と越。于越。
【干戈】カンカ ①たてと、ほこ。②武器。③たたかい。戦争。④武の舞。たてとほことを持って舞う。
【倒置干戈】カンカをトウチす 武器をさかさまにしておく意で、世の中が平和であること。〔史記、留侯世家〕
【干害】カンガイ ひでりによる損害。旱害。
【干支】カンシ・えと 兄と弟との意で、十干と十二支とを組み合わせた「十干十二支」の略。「幹枝」ともいう。→十干(三一〇ページ上)・十二支(三一〇ページ中)。十と十二の最小公倍数である六十で干支は一巡する。その最初の甲子から最後の癸亥までの順序によって、年次や日付を表す紀年・紀日法が古くから行われた。この干支は、五行・八卦とともに、時刻や方位などにも当てはめて用いられた。⇩

コラム 十干十二支(四六三ページ)。
【干将(將)莫邪】カンショウバクヤ ①古代の二ふりの名剣の名。干将は呉(楚または韓ともいう)の刀工、莫邪はその妻。二人が呉王のために作った陰の剣(莫邪)と陽の剣(干将)の二ふり。②名剣をいう。
【干渉】カンショウ ①関係する。②他人の仕事をさしずしたり、妨害したりする。くちばしを入れる。③国際法上、一国が他国の内治・外交に口出しすること。
【干城】カンジョウ ①たてと、しろ。君主のたてとなり、しろとなって外を防ぎ内を守ること。②軍人・武人をいう。
【干戚】カンセキ ①たてと、まさかり。転じて、武器。②武の舞。たてとまさかりを持って舞う。
【干拓】カンタク 国湖や海の水をほして耕地にすること。
【干潮】カンチョウ 国ひきしお。しおひ。↔満潮(八六二ページ下)。
【干天】カンテン 同旱天。国①ひでり。②夏の空。
【干瀆・干瀆】カントク おかしけがす。人に面会を求めることにいう。「干瀆尊厳」
【干犯】カンパン おかす。そむきおかす。法律などをおかす。
【干宝(寶)】カンポウ 東晋の学者。字は令升。著書に『周易注』『晋紀』『捜神記』などがある。
【干満(滿)】カンマン 潮のみちひ。干潮と満潮。
【干与(與)・干預】カンヨ あずかる。関係する。関与。
【干禄】カンロク ＝干禄(一〇四一ページ中)。
【干禄字書】カンロクジショ 書名。一巻。唐の顔元孫の著。科挙(官吏登用試験)の受験参考用の字書。約八百字を韻によって配列し、字ごとに正字・俗字・通用字の別を明らかにした。官吏となるためには、まず字体についての正しい知識を持つようにという意味で干禄と名づけた。

0【于】3画 (119) ウ 二部。→五六ページ上。

2【平】5画 3162 教3 ヘイ・ビョウ たい-ら・ひら
一 漢ヘイ・呉ビョウ(ビャウ) 庚 píng
二 漢ヘン・呉ベン 先
慣ヒョウ(ヒャウ)
4231 95BD —

2〔平〕5画 3163

筆順 一 ㇀ ㇀ 亠 平

字義 一❶たい-ら。たい-らか。ひら-たい。㋐ことばがおだやかなこと。㋑高低・凹凸のないこと。「水平」㋒何事もなく安らかなこと。「太平」㋓正しいこと。㋔等しい。かたよらない。「平等」❷たい-らにする。なら-す。用例〔列子、湯問〕吾与汝畢力平険

コラム

十干・十二支の組み合わせ

番号	十干	十二支	組み合わせ
①	甲(きのえ) 木(兄)	子(ね)	甲子
②	乙(きのと) 木(弟)	丑(うし)	乙丑
③	丙(ひのえ) 火(兄)	寅(とら)	丙寅
④	丁(ひのと) 火(弟)	卯(う)	丁卯
⑤	戊(つちのえ) 土(兄)	辰(たつ)	戊辰
⑥	己(つちのと) 土(弟)	巳(み)	己巳
⑦	庚(かのえ) 金(兄)	午(うま)	庚午
⑧	辛(かのと) 金(弟)	未(ひつじ)	辛未
⑨	壬(みずのえ) 水(兄)	申(さる)	壬申
⑩	癸(みずのと) 水(弟)	酉(とり)	癸酉
⑪	甲	戌(いぬ)	甲戌
⑫	乙	亥(い)	乙亥
⑬	丙	子	丙子
⑭	丁	丑	丁丑
⑮	戊	寅	戊寅
⑯	己	卯	己卯
⑰	庚	辰	庚辰
⑱	辛	巳	辛巳
⑲	壬	午	壬午
⑳	癸	未	癸未
㉑	甲	申	甲申
㉒	乙	酉	乙酉
㉓	丙	戌	丙戌
㉔	丁	亥	丁亥
㉕	戊	子	戊子
㉖	己	丑	己丑
㉗	庚	寅	庚寅
㉘	辛	卯	辛卯
㉙	壬	辰	壬辰
㉚	癸	巳	癸巳
㉛	甲	午	甲午
㉜	乙	未	乙未
㉝	丙	申	丙申
㉞	丁	酉	丁酉
㉟	戊	戌	戊戌
㊱	己	亥	己亥
㊲	庚	子	庚子
㊳	辛	丑	辛丑
㊴	壬	寅	壬寅
㊵	癸	卯	癸卯
㊶	甲	辰	甲辰
㊷	乙	巳	乙巳
㊸	丙	午	丙午
㊹	丁	未	丁未
㊺	戊	申	戊申
㊻	己	酉	己酉
㊼	庚	戌	庚戌
㊽	辛	亥	辛亥
㊾	壬	子	壬子
㊿	癸	丑	癸丑
51	甲	寅	甲寅
52	乙	卯	乙卯
53	丙	辰	丙辰
54	丁	巳	丁巳
55	戊	午	戊午
56	己	未	己未
57	庚	申	庚申
58	辛	酉	辛酉
59	壬	戌	壬戌
60	癸	亥	癸亥
61	甲	子	甲子…(還暦)

●十二支には、十二種類の動物が当てられ、日本では次のように呼ばれる。

子 ね(鼠ねずみ)　午 うま(馬)
丑 うし(牛)　未 ひつじ(羊)
寅 とら(虎)　申 さる(猿)
卯 う(兎うさぎ)　酉 とり(鶏にわとり)
辰 たつ(竜)　戌 いぬ(犬)
巳 み(蛇へび)　亥 い(猪いのしし)

時刻・方位表

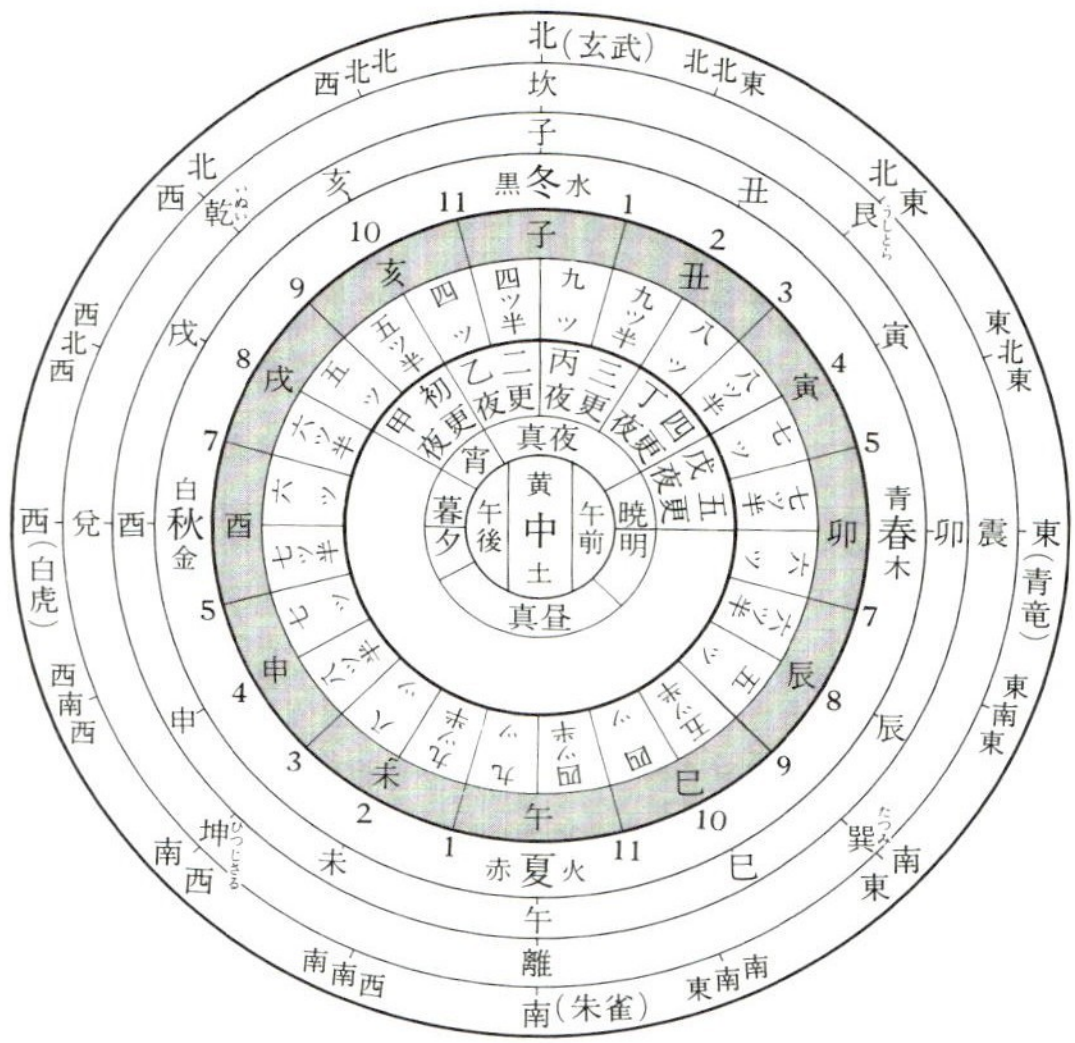

指₌通予南₋、達₌于漢陰₋。⬇私とお前たちとで力の限りを尽くして山の険しい部分を平らにし、予州の南まで道を通じさせ、漢水の南まで道をとどかせたい。❸たい-らげる。討ちしずめる。征服する。用例〔唐、李白、子夜呉歌〕何日平₌胡虜₋、良人罷₌遠征₋。⬇いつになったら、北方の異民族に勝利して、わが夫は遠征から帰ってくるだろうか。❹たい-らぐ。㋐おさまる。おだやかになる。㋑仲直りする。「和平」❺つね。㋐なみ。普通。㋑ふだん。ひごろ。「平生」❻平声。漢字の発音上の四区分の一つ。四声(平・上・去・入)の一つ。国❶わかつ。❷ととのい治まる。㊁❶ひら-に。なにとぞ。ひとえに。❷ひら。㋐ひらたい椀。㋑なみ。普通。❸たい-ら。ひざをくずすこと。楽にすわること。また、山間の平地。❹たい-らげる。食べ尽くす。

名前 おさむ・さね・たいら・たか・つね・とし・なり・なる・はかる・ひとし・ひら・へい・べい・まさる・もち・やす・よし 難読 平群・平取・平城・平生・平成・平内・平鮒・平栗・平良・平鹿

解字 金文 篆文 象形。水の平面に浮く水草の象形から、たいらの意味を表す。平(平)を音符に含む形声文字に、坪・苹・萍・評・鮃などがある。

逆 下平・公平・衡平・上平・升平・水平・生平・太平・泰平・治平・不平・偏平・和平

【平安】①たいらかで、やすらかなこと。何事もなくおだやかなこと。太平。無事。用例〔唐、岑参、逢₌入レ京使₋詩〕馬上相逢無₌紙筆₋、憑レ君伝語報₌平安₋。⬇旅の馬上であなたに会ったので、紙と筆の用意もない。あなたに伝言を頼み、無事でいることを家族に伝えよう。②国京都の旧名。平安京。

【平△夷】①平定する。②たいらかなこと。平安。

【平易】①たやすい。容易。②やすらか。平静。

【平遠】たいらかで、とおい。土地がたいらで遠くまで続いていること。

【平穏(穩)】おだやか。やすらか。「平穏無事」

【平仮(假)名】国平安時代初期、漢字の草書体をさらに簡略にくずした表音文字。⇩コラム 仮名(八五㌻)。

【平△闊】=平曠。

【平気(氣)】①平和な気。②気持ちを落ち着ける。また、その気持ち。③国気にかけないこと。

【平起】漢詩の作法で、絶句・律詩の第一句の第二字目に平声の字を用いること。↕仄起

(三三四㌻上)。

【平議】公平に議論する。また、理非を論定する。

【平居】ふだん。つねひごろ。いつも。平常。

【平△羌】川の名。四川省雅安市から、峨眉山の北を流れ、楽山市で岷江に合流する。青衣江の別名。

【平均】①おしなべて等しい。差のないこと。②差のないように、ならすこと。③数学で、多くの数または量の、中間の値。

【平原】たいらな野原。平野。

【平原君】戦国時代、趙の武霊王の子、趙勝。平原君はその封号。多くの食客を養った。戦国四君の一人。(?―前二五一)

【平午】昼の十二時。まひる。正午。亭午。平昼。▼平は、正しくその時にあたる意。

【平康】①たいらかで、やすらか。平安。平穏。②唐代、長安の花柳街の名。平康坊。北里。

【平衡】①正しいはかり。②かたよらないで、平均のとれていること。▼衡は、はかりのさお。③腰を折り頭を下げて、腰と頭とがたいらになるおじぎの仕方。

【平△曠】たいらで広いこと。平闊。用例〔東晋、陶潜、桃花源記〕土地平曠、屋舎儼然。⬇土地は平らで広々としていて、家屋のつくりはきちんと整っていた。

【平沙】たいらで広い砂はら。砂漠。用例〔唐、岑参、磧中作詩〕今夜不レ知何処宿、平沙万里絶₌人烟₋。⬇今宵はどこに宿を借りよう、平らな砂漠が万里も続き、人家から立ち上る炊事の煙など、まったく見えないのに。

【平時】①平和な何事もないとき。↕非常時(一五四三㌻上)。②ふだん。平常。

【平準】①価格を平均にし、標準を定める。物価が下落すれば官が買入れ、高いときに売り出して、物価の調節をすること。〔史記、平準書〕②みずもり。水準器の一つ。

【平叙(敍)】ありのままにのべる。

【平章】①公平に品定めする。②結婚の仲介をする。③ととのえ明らかにして治める。

【平章事】唐・宋の宰相。正しくは、同中書門下平章事、または、同平章事。

【平常】①つね。ふだん。②平凡。珍しくないこと。

【平心】落ち着いた気持ち。また、心を落ち着ける。

【平信】①無事を知らせる手紙。また、急用でない手紙。②①の意味から、手紙の表に記す語。

【平世】おだやかな世。平和な世。

【平成】①家庭が治まり、社会が安定する。〔左伝、文公十八〕②国年号(一九八九―二〇一九)。

【平声(聲)】四声の一つ。→四声(三九〇㌻上)。

【平静(靜)】①おだやかで、しずか。おちついて、しずかなこと。②私心のないこと。

【平生】①ふだん。平常。②かつて。そのむかし。

【平昔】①むかし。用例〔人虎伝〕平昔故人、安有レ不レ可哉。⬇昔からの友人が、どうしてきかないということがあろうか。②ふだん。平生。

【平然】平気なさま。気にかけないさま。落ち着いて物事に動じないさま。

【平素】①ふだん。平生。②過去。昔。

【平早】夜明け。明け方。

【平△仄】①平韻と、仄韻の字。平韻は高低のない平らな音で、上平・下平に分かれて三十韻、仄韻は高低の変化のある音で、上・去・入の三声に分かれて七十六韻。⇩コラム 漢詩(八六六㌻)。②国つじつま。条理。「平仄が合わない」

【平旦】よあけ。あかつき。平明。

【平旦△之気(氣)】明け方のすがすがしい気持ち。朝の澄みきった精神。〔孟子、告子上〕

【平△坦】たいら。また、たいらな地面。▼坦も、たいら。

【平淡】あっさりして、しつこくないこと。

【平地起₌波△瀾₋】何事もないおだやかな所に波風を起こす。強いて争いを起こすたとえ。用例〔唐、劉禹錫、竹枝詞〕長恨人心不レ如レ水、等閑平地起₌波瀾₋。⬇人の心が水のように難所を越えて流れることはできないのを恨みに思う。〔悩みが起こると〕平地に突然波瀾が起きたようなもの。

【平治】㊀おだやかに治まる。また、治める。㊁公平に罪をさばく。

【平直】①たいらとまっすぐ。平面と直線。②たいらでまっすぐ。③公平で正しい。

【平定】たいらげ、さだめる。武力で服従させる。

【平頭】①数のそろうこと。ちょうど。②詩の八病(八つの欠点)の一つ。上の句の頭二字と下の句の頭二字と同声、上の句の第一字と下の句の第一字と同声など。「平頭病」③召し使い。「平頭奴子」④頭のたいらな頭巾。

【平等】差別がなく等しい。かたよらないで一様なこと。

【平年】①一年が三百六十五日の年。②河水の平穏な年。洪水のない年。③国米や気温に特に異変のない、

普通の年。↔豊年（二三四ページ下）・凶年（一七〇ページ上）。②国詩文などが単調で、おもしろみのないこと。

【平板】ヘイバン ①種まきのとき、泥田をならす農具。

【平△蕪】ヘイブ 雑草の茂った（遠く広い）野原。

【平伏】ヘイフク 国ひれふす。ひらたくふしかがむ。

【平復】ヘイフク 病気がなおり、もとの体になること。全快。

【平平】■一 ヘイヘイ ①たいらか。平坦。②平凡なさま。なみなみ。■二 ベンベン ととのい治まる（治める）さま。

【平平凡凡】ヘイヘイボンボン きわめて平凡なさま。

【平凡】ヘイボン 特にすぐれたところがなく、なみなこと。↔非凡（一五四三ページ上）。

【平民】ヘイミン ①一般の（官位のない）人民。庶民。②民を平和に治める。③国明治憲法下で、華族・士族の下位の身分。

【平明】ヘイメイ ①よあけ。平旦。用例（唐、王昌齢、芙蓉楼送二辛漸一詩）寒雨連レ江夜入レ呉 平明送レ客楚山孤（カンウ コウにつらなりて よるごにいる、へいめい かくをおくれば そざん こなり）⬇冷たい雨が夜、長江の流れと一緒になってこ呉の地に降ってきた。送別の宴が明けた翌朝、洛陽へと旅立つ君を見送ると、君の行く手に楚の山が一つぽつんとそびえている。②公平で明らか。「平明之治（へいめいのち）」③たやすくて、はっきりしていること。簡明。

【平癒・平△愈】ヘイユ ＝平復。

【平和】ヘイワ おだやかなこと。たいらかに治まること。

【平話】ヘイワ ①批評を加えながら口語で話す、歴史物語の講釈。宋の講史（一種の歴史小説）から発展し、明・清代に流行した。もと評話といい、平は評の略という。②国（改まったところのない）普通の話。

3【幵】6画 3164 ケン 冊 jiān 5484 9BF2 ―

字義 ❶たいら（平）。❷古代の部族の名。羌族の一派。

3【年】6画 3165 教1 ネン とし 熟字訓 今年（こと し） 3915 944E ―

ネン 冊 nián

解字 篆文 幵 象形。二本のさおを並べて上が平らなさまにかたどり、たいらの意味を表す。

筆順 ノ 𠂉 ㇐ 𠂉 午 年

【秊】8437 本字

字義 ❶とし。㋐元日から大みそかまで。一年。㋑よわい。年齢。寿命。用例〔荘子、秋水〕年不レ可レ挙、時不レ可レ止（としはふきぐべからず、ときはとどむべからず）

コラム 年中行事

長い歴史と広い土地と多くの民族とを持つ中国では、年中行事もきわめて変化に富んでいる。以下に、その一端を紹介する。日付は陰暦による。

一月一日〈元旦〉〈春節〉
最も重要な祭日。〈除夜〉（大晦日）の夜は寝ないで新年を迎え、午前零時を待って爆竹を鳴らして魔を払い、神を迎える。また紅紙にめでたい文句（春聯）を書いて門の左右の柱に貼り、門の両扉に武人の絵（門神）を描いた紙を貼る。

一月七日〈人日〉
唐代まで重視された節日。厄除けのため〈登高〉する習慣があったが九月九日の〈重陽節〉に代わられた。万病を避けるため七種の菜で粥を作る七種粥の風習、煎餅を作る風習もあった。

一月十五日〈元宵節〉〈上元節〉
春節（旧正月）の最後を祝う華やかな行事。唐代から始まる。この夜を〈元宵〉と言い、数日間にわたって、家々の門や道路に美しい灯籠、走馬灯を飾り、竜や獅子、花などを形どった灯籠（行灯）を持って町を行進する。

二月二日〈竜擡頭〉
古くは、郊外に出て遊ぶ〈春遊〉と、菜摘みの日であった。のち華北地方では〈竜擡頭〉（竜が頭をもたげる日）、江南地方では〈土地神誕〉（土地の神の誕生日）となった。

二月十五日（また十二日）〈花朝〉
百花の誕生日として神を祭る日。花園にテーブルを置き、菓子や果物などを供えて花神を祭った。

三月三日〈上巳節〉
〈上巳〉は、月初めの巳の日。のちに三日となった。川辺で体を清める、厄払いの日。宮中では〈曲水の宴〉を催し、庶民は郊外に遊ぶなどした。

三月〈清明節〉
二十四節気の一つ。春の雰囲気に満ちあふれる時季で、郊外に出て遊ぶ習慣がある。また、墓参りをする。

五月五日〈端午節〉
厄払いの日。昔はヨモギや菖蒲を門に挿したり、朱索（朱色の絹糸で編んだ紐）や五色印（五色に染めた桃木の板）を飾ったりして、厄払いをした。戦国時代の屈原にちなむという粽子（ちまき）を食べたり、南方では竜船のレースをしたりする。

七月七日〈七夕〉
牽牛星と織女星との、年に一度の出会いを祭り、女性は機織りや裁縫の上達を願って、酒や果物を並べる、〈乞巧〉という行事を行った。

八月十五日〈中秋節〉
中秋の名月（「端正の月」という）を賞しながら（翫月・賞月）、一家全員の集まることを願った。この日に食べる月餅にも、この願いが込められている。

九月九日〈重陽節〉
奇数の「九」が重なる日。昔は災厄を免れるため〈登高〉（高い所に登る）や、菊を観賞し、茱萸を身につける風習があった。

十月一日〈小春〉〈十月朔〉〈陽朔〉
秦代から漢の武帝までは、十月が年の初めだったので、宮廷では公式行事が行われた。民間では、農事が終わり休息に入るので、酒宴を設け、暖炉を開き、墓参りをした。

十一月〈冬至節〉
元日に次ぐ、国家的に重要な節日。宮廷でも民間でも、天や先祖を祭り、朝賀・拝賀を行った。

十二月二十三日（二十四日）〈送竈〉
一年間を各家で過ごした竈の神が天に上るのを感謝する日。

十二月末日〈除夜〉〈大晦日〉
宮廷でも民間でも、厄病の鬼を追い払う〈追儺〉の儀式を行った。

十二月下旬、または一月上旬〈立春〉
天子が諸侯や卿大夫を率い、春を東郊に迎える〈迎気〉の儀式を行う。土製の牛を鞭で打ったので、〈打春〉の名称が生まれた。

ずら。⇩寄る年波は取り除くこともならず、過ぎゆく歳月は止めるわけにはいかない。㋒新年。正月。「迎年」 ❷とき(時)。よ(代)。時代。年代。用例(左伝、宣公十六)大有レ年(おお(ほ)いにネンあり)。❸みの-る。みの-り(稔)。収穫。用例(左伝、裏公十一)毋レ蘊レ年(ネンをつむなかれ)。⇩大豊作であった。❹穀物。用例(左伝、襄公十二)毋レ蘊レ年。⇩穀物を隠しおいてはいけない。❺元号。用例(三国志、呉志、呉主伝)改レ年為二延康一(ネンをあらためてエンコウとなす)。⇩元号を改めて延康とした。

名前 かず・すすむ・ちか・と・とし・とせ・みのる 難読 年魚(あゆ)・年次(としなみ)・年増(としま)

解字 甲骨文  篆文  形声。甲骨文は、禾＋人㊟。音符の人は、成熟したひとの意味。成熟した穀物、みのるの意味から、転じて、としの意味にも用いる。篆文は会意で、禾＋千。千は、多いの意味。多くの穀物がみのるの意味を表す。

逆 永年・越年・延年・往年・隔年・帰年・期年・紀年・享年・凶年・行年・高年・今年・残年・弱年・終年・少年・衰年・成年・生年・盛年・青年・積年・早年・卒年・他年・中年・長年・当年・同年・拝年・万年・晩年・平年・芳年・豊年・忘年・没年・厄年・余年・例年・暦年・歴年・連年

【年華】(ネンカ) ①年月。月日。②春の光。③若い年ごろ。

【年賀】(ネンガ) ①新年の祝い。②老人の長寿の祝い。

【年鑑】(ネンカン) 一定の項目に関し、一年間の情勢を記し毎年発行する記録。

【年顔】(ネンガン) 壮年の人の顔色。

【年忌】(ネンキ) ①厄年(ヤクどし)。としいみ。②仏人の死後三年・七年などに仏事を行い追善供養すること。年回。回忌。

【年季】(ネンキ) 国①奉公人などを雇う約束の年限。②「年季奉公」の略。年限をきめて商店などに雇われること。

【年紀】(ネンキ) ①年齢。とし。②年数。年代。③年号。

【年魚】(ネンギョ) 国鮎(あゆ)の別名。多く年の内に死ぬのでいう。

【年功】(ネンコウ) 国①多年の功労。②多年の修練による熟練(腕まえ)。「年功序列」

【年光】(ネンコウ) ＝年華。

【年号(號)】(ネンゴウ) 年につけるよび名。元号。中国では漢の武帝の建元(前一四〇)、日本では孝徳天皇の大化(六四五)がその初め。

【年穀】(ネンコク) 穀物。五穀。▼年も、穀物。

【年歳】(ネンサイ) ①とし。年月。②年齢。③穀物。年穀。

【年始】(ネンシ) ①年のはじめ。年頭。②国年始の祝賀。

【年歯(齒)】(ネンシ) とし。よわい。年齢。

【年時】(ネンジ) としつき。年月。年代。

【年寿(壽)】(ネンジュ) 人のいのち。寿命。

【年所】(ネンショ) 年月。歳月。年数。▼所は、助字。

【年少】(ネンショウ) 年が若い。また、その人。

【年代】(ネンダイ) ①過ぎ去った時代。②時代。③紀元から数えた年数。④年齢層。「年代の差」

【年中行事】(ネンチュウギョウジ・ネンジュウギョウジ) 毎年きまって行われる儀式やもよおし。⇩コラム 年中行事(四六五ページ)。

【年頭】(ネントウ) 年の初め。年始。

【年頭月尾】(ネントウゲツビ) 一年中。

【年年歳歳】(ネンネンサイサイ) 毎年毎年。来る年も来る年も。用例(唐、劉廷芝、代下悲二白頭一翁上詩)年年歳歳花相似(ネンネンサイサイはなあい(ひ)にたり)、歳歳年年人不レ同(サイサイネンネンひとおなじからず)。⇩来る年も来る年も、花は同じように咲くが、それを見る人は、毎年毎年違った人なのだ。

【年輩】(ネンパイ) ①年のならび。長幼の序。②国㋐年のころ。年かっこう。「同年輩」 ㋑世間のことによく通じた年ごろ。年配。◆「年輩」が本来の漢語。「年配」は和製漢語で、意味に相違はない。ただ、使用例は「年配」が多く、新聞用語も「年配」に統一している。

【年表】(ネンピョウ) 歴史上の事項を年月順に書いた表。『史記』の十二諸侯年表に始まる。

コラム

年齢の別称

年齢の別称には典拠のあるものが多い。十五歳を〈志学〉というのは、『論語』為政編の「吾十有五而志二于学一(われジュウユウゴにしてガクにこころざす)。」にもとづく。同じく〈笄年(ケイネン)〉は、『礼記(ライキ)』内則編の、女子は「十有五年而笄(ジュウユウゴネンにしてケイし)」による。初めて笄(こうがい)をつけるのは、いわば女子の成年式で、男子の二十歳を〈弱冠〉(弱は若い、また、二十歳の意)といい、元服の式を行ったことに相応する。弱冠は、『礼記』曲礼上編の「二十曰レ弱(ニジュウをジャクという(ふ))。冠(カンす)。」にもとづく。

年齢	別称	典拠
10	幼学	『礼記』曲礼上編
15	志学 笄年(女のみ)	『論語』為政編 『礼記』内則編
20	弱冠(男のみ)	『礼記』曲礼上編
30	而立(ジリツ) 壮室	『論語』為政編 『礼記』曲礼上編
40	不惑 強仕	『論語』為政編 『礼記』曲礼上編
48	桑年	
50	知命	『論語』為政編
60	耳順 華甲(花甲)	『論語』為政編
70	従心 古稀(コキ)(古希)	『論語』為政編 唐、杜甫、曲江詩

〈桑年〉は、桑の字の別体、桒の字画が十が四個、八が一個になることから四十八歳をいう。また〈華甲(花甲)〉は、華の字を十が六個、一が一個に分け、六十一としたことによる。甲は干支(えと)の第一の年、甲(きのえ)のことで、干支は六十年で一巡する。満六十歳は数え年で六十一歳に当たる。日本で六十歳を〈還暦〉というのは生まれ年と同じ干支に還(かえ)る意である。

〈上寿〉(百歳)は中寿(八十歳)・下寿(六十歳)に対応するもので、『荘子』盗跖(トウセキ)編に基づく。

わが国でのみ用いられる別称を次に挙げる。

年齢	別称
60	還暦
77	喜寿
80	傘寿
81	半寿
88	米寿
99	白寿

それぞれ長寿を祝うことばで、〈還暦〉以外はみな字形にもとづく。〈喜寿〉は喜の草書体の㐂、〈傘寿〉は傘の略体の仐によるもの、また〈白寿〉は百の字から一を減じて九十九の意。なお、卒の略体の卆から九十歳を〈卒寿〉ともいうが、卒には「終わる・死ぬ」の意味があり、賀寿のことばとしてふさわしい文字ではない。

【年譜】人の一代の事跡や、特定の事項について年代順に記した記録。

【年芳】春の美しい花。

【年来(來)】国数年このかた。数年来。

【年齢(齡)】とし。よわい。年歯。⇩コラム 年齢の別称(四六六ジペー)。


3【并】6画(732) ヘイ 八部。↓一五一ジペー上。

4【罕】7画(9429) カン 网部。↓一四六ジペー下。

5【幸】8画 3166 教3 コウ さいわ-い・さち・しあわ-せ 漢コウ(カウ)・呉ギョウ(ギャウ) 㮌xìng 2512 8D4B 一 一

筆順 一 + 土 キ 去 垚 幸

〔㚔〕87 古字

字義 ❶さいわ-い。さち。しあわ-せ。めぐりあわせのよいこと。また、運にめぐまれた出来事。理想の状態。めぐみやいつくしみ。用例〔論語、述而〕丘也幸。苟有レ過、人必知レ之。⇩私、孔丘は幸せだ。少しでも間違いを犯せば、きっと誰かが気づいて教えてくれる。
❷さいわ-いする。さきわ-う。幸福をもたらす。用例〔漢書、高帝紀下〕願大王以幸二天下一。⇩大王さま、どうか(あなたが皇帝の位に就くことによって)天下に幸福をもたらしてください。
❸さいわ-いに。㋐運よく。たまたま。用例〔史記、張儀伝〕今吾幸先用。⇩今、私は幸いにも(張儀より)先に登用された。㋑ありがたいことに。わざわざ。もったいなくも。用例〔史記、項羽本紀〕今事有レ急、故幸来告レ良。⇩今、事態が差し迫ったので、ありがたいことに私、張良にそれを知らせに来てくれたのです。
❹さいわ-いとする。しあわせと思う。よいこととする。用例〔唐、柳宗元、罵二尸虫一文〕妬二人之能一、幸二人之失一。⇩人の能力に嫉妬し、人の失敗を幸運だと思う。
❺よろこぶ。また、このむ。「歓幸」「欣幸」
❻(皇帝や王が女性を)かわいがる。いつくしむ。用例〔史記、項羽本紀〕常幸従。⇩いつも寵愛されてそばにいた。
❼こいねが-う。希望する。用例〔北宋、欧陽脩、朋党論〕惟幸三人君弁二其君子小人一而已。⇩ただただ君主には、それが君子の朋党か小人の朋党かを見分けるということだけを望むのである。
❽みゆき。天子の外出。「行幸」
国さち。㋐山や海からの収穫物。「海の幸・山の幸」㋑獲物を取る道具。

名前 あき・き・ご・こう・さい・さき・さち・たか・たつ・とみ・とも・ひで・みゆき・むら・ゆき・よし　難読 幸崎・幸矢・幸手・幸先

参考 現代表記では〔倖〕(423)の書きかえに用いる。「薄倖→薄幸」「射倖心→射幸心」

解字 甲骨文 篆文 象形。甲骨文でもわかるように、手かせの象形。執が、手かせにとらえられた人の象形であるのに対して、手かせだけの象形で、さいわいにも手かせをはめられるのをまぬかれて、しあわせの意味を表す。

逆 愛幸・恩幸・還幸・貴幸・行幸・御幸・至幸・射幸・巡幸・遷幸・多幸・薄幸・不幸・遊幸・臨幸

【幸運】しあわせなめぐりあわせ。幸福な運命。

【幸姫(姬)】お気に入りの女性。寵妾。用例〔十八史略、春秋戦国、斉〕孟嘗君使下人抵二昭王幸姫一求上レ解。⇩孟嘗君は、部下を昭王のお気に入りの夫人のもとへやり、釈放してくれるように頼ませた。

【幸△冀】こいねがう。万一のことを願い望む。

【幸慶】しあわせ。また、よろこび。

【幸舎】戦国時代、斉の孟嘗君が食客をおいた宿舎の一つ。↓代舎(八一ジペー中)。

【幸臣】気に入りのけらい。寵臣。倖臣。

【幸甚】①非常にしあわせである。ありがたい。なによりのしあわせ。②手紙の末尾に書く語。

【幸便】国①よいついで。②人に持たせてやる手紙の脇付に用いる語。③よいたより。

【幸福】しあわせ。さいわい。

【幸臨】①天子が行幸して、その場所に出ること。臨幸。②他人が臨席することをいう敬語。

5【幷】8画 3167 標 漢ヘイ 呉ヒョウ(ヒャウ) 㮌bìng、敬③bìng 9492 一 一

〔并〕732 簡易

字義 ❶なら-ぶ。なら-びに。ともに。それにまた。❷あわ-せる。一つにする。まぜる。また、かねる。＝併(342)。「合幷」「幷有」❸古代、帝舜が定めたという十二州の一つ。今の河北省西部と山西省北東部一帯の地。

解字 甲骨文 篆文 象形。甲骨文でわかるように、人を並べてつないだ形にかたどり、あわせるの意味を表す。幷(并)を音符に含む形声文字に、併(併)・塀(塀)・屛・餅・荓・軿・餠(餅)などがある。

【幷合】あわせる。一つにする。併合。

【幷州△之情】第二の故郷ともいうべき土地を去るにあたって、その土地のことをなつかしむこと。唐の賈島が十年住んだ幷州(今の山西省太原市)を去るにあたり、故郷のように慕ってよんだ「度二桑乾一詩」の、「無レ端更渡桑乾水、却望二幷州一是故郷」(思いがけなくも桑乾河を渡って、さらに北へ行くことになった。今まで過ごした幷州の方をふりかえって眺めると、(仮の宿と思っていたその町が)自分の故郷のように思われる)による。

【幷△呑】他国をあわせて自国の領土とすること。

10【幹】13画 3168 教5 カン みき カン 𩉯gàn 2020 8AB2 一

筆順 一 + 士 古 吉 𠦝 𠦝 斡 幹 幹

〔榦〕5665 本字

字義 ❶みき。㋐木の幹。㋑物事の主要な部分。「語幹」❷からだ。骨組み。❸わきばら。また、背骨。❹うでまえ。わざ。才能。「才幹」❺つかさどる。中心となって行う。❻えと。干(3161)に通ずる。❼強い。また、すぐれている。

名前 えだ・から・かん・き・くる・たかし・たる・つね・つよし・とし・とも・まさ・み・みき・もと・もとい・もとき・もとし・よし・よみ・より　難読 幹竹

解字 篆文 形声。篆文は、木＋倝音。音符の倝は、旗ざおの象形。よく伸びた木のみき・はしらの意味を表す。

逆 器幹・根幹・才幹・材幹・枝幹・主幹・身幹・世幹

【幹国(國)】国家を治める。

【幹才】はたらき。うでまえ。才能。幹材。才幹。

【幹材】＝幹才。

【幹枝】①幹と枝。②十干十二支。干支。

【幹事】中心となって事を処理すること。また、その人。

【幹線】道路・鉄道の主要な線。

【幹部】①団体の中心となる人。首脳部。②枝葉に対する幹の部分。中心部。

【幹吏】①主要な役人。②有能な役人。

3画

幺 いとがしら（糸頭）

〔部首解説〕幺、あるいは幺を二つ合わせた𢆶（ユウ）(かすかの意)をもとにして、小さい・かすかの意味を含む文字ができている。

0
【幺】 3画 3169 ヨウ（エウ） 蕭 yāo 5486 9BF4 —

字義 ❶ちいさい。「幺小」 ❷おさない。いとけない。＝幼(996)。 ❸くらい。かすか。

解字 金文 篆文 象形。糸の先端の象形で、ちいさいの意味を表す。幺を音符に含む形声文字に、幽・幼・坳（オウ）・窈（ヨウ）・黝（ユウ）などがある。

1
【幻】 4画 3170 常 ゲン まぼろし 漢カン（クワン）・呉ゲン 諫 huàn 2424 8CB6 —

筆順 く 幺 幺 幻

字義 ❶まぼろし。あるかのように見えて、またすぐ消えさるもの。仮象。「夢幻」 ❷まどわす。くらます。たぶらかす。「幻惑」 ❸かわる。変化する。「変幻」 ❹てじな。人の目をくらます術。奇術。「幻術」

名前 げん

解字 金文 篆文 象形。金文によれば、染色した糸を木の枝にかけた形にかたどるかと思われる。変色のさまから、かわるの意味を、深い染色のさまから、まどわす・まぼろしの意味を表す。玄と近い語である。

逆 誕幻・変幻・夢幻

【幻影】（ゲンエイ） ①まぼろしと、かげ。はかないもののたとえ。②まぼろし。幽霊。③実現できない望み。

【幻化】（ゲンカ） まぼろしのように変化すること。また、まぼろし。

【幻覚(覺)】（ゲンカク） 実際に存在しないものをあるかのように知覚すること。

【幻術】（ゲンジュツ） てじな。奇術。魔法。妖術（ヨウジュツ）。

【幻世】（ゲンセイ） まぼろしのように、はかない世。無常の世。この世・現世・人生をいう。

【幻想】（ゲンソウ） 実際にありもしないものをあるかのように思うこと。とりとめのない思い。

【幻滅】（ゲンメツ） ①まぼろしのように消えうせる。②国幻想からさめて現実に返ること。「幻滅の悲哀(幻想から覚めて現実にふれたときに感ずる悲しみ)」

【幻惑】（ゲンワク） まどわす。また、まどう。眩惑（ゲンワク）。

2
【幼】 5画 (996) ヨウ 力部。→一九一ページ中。

6
【幽】 9画 3171 常 ユウ ユウ（イウ） 尤 yōu 4509 9748 —

筆順 丨 ㇄ 乡 幺 𢆶 𢆶 𢆶 幽 幽

字義 ❶かくれる。ひそむ。また、かくす。 ❷くら-い（くらし）。あきらかでない。「幽暗」 ❸かす-か。ほのか。「幽光」 ❹おくふかい。深く遠い。奥深くてもの静か。「幽谷」 ❺暗い所。奥深い所。かたすみ。 ❻古代の十二州の一つ。→幽州。 ❼夜。 ❽あの世。めいど。よみじ。死後に行く世界。「幽界」 ❾鬼神。超現実的なもの。「幽霊」 ❿とらえる。また、とじこめる。おしこめる。「幽閉」 国かそ-けき。かすかな。

名前 はる・ゆう

解字 甲骨文 篆文 形声。甲骨文は、火＋𢆶音。音符の𢆶（ユウ）は、かすかの意味。火の光がかすかに暗いの意味を表す。篆文は変形して、山＋𢆶音の形声。

逆 尋幽・明幽

【幽意】（ユウイ） もの静かな思い。心の奥深く抱く思い。また、憂い。

【幽隠(隱)】（ユウイン） ①世をさけて、かくれ住むこと。また、その人。幽人。②奥深くかくれたところ。かくれて目に見えない所。③暗くてはっきり見えないさま。

【幽韻】（ユウイン） ①かすかなひびき。②奥深い情趣。

【幽咽】（ユウエツ） ①かすかにむせび泣く。用例〔唐、杜甫、石壕吏詩〕夜久語声絶（よひさしくして、ごせいたえ）、如レ聞ニ泣幽咽一（ないてユウエツするをきくがごとし）。↓夜もすっかり更けて話し声もとだえてから、だれかのむせび泣く声が聞こえてきたように思われた。②かすかな水流の音の形容。用例〔唐、白居易、琵琶行〕間関鶯語花底滑（カンカンたるオウゴ、カテイになめらかに）、幽咽泉流氷下難（ユウエツせるセンリュウ、ヒョウカになやめり）。↓(琵琶（ビワ）の演奏は、)のどかなうぐいすの声が花の下でなめらかにさえずるように聞こえ、むせぶがごとき泉が氷の下でうまく流れないでいるようにも聞こえる。

【幽△婉】（ユウエン） 奥ゆかしくしなやか。ものしずかでしとやか。

【幽遠】（ユウエン） 奥深く、遠くはるかなること。幽深。

【幽花】（ユウカ） 人に知られずに咲く、めだたない花。

【幽界】（ユウカイ） 国あの世。冥土（メイド）。よみじ。死後に行く世界。

【幽懐(懷)】（ユウカイ） 心の奥深く(人知れず)いだく思い。胸の中。

【幽客】（ユウカク） ①＝幽人。②蘭（ラン）の別名。

【幽△壑】（ユウガク） 奥深い谷。用例〔北宋、蘇軾、前赤壁賦〕舞ニ幽壑之潜蛟一（ユウガクのセンコウを、まわ(は)しめ）、泣ニ孤舟之嫠婦一（コシュウのリフをなかしむ）。↓奥深い谷にかくれひそむ竜も舞いださせ、一そう浮かぶ小舟に乗るやもめも泣かせてしまうほどである。

【幽閑・幽間】（ユウカン） もの静かで奥ゆかしい。

【幽鬼】（ユウキ） ①死者のたましい。②ばけもの。

【幽期】（ユウキ） ①心ひそかな約束ごと。また、隠世の約束。②男女の密約をいう。

【幽宮】（ユウキュウ） 奥深い御殿(宮殿)。

【幽居】（ユウキョ） 世のわずらわしさをさけて静かにくらす。また、その住まい。かくれが。幽棲（ユウセイ）。〔唐、韋応物、幽居詩〕

【幽△墟】（ユウキョ） ①遠いところ。遠方の地。②ものさびしい廃墟。

【幽境】（ユウキョウ） 奥深くてもの静かな場所。

【幽興】（ユウキョウ） 奥ゆかしいおもむき。また、それを味わうこと。

【幽襟】（ユウキン） 静かな思い。また、深い思い。▼襟は、心。

【幽吟】（ユウギン） 静かにうたう。

【幽径(徑)・幽△逕】（ユウケイ） 人けのない静かなこみち。

【幽玄】（ユウゲン） ①おもむきが奥深くて、はかり知ることのできないこと。②老荘や禅の哲理の深遠なこと。③国表現を通して言外に奥深い情趣の感じられること。文学論・歌論の理念の一つ。

【幽光】（ユウコウ） ①かすかなひかり。②奥深い徳のかがやき。

【幽△巷】（ユウコウ） 奥深い小道。また、人里離れた所。

【幽香】（ユウコウ） 奥ゆかしいかおり。

【幽△篁】（ユウコウ） 静かな竹やぶ。また、奥深い竹やぶ。

【幽△壙】（ユウコウ） 奥深い墓穴。

【幽谷】（ユウコク） 奥深い谷。「深山幽谷」

【出レ自ニ幽谷一遷ニ于△喬木一】（ユウコクよりいでてキョウボクにうつる） ①鳥が深い谷間から出て、高い木に飛びうつる。〔詩経、小雅、伐木〕②学問・人格の向上するたとえ。〔孟子、滕文公上〕③官位が進み、出世するたとえ。

【幽恨】（ユウコン） 心の奥深くに抱くうらみ。人知れぬうらみ。

【幽魂】（ユウコン） ①死者のたましい。幽鬼。②静かな心。

【幽思】（ユウシ） ＝幽懐。

【幽室】（ユウシツ） 奥深くてうす暗い部屋。

【幽寂】（ユウジャク・ユウセキ） 奥深くてもの静か。

【幽趣】（ユウシュ） 奥ゆかしいおもむき。

【幽囚】ユウシュウ　捕らえられて、ろうやにとじこめられる。また、その人。めしゅうど。
【幽州】ユウシュウ　古代、帝舜の定めた十二州の一つ。今の河北省の北部から遼寧省一帯の地。
【幽州台(臺)】ユウシュウダイ　幽州の薊県にあった高楼。場所は、現在の北京市広安門付近。
【幽愁】ユウシュウ　心の奥深くいだく憂い。人知れぬなげき。
【幽処(處)】ユウショ　静かな所。また、静かな所にいる。
【幽勝】ユウショウ　静かですぐれたけしき。
【幽賞】ユウショウ　静かにほめ味わう。用例〔唐、李白、春夜宴二桃李園一序〕幽賞未レ已、高談転清。⇩心静かに景色を飽かず眺め、超俗の高尚な話はますます盛んになっていく。
【幽情】ユウジョウ　静かな心情。また、心の奥深くいだく気持ち。
【幽深】ユウシン　もの静かで奥深い。また、その場所。幽寂。
【幽人】ユウジン　世をさけて静かに暮らしている人。隠者。用例〔唐、韋応物、秋夜寄二丘二十二員外一詩〕山空松子落、幽人応レ未レ眠。⇩山には人の気配がなくひっそりとし、松かさの落ちる音が聞こえるだけだ。世捨て人たる君もきっとまだ眠らないでいることだろう。
【幽△翠】ユウスイ　奥深く茂ってあおい。もの静かな緑色。
【幽△邃】ユウスイ　＝幽深。▼邃は、奥深い。
【幽△棲・幽△栖】ユウセイ　＝幽居。▼棲は、住む。
【幽石】ユウセキ　静かな奥山の石。用例〔南朝宋、謝霊運、過二始寧墅一詩〕白雲抱二幽石一、緑篠媚二清漣一。⇩白雲は静かな奥山の石を抱いているかのようであり、緑のしの竹は澄んださざ波に媚びるかのようである。
【幽絶】ユウゼツ　静かで人里離れたところ。
【幽阻】ユウソ　①牢屋。牢獄。②奥深くけわしい所。
【幽草】ユウソウ　①深くおい茂った草。②さびしい所に生えている草。
【幽探】ユウタン　静かにさぐりたずねる。名勝を探る。幽討。
【幽竹】ユウチク　奥深い竹林。用例〔夏目漱石、題二自画一詩〕借問春風何処有、石前幽竹石間蘭。⇩春風はいったいどこへ行ってしまったのかとちょっと尋ねてみる。それは庭石の前にひっそりとした趣の竹と庭石の間に生えている蘭のところにわずかに認められたことだ。
【幽鳥】ユウチョウ　奥深い所に住むとり。幽禽。
【幽沈】ユウチン　①深く(低く)しずむ。②浮世を離れて静かに暮らす。
【幽討】ユウトウ　静かにたずねる意で、名所・旧跡をたずね歩くこと。幽尋。幽探。
【幽独(獨)】ユウドク　静かにひとり住まいする。
【幽美】ユウビ　奥ゆかしく美しい。
【幽微】ユウビ　奥深くかすか。深く隠れて知りがたいことがら。
【幽風】ユウフウ　静かに吹く風。
【幽△馥】ユウフク　かすかにおう。かすかなにおい。
【幽憤】ユウフン　(心の底の)人知れぬいきどおり。
【幽閉】ユウヘイ　①とじこめる。おしこめる。監禁する。②心が深くとじこもる。心のふさぐこと。
【幽蔽】ユウヘイ　奥深くおおわれて暗いこと。
【幽△僻】ユウヘキ　奥深くかたよった所。かたいなか。
【幽昧】ユウマイ　奥深く暗い。また、暗い。
【幽夢】ユウム　ぼんやりとかすかな夢。また、かすかな記憶。
【幽明】ユウメイ　①暗いことと、明るいこと。明暗。②あの世とこの世。冥土と現世。③目に見えない天地の理と、目に見える人間界の事がら。④鬼神と人。⑤暗愚と賢明。
【幽冥】ユウメイ　①かすかで暗い。②奥深く微妙なさま。「幽冥の論」③あの世。冥土。よみじ。地下。「幽冥の地」
【幽幽】ユウユウ　①奥深いさま。②暗いさま。③もの静かなさま。
【幽△蘭】ユウラン　奥深い谷に生える蘭。奥ゆかしく気品のある蘭。
【幽林】ユウリン　奥深く静かなはやし。
【幽△厲】ユウレイ　①周の幽王と厲王。ともに暴君。②亡国の君、また、暴君のたとえ。
【幽霊(靈)】ユウレイ　①死者のたましい。②国死者が、成仏しないで、この世に現れた姿。亡者。

9
【幾】
12画 3172 常 キ いく

㊀漢キ・呉ケ 微 jī
㊁漢キ・呉ゲ 尾 jǐ

2086 8AF4

筆順　ㄥ 幺 幺幺 𢆶 𢆶 𢆶 幾 幾 幾

字義　㊀助ほとん-ど。⇩助字・句法解説。❶きざ-し。けはい。まえぶれ。＝機(5789)。「幾微」❷かすか。また、おだやかに。それとなく。「幾諫」❸あやうい(危)。❹ちか-い。＝近(12028)。「庶幾」❺こいねが-う。こいねが-わくは。ねがう。＝冀(747)。用例〔漢書、陳平伝〕高帝怒曰、而公幾敗二乃公事一也。⇩高帝は怒って言った、「樊噲は私が病気に倒れたことを見て、私の死を願っているのだ」。㊁助いく。いくばく。⇩助字・句法解説。

助字・句法解説
❶ほとん-ど。
㋐訳…しそうになる。
ある状況・程度に近づくことを表す。用例〔唐、柳宗元、捕レ蛇者説〕今、吾嗣為レ之十二年、幾死者数矣。⇩現在、私は蛇捕りの跡を継いで十二年になりますが、その間、あやうく死にそうになったことも、何度もありました。
㋑訳ほぼ。だいたい。
数量を表す語の前に置いて概数を表す。用例〔左伝、襄公二十八〕楚不レ幾十年、未レ能レ恤二諸侯一也。⇩楚国は、十年ほども経たねば、盟主となって諸侯をあわれみ救うことはできないであろう。
❷いく。いくばく。疑問・反語。訳どれほどか。
数量・時間や程度について疑問・反語の表現を作る。
▼後の語を修飾する時には「いく」と読む。また、「いくばく」は、「幾何」「幾許」の形でも用いられる。
用例〔孟子、離婁上〕子来幾日矣。⇩あなたはいつ来たのか。／〔唐、王翰、涼州詞〕酔臥二沙場一君莫レ笑、古来征戦幾人回。⇩酔って砂漠に横になるが、君よ、笑ってくれるな、昔から戦争に行って何人が無事で帰ったことか(一人もいない)。／〔史記、范雎伝〕范雎曰、汝罪有レ幾。⇩范雎が言った、「お前の罪はどれほどか」。／〔左伝、僖公二十三〕有二大功一而無二貴仕一、其人能靖者与有レ幾。⇩功績をあげて高位を得られないなら、安らかな気持ちでいられるものが何人いるだろう(そのような者はいない)。／〔戦国策、趙〕年幾何矣。⇩年はいくつなのか。／〔唐、李白、春夜宴二桃李園一序〕浮生若レ夢、為レ歓幾何。⇩定まりのない人生というものは、夢のようにはかない。歓楽をなしたところでどれほどか(たいしたものではない)。／〔南史、顧琛伝〕上問二琛庫中仗猶有幾許一。⇩帝は、顧琛に、武器庫に残る刀戟がどれくらいかを尋ねた。／〔文選、古詩十九首、其十〕河漢清且浅、相去復幾許。⇩天の川の水は清らかで浅いといっても、(牽牛・織女の両星は)どれほど離れていることか(遥かに遠く隔たっている)。

名前　いく・おき・き・ちか・ちかし・のり・ふさ　難読　幾寅

解字 金文 [glyph] 篆文 [glyph] 会意。𢆶＋戍。𢆶は、こまかい糸の象形。戍は、まもるの意味。戦争の際、守備兵の抱く細かな心づかいのさまから、かすかの意味や、あやういの意味を表す。また、近に通じて、ちかいの意味を、祈に通じて、ねがうの意味を表し、借りて、いくつの意味をも表す。幾を音符に含む形声文字に、機・畿・磯・譏・鞿・饑などがある。

逆 刺幾・庶幾・万幾・無幾

【幾何】㊀ ⇩助字・句法解説②。㊁ 図形の性質や相互関係を体系的に研究する、数学の一部門。幾何学。

【幾諫】それとなく(おだやかに)いさめる。用例〔論語、里仁〕事二父母一幾諫。⇩父母に仕え、(その悪い点に気づいた時は)それとなくいさめる。

【幾希】ほとんどない。いくらもない。

【幾許】⇩助字・句法解説②。

【幾多】①いかほど。どれほど。②たくさん。あまた。

【幾殆】ほとんどあやうい。危機一髪。

【幾重】㊀ いくつかの重なり。いくかさね。㊁ 国かさねがさね。くれぐれも。

【幾微】①きざし。けはい。②容易には知りがたい微妙な事がら・おもむき。機微。

【幾望】望に近い。陰暦十四日の月をいう。▼幾は近、望は望月、十五夜の月。

【知レ幾△其神△乎】物事を(まだ表面にあらわれないきざしのうちに、それと察知する人は、神のようにさとい人であろうか。〔易経、繫辞下〕

【無レ幾】㊀ ①なにほどでもない。いくらでもない。すくない。②まもなく。ほどなく。やがて。㊁ 望むなかれ。また、望まない。

11【㡭】14画 3173 ケイ 継(9172)と同字。→一一三三ﾍﾟｰｼﾞ下。

12【畿】15画 (7670) キ 田部。→九七五ﾍﾟｰｼﾞ上。

16【嚮】19画 (1771) キョウ 口部。→二八六ﾍﾟｰｼﾞ下。

3画 广 まだれ(麻垂)

〔部首解説〕麻の垂れになるところからいう。广を意符として、建築物などを表す文字ができている。

0 广 四七〇	4 応 五一八	庇 四七一	府 四七二	庠 四七三	庫 四七三	唐 二六六	庶 四七六	庿 四七六	9 庽 四七七	庾 四七七	鴈 四七八	廏 三三六	腐 一一七七	12 麾 一六四二	廝 四七九	廜 四七九	摩 五七四	廩 四八〇	15 廫 四八〇	廬 四八〇	22 廳 四七一
2 広 四七〇	庍 四七一	5 庚 四七二	庖 四七二	庢 四七三	庨 四七三	庬 四七五	庰 四七六	麻 一六四二	廁 四七七	廊 四七七	廉 四七八	廐 四七九	麼 一六四二	廞 四七九	廠 四七九	廢 四七七	廙 四八〇	廪 四八〇	麿 一六四三	17 廰 四八一	
庁 四七一	庋 四七一	底 四七二	庖 四七二	度 四七三	座 四七三	8 庵 四七五	庰 四七六	庾 四七六	廂 四七七	10 廈 四七八	廊 四七七	廑 四七九	廙 四七九	慶 五三五	廠 四七九	廟 四七九	13 廨 四八〇	14 應 四八〇	16 廯 四八〇	18 魔 一六〇九	
庀 四七一	序 四七一	店 四七二	6 庥 四七二	庲 四七三	席 四五七	康 四七五	庱 四七六	庸 四七六	廋 四七七	廆 四七八	11 廕 四七八	廎 四七九	廖 四七九	廣 四七〇	廚 二三六	廟 四八〇	廥 四八〇	糜 一二〇一	靡 一五四三	廱 四八一	
3 庄 四七一	床 四七一	庙 四七二	庤 四七二	7 庡 四七三	庭 四七五	庶 四七六	庳 四七六	鹿 一六三八	廃 四七七	廋 四七八	廓 四七八	廠 四七九	廔 四七九	賡 一三五九	廛 四七九	廡 四八〇	磨 一〇三〇	膺 七二〇	龐 四八〇	21 鷹 一六三六	

0【广】3画 3174 ㊀ゲン 㷊 yǎn ㊁㊁漢ゲン・呉ゴン 㷊 yǎn 5488 9BF6 ―

字義 ㊀ ❶いえ(家)。がけの上の家屋。また、小さい家。❷むなぎ。

解字 篆文 [glyph] 象形。家屋のおおいに相当する屋根の象形。建築物を示す文字の要素文字となる。

2【広】5画 3175 教2 コウ ひろ-い・ひろ-まる・ひろ-める・ひろ-がる・ひろ-げる 2513 8D4C ―

12〔廣〕15画 3176 人 ㊀コウ(クヮウ) 養 guǎng ㊁コウ(クヮウ) 漾 guàng 5502 9C41 ―

筆順 丶 亠 广 広 広

字義 ㊀ ❶ひろ-い。ひろし。広大。❷ひろ-める。ひろむ。ひろ-げる。ひろぐ。広くする。❸ひろ-まる。ひろ-がる。広くなる。❹大きな屋根があり四方の壁のない建物。❺広東省・広西チワン族自治区の地。㊁ ❶ひろ-さ。ひろがり。❷よこ。東西の長さ。↔輪(11933)・袤(10825)。❸さしわたし。直径。❹むなしい。＝曠(4891)。❺兵車十五乗の称。

名前 お・こう・たけ・とう・ひろ・ひろし・みつ・やす 難読 広岾

参考 現代表記では〔宏〕(2608)の書きかえに用いる。「宏大→広大」「宏壮→広壮」。また、〔弘〕(3304)・〔曠〕(4891)の書きかえに用いることがある。「弘報→広報」「曠野→広野」

解字 金文 [glyph] 篆文 [glyph] 形声。广＋黄㊥。音符の黄は、王に通じ、大きいの意味。大きく広い屋根の意味から、ひろいの意味を表す。常用漢字の広は省略体による。

【広韻】書名。五巻。北宋の陳彭年らが勅命により編集した字書、韻書。二万六千余字を二百六韻に分類、配列し、毎字に音・義を施した。

【広運】①徳などがひろく行きわたる。②土地のひろさ。広袤。▼広は東西の、運は南北の長さ。

【広益】ひろく世のためになる。

【広△廈・広夏】ひろく大きい家。▼廈は、大きい家。

【広雅】書名。十巻。三国時代、魏の張揖の著。『爾雅』にならって作られた字典。

【広△闊】ひろびろと開ける。▼闊も、広い。

【広寒宮】月の中にあるという宮殿の名。広寒殿府。

【広義】①ことばの意味範囲に違いがあるとき、ひろいほうの意味をいう。↔狭義(九三〇ﾍﾟｰｼﾞ下)。②意味をひろめる。

【広居】広大なすまい。仁をいう。用例〔孟子、滕文公下〕居二天下之広居一。⇩天下の(仁という)広大なすまいにいる。

【広虚(虛)】①ひろびろとして何もない所。②おおぞら。

【広狭(狹)】①ひろいこととせまいこと。ひろさと狭さ。②ひろさ。

【広△衢】ひろい道。大通り。

【広言】大口をきく。口にまかせて無遠慮にいう。また、そのことば。大言。放言。

【広△敞】ひろびろと開けていること。宏敞。▼敞は、からりと開ける。

【広△饒】土地がひろく物産が多い。▼饒は、豊。

【広壮(壯)】ひろくてりっぱなさま。宏壮。

【広大無辺(邊)】ひろびろとして、かぎりのないこと。限りなくひろいこと。宏大無辺。

【広博】(学問・見識などが)広い。宏博。

【広漠・広△莫】ひろびろとして大きい。ひろびろとして果てしがない。また、その土地。

【広汎・広範】コウハン ひろくゆきわたること。力や勢いが広い範囲に及ぶこと。広範は書きかえ。

【広被】コウヒ ひろくおおう。あまねく行き渡る。

【広△袤】コウボウ 土地のひろさ。▼広は東西の、袤は南北のひろがり。

【広瀬△旭荘(莊)】ひろせきょくそう 国江戸後期の儒学者・詩人。豊後(今の大分県)の人。名は謙。字は吉甫。旭荘は号。淡窓の弟。『梅墩詩鈔』『日向鎖事備忘録』などがある。(一八〇七―一八六三)

【広瀬(瀨)淡窓】ひろせたんそう 国江戸末期の漢学者・詩人。豊後(今の大分県)の人。名は健、字は子基。淡窓は号。私塾咸宜園を開いて多くの子弟を教育した。著書に『遠思楼詩鈔』『淡窓詩話』などがある。(一七八二―一八五六)

【広陵】コウリョウ 郡名。前漢、広陵国を置き、後漢、郡に改めた。今の江蘇省の長江以北一帯の地。治所は広陵(今の揚州市)。隋代に廃されたが、唐の天宝・至徳年間に揚州を改め広陵郡といった。

2 【庁】5画 3177 教6 チョウ 3603 92A1 ―

22 【廳】25画 3178 人 漢テイ 呉チョウ(チャウ) 青 tīng 5512 9C4B ―

筆順 丶 亠 广 庁 庁

【廰】3258 俗字

字義 ❶やくしょ。官庁。「都庁」 ❷いえ(家)。 ❸へや。客間。おもてざしき。「客庁」

解字 形声。广+丁(聽)音。音符の聽は、よくきくの意味。政務を聴く家屋の意味から、やくしょの意味を表す。庁は俗字であったが、常用漢字として用いられる。

逆 正庁

【庁舎】チョウシャ 役所の建物。

【庁堂】チョウドウ ①役所の政務をとる所。また、役所。②表座敷。大広間。

2 【庀】5画 3179 ヒ 紙 pǐ ― ― 2834

字義 ❶おさめる(治)。❷そなえる(具)。❸ならぶ。

解字 形声。广+匕音。音符の匕は、比に通じ、ならぶの意味。屋内に家具などがならびそなわっているの意味を表す。

3 【庄】6画 3180 人 漢ショウ(シャウ) 陽 呉ソウ(サウ) zhuāng 3017 8FAF ―

筆順 丶 亠 广 广 庄 庄

字義 むらざと。いなか。＝莊(9943)。国荘園。私有の領地。

名前 しょう・まさ

解字 形声。广+土(壯)音。

【庄屋】しょうや 国江戸時代の村長。なぬし。むらおさ。

【庄司】しょうじ 国荘園の雑務にあたった役職。荘司。

4 【応】7画 (3476) オウ 心部。→五一八ページ上。

4 【庎】7画 3181 カイ 卦 jiè ― ― 2836

字義 ❶戸棚。❷台所の流し。

解字 形声。广+介音。

4 【庋】7画 3182 キ 紙 guǐ ― ― 2835

字義 ❶たな。膳だな。とだな。❷おく(置)。しまう。

解字 形声。广+支音。

4 【序】7画 3183 教5 ジョ 漢ショ・呉ジョ 語 xù 2988 8F98 ―

筆順 丶 亠 广 户 庐 庐 序

字義 ❶かき。かべ。家の東西の境のかき。❷わきや。わきべや。母屋の両側のへや。❸まなびや。学校。庠序。わきべやで教えたからいう。❹ついで。順序。次第。❺ついず。ア順序・階級などを定める。イ順序正しく並べる。順を追う。続ける。用例(唐、李白、春夜宴二桃李園一序)序二天倫之楽事一 ↓兄弟たちの楽しい宴を繰り広げる。❻いとぐち。はし(端)。＝緒(9215)。❼のべる。順を追ってのべる。❽文体の名。序文。はしがき。前書。また、序文を書くこと。↔跋(11698)。

名前 つき・つぐ・つね・のぶ・ひさし

解字 篆文  形声。广+予音。广は、建物の意味。音符の予は、伸びるの意味。家の東西に伸びたかきねの意味を表す。また、叙に通じ、順序の意味に用いる。

逆 後序・歳序・歯序・次序・自序・節序・秩序・列序

【序曲】ジョキョク ①歌劇などの開幕の前に演奏する楽曲。②国ア楽曲の形式の一つ。多くソナタ形式を用い、単楽章で完結する独立の管弦楽曲。プレリュード。イ事件の始まり。

【序歯】ジョシ 年齢の長幼によって席次を定める。年齢順。

【序次】ジョジ ①順序。次第。②順序を立てる(定める)。

【序破急】ジョハキュウ 国①雅楽や能楽などの構成・緩急・高低などの変化を表す語。序は一曲の最初の部分で、舞人が舞台に現れる。破は中間の部分で、ゆるい拍子で、静かに舞う。急は最終の部分で、早い拍子で舞う。②物事の初め・中ごろ・終わり。

【序△跋】ジョバツ 文体の名。書物のはしがきと、おくがき。⇩コラム 漢文(八六ページ)。

【序文】ジョブン 書物のはじめに、その書についての考えなどを記した文章。はしがき。序言。

【序幕】ジョマク ①芝居の初めの幕。第一幕。②物事の始まり。発端。序の口。

【序列】ジョレツ 順序。また、順序をつけて並べる。

【序論】ジョロン 本論のいとぐちとなる議論。緒論。序説。

4 【床】7画 3184 常 ショウ とこ・ゆか 漢ショウ(シャウ)・呉ジョウ(ジャウ) 陽 chuáng 3018 8FB0 ―

筆順 丶 亠 广 庁 庄 床 床

字義 ねだい。寝台。また、こしかけ。＝牀(7103)。国❶とこ。アねどこ。ふしど。イとこのま。❷ゆか。屋内で、板を張って地面より高くした所。❸ゆかしい。ア昔がしのばれなつかしい。イ気品があり、心がひかれる。おくゆかしい。

名前 とこ・ゆか 難読 床次(とこなみ)

参考 字義と熟語は[牀](7103)をも見よ。

解字 形声。广+木(牀省)音。广は、たてものの意味。音符の牀は、寝台の意味。屋内に置かれる寝台の意味を表す。床は、牀の俗字であったが、常用漢字として用いられる。

逆 起床・鉱床・病床・臨床

【床△几】ショウギ ①寝台とひじかけ。▼几は、ひじかけ。②国(昔、陣中や狩場などで使った)折りたたみ式のこしかけ。

4 【庇】7画 3185 人 標 ヒ 寘 bì 4063 94DD ―

筆順 丶 亠 广 广 庀 庇 庇

字義 ❶おおう。おおいかくす。❷かばう。おおい守る。守り助ける。「庇護」❸おおい(覆)。また、おかげ。庇保。たすけ。❹よる(寄)。たよる。❺ひさし。家ののきにさし出した小さな屋根。

解字 篆文  形声。广+比音。音符の比は、ならび親しむの意味。广は、屋根の象形。並び親しむ屋根の意味。

意味から、かばうの意味を表す。

【庇△陰・庇△蔭】ヒイン ①たすけ守る。②おかげ。

【庇護】ヒゴ ①かばいまもる。②おかげ。たすけ。庇保。

5 【庚】 8画 3186 人 標 漢コウ(カウ) 呉キョウ(キャウ) 庚 gēng 2514 8D4D 一

筆順 丶 亠 广 户 户 庐 庚 庚

字義 ❶かのえ。十干の第七位。五行では金、方位では西、四時では秋に配する。❷とし。よわい。年齢。「同庚」 ❸みち(道)。❹かわる。＝更(4663)。❺つぐなう。

名前 か・かのえ・つぎ・つぐ・みち・みちる・みつ・みつる・やす

解字 甲骨文 篆文 象形。甲骨文でもわかるように、きねを両手でもちあげる形にかたどる。十干の第七位、かのえの意味に用いる。庚を音符に含む形声文字に、康・慷コウ・穅コウ・糠コウ・賡コウなどがある。

【庚申待】コウシンまち 国庚申かのえさるの日に、仏教では帝釈天タイシャクテンと青面金剛ショウメンコンゴウ、神道では猿田彦さるたひこを祭り、徹夜して夜明けを待つ行事。道家で、人の身についている三尸虫サンシチュウが人の眠りに乗じて、その罪を天帝に告げたり、人の命を短くしたりすると説くことから、眠らないでそれを防ぐためという。庚申会コウシンエ。

【庚伏】コウフク 夏のいちばん暑い時期。三伏。

5 【底】 8画 3187 教4 テイ そこ 漢テイ・呉タイ 薺 dǐ 3676 92EA 一

筆順 丶 亠 广 广 庀 庀 底 底

字義 ❶そこ。㋐物の下部・低い部分。した。うら。「水底」 ㋑器物の下方。㋒おく。なか。うち。「心底」 ㋓きわみ。果て。「徹底」 ❷とどまる。行きどまる。「底止」 ❸いたる。また、いたす。❹文書のしたがき。草稿。「底本」「底稿」 ❺なに。なんぞ。疑問の助字。唐・宋ソウ代の俗語。「底事なにごと」 ❻の。ところ。所属を示す助字。＝的(7869)。

名前 さだ・ふか

参考 現代表記では[柢](5333)の書きかえに用いることがある。「根柢→根底」

解字 篆文 形声。广＋氐音。音符の氐テイは、そこの意味。家屋の基底部の意味から、一般に、そこ・底部にいたるの意味を表す。

逆 花底・胸底・根底・徹底・到底・払底

【底△蘊】テイウン おくそこ。学問・技術などの奥深いところ。また、深く積みたくわえた学問・知識。

【底事】なにごと なぜ。どうして。どうしたことか。何事。

【底本】テイホン ①文書のしたがき。草稿。②国もととなる本。特に校訂や翻訳などで、よりどころとした原本。

【底流】テイリュウ ①川や海の表面にあらわれない、底のながれ。②国表面にあらわれずに内部で動いている勢い。

5 【店】 8画 3188 教2 テン みせ テン 陥 diàn 3725 9358 一

筆順 丶 亠 广 广 庐 庐 店 店

字義 ❶みせ。たな。商品をならべて売る所。「商店」 ❷はたごや。やどや。国たな。㋐みせだな。「店たなおろし」 ㋑あきんど。商家。㋒貸し家。借家。「店子たなこ」 ㋓自分が奉公人として仕えている主人のみせ。

解字 形声。广＋占音。音符の占は、一定の場所をしめるの意味。一定の場所をしめて物品を並べてあきなう場所、みせの意味を表す。また、坫テンの俗字として用いられる。

逆 飯店・野店

【店△肆】テンシ みせ。みせや。商店。肆店。▼肆も、みせ。

【店頭】テントウ みせさき。

【店舗】テンポ ①家。へや。②みせ。みせや。商店。

5 【庙】 8画 3189 ビョウ 廟(3246)の俗字。→四七九ページ下。

5 【府】 8画 3190 教4 フ フ 麌 fǔ 4160 957B 一

筆順 丶 亠 广 广 庁 府 府 府

字義 ❶くら。文書や財宝を入れるくら。「府庫」 ❷役所。官庁。「政府」 ❸あつまる。また、あつまるところ。「怨府エンプ」 ❹みやこ。まち。「都府」 ❺行政区画の一つ。唐代に始まり、清シン代までつづいた。❻やしき。貴人の邸宅。❼はらわた。＝腑(5079)。❽かがむ。＝俯(456)。国フ。㋐国司の役所が置かれていた所。㋑江戸。「出府」 ㋒都・道・県とともに地方自治体の最上級。京都と大阪とがある。

名前 あつ・くら・もと 難読 府中こう・府役こうまた

解字 金文 篆文 形声。广＋付音。广は、屋根・建物の意味。音符の付は、わたす・よせるの意味。重要な書類を寄せてしまっておく、くらの意味を表す。金文は、府＋貝の形で、貝は財物の意味であるから、財物をしまう、くらの意味を早い時代から表していたことがわかる。

逆 衛府・学府・楽府・官府・軍府・在府・首府・城府・枢府・政府・天府・内府・秘府・明府・霊府

【府△尹】フイン 府の長官。府知事。▼尹は、長。

【府君】フクン ①漢代、太守(地方長官)の尊称。②亡祖父・亡父の尊称。③尊者・長者の尊称。

【府庫】フコ 文書・財宝・器物などを入れるくら。

【府寺】フジ 役所。府署。▼寺も、役所。

【府第】フダイ 役所。また、その建物。

【府中】フチュウ ①政治を行う表向きの役所。⇔宮中(四〇一ページ上)。②軍中での将軍の執務所。③国昔、国ごとにおかれた地方行政の役所。国府コクフ。こう。また、その所在地。

【府吏】フリ 役所の役人。

【府△帑】フド ①政府の財産の保管庫。国庫。②政府の金。

5 【庖】 8画 3191 標 漢ホウ(ハウ) 呉ボウ(バウ) 肴 páo 4289 95F7 一

【庖】 3192 俗字

字義 ❶くりや。台所。料理場。❷料理人。❸料理。

参考 現代表記では[包](1093)に書きかえることがある。「庖丁→包丁」

解字 篆文 形声。广＋包音。音符の包ホウは、つつむの意味。广は、家屋の意味。肉を包んでおく部屋、くりやの意味を表す。

【庖△犧・庖△犠】ホウギ 古代の伝説上の最初の帝王の名。＝伏羲(九一ページ上)。

【庖人】ホウジン 料理人。庖子。庖仕。庖丁。庖宰。

【庖△厨】ホウチュウ くりや。台所。料理場。▼厨も、台所。

【庖丁】 一ホウテイ 古代の著名な料理人。牛の骨と肉とを分けるのがたくみであった。転じて、料理人をいう。庖人。〔荘子、養生主〕 二ホウチョウ 国料理用の刃物。また、料理すること。

5 【庖】 8画 3192 ホウ 庖(3191)の俗字。→四七三ページ下。

6 【庥】 9画 3193 漢キュウ(キウ) 呉ク 尤 xiū ²1203 一 2839

字義 ❶おおい。ひさし(庇ヒ)。❷かげ。木陰。また、おかげ。庇護。❸やすむ。物かげに身を寄せて休む。

解字 形声。广＋休音。

6 【庤】 9画 3194 漢チ 呉ジ(ヂ) 紙 zhì 一 一 2838

字義 ❶屋根の下に物を蓄えておく。❷備える。国かんだち。神殿のそばにあり、神事潔斎のとき、神官などのこもる建物。神館。

解字 形声。广＋寺㊥。音符の寺は、止に通じ、とどめるの意味。

6【庠】9画 3195 漢ショウ(シャウ) 呉ゾウ(ザウ) 陽 xiáng 5489 9BF7 —

字義 まなびや。学校。殷・周代の学校。また、地方の学校。いなかの学校。郷学。

解字 篆文 形声。广＋羊㊥。音符の羊は、養に通じ、老人をたいせつにする殷代の学校の意味を表す。また、音符の羊は、詳に通じ、古典をくわしく講義する周代の学校の意味を表す。

【庠校・庠△黌】地方の学校。また、学校。周代に庠、殷代に序という。庠校。

【庠序】＝庠序。

6【庢】9画 3196 漢チツ 呉チチ 質 zhì — — 2837

字義 ❶ふさぐ。さまたげる。❷くま。山の湾曲した所。

解字 形声。广＋至㊥。

6【度】9画 3197 教3 ド・ト・タク たび 一 漢ト・呉ド 遇 dù 二 漢タク・呉ダク 薬 duó 3757 9378 —

筆順 丶 亠 广 产 庐 庐 庐 度 度

字義 一 ❶のり(法)。きまり。法則。規則。また、制度。❷ものさし。また、長さ。「度量衡」❸めもり。角度・温度等の単位。❹ほど。どあい。程度。標準。「知名度」❺たび。㋐回数。用例〔唐、杜甫、江南逢二李亀年一詩〕岐王宅裏尋常見、崔九堂前幾度聞。↓岐王のお屋敷ではよくあなたにお会いしたし、崔九のお座敷の前庭では何回かあなたの歌を耳にした。㋑場合。とき。「初年度」❻心。器量。また、様子。用例〔史記、刺客伝〕卒起不レ意、尽失二其度一。↓突如思いもかけない出来事が起こったので、みんな分別を失ってしまった。❼わた-る(渡)。越える。過ぎて行く。また、わたす。用例〔唐、白居易、長恨歌〕雲鬢花顔金歩揺、芙蓉帳暖度二春宵一。↓雲のように豊かな鬢の毛、花のようなかんばせ、そして歩くと揺れる黄金のかんざし。はすの花のぬいとりがあるとばりのなかは暖かく、春の宵が過ぎてゆく。❽仏門に入る。出家する。僧・尼となる。また、すくう。「得度」「済度」

二 はか-る。㋐測量する。計算する。㋑考える。分別する。用例〔史記、廉頗藺相如伝〕秦王度レ之、終不レ可二彊奪一。↓秦王は、このままでは力ずくでむりやりに奪い取ることはむずかしいと判断した。㋒推量する。おしはかる。用例〔史記、項羽本紀〕項王自度レ不レ得レ脱。↓項羽は、脱出できないことを自分から悟った。㋓たずねる。相談する。

国 た-い。希望を表す助動詞。

名前 ただ・なか・なが・のぶ・のり・みち・もろ・わたる

難読 度会(わたらい)・度度(よりより)

解字 篆文 形声。又＋庶(庹)省㊥。音符の庹は、尺に通じ、ものさしの意味。又は、手の意味。ものさしを使ってはかるの意味を表す。度を音符に含む形声文字に、渡・鍍などがある。

逆 緯度・過度・規度・擬度・極度・襟度・限度・国度・済度・識度・常度・制度・節度・測度・大度・態度・調度・程度・得度・頻度・民度・用度・料度

【度越】まさる。こえまさる。

【度外】一 ①数に入れないこと。範囲のほか。のけもの。②心(気)にとめない。「度外視」二 はず(づ)れ 国程度はずれ。なみはずれ。

【度曲】一 新しく歌曲を作ること。二 一曲終わったあと、続けてまた曲にあわせて歌うこと。

【度支】会計官。経理官。また、財政。

【度数(數)】①(温度・角度などの)目盛りの示す数。②物事の起こる(行われる)回数。③定まった制度。

【度世】一 俗世を超越して仙人になる。二 仏①俗世を超越する。解脱する。②世俗の人を救う。

【度脱】仏さとりを開いて(開かせて)俗世の苦しみからのがれる(のがれさせる)こと。

【度鳥】わたりどり。渡鳥。

【度△牒】新たに僧や尼になった人に政府から与える許可証。▼牒は、書札。

【度内】むねのうちをはかる。

【度料】はかる。目安をつける。

【度量】一 ①ものさしとます。②長さと容積。③心の広さ。はらの大きさ。また、心が広く大きく、よく人をうけいれること。二 はかる。はかり考える。

【度量衡】①ものさしと、ますと、はかり。②長さと容積と重さ。

【失レ度】あわててとりみだす。

⇩ コラム 度量衡歴代変遷表／度量衡換算表(四七四ページ)。

6【庲】9画 3198 ロク 2 9451 — —

鹿(14396)の俗字。→一六三八ページ上。

7【庪】10画 3199 キ 紙 guǐ 2 1204 — 2841

字義 ❶山の祭り。❷たな。また、たなに置く。

国 仮庪(さすき)

解字 形声。广＋技㊥。は、間に合わせに造った木の棚。さじき。

7【庫】10画 3200 教3 コ・ク 漢コ・呉ク 遇 kù 2443 8CC9 —

筆順 丶 亠 广 广 庐 肩 肩 肩 庫

字義 くら。㋐兵車や武器をいれておく倉。「兵器庫」㋑書物をいれておく倉。「書庫」㋒広く、物品をいれておく倉。「倉庫」

名前 くら・こ

難読 庫倫(クーロン)

解字 金文 篆文 形声。广＋車㊥。广は、家屋の意味。音符の車は、くるまの意味。車を入れる「くら」の意味を表す。

庫

逆 公庫・書庫・倉庫・府庫・武庫・文庫・宝庫

【庫銭(錢)】政府のかねぐらに収めてあるぜに。

【庫蔵(藏)】くら。倉庫。

【庫門】①王宮の五門の一つ。雉門の外にある。②倉庫の門。

【庫吏】くら番の役人。

【庫△裡・庫裏】仏①寺の台所。②住職やその家族・寺僧などが住む、寺の付属建物。

7【庨】10画 3201 漢コウ(カウ) 呉キョウ(ケウ) 肴 xiāo — — 2840

字義 ❶深い。❷高い。宮殿が高く奥深いさま。

解字 形声。广＋孝㊥。

7【座】10画 3202 教6 ザ すわ-る 漢サ・呉ザ 箇 zuò 2634 8DC0 —

筆順 丶 亠 广 广 庐 庐 庐 座 座

字義 ❶すわる所。いどころ。席。「座席」❷敷物。❸器

广部 6▼7画〔庠庢度庲庪庫庨座〕

コラム

度量衡歴代変遷表

単位 ＼ 時代(世紀)		周～前漢 (前10～前1)	新・後漢 (1～3)	魏 (3)	隋 (6～7)	唐 (7～10)	宋・元 (10～14)	明 (14～17)	清 (17～20)	現代中国 (20～21)	日本 (21)
度	尺(cm)	22.50	23.04	24.12	29.51	31.10	30.72	31.10	32.00	33.33	30.3
	歩(m)	1.350 (6尺)	1.382 (6尺)	1.447 (6尺)	1.771 (6尺)	1.555 (5尺)	1.536 (5尺)	1.555 (5尺)	1.600 (5尺)	1.667 (5尺)	
	里(m)	405.0 (300歩)	414.7 (300歩)	434.2 (300歩)	453.2 (300歩)	559.8 (360歩)	553.0 (360歩)	559.8 (360歩)	576.0 (360歩)	500.0 (300歩)	3927
量	升(l)	0.194	0.198	0.202	0.594	0.594	0.948	1.704	1.036	1.000	1.804
衡	両(g)	16.14	13.92	13.92	41.76	37.30	37.30	37.30	37.30	50.00	
	斤(g)	257.2	222.7	222.7	668.2	596.8	596.8	596.8	596.8	500.0	600.0
面積	畝(a)	1.823 (100方歩)	4.586 (240方歩)	5.027 (240方歩)	7.524 (240方歩)	5.803 (240方歩)	5.663 (240方歩)	5.803 (240方歩)	6.144 (240方歩)	6.666 (240方歩)	0.992 (30歩)

度量衡換算表

度	
毫(毛)	$=\frac{1}{10}$釐$=\frac{1}{10000}$尺
釐(厘)	$=\frac{1}{10}$分$=\frac{1}{1000}$尺
咫	＝8寸$=\frac{8}{10}$尺
分	$=\frac{\text{黄鐘の長さ}}{90}=\frac{1}{100}$尺
寸	＝10分$=\frac{1}{10}$尺
尺	＝10寸＝1尺
丈	＝10尺
引	＝10丈＝100尺
跬・武	＝3尺
搩・墨	＝5尺
歩	＝2跬＝6尺
仞	＝7尺(8尺・4尺)
尋	＝8尺
常	＝2尋＝16尺
端	＝4搩＝20尺
匹	＝2端＝40尺
里	＝300歩＝1800尺

量	
圭	＝10粟$=\frac{1}{100000}$升
抄	＝10圭$=\frac{1}{10000}$升
撮	＝10抄$=\frac{1}{1000}$升
勺	＝10撮$=\frac{1}{100}$升
龠	＝1200黍粒$=\frac{1}{20}$升
合	＝2龠$=\frac{1}{10}$升
升	＝10合＝1升
斗	＝10升
斛(石)	＝10斗＝100升
掬	＝1升
豆	＝4掬＝4升
区	＝4豆＝16升
釜(鬴)	＝4区＝64升
鐘	＝10釜(4釜)＝640升(256升)

衡	
毫(毛)	$=\frac{1}{10}$釐$=\frac{1}{10000}$両
釐(厘)	$=\frac{1}{10}$分$=\frac{1}{1000}$両
分	$=\frac{1}{10}$銭$=\frac{1}{100}$両
銭	$=\frac{1}{10}$両
銖	＝100黍粒$=\frac{1}{24}$両
両	＝24銖＝1両
斤	＝16両
鈞	＝30斤＝480両
石	＝4鈞＝1920両
捷	＝1.5両
挙	＝2捷＝3両
錙	＝6両（8両）
鎰	＝20両（24両）
鼓	＝4石＝7680両

具をすえる台。「砲座」 ❹ざしき。また、集まり。つどい。「座長」 ❺くらい。地位。 ❻星の集まり。星座。 国 ❶すわ-る。 ❷いま-す。ある・いるの尊敬語。 ❸くら。くらい(位)の略。「高御座(たかみくら)」 ❹ザ。 ㋐中世、商品の製造・販売上、独占権を得ていた商工業者の組合。ギルド。「紙座」 ㋑江戸時代、貨幣や度量衡器などを製造した公設の場所。「金座」「枡座(ますざ)」 ㋒芝居などの興行場の名の下につける語。「歌舞伎(カブキ)座」 ㋓芝居などの芸人の集団。「一座」 ㋔仏像などを数える語。

名前 え・おき・くら

参考 ①現代表記では〔坐〕(1899)の書きかえに用いる。「坐視→座視」「坐禅→座禅」 ②元来、〔坐〕はすわる動作、〔座〕はすわる場所、と使いわけられていた。

使いわけ **すわる〔座・据〕**
〔座〕腰を下ろす。また、地位につく。「椅子に座る・社長の座に座る」
〔据〕止まって動かなくなる。「据わりが悪い」

解字 **形声**。广＋坐㊥。音符の坐(ザ)は、すわるの意味。家屋の中のすわる場所の意味を表す。

逆 安座・一座・起座・玉座・挙座・下座・講座・上座・星座・正座・静座・即座・対座・端座・中座・鎮座・当座・独座・便座・満座・黙座・霊座・列座・連座・露座

【座下】(ザカ) ①敷き物の下。 ②座席のそば。 ③手紙のあて名に書きそえて敬意を表すことば。

【座客】(ザカク・ザキャク) 同席の人。その席にいあわせた客。

【座次】(ザジ) ①座席の順序。席順。坐次(ザジ)。 ②すわり場所。

【座主】(ザシュ) 一 唐代、科挙(官吏登用試験)の試験官の称。 二(ザス) 仏 ①本山の寺務をつかさどる、首席の僧。 ②比叡山(ヒエイザン)延暦寺(エンリャクジ)の貫主(カンス)。天台宗の管長。天台座主。

【座礁】(ザショウ) 船が暗礁(かくれ岩)にのりあげる。坐礁(ザショウ)。

【座上】(ザジョウ) ①かみざ。上位の座席。 ②集まりの席。席上。 ③敷物の上。

【座禅(禪)】(ザゼン) 禅宗などで、静座して精神を統一し雑念を去って思いをこらすこと。坐禅(ザゼン)。→禅(8396)。

【座談】(ザダン) ①向かい合ってすわりながら語り合うはなし。 ② 国 その場だけの話。その場の興味にのってする話。

【座中】(ザチュウ) ①ざしきの中。 ②同じ席に集まっている人々。 ③ 国 演劇の一団の人々。一座。列席者。

【座右】(ザユウ・ウザ) ①座席のみぎ。 ②座のそば。かたわら。身ぢか。③手紙のあて名のわきに書きそえて敬意を表すことば。

【座右銘】ザユウのメイ 座席のそば近くに記しておいて、常に自分のいましめとする格言。

7 【席】10画 (3109) セキ 巾部。→四五七ページ下。

7 【庭】10画 3203 教3 テイ にわ 漢テイ・呉ジョウ(ヂャウ) 青 tíng 3677 92EB —

筆順 丶 亠 广 庀 庄 庄 庭 庭 庭

字義 ❶にわ。㋐門から堂(表座敷)の階段までの空地。㋑ながめのために、木を植えたり池を造ったりした、やしきの中の土地。庭園。㋒物事を行う広々としたところ。広場。「校庭」 ❷宮中。朝廷。用例〔史記、廉頗藺相如伝〕使臣奉レ璧、拝送書於庭(シンをしてヘキをホウじて、ショをテイにハイソウせしむ)。↓私に璧を持たせて、うやうやしく書簡を秦(シ)の宮廷に届けさせたのです。 ❸役所。「法庭」 ❹家のうち。家内。「家庭」

庭①㋐

名前 てい・なお・にわ・ば

解字 篆文 形声。广＋廷(音)。音符の廷は、宮殿からつき出たにわの意味。广を付し、にわの意味を表す。

逆 外庭・家庭・禁庭・径庭・戸庭・訟庭・中庭・朝庭・天庭・辺庭・法庭・来庭

【庭闈】テイイ ①親のいる部屋。▼闈は、奥座敷。②父母。また、家庭。③王宮の門(の内)。▼闈は、宮中の大門のわきの小門。

【庭院】テイイン やしき。門・塀の内の空地。

【庭宇】テイウ 家やしき。庭や家屋。

【庭柯】テイカ 庭の木の枝。転じて、にわき。庭樹。用例〔東晋、陶潜、帰去来辞〕引壺觴以自酌、眄庭柯以怡顔(コショウをひきてもって、みずから(コ)くみ、テイカをかえりみてもって、かお(ガン)をよろこばしむ)。↓酒つぼとさかずきとを引き寄せて自分で酒をくみ、庭の木の枝に目をやりながら顔をほころばせる。

【庭階】テイカイ 庭の階段。

【庭訓】テイキン 家庭の教育。孔子の子の鯉(リ)が庭を急ぎ足で過ぎたとき、孔子が呼び止めて、詩や礼を学ぶように教えた故事に基づく語。家教。〔論語、季氏〕

【庭訓往来(來)】テイキンオウライ 国書名。一巻。室町時代前期、僧玄慧(ゲンエ)(?—一三五〇)の著という。正月から十二月までの手紙文を集めた読み書きの手本。寺子屋(てらこや)などで使った。

【庭戸】テイコ ①庭の出入り口の戸。②学問などの入り口。初歩の段階。

【庭実(實)】テイジツ 庭一杯にならべた貢ぎ物。

【庭樹】テイジュ 庭に植えてある木。庭の樹木。用例〔唐、岑参、山房春事詩〕庭樹不レ知人去尽、春来還発旧時花(テイジュはしらず ひとさりつくすを、はるきたってまたひらく キュウジのはな)。↓庭の樹木は昔の人がすべて亡くなったことを知らぬように、春になるとまた昔のままの花を咲かせている。

【庭除】テイジョ にわ。▼除は、門と塀との間。

【庭墻】テイショウ 庭のかきね・土塀。

【庭砌】テイセイ 庭の石だたみ。

【庭争(爭)】テイソウ 朝廷で君主と争いいさめる。また、朝廷で臣下同士が言い争う。〔史記、平津侯弘伝〕

【庭燎】テイリョウ 宮中の庭で、夜中参内(サンダイ)の臣下を照らすためにたいたかがりび。衛士(エジ)のたく火。にわび。

【庭潦】テイロウ 雨が降って地上にたまった水。にわたずみ。

7 【唐】10画 (1511) トウ 口部。→二六六ページ下。

7 【庬】10画 3204 一 漢ボウ・呉ム 董 měng 二 漢ボウ(バウ) 呉モウ(マウ) 江 講 máng 1205 — 2842

字義 一 庬鴻(ボウコウ)は、天の気がはっきり分かれない状態。混沌(コントン)としているさま。二 ゆたか。大きい。厖(1225)の俗字。

解字 形声。广＋尨(音)。音符の尨(ボウ)は、むく犬の象形で、ゆたかの意味。广は、いえの象形。大きい・ゆたかの意味を表す。

8 【庵】11画 3205 人 標 アン 覃 ān 1635 88C1 —

筆順 亠 广 户 户 庐 庐 庵 庵 庵

字義 ❶いおり。いお。㋐草ぶきの小さな家。「草庵」 ㋑僧や尼が仏を安置して住む小さな家。「庵室」 ❷雅号にそえる語。

名前 あん・いお・いおり 難読 庵原(いはら)

解字 形声。广＋奄(音)。音符の奄(エン)は、おおうの意味。小さな丸い屋根におおわれた、いおりの意味を表す。

【庵室】アンシツ 国僧・尼や世捨て人の住む小さな仮屋。いおり。

【庵主】アンシュ 一 国①いおりの主人。いおりに住む僧。②茶の湯で、客に対する主人。二 アンジュ 国あま。尼僧。

【庵住】アンジュウ いおりに住むこと。また、その人。

【庵廬】アンロ いおり。▼廬も、いおり。

8 【康】11画 3206 教4 コウ 漢コウ(カウ) 陽 kāng 2515 8D4E —

筆順 丶 亠 广 户 户 庐 庐 庚 康 康 康

字義 ❶やすい。やすし。やすらか。やすんずる。「安康」 ❷丈夫。たっしゃ。すこやか。「健康」 ❸やわらぐ。仲が良い。 ❹楽しい。楽しむ。 ❺大きい。 ❻五方に通ずる大きな道。→康衢(コウク)。 ❼むなしい。からっぽ。

名前 こう・しず・しずか・つね・のぶ・ひろ・みち・やす・やすし・よし 難読 康棣(はねず)

解字 甲骨文 篆文 形声。米＋庚(音)。音符の庚(コウ)は、両手できねをもちあげ脱穀するさまにかたどる。米は、こぼれ落ちるもみの形にかたどる。実りが多くて安楽の意味を表す。

逆 安康・健康・小康

【康乂】コウガイ やすらかに治まる。▼乂は、治。

【康熙字典】コウキジテン 書名。四十二巻。清(シン)の陳廷敬・張玉書らが康熙帝の勅命によって編集した字書。清(シン)の康熙五十五年(一七一六)に完成。二百十四の部首に分類配列し、収録字数は四万七千余字。歴代の字書を集大成した、中国の代表的な字書。

【康熙帝】コウキテイ 清(シン)朝第四代の天子。在位六十一年。廟号(ビョウゴウ)は聖祖。世祖順治帝の第三子。内政・外交・文化の各方面で実績を残した。(一六五四—一七二二)

康熙帝

【康強・康彊】コウキョウ すこやかで強い。じょうぶ。

【康衢】コウク 往来のはげしい、にぎやかな大通り。▼康は五方、衢は四方に通ずる道。

【康健】コウケン すこやか。じょうぶ。健康。

【康荘(莊)】コウソウ ＝康衢。▼荘は、六方に通ずる道。

【康寧】コウネイ 安らかで落ち着いている。

【康有為(爲)】コウユウイ 清(シン)末・民国初期の学者・政治家。今の広東省仏山市の人。字(あざな)は広夏、号は長素。春秋公羊学(クヨウガク)を修め、『孔子改制考』『大同書』などの著書は、清朝末期の政治運動に多くの影響を及ぼした。(一八五八—一九二七)

【康楽(樂)】コウラク ①やすんじたのしむ。安楽。②舞曲の名。③晋(シン)の詩人、謝霊運の号。

8【庶】11画 3207 常 ショ
ショ 御 shù
2978 8F8E 一

筆順 丶 亠 广 产 庀 庐 庐 庶 庶

［庻］3208 俗字

字義 ❶おお-い（おほ-し）。㋐あまた。たくさん。㋑多くの人。すべての人。もろびと。「衆庶」 ❷もろもろ。いろいろ。さまざま。「庶務」 ❸官位のない人。平民。「庶人」 ❹正妻でない女性から生まれた子。妾出（ショウシュツ）。↕嫡（2517）。「庶子」 ❺本家から分かれ出た家。分家。「支庶」 ❻こいねが-う（こひねがふ）。こいねが-わくは（こひねがはくは）。望む。願う。 ❼ちか-い（ちか-し）（近）。

名前 ちか・もり・もろ

難読 庶路（しょろ）

解字 金文　篆文　会意。广＋芡。广は、やねの意味。芡は、器の中の物を火で煮たり沸かしたりする形にかたどり、煮の原字ともいわれ、屋内をいぶして害虫を除去するの意味ともいわれる。借りて、諸の意味に用いる。

逆 衆庶・臣庶

【庶官】ショカン 多くの役人。百官。庶僚。

【庶幾】ショキ 一こいねがう（こひねがふ） のぞみねがう。希望する。願望する。 用例〔資治通鑑、漢紀〕使ᴸ得ᵀ奮ᴺ大辱之積志ᴵ庶ᴹ幾乎曹柯之盟ᴸ上（タイジョクのセキシをふるい（ひ）て、ソウカの盟をこいねがう（ふ）をえしめん）。⇩大きな恥辱をすすごうという長年の志を奮い立たせて、かつて曹沫（ソウマツ）が柯の会盟でみせたような活躍をしてみせる気にもなったでしょう。 二こいねがわくは（こひねがはくは） 望むところは。なにとぞ。どうぞ。 三ちかし 近い。今にもそうなりそうだ。

【庶吉士】ショキツシ 明（ミン）の太祖が、書経の立政編中の庶常吉士（もろもろの常事にあたる善士の意）の語に基づいて初めて設けた官。翰林院（カンリンイン）に属し、進士の中で文学に優れた者、また能書の者を任じた。清（シン）ではその教育機関として庶常館を設けた。この庶常館を散館ともいう。

【庶兄】ショケイ 正妻以外から生まれた兄。妾出（ショウシュツ）の兄。

【庶孼】ショゲツ 妾出（ショウシュツ）の子。わきばら。＝庶子②。

【庶士】ショシ ①多くの人。②官にある人。③兵士。

【庶子】ショシ ①太子づきの官。②正妻以外の女性から生まれた子。妾出（ショウシュツ）の子。③本妻に生まれた長男以外の子。④国旧民法で、父が認めた非嫡出児。↕嫡子（三七七ページ中）。

【庶事】ショジ さまざまの事。よろずの事。万事。

【庶羞】ショシュウ 神に供えるいろいろのごちそう。

【庶出】ショシュツ 正妻以外の女性から生まれること。↕嫡出（三七七ページ中）。

【庶人】ショジン ①もろもろの（多くの）人々。衆人。②官位のない人。ただびと。平民。庶民。

【庶績】ショセキ いろいろのてがら。多くの功績。

【庶長】ショチョウ ①正妻以外から生まれた長子。②秦（シン）の爵位の名。武功により与えられる爵位。

【庶弟】ショテイ 妾出（ショウシュツ）のおとうと。 用例〔十八史略、春秋戦国、斉〕靖郭君田嬰者（セイカククン、デンエイは）、宣王之庶弟也（センオウのショテイなり）。⇩靖郭君の田嬰は、宣王の腹違いの弟であった。

【庶物】ショブツ いろいろの物。また、多くの事がら。万物。

【庶母】ショボ 父の側室で、子を生んだ人をいう。

【庶民】ショミン もろもろのたみ。一般の人民。百姓（ヒャクセイ）。庶人。

【庶務】ショム ①各種の事務。②特別の名目のない雑務。

【庶僚】ショリョウ 多くの役人。百僚。庶官。

8【庻】11画 3208 ショ 庶（3207）の俗字。→四七六ページ上。

8【庹】11画 3209 2206 一 漢タ・呉ダ tuǒ 二タク tuō
［庹］3210 俗字
字義 一姓。 二ひろ。両腕を差し伸ばした長さ。

8【庹】11画 3210 タ 庹（3209）の俗字。→四七六ページ中。 21206 一 一
解字 形声。尺＋庶省音。

8【庱】11画 3211 チョウ 迥 蒸 chěng 一 一 2843
地名。一説に、亭の名。江蘇（コウソ）省内。
字義 解字 形声。广＋夌音。

8【庳】11画 3212 漢ヒ 呉ビ 紙 bì 一 一 2844
字義 ❶中央が低い家。❷家が低い。❸低い。
解字 形声。广＋卑音。音符の卑は、低いの意味。

8【庿】11画 3213 ビョウ 廟（3246）の俗字。→四七九ページ下。 21207 一 2847

8【麻】11画 （14446） マ 痲部。→一六四三ページ中。

8【庾】11画 3214 ユ 庾（3222）の俗字。→四七七ページ下。 18413 一 2846

8【庸】11画 3215 常 ヨウ
漢ヨウ・呉ユウ 冬 yōng
4539 9766 一

筆順 丶 亠 广 户 户 户 肩 肩 庸

字義 助なん-ぞ。⇩助字・句法解説。 ❶もち-いる（もち-ゐる）。㋐人を挙げ用いる。「登庸」 ㋑やとう（傭（ヨウ））。つかう。 ❷もって（以）。もってする。 ❸てがら。いさお。「庸功」 ❹つね（常）。㋐一定して変わらない。かたよらない。「中庸」 ㋑なみ。平凡。なみの人。凡人。「凡庸」 ❺おろか（愚）。 ❻唐代の税法の一つ。一定期間、政府の労役に従事すること。「租庸調」

助字・句法解説
なん-ぞ。反語。訳どうして…か。類何・奚・寧・曷・胡・盍・豈。
原因・理由を問う反語表現を作る。
▼まれに「いずくんぞ」「あに」と読まれることもある。また、「庸詎」「庸何」「庸安」の形で用いられることもある。
用例〔唐、韓愈、師説〕夫庸知ᴵ其年之先ᴵ後ᴵ生ᴹ於吾ᴸ乎（それなんぞそのとしのわれよりセンコウセイなるをしらんや）。⇩いったいどうして、その人の年齢が自分より上か下かなど考えようか（そんなことは気にはしない）。／〔荘子、斉物論〕庸詎知ᴺ吾所ᴸ謂ᴸ知之非ᴸ不ᴸ知邪（なんぞわれのしるというところのしらざるにあらざるをしらんや）。⇩私が知っていると言うことが、本当に知っていることだとどうしてわかるだろう（本当は知らないのかもしれない）。

名前 いさお・つね・のぶ・のり・もち・もちう・やす・よ・よう

解字 篆文　形声。庚＋用音。庚は、両手にきねを持つさまの象形。音符の用は、鐘の象形で、もちいるの意味。鐘やきねなどの重い物をもちあげる、とりあげる・もちいるの意味を表す。また、転じて、一定してかたよらないの意味も表す。

逆 学庸・功庸・中庸・徴庸・登庸・附庸・凡庸

【庸安】なんぞ ⇩助字・句法解説。

【庸医（醫）】ヨウイ 平凡な医者。また、やぶ医者。

【庸何】なんぞ ⇩助字・句法解説。

【庸器】ヨウキ ①＝庸才。▼器は、はたらき・器量。②人の功績を記念するため鋳造した器物。

【庸詎】なんぞ ⇩助字・句法解説。

【庸愚】ヨウグ おろか。庸劣。

【庸君】ヨウクン 平凡な君主。とりえのない主君。庸主。

【庸言】ヨウゲン ①中庸を得たことば。②ふだんのことば。

【庸功】ヨウコウ てがら。いさお。勲功。

【庸行】ヨウコウ ①ふだんの行い。素行。②中庸を得た行い。

【庸才】ヨウサイ 普通（平凡）の才能。また、その人。庸器。

【庸作】ヨウサク 人にやとわれて働く。傭作（ヨウサク）。

【庸弱】ヨウジャク 平凡（おろか）で（権力・知力などが）弱いこと。

【庸儒】ヨウジュ 平凡な儒者。つまらぬ学者。
【庸人】ヨウジン ㊀普通の人。凡人。用例〈史記、廉頗藺相如伝〉且庸人尚羞レ之。↓そもそも、普通の人でさえもこのようなことは恥に思うことです。㊁ヨウニン 国雇い人。やとわれた人。傭人ヨウニン。
【庸績】ヨウセキ てがら。いさお。功績。
【庸奴】ヨウド おろかなしもべ。人をののしることば。
【庸保】ヨウホウ・ヨウホ 保証人を立ててやとわれる。また、その人。
【庸庸】ヨウヨウ ①平凡で、とりえのないさま。また、その人。②かすかで小さいさま。③せっせと働くさま。
【庸劣】ヨウレツ 才知のおとること。おろか。また、その人。庸愚。

8【鹿】11画 (14396) ロク 鹿部。→一六三八ページ上。

9【廙】12画 3216 グウ 寓(2674)と同字。→四〇五ページ下。 — — 2845

9【廁】12画 3217 ㊀シ 寘 cè ㊁漢ショク・呉シキ 職 cè 5490 9BF8 —
【厠】1231 俗字
字義 ㊀❶かわや。便所。用例〈史記、項羽本紀〉沛公起如レ廁、因招ニ樊噲一出。↓沛公は座を立ち便所に行き、そのついでに樊噲を手まねきして外へ出てしまった。❷ぶたごや。❸まじわる。まじる。また、まじえる。㊁❶そばだてる。❷かたわら。＝側(497)。
解字 篆文 形声。广＋則音。音符の則は、側に通じ、かたわらの意味。家の片隅に置かれる便所の意味を表す。

9【廂】12画 3218 標 漢ショウ(シャウ) 呉ソウ(サウ) 陽 xiāng 5491 9BF9 —
【厢】1232 俗字
字義 ❶ひさし。正堂の両わきのへや。❷表座敷の東西のかべ。❸そどの。わたどの。渡り廊下。国ひさし。㋐のきの下につけそえた小屋根。のき。㋑寝殿造りで、母屋の外側にある部屋。ひさしの間。

廂①

解字 篆文 形声。广＋相音。音符の相は、そいしたがうの意味。母屋にそい従う形で建てられた、ほそどの・ひさしの間の意味を表す。

9【廋】12画 3219 ソウ 庾(3227)の俗字。→四七八ページ上。 — — 2850

9【廃】12画 3220 常 ハイ すた-れる・すた-る 3949 9470 —

12【廢】15画 3221 ハイ 隊 fèi 5506 9C45 —
筆順 亠广序序庐庐庐废廃
字義 ❶すた-れる。すた-る。おとろえる。ゆるむ。役に立たなくなる。ほろびる。用例〈老子、十八〉大道廃有ニ仁義一。↓無為自然の道が衰えたために、仁義の道などというものが説かれるようになった。❷やめる。すてる。のぞく(除)。「撤廃」「廃棄」❸ふす。ひれふす。❹身体の重い障害。また、不治の病。＝癈(7828)。用例〈史記、刺客伝〉負レ剣、遂抜以撃ニ荊軻一、断ニ其左股一。荊軻廃。↓(秦王は)剣を背負い、ようやくそれを抜くと荊軻を撃ち、彼の左のももを切り裂いた。荊軻は足がきかなくなった。
逆 改廃・朽廃・興廃・荒廃・存廃・退廃・撤廃・老廃
解字 篆文 形声。广＋発(發)音。音符の發は、敝に通じ、やぶれるの意味。こわれた家の意味から、すたれるの意味を表す。

【廃案】ハイアン 廃止になった議案。また、考案。
【廃位】ハイイ 君主をその位から退かせること。
【廃園】ハイエン 荒れはてた庭。
【廃屋】ハイオク 住む人のないあばらや。破屋。廃宅。
【廃格】ハイカク 行われないように邪魔をすること。
【廃刊】ハイカン 定期刊行物の発行をやめること。
【廃官】ハイカン ①すたれてしまった官職。また、廃止された官職。②堕落した官吏。
【廃棄】ハイキ すてる。やめて使わない。
【廃居】ハイキョ ①物価の安い時に買いたくわえて、価格のあがるのを待つこと。一説に、廃は出して売ること、居はたくわえること。②住む人のないあばらや。廃屋。
【廃挙(擧)】ハイキョ ＝廃居①。
【廃墟】ハイキョ 城・家屋・市街などのほろびすたれたあと。すたれて荒れはてたあと。廃址ハイシ。
【廃業】ハイギョウ 学問・仕事・商売などをやめること。
【廃錮】ハイコ 官吏の資格をとり上げる。
【廃興】ハイコウ すたれること。おこること。おとろえることと、さかんになること。興亡。興廃。
【廃国(國)】ハイコク ほろんだ国。亡国。
【廃止】ハイシ すてる。やめる。
【廃弛】ハイシ すたれゆるむ。すたれて弱くなる。弛廃。
【廃址】ハイシ ＝廃墟ハイキョ。
【廃紙】ハイシ 不用になった紙。反故ほご。
【廃疾】ハイシツ なおらないやまい。通常の社会生活ができないような不治の病気や障害。癈疾ハイシツ。
【廃辱】ハイジョク 官職をやめさせられること。
【廃人】ハイジン ①病気などのために通常の社会生活ができなくなった人。癈人ハイジン。②無用の人。役に立たない人。
【廃絶】ハイゼツ すたれてなくなる。家系などにいう。
【廃退】ハイタイ やめしりぞける。官職をやめさせる。黜退チュツタイ。
【廃替】ハイタイ やめ、かえる。やめさせて、他ととりかえること。
【廃置】ハイチ ①廃することと、置くこと。撤廃テッパイと存置。②免職することと、採用すること。③天子を廃立すること。
【廃嫡】ハイチャク 相続人の資格をとり消すこと。
【廃黜】ハイチュツ 官職をとり上げて、しりぞける。
【廃朝】ハイチョウ 天子が凶事や事故などで政務をとるのを一時やめること。
【廃帝】ハイテイ 位を奪われた、また、追われた帝王。
【廃典】ハイテン すたれてしまった儀式。
【廃品】ハイヒン ＝廃物。
【廃物】ハイブツ 役にたたなくなったもの。廃品。
【廃慢】ハイマン すたれゆるむ。廃棄侮慢。
【廃滅】ハイメツ すたれほろびる。また、ほろぼす。
【廃立】ハイリツ・ハイリュウ 臣下がかってに君主をやめさせて、別の君主を立てること。

9【庾】12画 3222 ユ 麌 yǔ
【㢏】3214 俗字
字義 ❶くら。㋐こめぐら。一説に、川辺にある米倉。㋑屋根のない倉。野外に穀物を積み周囲をかこったもの。❷古代のますめの単位。一六斗の量。約三〇リットル。

庾①㋑

解字 篆文 形声。广＋臾音。音符の臾は、髪をつかねてすきあげるの意味。髪をすきあげた形、円錐エンスイ形のこめぐらの意味を表す。
【庾信】ユシン 北周の詩人。字あざなは子山。徐陵と並んで徐庾体と称された。著書に『庾開府集』がある。(五一三—五八一)

9【廊】12画 3223 常 ロウ 4713 984C —

10【廊】13画 3224 人 ロウ(ラウ) 陽 láng 8414 — —
筆順 亠广庐庐庐庐庐廊廊
字義 ❶ほそどの。わたどの。渡り廊下。ろうか。「回廊」

❷ひさし（廂）。正堂の東西のへや。

名前 ろう

解字 篆文 形声。广＋郎（郎）音。音符の郎は、浪に通じ、なみの意味。なみのようにうねりつらなる、ひさし・わたどのの意味を表す。

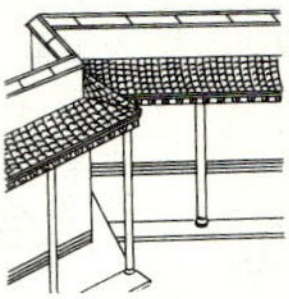
廊①

逆 回廊・画廊・高廊・歩廊

【廊宇】ひさしと、のき。

【廊閣】渡り廊下と、高殿。

【廊廟】庇のある堂。表御殿（政事をとるところ）をいう。朝廷。廟堂。

【廊廟材】廊廟に立って、天下の政治を行うことのできる才能。大臣・宰相の才能をそなえた人物。廊廟具。廊廟之器。

【廊廡】表御殿に付属して設けた細長い建物。

【廊腰】渡り廊下の低いかべ。また、腰板。

10 【廈】13画 3225 漢カ 呉ゲ 馬 shà, xià 5492 9BFA —

【厦】1233 俗字

字義 ❶いえ。大きな家。また、屋根を四方にふきおろした家。「広廈」「大廈」 ❷→廈門。

解字 篆文 形声。广＋夏音。音符の夏は、大きいの意味。大きな家の意味を表す。

【廈門】福建省南東岸にある島の名。また、その島と対岸の大陸とにまたがる都市名。

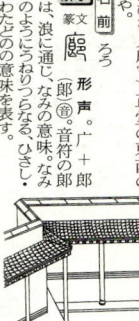

10 【廆】13画 3226 一 漢カイ（クヮイ） 呉ガイ（グヮイ） 賄 huì 二 ガイ（グヮイ） 賄 wěi 三 カイ（クヮイ） 灰 guī ₂1208 — 2848

字義 一 かべ。かき。二 人の名。三 山の名。

解字 形声。广＋鬼音。

10 【廋】13画 3227 慣ソウ シュウ（シウ） 尤 sōu ₁8415 — —

【庾】3219 俗字

字義 ❶かく-す（匿）。かく-れる。❷さがす。求める。＝捜（4189）。❸すみ。くま。

解字 形声。广＋叟音。音符の叟は、さがすの意味。屋内に入ってさがすの意味を表す。

10 【廌】13画 3228 一 漢タイ・呉ダイ 蟹 zhì 二 漢チ・呉ジ（ヂ） 紙 zhì — — 2849

字義 一 ❶獣の名。❷のり。法則。

解字 象形。解廌という鹿に似た空想上の動物にかたどる。

10 【廉】13画 3229 常 レン 4687 97F5 —

10 〖廉〗13画 3230 レン 塩 lián

筆順 亠 广 庐 庐 庐 庐 廉 廉 廉

字義 ❶いさぎよ-い。きよく正しい。「清廉」 ❷やす-い。価がやすい。「低廉」 ❸つづまやか。つつましい。節度がある。倹約。❹かど。稜角。すみ。また。かどかどしい。かどがある。❺みきわめる。明らかに見る。また、とり調べる。「廉問」 国かど。事項。理由。「不審の廉」

名前 おさ・かど・きよ・きよし・すが・すなお・ただし・やす・ゆき・れん

難読 廉屋

解字 篆文 形声。广＋兼（兼）音。音符の兼は、かねるの意味。へやの直角にまじわる両面からなる直線、両面のかどを兼ねている直線、かどの意味を表す。この稜線の端正なところから、いさぎよいの意味をも表し、また、利に心が動かぬ・価がやすいの意味などを表す。

逆 孝廉・清廉・低廉・貞廉

【廉価（價）】やすい値段。やすね。

【廉恪】心が清らかで、つつしみ深い。

【廉悍】かどだって強い。きびきびしている。

【廉謹】無欲で、つつしみ深い。律義。

【廉隅】①物のかど。すみ。②おりめ正しい。品行が正しく節操が堅い。

【廉潔・廉絜】心が正しく清い。清廉潔白。

【廉公】正直で、えこひいきのないこと。清廉公平。

【廉士】いさぎよい人。心が清く欲の少ない人。

【廉譲（讓）】心が清く正しくて、よく人にへりくだる。

【廉正】心が清く正しい。

【廉清】心の清らかなこと。

【廉靖・廉静（靜）】心が清く、おちついて、安らかなこと。

【廉恥】正直で欲がなく、はじを知っていること。「破廉恥（恥しらず）」

【廉直】一 正直で、曲がったことをしない。廉正。二 やすい値段。やすね。安価。廉価。

【廉能】心が清らかで才能がある。

【廉頗】戦国時代、趙の将軍。恵文王のとき、斉を破り、孝成王のとき、秦を破ったが、のち魏に行き、更に楚につかえた。藺相如との刎頸之交（刎頸の交わり）は名高い。（一七ページ中）

【廉売】安く売る。

【廉白】＝廉潔。

【廉夫】＝廉士。

【廉平】正直で、えこひいきのないこと。廉公。

【廉名】清廉潔白であるという評判。

【廉問】取り調べる。尋問。

【廉吏】正直で欲のない役人。用例（史記、滑稽伝）念為廉吏、奉法守職、竟死不敢為非（廉吏とならんと念ふも、法を奉じ職を守り、死に竟るまで敢へて非をなさず）。↓考えるに、清廉な役人になるとしても、法律を遵守し職分を守り、死ぬまで決して過ちを犯さない。

【廉利】かど立って鋭い。

10 【廊】13画 (3224) ロウ 廊（3223）の旧字体。→四七七ページ下。

11 【廕】14画 3231 漢イン 呉オン 沁 yìn — — 2855

字義 ❶おお-う。また、かばう。「庇廕」 ❷かげ。日かげ・木のかげなど。＝蔭（10207）。❸おかげ。父祖のおかげをこうむること。「恩廕」

解字 形声。广＋陰音。音符の陰は、雲が覆うの意味。屋根でおおうの意味を表す。

【廕叙（敍）・廕除】父祖の功によって官位を授けられること。▼叙・除は、任命。

【廕生】清代、父祖の功によって、官吏・国子監生（国立大学の学生）となった人。

【廕庇】①おおいかばう。保護する。②おかげ。

11 【廓】14画 3232 標 カク（クヮク） 薬 kuò 1939 8A66 —

字義 ❶くるわ。城やとりでの周囲にめぐらす外がこい。転じて、外まわり。＝郭（12305）。「輪廓」 ❷大きい。また、広い。広々としている。❸ひろげる。はる。広げて大きくする。「廓大」 ❹むなしい。うつろ。空虚。国くるわ。㋐囲みの中の土地。一区域。㋑遊里。遊郭。

名前 あき・あきら・ひろ

参考 現代表記では［郭］（12305）に書きかえる。「廓大→郭大」「輪廓→輪郭」。熟語は［郭］をも見よ。

解字 形声。广＋郭音。音符の郭は、広い都市の周囲を囲む「くるわ」の意味。广は、家屋の意味。くるわ・ひろいの意味を表す。

【廓如】からりと開けるさま。

【廓清】不正をすっかりなくす。世の乱れをはらいきよめる。粛正。

【廓然】カクゼン ①むなしいさま。②心が広くさっぱりしているさま。

【廓然大公】カクゼンタイコウ すべての物事に対し、こだわらない公平な態度をとること。

【廓然無聖】カクネンムショウ 仏 何ごとにもとらわれず広々としていて、聖者と凡夫も平等である世界。さとりの境地。

【廓大】カクダイ ひらけていて大きい。また、ひろげて大きくする。

【廓落】カクラク ①大きいさま。②心が広くて、さっぱりしているさま。磊落ライラク。③むなしく、さびしいさま。

11 【廏】14画 (1246) キュウ 厩(1245)の旧字体。→三六〇ページ下。

11 【廐】14画 3233 キュウ 厩(1245)の俗字。→三六〇ページ下。 5493 9BFB —

11 【廑】14画 3234 漢キン 呉ゴン 因 jǐn, ③qín — — 2852
［厪］1241 俗字
字義 ❶小さな家。小屋。❷わずか。わずかに。＝僅(550)。❸つとめる。＝勤(1052)。
解字 形声。广＋堇音。

11 【廎】14画 3235 一 漢ケイ 呉キョウ(キャウ) 庚 qīng 二 漢ケイ 呉キョウ(キャウ) 梗 迥 qǐng — — 2851
字義 一家のそば。二小さな堂。
解字 形声。广＋頃音。

11 【廒】14画 3236 ゴウ(ガウ) 豪 áo ₂1209 — 2853
［厫］1242 俗字
字義 くら(倉)。米倉。
解字 形声。广＋敖音。

11 【腐】14画 (9662) フ 肉部。→一二七ページ下。

11 【麽】14画 (14448) マ 麻部。→一六四二ページ下。

11 【廙】14画 3237 ヨク 廙(3249)の俗字。→四八〇ページ中。 ₂1210 — —

11 【廖】14画 3238 一 リョウ(レウ) 蕭 liāo 二 リョウ(レウ) 嘯 liào 5501 9C40 —
字義 一むなしい。うつろ。空虚。二人の姓。
解字 形声。广＋翏音。

【廖△廓】リョウカク 広く遠いさま。寥廓リョウカク。

【廖平】リョウヘイ 清シン末・民国初期の学者。井研(四川省井研県)の人。字あざなは季平・登廷。号は学斎。光緒の進士。王闓運オウガイウンに学び、公羊クヨウ学を奉じた。成都で孔教扶輪社を組織し、子弟の教育に従事し、孔子教に基づく世界主義を主張した。著述は『四益館叢書ソウショ』『六訳館叢書』に収められる。(一八五二—一九三二)

11 【廔】14画 3239 漢ロウ 呉ル 尤 lóu — — 2854
字義 ❶窓。明かり窓。❷棟むね。軒のき。
解字 形声。广＋婁音。

12 【靡】15画 (14450) キ 麻部。→一六四二ページ下。

12 【廞】15画 3240 一 漢キン・呉コン 侵 xīn 二 漢ギン・呉ゴン 寝 xìn — — 2857
字義 一❶つらねる。しきならべる。❷おこす。始める。❸山のけわしいさま。二❶おこす。＝一❷。❷ふさ-がる。泥でうずまる。
解字 形声。广＋欽音。

12 【慶】15画 (3589) ケイ 心部。→五三五ページ上。

12 【廣】15画 (3176) コウ 広(3175)の旧字体。→四七〇ページ中。

12 【賡】15画 (11572) コウ 貝部。→一三五九ページ下。

12 【廝】15画 3241 シ 支 sī 5503 9C42 —
［厮］1247 俗字
字義 ❶身分の低い人。召し使い。❷身分が低い。❸わける。また、ちらす。
解字 形声。广＋斯音。

【廝役】シエキ 召し使い。また、身分の低い人。

【廝舎】シシャ しもべの住まい。身分の低い人の家。

【廝△豎】シジュ しもべ。召し使い。廝徒。▼豎は、童僕。

【廝丁】シチョウ・シテイ 召し使い。また、炊事夫。

【廝徒】シト 雑役夫。また、軍卒。

【廝△輿】シヨ 身分の低いしもべ。▼廝は薪をとる人、輿はこしをかつぐ人。

【廝養】シヨウ ＝廝役。▼養は、牛馬などの世話をする。

【廝隷(隸)】シレイ ＝廝役。▼隷は、しもべ・奴隷。

12 【廠】15画 3242 ショウ(シャウ) 養 chǎng
［厰］1248 俗字 ［厫］3243 俗字
字義 ❶うまや。馬小屋。❷かべのない家。四方の囲いのない家。❸しごとば。工場。工作所。「工廠」
解字 形声。广＋敞音。

【廠獄】ショウゴク 明ミン代、勅命で捕らえた罪人を収容した牢屋ロウや。東・西の二廠がある。詔獄。

【廠舎】ショウシャ 屋根だけで四方に囲いのない、仮の建物。軍隊が演習の時などに用いる宿泊施設。

12 【厰】15画 3243 ショウ 廠(3242)の俗字。→四七九ページ中。 3019 8FB1 —

12 【廚】15画 (1237) チュウ 厨(1236)の旧字体。→三六〇ページ上。

12 【廛】15画 3244 漢テン 呉デン 先 chán 5505 9C44 —
［鄽］12361 同字 ［壥］2182 俗字
字義 ❶みせ。店舗。「廛肆テンシ」❷周代、店から取った税金。店舗税。❸すまい。やしき。一家が住まいする二畝半ニホハン(四・五五アール)の宅地。
解字 篆文 廛 会意。广＋里＋八。广は、家の象形。八は、分けるの意味。一家族に分け与えられた村里の土地の意味を表す。のち、店に通じ、みせの意味をも表す。

【廛△肆】テンシ みせ。商店。肆廛シテン。

【廛頭】テントウ 店さき。店頭。

【廛舗】テンポ 店。廛肆シテン。店舗。

【廛里】テンリ 村里の住居。一説に、庶民の住居と士大夫の住宅。また、町(市廛)と村(村里)。

12 【廜】15画 3245 漢ト 呉ズ(ツ) 虞 tú — — 2856
字義 廜蘇トソは、㋐いおり。平らな家。㋑酒の名。屠蘇トソ。
解字 形声。广＋屠音。

12 【廢】15画 (3221) ハイ 廃(3220)の旧字体。→四七七ページ上。

12 【廟】15画 3246 人 標 漢ビョウ(ベウ) 呉ミョウ(メウ) 嘯 miào 4132 955F —
［庙］3189 俗字 ［庿］3213 俗字 ［庴］3247 俗字
筆順 亠 广 广 庐 盾 盾 庫 廟 廟
字義 ❶たまや。みたまや。祖先の像や位牌ハイを安置し、霊をまつる建物。「霊廟」❷やしろ。ほこら。神をまつった建物。❸てら。道教や仏教の寺。寺観。❹いはい(位牌)。かたしろ(形代)。❺おもて

廟①

ごてん。東西に廂(ひさし)のある建物で、王宮の正殿。政治を行う所。政堂。朝廷。「廟堂」

解字 金文 篆文 古文 会意。广＋朝。广は、屋根の象形。朝は、朝礼を行う所の意味。祖先を祭る、みたまやの意味を表す。

【廟宇】(ビョウウ) みたまや。やしろ。▼宇は、家。

【廟議】(ビョウギ) 朝廷の評議。廟堂の議論。朝議。

【廟見】(ビョウケン) ①みたまやに参拝すること。②(結婚後三か月して、妻が初めて夫の家の)祖先のみたまやに参拝すること。

【廟号(號)】(ビョウゴウ) 宗廟の称号。天子の霊を太廟に祭る時、追尊して贈る名。この制は、舜(シュン)が高陽を祖とし、尭(ギョウ)を宗としたのに始まるといわれる。〔晋書、成帝紀〕

【廟社】(ビョウシャ) ①祖先のみたまやと土地の神を祭ったやしろ。②祖先のみたまや。

【廟食】(ビョウショク) 神として祭られること。みたまやに祭られて供え物を食べる意。

【廟寝(寢)】(ビョウシン) みたまや。前の建物が廟、後の建物が寝で、寝には祭神の生前の衣服を蔵する。

【廟堂】(ビョウドウ) ①祖先の霊を祭った建物。みたまや。用例〔荘子、秋水〕王巾笥而蔵二之廟堂之上一(王はこれを巾笥して廟堂の上に蔵す) ↓王はそれを布で包んで箱に入れ、先祖を祀(まつ)るみたまやの上にしまいこんだ。②王宮の政殿。政治を行う所。朝廷。

【廟堂△之器】(ビョウドウのキ) 朝廷で天下の政治を行うことのできる才能。

【廟△謨】(ビョウボ) ＝廟略。

【廟貌】(ビョウボウ) みたまや。なくなった人の容貌(かおかたち)をしのんでつかえる所の意。

【廟謀】(ビョウボウ) ＝廟略。

【廟略】(ビョウリャク) 朝廷のはかりごと。廟議で決定した計画。

12 【廟】 15画 3247 ビョウ 廟(3246)の俗字。→四七九ページ下。

12 【廡】 15画 3248 一 漢ブ・呉ム 麌 wǔ 二 漢ブ・呉ム 虞 wú 5507 9C46 —

字義 一 ❶ひさし。のき。「廡下(のきした)」 ❷廊下。わたどの。ほそどの。「廊廡」 ❸家。屋宇。また、大きな家。 二 しげる。草木がしげる。＝蕪(10299)。「蕃廡(ハン ブ)」

解字 篆文 形声。广＋無(𣞤)音。音符の無は、舞に通じ、両そでをひるがえす舞の意味。おもやのそでにあたる、廊下・ひさしの意味を表す。

12 【摩】 15画 (4020) マ 手部。→五七四ページ上。

12 【廙】 15画 3249 漢ヨク 呉イキ 職 yì 〔廙〕 3237 俗字

字義 ❶天幕。❷つつしむ。うやまう。

解字 形声。广＋異音。

13 【廨】 16画 3250 漢カイ・呉ケ 慣ゲ 卦 xiè 5508 9C47 —

字義 役所。官署。官庁。「官廨」「公廨」

解字 形声。广＋解音。

13 【廥】 16画 3251 漢カイ(クヮイ) 呉ケ 泰 kuài — — 2858

字義 ❶まぐさぐら。牛馬の飼料を入れる倉。❷くら(倉)。

解字 篆文 形声。广＋會音。音符の會(会)は、あつまるの意味。まぐさなどを集めておく建物の意味を表す。

13 【磨】 16画 (8267) マ 石部。→一〇三〇ページ下。

13 【廩】 16画 3252 リン 寝 lǐn 5509 9C48 — 〔廪〕 3253 俗字

字義 ❶くら。こめぐら。また、貨財を入れる倉。「倉廩」 ❷ふち(扶持)。ろく。俸禄(ホウロク)。俸給。また、ふち米を与える。「廩食」 ❸しまう。蔵する。❹つむ(積)。また、あつまる。❺おそれる。おそれつつしむ。❻少ない。

解字 篆文 会意。广＋㐭。また、㐭は、亩＋禾。亩が廩の原字で、穀物を積んだくらの象形。のち、建物の意味の广を付した。

【廩給】(リンキュウ) 官吏の給料。

【廩△囷】(リンキン) 米ぐら。くら。倉廩。

【廩秋】(リンシュウ) 身のひきしまるような寒さを感じている秋。涼秋。凜秋(リンシュウ)。

【廩△稍】(リンショウ) 官が食糧を給すること。▼稍は、少しずつ支給される食糧。

【廩食】(リンショク) 官から与える扶持米(フチマイ)。俸給。俸禄(ホウロク)。また、扶持米を与える(与えられる)。

【廩振】(リンシン) 米ぐらを開いて貧民を救済すること。

【廩人】(リンジン) 米倉の番人。倉番。

【廩生】(リンセイ) 官から生活費を与えられる学生。官費生。

【廩△粟】(リンゾク) ①倉庫にある米。②官給米。俸禄(ホウロク)として受ける米。▼粟の原義は、もみがらのままの穀物。

【廩廩】(リンリン) ①威儀の正しいさま。身のひきしまるさま。一説に、近づくさま。②あやういさま。また、不足のさま。

13 【廪】 16画 3253 リン 廩(3252)の俗字。→四八〇ページ中。

14 【應】 17画 (3477) オウ 心部。→五一八ページ上。

14 【糜】 17画 (9043) ビ 米部。→一一〇一ページ中。

14 【膺】 17画 (5159) ヨウ 月部。→七一〇ページ中。

15 【廖】 18画 3254 リョウ(レウ) 嘯 liào — — 2859

字義 ❶うつろ。❷部屋の中が空虚なさま。

解字 形声。广＋翏音。

15 【麿】 18画 (14451) まろ 麻部。→一六四三ページ上。

16 【⿸广穌】 19画 3255 ソ 虞 sū

字義 屠穌(トソ)は、㋐いおり。平らな家。㋑酒の名。屠蘇(トソ)。

解字 形声。广＋穌音。

16 【靡】 19画 (13290) ビ 非部。→一五四三ページ中。

16 【龐】 19画 3256 一 漢ホウ(ハウ) 呉ボウ(バウ) 江 páng 二 漢ロウ・呉ル 東 lóng 9486 — 7757

字義 一 ❶たかどの。高い建物。❷大きい。高く大きい。厚くて大きい。❸みだ(乱)れる。乱雑なさま。 二 みちる。充実しているさま。「龐龐」

解字 形声。广＋龍音。

【龐△涓】(ホウケン) 戦国時代、魏(ギ)の武将。孫臏(ソンピン)とともに兵法を鬼谷子に学び、魏の恵王に仕えた。後に孫臏の指揮する斉軍と戦い、敗れて自殺した。

【龐錯】(ホウサク) 入り乱れる。乱雑。

【龐士元】(ホウシゲン) →龐統。

【龐統】(ホウトウ) 三国時代、蜀(ショク)の政治家。字(あざな)は士元。劉備(リュウビ)に仕え、多くの計策を献じたが、流れ矢にあたって死んだ。(一七九―二一四)

【龐眉△皓髪】(ホウビコウハツ) ふといまゆと、白いかみの毛。老人をいう。

16 【廬】 19画 3257 標 漢リョ・呉ロ 魚 lú 慣ル 5510 9C49 —

字義 ❶いおり。いお。かりや。かりずまい。そまつな小屋。用例〔東晋、陶潜、飲酒詩〕結レ廬在二人境一而無二車馬喧一(いお(ほ)りをむすびて、ジンキョウにあり、しかもシャバのかまびすしきなし)。↓粗末な家を人里の中に構えているが、それにもかかわらず訪問客の車馬の騒がしさがない。❷いえ(家)。「屋廬」 ❸宿直(とのい)のへや。宿直室。詰所。 ❹はたご。やどや。 ❺やどる。また、かりずまいする。いおりを結ぶ。 ❻山の名。→廬山。

解字 金文 [glyph] 篆文 [glyph] **形声**。广＋盧㊍。广は、家の意味。音符の盧は、クルッとまわすの意味。周囲をクルッとかこんだだけの家、いおりの意味を表す。

【廬山】ロザン 山名。江西省九江市の南部。主峰の漢陽峰は標高一四七四メートル。景勝の地で、避暑地でもある。匡山(キョウザン)・匡廬ともいう。

【廬児(兒)】ロジ 召し使い。こもの。

【廬舎】ロシャ かりごや。そまつな小屋。いおり。

【廬遮那仏(佛)・盧舎那仏(佛)】ルシャナブツ 仏毘盧遮那(ビルシャナ)(梵語(ボンゴ) Vairocana の音訳)仏の略称。密教では、大日如来という。その徳が照らさぬ所のないという仏。

【廬墓】ロボ ①父母や師の喪(も)に服するために、そのそばにいおりを作って住むこと。②いおりと墓。廬舎と墳墓。

【廬陵】ロリョウ 昔の県名。江西省吉安市にあたり、宋(ソウ)の欧陽脩(オウヨウシュウ)・文天祥・曽先之(ソウセンシ)らの郷里。

17【廰】20画 3258 チョウ 庁(3177)の俗字。→四七一ページ上。 5513 9C4C —

18【魔】21画 (13957) マ 鬼部。→一六〇九ページ下。

18【廱】21画 3259 漢ヨウ 呉オウ 図 yōng 5511 9C4A —

字義 ❶天子の学校。また、中国古代の大学。辟廱(ヘキヨウ)。 ❷やわらぐ(やはらぐ)。＝雍(13188)・雝(13206)。 ❸ふさぐ。また、ふさがる。

解字 篆文 [glyph] **形声**。广＋雝㊍。音符の雝(ヨウ)は、廱の原字。大きな池をめぐらし、庭園をもつ天子の学宮の意味を表す。のち、建物の意味の广を付した。

21【鷹】24画 (14371) ヨウ 鳥部。→一六三六ページ上。

22【廳】25画 (3178) チョウ 庁(3177)の旧字体。→四七一ページ上。

3画 廴 えんにょう(延繞)・えんにゅう

〔**部首解説**〕延の繞(ニョウ)になるところからいう。また、廴の字音インから、いんにょうともいう。廴を意符として、行く・延びるの意味を含む文字ができている。辶(しんにょう)と字形が似ているために、誤って混同されることがある。

0 廴 四八一	3 廵 四八一	4 延 四八一	廷 四八一	5 延 四八一
廻 四八二	廸 四八二	廹 四八二	6 廻 四八二	建 四八二
廼 四八三	7 廽 四八三			

0【廴】3画 3260 イン 彡 [韻] yǐn, yìn 5514 9C4D —

字義 長く歩む。また、長く引きのばす。

解字 篆文 [glyph] **指事**。行の字の左半分の一部を長く引きのばした形で、長くのびた道を行くの意味を表す。

3【廵】6画 3261 ジュン 巡(12015)の俗字。→一四六六ページ上。

4【延】7画 (3265) エン 延(3264)の旧字体。→四八一ページ下。

4【廷】7画 3262 常 テイ 3678 92EC —

4【廷】7画 3263 漢テイ 呉ジョウ(ヂャウ) 青 径 tíng

筆順 ノ 二 千 壬 任 廷 廷

字義 ❶ひろにわ(ひろには)。㋐政事を行う所。「朝廷」 ㋑訴えを聞き裁判をする所。「法廷」「出廷」 ❷やくしょ。官庁。「県廷」 ❸ただしい。 ❹たいらか。公平。

名前 たか・ただ・なが

解字 金文 [glyph] 篆文 [glyph] **形声**。廴＋壬(壬)㊍。音符の壬(テイ)は、突き出るの意味。廴は、階段の前につきでた、にわの象形。にわの意味を表す。

逆 外廷・宮廷・退廷・朝廷・法廷・明廷

【廷尉】テイイ ①秦(シン)・漢代に刑罰をつかさどった官の名。②国㋐検非違使(ケビイシ)の佐(すけ)(次官)の中国風の呼び名。㋑検非違使の尉(じょう)(三等官)の中国風の呼び名。

【廷議】テイギ 朝廷で評議する。また、その評議。政府の意見。朝議。

【廷試】テイシ 官吏登用試験の及第者に対して天子が自身で行う試験。殿試。

【廷叱】テイシツ 朝廷などの、多数の面前でしかる。用例(史記、廉頗藺相如伝)以二秦王之威一、而相如廷二叱之一、辱二其群臣一 ↓秦王の威信をもってしても、この相如は朝廷の満座の中でしかりつけ、その群臣に恥辱を与えたのである。

【廷辱】テイジョク 朝廷などの、多数の面前ではずかしめる。

【廷臣】テイシン 朝廷に仕えている臣下。朝臣。

【廷折】テイセツ ＝廷辱。

【廷争(爭)・廷諍】テイソウ 朝廷などの、多数の面前で君主の非を強くいさめること。

【廷論】テイロン ①＝廷議。②朝廷・法廷などで意見を述べること。

5【延】8画 3264 教6 エン のびる・のべる・のばす 1768 8984 —

4【延】7画 3265 エン 囲 yán

筆順 ノ イ 千 正 正 延 延 延

字義 ❶ひく。㋐のばす。引き延ばす。㋑みちびく。案内する。㋒招く。引き寄せる。用例(東晋、陶潜、桃花源記)余人各復延至二其家一 ↓残りの人もそれぞれ、(その人を)自分の家に招待した。㋓身をひく。退く。引き下がる。㋔すすめる(進)。 ❷のびる(のぶ)・のべる(のぶ)・のばす。㋐長くなる。長くする。「延長」 ㋑長びく。遅れる。長びかせる。「順延」「遅延」 ㋒広がる。はびこる。広げる。行きわたる。「蔓延(マンエン)」「延焼」 ㋓およぶ。とどく。 ❸長い。遠い。また、長さ。広さ。国❶のべ。全部を寄せ合わせた数。「延べ人員」 ❷ひいては。それがもととなって。さらには。

名前 すけ・すすむ・ただし・とう・とし・なが・のぶ・のぶる

難読 延縄(はえなわ)・延生(のぶ)

使いわけ のばす・のびる・のべる〔伸・延〕⇨伸(265)。

解字 金文 [glyph] 篆文 [glyph] **会意**。正＋廴。正は、征に通じ、まっすぐに行くの意味。廴は、みちの意味。道をまっすぐにのびていくの意味を表す。延を音符に含む形声文字に、埏(エン)・涎(エン)・莚(エン)・筵(エン)・蜒(エン)・誕・鋋(エン)などがある。

逆 外延・順延・遷延・遅延・綿延・連延

【延安】エンアン 地名。陝西(センセイ)省北部の市。一九三五年、中国共産党は長征の末、ここに本拠を置いた。

【延引】エンイン ①長びく。おくれる。②引きのばす。③引き入れる(寄せる)。

【延延】エンエン ①長いさま。久しいさま。連なり続くさま。②国物事の次第にのびること。

【延企】エンキ 首をのばし、足をつまだてて遠くをのぞむこと。延頸企踵(エンケイキショウ)。

【延期】エンキ 日のべ。定めた期日・期限をのばす。

【延喜式】国書名。五十巻。醍醐天皇の勅命により、藤原忠平らが編集。宮中の儀式・作法・制度などを漢文で書いたもの。延長七年(九二七)完成。後の律令政治の基本法となった。

【延△頸】①くびをのばす。②望み見る。待ち望む。

【延見】客を引き入れて面会すること。引見。接見。

【延寿(壽)】=延年①。

【延焼(燒)】火事が燃えひろがること。

【延滞(滯)】のびのびになる。とどこおる。

【延△佇】①長い間たたずむ。②立ちどまって待ち望むこと。

【延長】ながくのびる。また、のばしてながくする。

【延年】①年(寿命)をのばす。長生きする。また、長命。②新年を迎える。

【延納】①ひき入れる。引見。②国期限より遅れて納入すること。

【延平】①府の名。明代に置かれた。②渡し場の名。延平津。福建省南平市にある。また剣津ともいう。

【延△袤】①ひろさ。土地のひろがり。▼延は横(東西)の、袤は縦(南北)の長さ・広さ。②長さ。

【延△蔓・延△曼】とめどなくはびこる。蔓延。

【延命】=延年①。

【延△攬】引き寄せて味方にすること。

【延陵】①春秋時代の呉の地名。李札の封ぜられた所、今の江蘇省常州市。②陵の名。漢の成帝の陵。陝西省咸陽市の西北。③晋代に置かれた県名。今の江蘇省丹陽県の南。

【延陵季子】=季札(三八四ページ上)。延陵(今の江蘇省常州市)に封ぜられたからいう。

5【廻】8画 3266 カイ
廻(3269)と同字。→四八三ページ上。
2 1211 ― ―

5【廸】8画 3267 テキ
迪(12056)の俗字。→一四〇九ページ中。
5515 9C4E ―

5【廹】8画 3268 ハク
迫(12061)と同字。→一四〇九ページ下。
1 8416 ― ―

6【廻】9画 3269 人 標
漢カイ(クワイ) 呉ガイ(グワイ) 慣エ(ヱ) 灰 huí
1886 89F4 ―

筆順
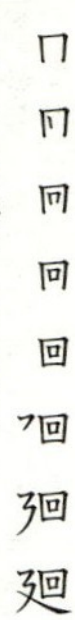

[廻]3266 同字 [廻]12064 同字 [廽]3272 俗字

字義 =回(1813)。❶まわる。めぐる。用例(唐、杜甫、登高詩)風急天高猿嘯哀、渚清沙白鳥飛廻。↓風は強く吹きわたり、空は高く澄みきって、猿の鳴き声があたりに哀しくこだまする。長江の川辺は清らかに、砂は白く、その上を鳥が飛び交う。❷まわす。めぐらす。用例(唐、白居易、売炭翁詩)手把文書口称勅、廻車叱牛牽向北。↓書きつけを手につかみ、「勅命じゃ」と口ばしり、炭焼きじいさんの車のむきをかえさせて、牛を「しっしっ」とおいたて、北のほうにひっぱらせた。❸まがる。うねうね曲がる。❹かえる。かえす。

名前 のり

参考 ①現代表記では〔回〕(1813)に書きかえる。「廻転→回転」「廻廊→回廊」。②古くから〔回〕(1813)と同じに用いられた。熟語は〔回〕をも見よ。

解字 形声。廴+回音。廴は、行くの意味。音符の回は、めぐるの意味。めぐり行くの意味を表す。

【廻船】国旅客や貨物を運ぶ船。「廻船問屋」

【廻△漕】船で旅客や貨物を運ぶこと。船による運送。回漕。

【廻天】天をめぐらす。天下の状態をがらりと変えること。また、衰えた勢いをもりかえすこと。回天。「廻天の力」

【廻風】①うずを巻くように吹く風。つむじ風。回飆。②曲の名。

【廻文】同回文。①まわしぶみ。多くの人に回覧する文書。廻状。②廻文詩の略。③国かなの字の順を逆にしても同じようになる語・句。「竹屋が焼けた」

【廻文詩】初め・終わりのどちらから読んでも意味が通じ、かつ詩の規則にあてはまるように作られた詩。回文詩。

【廻廊】折れ曲がった長い廊下。回廊。

6【建】9画 3270 教4 ケン・コン たてる・たつ
漢ケン・呉コン 願 jiàn
2390 8C9A ―

筆順
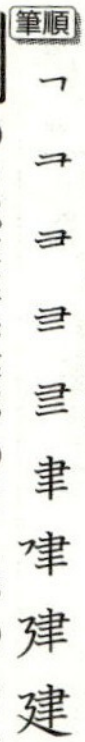

字義 ❶たつ。家などが建つ。❷たてる。㋐まっすぐ建てる。㋑始める。㋒造る。設ける。家などをたてる。「建造」㋓定める。「建元」㋔成し遂げる。表す。㋕申し上げる。申し立てる。「建白」「建議」㋖布告する。❸さす。北斗星の柄が日没直後に十二支のどれかの方角を指すこと。夏暦では正月に寅(とら。東北東)を指す類い。❹かぎ。=鍵(12748)。

名前 けん・たけ・たけし・たける・たつ・たつる・たて

難読 建水・建部・建陽・建雷神

使いわけ たてる・たつ〔建・立〕
〔建〕建築や経済に関係ある場合。「家を建てる・円建て」
〔立〕前述の〔建〕の意以外で、広く一般に用いる。「予定を立てる・志を立てる・腹が立つ」

解字 金文  篆文  会意。聿+廴。聿は、ふでの意味。廴は延と同じく、のびるの意味。のびやかに立つ筆の意味から、のびやかにたつの意味を表す。建を音符に含む形声文字に、健・鍵・腱・鞬などがある。

逆 再建・創建・封建

【建安七子】後漢の献帝の時、曹操とその子曹丕・曹植のもとに集まり、この三人と共に文壇の主力をなした七人の文人、孔融・陳琳・王粲・徐幹・阮瑀・応瑒・劉楨。建安は年号(一九六―二二〇)。

【建議】上に対して意見を申し上げること。また、その意見。

【建業】①事業の基礎を始める(定める)こと。②江蘇省南京市の、三国時代の名。呉の孫権が都した。建康。

【建極】人倫道徳の模範標準をたてて万民の法則を定める。

【建元】①年号を定めること。②漢の武帝の時の年号(前一四〇―前一三五)。これが年号の初めとされる。

【建言】①確固不動の古人のことば。②=建議。

【建鼓】①鼓を並べたてる。②楽器の名。太鼓の一つ。応鼓。植鼓。楹鼓。

【建功】てがらを立てる。

【建康】江蘇省南京市の、晋・南北朝時代の名。→建業②。

【建国(國)】①国家の基礎をたてる。国を始める。②国都を建設する。

【建策】①計画をたてる。②策略をたてて、申し上げる。

【建徳】①確乎として動かない徳。また、徳を行うこと。②徳をたてる。有徳者をたてて諸侯とする。

【建白】=建議。▼白は、申す。

【建武中興】国後醍醐天皇が鎌倉幕府を滅ぼして年号を建武とし、天皇による親政を始めた政権や政策。

【建立】㊀ケンリツ ㊁コンリュウ ①たてる。樹立する。②設ける。③成し遂げる。㊁仏寺院・仏像・堂塔などを造ること。

6【廼】9画 3271 ダイ 迺(12075)の俗字。→一四三三ページ上。 3922 9455 —

参考 日本の俳優の家の名「曽我廼家」では、〔迺〕ではなく〔廼〕を用いる。

7【廻】10画 3272 カイ 迴(3269)の俗字。→四八二ページ上。 21212 — —

3画 廾 にじゅうあし（二十脚） こまぬき

〔部首解説〕この字の形が廿（二十の意味）と似ているので「にじゅうあし」と呼ばれるが、廾と廿とは別字。廾を意符として、物を両手で持つ・ささげるの意味を含む文字ができている。また、具や兵の六、奐や奉の大の形は、いずれも廾の変形で、両手を表している。

0 廾 四八三	1 开 四八三	廿 二二三	升 四八三	2 弁 四八三	
3 异 四八四	异 四八四	4 弃 四八四	戒 四八四	弄 四八四	
5 弇 四八四	6 弈 四八四	弇 四八五	羿 一二五七	舁 一二八三	
7 弉 四八五	11 𢍰 四八五	12 弊 四八五	13 彜 四九四	15 彝 四九四	

0【廾】3画 3273 ㊥キョウ ㊤ク 腫 gǒng 5516 9C4F —

字義 ❶両手で物をささげる。❷腕組みをする。

解字 篆文 象形。両手を上げる形にかたどる。

1【开】4画 3274 ㊀㊥キ・㊤ギ 支 ㊁カイ 18417 — —

字義 ㊀その。＝其(736)。㊁開(12968)と同字。

1【廿】4画 (1157) ジュウ 十部。→二二三ページ下。

1【升】4画 3275 常 ショウ ます 蒸 shēng 3003 8FA1 —

筆順 ノ 丿 チ 升

【㪺】4583 俗字

字義 ❶ます。特に、一升ます。また、すべての升をいう。❷ますめの単位。一合の十倍。❸のぼ-る。あがる（上・揚）。のぼらせる。＝昇(4688)。「上升」❹すすめる。奉る。❺なる（成）。❻みのる。❼栄える。さかんになる。❽よみ。布の縦糸八十本をいう。❾易の六十四卦の一つ。☷☴巽下坤上。前進向上のかたち。

名前 たか・のぼる・のり・ます・みのる・ゆき

注意 『康熙字典』では、十部に所属する。

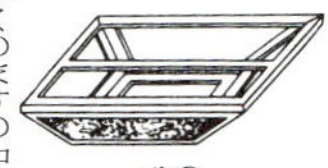

升①

解字 金文 篆文 象形。金文は、ひしゃくのますの中に物をいれた形にかたどる。ひしゃくで物をすくいあげることから、ます・量の単位・のぼすの意味を表す。篆文は、㐃（斗）＋ノの指事という。升を音符に含む形声文字に、昇・陞などがある。

逆 上升・斗升

【升栄（榮）】ショウエイ 権勢のある、りっぱで高貴な地位にのぼり進む。升華。

【升遐】ショウカ ①天空にのぼる。▼遐は、遠い所。②天子の死をいう。崩御。登遐。

【升級】ショウキュウ ①等級があがること。昇級。②官位などがあがること。昇進。③一段上の学年に進むこと。進級。

【升降】ショウコウ ①のぼりくだり。昇降。②さかんになることとおとろえること。盛衰。

【升斛】ショウコク ます。斗斛。

【升勺】ショウシャク 一升一勺の量。わずかな分量。

【升第】ショウダイ 試験、特に官吏登用試験に及第すること。

【升沈】ショウチン ①のぼることと、しずむこと。②栄えることとおとろえること。栄枯。盛衰。③官位の昇降。

【升擢】ショウテキ 多くの人の中から引き上げる。

【升天】ショウテン 天にのぼること。昇天。

【升騰】ショウトウ のぼりあがる。おどりのぼる。

【升堂】ショウドウ ①堂にのぼる。②学問・技芸の大意に通じること。升堂入室。

【升聞】ショウブン・ショウモン 天帝や天子の耳に入ること。

【升平】ショウヘイ ①穀物がよくのみって、その値段が平らか（適切）なこと。②平和。昇平。③次第に平和に向かう時代。

【以升量石】ショウをもってセキをはかる 一升のますで一石の量をはかる意で、愚者の心で賢者の心を推しはかることのたとえ。愚者には賢者の心が理解できないことをいう。〔淮南子、繆称訓〕

2【弁】5画 3276 教5 ベン 4259 95D9 —

㊀辛9【辨】16画 3277 ㊥ハン ㊤ベン 諫 biàn 4994 999E —

㊁瓜14【瓣】20画 3278 ㊥ハン ㊤ベン 諫 bàn 6502 E141 —

㊂辛14【辯】21画 3279 ㊥ヘン ㊤ベン 銑 biàn 7771 E787 —

㊃2【弁】5画 ㊥ヘン ㊤ベン 霰 biàn

筆順 ∠ ㇺ ム 弁 弁

㊀【辧】895 本字 ㊃【覍】11029 同字

字義 ㊀〔辨〕❶わける。わかれる。㋐区別する。よりわける。見わける。「論弁」「弁別」❷わきま-える。わきまふ。❸明らか。明らかにする。❹しらべる。❺おさめる（治）。処理する。❻ただす（正）。❼そなえる。準備する。国律令制下での太政官の官名。八省の連絡を担当する。

㊁〔瓣〕❶うりのなかご。うりの種子を含んだやわらかい部分。❷うりのたね。❸果肉のふさ。みかんなどの肉の一片。❹はなびら。花弁。花片。国ベン。㋐気体、または液体の出入調節をする器具の総称。「安全弁」㋑心臓内壁や血管内にあって血液の逆流を防ぐ膜。

㊂〔辯〕❶ことばでおさめる。❷ただす（正）。❸明らかにする。❹とく（説）。かたる（語）。たくみに言う。また、話。話ぶり。「懸河の弁」「弁士」❺言い争う。論争する。「弁難」❻訴える。❼わける。＝辨(3277)。❽かわる（変）。❾文体の名。言行の是非を論断する目的で作る文。国ベン。方言。「関西弁」

㊃〔弁〕❶かんむり。また、それをかぶる人。「武弁」❷速い。急ぐ。❸おそれる。おののく。❹うつ。たたく。

弁㊃①

名前 さだ・そなう・そのう・なか・わけ

難読 弁柄（ベンガラ）

参考 ①常用漢字では、辨・瓣・辯の共通の略字（新字体）として弁を用いる。㊃のかんむりの意味では用いられない。②日本では俗に、〔辧〕(1073)・〔辮〕(9382)の二字にも弁を当てることがある。

解字 ㊀〔辨〕金文 篆文 会意。刀＋辡。二本の刃物とかたなどで、わけるの意味を表す。

㊁〔瓣〕篆文 会意。瓜＋辡。辡は二本の刃物でわけるの意味。うりの中にある、果肉から分離しやすい種子の意味を表す。

㊂〔辯〕 篆文 会意。言＋辡。辡は、わけるの意味。ことばで、ことの道理をわけあきらかにするの意味を表す。

㊃〔弁〕 篆文 象形。両手で冠をかぶっている形にかたどり、かんむりの意味を表す。

逆 勘弁・強弁・抗弁・思弁・自弁・代弁・多弁・駄弁・談弁・陳弁・通弁・答弁・能弁・明弁・雄弁・論弁

【弁(辨)異】ベンイ ①(尊卑の別などを)わかちただす。②物事の相違点を明らかにすること。

【弁(辯)解】ベンカイ あかしをたてる。言いわけする。また、言いわけ。

【弁(辨)詰】ベンキツ 理非を区別してなじる。

【弁(辯)詰】ベンキツ 言いたてて責めなじる。

【弁(辯)給】ベンキュウ ＝弁巧。

【弁(辯)恵(惠)・弁(辯)△慧】ベンケイ 口先がたくみでかしこい。口さきの巧みなことば。また、口先のさといこと。

【弁(辯)言】ベンゲン

【弁(辯)護】ベンゴ ①他人のために言いわけしてかばい助けること。②法廷で他人のために弁論して、その人の利益をはかること。

【弁(辯)口】ベンコウ ことばの(たくみな)言いまわし。

【弁(辯)巧】ベンコウ 言いまわしがうまい。口達者。弁給。

【弁(辯)才】ベンサイ ①弁論の才能。②仏たくみに法義を説く才能。

【弁(辨)済(濟)】ベンサイ 国借りを返すこと。返済。

【弁(辯)才天・弁(辨)財天】ベンザイテン 仏インドの神の名。梵天王(ボンテンオウ)の妃で、音楽・弁才・知恵・財福をつかさどるという。美しい姿で、琵琶(ビワ)を持っている。一説に、男の神ともいわれ、日本では吉祥天と混同されている。

【弁(辯)士】ベンシ ①弁舌のたくみな人。②弁説をもって遊説(ユウゼイ)する人。③国㋐演説・講話などをする人。㋑無声映画で、映画の説明をする人。活弁。

【弁(辨)似】ベンジ 似ていてまぎらわしいものを区別し明らかにする。

【弁(辯)辞(辭)】ベンジ たくみなことば。ことばのたくみなこと。

【弁(辨)識】ベンシキ ①見分ける。②わきまわえる。

【弁(辨)章】ベンショウ 物事のよしあしを分かち明らかにする。

【弁(辨)訟】ベンショウ うったえをききわける。

【弁(辯)△捷】ベンショウ 口がたっしゃですばやいこと。

【弁(辨)証(證)】ベンショウ 善悪の道理を明らかにして証明する。また、弁論によって証明する。

【弁(辨)償】ベンショウ つぐないかえす。

【弁(辨)析】ベンセキ 見分ける。判断する。

【弁(辨・辯)説】ベンセツ 物事のよしあしを分けて説くこと。

【弁(辯)舌・弁(辯)説】ベンゼツ 言いまわし。口先のたくみなこと。弁口。

【弁(辯)△疏】ベンソ 言いわけ。申し開き。弁解。

【弁(辨)知】ベンチ わきまえ知る。明らかに知る。

【弁(辯)知・弁(辯)△智】ベンチ 弁論にすぐれてさといこと。弁論才知。

【弁(辨・辯)天】ベンテン ①弁才天。②国美人をいう。

【弁(辯)難】ベンナン 言論で反対し非難する。言い争う。

【弁(辯)△佞】ベンネイ 口先がうまく、人にこびへつらう(心がねじけている)こと。また、その人。

【弁(辯)△駁】ベンパク 他人の言論の道理に合わない点を論じて攻撃すること。弁難駁撃の略。

【弁(辨)別】ベンベツ 見分ける。また、わきまえる。

【弁(辨)明】ベンメイ 物事の正邪・善悪を区別し明らかにする。

【弁(辯)明】ベンメイ ①説きあかす。②申し開きする。弁解。

【弁(辨)理】ベンリ ①判別して処理する。②道理をわきまえる。③国事務などを処理すること。

【弁(辨)論】ベンロン ①人の議論をわきまえ知る。議論のよしあしを見分ける。②わきまえ論ずる。弁明して論ずる。

【弁(辯)論】ベンロン 弁明し論ずる。おおぜいの前で自説を述べる。また、言い争う。

【弁(辨)惑】ベンワク 人のまどいをわきまえさとす。

3 【异】 6画 3280 ㊀イ 因 yí ㊁イ 寘 yì

[异] 3281 俗字

字義 ㊀❶あ-げる(挙)。❷やめる。しりぞける。＝已(3064)。㊁❶＝㊀❶❷。❷ことなる。ことにする。＝異(7644)。

解字 篆文 形声。廾＋已(㠯)音。音符の㠯(イ)は、以の本字で物を持つの意味。手で物を持ちあげるの意味を表し、已に通じて、やめる・しりぞけるの意味にも用いる。

3 【异】 6画 3281 イ 异(3280)の俗字。→四八四ページ中。 | 8418 | — | 2860

4 【弃】 7画 3282 キ 棄(5595)の古字。→七五四ページ下。 | 5517 | 9C50 | —

4 【卝】 7画 3283 シュク 叔(1282)の俗字。→一三三ページ下。

4 【弄】 7画 3284 常 ロウ もてあそ-ぶ ロウ 送 nòng | 4714 | 984D | —

筆順 一 丅 王 王 王 弄 弄

字義 ❶もてあそ-ぶ。手に持ってあそぶ。おもちゃにする。なぐさみにする。㋐いじ-る。いぢ-る。いじく-る。いぢく-る。まさぐ-る。

用例 〔唐、李白、長干行〕郎騎ニ竹馬ー来(ロウはチクバにのりてきたり)、遶レ牀弄ニ青梅ー(ショウをめぐりてセイバイをもてあそぶ)。↓あなたは竹馬にまたがってやってきて、井戸の上部の囲いをめぐって青い梅の実をもてあそんでいました。㋑たくみにあやつる(扱う)。㋒ほしいままに用いる。「弄レ権(ケンをもてあそぶ)」「弄筆」㋓あなどる。なぶる。からかう。たわむれる。「愚弄」㋔めでる。ながめ楽しむ。「弄月」㋕かなでる。楽器を奏する。また、その楽曲。❷たくみにかざる。❸おもちゃ。

解字 金文 篆文 会意。廾＋玉。廾は、両手の意味。両手で玉を持ってあそぶの意味を表す。

【弄花】ロウカ ①花をもてあそぶ(ながめる・栽培する)。また、草花の栽培や手入れ。②国花がるたをする。花合わせ。

【弄瓦】ロウガ 女児が生まれること。↓弄璋(ロウショウ)。

【弄△翰】ロウカン ①筆をもてあそぶ。②戯れに書くこと。戯れに書いた詩文や書画。

【弄月】ロウゲツ 月をもてあそぶ(ながめて楽しむ)。

【弄巧】ロウコウ 技巧をもてあそぶ。技巧を用いすぎること。小刀細工。

【弄△璋】ロウショウ 男児の生まれること。男児が生まれるとおもちゃとして璋(たま)を与え、女児が生まれると瓦(いとまき)を与える故事に基づく語。〔詩経、小雅、斯干〕↓弄瓦(ロウガ)。

【弄舌】ロウゼツ よくしゃべること。多言。饒舌(ジョウゼツ)。哢舌(ロウゼツ)。

【弄筆】ロウヒツ 筆をもてあそぶ。㋐事実を曲げてたくみに書くこと。㋑思うままにたくみに書きまくること。

【弄兵】ロウヘイ 兵をもてあそぶ。みだりに兵を出動させる。安易に戦争を始めること。

5 【弆】 8画 3285 漢キョ 呉コ 語 jǔ | — | — | 2861

字義 収める。しまいこむ。

解字 形声。廾(収)＋去音。

6 【弈】 9画 3286 漢エキ 呉ヤク 陌 yì | 21213 | — | 2863

字義 ❶いご(ゐご)(囲碁)。碁をうつ遊び。❷ばくち。博弈(バクエキ)。

参考 〔奕〕(2271)は別字。後世、通じて用いる。

解字 篆文 形声。廾＋亦音。廾は、両手をささげる形にかたどる。音符の亦(エキ)は、次々に重なるの意味。手をあげては、かわるがわる碁をうつの意味を表す。

6【弇】9画 3287 エン 㶣 yǎn　18419 ― 2862

字義 ❶おおう(蓋・蔽)。＝揜(4293)。❷ふかい(深)。❸つぐ。うけつぐ。

解字 甲骨文 篆文 会意。合＋廾。合は、ふたをあわせるの意味。両手でふたをする、おおうの意味を表す。

6【羿】9画 (9515) ゲイ　羽部。→一一五七ジ中。

6【昇】9画 (9691) ヨ　臼部。→一一八三ジ上。

7【弉】10画 3288 ソウ　奘(2280)の俗字。→三五六ジ下。　5518 9C51 ―

11【弊】14画 3289 ショウ　奨(2298)と同字。→三五八ジ上。

12【弊】15画 3290 常 ヘイ　4232 95BE ―

12〖弊〗15画 3291 漢ヘイ 呉ベイ 霽 bì

筆順 丶 丷 尙 尚 尚 敝 敝 敝 弊

〖獘〗7191 本字

字義 ❶たおれる。また、たおす。❷やぶれる。また、やぶる。切れる。きずつく。やりそこなう。❸つかれる(疲)。くたびれる。「疲弊」❹やむ。とまる。❺つきる(尽)。つくす。❻わるい(悪)。㋐害になる。よくない。「語弊」「弊風」㋑粗末。つたない。転じて、自分の物に冠する謙称。「弊店」「弊社」㋒古い。

解字 甲骨文 篆文 形声。もと、犬＋敝音。音符の敝は、やぶれるの意味。犬のようにたおれ死ぬの意味を表す。犬の部分が廾に変形した。

逆 悪弊・遺弊・旧弊・語弊・時弊・宿弊・衰弊・積弊・通弊・疲弊・罷弊・余弊

【弊衣】ヘイイ いたみ破れた衣服。敝衣。

【弊屋】ヘイオク 同弊廬。①あばらや。②自分の家の謙称。

【弊害】ヘイガイ よくないこと。害となること。

【弊国(國)】ヘイコク 自分の国の謙称。弊邦。

【弊困】ヘイコン つかれ苦しむ。

【弊事】ヘイジ よくないこと。弊害のある事がら。悪弊。用例〔唐、韓愈、左遷至藍関示姪孫湘詩〕欲下為聖明除中弊事上、肯将衰朽惜残年一 聖明のために弊事を除こうと思ってしたことであるから、老い朽ちたこの身のために、今さら余生を惜しんだりしようか。

【弊風】ヘイフウ 悪い習慣・風習・風俗。弊習。

【弊△邑】ヘイユウ ①貧乏な村や町。②自分の村や町・国の謙称。

【弊履】ヘイリ はき古したはきもの。破れぞうり。ぼろぐつ。

【弊△廬】ヘイロ ＝弊屋。

【乗(乘)レ弊】ヘイにジョウず 弱り目につけこむ。

13【彛】16画 (3364) イ　彑部。→四九四ジ下。

15【彝】18画 (3366) イ　彑部。→四九四ジ下。

弋 3画 しきがまえ(式構)・よく

〔部首解説〕弋を意符として、くい(杙)の意味を含む文字ができているが、例は少ない。

0 弋 四八五　1 弌 四八五　2 弍 四八五　3 弎 四八五　式 四八五　弐 四八五　4 忒 四八五　5 武 五一九　七八五　9 貳 四八五　弒 四八六

0【弋】3画 3292 漢ヨク 呉イキ 職 yì　5521 9C54 ―

字義 ❶くい。地中に打ちこむ棒。＝杙(5220)。❷いぐるみ。鳥をからめ捕るために、矢に糸をつないだもの。また、それで鳥を射る方法。❸とる。㋐狩りをする。㋑奪い取る。❹黒い。

解字 金文 篆文 象形。枝のある木に支柱を添えた形にかたどり、くいの意味を表す。また、この形に似た矢のいぐるみの意味をも表す。弋を音符に含む形声文字に、代・式・弑・拭・熾・職・識・織・試・貸・黛などがある。

【弋射】ヨクシャ いぐるみを使って飛ぶ鳥を射る。

【弋△綈】ヨクテイ 黒色のつむぎ。一説に、厚いつむぎ。

【弋猟(獵)】ヨクリョウ かりをする。かる。また、かり。▼弋は鳥について、猟は獣についていう。

1【弌】4画 3293 イチ　一(1)の古字。→一ジ上。　4801 989F ―

2【弍】5画 3294 ニ　二(118)の古字。→五四ジ上。　4817 98AF ―

3【弎】6画 3295 サン　三(10)の古字。→一三ジ下。　21214 ― 2864

3【式】6画 3296 教3 シキ　漢ショク・呉シキ 職 shì　2816 8EAE ―

筆順 一 二 亍 工 式 式

字義 ❶のり(法)。㋐おきて。きまり。法律。「法式」㋑一定の型。規格。「洋式」「新式」㋒手本。模範。㋓ほどあい。節度。❷のっとる。きまりとして従う。手本とする。❸かがめて敬礼する。特に、車の前方の横木(軾)に手を載せ、上体をかがめて敬礼する。また、その横木。❹もちいる。❺もって(以)。語調を整えたり接続の働きをする語。❻ああ。発語のことば。国シキ。㋐儀式。「卒業式」㋑平安時代、律令の施行細則。

名前 つね・のり・もち　難読 式敷

解字 篆文 形声。工＋弋音。音符の弋は、二本の木を交差させ、安定して立つように考案されたくいの象形。工は、工具の意味。工具のように規則的で、安定した形のくいの意味から、手本とすべきもの、のりの意味を表す。

逆 格式・儀式・形式・公式・制式・複式・仏式・様式・礼式

【式車】ショクシャ 車上の横木に手をかけて礼をする。▼式は、軾、車上で礼をすること。

【式体・式退】シキタイ 同色体・色代。国①挨拶。会釈。②世辞。追従。

【式典】シキテン ①旧法にのっとる。②国儀式。典礼。

【式微】シキビ・ショクビ 王室の非常におとろえること。▼式は、発語の助字。〔詩経、邶風、式微〕

【式部省】シキブショウ 国大宝令の制で官庁の一つ。朝廷の儀式・人事などをつかさどった。

【式目】シキモク 国武家時代、箇条書きにした法律。

【式△閭】ショクリョ 賢人の居住した村の入口の門を通りすぎる時、車の横木に手をかけて礼をする。軾閭。▼式は軾、車上で礼をすること、閭は村里の門。

3【弐】6画 3297 常 ニ　3885 93F3 ―

貝5〖貳〗12画 3298 漢ジ 呉ニ 寘 èr　7640 E6C6 ―

筆順 一 二 三 弐 弐

【貮】11532 俗字

字義 ❶そえる。加える。増す。また、重ねる。並べる。❷そえ。ひかえ。つぎ(次)。❸相手。❹ふたつ。また、ふたたび。二度。❺ふたたびする。くりかえす。用例〔論語、雍也〕不レ遷レ怒、不レ弐レ過。↓やつあたりせず、同じ過ちを二度とくり返さない。❻裏切る。内応する。ふたごころを持つ。また、そむく。「弐心」❼離れる。分かれる。❽かわる(代・変)。❾＝二(118)。↓二の 参考。国すけ。大宰府の次官。

名前 すけ

解字 金文 篆文 形声。もと、戈＋貝＋二音。戈は、ほこの象形。貝は、かいの象形。ほこで貝を二分するさまから、ふたつの意味を表す。

逆 疑弐・副弐・無弐

【弐辞(辭)】(ジジ) 前と違う発言。二言。また、前言をひるがえすこと。

【弐室】(ジシツ) 離宮。副宮。

【弐車】(ジシャ) そえ車。副車。

【弐心】(ジシン) ふたごころ。不忠の心。二心。弐志。弐慮。

【弐臣】(ジシン) ふたごころのある家来。二君に仕える臣下。

4 【忒】 7画 (3481) トク 心部。↓五一九ページ中。

5 【武】 8画 (5992) ブ 止部。↓七八五ページ上。

9 【貳】 12画 (3298) ジ 弐(3297)の旧字体。↓四八五ページ下。

9 【弑】 12画 3299 シ 慣シイ 選shì 5522 9C55

字義 ❶臣が君主を、子が親を殺すこと。用例〔孟子、梁恵王上〕万乗之国、弑二其君一者、必千乗之家。↓兵車万乗を出す国で、その主君を殺すものは、必ず兵車千乗を出すことのできる領地を有する家老だ。❷ころす(殺)。「弑殺」

解字 篆文 形声。柔＋式音。音符の式は、かわるの意味。柔は、殺の字形の一部。目上の人を殺して、それにとってかわるの意味を表す。

【弑逆・弑虐】(シギャク・シイギャク) 臣が君を、子が父を殺すこと。

3画 弓 ゆみ・ゆみへん

〔部首解説〕弓を意符として、いろいろな種類の弓、弓に付属するもの、また、弓に関する動作や状態を表す文字ができている。

0 弓 四八六	弗 四八八	弛 四八八	弦 四八八	弩 四八九	弧 四八九	弱 四九〇	張 四九一	弼 四九二	弸 四九三	彃 四九三	15 彍 四九三
1 引 四八六	3 夷 三五一	4 弞 四八八	弛 四八九	弢 四八九	弭 四八九	弰 四九〇	弴 四九二	粥 一〇九七	10 彀 四九三	12 彈 四九二	16 彏 九七五
弔 四八七	弙 四八八	弟 四八八	弨 四八九	弥 四八九	弯 四九〇	弳 四九〇	弸 四九二	彁 四九二	彀 四九三	13 彊 四九三	19 彎 四九三
弖 四八七	弜 四八八	弝 四八八	弣 四八九	弤 四八九	7 弬 四九〇	8 強 四九〇	弸 四九二	弾 四九二	彅 四九三	彇 四九三	
2 弘 四八七	弜 四八八	5 弡 四八八	弤 四八九	6 弮 四八九	躬 一三八六	弶 四九一	9 强 四九〇	彃 四九三	11 彄 四九三	14 彌 四八九	

0 【弓】 3画 3300 漢キュウ(キウ)・呉クゥ 東 gōng 教2 キュウ ゆみ 2161 8B7C

筆順 ㇖ ㇕ 弓

字義 ❶ゆみ。矢を飛ばす器具。また、弓を射る術。弓術。「弓箭」❷ゆみなり。弓の形をしている。また、そのもの。「弓腰」❸弓の的までの距離の単位。六尺。二足。約一・三五センチメートル。また、土地を測る長さの単位。

名前 ゆ・ゆげ・ゆみ

難読 弓懸(ゆがけ)・弓削(ゆげ)・弓手(ゆんで)・弓場(ゆば)・弓納持(ゆなもち)

解字 甲骨文 金文 篆文 象形。ゆみの象形で、ゆみの意味を表す。弓を音符に含む形声文字に、穹(キュウ)がある。

逆 鼓弓・天弓・半弓

【弓衣】(キュウイ) 弓を入れる袋。弓ぶくろ。

【弓△繳】(キュウシャク) 矢に糸をつけた鳥を射る具。いぐるみ。

【弓手】(キュウシュ) 一 弓を射る役目の人。射手。二 (ゆんで) 国弓を持つ方の手。左手。↕馬手(めて)(一五八三ページ下)。

【弓人】(キュウジン) ①周代の官名。弓を作ることをつかさどる。②弓を作る人。弓工。弓師。弓匠。

【弓勢】一 (キュウセイ) ①弓のような形。弓なり。②弓のいきおい。二 (ゆんぜい) 国弓を引きしぼる力。

【弓折矢尽(盡)】(ゆみおれやつく) 武器がすっかりなくなること。戦いで力が尽きはてたたとえ。刀折矢尽。〔景徳伝灯録〕

【弓△箭】(キュウセン) ①弓と矢。弓矢。また、武器一般。用例〔唐、杜甫、兵車行〕車轔轔、馬蕭蕭、行人弓箭各在レ腰。↓車はがらがらと音をたてて進み、馬はひーんと悲しげに鳴き声をあげてゆく。出征してゆく兵士たちは、弓と矢を、それぞれ腰につけている。②国戦争。

【弓△弩】(キュウド) 普通の弓といしゆみ。また、弓一般。

【弓馬】(キュウバ) ①弓と馬。②弓術と馬術。③武芸。また、武芸者。「弓馬の士(武士)」

【弓△弭】(ゆはず) 国弓の両端の弦をかける所。

【弓腰】(キュウヨウ) ①弓のように曲がった(しなやかに曲がる)腰。②舞うときの腰のかまえ。

1 【引】 4画 3301 一 イン 軫 yǐn 二 イン 震 教2 イン ひ-く・ひ-ける 1690 88F8

筆順 ㇖ ㇕ 弓 引

字義 一 ❶ひ-く。㋐弓を引く。用例〔孟子、尽心上〕君子引而不レ発。↓君子(が人を教えみちびく態度)は弓を引き絞って矢を放つ直前のよう(な気迫があるもの)である。㋑ひっぱる。ぴんと張ってまっすぐにする。また、ひきずる。「牽引」「曳引」㋒ひきよせる。近づける。転じて、手に取る。持つ。用例〔戦国策、斉〕一人蛇先成、引レ酒且レ飲レ之。↓一人の者が真っ先に蛇の絵を描き上げ、酒を引き寄せて今にも飲もうとした。㋓ひきいれる。ひきこむ。招く。誘う。導きいれる。用例〔資治通鑑、唐紀〕毎レ得二降卒一、必親引問二委曲一。↓降伏してくる兵を得るたびに必ずみずから呼んで(敵情の)事細かなことまでたずねた。／〔史記、楚元王世家〕引レ水灌二趙城一。↓水を引いて趙の町を水浸しにして攻めた。㋔ひきぬく。抜き出す。「援引」「引用」㋕ひきあげる。抜擢する。また、ひきたてる。ひいきにする。推薦する。応援する。用例〔後漢書、王符伝〕世務游宦、当塗者更相薦引。↓時務・人事については、要路におり権力を握っている者たちが互いに推薦し引き立てあっている。㋖ひきつれる。ひきいる。用例〔史記、項羽本紀〕項羽悉引レ兵撃二秦軍汙水上一、大破レ之。↓項羽は全軍を率いて秦軍を汙水のほとりで攻撃し、大いに破った。㋗ひきつらなる。たなびく。㋘ひきのばす。長くする。また、広げる。用例〈左伝、成公十三〉我君景公引レ領西望（わがきみケイコウくびをひきてセイボウす）。↓我が君の成公は頸を伸ばして西方を望んだ。㋙ひきうける。負う。承知する。用例〈三国志、呉志、呉主伝〉権引レ咎責レ躬（ケンとがをひきてみずからをせむ）。↓孫権は過ちを認めて自分自身を責めた。㋚身をひく。避ける。しりぞく。また、しりぞける。「引退」㋛自殺する。「自引」㋜線引きする。区別する。境界を定める。❷進む。出発する。❸あらそう。「引争」❹歌。楽府の一種。「箜篌引」「霹靂引」❺文体の名。序文の類い。❻長さの単位。十丈。❼さつ。紙幣。また、てがた、許可証の類い。「鈔引（紙幣）」「路引（通行手形）」「塩引」

㊁❶ひつぎを引く綱。柩綱。❷たづな。❸ふし。楽曲。曲引。

国❶ひ-く。㋐へらす。㋑楽器などをならす。㋒えがく。「線を引く」❷ひき。㋐ひいき。ひきたて。㋑つて。縁故。❸ひ-ける。㋐退勤する。「会社は五時に引ける」㋑消極的になる。「気が引ける」

名前 のぶ・ひき・ひさ　難読 引佐（いなさ）・引田（ひきた・ひけた）

使いわけ ひく〔引・弾〕
〔弾〕楽器に関する場合。「ピアノを弾く」
〔引〕前述の〔弾〕の意以外で、広く一般に用いる。「線を引く・手を引く・辞書を引く・熱が引く」

解字 篆文 指事。弓に｜を添え、ひいて張り伸ばした弓を示し、ひくの意味を表す。引を音符に含む形声文字に、蚓・靷などがある。
逆 延引・援引・吸引・強引・拘引・索引・承引・招引・導引・誘引

【引△咎】（インキュウ）＝引責。

【引拠（據）】（インキョ）ひいてよりどころとする。また、引用した事がら。

【引決・引△訣】（インケツ）責任をとって自殺する。

【引見】（インケン）ひき入れて対面する。呼びよせて面会する。

【引証（證）】（インショウ）証拠をひく。また、ひかれた証拠。

【引伸】（インシン）①ひき伸ばす。②応用する。③漢字をもとの意味から転化させて別の意味に用いること。

【引責】（インセキ）責めを負う。責任をひき受ける。「引責辞任」

【引接】㊀（インセツ）ひき入れて面会する。㊁（インジョウ）仏阿弥陀如来が迎えに来て衆生を極楽へ導くこと。

【引退】（インタイ）①ひきしりぞく。仕事・地位をしりぞいてやめる。致仕。②隠居する。

【引致】（インチ）①（ひき）よせる。招く。②ひっ立てる。拘引する。

【引導】（インドウ）①みちびく。案内をする。また、手引き。②仏㋐衆生を導いて善道に入らせること。㋑葬式の時、僧が死者に対して極楽往生の法を説くこと。「引導を渡す（最後の決定を申し渡す）」

【引得】（イントク）索引。英語のindexの音訳。

【引年】（インネン）①家ごとに年齢を調べること。一説に、年齢の多い者ほど恩賜を厚くする意。②寿命をのばす。

【引避】（インピ）①退きさける。②引退する。

【引分】㊀（インブン）①責任をとって自殺する。引決。②咎をひきうけ、分に従う。㊁（ひきわけ）国勝負の決着がつかないこと。

【引満（滿）】（インマン）①いっぱいに弓をひきしぼる。②なみなみと酒を盛る。また、いっぱいに酒を満たした杯を手にして飲む。

【引喩】（インユ）先人の言や故事・ことわざをひいて、自分の意見を表現・証明すること。また、その修辞法。

【引用】（インヨウ）①（人を）取りたてて用いる。②根拠とするために、他人の説や事例などをひいて用いること。

【引領】（インリョウ）①＝引レ領（リョウをひく）（一五六八ジ下）。②ひきつれる。案内する。

1【弔】4画 3302 常 チョウ とむら-う　チョウ（テウ）　嘯 diào　3604 92A2 ―

筆順 ㇕ ㇕ 弓 弔

字義 ❶とむら-う（とむらふ）。とぶら-う（とぶらふ）。㋐死者の霊を慰める。くやみを言う。「弔問」「弔電」㋑死者の家を訪れて遺族を慰める。「哀弔」㋒みまう。安否をたずねる。❷いたむ。なげく。❸あわれむ。❹つる。また、つるす。❺よい。また、よしとする。

参考 日本では、「つるす」意には俗字の〔吊〕（1340）を用いる。

解字 甲骨文 篆文 会意。篆文では、人＋弓。弓は甲骨文では、へびの象形とも、いぐるみの象形とも考えられ、死者の霊をなぐさめるための物の象形。いたむの意味を表す。
逆 慶弔・敬弔・追弔

【弔意】（チョウイ）人の死を悲しみいたむ心。哀悼の心。

【弔慰】（チョウイ）死者をとむらい、遺族をなぐさめる。

【弔影】（チョウエイ）自分と自分の影とがなぐさめあうこと。孤独でたよりないさま。形影相弔（ケイエイあい（ひ）とむらう（ふ））。

【弔祭】（チョウサイ）死者の霊をとむらいまつること。

【弔死】（チョウシ）①人の死をとむらう。②くびをくくって自殺する。▼弔は、つりさがる。

【弔使】（チョウシ）くやみの使い。弔問使。

【弔△祠】（チョウシ）死者をとむらいその霊をまつること。

【弔詞】（チョウシ）＝弔辞。

【弔辞（辭）】（チョウジ）人の死をいたみ悲しんで述べることば。

【弔△恤】（チョウジュツ）とむらいあわれむ。

【弔悼】（チョウトウ）とむらいいたむ（悲しむ）。

【弔△賻】（チョウフ）死者をとむらうために金品をおくること。また、その金品。香奠（コウデン）。

【弔勉】（チョウベン）なぐさめはげます。

【弔問】（チョウモン）①死者の家を訪問してくやみを言うこと。②死者をとむらい、病人を見舞うこと。

【弔臨】（チョウリン）死者の家に行ってとむらうこと。

1【弖】4画 3303 国字　5523 9C56 ―

字義 て。氐（テイ）の異体といわれる。日本で、昔、助詞の「て」として借用した。「弖爾乎波（てにをは）」は、助詞をいう。

2【弘】5画 3304 人 漢コウ 呉グ 蒸 hōng　2516 8D4F ―

筆順 ㇕ ㇕ 弓 弘 弘

字義 ❶ひろ-い（ひろし）。「弘大」❷ひろ-める（ひろむ）。ひろまる。❸おおきい。

名前 お・こう・ひろ・ひろし・ひろむ・みつ・ゆき　難読 弘徽殿（こきでん）・弘誓（ぐぜい）・弘前（ひろさき）

参考 現代表記では〔広〕（3175）に書きかえることがある。「弘報→広報」

解字 甲骨文 篆文 形声。弓＋厶音。音符の厶（コウ）は、宏に通じ、ひろいの意味。また、弓を強くはじいたときの擬声語。弓の音響がひろまるの意味を表す。甲骨文では、弓の一点に力を加えることを示す指事文字。

【弘遠】（コウエン）①広く遠い。②広い。大きい。

【弘△毅】（コウキ）度量が広くて、意志が強固なこと。用例〈論語、泰伯〉士不レ可三以不二弘毅一（シはもってコウキならざるべからず）。↓道に志す者は心が大きく強くなければならない。

【弘済（濟）】（コウサイ・コウセイ）広く人々を助けすくう。

【弘△敞】（コウショウ）①大きく高いさま。②広々としたさま。

【弘誓】（グゼイ）仏広大な誓願。仏が広く衆生（シュジョウ）を救済しようとする誓い。

【弘通】グツウ・グズウ 仏仏法を広く世に広める。また、仏法が広く世に行われる。
【弘道】コウドウ 人としての道を広める。用例〔論語、衛霊公〕人能弘レ道、非二道弘一レ人也。↓人が道というものを大きくしていけるのであって、道というものが人を大きくするのではない。
【弘道館】コウドウカン 国水戸藩の藩校。藩主徳川斉昭が、天保九年(一八三八)に水戸城内に創設した。
【弘布】グフ 仏教えを広める。広めゆきわたらせる。
【弘文】コウブン 学問を広める。
【弘文館】コウブンカン ①唐の高祖の武徳四年(六二一)に設けた官署。初めは、修文館といった。門下省に属し、学士・学生・校書郎をおき、典礼・図書をつかさどった。②国江戸時代、寛永七年(一六三〇)に林羅山が上野の忍が岡に建てた学校。昌平坂学問所の前身。
【弘法】一グホウ 仏①仏法を広める。②広大な仏法。二コウボウ 国僧空海の諡。弘法大師。→空海(一〇六〇ページ下)。
【弘烈】コウレツ 大きな事業。▼烈は、事業。

2
【弗】5画 3305 漢フツ 呉フチ 物 fú 4206 95A4 —

字義 助ず。⇩助字・句法解説。❶もとる。正しくない。❷はらう。除く。国ドル。弗の字形が、アメリカの貨幣単位dollarの記号$に似ているので、ドルの意に借用した。

助字・句法解説
ず。否定。訳…しない。…でない。類不。動詞や形容詞などの前に置かれ、動作・状態などを否定する。
用例〔孟子、告子上〕舎二其路一而弗レ由、放二其心一而不レ知レ求。↓その正道を捨ててしまってより従わず、その本心を逃がしてしまって捜し求めることをしない。

解字 甲骨文 篆文 象形。からまるひもを二本の棒で、ふりはらうさまから、はらう・のぞきさるの意味を表す。借りて、打消の助字に用いられる。弗を音符に含む形声文字に、佛ッ・拂(払)・費などがある。

3
【夷】6画 (2252) イ 大部。→三五一ページ下。

3
【弙】6画 3306 漢オ(ヲ) 呉ウ 虞 wū — — 2865

字義 ❶弓を引き絞って狙う。❷指図する。❸持つ。
解字 形声。弓+于(亏)音。音符の亏ゥは、丸く曲がるの意味。

3
【弜】6画 3307 漢キョウ(キャウ) 呉ゴウ(ガウ) 養 jiàng 2 1215 — 2866

字義 ❶つよい。❷弜頭虎子キョウトウコシは、西南の異民族の名。
解字 会意。弓+弓。

3
【帇】6画 3308 キン 震 jìn 2 1216 — —

字義 ゆはず。弓の両端の弦をかける部分。
解字 形声。弓+巾音。

3
【弛】6画 3309 人 標 一シ 紙 chǐ, shǐ 二チ 紙 3548 926F —

筆順 ㇆ ㇆ 弓 弓⺈ 弛 弛

【㢮】3315 同字

字義 一❶ゆる-める。ゆる-む。たる-む。たゆ-む。㋐解く。はずす。弓の弦をはずしてゆるくする。㋑やわらげる。おだやかにする。寛大に扱う。㋒いこう(息)。休む。㋓なまける。おこたる。㋔すたれる。おとろえる。❷手ばなす。捨てる。❸やぶれる。こわれる。また、こわす。二おちる(落)。おとす。

解字 篆文 形声。弓+也音。音符の也ャは、ひさげの意味。ひさげいっぱいの水が、たれ流れるように、弓のつるがたるむの意味を表す。

【弛緩】シカン ゆるむ。たるむ。チカンは誤読による慣用読み。
【弛縦(縱)】シショウ ①ゆるんでしまりがない。②ほしいまま。自由自在。
【弛然】シゼン 気のゆるむさま。のんびりするさま。用例〔唐、柳宗元、捕レ蛇者説〕吾恂恂而起、視二其缶一、而吾蛇尚存、則弛然而臥。↓私は、びくびくしながら起き上がり、ほとぎの中をよく見て、私の蛇が無事に生きていれば、安心してほっと気がゆるみ、寝床に横になります。
【弛張】シチョウ ゆるむことと、はること。ゆるやかにすることと、厳しくすること。また、ゆるんだりはったりすること。
【弛廃(廢)】シハイ ゆるみすたれる。行われなくなる。
【弛△紊】シブン・シビン ゆるみ乱れる。

4
【弞】7画 3310 シン 軫 shěn 2 1217 — —

字義 わらう。ほほえむ。
解字 形声。欠+弓(引省)音。

4
【弟】7画 3311 教2 テイ・ダイ・デ おとうと 3679 92ED —

漢テイ・呉ダイ 慣デ 薺 霽 dì, ⑤tì

筆順 丶 ㇒ 当 当 肖 弟 弟

字義 ❶おとうと。「兄弟」というときは「いもうと」の意にも用いる。❷年下の人。また、力の劣る方の人。「兄たり難く弟たり難し」❸でし。門人。「師弟」❹自分の謙称。「小弟」❺したがう。すなおに従う。特に、弟が兄に、年少者が年長者に仕える道。=悌(3739)。❻順序。次第。=第(8706)。❼た-だ(但)。語調をととのえたり、限定の意を示したりする語。

名前 おと・くに・ちか・つぎ・ふと 難読 弟子屈てしかが

解字 金文 篆文 象形。ほこ(弋)になめし皮を順序よく、らせん形に巻きつけたさまにかたどり、順序・次第の意味を表す。また、出生の順序の低い方、おとうとの意味をも表す。

逆 兄弟・賢弟・孝弟・高弟・昆弟・子弟・師弟・舎弟・小弟・庶弟・女弟・仁弟・大弟・長弟・徒弟・不弟・母弟

【弟兄】テイケイ ①兄弟。②他人を親しんでいう語。
【弟昆】テイコン =弟兄。
【弟子】一テイシ・デシ でし。師について学ぶ人。師を父兄になぞらえていう。門人。二テイシ 弟であり子である人。年少者。用例〔論語、学而〕弟子入則孝、出則弟。↓人の子弟たる者は、家庭内にあっては孝を尽くし、外に出ては年長者に従うものだ。三おとご 国末子。
【弟弟】テイテイ 弟は弟としての道を尽くす。

4
【弝】7画 3312 ハ 禡 bà 1 8420 — 2867

字義 ❶ゆづか(弓束)。弓の中央部の手でにぎるところ。❷つか。刀剣のつか。

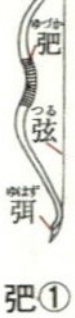

弝①

解字 形声。弓+巴音。音符の巴ハは、手のひらをぺったりつけるの意味。弓のにぎりの意味を表す。

5
【弡】8画 3313 一漢クツ・呉グチ 物 jué 二チョウ(チャウ) 陽 zhāng — ED9B 2868

字義 一強く勇ましい。二張(3336)の古字。
解字 会意。弓+巨。大きい弓の意味から、つよいの意味を表す。

5
【弦】8画 3314 常 ゲン つる 漢ケン・呉ゲン 先 xián 2425 8CB7 —

筆順 ㄱ コ 弓 弓 弘 弘 弦 弦

字義 ❶つる。弓のつる。❷弓張り月。弓なりの月。弦月。❸楽器の糸。また、糸を張った楽器。弦楽器。＝絃(9106)。

名前 いと・お・げん・つる・ふさ

参考 現代表記では〔絃〕(9106)の書きかえに用いる。「管絃楽→管弦楽」「絃歌→弦歌」

解字 篆文 形声。弓＋玄㊍。音符の玄は、両端が引っ張られた糸の象形。ゆみづるの意味を表す。

逆 管弦・絶弦・断弦・鳴弦

【弦影】(ゲンエイ) 弓張り月。また、その光・姿。

【弦歌】(ゲンカ) 弦楽器にあわせて歌うこと。また、弦楽器で奏する音楽と歌声。絃歌(ゲンカ)。

【弦月】(ゲンゲツ) 弓張り月。弓なりの月。上弦・下弦の月。

【弦索】(ゲンサク) 同 絃索(ゲンサク)。①楽器の糸。②弦楽器。

【弦△誦】(ゲンショウ) ①＝弦歌。②琴などをひくことと本を読むこと。音楽と読書。絃誦(ゲンショウ)。

【応(應)レ弦△而倒】(ゲンにオウじてたお(ふ)る) 弓のつるの音がしたと思うとすぐ(敵が)倒れる。弓勢の強いこと。また、射術のたくみなこと。〔史記、李将軍伝〕

5【㢮】8画 3315 シ 弛(3309)と同字。→四八八ページ中。

5【弨】8画 3316 ショウ(セウ) 䔯 chāo —/—/2872
字義 弓がそりかえる。また、そのさま。
解字 形声。弓＋召㊍。

5【弞】8画 3317 シン 矧(8116)の本字。→一〇一八ページ上。 2 8221/—/4737

5【弤】8画 3318 漢テイ 呉タイ 薺 dǐ —/—/2871
字義 ゆみ。朱のうるしで塗った弓。
解字 形声。弓＋氐㊍。

5【弩】8画 3319 漢ド 呉ヌ 麌 nǔ 5524/9C57/—
字義 いしゆみ。おおゆみ。ばねじかけで矢や石を発射する大きくて力の強い弓。
解字 篆文 形声。弓＋奴㊍。音符の奴は、しなやかで弾力があるの意味。ばねじかけの石弓の意味を表す。

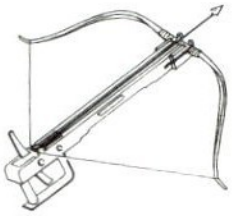
弩

5【弢】8画 3320 トウ(タウ) 豪 tāo —/—/2869
字義 ❶ゆぶくろ(弓袋)。❷えびら。矢を入れる具。❸はたぶくろ。❹つつむ。
解字 形声。弓＋叏㊍。

5【弥】8画 3321 常 や 熟字訓 弥生(やよい) 4479/96ED/—
14【彌】17画 3322 人 漢ビ 呉ミ 支 mí 5529/9C5C/—
【镾】12958 本字

筆順 ㄱ コ 弓 弓 弥 弥 弥 弥

字義 ❶ひさ-しい(久)。また、遠い。❷あまね-し(遍)。❸わた-る。ゆきわたる。㋐続いている。㋑経る。月日を重ねる。㋒一面におおう。また、みなぎる。満ちる。「弥漫」❹大きい。❺きわめて。きわめる。❻終わる。終える。❼つくろう(繕)。ぬう(縫)。❽いよいよ。ますます。用例〔老子、五十七〕天下多二忌諱一、而民弥貧(テンカキキおおくして、たみいよいよまずし(ほ))ほど、人民はどんどん貧しくなっていく。⇩この世の中に、禁止事項が多くなるほど。国いや。や。「いよいよ」の意。「弥栄(いやさか)」

名前 いや・いよ・ひさ・ひさし・ひろ・ます・まね・み・みつ・や・やす・よし・わたり・わたる

難読 弥栄(いやさか・やさか)・弥山(みせん)

解字 金文 篆文 会意。金文は、弓＋日＋爾。弓は、ゆみの象形。日は、太陽の象形。爾は、はなやかに咲きほこる花の象形。時間的にも空間的にも、のびやかに満ちわたるの意味を表す。篆文は、長＋爾、のち、弓＋爾となり、爾はまた、省略体の尓となった。

【弥栄(榮)】(いやさか) 国いよいよ栄える。いよいよ栄えるようにと祈る意に用いられる。万歳と同意。

【弥久】(ビキュウ) 久しきにわたる。長い時を経る。長びく。

【弥月】(ビゲツ) ①月をわたる。㋐幾月も幾月も。月を重ねる。㋑翌月にまたがる。②その月を終わる。

【弥△曠】(ビコウ) 月日をむなしくすごす。

【弥△撒】(ミサ) ラテン語missaの音訳。カトリック教会の最も重要な儀式の名。聖餐(セイサン)式。

【弥子△瑕】(ビシカ) 春秋時代、衛の霊公に愛された臣。

【弥日】(ビジツ) 日数を重ねる。幾日も幾日も。

【弥生】(やよい(ひ)) 国陰暦三月の別名。

【弥△陀】(ミダ) 仏阿弥陀仏(アミダブツ)の略。「弥陀の名号(ミョウゴウ)」→阿弥陀(一五〇八ページ上)。

【弥天】(ビテン) ①空一面に満ちる。②志が高遠で、徳の大きいことのたとえ。

【弥縫】(ビホウ) ①つくろい縫う。②(欠点・失敗などを)一時的にとりつくろう。「弥縫策」

【弥望】(ビボウ) ①広く見渡す。②見渡す限り、広々としたながめ。

【弥漫】(ビマン) ①一面に広がる。はびこる。②大水のみなぎっていること。

【弥留】(ビリュウ) 病気の重いこと。病気が長びく。

【弥歴(歷)】(ビレキ) 月日が経過する。月日がたつ。

【弥△勒】(ミロク) 仏梵語(ボンゴ) Maitreya の音訳。慈氏と訳す。遠い未来にこの世に現れ衆生(シュジョウ)を教化救済するという仏。弥勒菩薩(ボサツ)。弥勒仏。慈尊。

5【弣】8画 3323 フ 麌 fǔ 1 8421/—/2870
字義 ゆづか。弓の握り。弓の中央部の手で握る部分。
解字 形声。弓＋付㊍。

6【弮】9画 3324 ㊀ケン 先 quān ㊁ケン 霰 juàn —/—/2875
字義 ㊀いしゆみ。㊁❶＝㊀。❷曲がる。❸巻き。
解字 形声。弓＋关(𢍏)㊍。

6【弧】9画 3325 常 コ ㊀漢コ・呉ゴ 虞 hú ㊁漢オ(ヲ)・呉ウ 虞 wū 2444/8CCA/—

筆順 ㄱ コ 弓 弓 弧 弧 弧 弧

字義 ㊀❶ゆみ。木の弓。また、強い弓。「桑弧蓬矢(ソウコホウシ)」❷弓なりに曲がった線や物。「括弧」㊁まがる。ゆがむ。
解字 篆文 形声。弓＋瓜㊍。音符の瓜(カ)は、まがるの意味。弓のようにまがるの意味を表す。

逆 括弧・懸弧

【弧矢】(シコ) ①木で作った弓矢。②星の名。

6【弭】9画 3326 漢ビ 呉ミ 紙 mǐ 5525/9C58/—
字義 ❶角弓(つのゆみ)。両端を骨や角でかざった弓。❷ゆはず(弓筈)。弓の両端の弦をかけるところ。❸や-める。とめる。❹やすめる。安んずる。❺わすれる。「弭忘(ビボウ)」❻たれる(垂)。「弭兵」

難読 弭田(はった)

解字 金文 篆文 会意。弓＋耳。弓の耳の意味で、弓の両端の弦をかける部分、ゆはずの意味を表す。転じて、やめるの意味を表す。

【弭息】(ビソク) やめる。とまる。また、とめる。やめさせる。

【弭兵】(ビヘイ) 戦いをやめる。

【弭忘】わすれる。

6【弯】9画 3327 ワン 彎(3354)の簡易慣用字体。→四九三ページ下。 5531 9C5E —

7【弬】10画 3328 イ 因 yí 字義 弓の名。解字 形声。弓＋匝音。 — — 2874

7【躬】10画 (11840) キュウ 身部。→一三八六ページ下。

7【弱】10画 3329 教2 ジャク よわ-い・よわ-る・よわ-まる・よわ-める 2869 8EE3 —

7〖弱〗10画 3330 漢ジャク 呉ニャク 薬 ruò

筆順 ㇆ ㇇ 弓 弓 弓 弓 弓 弱 弱

[弱]3340 本字

字義 ❶よわ-い。力が少ない。また、勢いがない。↕強(3333)。㋐力が弱い。用例〔左伝、襄公十一〕楚弱二於晋一。↓楚は晋より国力が弱い。㋑弱々しい。か細い。健康でない。用例〔史記、貨殖伝〕妻子軟弱。↓妻子は弱々しい。㋒やわらか。しなやか。用例〔淮南子、原道訓〕得レ道者、志弱而事強。↓道を体得した者は、志は柔軟で事を行うには力強い。❷よわ-まる。よわ-める。よわ-る。㋐おとろえる。勢いや力がなくなる。用例〔後漢、張衡、西京賦〕秦拠レ雍而彊、周即レ予而弱。↓秦は肥沃な雍州に拠ったので強大になり、周は土地のやせた予州にあったので国が衰えた。㋑力をなくさせる。勢いをそぐ。用例〔管子、小匡〕夷吾受レ之、則魯能弱レ斉矣。↓夷吾が(魯の政務を任せられることを)受諾すれば、魯は斉の勢いをそぐことができるだろう。㋒やぶれる。負ける。用例〔西晋、陸機、演連珠〕千乗之勢、弱二於陽門之哭一。↓大国の勢いも、衛兵の死を哭した大臣にくじかれた。❸よわ-いとする。あなどる。軽んじる。用例〔左伝、昭公四〕斉慶封弑二其君一、弱二其孤一。↓斉の慶封は君主を殺し、残された幼君を軽んじた。❹わか-い。幼い。また、子供。用例〔史記、五帝本紀〕生而神霊、弱而能言。↓(黄帝は)生まれながらにして神のような霊妙な働きがあり、幼い頃から話すことができた。❺二十歳。はたち。また、一般に若い男子。用例〔礼記、曲礼上〕二十曰レ弱、冠。↓二十歳を弱といい、冠をつける。❻足りないこと。端数を切り上げた数にそえていう語。

難読 弱竹

参考 日本で、年がわかいの意味に〔若〕(9871)の字を用いるのは、弱と若とが同音であることからきたもの。漢文では、弱を用いる。

解字 篆文 会意。㢴＋㢴。㢴は、また、弓＋彡。弓は、たわむゆみの象形。彡は、なよやかな毛の象形。よわい・たわむの意味を表す。また、柔軟性に富む二十歳・若者の意味も表す。

逆 虚弱・孤弱・柔弱・衰弱・繊弱・堕弱・惰弱・軟弱・薄弱・卑弱・微弱・貧弱・文弱・幼弱・老弱

【弱冠】男子の二十歳の称。男子は二十歳(弱)で元服する(冠をかぶる)からいう。→字義❺。⇩コラム 年齢の別称(四六六ページ)。
【弱行】①足の不自由なこと。②国実行力の弱い、また、勇気のないこと。「薄志弱行」
【弱子】おさな子。年わかい子供。稚子。用例〔列子、湯問〕不レ若二孀妻弱子一。↓あの未亡人の所の幼子にも及ばない。
【弱志】①意志の弱いこと。また、弱い意志。②心がすなおで欲の少ないこと。
【弱小】①弱くて小さい。②おさない。年少。
【弱卒】弱い兵士。「勇将の下に弱卒なし」
【弱点(點)】①おとっている所。欠点。②よわみ。後ろめたい所。
【弱肉強食】弱者の肉は強者の食物。強大なものが弱小なものを侵し、しいたげること。優勝劣敗。
【弱年】年若い人。また、二十歳をいう。弱齢。
【弱輩】同若輩。国①年若い連中。また、年若い人。②修養の足りない未熟者。→若輩(一二〇三ページ中)。
【弱柳】①なよやかなやなぎ。②やなぎの若い枝。③妓女。

7【弰】10画 3331 漢ソウ(サウ) 呉ショウ(セウ) 肴 shāo — — 2876

字義 ❶弓筈。弓の両端部。❷つがえる。

解字 形声。弓＋肖音。音符の肖は、梢などに通じ、先端の意味。

7【弫】10画 3332 シン 軫 zhěn — — 2873

字義 弓が強い。

解字 形声。弓＋臣音。

8【強】11画 3333 教2 キョウ・ゴウ つよ-い・つよ-まる・つよ-める・し-いる 2215 8BAD —

9〖强〗12画 3334 一 漢キョウ(キャウ) 呉ゴウ(ガウ) 陽 qiáng 二 漢キョウ(キャウ) 呉ゴウ(ガウ) 養 qiǎng 三 漢キョウ(キャウ) 呉ゴウ(ガウ) 漾 jiàng

筆順 ㇆ ㇇ 弓 弘 弘 弥 弥 強 強

字義 一 ❶つよ-い。したた-か。＝彊(3351)。↕弱(3329)。㋐力がある。また、大きい。さかん。用例〔孟子、梁恵王下〕天下固畏二斉之強一也。↓天下の諸侯はもちろん斉国の強大なことを恐れているのである。㋑丈夫である。すこやか。用例〔荀子、勧学〕蚯蚓無二爪牙之利、筋骨之強一。↓みみずには爪とか牙とかいうような鋭利な道具も、頑丈な筋肉も骨格もない。㋒かたい(堅)。用例〔戦国策、斉〕謝レ病強辞。↓病気にかこつけてかたく辞退した。㋓はげしい。荒々しい。❷つよ-まる。つよ-める。強くなる。強くする。用例〔韓非子、姦劫弑臣〕商君之所三以強二秦也。↓商君が秦の国を強くできた理由なのである。❸四十歳。気力・活動力のさかんな年齢。対して二十歳を弱という。❹余りがあること。端数を切り捨てた数にそえていう語。用例〔木蘭詩〕策勲十二転、賞賜百千強。↓勲位は十二階級をのぼり、賞与は百千余の多くを賜わった。

二 ❶つと-める。努力する。用例〔礼記、学記〕知レ困、然後能自強也。↓学問が劣っていることに悩んで、はじめて学問にはげむようになる。❷すす-める(勧)。うながす。用例〔周礼、地官、司諫〕正二其行一、而強二之道芸一。↓行動を正しくして、道徳と学芸を勧める。❸し-いる。し-いて。無理強いする。無理に。用例〔後漢書、竇融伝〕遣二中常侍・中謁者一即二其臥内一強進二酒食一。↓中常侍と中謁者をつかわして寝室にはべらせ無理に酒や食べ物をすすめさせた。

三かたくな。頑固。人にしたがわない。

国❶あながち。必ずしも。❷こわい。こはし。水分が少なくてかたい。

名前 あつ・かつ・きょう・ご・こわ・すね・たけ・つとむ・つよ・つよし 難読 強請（ゆすり）・強羅（ごうら）

参考 現代表記では〔羫〕（13327）の書きかえに用いることがある。「羫固→強固」

解字 篆文 形声。虫＋彊省㊥。音符の彊（キョウ）は、つよい・かたいの意味。かたいからをした虫、こくぞう虫の意味を表したが、のち、彊の意味に用いる。

逆 頑強・屈強・堅強・豪強・精強・富強・勉強・補強・列強

【強引】（キョウイン）つよく引く。（ゴウイン）国①相撲で、つよく引き寄せること。②むりやりに行うこと。むりおし。

【強姦】（ゴウカン）暴力で女性をおかすこと。暴行。

【強悍】（キョウカン）つよく荒々しい。

【強諫】（キョウカン）つよくいさめる。彊諫（キョウカン）。

【強顔】（キョウガン）①つらの皮の厚いこと。あつかましいこと。②国情け心のないこと。つれないこと。

【強記】（キョウキ）記憶力がよい。もの覚えのよいこと。強識（キョウシキ）。「博覧強記」

【強禦・強圉】（キョウギョ）①武力のすぐれていること。多力。②権力や暴力がつよくて善をこばみ退けること。

【強固】（キョウコ）つよくかたい。しっかりしていること。彊固（キョウコ）。

【強行】（キョウコウ）おしきって行う。むりに行う。

【強硬・強梗・強鯁】（キョウコウ）①従順でない。片意地。②つよくて屈しない。てごわい。

【強項】（キョウコウ）剛直なこと。たやすく頭をさげないこと。つよい項（うなじ）（くび）の意。

【強仕】（キョウシ）①四十歳で初めて官に仕える。②四十歳。

【強死】（キョウシ）非業（ゴウ）の死。

【強志】（キョウシ）ものおぼえがよいこと。強記。強識。

【強襲】（キョウシュウ）①むりやりに攻撃を行うこと。②つよい勢いでおそうこと。

【強恕】（キョウジョ）つとめて自分の心を基に推量して人に施すこと。努力して恕の道を行うこと。

【強靭】（キョウジン）やわらかで粘りづよいこと。弾力性があってつよいこと。

【強制】（キョウセイ）①無理じいする。②国法律の力で人の意志・行為の自由をうばうこと。「強制送還」

【強請】（キョウセイ・ゴウセイ）①むりにたのむ。②ゆする。

【強訴】（ゴウソ）（為政者に対し徒党を組んで）強引にうったえること。

【強壮（壯）】（キョウソウ）①つよくさかん。②健康でつよい。③三、四十歳のころ。四十歳を強、三十歳を壮というとする、『礼記』曲礼上の文に基づく。⇩コラム年齢の別称（四六六ジー）。

【強奪】（キョウダツ・ゴウダツ）むりに奪い取ること。

【強調】（キョウチョウ）調子をつよめる。また、つよく主張する。

【強弩之末勢】（キョウドノマッセイ）つよい大弓から発せられた矢の、今にも地上に落ちようとする時のいきおい。力のおとろえたことのたとえ。英雄も衰えては何事もなし得ないということのたとえ。▼強は、彊とも書く。用例〔三国志、蜀志、諸葛亮伝〕強弩之末勢、不レ能レ穿ニ魯縞一（キョウドのマッセイも、ロコウをうがつあたわ（は）ず）。

⇩強い大弓で射た矢でも、最後には力が弱くなってしまい、薄絹を貫くこともできなくなってしまう。

【強盗】（ゴウトウ）凶器・暴力などを用いて金品を奪い取る人。おしいり。おしこみ。

【強忍】（キョウニン）忍び難いのを無理に忍ぶこと。

【強迫】（キョウハク）①無理じいする。つよくせまる。②法律用語で、相手に害悪を加えることを予告して恐怖心をおこさせること。おどし。→脅迫（六九五ジー下）。

【強半】（キョウハン）半分以上。大半。過半。

【強飯】（一キョウハン）努力して食物を多くたべること。身体を大切にする意。（二ゴウハン・こわめし）国もち米を蒸籠（セイロウ）でむしたもの。おこわ。

【強兵】（キョウヘイ）①強大な兵力。②兵をつよくする。軍隊・軍備を強化すること。「富国強兵」

【強弁（辯）】（キョウベン）①さかんな弁論。②どこまでも主張する。③しいて議論を立てる。こじつけの言いわけ。むりな弁解。

【強勉】（キョウベン）努め励む。勉強。

【強暴】（キョウボウ）つよく荒々しい。

【強要】（キョウヨウ）むりに要求する。むりじい。

【強欲・強慾】（ゴウヨク）あくことを知らぬ、ひどい欲ばり。

【強虜】（キョウリョ）つよい外敵。

【強梁】（キョウリョウ）同彊梁（キョウリョウ）。①つよくさかんなこと。②頑固で気力のつよいこと。③力のつよいこと。④横暴。乱暴。

【強力】（一キョウリョク）①つよい力。また、その人。②努力する。▼強・力は、つとめる。（二ゴウリキ）国①つよい力。②登山者の荷物を背負って案内する人。③山伏（やまぶし）の従者。

8
【弶】 11画 3335 漢キョウ（キャウ） 呉ゴウ（ガウ） 養 jiàng 8423 — 2878

字義 ❶網を張る。わなを掛ける。❷弓で鳥獣を捕らえる。

解字 形声。弓＋京㊥。

8
【張】 11画 3336 一チョウ（チャウ） 陽 zhāng 二チョウ（チャウ） 漾 zhàng 教5 チョウ はる 3605 92A3 —

筆順 ¬ ⊐ 弓 引 弡 弡 弫 張 張

字義 一❶はる。㋐弓に弦（つる）を掛ける。また、弓を引く。㋑琴など楽器の絃（いと）を掛ける。㋒ひく。のばす。たるみをとって、ぴんとさせる。用例〔老子、三十六〕将レ欲レ歙レ之、必固張レ之（まさにこれをちぢめんとほっすれば、かならずしばらくこれをはれ）。⇩縮めてやろうと思ったらまずしばらくは伸ばしてやるがよい。㋓ひろげる。幕・網などをはりめぐらす。また、大きくする。用例〔史記、殷本紀〕張ニ網四面一（あみをシメンにはる）。⇩網を四方にしかける。㋔ひらく。むき出しにする。用例〔三国魏、曹植、七啓〕哮闞之獣（コウカンのけもの）、張レ牙奮レ鬣（きばをはりたてがみをふるう（ふ））。⇩怒り吠える獣は、きばをむき出したてがみを振る。㋕さかんにする。さかんになる。用例〔左伝、昭公十四〕臣欲レ張ニ公室一（シン、コウシツをはらんとほっす）。⇩私は公室を強大にしたかったのだ。㋖もうける。設置する。開催する。用例〔戦国策、秦〕張レ楽設レ飲（ガクをはりてインをもう（ま）うく）。⇩楽舞を設けて宴席を開いた。㋗考えをのべる。「主張」
❷はり。弓・琴・幕などを数える語。❸星座の名。ちりこ。二十八宿の一つ。
二❶はれる。ふくれる。❷ほこる。たかぶる。❸とばり。＝帳（3115）。

国はる。㋐張り渡した・張りつめた・満ちふさがった状態にする。また、なる。「肩を張る」「気が張る」㋑強硬にする。「欲を張る」㋒勝負事に賭物（かけもの）をする。㋓つけねらう。番をする。「見張り」「張りこみ」㋔なぐる。「頭を張る」

名前 ちょう・つよ・とも・ばり・はる 難読 張碓（はりうす）

使いわけ はる〔張・貼〕
「平らな面に物を付着させる」の意で〔貼〕を用いる以外は、広く一般に〔張〕を用いる。「ポスターを貼る」「テントを張る・声を張る」

解字 篆文 形声。弓＋長㊥。音符の長は、ながいの意味。弓の弦を長くする、はるの意味を表す。

逆 開張・拡張・緊張・更張・誇張・主張・怒張・舗張

【張飲】（チョウイン）とばりを張りめぐらして酒盛りをすること。

【張説】（チョウエツ・チョウセツ）唐の政治家・詩人。洛陽（ラクヨウ）の人。字（あざな）は道済・説之。燕国公に封ぜられ、国史の編集などに従事。大手筆と称された。岳州に左遷されて以後の詩は悲痛なものとなった。(六六七―七三〇)

【張華】西晋の学者・詩人。字は茂先。著に『博物志』十巻がある。(二三二―三〇〇)

【張懐瓘】唐の人。『書断』を著し、古今の書体及び能書家の人名を記録し、その源流を述べるとともにその品評を行った。

【張角】後漢末の農民一揆の指導者。黄巾の賊の乱を起こした。(?―一八四)

【張儀】戦国時代、魏の政治家。蘇秦とともに鬼谷子に学んだ縦横家。秦の恵王のために連衡の策をたて、六国を秦に服従させようとした。(?―前三〇九)

【張九齢(齡)】盛唐の詩人・政治家。字は子寿。曲江(広東省内)の人。玄宗に仕えたが、李林甫と合わず、官を退いて詩文を友とした。(六七三―七四〇)

【張旭】唐の書家。草書にすぐれ、草聖また、書聖と称された。酒を好み、杜甫の「飲中八仙歌」に歌われた。

【張継(繼)】中唐の詩人。字は懿孫。「楓橋夜泊」の詩の作者。天宝十二年(七五三)の進士。

【張騫】前漢の探検家。前一三九年ころ武帝の命で大月氏に使いし、何度か中央アジアに行き、東西交通の道を開いた。(?―前一一四)

【張彦遠】唐末の評論家。字は愛賓。博学で書画の評論にすぐれていた。著に『法書要録』『歴代名画記』がある。

【張皇】①拡張して広大にする。▼皇は、大。②あわてる。張惶。

【張衡】後漢の学者・詩人。字は平子。賦・詩をよくし、天文・暦算に通じ、渾天儀を作った。(七八―一三九)

【張載】北宋の学者。横渠先生と呼ばれた。著に『張子全書』がある。(一〇二〇―一〇七七)

【張鷟】唐の詩人。字は文成。号は浮休子。盛唐初期の流行詩人で、青銭学士と呼ばれた。著に『遊仙窟』『朝野僉載』などがある。(六六〇ころ―七四〇ころ)

【張三李四】ありふれた平凡な人々。張家の三男、李家の四男の意。▼張・李は、中国でありふれた姓。

【張之洞】清末の政治家。南皮の人。字は香濤・孝達・香巌。号は壺公・無競居士。各地の巡撫・総督を歴任、軍や産業の近代化に尽力し、洋務運動を推進した。著に『書目答問』『広雅堂詩集』がある。(一八三七―一九〇九)

【張若虚】唐の詩人。揚州の人。賀知章・張旭・包融とともに、呉中の四士と称された。七言古詩の「春江花月夜」の長編は古今の絶唱といわれる。

【張巡】唐の武将。安禄山の乱のとき、睢陽城(今の河南省商丘市の南)を死守したが、落城後に殺された。(七〇九―七五七)

【張栻】南宋の儒学者。広漢の人。字は敬夫。南軒先生と称せられた。胡弘に師事し、朱子と交際した。著に『南軒易説』『南軒集』などがある。(一一三三―一一八〇)

【張世傑】南宋末の武将。衛王を奉じて厓山(今の広東省江門市の南の島)を死守し、元に破られて溺死した。(?―一二七九)

【張籍】中唐の詩人。字は文昌。韓愈の門下で、白居易とも親交があった。(七六七?―八三〇?)

【張僧(僧)繇】南梁の画家。呉の人。仏画や竜・人物画に巧みで、画竜点睛の故事で有名。

【張湯】前漢の司法官。杜陵の人。官吏の監察・塩鉄の専売・富商の取締りに過酷であった。のち朱買臣に陥れられて自殺。(?―前一一五?)

【張道陵】後漢末の宗教家。道教の開祖で、張天師と称された。張陵。(三四―一五六)

【張飛】三国時代、蜀の武将。字は益徳。諸葛亮・関羽とともに蜀の三傑といわれる。(?―二二一)

【張本】㊀チョウホン ①後述する文章のもととなる事がら。②事件の原因。㊁チョウ・ボン 国「張本人」の略。悪事などの首謀者。

【張目】目をみはる。目を大きく開く。目をむく。

【張良】秦末漢初、漢の高祖の功臣。字は子房。韓の貴族の出身。韓の復讐のため刺客を養い、秦の始皇帝を博浪沙に狙撃したが失敗した。後、蕭何・韓信とともに劉邦を助けて天下を統一させ、留侯に封ぜられた。(?―前一八九)

【張陵】後漢の宗教家。沛国の人。道陵とも。五斗米道を創始し、張天師とも呼ばれ、道教の祖師となる。

【張魯】三国時代、魏の宗教家。張陵の孫。字は公祺。陵のあと教団組織を完成させ、黄巾の首領張角に道術を教えた。自ら師君と号し、曹操に仕えた。

8【弴】11画 3337 トン (慣)ジュン 元 diāo　8422 ED9C 2877

字義 朱うるしをかけた天子の弓。

解字 形声。弓＋享(音)。

8【弸】11画 3338 (漢)ホウ(ハウ) (呉)ビョウ(ビャウ) 庚 pēng

[弸] 3339 俗字

字義 ❶弓のつよい形容。❷みちる(満)。また、満たす。❸ゆみづる(弓弦)。❹ゆみなり。弓弦の鳴る音。❺風でとばりのひるがえる音。

解字 形声。弓＋朋(音)。

8【弸】11画 3339 ホウ 弸(3338)の俗字。→四九二ページ下。　5526 9C59 ―

9【强】12画 (3334) キョウ 強(3333)の旧字体。→四九〇ページ下。

9【弱】12画 3340 ジャク 弱(3329)の本字。→四九〇ページ上。

9【粥】12画 (8988) シュク 米部。→一〇九七ページ上。

9【弽】12画 3341 ショウ(セフ) 葉 shè　8424 ― 2880

[韘] 13397 同字　[韘] 13398 俗字

字義 ゆがけ(弓懸)。弓を射るとき、右手の親指にはめて弦を引く用具。

解字 形声。弓＋枼(音)。

9【弾】12画 3342 常 ダン ひ-く・はず-む・たま　3538 9265 ―

12〘彈〙15画 3343 人 ㊀(漢)タン・(呉)ダン 翰 dàn ㊁(漢)タン・(呉)ダン 寒 tán　5528 9C5B ―

筆順 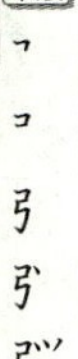

字義 ㊀❶はじき弓。たまをはじき飛ばす弓。❷たま。㋐はじき弓の石だま。㋑鉄砲などのたま。「砲弾」「弾道」 ㊁❶はじ-く。指先ではじく。はじき飛ばす。用例〔楚辞、漁父〕新沐者必弾レ冠、新浴者必振レ衣(あらたにモクするものは、かならずかんむりをはじき、あらたにヨクするものは、かならずイをふるう(ふ))。↓髪を洗い立ての者は、(その髪が汚れるのをきらって)必ずちりを指ではじき落としてから冠をかぶり、湯浴みしたての者は、(その体が汚れるのをきらって)必ず衣をふるってほこりを払ってから着物を着る。❷はず-む。はねかえる。「弾力」❸いる(射)。❹たたく。うつ(打)。❺ひ-く。かなでる。ピアノを演奏する。弦楽器をかき鳴らす。「連弾」❻ただす。罪過をせめる。「指弾」「弾劾」「糾弾」

名前 ただ　難読 弾間(はずま)・弾崎(はじきざき)

使いわけ ①たま〔玉・球・弾〕⇩玉(7323)。②ひく〔引・弾〕⇩引(3301)。

解字 甲骨文  篆文 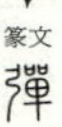 形声。弓＋単(單)(音)。音符の單は、Y字形をした、はじき弓の象形。弓を

付し、はじき弓の意味を表す。

逆 劾弾・糾弾・指弾・奏弾・肉弾

【弾圧(壓)】ダンアツ (権力で)強くおさえつけること。

【弾雨】ダンウ 雨のようにはげしく飛んで来る弾丸。「砲煙弾雨」

【弾劾】ダンガイ 官吏の罪状を調べて訴えること。また、一般に罪過をあばくこと。

【弾冠】ダンカン 冠をはじく。冠をはじいて塵(ちり)を払うこと。㋐少しの汚れをもきらうたとえ。〔楚辞、漁父〕 ㋑官吏に登用されるのを待つこと。出仕の準備をする意。〔漢書、王吉伝〕 ㋒官吏となること。

【弾丸】ダンガン ①はじき弓のたま。②鉄砲などのたま。③狭い土地のたとえ。→弾丸黒子之地。

【弾丸黒子△之地】ダンガンコクシのチ 弾丸や黒子(ほくろ)のように非常に狭い土地。領土・勢力範囲の土地などについていう。▼黒子は、黒痣(コクシ)(痣は、あざ)とも書く。

【弾弓】ダンキュウ ①弓づるをならす。②はじき弓。弾丸をとばす弓。

【弾糾】ダンキュウ 悪事を調べ正すこと。

【弾△鋏】ダンキョウ =弾レ剣(ケンをダンず)(一八五ページ上)。

【弾剣(劍)】ダンケン =弾レ剣(ケンをダンず)(一八五ページ上)。

【弾指】ダンシ ①指をはじく。②爪弾(つまはじ)きする。③仏㋐きわめて短い時間。一度指をはじく時間。㋑許諾・歓喜・警告などの意を表す動作。④小さな数を表すことば。一〇のマイナス一七乗。⇩コラム 数を表すことば(六二八ページ)。

【弾射】ダンシャ・ダンセキ ①はじき弓で射る。②他人の欠点を指摘する(そしる)こと。

【弾正】ダンセイ 一 悪事を正すこと。二 ダンジョウ 国 大宝令で定められた弾正台(今の警察庁)の役人の総称。

【弾奏】ダンソウ ①官吏の罪状をあばいて上奏すること。②=弾文。③国 弦楽器をひき鳴らすこと。

【弾文】ダンブン 文体の名。弾劾の上奏文をいう。弾奏。

【見レ弾求二△鴞△炙一】たまをみてキョウシャをもとむ はじき弓のたまを見ただけで、ふくろうのあぶり肉を食べようと思う。早計なたとえ。〔荘子、斉物論〕

9 【弼】 12画 3344 漢ヒツ 呉ビチ 質 bì 4111 954A —

［弻］ 3345 同字

字義 ❶たすける。たすく。また、たすけ。補佐。「輔弼(ホヒツ)」 ❷ただす(正)。 ❸ゆだめ。弓の形を整えるための器具。国 すけ。弾正台(ダンジョウダイ)(今の警察庁)の次官。

解字 金文 篆文 会意。金文は、㢶+因。㢶は、二人の人の象形。因は、しとねの象形。しとねを共にして助け合う二人の意味から、たすけるの意味を表す。篆文は、㢶+西。のち㢶+百に変形した。一説に、㢶は、弓のそりを正しくするための器具、ゆだめの意味。転じて、正し助けるの意味を表す。

【弼△匡】ヒッキョウ たすけ、ただす。

【弼亮】ヒツリョウ たすける。補佐する。

9 【弻】 12画 3345 ヒツ 弼(3344)と同字。→四九三ページ上。 — — 2879

10 【弿】 13画 3346 ケン 銑 jiǎn — — 2881

字義 弓が強い。

解字 形声。弓+寒省音。

10 【彀】 13画 3347 漢コウ 呉ク 宥 gòu 18425 — 2882

字義 ❶はる。弓をいっぱいに引きしぼる。❷物を射るのによい距離。矢ごろ。❸まと。的の黒い星。❹いる(射)。

解字 篆文 形声。弓+𣪊音。音符の𣪊(カク=コク)は、中空な「から」の意味。弓を中空のさまに張るの意味を表す。

【彀騎】コウキ 弓を射る騎兵。

【彀中】コウチュウ 矢のとどく範囲。矢ごろ。

【入二彀中一】コウチュウにいる ①矢のとどく範囲に入る。②術中に陥る。

【彀率】コウリツ 弓を引きしぼる度合い。標準。〔孟子、尽心上〕

10 【彁】 13画 3348 音義未詳。 5527 9C5A —

参考 JIS漢字に採られているが、典拠不明。

11 【彄】 14画 3349 漢コウ 呉ク 尤 kōu — — 2883

字義 ❶弓筈(ゆはず)。弓の両端部。❷たま。環の一種。❸弓籠手(ゆごて)。弓を射るとき、左腕を覆う革製の用具。

解字 形声。弓+區音。

11 【彅】 14画 3350 国字 18426 ED4B 2884

［薙］ 10382 俗字

字義 なぎ。草薙(くさなぎ)は、姓氏。=薙(10339)。

解字 会意。強省+剪。強く剪(き)るの意味を合わせて、なぐ、なぎの意味を表す。

12 【彈】 15画 (3343) ダン 弾(3342)の旧字体。→四九二ページ下。

13 【彊】 16画 3351 一 漢キョウ(キャウ) 呉ゴウ(ガウ) 陽 qiáng 二 漢キョウ(キャウ) 呉ゴウ(ガウ) 養 qiǎng 2216 8BAE —

字義 一 ❶つよい弓。❷つよ-い。つよし。=強(3333)。「彊秦(キョウシン)」 二 つとめる(勉)。しいる。=強(3333)。

参考 ①〔強〕(3333)と同じに用いられる。熟語は〔強〕をも見よ。②〔疆〕(7675)は、別字。

解字 甲骨文 篆文 形声。弓+畺音。音符の畺(キョウ)は、硬に通じ、かたくつよいの意味。強い弓・強いの意味を表す。

【彊族】キョウゾク 勢力のある家柄。

13 【彇】 16画 3352 ショウ(セウ) 蕭 xiāo 21218 — 2885

字義 ゆはず。弓の両端の弦(つる)をかける部分。

解字 形声。弓+肅音。

14 【彌】 17画 (3322) ビ 弥(3321)の旧字体。→四八九ページ中。

15 【彍】 18画 3353 カク(クワク) 薬 guō — — 2886

字義 ❶はる(張)。弓をひきしぼる。❷すばしこい。はしる。

解字 形声。弓+廣音。音符の廣は、ひろげ張る(拡=擴)の意味を表す。

【彍騎】カクキ 唐代の兵種の一つ。弓をもつ騎兵。宿直して警備に当たった。

16 【疆】 19画 (7675) キョウ 田部。→九七五ページ中。

19 【彎】 22画 3354 標 漢ワン 呉エン(ヱン) 刪 wān 5530 9C5D —

［弯］ 3327 簡易

字義 ❶ひ-く。また、はる(張)。弓に矢をつがえて引く。❷まがる。弓なりに曲がる。「彎曲」

参考 現代表記では〔湾〕(6550)に書きかえる。「彎曲→湾曲」「彎入→湾入」。熟語は〔湾〕をも見よ。

解字 篆文 会意。弓+䜌。䜌は、まがる・みだれるの意味。弓がまがる。弓をひくの意味を表す。

【彎弓】ワンキュウ 弓をひきしぼる。

【彎曲】ワンキョク 弓なりにまがる。湾曲。

【彎入】ワンニュウ まがって入りこむ。海や湖が陸地に入りこんで湾や入り江になっていること。湾入。

【彎彎】ワンワン 弓なりに曲がるようす。

3画

彑(彐) けいがしら いのこがしら

〔部首解説〕 彑と彐は同字。類形の彐も含めて、字形上の分類のために部首にたてられる。

0 【彑】 3画 3355 ケイ ㊥ jì 5532 9C5F ―

〔彐〕 3356 同字

字義 ❶いのこの頭。❷はりねずみの類い。

解字 篆文 象形。いのこ(いのしし)の象形文字である彖の頭部で、特にそのきばを強調して、いのこの頭の意味を表す。

0 【彐】 3画 3356 ケイ 彑(3355)と同字。→四九四ページ上。 ― ― 2887

1 【尹】 4画 (2779) イン 尸部。→四三六ページ上。

1 【互】 4画 (124) ゴ 二部。→六一ページ中。

1 【丑】 4画 (19) チュウ 一部。→二七ページ中。

3 【当】 6画 (2745) トウ 小部。→四三〇ページ上。

5 【帚】 8画 (3090) ソウ 巾部。→四五四ページ上。

5 【彔】 8画 3357 ロク ㊥ lù 18427 ― 2888

字義 きざ-む。木を刻む。

解字 甲骨文 金文 篆文 象形。つるべ井戸の滑車のあたりに水があふれしたたるさまにかたどり、多くの事件の中から、重要なものだけをくみあげて記録するの意味を表す。『説文解字』は、木を刻む象形という。

6 【彖】 9画 3358 タン ㊥ tuàn 5533 9C60 ―

〔彖〕 3359 同字

字義 ❶いのししが走る。❷易の一卦ごとに意味を総論した言葉。「彖辞」は周の文王の作、それを解釈した「彖伝」は孔子の作という。

解字 篆文 象形。頭の大きい、いのししの象形で、いのししが走る・めぐるの意味を表す。彖(彖)を音符に含む形声文字に、掾・椽・篆・縁(緣)・椽などがある。

6 【彖】 9画 3359 タン 彖(3358)と同字。→四九四ページ上。

8 【彗】 11画 3360 囚 ㊥スイ ㊤ズイ ㊥ huì(suì) 5534 9C61 ―

筆順 一 = ≡ ≢ 丰 非 彗 彗 彗

字義 ❶ほうき(箒)。❷はく(掃)。はらう。❸ほうきぼし。彗星。

解字 篆文 象形。先端をそろえたほうきを手にする形にかたどり、ほうきの意味を表す。

9 【尋】 12画 (2730) ジン 寸部。→四一五ページ中。

9 【彘】 12画 3361 ㊥テイ ㊤デイ ㊥ zhì 18428 ― 2889

字義 いのこ。ぶた。

解字 甲骨文 篆文 形声。甲骨文では、豕+矢㊞。豕は、ぶたの意味。音符の矢は、やの意味。矢で射とることのできる、いのこの意味を表す。篆文は、彑+比+矢㊞。彑は、希の省略形で、毛の長い獣の象形。比は、その足の象形が変形したもの。

【彘肩】 豚の肩の肉。用例〔史記、項羽本紀〕賜二之彘肩一 これにテイケンをたまえ(へ)。㊦この男に豚の肩の肉をやれ。

10 【彙】 13画 3362 常 イ イ(ヰ) ㊥ huì 5535 9C62 ―

筆順 (stroke order)

〔彚〕 3363 同字

字義 ❶はりねずみ。＝蝟(10638)・猬(7261)。❷たぐい。なかま。同類のもの。❸あつめる。また、あつまる。あつまり。❹うるわしい。さかん。

名前 しげ

解字 篆文 形声。希省+胃省㊞。希は、毛の長い獣の象形。胃は昆に通じ、むらがるの意味。毛が密生しているはりねずみの意味を表す。

【彙纂】 各種の事項を集め、分類して編集すること。また、そうして作った書籍。

【彙報】 分類して集めた報道。

【彙類】 同類。たぐい。また、同類のものを集めること。

10 【彚】 13画 3363 イ 彙(3362)と同字。→四九四ページ中。

13 【彛】 16画 3364 イ 彝(3366)の俗字。→四九四ページ下。 5520 9C53 ―

13 【彜】 16画 3365 イ 彝(3366)の俗字。→四九四ページ下。 ― ― 2890

15 【彝】 18画 3366 イ 因 yí 5519 9C52 ―

〔彛〕 3364 俗字 〔彜〕 3365 俗字

字義 ❶宗廟(祖先のみたまや)に常に供えて置く器物・酒器。❷つね。不変。❸のり。法則。人の守るべき不変の道。

解字 甲骨文 金文 篆文 象形。甲骨文・金文は、にわとりをしめ殺して血をしたたらせ、それを両手でささげるさまにかたどる。にわとりの血をそそいだ祭器の意味や、つつしみ守るべきのり・みちの意味を表す。のち、糸+廾+米+希省の会意文字。

彝①

【彝器】 常に宗廟に供えて置く儀式用の器物。

【彝訓】 常に守るべきおしえ。〔書経、酒誥〕

【彝憲】 常に守るべき道・法則。〔書経、冏命〕

【彝典】 ＝彝憲。

【彝倫】 人の常に守るべき道。彝則。▼倫も、道・法。〔書経、洪範〕

【△秉レ彝】 人としての道を守り行う。〔詩経、大雅、烝民〕

22 【彠】 25画 3367 カク 蒦(10154)の俗字。→一三三六ページ下。 ― ― 2891

23 【彟】 26画 3368 カク 蒦(10154)と同字。→一三三六ページ下。

3画

彡 さんづくり

〔部首解説〕 彡を意符として、模様・色どり、また、飾るの意味を含む文字ができている。

0 彡 四九五 / 4 形 四九五 / 彤 四九五 / 彣 四九五 / 尨 四二五
肜 六八八 / 5 参 二三八 / 6 形 四九五 / 彦 四九六 / 耏 一一六七
7 彧 四九六 / 修 四九六 / 髟 一六〇一 / 8 彩 四九六 / 參 二三九
彫 四九七 / 彪 四九七 / 彬 四九七 / 9 須 一五五六 / 彭 四九七
11 彰 四九七 / 彯 四九八 / 12 影 四九八 / 15 邐 一五六三 / 19 彲 四九八

0【彡】3画 3369 漢サン 呉セン 咸 shān 5536 9C63

字義 ❶あや。筆や刷毛でなすった跡。❷毛が長い。

解字 篆文 彡 象形。長く流れる豊かでつややかな髪の形にかたどり、長い髪、また、あやの意味を表す。

4【形】7画 3370 教2 ケイ・ギョウ かた・かたち 2333 8C60

漢ケイ・呉ギョウ(ギャウ) 青 xíng

筆順 一 二 于 开 开' 形 形

[形] 3373 本字

字義 ❶かたち。㋐現れているもの。見えるもの。形態。姿。「外形」㋑からだ。肉体。用例〔東晋、陶潜、帰去来辞〕既自以レ心為二形役一、奚惆悵而独悲。⬇これまでは自分は心を体の下僕としてきたが、どうして恨み嘆き、ひとり悲しむことがあろうか(そんなことをしても仕方のないことだ)。㋒ありさま。状態。また、容貌。顔つき。「形勢」❷かた。また、かたどる。＝型(1950)。❸かたちづくる。㋐形を成す。㋑化粧する。❹あらわれる。あらわす。

名前 あれ・かた・すえ・なり・み・より

使いわけ かた〔形・型〕
〔形〕目に見える姿やかたち。フォーム。「髪形・自由形」
〔型〕かたちのもとになるもの。タイプ。モデル。「血液型・テレビの型」
ただし、実際には紛らわしい場合が多い。

解字 篆文 形 形声。彡＋开(幵)音。音符の幵は、かた・わくの意味。彡は、あやの意味。かたちづくる・かたちの意味を表す。

逆 異形・印形・象形・女形・僧形・造形・地形・童形・人形・美形・有形・流形

【形影】(ケイエイ) もののかたちとそのかげ。常に離れないもののたとえ。用例〔韓非子、功名〕形影相応而立。⬇ものの形とその影は相互に応えあって成り立つ。

【形影相弔】(ケイエイあいとむらう) 自分のからだと影とがたがいに慰めあう。孤独でたよりないさま。〔三国魏、曹植、上二責レ躬応レ詔詩一表〕

【形役】(ケイエキ・かたちのエキ) 肉体に使用される人。肉体の欲望のために奴隷のごとく使われる人。→字義❶㋑。

【形骸】(ケイガイ) ①からだ。〔精神に対して〕肉体。②外形。外貌。また、骨組。

【形骸之外】(ケイガイのそと) 人の肉体の外面。心・精神・道徳を内とするのに対して、肉体・容貌を外という。

【形軀】(ケイク) からだ。身体。

【形而下】(ケイジカ) 形のある物。物質。▼而は、助字。→形而上。

【形而上】(ケイジジョウ) 形のないもの。抽象的なもの。精神・道理など。而は助字。哲学で、感覚的に知り得る、有形の現象の世界を形而下というのに対して、その奥にある、窮極のもの、原理として想定したものをいう。用例〔易経、繫辞上〕形而上者謂二之道一、形而下者謂二之器一。⬇形のないもの(精神・道理・原理)、これを道といい、(具体的に)形のあるもの、これを器という。

【形式】(ケイシキ) ①みえ。外形。外見。↕実質(三九五ページ上)。②一定の方式。かた。型。③国㋐方法。手続き。㋑おざなり。かたちだけ。◆形式と型式の意味の違いも、形と型の違いに準ずる。同音の誤りを避けて型式を「かたしき」と呼ぶことがある。→使いわけ。

【形質】(ケイシツ) かたち。からだ。

【形勝】(ケイショウ) ①地勢・風景などのすぐれていること。②地形が要害を成していること。

【形象】(ケイショウ) かたち。すがた。ありさま。形状。実際の姿でなく、想像し、思い浮かべた物の姿を言うことが多い。

【形状(狀)】(ケイジョウ) ①かたち。すがた。②ありさま。様子。

【形色】(ケイショク) からだつきと顔色。〔孟子、尽心上〕

【形声(聲)】(ケイセイ) ①形と声。↕影響(四九八ページ中)。②漢字の六書の一つ。意味を表す部分(意符)と発音を表す部分(音符)とから成る漢字。漢字の八割以上はこれに属する。諧声。⇩コラム 六書(一四九ページ)。

【形勢】(ケイセイ) ①ありさま。なりゆき。②いきおい。勢力。③勢力・権力のあること。また、その人・その地位。④地形。

【形跡・形迹】(ケイセキ) あとかた。物事のあったあと。痕跡。

【形相】(ケイソウ) 一①顔かたち。すがた。②形によってはかり考える。③哲学で、質料(素材)に対して、質料を一定の構造に組み立てる形式をいう。二(ギョウソウ) 国顔つき。様子。

【形体(體)】(ケイタイ) ①ありさま。様子。②からだ。身体。

【形態】(ケイタイ) かたち。ありさま。形状。

【形単(單)影隻】(かたちタンにかげセキなり) からだが一つで影が一つ。孤独で身よりのないこと。〔唐、韓愈、祭二十二郎一文〕

【形魄】(ケイハク) からだ。▼魄は、肉体にともなう気。

【形貌】(ケイボウ) すがた。なりかたち。容貌。

【形名】(ケイメイ) 形と名。㋐実物とその名称。㋑本人の言ったことば(名)と実際の行為(形)。

【形名参(參)同】(ケイメイサンドウ) 戦国時代の法家、申不害・韓非子などの唱えた説。臣下の言ったこと(名)と実行(形)とを照らし合わせ、その合否によって賞したり罰したりすべきだとする説。〔韓非子、主道〕

【形容】(ケイヨウ) ①顔かたち。すがた。容貌。用例〔楚辞、漁父〕顔色憔悴、形容枯槁。⬇その顔には憔悴の色があらわれ、顔かたちはすっかりやせおとろえていた。②ありさま。様子。状態。③状態を(たとえて)言い表すこと。

【践レ形】(かたちをふむ) ＝践形(一三七七ページ中)。

4【彤】7画 3371 漢トウ 呉ドウ 图 tóng 8429 一 2893

字義 ❶あか(丹・朱・赤)。あかい。❷赤塗り。

解字 金文 彤 篆文 彤 会意。丹＋彡。丹は、あかいの意味。彡は、いろどりの意味。あかのいろどりの意味を表す。

【彤雲】(トウウン) 赤い雲。

【彤管】(トウカン) 赤い軸の筆。女史が使用し、宮中の政令や后妃のことを記した。

【彤弓】(トウキュウ) ①赤く塗った弓。昔、天子が戦功のあった諸侯に与えたもの。②『詩経』小雅の詩編名。

【彤墀】(トウチ) 宮中の庭。墀は、きざはしの上の石をしいた地で、天子の墀は赤く塗るからいう。彤庭。

4【彣】7画 3372 漢ブン 呉モン 文 wén 21219 一 2892

字義 ❶あや。あや模様。❷青と赤とがまじる。

解字 篆文 彣 形声。彡＋文音。音符の文は、あやの意味。彡を付し、あやの意味を表す。

4【尨】7画 (2770) ボウ 尢部。→四二五ページ上。

4【肜】7画 (4920) ユウ 月部。→六八八ページ中。

5【参】8画 (1261) サン ム部。→二三八ページ中。

6【形】9画 3373 ケイ 形(3370)の本字。→四九五ページ上。

6【彦】9画 3374 人
6〖彥〗9画 3375 ゲン 㒱 yàn
4107 9546 一

筆順 丶 亠 亣 立 产 产 彦 彦 彦

字義 ❶才徳のすぐれた男性。日子(ひこ)の意。↕姫(2401)。❷男性の美称。国ひこ。

名前 お・げん・さと・のり・ひこ・ひろ・やす・よし 難読 彦火火出見尊(ひこほほでみのみこと)

解字 篆文 [篆文] 形声。文＋彡＋厂㊥。音符の厂(カン=ゲン)は、きりぎしの意味。文は、いれずみの象形。彡は、いろどりの意味。きりぎしから得た鉱物性顔料の意味から、転じて、それを用いる美青年の意味を表す。彦(彥)を音符に含む形声文字に、諺(ゲン)・顔(顏)などがある。

【彦士】ゲンシ りっぱな男性。すぐれた人物。
【彦聖】ゲンセイ 才徳のすぐれていること。また、その人。

6【彨】9画 (9580) ジ 而部。→一二六七ページ上。

7【彧】10画 3376 イク 圛 yù
8430 ED9D 2894

字義 ❶あや。あや模様。あやがあって美しいさま。＝郁(12278)。❷さかんに茂るさま。❸長いさま。

解字 形声。彡＋或㊥。音符の或(ワク=クイ)は、さかんにあらわれるさまを表す擬態語。彡は、あやの意味。あやの模様のさかんなさまを表す。

7【修】10画 3377 教5 シュウ・シュ おさ-める・おさ-まる
漢シュウ(シウ)・呉シュ 宄 xiū 慣ス・ズ
2904 8F43 一

筆順 ノ 亻 亻 亻 仫 攸 攸 修 修 修

〔修〕369 古字

字義 ❶おさ-める。をさ-む。㋐正しくする。正しくととのえる。「修養」「修己」㋑学ぶ。習う。「必修」「自修」㋒かざる。模様をつける。「修飾」㋓つくろう。なおす。「改修」「修正」㋔行う。儀式を行う。「修法(ズホウ)」㋕書物を編む。「修史」「監修」❷おさ-まる。をさ-まる。㋐正しくなる。整う。立派になる。備わる。㋑ゆきとどく。❸長い。＝脩(5025)。「修竹」❹よい。すぐれている。

名前 あつむ・おさ・おさむ・さね・しゅう・なお・なが・ながき・ながし・のぶ・のり・ひさ・まさ・みち・もと・もろ・やす・よし・よしみ

参考 ⇩〔脩〕(5025)の参考。

使いわけ おさめる・おさまる〔納・収・修・治〕⇩納(9091)。

解字 篆文 [篆文] 形声。彡＋攸㊥。彡(サン)は、あやの意味。音符の攸(ユウ=シュウ)は、洗い清めるの意味。清めてかざるの意味から、おさめるの意味を表す。また、攸に長いすじとなって流れる水の意味があり、通じて、ながいの意味をも表す。

逆 監修・自修・専修・増修・造修・束修・重修・独修・編修・補修

【修業】シュウギョウ・シュギョウ 学問の技芸などを修め習うこと。
【修験(驗)者】シュゲンジャ・スゲンザ 仏修験道を修め行う人。山伏(やまぶし)。
【修験(驗)道】シュゲンドウ 仏仏教の一派。けわしい山中にはいって難行苦行し、仏道を修める。
【修己治人】シュウコチジン 自己を修養することと他人を治めること。また、自己をりっぱなものに修め養い、その徳によって人々を感化し、安定した生活をさせるように努力すること。儒教の目標とするもの。修レ己治レ人(おのれをおさめて、ひとをおさむ)。修己安人。〔南宋、朱熹、大学章句序〕
【修古】シュウコ ①上古。おおむかし。②昔のことをまなぶ。
【修交】シュウコウ 一コウ 交わりを結ぶ。国と国が仲よくする。修好。
【修行】一シュウコウ 行いを修めて、りっぱにする。また、その行い。二シュギョウ・スギョウ ①仏仏道を身につけ行うこと。「修行者(スギョウザ)」②国学問・技芸などを習いおさめること。修業。
【修史】シュウシ 歴史の本を書く。また、それを編集する。
【修辞(辭)】シュウジ ①文教を整え行うこと。②ことばを修飾して美しくたくみに言い表すこと。
【修飾】シュウショク ①つくろいなおしてりっぱにすること。〔論語、憲問〕②ととのえかざること。③文法用語。→修飾語。
【修飾語】シュウショクゴ 文法用語。体言・用言の上にあって、それらの語の表す事がらの属性・外的事情などを表現する語。「白い花」の「白い」、「速く走る」の「速く」など。
【修身】シュウシン 身を修める。行いを正しくすること。『大学』の八条目の一つ。用例〔大学〕以レ修レ身為レ本(みをおさむるをもってもととなす)。
↓自分の身を善良に修めることを根本のつとめとする。
【修正】シュウセイ ①なおし、ただす。→訂正(一三〇四ページ中)。②身が修まって正しいこと。③正しい道を修める。
【修省】シュウセイ 身をおさめ反省する。
【修整】シュウセイ ①(心・行為・容姿・物などを)おさめととのえる。②国写真の原板に手を入れ、像を整えること。
【修△撰】シュウセン・シュウゼン ①書物を編集すること。②史書の編集官。
【修繕】シュウゼン つくろいなおす。修復。
【修短】シュウタン 長短。脩短(シュウタン)。
【修竹】シュウチク 長い竹。脩竹(シュウチク)。
【修築】シュウチク 建物・堤防などを修理・建造すること。
【修勅(敕)・修△飭】シュウチョク (身を)おさめつつしむ。▼勅・飭ともに、つつしむ。
【修訂】シュウテイ 訂正する。誤りをなおしただす。
【修得】シュウトク 学んで会得(エトク)する(身につける)。→習得(一二五八ページ中)。
【修徳】シュウトク 徳を修めること。
【修復】シュウフク ①つくろいなおすこと。修繕。②関係をよくすること。
【修補】シュウホ つくろいおぎなう。
【修名】シュウメイ 名声。すぐれた名声。また、名声を立てること。
【修養】シュウヨウ 道を修め徳を養うこと。りっぱな人となるように、工夫し努力すること。道家では養生と同意に用いる。
【修羅】シュラ ①仏梵語(ボンゴ) asura の音訳の阿修羅(アシュラ)の略。仏教では仏法の守護神であるが、バラモン教では、仏法を滅ぼそうとする悪魔。②国古代、大石などを運ぶ一種のそり。
【修羅道】シュラドウ ①仏六道の一つ。瞋(いか)り・慢(たかぶ)り・疑(うたが)いの性質の人が死後ここに落ち、争闘をするという。②戦場や争乱の場をいう。修羅場。
【修理】一シュウリ つくろいなおす。修治。修繕。▼理は、おさめる。二シュウリ・シュリ おさまり整っていること。三シュリ・スリ 国①「修理職(シュリシキ)」の略。平安時代の役所。内裏(ダイリ)の修理・造営をつかさどった。②行いを修める。修行。
【修了】シュウリョウ 一定の学業を終える。→終了(一一五ページ下)。
【修練・修錬】シュウレン 武術・技芸など、学んだことを、ますますねりみがくこと。

7【彪】10画 (13860) ヒョウ 彡部。→一六〇一ページ中。

8【彩】11画 3378 常 サイ いろど-る
8〖彩〗11画 3379 サイ 賄 cǎi
2644 8DCA 一

筆順 一 ㇒ ㇒ 爫 平 采 采 彩 彩

字義 ❶いろど-り。あや。模様。色。つや。輝き。「光彩」「多彩」❷いろど-る。あや-なす。㋐色をつける。着色する。㋑かざる。❸形。姿。様子。「神彩(心と姿)」❹美しい。あやがある。かざりがある。

名前 あや・いろ・さ・たみ・てる 難読 彩画(だみえ)

解字 篆文 形声。彡＋采(釆)音。彡は、いろどりの意味。音符の采は、つみとるの意味。多くの色の中から、人が意識的に選んでとりあげる、いろどるの意味を表す。

逆 異彩・月彩・光彩・色彩・詞彩・神彩・水彩・生彩・精彩・多彩・淡彩・文彩

【彩雲】サイウン (朝日や夕日に照らされて)色どりの美しい雲。用例〔唐、李白、早発二白帝城一詩〕朝辞白帝彩雲間、千里江陵一日還。↓朝早く、美しい朝焼け雲たなびく白帝城に別れを告げ、千里も離れた江陵まで、わずか一日で帰った。

【彩△霞】サイカ ①美しい朝焼け・夕焼けの雲気。②国美しい色のもや・かすみ。

【彩管】サイカン いろどりをつける筆。絵筆。「彩管を揮ふるう」

【彩虹】サイコウ 美しい色どりのにじ。

【彩色】サイシキ・サイショク いろどり。また、いろどる。

【彩△旌】サイセイ 美しい旗。

【彩陶】サイトウ 色を付けて焼いた陶器。

【彩筆】サイヒツ ＝彩管。

8 【參】11画 (1262) サン ム部。↓三九ジページ中。

8 【彫】11画 3380 常 チョウ ほ-る 3606 92A4 二

8 〖彫〗11画 3381 チョウ(テウ) 蕭 diāo

筆順 丿 冂 円 用 用 周 周 周 彫 彫

字義 ❶ほ-る。え-る。きざむ。彫刻する。「木彫」❷ほ-り。彫刻された模様。彫刻のできばえ。❸ちりばめる。彫って金・玉などをはめこむ。用例〔史記、滑稽伝〕以二彫玉一為レ棺、文梓為レ槨。↓玉をちりばめて内棺を作り、彩り美しい梓の木で外棺を作る。❹かざる。また、かざり。❺しぼむ。おとろえる。用例〔論語、子罕〕歳寒、然後知二松柏之後一レ彫也。↓寒い季節になってはじめて松やこのてがしわの葉が、いつまでも散らずに緑を保っていることがわかるのである。❻いたむ。やぶれる。傷つく。＝凋(818)。

解字 篆文 形声。彡＋周音。音符の周は、あまねく彫刻がほどこされているの意味。かざりとしての彫刻がゆきとどいているの意味を表す。

【彫刻】チョウコク ほりきざむ。木・石・金属などに文字・絵・模様などをほりつけたり、木・石・金属などで物の形を作ったりすること。また、その物。

【彫残(殘)】チョウザン いたみやぶれる。また、いためそこなわれる。

【彫飾】チョウショク 模様をほりつけて(ちりばめて)かざること。

【彫心△鏤骨】チョウシンルコツ 心や骨にほりきざみつける意で、非常に苦心し骨折ること。詩文を作ることなどについていう。

【彫尽(盡)】チョウジン しぼみつきる。弱り(おとろえ)はてる。

【彫塑】チョウソ ①彫刻と塑像。②粘土や石膏で、彫刻の原型の像(塑像)を作ること。

【彫題】チョウダイ ①題(ひたい)にいれ墨をすること。南方や未開の異民族の風俗。②書籍の欄外に書くこと。

【彫△琢】チョウタク ①ほることと、みがくこと。また、ほりみがく。②文章・人格などをりっぱなものにしようと努力すること。「彫琢刻鏤」

【彫虫(蟲)△篆刻】チョウチュウテンコク 詩文の字句をかざりたてること。こまかな細工。

【彫落】チョウラク ①しぼみ落ちる。凋落。②おとろえる。落ちぶれる。③死ぬ。④廃し退ける。

【彫△鏤】チョウロウ・チョウル ほりちりばめる。彫刻したり金玉をはめ込んだりしてかざること。▼鏤も、ほる・ちりばめる。

8 【彪】11画 3382 人 漢ヒュウ(ヒウ) 呉ヒョウ(ヘウ) 尤 biāo 4123 9556 一

筆順 ' ト 广 卢 卢 卢 虎 虎 彪 彪

字義 ❶まだら。虎の皮の斑文。❷あや。模様。文飾。❸あきらか。あざやか。❹小さい虎。

名前 あき・あきら・あや・たけ・たけし・つよし・とら・ひで・よし

解字 金文 篆文 会意。虎＋彡。彡は、いろどりの意味。虎の皮の模様の意味を表す。

【彪△蔚】ヒュウウツ・ヒョウウツ あや模様が多くりっぱなさま。▼蔚は、しげる・さかん。

【彪△炳】ヒュウヘイ・ヒョウヘイ あざやか(きらびやか)で美しいこと。▼炳は、あきらか。

8 【彬】11画 3383 人 一ヒン 真 bīn 二ハン 刪 bān 慣ヒン 4143 956A 一

筆順 一 十 才 木 村 林 林 林 彬 彬

字義 一文(外形のかざり)と質(内容・実質)とがならびそなわる。＝份(239)・斌(4578)。二あきらか。あや(文彩)のさかんであざやかなこと。

名前 あき・あきら・あや・しげし・ひで・もり・よし

解字 古文(份) 形声。彡＋焚省音。音符の焚は、賁に通じ、かざりの意味。目を見はるようなかざりの意味を表す。

【彬△蔚】ヒンウツ さかんであざやか。▼蔚は、しげる。

【彬彬】ヒンピン さかんであざやかなさま。また、ほどよく調和しているさま。十分に備わってりっぱなさま。用例〔論語、雍也〕文質彬彬、然後君子。↓外見と実質がほどよく調和して、初めて君子と言える。

9 【須】12画 (13437) ス 頁部。↓一五五六ジページ上。

9 【彭】12画 3384 一 漢ホウ(ハウ) 呉ビョウ(ビャウ) 庚 pēng 二 漢ホウ(ハウ) 呉ボウ(バウ) 陽 bāng 5537 9C64 一

字義 一❶つづみの音の形容。❷さかん(盛)。❸ゆく(行)。二❶さかん(壮)。❷ふくれる(膨)。

解字 甲骨文 篆文 会意。壴＋彡。壴は、太鼓の象形。彡は、鳴る音のひろがりいくさまを表す。太鼓の音のさまを表す。

【彭城】ホウジョウ 地名。今の江蘇省徐州市。昔、尭帝が彭祖をここに封じて、大彭氏国とした。後に西楚の覇王項羽が都した所。

【彭祖】ホウソ 尭帝の臣で、殷の末年まで七百年余生きたといわれる。長寿の代表とされる。

【彭沢(澤)】ホウタク ①県名。江西省湖口県の東、長江に臨む。②東晋の陶潜が県令(知事)になったところから、陶潜のことをいう。

【彭△湃】ホウハイ 波がたがいに打ちあって寄せてくるさま。また、水がみなぎりさかまくさま。澎湃。

【彭彭】ホウホウ ①さかんなさま。多いさま。②休みなく行くさま。③多くの車の音・打ち合う音などの形容。

11 【彰】14画 3385 常 ショウ ショウ(シャウ) 陽 zhāng 3020 8FB2 一

筆順 亠 立 立 产 音 音 音 章 章 彰

字義 ❶あや。模様。かざり。❷あき-らか。用例〔老子、五十七〕法令滋彰、盗賊多有。↓法令が明細に規定されればされるほど、盗賊が多く出てくる。❸あらわ-れる。顕著になる。❹あらわ-す。明らかにする。世間に知らせる。「表彰」

名前 あき・あきら・あや・しょう・ただ・てる

解字 篆文 彰 形声。彡＋章㊥。音符の章は、あや・しるしの意味。彡を付し、あや・かざりの意味を表す。
逆 顕彰・表彰

【彰義】ショウギ 正義の道をあらわす。
【彰考】ショウコウ 過去のことを明らかにし未来を考えること。
【彰△旃】ショウセイ 人の善行・美徳などを表彰すること。▼旃は、旗に書いて掲げる(旃表)意。
【彰徳】ショウトク 人の善行・美徳を世間に広く知れ渡らせるようにすること。
【彰明】ショウメイ あきらかにあらわれる。また、明らかにする。

11 【彯】14画 3386 一ヒョウ(ヘウ) 蕭 piāo 二ヒョウ(ヘウ) 嘯 piào — — 2901

字義 一❶組み糸の長いさま。❷かろやかなさま。軽快なさま。＝嫖(2520)。「彯揺ヒョウヨウ」❸すてる。二えがく。かざる。

解字 形声。彡＋票㊥。彡は、髪の象形。音符の票は、かろやかに舞いあがるの意味。髪が風になびくように、かろやかなさまを表す。

12 【影】15画 3387 常 エイ かげ 漢エイ・呉ヨウ(ヤウ) 梗 yǐng 1738 8965 —

筆順 口 日 旦 早 星 景 景 景 影

字義 ❶かげ。㋐光線が物体に妨げられた暗い部分。㋑光がさえぎられ、地面などに映った黒い像。㋒鏡や水などに映っている像。㋓物体の後や下。見えない部分。転じて、外面に現れないこと。㋔姿。形。おもかげ。「人影ひとかげ」「孤帆遠影コハンのエンエイ」㋕まぼろし。「幻影」㋖絵姿。絵や写真に表れている像。㋗光。日・月・火などの光。また、日ざし。＝景(4794)。用例〔唐、李白、峨眉山月歌〕峨眉山月半輪秋ガビサンゲツハンリンのあき 影入平光江水流かげはヘイキョウコウスイにいりてながる ↓峨眉山にかかる秋の半円の月。その月の光は、平光江の水にさし入って、江水とともに流れている。❷たすけ。おかげ。国かげ。本物でないこと。「影武者」

名前 あき・かげ

参考 現代表記では〔翳〕(9554)の書きかえに用いることがある。「暗翳→暗影」「陰翳→陰影」

使いわけ かげ〔影・陰〕
〔影〕物の形。光がさえぎられてできた黒い部分。また、日や月の光。「人影・影法師・月影」
〔陰〕物の裏側。光の当たらないところ。また、人目につかない所。「陰干し・陰でうわさする・陰ながら応援する」
なお、〔蔭かげ〕は〔陰〕に書きかえるが、助けを意味する場合に「お蔭さまで…」と書くこともある。

解字 形声。彡＋景㊥。音符の景は、卿ケイに通じ、ふたつが向きあうの意味。物体が光を受けたとき、その物体と向きあうようにできるかげの意味を表す。
逆 遺影・印影・陰影・遠影・形影・剣影・幻影・弦影・孤影・撮影・樹影・真影・人影・夕影・尊影・電影・倒影・投影・灯影・日影・反影・帆影・片影・落影

【影印】エイイン 書籍を写真にうつし(オフセット版・コロタイプ版など)で印刷複製すること。こうして作った本を影印本という。
【影響(響)】エイキョウ ①かげとひびき。↔形声(四九五ジー中)。②姿と声。消息。③形にかげがあり音にひびきがあるように、一つの事物が他の変化の原因となること。また、その変化。④無形のもの・妄想・虚言そらごとなどのたとえ。
【影△鈔本】エイショウボン 古い本をそっくり敷き写しにした本。
【影像】エイゾウ 絵などに表した神仏や人などの姿かたち。えすがた。肖像。
【捕レ影】かげをとらう(ふ) 影法師をつかまえる。捕らえようとしても捕らえられない、また、とりとめがなくて当てにならないことのたとえ。雲をつかむ。〔前漢、谷永、論二神怪一文〕

15 【鬖】18画 (13498) シ 頁部。→一五六三ジー上。

19 【彲】22画 3388 チ 図 chī 2|1220 — 2902

字義 みずち。あまりょう(雨竜)。想像上の動物で、竜の類い。＝螭(10710)。

解字 会意。彡＋麗。彡は、あやの意味。麗は、角のきれいな鹿の意味。美しい模様のある、想像上の動物の意味を表す。

3画 彳 ぎょうにんべん(行人偏)〔彳〕 ぎょうがまえ(行構)〔行〕

〔部首解説〕彳部と行部とは旧来、別々の部首であったが、形・意味ともに共通するところがあるので、両部を合わせて彳部とした。行・衍・術・街・衙・衛・衝・衡などは、もと行部。彳・行を意符として、行くこと、また、道路や街に関する文字ができている。

0 彳 四九八	4 彺 五〇一	徃 五〇二	彼 五〇二	徊 五〇三	待 五〇五	徐 五〇七	徙 五〇八	徖 五〇八	徛 五〇九	徨 五一〇	徧 五一一	徑 五一二	徵 五一三	徸 五一四	13 衛 五一四	14 徽 一一三八
3 行 四九八	彸 五〇一	径 五〇二	彿 五〇三	衎 五〇三	徉 五〇五	徏 五〇七	從 五〇六	徝 五〇八	9 徫 五〇九	衕 五一〇	10 徫 五一一	微 五一二	徳 五一三	徴 五一三	徼 五一五	鴴 一六二七
彴 五〇〇	彷 五〇一	征 五〇二	彾 五〇三	後 五〇三	律 五〇五	徒 五〇七	術 五〇八	得 五〇八	街 五〇九	循 五一〇	衙 五一一	徬 五一二	徱 五一四	徹 五一四	衝 五一五	鵆 一六二八
彴 五〇〇	役 五〇一	徂 五〇二	6 徍 五〇三	很 五〇五	7 徑 五〇二	8 徃 五〇八	徜 五〇八	徘 五〇九	健 五〇九	衕 五一〇	衚 五一二	徭 五一三	12 衛 五一四	衜 五一四	衡 五一五	20 黴 一六四八
彵 五〇〇	5 往 五〇一	彽 五〇二	衍 五〇三	徇 五〇五	従 五〇六	衒 五〇八	徢 五〇八	徠 五〇九	御 五〇九	復 五一〇	徯 五一二	11 衘 一四七〇	衛 五一四	德 五一三	衡 五一五	21 衢 五一五

0 【彳】3画 3389 漢テキ 呉チャク 陌 chì 5538 9C65 —

字義 ❶すこし歩む。❷一説に、左足の歩み。↔亍(121)。❸彳亍テキチョクは、行きつもどりつする。たちもとおる。＝躑躅(二三八五ジー上)。

解字 篆文 象形。行(みちの意味)の左半分を抽象して、道を行くの意味を表す。

3 【行】6画 3390 教2 コウ・ギョウ・アン い-く・ゆ-く・おこな-う 熟字訓 行方ゆくえ 2552 8D73 —
一 漢コウ(カウ)・呉ギョウ(ギャウ) 庚 xíng
二 漢コウ(カウ) 呉ギョウ(ギャウ) 敬 xìng(xíng)
三 漢コウ(カウ)・呉ゴウ(ガウ) 陽 háng
四 漢コウ(カウ)・呉ゴウ(ガウ) 漾 hàng
唐アン

筆順 ノ ㇒ 彳 彳 行 行

字義 一❶ゆ-く。い-く。㋐歩く。進む。「徐行」㋑(ある方向に)向かってゆく。おもむく。用例〔史記、廉頗藺相如伝〕趙王畏レ秦シンをおそれ、欲レ毋レ行ゆくことなからんと ↓趙王は、秦を心の中におそれて、行くまいと思った。㋒さ-る。去ってゆく。はなれる。用例〔論語、微子〕曰吾老矣いわ(は)くわれおいたり、不レ能レ用也もちいるあたわ(は)ずと。孔子行コウシさる。↓〔斉の景公は)私はもう年老いて、(孔子を)登用することはできないと伝えた。孔子は立ち去った。㊁広まる。ゆきわたる。「流行」 ㊂経過する。過ぎゆく。「行年」 ㋕めぐる。うつりゆく。用例〔論語、陽貨〕四時行焉、百物生焉。↓四季はめぐり、もろもろの生物は生育する。

❷おこな-う。㋐する。なす。実行する。従事する。用例〔論語、先進〕聞斯行諸。↓(よいことを)聞いたら、そのまますぐに実行してよいのですか。㋑もちいる。使用する。採用する。用例〔論語、衛霊公〕行夏之時。↓夏王朝の暦法を採用する。㋒実施する。また、実現させる。用例〔論語、公冶長〕道不行、乗桴浮于海。↓道義が行われない今の世の中では、いっそいかだにでも乗って海に浮かんでみよう。

❸や-る。行かせる。特に、出軍させる。用例〔論語、述而〕子行三軍、則誰与。↓もし先生が大軍を指揮する場合には、誰とともになさいますか。

❹みち(道)。㋐道路。「周行(大きな道)」 ㋑みちのり。行程。用例〔老子、六十四〕千里之行始於足下。↓千里もの遠方への旅も、最初の一歩から始まる。

❺旅。旅行。旅行中の。転じて、(出かけた先における)臨時の。仮の。用例〔史記、廉頗藺相如伝〕王行、度道里、会遇之礼畢還、不過三十日。↓王様のお出ましについて、行程をはかってみますと、会談の儀式がすんでお帰りになるまで、三十日をこすことはないでしょう。

❻ゆくゆく。歩きながら。みちすがら。用例〔史記、項羽本紀〕行略定秦地。↓進みながら秦の領地を攻略し平定した。

❼まさに…せんとす(将)。まもなく…になろうとする。「ゆくゆく」と訓読することもある。用例〔東晋、陶潜、責子詩〕阿宣行志学、而不愛文術。↓息子の宣はそろそろ学問に志す十五歳になろうとしているのに、勉強がまったく好きではない。

❽詩の一体。もと、楽府の一体。「歌行」「兵車行」 ❾書体の一種。行書。 ❿万物を生ずる精気(元素)。五行(木・火・土・金・水)。

㊁おこな-い。ふるまい。行動。行為。用例〔論語、里仁〕君子欲訥於言而敏於行。↓君子

は口べたであっても、すばやく実行することを願うものである。

㊂❶ならび。㋐列。「行列」 ㋑文字のならび。行。 ❷みせ。商店。転じて、商売。業種。「銀行」 ❸兵士二十五人の一隊。「行伍」

㊃❶次第。順序。また、兄弟の順序。「排行」 ❷同じ世代の人。

㊄ギョウ。仏道の修行。

名前 あきら・いく・いたる・き・こう・たか・つら・のり・ひら・みち・もち・や・やす・ゆき 難読 行宮・行幸・行進曲・行川・行縢・行田・行縢・行波・行方

注意 『康熙字典』では、行部に所属する。

使いわけ いく・ゆく〔行・逝〕
〔逝〕人の死の場合。「ついに逝く」
〔行〕前述の〔逝〕の意以外で、広く一般に用いる。「行く川の流れ」

解字 甲骨文 金文 篆文

象形。甲骨文・金文でわかるように、十字路の象形で、みち・いくの意味を表す。また、転じて、ととのった列の意味を表す。

逆 移行・一行・印行・陰行・運行・横行・慣行・敢行・緩行・奇行・紀行・逆行・凶行・強行・挙行・勤行・吟行・苦行・径行・景行・兼行・現行・言行・孝行・興行・航行・山行・施行・私行・執行・修行・舟行・醜行・順行・所行・徐行・水行・遂行・随行・性行・摂行・先行・専行・潜行・前行・壮行・操行・素行・続行・蛇行・断行・知行・直行・通行・同行・徒行・徳行・独行・難行・排行・版行・蛮行・非行・尾行・微行・品行・併行・並行・勉行・奉行・暴行・歩行・夜行・遊行・洋行・乱行・陸行・履行・流行・力行・励行・連行

【行衣】コウイ たびごろも。旅行に着る着物。

【行雲流水】コウウンリュウスイ ①空行く雲と流れる水。また、きまった形なく、種々に移り変わるたとえ。②心に固執するところがなく、物に応じ事に従って行動することのたとえ。〔宋史、蘇軾伝〕

【行営(營)】コウエイ ①唐代、節度使がその任地を定めずしばらく軍をとどめる所。②軍の司令官が出征してとどまっている所。陣営。陣屋。③いとなみつくる。④陣営を巡回する。

【行役】コウエキ ①政府の命を受けて、土木事業または国境の守りに従うこと。②旅行。

【行火】㊀コウカ 火を用いる。㊁アンカ 国移動することのできるこたつ。おきごたつ。

【行貨】コウカ 行商。

【行歌】コウカ 旅人のうたう歌。道行く人のうたう歌。また、歩きながらうたう。

【行客】コウカク 旅人。旅客。行子。遊子。

【行間】㊀コウカン ①軍中。陣中。▼行は、行列。②隊列や作物の列の間。㊁ギョウカン 文章の行と行との間。

【行儀】ギョウギ 礼式作法。エチケット。

【行誼】コウギ 道にかなった行い。正しい行い。

【行脚】アンギャ 仏禅僧が修行のために旅行すること。転じて、ある目的をもって諸国を旅行すること。「アンギャ」は唐音。

【行休】コウキュウ・キュウ だんだん終わりになる。次第に死に近づくこと。用例〔東晋、陶潜、帰去来辞〕善万物之得時、感吾生之行休。↓すべてのものがよい時にめぐり合っていることに満足し、私の生涯が次第に死に近づいていることを感じる。

【行業】コウギョウ ①おこない。品行。②生産の作業。俗に職業をいう。

【行吟】コウギン ゆくゆく吟ずる。歩きながら歌う。行歌。行謡。用例〔楚辞、漁父〕屈原既放、游於江潭、行吟沢畔。↓屈原は、放逐されて長江の淵に行き、沼や沢のほとりを歩きながら詩を口ずさんだ。

【行宮】アングウ 天子が行幸の途次に滞在するかりの御所。また、宮城・離宮など、平素から定まっている所以外の、一時的に住む所。行在所。▼行は、旅・旅先。用例〔唐、白居易、長恨歌〕行宮見月傷心色、夜雨聞鈴腸断声。↓行宮で月を眺めると、月にも心を悲しませる雰囲気があり、雨の夜に駅馬の鈴の音を耳にすると、はらわたもちぎれるばかりに悲しく聞こえる。

【行径(逕)】コウケイ ほそい道。小路。小径。細径。

【行啓】ギョウケイ 国皇太后・皇后・皇太子などの外出。▼啓は、さきばらい。

【行賈】コウコ 旅をして商いをすること。行商。また、行商人。

【行伍】コウゴ 軍隊。兵士。昔、二十五人を行とし、五人を伍としたのでいう。

【行行】㊀コウコウ ①意思が強いさま。ものおじしないさま。「行行如」 ②行き行くさま。どんどん行く。用例〔文選、古詩十九首、其一〕行行重行行、与君生別離。↓どんどん、どんどん、あなたは遠い旅路を続けて行ってしまうばかり。私はあなたと悲しい生き別れの身。㊁ギョウギョウ どの行にもどの行にも。一行一行に。用例〔明、袁凱、京師

得家書詩〕行行無別語、只道早還郷（ただいう（ふ）はやくキョウにかえ（へ）れと）。↓どの行にもほかの言葉は書いてなかった、ただ早く故郷に帰れというばかりだった。

【行幸】ギョウコウ 天子が外出すること。みゆき。天子の行き先ではみな幸福を受けるのでいう。

【行在】アンザイ ＝行宮アングウ。行在所。

【行子】コウシ 旅人。旅客。

【行△尸走肉】コウシソウニク あるくしかばね、走る肉。何の役にもたたない人、無学無能な人をそしっていう語。

【行止】コウシ ①行くことと、止まること。転じて、出処進退。②ふるまい。行状。行跡。③取り計らい。

【行使】コウシ ①賓客を接待する官。行人。②使用する。取り行う。実行する。

【行事】一コウジ ①行った事がら。事実。②使者の勤務上に関係した事がら。③事を行うこと。また、行うべき事がら。
二ギョウジ 国①きまって行う事がら。②主としてその事を担当すること。また、その人。③昔、朝廷の公事・儀式などに主としてその事をつかさどった職。④江戸時代、商人または町内の組合で、その組合を代表して事務を行った人。

【行実（實）】コウジツ 行った事がら。事実。

【行者】一コウシャ 道を行く人。行人。二アンジャ 仏方丈の侍者。三ギョウジャ 仏仏道を修行する人。日本で俗に、山伏の苦行をする人をもいう。

【行△戍】コウジュ 国境を守ること。また、その兵士。

【行舟】コウシュウ 舟をやる。舟を進める。また、行く舟。

【行住△坐△臥】ギョウジュウザガ ①仏行く・住まる・坐する・臥す。日常のたちいふるまい。仏家でこれを四威儀という。②ふだん。つねづね。

【行書】ギョウショ 書体の一種。楷書カイショの字画を少しくずしたもの。⇨コラム 文字・書体の変遷（六三三ページ）。

【行商】コウショウ・ギョウショウ 商品を持ち歩いて商売すること。また、その人。行販。行賈コウコ。

【行賞】コウショウ 賞を与える。「論功行賞」

【行状（狀）】ギョウジョウ ①おこない。品行。②人の一生の履歴をしるした文体の名。魏晋ギシンのころに始まった。

【行神】コウシン 道を守る神。旅人の安全を守る神。道祖神。さえのかみ。

【行人】一コウジン ①官名。賓客を接待する官。外交官。②道を行く人。旅人。用例（唐、張籍、秋思詩）復恐怱怱説不尽、行人臨発又開封（またおそるソウソウとしてときつくさざるを、コウジンハッするにのぞみまたフウをひらく）。↓あわただしく書いたので書きもらしたことがありはしないかと、ふと気がかりになり、（手紙をあずける）旅人の出発にあたって、もう一度封を開いた。③出征兵士。用例（唐、杜甫、兵車行）車轔轔、馬蕭蕭、行人弓箭各在腰（くるまリンリン、うまショウショウ、コウジンのキュウセン、おのおのこしにあり）。↓車はがらがらと音をたてて進み、馬はひひーんと悲しげに鳴き声をあげてゆく。出征してゆく兵士たちは、弓と矢を、それぞれ腰につけている。④使者の通称。二ギョウニン 仏僧の修行をする人。行者。

【行陣】コウジン ①軍列。軍隊。②軍隊が行進すること。行軍。

【行水】一コウスイ ①流れ行く水。流水。②舟で水上をゆく。③水を治める。洪水をなくす。④水勢を巡視する。二ギョウズイ 国①神仏に祈るとき、水を浴びて身体を清めること。②国たらいで湯水を浴びて汗を流す。三やりみず（づ） 国流水をせきとめて庭などに導き入れる。遣水やりみず。

【行声（聲）】コウセイ・コウショウ 足音。歩く音。

【行政】ギョウセイ ①政治をおこなうこと。②国国を治める三権（立法・司法・行政）の一つ。法律・政令の定めに従って行う政治。

【行跡・行△迹】一ギョウセキ おこない。品行。行状。行績。二コウセキ 足あと。

【行蔵（藏）】コウゾウ 世に出て進んで道を行うことと、世から退き隠れて才能を表さないこと。『論語』述而ジュツジ編に「用之則行、舎之則蔵（これをもちい（る）ればすなわ（は）ちおこない（ひ）、これをすつればすなわ（は）ちかくる）」とあるのに基づく。

【行台（臺）】コウダイ 役所の名。尚書省を中台というのに対し、臨時に地方で尚書の事を行うものをいう。おもに征討のことをつかさどる。

【行第】コウダイ 年齢の順序次第。年次。

【行△厨】コウチュウ 弁当。わりご。

【行程】コウテイ ①みちのり。②旅の道すじ。③国旅行の日程。旅程。

【行灯（燈）】一コウトウ ①火を中にともして手にたずさえて行けるように作った照明器具。手燭てショク。②正月十五日の夜にともす大きな灯籠トウロウ。二アンドン 国木などの枠わくに紙をはり、中に油皿を置いて灯火をともす器具。室内にすえておくものと、柱にかけるものと二種ある。「アンドン」は唐音。

【行△縢】コウトウ きゃはん。むかばき。

【行童】コウドウ 召し使いの子供。年少の召し使い。

【行年】コウネン・ギョウネン ①取った年数。経過したよわい。用例（西晋、李密、陳情表）行年四歳、舅奪母志（コウネンよんサイ、キュウははのこころざしをうば（ふ）う）。↓四歳の時、叔父が母の意に添わぬこと（再婚）をさせました。②国この世に生きながらえた年数。享年。すでに死んだ人についていう。

【行△嚢】コウノウ ①旅人が持つ袋。②国郵便物を入れて送る袋。

【行馬】コウバ ①門外に設けた馬つなぎの柵サク。②敵の侵入を防ぐのに用いる、釘くぎを打ちつけたくい。

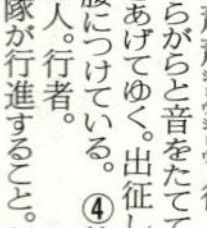
行馬①

【行媒】コウバイ なこうど。媒酌人。

【行伴】コウハン 道づれ。同伴。

【行不由径（徑）】ゆくにこみちによらず・ゆくにケイによらず 道を行くのに小道や近道を通らない。常に大道を歩く。行いの公明正大なことのたとえ。〔論語、雍也〕

【行文】コウブン ①筆を運んで文章を作ること。また、その文章。また、その作り方。②文化に関することを行う。

【行△游】コウユウ ①遊び歩く。②故郷を出て、他郷へ行くこと。旅をすること。

【行楽（樂）】コウラク ①遊び楽しむこと。用例（唐、劉廷芝、代悲白頭翁詩）一朝臥病無相識、三春行楽在誰辺（イッチョウやまい（ひ）にふしてはソウシキなく、サンシュンのコウラクたがヘンにかある）。↓いったん病気になると友人も離れ、春の行楽を謳歌したのは誰のことだったのか。②国外出や旅行などして楽しむこと。

【行△李】コウリ ①官の使者。また、賓客を接待する官。行人。②旅行者の持つ荷物。また、旅行のしたく。③国荷物を入れる、竹または柳で編んだ容器。

【行旅】コウリョ ①旅人。旅行者。行子。②たび。旅行。

【行路】コウロ ①道路。②道を行くこと。また、その人。③世渡り。世路。

【行路難】コウロナン ①道路を行くことが険しくて困難なこと。転じて、世渡りの困難さにたとえる。②南朝宋ソウの鮑照ホウショウの詩の名。十九首あり、七言古詩の初期の名作。後、これにならうもの多く、李白リハクの「行路難」など有名。

【行△潦】コウロウ 路上のたまり水。

【力行】おこない（ひ）につとむ 実行に努力する。

【△厲行】おこない（ひ）をみがく 行いをよくする。

3 【彴】 6画 3391 一シャク 選 zhuó 二漢ハク・呉バク 選 bó
字義 一❶まるきばし。一本ばし。❷とびいし。二彴約は、ながれ星。

【彴】 3392 俗字

3 【彴】 6画 3392 シャク 彴（3391）の俗字。→五〇〇ページ下。
2903

解字 形声。彳＋勺音。

3 【他】 6画 3393 タ 㽘 tuǒ
2904

字義 静かに行く。

解字 形声。彳＋也音。

4【征】7画 3394 オウ(ワウ) 陽 wǎng ― ― 2906

字義 急いで行くさま。あわてて行くさま。

解字 形声。彳＋王音。

4【彸】7画 3395 漢ショウ 呉シュウ 冬 zhōng ― ― 2905

字義 征彸は、㋐あわてて行くさま。㋑おそれあわてるさま。

解字 形声。彳＋公音。

4【彷】7画 3396 標 一漢ホウ(ハウ) 呉ボウ(バウ) 陽 páng 二ホウ(ハウ) 養 fǎng 5539 9C66 ―

字義 一さまよ-う。㋐あてもなく歩く。ぶらぶら歩く。㋑たちもとおる。ゆきつもどりつする。「彷徨」 二❶似かよう。さも似たり。さながら。「彷彿」 ❷ほのか。はっきりと見わけにくい。

参考 熟語は〔仿〕(242)をも見よ。

解字 形声。彳＋方音。

【彷△徨】さまよう。うろつく。行きつもどりつする。用例〔荘子、逍遥遊〕彷徨乎無レ為二其側一、逍遥乎寝二臥其下一 ↓その木のそばでぶらぶらと憩い、その木のかげで気ままに寝そべる。

【彷△彿】①ぼんやりとして明らかでないさま。かすかなさま。同仿仏・髣髴。②似ているさま。さながら。

【彷△徉・彷△徉】＝彷徨。

4【役】7画 3397 教3 ヤク・エキ 漢エキ・呉ヤク 陌 yì 4482 96F0 二

筆順 ノ ク 彳 彳 彵 役

字義 ❶しごと(仕事)。つとめ。職務。「労役」「役員」「配役」 ❷さきもり。国境を守備する兵士。❸いくさ。戦争。「戦役」 ❹えだち。人民に課する労働。夫役。「徭役」 ❺兵士。兵卒。❻使う。働かせる。使われる。仕える。また、その人。召し使い。用例〔東晋、陶潜、帰去来辞〕既自以レ心為二形役一 ↓これまでは自分は心を体の下僕としてきたが、どうして恨み嘆き、ひとり悲しむことがあろうか(そんなことをしても仕方のないことだ)。❼なす。いとなむ(営)。❽仲間。国ヤク。㋐つかさ。官職。人の上に立つ地位。「役力士」 ㋑その事に当たってすべき務め。また、その地位。㋒夫役から転じて、税。役儀・役銀ともいう。

名前 つら・まもる・ゆき

解字 篆文 役 会意。彳＋殳。彳は、道を行くの意味。殳は、武器をもってうつの意味。辺地を守りに行くの意味を表す。転じて、つとめの意味を表す。

逆 課役・苦役・軍役・形役・行役・雑役・使役・大役・懲役・適役・夫役・賦役・服役・兵役・力役・労役

【役役】心または身体を労するさま。〔荘子、斉物論〕

【役作】為政者が人民に課する公の労役。

【役使】つかう。召し使う。使役。

【役人】一＝役丁。二国①役目をもっている人。②官職・公職にある人。官公吏。③天然痘の患者。

【役丁】公から課せられた労働に従事する人。役徒。役夫。▼丁は、若者。

【役夫】①＝役丁。用例〔唐、杜甫、兵車行〕長者雖レ有レ問、役夫敢申レ恨 ↓年上のあなたのおたずねであっても、兵士である私たちは、思いきって恨みを言うことなどできましょうか(とてもできない)。②他人をいやしんで呼ぶ語。

【役民】公から課せられた労働に従事する民。えだちのたみ。

5【往】8画 3398 教5 オウ 1793 899D 一

5【徃】8画 3399 一オウ(ワウ) 養 wǎng 二オウ(ワウ) 漾 wàng

【徍】3424 正字 【徃】3400 俗字

筆順 ノ ク 彳 彳 行 往 往

字義 一❶ゆ-く。い-く。↔来(5221)・復(3445)。㋐すすむ。向かう。おもむく。用例〔孟子、公孫丑上〕自反而縮、雖二千万人一吾往矣 ↓自らを反省して正しければ、(相手が)千人万人であろうと私は進んでゆく。㋑いたる(至)。行き着く。㋒おとずれる。訪問。㋓さる。立ち去る。過ぎ去る。いってしまう。「往者」。転じて、人が死ぬこと。また、死者。㋔逃げる。❷いにしえ。昔。過去。また、過去の出来事。用例〔荀子、解蔽〕不レ慕二往一、不レ閔レ来 ↓昔をうらやまず、未来を憂慮しない。❸さき-に。かつて。以前に。❹のち。あと。以後。「以往」「而往」 ❺おくる。届ける。贈呈する。二むかう(向)。心を向ける。

名前 なり・ひさ・もち・ゆき・よし 難読 往往

解字 甲骨文 篆文 往 形声。甲骨文は、㞢＋王音。㞢は、行くの意味。音符の王は、大きいの意味。大いに行くの意味を表す。篆文は、それに彳を付けた形。

逆 以往・一往・帰往・既往・古往・孤往・独往・来往

【往往】①ときどき。②つねづね。しばしば。③あちこち。ところどころ。④ともすれば。時として。

【往還】①行きと、帰り。また、行き帰りする。②行き来する。交際する。③街道。往来。道路。

【往賢】昔のりっぱな人。昔の賢人。

【往古】むかし。いにしえ。古昔。往昔。

【往行】①過去の行為。②昔の人の行為。

【往事】過ぎ去ったこと。昔のこと。

【往時】過ぎ去った昔。昔時。昔日。過去。

【往日】過ぎ去った日。前の日。先日。過日。

【往者】一①過ぎ去ったこと。往時。②過去。③去り行く者。去って行った者。二さきに。かつて。以前に。

【往者不レ可レ諫、来(來)者猶可レ追】過去のことはどうにもならないが、将来のことは心がけ次第でどうにもできる。〔論語、微子〕

【往者不レ可レ及】過去のことはとりかえしがつかない。〔呂氏春秋、聴言〕

【往生】①仏この世を去って極楽浄土に生まれ変わる。②国㋐死ぬ。㋑屈服する。㋒こまりはてる。㋓あきらめる。㋔罪を白状する。

【往診】医者が患者の家に行って診察すること。

【往世】むかし。いにしえ。往日。往古。

【往聖】むかしのりっぱな人。昔の聖人。

【往昔】＝往古。

【往△迹・往跡】昔のあと。古跡。

【往年】過ぎ去った年。前の年。昔。往歳。

【往反】行き帰り。また、その日数・道のり。

【往復】①往来。行くことと帰ること。行き来する。②去ってまた来る。循環する。③行き来して交際する。④手紙などをやりとりする。

【往返】①ゆき帰り。往復。また、その日数・道のり。②やりとりする。

【往来(來)】①行くことと来ること。行き来。②交際。つきあい。また、手紙のやりとり。③国道路。人通りの多い通り。

【告レ往知レ来(來)】過去のことを話して聞かせると、それをもとにして将来のことを察知する。一を聞いて十を知る意。〔論語、学而〕→告二諸往一而知レ来(一三五ページ上)。

5 【徃】 8画 3400 オウ 往(3398)の俗字。→五〇一ページ中。 5540 9C67 —

5 【径】 8画 3401 教4 漢ケイ ケイ 呉キョウ(キャウ) 中 jìng 2334 8C61 —

7 【徑】 10画 3402 5545 9C6C —

筆順 ノ ク 彳 彳 径 径 径 径

［逕］12090 同字

字義 ❶こみち。また、こみちを行く。㋐細道。また、ちかみち。まっすぐに通じた道。用例〔論語、雍也〕行不レ由レ径。↓歩いていくときに小道や近道を通らない(行いの公明正大なことのたとえ)。㋑よこみち。正しくない道。❷みち(道)。道路。また、方法。❸ただ-ちに。すぐに。直接に。用例〔唐、李白、将進酒詩〕主人何為言レ少レ銭、径須ニ沽取対レ君酌一。↓主人よ、どうしてぜにが少ないなどというのか。ただちにぜひとも、酒を買って来て、客人たちにお酌をしなさい。❹まっすぐ。また、速やか。「直情径行」❺さしわたし。わたり。「直径」❻ゆく(行)。通る。経る。

名前 ただ・みち

解字 篆文 形声。彳＋圣(巠)音。音符の巠ケイは、まっすぐの意味。まっすぐで距離の短い、こみちの意味を表す。

逆 口径・行径・邪径・小径・人径・石径・万径・門径・野径・幽径

【径行】(ケイコウ) 少しも遠慮しないで思ったままに行うこと。「直情径行」

【径△畛】(ケイシン) あぜみち。田と田との間にあるこみち。▼畛は、田の中のみち。

【径寸】(ケイスン) さしわたし一寸。直径一寸。

【径庭】(ケイテイ) 非常にへだたり(差)のあること。径は狭く、庭は広いことからいう。用例〔荘子、逍遥遊〕大有ニ径庭一。↓大いに差がある(かけ離れている)。

【径道】(ケイドウ) 近道。用例〔史記、廉頗藺相如伝〕従ニ径道一亡、帰ニ璧于趙一。↓近道を通って逃げて、璧を趙に持ち帰る。

【径路】(ケイロ) ①こみち。ちかみち。②国㋐通って来た道。㋑到達までの筋道。「入手径路」

【不レ由レ径】(こみちによらず) ＝行不レ由レ径(五〇〇ページ下)。

5 【征】 8画 3403 常 漢セイ 呉ショウ(シャウ) 中 zhēng セイ 3212 90AA —

筆順 ノ ク 彳 彳 行 行 征 征

［徰］3451 古字

字義 ❶ゆ-く。遠くへ行く。旅に出る。用例〔唐、李白、送ニ友人一詩〕此地一為レ別、孤蓬万里征。↓この地でいったん別れを告げると、君は風に吹かれて転がり飛ぶ一本のよもぎのように、万里のかなたへと旅立っていくのだ。❷う-つ(伐)。兵力を用いて伐つ。「親征」❸と-る。㋐利益を求める。利益を取る。用例〔孟子、梁恵王上〕上下交征レ利、而国危矣。↓上の者から下の者まで順番に自分の利益ばかりを追求して、国は危機的な状況になる。㋑税を取りたてる。また、その税。「征賦」❹しちょう。碁の手法の一つ。

名前 いく・さち・せい・そ・ただ・ただし・ただす・はや・ひで・まさ・もと・ゆき・ゆく

難読 征矢そ・征箭そ

解字 甲骨文 篆文 形声。彳＋正音。甲骨文は、正と同形。まっすぐ進撃するの意味を表す。篆文は、それに彳を付けた形。

逆 遠征・外征・出征・親征・長征・東征・力征

【征△夷】(セイイ) 異民族をうつ。賊をうつ。「征夷大将軍」

【征衣】(セイイ) ①旅行中の衣服。たびごろも。②戦争用の衣服。いくさごろも。軍服。

【征客】(セイカク) ①戦争に行く人。また、戦場にいる人。②旅人。

【征△戍】(セイジュ) 遠く(国境・外地)へ行って守る。また、国境警備の兵。

【征人】(セイジン) ＝征客。

【征税】(セイゼイ) ①税をとりたてる。②租税。税金。

【征戦(戰)】(セイセン) ①戦場に行く。また、戦争。用例〔唐、王翰、涼州詞〕酔臥ニ沙場一君莫レ笑、古来征戦幾人回。↓酔って砂漠に横になるが、君よ、笑ってくれるな、昔から戦争に行って何人が無事で帰ったことか(一人もいない)。②征伐して戦う。

【征△鐸】(セイタク) 旅の車につける大型の鈴。

【征鳥】(セイチョウ) ①飛ぶ鳥。空行く鳥。②渡り鳥。③たか・はやぶさの類い。猛禽。猛鳥。

【征途】(セイト) ①旅の道。たびじ。②人生の行路。③戦場に行くみち。出陣の道。

【征討】(セイトウ) てむかう者・罪ある者をうつ。上の者が下の者をうつ。

【征馬】(セイバ) ①戦争に従う馬。②旅で乗る馬。

【征△旆】(セイハイ) ①戦争の時の旗。②進んで行く旗。

【征伐】(セイバツ) 罪ある者・反逆者などを攻めうつ。

【征帆】(セイハン) 去って行く舟。旅の舟。用例〔唐、李白、哭ニ晁卿衡一詩〕日本晁卿辞ニ帝都一、征帆一片遶ニ蓬壺一。↓日本の阿倍仲麻呂は唐の都に別れを告げ、一そうの去りゆく帆船にのって、蓬萊の島をめぐって行った。

【征夫】(セイフ) 旅人。用例〔東晋、陶潜、帰去来辞〕問ニ征夫一以ニ前路一、恨ニ晨光之熹微一。↓旅人に故郷までの道のりをたずね、(まだかなり道のりを残すというのに夕暮れになって)日の光がかすかになったのをうらめしく思う。

【征賦】(セイフ) 税。租税。

【征服】(セイフク) ①征伐して服従させる。②困難を克服する。また、自分の支配下におく。

【征△蓬】(セイホウ) とびゆくよもぎ。旅人のたとえ。▼蓬は、アカザ科の二年草。枯れると、風で原野を転がるという。

【征旅】(セイリョ) ①征伐の軍隊。②旅人。

5 【徂】 8画 3404 漢ソ 呉ゾ 中 cú 5541 9C68 —

字義 ❶ゆ-く。㋐すすむ。おもむく。㋑いたる。およぶ。㋒去る。㋓死ぬ。❷はじめ。はじめて。

解字 篆文 別体 形声。彳＋且音。音符の且ヨシは、つみかさねるの意味。歩みを積み重ねる、いくの意味を表す。篆文は、辵＋且音。

【徂歳】(ソサイ) 徂年。過ぎ去ったとし。去年。

【徂逝】(ソセイ) ①行く。去って行く。②死亡する。

【徂△徠】(ソライ) ①ゆききする。往来する。②国荻生徂徠(モケイの号。→荻生茂卿(一三二四ページ中)。

【徂落】(ソラク) 天子の死をいう。崩御。

5 【彽】 8画 3405 漢テイ 呉タイ 中 dī 18431 — 2907

字義 さまよ-う。たちもとおる。「彽徊」

参考 現代表記では〔低〕(275)に書きかえることがある。「彽徊→低回」

解字 形声。彳＋氐音。音符の氐テイは、いたるの意味。行きつくの意味を表す。かえるの意味に重点をおいた徊カイと熟して、彽徊は、ゆきつもどりつの意味を表す。

5 【彼】 8画 3406 常 ヒ 中 bǐ ヒ かれ・かの 4064 94DE —

筆順 ノ ク 彳 彳 犷 犷 彷 彼 彼

字義 ❶か。かれ。㋐あれ。↔此(5991)。㋑あの人。また、相手。↔我(3943)・汝(6164)。用例〔孫子、謀攻〕知彼知己、百戦不殆。⇩相手の実情を理解し、自分の実情を理解していれば、百たび戦っても危険な状態にはならない。／〔史記、項羽本紀〕彼可取而代也。⇩あの人に取って代わってやる。㋒かなた。かしこ。用例〔唐、韓愈、与孟東野書〕自彼至此雖遠、要皆舟行可至。⇩そちらから当地に来るには距離があるとはいえ、つまるところ船旅だけで来ることができます。❷か-の。あ-の。「彼地」「彼女」

名前 のぶ 難読 彼処・彼所・彼杵・彼奴・彼方・彼方此方・彼様

解字 金文 篆文 形声。彳＋皮音。音符の皮は、波に通じ、なみ(波)の意味。波のように遠方に行ったところ、かなたの意味を表す。

【彼一時▵此一時】あの時はあの時のこと、この時はこの時のこと。おのおのその時に応じて行ったことで、二つの間に矛盾はないという意。〔孟子、公孫丑下〕

【彼我】かれと、われ。相手と自分。むこうと、こちら。

【彼岸】①向こうぎし。対岸。②仏梵語 pāramitā の訳語「彼岸に至る」から出た語。㋐この世(此岸)に対して、煩悩(流れにたとえる)を越えて悟りを開いた境地(涅槃の境地)。㋑春分・秋分の日の前後七日間をいう。㋒「彼岸会」の略。彼岸の期間に行う法会。

【彼▵此】㊀①あれと、これ。あのことと、このこと。あの人と、この人。あちらと、こちら。あの地と、この地。用例〔唐、杜甫、哀江頭詩〕清渭東流剣閣深、去住彼此無消息。⇩清らかな渭水は東へと流れ、剣閣の山々は深い。蜀に去った人(玄宗)も、ここに死んだこの人(楊貴妃)も、ともに今では消息は途絶えてしまった。②あれこれ。あのことこのこと。あの人この人。たれかれ。なにやかや。㊁かれと、われ。彼我。㊂国①とやかく。なんのかの。②おおよそ。ほとんど。やがて。

【彼人▵也、予人▵也】彼も我も同じ人間である。彼にできることが我にできぬことはない意。〔唐、韓愈、原毀〕

【彼▵蒼】そら。大空。あの青い天の意味で、心中の煩悶を天に訴える気持ちを有する語。『詩経』秦風・黄鳥の「彼蒼者天」に基づいた語。

5 【彿】 8画 3407 漢フツ 呉フチ 物 fú 5542 9C69 ―

字義 にかよう。さも似る。また、ほのか。かすか。髴。↓彷彿(五〇一ページ上)。

解字 形声。彳＋弗音。

5 【彾】 8画 3408 漢レイ 呉リョウ(リャウ) 青 líng ₂1221 ― 2908

字義 ❶雨上がりの小道。❷行くさま。

解字 形声。彳＋令音。

6 【徍】 9画 3409 漢アイ 呉エ 佳 wā ― ― 2910

字義 ななめに行くさま。

解字 形声。彳＋圭音。

6 【衍】 9画 3410 エン 銑 yǎn 6207 9FA5 ―

字義 ❶ながれる(流)。水が流れて行く。❷ゆく(行)。めぐりゆく。❸あふれる(溢)。❹あまる(余)。余計な。「衍文」❺はびこる(蔓)。ひろがる。❻しく(布)。ひろげる。「敷衍」❼大きい。また、広い。❽さかん(盛)。❾ひらち。平地。❿美しいさま。⓫す(洲)。川の中の島。⓬さわ(沢)。

注意 『康熙字典』では、行部に所属する。

解字 甲骨文 篆文 会意。行＋氵(水)。行は、みちの象形。水が道にあふれひろがるの意味を表す。

【衍▵溢】満ちあふれる。充衍。盈衍。

【衍▵盈】あふれ満ちる。盈衍。

【衍▵繹】一つの事柄から他の事柄に意味を述べ広めて解明すること。演繹。

【衍義】①仁義の道をおし広める。②おし広めた意義。また、意義をおし広めてくわしく説く。

【衍字】文章の中に誤ってはいっている無用な字。衍文。

【衍聖公】孔子の子孫が世襲する爵号。

【衍文】文章の中に誤ってはいっている無用な文字・文句。衍字。

【衍▵曼・衍▵漫】はびこる。ひろがる。曼衍。漫衍。蔓衍。

【衍沃】広々としてよく肥えた土地。

6 【徊】 9画 3411 標 漢カイ(クワイ) 呉ガイ(グワイ) 灰 huái,huí 5543 9C6A ―

字義 さまよ-う。たちもとおる。「低徊」

参考 現代表記では〔回〕(1813)に書きかえることがある。「低徊→低回」

6 【衎】 9画 3412 カン 翰 kàn ― ― 6010

解字 形声。彳＋回音。音符の回は、めぐるの意味。

字義 ❶よろこぶ(喜)。❷たのしむ(楽)。❸満足しているさま。また、ゆったりしているさま。

注意 『康熙字典』では、行部に所属する。

解字 篆文 形声。行＋干音。音符の干は、つきすすむの意味。思うままに進んで満足する、たのしむ・よろこぶの意味を表す。

【衎衎】①楽しむさま。和らぎ楽しむさま。②強くてすばやいさま。一説に、剛直なさま。

【衎衎然】はばからずに直言するさま。

【衎然】①楽しみ喜ぶさま。②安定したさま。

6 【後】 9画 3413 教2 漢コウ・呉グ 慣ゴ 有 hòu 2469 8CE3 ―

ゴ・コウ のち・うし-ろ・あと・おく-れる

筆順 ノ ク 彳 … 後 後

字義 ❶あと。うし-ろ。しりえ。背後。↔前(934)。用例〔論語、子罕〕瞻之在前、忽焉在後。⇩前にあったかと思うと、見定めがたく、後ろにある。❷あと。のち。↔先(689)。㋐将来。こののち。また、のちの人。用例〔東晋、王羲之、蘭亭集序〕後之視今、亦由今之視昔。⇩後世の人が今のわれわれを見るのも、やはり今のわれわれが昔を見るようなものである。㋑事のすんだのち。㋒ちすじ。子孫。あととり。用例〔孟子、梁恵王上〕始作俑者、其無後乎。⇩最初に死者とともに埋葬する人形を作ったものは、子孫が絶えてしまうだろう。㋓仏来世。死後。❸おく-れる。㋐あとになる。㋑おそくなる。まにあわない。㋒おくれて来る。用例〔論語、先進〕子畏於匡、顔淵後。⇩孔子が匡の地で危険に遭遇したとき、弟子の顔淵が(はぐれてしまい、後から)おくれてきた。㋓おとる(劣)。❹のち-にする。あとまわしにする。国おく-れる。㋐あとに残る。㋑生き残る。㋒気おくれする。㋓負ける。

名前 しつ・ちか・のち・のり・もち 難読 後閑・後妻・後志・後取・後生掛・後川・後朝・後方

使いわけ ①あと〔跡・後・痕〕⇩跡(11713)。②おくれる〔遅・後〕⇩遅(12163)。

解字 金文 篆文 **会意**。彳＋幺＋夊（夂）。彳は、道を行くの意味。幺は、糸でつなぐの意味。夊は、足の意味。道を行くときに糸が足にからまって（一説に、幼いために）歩みがおくれるの意味を表す。

逆 以後・牛後・向後・自後・身後・絶後・戦後・背後

【後△胤】コウイン 子孫。▼胤は、ちすじ・子孫。

【後院】コウイン ①正殿の後ろにある建物・役所・住居。②家の後ろの庭園。

【後△裔】コウエイ ①子孫。▼裔は、着物のすそ。②末。

【後援】コウエン ①あとから来る援兵。②後方から助ける。あとおし。

【後△燕】コウエン 五胡十六国の一つ。鮮卑族の慕容垂が中山（今の河北省定州市）に建てた国。四代、二十四年で北燕に滅ぼされた。（三八四—四〇七）

【後架】コウカ 国①禅家で、僧堂のうしろにかけ渡した洗面所。②便所。かわや。

【後会（會）】コウカイ 後日に会うこと。後日の会合。

【後会（會）期△遥（遙）】コウカイゴはるかなり 再び会うことのできる時期ははるかに遠い。用例（和漢朗詠集、大江朝綱、餞別）前途程遠、馳思於雁山之暮雲、後会期遥、霑纓於鴻臚之暁涙。↓これから行く道は果てしない、はるか雁門山の夕暮れの雲を思いやりつつ旅を続けることだろう。後日、再び会うのははるか先であり、ここ鴻臚館で夜明けの別れに冠のひもを涙にぬらすのだ。

【後悔】コウカイ（前事を）あとからくいる。また、あとに残るくい。

【後悔△噬△臍】コウカイほぞをかむ 事が起こってから後悔しても及ばないこと。臍（へそ）をかもうとしても、口はへそにとどかないことからいう。〔左伝、荘公六〕

【後覚（覺）】コウカク 人より後に道をさとる人。↕先覚（二四〇ページ上）。

【後学（學）】コウガク ①人よりおくれて学問を始めた人々。②学者の謙称。③国後日の心得。後々の参考。

【後患】コウカン のちのちのうれい。後日の心配。

【後漢】一ゴカン 国名。前漢の景帝の子孫の劉秀（光武帝）が、王莽（前漢を滅ぼし、新を建てた）を滅ぼして建てた国。都は洛陽。十二代百九十六年で魏に帝位を奪われた。東漢ともいう。（二五—二二〇）二コウカン 国名。五代の国の一つ。劉知遠が建てた国。都は、汴（今の河南省開封市）。五代の第四王朝。後周に滅ぼされた。二代、四年。（九四七—九五〇）

【後漢書】ゴカンジョ 書名。百二十巻。南朝宋の范曄の著。後漢時代の歴史を記した書。二十四史の一つ。

【後△魏】コウギ 南北朝時代の北朝の一国。鮮卑族の拓跋珪の建てた国。初め盛楽（今の内モンゴル自治区和林格爾県）に、後、平城（今の山西省大同市）に都し、また、洛陽に遷都した。別名、北魏。後、東魏・西魏に分かれた。後魏・西魏で合計十五代、百七十一年（三八六—五三四）。東魏は一代、十七年。（五三四—五五〇）

【後宮】コウキュウ ①天子が住居する前殿の後ろにある、后妃や女官の住む宮殿。内宮。後庭。用例（唐、白居易、長恨歌）後宮佳麗三千人、三千寵愛在一身。↓後宮に住むうるわしい美女は三千人、その三千人にそそがれるはずの天子の寵愛は、彼女一身に集まった。②皇后などの総称。

【後継（繼）】コウケイ ①あとからつづくこと。また、あとをつぐこと。②あとつぎ。あとめ。

【後月】一コウゲツ 翌月。来月。用例（唐、韓愈、与孟東野書）李習之娶吾亡兄之女、朝夕当来此。期在後月。↓李習之が私の亡き兄の娘をめとることとなり、来月に予定していますので、そのうちこちらにやって来ることでしょう。二のちのつき 国次の月。㋐閏月。㋑陰暦八月十五日の月（中秋の名月）に対し、九月十三日の月。十三夜。三あとのつき・あとゲツ 国先月。前の月。

【後見】一コウケン ①会見におくれること。②国㋐昔、家長が幼い時に、それを補佐した人。㋑精神上の障害によって、日常的に判断能力を欠く状態にある人を保護し、財産の管理などをすること。また、その制度。二うしろみ 国陰にいて世話をすること。また、その人。

【後言】コウゲン ①あとで言う。また、そのことば。②あとで悪口を言う。また、その悪口。陰口。

【後顧△之憂】コウコのうれい（ひ） あとに残る心配。▼後顧は、後ろをふりかえる。〔魏書、李冲伝〕

【後光】ゴコウ 仏仏の五体から発する光。仏像の背に円環・船形などをつけるのは、これをかたどったもの。

【後昆】コウコン ▼昆は、後。①子孫。②後世。

【後嗣】コウシ ①あとつぎ。②子孫。

【後事】コウジ ①前の事件に続いて起こった事件。②死後のこと。また、将来のこと。「後事を託す」

【後室】コウシツ ①家の奥にある部屋。②国貴人の未亡人。

【後日】ゴジツ のちの日。またの日。いつか。

【後者】コウシャ ①あとの者。②あとから続く者。③後世の人。④二つのうち、あとの方のもの。

【後主】コウシュ ①後世の君主。②君主のあとつぎ。③歴史家が王朝の最後の君主を呼ぶ語。

【後周】コウシュウ 五代十国の一つ。郭威が建て、汴（今の河南省開封市）に都した。五代最後の王朝、三代、十年。（九五一—九六〇）

【後序】コウジョ 書籍の末につけられた序文。跋。

【後△蜀】コウショク ①五胡十六国の一つ。↓成漢（五六一ページ下）。②五代十国の一つ。孟知祥が今の四川省成都市に都して建てた国。（九三四—九六五）

【後身】コウシン ①生まれ変わった身。来世の身。②国境遇などの変わった後の身。

【後△晋（晉）】コウシン 五代の国の一つ。石敬瑭の建てた国。初め洛陽に都し、後に汴（今の河南省開封市）に遷都。五代の第三王朝。二代、十一年。（九三六—九四六）

【後△秦】コウシン 国名。五胡十六国の一つ。羌族の姚萇が長安（今の陝西省西安市）に都して建てた国。三代、三十四年。（三八四—四一七）

【後進】コウシン あとから進んで来る者。後輩。

【後人】コウジン ①あとから来る人。後世の人。②子孫。後嗣。

【後△塵】コウジン ①人や車馬の通ったあとに立つほこり。②人のあと。人のしりえ。

【拝（拜）後△塵】コウジンをハイす ①人の通ったあとに起こるちりをおがむ。貴人にこびへつらうことのたとえ。②国人におくれをとること。

【後世】一コウセイ ①後の世。用例（文選、古詩十九首、其十五）愚者愛惜費、但為後世嗤。↓愚か者は費用を惜しんで、ただ後世の人にあざけり笑われるだけだ。②子孫。二ゴセ 仏死後。来世。「後世を願う」

【後生】一コウセイ ①あとから生まれる。また、その人。↕先生（二四〇ページ中）。②子孫。③年少者。後輩。二ゴショウ ①仏後の世に生まれかわること。来世。↕前生（一八三ページ上）。②国㋐来世の安楽。また、その因となる行為。善根。㋑折り入って事を頼むときに使う語。

【後生可畏】コウセイおそるべし 後進者は年が若くて気力が強いから、学んでやまなければ、その進歩はおそるべきものである。〔論語、子罕〕

【後素】コウソ ①仕上げを重んじること。「素より後にす」と読み、絵を描くとき、まず、素（胡粉）をぬって、その上に彩色を施すこと。一説に、「素を後にす」と読み、まず、彩色を施して描き、その上に素（胡粉）を加えて完成する意。〔論語、八佾〕②絵画。

【後則為（爲）二人所一レ制】人におくれて事を行えば、必ず人に先手をとられておさえられてしまう。物事は後手にまわると成功しがたいことのたとえ。用例〔史記、項羽本紀〕先即制レ人、後則為二人所一レ制。↓人に先だってやれば人を押さえつけることができるが、人より遅れれば人に押さえつけられる。

【後知】人よりあとに道理をさとり知る人。後覚。

【後△趙】国名。五胡十六国の一つ。羯族の石勒の建てた国。都は襄国（今の河北省邢台市）、後に鄴（今の河北省臨漳県）。七代、三十三年。（三一九―三五一）

【後庭】①宮中の奥むき。后妃や女官の居る所。後宮。②后妃などの総称。③家の裏にある庭園。

【後庭花】歌曲の名。南朝陳の後主が、宴を開き、数千の美女に歌わせた歌曲の一つ。後主は宴楽に明けくれしたために、ついに国を滅ぼした。用例〔唐、杜牧、泊二秦淮一詩〕商女不レ知亡国恨、隔レ江猶唱後庭花。↓歌妓たちは亡国の恨みなど知らないまま、むこう岸で亡国の歌ともいえる後庭花の曲を歌っている。

【後天】生まれてから後に身につくこと。↕先天（二四〇ページ中）。

【後図（圖）】後のはかりごと。後日の計画。死後の計画。

【後唐】五代の国の一つ。李存勗が洛陽に都して建てた国。五代の第二王朝。四代、十四年。（九二三―九三六）

【後難】後のなんぎ。後日の災難。後患。

【後輩】後に生まれた人。後進者。↕先輩（二四〇ページ下）。

【後房】①奥の部屋。②妻やそばめのいる部屋。

【後夜】①夜半から朝までをいう。↕初夜（一七五ページ中）。②仏夜中から朝までの勤め、特に朝早く行われる勤行。

【後葉】①後世。後代。後の世。②子孫。

【後来（來）】①今からのち。こののち。将来。②その後。③あとから（おくれて）来る。

【後楽（樂）】①あとで楽しむ。②天下の人の楽しみにおくれて楽しむ。北宋の范仲淹の「岳陽楼記」に「先二天下之憂一而憂、後二天下之楽一而楽」とあるのに基づく。

【後楽（樂）園】庭園の名。㋐南宋の賈似道が理宗から賜った、西湖（浙江省杭州市）のほとりの葛嶺に開いた庭園。㋑国東京と岡山にある庭園。

【後△梁】①南北朝時代、西魏の後援で蕭詧が建てた国。都は江陵（湖北省江陵県）。一名、北梁。三代、三十三年。（五五五―五八七）②五代の国の一つ。唐の臣、朱全忠が哀宗の位を奪って建てた国。都は汴（今の河南省開封市）。五代の第一王朝。二代、十七年。（九〇七―九二三）

【後涼】五胡十六国の一つ。氐族の呂光の建てた国。都は涼州姑臧（今の甘粛省武威市）。四代、十八年。（三八六―四〇三）

【後△聯】律詩の第五・第六句をいう。↕前聯（一八三ページ中）。

6 【很】 9画 3414 漢コン 呉ゴン 阮 hěn 5544 9C6B 二

字義 ❶もとる。たがう。また、聞き入れない。❷あらそう。訴え争う。❸はなはだ。

解字 篆文 形声。彳＋艮（㫐）音。音符の艮は、ふみとどまって進まないの意味。行きなやむの意味を表す。また、自分の考えにふみとどまって、人の意見を聞きいれない、もとる・あらそうの意味も表す。

【很△忤】もとりさからう。

【很△愎】ねじけもとる。ごうまんで他人の言に従わないこと。

【很戻】ねじけもとる。道にそむく。

6 【徇】 9画 3415 【狥】7226 俗字 一 漢シュン・呉ジュン 震 xùn 二 シュン 真 xún 5546 9C6D 一

字義 一 ❶となえる。㋐広く告げ知らせる。㋑さらしものにする。見せしめにする。㋒てらう。㋓かすめる。うばう。❷したがう。㋐服従する。㋑あとを追う。ついて行く。㋒身命を捨ててある物事にたずさわる。㋓まきぞえになる。❸もとめる。❹めぐる（巡）。とりまく。守る。二 ❶いとなむ（営）。❷使う。❸あまねく。広く。

参考 〔殉〕（6023）に通ずる。熟語は〔殉〕をも見よ。

解字 篆文 形声。彳＋旬（匀）音。音符の匀は、均に通じ、ひとしいの意味。ひとしくあまねく行きわたるの意味を表す。

【徇地】各地を巡ってその地を従属させる。略地。

6 【待】 9画 3416 教3 タイ まーつ 漢タイ・呉ダイ 賄 dài 3452 91D2 一

筆順 ノ ク 彳 彳 彳 彳 待 待 待

字義 まーつ。㋐まちうける。「招待」㋑あしらう。もてなす。遇する。用例〔論語、微子〕以二季孟之間一待レ之。↓季孫氏と孟孫氏の中間ぐらいのところで待遇しよう。㋒そなえる（備）。用意する。㋓ふせぐ。当たる。㋔任用する。㋕たすける。㋖たのむ。たよりにする。㋗望みをかける。「期待」㋘時日をかし与える。猶予する。用例〔東晋、陶潜、雑詩〕及レ時当二勉励一、歳月不レ待レ人。↓時を失うことなく、つとめ励む（楽しみを尽くす）べきである。年月はどんどん過ぎ去って、人を待っていてはくれないのだから。

名前 なが・まち・まつ・みち

解字 篆文 形声。彳＋寺音。音符の寺は、止に通じ、とどまるの意味。彳は歩行の意味。歩行をやめてとどまる、まつの意味を表す。

逆 歓待・期待・虐待・遇待・招待・接待・賓待・優待

【待機】機会の来るのを準備をととのえて待つこと。

【待遇】もてなす。あしらう。また、もてなし。

【待△賈】よい商人を待って売る。明君・賢相の招きを待つ意。一説に「タイカ」と読み、価格の高くなるのを待って売る。適当な礼遇を待って仕える意。待レ賈。用例〔論語、子罕〕我待レ賈者也。↓私はよい価格で買ってくれる者を待っているのだ。

【待詔】①みことのりを待つ。②天子に召し出されて、まだ正式の官につかぬ間の称。③漢代以後の官名。天子の下問に答える職で、学問にすぐれた人が任ぜられた。

【待制】①＝待詔①。②唐代の官名。詔勅を書いたり、下問に答えたりする職。

【待避】危険の去るのを待つこと。→退避（一四二一ページ下）。

【待望】待ち望む。期待する。

【待命】①命令（の下るの）を待つ。②国㋐一定期間職務につかずに給与を受け、期限になると辞職する制度。㋑官吏の職務・任地のまだ決まらないこと。㋒事に従うことをとどめて後の命令を待たせること。

6 【徉】 9画 3417 ヨウ（ヤウ） 陽 yáng 8432 一 2909

字義 さまよーう。たちもとおる。あてもなく歩く。「徜徉」

解字 形声。彳＋羊音。音符の羊は、瀁に通じ、ただようの意味。彳を付し、人がさまようの意味を表す。

6 【律】 9画 3418 教6 リツ・リチ 漢リツ・呉リチ 質 lǜ 4607 97A5 一

筆順 ノ ク 彳 彳 彳 律 律 律 律

字義 ❶のり。おきて。さだめ。「法律」「規律」 ❷のっとる。手本とする。❸はかる。法律または一定の標準により測る。また、測り正す。❹音階・楽調の基準となる一種の笛。律管。❺音楽の調子。また、音階。「調律」。また、周期的に生起する音の変化・強弱などの関係。節奏。リズム。「旋律」 ❻漢詩の一体。律詩。「七律」 ❼仏仏法修行上のいましめ。戒律。「リツ」と読む。

名前 おと・ただし・ただす・のり・りつ

解字 篆文 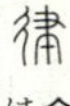 会意。彳＋聿。彳は、人の行く道の意味。聿は、甲骨文では卜辞を刻みつけるための道具の象形。人が行くべき道として刻みつけられている言葉、おきての意味を表す。

逆 一律・音律・戒律・紀律・規律・軍律・自律・声律・旋律・他律・排律

【律儀・律義】リチギ ①仏㋐のり。おきて。戒律。㋑戒律を守り威儀を整えること。②国実直なこと。

【律師】一リッシ ①道士の尊号の一つ。法師・威儀師と並んで三号の一つ。②仏戒律を保った徳の高い僧。二リシ・リッシ 国僧正・僧都に次ぐ僧の位。

【律詩】リッシ 漢詩の近体詩の一つ。一句が五言または七言の八句から成る。唐代に定まった詩形。⇩コラム漢詩(八六六ページ)。

【律宗】リッシュウ 仏仏教の一宗派の名。日本には唐の鑑真和尚が伝え、戒律を守ることを主とする。

【律動】リツドウ 国一定の時間を周期として変化してゆく運動。リズミカルな運動。

【律律】リツリツ ①山の切り立ってけわしい様子。②にくむさま。

【律呂】リツリョ ①音調の基準を示す管。竹で作った、一定の直径と長さを有する十二本の開管(竹の両節を切り落とした管)。律管。六本を律(六律)、他の六本を呂(六呂)と名づける。そのおのおのが他と異なった一音を発する。②音階。③音楽の調子。④音楽。

【律令】一リツレイ 国家のおきて。刑律と法令。また、大綱を律、条目を令という。二リツリョウ 国律と令。律は、罪人を処罰する法を規定し、令は、諸般の制度を規定したもの。

7 【徑】 10画 (3402) ケイ 径(3401)の旧字体。→五〇二ページ上。

7 【従】 10画 3419 教6 ジュウ・ショウ・ジュ したがう・したがえる 2930 8F5D 一

8 【從】 11画 3420 人 一 漢ショウ 呉ジュ・ジュウ 図 cōng, ⑤zòng, ⑥zōng 二 漢ショウ 呉ジュ・ジュウ 宋 zòng 5547 9C6E 一

[从] 172 本字

筆順 ノ ク 彳 彳 彳 徉 徉 徉 従

字義 一 助 よ-り。⇩助字・句法解説。❶したが-う。㋐後についてゆく。追いかける。お供する。用例〔論語、公冶長〕従レ我者其由与。⇩私についてきてくれる者は、まあ由(子路)だろうか。㋑よりそう。近づく。そばに行く。用例〔礼記、曲礼上〕謀ニ於長者一、必操ニ几杖一以従レ之。⇩長老に相談するときは、(長老が移動しようとしたら)必ず寄りかかる机と杖を持ってよりそわねばならぬ。㋒なつく。服従する。いうことをきく。用例〔左伝、荘公十〕小恵未レ偏、民弗レ従也。⇩些細な恩恵では民に行きわたっていません。それでは民は服従しません。㋓たずさわる。用例〔論語、子路〕苟正ニ其身一矣、於レ従レ政乎何有。⇩もし自分自身を正しく修めることができれば、政治にたずさわるにあたって何の困難があろうか。㋔まかせる。用例〔論語、為政〕七十而従ニ心所一レ欲不レ踰レ矩。⇩七十歳になると自分の望むままに行動しても、道徳からはずれることがなくなった。❷したが-える。㋐引き連れる。用例〔史記、項羽本紀〕沛公旦日従ニ百余騎一、来見ニ項王一。⇩沛公は朝早く百余騎を引き連れ、項王に会おうとやってきた。㋑征服する。❸したが-って。よって。用例〔左伝、隠公六〕長レ悪不レ悛、従自及也。⇩悪事を増大させて改めずにいると、それによって災いがその身にふりかかるのだ。❹よ-る(由・因・依)。よりどころとする。用例〔漢書、外戚伝上〕霍光夫人顕欲レ貴ニ其小女一、道無レ従。⇩霍光夫人の顕は、末娘を皇后の地位につけたいと思ったが、どうしようもなかった。❺たて(縦)。また、南北。「合従」 ❻あと。＝蹤(11787)。❼ゆるやか。「従容」

二 ❶したが-う。＝一❶。❷ほしいまま。きまま。＝縦(9304)。「従覧」「放従」 ❸はなつ。ほしいままにさせる。❹まかせる。ゆるす。❺とも。つきそい。家来。「主従」「侍従」 ❻そえ(副)。次。位階で正に対していう。「従五位」 ❼血族の関係を表す語。傍系の三親等。「従兄弟」

助字・句法解説

よ-り。「従レA(Aより)」。訳Aから。類自・由。名詞などの前に置かれ、続く語が起点・経路であることを示す働きをする。用例〔十八史略、春秋戦国、燕〕今、王必欲レ致レ士、先従レ隗始。⇩今もし、王様がなんとしても賢人を集めたいとお思いならば、まずは私、隗(を厚遇すること)からお始めください。

名前 しげ・つぐ・より 難読 従兄弟・従子・従姉妹・従父兄弟・従母兄弟・従父姉妹・従母姉妹

解字 甲骨文  金文  篆文(从)  篆文  形声。辵＋从音。もともと甲骨文は从で、会意。人のあとに人がしたがうさまから、したがうの意味を表す。のち、ゆくの意味の辵を付して、從となる。常用漢字の従は從の省略形による。

逆 合従・僕従・曲従・屈従・侍従・主従・追従・忍従・陪従・服従・面従・盲従

【従横】ジュウオウ・ショウオウ・ショウコウ ①たてよこ。▼従は、縦。②南北(従)と東西(横)。③合従と連衡。④意のまま。自由自在なこと。⑤いろいろさまざま。あれやこれや。

【従横家】ジュウオウカ・ショウオウカ 合従連衡の説をなす一派の人々。蘇秦・張儀など。

【従駕】ジュウガ 天子の行幸に従う。

【従学(學)】ジュウガク その人について学ぶこと。

【従軍】ジュウグン 軍隊に従って戦地に行く。戦争に行く。

【従衡】ショウコウ 合従連衡の策をいう。

【従合】ショウゴウ 合従(南北の国が連合)すること。

【従坐】ジュウザ 罪に連座する。まきぞえになって罪を加えられる。

【従子】ジュウシ 兄弟の子。おい。めい。

【従祀】ジュウシ 主となる者に合わせてまつること。

【従事】ジュウジ 事にたずさわる。その事をする。

【従順】ジュウジュン 素直で逆らわない。◆「素直で相手に逆らわない」ことを「柔順」または「従順」というが、ほとんど同意である。字義から見れば、「素直・ソフト」のときは「柔順」、「逆らわない・反抗的でない」ときは「従順」と書くべきであろうが、現在では、「従順」が一般的である。新聞用語も「従順」に

統一している。

【従心】こころにしたがう。心のままに行動する。転じて、七十歳をいう。『論語』為政編に「七十而従₂心所₁レ欲不レ踰レ矩」とあるのに基づく。⇩

コラム 年齢の別称（四六六ページ）

【従臣】つき従う臣下。おつきの家来。

【従親】合従して親しくする。従合。合従。用例〔十八史略、春秋戦国、趙〕与レ趙従親。⇩趙と合従（南北同盟）させた。

【従政】①政治を執る。②官役に服すること。

【従前】今より前。以前。これまで。

【従然】ゆったりと落ち着いているさま。従容。

【従属（屬）】①つき従う。付属する。②おとも。

【従卒】①つき従うもの。とものもの。②つき従う兵士。従兵。

【従孫】兄弟の孫。おいまご。姪孫。

【従△姪】いとこの子。

【従犯】正犯者を助けて罪を犯すこと。また、その人。共犯。↔正犯（七四四ページ中）。

【従父】父の兄弟。おじ。

【従母】母の姉妹。おば。

【従約】①合従の約束。②＝従親。

【従容】①ゆったりと落ちついているさま。くつろいでいるさま。②すすめる。さそう。③ふるまい。④さまよう。

【従来（來）】①今まで。もとから。②よって来る。

7【徐】10画 3421 常 ジョ　2989 8F99 —
漢ショ・呉ジョ 魚 xú

筆順 ノ ク 彳 彳 彳 彳 徐 徐 徐

字義 ❶おもむろ。おもむろに。㋐ゆっくり。そろそろと。用例〔呂氏春秋、大楽〕日月星辰、或疾或徐。⇩天体の運行はあるものははやくあるものは遅い。㋑しずか。おだやか。やすらか。用例〔北宋、蘇軾、前赤壁賦〕清風徐来、水波不レ興。⇩すがすがしい風が静かに吹いてきて、水上には波もたたない。㋒ゆる-い。ゆる-やか。ゆとりがある。ゆったりとしている。用例〔荘子、天道〕斲レ輪、徐則甘而不レ固。⇩車輪を削る際に、削り方がゆるいと隙間ができてしっかり固定されない。❷地名。古代、九州の一つ。徐州。現在の山東省東南部および江蘇・安徽二省の北部のあたり。❸周代の国名。今の安徽省にあった。

名前 やす・ゆき
解字 篆文 形声。彳＋余㊟。音符の余は、のびやかの意味。彳は、道を行くの意味。のびやかな心で行く、ゆっくり行くの意味を表す。
逆 虚徐
【徐△鍇】北宋の学者。徐鉉の弟。その著書『説文繋伝』は、『説文解字』の注釈書の最初のもの。（九二〇—九七四）
【徐幹】三国時代、魏の詩人。字は偉長。建安七子の一人。『中論』がある。（一七〇—二一七、一説に、一七一—二一八）
【徐△鉉】北宋の学者。太宗の命によって『説文解字』に校注をつけた。鉉を大徐、弟の鍇を小徐という。（九一七—九九二）
【徐行】そろそろ行く。ゆっくり歩く。
【徐△泗】徐州の泗水。山東省泗水県の東に発する川。
【徐州】①古代、九州の一つ。→字義❷。②地名。今の江蘇省の北西部、徐州市の地。
【徐徐】①そろそろと。ゆるやかに。静かに。②しとやかなさま。もの静かなさま。
【徐福】徐市ともいう。秦の方士。始皇帝の命令で、不老不死の薬を求めて東海の蓬萊山を目ざして行き、ついに帰らなかったという。日本に漂着したともいわれ、和歌山県新宮市の南方にその墓がある。
【徐陵】南朝陳の詩人。『玉台新詠』の編者。（五〇七—五八三）

7【徏】10画 3422 チョク　陟（13094）と同字。→一五一三ページ上。　21222 — 2911

7【徒】10画 3423 教4 ト　3744 936B —
漢ト・呉ド 虞 tú

筆順 ノ ク 彳 彳 彳 徍 徍 徒 徒 徒

字義 助いたず-らに。た-だ。た-だに。⇩助字・句法解説。❶かち。歩き。徒歩。❷むなしい。からっぽ。また、何も持たない。からて（徒手）。はだし。❸馬に乗らない兵卒。雑兵。❹力仕事に従事する労働者。用例〔史記、高祖本紀〕高祖以₂亭長₁、為レ県送₂徒酈山₁。⇩高祖は亭長として県の任務のために人夫を酈山に送りとどけることになった。❺囚人。❻しもべ。召し使い。従者。❼門人。弟子。「門徒」❽仲間。ともがら。また、人々。衆人。用例〔唐、韓愈、与₂孟東野₁書〕独行而無₂徒也、是非無₂所₁与同₁也。⇩一人で行動して連れ合う仲間はおらず、良し悪しの判断にも私と思いを共にする者はおりません。❾刑罰の一つ。→徒刑。国❶いたずら。㋐悪いたわむれ。悪戯。わるさ。㋑みだらなこと。❷ただ。普通の。「徒者」❸あだ。何の役にもたたない。むだ。むなしい。

助字・句法解説
❶いたず-らに
㋐訳むなしく。むだに。苦労したことがむだになることを表す。用例〔楽府詩集、焦仲卿妻〕妾不レ堪₂駆使₁、徒留無₂所₁施。⇩私は、酷使されることにたえられません。むだに家にとどまっていてもどうしようもないのです。

㋑限定。訳ただ…だけだ。続く内容を限定する。用例〔史記、廉頗藺相如伝〕秦城恐不レ可レ得、徒見レ欺。⇩秦の都市は恐らく手に入れることはできずに、ただだまされるだけでしょう。
❷ただ。ただに。限定。訳ただ…だけ。わずかに。続く内容を限定する。「ただ（に）…のみ」と呼応させて訓読することもある。用例〔史記、廉頗藺相如伝〕藺相如徒以₂口舌₁為レ労、而位居₂我上₁。⇩藺相如はただ口がうまくて手柄を立てたということだけで、地位は私より上になっている。／〔荘子、至楽〕非₂徒無レ形也、而本无レ気。⇩形がないばかりではなく、もともと形を構成する気さえなかったのだ。

名前 かち・ただ・とも　難読 徒士・徒歩・徒名・徒野
解字 金文 篆文 形声。『説文解字』は𨑒で、辵＋土㊟。音符の土は、つちの意味。道を行くとき乗物に乗らず土をふんで歩くの意味を表す。
逆 逆徒・凶徒・刑徒・使徒・司徒・宗徒・酒徒・僧徒・賊徒・博徒・暴徒・門徒
【徒為（爲）】むだな行為。むだごと。
【徒役】①義務として国家の仕事に使われること。また、その人民。②使われる人。こもの。
【徒刑】①五刑の一つ。労役に服させる刑罰。②国旧刑法で、重罪者を労役に服させた刑罰。
【徒行】＝徒歩㊀①。

【徒死】むだじに。何の役にもたたない死に方。用例〔近古史談、織篇、稲葉一徹〕今日之事、僕亦期不徒死耳。↓今日の事は、拙者も予期しており、むだ死にはしないように心掛けておりました。

【徒爾】むだ。無意味。▼爾は、助字。

【徒手】すで。からて。手に何も持っていないこと。「徒手空拳」

【徒取】（てがらや苦労もなく）ただでとる。

【徒衆】①衆人。ひとびと。②群衆。群集した人々。

【徒渉】徒歩で川を渡る。かちわたり。

【徒食】働かずにぶらぶらとくらす。居ぐい。「無為徒食」

【徒裼】①はだぬぎ。②はだしとはだぬぎ。

【徒跣・徒践（踐）】すあし。はだし。

【徒善】何の効果もあげ得ない善行。

【徒然】一①いたずらに。あてもなく。漫然。②うそ。むなしいこと。二 全くそうである。また、それだけである。三 国何もすることがなくてたいくつなさま。

【徒弟】①弟子。門人。②国商家や職人に使われる見習いの少年。小僧。丁稚。

【徒党（黨）】一緒に事をする仲間。徒属。「徒党を組む」

【徒歩】一 ①歩いて行く。かちあるき。②身分の低い人。匹夫。二 国歩いて行くこと。

【徒労（勞）】役にたたないことに労力を費やすこと。

8 【徃】11画 3424 オウ 往(3398)の正字。→五〇一ページ中。 7442 E5C8 二

8 【衒】11画 3425 漢ケン 呉ゲン 霰 xuàn

字義 ❶てらう。自分自身をみせびらかす。才能などを世間に自己宣伝する。❷うる(売)。歩きながら売る。

注意 『康熙字典』では、行部に所属する。

解字 篆文 別体 形声。行＋玄音。音符の玄は、眩に通じ、くらますの意味。人の目をごまかして商品を実質以上にほめて売り歩くの意味を表す。篆文の衒は会意で、行＋言。

【衒異】人と異なりすぐれていることをてらい示す。

【衒鬻】①実物の価値以上にほめ上げて売る。②実力以上に自分の才能をみせびらかして売り込む。

【衒学（學）】国学者ぶる。自分の学識をてらう。

【衒気（氣）】国てらい高ぶる心。自分をよく見せようとする気持ち。

【衒才】自分で自分の才能を誇りてらうこと。

【衒士】自分の才能をてらい誇る男性。

【衒女】器量自慢の女性。

【衒売（賣）】①＝衒鬻①。②自分をほめて広告する。

【衒耀】自分の才能や学問を誇らしげに示す。

8 【徙】11画 3426 シ 紙 xǐ 5548 9C6F 二

字義 うつる。うつす。場所を変える。移動する。また、左遷する。用例〔唐、柳宗元、捕蛇者説〕非死則徙爾。↓死んでしまったか、そうでなければ移住してしまったのだ。

解字 甲骨文 篆文 形声。辵＋止音。音符の止は、之に通じ、ゆくの意味。足を進めてゆく、うつるの意味を表す。

【徙倚】①さまよう。行きつもどりつする。②だらしないさま。

【徙宅】転居する。

8 【従】11画 (3420) ジュウ 従(3419)の旧字体。→五〇六ページ上。

8 【術】11画 3427 教5 ジュツ 2949 8F70 二

8 〖術〗11画 3428 漢シュツ・呉ジュチ 質 shù 慣ジュツ

筆順 ノ ク 彳 … 術

字義 ❶すべ。目的を達するてだて。手段。方法。「仁術」❷わざ。㋐学問・技芸。「学術」「技術」㋑しごと。事業。㋒はかりごと。「権謀術数」㋓うらない(占)。❸みち。㋐とおりみち。通路。㋑すじ道。㋒のり。おきて。法則。❹のべる。＝述(12050)。

名前 てだて・みち・やす・やすし

注意 術は、『康熙字典』では、行部に所属する。

解字 篆文 形声。行＋朮音。音符の朮は、整然と実の並ぶ「もちきび」の象形。整然とある行為を継続させていくための、みち・てだての意味を表す。

逆 学術・技術・芸術・幻術・詐術・算術・仁術・仙術・戦術・秘術・美術・方術・魔術

【術学（學）】技術と学問。

【術業】学問・技芸。学業。用例〔唐、韓愈、師説〕術業有専攻。↓学問を身に付けるのにそれぞれ専門とするところがある。

【術計】はかりごと。てだて。方法。術策。計略。

【術芸（藝）】①技術と文芸。②経書と芸術。③暦数・卜筮の術。

【術語】国学問上の専門語。学術語の略。

【術策】てだて。はかりごと。術数。術計。

【術士】①儒学の術に通じた人。儒士。②方術に詳しい人。方士。③たくらみ・はかりごとにすぐれた人。策士。

【術数（數）】①＝術計。「権謀術数」②法制で国を治めるやり方。③陰陽家・占い師などの術。

【術知・術智】わざと知恵。道術と才知。

8 【徜】11画 3429 漢ショウ(シャウ) 呉ジョウ(ジャウ) 陽 chāng 18433 一 2913

字義 さまよう。たちもとおる。「徜徉」

解字 形声。彳＋尚音。

8 【徢】11画 3430 ショウ(セフ) 葉 xiè 21223 一 2915

字義 小股ではやく歩くさま。

解字 形声。彳＋疌音。

8 【徖】11画 3431 ソウ 東 cōng 一 一 2912

字義 安らか。

解字 形声。彳＋宗音。

8 【徝】11画 3432 一チ 寘 zhì 二漢チョク・呉チキ 職 zhì 一 一 2914

字義 一ほどこす。二登る。

解字 形声。彳＋直音。

8 【得】11画 3433 教5 トク える・うる トク 職 dé 3832 93BE 一

〔㝵〕11028 古字

筆順 ノ ク 彳 … 得

字義 ❶える。うる。助う。⇩助字・句法解説。㋐手に入れる。自分のものとする。用例〔十八史略、春秋戦国、燕〕誠得賢士与共国、以雪先王之恥、孤之願也。↓ぜひとも天下の賢人を得て、国事をともに謀り国力を充実させて、亡き父王の恥をすすぎたいものだ、それが余の願いである。㋑むさぼる。欲張る。用例〔論語、季氏〕及其老也、血気既衰、戒之在得。↓老いると血気は衰え、むさぼることがないように自らを戒める。㋒知る。さとる(悟)。理解する。「会得」「納得」㋓満足する。得意になる。「自得」

㋔かなう。合う。適切に行う。うまくゆく。用例〔礼記、大学〕慮而后能得（おもんぱかりてのちよくう）↓正しく判断して初めて適切に行うことができる。㋕親しむ。気が入る。気が合う。用例〔左伝、哀公二十四〕公如越、得太子適郢（タイシテキエイをえたり）↓哀公は、越国に行き、その太子の適郢と親しくなった。㋖知覚できるようになる。目に入る。耳に入る。用例〔東晋、陶潜、桃花源記〕林尽水源、便得一山（はやしつきて、すなわ(は)ちイチザンをえたり）↓林は水源のところで終わり、そこには一つの山があった。❷利益。もうけ。↔損(4355)。「利得」 ❸徳のある人。 ❹徳とする。ありがたく思う。恩に感ずる。

助字・句法解説

う。可能。訳…できる。

動詞の前に置かれ、可能の意味を表す。機会や便宜に恵まれてできる場合は「得」、能力があってできる場合は「能」を用いる。

用例〔史記、項羽本紀〕沛公軍二覇上一、未レ得下与二項羽一相見上（ハイコウハジョウにグンし、いまだコウウとあいまみゆることをえず）↓この時沛公は覇水のほとりに軍をとどめ、まだ項羽にお目にかかる機会を得なかった。

名前 あり・う・え・とく・なり・のり・やす　難読 得撫（うるっぷ）

使いわけ

①える〔得・獲〕

〔得〕手に入れる。自分のものとする。「信頼を得る」

〔獲〕狩りや漁をして、魚や鳥獣をとらえる。また、つかまえる。「うさぎを獲る」

②トク〔得・徳〕

〔得〕利益。もうけ。「損して得取れ・お買い得」

〔徳〕すぐれた行いや品性。恩恵。「仁徳・徳を施す」

ただし、「早起きは三文の得／徳」のように、どちらも用いられる場合がある。

解字 甲骨文  金文  篆文  形声。彳＋㝵㊥。音符の㝵（トク）は、える・とるの意味。歩いて行ってとるの意味を表す。甲骨文は貝＋又の会意。貝は、「かい」の象形で、財物の意味。又は、手の象形。財物を手に入れるの意味を表す。

逆 引得・会得・獲得・感得・自得・修得・拾得・習得・取得・所得・心得・生得・説得・体得・独得・納得

【得意】トク イ ①自分の心にかなうこと。望みどおりになること。↔失意（三五一ジペ中）。②おごりたかぶること。③心地よいこと。④国㋐上手（ジョウズ）。えて。㋑商売上のきまったお客。おとくい。

【得策】トク サク 得になるやりかた。有利な方法。

【得失】トク シツ ①得ることと失うこと。②得と損。利と不利。利害。用例〔東晋、陶潜、五柳先生伝〕忘懐得失（トクシツをおもい(ひ)にわする）↓利害損失を考えない。③良いことと悪いこと。④長所と短所。⑤成功と失敗。

【得心】トク シン ①心が満たされる。②国承知する。納得する。

【得喪】トク ソウ ①得ることと失うこと。②成功と失敗。

【得度】トク ド 仏①迷いの世界からのがれてさとりの世界に入ること。②出家して僧・尼になること。仏の済度を得る。

【得得】トク トク ①わざわざ。ことさらに。②得意なさま。意気のあがるさま。

8【徘】11画 3434 標 ㊥ハイ ㊐バイ 灰 pái, péi　5549 9C70 —

字義 さまよう（さまよふ）。たちもとおる。

解字 形声。彳＋非㊥。

【徘徊】ハイ カイ さまよい歩く。ぶらぶら歩く。〔荀子、礼論〕

8【徠】11画 3435 人 一ライ 灰 lái 二ライ 隊 lài　5550 9C71 —

字義 一くる（く-る）。＝来(5221)。 二ねぎらう。いたわる。＝勑(1043)。

筆順 

名前 とめ

解字 形声。彳＋來㊥。音符の來（ライ）は、くるの意味。かえりくるの意味を表す。

8【衑】11画 3436 ㊥レイ ㊐リョウ（リャウ） 青 líng　— — 6011

字義 道。

解字 形声。行＋令㊥。

9【徫】12画 3437 イ（ヰ） 尾 wěi

字義 行くさま。

解字 形声。彳＋韋㊥。

［徫］3447 俗字

9【街】12画 3438 教4 ガイ・カイ まち ㊥カイ ㊐ケ 慣ガイ 佳 jiē　1925 8A58 —

筆順 

字義 ❶まち。㋐ちまた。まちなか。「市街」 ㋑まちの大通り。❷よつまた。十字路。

名前 まち

注意 『康熙字典』では、行部に所属する。

使いわけ まち〔町・街〕⇨町(7607)。

解字 篆文  形声。行＋圭㊥。音符の圭（ケイ）は、縦横に線の模様のある玉の象形。圭の模様のようなみち・まちの意味を表す。

逆 花街・市街

【街衢】ガイ ク まち。ちまた。四方・八方に通ずる道。街巷。

【街巷】ガイ コウ まち。ちまた。道路。街衢。▼街はまっすぐで広い道、巷は曲がった狭い道。

【街市】ガイ シ まち。ちまた。市街。街巷。

【街談巷語】ガイダン コウゴ 町のつまらないうわさ。世間のうわさ。街談巷説。

【街頭】ガイ トウ 町の通り。人通りの多い通り。道ばた。街上。

【街道】ガイ ドウ 大通りの道。町の広い道。往来の激しい道路。また、交通上、主要な道路。

【街陌】ガイ ハク 町のとおり。街頭。街上。

【街坊】ガイ ボウ ①まち。市街。②近所の人。

9【健】12画 3439 ケン　健(479)の俗字。↓三二ジペ下。　z1224 — 2918

9【御】12画 3440 常 ギョ・ゴ おん 一㊥ギョ・㊐ゴ 御 yù 二㊥ギョ・㊐ゴ 語 yù　2470 8CE4 —

筆順 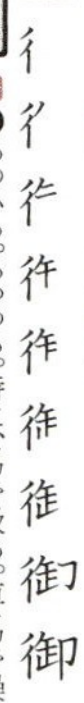

字義 一❶あつかう。あやつる。特に、馬を扱う。車馬を操る。また、その方法、その人。馬丁。御者。用例〔史記、晏嬰伝〕其御之妻（そのギョのつま）、従門間而闚其夫（モンカンよりしてそのおっとをうかがう）↓晏嬰（アンエイ）の御者の妻は、門のすきまから夫のようすをうかがっていた。❷すべる（統）。つかさどる。おさめる。用例〔孟子、梁恵王上〕刑于寡妻、至于兄弟、以御于家邦（もってカホウをぎょす）↓自分の妻の手本となり、兄弟に広げてゆき、そして国家を治めてゆく。❸もちいる。使う。❹すすめる（進・勧）。❺はべる。そばに仕える。また、その人。近侍。「侍御」❻そばめ（側女）。女官。侍女。「女御（ジョゴ・ニョウゴ）」❼のぞむ（臨）。その場へ行く。「臨御」❽女性をかわいがる。❾天子・諸侯に関することにいう敬語。「御製」「還御」 二とどめる。ふせぐ（禦ギョ）。国おん。お。み。ゴ。ギョ。敬意、または丁寧の意を表す接頭語・接尾語。「御身（おんみ）」「御米（おこめ）」「御魂(みたま)」「御殿(ゴテン)」「御意(ギョイ)」「父御(ててご)」

名前 お・おき・おや・のり・みつ 難読 御衣(おんぞ・みけし)・御弓(みたらし)・御高祖頭巾(おこそずきん)・御萬(おまん)・御座(おわし)・御召(おめし)・御手水(おちょうず)・御手洗(みたらい)・御宿(おんじゅく)・御所(ごせ)・御庄(みしょう)・御裳濯川(みもすそがわ)・御食(みけ)・御神酒(おみき)・御神母(おおげ)・御津(みと)・御饌(みけ)・御膳(みけ)・御荘(みしょう)・御蔵島(みくらじま)・御息所(みやすんどころ)・御着(ごちゃく)・御厨(みくりや)・御調(みつぎ)・御殿場(ごてんば)・御徒町(おかちまち)・御内儀(おかみ)・御佩刀(みはかし)・御幣原(みてぐら)・御母衣(ほろ)・御坊(ごぼう)・御目見(おめみえ)・御来屋(みくりや)・御簾(みす)

参考 ①現代表記では〔馭〕(13681)の書きかえに用いる。「馭者→御者」「制馭→制御」。また、〔禦〕(8414)の書きかえに用いることがある。「制禦→制御」「防禦→防御」②尊敬・丁寧の意の「ゴ」は、それの付く語を漢字で書く場合は漢字書き、仮名で書く場合は仮名書きが一般的。「御案内・御結婚・ごあいさつ・ごめん」。ただし、近ごろでは「ご案内・ご結婚」のように「御」を用いない例が増加している。なお、「ギョ」は漢字書き、「オ・ミ」は仮名書きとすることが多い。「御製・お言葉・み仏」

解字 甲骨文 金文 篆文 形声。彳+卩+午㊉。音符の午は、きねの形をした神体の象形。卩は、ひざまずく形にかたどる。神の前にすすみ出てひざまずき、神を迎えるの意味を表す。常用漢字の御は、その変形したもの。馭に通じて、馬をあつかうの意味をも表す。

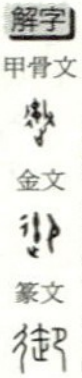

逆 還御・供御・侍御・射御・出御・女御・進御・制御・遷御・統御・崩御・防御

【御衣】ギョイ・おんぞ 天子の衣服。貴人の衣服。

【御意】ギョイ 国①他人の心・気持ちの敬語。お心。おぼしめし。お考え。②他人の命令の敬語。お言いつけ。御命令。③他人のことばの敬語。

【御宇】ギョウ 天下を統治する。宇は、宇内(ウダイ)(天下)。転じて、天下を統治している期間。御代(みよ)。用例(唐、白居易、長恨歌)漢皇重レ色思二傾国一、御宇多年求不レ得。↓漢の皇帝は色事を重んじて、国都をかたむけるほどの美人を得たいと思いつつ、御治世の長い間、求めたものの得られなかった。

【御苑】ギョエン 宮中の庭園。御所の庭。

【御幸】一 ギョコウ・みゆき 天子が外出すること。行幸。二 ゴコウ 国上皇・法皇・女院(ニョイン)の外出。

【御溝】ギョコウ 宮城のほり。また、御苑(ギョエン)のみぞ。

【御史】ギョシ 官名。㋐周代の記録係の官。用例(史記、廉頗藺相如伝)秦御史前書曰……。↓秦の記録をつかさどる役人が、すすみでて、こう記録した、……。㋑秦(シン)・漢以後、官吏を監察し、不正をさばき正す官。その長官は「御史大夫(ギョシタイフ)」、次官は「御史中丞(ギョシチュウジョウ)」、役所は「御史台(日本では、弾正台(ダンジョウダイ))」。

【御璽】ギョジ 天子の印。

【御者】ギョシャ ①馭者(ギョシャ)。馬または車馬を扱う人。②ともびと。侍者。③当直の下役人。

【御所】一 ギョショ 天子の居所。二 ゴショ 国①天子・上皇などの居所。②天皇。③後世、将軍・大臣などの敬称。また、そのすまいをいう。

【御諚】ゴジョウ 国天子・貴人・長者の命令。

【御製】ギョセイ 天子が製作すること。また、天子の作った詩文・楽曲。

【御前】一 ギョゼン 天子の前。二 ギョす・まえ(へ)に 天子・貴人の前にはべること。三 ゴゼン 国①天子や貴人の前。②貴人の敬称。③貴婦人または女性の敬称。ごぜ。「母御前(ごぜ)」④婦人の名の下に付ける敬称。「静御前(しずかごぜん)」四 お・まえ(へ) おん・まえ(へ) 国①第二人称の代名詞。五 み・まえ(へ) おん・まえ(へ) 国まえの敬称。②敬称に用いる第三人称の代名詞。

【御題】ギョダイ ①天子の直筆の題字。②天子の出す詩歌・文章の題。

【御中】おんチュウ 国手紙に用いる脇付(わきづけ)の語。受信者が大勢、または、役所・会社などの場合、宛名(あてな)にそえて記す。

【御悩(惱)】ゴノウ 国天子など高貴な人の病気。

【御批】ギョヒ ①天子が書類を決裁すること。また、その書類。②天子の批評。

【御筆】ギョヒツ 天子がみずから書いた書画。宸筆(シンピツ)。

【御府】ギョフ 天子の倉。御物を入れる倉。

【御物】ギョブツ・ギョモツ 天子の用いる品物。

【御覧(覽)】一 ギョラン ①天子が見ること。②書名。『太平御覧』(三四五ページ上)の略。二 ゴラン 国見るの敬語。

【御稜威】みいつ・みいず(づ) 国神・天子の威光。

9 【徨】 12画 3441 漢コウ(クヮウ) 呉オウ(ワウ) 陽 huáng 5551 9C72 —

字義 ❶さまよう。たちもとおる。＝偟(481)。「彷徨(ホウコウ)」❷ゆく。むかう。❸徨徨(コウコウ)は、驚くさま。

解字 形声。彳+皇㊉。音符の皇は、往に通じ、大いに行くの意味。彳を付し、ゆくの意味を表す。

9 【徬】 12画 3442 コウ 巷(3073)と同字。→四三一ページ下。 — — 6013

9 【循】 12画 3443 常 ジュン 2959 8F7A —

筆順 ノ 彳 循

漢シュン・呉ジュン 真 xún

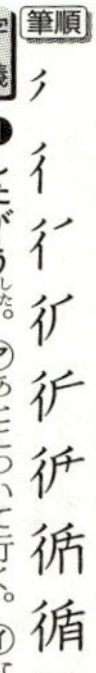

字義 ❶したがう。㋐あとについて行く。㋑なつく。服従する。㋒よりそう。頼りとする。㋓そう(沿)。そって行く。㋔踏襲する。まなぶ。❷めぐる(巡)。まわる。「循環」❸なでる。㋐さする。㋑なぐさめる。❹ためらう。ぐずぐずする。

「因循」

名前 みつ・ゆき・よし

解字 甲骨文 篆文 形声。彳+盾㊉。音符の盾(ジュン)は馴(ジュン)に通じ、したがうの意味。したがい行くの意味を表す。

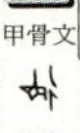

逆 因循

【循環】ジュンカン ①中央に丸いあなのある玉。たまき。②めぐりめぐってもとにかえること。用例(史記、高祖本紀賛)三王之道若二循環一、終而復始。↓三王の道(夏(カ)・殷(イン)・周三王朝の始祖である禹王(ウオウ)・湯王(トウオウ)・文武二王の政治方針)はめぐる環のように、終わるかと思うとまた始まる。

【循行】ジュンコウ ①めぐり歩く。②命令に従って行う。③同じ道をぐるぐるまわること。

【循循】ジュンジュン 順序の整っているさま。整然。

【循吏】ジュンリ 法律をよく守り政治につとめる善良忠実な役人。

【循良】ジュンリョウ 法を守って善良なこと。また、その人。

9 【衕】 12画 3444 漢トウ 呉ドウ 東 送 tóng, ②dòng — — 6012

字義 ❶ちまた。町すじ。小路。❷下痢する。

解字 形声。行+同㊉。

9 【復】 12画 3445 教5 フク 4192 959C —

一 漢フク・呉ブク 屋 fù
二 漢フ・呉ブ 宥 fù
慣フク

筆順 ノ 彳 復

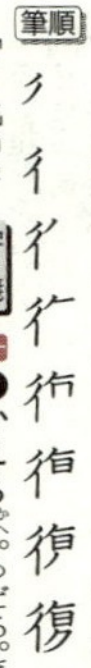

〔复〕 2210 俗字

字義 一 ❶かえる。かえす。もどす。用例(左伝、宣公二)宣子未レ出レ山而復。↓宣子(趙盾(チョウトン))は、国境の山を越えないところで引き返した。❷つぐなう。補う。用例(礼記、曾子問)除レ喪則不レ復二昏礼一乎。↓親の喪が明けてから(行わなかった)婚礼のつぐないをしないのですか。

❸報いる。「報復」 ❹申す。申し上げる。㋐告げる。報告する。用例〔孟子、梁恵王上〕有復於王者。⬇王に告げた者がいた(とします)。㋑答える。❺くりかえす。再びする。「反復」「復習」 ❻重なる。重ねる。❼免除する。夫役・租税などを免除すること。❽たまよばい(魂呼)。人の死の直後、高い所に登り、死者の名を呼び、その魂を招くこと。❾易の六十四卦の一つ。☳☷震下坤上。機運の循環するかたち。❿ふ-む。実行する。用例〔論語、学而〕言可復也。⬇言葉通り実行するべきだ。

㊁助❶ふたたび-する。二度行う。重ねる。

㊁助❶また。⇩助字・句法解説。

助字・句法解説

また。

㋐訳ふたたび。

動詞の前に置かれ、動作や状態が繰り返したり、進行したりする意味を表す。

用例〔韓非子、五蠹〕釈其未而守株、冀復得兎。⬇自分の鋤を放り出して切り株を見守り、もう一度うさぎを手に入れたいと願った。

㋑強意。訳いったい。

反語形の前に置かれ、反語を強調する。

用例〔東晋、陶潜、帰去来辞〕已矣乎、寓形宇内復幾時。⬇ああ、もう、おしまいだなあ。この世に生きながらえているのも、いったいあとどのくらいであろうか(たいした時間ではない)。

㋒強い否定。「不復A(またAせず)」。訳決してAしない。二度とAしない。

用例〔呂氏春秋、本味〕伯牙破琴絶絃、終身不復鼓琴。⬇伯牙は琴を壊し、弦を断ち切って、一生涯、二度と琴を演奏しなかった。

㋓訳その上さらに。

程度が増すことを表す。

用例〔唐、杜甫、兵車行〕況復秦兵耐苦戦、被駆不異犬与鶏。⬇そのうえに、秦の地方出身の兵士は苦しいいくさにたえるというので、追いたてられることは、まるで犬やにわとりとかわらない。

名前 あきら・あつし・さかえ・しげる・なお・また・もち

解字 甲骨文  金文  篆文  形声。彳＋复(复)音。甲骨文は、畐省＋夊の会意文字。畐は、ふっくらした酒つぼの象形。ひっくりかえった酒つぼをもとにもどすの意味。夊は、きびすを返すさまにかたどる。もとの道をかえるの意味を表す。転じて、ふたたびの意味をも表す。のち、彳を付す。

逆 往復・回復・敬復・克復・修復・拝復・報復・本復

【復位】もとの地位・位置にかえる。

【復活】①生きかえる。よみがえる。蘇生。②国すたれたものが再びさかんになること。③国キリスト教などで、一度死んだ人が再び生きかえるとする信仰。

【復帰(歸)】もとの地位や場所にもどること。

【復元・復原】もとにかえること。もとの位置・状態にもどすこと。◆「復元」と「復原」には意味・用法の違いはないが、新聞などで「復元」に統一されて以来、「復元」が一般的。

【復古】昔にかえる、また、かえす。昔の体制にかえす。過去の思想や伝統などに根拠を求めること。

【復興】もとのようにおこる、また、おこす。一度おとろえたものを再びさかんにする。

【復刻】国出版物をもとの体裁で、もう一度出版する。覆刻。「復刻版」◆本来の表記は「覆刻」。新聞などで「復刻」に統一して以来、「復刻」が一般的。

【復△讐・復△讎】かたきをうつこと。あだうち。仕返し。復仇。

【復除】夫役や租税を免除すること。

【復△誦・復唱】国①くりかえしてよむこと。②命令された語を、すぐ命令者の前でくり返して言うこと。

【復飾】仏僧が髪をのばして俗人にかえること。還俗。↔落飾(一三三五ページ上)。

【復職】もとの職にかえること。

【復生】①よみがえる。生きかえる。蘇生。②ふたたび生ずる。

【復性】欲心を除き去って生まれながらの善性にたちかえること。復初ともいう。

【復性書】文章の名。唐、李翺撰。復性について論じたもので、後世、宋の学者の復性・復初の説はこれに由来する。

【復租】租税を免除すること。

【復道】二階造りの廊下。上下に道があるからいう。

【復文】①返書。返事。②国かなまじりに書きくだした漢文を再びもとの形になおすこと。

【復△辟】①命ぜられてしたことの結果を命令者に報告すること。また、その報告。②生まれつきの本性にたちかえること。▼命は、天から与えられた本性。

【復命】①命ぜられてしたことの結果を命令者に報告すること。

【復礼(禮)】礼にかえる。礼により従う。一説に、礼をふみ行う。▼復は、履(ふむ)。用例〔論語、顔淵〕克己復礼為仁。⬇私欲にうちかって礼にたち返ることが、仁である。

9 【偏】 12画 3446 ヘン 漢 biān 8434 — 2916

字義 ❶あまね-し。広く行き渡っている。用例〔唐、白居易、長恨歌〕排風馭気奔如電、升天入地求之偏。⬇風をきっておしひらくように、大気に乗って、いなずまのようにつっぱしり、天に昇り、地にもぐって、くまなくさがし求めた。❷あまね-く。広く。残らず。用例〔杜子春伝〕旌旗・戈甲、千乗・万騎、偏満崖谷。⬇旗をたなびかせ、武器を持ち、よろいをつけた兵士、そして数知れぬ車馬や騎馬武者が谷間いっぱいにあふれた。

解字 篆文  形声。彳＋扁音。音符の扁は、ひらたいの意味。ひらたくゆきわたるの意味を表す。

【偏歴(歷)】あまねく回って歩く。周遊。遍歴。

10 【偉】 13画 3447 イ — — 2917

偉(3437)の俗字。→五〇九ページ中。

10 【衙】 13画 3448 標 ㊀漢ガ・呉ゲ 麻 yá ㊁漢ギョ・呉ゴ 魚 yú 7443 E5C9 —

字義 ㊀❶役所。つかさ。官府。「官衙」 ❷唐代、天子のいる所。❸天子の護衛兵。❹まいる。役所に出勤する。また、参内する。

㊁衙衙は、㋐行くさま。㋑疎遠なさま。

注意 『康熙字典』では、行部に所属する。

解字 篆文  形声。行＋吾音。音符の吾は、御に通じ、守り防ぐの意味。護衛兵が行き来して守る所、役所の意味を表す。

【衙参(參)】朝夕、官吏が朝廷に参集すること。

【衙前】宋代、地方の役職の一つ。政府の物品・財産を輸送・管理した。

【衙内】①宮城の囲いの中。②役所の中。③唐代の宮中を守る兵。④貴族の子弟。唐末から宋初に至るまで、貴族の子弟を地方官の護衛の官に任じたのでいう。

【衙兵】宮城を守る軍隊。禁兵。禁軍。

【衙門】①兵営の役所の門。②役所。官庁。

10 **【衙】** 13画 3449 カン
衙（12596）の俗字。→一四七〇ページ中。
2 8806 — 6014

10 **【徯】** 13画 3450 ㊈ケイ ㊇ゲイ 齊 斉 xī(xī)
1 8435 — 2920

字義 ❶こみち。よこみち。＝蹊（11769）。❷まつ（待）。
解字 篆文 形声。彳＋奚㊀。音符の奚は、ひもでつなぐの意味。細いひもをつなげたような細道の意味を表す。

10 **【徑】** 13画 3451 セイ
征（3403）の古字。→五〇三ページ上。

— — 2921

10 **【微】** 13画 3452 常 ビ
4089 94F7 —

10 **〖微〗** 13画 3453 ㊈ビ ㊇ミ 微 wēi(wēi)

筆順 彳 彳' 彳山 彳屵 彴 彴 微 微

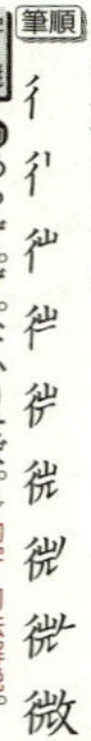

字義 ❶かすーか。かすかに。ほのか。㋐うす暗くてはっきり見えないさま。「熹微」 ㋑こまか。小さい。「細微」 ㋒少ない。少し。わずか。わずかに。また、欠けている。用例〔帰田録、売油翁〕見其発矢十中八九、但微領之。⇩（陳康粛の）放つ矢が十本に八、九本命中するのを見て、ただわずかにうなずくだけであった。／〔詩経、邶風、柏舟〕日居月諸、胡迭而微。⇩日よ月よ、どうしてかわるがわるに欠けるのか。❷おとろえる。おちぶれる。「式微」 ❸いやしい（卑）。身分が低い。「微賤」 ❹ひそかに。こっそり。目立たないように。それとなく。用例〔史記、黥布伝〕使人微験淮南王。⇩部下にひそかに淮南王のことを調べさせよう。❺かくす（隠）。用例〔左伝、哀公十六〕白公奔山而縊。其徒微之。⇩白公は山に逃げて首をくくって死んだ。その部下は、死体を隠した。❻たえ（妙）。すぐれている。奥深い。❼病気の名。足にできるおでき。❽小数の単位。一の百万分の一。忽の十分の一。❾自分のことをへり下って言うときにつかう語。「わずか」「とるに足らぬ」の意。「微力」「微志」 助あらーず。ず。なーかりせば。⇩助字・句法解説。

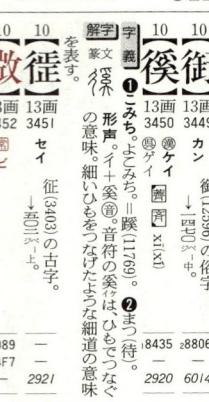

助字・句法解説
❶あらーず。ず。否定。訳…でない。…しない。類非。不。下の内容を否定する。用例〔戦国策、趙〕微独趙。⇩趙だけのことではありません。／〔顔氏家訓、序致〕雖読礼伝、微愛属文。⇩（私は）礼伝などの書物を読んではきたが、文章をまとめることは好きではない。
❷なーかりせば。仮定。訳もし…がなかったならば。後の内容を受けて、否定の順接仮定条件を表す。用例〔論語、憲問〕微管仲、吾其被髪左衽矣。⇩もしも管仲がいなかったら、われわれは、髪を結わず着物を左前に着る未開の地の風俗をさせられていたであろう。

名前 いや・なし・まれ・よし　難読 微温湯（ぬるまゆ）・微笑（ほほえみ）・微睡（まどろむ）・微風（そよかぜ）

解字 篆文 形声。彳＋敚㊀。音符の敚は、微の原字で、攴＋耑の変形。耑は、先端の意味。彳を付し、人目につかずに行くの意味を表したが、一般に、かすかの意味を表す。微を音符に含む形声文字に、黴・黴などがある。

逆 隠微・幾微・機微・顕微・細微・式微・衰微・精微

【微意】（イビ）①わずかな心づかい。②自分の心づかいの謙称。③奥深い心。

【微雨】（ウビ）こさめ。こぬか雨。細雨。

【微温】（オンビ）なまあたたかい。なまぬるい。

【微瑕】（カビ）①少しのきず。②わずかな欠点。

【微官】（カンビ）①下級の官吏。②官吏の謙称。

【微諫】（カンビ）それとなくいさめる。おだやかにいさめる。

【微躬】（キュウビ）身分の低い人。自分の謙称。▼躬は、身。

【微吟】（ギンビ）小声で歌う。くちずさむ。

【微軀】（クビ）＝微躬。▼軀は、身。

【微醺】（クンビ）酒に少し酔うこと。ほろ酔い。微酔。▼醺は、よう・よい。

【微言】（ゲンビ）①意味の深いことば。奥深い意味のある、すぐれたことば。②ひそかに言う。③遠回しにそれとなく言う。ぼかして言う。また、なぞをかける。あてこする。④わずかなことば。

【微行】（コウビ）①しのびあるき。尊貴の人が人に知られぬように出歩くこと。②こみち。③ちょっとした行為。

【微細】（サイビ）①こまか。きわめて小さいこと。微小。②こまかでくだくだしい。③身分が低いこと。

【微罪】（ザイビ）わずかの罪。

【微子】（シビ）殷の紂王の庶兄。名は啓。紂の暴虐をいさめて聞き入れられず、ついに国を去り、殷の滅亡後、殷のあとを継ぐ者として、宋に封ぜられた。

【微志】（シビ）①小さな志。②＝微意①。③自分の意志の謙称。

【微時】（ジビ）身分の低かった時。貧しかった時。

【微辞（辭）】（ジビ）①あらわに言わないで、ほのめかして言うことば。②わずかなことば。③意味の深いすぐれたことば。

【微弱】（ジャクビ）①よわい。かすか。②小さくて弱い。③おとろえて弱い。

【微臣】（シンビ）①身分の低い臣。②臣下の謙称。

【微塵】（ジンビ・ジンミ）①きわめて小さいちり。②きわめて小さい（こまかい・わずかな）こと。

【微賤】（センビ）身分が低い。また、その人。

【微霜】（ソウビ）わずかに降りた霜。

【微衷】（チュウビ）わずかなまごころ。自分のまごころの謙称。

【微動】（ドウビ）①かすかに動く。②ほんのわずかな動揺。

【微微】（ビビ）①卑しくつまらないことの形容。とるに足りないさま。②奥深く静かな様子。③かすかな様子。

【微眇】（ビョウビ）①かすかで小さい。微妙。②身分が低い。とるに足りない。

【微風】（フウビ）弱く、かすかに吹く風。そよかぜ。用例〔唐、高駢、山亭夏日詩〕水精簾動微風起、満架薔薇一院香。⇩そよ風が吹いて来て水晶のすだれを動かし、棚いっぱいのバラで庭中が香りに満ちている。

【微服】（フクビ）人目につかない服装。身分の高い人が低い人の服装をすることなど。

【微茫】（ボウビ）はっきりしないさま。かすかでぼんやりとしているさま。

【微妙】（ミョウビ）①すぐれていること。高尚で深遠なこと。〔孫子、用間〕②なんとも言い表しがたい細かい趣。

【微明】（メイビ）人の明知などをかすかにしてあらわにしないこと。また、かすかではあるが明らかなこと。

【微恙】（ヨウビ）すこしの病気。軽いやまい。

【微涼】（リョウビ）わずかな涼しさ。かすかな涼味。

【微力】（リョクビ）わずかな力。とぼしい努力。また、わずかなほねおり。自分の能力の謙称。

【微禄】（ロクビ）①わずかな給料。②国落ちぶれること。零落。

【莫顕（顯）乎微】人の気づかないようなところほど世の中にわかってしまうものはない。〔中庸〕→莫見乎隠（一五三一ページ上）。

10 **【徬】** 13画 3454 ㊀ ㊈ホウ（ハウ） ㊇ボウ（バウ） 滂 bàng ㊁ ㊈ホウ（ハウ） ㊇ボウ（ハウ） 陽 pāng
— — 2919

字義 ㊀付き添う。㊁❶かたわら。❷徬徨は、さまよう。

10 【徭】13画 3455 ヨウ(エウ) 㬌 yáo 5552 9C73 —
[傜] 545 同字

字義 えだち。夫役。義務として公の土木工事などに使われること。＝繇(9345)。

解字 形声。彳＋䍃㊥。音符の䍃は、正しくは、䚻で、神に肉をそなえ、うたうさまを表す。公用のために行く人の意味を表す。

【徭役】ヨウエキ 公用のために義務として使役されること。
【徭△戍】ヨウジュ 辺境を守る兵卒。

11 【衛】14画 (12596) カン 金部。→一四七〇ページ・中。

11 【徴】14画 3456 常 チョウ 3607 92A5 —
12 〖徵〗15画 3457 人 ㊀チョウ 蒸 zhēng ㊁チ 紙 zhǐ 8436 — —

筆順 彳 彳 彳 徃 徃 徨 徨 徴

字義 ㊀❶めす(召)。官の用で呼び出す。お召し。「徴兵」「徴用」 ❷もとめる。取り立てる。「追徴」 ❸しるし。㋐あかし。証拠。証明。また、あかしをたてる。証明する。手がかりを見つける。㋑めじるし。「特徴」 ㋒ききめ。㋓きざし(兆)。また、きざす。「徴候」 ❹あらわれる。また、あらわす。明らかにする。❺こらす(懲)。こらしめる。㊁五音(宮・商・角・徴・羽)の一つ。→五音(五七ページ・中)。用例〔史記、刺客伝〕高漸離撃レ筑、荊軻和而歌、為二変徴之声一(高漸離筑を撃ち、荊軻和して歌い、変徴の声を為す)。⇩高漸離が筑をかき鳴らし、荊軻はその曲に合わせて歌ったが、それは悲しみを帯びた変徴のしらべであった。

名前 あき・あきら・おと・きよ・きよし・すみ・みる・よし

解字 篆文 [篆文] 形声。彳＋壬＋攴＋㞢㊥。壬は、他よりもすぐれた人の意味。音符の㞢は、登に通じ、登用するの意味。すぐれた人材をめしあげるの意味を表す。また、とりあげるに値する証拠、しるしの意味をも表す。徴を音符に含む形声文字に、懲・澂などがある。

逆 吉徴・象徴・追徴・特徴・表徴・明徴

【徴役】チョウエキ 召し出して使う。人夫を呼び出す。征役。
【徴怪】チョウカイ 怪しい前ぶれ。また、怪しいものに取りつかれること。
【徴拠】チョウキョ よりどころ。証拠。
【徴挙(擧)】チョウキョ 召し出して用いる。徴用。
【徴君】チョウクン 徴士の美称。
【徴験(驗)】チョウケン ①ききめ。効験。②しるし。証拠。
【徴効(效)】チョウコウ しるし。きざし。
【徴候】チョウコウ ①しるし。きざし。→兆候(一四一ページ・上)。②ききめ。効験。
【徴士】チョウシ 天子の命によって召し出されても仕えない、学徳のある人をいう。
【徴収(收)】チョウシュウ 税金などを取りたてること。
【徴集】チョウシュウ ①人をつのり集める。②物品をとりたてる。
【徴召・徴招】チョウショウ 召し出す。呼び出す。
【徴祥】チョウショウ めでたいしるし。よいきざし。吉兆。徴瑞。休徴。
【徴逐】チョウチク 招いたり招かれたりして往来すること。親しくして行き来すること。
【徴発(發)】チョウハツ 労働者や兵士、また軍需品を、民間からかり集めること。
【徴兵】チョウヘイ ①諸方にいる兵士を召しよせる。②兵士をかり集める。③国家が法律によって、国民を義務として兵役に服させること。
【徴△聘】チョウヘイ 天子が礼をもって招くこと。
【徴△辟】チョウヘキ 天子からの召し出し。▼辟も、召す。
【徴募】チョウボ 召しつのる。召し集める。
【徴命】チョウメイ 天子などの呼び出しの命令。呼び出し。
【徴用】チョウヨウ ①召し出して用いる。任用する。②国国家が権力で国民を呼び出し、必要な職務につかせること。
【徴庸】チョウヨウ ＝徴用①。

11 【徳】14画 3458 教4 トク 3833 93BF —
12 〖德〗15画 3459 人 トク 職 dé 8437 ED9E —
[悳] 3550 本字 [悳] 3551 俗字

筆順 彳 彳 彳 徒 徝 徳 徳 徳

字義 ❶品性として先天的または後天的に身に得ているもの。特に、その中の正しくよいもの。「人徳」 ❷品性を向上させるために人の修得すべきもの。道徳。用例〔論語、為政〕道レ之以レ徳、斉レ之以レ礼、有レ恥且格(これをみちびくに、徳をもってし、これをととのうるに礼をもってすれば、はずることありて、かついたる)。⇩人民を導き治めてゆくのに道徳をもってし、人民を統制してゆくのに礼をもってすれば、人民は(犯した罪を)恥じるようになり、そして正しい道に進んでゆく。❸そのものに備わっている特性。本性。❹徳を積んだ人。君子。賢者。「大徳」 ❺めぐみ。恩恵。また、幸い。用例〔論語、憲問〕何以報レ徳(なにをもってトクにむくいん)。⇩なにで徳に報いたらよいのか(困ってしまう)。❻めぐむ。恩恵を与える。用例〔史記、項羽本紀〕吾為レ若徳(われなんじ(なんぢ)がためにトクせしめん)。⇩私はお前のために最後の恩徳をほどこそう。❼ありがたく思う。恩に感ずる。❽行為。働き。能力。作用。ききめ。❾教え。教化。感化。❿よい。りっぱ。ありがたい。長所。「徳音」「徳政」 ⓫利益。富。＝得(3433)。「徳用」 ⓬国名。徳意志(ドイツ)の略。「徳国(ドイツ)」

名前 あきら・あつ・あつし・あり・いさお・え・かつ・さと・ただし・とく・とこ・とみ・なり・なる・のぼる・のり・みち・めぐむ・やす・よし

難読 徳久(とくさ)・徳富(とくとみ)・徳本(とくごう)

使いわけ トク〔得・徳〕⇨得(3433)。

解字 金文 [金文] 篆文 [篆文] 形声。もと、彳＋悳㊥。音符の悳は、まっすぐな心の意味。彳は、行くの意味。まっすぐな心で人生を歩むの意味を表す。

逆 悪徳・逸徳・偉徳・威徳・遺徳・陰徳・恩徳・学徳・寡徳・刑徳・公徳・功徳・厚徳・高徳・至徳・修徳・淑徳・女徳・人徳・仁徳・崇徳・成徳・盛徳・聖徳・積徳・大徳・達徳・道徳・敗徳・背徳・美徳・福徳・不徳・婦徳・武徳・文徳・報徳・民徳・明徳・有徳・陽徳・累徳・令徳

【徳育】トクイク 国徳義心の養成を特に重視する教育。↕体育(九六ページ・下)。

【徳音】トクイン・トクオン ①よいことば。りっぱなことば。②天子のことば。③天子の徳。④よい評判。徳声。令聞。⑤道徳と音楽。⑥徳のあらわれた音楽。⑦手紙用語で、「おたより」の意。

【徳化】トクカ・トッカ 徳をもって教化すること。徳による教化。

【徳器】トクキ・トッキ 徳行と才能。また、りっぱな人格。

【徳義】トクギ 人が実行すべき道。道徳上の義務。道義。

【徳教】トクキョウ・トッキョウ 道徳によって人を善道に導く教え。

【徳恵(惠)】トクケイ・トッケイ めぐみ。いつくしみ。

【徳△慧】トクケイ・トッケイ ①徳行と知恵。②徳性のすぐれていること。すぐれた徳性。

【徳行】トクコウ・トッコウ ①道徳にかなったりっぱな行い。②徳と行い。品性と行為。

【徳潤レ身】トクはみをうるお(ほ)す 徳があれば、それが自然に外に表れて、身をうるおしりっぱにする。〔大学〕→富潤レ屋(とみはオクをうるお(ほ)す)(四〇六ページ・下)。

【徳声(聲)】トクセイ 徳が高いという評判。よい評判。

【徳性】トクセイ ①(人間が生まれながらにもっている)りっぱな本性。②道徳にかなった性質。道徳を守ろうとする心。

【徳政】トクセイ ①めぐみ深い政治。善政。徳治。②国㋐昔、貧しい人を救うため、政府から貸し付けたものの返済を免除すること。㋑室町時代、幕府の財政を救うため、法令を出して、ある期間中の幕府の借り入れ、人民相互間の貸借のすべてを無効にしたこと。

【徳星】トクセイ ①めでたいしるしの星。景星。②木星。歳星。

【徳川光圀】とくがわみつくに 国江戸前期の水戸藩主。字(あざな)は子竜。号は日新斎・梅里など。水戸黄門・西山公と称せられる。朱子学に傾倒し、明(ミン)の亡命儒者、朱舜水(シュシュンスイ)に学び、彰考館を江戸小石川の藩邸に設け、学者を招いて『大日本史』の編集を行い、後世の水戸学の基礎を築いた。(一六二八―一七〇〇)

【徳操】トクソウ ①不変の節操。堅固なみさお。②りっぱなみさお。道徳にかなった行為。

【徳沢(澤)】トクタク めぐみ。おかげ。恩沢。恩徳。恩恵。

【徳治】トクチ ＝徳政①。

【徳不レ孤必有レ隣】トクはこならず かならずとなりあり 徳のある人は孤立することなく、かならずその徳に感化されて共鳴者が出てくるものである。〔論語、里仁〕

【徳風】トクフウ 徳をいう。徳が人を感化すること、風が草をなびかせるのに似ているからいう。転じて、徳による感化。

【徳望】トクボウ 徳が高く、人望のあること。

【徳目】トクモク 個々の道徳の名。仁・義・勇など。

【以レ徳報レ怨】トクをもってうらみにむくゆ うらみのある者に、逆に恩恵をほどこす。うらみをめぐみで返す。〔論語、憲問〕

【以レ徳報レ徳】トクをもってトクにむくゆ 恩徳には恩徳で返報する。↓以レ直報レ怨(一〇〇四ページ上)。

【在レ徳不レ在レ険(險)】トクにありてケンにあらず 国を治める大切な道は、徳義を重んじることであって、山河などの自然の要害をたよりにすることではない。〔史記、呉起伝〕

【崇レ徳】トクをたかくす 徳を積む。

11【徱】14画 3460 ヒョウ 僄(572)と同字。→一二九ページ下。 — — 2922

12【衚】15画 3461 漢コ 呉ゴ 虞 hú — — 6015

字義 衚衕(コドウ・フートン)は、路地・横町(よこチョウ)・小路(こうじ)の意。↓胡同(コドウ)(九六二ページ下)。

注意 『康熙(コウキ)字典』では、行部に所属する。

解字 形声。行＋胡音。行は、人の行く道の象形。音符の胡(コ)は、蒙古(モウコ)語の路地の意味の語を漢字音に訳したもの。路地・横町の意味を表す。

12【衝】15画 3462 常 ショウ 3055 8FD5 —

一 漢ショウ・呉シュウ 冬 chōng, ③chòng
二 漢ショウ・呉シュウ 宋

筆順 … 衝

字義 一 ❶つく(突)。当たる。つきあたる。用例〔史記、廉頗藺相如伝〕怒髪上衝レ冠(ドハツのぼりてかんむりをつく) あまりの怒りに髪の毛は逆立って冠をつき上げんばかりであった。❷うごく(動)。また、動かす。「衝動」❸むかう。❹みち。大通り。また、交通の中心。❺戦車。「衝車」 二 かなめ。要処。「要衝」

名前 つぎ・つく・みち・もり・ゆく

注意 『康熙(コウキ)字典』では、行部に所属する。

解字 篆文 形声。行＋重(童)音。音符の童は、ドンという音を表す擬声語。路上でドンとつきあたるの意味を表す。

逆 緩衝・折衝・要衝

【衝撃(擊)】ショウゲキ ①つき当たってはげしくうつ。突然の激しい打撃。②国心に激動を感ずること。ショック。

【衝車】ショウシャ 戦車の名。敵に突きあたる戦車。

【衝然】ショウゼン 高くつき立ったさま。

【衝天】ショウテン 天をつく。勢いのさかんな形容。「意気衝天」

【衝動】ショウドウ ①つき動かす。②国理性的に考えず、感情のおもむくままに、突然行動に移ろうとすること。

【衝突】ショウトツ ①つきあたる。②あらそい。けんか。意見や立場などが相反して、たがいに争うこと。

【衝風】ショウフウ つむじ風。また、はやて。暴風。

【衝要】ショウヨウ 重要な所。要衝。

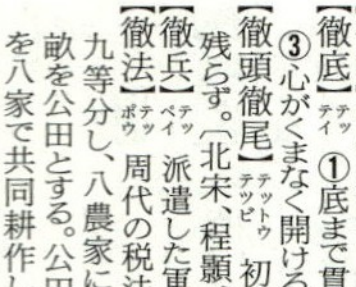

衝車

12【徸】15画 3463 漢ショウ 呉シュウ 冬 zhōng 2|1225 — 2923

字義 ❶行くさま。❷立ちもとおるさま。❸小児の行くさま。

解字 形声。彳＋童音。

12【徵】15画 (3457) チョウ 徴(3456)の旧字体。→五一三ページ上。

12【徹】15画 3464 常 テツ 3716 934F —

漢テツ・呉デチ 屑 chè

筆順 … 徹

字義 ❶とおる(通)。また、とおす。突き通す。「貫徹」「徹底」❷とどく。達する。とどける。❸あきらか。「明徹」❹のぞく(除)。取り去る。はぎ取る。また、捨てる。用例〔列子、湯問〕汝心之固、固不レ可レ徹(なんじ(なんぢ)がこころのコなること、コにしてテッすべからず) あなたの心の頑固なことといったら、その頑固さはとうてい取り除くことができない。❺こわす。こぼつ。❻つらねる(列)。つらなる。❼夜を明かす。❽周代の税法。徹法。井田法。

名前 あきら・いたる・おさむ・てつ・とう・とうる・とお・とおる・ひとし・みち・ゆき

解字 甲骨文 篆文 会意。甲骨文は、鬲＋又。鬲は、かなえの象形。又(手)を付し、食後のあとかたづけをするの意味を表す。常用漢字の徹は、彳＋育＋攴の会意文字。育は鬲の変形、攴は又の変形。一般に、事が最後のかたづけにまで行く、とおす・とどくの意味を表すようになり、彳を付した。

逆 一徹・感徹・貫徹・清徹・透徹・洞徹・冷徹

【徹侯】テッコウ 諸侯。列侯。通侯。秦(シン)代、列侯の称。

【徹宵】テッショウ 夜どおし起きている。夜あかし。徹夜。

【徹底】テッテイ ①底まで貫きとおる。大いにさとる。②余す所なく行きとどく。③心がくまなく開ける。④奥義に達する。

【徹頭徹尾】テットウテツビ 初めから終わりまで。㋐一から十まで。残らず。〔北宋、程顥、中庸解〕㋑少しも。決して。

【徹兵】テッペイ 派遣した軍隊を引きあげること。撤兵。

【徹法】テッポウ 周代の税法。一里四方の田地を百畝(ヒャッポ)ずつに九等分し、八農家に百畝ずつ与えて私田とし、残りの百畝を公田とする。公田のうち、二十畝を宅地とし、八十畝を八家で共同耕作して、その収穫を租税として政府に納めさせた。井田法。

【徹夜】テツヤ ＝徹宵。

12【衜】15画 3465 ドウ 道(12167)の古字。→一四三五ページ上。 — — 6016

12【德】15画 (3459) トク 徳(3458)の旧字体。→五一三ページ中。

13【衛】16画 3466 教5 エイ 1750 8971 —

13【衞】16画 3467 人 漢エイ(ヱイ) 呉エ(ヱ) 霽 wèi 7444 E5CA —

筆順 彳 彳 衤 衤 衤 衤 衤 衛

字義 ❶まもる。ふせぐ。用例〔戦国策、趙〕願令下得中補二黒衣之数一、以衛上王宮。（ねがわ(は)くはコクイのかずにホし、もってオウキュウをまもるをえしめよ）↓どうか黒衣の兵士の一人に取り立てていただき、王宮の警護に当たらせてやっていただきたく存じます。❷まもり。守ること。また、守る人。❸いとなむ(営)。❹国の果て。辺境。❺明代、要所にもうけた軍営。❻周代の国名。武王の弟、康叔が封ぜられた所。今の河北・河南の両省にまたがる。秦の二世のとき滅びた。

名前 え・えい・ひろ・まもり・まもる・もり・よし

注意 『康熙字典』では、行部に所属する。

解字 甲骨文 金文 篆文 形声。行＋韋音。音符の韋は、ある場所の上下に足をおく形にかたどり、宮室などの周囲をめぐりあるくの意味から、まもるの意味を表す。

逆 禁衛・近衛・警衛・護衛・侍衛・自衛・親衛・直衛・兵衛・防衛

【衛尉】①天子の護衛に当たる官。②国平安時代、左衛門・右衛門の尉をいう。

【衛瓘】西晋の政治家・書家。字は伯玉。草書にすぐれていた。（二三〇—二九一）

【衛士】一 宮中を護衛する兵士。二 国昔、諸国から召されて衛門府に属し、一年交代で宮中を守った兵士。

【衛戍】軍隊が長い間ある地域にとどまって警備すること。

【衛生】生命を守りまっとうする。からだの健康を保ち、病気の予防・治癒をはかること。〔荘子、庚桑楚〕

【衛青】前漢の武将。字は仲卿。武帝のとき、霍去病とともに七回にわたって匈奴を討ち、大将軍に任ぜられ、長平侯に封ぜられた。（？—前一〇六）

【衛星】天文学用語。惑星の周囲を回転する星。地球の衛星は月。

【衛府】昔、宮中の警備を担当した役所。左右の近衛府・衛門府・兵衛府の六府。

【衛兵】①宮城を護衛する兵。②警備の番兵。

13 【徼】 16画 3468 一キョウ（ケウ） 二キョウ（ケウ） jiào jiāo 5553 9C74 —

字義 一❶めぐる。見まわる。❷もとめる。❸うかがう。❹さえぎる。二❶めぐる。❷みまわりの兵。❸みち。こみち。❹国境。特に、中国南西の異民族の地に接する国境。また、そのとりで。

解字 篆文 形声。彳＋敫音。音符の敫は、白い光が流れていくさま。光が流れていく、めぐるの意味を表す。

【徼外】とりでの外。国境の外。特に、南方国境外の未開の地。

【徼幸・徼倖】まぐれあたりの幸福を求めること。また、まぐれあたりの幸福。僥倖。

【徼巡・徼循】見回る。巡回する。

13 【衡】 16画 3469 常 コウ 漢コウ（カウ）・呉ギョウ（ギャウ） 庚 héng 2553 8D74 —

筆順 彳 彳 衤 衤 衤 衤 衤 衡

字義 ❶はかり。また、はかり竿。「度量衡」❷はかる。物の重さをはかる。❸平らか。つり合いがとれている。「平衡」「均衡」❹横。また、横ざま。「合従連衡」❺よこぎ。㋐くびき。馬車の横木。㋑つのぎ。牛の角が人を傷つけないように角に結びつけた横木。㋒屋根の上の横木。また、冠木門。㋓車の前の横木。❻てすり。❼渾天儀（天体観測器）の心棒。❽こうがい。冠を止めるもの。❾北斗七星の第五星。

衡①

名前 ちか・ひで・ひとし・ひら・ひろ・まもる

注意 『康熙字典』では、行部に所属する。

参考 現代表記では〔考〕(9568)に書きかえることがある。「銓衡→選考」

解字 金文 篆文 形声。角＋大＋行音。角は、つののの意味。大は、牛の体の象形。音符の行は、十字路の象形。牛の角から角へ横になるようにわたした木、つのぎの意味を表す。転じて、てんびんばかりの意味にも用いる。

逆 玉衡・均衡・権衡・平衡・連衡

【衡宇】木を横たえた軒。転じて、粗末な家。一説に、冠木門と家。また、家の門や屋根。用例〔東晋、陶潜、帰去来辞〕乃瞻二衡宇一、載欣載奔（すなわ(は)ち、コウウをみて、すなわ(は)ちよろこび、すなわ(は)ちはしる）↓ようやくにしてわが家の門や屋根を遠く望み見て、喜びながら走り出した。

【衡漢】北斗七星と、天の川。→字義❾。

【衡鑑】はかりと、かがみ。この二つは、物の軽重・美醜を明らかにするところから、転じて、物の是非をわきまえ区別するもの。

【衡鈞】平らでひとしい。公平を保つ政治をいう。

【衡権（權）】はかりのさおと、おもり。

【衡行】横に行く。転じて、気ままに行うこと。横行。

【衡巷】ちまた。民間をいう。

【衡山】①五岳（泰山・華山・衡山・恒山・嵩山）の一つ。湖南省衡山県にある。南岳ともいう。主峰の祝融峰は一二九〇メートル。②湖南省の県名。

【衡軸】衡は衡星（北斗七星の第五星）、軸は車輪の心棒。転じて、枢要な官職。

【衡人】戦国時代、連衡説（秦の東方の六国を連合させ、秦に仕えさせようとした政策）を唱えた張儀などの一派。

【衡石】はかり。▼衡ははかりのさお、石は百二十斤。

【衡度】はかりと、ものさし。

【衡平】平均。また、平均する。

【衡茅】冠木門とかやぶきの家。粗末な住居。また、隠者の住宅。

【衡門】①二本の柱の上に木を横たえて造った門。冠木門。粗末な門。転じて、隠者の家。②宮殿の前に立って天子を守る人。

【衡陽】衡山の南。また、その地方。

【衡盧】衡山と盧山（四八一ページ上）。

【持衡】＝持衡①（五九一ページ下）。

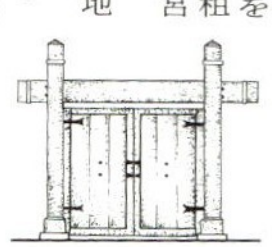
衡門

13 【衠】 16画 3470 シュン 真 zhūn — — 6018

字義 ❶まこと。真。❷正しい。❸混じりがない。

解字 形声。行＋眞音。

13 【衟】 16画 3471 ドウ 道(12167)の古字。→一四二五ページ上。 2 8807 — 6017

14 【徽】 17画 (9324) キ 糸部。→一一三八ページ中。

14 【鴴】 17画 (14229) コウ 鳥部。→一六二七ページ下。

14 【鵆】 17画 (14244) ちどり 鳥部。→一六二八ページ中。

20 【黴】 23画 (14487) バイ 黒部。→一六四八ページ下。

21 【衢】 24画 3472 漢ク 呉グ 虞 qú 7445 E5CB —

字義 ❶ちまた。四方に通ずる大通り。また、道。道路。「康衢」 ❷えだ。分かれ道。

注意 『康熙字典』では、行部に所属する。

解字 篆文  **形声**。行＋瞿(音)。音符の瞿クは、鳥が目をきょろきょろさせるの意味。にぎやかで目をきょろきょろさせる大通りの意味を表す。

【衢△巷】(クコウ) ちまた。街巷。

【衢地】(クチ) 四方八方から道が集まってきている所。

【衢道】(クドウ) 分かれ道。四方に通ずる道。岐路。

4画 心(⺗) こころ〔心〕 したごころ〔⺗〕

[⺗] 2 1227 一 一

〔部首解説〕 ⺗は、心が脚(あし)(漢字の下部)になるときの形で、したごころと呼ぶ。また、忄は、心が偏になるときの形で、立心偏(りっしんべん)と呼ぶ。もと、心・⺗・忄は、同一部首に含まれていたが、形・画数とも異なる忄を分離して、心部のあとに忄部を設けた。心を意符として、感情・意志などの心の動きに関する文字ができている。

0 心 五一六　1 必 五一七　2 忈 五一八　3 応 五一八　忌 五一八
志 五一八　忐 五一九　忒 五一九　忑 五一九　忍 五一九
忘 五一九　忩 五二〇　4 忎 五二〇　忢 五二〇　忽 五二〇
忩 五二〇　忠 五二〇　忝 五二一　忝 五二一　念 五二一
忞 五二一　忿 五二一　5 怨 五二一　急 五二二　怘 五二二
思 五二二　怎 五二三　怱 五二三　怠 五二三　泰 五二三
怒 五二三　怤 五二四　6 恚 五二四　恩 五二四　恝 五二四
恝 五二四　恭 五二四　恐 五二四　恭 五二五　恵 五二五
恣 五二五　恣 五二五　㤙 五二五　恧 五二五　恕 五二五
恁 五二六　息 五二六　恥 五二六　恙 五二六　恋 五二六
怵 五二六　7 悪 五二六　悘 五二七　患 五二七　悉 五二八
恖 五二八　悐 五二八　㤿 五二八　您 五二八　悠 五二八
悆 五二八　恿 五二八　悥 五二八　8 惡 五二六　惎 五二八
惠 五二五　惹 五二八　惢 五二八　惉 五二八　惣 五二九
惄 五二九　悳 五二九　惪 五二九　悲 五二九　悶 五二九
惖 五二九　惑 五二九　愸 五二九　9 愛 五三〇　意 五三〇
㥶 五三一　感 五三一　愿 五三二　愚 五三二　愆 五三二
慈 五三二　愁 五三三　惷 五三三　想 五三三　愍 五三三
愗 五三三　慹 五三三　愈 五三三　愈 五三四　㥯 五三四
愢 五三四　10 慇 五三四　憃 五三四　慤 五三四　愿 五三四
慁 五三四　愬 五三四　愬 五三四　態 五三四　慝 五三四
慕 五三四　慂 五三四　11 慰 五三四　慤 五三四　慶 五三五
慧 五三五　憇 五三五　慙 五三五　慫 五三五　慼 五三五
慸 五三五　德 五三五　惷 五三五　慿 五三五　憂 五三五
慾 五三六　慮 五三六　12 默 五三六　憨 五三六　憙 五三六
憖 五三六　憗 五三六　憩 五三六　憼 五三六　憠 五三六
憲 五三六　憞 五三六　憊 五三七　憑 五三七　憋 五三七
濂 五三七　憦 五三七　13 應 五一八　懈 五三七　懃 五三七
憋 五三七　懇 五三七　懋 五三七　懀 五三七　14 懕 五三七
懲 五三七　懟 五三八　懣 五三八　15 懬 五三八　懲 五三七
憝 五三八　16 懸 五三八　18 懿 五三八　19 戁 五三八　戀 五二六
24 戇 五三八

0 【心】 4画 3473 シン 漢 xīn 教2 シン こころ 熟字訓 心地(ここち) 3120 9053 一

筆順 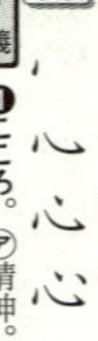

字義 ❶こころ。㋐精神。知情意の本体。考え。気持ち。用例〔易経、繋辞上〕二人同レ心、其利断レ金(二人心を同じくすれば、その利金を断つ)。↓二人の君主が心を同じくして事に当たろうとするとき、その鋭い力は堅い金属を断ち切るほどである。㋑意味。㋒おもむき。❷心臓。また、胸。用例〔荘子、天運〕西施病レ心(西施心を病む)。↓美女の西施が胸を病んだ。❸まんなか。中央。「遠心力」「天心」 ❹中心に入っている物。芯(シン)。「核心」 ❺物事の重要な部分。❻星座の名。なかご。さそり座の中にある。二十八宿の一つ。

名前 きよ・ご・ごり・さね・しん・なか・み・むね・もと

難読 心算(つもり)・心太(ところてん)・心天(ところてん)

参考 現代表記では〔腎〕(5088)の書きかえに用いることがある。「肝腎→肝心」

解字 金文 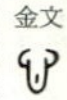 篆文  **象形**。心臓の象形で、こころの意味を表す。心を音符に含む形声文字に、芯(シン)などがある。

逆 安心・異心・違心・一心・会心・回心・戒心・快心・外心・害心・核心・河心・花心・寒心・感心・歓心・甘心・肝心・関心・帰心・義心・客心・逆心・協心・虚心・苦心・決心・恒心・江心・湖心・細心・私心・弐心・執心・失心・獣心・重心・宿心・春心・傷心・小心・従心・焦心・初心・信心・人心・尽心・寸心・成心・聖心・石心・赤心・専心・洗心・潜心・争心・俗心・素心・存心・丹心・池心・中心・忠心・衷心・天心・点心・伝心・同心・童心・道心・得心・内心・二心・熱心・氷心・病心・腹心・腐心・仏心・変心・放心・芳心・本心・慢心・無心・銘心・野心・有心・用心・乱心・離心・両心・良心

【心意】(シンイ) こころ。思い。意志。精神。

【心猿】(シンエン) 欲望のおさえ難く心の乱れ騒ぐこと。猿の落ち着きなく騒ぐのにたとえた。用例〔伝習録、上〕初学時、心猿意馬、拴縛不レ定(初学の時、心猿意馬、拴縛して定まらず)。↓初学のころは、猿が落ち着きなく馬が走るように欲望をおさえがたく、心が妄動しやすいので、これを取り締まることはできない。

【心画(畫)】(シンガ) 書をいう。書は書く人の心が表れるからいう。

【心会(會)】(シンカイ) ＝心得㊀。

【心外】(シンガイ) ①こころのそと。②思いのほか。意外。③残念。無念。

【心学(學)】(シンガク) ①心の修養を特に重んじ、その修養法を説いた学。南宋(ナンソウ)の陸象山(リクショウザン)、明(ミン)の王陽明らが唱えたもの。陸王の学。②国江戸時代、石田梅巌(バイガン)らが唱えた、神・儒・仏の三教を調和した平易な実践道徳の教え。石門の心学。

【心肝】(シンカン) ①心臓と肝臓。②こころ。まごころ。

【心眼】㊀(シンガン) 物事をはっきりと見きわめる心の働き。↔肉眼(一一七七ページ中)。㊁(シンゲン) 仏＝㊀。

【心願】(シンガン) ①心中の願い。また、心からの願い。②国神仏に対して、心の中で立てている願(ガン)。

【心△悸】(シンキ) ①心が騒ぐ。胸がどきどきする。②胸騒(むなさわ)ぎ。③心臓の鼓動。動悸(ドウキ)。

【心機】(シンキ) 心の働き。心の動き。

【心機一転(轉)】(シンキイッテン) 国気持ちががらりと変わること。

【心境】(シンキョウ) 心持ち。心の状態。

【心鏡】(シンキョウ) 心の鏡。明らかな心をいう。

【心曲】(シンキョク) 心のすみ。心の底。また、心。用例〔詩経、秦風、小戎〕在二其板屋一、乱二我心曲一(その板屋に在り、わが心曲を乱す)。↓(あなたは遠く国境の)木造の家にいて、わたしの心の奥底をかきみだす。

【心契】(シンケイ) 外面だけでなく、心の底から深くちぎり合うこと。

【心計】(シンケイ) ①暗算。胸算用(むなザンヨウ)。②心の中で計る。もくろむ。

【心血】(シンケツ) 心のありったけ。全精神。

【心月】(シンゲツ) 仏さとりを開いた、明らかな心。その明るさを月の光にたとえて言った語。こころのつき。

【心骨】(シンコツ) ①心と骨。心とからだ。②心の奥底。

【心魂】(シンコン) 心の奥底。たましい。神魂。

【心斎(齋)】(シンサイ) 心をむなしくして統一すること。邪念欲望を

払い除いて虚心になること。〔荘子、人間世〕

【心算】シンサン 〔一〕＝心計。〔二〕シンザン 国つもり。

【心志】シンシ こころ。こころざし。意志。〔孟子、告子下〕

【心思】シンシ 心。また、思い。考え。〔孟子、離婁上〕

【心事】シンジ ①心に思っている事がら。②心に思うことと実際のこと。

【心術】シンジュツ ①心だて。心の持ち方。②心の働き。③心とその動き。また、正しい心と欲望。

【心緒】シンショ・シンチョ 心のはし。転じて、心。思い。

【心証(證)】シンショウ ①心が仏性を認識すること。②国㋐心に受けた印象。㋑裁判の審理で、裁判官が弁論・証拠から得た認識・確信。

【心象】シンショウ ①心に浮かぶまぼろし。心に浮かぶ思い。②国感覚もしくは感覚的要素の心中に再生したもの。英語imageの訳語。

【心情】シンジョウ ①こころ。思い。②心境。③性質。

【心神】シンシン こころ。精神。

【心酔(醉)】シンスイ 心をかたむけて感心する。心の底からしたうこと。夢中になる。〔列子、黄帝〕

【心髄(髓)】シンズイ ①心の奥底。②中心にある髄の意で、中心・要点。物事の最もたいせつな所。

【心性】〔一〕シンセイ ①こころ。心の本質。本心。②生まれつき。③心と生まれつきの性質。〔二〕シンショウ 仏①まごころ。変わることのない心の本体。②生滅無常(心)と、恒常不変(性)。

【心星】シンセイ 星の名。蝎座の首星アンタレス。盛夏の夕、南の地平に赤色光をはなって輝く。一名、大火。また、これを含む三つの星を心星ともいう。

【心喪】シンソウ 喪服をつけず、心の中で喪に服すること。門人が師の喪に服する時など、これによる。〔礼記、檀弓上〕

【心操】シンソウ 心ばえ。心にとり守る所。志操。

【心胆(膽)】シンタン こころ。きもったま。▼胆は、きも。

【心胆(膽)寒】シンタンさむし 恐ろしくて心がふるえおののくこと。恐れおののくこと。

【心地】〔一〕シンチ 心。また、心の中。心底。本心。〔二〕シンジ 仏心。精神。〔三〕ここち 国心もち。気分。

【心中】〔一〕シンチュウ 心のうち。意中。胸中。〔二〕シンジュウ 国①まごころ。また、義理。「心中立て」②相愛の男女が一緒に自殺すること。情死。③一般に、二人以上の者が共に自殺すること。「親子心中」④ある人または物事と共に不利や災害をこうむること。「事業と心中する」

【心中賊】シンチュウのゾク 私欲にとらわれた心。私心。→破二山中賊一易、破二心中賊一難(四三四ジ-中)。

【心痛】シンツウ ①心配のあまり心が痛むこと。②胸の痛み。胸の病。

【心到】シントウ 三到(三〇ジ-上)の一つ。読書に際しては、精神を集中することが大切であることをいう。

【心頭】シントウ こころ。胸の内。念頭。

【滅二却心頭一火亦涼】シントウをメッキャクすればひもまたすずし 心の動きをとどめて無念無想の境地に至れば、火の熱さをも感じない。精神の持ち方しだいでは、苦難を感じないとの意。日本の快川禅師が火を放たれて焼死しようとした時、端座してこの句を唱えた。〔碧巌録〕

【心得】〔一〕シントク 心によく理解する。会得すること。〔二〕こころえ 国①たしなみ。理解。覚悟。②規定。③下級の人が臨時に上級の職を代行する時の称。

【心服】シンプク 心から従う。また、感心する。用例〔孟子、公孫丑上〕以レ力服レ人者、非二心服一也ちからをもってひとをフクするものは、シンプクするにあらざるなり。↓力で人を服従させる者は、心から人を服従させることはできない。

【心腹】シンプク ①胸と腹。心臓と胃腸。②心。まごころ。③重要な所のたとえ。

【心法】シンポウ ①心を練りきたえる方法。②根本思想。③仏心。心の働き。

【心理】シンリ ①心のうごき。精神の状態。②人の心と事物の理。

【心力】シンリョク 心と力。心身。また、心の力。気力。用例〔唐、白居易、燕詩示二劉叟一〕嘴爪雖レ欲レ弊、心力不レ知レ疲シソウつかれんとほっすといえ(へ)ども、シンリョクつかれをしらず。↓くちばしやつめは疲れそうになっていても、気力は衰えを知らない。

【心霊(靈)】シンレイ たましい。肉体をはなれて考えられた精神。また、心。

【心労(勞)】シンロウ ①こころづかい。あれこれと心配すること。②精神上の疲れ。

【病レ心】シンをやむ 胸の病をわずらう。

【労(勞)レ心者治レ人、労(勞)レ力者治二於人一】こころをロウするものはひとをおさめ、ちからをロウするものはひとにおさめらる 頭をつかって働く人は人民を治め、体力をつかって働く人は役人に治められる。孟子が、世の中は分業によって成り立つことを述べたことば。〔孟子、滕文公上〕

1【必】5画 3474 教4 ヒツ かならず 漢ヒツ・呉ヒチ 質 bì 4112 954B 一二

筆順 丶 ソ 义 义 必

字義 ❶かならず。㋐きっと。間違いなく。「必然」「必死」㋑どうしても。用例〔論語、顔淵〕必不レ得レ已而去かならずやむことをえずして、於二斯三者一このサンシャにおいて、何先なにをかさきにせん。↓どうしてもやむを得なくなって取り除く場合には、この(兵・食・信の)三者のうちで、どれを先にするのでしょうか。❷きっと行う。なんとしてもやりとげる。用例〔論語、子罕〕毋レ意イなく、毋レ必ヒツなく、毋レ固コなく、毋レ我ガなし。↓恣意的に行うことがなく、なにがなんでもやろうとすることがなく、我を張ることがない。❸期待する。あてにする。❹かならずしも。▼必が打消(不など)の言葉や反語(何なん・豈あになど)の下にある時は「かならずしも」と読み、「…とは限らない」の意となる。用例〔左伝、哀公六〕不三必亡二一大夫一かならずしもイチタイフをうしなわ(は)ず。↓かならずしも例の大夫を殺すとは限らない(殺さない可能性もある)。／〔孟子、梁恵王上〕何必曰レ利なんぞかならずしもリといわ(は)ん。↓どうして利益とばかり言う必要がありましょうか(そんな必要はありません)。

名前 さだ

解字 金文  篆文  会意。八＋弋。八は、飾りのたれたひもの象形。飾りひもで武器にしめつけた柄の意味を表す。秘ヒツの原字。借りて、かならずの意味を表す。必を音符に含む形声文字に、宓ヒツ・密・秘ヒツ・樒ミツ・泌ヒツ・謐ヒツ・苾ヒツ・蜜・飶ヒツなどがある。

【必携】ヒッケイ 国ぜひ持っていなければならない。また、その物。

【必殺】ヒッサツ かならずころす。殺さずにはおかない。

【必死】ヒッシ ①かならず死ぬ。②死を覚悟する。命がけ。

【必至】ヒッシ 必ずそのようになる。必ずその事が到来する。

【必需】ヒツジュ ぜひとも入用なこと。必要。

【必定】ヒツジョウ ①仏成仏に至る道を迷わず、退かずに進むこと。②きっと。かならず。

【必須】ヒッス・ヒッシュ ぜひなくてはならない。必要。

【必衰】ヒッスイ かならずおとろえる。用例〔仁王経〕盛者必衰ショウジャヒッスイ。↓勢いの盛んなものも、いつかは必ず衰え滅びる。

【必然】ヒツゼン かならず然しかり。必ずそうなる。また、必ずそうである。「必然性」↔偶然(二三一ジ-下)。

【必罰】ヒツバツ (罪を犯したものは)必ず罰する。「信賞必罰」

【必滅】ヒツメツ 仏かならずほろびる。必ず死ぬ。用例〔大涅槃経)生者必滅(ショウジャヒツメツす)。↓生あるものは必ず滅ぶ。

2【忈】6画 3475 漢ジン 呉ニン 真 rén — — 2926

字義 ❶親しむ。いつくしむ。❷仁(174)の古字。

解字 形声。心+仁省音。

3【応】7画 3476 教5 オウ こた-える 1794 899E —

13【應】17画 3477 人 5670 9CE4 —

一 漢ヨウ 呉オウ 径 yìng
二 漢ヨウ 呉オウ 蒸 yīng

筆順 丶 亠 广 广 広 応 応

字義 一 ❶こたえる。返事をする。用例(韓非子、難一)其人弗レ能レ応也(そのひとこたうる(ふ)ことあたわ(は)ざるなり)。↓その商人は答えることができなかった。❷引き受ける。承知する。❸したがう(順・随)。「順応」。❹他の動きにつれて起こる。手ごたえがある。「臨機応変」「反応」「応援」。❺楽器の名。㋐小さい鼓の一種。振りつづみ。㋑木製の長方形の打楽器。 二 助 まさ-に…べ-し。⇨助字・句法解説。❶あたる(当)。❷うける(受)。❸まさにこれ(応是)。おそらく…であろう。

助字・句法解説
まさ-に…べ-し。再読文字。

㋐推量。訳おそらく…であろう。

用例(唐、王維、雑詩)君自二故郷一来(きみこきょうよりきたる)、応レ知二故郷事一(まさにこきょうのことをしるべし)。↓あなたは故郷からやってきた、当然故郷のことを知っているでしょう。

㋑当然。訳当然…すべきだ。

用例(世説新語、黜免)広曰(こういわ(は)く)、逆則応レ殺(ぎゃくすればすなわ(は)ちまさにころすべし)。↓諸葛広(ショカツコウ)は言った、「反逆をくわだてたなら、当然死刑とすべきだ」。

名前 おう・かず・たか・のぶ・のり・まさ

使いわけ こたえる〔答・応〕⇨答(8741)。

解字 金文 篆文 形声。心+雁(雁)音。音符の雁(ヨウ)は、たか(鷹)の意味。狩に使うたかを胸もとに引き寄せあてておくの意味から、あたるの意味を表す。

逆 感応・供応・響応・呼応・策応・順応・照応・相応・即応・対応・適応・答応・内応・反応・報応

【応感】(オウカン) 心が物に応じて動くこと。

【応急】(オウキュウ) 急場に処する。また、急場のまにあわせ。

【応化】一(オウゲ) 仏仏が衆生(シュジョウ)を救うために、いろいろに姿を変えてこの世に現れること。二(オウカ) 国動植物が環境に適するように、その形態・習性をかえる現象。

【応験(驗)】(オウケン) 行った事に対して現れるしるしやききめ。

【応護】(オウゴ) 仏仏の御利益。仏が衆生(シュジョウ)の願いに応じて下す加護。

【応試】(オウシ) ①(官吏登用の)試験を受ける。②天子の命によって詩を作ること。応制。

【応需】(オウジュ) 要求にこたえること。

【応酬】(オウシュウ) ①答え報いる。答える。②手紙の返事。また、返礼。③応待する。接待する。交際する。

【応召】(オウショウ) (軍人が)召集に応ずること。

【応詔】(オウショウ) みことのりに従う。また、みことのりに答える。

【応鐘】(オウショウ) ①十二律の一つ。②陰暦十月の別名。

【応身】(オウジン) 仏衆生(シュジョウ)を救うため、教法を受ける機会や縁に応じて、この世に化現した仏身。たとえば、釈迦(シャカ)・弥勒(ミロク)は、如来(ニョライ)の応身である類い。応仏。

【応制】(オウセイ) 天子の命によって詩文を作ること。

【応接】(オウセツ) ①人に面会して受け答えすること。人をあしらうこと。②出会うものに応じてそれを処理すること。

【応対(對)】(オウタイ) ①受け答え。応答。②=応待。③物事を処理すること。◆「受け答え」の意で「応待」と書くのは誤りとされている。

【応待】(オウタイ) 相手をあしらう。相手をもてなすこと。接待。↓応対。

【応諾】(オウダク) 引き受ける。人から頼まれたことを承諾する。

【応答】(オウトウ) 受け答え。

【応瑒】(オウトウ・オウヨウ) 三国時代、魏(ギ)の詩人。汝南(ジョナン)(今の河南省項城市)の人。字(あざな)は徳璉(トクレン)。建安七子の一人。(?—二一七)

【応分】(オウブン) ①身分に相応する。②相応な。適当な。

【応変(變)】(オウヘン) (その時の)変化に応ずる。「臨機応変」

【応報】(オウホウ) ①こたえむくいる。②仏行為の善悪に対するむくい。「因果応報」

【応門】(オウモン) ①古代の宮廷の正門の名。②門をおとずれる客(来客)の取り次ぎをする。

【応用】(オウヨウ) ①あることから得た理論・技術を、時や場合に応じて他のことに活用すること。②理論を実際にあてはめて利用すること。

【応令】(オウレイ) ①命令に応ずる。②太子・諸王の命令によって詩文を作ること。

3【忌】7画 3478 常 キ い-む・い-まわしい 2087 8AF5 —

漢キ・呉ギ 寘 jì

筆順 フ コ 己 己 忌 忌 忌

字義 ❶いむ。また、いまわしい(いまいまし)。㋐にくむ。きらう。いやがる。㋑おそれる。はばかる。さける。❷いみ。ものいみ。タブー。㋐陰陽家が凶として避けるもの(方位・日時など)。㋑親や祖先などの命日。❸うやまう。❹いましめる。❺語調をととのえる助字。難読 忌寸(いみき)・忌部(いんべ)

解字 金文 篆文 形声。心+己音。音符の己は、糸すじを整える糸巻の象形。かしこまるの意味から、いむの意味を表す。

逆 遠忌・回忌・禁忌・嫌忌・触忌・年忌

【忌諱】(キキ・キイ) ①いみきらう。いみさける。また、そのこと・そのもの。②おそれはばかる。おそれはばかるべきもの。国の禁令。用例(老子、五十七)天下多二忌諱一(てんかききおお(ほ)し)。↓世の中には禁令が多い。

【触(觸)二忌諱一】(ききにふる) 人の気にさわり、嫌われる。

【忌刻】(キコク) ねたんで、むごくあたること。

【忌日】(キジツ・キニチ) ①死んだ人の命日。②事を行うのにいみさけるべき不吉な日。

【忌辰】(キシン) =忌日①。

【忌憚】(キタン) いみはばかる。遠慮。

【忌中】(キチュウ) 国①人が死んでから葬式の日までの間。②人の死後四十九日間。③死者のため心身を慎む一定の期間。喪中。

【忌避】(キヒ) ①いみさける。②国訴訟で不公平な裁判の行われるおそれのあるとき、担当の裁判官などを拒否すること。

3【志】7画 3479 教5 シ こころざ-す・こころざし 2754 8E75 —

シ 寘 zhì

筆順 一 十 士 士 志 志 志

字義 ❶こころざし。心の向かうところ。意向。志向。用例(書経、舜典)詩言レ志(しはこころざしをいう(ふ))。↓詩は心の思いを述べるものである。㋐かんがえ。おもい。㋑のぞみ。めあて。目標。願望。用例(史記、陳渉世家)燕雀安知二鴻鵠之志一哉(えんじゃくいずくんぞこうこくのこころざしをしらんや)。↓つばめやすずめのような小人物に、どうしておおとりのような大人物の志がわかろうか(わかるまい)。❷こころざ-す。めざす。心を向ける。目標を立てる。用例(論語、為政)吾十有五而志二于学一(われじゅうゆうごにしてがくにこころざす)。↓私は十五歳で学問で身を立てようと決心した。

❸しる-す。＝誌(11232)・識(11379)。㋐おぼえる。記憶する。用例〔人虎伝〕但云₌我已死₋、無₌言₌今日事₋。志ₗ之。⇩ただ、私はもう死んだとだけ伝えて、今日のことはいわないでもらいたい。どうか忘れないでほしい。㋑書きしるす。記録する。また、記録。記録文。「三国志」「芸文志」「地方志」「墓志」 ❹しるし。＝幟(3143)。㋐めじるし。㋑旗。のぼり。❺シリング(shilling)。一九七一年まで使われたイギリスの貨幣単位の略音訳。

国こころざし。㋐厚意。親切。㋑お礼や感謝の意を表すための贈り物。

名前 さね・し・じ・しるす・ふみ・むね・もと・もとむ・ゆき・よし

難読 志談・志都美・志豆機・志布志

解字 篆文 形声。心＋士(㞢)音。音符の㞢(之)は、ゆくの意味。心のゆき向かうこと、こころざすの意味を表す。

逆 意志・異志・遺志・雅志・言志・厚志・高志・弱志・宿志・尚志・初志・心志・寸志・壮志・素志・地志・闘志・同志・篤志・微志・芳志・雄志・立志

【志意】イシ こころざし。意志。

【志学(學)】シガク ①学問にこころざす。②十五歳をいう。『論語』為政編の「吾十有五而志₌於学₋」に基づく。⇨コラム 年齢の別称(四六六ページ)。

【志願】シガン こころざしねがう。ねがい。のぞみ。

【志気(氣)】シキ こころざし。意気ごみ。→士気(三三五ページ中)。

【志向】シコウ 目指す。また、その所。心の向かう所。心ばせ。意向。◈似た言葉に「指向」がある。両者の違いは、「志向」が心理的であるのに対し、「指向」が物理的であると言えるが、実際には、はっきりと使いわけられないこともある。

【志士】シシ 大きなこころざしを有する人。道や学問にこころざし、正義のためには一身をもかえりみない人。〔論語、衛霊公〕

【志尚】シショウ ①こころざしの向かう所。このみ。②こころざしが高尚なこと。高尚なこころざし。

【志操】シソウ ①こころざしと、みさお。②堅いこころざし・みさお。「志操堅固」

【志念】シネン 思慮。考え。

【志慮】シリョ かんがえ。こころざし。用例〔三国蜀、諸葛亮、前出師表〕志慮忠純。⇩私のこころざしはこの上なく純粋である。

---

3 【忐】 7画 3480

一 タン 感 tǎn
二 漢コウ(カウ) 呉キョウ(キャウ) 梗 kěng

— — 2929

字義 一 ❶忐忑タントウ・コウトウは、心がむなしい。❷おじる。二 忐忑タントウ・コウトウと熟して、心が上下にゆれる、おじるの意味を表す。

解字 会意。心＋上。

3 【忒】 7画 3481

トク 職 tè, ④tuī

21230 — 2931

字義 ❶たが-う(差)。ちがう。❷かわる(変)。あらたまる。❸うたがう。❹はなはだ(甚)。

解字 篆文 形声。心＋弋音。音符の弋ヨク・トクは、たがいちがいになるの意味。心がかわる・たがうの意味を表す。

3 【忑】 7画 3482

一 トク 職 tè
二 トウ(タウ) 晧 dǎo

— — 2930

字義 一 ❶忐忑タントウ・コウトウは、心がむなしい。❷おじる。

解字 会意。心＋下。忐(3480)の解字を見よ。

3 【忍】 7画 3483 常 ニン しの-ぶ・しの-ばせる

3 〖忍〗 7画 3484 漢ジン 呉ニン 軫 rěn

3906 9445 —

筆順 フ 刀 刃 刃 忍 忍 忍

字義 ❶しの-ぶ。㋐たえる。こらえる。我慢する。用例〔史記、廉頗藺相如伝〕相如素賤人、吾羞不₌忍₌為₌之下₋。⇩相如はもとは卑賤の出の者であり、私は恥ずかしくて、彼の下になどいるのは我慢できない。㋑おさえる。抑制する。用例〔荀子、儒効〕志忍ₗ私然後能公。⇩気持ちは利己心を抑えてはじめて公正になれる。㋒あえて。心を鬼にして。また、あつかましくも。㋓ひどいことを平気で行う。むごい。思いやりがない。▼多くは、否定語とともに用いられ、「…するには耐えられない」「どうしても…できない」などの意味になる。→不ₗ忍。❷しなやかで強い。＝韌(13301)。「堅忍」

国 ❶しの-ぶ。人目をさける。かくれる。㋐しのびの術。忍術。また、忍術使い。㋑間者。スパイ。㋒内密。㋓微行。㋔微服。❷しの-び。❸しの-ばせる。しの-ばす。人に知られないようにする。「声を忍ばせる」

名前 おし・しの・しのぶ・たう

難読 忍辱・忍足・忍冬・忍坂・忍壁・忍野・忍路

解字 篆文 形声。心＋刃(刄)音。音符の刃は、弾力があってしかも強いやいばの意味。しなやかで、しかも強い心の意味から、しのぶの意味を表す。

逆 隠忍・堪忍・堅忍・惨忍・残忍・容忍

【忍苦】ニンク 苦しみ(苦痛)をこらえしのぶこと。

【忍従(從)】ニンジュウ (苦しみを)耐えしのんで従うこと。

【忍術】ニンジュツ 国武家時代に行われた、しのびの術。隠密に行動する術。

【忍辱】一ニンジョク はじをしのぶこと。二ニンニク 仏侮辱・苦難を耐えしのんで、怒ったりうらんだりしないこと。

【忍心】ニンシン むごい心。残忍な心。残酷な心。

【忍人】ニンジン むごいことを平気でする人。残忍な人。

【忍耐】ニンタイ たえしのぶ。苦難や怒りをじっと我慢すること。

【忍土】ニンド 仏この世。娑婆世界。

【忍冬】ニンドウ ①スイカズラの別名。冬でも葉がしおれないことからいう。②①の葉を乾かした生薬。利尿などに用いる。

【不ₗ忍】しのびず むごいことができない。用例〔史記、項羽本紀〕君王為ₗ人不ₗ忍。⇩君王は人柄が人情もろく残忍なことができない。

---

3 【忘】 7画 3485 教 6 ボウ わす-れる

3 〖忘〗 7画 3486

一 漢ボウ(バウ)・呉モウ(マウ) 陽 wáng
二 漢ボウ(バウ)・呉モウ(マウ) 漾 wàng

4326 9659 —

筆順 丶 亠 亡 亡 忘 忘 忘

〔㤀〕 3487 本字

字義 一二 わす-れる。わす。㋐記憶から消える。思い出せなくなる。「備忘録」 ㋑おろそかにする。注意がむかない。

解字 金文 篆文 形声。心＋亡(亾)音。音符の亡は、なくなるの意味。心の中から記憶がなくなる、わすれるの意味を表す。

逆 遺忘

【忘我】ボウガ われを忘れる。うっとりとする。夢中になる。

【忘却】ボウキャク 忘れてしまう。忘れ去る。

【忘形】ボウケイ ①自分の肉体を忘れる。㋐物我の区別を忘れて自然の道に合する。㋑夢中になる。忘我。②たがいの容姿や地位などを問題にしないこと。

【忘形交】ボウケイのまじわ(は)り 相手の外形を問題にしない心からの親しい交際。

【忘言】ボウゲン ①ことばによらなくても相手の意志が通じる。親しい交わりのたとえ。②＝忘ₗ言(一三〇三ページ下)。

【忘失】ボウシツ 忘れる。すっかり忘れる。忘却。

【忘年】ボウネン ①年の老いを忘れる。②年齢の差を心におかぬこと。③年月のたつのを意識しない。④国年末にその年の苦労を忘れること。としわすれ。「忘年会」

【忘年交】 ＝忘年友。

【忘年友】 年齢の差を問題にしないで相手を尊敬する友・交際。

【忘憂】 ①うれいを忘れる。心配事を忘れ去ること。②草の名。わすれぐさ(萱草)。

【忘憂物】 ①酒をいう。酒を飲めば、うれいを忘れるため。用例〔東晋、陶潜、飲酒詩〕汎二此忘憂物一、遠二我遺レ世情一。↓(菊の花びらを)このうれいを忘れるという酒に浮かべると、世捨て人としての心が、ますます俗世間から遠ざかっていく。②わすれぐさ(萱草)。

3 【忘】 7画 3487 ボウ 忘(3485)の本字。→五二九ジ下。

4 【恣】 8画 3488 アイ 愛(3557)の古字。→五三〇ジ上。

4 【吾】 8画 3489 ゴ 悟(3732)の古字。→五四六ジ上。 2 1233 — 2936

4 【忽】 8画 3490 人 標 漢コツ 呉コチ 月 hū 2590 8D9A —

筆順 ノ 勹 勿 勿 忽 忽 忽 忽

字義 ❶たちまち。にわか。すみやか。突然。用例〔東晋、陶潜、桃花源記〕忽逢二桃花林一。↓突然桃の花の咲く林に出会った。❷ゆるがせにする。おろそかにする。㋐気にかけない。わすれる。「粗忽」㋑あなどる。「軽忽」❸つきる。ほろびる。❹小数の第五位の名。一の十万分の一。もと蚕のはく一筋の糸。それを五本合わせたものが糸、十本合わせたものが糸(絲・小数の第四位)。

名前 ただ・ただし 難読 忽滑谷・忽那・忽布

解字 篆文 形声。心＋勿音。音符の勿は、ないの意味。心の中になにもないの意味から、気にかけない・ゆるがせにする・たちまちの意味を表す。

【忽焉】 ①すみやかなさま。たちまち。にわかに。ふと。突然。忽然。忽爾。用例〔左伝、荘公十一〕桀紂罪レ人、其亡也忽焉。↓夏の桀王や殷の紂王は、人を責めることばかりしたので、たちまち滅んでしまった。②はっきりと見定め難いさま。用例〔論語、子罕〕瞻レ之在レ前、忽焉在レ後。↓前にあったかと思うと、見定めがたく、後ろにある。

【忽△怳・忽△恍】 ①見定め難いさま。無形のさま。とりとめのないさま。②固執する所がなく、物事を超越し、おおらかにぼうっとしているさま。

【忽荒】 ①広大でとりとめのないさま。空しいさま。②空中。大空。

【忽忽】 ①すみやかに過ぎ行くさま。②心のぼんやりしているさま。③何もする気のないさま。④不幸・不遇などによって心が乱れ、悲しみうれえているさま。用例〔資治通鑑、漢紀〕陵始降時、忽忽如レ狂、自痛レ負レ漢。↓わたくし李陵が匈奴に投降した当初は、心は乱れ、まともとはいえないような有様で、漢に背いたことに苦悩しました。⑤思い迷うさま。⑥忘れるさま。⑦明らかでないさま。さだかでないさま。

【忽諸】 ①たちまち。にわか。②たちまちにして滅びること。▼諸は、助字、然とほぼ同意。③国なおざり。ゆるがせ。

【忽然】 ①たちまち。突然。忽焉。用例〔近古史談、織篇、稲葉一徹〕信長隔レ壁傾聴、忽然走出謂二一徹一曰……。↓信長は壁の向う側で話にきき耳を立てていたが、突然茶室に現れて、一徹に向かって言うには、……。②無心のさま。心がぼうっとなるさま。

【忽地】 たちまち。直ちに。▼地は、助字。

【忽必烈】 元の初代の皇帝、世祖。成吉思汗の孫。宋を滅ぼして中国を統一した。元寇の時の皇帝。(一二一五―一二九四)

忽必烈

【忽略】 おろそかにする。なおざりにする。

4 【忩】 8画 3491 ソウ 怱(3504)と同字。→五三三ジ中。 8441 — 2938

4 【忠】 8画 3492 教6 チュウ 漢チュウ(チウ) 東 zhōng 3573 9289 —

筆順 丶 口 口 中 中 忠 忠 忠

字義 ❶まごころ。まこと。また、まごころをつくす。用例〔論語、学而〕為レ人謀而不レ忠乎。↓人のために考え相談にのり、まごころをつくさないことがなかったろうか。❷臣下が君主に仕える道。忠義。「誠忠」❸まめ。まめやか。忠実。❹ただしい。

名前 あつ・あつし・きよし・じょう・すなお・ただ・ただし・ただす・ちゅう・つら・なり・のり・ほどこす 難読 忠実

解字 篆文 形声。心＋中音。音符の中は、なかにあって、かたよらないの意味。かたよらない心、まごころの意味を表す。

逆 敬忠・純忠・精忠・誠忠・不忠

【忠愛】 ①まごころから愛する。②「忠君愛国」の略。

【忠益】 まごころをつくして世の益になること。

【忠肝】 忠義な心。忠魂。

【忠△諫】 まごころからのいさめ。忠義の心からのいさめ。

【忠義】 ①まごころをつくして正道を行うこと。②国家や君主にまごころをつくすこと。

【忠勤】 まごころをつくして勤める。

【忠君愛国(國)】 君に忠義をつくし、自分の国を愛し、大切にすること。〔南宋、陳傅良、跋二蘇黄門論二章子厚一疏上文〕

【忠言】 ①まごころをこめたいさめのことば。②忠告のことば。

【忠言逆レ耳】 まごころからのいさめのことばは、とかく相手に気に入られないものであるとの意。〔史記、淮南王安伝〕→良薬苦二於口一(一二九一ジ上)。

【忠孝】 主君に忠義をつくすことと、親に孝行をつくすこと。「忠孝両全」「忠孝義烈」

【忠厚】 まごころがあって情があつい。忠実で親切丁寧なこと。

【忠告】 まごころから人の悪い点を注意する。また、その注意。用例〔論語、顔淵〕忠告而善二道之一、不可則止。↓真心から注意してやって善い方へ導くが、聞き入れられなければやめる。

【忠魂】 ①忠義にあふれた心。「忠魂義胆」②忠義のために死んだ人の魂。「忠魂碑」

【忠実(實)】 ①まじめ。まめやかで、いつわりのないこと。②まじめに(かげひなたなく)勤める。

【忠純】 まごころがあって、純粋なこと。純粋なまごころ。用例〔三国蜀、諸葛亮、前出師表〕志慮忠純。↓私のこころざしはこの上なく純粋である。

【忠△恕】 まごころをつくすことと他人を思いやること。また、真心からの思いやり。孔子の説いた「仁」の基本。用例〔論語、里仁〕夫子之道、忠恕而已矣。↓先生の説かれる道は、まごころのこもった思いやり、ただそれだけである。

【忠心】 ①忠義な心。②まごころ。

【忠臣不レ事二二君一】 忠義な家来はふたりの君主に仕えない。〔史記、田単伝〕

【忠信】チュウシン まごころをつくして、いつわりのないこと。まこと。用例〔論語、学而〕主二忠信一、無レ友二不レ如レ己者一。↓忠と信とをむねとし、自分よりすぐれていない者を友とするな。
【忠誠】チュウセイ ①まごころ。②忠義のまこと。
【忠節】チュウセツ 忠義のみさお。また、忠義。
【忠善】チュウゼン 忠実で善良。誠実で、人がらのよいこと。忠良。
【忠貞】チュウテイ まごころがあって正しい。
【忠勇】チュウユウ 忠義で勇気があること。「忠勇義烈」
【忠良】チュウリョウ 忠義で善良なこと。また、その人。
【忠△亮】チュウリョウ まこと。まごころのあること。▼亮も、まこと。
【忠烈】チュウレツ 忠義の心がはげしい。非常に忠義なこと。また、忠義で勇ましいこと。忠勇義烈。

4【忝】8画 3493 ㊀テン 琰 tiǎn ㊁テン 艶 tiān 5559 9C7A —
［忝］3494 本字
字義 ㊀❶はずかしめる(辱)。けがす。❷はじ。はずかしめ。㊁❶かたじけない(かたじけなし)。❷かたじけなくする(かたじけなくす)。ありがたい。もったいない。畏れ多い。かたじけなくも…を受けているとの意。自分の受けているものごとが分に過ぎ、自分がそれを汚しているとの謙遜(ケンソン)の意から、感謝の意となる。
解字 篆文 会意。天+心。天に対するときの心の意味から、かたじけない・はずかしめるの意味を表す。『説文解字』では、心+天㊀とするが、天はten、忝はtemで音形にずれがあるので、天を音符とするのは無理がある。

4【忝】8画 3494 テン 忝(3493)の本字。→五二一ページ上。 3916 944F —

4【念】8画 3495 教4 ネン ㊅デン・㊐ネン 艶 niàn
筆順 ノ 𠆢 亼 今 今 念 念 念
字義 ❶おもう(おもふ)。㋐いつも気にしている。心にかける。用例〔詩経、秦風、小戎〕言念二君子一、温其如レ玉。↓わたしはあなたを恋しがる、おだやかさは玉のようだ。㋑おぼえている。用例〔論語、公冶長〕伯夷・叔斉不レ念二旧悪一。↓伯夷と叔斉は人の旧悪をいつまでも根に持たなかった。㋒考える。思いめぐらす。用例〔史記、張儀伝〕念莫下可レ使レ用二於秦一者上。↓あれこれと考えたが秦に登用させるに足る人物は思い当たらなかった。❷おもい(おもひ)。考え。気持ち。❸となえる。口ずさむ。声に出して読む。用例〔旧唐書、韋温伝〕温七歳時、日念二毛詩一巻一。↓韋温は七歳の時に、毎日『詩経』を一巻ずつ声に出して読んだ。❹二十。廿(1157)の字の代わりに用いる。廿の俗音が念に近いので、宋代から用いられた。「念九日(二十九日)」❺仏きわめて短い時間。
国ネン。心。一心。注意。用心。「念入り」
名前 むね 難読 念珠関(ねずがせき)
解字 金文 篆文 会意。今+心。今は含に通じ、ふくむの意味。心の中にふくむの意味から、いつもおもうの意味を表す。
逆 一念・概念・観念・祈念・紀念・記念・懸念・失念・思念・邪念・執念・信念・専念・想念・俗念・存念・丹念・断念・通念・入念・無念・妄念・欲念・余念・理念
【念願】ネンガン 願い望む。また、長い間の願い。
【念珠】ネンジュ・ネンズ 仏じゅず。仏を拝むときに手にかけるもの。数珠(ジュズ)。
【念△誦】ネンジュ・ネンズ 仏心に念じて口に仏の名号(ミョウゴウ)や経文(キョウモン)を唱えること。念仏誦経(ジュキョウ)。
【念頭】ネントウ 心。思い。胸中。考え。
【念念】ネンネン ①一念ごとにの意。常に心にかけている。思い続ける。②時時刻刻。
【念仏(佛)】ネンブツ 仏南無阿弥陀仏(ナムアミダブツ)(六字の名号(ミョウゴウ))を唱えること。
【念仏(佛)三昧】ネンブツザンマイ 仏一心に念仏すること。
【念力】ネンリキ 一心に思いこんだ心の力。精神力。
【念慮】ネンリョ 思い。考え。おもんぱかり。
【無レ念】おもう(ふ)ことなからんや 思うことがないだろうか、いや思う。の意。「無念」で「おもう(ふ)」とも読む。

4【忞】8画 3496 ㊀㊅ビン・㊐ミン 真 mín ㊁㊅ブン・㊐モン 吻 wěn ‖8439 ED9F 2934
字義 ㊀❶つとめる(つとむ)。はげむ。❷くらい。心のくらいさま。「忞忞」㊁みだれる。乱れるさま。「忞忞」
解字 篆文 形声。心+文㊀。音符の文は、敃(ビン)に通じ、つとめるの意味。心を用いてつとめるの意味を表す。

4【忿】8画 3497 フン 問 fèn 5561 9C7C —
字義 ❶いかる(怒)。いきどおる。また、いかり。いきどおり。❷うらむ。また、うらみ。
解字 篆文 形声。心+分㊀。音符の分は、憤に通じ、いきどおるの意味を表す。
【忿△恚】フンイ いかる。忿怒(フンド・フンヌ)。▼恚も、いかる。
【忿激】フンゲキ 大いにいかる。激しくいかる。
【忿△懥】フンチ いかる。▼懥も、いかる。
【忿怒】フンド・フンヌ いかる。大いにいかる。また、いかり。
【忿忿】フンプン いかるさま。忿憤。忿然。
【忿△懣】フンマン いきどおりもだえる。不平に思って腹だたしいこと。憤懣。▼懣は、もだえる(悶(モン))。
【忿戾】フンレイ いかりさからう。いきどおり人と争う。▼戾は、理にそむく。

5【怨】9画 3498 常 エン・オン ㊀㊅エン(ヱン)・㊐オン(ヲン) 願 yuàn ㊁㊅エン(ヱン)・㊐オン(ヲン) 元 yuān 1769 8985 —
筆順 ノ ク タ 夘 夗 夗 怨 怨 怨
字義 ㊀❶うらむ。うらみ。うらめしい(うらめし)。㋐残念に思う。「閨怨(ケイエン)」㋑にくむ。用例〔十八史略、春秋戦国、斉〕孟嘗君帰、怨レ秦、与二韓魏一伐レ之、入二函谷関一。↓孟嘗君は国に戻ると、秦を怨み、韓・魏と同盟して攻撃し、函谷関の西側に攻め込んだ。❷そしる。とがめる。❸わかれる。㊁❶あだ。かたき。❷=㊀❶。
難読 怨鳥(ほととぎす)
解字 篆文 形声。心+夗㊀。音符の夗(エン)は、身を曲げるの意味。心が曲がる、うらむの意味を表す。
【怨悪(惡)】エンオ うらみにくむ。
【怨家】エンカ うらみをもっている家・人。
【怨△咎】エンキュウ うらみと、とがめ。また、うらみとがめる。
【怨△耦】エングウ 仲の悪い夫婦。また、かたき同士。怨偶。
【怨言】エンゲン うらみのことば。うらみごと。また、うらんで言う。
【怨△曠】エンコウ 「怨女曠夫(コウフ)」の略。
【怨恨】エンコン うらむ。うらみ。用例〔墨子、兼愛中〕凡天下禍簒怨恨、可レ使レ毋レ起者、以二相愛一生也。↓すべて、この世のわざわいや奪い合い、うらみごとなどが、起こらないようにさせることができるのは、お互いに愛し合うことから生まれるのである。
【怨△嗟】エンサ うらみなげく。
【怨△讐】エンシュウ うらんでかたきとする。また、うらみのあるかたき。
【怨女】エンジョ ①婚期を失って結婚できず悲しみなげく女性。

〔孟子、梁恵王下〕②夫を失って悲しみなげく女性。寡婦。③出征・旅行などで夫のいない留守を守ってさびしく暮らす女性。④君主や夫の愛を失って悲しむ女性。

【怨女△曠夫】 怨女と曠夫。▼曠夫は、年ごろになっても妻をめとり得ない男性、また、長い間、妻と別れている夫。曠は、むなしい意で、妻のいないこと。〔孟子、梁恵王下〕

【怨情】 うらむ心。うらみの情。

【怨色】 うらんでいるような顔つき。うらめしげな様子。

【怨△詛】 うらみのろう。

【怨憎(憎)】 うらみにくむ。また、うらみとにくしみ。

【怨敵】 うらみのある敵。かたき。

【怨怒】 うらみいかる。

【怨毒】 うらみにくむ。また、深いうらみ。

【怨入二骨髄(髓)一】 うらみが骨のしんまでしみわたる。深いうらみのたとえ。〔史記、秦本紀〕

【怨△誹】 うらみそしる。怨謗。

【怨府】 人々のうらみの集まる所。▼府は、倉。

【怨婦】 =怨女。

【怨慕】 ①うらみながらもなおしたうこと。②悲しみしたう。

【怨望】 うらめしく思う。うらむ。また、うらみ。▼望も、うらむ。用例〔十八史略、春秋戦国、呉〕太宰嚭、譖二子胥恥一謀不レ用怨望 ↓宰相の伯嚭は、子胥は自分の計略が採用されなかったことを不名誉に思い、王を怨んでいます、と(夫差に)中傷した。

【怨△尤】 うらみとがめること。

【怨霊(靈)】 仏うらみをいだいて死んだ人の魂。うらみをはらそうとして、たたりをする死者の霊。

【宿レ怨】 いつまでも恨んでいること。

【報レ怨以レ徳】 うらみのある者に対して、恩義をもってむくいる。

5
【急】 9画 3499 教3 キュウ いそ-ぐ 2162 8B7D —

5
〔急〕 9画 3500 漢キュウ(キフ) 呉コウ(コフ) 閩 jí

筆順 ノ ク ク 刍 刍 急 急 急

字義 ❶いそ-ぐ。せ-く。せ-かす。また、速い。すみやか。「急流」「至急」 ❷せまい。心がせまい。かたくな。 ❸さしせまっている。ゆとりがない。にわか。突然。「火急」「救急」 ❹ひきしめる。また、ひきしまる。きびしくする。 ❺きびしい。残酷。 ❻けわしい。傾斜が強い。「急坂」 国キュウ。序破急の三段階の最後。雅楽などで最後に急速度になり全曲の終結に至るもの。

難読 急須・急度

解字 篆文  形声。心+刍(及)音。音符の及は、おいつくの意味。追われる時の気ぜわしい心の意味を表す。

逆 応急・火急・緩急・危急・救急・緊急・困急・早急・至急・性急・迫急

【急雨】 にわか雨。

【急緩】 ①さし迫った事と、ゆっくりした事。また、早いことと遅いこと。②危急なこと。さし迫ったこと。緩急。

【急急】 至急。火急。性急。

【急△遽】 いそぐ。あわてる。また、あわてて。にわかに。

【急撃(擊)】 にわかに撃つ。不意に攻める。

【急激】 にわかではげしい。急に変化するさま。急劇。

【急刻】 きびしい。苛刻。

【急時】 いそぎの時。

【急疾】 ①はやいこと。また、せいていらだつこと。気短。②急病。

【急△峻】 傾斜が急でけわしい。

【急所】 国①身体の中で、そこを傷つけられると生命にかかわる大事な所。②物事の要点。

【急進】 ①急いで進む。②官位などが急に進みのぼる。③国急に目的や理想を実現しようとすること。↕漸進(八七五ページ・中)。「急進主義」

【急須】 ①酒の燗をする小鍋。②国取っ手のついた小さいどびん。茶を出すのに用いる。

【急性】 ①気の早いこと。②にわかに起こる病気。↕慢性(五五五ページ・下)。

【急切】 いそぎ迫る。さし迫っていること。急に。急迫。

【急先△鋒】 国攻撃や改革などに、まっさきに立って進む人。

【急装(裝)】 ①いそいで支度する。いそぎの支度。②しっかりと身支度をする。

【急促】 にわかにせまったこと。急趣。

【急速】 ①いそぐこと。②すみやか。はやいこと。

【急卒】 にわかなこと。さし迫ったいそぎのこと。火急の事。また、急に。

【急△湍・急△灘】 はやせ。流れの速い浅瀬。急流。▼湍・灘は、はやせ・急流。

【急追】 いそいで追いかける。にげる者を、激しく追う。

【急転(轉)直下】 急に形勢が変わって解決に向かうこと。

【急伝(傳)】 いそぎの使者。

【急難】 にわかに起こった災い。また、差し迫っている災難・難儀。

【急迫】 さし迫る。せっぱつまる。

【急変(變)】 急に変わる。また、急の出来事。非常の事故。

【急務】 いそいでなすべき仕事。

5
【怘】 9画 3501 漢コ 呉ク 遇 gù, ② hù 8444 — 2955

字義 ❶固(1836)の古字。 ❷まもる(護)。

解字 形声。心+古音。

5
【思】 9画 3502 教2 シ おも-う 2755 8E76 —

一シ 支 sī 二シ 寘 sì

〔恖〕 3521 古字

筆順 丨 冂 罒 田 田 田 思 思 思

字義 一❶おも-う。㋐考える。思案をめぐらす。用例〔論語、為政〕学而不レ思則罔 ↓物事を学んでも、自分でそれについて深く考えてみなければ、本当の理解には到達しない。㋑慕う。愛する。いつくしむ。大切に思う。㋒なつかしむ。恋しく思う。用例〔唐、李白、静夜思詩〕挙レ頭望二山月一、低レ頭思二故郷一。↓頭をもたげて山にかかった月を眺め、故郷で見た月を思い出してうなだれてしまう。㋓あわれむ。悲しむ。また、うれえる。心配する。❷語調をととのえる助字。多く『詩経』にみられる用法で、句頭・句中・句末に置かれる。特に意味はないが、句頭・句中では「ここに」とよまれる。用例〔詩経、周南、漢広〕漢之広矣、不レ可レ泳思。↓漢水は川幅が広すぎて泳いで渡るのは無理だ。

二おも-い。気持ち。心情。感慨。また、考え。思想。構想。「愁思」「文思」

国❶おも-い。㋐うらみ。執念。㋑喪に服すること。また、その間。喪中。❷おぼす。思うの尊敬語。❸おぼ-しい。…に見える。

名前 おもい・こと・し・もと

解字 篆文  会意。田(囟)+心。囟は、小児の脳の象形。頭脳と心でおもうの意味を表す。思を音符に含む形声文字に、偲・諰などがある。

逆 懐思・客思・凝思・愁思・秋思・所思・慎思・精思・聖

思・相思・沈思・旅思

【思案】(シアン) ①思い。考え。②心配。物思い。

【思惟】(シイ) 一 ①考える。また、考え。用例〔漢書、董仲舒伝〕思惟往古(オウコを。シイす) ↓いにしえのことを考える。②＝思考②。二(シユイ) 仏対象を分別すること。

【思過半】(おもい(ひ)なかばにすぐ) ①さとるところの非常に多いこと。〔易経、繋辞下〕②事実が想像以上であること。

【思議】(シギ) 思いはかる。考える。「不可思議(シギすべからず)」

【思旧】(シキュウ) 旧交を思う。

【思考】(シコウ) ①思い。考え。②哲学用語。感覚や知覚で得たものをまとめ、それらの連関・全体・法則性・本質を知る精神作用。

【思索】(シサク) 筋道をたどって深く考え求める。また、秩序立った考え。

【思而不学則殆】(おもい(ひ)てまなばざればすなわ(は)ちあやう(ふ)し) 考えるだけで学ばなければ独断に陥って危険である。→学而不思則罔(まなびておもわ(は)ざればすなわ(は)ちくらし)(三八三ページ中)。

【思春】(シシュン) 恋心をいだくこと。「思春期」

【思想】(シソウ) ①思いめぐらす。②思いやる。③ある物事に対する個々の考えや理論ではなく、世界や人生に対する、あるまとまった考え・体系をいう。

【思潮】(シチョウ) その時代の思想の流れ・傾向。

【思念】(シネン) ①思う。考える。用例〔楽府詩集、悲歌行〕思念故郷(コキョウをシネンすれば)、鬱鬱累累(ウツウツルイルイ)。↓故郷を思うと、鬱鬱たる思いで胸が一杯になる。②思い。考え。

【思婦】(シフ) うれえ悲しむ女性。用例〔唐、白居易、聞夜砧詩〕誰家思婦秋擣帛(たがいえ(へ)のシフか、あきにきぬをうつ)、月苦風凄砧杵悲(つきさえかぜすさまじくしてチンショかなし)。↓どこの家の夫を待つ妻であろうか、秋の夜に砧を打っているのは。月は寒々と冴え渡り、風がすさまじく吹く中に、砧の音が悲しく響く。

【思服】(シフク) 常に思って忘れないこと。慕い焦がれること。

【思弁(辨)】(シベン) 考えてものの道理を明らかに知り分けること。

【思慕】(シボ) 思いしたう。

【思無邪】(おもい(ひ)よこしまなし) 心が正しく、少しもまがったところのないこと。孔子が『詩経』の詩を評したことば。〔論語、為政〕

【思慮】(シリョ) 考え思う。また、おもんぱかり。考え。「思慮分別(フンベツ)」

【思量】(シリョウ) 思いはかる。考える。また、考え。思料。

5【怎】9画 3503　シン　唐ソ・ソモ　㊥寝 zěn　5567 9C83 ―

字義 いかーで。いかーでか。いかんぞ。なんぞ。どうして。如何(いかん)の俗語。

解字 形声。乍㊥+心㊥。俗語の「作甚麼」(どうして)から作られた文字。乍(サ)は、作の最初の子音を示し、心は、甚麼を縮めた音を示す。

【怎生】(ソモサン・いかんか) 什麼生(ソモサン)。宋(ソウ)代以来の俗語。㋐いかなる。どんな。㋑なぜ。何ゆえ。どうして。

5【怱】9画 3504　ソウ　㊥東 cōng　5568 9C84 ―

［悤］3536 正字　［匆］1092 同字　［忩］3491 同字

字義 ❶あわてる。あわただしい。＝匆(1090)。❷さとい。あきらか。＝聡(9630)。

解字 金文  篆文  形声。心+匆(囱)㊥。音符の囱(ソウ)は、促に通じ、心がせくの意味を表す。金文は、心の上の方に点を加えて、心があがる、あわてるの意味を示す。

【怱遽】(ソウキョ) 慌てる。慌てて混乱する。また、そのさま。

【怱怱】(ソウソウ) ①いそがしいさま。あわただしいさま。用例〔唐、張籍、秋思詩〕復恐怱怱説不尽(またおそるソウソウとして、ときつくさざるを)、行人臨発又開封(コウジンハッするにのぞみ。またフウをひらく)。↓あわただしく書いたので書きもらしたことがありはしないかと、ふと気がかりになり、(手紙をあずける)旅人の出発にあたって、もう一度封を開いた。②国手紙の末尾にそえる語。急いでいるのでことばをつくさない意。匆匆(ソウソウ)。

【怱卒】(ソウソツ) いそがしいさま。

【怱忙】(ソウボウ) いそがしい。せわしい。

5【怠】9画 3505 常　漢タイ・呉ダイ　㊥賄 dài　3453 91D3 ―

タイ　おこたーる・なまーける

筆順 ㇜ ム ム 台 台 台 怠 怠 怠

字義 ❶おこたーる。㋐なまーける(なまく)。ゆるむ。油断する。「怠業」㋑あきる。うむ。❷あなどる。国❶おこたーり。おこたーる。㋐おこたりから起こる過失・罪。㋑わび。謝罪。㋒病気が少しよくなる。❷だるーい(だるし)。

名前 やす

解字 篆文  形声。心+台㊥。音符の台は、止に通じ、とどまるの意味。心がとどまる、おこたるの意味を表す。

逆 解怠・過怠・勤怠・荒怠・疲怠

【怠解・怠懈】(タイカイ) おこたる。なまける。また、ゆるむ。▼解は、懈に通じ、懈も、怠の意。

【怠業】(タイギョウ) ①仕事をおこたる。②国労働者が同盟して仕事の能率を落とすこと。サボタージュ。争議行為の一手段。

【怠荒】(タイコウ) なまけて仕事をなげやりにする。

【怠傲】(タイゴウ) ①なまけ遊ぶ。②おこたり、おごる。あなどる。▼傲も、あなどる。

【怠惰】(タイダ) おこたる。なまける。▼惰も、怠る。

【怠廃(廢)】(タイハイ) ＝怠荒。

【怠慢・怠嫚】(タイマン) おこたってなげやりにする。

5【怽】9画 3506　タイ　21238 ― ―

泰(6132)の俗字。→六〇八ページ下。

5【怒】9画 3507 常　漢ド・呉ヌ　㊥遇 nù　3760 937B ―

ド　いかーる・おこーる

筆順 ㇛ 女 女 奴 奴 奴 怒 怒 怒

字義 ❶いかーる。おこーる。㋐腹をたてる。いきどおる。「憤怒」㋑しかる。責める。㋒激する。荒れ狂う。勢いがさかん。用例〔唐、杜甫、石壕吏詩〕吏呼一何怒(リのよぶイッに、なんぞはなはだしき)、婦啼一何苦(フのなくイッに、なんぞはなはだしき)。↓役人のよび声の、なんと興奮してけたたましいこと、老婦の泣き声の、なんとひどいこと。㋓はげむ。勢いを盛んにする。奮い立つ。❷いかーり。❸いかーらす。㋐立腹させる。㋑いかめしいようすをする。かど立たせる。

難読 怒留湯(ぬるゆ)

解字 篆文  形声。心+奴㊥。音符の奴は、力を尽くして働く奴隷の意味。感情に力をこめる、いかるの意味を表す。

逆 嚇怒・激怒・震怒・憤怒

【怒気(氣)】(ドキ) いかりを含んだ顔つき。いかりの気持ち。

【怒号(號)】(ドゴウ) ①いかりさけぶ。②風雨などが激しい音を立てる。

【怒生】(ドセイ) 草木が勢いよく生長する。

【怒長】(ドチョウ) 勢いよく芽を出すこと。

【怒張】(ドチョウ) ①はちきれるようにふくらむ。②筆の力の勇ましいたとえ。③肩などをいからせること。

【怒漲】(ドチョウ) 勢いよくみなぎる。

【怒濤】(ドトウ) さかまく荒波。

【怒罵】(ドバ) いかりののしる。

【怒髪】(ドハツ) いかって逆立った髪。

【怒髪衝冠】(ドハツかんむりをつく・ドハツカンをつく) いかって逆立った髪が冠を下からつきあげる。激怒の様子の形容。怒髪衝天(テンをつく)。怒髪指冠(かんむりをさす)。

【不レ遷レ怒】いかりをうつさず ある者に対するいかりを、何の関係もない者に及ぼさない。やつあたりをしない。[用例]〔論語、雍也〕好レ学ガクをこのみ、不レ遷レ怒いかりをうつさず、不レ弐レ過あやまちをふたたびせず。↓学問好きで、やつあたりせず、同じ過ちを二度とくり返さない。

5【怤】9画 3508 フ 虞 fū 21241 ― 2958
字義 ❶おもう。❷よろこぶ。❸楽しむ。
解字 形声。心＋付㊥。

6【恚】10画 3509 ㊀イ 寘 huì ㊁漢ケイ・呉エ(ヱ) 霽 huì 5575 9C8B ―
字義 ㊀いかる(怒)。また、いかり。
解字 篆文 形声。心＋圭㊥。音符の圭ケイは、撃に通じ、うつの意味。敵意をもってうつ、いかるの意味を表す。
【恚恨】イコン いかりうらむ。恚望。
【恚憤】イフン いきどおる。憤慨する。
【恚望】イボウ いかりうらむ。いかり。恨み。恚恨。▼望は、うらみ。

6【恩】10画 3510 教6 オン 漢オン・呉オン(ヲン) 元 ēn 1824 89B6 ―
筆順 丨 冂 円 冃 因 因 恩 恩 恩
字義 めぐみ。めぐむ。また、いつくしみ。いつくしむ。また、受けた方がありがたく思う行為。相手に感謝されるような行為。
名前 おき・しだ・めぐみ
解字 篆文 形声。心＋因㊥。音符の因は、愛に通じ、いつくしむの意味。心を付し、いつくしむの意味を表す。
逆 旧恩・洪恩・高恩・国恩・至恩・慈恩・謝恩・主恩・殊恩・仁恩・聖恩・天恩・芳恩・浴恩
【恩愛】オンアイ・オンナイ ①なさけ。いつくしみ。御寵愛ゴチョウアイ。[用例]〔唐、白居易、長恨歌〕昭陽殿裏恩愛絶ショウヨウデンリ、オンアイたえ、蓬萊宮中日月長ホウライキュウチュウジツゲツながし。↓生前、昭陽殿でいただいためぐみ深い愛は、今は断ち切られてしまい、ここ蓬萊宮では長い月日が過ぎさりました。②親子・兄弟・夫婦などの愛情。
【恩威】オンイ ①恩恵と威光。いつくしみと厳しさ。②恩賞と刑罰。賞と罰。
【恩義】オンギ ①恩愛と義理。人情と道理。②恩返しをしなければならない義理。③いつくしみ。めぐみ。恩誼オンギ。
【恩誼】オンギ ＝恩義③。
【恩遇】オングウ なさけ深いもてなし。手厚い待遇。
【恩恵(惠)】オンケイ いつくしみ。めぐみ。なさけ。
【恩顧】オンコ なさけ。めぐみ。ひいき。
【恩幸・恩倖】オンコウ ①いつくしみ。ひいき。②天子の特別な寵愛チョウアイ。また、それを受けている人。
【恩旨】オンシ いつくしみ深いおぼし召し。天子のおぼし召し。
【恩賜】オンシ ①めぐみたまわる。また、その物。②天子から賜ること。また、その物。
【恩慈】オンジ 恩と慈しみ。親子の情をいう。
【恩赦】オンシャ ①特別の情けで罪を許すこと。天子の特別の許しにいう。②国行政権による刑罰の減免。
【恩借】オンシャク ①めぐみ。恩恵。②国情けによって人から金品を借りること。人から借りることの敬語。
【恩讐】オンシュウ なさけとあだ。恩とうらみ。愛と憎。
【恩詔】オンショウ ありがたいみことのり。天子のみことのり。
【恩賞】オンショウ 主君がほうびとして賜ること。また、その物。
【恩情】オンジョウ 情け深い心。恩愛の心。いつくしみ。[用例]〔宋書、朱修之伝〕性倹剋セイはケンコクにして、少二恩情一オンジョウすくなし。↓性質はけちで冷酷で、情け深い心に欠けていた。
【恩沢(澤)】オンタク めぐみ。いつくしみ。また、おかげ。特に天子の寵愛チョウアイ。[用例]〔唐、白居易、長恨歌〕侍児扶起嬌無力ジジたすけおこせばキョウとしてちからなし、始是新承二恩沢一時はじめてこれあらたにオンタクをうくるのとき。↓腰元たちが抱きかかえあげると、あだっぽくなよなよとして力もないようすである。いまやまさに、天子の御寵愛を受けようとするそのとき。
【恩寵】オンチョウ ①いつくしみ。寵愛。恩遇。②キリスト教で、神のめぐみ。
【恩典】オンテン ①情け深い取り扱い。めぐみ。②＝恩礼。
【恩徳】オントク めぐみ。なさけ。恩恵。
【恩波】オンパ 天子のいつくしみ。広く行き渡ることを波にたとえた。
【恩命】オンメイ 情け深いおおせ。ありがたいおことば。
【恩宥】オンユウ 情け深い心で罪を許す。寛大に扱う。
【恩礼(禮)】オンレイ 臣下をいつくしみ礼遇(優待)すること。
【推レ恩】オンをおす ＝推恩(五九㌻上)。

6【恝】10画 3511 ㊀漢カツ・呉ケイ 黠 jiá ㊁ケイ 霽 qì ― EDA0 2971
〔恝〕3512 俗字
字義 ㊀心に憂いのないさま。㊁心に憂いのあること。
解字 形声。心＋㓞㊥。

6【恝】10画 3512 カツ 恝(3511)の俗字。→五二四㌻中。

6【恭】10画 3513 常 キョウ うやうやしい 漢キョウ・呉ク 冬 gōng 2219 8BB1 ―
筆順 一 艹 丗 共 共 恭 恭 恭 恭
〔恭〕3516 本字
字義 ❶つつしむ。礼儀正しく、つつしみ深い。❷うやうやしい。うやうやしく、礼にかなって節度ある態度をとる。[用例]〔論語、学而〕恭近二於礼一、遠二恥辱一也キョウ レイにちかづけば、チジョクにとおざかる。↓うやうやしさは、礼にそって節度ある態度をとるようにすれば、恥辱を受けないようになる。
名前 うや・きょう・く・すみ・たい・たか・たかし・ただ・ただし・ちか・つか・のり・みつ・やす・やすし・ゆき・よし
難読 恭菜ふだんそう・恭仁くに
解字 篆文 形声。小(心)＋共㊥。音符の共は、そなえるの意味。神に物をそなえるときの心境、うやうやしい・つつしむの意味を表す。
逆 温恭・謙恭・粛恭・足恭・篤恭・不恭
【恭賀】キョウガ うやうやしく祝う。「恭賀新年」
【恭勤】キョウキン つつしみ深くして勤める。〔晋書、車胤伝〕
【恭敬】キョウケイ ①つつしむ。うやうやしくする。②つつしんで敬う。
【恭倹(儉)】キョウケン 人に対してはうやうやしくし、自分の身はつつましくすること。つつしみ深いこと。〔論語、学而〕
【恭謙】キョウケン つつしみ深くへりくだる。
【恭順】キョウジュン つつしみ深く従順なこと。恭敬従順。
【恭黙】キョウモク つつしみ深く、口かずの少ないこと。また、つつしみ深い態度で、だまっていること。

6【恐】10画 3514 常 キョウ おそれる・おそろしい 漢キョウ・呉ク 腫 kǒng 2218 8BB0 ―
6〔恐〕10画 3515
筆順 一 丅 工 玑 巩 巩 恐 恐 恐
字義 ❶おそ-れる。㋐こわ-がる。びくびくする。「恐怖」㋑つつしむ。かしこまる。「誠恐」「恐縮」㋒気づかう。心配する。[用例]〔前漢、司馬相如、上林賦〕僕恐三百姓被二其尤一也ボク ヒャクセイのそのとがをこうむらんことをおそるるなり。↓私は人民がそのことによる迷惑を被ることを心配するのである。❷おどす。おびやかす。[用例]〔墨子、迎敵祠〕驚駭恐二吏民一キョウガイして リミンをおそれしむ。↓おどかして役人や人民をおびえさせる。❸おそ-らくは。多分。きっと。[用例]〔史記、廉頗藺相如伝〕償城恐不レ可レ得ショウジョウおそらくはうべからざらん。↓璧の代償としての都市はたぶん手に入れることはできないだろう。／〔唐、杜甫、後出塞詩〕借問大将誰、恐是霍嫖姚（おそらくはこれかくひょうようならん）。↓大将は誰であるかといえば、きっとそれは漢の霍去病のような人であろう。

参考 現代表記では〔兢〕(717)の書きかえに用いることがある。「戦々兢々→戦々恐々」

使いわけ **おそれ・おそれる〔恐・虞・畏〕**
〔恐〕こわいと感じること。「死への恐れ」
〔虞〕（「おそれ」のみ）心配。「がけ崩れの虞」
〔畏〕敬いかしこまること。「神への畏れ」
ただし、〔虞〕は仮名書きの場合が多い。

解字 篆文 **形声**。心＋巩㊥。音符の巩は、つつしみ深く工具の「のみ」を手にするさま。つつしみ深い心、おそれの意味を表す。

逆 振恐・震恐・誠恐

【恐悦】国かしこまりよろこぶ。㋐他人に慶びをいう時の敬語。㋑自分の喜びをいう謙譲語。

【恐喝】（喝）・恐△愒・恐△猲 威力でおどかす。また、おどかし。恐嚇。▼喝は、しかること。

【恐恐謹言】手紙の末尾に書く語。おそれながらつつしんで申し上げますの意。恐惶謹言。

【恐△懼】非常におそれる。おそれいる。▼懼も、恐れる。用例〔史記、廉頗藺相如伝〕恐懼殊甚（きょうくすることはなはだし）。↓そのおそれようはあまりにひどすぎます。

【恐慌】①おそれおののく。おそれる。②経済界が不安と混乱に陥った状態。好景気から急に不景気になる時などに起こる。危機。パニック。③国おそれあわてる。

【恐△惶】おそれる。また、おそれつつしむ。手紙の末尾に書く語としても用いる。▼惶も、恐。

【恐察】国つつしんで推しはかる。他人のことを推量するのにいう敬語。

【恐縮】おそれいる。申しわけなく思う。おそれて縮みあがるの意。

【恐△悚・恐△竦】おそれすくむ。大いにおそれる。深くおそれる。

【恐怖】おそれる。こわがる。

6 【恭】10画 3516 **キョウ** 恭(3513)の本字。→五二四ページ下。

6 【恵】10画 3517 常 **ケイ・エ** めぐむ 2335 8C62 —

8 【惠】12画 3518 人 漢ケイ 呉エ（ヱ） 慣 huì 5610 9CA8 —

筆順 一 冂 冃 甶 亩 亩 恵 恵 恵

【憓】587 俗字

字義 ❶**めぐむ**。恩を施す。㋐情けをかける。あわれむ。いつくしむ。㋑与える。あわれに思って金品を与える。❷**めぐみ**。㋐あわれみ。思いやり。㋑ほどこし。たまもの。❸さとい。かしこい。「知恵」❹すなお。従う。従順。❺美しい。❻他人が自分に対してした行為に冠する敬語。「恵与」「恵音（おたより）」

名前 あや・え・けい・さと・さとし・しげ・とし・めぐ・めぐみ・めぐむ・やす・よし

難読 恵山・恵庭・恵那・恵比島・恵良

参考 現代表記では〔慧〕(3590)の書きかえに用いることがある。「智慧→知恵」

解字 金文 篆文 **会意**。心＋専省。専は、糸まきの象形で、いちずになるの意味。他に対して、いちずな心を傾ける、めぐむの意味を表す。

逆 恩恵・互恵・慈恵・仁恵・知恵・天恵・徳恵・弁恵

【恵音】①めぐみ深いたより。他人からの音信に対する敬語。②おだやかな（なごやかな）音（音楽）。

【恵△貺】めぐみ与える。たまもの。人からの贈与に対する敬語。恵賜。恵贈。

【恵子】①恵施②の尊称。②恵施②の著書の名。一巻。

【恵施】①めぐみほどこす。②戦国時代の宋の学者。名家（詭弁学派）の一人。荘子の友人で、魏の恵王の宰相になったともいう。

【恵△恤】めぐみあわれむ。また、めぐみ。あわれみ。

【恵人】めぐみ深い人。〔論語、憲問〕

【恵存】国他人への贈り物（主として自分の著書など）の宛名の下にそえる語。とっておいてくださいの意。

【恵沢】（澤）めぐみ。恩恵。恩沢。

【恵忠】めぐみ深いことと忠義なこと。

【恵投】国めぐみ与える。人からの贈与に対する敬語。

【恵比寿】（壽）・恵比須 国七福神の一つ。商家の神とされている。

【恵風】①草木を生長繁茂させる、肌ざわりのよい、晩春初夏の風。南風。②君主の恩恵のたとえ。③陰暦三月の別名。

【恵方】国歳徳神のいる方角をいう。この方角を明きといい、万事に吉であるという。陰陽家の語。

【恵与】（與）国＝恵投。

【恵養】いつくしみやしなう。

6 【恣】10画 3519 常 **シ** 寘 zì 5583 9C93 —

筆順 冫 冫 冫 次 次 次 恣 恣 恣

【恣】3520 俗字

字義 ❶**ほしいまま**。わがまま。気まま。わがままにふるまう。思うままにする。❷**ほしいままにする**（ほしいままにす）。用例〔戦国策、趙〕恣君之所使之（きみのこれをつかうところをほしいままにせよ）。↓そなたは長安君を思うようになさい。

解字 篆文 **形声**。心＋次㊥。音符の次は、リラックスするの意味。心をリラックスさせる、気ままにするの意味を表す。

【恣意】①思ったとおりにする。気ままにする。②国わがままな心。自分勝手な考え。

【恣△睢】①自分の思うままにして人のいうことをきかない。②そしる。ののしる。③勝手に振る舞ってにらむ。また、怒る。いばる。用例〔史記、伯夷伝〕暴戻恣睢（ぼうれいしき）。↓乱暴を行い勝手気ままに振る舞う。

【恣縦】（縱）ほしいまま。気まま。恣肆。▼縦も、恣。

6 【恣】10画 3520 **シ** 恣(3519)の俗字。→五二五ページ下。

6 【恖】10画 3521 **シ** 思(3502)の古字。→五二三ページ下。 — — 2969

6 【恧】10画 3522 漢 **ジク**（ヂク） 呉ニク 屋 nǜ — — 2973

字義 **はじる**。心に恥じる。＝忸(3654)。

解字 篆文 **形声**。心＋而㊥。音符の而は、しなやかなひげの象形。しなやかな心の意味から、気はずかしいの意味を表す。

【恧然】はじいるさま。

6 【恕】10画 3523 人 漢ショ 御 shù 慣**ジョ** 2990 8F9A —

筆順 ㄑ 女 女 如 如 如 恕 恕 恕

字義 ❶おもいやり。同情。いつくしみ。用例〔論語、衛霊公〕其恕乎。己所不欲、勿施於人（それじょか。おのれのほっせざるところ、ひとにほどこすことなかれ）。↓それは、恕だろうな。（それはたとえば）自分の望まないことは、人にしてはならない（ということだ）。❷おもいやる。同情する。いつくしむ。あわれむ。用例〔戦国策、趙〕竊自恕（ひそかにみずからじょす）

恐ㇾ太后玉体之有ㇾ所ㇾ郄也 ↓心中、わが身に照らして、太后様のお身体に障りがあるのではないかと心配です。❸ゆる-す。おおめに見る。「寛恕」「宥恕」

名前 くに・しのぶ・ただし・のり・はかる・ひろ・ひろし・ひろむ・みち・もろ・ゆき・ゆるす・よし

解字 篆文 古文 形声。心＋如㊥。音符の如は、古文では女、しなやかな女性の意味。しなやかな心、おもいやり、ゆるすの意味を表す。

6【恁】10画 3524 漢ジン・呉ニン 唐イン 寝 沁 rèn 5576 9C8C ―

字義 ❶おもう。❷宋代以来の俗語。㋐この。あの。㋑かく。このように。

解字 形声。心＋任㊥。

【恁地】ジン・チ このように。このような。▼地は、助字。

【恁麼】ジン・モ・イン・モ ▼麼は、助字。①このような。このように。②どんな。どのように。

6【息】10画 3525 教3 ソク いき 漢ショク・呉ソク 職 xī 3409 91A7 ― 熟字訓 息吹・息子

筆順

字義 ❶いき。呼吸。また、呼吸する。「気息」❷ため息をつく。「嘆息」「長息」❸生きる。生きている。「生息」❹そだつ。ふえる。繁栄する。また、増えたもの。「保息」「利息」❺うむ。うまれる。❻こども。むすこ。むすめ。「子息」「令息」❼いこ-う。やす-む。用例〔荀子、栄辱〕寒而欲ㇾ煖、労而欲ㇾ息。↓人は誰でも寒ければ暖かさを求め、疲れれば休みたいと思う。❽や-む。や-める。とまる。とどえる。停止する。＝熄(6973)。用例〔易経、乾〕君子以自強不ㇾ息。↓君子は（乾の徳によって）自ら努め励んでやむことがない。／〔東晋、陶潜、帰去来辞〕帰去来兮、請息ㇾ交以絶ㇾ游。↓さあ帰ろう、どうか世間との交際はすべてやめてしまいたいものだ。❾つきる(尽)。きえる。ほろびる。＝熄(6973)。国いき-む。息をつめて腹に力を入れる。

名前 いき・おき・き・やす 難読 息長・息長鳥

参考 現代表記では〔熄〕(6973)の書きかえに用いることがある。「終熄→終息」

解字 篆文 会意。心＋自。心は心臓の、自は鼻の象形。心臓部から鼻に抜ける、いきの意味を表す。また、いきをする、生きるの意味や、自分の分身として生きのびていく者、子の意味をも表す。

逆 安息・気息・休息・脅息・子息・終息・消息・生息・絶息・太息・嘆息・窒息・長息・鼻息・閉息・令息

【息偃】ソク・エン やすむ。いこう。▼偃は、ふす・ねる。

【息肩】ソク・ケン 荷をおろして肩を休める。疲れを休める。責任をおろす。

【息耗】ソク・コウ ①増えることと減ること。消長。②善いことと悪いこと。吉凶。善悪。良否。③おとずれ。消息。

【息災】ソク・サイ ①仏 仏力で災いを止めること。「息災延命」②国身の無事なこと。「無病息災」

【息子】ソク・シ 自分の男の子。せがれ。

【息止】ソク・シ やむ。絶える。終息する。停止。休止。

【息女】ソク・ジョ ①自分の娘。②国身分のある人の娘。また、その娘を敬っていう語。

【息銭(錢)】ソク・セン 利息のぜに。利子。息銀。

【息婦】ソク・フ 妻の卑称。媳婦。

【息民】ソク・ミン 人民をいこわせ安心させる。

6【恥】10画 3526 常 チ はじる・はじ・はじらう・はずかしい 漢チ 紙 chǐ 3549 9270 ―

筆順

【耻】9617 俗字

字義 ❶は-じる。は-じらう。㋐きまり悪く思う。「羞恥」㋑気がとがめる。自らやましく感ずる。「無恥」❷はずかし-める。はじをかかせる。❸はじ。はじる心。「廉恥」国は-ずかし-い。

解字 篆文 会意。心＋耳。耳は、みみの象形で、はじて耳を赤らめる意味。心を付し、はじるの意味を表す。

逆 無恥・廉恥

【恥辱】チ・ジョク ①はじ。②はずかしめ。不名誉。

【有ㇾ恥且格】はじありてかついたる はじを知り、修養をして善に至る。▼格は、至る。〔論語、為政〕

6【恙】10画 3527 ヨウ(ヤウ) 漾 yàng 5589 9C99 ―

字義 つつが。㋐うれい(憂)。㋑やまい。病気。㋒つつが虫。人をかむ毒虫の名。

解字 篆文 形声。心＋羊(羊)㊥。音符の羊は、痒に通じ、やむの意味。心がやむ、うれえるの意味は表す。

【無ㇾ恙】つつがなし うれいがない。平安無事である。用例〔人虎伝〕幸喜得ㇾ無ㇾ恙乎 ↓幸い無事でおられたか。■つつがなきや 安否を問う言葉。お変わりありませんか。

6【恋】10画 3528 常 レン こう・こい・こいしい 4688 97F6 ―

19【戀】23画 3529 レン 霰 liàn 5688 9CF6 ―

筆順

字義 ❶こ-う。こいしく思う。したう。「恋愛」❷こい-しい。❸こい。男女間でしたい合う気持ち。「悲恋」

解字 形声。もと、心＋攣省㊥。音符の攣は、ひくの意味。心がひかれる、こいするの意味を表す。

逆 顧恋・悲恋

【恋賞】レン・ショウ (風景・音楽などに)心が引かれて、めで眺める(聞きいる)こと。

【恋情】レン・ジョウ こいしたう心。

【恋着・恋著】レン・チャク こいしたって離れられないこと。あきらめきれない・忘れられないこと。

【恋慕】レン・ボ こいしたう。

【恋恋】レン・レン ①思いこがれるさま。②愛情のこまやかなさま。③いつまでも心が引かれているさま。思いきりの悪いさま。

6【悆】10画 3530 国字 5578 9C8E ―

字義 悆志・悆など、人名に用いられる。

7【悪】11画 3531 教3 アク・オ わる-い ㊀アク 薬 è ㊁漢オ(ヲ)・呉ウ 遇 wù ㊂漢オ(ヲ)・呉ウ 虞 wū 1613 88AB ―

8【惡】12画 3532 人 5608 9CA6 ―

筆順

字義 ㊀❶わる-い。あ-し。↔善(1607)・良(9783)。㋐正しくない。よくない。「積悪」「諸悪」㋑好ましくない。いや。不快。また、みにく-い。きたない。用例〔唐、杜甫、兵車行〕信知生ㇾ男悪、反是生ㇾ女好 ↓ほんとうにわかりました。男を生むのはわるく、かえって、女を生むことこそよいということが。㋒おとっている。下等。粗末。「悪衣」「粗悪」❷わるい人。わるいこと。「善悪」❸病気。やまい。❹きず。欠点。㊁❶にく-む。憎く思う。きらう。用例〔孟子、公孫丑上〕非ㇾ悪ㇾ其声ㇾ而然ㇾ也 ↓世間に悪いうわさの立つのをおそれてそのようにしたのではない。❷そしる。悪くいう。㊂助 いず-くにか。いず-くんぞ。ああ。⇩助字・句法解説。

国アク。たけだけしく強いこと。「悪源太」「悪僧」

助字・句法解説

❶いずくに（いづくに）。いずくにか（いづくにか）。疑問・反語。訳どこに…か。どういう点に…か。類安・焉。

場所について問う疑問詞。

用例〔孟子、尽心上〕居悪在、仁是也（いずくにかある、仁これなり）。⇩身をおく場所はどこにあるか、それは仁なのです。／〔論語、里仁〕君子去仁、悪乎成名（クンシ ジンをさりて、いずくにかなをなさん）。⇩君子が仁を離れたら、どこに君子たる名をなすところがあろうか（いや、どこにもない）。

❷いずくんぞ（いづくんぞ）。反語。訳どうして…か。類安・焉・寧。

原因・理由について問う疑問詞。

用例〔史記、李斯伝〕今身且不能利、将悪能治天下哉（いまみずからかつりするあたわず、はたいずくんぞよくテンカをおさめん）。⇩今は自分自身のことでさえうまくいかない、それなのにどうして天下を治めることができようか（いや、できない）。

❸ああ。詠嘆。

句頭に置かれて、詠嘆の意味を表す。

用例〔孟子、公孫丑下〕悪是何言也（ああこれなんのゲンぞや）。⇩ああ、これはなんということを言うのか。

難読 悪戯（いたずら）・悪（わる）さ・悪阻（つわり）

解字 篆文  形声。心＋亞（亜）音。音符の亞は、古代の墓室の象形。墓室に臨んだときの心、いまわしい・わるいの意味を表す。

逆 過悪・改悪・害悪・旧悪・凶悪・険悪・嫌悪・好悪・極悪・罪悪・疾悪・邪悪・醜悪・積悪・粗悪・憎悪・俗悪・懲悪・同悪・劣悪

【悪衣】アクイ 粗末な着物。用例〔論語、里仁〕恥悪衣悪食者、未足与議也（アクイアクショクをはず（づ）るものは、いまだともにぎするにたらざるなり）。⇩粗末な着物と粗食を恥じる人は、まだともに語るには不足である。

【悪意】アクイ ①わるい考え。②悪い意味。悪い見方。↔善意（二七五ページ下）。

【悪運】アクウン ①悪いめぐりあわせ。不幸な運命。②国悪事をしても、かえって栄える強い運。

【悪疫】アクエキ たちの悪い流行病。

【悪縁】アクエン ①仏悪事にさそいこむ外界の事情。また、前世でおかした悪行の報い。②国㋐良くない縁。㋑思うようにならない男女の間がら。また、離れようとしても離れることのできない男女の間がら。くされ縁。

【悪化】アッカ 状態・形勢などが悪くなる。

【悪貨】アッカ 品質の悪い貨幣。↔良貨（二一九〇ページ中）。

【悪△臥】アクガ 寝相（ね ゾウ）が悪いこと。また、その姿。

【悪寒】オカン 病気のときなどに、熱が出て寒けがすること。

【悪漢】アッカン 悪いことをする男性。悪者。▼漢は、男。

【悪気（氣）】㊀アクキ・アッキ ①人を害する気。②悪いにおい。㊁わるギ 国悪意。邪推。

【悪鬼】アクキ・アッキ 人に悪いことをするもののけ。たたりをする魔物。強く恐ろしい魔物。

【悪戯（戲）】アクギ 悪いいたずら。悪ふざけ。わるさ。

【悪逆】アクギャク 人の道にははなはだしくそむいた行い。主君や父母などを殺したり虐待したりすること。「悪逆無道」

【悪業】㊀アクギョウ よからぬわざ。不正な行為。㊁アクゴウ 仏その結果として苦を生ずる行為。特に、現世で苦しみを受ける原因となっている前世の行為。

【悪口雑（雜）言】アッコウゾウゴン 国さまざまに出まかせの悪口をいう。また、そのことば。

【悪歳】アクサイ 穀物のとれない年。飢きんの年。凶年。

【悪事千里】アクジセンリ 「悪事行千里」（アクジ センリをゆく）の略で、悪い事はたちまち知れ渡るものであるとの意。〔景徳伝灯録〕

【悪趣】アクシュ 仏＝悪道③。

【悪習】アクシュウ わるいならわし。よくない習慣。悪癖。悪弊。

【悪女】アクジョ ①心や行為のよくない女性。②顔や姿のよくない女性。

【悪少】アクショウ 品行のよくない若者。不良少年。

【悪色】アクショク 性質・品行のよくない女性。▼色は、女性の意。

【悪食】㊀アクショク 粗末な食物。粗食。㊁アクジキ 国①昔、獣肉を食うことをいう。仏教思想に基づく語。②普通には食用としない物を食うこと。いかものぐい。

【悪声（聲）】アクセイ ①耳に快くない声。雑音など。②気味の悪い、不吉な声。③みだらな音楽。④悪口。⑤よくないうわさ。悪い評判。

【悪戦（戰）】アクセン 難儀（ナンギ）して戦う。不利な戦闘に死にものぐるいで戦う。また、苦しい戦い。「悪戦苦闘」

【悪銭（錢）】アクセン ①品質の悪い銭。②国不正の方法で得た金。「悪銭、身につかず」

【悪相】アクソウ ①仏不吉なありさま。不吉な現象。②国㋐醜い人相。㋑おそろしい人相。㋒悪人らしい人相。

【悪僧（僧）】アクソウ 武芸にたけた僧。

【悪態】アクタイ 国人に悪口をいうこと。悪対。「悪態をつく」

【悪道】アクドウ ①まちがった道。邪道。②悪い道路。③仏悪事をはたらいた人が死後に行くという世界。地獄・餓鬼（ガキ）・畜生（チクショウ）・修羅（シュラ）。前三者をあわせて三悪道（サンアクドウ）、修羅を加えて四悪道という。悪趣。④国酒色の遊び。また、それをする人。

【悪徳】アクトク 不道徳な行為・考え。また、不道徳。

【悪罵】アクバ 口ぎたなくののしる。

【悪筆】アクヒツ 国①悪い筆。書きにくい筆。②文字を書くことの下手なこと。③下手な字。

【悪弊】アクヘイ 悪いならわし。弊害を伴う習慣。

【悪魔】アクマ ①仏人の心を迷わし、仏道修行の妨げになる悪神。②この上ない悪人。極悪人。

【悪夢】アクム 縁起（エンギ）の悪い夢。恐ろしい夢。↔吉夢（二四五ページ下）。

【悪名】アクメイ・アクミョウ よくないうわさ。悪い評判。

【悪用】アクヨウ 国物事を悪いことに利用すること。↔善用（二七六ページ上）。

【悪辣】アクラツ 国たちが悪く手厳しいこと。ひどくたちの悪いこと。「悪辣な手段」

【悪霊（靈）】アクリョウ・アクレイ たたりをする死人の魂。

【△勿下以二悪小一△而為（爲）△之】アク ショウなるをもってこれをなすことなかれ 小さな悪事だからといって、それをしてはならない。↓勿下以二善小一而不上為（ゼン ショウなるをもってなさざることなかれ）（二七六ページ中）。

7 【悪】 11画 3533 ㊀イ 支 yì ㊁エイ 霽 yì — — 2985

字義 ㊀つまびらか。㊁❶うやうやしい。❷静か。

解字 形声。心＋医音。

7 【患】 11画 3534 常 カン わずら-う 漢カン（クワン）・呉ゲン 諫 huàn 2021 8AB3 —

筆順 丶 口 吕 串 串 患 患 患

字義 ❶うれ-える（うれふ）。思いなやむ。心に苦しむ。心配する。用例〔論語、顔淵〕君子何患乎無兄弟也（クンシなんぞケイテイなきをうれえ（へ）んや）。⇩君子たる者、どうして兄弟のないことを思い悩む必要があろうか（そんな必要はない）。❷わずら-う（わづらふ）。㋐なやみ。苦しみ。心配。㋑病気。「急患」㋒わざわい。災難。❸わずら-い（わづらひ）。❶。㋐＝❶。㋑病気になる。

使いわけ わずらう〔煩・患〕⇨煩（6957）。

解字 篆文  形声。心＋串音。音符の串（カン）は、物に穴をうがちつらねる形にかたどる。心を突きさすものがあって、うれえるの意味を表す。

逆 外患・後患・国患・疾患・重患・大患・内患・憂患

【患禍】(カンカ) わざわい。

【患難】(カンナン) わざわい。うれい。苦しみ。悩み。

【患累】(カンルイ) わざわい。うれい。

7 【悉】 11画 3535 人 標 漢シツ 呉シチ 質 xī 2829 8EBB —

筆順 一 ㇒ 𠂇 平 釆 釆 悉 悉 悉 悉 悉

字義 ❶つ-くす。残すところなくすべてに及ぶこと。きわめつくす。用例〔前漢、司馬遷、報二任少卿一書〕書不レ能レ悉レ意。(ショはイをつくすあたわ(は)ず) ↓手紙では気持ちを述べつくせない。／〔三国志、蜀志、諸葛亮伝〕丞相亮其悉二朕意一。(ジョウショウリョウ それチンがイをつくす) ↓丞相の亮は、私のおもいをすっかり把握している。 ❷ことごと-く。すべて。残らず。皆。㋐動作・行為の対象となる人物・事柄のすべて。用例〔史記、廉頗藺相如伝〕趙王悉召二群臣一議。(チョウオウことごとくグンシンをめしてぎせしむ) ↓趙王は、並みいる臣下を残らず呼び集めて、議論させた。 ㋑主語にあたる人物・事柄がみなすべて。用例〔東晋、陶潜、桃花源記〕其中往来種作男女衣著悉如二外人一。(そのうちにオウライシュサクする、ダンジョのイチャク ことごとくガイジンのごとし) ↓その中で行き来したり種をまいたり耕したりしている男女の衣服は、みな、外部の人と同じだった。

国 つぶ-さに。細かいところまでくわしく。詳細に。

名前 みな

解字 篆文 悉 会意。釆＋心。釆は、獣のつめの象形。獣が爪で他の獣の心臓をえぐりとるさまから、残らずとる、ことごとく・つくすの意味を表す。

【悉皆】(シッカイ) すべて。ことごとく。残らず。皆。

【悉心】(シッシン) 十分に心をつくす。誠意を披瀝(ヒレキ)する。親切に事にあたる。

【悉達多】(シッダルタ) 仏 釈迦(シャカ)(一四五五ページ中)の出家する前の名。梵語(ボンゴ)Siddhārthaの音訳。悉達・悉陀・悉多とも書く。

【悉曇】(シッタン) ①梵語(ボンゴ)で成就(ジョウジュ)の意。②梵語の文字。悉曇文字。また、梵語の音声に関する学問の総称。

7 【恖】 11画 3536 ソウ — — 2989
怱(3504)の正字。→五三三ページ中。

7 【悐】 11画 3537 テキ
惕(3776)と同字。→五五〇ページ中。

7 【悊】 11画 3538 テツ 2 1245 EDA2 2980
哲(1510)と同字。→二六六ページ中。

7 【您】 11画 3539 ニン nín 2 1247 — 2991
字義 あなた。もと、你們(ニーメン)が一音化した語。現代中国語では、第二人称の敬称に用いる。

解字 形声。你㊥＋心㊥。元代には既に用いられるようになった俗語で、你は、あなたの意味と二の音とを示し、心はン(ム)の音を示して、敬語の意味を加える。

7 【悠】 11画 3540 常 ユウ 漢ユウ(イウ)・呉ユ 尤 yōu 4510 9749 —

筆順 亻 亻 亻 攸 攸 攸 攸 悠 悠 悠 悠

字義 ❶うれえる。いたむ。❷おもう。❸とお-い(遠)。はる-か。「悠久」 ❹ゆったりしているさま。気の長いさま。「悠悠」

名前 ちか・なが・はるか・ひさ・ひさし・ゆ・ゆう

解字 篆文 悠 形声。心＋攸㊥。音符の攸(ユ)は、長いすじの意味。心に長く感じられる、いたみうれえるの意味を表す。また、弔に通じ、いたみうれえるの意味にも用いる。はるかの意味にも用いる。

【悠遠】(ユウエン) はるかに遠い。時間・空間の両方にいう。

【悠久】(ユウキュウ) ながく久しい。長久。永遠。

【悠然】(ユウゼン) ゆったり。また、のんびりとしたさま。のどかなさま。用例〔東晋、陶潜、飲酒詩〕采レ菊東籬下(キクをとるトウリのもと)、悠然見二南山一(ユウゼンとしてナンザンをみる)。↓菊の花を、家の東のまがきのあたりにつみながら、ゆったりと南山(廬山(ロザン))をながめる。

【悠長】(ユウチョウ) ①はるかに遠い。久しく長い。②国落ち着いてあわてない。気の長いこと。

【悠悠】(ユウユウ) ①ひまなさま。のんびりしたさま。他とかかわりなく、ゆったりとしたさま。用例〔唐、崔顥、黄鶴楼詩〕黄鶴一去不二復返一(コウカクひとたびさりて、またかえ(へ)らず)、白雲千載空悠悠(ハクウンセンザイむなしくユウユウ)。↓伝説の黄鶴は飛び去って二度とは戻らず、白雲は千年の間、空しく悠々と流れている。②無関心なさま。用例〔唐、張謂、題二長安主人壁一詩〕縦令然諾暫相許(たとい(ひ)ゼンダクして、しばらくあい(ひ)ゆるすも)、終是悠悠行路心(つい(ひ)にはこれユウユウコウロのこころ)。↓たとえ頼みを引き受けてしばらくは心を許してつき合っていても、(金がなくなれば)結局は縁のない通りすがりの人となってしまうのだ。③遠く(広く)はるかなさま。用例〔唐、陳子昂、登二幽州台一歌〕念二天地之悠悠一(テンチのユウユウたるを、おもい(ひ))、独愴然而涕下(ひとりソウゼンとしてなみだくだる)。↓天地自然のはるかで窮まりないことに思いをはせ、私はただひとり、悲しみいたむあまり、涙がとめどもなく流れてやまないのだ。④うれえ悲しむさま。⑤多いさま。

【悠悠閑閑】(ユウユウカンカン) のんびり(ゆったり)しているさま。悠閑。

【悠悠自適】(ユウユウジテキ) 俗事にわずらわされず、ゆったりと心静かにくらすこと。▼自適は、自分の心に合うようにくらす。

【悠揚】(ユウヨウ) ①ゆったり、また、のんびりしているさま。②遠くかすかなさま。また、おぼろなさま。

7 【悆】 11画 3541 ヨ 御 yù — — 2978
字義 ❶忘れる。❷喜ぶ。
解字 形声。心＋余㊥。

7 【恿】 11画 3542 漢ヨウ 呉ユウ 腫 yǒng 2 1244 — 2976
字義 ❶いさむ。勇(1032)の古字。❷すすめる。
解字 形声。心＋甬㊥。

7 【悥】 11画 3543 ヨク — — 2990
億(617)の古字。→一三三ページ中。

8 【惡】 12画 (3532) アク
悪(3531)の旧字体。→五三六ページ下。

8 【惎】 12画 3544 漢キ 呉ギ 寘 jì — — 3009
字義 ❶そこなう(害)。❷にくむ。いむ。❸おしえる(教)。❹おもう(思)。
解字 形声。心＋其㊥。

8 【惠】 12画 (3518) ケイ
恵(3517)の旧字体。→五三五ページ上。

8 【惹】 12画 3545 人 標 一 漢ジャ・呉ニャ 馬 rě 二 漢ジャク 呉ニャク 薬 ruò 2870 8EE4 —

筆順 一 艹 艹 芒 芢 若 若 若 惹 惹

字義 一 ❶ひ-く。ひきつける。❷みだれる(乱)。❸まつわる。二 ひ-く。ひかれる。

解字 篆文 惹 形声。心＋若㊥。音符の若は、髪をふり乱し神がかりになった人の象形。心が乱れる、ひきつけるの意味を表す。

【惹起】(ジャッキ・ジャクキ) ひきおこす。(事件などを)しでかす。

8 【惢】 12画 3546 一 サ 哿 suǒ 二 漢ズイ・呉ヌイ 紙 ruǐ — — 3017
字義 一 ❶疑う。惑う。❷良い。二 しべ。＝蕊(10284)。
解字 会意。心＋心＋心。心にあれこれ疑い惑う意味を表す。

8 【惉】 12画 3547 セン 塩 zhān — — 3006
字義 破れる。しわがれる。楽音に調和がない。
解字 形声。心＋沾㊥。音符の沾は、ぬれるの意味。

8【惣】12画 3548 人 ソウ 董 zǒng 3358 9179 —

筆順 ノ 𠂉 牛 牛 牜 物 物 物 惣 惣

字義 総(9223)の俗字。❶すべる。❷すべて。❸ふさ。

名前 おさむ・そう・とし・のぶ・ふさ

参考 ①現代表記では[総](9223)に書きかえる。「惣領→総領」「惣菜→総菜」。熟語・解字は[総]を見よ。②日本では、人名に用いるとき総領(長男)の意をあらわすことが多い。

8【惄】12画 3549 漢デキ 呉ニャク 錫 nì — — 3004

字義 ❶う-える(飢)。❷うれえる。=慼(3854)。❸おもう(思)。❹いたむ。なげく。

解字 金文 篆文 形声。心+叔音。音符の叔は、弔に通じ、いたむの意味。心をいためるの意味を表す。

8【悳】12画 3550 トク 5560 9C7B — 徳(3458)の本字。→五三三ジ・中。

8【悳】12画 3551 トク 2 1248 — — 徳(3458)の俗字。→五三三ジ・中。

8【悲】12画 3552 ヒ 支 bēi 教3 ヒ かな-しい・かな-しむ 4065 94DF —

筆順 ノ ナ ヲ ヲ 刲 非 非 非 悲 悲

字義 ❶かな-しむ。㋐なげきいたむ。㋑したいいたむ。用例[漢書、高帝紀下]游子悲ニ故郷一(ユウシ コキョウをかなしむ)。↓故郷を離れた旅人は、故郷を思って心を痛める。❷かな-しい。❸かな-しみ。❹仏あわれみ。慈悲。

解字 篆文 形声。心+非音。音符の非は、左右にわかれるの意味。心がひきちぎられ、いたみかなしむの意味を表す。

逆 慈悲・傷悲

【悲哀】ヒアイ 悲しむ。また、かなしみ。▼哀も、かなしみ。

【悲運】ヒウン 悲しい運命。不幸な運命。

【悲△笳】ヒカ 悲しい音色の胡笳(胡人の笛)の音。

【悲歌△忼慨(慨)】ヒカコウガイ 悲しんで歌い、世をいきどおりなげく。用例[史記、項羽本紀]項王乃悲歌忼慨(コウオウすなわ(は)ちヒカコウガイす)。↓項羽は悲しんで歌い、世をいきどおりなげいた。

【悲感】ヒカン 悲しむ。悲しみいたむ。▼感は、いたむ・かなしむ。

【悲観(觀)】ヒカン ①物事をかなしいもの、悪なるものとして考えること。↔楽観(七五四ジ・中)。②国がっかりする。悲しんで失望する。

【悲願】ヒガン ①仏仏・菩薩のいつくしみの心から発する、衆生を救うための誓願。②国悲壮な願い。是非とも達成しようとする願望。

【悲喜】ヒキ 悲しみと喜び。

【悲喜交至】ヒキこもごもいたる 悲しみと喜びとが同時にやってくる。悲しくもあり喜ばしくもある。

【悲泣】ヒキュウ 悲しんで泣く。

【悲境】ヒキョウ 悲しい境遇。あわれな境遇。あわれな身のうえ。

【悲響(響)】ヒキョウ もの悲しいひびき。悲しい音色。悲曲。

【悲劇】ヒゲキ ①人生の悲惨な出来事を題材とし、不運な結末で終わる劇。②人生の悲惨な出来事。

【悲惨(慘)】ヒサン 悲しくいたましい。みじめ。悲酸。

【悲酸】ヒサン =悲惨。▼酸はむごい・いたましい。また、悲しがる。用例[唐、陳鴻、長恨歌伝]生レ女勿ニ悲酸一(おんな(をん)なをうむもヒサンするなかれ)。↓女の子が生まれても悲しがってはいけない。

【悲秋】ヒシュウ もの悲しい秋。もののあわれを感ずる秋。用例[唐、杜甫、登高詩]万里悲秋常作レ客(バンリヒシュウ、つねにカクとなり)、百年多病独登レ台(ヒャクネンタビョウ、ひとりダイにのぼる)。↓故郷を離れること一万里、もの悲しい秋を迎えている私は、いつも旅人であり、生涯病気がちの私は、(この重陽の日に)ただ一人でこの高台に登ってきた。

【悲愁】ヒシュウ 悲しみうれえる。また、悲しみとうれえ。

【悲傷】ヒショウ 悲しみいたむ。また、悲しく痛ましい。

【悲壮(壯)】ヒソウ 悲しい中にさかんな意気や力のあること。悲しくも勇ましいこと。

【悲△愴】ヒソウ 悲しみいたむ。また、悲しくいたましい。

【悲田】ヒデン 仏貧しい人をあわれみ、ほどこしをすること。▼悲は慈悲、田は耕作地からの収穫のように効果をあげるの意。

【悲△慟】ヒドウ 非常にかなしみなげく。▼慟は、身をふるわせて大声で泣く。用例[人虎伝]悲慟良久(ヒドウすることややひさし)。↓しばらくの間、悲しんで声をあげて泣いたものだ。

【悲風】ヒフウ もの悲しく吹く風。特に、秋風。「悲風千里」

【悲憤】ヒフン 悲しみいきどおる。「悲憤慷慨ガイ」

【悲鳴】ヒメイ ①悲しんで鳴く。また、悲しげに鳴く。また、その声。②国急に驚き、思わずあげる叫び声。

【悲涼】ヒリョウ 悲しむ。また、悲しくさびしい。

【悲恋(戀)】ヒレン ①悲しみしたう。②結ばれない恋。

8【悶】12画 3553 標 モン 願 mèn, mēn 4469 96E3 —
[門] 3781 同字

字義 ❶もだ-える。もだ-ゆ。㋐口に出さず、心の中でなやみ苦しむ。「煩悶」㋑気絶しそうになるほど苦しむ。❷うれえる。

解字 篆文 形声。心+門音。音符の門は、問に通じ、とうの意味。口には出さないが、あれこれ自問して、もだえるの意味を表す。

【悶死】モンシ もだえて死ぬ。もだえじに。

【悶絶】モンゼツ もだえ苦しんで気絶すること。

【悶着・悶著】モンチャク 国あらそい。もめごと。

【悶悶】モンモン ①思いわずらうさま。「悶悶の情」②道理に暗いさま。すじ道の通っていないさま。用例[老子、二十]俗人察察(ゾクジンはサツサツたるも)、我独悶悶(われはひとりモンモンたり)。↓世間の人は割り切っていくのに、私だけが道理に暗く、ぐずぐずしている。

8【恿】12画 3554 ヨウ — — 3018 慂(3586)の俗字。→五三四ジ・下。

8【惑】12画 3555 常 ワク まど-う 漢コク・呉ワク 職 huò 4739 9866 —

筆順 一 一 口 口 式 或 或 或 惑 惑

字義 ❶まど-う。まよう。㋐心が乱れて分別が困難になる。みだれる。くらむ。「不惑」㋑うたがう。あやしむ。「疑惑」❷まど-わす。❸まど-い。まよい。

名前 まどい

解字 篆文 形声。心+或音。音符の或は、さかんにあらわれるさまを表す擬態語。さまざまな考えがさかんにあらわれて、心を乱すの意味を表す。

逆 欺惑・疑惑・幻惑・誤惑・困惑・当惑・不惑・魅惑・迷惑・誘惑

【惑志】ワクシ ①まどう心。まどいの心。②うたがう心。うたがい。③心をまどわす。

【惑星】ワクセイ ①太陽の周囲をまわっている星。水星・金星・火星・地球など。遊星。↔恒星(五四四ジ・中)。②国㋐人物・力量などは未知であるが有力と考えられる候補者。ダークホース。㋑何をやりだすかわからぬ、なぞの人物。

【惑溺】ワクデキ 迷いおぼれる。本心を失うこと。

【惑乱(亂)】ワクラン ①(冷静な判断ができなくなるほどに)心がまどい乱れる。まどい。乱れ。②まどわし乱す。

8【愗】12画 3556 国字

字義 なまじい。なまじ。=慭(3606)。

解字 慭の異体字の慭(3607)が変化した形。

9 **【愛】** 13画 3557 教4 アイ 県名 愛媛県 1606 88A4 一

アイ 隊 ài

筆順

[㤅] 3488 古字

字義 ❶いつくしむ。いとおしむ。㋐かわいがる。大切にする。また、めぐむ。恩恵を施す。↔憎(3856)。用例〔論語、顔淵〕樊遅問レ仁。子曰、愛レ人。↓樊遅が仁について質問した。先生がおっしゃった、「人を愛することだ」。／〔墨子、兼愛中〕人与レ人相愛、則不二相賊一。↓人と人とがお互いに愛し合えば、お互いにきずつけ合わない。㋑こいしたう。男女が思いあう。転じて、情を通じる。「恋愛」❷めでる。好む。親しむ。また、楽しむ。賞美する。用例〔唐、杜牧、山行詩〕停レ車坐愛楓林晩、霜葉紅二於二月花一。↓馬車をとめて、何とはなしに、楓樹の林の夕暮れをめでる。霜によって赤く色づいた木の葉は、春の花よりも、なおくれない色にさえている。❸おしむ。大切にして手離さない。また、物惜しみする。けちけちする。用例〔論語、八佾〕爾愛二其羊一、我愛二其礼一。↓お前は生贄の羊を惜しむが、私は(羊の供物をやめることで)礼がうしなわれることを惜しむのだ。❹おしい。心残りである。残念。❺仏異性や物をむさぼり求めること。十二因縁の一つ。❻キリスト教で、神が人類に幸福を与えること。また、人類すべてを兄弟としていつくしむこと。❼愛情。❽生きがいと考えすべてを打ちこむ心。

国❶いとおしい。いとしい。㋐かわいらしい。㋑かわいそうだ。ふびんだ。❷国名。愛蘭(または、愛耳蘭)の略。

名前 あ・あい・あき・さね・ちか・ちかし・つね・なり・なる・のり・ひで・まな・めぐむ・やす・よし・より 難読 愛冠・愛子・愛娘・愛知川・愛宕・愛知・愛鷹・愛蘭・愛耳蘭・愛蘭土・愛倫・愛斯蘭

解字 篆文 形声。もと㤅に作り、夊＋㤅㊀。音符の㤅は、会意で、旡＋心。旡は、頭をめぐらせふりかえる人の象形。ふりむき見る心のさまから、いつくしむの意味。夊は、足の象形で、いつくしむ心がおもむき及ぶの意味を表す。

逆 遺愛・恩愛・割愛・求愛・敬愛・兼愛・慈愛・自愛・純愛・情愛・仁愛・忠愛・熱愛・博愛・偏愛・盲愛・友愛

【愛育】いつくしみ育てる。大事にして育てる。

【愛縁】仏恩愛から生ずる人と人とのつながり。

【愛玩・愛△翫】①大切に所蔵して賞玩する(めで楽しむ)こと。②かわいがる。

【愛姫(姬)】気に入りの侍女。寵愛する側室。

【愛△嬌】国①顔のかわいらしいこと。②情けのあること。③人をほほえませる行為。

【愛敬】一 愛し敬う。二 国①＝愛嬌①②の古語。②＝愛嬌③。

【愛顧】かわいがって目をかけること。ひいきすること。

【愛護】かわいがって、大切に守る。

【愛好】①愛し好む。②身を大事にする。

【愛幸】かわいがる。寵愛する。

【愛国(國)】自分の国を愛すること。

【愛日】①愛すべき太陽(日光)。冬の日の別称。夏の強烈な日光に対して、冬のやわらかく暖かい日光をいう。『左伝』文公七年、注に「冬日可レ愛、夏日可レ畏也」とあるのに基づく。②日を惜しむ。時間を大切にする。③時日を惜しんで父母に孝養をつくすこと。

【愛称(稱)】国相手を親しんで呼ぶ特別の呼び名。

【愛情】かわいいと思う気持ち。愛する心。また、異性をこいしたう感情。

【愛惜】①愛し惜しむ。深く愛する。②物惜しみする。用例〔文選、古詩十九首、其十五〕愚者愛二惜費一、但為二後世嗤一。↓愚か者は費用を惜しんで、ただ後世の人にあざけり笑われるだけだ。③人を愛して大切にする。

【愛染】仏むさぼり愛して執着すること。恋愛に執着すること。また、愛に引かれる心。

【愛想】①仏愛好するものに執着する思い。②国㋐人あしらいのよいこと。愛嬌。㋑もてなし。㋒人に与える感じ。㋓料理屋などの勘定・会計。

【愛憎(憎)】愛と憎しみ。また、好ましく思い、かわいがることと憎むこと。

【愛着】国深く愛して、それに引かれ、離れられないこと。恋々として忘れられないこと。

【愛△憫】いつくしみあわれむ。

【愛△撫】①いつくしみいたわる。かわいがる。▼撫は、なでる。②国かわいがってなでさする。

【愛別離苦】仏親子・兄弟・夫婦など相愛する者が生別・死別するつらさ・悲しみ。

【愛欲・愛△慾】①仏深く妻子などを愛する心。②国男女間の情欲。

【愛△憐】①かわいそうに思う。②かわいがる。

9 **【意】** 13画 3558 教3 イ 熟字訓 意気地 1653 88D3 一

イ 寘 yì

筆順

字義 ❶こころ。㋐気持ち。思い。用例〔易経、繋辞上〕書不レ尽レ言、言不レ尽レ意。↓文字はことばを表しきれないし、ことばは思いを表しつくせない。㋑考え。見解。主張。「意見」㋒心持ち。心向き。意思。また、おもわく。もくろみ。用例〔史記、項羽本紀〕今者、項荘抜レ剣舞、其意常在二沛公一也。↓今、項荘が剣を抜いて舞っていて、奴の狙いは常に沛公にある。㋓わけ。意味。意義。「大意」「寓意」❷おもむき。情趣。風情。雰囲気。「春意」「酔意」❸おもう。考える。推測する。また、疑う。用例〔史記、項羽本紀〕不二自意一、能先入レ関破レ秦、得二復見二将軍於此一。↓先に関中に攻め入って秦を破ることができ、この地でふたたび将軍にお目にかかる機会をえようとは思いもよらぬことでした。❹おもうに。㋐考えるに。推量をしめす。▼「意者」も同じ意味で、二字で「おもうに」と訓読する。㋑そもそも。あるいは。それとも。選択に用いる。▼「意亦」「意乃」も同じ意味で、二字で「そもそも」と訓読する。用例〔荘子、盗跖〕知不レ足邪、意知而力不レ能レ行邪。↓理解が足りないのか、それとも理解はしているが実行する力がないのか。❺仏六根の一つ。思慮・分別。

名前 い・お・おき・おさ・のり・むね・もと・よし 難読 意岐

解字 篆文 会意。心＋音。音は、人の言葉とならないおとの意味。言葉になる前の、おもいの意味を表す。意を音符に含む形声文字に、億・憶などがある。

逆 悪意・一意・雨意・鋭意・雅意・介意・会意・害意・隔意・貴意・客意・極意・敬意・決意・故意・厚意・好意・合意・懇意・作意・殺意・賛意・私意・失意・謝意・主意・趣意・祝意・上意・情意・心意・深意・真意・神意・随意・生意・盛意・聖意・誠意・善意・素意・創意・総意・他意・大意・達意・着意・弔意・天意・当意・同意・得意・内意・如意・任意・反意・微意・筆意・不意・別

意・発意・本意・翻意・来意

【意気(氣)】イキ ①気だて。心もち。意志と勇気。④国粋いき。あかぬけしていること。②意気ごみ。元気。③つう(通)。

【意気(氣)軒△昂】イキケンコウ 意気がさかんにあがること。

【意気(氣)消沈・意気(氣)△銷沈】イキショウチン 意気込みがなくなってしょげる。がっかりする。

【意気(氣)衝天】イキショウテン 意気込みが、天を衝っくほど盛んなこと。非常に元気なこと。

【意気(氣)阻喪・意気(氣)△沮喪】イキソソウ 気がくじける。

【意気(氣)地】イキジ・イクジ 国自分の考えをあくまで通そうとする心。＝意地②。

【意気(氣)投合】イキトウゴウ 両者の気がよく合うこと。

【意気(氣)揚揚】イキヨウヨウ 大いに得意なさま。いばるさま。満足しているさま。▼揚揚は、洋洋とも書く。用例〔史記、晏嬰伝〕意気揚揚イキヨウヨウとして、甚自得也はなはだジトクせり。⇩得意で鼻高々として、たいそううぬぼれていた。

【意義】イギ ①意味。わけ。②国理由。価値。「存在の意義」

【意見】イケン ①心に思うところ。考え。②国忠告。いさめ。

【意向】イコウ 心のむかうところ。おもわく。

【意旨・意指】イシ 考え。こころがけ。おもむき。

【意志】イシ ①考え。②やり抜こうとする心。積極的なこころざし。③哲学で、事をしようとする行動を起こす過程または原因の一つを選び、その実現を意欲する心の作用をいう。◆考え・思いを表す場合、心理学では「意志」、法令用語では「意思」を用いるが、一般には、成し遂げようとする心を「意志」、考え・思いを「意思」というように使いわける。「意志の強い人」「意思表示」

【意思】イシ 考え。思い。→意志。

【意地】イジ ①仏こころ。▼地は、心のある場。②国㋐人に逆らい、自分の意を通そうとする心。㋑根性。㋒気概。

【意識】イシキ ①心に知る。②仏分別する心の作用。③心理学で、自分が自分または対象を知っている精神状態。

【意趣】イシュ ①心のおもむき。意向。おもわく。心持ち。②国㋐わけ。理由。㋑うらみ。遺恨。

【意緒】イショ 思いのはし。思いが糸のように細かく多いこと。思緒。心緒。

【意匠】イショウ ①考える。工夫クフウ。②国物の形・色・模様などを考えること。デザイン。

【意属】イショク 思いを寄せること。用例〔本事詩〕独倚ひとりショウトウの斜柯シャカによりチョリツして、而意属殊厚イショクことにあつし。⇩(娘は)自分は傍らの小さな桃の木の斜めにさし出た枝によりかかってたたずみ、よほど彼に心引かれたようすだった。

【意態】イタイ 心の様子。気持ち。心の活動するさま。

【意中】イチュウ 心のうち。心に思うこと。「意中の人」

【意図(圖)】イト ①心にはかる。思いはかる。②国考え。ねらい。計画。

【意馬心猿】イバシンエン 仏煩悩ボンノウのために情が動いておさえ難いことを、走る馬・さわぐ猿にたとえた語。煩悩のために心が狂いさわぐ意。心猿意馬。

【意表】イヒョウ 思いのほか。思いがけない。意外。

【意望】イボウ のぞみ。ねがい。

【意味】イミ ①事のわけ。おもむき。②ことばの指し示す内容。意義。

【意味深長】イミシンチョウ 意味が奥深く含蓄のあること。

【意訳(譯)】イヤク 国単語の一つ一つの意味にこだわらず、全体の意味をとって翻訳すること。↔直訳(一〇〇四ページ上)。

【意欲】イヨク 何かを求め、また、そうしたいと思う心の働き。

【不レ介レ意】イにカイせず 気にかけない。何とも思わない。無視する。不レ為レ意イとなさず。▼介は、はさむ。

9 【窓】13画 3559 カク 恪(3698)の本字。→五四三ページ下。 2₁1261 — 3035

9 【感】13画 3560 教3 カン カン 感 gǎn 2022 8AB4 —

筆順 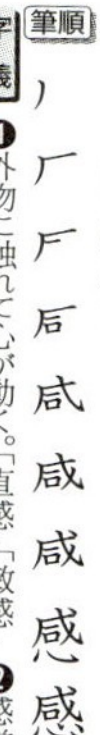

字義 ❶外物に触れて心が動く。「直感」「敏感」❷感覚器官によって、暑さ・寒さ・痛みなどを知る。❸うごかす。＝撼(4433)。❹まどわす。❺かんじ。思い。感覚。

使いわけ カン〔感・観〕
〔感〕感じ。自覚。「満腹感・親近感」
〔観〕見方。考え方。観察の結果。「先入観・歴史観」

解字 篆文  会意。心＋咸。咸は、大きな威圧の前に声を出しきるの意味。人の心が大きな刺激の前に動くの意味を表す。

逆 共感・偶感・交感・好感・語感・実感・情感・多感・直感・痛感・鈍感・万感・悲感・敏感・予感・霊感

【感応(應)】カンオウ・カンノウ ①心が物事にふれて感じ動く。②仏衆生シュジョウが仏を感じようとすれば、仏はすぐそれに応ずること。③導体が電気や磁気の作用を受けること。

【感化】カンカ 影響を受けて心が変わること。また、他の影響を与えて心を変えさせること。

【感荷】カンカ 有り難く思う。▼荷は、恩にきる。

【感懐(懷)】カンカイ ①感じ思う。②思い。感想。

【感慨(慨)】カンガイ ①悲しみなげく。悲しみいきどおる。②身にしみて深く感ずる。

【感慨(慨)無量】カンガイムリョウ 限りなく深く身にしみて感ずること。

【感覚(覺)】カンカク 耳・目・舌・鼻・皮膚などに受けた刺激によって起こる感じ。

【感旧(舊)】カンキュウ むかしを思い出して心に感ずる。

【感泣】カンキュウ (有り難さを)深く心に感じて泣く。

【感興】カンキョウ 興味(おもしろみ)を感ずる。また、おもしろみ。

【感遇】カングウ ①恩遇(めぐみ深い待遇)に感謝する。②人生の遇・不遇(めぐりあわせのよしあし)を思う。③不遇をなげき悲しむ。

【感激】カンゲキ 深く感じて心が奮いたつこと。用例〔三国蜀、諸葛亮、前出師表〕由レ是感激これによりてカンゲキし、遂許ニ先帝一以ニ駆馳一ついにセンテイにゆるすにクチをもってす。⇩それで私も深く感じ入り、先帝のために走りまわって働こうと決心したのです。

【感悟】カンゴ 感じさとる。気がつく。

【感受性】カンジュセイ ものや刺激を感じる能力や働き。

【感傷】カンショウ 物事に感じて心をいためる(悲しむ)こと。

【感情】カンジョウ ①気持ち。心持ち。②物事に感じて動く、喜び・悲しみ・楽しみ・苦しみなどの心の活動。

【感触(觸)】カンショク ①外界の刺激に触れて起こる感じ。②国手ざわり。手に触れる感じ。

【感心】カンシン ①心に深く感じ入る。②国㋐立派でほめられるべきこと。㋑驚くこと。あきれること。

【感性】カンセイ 国外界の刺激に対して、感覚や知覚の生ずる感覚器官の感受性をいう。

【感染】カンセン ①他の物事の影響を受けて、そのようになること。かぶれる。好ましくない習慣などにいう。②病気がうつること。

【感想】カンソウ ①ある物事を感じ、それに対して心に起こった考えや感じ。②思いを寄せる。愛情を抱く。

【感嘆・感△歎】カンタン ①感心してほめたたえる。②嘆き悲しむ。

【感知】カンチ 国直感的に感じ知ること。

【感通】カンツウ ＝感徹。

【感徹】カンテツ 自分(相手)の心が相手(自分)に十分にとどくこと。感通。

【感怒】カンド 感激憤怒する。心を動かし怒らせる。

【感動】カンドウ 深く感じて心が動く。また、人の心を動かす。

【感慟】カンドウ 深く心を打たれてなげき悲しむ。用例〔本事詩〕崔亦感慟、請入哭レ之 崔もまた、ひどく心を動かされ、ぜひ家にはいっておくやみをさせてほしいと頼み大声で死者をいたんで泣いた。
【感得】カントク 感じさとる。感じて会得する。
【感佩】カンパイ 心に深く感じて(有り難く思って)忘れないこと。佩は身に帯びる。
【感諷】カンプウ 心で感じさせるために遠まわしにいうこと。
【感服】カンプク 深く感じて心から敬い従う。
【感忿】カンプン 心に感じていきどおる。感情にかられて怒る。
【感憤】カンプン 心に感じて奮い立つ。感忿。感奮。
【感奮】カンプン 感激して奮い立つ。感憤。「感奮激励」
【感冒】カンボウ かぜ。風邪。もと、病気にかかる意。▼感は染まる・かかる、冒はこうむる・おかされる。
【感銘】カンメイ 深く感じて忘れないこと。また、深く感ずる。肝銘。▼銘は、彫りつける。
【感涙】カンルイ 深く心に感じて流す涙。

9【慐】13画 3561 キョウ 愜(3792)と同字。→吾一ジ一中。

9【愚】13画 3562 常 グ おろ-か グ 圓 yú 2282 8BF0

筆順 丶 冂 日 旦 禺 禺 禺 禺 愚 愚

字義 ❶おろ-か。才知の働きのにぶいこと。「暗愚」 ❷ばか正直。 ❸おろかな心。また、その人。 ❹あなどる。ばかにする。「愚弄」 ❺自己に関することに冠する謙称。また、自己の謙称。「愚考」「愚妻」

解字 篆文 形声。心＋禺音。音符の禺グは、さるに似たなまけものの類いの象形で、不活発でにぶいの意味を表す。心のはたらきがにぶい、おろかの意味を表す。

逆 暗愚・下愚・賢愚・至愚・守愚・大愚・痴愚・庸愚

【愚暗】グアン おろか。暗愚。
【愚見】グケン ①おろかな考え。つまらぬ意見。②自分の考え・意見の謙称。
【愚公移レ山】グコウやまをうつす 絶えず努力すれば、ついに成功することのたとえ。昔、愚公という人が、交通の便のために近くの山を削ろうとして少しずつ土を運んでいると、これを知った天帝がその心に感じ、ついに山を他に移したという寓話に基づく。〔列子、湯問〕
【愚者千慮必有二一得一】グシャもセンリョにかならずイットクあり おろか者でもたまにはよい考えを出すことがある。用例〔史記、淮陰侯伝〕智者千慮必有二一失一、愚者千慮必有二一得一 チシャもセンリョにかならずイッシツあり、グシャもセンリョにかならずイットクあり ↓すぐれた知恵者でもたまには失敗することもあり、おろかな者でもたまにはよい考えを出すことがある。
【愚生】グセイ 自己の謙称。私。小生。
【愚誠】グセイ ①おろかなまこと。つまらぬ真心。②自分の真心の謙称。用例〔西晋、李密、陳情表〕矜二愍愚誠一 グセイをキョウビンせよ ↓私の真心をあわれんで下さい。
【愚叟】グソウ ①おろかな老人。また、老人の謙称。②山を移したという愚公をいう。→愚公移レ山。
【愚僧(偺)】グソウ 国僧の謙称。
【愚痴(癡)】グチ ①おろか。②国言ってもどうにもならないこと。「愚痴をこぼす」
【愚衷】グチュウ ①おろかな真心。②自分の真心の謙称。
【愚直】グチョク ばか正直。また、自分の正直さの謙称。
【愚禿】グトク 国僧の謙称。▼禿は、頭髪のない頭。
【愚鈍】グドン おろかで、にぶい。のろま。
【愚衲】グノウ 国僧の謙称。▼衲は、僧の衣。
【愚鄙】グヒ ①おろかでいやしい。②自分の才能の謙称。
【愚昧】グマイ おろか。▼昧は、暗い。
【愚蒙・愚朦】グモウ おろかで道理に暗いこと。
【愚劣】グレツ ①おろか。②劣っている。③国ばかげている。
【愚弄】グロウ あなどりなぶる。ばかにする。
【愚陋】グロウ おろか。▼陋は、狭い。
【愚論】グロン ①おろかな議論。ばかげた理論。②自分の議論の謙称。
【守レ愚】グをまもる 同守愚グシュ。①才知をかくして愚者のようにふるまうこと。②自分のおろかさを自覚し、それに安住し、才能以上のことを求めないこと。

9【愆】13画 3563 ケン 囲 qiān 5620 9CB2
〔諐〕11259 同字

字義 ❶あやま-る。あやま-つ。過失をおかす。❷あやま-ち。とが。過失。「愆失」❸悪性の病気。

解字 金文 篆文 形声。心＋衍音。音符の衍エンは、のびひろがるの意味。度を越して気ままに振る舞うさまから、あやまつの意味を表す。諐は、籀文。

9【慈】13画 3564 常 ジ いつく-しむ 2792 8E9C
9〔慈〕13画 3565 呉ジ 漢シ 図 cí

筆順 丶 丷 艹 玄 玄 兹 兹 慈 慈 慈

字義 ❶いつく-しむ。かわいがる。情けをかける。❷いつくしみ。㋐あわれみ。情け。㋑父母の子に対する、また、子の父母に対する愛。❸はは(母)。↔厳(2759)。❹仏衆生シュジョウに楽しみを与えること。

名前 し・じ・しげ・しげる・ちか・なり・やす・よし 難読 慈姑くわい

解字 篆文 形声。心＋茲音。音符の茲シは、ふえるの意味。子をふやし育てる心、いつくしみ・愛の意味を表す。

逆 孝慈・仁慈・令慈

【慈愛】ジアイ いつくしみかわいがる。また、いつくしみ。
【慈雨】ジウ ①めぐみのあめ。よいしめり。ほどよい時に降って生物を養い育てる雨。②君主のめぐみの広くゆきわたるたとえ。
【慈烏】ジウ からす。烏からすは成長後、親にえさを運んで来て、幼時の恩を返すという伝えからいう。慈鴉ジア。一説に、からすの一種という。〔唐、白居易、慈烏夜啼詩〕
【慈恩】ジオン いつくしみ。めぐみ。慈恵。
【慈恩寺】ジオンジ 陝西セイセン省西安市の南にある寺の名。唐の高宗が太子の時、文徳皇后のために建立コンリュウ。大雁ダイガン塔で有名。その南に曲江池があった。

慈恩寺（大雁塔）

【慈訓】ジクン いつくしみ深い教え。母の教訓。慈誨ジカイ。
【慈恵(惠)】ジケイ いつくしみ。めぐみ。慈恩。
【慈孝】ジコウ 親が子に対する慈愛と、子が親に対する孝行。用例〔墨子、兼愛中〕父子相愛則慈孝 フシあい(ひ)アイすればすなわ(は)ちジコウなり ↓父子が互いに愛し合えば、父が子に対する慈愛を注ぎ、子が父に対する孝行を尽くすことになる。
【慈善】ジゼン ①あわれみ助ける。情けをかけてめぐむこと。②情け。めぐみ。③国不幸な人・困っている人(特に貧困者)を助ける。
【慈孫】ジソン 祖父母に孝養をつくす孫。孝孫。
【慈悲】ジヒ ①仏仏が衆生シュジョウに楽しみを与え、苦しみを除くこと。②あわれみ。情け。
【慈母】ジボ ①愛情の深い母。また、母。用例〔唐、孟郊、遊子吟〕慈母手中線、遊子身上衣。↓慈愛深い母は手に糸を持って、遊学に出発しようとする我が子の衣服を縫っている。②めのと。うば。

9 【愁】 13画 3566 ㊥シュウ ㊓シュウ(シウ)・㊙ジュ 尤 chóu 常 シュウ うれ-える・うれ-い 2905 8F44 ―

筆順 ニ 千 禾 禾 和 秋 秋 愁 愁

字義 ❶うれ-える。思いなやむ。思いにしずむ。悲しむ。❷うれ-え。うれ-い。悲しみ。用例「哀愁」「旅愁」〔唐、李白、秋浦歌〕白髪三千丈、縁レ愁似レ箇長。↓わが白髪が、なんと三千丈。愁いのために、こんなにも長くなってしまったのだ。❸さびしい。＝愀(3801)。

使いわけ うれえる・うれい〔憂・愁〕⇩憂(3600)。

解字 篆文 形声。心＋秋㊥。音符の秋は、かぼそい鳴き声の擬声語。心が悲しくなる、泣きたくなる、うれえるの意味を表す。

逆 哀愁・客愁・郷愁・孤愁・春愁・沈愁・悲愁・辺愁・暮愁・幽愁・憂愁・離愁・旅愁

【愁苦】シュウク 思いなやみ苦しむ。

【愁恨】シュウコン うれえうらむ。悲しみうらむ。うれえ悲しむ。

【愁殺】シュウサツ・シュウサイ 非常にうれえ悲しませる。▼殺は、程度のはなはだしいことを表す助字。用例〔文選、古詩十九首、其十四〕白楊多二悲風一、蕭蕭愁二殺人一。↓白楊にはものさみしい秋風が吹いて、ひゅうひゅうと音をたて、人の心をひどく悲しませる。

【愁思】シュウシ 悲しみうれえる物思い。

【愁傷】シュウショウ ①うれえいたむ。悲しみなげく。②国いたましい。気のどく。「御愁傷様(死んだときのくやみの語)」

【愁色】シュウショク うれえにしずんだ顔色。また、憂愁をふくんだ色・ようす。用例〔唐、李白、哭二晁卿衡一詩〕明月不レ帰沈二碧海一、白雲愁色満二蒼梧一。↓明月のような君は帰ることなく青い海の底に沈んでしまい、白い雲が悲しみの色をたたえて蒼梧の空を覆っている。

【愁人】シュウジン ①心にうれえ悲しみを持っている人。用例〔唐、戴叔倫、湘南即事詩〕沅湘日夜東流去、不下為二愁人一住少時上。↓沅江・湘江は昼となく夜となく東に向かって流れ去っていき、心にうれいを持つ私などのためには、しばらくの間もとどまってくれない。②物のあわれを感ずる人。騒人。

【愁訴】シュウソ ①悲しみ訴える。②泣きごとを言って訴える。

【愁霜】シュウソウ 心配や苦労のために生じた白髪をいう。

【愁腸】シュウチョウ ①うれえ悲しみの満ちている心。②心をいたみ悲しませる。愁心。

【愁眉】シュウビ 心配して寄せたまゆ。心配げな目つきや顔つき。「愁眉を開く(安心する・ほっとすること)」

【愁眠】シュウミン さびしい眠り。旅のさびしさや悲しみのために熟睡できず、うつらうつらとしていること。用例〔唐、張継、楓橋夜泊詩〕月落烏啼霜満レ天、江楓漁火対二愁眠一。↓月が沈みからすが闇に鳴き、冷気はあたりに満ちている。川岸の楓樹の間にいさり火が点々と灯り、旅愁のために寝つかれないわが目に映じている。

【愁夢】シュウム 悲しい夢。さびしい夢。用例〔唐、岑参、胡笳歌送二顔真卿使赴二河隴一詩〕辺城夜夜多二愁夢一、向レ月胡笳誰喜レ聞。↓辺境の町では毎夜さびしい夢をみることであろう。月に向かって吹く胡笳の悲しげな音を、だれが喜んで聞くだろうか。

【愁裏】シュウリ うれえて悲しみの中にあること。愁中。

9 【惷】 13画 3567 シュン 軫 chǔn 5622 9CB4 ―

字義 ❶みだれる。❷うごめ-く。＝蠢(10779)。❸あつい(厚)。

参考 〔惷〕(3598)は別字。

解字 篆文 形声。心＋春(萅)㊥。音符の萅は、うごめくの意味。心がうごめくの意味から、みだれるの意味を表す。

9 【想】 13画 3568 ㊥ショウ(シャウ)・㊓ソウ(サウ) ㊙ソ 養 xiǎng 教3 ソウ・ソ 3359 917A ―

筆順 一 十 木 朩 相 相 相 想 想

字義 ❶おも-う。思いめぐらす。考える。おしはかる。思いやる。計画をたてる。「構想」「思想」❷おも-い。考え。イメージ。❸仏五蘊(色・受・想・行・識)の一つ。対象を心に思い浮かべること。

解字 篆文 形声。心＋相㊥。音符の相は、ものの姿を見るの意味。心にものの姿を見るの意味から、おもうの意味を表す。

逆 愛想・回想・感想・奇想・空想・懸想・幻想・構想・思想・詩想・随想・着想・追想・発想・妙想・夢想・妄想・黙想・理想・連想

【想見】ソウケン ①想像する。思いやる。②追想する。過去のことを心に浮かべて思う。

【想象・想像】ソウゾウ 実際に知覚していないものの像(すがた・かたち)を心に浮かべて見ること。

【想到】ソウトウ おもいいたる。考え及ぶ。

【想念】ソウネン 思い。考え。また、思う。

【想夫△憐】ソウフレン 唐代の箏の曲名。もと相府蓮といった。

【想望】ソウボウ おもいのぞむ。思いしたう。期待する。用例〔人虎伝〕想二望風儀一、心目俱断。↓君の立派な姿を一目見たいと思い慕っても、眼前にありありと思い浮かぶことは絶えていた。

9 【愍】 13画 3569 ㊥ビン ㊓ミン 軫 mǐn 5630 9CBC ―

字義 ❶いたむ。悲しむ。＝閔(12976)。❷あわ-れむ。＝憫(3886)。「憐愍」❸うれえる。

解字 篆文 形声。心＋敃㊥。音符の敃は、紊に通じ、みだれるの意味。心が乱れて悲しむの意味を表す。

【愍凶】ビンキョウ 父母に死なれた不幸。憫凶。

9 【愗】 13画 3570 ㊥ボウ ㊓モ 宥 mào ― ― 3034

字義 おろか。

解字 形声。心＋敄㊥。

9 【愂】 13画 3571 ボツ 悖(3743)と同字。→五四七ジ上。 ― ― 3024

9 【愈】 13画 3572 標 ユ 麌 虞 yù, ③yú 4492 96FA ―

〔愈〕3573 俗字

字義 ❶まさ-る。すぐれる。用例〔論語、公冶長〕子謂二子貢一曰、女与レ回也孰愈。↓先生が子貢にたずねた、「お前と顔回とどちらがまさっているか」。❷いえる。病気・傷がなおる。悩み・悲しみがおさまる。また、いやす。＝癒(7838)。用例〔礼記、三年問〕痛甚者其愈遅。↓痛みが甚だしいとそれが治るのも遅い。❸たのしむ。＝愉(3817)。❹いよいよ。㋐ますます。一層。用例〔唐、柳宗元、捕レ蛇者説〕余聞而愈悲。↓私は話を聞くと、ますます悲しくなった。㋑…であればあるほど。…すればするほど。用例〔韓非子、孤憤〕人主愈弊、而大臣愈重。↓君主の判断はますますくもらされ、大臣は権力をますます重くする。

解字 形声。心＋兪㊥。音符の兪は、ぬけでるの意味。人並よりぬけでる、まさるの意味を表す。

9 【愈】 13画 3573 ユ 愈(3572)の俗字。→五三三ページ下。

9 【㥑】 13画 3574 ユウ 憂(3600)の本字。→五三五ページ下。

9 【慂】 13画 3575 ヨウ 慂(3586)の俗字。→五三四ページ下。

10 【慇】 14画 3576 漢イン 呉オン 図 yīn 5632 9CBE —

字義 ❶いたむ。うれえる。❷ねんごろ。ていねい。

解字 篆文 形声。心＋殷音。音符の殷は、㥯・哀に通じ、いたむの意味を表す。

【慇慇】うれえいたむさま。思いなやむさま。

【慇勤・慇懃】①ていねい。ねんごろ。②よしみ。特に、男女の思慕の情。③うれえいたむさま。

10 【㥯】 14画 3577 漢イン 呉オン 問 吻 図 yǐn 21264 — —

字義 ❶つつしむ。❷うれえる。❸かなしむ。❹いつくしむ。

解字 形声。心＋㥯音。

10 【愨】 14画 3578 カク 覚 què 5634 9CC0 —

［慤］ 3588 俗字

字義 ❶つつしむ。❷まこと。まじめ。実直。質朴。

解字 篆文 形声。心＋㱿音。音符の㱿(殻)は、固いからの意味。堅実な心の意味から、つつしみ・まことの意味を表す。

10 【愿】 14画 3579 漢ゲン 呉ガン(グワン) 願 yuàn 5637 9CC3 —

字義 ❶つつしむ。❷まじめ。実直。質朴。❸よい(善)。

解字 篆文 形声。心＋原音。音符の原は、みなもとの意味。人がはじめから持っている心、すなお・つつしみの意味を表す。

【愿慤】つつしみ深くすなおなこと。

10 【慁】 14画 3580 漢コン 呉ゴン 願 hùn 21265 — 3047

字義 ❶うれえる。気にかける。❷みだす。けがす。わずらわす。迷惑をかける。はずかしめる。＝溷(6570)。

解字 篆文 形声。心＋圂音。音符の圂は、困に通じ、くるしむの意味。うれえるの意味を表す。

10 【愬】 14画 3581 一 ソ 遇 sù 二 漢サク・呉シャク 陌 sè

［愬］ 3582 俗字

字義 一 ❶うったえる(訴)。㋐告げ口する。讒言する。㋑不平やうらみなどを人に告げる。泣きごとを言う。❷うったえ。❸むかう。二 おどろく。驚きおそれる。

解字 形声。心＋朔音。音符の朔は、さからうの意味。他人にさからって、うったえるの意味を表す。

10 【愬】 14画 3582 ソ 愬(3581)の俗字。→五三四ページ上。 5639 9CC5 —

10 【態】 14画 3583 教5 タイ 隊 tài 3454 91D4 —

筆順 ム ム 台 台 台 能 能 態 態

字義 ❶ありさま。様子。姿。かたち。「状態」「形態」❷身ぶり。しぐさ。❸なまめかしいさま。国わざと。故意に。ことさらに。「態態」は、わざわざ。

名前 なり・かた・よし

解字 篆文 形声。心＋能音。音符の能は、能力としてよくできるの意味。ある事ができるという心構えの意味から、すがた・身ぶりの意味を表す。

逆 悪態・旧態・狂態・形態・姿態・事態・実態・醜態・常態・状態・衰態・酔態・世態・生態・痴態・動態・別態・変態・本態・容態

【態勢】国身構え。準備ができている状態。◆「体勢」が、からだの構えであるのに対して、「態勢」はからだの姿勢だけでなく、広く種々の状態についても用いられる。「受け入れ態勢を整える」「不利の体勢のまま押し切られた」。「体制」は制度・組織を意味する語で、この二つに比して、別語といってよい。

【態度】①身構え。そぶり。身ぶり。②おもむき。

10 【慝】 14画 3584 一 トク 職 tè 二 漢ジョク(ヂョク) 呉ニョク 職 nì 慣トク 5655 9CD5 —

字義 一 ❶わるい。よこしま(邪)。悪事。かくれた悪事。悪行。悪人。❷けがれ。❸わざわい。災害。二 かくす(匿)。いつわる。

解字 形声。心＋匿音。音符の匿は、かくれるの意味。かくれた悪事の意味を表す。

10 【慕】 14画 3585 常 ボ したう 漢ボ・呉モ 遇 mù 4273 95E7 —

筆順 一 廾 廾 苩 莫 莫 莫 慕 慕

字義 したう。㋐恋しく思う。なつかしく思う。「思慕」「追慕」㋑たっとぶ。手本として見習う。㋒ほしがる。

名前 もと

解字 金文 篆文 形声。心＋莫音。音符の莫は、もとめるの意味。心の中で求める、こいしたうの意味を表す。

逆 仰慕・傾慕・敬慕・景慕・思慕・追慕・恋慕

【慕情】なつかしく、また、恋しく思う気持ち。

10 【慂】 14画 3586 漢ヨウ 呉ユウ 腫 yǒng 5642 9CC8 —

［㥟］ 3554 俗字 ［慂］ 3575 俗字

字義 すすめる。説き(誘い)勧める。「慫慂」

解字 形声。心＋涌音。音符の涌は、水があがる、わくの意味。人の心をわきたたせる、すすめるの意味を表す。

11 【慰】 15画 3587 常 イ なぐさめる・なぐさむ イ(ヰ) 未 wèi 1654 88D4 —

筆順 コ 尸 尸 屍 屍 屍 尉 尉 慰

字義 ❶なぐさめる。㋐心を安らかにさせる。いたわる。「弔慰」㋑なだめる。すかす。❷なぐさむ。不満が静まる。心楽しむ。❸なぐさみ。楽しみ。❹いかる。うらむ。

名前 のり・やす

解字 篆文 形声。心＋尉音。音符の尉は、火のしの意味。縮んだ心をあたためのばすの意味から、なぐさめるの意味を表す。

逆 自慰・弔慰

【慰安】なぐさめて安らかにさせる。

【慰藉】なぐさめいたわる。なぐさめて力づける。慰謝。

【慰謝】①わびてなぐさめる。②(逆境にある人を)なぐさめいたわる。慰藉。

【慰撫】なぐさめいたわる。▼撫は、なでる。

【慰勉】なぐさめはげます。

【慰問】なぐさめるために訪れる。見舞う。

【慰諭・慰喩】なぐさめさとす。

【慰留】なだめて、思いとどまらせる。

【慰労(勞)】ほねおりをなぐさめねぎらう。また、なぐさめねぎらう。▼労も、ねぎらう。

11 【慤】 15画 3588 カク 愨(3578)の俗字。→五三四ページ上。

11 【慶】 15画 3589 常 ケイ
漢ケイ・呉キョウ(キャウ) 敬 qìng
2336 8C63 一

筆順 亠 广 户 庐 声 廌 廖 慶 慶

字義 ❶よろこぶ。❷いわう(祝)。❸さいわい。幸福。❹めでたい。縁起がよい。また、吉事。「慶雲」❺たまう。くださる。賞与。また、そのたまもの。

名前 けい・ちか・のり・みち・やす・よし

難読 慶滋よしげ・慶良間けらま

使いわけ よろこぶ〔喜・慶〕⇩喜(1585)。

解字 金文 篆文 会意。鹿+心+夊(夂)。鹿たは、牛に似た一角獣の象形で、むかし、被疑者に触れさせて裁判の判決に用いた。それを少し省略している。心は、勝訴したときの飾りの象形で、金文では、文と書かれることもある。夊は、行くの意味。人のよろこびをいわいに行くの意味を表す。

逆 吉慶・国慶・積慶・大慶・同慶・表慶・余慶・落慶

【慶雲】ケイウン めでたい雲。太平のしるしの雲。よいことのある前兆の雲。紫、また、五色の雲。景雲。卿雲ケイウン。瑞雲ズイウン。

【慶賀】ケイガ よろこび祝う。また、祝い。

【慶祥】ケイショウ めでたいしるし。吉兆。瑞祥ズイショウ。

【慶賞】ケイショウ 功績をたたえて恩賞を賜ること。また、その恩賞。

【慶△瑞】ケイズイ めでたいしるし。瑞祥。吉兆。

【慶節(節)】ケイセツ めでたい日。祝日。

【慶弔】ケイチョウ 喜びごととくやみごと。吉事と凶事。

【慶典】ケイテン 祝賀の儀式。特に、国家の祝典。

11 【慧】 15画 3590 人
11 〖慧〗 15画 3591
漢ケイ 呉エ(ヱ) 霽 huì
2337 8C64 一

筆順 一 = 三 丰 丰丰 彗 彗 彗 慧

字義 ❶さとい。さとし。かしこい。❷わるがしこい。❸ちえ。知恵。智チ。恵(3517)と混用される。❹仏さとり。道理を見ぬき疑いを解く力。

名前 あきら・けい・さと・さとし・さとる・とし・よし

参考 現代表記では〔恵〕(3517)に書きかえることがある。「智慧→知恵」

解字 篆文 形声。心+彗音。音符の彗ケイは、儇ケンに通じ、才知のめぐりが速いの意味。さといの意味を表す。

【慧眼】一ケイガン 眼識のするどいこと。活眼。二ゲン 仏この世の真理を識別する心のまなこ。

【慧悟】ケイゴ かしこくさとい。

【慧知・慧△智】ケイチ かしこく知恵のあること。

11 【憇】 15画 3592 ケイ
5660 9CDA 一
憩(3608)の俗字。→五三六ジペー中。

11 【慙】 15画 3593
〖慚〗 3850 同字
漢サン 呉ザン 覃 cán
5647 9CCD 一

字義 はじる。はずかしく思う。

用例〔唐、李白、春夜宴二桃李園一序〕吾人詠歌ゴジンのエイカは、独慙二康楽一ひとりコウラクにはず(ず)。⇩わたしの詠む詩だけは、謝霊運のようにすぐれておらず恥ずかしい。

解字 篆文 形声。心+斬音。音符の斬ザンは、きるの意味。心を切られるような思いをする、はじるの意味を表す。

【慙△恚】ザンイ はじいかる。

【慙△愧】ザンキ ①はじる。また、はじ。▼愧も、恥。②自分の行為をはじ、後悔する。「慙愧に堪えない」

【慙羞】ザンシュウ =慙愧。▼羞も、恥。

11 【慫】 15画 3594
漢ショウ 呉シュウ 腫 sǒng
5649 9CCF 一

字義 ❶おどろく。おそれる。❷すすめる。

解字 篆文 形声。心+從音。音符の從は、束に通じ、ひきしまるの意味。心がひきしまる、おどろくの意味を表す。また、慫慂ショウヨウの熟語は、従容などに近く、むすぼれた気分を伸びやかにして、その気にさせる、すすめるの意味を表す。

【慫△慂】ショウヨウ 勧める。そそのかす。催促する。

11 【慼】 15画 3595
〖慽〗 3854 同字
漢セキ 呉シャク 錫 qī
21268 一 3057

字義 ❶うれえる。うれう。また、うれい。うれい。

用例〔唐、柳宗元、捕レ蛇者説〕言レ之これをいう(ふ)に、貌若二甚慼者一かたちはなはだうれう(ふ)るもののごとし。⇩この話をしながら、その顔つきはたいへん憂えているもののようであった。❷いたむ。悲しむ。

解字 篆文 形声。心+戚音。音符の戚セキは、うれえるの意味。戚がいろいろな意味を表すようになったので、心を付し、うれえいたむの意味を表す。

11 【慸】 15画 3596
一 漢テイ・呉ダイ 霽 dì 二 タイ 卦 chài
一 一 3055

字義 一 ❶高い。❷極まる。❸心がのびのびしない。二 ❶とげ。❷劣る。❸うらみ。

解字 形声。心+帶音。音符の帶は、滯に通じ、とどこおるの意味。

11 【憄】 15画 3597 チ 寘 zhì
一 一 3062

字義 ほどこす。

解字 形声。心+彳+直音。

11 【憃】 15画 3598
一 トウ(タウ) 江 chōng 二 漢ショウ 呉シュウ 冬 chōng
一 一 3061

字義 一 二 おろか(愚)。にぶい。=惷(3885)。「憃愚トウグ」

参考 〔惷〕(3567)は別字。

解字 金文 篆文 形声。心+舂音。音符の舂トウは、うすづくの意味。うすでつく仕事は単調で、おろかなものに見えるところから、心を付し、おろかの意味を表す。

11 【憑】 15画 3599 ヒョウ
一 一 3058
憑(3615)の俗字。→五三七ジペー上。

11 【憂】 15画 3600 常 ユウ うれえる・うれい・うい
漢ユウ(イウ)・呉ウ 尤 yōu
4511 974A 一

筆順 一 丅 丙 百 直 𢝊 𢝊 憂 憂

〔𢝊〕 3574 本字

字義 ❶うれえる。㋐気にかける。心配する。「内憂外患」㋑苦しむ。病む。また、悲しむ。❷うれえ。うれい。㋐なやみ。思いわずらい。㋑おそれ。苦しみ。㋒つかれ。やまい。㋓も。喪中。❸おだやかに行われる。国うい。㋐つらい。苦しい。「憂き目」㋑なやましい。せつない。「憂き身」㋒気が進まない。㋓つれない。無情である。「憂き人」

名前 ゆう

使いわけ うれえる・うれい〔憂・愁〕
〔憂〕心配や悩みが主である場合。「後顧の憂い」
〔愁〕嘆きや悲しみが主である場合。「春の愁い」

解字 金文 篆文 形声。夊+𢝊音。音符の𢝊ユウは、うれえるの意味。夊を付して𢝊のかわりに用いられる。また、優に通じ、しとやかに行われるの意味をも表す。

逆 外憂・近憂・深憂・大憂・沈憂・内憂・忘憂

【憂鬱】ユウウツ 心配ごとがあって気がふさいでいるさま。

【憂患】ユウカン ①うれえる。うれえ。心配ごと。②災難。
【憂△懼】ユウク うれえおそれる。
【憂△惶】ユウコウ うれえおそれる。
【憂国〔國〕】ユウコク 国のことを心配すること。
【憂思】ユウシ うれい思う。また、うれえる心。
【憂囚】ユウシュウ うれえに沈む。うれえに閉じ込められる。
【憂愁】ユウシュウ うれえ悲しむ。また、うれえ。悲しみ。
【憂△恤】ユウジュツ ①うれえる。心配する。②哀れむ。
【憂傷】ユウショウ うれえいたむ。いたみ悲しむ。
【憂色】ユウショク うれえる顔色。うれえる様子。
【憂世】一ユウセイ 世の中のことを心配すること。二うきよ 国苦しみの多いこの世。現世。浮世。
【憂△感・憂戚】ユウセキ うれえいたむ。
【憂望】ユウボウ ①遠い地にいる人を、心配して思いやること。②うれえる。また、うれえ。心配。▼望も、うれえ。
【憂△悶】ユウモン うれえもだえる。
【憂慮】ユウリョ うれえ思う。心配して思案すること。
【丁レ憂】テイユウ うれえ(へ)にあたる 父母の喪にあう。親の忌中にこもる。丁憂

11【慾】15画 3601 ヨク 沃 yù 4561 977C —
字義 ❶ほしいと思う心。欲情。❷むさぼる。「貪慾ドンヨク」
参考 現代表記では［欲］(5959)に書きかえる。「無慾→無欲」「慾情→欲情」。熟語は［欲］を見よ。
解字 形声。心＋欲㊀。音符の欲は、ほしいの意味。ほしいと思う心の意味を表す。

11【慮】15画 3602 常 リョ 漢リョ・呉ロ 御 lǜ 4624 97B6 —
筆順 丨 ト 广 卢 虍 虐 慮
字義 ❶おもんぱかる。思い計るの音便。㋐思いめぐらす。深く考える。「遠謀深慮」㋑くわだてる。たくらむ。㋒うれえる。「憂慮」㋓うたがう。まどう。㋔いましめそなえる。気をくばる。❷おもんぱかり。考え。計画。
名前 のぶ
解字 篆文 形声。心＋慮(盧)㊀。音符の盧は、クルッとめぐらすの意味。心をめぐらせる、深く考えるの意味を表す。
逆 遠慮・苦慮・考慮・顧慮・熟慮・焦慮・志慮・思慮・神慮・聖慮・念慮・配慮・不慮・無慮・憂慮
【慮外】リョガイ ①思いがけないこと。思いのほか。意外。案外。②国㋐けしからぬ。㋑無礼。「慮外千万」

12【𢡱】16画 3603 エン 懕(3625)と同字。→五三七ページ下。 2 1275 — 3074

12【憨】16画 3604 カン 覃 hān
字義 おろか(愚)。
解字 形声。心＋敢㊀。音符の敢は、道理に合わないことをしいてするの意味。おろかな心の意味を表す。

12【憙】16画 3605 キ 寘 紙 xǐ 5658 9CD8 —
［憘］3871 同字
字義 ＝喜(1585)。❶よろこぶ。❷このむ。❸たのしむ。
解字 篆文 形声。心＋喜㊀。音符の喜は、よろこぶの意味。心理にかかわるところから、心を付した。

12【憖】16画 3606 ギン 震 yìn 5659 9CD9 —
［憗］3607 俗字
字義 ❶なまじいに なまじ。気が進まないのにつとめて。しなくともよいのに無理をして。❷しばらく。❸いたむ。うれえる。❹つつしむ。❺ねがう。❻欠ける。❼よろこぶ。
解字 篆文 形声。心＋猌㊀。音符の猌ギンは、犬が歯をむきだし怒るさま。気が進まないのにしいて…するの意味を表す。また、祈に通じて、ねがわくはの意味を表し、听に通じて、よろこぶの意味を表す。
【憖憖】ギンギン うやまうさま。用例〔唐、柳宗元、三戒〕稍出近レ之ややいでてこれにちかづけば、憖憖然莫ニ相知一ギンギンゼンとしてあい(ひ)しるなし。↓少し林から出て近づいたところ、虎は驢馬ロバをうやうやしく思うだけで、何者であるか皆目わからなかった。

12【憗】16画 3607 ギン 憖(3606)の俗字。→五三六ページ中。 2 1272 — 3067

12【憩】16画 3608 常 ケイ いこい・いこう 霽 qì 2338 8C65 —
筆順 ニ 千 千 舌 舌 舌 舌 舌 憩
［憇］3592 俗字 「休憩」
字義 いこう いこふ。やすむ。また、いこい いこひ。
名前 けい・やす
解字 会意。活省＋息。活は、いきいきするの意味。息は、いこうの意味。活力回復のためにいこうの意味を表す。
逆 休憩・小憩・流憩

12【憼】16画 3609 ケイ 憼(3621)の俗字。→五三七ページ中。 1 8463 — 3079

12【憠】16画 3610 ケツ 月 jué — — 3072
字義 強い。
解字 形声。心＋厥㊀。

12【憲】16画 3611 教6 ケン 一漢ケン・呉コン 願 xiàn 2391 8C9B —
［憲］3612 二ケン 銑 xiǎn
筆順 丶 宀 宀 宔 害 害 害 憲 憲
字義 一❶さとい(敏)。かしこい。❷のり。㋐おきて。さだめ。㋑手本。模範。㋒特に、国の根本の法則。憲法。❸いいつけ。教え。❹のっとる。手本とする。❺あらわす。あまねく示す。❻主要な地位にいる役人。「官憲」 二さかんになるさま。また、喜ぶさま。
名前 あき・あきら・かず・けん・さだ・ただし・ただす・とし・のり・よし
解字 金文 篆文 形声。金文は、目＋害省㊀。音符の害は、刃物でそこなうの意味。目をけずりとる刑のさまから、おきての意味を表す。のち、心が付され、憲となり、常用漢字は憲となる。
逆 違憲・家憲・官憲・護憲・国憲・大憲・立憲
【憲憲】ケンケン ①さかんに興るさま。さかんなさま。②喜ぶさま。
【憲章】ケンショウ ①のっとって明らかにする。②法律。おきて。③国国家の定めた、行政上の基本原則。「児童憲章」
【憲政】ケンセイ 憲法に従って行う政治。
【憲台〔臺〕】ケンダイ ①御史(五一〇ページ上)の官。御史台。②上役。上官。
【憲兵】ケンペイ もと、軍隊で警察活動をつかさどる兵。
【憲法】ケンポウ ①国のおきて。用例〔国語、晋語九〕賞レ善罰レ悪、国之憲法也ゼンをショウし、アクをバッするは、くにのケンポウなり。↓善をほめ悪を罰するのは、国のおきてである。②国家の統治組織を規律する最も基本的な法。

12【憝】16画 3613 漢タイ 呉ズイ(ヅイ) 隊 duì — — 3070
字義 ❶うらむ(怨)。にくむ。❷わるい(悪)。また、悪者。
解字 篆文 形声。心＋敦㊀。音符の敦は、厚いの意味。心にこもった厚い、いかり・うらみの意味を表す。

12【憊】16画 3614 ㊀漢ハイ・呉バイ 国bèi 5664 9CDE —
㊁漢ヘイ・呉バイ
字義 ㊀つかれる。つかる(疲)。よわる。「困憊」 ㊁くるしむ。なやむ。
解字 篆文 形声。心＋備音。篆文は、心＋葡音。音符の葡は、えびらの象形で、からだにぴったりつくの意味。心を付し、心にねばりついてくるもの、つかれの意味を表す。

12【憑】16画 3615 標 漢ヒョウ 呉ビョウ 国píng 5665 9CDF —

［凴］3599 俗字
字義 ❶よる。㋐たよる。すがる。よりどころとする。用例〔唐、岑参、逢入京使詩〕馬上相逢無紙筆（馬上相逢うて紙筆無し）、憑君伝語報平安（君に憑りて伝語して平安を報ぜん）。↓旅の馬上であなたに会ったので、紙と筆の用意もない。あなたに伝言を頼み、無事でいることを家族に伝えよう。㋑よりかかる。もたれる。＝凭(847)。㋒身をまかせる。乗る。宿る。住む。㋓つく。乗りうつる。❷よりどころ。証拠。また、しるし。証文。❸大きい。さかん。❹みちる(満)。❺川を歩いてわたる。かちわたる。川を徒歩で渡る。＝馮(13682)。「憑河」 難読 憑人
解字 形声。心＋馮音。音符の馮は、よるの意味。心がかたよるの意味を表す。

【憑依】(ヒョウイ) ①よりかかる。②乗り移る。とりつく。

【憑河】(ヒョウガ) ①大河を徒歩で渡ること。②向こう見ずなことをすること。馮河。

【憑拠(據)】(ヒョウキョ) よりどころ。また、よりどころとする。頼る。

【憑軒】(ヒョウケン) てすりに寄りかかる。用例〔唐、杜甫、登岳陽楼詩〕戎馬関山北、憑軒涕泗流（戎馬関山の北、軒に憑りて涕泗流る）。↓わがふるさと、関所のある山々の北では、今も戦争が行われている。楼のてすりに寄りかかりながら、涙がとめどもなく流れてやまない。

【憑恃】(ヒョウジ) よりかかりたのむ。たのみとする。

12【憋】16画 3616 漢ヘツ 呉ヘチ 国biē — — 3063
字義 ❶怒る。❷気が早い。気が短い。❸悪い。
解字 形声。心＋敝音。音符の敝は、やぶれるの意味。

12【懣】16画 3617 マン 2 1269 — —
字義 懣(3629)の俗字。→五三八ジー上。

12【憥】16画 3618 ロウ（ラウ）国lāo 2 1274 — 3073
字義 くるしむ。心力が乏しくなる。労(1012)の俗字。
解字 形声。心＋勞音。

13【應】17画 (3477) オウ　応(3476)の旧字体。→五一八ジー上。

13【懈】17画 3619 カイ　懈(3896)と同字。→五五八ジー上。

13【懃】17画 3620 漢キン・呉ゴン 慣ギン 国qín 5673 9CE7 —
字義 ❶つとめる。＝勤(1052)。❷ねんごろ。「慇懃」
解字 形声。心＋勤音。
【懃恪】(キンカク) ねんごろでつつしみ深いこと。
【懃懇】(キンコン) ねんごろ。親切なさま。

13【憼】17画 3621 漢ケイ 呉キョウ（キャウ） 国敬 梗
［憼］3609 俗字
字義 ❶つつしむ。❷そなえる。
解字 形声。心＋敬音。

13【懇】17画 3622 常 コン ねんごろ　コン 阮 kěn 2609 8DA7 —

筆順
字義 ❶ねんごろ。丁寧。「昵懇」 ❷まこと。まごころ。

解字 篆文 形声。篆文は、心＋豤音。音符の豤は、ふみとどまるの意味。一定の範囲内に心をふみとどめておく、ねんごろにするの意味を表す。

逆 誠懇・別懇
【懇意】(コンイ) ①ねんごろな心。親切な心。②親しい仲。

【懇願】(コンガン) ひたすらに願う。切に頼む。悃願。

【懇懇】(コンコン) まごころのあるさま。まことをつくすさま。繰り返し丁寧に説得するさま。

【懇謝】(コンシャ) ①ねんごろにお礼を述べる。②丁寧に断る。丁寧にわびる。

【懇書】(コンショ) ねんごろな手紙。他人の手紙に対する敬称。

【懇親】(コンシン) ねんごろに親しむ。仲良くする。親睦。

【懇誠】(コンセイ) まこと。まごころ。

【懇請】(コンセイ) ねんごろにたのむ。懇願。

【懇切】(コンセツ) 非常にねんごろなさま。親切丁寧。

【懇談】(コンダン) 国ねんごろに話す。うちとけて話す。

【懇到】(コントウ) 親切で、じゅうぶんに行き届く。懇至。

【懇望】(コンボウ・コンモウ) 切に望む。心の底から願い望む。

【懇諭】(コンユ) ねんごろにさとす。丁寧に言い聞かせる。

【懇話】(コンワ) 国＝懇談。

13【懋】17画 3623 漢ボウ 呉モ 国宥 mào 5676 9CEA —
字義 ❶つとめる。つとむ。❷さかん。また、さかんにする。❸うつくしい。よい。❹よろこぶ。
解字 金文 篆文 別体 形声。心＋楙音。音符の楙は、務に通じ、つとめるの意味。心をつくしてつとめるの意味を表す。別体は、心＋矛音。
【懋績】(ボウセキ) すぐれたてがら。大きな功績。

13【憃】17画 3624 国字 2 1277 — —
字義 ❶たまつばき。椿の美称。❷ことぶき。

14【懕】18画 3625 エン 国塩 yān 2 1278 — 3085
［猒心］3603 同字
字義 懕懕は、㋐安らかで落ちついているさま。㋑病みつかれるさま。
解字 篆文 形声。心＋厭音。音符の厭は、あきたりるの意味。みちたりた心、やすらかの意味を表す。

14【懲】18画 3626 常 チョウ こりる・こらす・こらしめる 3608 92A6 —

15［懲］19画 3627 人 漢チョウ 呉ジョウ（ヂョウ）国蒸 chéng 1 8465 — —

筆順
字義 ❶こらす。こらしめる。将来を戒めるために制裁を加える。「勧善懲悪」 ❷こりる。過失などを後悔して、二度としまいと思う。❸いましめる(戒)。❹くるしむ。用例〔列子、湯問〕面山而居、懲山北之塞、出入之迂也（山に面して居り、山北の塞がりて、出入の迂なるに懲しむ）。↓山に面して住んでおり、山の北側に閉じこめられたような状態で、南の町へ行くにも遠回りしなければならない不便をかこっていた。❺とめる。やめさせる。また、やめる。❻定める。

解字 篆文 形声。心＋徵(徴)音。音符の徵は、止に通じ、とまるの意味。心の活動がとまる、こりるの意味を表す。

逆 勧懲
【懲悪(惡)】(チョウアク) 悪いことや悪い者をこらしめる。

【懲役】(チョウエキ) 国罪人をこらしめるために刑務所に入れて、定められた期間、労役に従わせること。また、その刑。

【懲戒】(チョウカイ) ①こりて自らいましめる。②こらしめる。不正不当の行為に対して罰を加えていましめる。

【懲勧(勸)】(チョウカン) 悪をこらし善をすすめること。勧善懲悪。

【懲罰】(チョウバツ) 不正・不当な行為に対して、こらしめのために制裁を加えること。

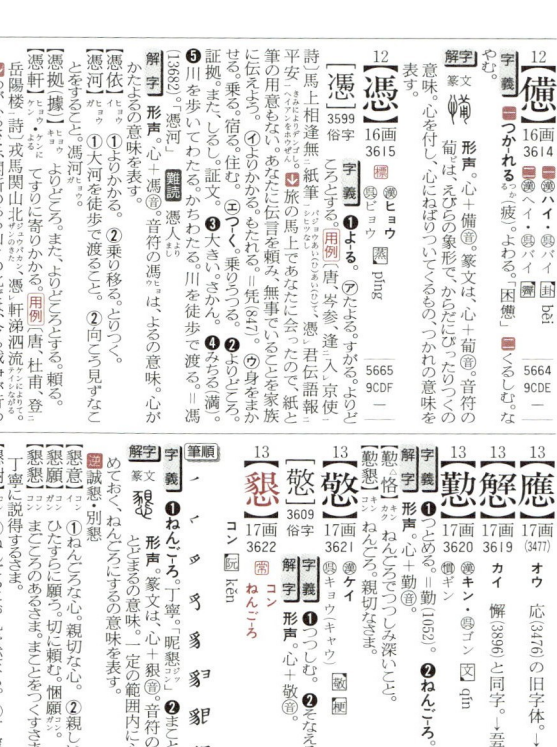

【懲△貶】チョウヘン こらしめのために官位などを下げること。

14【懟】18画 3628 ■漢ツイ 呉ズイ(ツイ) 寘 duì ■漢タイ 呉ズイ(ヅイ) 隊 duì ₂1280 — 3089

字義 ■■❶うらむ。うらみいかる。＝憝(3613)。❷うれえる。❸もとる。道理にたがう。

解字 形声。心＋對音。

14【懣】18画 3629 ■モン 願 mèn ■マン 旱 5680 9CEE —

〔懑〕3617 俗字

字義 ■■❶もだえる もだゆ。思いわずらう。❷いきどおる。

解字 篆文 形声。心＋滿音。音符の滿は、みちるの意味。心にみちてくるもだえの意味を表す。

15【懬】19画 3630 コウ(クヮウ) 漾 養 kuǎng — — 3101

字義 ❶広い。大きい。ゆたか。ゆるやか。❷恨む。❸空しい。❹強い。

解字 形声。心＋廣音。音符の廣は、ひろいの意味。

15【懲】19画 (3627) チョウ 懲(3626)の旧字体。→五三七ページ下。

15【懯】19画 3631 フ 虞 fū — — 3103

字義 ❶懯懯フフは、速やかなさま。❷思う。

解字 形声。心＋敷音。

16【懸】20画 3632 漢ケン・呉ゲン 先 xuán 慣ケ 常 ケン・ケ かける・かかる 2392 8C9C —

筆順 冂 目 旦 県 県 県 県 縣 縣 懸

字義 ❶かける。㋐つり下げる。ひっかける。用例〔十八史略、春秋戦国、呉〕句践反レ国、懸二胆於坐臥一、即仰レ胆嘗レ之(コウセンくにに、かえ(へ)り、きもをザガにかけ、すなわ(は)ちきもをあお(ふ)ぎこれをなむ)。↓句践は国都の会稽に帰ると、苦い胆を自分の寝起きする所にぶらさげておき、寝起きするたびごとに仰ぎむいて胆を嘗めた。㋑かかげる。かかげて示す。㋒とどめる。とめておく。❷かかる。ぶらさがる。たれさがる。❸へだたる。かけはなれる。「懸隔」

名前 とお 難読 懸鉤子いちご

使いわけ かける・かかる〔掛・架・懸・賭・係〕⇨掛(4218)。

解字 形声。心＋縣音。音符の縣(県)は、心にかけるの意味を表したが、縣が行政区画の意味に用いられるようになったため、さらに、心を付し、かけるの意味を表す。

逆 倒懸

【懸案】ケンアン 解決されずに残っている議案・問題。

【懸河】ケンガ ①傾斜のはなはだしい土地を流れている川。急流。早瀬。②滝をいう。

【懸河△之弁(辯)】ケンガのベン 勢いよく流れる水のように、よどみのない弁舌。立て板に水の弁舌。〔隋書、儒林伝序〕

【懸解】ケンカイ さかさまにつるされたものが解かれる。苦しみがなくなる。また、生死の苦楽を超越する意味に用いられる。

【懸崖】ケンガイ ①高くきり立ったがけ。きりぎし。②国盆栽菊などで、幹・茎が根の位置よりも下がった形に作ったもの。懸崖作り。

【懸隔】ケンカク はるかにへだたる。かけはなれる。懸絶。

【懸軍】ケングン 根拠地や本隊を離れて遠地や敵地の奥深く軍隊を進めること。また、その軍隊。「懸軍万里」

【懸弧】ケンコ 男子の誕生をいう。また、その誕生日。昔、男児が生まれると桑の弓を門の左にかけたのでいう。〔礼記、郊特牲〕一説に、桑の弓に蓬よもぎ(やなぎよもぎ)の矢をつがえて天地四方を射た。〔礼記、内則〕

【懸衡】ケンコウ ①衡はかりにかける。②衡はかりにかけて示す。法度(法令)を天下に示すこと。③重さが等しい。④勢力の相等しいこと。

【懸車】ケンシャ ①官職を退くこと。漢の薛広徳セツコウトクが年老いて退官した時、天子から賜った安車(老人用の車)を、高い所にかけつるし、光栄の記念として子孫に残した故事に基づく。〔漢書、薛広徳伝〕②七十歳のこと。昔は七十歳で退官した。③旅行先で、夕方、宿に入ること。

【懸象】ケンショウ ①天にかかっているもの。太陽や月・星など。②法令をかかげ示すこと。

【懸賞】ケンショウ 賞をかける。物事をつのり、または求めるときに、賞品・賞金をかけること。▼懸は、多くの人に見えるように、高い所につるすこと。

【懸垂】ケンスイ ①たれさがる。宙にぶらさがる。②国鉄棒にぶら下がり、腕を屈伸する体操。

【懸△旌】ケンセイ 竿さおの先に掲げられた旗。風に揺れ動くことから、心が動揺して定まらないことのたとえ。

【懸絶】ケンゼツ はるかにへだたっている。非常な差がある。

【懸泉】ケンセン たき。滝。飛泉。瀑布バク。

【懸想】■ケンソウ はるかに思う。また、想像する。■ケソウ 国ほれること。恋。

【懸胆(膽)】ケンタン きもを懸ける。きもを懸け、それをなめてはわが身を苦しめはげます。非常な辛苦に耐えることのたとえ。→臥薪嘗胆ガシンショウタン(一三九二ページ下)。

【懸注】ケンチュウ 水が高い所から流れ落ちること。

【懸△榻】ケントウ 客を特別に優遇すること。転じて、珍客をいう。後漢の陳蕃チンバンが普通の客には会わず、徐穉ジョチだけに榻こしかけを用意して会談し、その帰ったあとは榻を壁にかけ他人には使わせなかった故事に基づく。〔後漢書、徐穉伝〕

【懸念】■ケンネン 心にかける。気にかける。■ケネン 国心にかける。あやぶむこと。心配。気がかり。

【懸命】ケンメイ ①生命をかける。また、いのちがけ。決死。②国非常に熱心なこと。全力をそそぐこと。「一所懸命」

18【懿】22画 3633 イ 寘 yì 5684 9CF2 —

字義 ❶うるわしい うるはし。よい。❷ほめる。たたえる。❸ああ。感嘆の助字。

解字 金文 篆文 形声。もと、欠＋心＋壹音。音符の壹ツイは、飲みもので満ちたつぼの意味。欠は、口をあけた人の象形。つぼの飲みものを口をあけて飲むときの心、充足感の意味から、うるわしい・ほめるの意味を表す。金文は、会意文字で、亞＋欠。つぼの象形。

【懿△筐】イキョウ 深いかご。▼筐は、竹製のかご。

【懿訓】イクン りっぱな教訓。

【懿旨】イシ 皇后や皇太后の言葉。

【懿親】イシン うるわしい情愛を有する親族。近親。

【懿戚】イセキ ①＝懿親。②りっぱな親類。③天子の外戚(皇后の親戚)。

【懿績】イセキ りっぱな手がら。すぐれた功績。

【懿徳】イトク ①すぐれた徳。②女性の温厚な性格。

【懿風】イフウ うるわしい風俗。

【懿望】イボウ すぐれた人望。高い人望。

19【戁】23画 3634 漢ダン 呉ネン 潸 nǎn — — 3104

字義 ❶うやうやしい。❷恐れる。❸動く。

解字 形声。心＋難音。

19【戀】23画 (3529) レン 恋(3528)の旧字体。→五三六ページ下。

24【戇】28画 3635 ■トウ(タウ) 絳 zhuàng ■漢コウ・呉ク 送 gàng — — 3107

字義 ■■❶おろか。愚直。❷いっこく。がんこ。

解字 形声。心＋贛音。

【戇愚】トウグ おろか。ばか。

【戇直】トウチョク おろかで正直。ばか正直。愚直。

3画

忄 りっしんべん（立心偏）

［忄］ 2 1226 — 2924

〔部首解説〕 心が偏になるときの形。↓〔心〕の部首解説（五一六㌻）。

（2）忉 五三九　忇 五三九　（3）忋 五三九　忏 五三九　忔 五三九
忖 五三九　忕 五三九　忙 五三九　（4）快 五四〇　忨 五四〇
忯 五四〇　忻 五四〇　忺 五四〇　忤 五四〇　忼 五四〇
忶 五四〇　忮 五四〇　忸 五四〇　忪 五四〇　忱 五四〇
忰 五四〇　忲 五四〇　忡 五四〇　忳 五四〇　忭 五四〇
忭 五四〇　忬 五四一　（5）怡 五四一　怏 五四一　怪 五四一
怇 五四一　怯 五四一　怳 五四一　怙 五四一　怐 五四一
怍 五四一　怩 五四二　怵 五四二　怚 五四二　性 五四二
怔 五四二　怛 五四二　怞 五四二　怗 五四二　怊 五四二
怟 五四二　怓 五四二　怢 五四二　怕 五四三　怭 五四三
怖 五四三　怫 五四三　怦 五四三　怜 五四三　怺 五四三
（6）恍 五四三　悔 五四三　恢 五四三　恠 五四三　恢 五四三
恪 五四三　恑 五四四　恊 五四四　恟 五四四　恔 五四四
恇 五四四　恗 五四四　恒 五四四　恰 五四四　恍 五四四
㤺 五四四　恦 五四四　恨 五四四　恀 五四五　恉 五四五
恃 五四五　恤 五四五　恂 五四五　恌 五四五　恬 五四五
恫 五四五　恈 五四五　恾 五四五　悇 五四五　恅 五四五
（7）悅 五四五　悔 五四三　悝 五四五　悈 五四五　悍 五四六
悕 五四六　悁 五四六　悓 五四六　悟 五四六　悞 五四六
悎 五四六　悃 五四六　悛 五四六　悚 五四六　悄 五四六
悌 五四六　悩 五四六　惱 五四七　悖 五四七　悗 五四七
悂 五四七　悑 五四七　悒 五四七　悧 五四七　悢 五四七
悋 五四七　（8）惟 五四七　惈 五四七　惂 五四七　悸 五四七
惐 五四七　惧 五四七　惧 五四八　惓 五四八　悾 五四八
悻 五四八　惚 五四八　惛 五四八　惨 五四八　惇 五四八
惝 五四八　情 五四八　悴 五四九　悽 五四九　惜 五五〇
悰 五五〇　惔 五五〇　惆 五五〇　悵 五五〇　惕 五五〇
惙 五五〇　悼 五五〇　悱 五五〇　惘 五五〇　[忄門] 五五〇
惊 五五一　惏 五五一　悷 五五一　惋 五五一　（9）愇 五五一
愔 五五一　惲 五五一　愠 五五一　愕 五五一　愌 五五一
愜 五五一　愒 五五一　惸 五五一　愃 五五一　慌 五五一
惶 五五一　惽 五五一　愢 五五一　愀 五五一　愖 五五三
惴 五五二　惺 五五二　愡 五五二　愅 五五二　惻 五五三
惰 五五二　愞 五五二　憚 五五二　惵 五五二　愓 五五三

惱 五四六　愊 五五二　愎 五五二　惼 五五二　愐 五五二
愉 五五二　愣 五五三　（10）慉 五五三　慍 五五三　愪 五五三
慨 五五三　愷 五五三　愾 五五三　愧 五五三　愭 五五三
愶 五五三　慊 五五三　愰 五五三　慊 五五三　愯 五五三
慎 五五三　愫 五五四　愴 五五四　慅 五五四　慯 五五四
慆 五五四　慱 五五四　慃 五五四　慄 五五四　（11）慨 五五三
慨 五五四　慣 五五四　慬 五五四　慻 五五四　慷 五五四
慠 五五四　慘 五四八　慚 五五四　慴 五五四　慯 五五五
慞 五五五　慼 五五五　憁 五五五　憎 五五五　慥 五五五
慱 五五五　慟 五五五　慓 五五五　慢 五五五　慲 五五五
慵 五五五　憀 五五五　慺 五五五　（12）憒 五五五　慨 五五六
慖 五五六　憪 五五六　憘 五五六　憍 五五六　憬 五五六
憓 五五六　慳 五五六　憯 五五六　憯 五五六　憍 五五六
憔 五五六　慄 五五六　憎 五五五　憻 五五六　憜 五五六
憚 五五六　懂 五五六　憧 五五六　憫 五五六　憮 五五六
憤 五五七　憭 五五七　憐 五五八　（13）懌 五五七　懊 五五七
憶 五五七　懐 五五七　懈 五五八　憾 五五八　懁 五五八
懎 五五八　憸 五五八　懆 五五八　憺 五五八　憹 五五八
憒 五五七　懞 五五八　懍 五五八　懔 五五八　憐 五五八
懀 五五九　（14）懝 五五九　懦 五五九　懧 五五九　懥 五五九
懕 五五九　懜 五五九　（15）懭 五五九　懴 五五九　懥 五五九
懵 五五九　懮 五五九　懩 五五九　懢 五五九　（16）懷 五五七
懵 五五九　懶 五五九　懶 五五九　（17）懽 五五九　懺 五五九
（18）懽 五五九　懼 五五九　[忄畾] 五五九　（19）[忄羅] 五六〇　（20）戄 五六〇
[忄黨] 五六〇

2 **【忉】** 5画 3636 **トウ**（タウ） 豪 dāo　1 8438 — 2927

字義 **うれ-える**（うれ-ふ）。忉忉は、うれえるさま。

解字 **形声**。忄（心）＋刀㊟。

【忉利天】トウリテン 仏 六欲天（欲界に属する六つの天。四王天・夜摩天など）の第二天。須弥山シュミセンの頂上にあり、帝釈天タイシャクテンの居所。三十三天。

2 **【忇】** 5画 3637 **ロク** 職 lè　2 1228 — 2925

字義 ❶功労が大きい。❷思う。

解字 **形声**。忄（心）＋力㊟。

3 **【忋】** 6画 3638 漢**カイ** 呉ガイ 賄 gǎi　2 1229 — 2928

字義 ❶たのむ（恃ジ）。❷あおぐ（仰）。

解字 **形声**。忄（心）＋己㊟。

3 **【忏】** 6画 3639 **カン** 寒 gān　2 1231 — 2932

字義 ❶きわめる（極）。❷おかす（犯）。❸みだす。

解字 **形声**。忄（心）＋干㊟。

3 **【忔】** 6画 3640 漢**キツ** 呉コチ 物 qì　2 1232 — 2933

字義 よろこぶ。

解字 **形声**。忄（心）＋乞㊟。

3 **【忖】** 6画 3641 **ソン** 阮 cǔn　5554 9C75 —

字義 **はか-る**。思いはかる。おしはかる。

解字 篆文  **形声**。忄（心）＋寸㊟。音符の寸は、脈をはかる形で、はかるの意味。脈をはかるように、他人の心をはかるの意味を表す。

【忖度】ソンタク （他人の心を）おしはかる。推測。用例〔孟子、梁恵王上〕詩云シにいう、他人有レ心タニンこころあり、予忖二度之一これをソンタクす ↓『詩経』に「他人には心があり、私はこれを推し量る」とある。

3 **【忕】** 6画 3642 ㊀漢**タイ** 呉ダイ 泰 tài ㊁漢**セイ** 呉ゼイ 霽 shì　〔忲〕3658 同字

字義 ㊀なれる。習慣。「狃忕ジュウタイ」 ㊁**おご-る**。ぜいたくする。「忕侈タイシ」

解字 **形声**。忄（心）＋大㊟。

3 **【忙】** 6画 3643 常 **ボウ** **いそが-しい**　4327 965A —

3 **【忙】** 6画 3644 漢**ボウ**（バウ） 呉モウ（マウ） 陽 máng

筆順 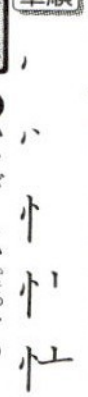

字義 ❶**いそが-しい**（いそが-し）。**せわ-しい**（せは-し）。心がせかせかする。あわてる。「多忙」 ❷あわただしい。

解字 **形声**。忄（心）＋亡㊟。音符の亡は、ないの意味。おちついた心がない、いそがしいの意味を表す。

逆 多忙・繁忙

【忙劇】ボウゲキ 非常にいそがしいこと。

【忙月】ボウゲツ いそがしい月。農時に多忙な月。↔閒月（一四九八㌻中）。

【忙殺】ボウサツ 非常にいそがしいこと。▼殺は、程度のはなはだしい意を表す助字。

【忙然】ボウゼン 気抜けしてぼんやりしているさま。芒然ボウゼン。呆然

4 【快】 7画 3645 漢カイ(クヮイ)・呉ケ 国 kuài 教5 カイ こころよ-い 1887 89F5 —

筆順

字義 ❶こころよ-い(こころよし)。気持ちがよい。楽しい。喜ばしい。「痛快」「明快」 ❷はや-い(はやし)。すばやい。「快走」 ❸ほしいまま。気まま。思う存分に。 ❹するどい。「快刀」 国病気が直る。「全快」「快気」

名前 はや・やす・よし

解字 篆文 形声。忄(心)＋央音。音符の央(カイ)は、活(カツ)に通じ、いきいきするの意味。心が生き生きする、こころよいの意味を表す。

逆 軽快・豪快・痛快・不快・明快・雄快・愉快

【快活(カイカツ)】①楽しい。愉快な。楽しみ。愉快。②国はきはきして元気のよいこと。

【快闊・快濶(カイカツ)】①ひろびろとしているさま。②気性の晴れやかなさま。気性がさっぱりして心の広いさま。③＝快活②。

【快気(氣)(カイキ)】国病気がなおること。

【快挙(擧)(カイキョ)】①楽しくなって行動する。②見ていて気持ちのよい行動。勇ましい行動。

【快傑(カイケツ)】国気性がさっぱりとしていて、才知勇力のすぐれた男性。魁傑(カイケツ)。

【快哉(カイサイ)】こころよきかな。まことに心地よい。転じて、愉快である意を表す嘆声。「快哉を叫ぶ」

【快心(カイシン)】よい気持ちになる。気晴らしをする。また、腹いせをする。

【快晴(カイセイ)】空が気持ちよく晴れ渡ること。

【快戦(戰)(カイセン)】思う存分に戦う。また、その戦い。

【快諾(カイダク)】気持ちよく引き受ける。こころよく承知する。

【快男子(カイダンシ)】快男児。気性のさっぱりした男らしい男性。

【快弾(カイダン)】おもしろく弦をひく。楽しく楽器をひく。

【快調(カイチョウ)】①気持ちのよい調子。②速い調子。③国物事が思うままに都合よく進行していること。

【快適(カイテキ)】心身によく合って心地よいこと。

【快刀断(斷)二乱(亂)麻一(カイトウランマをたつ)】するどい刀で乱れた麻を断ち切る。物事をてきぱきと処理することのたとえ。略して、快刀乱麻ともいう。

【快復(カイフク)】国病気がよくなる。→回復(二九二ジ・中)。

【快報(カイホウ)】①こころよい知らせ。うれしい報告。吉報。②急ぎの知らせ。急報。

【快癒(カイユ)】病気がすっかりなおること。全快。

【快楽(樂)(カイラク・ケラク)】主に欲望を満足させるこころよい楽しみ。

4 【忨】 7画 3646 ガン(グヮン) 翰 寒 wán — — 2937

字義 むさぼる。

解字 形声。忄(心)＋元音。

4 【忯】 7画 3647 漢キ 呉ギ 支 qí 21235 — 2943

字義 ❶いつくしむ。❷つつしむ。

解字 形声。忄(心)＋氏音。

4 【忻】 7画 3648 漢キン 呉コン 文 xīn 5555 9C76 —

字義 ❶よろこ-ぶ。たのしむ。＝欣(5948)。❷ひらく。心がひらける。

解字 篆文 形声。忄(心)＋斤音。音符の斤は、こまかくするの意味。呼吸を小刻みに心はずませてよろこぶの意味を表す。

4 【忺】 7画 3649 漢ケン 呉コン 塩 xiān — — 2947

字義 ❶望む。願う。また、好む。❷喜ぶ。意にかなう。

解字 形声。忄(心)＋欠音。

4 【忤】 7画 3650 ゴ 遇 wǔ 5556 9C77 —

字義 ❶さか-らう(さからふ)。もとる。❷みだれる。

解字 形声。忄(心)＋午音。音符の午は、啎(ゴ)に通じ、さからうの意味を表す。

【忤視(ゴシ)】まともに見る。正視する。用例(史記、刺客伝)燕国有二勇士秦舞陽(シンブヨウ)一、年十三殺レ人、人不二敢忤視一(エンコクにユウシシンブヨウあり、としジュウサンにしてひとをころし、ひとあえてゴシせず)。燕国に秦舞陽という勇士がおり、十三歳にして人殺しをしたほどの男で、だれもその顔をまともに見返す者はいない人物であった。

4 【忼】 7画 3651 コウ 慷(3848)と同字。→五五四ジ・下。 21237 — 2948

4 【忶】 7画 3652 ㊀漢コン・呉ゴン 阮 hùn ㊁ウン 問 hùn — — 2946

字義 ㊀もだえる。㊁迷う。

解字 形声。忄(心)＋云音。

4 【忮】 7画 3653 シ 寘 zhì 21234 — 2942

字義 ❶もと-る。さからう。❷そこなう。やぶる。❸うらむ。ねたむ。❹わるい。❺かたくな。

解字 篆文 形声。忄(心)＋支音。音符の支は、離れ分かれるの意味。心が相手から離れる、さからう・そこなう・うらむの意味を表す。

4 【忸】 7画 3654 ㊀漢ジク(ヂク)・呉ニク 屋 niǔ ㊁漢ジュウ(ヂウ)・呉ニュウ(ニウ) 有 niǔ 5557 9C78 —

字義 ㊀はじる。㊁❶＝㊀。❷な-れる(なる)。また、ならす。＝狃(7200)。

解字 形声。忄(心)＋丑音。音符の丑(チュウ)は、ひねる形にかたどる。心がひねられる、はじるの意味を表す。

【忸怩(ジクジ)】はずかしく思うさま。心にはじるさま。

4 【忪】 7画 3655 漢ショウ 呉シュウ 冬 zhōng — — 2939

字義 ❶驚く。❷胸さわぎがする。❸あわてる。

解字 形声。忄(心)＋公音。

4 【忱】 7画 3656 漢シン 呉ジン 侵 chén 5558 9C79 —

字義 まこと(誠)。まごころ。真情。

解字 篆文 形声。忄(心)＋冘音。音符の冘(イン)は、専心するの意味。心が他にそれず一事に専心するの意味を表す。

4 【忰】 7画 3657 スイ 悴(3769)の俗字。→五四九ジ・下。 5613 9CAB —

4 【忲】 7画 3658 タイ 忕(3642)と同字。→五三九ジ・下。 — — 2944

4 【忡】 7画 3659 チュウ(チウ) 東 chōng 18440 — 2935

字義 うれえる。うれえるさま。

解字 篆文 形声。忄(心)＋中音。音符の中は、弔に通じ、いたみあわれむの意味。心をいためうれえるの意味を表す。

4 【忳】 7画 3660 漢トン 呉ドン 元 tún 21236 — 2945

字義 ❶うれえる。❷おろかなさま。

解字 形声。忄(心)＋屯音。

4 【忭】 7画 3661 漢ヘン 呉ベン 霰 biàn

字義 よろこ-ぶ。たのしむ。

解字 形声。忄(心)＋卞音。

4 【忭】 7画 3662 〔忭〕3662 俗字 ベン 忭(3661)の俗字。→五四〇ジ・下。 — — 2941

4 【忬】 7画 3663 一ヨ 御 yù ／ 二ショ 魚 shū　― ― 2940

字義 一ためらう。二ゆるい。

解字 形声。忄(心)＋予音。

5 【怡】 8画 3664 イ 図 yí　5562 9C7D ―

字義 ❶よろこぶ(喜)。たのしむ(楽)。用例〔史記、刺客伝〕秦王不レ怡者良久(シンオウよろこばざることややひさし)。↓秦王はしばらくの間、不機嫌であった。❷やわらぐ(和)。

解字 篆文 形声。忄(心)＋台音。音符の台ィは、よろこぶの意味で、怡の原字。のち、心を付した。

【怡怡】イイ やわらぎよろこぶ。

【怡顔】イガン 顔色をやわらげる。怡レ顔(かお(ほ)をよろこばす)。用例〔東晋、陶潜、帰去来辞〕引二壺觴一以自酌(コショウをひきてもってみずから(づ)からくみ)、眄二庭柯一以怡レ顔(テイカをかえ(へ)りみてもってかお(ほ)をよろこばしむ)。↓酒つぼとさかずきとを引き寄せて自分で酒をくみ、庭の木の枝に目をやりながら顔をほころばせる。

【怡然】イゼン ①よろこび楽しむさま。にこにこするさま。また、のんびり楽しむさま。用例〔東晋、陶潜、桃花源記〕黄髪垂髫(コウハツスイチョウ)、並怡然自楽(ならびにイゼンとしてみずから(づ)からたのしむ)。↓老人も子供も、みなのんびりとして楽しそうである。②素直なさま。用例〔唐、杜甫、贈二衛八処士一詩〕怡然敬二父執一(イゼンとしてちちのともをうやまい(ひ))、問レ我来二何方一(われにとう(ふ)いずれ(づ)かたよりきたるやと)。↓お父さんの友人に素直に敬意を表し、私に尋ねる、どこから来たのですかと。

【怡暢】イチョウ にこやかなさま。うれしそうな様子。

5 【怏】 8画 3665 漢ヨウ(ヤウ) 呉オウ(アウ) 漾 養 yàng　5573 9C89 ―

字義 うらむ。満足しない。不平に思う。おもしろくなく思う。

解字 篆文 形声。忄(心)＋央音。音符の央は、首かせをかけられた人の象形。首かせをかけられた人の心理状態、うらむ・たのしまないの意味を表す。

【怏怏】オウオウ 不満に思うさま。不服に思うさま。

【怏悒】オウユウ ①うらみうれえる。②不満。不安。

5 【怪】 8画 3666 常 カイ あやしい・あやしむ 漢カイ(クワイ)・呉ケ 卦 guài　1888 89F6 ―

筆順 ノ 忄 忄 忆 怪 怪 怪 怪

【恠】3696 俗字

字義 ❶あやしい。あやし。㋐不思議である。「奇怪」㋑疑わしい。信用できない。「怪文書」㋒珍しい。見なれない。❷あやしむ。㋐不思議に思う。㋑疑問に思われる。いぶかる。❸あやしいこと。㋐不思議なこと。見なれないものごと。㋑いやしい。見苦しい。国あやしい。あやし。㋐とがめられるべき。けしからぬ。

使いわけ あやしい〔怪・妖〕
「妙になまめかしく人を悩ませる」の意で〔妖〕を用いる以外は、広く一般に〔怪〕を用いる。「妖しい魅力」「挙動が怪しい・怪しい人影」

解字 篆文 形声。忄(心)＋土＋又音。土は、土地の神の象形。音符の又ゥは、右手の象形。触れてはいけない土地の神の上に右手を置き、異常な心理状態となる、あやしむの意味を表す。

逆 奇怪・醜怪・珍怪・物怪・変怪

【怪異】カイイ ①あやしいこと。不思議なこと。②ばけもの。

【怪偉】カイイ ①非常にえらい。②非常に雄大なこと。

【怪訝】一カイガ あやしむ。▼訝も、怪しむ。二ケゲン 国不思議でわけのわからぬさま。

【怪怪】カイカイ 非常にあやしい(不思議な・珍しい)こと。「奇奇怪怪」

【怪漢】カイカン あやしい男性。挙動の怪しい男性。▼漢は、男。

【怪奇】カイキ ①あやしくて不思議な。不思議で珍しい。②グロテスク。

【怪鬼】カイキ ばけもの。変化(ヘンゲ)。

【怪詭】カイキ あやしい。いぶかしい。また、そのもの。

【怪傑】カイケツ ①えたいの知れない力を持っている人物。②不思議なほどすぐれた人物。

【怪僧(僧)】カイソウ ①あやしい僧。②行為・性情のはかり知れない、力量のすぐれた僧。不思議な術を使ったりする僧。

【怪誕】カイタン あやしくとりとめのないこと。でたらめ。

【怪童】カイドウ ①あやしげな子供。②怪力のある子供。

【怪物】カイブツ ①あやしいもの。ばけ物。②見慣れない物。③行動や性情がはかり知れない、力量のすぐれた人物。

【怪聞】カイブン あやしいうわさ。へんな評判。

【怪力】一カイリキ なみはずれて強い力。二カイリョク 怪異と勇力。↓怪力乱神。

【怪力乱(亂)神】カイリョクランシン 不思議なことと、力ずくですることと、道を乱すことと、鬼神(神秘的なもの)。用例〔論語、述而〕子不レ語二怪力乱神一(シカイリョクランシンをかたらず)。↓先生は怪・力・乱・神の四つについては語らなかった。

5 【怚】 8画 3667 漢キョ 呉ゴ 語 jù　― ― 2949

字義 ❶怠る。❷恐れる。

解字 形声。忄(心)＋巨音。

5 【怯】 8画 3668 標 漢キョウ(ケフ) 呉コウ(コフ) 業 qiè　2217 8BAF ―

字義 ❶おびえる。おびゆ。ひるむ。おそれる。おじける。気おくれする。❷よわい。いくじがない。臆病(オクビョウ)。用例〔史記、管仲伝〕鮑叔不下以レ我為上レ怯(ホウシュクわれをもってキョウとなさず)。↓鮑叔はわたしをおくびょう者だとはしなかった。

解字 会意。忄(心)＋去。去は、さる・しりごみするの意味。心を付し、おそれるの意味を表す。

【怯惰】キョウダ 意気地(イクジ)がなく、なまける。

【怯懦】キョウダ 臆病(オクビョウ)。意気地なし。▼懦は、弱。

【怯夫】キョウフ 臆病(オクビョウ)な男性。臆病者。

【怯怖】キョウフ おじおそれる。おそれおじける。

5 【怳】 8画 3669 漢キョウ(キャウ) 呉コウ(クワウ) 養 huǎng　8445 ― 2960

字義 ❶狂うさま。❷気ぬけしてぼんやりしているさま。❸うっとりする。＝恍(3708)。❹ほのか。さだかでない。

解字 形声。忄(心)＋兄音。

5 【怙】 8画 3670 漢コ 呉ゴ 麌 hù　5564 9C80 ―

字義 ❶たのむ。たよる。また、たのみ。❷父。↕恃(3714)。❸おや。両親。

解字 篆文 形声。忄(心)＋古音。音符の古は、固に通じ、かたまるの意味。特定の人への期待が固まる、たのむの意味を表す。

【怙恃】コジ ①たのむ。たのみとする。②父母。子がたのみとする者の意。▼恃も、たのむ。『詩経』小雅・蓼莪(リクガ)に「無レ父何怙(ちちなくばなにをかたのまん)、無レ母何恃(ははなくばなにをかたのまん)」とあるのに基づく。

5 【怐】 8画 3671 漢コウ 呉ク 宥 kòu　5565 9C81 ―

字義 怐愗(コウボウ)は、愚かなさま。

解字 形声。忄(心)＋句音。

5 【怍】 8画 3672 漢サク 呉ザク 薬 zuò　8442 ― 2951

字義 ❶はじる。はず。きまり悪く思う。はずかしそうな顔色・様子をする。用例〔孟子、尽心上〕仰不レ愧二於天一(あお(ふ)いでテンにはじ(ぢ)ず)、俯不レ怍二於人一(フしてひとにはじ(ぢ)ざるは)、二楽也(ニラクなり)。↓公明正大で、仰いでは天に対して恥ずかしいところがなく、俯しては他人に対して恥ずかしいところがないのは、第二の楽しみである。

❷怒った顔つきをする。

解字 篆文 形声。忄(心)＋乍音。音符の乍サは、酢サクに通じ、酸っぱい「す」の意味。心が酸っぱくなる、はじる・怒るの意味を表す。

【怍色】サクショク ①はずかしそうな顔色。きまりわるそうな顔色。②顔色が次第に変わってくること。

5 【怩】8画 3673 漢ジ(ヂ) 呉ニ 支 ní 5566 9C82 —

字義 はじる。「忸怩ジクジ」

解字 篆文 形声。忄(心)＋尼音。音符の尼は、ねばりつくの意味。ねばりついてくる感情のさまから、はじるの意味を表す。

5 【怵】8画 3674 一漢チュツ・呉チュチ 質 chù 二漢シュツ・呉シュチ 質 xù 慣ジュツ(ヂュツ) ₁8446 — 2961

字義 一❶おそれる。❷いたむ。かなしむ。二いざなう。誘惑する。

解字 形声。忄(心)＋朮音。

【怵惕】ジュッテキ おそれて心の安らかでないこと。驚いてはっとする。用例〔孟子、公孫丑上〕今人乍見孺子将入於井、皆有怵惕惻隠之心(いま、ひとたちまちジュシのまさにセイにいらんとするをみれば、みなジュッテキソクインのこころあり。)↓もし今、人が突然、幼い子どもが井戸に落ちそうになっているのを目にしたとしたら、誰でも驚きはっとしてかわいそうに思う気持ちがおこるであろう。

5 【怚】8画 3675 ショ 御 jù — — 2956

字義 おごる。たかぶる。

解字 形声。忄(心)＋且音。

5 【性】8画 3676 漢セイ・呉ショウ(シャウ) 敬 xìng 3213 90AB —

教5 セイ・ショウ

筆順 丶 ハ 忄 忄 忙 性 性

字義 ❶さが。たち。本性。生まれつきの性質。持ちまえ。物の性質・傾向。用例〔論語、陽貨〕性相近也(セイあいちかきなり)↓人の生まれつきの性質は似たり寄ったりである。❷心。精神。❸いのち。生命。❹生きていること。生活。❺男女の別。また、そこから起こる色欲の本能。「同性」「性欲」❻仏不変・普遍な、万物の原因。「ショウ」と読む。

名前 せい・なり・もと

解字 篆文 形声。忄(心)＋生音。音符の生は、うまれるの意味。生まれながらの心、さがの意味を表す。

逆 異性・陰性・感性・気性・個性・悟性・根性・至性・資性・習性・心性・真性・属性・素性・惰性・知性・通性・適性・天性・徳性・特性・品性・仏性・本性・魔性・慢性・無性・野性・理性

【性悪(惡)説】セイアクセツ 人の生まれつきの性質は悪であるという説。荀子ジュンシが、孟子の性善説に対して唱えた説。『荀子』性悪編に「人之性悪、其善者偽也(ひとのセイはアクなり、そのゼンなるものはギなり)」とあるのに基づく。

【性格】セイカク 考え方や行動によって特徴づけられる、その人独特の性質。人がら。もちまえ。

【性急】セイキュウ 短気。せっかち。

【性向】セイコウ 国性質の傾向。

【性行】セイコウ 性質と行為。

【性根】一セイコン 生まれつき。二ショウね 国たましい。根性。

【性質】セイシツ ①生まれつき。天性。たち。性格。②事物を他の事物と区別する、その事物固有のもの。

【性情】セイジョウ ①性質と心情。②気だて。心ばえ。③生まれつき。

【性説】セイセツ 人の本性に関する説。孟子の性善説、荀子の性悪説、程顥テイコウの性気一元説、王安石の性情一元説などがある。

【性善説】セイゼンセツ 人の生まれつきの性質は善であるという説。孟子モウシの唱えた説で、荀子ジュンシの唱えた性悪説の対。

【性相近△也習相遠△也】セイあいちかし(ひ)ならいあい(ひ)とおし 人の生まれつきはだれでも似たようなものであるが、習慣のいかんによって大きな隔たりを生ずるものである。〔論語、陽貨〕

【性能】セイノウ ①自然にそなわっている能力。②物が作用を発生する能力。

【性度】セイド ①生まれつき。性質。②性質と度量。③国性質と能力。

【性分】セイブン・ショウブン 生まれつきもっている性質。

【性癖】セイヘキ 生まれつきのくせ。性質の傾向。

【性命】セイメイ ①天から与えられた性質。②生命。

【性理】セイリ ①生まれつき。本性。②宋ソウ代の学者の説。人間の本性と理(宇宙万物の本体)。

【性理大全】セイリタイゼン 書名。七十巻。明ミンの永楽十三年(一四一五)、胡広コウらが勅命を奉じて編修したもの。宋ソウ代の道学者、百二十人の説を集録する。

【性霊(靈)】セイレイ・ショウリョウ ①こころ。たましい。精神。②みごとな道理。妙理。

5 【怔】8画 3677 漢セイ 呉ショウ(シャウ) 庚 zhēng ₁8443 — 2953

字義 おそれるさま。おそれあわてるさま。「怔忪セイショウ」

解字 形声。忄(心)＋正音。

5 【怛】8画 3678 一漢タツ・呉タチ 曷 dá 二タン 翰 慣ダツ 5569 9C85 —

字義 一❶いたむ。悲しむ。うれえる。❷おどろく(驚)。おどろかす。二❶＝一❶。❷おごりたかぶる。

解字 篆文 形声。忄(心)＋旦音。音符の旦タンは、嘆に通じ、なげくの意味。心をいためるの意味を表す。

【怛然】一タツゼン・ダツゼン いたみ悲しむさま。うれえ苦しむさま。二タンゼン ①驚くさま。②おそれるさま。

【怛怛】タンタン・ダツダツ うれえ苦しむさま。心をいためるさま。

5 【怞】8画 3679 一漢チュウ(チウ)・呉ジュウ(ヂウ) 尤 chōu 二漢ユウ(イウ)・呉ユ 尤 yóu

字義 一うれえる。うれえ恐れる。二怞怞ユウユウは、うれえるさま。

解字 形声。心＋由音。

5 【怗】8画 3680 一漢チョウ(テフ) 葉 tiē 二セン 塩 zhān ₂1239 — 2954

字義 一❶しずか。やすらか。❷したがう。服従する。また、したがえる。二怗滞センタイは、楽音が乱れて調和しない。

解字 形声。忄(心)＋占音。

5 【怊】8画 3681 一漢チョウ(テウ) 蕭 chāo 二ショウ(セウ) 蕭 — — 2950

字義 一❶かなしむ(悲)。いたむ。❷うらむ。なげき恨む。二怊悵チョウチョウは、失意のさま。がっかりしたさま。

解字 形声。忄(心)＋召音。

5 【怟】8画 3682 漢テイ 呉タイ 齊 dī — — 2957

字義 もだえる。

解字 形声。忄(心)＋氐音。

5 【怓】8画 3683 一漢ドウ(ダウ)・呉ニョウ(ネウ) 肴 náo 二漢ジュウ(ヂウ)・呉ニュウ(ニウ) 尤 niǔ — — 2952

字義 一❶乱れる。さわぎたてる。❷心が乱れる。二うれえる。

解字 形声。忄(心)＋奴音。

5 【怢】8画 3684 一漢トツ・呉トチ 月 tū 二漢テツ・呉テチ 屑 ₂1240 — —

字義 一わすれる。二なおざり。なおざりにする。

解字 形声。忄(心)＋失音。

5【怕】8画 3685 ㊀ハ 㘙 pà ㊁㊊ハク・㊐ヒャク 陌 bó 5570 9C86 —

字義 ㊀❶おそれる。こわがる。用例〔唐、白居易、香炉峰下新卜山居草堂初成偶題東壁詩〕日高睡足猶慵起、小閣重衾不怕寒。⬇日は高くあがり、眠りは足りているが、なお起きるのはものうい。ささやかな高殿に布団を重ねて眠っているので、寒さの心配はない。❷おそらくは。おおかた。多分。㊁しずか。やすらか。

解字 篆文 形声。忄(心)+白㊥。音符の白は、空白になっていて何もないの意味。心の中に何もない、しずか・やすらかの意味を表す。

5【怭】8画 3686 ㊊ヒツ ㊐ビチ 質 bì — — 2959

字義 あなどる。ないがしろにする。

解字 形声。忄(心)+必㊥。

5【怖】8画 3687 常 フ こわい ㊊ホ・㊐フ 遇 bù 4161 957C —

筆順 忄 忄 忄 怖 怖 怖

〔悑〕3746 同字

字義 ❶おそれる(恐)。おじる。こわがる。こわい。「恐怖」❷おののく。おそれわななく。❸おどす。おどかす。

難読 怖気(おじけ・おぞけ)・怖怖(おずおず)

解字 別体(悑) 形声。忄(心)+布㊥。悑は怖の別体。悑は、忄(心)+甫㊥。音符の甫は怕に通じ、おそれるの意味を表す。

逆 恐怖・驚怖・震怖

【怖駭】おそれおどろく。

【怖懼】おそれる。こわがる。▼懼も、おそれる。

5【怫】8画 3688 ㊊フツ ㊐ブチ 物 fú 5571 9C87 —

字義 ❶いかる。心中に怒る。むっとする。❷気がふさぐ。心が結ぼれる。❸もとる。たがう。

解字 篆文 形声。忄(心)+弗㊥。音符の弗は、沸に通じ、わきたつの意味。怒りが心の中にわきたつの意味を表す。

【怫恚】むっとして怒る。

【怫鬱】気がふさぐさま。心が結ぼれるさま。

【怫然】心中に怒るさま。むっとするさま。

5【怦】8画 3689 ㊊ホウ(ハウ) ㊐ヒョウ(ヒャウ) 庚 pēng 5572 9C88 —

字義 怦怦は、㋐心がせくさま。㋑正しくて真心のあるさま。

解字 形声。忄(心)+平㊥。

5【怜】8画 3690 人 ㊀㊊レイ ㊐リョウ(リャウ) 青 líng ㊁レン 先 lián 4671 97E5 —

筆順 忄 忄 忄 怜 怜 怜

字義 ㊀さとい。かしこい。＝伶(292)。㊁あわれむ(憐)。いつくしむ。

名前 さと・さとし・とき・れい

解字 形声。忄(心)+令㊥。音符の令は、澄み透るの意味。心が澄む、さといの意味を表す。また、憐に通じて、あわれむの意味にも用いる。

【怜質】かしこい生まれつき。

【怜悧】かしこい。りこう。また、こざかしい。伶俐。

5【怺】8画 3691 国字 5574 9C8A —

字義 こらえる。㋐がまんする。㋑ゆるす。

解字 会意。忄(心)+永。

6【恱】9画 3692 エツ — — 2974

悦(3724)の俗字。→五四五ページ下。

6【悔】9画 3693 常 カイ くいる・くやむ・くやしい 1889 89F7 —

7〖悔〗10画 3694 人 カイ(クワイ) ㊐ゲ 賄 隊 huǐ 8448 — —

筆順 忄 忄 忄 忙 悔 悔 悔

字義 ❶くいる。くやむ。自分の犯した過失をさとり、心を痛める。くい改める。❷くい。㋐心残り。残念な気持ち。㋑過失。失敗。㋒とが。とがめ。❸易の卦の六爻のうち、上の三爻の称。外卦。↔貞(11518)。国❶くやみ。他人の死を弔うこと。また、そのことば。また、その時に贈る品物。❷くやしい。口惜しい。残念である。

解字 篆文 形声。忄(心)+毎㊥。音符の毎は、くらいの意味。心が暗くなる、くいるの意味を表す。

逆 後悔・追悔

【悔過】あやまちをさとりくいること。

【悔咎】①あやまち。②とがめ。災い。

【悔悟】いままでのあやまちをさとり、くいること。

【悔恨】後悔して残念に思う。後悔し反省する。

【悔吝】①くいうらむ。▼吝は、うらむ。②小さいあやまち。▼吝は、小さいきず。

6【恢】9画 3695 人 標 カイ(クワイ) 灰 huī 1890 89F8 —

〔恢〕3697 俗字

筆順 忄 忄 忄 忄 恢 恢 恢

字義 ❶ひろい。大きい。❷大きくする。広くする。広める。また、盛んにする。❸そなえる。用意する。❹とりかえす。もとのとおりになる。＝回(1813)。「恢復」

名前 ひろ

参考 現代表記では〔回〕(1813)に書きかえることがある。「恢復→回復」

解字 篆文 形声。忄(心)+灰㊥。音符の灰は、宏に通じ、広く大きいの意味。心が広く大きいの意味を表す。

【恢恢】①広く大きいさま。用例〔老子、七十三〕天網恢恢、疎而不失。⬇天の網は大きく広く、網目は粗いが、取り逃すことはない。②ゆったりして余裕のあるさま。

【恢廓】①広く大きい。②心が広く大きいこと。大度。③広げる。拡張。

【恢詭・恢恑】はなはだ不思議。非常にあやしい。

【恢弘・恢宏】①広く大きい。②広げる。

【恢誕】①大きい。▼誕も、大。②大げさでとりとめのないこと。大ぼら。

【恢張】大きくする。広める。また、さかんにする。

【恢復】とりかえす。もとの状態にかえす。回復。

6【恠】9画 3696 カイ 5563 9C7E —

怪(3666)の俗字。→五四一ページ上。

6【恢】9画 3697 カイ

恢(3695)の俗字。→五四三ページ下。

6【恪】9画 3698 カク 薬 kè 5577 9C8D —

〔愙〕3559 本字

字義 ❶つつしむ。❷うやまう。❸ただす。

解字 篆文 形声。篆文は、心+客㊥。音符の客は、よそから来た人の意。外来者を迎える心の意から、つつしむの意味を表す。のち、省略体の恪が用いられる。

【恪勤】㊀つつしみつとめる。忠実につとめる。㊁国「恪勤者」の略称。㋐平安時代、親王・大臣などに仕えた侍の称。④鎌倉時代、宿直をつとめた下級の武士。

【恪守】規則などを忠実に守ること。

【恪遵】つつしみ従う。

【恪励(勵)】つつしみはげむ。

6 【恑】 9画 3699 ― ― 2967
㊀キ 紙 guǐ ㊁ギ 寘 wěi
字義 ㊀❶変わる。❷悔いる。㊁ひとり立ちしているさま。
解字 形声。忄(心)+危㊌。

6 【恊】 9画 3700 5580 9C90 ―
キョウ 協(1168)と同字。→二四ページ上。

6 【恟】 9画 3701 5579 9C8F ―
漢キョウ 呉ク 冬 xiōng
字義 おそれる。びくびくする。
解字 形声。忄(心)+匈㊌。
【恟恟】おそれるさま。びくびくするさま。おそれて心が騒ぐさま。「人心恟恟」

6 【恔】 9画 3702 ― ― 2968
㊀キョウ(ケウ) 篠 jiǎo ㊁漢コウ(カウ) 呉ギョウ(ゲウ) 効 xiào
字義 ㊀さとい。かしこい。また、わるがしこい。㊁こころよい(快)。
解字 形声。忄(心)+交㊌。

6 【恇】 9画 3703 18447 ― 2963
漢キョウ(キャウ) 呉コウ(クヮウ) 陽 養 kuāng
字義 おそれる。おびえる。「恇怯」
解字 篆文 形声。忄(心)+匡(㞷)㊌。音符の㞷は、惶に通じ、おそれるの意味を表す。

6 【恗】 9画 3704 ― ― 2970
㊀漢コ・呉ク 虞 hū ㊁漢カ(クヮ)・呉ケ 麻 kuā
字義 ㊀❶おそれる。❷うれえる。㊁ほこる。
解字 形声。忄(心)+夸㊌。

6 【恒】 9画 3705 常 コウ 2517 8D50 ―

6 〖恆〗 9画 3706 人 5581 9C91 ―
㊀漢コウ 呉ゴウ 蒸 hēng ㊁コウ 径 gèng
筆順 恒
字義 ㊀❶つね。㋐いつもと変わらない。一定している。不変。㋑ふだん。日常。❷つねに。いつも。永久に。❸つねにする。変えない。❹つねとする。普通のこととみなす。❺久しい。長い間の。永久。「恒久」❻易の六十四卦の一つ。☳☴巽下震上。恒久で変わらないかたち。㊁❶あまねし(遍)。❷弓張り月。弦月。
名前 こう・たけ・ちか・つね・のぶ・ひさ・ひさし・ひとし
難読 恒良
解字 甲骨文 金文 篆文 形声。忄(心)+亘(亙)㊌。音符の亙は、一方から他方へとつねにわたるの意味。いつも変わらない心の意味や、わたるの意味を表す。『説文解字』では、会意で、心+舟+二。河岸と河岸の間を舟でわたるから、心はいつまでも安定していて変わらないと説く。
逆 居恒
【恒河】インドのガンジス川。
【恒河沙】①ガンジス川の砂の意から、数が非常に多いたとえ。恒沙。②大数の一つ。一〇の五六乗。⇩
コラム 数を表すことば(六二八ページ)。
【恒久】とこしえに変わらない。永久不変。
【恒産】①一定の生業。きまった職業。②一定の財産・収入。
【無二恒産一無二恒心一】(一般大衆は)一定の生業や財産・収入がなければ、道徳心を持ち続けられない。▼恒は、一定不変。〔孟子、梁恵王上〕
【恒山】五岳の一つ。北岳。もとは今の河北省曲陽県の北西にあった山をいった。別名、常山、大茂山。主峰の玄武峰は二〇一七メートル。清の順治年間に、北岳を山西省渾源県の南東の大茂山に改めた。
【恒常】一定で変わらない。また、一定のきまり。
【恒心】一定不変の道徳心。
【恒星】天球上で相互の位置をほとんど変えない星。自らのエネルギーで光っている。↔惑星(五二九ページ下)・遊星(一四二八ページ上)。
【恒風】一定の方向に吹いている風。
【恒例】いつもきまって行われること。しきたり。

6 【恰】 9画 3707 人 標 1970 8A86 ―
漢コウ(カフ) 呉キョウ(ケフ) 慣チョウ(チャウ) 洽 qià
筆順 恰
字義 ❶ねんごろ。よく心を用いる。❷あたかも。ちょうど。まるで。
名前 きょう・こう
解字 形声。忄(心)+合㊌。
【恰好】㊀ちょうどよい。適当。㊁国かたち。すがた。様子。「カッ」は「カフ」の音便。
【恰度】国あたかも。まるで。丁度の丁に恰をあてた語。

6 【恍】 9画 3708 標 5582 9C92 ―
コウ(クヮウ) 養 huǎng
字義 ❶ほのか。かすか。おぼろ。はっきりと見定めがたいさま。また、ほのかに明るい。うす暗い。❷形のないさま。微妙深遠でわかりにくいさま。❸うっとりとしているさま。国とぼける。知らないふりをする。

解字 形声。忄(心)+光㊌。音符の光は、はっきりしないさまを表す擬態語。心理に関する語から、心を付した。

【恍△惚・恍△忽】①ほのかで見定めがたいさま。②うっとりとしているさま。ぼうっとして我を忘れているさま。

【恍然】=恍惚。

6 【忼】 9画 3709 ― ―
コウ 慷(3796)と同字。→五三一ページ下。

6 【㤚】 9画 3710 21242 ― ―
漢コウ(カウ) 呉ゴウ(ガウ) 陽 háng
字義 よろこぶ。
解字 形声。忄(心)+行㊌。

6 【恨】 9画 3711 常 コン うら-む・うら-めしい 2608 8DA6 ―
漢コン・呉ゴン 願 hèn
筆順 恨
字義 ❶うら-む。不平に思う。怒りにくむ。悲しむ。くやむ。「痛恨」❷うら-み。また、満たされない思い。「長恨歌」❸うら-めしい。うらみに思う。❹うら-むらくは。残念なことに。
解字 篆文 形声。忄(心)+艮(㫐)㊌。音符の㫐は、ふみとどまるの意味。いつまでも心にふみとどまっている悪感情、うらみの意味を表す。
逆 暗恨・遺恨・悔恨・多恨・長恨・痛恨・幽恨・離恨
【恨恨】うらみのつきないさま。限りなくうらむさま。
【恨殺】深くうらむ。▼殺は、程度のはなはだしさを表す助字。
【恨事】残念に思うことがら。また、うらみの残ること。
【恨毒】大いにうらむ。また、大きなうらみ。
【飲レ恨】心の底に深くうらみを抱く。うらみをうったえたり、晴らしたりするすべがないこと。飲恨。

6【恀】9画 3712 シ 紙 chǐ ― ― 2962
字義 ❶たのむ(恃)。たよる。❷母。
解字 形声。忄(心)＋多㊥。

6【恉】9画 3713 シ 紙 zhǐ ― ― 2965
字義 こころ。意向。＝旨(4655)・指(4156)。
解字 形声。忄(心)＋旨㊥。音符の旨は、むね、こころばせの意味。

6【恃】9画 3714 ㊥シ ㊉ジ 紙 shì 5584 9C94 ―
字義 ❶たのむ。たよる。たのみとする。用例〔人虎伝〕徵性疎逸、恃才倨傲。➡李徵は人と親しまない気ままな性格で、自分の才能を鼻にかけて尊大に振る舞うところがあった。❷母。↕怙(3670)。↓怙恃(五四一ページ下)。
解字 金文 篆文 形声。忄(心)＋寺㊥。音符の寺は、待に通じ、まつの意味。何かを心待ちにする、たよるの意味を表す。
【恃気】自らその意気をたのむ。勇気をたのむ。
【恃頼】心だのみとする。

6【恤】9画 3715 ㊥シュツ・㊉シュチ 質 xù 5585 9C95 ―
慣ジュツ
【卹】1202 同字 【賉】11555 同字 【䘏】10801 俗字
字義 ❶うれえる。心配する。❷あわれむ。同情する。❸めぐむ。救う。金品を与えて救う。「救恤」
解字 形声。忄(心)＋血㊥。
【恤荒】饑饉などの災害を金品を与えてすくうこと。救荒。
【恤兵】国出征兵士の苦労をねぎらって物品を贈ること。
【恤問】なぐさめ見舞う。あわれみ訪ねる。

6【恂】9画 3716 ㊀シュン 真 xún ㊁シュン 震 shùn 慣ジュン 5586 9C96 ―
字義 ㊀❶まこと(誠)。まことに。❷おそれる(畏・恐)。㋐おそれおののく。㋑おそれつつしむ。㊁❶きびしい。ひきしまっている。❷にわか。❸またたく。(目が)くらむ。＝眴(8000)。
解字 篆文 形声。忄(心)＋旬㊥。音符の旬は、均に通じ、ひとしいの意味。心が変わらず均質であるの意味から、まことの意味を表す。
【恂恂】①つつしみ深いさま。②まじめなさま。③心配してびくびくするさま。用例〔唐、柳宗元、捕蛇者説〕吾恂恂而起、視其缶、而吾蛇尚存、則弛然而臥。➡私は、びくびくしながら起き上がり、ほとぎの中をよく見て、私の蛇が無事に生きていれば、安心してほっと気がゆるみ、寝床に横になります。
【恂慄】①きりりとひきしまって威厳のあるさま。②おそれおののくさま。

6【恌】9画 3717 ㊀チョウ(テウ) 蕭 tiāo ㊁ヨウ(エウ) 蕭 yáo 21243 ― 2966
字義 ㊀うすい。誠が足りない。㊁うれえる。おそれる。
解字 形声。忄(心)＋兆㊥。

6【恬】9画 3718 ㊥テン ㊉デン 塩 tián 5587 9C97 ―
字義 ❶やすい。安らか。❷しずか。心があっさりしていること。平気でいるさま。「恬として恥じない」
解字 篆文 形声。忄(心)＋甛省㊥。音符の甛は、あまいの意味。物事に対して心の中であまいと考える、あまんずる・やすんずるの意味を表す。
【恬虚(虛)】心が静かで、とらわれるところのないこと。虚心。平気。
【恬然】①安らかで静かなさま。穏やかなさま。②平気でいるさま。平然。「恬然不恥」
【恬淡・恬△惔・恬△澹】心静かで無欲なさま。あっさりとしているさま。用例〔老子、三十一〕不得已而用之、恬惔為上。➡やむを得ずに武器を用いても、無欲にあっさりと用いることが、よいのである。
【恬愉】心が安らかで楽しい。

6【恫】9画 3719 ㊀トウ 東 tōng ㊁㊥トウ・㊉ドウ 送 dòng 慣ドウ 5588 9C98 ―
字義 ㊀❶いたむ(痛)。いたみ悲しむ。❷おそれる。❸うめく。㊁惚恫は、㋐無知なさま。㋑希望どおりにならないさま。
解字 篆文 形声。忄(心)＋同㊥。音符の同は、痛に通じ、いたむの意味。心がいたむの意味を表す。
【恫喝(喝)】おどす。おどかす。

6【恈】9画 3720 ㊥ボウ ㊉ム 尤 móu ― ― 2964
字義 惜しむ。欲ばりでけちなさま。
解字 形声。忄(心)＋牟㊥。

6【恾】9画 3721 ㊥ボウ(バウ) ㊉モウ(マウ) 陽 máng ― ― 2975
字義 ❶恐れる。❷うれえる。❸あわてふためくさま。
解字 形声。忄(心)＋芒㊥。

6【恡】9画 3722 リン ― ― 2972
悋(3750)の俗字。↓五四七ページ中。

6【恅】9画 3723 ㊥ロウ(ラウ) ㊉ロウ 晧 lǎo
字義 慅恅は、㋐心が乱れる。㋑静かなさま。
解字 形声。忄(心)＋老㊥。

7【悦】10画 3724 常 エツ 1757 8978 ―

7【悅】10画 3725 ㊥エツ(ヱツ) ㊉エチ(ヱチ) 屑 yuè ― EDA1 ―

筆順 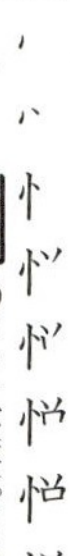

【悗】3692 俗字
字義 ❶よろこぶ(喜)。よろこび。心の中でよろこぶ。用例〔東晋、陶潜、帰去来辞〕悦親戚之情話、楽琴書以消憂。➡一族の人々との真心のこもった話を聞くことを喜び、琴や読書を楽しんで(わが胸中にわく)憂愁を消してゆこう。❷たのしむ(楽)。たのしみ。「悦楽」❸したう(慕)。よろこんで従う。
名前 え・えつ・のぶ・よし
解字 形声。忄(心)＋兌(兑)㊥。音符の兌は、むすぼれていたものがぬけおちるの意味。心の中のわだかまりがぬけおち、よろこぶ・たのしいの意味を表す。
逆 喜悦・恐悦・法悦・満悦・愉悦・容悦・和悦
【悦喜】大いによろこぶ。喜悦。説喜。
【悦服】よろこんで心から従う。
【悦目】目をよろこばす。見て楽しむ。
【悦楽(樂)】よろこび楽しむ。

7【悔】10画 (3694)
カイ 悔(3693)の旧字体。↓五四三ページ中。

7【悝】10画 3726 ㊀カイ(クワイ) 灰 kuī ㊁リ 紙 lǐ 18449 ― 2986
字義 ㊀❶たわむれる。あざける。❷やむ(病)。❸わたくし。㊁❶うれえる(憂)。❷かなしむ(悲)。❸＝㊀❷。
解字 形声。忄(心)＋里㊥。

7【悈】10画 3727 ㊀カイ 卦 jiè ㊁㊥キョク・㊉コク 職 jí ― ― 2979
字義 ㊁❶整える。戒める。つつしむ。❷気ぜわしい。

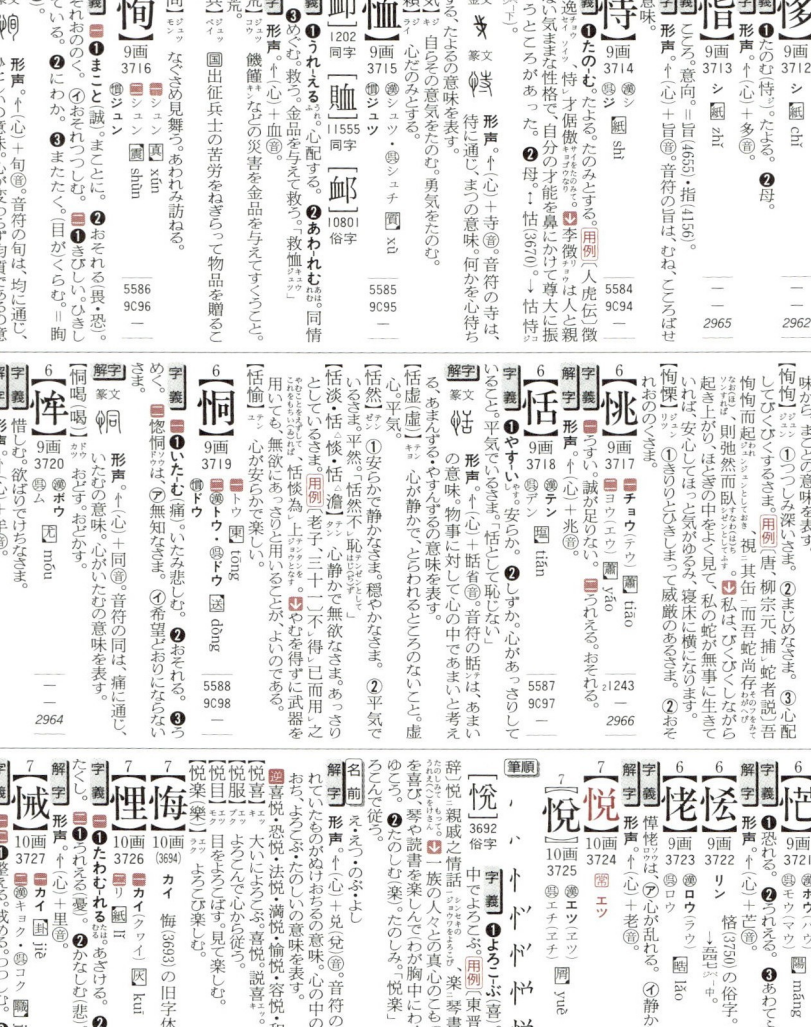

解字 形声。忄(心)＋戒㊤。音符の戒は、いましめるの意味。

7
【悍】10画 3728 標 漢カン 呉ガン 翰 hàn 5591 9C9B —
［猂］7229 俗字
字義 ❶たけだけしい。㋐いさましい(勇)。強い。「勇悍」 ㋑あらい。あらあらしい。気が荒い。❷乱暴。❸気みじか。せっかち。性急。❹目をいからす。❺おぞましい。うとましい。
解字 篆文 形声。忄(心)＋旱㊤。音符の旱は、干に通じ、犯すの意味。他を犯し進む心、たけだけしいの意味を表す。
【悍驕】カンキョウ 気が強くておごりたかぶること。
【悍然】カンゼン 気の荒いさま。
【悍馬】カンバ あばれ馬。荒馬。
【悍勇】カンユウ あらあらしく勇ましい。また、その人。
【悍吏】カンリ 気の荒い役人。乱暴な役人。用例〔唐、柳宗元、捕蛇者説〕悍吏之来二吾郷一、叫二囂乎東西一、隳二突乎南北一。↓荒々しい役人が私の村にやって来ると、あちこちにわめき立て、当たり散らして暴れ回ります。
【悍戻】カンレイ あらあらしく、心がねじけている。

7
【悕】10画 3729 漢キ 呉ケ 微 xī 21246 — 2984
字義 ❶ねがう。❷おもう。❸悲しむ。
解字 形声。忄(心)＋希㊤。

7
【悁】10画 3730 一エン(ヱン) 先 yuān 二ケン 霰 juàn 5590 9C9A —
字義 一❶いかる。「悁忿ケンプン」 ❷うれえる。❸つかれる。 二あせる。いらだつ。
解字 篆文 形声。忄(心)＋肙㊤。音符の肙は、小さなぼうふらの象形。心が小さくなる、いかる・うれえる・いらだつの意味を表す。
【悁悁】エンエン ①うれえ悲しむさま。②怒るさま。

7
【悓】10画 3731 ケン 霰 qiàn — — 2983
字義 ❶たとえ。たとえる。❷うかがい見る。
解字 形声。忄(心)＋見㊤。

7
【悟】10画 3732 常 ゴ さとる ゴ 遇 wù 2471 8CE5 —
筆順 丶 忄 忄 忄 忏 忓 悟 悟 悟
［㤅］3489 古字
字義 ❶さとる。㋐理解する。会得する。さとらせる。㋑迷いがさめる。「大悟」「覚悟」 ❷さとす。さとらせる。❸さとい。❹さとい。❺さめる。めざめる。用例〔人虎伝〕我今形変、而心悟耳。↓私は今、姿は変わってしまったが、心はまだはっきりしているのだ。
名前 ご・さと・さとし・さとる・のり
解字 篆文 形声。忄(心)＋吾㊤。音符の吾は、晤に通じ、明るくなるの意味。心が明るくなる、さとるの意味を表す。
逆 英悟・悔悟・改悟・覚悟・感悟・警悟・妙悟・了悟
【悟性】ゴセイ ①りこうな生まれつき。②国知性。特に、哲学で、合理的に判断し、概念を作る論理的な思考力。
【悟入】ゴニュウ 仏さとりを開くこと。道理を会得すること。

7
【悞】10画 3733 ゴ 遇 wù 18450 — 2987
字義 あやまる。まちがえる。＝誤(11227)。
解字 形声。忄(心)＋呉㊤。

7
【悎】10画 3734 一漢コウ(カウ) 呉ゴウ(ガウ) 晧 hào 二漢コウ(カウ) 呉キョウ(ケウ) 効 jiào — — 2981
字義 一❶おそれる。❷心動く。胸さわぎ。 二驚く。
解字 形声。忄(心)＋告㊤。

7
【悃】10画 3735 コン 阮 kǔn 5593 9C9D —
字義 ❶まこと。まごころ。❷ねんごろ(懇)。
解字 形声。忄(心)＋困㊤。
【悃悃】コンコン ①ねんごろなさま。②志のひとすじなさま。
【悃誠】コンセイ まごころ。まこと。

7
【悛】10画 3736 シュン 真 xūn 5602 9CA0 —
字義 ❶あらためる。過去の悪行をくい改める。「改悛」 ❷まこと。
解字 篆文 形声。忄(心)＋夋㊤。音符の夋は、俊に通じ、才知のすぐれた人の意味。心が才知あるさまとなる、さとるの意味を表す。

7
【悚】10画 3737 漢ショウ 呉シュウ 腫 sǒng 5594 9C9E —
字義 ❶おそれる。おそれてすくむ。❷あわてる。
解字 形声。忄(心)＋束㊤。音符の束は、たばねた「たきぎ」の象形で、ひきしまりちぢまるの意味。心がひきしまりちぢまる、おそれるの意味を表す。
【悚然】ショウゼン おそれすくむさま。
【悚慄】ショウリツ おそれおののく。びくびくする。

7
【悄】10画 3738 一ショウ(セウ) 篠 qiǎo 二ショウ(セウ) 嘯 qiào 5601 9C9F —
字義 一❶うれえる。うれえしおれる。しおれる。❷しずか。ひっそりしてさびしいさま。 二きびしい。はげしい。
難読 悄気しょげる・悄悄しおしお・すごすご
解字 篆文 形声。忄(心)＋肖㊤。音符の肖は、小さくなるの意味。心が小さくなる、うれえるの意味を表す。
【悄悄】ショウショウ ①うれえなやむさま。うれえ悲しむさま。しょんぼりするさま。②静かでものさびしいさま。
【悄然】ショウゼン しょんぼりするさま。ものさびしいさま。悄悄。用例〔唐、白居易、長恨歌〕夕殿蛍飛思悄然、孤灯挑尽未成眠。↓夕暮れ、御殿のあたりに蛍が飛ぶのを見ては、しょんぼりと物思いにかられ、ぽつんとわびしい灯火のしんをかきたてて燃やしつくしてしまっても、まだ眠れないでいる。
【悄愴】ショウソウ うれえいたむ。悲しみいたむ。

7
【悌】10画 3739 人 漢テイ 呉ダイ 霽 tì 3680 92EE —
筆順 丶 忄 忄 忄 忄 忄 悄 悌 悌 悌
字義 ❶したがう。兄や年長者に対して従順で、よく仕えること。「孝悌」 ❷兄弟仲よくすること。「悌友」 ❸やすらか。
名前 てい・とも・やす・やすし・よし
解字 篆文 形声。忄(心)＋弟㊤。音符の弟は、おとうとの意味。弟の兄に対する心、したがうの意味を表す。

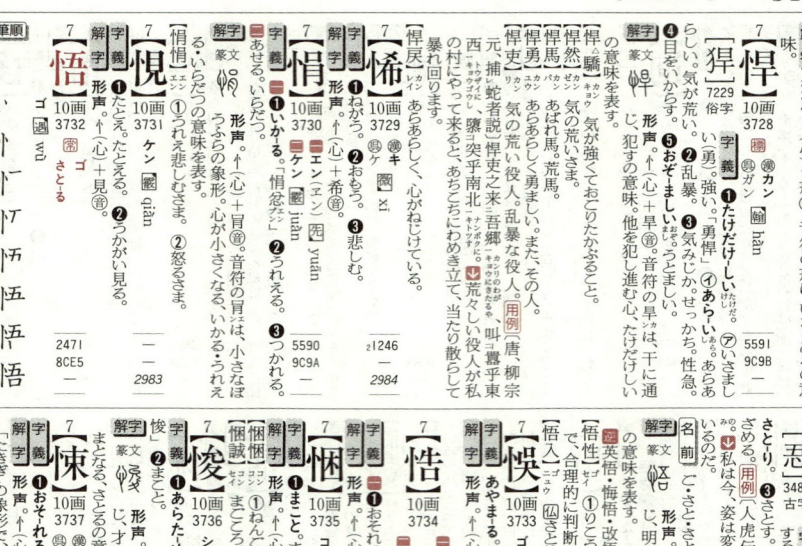

7
【悩】10画 3740 常 ノウ なやむ・なやます 3926 9459 —
9
〔惱〕12画 3741 漢ドウ(ダウ) 呉ノウ(ナウ) 晧 nǎo 5629 9CBB —
筆順 丶 忄 忄 忄 忄 忄 忄 悩 悩 悩
［悩］3742 俗字
字義 ❶なやむ。思いわずらう。苦しむ。「苦悩」 ❷なやます。思い迷わせる。苦しめる。❸なやみ。❹仏俗世の事に引かれて起こるなやみ。煩悩。国ノウ。病気。「御悩」は、天子の病気。
解字 形声。忄(心)＋𡿺(匘)㊤。音符の𡿺は、脳の象形。心や頭にかかわるもの、なやみの意味を表す。
逆 苦悩・煩悩
【悩殺】（ノウサツ・ノウサイ） 非常になやます。特に、女性の肉体的美しさが男性をなやますことにいう。▼殺は、程度のはなはだしい意を表す助字。
【悩乱（亂）】（ノウラン） 心がなやみ乱れる。

7 【悩】 10画 3742 ノウ 悩(3740)の俗字。→五四六ジー下。

7 【悖】 10画 3743 一 漢ホツ・呉ボチ 月 bèi, ③bó 二 漢ハイ・呉バイ 隊 bèi 慣ボツ 5603 9CA1 —
【⿱勃心】 3571 同字
字義 一 ❶もとる。そむく。たがう。さからう。❷みだす。みだれる。❸さかん。二 ❶＝一❶❷。❷おおう。

参考 現代表記では〔背〕(4967)に書きかえることがある。「悖徳→背徳」

解字 形声。忄(心)＋孛音。音符の孛は、急にさかんになるの意味。心がたかぶって普通でなくなる、心が乱れる、もとるの意味を表す。

【悖△焉】（ボツエン） ＝悖然。

【悖逆】（ハイギャク） もとりさからう。道理・法などに逆らう。

【悖然】（ボツゼン） ①急に顔色を変えて怒るさま。②急に元気よく笑うさま。

【悖徳】（ハイトク） 道徳にそむく。背徳。

【悖乱（亂）】（ハイラン） ①そむき乱れる。乱す。正道にそむき、正しくない言動をすること。謀反を起こす。②心が混乱する。

【悖戾】（ハイレイ） さからいもとる。正道・道理に逆らう。

7 【悗】 10画 3744 一 漢バン・呉マン 寒 mán 二 漢ボン・呉モン 阮 mèn 5604 9CA2 —
字義 一 ❶まどう(惑)。❷わすれる(忘)。二 ❶すなお。従順なさま。❷わずらう。また、わずらい。
解字 形声。忄(心)＋免音。
【悗密】（ボンミツ） すなおでさからわない。〔韓非子、忠孝〕

7 【悂】 10画 3745 一 ヒ 支 pī 二 漢ヘイ・呉ハイ 斉 bì — — 2977
字義 一 あやまる。あやまち。二 ❶＝一。❷心が合う。
解字 形声。忄(心)＋坒音。

7 【悑】 10画 3746 ホ 怖(3687)と同字。→五四三ジー上。 — — 2982

7 【悒】 10画 3747 漢ユウ(イフ) 呉オウ(オフ) 緝 yì 5605 9CA3 —
字義 うれえる。うれい。心が安らかでない。気がふさぐ。はればれしない。「悒鬱(ユウウツ)」
解字 篆文 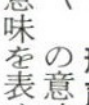 形声。忄(心)＋邑音。音符の邑は、あつまるの意味。心が一つのことにあつまって気がかり、不安の意味を表す。
【悒鬱】（ユウウツ） 心配ごとがあって気がふさいでいるさま。憂鬱。
【悒悒】（ユウユウ） うれえるさま。心が安らかでないさま。

7 【悧】 10画 3748 リ 俐(395)と同字。→一二三ジー下。 5606 9CA4 —
参考 現代表記では〔利〕(915)に書きかえることがある。「悧口→利口」

7 【悢】 10画 3749 一 リョウ(リャウ) 漾 liàng 二 ロウ(ラウ) 養 lǎng — — 2988
字義 一 悢悢(リョウリョウ)は、㋐悲しむさま。うらみなげくさま。㋑心にかけていつくしむさま。二 がっかりするさま。失意のさま。
解字 形声。忄(心)＋良音。

7 【悋】 10画 3750 リン 震 lìn 5607 9CA5 —
【恡】 3722 俗字
字義 やぶさか。けち。物をおしむ。＝吝(1391)。国ねたむ。→悋気。
解字 形声。忄(心)＋吝音。音符の吝(リン)は、おしむの意味。心を付し、心理を表す語として、おしむの意味を表す。
【悋気(氣)】（リンキ） 国やきもち。男女間の嫉妬(シット)。
【悋△嗇】（リンショク） 物惜しみする。けち。吝嗇(リンショク)。

8 【惟】 11画 3751 人 漢イ(ヰ) 呉ユイ 支 wéi 1652 88D2 —
筆順 丶 丷 忄 … 惟
字義 助 ❶ただ。ただに。これ。⇩助字・句法解説。❶おもう。おもんみる。よく考える。用例〔戦国策、韓〕此安危之要(これアンキのヨウ)、国家之大事也(コッカのダイジなり)。臣請深惟而苦思之(シンこう(ふ)ふかくおもい(ひ)てこれをクシせん)。⇩これは国にとって安全・危険の要であり、重大事だ。どうかよく考えさせてください。❷はい。承諾の返事の語。＝唯(1563)。

助字・句法解説
❶ただ。ただに。限定。訳 ただ…だけ。類 唯・但・只・秖・啻。
続く内容を限定する働きをする。「ただ(に)…のみ」と呼応させて訓読することが多い。

用例〔孟子、梁恵王上〕無恒産而有恒心者(コウサンなくしてコウシンあるものは)、惟士為能(ただシのみよくするをなす)。⇩生活するためのきまった生業を持っていないで、常に変わらない道義心を持っている、ということは、ただ教養のある士人だけができることです。
❷これ。発語。類 維。
文頭または句間に置いて口調を整える発語の助字。

用例〔書経、泰誓上〕惟天地万物父母(これテンチはバンブツのフボにして)、惟人万物之霊(これひとはバンブツのレイなり)。⇩天地は万物を生育する父母であり、人は万物の霊長である。

名前 あり・い・これ・ただ・たもつ・のぶ・よし
難読 惟神(かんながら)
解字 篆文  形声。忄(心)＋隹音。音符の隹(スイ)は、維に通じ、つなぐの意味。一つの事に心をつなぎとめて、おもうの意味を表す。
【惟惟】（イイ） 承諾の意を表す語。はいはい。転じて、承諾するさま。人の言うことに従うさま。唯唯(イイ)。「惟惟諾諾(イイダクダク)」
【惟一】（ユイイツ） ただこれ一つ。これだけ。唯一。専一。
【惟適△之安】（ただテキにこれやすんず） ただ自分の心に適合することで満足する。もっぱら自分の気分にかなうやり方で満足して暮らす。

8 【惈】 11画 3752 カ(クワ) 哿 guǒ 21252 — 3005
字義 いさましい。かつ(勝)。
解字 形声。忄(心)＋果音。

8 【惂】 11画 3753 漢カン 呉コン 感 kǎn — — 3003
字義 ❶うれえ苦しむ。❷恨む。
解字 形声。忄(心)＋臽音。

8 【悸】 11画 3754 標 漢キ 呉ギ 寘 jì 5609 9CA7 —
字義 ❶おそれる。恐れて胸がどきどきする。❷胸騒ぎ。❸心臓の病気。＝痵(7757)。❹帯のたれているさま。
解字 篆文  形声。忄(心)＋季音。音符の季は、恤(ジュツ)に通じ、うれえるの意味。うれえおそれて心が動く、むなさわぎがするの意味を表す。

8 【惞】 11画 3755 漢キン 呉コン 文 xīn — EDA3 3016
字義 喜ぶ。
解字 形声。忄(心)＋欣音。音符の欣は、喜ぶの意味。

8 【惧】 11画 3756 常 グ 漢ク・呉グ 遇 jù 5592 9C9C —
筆順 丶 丷 忄 … 惧

【惧】3757 俗字 字義 懼(3929)の俗字。おそ-れる。
参考 現代日本では、「危懼」ではなく「危惧」と書くのが一般的。

8 【惧】11画 3757 グ 惧(3756)の俗字。→五四七ジ・下。 5611 9CA9 —

8 【惓】11画 3758 漢ケン 呉ゲン 先 quán
字義 ❶つつし-む。❷ねんごろ。❸はげしい。
解字 形声。忄(心)+卷音。
【惓惓】ケンケン ①つつしむさま。②ねんごろなさま。まごころをつくすさま。③つとめるさま。

8 【悾】11画 3759 漢コウ 呉ク 東 kōng 2 1251 — 3002
字義 ❶まこと。❷つつしむさま。
解字 形声。忄(心)+空音。音符の空は、むなしいの意味。心中になにもない、邪心がなくて、まことの意味や、知恵がないの意味を表す。
【悾悾】コウコウ ①誠意のあるさま。②愚直なさま。

8 【悻】11画 3760 一 漢ケイ 呉ギョウ(ギャウ) 迥 xìng 二 漢コウ(カウ) 呉ギョウ(ギャウ) 梗 — — 3001
字義 一 ❶もと-る。たがう。❷いかる。うらみいかる。
解字 形声。忄(心)+幸音。

8 【惚】11画 3761 人 標 漢コツ 呉コチ 月 hū 2591 8D9B —
筆順 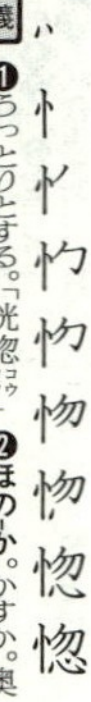
字義 ❶うっとりとする。「恍惚コウコツ」 ❷ほの-か。かすか。奥深い。国 ❶ほ-れる。㋐恋慕する。㋑心酔する。❷ぼ-ける。ほう-ける。また、とぼ-ける。
解字 形声。忄(心)+忽音。音符の忽コツは、かすかなさまを表す擬態語。意識がかすかになる、うっとりするの意味を表す。 難読 惚気のろけ
【惚△恍・惚△怳】コツコウ ①我を忘れてうっとりとするさま。②かすかなさま。③奥深くてはかり知られぬさま。

8 【惛】11画 3762 一 コン 元 hūn 二 漢ボン・呉モン 願 mèn 2 1254 — 3014
【惽】3799 同字
字義 一 ❶くら-い。㋐おろか。心が明らかでない。㋑かすか。不明瞭なさま。❷まよう(迷)。まよわす。❸みだれる(乱)。❹「惛然コンゼン」黙々として心を集中して努めるさま。惛惛コンコン。 二 もだえる。=悶(3553)。
解字 篆文  形声。忄(心)+昏音。音符の昏コンは、くらいの意味。心が暗いの意味を表す。

8 【惨】11画 3763 常 サン・ザン みじ-め 2720 8E53 —
11 【慘】14画 3764 サン 慣ザン 感 cǎn 5646 9CCC —
筆順 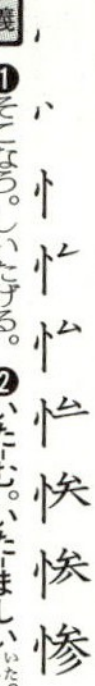
字義 ❶そこなう。しいたげる。❷いた-む。いた-ましい。みじ-め。「悲惨」「凄惨セイサン」 ❸むご-い。つらい。いたいたしい。❹わびしくもの足りない。やつれる。
解字 篆文  形声。忄(心)+参(參)音。音符の參は、侵に通じ、おかすの意味。心の平安をおかす、いたむの意味を表す。
逆 陰惨・悲惨・無惨
【惨禍】サンカ いたましい災い。風水害や戦災にいう。
【惨害】サンガイ いたましい災害・損害・被害。
【惨虐】ザンギャク むごたらしくいじめる。ひどくしいたげる。残虐。
【惨劇】サンゲキ 国いたましい出来事。むごたらしい事件。
【惨刻・惨酷】ザンコク むごくきびしい。非常にむごい。むごたらしい。残酷。
【惨殺】ザンサツ むごたらしく殺す。
【惨惨】サンサン ①いたみ悲しむさま。②暗いさま。③疲れてやつれはてるさま。
【惨死】ザンシ 国むごたらしい目にあって死ぬ。
【惨事】サンジ 国むごたらしいできごと。
【惨状(狀)】サンジョウ 国むごたらしいありさま。
【惨凄】サンセイ ①いたむ。いたましく悲しい。②寒さのきびしいさま。
【惨△怛】サンダツ・サンタン ①悲しみいたむ。②いたましいさま。
【惨淡・惨△澹・惨△憺】サンタン ①うす暗いさま。②ものさびしいさま。③いたましく悲しいさま。④心をなやますさま。苦心するさま。「苦心惨憺」
【惨忍】ザンニン むごい。残忍。
【惨敗】サンパイ・ザンパイ 国さんざんに負ける。むごいまけ方。
【惨慄】サンリツ ①いたみ恐れる。②きびしくいたましい。
【惨烈】サンレツ ①きびしくはげしい。②非常にいたましい。

8 【惇】11画 3765 人 一 トン 元 dūn 二 漢シュン 呉ジュン 真 dūn 3855 93D5 —
筆順 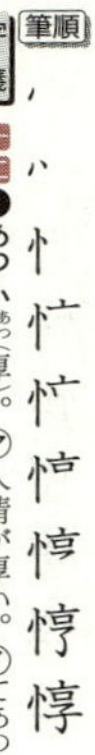
字義 一 二 ❶あつ-い(厚)。㋐人情が厚い。㋑てあつい。てあつくする。ねんごろ。❷まこと。まごころ。
名前 あつ・あつし・じゅん・すなお・つとむ・とし・まこと・よし
解字 篆文  形声。忄(心)+享(𦎧)音。音符の𦎧トンは、厚いの意味。心があつい、てあつくするの意味を表す。
【惇△樸・惇朴】ジュンボク・トンボク まごころがある、かざりけのないこと。敦樸トンボク。敦朴トンボク。

8 【惝】11画 3766 ショウ(シャウ) 養 chǎng, tǎng 1 8454 — 3015
字義 ❶ぼんやりする。がっかりするさま。気ぬけするさま。失意のさま。「惝怳ショウキョウ」 ❷おどろくさま。驚いて気の遠くなるさま。「惝怳」「惝罔ショウモウ」 ❸うっとりするさま。我を忘れるさま。「惝然」「惝惝」
解字 形声。忄(心)+尙音。

8 【情】11画 3767 教5 ジョウ・セイ なさ-け 3080 8FEE —
8 【情】11画 3768 漢セイ 呉ジョウ(ジャウ) 庚 qíng
筆順 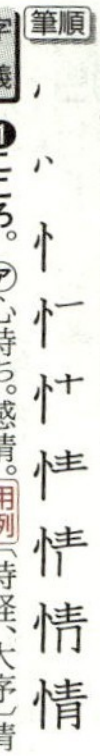
字義 ❶こころ。㋐心持ち。感情。用例〔詩経、大序〕情動於中一而形於言二(ジョウうちにうごきて、ゲンにあらわ(は)る)。↓感情が心の中で動いて、ことばにあらわれる。／〔史記、高祖本紀〕列侯諸将無二敢隠一朕皆言二其情一(レッコウショショウ、あえ(へ)てわれにかくすことなく、みなそのジョウをいえ(へ))。↓諸侯・将軍たちよ、私に隠しだてすることなく、みなそれぞれ思うところをありのままに話せ。
㋑よく(欲)。欲望。用例〔韓非子、揚権〕曼理皓歯(マンリコウシは)、説レ情而損レ精(ジョウをよろこばすもセイをそこなう)。↓肌がきめこまかくて歯の白い美人は、情欲を満足させてくれるが精力をなくさせる。
❷まこと。本当のありさま。㋐真心。誠の心。用例〔論語、子路〕上好レ信、則民莫二敢不一レ用レ情(かみシンをこのめば、すなわ(は)ちたみあえ(へ)てジョウをもちい(ゐ)ざることなし)。↓上に立つ者が信を好むと、民衆はみな真心を尽くすようになる。
㋑本心。本意。用例〔韓非子、二柄〕人臣之情(ジンシンのジョウは)、非三必能愛二其君一也(かならずしもよくそのきみをアイするにあらざるなり)。↓人の臣下の本心としては、必ずしもみなが君主を愛せるというものではない。

㋒事実。実物。実情。用例〔孟子、離婁下〕声聞過レ情(セイブンジョウにすぐるは)、君子恥レ之(クンシこれをはず(づ))。↓名声が実際以上に高いことを、君子は恥とするものである。

❸もともとの性質。本性。持ち前。用例〔孟子、滕文公上〕夫物之不レ斉、物之情也。⇩いったい品物に品質の違いがあるのは、品物の持ち前である。❹ありさま。状況。用例〔韓非子、主道〕虚則知二実之情一。⇩虚心であれば本当の情況がわかる。❺おもむき。味わい。興趣。用例〔洛陽伽藍記、正始寺〕山情野興之士遊以忘レ帰。⇩山や野の自然の趣を愛する人たちは遊びに来て帰るのを忘れた。❻なさ-け。㋐思いやり。あわれみ。「同情」「温情」㋑私情のかかわりあい。情実。用例〔唐、韓愈、送二牛堪一序〕有司之待レ之也、抑以レ公不レ以レ情。⇩試験官が受験生を扱うにあたっては、公の立場に立ち私情を交えない。❼男女間の愛情。恋心。慕情。用例〔唐、白居易、長恨歌〕蜀江水碧蜀山青、聖主朝朝暮暮情。⇩蜀の川は碧玉のようにふかみどりの色であり、蜀の山は青々として美しいが、天子は毎朝毎晩悲しい思いをつのらせている。❽まこと-に。本当に。まったく。用例〔墨子、非攻上〕情不レ知二其不義一也。⇩まったく不義ということを知らないのである。
国なさ-け。もののあわれを知る心。㋐みやび心。風流心。㋑人情を解する心。

名前 さね・じょう・せい・まこと・もと　難読 情人

解字 篆文 形声。忄(心)＋青(靑)音。音符の青は、まじりけのないあおの意味。いつわりのない心、まことの意味を表す。

逆 哀情・愛情・恩情・温情・下情・感情・含情・旧情・近情・苦情・激情・交情・厚情・高情・剛情・国情・色情・私情・至情・詩情・事情・実情・春情・純情・心情・深情・真情・世情・性情・俗情・素情・多情・痴情・衷情・直情・陳情・同情・内情・人情・熱情・薄情・非情・表情・風情・物情・芳情・慕情・民情・無情・幽情・有情・欲情・余情・旅情・劣情・恋情

【情愛】ジョウアイ なさけ。たがいに愛し合う感情。
【情意】ジョウイ ①感情と意志。②こころ。心持ち。㋐考え。㋑感情。③なさけ心。愛情。
【情火】ジョウカ 火のようにはげしい情欲。
【情懐(懷)】ジョウカイ 思い。心もち。心。また、心に思う。
【情感】ジョウカン 感情。心持ち。また、心に感ずる。
【情偽(僞)】ジョウギ ①真実と虚偽。真偽。②ありのまま。③いつわり。欠点。
【情義】ジョウギ 人情と義理。情けと道理。
【情誼】ジョウギ ①＝情義。②よしみ。親しみ。また、好意。
【情況】ジョウキョウ ようす。ありさま。状況。→状況(九二六ページ下)。
【情景】ジョウケイ ①ありさま。けしき。②趣と景色。
【情好】ジョウコウ なかよし。仲のよいこと。
【情交】ジョウコウ ①親しいまじわり。②国男女が肉体的関係を持つこと。
【情死】ジョウシ ①まことのために死ぬこと。②愛し合っている男女が、そいとげられないのを悲しみ、合意の上で一緒に死ぬこと。心中。
【情事】ジョウジ ①心に思っている事がら。②本当の事がら。事実。③国男女間の情愛・情欲に関する事がら。
【情実(實)】ジョウジツ ①事実。真相。②まごころ。いつわりのない気持ち。③国私情にからんで公正な処置のしにくいこと。転じて、私情のかかわりあい。
【情趣】ジョウシュ ①おもむき。ふぜい。②心持ち。気分。
【情緒】ジョウショ・ジョウチョ ①思いにつれて起こる、さまざまの感情。②心理学で、怒り・悲しみ・驚きなど、強く本能的に現れる感情。「ジョウチョ」は、誤読による慣用読み。
【情状(狀)】ジョウジョウ ありさま。また、事情。「情状酌量」
【情人】ジョウジン・ジョウニン ①心に思って忘れられない人。㋐親友。㋑恋人。②自分の妻または夫以外に情を通じている相手。情婦。情夫。
【情性】ジョウセイ ①人が生まれつき持っている本性。②感情と本性。
【情勢】ジョウセイ ありさま。なりゆき。形勢。状勢。
【情素】ジョウソ 心のしんそこ。本心。また、まごころ。慕情。▼素は、実。
【情操】ジョウソウ 国情緒よりも知的な精神活動にともなって起こり、対象に対して習慣的に持続する心の働き。対象によって、知的・美的・道徳的・宗教的情操に分かれる。
【情態】ジョウタイ ありさま。ようす。→状態(九二六ページ下)。
【情調】ジョウチョウ ①調子。ふし。②おもむき。気分。③感覚に伴う快・不快などの感情。
【情田】ジョウデン 人の心。情欲が生じるのを田地にたとえた。
【情熱】ジョウネツ 熱烈な心。熱情。
【情夫】ジョウフ 国夫以外で肉体関係のある男性。間夫。
【情弊】ジョウヘイ 情実に引かれておこる弊害。私情から生じる害。
【情報】ジョウホウ 国①実情についての知らせ。②informationの訳語。それを通して知識・判断が得られるもの。
【情味】ジョウミ ①味わい。情趣。②やさしい心づかい。
【情欲・情△慾】ジョウヨク ①心持ち。②望み。欲望。③男女間の愛欲。色情。④仏むさぼり執着する心。
【情理】ジョウリ 人情と道理。
【情話】ジョウワ ①まごころからの話。愛情のこもった話。用例〔東晋、陶潜、帰去来辞〕悦二親戚之情話一、楽二琴書一以消レ憂。⇩一族の人々との真心のこもった話を聞くことを喜び、琴や読書を楽しんで(わが胸中にわく)憂愁を消してゆこう。②国男女間の情事に関する話。
【通レ情】ジョウをツウず 好意を相手に通ずる。通情。㋐内々によしみを結ぶ。㋑内通する。㋒男女がひそかに情交を結ぶこと。
【定レ情】ジョウをさだむ 男女が契りを結ぶこと。結婚初夜に夫婦の交わりを行うこと。定情。

8【悴】11画 3769
漢スイ 呉ズイ 寘 cuì 5612 9CAA
[忰] 3657 俗字

字義 ❶うれえる。なやむ。いたむ。❷やつれる。やせ衰える。「憔悴」❸つかれる。❹しぼむ。
国❶かじか-む。寒さで手足がこごえてうまく動かなくなる。❷せがれ。＝倅(441)。倅の字と似ていることから起こった誤用。㋐自分の息子の謙称。㋑小児をさげすんでいう語。「小悴」

解字 篆文 形声。忄(心)＋卒音。音符の卒は、つきるの意味。心がつきる、うれえるの意味を表す。

8【悽】11画 3770
一 漢セイ・呉サイ 斉 qī　二 漢セイ・呉サイ 霽 qì　5614 9CAC

字義 一❶いた-む。かなしむ。また、いたましい。❷すさまじい。さむざむとする。ぞっとする。＝凄(815)。二うらむ。

解字 篆文 形声。忄(心)＋妻音。音符の妻は、凄に通じ、雨雲のために天が暗くなるの意味。心がくもってくる、悲しみいたむの意味を表す。

【悽艶(艷)・悽△豔】セイエン ①悲しみを含んだあでやかさ。②すごいほどのあでやかさ。
【悽惨(慘)】セイサン ①悲しみいたむ。▼惨も、いたみ悲しむ。②非常にいたましいさま。凄惨。
【悽悽】セイセイ ①悲しい。いたましい。②飢えて疲れたさま。③忙しいさま。
【悽絶】セイゼツ 非常にもの悲しいさま。この上なくいたましいさま。
【悽然】セイゼン いたましい。悲しい。
【悽△愴】セイソウ ①悲しくいたましい。②さむい。
【悽△惻】セイソク 悲しみいたむ。

【悽断(斷)】①非常に悲しくいたましい。②風のはげしくすさまじいさま。

8 【惜】 11画 3771 常 セキ おしい・おしむ 漢セキ・呉シャク 陌 xī 3243 90C9 ―

筆順 丶 丷 忄 忄一 忄廾 忄卄 惜 惜 惜

字義 ❶おしむ。㋐もったいないと思う。手離しがたく思う。㋑大切にする。重んずる。また、めでる(愛)。用例〔北宋、欧陽脩、朋党論〕所レ守者道義、所レ行者忠信、所レ惜者名節。⇩彼らが守るものは物事の道理や正義であり、実践するものは忠信であり、大切にするものは名誉と節義である。㋒いたむ。悲しむ。用例〔唐、杜牧、贈別詩〕蠟燭有レ心還惜レ別、替レ人垂レ涙到二天明一。⇩蠟燭に心があるのか、やはり別れを惜しみ、人に替わって夜明けまで涙を流し続けている。❷おしい。残念である。もったいない。

解字 篆文 形声。忄(心)＋昔㊞。音符の昔は、楚に通じ、とげのあるばらの意味。心をつきさす、いたみの意味を表す。

逆 哀惜・愛惜・追惜・痛惜・悼惜

【惜陰】時間をおしむ。▼陰は、光陰、時間。

【惜春】春の過ぎ行くのをなごりおしく思う。また、過ぎ行く青春を惜しむこと。

【惜敗】国おしいところで負ける。わずかの差で負ける。↕辛勝(二四〇一ジ中)。

【惜不レ得】惜しんでもどうしようもない。

【惜別】別れをなごりおしく思う。別れのなごりをおしむ。

【惜命】命を大事にすること。

【惜△吝】おしむ。また、けちけちする。

8 【悰】 11画 3772 漢ソウ 呉ゾウ 冬 cóng 21249 ― 2992

字義 ❶たのしむ。たのしみ。❷はかる(謀)。

解字 形声。忄(心)＋宗㊞。

8 【惔】 11画 3773 ━漢タン・呉ダン 覃 tán ━漢タン・呉ダン 勘 dàn 18452 ― 3011

字義 ━もえる。うれえる(憂)。━あっさりしている。＝淡(6441)。「恬惔」

解字 形声。忄(心)＋炎㊞。

8 【惆】 11画 3774 チュウ(チウ) 尤 chōu 5615 9CAD ―

字義 ❶うらむ。いたむ。かなしむ。なげく。❷がっかりする。気落ちする。

解字 篆文 形声。忄(心)＋周㊞。音符の周は、弔に通じ、いたむの意味。心をいためるの意味を表す。

【惆△悵】▼悵も、惆と同意。①なげき悲しむ。用例〔東晋、陶潜、帰去来辞〕既自以レ心為二形役一、奚惆悵而独悲。⇩これまでは自分は心を体の下僕としてきたが、どうして恨み嘆き、ひとり悲しむことがあろうか(そんなことをしても仕方のないことだ)。②がっかり気落ちしたさま。失意のさま。

8 【悵】 11画 3775 チョウ(チャウ) 漾 chàng 5616 9CAE ―

字義 ❶うらむ。いたむ。なげく。❷がっかりする。「惆悵」❸ぼんやりするさま。

解字 篆文 形声。忄(心)＋長㊞。音符の長は、傷に通じ、いたむの意味。心がいたむの意味を表す。

【悵恨】いたみうらむ。残念がる。

【悵然】①いたみうらむさま。なげくさま。②がっかりしたさま。

【悵望】悲しい(うらめしい)気持ちで遠くをながめる。

8 【惕】 11画 3776 漢テキ 呉チャク 錫 tì 18453 EDA4 3012

〔愁〕3537 同字

字義 ❶つつしむ。おそれつつしむ。❷おそれる。こわがる。「怵惕」❸うれえる。❹おどろく。

解字 篆文 形声。忄(心)＋易㊞。音符の易は、色をかえるの意味。顔色を変えて、恐れる・おどろくの意味を表す。

【惕若】おそれつつしむさま。▼若は、形容の助字。

【惕然】①おじおそれるさま。②うれえるさま。

【惕息】おそれて息がはずむ。

【惕惕】①驚きおそれるさま。②うれえるさま。③愛するさま。

8 【惙】 11画 3777 漢テツ 呉テチ 屑 chuò 21253 ― 3013

字義 ❶うれえる。❷心が落ちつかない。❸つかれる。❹やめる。

解字 篆文 形声。忄(心)＋叕㊞。音符の叕は、つづくの意味。心中に絶え間なくつながってくる、うれえるの意味を表す。

8 【悼】 11画 3778 常 トウ いたむ 漢トウ(タウ)・呉ドウ(ダウ) 号 dào 3773 9389 ―

筆順 丶 丷 忄 忄丨 忄卜 怕 恒 悼

字義 ❶おそれる。❷いたむ。㋐悲しむ。「嗟悼」㋑あわれむ。㋒気の毒に思う。

使いわけ いたむ・いためる〔痛・傷・悼〕⇩痛(7742)。

解字 篆文 形声。忄(心)＋卓㊞。音符の卓は、高くおどりあがるの意味。心が悲しみのために動揺するの意味を表す。

逆 哀悼・弔悼・追悼

【悼惜】人の死をいたみ惜しむ。

【悼痛】人の死を悲しみいたむ。ひどく悲しむ。

【悼亡】妻の死をいたみ悲しむ。また、広く妻子・友人などの死を悼む場合にもいう。▼亡は、死。

8 【悱】 11画 3779 ヒ 尾 fěi 21250 ― 2993

字義 ❶いらだつ。いらいらする。わかってはいるが、うまく言い表せないでいらいらする。「憤悱」❷かなしむ。

解字 篆文 形声。忄(心)＋非㊞。音符の非は、そむき裂けるの意味。心の中が分裂して、いらだつの意味を表す。

【悱憤】心中のいきどおり。口に出そうとして出せないいきどおり。

【不レ悱不レ発(發)】心に一応理解しながら、それをうまく口に言い表せないで、いらいらしているという状態にまでならなければ、教えてやることをしない。自分から積極的にやろうとするのでなければ教えてやらない。用例〔論語、述而〕不レ憤不レ啓、不レ悱不レ発。⇩(理解できないことがあるときには)いきどおりの心をふるいおこすほどでなければ、教えてやらず、一応わかってはいるが、うまく言い表わせないでいらいらするほどでなければ、教えてはやらない。

8 【惘】 11画 3780 漢ボウ(バウ) 呉モウ(マウ) 養 wǎng 5617 9CAF ―

字義 ぼんやりする。悲しみなどのためにぼんやりしているさま。国あきれる(呆)。あっけにとられる。

解字 形声。忄(心)＋罔㊞。音符の罔は、あみでとらえるの意味。心があみでとらえられる、我を忘れてぼうっとなるの意味を表す。

【惘然】がっかりしてぼんやりしているさま。茫然。惘然自失。

8 【悶】 11画 3781 モン 悶(3553)と同字。→五三九ジ中。

8【悢】11画 3782 リョウ(リャウ) 陽 liàng
字義 悲しむ。
解字 形声。忄(心)＋京音。
— — 3007

8【惏】11画 3783 一ラン 覃 lán 二リン 侵 lín
字義 一❶むさぼる。＝婪(2454)。❷そこなう。二❶さむいさま。また、おそれおののくさま。＝凜(831)。「惏慄リンリツ」❷悲しみいたむさま。「惏悷リンレイ」
解字 篆文 形声。忄(心)＋林音。音符の林は、立に通じ、ある位置を独占してたつの意味。心が金品のことばかりにたちどまる、むさぼるの意味を表す。
— — 3010

8【悷】11画 3784 漢レイ 呉ライ 霽 lì
字義 懍悷リンレイは、悲しみ泣く。また、そのさま。
解字 形声。忄(心)＋戾音。
— — 2994

8【惋】11画 3785 ワン 翰 wǎn
字義 ❶なげく。おどろき悲しむ。❷気力が衰える。
解字 形声。忄(心)＋宛音。音符の宛エンは、しなやかに曲がるの意味。心がくじけ曲がる、意気がおとろえる、なげくの意味を表す。
8451 — 3008

9【愇】12画 3786 イ(ヰ) 尾 wěi
[㥜] 3820 俗字
字義 ❶恨む。❷浅い。❸韙(13393)の古字。
解字 形声。忄(心)＋韋音。

9【愔】12画 3787 一イン 侵 yīn 二漢アン・呉オン 覃
字義 一❶やわらぐ。安らかにやわらぐさま。❷奥深く静かなさま。二だまる。沈黙する。
解字 形声。忄(心)＋音音。
— — 3032

9【惲】12画 3788 ウン 吻 yùn
字義 ❶あつい。重厚。❷はかる(謀)。
解字 形声。忄(心)＋軍音。
21256 EDA6 3019

9【慍】12画 3789 ウン
慍(3821)と同字。→五五三ページ上。
— EDA5 —

9【愕】12画 3790 標 ガク 薬 è
字義 ❶おどろく。驚きあわてる。用例〔史記、刺客伝〕群臣皆愕グンシンみなおどろき、卒起不レ意にわ(は)かにおこること、尽失二其度一ことごとくそのどをうしなう(ふ)。↓秦シンの家来たちは皆驚き、突如思いもかけない出来事が起こったので、みんな分別を失ってしまった。❷直言するさま。＝諤(11295)。
解字 形声。忄(心)＋咢音。音符の咢ガクは、予期に反することが起こっておどろくの意味。心を付し、おどろくの意味を表す。
【愕愕ガクガク】遠慮せずに正しいと信じることをまくしたてるさま。諤諤ガクガク。「侃侃愕愕カンカンガクガク」
【愕然ガクゼン】おどろいたさま。
5619 9CB1 —

9【慆】12画 3791 漢カン(クワン) 呉ガン(グワン) 翰 huàn
字義 はびこる。
解字 形声。忄(心)＋奐音。
— — 3027

9【愜】12画 3792 キョウ(ケフ) 葉 qiè
[㥦] 3561 同字
字義 ❶こころよい。こころよし。❷みちたりる。満足する。❸よい(可)。
解字 篆文 形声。忄(心)＋匧音。音符の匧キョウは、はこの意味。整然として満たされたはこのように、心の中がみちたりて、こころよいの意味を表す。
8456 — 3036

9【愒】12画 3793 一ケイ 霽 qì 二カイ 泰 kài 三漢カツ・呉カチ 曷 hè
字義 一いこう(ふ)いこ(憩)。二おどす。おびやかす。三❶むさぼる。❷いそぐ。にわか。すみやか。
解字 篆文 形声。忄(心)＋曷音。音符の曷カツは、割に通じ、中断するの意味。仕事を中断する、いこうの意味を表す。
21259 — 3030

9【惸】12画 3794 漢ケイ 呉ギョウ(ギャウ) 庚 qióng
＝煢(6944)。
字義 ❶ひとり(独)。ひとり者。兄弟がない人。❷うれえる。「惸惸」
解字 形声。忄(心)＋子＋瞢省音。音符の瞢ボウ＝ケイは、目がくらむの意味。瞢の下部が省略変形して、旬となった。子がいないために心が暗くなる、うれえるの意味を表す。
【惸独(獨)ケイドク】ひとり者。身よりのない人。
8455 — 3021

9【愃】12画 3795 一漢ケン 呉カン(クワン) 阮 xuǎn 二セン 先 xuān
字義 一ゆたか。ひろい。心がゆたかで広い。二❶こころよい(快)。❷わすれる。
解字 形声。忄(心)＋宣音。
5626 9CB8 —

9【慌】12画 3796 常 コウ あわてる・あわただしい 一コウ(クワウ) 養 huǎng 二コウ(クワウ) 陽 huāng
9〖慌〗12画 3797
[㤺] 3709 同字
筆順 慌
字義 一❶くらい(昏)。ほのか。かすか。❷うっとりする。ぼうっとなる。＝恍(3708)。二❶わすれる。❷あわてる。あわただしい。「慌惚コウコツ」
❸おそれる。「恐慌」切迫している。「慌忙」
解字 形声。忄(心)＋荒(㠩)音。音符の荒は、亡に通じ、なくすの意味。心に何もない、ぼんやりするの意味を表す。
逆 恐慌
2518 8D51 —

9【惶】12画 3798 漢コウ(クワウ) 呉オウ(ワウ) 陽 huáng
字義 ❶おそれる。おそる。おそれかしこむ。「憂惶」❷あわてる。あわつ。にわか。

参考 現代表記では[皇](7873)に書きかえることがある。「蒼惶→倉皇」

解字 篆文 形声。忄(心)＋皇音。音符の皇は、徨コウに通じ、落ち着かないで歩くの意味。心が動揺すること、おそれるの意味を表す。

【惶駭コウガイ】おそれ驚く。おそれおののく。驚惶。

【惶急コウキュウ】おそれあわてる。用例〔史記、刺客伝〕時惶急、剣堅ケンかたし。ときにコウキュウし、↓とっさの出来事であわてふためいているうえに、鞘さやも固かった。

【惶遽コウキョ】おそれあわてる。

【惶恐コウキョウ】おそれる。大いにおそれる。

【惶恐再拝(拜)コウキョウサイハイ】おそれいって二度も拝する。手紙の末尾に記し、敬意を表す語。

【惶惶コウコウ】①大いにおそれるさま。②あわただしいさま。

【惶惑コウワク】おそれまどう。

5621 9CB3 —

9【惛】12画 3799 コン
惛(3762)と同字。→五四八ページ上。
— — 3023

9【愢】12画 3800 サイ 灰 sāi
字義 心が合わない。
解字 形声。忄(心)＋思音。
— — 3038

9【愀】12画 3801 一ショウ(セウ) 篠 qiǎo 二漢シュウ(シウ)・呉ジュ 有
字義 一❶うれえる。うれう。❷つつしむ。おそれつつしむ。❸顔色を変える。態度を改める。
5623 9CB5 —

忄部 8▼9画 〔悢惏悷惋愇愔惲慍愕慆愜愒惸愃慌惶惛愢愀〕

解字 形声。忄(心)＋秋㊤。

【愀然】シュウゼン ①緊張した態度・顔色になるさま。②うれえ悲しむさま。

9 【愖】12画 3802 ㊥シン ㊐ジン 侵 chén, ②xìn ― ― 3033

字義 ❶誠(まこと)。❷斟愖(シンシン)は、ためらう。

解字 形声。忄(心)＋甚㊤。

9 【惴】12画 3803 慣ズイ スイ 寘 zhuì 5624 9CB6 ―

字義 おそ-れる。うれえおそれる。びくびくする。

解字 篆文 形声。忄(心)＋耑㊤。音符の耑(タン)は、ものの生まれたての意味。初体験のときにいだく心のおののきの意味を表す。

【惴惴】ズイズイ おそれてびくびくするさま。

【惴慄】ズイリツ おそれおののく。おそれてびくびくする。

9 【惺】12画 3804 人 5625 9CB7 ―

一 ㊥セイ ㊐ショウ(シャウ) 青 xīng

二 ㊥セイ ㊐ショウ(シャウ) 梗 xǐng

筆順 忄 忄 忄 忄 忄 惺

字義 一❶さと-い。さとりがよい。❷しずか(静)。心が静か。 二さとる。「惺悟」

名前 あきら・さと・さとし・さとる・しず・しずか

解字 形声。忄(心)＋星㊤。音符の星は、澄みきったほしの意味。澄みきった心、さといの意味を表す。

9 【愡】12画 3805 ソウ 送 cōng 5627 9CB9 ―

［憁］3855 正字

字義 愡恫(ソウドウ)は、㋐おろか。無知なさま。㋑せわしくたちまわるさま。㋒志を得ないさま。思いどおりにならないさま。

解字 形声。忄(心)＋怱(悤)㊤。

9 【愺】12画 3806 ソウ(サウ) 晧 cǎo 2 1263 ― ―

字義 愺恅(ソウロウ)は、㋐心が乱れる。㋑静かなさま。

解字 形声。忄(心)＋草㊤。

9 【惻】12画 3807 慣ソク ㊥ショク・㊐シキ 職 cè 5628 9CBA ―

字義 いた-む。いたみ悲しむ。あわれむ。

解字 篆文 形声。忄(心)＋則㊤。音符の則は、ものさしの意味。人の心をはかって同情する、いたむの意味を表す。

【惻隠(隱)】ソクイン あわれいたむ。いたましく思う。孟子(モウシ)の四端の一つ。▼隠も、いたむ。→四端(二九〇ジ・上)。

【惻隠(隱)△之心仁△之端△也】ソクインのこころはジンのタンなり 人の不幸などをあわれみいたむ心は、仁の本(もと)である。▼端は、本・根源、一説に、はじめ。〔孟子、公孫丑上〕

【惻惻】ソクソク ①いたみ悲しむさま。あわれいたむさま。②ねんごろなさま。懇切なさま。

9 【惰】12画 3808 常ダ ㊥タ・㊐ダ 箇 duò 3438 91C4 ―

筆順 忄 忄 忄 忄 忄 忄 惰 惰

【憜】3882 同字

字義 ❶おこた-る。㋐なまける。「怠惰」㋑あきる。疲れる。❷あなどる。軽んずる。❸つつしまない。気をつけない。行儀が悪い。❹これまでの習慣。「惰性」

解字 篆文 別体 形声。忄(心)＋育(隋)㊤。音符の隋(ダ)は、緊張がとれて、くずれるの意味。心の緊張がとれて、つつしみがないの意味を表す。

逆 解惰・勤惰・柔惰・怠惰・放惰・遊惰

【惰気(氣)】ダキ なまけ心。なまけゆるんだ気持ち。

【惰△嬉】ダキ おこたりあそぶ。

【惰弱】ダジャク 同懦弱(ダジャク)。①なまけてだらしのないこと。②進取の気性のないこと。③体力・勢力などの弱いこと。

【惰性】ダセイ ①物理学用語。物体が外部から力を受けない限り、現在の状態が続く性質。②いままでの習慣・くせ。

【惰眠】ダミン ①なまけて眠る。「惰眠を貪(むさぼ)る」②だらだらしてなまける。

【惰容】ダヨウ なまけてだらしない様子。

9 【愞】12画 3809 ダ 懦(3911)と同字。→五五九ジ・上。 2 1262 ― 3037

9 【惮】12画 3810 タン 憚(3883)の俗字。→五五六ジ・中。 2 1255 ― ―

9 【惵】12画 3811 ㊥チョウ(テフ) ㊐ジョウ(デフ) 葉 diē, ②tiē 2 1257 ― 3020

字義 ❶おそ-れる。びくびくする。また、そのさま。「惵惵」「惵然」❷しずか。やすらか。おだやか。＝怗(3680)。

解字 形声。忄(心)＋枼㊤。

9 【愓】12画 3812 2 1260 ― 3031

一 ㊥トウ(タフ) ㊐ドウ(ダウ) 養 dàng

二 ㊐ショウ(シャウ) 陽 shāng

字義 一❶ほしいまま。かってきまま。「愓悍(トウカン)」❷たいら。 二まっすぐ。また、まっすぐではやい。「愓愓」

解字 金文 篆文 形声。忄(心)＋昜㊤。音符の昜(ヨウ)は、日があがるの意味。心がうわついて、かってきままにふるまうの意味を表す。

9 【惱】12画 (3741) ノウ 悩(3740)の旧字体。→五四六ジ・下。 ― ― 3026

9 【愊】12画 3813 慣フク ㊥ヒョク・㊐ヒキ 職 bì

字義 ❶まこと。まごころ。❷気がふさがる。心がむすぼれる。胸がつまる。

解字 形声。忄(心)＋畐㊤。

9 【愎】12画 3814 慣フク ㊥ヒョク・㊐ビキ 職 bì 5631 9CBD ―

字義 もと-る。人にそむく。人の言を聞きいれず、かたいじなこと。かたくな。「剛愎」

解字 形声。忄(心)＋复(夏)㊤。音符の复(フク)は、ひき返すの意味。人の言葉に従わず、自分のからにひき返す、かたくなの意味を表す。

9 【惼】12画 3815 ヘン 銑 biǎn ― ― 3022

字義 ❶せま-い。心がせまい。「惼狭」❷せわしい。せっかち。気みじか。＝褊(10941)。

解字 形声。忄(心)＋扁㊤。

9 【愐】12画 3816 ㊥ベン ㊐メン 銑 miǎn 2 1258 ― 3028

字義 ❶つとめる(勉)。❷思う。

解字 形声。忄(心)＋面㊤。

9 【愉】12画 3817 常ユ 4491 96F9 ―

9 〔愉〕12画 3818 ユ 虞 yú

筆順 忄 忄 忄 恰 恰 愉 愉 愉

字義 ❶たの-しむ。たの-しい。こころよい。よろこぶ。また、よろこばしい。❷やわらぐ(和)。

名前 ゆ

解字 金文 篆文 形声。忄(心)＋兪㊤。音符の兪(ユ)は、ぬきとるの意味。不快な心を抜きとって、たのしいの意味を表す。

【愉悦】ユエツ よろこぶ。喜び楽しむ。

【愉快】ユカイ 楽しくて気持ちのよいこと。▼快は、こころよい。

【愉色】ユショク ①喜びにあふれた顔色。②やわらいだ顔色。

【愉楽(樂)】ユラク よろこびたのしむ。

9 【愑】12画 3819 漢ヨウ 呉ユウ 腫 yǒng —— EDA7 3029
字義 ❶怒る。❷喜ぶ。
解字 形声。忄(心)+勇音。

10 【愇】13画 3820 イ 3025
字義 ——
解字 愇(3786)の俗字。→五二ジページ上。

10 【慍】13画 3821 [愠] 3789 同字 ━ウン 問 yùn ━オン(ヲン) 阮 wěn 5618 9CB0 —
字義 ━❶うらーむ。❷いかーる。いきどおーる。いきどほる。むっとする。心中に不満を持つ。いきどおる。━もだえ乱れる。
用例 〔論語、学而〕人不知而不慍ひとしらずしていきどおらず。↓世間の人が自分を認めてくれなくても、腹をたてない。
解字 篆文 形声。忄(心)+昷音。音符の昷オン=ウンは、皿に盛られたあたたかな煮物の意味。不平が熱気のように心にたちこめる、いかるの意味を表す。
【慍色】ウンショク いきどおりうらむ顔色。むっとした表情。
【慍怒】ウンド いきどおる。腹を立てる。

10 【愪】13画 3822 ━ウン 文 吻 yǔn ━イン(ヰン) 軫 yǔn —— 3039
字義 ━憂える。━また、そのさま。
解字 形声。忄(心)+員音。

10 【慨】13画 3823 常 ガイ 11 【慨】14画 3824 カイ 隊 kǎi 慣ガイ 1920 8A53 —
筆順 忄 忄 忄 忄 忄 忄 忄 慨 慨 慨
【慨】3844 俗字 【慨】3868 俗字
字義 ❶いきどおーる。いきどほる。「忼慨コウガイ」❷なげーく。ため息をつく。「慨嘆」❸悲しむ。悲しみいたむ。うれえる。
解字 篆文 形声。忄(心)+既(旣)音。音符の既は、むせぶの意味。心がつまる、なげくの意味を表す。
逆 感慨・憤慨
【慨慨】ガイガイ なげくさま。
【慨世】ガイセイ 世のありさまをうれえなげくこと。
【慨然】ガイゼン ①うれえ悲しむさま。②なげきいきどおるさま。③志をふるい起こすさま。
【慨息】ガイソク なげいてため息をつくこと。
【慨嘆・慨△歎】ガイタン ①うれえなげく。悲しみなげく。②いきどおりなげく。

10 【愷】13画 3825 カイ 賄 kǎi 慣ガイ ┃8459 EDA8 3045
字義 ❶やすらか。❷やわらぐ(和)。❸たのしむ。❹戦勝を祝う音楽。=凱(851)。「愷歌」
解字 篆文 形声。忄(心)+豈音。音符の豈ガイは、たのしむの意味。心を付し、たのしむの意味を表す。
【愷△悌・愷弟】ガイテイ ①和らぎ楽しむ。②徳がりっぱなさま。
【愷風】ガイフウ 南風。万物を生長させる晩春初夏の風。また、恩沢のたとえ。凱風ガイフウ。

10 【愾】13画 3826 カイ 隊 kài 慣ガイ 5633 9CBF —
字義 ❶なげーく。ため息をつく。❷いかる。うらみいかる。いきどおる。「敵愾心」❸みちる。気が内に満ちる。
解字 篆文 形声。忄(心)+氣音。音符の氣は、いきの意味。なげき・いかりの心から出てくるいき、ためいきの意味を表す。

10 【愧】13画 3827 キ 寘 kuì 5635 9CC1 —
【媿】2487 同字
字義 ❶はーじる。はづ。また、はじ。はぢ。
用例 〔孟子、尽心上〕仰不愧於天あおいでテンにはじず、俯不怍於人ふしてひとにはじざるは、二楽也ニラクなり。↓公明正大で、仰いでは天に対して恥ずかしいところがなく、俯しては他人に対して恥ずかしいところがないのは、第二の楽しみである。❷はずかしーめる。はづかしむ。
解字 金文 篆文 別体 形声。忄(心)+鬼音。音符の鬼は、平常ではないの意味。心中に平常でないものを感じる、はじるの意味を表す。媿の別体。
【愧恨】キコン はじうらむ。
【愧死】キシ ①はじて死ぬ。②深くはじいる。
【愧色】キショク はずかしそうな顔色。
【愧△赧】キタン はじて赤面する。

10 【慉】13画 3828 ━キク 屋 xù ━チク 屋 chù —— 3050
字義 ━❶起こす。奮い立たせる。❷やしなう。=畜(7635)。❸たくわえる。=畜(7635)。❹おごり楽しむ。━恨む。
解字 形声。忄(心)+畜音。

10 【愶】13画 3829 漢キョウ(ケフ) 呉コウ(コフ) 葉 xié —— 3044
字義 おびやかす。威力でおどす。=脅(4987)。
解字 形声。忄(心)+脅音。

10 【慊】13画 3830 ━ケン 琰 qiàn ━ケン 塩 xián ━漢キョウ(ケフ) 呉コウ(カフ) 葉 qiè 5636 9CC2 —
字義 ━❶こころよい(快)。満足する。❷あきたりない。不満に思う。━❶うたがう。❷きらう。=嫌(2489)。❸うらむ。❹たりない。まずしい。❺まごころ。━=━❶。
解字 篆文 形声。忄(心)+兼音。音符の兼ケンは、かねるの意味。心が二つにまたがって、一つのことに満足しない、あきたりないの意味を表す。
【慊△焉】ケンエン ①満足するさま。②不満なさま。
【慊慊】ケンケン ①あきたらぬさま。不満に思うさま。②心が満たされず、こいしたうさま。

10 【愰】13画 3831 漢コウ(クヮウ) 呉オウ(ワウ) 漾 huàng ┃8458 EDA9 3041
字義 あきらか。心があきらかでさとい。
解字 形声。忄(心)+晃音。

10 【愱】13画 3832 漢シツ 呉シチ 質 jí —— 3042
字義 苦しむ。
解字 形声。忄(心)+疾音。音符の疾は、やむの意味。

10 【愯】13画 3833 漢ショウ 呉シュ 腫 sǒng
字義 おそれる。
解字 形声。心+雙省音。

10 【慎】13画 3834 常 シン つつしーむ 3121 9054 —
10 【愼】13画 3835 人 漢シン 呉ジン 震 shèn 5638 9CC4 —
筆順 忄 忄 忄 忄 忄 忄 忄 慎 慎 慎
【昚】7988 古字
字義 ❶つつしーむ。㋐おろそかにしない。注意深くする。気をつける。㋑重んずる。大切にする。❷まこと。まことにする。国つつーましい。つつまし。㋐ひかえめで物静かだ。㋑質素だ。つましい。
名前 しん・ちか・のり・まこと・みつ・よし
使いわけ つつしむ〔謹・慎〕⇩謹(11333)。
解字 金文 篆文 形声。忄(心)+真(眞)音。音符の眞は、つめこむの意味。心をすみずみにまでつめこむ、注意深くしてつつしむの意味を表す。
逆 戒慎・勤慎・謹慎・粛慎・重慎
【慎戒】シンカイ つつしんで用心する。

【慎謹】つつしみ深い。
【慎思】つつしんで思う。よくよく考えてみる。『中庸』で説く、学問をする五つの方法（博学・審問・慎思・明弁・篤行）の一つ。
【慎思録】国書名。六巻。江戸時代の学者、貝原篤信（号は益軒）の著。学問・道徳に関する識見を漢文で書いたもの。正徳四年（一七一四）成立。↓貝原益軒（一三四九ページ中）。
【慎終】＝慎レ終（おわりをつつしむ）（一一一六ページ上）。
【慎重】注意深く軽々しくないこと。
【慎到】戦国時代の趙の思想家。法家に属し、『慎子』を著す。（前三九五？—前三一五？）
【慎独（獨）】ひとりをつつしむ。他人の見ていない所でも心を正しくもち、行いをつつしむこと。『大学』に「君子必慎二其独一也」とあるのに基づく。
【慎密】注意が行き届いている。慎重で手落ちのない。

10【愫】13画 3836 ソ 遇 sù　ı8457 — 3040
字義 まこと。まごころ。
解字 形声。忄（心）＋素音。

10【愴】13画 3837 漢ショウ（シャウ） 呉ソウ 漾 chuàng　5640 9CC6 —
字義 ❶いたむ。かなしむ（悲）。「悲愴」 ❷いたましい。「悽愴」
解字 篆文 形声。忄（心）＋倉音。音符の倉は、刅に通じ、きずつくの意味。心がきずつく、かなしむの意味を表す。
【愴然】悲しみいたむさま。用例（唐、陳子昂、登二幽州台一歌）念二天地之悠悠一、独愴然而涕下 ↓天地自然のはるかで窮まりないことに思いをはせ、私はただひとり、悲しみいたむあまり、涙がとめどもなく流れてやまないのだ。

10【慅】13画 3838 一ソウ（サウ） 豪 sāo 二ソウ（サウ） 晧 cǎo　— — 3048
字義 一❶うごく。さわぐ。また、心が乱れる。❷おそれる。❸おきる（起）。二❶つかれる（疲）。つかれるさま。❷うれえる。悲しむ。
解字 篆文 形声。忄（心）＋蚤音。音符の蚤は、騒に通じ、さわぐの意味。心がさわぐの意味を表す。

10【搦】13画 3839 漢デキ 呉ニャク 錫 nì　— — 3043
字義 うれえるさま。
解字 形声。忄（心）＋弱音。

10【慆】13画 3840 トウ（タウ） 豪 tāo　2I266 — 3049
字義 ❶よろこぶ。よろこび楽しむ。また、よろこばす。❷あなどる。❸みだら。ほしいまま。❹すぎる。すごす。月日がたつ。久しい。❺みだれる。乱れるさま。❻たがう。❼つつむ。かくす。つつみかくす。
解字 篆文 形声。忄（心）＋舀音。音符の舀は、ぬきとるの意味。気ままに楽しいことだけをぬきとるの意味を表す。

10【慱】13画 3841 ハク　5641 9CC7 —
博（1176）の俗字。↓三一八ページ上。

10【慂】13画 3842 漢ヨウ 呉ユウ 腫 yǒng　— — 3046
字義 ❶怒る。❷喜ぶ。❸満たす。
解字 形声。忄（心）＋容音。

10【慄】13画 3843 常 リツ 漢リツ・呉リチ 質 lì　5643 9CC9 —
筆順 忄 … 慄
字義 ❶おそれる。おそれてすくむ。おそれてぞっとする。「惴慄」 ❷おののく。ふるう。ふるえる。「戦慄」 ❸いたむ。悲しむ。うれえる。
解字 形声。忄（心）＋栗音。音符の栗は、いがのあるくりの意味。いがを見て心の中でおそれる、一般に、おそれる・おののくの意味を表す。
【慄然】おそれるさま。ふるえおののくさま。
【慄烈・慄△冽】寒さのはげしいさま。

11【慨】14画（3824） ガイ
慨（3823）の旧字体。↓五五三ページ上。

11【慨】14画 3844 ガイ
慨（3823）の俗字。↓五五三ページ上。

11【慣】14画 3845 教5 カン なれる・ならす カン（クヮン） 諫 guàn　2023 8AB5 —
筆順 忄 … 慣
字義 ❶なれる。ならう。習熟する。❷ならす。❸ならわし。ならい。「習慣」
名前 みな
解字 形声。忄（心）＋貫音。音符の貫は、物をつらぬき通すの意味。初めから終わりまで、一つの仕方、心の働き方を通して、なれるの意味を表す。
逆 旧慣・習慣
【慣行】習慣的に行う。また、その行為。
【慣習】なれる。また、ならわし。習慣。
【慣用】使いなれる。
【慣用音】国日本の漢字音の一つ。呉音・漢音・唐音などとは違った字音、または、誤って読んだ字音のうち、古くから一般に用いられてきたもの。輸のユ（正音はシュ）、耗のモウ（正音はコウ）など。⇩コラム 日本の漢字音（八六四ページ一）。
【慣例】ならわし。しきたり。常例。恒例。

11【慬】14画 3846 一漢キン・呉ゴン 図 qín 二漢キン・呉コン 吻 jǐn 三漢キン・呉コン 問 jìn　— — 3053
字義 一❶うれえる。❷勇ましい。二❶つつしむ。❷＝一❶。三わずか。
解字 形声。忄（心）＋堇音。

11【惓】14画 3847 ケン 霰 juàn　— — 3056
字義 かえりみる。
解字 形声。忄（心）＋眷音。音符の眷は、かえりみるの意味。

11【慷】14画 3848 コウ（カウ） 陽 kāng　養 kǎng　5645 9CCB —
〔忼〕3651 同字
字義 ❶なげく。いきどおりなげく。❷気が高ぶる。
解字 形声。忄（心）＋康音。音符の康は、庚に通じ、もちあがるの意味。心が高ぶってくる、なげくの意味を表す。
【慷慨（慨）・慷△愾】①いきどおりなげく。②心がたかぶって嘆きいたむ。用例（史記、刺客伝）復為二羽声一慷慨 ↓激した音調の羽声で反復して歌い、心を高ぶらせた。③意気がさかんで感激しやすいこと。

11【慠】14画 3849 ゴウ　2I267 — 3052
傲（554）と同字。↓一二七ページ下。

11【慘】14画（3764） サン
惨（3763）の旧字体。↓五四八ページ中。

11【慚】14画 3850 ザン　5648 9CCE —
慙（3593）と同字。↓五三五ページ中。

11【慴】14画 3851 ショウ（セフ） 葉 shè（zhé）　5650 9CD0 —
字義 ❶おそれる。おそれおののく。すくむ。おびえる。

❷おどす。おびやかす。

解字 篆文 形声。忄(心)＋習㊅。音符の習は、鳥が羽を重ね合わせるの意味。鳥がすくむさまから、おそれる・おびえるの意味を表す。

【慴伏】ショウフク おそれふす。威勢におそれて屈服する。
【慴服】ショウフク おそれて従う。慴服ショウフク。

11 【慯】 14画 3852 ショウ(シャウ) 陽 漾 shāng 5651 9CD1 —

字義 ❶うれえる。心が痛む。❷思う。

解字 篆文 形声。忄(心)＋傷省㊅。音符の傷は、いたむ意味。

11 【慞】 14画 3853 ショウ(シャウ) 陽 zhāng — — 3051

字義 ❶恐れる。❷慞惶ショウコウは、あわただしい。あわてる。

解字 形声。忄(心)＋章㊅。

11 【慽】 14画 3854 セキ 慼(3595)と同字。→五三五ジー中。

11 【憁】 14画 3855 ソウ 憁(3805)の正字。→五五二ジー上。 — — 3060

11 【憎】 14画 3856 常 ゾウ にく-む・にく-い・にく-らしい・にく-しみ 3394 919E —

12 〖憎〗 15画 3857 人 ソウ 慣ゾウ 蒸 zēng 8462 — —

筆順 忄 忄 忄 忄 忄 忄 憎

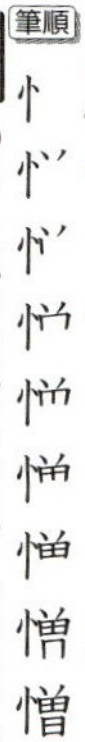

字義 ❶にく-む。きらう。いやがる。↕愛(3557)・好(2312)。「愛憎」❷にく-しみ。国にく-い・にく-らしいにくし。㋐はらだたしい。㋑あっぱれである。

解字 篆文 形声。忄(心)＋曽(曾)㊅。音符の曾ソウは、重なり積もるの意味。重なり積もる心、にくしみの意味を表す。

逆 愛憎

【憎悪(惡)】ゾウオ にくむ。▼悪も、にくむ。
【憎嫉】ゾウシツ にくみねたむ。

11 【慥】 14画 3858 ソウ(サウ) 慣ゾウ(ザウ) 号 zào(cào) 5652 9CD2 —

字義 ❶まこと。❷せわしい。あわただしい。国たし-か。たしかに。㋐きっと。確実に。㋑おおかた。

解字 形声。忄(心)＋造㊅

【慥慥△爾】ゾウゾウジ まことのあるさま。言行の一致につとめるさま。慥爾。

11 【慱】 14画 3859 漢タン 呉ダン 寒 tuán 5653 9CD3 —

字義 ❶うれえる。また、うれえるさま。「慱慱」❷まるい。＝団(1817)。

解字 形声。忄(心)＋専㊅。

11 【慟】 14画 3860 漢トウ 呉ドウ 送 tòng 5654 9CD4 —

字義 なげ-く。ひどく悲しむ。身をふるわし、大声で泣く。用例〔論語、先進〕子哭レ之慟シこれをコクしてドウす。↓孔子は、声をあげて激しく泣き悲しんだ。

解字 篆文 形声。忄(心)＋動㊅。音符の動は、うごくの意味。身をうごかしふるわせて、かなしむの意味を表す。

【慟泣】ドウキュウ 非常に悲しみなげき泣く。
【慟△哭】ドウコク 非常に悲しんで、大声で泣く。身もだえして泣く。▼哭は、声をあげて泣く。

11 【慓】 14画 3861 ヒョウ(ヘウ) 嘯 piào 5656 9CD6 —

字義 ❶はやい。すばやい。すばしこい。＝剽(973)。❷勇ましい。

参考 熟語は〔剽〕(973)をも見よ。

解字 篆文 形声。忄(心)＋票(㶾)㊅。音符の㶾ヒョウは、暴に通じ、すばやくあらあらしいの意味を表す。

【慓△悍】ヒョウカン すばしこくあらあらしい。剽悍ヒョウカン。

11 【慢】 14画 3862 常 マン 漢バン・呉マン 諫 màn 4393 969D —

筆順 忄 忄 忄 忄 忄 忄 慢

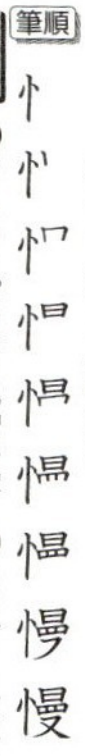

字義 ❶おこた-る。なまける。「怠慢」❷あなど-る。おごる。おごりたかぶる。用例〔史記、高祖本紀〕陛下慢而侮レ人ヘイカはマンにして、ひとをあなどり、項羽仁而愛レ人コウウはジンにして、ひとをアイす。↓陛下は傲慢で人を馬鹿になさり、項羽は思いやりがあり人を慈しみました。❸おろそかにする。軽んずる。❹おそい。おくれる。ゆるい。ゆるやか。「緩慢」

解字 篆文 形声。忄(心)＋曼㊅。音符の曼マンは、のびるの意味。心がのびたるんで、おこたるの意味を表す。

逆 我慢・緩慢・欺慢・高慢・上慢・怠慢

【慢易】マンイ あなどりかろんずる。
【慢心】マンシン うぬぼれ。おごりたかぶる心。
【慢世】マンセイ 世間を小馬鹿にしてつつしまない。
【慢性】マンセイ ①長びいてなおりにくい病気の性質。②好ましくない状態が長く続くこと。
【慢然】マンゼン ①たかぶって得意なさま。漠然。②注意をおこたっているさま。しまりのないさま。漠然。③とりとめのないさま。はっきりしないさま。ぼんやり。漠然。
【慢罵】マンバ みずからたかぶって人をののしること。また、あざけりののしる。
【慢侮】マンブ あなどる。あなどり軽んずる。
【慢舞】マンブ ゆるやかに舞う。静かに舞う。縵舞マンブ。
【慢△游・慢遊】マンユウ きままにあそぶ。うかれあそぶ。漫遊。

11 【慲】 14画 3863 漢バン 呉マン 寒 mān — — 3054

字義 忘れる。

解字 形声。忄(心)＋㒼㊅。

11 【慵】 14画 3864 漢ショウ 呉ジョウ 慣ヨウ 冬 yōng(yǒng) 5657 9CD7 —

字義 ものう-い。ものうし。おっくうである。だるい。用例〔唐、白居易、香炉峰下新卜二山居一草堂初成偶題二東壁一詩〕日高睡足猶慵レ起ひたかくねむりたりてなお(ほ)おくるにものうし、小閣重レ衾不レ怕レ寒ショウカクにふすまをかさねて。カンをおそれず。↓日は高くあがり、眠りは足りているが、なお起きるのはものうい。ささやかな高殿に布団を重ねて眠っているので、寒さの心配はない。

解字 篆文 形声。忄(心)＋庸㊅。音符の庸は、一定してかたよらないの意味。心に動きがなく、ものういの意味を表す。

【慵惰】ヨウダ ①ものういこと。ものうさ。②なまける。おこたる。

11 【憀】 14画 3865 リョウ(レウ) 嘯 liáo — — 3059

字義 ❶あき-らか。心の明らかなさま。❷さわやか。音声のすみとおるさま。「憀亮リョウリョウ」❸悲しむ。うらむ。❹いささか。ちょっと。

解字 形声。忄(心)＋翏㊅。

11 【慺】 14画 3866 一ル 二漢ロウ・呉ル 虞 尤 lóu

字義 一❶よろこぶ。❷つと-める。つとむ。❸つつしみうやまうさま。❹ねんごろ。まじめにつとめはげむさま。

解字 形声。忄(心)＋婁㊅。音符の婁ロウは、切れ目なく続けるの意味。まじめさを続ける、つとめるの意味を表す。

12 【憒】 15画 3867 漢カイ(クワイ) 呉ガイ(グワイ) 隊 賄 kuì 21270 — 3065

字義 ❶みだ-れる。みだる。心が乱れる。「憒乱」❷くらい。おろか。

解字 篆文 形声。忄(心)＋貴㊥。音符の貴は、毀に通じ、つぶれるの意味。心がつぶれる・乱れるの意味を表す。

12【慨】15画 3868 ガイ 慨(3823)の俗字。→五五三ページ上。 18460 — —

12【憪】15画 3869 ㊀漢カン・呉ゲン 圕 xiān ㊁漢カン・呉ゲン 圕 xiàn

［憪］3870 俗字

字義 ㊀❶たのしむ。また、たのしい。❷しずか。心しずか。のんびりしている。❸怒りたかぶるさま。㊁❶＝㊀❶。❷おちつかない。不安なさま。

解字 形声。忄(心)＋閒㊥。

12【憪】15画 3870 カン 憪(3869)の俗字。→五五六ページ中。 — — 3075

12【憘】15画 3871 キ 憙(3605)と同字。→五三六ページ中。 21273 EDAA 3068

12【憍】15画 3872 キョウ(ケウ) 圕 jiāo 18461 — 3064

字義 おごる。おごりたかぶる。「憍慢」

解字 形声。忄(心)＋喬㊥。

【憍慢】(キョウマン) ①おごりたかぶる。驕慢。②仏煩悩の名。自らたかぶって他をしのぐ心。

12【憬】15画 3873 常 ケイ 漢ケイ・呉キョウ(キャウ) 圕 jǐng 5661 9CDB —

筆順

字義 ❶さとる。❷広大なさま。❸遠く行くさま。国あこがれる。強く心をひかれ、慕う。「憧憬(ショウケイ・ドウケイ)」

解字 篆文 形声。忄(心)＋景㊥。音符の景は、ひかりの意味。心の中があかるくなる、さとるの意味を表す。

12【憓】15画 3874 漢ケイ 呉エ(ヱ) 圕 huì 21271 — 3066

字義 ❶いつくしむ。❷したがう。❸うらやむ。

解字 形声。忄(心)＋惠㊥。

12【慳】15画 3875 漢カン 呉ケン 圕 qiān 5644 9CCA —

字義 ❶やぶさか。おしむ。物惜しみする。しみったれ。けち。❷しぶる。ぐずつく。❸かたい。また、かたくひめかくす。

解字 形声。忄(心)＋堅㊥。音符の堅は、かたいの意味。心を堅くする、おしむの意味を表す。

【慳貪】(ケンドン) ①仏物惜しみしてむさぼること。欲の深いこと。②国㋐むごい。情愛のないこと。ぶあいそう。そっけないこと。邪険。「突慳貪(つっケンドン)」㋑一杯盛り切りで売る飲食物。

【慳△吝・慳△悋】(ケンリン・カンリン) けち。しみったれ。

12【憯】15画 3876 サン 圕 cǎn

［憯］3877 俗字

字義 ❶いたむ。❷うれえる。❸いたましい。むごい。＝惨(3763)。❹はやい。

解字 篆文 形声。忄(心)＋朁㊥。音符の朁は、深くひそむの意味。心の深みで痛むの意味を表す。

【憯痛】(サンツウ) 心をいためる。うれえ悲しむ。

【憯毒】(サンドク) むごくそこなう。むごく害する。

12【憯】15画 3877 サン 憯(3876)の俗字。→五五六ページ中。 — — —

12【儁】15画 3878 シュン 圕 jùn — — 3084

字義 さとい。

解字 形声。忄(心)＋雋㊥。音符の雋は、才知がすぐれているの意味。

12【憔】15画 3879 漢ショウ(セウ) 呉ジョウ(ゼウ) 圕 qiáo 5662 9CDC —

字義 やつれる。やせおとろえる。

解字 形声。忄(心)＋焦㊥。音符の焦は、こげるの意味。心がこげて、やつれるの意味を表す。

【憔△悴】(ショウスイ) ①やせおとろえる。②つかれ苦しむ。③うれえなやむ。思いなやむ。

【憔慮】(ショウリョ) ①なやみ思う。思いをこがす。②心をいらだたせる。

12【憟】15画 3880 漢ショク 呉ソク 圕 sù — — 3071

字義 ❶へつらう。❷いつわって従う。

解字 形声。忄(心)＋粟㊥。

12【憎】15画 (3857) ゾウ 憎(3856)の旧字体。→五五五ページ上。

12【憜】15画 3881 ダ 堕(2052)と同字。→三一四ページ下。 — — —

12【憜】15画 3882 ダ 惰(3808)と同字。→五五二ページ中。 — — 3069

12【憚】15画 3883 標 漢タン 呉ダン 圕 dàn 5663 9CDD —

［憚］3810 俗字

字義 ❶はばかる。㋐いみきらう。㋑おそれる。「畏憚(イタン)」㋒むずかしがる。㋓あやぶむ。気おくれする。❷おどす。❸やむ(病)。つかれる。国はばかり。恐縮。遠慮。

解字 篆文 形声。忄(心)＋單㊥。音符の單は、はじき弓の象形。困難をはじいて、いみきらうの意味を表す。

12【懂】15画 3884 トウ 圕 dǒng — — 3082

字義 ❶懞懂(ボウドウ)は、㋐心が乱れる。㋑おろか。❷現代中国語で、わかる。

解字 形声。忄(心)＋董㊥。

12【憧】15画 3885 常 ショウ あこがれる 漢ショウ・呉シュウ 慣ドウ 圕 chōng 3820 93B2 —

筆順

字義 ❶心が定まらない。思い余る。❷往来の絶えぬさま。❸あこがれる。あこがれ。❹おろか。にぶい。＝惷(3598)。

解字 篆文 形声。忄(心)＋童㊥。音符の童は、動に通じ、うごくの意味。心が動いて定まらない、あこがれるの意味を表す。

【憧憬】(ショウケイ・ドウケイ) 国①あこがれる。また、あこがれ。②うっとり見とれる。

【憧憧】(ショウショウ) ①心が定まらないさま。一説に、絶えず行ききするさま。また、行くさま。②光や炎がゆらゆらするさま。

12【憫】15画 3886 標 漢ビン 呉ミン 圕 mǐn 5666 9CE0 —

字義 ❶あわれむ。＝愍(3569)・閔(12976)。「憐憫(レンビン)」❷うれえる。❸もだえる。

解字 形声。忄(心)＋閔㊥。音符の閔は、いたみあわれむの意味。心を付し、あわれむ・うれえるの意味を表す。

【憫凶】(ビンキョウ) 父母に死なれた不幸。親の喪をいう。

【憫察】(ビンサツ) あわれんで思いやること。

【憫笑】(ビンショウ) あわれみ笑う。あわれなものだとさげすみ笑う。

【憫然】(ビンゼン) ①あわれむさま。②うれえるさま。悲しげなさま。

【憫△惻】(ビンソク) あわれみいたむ。哀憐。

12【憮】15画 3887 漢ブ 呉ム 圕 wǔ 5667 9CE1 —

字義 ❶いつくしむ。❷かなしむ。❸あなどる。おごる。

解字 篆文 形声。忄(心)＋無㊂。音符の無は、ないの意味。心がなくなる・失意するの意味を表す。また、侮に通じ、あなどるの意味をも表す。

【憮然】ブゼン ①失意のさま。がっかりするさま。しょんぼりするさま。用例〔論語、微子〕夫子憮然曰(フウシブゼンとしていわ(は)く)、……。↓先生は、がっかりしながらこう言った、……。②あやしみ驚くさま。

12 【憤】15画 3888 常 フン いきどお-る 4216 95AE —

13 〔憤〕16画 3889 漢フン 呉ブン 吻 fèn

筆順

字義 ❶いきどお-る(いきどほ-る)。㋐いかる。腹を立てる。「私憤」㋑もだえ奮い立つ。激する。「発憤」❷いきどおり。怒り。❸みちる。さかんになる。国むずか-る(むづか-る)。むつか-る。幼児が機嫌を悪くして泣く。

解字 篆文 形声。忄(心)＋賁(賁)㊂。音符の賁(ホン)は、さかんに走るの意味。心の中を何かが走りまわる、いきどおるの意味を表す。

逆 感憤・義憤・公憤・私憤・痛憤・発憤・悲憤・幽憤

【憤怨】フンエン いきどおりうらむ。
【憤慨(慨)】フンガイ いきどおりなげく。またいきどおる。怒る。
【憤激】フンゲキ ①いきどおって気がいらだつ。②いきどおって励む。③ひどく怒る。
【憤死】フンシ 憤慨して死ぬ。
【憤然】フンゼン ①むっとしていきどおるさま。②奮い立つさま。
【憤怒】フンド・フンヌ いきどおり怒る。また、怒り。
【憤発(發)】フンパツ 精神を奮い起こす。奮発。
【憤憤】フンプン ①ぷんぷん怒るさま。②もだえるさま。
【憤△懣】フンマン いきどおりもだえる。おさえきれないほどいきどおる。忿懣(フンマン)。
【憤△悶】フンモン いかりもだえる。
【憤△厲】フンレイ いきどおりを発してはげむこと。また、奮い立ってはげむこと。
【発(發)レ憤忘レ食】いきどお(ほ)りをハッしてショクをわする・フンをハッしてショクをわする (勉強をしていて理解できないことがあるときには)いきどおりの心をふるいおこして、食事を忘れる(ほど熱心に努力する)。用例〔論語、述而〕発レ憤忘レ食(いきどお(ほ)りをハッして、ショクをわすれ)、楽以忘レ憂(たのしみてもってうれえ(へ)をわすれ)、不レ知二老之将一レ至云爾(おいのまさにいたらんとするをしらずとしかいう(ふ))。↓(勉強していて理解できないことがあると)発憤して食事を忘れ、(理解ができると)楽しんで心配事を忘れてしまい、すぐに老いのやって来ることにも気づかずにいる、そのようなものだ。
【不レ憤不レ啓】フンせざればケイせず (勉強をしていて理解できないことがあるときには)いきどおりの心をふるいおこすほどでなければ、教えてやらない。自発的に勉強しない者には教えてやらない。▼啓は、啓発すること、教えること。用例〔論語、述而〕不レ憤不レ啓(フンせざればケイせず)、不レ悱不レ発(ヒせざればハッせず)。↓(理解できないことがあるときには)いきどおりの心をふるいおこすほどでなければ、教えてやらず、一応わかってはいるが、うまく言い表わせないでいらいらするほどでなければ、教えてはやらない。

12 【憭】15画 3890 リョウ(レウ) 篠 liǎo 21276 — 3076

字義 ❶さとい。❷あきらか。❸こころよい。❹むなしい。❺心が痛む。

解字 形声。忄(心)＋尞㊂。

12 【憐】15画 (3908) リン 憐(3907)の旧字体。→五六八ページ下。

13 【懌】16画 3891 漢エキ 呉ヤク 陌 yì 5668 9CE2 —

字義 ❶よろこ-ぶ。たのしむ。用例〔史記、廉頗藺相如伝〕秦王不レ懌(シンオウよろこばざるも)、為一撃レ缻(ためにひとたびフをうつ)。↓秦王はいやいやながらも、趙王(チョウオウ)のために一度缻をうちならした。❷したがう。喜びしたがう。❸改める。

解字 篆文 形声。忄(心)＋睪㊂。音符の睪(エキ)は、糸玉のように固まっていたものをたぐり寄せほどくの意味。心のむすぼれがほどける、よろこぶの意味を表す。

13 【懊】16画 3892 オウ(アウ) 号 晧 ào 5669 9CE3 —

字義 ❶なや-む。うれえもだえる。国じ-れる。思うようにならず、いらいらする。❷うらむ。かなしむ。❸くいる(悔)。

解字 形声。忄(心)＋奥㊂。音符の奥は、おく深いの意味。心がおく深く落ちこむ、なやむの意味を表す。

【懊恨】オウコン うらむ。なやみうらむ。残念に思う。
【懊悩(惱)】オウノウ うれえもだえる。悲しみもだえる。

13 【憶】16画 3893 常 オク 漢ヨク・呉オク(ヲク) 職 yì 1817 89AF —

筆順

字義 ❶おも-う。おもう。また、おもい。かんがえ。用例〔唐、杜甫、月夜詩〕遥憐小児女(はるかにあわ(は)れむショウジジョの)、未レ解レ憶二長安一(いまだチョウアンをおもう(ふ)をカイせざるを)。↓私が遠く思いやるのは、幼いむすめたちの、まだ長安の父の身の上を気づかうことさえできない幼い身であること。❷おぼ-える。記憶する。

名前 しめ・ぞう

参考 現代表記では[臆](5147)の書きかえに用いることがある。「臆説→憶説」「臆測→憶測」

解字 形声。忄(心)＋意㊂。音符の意は、おもうの意味。心におもって忘れないの意味を表す。

逆 記憶・追憶

【憶説】オクセツ 確実なよりどころのない説。臆説。
【憶測】オクソク 想像によるいいかげんな推量。あて推量。臆測。
【憶断(斷)】オクダン 推量して判断する。また、いいかげんな想像で判断する。

13 【懐】16画 3894 常 カイ ふところ・なつ-かしい・なつ-かしむ・なつ-く・なつ-ける 1891 89F9 —

16 〔懷〕19画 3895 人 漢カイ(クワイ) 呉エ(ヱ) 佳 huái 5671 9CE5 —

筆順

字義 ❶おも-う。おも-い。心にいだく。用例〔前漢、武帝、秋風辞〕蘭有レ秀兮菊有レ芳(ランにシュウありキクにホウあり)、懐二佳人一兮不レ能レ忘(カジンをおもい(ひ)てわするるあたわ(は)ず)。↓蘭は美しい花を開き、菊は良い香りを放つ。それらを見るにつけ、優れた部下たちを思い忘れることができない。❷ふところ。ふところにする。㋐ふところに入れる。用例〔史記、廉頗藺相如伝〕使下其従者衣レ褐、懐二其璧一、従二径道一亡、帰中璧于趙上(そのジュウシャをしてカツをきて、そのたまをいだき、ケイドウよりにげて、たまをチョウにかえ(へ)さしむ)。↓自分の従者に粗末な着物を着せて、その璧を懐中にし、近道を通って逃げて、璧を趙に持ち帰らせた。㋑みごもる。はらむ。㋒つつみもつ。つつみかくす。❸なつ-く。なつ-かしい。なつ-かしむ。なれ親しむ。親しみやすんずる。したう。また、なつ-ける。なれ親しませる。「懐柔」❹やすんずる。おちつく。

名前 かぬ・かね・きたす・たか・ちか・つね・もち・やす

解字 篆文 形声。忄(心)＋褱(褱)㊂。音符の褱(カイ)は、なつかしむの意味。心を付し、なつかしく思うの意味を表す。

逆 永懐・詠懐・雅懐・感懐・久懐・旧懐・胸懐・襟懐・近懐・遺懐・述懐・所懐・書懐・素懐・中懐・追懐・風懐・抱懐・本懐・幽懐

【懐疑】カイギ 疑いをいだく。疑問を持つ。怪しく思う。
【懐旧(舊)】カイキュウ 昔を思いしのぶ。

【懐郷(鄉)】カイキョウ 故郷を恋しく思うこと。
【懐古】カイコ ＝懐旧。
【懐顧】カイコ 昔を思い、なつかしくふり返る。
【懐思】カイシ おもう。したう。
【懐紙】㊀カイシ 国和歌・連歌などを正式にしたためるときに用いる紙。昔は檀紙(ダン)・杉原紙(すぎはらがみ)を使用したが、後には多く奉書紙を用いた。㊁カイシ・ふところがみ 国おりたたんでふところに入れておく紙。はながみ。たとうがみ。
【懐羞】カイシュウ はじらう心を抱く。はにかむ。
【懐柔】カイジュウ なつけやわらげる。たくみにてなずける。
【懐春】カイシュン 青年男女が結婚したいと思うこと。恋心を抱くこと。用例〔詩経、召南、野有死麕〕有ㇾ女懐ㇾ春、吉士誘ㇾ之(女有り春を懐(おも)う、吉士之を誘(いざな)う) ↓春を思う(結婚したいと思う)娘がいる。よい男よ、誘ってください。
【懐石】カイセキ 国茶の湯で、茶の前に出す簡単な料理。
【懐胎】カイタイ みごもる。子をはらむこと。
【懐中】カイチュウ ①ふところ。②さいふ(財布)。
【懐土】カイド ①現在の居住地に満足し、安んじていること。②故郷を思いしたう。
【懐妊・懐△姙】カイニン ＝懐胎。
【懐風藻】カイフウソウ 国書名。一巻。現存する日本最古の漢詩集。淡海三船(おうみのみふね)の編というが、不詳。天智(テンジ)天皇から奈良朝までの詩百十数首(作者六十四人)を収載。天平勝宝三年(七五一)成立。
【懐慕】カイボ なつかしみ、したう。思慕。
【懐抱】カイホウ ①ふところにいだく。抱く。また、ふところ。②思い。考え。また、こころ。心中。考え。見識。
【懐△緬】カイメン はるかに遠いものや昔のことを思うこと。

13【懈】16画 3896 漢カイ 呉ケ 卦 xiè　5672 9CE6 —
〔𧤼〕3619 同字
字義 ❶おこたる。なまける。❷ゆるむ。❸だるい(だるし)。
解字 篆文 形声。忄(心)＋解音。音符の解は、ばらばらになるの意味。心の緊張がとける、おこたるの意味を表す。
【懈△弛】カイシ ①ゆるみおこたる。②おろそかにする。
【懈惰・懈堕(墮)】カイダ なまける。おこたる。懈怠。
【懈怠】カイタイ・ケタイ・ケダイ なまける。おこたる。

13【憾】16画 3897 常 カン 漢カン・呉ガン 勘 感 hàn　2024 8AB6 —
筆順 … 憾
字義 ❶うらむ。うらめしく思う。心残りに思う。残念がる。❷うらみ。用例〔杜子春伝〕覩ㇾ其射ㇾ雉、尚釈ㇾ其憾ㇾ(其の雉を射るを見て、尚(な)お其の憾みを釈(と)けり) ↓かれが雉を射るのを見て、始めてわだかまりを解いた。
解字 形声。忄(心)＋感音。音符の感は、大きな刺激に心がすっかりゆれ動くの意味を表す。のちにそれにまた心を付し、特に悪い場合を言い、うらむの意味を表す。
逆 遺憾
【憾△恚】カンイ・カンケイ うらみいかる。
【憾悔】カンカイ 残念に思い後悔する。

13【懁】16画 3898 ㊀漢カン(クヮン) 呉ゲン 霰 xuàn ㊁ケン 刪 huān　— — 3081
字義 ㊀きびしい。気性がはげしい。㊁❶きばや。気みじか。❷へんくつ。かたくな。
解字 篆文 形声。忄(心)＋睘音。音符の睘(ケイ)は、めぐるの意味。心がめまぐるしく動くの意味を表す。

13【懎】16画 3899 漢ショク 呉シキ 職 sè　— — 3083
字義 恨む。悲しむ。
解字 形声。忄(心)＋嗇音。

13【憸】16画 3900 ㊀漢セン 塩 xiān ㊁ケン 琰 xiǎn　— — 3077
字義 ㊀❶かたよる。ねじける。ひねくれる。よこしま。❷へつらう。おもねる。口がうまい。こざかしい。
解字 篆文 形声。忄(心)＋僉音。音符の僉(セン)は、険(險)に通じ、けわしいの意味。心がけわしい、ねじけるの意味を表す。
【憸巧】センコウ こざかしく、じょうずに人にへつらう。
【憸△佞】センネイ 心がよこしまで人にへつらう。また、その人。

13【懆】16画 3901 ㊀ソウ(サウ) 皓 cǎo ㊁ソウ(サウ) 号 zào　5674 9CE8 —
字義 ㊀うれえる。憂えておちつかない。＝慅(3838)。㊁❶むさぼる。❷おちつかない。
解字 篆文 形声。忄(心)＋喿音。音符の喿(ソウ)は、さわがしいの意味。心がさわぐ、不安になるの意味を表す。

13【憺】16画 3902 ㊀漢タン・呉ダン 感 dàn ㊁漢タン・呉ダン 勘 dàn　5675 9CE9 —
字義 ㊀やすらか。しずか。やすらかで静かなさま。「憺然」㊁❶＝㊀。❷うごく。うごかす。❸おそれる(恐)。
解字 篆文 形声。忄(心)＋詹音。音符の詹(タン)は、淡に通じ、あわいの意味。心が何事にもあわく無欲で、やすらかの意味を表す。

13【憹】16画 3903 漢ドウ(ダウ) 呉ノウ(ナウ) 豪 náo　8464 — 3078
字義 懊憹(オウノウ)は、いたみくやむ。
解字 形声。忄(心)＋農音。

13【憤】16画 (3889) フン 憤(3888)の旧字体。→五五七ページ上。

13【懞】16画 3904 ㊀漢ボウ・呉モウ 東 méng ㊁呉モウ 董 送 měng　— — 3088
字義 ㊀厚い。つつしみ深いさま。㊁暗い。おろか。
解字 形声。忄(心)＋蒙音。

13【懍】16画 3905 リン 寝 lǐn　5678 9CEC —
〔懔〕3906 俗字
字義 心のひきしまるさま。㋐おそれる。おそれおののく。あやぶむ。㋑威厳がある。りりしい。㋒きびしい。強くはげしい。寒さがきびしい。
解字 形声。忄(心)＋稟音。音符の稟(リン)は、凜(リン)に通じ、冷たくて身がひきしまるの意味。心を付し、心がひきしまるの意味を表す。
【懍然】リンゼン おそれるさま。ぞっとするさま。
【懍慄】リンリツ ①おそれおののく。▼慄は、おののく。②寒さにふるえおののく。
【懍懍】リンリン ①危ぶみおそれるさま。②威厳のあるさま。りりしいさま。③つつしむさま。

13【懔】16画 3906 リン 懍(3905)の俗字。→五五八ページ下。

13【憐】16画 3907 人 標
12〔憐〕15画 3908 レン 先 lián　4689 97F7 —
筆順 … 憐
字義 ❶あわれむ。㋐悲しむ。気の毒に思う。用例〔史記、項羽本紀〕縦江東父兄憐而王ㇾ我、我何面目見ㇾ之(たとい江東の父兄憐れみて我を王とすとも、我何の面目ありてか之を見ん) ↓たとえ江東の父兄たちが私をふびんに思って王としてくれても、私はどのような顔で彼らに会えようか(いや会えない)。㋑いつくしむ。かわいがる。㋒めでる。鑑賞する。❷あわれみ。いつくしみ。❸おしむ。

名前 ちか

解字 篆文 形声。忄(心)＋粦(粦)音。音符の粦は、隣に通じ、となりの意味。隣人どうしが抱く心、あわれみの意味を表す。

【憐愛】あわれみいつくしむ。
【憐察】あわれみ思いやる。
【憐△憫・憐△閔・憐△愍】あわれむ。あわれみ。
【可レ憐】感嘆を示すことば。すべて物事に深く感動したときに用いる。ああ。りっぱなことよ。見事なことよ。↓可憐(三三八ページ中)。

13【懀】16画 3909 漢ワイ 呉エ(ヱ) 泰 wèi — — 3080
字義 ❶憎む。❷もだえる。
解字 形声。忄(心)＋會音。

14【懝】17画 3910 一 ガイ 隊 ài 二 ギ 紙 nǐ 2 1279 — 3087
字義 一 ❶おろか。❷おそれる。二 はかる(度)。
解字 形声。忄(心)＋疑音。

14【懦】17画 3911 一 漢ジュ・呉ニュ 虞 nuó 二 漢ダ・呉ナ 箇 nuò 5679 9CED —
［愞］3809 同字 ［懧］3912 同字
字義 一 ❶よわ-い。意気地がない。気が弱い。臆病。「怯懦」 ❷にぶい。思いきりが悪い。❸ゆるい。ゆるくする。❹くだる。さがる。
解字 篆文 形声。忄(心)＋需音。音符の需は、やわらかの意味。心がやわらかく弱いの意味を表す。

【懦者】気の弱い人。臆病で意気地のない人。卑怯者。
【懦弱】弱い。無気力。柔弱。
【懦夫】気の弱い男性。臆病で意気地のない男性。

14【懧】17画 3912 ダ — — 3092
懦(3911)と同字。→五五九ページ上。

14【懥】17画 3913 チ 寘 zhì
［懫］3918 正字
字義 ❶うら-む(恨)。❷いかる(怒)。「忿懥」
解字 形声。忄(心)＋疐(疐)音。

14【懡】17画 3914 漢バ 呉マ 哿 mǒ — — 3090
字義 懡㦄は、㋐少ない。㋑恥じる。
解字 形声。忄(心)＋麼音。

14【懞】17画 3915 一 漢ボウ・呉モウ 東 méng 二 漢ボウ・呉モウ 董 měng 三 漢ボウ・呉モウ 径 mèng — — 3086
［懵］3919 俗字 ［懜］3923 俗字
字義 一 ❶おろ-か。くらい(惛)。無知なさま。＝懵(651)。❷はじる(慙)。二 ❶心が乱れるさま。❷＝一❶。三 明らかでない。はっきりしない。
解字 篆文 形声。忄(心)＋夢音。音符の夢は、くらいの意味。心がくらい、おろかの意味を表す。

15【懭】18画 3916 一 コウ(クワウ) 漾 kuàng 二 コウ(クワウ) 養 梗 kuǎng — — 3102
字義 一 ❶恨む。❷心が広い。二 懭悢は、失意のさま。

15【懴】18画 3917 ザン 5683 9CF1 —
懺(3927)の俗字。→五五九ページ下。
解字 形声。忄(心)＋廣音。

15【懫】18画 3918 チ — — 3094
懥(3913)の正字。→五五九ページ上。

15【懵】18画 3919 ボウ 2 1281 — —
懞(3915)の俗字。→五五九ページ中。

15【懮】18画 3920 一 漢ユウ(イウ)・呉ウ 有 yǒu 二 漢ユウ(イウ)・呉ウ 尤 yōu
字義 一 ゆったりとしたさま。態度がゆるやかなさま。二 うれえるさま。心の痛むさま。懮懮。＝憂(3600)。
解字 形声。忄(心)＋憂音。音符の憂は、うれえるの意味。心を付し、うれえるの意味を表す。また、悠に通じ、ゆったりとしているさまを表す。

15【懩】18画 3921 ヨウ(ヤウ) 養 yǎng — — 3093
字義 ❶願う。望む。❷かゆい。＝癢(7844)。
解字 形声。忄(心)＋養音。

15【懢】18画 3922 一 ラン 覃 勘 lán 二 漢カン・呉ゲン 豏 xiàn — — 3091
字義 一 むさぼる。二 すこやか。
解字 形声。忄(心)＋監音。

16【懷】19画 (3895) カイ
懐(3894)の旧字体。→五五七ページ下。

16【懜】19画 3923 ボウ
懞(3915)の俗字。→五五九ページ中。

16【懶】19画 3924 一 ラン 旱 lǎn 二 ライ 泰 lài 5681 9CEF —
［懶］3925 俗字
字義 一 ❶おこた-る。なま-ける。❷ものう-い。二 にくむ。
解字 形声。忄(心)＋賴音。音符の賴は、羸に通じ、つかれる・やせるの意味。心がつかれる・ものういの意味を表す。

【懶惰】なまける。おこたる。

16【懶】19画 3925 ラン
懶(3924)の俗字。→五五九ページ中。

17【懽】20画 3926 カン 5685 9CF3 —
懽(3928)の俗字。→五五九ページ下。

17【懺】20画 3927 標 漢サン・呉セン 慣ザン 陥 chàn 5682 9CF0 —
［懴］3917 俗字
字義 ❶く-いる。後悔する。❷梵語 ksama(過失・罪悪を告白して、ゆるしを請うこと)の略音訳字。→懺悔。
解字 形声。忄(心)＋韱音。音符の韱は、かぼそいやまにらの意味。心をほそめる、くいるの意味を表す。

【懺悔】仏過去の非を悔い、それを改めようと思うこと。また、それを告白すること。

18【懽】21画 3928 カン(クワン) 寒 huān
［懽］3926 俗字
字義 ❶よろこ-ぶ。＝歓(5975)。❷あう(合)。かなう。
解字 篆文 形声。忄(心)＋雚音。音符の雚は、喚に通じ、呼ぶの意味。声をかけあってよろこぶの意味を表す。

18【懼】21画 3929 標 漢ク 呉グ 遇 jù 5686 9CF4 —
字義 ❶おそ-れる。びくびくする。あやぶむ。うれえる。用例〔論語、述而〕必也臨レ事而懼、好レ謀而成者也 ↓必ずや、戦争をするにあたっては慎重に、十分な計画を立てて戦いに成功する者(と一緒に行動する)だろう。❷つつしむ。つつしみいましめる。❸おどろく。❹おどす。
解字 篆文 形声。忄(心)＋瞿音。音符の瞿は、鳥がおそれて目をきょろきょろさせるさま。心を付し、おそれるの意味を表す。

【懼然】①おそれるさま。②驚き見るさま。ぎょっとするさま。
【懼怖】おそれる。▼怖も、おそれる。

18【懾】21画 3930 ショウ(セフ) 葉 shè(zhē) 5687 9CF5 —

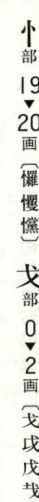

字義 ❶おそれる。おそ。びくびくする。うれえる。おじける。くじける。❷おどす。❸したがう(従)。おそれいって従う。

解字 篆文 形声。忄(心)＋聶音。音符の聶ジョウ＝ショウは、耳を寄せあってささやくの意味。他人をおそれてひそひそささやくの意味を表す。

【懾畏】ショウイ おそれる。

【懾悸】ショウキ おじけおそれる。▼悸も、おそれる。

【懾憚】ショウタン おそれはばかる。

【懾服】ショウフク おそれ従う。おそれて服従する。

19 【㦬】22画 3931 ラ 歌 luó

字義 㦬㦬ラは、㋐少ないさま。㋑恥じる。

解字 形声。忄(心)＋羅音。

20 【戄】23画 3932 ━漢キャク 呉カク(クヮク) 薬 jué ━ワク 薬 ━ク 遇 ━━ 3106

字義 ━おどろく。━あわてる。━おそれる。おそれつつしむ。

解字 形声。忄(心)＋矍音。音符の矍キャクは、おどろき見るの意味。心を付し、おどろくの意味を表す。

20 【戃】23画 3933 トウ(タウ) 養 dǎng ━━ 3105

字義 戃慌トウコウは、㋐失意のさま。㋑ぼんやりするさま。㋒思慮のないさま。

解字 形声。忄(心)＋黨音。

4画 戈 ほこづくり かのほこ・たすき

〔部首解説〕戈カを意符として、ほこ・武器、武器を用いることに関する文字ができている。

0 【戈】4画 3934 カ(クワ) 歌 gē 5689 9CF7 ━

戈①

字義 ❶ほこ。片方に枝のでたほこ。→戟(3952)の図。❷いくさ。戦争。

参考 「干戈」 難読 戈壁ゴビ

解字 甲骨文 篆文 象形。甲骨文でよくわかるように、にぎりのついた柄の先端に刃のついたほこの象形で、ほこの意味を表す。

【戈戟】カゲキ ほこ。▼戟は、三つまたのほこ。

【戈甲】カコウ ほことよろい。武具。

【戈矛】カボウ ほこ。▼矛は、枝のないほこ。

【偃レ戈】ほこをふす ほこをふせて使わない。戦いをやめること。また、戦争がやんで、世の中が平和になること。偃戈エンカ。

【止レ戈】ほこをとどむ ほこなどの武器を使わないようにする。戦乱をおさめること。「武」の字を分解すると、戈止になることから、戈を止めることが、武の本来の意義と『左伝』では考えられた。用例(左伝、宣公十二)止レ戈為レ武ほこをとどむるをぶとなす ↓(「武」という字は「戈」と「止」の組み合わせで、)戈(武器)を使わないことを本来の意味とする。

【枕レ戈】ほこをまくらにす ほこをまくらにして寝る。常に武器を身から離さぬこと。片時も国のことや父母のあだを忘れぬこと。

【倒レ戈】ほこをさかしまにす 味方にほこを向ける。裏切ること。倒戈トウカ。

1 【戉】5画 3935 漢エツ(ヱツ) 呉オチ(ヲチ) 月 yuè 5690 9CF8 ━

字義 ❶まさかり。はじめは武器、のちに儀式に用いる。＝鉞(12535)。❷こえる(越)。❸星の名。

解字 甲骨文 金文 篆文 象形。大きなおのの象形で、まさかりの意味を表す。鉞の原字。

1 【戊】5画 3936 人 標 漢ボウ 呉モ 慣ボ 宥 wù 4274 95E8 ━

筆順 丿 厂 戊 戊 戊

字義 ❶つちのえ。十干の第五。五行ゴギョウでは、土、方位では中央に配する。時刻は午前四時ごろ。→戊夜。❷ほこ。矛(8107)の古字。❸しげる(茂)。

名前 しげ・しげる

解字 甲骨文 篆文 象形。おののような刃がついた、ほこ(戈)の形にかたどる。借りて、十干の第五位。つちのえの意味にあてる。

【戊戌政変(變)】ボジュツセイヘン 清シンの光緒二十四年(一八九八)に、西太后らの保守派がクーデターを起こして、康有為らの維新派を失脚させた事件。

【戊夜】ボヤ 今の午前四時ごろから午前六時ごろまで。寅とらの刻。五更。

2 【戋】6画 3937 サイ 灰 zāi 21282 ━ ━

字義 きずつく。そこなう。

解字 形声。戈＋才音。

2 【戍】6画 3938 慣ジュ シュ 遇 shù 5691 9CF9 ━

字義 ❶まもる。武器を取って国境などをまもる。また、その守備兵。用例(唐、杜甫、兵車行)去時里正与裹レ頭 帰来頭白還戍レ辺(さりしときりせいためにかしらをつつみ、かえりきたればかしらしろくしてまたへんをまもる) ↓まえに出征したときには、村長が兵士のために成人を祝って頭をつつんでくれたのであったが、帰ってくると、頭はもう白くなっているのに、またもや国境地帯の守備にゆくのである。❷まもり。国境などの守備の役目。また、その兵。戍兵。❸たむろ。守備兵の陣営。

参考 「戌」(3940)は別字。

解字 金文 篆文 会意。人＋戈。戈は、ほこの象形。人がほこを持って守るの意味を表す。特に辺境を守るの意味に用いる。

【戍役】ジュエキ 国境などを守ること。また、その守備兵。

【戍衛(衞)】ジュエイ 国境などの守備の兵としてつかわれること。また、その兵。

【戍煙】ジュエン 戍衛からたちのぼる煙。

【戍火】ジュカ 国境などの守備兵のたく火。

【戍客】ジュカク 国境の守備兵。

【戍鼓】ジュコ 番兵が、夜、打ち鳴らす太鼓。用例(唐、杜甫、月夜憶二舎弟一詩)戍鼓断二人行一 辺秋一雁声(じゅこじんこうたえ、へんしゅういちがんのこえあり) ↓守備兵の打ち鳴らす太鼓の音が響いて人通りが途絶え、ここ辺境の地の秋の空から一羽の雁の声が聞こえてくる。

【戍甲】ジュコウ ＝戍卒。▼甲は、甲兵。

【戍守】ジュシュ 国境の守り。また、その勤務。戍衛。

【戍人】ジュジン 国境を守る兵士。戍衛の兵。

【戍卒】ジュソツ 国境などを守る兵。戍兵。戍人。戍客。

【戎△徭】ジュヨウ ＝戎役。
【戎楼(樓)】ジュウロウ 国境を守る物見やぐら。

2 【戎】6画 3939 (漢)ジュウ(ジウ) (呉)ニュウ(ニウ) (中)róng 2931 8F5E 一

字義 ❶いくさ道具。武器の総称。「戎器」 ❷いくさぐるま。兵車。「戎車」 ❸いくさ。たたかい。戦争。「戎事」 ❹つわもの。兵士。軍人。また、軍隊。 ❺えびす。西方の異民族。また、一般に、未開の異民族。「戎狄ジュウテキ」 ❻大きい。さかんなさま。 ❼たすける。また、たすけ。 ❽なんじ。＝汝(6164)。

解字 甲骨文 篆文 会意。戈＋十。戈は、ほこの意味。十は、甲骨文では、かめの甲の象形で、よろいの意味。ほことよろいの重装備、武器の意味を表す。

【戎△夷】ジュウイ 未開の国。また、その住民。▼夷は、東方の異民族。
【戎衣】ジュウイ ①いくさに着る衣服。軍服。②軍服を身につける。武装する。
【戎華】ジュウカ えびすと中華。異民族(外国)と中国。
【戎間】ジュウカン 戦場。
【戎器】ジュウキ いくさ道具。武器。兵器。
【戎機】ジュウキ 戦争。また、その指揮権。
【戎軒】ジュウケン ①いくさに使う車。兵車。②軍服。③軍事。戦争。
【戎甲】ジュウコウ ①武器。②兵士。③軍備。
【戎行】ジュウコウ ①軍隊の列。また、部隊。行伍ゴウ。②兵車(軍隊)の行く道。③戦争。
【戎克】ジャンク 英語 junk の音訳。中国の沿海や河川などで使われる、小型の運送船。
【戎事】ジュウジ 戦争に関する事柄。軍事。戦争。
【戎車】ジュウシャ いくさぐるま。四頭立ての兵車。大きいものを元戎・大戎、小さいものを小戎という。

戎車

【戎陣】ジュウジン いくさの陣立て。軍陣。戦陣。
【戎装(裝)】ジュウソウ 武装。いくさのよそおい。軍装。
【戎△狄】ジュウテキ ＝戎夷ジュウイ。▼狄は、北方の異民族。
【戎馬】ジュウバ ①いくさに使う馬。軍馬。②武器と軍馬。③戦争。軍事。用例〔唐、杜甫、登二岳陽楼一詩〕戎馬関山北カンザンのきた、憑レ軒涕泗流ケンによりてテイシながる ↓わがふるさと、関所のある山々の北では、今も戦争が行われている。楼のてすりに寄りかかりながら、涙がとめどもなく流れてやまない。
【戎蛮(蠻)】ジュウバン えびす。未開の国。また、未開の民。夷狄イテキ。戎夷ジュウイ。▼蛮は、南方の異民族。
【戎備】ジュウビ いくさのそなえ。軍備。兵備。
【戎服】ジュウフク ＝戎衣。
【戎右】ジュウユウ 兵車の右側に乗って、武器を持つ人。勇者がその任に選ばれる。
【戎虜】ジュウリョ ＝戎夷ジュウイ。▼虜も、異民族。
【戎路】ジュウロ 王の乗る兵車。また、一般の兵車。

2 【戌】6画 3940 (標) (漢)シュツ・(呉)シュチ (慣)ジュツ (中)xū 5692 9CFA 一

字義 ❶いぬ。十二支の第十一位。月では陰暦九月。時刻では午後八時ごろ、また、午後七時から九時までの二時間。方位では、北西。五行ギョウでは、土。動物では、犬に配する。❷ほろぼす。❸けずる。断ち切る。

参考 〔戍〕(3938)は別字。

解字 甲骨文 篆文 形声。戊＋一(音)。戊は、ほこの象形。一文字にほこでたつの意味を表す。転じて、十二支の第十一位の意味に用いる。

2 3 【成】6画 7画 3941 3942 (教)4 セイ・ジョウ なる・なす (漢)セイ (呉)ジョウ(ジャウ) (中)chéng 3214 90AC 一

筆順 丿 厂 万 成 成 成

字義 ❶なる。㋐できあがる。しあがる。↔敗(4543)。「完成」㋑なりたつ。変化する。ある状態になる。「成人」㋒実る。しげる。「成熟」 ❷なす。㋐しあげる。なしとげる。「大成」㋑する。行う。ある状態にする。 ❸たいらげる。たいらぐ。㋐仲直りする。和解。用例〔十八史略、春秋戦国、呉〕請二成於越一たいらぎをエツにこう、范蠡不レ可ハンレイきかず。↓越国に和平を提案したが、范蠡は聞き入れなかった。㋑治める。鎮定する。 ❹すでにできあがった。 ❺しきたり。さだめ。 ❻よい。りっぱ。また、大きい。「成国」 ❼楽曲の一段の終わること。その段落を数えることば。 ❽→成漢。 (国)なり。貴人の外出。

名前 あき・あきら・おさむ・さだ・さだむ・しげ・しげる・じょう・せ・せい・ぜい・なり・なる・のり・はかる・ひで・ひら・ふさ・まさ・みち・みのる・よし 難読 成岩ならわ・成東なるとう

解字 甲骨文 金文 篆文 形声。戊＋丁(音)。音符の丁は、くぎづけする・平定するの意味。戊は、大きな刃のついたまさかりの意味。まさかりで敵を平定するの意味から、ある事がらがなるの意味を表す。

逆 育成・開成・化成・期成・玉成・偶成・結成・構成・合成・混成・作成・賛成・集成・守成・小成・助成・生成・早成・促成・速成・組成・大成・達成・天成・晩成・平成・編成・養成・翼成・落成・錬成・老成

【成案】セイアン ①実行できるように立てた案。見積もり。②できあがった案。③事件にかんする判例の類。
【成育】セイイク 育てて大きくする。また、育って、大きくなる。↓生育(六〇三ページ上)。
【成因】セイイン (国)物事のなりたつ原因。成立のもと。
【成王】セイオウ 周の第二代の王。武王の子。即位時は幼少で、周公が政治をとった。東都を造営し、礼楽制度を定めた。
【成果】セイカ できあがり。結果。また、できばえ。
【成漢】セイカン 国名。五胡ゴ十六国の一つ。氐テイ族の李雄が建てた国で、今の四川省成都に都して国号を成とし、後に漢と改めたが、東晋シンに滅ぼされた。世に成漢または後蜀ショクという。(三〇四－三四七)
【成毀】セイキ うまくまとまることと、だめになること。〔荘子、斉物論〕
【成規】セイキ ①標準とする。法則となる。②法規。
【成器】セイキ ①よいうつわ。りっぱな器物。②りっぱな器物となる。りっぱな人物となることのたとえ。成レ器キをなす。↓不レ成レ器(三六二ページ下)。
【成吉思汗】ジンギスカン・チンギスハン モンゴル帝国の創建者。元の太祖。名は、鉄木真テムジン。南宋ソウの嘉泰カタイ四年(一二〇四)内・外蒙古モウコを統一、開禧カイキ二年(一二〇六)皇帝の位につき、嘉定八年(一二一五)には金の国都燕京エンケイ(北京)を占領した。その勢力は、アジア・ヨーロッパ二州に及んだ。(一一六二－一二二七)

成吉思汗

【成業】セイギョウ ①財産を形成する。②できあがった事実。③(国)学業を成就ジョウする。
【成均】セイキン ①周代の大学。欠けたところを整成し、過不及を均等にする意。周代には五学の一つであったが、五学の総称ともなる。②文学の官。
【成句】セイク ①句と句が結びついて一つのまとまった意味を表す句。②昔から伝わって、広く人々に使われている句。
【成△蹊】セイケイ (桃や李すもの木の下に人が集まって)自然に小道ができる。徳のある人の所には黙っていても自然に人が集まってくることのたとえ。用例〔史記、李将軍伝〕桃李

戈部 2画 〔戎戌成〕

不レ言、下自成レ蹊（ものいわざれども、したおのずからけいをなす） ↓ももやすももは言葉で人を招くことはしないが、(美しい花やよい実があるから人が争って来て)その下に自然に道ができる。

【成言】セイゲン 約束する。

【成語】セイゴ ①二つ以上の語が結びついて一つのまとまった意味を表す語。熟語。②＝成句②。

【成功】セイコウ ①事業をなしとげること。②事業をなしとげた功績。③秋のとりいれ。④国立身出世する。

【成効(效)】セイコウ でき上がり。結果。成功。成績。

【成婚】セイコン 結婚が成立すること。成昏セイコン。

【成算】セイサン ①規定の計画。②事をなしとげる見通し。

【成事】セイジ ①すでにできてしまったこと。②事をなしとげる。

【成事不レ説】セイジはとかず できてしまったことについては、かれこれ言わない(言ってもむだである)。〔論語、八佾〕

【成就】ジョウジュ ①なしとげる。②仏願いがかなう。

【成周】セイシュウ 周代の洛邑ラクユウ(今の河南省洛陽市)の呼称。

【成熟】セイジュク ①穀物や果物などが十分に実ること。②からだや心などが十分にできあがること。③物事がちょうどよい時機に達すること。④物事によくなれて上手になること。熟達。

【成心】セイシン ①先天的にもっている完全な心。②あらかじめ持っている偏見。

【成人】セイジン ①人格・教養のそなわった、りっぱな人。②おとな。二十歳以上の人。③一人前になること。④昔の中国で、男性の二十歳以上、女性の十五歳以上の人を言う。成年。

【成数(數)】セイスウ およその数。端数のないまとまった数。概略の数。

【成績】セイセキ ①てがら。②できばえ。なしとげた結果。

【成竹】セイチク 前もって心に描いている計画。かねてからの考案。画家が竹を描く時、まずでき上がった竹のさまを心に描き、その後に筆を執ることから。↓胸中有ニ成竹一(六九五ページ下)。

【成長】セイチョウ 育って大きくなる。◆一般に、動物については「成長」、植物については「生長」を用いる。なお、派生的用法では「成長」を用いる。「成長株」

【成丁】セイテイ 一人前になった人。丁年(二十歳)に達した人。

【成都】セイト 地名。現在、四川省の省都。三国時代、蜀ショクの都。諸葛亮ショカツリョウを祭る武侯祠ブコウシや、杜甫トホの草堂など名所旧跡で有名。⇩コラム 成都(五六三ページ)。

【成湯】セイトウ 殷インの湯王トウオウ。→湯王(八六一ページ上)。

【成童】セイドウ 十五歳以上の少年。一説に八歳以上の少年。

【成道】ジョウドウ 仏仏道の真理をさとる。悟道。

【成徳】セイトク 徳を完成する。また、完成した徳。

【成年】セイネン ①満二十歳。②大人。成人。

【成敗】一セイハイ・セイバイ ①事がなることと、やぶれること。成功と失敗。②勝つことと負けること。二セイバイ 国①さばき。裁判。②しおき。処罰。③切り捨てること。④政治を行うこと。とりはからうこと。⑤命令。下知。

【成否】セイヒ 成功することと、しないこと。成功と失敗。

【成美】セイビ ①人を励まして、美徳をなしとげさせる。②なしとげてりっぱにする。

【成仏(佛)】ジョウブツ ①仏世俗の悩みを超えて、さとりを開くこと。②死ぬこと。往生。

【成文】セイブン 文章に書き表されていること。また、その文。

【成法】セイホウ 定められた法則。一定の規則。

【成名】セイメイ ①名をなす。②子が生まれて三か月後に父が命名すること。ⓐ名声を挙げる。ⓑ一芸にひいでる。ⓒ名づける。③りっぱな名。美名。盛名。

【成命】セイメイ 天から受けた命。すでに定まっている命運。

【成立】一セイリツ ①なりたつ。できあがる。また、そのこと。②成長して一人前になる。③なりたった過程。できかた。二なりたち 国①なりたつこと。②なりはじめ。③なりたった過程。できかた。④成分。要素。

3【我】7画 3943 教6 ガ われ・わ
ガ 呉 wǒ
1870 89E4 一

筆順 ノ 二 千 手 我 我 我

字義 ❶われ。自分。私。「自我」「没我」 ❷わ-が。私の。ⓐ自分に属すること。自分の所有することを表す語。ⓑ自分の味方や国を指している。ⓒ親しみの意を表す語。用例〔論語、述而〕窃比ニ於我老彭一(ひそかにわがロウホウにヒす)↓(自分を)こっそりとあの老彭になぞらえている。❸かたいじ。頑固。ひとりよがり。用例〔論語、子罕〕毋レ固毋レ我(コなくガなし)↓固執せずかたいじを張らない。❹仏自分のことに執着すること。

名前 が・もと 難読 我何そ・我儘わがまま・我孫子あびこ・我如古かねこ・我羅斯アロシ

解字 甲骨文 金文 篆文 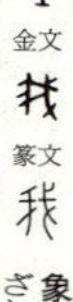 象形。もと、刃先が、ぎざぎざしたほこ(戈)の形にかたどり、借りて、われの意味を表す。我を音符に含む形声文字に、儀・娥ガ・峨ガ・曦ギ・犠ギ・犧・義・羲ギ・艤ギ・蛾ガ・蟻ギ・議・餓・鵝ガなどがある。

逆 自我・小我・人我・大我・彼我・非我・物我・忘我・没我・無我

【我意】ガイ ①自分の心。自分の気持ち。②自分勝手の考え。わがまま。

【我見】ガケン 仏自分だけのせまい誤った意見。

【我執】ガシュウ 自分の気持ち・意見を張り通すこと。片意地。

【我曹】ガソウ・わがともがら 自分たちの仲間。

【我田引水】ガデンインスイ 国自分の田に水を引き込む意で、自分の都合のよいように言ったり、行ったりすること。

【我儂】ガノウ われ。わし。自分。▼儂も、われ。

【我慢】ガマン ①仏自分の才能をたのんで人を軽んずること。転じて、我意を張ること。片意地。我執。②国こらえしのぶこと。辛抱すること。忍耐。

【我流】ガリュウ 自分勝手のやりかた。自己流。

【為レ我】わがためにす ＝為我ガイ(九〇六ページ上)。

【自レ我作レ古】われよりいにしえ(へ)をなす 古くからのやり方があるにもかかわらず、自分で新しいやり方をはじめ、それに後の人も従わせること。〔宋史、礼志二十五〕

3【戒】7画 3944 常 カイ いまし-める
カイ 国 jiè
1892 89FA 一

筆順 一 二 干 开 戒 戒 戒

字義 ❶いまし-める。いまし-む。ⓐ非常の場合にそなえる。用心する。「厳戒」「警戒」 ⓑつつしむ。ひかえめにする。ⓒ告げる。さとす。注意を与える。「訓戒」 ❷いまし-め。❸ととのえる。そなえる(具)。❹ものいみ。ものいみする。「斎戒」 ❺文体の一種。いましめの文。訓戒の文。❻仏身心の過ちを犯さぬためのいましめ。「戒律」

参考 現代表記では〔誡〕(11219)の書きかえに用いる。「誡告→戒告」「訓誡→訓戒」。また、〔誨〕(11220)の書きかえに用いることがある。「教誨→教戒」

解字 金文 篆文 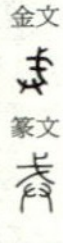 会意。戈＋廾。戈は、ほこの象形。廾は、左右の手の象形。武器を両手にしていましめるの意味を表す。戒を音符に含む形声文字に、械・誡カイなどがある。

逆 遺戒・勧戒・鑑戒・教戒・禁戒・訓戒・警戒・厳戒・告戒・斎戒・斉戒・持戒・自戒・受戒・授戒・女戒・慎戒・懲戒・破戒・銘戒

【戒禁】一カイキン いましめ。おきて。二カイゴン 仏すべての悪をいましめ禁ずること。

【戒具】カイグ ①祭祀サイシ・会合・接客などに用いる器具。②国罪人の逃走・暴行などを防ぐために用いる器具。手錠・

コラム

成都

成都市は四川盆地の北西部に位置し、海抜は約五百メートル。長江支流の岷江、沱江が形成した沖積平野である成都平原の中央を占め、農業生産に恵まれ、〈天府の国〉といわれる。

古く甘粛の羌族の支族の蜀山氏が移住し、周代に国を建て、首都を成都と名づけたという。戦国時代後期、秦が蜀国を滅ぼして蜀郡を置き、前二五〇年ごろ、その太守の李冰が大型水利施設である都江堰を開き、岷江の水を導いて成都平原を灌漑した。前漢の景帝期の蜀郡太守文翁は成都に講堂を建て、地方公立学校の先駆となった。漢代には〈蜀錦〉として名高い織錦業が発達し、錦官という専門官吏が置かれて管理されたために、〈錦城〉〈錦官城〉が成都の別称となった。

後漢末期には公孫述が拠点を置き、三国時代には蜀の劉備が成都で帝位に即いた。それを支えたのが諸葛亮（字は孔明）である。西晋末の十六国の時代には李雄が成漢を建てたが、東晋に滅ぼされた。唐代中期には、安禄山・史思明の乱を避けて、玄宗が成都に行幸する。五代には前蜀の王建、後蜀の孟知祥が成都を国都とした。後蜀の後主孟昶が城壁の上に芙蓉樹をあまねく植えたところから、成都は〈芙蓉城〉〈蓉城〉とも呼ばれた。

元代に四川省が置かれ、省都は重慶であったが、明・清には成都が四川の中心となった。

成都は中国西南地区の重要都市であり、古くから交通路が開かれた。漢中・陝西へ至る金牛道（〈蜀の桟道〉で名高い）、東へは湖北道、南へは雲南・貴州道、西へは西蔵道などである。しかし、「蜀道の難き、青天に上るより難し」（李白「蜀道難」詩）といわれるように成都への道は険しく、外の世界と隔絶され、内に肥沃な平原を抱くこの地は、蜀錦・蜀布・蜀箋・蜀繍・竹器・漆器などの独特の産物を持ち、漢の文章家司馬相如・揚雄、唐の音楽家段安節・雷威、五代の詩人孫光憲・欧陽炯、画家の黄筌・黄居寀、宋の歴史家范祖禹・范鎮らの人材を生んだ。唐の李白・杜甫・高適・劉禹錫・元稹・白居易、女流詩人の薛濤、五代の韋荘、宋の蘇軾・陸游・范成大などの著名な詩人が成都に滞在して多くの名作を残したのも、ここが魅力的な都市であったからにほかならない。特に杜甫は、その流浪の生涯の中での比較的安定した数年間をこの地におくり、「江 碧にして鳥 逾よ白く、山 青くして花 然えんと欲す」（絶句詩）などの数々の名句を生んでいる。

〔主な遺跡〕

武侯祠　三国時代、蜀の丞相であった諸葛亮を祭る所。成都の南門大橋の西にあり、面積は三万七千平方メートル。最初は蜀の先主劉備を祭る昭烈廟と隣りあわせであったが、明代初期、蜀献王の朱椿が武侯祠を昭烈廟の中に併せた。明末に兵火を被って荒廃したが、清の康熙十一年（一六七二）に再建された。劉備殿・諸葛亮殿などがあり、中には蜀の君臣の塑像や碑碣が収められる。とりわけ、唐の宰相裴度の文章を名書家の柳公綽が書き、名匠の魯建が刻字した碑は、三絶碑として名高い。

武侯祠

杜甫草堂　成都市の西郊五キロの浣花渓のほとりにあり、少陵草堂（少陵は、杜甫の号）・工部草堂（杜甫は工部員外郎に任官した）ともいわれる。杜甫は乾元二年（七五九）から四年近くにわたって成都に滞在したが、その住居跡に建てられたという。明・清両代の修復を経て現在の規模となった。詩史堂・工部祠・紫門・大廨などがある。

杜甫草堂

王建墓　成都市の西郊の三洞橋にある。五代前蜀を建てた王建の陵墓で、高さ一五メートル、直径八〇余メートル。一九四二年に発掘され、文書・宝物・銀器・楽器などが大量に出土した。

足かせなど。
【戒厳(嚴)】カイゲン ①きびしく警戒する。また、厳重な警戒。②戦時または事変の時、軍隊が行政・司法の権を保持するとともに一定地域を厳重に警備すること。その命令を「戒厳令」という。
【戒行】カイコウ 戒律を守り仏道を修行すること。
【戒告】カイコク ①いましめ告げる。注意を与える。②国行政上、義務を果たさない人に対し、その義務を実行するよう書面で催促すること。誡告カイコク。
【戒△杖】カイジョウ・シャクジョウ 仏山伏やまぶしなどが身の護りに持つつえ。錫杖
【戒心】カイシン 用心する。油断しない。気を許さない。また、自分の非を悟り、心を入れかえること。
【戒慎(愼)】カイシン いましめつつしむ。用心する。
【戒旦】カイタン ①夜明けを告げ戒める。②早朝をいう。
【戒壇】カイダン 仏仏門に入る人に戒律を授ける式場。
【戒△牒】カイチョウ 仏僧・尼が戒律を受けたしるしの書きつけ。度牒。
【戒勅(敕)・戒△飭】カイチョク いましめる。注意を与える。
【戒名】カイミョウ 仏①戒律を受けて僧・尼となるとき、師から与えられる名。法号。②僧が死者につける名。法名。↔俗名(一一ページ中)。
【戒律】カイリツ 仏仏教上のいましめと、僧・尼の守るべき規則。

3 【成】7画 (3942) セイ 成(3941)の旧字体。→五六一ページ中。

4 【戔】8画 3945 5693 9CFB — 一 漢サン・呉ザン 寒 cán 二 セン 先 jiān
字義 一❶そこなう。❷戔戔は、数の多いさま。また、積みかさなっているさま。二❶すくない。わずか。❷=一❷。
解字 甲骨文 篆文 会意。戈＋戈。ほこを重ねて切りこんで、ずたずたにするさまから、そこなうの意味を表す。今は、残(殘)が用いられる。戔(戋)を音符に含む形声文字に、残・浅(淺)・濺セン・賤セン・箋セン・綫セン・諓セン・銭(錢)・餞センなどがある。

4 【戕】8画 3946 21283 — 3109 漢ショウ(シャウ) 呉ゾウ(ザウ) 陽 qiāng
字義 ❶そこなう。きずつける。痛める。❷ころす(殺)。
解字 篆文 形声。戈＋爿音。戈は、ほこの意味。音符の爿ショウは、創に通じ、きずつくの意味。そこなうの意味を表す。
【戕害】ショウガイ そこなう。殺す。殺害。戕賊。
【戕虐】ショウギャク そこないしいたげる。いじめ殺す。
【戕賊】ショウゾク =戕害。

4 【或】8画 3947 1631 88BD — 人 標 漢コク 呉ワク 職 huò
筆順 一 ｢ 冂 口 𠮛 式 或 或
字義 ❶あるいは。㋐または。㋑もしかすると。ことによると。㋒あるものは。あるときは。❷ある。不定の物事をさす語。❸あるひと。不定の人をさす語。❹ある。存在する。=有(4907)。❺つねに。いつも。❻まどう。まよう。=惑(3555)。❼うたがう。あやしむ。
名前 あや・もち
解字 甲骨文 金文 篆文 会意。口＋戈＋一。口は、むらの象形。戈は、ほこの象形。一は、境界の象形。もと、武装した地域の意味で、域・國(国)の原字。借りて、あるいはの意味に用いる。或を音符に含む形声文字には、「くぎる」の意味を共有する域・國などと、「さかんに現れる」の意味を共有する彧イク・惑などがある。
【或者】一あるいは または。おそらくは。二あるもの ある人。
【或体(體)】ワクタイ 同音・同義で、字体だけ異なる文字。別体。異体。或体字。
【或問】ワクモン ある人の質問に答えるという形式の文体。議論文などに用いる。

5 【威】9画 (2370) イ 女部。→三六八ページ中。
5 【咸】9画 (1448) カン 口部。→二六二ページ中。
5 【哉】9画 (1459) サイ 口部。→二六三ページ中。
6 【彧】10画 (3376) イク 彡部。→四九六ページ上。
6 【栽】10画 (5390) サイ 木部。→七三九ページ中。
6 【烖】10画 (6897) サイ 火部。→八九五ページ下。

7 【戛】11画 3948 5694 9CFC — 漢カツ 呉ケチ 黠 jiá
【戞】3951 俗字
字義 ❶ほこ。長いほこ。❷する(摩)。こする。すって平らにする。❸うつ(撃)。軽くたたく。❹金属などのかち合う音の擬声語。❺くいちがうさま。❻かた。法式。作法。
解字 篆文 会意。百＋戈。百は、首の意味。戈は、ほこの意味。首を切り落とすほこの意味を表す。また、金石のふれ合う音を表す擬声語としても用いられる。
【戛戛】カツカツ ①金・石など堅い物のふれ合う音の擬声語。②物事のくいちがうさま。
【戛然】カツゼン ①金・石など堅い物のふれ合う音の形容。②鶴つるの鳴き声の形容。③物事のくいちがうさま。

7 【戚】11画 3949 3244 90CA — 常 セキ 一 漢セキ・呉シャク 錫 qī 二 漢ショク・呉ソク 沃 cù
筆順 ノ 厂 厂 仄 厈 戚 戚 戚
字義 一❶おの。まさかり。❷儀式用の武器で木製、おのの型をしたもの。「干戚」❸うれえる。いたむ。かなしむ。
用例 (唐、柳宗元、捕ㇾ蛇者説)蔣氏大戚、汪然出ㇾ涕曰……。蔣氏ショウシおお(ほ)いにいたみ、オウゼンとしてなみだをいだしていわ(は)く
↓蔣氏はたいへん悲しみ、とめどもなく涙を流して言った、……。❹したしむ。❺みうち。妻のみうち。転じて、一般に、親族。「親戚」❻ひきがえる。二❶せまる。せばまる。また、ちぢむ。❷すみやか。

戚一①

名前 ちか
解字 金文 篆文 形声。戉＋尗音。戉は、まさかりの意味。音符の尗シュクは、豆の象形。豆のように小さなまさかりの意味を表す。また、尗は弔に通じ、いたみうれえるの意味を表す。また、いたみいたわる心の通いあう親族の意味をも表す。
【戚戚】セキセキ ①親しみあうさま。②うれえ恐れるさま。うれえ悲しむさま。③心の動くさま。感動するさま。
【戚然】セキゼン うれえ悲しむさま。
【戚族】セキゾク 妻のみうち。妻の生家の一族。
【戚里】セキリ ①長安にあり、天子の外戚(皇后の親類)の住んでいた地域。②外戚のこと。

7 【戜】11画 3950 — — 3110 漢テツ 呉デチ 屑 dié
字義 ❶鋭い。❷えぐる。❸常に。❹国名。
解字 形声。戈＋呈音。

8 【戞】12画 3951 5701 9D40 — カツ 戛(3948)の俗字。→五六四ページ中。
8 【幾】12画 (3172) キ 幺部。→四六九ページ中。

8【戟】12画 3952 人 標 漢ケキ・呉キャク 陌 jǐ 2365 8C81 —

筆順 一 十 𠂇 吉 卓 卓 𠦝 戟 戟 戟

[𢧢] 3959 本字

字義 ❶ほこ。枝刃のでたほこ。❷さす。「刺戟」❸たて(楯)。❹まげる(曲)。

参考 ①現代表記では〔激〕(6728)に書きかえることがある。「刺戟→刺激」②戟は、戈と矛との合体から生まれる武器で、引っ掛ける戈と突き刺す矛との双方の働きを兼ねる。三者の基本形は次の通り。

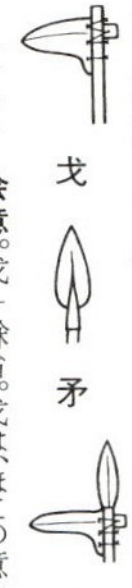

解字 金文 篆文 会意。戈+榦省。戈は、ほこの意味。榦は、みきの意味。木の幹と枝のように、枝刃の出たほこの意味を表す。

【戟手】ゲキシュ 腹を立て、両手をほこのように張り出すこと。一説に、にぎりこぶしを打ち振ること。

8【裁】12画 (10827) サイ 衣部。→一二七五ページ下。

8【胾】12画 (9661) シ 肉部。→一二七ページ下。

9【戡】13画 3953 カン 覃 kān 5702 9D41 —

字義 ❶か-つ。勝って平らげる。❷ころす。また、さす(刺)。

解字 篆文 形声。戈+堪省音。音符の堪は、かつの意味。また、拑に通じ、はさむの意味。ほこではさむ、さすの意味を表す。

【戡定】カンテイ 戦に勝って平定する。

【戡殄】カンテン 皆殺しにする。▼殄は、尽くす意。

9【戣】13画 3954 漢キ 呉ギ 因 實 kuí 21284 — 3113

字義 戟の一種。三方に刃の張り出しているもの。

解字 形声。戈+癸音。

9【載】13画 (11900) サイ 車部。→一三九四ページ中。

9【戢】13画 3955 シュウ(シフ) 緝 jí 18466 — 3112

字義 ❶おさ-める。㋐しまいこむ。武器をしまう。㋑あつめる。㋒やめる。とどめる。❷やわらげる。安んじる。

解字 篆文 形声。戈+咠音。音符の咠は、寄せ集めるの意味。ほこなど兵器を集めおさめるの意味を表す。

【戢兵】シュウヘイ 戦争をやめること。

【戢翼】シュウヨク ①鳥がつばさをつぼめて飛ばないこと。戢羽。②官をやめて隠居することのたとえ。

【戢鱗】シュウリン ①魚や竜がうろこを休めてじっとしていること。②志を抱いて、じっと時機を待つこと。

9【戠】13画 3956 漢ショク 呉シキ 職 zhí — — 3111

字義 ❶兵器の名。❷目印。❸はに。ねば土。=埴(2013)。❹収める。

解字 形声。音+戈音。識・織の原字。

9【戦】13画 3957 教4 セン いくさ・たたか-う 3279 90ED —

12〔戰〕16画 3958 人 セン 霰 zhàn 5705 9D44 —

筆順 ⺍ 𫩏 𫩏 単 単 単 戦 戦 戦

字義 ❶たたか-う。㋐武器をとって争う。いくさをする。用例〔孫子、謀攻〕不レ戦而屈二人之兵一善之善者也(たたかわずして、ひとのへイをクッするは、ぜんのぜんなるものなり)。↓実際に戦闘をせずに敵を屈服させるのが最善の方策である。㋑勝負する。競争する。「舌戦」「筆戦」❷たたか-い。いくさ。争い。戦争。「挑戦」❸おのの-く。ふるう。ふるえる。また、おそれる。=顫(13517)。「戦慄」❹そよ-ぐ。そよそよとゆれ動く。用例〔北宋、蘇軾、宝山新開レ径詩〕野客帰時山月上(ヤカクかえ(へ)るとき、サンゲツのぼり)、棠梨葉戦暝禽呼(トウリのはそよぎて、メイキンよぶ)。↓遊山を終え帰り道をたどると山の上には月がかかり、まめなしの葉が風にそよぎ夕闇に鳥たちは鳴き交わす。

名前 せん・ゆき

使いわけ たたかう〔戦・闘〕
〔戦〕戦争や試合など具体的な争いの場合。「優勝候補と戦う」
〔闘〕目に見えないもの、抽象的なものとの争いの場合。「病気と闘う」

解字 金文 篆文 形声。戈+単(單)音。音符の單は、はじき弓の象形。戈は、ほこの象形。たたかうの意味を表す。

逆 悪戦・快戦・合戦・義戦・苦戦・血戦・交戦・好戦・抗戦・攻戦・混戦・作戦・死戦・緒戦・水戦・征戦・接戦・舌戦・宣戦・善戦・挑戦・停戦・督戦・筆戦・百戦・奮戦・防戦・野戦・勇戦・乱戦・力戦・論戦・和戦

【戦意】センイ 戦おうとする気持ち。ファイト。

【戦雲】センウン ①戦場にただよっている雲。②戦争の気配。「戦雲急を告げる」

【戦火】センカ 国①戦争で起きる火災。兵火。②戦争。

【戦禍】センカ 戦争による災い。戦争の被害。

【戦格】センカク 敵の侵入を防ぐための柵。さかもぎ。

【戦汗】センカン ふるえおののくこと。ひや汗を流すこと。

【戦記】センキ 戦争(勝負)の有様を記録したもの。

【戦機】センキ ①戦いが起きるきっかけ。②戦争に関する機密。軍機。

【戦況】センキョウ 国戦いのありさま。戦いの状況。戦状。

【戦局】センキョク 国戦争のなりゆき。戦いのありさま。

【戦血】センケツ 戦争で流された血。

【戦後】センゴ ①戦争の終わったのち。②国特に、第二次世界大戦の終わったあとをいう。

【戦功】センコウ いくさでたてたてがら。軍功。戦勲。

【戦国(國)】センゴク ①戦争の絶え間のない国。②戦争をしている国。③戦争で乱れた世の中。乱世。

【戦国(國)策】センゴクサク 書名。三十三編。漢の劉向の編。戦国時代の十二の諸国の事跡や遊説家の言行などを国別に記した書。

【戦国(國)時代】センゴクジダイ ①周の威烈王の二十三年(前四〇三)に韓・趙・魏が晋を分割してから、秦の始皇帝が天下を統一するまで(前二二一)の、百八十三年間の乱世を言う。⇩コラム 春秋・戦国時代(六六一ページ)。②国応仁の乱(一四六七—一四七七)から豊臣秀吉が天下を統一するまでの約百二十年間。

【戦国(國)七雄】センゴクのシチユウ 中国の戦国時代の七強国、斉・楚・燕・韓・趙・魏・秦。

【戦骨】センコツ 戦場に横たわる戦死者のなきがら。戦死した人の遺骨。

【戦史】センシ 戦争・事変の歴史。また、それを書いた書物。

【戦死】センシ =戦没。

【戦術】センジュツ 戦いのしかた。戦法。

【戦捷】センショウ 戦いに勝つ。戦勝。

【戦竦・戦悚】センショウ おののき、すくむ。

【戦色】センショク おののきおそれる顔色。

【戦陣・戦陳】センジン ①いくさの陣立て。②戦いのやりかた。戦法。③戦いの場所。戦場。④戦争。

【戦塵】センジン ①戦場に立つ砂ほこり。②戦争のさわぎ。

【戦跡】センセキ 戦いのあったところ。古戦場。

【戦績】セン セキ 戦いの成績・結果。
【戦戦△兢△兢】センセン キョウキョウ おそれつつしむさま。びくびく。◆現代表記では、「戦戦恐恐」に書きかえる。
【戦線】セン セン 国戦場で、最前線の戦闘部隊が保っている地点を結んだ、仮想の線。戦いの行われている地域。
【戦争(爭)】セン ソウ ①敵・味方に分かれた両者が、武器を持ってたたかうこと。いくさ。戦い。合戦。戦役。②国家間、あるいは国家と交戦団体間との、武力による闘争の状態。
【戦卒】セン ソツ 兵士。戦死。
【戦端】セン タン 戦いの初め。戦いの糸口。
【戦図(圖)】セン ト 戦争の行われる範囲。
【戦闘(鬭)】セン トウ 戦い。戦う。戦争。
【戦伐】セン バツ 戦い敵をうつ。攻伐。
【戦犯】セン パン ①「戦争犯罪」の略。㋐戦争を起こした罪。㋑戦争で犯した罪。②戦争犯罪人。
【戦法】セン ポウ 戦いの方法。戦術。
【戦没・戦△歿】セン ボツ 戦争で死ぬ。戦死。
【戦友】セン ユウ 国①一緒に敵と戦った仲間。②同じ軍隊にいた仲間。
【戦乱(亂)】セン ラン ①戦争。②戦争のために起こる世の乱れ。兵乱。
【戦利品】セン リ ヒン 国戦争で、敵から奪い取った品物。
【戦慄・戦△栗】セン リツ おそれおののく。びくびくする。
【戦略】セン リャク 戦のはかりごと。作戦計画。作戦の大局的な計画。
【戦塁(壘)】セン ルイ 戦いのとりで。

10 【戟】14画 3959 ゲキ 戟(3952)の本字。→五六五ページ上。

10 【截】14画 3960 標 漢セツ 呉ゼチ 屑 jié 5703 9D42 ―
【𢧜】3966本字
字義 ❶たつ。きる。たちきる。切断する。截断。また、さえぎる。はばむ。❷ととのえる。❸おさめる(治)。❹口先のうまいさま。「截截」
解字 篆文 会意。篆文は、小＋隹＋戈。とりをほこで小さくばらばらに切るさまから、きる・たつの意味を表す。
【截取】セツ シュ ①清シン代、中央官省で役人を選任すること。②切り取る。
【截然】セツ ゼン ①断ち切るさま。②物事の区別のはっきりするさま。きっぱり。「サイゼン」と読むのは誤読による慣用読み。
【截断(斷)】セツ ダン たちきる。切り離す。切断。

10 【戩】14画 3961 セン 銑 jiǎn 21285 ― 3115
字義 ❶つくす(尽)。また、尽きる。❷ほろぼす。ほろびる。❸ことごとく。すべて。みな。❹さいわい。
解字 篆文 形声。戈＋晉㊀。音符の晉シは、すすむの意味。ほこでどんどん切りすすめる、ほろぼすの意味を表す。

10 【戧】14画 3962 ソウ 創(969)の古字。→一八〇ページ中。 ― ― 3114

10 【戫】14画 3963 漢ヨク 呉イキ(ヰキ) 職 yù ― ― 3116
字義 速いさま。
解字 形声。有＋或㊀。

11 【戯】15画 3964 常 ギ たわむれる 2126 8B59 ―
13 【戲】17画 3965 人 一キ 寘 xì 二漢コ・呉ク 虞 hū 慣ギ・ゲ 5706 9D45 ―
筆順 丨 ト 卜 广 卢 卢 虍 虐 虚 戯
【戱】3968俗字
字義 一❶たわむれる(たはむる)。㋐興じ遊ぶ。おもしろく遊ぶ。「球戯」㋑おどける。ふざける。「悪戯いたずら」㋒もてあそぶ。いたずらする。なぐさみものにする。❷たわむれ(たはむれ)。おどけ。遊び。冗談。❸演技。芝居。また、演技をする。芝居をする。❹旗。旗さしもの。二ああ。嘆息の声。また、息を吐く。国❶ざれる(ざる)。㋐たわむれる。㋑あだめく。㋒おもむきがある。❷じゃれる(じゃる)。まつわりついて遊ぶ。❸たわける(たはく)。ばかげた言動をする。
難読 戯言ざれごと・たわごと
解字 金文 篆文 形声。戈＋虘(虚)㊀。音符の虘は、虚に通じ、むなしいの意味。むなしいほこ、実戦用ではなく、軍楽用のほこの意味を表し、さらに転じて、たわむれるの意味を表す。また、なげきの声の擬声語としても用いられる。
逆 悪戯・雑戯・児戯・調戯
【戯下】キ カ 同麾下キカ・旗下。①大将の旗のあるところ。②大将に直属する家来。
【戯画(畫)】ギ ガ・ざれ え(ゑ) ①たわむれに描いた絵。②こっけいを主とした絵。世の中を風刺するために描いた絵。漫画。
【戯△謔】ギ ギャク たわむれる。おどける。ふざける。
【戯曲】ギ キョク ①芝居の筋書き。演劇の脚本。台本。②主として会話と人物の行動とで表現される文学作品。ドラマ。
【戯劇】ギ ゲキ しばい。演劇。
【戯言】ギ ゲン・ざれ ごと たわむれのことば。冗談。戯語。
【戯△狎】ギ コウ たわむれ、なれる。
【戯作】一ギ サク たわむれに作る詩文。二ゲ サク 国江戸時代、娯楽小説類の総称。「戯作者」
【戯場】ギ ジョウ 劇場。演芸場。
【戯水】ギ スイ 川の名。陝西セイ省西安市の東を流れる川。
【戯西】ギ セイ 戯水の西。
【戯談】ギ ダン 冗談をいう。また、冗談。
【戯文】ギ ブン ①芝居の筋書き。演劇の脚本。②たわむれに書いた文章。滑稽コッケイ文。狂文。
【戯予(豫)】ギ ヨ 遊び楽しむ。怠り遊ぶ。
【戯弄】ギ ロウ たわむれてもてあそぶ。戯玩ガン。用例(史記、廉頗藺相如伝)得レ璧伝二之美人一、以戯二弄臣一。㋘璧を手に入れると、これを愛妾たちに回して見せて、私をたわむれもてあそぶような態度をおとりになりました。

11 【𢧜】15画 3966 セツ 截(3960)の本字。→五六六ページ上。

11 【臧】15画 (11024) ソウ 臣部。→一二九三ページ上。

11 【戮】15画 3967 標 漢リク 呉ロク 屋 lù 5704 9D43 ―
字義 ❶ころす。死罪に処する。用例(韓非子、説難)厚者為レ戮、薄者見レ疑。㋘ひどい場合には殺され、軽い場合には疑われた。❷さらす。死体をさらしものにする。❸つみ。ばつ。刑罰。「刑戮」❹はずかしめる。また、はずかしめ。はじ。恥辱。「戮辱」❺あわせる。力をあわせる。＝勠(1065)。「戮力」❻あらあらしい。
参考 〔僇〕(577)に通じる。熟語は〔僇〕をも見よ。
解字 篆文 形声。戈＋翏㊀。音符の翏は、卯に通じ、二つにひきさくの意味。ほこで殺すの意味を表す。
【戮笑】リク ショウ 人に笑われること。ものわらい。
【戮辱】リク ジョク 刑罰によってはずかしめられる。また、むごたらしく殺される。僇辱リクジョク。
【戮没】リク ボツ 殺し滅ぼす。
【戮力】リク リョク 力を合わせる。協力。勠力リクリョク。

12 【戱】16画 3968 ギ 戯(3964)の俗字。→五六六ページ中。

12 【戰】16画 (3958) セン 戦(3957)の旧字体。→五六五ページ中。

13【戲】17画 (3965) ギ 戲(3964)の旧字体。↓五六六ページ中。

13【戴】17画 3969 常 タイ
14〘戴〙18画 3970 タイ 隊 dài 3455 91D5 —

筆順 土 击 査 查 葦 戴 戴 戴

字義 ❶いただく。㋐頭の上にのせる。「負戴」㋑尊んでおしいただく。あがめる。「推戴」㋒ありがたくうける。「頂戴」❷ふえる。増加する。国いただく。㋐目よりも高く物をささげる。㋑「貰もらう」の敬語。

解字 篆文 形声。戈(戋)+異音。音符の異は、鬼頭の面をつけ両手をあげている人の象形。戋は、載に通じ、のせるの意味。鬼頭の面を頭にのせるように、のせる・いただくの意味を表す。

【戴冠式】タイカンシキ 西洋で、皇帝が位につくとき、帝王の象徴である冠をかぶる儀式。
【戴星】タイセイ 星を空にいただく。朝早く家を出、夕方おそく家に帰ること。
【戴白】タイハク 頭に白髪をいただくこと。しらが頭。また、年寄り。老人。

14【戴】18画 (3970) タイ 戴(3969)の旧字体。↓五六七ページ上。

14【戳】18画 3971 タク 覚 chuō 5707 9D46 —
字義 ❶つく(突)。突き刺す。❷印判。また、印を押す。
解字 形声。戈+翟音。

4画 戶(戸) とだれ とかんむり・とびらのと

〔部首解説〕戸を意符として、とびら、住居、住居に付属するものに関する文字ができている。

0 戸 五六七　1 戹 五六七　3 戼 五六七　戻 五六七　4 肩 六八八
戽 五六七　所 五六七　房 五六八　戾 五六七　5 扃 五六九
居 五六九　扁 五六九　扁 五六九　6 扆 五六九　扃 五六九
扇 五六九　7 扈 五六九　扈 五六九　8 雇 一五三四　扉 五六九
10 肇 一〇一七

0【戸】4画 3972 教2 コ と 漢コ 呉ゴ 慶 hù 2445 8CCB —
0〘戶〙4画 3973
〘户〙54 俗字

筆順 一 ㇇ ヨ 戸

字義 ❶と。とびら。片開きのと。へやの出入り口。かどぐち。とぐち。❷家・また、へや。❸家。❹家屋を数える語。戸数。❺とめる。とどめる。❻飲酒の量。「上戸」「下戸」❼ひと。住民。❽あや模様のあるさま。国へ。家。人家。

名前 いえ・かど・と・ど・ひろ・べ・もり　難読 戸河内とがうち・戸田とだへ・戸坂へさか・戸木へき・戸来へらい

解字 甲骨文 篆文 象形。甲骨文でよくわかるように、片開きの「と」の象形で、「と」の意味を表す。戸を音符に含む形声文字に、雇などがある。

逆 塩戸・下戸・漁戸・魚戸・高戸・酒戸・上戸・井戸・桑戸・万戸・門戸
【戸戸】ココ 家々。家ごと。どの家も。毎戸。
【戸口】ココウ ㊀戸数と人口。家の数と人の数。㊁とぐち 国出入りぐち。
【戸税】コゼイ 家ごとに取り立てる税。
【戸籍】コセキ ①戸数・人口をしるした帳簿。人別帳。②国一組の夫婦を中心に、その家族の本籍地・家族関係・生年月日などをしるした公文書。戸口。
【戸庭】コテイ 門戸と、庭。戸口や庭先。また、門から内をいう。
【戸部】コブ ㊀役所の名。尚書省の六部リクブの一つ。戸口・租税などをつかさどった。㊁コホウ 国昔、民部省の唐名。
【戸別】コベツ 家ごと。軒別。毎戸。
【戸△牖】コユウ いりくちと窓。▼牖は、壁にあけたまど。

1【戹】5画 3974 漢アク 呉ヤク 陌 è — — 3117
字義 ❶くるしむ。なやむ。また、くるしみ。❷わざわい。災難。危難。❸せまい。せまくるしい。❹乏しい。
参考 〔厄〕(1214)は別字であったが、今は混同して用いる。
解字 金文 篆文 象形。金文は、くびきの象形。軛の原字。くびきが牛馬の首につけられて、せま苦しい感じがあるところから、せまい・くるしむの意味を表す。

3【戼】7画 3975 ボウ 卯(1191)の本字。↓一二〇ページ中。

3【戻】7画 3976 常 レイ もど-す・もど-る 4465 96DF —
4〘戾〙8画 3977 漢レイ 呉ライ 霽 lì 8467 — —

筆順 一 ㇇ ヨ 戸 戸 戸 戻

字義 ❶もとる。そむく。たがう。❷よじる。よじれる。ねじまげる。ねじまがる。❸てあらい。あらっぽい。むごい。❹つみ。罰。❺むさぼる。よくばる。❻いたる(至)。行く。来る。❼とどまる。国❶もどす。㋐返す。㋑はく(吐)。❷もどる。かえる。

解字 甲骨文 篆文 会意。戶(戸)+犬。戸口にいる犬の意味から、あらあらしい。もとるの意味を表す。『説文セツモン解字』では、戸の下から身をねじまげて出る犬の意味から、身をよじるの意味を表すと説く。また、履りに通じ、いたる。ふみとどまるの意味をも表す。常用漢字の戻は、戾の省略形による。

逆 違戻・罪戻・背戻・払戻・返戻・暴戻
【戻止】レイシ ①来る。至る。②とどまる。
【戻天】レイテン・テンにいたる 天に達する。天にとどくかと思うほど高く上る。
【戻戻】レイレイ 急なさま。

4【肩】8画 (4924) ケン 月部。↓六八八ページ下。

4【戽】8画 3978 ㊀漢コ・呉ク 慶 遇 hù ㊁漢コ・呉ゴ 麌 hù — — 3118
字義 ㊀あかくみ。舟底の浸水をかき出すひしゃく。㊁くむ。水をくみ出す。
解字 形声。斗+戸音。

4【所】8画 3979 教3 ショ ところ 2974 8F8A —
4〘所〙8画 3980 漢ショ 呉ソ 語 suǒ

筆順 一 ㇇ ヨ 戸 戸 所 所 所

字義 助ところ。る。らる。ばかり。ほど。⇩助字・句法解説。❶ところ。㋐場所。機関。「役所」「入所」㋑もと。根本。また、道理。㋒処置。しかるべきはからい。用例〔左伝、隠公元〕不レ如三早為二之所一はやくこれがところをなすにしかず ⇩早いうちにふさわしい処置をした方がよい。❷ところとする ところとす。身のおきどころとする。=処(840)。用例〔書経、無逸〕君子所二其無逸一クンシはそのムイツをところとす ⇩君子は安逸などとは無縁の境遇を身のおきどころとする。❸木を切る音。のこぎりの音。

助字・句法解説

❶ところ。
㋐「所B（Bするところ）」。訳Bする人。Bするもの。Bすること。Bする場所。
動詞の前に置かれ、対象となる人・物・所・理由などを示す。
用例〔論語、里仁〕富与貴、是人之所欲也。↓富と貴い身分とは、どんな人でも望むものである。
㋑「為A所B（AのBするところとなる）」。訳AにBされる。
受身を構成する。⇩為（7046）の助字・句法解説③。
用例〔史記、項羽本紀〕先即制人、後則為人所制。↓人に先だってやれば人を押さえつけることができるが、人より遅れれば人に押さえつけられる。
❷る。らる。受身。「所B（Bさる）」「所B（Bせらる）」。訳Bされる。類見・被。
①㋑の前半部が省略された形。
用例〔史記、高祖本紀〕所殺蛇白帝子。↓殺された蛇は、白帝の子である。
❸ばかり。ほど。概数。訳…くらい。…ほど。
用例〔史記、留侯世家〕父去里所復還。↓老人は一里ほど行って引き返してきた。

【所以】ゆえん
㋐理由。訳…のわけは。
用例〔世説新語、排調〕所以枕流、欲洗其耳。↓流れを枕とするわけは耳を洗おうと思うからさ。
㋑手段・方法。訳…するためのもの。
用例〔唐、韓愈、師説〕師者所以伝道受業解惑也。↓師というのは、道理を伝え、学業を伝授し、迷いを解決するためのものである。

【所謂】いわゆる
所謂（よにいわ（は）ゆる）は、世の中で言われている、世に言っているところの、の意。訳言われる。言うところの。▼「世」
用例〔論語、先進〕所謂大臣者、以道事君、不可則止。↓すぐれた大臣といわれるものは、道により主君に仕え、意見が採用されなければ辞任するものだ。／〔史記、管晏伝賛〕管仲世所謂賢臣。然孔子小之。↓管仲は、世に言う賢臣だが、孔子はこの人物を小者と考えた。

名前 ど・ところ・のぶ 難読 所古・所縁

解字 金文  篆文  会意。戸（戶）＋斤。戶は、入口の「と」の象形。斤は、おのの象形。金文では、地位の高い人のいる場所の意味に用いる例が多く、おのなどを置いた入口の戸の意味から、ところの意味を表すようになったものであろう。

逆 箇所・急所・局所・高所・在所・死所・出所・短所・長所・屯所・難所・配所・便所

【所以】ゆえん ⇩助字・句法解説。
【所為（爲）】ショイ・ショセイ しわざ。ふるまい。
【所△謂】いわゆる ⇩助字・句法解説。
【所縁】ショエン ①たよりとするところ。身を寄せるところ。②国ゆかり。たより。しるべ。
【所懐（懷）】ショカイ 心に思うこと。思い。考え。
【所轄】ショカツ 権限をもって管理すること。また、その範囲・事がら。
【所感】ショカン 心に感じ思うことがら。
【所管】ショカン ＝所轄。
【所帰（歸）】ショキ かえるところ。帰着するところ。また、心を寄せ頼りとするところ。
【所期】ショキ 心に待ちもうけること。期待すること。
【所行】ショギョウ 行い。仕業。
【所業】ショギョウ ①ふるまい。仕業。所為。所行。②仕事。
【所化】ショケ 仏僧侶の弟子。仏法に帰依した人。↕能化（六九八ページ上）。
【所見】ショケン ①見たところ。②意見。考え。
【所△怙】ショコ 自分がたのみにする人の意味で、父母をいう。
【所作】ショサ ①＝所為。②国㋐からだのこなし。みぶり。しぐさ。㋑おどり。ておどり。㋒しごと。わざ。
【所在】ショザイ ①ありばしょ。また、いばしょ。ありか。すまい。②ここかしこ。いたるところ。③場所。ところ。④国する用事。しごと。「所在ない」
【所司】ショシ ①役目。持ち場。②国㋐室町時代の侍所の長官。その代理は所司代。㋑僧侶の職名。上座・寺主・都維那をいう。三綱。㋒院の御所の下北面のうち、家柄・才能のある者から選ばれた武士。
【所思】ショシ ①心の中に思っていること。考え。②思慕する人。
【所信】ショシン 信じるところ。信念。
【所親】ショシン ①親しくしている人。②傍系の親類。
【所生】ショセイ ①生みの親。父母。②生んだ子。実子。
【所詮】ショセン 仏つまるところ。帰するところ。結局。
【所蔵（藏）】ショゾウ 自分の物としてしまっておく。また、その物。
【所存】ショゾン 国思うところ。考え。見込み。
【所帯（帶）】ショタイ ①領土。官職。資産。身に帯びるものの意。②国一戸を構えて独立のくらしを立てること。世帯。◆もと、「所帯」と「世帯」はほぼ同意に用いられたが、現代では「所帯」は一家を持って営む独立の生計を言い、「世帯」は「セタイ」と読み、一家をさす。「所帯やつれ」「世帯主」
【所知】ショチ ①学問によって知った道理。②知人。③国知行。所領。
【所天】ショテン 自分が天とするところの意で、尊敬する人のこと。臣が君を、子が父母を、弟子が先生をさしていう類い。
【所得】ショトク ①手に入れるもの。②収入。利益。
【所聞】ショブン 聞くところ。耳に聞いたこと。
【所望】ショモウ ①望み願うもの。望み。②好み。注文。
【所由】ショユウ ①理由。原因。動機。②州県の役人。地方の小役人。所由官。
【所有】ショユウ 一自分のものとして持っていること。所持。二あらゆる ありとある。あるだけの。すべての。
【所用】ショヨウ ①もちいること。②もちいるもの。③国用事。用件。
【所領】ショリョウ 領有する土地。領地。領分。

4【房】8画 3981 常 ボウ ふさ
4【房】8画 3982 漢ホウ（ハウ） 呉ボウ（バウ） 陽 fáng 4328 965B 二

筆順 

字義 ❶へや。室。㋐母屋の左右の小部屋。㋑居間。居室。㋒ねや。寝室。❷すまい。家。「山房」❸内部が小部屋状に分かれたもの。「峰房」❹分家。大家族から分かれた家族。❺つくえ。いけにえを供える台。❻星の名。↓房宿。❼㋐たばねた糸の一端を散らして垂らしたもの。㋑花や実の群がってついたもの。国ふさ。

名前 お・のぶ・ふさ・ぼう

解字 篆文  形声。戸（戶）＋方音。音符の方は、かたわらに張り出すの意味。堂の左右に張り出した所にある小室の意味を表す。

逆 雲房・官房・監房・空房・後房・獄房・茶房・山房・子房・書房・女房・禅房・堂房・洞房・独房・文房

【房玄齢(齡)】ボウゲンレイ 唐初の名臣。太宗に仕えて宰相の位にあること十五年、杜如晦トジョカイと並んで、房杜と称された。(五七八—六四八)
【房事】ボウジ 寝室の中のこと。閨中ケイチュウの行い。
【房宿】ボウシュク 星の名。二十八宿の一つ。蠍座さそりざの北西隅。そいぼし。房星。

房玄齢

4【戻】8画 (3977) レイ 戻(3976)の旧字体。→五六七ページ下。

5【扃】9画 3983 呉キョウ(キャウ) 漢ケイ 青 jiōng 18468 — 3120
字義 ❶かんぬき。かんのき。とざし。門戸をしめる横木。「扃関」 ❷じょう(錠)。じょうまえ。「扃鎖」 ❸出入り口。戸口。門戸。 ❹とじる。とざす。しめる。「扃扉」 ❺兵車の前部にあって、ほこや旗を立てる横木。 ❻鼎かなえの耳にさしわたして鼎をさげる横木。
解字 篆文 形声。戸+冋音。音符の冋ケイは、掛に通じ、かけるの意味。戸にかける、かんぬきの意味を表す。
【扃関(關)】ケイカン 門戸をとざす横木。かんぬき。
【扃鎖】ケイサ ①じょうまえ。②とじまり。
【扃扉】ケイヒ ①とびらをしめる。②とびら。

5【扂】9画 3984 呉デン 漢テン 琰 艶 diàn — — 3119
字義 かんぬき。とざし。門をしめる横木。
解字 形声。戸+占音。
【扂楔】テンセツ かんぬきと、ほこだち。▼楔は、門の両側の木柱で、ほこだち・ほうだて。

5【扁】9画 3985 標 一ヘン 銑 biǎn 二ヘン 先 piān 三漢ハン・呉ホン 元 5708 9D47 —
[扁] 3986 俗字
字義 一❶よこがく(横額)。文字や画を書いて門戸の上や堂にかかげるもの。「扁額」 ❷ひらたい。ひらたし。たいら。「扁平」 二❶漢字の構成要素のうち、左側の部分。=偏(509)。↔旁(4620)・傍(544)。「扁旁ヘンボウ」 ❷ちいさい。「扁舟」 三❶数が多い。「扁然」 ❷広くゆきわたる。
難読 扁柏ひのき・扁螺きさご・きしゃご
解字 篆文 会意。戸+冊。戸は、門のとびらの象形。冊は、文字をしるしたふだをひもで編んだ形にかたどる。門戸に書きしるした、ふだの意味から、転じて、ひらたいの意味を表す。扁(扁)を音符に含む形声文字に、偏・匾ヘン・徧ヘン・篇ヘン・編ヘン・翩ヘン・蝙ヘン・褊ヘン・諞ヘン・遍などがある。
【扁額】ヘンガク 室内や門などに掛ける額。額。
【扁鵲】ヘンジャク ①戦国時代の鄭テイの名医。姓は秦シン、名は越人。盧ロに住んだので、盧医と呼ばれた。②黄帝のころの名医。
【扁舟】ヘンシュウ 小さな舟。こぶね。
【扁桃】ヘントウ すももの一種。からもも。はたんきょう。
【扁平】ヘンペイ ひらたい。たいら。
【扁旁】ヘンボウ 漢字のへんと、つくり。漢字の左の部分をなす構成要素を扁、右の部分をなす構成要素を旁つくりという。偏傍。→字義二❶。

5【扁】9画 3986 ヘン 扁(3985)の俗字。→五六九ページ上。

6【扆】10画 3987 呉エ 漢イ 尾 yǐ 21286 — 3122
字義 ❶ついたて。絳コウ(赤いきぬ)に斧おのの形をぬいとりしたついたて。昔、天子が諸侯に会うとき背後に立てた。「斧扆イフ」 ❷戸と窓との中間。
解字 篆文 形声。戸+衣音。音符の衣は、まとうの意味。座席の周囲をまとうように立てる戸、ついたての意味を表す。

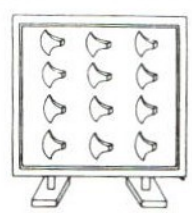
扆①

6【扄】10画 3988 ショウ(シャウ) 養 shǎng — — 3121
字義 門の扉につけた金輪。案内を請う者がたたいて来意を示す。
解字 形声。戸+向音。

6【扇】10画 3989 常 セン おうぎ 一セン 霰 shàn 二セン 先 shān 3280 90EE —
6[扇] 10画 3990
筆順 一 ㇕ 彐 戸 戸 戸 扇 扇 扇 扇
字義 一❶おうぎ。あふぎ。また、うちわ。 ❷あおる。あふる。おだてる。そそのかす。=煽(6970)。「扇動」 ❸とびら。竹で編んだとびら。「門扇」 ❹肩かけ。ショールの類い。 ❺さかん。 二あおぐ。あふぐ。うちわや扇などで風をおこす。

扇一①

名前 せん・み

解字 篆文 会意。戸(戶)+羽(羽)。鳥の羽のように、ひろがったり閉じたりするとびらの意味を表し、転じて、ひろげた羽のようなおうぎの意味をも表す。
参考 現代表記では[煽](6970)の書きかえに用いることがある。「煽情→扇情」「煽動→扇動」
逆 羽扇・歌扇・宮扇・秋扇・団扇
【扇眼】センガン おうぎのかなめ。扇轂センコク。
【扇轂】センコク おうぎのかなめ。
【扇子】一センシ うちわ。団扇。▼子は、助字。 二センス 国おうぎ。
【扇情】センジョウ 国情欲をあおりたてる。煽情センジョウ。
【扇動】センドウ あおりたてる。おだてる。すすめそそのかす。煽動センドウ。
【扇面】センメン ①おうぎ。せんす。②国おうぎの地紙。
【扇揚】センヨウ あおって高くあげる。また、あおられて高くあがる。影響が広範囲に及ぶこと。煽揚センヨウ。
【扇惑】センワク おだてあげて惑わす。煽惑センワク。

7【扈】11画 3991 呉ゴ 漢コ 麌 hù
[扈] 3992 俗字
字義 ❶つきそう。つきそふ。おともをする。扈従。 ❷やとう。また、しもべ。けらい。 ❸とどめる。禁止する。 ❹ひろい。また、大きい。 ❺夏カ時代の国の名。今の陝西センセイ省戸コ県の北にあった。
解字 篆文 形声。邑+戸音。邑は、むらの意味。夏カ時代の戸というむらの意味を表す。俁グに通じて、大きいの意味や、護に通じて、つきそいまもるの意味にも用いられる。
【扈扈】ココ ①広いさま。②鮮明なさま。③光彩のあるさま。
【扈従(從)】コショウ・コジュウ 高い身分の人のお供をすること。随行する。また、その人。
【扈蹕】コヒツ 天子の行幸につき従うこと。
【扈遊】コユウ 天子につき従って旅行すること。

7【扈】11画 3992 コ 扈(3991)の俗字。→五六九ページ下。 7829 E7BB —

8【雇】12画 (13177) コ 隹部。→一五三四ページ中。

8【扉】12画 3993 常 ヒ とびら 4066 94E0 —
8[扉] 12画 3994 ヒ 微 fēi
筆順 ㇕ 彐 戸 戸 戸 扉 扉 扉 扉 扉
字義 ❶とびら。開き戸の戸。「門扉」 ❷家。すまい。国とびら。書物を開いた最初にあって、書名・著者名・出版社名などを表示したページ。標題紙。

解字 篆文 㪿 形声。戸(戶)＋非㊀。音符の非は、左右に分かれるの意味。両開きの戸、とびらの意味を表す。

10【肇】14画 (9656) チョウ 聿部。→一二七七ページ上。

逆 黄扉・山扉

4画 手 て

〔部首解説〕 手が偏になるときは扌の形をとり、手偏と呼ぶ。もと、手と扌とは同一部首に含まれたが、形・画数とも異なる扌を分離して、手部のあとに扌部を設けた。手を意符として、手の各部分の名称や、手の動作に関する文字ができている。

0 手 五七〇	[illegible] 五七一	挐 五七二	9 掔 五七三	摹 五七三	12 擎 五七四	14 擪 五七四
4 承 五七〇	6 挙 五七一	拿 五七二	揅 五七三	11 撃 五七三	13 擧 五七一	15 攀 五七四
5 看 一〇〇四	拲 五七二	7 挲 五七二	揫 五七三	[illegible] 五七四	[illegible] 五七四	[illegible] 五七四
拏 五七一	挈 五七二	8 掌 五七二	10 搿 五七三	摯 五七四	擊 五七三	19 攣 五七四
拜 五八六	拳 五七二	掣 五七三	搴 五七三	摩 五七四	擘 五七四	

0【手】4画 3995 教1 シュ て・た ㊥シュウ(シウ)・㊐シュ 有 shŏu 慣ズ 熟字訓 上手・下手・手伝

2874 8EE8 一

筆順 ノ 二 三 手

字義 ❶て。㋐手首から先の部分。五指と手のひら。㋑うで。肩から手先までの総称。㋒手わざ。手法。また、技能。「妙手」㋓しごと。作業。「着手」㋔てだて。やり方。「手段」㋕ひと。ある仕事を受け持つ人。また、ある技能に長ずる人。「水手(船頭)」「名手」㋖手もとの。また、手軽な。「手冊」❷て-にする。持つ。手にとる。❸て-ずから。自ら。自分で直接に。国て。㋐とって。器物の柄。㋑労力。㋒方法。策略。㋓方向。方面。「行く手」㋔筆法。また、筆跡。㋕た。動詞の上につき、手に関する動作であることを強調する。「手折る」

名前 たて・て・で 難読 手枷・手械・手強・手繦・手巾・手結・手向山・手弱女・手斧・手薬練

解字 金文 [金文] 篆文 [篆文] 象形。五本の指のある「て」の象形で、「て」の意味を表す。

逆 下手・弓手・凶手・挙手・空手・交手・高手・国手・上手・隻手・拙手・繊手・素手・着手・敵手・転手・徒手・拍手・把手・凡手・妙手・名手・落手・老手

【手握レ汗】 握りしめた手のひらに思わず汗が出る。恐れや心配でわれ知らず身の緊張するさま。

【手下】 部下の者。配下。部下。こぶん。

【手格】 素手で格闘して捕らえる。

【手簡・手翰】 手紙。書簡。特に、自筆の手紙。

【手記】 自分で書く。また、自分で書いたもの。覚え書。

【手巾】 ①てぬぐい。②ハンカチ。

【手芸(藝)】 ①自分の手で植える。②手先を使ってする家庭工芸。手先のわざ。

【手語】 ①琴の音。手でかなでて心情を表現する意。②手まねで話す。

【手工】 手先でする工芸。また、そのたくみな人。手芸。

【手交】 国直接に手渡しする。

【手札】 ㊀①自筆の書きつけ。②自筆の手紙。㊁国名刺。

【手写(寫)】 ①(自分の)手で書く。②手で写しとる。

【手書】 ①＝手記。②＝手簡。③＝手写①。

【手抄・手鈔】 自分で書きぬく。自分で書き写す。自分で書く。また、そのもの。

【手詔】 天子が自分で書いたみことのり。

【手燭】 ㊀手にもつあかり。ぼんぼり。㊁国持ち運べるように柄のついた燭台。

【手水】 国①手・顔などを洗う水。「手水鉢」②手・顔を洗い清める。③便所に行く。④大・小便。

【手勢】 ㊀てぶり。てまね。㊁国自ら直接率いる軍勢。手もとの軍勢。手兵。

【手跡・手蹟・手迹】 書いた文字。筆跡。

【手足】 ①てあし。手と足。②兄弟をいう。「骨肉の恩、手足の愛」

【手足異レ処(處)】 手と足とが離ればなれになる。からだをいくつかに切り離すこと。〔史記、孔子世家〕

【無レ所レ措ニ手足一】 手足を置く場所がない。安心していられないこと。〔論語、子路〕

【手沢(澤)】 ①長く持っている間に、物についた手あか。②死んだ人が生前によく手を触れた品。遺愛の品。

【手沢(澤)本】 ①故人がくり返し読んで手あかのついた本。②ある人が書き入れなどをした本。

【手段】 てだて。仕方。方法。

【手談】 囲碁をいう。手で碁石を置くことによってたがいの考えが表れるからいう。

【手套】 てぶくろ。手袋。

【手搏】 ①＝手格。②手と手とでうち合うこと。また、その勝負。武芸。

【手板】 笏のこと。昔、位階のある人が礼装したときに持った細長い板。

【手筆】 ①自分で書いた筆跡。②自筆の手紙。③文章。④文章家。

【手兵】 国自分が直接率いる兵。手もとの兵。

【手法】 やりかた。方法。

【手練】 ㊀国たくみな腕まえ。「手練の早業」㊁国人をだますてだて。「手練手管」

【手腕】 ①うで。てくび。②腕前。働き。手並み。

【手腕家】 国腕まえのある人。働きのある人。

【揮レ手】 ＝揮手(六〇四ページ上)。

【信レ手】 手の動くままにまかせる。

【随(隨)レ手】 ＝随手①(一五一八ページ上)。

【束レ手】 手をつかねる。手出しをしない。手を下さない。抵抗しない。また、何もしないこと。束手。

【唾レ手】 ＝唾手(二七〇ページ下)。

【不レ知ニ手之舞足之踏一】 知らぬ間に手・足が踊りだす意で、非常にうれしいさま。▼踏は、蹈とも書く。〔孟子、離婁上〕

【覆レ手】 ＝覆手(一三九一ページ中)。

【分レ手】 人と別れること。分手。

【翻レ手作レ雲】 手をあおむければ雲となる。たちまちのうちに変わる意。用例〔唐、杜甫、貧交行〕翻レ手作レ雲覆レ手雨 紛紛軽薄何須レ数 ↓手を上に向ければ雲となり、下に向ければ雨となる(ように簡単に心変わりをしてしまう)。そんな多くの軽薄な者どもは物の数ではないのだ。

4【承】8画 3996 教6 ショウ うけたまわ-る ㊀㊥ショウ・㊐ジョウ 蒸 chēng ㊁㊥チョウ・㊐ジョウ(ヂョウ) 蒸

3021 8FB3 一

筆順 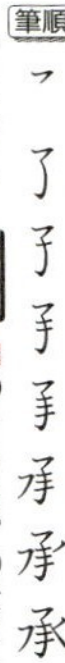

【羕】9489 俗字

字義 一 ❶うける。㋐受けて、それをいただく。授かったものを持つ。用例〔唐、白居易、長恨歌〕侍児扶起嬌無レ力、始是新承二恩沢一時。⤓腰元たちが抱きかかえあげると、あだっぽくなよなよとして力もないようすである。いまやまさに、天子の御寵愛を受けようとするそのとき。㋑つつしんで聞く。受け入れる。「了承」㋒従う。従い守る。❷つ-ぐ。㋐受けつぐ。ひきつぐ。伝える。「継承」「口承」㋑貴族の女性をめとること。❸次第。順序。❹たすける。助け。❺ふせぐ。二 とどめる。また、こりる。＝懲(3626)。国 うけたまわ-る。「聞く」の敬語。

名前 うけ・こと・しょう・すけ・つぎ・つぐ・よし

解字 甲骨文  金文  篆文  会意。手＋卪＋廾。卪は、身をかがめる人の象形。身をかがめた人を両手で持ちあげながらうけとるの意味を表す。

逆 敬承・継承・師承・伝承・奉承・了承

【承意】①気持ちを察する。②言いつけなどを心に入れてそれに従うこと。③志をうけつぐ。④きげんをとる。

【承引】承知する。聞き入れる。承認する。

【承歓(歡)】①父母などのうれしそうな様子を仰ぎ見ること。また、それを見て更にその喜びを増すようにすること。②人の喜びそうなことを、あらかじめ察して、気に入るようにふるまうこと。

【承顔】＝承レ顔(一五六三ページ中)。

【承句】漢詩の絶句(起承転結の四句からなる詩)の第二句。第一句の意をうけて述べる。

【承継(繼)】うけつぐ。承襲。継承。

【承志】①他人の気に入るようにうけ迎える。承意。②他人の志をうけつぐ。

【承嗣】①うけつぐ。代々の意。世襲。②あととり。長男。

【承事】①従い仕える。よく仕える。②事をうける。ひきうけてその事にあたる。

【承△藉】父祖や人の勢力にたよること。

【承襲】＝承継。▼襲も、継ぐ意。

【承順】うけしたがう。命令などに服従すること。

【承前】①前の文のあとをうけつぐこと。前からの続き。②以前。従前。

【承諾】聞き入れる。承知する。うべなう。

【承知】①うけたまわり知る。知る。②知遇(恩顧)をうける。③国聞き入れる。承諾。

【承認】①承知してみとめ許す。②(事実として)みとめる。

【承服・承伏】国承知して従う。納得して従う。

【承福】①幸福をうける。②太陽の下に黄色い気の現れることで、めでたい様子。

【承平】太平を受けつぐ意で、平和の世が長く続くこと。また、太平と同意に用いられる。

【承奉】①人の意をうけ仕える。承順奉仕する。②官名。隋の文帝の時に始まる。吏部の属。文散官。

【承乏】人員の欠乏をうけて補う。適材のあるまで、自分がその職に就く意で、官に任じることをいう謙遜の語。

【承明】①漢代の宮殿の名。未央宮内にあった。承明殿。②廬の名。承明廬。▼廬は、漢代の宿直所。③天子・諸侯が政事を執る正殿。表御殿。路寝。

【承露盤】漢の武帝が長安(今の陝西省西安市)の建章宮に設けたもので、銅製の高い柱の上に大きな盤を付け、それに天から降る露を受けてためた。その露を飲むと不老長寿を得ると信じられた。

5 【看】	9画 (7960)	カン	目部。→一〇〇四ページ中。		
5 【拏】	9画 3997	ダ	拿(4006)の正字。→五七二ページ下。	5728	9D5B —
5 【拜】	9画 (4119)	ハイ	拝(4118)の旧字体。→五八六ページ下。		
5 【𢪛】	9画 3998	ワン	捥(4284)と同字。→六〇三ページ上。	2 1304	— —
6 【挙】	10画 3999	教4 キョ	あ-げる・あ-がる	2183	8B93 —
13 【舉】	17画 4000	漢キョ 呉コ	語 jǔ	5809	9DA7 —

筆順 

【擧】9699 同字

字義 ❶あ-げる。㋐両手で持ち上げる。下から上へあげる。さし上げる。用例〔孟子、告子下〕今曰レ挙二百鈞一、則為レ有レ力人一矣。⤓今、自分は百鈞を持ち上げると言えば、世間では力のある人と見なすであろう。㋑かつぐ。担う。㋒たたえる。ほめる。また、ほめて用いる。登用する。用例〔左伝、襄公三〕祁奚於レ是能挙レ善矣。⤓祁奚は今回よい人物を推挙した。㋓言う。数える。並べたてる。用例〔礼記、雑記下〕過而挙二君之諱一則起。⤓もし間違って君主の諱を口にしたときは、すぐに起立する。㋔攻め滅ぼす。抜く。用例〔史記、平原君伝〕興レ師以与レ楚戦、一戦而挙二鄢郢一。⤓数万の兵を率いて楚と戦い、一戦して鄢と郢の二城をくだした。㋕捕らえる。めしとる。また、めしあげる。没収する。用例〔史記、秦始皇本紀〕吏見知不レ挙者、与同レ罪。⤓役人で罪を犯したことを知っていながら検挙しない者は、同罪にいたしましょう。㋖音楽を奏する。用例〔礼記、雑記下〕母有レ服、声聞焉、不レ挙レ楽。⤓母が喪にあれば、母が聞こえるところでは音楽を催さない。㋗生む。そだてる。用例〔癸辛雑識後集〕父命レ勿レ挙、母私挙レ之。⤓父親は産んではいけないと命令したが、母親はひそかに産んだ。❷あ-がる。㋐上がる。高まる。飛び上がる。用例〔後漢、張衡、西京賦〕鳥不レ暇レ挙、獣不レ得レ発。⤓鳥は飛び上がるひまもなく、獣は走り出すこともできない。㋑よく行われる。興る。用例〔中庸〕其人存則其政挙。⤓すぐれた政治を行った、いにしえの聖人の記録を活用できる人がいれば、政教は盛んになる。㋒立つ。立ち上がる。また、立ち去る。用例〔楚辞、七諫、自悲〕願離レ群而遠挙。⤓できれば群れから離れて遠く立ち去りたい。❸行う。企てる。動く。用例〔史記、春申君伝〕王又挙レ甲而攻レ魏。⤓王は軍を動かし魏を攻めた。❹選び取る。また、そのための試験。用例〔唐詩紀事、賈島〕賈島赴レ挙至レ京。⤓賈島は科挙の受験のために都へとやってきた。❺目方の単位。三両。❻あ-げて。こぞ-って。みな。用例〔楚辞、七諫、初放〕挙レ世皆然兮。⤓世の中こぞってそうである。❼たくわえる。買いこむ。「廃挙」

名前 きょ・しげ・たか・たつ・とも・ひら・みな　難読 挙母

使いわけ あげる・あがる〔挙・揚・上〕
〔挙〕目立たせる。すべてを出し尽くす。検挙する。また、とり行う。「例を挙げる・全力を挙げる・犯人を挙げる・式を挙げる」
〔揚〕高くあげる。油であげる。また、陸にあげる。「国旗を揚げる・天ぷらが揚がる・荷揚げ」前述の二つ以外は一般に〔上〕を用いると考えてよいが、実際には紛らわしい場合が多い。

解字 篆文 [glyph] 形声。手＋與音。音符の與（与）ヨ＝ヨキは、ともに手を付し、力を合わせて物をあげるの意味。これにさらに手を合わせて物を持ちあげるの意味を表す。常用漢字の挙は擧の省略形。

逆 一挙・快挙・科挙・義挙・軽挙・検挙・貢挙・高挙・再挙・推挙・盛挙・選挙・壮挙・大挙・美挙・暴挙・枚挙

【挙哀】一キョアイ 葬式または納棺後、死者のために声をあげて泣く礼。二コアイ 仏禅宗の葬式で、仏事が済んでから、一同が哀哀哀と三度声をあげる式。
【挙火】キョカ ①火を燃やす。②生計をたてる。生活する。
【挙家】キョカ 一家こぞって。一家全体。
【挙業】キョギョウ 科挙（官吏登用試験）のための勉強。
【挙軍】キョグン 全軍残らず。
【挙行】キョコウ あげ行う。公に行う。皆が行う。
【挙国（國）】一キョコク ①国中の者（国民）残らず。「挙国一致」②国力のすべてをつくす。二くにをあぐ 国を攻め取ること。
【挙子】キョシ ①子を推挙する。②科挙（官吏登用試験）を受ける人。③子を産む。
【挙座】キョザ 一座の者残らず。満座。
【挙止】キョシ 立ち居ふるまい。挙動。行動。
【挙似】キョジ・コジ 手で高く挙げて示す。示し告げることをいう。説明する。▼似は、助字。
【挙手】キョシュ ①手をあげる。②手をあげて敬意を表す礼式。
【挙首】キョシュ ①第一位で引きあげられる人。②申し出る。訴え出る。
【挙場】キョジョウ 科挙（官吏登用試験）の試験場。
【挙人】キョジン ①人を抱きあげる。②人を挙げ用いる。③官吏登用試験制度の一つ。漢代は、郡国の長官に推薦を受けて登用された人。唐以後は、各人の郷里で試験（郷試）を受けて合格し、都で行う試験（会試）を受ける資格のできた人。④官吏登用試験を受ける人をいう。
【挙世】キョセイ 世をあげて。世間の人こぞって。
【挙措】キョソ 立ち居ふるまい。▼挙は行動すること、措は静止すること。
【挙錯】キョソ ①行うこととやめること。②＝挙措。③人をあげ用いることと捨てておくこと。
【挙動】キョドウ 立ち居ふるまい。動作。挙止。
【挙兵】キョヘイ 兵を挙げる。戦いを起こす。

6 【拲】10画 4001 漢キョウ 呉ク 〔腫〕gǒng — — 3155

字義 手枷てかせ。両手を一本の木にくくりつける。

解字 形声。手＋共音。音符の共は、一緒の意味。

6 【挈】10画 4002 一漢ケツ・呉ケチ 〔屑〕qiè 二ケイ 〔霽〕qì 5745 9D6C —

字義 一❶ひっさげる。さげる。手に下げて持つ。また、持ち上げる。❷たずさえる。㋐手に下げる。㋑ひき連れる。ともなう。❸伝える。❹ととのえる。また、作り上げる。二❶かく。また、絶つ。❷きざむ。傷つける。❸証文。しるし。

解字 甲骨文 [glyph] 篆文 [glyph] 形声。手＋㓞音。音符の㓞ケイは、系に通じ、かけるの意味。手に懸ける、ひっさげるの意味を表す。甲骨文は象形で、人が物をさげ持つ形にかたどる。

【挈挈】ケツケツ 急ぐさま。

6 【拳】10画 4003 常 ケン こぶし 2393 8C9D —

6 〔拳〕10画 4004 漢ケン 呉ゲン 〔先〕quán

筆順

字義 ❶こぶし。にぎりこぶし。げんこ。「鉄拳」❷にぎる。こぶしをにぎる。❸力。勇気。気力。❹遊技・武芸などの一種。拳法など。❺ささげ持つさま。うやうやしいさま。❻かがむ。まがる。＝巻（3070）。

名前 かたし・つとむ 難読 拳螺さざえ

解字 篆文 [glyph] 形声。手＋𢍏（𢍏）音。音符の𢍏ケンは、まきこむの意味。指をまきこみ、こぶしをにぎるの意味を表す。

【拳握】ケンアク ①にぎる。②にぎりこぶし。③小さい・わずかの物事のたとえ。
【拳曲】ケンキョク かがまる。曲がってこぶしのような形になること。巻曲。
【拳△跼】ケンキョク かがまって不自由な様子。
【拳拳】ケンケン ①ささげ持つさま。②うやうやしいさま。慎むさま。③ねんごろなさま。親切なさま。④努めるさま。
【拳拳服△膺】ケンケンフクヨウ 両手で物を大切にささげ持つように、常に心に抱いて忘れずに守ること。〔中庸〕
【拳大】ケンダイ・こぶしダイ にぎりこぶしほどの大きさ。
【拳△匪】ケンピ 光緒二十四年（一八九八）に、天津テンシン地方に起こって、居留民地をおそい、北京の各国公使館を包囲した結社。義和団。
【拳法】ケンポウ こぶしをふるって格闘するわざ。柔術に似ている。白打法。
【拳勇】ケンユウ 格闘技が強く、勇ましいこと。また、その人。
【拳△攣】ケンレン こいしたう。思いこがれる。▼攣は、恋。

6 【挐】10画 4005 一漢ジョ（ヂョ）・呉ニョ 〔魚〕rú 二漢ダ・呉ナ 〔麻〕ná 2 1308 — 3164

字義 一❶ひく（引）。ひっぱる。❷みだれる。❸とる。手に持つ。つかむ。＝拿（4006）。

解字 形声。手＋如音。

6 【拿】10画 4006 標 漢ダ 呉ナ 〔麻〕ná 5729 9D5C —

〔拏〕3997 正字

字義 ❶とる。手に持つ。てのひら。❷とらえる。とらう。つかむ。「拿捕」

解字 会意。手＋合。手を物に近づけ合わせて、とるの意味を表す。

【拿破△崙】ナポレオン Napoleon の音訳。フランス皇帝ナポレオン一世。
【拿捕】ダホ とらえる。つかまえる。拿獲。

7 【挱】11画 4007 一サ 〔歌〕suō 二漢サ・呉シャ 〔麻〕 2 1311 — —

字義 一もむ。さする。二開くさま。

解字 形声。手＋沙音。

8 【掌】12画 4008 常 ショウ ショウ（シャウ） 〔養〕zhǎng 3024 8FB6 —

筆順

字義 ❶たなごころ。てのひら。用例（孟子、公孫丑上）以不忍人之心、行不忍人之政、治天下可運之掌上。ひとにしのびざるのこころをもって、ひとにしのびざるのまつりごとをおこなわば、てんかをおさむること、これをしょうじょうにめぐらすべし。↓慈愛深い心によって、慈愛にみちた政治を実行するならば、天下を治めていくことは、手のひらの上で物を転がすような（やさしい）ことだ。❷動物の足のうら。「熊掌ユウショウ」❸うつ。たたく。手のひらで打つ。用例（前漢、揚雄、羽猟賦）蹶松柏、掌蒺藜。しょうはくをけたおし、しつれいをうつ。↓松柏を蹴倒し、ハマビシを薙ぎ払う。❹つかさどる。用例（史記、太史公自序）太史公既掌天官、不治民。たいしこうすでにてんかんをつかさどり、たみをおさめず。↓太史公は天文をつかさどって、行政には携わらなかった。❺ただす（正）。❻うでまえ。手腕。❼ささげる。ささげ持つ。

名前 しょう・なか 難読 掌侍ないしのじょう

解字 篆文 形声。手＋尙(音)。音符の尙は、当に通じ、あたるの意味。物を持つとき手のあたる部分、てのひらの意味を表し、転じて、物事にあたる、つかさどるの意味をも表す。
逆 運掌・合掌・管掌・指掌・職掌・分掌
【掌握】ショウアク ①手の中ににぎる。つかむ。②自分のものとする。③手の中。
【掌鞅】ショウオウ いそがしく骨の折れること。また、せわしく立ち働くこと。鞅掌。
【掌管】ショウカン 取り扱う。
【掌故】ショウコ ①しきたり。故実。②官名。漢代に設け、礼儀・音楽に関する古来のしきたりをつかさどった。
【掌中】ショウチュウ ①たなごころの中。手の中。②手のとどく範囲。自分の所有。③自由に扱うこと。
【掌中珠】ショウチュウのたま ①手の中の玉。②大切なもののたとえ。③愛する妻や子をいう。
【入二掌中一】ショウチュウにいる 自分のものになる。また、先方の事情を詳細に知ってしまうこと。
【運二於掌上一】ショウジョウにめぐらす 手のひらに物を転がすように、たやすく自分の思うようにすること。→運二之掌上一(これをショウジョウにめぐらす)(三九㌻・上)。
【反レ掌】たなごころをかえ(へ)す・ショウをかえ(へ)す 手を裏返す。簡単にできることのたとえ。また、急にまったく変わってしまうことのたとえ。〔漢書、枚乗伝〕

8 【掣】12画 4009 セイ 霽 chè 5758 9D79 —
字義 ❶ひく。㋐おさえる。ひかえる。引きとどめて自由にさせない。用例〔杜子春伝〕火輪走二其左右一(カリンそのサユウにはしり)、電光掣二其前後一(デンコウそのゼンゴをセイして)、目不レ得レ開(めひらくをえず)。↓火の輪が左右を走り、電光が前後を押え付けるようにきらめき、目を開けることもできなかった。㋑ぬく(抜)。引きぬく。㋒ひきのばす。ひっぱる。❷なびくさま。
解字 形声。手＋制(音)。音符の制は、おさえとどめるの意味。手で引きとめて自由にさせないの意味を表す。
【掣籤】セイセン くじを引く。くじ引き。
【掣肘】セイチュウ 人のひじを引いて自由にさせないこと。干渉して自由を束縛すること。掣臂(セイヒ)。
【掣電】セイデン ①いなずま。電光。②速いことのたとえ。③短い時間のたとえ。

9 【掔】13画 4010 一 漢カン・呉ケン 刪 qiān 二 ケン 先 qiān 2 1326 — 3210
字義 一 ❶かたい(固)。❷あつい(厚)。❸引き去る。
解字 形声。手＋臤(音)。

9 【⿱研手】13画 4011 ケン 摼(4018)の俗字。→五七四㌻・上。 — — 3222

9 【揫】13画 4012 漢シュウ(シウ) 呉シュ 尤 jiū 2 1333 — —
字義 ❶たばねる。❷おさめる。❸あつめる。❹かたい(固)。❺こまかい。
解字 形声。手＋秋(音)。

10 【掱】14画 4013 カク gé — — 3256
字義 両手で合わせ抱く。
解字 会意。手＋合＋手。

10 【搴】14画 4014 ケン 先 銑 qiān 5775 9D8B —
字義 ❶ぬく。とる。ぬきとる。❷まく(巻)。❸かかげる。もちあげる。
解字 形声。手＋寒省(音)。音符の寒は、さむいの意味。まとっている物をとってさむいさまから、とる・かかげるの意味を表す。

10 【摹】14画 4015 漢ボ 呉モ 虞 mó 1 8488 — —
字義 ❶ならう。まねる。のっとる。❷うつす。まねて書く。＝摸(4367)。❸のり。かた。＝模(5715)。
解字 形声。手＋莫(音)。
【摹刻】モコク 原本に似せて版木に刻むこと。また、その版木で印刷したもの。模刻。
【摹臨】モリン 手本や実物を見てまねて写すこと。模臨。臨摹。

11 【撃】15画 4016 常 ゲキ うつ 2366 8C82 —
13 〔擊〕17画 4017 人 漢ケキ・呉キャク 錫 jī 慣ゲキ 1 8502 — 3303
筆順 一 亘 亘 車 車 軋 軗 毄 撃
字義 ❶うつ。㋐ぶつ。たたく。なぐる。「打撃」㋑攻める。おそう(襲)。「反撃」「攻撃」㋒おしのける。のぞく(除)。㋓殺す。うち殺す。㋔囲碁・博奕(バクエキ)などの遊びをする。㋕治める。㋖触れる。当たる。「目撃」❷やいば(刃)。❸つながる。ひっかかる。❹もとる。そむく。❺かんなぎ。男性のみこ。＝覡(11044)。
使いわけ うつ〔打・討・撃〕⇨打(4032)。
解字 篆文 形声。手＋毄(毄)(音)。音符の毄(ゲキ)は、車がぶつかりあうの意味。手を付し、一般に、うつの意味を表す。
逆 急撃・突撃・挟撃・攻撃・襲撃・衝撃・打撃・追撃・痛撃・電撃・排撃・迫撃・反撃・奮撃・目撃・遊撃
【撃磬】ゲッケイ 磬(玉または石で作った、への字形の楽器)をうつ。また、その楽師。
【撃剣(劍)】ゲキケン・ゲッケン 剣を使うわざ。
【撃砕(碎)】ゲキサイ うちくだく。装飾品などをうちくだくことにも、敵を攻めくじくことにもいう。
【撃刺】ゲキシ ①ほこでうち、刀でさすこと。②剣で人をさし殺すこと。また、そのわざ。
【撃楫】ゲキシュウ ①舟のかいをうつこと。②天下を平定する志をもつことをいう。晋(シン)の祖逖(ソテキ)が長江を渡るとき、かいを打って、賊を平定しなければ、再び江を渡るまいと言った故事による。
【撃壌(壤)】ゲキジョウ 地面を足で踏み鳴らして拍子をとること。一説に壌は木製のくつのようなもので、その一つを地に立て、他の一つを投げて当てる遊びをすること。尭(ギョウ)のとき、天下が太平であったので、老人がこの遊びをして楽しんだ故事による。転じて、太平無事の形容。一説に、壌は、土製の楽器ともいう。撃レ壌(つちをうつ)。
【撃壌(壤)歌】ゲキジョウのうた 太平を謳歌(オウカ)した歌。→撃壌。〔史記、五帝本紀〕
【撃攘】ゲキジョウ うって追いはらう。撃退。
【撃節(節)】ゲキセツ ①拍子をとる。②節操を高くするようはげます。
【撃汰】ゲキタイ 波をうつ。船をこぐこと。
【撃退】ゲキタイ (敵などを)うちしりぞける。
【撃柝】ゲキタク 拍子木をたたいて夜まわりをすること。また、その人。夜番。
【撃断(斷)】ゲキダン ①ほしいままに法律に照らして処分すること。やたらに処分すること。②うってたち切る。
【撃筑】ゲキチク 筑をうち鳴らす。▼筑は、琴に似て大きく、弦を竹のばちで撃って鳴らす楽器。
【撃沈】ゲキチン 敵の軍艦などを攻撃して沈めること。
【撃墜】ゲキツイ 敵の航空機を銃砲で撃ち落とすこと。
【撃破】ゲキハ ①うち破る。②撃沈や撃墜より軽い損害を与えること。
【撃缶】ゲキフ ほとぎを打つ。ほとぎは、酒つぼで、胴が太く口の小さい素焼の土器。これをたたいて拍子をとる。また、未開地の音楽を軽蔑(ケイベツ)して言うのに用いる語。
【撃拊】ゲキフ ①軽く楽器をうち鳴らす。▼拊は、鼓に似た楽器。②拊という楽器をうち鳴らす。
【撃滅】ゲキメツ うちほろぼす。

11【掔】15画 4018 ゲン ㊐ケン 先 yán

[掔]4011 俗字

字義 みがく。とぐ。する。＝研(8138)。

解字 篆文 形声。手＋研㊤。音符の研は、みがくの意味。

11【摯】15画 4019 常 シ 5785 9D95 ー

シ 寘 zhì

筆順

字義 ❶つかむ。持つ。にぎる(握)。❷至る。❸手厚い。ゆきとどく。また、まこと。まじめ。「真摯」❹きわまる。❺いたす。行う。❻あらい。てあらい。あらあらしい。❼おる(折)。

名前 すすむ

解字 甲骨文 篆文 形声。手＋執㊤。音符の執は、とるの意味。手でしっかりと持つの意味を表す。

11【摩】15画 4020 常 マ 4364 9680 ー

11【摩】15画 4021 ㊞バ ㊐マ 歌 mó

筆順

[摩]4477 俗字

字義 ❶する。こする。❷さする。なでる。ふれる。❸みがく。けずる。消す。❹ちかづく。せまる。❺あらためる。❻へる。きえる。滅びる。❼おさめる(蔵)。かくす。❽おしはかる。「揣摩シマ」❾ただれる。

名前 きよ・なず・ま 難読 摩太マタ・摩文仁マブニ

解字 篆文 形声。手＋麻(麻)㊤。音符の麻は、あさの意味。あさは表皮を水に浸してつぶして繊維をとるところから、手ですりつぶすの意味を表す。

逆 研摩・肩摩・護摩・消摩

【摩訶】マカ 仏大きい。多い。優れる。梵語ボンゴmahāの音訳。

【摩訶不思議】マカフシギ 非常に不思議なこと。

【摩改】マカイ 不要の所をけずり改める。

【摩研(研)】マケン とぐ。みがく。研磨。

【摩挲】マサ なでまわす。用例(南宋、陸游、入蜀記)遊客摩挲太息ユウカクマサして、タイソクするも、僧及童子輩ソウおよびドウジのともがらは、往往窃笑也オウオウにしてひそかにわらう(ふ)なり。↓見物人は石を撫なでて嘆息しているのであるが、僧侶や子供らは、しばしば陰で笑っている。

【摩擦】マサツ 国①こする。また、すれあう。②比喩ユヒ的に、意見などの不一致・紛争などをいう。

【摩頂】マチョウ 頭をすり減らす。自らを犠牲にして、人のために働くこと。戦国時代の墨子は兼愛説を唱え、「人のためなら、頂きを摩して踵かかとに放いたる(頭から足のかかとまですりへらす)」と言った。〔孟子、尽心上〕

【摩天楼(樓)】マテンロウ 天にとどくほどに高い建物。

【摩尼】マニ ①仏梵語ボンゴmaniの音訳。「摩尼珠・摩尼宝珠」の略。竜王の脳の中にあるという清浄な玉。②三世紀ごろ、ペルシアに発達した宗教の名。摩尼教。

【摩滅】マメツ すれてなくなる。すれて消える。磨滅。◈「摩滅」「磨滅」は、本来同じように用いられていた。昭和二十一年制定の当用漢字には、「摩」はあるが「磨」は含まれておらず、昭和五十六年の常用漢字制定までは、「磨」は「摩」と書き換えられていた。現在は「摩滅・磨滅」のように両方が行われている。ただ「按摩アンマ・摩擦・摩天楼」などは「磨」を用いることはない。

【摩耶夫人】マヤブニン 釈迦シャカの母。浄飯王ジョウボンノウの夫人。

【摩利支天】マリシテン 仏インドの神。常に太陽のそばにいる女神で、国を守り災いを救う大力があるという。武人・力士などの守り神とされる。摩利支は、梵語ボンゴMariciの音訳。陽炎と訳す。

【摩塁(壘)】マルイ ＝摩レ塁ルイをマす①(三二六ページ中)。

12【擎】16画 4022 ケイ 擎(4023)の俗字。→五七四ページ中。 8492 EDB0 3306

13【擧】17画 (4000) キョ 挙(3999)の旧字体。→五七一ページ中。

13【擎】17画 4023 ㊀㊞ケイ・㊐ギョウ(ギャウ) ㊁㊞ケイ・㊐ギョウ(ギャウ) 庚 qíng 敬

[擎]4022 俗字

字義 ㊀❶ささげる。かかげる。上げる。❷たかい(高)。また、そばだつ。㊁もつ(持)。

解字 形声。手＋敬㊤。音符の敬ケイは、つつしむの意味。つつしんで手を上にかかげるの意味を表す。

13【擊】17画 (4017) ゲキ 撃(4016)の旧字体。→五七三ページ中。

13【擘】17画 4024 ㊞ハク ㊐ヒャク 陌 bò 5806 9DA4 ー

字義 ❶おやゆび。❷さく(裂)。つんざく。用例(唐、白居易、長恨歌)釵留一股合一扇サはイッコをとどめ、ゴウはイッセン、釵擘黄金合分鈿サはオウゴンをさき、ゴウはデンをわかつ。↓釵は、黄金をひきさき、はこは、ふたの一面を残し、一方の足を残し、はこは、すり貝のふたと箱を分けましょう。

解字 篆文 形声。手＋辟㊤。音符の辟ヘキは、ひらくの意味。手でさくの意味を表す。

【擘指】ハクシ おやゆび。おおゆび。第一指。

【擘柳風】ハクリュウのかぜ 柳の枝を折る風。春、はげしく吹く風。

【擘裂】ハクレツ ひきさく、つんざく。

14【擪】18画 4025 ㊀㊞ヨウ(エフ) 葉 yè ㊁㊞エン 琰 yǎn ー ー 3314

字義 ㊀❶おさえる。一本の指でおさえる。また、指で押す。❷もつ(持)。

解字 篆文 形声。手＋厭㊤。音符の厭エンは、おおうの意味。手でおおいつぶす、おさえるの意味を表す。

15【攀】19画 4026 標 ハン 刪 pān 5821 9DB3 ー

字義 ❶ひく(引)。引き寄せる。❷よじる。よじのぼる。❸すがる。とりつく。❹たよる。たのむ。「登攀トウハン」

解字 形声。手＋樊㊤。音符の樊ハンは、扳ハンに通じ、ひくの意味。

【攀援】ハンエン ①よじのぼる。②たよる。たのみとする。③引き戻す。引きとめる。

【攀縁】ハンエン ①よじのぼる。②俗事(俗縁)にひかれる。

【攀桂】ハンケイ 月の中のかつらによじのぼる。㋐科挙(官吏登用試験)に及第すること。㋑立身出世すること。

【攀折】ハンセツ 引き寄せて折る。

【攀登】ハントウ よじのぼる。登攀トウハン。

【攀附】ハンプ ①よじのぼる。②すがる。たよる。

【攀竜(龍)】ハンリュウ・ハンリョウ 竜にすがる。すぐれた人物に従って出世すること。攀竜附驥ハンリュウ・ハンリョウフキ(驥は千里の馬)・攀竜附鳳ハンリュウ・ハンリョウフホウ(鳳は鳳凰ホウオウ)は、みな同じ意味。

【攀恋(戀)】ハンレン とりすがって別れを惜しむこと。

15【擥】19画 4027 ラン 攬(4505)と同字。→六一九ページ上。 21356 ー 3312

19【攣】23画 4028 標 ㊀㊞レン 先 luán ㊁㊞レン 霰 luán, ②liàn 5827 9DB9 ー

字義 ㊀❶かける。また、かかる。つながる。❷かかわる。なずむ。❸つる。ひきつる。「痙攣ケイレン」㊁❶かがまる。手足がまがる。❷こいしたう。＝恋(3528)。

解字 篆文 形声。手＋䜌㊤。音符の䜌レンは、捋ラツに通じ、両手で引きあうの意味。ひく・ひきつる・つながるの意味を表す。

【攣腕】レンエン 手足がまがって伸びない病気。用例(唐、柳宗元、捕レ蛇者説)已ニ大風・攣腕・瘻癘タイフウ・レンエン・ロウライをいやす。↓ハンセン病・手足の曲がる病気・首に腫れ物ができる病気

を治す。

【攣拘】レンコウ つなぎしばられる。束縛される。

【攣攣】レンレン こいしたうさま。思いこがれるさま。

3画 扌 てへん

［扌］ z1287 — 3123

〔部首解説〕手が偏になるときの形。↓〔手〕の部首解説（五七〇ページ）。

振 五九三	括 五九三	捄 五九三	(7)挨 五九二	挑 五九二	拪 五九二	拍 五九一	拱 五九〇	挌 五九〇	按 五八九	抳 五八九	抱 五八八	拊 五八八	扳 五八七	抵 五八六	拆 五八五	拙 五八五	抾 五八四	拐 五八三	抑 五八二	抃 五八二	抜 五八一	投 五八〇	折 五七九	抆 五七九	技 五七八	(4)抎 五七八	扠 五七八	扞 五七七	払 五七六	(0)才 五七五
拒 五九四	挭 五九三	挾 五九〇	捭 五九三	挀 五九二	拴 五九二	持 五九一	挍 五九〇	挑 五九〇	挧 五八九	拗 五八九	抨 五八八	拂 五七六	拌 五八七	拈 五八六	担 五八五	拖 五八五	拘 五八四	拡 五八三	(5)抴 五八三	抔 五八二	扳 五八一	抖 五八一	扱 五七七	扭 五七九	抉 五七八	扵 五七八	托 五七八	扱 五七七	扑 五七七	(1)扎 五七六
挻 五九四	捆 五九三	挶 五九三	捐 五九三	拼 五九二	挎 五九二	拾 五九二	拷 五九〇	括 五九〇	拽 五八九	拉 五八九	抛 五八八	抦 五八八	披 五八七	拜 五八六	抶 五八六	拕 五八五	抳 五八四	拑 五八四	押 五八三	拋 五八二	批 五八一	抐 五八一	抓 五八〇	抒 五七九	抗 五七八	抂 五七八	扡 五七八	扛 五七七	扐 五七七	(2)扔 五七六
捜 五九四	挫 五九三	捃 五九三	捔 五九三	挵 五九二	挓 五九二	拯 五九二	挱 五九〇	拮 五九〇	拸 五八九	拎 五八九	抹 五八八	拚 五八八	抷 五八八	拍 五八七	抽 五八六	抬 五八五	招 五八四	拒 五八四	拐 五八三	抙 五八二	扶 五八二	扽 五八一	扯 五八〇	抄 五七九	抅 五七八	找 五七八	扚 五七八	扣 五七七	扖 五七七	打 五七六
挿 五九四	捒 五九三	捂 五九三	捍 五九三	捞 五九二	挳 五九二	拭 五九二	指 五九〇	挾 五九〇	挂 五八九	(6)挖 五八九	抹 五八八	拇 五八八	抿 五八八	拔 五八一	拄 五八六	拓 五八五	抻 五八五	抛 五八四	拐 五八三	扼 五八二	扮 五八二	把 五八一	択 五八〇	抍 五七九	扺 五七九	抏 五七八	扱 五七八	扤 五七七	(3)扞 五七七	扒 五七六

撬 六一一	摝 六一一	揘 六一一	摠 六一〇	摺 六一〇	攄 六一〇	摜 六〇九	摸 六〇九	搨 六〇九	搥 六〇八	搜 五九四	搦 六〇七	搓 六〇七	構 六〇七	揺 六〇六	搥 六〇六	揁 六〇五	插 五九四	揃 六〇五	揉 六〇四	搊 六〇四	揆 六〇四	揜 六〇三	搣 六〇三	揠 六〇二	捫 六〇二	描 六〇二	捻 六〇一	掭 六〇一	掟 六〇一	揔 六〇〇	掃 六〇〇	推 五九八	措 五九八	捲 五九七	据 五九七	掛 五九六	捙 五九六	挪 五九六	捏 五九五	挩 五九五	捎 五九四
撳 六一一	(12)摡 六一一	摽 六一一	摛 六一〇	摺 六一〇	摧 六一〇	摎 六〇九	搤 六〇九	搏 六〇九	搪 六〇八	搶 六〇八	搊 六〇七	搾 六〇七	搕 六〇七	(10)搵 六〇七	揶 六〇六	搭 六〇五	揬 六〇五	揎 六〇五	揲 六〇四	揸 六〇四	掎 六〇四	揩 六〇三	(9)握 六〇三	掄 六〇三	掷 六〇二	掮 六〇二	排 六〇一	掉 六〇一	掦 六〇一	捽 六〇〇	掫 六〇〇	捶 五九九	採 五九八	捥 五九七	掀 五九七	捱 五九六	捞 五九六	挹 五九六	捌 五九五	捓 五九五	捉 五九四
攜 六一一	攪 六一一	摒 六一一	摴 六一〇	搽 六一〇	搬 六一〇	搋 六〇九	搖 六〇六	搬 六〇九	搨 六〇九	搔 六〇八	搢 六〇七	搠 六〇七	搞 六〇七	搉 六〇七	揄 六〇六	揬 六〇六	揕 六〇五	搜 六〇五	揳 六〇四	揣 六〇四	揭 五九七	換 六〇三	揠 六〇三	捖 六〇三	掠 六〇二	捧 六〇二	捭 六〇二	掏 六〇一	掇 六〇一	捼 六〇〇	掻 六〇〇	捷 五九九	捨 五九八	捐 五九七	捦 五九七	捆 五九六	(8)挾 五九六	捋 五九六	挽 五九五	捗 五九五	捘 五九五
撅 六一一	擩 六一一	撻 六一一	摕 六一〇	摭 六一〇	摻 六一〇	搩 六〇九	(11)摡 六〇九	搥 六〇九	搧 六〇九	損 六〇八	揢 六〇七	搠 六〇七	搆 六〇七	携 六〇七	揖 六〇六	揑 六〇六	提 六〇五	揔 六〇五	揳 六〇四	揓 六〇四	揵 六〇四	捒 六〇四	援 六〇三	捲 六〇三	掕 六〇三	掊 六〇二	捥 六〇二	掾 六〇一	掂 六〇一	探 六〇一	掟 六〇〇	接 六〇〇	授 五九九	控 五九八	掘 五九七	掎 五九七	掩 五九六	掐 五九六	捕 五九六	挺 五九五	挼 五九五
撕 六一一	撟 六一一	摟 六一一	摘 六一〇	摶 六一〇	摔 六一〇	摳 六一〇	摑 六〇九	搒 六〇九	搯 六〇九	搐 六〇八	摂 六〇八	搘 六〇七	搰 六〇七	搩 六〇七	揚 六〇六	揹 六〇六	揥 六〇五	揷 六〇五	揃 六〇四	揪 六〇四	捲 六〇四	揮 六〇四	掾 六〇三	掵 六〇三	掭 六〇二	掽 六〇二	掤 六〇二	捺 六〇一	捵 六〇一	掺 六〇一	掙 六〇〇	措 六〇〇	捷 五九八	掐 五九八	掲 五九七	掬 五九七	掞 五九六	捩 五九六	捊 五九六	捧 五九五	挪 五九五

(20)攫 六一八	(19)攮 六一八	攔 六一八	擇 六一七	擽 六一七	擵 六一七	擻 六一七	擷 六一六	擯 六一六	擡 六一六	擬 六一五	擁 六一五	撻 六一五	撥 六一四	撒 六一四	撈 六一四	撇 六一三	撓 六一二	撤 六一二	撰 六一二	撮 六一一
攪 六一八	攢 六一八	(18)攜 六一八	擇 六一七	攊 六一七	攁 六一七	攄 六一七	攅 六一六	擭 六一六	擢 六一六	擤 六一五	擂 六一五	擔 五八五	撖 六一四	擒 六一四	(13)撾 六一四	撲 六一三	撚 六一二	撐 六一二	撰 六一二	撒 六一一
攩 六一八	攤 六一八	攛 六一八	攙 六一八	攏 六一七	攑 六一七	擲 六一七	擾 六一六	擽 六一六	擢 六一六	擦 六一五	撛 六一五	擋 六一五	擅 六一四	擕 六一四	撼 六一四	撩 六一三	播 六一二	撑 六一二	搽 六一二	撦 六一一
(22)攮 六一八	攞 六一八	攜 六一八	攘 六一八	(17)攖 六一七	(16)攉 六一七	擿 六一七	擶 六一七	(15)擴 五八三	擣 六一六	擩 六一六	擭 六一五	撐 六一五	操 六一四	撿 六一四	擐 六一四	撛 六一三	撥 六一三	撘 六一二	撙 六一二	撨 六一一
攬 六一九	攦 六一八	攝 六〇八	攕 六一八	攓 六一七	擌 六一七	擺 六一七	擶 六一七	擕 六一六	擰 六一六	擠 六一六	(14)擱 六一五	擗 六一五	擇 五八〇	擉 六一四	據 五八四	擄 六一三	撫 六一三	撞 六一二	撣 六一二	撏 六一二

0

【才】

3画 4029 漢サイ・呉ザイ 中 cái 教2 サイ

2645 8DCB —

筆順 一 十 才

字義 ❶め(芽)。草木の芽。❷うまれつきの能力。素質。用例〔唐、韓愈、雑説〕是馬也(このうまや)、雖(ありといえ(へ)ども)レ有(二)千里之能(センリのノウ)(一)、食(ショク)不(レ)飽(あかざれば)、力(ちから)不(レ)足(たらずして)、才美不(二)外見(一)(サイのビそとにあらわ(は)れず)。↓この馬は、千里を走れる能力を持っていても、食糧が不十分だから、本来の力も出しきれないし、天分のよさも外に現せない。❸ざえ。働き。能力。用例〔人虎伝〕微性疎逸(セイソイツ)、恃(レ)才倨傲(サイをたのみてキョゴウなり)。↓李徴(リチョウ)は人と親しまない気ままな性格で、自分の才能を鼻にかけて尊大に振る舞うところがあった。❹才能のある人。賢人。「天才」❺はじめ(始)。＝哉(1459)。❻**わず-かに**(わずかに)。やっと。＝纔(9397)。❼はかる。はかり定める。国**ザエ**。㋐学問。特に漢学。㋑技芸。特技。

名前 かた・さい・たえ・とし・まさ・もと・もち

参考 年齢をあらわす〔歳〕(6000)の代わりに〔才〕を用いることがある。

解字 甲骨文 金文 篆文 象形。川のはんらんをせきとめるために建てられた良質の木の象形で、もともと備わっているよいもちまえの意味を表す。才を音符に含む形声文字のうち、材料の意味の系列のものに、材・財などがあり、たち切るの意味の系列のものに、在・栽・裁・載・豺などがあり、わざわいの意味の系列のものに巛・災などがある。

逆 偉才・異才・逸才・英才・学才・漢才・奇才・鬼才・賢才・秀才・俊才・商才・人才・多才・天才・鈍才・非才・敏才・不才・文才・弁才・雄才・良才

【才穎】サイエイ 知恵が非常にすぐれていること。

【才媛】サイエン 国高い教養を身につけた女性。学問詩文にすぐれている女性。閨秀。

【才華】サイカ ①はなやかに外に現れた才知をいう。②才知。才能。

【才覚(覺)】サイカク 国①知力の働き。機転。②くめん。工夫。考え。

【才学(學)】サイガク 才知と学問。また、学問。

【才幹】サイカン 働き。腕前。知恵。能力。

【才気(氣)】サイキ 才知の働き。知恵の働き。用例〈史記、李将軍伝〉李広才気天下無双(リコウのサイキ、テンカムソウ)。↓李広の才気は天下に並ぶものがない。

【才器】サイキ 才知と器量。才知があって役に立つこと。また、その人物。

【才芸(藝)・才△藝】サイゲイ 才知と技芸。

【才子】サイシ ①才知のすぐれた人。②詩文の才のすぐれた人。③国気がきいてぬけめのない人。如才のない人。

【才識】サイシキ 才知と識見。

【才質】サイシツ ①生まれつき。②才知のすぐれた性質。

【才俊】サイシュン 才知のすぐれた人物。用例〈唐、杜牧、題ニ烏江亭一詩〉江東子弟多ニ才俊一(コウトウのシテイ、サイシュンおお(ほ)し)、巻土重来未レ可レ知(ケンドチョウライ、いまだしるべからず)。↓江東地方の若者には才能ある者も多かったのだから、砂ぼこりを巻き上げて再び攻め寄せたならば、天下の情勢はどうなったかわからない。

【才章】サイショウ すぐれた才知。才華。

【才色】サイショク すぐれた才能と、美しい容姿。「才色兼備」

【才人】サイジン ①＝才子①。②後宮の女官の階級の名。

【才性】サイセイ ①才能と生まれつきの素質。②心ばえ。性質。

【才藻】サイソウ 才知と文藻。詩文の才能の豊かなこと。

【才地】サイチ ①才知と家がら。▼地は、門地。②才能と地位。

【才知・才△智】サイチ 才能と知恵。頭の働き。

【才調】サイチョウ 才知の程度。

【才度】サイド 才能・度量。すぐれた能力・器量。

【才筆】サイヒツ ①すぐれた文章。②すぐれた文章を作る才能。③すぐれた筆跡。

【才物】サイブツ 才知のある人物。才子。

【才分】サイブン 生まれつき持っている才能。

【才望】サイボウ 才知と人望。「才望高雅」

【才名】サイメイ 才知があるという評判。

【才略】サイリャク 才知と、はかりごと。知恵があってよく計略を立てること。

【才量】サイリョウ 才知と度量。

【才力】サイリョク ①才知と力量。②知恵の働き。

1【扎】4画 4030 漢サツ 呉セチ 黠 zhā, ③④zhā, ⑤zā 5709 9D48 —

字義 ❶ぬ-く(抜)。❷ふだ。手紙。札(5179)の俗字。「書扎」❸さす(刺)。❹とどまる(停)。❺まく(巻)。くくる。

解字 会意。扌(手)+乚。

2【扔】5画 4031 漢ジョウ 呉ニョウ 蒸 径 rēng, ④rèng — — 3127

字義 ❶因る。就く。❷引く。❸せめる。また、たずねる。❹くだく。❺現代中国語で、捨てる。放り投げる。

解字 形声。扌(手)+乃音。

2【打】5画 4032 教3 ダ う-つ 漢テイ 呉チョウ(チャウ) 慣ダ 迥 梗 dǎ, ⑤dá 3439 91C5 —

筆順 一 扌 扌 打

字義 ❶う-つ。ぶ-つ。たたく。また、ける。「強打」❷する。つくる。▼名詞の上につき、各種の動作を示す。❸動詞の上につく接頭語。「打算」❹…から。…より。❺ダース。十二個一組の称。英語 dozen の音訳、打臣の略。国う-ち。動詞につけて、意を強め、また、語調を整える接頭語。「打ちなびく」

難読 打保(うっぽ)

使いわけ うつ〔打・討・撃〕
〔討〕攻めて相手を倒す。「あだ討ち」
〔撃〕射撃する。「的を撃つ」
〔打〕前述の二つ以外で、広く一般に用いる。「碁を打つ・心を打つ」

解字 篆文 形声。扌(手)+丁音。音符の丁は、くぎの象形。くぎを手にしてうつの意味から、一般に、うつの意味を表す。

逆 乱打

【打囲(圍)】ダイ 狩をする。囲んで捕らえるからいう。

【打開】ダカイ 行き詰まった状態をきり開いて、解決へとみちびく。

【打鬼】ダキ 雍和宮や喇嘛寺で行う、邪鬼を追い払う行事。鬼やらい。

【打△毬】ダキュウ けまり。蹴鞠。

【打魚】ダギョ 網をうって魚を捕る。

【打撃(擊)】ダゲキ ①うつ。たたく。②損害。いたで。③国バッティング。

【打算】ダサン 勘定する。計算する。また、見積もる。

【打診】ダシン ①胸や背を指さきでたたき、また、打診器を当てて、その音で内臓を診察すること。②相手に当たって様子を探る。

【打△擲】チョウチャク 人をぶつ。なぐる。

【打△扮】ダフン 扮装する。化粧する。扮装。化粧。

【打撲傷】ダボクショウ うたれてできたきず。打ち傷。打ち身。

2【扒】5画 4033 一ハイ 卦 bā 二漢ハツ・呉ハチ 黠 bā 21289 — 3126

字義 一❶ぬく(抜)。❷調理法の一つ。肉塊をたたいて平たくして焼くこと。二❶うつ。❷破る。

2【払】5画 4034 常 フツ はら-う 一漢フツ・呉フチ 物 fú 二漢ヒツ・呉ビチ 物 bì 唐ホツ 4207 95A5 —

解字 形声。扌(手)+八音。

5〖拂〗8画 4035 人 5736 9D63 —

筆順 一 扌 扌 払

字義 一❶はら-う。㋐はらいのける。捨てる。㋑なでる。ぬぐう。ふく。㋒はたき清める。ふるう(振)。用例〈唐、劉長卿、酬ニ李穆見レ寄詩〉欲下払ニ柴門一迎中遠客上(サイモンをはらってエンカクをむかえ(へ)んと、ほっすれば)、青苔黄葉満ニ貧家一(セイタイコウヨウ、ヒンカにみつ)。↓柴門を掃除して遠来の客を迎えようとすると、青い苔と黄色い木の葉が、貧しい家のまわりに満ちあふれている。㋓かかげる。着物のすそをかかげる。❷もとる。さからう。たがう。❸おおう。かぶせる。❹せまる。至る。二たすける。たすけ。＝弼(3344)。国はら-い。㋐代金または賃金を渡すこと。支払い。㋑物品を売り渡すこと。

手を付した。

解字 篆文 形声。扌(手)+弗㊌。音符の弗ッは、はらいのけるの意味。弗が助字に用いられるようになり、

逆 披払

【払衣】(フツイ) ①もすそをかかげる。奮いたつ様子。②衣のちりをはらう。官職を辞し引退すること。隠者になること。③決然として去る様子。

【払逆】(フツギャク) 自分の心にもとり逆らう。思いどおりにならないこと。

【払暁(曉)】(フツギョウ) 夜明け。暁。払旦(フッタン)。

【払士】(ヒッシ) 君主を助ける賢者。弼士(ヒッシ)。

【払△曙】(フツショ) ＝払暁。

【払拭】(フッショク) ①はらい去る。すっかりぬぐい去る。②才能ある者を民間から挙用すること。器物を使用するとき必ずよごれをふき去るように、君主に寵愛されることを謙遜(ケンソン)していう。

【払△晨】(フッシン) ＝払暁。

【払子】(ホッス) 仏 はぐま(犛(ぐや)の白い尾)や牛・馬の尾毛をたばねて柄をつけた仏具。僧がちり・はえ・煩悩などを払うため持つもの。「ホッス」は唐音。

払子

【払旦】(フッタン) ＝払暁。

【払底】(フッテイ) 国 入れ物の底を払う意。入れ物の中が空になること。一物もないこと。また、非常に乏しくなること。品ぎれ。たねぎれ。

【払天】(フッテン) 天空をはらう。非常に高い様子。

【払乱(亂)】(フツラン) もとりみだれる。くい違う。また、さからってかき乱す。

【払戻】(フツレイ) 一 もとる。たがう。さからう。二 (はらいもどし) 国 金銭を、納入した人、または支払った人に返すこと。

---

2 【扑】 5画 4036 慣 ボク 漢 ホク 屋 pū ₂1288 — 3125

字義 ❶かるく打つ。❷うつ(撃)。＝撲(4427)。「扑滅」❸むち。また、むちうつ。「扑撻(ボクタツ)」

参考 熟語は〔撲〕(4427)を見よ。

解字 形声。扌(手)+卜㊌。音符の卜(ホク)は、ポクッという音を表す擬声語。ポクッと打つの意味を表す。

2 【扐】 5画 4037 ロク 職 lè — — 3124

字義 ❶はさむ。指の間にはさむ。易(エキ)で筮竹(ゼイチク)を数えるとき、余ったものを左手の無名指(くすりゆび)と小指の間にはさむこと。❷あまり(余)。

解字 篆文 形声。扌(手)+力㊌。音符の力は、力の意味。手の指に力を入れてその間にはさむの意味を表す。

2 【扒】 5画 4038 国字 ₁8469 — 3128

字義 はーめる(はむ)。また、しぼる。

解字 会意。扌(手)+入。

3 【扞】 6画 4039 一 ウ 虞 yū 二 ク 虞 yū — — 3130

字義 一 二 ❶さしまねく。指揮する。❷持つ。

解字 形声。扌(手)+于(亐)㊌。音符の亐(ウ)は、まげるの意味。

3 【扞】 6画 4040 〔捍〕 4176 同字 漢 カン 呉 ガン 翰 hàn 5710 9D49 —

字義 ❶ふせーぐ。まもる。❷おかす。抵触する。❸こて(籠手)。左右の腕をおおう、鎧(よろい)のこて。❹ゆがけ。また、ゆごて(弓を射るとき、左の肘(ひじ)につける)。❺いしづき。矛(ほこ)・槍(やり)などの柄の端を包んだ金具。❻荒れ馬。元気のよい馬。

解字 形声。扌(手)+干㊌。音符の干は、武器の象形で、防ぐの意味。武器を手にして防ぐの意味を表す。

【扞格】(カンカク) たがいにこばみあうこと。相手をたがいに寄せつけないこと。

【扞△禦】(カンギョ) ふせぐ。▼禦も、防ぐ。

【扞護】(カンゴ) 守護する。

【扞城】(カンジョウ) ふせぎ守る。また、ふせぎ守る城壁・物・人。

【扞制】(カンセイ) ふせぎとどめる。

【扞馬】(カンバ) 元気のよい馬。あばれ馬。悍馬(カンバ)。

【扞蔽】(カンペイ) ふせぎおおう。また、おおい。

3 【扱】 6画 4041 常 あつかーう 1623 88B5 —

4 〖扱〗 7画 4042 一 漢 ソウ(サフ)・呉 ショウ(セフ) 洽 chā 二 漢 キュウ(キフ)・呉 コウ(コフ) 緝 xī

筆順 一 十 扌 扌 扨 扱

字義 一 ❶おさめる。おさめ入れる。＝収(1268)。❷つまむ。とる。❸はさむ。さしはさむ。＝挿(4191)。❹およぶ。とどく。二 ＝ 一 ❶❹。国 ❶あつかーう(あつかふ)。また、あつかい。❷こーく。かきおとす。❸こーぐ。草木を根元から引き抜く。しごーく。

解字 篆文 形声。扌(手)+及(及)㊌。音符の及は、吸に通じ、すいこむの意味。手で引きこむ、おさめるの意味を表す。

---

3 【扛】 6画 4043 コウ(カウ) 江 gāng, ③kāng 5712 9D4B —

字義 ❶あーげる(あぐ)。さしあげる。重い物を両手でもちあげる。❷棒を通して二人でかつぎあげる。❸肩でかつぐ。になう。

難読 扛秤(ちぎばかり)・(ちぎり)

解字 篆文 形声。扌(手)+工㊌。音符の工は、共に通じ、ささげるの意味。手を付し、あげるの意味を表す。

【扛△鼎】(コウテイ) かなえを持ちあげる。力の強いこと。扛ㇾ鼎(かなえ(へ)をあぐ)。用例〔史記、項羽本紀〕力能扛ㇾ鼎(ちからよくかなえ(へ)をあぐ)。⇩力はかなえを持ち上げることができる。

3 【扣】 6画 4044 漢 コウ 呉 ク 宥 kòu 5711 9D4A —

字義 ❶ひかーえる(ひかふ)。㋐ひきとめる。おさえる。用例〔左伝、襄公十八〕太子与ニ郭栄一扣ㇾ馬(タイシとカクエイと、うまをひかう(ふ))。⇩太子は臣下の郭栄とともに、馬をひきとめた。㋑手をかける。「扣ㇾ剣(けんをひかう(ふ))」❷たたーく。うつ。＝叩(1309)。用例〔本事詩〕聞ニ其中有ニ哭声一、扣ㇾ門問ㇾ之(そのうちにコクセイあるをきき、モンをたたきて、これをとう(ふ))。⇩家の中から大声で泣いている声が聞こえてきたので、門をたたいてその理由を尋ねた。❸さしひく。割り引く。また、さしひき。割引。八扣は、八掛けで、二割引。❹ボタン。＝釦(12480)。

参考 現代表記では〔控〕(4232)に書きかえることがある。「扣除→控除」

解字 篆文 形声。扌(手)+口㊌。音符の口は、寇(コウ)に通じ、人をたたくの意味。手を付し、たたくの意味。また、控(コウ)に通じ、ひかえるの意味をも表す。

【扣舷】(コウゲン) 舷側をたたく。拍子をとったりすること。扣ㇾ舷(ふなべりをたたく)。用例〔北宋、蘇軾、前赤壁賦〕於ㇾ是飲ㇾ酒楽甚、扣ㇾ舷而歌ㇾ之(ここにおいてさけをのみて、たのしむことはなはだし、ふなべりをたたきて、これをうたう(ふ))。⇩そこで、酒を飲み大いに楽しんだ。(私は)舷側をたたいて拍子をとりながら歌を歌った。

【扣除】(コウジョ) 引き去る。さし引く。取り除く。控除。

【扣制】(コウセイ) 引きとめる。おさえとどめる。控制。

【扣頭】(コウトウ) ぬかづく。頭で地をたたくの意。叩頭。

【扣門】(コウモン) 人を訪問すること。扣ㇾ門(モンをたたく)。

【扣問】(コウモン) 質問する。意見をたたく。

3 【扤】 6画 4045 一 漢 コツ・呉 ゴチ 月 wù 二 漢 ゲツ 呉 ガチ(グワチ) 月 wù ₂1291 — 3131

字義 一 二 揺れ動く。

解字 形声。扌(手)＋兀(音)。

3【扠】6画 4046 漢サ 呉シャ 麻 chā 5713 9D4C —

字義 ❶はさみとる。❷さす(刺)。❸やす。水中の魚を突きさして取る道具。国さて。ところで。話を改めることば。＝扨(4050)。

解字 形声。扌(手)＋叉(音)。音符の叉サは、はさむの意味。手を付し、はさむの意味を表す。

3【托】6画 4047 人 標 タク 薬 tuō 3481 91EF —

筆順 一 ナ 扌 扌 扞 托

字義 ❶おす。手で物をおす。＝拓(4109)。❷うけ。うけ台。物をのせる台。「茶托」❸＝託(1115)。㋐たのむ。まかせる。あずける。「委托」㋑かこつける。ことよせる。

名前 ひろ・もり

解字 形声。扌(手)＋乇(音)。

【托子】タクシ 茶わんをのせる小さな台。茶托。茶台。

【托鉢】タクハツ 仏僧・尼が経文キョウモンを唱えながら家々の戸口に立って、鉢ハチに米や銭の施しを受けること。

3【扡】6画 4048 一チ 紙 chǐ 二タ 歌 箇 tuō 21290 — —

字義 一さく(割)。二ひく。うばう。用例(墨子、非攻上)殺二不辜人一(フコのひとをころし)、扡二其衣裘一(そのイキュウをうばう(ふ))。↓罪のない人を殺し、着物や皮衣を奪う。

解字 形声。扌(手)＋也(音)。

3【扚】6画 4049 一チョウ(テウ) 篠 diǎo 二シャク 薬 18470 — 3129

字義 一うつ(撃)。二横合いからうつ。

解字 形声。扌(手)＋勺(音)。

3【扨】6画 4050 国字 5714 9D4D —

字義 さて。ところで。話題を変えるときに言う語。＝扠(4046)。

解字 刄(叉)＋扌(手)。叉はサ、手はテ、合わせてサテの音を表し、話題を転じることばに用いる。

4【抎】7画 4051 ウン 吻 yǔn — — 3138

字義 ❶失う。❷音響が起こる。

解字 形声。扌(手)＋云(音)。

4【扵】7画 4052 オ 於(4613)の俗字。→六四〇ページ下。

4【抂】7画 4053 オウ 枉(5229)の俗字。→七三三ページ下。 5716 9D4F —

4【找】7画 4054 一漢カ(クヮ)・呉ゲ 麻 huā 二ソウ(サウ) zhǎo 5718 9D51 —

字義 一さおさす。＝划(899)。二❶おぎなう(補)。不足を補う。❷たずねる(尋)。さがす。人を尋ねさがす。

解字 形声。扌(手)＋戈(音)。

4【抏】7画 4055 ガン(グヮン) 寒 wān — — 3139

字義 ❶尽きる。減る。❷けずる。丸く削る。❸くじく。

解字 形声。扌(手)＋元(音)。

4【技】7画 4056 教5 ギ わざ 漢キ・呉ギ 紙 寘 jì 2127 8B5A —

筆順 一 ナ 扌 扌 抃 技 技

字義 ❶わざ。てわざ。たくみ。技芸。技術。「球技」❷うでまえ。はたらき。技能。＝伎(213)。「美技」

名前 あや・たくみ・わざ

使いわけ わざ〔業・技〕⇩業(5596)。

解字 篆文 形声。扌(手)＋支(音)。音符の支シ＝キは、木の枝をささえ持つの意味。枝を持ちたくみにふるまう、わざの意味を表す。

逆 演技・国技・雑技・絶技・武技・末技・妙技・余技

【技芸(藝)】ギゲイ わざ。芸。技術。

【技巧】ギコウ ①てわざ。細工。農事に対して工芸をいう。②てわざのたくみなこと。③武技。剣道・弓道など。④国文芸・美術の表現や制作の上での、たくみな手腕・手段。テクニック。

【技術】ギジュツ ①てわざ。生産や加工のわざ。②国理論を実際に応用するわざ。

【技能】ギノウ うでまえ。働き。才能。

【技法】ギホウ わざ。やりかた。手法。

【技△倆・技量】ギリョウ うでまえ。働き。伎倆ギリョウ。

4【抉】7画 4057 標 漢ケツ 呉ケチ 屑 juē 5717 9D50 —

【刔】902 同字

字義 ❶えぐる。くじる。こじる。ほじくる。くりぬく。用例(十八史略、春秋戦国、呉)抉二吾目一(わがめをえ(え)ぐりて)、懸二東門一(トウモンにかけよ)。↓わしの目玉をえぐり取って都の東門にかけておけ。❷あばく。かくれたものを手でかき出す。❸ゆがけ。弓を射るとき、弦を持つ指を傷つけぬために用いるもの。

解字 篆文 形声。扌(手)＋夬(音)。音符の夬カイ＝ケツは、えぐるの意味。手を付し、えぐるの意味を明らかにした。

【抉△剔】ケッテキ えぐり出す。ほじくり出す。剔抉。

【抉摘】ケッテキ かくれているものを探し出すこと。

4【抗】7画 4058 常 コウ コウ(カウ) 漾 kàng 2519 8D52 —

筆順 一 ナ 扌 扌 扩 抗

字義 ❶あげる。あぐ。上にあげる。持ち上げる。❷あらがう。あらがふ。さからう。てむかう。あたる。「反抗」「抵抗」❸ふせぐ。こばむ。❹すすめる(進)。❺たかい。高くする。❻おさめる。しまいこむ。

解字 篆文 形声。扌(手)＋亢(音)。音符の亢コウは、たかぶるの意味。手を高くあげる、こばむの意味を表す。

逆 拒抗・対抗・抵抗・反抗

【抗顔】コウガン たかぶった顔つき。強顔。亢顔コウガン。

【抗議】コウギ 反対の意見を主張、または通知すること。

【抗拒】コウキョ 張り合ってふせぐ。また、手向かってふせぐ。

【抗言】コウゲン 張り合って言いはる。張り合って議論する。

【抗行】コウコウ ①たかい行い。けだかい行為。②匹敵すること。

【抗衡】コウコウ たがいに譲らずに張り合う。衡は、車のくびき。二台の車が道で出会って譲り合わない意。

【抗告】コウコク 国裁判所の判決に不服で、さらに上級の裁判所に訴えること。控訴。

【抗策】コウサク 鞭ムチをふりあげる。馬を駆る。馬を走らせる。▼策は、鞭。

【抗志】コウシ 志を高尚にする。また、はりあうこころざし。

【抗節(節)】コウセツ 自分の意志を堅く守って屈しないこと。

【抗戦(戰)】コウセン 張り合い戦う。また、はむかい戦う。

【抗△疏】コウソ 天子に意見書をさしあげる。抗表。

【抗訴】コウソ はりあって訴える。

【抗争(爭)】コウソウ 張り合いあらそう。反抗。

【抗直】コウチョク 気が強くて正直なこと。一本気。

【抗敵】コウテキ 張り合う。はむかう。対抗(敵対)する。

【抗弁(辯)】コウベン ＝抗論。

【抗命】コウメイ 命令にさからう。命令に従わない。

【抗礼(禮)】コウレイ 対等の礼。また、対等の交際。

【抗論】コウロン 張り合って議論する。反論する。抗言。抗弁。

4【抅】7画 4059 コウ 拘(4101)の俗字。→五八四ページ中。 18472 — —

4【抵】7画 4060 シ 紙 zhǐ — — 3135

字義 ❶う-つ。たたく。❷おさえる。❸なげる。❹あたる。

参考 〔抵〕(4116)は別字。

解字 篆文 形声。扌(手)+氏音。音符の氏は、つぶれた目の象形。目をつぶすほどに平手で横からうつの意味を表す。

4【扻】7画 4061 ━シ 寘 zhì ━漢セツ・呉セチ 屑 jié ₂1292 — —

字義 ━くしけずる。━髪をとく。

解字 形声。扌(手)+次省音。

4【扭】7画 4062 漢ジュウ(ヂュウ) 呉ニュウ(ニウ) 有 niǔ ₂1293 — 3132

字義 ねじる。ひねる。

解字 形声。扌(手)+丑音。

4【抒】7画 4063 標 漢ショ 呉ジョ 語 shū 5719 9D52 —

字義 ❶く-む。くみとる。❷さらえる。井戸などの底をさらえる。❸の-べる。思いをうちあける。意中をもらす。❹ゆるめる。また、ゆるむ。

参考 現代表記では〔叙〕(1287)に書きかえることがある。「抒情→叙情」

解字 篆文 形声。扌(手)+予音。音符の予は、伸ばすの意味。手を伸ばして、くむの意味を表す。また、敍(叙)に通じて、のべるの意味をも表す。

【抒情】ジョジョウ 感情を述べ表すこと。

【抒情詩】ジョジョウシ 作者自身の感動や心の動きを主題として述べた詩。叙情詩。

4【抄】7画 4064 常 ショウ 漢ソウ(サウ)・呉ショウ(セウ) 肴 chāo 3022 8FB4 —

筆順 一 十 扌 扌 扌 抄 抄

字義 ❶かす-める。かすめ取る。❷さじですくい取る。❸うつ-す。書き写す。また、書き写した物。うつし。❹ぬき書きする。書きぬく。また、ぬき書きしたもの。「論語抄」❺す-く。紙をすく。国ショウ。解釈書。注釈書。抄物ショウもの。

解字 形声。扌(手)+少音。音符の少は、すこしの意味。少しだけ手に取る、かすめ取るの意味を表す。

逆 手抄

【抄紙】ショウシ 紙をすく。紙を造る。また、かみすき。

【抄出】ショウシュツ ①ぬき書きする。書きぬく。②ぬき出す。

【抄本】ショウホン ①書物・文書から一部を書きぬいてまとめたもの。②書き写した本。写本。

【抄物】━ショウモツ 国=抄本。━ショウもの 国室町時代に作られた、漢籍の講義の筆記録。

【抄訳(譯)】ショウヤク 国原文の一部分を翻訳すること。また、その訳文。

【抄略・抄掠】ショウリャク かすめとる。おびやかして奪う。

【抄録】ショウロク ぬき書きする。また、その文書。

4【抍】7画 4065 ショウ 迥 zhěng — — 3137

字義 ❶挙げる。❷抜く。溺れている者を引き上げる。❸救う。❹取る。❺収める。❻のぼす。

解字 形声。扌(手)+升音。音符の升は、のぼすの意味。

4【折】7画 4066 教4 セツ お-る・おり・お-れる 漢セツ・呉セチ 屑 zhé, shē 慣シャク 3262 90DC —

筆順 一 十 扌 扌 扩 扩 折

〔[illegible]〕4598 本字

字義 ❶お-る。お-れる。おりまげる。おって切断する。おりたたむ。「屈折」「曲折」❷くじ-く。くじ-ける。やぶる。「挫折ザセツ」❸なじる。責める。「面折」❹しぬ。「夭折ヨウセツ」❺さだめる。判断する。「折獄」❻わける。わけて選び取る。「折半」❼へる。損をする。❽さし引く。割り引く。❾北曲(元代の戯曲)で、音楽のひとふし。また、芝居しばいの一幕。国❶おり。㋐とき。場合。機会。とたん。「折節おりふし」㋑おりづめ。料理やかしなどを詰めた箱。❷へ-ぐ。はがす。また、へぎ。杉などを薄くはいだ板。

名前 おり 難読 折生迫おりゅうざこ・折板へぎ・折敷おしき

解字 金文 篆文 会意。扌([illegible])+斤。[illegible]は、ばらばらになった草木の象形。斤は、おのの象形。おので草木をばらばらにくじくの意味を表す。金文は[illegible]で、[illegible]と書かれた部分がのち篆文では変形して扌と書かれ、今日の常用漢字の折となった。折を音符に含む形声文字に、哲・晢セツ・誓・逝などがある。

逆 曲折・廷折・半折・百折

【折閲】セツエツ 損をして売る。

【折角】セッカク ①つのをおる。②頭巾ずきんの角かどをおる。後漢の郭泰は人に敬慕されていたが、その頭巾の角が雨にうたれて折れたことから流行したもの。〔後漢書、郭泰伝〕③高慢の鼻をくじく。前漢の朱雲が五鹿充宗ゴロクジュウソウと易エキを論じてやりこめたのを、鹿しかの角をおったと、時人がしゃれた故事による。〔漢書、朱雲伝〕④国㋐力をつくす。また、むだ骨をおること。㋑つとめて。ずいぶん。㋒わざわざ。

【折柬】セッカン 手紙を出す。▼柬は、手紙。

【折簡】セッカン ①紙を二つ切りにしてしるした短い手紙。▼簡は、竹の札。②官吏の任免書。

【折檻】セッカン ①強くいさめる。前漢の成帝が朱雲の強いいさめを怒り、朝廷から引き出そうとしたとき、朱雲が檻てすりにつかまり反抗したため、檻がおれた故事による。〔漢書、朱雲伝〕②国きびしく責めしかる。

【折桂】セッケイ →桂林一枝(七三八ページ上)。

【折肱】セッコウ 苦労することのたとえ。苦い経験をすることのたとえ。折レ肱ひじを(おる)。〔左伝、定公十三〕→三折レ肱(一九ページ上)。

【折獄】セツゴク 訴訟を裁く。裁判する。

【折挫】セツザ くじける。また、くじく。挫折。

【折枝】セッシ ①=折レ枝えだを(おる)(七三五ページ中)。②枝をおる。また、おった枝。

【折衝】セッショウ ①敵が攻めて来るのをくじく。敵のほこさきをくじく。②国際上の談判。③かけひき。

【折辱】セツジョク くじきはずかしめる。しいたげはずかしめる。

【折節(節)】━セッセツ 節をおる。みさお(節操)をまげる。主義をかえる。━おりふし 国①ときどき。おりおり。②ちょうどその時。おりから。③時期。季節。

【折足】セッソク 鼎かなえの足がおれることから、任務に耐えるだけの能力がないことをいう。〔易経、鼎〕

【折衷・折中】セッチュウ あれこれと(相反する意見を)取捨して、その中間のほどよい意見をとること。▼衷は、中。

【折半】セッパン 二つに分ける。二分する。二等分する。

【折伏】━セップク くじいて従わせる。━シャクブク 仏仏の教えを説いて悪人・悪法をくじき伏せる。自分の宗派に従わない人たちを論破し屈服させること。破邪。↔摂受ショウジュ(六〇八ページ上)。

【折北】セツホク 戦いに負けて逃げる。

【折腰】セツヨウ ①腰を曲げて働く。②腰を曲げておじぎする。③腰の曲がっているからだ。

【折柳】セツリュウ ①柳の枝をおる。②人を見送って別れること。送別。漢代、長安(今の陝西センセイ省西安市)の都を旅立つ人を見送る時、覇橋ハキョウのたもとの柳の枝をおって別れた故事による。折楊柳セツヨウリュウ。③別れを歌った楽府ガフの曲名。用例〔唐、李白、春夜洛城聞レ笛詩〕此夜曲中聞ニ折柳一このよきょくちゅうセツリュウをきく、何人不レ起故園情なんぴとかおこさざらんこえんのじょう。→今宵、聞こえてくる曲の中に折柳の曲があった。いったい誰が(それを聞き)望郷の思いを起こさずにいられようか。

4【扱】7画(4042) ソウ 扱(4041)の旧字体。→五七七ページ中。

4【抓】7画 4067 漢ソウ(サウ) 呉ショウ(セウ) 𠀋 𥡴 zhuā 5720 9D53 —

字義 ❶かく(搔)。手でかく。「抓癢(かゆいところをかく)」 ❷つね-る。つめ-る。 ❸つま-む。 国つま-れる。つま-まる。「狐に抓まれる」の形で、思いがけない状況にわけがわからなくなる意を表す。

解字 形声。扌(手)+爪音。音符の爪は、上から手で下にあるものをつまみ持つ形にかたどる。手を付し、つまむ・かくの意味を表す。

4【扯】7画 4068 一タ 二シャ chě 8471 — 3133

字義 一引く。二割き開く。

解字 形声。扌(手)+止音。

4【択】7画 4069 常 タク 3482 91F0 —

13【擇】16画 4070 漢タク 呉ジャク(ヂャク) 陌 zé, zhāi 5804 9DA2 —

筆順 一 † 扌 扌 扩 护 択

字義 ❶えら-ぶ。 ㋐えらびとる。よいものをえらびとる。用例〔論語、述而〕択二其善者一而従レ之、其不善者而改レ之(そのゼンなるものをえらびて、これにしたがい(ひ)、そのフゼンなるものは、これをあらたむ)。 ↓他人のよいところは自分に取り入れ、悪いところは我が身を正すのだ。 ㋑えりわける。区別する。 ❷やぶれる。

名前 えらむ・すぐる・たく 難読 択捉(えとろふ)・えとろう

解字 金文 篆文 形声。扌(手)+尺(睪)音。音符の睪は、つぎつぎにあらわれるものの中からえらび出すの意味。手でえらびとるの意味を表す。

逆 簡択・採択・選択

【択一】タクイツ 国二つの中から一つを選ぶこと。「二者択一」

【択吉】タクキツ よい日を選ぶ。吉日を選ぶ。択日。

【択言】タクゲン 善とか悪とか判断しなければならないことば。

【無二択言一】タクゲンなし ことばがすべて正しい。善か悪かを判断する必要がないということからいう。用例〔孝経、卿大夫章〕口無二択言一(くちにタクゲンなし)。 ↓話す言葉(の内容)についてその善悪を判断する必要がない(すべてよい)。

【択交】タッコウ 交わるべき国や友を選ぶこと。択友。

【択行】タッコウ 善とか悪とか判断しなければならない行い。

【無二択行一】タッコウなし 行いがすべて正しい。善か悪かを判断する必要がないということからいう。用例〔孝経、卿大夫章〕身無二択行一(みにタッコウなし)。 ↓行動についてその善悪の判断をする必要がない(すべて正しい)。

【択材】タクザイ 人材を選ぶ。

【択木】タクボク 鳥がとまるべき木を選ぶことから、臣下が仕える君主を選ぶたとえ。択レ木(きをえらぶ)。〔左伝、哀公十一〕

4【投】7画 4071 漢トウ・呉ズ(ヅ) 尤 tóu 教 3 トウ な-げる 熟字訓 投網(とあみ) 3774 938A —

筆順 一 † 扌 扌 扠 投 投

字義 ❶な-げる。なぐ。 ㋐なげうつ。なげつける。用例〔左伝、成公二〕桀レ石以投レ人(いしをかかげてもってひとになぐ)。 ↓岩を担ぎあげて敵に投げつけた。 ㋑なげいれる。なげこむ。用例〔唐、韓愈、鰐魚文〕以二羊一猪一(ヨウイチチョイチをもって)、投二悪渓之潭水一(アクケイのタンスイにトウじ)、以与二鰐魚一食(もってガクギョにあたえ(へ)てくらわ(は)す)。 ↓羊一頭と豚一頭を悪渓の淵に投げ込んでわにに食べさせる。 ㋒身をなげる。とびこむ。「投身」 ㋓す-てる。す。なげすてる。ほうる。また、なげ出す。あきらめる。放棄する。「投筆」 ❷おく-る。わたす。贈る。与える。用例〔詩経、衛風、木瓜〕投レ我以二木瓜一(われにおくるにボッカをもってす)、報レ之以二瓊琚一(これにむくゆるにケイキョをもってせん)。 ↓贈ってくれたのは木瓜の花、お返しはきれいな玉の下げ飾り。 ❸あう。かなう。ぴったり合う。「意気投合」 ❹とまる(泊)。とどまる。用例〔唐、杜甫、石壕吏詩〕暮投二石壕村一(くれにセキゴウのむらにトウず)、有レ吏夜捉レ人(リありよるひとをとらう(ふ))。 ↓日暮れに石壕村に投宿すると、役人が夜、(戦争のために)男を徴発にやってきた。 ❺進む。行く。向かう。 ❻よる。たよる。託する。 ❼身の振り方を決める。用例〔史記、淮陰侯伝〕足下右投則漢王勝(ソッカみぎにトウずればすなわ(は)ちカンオウかち)、左投則項王勝(ひだりにトウずればすなわ(は)ちコウオウかつ)。 ↓あなたが右と決めれば漢王が勝ち、左とすれば項王が勝ちます。 ❽賭博をする。さいを投げる。 ❾古代の遊戯の一つ。矢を壺に投げ入れる遊び。投壺。 ❿はら-う。はらふ。ふる-う。ふるふ。振りはらう。用例〔左伝、宣公十四〕投レ袂而起(たもとをはらい(ひ)てたつ)。 ↓袂を振りはらって奮いたった。

名前 ゆき

解字 篆文 形声。扌(手)+殳音。音符の殳は、木の棒を手にしてなぐるの意味。さらに手を付し、なげるの意味を表す。

【投影】トウエイ 国①物体の姿が映し出されること。また、その影。②物体をある点から見た形の平面図。射影。

【投戈】トウカ 戦いをやめる。休兵。

【投轄】トウカツ 客を引き留めもてなすこと。轄は、車のくさび。漢の陳遵(チンジュン)が家で宴を開いた時、客の轄を抜き取って井戸に投げこんで、客を帰らせなかった故事による。投レ轄(カツをトウず)。〔漢書、陳遵伝〕

【投機】トウキ 国よい機会をとらえて、うまくもうけようとすること。また、その売買取り引き。

【投壺】トウコ 矢を壺になげ入れることを争い、勝者が敗者に酒を飲ませる、宴席の遊び。

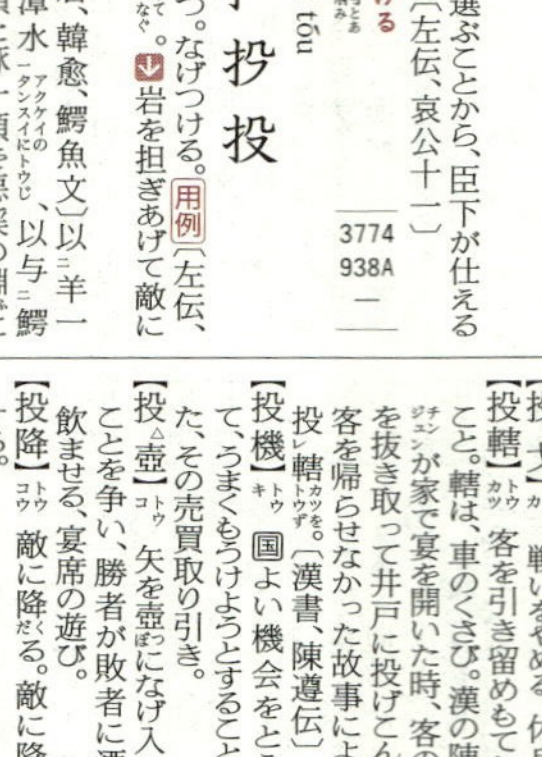

宴客投壺(漢代画像石)

【投降】トウコウ 敵に降(くだ)る。敵に降参する。

【投稿】トウコウ 読者などが多くは自発的に新聞社や雑誌社などへ原稿を送ること。また、その原稿。

【投合】トウゴウ たがいに合う。気持ちなどがぴったりと一致する。「意気投合」

【投獄】トウゴク 牢に入れる。監獄に入れる。

【投梭】トウサ ①求愛をはねつけること。ひじ鉄砲。晋の謝鯤(シャコン)の故事による。②はたを織ることをやめる。③速く動く梭(ひ)。転じて、速く動くたとえ。

【投竄】トウザン 流し者にする。▼投は棄てる、竄は放つ。

【投子】トウシ さいころ。

【投死】トウシ 命をなげだす。身をなげだす。

【投刺】トウシ ①名刺を差し出す。面会を求めること。②名刺をなげ棄てる。面会をやめること、また、世間との交際を断ち切ること。

【投射】トウシャ ①機に乗じて利益を得る。②音や光の波動が、一つの物質内を通過して、他の物質の境界面に到着すること。

【投宿】トウシュク 宿をとる。宿に泊まる。

【投書】トウショ ①書状をなげこむ。②投稿する。

【投身】トウシン 身なげ。身を水中に投じて自殺すること。

【投簪】トウシン・トウサン 冠をとめるこうがい(簪)をなげ捨てる。退官すること。

【投杼】トウチョ 人の告げ口を信ずること。孔子の弟子の曽参(ソウシン)と同姓同名の者が人殺しをし、参が人殺しをしたと知らされて、初めは信じなかった母も、知らせる人が三人にもなると疑いを起こし、ついに織りかけの機の杼（横糸を巻きつける具）をなげ棄てて家を飛び出した故事による。〔戦国策、秦〕

【投△擲】トウテキ なげうつ。なげとばす。

【投筆】トウヒツ 筆をなげ出す。㋐軍事に従うため学問・文事をやめること。後漢の班超が、筆耕をしながら生計を立てていたが、ある日、筆をなげ出して、男子たる者、武将となって功をたてるべきで、こんなことをしているべきではないと言い、後日、大功を立てた故事による。投レ筆。〔後漢書、班超伝〕 用例 〔唐、魏徴、述懐詩〕中原還逐レ鹿、投レ筆事ニ戎軒一（ちゅうげんまたしかをおい、ふでをとうじてじゅうけんをこととす）。↓また〔群雄が〕天子の位を争う時となり、私も筆をおいて戦に加わった。㋑あまりにすぐれていて、筆で表現できないので、書くのをやめること。

【投△錨】トウビョウ いかりを水中になげ入れる。船を止めること。↕抜錨（五八一ジベー下）。

【投△袂】トウベイ たもとを振り払う。勢いよく立ちあがるさま。奮起するさま。

【投報】トウホウ ①贈り物に対して返礼すること。②恩に報いること。③男女が情を通じあうこと。〔詩経、衛風、木瓜〕

【投了】トウリョウ 国①なげてしまうこと。②碁・将棋などで、石・駒をなげ出して、一方が負けを認めること。

【投老】トウロウ ①老年になる。②年とって辞職すること。

4【抖】7画 4072 漢トウ・呉ツ 有 dǒu 慣ト　5721 9D54 —

字義 ふるう。また、あげる。

解字 形声。扌(手)＋斗音。

【抖△擻】トソウ・トウソウ ①ふるいたつ。奮発する。▼擻は、あげる。②ふりはらう。さっぱりとはらい落とす。▼擻は、ふるい去る。㊁トソウ 仏梵語ボンゴ dhūta（頭陀ズダ）の訳。衣食住の煩悩ボンノウをはらい清める修行。また、世捨て人・僧侶ソウリョの意。

4【抐】7画 4073 漢ドツ 呉ノチ 月 nè　— — 3140

字義 漬つける。浸ひたす。

解字 形声。扌(手)＋内音。

4【扽】7画 4074 トン 願 dèn　— — 3136

字義 力をこめて引く。

解字 形声。扌(手)＋屯音。

4【把】7画 4075 常 ハ　ハ 馬 bǎ　3936 9463 —

筆順 一 十 扌 打 扣 扣 把

字義 ❶と-る。手にとる。にぎる。つかむ。とらえる。用例 〔史記、刺客伝〕左手把ニ秦王之袖一、而右手持ニ匕首一揕レ之（ひだりてにシンオウのそでをとり、みぎてにヒシュをもちてこれをさす）。↓左手で秦王の袖をつかみ、右手であいくちを握って秦王を刺した。／〔唐、杜甫、兵車行〕縦有ニ健婦把ニ鋤犂一、禾生ニ隴畝一無ニ東西一（たとい(ひ)ケンプのジョリをとるありとも、カはロウホにショウじてトウザイなし）。↓たとえすきを手に耕作に励む健気な婦人があったとしても、穀物は畑に生えても列をなさず無秩序なありさま。❷つか。とって。にぎり。❸ひとにぎりの量。用例 〔孟子、告子上〕拱把之桐梓（キョウハのドウシ）。↓一握りの桐きりや梓あずさの木。❹たば。たばねたもの。

難読 把手ハンドル

解字 篆文 形声。扌(手)＋巴音。音符の巴ハは、ぺったりつけるの意味。手のひらをぺったりつけてにぎるの意味を表す。

逆 刀把

【把握】ハアク ①にぎる。しっかりとつかむ。②ひとにぎりほどの、わずかな量、また、せまい範囲。③手を携えること。手を取り合うこと。④国ものごとをしっかり理解する。

【把玩】ハガン 手に取ってもてあそぶ。把弄ハロウ。

【把持】ハジ ①しっかりと手に持つ。手ににぎる。②心理学で、記憶過程の一要素。ある表象・感情などがある時まで保存されていること。

【把手】ハシュ・とって 器物のとって。柄。ハンドル。

【把捉】ハソク ①にぎりとる。しっかりつかむ。とらえる。②心をしっかりきめて乱さない。

4【抜】7画 4076 常 バツ ぬ-く・ぬ-ける・ぬ-かす・ぬ-かる　4020 94B2 —

5【拔】8画 4077 人 ㊀漢ハツ・呉バチ 黠 bá ㊁漢ハツ・呉バチ 曷 bá 慣バツ　5722 9D55 —

筆順 一 十 扌 扌 扐 抜 抜

【抜】4121 俗字

字義 ㊀❶ぬ-く。㋐引きぬく。ぬいて取り除く。「抜糸」㋑ぬき出す。多くの中から選び出す。「抜擢バッテキ」㋒攻め落とす。奪い取る。用例 〔戦国策、秦〕抜ニ宜陽一（ギヨウをぬく）。↓宜陽を攻め落とした。／〔戦国策、趙〕旦暮当ニ抜而饗ニ其利一（タンボまさにぬきてそのリをうくべし）。↓今日明日にも陥落させて、その利益を受けようというのだ。❷ぬ-ける。㋐ぬけ落ちる。㋑ぬけ出す。㋒ぬきんでる。水準をこえてすぐれる。「卓抜」❸たすける。救う。㊁❶とる。手に取る。❷はやい。すみやか。❸やはず。矢の末端の、弓の弦を掛ける部分。国❶ぬ-かす。飛ばす。❷ぬ-かる。失敗する。

名前 やはず

解字 篆文 形声。扌(手)＋犮(犮)音。音符の犮バツは、不祥をぬきとるために犬をいけにえにする形にかたどる。手でぬきとるの意味を表す。

逆 海抜・簡抜・奇抜・警抜・秀抜・選抜・不抜

【抜群】バツグン 群をぬく。多くの中からぬけでてすぐれていること。

【抜山蓋世】バツザンガイセイ 山を引きぬき、意気は世全体をおおうほどである。力や気力の強大なことのたとえ。『史記』の項羽本紀に「力抜レ山兮気蓋レ世（ちからはやまをぬきキはよをおお(ほ)う(ふ)）」とあるのに基づく。→力抜レ山兮気蓋レ世（二九〇ジベー中）。

【抜粋（粹）】バッスイ ①＝抜萃。②国＝抜萃バッスイ②。

【抜△萃】バッスイ ①＝抜群。▼萃は、群がり集まる。②国㋐多くの中からよいものをぬき出すこと。㋑書物などの中から要点をぬき出す。また、ぬき出して作ったもの。抄録。

【抜俗】バツゾク 普通の人より高くぬきんでること。

【抜△擢】バッテキ 多くの人の中から引きぬいて用いること。▼擢は、ぬき出す。

【抜刀】バットウ かたなをぬく。また、その刀。ぬきみ。

【抜△錨】バツビョウ いかりを上げる。船を出航させること。↕投錨（五八一ジベー上）。

【抜本塞源】バッポンソクゲン 木の根をぬきとり、水源をふさぐ意で、物事を処理するに、災いとなる根本原因を取り除くこと。〔左伝、昭公九〕

4【扳】7画 4078 ハン 删 bān　21294 — 3134

字義 ＝攀(4026)。❶ひく。ひっぱる。ひきあげる。❷よじる。よじのぼる。

解字 形声。扌(手)＋反音。音符の反は、癶ハンに通じ、ひくの意味。

【扳援】ハンエン ①よじのぼる。②引きとめる。③引く。引き助ける。

4【批】7画 4079 教6 ヒ　㊀漢ヘイ・呉ハイ 斉 pī ㊁漢ヒ・呉ビ 支 pí 慣ヒ　4067 94E1 —

筆順 一 十 扌 扌 扌 批 批

【攙】4365 本字

字義 ㊀❶う-つ。手でうつ。また、ふれる。さわる。❷正す。改める。❸よしあしを判定する。品定めする。「批判」❹臣下から提出した書類の末尾に天子が決裁を書き示すこと。また、その決裁。「批准」❺ひらく。おしのける。㊁批把は、楽器の名。琵琶。

解字 篆文 形声。扌(手)＋比㊉。音符の比は、ならぶの意味。基準となるものと並べくらべ正すの意を表す。篆文は、扌(手)＋毘㊉の形声文字。

逆 高批・妄批

【批准】①臣下から差し出された文書に対し、君主がよしあしをきめて許すこと。▼准は、準で、許す意。→准(814)の 参考。②法律上、全権委員が署名・調印した条約を主権者が承認すること。

【批点(點)】①詩文などのたくみな所、重要な所のわきに打つ点。②詩文の批評。

【批答】臣下の上奏文に対し、天子が意見を書いて答えること。また、その回答の文。

【批判】①臣下の差し出した上奏文に大臣がよしあしの意見を加えること。②よしあしを批評してきめること。

【批評】物事の善悪・是非・優劣を判断し論ずること。

【批△鱗】逆鱗(天子の怒り)に触れること。

4【扶】7画 4080 常 フ ㊀漢フ・呉ブ 虞 fú ㊁漢ホ・呉ブ 麌 pú 4162 957D 一

筆順 一 ｜ 扌 扌 扌 扶 扶

字義 ㊀❶たすける。たすく。力を貸す。救う。用例〔東晋、陶潜、帰去来辞〕策扶老以流憩 ↓老いたわが身をつえで支えて歩きまわっては、自由に休み、ときおり顔を上げて景色を眺める。❷寄る。寄りつく。寄りそう。❸よじのぼる。❹よる。たどって進む。用例〔東晋、陶潜、桃花源記〕扶向路処処誌之。↓元来た道をたどって戻りながら、ところどころに目印を付けた。❺手の指を四本並べた長さ。㊁❶はらう。はらばう。＝匍(1101)。❷わだかまる。とぐろをまく。

名前 すけ・たもつ・ふ・もと

解字 金文 篆文 形声。扌(手)＋夫㊉。音符の夫は、おとこの意味。おとこが手をさしのべ助けるの意味を表す。

【扶育】たすけそだてる。

【扶行】たすけられてゆく。

【扶侍】付きそって世話をする。

【扶持】㊀たすけささえる。㊁国①昔、米で給与された俸禄。扶持米。②生活のめんどうをみること。世話すること。

【扶助】たすける。力をそえる。「相互扶助」

【扶将(將)】①たすけもつ。たすけあう。扶持。

【扶植】①しっかりとたてる。②うえつける。

【扶寸】昔の長さの単位。扶は手の指を四本並べた長さ。寸は指一本の長さ。わずかな距離のたとえ。

【扶疎・扶△疏】①木の枝が四方に広がるさま。②ゆらゆらと舞うさま。また、よろめくさま。

【扶△蘇】①秦の始皇帝の長子。始皇帝の暴虐をいさめた。後、趙高に謀殺された。(?—前二一〇) ②樹木の茂っているさま。

【扶桑】①東海中の日の出る所にあるという神木。用例〔唐、王維、送秘書晁監還日本国詩〕郷国扶桑外、主人孤島中。↓君(阿倍仲麻呂)の故国は、東方の海上の神木、扶桑の木のあるところよりさらに遠い。君はその孤島の主人だ。②東方にあって、扶桑を産するという国。③日本。④南方に産する木の名。ぼさつばな。りゅうきゅうむくげ。

【扶風】①はやて。疾風。暴風。②地名。今の陝西省咸陽市の東。

【扶伏・扶服・扶△匐】①はらばう。はう。②ふしつまろびつして急ぐさま。③ひれふして恐縮するさま。

【扶余(餘)】国名。昔、黄海・平安二道の地から遼東にかけて住んでいた民族の建てた国。高句麗・百済の二国もこの民族により建てられた。夫余。

【扶揺(搖)】①東海に生ずるという神木の名。②つむじかぜ。旋風。用例〔荘子、逍遥遊〕搏扶揺而上者九万里。↓つむじ風に羽ばたいて九万里も上にのぼる。③勢いよく動き起こること。まきおこる。

【扶養】たすけやしなう。

【扶翼】①たすける。②おおいかくす。

【扶老】①竹の名。杖を作るのに用いる。②老人の杖。

4【扮】7画 4081 標 漢フン 呉ブン 吻 fěn 4217 95AF 一

字義 ❶よそおう。よそおふ。いでたつ。いでたち。「扮装」❷にぎる。❸あわせる。まぜる。

解字 篆文 形声。扌(手)＋分㊉。音符の分は、賁に通じ、かざるの意味。手を付し、かざるの意味を表す。また、分は粉に通じ、こなの意味。白粉を手にしてよそおうの意味を表すともいう。

【扮飾】よそおいかざる。身なりをかざる。粉飾。

【扮装(裝)】①姿をかざりつくる。装う。また、装い。いでたち。②俳優が舞台に出るときのいでたち。

4【抃】7画 4082 漢ヘン 呉ベン 霰 biàn 5723 9D56 一

字義 うつ。㋐手をうつ。手をたたく。㋑手でうつ。手打ちにする。

解字 形声。扌(手)＋卞㊉。卞は手をうつ音の擬声語。

【抃手】手をうって喜ぶ。「抃手太平」

【抃舞】手をうって舞い踊る。喜ぶさま。抃踊。

【抃躍】手をうっておどりあがる。喜ぶさま。

4【抔】7画 4083 漢ホウ 呉ブ 尤 póu 5724 9D57 一

字義 ❶あつめる。かきあつめる。❷すくう。すくふ。手ですくう。国など。なんど。等。複数を示す語。

解字 形声。扌(手)＋不㊉。音符の不は、ふっくらと大きいの意味。両てのひらをふっくらと大きく合わせて物をすくいとるの意味を表す。

【抔飲】手ですくって飲む。

【抔土】①手ですくうほどのわずかな土。②墓。

4【抛】7画 4084 ホウ 5738 9D65 一

抛(4133)の俗字。→五八八ページ下。

4【拝】7画 4085 ㊀漢ホウ・呉ブ 尤 póu ㊁漢ホウ・呉フ 尤 pōu 21301 一 一

字義 ㊀❶あつめる。かきあつめる。❷たがやす。㊁くむ。

国 拝傘は、あいあいがさ。

解字 会意。扌(手)＋手。

4【扼】7画 4086 漢アク 呉ヤク 陌 è 5715 9D4E 一

［扼］4136 同字

字義 ❶おさえる。おさふ。おさえつける。とりひしぐ。＝搤(4368)。❷くびき。車の轅の端の横木で、馬の首をおさえるもの。＝軛(11879)。

解字 形声。扌(手)＋厄㊉。音符の厄は、せまいの意味。手でおさえて、のどや腕などを強くしめるの意味を表す。

【扼喉】＝扼喉(三七四ページ下)。

【扼殺】のどをおさえてしめ殺すこと。

【扼腕】＝扼腕(七〇四ページ中)。

4【抑】7画 4087 常 ヨク おさえる 漢ヨク・呉オク 職 yì 4562 977D 一

筆順 一 ｜ 扌 扌 抑 抑 抑

字義 ❶おさえる。おさふ。㋐おさえつける。おさえとどめる。㋑退ける。くいとめる。㋒へりくだる。❷おさえられる。ふさがる。❸そもそも。㋐いったい。さて。㋑それとも。用例〔論語、学而〕求レ之与、抑与レ之与（これをもとめたるか、そもそもこれをあたえ(へ)られたるか）。↓そもそも、先生がこれを求めたのでしょうか、それとも、持ちかけられたのでしょうか。

名前 あきら　難読 抑抑（そもそも）

使いわけ おさえる〔抑・押〕
〔抑〕勢いをとどめる。また、封じとめる。「物価の上昇を抑える」
〔押〕動かないよう上から力を加える。確保する。また、つかまえる。「暴れ馬を押さえる・会場を押さえる・犯人を押さえる」

解字 篆文 俗体 指事。篆文は、印の字を裏返しにした形で、印を押すの意味を示す。一般に、おさえるの意味を表す。抑は、これに手を付した俗体による。

逆 屈抑・損抑

【抑圧（壓）】ヨクアツ おさえつける。
【抑△遏】ヨクアツ おさえとめる。おさえて止めさせる。抑止。抑制。▼遏は、止める。
【抑畏】ヨクイ 自分をおさえて恐れつつしむ。
【抑鬱】ヨクウツ おさえつけられて心がのびのびしない。心が結ぼれふさがる。
【抑耗】ヨッコウ おさえ減らす。用例〔唐、柳宗元、種樹郭橐駝伝〕不三抑二耗其実一而已（そのみのるをヨッコウせざるのみ）。↓（木が）実をつけるのを邪魔して減らさないようにするだけだ。
【抑止】ヨクシ おさえとどめる。
【抑制】ヨクセイ おさえつけて止める。抑止。抑遏。
【抑塞】ヨクソク ①おさえてふさぎ止める。②おさえられて心がすっきりしない。③退けすてて用いない。
【抑損】ヨクソン ①控えめにする。へりくだる。用例〔史記、晏嬰伝〕其後、夫自抑損（そののち、おっとみずからヨクソンす）。↓それから後、夫はひかえめな態度をとるようになった。②減らす。③おさえつけて退ける。
【抑退】ヨクタイ おさえしりぞける。
【抑△黜・抑△絀】ヨクチュツ おさえしりぞける。
【抑沈】ヨクチン ふさがりしずむ。とどまり落ちる。
【抑揚】ヨクヨウ おさえることとあげること。あげさげ。あがりさがり。㋐楽器の調子の高低。㋑文章の調子のあげさげ。修辞法の一つ。後節で「しかし」「まして」などと転じて印象を強くする法。㋒けなすことと、ほめること。㋓時勢とともに浮き沈みすること。
【抑抑】ヨクヨク つつしんで控えめにするさま。つつしみ深いさま。
【抑留】ヨクリュウ 無理に引きとめる。

5 【抴】8画 4088
一 エイ 漢エツ・呉エチ 屑 yè
字義 一 ❶ひく。ひっぱる。＝拽（4143）。❷かぞえる。❸かじ（楫）。水をかいて舟を進める道具。＝枻（5284）。
解字 形声。手＋世音。

5 【押】8画 4089 常 オウ おーす・おーさえる 1801 899F
一 漢オウ（アフ）・呉ヨウ（エフ） 洽 yā
二 漢コウ（カフ）・呉キョウ（ケフ） 洽 xiá
筆順 一 十 扌 扣 押
字義 一 ❶おーす。おーさえる。おさふ。㋐重みで上から、おさえつける。「押印」㋑権力でおさえる。「押収」㋒韻をふむ。押韻する。❷かきはん。自分の名の下に書く様式化したマーク。「花押」 ❸たすける。たすけ。 二 ❶のり。規範。❷なれる。なれなれしくする。＝狎（7208）。

名前 おし

使いわけ ①おさえる〔抑・押〕⇩抑（4087）。
②おす〔押・推〕
〔押〕動かそうとして力を加える。また、圧力を加える。「ベルを押す・気迫に押される」
〔推〕他にすすめる。また、おしはかる。「委員長に推す・推して知るべし」

解字 形声。扌（手）＋甲音。音符の甲は、かめのこうの象形で、おおうの意味。手で物をおおって、おさえるの意味を表す。

逆 花押・判押

【押印】オウイン 印判をおす。
【押韻】オウイン 韻をふむ。詩句のきまったところに同じ韻の文字を用いること。⇩コラム 漢詩（八六六ページ）。
【押字】オウジ 書きはん。花押。→字義 一 ❷。
【押収（收）】オウシュウ 国 裁判所で証拠物件や法律違反の品物を差し押さえ、取りあげること。
【押送】オウソウ 罪人を他の場所へ護送する。
【押△捺】オウナツ 印判をおす。
【押領】オウリョウ ①守る。護衛する。②国㋐兵卒を統率する。㋑無理やりに奪い取る。力ずくで横取りする。横領。

5 【拐】8画 4090 常 カイ 1893 89FB
漢カイ（クワイ）・呉ケ 蟹 guǎi
筆順 一 十 扌 扣 拐 拐
〔拐〕4092 同字 〔㧙〕4091 俗字
字義 ❶かたーる。金品などをだましとる。❷かどわかーす（かどはかす）。「誘拐」 ❸つえ（杖）。＝柺（5292）。❹物の把手（とって）。
解字 形声。扌（手）＋另音。音符の另（カ＝カイ）は、わかれるの意味。鹿の角のように枝わかれしたものの意味。枝わかれした「とって」の意味や、油断している女性やこどもをひっかけてさらう、かたるの意味を表す。

逆 誘拐

【拐帯（帶）】カイタイ ①持ちにげする。②かどわかす。
【拐△騙】カイヘン ①かたる。だまし取る。②かどわかす。

5 【㧙】8画 4091 カイ 拐（4090）の俗字。→五八三ページ下。

5 【拐】8画 4092 カイ 拐（4090）と同字。→五八三ページ下。

5 【拡】8画 4093 教6 カク 1940 8A67
一 カク（クワク） 薬 kuò
二 カク（クワク） 陌
三 コウ（クワウ） 漾 tǎng, ②guàng

15 〔擴〕18画 4094 5818 9DB0

〔挄〕4147 同字
筆順 一 十 扌 扩 拡 拡
字義 一 ひろーめる（ひろむ）。ひろーげる（ひろぐ）。また、ひろーがる。「軍拡」 二 はる（張）。 三 ❶うつ。たたく。❷みたす（充）。

名前 ひろ・ひろし・ひろむ

解字 形声。扌（手）＋広（廣）音。音符の廣は、ひろいの意味。手を付し、ひろげるの意味を表す。

【拡散】カクサン 国①ひろがりちる。②気体や液体が、どの部分にも同じ比率で交じっていること。
【拡充】カクジュウ ①おしひろげてみたす。もと、仁義礼知（智）の素質を伸ばす意味。〔孟子、公孫丑上〕②（組織や設備などを）拡張して充実させる。
【拡大】カクダイ おしひろげる。ひろげて大きくする。拡張。
【拡張】カクチョウ 国おしひろげる。ひろげる。拡大。

5【拑】8画 4095 漢ケン・呉ゲン 慣カン 塩 qián 5726 9D59 —

字義 ＝箝(8773)・鉗(12539)。❶はさむ。❷つぐむ。口を閉じる。「拑口(口をつぐむ)」

解字 篆文 形声。扌(手)＋甘㊅。音符の甘は、口に物をはさんださまを示す。手を付し、はさむ・口を閉じるの意味を表す。

5【拒】8画 4096 常 キョ こば-む 2181 8B91 —

5〖拒〗8画 4097 漢キョ 呉ゴ 語 jù

筆順 一 十 扌 扌 扩 扩 拒 拒

字義 ❶こば-む。ことわる。用例〔孟子、尽心下〕来者不レ拒(きたるものはこばまず)。↓来るものは拒まない。❷ふせ-ぐ。ささえふせぐ。❸あたる。敵対する。

解字 形声。扌(手)＋巨(巨)㊅。音符の巨は、却に通じ、しりぞけるの意味。手でしりぞける、こばむの意味を表す。

逆 抗拒

【拒扞】キョカン ふせぐ。支え防ぐ。

【拒諫】キョカン いさめをこばむ。

【拒抗】キョコウ こばみさからう。反抗する。

【拒止】キョシ ①ことわる。②ふせぎ止める。

【拒絶】キョゼツ ことわる。こばむ。はねつける。拒否。

【拒否】キョヒ 国＝拒絶。

5【拠】8画 4098 常 キョ・コ 2182 8B92 —

13〖據〗16画 4099 漢キョ 呉コ 御 jù 5801 9D9F —

〖㩀〗4373 俗字

筆順 一 十 扌 扌 抄 抄 拠 拠

字義 ❶よ-る。㋐すがる。たよる。たのむ。㋑たてこもる。そこに位置を占める。用例〔杜子春伝〕玉女九人(ギョクジョキュウニン)、環レ炉而立(ロをめぐりてたち)、青竜・白虎(セイリュウ・ビャッコ)、分拠二前後一(わかれてゼンゴによる)。↓仙女九人が炉を巡るように立ち、青竜と白虎が前後に分かれて座を占めていた。㋒よりどころとする。もとづく。「根拠」「論拠」❷よりどころ。❸ひく。❹やすんずる。おちつく。❺おさえる。あかし。しるし。国よんどころ。「拠(よんどころ)無し」は、やむを得ない、仕方がない意。

解字 篆文 形声。扌(手)＋処(豦)㊅。音符の豦(ヨキ)は、獣のもつれあいの意味。手をもつれあわせる、たよる・すがるの意味を表す。

逆 依拠・割拠・原拠・根拠・準拠・証拠・占拠・典拠・盤拠・本拠・論拠

【拠依】キョイ よりたのむ所。よりどころ。

【拠守】キョシュ たてこもり守る。

【拠点(點)】キョテン よりどころ。活動のよりどころとなる地点。

【拠有】キョユウ 占拠して自分のものとする。

5【抾】8画 4100 一漢キョ・呉コ 魚 qū 二漢キョウ(ケフ) 呉コウ(コフ) 葉 qū, ③jiē — — 3147

字義 一❶と-る。くみとる。❷もつ。❸おびやかす(劫)。二❶とる。くみとる。❷ささげる。

解字 形声。扌(手)＋去㊅。

5【拘】8画 4101 常 コウ 一ク 虞 jū 二漢コウ・呉ク 尤 gōu 慣コウ 2520 8D53 —

〔㧑〕4059 俗字

筆順 一 十 扌 扚 扚 拘 拘 拘

字義 一❶とら-える。とらえられる。とらう。つかまえる。とどめておく。また、とらえられる。❷かかわる。かかずらう。関係を持つ。また、こだわる。こだわる。用例〔唐、韓愈、師説〕不レ拘二於時一(ときにかかわ(は)らずして)、学二於余一(ヨにまなぶ)。↓当節の風潮にこだわらずに、私に師事し学問を学んだ。二❶かかえる。持つ。❷取る。❸まがる。まげる。国「拘(かか)らず」は、㋐関係なく。「晴雨に拘らず」㋑…ではあるけれど。反対の結果になる意。

解字 篆文 形声。扌(手)＋句㊅。音符の句は、曲がったかぎの象形。かぎをひっかけてとめるの意味から、とどめる・とらえるの意味を表す。

【拘引】コウイン ①とらえて連れて行く。②裁判所が尋問のため人を強制的に出頭させること。

【拘禁】コウキン とらえて閉じこめ、自由な行動をさせないこと。

【拘牽】コウケン ①かかわる。とらわれる。なずむ。②ひきとめる。③かかわりあい。

【拘拘】コウコウ ①曲がって伸びないさま。②物事にかかわるさま。

【拘士】コウシ 物事にこだわって融通のきかない人。

【拘守】コウシュ ①固く守る。②とらえて自由にさせない。

【拘儒】コウジュ 融通のきかない、頑固な儒者・学者。

【拘囚】コウシュウ とらえる。また、とらえられた人。囚人。

【拘執】コウシュウ ①つかまえる。②かかわる。関係を持つ。また、こだわる。

【拘束】コウソク ①とらえてしばること。とらえて自由を奪うこと。②官職や道徳などに縛られて自由に行動できないこと。③束縛されたように、のびのびとしないこと。ぎこちないこと。④国法律上、行動の自由を制限または停止すること。

【拘置】コウチ ①とらえて留めておく。②国法律上、刑事被告人を監獄や留置所に拘禁すること。

【拘泥】コウデイ こだわる。物事に執着して融通がきかないこと。

【拘絆】コウハン とらえしばる。また、しばられて自由にならない。心が引かれる。▼絆は、つなぐ。

【拘欄】コウラン 同句欄。①てすり。欄干(ランカン)。②芝居小屋(しばいごや)。

【拘留】コウリュウ ①とらえて留めておく。②国法律上の、自由刑の一つ。一日以上三十日未満の期間、拘置所に拘置する。→勾留(三〇一ページ上)。

5【抳】8画 4102 一漢ジ(ヂ)・呉ニ 紙 nǐ 二漢ジ(ヂ)・呉ニ 支 ní — — 3143

字義 一❶止まる。止める。❷指さす。二研(と)ぐ。磨く。

解字 形声。扌(手)＋尼㊅。

5【招】8画 4103 教5 ショウ まね-く 3023 8FB5 —

一ショウ(セウ) 蕭 zhāo 二漢ショウ(セウ)・呉ジョウ(ゼウ) 蕭 sháo 三漢キョウ(ケウ)・呉ギョウ(ゲウ) 蕭 qiáo

筆順 一 十 扌 扌 扨 扨 招 招

字義 一❶まね-く。㋐さしまねく。手でまねき寄せる。用例〔史記、項羽本紀〕沛公起如レ廁(ハイコウたちてかわ(は)やにゆき)、因招二樊噲一出(よりてハンカイをまねきていず(づ))。↓沛公は座を立ち便所に行き、そのついでに樊噲を手まねきして外へ出てしまった。㋑よぶ。よびよせる。㋒接待の用意をして人を呼ぶ。❷うごく。ふるえうごく。❸あらわす。明らかにする。❹つなぐ。しばる。二音楽の名。中国古代伝説上の帝王、舜(シュン)が作ったという。＝韶(13422)。三❶あげる。持ち上げる。❷あがる。高くあがる。

名前 あき・あきら・おき

解字 金文 篆文 形声。扌(手)＋召㊅。音符の召は、まねくの意味。手でまねきよせるの意味を表す。

逆 徴招

【招引】ショウイン まねきよせる。よびよせる。招延。

【招隠(隱)】ショウイン ①世をのがれてかくれている賢人をまねき呼ぶ。②隠者を尋ね求める。

【招宴】ショウエン 宴会にまねく。また、人を招待して開く宴会。
【招喚】ショウカン よびまねく。呼び出し。召喚。
【招還】ショウカン よびかえす。召還。
【招降】ショウコウ 敵をさとして降参を勧める。
【招魂】ショウコン ①死者の魂(たましい)を呼び返すこと。昔、人が死ぬと、屋根に上り、北方に向かって死者の衣を振り、三度その名を呼んで魂をまねき返そうとした。たまよばい。〔儀礼、士喪礼〕 ②生者の魂を呼び返すこと。心配ごとなどのため抜け出した魂を呼び戻して、元気をよみがえらせること。〔楚辞、招魂〕
【招集】ショウシュウ まねきあつめる。呼び集める。◆「招集」「召集」ともに呼び集める意。「召集」にはやや高圧的な感じを伴うので、一般に、国会議員・警官などを集める以外は「招集」を用いている。
【招請】ショウセイ ①=招待。②無理に頼んで来てもらうこと。▼請も、まねく。
【招待】ショウタイ 国人をまねいてもてなすこと。また、招く。
【招提】ショウダイ 仏梵語(ボンゴ) cāturdiśa の訳。四方から僧の集まり住む所の意。寺。寺院。道場。
【招致】ショウチ まねきよせる。呼び寄せる。招来。
【招△牌】ショウハイ 客寄せの立札(たてふだ)。看板。
【招△撫】ショウブ 人民をまねき、説諭してしたがわせる。帰順させる。「招撫使」
【招△聘】ショウヘイ 礼を厚くしてまねく。丁重に召しかかえること。
【招△辟】ショウヘキ まねきめす。召し出す。政府が民間の賢人に官職を与えるため呼び出すこと。
【招揺(搖)】ショウヨウ ①さまよい歩くさま。逍遥(ショウヨウ)。②背伸びしてふらふら動くさま。③北斗星の第七星。
【招△邀】ショウヨウ まねき迎える。▼邀は、迎。
【招来(來)・招△徠】ショウライ =招致。▼徠は、來。

5【抻】8画 4104 5727 9D5A —
㊀シン 震 chēn ㊁チン 真 shēn
字義 ㊀のばす。引っぱって長く伸ばす。㊁のばす。まっすぐ伸ばす。=伸(265)。
解字 形声。扌(手)+申音。音符の申は、のばすの意味。

5【拙】8画 4105 常 セツ つたない 3259 90D9 —
漢セツ・呉セチ 屑 zhuō
筆順 一 十 扌 扌 扗 扯 拙 拙
字義 ❶つたな-い(つたなし)。つたない。㋐へた。まずい。↔巧(3058)。㋑おとっている。おろか。㋒運が悪い。不遇。㋓役に立たない。用をなさない。❷自分のことをへり下っていう語。「拙宅」
解字 篆文  形声。扌(手)+出音。音符の出は、でるの意味。手のわざがうまくおさまらず、はみ出るの意味から、つたないの意味を表す。
逆巧拙・古拙・守拙・稚拙
【拙悪(惡)】セツアク つたなくて悪い。拙劣。
【拙詠】セツエイ 自作の詩歌を謙遜(ケンソン)していう語。
【拙△荊】セッケイ =拙妻。→荊妻(一〇七ページ上)。
【拙妻】セッサイ 自分の妻を謙遜(ケンソン)していう語。拙荊(セッケイ)。
【拙策】セッサク ①へたなはかりごと。まずい計略。②自分の考えた計略を謙遜(ケンソン)していう。
【拙者】セッシャ ①才能のおとっている人。②自分を謙遜(ケンソン)していう語。わたし。目下や同輩に対して用いた。
【拙射】セッシャ 弓を射ることの下手な人。下手な射手。
【拙手】セッシュ へた。拙劣な腕前。
【拙誠】セッセイ 言動に表すことはへたであるが、真心のあること。
【拙速】セッソク やり方はまずくても事の運びの早いこと。できは悪くても仕事の早いこと。→巧遅不レ如二拙速一(コウチはセッソクにしかず)。(四四八ページ上)。用例〔孫子、作戦〕兵聞二拙速一(へいはセッソクをきく)。↓兵法においては、やり方がまずくてもすみやかである方がよいと聞いている。
【拙著】セッチョ へたな(まずい)著作。自分の著作物の謙称。
【拙筆】セッピツ へたな文章。下手な筆跡。自分の書いた文章や文字の謙称。
【拙劣】セツレツ つたなくおとっている。へた。
【守レ拙】セツをまもる 同守拙(シュセツ)。①世渡りのへたな自分の性質を守って、しいてうまく立ち回ろうとしないこと。用例〔東晋、陶潜、帰二園田居一詩〕開二荒南野際一(コウをナンヤのサイにひらかんと)、守レ拙帰二園田一(セツをまもりてエンデンにかえ(へ)る)。↓家の南の荒地をひらこうと、世渡りの下手な自分の本性そのままに田園に帰った。②世に処するに、賢く立ち回らず、手腕や才能を隠して、じっとしていること。

5【拖】8画 4106 タ 歌 箇 tuō 1 8474 — 3152
5［拕］4107 同字
字義 ❶ひ-く(曳(エイ))。ひっぱる。ひきずる。❷髪をざんばらにする。❸うばう(奪)。
解字 甲骨文 篆文  形声。扌(手)+它(它)音。音符の它(タ)は、へびの象形。その軌跡がへびののたくるような線を描くように、手でひきずるの意味を表す。

5【拕】8画 4107 タ 2 1303 — 3151
拖(4106)と同字。→五八五ページ中。

5【抬】8画 4108 タイ 5813 9DAB —
擡(4458)の俗字。→六一六ページ上。

5【拓】8画 4109 常 タク 3483 91F1 —
㊀タク 薬 tuò, ③tà ㊁漢セキ・呉シャク 陌 zhí
筆順 一 十 扌 扌 扩 扩 拓 拓
字義 ㊀❶ひら-く。未開の土地をひらく。また、広げる。「開拓」❷押す。手で押す。❸こすって石ずりを作る。↓拓本。「魚拓」㊁❶ひろう(拾)。❷おる(折)。
名前 たく・ひらく・ひろ・ひろし
解字 篆文  形声。扌(手)+石音。音符の石は、庶に通じ、多くのものを集めるの意味。ひろうの意味を表す。いま、拆(セキ)に通じて、きりひらくの意味を表す。
逆開拓・干拓・魚拓・落拓
【拓殖】タクショク 国土地をひらき民を移住させること。
【拓地】タクチ 土地をひらく。土地を開拓する。
【拓△跋】タクバツ 鮮卑(センピ)族の一部族の名。中国北東部に起こり、二世紀後半ごろから山西省の北、陰山山脈の南に居住し、三国時代から晋(シン)代にかけ勢力を張り、前秦(ゼンシン)の苻堅(フケン)に敗れて一度は滅んだが、三八六年にその一族が北魏(ホクギ)(拓跋魏)を建てた。
【拓本】タクホン 石刷り。石碑や器物などの文字や模様を墨で紙に刷り写したもの。
【拓落】タクラク 同落拓。①ふしあわせ。落ちぶれること。②広大なさま。③しまりのないさま。

5【拆】8画 4110 漢タク 呉チャク 陌 chāi(chè) 5730 9D5D —
字義 =坼(1926)。❶ひらく(開)。❷さ-く(裂)。わける。また、さける。
解字 形声。扌(手)+斥音。
【拆字】タクジ 文字を偏・旁(つくり)・冠・脚(あし)などに分解すること。松を十八公、貨泉(銭の意)を白水真人という類い。これによって吉凶を占う。
【拆裂】タクレツ さける。われる。

5【担】8画 4111 教6 タン かつ-ぐ・にな-う 3520 9253 —
㊀13［擔］16画 4112 5731 9D5E —
㊁5［担］8画
㊀㊀タン 覃 dān ㊁タン 勘 dàn
㊁㊀タン 漢ケツ・呉ケチ 屑 jiē ㊁タン 勘 dān, dàn

筆順 一 扌 扣 扣 担 担

字義 ㊀(擔) ■になう。㋐かつぐ。荷を負う。㋑引き受ける。「担当」■❶にもつ。かつぎ荷。❷量の単位。重さで百斤。容積で一石。国かつぐ。㋐だます。㋑縁起を気にする。

㊁(担) ■あげる(挙)。かかげる。＝掲(4227)。「担橋」■擔の俗字。

名前 ゆたか 難読 担桶

解字 ㊀(擔)形声。扌(手)＋旦(詹)音。音符の詹は、かざすの意味。肩をおおうようにして、になうの意味を表す。

㊁(担)形声。扌(手)＋旦音。擔の俗字としても用いられる。

逆 加担・荷担・負担・満担

【担(擔)石】①一荷の重さと一石(一斛)の量。②一石の量。③少しばかりの物。

【担(擔)当(當)】引き受ける。受け持つ。また、受け持ち。担任。

【担(擔)保】かた。ひきあて。抵当。

5 【扶】 8画 4113 ㊥チツ 奥チチ 画 chì 一 一 3144

字義 撃つ。むち打つ。

解字 形声。扌(手)＋失音。

5 【抽】 8画 4114 常 チュウ チュウ(チウ) 因 chōu 3574 928A 一

筆順 一 扌 扌 扣 抽 抽 抽

字義 ❶ひく。ぬく。引き出す。抜き出す。「抽象」❷ぬきんでる。ぬけ出る。ひいでる。❸さく。やぶる。

難読 抽斗

解字 篆文 形声。扌(手)＋由音。擂の別体。擂は、扌(手)＋畱音。音符の畱は、深く通じるあなの意味。穴から手でひきぬくの意味を表す。

【抽出】■引き出す。ぬき出す。■国机・たんすなどの引き出し。

【抽象】国個々の物事や観念に共通する性質をぬき出して、一つの新しい観念にまとめること。↔具象(一三三ページ上)・具体(一三三ページ上)。

【抽△籤・抽選】くじを引く。また、くじ引き。

【抽抜】引きぬく。多くの人の中からぬき出す。

5 【拄】 8画 4115 ㊥チュウ(チウ) 奥チュ 画 zhǔ 8473 一 3149

字義 ❶あげる。❷ささえる。❸そしる。❹こばむ。❺ゆびさす。

解字 形声。扌(手)＋主音。音符の主は、じっと一つのところにとどまるの意味。手で一点のところにとどまるように支えるの意味を表す。

【拄頰】ほおづえをつく。

【拄△杖】つえをつく。

5 【抵】 8画 4116 常 テイ ■㊥テイ・奥タイ 画 dǐ ■シ 画 zhǐ 3681 92EF 一

筆順 一 扌 扌 扌 抵 抵 抵

字義 ■❶あたる。あてる。㋐ふれる。さわる。「抵触」㋑相当する。用例(唐、杜甫、春望詩)烽火連二三月一、家書抵二万金一(のろしの火は春の三か月の間、うち上げ続けられていて(戦乱はおさまるようすもないので)、家族からの便りは、一万金に相当するほど(貴重なもの)に思われる。❷こばむ。さからう。ふせぐ。「抵抗」❸いたる(至)。行きつく。用例(十八史略、春秋戦国、斉)孟嘗君使下人抵二昭王幸姫一求上レ解(孟嘗君は、部下を昭王のお気に入りの夫人のもとへやり、釈放してくれるように頼ませた。❹たよる。身を寄せる。❺なげる。投げうつ。❻あざむく(欺)。

■うつ(撃)。用例(史記、滑稽伝)為二孫叔敖衣冠一、抵レ掌談語(孫叔敖の衣冠を仕立て、孫叔敖を真似て身振りをまじえて話をするようにした。

名前 あつ・やす・ゆき 難読 抵悟

参考 ①〔扺〕(4060)は別字。②現代表記では〔牴〕(7145)・〔觝〕(11074)の書きかえに用いることがある。「牴触→抵触」「觝触→抵触」

解字 篆文 形声。扌(手)＋氐音。音符の氐は、刃物をといしにあてるさまを示す。手をあてるの意味を表す。

逆 角抵

【抵△捂・抵△梧】ふれさからう。食い違う。

【抵抗】国てむかう。さからう。はりあう。

【抵触(觸)】同 牴触・觝触。①ふれる。ぶつかる。突き当たる。②一致しない。食い違う。③国規則や法律に、ふれる。さしさわりがある。

【抵当(當)】①引き当て。かた。担保。②質ぐさ。

5 【拈】 8画 4117 ネン 画 niān 5732 9D5F 一

字義 ❶ひねる。❷つまむ。「拈香」

解字 篆文 形声。扌(手)＋占音。音符の占は、点に通じ、小さな点の意味。指先のわずかな部分を用いて物をつまむの意味を表す。

【拈華微笑】仏以心伝心のたとえ。釈迦が説法したとき、華(花)をひねってその意を示したところ、迦葉だけがその意をさとって微笑したので、仏教の真理を授けたという。〔五灯会元〕

【拈香】香を指先でつまんでたくこと。焼香。

【拈出】ひねり出す。㋐字句を考え出す。㋑国やりくり算段する。捻出。

5 【拝】 8画 4118 教6 ハイ おがむ 3950 9471 一

手5 【拜】 9画 4119 人 ハイ 画 bài 5733 9D60 一

筆順 一 扌 扌 扌 扌 拝 拝

字義 ❶おがむ。おじぎする。また、おじぎ。「礼拝」❷いただく。ありがたく受ける。「拝領」❸官職を授ける。また、授かる。「拝官」❹おたずねする。お目にかかる。用例(論語、陽貨)孔子時二其亡一也、而往拝レ之(孔子はその留守を見計らって返礼におとずれた。❺自分の動作を表す語の上につけて、謙譲の意を示す。つつしんで…するの意。「拝見」「拝読」

解字 金文 篆文 会意。扌(手)＋丰(𠦪)。𠦪は、枝のしげった木の象形。邪悪なものを除くために、たまぐしを手にしておがむの意味を表す。

逆 九拝・再拝・粛拝・崇拝・答拝・礼拝

【拝謁(謁)】高貴な人にお目にかかること。お目どおり。

【拝賀】拝礼してお喜びを申し上げる。つつしんでお喜びを申し上げる。

【拝官】官職を授けられる。役人になる。

【拝観(觀)】神社・仏閣、またその宝物などをつつしんで観覧すること。

【拝顔】国お目にかかる。拝芝。拝眉。

【拝△跪】両膝を地につけ、頭を下げて行うおじぎ。

【拝△拱】両手を胸の前で重ね合わせて礼をすること。

【拝具】ハイグ「つつしんで申し上げます」という意で、手紙の末尾に記す語。敬具。
【拝啓】ハイケイ 国つつしんで申し上げる。手紙の初めに書くことば。拝呈。謹啓。▼啓は、申す。
【拝見】ハイケン ①お目にかかる。お目どおりする。②つつしんで見る。見るの謙譲語。
【拝察】ハイサツ 国お察しする。推察の謙譲語。
【拝芝】ハイシ ＝拝顔。▼芝は、芝眉シビの意で、他人の顔立ちをいう敬語。
【拝辞(辭)】ハイジ ①おいとまする。②お断りする。辞退する。
【拝謝】ハイシャ ①つつしんでお礼を申しあげる。②お断りする。
【拝手】ハイシュ 頭を手のあたりまで下げて、丁寧におじぎをする。
【拝受】ハイジュ ありがたくいただく。お受けする。
【拝承】ハイショウ 聞くことをへりくだっていう語。
【拝△塵】ハイジン 車のたてるほこりを拝することで、貴人におもねる。晋シンの石崇の故事による。〔晋書、石崇伝〕
【拝△趨】ハイスウ ①貴人の前に進み出ること。②他人に対し、その家を尋ねることをいう。参上。おうかがい。
【拝△疏】ハイソ 天子に上奏文を奉ること。
【拝送】ハイソウ つつしんでお見送りする。見送るの敬語。
【拝△埽】ハイソウ 祖先・父母の墓を掃除する。また、墓参。
【拝聴(聽)】ハイチョウ つつしんで聞く。謙譲の語。
【拝呈】ハイテイ 国①つつしんでさしあげる。物を贈ることの謙譲語。②＝拝啓。
【拝年】ハイネン 新年を祝う。新年の挨拶アイサツをする。拝春。
【拝眉】ハイビ 国＝拝顔。▼眉は、まゆ。
【拝舞】ハイブ 官位や恩賞を賜ったときに、君主の前でする礼の一型式。拝をして舞うような動作をする。
【拝伏】ハイフク ふしおがむ。ひれふす。
【拝復】ハイフク 国つつしんでお答え申し上げる。答えるの謙譲語で、手紙の初めに書く語。復啓。
【拝命】ハイメイ ①仰せを承る。命令を承る。②官職を授けられる。拝官。
【拝△揖】ハイユウ 拝礼と揖礼。→揖(4329)の字義㊀❶㋐。
【拝領】ハイリョウ (貴人から)物をいただく。もらうの謙譲語。
【拝礼(禮)】ハイレイ おがむ。おじぎをする。

5【拍】8画 4120 常 ハク・ヒョウ
漢ハク・呉ヒャク 陌 pāi
慣ヒョウ(ヒャウ)
3979 948F ―

筆順 一 十 扌 扌' 扌' 拍 拍 拍

扌部 5画〔拍 抜 扳 拌 披〕

［扌百］4168 本字

字義 ❶うつ。たたく。手をたたく。「拍子」❷拍子をとる。リズムをとる。また、そのリズム。❸ひょうし木。木の板で作り、楽曲の拍子をとるもの。「拍板」❹兵器の一種。車・船にそなえて敵の城壁や船材などを突き破るもの。国かしわ。「拍」を「柏」に誤って訓読したものという。「拍手」

拍板演奏(五代石刻)

名前 ひら 難読 拍板びんざさら

解字 金文 篆文 形声。篆文は、扌(手)＋百音。音符の百は、手のひらを打つ音を表す擬声語。拍は俗字。

【拍子】ヒョウシ ①楽曲の、等速の各小節が強音部と弱音部をもって連続反復するもの。②音楽・舞踏の緩急。③国㋐はずみ。とたん。㋑ほど。しお。ころあい。㋒ぐあい。調子。
【拍車】ハクシャ 馬に乗るとき、靴のかかとにつける金具。その歯車で馬の腹部を刺激して馬を走らせる。
【拍手】㊀ハクシュ 手をたたく。㊁かしわ(は)で 国神を拝するとき、手を打つこと。
【拍手喝(喝)采】ハクシュカッサイ 手を打ってほめそやす。▼喝采は、やんやとほめはやすこと。
【拍拍】ハクハク ぱたぱたと打つさま。鳥の羽音などにいう。

5【抜】8画 (4077) バツ 抜(4076)の旧字体。→五八一ジ中。

5【扳】8画 4121 バツ 抜(4076)の俗字。→五八一ジ中。

5【拌】8画 4122 ハン 旱 寒 bàn ②③pān 5734 9D61 ―

字義 ❶かきまぜる。かきまず「攪拌カクハン」❷さける(裂)。また、さく。わける。❸すてる。

解字 形声。扌(手)＋半音。音符の半は、分けるの意味。手を付し、わけるの意味や、両手にスプーンなどを持って、まぜるの意味を表す。

5【披】8画 4123 常 ヒ
㊀ヒ 支 pī ㊁ヒ 紙
4068 94E2 ―

筆順 一 十 扌 扌 扩 扩 抻 披

字義 ㊀❶ひらく。㋐広げる。あける。用例〔世説新語、賢媛〕欲レ有レ呼者よぶものあらんと（ほっするものは）、輒披レ図召レ之すなわち(は)ちずをひらきてこれをめす。⇩誰かを呼ぼうという場合にはそのたびに絵をひらきみて気に入った者を呼ぶのであった。／〔史記、項羽本紀〕噲遂入、披レ帷西嚮立カイついに(ひ)にいり、イをひらきてセイキョウしてたち、瞋レ目視二項王一めをいからしてコウオウをみる。⇩樊噲ハンカイは、そのままさっと宴会場に突入し、とばりをまき上げて西に向かって立ちはだかり、目をむいて項羽をにらみつけた。㋑広める。さく。❷わける。❸着る。身につける。用例〔唐、白居易、酬三令公雪中見レ贈訝二不レ与二夢得一同相訪上詩〕雪似二鵝毛一飛散乱ゆきはガモウににてとんでサンランす、人披二鶴氅一立徘徊ひとはカクショウをきてたちてハイカイす。⇩雪は、がちょうの羽毛のように、風に吹かれて散乱している。人々は、着物に雪が積もり、鶴の羽ごろもを着たようになって歩きまわっている。❹なびく。ふす。㊁＝㊀❶❷。

名前 ひら・ひろ

解字 篆文 形声。扌(手)＋皮音。音符の皮は、獣のかわをはぎとるさまの象形。手を付し、皮をひらくの意味を表す。

逆 直披・離披

【披閲】ヒエツ 開いて調べる。開いてよく目をとおす。
【披肝】ヒカン 肝臓を開く。心をうちあける。
【披襟】ヒキン ＝披レ襟キンをひらく(二八七ジ中)。
【披見】ヒケン (文書などを)開いてみる。披覧。
【披心】ヒシン ①心を開く。うちあける。②心を十分に用いる。
【披対(對)】ヒタイ 胸襟キョウキンを開いて相対する。
【披△剃】ヒテイ 僧衣を着、頭髪をそる。僧となること。
【披展】ヒテン 開きのべる。開いて見る。
【披△繙】ヒハン (書物を)開いて読む。▼繙は、ひもとく。
【披披】ヒヒ ①長いさま。②なびくさま。③髪がほどけて乱れるさま。
【披△靡】ヒビ ①なびき従う。ふるえ伏す。▼靡は、なびく。用例〔史記、項羽本紀〕漢軍皆披靡カングンみなヒビす。⇩漢軍はみな、草が風になびくように散り散りになった。②草が風に吹き倒されてなびき伏すさま。
【披払(拂)】ヒフツ ①押し開き払う。風が草むらなどを押しわける・なびかせること。また、木の葉などが風になびくこと。②あおる。ゆり動かす。
【披離】ヒリ ①ばらばらになる。ちりぢりになる。②枝葉が散り乱れるさま。
【披△瀝】ヒレキ 心の中をかくさず打ち明ける。▼瀝は、そそぐ。
【披露】㊀ヒロ 開き表す。さらけだす。あばく。㊁ヒロウ 国広く人に発表する。ひろめる。また、ひろめ。

5 【抷】 8画 4124 ヒ 因 pí ―― ―― 3145

字義 開く。

解字 形声。扌(手)+不音。

5 【抿】 8画 4125 漢ビン 呉ミン 真 mǐn ―― ―― 3148

字義 ❶撫でる。❷ぬぐう。❸口をすぼめる。

解字 形声。扌(手)+民音。

5 【拊】 8画 4126 フ 麌 fǔ 5735 9D62 ―

字義 ❶なでる。なでて安らかにする。＝撫(4425)。「慰拊」❷うつ。軽くうつ。❸にぎり。つか。❹楽器の名。鼓の形をし、なめしがわで作り、中に糠を入れて、調子をとるのに用いるもの。

解字 篆文 形声。扌(手)+付音。音符の付は、寄せるの意味。手を寄せる、なでる・うつの意味を表す。

【拊愛】(フアイ) なで、いつくしむ。かわいがる。

【拊育】(フイク) かわいがり育てる。撫育。

【拊手】(フシュ) 喜びを表すときの動作。拊レ手(てを)。「拊手歓笑」

【拊循】(フジュン) なでやすんずる。なぐさめいたわる。

【拊心】(フシン) 胸を打つ。拊レ心(こころを)・(シンを)。㋐悲しむさま。㋑いきどおるさま。

【拊髀】(フヒ) ももを打つ。拊レ髀(ひを)。㋐勇み奮いたつさま。㋑喜び勇むさま。㋒悲しみいきどおるさま。

【拊膺】(フヨウ) 胸を打つ。また、胸をなでる。拊レ膺(ヨウを)。㋐勇みたつさま。㋑いきどおるさま。また、くやしがるさま。㋒なげき悲しむさま。

5 【拂】 8画 (4035) フツ 払(4034)の旧字体。→五七六ページ下。

5 【抦】 8画 4127 漢ヘイ 呉ヒョウ(ヒャウ) 梗 bǐng 21302 EDAC 3141

字義 もつ(持)。

解字 形声。扌(手)+丙音。

5 【抃】 8画 4128 一漢ヘン・呉ベン 霰 biàn 二漢ハン・呉ホン 元 fān 三フン 問 fèn ―― ―― 3153

字義 一❶手をうつ。❷うちあう。二ひるがえりとぶ。また、そのさま。三はく。はらう。すてる。

解字 形声。扌(手)+弁音。

5 【拇】 8画 4129 漢ボウ・呉モ 慣ボ 有 mǔ 5737 9D64 ―

字義 おやゆび。親指。将指。拇指。

解字 篆文 形声。扌(手)+母音。音符の母は、はは親の意味。手の指の中でも、母親のような、おやゆびの意味を表す。

【拇印】(ボイン) つめいん。印章のかわりに手の親指の先の指紋を押したもの。

5 【抱】 8画 4130 常 ホウ だ-く・いだ-く・かか-える 4290 95F8 ―

5 〖抱〗 8画 4131 漢ホウ 呉ボウ 晧 bào

筆順 一 † 扌 扚 拘 抱 抱

字義 ❶だ-く。いだ-く。㋐かかえる。腕の中に抱え込む。㋑ふところに入れる。㋒包む。❷ふところ。胸。❸思い。考え。また、思う。考える。心にいだく。「抱負」「辛抱」❹鶏が卵をだいてかえす。国かか-える。家来にする。やとい入れる。また、かかえ。家来。雇い人。

名前 もち

解字 形声。扌(手)+包(包)音。音符の包は、つつむの意味。手でつつむ、いだくの意味を表す。

逆 介抱・懐抱・高抱・合抱・連抱

【抱一】(ホウイツ) ＝抱レ一(イツを)(いだく)(九ページ中)。

【抱懐(懷)】(ホウカイ) 心にいだき持つ。心に思う。また、考え。

【抱関(關)撃(擊)柝】(ホウカンゲキタク) 門番や夜回りのような地位の低い役。▼関は門のかんぬき、柝は拍子木。〔孟子、万章下〕

【抱玉】(ホウギョク) ①玉をいだく。玉をふところに入れて持つ。②知徳をいだき持つことのたとえ。

【抱残(殘)守欠(缺)】(ホウザンシュケツ) わずかに残ったり、欠けて不完全になったりした古書を、大事に保存すること。

【抱膝】(ホウシツ) ＝抱レ膝(ひざを)(いだく)(七〇七ページ下)。

【抱柱信】(ホウチュウのシン) 約束を堅く守って融通のきかないこと。小さな信義をがんこに守り通すこと。尾生が橋下で会う約束をした女性を待つうち、水かさが増して来たが、あくまで約束を守り、橋下の柱を抱いて、ついにおぼれ死んだ故事による。尾生之信(ビセイのシン)。〔荘子、盗跖〕

【抱璞】(ホウハク) 璞玉(あらたま)(まだみがいてない玉)をいだく。美しい素質を持っていること。

【抱氷】(ホウヒョウ) 非常に骨折り努めることのたとえ。抱レ水(こおりを)(いだく)。用例〔呉越春秋、句践帰国外伝〕冬常抱レ氷(ふゆはつねにこお(ほ)りをいだく)。↓冬にはいつも氷を抱いた。

【抱負】(ホウフ) ①だいたり、背おったりすること。かかえたり、おぶったりすること。②心中にいだく考え・計画・自信。

【抱腹】(ホウフク) 腹をかかえて笑うこと。大いに笑うこと。捧腹(ホウフク)の俗用。「抱腹絶倒」

【抱朴子】(ホウボクシ) 書名。内編二十巻。外編五十巻。東晋(トウシン)の葛洪(カッコウ)(号は抱朴子)の著。道教の書で、内編は、不老長寿の神仙の術について述べ、外編は、当時の政治や社会について論じている。

【抱樸】(ホウボク) 生まれながらの性質を保持すること。抱レ樸(ボクを)(いだく)。▼樸は、あら木、加工しない木。用例〔老子、十九〕見レ素抱レ樸(ソをあらわ(は)し、ボクをいだく)。↓生地をあらわにして、生まれながらの性質を保持する。

【抱擁】(ホウヨウ) だく。だきかかえる。だきしめる。

5 【抨】 8画 4132 漢ホウ(ハウ) 呉ヒョウ(ヒャウ) 庚 pēng ―― ―― 3142

字義 ❶はじく。❷罪をしらべる。「抨劾(ホウガイ)」「抨弾」❸しむ(使)。せしむ。使役の助字。

解字 篆文 形声。扌(手)+平音。音符の平は、はじく音を表す。

5 【拋】 8画 4133 ホウ(ハウ) 肴 pāo

5 〖抛〗 4084 俗字

字義 なげうつ。ほうる。なげすてる。なげとばす。

参考 現代表記では〔放〕(4520)に書きかえることがある。「拋棄→放棄」「拋物線→放物線」

解字 篆文 会意。扌(手)+尢+力。尢は、手が曲がるの意味。力を入れて腕を曲げるようにして投げるの意味を表す。

【拋棄】(ホウキ) なげすてる。うっちゃる。放棄。

【拋擲】(ホウテキ) なげうつ。なげやりにする。放擲。

5 【抹】 8画 4134 一漢バイ・呉マイ 泰 mèi 二マツ ―― ―― 3146

字義 一さぐる。二抹(4135)の誤字。

解字 形声。扌(手)+未音。

5 【抹】 8画 4135 常 マツ 漢バツ・呉マチ 慣マツ 曷 mǒ, mò 4385 9695 ―

筆順 一 † 扌 扌 扌 抹 抹

字義 ❶する。こする。❷はく(刷)。㋐ぬる(塗)。なする。㋑ぬりつぶす。ぬり消す。「抹消」㋒はらう。ぬぐう(拭)。㋓さっと過ぎる。「一抹」❸粉にする。また、粉。＝末(5182)。「抹茶」

解字 形声。扌(手)＋末㊖。音符の末は、かすかな先端の意味。手でこすって、はっきり見えないようにするの意味を表す。

逆 一抹・塗抹・濃抹

【抹香】マッコウ 粉にした香。昔は沈香ジンコウと梅檀センダンの粉末で製したが、今では、しきみの葉と皮とを干し、粉末にして製する。

【抹殺】マッサツ ①ぬり消す。消してなくする。②存在を否定する。ないものにする。▼殺は、助字。

【抹消】マッショウ ＝抹殺①。

【抹茶】マッチャ 国粉にした茶。ひき茶。

5 【扼】 8画 4136 ヤク 扼(4086)と同字。→五八二ページ下。

5 【拗】 8画 4137 標 一 漢オウ(アウ) 呉ヨウ(エウ) 㐀 ǎo 二 漢オウ(アウ) 呉ヨウ(エウ) 㔾 ào, niù 5725 9D58 ―

字義 一おる。手折る。二❶たがう。㋐ねじまがる。㋑すねる。ひねくれる。しつこい。「執拗」❷ねじれる。ねじける。国こじれる。こじらす。㋐事がもつれてうまくいかなくなる。㋑病気が治らず長引く。

解字 形声。扌(手)＋幼㊖。

【拗音】ヨウオン 国ヤ・ユ・ヨ・ワの音が他の音に加わって生ずる音。キャ・シュ・チョ・クヮなど。

【拗強】オウキョウ・ヨウキョウ 心がひねくれて強情なこと。すねる。

【拗体(體)】オウタイ・ヨウタイ 漢詩の一体。絶句・律詩の中で、平仄ヒョウソクの規定にはずれているもの。

5 【拉】 8画 4138 常 ラ ロウ(ラフ) 㕇 lā 慣ラッ・ラ 5739 9D66 ―

筆順 一 十 扌 扩 扩 拉 拉

字義 ❶ひしぐ。しだく。くじく。くだく。おしつぶす。❷ひしげる。ひしゃげる。おされてつぶれる。❸ひく。ひっぱる。ひっぱってつれて行く。「拉致」 難読 拉麺ラーメン・拉丁テラン

解字 篆文 形声。扌(手)＋立㊖。音符の立は、ひとり占めして場所をとってたつの意味。わしづかみにしてにぎりつぶすの意味を表す。

【拉朽】ロウキュウ くちたものをくだく。物事が容易なたとえ。

【拉殺】ロウサツ・ラサツ 手でおしつぶして殺すこと。

【拉△薩・拉△撒】ラッサ・ラサ 地名。チベット自治区の区都。唐時代、吐蕃パン(チベット族)の国都。喇薩とも書く。

【拉致】ラチ・ラッチ 強引にひっぱって行く。

【拉丁・拉典】ラテン Latin の音訳。ラテン民族・ラテン語の意。臘丁・羅甸とも書く。

5 【拎】 8画 4139 漢レイ 呉リョウ(リャウ) 㖿 līng ― ― 3150

字義 懸かける。さげる。

解字 形声。扌(手)＋令㊖。

6 【挖】 9画 4140 漢アツ 呉アチ 曷 wā ― ― 3166

字義 ❶うがつ。あばく。❷現代中国語で、挖苦クワーは、皮肉を言う、冷やかす。

解字 形声。扌(手)＋空㊖。音符の空アツは、穴の意味。

6 【按】 9画 4141 人 標 アン 翰 àn 1636 88C2 ―

筆順 一 十 扌 扩 扩 按 按

字義 ❶おさえる。㋐手でおさえる。用例〔史記、項羽本紀〕項王按レ剣而跽曰コウオウケンをアンじてひざまず(づ)きていわ(は)く、「客何為者カクなんするものぞ。」↓項羽は剣に手をかけ、片膝かたひざをたてて言った、「お前は何者だ」。㋑おしとどめる。ひきとめる。❷なでる。なでさする。もむ。「按摩」❸さだめる。おちつける。やすんずる。「安排」❹しらべる。㋐罪を問いただす。「按問」㋑とりしまる。みまわり調べる。「巡按」❺かんがえる。＝案(5354)。❻並べる。順序よく並べる。

名前 あん・ただ・ただし

参考 現代表記では〔案〕(5354)に書きかえることがある。「按分→案分」

解字 篆文 形声。扌(手)＋安㊖。音符の安は、やすんじるの意味。動かないように安定させるの意味を表す。

【按験(驗)】アンケン 調べて証拠だてる。

【按察】アンサツ 一 調べて明らかにする。二アゼチ 国内侍シナイ以上の女官で、天皇の譲位後も引き続いてその院に奉仕する人。

【按察使】一アンサツシ 唐代に初めておかれた、地方の行政・風俗などを検察する長官。明ミン・清シンの時代は、省の司法長官。二アゼチ・アゼツシ 国昔、地方官の行政上の実績を調べ、民情を視察する職。唐名は、都護。

【按針】アンシン 磁石の針を案じ考えて、船の進路を定める人。水先案内。パイロット。

【按△堵】アンド 自分の居所に安んずる。安心して居住する。堵かきの中に安んじおる意。

【按排】一アンパイ・アンバイ ぐあいよく並べる。ほどよく処置する。安排。二アンバイ 国料理の味かげん。また、物事のぐあい。塩梅アンバイ。按配アンバイ。

【按分】アンブン 一定の比率で物を分ける。案分。

【按兵】アンペイ 軍を引き止めて出発しない。進軍を止める。

【按摩】アンマ もみ療治。また、もみ療治を業とする人。

【按脈】アンミャク 医者が病人の脈をとって診察すること。切脈。診脈。察脈。

【按問】アンモン 罪を調べたずねること。吟味する。

【按抑】アンヨク おさえる。抑按。

6 【挧】 9画 4142 ウ yǔ 5743 9D6A ―

字義 姓。

6 【拽】 9画 4143 一 エイ 霽 二 漢エツ・呉エチ 屑 yè 21305 ― 3158

字義 一二ひく。ひきずる。＝曳(4652)。

解字 形声。扌(手)＋曳㊖。音符の曳イエは、ひくの意味。手を付し、ひくの意味を表す。

6 【捐】 9画 4144 エン 捐(4174)の俗字。→五九三ページ上。

6 【挂】 9画 4145 漢カイ(クワイ)・呉ケ 慣ケイ 卦 guà 5744 9D6B ―

字義 ❶かける。ひっかける。また、かかる。ひっかかる。＝掛(4218)。用例〔唐、李白、望二廬山瀑布一詩〕日照二香炉一生二紫煙一 遥看瀑布挂二前川一ひはコウロをてらして、シエンをショウず はるかにみるバクフの、ゼンセンにかかるを ↓日の光が香炉峰を照らし、紫色のもやがたちこめる。遥か遠く、滝が前を流れる川に、ぶらさがるように流れ落ちるのを眺める。❷わける(別)。

解字 篆文 形声。扌(手)＋圭㊖。音符の圭ケイは、系に通じ、かけるの意味。手で物をひっかけるの意味を表す。

【挂冠】ケイカン・カイカン 制服の衣冠を脱いで柱などにかける意で、官を去り職を辞すること。後漢の逢萌ホウボウが王莽オウモウにわが子を殺され、冠を東都の城門に掛け、遼東リョウトウに逃れた故事による。挂レ冠かんむりをかく。挂綬ケイジュ。挂冕ケイベン。〔後漢書、逢萌伝〕

【挂剣(劍)】ケイケン・カイケン 剣をかける。転じて、死者に対して信を守ることのたとえ。延陵の季子(季札)が徐君の墓に、生前に与えると心に誓った剣をかけた故事による。〔史記、呉太伯世家〕

【挂△罥】ケイケン 引っかかる。

【挂△錫】ケイシャク 仏錫杖シャクジョウをかける。行脚の僧がしばらく他の

寺にとどまり住むこと。→飛錫(一五七〇ページ下)。

【挂△綬】＝挂冠。▼綬は、印綬。

6 【挌】 9画 4146 カク 陌 gé 5740 9D67 —

字義 うつ。なぐり合う。つかみ合ってたたかう。「挌闘」

参考 現代表記では〔格〕(5364)に書きかえることがある。「挌闘」→「格闘」

解字 篆文 形声。扌(手)＋各音。音符の各は、いたる、つきでるの意味。手をつきだす、うつの意味を表す。

6 【挄】 9画 4147 カク — — 3160

拡(4093)と同字。→五八三ページ下。

6 【括】 9画 4148 常 カツ 漢カツ(クワツ)・呉カチ(クワチ) 曷 kuò 1971 8A87 —

筆順 一 十 才 扌 扌 扦 扦 括 括

字義 ❶くくる。㋐たばね結ぶ。㋑まとめる。ひとまとめにする。「概括」㋒とりしまる。㋓束縛する。ひきしめる。❷やはず。矢をつがえるとき、矢が弦に当たる部分。❸いたる(至)。集まる。国くびれる。物の中ほどが両はしより細くなっている。

解字 篆文 形声。扌(手)＋舌音。音符の舌は、もと昏であった。昏は會(会)に通じ、合わせるの意味。手でまとめあわせるの意味を表す。

逆 一括・概括・総括・統括・包括

【括弧】文字・文章や数式をくくるために用いる符号。「 」・( )・〔 〕・{ }など。

【括△嚢】①袋の口をくくって閉じる。②ひとまとめにする。③口を閉じて何も言わない。黙する。

【括約】くくりしめる。しめくくる。

6 【拮】 9画 4149 標 一漢キツ・呉キチ 質 二漢ケツ・呉ケチ 屑 jié 三漢カツ・呉ケチ 黠 jiá 5741 9D68 —

字義 一はたらく。手と口とを動かしてはたらく。せわしく働く。「拮据」 三せまる。

解字 篆文 形声。扌(手)＋吉音。音符の吉は、ひきしめるの意味。心をひきしめて手足をはたらかせるの意味を表す。

【拮据】①せわしく働く。手と口とを動かして働くこと。②難儀する。生活に苦しむこと。

【拮抗】たがいに力を張り合うこと。また、人にたてつくこと。

6 【挟】 9画 4150 常 キョウ はさむ・はさまる 2220 8BB2 —

7 【挾】 10画 4151 一漢キョウ(ケフ)・呉ギョウ(ゲフ) 葉 xié 二ショウ(セフ) 葉 5749 9D70 —

筆順 一 十 才 扌 扌 扌 扫 抨 挟

字義 一❶はさむ。さしはさむ。また、はさまる。㋐物と物の間にさしこむ。㋑左右からはさむ。「挟撃」㋒わきばさむ。わきにかかえる。また、身につける。用例〔戦国策、趙〕位尊而無功、奉厚而無労、而挟重器多也(しかもジュウキをさしはさむこと、おお(ほ)ければなり)。↓地位が尊いのに功績がなく、俸禄が多いのに苦労することがないにもかかわらず、国の貴重な宝物を多く抱えておいでになるからです。㋓たのみとする。また、自分のたのむところを鼻にかける。いばる。❷まもる。助ける。❸さす。矢をつがえる。 二❶もつ(持)。❷ゆきわたる。あまねくゆきわたる。

名前 さし・もち 難読 挟間

解字 篆文 形声。扌(手)＋夾(夾)音。音符の夾は、はさむの意味。手ではさむの意味を表す。

【挟貴】自分の高貴な身分をたのんで他人にほこる。

【挟撃(撃)】はさみうつ。

【挟△纊△之恩】纊(綿)を身につければからだが暖まることから、君主や人の恩恵をいう。

【挟持】①わきにはさみ持つ。こわきにかかえる。②身につける。③心に抱いている。

【挟日】十日間。十干の甲から甲の間の意。

【挟書】書籍を持つ。書籍を蔵する。

【挟書律】秦の始皇帝が、李斯の進言によって、民間で医薬・卜筮(うらない)・種樹(農業や園芸)以外の書物の所持を禁じた法律(前二一三)。漢の恵帝四年(前一九一)にこの禁止令は解かれた。→焚書坑儒(八九七ページ中)。

【挟△輔】かかえ助ける。補佐する。

6 【拱】 9画 4152 漢キョウ・呉ク 腫 宋 gǒng 慣コウ 5742 9D69 —

字義 ❶こまぬく。こまねく。両手を胸の前で重ね合わせること。「拱手」❷かかえる。両手でだき持つ。また、それほどの大きさ。「拱木」❸めぐる。とりまく。❹手でかかえるほど、大きな玉。拱璧。

解字 篆文 形声。扌(手)＋共音。音符の共は、ともにするの意味。両手を一緒にする、こまねくの意味を表す。

【拱手】①両手を胸の前で重ね合わせて敬礼する。②手をつかねたまま何もしないさま。「拱手傍観」

【拱把】両手でにぎることと、片手でにぎること。また、その太さ。

【拱璧】両手でかかえるほどの大きな宝玉。

【拱抱】両手でだきかかえる。また、その大きさ。

【拱木】①両手でだきかかえられるほどの太さの木。大木。②墓に植えた木の、年を経て大きくなったもの。死後、年月のたったことを表すに用いる語。

【拱△揖】両手を胸の前に重ね合わせて会釈する。

6 【挍】 9画 4153 漢コウ(カウ)・呉キョウ(ケウ) 効 jiào 21307 — 3163

字義 ❶はかる(度)。くらべる。比較する。＝校(5383)。❷むくいる。

解字 形声。扌(手)＋交音。音符の交は、まじえるの意味。はかる対象となる物を、基準のものさしと交わらせて、はかるの意味を表す。

6 【拷】 9画 4154 常 ゴウ コウ(カウ) 晧 kǎo 慣ゴウ(ガウ) 2573 8D89 —

筆順 一 十 才 扌 扌 扌 抖 抖 拷

字義 ❶うつ。たたく。罪を白状させるために打つ。「拷問」❷かすめる。かすめとる。「拷掠」

解字 形声。扌(手)＋考音。音符の考は、攷に通じ、うちすえるの意味。手に棒を持ってうつの意味を表す。

【拷問】肉体的な苦痛を与えて自白を強いること。

【拷△掠】①かすめ取る。奪い取る。②＝拷問。

6 【拶】 9画 4155 常 サツ 漢サツ・呉サチ 曷 zā, ②zǎn 2702 8E41 —

筆順 一 十 才 扌 扌 扌 扌 拶 拶

字義 ❶せまる。❷ゆびかせ(指を責める刑具)をする。「拶指」❸せめる。

解字 会意。扌(手)＋歺(歺)。歺は列に通じ、わけるの意味。木を指と指の間にはさみ、わけておいてしめる、ゆびかせをするの意味を表す。

6 【指】 9画 4156 教3 シ ゆび・さす 2756 8E77 —

筆順 一 十 扌 扩 折 指 指 指 指

シ 紙 zhǐ

字義 ❶**ゆび**。㋐手のゆび。「屈指」「食指」㋑足のゆび。

❷**さ-す**。**ゆびさ-す**。㋐指でさし示す。用例〔唐、杜牧、清明詩〕借問酒家何処有、牧童遥指杏花村。⇩お尋ねしますが居酒屋はどのあたりでしょうか。牧童ははるかかなたのあんずの咲く村を指さすのであった。

㋑（ある方向を）むく。また、たつ。直立する。用例〔史記、項羽本紀〕頭髪上指、目眥尽裂。⇩髪の毛が逆立ち、まなじりが裂けるほどに目を見開いた。

㋒むかう。ゆく。おもむく。用例〔前漢、李陵、答㆓蘇武㆒書〕挙㆑刃指㆑虜、胡馬奔走。⇩刀を振りかざして敵にむかうと、敵の騎馬隊は逃げていった。

㋓指図する。「指名」「指令」

㋔責める。とがめる。用例〔史記、酷吏伝〕自㆓公卿㆒以下至㆓於庶人㆒、咸指㆑湯。⇩上は大臣から下は庶民にいたるまで皆が張湯のせいだと非難した。

❸むね。＝旨(4655)。㋐心持ち。意向。「意指」㋑よい。

名前 むね **難読** 指貫・指宿・指保

> **使いわけ** さす〔指・刺・挿・差〕
> 〔**指**〕方向や物事を示す。「一番右の人を指す・先生が生徒を指す・将棋を指す」
> 〔**刺**〕とがった物で突く。また、刺激を与える。「とげを刺す・鼻を刺すにおい」
> 〔**挿**〕間にさしこむ。「挿し木」
> 〔**差**〕前述の三つ以外で、広く一般に用いる。「傘を差す・日が差す・目薬を差す」

解字 篆文 形声。扌(手)＋旨㊥。音符の旨は、うまいの意味。うまい物に食指が動くさまから、ゆび・ゆびさすの意味を表す。また、ゆびさす焦点の意味から、むね・おもむきの意味を表す。

逆 屈指・染指・繊指・大指・弾指・直指・目指

【指画(畫)】㊀ゆびで描き示す。㊁指先に墨をつけて描く。唐の張璪に始まる画法。指頭画。

【指帰(歸)】おもむき帰する所の意で、根本となる考え・思想。また、すべてのものの従うべき模範。

【指揮・指△麾】指図する。

【指教】ゆびさし示して教える。指授。

【指呼】①ゆびさしよぶ。指でさし示し、声で呼ぶ。②国近い距離。「指呼の間」

【指顧】①ゆびさしながらかえり見る。②＝指呼。

【指向】国①（決まった方向に）向かう。②心ばせ。→志向(五一九ジ上)。

【指使】ゆびで指図して人を使う。また、指揮者。

【指示】①ゆびさして示し教える。②命令する。

【指事】漢字の六書の一つ。字形が数量・位置などの抽象的な意味をさし示すもの。一・二・上・下など。⇩ コラム 六書(一四九ジ)。

【指趣】むね。おもむき。趣旨。

【指掌】①たなごころをさす。手のひらをゆびさす。②物事のたやすいこと、明白なことのたとえ。

【指針】国①磁石のはり。磁針。②メーターの針。③物事の方針。④てびき。案内。

【指数(數)】①ゆびさし数える。②数学で、ある数、またはある文字の乗冪・乗根を示すため、その右肩に付記する数字や文字。③経済学で、物価・賃金などの変動を目じるしとして算出する数字。

【指斥】①ゆびさす。②退ける。排斥する。

【指切】㊀要点を指摘して評論する。㊁ゆびきり 国約束を守るしるしに、たがいの小指をひっかけ合うこと。㊂さしきり 国将棋で、攻撃する方法がなくなること。

【指△嗾】指図しそそのかす。けしかける。使嗾。

【指弾(彈)】①ゆびで物をはじくこと。つまはじき。②つまはじきする間。わずかの間。③国つまはじき。排斥。

【指陳】さし示して述べる。

【指摘】①さし示す。誤りなどをさし示す。②指でつみとる。選び用いる。

【指点(點)】①一つ一つゆびさし示す。②いちいちあげて非難の的とすること。

【指導・指道】教えみちびく。

【指南】教えみちびく。案内する。手引き。案内。指南車から来た語。

【指南車】車上の木彫り人形の指が、車の方向にかかわらず常に南をさすしかけの車。

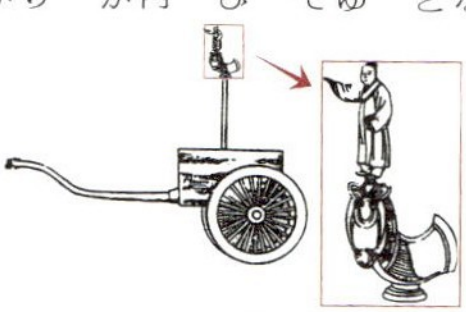

指南車

【指標】めじるし。指示の標識。

【指腹婚】子が母親の腹中にあってまだ生まれない前から、将来結婚させると約束すること。指腹之約。

【指名】だれと、その人の名をさすこと。名ざし。

【指要】要旨。

【指令】さしずする。また、さしず。指揮。命令。

6 【拍】 9画 4157 シ

指(4156)の古字。→五九〇ジ下。

6 【持】 9画 4158 漢チ・呉ジ(ヂ) 支 chí 教3 ジ も-つ

2793 8E9D 一

筆順 一 十 扌 扌 扌 扌 持 持 持

字義 ❶**も-つ**。手にとる。たずさえる。身につける。「所持」

❷たもつ。もちこたえる。ささえ守る。「保持」「堅持」「扶持」

❸もちあう。つり合いがとれる。用例〔左伝、昭公元〕子与㆓子家㆒持㆑之。⇩あなたと子家とは優劣がつかなかった。

❹さだめる。正す。国❶**も-つ**。㋐所有する。㋑負担する。引き受ける。受けもつ。❷**も-ち**。㋐歌合わせや囲碁などの勝負ごとで、たがいに優劣のないこと。あいこ。引き分け。㋑所有。㋒負担。担当。

名前 もち・よし

解字 金文 篆文 形声。扌(手)＋寺㊥。音符の寺は、止に通じ、たちどまるの意味。手の中にとどめおく、もつの意味を表す。

逆 維持・加持・堅持・固持・護持・支持・住持・操持・把持・扶持・保持

【持戒】仏仏教のいましめを守ること。持律。↔破戒(一〇三ジ下)。

【持久】長く持ちこたえる。「持久戦」

【持△戟】ほこをもつ。また、その兵士。「持戟の士」

【持衡】①はかりざおを持つ。平衡を保つ。持㆑衡。②大臣。天下の平衡を維持する人の意。③人物を品評すること。④科挙（官吏登用試験）の主任の試験官。

【持国(國)天】仏梵語Dhṛtarāṣṭraの訳語。帝釈天の部下である四天王の一人。東方を守護するという。左手に刀、右手に珠を持つ。治国天とも書く。

【持参(參)】持って行く。持って来る。また、その品物。

【持節(節)】＝持㆑節(一〇八一ジ下)。

【持説】変わることなく持ち続ける意見。常に主張する意見。持論。

【持続(續)】国たもちつづける。ある状態などを長くつづけること。

【持長】ジチョウ ①おもおもしくする。大事をとる。②正道を守る。

【持仏(佛)】ジブツ 仏仏間に安置したり、身につけたりして、常に信仰する仏。

【持満(滿)】ジマン ＝持㆑満(まんをじす)(八六三ページ・下)。

【持薬(藥)】ジヤク 国ふだん飲んでいる薬。

【持論】ジロン ＝持説。

6 【拾】 9画 4159 漢シュウ(シフ)・呉ジュウ(ジフ) 慣ジッ 教3 シュウ・ジュウ ひろ-う 緝 shí 2906 8F45 —

筆順 一 十 扌 扌 扴 拾 拾 拾 拾

字義 ❶ひろ-う(ひろふ)。ひろいとる。「拾得」 ❷おさめる(収)。あつめる。「収拾」 ❸ゆごて。弓を射るとき左肘(ひだりひじ)につけるもの。 ❹とお(とを)。＝十(1152)。→十の 参考。

名前 とお・ひろ

解字 篆文 会意。扌(手)＋合。手でものを合わせるの意味から、ひろいあつめるの意味を表す。

逆 採拾・収拾

【拾遺】シュウイ ①落ちているものをひろう。用例 (史記、孔子世家)塗不㆑拾㆑遺(みちにおちたるをひろわず) ⇩道路に落ちているものを拾って自分のものにしない。②もれたもの、抜け落ちたものをひろい集めて補う。③君主の気づかぬ過去をひろい上げていさめること。④唐・宋代の官名。君主をいさめる役。

【拾芥】シュウカイ ごみをひろう。物事のたやすいことのたとえ。

【拾収(收)】シュウシュウ ①ひろい収める。②乱れたものを集めてうまく整理すること。

【拾翠】シュウスイ 春の山野でつみ草をすること。翠はみどりで、緑草をいう。

【拾摭】シュウセキ ひろいとる。▼摭も、ひろいとる。

【拾掇】シュウテツ ひろいとる。拾摭(シュウセキ)。▼掇も、ひろいとる。

【拾得】 一シュウトク (他人の落とした物を)ひろいとる。ひろう。 二ジットク 唐の僧。寒山とともに岩山に住み、奇行が多かった。→寒山拾得(四〇五ページ・上)。

6 【拯】 9画 4160 ショウ 慣ジョウ 迥 zhěng 5746 9D6D —

字義 すく-う(すくふ)。すくいあげる。たすける。「拯救」

解字 篆文 形声。扌(手)＋丞音。音符の丞(ジョウ)は、助けあげるの意味。水に沈もうとする人を助けあげるの意味を表す。

6 【拭】 9画 4161 常 漢ショク・呉シキ 職 shì ショク ふ-く・ぬぐ-う 3101 9040 —

筆順 一 十 扌 扌 扩 扩 拭 拭 拭

字義 ぬぐ-う(ぬぐふ)・ふ-く。きよめる。よごれ・ぬれ・くもりなどをふき清める。「払拭」

解字 形声。扌(手)＋式音。音符の式は、織に通じ、縦横に糸を織るの意味。手を縦横に動かす、ぬぐうの意味を表す。

【拭目】ショクモク 目をぬぐって見る意で、注意して見ること。

6 【拪】 9画 4162 セン 先 qiān — — 3154

字義 移る。昇る。＝遷(12222)。

解字 形声。扌(手)＋西音。

6 【拴】 9画 4163 セン 先 shuān — — 3156

字義 ❶選ぶ。❷現代中国語で、つなぐ。結ぶ。縛る。

解字 形声。扌(手)＋全音。

6 【拵】 9画 4164 一漢ソン・呉ゾン 元 cún 二漢ソン・呉ゾン 願 zùn 5747 9D6E —

字義 一よる(拠)。二さしはさむ。国❶こしら-える(こしらふ)。つくる。製作する。❷こしら-え(こしらへ)。つくり。

解字 形声。扌(手)＋存音。

6 【挓】 9画 4165 タ 麻 zhā — — 3165

字義 挓抄(タサ)は、㋐開くさま。㋑すきまのあるさま。

解字 形声。扌(手)＋宅音。

6 【挃】 9画 4166 一漢チツ・呉チチ 質 zhì 二漢テツ・呉デチ 屑 diē 21306 — 3159

字義 一❶稲を刈る音。❷つく(擣(トウ))。二なげる(擿(テキ))。

解字 形声。扌(手)＋至音。

6 【挑】 9画 4167 常 チョウ いど-む 一チョウ(テウ) 蕭 tiāo 二トウ(タウ) 豪 tāo 3609 92A7 —

筆順 一 十 扌 扌 扌 扎 挑 挑 挑

字義 一❶いど-む。しかける。そそのかす。気を引く。用例 (本事詩)崔以㆑言挑㆑之(さいげんをもってこれにいどむも)、不㆑対(こたえず)。⇩崔護はいろいろとさそいのことばをかけて娘の気を引こうとしたが、彼女は返事もしない。❷かか-げる(かかぐ)。灯心をかきたてる。灯火のしんを上に出す。用例 (唐、白居易、長恨歌)夕殿蛍飛思悄然(せきでんにほたるとびて、おもい(ひ)しょうぜん)、孤灯挑尽未㆑成㆑眠(ことうかかげつくして、いまだねむりをなさず) ⇩夕暮れ、御殿のあたりに蛍が飛ぶのを見ては、しょんぼりと物思いにかられ、ぼつんとわびしい灯火のしんをかきたてて燃やしつくしてしまっても、まだ眠れないでいる。❸はねる。はねあげる。❹になう。❺えらぶ。あげる。二→挑達。

解字 篆文 形声。扌(手)＋兆音。音符の兆は、うらないのときに現れる割れ目の象形。手を加えて割れ目をつける・かきたてるの意味を表し、転じて、いどむの意味を表す。

【挑戦(戰)】チョウセン ①戦いをいどむ。戦争をしかける。②けんかをふっかける。③国試合を申し込む。

【挑達】トウタツ 落ち着きがなく、軽々しくはねまわり歩くさま。

【挑灯(燈)】 一チョウトウ ともしびをかかげる。灯心をかきたてて、あかるくする。 二チョウチン 国ろうそくを中に立てて持ち歩く照明具。提灯。

【挑発(發)・挑撥】チョウハツ ①かかげあげる。②いどむ。しかける。③そそのかす。そそる。

6 【挀】 9画 4168 ハク 拍(4120)の本字。→五八七ページ・上。

6 【拼】 9画 4169 ホウ 拼(4276)の俗字。→六〇三ページ・中。 8475 — 3157

6 【挊】 9画 4170 ロウ 送 nòng 8476 — 3161

字義 もてあそぶ。弄(3284)と同字。国はたら-く。家業にはげむ。

6 【挘】 9画 4171 国字 むしる 毟(6082)と同字。→八〇〇ページ・上。 8477 — 3167

7 【挨】 10画 4172 常 アイ 蟹 灰 āi 1607 88A5 —

筆順 一 十 扌 扌 扌 扌 扌 挨 挨 挨

字義 ❶うつ。背をうつ。❷お-す。おしすすめる。おしのけて進む。❸せまる。たがいに近づく。接近する。

解字 篆文 形声。扌(手)＋矣音。音符の矣(イ)は、疑の字の左半分の変形したもので、たちどまり思いまようの意味。ある場所から離れないで、人々が思いまようの意味から、ちかづく、混雑しておしあうの意味を表す。

【挨拶】アイサツ ①押し進む。大勢の人が押しのけ合って進む。②禅宗で、僧が問答を繰り返しやり合うこと。③国㋐会釈(エシャク)。おじぎ。受け答え。応対。㋑答礼。返礼。報酬。

【挨次】(アイジ) 後から後からと続いて。順次に。

7 【捙】10画 4173 エイ yì　2 1319 — —
字義 ひく。国 てぐるま。
解字 会意。扌(手)＋車。

7 【捐】10画 4174 エン 先 juān　5748 9D6F —
【捐】4144 俗字
字義 ❶すてる。すつ。やめる。除く。すておく。❷さしだす。寄付する。❸金で官位を買う。「捐官」❹人に金品をこう。

解字 篆文 形声。扌(手)＋肙音。音符の肙(エン)は、細く小さいの意味。手で細く小さくする、すてるの意味を表す。

【捐官】(エンカン) 政府に金を納めて官職や名だけの官位を買うこと。また、そうして得た官職。

【捐館】(エンカン) 住んでいたやかたを捨てること。貴人の死をいう。

【捐棄】(エンキ) すてる。棄捐。

【捐金】(エンキン) ①金をすてる。②金を寄付する。「義捐金」

【捐身】(エンシン) 身をすてる。

【捐生】(エンセイ) いのちをすてる。

【捐瘠】(エンセキ) すてられて飢えやせる。一説に、放置されたままの死人の骨やくさった肉。

【捐命】(エンメイ) 命をすてる。捐生。

7 【捔】10画 4175 — — 3185
━カク 覚 jué ━漢サク・呉ザク 覚 zhuó
字義 ━❶角をつかみ獣を押さえる。❷うやうやしい。━❶刺し貫く。❷暗い。
解字 形声。扌(手)＋角音。

7 【捍】10画 4176 カン　5750 9D71 —
扞(4040)と同字。→五七七ジペー中。

7 【捄】10画 4177　2 1316 — 3178
━ク 虞 jū ━漢キュウ(キウ) 呉グ 尤 qiū ━漢キュウ(キウ) 呉ク 宥 jiù
字義 ━❶もる(盛)。土をもっこの中に入れる。❷かきあつめる。━❶もる(盛)。❷長いさま。━すくう(救)。
解字 篆文 形声。扌(手)＋求音。音符の求は、手もとに引きよせ集める、もとめるの意味。土をかき集めて、もっこに盛るの意味を表す。

7 【挾】10画 (4151) キョウ 挟(4150)の旧字体。→五二〇ジペー中。

7 【挶】10画 4178 漢キョク 呉コク 沃 jú — — 3172
字義 ❶ほおづえをつく。❷耳の病気。❸もっこ。
解字 形声。扌(手)＋局音。

7 【捃】10画 4179 クン 問 jùn　8479 — 3177
【攈】4482 本字
字義 ひろう(拾)。ひろい取る。
解字 篆文 形声。扌(手)＋君音。篆文は、扌(手)＋麇音。音符の麇(クン)は郡に通じ、むれの意味。多くのものの中からひろうの意味を表す。
【捃採】(クンサイ) 拾い取る。また、探し集める。
【捃拾】(クンシュウ) 拾い取る。拾取。捃摭(クンセキ)。
【捃摭】(クンセキ) ①多くのものの中から拾い取る。②他人の欠点を取り上げる。

7 【捂】10画 4180 ゴ 遇 wǔ — — 3176
字義 ❶ふれる。ふる。さわる。❷もとる。さからう。❸むきあう。
解字 形声。扌(手)＋吾音。

7 【捁】10画 4181 漢コウ(カウ) 呉キョウ(ケウ) 巧 jiǎo　2 1315 — 3175
字義 みだす。かきまぜる。＝攪(4502)。
解字 形声。扌(手)＋告音。

7 【挭】10画 4182 漢コウ(カウ) 呉キョウ(キャウ) 梗 gěng — — 3170
字義 ❶乱す。乱れる。❷あらまし。＝梗(5444)。
解字 形声。扌(手)＋更音。

7 【捆】10画 4183 コン 阮 kǔn — — 3179
字義 ❶ととのえる。❷うつ。たたく。わらぐつなどを、しめらせてたたき堅くする。❸しばる。
解字 形声。扌(手)＋困音。

7 【挫】10画 4184 常 ザ　2635 8DC1 —
サ 箇 cuò 慣ザ
筆順 一 † 扌 扌 扌 扌 挫
字義 ❶くじく。㋐へし折る。㋑いためる。屈服させる。❷くじける。くじく。㋐折れる。㋑くだける。弱まる。❸とる。とらえる。
解字 篆文 形声。扌(手)＋坐音。音符の坐(ザ)は、ひざをおるの意味。手を付し、くじくの意味を表す。▼衄も、くじく。
【挫衄】(ザジク) くじく。また、くじける。
【挫辱】(ザジョク) くじきはずかしめる。
【挫折】(ザセツ) ①くじき折る。②くじけ折れる。失敗する。頓挫(トン)。

7 【捒】10画 4185 — — 3183
━漢ショウ・呉シュ 腫 sǒng ━漢ショ・呉ソ 御 shù ━漢ショク・呉ソク 沃 shù
字義 ━つつしむ。また、上げる。━よそおう。━しばる。＝束(5214)。
解字 形声。扌(手)＋束音。

7 【振】10画 4186 常 シン ふる・ふるう・ふれる　3122 9055 —
━シン 震 zhèn ━シン 真 zhēn
筆順 一 扌 扌 扩 扩 扩 振
字義 ━❶ふるう。ふる。ふるわす。㋐ゆり動かす。勢いよく動かす。「三振」㋑ふるい立たせる。さかんにする。「振起」㋒うちふる。ふるってはらう。「振衣」❷ふるう。㋐ゆれ動く。ふるえる。㋑ふるいたつ。さかんになる。「振起」❸すくう。助ける。用例(韓非子、八説)慈母雖レ愛(ジボアイすと)、無レ益二於振レ刑救レ死(ケイよりすくい(ひ)シよりすくう(ふ)にエキなし)。↓母親はいくら子供を愛していても、子供を刑から救ったり、死から救ったりするのに役に立たない。❹道を通す。❺おさめる。整える。❻古い。昔。いにしえ。❼より(自)。から。❽むらがる。→振鷺(シンロ)。━→振振。国❶ふる。㋐わりあてる。㋑きらう。㋒うしなう。すてる。❷ふり。㋐おこない。ふるまい。㋑すがた。ようす。なり。㋒いつわって見せかける。「見ぬ振り」㋓時日の経過を示す語。「久し振り」㋔刀剣を数える語。㋕芝居で音楽に伴ってする所作。「振り付け」
名前 しん・とし・のぶ・ふり・ふる
使いわけ ふるう〔奮・振・震〕⇨奮(2305)。
解字 篆文 形声。扌(手)＋辰音。音符の辰(シン)は、ふるえるくちびるの意味。手を付し、ふるうの意味を表す。また、勇気をふるいたたせ、はげまし救うの意味も表す。
【振衣】(シンイ) 逆 玉振 ①衣をふるって、ほこりなどを払うこと。用例(楚辞、漁父)新沐者必弾レ冠(あらたにモクするものはかならずかんむりをはじき)、新浴者必振レ衣(あらたにヨクするものはかならずイをふるう(ふ))。↓髪を洗い立ての者は、(その髪が汚れるのをきらって)必ずちりを指ではじき落としてから冠をかぶり、湯浴みしたての者は、(その体が汚れるのをきらって)必ず衣をふるってほこりを払ってから着物を着る。②官に仕えることを予期して、衣の手入れをすること。③山野にかくれ住んで、世俗のけがれを落とすこと。

【振△駭】 ふるいおどろく。また、ふるいおどろかす。震駭。

【振起】 ふるいおこす。また、さかんになる。振挙。

【振救】 すくう。ほどこしめぐむ。賑救。

【振窮】 貧民を救うこと。賑窮。

【振恐】 ふるえあがっておそれる。また、ふるえあがらせる。用例〔史記、刺客伝〕至レ陛、秦舞陽色変振恐。↓階段のところまで進むと、秦舞陽は顔色が変わり、おびえて震えはじめた。

【振古】 ①おおむかし。いにしえ。▼振も、古い。②いにしえより。昔から。▼振は、自よ。

【振興】 ＝振作。

【振作】 ふるい起こす。さかんにする。また、ふるい起こる。振興。

【振刷】 ふるいはらう。これまでの悪い点をすっかり改めて新しくすること。刷新。

【振△恤・振△卹】 ほどこし救う。▼恤・卹は、あわれむ。

【振△慴】 ふるえおそれる。用例〔史記、刺客伝〕北蕃蛮夷之鄙人、未三嘗見二天子一。故振慴。↓（この者は）北方の未開の地の田舎者で、これまで天子にお目にかかったことがありません。そのために、このように震えおののいている次第でございます。

【振振】 ①仁愛や信義の心の厚いさま。②さかんなさま。③群がり飛ぶさま。

【振旦】 中国をいう。昔、インドで用いた語の音訳で、シン・シナと同系の称呼。震旦。

【振△盪】 ふり動かす。振動。震盪。▼盪は、動。

【振動】 ①九拝の一つ。両手を打つ拝礼。かしわで。②ゆれうごく。また、ふり動かす。

【振徳】 めぐむ。ほどこしめぐむ。▼徳は、恵む。

【振怖】 ふるえあがる。

【振武】 ①武術をさかんにする。②武勇をふるいあらわす。

【振慄】 ふるえおののく。

【振旅】 軍隊の隊列などを整える。凱旋するにいう。

【振鈴】 鈴をふり鳴らして、合図や警告をする。また、その鈴。

【振△鷺】 むらがり飛んでいるさぎ。転じて、潔白な賢者をいう。〔詩経、周頌、振鷺〕

---

7 **【挋】** 10画 4187 シン 震 zhèn ― ― 3162

字義 ❶救う。❷束ねる。❸ぬぐう。

解字 形声。扌(手)＋臣㊟。振・賑と通じ、救う、支給するの意味。

7 **【挻】** 10画 4188 セン 先 shān ₂1313 ― ―

字義 ❶のばす。ながくする。❷う-つ。こねる。こねのばす。❸やわらげる(柔)。❹ゆるくする。ゆるめる。❺ひく(引)。❻とる。うばう。

解字 篆文 形声。扌(手)＋延㊟。音符の延は、のびるの意味。手を付し、のばすの意味を表す。

【挻△埴】 粘土をこねのばす。また、粘土をうつ。用例〔老子、十一〕挻レ埴以為レ器。↓粘土をこねて延ばして、陶器を作る。

7 **【捜】** 10画 4189 常 ソウ さが-す 3360 917B ―

10 **〖搜〗** 13画 4190 慣ソウ シュウ(シウ) 尤 sōu

筆順 一 十 扌 扣 扣 抻 捜 捜

［搜］ 4314 俗字

字義 ❶さが-す。さがしもとめる。❷えらぶ。❸多い。

使いわけ さがす〔捜・探〕
〔捜〕見えなくなったものについてさがす。「犯人を捜す・なくした財布を捜す」
〔探〕欲しいものについてさがす。「職業を探す・手ごろな辞典を探す」
ただし、実際には紛らわしい場合が多い。

解字 篆文 形声。扌(手)＋叟(㕘)㊟。音符の㕘は、手さぐりするの意味。のち、手を付し、捜となる。常用漢字の捜は、捜の省略形による。

【捜検(検)】 ①さぐりしらべる。②身体検査をする。

【捜査】 ①さがして取り調べる。②国検察官や警察官が犯人をさがし、また証拠を集めること。

【捜索】 ①さがし求める。②ゆききする。③国検察官や警察官が物件・犯人の発見のために強制的に家宅・身体などを調べること。

【捜神記】 書名。八巻、または、二十巻。東晋の干宝の編。六朝時代の志怪小説集。鬼神・怪異の話を集めたもので、仏教の影響も見られる。

【捜討】 さがし求める。▼討は、尋ねる。

【捜羅】 さがしあつめる。▼羅は、あみ。

7 **【挿】** 10画 4191 常 ソウ さ-す 3362 917D ―

9 **〖插〗** 12画 4192 漢ソウ(サフ) 呉ショウ(セフ) 洽 chā 5771 9D87 ―

筆順 一 十 扌 扌 扦 扦 挿 挿 挿

［揷］ 4316 俗字

字義 ❶さ-す。は-さむ。間にさしいれる。さしこむ。「挿入」❷にない棒。❸すき。＝鍤(12766)。

使いわけ さす〔指・刺・挿・差〕⇩指(4156)。

国す-げる。すげる。本体にはめこむ。

解字 篆文 形声。扌(手)＋臿(臿)㊟。音符の臿は、うすにきねをさしこんださまの会意文字。手を付し、さしこむの意味を表す。常用漢字の挿は俗字の略体。

【挿△秧】 苗を植えること。田植えする。

【挿花】 ①花をかんざしとしてさすこと。②生け花。

【挿架】 ①棚に置く。また、書棚に置く書物。②書棚。本棚。書架。

【挿画(畫)】 書物や新聞・雑誌などの中にさしはさむ絵。挿図。

【挿頭】 ㊀髪かざり。かんざし。㊁国頭髪や冠にさした花・造花。

【挿話】 国文章または談話の中にさし入れた本筋以外の短い話。エピソード。

7 **【捎】** 10画 4193 漢ソウ(サウ) 呉ショウ(セウ) 肴 shāo ₂1317 ― 3182

字義 ❶とる。❷はらう(払)。❸かすめる。かする。❹かる。きりはらう。❺ころす。

解字 篆文 形声。扌(手)＋肖㊟。音符の肖は、けずりとるの意味。物の表面をかすめとるの意味を表す。

7 **【捉】** 10画 4194 常 ソク とら-える サク 覚 zhuō 慣ソク 3410 91A8 ―

筆順 一 十 扌 扣 扣 护 捉 捉

字義 ❶とる。もつ。にぎる。つかむ。「把捉」❷とら-える。つか-まえる。とら-まえる。からめとる。用例〔唐、杜甫、石壕吏詩〕暮投二石壕村一、有レ吏夜捉レ人。↓日暮れに石壕村に投宿すると、役人が夜、

（戦争のために）男を徴発にやってきた。

使いわけ とらえる〔捕・捉〕⇩捕(4206)。

解字 篆文 形声。扌(手)＋足㊀。音符の足は、束に通じ、たばねるの意味。手でしばる、とらえるの意味を表す。

【捉髪】ソクハツ ①結いかけた髪をにぎって立つこと。急ぐことの形容。②「吐哺捉髪トホソクハツ」(三四八ジ・中)の略。賢者を求めるのに熱心な意に用いる。〔韓詩外伝、三〕

7【捘】10画 4195 ㊀ソン 願 zùn ㊁シュン 真 — — 3186

字義 ㊀❶押す。押しやる。❷押さえる。

解字 形声。扌(手)＋夋㊀。

7【挼】10画 4196 ㊀漢ダ・呉ナ 歌 ruó ㊁スイ 灰 suī ²1314 — 3174

字義 ㊀❶おす。おしおとす。❷もむ。もみあわす。もみくちゃにする。もみくだく。㊁うつ(撃)。

解字 篆文 形声。扌(手)＋妥㊀。音符の妥は、女性を上から手でおさえるの意味。なでさする・もむの意味を表す。

【挼莎】サダ もむ。こする。▼莎は、衣がそよぐさま。

7【挪】10画 4197 漢ダ 呉ナ 歌 nuó — — 3169

字義 ❶もむ。❷流用する。

解字 形声。扌(手)＋那㊀。

7【挩】10画 4198 ダツ 脱(5032)の古字。→六九九ジ・下。 — — 3168

7【𢭆】10画 4199 ㊀漢チュウ(チウ) 呉チュ 尤 dōu ㊁シュク 屋 ²1318 — —

字義 ㊀ひく。ぬく。㊁ひく。縮む。

解字 形声。扌(手)＋秀㊀。

7【捗】10画 4200 常 チョク ㊀漢ホ・呉ブ 遇 虞 bù, pū ㊁チョク 職 zhì 3629 92BB —

筆順 扌 扌 扌 扌 扌 扌 捗 捗

【捗】4256 俗字

字義 ㊀おさめる(収)。㊁うつ(打)。国はかどる。仕事が早く進行する。「進捗」

難読 捗捗はかばかしい

解字 形声。扌(手)＋步㊀。

7【挺】10画 4201 人 標 漢テイ 呉ジョウ(ヂャウ) 慣チョウ(チャウ) 迥 tǐng 3682 92F0 —

筆順 扌 扌 扌 扌 扌 挺 挺 挺

字義 ❶ぬく(抜)。ひきぬく。❷ぬきんでる。ぬけでる。また、人よりすぐれる。❸つきだす。❹まっすぐにする。ぴんと伸ばす。❺細長く、まっすぐなものを数える語。「巨竹千挺」❻ゆるくする。ゆるめる。❼とく。解放する。

名前 ただ・なお・もち

参考 現代表記では〔丁〕(7)に書きかえることがある。「一挺→一丁」

解字 篆文 形声。扌(手)＋廷㊀。音符の廷は、突き出るの意味。手でぬきだすの意味を表す。

【挺秀】テイシュウ ぬきんでてすぐれる。ずばぬける。

【挺身】テイシン ＝挺レ身みをテイす(一三八六ジ・下)。

【挺進】テイシン ひとりぬきんでて進む。

【挺然】テイゼン 多くの人の中からぬきんでてるさま。「挺然不群」

【挺立】テイリツ ぬきんでて立つ。衆にすぐれること。ずばぬける。

7【𢭏】10画 4202 トウ 擣(4461)の俗字。→六一六ジ・中。 ²1309 — —

難読 𢭏衣きぬた

7【捏】10画 4203 標 漢デツ・呉ネチ 慣ネツ 屑 niē 5752 9D73 —

【揑】4324 俗字

字義 ❶おさえる。おす。❷こねる。こねあわせる。また、あつめる。つくねる。❸にぎる。国こねる。㋐水をまぜてねる。㋑いろいろに言いまわす。㋒無理難題をいう。

難読 捏巴爾ネパール

解字 会意。扌(手)＋𡈼(呈)。𡈼は、また臼＋土で、うすの中に土のあるさま。うすで土をこねるの意味を表す。

【捏造】ネツゾウ ①土などをこねて物の形を作る。②根も葉もないことをでっちあげる。事実でないことを事実らしく作る。

7【捌】10画 4204 標 ㊀漢ハツ・呉ハチ 黠 bā ㊁漢ヘツ・呉ヘチ 屑 bā 2711 8E4A —

字義 ㊀❶えぶり。さらえ。穀物などをかき寄せる農具。❷やつ。やっつ。＝八(724)。→八の参考。㊁さばく。はく。分ける。分解して処理する。＝扒(4033)。国❶さばく。㋐手でたくみに扱う。㋑乱れたものごとをきちんと処理する。㋒商品を売りこなす。❷さばける。世なれてものわかりがよい。❸さばき。㋐裁判。㋑処置。処分。取り扱い。❹はける。はけ。また、はけ。㋐水などがたまらずに流れる。㋑商品が売りさばかれる。さばける。

解字 形声。扌(手)＋別㊀。

7【挽】10画 4205 人 標 漢バン 呉マン 阮 wǎn 4052 94D2 —

筆順 扌 扌 扌 扌 扌 扌 挽 挽

【挽】4270 俗字

字義 ＝輓(1911)。❶ひく(引)。ひっぱる。また、ひきもどす。「挽回」❷人を高い地位に引きあげる。「推挽」❸死者をいたむ。→挽歌。国ひく。鋸のこぎりで木材をきりさく。

解字 形声。扌(手)＋免㊀。音符の免は、新生児を生み出す形にかたどる。手で引き出すの意味を表す。

【挽歌】バンカ 同輓歌バンカ。①葬式のとき、棺をのせた車を挽ひく人が歌う歌。とむらいうた。②死者をいたむ詩歌。挽詩バンシ。

【挽回】バンカイ もとにひきもどす。回復。

7【捕】10画 4206 常 ホ とらえる・とる・とらわれる・つかまえる・つかまる 漢ホ・呉ブ 遇 bǔ 4265 95DF —

筆順 扌 扌 扌 扌 扌 捕 捕 捕

字義 ❶とる。とらえる。つかまえる。めしとる。「逮捕」❷とらわれる。つかまる。

使いわけ ①とる〔取・執・採・撮・捕〕⇩取(1280)。②とらえる〔捕・捉〕
〔捕〕逃げようとする人や動物をつかまえる。「犯人を捕らえる・獲物を捕らえる」
〔捉〕しっかりとつかまえる。「要点を捉える・好機を捉える」

解字 篆文 形声。扌(手)＋甫㊀。音符の甫ホは、いねのなえの意味。なえを手ににぎる、しっかり手にとるの意味を表す。

逆 逮捕・追捕

【捕獲】ホカク つかまえる。生けどる。また、ぶんどる。

【捕捉】ホソク とらえる。特に、罪人を逮捕すること。

【捕治】ホチ 罪人をとらえて調べること。

【捕縛】ホバク とらえてしばる。

【捕吏】ホリ 国昔、罪人をとらえる役人。とりて。とりかた。

【捕虜】ホリョ とりこ。とらわれびと。戦争でとらえられた将兵。

7 【捊】10画 4207 ━ ━ 3180
㊀(漢)ホウ・(呉)ブ 尤 póu
㊁(漢)ホウ・(呉)フ 尤 pōu
㊂フ 虞 fú
字義 ㊀集める。かき集める。㊁くみとる。㊂撃つ。
解字 形声。扌(手)+孚(音)。

7 【挪】10画 4208 ヤ
挪(4327)と同字。→六〇八ページ上。

7 【挹】10画 4209 ユウ(イフ) 緝 yì (1)8478 ━ 3173
字義 ❶くむ。㋐水などをくむ。㋑気持ちをくむ。思いやる。❷おさえる。ひかえめにする。❸と-る。手にとる。❹こまぬく。両手を胸の前で重ね合わせる敬礼。
解字 篆文 形声。扌(手)+邑(音)。音符の邑ユウは、あつめるの意味。手であつめるの意味を表す。
【挹△掬】ユウキク 手ですくうこと。また、手でくみとること。
【挹損】ユウソン 自分の心をおさえてへりくだること。抑損。

7 【捋】10画 4210 (漢)ラツ (呉)ラチ 曷 luō, lǚ ━ ━ 3181
字義 ❶と-る。つまみとる。❷する。こする。なでる。
解字 金文 篆文 形声。扌(手)+寽(音)。音符の寽ラツは、上下から手を近づけていってとる形にかたどる。のち、さらに手を付した。

7 【捛】10画 4211 リョ lǚ ━ ━ 3187
字義 とも。つれあい。
解字 形声。扌(手)+呂(音)。

7 【捩】10画 4212 レイ 5764 9D80 ━
捩(4282)の俗字。→六〇三ページ下。

7 【挵】10画 4213 ロウ 送 nòng (2)1312 ━ 3171
字義 もてあそぶ。弄(3284)と同字。(国)せせ-る。つつく。ほじくる。
解字 形声。扌(手)+弄(音)。音符の弄ロウも、もてあそぶ意味。

7 【捞】10画 4214 ロウ (2)1310 ━ ━
撈(4431)の俗字。→六一四ページ上。

8 【掖】11画 4215 (漢)エキ (呉)ヤク 陌 yè 5753 9D74 ━
字義 ❶わきばさむ。❷たすける。「誘掖」❸わき。わきのした。＝腋(5054)。❹宮門の両わきにある小門。「掖門」❺後宮。女官のいる所。「掖廷」❻宮殿。御所。宮掖。 難読 掖上わきがみ
解字 篆文 形声。扌(手)+夜(音)。音符の夜ヤ＝エキは、また、夕+亦(音)。音符の亦エキは、わきの下の象形。手を付し、わきばさむの意味を表す。
【掖垣】エキエン ①宮殿の正門のそばにある土塀。②宮廷。
【掖省】エキショウ ①唐代、門下・中書二省の称。宮中の左右にあったのでいう。②(国)宮内省。
【掖廷・掖庭】エキテイ 宮殿のわきに設けた御殿。宮女のいる所。後宮。
【掖門】エキモン 宮殿の正門の両わきにある小さな門。
【掖誘】エキユウ たすけみちびく。誘掖。

8 【掩】11画 4216 エン 琰 yǎn 1770 8986 ━
字義 ❶おお-う。おほ-ふ。㋐おおいかくす。用例 (唐、白居易、長恨歌)君王掩レ面救不レ得(クンオウおもてをおおい(ひ)て、すくいえ(ひ)えず)、回レ首血涙相和流(こう(かう)べをめぐらせばケツルイあいワしてながる)。↓天子は、顔を手でおおったまま、救うこともできない。ふりかえりみるその顔には、悲憤の涙が流れる。㋑閉じる。㋒つつむ(包)。㋓おそう(襲)。不意をうつ。❷とまる。
参考 現代表記では〔援〕(4290)に書きかえることがある。「掩護→援護」
解字 篆文 形声。扌(手)+奄(音)。音符の奄エンは、おおうの意味。手でおおうの意味を表す。
【掩咽】エンエツ 顔をおおって泣きむせぶこと。▼咽は、むせぶ。
【掩蓋】エンガイ ①おおいかくす。また、覆い。②敵弾を防ぐために塹壕ザンゴウなどの上にかける屋根。
【掩泣】エンキュウ 涙をおさえる。手で顔をおおって泣くこと。▼泣は、涙。
【掩撃(擊)】エンゲキ 敵の不意を打つこと。不意打ち。
【掩護】エンゴ ①おおい守る。かばう。援護。②(国)敵の攻撃を防ぎ、味方を守ること。「掩護射撃」
【掩襲】エンシュウ 敵の不意をうつこと。掩撃。
【掩塞】エンソク おおいふさぐ。
【掩鼻】エンビ ①(臭気をきらって)鼻をおおう。②人をだますこと。荊王ケイオウの夫人鄭袖テイシュウが王とその愛人をだまし、王に愛人の鼻を切らせた話。〔韓非子、内儲説下〕
【掩蔽】エンペイ おおいかくす。また、おおわれかくれる。
【掩有】エンユウ おおいたもつ。合わせ持つ。全部を所有すること。
【掩抑】エンヨク おさえとどめる。用例 (唐、白居易、琵琶行)絃絃掩抑声声思(ゲンゲンエンヨクしてセイセイおもいあり)、似レ訴二平生不一レ得レ志(ヘイゼイこころざしをえざるをうったうるににたり)。↓一弦一弦が抑制された音を鳴らし、その一音一音に思いがこめられていて、ふだん自分の志をとげられずにいることを訴えているようだ。
【掩乱(亂)】エンラン 不意に乱れる。

8 【掞】11画 4217 ━ ━ 3214
㊀(漢)セン 艶 shàn
㊁(漢)エン 艶 yàn
㊂エン 琰 yǎn
字義 ㊀❶伸べる。❷速く動く。❸尽くす。㊁❶＝㊀❶。❷輝く。❸あでやか。㊂そぐ。また、鋭い。
解字 形声。扌(手)+炎(音)。音符の炎は、ほのおの意味。

8 【掛】11画 4218 (漢)カイ(クワイ)・(呉)ケ 卦 guà (慣)カ(クヮ) 1961 8A7C ━
常 か-ける・か-かる・かかり
筆順
字義 か-ける。か-かる。＝挂(4145)。(国)❶か-ける。㋐ひっかける。つりさげる。㋑心に留める。気にかける。㋒掛け算をする。❷か-かる。着手する。始める。❸かかり。㋐関係。㋑受持ち。担当。㋒費用。❹かけ。㋐かけ値。㋑かけ売り。㋒かけそばの略。 難読 掛潤かかりま
参考 →〔係〕(361)の参考②。
使いわけ かける・かかる〔掛・架・懸・賭・係〕
〔架〕一方から他方へかけわたす。「橋を架ける」
〔懸〕気持ちを向ける。また、覚悟を決めて行う。「思いを懸ける・命を懸けて戦う」
〔賭〕〔かける〕のみ 金品を出し合って勝負する。「賭け事」
〔係〕〔かかる〕のみ 関係する。かかわる。「本件に係る意見書」
前述の四つ以外では広く〔掛〕を用いるが、仮名書きも多い。「腰を掛ける・電話を掛ける・保険を掛ける・迷惑を掛ける」
解字 形声。扌(手)+卦(音)。挂(4145)と同字。
【掛冠】カイカン 辞職することをいう。→挂冠(五八九ページ下)。
【掛△錫】カシャク・ケシャク (仏)錫杖シャクジョウをかける。→挂錫(五八九ページ下)。

8 【捱】11画 4219 (漢)ガイ (呉)ゲ 佳 ái ━ ━ 3192
字義 ❶防ぐ。拒む。❷延びる。ゆるむ。
解字 形声。扌(手)+厓(音)。

8 【掴】11画 4220 カク 3647 92CD ━
摑(4370)の俗字。→六〇九ページ下。

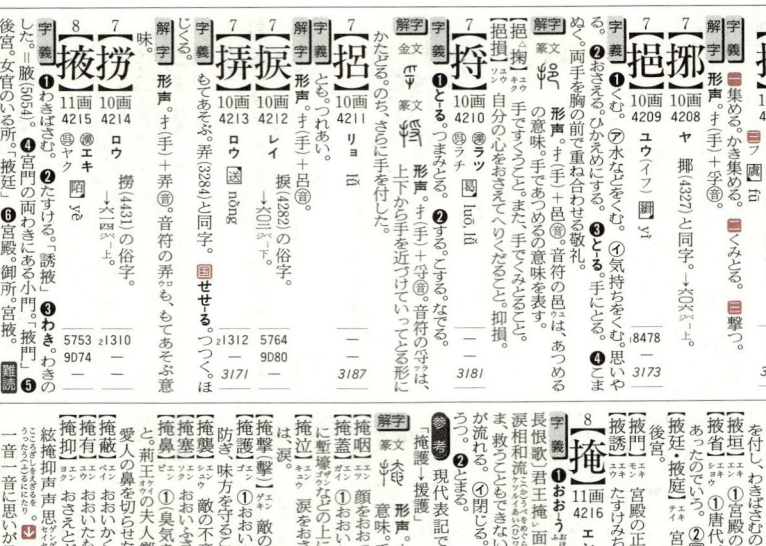

8【掎】11画 4221 キ 紙 jǐ 5754 9D75 —
[掎] 4299 俗字
字義 ひく。ひっぱる。足をひく。弓を引く。
解字 篆文 形声。扌(手)+奇㊥。音符の奇は、かぎ型に曲がるの意味。うでを曲げて片足を持ってひくの意味を表す。
【掎角】キカク 前後からはさんで敵を攻めること。鹿を捕らえるのに、後ろから足を引き、前から角を抑えるのに基づく。
【掎△摭】キセキ 引き寄せて収め取る。一つ一つ拾い取る。

8【掬】11画 4222 人 標 キク 屋 jū 2137 8B64 —
筆順 掬
字義 ❶すくう。むすぶ。両手でくみあげる。❷両手。両の手のひら。❸くみとる。心情を察する。❹量の単位。両手一ぱいぐらいの量。約〇・二リットル。
解字 形声。扌(手)+匊㊥。音符の匊は、両手ですくうの意味。手を付し、意味を明らかにした。
【掬飲】キクイン すくって飲む。
【掬水】キクスイ 水を両手ですくう。また、すくいあげた水。
【可レ掬】キクすべし 手ですくいとることができる。多いことの形容。

8【据】11画 4223 常 すえる・すわる 3188 9098 —
㊀㊥キョ・㊤コ 魚 jū
㊁㊥キョ・㊤コ 御 jù
筆順 据
字義 ㊀はたらく。㊁❶=㊀。❷よる(拠)。❸おごる。おごりたかぶる。=倨(411)。国❶すえる。㋐すえおく。そのままにしておく。㋑神仏に物をそなえる。㋒灸をする。❷すわる。動かないでいる。「目が据わる」
使いわけ すわる〔座・据〕⇨座(3202)。
解字 篆文 形声。扌(手)+居㊥。音符の居は、固に通じ、かたいの意味。手をこわばらせてはたらくの意味を表す。日本語では、居の訓「いる」から類推して、すえるの意味に用いる。
逆 考据
【据傲】キョゴウ おごる。おごりたかぶる。倨傲。▼傲も、おごる。

8【掀】11画 4224 5755 9D76 —
㊀㊥ケン・㊤コン 元 xiān
㊁㊥キン・㊤コン 文
字義 ㊀❶あげる(挙)。かかげる(掲)。❷たかいさま。

8【捦】11画 4225 ㊥キン ㊤ゴン 侵 qīn — — 3189
字義 取る。しっかり握る。持つ。とらえる。
解字 形声。扌(手)+金㊥。

解字 篆文 形声。扌(手)+欣㊥。音符の欣は、斤に通じ、ふりあげる「おの」の意味。手で振りあげるの意味を表す。

8【掘】11画 4226 常 クツ ほる ㊥クツ・㊤グチ 物 jué 2301 8C40 —
筆順 掘
字義 ❶ほる。㋐うがつ。穴をほる。㋑ほりおこす。ほり出す。「採掘」❷くぼむ。へこむ。❸つきる。きわまる。
解字 篆文 形声。扌(手)+屈㊥。音符の屈は、かがめるの意味。腰をかがめて穴をほるの意味を表す。
逆 採掘・発掘
【掘起】クッキ ひときわ目立ってそびえていること。
【掘強・掘△彊】クッキョウ ①力などのきわめて強いこと。②威をふるうこと。
【掘△鑿】クッサク ほりうがつ。ほって穴をあける。掘削。

8【掲】11画 4227 常 ケイ かかげる 2339 8C66 —
9〔揭〕12画 4228 人 1 8483 — —
㊀㊥ケイ 霽 qì
㊁㊥ケツ・㊤ケチ 月 jiē
筆順 掲
字義 ㊁❶かかげる。㋐高くあげる。人目につくようにする。「掲揚」「前掲」㋑着物のすそを持ち上げる。用例〔詩経、邶風、匏有苦葉〕深則厲、浅則掲(ふかければすなわち(は)ちレイし、あさければすなわち(は)ちかかぐ)。⇩深い流れは着物を着たまま渡り、浅い瀬では着物の裾をつまんで持ち上げて渡る。❷になう。㊀❶=㊁❶。❷長いさま。高いさま。❸しるし。
名前 なが
解字 篆文 形声。扌(手)+曷(曷)㊥。音符の曷は、かかげるの意味。手を付し、高くかかげるの意味を明らかにした。
【掲△焉】ケツエン ㊀高くあがるさま。㊁ケチエン 国はっきりときわだっているさま。
【掲掲】ケイケイ・ケツケツ ①長いさま。②高いさま。③高くあがるさま。
【掲載】ケイサイ 新聞・雑誌などに文章や広告などを載せる。
【掲示】ケイジ ①かかげ示す。はり出して人に示す。②はりふだ。一般の人に知らせるためにかかげ示す文書。
【掲揚】ケイヨウ 国かかげあげること。旗を高くあげること。

8【捲】11画 4229 人 標 ㊥ケン ㊤ゲン 先 quán 2394 8C9E —
[捲] 4301 俗字
筆順 捲
字義 ❶まく。ぐるぐるまく。❷こぶし。❸勇気。気力。国❶まくる。端からまいて上にあげる。❷めくる。おおっているものをはがす。
名前 おさむ・まく
解字 篆文 形声。扌(手)+巻㊥。音符の巻は、まくの意味。のちに、手を付し、意味をいっそう明らかにした。
【捲握】ケンアク しっかり手ににぎること。また、にぎりこぶし。
【捲土重来(來)】ケンドチョウライ・ケンドジュウライ =巻土重来(四五一ページ下)。

8【捡】11画 4230 ケン 2 1321 — —
撿(4438)の俗字。→六一四ページ中。

8【掮】11画 4231 ケン qián — — 3218
字義 現代中国語で、担う。かつぐ。
解字 形声。扌(手)+肩㊥。音符の肩は、かたの意味。

8【控】11画 4232 常 コウ ひかえる 2521 8D54 —
㊀㊥コウ・㊤ク 送 kòng
㊁コウ(カウ) 江 qiāng
筆順 控
字義 ㊀❶ひく。㋐手前にひく。引き寄せる。㋑弓をひく。㋒さしひく。「控除」❷ひかえる。ひきとめる。おさえる。❸告げる。訴える。「控訴」❹投げる。身を投げる。❺つまずく。㊁うつ。たたく。国❶ひかえる。㋐やめにする。見合わせる。㋑ひかえめにする。㋒書きとめておく。㋓後に待ちかまえる。❷ひかえ。㋐うつし。副本。㋑たくわえ。そなえ。㋒そばで待っているもの。後詰め。
参考 現代表記では〔扣〕(4044)の書きかえに用いることがある。「扣除→控除」
解字 篆文 形声。扌(手)+空㊥。音符の空は、あきまの意味。弓を引きしぼって弦とのあきまを作るの意味から、ひくの意味を表す。

【控御・控△馭】コウギョ ①馬をおさえあやつること。②他人などを自由にあやつること。③他人の自由を制して、取り締まること。
【控弦】コウゲン 弓の弦を引く。また、弓を引く兵士。
【控告】コウコク うったえ出る。上訴する。
【控除】コウジョ 取りのける。さし引く。
【控制・控△掣】コウセイ おさえて自由にさせない。控御。控馭コウギョ。
【控訴】コウソ ①うったえる。告訴する。②国第一審の判決に不服なとき、上級裁判所に訴えて再審を求めること。

8 【掐】11画 4233 漢コウ(カフ) 呉キョウ(ケフ) 洽 qiā ―― 3209
字義 ❶つまむ。つねる。❷たたく(叩)。
解字 形声。扌(手)＋臽(音)。

8 【掯】11画 4234 コウ kèn ―― 3219
字義 ❶現代中国語で、しぶる。ぐずぐずして事を進めない。❷現代中国語で、押さえつける。無理強いする。
解字 形声。扌(手)＋肯(音)。

8 【採】11画 4235 教5 サイ とる 2646 8DCC ―
8 【[採]】11画 4236 サイ 賄 cǎi
筆順 一 十 扌 扌 扩 扩 扩 採 採 採
字義 ❶とる。㋐手にとる。手に入れる。「採光」㋑つむ。つみとる。㋒えらぶ。選んでとり上げる。「採用」❷きこり。
名前 もち
使いわけ とる〔取・執・採・撮・捕〕⇩取(1280)。
解字 形声。扌(手)＋采(采)(音)。音符の采サイは、つみとるの意味。手を付し、つみとるの意味を表す。
逆 新採・伐採
【採掘】サイクツ 地を掘って鉱石などを掘り出すこと。
【採決】サイケツ 国議決を採る。会議で、議案の可否を議員にはかり決定すること。
【採算】サイサン 国①支出と収入とが引き合うこと。②原価・諸費用・利潤を加えて、販売価格を算定すること。
【採拾】サイシュウ ①ひろう。取り集める。②薪を取り、木の実を拾う意で、貧しい生活をすること。
【採薪△之憂】サイシンのうれい 病気のため、薪を取りに行けないという憂い。自分の病気を遠回しに表現したことば。▼採は、采とも書く。〔西廂記、崔鶯鶯夜聴レ琴雑劇〕
【採△摭】サイセキ 拾い取る。取り集める。
【採択(擇)】サイタク 選び取る。適当な物をとりあげる。
【採摘】サイテキ つまみとる。つみとる。
【採納】サイノウ 意見を取り入れる。受け入れる。
【採訪使】サイホウシ 唐の玄宗が、州や県の役人の善悪を調べさせるために全国十五道に遣わした官の名。
【採録】サイロク とりあげてしるす。記録する。

8 【捨】11画 4237 教6 シャ すてる 2846 8ECC ―
8 【[捨]】11画 4238 シャ 馬 shě
筆順 一 十 扌 扌 扴 拎 拎 拴 捨 捨
字義 ❶すてる。㋐手離す。不用の物として手ばなす。㋑やめる。ほうっておく。あきらめる。❷ほどこす。神仏などに金品を寄付する。「喜捨」❸仏常に平らで、執着することのない心。
名前 いえ・えだ・すて
解字 篆文 形声。扌(手)＋舎(舍)(音)。音符の舎は、射に通じ、はなすの意味。手からはなす、すてるの意味を表す。
逆 喜捨・浄捨・容捨・用捨
【捨仮(假)名】すてがな 国漢文を訓読するときの送りがな。
【捨身】一シャシン 仏①一身をすてる。命をすてる。②俗界をすてて仏門に入ること。出家すること。二すてみ 国事をするに命をすてる覚悟ですること。

8 【授】11画 4239 教5 ジュ さずける・さずかる 2888 8EF6 ―
漢シュウ(シウ)・呉ジュ 宥 shòu
筆順 一 十 扌 扌 扩 扩 扩 授 授 授
字義 ❶さずける。㋐与える。特に、上から下の者へ与える。たまわる。㋑教える。伝える。「教授」❷さずかる。いただく。受ける。❸さずかりもの。
名前 さずく
解字 篆文 形声。扌(手)＋受(音)。音符の受は、うけわたすの意味。手を付し、主として、さずけるの意味を表す。
逆 教授・口授・師授・受授・神授・天授・伝授
【授衣】ジュイ ①衣をさずける。②陰暦九月の別名。『詩経、豳風ヒンプウ、七月』に「七月流火シチガツリュウカ、九月授レ衣キュウガツイをさずく(九月に冬衣を与える)」とあるのに基づく。
【授戒】ジュカイ 仏新しく仏門に入る人に、師が戒律を授けること。戒律は、五戒・十戒など、仏門で守るべきおきて。
【授業】ジュギョウ ①学業を教えさずける。②国生活の道をさずける。生活の方法を立ててやる。授産。
【授産】ジュサン 国職業を与え、生活できるように世話すること。
【授受】ジュジュ さずけることと受けること。やりとり。受け渡し。
【授命】ジュメイ 生命を投げ出して尽力すること。
用例〔論語、憲問〕見レ危授レ命(あやうきをみては、めいをさずく)。⇩危険なことを見たときには、生命を投げ出して尽力する。

8 【捷】11画 4240 人 漢ショウ(セフ) 呉ジョウ(ゼフ) 葉 jié 3025 8FB7 ―
筆順 扌 扌 扌 扌 捷 捷 捷 捷
字義 ❶ぶんどる。ぶんどった物。戦利品。❷かつ(勝)。また、かちいくさ。「戦捷」❸はやい。すみやか。すばやい。「敏捷」❹近道をする。❺かしこい。さとい。❻およぶ。続く。
名前 かち・かつ・さとし・しょう・すぐる・とし・はや・まさる
解字 篆文 形声。扌(手)＋疌(音)。音符の疌ショウは、すばやいの意味。手をすばやく動かして獲物をとるの意味を表す。
【捷給】ショウキュウ 弁舌や動作の敏捷なこと。特に、人との応対について言い、善・悪両義に用いられる。
【捷径(徑)】ショウケイ ①近道。②必ずしも正道によらない手近な方法。早道。
【捷疾】ショウシツ すばやい。敏捷。
【捷書】ショウショ 戦勝の報告書。
【捷捷】ショウショウ ①挙動のすばやいさま。すばしこく立ちまわるさま。②おしゃべりの声の形容。
【捷足】ショウソク すばやい足。「捷足先得(早いもの勝ち)」
【捷敏】ショウビン さとい。すばやい。「聡明ソウメイ捷敏」
【捷報】ショウホウ 戦勝の知らせ。捷聞。

8 【推】11画 4241 教6 スイ おす 3168 9084 ―
一スイ 支
二漢タイ・呉ツイ 灰 tuī
筆順 一 十 扌 扌 扌 扌 扌 推 推 推
字義 一❶おす。㋐前へ押す。押して動かす。「推敲スイコウ」㋑押し上げる。下から上へすすめる。「推挙」㋒いただく。おしいただく。「推戴」㋓おしはかる。推量。用例〔唐、韓愈、祭二十二郎一文〕理者不レ可レ推(りなるものはおすべからず)。⇩世の道理なるものはおしはかりがたい。㋔きわめ問う。責め問う。「推問」❷おしうつる。うつりかわる。「推移」❸推推(タイタイ)は、さかんなさま。

名前 ひらく

使いわけ おす〔押・推〕⇩押(4089)。

解字 篆文 形声。扌(手)＋隹㊚。音符の隹(イ)は、出に通じ、でるの意味。手でおし出すの意味を表す。

逆 邪推・類推

【推案】(スイアン) 案をおす。机を押しのける。

【推移】(スイイ) うつりかわる。おしうつる。また、うつりかわり。用例〔楚辞、漁父〕聖人不₃凝₂滞於物₁、而能与₂世推移₁。⇩聖人は物にこだわらず、世の動きにつれてうつりかわりに順応していける。

【推引】(スイイン) 人を引き立て用いる。推薦引用。

【推演・推△衍】(スイエン) おしひろめる。敷衍。▼演は、ひろめる。

【推恩】(スイオン) 恩愛を広く推し及ぼす。推₂恩。用例〔孟子、梁恵王上〕推₂恩足₃以保₂四海₁。⇩恩愛を広く推し及ぼすと、天下を保全することができる。

【推求】(スイキュウ) 調べたずねる。

【推究】(スイキュウ) おしきわめる。深く調べる。

【推挙(擧)】(スイキョ) 人を上の地位にすすめあげること。推薦。

【推弘】(スイコウ) おし広める。

【推△敲】(スイコウ) 詩文の字句を練ること。中唐の詩人賈島(カトウ)が詩を作り、「鳥宿池辺樹(とりはやどる、チヘンのき)、僧敲月下門(ソウはたたく、ゲッカのモン)」の句で推(おす)の字にしようか、敲(たたく)の字にしようかと苦心した故事による。〔唐詩紀事、賈島〕

【推△轂】(スイコク) 車のこしきをおす。㋐天子が将軍を遣わすとき、自ら車をおすこと。㋑人の事業を助成すること。㋒賢才を推薦すること。

【推察】(スイサツ) 推し量り考える。推考。推量。

【推参(參)】(スイサン) 国①わざわざ出むく。②おしかけてゆく。許しのない所に参上する。また、突然に人を訪問した時にいう謙譲の語。③無礼なふるまい。さしでがましい。

【推称(稱)】(スイショウ) ほめあげる。

【推奨(奬)】(スイショウ) ほめあげる。また、ほめて人にすすめること。

【推譲(讓)】(スイジョウ) 他人を推薦して自分からゆずる。

【推進】(スイシン) ①おしすすめる。前進させる。②他人を推薦する。また、人から推薦される。

【推遷】(スイセン) ①物事にかこつけて引き延ばす。②うつりかわり。

【推薦】(スイセン) 人をすすめあげる。人を引き立てて、他人に紹介する。推挙。

【推測】(スイソク) おしはかる。推量。

【推戴】(スイタイ) おしいただく。尊んで自分の上におく。

【推択(擇)】(スイタク) 人を用いること。また、選抜されること。

【推治】(スイチ) 罪を責めただす(しらべる)こと。

【推重】(スイチョウ) 尊び重んずる。

【推△輓・推△挽】(スイバン) 車を後ろから押し、前から引く。転じて、人を推薦すること。▼輓・挽は、ひく。

【推服】(スイフク) その人を心から尊敬して従う。

【推歩】(スイホ) 天体の運行を計算して暦を作ること。

【推亡】(スイボウ) ①滅亡の原因となりそうな事柄がある時、それをおしてほろぼすこと。②弩(ゆみ)の神。

【推本】(スイホン) もとをきわめ尋ねる。根源を尋ねる。

【推明】(スイメイ) (意を)おしはかって明らかにする。推考究明。

【推問】(スイモン) 罪状を取り調べる。

【推理】(スイリ) ①物ごとの道理をおしはかること。②ある判断から他の判断を導き出す思考作用。

【推量】(スイリョウ) 国おしはかる。推測。

【推論】(スイロン) ある事物・問題・道理などを基として結論を導くこと。

8 【捶】 11画 4242 スイ 紙 chuí　5757 9D78 —

字義 ❶むち-うつ。うつ。また、むち。「鞭捶(ベンスイ)」❷つく。臼(うす)でつく。❸むち。

解字 篆文 形声。扌(手)＋垂(埀)㊚。音符の埀(イ)は、たれさがるの意味。つえでうちおろすの意味を表す。

【捶撃(擊)】(スイゲキ) むちうつ。

【捶殺】(スイサツ) むちでうち殺すこと。

【捶△撻】(スイタツ) むちうつ。捶打。▼撻は、うつ。

【捶△笞】(スイチ) むちうつ。捶扑(スイボク)。▼笞は、罪人を罰するむち。

8 【捿】 11画 4243 セイ　— — 3204

棲(5533)と同字。→七五〇ページ下。

8 【接】 11画 4244 教5 セツ つ-ぐ　3260 90DA —

ショウ(セフ) 漢 jiē

慣セツ

筆順 一 十 扌 扌 扩 拉 接 接

【撍】 4441 同字

字義 ❶つ-ぐ。つづける。つなぐ。また、つらなる。つづく。「密接」「接頭語」❷ちかづく。ふれる(触)。「接戦」❸まじ-わる。また、まじ-える。人とまじわる。「接待」「面接」❹うける。受け取る。「接収」❺手にとる。もつ(持)。国は-ぐ。布や板をつぎ合わせる。

名前 つぎ・つぐ・つら・もち 難読 接骨木(にわとこ)

使いわけ つぐ〔次・継・接〕⇩次(5944)。

解字 篆文 形声。扌(手)＋妾㊚。音符の妾(ショウ)は、貴人に近くつかえる「こしもと」の意味。手と手とを近づける、まじわる・つぐ・ふれるの意味を表す。

逆 応接・逆接・近接・交接・順接・直接・密接・隣接

【接意】(セツイ) ①人の心に合わせる意で、人の気に入るようにすること。②人の心持ちを受け継ぐこと。

【接引】(セツイン・ショウイン) 一(セツイン) 引き寄せ近づける。人を近づけて会う。二(ショウイン) 仏①仏が人を接取して浄土にみちびくこと。②師家が修業僧を教導すること。

【接遠】(セツエン) まだきざさない遠くのことをさきに知る。

【接客】(セッカク・セッキャク) ①客をもてなす。②旅館の者や遊女などが客引きをすること。

【接近】(セッキン) ちかづく。ちかよる。

【接遇】(セツグウ) もてなし、あしらう。応待する。

【接見】(セッケン) 人を引きいれて面会すること。引見。

【接合】(セツゴウ) つぎあわせる。くっつく。また、つながりあって一つになる。

【接△轂】(セッコク) 車のこしき(車輪の中心の太い部分)を接すること。雑踏のさま。

【接骨木】(セッコツボク) 木の名。にわとこ。すいかずら科の落葉低木。四月ごろ白色の小花を密生する。茎葉と花の煮汁(にじる)は接骨に効があるという。

【接収(收)】(セッシュウ) ①受け付ける。受け取る。②国家などが、強制的に個人の所有物を一時的に取り上げること。

【接△踵】(セッショウ) ＝接₂踵(きびすをセッす)(二三八一ページ上)。

【接触(觸)】(セッショク) 近づいてふれる。さわる。ふれあう。

【接刃】(セツジン) ①やいばをふれる。②刃物と刃物とを交える意で、戦いを開くこと。

【接戦(戰)】(セッセン) ①近づき戦う。また、敵と入りまじって戦う。用例〔史記、項羽本紀〕持₂短兵₁接戦(タンペイをジして、セッセンす)。⇩刀剣を持って白兵戦をした。②国容易に勝負のつかない戦い。互角の戦い。

【接続(續)】(セツゾク) 連なり続く。また、続ける。

【接待】(セッタイ) ①もてなす。また、もてなし。②招待。③仏人に飲食物を施すこと。

【接伴】(セッパン) 客をもてなす。また、その人。

【接物】(セツブツ) ①外物に接触する。②人と交際する。

【接△吻】(セップン) くちづけ。英語kissの訳語。

【接聞】(セツモン) 交際する。

【接△輿】(セツヨ) 春秋時代の楚(ソ)の隠者。姓は陸、名は通とされる。孔子と同時代で、狂人のふりをして、隠棲したといわれる。

【接容】 招き入れる。面会する。

8 【措】 11画 4245 常 ソ 一ソ 遇 cuò 二漢サク・呉シャク 陌 zé 3328 915B 一

筆順 一 ナ 扌 扌 扌 措 措 措 措

字義 一❶おく。㋐すえつける。設ける。㋑さしおく。そのままにしておく。「挙措」❷はからう。手を下す。「措置」❸まじえる。まぜる。二❶はさむ。❷とらえる。つかまえる。

解字 篆文 形声。扌(手)＋昔音。音符の昔は、日を重ねるの意味。他のものの上に重ねて置くの意味を表す。

逆 挙措

【措辞(辭)】 ①ことばを配置する意で、ものを言うこと。②詩文などのことばの使い方、字句の用い方。

【措大】 書生をいう。また、貧しい書生。多くの場合、軽蔑の意をこめて用いる語。

【措置】 ①始末をつけること。また、取り計らい。さばき。②手足を置く意で、安んじていること。

【不レ知レ所レ措】 どうしてよいか分からない。じっとしておられない。

8 【掃】 11画 4246 常 ソウ はく

8 〔掃〕 11画 4247 ソウ(サウ) 晧 号 sǎo 3361 917C 一

筆順 一 ナ 扌 扌 扌 扌 扌 掃 掃

〔埽〕 2015 同字

字義 はく。はらう。㋐ほうきではく。ちりをはく。用例〈唐、白居易、長恨歌〉西宮南苑多二秋草一、宮葉満レ階紅不レ掃。↓西の御殿も南の御所も秋草が茂り、宮殿の階段に落ち葉がいっぱいになっても、掃除されないままになっている。㋑除く。なくす。滅ぼす。「一掃」㋒なする。こする。㋓ことわる。

名前 かに・のぶ 難読 掃守・掃部

参考 現代表記では〔剿〕(971)の書きかえに用いることがある。「剿滅→掃滅」

解字 形声。扌(手)＋帚(帚)音。音符の帚は、ほうきの意味。ほうきを手にする、はくの意味を表す。

逆 一掃・電掃

【掃夷】 はらい平げる。▼夷は、平らげる・滅ぼす。

【掃海】 安全の目的で危険物を海中から除去する。

【掃灑・掃洒】 はいて水をそそぐ。掃除する。

【掃除】 一 はらい除く。また、きれいにする。二 国 はらい清める。

【掃清】 はききよめる。

【掃地】 ＝掃レ地(三〇二ページ中)。

【掃滌】 はらい清める。▼滌は、水を注ぐ。

【掃殄】 はらいつくすこと。▼殄は、尽くす。

【掃蕩】 すっかり平らげる。平定する。「掃蕩作戦」

【掃滅】 盗賊や敵などをすっかりほろぼしつくすこと。

8 【掫】 11画 4248 一漢ソウ・呉ス 尤 zōu 二漢シュウ(シウ)・呉シュ 有 三漢ソウ・呉シュ 有 四漢シュウ(シウ)・呉シュ 尤 5756 9D77 一

字義 一❶よまわりする。拍子木を打ち鳴らし夜まわりする。一説に、かがり火をたいて夜警する。❷あさがら。おがら(麻幹)。また、たきぎ(薪)。二❶うつ(撃)。❷なす(成)。❸つける(着)。四❶もつ(持)。たもつ。❷とる。とらえる。

解字 篆文 形声。扌(手)＋取音。手にとるの意味を表す。

8 【掻】 11画 4249 ソウ 搔(4354)の簡易慣用字体。→六〇八ページ中。 3363 917E 一

8 【摐】 11画 4250 ソウ(サウ) 江 chuāng

字義 ❶打つ。❷たたく。

解字 形声。扌(手)＋従省音。

8 【掙】 11画 4251 一漢ソウ(サウ) 呉ショウ(シャウ) 庚 zhēng 二漢ソウ(サウ) 呉ショウ(シャウ) 敬 zhèng 21324 一 3212

字義 一❶さす(刺)。❷ささえる。二❶つかみつぶす。❷かせぐ。

解字 形声。扌(手)＋争音。

8 【揔】 11画 4252 ソウ 総(9223)と同字。→一二二八ページ上。 一 一 3193

8 【捽】 11画 4253 漢ソツ 呉ゾチ 月 zuó 一 一 3203

字義 ❶つかむ。髪をつかむ。❷ぬきとる。❸むかいあう。あたる。対抗する。

解字 形声。扌(手)＋卒音。

8 【捼】 11画 4254 一漢ダ・呉ナ 歌 ruó 二漢ダイ・呉ナイ 灰 三漢ズイ・呉ヌイ 支 1 8481 一 3202

字義 一二三 おす。もむ。する。＝挼(4196)。

難読 捼鳥

解字 形声。扌(手)＋委音。

8 【探】 11画 4255 教 6 タン さぐる・さがす タン 覃 勘 tàn 3521 9254 一

筆順 一 ナ 扌 扌 扌 扌 扌 探 探

字義 ❶さぐる。さがす。もとめる。「探求」❷たずねる。おとずれる。「探勝」

名前 たん

使いわけ さがす〔捜・探〕⇩捜(4189)。

解字 篆文 形声。篆文は、扌(手)＋罙(突)音。音符の突は、深い胎内から赤子をまさぐりだすさまにかたどる。手を付し、さぐるの意味を表す。常用漢字の探は、変形したもの。

逆 試探

【探韻】 ＝探レ韻①(一五五三ページ上)。

【探花】 ①花の名所を尋ねること。②科挙(官吏登用試験)で進士の試験に第三番で及第した人。唐代、進士に合格した祝いの宴を探花宴と称し、合格者のうち、最年少者二人を探花使と称して、名園を巡りみごとな牡丹の花を探させ、それを観賞し合ったが、後に合格第三位の人を探花と称した。

【探丸】 遊俠の者が、はじき弓のたまを探り、くじびきで赤玉の者は武官を殺し、黒玉の者は文官を殺し、白玉の者は葬式の世話をしたこと。〔漢書、尹賞伝〕

【探究】 さぐりきわめる。物事の真実をさぐるために深く研究する。

【探検(檢)・探険(險)】 危険をおかして実地にさぐり調べること。◆さぐり調べることに重点を置けば「探検」、危険をおかすことに重点を置けば「探険」というように使い分けることもあったが、実際には区別できないことがほとんどなので、現在では「探検」に統一されている。

【探索】 ①道理をさぐり求める。②様子や行動などをさぐる。

【探賾】 かくれて明らかでないものをさぐり求めること。▼賾は、深くかくれて見えないもの。〔易経、繫辞上〕

【探春】 春の景色をたずね歩くこと。

【探勝】タンショウ　景色のよい所をたずね歩くこと。
【探題】タンダイ　①詩歌の会などで、いくつかの詩題の中から、自分の詠ずべきものを、抽籤チュウセンで分け取ること。②仏仏法の論議の題を選び、また、議論の判定をする役。③国鎌倉・室町時代、遠国の重要な地に置いた地方官。政務・訴訟をつかさどり、反乱などの防止・鎮定に当たった。
【探知】タンチ　秘密のことなどをさぐり知ること。
【探△籌】タンチュウ　くじをさぐる。くじを引く。
【探湯】一タントウ　①にえかえった湯の中に手を入れること。②熱湯にふれるとすぐに手を引くように、悪事からすぐ手を引くこと。用例〔論語、季氏〕見二不善一如レ探レ湯フゼンをみることゆをさぐるがごとし。↓良くないことを見ると、熱湯に触れたときのように(すぐ手を引くように)する。二くがたち　国昔、事の是非正邪を判別するために、神に誓って熱湯の中に手を入れさせ、手をいためない者を正とし、いためた者を不正としたこと。
【探△嚢】タンノウ　①ふくろの中のものをさぐること。②ぬすむことのたとえ。③容易なことのたとえ。
【探梅】タンバイ　梅見に行く。梅花をたずね賞する。
【探訪】タンボウ・タンポウ　さぐりたずねる。あちこち出かけて行って真相などをさぐる。

8【捗】11画 4256　チョク　捗(4200)の俗字。→五九五ページ上。

8【掟】11画 4257　標　漢テイ　呉ジョウ(ヂャウ)　径 dìng　5761 9D7C ―
字義 おきて。天のさだめ。国おきて。㋐世のさだめ。しきたり。㋑規則。法度ハット。
解字 形声。扌(手)＋定音。

8【掦】11画 4258　漢テキ　呉チャク　錫 tì　― ― 3216
字義 ❶かかげる。❷えぐる。
解字 形声。扌(手)＋易音。

8【掇】11画 4259　漢テツ　呉テチ　屑 duō　― ― 3207
字義 ❶ひろ-うひろふ。ひろいとる。選びとる。よりとる。❷けずる(削)。
解字 篆文　形声。扌(手)＋叕音。音符の叕テツは、つづるの意味。細切れのものを手でひろい集めるの意味を表す。
【掇遺】テツイ　先人の遺業をひろい集めること。
【掇去】テッキョ　けずりさる。削去。
【掇拾】テッシュウ　ひろいとる。とり集める。

8【掂】11画 4260　テン　塩 diān　― ― 3205
字義 ❶手で物の重さをはかる。❷たたく。
解字 形声。扌(手)＋店音。

8【捵】11画 4261　一テン　銑 tiǎn　二チン　軫 chēn　― ― 3194
字義 一二伸ばす。手で引き伸ばす。
解字 形声。扌(手)＋典音。

8【掭】11画 4262　テン　艶 tiàn　― ― 3217
字義 ❶灯心をかきたてる棒。❷はじく。❸筆先をそろえる。
解字 形声。扌(手)＋忝音。

8【掉】11画 4263　漢チョウ(テウ)　呉ジョウ(デウ)　慣トウ(タウ)　嘯 diào　5760 9D7B ―
字義 ❶ふ-る。ふ-るうふるふ。うごかす。ふり上げる。❷ふるえる。ゆれる。うごく。❸ただす(正)。
解字 篆文　形声。扌(手)＋卓音。音符の卓は、高くおどりあがるの意味。手を高くふりあげるの意味を表す。
【掉舌】トウゼツ・チョウゼツ　舌をふるう。さかんにしゃべること。また、遊説。掉レ舌したをふるう(ふ)。
【掉頭】トウトウ・チョウトウ　頭をふる。否定する動作のさま。
【掉△臂】トウヒ・チョウヒ　ひじをふるう。腕をふり動かす。勢いのよい、あるいは、いばっている態度。
【掉尾】トウビ・チョウビ　①尾をふる。②国最後になって勢いのよいこと。「掉尾の勇を奮う」

8【掏】11画 4264　漢トウ(タウ)　呉ドウ(ダウ)　豪 tāo　5759 9D7A ―
字義 ❶えらぶ(択)。❷くむ。とる。❸す-る。手さぐりで物をとる。難読 掏児すり
解字 形声。扌(手)＋匋音。音符の匋トウは、陶器の意味。陶器の中に手を入れて探る、手さぐりするの意味を表す。
【掏△摸】トウボ・すり　人にさわったはずみにこっそりと盗み取る(者)。掏児。

8【掭】11画 4265　漢トツ　呉トチ　月 tū　― ― 3201
字義 滑らか。
解字 形声。扌(手)＋宊音。

8【捺】11画 4266　人　漢ダツ・呉ナチ　曷 nà　慣ナツ・ナ　3872 93E6 ―
筆順 一 十 扌 扌 扌 扌 捺 捺
字義 ❶お-す。おさえつける。「捺印」大や人の㇏の類い。❷筆法の一つ。右下に斜めに書きさげること。
名前 とし
解字 形声。扌(手)＋奈音。
【捺印】ナツイン　印形をおす。
【捺染】ナッセン・ナセン　織物に模様を染め出す。布地に型紙を当てて模様を染め出す。
【捺落】ナラク　地獄。奈落。

8【捻】11画 4267　常　ネン　塩 niǎn　3917 9450 ―
筆順 一 十 扌 扌 扌 扌 捻 捻
字義 ❶ひね-る。ね-じるねず。よる。＝撚(4422)・拈(4117)。❷つまむ。＝拈(4117)。国ひね-くれるひねくる。㋐ねじまがる。ゆがむ。㋑性質が素直でなくなる。難読 捻子ねじ
解字 形声。扌(手)＋念音。
【捻挫】ネンザ　関節をくじく。
【捻出】ネンシュツ　国ひねりだす。工夫して生み出すこと。拈出ネンシュツ。

8【排】11画 4268　常 ハイ　漢ハイ・呉バイ　佳 pái　3951 9472 ―
筆順 扌 扌 扌 扌 排 排 排 排
字義 ❶おす。㋐おしの-けるおしのく。しりぞける。「排斥」「排除」㋑おしひらく。❷ならぶ。また、なら-べるならぶ。「排列」「按排アンバイ」
名前 おし
解字 篆文　形声。扌(手)＋非音。音符の非は、左右にわけるの意味。手で左右におしひらく、おしのけるの意味を表す。
【排△斡】ハイアツ　おして動かすこと。
【排外】ハイガイ　外国人や外国の商品などを排斥すること。
【排撃(撃)】ハイゲキ　しりぞけうつ。強く排斥し攻撃する。
【排行】ハイコウ　一族中の同世代の者(特に、兄弟・いとこ)を年齢の順序で並べた数。古くは、伯仲叔季を用い、伯某・仲某と呼び、後世一般には、一(または大)・二・三…を用いて某二・某三などと呼ぶ。「元二」「李十二白リジュウニハク」⇩
コラム 姓名の慣習(三六七ページ)。
【排除】ハイジョ　押しのけてとりのぞく。

【排水】(ハイスイ) ①水を吐き出す。また、水を流れ去らせる。また、水はけ。②船体などを水に浮かべるとき、その水に浸る部分と同じ容積の水を押しのけること。その排水量の多少によって、舟の排水噸数(トンスウ)をきめる。

【排△擠】(ハイセイ) しりぞけおとす。排斥する。

【排斥】(ハイセキ) おしのける。しりぞける。擯斥(ヒンセキ)。

【排△泄】(ハイセツ) 廃物を体外に出すこと。

【排他】(ハイタ) 仲間でないものを排除すること。「排他的」

【排△黜】(ハイチュツ) ①官位などをしりぞけおとすこと。②しりぞける。排斥。

【排△詆】(ハイテイ) そしる。非難する。

【排△擯】(ハイヒン) おしのける。しりぞける。▼擯も、しりぞける。

【排仏(佛)】(ハイブツ) 仏教をしりぞける。「排仏毀釈(キシャク)」

【排△悶】(ハイモン) (心の)うさを晴らす。また、うさばらし。

【排律】(ハイリツ) 近体詩の一つ。五言または七言の句、十句以上の偶数句から成る。律詩(八句)に四句増した十二句のものが多い。⇩コラム 漢詩(八六六ページ)。

【排列】(ハイレツ) 順序よく並べること。配列。→配列(一四五〇ページ上)。

8 【捭】 11画 4269 (漢)ハイ (呉)ハ 蟹 bǎi ― ― 3191
字義 ❶うつ。両手で撃つ。なげうつ。❷ひらく(開)。
解字 形声。扌(手)+卑(音)。

8 【挽】 11画 4270 バン 挽(4205)の俗字。→五九五ページ下。

8 【掤】 11画 4271 ヒョウ 蒸 bing ― ― 3215
字義 矢を入れる筒のふた。
解字 形声。扌(手)+朋(音)。

8 【描】 11画 4272 常 ビョウ えが-く・か-く (漢)ビョウ(ベウ)・(呉)ミョウ(メウ) 蕭 miáo 4133 9560 ―
筆順 一 十 扌 扌 扌 扌 描 描 描
字義 えが-く(えがく)。か-く。絵をかく。うつす。「描写」「素描」「線描」
使いわけ かく〔書・描〕⇩書(4748)。
解字 形声。扌(手)+苗(音)。音符の苗(ビョウ)は、貌(ボウ)に通じ、かたちの意味。物の形を手でえがくの意味を表す。
逆 素描
【描写(寫)】(ビョウシャ) えがきうつす。文章・絵画・音楽などによって表現する。また、そのこと。

8 【掮】 11画 4273 フ 麌 fǔ 21322 ― 3190
字義 ❶なでる。❷ふせぐ。❸つける(着)。＝拊(4126)。
解字 形声。扌(手)+府(音)。

8 【捧】 11画 4274 人 標 ホウ 腫 pěng 4291 95F9 ―
筆順 一 十 扌 扌 扌 扌 扌 捧 捧
字義 ❶ささ-げる(ささぐ)。両手で高く持つ。さしあげる。「拝捧」❷うける(受)。❸すくう。くむ。
名前 かた・たか・もち
解字 形声。扌(手)+奉(音)。音符の奉そのものに、ささげるの意味があるが、その上にまた、手を付した。
【捧持】(ホウジ) うやうやしく両手でささげ持つこと。
【捧日】(ホウジツ) ①太陽をささげ持つ。②主君に忠誠をつくすこと。
【捧読(讀)】(ホウドク) ささげ読む。文書を両手でさしあげてうやうやしく読むこと。
【捧腹絶倒】(ホウフクゼットウ) 腹をかかえ、息ができないようになって倒れる。こらえきれないほどに笑いこけること。「抱腹絶倒」は俗用。

8 【掊】 11画 4275 一 (漢)ホウ・(呉)ブ 尤 pōu 二 (漢)ホウ・(呉)フ 有 pǒu 三 フ 遇 fù ― ― 3208
字義 一❶か-く(掻ソウ)。手でかきとる。❷とりたてる。むさぼりとる。❸ふかい。ひどい。❹ほこる。おごる。二❶う-つ(撃)。❷さく。わる(割)。三たおす。また、たおれる。

解字 形声。扌(手)+咅(音)。

【掊撃(擊)】(ホウゲキ) うつ。攻撃する。また、うたれる。

【掊克】(ホウコク) ①おごりたかぶって、人の上に立つことを好む。②きびしく税を取り立てて人を苦しめる。

【掊△斂】(ホウレン) きびしく税を取り立てること。

8 【拼】 11画 4276 (漢)ホウ(ハウ) (呉)ヒョウ(ヒャウ) 庚 pīn
〔拚〕 4169 俗字
字義 ❶したがえる。また、つかう。❷は じく。❸現代中国語で、あつめる。 難読 岩拼(いわはえ)
解字 形声。扌(手)+幷(音)。

8 【捫】 11画 4277 モン 元 mén 5763 9D7E ―
字義 ❶なでる(撫ブ)。さする。❷さぐる。手さぐりでさがす。❸とる。もつ。つかむ。❹ひね-る。ひねりつぶす。
解字 篆文  形声。扌(手)+門(音)。音符の門は、問に通じ、とうの意味。手さぐりして求める、なでるの意味を表す。
【捫△蝨】(モンシツ) ①しらみをひねる。②あたりを気にせず、無頓着(ムトンジャク)なこと。晋(シン)の王猛が人前もはばからず、着物のしらみを手さぐりで取りながら、当世の事を談じた故事に基づく。〔晋書、苻堅載記下〕
【捫著】(モンチャク) 国もめごと。いさかい。悶着(モンチャク)。

8 【挪】 11画 4278 ヤ 挪(4327)の俗字。→六〇六ページ上。 ― ― 3184

8 【掠】 11画 4279 人 標 一 リャク 薬 lüè 二 リョウ(リャウ) 漾 lüè 4611 97A9 ―
筆順 一 十 扌 扌 扌 扌 扌 掠 掠
字義 一❶かす-める(かすむ)。㋐うばいとる。「掠奪」㋑かすめ飛ぶ。すれすれに通りすぎる。❷むちうつ。罪人をむちで打って調べる。国❶さら-う(さらふ)。すきを見てうばいさる。❷かす-る。軽く触れて通りすぎる。
名前 くら・とり
参考 現代表記では〔略〕(7650)に書きかえる。「掠奪→略奪」「侵掠→侵略」。熟語は〔略〕をも見よ。
解字 篆文  形声。扌(手)+京(音)。音符の京(キョウ＝リャク)は、略に通じ、かすめとるの意味。手を付し、かすめるの意味を表す。
【掠考】(リャクコウ・リョウコウ) 罪人をむち打って調べること。
【掠殺】(リャクサツ・リョウサツ) むち打って殺す。
【掠奪】(リャクダツ) かすめうばう。無理やり取る。略奪。
【掠治】(リャクチ・リョウチ) ＝掠考。
【掠△笞】(リャクチ・リョウチ) むち打つ。罪人をむち打って調べること。
用例 〔史記、張儀伝〕共執二張儀一(ともにチョウギをとらえ(へ)て)、掠笞数百、不レ服(リャクチすることすうヒャクなるもフクせず)。⇩みんなで張儀を捕まえて、むちで数百回も打ったが、どうしても罪を認めない。

8 【掕】 11画 4280 リョウ 蒸 líng ― ― 3211
字義 止める。馬を止める。
解字 形声。扌(手)+夌(音)。

8 【㨚】 11画 4281 リョウ(リャウ) 養 liǎng ― ― 3213
字義 飾る。整え飾る。
解字 形声。扌(手)+兩(音)。

8 【捩】 11画 4282 一 (漢)レイ・(呉)ライ 霽 lì 二 (漢)レツ・(呉)レチ 屑 liè

［捩］4212 俗字 字義 ㊀ばち。びわをひくばち。㊁❶ねじる。ひねる。もじる。よじる。❷くじく。❸もとる。まがる。 国❶ねじ。❷もじる。 難読 捩子
解字 形声。扌(手)＋戾㊅。音符の戾は、ねじれるの意味。手でねじるの意味を表す。

8 【掄】11画 4283 ㊀ロン 元 lūn ㊁リン 真
字義 ㊀㊁えらぶ(択)。「掄選」「掄択」
解字 篆文 形声。扌(手)＋侖㊅。音符の侖は、すじみちをたてるの意味。すじみちのたつものをえらぶの意味を表す。
₁8480 — 3188（右欄：2 1323 — 3206）

8 【捥】11画 4284 ㊀ワン 翰 wàn ㊁ワン 寒 wān ㊂ワン 旱 wǎn
［挐］3998 同字
字義 ㊀うで。かいな。＝腕(5082)。㊁ねじる。㊂とる(取)。 国もぐ。もぎる。ねじ切って取る。
解字 形声。扌(手)＋宛㊅。

8 【捲】11画 4285 国字 むしる
毟(6082)と同字。→八〇〇ジ上。
2 7812 — 3830

8 【掵】11画 4286 国字
掵上は、秋田県湯沢市の地名。
5762 9D7D —

8 【⿰扌茂】11画 4287 国字
⿰扌茂木は、姓氏。
2 1320 — —

9 【握】12画 4288 常 アク にぎる
アク 覚 wò
1614 88AC —
筆順 扌 扌 扌 扌 扌 扌 握 握 握
字義 ❶にぎる。㋐手でにぎる。㋑指をまげてこぶしを作る。㋒とる。しめる(占)。領有する。「掌握」「把握」 ❷にぎり。㋐にぎりとる所。とって。㋑にぎりこぶし。❸単位の名。㋐長さの単位。ひとこぶしの長さ。四本の指をならべた長さ。㋑量の単位。ひとにぎりの量。❹とばり(帳)。カーテン。
名前 おき・もち
解字 篆文 形声。扌(手)＋屋㊅。音符の屋は、人をやわらかくつつむへやの意味。手の中につつみこむ、にぎるの意味を表す。
逆 掌握・把握
【握△齪】アク・サク・アク・セク こせこせしているさま。心の狭いさま。齷齪
【握髪】アクハツ 〔三四八ジ中〕の略。人材を求めるに熱心なことのたとえ。吐哺握髪〔史記、魯周公世家〕

9 【揠】12画 4289 漢アツ 呉エチ 黠 yà
2 1332 — 3230
字義 ぬく(抜)。ひきぬく。ぬきだす。草木のしんをぬく。
用例 〔孟子、公孫丑上〕宋人有閔其苗之不長而揠之者 ↓宋の人で自分の苗が生長しないことを心配して引っぱってやった人がいた。
解字 形声。扌(手)＋匽㊅。

9 【援】12画 4290 常 エン
9 〖援〗12画 4291 漢エン(ヱン) 呉オン(ヲン) 元 yuán
1771 8987 —
筆順 扌 扌 扌 扌 扌 扌 援 援 援
字義 ❶ひく。㋐ひっぱる。また、引きよせる。㋑ひきあげる。ひきあげて用いる。登用する。㋒引用する。「援用」 ❷たすける。すくい助ける。「援助」「応援」「救援」 ❸たすけ。
名前 すけ
参考 現代表記では〔掩〕(4216)の書きかえに用いることがある。「掩護→援護」
解字 篆文 形声。扌(手)＋爰(爰)㊅。音符の爰は、ひくの意味。手を付し、ひくの意味を表す。
逆 外援・救援・後援・支援・勢援・声援・増援
【援引】エンイン ①引きよせる。味方にする。②引用して、自分の説の証拠とする。
【援護】エンゴ たすけまもる。また、たすけ。
【援助】エンジョ 助ける。力を貸す。また、たすけ。
【援用】エンヨウ 国他のものを引用する。

9 【掾】12画 4292 エン(ヱン) 霰 yuàn
5765 9D81 —
字義 ❶たすける(助)。❷したやく。小役人。掾史。❸ふち。また、えり。そでぐち。 国じょう。昔の国司の三等官。
解字 篆文 形声。扌(手)＋彖㊅。音符の彖は、へりをめぐるの意味。周辺的なあまり重要でない仕事を手がけるの意味から、たすける・小役人の意味を表す。
【掾史】エンシ 下級の官史。属官。下役人。小役人。掾佐。掾吏。掾属。

9 【揜】12画 4293 エン 琰 yǎn
2 1331 — 3229
字義 ❶とる。とらえる。また、うばう。❷おおう。＝弇(3287)・掩(4216)。㋐おおいかくす。用例〔南宋、陸游、入蜀記〕至今錫見輒揜之者 ↓そこで、現在に至るまで、錫が見つかるとすぐに隠してしまい、敢えて採取しようとする者はいない。㋑あまねく行きわたらせる。❸おそう。うけつぐ。踏襲する。❹はやいさま。「揜乎」
解字 篆文 形声。扌(手)＋弇㊅。音符の弇は、奄に通じ、おおうの意味。のち、手を付した。

9 【揩】12画 4294 カイ 佳 kāi
5766 9D82 —
字義 ❶する。こする。みがく。❷ぬぐう。はらいぬぐう。❸あつめる。
解字 形声。扌(手)＋皆㊅。

9 【換】12画 4295 常 カン かえる・かわる
漢カン(クワン)・呉ガン(グワン) 翰 huàn
2025 8AB7 —
筆順 扌 扌 扌 扌 扌 扌 換 換 換
字義 ❶かえる。❷かわる。㋐とりかえる。「交換」 ㋑あらためる。変更する。 ㋐いれかわる。さしかわる。「転換」 ㋑あらたまる。
名前 やす
使いわけ かえる・かわる〔変・代・替・換〕⇩変(2211)。
解字 篆文 形声。扌(手)＋奐㊅。音符の奐は、とりかえるの意味。のち、手を付した。
逆 交換・互換・転換
【換韻】カンイン 一首の詩の中で句末にふむ韻を途中でかえること。また、そのかえた韻。⇩コラム 漢詩(八六六ジ一)。
【換△鵝】カンガ ＝換鵝(一六二八ジ下)。
【換言】カンゲン ことばをかえる。他のことばでいい換えること。
【換骨】カンコツ ①骨を取りかえる。②道教で、仙人になろうとする者が、金丹の薬を飲んで、凡骨を仙骨にかえること。
【換骨奪胎】カンコツダッタイ 古人の詩や文を作りかえて、自分の作品とすること。▼奪胎は、もとの胎(胎盤)を取り去る意。『冷斎夜話』に「不易其意而造其語、謂之換骨法、規範其意形容之、謂之奪胎法」とあるのに基づく。
【換算】カンサン・カンザン ①ある単位を他の単位でいい表すこと。②

扌部 8▼9画〔掄捥捲掵⿰扌茂握揠援掾揜揩換〕

両替え。

【換喩】(カンユ) 比喩法の一つ。言い表そうとする事物を、それと関係の深いもので表現する法。「一本差し」で武士を、「金バッジ」で国会議員を表すなど。

9 【揀】 12画 4296 漢カン 呉ケン 漕 jiǎn 5767 9D83 —

字義 ❶えら-ぶ。選抜する。❷わける。よりわける。

解字 形声。扌(手)+柬音。音符の柬(カン)は、えらぶの意味。手を付し、えらぶの意味を表す。

【揀退】(カンタイ) えらび退ける。多くの人の中から、えり出して、官などをやめさせること。

9 【揮】 12画 4297 教6 キ キ 微 huī 2088 8AF6 —

筆順 扌 扌 扩 扸 揎 揎 揎 揮 揮

字義 ❶ふる-う(ふるう)。ⓐふりまわす。ⓑふりはらう。はらいのける。ⓒあらわす。「発揮」ⓓまき散らす。ⓔ動かす。ゆり動かす。❷とぶ。羽をふるって飛ぶ。❸指図する。指揮。❹はた(旗)。指図する旗。

名前 き・てる

解字 篆文 形声。扌(手)+軍音。音符の軍は、めぐらすの意味。手をめぐらす、ふるうの意味を表す。

逆 指揮・発揮

【揮霍】(キカク) ①勢いがはげしいさま。②速いさま。③変わるさま。④思いきってすてる。

【揮毫】(キゴウ) 筆をふるう。書画を書くこと。▼毫は、毛筆。

【揮洒・揮灑】(キサイ) ①書画を書くこと。筆をふるい、墨をそそぐ意。②あかを洗い流すこと。

【揮手】(キシュ) 手を動かす。揮レ手(てをふるう)。ⓐ楽器をかなでる。ⓑ手を振る。手を振って別れを惜しむ。用例〔唐、李白、送二友人一詩〕揮レ手自レ茲去(てをふるい(ひ)て、ここよりされば)、蕭蕭班馬鳴(ショウショウとしてハンバなく)。↓手をふって、ここから別れ去ろうとすると、別れゆく馬でさえ、さびしい声でいなないている。

【揮染】(キセン) 筆をふるい紙を染める。書画を書くこと。

【揮掃】(キソウ) ①はらう。はらいすてる。②勢いよく筆をふるって書画を書くこと。

【揮発(發)】(キハツ) 常温で液体が気体となって発散すること。

【揮揚】(キヨウ) さかんにする。発揚。

9 【揆】 12画 4298 標 漢キ 呉ギ 紙 kuí 5768 9D84 —

字義 ❶はか-る(度)。❷はかりごと。❸みち。方法。やり方。「一揆」❹つかさ。官吏。また、宰相。

解字 篆文 形声。扌(手)+癸音。音符の癸(キ)は、はかるの意味。のち、手を付し、はかるの意味を表す。

【揆一也】(キイツなり) 道は同じである。よりどころとしている道は、皆、一つ(同じ)であることをいう。用例〔漢書、外戚恩沢表〕世代雖レ殊(セダイことなりと)、其揆一也(そのキイツなり)。↓世代は異なっているが、よりどころは同じである。

【揆度】(キタク) 一はかる。おしはかる。はかり考える。二(キド) みち。のり。法則。

9 【掎】 12画 4299 キ 掎(4221)の俗字。→五七ページ上。 21325 — —

9 【揭】 12画 (4228) ケイ 掲(4227)の旧字体。→五九七ページ中。

難読 掎鹿谷(はしかだに)

9 【揵】 12画 4300 一漢ケン・呉ゲン 先 qián 二漢ケン・呉コン 阮 jiǎn 18484 EDAD 3236

字義 一❶あげる(挙)。❷になう。肩に物をかつぐ。❸とじる(閉)。❹かたてる。また、立つ。❺せき。水をせきとめるもの。二❶かんぬき。

解字 形声。扌(手)+建音。

9 【捲】 12画 4301 ケン 捲(4229)の俗字。→五九七ページ下。

9 【掏】 12画 4302 一コウ(クワウ) 庚 hōng 二ケン 霰 xuàn 三キク 屋 jū — — 3223

字義 一❶撃つ音。❷揮(ふる)う。二撃つ。三手ですくい取る。=掬(4222)。

解字 形声。扌(手)+匋音。音符の匋(コウ)は、音の大きなさまを表す。

9 【揸】 12画 4303 サ zhā — — 3237

字義 つまむ。つまみ取る。

解字 形声。扌(手)+査音。

9 【揣】 12画 4304 慣シ スイ 紙 chuǎi 5769 9D85 —

字義 ❶はか-る。ⓐ高さをはかる。ⓑおしはかる。さぐる。考える。❷こころみる。ためす。❸さだめる(定)。❹おさめる。刃物をきたえる。❺手にとる。持つ。

解字 篆文 形声。扌(手)+耑音。音符の耑(タン=イス)は、物のはじの意味。手で物のはじをはかる意味を表す。

【揣度】(シタク) おしはかる。考えはかる。

【揣知】(シチ) おしはかりさとる。探って知る。

【揣摩】(シマ) 自分の心で他人の心をおしはかること。「揣摩憶測」

9 【揓】 12画 4305 シ 寘 shì — — 3226

字義 とる。

解字 形声。扌(手)+施音。

9 【揪】 12画 4306 漢シュウ(シウ) 呉シュ 尤 jiū — — 3232

字義 ❶集める。収める。❷つかむ。むしる。

解字 形声。扌(手)+秋音。

9 【揉】 12画 4307 標 一漢ジュウ(ジウ) 呉ニュウ(ニウ) 尤 róu 二漢ジュウ(ジウ) 呉ニュウ(ニウ) 宥 róu 5770 9D86 —

字義 一❶も-む。❷まじる。いりみだれる。❸やわらげる(柔)。やわらげなつける。二た-める(矯)。まがりをまっすぐにする。「揉レ木(きをたむ)」

解字 形声。扌(手)+柔音。音符の柔は、やわらかいの意味。やわらかくする、もむの意味を表す。

9 【揲】 12画 4308 一漢セツ・呉ゼチ 屑 shé 二漢チョウ(テフ) 呉ジョウ(デフ) 葉 diē 21335 — 3234

字義 一❶かぞえる。占いをするとき、めどき(筮竹)をかぞえること。二❶❷うるおす。❸うつ。

解字 篆文 形声。扌(手)+枼音。音符の枼(ヨウ)は、牒(チョウ)に通じ、ふだの意味。ふだを手にとってかぞえるの意味を表す。

9 【揳】 12画 4309 一漢セツ・呉セチ 屑 xiè 二漢ケツ・呉ケチ 屑 xiē 三漢カツ・呉ケチ 黠 jiá

字義 一❶ただしくない。欠けている。❷ふさぐ。二はかる(計)。三うつ。打ち鳴らす。

〔揳〕 4310 俗字

9 【揳】 12画 4310 セツ 揳(4309)の俗字。→六〇四ページ下。 — — 3235

解字 形声。扌(手)+契音。

9 【揃】 12画 4311 人 標 セン 銑 jiǎn 3423 91B5 —

〔揃〕 4312 俗字

筆順 一 扌 扌 扩 揃 揃 揃 揃

字義 ❶もむ。また、さする。❷きる。たつ。❸わける。❹えらぶ。えりぬく。❺そろ‐える。きりそろえる。国❶そろ‐う。㋐同一である。一致している。㋑集合する。㋒ととのう。❷そろ‐い。㋐そろうこと。また、そろうもの。㋑衣服などの色・模様・布地などが同じなこと。㋒揃ったものを数える語。

名前 つら・とし

解字 篆文 形声。扌(手)＋前㊥。音符の前は、剪の原字で、きるの意味。手を付し、きるの意味を明らかにした。

【揃刈】センガイ かり切る。かりそろえる。

9 【揃】 12画 4312 セン 揃(4311)の俗字。→六〇四ページ下。 — —

9 【揎】 12画 4313 セン 因 xuān — — 3224

字義 まくる。腕まくりする。

解字 形声。扌(手)＋宣㊥。

9 【捜】 12画 4314 人 ソウ 捜(4189)の俗字。→五九四ページ中。 5751 9D72 —

9 【摠】 12画 4315 ソウ 総(9223)の俗字。→一一二八ページ上。 21329 — 3227

9 【挿】 12画 4316 ソウ 挿(4191)の俗字。→五九四ページ下。 21328 — —

9 【插】 12画 (4192) ソウ 挿(4191)の旧字体。→五九四ページ下。

9 【搽】 12画 4317 漢タ 呉ダ chá — — 3255

字義 現代中国語で、塗る。

解字 形声。扌(手)＋茶㊥。

9 【揕】 12画 4318 チン 沁 zhèn 21330 — 3228

字義 ❶うつ(撃)。❷さ‐す(刺)。用例(史記、刺客伝)左手把二秦王之袖一、而右手持二匕首一揕レ之(ひだりてにシンオウのそでをとり、みぎてにヒシュをもちて、これをさす)↓左手で秦王の袖をつかみ、右手であいくちを握って秦王を刺した。❸手にとる。

解字 形声。扌(手)＋甚㊥。

9 【提】 12画 4319 教5 テイ さげる 3683 92F1 —

一 漢テイ・呉ダイ 斉 tí
二 漢シ・呉ジ 因 shí
唐チョウ(チャウ)

筆順 扌 扣 扣 押 担 捍 捍 提 提

字義 一❶さ‐げる。ひっさ‐げる。㋐手にさげる。手に持つ。用例(史記、刺客伝)提二一匕首一(イチヒシュをひっさげて)、入二不測之彊秦一(フソクのキョウシンにいる)。↓一口のあいくちをひっさげて、測り知れないほど恐ろしい強国秦に乗りこもうとする。㋑手を引く。また、たがいに手を取る。つれだつ。❷かかげる。㋐あげる。持ちあげる。㋑かかげ示す。持ち出す。「提出」❸つりあう。たがいに肩を並べる。❹すべおさめる。つかさどる。「提督」❺とって。器物の手をかける部分。❻よそおい。支度。❼とどこおる。つかえて進まない。❽碁の手法の一つ。うってあげ。二❶安らかなさま。❷鳥の群れ飛ぶさま。

難読 提子(ひさげ)

使いわけ さげる〔提・下〕
〔提〕手につるして持つ。「手提げかばん」
〔下〕前述の〔提〕の意以外で、広く一般に用いる。「値段を下げる・頭を下げる・預金を下げる」

解字 篆文 形声。扌(手)＋是㊥。音符の是は、柄の長くつき出た「さじ」の意味。うでをつき出して、ひっさげるの意味を表す。

逆 招提・前提

【提△掖】テイエキ ①人の手を引くこと。㋐力を貸すこと。助けること。㋑連れだつこと。②ねんごろに教え導くこと。▼掖は、わきばさむ・たずさえる。

【提△誨】テイカイ 手をとって教える。ねんごろに教えさとすこと。▼誨は、教える。

【提△孩】テイガイ 幼いこども。孩提。▼提は手を引くこと、孩はあやせば笑う。

【提学(學)】テイガク 官名。地方の学校行政を管理する役人。

【提起】テイキ ①とき明かす。②引き起こす。③持ちあげる。④奮い起こす。振起。⑤持ち出す。提出する。⑥国問題を持ち出し、注意を喚起する。

【提議】テイギ 議論を持ち出す。また、提出した議題。

【提挙(擧)】テイキョ ①特殊事務を管理すること。また、その役人。②およそ。あらまし。

【提琴】テイキン ①楽器の名。胡弓に似て二弦。胡琴。②バイオリン。

提琴①

【提携・提△攜】テイケイ ①たがいに手をつなぐ。②たがいに助け合うこと。

【提△挈】テイケツ ①ひっさげる。たずさえる。携帯する。②助ける。助け合う。③処理する。④かかげ出す。

【提綱】テイコウ 事の主要な点を挙げること。提要。

【提示】テイジ さし出して見せる。◆「提示」と「呈示」には意味・用法の違いはないが、昭和五十六年、法令用語改正で「提示」に統一されて以来、一般でも「提示」が多く用いられている。

【提△倡】テイショウ 自ら言い出して人に勧める。主張し奨励する。

【提唱】テイショウ ①言い出す。②主張する。③仏禅僧が学僧に宗旨を掲げ示して導くこと。

【提△撕】一テイセイ ①後進を教え導くこと。▼撕は、さとす。②奮い起こす。振作。③引きつけ助ける。二テイゼイ 仏門弟をいましめ導くこと。

【提訴】テイソ 訴訟を提出する。訴訟を起こす。

【提提】一テイテイ ①しとやかにゆったりしたさま。②安らかに満足するさま。③明らかなさま。二シシ 鳥の群れ飛ぶさま。

【提灯(燈)】テイトウ・チョウチン 手にさげて持ち歩くように作った灯火。「チョウチン」は唐音。

【提督】テイトク ①清代、武官最高の官。②艦隊の総指揮官。水師提督。

【提抜】テイバツ 抜擢する。抜き出し用いる。

【提封】テイホウ およそ。おおよそ。合計。

【提要】テイヨウ ①要点を挙げる。要領を示す。②要所を挙げ示したもの。摘要。

9 【揥】 12画 4320 一 漢テイ・呉タイ 霽 tì ②dì 二 漢テキ・呉チャク 錫 tì 18482 — 3231

字義 一❶こうがい。さし櫛。❷すてる(捨)。❸かたる。言う。❹たわむれる。二❶たわむれる。❷とる(取)。

解字 形声。扌(手)＋帝㊥。音符の帝は、擿に通じ、つまむの意味。髪をつまむように、かきあげるための道具、こうがいの意味を表す。

9 【揁】 12画 4321 一 漢テイ 呉チョウ(チャウ) 庚 zhēng 二 漢コウ(カウ) 呉キョウ(キャウ) 庚 梗 kēng — — 3221

字義 一引く。二琴を置く音。また、琴の音。

解字 形声。扌(手)＋貞㊥。

9 【搭】 12画 4322 常 トウ トウ(タフ) 合 dā 3775 938B —

筆順 扌 扌 拃 拃 拱 拱 搭 搭 搭

【搭】4419 同字

字義 ❶うつ。たたく。❷つける。加える。❸かかる(掛)。また、かける。つるす。❹

扌部 9画 〔揃揎捜摠挿插搽揕提揥揁搭〕

の-る。また、のせる。「搭乗」 ❺はおり。うちかけ。

解字 形声。扌(手)＋荅㊥。

【搭載】トウサイ 船や車などに荷物を積み込む。

【搭乗(乘)】トウジョウ 船や飛行機などに乗り込むこと。

9 【揬】 12画 4323 ㊥トツ ㊤ドチ 月 tū 2 1334 — 3233

字義 ❶つく。突き当たる。❷ふれる(触)。❸こする。

解字 形声。扌(手)＋突㊥。

9 【揑】 12画 4324 ネツ 捏(4203)の俗字。→五九五ページ中。 — — 3225

9 【揹】 12画 4325 バイ bēi — — 3238

字義 現代中国語で、背負う。

解字 形声。扌(手)＋背㊥。

9 【掽】 12画 4326 ㊥ホウ(ハウ) ㊤ビョウ(ビャウ) 敬 pèng 2 1327 — 3220

〔碰〕 8233 俗字

字義 搕掽コウホウは、つく(撞)。 国はえ。木材や俵などをきれいに積み上げたもの。はえづみ。

解字 形声。扌(手)＋並㊥。

9 【揶】 12画 4327 標 ヤ 麻 yé 5772 9D88 —

〔捓〕 4208 同字 〔挪〕 4278 俗字

字義 もてあそ-ぶ。からかう。あざける。揶揄ヤユ。

解字 形声。扌(手)＋耶㊥。

9 【揄】 12画 4328 標 ㊀ユ 虞 yú ㊁ヨウ(エウ) 蕭 yáo 5773 9D89 —

字義 ㊀❶ひ-く(引)。ひきだす。ひきずる。❷もてあそぶ。からかう。「揶揄ヤユ」 ❸くみとる。さらえる。㊁きじの羽でかざった王后の衣。揄狄ヨウテキ。

解字 篆文 形声。扌(手)＋兪㊥。音符の兪ユは、ぬきとるの意味。手でぬきとる、ひきだすの意味を表す。

【揄揚】ユヨウ ①ひきあげる。②ほめる。ほめそやす。

9 【揖】 12画 4329 ㊀ユウ(イフ) 緝 yī ㊁シュウ(シフ) 緝 jí 4512 974B —

字義 ㊀❶おじぎ。会釈エシャク。㋐両手を胸の前で組み合わせて、上下し、または前におしすすめてする礼の作法。㋑胸の前で組み合わせた両手を胸にあてて人を招きすすめる動作。❷ゆずる。へりくだる。また、辞退する。❸おす。おし進める。❹くむ。くみとる。❺はさむ。さしはさむ。㊁❶あつまる(集)。あつめる。❷あわせる。＝緝(9270)。

難読 揖屋いい・揖斐いび・揖保いぼ

解字 篆文 形声。扌(手)＋咠㊥。音符の咠ユウは、寄せ集めるの意味。左右の手を胸元に寄せ前方におし出す礼の意味を表す。

【揖揖】シュウシュウ 多いさま。多く集まっているさま。

【揖譲(讓)】ユウジョウ ①両手を胸の前で組み合わせてする礼。②会釈エシャクをしてゆずる。③へりくだった温和な動作をすること。④平和のうちに天子の位をゆずること。尭ギョウが舜シュンに、舜が禹ウに位をゆずったような類いをいう。

9 【揚】 12画 4330 常 ヨウ あ-げる・あ-がる ヨウ(ヤウ) 陽 yáng 4540 9767 —

筆順 扌 扌 扣 扫 担 担 揚 揚 揚

字義 ❶あ-げる。㋐高く上げる。さし上げる。かざす。「掲揚」 ㋑引き上げる。あげ用いる。㋒おこす。さかんにする。㋓明らかにする。あらわす。「揚レ名」 ❷あ-がる。㋐高く上がる。「浮揚」 ㋑さかんになる。おこる。気勢が上がる。㋒あらわれる。知れわたる。❸ひたい。みけん。眉の上・下のあたり。❹おの。まさかり。❺古代、九州の一つ。長江の南方一帯で、今の江蘇・安徽・江西・浙江・福建の各省をあわせた地方。 国あげ。㋐子どもの衣服のあげ。㋑油であげたもの。

名前 あき・あきら・たか・のぶ 難読 揚雲雀あげひばり・揚川あがのがわ

使いわけ あげる・あがる〔挙・揚・上〕⇩挙(3999)。

解字 甲骨文 金文 篆文 形声。扌(手)＋昜㊥。音符の昜ヨウは、日があがるの意味。手を付し、あげるの意味を表す。

逆 掲揚・賛揚・称揚・賞揚・宣揚・発揚・飛揚・抑揚

【揚△搉】ヨウカク ①おおよそ。大略。②例をあげて述べる。

【揚棄】ヨウキ 国哲学で、二つの矛盾した概念を調和統一して内に含む、いっそう高い概念をいう。止揚。

【揚言】ヨウゲン 声をはりあげて(公然と)言いふらすこと。

【揚州】ヨウシュウ ①→字義❺。②地名。江蘇省の中部、長江の北、大運河西岸の都市。漢代に広陵郡が置かれ、隋代は揚州また江都郡、唐代は揚州といった。唐・宋代には、ことに商業地として栄えた。用例〔唐、李白、黄鶴楼送三孟浩然之二広陵一詩〕故人西辞二黄鶴楼一、煙花三月下二揚州一。 ⇩わが友は西の黄鶴楼に別れを告げ、かすみがたなびき花が咲く三月に揚州に下る。

【揚州夢】ヨウシュウのゆめ 昔の豪遊を夢にたとえていう。唐の杜牧トボクが揚州の繁華街に遊び楽しんだことを追憶した故事による。〔唐、杜牧、遣レ懐詩〕

【揚子江】ヨウスコウ 川の名。長江。中国第一の大河。揚子江の名は、もと、今の南京からやや下流部分の名であったのを、外国人が、長江全体の名称と誤認したもの。→長江(一四九三ページ上)。

【揚波】ヨウハ ①波をあげる(たてる)。②時勢に従って行動すること。用例〔楚辞、漁父〕世人皆濁、何不下淈二其泥一而揚中其波上。 ⇩世間の人がみんな濁っているというなら、どうして一緒に泥水をかきまぜて濁し泥の波をおこさないのか(時勢に従って行動しないのか)。

【揚眉】ヨウビ ＝揚レ眉(一〇〇七ページ上)。

【揚名】ヨウメイ 名を揚げる。名声を高くする。用例〔孝経、開宗明義章〕立レ身行レ道、揚二名於後世一。 ⇩わが身を完成させ、正しい道をふみ行い、名を後世にまで残す。

【揚雄】ヨウユウ 前漢末の学者。字は子雲。成都(四川省内)の人。文章家として名高く、司馬相如にならい、「河東賦」「甘泉賦」「長楊賦」を作った。晩年、王莽オウモウに仕え、『易経』にまねて『太玄経』を作り、『論語』にまねて『法言』を作った。楊雄ヨウユウとも書く。(前五三一一八)

【揚揚】ヨウヨウ 得意なさま。「意気揚揚」

9 【揺】 12画 4331 常 ヨウ ゆ-れる・ゆ-る・ゆ-らぐ・ゆ-るぐ・ゆ-する・ゆ-さぶる・ゆ-すぶる 4541 9768 —

10 〖搖〗 13画 4332 人 ヨウ(エウ) 蕭 yáo 5774 9D8A —

筆順 扌 扌 扌 扌 扌 揺 揺 揺 揺

字義 ❶ゆ-れる。ゆ-らぐ。ゆ-るぐ。ゆれ動く。「動揺」 ❷ゆ-する。ゆ-さぶる。ゆらす。ゆ-る。動かす。「揺籃ヨウラン」 ❸あげる。あがる。❹かんざし。ゆれかんざし。「歩揺」

解字 篆文 形声。扌(手)＋䍃(缶)㊥。音符の䍃ヨウは、抑揚をつけて口ずさむの意味。手で上下左右に動かす、ゆするの意味を表す。

逆 消揺・動揺・漂揺・扶揺・歩揺

【揺△曳】ヨウエイ ①ゆれたなびく。雲などのさま。旗などのさま。②ゆれなびく。③楽音の静かにゆるく流れるさま。④ひるがえりあがるさま。また、ひるがえり飛ぶさま。⑤ゆったりとさまよい歩くさま。

【揺△撼】ヨウカン ゆり動かす。

【揺△蕩・揺△盪】ヨウトウ ゆれ動く。また、ゆすり動かす。

【揺動】ゆれ動く。ゆるぎ動く。また、ゆるがし動かす。
【揺風】つむじかぜ。はやて。疾風。
【揺揺】①ゆれ動くさま。用例〔唐、白居易、長恨歌〕翠華揺揺行復止、西出二都門一百余里 ↓かわせみの羽で飾った天子の旗は、何度も止まりながら進み、都の門を西に出ること百里ほどの地にたどりついた。②落ち着かないさま。たよる所がなくて不安なさま。
【揺漾】①ゆれうごく。②ただよう。③飛ぶさま。また、飛ぶ。
【揺落】ゆれ落ちる。木の葉などが風を受けて、ひらひら散ること。
【揺籃】ゆりかご。転じて、人の幼時や物事の初期にたとえる。▼籃は、かご。「揺籃期」

10【搵】13画 4333 ㊀オン(ヲン) 願 wèn ㊁漢オツ(ヲツ) 呉オチ(ヲチ) 月 wù — — 3254
字義 ㊀❶しみこむ。❷指で押す。㊁物を取り押さえる。
解字 形声。扌(手)+昷音。

10【搉】13画 4334 カク 覚 què 21336 — 3239
字義 ❶うつ。たたく。❷ひく(引)。❸しめる(占)。独占する。❹はかる。はかり考える。「商搉」❺およそ。あらまし。
解字 篆文  形声。扌(手)+隺音。音符の隺は、敲に通じ、たたくの意味。

10【携】13画 4335 常 ケイ たずさえる・たずさわる 漢ケイ・呉エ(ヱ) 斉 xié 2340 8C67 —
[攜]4493正字 [擕]4403俗字 [㩗]4437俗字 [攜]4466俗字
筆順 
字義 ❶たずさえる。㋐ひっさげる。さげ持つ。㋑身につける。「必携」㋒引き連れる。連れてゆく。用例〔東晋、陶潜、帰去来辞〕携レ幼入レ室、有レ酒盈レ樽 ↓幼い子どもたちを連れて部屋に入れば、酒が樽にいっぱい用意されていた。❷つらなる(連)。「提携」❸はなれる(離)。そむく。また、離す。国たずさわる。関係する。従事する。
解字 篆文  形声。扌(手)+雋(巂)音。音符の巂は、系に通じ、つなぐの意味。手をつなぐの意味を表す。

逆 提携・必携・連携
【携弐(貳)】そむきはなれる。
【携手】手をたずさえる。親密なことをいう。
【携帯(帶)】①身につける。②持ち歩く。
【携負】手を引いたり、背に負ったりする。
【携抱】手を引き、ふところにだくこと。また、ふところにいだくこと。幼児を愛育するにいう。

10【搩】13画 4336 [搩]4374俗字 ㊀漢ケツ・呉ゲチ 屑 jié ㊁漢タク・呉チャク 陌 zhǎ
字義 ㊀かつぐ(担)。㊁手で物をはかる。
解字 形声。扌(手)+桀音。

10【搆】13画 4337 [搆]4340俗字 ㊀漢コウ・呉ク 尤 gōu ㊁漢コウ・呉ク 宥 gòu
字義 ㊀ひく。ひっぱる。㊁❶かまえる。つくる。組み合わせる。＝構(5671)。「搆木」❷こねあわせる。❸事を解しない。
解字 形声。扌(手)+冓音。音符の冓は、組み合わせるの意味。手を付し、かまえるの意味を表す。

10【搕】13画 4338 ㊀コウ(カフ) 合 kē ㊁漢オウ(アフ)・呉オウ(オフ) 合 è
字義 ㊀❶とる。❷うつ。㊁おおう。

10【搞】13画 4339 ㊀漢コウ(カウ) 呉キョウ(ケウ) 肴 効 qiāo ㊁コウ(カウ) 号 kào 21337 — 3245
字義 ㊀たたく。敲(4558)と同字。㊁たがう。よる。靠(13289)と同字。

10【搆】13画 4340 コウ 搆(4337)の俗字。→六〇七ページ中。 5776 9D8C —

10【搰】13画 4341 漢コツ 呉ゴチ 月 hú — — 3253
字義 ❶ほる(掘)。❷あばく。❸みだす。また、にごす。❹力を用いるさま。搰搰。
解字 形声。扌(手)+骨音。

10【搓】13画 4342 サ 歌 cuō 5777 9D8D —
字義 ❶うつ。❷もむ。手ですりもむ。❸よる。なう。ねじり合わせる。
解字 形声。扌(手)+差音。音符の差は、物を切るときの音の擬声語。サッと切るの意味を表す。

10【搾】13画 4343 常 サク しぼる 漢サ・呉シャ 禡 zhà 慣サク 2681 8DEF —
筆順 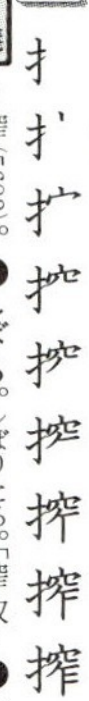
字義 ＝榨(5683)。❶しぼる。しぼりとる。「搾取」❷しめる。しめつける。「圧搾」
使いわけ しぼる〔絞・搾〕⇩絞(9146)。 難読 搾菜(ザーサイ)
解字 形声。扌(手)+穴+乍音。榨(5683)の俗字。
逆 圧搾
【搾取】国①しぼってその汁をとる。②資本家や地主が、労働者や農民の労働に対し、相当するだけの支払いをせずに、利益の大部分を自分のものとすること。

10【搠】13画 4344 [搠]4345俗字 サク 覚 shuò
字義 塗る。
解字 形声。扌(手)+朔音。

10【搠】13画 4345 サク 搠(4344)の俗字。→六〇七ページ下。 — — 3246

10【搘】13画 4346 シ 支 zhī — — 3244
字義 ささえる(支)。
解字 形声。扌(手)+耆音。

10【搦】13画 4347 漢ダク・呉ニャク 陌 覚 nuò 慣ジャク(ヂャク) 5778 9D8E —
字義 ❶おさえる。❷こする。みがく。❸とる。もつ。にぎる。❹からめる。とらえてしばりあげる。
解字 形声。扌(手)+弱音。
【搦手】国①城の裏門。敵の後方。↔大手(三三九ページ下)。②人をからめとる軍勢。捕り手。

10【搊】13画 4348 漢シュウ(シウ) 呉シュ 尤 chōu — — 3240
字義 つまびく。楽器を爪でかき鳴らす。搊弾。
解字 形声。扌(手)+芻音。

10【搢】13画 4349 [搢]4350俗字 シン 震 jìn 18487 — 3247
字義 はさむ。さしはさむ。
解字 形声。扌(手)+晉音。
【搢笏】＝搢紳。
【搢紳】笏を大帯にさしはさむこと。転じて、朝廷に仕える高官をいう。高貴の人。搢笏。▼紳は、大帯。

10【搢】13画 4350 シン 搢(4349)の俗字。→六〇七ページ下。

10【摂】13画 4351 常 セツ 3261 90DB 二

18〔攝〕21画 4352 人 ショウ(セフ) 慣セツ 葉 shè 5780 9D90 一

筆順 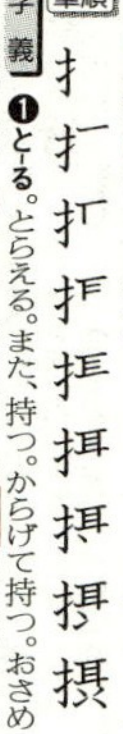

字義 ❶と-る。とらえる。また、持つ。からげて持つ。おさめる(収)。「摂取」 ❷か-ねる。兼務する。用例〔論語、八佾〕官事不レ摂。↓事務は兼務しない。 ❸か-わる。代行する。「摂政」「摂行」 ❹はさまれる。用例〔論語、先進〕摂ニ乎大国之間一。↓大国の間にはさまれる。 ❺ひく。ひっぱる。引き寄せる。 ❻ととのえる。正す。とりしまる。 ❼すべる(統)。統括する。 ❽おそれる。また、おどす。 ❾たすける。

名前 おさむ・かぬ・かね・しょう・せつ 難読 摂津

解字 篆文  形声。扌(手)+聂(聶)音。音符の聶は、耳をそろえるの意味。手でそろえて持つの意味を表す。常用漢字の摂は省略形。

逆 兼摂・総摂・包摂

【摂位】 天子の代理として位につき政治を行うこと。

【摂兼】 兼ねる。

【摂行】 ①仮にその職務を代行すること。②国摂政が天皇に代わって政治を執ること。

【摂取】 一 仏仏の慈悲で衆生を救うこと。二 取り入れる。取り収める。

【摂受】 一 受け入れる。二 仏仏が衆生を救いあげること。↔折伏(五七九ページ下)。

【摂政】 ①天子に代わって政治を執ること。また、その人。②国天皇が幼少、または病気などのとき、天皇に代わって政治を執る役目。また、その人。

【摂生】 生をやしなう。健康を保つこと。養生。

【摂養】 やしなう。やしない育てる。

【摂理】 ①他人に代わって事を処理する。②統べ治める。③国キリスト教で、世を導き、人に幸福を与える神の意志・恩恵。

10【搜】13画 (4190) ソウ 搜(4189)の旧字体。→五九四ページ中。

10【搶】13画 4353 一 漢ショウ(シャウ) 呉ソウ(サウ) 養 qiǎng 二 漢ショウ(シャウ) 呉ソウ(サウ) 陽 qiāng 5779 9D8F 一

字義 一 ❶つ-く。突きさす。❷とどく。到着する。❸あらそい取る。奪い取る。 二 ❶=一❶。❷=一❷。❸あつまる(集)。

解字 形声。扌(手)+倉音。音符の倉は、刅に通じ、きずつくの意味。手で勢いよく傷つける、つく・かすめるの意味を表す。

【搶△攙】 星の名。また、戦争をいう。

【搶奪】 うばい取る。

10【搔】13画 4354 標 ソウ(サウ) 豪 sāo 8486 一 3243

〔掻〕4249 簡 易

字義 ❶か-く。爪でかく。かきむしる。用例〔唐、杜甫、春望詩〕白頭搔更短、渾欲レ不レ勝レ簪。↓白髪頭を手でかきむしると、髪はいよいよ薄く短くなり、もはやまったく、冠をとめるピンも支えられなくなろうとしている。 ❷さわぐ。さわぎたてる。=騒(13748)。

解字 篆文 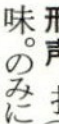 形声。扌(手)+蚤音。音符の蚤は、のみの意味。のみにくわれて手でかくの意味を表す。

【搔首】 =搔レ首(一五八一ページ上)。

【搔△擾】 さわぐ。さわがす。また、さわがしい。騒擾。

【搔頭】 ①頭をかく。②かんざし。用例〔唐、白居易、長恨歌〕花鈿委レ地無ニ人収一、翠翹金雀玉搔頭。↓花かんざしは地に捨てられたままでとり上げる者もなく、かわせみの羽の髪飾りも、黄金のすずめの形をしたかんざしも、玉のかんざしも(うち捨てられたままであった)。

【搔△爬】 ①かゆい所をかく。手でかくこと。②国医師が患部を削り取ること。また、人工流産。

【搔△痒・搔△癢】 かゆい所をかく。

10【損】13画 4355 教5 ソン そこ-なう・そこ-ねる ソン 阮 sǔn 3427 91B9 一

筆順 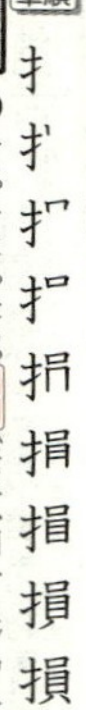

字義 ❶へる。へらす。失う。用例〔老子、四十八〕為レ学日益、為レ道日損。↓学問を修めてゆけば、世俗的な知識は一日ごとに増えてゆくし、反対に、無為自然の道を修めてゆけば、世俗的な知識は一日ごとに減ってゆく。 ❷そこ-なう。そこ-ねる。こわす。いためる。「破損」 ❸へりくだる。また、おさえる。けなす。「抑損」 ❹易の六十四卦の一つ。☶☱兌下艮上。下をへらし、上に増し加えるかたち。 国ソン。利益を失う。↔得(3433)。

名前 ちか

解字 篆文 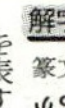 会意。扌(手)+隕省。隕は、おちるの意味。手でおとすの意味から、へらす・そこなうの意味を表す。

逆 汚損・欠損・耗損・破損・抑損

【損益】 ①減ることと、増えること。また、減らすことと、増やすこと。用例〔論語、為政〕所ニ損益一可レ知也。↓(以前と比べて)減ったことと増えたことを知ることができる。②損と益。損害と利益。用例〔三国蜀、諸葛亮、前出師表〕斟ニ酌損益一。↓国家の損害と利益をおしはかる。③易の、損の卦と益の卦。

【損壊(壞)】 いたみやぶれる。そこないやぶる。

【損害】 そこなう。また、利益をそこない害せられること。利益を失うこと。

【損減】 減らす。

【損△秏・損耗】 へる。いたんでへる。また、使いへらす。「モウ」と読むのは誤読による慣用読み。▼秏・耗も、減る。

【損失】 ①そこね失う。また、失う。損害。②利益や財産などを失うこと。

【損者三楽(樂)】 身を損なう三つの好み。驕楽(おごりたかぶって得意になる)・佚遊(なまけて気ままに遊ぶ)・宴楽(酒色にふける)の三つ。〔論語、季氏〕

【損傷】 ①いたみ破れる。いたむ。②いため苦しめる。いためる。

【損得】 損と得。損失と利益。

【損友】 交際しても、益にならない友。有害な友。便辟(口先きが達者で心が正しくない者)・善柔(態度はやわらかいが不誠実な者)・便佞(口先ばかりで、真の知識のない者)の友。〔論語、季氏〕

【損△挹】 =抑損(五八三ページ上)。

【損抑】 おさえしりぞける。また、自分をおさえてへりくだること。損挹。

10【搐】13画 4356 チク 屋 chù 8485 一 3241

字義 ❶筋肉がひきつって痛む。❷牽制する。

解字 形声。扌(手)+畜音。

10【搥】13画 4357 一 漢タイ・呉ツイ 灰 duī 二 漢ツイ 呉ズイ(ヅイ) 支 chuí 21338 一 3249

字義 一 なげうつ。二 うつ。たたく。つちでうつ。

解字 形声。扌(手)+追音。

10【搪】13画 4358 漢トウ(タウ) 呉ドウ(ダウ) 陽 táng 一 一 3251

字義 ❶つく(突)。つきあたる。触れる。「搪突」 ❷防ぐ。ふさぐ。こばむ。❸ぬる(塗)。
解字 形声。扌(手)+唐㊱。

10 【搨】 13画 4359 トウ(タフ) 㕣 tà
〔搨〕 4362 俗字
字義 ❶おさめる(斂レン)。❷おおう。また、かぶる。頭にかぶる。❸する。石ずりにする。碑や器物の文字を紙に写し取ること。また、石ずりしたもの。拓本。「搨本」
解字 形声。扌(手)+𦐇㊱。音符の𦐇は、羽でおおうの意味。おおう、石を紙でおおうようにして、石ずりにとるの意味を表す。

10 【搗】 13画 4360 トウ(タウ) 晧 dǎo 5781 9D91 —
＝擣(4461)。
字義 ❶つく。うすでつく。❷うつ。たたく。
国 かてて。「搗かてて加えて」は、さらにその上に。＝糅(9018)。
難読 搗布かじめ・搗かち
参考 熟語は〔擣〕(4461)を見よ。
解字 形声。扌(手)+島㊱。擣(4461)と同字。

10 【搯】 13画 4361 トウ(タウ) 豪 tāo 2 1340 — 3252
字義 ❶とりだす。ぬく。「搯擢テキ」 ❷たたく(叩コウ)。❸よろこぶ。
解字 篆文 形声。扌(手)+舀㊱。音符の舀トウは、うすから物をぬき出すの意味。手を付し、とりだすの意味を表す。

10 【搨】 13画 4362 トウ 搨(4359)の俗字。→六〇九ページ上。 5782 9D92 —

10 【搏】 13画 4363 ハク 薬 bó 5783 9D93 —
字義 ❶とらえる(捕)。❷とる(取)。❸うつ。手でうちなぐる。たたく。用例(史記、刺客伝)卒惶急無二以撃一レ軻、而以レ手共搏レ之 ↓突然のことであわてふためき、荊軻ケイカを討つすべもなく、素手でたち向かった。❹はばたく。はうつ。❺はりつけにする。❻せまる(迫)。近づきいたる。❼わき。側面。
難読 搏風はふ
解字 金文 篆文 形声。扌(手)+専㊱。音符の専フは、斧に通じ、おのやつちで「うつ」の意味。手を付し、うつの意味を表す。
【搏撃(擊)】ハクゲキ うつ。たたく。なぐる。
【搏殺】ハクサツ なぐりころす。手で打って殺す。
【搏噬】ハクゼイ つかんで食う。つかんでかみつく。用例(杜子春伝)咆吼拏攫而争前、欲二搏噬一、或跳過二其上一。↓吠え狂いつかみかかろうとして争い進み、あるいは彼の上を飛び越した。
【搏闘(鬪)・搏鬭】ハクトウ 手でなぐりあって戦う。

10 【搬】 13画 4364 ハン 寒 bān 常 ハン 4034 94C0 —
筆順 扌 … 搬
字義 はこぶ。うつす。また、うつる。「運搬」
解字 形声。扌(手)+般㊱。音符の般は、大きな舟を動かすの意味。般に多くの意味が派生したので、手を付し、はこぶの意味を表す。
逆 運搬
【搬出】ハンシュツ はこび出す。↔搬入。
【搬入】ハンニュウ はこび入れる。↔搬出。
【搬弄】ハンロウ なぶる。からかう。

10 【(扌+毘)】 13画 4365 ヒ 批(4079)の本字。→五八一ページ下。 — —

10 【搒】 13画 4366 一 ホウ(ハウ) 漾 bàng 二 漢ホウ(ハウ) 呉ビョウ(ビャウ) 庚 pēng — — 3242
字義 一 ❶おおう(蔽ヘイ)。❷舟をすすめる。❸掲示する。二 むちうつ。＝榜(5713)。
解字 篆文 形声。扌(手)+旁㊱。音符の旁ホウは、左右に広がるの意味。物を左右に広げておおうの意味を表す。また、榜ボウに通じ、舟をやるの意味や、旁ホウに通じて、むちうつの意味をも表す。
【搒人】ホウジン 舟人。船頭。
【搒掠】ホウリャク むち打って取り調べること。

10 【摸】 13画 4367 一 漢バク・呉マク 薬 mō 二 漢ボ・呉モ 虞 mó 4446 96CC —
字義 一 ❶さぐる。手さぐりする。なでる。❷とる。つかむ。もつ。二 ❶うつす。まねる。＝摹(4015)。「摸写」 ❷かたのり。＝模(5715)。
参考 現代表記では〔模〕(5715)に書きかえる。「摸索→模索」「摸写→模写」。熟語は〔模〕をも見よ。
解字 形声。扌(手)+莫㊱。音符の莫バクは、さぐり求めるの意味。手を付し、なでる・さぐるの意味を表す。
【摸索】モサク さぐり求める。手さぐりでさがす。模索。用例(世説新語補、簡傲)暗中摸索亦可レ識アンチュウにモサクするもしるべし。↓たとえ暗闇の中で探しても、(印象的な人たちだから)彼らを発見することができるでしょう。
【摸拓】モタク 碑文などを刷りうつすこと。

10 【搤】 13画 4368 漢アク 呉ヤク 陌 è — — 3248
字義 ❶とらえる。つかむ。にぎる。❷おさえる。しめつける(しめる)。❸ふさぐ。
解字 篆文 形声。扌(手)+益㊱。音符の益は、せまくるしいの意味。手でしめつけるの意味を表す。
【搤咽】ヤクイン ①のどをつかむ。手でしめころす。②急所をおさえる。
【搤殺】ヤクサツ 手でしめころす。また、つかみころす。
【搤腕・搤捥】ヤクワン うでをさすって意気込むこと。扼腕。

10 【搖】 13画 (4332) ヨウ 揺(4331)の旧字体。→六〇六ページ下。

11 【摡】 14画 4369 一 カイ 隊 gài 二 漢キ・呉ケ 未 xì
〔摡〕 4397 俗字
字義 一 ❶洗う。❷つかさどる。二 取る。
解字 形声。扌(手)+既㊱。

11 【摑】 14画 4370 入 標 カク(クワク) 陌 guó 1 8489 — 3259
筆順 扌 … 摑
字義 うつ(打)。手のひらでうつ。国 つかむ。にぎる。「手摑み」
〔掴〕 4220 俗字
解字 形声。扌(手)+國㊱。

11 【摜】 14画 4371 カン(クワン) 諫 guàn — — 3265
字義 ❶慣れる。慣れけがす。❷帯びる。❸現代中国語で、投げる。
解字 形声。扌(手)+貫㊱。

11 【摎】 14画 4372 漢キュウ(キウ) 呉ク 尤 jiū 5787 9D97 —
字義 ❶しばりころす。❷くくる。❸まつわる。めぐる。❹いりくむ。まじわる。❺みだれる。❻もとめる(求)。
解字 篆文 形声。扌(手)+翏㊱。音符の翏リュウは、丩キュウに通じ、まつわるの意味。手をまといつかせて、しめころすの意味や、まつわるの意味を表す。

11 【摅】 14画 4373 キョ 攄(4098)の俗字。→五八四ページ上。

11 【搩】 14画 4374 ケツ 搩(4336)の俗字。→六〇七ページ中。 2 1339 — 3250

11【摳】14画 4375 漢コウ 呉ク 因 kōu ₂1344 — 3272

字義 ❶くくる。紐などでくくる。❷かかげる。すそをからげる。❸あげる(挙)。❹なげる(投)。❺さぐる。さぐり取る。

解字 篆文 形声。扌(手)＋區音。音符の區は、クルッとするの意味。着物のすそをクルッとかかげるの意味を表す。

11【摣】14画 4376 一漢サ・呉シャ 麻 zhā 二漢サイ・呉セ 佳 zhuā — — 3270

字義 一取る。二撃つ。

解字 形声。扌(手)＋虘音。

11【摧】14画 4377 漢サイ 呉ザイ 灰 cuī 5784 9D94 —

字義 ❶おす。おしおとす。❷くだく。くじく。また、くだける。くじける。用例〔文選、古詩十九首、其十四〕古墓犂為レ田(コボはすかれて、たとなり)、松柏摧為レ薪(ショウハクはくだかれて、たきぎとなる)。↓古い墓は、いつのまにかすき耕されて田畑となってしまい、墓に植えられた常緑の松柏も切りくだかれてたきぎとなってしまう。❸はばむ。❹そしる。❺ほろびる。また、ほろぼす。❻おとろえる。❼うれえる。かなしむ。

参考 現代表記では〔砕〕(8141)に書きかえることがある。「破摧→破砕」

解字 篆文 形声。扌(手)＋崔音。音符の崔は、砕(砕)に通じ、くだくの意味。手でくだくの意味を表す。

【摧挫・摧△剉】(サイザ) うちくだく。くだき破る。

【摧砕(碎)】(サイサイ) くだく。うちこわす。破摧。

【摧残(殘)】(サイザン) くだいてこわす。破壊する。また、くじける。くだける。

【摧折】(サイセツ) くじき折る。うちこわす。また、くだけ折れる。くじける。

【摧北】(サイホク) くじけ敗れて逃げる。敗走する。

【摧抑】(サイヨク) くじきおさえる。はばむ。

11【摋】14画 4378 漢サツ 呉サチ 曷 sà — — 3257

字義 ❶撃つ。平手でなぐる。❷払い散らす。❸抹摋(マッサツ)は、㋐すり減らす。㋑払いのける。❹弊摋(ヘイサツ)は、入り混じる。

解字 形声。扌(手)＋殺音。

11【摻】14画 4379 一漢サン・呉セン 豏 shǎn 二セン 塩 shān — — 3274

字義 一❶とる。手におさめる。❷ほそい。また、ちいさい。二しなやか。女性の手の細くしなやかなさま。摻摻。

解字 篆文 形声。扌(手)＋參音。音符の參は、多いの意味。多くのものを手でくくるの意味を表す。

11【摔】14画 4380 漢シュツ 呉シュチ 質 shuāi — — 3262

字義 ❶捨てる。❷現代中国語で、㋐転ぶ。㋑落ちる。㋒落として壊す。

解字 形声。扌(手)＋率音。

11【摺】14画 4381 人 標 一ショウ(セフ) 葉 zhé 二ロウ(ラフ) 合 lā 3202 90A0 —

筆順 扌 扌 扌 摺 摺 摺 摺

【摺】4382 俗字

字義 一❶やぶる。こわす。❷たたむ。折りたたむ。❸ひだ。しわ。二くじく。ひしぐ。

国する。摺(4359)の誤用。㋐印刷する。㋑こする。

名前 しょう

解字 篆文 形声。扌(手)＋習音。音符の習は、鳥が羽を重ね合わせるの意味。おりたたむの意味を表す。

【摺扇】(ショウセン) 扇子をいう。「摺畳扇(扇子)」

【摺奏】(ショウソウ) 上奏の書類をいう。機密を要するもので、臣下が直接に上奏するもの(取次いで上奏するものを題本という)。摺子。

【摺本】(ショウホン) 折り本。二(すりホン) 国印刷した本。

11【摺】14画 4382 ショウ 摺(4381)の俗字。→六一〇ページ中。

11【摏】14画 4383 漢ショウ 呉シュ 冬 chōng — — 3258

字義 ❶突く。棒などで突く。❷打つ。たたく。

解字 形声。扌(手)＋舂音。音符の舂は、うすづくの意味。

11【摭】14画 4384 漢セキ 呉シャク 陌 zhí ₁8491 — 3271

字義 ひろう。ひろいとる。「摭採」

解字 形声。扌(手)＋庶音。音符の庶は、屋内の害虫をいぶし出すの意味。手を付し、とるの意味を表す。

11【摶】14画 4385 一漢タン・呉ダン 寒 tuán 二セン 霰 zhuǎn 5786 9D96 —

字義 一❶まるめる。また、まるい。用例〔新序、節士〕今以三百金与二摶黍一(いまヒャクキンとタンショとをもって)、以示二児子一(もってジシに しめさば)、児子必取二摶黍一矣(ジシはかならずタンショをとらん)。↓もし黄金一斤とキビ団子とを子供に見せれば、子供はきっとキビ団子を取るに違いない。❷むすぶ。かたまる。❸あつまる。❹うつ。❺もっぱら(専)。二❶＝一❺。❷ほしいままにする。

解字 篆文 形声。扌(手)＋專音。音符の專は、糸を糸巻にまきつけるの意味。手を付し、まるめるの意味を表す。

【摶一】(センイツ) もっぱら。一事にはげみ他をかえりみないこと。専一。

【摶沙】(タンサ) 砂をまるめて団子にすること。少しも団結力のないたとえ。

【摶心】(センシン) 心をもっぱらにする。専心。

11【摠】14画 4386 ソウ 総(9223)と同字。→一二三八ページ上。 ₁8490 EDAE 3268

11【摛】14画 4387 チ 支 chī ₂1342 — 3264

字義 ❶しく。しきのべる。❷ひらく。❸はる(張)。

解字 篆文 形声。扌(手)＋离音。音符の离は、列に通じ、つらねるの意味。手でしきのべるの意味を表す。

11【摴】14画 4388 チョ 魚 chū — — 3273

字義 ❶のべる(舒)。❷摴博・摴蒱(チョボ)は、ばくち。

解字 形声。扌(手)＋雩音。

11【摕】14画 4389 一漢テイ・呉タイ 霽 dì 二漢テイ・呉ダイ 霽 三漢テツ・呉デチ 屑

字義 一二三❶つまむ。つまみとる。また、両手で急に人をとらえる。❷とる(取)。かすめる。かすめとる。

解字 形声。扌(手)＋帶音。

11【摘】14画 4390 常 テキ つむ 漢テキ・呉チャク 錫 zhāi 3706 9345 —

筆順 扌 扌 扌 摘 摘 摘 摘 摘

字義 ❶つむ。とる。❷ゆびさす。㋐つみとる。つまみとる。㋑選び取る。選び出す。「指摘」❸あばく。❹みだす(乱)。国つまむ。指先などではさみもつ。

名前 つみ

解字 篆文 形声。扌(手)＋啇(啻)音。音符の啇は、中心に寄せ集めるの意味。五本の指先を集めて、果物の実などをつまみとるの意味を表す。

逆 採摘・指摘

【摘△抉】(テッケツ) あばきだす。えぐり出す。▼抉も、あばく。

【摘出】(テキシュツ) ①つまみ出す。②ぬき出す。あばき出す。

【摘発(發)】テキハツ ①(かくれた悪事を)あばき出す。
【摘要】テキヨウ ①要点をつまみ取る。②要点をぬき書きすること。また、要点をぬき書きしたもの。
【摘録】テキロク ＝摘要。

11 【摚】14画 4391 漢トウ(タウ) 呉ジョウ(ヂャウ) 庚 chēng ₂1341 ― 3263
字義 とどめる。さえぎる。
解字 形声。扌(手)＋堂音。

11 【摽】14画 4392 一 漢ヒョウ(ヘウ) 呉ビョウ(ベウ) 篠 piǎo 二 ヒョウ(ヘウ) 蕭 biāo ₂1345 ― 3275
字義 一 ❶うつ(撃)。心をうつ。また、その形容。❷おちる(落)。二 ❶＝一❶。❷さしまねく。❸たかい。高くあがるさま。高くて目立つさま。❹すえ(末)。また、刀の切っ先。
解字 篆文 形声。扌(手)＋票(㶾)音。音符の㶾ヒョウは、飛び散るの意味。手で打って飛び散らし落とすの意味を表す。
【摽△幟】ヒョウシ しるし。めじるし。標幟。
【摽梅】ヒョウバイ ①梅の実が熟し過ぎて落ちること。②女性が嫁入りする時期の来たこと。また、その時期の過ぎることのたとえ。〔詩経、召南、摽有梅〕
【摽△榜】ヒョウボウ 人目につくようにかかげ表す。特に、人の善行をほめて表しかかげること。標榜ヒョウボウ。
【摽末】ヒョウマツ ①刀の切っ先。②ごくわずかのこと。「摽末之功ヒョウマツノコウ」

11 【摒】14画 4393 漢ヘイ 呉ヒョウ(ヒャウ) 敬 bìng ― ― 3260
字義 除く。払う。
解字 形声。扌(手)＋屛音。音符の屛ヘイは、退け除くの意味。

11 【摓】14画 4394 ホウ 腫 pěng ― ― 3261
字義 ささげる。
解字 形声。扌(手)＋逢音。

11 【摟】14画 4395 漢ロウ 呉ル 尤 lōu ― ― 3267
字義 ❶ひく。ひきあつめる。ひきよせる。❷あつめる。❸とる。さぐりとる。
解字 篆文 形声。扌(手)＋婁音。音符の婁ロウは、とぎれることなく続けるの意味。手でつぎつぎにひきよせるの意味を表す。

11 【摝】14画 4396 一 ロク 屋 lù 二 漢ロ・呉ル 虞 ₂1343 ― 3266
字義 一 ふる(振)。二 とる。水の中の物を取る。
解字 形声。扌(手)＋鹿音。

12 【摡】15画 4397 カイ 摡(4369)の俗字。→六〇九ページ下。 ― ― 3269

12 【撹】15画 4398 カク 攪(4502)の簡易慣用字体。→六二八ページ下。 1941 8A68 ―

12 【撝】15画 4399 キ 支 huī ₂1348 EDAF 3284
字義 ❶さく(裂)。はなす(離)。❷まきちらす。❸へりくだる。❹ふるう(揮)。ふるいおこす。❺さす。ゆびさす。❻指図する。指揮する。
解字 形声。扌(手)＋爲音。
【撝謙】キケン へりくだる。
【撝損】キソン へりくだる。
【撝遜】キソン へりくだる。▼遜も、へりくだる。

12 【撟】15画 4400 キョウ(ケウ) 篠 jiǎo ₂1349 ― 3285
字義 ❶あげる(挙)。あがる。㋐手をあげる。㋑上にあげる。㋒こぞる。❷ためる(矯キョウ)。曲げる。❸ほしいまま。❹強いさま。意気の上がるさま。
解字 篆文 形声。扌(手)＋喬音。音符の喬キョウは、高いの意味。手を高くする、あげるの意味を表す。

12 【撬】15画 4401 キョウ(ケウ) 嘯 qiào ― ― 3290
字義 ❶挙げる。❷こじる。こじあける。
解字 形声。扌(手)＋橇省音。

12 【撳】15画 4402 キン qìn ― ― 3291
字義 手でおさえる。
解字 形声。扌(手)＋欽音。

12 【擕】15画 4403 ケイ 携(4335)の俗字。→六〇七ページ上。 ₂1352 ― 3309

12 【撅】15画 4404 一 漢ケツ 呉カチ(クヮチ) 月 juē 二 漢ケイ・呉ケ 霽 guì ― ― 3276
字義 一 ❶集める。❷投げる。❸撃つ。❹掘る。二 衣装をかかげる。
解字 形声。扌(手)＋厥音。

12 【撕】15画 4405 漢セイ 呉サイ 斉 xī 5789 9D99 ―
字義 いましめさとす。後進を教え導く。提撕テイセイ。
解字 形声。扌(手)＋斯音。音符の斯シは、手でさくの意味を表す。提撕テイセイは提醒テイセイに通じ、注意をうながすの意味を表す。

12 【撮】15画 4406 常 サツ とーる 一 漢サツ・呉サチ 曷 cuō 二 サイ 泰 zuì 2703 8E42 ―
筆順
字義 一 ❶量の単位の名。一升の千分の一。❷つまーむ。また、つまみ。ひとつまみほどの少量。❸すべる(統)。統括する。❹とーる(取)。❺あつめる。二 もとどり。髪を頭上で束ねた根もとの所。国写真をうつす。「撮影」
使いわけ とる〔取・執・採・撮・捕〕⇩取(1280)。
解字 篆文 形声。扌(手)＋最音。音符の最は、撮の原字でつまみとるの意味。最が、もっとも意味に転用されたため、手を付し、区別した。
【撮影】サツエイ 国映画・写真などをうつす。
【撮土】サツド ひとつまみほどの土。わずかな量のたとえ。
【撮要】サツヨウ 要点をつまみとる。また、そうして作った書物。

12 【撒】15画 4407 人 標 漢サツ 呉サチ 慣サン 曷 sǎ, ②sā 2721 8E54 ―
筆順
字義 ❶まーく。まき散らす。「撒水」❷はなつ(放)。❸なげうつ。
難読 撒哈拉サハラ・撒馬児干サマルカンド
参考 現代表記では〔散〕(4548)に書きかえることがある。「撒水→散水」「撒布→散布」
解字 形声。扌(手)＋散音。音符の散は、ちるの意味。まきちらすの意味を表す。
【撒水】サンスイ・サッスイ 国水をまくこと。散水。
【撒布】サンプ・サップ 国ふりまく。まき散らす。散布。

12 【撦】15画 4408 シャ 馬 chě ― ― 3288
字義 開く。裂く。
解字 形声。扌(手)＋奢音。

12 【撨】15画 4409 ショウ(セウ) 蕭 xiāo ― ― 3289
字義 ❶選ぶ。❷ぬぐう。
解字 形声。扌(手)＋焦音。

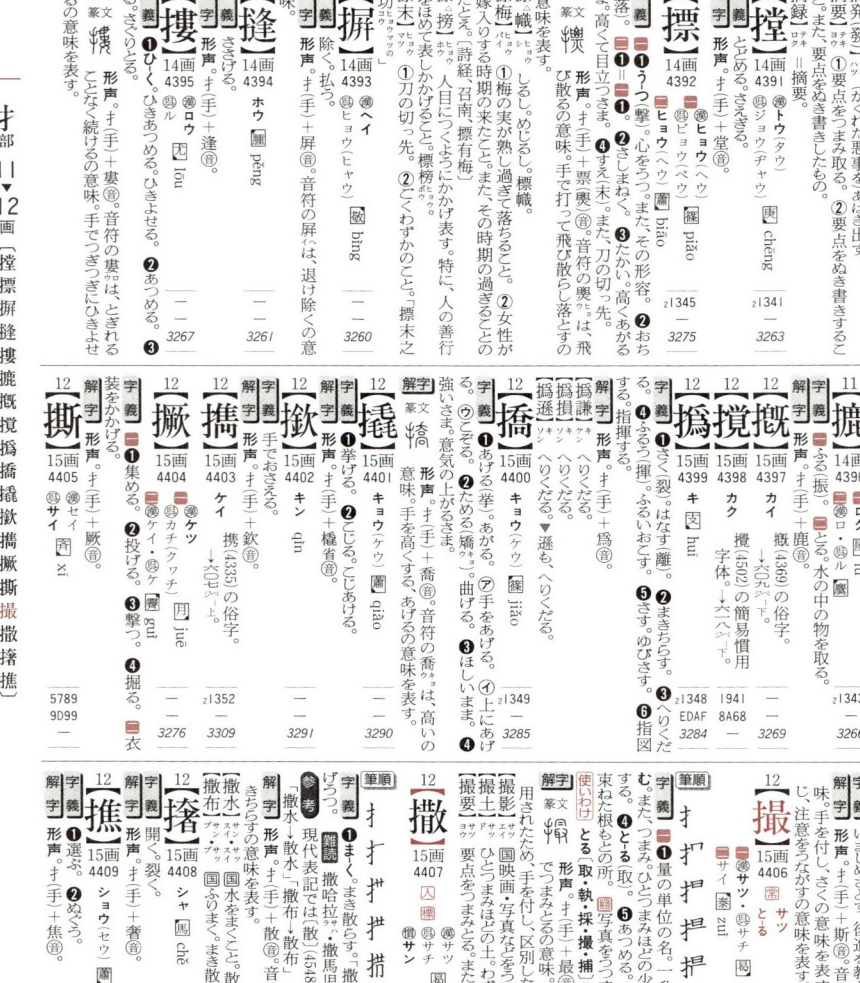

12 【撏】15画 4410 ㊀㊥漢シン・呉ジン 侵 xún ㊁漢セン・呉ゼン 塩 xián — — 3278

字義 ㊀❶とる。❷つまむ。むしる。

解字 形声。扌(手)＋尋㊥。音符の尋は、さがすの意味。

12 【撰】15画 4411 人 標 ㊀漢サン 呉ゼン 潸 zhuàn ㊁漢セン 呉ゼン 銑 xuǎn 3281 90EF —

筆順 扌 扌 扌 扌 扌 押 撰 撰 撰

[撰] 4412 俗字

字義 ㊀❶とる。持つ。❷そなえる(具)。そなわる。❸あらわす。著述する。また、詩文を作る。「撰者」❹あつめる(纂ｻﾝ)。編集する。❺つくる(造)。㊁えらーぶ。えーる。えりわける。＝選(12220)。

名前 えらむ・のぶ

解字 形声。扌(手)＋巽㊥。音符の巽ｿﾝは、整えそろえるの意味。手を付し、えらぶ、そなえるの意味を表す。

【撰次】ｾﾝｼﾞ 選定して順序を立てる。また、詩文を作り、順序よくならべること。
【撰者】ｾﾝｼﾞｬ ①詩文や書物の作者。②選択の任にあたる人。選者。
【撰修】ｾﾝｼｭｳ ①＝撰述。②＝撰集㊀。
【撰集・撰△輯】㊀ｾﾝｼｭｳ えらびあつめる。詩文などを編集すること。㊁ｾﾝｼﾞｭｳ 国人々の歌の中から勅命によって、すぐれたものを選び集めること。また、そうして編集された本。↔家集(三九六ﾍﾟ・下)。
【撰述】ｾﾝｼﾞｭﾂ 書物を著す。また、その書。
【撰進】ｾﾝｼﾝ 詩文や書物を作り、天子に提出すること。
【撰定】ｾﾝﾃｲ えらび定める。詩文や書物を作りあげる。
【撰文】ｾﾝﾌﾞﾝ 文章を作る。また、その文章。作文。
【撰録】ｾﾝﾛｸ えらびしるす。また、文章につづって書き記す。

12 【撰】15画 4412 セン 撰(4411)の俗字。→六一三ﾍﾟ・上。 — —

12 【撡】15画 4413 ㊀ソウ(サウ) 豪 cāo ㊁漢サン・呉セン 諫 shān — — 3286

字義 ㊀操(4443)の俗字。㊁摻(4379)の俗字。

12 【撙】15画 4414 ソン 阮 zǔn — — 3282

字義 ❶おさえる(抑)。また、くじく(挫ｻﾞ)。また、ふみつける。❷つつましい。節約。❸へりくだる。❹おもむく。

解字 形声。扌(手)＋尊㊥。

【撙△詘】ｿﾝｸﾂ 言行をつつしみへりくだる。謙遜ｹﾝｿﾝする。

12 【撣】15画 4415 ㊀漢タン 呉ダン 旱 dàn, ④dǎn ㊁漢セン・呉ゼン 先 chán — — 3287

字義 ㊀❶提げる。❷触れる。❸はじく。はらう。❹撣は、つつしみ敬うさま。㊁引く。

解字 形声。扌(手)＋單㊥。

12 【撤】15画 4416 常 テツ 漢テツ・呉デチ 屑 chè 3717 9350 —

筆順 扌 扌 扌 扌 挤 搐 撤 撤 撤

字義 のぞく(除)。とりはらう。さる(去)。捨てる。「撤退」「撤回」

解字 形声。扌(手)＋徹省㊥。音符の徹は、食事のあとかたづけの意味。手を付し、目の前のものをすっかりかたづけてしまうの意味を表す。

【撤回】ﾃｯｶｲ 出したものをひっこめる。公示したものを取り下げる。
【撤去】ﾃｯｷｮ とりのける。撤廃。建物などを取り去る。
【撤収(收)】ﾃｯｼｭｳ ①取りさっておさめ込む。②＝撤退。
【撤退】ﾃｯﾀｲ 軍隊で、陣地などを取り払い後退すること。
【撤廃(廢)】ﾃｯﾊﾟｲ ①取りのける。②(制度・法規などを)やめる。
【撤兵】ﾃｯﾍﾟｲ 派遣した軍隊を引き揚げること。

12 【撐】15画 4417 漢トウ(タウ) 呉チョウ(チャウ) 庚 chēng

[撑] 4418 俗字 [撐] 4446 俗字

字義 ❶ささーえる(支)。つっかい棒をする。また、その支柱。❷さおさす。舟をすすめる。「撐刺ﾄｳｾｷ」

解字 形声。扌(手)＋牚㊥。音符の牚ﾄｳは、ささえ柱の意味。

【撐△拄】ﾄｳｼｭ ささえる。もちこたえる。

12 【撑】15画 4418 トウ 撐(4417)の俗字。→六一三ﾍﾟ・中。 2 1347 — 3280

12 【搭】15画 4419 トウ 搭(4322)と同字。→六〇五ﾍﾟ・下。 — — 3281

12 【撞】15画 4420 人 標 漢トウ(タウ) 呉ドウ(ダウ) 江 絳 zhuàng 慣シュ 3821 93B3 —

筆順 扌 扌 扌 扌 扌 扌 撞 撞 撞

字義 つく。㋐はやくうつ。㋑つきならす。㋒つきさす。㋓つきすすむ。突進する。つきのけて進む。用例(史記、項羽本紀)樊噲側ﾆ其盾ｦ以撞ﾂｸ。↓樊噲は持っていた盾を傾けると、それで(番兵を)突きのけて進んだ。

解字 篆文 形声。扌(手)＋童㊥。音符の童は、擬声語でドンという音を表す。手でドンとつくの意味を表す。

【撞球】ﾄﾞｳｷｭｳ 玉つき。室内遊戯の名。ビリヤード。
【撞著・撞着】ﾄﾞｳﾁｬｸ つじつまが合わないこと。矛盾ﾑｼﾞｭﾝ。
【撞入】ﾄﾞｳﾆｭｳ 勢いよく突き入る。
【撞木】ｼｭﾓｸ 仏鉦ｶﾈを鳴らすのに用いる丁字型の棒。

12 【撓】15画 4421 ㊀漢ドウ(ダウ) 呉ニョウ(ネウ) 巧 nǎo ㊁慣トウ(タウ) 呉コウ(カウ) 豪 náo 5790 9D9A —

字義 ㊀❶たわむ。また、たわーめる。ためる。また、まがる。かがむ。しなーう。くじける。「不撓不屈ﾌﾄｳﾌｸﾂ」❷みだす。㊁みだす。かきみだす。国❶たわわ。枝などがしなうさま。❷しおーり。松尾芭蕉ﾊﾞｼｮｳの俳諧ﾊｲｶｲの理念の一つ。作者の心が、余情として句にあらわれること。

解字 篆文 形声。扌(手)＋堯㊥。音符の堯ｷﾞｮｳは、弱に通じ、しなやかの意味。しなやかにたわめるの意味を表す。また、擾ｼﾞｮｳに通じ、みだすの意味をも表す。

【撓滑】ﾄﾞｳｶﾂ みだす。まどわしみだす。
【撓屈】ﾄﾞｳｸﾂ ①たわめかがめる。②しりごみする。
【撓△擾】ﾄﾞｳｼﾞｮｳ みだしさわがす。苦しめみだす。
【撓折】ﾄﾞｳｾﾂ たわめくじく。また、たわめ折る。また、みだす。
【撓敗】ﾄﾞｳﾊｲ くじけやぶれる。
【撓乱(亂)】ﾄﾞｳﾗﾝ・ｺｳﾗﾝ みだれる。また、みだす。

12 【撚】15画 4422 標 ネン 銑 niǎn 3918 9451 —

字義 ❶とる。とらえもつ。❷ひねーる。よーる。ねじる。もむ。こねる。＝捻(4267)。❸ふみにじる。❹琵琶ﾋﾞﾜのひき方の一つ。国より。こより。

解字 篆文 形声。扌(手)＋然㊥。音符の然は、もえるの意味。火炎がうずまくように手でひねるの意味を表す。

12 【播】15画 4423 人 標 ハ 箇 bō 慣バン 3937 9464 —

筆順 扌 扌 扌 扌 扌 播 播 播 播

字義 ❶まーく。種をまく。❷しく。広く及ぼす。まき散らす。「伝播」❸うつる(遷)。動く。また、動かす。❹あげる

(揚)。あがる。国バン。播州。播磨(はりま)。今の兵庫県。

名前 かし・すけ・ひろ 難読 播磨(はりま)

解字 金文 篆文 形声。扌(手)+番音。音符の番は、田畑に種をまくの意味。のち、番が別の意味に用いられるようになり、手を付した。

【播越】ハエツ うつりのがれる。居場所を失って他国にさすらう。「流浪播越」

【播種】ハシュ たねをまく。また、たねまき。

【播植・播殖】ハショク たねをまいたり、植えつけたりすること。

【播遷】ハセン ①移る。また、移す。②ちらばり移る。ちりぢりになる。③遠地に流浪すること。

【播△蕩】ハトウ (国を失って)さすらう。流浪する。

【播揚】ハヨウ ①自分から事件を引き起こす。②広く人に知られるようにする。

12 【撥】 15画 4424 標 漢ハツ・呉ハチ 慣バチ 曷 bō 5791 9D9B ―

字義 ❶おさめる(治)。整える。❷はねる。はらう。はじく。はねかえる。かかげる。Ⓐはねちらす。はねあげる。「反撥」Ⓑ上へあげる。掲げる。用例(唐、白居易、香炉峰下新ト二山居一草堂初成偶題二東壁一詩)遺愛寺鐘欹レ枕聴、香炉峰雪撥レ簾看 ↓遺愛寺でつく鐘の音は、ねたまま枕をかたむけてきき、香炉峰に積もる雪は、すだれをはねあげて眺める。Ⓤ弦をはねて鳴らす。❸ひらく。❹そる。はねかえる。そりかえる。❺おこる(興)。おこす。❻かきたてる。また、かきまぜる。❼かもす。発酵させる。❽弦楽器をかき鳴らす器具。❾さおさす。舟を進ませる。❿たつ。断ち切れる。⓫のぞく(除)。とりさる。抜く。⓬ひつぎの車を引く綱。国はねる。Ⓐ一部分をかすめ取る。Ⓘ突きもどす。

難読 撥条(ぜんまい・ねば)

参考 現代表記では[発](7860)に書きかえることがある。「反撥→反発」

解字 篆文 形声。扌(手)+發音。音符の發(ハツ)は、はなつの意味。手ではねかえすの意味を表す。また、乱れた状態をはねかえし除去するの意味から、おさめるの意味をも表す。

【撥去】ハッキョ 除き去る。

【撥乱(亂)反正】ハツランハンセイ 世の乱れを治めて正しい平和な世にすること。『公羊伝』哀公十四に「撥二乱世一反二諸正一」(ランセイをおさめてこれをセイにかえす)とあるのに基づく。

【撥△簾】ハツレン =撥レ簾(すだれをかかぐ)(一〇九二ページ上)。

12 【撫】 15画 4425 人 標 フ 慶 fǔ 慣ブ 4179 958F ―

筆順

字義 ❶なでる。なぜる。Ⓐさする。用例(東晋、陶潜、帰去来辞)景翳翳以将レ入、撫二孤松一而盤桓(かげはエイエイとしてもってまさにいらんとし、コショウをブしてバンカンす)。↓夕日の光はほの暗くなってゆき、いまにも沈もうとしている。私は一本松をなでながら、立ち去りかねて留まっている。Ⓘいつくしむ。かわいがる。慰める。❷うつ(打)。手のひらで軽くたたく。❸おさえる。手のひらで軽くおさえる。❹たもつ。手に入れる。❺めぐる(巡)。❻おおう。

名前 ただ・もち・やす・よし・より 難読 撫牛子(ないじょうし)・撫養(むや)

解字 篆文 形声。扌(手)+無音。音符の無は、おおいかぶせるの意味。手をおおいかぶせて、なでるの意味を表す。

【撫慰】ブイ いたわりなぐさめる。いたわる。

【撫育】ブイク いつくしみそだてる。

【撫御・撫△馭】ブギョ 情をかけ、いたわりつつ統べ治める。

【撫軍】ブグン ①太子が君主に従って戦いに行くこと。②将軍の名。魏(ギ)に始まり、隋(ズイ)に廃せられた。③明(ミン)・清(シン)代、巡撫の別称。→巡撫②(一四〇六ページ上)。

【撫子】なでしこ 国草花の名。秋の七草の一つ。

【撫字】ブジ なでいつくしむ。いたわる。▼字は、いつくしむ。

【撫柔】ブジュウ なでやわらげる。いつくしみ安んずる。

【撫△恤・撫△卹】ブジュツ いつくしみめぐむ。

【撫循】ブジュン なでしたがえる。いたわって服従させる。

【撫順】ブジュン 遼寧(リョウネイ)省東部にある都市。渾河(コンガ)の南岸に位置する。石炭の産地として有名であった。

【撫掌】ブショウ 手のひらをうつ。歓笑するさま。

【撫心】ブシン ①胸をうつ。胸をなでる。②心をなで、おさめる。

【撫△綏】ブスイ いつくしみ安んずる。

【撫世】ブセイ ①世人をなぐさめ安んじる。世の中を治める。②世をおおう。

【撫存】ブソン いたわりいつくしむ。▼存は、問い慰める。

【撫寧】ブネイ いつくしみ安んずる。

【撫有】ブユウ いつくしんで自分のものとする。

【撫養】ブヨウ いつくしみやしなう。

【撫弄】ブロウ ①かなでる。楽器を演奏する。②もてあそぶ。

【撫和】ブワ (異民族や民衆を)やわらげ治める。

12 【撇】 15画 4426 一 漢ヘツ 呉ヘチ 屑 piē, ⑤piě 一 ヘイ 霽 piē 2 1346 ― 3277

字義 一 ❶ぬぐう(ぬぐふ)。❷はらう(払)。❸かすめる(掠クリャク)。❹うつ(撃)。❺書法の名。人のノのように筆先を左にはらうこと。

解字 篆文 形声。扌(手)+敝音。音符の敝(ヘイ)は、やぶるの意味。手を付し、ぬぐいすてる・はらうの意味を表す。

12 【撲】 15画 4427 常 ボク 漢ハク・呉バク 慣ボク 覚 pū 熟字訓 相撲(すもう) 4348 966F ―

筆順

字義 ❶うつ(撃)。ぶつ。なぐる。用例(杜子春伝)乃持二両足一、以レ頭撲二於石上一(すなわ(は)ちリョウソクをジし、あたまをもってセキジョウにうつ)。↓なんと子供の両足を持ち、その頭を石にぶつけてしまったのである。❷うちたおす。❸もつ(持)。❹つくす(尽)。あげて。すべて。ことごとく。

解字 篆文 形声。扌(手)+業音。音符の業(ボク)は、うつ時に出る音の擬声語。

【撲△朔】ボクサク つまずくさま。よろめくさま。

【撲殺】ボクサツ なぐりころす。

【撲地】ボクチ ①にわかに。②地にみちる。地上いっぱいになる(ある)こと。

【撲△殄】ボクテン うちほろぼす。撲滅。

【撲△蕩】ボクトウ 敵を打ち倒して払い除く。

【撲滅】ボクメツ うちほろぼす。完全になくす。

12 【撩】 15画 4428 一 リョウ(レウ) 蕭 liáo 二 リョウ(レウ) 篠 liǎo 5792 9D9C ―

字義 一 ❶おさめる。乱をおさめる。❷いどむ。❸とる。手にとる。二 ❶えぐる。❷たすける。

解字 篆文 形声。扌(手)+尞音。音符の尞(リョウ)は、料に通じ、はかるの意味。乱をうまくはかりおさめるの意味を表す。

【撩戦(戰)】リョウセン 戦いをいどむ。挑戦。

【撩乱(亂)】リョウラン みだれあう。入り乱れる。「百花撩乱」

12 【撛】 15画 4429 リン 軫 lǐn

[𢷾] 4450 俗字

字義 ❶たすける。❷引き抜く。

解字 形声。扌(手)+粦音。

12 【擄】 15画 4430 漢ロ 呉ル 麌 lǔ 1 8501 ― 3301

字義 ❶かすめる。かすめ取る。❷える(獲)。とりこにする。

解字 形声。扌(手)+虜音。

12【撈】15画 4431 ㊀ロウ(ラウ) 豪 lāo ㊁リョウ(レウ) 嘯 | 5793 9D9D —
［捞］4214 俗字

字義 ㊀とる。すくいあげる。水中にはいって物を取る。「漁撈」 ㊁とる。ひっかけて取る。

【撈△掠】うばい取る。かすめ取る。奪掠。

参考 現代表記では〔労〕(1012)に書きかえることがある。「漁撈→漁労」

解字 形声。扌(手)＋勞㊥。水にもぐって物をとる。

【撈採】

13【撾】16画 4432 ㊀㊥タ・㊫テ 麻 zhuā ㊁カ(クヮ) 歌 | 8493 — 3293

字義 ㊀❶うつ(撃)。たたく。なぐる。❷ばち(撥)。❸もも(股)。

解字 会意。扌(手)＋過。過は、せめるの意味。あやまちを責めて手でうつの意味を表す。

13【撼】16画 4433 ㊥カン ㊫ガン 感 hàn | 5794 9D9E —

字義 ❶うごかす(動)。ゆする。❷うごく。ゆらぐ。ゆれる。

解字 形声。扌(手)＋感㊥。音符の感は、大きな刺激に対して心がゆれ動くの意味。手を付し、一般に、ゆする・うごかすの意味を表す。

【撼動】ゆすり動かす。相手を罪におとしいれる。

【撼頓】ゆれて倒れる。また、ふらついて倒れる。

13【擐】16画 4434 ㊥カン(クヮン) ㊫ゲン 諫 huàn | 8503 — 3307

字義 ❶つらぬく(貫)。❷きる(着)。つける。まとう。

解字 形声。扌(手)＋睘㊥。音符の睘は、めぐるの意味。よろいかぶとを身にめぐらす、まとうの意味を表す。

【擐甲】よろいを着る。

13【擄】16画 (4099) キョ 拠(4098)の旧字体。→五八四ページ上。

13【撽】16画 4435 キョウ(ケウ) 嘯 qiào | — — 3292

字義 うつ(撃)。たたく。そばからうつ。

解字 篆文 形声。扌(手)＋敫㊥。音符の敫は、うつの意味。手でうつ、たたくの意味を表す。

13【擒】16画 4436 ㊥キン ㊫ゴン 侵 qín | 5802 9DA0 —

字義 とりこにする。とらえる。また、とりこ。

用例〔戦国策、燕〕漁者得而幷擒之(ギョシャえてこれをあわ(は)せとらう(ふ))。⇩漁師が通りかかってこれら(しぎとどぶ貝)を両方ともつかまえた。

解字 形声。扌(手)＋禽㊥。音符の禽は、とりこ・とりこにするの意味。手を付し、とりこにするの意味を表す。

【擒縦(縦)】とりこにすることと、許して帰すこと。▼縦は、許してはなつ。

【擒生】いけどる。また、いけどり。

【擒縛】とらえてしばる。いけどりにしてしばる。

13【擕】16画 4437 ケイ 携(4335)の俗字。→六〇七ページ上。

13【撿】16画 4438 ㊀ケン 琰 jiǎn ㊁レン 琰 liǎn | 8494 — 3294
［捡］4230 俗字

字義 ㊀❶しめくくる。また、とりしまる。❷しらべる。引き合わせる。引きしめる。㊁こまぬく。両腕を胸の前で組み合わせる。

参考 字義㊀の意味では〔検〕(5513)と混用される。

解字 篆文 形声。扌(手)＋僉㊥。音符の僉は、多くの人が口をそろえて言うの意味。手を付し、多くの人のいう言葉をとり調べるの意味を表す。

【撿閲】しらべる。検閲。

【撿勘】しらべる。吟味する。検勘。

【撿△繫】くくりつなぐ。束縛。用例〔菅原道真、不出門詩〕此地雖身無撿繫(このちみケンケイなしといえ(へ)ども)、何為寸歩出門行(なんすれぞスンポもモンをいでてゆかん)。⇩この配所では、別に外出してはいけないという束縛もないけれども、どうして寸歩とて門を出て行く気になれるであろうか。

【撿△校】同検校。㊀しらべただす。また、その役。㊁国①社寺の事務を監督する役。②昔、盲人の最上の官。

13【擉】16画 4439 サク 覚 chuō | — — 3302

字義 ❶さす。つく。水中の魚をやすで突き刺す。❷やす。魚を突いてとる道具。

解字 形声。扌(手)＋蜀㊥。

13【擌】16画 4440 ㊥サク ㊫シャク 陌 sè | 21351 — 3305

字義 擌䂨は、鳥を捕らえる道具。もちざお。

解字 形声。扌(手)＋筴㊥。

13【擑】16画 4441 ショウ 接(4244)と同字。→五九九ページ中。 | — — 3308

13【擅】16画 4442 ㊥セン ㊫ゼン 霰 shàn | 5803 9DA1 —

字義 ❶ほしいまま。自分ひとりで処理する。自分勝手。❷しめる(占)。占有する。❸ゆずる。＝禅(8396)。

参考 ①独壇場の〔壇〕(2158)は、擅の誤用。②現代表記では、〔専〕(2719)に書きかえることがある。「擅権→専権」「擅横→専横」

解字 篆文 形声。扌(手)＋亶㊥。音符の亶は、単に通じ、ひとつの意味。手の中にひとまとめにする、ほしいままの意味を表す。

【擅横】わがまま勝手なこと。▼横も、ほしいまま。

【擅権(権)】権力をほしいままにする。専権。

【擅恣】ほしいまま。わがまま。▼恣も、ほしいまま。

【擅場】場(その場所)をほしいままにする(占有する)。㋐その場にならぶ相手がいないこと。一人舞台。独擅場。俗に誤って、独壇場という。㋑主席。唐代、送別会や宴会などで、詩を作ったときの第一等の人をいう。

【擅譲(譲)】位を賢者に譲る。禅譲。▼擅は、禅に通じる。

【擅断(断)】ほしいままに決める。自分一人で決める。専断。

13【操】16画 4443 ㊥ソウ(サウ) 豪 cāo ㊁ソウ(サウ) 号 cào | 3364 9180 —
教6 ソウ みさお・あやつる

筆順 扌 扌 扌 扌 扌 扌 扌 操

字義 ㊀❶とる。㋐もつ。にぎる。用例〔史記、項羽本紀〕大王来何操(ダイオウきたるときなにをかとれる)。⇩わが君は来られた時に、なにをみやげに持参されましたか。㋑かたく守る。❷あやつる。うまく扱う。「操車」 ㊁❶みさお。心身をけがれなく保つこと。節操。❷おもむき。

名前 あや・さお・とる・みさ・みさお・もち

解字 篆文 形声。扌(手)＋喿㊥。音符の喿は、巣に通じ、巣を作るの意味。鳥が巣をつくるように手をたくみに動かす、あやつるの意味を表す。また、手にしっかり持つの意味を表し、転じて、みさおの意味をも表す。

逆 士操・志操・情操・節操・体操・貞操・徳操・特操

【操業】①業務をとり守る。仕事をする。②操(みさお)と行い。志行。③国仕事をする。作業。

【操△觚】文章を作ること。文筆に従事すること。操レ觚(コをとる)。▼觚は、木製の四角な札で、昔、文字をしるしたもの。

【操行】品行。身持ち。行い。素行。

【操作】㊀仕事をする。また、仕事。㊁国①うまくやりくりする。また、やりくり。「帳簿を操作する」②あやつる。機械をうまく動かす。

【操持】ソウジ かたくとり守る。
【操舎】ソウシャ かたく守ることと捨てること。▼舎は、捨。
【操守】ソウシュ 心にかたく守って変わらないこと。また、しっかりしたみさお。「操守堅正」
【操縦(縱)】ソウジュウ 自分の思いのままにあやつること。
【操履】ソウリ 平素の心がけや行い。品行。操行。
【操練】ソウレン ①練習する。②兵隊を訓練する。調練。練兵。

13【擇】16画 (4070) タク 択(4069)の旧字体。→五八〇ページ上。

13【撻】16画 4444 漢タツ 呉タチ 曷 tà　5805 9DA3 —

字義 ❶むちう-つ。うつ。「鞭撻ベンタツ」❷はやい(疾)。

解字 篆文 形声。扌(手)+達(音)。音符の達は、むちうつときの音を表す擬声語。手を付し、むちうつの意味を表す。

【撻辱】タツジョク むちうって、はずかしめる。撻戮タツリク。
【撻△笞】タッチ むちうつ。▼笞も、むちうつ。「撻笞之刑タッチのケイ」
【撻△戮】タツリク ①むちうって殺す。②むちうってはずかしめる。

13【擔】16画 (4112) タン 担(4111)の旧字体。→五八五ページ下。

13【擋】16画 4445 トウ(タウ) 漾 dǎng　21350 — 3304

字義 ❶おおいかくす。❷さえぎる。❸ふせぐ。国とても。到底。

解字 形声。扌(手)+當(音)。

13【撐】16画 4446 トウ 撐(4417)の俗字。→六一二ページ中。　— — 3279

13【擗】16画 4447 一 漢ヘキ・呉ビャク 陌 pì 二 漢ヘキ・呉ヒャク 錫 pǐ　21353 — 3310

字義 一むねうつ。手で胸を打つ。二❶おる(折)。❷ひらく。さく(裂)。さきあける。

解字 形声。扌(手)+辟(音)。音符の辟は、劈ヘキに通じ、さくの意味。手でひらくの意味を表す。

13【擁】16画 4448 常 ヨウ 漢ヨウ・呉オウ 腫 yōng　4542 9769 —

筆順 擁

字義 ❶いだ-く。だく。だきかかえる。「抱擁」❷もつ(持)。用例 〔史記、項羽本紀〕噲即帯レ剣擁レ盾入二軍門一(カイすなわ(は)ちケンをおびたてをヨウして。グンモンにいる)↓樊噲ハンカイはすぐさま剣を帯び盾をかかえて軍門に入っていった。❸まもる(衛)。助ける。「擁護」❹したがえる。❺うずめる。ふさぐ。❻とどこおる。

解字 篆文 形声。扌(手)+雍(雝)(音)。音符の雝ヨウは、とりかこむの意味。手でとりかこむ、いだくの意味を表す。

逆 抱擁

【擁△遏】ヨウアツ ふさぎとどめる。おさえる。また、ふさがる。
【擁衛(衞)】ヨウエイ かばいまもる。
【擁護】ヨウゴ たすけまもる。かばいまもる。抱擁庇護ヒゴ。
【擁膝】ヨウシツ ひざをだきかかえる。考えこむこと。
【擁腫】ヨウショウ 同癰腫ヨウショウ。①はれあがる。ふくれあがる。木に節やこぶの多いこと。用例 〔荘子、逍遥遊〕其大本擁腫而不レ中二縄墨一(そのタイホンはヨウショウにしてジョウボクにあたらず)↓その大きな幹はこぶだらけですみなわで直線を引くことができない。②みにくい。役立たない。
【擁蔽】ヨウヘイ おおいかくす。また、おおわれかくれる。
【擁壁】ヨウヘキ がけなどの土止めのために造った壁。
【擁△佑・擁右】ヨウユウ 臣下が、幼少の天子などをまもりたすける。
【擁立】ヨウリツ 助け守って、おし立てる。もり立てる。君主を擁護し位につかせること。

13【擂】16画 4449 一 ライ 灰 léi 二 ライ 隊 lèi　5807 9DA5 —

字義 一す-る。すりつぶす。難読 擂木すりこぎ 二❶おとす(落)。おろす(降)。❷うつ。たたく。

解字 形声。扌(手)+雷(音)。

13【撛】16画 4450 リン 撛(4429)の俗字。→六一三ページ下。　— — 3283

13【擭】16画 4451 ワク 擭(4464)の俗字。→六一六ページ下。　— — 3315

14【擱】17画 4452 カク 薬 gē, ③gé　5808 9DA6 —

字義 ❶お-く(置)。さしおく。❷やめる。また、とどまる。❸たえる(耐)。

解字 形声。扌(手)+閣(音)。音符の閣は、門をとめるくいの意味。とめる・動かなくなるの意味を表す。

【擱座・擱△坐】カクザ ①船が浅瀬に乗りあげること。座礁。②戦車などがこわれて動けなくなること。
【擱筆】カクヒツ 筆をおく。特に、書き終えて筆を下に置くこと。閣筆。↔起筆(一三七〇ページ上)。

14【擬】17画 4453 常 ギ ギ 紙 nǐ　2128 8B5B —

筆順 擬

字義 ❶はかる(度)。おしはかる。❷なぞら-える。なぞらう。まねる。くらべる。似せる。のっとる。「模擬」「擬声語」❸うたがう(疑)。❹欲する。…しようとする。国まが-い。まがい物。もどき。似せて作ること。また、そうして作られた物。

解字 篆文 形声。扌(手)+疑(音)。音符の疑は、思いをこらしてじっと立つさまにかたどる。思いをこらしてはかるの意味を表す。また、二物を疑わしいほどに似せる、なぞらえるの意味を表す。

逆 比擬・模擬

【擬議】ギギ ①おしはかる。また、考え論議する。②ぐずぐずためらう。あやぶみためらう。
【擬古】ギコ ①昔のものになぞらえる。文章を作るにあたって古人の方法をまねること。②詩体の名。古詩にならって作ったもの。
【擬古文】ギコブン ①古い文章をまねて作った文。②国江戸時代の国文学者が平安時代の文をまねて作った文。
【擬作】ギサク ①作ろうと欲する。②まねて作る。また、その作品。
【擬似】ギジ 国よく似ていてまぎらわしいこと。
【擬人法】ギジンホウ 国修辞法の一つ。人間以外のものを人間になぞらえていう方法。
【擬勢】ギセイ 国表面だけの勇気。みせかけの威力。
【擬装(裝)】ギソウ ＝偽装(一三一ページ上)。
【擬態】ギタイ 国動物が自分を保護するために、他物の色・形・模様などに似せること。
【擬度】ギタク はかり考える。熟慮する。
【擬定】ギテイ はかり定める。案を定める。
【擬宝(寶)珠】ギボウシュ・ギボシ・ギボウシ ①国橋の欄干ランカンの柱などにつける宝珠形のかざり。②ユリ科の多年草。

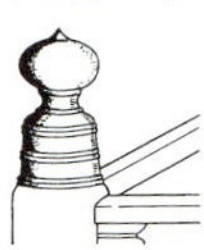
擬宝珠①

14【擤】17画 4454 漢コウ(カウ) 呉キョウ(キャウ) 梗 xǐng　21355 — 3311

字義 か-む。鼻をかむ。

解字 会意。扌(手)+鼻。手と鼻を合わせて、手で鼻をかむ意味を表す。

14【擦】17画 4455 常 サツ す-る・す-れる 漢サツ・呉セチ 黠 cā　2704 8E43 —

【筆順】 扌 … 擦
【字義】 すーる。さすーる。こすーる。なでる。また、かすーる。すーれる(する)。「摩擦」 国 なすーる。なすりつける。
【名前】 あきら
使いわけ する〔擦・刷〕
〔擦〕こすりつける。「擦り傷」
〔刷〕印刷する。また、写し取る。「刷り物」
前述の二つ以外では、仮名書きが一般的。
【解字】 形声。扌(手)＋察㊥。音符の察は、物をするときの音の擬声語。
逆 摩擦

14 【擩】 17画 4456 漢ジュ 呉ニュ 麌 rǔ — — 3313
【字義】 ひたす。つける(漬)。
【解字】 篆文 形声。扌(手)＋需㊥。音符の需は、しなやかの意味。水にひたしてしなやかにするの意味を表す。

14 【擠】 17画 4457 漢セイ 呉サイ 霽 jǐ 5811 9DA9 —
【字義】 ❶おーす。おしおとす。おしのける。❷おちる。おちいる。❸そこなう。❹くじく。
【解字】 篆文 形声。扌(手)＋齊㊥。音符の齊は、そろえるの意味。両手をそろえて、おしのけるの意味を表す。
【擠陥(陷)】セイカン 突き落とす。人を罪におとしいれる。
【擠排】セイハイ・サイハイ おししりぞける。おしのける。
【擠抑】セイヨク 排斥しておさえつける。おとしいれて邪魔する。

14 【擡】 17画 4458 漢タイ 呉ダイ 灰 tái 5812 9DAA —
［抬］ 4108 俗字
【字義】 ❶うごかす(動)。ゆする。❷もたーげる(もたぐ)。あげる。もちあげる。
【解字】 形声。扌(手)＋臺㊥。音符の臺は、土を高く積みあげた見はらし台の意味。高くもちあげるの意味を表す。
【擡挙(擧)】タイキョ ①もちあげる。②人を挙げ用いること。
【擡頭】タイトウ ①頭をもちあげる。勢力を得てくること。台頭。②文章を書くとき、天子や貴人の姓名などを文中で改行し、普通の行よりも一字上に出して敬意を表す書式。一字上がるのが一字擡頭、二字上がるのが二字擡頭。

14 【擢】 17画 4459 人 標 漢タク・呉ダク 慣テキ 覚 zhuó 3707 9346 —
【筆順】 扌 … 擢
［擢］ 4460 俗字
【字義】 ❶ぬーく。ひきぬく。❷ぬきーんでる(ぬきんづ)。㋐すぐれる。ひいでる。㋑そびえる。そばだつ。㋒えらび出す。よりぬく。「抜擢」 ❸のぞく。すてる。とりさる。❹のびる(伸)。長く伸びる。
【解字】 篆文 形声。扌(手)＋翟㊥。音符の翟は、羽の高くあがる「きじ」、高い・おどりあがるの意味。手を付し、高い方にぬきだすの意味を表す。
【擢挙(擧)】テッキョ 多くの人の中から引き抜いて用いること。
【擢授】テキジュ 特にひきあげて高位高官を授ける。
【擢秀】テキシュウ ①人柄・能力などが衆人にすぐれぬきんでること。人よりすぐれ秀でること。②草木の穂が長く伸びること。草木がさかんに生長すること。
【擢出】テキシュツ ぬきだす。また、ぬきでる。
【擢升・擢昇】テキショウ 多くの人の中からひきぬいて、官位を上げる。
【擢第】テキダイ 合格する。及第する。登第。
【擢用】テキヨウ ＝擢挙。

14 【擢】 17画 4460 テキ 擢(4459)の俗字。→六一六ページ中。

14 【擣】 17画 4461 トウ(タウ) 皓 dǎo 5814 9DAC —
［捣］ 4202 俗字
【字義】 ❶つーく。㋐うすでつく。㋑つきかためる。きずく。❷うつ。㋐たたく。「擣衣」㋑攻撃する。
【解字】 篆文 形声。扌(手)＋壽㊥。音符の壽は、長く続けるの意味。長く続けて、つくの意味を表す。
【擣衣】トウイ 布をしなやかにし、また、つやを出すために、砧(きぬた)にのせて槌(つち)で打つこと。用例 (唐、李白、子夜呉歌)長安一片月(チョウアンイッペンのつき)、万戸擣レ衣声(バンコきぬをうつこえ(ゑ))。↓長安の夜空に月ひとつ、あちらこちらの多くの家から聞こえる、きぬたで布を打つ音。
【擣△砧・擣△碪】トウチン きぬたを打つ。きぬたで衣を打つこと。

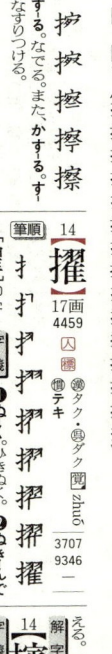

擣衣

14 【擰】 17画 4462 漢ドウ(ダウ) 呉ニョウ(ニャウ) 庚 níng,nǐng — — 3316
【字義】 ❶搶擰(ソウドウ)は、乱れる。❷ねじる。❸絞る。❹間違える。❺ごたつき。争い。
【解字】 形声。扌(手)＋寧㊥。

14 【擯】 17画 4463 ヒン 震 bìn 5815 9DAD —
【字義】 ❶しりぞける。排斥する。また、すてる。用例 (十八史略、春秋戦国、趙)莫レ若ニ六国従親以擯一レ秦(リッコクジュウシンしてもってシンをしりぞくるにしくはなし)。↓六国が合従同盟して秦をしりぞけるのが一番である。❷みちびく。客を案内する。また、その人。
【解字】 形声。扌(手)＋賓㊥。音符の賓は、外来者の意味。他国者としてしりぞけるの意味を表す。また、儐に通じて、外来者を導く人の意味をも表す。
【擯介】ヒンカイ 主人と客との間に立って世話をする人。主人側の者を擯といい、客側の者を介という。
【擯斥】ヒンセキ しりぞけてのけ者にする。排斥する。

14 【擭】 17画 4464 一 ワク 二 漢カク(クワク)・呉ワク 陌 wò 薬 huò
［擭］ 4451 俗字
【字義】 一 ❶つかむ。にぎる。持つ。取る。❷正しくない。二 わな。獣を捕らえるわな。
【解字】 篆文 形声。扌(手)＋蒦㊥。音符の蒦は、つかみとるの意味。手を付し、にぎる・とるの意味を表す。

14 【扌栗】 17画 4465 国字 2-1354 — —
【字義】 扌栗手(チャクシュ)は、親指と中指をいっぱいに伸ばした長さ。

15 【擴】 18画 (4094) カク 拡(4093)の旧字体。→五八三ページ下。

15 【攜】 18画 4466 ケイ 携(4335)の俗字。→六〇七ページ上。

15 【擷】 18画 4467 漢ケツ 呉ゲチ 屑 xié 1-8504 — 3318
【字義】 ❶つむ。つみとる。❷はさむ。つまばさむ。着物の褄(まつ)を帯にはさんで、そこに物を包みこむ。＝襭(10989)。
【解字】 形声。扌(手)＋頡㊥。

15 【攅】 18画 4468 サン 攢(4497)の俗字。→六二八ページ中。 5825 9DB7 —

15 【擾】 18画 4469 標 漢ジョウ(ゼウ) 呉ニョウ(ネウ) 篠 rǎo 3081 8FEF —
【字義】 ❶みだーれる(みだる)。また、みだーす。さわぐ。「擾乱」「騒擾」❷にごる。❸したがう(順)。したがえる。ならす。また、すなお。❹わずらわせる。❺やすんずる。
【解字】 篆文 形声。扌(手)＋憂(夒)㊥。音符の夒(ドウ＝ジョウ)は、惄(デキ)に通じ、心をいためるの意味。のちに憂に誤る。心をいためみだすの意味を表す。
【擾化】ならして変化させる。ならしてりっぱにする。
【擾狎】ならす。なれる。▼狎も、ならす。
【擾馴】ならす。▼馴も、ならす。
【擾擾】①さわぎ乱れるさま。ごたごたするさま。「緑雲擾擾」②やわらかなさま。
【擾攘】＝擾乱。▼攘も、乱れる。
【擾民】人民をならし従えること。
【擾乱(亂)】①入り乱れさわぐ。また、乱しさわがす。②乱れる。乱す。

15【擶】18画 4470 セン 霰 jiàn
[揃] 4471 俗字
字義 ただす。矢のまがりを正しくする。
解字 形声。扌(手)＋箭㊂。音符の箭は、矢の意味。手で矢の曲がりを正しくするの意味を表す。

15【揃】18画 4471 セン　擶(4470)の俗字。→六一七ページ上。　5817 9DAF —

15【擻】18画 4472 ソウ 有 sǒu, ②sǒu　18505 — 3319
字義 ❶こんろの灰を払い捨てる。❷→抖擻・(五八一ページ上)。
解字 形声。扌(手)＋數㊂。

15【攄】18画 4473 チョ 魚 shū　21358 — 3322
字義 ❶のべる。用例〔人虎伝〕欲下以道二吾懐一、而攄中吾憤上也(もってわがおもい(ひ)をいい(ひ)て、わがいきどおり(ほ)りをのべんとほっするなり)。⇩その詩によって私の思いを述べ、我が黙し難い胸の内を発散させようと思うからだ。❷しく(布)。広げる。張りわたす。❸のびる。❹のぼる。あがる。
解字 会意。扌(手)＋慮。慮は、心をめぐらすの意味。手ではりめぐらすの意味を表す。

15【擲】18画 4474 漢テキ 呉ジャク(ヂャク) 慣チャク 陌 zhì　5819 9DB1 —
字義 ❶なげうつ。㋐なげとばす。なげつける。「投擲」「拋擲」㋑さいころをなげて、ばくちをする。「乾坤一擲」㋒打擲は、むちなどで打ちたたく。❷すてる。❸はねる。はねあがる。ふるう(振)。国なぐる。こぶしなどで乱暴にうつ。
解字 形声。扌(手)＋鄭㊂。
【擲果】容貌の美しい者をいう。晋の潘岳はたいへん美貌であったから、洛陽の婦人が争ってこれに果物を投げた故事に基づく。
【擲去】投げすてる。
【擲梭】①梭を通わして機を織る。②梭が通うように、時の経つことの非常に早いたとえ。また、はやいさま。
【擲殺】投げ殺す。
【擲弾(彈)】国手で投げる爆弾。手榴弾。
【擲倒伎】昔の百戯の一。とんぼがえりの曲芸。
【擲博】ばくちをうつ。賭博。
【擲拋】投げうつ。

15【擿】18画 4475 ㊀漢テキ 呉ジャク(ヂャク) 陌 zhì ㊁漢テキ・呉チャク 錫 tī　21357 — 3320
字義 ㊀❶かく(掻)。ひっかく。❷なげる。なげうつ。なげだす。用例〔史記、刺客伝〕引二其匕首一以擿二秦王一(そのヒシュをひきてもってシンオウになげうつ)。⇩あいくちをぐっと引き寄せて秦王に投げつけた。❸かかげる。つまみあげる。㊁❶ひらく。❷あばく(摘)。あばき出す。
解字 形声。扌(手)＋適㊂。
【擿抉・擿觖】あばき出す。ほじくり出す。摘抉。
【擿発(發)】悪事をあばき出す。ほじくり出す。摘発。
【擿伏】かくれた悪事をあばき出すこと。

15【擺】18画 4476 漢ハイ 呉ハ 蟹 bǎi　5820 9DB2 —
字義 ❶ひらく。❷ならべる。配列する。❸ふるう。ふるいおとす。❹ゆらぐ。
解字 形声。扌(手)＋罷㊂。
【擺開】展開する。散開する。ひろがる。
【擺脱】①のぞきさる。②のがれ出る。
【擺落】(俗塵を)ふるい落とす。

15【擵】18画 4477 マ　摩(4020)の俗字。→五七四ページ上。　— — 3317

15【攁】18画 4478 ヨウ(ヤウ) 養 yǎng　— — 3321
字義 開き動かす。
解字 形声。扌(手)＋養㊂。

15【擽】18画 4479 ㊀リャク 薬 lüè ㊁漢レキ・呉リャク 錫 lì ㊂ラク 薬 lüè　5822 9DB4 —
字義 ㊀うつ(撃)。㊁❶うつ。❷かすめる。㊂石のかたいさま。国こそぐる。くすぐる。
解字 形声。扌(手)＋樂㊂。

16【攉】19画 4480 ㊀カク 覚 què ㊁カク(クヮク) 薬 huò, ②huō　— — 3324
字義 ㊀❶占める。専売する。❷粗い。㊁❶攉盤は、手品。❷現代中国語で、積んであるものをすくって、別の所に移す。
解字 形声。扌(手)＋霍㊂。

16【攌】19画 4481 漢カン(クヮン) 呉ゲン 潸 huǎn
字義 ❶木のさく。❷とらえつなぐ。捕まえて拘束する。❸ひとや。牢獄。
解字 形声。扌(手)＋圜㊂。

16【攈】19画 4482 クン　捃(4179)の本字。→五九三ページ中。　— — 3323

16【攊】19画 4483 漢レキ 呉リャク 錫 lì　— — 3325
字義 撃つ。
解字 形声。扌(手)＋歴㊂。

16【攏】19画 4484 ㊀ロウ 董 lǒng ㊁ロウ 東　21360 — 3326
字義 ㊀❶おさえる。❷くる。また、合わせる。㊁❶おさめる(理)。❷髪をくしけずる。
解字 形声。扌(手)＋龍㊂。
【攏撚】(琴の弦などを)指でおさえ、ひねること。

17【攖】20画 4485 漢エイ 呉ヨウ(ヤウ) 庚 yīng　21362 — 3329
字義 ❶ふれる(触)。❷せまる。近づく。❸からめる。しばる。❹まとう。まつわる。❺もとる。
解字 形声。扌(手)＋嬰㊂。音符の嬰は、女性の首かざりで、まとうの意味。

17【攓】20画 4486 ケン 先 銑 qiān　— — 3327
字義 ❶とる(取)。ぬきとる。＝搴(4014)。❷かかげる。もちあげる。
解字 形声。扌(手)＋蹇㊂。

17【攑】20画 4487 ㊀漢ケン・呉コン 元 qiān ㊁キョ　21359 — —
[擧] 4488 俗字
字義 ㊀あげる(挙)。かかげる。㊁挙(3999)の俗字。
解字 形声。扌(手)＋擧㊂。

17【擧】20画 4488 ケン　攑(4487)の俗字。→六一七ページ下。

17【攙】20画 4489 ㊥サン・㊦ゼン 咸 chān ―― 3330
㊀ザン
字義 ❶さす(刺)。また、つく(突)。❷たすける。❸まぜる(混・雑)。❹攙搶ソウは、ほうき星。
解字 篆文 形声。扌(手)+毚音。音符の毚サンは、わりこむの意味。わりこんでまぜあわす、刃物でわりこむ、さすの意味を表す。

17【攘】20画 4490 標 ㊀㊥ジョウ(ジャウ)・㊦ニョウ(ニャウ) 陽 漾 rāng ㊁㊥ジョウ(ジャウ)・㊦ニョウ(ニャウ) 養 rǎng 5823 9DB5 ―
字義 ㊀❶おす(推)。手を前におして人にへりくだる態度を示す。❷ゆずる(譲)。❸はらう。しりぞける。おいはらう。除く。「尊王攘夷ジョウイ」 ❹こばむ。ふせぐ。❺かかげる。まくる。❻ぬすむ。㋐自分の所に迷いこんで来たものを、そのまま自分のものにする。ねこばば。用例〔論語、子路〕其父攘レ羊而子証レ之そのちち ひつじをぬすみて。これをショウす ↓父親が迷いこんできた羊を自分のものにしたが、子どもが証人となってそれを訴えた。㋑奪い取る。㋒まねる。身分をこえたまねをする。㊁みだす。また、みだれる。「攘乱」
解字 篆文 形声。扌(手)+襄音。音符の襄ジョウは、衣服の中にまじないの品をつめこんで邪気を払うの意味。手を付し、しりぞけるの意味を表す。また、他人の物を懐中にしのばせる、ぬすむの意味を表す。
【攘夷】ジョウイ 異民族を追いはらう。「尊王攘夷」
【攘災】ジョウサイ 災害をはらい除く。
【攘除】ジョウジョ はらい除く。
【攘攘】ジョウジョウ ①ごたごた乱れているさま。②多いさま。
【攘斥】ジョウセキ はらいのける。しりぞける。
【攘窃(竊)】ジョウセツ 盗み取る。
【攘臂】ジョウヒ ひじ(ぢ)をかかぐ 腕をまくる。勇みふるい立つこと。

17【攕】20画 4491 ㊀㊥サン・㊦セン 咸 xiān ㊁セン 塩 xiān
字義 ㊀❶しなやか。攕攕は、女性の手の細くしなやかなさま。=掺(4379)。❷そぐ。けずる。❸くさび。=櫼(5920)。㊁❶=㊀❶。❷ぬぐう。
解字 形声。扌(手)+韱音。

17【攔】20画 4492 ラン 寒 lán 2 1361 ― 3328
字義 ❶さえぎる(さへぎる)。じゃまする。用例〔唐、杜甫、兵車行〕牽レ衣頓レ足攔レ道哭ころもをひき あしをトンし、みちをさえ(へ)ぎりてコクす 哭声直上干二雲霄一コクセイチョクジョウしてウンショウをおか(を)かす ↓(見送る人々は)兵士たちのきものを引っぱり、足をばたばたさせ、道をさえぎって泣きさけぶ。その泣き声は、まっすぐに立ちのぼって、大空をつきささんばかりだ。❷てすり。=闌(13019)。
解字 形声。扌(手)+闌音。音符の闌ランは、さえぎりとじこめるの意味。手を付し、さえぎるの意味を表す。

18【攜】21画 4493 ケイ 5824 9DB6 ―
携(4335)の正字。→六〇七ページ上。

18【攛】21画 4494 サン 寒 cuān ― ― 3331
字義 ❶なげうつ。❷そそのかす。❸混ぜる。
解字 形声。扌(手)+竄音。

18【摗】21画 4495 ㊥ショウ・㊦シュウ 腫 sǒng 2 1363 ― ―
字義 ❶とる(執)。❷おす(推)。❸そばだてる。
解字 形声。扌(手)+雙音。

18【攝】21画 (4352) セツ
摂(4351)の旧字体。→六〇八ページ上。

19【攟】22画 4496 クン 問 jùn ― ― 3333
字義 ❶拾う。❷取る。
解字 形声。扌(手)+麕音。

19【攢】22画 4497 標 ㊀㊥サン・㊦ザン 寒 翰 cuán ㊁サン 旱 zǎn 1 8506 ― 3334
[攅] 4468 俗字
字義 ㊀❶あつまる。むらがる。また、あつめる。❷葬らないで棺に土をかけること。㊁❶おる(折)。❷あつまるさま。=纂(9379)。❸える(彫)。うがつ。❸たくわえる。
解字 形声。扌(手)+贊音。音符の贊サンは全に通じ、そろうの意味。手を付し、そろえあつめるの意味を表す。
【攢聚】サンシュウ むらがり集まる。
【攢蹙】サンシュク ①むらがり集まる。②ちぢんで、ひと所に集まること。
【攢竦】サンショウ (山が連なって)むらがりそびえる。
【攢眉】サンビ まゆをひそめる。
【攢峰】サンポウ 重なり続いているみね。
【攢立】サンリツ むらがり立つ。

19【攤】22画 4498 ㊀タン 寒 tān ㊁㊥ダン・㊦ナン 翰 nàn ㊂㊥ダ・㊦ナ 歌 5826 9DB8 ―
字義 ㊀❶ひらく(開)。広げる。❷ゆるやか。㊁おさえる。㊂おにやらい。=儺(673)。
解字 篆文 形声。扌(手)+難音。音符の難タン=ナンは、展に通じて、ひろげるの意味。手を付し、ひろげるの意味を表す。
【攤銭(錢)】タンセン ばくちの一種。ぜにうち。
【攤飯】タンハン・ハン 食後に少し眠ること。ひるね。午睡。

19【攞】22画 4499 ラ 歌 智 luō 2 1364 ― 3332
字義 ❶えらぶ。❷さく(裂)。
解字 形声。扌(手)+羅音。

19【攦】22画 4500 ㊀㊥レイ・㊦ライ 霽 lì ㊁リ 紙 ㊂㊥サイ・㊦シャ 卦 shài ― ― 3335
字義 ㊀折る。割く。㊂掃はらう。
解字 形声。扌(手)+麗音。

20【攫】23画 4501 ㊥キャク ㊦カク(クワク) 薬 jué 5828 9DBA ―
[𠧩] 7090 同字
字義 ❶つかむ。つかみとる。用例〔人虎伝〕不レ覚おぼえず、以二左右手一攫レ地而歩サユウのてをもって。チをつかみてあゆむ ↓気づかぬうちに左右の手で地面をつかんで歩いていた。❷とる(取)。国さらう。かすめとる。人の油断を見て急に奪い取る。
解字 篆文 形声。扌(手)+矍音。音符の矍キャクは、つかみとるの意味。さらに、手を付した。

20【攪】23画 4502 標 ㊥コウ(カウ) ㊦キョウ(ケウ) 巧 jiǎo 5788 9D98 ―
㊀カク
[撹] 4398 簡易
字義 ❶みだす。また、みだれる。❷かきまわす。また、かきまぜる。❸うごかす。ゆする。
解字 篆文 形声。扌(手)+覺音。音符の覺カクは、交に通じ、まじわり乱れるの意味。手でかきみだすの意味を表す。
【攪拌】カク・ハン、コウ・ハン かきまわす。また、かき混ぜる。▼拌も、かき混ぜる。
【攪乱(亂)】カク・ラン、コウ・ラン かき乱す。

20【攩】23画 4503 トウ(タウ) 養 dǎng, ②tǎng 1 8507 ― 3336
字義 ❶むれ。とも。なかま。=党(712)。❷たたく。うつ。❸さえぎりとどめる。

22【攮】25画 4504 ㊥ドウ(ダウ) ㊦ノウ(ナウ) 養 nǎng ― ― 3337
解字 形声。扌(手)+囊音。

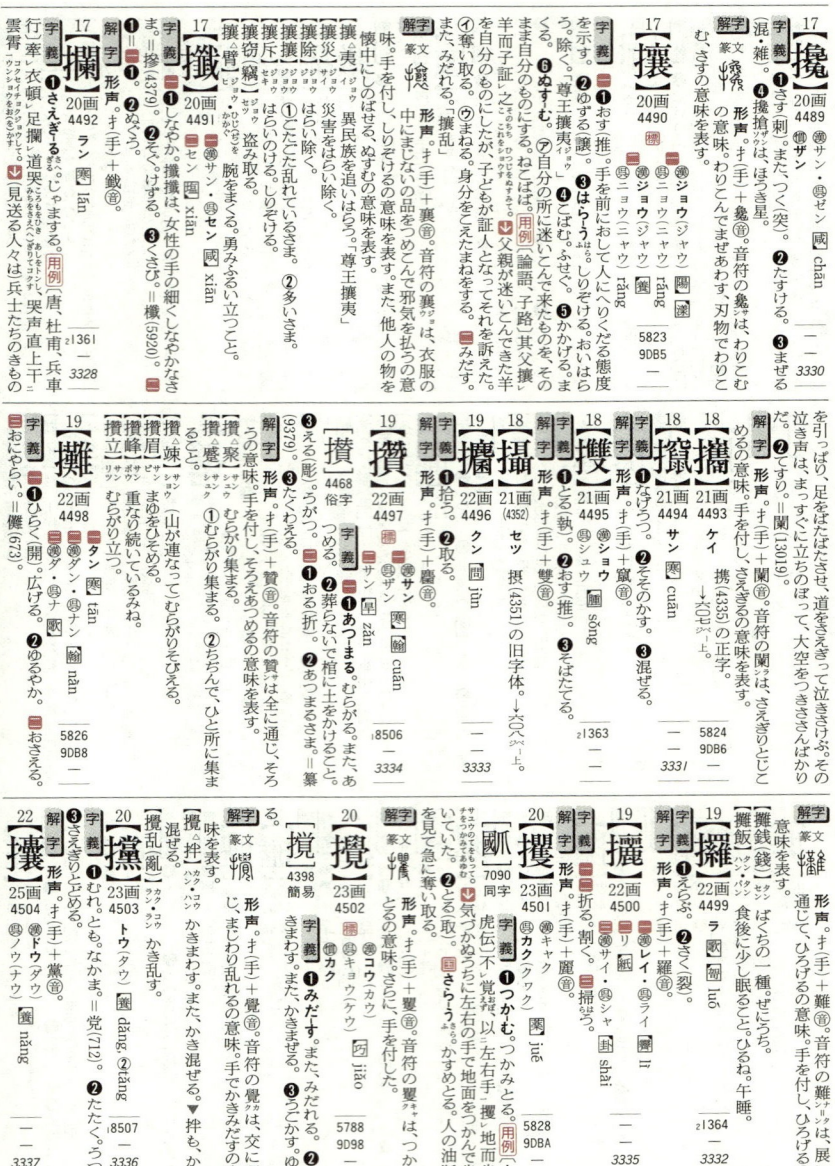

字義 ❶推す。❷現代中国語で、匕首（あいくち）で刺す。
解字 形声。扌(手)＋嚢㊥。

22
【攬】25画 4505 ラン 感 lǎn 5816 9DAE 一
［擥］4027 同字

字義 ❶とる。㋐手にとる。にぎる。**用例**〔唐、白居易、長恨歌〕攬レ衣推レ枕起徘徊（ころもをとりまくらをおして、たちてハイカイす）、珠箔銀屏邐迤開（シュハクギンペイ、リイとしてひらく）。（たちあがったが、枕をおしのけ、上衣をとり、（あまり突然のことなので驚いて）へやの中をあるきまわる。（やがて）いくつか重なる玉のすだれや銀のびょうぶが、次々に開かれた。）㋑つまむ。つまみとる。❷すべる。また、すべつかさどる。

解字 篆文 形声。扌(手)＋監㊥。音符の監は、斂（レン）に通じ、そろえおさめるの意味。あれこれあるものをとりまとめて持つの意味を表す。のち、扌(手)＋覽㊥の形声文字となる。擥と同字。

4画
支 しにょう えだにょう・じゅうまた（十又）

〔部首解説〕繞（ニョウ）の名をもつがその例は少ない。多くは傍（つくり）（音符）として用いられ、枝分かれするの意味を表す。

0 支 六一九　4 岐 六一九　5 攱 六一九　6 翅 一一五七　7 豉 一三四三
8 攲 六一九　9 鼓 一六五一

0
【支】4画 4506 シ 因 zhī 2757 8E78 一
教5 シ ささ-える
熟字訓 差（さ）し支（つか）える

筆順 一 十 ㄊ 支

字義 ❶ささ-える。㋐もちこたえる。ささえたもつ。㋑ふせぎとめる。❷ささえ。支柱。❸わか-れる（分）。はなれる。わける。㋐分家。㋑嫡出でない子。㋒支流。分流。㋓わりふ。❹わか-れ。わかれたもの。❺えだ。草木のえだ。＝枝(5242)。❻てあし（手足）。四肢。＝肢(4931)。❼十二支。十干と合わせて、年・月・日・時・方位などに配する。❽はらう。支払う。「収支」❾はかる。計算する。国❶支那（中国に対する旧呼称）の略称。❷つか-える。さしつかえ。さしさわり。❸つか-える。とどこおる。ふさがる。

名前 し・なか・もろ・ゆた **難読** 支笏（しこつ）・支主（すき）・支倉（はしくら・はせくら）

解字 篆文 象形。竹や木の枝を手にする形にかたどり、ささえる・枝を払う・わけるの意味を表す。支を音符に含む形声文字は、枝分かれするの意味を共有し、枝・肢・枝・翅・豉・岐などがある。

逆 干支・四支・収支・本支

【支△裔】シエイ ①わかれ。末流。▼裔は、末。②分かれた血すじ。分家の子孫。
【支援】シエン 国ささえ助ける。力をそえて助ける。
【支解】シカイ 四肢（両手両足）を切りはなす刑罰。
【支干】シカン 十二支と十干。干支。
【支給】シキュウ はらいわたす。あてがいわたす。
【支△蘖】シゲツ ①ひこばえ。切り株から出る新芽。②嫡出でない子。③傍系の人。中心人物でない人。
【支子】シシ ①本妻の生んだ、長男以外の子。②嫡出でない子。↔嫡子(三七七ページ中)。
【支持】シジ ①ささえもつ。ささえ助ける。②人の主義・政策・意見などに賛成し援助する。
【支庶】シショ ①＝支子。②分かれた血すじ。分家。
【支族】シゾク 一族の分かれ。分かれた血すじ。分家。
【支属（屬）】シゾク 分かれた血筋。分家の一族。
【支体（體）】シタイ ①手足とからだ。②からだ。同肢体（シタイ）。
【支度】シタク ①計る。計算する。②国用意する。準備する。「身支度」◆「仕度」と書くこともあるが、「支度」が一般的。新聞用語も「支度」に統一している。
【支柱】シチュウ ささえのはしら。つっかい柱。
【支党（黨）】シトウ ①分かれでた党派。また、残党。枝党。②支持するなかま。ささえる党派。支援する人々。
【支那】シナ 中国の旧称。昔、インドなどが中国を呼んだ名称を、仏典を漢訳するときに中国で音訳したもの。秦（シン）がその語源といわれる。から。もろこし。漢土。唐土。
【支派】シハ ①えだがわ。支川。支流。②党派などの、もとの仲間から分かれ出た一派。分派。支部。
【支配】シハイ ①区分けして手くばりする。②部下を監督し事務を処理すること。とりしまる。③統治する。④ある者の力が他人の考えや行動を規定する。他人を思うように動かす。また、他を制約する。
【支分】シブン ①こまかに分ける。ばらばらに分ける。分割。②肢体（シタイ）がばらばらになること。③支払い。
【支分節（節）解】シブンセッカイ 支体を分け、関節を解く意で、書物をこまかく分解して調べ明らかにすること。
【支脈】シミャク 主脈から分かれ出たすじ。山脈の分かれなど。
【支葉】シヨウ 枝と葉。また、子孫などをいう。枝葉。
【支離】シリ ①わかれわかれになる。②めちゃめちゃにする。③身体に障害のある人。
【支離滅裂】シリメツレツ ちりぢりばらばら。めちゃくちゃ。
【支流】シリュウ ①えだがわ。本流に流れこむ川。②分かれ出た家系。分家。③国家元から分かれた流儀。別派。

4
【岐】8画 4507 漢キ 呉ギ 因 qí 8636 一 3789

字義 ❶わかれ道。**用例**〔唐、王勃、杜少府之レ任蜀州一詩〕無レ為在二岐路一、児女共霑レ巾（なすなかれキロにありて、ジジョとともにキンをうるお(ほ)すを）。（わかれ道で女子供のようにハンカチを涙で濡らしあうのは、やめよう。）❷わかれる。

注意 『康熙字典』では、止部に所属する。
解字 形声。止＋支㊥。

5
【攱】9画 4508 キ 紙 guǐ 一 一 3338

字義 ❶載せる。❷食物を載せる棚（たな）。❸腰かけ。❹枕（まくら）。
解字 形声。立＋支㊥。

6
【翅】10画 (9519) シ 羽部。→一一五七ページ下。

7
【豉】11画 (11454) シ 豆部。→一三四三ページ下。

8
【攲】12画 4509 キ 因 qī, ②jì 21365 一 一
［攲］4545 同字

字義 ❶かたむ-く（傾）。また、そばだてる。傾ける。＝欹(5962)。「傾攲」❷箸（はし）ではさみとる。

解字 篆文 形声。支＋奇㊥。支は、分かれた枝、箸（はし）の意味。音符の奇は、斜めに傾き立つの意味。箸を傾けて物をはさみ取るの意味を表す。

【攲危】キキ 傾いてあぶない。足もとがふらついてあぶない。

9
【鼓】13画 (14515) コ 鼓部。→一六五一ページ中。

4画
攴（攵） ぼくづくり ぼくにょう とまた（卜又）〔攴〕・のぶん（ノ文）〔攵〕

〔部首解説〕攵は攴の省略形。攴を意符として、打つ、強いる、仕向けるなどの意味を含む文字ができている。

0 攴 六二〇　攵 六二〇　2 攷 六二〇　収 一三〇　3 攺 六二〇

扌部 22画〔攬〕 支部 0▼9画〔支岐攱翅豉攲鼓〕 攴部

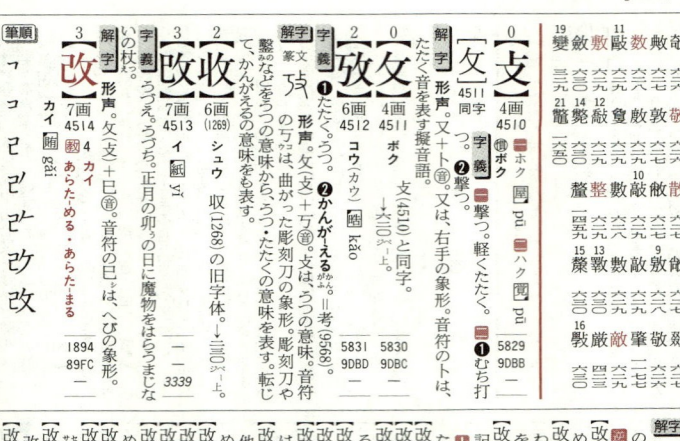

改 六二〇	攼 六二〇	攻 六二〇	孜 六二一	攸 六二一
4 攽 六二一	放 六二一	牧 九二三	5 故 六二三	敂 六二三
叜 六二三	政 六二三	畋 六二三	敀 六二三	敄 六二三
6 效 一九四	敇 六二三	敊 六二三	致 一二八一	敉 六二三
敏 六二四	7 救 六二四	敔 六二四	教 六二四	啟 六二五
敖 六二五	赦 六二五	敍 二二四	敘 六二五	啓 六二五
敕 一九四	㒘 六二五	敗 六二五	敏 六二四	8 敢 六二六
敧 六二六	敬 六二六	散 六二七	敞 六二七	敪 六二七
敟 六二七	敦 六二七	敝 六二七	9 敫 六二八	敬 六二六
数 六二八	敫 六二九	10 敲 六二九	敲 六二九	肇 一一七七
11 敺 六二九	夐 六二九	數 六二八	數 六二九	敵 六二九
敷 六二九	12 敽 六二九	整 六二九	13 斆 六三〇	厳 四三三
斂 六三〇	14 斃 六三〇	鏊 一四五九	15 斄 六三〇	16 斅 六三〇
19 變 三二九	21 鼈 一六五〇			

0 【攴】 4画 4510 ㊀ホク 屋 pū ㊁ハク 覺 pū 慣ボク 5829 9DBB —

字義 ㊀❶むち打つ。❷撃つ。㊁撃つ。軽くたたく。

[攵] 4511 同字

解字 形声。又＋卜㊥。又は、右手の象形。音符の卜は、たたく音を表す擬音語。

0 【攵】 4画 4511 ボク 攴(4510)と同字。→六二〇ページ上。 5830 9DBC —

2 【攷】 6画 4512 コウ(カウ) 晧 kǎo 5831 9DBD —

字義 ❶たたく。うつ。❷かんがえる(かんがふ)。＝考(9568)。

解字 篆文 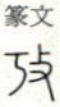 形声。攵(攴)＋丂㊥。攴は、うつの意味。音符の丂は、曲がった彫刻刀の象形。彫刻刀や鑿などをうつの意味から、うつ・たたくの意味を表す。転じて、かんがえるの意味をも表す。

2 【收】 6画 (1269) シュウ 収(1268)の旧字体。→三三〇ページ上。

3 【攺】 7画 4513 イ 紙 yǐ — — 3339

字義 うづえ。うづち。正月の卯の日に魔物をはらうまじないの杖。

3 【改】 7画 4514 教4 カイ あらた-める・あらた-まる カイ 賄 gǎi 1894 89FC —

筆順 ㇆ コ 己 己' 己𠂉 改 改

字義 ❶あらた-める(あらたむ)。かえる。なおす。新しくする。あらた-まる。用例〔論語、衛霊公〕過而不レ改、是謂レ過矣(あやまちてあらためざる、これをあやまちという)。↓あやまちを犯しながらそれを改めない。そのことこそ、真のあやまちである。❷あらためて。新しく。国❶あらた-め。検査。吟味。❷あらた-まる。ことさらに態度をよくする。四角ばる。

名前 あら 難読 改羅(カイロ)

解字 篆文  形声。攵(攴)＋己㊥。音符の己は、かしこまるの意味。かしこまるように仕向ける、あらたまるの意味を表す。

逆 更改・変改・摩改

【改悪(惡)】(カイアク) ①悪い事をあらため直すこと。②国あらためてかえって悪くすること。↔改善。

【改易】(カイエキ) ①あらためかえる。とりかえる。また、あらたまり変わる。②国江戸時代、武士に科した刑罰。家禄(カロク)・屋敷を没収し、士籍を除いた。

【改悔】(カイカイ) くいあらためる。後悔して考えを変える。用例〔史記、刺客伝〕太子遅レ之(タイシこれをおそしとし)、疑ニ其改悔一(そのカイカイをうたがう(ふ))。↓太子は待ちかねて、彼が心変わりしたのではないかと疑った。

【改革】(カイカク) あらためかえる。また、あらたまり変わる。改易。

【改元】(カイゲン) 年号をあらためる。新しい年号にする。

【改悟・改△悔】(カイゴ) くいあらためる。過ちをさとってあらためる。

【改作】(カイサク) あらためて作る。作りなおす。

【改△刪】(カイサン) ＝改竄(カイザン)。▼刪は、削る。

【改△竄】(カイザン) 文字・語句をあらためなおすこと。改刪(カイサン)。▼竄は、あらため変える。

【改宗】(カイシュウ) 国①今まで信仰していた宗教・宗派をやめて、他の宗教・宗派にかえる。宗旨替え。②思想や態度を改め変える。

【改△悛】(カイシュン) ＝改悟。悔悛。▼悛は、あらためる。

【改称(稱)】(カイショウ) 名称をあらためる。

【改心】(カイシン) 心をあらためる。心を入れかえる。

【改進】(カイシン) ①物事のあらたまり進むこと。②古い弊害を改めて進歩を図ること。

【改新】(カイシン) ①あらためて新しくする。②新年。

【改正】(カイセイ) ①あらためただす。あらためてよくする。②正朔(セイサク)(こよみ)を改める。

【改善】(カイゼン) あらためてよくする。よい方にあらためる。改良。↔改悪。

【改組】(カイソ) 組織をあらためかえる。

【改葬】(カイソウ) いったん葬った死体をよそに葬りなおすこと。

【改装(裝)】(カイソウ) ①よそおいを改める。服装をかえる。②船や建物などの装備・装飾をかえる。

【改造】(カイゾウ) あらためてつくる。つくりなおす。

【改題】(カイダイ) 題名をあらためる。題目を変える。

【改定】(カイテイ) あらためる。新たに定める。◆もと、古いものを改めるのを「改定」、正しくないものを改めるのを「改訂」と使いわけた。法令用語は「改定」。ただ、正誤ということに力点を置く場合には「改訂」を用いている。「改訂版」

【改訂】(カイテイ) 国著書の文章や内容をあらため正すこと。→改定。

【改廃(廢)】(カイハイ) あらためることと、やめること。あらためたり、やめたりすること。

【改版】(カイハン) ①版木をほりかえる。②活字を組みかえる。

【改変(變)】(カイヘン) あらためかえる。

【改名】(カイメイ) なまえを変える。

3 【攼】 7画 4515 カン 寒 gān — — 3340

字義 ❶求める。❷得る。❸進む。

解字 形声。攵(攴)＋干㊥。

3 【攻】 7画 4516 常 コウ せ-める 漢コウ・呉ク 東 冬 gōng 2522 8D55 —

筆順 一 T I I' I𠂉 攻 攻

字義 ❶せ-める(せむ)。㋐兵力を用いて敵を討つ。攻撃する。用例〔史記、項羽本紀〕臣与ニ将軍一勠レ力而攻レ秦(シン、ショウグンとちからをあわ(は)せてシンをせむ)。↓私は、将軍閣下と力を合わせて秦を攻めました。㋑とがめる。過失を責める。❷おさ-める(をさむ)。㋐学ぶ。研究する。用例〔論語、為政〕攻ニ乎異端一、斯害也已(イタンをおさむるは、これガイなるのみ)。↓正統でない道を学ぶのは、ただ害があるだけである。㋑みがく。とぐ。「攻玉」 ㋒つくる。㋓なおす。治療する。❸かたい(堅)。❹たくみ。＝工(3057)。

名前 おさむ・たか・よし

使いわけ せめる〔攻・責〕
〔攻〕相手に勝とうとして、戦いをしかける。「水攻め」
〔責〕罪や過失を問いただす。「怠慢を責める」

解字 金文 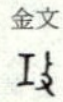 篆文  形声。攵(攴)＋工㊥。攴は、うつの意味。音符の工は、工具の象形。のみなどの工具をたたいて、物を作るの意味を表し、軍事上・

農業上の害を除く、せめるの意味も表す。

逆 近攻・正攻・専攻・内攻

【攻陥(陷)】せめて、おとしいれる。

【攻究】おさめきわめる。研究する。

【攻玉】①たまをみがく。②知徳をみがくこと。

【攻苦】苦心する。また、苦心して勉強すること。

【攻苦食レ啖】苦境と戦い粗食に甘んずる。転じて、苦心して勉強する意。▼啖は、淡で、味気のないもの。〔史記、叔孫通伝〕

【攻撃(擊)】①武力で敵をせめうつ。②言論で人をせめる。

【攻守】せめることと守ること。攻撃と守備。

【攻城野戦(戰)】城をせめ、野で戦う。〔史記、廉頗藺相如伝〕

【攻勢】①せめかかるいきおい。②積極的に攻撃している状態。攻める方の立場。↔守勢(三九〇ページ下)。

【攻戦(戰)】①せめたたかう。②「攻城野戦」の略。

【攻抜】敵の城や陣地をせめて奪い取ること。

【攻略】せめとる。攻奪。▼略は、奪い取る。

3【孜】7画 4517 人 シ 支 zī　2758 8E79 —

筆順 孑 孑 孑 孑 孜 孜 孜

字義 つと-める。はげむ。休まずにはげむさま。孜孜。

名前 あつ・し・しげ・ただす・つとむ・ます

注意 『康熙字典』では、子部に所属する。

解字 篆文 形声。攵(攴)+子音。音符の子は、つぎつぎにふえるの意味。努力をつぎつぎ増していく、つとめるの意味を表す。

【孜孜】熱心につとめはげむさま。せっせと。用例〔唐、白居易、燕詩示二劉叟一〕四児日夜長、索レ食声孜孜(四児日夜に長じ、食を索めて声孜孜たり) ↓四羽のひな鳥は日ましに成長し、食事を欲しがってしきりに鳴く。

3【攸】7画 4518 漢ユウ(イウ) 呉ユ 尤 yōu　5833 9DBF —

字義 ❶水の流れるさま。❷ところ(所)。助字。用法は、所(3979)と同じ。「攸レ帰」(帰する所) ❸遠くはるかなさま。=悠(3540)。「攸攸」❹はやく行くさま。一説に、ゆったりしているさま。「攸然」

解字 甲骨文 金文 篆文 会意。攵(攴)+人+丨(水)。支は、手で軽くたたくの意味。丨は水の省略形で、みずの意味。人の背に水を流して手で洗うさまから、長いすじとなって流れる水の意味を表す。滌の原字。借りて、助字に用いる。攸を音符に含む形声文字に、悠・條(条)・滌・修・脩などがある。

【攸攸】同 悠悠。①遠いさま。②心の思いの長く深いさま。

4【攽】8画 4519 ヒン 真 bīn　— — 3341

字義 ❶分ける。分かつ。❷別れる。

解字 形声。攵(攴)+分音。音符の分は、わけるの意味。

4【放】8画 4520 教3 ホウ はな-す・はな-つ・はな-れる・ほう-る　4292 95FA —
一 ホウ(ハウ) 漾 fàng
二 ホウ(ハウ) 養 fǎng

筆順 亠 亠 方 方 方 方 放 放

字義 一 ❶はな-す。はな-つ。㋐ときはなす。自由にする。「解放」「釈放」㋑すてる。ほうりだす。すておく。「放棄」「放置」㋒おいやる。しりぞける。「追放」㋓発する。とばす。「光を放つ」「矢を放つ」㋔つける。「火を放つ」❷はな-れる。㋐にげる。㋑遠ざかる。❸ほしいまま。わがまま。「放縦」「奔放」❹しまりがない。二 ❶ならう。まねする。=倣(458)。❷よる(依)。つき従って行く。❸いた-る(至)。国 ❶こ-く。ひ-る。屁を体外に出す。❷ほう-る。㋐物を投げる。㋑途中でやめる。ほうり投げる。❸ほか-す。うち捨てておく。捨てる。

名前 ゆき・ゆく　難読 放出

参考 現代表記では〔抛〕(4133)の書きかえに用いることがある。「抛棄→放棄」「抛物線→放物線」

使いわけ はなれる・はなす〔離・放〕⇩離(13209)。

解字 篆文 形声。攵(攴)+方音。音符の方は、左右に広がるの意味。攴は、強制するの意味。しいて左右に広げる、はなすの意味を表す。

逆 開放・豪放・釈放・疎放・粗放・追放・奔放

【放逸・放佚】ほしいまま。わがまま。きまま。

【放溢】①流れあふれる。②=放逸。

【放下】一 ①手から離す。②流れくだる。③安心する。④国放下師・放下僧(ともに、曲芸・手品などを演じた芸人)の略。二 仏禅宗で、世俗の縁をすてて無我の境に入ること。

【放歌】大声でうたう。「放歌高吟」

【放鶴亭】①北宋の張天驥が雲竜山(江蘇省徐州市の南)のふもとに作った亭の名。二羽の鶴を飼い、朝放せば暮れに帰ったという。北宋の蘇軾に「放鶴亭記」がある。②北宋の林逋(謚は和靖)は、孤山(浙江省杭州市)の北に退隠し、二羽の鶴を飼って共に遊んだ。後に元の陳子安がここに放鶴亭を建てた。

【放棄】なげすてる。すてさってかまわない。抛棄。

【放吟】=放歌。放歌高吟。

【放言】言いたいほうだいに言う。また、無責任なことば。

【放効(效)】人の行いを見ならう。まねる。▼効は、ならう。

【放散】①まきちらす。②ほしいまま。わがまま。

【放恣・放肆】=放逸。▼恣は、ほしいまま。

【放失】①はなち捨てる。②失う。

【放射】①中央の一点から四方八方へ放出する。②光・熱などを外へ出す。

【放赦】罪人をはなちゆるすこと。放免。釈放。

【放出】①はなって出す。自由にして出してやる。②ふきだす。ほとばしり出る。③国貯蔵の食糧・物資などを一般に分け与えるために、貯蔵所から出すこと。「放出物資」

【放縦(縱)】わがまま。きまま。放逸。

【放心】①良心を失う。また、外物に迷って本体を失った心。用例〔孟子、告子上〕学問之道無レ他、求二其放心一而已矣(学問の道は他無し、其の放心を求むるのみ) ↓学問の道は他でもない、その失った良心を探し求めることだ。②気ぬけする。頭がぼうっとなる。うっかりする。③心づかいをやめる。安心する。放念。④心を自由にする。思いのままに。

【放水】水を流し出す。

【放生】一 鳥・魚などの生き物をはなつこと。二 仏功徳を積むため、鳥・獣・魚などの生き物をにがしてやる。

【放惰】わがままでなまける。

【放達】きままで物事にこだわらない。放曠。

【放胆(膽)】思いきって大胆に事を行う。転じて、大胆。

【放胆(膽)文】文法などにとらわれず、思うままに大胆に書いた文。↔小心文(四一八ページ上)。

【放誕】思うままに大きなことをいう。大きな口をきくこと。▼誕は、大言する。

【放談】思うがままに話す。放言。

【放置】①すえおく。②国すてておく。そのままにしておく。

【放逐】追いはらう。追いだす。追放。

【放黜】はなちしりぞける。放逐する。

【放擲】同 抛擲。①なげすてる。②なげやりにする。うっちゃっておく。

【放△蕩】①ほしいまま。わがまま。放逸。②国酒色にふけって品行が修まらないこと。身持ちが悪いこと。道楽。

【放任】国①なげやりにして成り行きにまかせる。②うっちゃらかして自由にまかせる。

【放伐】①追い払うことと、討ち滅ぼすこと。②昔、中国で徳を失った暴虐な君主を追放したり、討ち滅ぼしたりした易姓革命の思想。〔孟子、梁恵王下〕↕禅譲（一〇四三ページ中）。

【放飯流△歠】大口にめしを食い、流しこむように汁をすする。無作法な食事のしかたをいう。

【放△辟邪△侈】わがままかってな悪い行いをいう。▼放はほしいまま、辟はかたよる、邪はよこしま、侈はぜいたく。用例〔孟子、梁恵王上〕苟無恒心、放辟邪侈、無不為已。↓もしも一定不変の道徳心がなかったならば、勝手気ままにふるまい、どんな悪いことでもしてしまう。

【放△榜・放△牓】試験の合格者を発表すること。

【放漫】やりっぱなしでしまりがないこと。

【放免】①はなちゆるす。自由にしてやる。②刑期満了により、容疑者・被告人を釈放すること。

【放△鷹】たかがり。飼いならしたたかを放って小鳥などを捕らえさせる狩り。

【放△埒】国馬が埒（馬場の囲い）をはなれてとびだす。㋐わがまま。きまま。㋑酒色にふけって品行がおさまらないこと。道楽。放蕩。

【放△懶】気ままにし、なまけること。

【放浪】①きままにする。②さまよいあるく。流浪。

4 【牧】8画 (7139) ボク 牛部。→九三三ページ上。

5 【故】9画 4521 教5 コ ゆえ　コ 遇 gù　2446 8CCC 一

筆順 一 十 十 古 古 古 古 故 故

字義 ❶もと。むかし。以前。用例〔史記、滑稽伝〕優孟故楚之楽人也。↓優孟はもと楚の楽人である。❷もとの。㋐以前の。㋑死んだ。死んだ人の官名や名の上につけて死んだ意を表す。❸もとより。㋐もともと。はじめから。用例〔荀子、性悪〕凡礼義者、是生於聖人偽。非故生於人之性也。↓すべて礼義というものは、聖人の作為から生まれたもので、人の生まれつきのものではないのだ。／〔東晋、陶潜、責子詩〕阿舒已二八、懶惰故無匹。↓息子の舒はもう十六歳になるのに、並ぶもののないほどの怠け者だ。㋑まことに。たしかに。❹ふる-い。❺ふるい事がら。ふるいしきたり。ならわし。先例。「温故而知新」❻ふるなじみ。旧知。用例〔唐、韓愈、与孟東野書〕主人与吾有故、哀其窮、居吾于符離睢上。↓この主人は私と古なじみで、私の困窮ぶりをあわれみ、わたしを符離の睢水のほとりに住まわしてくれました。❼としより。年長者。「故老」❽死ぬ。「物故」❾ゆえ。わけ。理由。用例〔淮南子、人間訓〕馬無故、亡而入胡。↓馬がどうしたことか逃げて北方の異民族の地に行ってしまった。❿ゆえ-に。それだから。用例〔論語、先進〕求也退、故進之。↓冉求は、消極的で遠慮がちであるから、これを押し進めてやったのだ。⓫こと。㋐ことがら。しごと。「世故」㋑できごと。非常のこと。わざわい。むほん。うらみ。用例〔孟子、尽心上〕父母俱存、兄弟無故、一楽也。↓父母がともに健在で、兄弟に事故がないのが、第一の楽しみである。⓬ことさら。わざと。わざとする。用例〔史記、項羽本紀〕故遣将守関者、……。↓わざわざ武将を派遣して函谷関を守らせたのは、……。⓭ときあかし。古語の現代訳。＝詁（11149）。「訓故」

名前 ひさ・ふる・もと

参考 「ゆえ・ゆえに」という語は、①「わけ・理由」、②「…のため」、③「だから・したがって」などの用法があるが、「文部省用字用語例」では、①は「故」と漢字を用い、②と③は「ゆえ」と仮名書きにするのを適当としている。「故あって・故なくして」「あなたゆえ・それゆえ」「われ思う。ゆえにわれあり」

解字 金文  篆文  形声。攵（攴）＋古㊥。攴は、強制するの意味。音符の古は、ふるく固いの意味、しいて古く固くしてしまうの意味から、ことさらに・死ぬ・わざわい等の意味を表し、古に通じて、ふるいの意味、固に通じて、もとよりの意味も表す。

逆 縁故・旧故・事故・世故・大故・典故・物故

【故意】①古い心。また、昔の人の心。②古めかしいおもむき。③わざとたくらむ心。わざとする。④もとからの心。

【故△淵】魚がもと住んでいたふち。用例〔東晋、陶潜、帰園田居詩〕羈鳥恋旧林、池魚思故淵。↓旅にある鳥はかつて飛びまわっていた林を恋しがり、池の中の魚は、もと住んでいたふちを恋しがる。

【故園】①古い庭。旧園。故苑。②ふるさとの庭。転じて、ふるさと。用例〔唐、杜甫、秋興詩〕叢菊両開他日涙、孤舟一繫故園心。↓群がる菊が花を開くのは（旅にでてから）二度目、去年の涙がよみがえる。一そうの小舟に、ただひたすらに故郷を思う心をつなぎとめているのだ。

【故家】ふるくから続いている家。古い家がら。旧家。

【故△雁】去年きた雁。

【故丘】①ふるさとのおか。②ふるさと。③古い墓。

【故旧（舊）】古くからの知り合い。古なじみ。旧知。

【故宮】①古い宮殿。②北京の故宮をいう。明・清代の宮殿であった紫禁城。現在は故宮博物院と称し、建物や遺品が公開されている。⇩コラム 北京（三〇四ページ）。

【故△墟】昔の城や建築物などの跡。廃墟。故址。

【故郷（鄕）】①生まれた土地。ふるさと。用例〔史記、項羽本紀〕富貴不帰故郷、如衣繡夜行。↓富貴になって故郷に帰らないのは、刺繡をした美しい着物を着て闇夜を歩くようなものだ。②もと長く住んでいた土地。

【故訓】①昔の訓み方。②昔の教え。同古訓。

【故故】①鳥の鳴き声などの形容。②しばしば。たびたび。

【故△吾】昔のままの自分。

【故国（國）】①古くからある国。②生まれた国。祖国。③ふるさと。故郷。

【故山】①ふるさとの山。②ふるさと。故郷。故国。

【故△址・故△趾】昔の町・建物などのあと。

【故事】①昔あった事実。②昔から伝わっている事がら。先例。「故事来歴」

【故式】古くからのしきたり。古い儀式。古式。

【故実（實）】ふるい事がら。昔の儀式・法制・作法・服装などの実例や習慣。「有職故実」

【故人】①古くからの知り合い。昔なじみ。旧友。故知。故旧。用例〔唐、王維、送元二使安西詩〕勧君更尽一杯酒、西出陽関無故人。↓さあ君、もう一杯の酒を飲みほしたまえ。西に進んで陽関を出ると、もう古くからの友人はいなくなるのだ。／〔唐、李白、送友人詩〕浮雲遊子意、落日故人情。↓空に浮かぶ雲は、ゆくえ定めぬ旅人（である君）の心であり、沈みゆく夕日は、古くからの友人（である私）の（別れを惜しむ）心である。②もとの夫、また、妻をいう。③死んだ人。なき人。

【故俗】ゾク 古いならわし。古い風俗習慣。古俗。旧俗。

【故宅】タク もとの家。昔住んでいた家。旧宅。

【故地】チ ①昔、所有していた土地。②古いゆかりのある土地。

【故知】チ ①＝故旧。②昔の人が用いた知恵、はかりごと。故智。

【故都】ト ①古都。古いみやこ。昔のみやこ。旧都。②前の都。もと都として住んでいたところ。旧都。

【故土】ド ①昔、遊んだことのある土地。②ふるさと。祖国。故国。

【故道】ドウ ①古い道路。古くなってさびれた道。旧道。②もと来た道。もと通った道。③先王の道。

【故△廟】ビョウ 古いみたまや。古いやしろ。また、寺。

【故夫】フ もとのおっと。先夫。前夫。

【故物】ブツ 古い品物。昔の物。古物。

【故里】リ ①ふるさと。生まれた土地。故郷。故山。②昔、住んだ土地。因縁のある土地。

【故林】リン 古いはやし。また、もと住んだ林。

【故塁（壘）】ルイ 古いとりで。昔の城壁。古塁。

【故老】ロウ 老人で徳のある人。また、老人。旧臣。

【温レ故△而知レ新】ふるきをたずねてあたらしきをしる もと得た知識を再びよく考えたずねて（一説に、ふるきをあたためてあたらしきをしる）、新しい道理を導きだす。孔子が人の師たる者の資格を述べたことば。用例〔論語、為政〕温レ故而知レ新、可二以為一レ師矣。↓昔のことを研究してそこから新しい道理を得ることができたなら、その人は師として仰がれる資格がある。

【無レ故】ことなし・ゆえなし →無故（ム 五九〇ページ下）。

5【敂】9画 4522 漢コウ 呉ク 有 kòu

字義 うつ。たたく。＝叩（1309）・扣（4044）。

解字 形声。攵（攴）＋句㊥。

5【㪅】9画 4523 コウ 更（4663）の本字。→六五一ページ下。

5【政】9画 4524 教5 セイ・ショウ まつりごと 一漢セイ・呉ショウ（シャウ） 敬 zhèng 二漢セイ・呉ショウ（シャウ） 庚 zhēng 3215 90AD

筆順 一 丅 下 正 正 正 政 政

字義 一❶まつりごと。国家の主権者が領土・人民を治めること。用例〔論語、子路〕苟正二其身一矣、於レ従レ政乎何有 ↓もし自分自身を正しく修めることができれば、政治にたずさわるにあたって何の困難があろうか。❷おきて。政治を行うときの法律・規則。❸物事をととのえ治める方法。「家政」❹ただす（正）。ただしくさせる。❺えだち。人民に課する労役。賦役。二みつぎ。賦税。＝征（3403）。

名前 おさ・かず・きよ・こと・すなお・せい・ただ・ただし・ただす・つかさ・なり・のぶ・のり・まさ・まさし・まん・ゆき

難読 政所（まんどころ・まどころ）

解字 金文 篆文 形声。攵（攴）＋正㊥。攴は、強制するの意味。音符の正は、ただすの意味。強制してただすの意味を表す。

逆 為政・院政・王政・学政・家政・虐政・行政・軍政・憲政・財政・参政・施政・執政・失政・親政・聖政・摂政・専政・徳政・内政・農政・暴政・民政

【政客】セイカク・セイキャク 政治にたずさわる人。政治家。

【政教】キョウ ①政治と教育。②政治と宗教。

【政局】キョク 国政界のありさま。政治のなりゆき。

【政経（經）】ケイ ①政治で、常に守るべき正しい道。②政治と経済。

【政見】ケン 政治上の意見。

【政権（權）】ケン 政治上の権力。政治を行う権力。

【政策】サク 国政治上のはかりごと。政治の方針。政略。

【政事】ジ まつりごと。政治上の事がら。

【政治】ジ 国家の主権者が、国民・領土を統治すること。国をおさめること。まつりごと。〔管子、宙合〕

【政体（體）】タイ ①国家の組織形態。②統治権の運用の形式。「立憲政体」

【政談】ダン 国政治についての話や議論。

【政敵】テキ 国政治上の意見が違い、反対の立場に立つ人。政治上の競争相手。

【政党（黨）】トウ 国政治上、同じ主義・主張を持つ人が集まって組織する団体。政治結社。

【政府】フ ①国家の統治機関。②国家の行政機関。内閣、または中央官庁。

【政柄】ヘイ ＝政権。

【政変（變）】ヘン ①政治上の移り変わり。内閣がかわること。②政治上の騒乱。

【政務】ム 政治上の事務。行政事務。

【政略】リャク ①政治上のはかりごと。政治の方針。政策。②国かけひき。「政略結婚」

【政令】レイ ①政治上の命令、または法令。②憲法や法律の規定を実施するために内閣が定める命令。

5【畋】9画 4525 漢テン 呉デン 先 tián 5834 9DC0

〔[田又]〕7609 同字

字義 ❶たつくる。たがやす。田地を耕して平らにする。❷かり（狩）。また、狩りをする。「畋猟」

注意 『康熙字典』では、田部に所属する。

解字 甲骨文 篆文 形声。攵（攴）＋田㊥。音符の田は、狩猟・耕作地の象形。攴は動作を加えるの意味。狩猟・耕作するの意味を表す。

5【敃】9画 4526 一漢ビン・呉ミン 軫 mǐn 二フン 文 fēn 3342

字義 一勉める。二乱れるさま。

解字 形声。攵（攴）＋民㊥。民は、たみの意味。攴は、強制するの意味。民に労働を強いることから、つとめるの意味を表す。

5【敄】9画 4527 一漢ブ・呉ム 麌 二漢ボウ・呉ム 尤 móu 2 1366

字義 一二つとめる。＝務（1050）。

解字 形声。攵（攴）＋矛㊥。

6【效】10画 (1020) コウ 効（1019）の旧字体。→一四四ページ上。

6【敇】10画 4528 漢サク 呉シャク 陌 cè 3343

字義 むちうつ。馬をむちうつ。

解字 形声。攵（攴）＋朿㊥。音符の朿は、とげの意味。先のとがったむちで馬を打つの意味を表す。

6【[亦攵]】10画 4529 シャ 赦（4539）と同字。→六三五ページ中。

6【致】10画 (9678) チ 至部。→二八一ページ下。

6【敉】10画 4530 漢ビ 呉ミ 紙 mǐ 3344

〔侎〕338 同字

字義 ❶なでる。なでてやすらかにする。「敉寧」❷いつくしむ。

解字 金文 篆文 形声。攵（攴）＋米㊥。音符の米は、民に通じ、多くのたみの意味。たみをなでいつくしむの意味を表す。

6【敏】10画 4531 常 ビン　4150 9571 —

7〔敏〕11画 4532 人 漢ビン 呉ミン 軫 mǐn　18508 — —

筆順 ノ ト 𠂉 𠂉 每 每 每 敏 敏

〔勄〕1030 古字

字義 ❶とし。㋐すばしこい。すばやい。「俊敏」「明敏」「機敏」㋑さとい。かしこい。❷つとめる(勉)。❸つまびらか。❹足の親指。

名前 さと・さとし・すすむ・つとむ・と・とし・はや・はやし・はる・びん・みぬ・ゆき・よし 難読 敏馬(みぬめ)

解字 甲骨文 金文 篆文 形声。攵(支)+毎㊀。音符の毎(マイ)は、晦(カイ)などに通じ、くらいの意味。意識にはっきりのぼらないうちに事がすむさまから、すばやいの意味を表す。また、勉に通じて、つとめるの意味や拇(ボ)に通じて、おやゆびの意味をも表す。

逆 鋭敏・過敏・機敏・警敏・秀敏・俊敏・不敏・明敏

【敏活】(ビンカツ) 才知やからだのはたらきのすばやいこと。

【敏感】(ビンカン) 国こまやかなことにもよく感ずること。感じ方がするどいこと。↔鈍感(一四五六ペ下)。

【敏給】(ビンキュウ) ①すばしこい。②かしこくて、口のよくまわること。

【敏△慧】(ビンケイ) さとい。かしこい。利口。

【敏行】(ビンコウ) ①つとめて行う。②すばやく行う。用例〔論語、里仁〕君子欲下訥二於言一而敏中於行上(クンシはゲンにトツにしておこない(ひ)にビンならんとほっす。) ↓君子は口べたであっても、すばやく実行することを願うものである。

【敏才】(ビンサイ) すばしこくはたらく才能。

【敏疾】(ビンシツ) すばやい。すばしこい。敏捷(ビンショウ)。敏速。

【敏△捷】(ビンショウ) ＝敏疾。▼捷も、はやい。

【敏達】(ビンタツ) かしこく、物事の道理に通じていること。

【敏腕】(ビンワン) 国物事をてきぱき処理するうでまえ。

7【救】11画 4533 漢キュウ 教5 キュウ すく-う　2163 8B7E —

漢キュウ(キウ)・呉ク 慣グ 宥 jiù

筆順 一 寸 才 求 求 求 求 救 救

字義 ❶すく-う。たすける。㋐力や物を貸して助ける。㋑守る。㋒悪事や過失をやめさせ、正しくしてやる。「救助」❷すく-い。たすけ。

名前 すけ・たすく・なり・ひら・やす 難読 救仁郷(くにごう)

解字 金文 篆文 形声。攵(支)+求㊀。支は、うつの意味。音符の求は、一点を求めて分散していたものがあつまるの意味。無秩序に分散しようとするものに歯どめをかけておさめ、すくうの意味を表す。

逆 振救

【救援】(キュウエン) すくいたすける。加勢する。

【救急】(キュウキュウ) 急場をすくう。急に起こった難儀や病気をすくうこと。「救急箱」

【救護】(キュウゴ) すくいまもる。救助して保護する。

【救荒】(キュウコウ) 凶作をすくう。凶作の年に困っている人たちをすくうこと。救凶。

【救災】(キュウサイ) 災難にあった人たちをすくうこと。

【救済(濟)】(キュウサイ) すくう。たすける。

【救△恤・救△卹】(キュウジュツ) すくいあわれむ。金品を施して困窮者をすくう。

【救世】❶(キュウセイ) 世の中の人をすくう。悪い世の中をすくってよくする。❷(セ・グセ・クゼ) 仏菩薩(ボサツ)の通称。特に、観音(カンノン)をいう。

【救世済(濟)民】(キュウセイサイミン) 世の中をすくい、人民の難儀を助けること。

【救世主】(キュウセイシュ) 人類をすくう人の意で、キリスト教で、イエス・キリストをいう。

【救難】(キュウナン) 難儀(ナンギ)をすくう。

7【敔】11画 4534 漢ギョ 呉ゴ 語 yǔ　21367 — 3347 —

字義 ❶さしとめる。とどめる。❷楽器の名。木製、虎(とら)形で、音楽をやめるときに使う。

解字 金文 篆文 形声。攵(支)+吾㊀。音符の吾(ゴ)は、たがいちがいになるの意味。その背にたがいちがいにぎざぎざが刻まれ、うずくまった虎(とら)の形をした木製の楽器の名を表す。

7【教】11画 4535 教2 キョウ おし-える・おそ-わる　2221 8BB3 —

7〔敎〕11画 4536 漢コウ(カウ) 呉キョウ(ケウ) 効 宥 jiào, jiāo　— EDB1 —

筆順 一 + 土 耂 考 孝 孝 孝 教

字義 助 し-む。⇨助字・句法解説。❶おし-える。さとす。みちびく。つげる(告)。❷おし-え。いましめ。さとし。「宗教」❸おおせ。命令。「教令」

助字・句法解説 しむ。使役。「教ニA一B一セ(AをしてBせしむ)」。訳 AにBさせる。類使・令・遣。用例〔唐、白居易、長恨歌〕為レ感ニ君王展転思一(クンオウテンテンのおもい(ひ)にカンずるがために)、遂教ニ方士殷勤覓一(ついに(ひ)にホウシをしてインギンにもとめしむ。) ↓(道士は)帝が夜も眠れずに楊貴妃(ヨウキヒ)を思っているという御心に感じ、部下の方士に命じて、ねんごろに(楊貴妃の魂のゆくえを)さがし求めさせた。

名前 おしえ・かず・きょう・こ・たか・なり・のり・みち・ゆき

解字 甲骨文 金文 篆文 形声。攵(支)+孝(季)㊀。音符の季(コウ)は、教える者とならう若者とのまじわりの意味から、ならう・おしえるの意味を表す。支は、むちうつの意味で、これを加えて、おしえるの意味を明らかにした。

逆 異教・遺教・回教・旧教・景教・高教・国教・指教・示教・邪教・釈教・宗教・儒教・殉教・助教・新教・政教・聖教・説教・善教・胎教・治教・調教・道教・徳教・風教・布教・仏教・文教・密教・名教・明教・礼教

【教育】(キョウイク) おしえそだてる。用例〔孟子、尽心上〕得ニ天下之英才一而教ニ育之一、三楽也(テンカのエイサイをえてこれをキョウイクするはサンラクなり。) ↓天下のすぐれた人材を集めて教え育てることは、第三の楽しみである。

【教育漢字】(キョウイクカンジ) 国常用漢字のうち、小学校六年間に学習することになっている漢字の通称。小学校学習指導要領の学年別漢字配当表に、現在では一〇〇六字が示されている。

【教化】❶(キョウカ) おしえ導いて善にすすませる。おしえて感化する。❷(キョウゲ) 仏衆生(シュジョウ)をおしえ導いて仏道に入らせること。

【教戒・教△誡】(キョウカイ) おしえいましめる。

【教△誨】(キョウカイ) おしえさとす。▼誨も、おしえる。「教誨師」

【教学(學)】(キョウガク) ①おしえることと、学ぶこと。教育と学問。②学校を建て教師を置いておしえること。学校教育。

【教学(學)半】(おしうるはまなぶのなかばなり) 人におしえることは、なかばは自分の勉強になる。〔書経、説命下〕

【教義】(キョウギ) ①教育の主旨。②ある宗教の本質的な趣旨。教理。

【教訓】(キョウクン) おしえさとす。また、おしえ。▼教は学芸上のおしえ、訓は道徳上のおしえ。

【教唆】(キョウサ) おしえそそのかす。人におしえて犯罪実行の意志を生じさせること。

【教主】(キョウシュ) ①教化をほどこす主。僧をいう。②一つの宗教・宗派を開いた人。教祖。宗祖。

【教授】①おしえさずける。②弟子に学術をおしえる人の官名。③国大学などで専門の学術をおしえる人の職名。

【教書】国①将軍や諸侯の発する命令書。②ローマ法王が公式に信徒に発する訓告書。③アメリカで、大統領（州知事）が、国会（州議会）に出す政治上の意見書。

【教条（條）】①学生の守るべききまり。②法規。

【教場】①宋代、武術を教習した所。練兵場。講武所。②国学業をおしえる場所。教室。

【教祖】＝教主②。

【教導】おしえみちびく。また、おしえ。教道。

【教範】教育の方法、また、形式。

【教父】①おしえの父。真理を世に伝える人。師。②国キリスト教で、キリストの説いたおしえを教義にまとめる仕事をした人たち。また、洗礼の時の男性の保証人。

【教鞭】教師が授業のときに手に持つむち。「教鞭を執る」は、教師として勤務すること。

【教坊】①唐代、都内にあった官立の、音楽・歌舞の教習所。②国遊芸を覚えさせる所。芸者屋町。遊里。

【教諭】①おしえさとす。教喩。②国小学校・中学校・高等学校の教員の職名。

【教養】①おしえ育てる。②国その人の人がらをつくっている学問や知識。身についた、ひろい文化的な素養。

【教令】①命令。号令。②教化。③父母の教えといつけ。④時節時節になすべき事がらの規定。⑤そのかす。教えて悪事をさせる。

【教練】①おしえ、ならす。②国ア もと、軍隊で行った戦闘の訓練。イ もと、学校で行った軍事訓練。

7【啓】11画 4537　ケイ　啓(1532)の本字。→二六九ページ中。

7【敖】11画 4538　一 ゴウ（ガウ）　豪 áo　二 ゴウ（ガウ）　号 ào　5836 9DC2 —

字義 一 ❶あそ-ぶ。気ままに遊びまわる。用例（荘子、逍遥遊）卑レ身而伏、以候二敖者一。↓あのものたちは、姿勢を低くして地面に伏し、遊びまわっているねずみのような獲物を待ち構えています。❷かまびすしい。やかましい。＝嗷(1669)。二 ❶たわむれる。また、からかう。❷おごる。たかぶる。あなどる。＝傲(554)。

解字 金文 篆文 会意。篆文は、出＋放。出は、でるの意味。放は、ときはなすの意味。自由に出遊ぶの意味を表す。転じて、おごるの意味に用いる。敖を音符に含む形声文字に、傲・嗷・慠・謷・驁・遨などがある。

【敖惰】遊びなまける。

【敖慢】おごりたかぶる。

【敖遊・敖游】気ままに遊ぶ。

7【赦】11画 4539 常 シャ　シャ　禡 shè　2847 8ECD —

筆順 一 十 土 ナ 赤 赤 赤 赦 赦

[赦] 4529 同字

字義 ❶ゆる-す。罪・あやまちを許す。また、すておいて責めない。用例（十八史略、春秋戦国、呉）太宰伯嚭受二越賂一、説二夫差一赦レ越。↓宰相の伯嚭は、越からの賄賂を受け取っていたので、夫差に説き勧めて、越王を許させてしまった。❷ゆる-し。「恩赦」

注意『康熙字典』では、赤部に所属する。

解字 篆文 形声。攵（攴）＋赤音。赤は捨に通じ、はなつ・すてるの意味。特に罪をゆるすの意味に用いる。

逆 恩赦・大赦・特赦・放赦・容赦
【赦状（狀）】罪を許すことを書いた書状。許し文。
【赦文】＝赦状。
【赦免】罪を許すこと。赦原。赦宥。

7【敍】11画 (1288)　ジョ　叙(1287)の旧字体。→三四ページ中。

7【敘】11画 4540　ジョ　叙(1287)の俗字。→三四ページ中。　5839 9DC5 —

7【敐】11画 4541　漢シン　呉ジン　真 軫 chěn　— — 3345

字義 ❶喜んで動くさま。❷撃つ。撃つ音。

解字 形声。攵（攴）＋辰音。

7【敕】11画 (1029)　チョク　勅(1028)の旧字体。→一九四ページ下。

7【敒】11画 4542　一 漢チン　呉ジン（ヂン）　震 shēn　二 シン　真 shēn　— — 3346

字義 一 ❶治める。❷伸ばす。また、引き戻す。

解字 形声。攵（攴）＋伸音。音符の伸は、のばすの意味。

7【敗】11画 4543 教4 ハイ やぶ-れる　一 漢ハイ・呉バイ　卦 bài　二 ハイ　卦 bài　3952 9473 —

筆順 丨 冂 目 目 貝 貝 貝 敗 敗

[敗] 1161 古字

字義 一 やぶ-れる。ア 負ける。↔勝（1055）。「勝敗」イ しくじる。やりそこなう。↔成（3941）。「失敗」ウ こわれる。そこなわれる。つぶれる。ついえる。「損敗」「頽敗」エ くさる。「腐敗」オ かれる（枯）。花がしぼむ。葉がおちる。❷わざわい（災）。❸ききん。不作。二 ❶やぶ-る。こわす。うちまかす。

使いわけ やぶれる〔破・敗〕⇨破(8160)。

解字 金文 篆文 形声。攵（攴）＋貝音。音符の貝は、敝に通じ、やぶれるの意味。攴は、動作を加えるの意味。やぶれるの意味を表す。

逆 壊敗・朽敗・興敗・荒敗・惨敗・勝敗・衰敗・成敗・惜敗・退敗・腐敗・劣敗
【敗衣】破れたきもの。弊衣。

【敗荷】秋になって破れたはすの葉。▼荷は、はす。

【敗潰】やぶれくずれる。まけて逃げる。

【敗壊（壞）】やぶれくずれる。こわれくずれる。

【敗業】仕事をしくじる。

【敗軍】①まけいくさ。敗戦。②戦いにやぶれた軍勢。敗兵。

【敗軍将（將）不レ可二以言一レ勇】いくさに敗れた大将は、武勇のことについて話す資格はない。〔史記、淮陰侯伝〕

【敗残（殘）】①やぶれそこなわれる。②国戦いにまけて生き残ること。「敗残兵」

【敗子】家をやぶる男子の意で、道楽むすこ。やくざな不孝者。

【敗衄・敗衂】戦いにまけること。▼衄・衂は、くじけまける。

【敗絮】役にたたない綿。ふるわた。

【敗将（將）】いくさにまけた大将。敗軍の将。

【敗績】①戦いにひどくまけること。大敗。大崩。②事業に失敗すること。仕事をしくじること。③列を乱して逃げだすこと。

【敗訴】訴訟に負ける。↔勝訴（一九八ページ中）。

【敗走】やぶれて逃げる。敗北。

【敗卒】戦いにやぶれた兵。敗兵。

【敗退】まけてしりぞく。敗却。

【敗頽】やぶれくずれる。また、柔弱・不健全なこと。頽敗。敗壊。

【敗徴】戦いにまけるきざし。敗兆。

【敗徳】(ハイトク) 徳義をやぶる。人の道にそむくこと。また、道にはずれた行い。不徳義。

【敗筆】(ハイヒツ) 使い古したふで。ちびふで。禿筆(トクヒツ)。

【敗亡】(ハイボウ・ハイモウ) やぶれほろびる。また、まけて逃げる。敗北。

【敗北】(ハイボク) ①まけてにげる。▼北は、にげる。②まける。

【敗没】(ハイボツ) やぶれほろびる。敗亡。

【敗滅】(ハイメツ) やぶれほろびる。

【敗余(餘)】(ハイヨ) ①戦いにまけた後。②失敗したあと。

【敗乱(亂)】(ハイラン) やぶれみだれる。また、やぶりみだす。

【敗△爛】(ハイラン) やぶれただれる。また、くされただれる。糜爛(ビラン)。

【敗柳残(殘)花】(ハイリュウザンカ) 葉の落ちた柳と、しぼみかけた花。容色の衰えた美人のたとえ。

7【敏】11画 (4532) ビン 敏(4531)の旧字体。→六二四ページ上。

8【敢】12画 4544 常 カン 漢 カン 感 gǎn 2026 8AB8 ―

筆順 一 ェ エ 干 乎 亓 耳 耵 敢

字義 助 あ-えて あへ。⇩助字・句法解説。❶あ-えてする あへてす。おしきってする。「果敢」 ❷いさましい。進取の気性がある。思いきりがよい。「勇敢」

助字・句法解説

あ-えて あへて。
㋐ 訳 押し切って…する。類 肯。
動詞の前に置かれ、してはならないこと・しにくいことなどを押し切ってする意味を表す。
用例 〔唐、杜甫、兵車行〕長者雖レ有レ問、役夫敢申レ恨。↓年上のあなたのおたずねであっても、兵士である私たちは、思いきって恨みを言うことなどできましょうか(とてもできない)。
㋑「不二敢一レA一(あえ(へ)てAせず)」「無二敢一レA一(あえ(へ)てAすることなし)」。訳 進んではAしない。決してAしない。
㋐の「思いきって…する」ことの否定として、消極的には「…する気にならない」、または積極的に「…したりはしない」ことを表す。
用例 〔史記、項羽本紀〕会二其怒一、不二敢献一。↓彼の怒りにあって、思いきって献上することができなかった。/〔論語、尭曰〕君子無二衆寡一、無二小大一、無二敢慢一。↓君子は、相手の人数が多いか少ないか、地位が低いか高いかなどに関係なく決して相手を軽く見たりしない。/〔戦国策、楚〕子無二敢食一レ我。↓あなたはわたしを決して食ってはいけない。
㋒ 反語。「敢不レA(あえ(へ)てAせざらんや)」。訳 どうしてAしないことがあろうか。
用例 〔戦国策、楚〕百獣之見レ我、而敢不レ走乎。↓動物どもが私を見たら、逃げないことがありましょうか(必ず逃げます)。

名前 いさみ・いさむ

解字 金文  篆文  会意。金文は、又+又+占の変形。両手で、占の上部の卜をしいておし曲げたさまから、道理として合わないことをしいてする、あえての意味を表す。

逆 果敢・勇敢

【敢為(爲)】(カンイ) 思いきってする。おしきってする。勇気をふるって行う。自ら進んで行う。敢行。

【敢言】(カンゲン) 思いきって言う。勇気をふるって言う。

【敢行】(カンコウ) 思いきって行う。おしきって行う。敢為。用例 〔史記、李斯伝〕断而敢行、鬼神避レ之。↓決意をもって思い切って行えば、鬼神さえもこれを避けて邪魔だてしない。

【敢戦(戰)】(カンセン) しにものぐるいでたたかう。決死の覚悟で激しく戦う。

【敢然】(カンゼン) 思いきってするさま。

8【敧】12画 4545 キ 攲(4509)と同字。→六一九ページ下。 8509 ― 3350

9〖敬〗13画 4547
8【敬】12画 4546 教 6 漢 ケイ 呉 キョウ(キャウ) ケイ うやまう 敬 jìng 2341 8C68 ―

筆順 一 艹 艹 芍 苟 苟 苟 苟 敬

字義 ❶うやま-う うやまふ。たっとんで礼をつくす。うやまい。「崇敬」「尊敬」 ❷つつしむ。真心をこめてつとめる。つつしみ。❸うやうやしい。
用例 〔戦国策、斉〕公孫弘敬諾、以二車十乗一之レ秦。↓公孫弘はつつしんで承諾し、戦車十乗を従え秦にでかけた。

名前 あき・あつ・いつ・うや・かた・けい・さとし・たか・たかし・ちか・とし・のり・はや・ひろ・ひろし・ゆき・よし 難読 敬川(うやがわ)

解字 金文  篆文  形声。攵(攴)+苟 音。音符の苟(キョク)は、髪を特別な形にして、身体を曲げ神に祈るさまにかたどる。攴は、ある動作をするの意味。つつしむ・うやまうの意味を表す。敬(敬)を音符に含む形声文字に、儆(ケイ)・警(警)・驚(驚)などがある。

逆 愛敬・起敬・恭敬・孝敬・失敬・粛敬・崇敬・誠敬・荘敬・篤敬・不敬・和敬

【敬愛】(ケイアイ) うやまい愛する。

【敬畏】(ケイイ) うやまいおそれおおく感ずる。

【敬意】(ケイイ) うやまう心持ち。尊敬の念。

【敬遠】(ケイエン) ①うやまって、近づかない。『論語』雍也編に「敬二鬼神一而遠レ之」とあるのに基づく。②国 敬して遠ざける。うやまうように見せかけて、実はきらってよせつけない。

【敬仰】(ケイギョウ) うやまいあおぐ。

【敬具】(ケイグ) ①つつしんでそなえる。②国 つつしんで申しあげる。手紙の終わりに書く語。敬白。

【敬△虔】(ケイケン) うやまいつつしむ。つつしみかしこむ。

【敬語】(ケイゴ) 敬意を表すために用いることば。

【敬順】(ケイジュン) うやまいつつしんで従う。

【敬尚】(ケイショウ) うやまいとうとぶ。

【敬承】(ケイショウ) ①つつしんでうけたまわる。拝承。②つつしんでうけつぐ。

【敬称(稱)】(ケイショウ) 敬意を表すための呼び方。先生・様など。

【敬譲(讓)】(ケイジョウ) うやまいゆずる。また、つつしんでゆずる。

【敬△憚】(ケイタン) 尊敬してはばかる。うやまいおそれる。

【敬忠】(ケイチュウ) 相手をうやまい真心をつくす。また、つつしみ深く、真心をつくす。〔論語、為政〕

【敬弔】(ケイチョウ) 死者をつつしんでとむらう。

【敬重】(ケイチョウ) うやまいおもんじる。尊重。

【敬亭山】(ケイテイザン) 山名。安徽(アンキ)省宣城市の北。別名、昭亭山。用例 〔唐、李白、独坐二敬亭山一詩〕相看両不レ厭、只有二敬亭山一。↓いつまで眺めあっていても互いに飽きることがないのは、ただ敬亭山だけだ。

【敬天愛人】(ケイテンアイジン) 国 天をうやまい、人を愛する。西郷隆盛が学問の目的を説いた語。〔西郷隆盛、南洲遺訓〕

【敬白】(ケイハク) 国 つつしんで申しあげる。白は、申す意。手紙の終わりに書く語。敬具。

【敬服】(ケイフク) うやまい従う。

【敬復】(ケイフク) つつしんでご返事を申しあげる。手紙の初めや終わりに書く語。拝復。

【敬慕】(ケイボ) うやまいしたう。尊敬してしたう。

【敬礼(禮)】(ケイレイ) つつしんで礼をする。また、その礼。

【敬老】(ケイロウ) 老人をうやまう。

8【散】12画 4548 教4 サン ちる・ちらす・ちらかす・ちらかる
㊀サン 翰 sàn ㊁サン 旱 sǎn
2722 8E55 —

筆順 一 艹 艹 昔 背 背 背 散 散

字義 ㊀❶ちる。はなれる。ちらかる。↔集(13179)。㋐ちらばる。ちりぢりになる。「分散」「離散」 ㋑ちりうせる。ちりぢりになってなくなる。「散逸」 ❷ちらす。㋐わけ与える。ふりまく。㋑はなつ。外へ出す。「発散」 ㊁❶ひま。仕事がなくてぶらぶらしている。「閑散」 ❷むだ。役に立たない。「散木」 ❸しまりがない。「散漫」 ❹こなぐすり。「散薬」「胃散」 ❺楽曲。「広陵散」 国❶ちる。にじみ広がる。 ❷ちらす。ちらかす。㋐言いふらす。㋑動詞にそえて、動作のあらあらしいさまを示す。「読み散らす」 ㋒整理しないで広げたままにしておく。❸ちらし。㋐まき散らす小さな広告。ビラ。㋑ちらしずしの略。㋒ちらしがき(色紙・短冊などに行をそろえないで書くこと)の略。

名前 のぶ

参考 現代表記では〔撒〕(4407)の書きかえに用いることがある。「撒水→散水」「撒布→散布」

解字 甲骨文 金文 篆文  会意。甲骨文は、林＋攴。木をばらばらにするの意味を表す。金文は、竹＋肉＋攴。竹の肉を皮から分離するさまから、ばらばらにするの意味を表す。常用漢字の散は篆文の散の省略体。

逆 一散・逸散・解散・拡散・閑散・四散・集散・消散・退散・逃散・発散・盤散・分散・霧散・離散

【散逸・散佚】①ちりうせる。ちりぢりになってなくなる。②仕事がなくてひまなこと。世事に関係しないでのんきにくらすこと。

【散開】①ちらばる。②軍隊で、密集している部隊が、適当な間隔をとって隊形をとること。

【散楽(樂)】㊀昔の民間演劇の一つ。音曲に合わせて、おどり・劇・軽業・奇術なども演じた。俗楽。雑楽。㊁同 猿楽・申楽。国①茶番狂言のように一時の座興に行う、こっけいな演技。②能楽の旧称。

【散官】定まった職務のない官職。ひまな官職。散職。

【散宜生】周の文王の賢臣。太公望とならんで治世に功があった。

【散華】①仏㋐仏に供養するために花をまきちらすこと。㋑法会のとき、列を作って読経して歩きながら、五色の紙製のれんげの花をまきちらすこと。②国「華と散る」意で、戦地で、はなばなしく死ぬこと。

【散斉(齊)】七日間のものいみ。散斎。▼斉は、斎で、ものいみ。

【散在】あちこちにちらばっている。

【散財】①財貨を人にわけてやること。②国多くの金銭をむだに使う。また、ぜいたくな失費。

【散策】つえをついてぶらぶら歩く。散歩。▼策は、杖。

【散史】国民間にあって著述に従事する人の謙称。また、その風流な名称。野史。

【散儒】世の中の役に立たない儒者。実用にうとい儒者。〔荀子、勧学〕

【散職】＝散官。

【散人】①役に立たない人。無能な人。②世事にとらわれないで、のんきにくらす人。官職につかない人。③詩人・画家などの雅号の下につけそえる語。

【散地】ひまな地位。権勢のない地位。ひまな立場。

【散点(點)】あちこちにちらばってあること。散在。

【散髪】㊀①髪の毛をふり乱す。転じて、官位をすてて世をのがれかくれること。②国髪をかる。理髪。㊁国女性が髪を結ばずにちらしておくこと。

【散布】①ちりしく。ちりひろがる。②まきちらす。ふりかける。撒布。

【散文】詩歌と違って、韻や字数・句法などに制限のない文章。普通の文章。↔韻文(一五三ページ上)。

【散兵】①あちこちにちらばった兵。②敵に面して、適当な距離をおいて兵をちらばせること。

【散歩】そぞろあるき。ぶらぶらあるき。散策。

【散木】役に立たない木。無用の木。〔荘子、人間世〕

【散漫】①ちらばりひろがる。いっぱいに散り乱れる。一面にちらばるさま。用例〔唐、白居易、長恨歌〕黄埃散漫風蕭索、雲桟縈紆登剣閣。↓黄色い土ぼこりがあたり一面に舞い上がり、風はわびしく吹きすさぶ中、雲までとどく蜀の桟道がうねうねと続く道を、剣閣山に登ってゆく。②とりとめがない。まとまりがない。

【散薬(藥)】こなぐすり。粉薬。

【散乱(亂)】ちりみだれる。ちりぢりになる。ちらばる。

8【敞】12画 4549 ショウ(シャウ) 養 chǎng
5840 9DC6 —

字義 ❶たかい。土地が高くて平らか。高くて見はらしがよい。❷ひらけている。広々としている。

解字 篆文  形声。攴(攵)＋尚音。音符の尚は、堂に通じ、たかどのの意味。たかどのを造るの意味や、高台で見晴らしがよいの意味を表す。

【敞豁】広々とひらける。からりとひらけているさま。

【敞閑】広々としてものしずか。

8【敪】12画 4550 漢セツ 呉セチ 屑 què
— — 3349

字義 断つ。皮が断ち切れる。

解字 形声。攴＋叕音。

8【敟】12画 4551 テン 典(739)と同字。→一五三ページ上。
— — 3348

8【敦】12画 4552 人 ㊀トン 元 dūn, ⑦tūn ㊁漢タイ・呉ツイ 隊 duì
3856 93D6 —

筆順 亠 亠 古 亯 享 享 享 敦 敦

字義 ㊀❶あつい。てあつい。人情があつい。「敦厚」 ❷重んずる。たっとぶ。❸ただす。とりしまる。せめる(責)。❹おおきい。盛んな。❺うつ。投げうつ。❻せまる(迫)。❼たむろする。陣する。㊁❶穀物を盛る器。❷うらむ。

名前 あつ・あつし・おさむ・たい・つとむ・つる・とし・のぶ

難読 敦賀

解字 金文 篆文 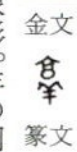 形声。攴(攵)＋享(𦎫)音。音符の𦎫は、亯＋羊で、亯は厚手の土器の象形。羊の肉を長時間かけて煮るための厚手の土なべの意味を表し、一般に、あついの意味を表す。また、屯に通じて、むらがるの意味。集中的に打つの意味を表すようになって支がつけられたものであろう。

【敦化】てあつく教化する。ねんごろに教育する。

【敦行】てあつい行い。人情に厚い行為。

【敦厚】人情があつい。てあつい。また、その人。敦篤。

【敦厚周慎(愼)】人情があつくて、つつしみぶかい。

【敦煌】甘粛省北西部にある都市の名。漢代からの西域との交通の要地。市街の南東にある六朝時代から唐末五代にかけて造営された大石窟の千仏洞(莫高窟)は、古い仏教芸術の貴重な遺跡である。燉煌。

【敦実(實)】てあつくてまじめ。親切で誠実。

【敦尚】あつくたっとぶ。うやまいあがめる。敦崇。

【敦朴・敦樸】人情があつく、かざりけがない。

【敦睦】人情があつく、むつまじい。親切で仲がよい。

8【敝】12画 4553 漢ヘイ 呉ベイ 霽 bì
5841 9DC7 —

字義 ❶やぶれる。㋐こわれる。ぼろぼろになる。㋑まける(敗)。㋒おとろえる。つかれる。❷自分の物事につける謙称。「敝屋」

解字 甲骨文 篆文 形声。攵(攴)＋㡀㊥。音符の㡀は、やぶれた衣服の意味。攴は、ある動作を加えるの意味を表す。

【敝衣】破れたきもの。ぼろぼろの着物。「敝衣破帽」

【敝△縕△袍】やぶれどてら。ぼろぼろの綿入れ。

【敝屋】①破れた家。あばらや。②自分の家の謙称。

【敝△蹝・敝△屣】①やぶれぞうり。②すてて惜しくないもの。不用の品。▼蹝・屣は、わらぞうり。

【敝△褻】着物が破れて粗末である。ぼろぼろで見すぼらしい。

【敝族】①おとろえた一族。②自分の一族の謙称。

【敝腸】悪い心。憋腸。

【敝△衲】破れた僧衣。やぶれごろも。

【敝賦】自国の軍兵の謙称。▼賦は、兵で、昔、田賦(租税)で兵を出したことからいう。

【敝△邑】自分の国の謙称。敝国。

【敝履】①破れたはきもの。▼履は、はきもの。②すてて惜しくないもの。不用の品。

【敝△廬】＝敝屋。▼廬は、いおり。

9 【敫】13画 4554 ㊀ヤク 圞 jiào ㊁キョウ(ケウ) 篠 jiǎo ㊂キョウ(ケウ) 蕭 qiāo 21368 — 3351

字義 ㊀㊁光がきらめくさま。㊂うつ(撃)。たたく。

解字 会意。白＋放。太陽が白い光を放つの意味を表す。

9 【敬】13画 (4547) ケイ 敬(4546)の旧字体。→六三六ページ中。

9 【数】13画 4555 教2 スウ・ス かず・かぞ-える 熟字訓 数珠・数寄屋・数奇屋 3184 9094 —

11 【數】15画 4556 ㊀漢スウ・呉シュ 遇 shù ㊁漢スウ・呉シュ 麌 shǔ ㊂サク 覚 shuò ㊃漢ショク・呉ソク 沃 cù 慣ス 5843 9DC9 —

筆順 丷 丷 半 米 米 娄 娄 数 数

【數】4562 俗字

字義 ㊀❶かず。㋐物の分量や順序を勘定・表示するもの。また、分量や順序。「数量」㋑なかま。同類。ある範疇に含まれるもの。用例〔漢書、衛青伝〕不三以為二兄弟数一(もってケイティの)。↓(衛青のことを)兄弟の一員とは認めなかった。❷いくらか。若干の。「数人」「数世」「数口之家」(数人の家族)」❸ことわり。すじみち。道理。法則。用例〔呂氏春秋、壅塞〕世之直士、其寡不レ勝レ衆、数也。↓直言の士も、数が少なければ多勢にかなわないのは、事の道理である。❹さだめ。運命。めぐりあわせ。「命数」「数奇」❺なりゆき。情勢。❻算術。数学。六芸(礼・楽・射・御・書・数)の一つ。❼暦法。暦や天文の計算。「暦数」❽わざ。技術。また、手段。方法。「小数(つまらない技)」❾はかりごと。策略。「策数」「術数」「権数」

㊁❶かぞ-える。㋐計算する。どれだけあるか勘定する。「不レ可レ勝レ数」㋑列挙する。ひとつひとつ挙げて説明する。㋒とりあげる。対象とする。かずにいれる。「不レ足レ数(取るに足らない)」㋓調べる。❷せ-める。罪をかぞえあげて責める。用例〔漢書、項籍伝〕漢王数二項羽十罪一。↓漢王は項羽の犯した十の罪を数えあげて責めた。

㊂❶しばしば。しきりに。また、しばしばする。用例〔史記、項羽本紀〕范増数目二項王一。↓范増はたびたび項羽にめくばせした。／〔論語、里仁〕朋友数、斯疏矣。↓友人にしつこくすると疎んぜられる。❷はやい(速)。はやくする。「滝数」

㊃こまかい。細密である。「数罟」

名前 かず・かず・とし・のり・ひら・や 難読 数河

解字 篆文 會意。攵(攴)＋婁。攴は、うつの意味。婁は、とぎれることなく続けるの意味。続けて打つさまから、せめる・かぞえるの意味を表す。常用漢字の数は數の省略形。

逆 易数・奇数・件数・算数・指数・珠数・術数・常数・大数・定数・度数・頻数・命数・有数・暦数

【数奇】㊀ふしあわせ。不運。なまって、「サッキ」とも読む。▼数は運命、奇はくいちがって合わぬこと。㊀国＝数寄。

【数寄】国「好き」の当て字。もと「数奇」と書く。㋐ものずき。㋑風流の道を好むこと。㋒茶の湯。

【数△闋】数曲。また、数回くりかえして歌うこと。▼闋は、一曲の終わること。用例〔史記、項羽本紀〕歌数闋、美人和レ之。↓数回くり返して歌い、虞美人もこれにあわせて詩をつくった。

【数△罟】目のこまかなあみ。〔孟子、梁恵王上〕

【数口】三、四人。また、五、六人。数人。

【数行】㊀①はらはらと落ちる涙の幾すじ。②ならんで飛ぶ雁などの、いくつかの列。㊁文章の三、四行、また五、六行。

コラム 数を表すことば

無量大数	10^{88}	億	10^{8}	埃	10^{-10}
不可思議	10^{80}	万(萬)	10^{4}	渺	10^{-11}
那由他	10^{72}	千	10^{3}	漠	10^{-12}
阿僧祇	10^{64}	百	10^{2}	模糊	10^{-13}
恒河沙	10^{56}	十	10	逡巡	10^{-14}
極	10^{48}	一	1	須臾	10^{-15}
載	10^{44}	分	10^{-1}	瞬息	10^{-16}
正	10^{40}	厘(釐)	10^{-2}	弾指	10^{-17}
澗	10^{36}	毛(毫)	10^{-3}	刹那	10^{-18}
溝	10^{32}	糸(絲)	10^{-4}	六徳	10^{-19}
壌	10^{28}	忽	10^{-5}	虚	10^{-20}
秭	10^{24}	微	10^{-6}	空	10^{-21}
垓	10^{20}	繊	10^{-7}	清	10^{-22}
京	10^{16}	沙	10^{-8}	浄	10^{-23}
兆	10^{12}	塵	10^{-9}		

【数合】数度、敵とわたりあうこと。

【数刻】①三、四時間。また、五、六時間。②しばらく。

【数数】㊀①しばしば。たびたび。②せく。㊁いそがしいさま。あくせくするさま。

【数術】同術数。①はかりごと。②暦法家・陰陽家などの計算の術。また、その書。

【数譲(讓)】せめる。せめとがめる。

【数珠】・ず 仏多くの玉をひもにとおして輪にしたもの。念仏を唱えるとき、まさぐってその回数を数えたり、礼拝のとき、もみ合わせたりする。

【数多】・た たくさん。多数。

【数重】いくえにも重なること。

【数量】かずと、かさ。個数と分量。

【不レ可レ勝レ数】(あまり多くて)数えきれない。「勝げて数ふべからず(不レ可二勝数一)」ともよむ。用例〔史記、項羽本紀〕豪桀蜂起、相与並争、不レ可二勝数一。↓豪傑たちが蜂の巣をつついたように立ち上がり、ともに争うもの、数えきれないほどであった。

た。

【斁】9 13画 4557 漢ト 呉ズ(ツ) 遇 dù
字義 とじる。ふさぐ。とざす。＝杜(5219)。

【敲】10 14画 4558 標 漢コウ(カウ) 呉キョウ(ケウ) 肴 効 qiāo 5842 9DC8 —
字義 ❶たた-く。うつ。❷むち。短い杖。国たた-き。㋐江戸時代、罪人をうちたたく刑罰。㋑包丁でたたいた魚肉。それを用いた料理。
〔㪣〕2297 古字 〔敲〕4559 俗字
解字 篆文 形声。攴＋高(音)。攴は、うつの意味。高もたたくの意味。たたくの意味を表す。

【敲】10 14画 4559 コウ 敲(4558)の俗字。→六二九ページ上。

【肇】10 14画 (9656) チョウ 聿部。→一二七ページ上。

【敺】11 15画 4560 ク 駆(13692)の古字。→一五八五ページ下。 2 1369 — 3352

【敻】11 15画 4561 ケイ 夐(2215)の本字。→三三〇ページ中。

【數】11 15画 (4556) スウ 数(4555)の旧字体。→六二八ページ上。

【數】11 15画 4562 スウ 数(4555)の俗字。→六二八ページ上。

【敵】11 15画 4563 教6 テキ かたき 漢テキ・呉ジャク(ヂャク) 錫 dí 3708 9347 —
筆順 亠 㐄 产 商 商 商 商 啇 敵
字義 ❶かたき。あだ。「仇敵」❷あいて。㋐自分とつりあう人。対等の人。㋑自分にてむかう人。対抗する人。用例〔史記、項羽本紀〕吾騎二此馬一五歳、所レ当無レ敵(われこのうまにのることごさい、あたるところてきなし) 私はこの馬に五年も乗っているが、当たるところ手向かう者はなかった。❸あたる。㋐つりあう。たぐう。「匹敵」㋑てむかう。対抗する。「敵対」❹こたえる。むくいる。国かな-う。対抗できるほどである。多く、下に打消をともなう。
名前 とし・とも 難読 敵娼(あいかた)
解字 篆文 形声。攴(攵)＋啇(音)。音符の啇は、中心に寄っていく意味。手向かっていく相手、あだ・あいての意味を表す。

逆 宿敵・政敵・朝敵・匹敵・不敵・無敵・利敵・論敵
【敵意】敵対しようとする意志。また、害を加えようとする意志。

【敵愾】①君主のためにうらみをはらそうとすること。②国 敵に対するいきどおり。また、敵と戦おうとするいきごみ。「敵愾心」▼愾は、うらみ怒る意。

【敵国(國)】①国力などの対等な国。②自国にあだをなす国。かたきの国。

【敵国(國)破謀臣亡】敵国が破れ滅びると、これまで重んじられて来た、はかりごとのたくみな臣も、無用のじゃま者として殺されてしまう。世の中の冷たいご都合主義のたとえ。〔史記、淮陰侯伝〕

【敵手】①自分と同等の力を持つ相手。「好敵手」②あだ。

【敵讐】あだ。かたき。仇敵。

【敵勢】㊀テキセイ 敵のいきおい。㊁テキゼイ 国 敵の軍勢。

【敵対(對)】敵として対抗する。はむかう。てむかう。

【敵鋒】敵のほこさき。敵軍のいきおい。

【敵侔】力が匹敵する。対等。▼侔は、等しい。

【敵本主義】国 いかにも目的がほかにあるように見せかけて行動するやり方。昔、明智光秀が、毛利氏討伐のため中国地方に向かうと見せかけて、途中で急に「我が敵は本能寺にあり」と叫んで馬をかえし、本能寺を襲って、織田信長を攻め殺した故事に基づく。

【敵虜】敵の者ども。敵兵。▼虜は、ののしっていうことば。

【敵塁(壘)】敵のとりで。敵堡。

【敵礼(禮)】対等の礼。

【敷】11 15画 4564 常 フ しく 熟字訓 桟敷(さじき) 4163 957E —
〔敷〕11 15画 4565 フ 虞 fū
筆順 一 亩 亩 甫 甫 甫 尃 尃 敷
字義 ❶しく(布)。㋐ひろげる。おしひろげる。ひろがる。ひろまる。㋑ならべる。つらねる。㋒まき散らす。散らばる。㋓わける。分け治める。❷ひろく。あまねく。❸大きい。おおいに。国❶しく。㋐しきものにする。㋑下におさえつける。❷しき。㋐しきもの。㋑保証として差し出す。金品。「敷金」
〔尃〕4628 古字
名前 しき・つら・のぶ・ひら
参考 現代表記では下に広げる意は〔敷〕、広く行きわたらせる意はかな書きが一般的。「ふとんを敷く・教えをしく」
解字 金文 篆文 形声。攴(攵)＋尃(専)(音)。音符の尃は、いねの苗をしきならべるの意味。攴を付し、しくの意味を明らかにした。

逆 羅敷
【敷衍・敷演】①しきひろげる。おしひろめる。②意味をおしひろめて説明すること。敷演。

【敷化】教化をひろめる。布化。

【敷教】①教化をひろめる。教育を普及させる。②宗教をひろめる。布教。

【敷告】広くつげ知らせる。布告。

【敷設】設ける。据えつける。布設。

【敷奏】のべすすめる。君主に意見などを述べ申しあげること。

【敷治】①おさめる。▼敷も、治める。②まつりごとをしく。また、一説に、分担しておさめる。▼敷は、分ける。

【敷陳】しきのべる。ならべたてて述べる。

【敷島】国①大和の国(奈良県)の別称。②日本の別称。③「敷島の道」の略。和歌のみち。

【敿】12 16画 4566 キョウ(ケウ) 篠 jiǎo — — 3353
字義 ❶つなぐ。つなぎ合わす。❷打ってつぎ合わす。
解字 形声。攴＋喬(音)。

【整】12 16画 4567 教3 セイ ととの-える・ととの-う 漢セイ・呉ショウ(シャウ) 梗 zhěng 3216 90AE —
筆順 一 戸 束 敕 整 整 整 整
字義 ❶ととの-える。そろえる。乱れたものをきちんとする。合わせて一様にする。備える。用例〔唐、白居易、長恨歌〕雲鬢半偏新睡覚、花冠不レ整下レ堂来(うんびんなかばかたむきてあらたにねむりよりさめ、かかんととのえずしてどうよりくだりきたる) 豊かな鬢の毛は、少し傾きくずれ、たった今ねむりより覚めたばかりのようす、美しいかんむりも整えずに奥の部屋からおりてきた。❷ととの-う。そろう。「整数」❸きちんとそろって、はんぱのないこと。「端整」
名前 おさむ・せい・ただし・とのう・なり・のぶ・ひとし・まさ・よし

使いわけ ととのえる・ととのう〔整・調〕
〔整〕乱れた所を直す。「服装を整える」
〔調〕準備する。また、まとめる。「旅費を調える・交渉を調える」

解字 金文 篆文 形声。攵(攴)＋束＋正㊜。束は、たばねるの意味。攴は、打つの意味。たばねたり打ったりして、正しくととのえるの意味を表す。

逆 均整・修整・粛整・精整・斉整・端整・調整

【整暇】セイカ きちんとしていて余裕がある。

【整合】セイゴウ ぴったり合う。また、きちんと合わせる。

【整粛(肅)】セイシュク ①ととのって、おごそか。②ととのえ治める。

【整飾】セイショク ととのえかざる。

【整斉(齊)】セイセイ きちんとそろっていること。また、そろえる。

【整整】セイセイ きちんと、ととのっているさま。秩序正しいさま。整然。

【整然】セイゼン ＝整整。

【整△飭】セイチョク ①ととのえただす。②ととのって正しい。すじみちがたっていること。きちんとしていること。「志行整飭」

【整頓】セイトン きちんと、ととのえる。また、きちんとしている。▼頓も、整う意。「整理整頓」

【整版】セイハン 国①写真版・銅版・石版・活字版などの印刷版を作ること。②板の面に彫って作る印刷版。木版。

【整備】セイビ ととのえそなえる。また、ととのいそなわる。

【整理】セイリ ①ととのえ、おさめる。きちんとする。②国むだ(あるいは不用)な物や人を、除き去る(また、捨てる)こと。

【整列】セイレツ きちんとならぶ。また、きちんと並べる。

13 【斁】 17画 4568 一㊥エキ・㊦ヤク 陌 yì 二㊥ト・㊦ツ 遇 dù 2 1370 ― 3354

[斁] 5984 古字

字義 一 いとう。いやになる。あきる。二 やぶる。やぶれる。

解字 金文 篆文 形声。攵(攴)＋睪㊜。音符の睪は、つぎつぎにたぐり寄せるの意味。糸玉のように固まっていたものをたぐり寄せ分解するの意味を表す。興味が分解してしまう、いやになるの意味をも表す。

13 【厳】 17画 (2759) ゲン ⺍部。→四三三ジ下。

13 【斂】 17画 4569 レン 琰 艶 liǎn 5844 9DCA ―

字義 ❶おさめる。㋐あつめとる。「苛斂」㋑おさめいれる。しまう。かくす。㋒ちぢめる。㋓やめる。㋔ひきしめる。「収斂」❷おさまる。❸死者のなきがらをおさめる礼式。㋐なきがらの衣を着がえさせるのを小斂、棺に入れるのを大斂という。㋑なきがらを墓穴に葬る礼式。

解字 篆文 形声。攵(攴)＋僉㊜。音符の僉は、多くの人が口をそろえて言うの意味。攴を付し、そろえさせる、おさめるの意味を表す。

【斂穫】レンカク 穀物などをとりいれる。

【斂△昏】レンコン 夕ぐれ。たそがれ。黄昏。

【斂手】レンシュ 手をおさめる。手をださない。何もしない。

【斂△衽】レンジン ①襟をひきしめ正す。身なりを整える。②身なりを整え拝礼するさま。

【斂△迹】レンセキ おそれつつしむ。

【斂葬】レンソウ 死体を地中にほうむる。

【斂足】レンソク ①足を緊張させる。つつしみ深い足どりで進むことにいう。②足をちぢませる。㋐恐れて足が思うように進まないことにいう。㋑立ちすくむことにいう。

【斂眉】レンビ ＝斂レ眉(一〇〇七ジ上)。

【斂△殯】レンピン ①斂と殯。▼斂は、字義❸㋐を見よ。殯は、死者の棺を、ある期間、一定の場所に安置しておく礼式。②斂して殯位に安置する。

【斂容】レンヨウ ＝斂レ容(四〇三ジ下)。

14 【斃】 18画 4570 標 ㊥ヘイ ㊦ベイ 霽 bì 5845 9DCB ―

字義 ❶たおれる。死ぬ。「斃死」❷たおす。ころす。

解字 形声。死＋敝㊜。音符の敝は、やぶれるの意味。死を付し、たおれるの意味を表す。

【斃死】ヘイシ たおれ死ぬ。

【斃△而后△已】たお(ふ)れてのちやむ 死ぬまでやりとおす。命のあるかぎりやりつづける。死而後已。〔礼記、表記〕

14 【釐】 18画 (12461) リ 里部。→一四五九ジ上。

15 【斄】 19画 4571 一リ 支 lí 二ライ 灰 2 1371 ― ―

字義 一❶かたい毛。❷からうし。毛の長い牛。用例〔荘子、逍遥遊〕今夫斄牛、其大若二垂天之雲一。そのダイなることスイテンのくものごとし ↓さて、あのからうしは、大きいことまるで空いっぱいに垂れている雲のようです。

16 【斆】 20画 4572 ガク 学(2574)の古字。→三八三ジ上。 2 1372 ― 3355

解字 形声。𦥯＋來㊜。

19 【變】 23画 (2212) ヘン 変(2211)の旧字体。→三三九ジ上。

21 【鼈】 25画 (14507) ベツ 黽部。→一六五〇ジ上。

4画

文 ぶん・ぶんにょう ふみづくり

〔部首解説〕文を意符として、あや・模様の意味を含む文字ができている。

0 文 六三〇	3 斈 三八二	対 四一一	彣 四九五	斉 二三六	
4 斉 一六五四	斊 五三一	6 斋 六三三	斊 六三三	紊 一二二二	
7 斎 一六五五	8 斑 六三三	斐 六三三	斌 六三三	9 斒 六三四	
14 斕 六三四	17 斕 六三四				

0 【文】 4画 4573 教1 ブン・モン ふみ 一㊥ブン・㊦モン 文 wén 二㊥ブン・㊦モン 問 wèn(wèn) 4224 95B6 ―

筆順 丶 亠 ナ 文

字義 一❶あや。模様。かざり。いろどり。外見の美。外面的修飾。↔質(11576)。用例〔論語、雍也〕質勝レ文則野 シツ ブンにかてばすなわち(は)ヤなり ↓実質が外見よりまさっていれば、粗野となる。❷あらわれ。現象。「天文」❸すじ。すじみち。❹のり。法律。礼儀。❺もじ。文字。「篆文テンブン」❻ことば。語句。文句。❼ことばをつづって、まとまった意味を表すもの。特に文章をいう。「詩文」「名文」「学レ文ブンをまなぶ」❽ふみ。書いたもの。文書。書物。手紙。❾学問。芸術。道徳文化。↔武(5992)。「人文」❿よい。美しい。みやびやか。「文雅」⓫仁徳。めぐみ深い徳。

二❶かざる。㋐美しくする。りっぱにする。用例〔史記、滑稽伝〕以二彫玉一為レ棺チョウギョクをもって、文梓為レ槨ブンシをカクとなす。↓玉をちりばめて内棺を作り、彩り美しい梓あずさの木で外棺を作る。㋑うわべをかざる。あやまちをとりつくろう。用例〔論語、子張〕小人之過也、必文ショウジンのあやまつや、かならずかざる。↓小人が過ちをすると、必ずうわべをかざる。❷いれずみをする。

国❶モン。㋐一厘の穴あき銭。㋑たび・くつなどの大きさを表す単位。一文は二・四センチメートル。❷ふみ。手紙。

名前 あき・あや・いと・すじめ・とも・のぶ・のり・ひさ・ひとし・ふみ・ふみし・ふむ・ぶん・み・や・やす・ゆき・よし

難読 文屋ふんや・文挟ふばさみ・文色あいろ・文身いれずみ・文目あやめ・文旦ぼんたん・文目

解字 甲骨文 金文 篆文 象形。人の胸を開いて、そこに入れ墨の模様を書くさまにかたどり、模様・あやの意味を表す。文を音符に含む形声文字に、彣・紋・雯などがある。

逆 案文・逸文・韻文・回文・下文・雅文・漢文・勘文・戯文・今文・金文・空文・契文・経文・芸文・原文・公文・好文・高文・古文・互文・祭文・作文・冊文・雑文・散文・死文・時文・赦文・主文・上文・冗文・縄文・証文・人文・崇文・成文・正文・省文・聖文・誓文・績文・節文・達文・地文・天文・同文・俳文・売文・白文・繁文・煩文・碑文・飛文・表文・復文・不文・変文・本文・明文・訳文・右文・羅文・和文

【文案】①つくえ。②文章のしたがき。草案。

【文衣】もようのある着物。〔史記、孔子世家〕

【文運】①学問の気運・形勢。②文明の気運。

【文△苑】＝文壇。

【文△苑英華】書名。千巻。北宋の太平興国七年（九八二）に、太宗の勅命により、李昉等が編集した詩文集。梁末から唐までの詩文を三十七類に分けてある。

【文王】周の始祖。武王の父。武王が殷を滅ぼして周の天子となってから、文王と称したもの。殷の諸侯として西方の覇者となったので、西伯とも称された。

【文化】①文徳で教化すること。力や刑罰を用いないで人民を教え導くこと。②[国]学問・芸術・道徳・法律・経済などが進歩して、世の文明が開けてゆくこと。文明開化。

【文化財】[国]①文化活動の結果として作り出されたもの。文化価値のあるもの。②文化財保護法によって保護される文化財。有形文化財（建造物・絵画・彫刻・工芸品・筆跡・典籍など）、無形文化財（演劇・音楽など）、民俗資料、史跡・名勝・天然記念物の四種がある。

【文華】①文明のはなやかさ。文明の光。②文章のはなやかなこと。③文学にすぐれた人。

【文華秀麗集】[国]書名。三巻。嵯峨天皇の勅命によって、藤原冬嗣らが編集した漢詩集。平安初期の作品を集め、作者二十八人、作品百四十八首。弘仁九年（八一八）成立。⇩ コラム 平安漢詩（一六六ページ）

【文雅】みやびやか。文事にすぐれて風流なこと。

【文学（學）】①学問。学芸。孔子の四教科（徳行・言語・政治・文学）の一つ。用例〔論語、先進〕文学子游・子夏。↓学問に秀でているのは子游と子夏である。／〔人虎伝〕吾子以二文学一立レ身、位登二朝序一。↓君は学問で身を立て、朝廷の高官にまで出世された。②学問を教授する官職。漢代に始まる。経書を教えた。③[国]感情や思想を、言語や文字によって表現する芸術。詩・小説・戯曲・随筆など。文芸。

【文官】武官以外の官吏の総称。

【文挙（擧）】科挙（官吏登用試験）の文科の試験に合格した人。↔武挙（七八五ページ中）。

【文教】学問・教育によって人を教化すること。

【文句】一 文章の中の語句。字句。文言。二 [国]いいぶん。こごと。苦情。非難。

【文具】①法文だけが備わっていること。うわべのかざりだけが備わること。②[国]文房具。

【文芸（藝）】①学問と技芸。②文学と芸術。また、文学。

【文△檄】ふれぶみ。檄文。▼檄は、役所から人民に出した木札の文書。

【文月】[国]陰暦七月の別名。

【文献（獻）】①書物と賢人。書きしるされたものと、賢人に記憶されたもの。記録と口碑。昔の制度・文物を知る資料となるもの。〔論語、八佾〕②筆記、または印刷された資料。文書。書物。

【文言】一 ①『易経』の十翼（注釈書）の一つ。乾・坤二つの卦の意味を説明したもの。②修飾に意を用いて、実のないことば。③文語。文章ことば。↔白話（九九一ページ中）。二 [国]文章や手紙の中のことば。文句。

【文庫】①書物を入れるくら。書庫。②[国]㋐書き物や文房具などを入れるはこ。「手文庫」㋑蔵書の保管を主要な目的とする図書館。㋒出版物の形態の一つ。小型で安価な、叢書・全集の類い。

【文語】①文章と言語。②文章に用いることば。文章ことば。③[国]平安時代の語法を基礎として発達した文章ことば。↔口語（二三六ページ下）。

【文行忠信】学問・徳行（道徳と実践）・忠誠（真心をつくすこと）・信義（人をあざむかないこと）。孔子の教育上の四要点。〔論語、述而〕

【文豪】非常にすぐれた文章家。文学の大家。

【文才】文章や文学作品をたくみに作る才能。

【文彩・文采・文△綵】あや。模様。いろどり。

【文△之】[国]江戸初期の禅僧。河内（今の大阪府）の人。俗姓は湯佐。文之は名。通称は玄昌。号は南浦・懶雲・狂雲・雲興軒など。宋学を修め、新注により『論語』などに訓点を施すなど、わが国の宋学の流伝に貢献した。（一五五五―一六二〇）

【文士】①詩文・書画などに従事する人。また、学者。文人。②[国]小説家。

【文思】①学問・徳行があって思慮ぶかいこと。②文章中にもられた思想。詩文の根本となる考え。

【文字】①ことばや音声を書きあらわす符号。思想・感情の発表・伝達・記録の手段となるもの。『説文解字』では、文は象形文字のような単体の文字、字は形声・会意文字のように、二字以上を合わせてなるものをいう。②ことば。文章。詩文。

【文事】学問・芸術・教育などに関する事がら。↔武事（七八五ページ下）。

【文質】外面にあらわれた美しさと内面の実質。外見の美と実質。外形と内容。

【文質△彬△彬】外見の美と実質とがほどよく調和しているさま。用例〔論語、雍也〕文質彬彬、然後君子。↓外見と実質とがほどよく調和して、初めて君子と言える。

【文弱】文事にばかりふけって、弱々しくなること。

【文殊・文珠】[仏]釈迦の左にあって（右は普賢）、知恵をつかさどる菩薩。「文殊の知恵」

【文儒】学者。また、すぐれた学者。

【文集】一 詩・文を集めた書物。二 [国]『白氏文集』（唐の白居易の詩文集）の略。

【文△繡】①美しい模様のぬいとり。一説に、描いたり、縫いとりしたりした美しい模様。②美しい着物。用例〔史記、滑稽伝〕衣以二文繡一、置二之華屋之下一。↓（愛馬に）刺繡のある着物を着せ、華麗な家屋の中で飼っていた。

【文術】学問。文章と学術。

【文章】①＝文彩。②礼楽・制度など、その国の文化を形成しているもの。③内面の徳が外面にあらわれたもの。威儀・文辞など。④字句をつらねて、まとまった思想を述べたもの。詩や文。用例〔三国魏、文帝、典論論文〕文章経国之大業、不朽之盛事。↓文章は国家を治めることにも匹敵するほどの大事業で、永久に滅びることなく後世に伝わるりっぱな仕事だ。⑤詩文を作る才能。用例〔唐、李白、春夜宴二桃李園一序〕大塊仮レ我以二文章一。↓宇宙万物の造物主が、この私に詩文を作る才能を貸し与えてくれた。

【文章軌範】書名。七巻。南宋の謝枋得の編。官吏登用試験の受験生のため、漢・晋・唐・宋時代の、軌範（手本）となる文章六十九編を集めたもの。

コラム

文字・書体の変遷

むかし伏羲(フッキ)や倉頡(ソウケツ)が文字を初めて作ったとの伝説があるが、現在の考古学がつきとめた漢字の起源は、紀元前四八〇〇年から前四三〇〇年ころの西安の半坡(ハン)遺跡から発掘された一種の単純な記号にまでさかのぼれるのかもしれない。

しかし、中国の文字の確たる存在の証明はやはり殷(イン)(商)代からである。

甲骨文　甲骨文は殷の晩期（およそ前一三〇〇―前一〇〇〇）・西周初期（およそ前一〇〇〇ごろ）に用いられた文字である。甲骨文は亀の腹側の甲羅（図①）や、牛などの獣の肩胛(ケンコウ)骨に小刀で刻みつけた文字であることから〈亀甲獣骨文字〉〈甲骨文字〉ともいわれ、刻みつけた文字の意味で〈契文(ケイブン)〉ともいわれる。

甲骨文は、王室の祭り・狩り・戦争・豊作への祈りなどを決めるときの卜(うらな)いの記録である。そのため〈卜辞(ボクジ)〉ともいわれる。

金文　甲骨文よりもややおくれて登場する金文は〈鐘鼎(ショウテイ)文〉〈彝器(イキ)銘文〉ともいわれ、殷周時代に青銅器の主として内側に鋳造された文字である（図②）。

篆文　戦国時代に秦では〈籀文(チュウブン)〉を用い、その他の六国で用いていたのは〈古文〉であるといわれる。

この籀文は〈大篆(ダイテン)〉ともいわれ、秦が六国を統一（前二二一）して新王朝を建ててから、この大篆を基礎に六国文字の長所を採用して創制した標準字体を〈小篆〉という（図③）。後に後漢の許慎が著した『説文(セツモン)解字』は、この小篆を基本に解説したものである。

隷書　小篆は秦の通行文字とされたが、実用上は曲線のため書くのに不便な書体であった。そこで小篆を簡単に直線的に速記できるよう工夫したのが隷書である（図④）。

草書　書写のスピードをあげるための隷書から〈草隷〉が、すでに漢代から通行した。草は草率(ソウソツ)（なおざり）の意味である。許慎『説文解字』にも草書の語が見える。漢の章帝が愛好したから漢代の草書を〈章草〉という。これが晋代以降になると幾つかの文字を連続して活発に書いていく草書に発展していく。これを〈今草〉という。

楷書　後漢末ごろになり、隷書の形を整備し、方形で筆画が平直な楷書(カイショ)が工夫された。これは魏晋(ギシン)南北朝を通じて盛んに行われ、初唐には字体の規範を示す字書類も出版されて、唐代に楷書は完成する。

行書　行書は草書に遅れてやはり後漢末に起こる。草書と楷書との中間的書体で、ちまたに流行したので行書といわれる。

甲骨文　金文　篆文　隷書　草書　楷書　行書

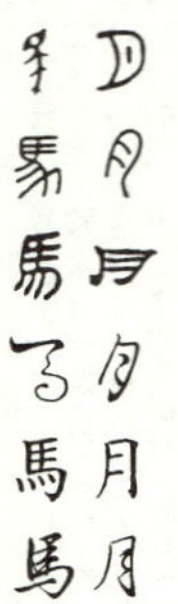

印刷書体　筆写体としての楷・行・草書などに対して、今日では活字体として明朝・宋朝などの各書体がある。このほかゴシック体・教科書体など、さまざまなデザインが漢字の書体にも工夫されつつある。

明朝体	宋朝体	教科書体	ゴシック	ナール
月	月	月	月	月
馬	馬	馬	馬	馬

図①

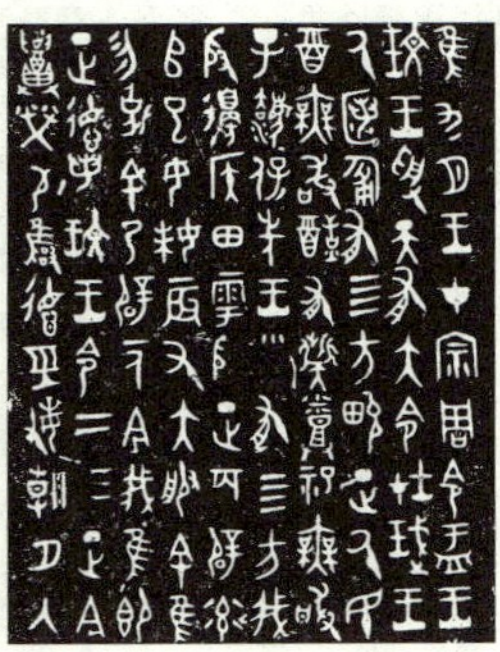

図②

図③

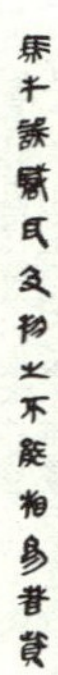

図④

【文章博士】(モンジョウハカセ) 国昔、大学寮の職員で、文章詩賦と歴史の教授をつかさどった。博士は官名。

【文場】(ブンジョウ) ①＝文壇。②科挙(官吏登用試験)の会場。

【文飾】(ブンショク) ①かざり。また、かざる。②過失や悪事をいいつくろうこと。うわべをとりつくろうこと。

【文臣】(ブンシン) 武官以外の官吏。文官。

【文身】(ブンシン) からだにほりものをすること。いれずみ。刺青。

【文人】(ブンジン) ①文徳のある人。②＝文士。

【文人画(畫)】(ブンジンガ) 文人(在野の学者や士大夫など)が余技として描く絵の意。多く水墨淡彩で、詩的な味わいや気品を尊ぶ。→南宗画(三一五ページ下)。

【文籍】(ブンセキ) 書物。書籍。

【文宣王】(ブンセンオウ・ブンセンノウ) 唐の玄宗の開元二十七年(七三九)に孔子に贈った尊号。

【文選】(モンゼン) 一 書名。三十巻。南朝梁(リョウ)の蕭統(ショウトウ)(昭明太子)の編。周から梁までのすぐれた文章・詩賦を種類別に集めたもの。日本でも奈良・平安時代に広く愛読され、日本文学に大きな影響を与えた。二(ブンセン) 国活版印刷で、原稿に合わせて活字を拾うこと。また、その工員。文選工。

【文宗】(ブンソウ) ＝文豪。

【文藻】(ブンソウ) ①あや。模様。②＝文才。

【文体(體)】(ブンタイ) ①文章の体裁(テイサイ)。文章の構成・語句などに表れた、作者独特の個性的な特色。②文章の様式。

【文壇】(ブンダン) 文学者の社会。文学界。文苑(ブンエン)。文場。

【文治】(ブンチ・ブンジ) 学問・芸術による教化や法令などで世を治めること。文政。↔武断(七八六ページ下)。

【文中子】(ブンチュウシ) 書名。十巻。隋(ズイ)の王通(文中子は死後の諡(おくりな))の著といわれる。『論語』にならったもので、『中説』ともいう。

【文徴明】(ブンチョウメイ) 明(ミン)の画家・書家・詩人。名は壁(ヘキ)。徴明はその字(あざな)。号は衡山。詩文・書画ともにたくみで、最も画にすぐれ、また、書は日本の江戸時代の唐様(カラヨウ)書道に大きな影響を与えた。(一四七〇—一五五九)

【文天祥】(ブンテンショウ) 南宋(ナンソウ)の政治家。号は文山。南宋の宰相となり、その滅亡後も元に抵抗し、元軍に捕らえられたが、宋王朝への忠誠を貫いて殺された。その作に「正気歌」がある。(一二三六—一二八二)

【文典】(ブンテン) 文法を説明した書物。

【文△恬武△嬉】(ブンテンブキ) 世の中が平和で、文官も武官も心安らかに楽しむこと。▼恬は安らか、嬉は楽しむ。

【文徳】(ブントク) 人を心服させる、学問・教養の徳。

【文備】(ブンビ) 学問上の用意。文教上の設備。

【文筆】(ブンピツ) ①詩歌・文章を作り、また、書画をかくこと。文墨。②六朝(リクチョウ)時代、韻文と散文をいう。

【文△廟】(ブンビョウ) 孔子を祭ったやしろ。明(ミン)・清(シン)代にいう。孔子廟。聖廟。

【文武】(ブンブ) ①文事と武事。学問と武術。②周の文王と武王。

【文物】(ブンブツ) 世の中の進歩によって生み出された、文化的なもの。学問・芸術・法律・制度・宗教など。

【文法】(ブンポウ) ①法令の成文。法律。規則。②文章の法則。文章中の語の配列、語形の変化などの規則。グラマー。

【文房】(ブンボウ) ①読書室。書斎。②文章のことをつかさどる地位。文書起案の係員室。

【文墨】(ブンボク) ①＝文筆①。②書きつづられたもの。詩文。また、法律。

【文名】(ブンメイ) 詩文にすぐれているという名声。文声。文誉。

【文明】(ブンメイ) ①文徳がかがやくこと。学問・教養があって、りっぱなこと。②人知が進み、世の中の開けること。

【文明開化】(ブンメイカイカ) ＝文化②。

【文面】(ブンメン) ①顔にいれずみをすること。また、その顔。②国㋐文章の表面にあらわれた意味。㋑手紙の文句。

【文雄】(ブンユウ) 学問や詩文の大家。

【文吏】(ブンリ) ①文官。②法律をつかさどる役人。

【文理】(ブンリ) ①物事のすじめ。条理。用例(荀子、性悪)淫乱生而礼義文理亡焉(インランショウジテ、レイギブンリほろぶ)。↓度を過ごした行為が生じて、礼・義や秩序がなくなってしまう。②文章のすじみち。文脈。③国文科と理科。

【文林】(ブンリン) ①＝文壇。②＝文集一。

【学(學)レ文】(ブンをまなぶ) 『詩経』『書経』などの典籍を学ぶ。学問をする。用例(論語、学而)行有二余力一、則以学レ文(おこないて、ヨリョクあらば、すなわち(は)ちもって、ブンをまなべ)。↓(以上のようなことを)実行してまだ余力がある場合は、典籍を学びなさい。

3【孛】7画 (2570) ガク 子部。→三八二ページ下。
3【対】7画 (2715) タイ 寸部。→四一一ページ下。
3【彣】7画 (3372) ブン 彡部。→四九五ページ下。
3【吝】7画 (1391) リン 口部。→二五六ページ上。
4【斉】8画 (14560) セイ 齊部。→一六五四ページ下。
4【忞】8画 (3496) ビン 心部。→五三二ページ中。
6【斎】10画 4574 サイ 齋(14562)の俗字。→一六五五ページ中。
6【斉】10画 4575 セイ 斉(14560)の俗字。→一六五四ページ下。 21373 — 3356
6【紊】10画 (9095) ブン 糸部。→一一二一ページ中。
7【斎】11画 (14562) サイ 齊部。→一六五五ページ中。

8【斑】12画 4576 常 ハン 刪 bān 4035 94C1 —

筆順 一 丅 王 玨 玨 玟 玟 斑

[辬] 4580 本字

字義 **まだら**。ふ。ぶち。むら。

名前 あや 難読 斑鳩(いかる)・斑鳩(いかるが)・斑雪(はだらゆき)・斑入(ふいり)・斑濃(むらご)・斑猫(はんみょう)

解字 篆文 辬 **会意**。篆文は、文＋辡。辡は、わけるの意味。文は、もようの意味。もようにわかれ目がある。まだらの意味を表す。常用漢字の斑は辬の俗字。

【斑△鳩】(ハンキュウ) 鳥の名。いかる。まめまわし。㋐しらこばと。じゅずかけばと。㋑国アトリ科の鳥。いかる。鵤(いかるが)。

【斑竹】(ハンチク・まだらだけ) まだらの模様のある竹。とらふだけ。

【斑点(點)】(ハンテン) まだらに散らばった点。まだら。ぶち。

【斑白】(ハンパク) しらがまじりの頭髪。また、その人。

【斑斑】(ハンパン) ①まだらなさま。点点。②いりまじるさま。

【斑文・斑紋】(ハンモン) まだらの模様。

8【斐】12画 4577 人 ヒ 尾 fěi 4069 94E3 —

筆順 ノ ナ ヲ ヲ 非 非 悲 斐 斐

字義 ❶あやがあって美しいさま。❷あきらかなさま。❸軽いさま。❹なびく。＝靡(13290)。

名前 あきら・あや・あやる・い・なが・よし 難読 斐伊(ひい)

解字 篆文 斐 **形声**。文＋非㊍。音符の非は、賁(ヒ)に通じ、かざりの意味。文も模様の意味。あやの意味を表す。

【斐然】(ヒゼン) ①あやがあり美しいさま。②なびくさま。靡然(ビゼン)。

8【斌】12画 4578 ヒン 眞 bīn 4144 956B —

字義 ❶あや模様と生地とが調和して美しいさま。文(外見の美)と質(実質)とが程よく調和してりっぱなさま。＝彬(3383)・份(239)。❷頒斌(ハンピン)は、いりみだれるさま。

解字 会意。文＋武。文は、もようの意味。武は、たけだけしいの意味。文化的要素とたけだけしさ(武事・戦力)との調和がとれているの意味を表す。

9 【斒】 13画 4579 漢ハン 呉ヘン 簡 bān ―― 3357

字義 まだら(斑)。また、あやのあるさま。

解字 形声。文＋扁音。

14 【辬】 18画 4580 ハン 斑(4576)の本字。→六三三ページ下。 ――

17 【斕】 21画 4581 漢ラン 呉レン 簡 lán ―― 3358

字義 あやがあって美しいさま。まだらがあって美しいさま。

解字 形声。文＋闌音。

【斕斑】(ランパン) まだらのさま。あやのあるさま。斑斕。

4画 **斗** とます はかる

〔部首解説〕 斗を意符として、ひしゃく・汲む・はかるの意味を含む文字ができている。

0 斗 六三四　3 斘 六三四　6 料 六三四　7 斛 六三四　斜 六三五
8 斝 六三五　9 斞 六三五　10 斡 六三五　魁 一六〇七　斠 六三五
13 斣 六三五

0 【斗】 4画 4582 常 ト 漢トウ・呉ツ 簡 dǒu 慣ト 3745 936C ―

筆順 丶 ⺀ 𠂌 斗

字義 ❶容量の単位。十升。周代の一斗は約一・九四リットル。日本の一斗は約一八リットル。❷とます。十升を入れるます。❸ます。量器の総称。❹ひしゃく。酒などをくむ柄のついた器。❺ひしゃくの形をしたもの。「科斗(おたまじゃくし)」❻天の南・北にある星座。北の七星を北斗、南の六星を南斗という。❼少しの量。少ないこと。小さいこと。つまらない人物。❽けわしい。かどだつ。とがる。❾たちまち。急に。

名前 け・と・はかる・ほし・ます 難読 斗米(とまい)

参考 ⇩〔鬪〕(13028)の参考。

解字 金文 篆文 象形。金文でよくわかるように、物の量をはかるための柄のある、ひしゃくの象形で、十升・ますの意味を表す。

逆 科斗・火斗・牛斗・玉斗・筋斗・金斗・星斗・泰斗・北斗・漏斗

【斗魁】(トカイ) 北斗星の第一星から第四星までの四星(枢・璇・璣・権)。北斗のますがた。

【斗牛】(トギュウ) ①北斗星と牽牛星(ケンギュウセイ)。また、二十八宿中の斗宿と牛宿。②虬(キュウ)(みずち。角のある竜の子)の類い。明(ミン)代、功臣に賜った衣服の刺繡(シシュウ)の模様に用いた。

【斗拱・斗栱】(トキョウ) 柱の上のますがた。とがた。方形または矩形(クケイ)のもので、梁(はり)をささえる木材。

【斗斛】(トコク) ①ます。②一斗と一石(イッコク)。▼斛は、石(十斗)に同じ。③すこし。わずか。

【斗斛之禄】(トコクのロク) わずかな俸禄。

【斗卮酒】(トシシュ) 一斗入りのさかずきの酒。

【斗酒】(トシュ) ①一斗の酒。②少量の酒。③多量の酒。

【斗酒十千】(トシュジッセン) 一斗が一万銭もする高価な酒。一斗は今の約一・九四リットル。

【斗出】(トシュツ) 土地などが険しいがけとなって突き出る。とがって突き出る。

【斗升】(トショウ) ①一斗と一升。②わずか・少し。

【斗筲】(トソウ・トショウ) 斗は一斗ます、筲は一斗二升をいれる竹製の器。ともにわずかな分量をいれるもの。㋐器量のせまく小さなことのたとえ。「斗筲の人(とるにたりぬ、つまらぬ人物)」〔論語、子路〕 ㋑わずかな俸禄(ホウロク)のたとえ。斗筲の吏(俸禄の少ない、低い身分の役人)。

【斗胆(膽)】(トタン) 一斗ますのように大きなきもだま。三国時代、蜀(ショク)の姜維(キョウイ)の胆が斗のように大きかった故事に基づく。「斗胆豪心」〔三国志、蜀志、姜維伝、注〕

【斗南】(トナン) ①北斗星の南。北斗星以南。②天下をいう。→斗南一人。

【斗南一人】(トナンイチニン) 北斗星以南にただひとりの人。天下にただ一人。天下第一の人。

【斗入】(トニュウ) 岬などが、海へ鋭く突き出ているさま。かどばって突きいる。鋭くくいこむ。

【斗杓】(トヒョウ) ＝斗柄。▼杓は、ひしゃくの柄。

【斗柄】(トヘイ) 北斗七星の、ひしゃく形の柄にあたる三つの星。第五・六・七の星。斗杓(トヒョウ)。

【斗桶・斗甬】(トヨウ) ます。▼桶・甬は、六升ます。

【斗量】(トリョウ) ますではかる。また、ますではかるほど量の多いこと。

【斗量帚掃】(トリョウソウソウ) ますではかり、ほうきで掃きすてる意で、物のたくさんあることのたとえ。

【斗粮・斗糧】(トリョウ) 一斗の食糧。わずかな糧食のたとえ。

【斗禄】(トロク) わずかの食禄。

3 【斘】 7画 4583 ショウ 升(3275)の俗字。→四〇三ページ上。 ―― 3359

6 【料】 10画 4584 教4 リョウ リョウ(レウ) 簡 liào 4633 97BF ―

筆順 丶 丷 䒑 半 米 米 米 料 料

字義 ❶はかる。㋐ますではかる。㋑数をかぞえる。かぞえる。㋒おしはかる。推量する。考える。「思料」㋓はからう。おさめる。きりもりする。「料理」❷はかり。ますめ。❸たね。もととなるもの。「材料」「原料」❹てあて。給与。「給料」❺かて(糧)。えさ。「食料」「飼料」❻なでる。用例〔荘子、盗跖〕料二虎頭一編二虎須一(コトウをなでコシュをあむ)↓虎の頭をなでさすったり虎のひげをもてあそんだりする。国❶リョウ。㋐代金。代物。「手数料」「入場料」㋑用品。使う物。❷リョウ(るレウ)。料理する。

名前 かず

解字 金文 篆文 会意。米＋斗。米は、こめ、斗は、柄のついたますの象形。米をますではかるさまから、はかるの意味を表す。

逆 科料・過料・顔料・香料・材料・質料・食料・史料・資料・飼料

【料簡】(リョウカン) 一 はかりえらぶ。考えしらべる。二(リョウケン) 同 了簡。国①かんがえ。意見。思案。②たえしのぶこと。また、ゆるすこと。

【料紙】(リョウシ) 国使用するかみ。用紙。

【料峭】(リョウショウ) 春の風のはだ寒い形容。▼料はなでふれる、峭はきびしい。「春寒料峭」

【料度】(リョウタク) はかり考える。▼度も、はかる。

【料得】(リョウトク) おしはかりさとる。おしはかる。

【料理】(リョウリ) ①はかりおさめる。物事を適当に処理すること。②世話をする。③国食べ物を調理する。また、調理した食べ物。

【料量】(リョウリョウ) ますではかる。はかる。また、はかり。ますめ。計量。

7 【斛】 11画 4585 漢コク 呉ゴク 簡 hú 5847 9DCD ―

字義 ❶容量の単位。石コクの十倍。周時代の一斛は約一九・四リットル。いまの日本では約一八リットル。❷ます。量器の総称。
参考 日本では、十斗の意味に多く「石」を用いる。「石」を「コク」と読むのは、斛の字音を借りたもの。
解字 篆文 形声。斗＋角音。斗は、ひしゃくの象形。角は、つのの象形。角製のひしゃくの意味から、ますの意味を表す。また、容量の単位で十斗を表す。
【斛律金】コクリツキン 人名。北斉の将軍。「勅勒チョクロクの歌」の作者といわれる。

7【斜】11画 4586 常 シャ なな-め　2848 8ECE ―
一 漢シャ・呉ジャ 麻 xié(xiá)
二 ヤ 麻 yé
筆順 ノ ハ 亼 令 余 余 斜 斜
字義 一❶なな-め。㋐かたむいていること。かたむき。「傾斜」㋑はす。はすかい。すじかい。㋒正しくない。よくない。❷くむ(汲)。くみだす。二斜谷は、陝西セン省にある谷の名。国❷なな-め。㋐よくない。悪い。「ご機嫌斜め」㋑ひととおり。ふつう。
難読 斜子なな こ・斜里しゃり
解字 篆文 形声。斗＋余音。斗は、ひしゃくの象形。音符の余は、のばすの意味。手をのばし、ひしゃくでくむの意味を表す。衺ヤシに通じて、ななめの意味に用いる。
逆 狭斜・傾斜
【斜影】シャエイ ななめにうつった物のかげ。夕日・夕月などで斜めに長々とうつる影。
【斜柯】シャカ ①ななめの枝。用例〔本事詩〕独倚二小桃斜柯一佇立ひとりショウトウのシャカによりてチョリツして、而意属殊厚イショクことにあつし。↓〈娘は〉自分は傍らの小さな桃の木の斜めにさし出た枝によりかかってたたずみ、よほど彼に心引かれたようすだった。②ななめによりかたむく。
【斜暉・斜輝】シャキ 夕日の光。斜曛シャクン。
【斜景】シャケイ ①ななめにうつったかげ。斜影。②夕陽。③老年のたとえ。
【斜月】シャゲツ 西にかたむいた月。入りかかった月。
【斜視】シャシ ①ながしめに見る。②両目の視線の方向が異なっている目。
【斜日】シャジツ 西にかたむいた日。夕日。斜陽。斜照。
【斜陽】シャヨウ ①＝斜日。②国没落してゆくもののたとえ。「斜陽族」

8【斝】12画 4587 漢カ 呉ケ 馬 jiǎ　8510 ― 3360
字義 古代の儀式用の酒器の名。三足と取っ手のある円形の口をしたもの。殷イン代と周代初期に盛んに用いられた。
解字 甲骨文 篆文 会意。門＋斗。甲骨文でもわかるように、二つの耳の突き出た酒器の象形。斗は、酒をくむひしゃくの象形。祭りに用いる酒器の意味を表す。

斝

9【斟】13画 4588 シン 侵 zhēn　5848 9DCE ―
【㪷】12378 同字
字義 ❶く-む(汲)。くみとる。㋐水などをくみとる。㋑酒をつぐ。くみかわす。㋒はかりとる。人の心や物事の事情などをはかり考える。❷したたる。❸のみもの。しる。
解字 篆文 形声。斗＋甚音。斗は、ひしゃくの象形。音符の甚は、探に通じ、スープなどをひしゃくでさぐり求める、くむの意味を表す。
【斟酌】シンシャク ①酒などをくむ。②人の心中や物事の事情などをくみとる。また、それらをくみとって、ほどよく処置すること。手加減てかげん。③国ひかえめにする。遠慮。辞退。

10【斡】14画 4589 人 標　1622 88B4 ―
一 漢ワツ・呉ワチ 曷 wò
二 漢カン(クヮン) 旱 guǎn
慣アツ
筆順 一 十 古 卓 卓 斡 斡 斡 斡
字義 一❶めぐ-る。まわる。めぐらす。まわす。❷ひしゃくの柄。二❶つかさどる。＝幹(3168)。❷めぐる。
解字 篆文 会意。斗＋倝。斗は、ひしゃくの意味。倝は、柄の意味。ひしゃくの柄の意味を表し、亘センに通じて、めぐるの意味を表す。
【斡旋】アッセン ①めぐる。また、めぐらせる。②とりもつ。世話をする。周旋。
【斡流】アツリュウ めぐりながれる。

10【魁】14画 (13942) カイ 鬼部。→一六〇七ページ・下。

10【斠】14画 4590　― ― 3361
一 カク 覚 jiào
二 漢コウ(カウ)・呉キョウ(ケウ) 効 jiào
字義 一二量る。ますに入れた穀物を平らにならす。
解字 形声。斗＋冓音。

13【斣】17画 4591 呉ツ 漢トウ 宥 dòu　― ― 3362
字義 ❶等しい。交易する物がつり合う。❷比べる。競争する。❸はかる。
解字 形声。斗＋蜀音。

4画 斤 おのづくり きん・はかり

〔部首解説〕斤を意符・音符として、おの・切るの意味を含む文字ができている。

0 斤 六三五　1 斥 六三五　4 欣 七七八　所 六三六　所 五六七
斨 六三六　斧 六三六　5 斫 六三六　6 斮 六三六　7 斬 六三六
断 六三六　8 斮 六三七　斯 六三七　9 新 六三七　11 斳 六三九
斲 六三九　12 斴 六三九　13 斶 六三九　斵 六三九　14 斷 六三六
16 斸 六三九　21 斸 六三九

0【斤】4画 4592 常 キン　2252 8BD2 ―
一 漢キン・呉コン 文 jīn
二 漢キン・呉コン 問 jìn
筆順 ノ 厂 斤 斤
字義 一❶おの。まさかり。「斧斤フキン」❷きる。おので木をきる。❸重量の単位。唐代の一斤は、約六〇〇グラム。国キン。重量の単位。普通には一六〇匁(六〇〇グラム)。二斤斤は、あきらかに察するさま。
名前 あきら・のり
解字 甲骨文 篆文 象形。甲骨文は、曲がった柄の先に刃をつけた手おのの形にかたどり、おの・きるの意味を表す。音形上は、幾などに通じ、量を少なくする、形を小さくするための道具の意味であろう。斤を音符に含む形声文字に、釿キン・斳ギン・听ギン・芹キン・近キン・訢キン・欣キン・忻キン・頎キなどがある。
【斤斧】キンプ おの。まさかり。斧斤。
【斤量】キンリョウ はかりでめかたをはかること。また、めかた。

1【斥】5画 4593 常 セキ　3245 90CB ―
漢セキ・呉シャク 陌 chì

筆順 ノ 厂 斤 斤 斥

字義 ❶しりぞ-ける。㋐おしのける。おいはらう。「排斥」㋑こばむ。❷さ-す。指さす。「指斥」❸うかが-う。ようすをさぐる。「斥候（セッコウ）」❹ひらく。ひらける。広い。❺さわ。湿地帯。＝沢（6196）・潟（6693）。

名前 かた　難読 斥候峠（ものみとうげ）

解字 篆文 形声。篆文は、广＋屰音。音符の屰（ギャク）・（セキ）は、却に通じ、しりぞけるの意味。家からしりぞけるさまから、しりぞけるの意味を表す。

逆 指斥・逐斥・非斥

【斥鷃】（セキアン）小鳥の名。みそさざいの類い。

【斥騎】（セッキ）こっそり敵の様子をさぐる騎兵。斥候の騎兵。

【斥遣・斥譴】（セッケン）しりぞけてとがめる。しかってしりぞける。

【斥候】（セッコウ）こっそり敵の様子をさぐること。また、その兵。

【斥塞】（セキサイ）辺境の地を開拓する。

【斥地】（セキチ）土地をひらく。また、ひらけた土地。

【斥逐】（セキチク）しりぞけ追う。追いはらう。

【斥売（賣）】（セキバイ）投げ売りする。安く売り払う。

【斥鹵】（セキロ）塩分を多量に含んでいて、植物が育たない土地。塩地。

4【欣】8画 (5948) キン　欠部。→七七八ページ上。

4【斦】8画 4594 漢ギン 呉ゴン 図 yín ― ― 3363

字義 ❶二振りのおの。❷明らか。

解字 会意。斤＋斤。二本のおのの意味を表す。

4【所】8画 (3979) ショ　戸部。→五六七ページ下。

4【斨】8画 4595 漢ショウ（シャウ） 呉ソウ（サウ） 陽 qiāng

字義 おの。柄をさす孔（あな）が四角なおの。

解字 形声。斤＋爿音。

4【斧】8画 4596 人 標 フ 麌 fǔ 4164 9580 ―

筆順 ノ ハ グ 父 斧 斧 斧 斧

字義 ❶おの（をの）。まさかり。㋐木をきる道具。「斤斧」㋑戦いに用いる武器。罪人を処刑する道具。❷きる。おので物を切る。❸おの（ほ）の形の模様。

【鈇】12725 同字

斧

名前 おの・はじめ

解字 金文 篆文 形声。斤＋父音。斤は、曲がった柄のおのの象形。音符の父は、むち・おのなどを手にした形。おのの意味を表す。

【斧鉞・斧戉】（フエツ）①おの。まさかり。罪人を切り殺す刑具。転じて、重刑。②天子が出征する大将にしるしとしてこれを授けたことから、征伐の意。③文章の字句などを削ること。修正。

【斧柯】（フカ）①おのの柄。また、おの。②政権のたとえ。

【斧鑊】（フカク）おので首を切られることと、釜（かま）で煮られること。首切りと釜ゆで。重刑。極刑。

【斧斤】（フキン）おの。まさかり。斤斧。

【斧鑿】（フサク）①おのと、のみ。②おのとのみを使って、細工をすること。詩文・書画などに小手先の技巧をこらすこと。

【斧質・斧鑕】（フシツ）首を切るおのと、首切りの台。処刑の道具をいう。転じて、罪人を殺すこと。

【斧正・斧政】（フセイ）人に詩文の添削を請うときの謙辞。おので削り正す意。

【斧劈】（フヘキ）中国の山水画で、岩石などを描く画法の一つ。おのでつんざいたようなさまに描写したもの。

5【斫】9画 4597 シャク 覚 zhuó 5849 9DCF ―

字義 ❶き-る。切りはなす。❷うつ（撃）。❸おろか。無知。

解字 篆文 形声。斤＋石音。斤は、おのの象形。音符の石は、柞（サク）に通じ、きるの意味。おので切るの意味を表す。

6【斮】10画 4598 セツ　折（4066）の本字。→五七九ページ中。

7【斬】11画 4599 常 ザン き-る 漢サン・呉セン 慣ザン 豏 zhǎn 2734 8E61 ―

筆順 一 ㄇ 百 亘 車 車 斬 斬 斬 斬

字義 ❶き-る。㋐刃物で切る。切りはなす。㋑切り殺す。用例〔史記、項羽本紀〕為二諸君一潰レ囲（かこみをつい（ひ）やし）、斬レ将刈レ旗（ショウをきりはたをかる）。↓諸君のために敵の囲みを打ち破り、敵将を斬り、敵の旗をなぎ倒す。❷刑罰の名。うちくび。また、こしきり。❸たえる。つきる（尽）。❹はなはだ。きわだって。唐代の方言。「斬新」❺喪服の一種。→斬衰（ザンサイ）。

使いわけ きる〔切・斬〕⇩切（873）。

解字 篆文 会意。斤＋車。斤は手おのの象形。車でひき、おので切る刑罰を表す。斬を音符に含む形声文字に、塹（ザン）・嶄（ザン）・慙（ザン）・暫（ザン）・槧（ザン）・漸（ゼン）・鏨（ザン）などがある。

【斬刈・斬艾】（ザンガイ）①草木をかりとる。②切り殺す。③根こそぎ取る。

【斬奸・斬姦】（ザンカン）悪人を切り殺す。

【斬衰】（ザンサイ）裁ちはなしたままで、縁を縫わない喪服。喪の五服の中、最も重い三年の喪に用いる。

【斬罪】（ザンザイ）首切りの刑罰。打ち首。

【斬首】（ザンシュ）打ち首にする。また、その首。

【斬新】（ザンシン）非常にあたらしい。目新しい。▼斬は、はなはだ・きわだって。

【斬馬】（ザンバ）「斬馬剣」の略。漢代の名剣の名。馬を切るほどの名剣の意。悪臣を切る剣の意にたとえる。

【斬伐】（ザンバツ）①討ち滅ぼす。征伐する。②罪のある者を切り殺す。③木を切る。

7【断】11画 4600 教5 ダン た-つ・ことわ-る 一漢タン・呉ダン 旱 duàn 3539 9266 ―

14【斷】18画 4601 二漢タン・呉ダン 翰 duàn 5850 9DD0 ―

筆順 丷 ㇾ 半 米 㡭 㡭 断 断 断

【斷】4610 本字

字義 一 たつ。き-る。㋐たち切る。きりはなす。「切断」「寸断」㋑たやす。ほろぼす。たえる。「断絶」㋒やめる。廃する。「断酒」二 ❶きめる。さだめる。「断定」「判断」❷さばく。「裁断」❸た-える（ゆた）。きれる。たちきれる。用例〔唐、李白、望二天門山一詩〕天門中断楚江開（テンモンなかたえて、ソコウひらき）、碧水東流至レ此廻（ヘキスイひがしにながれ、ここにいたりてめぐる）。↓天門の山は二つに断たれて、その間を楚江が流れ、（長江の）緑色の水は東へ流れていたが、ここで方向を変える。❹思いきって。おして。また、決して。絶対に。国 ことわ-る。㋐わけを述べる。㋑前もって知らせる。㋒謝絶する。辞退する。

名前 さだ・さだむ・たつ・たけし・とう

使いわけ たつ〔断・絶・裁〕
〔断〕続いているものを途中で切り離す。「通信網を断つ」
〔絶〕続いているものをそれ以上続けないようにする。「命を絶つ」
〔裁〕布や紙などを寸法に合わせて切る。「着物を裁つ」
ただし、〔断〕と〔絶〕の使いわけには紛らわしい場合が多い。

解字 甲骨文 金文 篆文 会意。㡭(㡭)＋斤。㡭は、つながる糸の意味。斤は、おの象形。つながりをたつの意味を表す。

逆 英断・易断・憶断・果断・間断・叫断・禁断・決断・裁断・遮断・縦断・処断・診断・吹断・寸断・聖断・専断・速断・中断・腸断・独断・判断・不断・武断・無断・明断・勇断・雄断・油断・予断

【断案】ダンアン 判断してきめた考え。結論。判断。

【断雲】ダンウン ちぎれぐも。きれぎれの雲。片雲。

【断崖・断△厓】ダンガイ きりたったがけ。断岸。

【断簡】ダンカン きれぎれになった書き物。断片の文書。

【断岸】ダンガン きりたって、がけになったきし。けわしいきし。がけ。

【断△雁】ダンガン 群れにはぐれたがん。孤雁。

【断機△之△誡】ダンキのいましめ ①孟子が他郷に勉強に行き、学業半ばで家に帰ったとき、母親が織りかけの機の織り物を断ち切って、学問を中途でやめるのは、織りかけたはたを断ち切るようなものだといましめた故事。孟母断機。〔列女伝、母儀〕②戦国時代、楽羊子の妻が夫を戒めた故事。

【断△橋】ダンキョウ ①こわれおちて渡れない橋。②橋をきりおとす。

【断金】ダンキン 金属を断ち切る意で、友情のきわめて堅いこと。断レ金。用例〔易経、繋辞上〕二人同レ心、其利断レ金。↓二人の君主が心を同じくして事に当たろうとするとき、その鋭い力は堅い金属を断ち切るほどである。

【断決】ダンケツ 裁断して決定する。とりきめる。さばく。決断。

【断弦・断△絃】ダンゲン ①琴などの音のとだえること。とだえた琴の音。②妻の死をいう。

【断△乎・断固】ダンコ ためらわず、きっぱりと事を行うさま。断然。断断乎。

【断交】ダンコウ 交わりをたつ。つきあいをやめる。

【断行】ダンコウ ①おしきって行う。思いきってする。②列をなさず、きれぎれになること。▼行は、列。

【断獄】ダンゴク ①うったえをさばく。裁判。②国罪によって首を切ること。打ち首。断罪。

【断魂】ダンコン ＝断レ魂(一六〇八ページ中)。

【断罪】ダンザイ ①罪をさばく。②国＝断獄②。

【断△而敢行、鬼神避△之】ダンじてカンコウすれば、キシンもこれをさく 思い切って行えば、鬼神もおそれてさける。〔史記、李斯伝〕

【断章取義】ダンショウシュギ 詩・文全体の意味にかまわず、役に立つ部分だけを切り取り、自分勝手に解釈して用いること。断レ章取レ義。〔南宋、朱熹、孟子集注〕

【断食】 一ダンショク 食事をやめる。食物をたべない。二ダンジキ 神仏への願・治療・要求などのため一定期間食物をたつこと。

【断△截】ダンセツ たちきる。きりはなす。切断。截断。

【断絶】ダンゼツ ①たちきる。また、たやす。②とぎれる。たえる。

【断然】ダンゼン ①＝断乎。②傾向が強いこと。「断然有利」

【断送】ダンソウ なげ出す。棒にふる。

【断層(層)】ダンソウ 国①地層が切れて食い違った所。②比喩的に、食い違いの大きな意。

【断続(續)】ダンゾク 切れたり、つづいたりすること。

【断断】ダンダン ①一つのことに集中するさま。また、守って変わらぬさま。②きっぱりときめて間違いのないさま。断定するさま。

【断腸】ダンチョウ ①はらわたをたち切る。②はらわたがちぎれるほどの思い。非常な悲しみのたとえ。〔世説新語、黜免〕

【断定】ダンテイ 判断してきめる。はっきりきめる。

【断頭台(臺)】ダントウダイ 罪人の首を切る台。ギロチン。

【断念】ダンネン 国思い切る。あきらめる。

【断髪文身】ダンパツブンシン 髪を切り、からだに入れ墨をする。未開の風習。

【断△蓬】ダンポウ 根の断ち切れたよもぎ。風に吹かれてどこまでもころがって行くさま。孤独の旅人、さすらいの旅人などにたとえる。飛蓬。転蓬。→蓬(10250)の字義❶㋑。

【断末魔・断末摩】ダンマツマ 仏①息を引き取るまぎわの苦しみ。②死にぎわ。臨終。

【断目】ダンモク 視力を失う。

【断落】ダンラク ①文章の中の切れ目。段落。②物事のくぎり。切れ目。

【断△爛】ダンラン (書物や記録などが)きれぎれにやぶれる。

【断△爛朝報】ダンランチョウホウ きれぎれになった朝廷の記録。北宋の王安石が『春秋』をそしったことば。王安石は『春秋』を解釈しようとしたが、孫覚の『春秋経解』に勝てないことを知り、『春秋』をそしってこの語を使った。

8 【斮】12画 4602 サク 覺 zhuó ― ― 3364

字義 ❶き-る(斬)。たちきる。❷けずる(削)。❸うつ(撃)。

解字 篆文 形声。斤＋昔(𣅼)音。音符の昔は、柞に通じ、木を切り除くの意味。きるの意味を表す。

8 【斯】12画 4603 人 標 シ 支 sī 2759 8E7A ―

筆順 一 卄 甘 甘 其 其 其 斯 斯 斯

字義 ❶さく。切り裂く。切り分ける。ばらばらにする。❷これ。ここ。この。▼人・物・事・場所・時間・状況などの近いものを指し示す。用例〔論語、子罕〕有二美玉於斯一、韞レ匵而蔵レ諸、求二善賈一而沽レ諸。↓ここに美しい宝玉があるとして、箱に入れてしまっておきますか、それともよい商人を探して売りますか。／〔論語、雍也〕斯人也而有二斯疾一也。↓この人がこのような病にかかろうとは。

❸こ-れ。…なのである。▼断定の語気を強調する。用例〔論語、為政〕攻二乎異端一、斯害也已。↓正統でない道を学ぶのは、ただ害があるだけである。

❹か-く。こ-う。このように。かかる。このような。用例〔論語、子罕〕逝者如レ斯夫、不レ舎二昼夜一。↓過ぎ去ってゆくものはこの(川の水の)ようなものだなあ、昼も夜もとどまることがない。

❺すなわ-ち。ここに。条件と結果とを結ぶ。▼「…であれば～である」「…すれば～になる」などと訳す。用例〔論語、里仁〕朋友数、斯疏矣。↓友人にしつこくすると疎んぜられる。／〔論語、述而〕我欲レ仁、斯仁至矣。↓自身が仁を望めば、もう仁はそこにあるのだ。

❻詩などで語調をととのえる語句末の助字。用例〔詩経、小雅、巧言〕彼何人斯、居二河之麋一。↓あの人は何者だ、河の岸辺に暮らしている。

❼しばらく。また、すぐに。「斯須」

名前 これ・しろ・つな・のり

解字 金文 篆文 会意。其＋斤。其は、「み」の象形で、穀物をふり分けるの意味。さく・わけるの意味を表す。此の音に通じ、借りて、「これ」の意味を表す。

【斯須】シシュ しばらく。暫時。須臾。

【斯道】シドウ このみち。㋐聖人の道。仁義の道。儒教の道。㋑その人が奉じている道、または技芸など。

【斯文】シブン この学問。この道。聖人の教え。儒教の学問や道徳のこと。用例〔論語、子罕〕天之未レ喪二斯文一也、匡人其如レ予何。↓天がまだこの聖人の道を滅ぼしていない以上は、匡の者どもがこの私をどうすることができようか(どうもできない)。

【斯△臾】シユ ＝斯須。

9 【新】13画 4604 教 2 シン 眞 xīn 3123 9056 ―

シン あたら-しい・あら-た・にい

筆順 丶 亠 ㄅ 立 辛 亲 亲 新 新

字義 ❶あたら-しい。あら-た。↕旧(4649)。❷あたらしくする。あらためる。あらたまる。「刷新」❸あたらしいものごと。また、近ごろ。❹あら-たに。㋐はじめて。「新刊」㋑…したばかり。…して間もない。用例〔唐、杜甫、石壕吏詩〕一男附レ書至、二男新戦死(一男書を附して至る、二男新たに戦死せりと)。↓ひとりの息子が手紙を人にことづけてまいりましたが、(それによれば)二人の息子は最近、戦死したとのことです。❺国名。前漢末、王莽が建てた国。一代十五年(八—二三)で滅びた。国あら。にい。語の上につけてあたらしい意を表す。「新湯」「新妻」

名前 あきら・あら・あらた・しん・すすむ・ちか・にい・はじめ・よし・わか **難読** 新屋・新嘉波・新冠・新居・新居浜・新魚目・新見・新原・新谷・新今・新墾・新座・新西蘭・新治・新所原・新嘗・新井・新成生・新田原・新湯・新納・新発田・新免・新野・新鹿・新嘉坡

解字 金文  篆文  形声。斤+木+辛㊥。音符の辛は、刃物の象形。木を切ってたきぎにするの意味を表す。薪の原字。また、切り口があざやかなところから転じて、あたらしいの意味をも表す。

逆 維新・一新・改新・革新・更新・作新・刷新・清新・日新

【新安】シンアン 地名。河南省。洛陽市の西三十キロほどの所にある。項羽が秦の兵二十万人を穴うめにした所。

【新雨】シンウ 降ったばかりの雨。また、雨上がり。

【新鋭】シンエイ 新しくて勢いがするどい。また、その人・物。新進気鋭。

【新荷】シンカ あらたに芽ぶく蓮。蓮の若葉。

【新奇】シンキ あたらしくてめずらしい。

【新鬼】シンキ 最近死んだ人。また、その魂。▼鬼は、死んだ人の魂。↕旧鬼(六四七ページ中)。用例〔唐、杜甫、兵車行〕新鬼煩冤旧鬼哭、天陰雨湿声啾啾(新鬼は煩冤し旧鬼は哭し、天陰り雨湿うとき声啾啾たり)。↓戦死したばかりの亡霊はもだえうらみ、古い亡霊はなきさけび、空が曇り雨がしっとりと降る時、亡霊のうらみ泣く声がしくしくと聞こえてくる。

【新規】シンキ ①新しい規則。②国すべて物事を新しくすること。

【新機軸】シンキジク これまでのものと全く違った、新しい工夫、また、企画。

【新禧】シンキ 新年のよろこび。▼禧は、神から受ける幸い。

【新教】シンキョウ ローマ旧教に反対して、十六世紀にドイツのマルティン・ルターらが唱え出した、キリスト教の新宗派。プロテスタンティズム。↕旧教(六四七ページ中)。

【新疆】シンキョウ 地名。中国北西部の新疆ウイグル自治区。省都は烏魯木斉市。昔の西域の地で、天山山脈によって南北に分かれ、北にジュンガル盆地、南にタリム盆地(タクラマカン砂漠)がある。

【新月】シンゲツ ①陰暦で月の三、四日ごろの月。三日月。初月。②東の空にのぼったばかりの月。用例〔唐、白居易、八月十五日夜禁中独直対レ月憶二元九一詩〕三五夜中新月色、二千里外故人心(三五夜中新月の色、二千里外故人の心)。↓十五夜の今夜、出たばかりのあざやかな月の色を見ていると、二千里のかなたにいる旧友の心が思われてならない。

【新五代史】シンゴダイシ 書名。七十四巻。北宋の欧陽脩の著。後梁から後周に至る五国の歴史を記した書。二十四史の一つ。北宋の薛居正らの「旧五代史」を改修したものであるところから「新五代史」という。

【新参(參)】シンザン 国①新しく仕えたこと。また、その人。②新たに仲間入りしたこと。また、その人。新米。新入り。

【新秋】シンシュウ はつ秋。秋のはじめ。肇秋。

【新春】シンシュン 暦の新しくなった、年の初めの春。はつはる。新年。新陽。開春。

【新書】シンショ 一 ①新しく著作された書物。新版の書物。②国出版物の規格の一つ。文庫本よりやや大型で、比較的読みやすい著作を集めた叢書。二 書名。十巻。前漢の賈誼の著。政治・道徳・学問・風俗などに関する論説を集めたもの。『賈誼新書』ともいう。

【新序】シンジョ 書名。十巻。前漢の劉向の著。春秋時代から漢の初めまでの人物の言行を分類して集めたもの。

【新粧・新妝】シンショウ 新しいよそおい。つくりたての化粧。

【新嘗】シンショウ 一 ①新しく取れた穀物を神に供えて祭ること。②天子がはじめてその年の新穀を食すること。二 にいなめ 国毎年十一月二十三日に天皇が新穀を食する宮中の行事。新嘗祭。

【新人】シンジン ①新たに迎えた妻。もとからの妻と区別していう。②はなよめ。新婦。結婚したばかりの女性。③新たに迎えた夫を、妻がさしていう。④国㋐新しく世に知られた人。新進の人。㋑その社会・方面に入ったばかりの人。

【新炊】シンスイ たきたてのめし。用例〔唐、杜甫、贈二衛八処士一詩〕夜雨剪二春韮一、新炊間二黄粱一(夜雨に春韮を剪り、新炊に黄粱を間う)。↓夜、雨が降る中、春のにらを刈り入れ、たきたてのご飯には、黄色いおおあわが混じっている。

【新井白石】あらいハクセキ 国江戸中期の儒学者・政治家。常陸(今の茨城県)の人。名は君美。字は在中・済美。白石は号。木下順庵に学び、徳川家宣・家継に仕えて幕政を補佐した。朱子学者として詩文にも通じ、歴史・地理・言語学にも造詣が深く、著書に『読史余論』『藩翰譜』『西洋紀聞』『東雅』『折たく柴の記』などがある。(一六五七—一七二五)

【新正】シンセイ 新年の正月。あらたまった年の初め。

【新生】シンセイ ①未熟な書生。②新しく生まれ出る。③新しく芽を出す。

【新生面】シンセイメン 国新しい方面。

【新声(聲)】シンセイ 新しく作られた歌曲・音楽。新曲。

【新鮮】シンセン 新しくて生き生きとしていること。また、そのもの。

【新体(體)詩】シンタイシ 国詩と言えば漢詩を意味していたのに対し、明治初期に西洋の詩歌の形式・精神をとりいれて作り始めた新しい形体の詩。後、単に詩という。

【新知】シンチ ①新しい知り合い。↕旧知(六四八ページ上)。②新しく初めて知る。③国新しい知行(領地)。

【新注・新註】シンチュウ ①新しい注釈。②経学では特に、宋代の学者朱子などの注釈をいう。↕古注・古註(二四〇ページ上)。

【新調】シンチョウ ①新しいみつぎもの。②新しい歌。③国新しくこしらえること。また、その物。

【新陳代謝】シンチンタイシャ ①新しいものと、古いものとが入れかわること。▼陳は古い、謝は辞し去る。②生物の体内で、必要な物質が摂取され、不要な物が排泄される作用。

【新唐書】シントウジョ 書名。二百二十五巻。北宋の欧陽脩らが勅命によって編集した、唐代の歴史を記した書。二十四史の一つ。後晋の劉昫らの『旧唐書』を改修したものであるところから『新唐書』といい、また単に『唐書』ともいう。

【新得】シントク 新しく得たもの(学問・境地など)。

【新婦】シンプ ①はなよめ。にいづま。↕新郎。②子のよめ。③若妻が謙遜していう自称。わらわ。

【新蒲】シンポ がまの新芽。生えはじめたばかりのがまの芽。用例〔唐、杜甫、哀二江頭一詩〕江頭宮殿鎖二千門一、細柳新蒲為レ誰緑(江頭の宮殿千門を鎖とざし、細柳新蒲誰が為にか緑なる)。↓河のほとりの宮殿は、門という門はみなとざし、柳やがまの細い新芽は、いったいだれのために美しい緑色にもえているのか(それに値する人はいない)。

【新法】シンポウ ①新しい方法。②新しい法律。③宋の神宗のとき、王安石が政治・経済・社会・軍備など各方面の改革を行う目的で作った諸法令。

【新発(發)意】シンボッチ・シンポチ・シンポチ 仏①新しく仏門に入った人。②真宗で、寺のあとつぎをいう。

【新△沐者必弾(彈)レ冠、新浴者必振レ衣】あらたにモクするものははじきかならずかんむりを あらたにヨクするものはかならずころもをふるう(ふ) 髪の洗いたての者は必ず手でちりを落としてから冠をかぶり、湯あみしたての者は必ずほこりを振るってから着物をきる。自分の身を清く保とうとする者は、自分の身が他のものによって汚されるのを恐れるたとえ。弾冠振衣。〔楚辞、漁父〕

【新約】シンヤク ①新しい約束。新規の契約。②新約聖書。旧約聖書に対してキリスト出現以後のことを記す。↓旧約(六四八ジペー上)。

【新陽】シンヨウ はつはる。新春。

【新羅】シンラ・シラギ 古代朝鮮の国名。三韓サンカンの一つ。前五七年の建国と伝えられる。唐と連合して百済クダラ・高句麗コウクリを平定し、朝鮮全土を統一したが、九三五年、高麗コウライに滅ぼされた。(?—九三五)。

【新柳】シンリュウ 芽をふいたばかりの柳。

【新柳髪】シンリュウのかみ 芽をふいたばかりの柳を髪にたとえた語。↕旧苔鬚キュウタイのひげ(六四七ジペー下)。用例〔和漢朗詠集、都良香、早春〕気霽風梳二新柳髪一 キはれてはかぜシンリュウのかみをくしけずり(づ)り 氷消浪洗二旧苔鬚一 こおり(ほり)きえてはなみキュウタイのひげをあらう(ふ)。↓空はうららかに晴れ、風は新芽をふいたやなぎの枝をそよがせている。はりつめていた氷もとけ、波が水辺の冬越しのこけをひたしている。

【新涼】シンリョウ 秋の初めのすずしさ。初秋の涼風。

【新暦(曆)】シンレキ ①新たに制定したこよみ。↕旧暦②(六四八ジペー中)。②新しい年のこよみ。③国太陽暦のこと。

【新郎】シンロウ ①唐代、新しく進士の試験に及第した人。新郎君。②新婚の男性。はなむこ。↕新婦。

11 【斳】 15画 4605 一漢キン・呉ゴン 文 qín 二漢キン・呉コン 吻 jǐn ——— 3366

字義 一せり。野菜の一種。二しなやかで強い。

解字 形声。斤＋堇音。

11 【斲】 15画 4606 タク 覚 zhuó 2|1374 — 3365

〔劅〕983 同字 〔斵〕4608 俗字

字義 きる。木をきる。また、けずる。

解字 篆文  形声。斤＋𣪘音。音符の𣪘は、豆トウ(たかつき)の一種の象形。物を立てておいて、斤(おの)できるの意味を表す。

12 【斴】 16画 4607 リン 真 lín

字義 石の間を流れる水の音。

解字 形声。斤＋粦音。

〔斴〕4609 俗字

13 【斵】 17画 4608 タク 斲(4606)の俗字。→六三九ジペー上。 2|1375 — —

13 【斴】 17画 4609 リン 斴(4607)の俗字。→六三九ジペー上。 — — 3367

14 【斷】 18画 (4601) ダン 断(4600)の旧字体。→六三六ジペー下。

16 【𣃔】 20画 4610 ダン 断(4600)の本字。→六三六ジペー下。

21 【斸】 25画 4611 一漢チョク・呉トク 沃 zhú 二サク 覚 2|1376 — —

字義 一❶くわ(钁カク)。❷切る。

解字 形声。斤＋屬音。

4画 方 かたへん ほう

〔部首解説〕 部首としての方は、㫃(㫃エン)の左半分の形をとったもの。㫃は、音漢エン・呉オン。象形。甲骨文 。篆文 。旗が風にひるがえる形にかたどり、はたの意味を表す。㫃は㫃の変形。㫃を意符として、旗の意味を含む文字ができている。

0 方 六三九　4 於 六四〇　放 六三二　斻 六四一　5 施 六四一
斿 六四一　6 旂 六四一　旃 六四二　旆 六四二　旁 六四二
旄 六四二　旅 六四二　7 旎 六四二　旌 六四三　旋 六四三
族 六四三　旉 六四三　旒 六四三　8 旐 六四三　9 旔 六四三
旈 六四三　10 旖 六四四　旗 六四四　12 旘 六四四　旙 六四四
14 旛 六四四　15 旝 六四四　旟 六四四

0 【方】 4画 4612 教2 ホウ かた ホウ(ハウ) 陽 fāng 熟字訓 行方ゆくえ 4293 95FB —

筆順 丶 亠 亍 方

字義 ❶かた。むき。用例〔孟子、告子上〕決二諸東方一則東流 これをトウホウにケッすればすなわち(は)ちトウリュウし、決二諸西方一則西流 これをセイホウにケッすればすなわち(は)ちセイリュウす。↓その水を、堤防を切って東に流してやると、東へ向かって流し、西に流してやると、西へ向かって流出する。❷むかう。向かう所。行く先。一定の方向。区域。くに。国土。「地方」「異方」❸ところ。場所。❹よも。また、四角のものを一辺の長さで表すのに用いる。「四方」「方千里」❺地。土地。大地。❻かく(角)。しかく。かど。四角な物のすみ。「方円」❼てだて。やり方。用例〔論語、雍也〕能近取レ譬 よくちかくたとえ(へ)をとる、可レ謂二仁之方一也已 ジンのホウというべきのみ。↓自分の身近なものにひきくらべて考えることができることを、仁に至る方法と呼ぶことができるのである。❽わざ。㋐技術。㋑神仙の術。「方士」㋒医術。「医方」❾薬の調合。「処方」❿いた(板)。文字を書く四角な木のふだ。⓫ただしい。きちんとしている。「品行方正」⓬ほしいまま。＝放(4520)。⓭みち(道)。道義。「義方」⓮ならべる。ならべあわせる。用例〔荘子、山水〕方レ舟而済二于河一 ふねをならべてかわ(は)をわたる。↓舟を並べて河を渡る。⓯ならんだ舟。＝舫(9729)。⓰いかだ。いかだで渡る。⓱くらべる。比較する。用例〔論語、憲問〕子貢方レ人 シコウひとをくらぶ。↓子貢が他人を比べ批評した。⓲わける。区別する。⓳ある数の自乗。「平方」

国 かた。㋐他人をさして呼ぶ敬称。「お方」㋑かかり(係)。「道具方」㋒ころ。時分。「夕方」㋓…のところ。「鈴木方」㋔しかた。方法。「書き方」

助字・句法解説

❶あたり。訳…した時に。ある状況にあった時や、ある動作をした時に同時に起こることを表す。「方二A一時二」(Aするときにあたり)」の形で、下に「時」を伴うこともある。用例〔呂氏春秋、本味〕方レ鼓レ琴而志在二太山一 ことをコするにあたりてこころざしタイザンにあり。↓琴を演奏する時、(伯牙ハクガは)太山にいるような気分で演奏した。／〔荘子、人間生〕方二今之時一 いまのときにあたり、僅免レ刑焉 わずか(づ)かにケイをまぬかれんのみ。↓今のこの世の中では、かろうじて刑罰をのがれるばかり。

❷まさに。訳ちょうど今。ちょうど…しようとしている。再読文字の「将」「且」と同じ意味。「まさに…す」と再読することもある。用例〔戦国策、燕〕蚌方出曝 ボウまさにいでてさらす。↓どぶ貝がちょうど川から出て日光浴をしていた。／〔史記、淮陰侯伝〕信方レ斬曰 シンまさにきられんとしていわ(は)く、……。↓韓信は斬殺されようというときに言った、……。

名前 あたる・お・かた・くに・しげ・すけ・たか・ただし・たもつ・つね・なみ・のり・ふさ・ほう・まさ・まさし・み・みち・やす・より

斤部 11▼21画 〔斳斲斴斵斴斷𣃔斸〕 方部 0画 〔方〕

難読 方違（かたたがえ）・方谷（ほうこく）・方舟（はこぶね）・方波羽（かたばみ）・方波見（かたばみ）・方波江（かたばみ）・方便（たずき・たつき・たどき）

解字 甲骨文  篆文  象形。甲骨文は、＋に分解できる。は刃物の象形。両方に突き出た柄のあるすきの象形で、ならんで耕すさまから、ならぶ・かたわらの意味を表す。方を音符に含む形声文字に、仿（ホウ）・傍・坊・妨・房・放・枋（ホウ）・肪・膀（ボウ）・旁（ボウ）・滂（ボウ）・紡・舫（ホウ）・芳・訪などがある。

逆 恵方・下方・漢方・義方・公方・殊方・上方・処方・大方・多方・地方・当方・途方・秘方・百方・無方

【方案】（ホウアン） ①医師の診断書。②もくろみ。方法。

【方位】（ホウイ） ①ある一つの方向が基準の方向に対してどう向いているかを示す語。東西南北などの向き。方角。②国 方角の吉凶。

【方域】（ホウイキ） 地方。区域。また、国内。

【方員・方円（圓）・方△圜】（ホウエン） 四角とまるがた。▼員は、円（圓）の古字。〔孟子、離婁上〕

【方外】（ホウガイ） ①浮き世のそと。世俗を超越した世界。「方外の友」②中国の地域の外。異民族の地。外国。

【方軌】（ホウキ） わだちを並べる。二台の車が並んで行く。

【方技・方伎】（ホウギ） ①医術・占い・神仙術の類い。方士の行う術。方術。②医者や占い者。

【方潔】（ホウケツ） 正しくていさぎよい。正しくてけがれがない。方正潔白。

【方言】（ホウゲン） ①同一国語のうちで、一地方だけに使われることば。くになまり。土語。②書名。十三巻。前漢の揚雄の著。各地の方言を集録したもの。『揚子方言』ともいう。

【方△壺】（ホウコ） ①渤海（ボッカイ）の東にあり神仙が住むと想像された島の名。五山の一つ。方丈。②口が四角く腹の丸いつぼ。

【方行】（ホウコウ） ①あまねく四方にゆく。②ほしいままにふるまう。横行。

【方孝△孺】（ホウコウジュ） 明（ミン）の儒学者・政治家。字（あざな）は希直、また、希古。号は遜志斎（ソンシサイ）。正学先生と称した。洪武帝・恵帝に仕えたが、成祖永楽帝が位を奪ったとき、即位の詔勅（ショウチョク）の起草をこばんで、殺された。（一三五七—一四〇二）

【方今】（ホウコン） ただいま。今日。当今。用例〔史記、滑稽伝〕方今妻子窮困（いまサイシキュウコンし）、負レ薪而食（まきをおい（ひ）てくらう（ふ））。↓今では妻子は貧困にあえぎ、薪を背負って生業としている。

【方冊】（ホウサク） 書物。方策。

【方策】（ホウサク） ①書物。記録。方冊（ホウサク）。▼方は木の板、策は竹の札で、昔、紙のなかった時代、これに書いた。②はかりごと。手段。

【方士】（ホウシ） 医術・占い・仙術（不老不死の術）を行う人。道士。〔唐、白居易、長恨歌〕

【方志】（ホウシ） 一地方の事がらをしるした書物。地方誌。

【方舟】（ホウシュウ） 二そうならべた舟。

【方術】（ホウジュツ） ①＝方技①。②学芸技術。

【方書】（ホウショ） ①四方の書。各地方の記録。②神仙の霊法・奇術を記した書。方術の書。③医術の書。

【方相】（ホウショウ・ホウソウ） ①＝方相氏。②人が死亡したとき、墓の四隅にほこを持って立ち、墓を守る人。

【方相氏】（ホウショウシ・ホウソウシ） 周代の官名。赤色の服にほこと盾を持ち、黄金作りの四つ目の面をつける。疫病や妖怪を追い払った。〔周礼、夏官〕

【方丈】（ホウジョウ） ①一丈四方の広さ。②＝方壺（ホウコ）①。③仏 寺の住職・長老。また、その室。

【方人】（ホウジン） 一 ①人物を比較・評論する。▼方は、比。一説に、方は謗に通じ、人の過悪をそしること。②戎（えびす）の別名。二（かたうど） 国 ①ひいきする人。なかま。②相対する一方の人。

【方陣・方陳】（ホウジン） 四方に向かって攻撃可能な陣形。

【方寸】（ホウスン） ①一寸四方の面積。②わずかな大きさ。③こころ。むね。昔、心の働きは、胸中の方寸の間（心臓）にあると考えた。〔三国志、蜀志、諸葛亮伝〕

【方正】（ホウセイ） ①きちんとして正しいこと。また、その人。方直。②漢代、民間の優秀な人物を官吏に採用したときの科目の一つ。

【方内】（ホウダイ・ホウナイ） 四方のうちの意で、国内。天下。

【方宅】（ホウタク） 四角い宅地。

【方中】（ホウチュウ） ①中央。②天子の墓。土を四角に盛ってつくったことから。

【方直】（ホウチョク） ＝方正①。

【方鎮（鎭）】（ホウチン） 辺要の地の軍事をつかさどり、防衛治安に任ずる職。唐の節度使の類い。また、その駐在地。

【方土】（ホウド） ある地方。また、その地味・気候・土地がら。

【方東樹】（ホウトウジュ） 清（シン）の儒学者・文学者。桐城（安徽（アンキ）省）の人。字（あざな）は植之。号は儀衛老人。朱子学者として詩文歴史に通じた。著書に『漢学商兌（ショウダ）』『儀衛堂文集』などがある。（一七七二—一八五一）

【方伯】（ホウハク） 諸侯のはたがしら。一方面の地域の諸侯を統べおさめる大諸侯。

【方物】（ホウブツ） ①その地方の産物。②事物を識別すること。▼方は、比較する・比較して区別する意。

【方聞】（ホウブン） 行いが正しく知識の広いこと。▼方は有道、聞は博聞。

【方便】（ホウベン） ①機会。②仏 仏が衆生（シュジョウ）を導くためかりに使った手段。③まにあわせの手段。その場をうまく処置するてだて。

【方△苞】（ホウホウ） 清（シン）の儒学者・文学者。桐城（安徽（アンキ）省）の人。字（あざな）は霊皋（レイコウ）。号は望渓・清漣（セイレン）漁父。礼部侍郎となった。春秋・三礼の学にすぐれ、古文に秀で、桐城派の始祖となった。著書に『春秋通論』『望渓文集』などがある。（一六六八—一七四九）

【方命】（ホウメイ） ①教命（命令）を放棄する。▼方は、放。②命令にさからう。▼方は、逆。

【方面】（ホウメン） ①一人で一面に当たることから、後に、一方面を治める大官、地方長官をいう。方面官。②角ばったかお。③その方角に当たったむき。一方のむき。方向。むき。

【方△輿】（ホウヨ） 土。大地。昔、地は方形（四角）で、万物をのせると考えた。▼輿は、物をのせる台。

【方略】（ホウリャク） はかりごと。方策。

4

【於】 8画 4613 〔入〕 一 漢オ（ヲ）・呉ウ 虞 wū 二 漢ヨ・呉オ 魚 yú 1787 8997 一 二

筆順 亠 方 方 扌 於 於 於

［扵］ 4052 俗字

字義 一 助 ああ。⇩助字・句法解説。二 ❶ 助 おーいて。おーける。⇩助字・句法解説。❷なす（為）。おいてする。そこから離れない。

助字・句法解説

❶「A$_{ニ}$於B$_{ニ}$」の形で㋐〜㋕の働きをする。Aには動詞や形容詞など、Bには名詞や名詞句が入る。訓読では読まず、送りがなによってその意味を表す。類 乎・于。

㋐場所。訳 Bにおいてする。Bへする。Bでする。動作の行われる場所や方向を表す。続く語に「ニ」を送って訓読する。

用例〔北宋、蘇軾、前赤壁賦〕蘇子与レ客泛レ舟（ソシキャクとふねをうかべて）、遊$_{ニ}$於赤壁之下$_{一}$（セキヘキのもとにあそぶ）。↓私は客人と共に小舟を浮かべて、赤壁のあたりを遊覧していた。

㋑対象。訳 Bに対してAする。BをAする。動作の対象を表す。続く語に「ニ」や「ヲ」を送って訓読する。

用例〔論語、衛霊公〕己所レ不レ欲（おのれのほっせざるところ）、勿レ施$_{ニ}$於人$_{一}$（ひとにほどこすことなかれ）。↓自分の望まないことは、人にしてはならない。／〔論語、雍也〕君子博学$_{ニ}$於文$_{一}$（クンシひろくブンをまなぶ）。↓君子は幅広く学問をする。

㋒時間。訳 BまでにAする。

動作が継続し、終止する時間を表す。続く語に「ニ」を送って訓読する。

用例〔唐、柳宗元、捕レ蛇者説〕積ニ於今一六十歳矣（いまにつみてロクジッサイなり）↓現在まで六十年になります。

㋓比較。訳BよりもAである。

続く語が比較の対象であることを示す。続く語に「ヨリ」「ヨリモ」などを送って訓読する。

用例〔唐、杜牧、山行詩〕停レ車坐愛楓林晩（くるまをとどめてそぞろにアイす フウリンのくれ）霜葉紅ニ於二月花一（ソウヨウはニガツのはなよりもくれない（あ）なり）↓馬車をとめて、何とはなしに、楓樹の林の夕暮れをめでる。霜によって赤く色づいた木の葉は、春の花よりも、なおくれない色にさえている。

㋔受身。訳BにAされる。

動作の主体を表す。続く語に「ニ」を送って訓読する。

用例〔孟子、滕文公上〕労レ力者治ニ於人一（ちからをロウするものはひとにお（さ）めらる）↓力仕事をする者は人に治められる。

㋕起点。訳BからAする。

動作の起点や原因・原料を表す。続く語に「ヨリ」などを送って訓読する。

用例〔老子、六十四〕千里之行始ニ於足下一（センリのコウもソッカよりはじまる）↓千里もの遠方への旅も、最初の一歩から始まる。／〔荀子、勧学〕青取ニ之於藍一而青ニ於藍一（あお（を）はこれをあい（あ）よりとりて あい（あ）よりもあお（を）し）↓青の染料は藍草から取るが、もとの藍草よりも青い。

❷おいて。「於レB二A一ス」（BにおいてAす）」。訳BでAする。BにAする。Bした時にAする。BにとってAである。

場所・範囲・方向・対象・時などを表す。

用例〔論語、述而〕不義而富且貴（フギにしてとみかつとうと（た）きは）、於レ我如ニ浮雲一（われにおいてフウンのごとし）↓不義をなして財産を得たり高い身分になったりするのは、自分にとっては浮雲のようにはかないものである。／〔論語、顔淵〕必不レ得レ已而去（かならずやむをえずしてさらば）、於ニ斯三者一何先（このサンシャにおいて、なにをかさきにせん）↓どうしてもやむを得なくなって取り除く場合には、この〔兵・食・信の〕三者のうちで、どれを先にするのでしょうか。／〔韓非子、難一〕吾矛之利（わがほこのときこと）、於レ物無レ不レ陥也（ものにおいてとお（ほ）さざるなきなり）↓私の矛の鋭利なことといったら、突き通すことのできないものがないほどだ。

❸おける。訳…に対する関係。

両者の関係を表す。

用例〔論語、先進〕先進於ニ礼楽一野人也（センシンのレイガクにおけるやヤジンなり）↓先輩たちの礼楽に対する関係からすると、まるでいなか者のようだ。

❹ああ。詠嘆。

句頭に置かれ、詠嘆の意味を表す。「於戯」「於乎」とも書く。

用例〔書経、尭典〕於（ああ）、鯀哉（コンかな）↓ああ、鯀だなあ。

【於是】ここにおいて。順接。訳そこで。

用例〔十八史略、春秋戦国、燕〕於レ是（ここにおいて）、昭王為レ隗改築レ宮（ショウオウカイのためにあらためてキュウをきず（つ）き）、師ニ事之一（これにシジせり）↓そこで、昭王は隗のために邸宅を新築して、彼を先生としてつかえた。

名前 うえ・お・おうい　難読 於鍋（おなべ）・於札内（おさつない）・於福（おふく）・於保野（おおの）

解字 金文 古文（烏） 象形。金文では、烏（からす）と同じ字形。烏の鳴き声の擬声語から、感嘆を表す。「ああ」の意味に用いられ、関係・受身・比較などを示す助字としても用いられる。

【於越】オエツ 越の国をいう。▼於は、接頭語。

【於戯（戲）】オア ああ ⇩助字・句法解説④。

【於乎】オコ ああ ⇩助字・句法解説④。

【於菟】オト 虎（とら）の別名。春秋時代、楚（ソ）の国の方言。

【於邑・於悒】オユウ 悲しんで気がふさぐさま。悲しんで気がはればれしないさま。▼邑・悒は、気がふさぐ。

4【放】8画 (4520) ホウ　支部。→六三二ページ中。

4【旁】8画 4614 ボウ　旁(4620)の本字。→六四二ページ上。

5【施】9画 4615 常 シ・セ ほどこす　2760 8E7B 一

一 漢シ・呉セ・シ 支 shī　二 漢シ・呉セ・シ 寘 shì　三 イ 支 yí

筆順 丶 亠 方 方 方' 方ᐟ 旃 施

字義 一 ❶ほどこす。㋐しく。しきおよぼす。おこなう。「実施」㋑もうける（設）。「施設」㋒くわえる（加）。❷ひろがる。ゆきわたる。はびこる。❸さらす。死体を人目にさらす。❹よろこぶ。二 ❶ほどこす。あたえる。めぐむ。❷ほどこし。めぐみ。「布施」三 ななめ。ななめに歩く。かたむく。

名前 とし・のぶ・はる・ます・もち・や

解字 篆文 形声。㫃＋也（音）。㫃は、旗の象形。音符の也は、うねるの意味。うねりゆらぐ旗のさまから、次第に及んでいく、ほどこすの意味を表す。

逆 逆施・財施・貧施・布施・報施

【施為（爲）】シイ 事を行うこと。また、しわざ。

【施餓鬼】セガキ 仏無縁の死者の霊をとむらって読経（ドキョウ）し供養すること。▼餓鬼は、死後、餓鬼道（うえの苦しみにあう所）に落ちた亡者（モウジャ）。

【施行】一シコウ・コウ ①実地に行うこと。②国法令の効力を現実に発生させる。◆通常は「シコウ」と読むが、「執行」また「施工」と区別するため、官庁などでは「セコウ」と読む習慣がある。二セギョウ 仏善根・功徳のために僧や貧民に物をほどこすこと。

【施策】シサク 国実地に行う計画。

【施施】シシ ①進みにくいさま。また、ゆっくり歩くさま。②よろこぶさま。自得するさま。

【施舎】シシャ ①めぐみをほどこし、労役や負債を免除する。▼舎は、ゆるす。②めぐみをほどこす。恩恵をしく。▼舎も、施す。③はたごや。旅館。④与えることと、与えないこと。▼舎は、すておく。⑤興ることとすたれること。

【施主】セシュ ①仏㋐仏事に寄付したり、僧に物を与えたりする人。㋑葬式や法事を主となって行う人。②国建築・造園などの依頼人。

【施政】シセイ 政令をしく。政治を行う。また、そのこと。

【施耐庵】シタイアン 元末明（ミン）初の人。名は子安。耐庵は字（あざな）。『水滸伝（スイコデン）』の作者といわれる。

【施展】シテン ひろげのべる。ひろげる。また、ひろがる。発展する。

【施与（與）・施予】シヨ ほどこし与える。また、ほどこし。

【施用】一シヨウ ほどこしもちいる。取りあつかい用いる。二セヨウ 与える。ほどこし与える。

【施療】セリョウ 国無料で人の病気を治療すること。

5【斿】9画 4616 漢ユウ（イウ） 呉ユ 尤 yóu　2_1377 一 3368

字義 はたあし。長い旗の末端。

解字 会意。㫃＋子。㫃は、旗ざおにつけた、ふき流しの象形。子は、流の字の省略体で、ながれるの意味。風に流れる、はたあしの意味を表す。

6【旂】10画 4617 漢キ 呉ゲ 微 qí　2_1378 一 3369

字義 はた。㋐のぼり竜とくだり竜とを描いた赤い旗で、旗ざおの上端に鈴をつけたもの。諸侯の旗。㋑はたの総称。

解字 甲骨文 篆文 形声。㫃＋斤（音）。音符の斤は、祈に通じ、幸福を祈るの意味。諸侯が神に幸福を求め、民衆に命令するときに用いる旗の意味を表す。旗には、装飾の鈴がついているが、甲骨文には、それがよく示されている。旂・祈は、本来、異体字の関係にあった可能性が大きい。

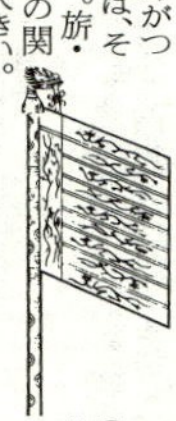

旂㋐

6【旃】10画 4618 セン 㐮 zhān 5851 9DD1 —

字義 ❶はた。㋐無地の赤い目じるし用の旗で、曲げた柄にたれさげたもの。兵や労働者を集めるときに用いる。㋑旗の総称。❷けおりもの。＝氈(6098)。❸これ。これを。

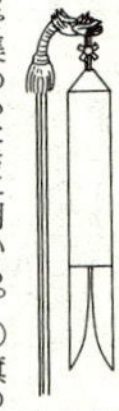

旃①㋐

解字 甲骨文 金文 篆文 形声。㫃＋丹㊌。音符の丹は、赤いの意味。赤い旗の意味を表す。

【旃△裘】(センキュウ) 毛織物の着物。▼裘は、かわごろも。

【旃△旌】(センセイ) はた。▼旃は赤地の旗、旌は五彩の羽を竿首に垂らした旗。

【旃△檀】(センダン) ①インドなどに産する高いかおりのある植物。また、それから作った香。栴檀。②すぐれた才徳や詩文のたとえ。③楝の別名。

【旃△檀従(従)二葉一香】(センダンはふたばよりかんばし) 旃檀は芽を出したばかりのころからすでに香気がある。偉大な人物は幼少のころから並はずれてすぐれていることのたとえ。〔観仏三昧海経〕

【旃毛】(センモウ) 毛織物の毛。

6【旆】10画 4619 漢ハイ 呉バイ 泰 pèi 5852 9DD2 —

字義 ❶はた。㋐黒地に、さまざまな色の絹のふちかざりをつけ、その末端を燕の形にさいた旗。大将の立てるもの。㋑はたの総称。❷旗が風になびくさま。❸旗が長くたれさがったさま。

解字 篆文 形声。㫃＋市(犮)㊌。音符の犮は、わかれるの意味。末端がつばめの尾のようにさけた旗の意味を表す。

【旆△旌】(ハイセイ) はた。旌旗。

【旆旆】(ハイハイ) ①旗がたれさがるさま。一説に、高くひるがえるさま。②長いさま。

6【旁】10画 4620 一 漢ホウ(ハウ) 呉ボウ(バウ) 陽 páng 二 漢ホウ(ハウ) 呉ボウ(バウ) 漾 bàng 5853 9DD3 —

【旁】4614 本字

字義 一 ❶かたわら(かたはら)。わき。そば。＝傍(544)。用例〔唐、杜甫、兵車行〕道旁過者問二行人一(ドウボウのすぐるもの、コウジンにとえ(へ)ば)、行人但云点行頻(コウジンただいう(ふ)テンコウしきりなりと)。↓道ばたを通りかかったものが、出征兵士に問いかけると、兵士はただこたえる「徴兵がしきりなのです」と。❷あまねし(遍)。ひろい。あまねく。広く。❸つくり。左右の組み合わせでできている漢字の構成で、おおむね右の部分。＝傍(544)。↕扁(3985)・偏(509)。二 よる(依)。よりそう。国 かたがた。ついでに。…をかねて。「涼み旁(かたがた)見物する」

解字 甲骨文 金文 篆文 形声。甲骨文・金文は、凡＋方㊌。凡は、広がり散るの意味。音符の方は、左右に広がるの意味。左右に広がった部分、かたわらの意味を表す。

【旁引】(ボウイン) あまねく探って引き出すこと。広くあちこちから根拠となる事項を引き出すこと。博引。

【旁観(観)】(ボウカン) ①あまねくみる。②わきからみる。傍観。

【旁求】(ボウキュウ) あまねく(落ちなく)さがし求める。

【旁系】(ボウケイ) 分かれ出た血すじ。傍系。↕直系(一〇〇三ページ中)。

【旁午】(ボウゴ) ①たてよこ十文字にまじわること。行きかうこと。往来のはげしいさま。②物事の煩雑なこと。

【旁行】(ボウコウ) ①あまねくゆきわたる。②文字を横書きにする。③横に行く。④歩き方の正しくないこと。

【旁射】(ボウシャ) (光などが)あまねくさす。また、照らす。旁照。

【旁若無人】(ボウジャクブジン) かたわらに人無きがごとし。人を人とも思わぬような態度・言動にいう。傍若無人。

【旁人】(ボウジン) かたわらの人。そばの人。他人。第三者。

【旁側】(ボウソク) かたわら。そば。また、そばに仕える人。近侍。

【旁通】(ボウツウ) あまねく通ずる。広く行きわたる。

【旁△礴・旁薄・旁△魄】(ボウハク・ホウハク) ①まじる。まじって一つになる。混同する。②満ちふさがる。また、満ち広がる。

6【旄】10画 4621 一 漢ボウ・呉モウ 豪 máo 二 漢ボウ・呉モウ 号 mào 5854 9DD4 —

字義 一 ❶はたかざり。旗につけた、犛牛(ギュウ)・からうしの尾などの毛のかざり。❷さしずばた。犛牛の尾などを、さおにかざった指揮用の旗。舞にも用いた。❸犛牛。また、その尾。二 としより。八、九十歳の老人をいう。＝耄(9573)。

旄一①

解字 金文 篆文 形声。㫃＋毛㊌。㫃は、なびく旗の象形。長い毛のある牛の尾をさおにかざった旗の意味を表す。

【旄△倪】(ボウゲイ) 老人と子供。〔孟子、梁恵王下〕

【旄頭】(ボウトウ) 星宿の名。二十八宿の一つ。すばる、またはプレアデスに当たる。

6【旅】10画 4622 教3 リョ たび

6〖旅〗10画 4623 漢リョ 呉ロ 語 lǚ 4625 97B7 —

筆順 、亠方方方扩旅旅旅

字義 ❶たび。たびする。❷たびびと。❸軍隊。いくさ。周の軍制では、兵士五百人の隊。「商旅」「軍旅」❹もろもろ。多くの人。民衆。❺ならべる。つらねる。順序だてる。❻まつりの名。天の神や山の神を祭る。❼背骨(せぼね)。＝膂(5121)。❽易(エキ)の六十四卦(カ)の一つ。☲☶艮下離上(ゴンカリショウ)。おるべき所におらないさま。

名前 たか・たび・もろ 難読 旅籠(はたご)

解字 甲骨文 金文 篆文 会意。㫃＋从。㫃は、軍旗の象形。从は、衆人の意で、多くの人が軍旗をおしたてて行くの意から、軍隊・たびの意味を表す。

逆 軍旅・逆旅・行旅・商旅・師旅・征旅

【旅客】(リョカク・リョキャク) たびびと。旅人。遊子。

【旅館】(リョカン) やどや。逆旅(ゲキリョ)。

【旅△鴈・旅△雁】(リョガン) ゆくかり。遠くに飛んで行くかり。

【旅△寓】(リョグウ) たびのやどり。旅宿。

【旅魂】(リョコン) 旅人の心。旅路の思い。旅思。

【旅思】(リョシ) 旅路の思い。客心。旅魂。旅情。

【旅次】(リョジ) ①たびのやどり。たびのとまり。旅宿。旅泊。②たびの途中。

【旅愁】(リョシュウ) たびで感ずるわびしさ。客愁。

【旅宿】(リョシュク) ①やどや。旅館。②たびのやどり。旅次。

【旅情】(リョジョウ) たびでのしみじみとした思い。

【旅食】(リョショク) ①他郷でくらすこと。客処。②おおぜいで食すること。③官にある人。

【旅人】(リョジン) ①たびびと。旅行する人。②昔の官名。

【旅生】(リョセイ) 種をまかずに生える。自生。野生。

【旅程】(リョテイ) ①たびの道のり。旅の道。②旅行の日程。旅行の行く先・宿泊・乗り物・日数などのわりふり。

【旅力】(リョリョク) ①もろもろの力。すべての力。衆力。②せぼねの力。膂力(リョリョク)。

7【旎】11画 4624 漢ジ(ヂ) 呉ニ 紙 nǐ — — 3372

字義 旖旎(イジ)は、㋐旗や雲が風になびくさま。㋑盛んなさま。㋒しなやかなさま。

解字 形声。㫃＋尼㊥。

7【旌】11画 4625 漢セイ 呉ショウ(シャウ) 庚 jīng 5855 9DD5 —

字義 ❶はた。㋐旗ざおの先に旄(ボウ)(からうしの尾)を付け、それに五色の羽を垂らした旗。天子が士気をたかめるのに用いる。㋑はたの総称。「旌旗」❷あらわす(あら・はす)。㋐表彰する。ほめる。㋑表示する。はっきりさせる。

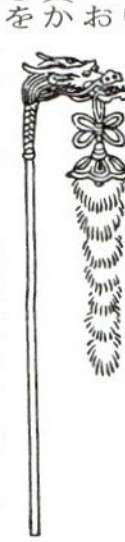
旌①㋐

解字 篆文 形声。㫃＋生㊥。㫃は、旗の象形。音符の生は、精に通じ、士卒を精進させる旗の意味を表す。

【旌旗】セイキ はた。旗の総称。旌旆(セイハイ)。用例(唐、白居易、長恨歌)峨嵋山下少二人行一 旌旗無ㇾ光日色薄 ↓峨嵋山のほとり、道ゆく人も少なくなり、はたさしものは色あせて光なく、太陽の光線までうすれて見える。

【旌旗蔽ㇾ空】セイキそらをおお(ほ)う(ふ) 旗が空をおおいかくすほどならび立っていること。軍勢のさかんなさま。用例(北宋、蘇軾、前赤壁賦)舳艫千里(ジクロセンリ)、旌旗蔽ㇾ空(セイキそらをおお(ほ)う(ふ)) ↓多くの船が、へさきとともを触れ合わせながら千里も長く連なり、旗は空を覆い隠すほど並び立っている。

【旌△麾】セイキ ①指揮する旗。大将の旗じるし。②はた。旗の総称。

【旌節(節)】セイセツ 使者が持って行く旗じるし。

【旌表】セイヒョウ 人の善行をほめて世人に知らせること。

【旌褒(褒)】セイホウ あらわしほめる。表彰する。旌賞。

【旌門】セイモン ①祭りや宴会などのとき設ける、旗で作ったかりの門。②善行者の名を村里の門に掲示して表彰すること。

【旌△閭】セイリョ =旌門②。▼閭は、村里の入り口の門。

7【旋】11画 4626 常 セン 漢セン・呉ゼン 先 xuán 3291 90F9 —

筆順 亠 方 方 扩 扩 扩 斿 旋 旋 旋

字義 ❶めぐる。ぐるぐるまわる。また、かえる。「旋回」❷めぐらす。ぐるぐるまわす。かえす。「凱旋(ガイセン)」❸かえって。また。❹やや。少し。❺ゆばり。いばり。小便。小便する。

名前 せん 難読 旋花(はやひとがお・ひるがお)・旋風(つむじかぜ)・旋毛(つむじ)

解字 甲骨文 金文 篆文 会意。疋＋㫃。疋は、足の象形。㫃は、ふきながしの象形。ふきながしがめぐるように、ぐるぐる歩きまわるの意味を表す。

逆 回旋・周旋・盤旋・便旋

【旋回・旋△廻】センカイ ぐるぐるまわる。

【旋△踵】センショウ =旋ㇾ踵(きびすをめぐらす)(二三八六ページ・上)。

【旋転(轉)】センテン =旋回。

【旋反】センパン ①方向を変えてもどる。②ひるがえる。また、ひるがえす。

【旋盤】センバン 工作機械の一つ。工作物を主軸とともに回転させ、刃物を当てて削ったり、穴をあけたりする。

【旋風】センプウ つむじかぜ。社会に強烈な動揺を与える物事のたとえ。旋飆(センピョウ)。

【旋風葉】センプウヨウ 装丁の方法の一つ。折本(おりホン)の前後の表紙を一枚で作るもの。⇩コラム 書籍(六六八ページ)。

【旋毛】センモウ うずまいた毛。つむじ。

【旋律】センリツ 楽音の高低や長短の変化が規則正しいリズムをもって連続的にひびいているもの。節(ふし)。メロディ。

7【族】11画 4627 教3 ゾク 漢ソク・呉ゾク 屋 zú 3418 91B0 —

筆順 亠 方 方 扩 扩 扩 旄 族

字義 ❶やから。㋐みうち。血つづき。「家族」「親族」㋑なかま。同類。「貴族」❷一人の罪を、その父母・妻・子などにまでおよぼす刑罰。一族みなごろしの刑。また、その刑に処する。❸周代、百軒の家を一組にしてよぶ称。❹やじり。=鏃(12851)。❺むらがる。あつまる。

名前 えだ・つぎ・つぐ

参考 現代表記では[簇](8868)の書きかえに用いることがある。「簇生→族生」

解字 甲骨文 金文 篆文 会意。㫃＋矢。㫃は、ふきながしの旗の象形。軍旗のもとに多くの矢があつまるさまから、あつまるの意味を表す。

逆 羽族・華族・貴族・旧族・系族・血族・豪族・語族・支族・氏族・種族・親族・水族・宗族・部族・民族

【族兄弟】ゾクケイテイ ①高祖(祖父の祖父)を同じくする人相互の呼称。②同宗(一族)中の同年輩の人をいう。

【族昆弟】ゾクコンテイ =族兄弟。

【族殺】ゾクサツ 一人の罪によって、その父母・妻・子(三族という)までも殺すこと。また、一族全部を殺すこともある。族滅。族誅(ゾクチュウ)。

【族子】ゾクシ ①親類の子供。同族の子。②兄弟の子。おい・めい。

【族人】ゾクジン 遠い祖先は同じであるが、現在、(互いの喪に服すべき)親族関係のない人。一門の人。

【族生】ゾクセイ むらがり生える。簇生(ゾクセイ)。

【族姓】ゾクセイ ①家族や一族の姓氏。また、それによって表される家がら。②同族と異姓。

【族属(屬)】ゾクゾク =親属(二九七ページ・上)。

【族△誅】ゾクチュウ =族殺。

【族党(黨)】ゾクトウ =族隷。

【族△庖】ゾクホウ 凡庸な料理人。

【族望】ゾクボウ 他人の信望の厚い一族。りっぱな家がら。望族。

【族滅】ゾクメツ =族殺。

【族類】ゾクルイ ①親族一門。同族。②同類。

【族隷(隸)】ゾクレイ 一族郎党。身内と家来の総称。族党。

7【旉】11画 4628 フ 敷(4564)の古字。→六三九ページ・中。 2-1379 — 3371

7【旒】11画 4629 リュウ 旒(4632)の俗字。→六四三ページ・下。 — — 3370

8【旐】12画 4630 漢チョウ(テウ) 呉ジョウ(デウ) 篠 zhào — — 3373

字義 ❶亀(かめ)と蛇を描いた旗。❷柩(ひつぎ)に先行する旗。葬列の先頭を行く旗。

解字 形声。㫃＋兆㊥。

旐①

9【旔】13画 4631 漢ケン 呉コン 願 jiàn 2-1380 — 3374

字義 かつ(揵)。

解字 形声。方＋建㊥。

9【旒】13画 4632 漢リュウ(リウ) 呉ル 尤 liú 5856 9DD6 —
［㐬］144 同字 ［旈］4629 俗字

字義 ❶はたあし。旗のたれ。長い旗の末端。また、吹き流し。❷たまだれ。冠の前後に糸に貫いてたれさげた玉のかざり。「冕旒(ベンリュウ)」国旗を数えることば。ながれ。

解字 形声。㫃＋流省㊥。㫃は、はたの象形。音符の流は、ながれるの意味。旗の風に流れる部分、はたあしの意味を表す。

10【旖】14画 4633 イ 㴱 紙 ㊍ yǐ ― ― 3375

字義 ❶旗や雲が風になびくさま。❷さかんなさま。

解字 篆文 形声。㫃＋奇㊥。音符の奇は、より近づくの意味。波の寄せるように旗のなびくさまを表す。

10【旗】14画 4634 教4 キ はた 漢キ・呉ギ 㴱 qí 2090 8AF8 ―

筆順 旗

字義 ❶はた。㋐熊(くま)・虎(とら)を描いた赤いはた。大将のたてるもの。「旗下」 ㋑はたの総称。❷しるし。標識。❸清(シン)代、八つの旗色で区別した軍団の称。満人八旗・漢人八旗など。「旗人」❹蒙古(モウコ)人の集落集団。また、今の内モンゴル自治区の行政区画(県に相当する)の名。❺星の名。二十八宿の一つ。

名前 き・たか・はた

難読 旗魚(かじき)

旗①㋐

解字 篆文 形声。㫃＋其㊥。㫃は、風になびくはたの象形。音符の其(キ)は、ととのっているの意味。方形・長方形に整った、はたの意味を表す。

逆 義旗・酒旗・白旗・半旗・反旗・竜旗

【旗下】(キカ) 同麾下(キカ)。①大将のはたの下。本陣。本営。②大将直属の兵。はたもと。

【旗艦】(キカン) 司令長官や司令官が乗っている軍艦。

【旗鼓】(キコ) ①戦場で軍隊を指揮し、号令を伝えるのに使う、はたと太鼓。②軍令。軍隊の命令。③軍勢。

【旗△幟】(キシ) ①はた。のぼり。はたじるし。②国態度。立場。

【旗△幟鮮明】(キシセンメイ) 国①旗色があざやかで、はっきりとしていること。②主義・主張のはっきりしていること。

【旗章】(キショウ) はたじるし。

【旗人】(キジン) ①清(シ)代、八旗に属した人。→字義❸。②満州・蒙古(モウコ)人の上流階層の人。

【旗△旌】(キセイ) はた。旗幟(キシ)。

【旗亭】(キテイ) 酒屋。また、料理屋。旗をしるしとするからいう。

【旗△旄】(キボウ) はた。からうし(氂牛(リギュウ))の尾をつけた旗。

【旗本】(はたもと) 国①大将のいる陣屋。本陣。また、大将直属の兵。麾下(キカ)。②江戸時代、将軍直参(ジキサン)の侍で、禄高(ロクだか)一万石未満、百俵以上の人。

12【旘】16画 4635 シ 幟(3143)と同字。→四六一ページ上。 ― ― 3376

12【旙】16画 4636 ハン 旛(4637)の俗字。→六四四ページ中。 5858 9DD8 ―

14【旛】18画 4637 漢ハン 呉ホン 㴱 fān 5857 9DD7 ―

［旙］4636 俗字

字義 ❶はた。㋐長くたれさげたはた。㋑はたの総称。❷(車や馬が)疾走するさま。「旛旛」

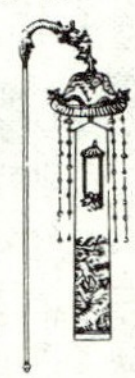
旛①㋐

解字 篆文 形声。㫃＋番㊥。音符の番は、放射状に広がるの意味。風に吹かれると広がりあがる、はたの意味を表す。

15【旝】19画 4638 漢カイ(クワイ) 呉ケ 㴱 kuài

字義 ❶はた。軍を指揮する旗。❷いしゆみ(石弓)。石を飛ばす兵器の一種。

解字 形声。㫃＋會㊥。

15【旟】19画 4639 ヨ 魚 yú ― ― 3377

字義 ❶はた。隼(はやぶさ)を描いた赤いはた。行軍のときにたてて、急ぎの意を表す。❷高くあがるさま。

旗①

解字 形声。㫃＋與㊥。

4画

旡(旡・无) すでのつくり 旡は五画。

〔部首解説〕 旡(キ)を意符として、顔をそむけるような状態に関する文字ができている。旡の部分は四画に書くが、常用漢字では五画に書く。

0旡 六四四 无 六四四 5既 六四四 7既 六四四 既 六四五 既 六四五 9旣 六四五

0【旡】4画 4640 漢キ 呉ケ 㴱 jì 5860 9DDA ―

字義 むせぶ。息がつまる。

解字 甲骨文 篆文 象形。甲骨文でよくわかるように、すわった人が顔をそむける形にかたどり、息がつまる・食べあきるの意味を表す。旡を音符に含む形声文字に、既・慨・概・漑(ガイ)などがある。

0【无】4画 4641 ム 無(7065)と同字。→九〇九ページ下。 5859 9DD9 ―

5【既】10画 4642 常 キ すでに 2091 8AF9 ―

7【旣】11画 4643 漢キ 呉ケ 㴱 jì ⑤xì

［既］4644 俗字 ［既］4645 俗字

筆順 既

字義 ❶すでに。↕未(5183)。㋐…しおえる。…してしまう。▼動作・行為の完成・完結を示す。用例〔史記、樊噲伝〕噲既飲(カイすでにさけをのみ)レ酒、抜レ剣切レ肉食(ケンをぬきニクをきりて、くらい(ひ))尽(つく)レ之(これを)。↓樊噲(ハンカイ)は酒を飲み干してしまうと、剣を抜き肉を切って、たいらげた。
㋑とっくに。もはや。もう。▼事態の発生から相当の時間が経過していることを示す。用例〔史記、屈原伝〕是時屈平既疏(このときクツヘイすでにうとんぜられ)、不二復在(またくらいにあらず)レ位。↓このとき屈平(屈原)はすでに疎まれており、もとの位にはいなかった。
㋒すっかり。ことごとく。▼ある範囲全体にわたることを示す。用例〔左伝、僖公二十二〕宋人既成(ソウひとすでに)レ列(レツをなすも)、楚人未(いまだ)二既済(すでにわたらず)一。↓宋の軍はすっかり陣形を整えたが、楚の軍はまだ川を渡りきっていない。
㋓…した以上は。…であるからには。…ならば。▼既定の条件を受けて、その結果をみちびく。多く、「則」「便」などと呼応する。用例〔論語、季氏〕既来(すでにこれを)レ之(きたせば)、則安(すなわち(はち)これをやすんず)レ之。↓(遠方の人間が慕って)やってきたからには、彼らを安定させるのである。
㋔…であるうえにまた。▼「亦」「又」「且」「終」などと呼応する。用例〔荀子、君道〕既知且仁(すでにチにして、かつジンなるは)、是人主之宝也(これジンシュのたからなり)。↓賢いうえに思いやりがあるのは、為政者の宝である。
❷すでにして。まもなく。やがて。すぐに。▼ある事柄の後、やや時間が経過したことを示す。多く「既而」の形をとる。用例〔左伝、隠公元〕誓レ之曰(これをちかい(ひ)て、いわ(は)く)、不レ及二黄泉一(コウセンに、およばずんば)、無二相見一也(あい(ひ)まみゆることなしと)。既而悔レ之(すでにしてこれをくゆ)。↓(死んで)黄泉の国に行くまで(母親には)もう会わぬと誓いを立てたが、やがてそのことを後悔した。
❸みな(皆)。ことごとく。「皆既食」 ❹つきる(尽)。おわる。なくなる。❺月ごとの給米。月給米。＝餼(13633)。

解字 甲骨文 篆文 形声。皀(皀)＋旡㊥。音符の旡(キ)は、そっぽを向く人の象形。皀は、食器に盛ったごちそうの意味。ごちそうを食べつくし、そっぽを向いた人のさまから、つくす・すでにの意味を表す。

【既△已】すでに　二字で「すでに」と読む。▼已も、すでに。
【既以】すでに　二字で「すでに」と読む。▼以は、已イに通じ、すでにの意。
【既往】キオウ　すでに過ぎ去った事。過去。
【既往不△咎】キオウはとがめず　過去の事は、とがめだてしない。〔論語、八佾〕
【既決】キケツ　国①すでに決定したこと。↔未決(七二六ページ中)。②裁判の判決のすでにきまったこと。
【既済(濟)】キサイ　①易エキの六十四卦カの一つ。☵☲離下坎上リカカンショウ。万事がすでにできあがっているかたち。②国すでに事のすんだこと。↔未済(七二六ページ中)。
【既遂】キスイ　すでに成しとげたこと。↔未遂(七二六ページ中)。
【既墜】キツイ　権勢などを失って落ちてしまったもの。
【既倒】キトウ　すでにたおれる。倒れてしまっている。
【既望】キボウ　陰暦十六日。また、その夜。また、その夜の月。▼望は、十五日。
【既△廩】キリン　毎月の給米。扶持米フチマイ。餼廩キリン。

7【既】11画 (4643) キ　既(4642)の旧字体。→六四四ページ下。

7【既】11画 4644 キ　既(4642)の俗字。→六四四ページ下。

7【既】12画 4645 キ　既(4642)の俗字。→六四四ページ下。　1851１

9【旣】13画 4646 カ　禍(8390)の古字。→一〇四一ページ中。

4画

日・曰　にち・ひへん〔日〕　ひらび〔曰〕

〔部首解説〕日部と曰部は、もとは別の部首であるが、字形が似ていて区別しがたいので、便宜上、部首を一つに合わせた。
〔にち〕日を意符として、太陽、明暗、時間などに関する文字ができている。
〔ひらび〕日ニチ以外で曰の形をもつ文字をまとめるため、便宜的にたてた部首。

0 日 六四五　曰 六四七　1 旧 六四七　甲 九六七　申 九六七
旦 六四八　由 九六八　2 曳 六四八　曲 六四八　旭 六四九

旨 六四九　旬 六五〇　亘 六二三　早 六五二　臾 六五二
3 曳 六五一　旱 六五一　旰 六五一　旴 六五一　更 六五一
旱 六五二　旹 六五二　时 六五二　旲 六五三　昷 六五二
的 六五二　旵 六五二　4 昀 六五二　易 六五三　昖 六五三
旺 六五三　昕 六五三　昑 六五三　炅 八九三　昍 六五三
盻 六五三　昨 六五三　昂 六五三　昊 六五四　杲 六五四
昒 六五四　昆 六五四　昏 六五四　皆 六五四　者 一二六五
昏 六五五　昇 六五五　昌 六五五　昔 六五五　昃 六五五
昄 六五五　旻 六五五　旼 六五六　昉 六五六　冐 一六〇
明 六五六　杳 六五八　5 昹 六五八　昱 六五八　音 一五五一
映 六五八　曷 六五九　香 一五八一　昫 六五九　昡 六五九
昡 六五九　昂 六五九　昦 六五九　昬 六五九　昨 六五九
昝 六五九　昝 六五九　昵 六五九　春 六六〇　昭 六六二
昜 六六二　昣 六六二　是 六六二　昰 六六三　星 六六三
昼 六六三　昶 六六三　昳 六六四　昧 六六四　昺 六六四
昞 六六四　昇 六六四　冒 六六四　昴 六六四　昢 六六四
昧 六六四　易 六六四　昤 六六四　6 晏 六六四　晦 六六五
哇 六六五　耆 一二六五　晈 六六五　晑 六六五　晅 六六五
晃 六六五　晄 六六五　晃 六六五　晎 六六五　晒 六六五
時 六六五　晊 六六六　書 六六六　晌 六六八　昪 六六八
春 六六八　晋 六六八　晟 六六九　曺 六六九　晁 六六九
晀 六七〇　7 晦 六七〇　晥 六七〇　晗 六七〇　晘 六七〇
晞 六七〇　朂 一九六　晛 六七〇　晤 六七〇　晧 六七〇
晜 六七〇　晙 六七〇　暓 六七〇　暃 六七〇　晨 六七〇
晟 六六九　晠 六七一　晢 六七一　晣 六七一　曹 六七一
曽 六七一　畫 六六三　晽 六七二　勉 六七二　8 晩 六七二
晡 六七二　昪 六七二　曼 六七二　曼 六七二　晻 六七二
暎 六七二　暘 六七二　晼 六七三　晊 六七三　會 六七三
晷 六七三　晷 六七三　暁 六七三　景 六七三　晵 六七四
最 六七四　最 六七四　晬 六七四　替 六七四　晭 六七四
暑 六七四　晶 六七四　唱 六七四　晴 六七四　晳 六七五
晣 六七五　曾 六七一　替 六七五　晫 六七五　智 六七五
暥 六七五　晩 六七五　勉 六七六　普 六七六　晾 六七六
量 一四五九　朂 六七六　暃 六七六　9 暗 六七六　暐 六七七
暈 六七七　暍 六七七　暇 六七七　會 八四　暉 六七八
暌 六七八　暄 六七八　晬 六七八　暑 六七四　暒 六七八
暖 六七八　冣 六七八　暋 六七八　暼 六七八　暘 六七八
10 暐 六七八　暟 六七八　暍 六七八　㬎 六七九　暭 六七九
暠 六七九　暛 六七九　暜 六七九　暱 六七九　暢 六七九
晳 六七九　暮 六七九　暝 六七九　曄 六七九　暚 六七九
曆 六七九　11 暵 六八〇　暤 六八〇　暫 六八〇　暲 六八〇
暬 六八〇　暴 六八〇　曄 六八一　12 曀 六八一　暨 六八一

暿 六八一　曉 六七三　暻 六八一　曊 六八一　曊 六八一
[illegible] 六八一　[illegible] 六八一　暓 六八一　暹 六八一　曃 六八一
暜 六八一　曒 六八一　曈 六八一　曔 六八一　曇 六八一
暼 六八一　暸 六八二　曆 六七九　13 曖 六八二　曎 六八二
㬢 六八二　曓 六八二　暾 六八二　曙 六八二　曐 六八二
曚 六八二　14 曛 六八二　曙 六八二　鼂 一二四九　曓 六八二
曜 六八二　15 曠 六八二　曡 六八三　曟 六八三　曝 六八三
16 曦 六八三　[illegible] 六八三　曨 六八三　17 曩 六八三　曁 六八三
19 曬 六八三　曏 六八三　20 曮 六八四

0【日】4画 4647
ニチ・ジツ　ひ・か
教 1
熟字訓 明日あす・昨日きのう・今日きょう・一日ついたち・二十日はつか・日和ひより・二日ふつか
漢ジツ・呉ニチ　慣
3892
93FA

筆順　丨 冂 日 日

字義 ❶ひ。㋐太陽。↔月(4903)。「白日」㋑日光。ひざし。㋒ひあし。太陽が空を行く速度。「春日遅遅」㋓ひる。↔夜(2230)。㋔一昼夜。一日。㋕つきひ。光陰。㋖時。時期。時代。「昔日」㋗ひにち。「月曜日」❷ひび。日ごと。毎日。用例〔文選、古詩十九首、其十四〕去者日以疎さるものはひに、もってうとく、生者日以親いくるものはひに、もってしたし 死んだ人は日ごとに忘れられ、生きて身近にいる人は日増しに親しくなるものだ。❸国名。日本の略。「日中両国」国❶ひ。天皇のことに関していう語。「日嗣ひつぎの御子みこ」「日の御位みくらい」❷か。日を数える語。「三日みっか」

名前 あき・か・はる・ひ・ひる　難読 日宇ひう・日下くさか・日下部くさかべ・日吉ひえ・日月ひたちもり・日原にっぱら・にちはら・日向ひなた・ひゅうが・ひるが・日向神ひゅうがみ・日向野ひがの・日次ひなみ・日出ひじ・日出塩ひでしお・日照雨そばえ・日生ひなせ・日前ひのくま・日置ひき・へき・日置川ひきがわ・日当ひなた・日奈久ひなぐ・日暮里にっぽり・日本やまと・日立木にったき・日和ひより・日和佐ひわさ・日耳曼ゲルマン・日巴拉太ジブラルタル・日内瓦ジュネーブ

注意 『康熙コウキ字典』では、日部に所属する。

解字 甲骨文 篆文 象形。太陽の象形で、「ひ」の意味を表す。

逆 愛日・異日・永日・縁日・往日・隔日・佳日・夏日・暇日・過日・元日・忌日・吉日・好日・後日・斎日・残日・社日・終日・春日・旬日・初日・除日・人日・尽日・聖日・昔日・節日・前日・即日・他日・誕日・遅日・中日・天日・当日・寧日・白日・不日・厄日・浴日・来日・落日・良日・暦日・歴日・烈日

【日△晏】ひぐれ。夕方。▼晏は、おそい(晩)。

【日域】①太陽の照らす範囲。天下。全世界。②日の出る所。極東の地。③昔、中国で朝鮮をさしていう。④国日本の別名。

【日△烏】太陽の中に三本足の烏がいるとの伝説から、その烏、または太陽をいう。

【日△暈】ひがさ。雲気が太陽をとりまいて環状になった現象。

【日景・日影】①日光。ひざし。②日あし。

【日下】①太陽の照らす下。天下。全世界。②みやこ。国都。③遠い所。遠方。④東方のはてにある国。

【日華】①日光。②日本と中国。

【日角】ひたいの中央の骨が太陽の形に隆起していること。貴人の相という。

【日官】天子に仕えて暦をつかさどる役人。天官。

【日記】①日々の記録。日録。②国㋐ある特定事件の記録。㋑古い文書。

【日△晷】①日かげ。㋐太陽の光によって生ずる影。㋑日光。②光陰。時間。③日時計。

【日旗】太陽の形を描いた旗。宋の太祖の時に制定されたという。

【日脚】①太陽の進む速さ。②雲間から地上にさす日かげ。日ざし。

【日興】一日々の楽しみ。遊興。二①毎日発生する。②日ごとにさかんになる。

【日近長安遠】晋の明帝の幼時、元帝に太陽と長安(今の西安市)とどちらが遠いかと問われ、長安からは人が来るが太陽からは来ないから、太陽の方が遠いと答え、次の日の同じ質問に対しては、太陽は見えるが長安は見えないから、太陽の方が近いと答えた故事。〔晋書、明帝紀〕

【日月】①日(太陽)と月。②つきひ。③天子や聖賢にたとえる。

【日限】日を何日とかぎる。期限の日。期日。

【日午】まひる。正午。

【日子】一①日づけ。②日かず。日数。二国太陽のむすこ。男性の美称。普通、彦の字を当てる。↕日女。

【日至】冬至・夏至をいう。

【日次】日どり。日の順序。

【日者】一日の吉凶をうらなう人。二さきの日。先日。以前。往時。

【日就月将(將)】＝日進月歩。〔詩経、周頌、敬之〕

【日女】国太陽のむすめの意。女性の美称。普通、姫・媛の字を当てる。↕日子。

【日章】①日々に明らかになること。②太陽をえがいた旗。〔管子、兵法〕

【日乗(乘)】日々の記録。日記。日誌。

【日常茶飯事】国ありふれた普通のこと。なんでもない平凡なこと。▼茶飯事は、茶と飯。

【日色】太陽の色。

【日△昃】ひるすぎ。午後の二時ころ。また、日がかたむく。▼昃は、かたむく。

【日食・日△蝕】月が、太陽と地球の間に入り、日光をさえぎる現象。〔詩経、小雅、十月之交〕

【日進月歩】国日に月に(日毎)進歩すること。

【日新】日々に新しくなる。用例〔大学〕苟日新、日日新、又日新。↓まことに日に新しくなり、日に日に新しくなり、そのうえさらに新しくなる。

【日夕】①ひると、よる。②夕方。用例〔東晋、陶潜、飲酒詩〕山気日夕佳、飛鳥相与還。↓山のたたずまいは夕暮れにすばらしく、飛ぶ鳥は、つれだって(山のねぐらに)帰ってゆく。

【日△仄】＝日昃。▼仄は、かたむく。

【日旦】あさ。▼旦は、朝。

【日知録】書名。三十二巻。清初の顧炎武の著。経書の解釈や諸子・歴史・詩文など、広い分野にわたって日々に読書して得たところを記録したもので、考証学上著名な書物。

【日中】①太陽が中天に至る。太陽が南中する。また、その時。正午。②日のある間。ひるま。③昼夜の等しい時。春分。秋分。④国日本と中国。

【日東】①中天にある太陽の東方の意から、東方の遠い地をいう。②日本の別名。日出国。

【日南】①中天にある太陽の南方の意から、南方の遠い地をいう。②漢代の郡名。今のインドシナ半島のベトナムの中部地方。

【日薄二西山一】①太陽が西の山の端に近づく。日が暮れかかる。②老い先の短いこと。また、ほとんど死にかかっていること。〔西晋、李密、陳情表〕

【日辺(邊)】①日のほとり。太陽のあるあたり。大空。②王城のほとり。宮城のそば。③天子の左右。用例〔唐、李白、望二天門山一詩〕両岸青山相対出、孤帆一片日辺来。↓両岸に青山が向きあってそびえ、一点の帆船は太陽のあたりから流れて来たかと思われるほどである。

【日△晡・日△餔】ひぐれ。午後四時ころ。▼晡は、午後四時ころ・夕ぐれ。餔は、夕めし、転じて、夕めし時。

【日暮・日△莫】①日がくれる。②日ぐれ。

【日暮道遠】日がくれたのに前途がまだ遠い。年老いて、しかも目的がなかなか達せられそうにないことのたとえ。▼道は、路・途・塗とも書く。〔呉子、治兵〕

【日本】わが国の称。〔唐書、日本国伝〕

【日本外史】国書名。二十二巻。頼山陽の著。源平二氏から徳川氏に至る武家の興亡を漢文で記した歴史書。武家の横暴と皇室の尊ぶべきことを情熱的な文章をもって読者に感得させようとした書で、明治維新の思想に大きな影響を及ぼした。

【日本書紀】国書名。三十巻。舎人親王・太安万侶らの編著。養老四年(七二〇)成立。神代から持統天皇までの事跡を漢文で記した編年体の歴史書。日本の勅撰正史の最初のもの。六国史の一つ。

【日本政記】国書名。十六巻。頼山陽の著。神武天皇から後陽成天皇までの事跡を漢文で記した編年体の歴史書。

【日夜】①昼と夜。②夜も昼も。いつも。終始。

【日来(來)】日頃。今まで。従来。また、ふだん。

【日和】一空が晴れて日光のうららかなこと。二国①空模様。②空がよく晴れておだやかなこと。

【可二計レ日△而待一】日数を数えて待つことができる。必ずそうなるの意。用例〔三国蜀、諸葛亮、前出師表〕漢室之隆、可二計レ日而待一也。↓漢の王室が盛んになることは、日を数えながら待つよう(に容易なこと)である。

【貫レ日】日数を積み重ねる。

【△曠レ日弥(彌)レ久】＝曠日弥久(六八三ページ上)。

【倍レ日△并レ行】二日分の行程を一日で行くことで、大急ぎで進むの意。▼并は、併とも書く。

【不レ日】一①間もなく。日数が多くかからぬこと。②一日も終わらぬ。③期間の長いこと。日をもって数え切れない意。④くもって太陽が見えない。⑤事件のあった日を書かない。二期限を定めぬ。日を限らぬ。同不日。

【併(倂)レ日】二日分を一日ですることで、大急ぎの意。

0 【曰】 4画 4648 標 漢エツ(ヱツ) 呉オチ(ヲチ) 月 yuē 5909 9E48 一

字義 ❶いーう(言)。㋐…であると言う。…であると述べる。のたまーう ❶…とおっしゃる。発言や書物・ことわざなどを、そのままのかたちで引くときに用いる。また、いーわく。のたまーわく。▼先に読んで、最後に「ト」と送り、「言うことには」「おっしゃることには」などと訳す。用例〔論語、里仁〕子曰、唯仁者能好レ人、能悪レ人。↓先生はおっしゃった、「ただ仁の人だけが本当によく人を愛することができ、人を憎むことができる」。㋑…と名づける。…と称する。よぶ。▼定義付けや、ものを列挙する場合にも用いる。用例〔荀子、脩身〕多聞曰レ博、少聞曰レ浅。↓知識の多いことを博といい、少ないことを浅という。/〔書経、洪範〕五行、一曰水、二曰火、三曰木、四曰金、五曰土。↓五行とは、第一に水、第二に火、第三に木、第四に金、第五に土をいう。❷ここーに。さて。発語の助字。▼文頭や文中に置かれる。特に訳さなくてよい時もある。用例〔詩経、秦風、渭陽〕我送二舅氏一、曰至二渭陽一。↓私は叔父君を送って、渭陽までやってきた。

注意 国いわーく。いわれ。事情。訳。理由。「曰く付きの物件」

『康熙字典』では、曰部に所属する。

解字 甲骨文  篆文  象形。口と呼気とにかたどり、音声を出していうの意味を表す。

1 【旧】 5画 4649 教5 キュウ 2176 8B8C 一
曰12 【舊】 18画 4650 漢キュウ(キウ)・呉グ 慣ク 宥 jiù

筆順 丨 ‖ 川 旧 旧

【舊】9701 俗字 【舊】10313 俗字 (4604)。

字義 ❶ふるーい。↔新。㋐昔のことである。以前のことである。久しく年を経ている。㋑ふるくさい。めずらしくない。昔の。過去の。❷ふる。ふるくなる。年を経てふるびる。❸もと。昔。以前。また、もとより。昔から。❹むかしなじみ。「故旧」 ❺年より。「耆旧」 ❻ふるい物事。ふるい事例。 国キュウ。旧暦のこと。「旧盆」

名前 ひさ・ふさ・ふる・もと

解字 甲骨文  金文  篆文  形声。篆文は、萑＋臼音。萑は頭毛の多い鳥の象形。もと、みみずくなどの鳥の意味を表したが、久と音が近く、久しく経過して古いの意味を表すようになった。旧はもと臼の略字。また、舊の略字としても用いられ、常用漢字はこれによる。

逆 懐旧・故旧・守旧・親旧・知旧・倍旧

【旧△痾】キュウア ふるい病気。前々からの病気。持病。宿痾。
【旧悪(惡)】キュウアク ふるい悪事。昔おかした悪事。
【旧雨】キュウウ ふるい友。旧友。↔今雨(七五ページ中)。
【旧雨今雨】キュウウコンウ ふるい友と、新しい友。雨と友とは音が通ずるので、しゃれていう。用例〔唐、杜甫、秋述〕旧雨来、今雨不レ来。↓昔は友が来たが、今では友は誰も来ない。
【旧△苑】キュウエン 昔のその。ふるい庭園。故園。
【旧怨】キュウエン 昔からのうらみ。ふるいうらみ。旧恨。
【旧恩】キュウオン 昔受けた恩。
【旧懐(懷)】キュウカイ 昔をなつかしむ心。また、以前からいだいてきた思い。
【旧蓋】キュウガイ ①古いかさ。②蓮の葉が枯れているさま。
【旧貫・旧慣】キュウカン 昔からのならわし。ふるい習慣。
【旧観(觀)】キュウカン ①昔のありさま。もとのすがた。②ふるい高どの。昔の楼閣。旧閣。
【旧記】キュウキ 昔の書きもの。ふるい記録。古記。旧志。
【旧鬼】キュウキ 昔死んだ人。また、その魂。▼鬼は、霊魂。↔新鬼(六三八ページ上)。用例〔唐、杜甫、兵車行〕新鬼煩冤旧鬼哭、天陰雨湿声啾啾。↓戦死したばかりの亡霊はもだえうらみ、古い亡霊はなきさけび、空が曇り雨がしっとりと降る時、亡霊のうらみ泣く声がしくしくと聞こえてくる。
【旧△誼】キュウギ ＝旧好。
【旧△墟】キュウキョ 昔、城などのあったあと。
【旧教】キュウキョウ ①昔からのおしえ。ふるい教訓。旧訓。②キリスト教の一派。カトリック教。ルターらの宗教改革以前の宗派。↔新教(六三八ページ上)。
【旧郷(鄉)】キュウキョウ ふるさと。故郷。
【旧業】キュウギョウ ①むかしから積みたててきた財産の類い。②昔の人のした事業。昔からの事業。③昔の別荘。
【旧曲】キュウキョク ふるい音楽のふし。昔から伝わってきた楽曲。また、昔からなじんできた楽曲。思い出の曲。用例〔北宋、曽鞏、虞美人草詩〕芳心寂寞寄二寒枝一、旧曲聞来似レ斂レ眉。↓虞美人の美しい心は花となってひっそりとか細い茎に咲いている。それは愛する項羽の垓下の歌を聞いて眉をひそめて悲しんだ姿そっくりである。

【旧勲(勳)】キュウクン 昔たてた手がら。旧功。
【旧京】キュウケイ・キュウキョウ もとのみやこ。ふるい都。古都。旧都。
【旧劇】キュウゲキ 国①明治中期に新派劇が起こる以前の演劇。昔からの伝統を守る芝居。歌舞伎をいう。②映画で、現代劇に対して、時代劇をいった。
【旧故】キュウコ ①昔なじみ。ふるくからの友だち。故旧。②昔の事がら。
【旧五代史】キュウゴダイシ 書名。百五十巻。北宋の薛居正らが勅命によって編集した後梁から後周までの五代の歴史を記した書。二十四史の一つ。『五代史』と称していたが、後に宋の欧陽脩が著した『新五代史』に対して『旧五代史』という。
【旧交】キュウコウ 昔の交わり。ふるい交際。旧遊。
【旧好】キュウコウ 昔のよしみ。ふるいなじみ。旧誼。
【旧国(國)】キュウコク ①昔から続いている国。ふるくからある国。②ふるさと。故郷。故国。旧邦。
【旧穀】キュウコク ふるい穀物。
【旧△址・旧△阯・旧△趾】キュウシ ＝旧跡。
【旧師】キュウシ 昔の先生。もとの師匠。
【旧識】キュウシキ ＝旧知。
【旧習】キュウシュウ 昔からのならわし。ふるい習慣。
【旧章】キュウショウ 昔のおきて。ふるい法令。
【旧△蹤】キュウショウ ふるい足あと。以前、旅したことのある地。
【旧情】キュウジョウ ①昔の心もち。②ふるなじみの情愛。
【旧臣】キュウシン ふるくから仕えている家来。また、もと仕えていた家来。
【旧人】キュウジン ①昔の人。②昔からの知り合い。ふるなじみ。旧知。旧友。③古くからの家来。④国ふるくさい人。時代おくれの人。
【旧跡・旧△蹟・旧△迹】キュウセキ ある歴史的な事件や建造物などのあったあと。ふるい跡。遺跡。旧址。旧趾。
【旧説】キュウセツ ふるい説。昔、行われた意見。
【旧染】キュウセン 昔からのならわし。ふるい習慣。古くからしみこんだくせ。
【旧相識】キュウソウシキ ＝旧知。
【旧蔵(藏)】キュウゾウ 以前に所蔵していたこと(物)。
【旧俗】キュウゾク 昔からのならわし。ふるい風俗。旧慣。
【旧族】キュウゾク 昔から続いている家すじ。ふるい一族。
【旧△苔△鬚】キュウタイのひげ 国冬を越した、ふるいこけを、ひげにたとえていった語。↔新柳髪(六三九ページ上)。用例〔和漢朗詠集、都良香、早春〕気霽風梳二新柳髪一、氷消浪洗二旧苔鬚一。↓空はうららかに晴れ、風は新芽をふいたやなぎの枝をそよがせている。はりつめていた氷もとけ、波が水辺の冬越しのこけをひたしている。

【旧態】キュウタイ 昔のままの状態。もとのありさま。「旧態依然」

【旧知】キュウチ もとからの知りあい。ふるなじみ。旧識。↔新知(六三八ページ下)。

【旧典】キュウテン ①ふるくから伝わる文章や書物。古文書。②昔の制度。ふるい規則。

【旧冬】キュウトウ 去年のふゆ。昨年の冬。客冬。

【旧唐書】クトウジョ・キュウトウジョ 書名。二百巻。五代、後晋コウシンの劉昫リュウクらが勅命によって編集した、唐代の歴史を記した書。二十四史の一つ。後に北宋ホクソウの欧陽脩オウヨウシュウが著した『新唐書』に対して『旧唐書』という。

【旧△套】キュウトウ ふるい形式。ありきたりのやりかた。

【旧徳】キュウトク ①以前に行った善事。もと施しためぐみ。②先祖の功労。③昔のよしみ。旧好。④徳の高い老人。また、徳望のある老臣。

【旧幕】キュウバク 国明治維新後、徳川幕府をさしていう。「旧幕時代」

【旧物】キュウブツ 昔からある古くさいもの。また、思い出の品。用例(唐、白居易、長恨歌)唯将二旧物一表二深情一ただキュウブツをもってシンジョウをあらわ(さ)し、鈿合金釵寄将去デンゴウキンサイよせもちさらしむ ↓せめては思い出の品によって私の深い気持ちを表したいので、螺鈿ラデンの箱と金のかんざしをお持ちください。

【旧聞】キュウブン 時がたってから聞いた話。また、周知のことなっている古い話。

【旧弊】キュウヘイ ①昔からの悪いならわし。昔ながらの弊害。②古い風俗習慣や考え方にとらわれること。

【旧邦】キュウホウ =旧国①。

【旧△朋】キュウホウ =旧友。

【旧夢】キュウム ①以前に見たゆめ。②過ぎ去った、はかない事がらのたとえ。

【旧約】キュウヤク ①ふるい約束。以前にかわした約束。②旧約聖書(旧約全書)。キリスト降誕以前のことが述べられている。もとユダヤ教の聖典で、キリスト教徒によって採用されたもの。↔新約(六三九ページ上)。

【旧友】キュウユウ 昔のともだち。ふるい友人。故旧。故人。旧侶

【旧遊】キュウユウ ①以前、旅したことがあること。昔の遊行。曽遊ソウユウ。「旧遊の地」②昔の交わり。ふるい交際。旧交。

【旧来(來)】キュウライ 昔から。ふるくから。前々から。

【旧里】キュウリ ふるさと。故郷。

【旧侶】キュウリョ 昔の友だち。ふるい友人。旧友。

【旧僚】キュウリョウ 昔のなかま。以前の同役。もとの同僚。

【旧林】キュウリン もと住んだ林。また、昔なじんだ林。

【旧例】キュウレイ 昔からのしきたり。ふるい例。

【旧暦(曆)】キュウレキ ①昔、行われたこよみ。②国太陰暦(太陰太陽暦)のこと。日本では明治五年(一八七二)まで、中国では清末の一九一一年まで使用されていた。太陽暦を新暦と呼ぶのに対していう。↔新暦③(六三九ページ上)。

【旧△廬】キュウロ 昔すんだいおり。もとのすまい。

【旧老】キュウロウ 昔のことを知っているとしより。宿老。故老。

【旧△臘】キュウロウ 去年のくれ。昨年の十二月。客臘。▼臘は、陰暦十二月の別名。

【依レ旧】キュウによる もとのまま。昔のまま。用例(唐、白居易、長恨歌)帰来池苑皆依レ旧かえりきたればチエンみなキュウによる、太液芙蓉未央柳タイエキのフヨウビオウのやなぎ ↓帰って来てみれば庭の様子は昔のままであり、太液の池のはすも未央宮の柳も(昔のままである)。

1 【甲】 5画 (7602) コウ 田部。→九六七ページ上。

1 【申】 5画 (7603) シン 田部。→九六七ページ下。

1 【旦】 5画 4651 常 タン ダン タン 漢 dàn 慣ダン 3522 9255 一

筆順 丨 冂 日 日 旦

字義 ❶あした(朝)。よあけ。あさ。あけがた。「平旦」「元旦」❷あける。夜があける。❸女形おやま。中国劇で女性に扮する役者。

名前 あき・あきら・あけ・あさ・かず・ただ・ただし 難読 旦開あさげ

注意 『康熙コウキ字典』では、日部に所属する。

解字 金文 篆文 指事。日に地平線を示す一を加えて、日が地平線から上る早朝の意味を示す。旦を音符に含む形声文字のうち、平地の意味の系列のものに、坦タン・壇タン・靼タンなどがあり、あらわになるの意味の系列のものに、膻タン・袒タン・襢タンなどがある。

【旦日】タンジツ ①あくる朝。翌朝。また、明日。用例(史記、項羽本紀)旦日饗二士卒一タンジツシソツをキョウせよ ↓明朝、兵士たちに酒食の大振る舞いをせよ。②朝日。

【旦夕】タンセキ ①あさばん。朝夕。用例(資治通鑑、漢紀)旦夕臨数月タンセキリンすることスウゲツ ↓朝晩南に臨んで武帝の死をいたむこと数か月であった。②朝も晩も。ふだん。つねづね。③きわめて短い時間をいう。④時や事のさし迫っていること。「旦夕の危」「命イメ旦夕に迫る」

【旦旦】タンタン ①朝な朝な。毎朝。毎日。用例(孟子、告子上)旦旦而伐レ之タンタンにしてこれをきる ↓毎日これを伐採する。②丁寧で誠意のあるさま。③明らかなさま。

【旦昼(晝)】タンチュウ ①朝と昼。②昼間。

【旦那】ダンナ ①仏僧に施しをする人。施主セシュ。寺の檀家ダンカ。梵語ボンゴ dāna-pati の略音訳(dāna は布施フセ・ほどこし)。檀那とも。②国ア主人。イ夫おっと。ウ商人が得意先を呼ぶ称。エ身分の低い人が身分の上の人を呼ぶ称。

【旦復旦】タンまたタン 朝な朝な。くる日もくる日も。毎日。用例(尚書大伝、虞夏伝)日月光華ジツゲツコウカあり、旦復旦兮タンまたタン ↓毎日毎日、太陽や月は光り輝く。

【旦暮・旦△莫】タンボ ①夜明けと日ぐれ。朝夕。②朝も夕も。つねづね。ふだん。③やがて。また、たちまち。短時日。一日をいう。用例(戦国策、趙)旦暮当下抜而饗二其利一タンボまさにぬきてそのりをうくべし ↓今日明日にも陥落させて、その利益を受けようというのだ。

【旦明】タンメイ 夜明け。あけがた。

1 【由】 5画 (7604) ユウ 田部。→九六八ページ上。

2 【曳】 6画 4652 人 標 エイ 漢 yè(yì) 1740 8967 一

筆順 丶 冂 日 日 电 曳

[曵] 4659 俗字

字義 ❶ひ-く。アひっぱる。引きよせる。イひきずる。用例(孟子、梁恵王上)棄レ甲曳レ兵而走コウをすてヘイをひきてはしる ↓よろいを脱ぎ捨て、武器を引きずって逃げました。❷ひかれる。❸つまずく。

名前 とお・のぶ

注意 『康熙コウキ字典』では、曰部に所属する。

解字 篆文 象形。からみあったひもの一方を両手でひきあげる形にかたどり、ひくの意味を表す。曳を音符に含む形声文字に、拽エイ・栧エイ・洩セツ・絏セツなどがある。

【曳曳】エイエイ ①長くたなびくさま。②かけ声・ときの声のさま。

【曳航】エイコウ 国船をひっぱって航行すること。

【曳△杖】エイジョウ つえをひく。つえをついて歩く。

2 【曲】 6画 4653 教3 キョク まがる・まげる 漢キョク・呉コク 囚 qū, ⑧⑨qǔ 慣ゴク 2242 8BC8 一

筆順 丨 冂 巾 曲 曲 曲

字義 ❶まがる。「歪曲ワイキョク」↕直(7957)。㋐折れまがる。㋑ゆがむ。ねじける。❷まげる。まぐ。㋐折りまげる。「曲肱之楽キョッコウのたのしみ」㋑いつわる(詐)。事実をまげる。用例(後漢書、段熲伝)熲曲ニ意宦官一、故得レ保ニ其富貴一ケイはイをカンガンにまげ、ゆえ(故)にそのフウキをたもつをえたり。⇩段熲は気持ちをいつわって宦官に応対したので、富貴を保つことができた。❸よこしま(邪)。不正。↕直(7957)。用例(史記、廉頗藺相如伝)秦以レ城求レ璧シンしろをもって、たまをもとむるに、而趙不レ許チョウゆるさずんば、曲在レ趙キョクはチョウにあり。⇩秦が町と璧とを交換しようと提案しているのに、趙がそれを認めなかったら、悪いのは趙の方になります。❹かたよる(偏)。かたよった所。用例(荘子、天下)不レ該不レ遍かねずあまねからず、一曲之士也イッキョクのシなり。⇩全てを兼ねることなく全ての事に通じることもない、一方にかたよった学者である。❺くま(隈)。湾曲した所。奥深く隠れた所。すみ。また、ほとり。「河曲」❻こまかい。こまかい事がら。「委曲」「曲礼」❼つぶさに。くわしく。あまねく。広く。用例(呂氏春秋、懐寵)曲加ニ其祀礼一つぶさにそのシレイをくわ(は)う。⇩こまかく祭祀の儀礼を加える。❽ふし。音楽の節まわし。「音曲」❾うた(歌)。しばいの歌詞。戯曲。「元曲」❿軍隊編制上の単位。国❶くせ。正しくない意。「曲者」❷まげる。まぐ。㋐ぬすむ。㋑質におく。❸キョク。㋐おもしろみ。「曲がない」㋑軽業などの芸。「曲芸」❹ゴク。古代の音楽で、器楽曲をいう。「曲ゴクの物」

名前 くま・のり 難読 曲玉まがたま・曲者くせもの・曲尺手かぎのて・曲直部まなべ・曲田そりた・曲ま田がた・曲突くどく・曲舞くせまい・曲輪くるわ

注意 『康熙コウキ字典』では、曰部に所属する。

解字 金文  篆文  象形。木や竹で作った、まげもの細工の形にかたどり、まがるの意味を表す。

逆 委曲・音曲・歌曲・河曲・戯曲・旧曲・屈曲・元曲・巻曲・私曲・詞曲・邪曲・城曲・序曲・俗曲・秘曲・舞曲・部曲・妙曲・隣曲・湾曲

【曲引】キョクイン 音楽のふし。楽曲にあわせて歌う歌。

【曲宴】キョクエン 天子が臣下と私的に催す小宴。

【曲解】キョッカイ・キョクカイ ①事実をまげて解釈すること。②人の言動や考えをこじつけて解釈すること。

【曲学(學)】キョクガク ①真理を曲げた正道でない学問。また、とるに足らないつまらぬ学問。②真理を曲げて時世に迎合する学者。

【曲学(學)△阿世】キョクガクアセイ 真理を曲げて、時世におもねる(世間に迎合する)こと。▼阿は、おもねる。用例(史記、儒林伝)無ニ曲学以阿一レ世キョクガクしてもってよにおもねることなかれ。⇩真理を曲げて時世におもねるような言動をしてはいけない。

【曲芸(藝)】キョクゲイ ①小さい技能。②普通の人にはできない離れわざ。かるわざ。

【曲江】キョッコウ ①浙江セッコウの別名。流れが屈曲しているからいう。②池の名。曲江池。陝西センセイ省西安市の南東。前漢の武帝が宜春苑ギシュンエンをここに作り、水流が之シの字の形に屈曲しているので名づけた。唐の玄宗がしばしば楊貴妃ヨウキヒとここに遊んだ。池は現存しない。

【曲△肱△之楽(樂)】キョッコウのたのしみ 清貧に安んじて道を行い楽しむこと。また、その楽しみ。▼曲肱は、(貧しくて枕まくらがなく)肱ひじをまげて枕とすること。『論語』述而編に「飯ニ疏食一ソシをくらい(ひ)、飲レ水みず(づ)をのみ、曲レ肱而枕レ之ひじ(ぢ)をまげてこれをまくらとするも、楽亦在ニ其中一矣たのしみまたそのなかにあり」とあるのに基づく。

【曲士】キョクシ ①ある一部分のことしか知らず、道の全体に通じていない人。偏った知識しかもっていない人。つまらぬ人。とるに足らぬ人。②いなかの人。③心の正しくない人。

【曲尺】キョクシャク ㊀①直角に曲がった金属製のものさし。大工道具の一つ。まがりかね。②かぎの手。直角に曲がった形。㊁かねジャク・かねざし 国その一尺が鯨尺の八寸(三〇・三センチメートル)にあたるものさし。また、それによる長さの単位。

【曲従(從)】キョクジュウ 自己の意志を曲げて従うこと。

【曲尽(盡)】キョクジン ①つまびらかにきわめる。細かな所まで言い尽くす。②残らずやりとげる。

【曲水宴】キョクスイのエン 昔、陰暦三月三日に、曲水のほとりに座し、流れに杯を浮かべて流し、それで酒を飲みながら詩を作る宴会。永和九年(三五三)に、晋シンの王羲之オウギシが会稽カイケイ山の蘭亭ランテイに文人を会してこの遊びをしたのに始まる。日本でも平安時代、宮中で行われ、「ごくすいのえん」とも読む。

【曲成】キョクセイ 一つ一つ、つぶさに作りあげる。

【曲折】キョクセツ ①折れまがる。②変化の多いこと。③こみいった事情。用例(史記、李将軍伝)青欲ニ上書報一天子軍曲折セイジョウショしてテンシのグンのキョクセツをホウぜんとほっす。⇩衛青エイセイは天子に文書をたてまつって、軍の状況を詳細に報告するつもりであった。

【曲説】キョクセツ 一方にかたよった正しくない議論。

【曲全】キョクゼン 曲がっている樹木は役にたたないので、かえって生命を全うすることができる。才知を包みかくすことが、かえって安全を求めることのできる意。『老子』二十二に「曲則全キョクなればすなわ(は)ちまったし」とあるのに基づく。

【曲調】キョクチョウ 音楽のふしと調子。用例(唐、白居易、琵琶行)転レ軸撥レ絃三両声ジクをテンじゲンをはらい(ひ)てサンリョウセイ、未レ成ニ曲調一先有レ情いまだキョクチョウをなさざるにまず(づ)ジョウあり。⇩調弦を合わせ直して二、三度撥バチではらうと、まだ(本格的に)旋律を奏でてはいないのに、もうすでに情感がこもっている。

【曲直】キョクチョク ①まがったことと、まっすぐなこと。②よいことと悪いこと。正邪。是非。「理非曲直」③歌の曲折。

【曲△磴】キョクトウ まがりくねった石段。

【曲△撓】キョクドウ ①まがりたわむ。②無実の罪で死ぬ。

【曲突△徙レ薪】キョクトツたきぎをうつす 火災を予防するため、煙突を曲げ、薪を他へ移す。わざわいを未然に防ぐたとえ。

【曲△庇】キョクヒ 道理を曲げて人をかばうこと。

【曲眉】キョクビ なだらかに湾曲した(三日月形の)まゆ。

【曲眉豊(豐)頰】キョクビホウキョウ まがったまゆと、ふっくらとしたほお。美しいまゆと豊かなほお。美人の形容。

【曲筆】キョクヒツ 故意に事実を曲げて書きしるすこと。↕直筆(一〇〇三ページ下)。

【曲阜】キョクフ 地名。山東省曲阜市。周公の子の伯禽ハクキンがここに封ぜられて魯ロ国を建てた。孔子の生地で、市中の闕里ケツリに孔子廟ビョウがある。⇩コラム 曲阜(六五〇ページ)。

【曲浦】キョクホ 曲がりくねっている水辺。また、入り江。

【曲礼(禮)】㊀キョクレイ こまかい礼儀作法。用例(礼記、礼器)曲礼三千キョクレイサンゼン。⇩細々とした礼儀作法が三千ある。㊁『礼記ライキ』の編名。

【曲論】キョクロン 正しくないのに正しいかのように言う議論。

2 【旭】 6画 4654 人 漢キョク 呉コク 因xù 1616 88AE ―

筆順 ノ 九 九 旭 旭 旭

字義 ❶あさひ(朝日)。❷日ののぼるさま。❸おごるさま。得意なさま。

名前 あき・あきら・あさ・あさひ・てる

注意 『康熙コウキ字典』では、日部に所属する。

解字 篆文  形声。日＋九音。音符の九キュウ＝キョクは、曲がって尽きるの意味。屈曲して抑えられていた光が地平線に出て一時に輝くことから、朝日の出るさま・あさひの意味を表す。

【旭光】キョッコウ あさひの光。

【旭日】キョクジツ さしのぼるあさひ。「旭日昇天の勢い」

【旭旦】キョクタン あさひののぼるころ。早朝。日の出。

2 【旨】 6画 4655 常 シ むね 2761 8E7C ―

コラム

曲阜

儒教の聖地として名高い曲阜市は、山東省の南部に位置し、省都の済南から約一六〇キロメートルの地にある。中国の古代文化発祥の地の一つであり、伝説によれば、神農(シンノウ)氏・黄帝・少昊(ショウコウ)などがここに都を置いたこともあるという。周代の初めには、周の武王の弟に当たる周公旦(シュウコウタン)がここに封ぜられ魯(ロ)の国を建国した。その時、周王室の文物や典籍などを数多く運び込んだという。爾来、曲阜は首都の鎬京(コウケイ)に次ぐ、政治・経済・文化の中心地として繁栄した。しかし、曲阜が中国史上に名を留めることになったのは、もちろん、春秋時代末期に孔子を生みだしたことによってであった。

戦国時代末期に至り、魯は楚(ソ)に滅ぼされてその属県となった。秦(シン)代には魯県、隋(ズイ)代には曲阜県と呼ばれ、その後も幾多の変遷を経たが、曲阜が儒教の聖地として特別な地位を占めたことは変わりがなかった。現在の曲阜市は、人口は約六十四万人、特産物は小麦・コーリャン・落花生など。一九八二年には歴史文化都市に指定された。市内には孔子にまつわる旧跡が数多く残されている。

〔主な遺跡〕

孔　廟　曲阜市の中央に位置する。孔子の没後二年、魯の哀公がその旧宅を廟に改築して、孔子の遺品を収めた。以来、歴代王朝が孔子を祀(マツ)った場所である。宋代になると規模が大きく拡大された、明代の正徳八年（一五一三）には、曲阜の中心部に移築された。現在の孔廟（大成殿）は、清代の雍正(ヨウセイ)年間（一七二三—一七三五）に完成されたものである。

孔　府　孔廟の東側に隣接する、孔子直系の子孫の住む邸宅と役所。前漢の元帝は、紀元前四八年に孔子十三世の孫を「関内侯(カンダイコウ)」に封じた。これが孔府の始まりである。以後、時代を追って領地が加えられ、宋代には「衍聖侯(エンセイコウ)」に封じられるに至った。現在の建物は敷地十六万平方メートル、合計四百六十六室にも及ぶ大邸宅である。その壮大な建築に加え、貴重な文物を極めて大量に保存していることでも知られている。

孔　林　曲阜の市街から約一・五キロメートルほど北にある、孔子とその子孫の墓地。「至聖林」ともいう。最初の墓は一五〇平方メートルほどにすぎなかったが、歴代王朝が土地を下賜したので、今では二〇〇万平方メートルにも及ぶ。周囲には高さ三メートルほどの塀がめぐらされ、その全長は約七キロメートルにも及ぶという。内部には十万株以上の樹木が鬱蒼(ウッソウ)と生い茂り、その中心に孔子の墓がある。

魯国故城　魯国の故城は、東西約三・七キロメートル、南北約二・七キロメートルで、現在でもところどころに城壁が残る。中央の北部には宮室、その近辺には住宅街、西側には墓地があった。場内からは貴重な遺物が大量に発掘されている。

周公廟　魯国故城内の台地上に立つ、周公旦を祀る廟。魯国の滅亡とともにこの廟も廃れたが、北宋の大中祥符元年（一〇〇八）に再建された。

孔林内の孔子の墓

筆順 （旨の筆順）

シ 紙 zhǐ

【旨】4665 俗字

字義 ❶うまーい(うまし)。味がよい。おいしい。❷うまいもの。❸よい。うるわしい。❹むね。㋐こころもち。考え。こころざし。「趣旨」㋑わけ。おもむき。よし(由)。❺天子の考え。「聖旨」❻命令。上官の命令。「上旨」

名前 じ・むね・よし

注意 『康熙(コウキ)字典』では、日部に所属する。

解字 甲骨文 篆文 会意。甲骨文では、匕+口。匕は、さじの象形。口にさじで食物を流しこむさまから、うまいの意味を表す。篆文では、匕+甘。旨を音符に含む形声文字に、嗜(シ)・指・脂・稽(ケイ)・耆(キ)・蓍(シ)・詣(ケイ)・鮨(シ)などがある。

逆 違旨・奥旨・恩旨・経旨・高旨・主旨・趣旨・詔旨・上旨・聖旨・宣旨・宗旨・大旨・勅旨・内旨・本旨・諭旨・要旨・来旨・令旨・論旨

【旨意】(シイ) ①かんがえ。「旨意深遠」②わけ。おもむき。

【旨甘】(シカン) うまい食べ物。甘旨。

【旨△肴】(シコウ) うまい料理。嘉肴。

【旨酒】(シシュ) うまいさけ。うまざけ。美酒。

【旨趣】(シシュ・シイ) ＝旨意。趣旨。

2 【旬】 6画 4656 漢シュン・呉ジュン 眞 xún 常 ジュン・シュン　2960 8F7B 一

筆順 ノ 勹 勺 旬 旬 旬

字義 ❶十日。十日間。「上旬・下旬」❷十回。また、十年。❸あまねし。広くゆきわたる。❹ひとしい(等)。国シュン。野菜・魚・鳥などの最も味のよい時期。ある事物に適当な時。「旬の魚」

名前 じゅん・ただ・とき・ひとし・ひら・まさ

注意 『康熙(コウキ)字典』では、日部に所属する。

解字 甲骨文 金文 篆文 形声。日+勹(匀)音。音符の匀(キン＝ジュン)は、ひとしいの意味。むらのない、太陽の運行を表す。

逆 由旬

【旬刊】(ジュンカン) 十日ごとに発行する。また、その定期刊行物。

【旬月】(ジュンゲツ) ①まる一か月。②十か月。③十日か一か月の間。わずかな日数。

【旬△朔】(ジュンサク) ①十日とついたち。②十日間。③わずかな日数。
【旬日】ジュンジツ 十日間。また、十日ばかり。わずかな日数。
【旬年】ジュンネン ①満一年。②十年。
【旬半】ジュンパン 十日の半分。五日間。
【旬報】ジュンポウ 十日ごとに出す報告、または雑誌類。
【旬余(餘)】ジュンヨ 十日あまり。十余日。

2【亘】6画 (129) セン 二部。→六三ページ中。

2【早】6画 4657 ソウ(サウ) 慣サッ 晧 zǎo 教1 ソウ・サッ はや-い・はや-まる・はや-める 熟字訓 早乙女(さおとめ)・早苗(さなえ) 3365 9181 —

筆順 丨 冂 日 日 旦 早

字義 ❶はや-い。㋐時間的に初めの方。「早朝」㋑きまった時期よりも前。時期がまだ来ない。「時機尚早」㋒すみやか(速)。いそぐ。急である。㋓わかい(若)。❷はや-く。㋐つとに。朝はやく。㋑きまった時期よりも前に。前もって。㋒若いうちに。㋓すみやかに。急に。❸あさ(朝)。夜あけ。↔暮(4847)・晩(4813)。国❶さ。わかい意を表す接頭語。「早苗」「早乙女」❷はや。すでに。とっくに。❸はや-まる。早くなる。

名前 さ・さお・さき・そう・はや 難読 早乙女(さおとめ・そうとめ)・早岐(はいき)・早蕨(さわらび)・早矢(はや)・早出(そうで)・早少女(さおとめ)・早生(わせ)・早池峰(はやちね)・早稲(わせ)・早稲田(わせだ)・早日渡(はやひと)・早来(はやきた)

注意 『康熙字典』では、日部に所属する。

使いわけ はやい・はやめる・はやまる〔早・速〕
〔早〕時期や時刻がはやい。また、手間をかけずに処理できる。「開始を早める・仕事が早い」
〔速〕スピードがはやい。「足を速める」

解字 篆文 会意。篆文は、日+甲。日は、「ひ」の意味。甲は、人の頭の象形。人の頭上に太陽があがりはじめる朝まだきの意味から、はやいの意味を表す。常用漢字の早は、甲の部分を十に改めたもの。

逆 尚早・侵早

【早晏】ソウアン はやいと、おそいと。早晩。
【早雁・早鴈】ソウガン 秋の初めに来る雁(かり)。
【早急】サッキュウ・ソウキュウ 国急ぐこと。にわかなこと。急なこと。
【早蛩】ソウキョウ 初秋になくこおろぎ。
【早暁(曉)】ソウギョウ よあけがた。早朝。払暁。
【早計】ソウケイ ①はやまること。十分に考えないで急いで事をすること。②はやまった(うかつな)計画。
【早恵(惠)・早慧】ソウケイ 幼いときからかしこいこと。
【早歳】ソウサイ 年若いとき。弱年。
【早熟】ソウジュク ①はやく成熟する。②国身心が普通の人より早く成熟して、おとなびる(ませる)こと。
【早晨】ソウシン 明けがた。早朝。
【早世】ソウセイ ①若い時。②若死にする。用例〔後漢書、陳球伝〕遷居空宮、不幸早世(空宮に遷居(うつりお)り、不幸にして早世(ソウセイ)す)。↓人気のない宮殿に移り住み、不幸にも若くして死んだ。
【早成】ソウセイ はやくおとなびる。ませる。
【早早】ソウソウ ①はやばや。②国㋐間もなく。始まってすぐ。「入学早々」㋑手紙の末尾に書くことば。取り急いで、十分に意を尽くせないの意。草草。匆匆(ソウソウ)。
【早速】サッソク 国すぐに。すみやかに。急いで。
【早旦】ソウタン 朝まだき。早朝。
【早朝】一ソウチョウ 朝の早い時刻。二ソウチョウ・あさまつりごと 朝早く政務を見ること。また、その集会。用例〔唐、白居易、長恨歌〕春宵苦短日高起、従此君王不早朝(春宵(シュンショウ)は短きに苦しみ日高くして起く、此(これ)従(よ)り君王早朝せず)。↓春の宵は大変短く、日が高くなってから起き、これからというもの天子は朝の政務をとらなくなった。
【早潮】ソウチョウ ①朝しお。②流れの早い海潮。
【早天】ソウテン ①夜明けの空。②夜明け。早朝。
【早年】ソウネン 若い時。↔晩年(六六〇ページ中)。
【早晩】ソウバン ①はやいことと、おそいこと。②おそかれはやかれ。いずれ。用例〔唐、李白、長干行〕早晩下三巴、預将書報家(早晩(ソウバン)三巴(サンパ)を下らん、預(あらかじ)め書を将(もっ)て家(いえ)に報ぜよ)。↓おそかれ早かれあなたは三巴の地を下られることでしょう。あらかじめ手紙で家に知らせてください。③この間。先日。また、昨今。④朝晩。朝夕。また、いつも。⑤国ついに。しまいに。
【早夜】ソウヤ ①日がくれて間もない時刻。よいの口。②朝早くから夜おそくまで。夙夜(シュクヤ)。
【早涼】ソウリョウ 初秋のすずしさ。初秋の涼気。
【早老】ソウロウ 国年齢よりも早く老人くさくなること。

2【臾】6画 4658 ユ 臾(9689)の俗字。→一八三ページ下。

注意 『康熙字典』では、曰部に所属する。

3【曳】7画 4659 エイ 曳(4652)の俗字。→六四八ページ下。 5910 9E49 —

3【旱】7画 4660 標 漢カン 呉ガン 旱 hàn 5861 9DDB —

字義 ❶ひでり。雨が長い間降らないこと。「旱害」❷かわく。水のないこと。❸かわいていること。水に対して陸地などをいう。「旱路」

注意 『康熙字典』では、日部に所属する。

参考 現代表記では、〔干〕(3161)に書きかえることがある。「旱害→干害」「旱天→干天」

難読 旱魃(ひでり)

解字 篆文 形声。日+干音。音符の干は、暵(カン)に通じ、ひでりの意味。日を付し、日でりの意味を表す。

【旱雲】カンウン ひでりの空の雲。ひでり雲。
【旱殃】カンオウ ひでりのわざわい。旱害。
【旱害】カンガイ ひでりの災害。干害。
【旱乾】カンカン ひでりで水のないこと。また、ひでり。
【旱災】カンサイ ひでりの災害。
【旱天】カンテン ①ひでり。干天。②夏の空。
【旱魃】カンバツ ひでり。▼魃は、ひでりの神の名。用例〔詩経、大雅、雲漢〕旱魃為虐、如惔如焚(旱魃(カンバツ)虐(ギャク)を為(な)し、惔(や)くが如(ごと)く焚(や)くが如し)。↓ひでりの神が民を虐げ、まるで火で焼かれるようだ。
【旱路】カンロ 水路に対して陸路をいう。
【旱潦】カンロウ ひでりと大雨。

3【旰】7画 4661 カン 翰 gàn — — 3378

字義 ❶く-れる。日がくれる。❷くれ方。ひぐれ。❸おそい。時刻が遅い。

注意 『康熙字典』では、日部に所属する。

参考 〔旴〕(4662)は別字。

解字 形声。日+干音。

【旰旰】カンカン さかんなさま。
【旰食】カンショク 時刻はずれにおそく食事をとる意で、天子・諸侯が政務に熱心なことにいう。「宵衣旰食(ショウイカンショク)」

3【旴】7画 4662 ク 虞 xū — — 3380

字義 ❶朝。夜明け。日が出始める。❷夜が明けるさま。

注意 『康熙字典』では、日部に所属する。

参考 〔旰〕(4661)は別字。

解字 形声。日+于(亏)音。音符の亏(ウ)は、華に通じ、はなやかの意味。

3【更】7画 4663 常 コウ さら・ふ-ける・ふ-かす 一 漢コウ(カウ)・呉キョウ(キャウ) 庚 gēng 二 漢コウ(カウ)・呉キョウ(キャウ) 敬 gèng 2525 8D58 —

筆順 一 丆 币 亘 更 更

【㪅】4523 本字

字義 一 ❶かえる。あらためる。とりかえる。用例〔論語、子張〕更也、人皆仰之。⇩過ちをあらためると人々はみな仰ぎみる。／〔唐、柳宗元、捕蛇者説〕余将告於莅事者、更若役、復若賦。⇩私は、役人に話してお前の仕事を変更し、租税の納入方法をすぐに以前の形にもどしてやるつもりだ。❷かわる。㋐あらたまる。㋑いれかわる。交代する。❸こもごも。かわるがわる。❹つぐ（継）。あとをうけつぐ。❺へる（経）。経験する。通過する。❻老人。経験をつんだ人。「三老五更」❼一夜を五つに分けた時間の単位。また、その時刻。用例〔南宋、陸游、入蜀記〕十一日、五更発楓橋。⇩十一日、午前四時頃に楓橋を出発した。

二 さらに。㋐その上に。重ねて。用例〔唐、王之渙、登鸛鵲楼詩〕欲窮千里目、更上一層楼。⇩千里かなたの眺望を極め尽くそうとして、更に楼を一層上まで登って行った。㋑ますます。いよいよ。用例〔唐、王維、送元二使安西詩〕勧君更尽一杯酒、西出陽関無故人。⇩さあ君、もう一杯の酒を飲みほしたまえ。西に進んで陽関を出ると、もう古くからの友人はいなくなるのだ。㋒まったく。まったく…（し）ない。▼下に「不」「無」などの否定語を伴い、否定を強調する。用例〔史記、孟嘗君伝〕献之昭王、更無他裘。⇩昭王に献上してしまったので、まったく他の皮衣はなかった。

国 ❶さら。㋐新しいこと。「更の洋服」㋑言うまでもない。もちろん。「言うも更なり」❷さらに。少しも。決して。❸ふける。㋐夜がおそくなる。「深更」㋑年をとる。㋒ふかまる。「秋更ける」❹ふかす。「夜更かし」

名前 こう・さら・とお・とく・のぶ 難読 更衣・更・科・更級・更埴

注意 現代表記では〔甦〕（7592）の書きかえに用いることがある。「甦生→更生」

参考 『康熙字典』では、日部に所属する。

解字 金文 篆文 会意。攴＋丙。攴は、うつの意味。丙は台座の象形。金文では、丙が二つ重なる。台を重ねて圧力を加え固めて平らにするの意味から、かえる・あらためる・さらにの意味を表す。更を音符に含む形声文字に、哽・梗・硬・粳・綆などがある。

逆 残更・深更・変更・夜更

【更衣】コウイ ①ころもがえ。着物を着がえること。②便所に行くこと。昔、中国で、便所に行くには着物を着がえたことからいう。③国平安時代、女御の次の位の女官。

【更改】コウカイ ①かえあらためる。②国契約を新たに結びなおすこと。

【更月】きさらぎ 国陰暦二月の別名。如月。

【更紗】サラサ 国ポルトガル語 saraça の音訳。五彩の模様をおして染めた金巾。もとインド西岸のスラタの産。印花布。

【更始】コウシ 古いものを改めて新しく始める。更新。革新。

【更事】コウジ ①世事を経験する。②事をかえる。③しばしばある事柄。常事をいう。

【更新】コウシン 従来のものにかえて新しくする。新たにする。更始。

【更生】コウセイ ①生まれかわる。また、生きかえる。再生。②役に立たなくなったものを利用すること。

【更代】コウタイ かわりあう。かわる。交代する。交替。更替。

【更張】コウチョウ ①張りなおす。②今までゆるんでいたことを改めよくする。また、今までのことを改め、さかんにする。

【更直】コウチョク かわるがわる宿直すること。

【更訂】コウテイ あらためただす。また、入れかえること。

【更迭】コウテツ ①入れかわること。▼迭も、かわる。②役職などを改め変える。

【更番】コウバン かわるがわる番にあたる。

【更漏】コウロウ 時を報ずる漏刻。水時計。

3 【㫗】7画 4664 コウ 厚（1223）の古字。→三四ページ下。 2 1422 — —

3 【㫖】7画 4665 シ 旨（4655）の俗字。→六四九ページ下。 2 1381 — —

3 【时】7画 4666 ジ 時（4746）の俗字。→六六五ページ中。

3 【旲】7画 4667 一 漢タイ・呉ダイ 灰 tāi 二 エイ yīng 2 1382 — 3379

字義 一 日の光。二 大きい。

注意 『康熙字典』では、日部に所属する。

解字 形声。日＋大音。

3 【旵】7画 4668 漢タン 呉テン 豏 chǎn — — 3381

字義 日が照る。

注意 『康熙字典』では、日部に所属する。

3 【旳】7画 4669 テキ 的（7869）の本字。→九九三ページ上。

解字 指事。日が山の上に出て、照るの意味を表す。

3 【𣅗】7画 4670 国字 くさか。日下の二字の合字。

4 【昀】8画 4671 イン 真 yún 1 8512 EDB2 3385

字義 日の光。

注意 『康熙字典』では、日部に所属する。

解字 形声。日＋匀音。

4 【易】8画 4672 一 漢エキ・呉ヤク 陌 yì 二 イ 寘 yì 教5 エキ・イ やさしい 1655 88D5 —

筆順 丨 冂 日 日 尸 月 易 易

字義 一 ❶かえる。㋐改める。変更する。用例〔管子、形勢〕天不変其常、地不易其則。⇩天はその常理を変えず、地はその定則を改めない。㋑とりかえる。交換する。用例〔史記、廉頗藺相如伝〕願以十五城請易璧。⇩わが国の十五の町と、あなたの国の璧とを、交換していただきたく存じます。❷かわる。㋐変化する。改まる。用例〔呂氏春秋、察今〕世易時移。⇩世の中は変わり時代は移る。㋑入れかわる。❸うらない（占）。筮竹による占い。用例〔周礼、春官、大卜〕掌三易之法、一曰連山、二曰帰蔵、三曰周易。⇩（大卜は）三種の占ト、連山・帰蔵・周易をつかさどる。❹書名。周易。→易経。❺とかげ。やもり。

二 ❶やすい。㋐やさしい。簡単である。↔難（13204）。「容易」㋑やすらか。おだやか。用例〔中庸〕君子居易以俟命、小人行険以徼幸。⇩君子は安らかなところにいて天命に委ねる。小人は危険を冒し僥倖に期待する。㋒…しやすい。…しがちである。用例〔伝、南宋、朱熹、偶成詩〕少年易老学難成。⇩若者はすぐに老いてしまい、学問は成就しがたい。だから、少しの時間もむだにしてはならない。一寸光陰不可軽。❷たいら（平）。❸てがる。てがるな。「簡易」❹はぶく（省）。

❺**あなど-る**。**かろ-んずる**。用例〔左伝、襄公四〕貴レ貨財貨をとうとび、易レ土。土地は重視しない。↓〔異民族は放牧で移動するので〕土地は重視しない。❻**おさ-める**〔治〕。ととのえる。また、**おさ-まる**。用例〔論語、八佾〕喪与二其易一寧戚。↓喪礼は形式をりっぱにととのえるよりは、むしろ心からいたみ悲しむことが大切だ。

名前 おさ・かね・かね・やす・やすし

注意 『康熙字典』では、日部に所属する。

解字 金文 篆文 **象形**。金文でわかるように、とかげの象形。光線のぐあいでその色が変化して見えるところから、かわるの意味を表す。借りて、やさしいの意味をも表す。

逆 安易・移易・改易・革易・簡易・軽易・険易・交易・市易・難易・不易・平易・変易・貿易・慢易・容易

【易易】たやすいさま。

【易牙】春秋時代の斉の桓公の料理人。桓公に美味を献じて喜ばれようと、自分の子を殺し、その肉を蒸してすすめたという。〔管子、小称〕

【易簡】作為を用いないであっさりとしていること。てがる。簡易。用例〔易経、繫辞上〕易簡而天下之理得矣。↓簡易であることによって、天下の道理を完全に体得することができる。

【易経（經）】書名。二巻。五経の一つ。占いの書。占いの法によって倫理道徳を説いている。単に『易』ともいい、また『周易』ともいう。

【易行道】仏 念仏宗・浄土宗の教えで、念仏を唱え、阿弥陀如来の助力によって極楽に往生する方法。他力本願。自力で修業して成仏する難行道に対していう。

【易△簀】＝易レ簀〔一〇八八ページ中〕。

【易象】周易の象辞〔卦と爻に対する解釈のことば〕。

【易水】川の名。河北省易県の西から南東に流れて南拒馬河に注ぎ、大清河に入る。戦国時代、燕の太子丹が、秦の始皇帝暗殺のため遣わした刺客の荊軻を送別した所。

【易水歌】戦国時代、秦の始皇帝暗殺に向かう荊軻が、易水で燕の太子丹らと別れたときに歌った「風蕭蕭兮易水寒、壮士一去兮不二復還一」〔易水のほとりでは風がものさびしく吹き、川の流れも冷たい。意気盛んな男子〔私〕は一たびこの地を立ち去ったら、二度と帰ってくることはないのだ〕という歌。〔史記、刺客伝〕

【易数（數）】易占によって事の吉凶を判断する術。

【易姓革命】王朝が変わること。中国古来の政治思想で、天子は天命によって天下を治めているもので、その徳が衰えると他姓の有徳者に天命がくだり、新しい王朝を建てると考えた。姓を易え命を革める意。

【易△筮】うらない。▼筮は、占いに用いる筮竹、めどき。

【易占】易でうらなう。うらない。

【易俗】＝易レ俗〔一二ページ下〕。

【易断（斷）】占いによる吉凶の判断。

【易慢】あなどる。ばかにする。

---

4 【昖】 8画 4673 エン 㓥 yǎn ― ― 3393

字義 日が巡る。太陽が運行する。

注意 『康熙字典』では、日部に所属する。

解字 **形声**。日＋公〔㕣〕音。

---

4 【旺】 8画 4674 常 オウ オウ（ワウ） 漾 wàng 1802 89A0 ―

筆順 丨 冂 日 日 日一 日丁 日千 旺

字義 ❶**さか-ん**。さかんなさま。❷ひかり。美しい光。また、うつくしい。

名前 あき・あきら・お

注意 『康熙字典』では、日部に所属する。

解字 **形声**。日＋王音。音符の王は、大きいの意味。大きくさかんな日、さかんの意味を表す。

【旺盛】元気があること。物事のはなはださかんなこと。

---

4 【昕】 8画 4675 漢キン 呉コン 文 xīn 18514 EDB3 3392

字義 ❶よあけ。日の出のころ。❷あきらか。

注意 『康熙字典』では、日部に所属する。

解字 篆文 **形声**。日＋斤音。音符の斤は、おのできり開くの意味。日の光がひらかれる、あさの意味を表す。

---

4 【昑】 8画 4676 キン 寝 qǐn ― ― 3390

字義 明らか。

注意 『康熙字典』では、日部に所属する。

解字 **形声**。日＋今音。

---

4 【炅】 8画 (6864) ケイ 火部。→八九三ページ下。

---

4 【昍】 8画 4677 漢ケン 呉カン（クワン） 元 xuān ― ― 3389

字義 明らか。

注意 『康熙字典』では、日部に所属する。

解字 **会意**。日＋日。日を二つ合わせて、明らかの意味を表す。

---

4 【昈】 8画 4678 漢コ 呉ゴ 麌 hù 21386 ― 3387

字義 ❶明らか。❷あや。赤いあや。

注意 『康熙字典』では、日部に所属する。

解字 **形声**。日＋戸音。

---

4 【昨】 8画 4679 ゴ 麌 遇 wǔ, wù ― ― 3384

字義 明らか。

注意 『康熙字典』では、日部に所属する。

解字 **形声**。日＋午音。

---

4 【昂】 8画 4680 人 ゴウ（ガウ） 慣コウ（カウ） 陽 áng 2523 8D56 ―

筆順 丶 冂 日 日 旦 昂 昂 昂

［昻］4706 俗字

字義 ❶**あ-がる**。㋐日がのぼる。㋑高くなる。㋒たかぶる。たかまる。意気があがる。「意気軒昂」㋓頭があがる。❷**たか-い**〔高〕。❸あきらか。

名前 あき・あきら・たか・たかし・のぼる

注意 『康熙字典』では、日部に所属する。

参考 現代表記では〔高〕(13854)・〔興〕(9700)に書きかえることがある。「昂騰→高騰」「昂奮→興奮」

解字 篆文 **形声**。日＋卬音。音符の卬は、あおぐの意味。日があおぎ見るように高くなる、あがるの意味を表す。

【昂昂】①志や行為のすぐれて高いさま。②高くぬきんでているさま。③明らかなさま。④馬が元気よく走るさま。⑤＝昂然。

【昂然】①意気のさかんなさま。②自信に満ち、他を恐れないさま。

【昂騰】国 高まりあがる。物価があがること。高騰。

【昂奮】国 気持ちが高ぶること。興奮。

【昂揚】国 高くあがる、また、あげる。さかんになる。また、さかんにする。高揚。

4 【昊】 8画 4681 人 漢コウ(カウ) 呉ゴウ(ガウ) 皓 hào 5863 9DDD —

筆順 昊

字義 ❶そら(空)。㋐天。おおぞら。㋑春の空。また、夏の空。㋒東の空。また、西の空。❷大きいさま。さかんなさま。

[昦] 4707 本字 [昮] 4743 同字

名前 あきら・そら・とお・ひろ・ひろし

注意 『康熙字典』では、日部に所属する。

解字 金文 篆文 形声。日＋天(昦)音。音符の昦は、大きな顔をした人の象形。日のさかんな大空の意味を表す。昦は、のち、そらの意味に引かれて、天に変わった。

【昊天】コウテン ①天をいう。天空。そら。用例〔詩経、小雅、蓼莪〕欲レ報二之徳一、昊天罔レ極。 ↓父母の恩徳に報いたいと思っても、広大で果てしがない。②春の空。↔蒼天(一三八ジ下)。一説に、その逆という。③東の空。また、西の空。④天神。天帝。上帝。

4 【杲】 8画 4682 コウ(カウ) 皓 gǎo 5862 9DDC —

字義 ❶あき-らか。日光のあきらかなさま。「杲杲」❷たかい(高)。「杲乎」

注意 『康熙字典』では、木部に所属する。

解字 篆文 指事。日が木よりたかいところにあることから、日が出る・あきらか・たかいの意味を示す。

4 【昒】 8画 4683 漢コツ 呉コチ 月 hū — — 3391

字義 ❶よあけ。あけがた。早朝。❷ほのぐらい。

注意 『康熙字典』では、日部に所属する。

解字 篆文 形声。日＋勿音。音符の勿は、はっきり見えないの意味。日の光がまだよく見えない、夜明けの意味を表す。

4 【昆】 8画 4684 常 コン 元 kūn 2611 8DA9 —

筆順 昆

字義 ❶あに(兄)。❷のち(後)。あと。㋐子孫。「後昆」㋑のちほど。❸おおい(多)。❹むし(虫)。昆虫。❺昆侖は、山の名。＝崑(2933)。

名前 こん・ひ・ひで・やす

注意 『康熙字典』では、日部に所属する。

解字 金文 篆文 象形。足の多い虫の象形で、昆虫の意味を表す。

【昆夷】コンイ 周代、中国の西方に居住した異民族。その国を昆吾という。▼夷は、えびすで、未開の民族。

【昆裔】コンエイ 子孫。後裔。後昆。▼昆は後、裔は末。

【昆季】コンキ 兄弟をいう。▼昆は長兄、季は末弟。

【昆吾】コンゴ ①夏代の国名。今の河南省濮陽県の東。②周代の異民族の国。後世の伊吾。今の新疆ウイグル自治区哈密市のあたりという。

【昆吾剣(劍)】コンゴのケン 昆吾の国で作った名剣。玉を切り鉄を削ることができるという。

【昆後】コンコウ ①あとつぎ。②子孫。③後世。同後昆。

【昆孫】コンソン ①玄孫(孫の孫)の孫。②遠い子孫。

【昆虫(蟲)】コンチュウ ①多くの虫類。▼昆は、衆い。②天地間の小動物をいう。③国節足動物中の一綱目。頭・胸・腹の三部が明らかに分かれ、六足を有する虫の総称。

【昆弟】コンテイ あにと、おとうと。兄弟。

【昆明池】コンメイチ ①陝西省西安市の南西にあった池の名。漢の武帝が、今の雲南地方を攻めるために、雲南の昆明池の形に似せて作らせ、水戦の訓練をさせた。今は水がかれてない。②雲南省昆明市の南の湖。滇池の別名。

4 【昏】 8画 4685 人 標 コン 元 hūn 2610 8DA8 —

筆順 昏

[昬] 4708 同字

字義 ❶く-れ。夕ぐれ。日ぐれ。また、夜。「黄昏」❷くら-い(暗)。㋐日がくれて暗い。㋑道理にくらい。おろか。＝惛(3762)。㋒乱れている。用例〔老子、五十七〕民多二利器一、国家滋昏。↓人民に文明の利器が普及すると、国家はますます混乱する。❸くらむ。まよう。乱れる。❹わかじに。子どもが生まれて命名以前に死ぬこと。「夭昏」❺よめいり。また、よめとり。めとる。＝婚(2439)。

名前 くらし・くれ

注意 『康熙字典』では、日部に所属する。

参考 ①現代表記では〔混〕(6414)に書きかえることがある。「昏迷→混迷」②⇩夜(2230)の参考。

解字 甲骨文 篆文 指事。甲骨文は、人の足もとに日が落ちたさまから、日ぐれの意味を示す。篆文の昏は、人の部分が氏に変形したもの。

【昏暗・昏闇】コンアン ①暗い。②おろかなこと。暗愚。昏愚。

【昏姻】コンイン 結婚すること。婚姻。

【昏晦】コンカイ くらい。昏暗。昏冥。

【昏虐】コンギャク おろかで、てあらいことをすること。

【昏暁(曉)】コンギョウ ①夕と朝。朝夕。②おろかなことと、さといこと。

【昏愚】コング 道理に暗くておろか。暗愚。闇愚。

【昏黄】コンコウ ①夕ぐれ。たそがれ。黄昏。②薄暗いこと。また、おぼろなこと。

【昏黒】コンコク まっ暗なこと。夕やみ。

【昏昏】コンコン ①暗いさま。暗くて物の見えないさま。②おろかなさま。③深く眠っているさま。また、うつらうつらしているさま。

【昏晨】コンシン あさばん。朝夕。

【昏酔(醉)】コンスイ 前後が分からないほど酔う。

【昏睡】コンスイ ①深く眠る。正体なく眠る。②国意識を失い、刺激を与えてもまったく反応しない状態。

【昏絶】コンゼツ 気を失う。気絶する。

【昏旦】コンタン 夕暮れと明け方。朝夕。

【昏定】コンテイ 晩に父母の寝床を安定させること。↔晨省(六七一ジ上)。

【昏倒】コントウ 目がくらんで倒れる。気絶して倒れる。

【昏憊】コンパイ 頭がぼんやりして疲れる。

【昏暮】コンボ ひぐれ。夕ぐれ。

【昏忘】コンボウ おろかで物忘れをする。

【昏眊】コンボウ 目が見えない。暗くて見えない。

【昏暴】コンボウ 道理に暗く乱暴なこと。また、その人。

【昏昧】コンマイ ①くらい。②おろか。③乱れる。

【昏明】コンメイ ①暗いことと、明るいこと。②夜と昼。

【昏迷】コンメイ 心がくらみ乱れること。混迷。

【昏冥】コンメイ くらい。くらやみ。

【昏耄】コンモウ おいぼれる。また、おいぼれ。

【昏蒙】コンモウ くらむ。また、暗黒。

【昏乱(亂)】コンラン ①心がくらみ乱れること。②世の中などの乱れること。用例〔老子、十八〕国家昏乱有二忠臣一。↓国家が乱れるから、忠義な家臣が目立つのだ。

【昏礼(禮)】コンレイ 結婚の儀式。婚礼。

【昏惑】コンワク 道理にくらく迷う。

4 【㫗】 8画 4686 ジ 時(4746)の古字。→六六五ジ中。 21383 — 3382

注意 『康熙字典』では、日部に所属する。

4 【者】 8画 (9571) シャ 老部。→一二六五ﾍﾟｰ中。

4 【暙】 8画 4687 シュン 春(4713)の古字。→六六〇ﾍﾟｰ上。 — — 3383

注意 『康熙字典』では、日部に所属する。

4 【昇】 8画 4688 常 ショウ のぼる ショウ 蒸 shēng 3026 8FB8 —

筆順 丶 ㄇ 日 日 旦 旦 昇 昇

[曻] 4750 俗字 [昪] 4770 俗字

字義 ❶のぼ-る。あがる。↕降(13086)。㋐日がのぼる。㋑高い所にのぼる。「上昇」㋒官位があがる。「昇進」❷のぼす。のぼらせる。あげる。

名前 かみ・しょう・すすむ・のぼり・のぼる・のり・ひたく・よう

注意 『康熙字典』では、日部に所属する。

参考 現代表記では[陞](13090)の書きかえに用いる。「陞叙→昇叙」「陞任→昇任」

使いわけ のぼる〔昇・登・上〕
〔昇〕太陽や月が空高く現れる。また、昇進する。「月が昇る・社長の地位に昇る」
〔登〕高いところへのぼる。「山に登る・木登り」
〔上〕「下から上へ行く」意のほか、「取り上げられる」「程度が進む」意にも用いる。「上り急行・川を上る・話題に上る・かなりの額に上る」
ただし、「坂を登る／上る」のように紛らわしい場合も多い。

解字 篆文  形声。日＋升(音)。音符の升は、すくいあげるの意味。日がのぼるの意味を表す。

逆 上昇

【昇華】(ショウカ) 国①固体が液状にならずに直接に気体になる現象。その逆の現象をもいう。②物事が一段と高尚な域に高められること。

【昇級】(ショウキュウ) ①等級があがること。②官位や地位が高くなること。昇進。

【昇降】(ショウコウ) あがりさがり。升降。

【昇叙(敍)】(ショウジョ) 官位をあげること。陞叙(ショウジョ)。

【昇進】(ショウシン) 国官位や地位があがること。升進。

【昇仙】(ショウセン) 天にのぼって仙人になること。登仙。

【昇天】(ショウテン) ①天にのぼる。升天。②物事がさかんになる。「意気昇天」③国キリスト教で、信者が死ぬこと。

【昇任】(ショウニン) 国役が上位になること。陞任(ショウニン)。

【昇平】(ショウヘイ) 世が平和なこと。太平。升平。

4 【昌】 8画 4689 人 ショウ(シャウ) 陽 chāng 3027 8FB9 —

筆順 丨 ㄇ 日 日 旦 昌 昌 昌

字義 ❶さか-ん(盛)。さかり。さかえる。「隆昌」❷あきらか。明かるい。❸よい。美しい。❹草の名。あやめ。昌蒲(菖蒲)(ショウブ)。❺日の光。

名前 あき・あきら・あつ・さかえ・さかん・しょう・すけ・まさ・まさし・まさる・ます・よ・よし 難読 昌谷(さかや)

注意 『康熙字典』では、日部に所属する。

解字 金文  篆文  象形。光を放つ日の象形で、日の光・さかん・よいの意味を表す。昌を音符に含む形声文字に、倡(ショウ)・唱(ショウ)・娼(ショウ)・猖(ショウ)・閶(ショウ)などがある。

【昌運】(ショウウン) さかんになる運命(めぐりあわせ)。また、物事の栄えてゆく時節。

【昌言】(ショウゲン) りっぱなことば。ためになるよいことば。道理にかなったことば。善言。

【昌昌】(ショウショウ) さかんなさま。

【昌盛】(ショウセイ) さかん。隆盛。

【昌平】(ショウヘイ) ①国運がさかんで世の中が平和なこと。太平。昇平。②地名。山東省曲阜(キョクフ)市の南東。孔子の生地。昌平郷。

【昌平郷(鄉)】(ショウヘイキョウ) 孔子の生地。→昌平②。

【昌平△黌】(ショウヘイコウ) 国昌平坂学問所の一名。

【昌平坂学(學)問所】(ショウヘイざかガクモンジョ) 国元禄(ゲンロク)三年(一六九〇)五代将軍徳川綱吉(トクガワつなよし)が、湯島(ゆしま)(今の東京都文京区湯島)に大成殿を建てて孔子を祭り、そこに付設した幕府はじめての官立学校。普通は昌平黌(ショウヘイコウ)・聖堂などという。今の湯島の聖堂はそのなごり。⇩コラム 江戸時代の漢学(六五六ﾍﾟｰ)。

【昌△黎】(ショウレイ) ①三国魏(ギ)の郡名。今の遼寧(リョウネイ)省義県の地。②河北省の地名。時代によってその位置が異なり、唐代の昌黎県は、今の北京市通州市の東方。③唐の韓愈(カンユ)(一五五〇ﾍﾟｰ中)の号。

【昌△黎集】(ショウレイシュウ) 書名。五十巻。中唐の韓愈(カンユ)の詩文集。門人の李漢の編。一に『韓文』ともいう。

4 【昔】 8画 4690 教3 セキ・シャク むかし 3246 90CC —

漢セキ・呉シャク 陌 xī

筆順 一 十 廾 廾 昔 昔 昔 昔

字義 ❶むかし。いにしえ(古)。↕今(170)。「今昔(コンジャク)」❷さきごろ。以前。数日前。❸きのう。昨日。❹ゆうべ。夜。＝夕(2225)。❺ほじし。ほした肉。＝腊(5066)。

名前 つね・とき・ひさ・ふる

注意 『康熙字典』では、日部に所属する。

解字 甲骨文  篆文  会意。𡿧(巛)＋日。巛は多くつみ重ねた肉片の象形。太陽にほした肉、ほじしの意味を表す。腊(セキ)の原字。また、昨に通じ、借りて、むかしの意味を表す。

逆 往昔・今昔・在昔・宿昔

【昔歳】(セキサイ) 去年。昨年。往年。昔年。

【昔在】(セキザイ・むかし) いにしえ。在昔。

【昔日】(セキジツ) ①むかし。さきごろ。②きのう。また、数日前。

【昔者】 [一](セキシャ・むかし) いにしえ。以前。▼者は、助字。用例〔荘子、斉物論〕昔者荘周、夢為二蝴蝶一。⇩以前に、荘子は夢の中で蝶となった。[二](セキシャ・きのう) 昨日。〔孟子、公孫丑下〕[三](むかしもの) 国①昔の人。②昔かたぎの人。

【昔人】(セキジン) 昔の人。用例〔唐、崔顥、黄鶴楼詩〕昔人已乗二白雲一去、此地空余黄鶴楼。⇩昔、仙人が白雲に乗って飛び去ってから、この地には、あるじのいない黄鶴楼のみがさびしく残っている。

4 【昃】 8画 4691 漢ショク・呉シキ 慣ソク 職 zè 5864 9DDE —

字義 ❶かたむ-く(傾)。㋐日が西にかたむく。㋑かたよる。❷ひるすぎ。㋐午後。㋑午後二時ころ。㋒午後四時ころ。

注意 『康熙字典』では、日部に所属する。

解字 甲骨文  金文  篆文  形声。日＋仄(音)。音符の仄(ショク)は、かたむくの意味。日が西に傾くの意味を表す。

4 【昄】 8画 4692 ハン 潸 旱 bǎn 2 1385 — 3386

字義 ❶大きい。❷昄章は、領土。

注意 『康熙字典』では、日部に所属する。

解字 形声。日＋反(音)。

4 【旻】 8画 4693 漢ビン 呉ミン 眞 mín 5865 9DDF —

字義 ❶あきぞら。秋の空。❷そら。天。❸うれえる。うれ

コラム

江戸時代の漢学

徳川幕府は、その治政の支柱を、儒教、特に朱子学とした。治政の理念に儒教を置く統治者は少なくない。父子・兄弟・君臣・師弟など上下の関係を重視するその教えは、為政に適した面を持っていたのである。殊に、幕府の創始者家康は、林羅山などの漢学者を親近するだけではなく、積極的に中国の書籍を多量に移入するとともに、その覆刻普及に努めた。また、五代将軍綱吉が、幕府直轄の学校として昌平黌（湯島聖堂）を開くなど、家康の後継者たちも同じ方策を執った。このような幕府自らの積極的な普及奨励によって、漢学は空前の盛行を見るに至った。

一方、諸大名たちはそれぞれ自藩にあって学校を起こし藩士やその子弟の教育に努めたが、そこで教えるものは「四書五経」であった。つまりその教育の中心もまた儒教であったのである。この藩校は、会津の日新館・和歌山の学習館・山口の明倫館・福岡の修猷館・鹿児島の造士館など、ほぼ全国にわたり、その数は最盛時には三百に迫るほどで、明治維新に至るまで幾多の人材を輩出した。また藩校だけではなく民間の儒者による私塾・寺子屋の類の増加もこの時期の特徴である。著名なものとしては、伊藤仁斎の開いた門弟千人と称された古義堂や、大阪の富商が発起した、町人教育を標榜する懐徳堂などがある。これらの私塾での教育の中心も儒教であった。

このように「学校」が増加したということは、長い間の戦乱を終え、新しい価値基準を探り、文化面での活動を開始しようとする国民全体の強い要望のあったことと深い関係がある。江戸時代の儒学は、このような、幕府の奨励と国民の要望とによって発展したのである。

著名な漢学者としては、藤原惺窩・林羅山・朱舜水・伊藤仁斎・山崎闇斎・荻生徂徠・佐藤一斎などが挙げられる。これらの学者は、為政者の文教顧問というよりむしろ優れた教育者であって、儒教を通じて強い感化を弟子たちに与えている。いわば当時の国民のバックボーンは儒教によって培われていたのである。

この時期の漢学の発達に関して特筆すべきことは、多量の漢籍の購入である。幕府の直轄学校の昌平黌の蔵書は現在宮内庁書陵部に引き継がれその偉容を目にすることができるし、加賀藩の厖大な蔵書は尊経閣文庫として今日も多くの研究者の利用に供されている。

これら漢籍の翻訳に用いられる、訓読という方法が完成したのもまたこの時期である。訓点を用いた訓読という翻訳は、意味を大まかにつかむ点では極めて簡易な翻訳方法であって、今も行われている。この面での功績のあったのは、家康の政治顧問であった林羅山、徳川光圀の政治顧問であった明の遺臣朱舜水の二人である。特に林羅山の訓点は、彼の法号をとって「道春点」として多くの人に活用され、漢学の普及に大いに力があった。

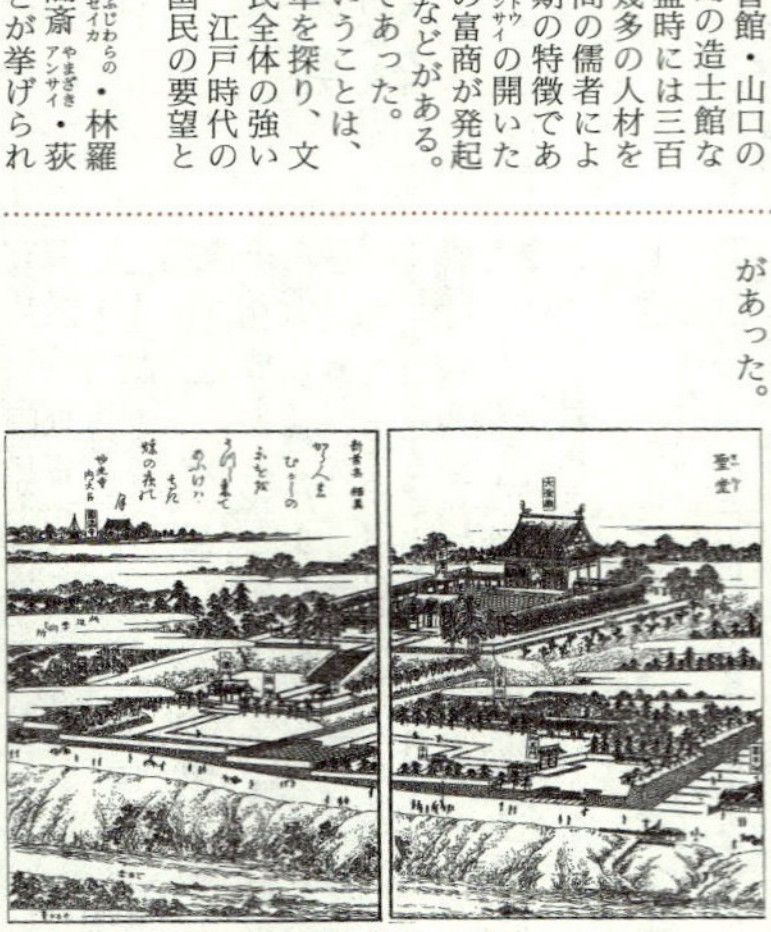
聖堂（江戸名所図会）

い。＝閔(12976)。

注意 『康熙字典』では、日部に所属する。

解字 篆文 形声。日＋文㊜。音符の文は、閔に通じ、あわれむの意味。万物がしぼみ落ちる悲しい季節、あきのそらの意味を表す。

【旻序】秋の時節。

【旻天】①秋の空。②一般に、天・空をいう。

4 【旼】 8画 4694 漢ビン 呉ミン 真 mín 21384 ーー

字義 ❶やわらぐ。また、やわらぐさま。❷空。秋の空。

注意 『康熙字典』では、日部に所属する。

解字 形声。日＋文㊜。

4 【昉】 8画 4695 ホウ（ハウ） 養 fǎng 18513 EDB5 3388

字義 ❶あきらか（明）。❷まさに。たまたま。❸はじめて。はじめ。

注意 『康熙字典』では、日部に所属する。

解字 篆文 形声。日＋方㊜。音符の方は、両わきに広がるの意味。日の光が四方に輝く意味から、あきらかの意味を表す。

4 【冐】 8画 (767) ボウ 冂部。→一六〇ページ中。

4 【明】 8画 4696 教2 メイ・ミョウ あ-かり・あか-るい・あか-るむ・あか-らむ・あき-らか・あ-ける・あ-く・あ-くる・あ-かす 熟字訓 明日 4432 96BE ー

4 【明】 8画 4697 漢メイ・呉ミョウ（ミャウ） 庚 míng 唐ミン

筆順 丨 冂 日 日 明 明 明 明

【朙】5045古字 【眀】5046俗字

字義 ❶あきらか。あかるい。あかし。↔暗(4820)。㋐あかるい。光りが照らしてあかるい。用例〔三国魏、曹操、短歌行〕月明星稀、烏鵲南飛。↓月の光があきらかで星がまばらにしか見えず、かささぎが南の方へ飛んで行く。㋑はっきりしている。明白である。用例〔戦国策、斉〕秦不能害斉、亦已明矣。↓秦が斉を侵害できないことは、やはり明らかです。㋒あざやか（鮮）。色美しい。用例〔唐、李白、憶旧游寄譙郡元参軍詩〕一渓初入千花明、万壑度尽松風声。↓谷に入ってみるとあらゆる花々が色鮮やかに咲き乱れ、松風の音が谷中に響き渡る。㋓清らかである。けがれがない。用例〔唐、白居易、琵琶行〕今夜聞二君琵琶語一、如レ聴二仙楽一耳暫明。↓今夜君の琵琶の響きを聴き、仙界の音楽を聴いて耳が清らかになった気がした。㋔物事にあかるい。かしこい（賢）。よく見える。用例〔荀子、正名〕以レ両易レ一、人莫二之為一、明二其数一也。↓二個を一個と交換するようなことを、誰もしないのは、数をよく知っているからである。／〔荀子、天論〕明二於天人之分一、則可レ謂二至人一矣。↓天と人との別を明らかに知っている人ならば、道を極めた人といえる。❷あきらかにする。㋐照らす。用例〔唐、杜甫、月詩〕四更山吐レ月、残夜水明レ楼。↓四更の時刻に山ぎわに月がのぼり、夜も尽きかけているおりに水面の照り返しが楼閣を明るく照らす。㋑はっきりさせる。はっきりあらわす。用例〔大学〕大学之道、在レ明二明徳一。↓学問の完成として修得すべき道は、明徳を天下に明らかにすることだ。㋒見わける。悟る。㋓証明する。用例〔韓非子、難勢〕何以明二其然一也。↓どうしてそうなるかを証明しようか。❸あきらかに。はっきりと。用例〔左伝、桓公二〕明示二百官一。↓百官にはっきりと示す。❹あける。あくる。夜があける。また、あからむ。あかるむ。あかるくなる。用例〔詩経、斉風、鶏鳴〕東方明矣、朝既昌矣。↓東の空はすでに明け、すっかり朝です。❺夜あけ。あけがた。「黎明」❻あかり。㋐ひかり。光線。㋑ともしび。❼ひる（昼）。日中。用例〔詩経、大雅、蕩〕既愆二爾止一、靡レ明靡レ晦。↓あなたは振る舞いを過ち、昼もなく夜もなく酒色にふけっている。❽この世。現世。用例〔礼記、楽記〕明則有二礼楽一、幽則有二鬼神一。↓この世では礼楽が重んぜられ、あの世では鬼神が尊ばれる。❾あくる。つぎ（次）。また、次の日。明日。翌日。❿視力。⓫物事を見わける知力。⓬かみ（神）。「神明」⓭「失明」。王朝の名。朱元璋が元を滅ぼして建てた。初め南京に都し、後、北京に遷都。清に滅ぼされた。十七代、二百七十七年（一三六八―一六四四）。

国❶あく。㋐すきまができる。㋑ひまになる。㋒からになる。㋓はじまる。㋔おわる。㋕ひらく。❷あかす。㋐夜をあかす。㋑うちあける。㋒秘密をばらす。「種を明かす」❸あき。㋐すきま。空所。㋑ひま。㋒から。❹さやか。また、さやけし。㋐明るく、はっきりしている。くっきりと澄んでいる。㋑音や声が澄んで、よく聞こえる。

名前　あか・あかり・あかる・あき・あきら・あきらけい・あけ・きよし・くに・てる・とうる・とし・のり・はる・ひろ・みつ・みん・めい・よし　難読　明科・明後日・明石・明太・明日・明日香・明野

注意　『康熙字典』では、日部に所属する。

使いわけ　あく・あける〔空・開・明〕⇨空（8571）。

解字　甲骨文　篆文　古文

会意。甲骨文の時代から明・朙の二つの字体があった。明は、日＋月で、あかるいの意味を表し、朙は、囧＋月で、囧は、まどの象形。まどを照らす月の意味から、あかるいの意味を表す。常用漢字は明による。明を音符に含む形声文字に、盟・萌などがある。

逆　英明・開明・簡明・究明・糾明・空明・賢明・厳明・光明・公明・高明・克明・斉明・失明・自明・釈明・松明・証明・神明・声明・清明・精明・聖明・宣明・鮮明・貞明・天明・灯明・透明・発明・判明・表明・分明・文明・平明・弁明・未明・滅明・夜明・有明・幽明

【明夷】易の六十四卦の一つ。☲☷離下坤上。賢者が志を得ず、讒言やそしりを恐れる象。

【明衣】①神に奉仕し、ものいみをする人が、沐浴（洗髪と入浴）した後に着る着物。②死者に身体を洗ってやった後に着せる着物。③死者に贈る着物。

【明王】㊀①聡明な徳の高い君主。②鬼神の尊号。㊁仏①大日如来の命を奉じて、怒りの形相を表し、諸悪魔を降伏し、仏法を守護するという仏たち。②特に不動明王をいう。

【明快】①明るくて気持ちのよいこと。②はっきりしていること。思想・議論などにいう。

【明覈】明らかによくしらべる。

【明鑑】①明らかなかがみ。明鏡。②りっぱな手本。③すぐれた見識。また、それをもっている人。④私心・欲心がなく、静かで、事象をありのままに識別する心。

【明器】①死者が生前に用いた器物を模造した、墓に死者と共に埋める器物。凶器（凶事に使う道具）。蔵器。②諸侯が天子から受け、子孫に伝えて宝物とする器物。

【明毅】知識があり物事にあかるく、意志が強い。

【明教】明らかなおしえ。りっぱなおしえ。

【明鏡】澄んだ鏡。曇りのない鏡。用例〔唐、李白、秋浦歌〕不レ知明鏡裏、何処得二秋霜一。↓澄んだ鏡の中、いったいどこから秋の霜（のような白髪）を得たのであろうか、わからない。

【明鏡止水】明らかな鏡と、しずまりかえっている水。心の曇りがなく明らかで静かなさまの形容。〔荘子、徳充符〕

【明君】①賢明ですぐれた、りっぱな君主。↕暗君（六七七ジ―上）。②王昭君（九四四ジ―上）をいう。↓明妃。

【明訓】＝明教。

【明経（經）】㊀①経書（儒教の教典）を研究し明らかに知ること。②科挙（官吏登用試験）の科目の一つ。経書の意味を問題として出題した。㊁国昔、大学寮で経書を教えた学科の名。明経道とも呼び、教官を明経博士といった。

【明月】㊀①明らかな月。晴れた夜の月。用例〔三国魏、阮籍、詠懐詩〕薄帷鑑二明月一、清風吹二我衿一。↓薄いとばりに明月の光がふりそそぎ、さわやかな風が私の襟を吹いた。②満月。もちづき。特に、陰暦八月十五夜の月。㊁翌月。来月。

【明月△之珠】自ら光を発し、暗い所でもよく見える（大きい）珠。▼珠は、水中に産するたまで、真珠の類い。

【明験（驗）】明らかなしるし。また、ききめ。

【明公】高い地位の人や偉い人などに対する尊称。

【明皇】①唐の玄宗皇帝をいう。その諡が至道大聖大明孝皇帝であったから、俗にいう。↓唐玄宗（三六七ジ―上）。②賢明な天子。すぐれて立派な天子。

【明察】①物事の奥底まで明らかに見抜くこと。②国相手の推察に対していう敬語。賢察。手紙などに用いる。

【明史】書名。三百三十六巻。清の張廷玉らが世宗の勅命によって編集した明代の歴史の書。乾隆四年（一七三九）の成立。二十四史の一つ。

【明時】㊀よく治まった時代（世）。平和な時代。太平の世。昭代。㊁明の時代。

【明識】明らかな見識。りっぱな見識。

【明主】賢明な君主。明君。用例〔韓非子、二柄〕明主之畜レ臣、臣不レ得二越レ官而有一レ功。↓賢明な君主が臣下を召し抱えておく場合は、臣下はその役目を越えて功をあげることはできない。

【明珠】①光るたま。②＝明月之珠。③すぐれた詩文・人物などをたとえていう。

【明州】唐代の州名。その治所は、今の浙江省寧波市。昔、日本の遣唐使が上陸・乗船した所。

【明粛(肅)】公明で、しかも厳粛。

【明浄(淨)】けがれがなくきよい。「風姿明浄」

【明神】㊀あらたかな神。神明。㊁国神を尊んでいう。㊂国現世にいる神。天皇をいう。現神。

【明水】神に供える水。

【明星】①明らかに輝く星。特に、明け・宵の明星、すなわち金星。用例〔詩経、鄭風、女曰雞鳴〕子興視レ夜、明星有レ爛。⇩あなた、起きて夜のようすをごらん。明けの明星が輝いていますよ。②万人にその徳や技能などを仰ぎ見られる輝かしい人。

【明清】㊀明らかできよい。㊁明朝と清朝。

【明盛】道があきらかで、盛んなこと。「明盛の世」

【明△霽】空の明るくはれていること。また、浮き雲などのくっきりと明るいさま。▼霽は、はれる。

【明△晰】はっきりしていること。明らか。

【明窓浄(淨)△几】あかるいまどと、清らかな机。清潔な書斎をいう。〔北宋、欧陽脩、試筆〕

【明△駝】健脚な駱駝。「明駝千里の足」

【明達】物事の道理に明らかに通ずること。

【明旦】①あけがた。夜明け。②あすの朝。明朝。

【明断(斷)】明らかに判断する。また、すぐれた判断。

【明知】①明らかに知る。②すぐれた知恵。明智。

【明△智】＝明知②。

【明朝】㊀あすの朝。用例〔唐、高適、除夜作詩〕故郷今夜思二千里一、霜鬢明朝又一年。⇩故郷の家族たちは、遠く離れた自分を思い出してくれているだろう、長い旅の間に鬢の毛はいつか霜のように白くなり、明日の朝はまた一つ年をとるのだ。㊁①明の朝廷・王朝・時代。②国木板または活字の書体の一つ。縦線が太く横線が細いもので、新聞・雑誌などに用いられている。明のころから始まった。⇩コラム 文字・書体の変遷(六三二ページ)。

【明徴】はっきり証明する。また、明らかな証拠。明証。

【明△暢】①音声がはっきりとしてのびやかなこと。②論旨がはっきりとよく通っていること。

【明廷】①昔、神霊を祭る所。②太守(郡の長官)・県令(県知事)などの尊称。明府。③朝廷をいう。明君のいる朝廷、りっぱな朝廷の意。

【明哲】聡明で物事の道理に明らかなこと。知恵がすぐれてさといこと。また、その人。

【明哲保身】知恵がすぐれて道理にあかるく、身を

まっとうすること。〔詩経、大雅、烝民〕

【明堂】①天子の太廟(祖先のみたまや)。国家の重要な儀式を皆ここで行った。清廟。②天子が巡狩した時、諸侯を参朝させた殿堂。地方にあった。

【明道】①明らかな道。また、道を明らかにする。②北宋の学者、程顥の号。程顥を尊んで明道先生という。

【明徳】①りっぱな徳・徳行。②人間が生まれながらに有している曇りのない(りっぱな)本性。用例〔大学〕大学之道、在レ明二明徳一。⇩学問の完成として修得すべき道は、明徳を天下に明らかにすることだ。

【明白】あきらか。はっきりとしていること。

【明発(發)】①夕から朝まで。夜どおし。②夜明けがた。あかつき。

【明版・明板】明代に刊行された書物。

【明妃】王昭君(九四四ページ上)をいう。晋の文帝の諱をさけ、昭を明に作ったもの。

【明△媚】①自然のけしきの清らかで明るく美しいこと。「風光明媚」②女性の目の清らかで美しいこと。

【明敏】物事の道理に明らかでかしこいこと。頭の働きが鋭いこと。

【明府】＝明廷②。▼府は、役所。

【明分】①当然の職分。当然守るべき道。②本分を明らかにする。

【明文】①法典に明らかに書かれている文。②一般に、明記されている文をいう。③筋のよく通っている、りっぱな文章。

【明弁(辨)】『中庸』に説く、学問をする五つの方法(博学・審問・慎思・明弁・篤行)の一つ。㋐はっきり見分ける。㋑明らかにわきまえる。

【明弁(辯)】①はっきり説明する。②明快な弁舌。

【明法】㊀①法を正し明らかにすること。②明らかなおきて(法令)。③科挙(官吏登用試験)の科目の一つ。法律を主としたもの。㊁国昔、大学寮で教えた学科の名。律令・格式がその内容。明法道ともいい、教官を明法博士といった。

【明△眸△皓歯(齒)】明らかなひとみと白い歯。美人の形容。用例〔唐、杜甫、哀二江頭一詩〕明眸皓歯今何在、血汚遊魂帰不レ得。⇩あの明るいひとみと白い歯の美人は、いったいどこにいるのか。血でけがされた人のさまよう魂は、帰ってきて落ちつくことができずにいる。

【明明】㊀大いに明らかなさま。「明明白白」㊁明を明らかにす

明徳の人をあげ用いること。

【明滅】明るくなったり暗くなったりすること。

【明幽】同幽明。①あかるいことと、くらいこと。あらわなことと、かくれて見えないこと。②この世とあの世。現世と冥土。③鬼神と人間。④有形と無形。⑤日と月。また、昼と夜。⑥賢者と愚者。⑦長と幼。⑧雄と雌。

【明了・明瞭】はっきりとしていること。

【明良際会(會)】賢明な君主と忠良な臣下とが同時に出会うこと。

【明△亮】声のはっきりして正しいこと。また、あきらかなこと。

【明倫】人倫(人としてふみ行うべき道)を明らかにする。

4 【杳】8画 4698 ヨウ(エウ) 篠 yǎo | 5866 9DE0 —

字義 ❶くらい。❷ふかい。奥深い。❸はるか。とおい。用例〔唐、王維、臨高台詩〕相送臨二高台一、川原杳無レ極。⇩君を送って高台に登ると、流れ行く川をはさむ平原のはてしないことよ。

注意 『康熙字典』では、木部に所属する。

解字 篆文  指事。木の下に日があることによって、日が西に沈んで、くらいの意味を表す。

【杳然】はるかなさま。遠いさま。

【杳△渺・杳△眇】はるかに遠いさま。

【杳冥・杳△溟】①奥深く暗いさま。②はるかに遠いさま。

【杳杳】①奥深く暗いさま。②はるかに遠いさま。

5 【昹】9画 4699 アイ 泰 ǎi | — — 3415

字義 星の名。

注意 『康熙字典』では、日部に所属する。

解字 会意。日＋永。

5 【昱】9画 4700 イク 屋 yù | 18521 ED47 3413

字義 ❶あきらか。かがやく。❷つぎの日。

注意 『康熙字典』では、日部に所属する。

解字 甲骨文  篆文  会意。日＋立。日が立つの意味から、あきらか・さかんの意味を表す。

5 【音】9画 (13418) イン 音部。→一五二一ページ下。

5 【映】9画 4701 教6 エイ うつる・うつす・はえる | 1739 8966 —

漢エイ・呉ヨウ(ヤウ) 敬 yìng

筆順　丨 ⺆ 日 日 日' 日ロ 日ロ 日央 映

【暎】4785 俗字

字義 ❶うつ-る。㋐光や色が反射する。光や色調がうかび出る。「反映」 ㋑影がうつる。❷うつ-す。㋐影を出す。㋑像をうつし出す。㋒映写する。❸は-える。㋐照りかがやく。うつりかがやく。㋑色があざやかに見える。用例〔唐、杜牧、江南春詩〕千里鶯啼緑映レ紅、水村山郭酒旗風。↓広々とした江南地方には、うぐいすが鳴き、柳の緑が桃の紅に照りはえ、水辺の村里、山辺の村里には、居酒屋の目印の旗が風になびいている。❹ひざし。ひかげ。

名前 あき・あきら・えい・てる・みつ

注意 『康熙字典』では、日部に所属する。

使いわけ ①うつす・うつる〔写・映・移〕⇩写(776)。②はえる〔栄・映〕⇩栄(5282)。

解字 篆文 形声。日＋央㊥。音符の央は、亢に通じ、もりあがるの意味。他から光を受けて、そのものが本来持つ色彩がもりあがってはっきり見える、はえるの意味を表す。

逆 陰映・夕映・透映・反映

【映蔚】青々と茂りうつりあって美しいこと。

【映輝】うつり輝く。

【映照】てりはえる。

【映帯(帶)】色や景色などの色が、たがいにうつりあう(うつりはえる)こと。

【映発(發)】光や色彩がうつりあって明るく美しいこと。照りはえる。美しくきらめく。

5【曷】9画 4702 ㊊カツ ㊒ガチ 圏hé　5911 9E4A —

字義 助 なん-ぞ。いず-くんぞ。いつ-か。⇩助字・句法解説。

助字・句法解説

❶なん-ぞ。いず-くんぞ。疑問・反語。訳どうして…か(…すればよいのに)。類奚・何。原因・理由について問う疑問詞。用例〔書経、盤庚上〕汝曷弗レ告レ朕。↓お前はどうして私に報告しなかったのか。／〔東晋、陶潜、帰去来辞〕曷不三委レ心任二去留一。胡為乎遑遑欲二何之一。↓どうして心を自然にゆだねて運命に身を任せないのか。なぜ心おちつかず、うろうろとして、いったいどこに行こうとするのか。

❷いつ-か。疑問。訳いつ…か。時について問う疑問詞。用例〔詩経、王風、君子于役〕曷至哉、鶏棲二于塒一。↓(夫は)いつ戻ってくるのだろうか、にわとりでさえ鳥小屋に住んでいるというのに。

【曷為】なんすれぞ。疑問。訳何のゆえに。なぜ。理由を問う。用例〔史記、周本紀〕周公旦即二王所一曰、曷為不レ寐。↓周公旦は武王のもとに行き、言った、「なぜ眠れないのですか」。

【曷若】いかん。疑問。訳どうか。どうであるか。類何如・何若。文末に用いられ、性質・状態・可否の判断などを問う。用例〔荀子、彊国〕必為二天下大笑一、曷若。↓きっと世の人々に大笑いされるでしょう、どうですか。

注意 『康熙字典』では、曰部に所属する。

解字 篆文 形声。曰＋匃㊥。音符の匃は、請い求めるの意味。曰は、いうの意味。祈りの言葉をいって、幸福を求めるの意味を表したが、借りて、疑問の「なに・いつ」の意味を表す。

【曷為(爲)】なんすれぞ ⇩助字・句法解説。

【曷若】いかん ⇩助字・句法解説。

5【香】9画 (13671) キョウ　香部。→一五八一ジ中。

5【昫】9画 4703 ㊀ク 圏xū ㊁ク 圏xù　18519 — 3409

字義 ㊀❶あたたか(温)。❷日の光。＝煦(7066)。

注意 『康熙字典』では、日部に所属する。

解字 形声。日＋句㊥。

5【昡】9画 4704 ㊊ケン ㊒ゲン 圏xuàn　21387 — 3402

字義 日の光。

注意 『康熙字典』では、日部に所属する。

解字 形声。日＋玄㊥。

5【昿】9画 4705 コウ　曠(4891)の俗字。→六〇二ジ下。　5906 9E45 —

5【昻】9画 4706 コウ　昂(4680)の俗字。→六三二ジ下。　— EDB4 —

5【昦】9画 4707 コウ　昊(4681)の本字。→六三四ジ上。　— — 3406

注意 『康熙字典』では、日部に所属する。

5【昏】9画 4708 コン　昏(4685)と同字。→六三四ジ中。　— — 3410

注意 『康熙字典』では、日部に所属する。

5【昨】9画 4709 ㊊サク・㊒ザク 圏zuó 教4 サク 熟字訓 昨日(きのう)　2682 8DF0 —

筆順　丨 ⺆ 日 日 日' 日𠂉 昨 昨 昨

字義 ❶きのう。前日。昨日。❷前年。昨年。❸過去。以前。昔。

難読 昨夜(ゆうべ)

注意 『康熙字典』では、日部に所属する。

解字 篆文 形声。日＋乍㊥。音符の乍は、徂に通じ、いくの意味。行ってしまった時、きのう・さきの意味を表す。

逆 再昨

【昨今】きのうきょう。ちかごろ。近来。

【昨非】今までの悪かったこと。過去の過失。用例〔東晋、陶潜、帰去来辞〕実迷レ塗其未レ遠、覚二今是而昨非一。↓ほんとうに進路をあやまったが、まだそれほど深入りしてしまったわけではない。現在の自分が正しいのであって、昨日までの自分がまちがっていたことがはっきりとわかった。

【昨夢】①昨夜の夢。②はかなく過ぎ去った過去。

5【昝】9画 4710 サン 圏zǎn　— — 3394

字義 姓。

【昝】4711 俗字

5【昝】9画 4711 サン　昝(4710)の俗字。→六五九ジ下。　— — —

注意 『康熙字典』では、日部に所属する。

5【昵】9画 4712 ㊊ジツ(ヂツ) ㊒ニチ 圏nì　5867 9DE1 —

【暱】4844 俗字　【昵】7983 俗字

字義 ❶なじ-む。ちか-づく。近づきなれる。なれ親しむ。❷ちかづき。身近な人。

注意 『康熙字典』では、日部に所属する。

解字 篆文 別体 形声。日＋尼㊥。音符の尼は、なじみ親しむの意味。日ごと近づくの意味を表す。

【昵交】したしみ交わる。親しい交際。また、その友。

【昵狎】なれしたしむ。なれなれしくする。

【昵懇】国親しいこと。心安いこと。入魂。

5 **【春】** 9画 4713 教2 シュン はる
シュン 眞 chūn
2953 8F74 一

筆順 一 二 三 夫 夫 夫 春 春 春

［萅］10037 本字 ［旾］4687 古字

字義 ❶はる。㋐四季の第一。立春から立夏まで の間。今の三月から五月まで。陰暦では、一月から三月まで。㋑年の初めの称。「新春」 ㋒としごろ。青少年期。「青春」「回春」 ㋓男女間の情欲。春情。 ❷酒。唐代の俗語。

名前 あずま・あつ・かす・かず・しゅん・す・とき・は・はじめ・はる

難読 春賀はるか・春原すのはら・春日かすが・春日部かすかべ

注意 『康熙字典』では、日部に所属する。

解字 金文  篆文  形声。篆文は、日＋艸＋屯音。音符の屯トンは、むらがるの意味。草が日を受けて、むらがり生ずるさまから、はるの意味を表す。

逆 回春・季春・迎春・残春・思春・小春・初春・新春・青春・惜春・探春・仲春・買春・晩春・暮春・陽春・立春

【春意】シュンイ 春ののどかな心持ち。春情。

【春陰】シュンイン 春のくもり。花ぐもり。また、春がすみ。

【春栄（榮）】シュンエイ ①春の花。②ときめき栄えること。

【春影】シュンエイ 春の日かげ。春の日の光。

【春煙・春△烟】シュンエン 春のもや。春のかすみ。

【春官】シュンカン 周代の六官の一つ。礼法や祭祀をつかさどる。

【春寒】シュンカン 春のまだ浅いころの寒さ。余寒。「春寒料峭リョウショウ（春さきの余寒のなおきびしいこと）」

【春△暉】シュンキ ①春の日光。②陽春の和気。父母のめぐみのたとえ。

【春△嬉】シュンキ ①春の気分になってうかれ遊ぶこと。②年少のとき、陽気にうかれあそぶこと。

【春機】シュンキ ①春に織る機はた。②国いろけ。男女間の情欲。色情。

【春△韮】シュンキュウ 春のにら。用例〔唐、杜甫、贈衛八処士詩〕夜雨剪春韮、新炊間黄粱。↓夜、雨が降る中、春のにらを刈り入れ、たきたてのごはんには、黄色いおおあわが混じっている。

【春宮】シュンキュウ・シュングウ・トウグウ ①皇太子の御殿。皇太子の御殿は皇居の東にあるので「東宮」といい、五行説ゴギョウセツで、東は春に当たるので、「トウグウ」とも読む。②皇太子。

【春興】シュンキョウ 春の楽しみ。春のおもしろみ。

【春暁（曉）】シュンギョウ 春のあかつき。春の夜明け。

【春△禊】シュンケイ 陰暦三月三日（上巳ジョウシの節）に行うみそぎ。

【春光】シュンコウ ①春の日光。用例〔唐、王之渙、涼州詞〕羌笛何須怨楊柳、春光不度玉門関。↓羌人の吹く笛よ、どうして折楊柳セツヨウリュウの曲をうらめしげに吹く必要があろうか（そんな必要はない）。（柳を芽ぶかせる）春の光はここ玉門関まではやって来ない。②春げしき。

【春行】シュンコウ 春の遊び。春の行楽。

【春江】シュンコウ 春の川。春の長江。

【春恨】シュンコン 春のものおもい。春愁。

【春日】シュンジツ ①春の太陽・日ざし・日あし。用例〔詩経、小雅、出車〕春日遅遅、卉木萋萋。↓春の日差しは長くのどかに感じられ、草木はおい茂る。②春の季節・春の日。

【春愁】シュンシュウ 春の日の何となく気がふさがり悩ましく感ずること。春の物思い。

【春秋】シュンジュウ ①春と秋。年月。転じて、年齢。用例〔戦国策、秦〕王之春秋高。↓王は高齢だ。②書名。五経の一つ。魯の国の記録に孔子が手を加えて作ったという。魯の隠公の元年（前七二二）から哀公の十四年（前四八一）までの二四二年間の歴史を記した書。「春秋の筆法（『春秋』が一字で褒貶ホウヘンの意を示すように、批評が厳正であること）」 ③周の東遷から、晋の大夫、韓・魏・趙が独立するまで（前七七〇—前四〇三）の時代。ほぼ『春秋』に書かれた時代にあたることから。⇩コラム 春秋・戦国時代（六六一ページ）。

【春秋高】シュンジュウたかし 年老いたことをいう。→春秋①。

【春秋戦（戰）国（國）】シュンジュウセンゴク 春秋時代と次の戦国時代との併称（前七七〇—前二二一）。

【春秋伝（傳）】シュンジュウデン 『春秋』の注釈書。『左氏伝』（四四八ページ中）『公羊伝クヨウデン』（一〇五五ページ上）『穀梁伝コクリョウデン』（一四八ページ上）の三つがあり、「春秋三伝」という。

【春秋富】シュンジュウとむ 年齢のまだ若いことをいう。富於春秋。

【春初】シュンショ 春のはじめ。初春。

【春女】シュンジョ 年ごろのむすめ。十七、八歳の女性。

【春宵一刻直千金】シュンショウイッコクあたいセンキン 春の夜のながめや気分は、ほんのわずかの時間が千金にも値するほどにすぐれている。用例〔北宋、蘇軾、春夜詩〕春宵一刻直千金、花有清香月有陰。↓春のよいは、ひとときが千金にもあたいする。花には清らかな香りがただよい、月はおぼろにかすんでいる。

【春情】シュンジョウ ①春ののどかな心もち。②男女間の情欲。

【春色】シュンショク ①春げしき。②酒気を含んだ顔色。

【春心】シュンシン ①春のもの思い。春の風物を見て感傷的になること。②＝春情②。

【春申君】シュンシンクン 戦国時代の楚の宰相。姓名は黄歇コウケツ。春申君はその封号。二十数年間、宰相の地位にあり、食客三千人を養ったという。李園リエンに殺された。（？—前二三八）

【春信】シュンシン 春のたより。春のおとずれ。花が咲き鳥が鳴くなどをいう。▼信は、たより・音信・通信。

【春水】シュンスイ 春の川を豊かに流れる水。春の大川。

【春節（節）】シュンセツ ①春の時節。②旧暦の一月一日。元旦ガンタン。⇩コラム 年中行事（四六五ページ）。

【春草】シュンソウ 春の若草。

【春潮】シュンチョウ 春にさしてくる潮。用例〔唐、韋応物、滁州西澗詩〕春潮帯雨晩来急、野渡無人舟自横。↓春の川の流れは雨をおびて、夕暮れ時から急になった。野中の渡し場には人かげもなく、舟だけが横たわっている。

【春天】シュンテン ①春。用例〔唐、杜甫、春日憶李白詩〕渭北春天樹、江東日暮雲。↓今、私は渭水の北、春の樹のもとで君のことを思っている。あなたのいる江東は夕暮れの雲が空に広がっていることでしょう。②春の空。

【春△蕪】シュンブ ①春の雑草。②春の荒れ野原。

【春風】シュンプウ ①春に吹く風。②春風が万物を生育することから、人を教育することのたとえに用いる。③暖かで、おだやかな人柄のたとえ。また、恩沢のたとえ。

【春服】シュンプク 春にきる着物。春着。〔論語、先進〕

【春分】シュンブン 二十四気の一つ。陽暦三月二十一日ごろをいう。俗に彼岸ヒガンの中日といい、昼夜の長さがほぼひとしい。⇩コラム 気候（二十四気）（八〇三ページ）。

【春芳】シュンポウ 春の香りのよい花。

【春望】シュンボウ 春のながめ。〔唐、杜甫、春望詩〕

【春眠】シュンミン 春の夜の心地よいねむり。用例〔唐、孟浩然、春暁詩〕春眠不覚暁、処処聞啼鳥。↓春の眠りは気怠けだるくて、夜が明けたのに気づかずにいると、いつの間にかあちらからもこちらからも小鳥の鳴く声が聞こえてくる。

【春夢】シュンム ①春の夜のゆめ。②人生のはかないこと。

【春容】シュンヨウ ①春のすがた・おもむき。②春げしき。③なまめかしいさま・姿・趣。

コラム

春秋・戦国時代

周の東遷　周は、武王の後、その弟周公旦が、武王の子成王を助けて礼楽制度を完備し国力を充実させていった。しかし、成王の後、百年ばかりすると周の威光も次第に衰え、幽王の時、犬戎という西方の異民族が侵入して、王は攻め殺された。その子平王は難を避けて、その翌年の紀元前七七〇年に、都を鎬京（今の陝西省西安市の西南）から洛邑（今の河南省洛陽市）に移した。これを「周の東遷」という。これ以前を西周、以後を東周と呼んで、周王朝を二つの時代に区分する。

東周の時代になると、周王朝の権威はますます衰え、封建諸侯の独立的傾向が強くなった。この天下混乱の様相は、紀元前三世紀後半まで続くが、そのうち、晋の三卿の韓・魏・趙の三氏が、主家の晋の領地を分割して諸侯となった紀元前四〇三年までを春秋時代といい、以後を戦国時代と呼ぶ。春秋時代という名称は、この時代が、孔子が手を加えたといわれる魯の国の歴史書『春秋』に書かれた時代にほぼ相当することによる。

春秋時代　春秋時代には、周はまだ洛邑付近を領土として保有し、王として尊ばれてはいたが、歴史の主役の座は、その臣下にあたる諸侯に移っていった。諸侯はお互いに覇権を争い、その中から斉の桓公や晋の文公のような有力な諸侯が登場し、「覇者」と称して天下に君臨した。斉の桓公は、名宰相管仲の補佐を得て、前六五一年に諸侯を葵丘（今の河南省内）に会盟させて、最初の覇者となった。晋の文公は、十九年にも及ぶ亡命生活を家臣の支えによって切り抜けて晋の君主となり、ついには前六三四年に践土（今の河南省内）で会盟を主催して覇者となった。春秋時代にはこのような有力な諸侯が五人現れたので、彼らを総称して「春秋五覇」と呼ぶ。この五人の数え方には諸説があるが、斉の桓公・晋の文公の他に、呉越の抗争で有名な呉王闔閭・越王句践などが含まれる。諸侯の数は、春秋時代初期には二百ばかりであったが、その終わりには十数か国程度となった（⇩春秋時代地図、一七三〇ページ）。

しかし、春秋時代も終わりに近づくにつれて、諸侯の権威も次第に衰えていった。周公旦を祖とする魯の国では、三桓氏と呼ばれる三家の有力な臣下に政治の実権が握られることになった。また、諸侯のうちで強大を誇った斉では、臣下の田氏が有力となり、ついには、主家を滅ぼして国をのっとることに成功する。そして、晋では、韓・魏・趙の三氏が国を分割するに至る。こうして世は、戦国時代へと入っていくことになる。このような時代の流れに強く反発したのが、周の文化に立脚した思想を構築した孔子やその後継者たちであった。

戦国時代　戦国時代になると、周の権威は地に落ち、諸侯はそれぞれ独立して王を称し、さらに激しい抗争を繰り返すことになった。弱小国は整理され、燕・斉・楚・韓・魏・趙・秦の七国が強大となった。この七国を「戦国七雄」と呼ぶ（⇩戦国時代地図、一七三〇ページ）。この時にあたり、諸国は有能な人材の登用に力をそそぎ、低い身分の者でも実力があれば立身出世が可能となった。孟嘗君・春申君などの「戦国四君」と呼ばれる貴公子たちが、才能のある多くの人材を集めて国力の充実を図ったのはその一例である。彼らの活躍は、「鶏鳴狗盗」の故事に代表されるように、現在に至るまで広く語り伝えられている。

この時代は「下剋上」「弱肉強食」という言葉に代表される厳しい政情を生む一方で、「諸子百家」と呼ばれる新しい思想家が輩出し、中国古代思想の黄金時代となった。儒家の孟子・道家の荘子・法家の韓非子・墨家の墨子などはみなこの時代の人である。また、斉の威王や宣王は学者を優遇し、孟子や荀子といった著名な学者をその都臨淄に招いて研究させた。彼らを総称して「稷下の学」（稷は、臨淄の城門の名）という。

戦国時代の初めには、東方の斉や南方の楚が強大であったが、やがて、陝西地方を根拠とする秦が、法家思想を積極的に取り入れて富国強兵策を実施し、国力を増大してきた。時代は秦を中心として展開しはじめ、他の六国が同盟して秦に対抗したり（合従策）、六国が個別に秦と同盟を結んだり（連衡策）した。蘇秦や張儀に代表される遊説家（縦横家）が活躍したのはこの時である。しかし、秦は、紀元前二三〇年に韓を滅ぼしたのを手始めに次々と六国を攻め、紀元前二二三年には、最も強く抵抗した大国の楚も討ち滅ぼし、ついに紀元前二二一年、斉を滅ぼしたのを最後に、天下を統一した。ここに分裂の時代は幕を閉じ、秦漢統一帝国の時代が始まるのである。

復元された斉の宮殿

【春陽】(シュンヨウ) 春の日光。また、春の時節。

【和春】(はるにワす) ＝和春(シュンワ)(三六〇ページ下)。

5 【昭】 9画 4714 ショウ(セウ) 蕭 zhāo 教3 ショウ 3028 8FBA ―

筆順 丨 冂 日 日 日' 日ㄱ 昭 昭 昭

字義 ❶あき-らか。㋐日が照りかがやいて明るい。㋑現れてはっきりしている。㋒よく治まっている。「昭代」 ❷あき-らかにする。あらわす。「顕昭」 ❸あらわれる。 ❹廟(ビョウ)の順序の名。→昭穆(ショウボク)。

名前 あき・あきら・いか・しょう・てる・のり・はる

注意 『康熙字典』では、日部に所属する。

解字 篆文 形声。日＋召音。音符の召は、まねくの意味。日をまねくの意味から転じて、あきらかの意味を表す。

逆 光昭

【昭王】(ショウオウ) ①周の第四代の王。②春秋時代、楚の王。③戦国時代、秦の昭襄王(ショウジョウオウ)。④戦国時代、魏の王。

【昭回】(ショウカイ) 光が回転する。光が天に従ってめぐること。

【昭儀】(ショウギ) 女官の官名。女官の最高位。

【昭君】(ショウクン) 王昭君(九四四ページ上)の略称。

【昭顕(顯)】(ショウケン) 明らかにあらわれる。

【昭△乎】(ショウコ) ①明らかなさま。②光り輝くさま。

【昭光】(ショウコウ) ①明らかにかがやくひかり。②明らかにする。

【昭△曠】(ショウコウ) 明らかで広い。

【昭△昏】(ショウコン) 明らかなことと暗いこと。

【昭示】(ショウジ) 明らかにしめす。はっきりと示す。明示。

【昭昭】(ショウショウ) 明らかなさま。

【昭雪】(ショウセツ) 潔白を明らかにして無実の罪をすすぐ。

【昭然】(ショウゼン) ＝昭乎。

【昭代】(ショウダイ) ①よく治まっている御代。聖代。②当代をほめていう語。

【昭△穆】(ショウボク) 廟(ビョウ)(みたまや)の順序の名。太祖の廟を中央にして、二世・四世・六世の廟をその左の南に列してそれらを昭といい、三世・五世・七世の廟をその右の南に列してそれらを穆という。▼昭は明で、父を尊んでいい、穆は敬で、子が父をうやまう意。

【昭明太子】(ショウメイタイシ) 南朝梁の蕭統(ショウトウ)の諡(おくりな)。字(あざな)は徳施。武帝の長子で、『文選(モンゼン)』三十巻(六三三ページ上)の編者。(五〇一―五三一)

【昭容】(ショウヨウ) 女官の名。昭儀に次ぐ地位。漢代にはじまる。唐代は九嬪(キュウヒン)の一つ。

【昭陽殿】(ショウヨウデン) ①漢の成帝が寵愛(チョウアイ)した皇后趙飛燕(チョウヒエン)の妹の昭儀を住まわせた宮殿。②唐の玄宗が楊貴妃を住まわせた宮殿。楊貴妃を飛燕・昭儀になぞらえて、その宮殿をかりに昭陽殿といったもの。用例(唐、白居易、長恨歌)昭陽殿裏恩愛絶、蓬萊宮中日月長。⇩生前、昭陽殿でいただいためぐみ深い愛は、今は断ち切られてしまい、ここ蓬萊宮では長い月日が過ぎさりました。

【昭烈帝】(ショウレツテイ) 蜀の劉備(リュウビ)(一八九ページ中)の諡(おくりな)。

【昭和】(ショウワ) ①天下が明らかで平和に治まること。『書経』堯典編に「百姓昭明、協和万邦」とあるのに基づく。②国年号。(一九二六―一九八九)

5 【昮】 9画 4715 漢ショウ 呉ジュ 宋 zòng ― EDB6 3411

字義 細工をする人。

注意 『康熙字典』では、日部に所属する。

解字 形声。日＋功音。

5 【昣】 9画 4716 シン 軫 zhěn ― ― 3404

字義 明らか。

注意 『康熙字典』では、日部に所属する。

解字 形声。日＋㐱音。

5 【是】 9画 4717 漢シ・呉ゼ・シ 紙 shì 常 ぜ 3207 90A5 ―

筆順 丨 冂 日 日 旦 早 早 昰 是

字義 助 ❶これ。ここ。こ-の。か-くの。こ-れ。⇩助字・句法解説。❶ただしい。よい。↔非(13288)。用例(東晋、陶潜、帰去来辞)実迷途其未遠、覚今是而昨非。⇩ほんとうに進路をあやまったが、まだそれほど深入りしてしまったわけではない。現在の自分が正しいのであって、昨日までの自分がまちがっていたことがはっきりとわかった。❷ただす。よくする。

助字・句法解説
❶これ。ここ。指示語。類此。人・事物・場所などを指す。用例(論語、子路)吾党之直者異於是。⇩私の仲間で言う正直者は、それとは違います。
❷こ-の。か-くの。指示語。類此。用例(史記、項羽本紀)当是時、項羽兵四十万在新豊鴻門。⇩ちょうどこの時、項羽の兵四十万は、新豊の鴻門に駐屯していた。
❸こ-れ。訳…である。英語のbe動詞にあたる働きをする。用例(唐、杜甫、絶句詩)今春看又過、何日是帰年。⇩今年の春も、みるみるうちにまた過ぎてゆき、いったいいつ、故郷に戻って春を迎えることができるのだろう。
【是以】ここをもって。訳このゆえに。以上の理由で。上文全体を受ける。上文のある部分を受ける「以是」とは異なる。▼以は、故。用例(論語、公冶長)子曰、敏而好学、不恥下問。是以謂之文。⇩先生が言った、「(孔文子は)かしこくて学問が好きで、身分の低い者に問うことも恥じなかった。そのため、おくりなを「文」というのだ」。

名前 これ・じ・すなお・ただし・つな・ゆき・よし

注意 『康熙字典』では、日部に所属する。

解字 金文 篆文 会意。金文は、早＋止。早は、柄のあるさじの象形。止は、あしの象形で、この場合は、まっすぐのびた柄の意味。つき出た柄のあるさじの意味を表したが、正に通じ、ただしいの意味に用いるようになったため、篆文では、日＋正の会意文字となった。借りて、「これ」の意味にも用いる。是を音符に含む形声文字に、堤・提・諟・鍉・隄・題などがある。

逆 壱是・国是

【是是非非】(ゼゼヒヒ) 正しいことは正しいと認め、正しくないことは正しくないと認め、すべて私心に左右されることなく、道理によって公平に判断すること。用例(荀子、脩身)是是非非、謂之智。⇩正しいことを正しいこととし、正しくないことを正しくないとするのを、智という。

【是正】(ゼセイ) ただす。まちがいを正しなおすこと。

【是認】(ゼニン) よいとみとめる。ゆるす。承知する。

【是非】(ゼヒ) ①正と不正。善と悪。また、それについての批評。②国「是でも非でも」の意で、どうしても。必ず。きっと。

【是非△之心】(ゼヒのこころ) ①物事の善悪を判断する心。用例(孟子、公孫丑上)無是非之心、非人也。⇩是を是とし非を非と判断する心のないものは、人間ではない。②世の中の出来事について、そのよしあしをやたらに気にかける心。

【是耶非耶】是非いずれかわからずに疑うことば。用例〔史記、伯夷伝〕儻所謂天道是耶非耶 ⇩どうなのだろう、天道というものは、信じてよいものなのか、そうではないのか。

【以是】これで。これを用いて。上文全体を受ける「是以」とは異なる。▼是は指示語で、上文のある部分を受ける。

【於是】そこで。⇩於(4613)の助字・句法解説。

【由是観之】このことから考えると。以上のことからすると。上文を受けて判断を述べるときに用いる。由是観之、無惻隠之心、非人也 用例〔孟子、公孫丑上〕⇩以上の点にそって考えてみると、かわいそうに思う心のないものは、人間ではない。

5 【昰】9画 4718 ㊀㊌シ・㊒ゼ・シ 紙 shì ㊁㊌カ・㊒ゲ 禡 xià 8520 — 3412

字義 ㊀これ。この。是(4717)の本字。㊁なつ。夏(2213)の古字。

注意『康熙字典』では、日部に所属する。

5 【星】9画 4719 教2 セイ・ショウ ほし ㊌セイ・㊒ショウ(シャウ) 青 xīng 3217 90AF —

筆順 丨 冂 日 旦 旦 星 星 星 星

【曐】4885 本字 【曑】7899 古字

字義 ❶ほし。㋐空にかがやくほし。「恒星」「惑星」㋑としつき。歳月。光陰。㋒小さく丸い点。また、小さなもの、点々としたもののたとえ。「星星」❷天体。日・月・星・地球などの総称。❸重要な地位にある人。「将星」❹朝早く。朝の暗いうち。また、夜。国ほし。㋐目あて。目ぼし。また、犯人。㋑(占星術でいう九星のめぐりあわせの意味から)運勢。運命。

名前 せい・つら・とし・ほし 難読 星港

注意『康熙字典』では、日部に所属する。

解字 金文  篆文  形声。金文・篆文は、晶＋生㊍。晶は、ほしの象形。音符の生は、清に通じ、すみきっているの意味。澄んだ光のほしの意味を表す。

逆 衛星・暁星・巨星・景星・恒星・歳星・残星・将星・参星・心星・占星・徳星・明星・遊星・流星・惑星

【星移】①星の位置が移り変わる。②年月がたつ。月日が流れる。

【星隕】＝星落。

【星火】①流星の光。②事の急なさまのたとえ。③小さい火。わずかな火。④星の名。心宿中で最も明らかな星。大火。

【星河】あまのがわ。銀河。天漢。星漢。用例〔唐、白居易、長恨歌〕遅遅鐘鼓初長夜、耿耿星河欲曙天 ⇩(秋の)夜長を迎えたばかりなのに、(時を知らせる)鐘や太鼓の音がゆっくりと聞こえ、かすかに輝く天の川が、夜が明けようとする空にみえる。

【星官】①天文をつかさどる役人。②星の総称。星に百官の名を配当したもの。天官。

【泛星河槎】＝泛星槎。

【星漢】＝星河。天漢。あまのがわ。▼漢は、漢水、中国の大河の一つ。あまのがわを地上の漢水にたとえて言った語。

【星期】①結婚の期日。たなばたの伝説から出た語という。②現代中国語で、週。週間。また、曜日。

【星共・星拱】多くの星が北極星をとりまきめぐること。また、そのさま。

【星行】①星の運行。②流星の飛ぶようにすみやかに行くこと。大急ぎで行く。③早朝、星のまだ出ているうちに出発する。また、夜行。「星行夜帰」

【星槎】①太古、ある人が光のある巨大な槎に乗って天を一周したという故事。また、槎に乗って天の川に行ったという故事(天の川と海とが通じているとの考えに基づく)。②はるかに遠くへ行く舟。また、世界の海を航海する舟。

【泛星槎】俗世間を離れること。

【星座】星の位置を示すための区分。さそり座・オリオン座など、八十八(古代中国では二十八)の星座がある。星宿。

【星散】星が分布するように、四方に散らばること。ちりぢりばらばらになる。

【星使】天子の使い。勅使。天上の星の使者にたとえていう。後漢の和帝の故事に基づく。〔後漢書、李郃伝〕

【星次】星のやどり。星座。

【星宿】星のやどり。星座。

【星将(將)】大将をいう。

【星辰】①ほし。▼辰も、星、また、天体。②星座。

【星津】星のやどり。星座。

【星星】①ぽつぽつと白いさま。白髪まじり。②細かい物のさま。ぽつぽつ。点々。

【星霜】年月をいう。恒星は一年で天を一周し、霜は毎年同じような季節に降るからいう。

【星躔】星のやどり。星座。

【星斗】ほし。▼斗は、星宿の名、北斗星・南斗星。

【星妃】織女星(たなばたひめ)をいう。

【星布】星々のように広くちらばっていること。

【星芒】星の光。

【星門】軍営の門。軍門。

【星夜】星がたくさん出ている夜。ほしづきよ。

【星楡】①天に植えられている、にれの木。多くの星をいう。②天上。また、宮門。

【星落】①流星が流れ落ちて消えること。②聖賢・名将・偉人などの死をいう。「星落秋風五丈原」

【星流】星の流れるように早いこと。

【星暦(曆)・星歴(歷)】天文暦法。

5 【昼】9画 4720 教2 チュウ ひる 3575 928B —

7 【晝】11画 4721 人 チュウ(チウ) 宥 zhòu 5876 9DEA —

筆順 ㇕ ㇕ 尸 尺 尺 昼 昼 昼 昼

字義 ❶ひる。㋐日の出から日没まで。ひるま。㋑まひる。正午ごろ。❷戦国時代の斉の地名。

名前 あき・あきら・ひる 難読 昼御座

注意 晝は、『康熙字典』では、日部に所属する。

解字 篆文  会意。畫(画)＋日。畫は、くぎるの意味。日の出から日の入りまでの太陽の出ている間として区切られた時間、ひるの意味を表す。

【昼錦】出世して故郷に帰ること。「富貴にして故郷に帰らざるは、錦を着て夜行くが如し」という諺を反対にした語。衣錦昼行。〔北史、毛鴻賓伝〕

【昼宵】昼と夜。昼夜。昼夕。

【昼夜兼行】①昼も夜も休まずに行くこと。②国昼も夜も続けて働くこと。

【不舎昼夜】昼も夜も休まない。用例〔論語、子罕〕逝者如斯夫、不舎昼夜 ⇩過ぎ去ってゆくものはこの(川の水の)ようなものだなあ、昼も夜もとどまることがない。

【昼漏】ひるの時間。▼漏は、漏刻(水時計)。

5 【昶】9画 4722 チョウ(チャウ) 養 漾 chǎng 5868 9DE2 —

字義 ❶ながい(長)。㋐日が長い。㋑久しい。❷とおる。＝暢(4845)。❸あきらか(明)。

注意『康熙字典』では、日部に所属する。

解字 金文 篆文 会意。日＋永。永は、ながいの意味。日が長いの意味を表す。

5【昳】9画 4723 漢テツ 呉デチ 屑 dié　8522 — 3414

字義 ❶かたむく。日が傾く。❷ひつじの刻。今の午後二時ごろ。

注意 『康熙字典』では、日部に所属する。

解字 篆文 形声。日＋失音。音符の失は、ぬけ出るの意味。日がかたむくの意味を表す。

5【昩】9画 4724 ㊀漢バツ・呉マチ 曷 mò ㊁漢バイ・呉マイ mèi　— — 3407

字義 ㊀くらい。ほの暗い。㊁星の名。昧(4732)の誤字。

注意 『康熙字典』では、日部に所属する。

解字 形声。日＋末音。

5【昺】9画 4725 漢ヘイ 呉ヒョウ(ヒャウ) 梗 bǐng　8516 — —

[昞] 4726 同字

字義 あきらか。＝炳(6890)。

注意 『康熙字典』では、日部に所属する。

解字 形声。日＋丙音。音符の丙は、広い台の象形で、ひろがるの意味。日がひろがる、あきらかの意味を表す。

5【昞】9画 4726 ヘイ　昺(4725)と同字。→六六四㌻上。　8515 EDB7 3401

注意 『康熙字典』では、日部に所属する。

5【昪】9画 4727 漢ヘン 呉ベン 霰 biàn　21388 — 3408

字義 ❶喜び楽しむ。❷明らか。❸日の光。

注意 『康熙字典』では、日部に所属する。

解字 形声。日＋弁音。

5【冒】9画 4728 常 ボウ おかす　㊀漢ボウ・呉モウ 号 mào ㊁漢ボク・呉モク 職 mò ㊂漢バイ・呉マイ 隊 mèi　4333 9660 —

冂7【冐】9画 4729

筆順 丨 冂 冃 冃 冐 冐 冒 冒 冒

[冐] 767 俗字

字義 ㊀❶おかす。㋐向こう見ずに進む。押しきってする。「冒険」㋑ふれる。さわる。けがす。㋒他人の姓をかりる。❷おおう(覆)。㋐かぶる。かぶせる。㋑かくす。❸かぶりもの。頭巾。❹むさぼる。「貪冒」❺ねたむ。そねむ。「冒嫉」㊁❶おかす。❷冒突は、戦闘に用いる船の名。❸冒頓は、匈奴の単于(王)の名。㊂毒冒は、亀の名。玳瑁。

注意 冒は、『康熙字典』では、冂部に所属する。

使いわけ おかす〔犯・侵・冒〕⇨犯(7193)。

解字 篆文 形声。日＋冃(冃)音。音符の冃は、かぶり物の意味。目を覆うの意味を表す。また、矛・戊に通じ、つき進む・押し切って進む・おかすの意味も表す。

逆 感冒

【冒寒】ボウカン ①寒さをしのぐ。②寒さにおかされる。かぜをひく。

【冒険(險)】ボウケン 危険をおかす。

【冒行】ボウコウ おしきって無理に行う。

【冒疾・冒嫉】ボウシツ そねむ。ねたむ。やく。

【冒進】ボウシン (危険や障害を)おかして進む。

【冒頭】ボウトウ ①文章や話の初めの、まえおき。▼冒は、かぶりもの(帽子)の意から転じて、初めの意。②ものごとの最初。

【冒△瀆・冒△黷】ボウトク おかしけがす。また、けがす。

【冒頓】ボクトツ 漢初、匈奴の単于(王)の名。東胡・月氏を破り、漢を攻めて高祖を白登に囲んだが、後、漢と和親した。(?—前一七四)

【冒昧】ボウマイ がむしゃらで道理にくらい。道理を考えず向こう見ずに進む。わがままなふるまい。

5【昴】9画 4730 人 漢ボウ(バウ) 呉モウ(マウ) 巧 mǎo　5869 9DE3 —

筆順 丶 冂 日 旦 旦 昂 昂 昴 昴

[昴] 4781 本字

字義 すばる。星宿(星座)の名。二十八宿の一つ。牡牛座にある。六連星。プレアデス。昴宿。

注意 『康熙字典』では、日部に所属する。

解字 形声。日＋卯(丣)音。

5【昢】9画 4731 ㊀漢ホツ・呉ホチ 月 pò ㊁ハイ 賄 隊　8517 — 3403

字義 ㊀❶よあけ。❷日の出るさま。

注意 『康熙字典』では、日部に所属する。

解字 会意。日＋出。

5【昧】9画 4732 常 マイ 漢バイ・呉マイ 隊 mèi　4370 9686 —

筆順 丨 П Ħ 日 日一 日二 旪 昧 昧

字義 ❶くらい(暗)。㋐夜などの暗いこと。㋑ほのぐらい。㋒道理にくらい。おろか(愚)。「愚昧」❷よあけ。夜明けがたの、ほの暗い時。❸かすかな。ごく小さい。「草昧」❹おかす。＝冒(4728)。

名前 くらし・まい・やみ・よ

注意 『康熙字典』では、日部に所属する。

解字 金文 篆文 形声。日＋未音。音符の未は、微に通じ、はっきり見えないの意味。夜あけがたの、ほの暗いの意味を表す。

【昧谷】マイコク 太陽の沈む所。太陽がこの谷にはいると日がくれると考えられた所。〔書経、尭典〕↔暘谷(六七八㌻下)。

【昧死】マイシ 君主への上奏文などに用いたことばで、死の危険を冒す、決死の覚悟での意味。昧死。用例〔戦国策、趙〕昧死以聞。↓恐れながら申し上げます。

【昧爽】マイソウ 夜明け。未明。早朝。▼爽は、明。

【昧旦】マイタン ＝昧爽。▼旦は、朝・夜明け。

【昧昧】マイマイ ①夜明けや日ぐれなどの、ほの暗いさま。②深く思い沈むさま。③手厚いさま。丁寧なさま。④暗いさま。

【昧△蒙】マイモウ おろか。暗愚。蒙昧。

5【昜】9画 4733 ヨウ(ヤウ) 陽 yáng　5870 9DE4 —

字義 ❶日があがる。日の出。＝暘(4835)。❷ひなた。日の当たる所。＝陽(13130)。

注意 『康熙字典』では、日部に所属する。

解字 甲骨文 篆文 象形。太陽が地上にあがるさまにかたどり、日があがる・あたたかいの意味を表す。昜を音符に含む形声文字に、傷・場・揚・暘・暢・殤・煬・瘍・觴・陽・颺・鬺などがある。

5【昤】9画 4734 漢レイ 呉リョウ(リャウ) 青 líng　8518 EDB8 3405

字義 晴れた日の光。「昤曨」

注意 『康熙字典』では、日部に所属する。

解字 形声。日＋令音。

6【晏】10画 4735 人 漢アン 呉エン 諫 yàn　5871 9DE5 —

筆順 丶 冂 日 日 旦 早 旱 晏 晏

字義 ❶おそい(晩)。用例〔論語、子路〕何晏也。↓どうして遅いのか。❷やすい。やすらか。しずか。「清晏」❸はれる。空が晴れわたる。❹あざやか(鮮)。うつくしい。❺暮れる。夕方。

名前 おそ・さだ・はる・やす

注意 『康熙字典』では、日部に所属する。

解字 篆文 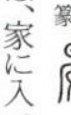 形声。日＋安音。音符の安は、やすらぐの意味。おだやかな日、はれの意味を表す。また、安は、家に入ってやすらぐの意味。太陽が西に入って落ち着く夕ぐれ・おそいの意味をも表す。

【晏晏】アンアン ①たのしく平和なさま。②天性のままで無理のないさま。自然のままであるさま。

【晏嬰】アンエイ 春秋時代、斉の政治家。字は仲。諡は平。霊公・荘公・景公に仕え、宰相となった。(?―前五〇〇)

【晏駕】アンガ 天子の死をいう。霊柩(ひつぎ)が日がくれてから出発する意。一説に、天子が死んで、朝廷へ出ることがないのを遠まわしに言った語。崩御。

【晏起】アンキ 朝、おそく起きること。朝寝。

【晏子】アンシ ①晏嬰をいう。②書名。『晏子春秋』をいう。

【晏子春秋】アンシシュンジュウ 書名。八巻。春秋時代の斉の晏嬰の言行に関する記録や伝聞を後人が編集したものという。

【晏如】アンジョ 安らかなさま。安らかでおちつくさま。用例(東晋、陶潜、五柳先生伝)簞瓢屢空、晏如也。↓飲食の器はよく空っぽになったが、平然としていた。

【晏然】アンゼン ＝晏如。

【晏朝】アンチョウ ①おそく朝廷に出仕する。②やすらかに治まっている朝廷。

【晏寧】アンネイ 安らか。安寧。

【晏平仲】アンペイチュウ ＝晏嬰。

6 【晦】10画 4736 カイ 晦(4759)の俗字。→六七〇ページ上。 ― ―

6 【晆】10画 4737 カイ(クヮイ) 斉 kuí ― ― 3419
字義 別れる。分ける。
注意 『康熙字典』では、日部に所属する。
解字 形声。日＋圭音。

6 【耆】10画 (9570) キ 老部。→一二六五ページ中。

6 【晈】10画 4738 キョウ(ケウ) 篠 皎 jiǎo 8524 ― ―
字義 ❶月の明るいさま。＝皎(7878)。❷あきらか。
注意 『康熙字典』では、日部に所属する。
解字 形声。日＋交音。

6 【晑】10画 4739 漢キョウ(キャウ) 呉コウ(カウ) 養 xiǎng 21390 ― 3422
字義 明らか。
注意 『康熙字典』では、日部に所属する。
解字 形声。日＋向音。

6 【晅】10画 4740 呉カン(クヮン) 漢ケン 元 xuān 21389 ― 3418
字義 ❶乾かす。❷明らか。❸太陽のかさ。
注意 『康熙字典』では、日部に所属する。
解字 形声。日＋亘音。

6 【晃】10画 4741 人 呉オウ(ワウ) 漢コウ(クヮウ) 養 huǎng 2524 8D57 ―
【晄】4742 同字
筆順 
字義 ❶あき-らか。❷ひかる。かがやく。また、ひかり。国 日・光の二字から成っているので、日光山を晃山と書くこともある。
名前 あき・あきら・きら・こ・こう・てる・ひかる・みつ
注意 『康熙字典』では、日部に所属する。
解字 篆文  形声。日＋光音。音符の光は、ひかりの意味。日の光があきらかの意味を表す。

【晃晃】コウコウ 光りかがやくさま。

【晃蕩】コウトウ ①光がゆらぐさま。②明らかで広々としているさま。

【晃曜・晃耀】コウヨウ ひかりかがやく。光曜。

6 【晄】10画 4742 人 コウ 晃(4741)と同字。→六六五ページ中。 5872 9DE6 ―
注意 『康熙字典』では、日部に所属する。

6 【昦】10画 4743 コウ 昊(4681)と同字。→六五四ページ上。
注意 『康熙字典』では、日部に所属する。

6 【晎】10画 4744 漢コウ 呉ク 董 hǒng 21391 ― 3423
字義 夜が明けかかる。
注意 『康熙字典』では、日部に所属する。
解字 形声。日＋共音。

6 【晒】10画 4745 人 標 漢サイ 呉シャ 卦 shài 2715 8E4E ―
【曬】4900 同字
筆順 
字義 さら-す。㋐日にさらしてかわかす。㋑照りつける。 難読 晒布(さらし)
注意 『康熙字典』では、日部に所属する。
解字 形声。日＋西音。

6 【時】10画 4746 教2 ジ とき 熟字訓 時雨(しぐれ)・時計(とけい) 2794 8E9E ―
筆順 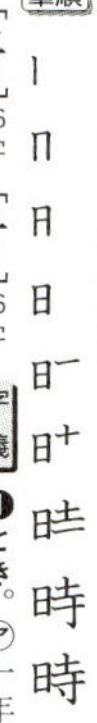
漢シ・呉ジ 支 shí
【旹】4686 古字 【时】4666 俗字
字義 ❶とき。㋐一年の四つの区分。季節。春・夏・秋・冬。「四時」㋑一日の区分。時刻。昔は十二に、今は二十四に分ける。㋒日月の経過。時の流れ。光陰。用例(東晋、陶潜、擬古詩)掩レ涙汎二東逝一、順レ流追二時遷一。↓涙にぬれた顔をおおって東へ流れる川に浮かび、川の流れに従い過ぎ去る時を追うように船を下らせる。㋓世。時世。時代。用例(東晋、陶潜、桃花源記)先世避二秦時乱一。↓私の先祖は、秦の時代の戦乱を避けてきた。㋔世のなりゆき。時勢。用例(史記、項羽本紀)力抜レ山兮気蓋レ世、時不レ利兮騅不レ逝。↓わが力は動かない山を引き抜くに足り、わが盛んなる気力は世間の人々を圧倒するのに足る。けれども時の運は私になく、愛馬の騅も進もうとしない。㋕めぐりあわせ。まわりあわせ。㋖おり。機会。時節。適当な時期。一定の時期。用例(孟子、梁恵王上)斧斤以レ時入二山林一。↓斧は適当な時期に山林に持ち込むものである。㋗ある時点。ある時期。その時。用例(国語、鄭語)時至而求レ用、恐無レ及也。↓その時になって用意しようとしても、恐らく間に合わないだろう。㋘こよみ。暦法。用例(論語、衛霊公)行二夏之時一、乗二殷之輅一、服二周之冕一。↓夏の暦を用い、殷の車に乗り、周の冠を身に付ける。

❷とき-に。㋐当時。そのとき。おりしも。用例(孟子、万章上)時挙二於秦一。↓その時たまたま秦に任用された。㋑おりにふれて。機会あるごとに。しばしば。「時習」㋒ときおり。たまに。用例(東晋、陶潜、帰去来辞)策レ扶レ老以流憩、時矯レ首而游観。↓老いたわが身をつえで支えて歩きまわっては、自由に休み、ときおり顔を上げて景色を眺める。

❸時宜にかなう。時をえる。用例(漢書、晁錯伝)日月光明、風雨時。↓日月は光り輝き、風雨はふさわしい時を守る。

❹うかがう。機会をねらう。用例(論語、陽貨)孔子時二其亡一也、而往拝レ之。↓孔子はその留守を見計らって返礼におとずれた。

❺よい(善)。用例〔詩経、小雅、頍弁〕爾酒既旨(なんじ(なんじ)のさけ、すでにうまく)爾殽既時(なんじのさかな、すでによし)。↓あなたの用意した酒は旨く、酒の肴もおいしい。❻これ。この。用例〔書経、無逸〕自╴時厥後立王(これよりその、のちリツオウ)生則逸(いくればすなわち(は)イッす)。↓これより後に即位した王たちは、生きている間は逸楽にふけった。

国❶とき。㋐臨時。当座。㋑文法用語。動詞・助動詞の表す過去・現在・未来。テンス。❷ときに。さて。ところで。❸ジ。仏道の勤行(ゴンギョウ)の時刻。

名前 これ・じ・ちか・とき・はる・もち・ゆき・よし・より

難読 時化(しけ)・時任(ときとう)

注意 『康熙(コウキ)字典』では、日部に所属する。

参考 一般に「場合」を意味する「とき」は仮名書き、時期・時間・時刻などを表す「とき」は「時」を用いる。「不信任案が可決されたときは…」「若い時・発車の時が迫る」

解字 甲骨文  篆文  形声。日＋寺音。音符の寺は、之(シ)に通じ、ゆくの意味。すすみゆく日、ときの意味を表す。

逆 異時・一時・往時・花時・及時・今時・歳時・暫時・四時・少時・随時・盛時・天時・当時・農時・平時・民時・明時・累時

【時雨】(ジウ) ㊀時に応じて降る雨。ほどよい時に降る雨。㊁(しぐれ) 国秋冬のころに断続して降る雨。

【時運】(ジウン) 時のめぐりあわせ。世のなりゆき。

【時下】(ジカ) このごろ。また、いま。ただいま。目下(モッカ)。

【時患】(ジカン) その時世の弊害。

【時期】(ジキ) とき。ころ。また、期間。→時機。

【時機】(ジキ) 物事をするのによい時。ころあい。チャンス。◆「時機」も「時期」も、ともに「とき」を表す語であるが、「時期」が単に「とき」を表すのに対し、「時機」はある特定の「とき」を表している。「時機が来たらやるつもりだ」「実施時期を早める」

【時宜】(ジギ) ①その場に適したこと。②ほどよいころあい。

【時議】(ジギ) その時代の議論。時人の議論。

【時局】(ジキョク) 現在の世の中のありさま・情勢。

【時好】(ジコウ) その時代のこのみ・流行。

【時効(效)】(ジコウ) 国一定の日時の経過によって権利を生じ、または権利を消滅し、あるいは刑罰権が消滅すること。

【時候】(ジコウ) 時節。四時のかわりめ。

【時事】(ジジ) ①その時代(当時)の出来事。②昨今(現代)の出来事。

【時時】(ジジ) ①ときどき。おりおり。②その時その時に。いつも。常に。

【時時刻刻】(ジジコクコク) しだいしだいに。一刻一刻。

【時羞】(ジシュウ) その季節の食物。また、それを祭りに供えること。「時羞之奠(ジシュウのテン)」

【時習】(ジシュウ) ①機会あるごとに常に復習・練習すること。用例〔論語、学而〕学而時習╴之(まなびてときにこれをならう(ふ))、不╴亦説╴乎(またよろこばしからずや)。↓学問をして、それを機会あるごとに復習して身につけるのは、なんと喜ばしいことではないか。②その時代の風俗・習慣。時俗。

【時△辰】(ジシン) とき。時刻。また、時辰儀(時計)。

【時人】(ジジン) その当時(時代)の人。

【時世】(ジセイ・ときよ) ①その時代。②時代と世のありさま。

【時世粧】(ジセイのよそおい(ひ)) その時代に流行するよそおい。

【時勢】(ジセイ) 時のなりゆき。世のありさま。

【時節(節)】(ジセツ) ①四季の順序。②四時の佳節。③時候。季節。④国㋐おり。時機。㋑時世。㋒よい機運。好機会。

【時俗】(ジゾク) ①当時のならわし。②世人。俗世間。

【時代】(ジダイ) ①区切られた一定の期間。②歳月。年次。③時世。④時期。そのころ。⑤国長い年月を経て古めかしくなった(さびがついた)こと。「時代物」

【時代錯誤】(ジダイサクゴ) 国保守的で現代の思想や傾向に適合しないこと。時代おくれ。アナクロニズム。

【時中】(ジチュウ) 時の変化に応じて適正を得ること。用例〔中庸〕君子而時中(クンシにしてときにチュウす)。↓君子はその人柄通りに、どのような時でも適正を得ている。

【時鳥】(ジチョウ) ㊀その季節の鳥。㊁(ほととぎす) 国鳥の名。杜鵑(トケン)。子規。

【時珍】(ジチン) ①その季節の珍しい(すぐれた)食物。②その時代のすぐれた人物。

【時文】(ジブン) ①昔、中国で官吏登用試験に課した文。宋(ソウ)に始まり清(シン)まで用いられた。一名、八股文(ハッコブン)。②主として清末に、公用文・新聞・手紙などに用いられた、古文と白話文(口語文)との中間の文体。③現代文。

【時弊】(ジヘイ) その時代の悪い風習。

【時望】(ジボウ) その時代における人望。当時の人気。

【時務】(ジム) ①当世の仕事・政治。また、その時代になすべき仕事。②時に応じたつとめ。春・夏・秋の農事。

【時命】(ジメイ) ①時の運命。②その時の政府の命令。

【時夜】(ジヤ) ①鶏が鳴いて時を告げること。②鶏。

【時△耶命△耶】(ときかメイか) 時のめぐりあわせによるのであろうか、天命によるのであろうか。用例〔唐、李華、弔╴古戦場╴文〕時耶命耶(ときかメイか)、従╴古如╴斯(いにしえ(へ)よりかくのごとし)。↓時の運なのか天命なのか、昔からこのようであった。

【時流】(ジリュウ) ①その時代の人。当時の人。時人。②その時代の流行。当時の風潮。

【時令】(ジレイ) ①年中行事。また、それを書いたもの。②時節。

【時論】(ジロン) その時代の人々の議論。

【感╴時花△濺╴涙】(ときにカンじてははなにもなみだをそそぐ) (乱れた)時世をいたみ悲しむ心をもって見れば、(美しい春の)花を見ても盛んに涙を流す。用例〔唐、杜甫、春望詩〕感╴時花濺╴涙(ときにカンじてははなにもなみだをそそぎ)、恨╴別鳥驚╴心(わかれをうらみてはとりにもこころをおどろかす)。↓(乱れた)時世をいたみ悲しむ心では、(美しい春の)花を見ても涙が流れ、(一家の)離別の状態を恨めしく思うと、(愛らしい春の)小鳥の鳴き声を聞いても心が痛むばかりである。

【及╴時当(當)╴勉励(勵)╴】(ときにおよんでまさにベンレイすべし) 学ぶべき時を失うことなく、つとめ励むべきである。▼「及╴時」は、学ぶべき時を逃さないでの意。用例〔東晋、陶潜、雑詩〕及╴時当╴勉励(ときにおよんでまさにベンレイすべし)、歳月不╴待╴人(サイゲツはひとをまたず)。↓時を失うことなく、つとめ励む(楽しみを尽くす)べきである。年月はどんどん過ぎ去って、人を待っていてはくれないのだから。

【与(與)╴時△俯仰】(ときとフギョウす) 時世の流れに従って行動する。与╴世俯仰。▼俯はうつむく、仰はあおぐ。〔資治通鑑、宋紀〕

6 【晊】 10画 4747 漢シツ 呉シチ 質 zhì — — 3420

字義 ❶大きい。❷明らか。

注意 『康熙(コウキ)字典』では、日部に所属する。

解字 形声。日＋至音。

6 【書】 10画 4748 教2 ショ かく ショ 魚 shū 2981 8F91 —

筆順 

字義 ❶かく。文字をしるす。記載する。用例〔礼記、玉藻〕動則左史書╴之(うごけばすなわち(は)ち、サシこれをショす)、言則右史書╴之(いえ(へ)ばすなわち(は)ち、ユウシこれをショす)。↓(いにしえの天子にはその言動を記録する係がそばに仕えており)行動については左史が記録し、発言については右史が記録した。❷ふみ。㋐書籍。本。「字書」「読書」㋑たより。手紙。書簡。用例〔唐、杜甫、春望詩〕烽火連╴三月╴(ホウカサンゲツにつらなり)、家書抵╴万金╴(カショバンキンにあたる)。↓のろしの火は春の三か月の間、うち上げ続けられていて(戦乱はおさまるようすもないので)、家族からの便りは、一万金に相当するほど(貴重なもの)に思われる。❸字。㋐文字。用例〔韓非子、五蠹〕古者蒼頡之作ㇾ書也、自環者謂二之私一、背ㇾ私謂二之公一。↓昔、蒼頡が文字を作った際、自分で囲い込むことを「私」と言い、私に背くことを「公」と言った。㋑字体。書体。「篆書テンショ」「草書」❹かきかた。文字を記す技術・芸術。書道。書法。また、その作品。❺書き記したもの。文書。記録。帳簿。「簿書」❻文体・文書の名。㋐みことのり。「詔書」「勅書」㋑政治的見解を上申するもの。「上書」㋒史書における諸制度の記録。「暦書」「封禅書」❼書名。『書経』をいう。五経の一つ。→尚書(四三一ページ下)。用例〔史記、孔子世家〕孔子之時、周室微而礼楽廃、詩書欠。↓孔子の時、周王朝は衰退し、礼楽はすたれ、『詩経』『書経』は、完全でなくなった。

名前 のぶ・のり・ひさ・ふみ・ふむ・ふん

注意 『康熙コウキ字典』では、曰部に所属する。

> 使いわけ かく〔書・描〕
> 絵や図にかく場合に〔描〕を用いる以外は、広く一般に〔書〕を用いる。「油絵を描く」「手紙を書く・きれいな字を書く」

解字 金文  篆文  形声。篆文は、聿＋者㊥。聿は、ふでの意味。音符の者は、しばをかき集めた形にかたどる。事物を集めてかきつけるの意味を表す。

逆 緯書・遺書・逸書・韻書・家書・偽書・教書・行書・琴書・禁書・群書・軍書・経書・血書・原書・校書・国書・古書・策書・司書・私書・詩書・辞書・手書・証書・詔書・上書・信書・真書・親書・正書・善書・草書・俗書・竹書・虫書・勅書・陳書・投書・図書・白書・秘書・飛書・兵書・奉書・芳書・落書・良書・臨書・類書・隷書・和書

【書案】ショアン ①文書の草案。②つくえ(机)。

【書院】ショイン ①学問の講義をする所。②書斎。③国㋐書院造りの家の客間。㋑書店。

【書淫】ショイン ▼淫は、度を過ごすこと。①過度に読書にふける。また、その人。②書籍を集蔵することに過度の趣味をもつ。また、その人。

【書屋】ショオク ①書籍を入れておく家・室。②書店。

【書架】ショカ 本だな。

【書課】ショカ 読むことを課していた部分(ページ)。

【書懐(懷)】ショカイ 思いをのべる。〔唐、杜甫、旅夜書ㇾ懐詩〕

【書巻】ショカン 書籍。昔、書籍は巻き物にしてあったからいう。

【書翰・書簡】ショカン ①文書。かきもの。②手紙。▼翰は筆・文書、簡は文字をしるすための竹の札。

【書記】ショキ ①かきしるす。②書き物。書籍。③文書をつかさどる役人。書き役。書佐。④国上司の命を受けて、文書その他の事務を行う役目の人。

【書笈】ショキュウ 書物を入れて背負うように作った箱。本箱。

【書経(經)】ショキョウ 五経の一つ。『尚書』(四三一ページ下)の宋ソウ代以後の称。

【書局】ショキョク ①官庁で書籍を編修する所・役人。②清シン代、官庁で書籍を刊行する所。③書店。出版社。

【書具】ショグ 文房具。用例〔北宋、王安石、傷二仲永一〕仲永生五年、未三嘗識二書具一、忽啼求ㇾ之。↓仲永は生まれて五歳になるまで、筆記具のことを知らなかったが、突然泣いてそれを欲しがった。

【書契】ショケイ ①文字。たがいの約束(契)によって使用されたからいう。②証拠として用いる文書。③記録の帳簿。

【書計】ショケイ 読み書きと計算。読書・習字・算術。

【書剣(劍)】ショケン ①書籍とつるぎ。昔、学者・文人が常に携帯したもの。②読書・習字と武術。学問と武芸。

【書庫】ショコ ①書籍を入れておくくら。②博学の人。

【書賈】ショコ 書物をあきなう人。書籍商。本屋。

【書佐】ショサ 書き役。書記。▼佐は、補助役。

【書斎(齋)】ショサイ 書物を読むへや。勉強部屋。

【書策】ショサク 書籍。▼策は、文字をしるす札。

【書冊】ショサツ・ショサク 書籍。▼冊は、文字を書いた札をつなぎ合わせたもの。

【書札】ショサツ ①書き物。かきつけ。②手紙。

【書算】ショサン 書道と数学。

【書史】ショシ ①書籍の歴史。②経書と歴史書。

【書肆】ショシ ①書店。本屋。②書物をたくさん持っているだけで読むことを知らない人をあざけっていう。

【書誌】ショシ 国①書物。図書。②ある人や、ある題目に関する書籍・文献の目録。

【書誌学(學)】ショシガク 書籍の著者・年代・印行・伝流形式などについて研究する学問。

【書写(寫)】ショシャ かきうつす。また、かく。用例〔聴雨紀談〕読書不ㇾ如二書写一。↓書を読み字を習うには、文章を書き写すのがよい。

【書社】ショシャ 村里の戸口や田地の段別を社の帳簿に記載すること。周代には、二十五戸を里とし、里ごとに社(土地の神のやしろ)を立て、一社を中心とする二十五家の土地を「書社の地」といった。

【書状(狀)】ショジョウ てがみ。書翰ショカン。

【書信】ショシン 手紙。書信によるたより。

【書生】ショセイ ①学問をしている人。特に、その若者。用例〔草場佩川、山行示二同志一詩〕登ㇾ山恰似書生業、一歩歩高光景開。↓山登りはちょうど書生の学業に似ている。一歩一歩進んで高い所に登って行くと新しい眺めが開けるように学問の視野も次第に開けてくる。②国㋐他家に住み込んで家事を手伝いながら勉強する人。㋑学生。生徒。㋒世間知らずの学者。

【書聖】ショセイ 書道の名人。

【書尺】ショセキ ①手紙。昔は幅一尺の方板(四角の板)に書いたからいう。尺牘セキトク。②文具の一つ。文鎮。

【書跡・書迹・書蹟】ショセキ かいた文字のかたち。筆のあと。筆跡。

【書籍】ショセキ 本。書物。⇩コラム 書籍(六六八ページ)。

【書簽・書籖】ショセン 書物の題名を記してはりつける紙片・布片。

【書窓・書牕】ショソウ 書斎のまど。転じて、書斎。

【書足三以記二名姓一而已】ショはもってメイセイをキするにたるのみ 文字は自分の姓名をかくに役だつくらいのものである(だから学ぶ価値のないものだ)。項羽の言ったことば。〔史記、項羽本紀〕

【書体(體)】ショタイ ①字のかきぶり。書風。②字のいろいろな形体。時代によって異なり、古くは甲骨文・鐘鼎文ショウテイブン・籀文チュウブンがあり、秦シンから前漢にかけては、篆テン・隷レイ、後漢から六朝に至って、章・草・楷カイ・行の各書体が発達した。⇩コラム 文字・書体の変遷(六三二ページ)。

【書痴(癡)】ショチ 読書にふけって他事をかえりみない人。世事にうとい人。▼痴は、ばかもの。

【書帙】ショチツ ①書籍を包むおおい。②書籍。

【書厨】ショチュウ ①本箱。本だな。▼厨は、箱・ひつ。②博学な人。③読書ばかりしていても真にその内容をつかまない人、実用の役に立たない人を、あざけっていう。

【書鎮(鎭)】ショチン 文具の名。文鎮。圭算ケイサン。

【書伝(傳)】ショデン ①書籍。書籍に書き伝えている事がら。②『尚書』の注釈。

【書蠹】ショト 書物を食いいためる虫。しみ。紙魚。

【書牘】ショトク 手紙。尺牘セキトク。▼牘は、文字をしるす札。

【書判】㊀唐代、人を選抜する科目。書法のすぐれているものを書、文章の筋や見解のすぐれているものを判という。㊁国名まえの下に印を押すかわりに、自筆で一定の形式にかいた判。花押。

【書不レ尽（盡）レ言】文章では、口で言う事を十分にかきしるすことはできない。〔易経、繋辞上〕

【書癖】読書を好むくせ。

【書法】①文字のかき方。また、書の手本。②文章の記述のしかた。

【書房】①書斎。②蔵書室。③書店。

【書目】本の名を連ねしるしたもの。図書の目録。

【書物】㊀本。書籍。㊁国①文字などをかくこと。②文字などをかいた紙片。文書。

【書問】①手紙で安否を問う。②手紙。

【書林】①書籍が多く集まっている所。蔵書室。②多く集まっている書籍。③書物を出版・販売する所。書店。

【書△簏】＝書厨①③。▼簏は、かご。

【書論】①文章。②文体の名。論説を主とした書簡や文章。⇩コラム 漢文（八六八ページ）。

【閲レ書】＝閲書（一五〇一ページ下）。

6【晌】10画 4749 ショウ（シャウ）㊤養 shǎng 18525 — 3421

字義 ❶まひる。正午。「晌午」❷とき。時間。半晌は、短い時間。片時。

注意 『康熙字典』では、日部に所属する。

解字 会意。日＋向。日が真向かいになる時刻、まひるの意味を表す。

6【昇】10画 4750 ショウ 昇（4688）の俗字。→六五五ページ上。

6【春】10画 4751 ショウ 春（9693）の俗字。→一二八三ページ上。 21392 — —

6【晋】10画 4752 人 3124 9057 —

6【晉】10画 4753 シン ㊤震 jìn 5873 9DE7 —

筆順 一 丆 丌 亚 亚 亚 亚 晋 晋 晋

【䁖】4868 本字

字義 ❶すすむ（進）。❷おさえる（抑）。つつしむ。❸国の名。周の成王の弟、叔虞の封ぜられた国。今の山西省太原地方を中心とした春秋時代の大国。後、韓・魏・趙の三国に分かれた。「三晋」❹王朝の名。㋐司馬炎が三国魏の後をついで建て

コラム

書籍──装訂の歴史

簡策（簡冊） 古く中国では、細長い竹や木の札に、毛筆と墨とを用いて文字を書写して、その数十枚をまとめてひもで綴って一つの篇（編）とした。この一枚の竹や木の札を〈簡〉といい、その簡をひもで綴って一篇にまとめたものを〈策〉あるいは〈冊〉といった。この〈簡策（簡冊）〉が書籍の起源とされる。

「韋編三たび絶つ」という有名な言葉があるが、これは孔子が晩年に易を愛読してその簡策を繰り返し繰り返しひもとき、簡策を編んだなめし皮のひもが何度もすり切れるほどだったというのである。

また、ひもが切れて簡がばらばらになり順序が乱れてしまうことを「錯簡」、簡が編んであるひもからすりぬけて落ちてしまうことを「脱簡」というが、乱丁や落丁の意のこれらの言葉や、今日、第一篇・第二篇などと文章を数えるのに用いる「篇」、また一冊・二冊などと本を数える「冊」（ひもで編んだ札の形にかたどる象形文字）など、いずれもこの簡策から発したものである。

帛書 戦国時代には絹布にかいた〈帛書〉が出現した。簡策は重い上に非常にかさ張り、取り扱いに不便であった。そこで、軽くてかさ張らず、持ち運びにも便利で、自由に思い通りの大きさに用いることができ、折り曲げて畳んだり、巻いておくこともできる、すぐれた書写の材料として絹布が用いられるようになったのである。

絹布に書写された帛書は、折り畳んでおくほかに、通常は芯にした軸に巻いて、巻きもののかたち（巻子本・巻子）にしておいた。そのひと巻きを一巻といい、簡策を一篇・二篇と数えたのに対して、「巻」を用いてかぞえた。

紙の発明 帛書が使用されたのは、戦国時代から三国時代にかけての間であるが、絹布は大変に高価なものであり、生産量も少なく、一般には手の届くものではなかった。そこで、帛のもつ長所をすべて備えた上に、容易に得られる原料から大量に生産できるものとして紙が発明された。

後漢の和帝の元興元年（一〇五）に蔡倫が、麻や樹木の皮などの植物繊維にぼろぎれなどを混ぜて紙を製造する方法を発明したといわれる。しかし、近年の発掘によれば、紙が発明されたのはすでに前漢の時代であり、それに蔡倫が一層の改良を加えたということであろう。

その後、桑や楮、あるいは檀などの樹皮からも上質な紙がつくられるようになり、宋代以後には竹を原料にして紙をつくる方法が考案され、更にこれに稲藁を混ぜて紙を製造するようにもなっていった。

巻子本 紙による最も古い書籍の装訂としては、帛書の形式を踏襲した〈巻子本〉がみられる。料紙を長く何枚か糊で張って継ぎ合わせ、その末端に付けた一本の細い棒を芯にして、左から右へ巻き込み、巻首の部分に表紙（褾）をつけて、一巻きにしたものである。唐代の書籍の代表的な装訂であるが、宋代に入っても行われた。

帖装本 巻子本を巻かないで、始めの方から一定の幅に折り畳み、前後に表紙をつけた形式のものを〈帖装本〉という。これは、巻子本の不便さを解消するために考え出されたものである。仏教の経典や、拓本の装訂によくみられるもので、俗に〈折本〉といわれる。

旋風葉 帖装本の前表紙と後表紙との背の部分を一枚に続けてつなげるか、前表紙と後表紙はそのままにしてその背の部分に別の紙や布を使って前後の表紙をつなげたものを〈旋風葉〉という。表紙以外は糊づけされていないので、開いたところに風が当たると、本紙が吹き上げられることから、この名がある。

冊子本 隋・唐の時代は、写本による巻子本が盛行したが、唐代も後期になるとすでに印刷術が発明されていたので、書籍の装訂は巻

た国。初め洛陽に都し、後、長安に遷都。四代五十二年(二六五—三一六)で前趙に滅ぼされた。西晋(前晋)という。㋑司馬懿の曽孫、司馬睿が、西晋を継いで建てた国。都は建業(今の南京)。十一代百四年(三一七—四二〇)で宋に譲った。東晋(後晋)という。㋒五代の時、石敬瑭が後唐を滅ぼして建国。初め洛陽に都し、後に汴(開封)に遷都。二代十一年(九三六—九四六)で契丹に滅ぼされた。普通、後晋と呼ばれている。❺易の六十四卦の一つ。☲☷坤下離上。地上に明るさの出る象。

名前　あき・くに・しん・すすむ・つき・ゆき

注意　晋は、『康熙字典』では、日部に所属する。

解字　甲骨文　篆文　象形。二本の矢を下向きにして、入れ物にさしこむ形をかたどり、はさむの意味を表したが、音形上、進に通じ、すすむの意味を表す。

【晋謁(謁)】シンエツ　お会いする。まみえる。謁見する。拝顔。

【晋書】シンジョ　書名。百三十巻。唐の太宗の勅命により、房玄齢らが編集した西晋・東晋の歴史書。二十四史の一つ。

【晋文公】シンのブンコウ　春秋時代の晋の文公(在位、前六三六—前六二八)。春秋五覇の一人。名は重耳。(?—前六二八)

6【晟】10画 4754 人　漢セイ 呉ジョウ(ジャウ) 敬 庚 shèng, chēng　5880 9DEE —

7【晟】11画 4755

【晠】4772 同字

筆順　丨 冂 日 旦 早 昇 昗 晟 晟

字義　❶あきらか。日光がみちみちる。❷さかん。

名前　あき・あきら・せい・てる・まさ

注意　晟は、『康熙字典』では、日部に所属する。

解字　篆文　形声。日＋成音。音符の成は、盛に通じさかんの意味。日の光がさかん、あきらかの意味を表す。

6【曺】10画 4756　ソウ　曹(4775)と同字。→六七二ページ中。　8544 EDC2 3477

6【晁】10画 4757　漢チョウ(テウ) 呉ジョウ(デウ) 蕭 ①cháo, ②zhāo　5874 9DE8 —

字義　❶姓。❷あさ。＝朝(5069)・鼂(14499)。

注意　『康熙字典』では、日部に所属する。

解字　形声。日＋兆音。

【晁卿衡】チョウケイコウ　阿倍仲麻呂の唐名。仲麻呂は唐で、姓名を晁衡(朝衡)と改めた。▼卿は、身分ある人の尊称。→阿倍仲麻呂(一五〇八ページ上)。

子本や帖装本・旋風葉などから、一枚一枚の紙をわざわざつなぎ合わせることなく、そのまま装訂する冊子の形態が工夫された。この冊子本の形式が成立するには、整版印刷術が大きな影響を与えている。

蝴蝶装　冊子本の最初の形態は〈蝴蝶装〉である。書写面あるいは印刷面を、その版心の中縫で字面を中心に内側に二つに折り、これを重ねて、その折り目の外側のところに糊をつけて外側からくるんで表紙の内側に張りつけたものである。

蝴蝶装は、五代のころから始まり、宋代に盛行し、元代になり次第に包背装にとってかわられることになった。

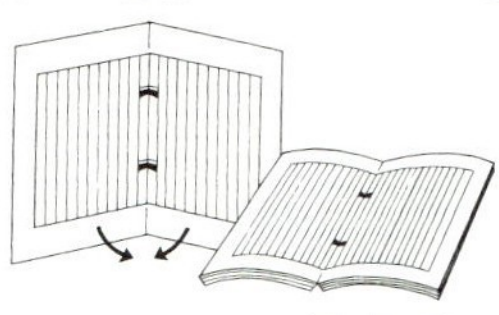
〔蝴蝶装〕

包背装　対に、書写面あるいは印刷面を外にして二つに折り、これを重ねて、折り目と反対側を糊づけして、一枚の表紙で包みこんだものである。包背装は、元代から明代の半ばにかけての代表的な装訂で、明代の中央官庁の出版物や『永楽大典』、また清代の『四庫全書』など、明・清時代の宮中での写本の類に多く用いられた。

線装本　線装は包背装をもとにして発達したもので、包背装の形で重ねられた本文用紙の上下や書背の部分を切りそろえ、前と後ろに別々に表紙をつけて、その背に近い部分に通常四箇所穴をあけ、その綴じ穴に糸を通して綴ったもので、漢籍の装訂のうち最も普通に行われているものである。この四つ目綴じは、明朝綴じともいい、明代中ごろ以降行われ、清代に盛行し、現在までずっと行われている。なお、朝鮮本は本の形が大きいので、五つの綴じ穴をあけて綴じ糸も太いものを用いてある。更に康熙綴じといって、明朝綴じの四つ穴の他に、右上と右下の角の近くにもう一つの綴じ穴を作って、角のまくれを防ぐように綴じたものがあり、清朝の康熙年間に流行したところからこの名がある。

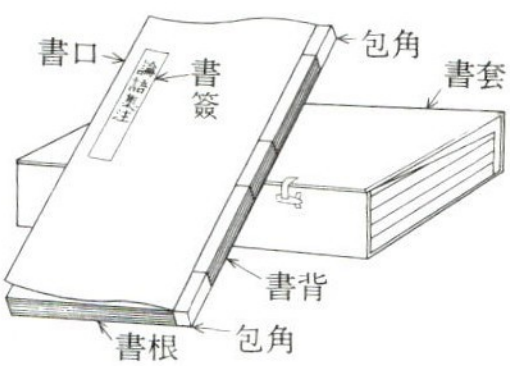

〔線装本〕

次に線装本の一葉（二つ折りにして袋とじにした二頁分を開いたもの）の各部の名称を図示する。

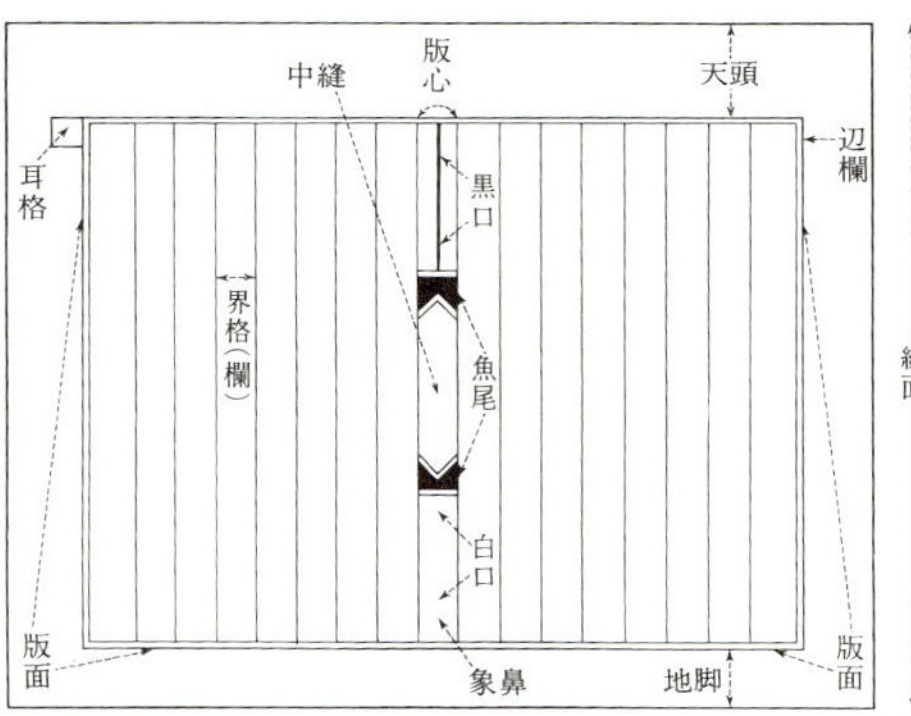

【晁錯】チョウソ ＝鼂錯（二六四九ページ下）。
【晁補之】チョウホシ 北宋末の詩文家。字（あざな）は无咎（ムキュウ）。東晋（トウシン）の陶潜を慕い、陶潜の「帰去来辞」に基づいて、帰来子と号した。（一〇五三―一一一〇）

6【朓】10画 4758 チョウ（テウ） 篠 tiǎo — — 3417
字義 明らか。
注意 『康熙字典』では、日部に所属する。
解字 形声。日＋兆㊥。

7【晦】11画 4759 人 標 カイ（クワイ） 隊 huì 1902 8A41 —
筆順 丨 ｎ 日 日' 日ᐟ 昕 晦 晦 晦
［晦］4736 俗字
字義 ❶みそか。つごもり。陰暦で、各月の最終日。月の出ないやみ夜。❷くらい（暗）。㋐光がなくてくらい。㋑おろか（愚）。㋒かすか（微）。❸やみ（闇）。また、夜。❹くらむ。くらます。ごまかす。「韜晦トウカイ」
注意 『康熙字典』では、日部に所属する。
解字 甲骨文 篆文 形声。日＋毎㊥。音符の毎マイ→カイは、夢に通じ、暗いの意味。日が暗いの意味を表す。
【晦庵】カイアン 南宋（ナンソウ）の儒学者、朱熹（シュキ）の書室の名。福建省建陽県の北西にあった。朱熹は晦翁と号し、人々は、晦菴先生と尊称した。→朱熹（七一七ページ上）。
【晦顕（顯）】カイケン ①くらますことと現すこと。②世に知られないことと知られること。隠顕。
【晦朔】カイサク ①みそかと、ついたち。②朝と晩。
【晦日】カイジツ・みそか・つごもり 月の最終日。
【晦渋（澁）】カイジュウ 文章や言葉がむずかしくて意味がわかりにくいこと。
【晦跡】カイセキ あとをくらます。世間から身をかくす。
【晦蔵（藏）】カイゾウ くらましかくす。また、ひそみかくれる。
【晦匿】カイトク くらましかくす。自分の才知などをかくして現さないこと。愚かなふりをすること。
【晦明】カイメイ ①暗いことと明るいこと。②夜と昼。
【晦冥・晦瞑】カイメイ くらやみ。まっくら。用例［史記、高祖本紀］雷電晦冥（ライデンカイメイして）。↓雷といなずまが起こり真っ暗になった。
【晦蒙】カイモウ 暗くて見えない。また、世の中が乱れてくらやみとなる。

7【晥】11画 4760 ㊀漢カン（クワン） 呉ゲン 潸 wǎn ㊁漢カン（クワン） 呉ガン（グワン） 旱 huǎn 1 8530 EDB9 —
字義 ㊀県名。今の安徽（アンキ）省潜山県の北。㊁❶あきらか。❷金星。
注意 『康熙字典』では、日部に所属する。
解字 形声。日＋完㊥。

7【晗】11画 4761 漢カン 呉ゴン 覃 hán 2 1394 EDBA 3424
字義 夜が明けかかる。
注意 『康熙字典』では、日部に所属する。
解字 形声。日＋含㊥。

7【晘】11画 4762 漢カン 呉ゲン 翰 hàn — — 3425
字義 ❶日の出るさま。❷旱（4660）の俗字。
注意 『康熙字典』では、日部に所属する。
解字 形声。日＋旱㊥。

7【晞】11画 4763 漢キ 呉ケ 微 xī 5875 9DE9 —
字義 ❶かわく（乾）。かわかす。❷さらす（暴）。日にさらす。❸あける（明）。朝日の光が初めてさし出る。また、日の出。
注意 『康熙字典』では、日部に所属する。
解字 篆文 形声。日＋希㊥。音符の希は、まばらの意味。穀類や髪などを、すきまをとって日にさらし、かわかすの意味を表す。

7【勗】11画 (1047) キョク 力部。→一九六ページ下。

7【晛】11画 4764 ㊀漢ケン 呉ゲン 銑 xiàn ㊁漢デン・呉ネン 霰 xiàn 2 1401 — 3427
字義 ㊀❶日が現れる。❷日光。❸日の出の美しいさま。❹明らか。㊁＝㊀❷。
注意 『康熙字典』では、日部に所属する。
解字 形声。日＋見㊥。

7【晤】11画 4765 ゴ 遇 wù 5877 9DEB —
字義 ❶あきらか（明）。かしこい。「英晤」❷あう（会）。面会する。「面晤」❸うちとける。❹さめる。目ざめる。＝寤（2692）。
注意 『康熙字典』では、日部に所属する。
解字 篆文 形声。日＋吾㊥。音符の吾ゴは、交互になるの意味。夜にかわって日が明けるの意味を表す。
【晤言】ゴゲン ①対話する。〔詩経、陳風、東門之池〕②めざめていう。また、はっきりという。〔三国魏、阮籍、詠懐詩〕

7【晧】11画 4766 漢コウ（カウ） 呉ゴウ（ガウ） 晧 hào 5878 9DEC —
字義 ❶日の出のさま。❷しろい（白）。＝皓（7882）。❸ひかる。ひかり。❹あきらか（明）。
注意 『康熙字典』では、日部に所属する。
解字 篆文 形声。日＋告㊥。音符の告は、好に通じ、このましいの意味。このましい日の光の意味を表す。

7【晜】11画 4767 コン 元 kūn — — 3428
字義 ❶兄。＝昆（4684）。❷のち。あと。子孫。
注意 『康熙字典』では、日部に所属する。
解字 会意。篆文は、弟＋眔。昆に通じ、兄の意味を表す。一説に、弟＋昆省㊥の形声文字。

7【晙】11画 4768 シュン 震 jùn 1 8527 EDBB 3426
字義 ❶あきらか。❷はやい（早）。❸うやまう。
注意 『康熙字典』では、日部に所属する。
解字 形声。日＋夋㊥。

7【𣅈】11画 4769 ショウ 春（9693）の俗字。→一二八三ページ上。 2 1393 — —

7【昪】11画 4770 ショウ 昇（4688）の俗字。→六五三ページ上。 1 8523 ED4A 3431

7【晨】11画 4771 人 漢シン 呉ジン 真 chén 5879 9DED —
筆順 丶 ㇑ 日 旦 早 㫖 晨 晨 晨
［曟］4893 同字
字義 ❶あした。あさ。夜明け。用例〔人虎伝〕乗レ伝至二商於界一（デンにのりてショウオのさかいにいたり）、晨将レ去（あしたにまさにさらんとす）。↓駅継ぎの馬車に乗って、商於の地の境域までやって来て、早朝に出立しようとした。❷あしたする。時を告げる。鶏が夜明けを告げて鳴く。用例〔書経、牧誓〕牝鶏之晨、惟家之索（ヒンケイのあしたするは、これいえのつくるなり）。↓（本来、朝の時を告げない）めんどりが夜明けを告げるということは、これはその家の運が尽きてしまうことをいう。❸星の名。二十八宿の一つ。房星。
名前 あき・しん・とき・とよ
注意 『康熙字典』では、日部に所属する。

のぼろうとするころ、あさの意味を表す。

解字 篆文 別体  **形声**。日＋辰㊌。音符の辰は、あかいくちびるの意味。朝やけの中を日がのぼろうとするころ、あさの意味を表す。

【晨△昬・晨△暉】あさを告げる鶏。

【晨鶏(鷄)】あさを告げる鶏。

【晨光】①朝日の光。晨暉。②太陽の光。用例〔東晋、陶潜、帰去来辞〕問二征夫一以二前路一、恨二晨光之熹微一。↓旅人に故郷までの道のりをたずね、(まだかなり道ののりを残すというのに夕暮れになって)日の光がかすかになったのをうらめしく思う。③あきらかな光。

【晨△昏】あさばん。朝夕。旦暮。

【晨△餐】あさめし。朝食。

【晨鐘】仏寺でならすあさの鐘。

【晨炊】あさ早く炊事をする。また、朝の食事。朝ごはん。用例〔唐、杜甫、石壕吏詩〕急応二河陽役一、猶得レ備二晨炊一。↓すぐに河陽の労役にはせ参じましたならば、私のようなものでも朝御飯の用意ぐらいはできましょう。

【晨星】①明け方の星。②夜明けの星がまばらなことから、物の少ないことのたとえ。

【晨星落落】①明け方の空に星のまばらなこと。②友人などが死ぬなどして、少なくなったこと。

【晨省】早朝に父母のご機嫌を伺うこと。↕昏定(六五四ジー下)。

【晨旦】あさ。早朝。

【晨門】あさ早く城門を開くことを仕事とする人。門番。

【晨夜】①あさと夜。②あさ早くから夜おそくまで。

7 【晟】11画 (4755) セイ 晟(4754)の旧字体。→六六九ジー上。 ― ― 3429

7 【晠】11画 4772 セイ 晟(4754)と同字。→六六九ジー上。 ― ―

注意 『康熙字典』では、日部に所属する。

7 【晢】11画 4773 ㊀㊄セツ・㊇セチ 屑 zhé ㊁セイ 霽 zhì 5881 9DEF ―

〔晣〕4774 同字

字義 ㊀あきらか(明)。あかるい。㋐日の光があかるい。㋑かしこい。㊁晢晢は、星の光るさま。

注意 『康熙字典』では、日部に所属する。

参考 〔晰〕(4808)・〔皙〕(4807)は別字。

解字 篆文 **形声**。日＋折(斵)㊌。音符の斵は、物と物がよく分離するの意味。日は、日の光があきらかの意味。あきらかの意味を表す。

7 【晣】11画 4774 セツ 晢(4773)と同字。→六七一ジー上。 21402 ― ―

注意 『康熙字典』では、日部に所属する。

7 【曹】11画 4775 常 ソウ ㊄ソウ(サウ)・㊇ゾウ(ザウ) 豪 cáo 3366 9182 ―

〔䡟〕4896 本字 〔曺〕4756 同字

筆順 一 ㄏ 冂 冊 冊 曲 曲 曹 曹 曹 曹

字義 ❶つかさ。㋐裁判官。「法曹」㋑役人。属官。㋒役所の部局。役所。❷ともがら。㋐なかま。㋑たぐい(類)。㋒複数を表す語。「児曹(子供たち)」❸むれ(群)。また、おおい(衆)。❹へや(室)。つぼね(局)。❺国の名。周の武王の弟、叔振鐸が封ぜられた小国。春秋時代の中ごろ、宋に滅ぼされた。

名前 とも・のぶ・よし 難読 曹達ソーダ

注意 『康熙字典』では、曰部に所属する。

解字 甲骨文 金文  篆文 **会意**。甲骨文は、𣗥＋口、金文・篆文は、𣗥＋曰。東は木を中心にしてくくった袋の象形。𣗥は、裁判で原告と被告とがそれぞれ誓いを示す矢などの入った袋を持って向きあうさまを表す。曰は、口の象形。獄事をつかさどる裁判官、つかさの意味を表し、たがいに向きあうともがらの意味をも表す。常用漢字の曹は省略形。曹を音符に含む形声文字に、槽・漕・遭などがある。

逆 我曹・市曹・児曹・若曹・兵曹・法曹

【曹局】①役所の部局。②役所の事務室。

【曹参(參)】秦末漢初の政治家。沛(今の江蘇省内)の人。もと秦の臣。蕭何と共に漢の高祖の天下統一を助け、蕭何の死後、宰相となってその政策を受け継ぎ、よく天下を治めた。(?―前一九〇)

【曹司】㊀①役所。②下役人。㊁ソウ・ゾウシ 国①昔、宮中の官人・女官などの詰め所。②大学寮の教場。③貴族の、部屋住みの子。まだ独立の生計を営まない、貴族の子。曹子。御曹子。④長男。御曹子。⑤へや。室。

【曹松】晩唐の詩人。字は夢徴。舒州(今の安徽省内)の人。(八三〇?―九〇一)

【曹雪△芹】＝曹霑。

【曹操】後漢末の政治家・詩人。三国時代、魏の武帝。沛国譙(今の安徽省内)の人。字は孟徳。幼名は瞞。知略にすぐれ詩に巧みで、後漢の献帝の時、丞相となり、魏王に封ぜられた。その子、曹丕が後漢を倒して天子となり、武帝と追尊した。(一五五―二二〇)

【曹大家】＝班昭(六四八ジー中)。

【曹植】三国の魏の詩人。曹操(武帝)の第三子。曹丕(文帝)の弟。字は子建。陳思王に封ぜられた。詩文に巧みで『曹子建集』(十巻)が残っているが、生前は曹丕に憎まれて悲運の生涯を送った。(一九二―二三二)

【曹△霑】清の小説家。字は夢阮、号は雪芹。長編小説『紅楼夢』の作者といわれる。(一七二四―一七六三?)

【曹洞宗】仏禅宗の一派。中国で禅宗の六祖慧能が曹渓で法を伝え、その法孫良介が洞山で道をひろめたので、曹洞宗と名づけたという。日本の道元禅師が宋に渡り如浄禅師から伝えられて、日本にひろめた。

【曹△丕】三国時代、魏の初代の帝。文帝。政治家で詩人。曹操の長男。字は子桓。父のあとを継いで魏の王となり、後漢の献帝から帝位を譲り受け、在位七年で没した。詩に巧みで、文学を好み、その意義を主張して『典論』を著した。(一八七―二二六)

【曹△瞞】＝曹操。▼瞞は、その幼名。

【曹△毋傷・曹無傷】漢の人。沛公(高祖)の左司馬であったが、裏切って項羽に部下を遣わし、沛公が関中の王となろうとしていると知らせた人物。その後、鴻門での会見から戻った沛公に誅殺された。

【曹△孟徳】＝曹操。

7 【曽】11画 4776 常 ソウ・ゾ ㊀ソウ 蒸 zēng 3330 915D ―

8 〔曾〕12画 4777 人 ㊁㊄ソウ・㊇ゾウ 蒸 céng 慣ソ・ゾ 3329 915C ―

筆順 丶 ソ 丷 屰 屰 㫖 曽 曽 曽 曽

字義 ㊀助すなわち。⇩助字・句法解説。❶かさなる(層)。かさねる。❷ます(増)。ふえる。❸あがる(挙)。あげる。❹ますます。❺親族関係をいう称。直系の三親等。「曽孫」㊁かつて。⇩助字・句法解説。

助字・句法解説

❶すなわち。㋐訳なんとまあ。いったいぜんたい。類乃。句頭などに置かれ、意外の意味を表す。語調をゆるやかにする働きをする。用例〔孟子、公孫丑上〕爾何曽比二予於管仲一

(すなわ(は)ちヨをカンチュウにヒするか)。↓おまえは何だって私を管仲に比較しようとするのか。

㋑**強調**。訳 決して(…しない)。「不」などの否定詞の前に置き、否定の語気を強める。用例〔列子、湯問〕以二君之力一(きみのちからをもってしては)、曽不レ能レ損二魁父之丘一(すなわ(は)ちカイフのおか(を)をソンするあたわ(は)ず)。↓あなたの力では、あの魁父の丘でさえ平らにすることなどできません。

❷**かつて**。訳 以前に。これまでに。類 嘗。用例〔史記、孟嘗君伝〕孟嘗君曽待レ客夜食(モウショウクンかつてカクをタイしてヤショクす)。↓孟嘗君は、かつて食客をもてなして夜食をふるまったことがある。

名前 かつ・そう・つね・なり・ます　難読 曽孫(ひこ・ひまご)・曽波神(そばのかみ)

注意 『康熙(コウキ)字典』では、曰部に所属する。

解字 金文  篆文  **象形**。蒸気を発するための器具の上に、重ねたこしきから蒸気が発散している形にかたどり、かさねるの意味を表す。借りて、すなわち・かつての意味をも表す。

【曽雲】(ソウウン) 高い雲。かさなった雲。層雲。

【曽益】(ゾウエキ) 増しふやす。また、ふえる。増加。増益。

【曽△鞏】(ソウキョウ) 北宋(ホクソウ)の文学者・政治家。字(あざな)は子固。号は南豊。唐宋八大家の一人。(一〇一九—一〇八三)

【曽経(經)】(かつて) 以前に。これまでに。これまでずっと。▼経も、かつての意。用例〔唐、李白、把レ酒問レ月詩〕今人不レ見古時月(いまのひとはみず、コジのつき)、今月曽経照二古人一(いまのつきはかつて。コジンをてらせり)。↓今の我々は昔の月を見ることはできないが、今の月は以前は古人を照らしたことがあるのだ。

【曽国(國)藩】(ソウコクハン) 清(シン)末の政治家。字(あざな)は滌生(デキセイ)。諡(おくりな)は文正。学問・文章にもすぐれ、太平天国(長髪賊)の乱を平定した。著に『曽文正公全集』がある。(一八一一—一八七二)

【曽子】(ソウシ) =曽参(ソウシン)。▼子は、尊称。

【曽臣】(ソウシン) 末席の臣。身分の低い臣。諸侯が天子に対する謙遜(ケンソン)の言葉。

【曽参(參)】(ソウシン) 春秋時代の学者。魯(ロ)(今の山東省内)の人。孔子の弟子。字(あざな)は子輿(シヨ)。孔子の教えを伝えるのに最も功のあった一人。特に親孝行で有名。『孝経』の著者といわれる。(前五〇五—前四三六?)

【曽△晳】(ソウセキ) 春秋時代の魯(ロ)の南武城の人。名は点、字(あざな)は晳。孔子の弟子。

【曽先△之】(ソウセンシ) 宋(ソウ)末元初の歴史家。字(あざな)は孟参、一説に従野。咸淳元年(一二六五)の進士。元になってからは仕官せず、隠棲(インセイ)して九十二歳で死んだ。著に『十八史略』がある。

【曽祖】(ソウソ) 祖父の父。曽祖父。

【曽孫】(ソウソン) ①孫の子。ひまご。②子孫。

【曽伯祖】(ソウハクソ) 曽祖父の兄。一説に、曽祖父の族兄(同族の等輩中の年長者)。

【曽遊】(ソウユウ) かつての旅行。また、以前に行ったことがある。「曽遊の地」

7【晝】11画 (4721) **チュウ** 昼(4720)の旧字体。→六六三ページ下。

7【昪】11画 4778 **テイ** 鼎(14509)と同字。→一六五〇ページ中。 8526 — —

7【勉】11画 4779 **バン** 晩(4813)と同字。→六七五ページ下。
注意 『康熙字典』では、日部に所属する。

7【晩】11画 (4814) **バン** 晩(4813)の旧字体。→六七五ページ下。

7【晡】11画 4780 漢**ホ** 呉フ 虞 bū 8529 — 3430
字義 ❶申(さる)の刻。今の午後四時ごろ。❷日ぐれ。夕方。
注意 『康熙字典』では、日部に所属する。
解字 **形声**。日+甫音。

7【昴】11画 4781 **ボウ** 昴(4730)の本字。→六六四ページ中。
注意 『康熙字典』では、日部に所属する。

7【曼】11画 4782 標 漢バン 呉**マン** 願 màn 5056 99D6 —
［曼］4783 本字 ［曼］4834 俗字
字義 ❶ひく。ひっぱる。長くひっぱる。❷ながい。❸ひろい。かぎりがない。❹うつくしい。つやがある。きめが細かい。❺たくみな。口先のたくみな。❻ない(無)。
注意 『康熙字典』では、曰部に所属する。
解字 金文  篆文  **会意**。日(冃)+目+又。冃は帽子の象形。金文には帽子をかぶり、目の上下に手をあてて目を切れ長に見せるような化粧のさまにかたどるものがある。おしゃれをして、美しい・つやつやしいの意味を表す。また、擬態語として、とおい、ながいの意味をも表す。曼(曼)を音符に含む形声文字に、嫚(マン)・墁(マン)・幔(マン)・慢・漫・縵(マン)・蔓(マン)・謾(マン)・鏝(マン)・饅(マン)・鰻(マン)などがある。

【曼△衍】(マンエン) ①はてがない。無限。②つらなり続く。③広がる。また、広がり満ちている。

【曼谷】(バンコック) Bangkok の音訳。タイの首都。盤谷とも書く。

【曼辞(辭)】(マンジ) 美しくかざった(たくみな)ことば。

【曼珠沙華】(マンジュシャゲ) ①仏花の名。梵語(ボンゴ) mañjūṣaka の音訳。天上に咲くという白い花。②国彼岸花(ヒガンばな)の別名。

【曼△陀羅・曼△荼羅】(マンダラ) 仏梵語(ボンゴ) maṇḍala の音訳。諸仏の悟りの境地を描いた絵図。

【曼△陀羅華】(マンダラゲ) ①仏花の名。梵語(ボンゴ) māndārava の音訳。天上に咲き、見る者の心を喜ばせるという。②国毒草の名。朝鮮朝顔の別名。

【曼曼】(マンマン) ①非常に長い(また、遠い)さま。②非常に広いさま。

7【曼】11画 4783 **マン** 曼(4782)の本字。→六七二ページ中。

8【晻】12画 4784 一**アン** 二エン 勘 àn 琰 yǎn 21409 — 3442
字義 一**くらい**(くらし)。=暗(4820)・闇(13010)。二❶おおう。さえぎる。=奄(2260)。❷雲霧がたちこめる。❸→晻晻
注意 『康熙字典』では、日部に所属する。
解字 篆文  **形声**。日+奄音。音符の奄(エン)は、おおうの意味。日をおおう雲があって、くらいの意味を表す。

【晻△靄】(アンアイ) 樹木が茂って暗いさま。

【晻晻】 一(エンエン) 日の光がうすらいでゆくさま。二(アンアン) 暗いさま。

【晻昧】(アンマイ) ①暗いこと。やみ。②おろか。愚昧。

8【暎】12画 4785 **エイ** 映(4701)の俗字。→六五八ページ下。 5885 9DF3 —
注意 『康熙字典』では、日部に所属する。

8【暘】12画 4786 漢**エキ** 呉ヤク 陌 yì — — 3441
字義 かげる。太陽が雲に隠れたり、現れたりすること。
注意 『康熙字典』では、日部に所属する。
解字 **形声**。日+易音。音符の易は、変化するの意味。

8【晼】12画 4787 漢**エン**(ヱン) 呉オン(ヲン) 阮 wǎn — — 3444
字義 晼晩(エンバン)は、㋐日が傾く形容。日がくれようとすること。㋑人が老年にさしかかろうとする形容。
注意 『康熙字典』では、日部に所属する。
解字 **形声**。日+宛音。音符の宛(エン)は、かがむの意味。日がかがむ、暮れるの意味を表す。

8 【暀】12画 4788 ―オウ(ワウ) 養 漾 wǎng 21410 ― 3443

字義 ―❶輝き美しい。❷徳。 ―コウ(クワウ) 漾 ―❶日の光。❷明らか。

注意 『康熙字典』では、日部に所属する。

解字 形声。日＋往㊥。

8 【會】12画 4789 カイ 会(209)の俗字。→六四ページ上。

8 【晷】12画 4790 キ 紙 guǐ 18532 ― ―

【晷】4791 同字

字義 ❶ひかげ。㋐日の光。㋑日光によって生ずる物のかげ。❷太陽の運行をはかるために立てた柱のかげ。日時計のかげ。また、その柱。❸ひかり。月の光。また、星の光。

注意 『康熙字典』では、日部に所属する。

解字 篆文 形声。日＋咎㊥。音符の咎は、人のいる所までいたるの意味。日の光によって生ずる物のかげが地上にいたるさまから、ひかげ・柱かげの意味を表す。

【晷景】(キエイ) ひかげ。日影。→字義❶。

【晷刻】(キコク) とき。時間。

【晷度】(キド) 太陽の運行。また、太陽の動く度合い。

【晷漏】(キロウ) ①日時計と水時計。②時刻。

8 【晷】12画 4791 キ 晷(4790)と同字。→六七三ページ上。 ― ― 3439

8 【暁】12画 4792 常 ギョウ あかつき 2239 8BC5 ―

12 【曉】16画 4793 人 キョウ(ケウ) 篠 xiǎo 慣ギョウ(ゲウ) 5892 9DFA ―

筆順 冂 日 日一 日十 日土 日垚 日垚 暁 暁

字義 ❶あかつき。夜明け。明け方。用例〔唐、孟浩然、春暁詩〕春眠不レ覚レ暁、処処聞二啼鳥一↓春の眠りは気怠くて、夜が明けたのに気づかずにいると、いつの間にかあちらからもこちらからも小鳥の鳴く声が聞こえてくる。❷さと-る。知る。よくわかる。さとい。「通暁」❸あきらか。「分暁」❹さと-す。教え知らせる。用例〔列子、天瑞〕往暁レ之曰、天積気耳。↓その人のところへ行って、「大空というのは空気の積み重なりだよ」と教えた。❺つげる(告)。のべる(述)。もうす(申)。

名前 あかつき・あき・あきら・あけ・かつ・さとし・さとる・とき・とし

難読 暁暇あかつか・暁霞あかつき

注意 暁は、『康熙字典』では、日部に所属する。

解字 篆文 形声。日＋尭(堯)㊥。音符の堯は、高いの意味。日が高くのぼるころ、あかつきの意味を表す。

逆解 暁・今暁・春暁・早暁・通暁・払暁・分暁

【暁鴉・暁鴉】(ギョウア) あけがらす。

【暁韻】(ギョウイン) 夜明けごろの物音。雨の音など。

【暁霞】(ギョウカ) ①あさやけ。夜明けの空が赤やだいだい色に染っていること。②あかつきのもや・かすみ。

【暁角】(ギョウカク) あかつきに鳴っている角笛。また、その音。

【暁示】(ギョウシ) さとしめす。

【暁習】(ギョウシュウ) よくわかり慣れる。熟練する。

【暁粧・暁妝】(ギョウショウ) 朝化粧。

【暁鐘】(ギョウショウ) 夜明けを告げる鐘の音。

【暁色】(ギョウショク) 夜明けの景色。

【暁吹】(ギョウスイ) ①あかつきの風。②あかつきに響く角笛の音。

【暁星】(ギョウセイ) あかつきの空の星。少なくまばらなたとえ。

【暁然】(ギョウゼン) 明らかなさま。よくわかるさま。

【暁達】(ギョウタツ) 物事や道理に精通していること。

【暁暢】(ギョウチョウ) 明らかに通ずる。物事や道理をよく知っていること。通達。

【暁天】(ギョウテン) 明け方のそら。

【暁暾】(ギョウトン) 朝日の光。また、朝日。旭日。

【暁魄】(ギョウハク) 明け方の月。また、その光。

【暁梵】(ギョウボン) 仏夜明け方の読経の声。

【暁諭】(ギョウユ) さとす。暁喩。

8 【景】12画 4794 教 4 ケイ 熟字訓 景色けしき 2342 8C69 ―

―漢ケイ・呉キョウ(キャウ) 梗 jǐng ―漢エイ・呉ヨウ(ヤウ) 梗 yǐng

筆順 丶 冂 日 日 旦 早 昌 畧 景

字義 ―❶ひかり。ひざし。日光。用例〔東晋、陶潜、帰去来辞〕景翳翳以将レ入、撫二孤松一而盤桓。↓夕日の光はほの暗くなってゆき、いまにも沈もうとしている。私は一本松をなでながら、立ち去りかねて留まっている。❷あきらか(明)。❸けしき。ながめ。「勝景」❹ありさま。様子。おもむき。風情。❺あおぐ(仰)。したう(慕)。❻めでたい。＝慶(3589)。❼おおきい。堂々としている。❽おだやか。―かげ。光により生ずるかげ。＝影(3387)。国ケイ。風情をそえる意から、売り物にそえて客に贈る物。「景品」

名前 あきら・かげ・けい・ひかり・ひろ

注意 『康熙字典』では、日部に所属する。

解字 篆文 形声。日＋京㊥。音符の京は、高い丘の意味。高い丘での高まる日ざし、ひかり・けしきの意味を表す。

逆解 陰景・煙景・佳景・光景・好景・勝景・情景・叙景・夕景・絶景・点景・日景・背景・晩景・美景・風景・返景・芳景・暮景・夜景・落景・流景

【景雲】(ケイウン) めでたい雲。太平の世に現れるという。慶雲。

【景観(觀)】(ケイカン) けしき。ながめ。おもむき。

【景気(氣)】(ケイキ) ①光と大気。②けはい・ありさま・様子。③産業界の活動の状態。④国㋐元気。意気。勢いのよいこと。㋑人気。評判。㋒商売上の状況。㋓社会の経済状態。

【景況】(ケイキョウ) ありさま。様子。情況。

【景教】(ケイキョウ) 唐初に中国に伝えられた、ネストリウス派のキリスト教の中国風の呼び名。一名、大秦景教(大秦は東ローマ帝国)。

【景仰】(ケイギョウ・ケイコウ) (徳を)したいあおぐ。〔詩経、小雅、車舝〕

【景光】(ケイコウ) ①めでたい光。恩徳や栄誉のたとえ。②としつき。光陰。

【景行】(ケイコウ) ―①大きい道。②りっぱな徳やおこない。―(ケイコウ)・したいあおぐ。景仰。〔詩経、小雅、車舝〕

【景趣】(ケイシュ) おもむき。ありさま。けしき。風致。

【景従(從)】(ケイジュウ・エイジュウ) 影のようにつき従う。したってつき従う。

【景勝】(ケイショウ) すぐれてよいけしき。

【景象】(ケイショウ) ―①けしき。②ありさま。ようす。―(エイショウ) 影とかたち。

【景色】(ケイショク・ケシキ) 山や川など、自然のながめ。風致。

【景星】(ケイセイ) 大きな星。また、めでたい星。瑞星。

【景致】(ケイチ) おもむき。風致。風趣。また、けしき。

【景徳鎮(鎭)】(ケイトクチン) 江西省北東部にある市。宋代から窯業が盛んに行われ、明・清代には中国最大の陶磁器の産地となった。地名は、北宋の真宗の景徳(一〇〇三—七)の年号にちなんでつけられた。

【景附】(ケイフ) かげが形にそうように、ぴったりとつき従う。したい、なつく。

【景風】(ケイフウ) おだやかな風。

【景福】(ケイフク) 大なる幸い。すばらしい幸福。

【景物】(ケイブツ) ①花鳥風月など、四季おりおりの(趣をそえる)物。②季節に応じた珍しい食物など。③国商店で売品に添えて客に贈る物など。景品。

【景慕】(ケイボ) したう。あおぎしたう。仰慕。

8 **【啓】** 12画 4795 ケイ 㵉 qǐ ｜ — — 3437

字義 晴れる。日中に雨が上がる。

注意 『康熙字典』では、日部に所属する。

解字 **形声**。日＋啓省㊅。音符の啓は、開くの意味。

8 **【最】** 12画 4796 教4 サイ もっと-も 熟字訓 最寄もより サイ 㤅 zuì ｜ 2639 8DC5 —

［最］4797 本字 ［冣］783 俗字 ［㝡］2663 俗字

筆順 最

字義 ❶**もっと-も**。この上なく。一番。第一に。❷一番すぐれているもの。❸かなめ。要所。しめくくり。❹すべて。合計。おおかた。❺あつまる。あつめる。㋐まこと。第一番の。「最寄もより」㋑さらに。また。「最一度」 国**も**。接頭語。

名前 いえ・いろ・かなめ・たか・たかし・まさる・も・ゆたか・よし 難読 最寄もより・最勝海なめ・最上もがみ・最早もはや・最中さなか・もなか

注意 『康熙字典』では、曰部に所属する。

解字 篆文 **会意**。日(冃)＋取。冃は、ずきんの象形。ずきんをつまみあげるさまから、つまむの意味を表す。撮の原字。つまみ出すの意味から転じて、他と区別して特別にとりあげる、とりわけ・もっともの意味を表す。最を音符に含む形声文字に、嘬サイ・撮サツなどがある。

逆 殿最

【最恵(惠)国(國)】サイケイコク 通商(航海)条約を締結している国の間で、関税・船舶の交通・支払条件などで最も有利な取り扱いを受ける国。

【最期】サイゴ 国①最後の時。おわり。②命の終わる時。臨終。③死にざま。また、死。「壮烈な最期をとげる」

【最勝】サイショウ もっともすぐれる。

【最澄】サイチョウ 国平安初期の僧。天台宗の開祖。俗名は三津首みつのおびと。近江おうみ(今の滋賀県)の人。比叡山ひえいざんに根本中堂を建て、延暦二十三年(八〇四)、入唐して天台山に学び、翌年帰朝して天台宗をひろめた。『顕戒論』『守護国界章』などの著書がある。諡おくりなは伝教大師。日本の大師号の始め。(七六七—八二二)

【最敏】サイビン もっともすぐれている。

8 **【冣】** 12画 4797 サイ 最(4796)の本字。→六七四ページ上。

8 **【晬】** 12画 4798 漢サイ 呉スイ 隊 zuì ｜ 21407 — 3434

字義 子どもの一年目の誕生日。

注意 『康熙字典』では、日部に所属する。

解字 **形声**。日＋卒㊅。

8 **【朁】** 12画 4799 ㊀サン 感 cǎn ㊁セン 艶

［朁］4843 俗字 古字。

字義 ㊀かつて。すなわち。㊁僭(596)の古字。

注意 『康熙字典』では、曰部に所属する。

解字 **会意**。もと兂＋兂。兂は、人の頭が後ろ向きになっている形にかたどる。過去を振り向いて言う、かつて・すでにの意味を表す。のち、曰が加わった。

8 **【晭】** 12画 4800 漢シュウ 呉シュ 有 zhōu ｜ 21408 — —

字義 明らか。

注意 『康熙字典』では、日部に所属する。

解字 **形声**。日＋周㊅。

8 **【暑】** 12画 4801 教3 ショ あつ-い ｜ 2975 8F8B —

9 〖暑〗 13画 4802 人 ショ 語 shǔ ｜ 18535 — —

筆順 暑

字義 ❶**あつ-い**。あつし。↔寒(2670)。㋐日光が照りつけてあつい。㋑気温が高い。㋒むしあつい。❷あつさ。「避暑」❸二十四気の一つ。大暑と小暑。小暑(陽暦七月七日ごろ)から大暑の終わり(立秋の前日)までの三十日間。

名前 あつ・なつ

注意 暑は、『康熙字典』では、日部に所属する。

使いわけ **あつい**〔暑・熱・厚〕
〔**暑**〕気温が高い。「寒い」の対。「暑くるしい夜」
〔**熱**〕そのものの温度が高い。「冷たい」の対。「熱いふろ」
〔**厚**〕ぶあつい。また、情がこもっている。「薄い」の対。「厚く御礼申し上げます」
なお、比喩ひゆ的に感情の高まりを表す場合には、〔熱〕を用いる。「熱い二人」

解字 篆文 **形声**。日＋者(者)㊅。音符の者は、しばを集めてもやす形にかたどる。太陽が物を煮るほどに、あついの意味を表す。

逆 炎暑・寒暑・劇暑・向暑・酷暑・残暑・小暑・処暑・大暑・薄暑・避暑

【暑気(氣)】ショキ 夏のあつさ。暑熱。

【暑月】ショゲツ ①あつい月。夏の季節。②陰暦六月。

【暑歳】ショサイ あつい年。ひでりの年。

【暑魃】ショバツ 夏のひでりの神。

【暑伏】ショフク 夏の土用。盛夏。暑月三伏の時。

8 **【晶】** 12画 4803 常 ショウ 漢セイ・呉ショウ(シャウ) 庚 jīng ｜ 3029 8FBB —

筆順 晶

字義 ❶**あき-らか**(明)。明るくきらきら輝く。❷ひかり。❸鉱物の名。水晶。

名前 あき・あきら・しょう・てる・まさ・よし

注意 『康熙字典』では、日部に所属する。

解字 篆文 **象形**。澄みきった星の光のさまにかたどり、ひかり・あきらかの意味を表す。

逆 結晶

8 **【唱】** 12画 4804 ショウ(シャウ) 陽 chāng ｜ — — 3438

字義 人名。

注意 『康熙字典』では、日部に所属する。

解字 **形声**。日＋昌㊅。

8 **【晴】** 12画 4805 教2 セイ は-れる・は-らす ｜ 3218 90B0 —

8 〖晴〗 12画 4806 漢セイ 呉ジョウ(ジャウ) 庚 qíng ｜ — EDBC —

［姓］2229 同字

筆順 晴

字義 ❶**は-れる**。はる。雲が散って青空が現れる。❷**は-れ**。うららかな天気。好天気。↔曇(4875)・雨(13211)。「快晴」❸はれやかな。はればれとした。また、明るい。国❶**は-れ**。↔褻(10855)。㋐表むき。人まえ。㋑はれがましいこと。❷**は-れる**。はる。疑いや心配などがなくなる。❸**は-らす**。悩みやしこりなどをなくす。

名前 きよし・せい・てる・なり・はる・はれ 難読 晴海はるみ

注意 晴は、『康熙字典』では、日部に所属する。

解字 **形声**。日＋青(青)㊅。音符の青は、すみきっているの意味。空が澄みきって日がみえる、はれるの意味を表す。

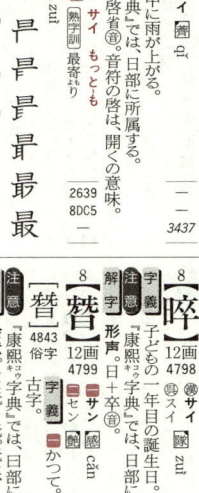

逆 陰晴・快晴

【晴陰】セイイン はれと、くもり。晴雲。

【晴雲】(セイウン) はれた空に浮かぶ雲。はれやかな雲。「晴雲秋月（心の中がけがれなくすみとおるたとえ）」

【晴光】(セイコウ) 明るい日光。また、ゆらぐ水面にきらめく日光。

【晴好雨奇】(セイコウウキ) （山水のけしきが）はれた日にもあめの日にも美しいこと。▼奇は、すぐれている。北宋の蘇軾の「飲湖上初晴後雨詩」に「水光瀲灩晴方好、山色空濛雨亦奇」とあるのに基づく。

【晴耕雨読（讀）】(セイコウウドク) はれた日には外に出て耕作し、あめの日には家で読書する。都会を離れて悠々と暮らす読書人の生活をいう。

【晴川】(セイセン) ①雨あがりの川。②水面がはれわたって遠くまではっきり見える川。用例（唐、崔顥、黄鶴楼詩）晴川歴歴漢陽樹、芳草萋萋鸚鵡洲。⇩晴れた光に照らされた川の水がありありと見え、対岸の漢陽の並木まで手に取るようだ。かなた鸚鵡洲のあたりには、かんばしい春草が盛んに生い茂っている。

【晴天白日】(セイテンハクジツ) ①よくはれた天気。白日は、明るく輝く太陽。同青天白日。②潔白で少しもうしろ暗いところがないこと。

【晴天△霹△靂】(セイテンのヘキレキ) はれた空に突然に鳴りわたる雷。思いがけなく突然に起こった変動などのたとえ。青天霹靂。▼霹靂は、激しく鳴る雷。

【晴嵐】(セイラン) はれた日に立ちのぼる山気。▼嵐は、山や林などにただよっているように見える、かすかに青い大気。

【晴朗】(セイロウ) 空がよくはれ、大気が澄んでいること。

【晴和】(セイワ) 空がはれてのどかなこと。

8 【晳】 12画 4807　セキ　晰（4808）と同字。→六七五ジベー上。　18531 EDBD 3436

注意 『康熙字典』では、日部に所属する。

8 【晰】 12画 4808 標　漢セキ 呉シャク 陌 xī　5882 9DF0 ―

字義 あき-らか（明）。はっきりしているさま。「明晰」

［晢］ 4807同字

注意 『康熙字典』では、日部に所属する。

参考 〔晢〕（4773）・〔晣〕（4774）は別字。

解字 形声。日＋析音。

8 【曾】 12画 （4777）　ソウ　曾（4776）の旧字体。→六七一ジベー下。

8 【替】 12画 4809 常　タイ　か-える・か-わる　漢テイ・呉タイ 霽 tì　熟字訓 為替（かわせ）　3456 91D6 ―

筆順 一 ニ チ 夫 夫夫 夫夫 替 替 替

［朁］ 4871同字

字義 ❶か-える（代）。とりかえる。❷か-わる。「交替」❸すた-れる。おとろえる。滅びる。「興替」❹すてる。やめる。のぞく（除）。

難読 替佐（かえさ）

注意 『康熙字典』では、曰部に所属する。

使いわけ かえる・かわる〔変・代・替・換〕⇩変（2211）。

解字 金文  篆文  会意。扶（竝）＋曰。竝は、立つ二人の象形。金文では、口をあけた二人の象形。曰は、もの言うの意味。二人の役人が大声をあげて引き継ぎをするさまから、かわるの意味を表す。

逆 交替・興替・崇替・隆替・陵替

【替壊（壞）】(タイカイ) おとろえすたれる。

【替△懈】(タイカイ) やめおこたる。

【替人】(タイジン・テイジン) かわりの人。代理人・代人。

【替廃（廢）】(タイハイ) すたれる。廃替。

8 【晫】 12画 4810　タク 覺 zhuō　21406 ― 3433

字義 明らかなさま。

注意 『康熙字典』では、日部に所属する。

8 【智】 12画 4811 人　チ 寘 zhì　3550 9271 ―

解字 形声。日＋卓音。

筆順 ノ ㇒ 矢 矢 矢口 知 知 智 智

字義 ❶ちえ（知）。頭のはたらき。物事を知り分ける能力。知恵。「才智」❷さと-い（さとし）。かしこい。↕愚（3562）。用例（韓非子、説難）其家甚智其子、而疑隣人之父。⇩その家では自分の息子をとても利口だと思い、隣家の主人を疑った。❸ちえのある人。かしこい人。賢人。智者。❹しる（知）。さとる。❺はかりごと。たくらみ。「智謀」 国 国名。智利（チリ）の略。

名前 あきら・さかし・さと・さとし・さとる・じ・ち・とし・とみ・とも・のり・まさる・もと

難読 智頭（ちず）・智利（チリ）

注意 『康熙字典』では、日部に所属する。

参考 現代表記では〔知〕（8114）に書きかえる。「智能→知能」「機智→機知」。熟語は〔知〕をも見よ。

解字 甲骨文 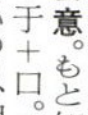 篆文 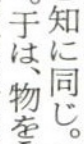 会意。もと知に同じ。甲骨文は、矢＋于＋口。于は、物をえぐるための刀の象形。矢や刀をそえていのり、神意を知るさまから、知るの意味を表す。篆文ではこれに曰を付し、知恵のある発言をする人の意味に用いる。智は省略形。

【智恵（惠）】(チエ・チケイ) すぐれた心のはたらき。知恵。

【智△慧】(チエ・チケイ) 一 物事を分別する心のはたらき。用例（老子、十八）智慧出、有大偽。⇩知恵がある者が出てきてから、ひどいいつわりが行われだした。 二(チエ) ①仏物事を決断したり善悪をえらぶ、心のはたらき。②唐の高僧。北天竺（インド）の人。大乗仏教に通じ、経典をもって中国に渡った。「般若心経」その他の訳がある。

【智者千慮必有一失】(チシャもセンリョにかならずイッシツあり) 心のはたらきのすぐれた者でもたまには失敗することがある。用例（史記、淮陰侯伝）智者千慮、必有一失、愚者千慮、必有一得。⇩すぐれた知恵者でもたまには失敗することもあり、おろかな者でもたまにはよい考えを出すことがある。

【智術】(チジュツ) ①思慮の深いはかりごと。②知恵と手段。

【智△嚢】(チノウ) ちえ袋。知恵のすぐれた人をいう。

【智勇】(チユウ) 知恵と勇気。智謀と武勇。用例（唐、李白、経下邳圯橋懐張子房詩）潜匿遊下邳、豈曰非智勇。⇩（張良は博浪沙での襲撃の後）ここ下邳に身を隠した。なんと知恵と勇気を持った人であったろう。

8 【晪】 12画 4812　テン 銑 tiǎn　21405 ― 3432

字義 明らか。

注意 『康熙字典』では、日部に所属する。

解字 形声。日＋典音。

8 【晩】 12画 4813 教6　バン　4053 94D3 ―

7 【晚】 11画 4814 人　漢バン 呉マン 阮 wǎn　18528 ― ―

筆順 丨 冂 日 日' 日ク 日免 日免 日免 晩 晩

［⿰免日］ 4779同字　［⿰免日］ 4815俗字

字義 ❶く-れ。日ぐれ。夕方。↕朝（5069）・旦（4651）。用例（唐、李商隠、登楽遊原詩）向晩意不適、駆車登古原。⇩夕暮れが近づくにつれて心がはれず、馬車を走らせて歴史の古い楽遊原に登った。❷すえ（末）。㋐おわり。「晩唐」㋑老年。老後。❸く-れる（暮）。日がくれる。用例（文選、古詩十九首、其一）思君令人老、歳月忽已晩。⇩あなたを思うことが私をふけこませ、年月はたちまちに過ぎ去ってゆく。❹おそ-い。㋐夜がふけている。㋑時代・時期が後である。❺おくれる。おそくなる。

名前 かげ・くれ・ばん 難読 晩香坡(バンクーバー)・晩熟(おくて)・晩生内(おそきない)

注意 晩は、『康熙(コウキ)字典』では、日部に所属する。

解字 篆文 形声。日＋免(音)。音符の免は、新生児の生まれ出る形にかたどり、ぬけ出るの意味を表す。日の光がぬけ出てしまってからの時刻、くれの意味を表す。

逆 歳晩・早晩

【晩鴉】バンア 夕方のからす。ゆうがらす。

【晩煙】バンエン ①夕方にかかるもや・かすみ。②夕食を作るかまどのけむり。

【晩学(學)】バンガク ①後進の学者。後学。②年をとってから学問すること。

【晩霞】バンカ ①夕やけ。②国夕方のかすみ。

【晩禾】バンカ おそく成熟するいね。晩稲。

【晩鶯】バンオウ 晩春のうぐいす。

【晩気(氣)】バンキ ①夕ぐれ(また、夜)の気。②晩秋の気。

【晩暉】バンキ 夕日の光。

【晩景】バンケイ 一 ①夕ぐれの景色。②年のくれ。③晩年。二 バンケイ・バンゲイ 国夕方。

【晩歳】バンサイ ①＝晩年。②時期おくれのとりいれ。

【晩餐】バンサン 夕食。

【晩秋】バンシュウ ①秋の末。②陰暦九月の称。

【晩熟】バンジュク おそく(おくれて)成熟する。おくて。

【晩春】バンシュン ①春の末。②陰暦三月の称。

【晩照】バンショウ ＝晩暉(バンキ)。

【晩鐘】バンショウ 夕ぐれを告げる鐘の音。入相(いりあい)の鐘。

【晩翠】バンスイ ①冬枯れの季節の葉の緑。また、その葉。②老年になっても変わらぬ節操のたとえ。

【晩世】バンセイ ①近世。②末世。後世。

【晩生】バンセイ 一 ①おそく生まれる・生ずる。②あとから生まれた人。二 おくて 国穀物・果実・野菜などのおそく成熟するものをいい、転じて、人にもいう。

【晩成】バンセイ おそくできあがる。年とってから大成する。用例 〔老子、四十一〕大方無隅(タイホウはグウなく)、大器晩成(タイキはバンセイす)。↓ 大きな四角は隅がなく、大きな器はできあがるのに時間がかかる。

【晩晴(晴)】バンセイ 夕方、空が晴れ上がっていること。晴れ上がった夕空。夕晴れ。

【晩霽】バンセイ 夕方の雨あがり。

【晩節(節)】バンセツ ①末のころ。末年。②晩年。老年。③晩年の節操。

【晩唐】バントウ ①詩風による唐代の区分の一つ。太和の初年(八二七)から唐末までの八十余年間。⇨ コラム 唐詩(三六八ページ)。②唐代の終わりごろ。

【晩稲(稻)】バントウ・おくて おそく実る稲。

【晩年】バンネン 人の一生の末年。老年。老後。暮年。↔早年(六五二ページ中)。

【晩葉】バンヨウ 晩秋の草木の、色づき枯れかけた葉。

【晩来(來)】バンライ ①日ぐれ方。夕方。▼来は、助字。用例 〔唐、杜甫、喜雨詩〕晩来声不絶(バンライこえ(多)たえず)、応得夜深聞(まさにようふけてきくをうべし)。↓ 夜になっても雨の音は絶えず、きっと深夜まで降り続けてくれるだろう。②夕方から。また、夜ふけから。用例 〔唐、韋応物、滁州西澗詩〕春潮帯雨晩来急(シュンチョウあめをおびてバンライキュウなり)、野渡無人舟自横(ヤトひとなくふねおのずからよこたわる)。↓ 春の川の流れは雨をおびて、夕暮れ時から急になった。野中の渡し場には人かげもなく、舟だけが横たわっている。

【晩涼】バンリョウ 夕方のすずしさ。

8【晚】12画 4815 バン 晩(4813)の俗字。→六五三ページ下。 ₂1404 — —

8【普】12画 4816 常 フ 漢ホ・呉フ 虞 pǔ 4165 9581 —

筆順 丶 丷 䒑 竝 竝 並 普 普

【暜】4846 本字

字義 ❶あまねし。あまねく。広く行きわたっている。❷広い。大きい。❸なみ(並)。普通。❹国国名。普魯西(プロシア)の略。

名前 かた・ひろ・ひろし・ゆき 難読 普代(ふだい)・普魯西(プロシア)

注意 『康熙(コウキ)字典』では、日部に所属する。

解字 篆文 形声。日＋並(竝)(音)。音符の竝は、ならびひろがるの意味。太陽の光が広くゆきわたるの意味を表す。

【普及】フキュウ あまねくとどく。広くおよぶ。

【普賢】フゲン 仏普賢菩薩(フゲンボサツ)の略。あまねく衆生(シュジョウ)を済度する菩薩の名。多くは、白象に乗り、釈迦(シャカ)の右わきに立つ。

【普洽】フコウ 広く行きわたる。

【普請】フシン ①仏あまねく請い受ける。特に、世人に寄付を請うて堂塔を建築すること。②国土木建築工事。

【普茶】フチャ・フサ ①仏黄檗宗(オウバクシュウ)で、法会の終わった後、大衆に茶を供すること。②(黄檗宗の寺で調理した)一種の精進料理。「普茶料理」

【普天】フテン あまねく広い天。広い空。転じて、天下。世間。

【普天之下率土之浜(濱)】フテンのもとソットのヒン 空のおおっている下(した)、大地の果て(まで)のすべての土地。全世界。▼率は循(したがう)で、沿う、はみ出さない、浜は涯(はて)。用例 〔左伝、昭公七〕普天之下(フテンのもと)、莫非王土(オウドにあらざるはなし)、率土之浜(ソットのヒン)、莫非王臣(オウシンにあらざるはなし)。↓ 大空の下には王の領地でない所はなく、大地の果てまで王の家臣でない者はいない。

【普遍・普偏】フヘン ①広くゆきわたる。すべてのものにゆきわたる。②すべてのものに共通に存すること。↔特殊(九二四ページ上)。

8【晾】12画 4817 リョウ(リャウ) 漢 liàng — — 3435

字義 さらす。かわかす。さらしてかわかす。

注意 『康熙(コウキ)字典』では、日部に所属する。

解字 形声。日＋京(音)。

8【量】12画 (12460) リョウ 里部。→一四五九ページ上。 ₂1403 — —

8【〓】12画 4818 国字

字義 さやか。さやけし。

8【暃】12画 4819 音義未詳。 5883 9DF1 —

参考 JIS漢字に採られているが、典拠不明。(9452)の異体字か。

9【暗】13画 4820 教3 アン くら-い 漢 勘 àn 1637 88C3 —

筆順 丨 冂 日 日' 日亠 日立 暗 暗

字義 ❶くら-い(くらし)。↔明(4696)。㋐日の光がない。明らかでない。㋑知恵がない。おろか。㋒くろい。黒ずんだ。❷やみ(闇)。くらがり。また、夜。「暗中模索」❸ふかい。おく深い。❹地下の。水面下の。「暗渠(アンキョ)」「暗礁」❺ひそかに。人に知れず。どこからともなく。用例 〔唐、李白、春夜洛城聞笛詩〕誰家玉笛暗飛声(たがいえのギョクテキぞあんにこえ(多)をとばす)、散入春風満洛城(サンじてシュンプウにいりてラクジョウにみつ)。↓ どこからともなく流れてくるあの美しい笛の音は、だれの家のものだろうか。春風に乗って洛陽の町中に響きわたる。❻だまる(默)。ものを言わない。❼そらんずる。心の中によく覚える。＝諳(1291)。「暗記」

名前 くら・はらい

注意 『康熙(コウキ)字典』では、日部に所属する。

参考 現代表記では〔闇〕(13010)の書きかえに用いる。「闇黒→暗黒」「闇夜→暗夜」

逆 愚暗

解字 篆文 形声。日＋音㊉。音符の音は、陰に通じ、くもるの意味。くもりのために太陽に光がない、くらいの意味を表す。

【暗暗】アンアン ①くらいさま。②奥深い、また、ひっそりとして静かなさま。③それとなく。ひそかに。④知らず知らずに。

【暗暗△裡・暗暗裏】アンアンリ ▼裡・裏は、うち・なか。①こっそり。内内。②知らず知らずのうちに。

【暗雲】アンウン ①黒い雲。今にも雨の降り出しそうな黒い雲。②おだやかでない様子。よくない事が起こりそうな様子。

【暗鬼】アンキ ①くらがりに居て姿のはっきり見えないもののけ。②妄想によって生ずる恐れ。「疑心生ニ暗鬼一(ギシンアンキをショウず)」

【暗△渠】アンキョ 地下に設けたみぞ。暗溝。

【暗愚】アング 道理にくらくおろかなこと。おろか。闇愚アング。

【暗君】アンクン おろかな君主。↔明君(六五七ページ下)。

【暗香】アンコウ ①どこからともなくただよってくるかおり。用例〔北宋、王安石、梅花詩〕遥知不ニ是雪一(はるかにしるこれゆきならざるを)、為レ有ニ暗香一来(アンコウありてきたるがためなり)。↓(花の白さは雪かと見まがうばかりだが)それが雪でないことは遠くからでも分かった。どこからともなくよい花の香りが漂ってくるからだ。②やみにただよう花のかおり。「暗香疎影(梅をいう)」

【暗香浮動月黄△昏】アンコウフドウつきコウコン 梅花の香気がどこからともなくかおってきて、夕方の空に月が出ている光景。〔北宋、林逋、山園小梅詩〕

【暗合】アンゴウ 無意識の中に行ったこと、またはたがいに知らずにいてしたことなどが、自然に一致すること。

【暗黒】アンコク ①まっくら。②国世の中の文化や道徳が衰えていること。闇黒アンコク。

【暗恨】アンコン 人知れぬうらみ・悲しみ。用例〔唐、白居易、琵琶行〕別有ニ幽愁暗恨生一(ベツにユウシュウとアンコンのショウずるあり)、此時無レ声勝レ有レ声(このときこえ(え)なきはこえ(え)あるにまさる)。↓音楽が続いている時とは別の深い憂いや人知れぬ恨みが生まれ、音が無いのは音に満ちているのより効果があることを、この時感じた。

【暗殺】アンサツ 人に知れぬようにして殺すこと。やみうち。

【暗算】アンザン ①書いたり器具を使ったりしないで頭の中で計算する。②ひそかにはかる。陰謀。また、暗殺する。

【暗示】アンジ ①ひそかに、それとなく示すこと。②心理学用語で、感覚・観念・意図・行動などが、ことばなどによって理性に訴えることなく他人に伝達される現象。

【暗射】アンシャ・アンセキ ①見当をつけずやみくもに射ること。②物事を見ないで、そらで言いあてること。

【暗唱・暗△誦】アンショウ 文章を見ずに、そらで覚えていてよめること。そらんじる。そらよみ。

【暗礁】アンショウ ①水面の下にかくれている岩。②物事の進行がはばまれるような困難。

【暗然】アンゼン ①くらいさま。②悲しくて心のふさぐさま。

【暗△澹】アンタン ①くらくて、はっきりしないさま。また、くらくて静かなさま。②前途に希望のないさま。

【暗中模索・暗中△摸索】アンチュウモサク ①くらやみの中を手さぐりで物を捜すこと。転じて、手がかりがないのにあてもなく捜すこと。〔隋唐嘉話〕②古人の語句などをわけも分からず引き抜いて用いること。

【暗転(轉)】アンテン ①人の知らないうちに(ひそかに運動して)地位が進むこと。②国演劇で、舞台を暗くして場面を変えること。

【暗闘(鬪)】アントウ ①たがいに敵意を表面に現さないで争うこと。②芝居の、だんまり。

【暗風】アンプウ くらやみの中を吹く風。

【暗昧】アンマイ 同闇昧。①くらい。▼昧も、くらい。②はっきりしない。あいまい。③おろか。

【暗黙(默)】アンモク 国だまっていること。また、気持ちを外に現さないこと。

【暗躍】アンヤク 人に知られぬようにひそかに活躍すること。暗中飛躍。

【暗喩】アンユ 比喩法の一つ。物事を他にたとえていうとき、「ごとし」「似たり」などのたとえの表現を用いないで直接にいう法。韓愈カンユの「雑説」の「天下に馬なし」の「馬」は、「人材」にたとえる類い。隠喩ともいう。

【暗流】アンリュウ ①地下の水流。②くらい水流。夕方などの水流。③表面に現れぬ推移の気運。④表だたぬ内部のもめごと。

【暗涙】アンルイ 人知れず(また、人目を忍んで)流す涙。

【不レ欺ニ暗室一】アンシツをあざむかず くらい部屋でもやましいことをしない。人の見ていない所においても身をつつしむたとえ。不レ侮ニ暗室一(アンシツをあなどらず)。〔宋史、呂希哲伝〕

9【暐】13画 4821 イ(ヰ) 尾 wěi

【暐】4836 俗字

字義 ❶日の光。❷光り輝く。

注意 『康熙字典』では、日部に所属する。

解字 形声。日＋韋㊉。

9【暈】13画 4822 標 ウン 問 yùn, yūn 5884 9DF2 ―

字義 ❶かさ。日や月の周囲に薄く現れる光の輪。ひがさ。つきがさ。❷あや・くま・ぼかし。❸目がくらむ。めまい。また、舟に酔う。「眩暈ゲンウン」 国❶ぼかす。㋐色の濃淡や形をぼんやりとさせる。㋑あいまいにする。❷ぼける。㋐色の濃淡や形がはっきりしなくなる。㋑あいまいになる。❸くま。くらがり。かげ。

注意 『康熙字典』では、日部に所属する。

解字 甲骨文 篆文 形声。日＋軍㊉。音符の軍は、めぐるの意味。日や月の周囲に現れる光の輪の意味を表す。甲骨文は象形。

【暈囲(圍)】ウンイ 太陽や月のまわりに生じる光の輪。

【暈△繝】ウンゲン 国昔の、染色法の名。色と色との境界をぼかして染めたもの。繧繝ウンゲン。

9【暍】13画 4823 漢エツ 呉オチ 月 yē 8534 ― 3447

字義 暑気あたり。暑さのために健康を害すること。

注意 『康熙字典』では、日部に所属する。

解字 形声。日＋曷㊉。

【暍死】エッシ 暑気にあたって死ぬ。暑さで死ぬ。

【暍人】エツジン 暑さ(熱)のために苦しんでいる人。

9【暇】13画 4824 常 カ ひま 漢カ・呉ゲ 禡 xiá 1843 89C9 ―

筆順
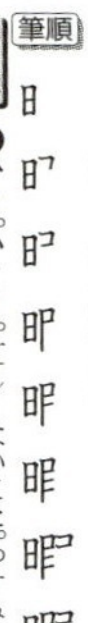

字義 ❶ひま。いとま。忙しくないこと。やすみ(休)。用例〔孟子、梁恵王上〕奚暇レ治ニ礼義一哉(なんぞレイギをおさ(を)むるにいとまあらんや)。↓どうして礼義を学ぶ余裕がありましょうか(ありません)。❷ゆっくりする。ひまでのびのびする。国いとま。㋐別れ。「暇ごい」㋑ひま。主従などの縁を切ること。解雇。

注意 『康熙字典』では、日部に所属する。

解字 篆文 形声。日＋叚㊉。音符の叚カは、未加工の玉の意味。かくれた価値を持つひまな時間の意味を表す。

逆 間暇・閑暇・給暇・賜暇・寸暇・請暇・余暇

【暇逸】カイツ ひまで遊ぶ。のんびり遊ぶ。

【暇給】カキュウ ひま。いとま。

【暇△遑】カコウ いとま。ひま。

【暇日】カジツ ひまな日。ひまな時。用例〔孟子、梁恵王上〕壮者以ニ暇日一修ニ其孝悌忠信一(ソウシャはカジツをもって、そのコウテイチュウシンをおさ(を)む)。

↓壮年のものは空いている日に孝悌忠信の徳を修養する。

【暇予(豫)】=暇逸。

【暇余(餘)】いとま。ひま。余暇。

9 【會】 13画 (210) カイ 会(209)の旧字体。→六四ページ上。

9 【暉】 13画 4825 人 キ 微 huī 5886 9DF4 —

筆順

字義 ❶かがやく。ひかる。てる。=煇(6943)。❷かがやき。ひかり。「春暉」

名前 あき・あきら・き・てらす・てる 難読 暉峻(てるおか)

注意 『康熙字典』では、日部に所属する。

解字 篆文 形声。日+軍㊥。音符の軍は、めぐるの意味。日がめぐり、かがやくの意味を表す。

【暉映・暉暎】かがやきうつる。光彩が照りはえる。

【暉暉】日が明るく照るさま。

【暉光】光り輝く。また、輝く光。

【暉麗】光り輝いて美しい。

9 【暌】 13画 4826 漢ケイ 呉ケ 斉 kuí — — 3446

字義 ❶日が入る。❷そむく。たがう。はなれる。

注意 『康熙字典』では、日部に所属する。

解字 形声。日+癸㊥。

9 【暄】 13画 4827 漢ケン 呉カン(クワン) 元 xuān 5887 9DF5 —

【煊】 6946字 同

字義 ❶あたた-かい(暖)。=煖(6954)。❷春の末。晩春。

注意 『康熙字典』では、日部に所属する。

解字 形声。日+宣㊥。音符の宣は、のびのびとゆきわたるの意味。日がのびのびとゆきわたる、あたたかの意味を表す。

【暄寒】時候のあいさつをのべること。暖かいとか寒いとかいう意。「寒暄」

【暄△燠】あたたか。温暖。

【暄△妍】気候があたたかで、景色の美しいこと。

【暄風】春のあたたかな風。

【暄和】あたたかくのどか。暖和。

9 【暙】 13画 4828 シュン 真 chūn 2 1413 EDBE 3450

字義 人名。高麗王の名。

注意 『康熙字典』では、日部に所属する。

解字 形声。日+春㊥。

9 【暑】 13画 (4802) ショ 暑(4801)の旧字体。→六七四ページ中。

9 【暒】 13画 4829 漢セイ 呉ジョウ(ジャウ) 庚 qíng 2 1412 — 3449

字義 ❶晴れる。❷夜になって雨が上がる。

注意 『康熙字典』では、日部に所属する。

解字 形声。日+星㊥。

9 【暖】 13画 4830 教6 ダン あたた-か・あたた-かい・あたた-まる・あたた-める 3540 9267 —

9 【暖】 13画 4831 漢ダン・呉ナン 唐ノン 旱 nuǎn

【煖】 6955字 同

筆順

字義 =煖(6954)。❶あたた-かい。あたた-か。日ざしがあたたかい。❷あたた-める。あたた-まる。また、あたたかさ。国あたた-かい。㋐愛情が深い。㋑経済状態がよい。「ふところが暖かい」

名前 あつ・はる・やす

注意 暖は、『康熙字典』では、日部に所属する。

参考 現代表記では〔煖〕(6954)の書きかえに用いることがある。「煖房→暖房」「煖炉→暖炉」

使いわけ あたたか・あたたかい・あたたまる・あたためる〔暖・温〕
〔暖〕「寒い」の対として用いる。「暖かな春・部屋が暖まる」
〔温〕「冷たい」の対として用いる。「温かいふろ・料理を温める」

解字 会意。日+爰(爰)。爰は亘に通じ、わたるの意味。日がわたってあたたかいの意味を表す。

逆 軽暖

【暖衣飽食】着物を十分に着、腹いっぱい食べること。満ち足りた生活、またはぜいたくなくらしをすること。飽食暖衣。暖飽。〔説苑、臣術〕

【暖気(氣)】一ダンキ あたたかい気候。あたたかさ。二ノンキ 国気持ちがのびのびとしてゆるやかなこと。暢気。呑気。

【暖雪】あたたかい雪。桜の花をいう。

【暖流】海流の一種。赤道付近から高緯度の方に流れる、比較的に水温の高い海流。↔寒流(四〇五ページ下)。

【暖△簾】ノウレン・ノレン 「ノウ」は唐音「ノン」の音便。「ノ」は「ノウ」の約音。▼簾は、すだれ。①室の境界や入口などにさげる布製の幕。②国㋐屋号などを染め抜いて商家の店先にさげる布製の短い幕。㋑店の信用・名声・格式・歴史。㋒屋号。また、営業。「暖簾を分ける」

9 【晸】 13画 4832 漢テイ 呉チョウ(チャウ) 梗 zhěng 1 8533 — 3440

字義 日が出るさま。

注意 『康熙字典』では、日部に所属する。

解字 形声。日+政㊥。

9 【暋】 13画 4833 一漢ビン・呉ミン 軫 mǐn 二漢ビン・呉ミン 真 mín — — 3445

字義 一❶勉める。❷強い。荒々しい。❸冒(おか)す。二もだえる。

注意 『康熙字典』では、日部に所属する。

解字 形声。日+敃㊥。

9 【㬅】 13画 4834 マン 曼(4782)の俗字。→六七三ページ中。

注意 『康熙字典』では、日部に所属する。

9 【暘】 13画 4835 ヨウ(ヤウ) 陽 yáng 5888 9DF6 —

字義 ❶日の出。=昜(4733)。❷あきらか。明るい。❸はれる。晴れ。❹かわく。かわかす。

注意 『康熙字典』では、日部に所属する。

解字 篆文 形声。日+昜㊥。音符の昜は、日が高くあがるの意味。高くあがった太陽、ひのでの意味から、あきらか・ひるの意味を表す。

【暘谷】想像上の地。東の果ての太陽の出る所。↔昧谷(六六四ページ下)。

10 【暐】 14画 4836 イ 暐(4821)の俗字。→六七七ページ中。 2 1411 — 3448

10 【暟】 14画 4837 カイ 賄 kǎi — — 3454

字義 ❶照らす。❷美しい。

注意 『康熙字典』では、日部に所属する。

解字 形声。日+豈㊥。

10 【朅】 14画 4838 漢ケツ 呉ケチ 屑 qiè 2 1424 — 3478

字義 ❶さ-る(去)。❷たけだけしい。勇壮なさま。❸なんぞ(何)。疑問・反語の意味を表す助字。=曷(4702)。

注意 『康熙字典』では、日部に所属する。

解字 篆文 形声。去+曷㊥。音符の曷は、切断するの意味。関係をたち切って去るの意味を表す。

10【㬎】14画 4839 ㊀ケン 銑 xiǎn ㊁ゴウ(ガフ) 合
字義 ㊀❶明らか。＝顕(13495)。❷かまびすしい。❸髪飾り。
注意『康熙字典』では、日部に所属する。
解字 形声。日＋絲省㊥。
2-1414 — —

10【暤】14画 4840 コウ 皞(7887)と同字。→九五六ﾍﾟｰ上。

注意『康熙字典』では、日部に所属する。

— — 3456

10【暠】14画 4841 コウ(カウ) 晧 gǎo
字義 あきらか。白く明らかなさま。
注意『康熙字典』では、日部に所属する。
解字 形声。日＋高㊥。
1-8536 EDBF 3455

10【暛】14画 4842 サ 哿 suǒ
字義 明らか。明朗。
注意『康熙字典』では、日部に所属する。
解字 形声。日＋差㊥。
— — 3452

10【替】14画 4843 サン 替(4799)の俗字。→六四〇ﾍﾟｰ中。
2-1423 — —

10【暱】14画 4844 ジツ 昵(4712)の俗字。→六五九ﾍﾟｰ下。
注意『康熙字典』では、日部に所属する。
2-1416 — 3458

10【暢】14画 4845 人 チョウ(チャウ) 漾 chàng
筆順 口 日 申 申 申' 申日 申旦 申早 暢 暢
字義 ❶の-びる(伸)。㋐長くなる。生長する。㋑のびのびする。やわらぐ。「和暢」㋒ゆきわたる。❷とおる。とどく。「流暢」❸の-べる(延)。の-ばす。広げる。
名前 いたる・かど・ちょう・とうる・とおる・なが・のぶ・のぶる・のぼる・まさ・みつ・みつる・よう
注意『康熙字典』では、日部に所属する。 難読 暢気(のんき)
参考 現代表記では〔長〕(12955)に書きかえることがある。「伸暢→伸長」
解字 形声。申＋昜㊥。音符の昜(ヨウ＝チョウ)は、のびやかにあがるの意味。申も、のびるの意味。さまたげるものなく、のびるの意味を表す。
3610 92A8 —

【暢洽】(チョウコウ) あまねく行きわたる。

【暢月】(チョウゲツ) 陰暦十一月の別名。

【暢叙(敘)】(チョウジョ) 十分に述べる。十分に書きしるす。叙暢。

【暢達】(チョウタツ) ①伸びる。そだつ。すくすくとそだつ。②勢いがさかんになったり立身出世したりすること。③のびのびとしていて意味が十分にわかること。④文章・言語の表現がすらりとしていて意味が十分にわかること。

【暢適】(チョウテキ) 心がのびのびとして楽しむこと。

【暢茂】(チョウモ) 草木が生長して茂る。


10【暜】14画 4846 フ 普(4816)の本字。→六六六ﾍﾟｰ中。

注意『康熙字典』では、日部に所属する。

— — 3453

10【暮】14画 4847 教6 ボ くれる・くらす 漢ボ 呉モ 遇 mù
筆順 一 艹 艹 苗 苜 苩 莫 莫 暮 暮
字義 ❶く-れる。㋐日がくれる。㋥日が暮れたのに目的地までの道のりはまだ遠い。用例〔史記、伍子胥伝〕日暮途遠(ひくれてみちとおし)。㋑年・月・季節・人生などの末になる。終わりになる。❷くれ。㋐日ぐれ。「薄暮」㋑年のくれ。「歳暮」㋒すえ。おわり。「暮春」❸よる(夜)。夕方。「旦暮(タンボ)」❹おそい(晩)。国❶くらす。㋐月日を送る。㋑生活する。㋒一日中やりとおす。❷く-れる(くる)。迷う。苦しむ。「思案に暮れる」❸くらし。生活。生計。
注意『康熙字典』では、日部に所属する。 難読 暮利比亜(ボリビア)
参考 ⇩夜(2230)の参考。
解字 形声。日＋莫㊥。音符の莫(ボ)が原字で、ひぐれの意味。のち、莫が、打消・禁止の助字として使われるようになり、日を付し、区別した。
4275 95E9 —

逆 歳暮・夕暮・日暮・薄暮・野暮
【暮陰】(ボイン) 夕ぐれの薄暗さ。夕やみ。

【暮雲】(ボウン) 夕方のくも。ゆうぐも。

【暮笳】(ボカ) 夕ぐれに吹く胡笳(カコ)(西北方の異民族のあし笛)。

【暮角】(ボカク) 夕ぐれに吹いている角笛。また、その音。

【暮景】(ボケイ) ①夕ぐれのけしき。②老境。晩年。

【暮歳】(ボサイ) ①年のくれ。②老年。晩年。

【暮愁】(ボシュウ) 夕ぐれのさびしいもの思い。暮思。

【暮春】(ボシュン) 春の末。晩春。陰暦の三月。

【暮色】(ボショク) 夕ぐれの色・けしき・けはい。「暮色蒼然(ソウゼン)」

【暮雪】(ボセツ) 夕ぐれに降る雪。また、夕方の雪げしき。

【暮蟬】(ボセン) 夕暮れに鳴くせみ。また、そのせみの声。

【暮砧】(ボチン) 夕ぐれにうつきぬた。また、その音。用例〔唐、杜甫、秋興詩〕寒衣処処催刀尺(カンイショショトウセキをうながし)、白帝城高急暮砧(ハクテイジョウたかくしてボチンキュウなり)。㋥冬着の支度をする季節、方々でそのための裁縫をせよとせきたてているかのように、高くそびえる白帝城のあたりでは、夕暮れの砧(きぬた)の音がせわしなく響いている。

【暮天】(ボテン) 夕ぐれの空。

【暮年】(ボネン) 老いた年。老年。晩年。

【暮暮】(ボボ) 夕ぐれのたびに。毎夕。用例〔唐、白居易、長恨歌〕蜀江水碧蜀山青(ショッコウはみずみどりにして、ショクザンはあおく)、聖主朝朝暮暮情(セイシュチョウチョウボボのジョウ)。㋥蜀の川は碧玉のようにふかみどりの色であり、蜀の山は青々として美しいが、天子は毎朝毎晩悲しい思いをつのらせている。

【暮夜】(ボヤ) よる。夜になったばかりの時刻。また、夜分。夜中。

【暮夜金】(ボヤキン) 賄賂(ワイロ)。後漢の楊震(ヨウシン)が、夜、ある人の持って来た賄賂を拒絶した故事に基づく。〔後漢書、楊震伝〕

10【暝】14画 4848 ㊀漢メイ 呉ミョウ(ミャウ) 青 míng ㊁漢メイ 呉ミョウ(ミャウ) 径 mìng
字義 ㊀❶くら-い(暗)。かすか。「晦暝(カイメイ)」❷くれる。日が沈む。㊁くれ。日ぐれ。また、夜。
注意『康熙字典』では、日部に所属する。
解字 形声。日＋冥㊥。音符の冥(メイ)は、くらいの意味。日の光がかすかの意味を表す。
5889 9DF7 —

【暝天】(メイテン) くらい夜の空。

【暝途】(メイト) くらい道。

【暝暝】(メイメイ) くらく、おおわれてさびしいさま。寂寂。

10【曄】14画 4849 ヨウ 曄(4859)の俗字。→六八一ﾍﾟｰ上。
5901 9E40 —

10【暚】14画 4850 ヨウ(エウ) 蕭 yáo
字義 ❶日の光。❷明らか。
注意『康熙字典』では、日部に所属する。
解字 形声。日＋䍃㊥。
— — 3451

10【暦】14画 4851 常 レキ こよみ
12〔曆〕16画 4852 人 漢レキ 呉リャク 錫 lì
筆順 一 厂 厂 厈 厤 厤 厤 厤 暦 暦
字義 ❶こよみ。天体の運行を測り、季節などを推算する方法。また、その結果を記録したもの。カレンダー。❷かず(数)。かぞえる。❸めぐり合わせ。さだめ。運命。❹よわい。年
4681 97EF —
1-8539 — —

日・日部 10画 〔㬎暤暠暛替暱暢暜暮暝曄暚暦〕

齢。❺年代。歳月。❻日記。
名前 かず・とし
注意 暦は、『康熙字典』では、日部に所属する。
解字 篆文 形声。日＋厤㊀。音符の厤キは、屋内に稲を整然とつらねる形にかたどる。日の経過を整然と順序立てる、こよみの意味を表す。
逆 陰暦・還暦・旧暦・聖暦・西暦・陽暦
【暦官】レキカン こよみをつかさどる官。暦正。
【暦日】レキジツ ①月日。年月。こよみで定めた日や月。②こよみ。用例〔唐、太上隠者、答人詩〕山中無暦日（サンチュウにレキジツなし）、寒尽不知年（カンつくれども、としをしらず）。↓山の中のゆったりとした生活には暦もなく、月日を忘れる。冬が終わり新しい年が始まっても今年が何年なのかを知らない。
【暦術】レキジュツ ＝暦法①。
【暦書】レキショ こよみに関する書物。
【暦象】レキショウ ①こよみによって天体の運行を観察すること。②日・月・星。天体。▼象は、すがた。
【暦数(數)】レキスウ ①日月の運行を測ってこよみを作る方法。②季節・年月のめぐり。③めぐりあわせ。自然に定まっている運命。④天命を受けて帝位につく運命。用例〔論語、堯曰〕天之暦数在爾躬（テンのレキスウなんじのみにあり）。↓天命（を受けて帝位につく運命）はあなたの身にある。⑤国年代。年数。
【暦年】レキネン ①としつき。歳月。②こよみで定められている一年。太陽暦では平年は三百六十五日。閏年（うるうどし）は三百六十六日。
【暦法】レキホウ ①こよみの法則。②こよみを作る方法。

11 【暵】 15画 4853 カン 翰 旱 hàn 2-1417 ― 3460

字義 ❶かわく（乾）。かわかす。日にさらす。❷しぼむ。枯れしぼむ。❸あつい（熱）。あつさ。
注意 『康熙字典』では、日部に所属する。
解字 甲骨文 篆文 形声。日＋𦰩㊀。音符の𦰩カは、甲骨文によれば、のりとをさげ持つみこが火につつまれる形にかたどり、ひでりの意味を表す。のち、日を付し、かわかすの意味を表す。

11 【暤】 15画 4854 コウ 皞(7895)と同字。→九五六ジ-中。 2-1415 ― 3457

注意 『康熙字典』では、日部に所属する。

11 【暫】 15画 4855 常 ザン 漢サン・呉ザン 勘 zàn 2735 8E62 ―

筆順 一 日 亘 車 車 斬 斬 斬 暫
字義 ❶しばらく。しばし。わずかの間。用例〔北宋、欧陽脩、朋党論〕当其同利之時（そのリをおなじくするのときにあたり）、暫相党引以為朋者偽也（しばらくあいトウインしてもってともをなすものはギなり）。↓利益をともにするときは、一時的にお互いに協力して集団となるが、それは偽りの仲間なのだ。❷にわか。急。❸かりの。かりに。「暫定」国しばらく。久しく。久しぶり。
注意 『康熙字典』では、日部に所属する。
解字 篆文 形声。日＋斬㊀。音符の斬ザは、きるの意味。切りとられた時間、しばらくの意味を表す。
【暫時】ザンジ しばらく。しばし。少時。暫且ザンショ。
【暫定】ザンテイ ①一時の安定。②かりに定める。

11 【暲】 15画 4856 ショウ（シャウ） 陽 zhāng 1-8537 EDC0 3459

字義 ❶日が上り進むさま。❷あきらか。＝章(8643)。
注意 『康熙字典』では、日部に所属する。
解字 形声。日＋章㊀。

11 【暬】 15画 4857 漢セツ 呉セチ 屑 xiè

字義 なれる。日ごとになれなれしくする。＝褻(10855)・媟(2468)。
解字 会意。日＋埶。

11 【暴】 15画 4858 教5 ボウ・バク あば-く・あば-れる 一 漢ホウ・呉ボウ 号 bào 二 漢ハク・呉バク 屋 pù 4329 965C ―

筆順 日 旦 早 昇 昱 昇 暴 暴 暴 暴
【㬥】4888 本字
字義 一 ❶あら-い（あらし）。㋐あらあらしい。たけだけしい（猛）。手あらい。用例〔荀子、性悪〕出於争奪（ソウダツにいで）、合於犯文乱理（ハンブンランリにガッして）、而帰於暴（ボウにキす）。↓争いや奪い合いが始まり、乱す行為が盛んになって、混乱した状態に陥って、道理をそこなってしまう。㋑はげしい。きびしい。「暴風」❷あらす。㋐そこなう（害）。㋑しいたげる（虐）。むごくする。❸あば-れる。あばれる。あばれ者。「暴漢」❹おかす（犯）。しのぐ（凌）。❺悪い。よこしま（邪）。❻度をすごす。不当な。「暴利」❼うつ（撃）。素手でうつ。「暴虎」❽にわ-か（にわかに）。にわかに。突然。二 ❶さら-す。＝曝(4894)。㋐日にかわかす。日光であたためる。㋑日光や風雨にあてる。外に出しておく。❷あらわす。明らかにする。あらわれる。知れる。❸あば-く。「暴露」❹かれる（枯）。かわく（乾）。「槁暴（コウバク）」
注意 『康熙字典』では、日部に所属する。
参考 現代表記では〔曝〕(4894)の書きかえに用いることがある。「曝露→暴露」
難読 暴代（あらしろ）
解字 篆文 会意。日＋出＋米＋廾。日は、太陽の象形。出＋米の部分は、動物の毛皮などをさき開いた形にかたどる。廾は両手の象形。動物の毛皮などをさき開いて、日にあててかわかすの意味を表す。この作業のあらあらしいさまから転じて、あらい・にわかの意味を表す。暴を音符に含む形声文字に、曝バ・瀑バ・爆などがある。
逆 横暴・凶暴・強暴・狂暴・侵暴・粗暴・乱暴・陵暴
【暴悪(惡)】ボウアク 乱暴。また、乱暴者。
【暴飲】ボウイン 度をすごして、むやみに酒などをのむこと。
【暴悍】ボウカン 性質や素行があらあらしい。
【暴漢】ボウカン 乱暴をする人。あばれ者。無法者。
【暴起】ボウキ ①にわかにおこる。②にわかに昇進する。
【暴虐】ボウギャク しいたげる。むごい行いをする。
【暴逆】ボウギャク ①乱暴で人道にそむく。また、その人。②あらあらしくしいじめる。暴虐。
【暴挙(擧)】ボウキョ 国①乱暴なふるまい。②無謀なくわだて。
【暴君】ボウクン ①暴虐な君主。②国非常にわがままな人。
【暴桀】ボウケツ あらあらしくて、わるづよい。凶暴。乱暴。
【暴言】ボウゲン 乱暴で無礼なことば。
【暴虎馮河】ボウコヒョウガ 虎（とら）を手打ちにし、黄河を歩いて渡る。血気の勇にはやって無謀な行動をするたとえ。▼馮は、舟に乗らずに歩いて渡ること。用例〔論語、述而〕暴虎馮河（ボウコヒョウガ）、死而無悔者（しすともくゆるなきものは）、吾不与也（われはともにせざるなり）。↓血気の勇にはやって無謀な行動をして、死んでも後悔しないような人間とは、私は一緒に行動しない。
【暴行】ボウコウ ①乱暴な行い。②国暴力を他人に加える。
【暴骨】ボウコツ 骨を原野にさらす。戦死して屍（しかばね）を収める者が無いのをいう。
【暴子】ボウシ 暴逆の子。
【暴恣】ボウシ 手荒くほしいまま。横暴。
【暴疾】ボウシツ ①あらあらしくてはやい。はげしくてはやい。②にわかに発した病気。急病。
【暴食】ボウショク 度をすごして、むやみにたべること。「暴飲暴食」
【暴秦】ボウシン 乱暴な秦国。無道な秦国。
【暴政】ボウセイ 乱暴な政治。
【暴憎(憎)】ボウソウ ひどく憎む。
【暴著】ボウチョ あらわれる。隠していたことがばれる。発覚する。露顕。

【暴殄】ボウテン 乱暴にあつかい、滅ぼす。
【暴徒】ボウト 乱暴をはたらいた(暴動を起こした)者ども。▼徒は、やから・人々。
【暴怒】ボウド はげしく(また、にわかに)怒る。激怒。
【暴騰】ボウトウ 国(物価などが)にわかにはげしくあがる。↕暴落。
【暴動】ボウドウ 国多数の人が集まって騒ぎを起こし、社会の治安を乱すこと。
【暴発(發)】ボウハツ ①急に起こる・はじめる。②国㋐的を定めずにむちゃくちゃに発射すること。㋑不意に弾丸が飛び出すこと。
【暴慢・暴△謾】ボウマン 乱暴で(かって気ままに)いばりちらす。粗暴。
【暴落】ボウラク 国(物価などが)にわかにはげしくさがる。↕暴騰。
【暴乱(亂)】ボウラン 無法を行い世の中を乱す。また、暴動により世が乱れる。
【暴利】ボウリ 不当に多い(正当でない)利益。
【暴略・暴△掠】ボウリャク 乱暴して人の物を奪う。強奪する。
【暴力】ボウリョク 無法で乱暴な行為。力ずく。
【暴戻】ボウレイ 乱暴で道理に反する。用例〔史記、伯夷伝〕暴戻恣睢ボウレイシキ。↓乱暴を行い勝手気ままに振る舞う。
【暴露】バクロ ①日光や風雨にさらす。外におく。②身体を風雨にさらすこと。戦場などで、苦労して働くこと。③かくしていたことが表れること。ばれる。また、秘密をあばくこと。
【以レ暴易レ暴】ボウをもってボウにかう(ふ) 乱暴な手段で他の乱暴をおさえつけようとする。悪を制するために悪を行う。伯夷ハク・叔斉が、周の武王が殷インの紂王チュウオウを武力をもって征伐したことを非難した言葉。〔史記、伯夷伝〕

11 【曄】15画 4859 ヨウ(エフ) 葉 yè
［曅］4849 俗字
字義 ❶かがやく。ひかる。「曄曄」 ❷さかん(盛)。❸いなずまの光るさま。
注意 『康熙字典』では、日部に所属する。
解字 篆文 会意。日＋華(𠌶)。𠌶は、はなやかの意味。日の光りがはなやかにかがやくの意味を表す。

12 【曀】16画 4860 一 エイ 霽 yì 二 漢エッ・呉エチ 屑 ― ― 3463
字義 一❶くもる。暗くなる。日がかげる。❷曇って風が吹く。
注意 『康熙字典』では、日部に所属する。
解字 篆文 形声。日＋壹(音)。音符の壹イツは、つぼを密閉するさまにかたどる。雲が天をおおって、くもるの意味を表す。

12 【曁】16画 4861 漢キ 呉ギ 寘 jì 5890 9DF8 ―
字義 ❶およぶ(及)。いたる(至)。❷と。ともに。および。❸たけし。強いさま。
注意 『康熙字典』では、日部に所属する。
解字 形声。旦＋既(音)。

12 【暿】16画 4862 キ 支 紙 xī 2 1419 EDC1 3462
字義 ❶あぶる。❷さかん(盛)。
注意 『康熙字典』では、日部に所属する。
解字 形声。日＋喜(音)。

12 【曉】16画 (4793) ギョウ 暁(4792)の旧字体。→六七三ページ上。

12 【暻】16画 4863 漢ケイ 呉キョウ(キャウ) 梗 jǐng 1 8538 ― 3461
字義 ❶あきらか。❷景(4794)の俗字。
注意 『康熙字典』では、日部に所属する。
解字 形声。日＋景(音)。

12 【曒】16画 4864 ケイ 皦(4882)の俗字。→六八二ページ中。 ― ― 3470

12 【曂】16画 4865 漢コウ(クワウ) 呉オウ(ワウ) 漾 huàng ― ― 3464
字義 明らか。
注意 『康熙字典』では、日部に所属する。
解字 形声。日＋黄(音)。

12 【曌】16画 4866 ショウ 照(7068)と同字。→九一二ページ中。
注意 『康熙字典』では、日部に所属する。
参考 則天武后(→一八四ページ上)の名に用いた。

12 【瞾】16画 4867 ショウ 照(7068)の俗字。→九一二ページ中。 ― ― 3467

12 【㬪】16画 4868 シン 晋(4752)の本字。→六六八ページ上。 2 1420 ― ―
注意 『康熙字典』では、日部に所属する。

12 【暹】16画 4869 セン 塩 xiān 5891 9DF9 ―
字義 ❶太陽がのぼる。また、日の出。❷すすむ(進)。❸暹羅は、シャム(Siam)。今のタイ国。
注意 『康熙字典』では、日部に所属する。
解字 会意。日＋進。日がすすむの意味を表す。

12 【曃】16画 4870 タイ 隊 dài ― ― 3465
字義 くらい。明らかでないさま。「曖曃アイタイ」
注意 『康熙字典』では、日部に所属する。
解字 形声。日＋逮(音)。

12 【暜】16画 4871 タイ 替(4809)と同字。→六七五ページ上。
注意 『康熙字典』では、曰部に所属する。

12 【㬚】16画 4872 漢テツ 呉テチ 屑 chè 2 1418 ― ―
字義 明らか。
注意 『康熙字典』では、日部に所属する。
解字 形声。日＋敢(徹省)(音)。

12 【曈】16画 4873 漢トウ 呉ドウ 東 tóng 1 8540 ― 3466
字義 ❶曈曨トウロウは、夜があけそめる。❷日の出。ほのぐらい。曈矇トウモウ。曈曈。
注意 『康熙字典』では、日部に所属する。
参考 〔瞳〕(8082)は別字。
解字 形声。日＋童(音)。

12 【暾】16画 4874 トン 元 tūn 5893 9DFB ―
字義 ❶日の出のさま。転じて、朝日。「晨暾シントン」❷朝日が物をあたためる。また、あたたか。
注意 『康熙字典』では、日部に所属する。
解字 形声。日＋敦(音)。

12 【曇】16画 4875 常 ドン くもる 漢タン・呉ドン 覃 tán 3862 93DC ―
筆順 日 旦 昌 昌 昌 曇 曇 曇 曇
字義 ❶くもる。雲が日をおおう。↕晴(4805)。❷くもり。くもり空。「曇天」❸仏梵語ボンゴdharmaの音訳、曇摩ドンマ(法の意)の略。多くの僧の名に冠して用いる。国くもる。㋐はっきりしない。㋑つやが無くなる。㋒心が晴々しない。
注意 『康熙字典』では、日部に所属する。
解字 篆文 会意。日＋雲。太陽が雲の中に沈んで、くもるの意味を表す。
【曇華】ドンゲ ①カンナ科の多年草。茎の高さ一・五メートルほどで、夏、紅黄色の美しい花を開く。一名、美人蕉ビジンショウ。また、壇特ダンドク。②「優曇華ウドンゲ」の略。三千年に一度咲くという、仏の瑞応ズイオウの花。

12 【暼】16画 4876 漢ヘツ 呉ヘチ 屑 piē 5894 9DFC ―

暓暓は、日の落ちる勢い。
注意 『康熙字典』では、日部に所属する。
解字 形声。日＋敄㊥。

12 【暸】 16画 4877 リョウ（レウ） 簫 liǎo 5902 9E41 —
字義 あき-らか（明）。
注意 『康熙字典』では、日部に所属する。
解字 形声。日＋尞㊥。音符の尞は、かがり火があかるいの意味。日があかるい、あきらかの意味を表す。

12 【曆】 16画 (4852) レキ 暦(4851)の旧字体。→六七九ページ下。

13 【曖】 17画 4878 常 アイ 隊 ài 5903 9E42 —

筆順 日 … 曖

［曖］ 8087 俗字
字義 ❶くらい。ほの暗い。❷かげ-る。日がかげって明らかでない。
注意 『康熙字典』では、日部に所属する。
解字 形声。日＋愛㊥。音符の愛は、まといつくの意味。日に雲がまといつく、かげるの意味を表す。
【曖曖】アイアイ ①ほのぐらいさま。②おぼろなさま。かすんではっきりしないさま。用例〔東晋、陶潛、帰二園田居一詩〕曖曖遠人村（アイアイたりエンジンのむら）、依依墟里煙（イイたりキョリのけむり）。↓遠い村里がぼんやりかすんで見え、炊事の煙がゆらゆらと立ちのぼっている。
【曖然】アイゼン うす暗いさま。
【曖△曃】アイタイ ＝曖曖。
【曖昧】アイマイ はっきりしないこと。あやふやなこと。確かでないこと。「曖昧模糊（アイマイモコ）」

13 【曎】 17画 4879 漢エキ 呉ヤク 陌 yì — — 3468
字義 光る。

13 【曦】 17画 4880 ギ 曦(4895)の俗字。→六八三ページ中。 8541 — —
注意 『康熙字典』では、日部に所属する。
解字 形声。日＋羲㊥。

13 【曏】 17画 4881 ㊀ 漢キョウ（キャウ） 呉コウ（カウ） 漾 xiàng ㊁ ショウ（シャウ） 養 — — 3469
注意 『康熙字典』では、日部に所属する。
字義 ㊀❶さき。さき-に。前に。以前。前日。❷むかう。ゆく。❸あきらかにする。
解字 篆文 形声。日＋鄉㊥。音符の鄉は、向に通じ、むかうの意味。向かって行ってしまった日、さき・以前の意味を表す。
【曏者】キョウシャ さきに。以前に。嚮者。向者。▼者は、助字。
【曏来（來）】キョウライ ＝曏者。▼来は、助字。

13 【曔】 17画 4882 漢ケイ 呉ギョウ（ギャウ） 敬 jǐng
字義 ❶明らか。❷乾く。
解字 形声。日＋敬㊥。

［曔］ 4864 俗字

13 【曙】 17画 4883 人 2976 8F8C —

14 〖曙〗 18画 4884 漢ショ 呉ジョ 御 shǔ

筆順 日 … 曙

字義 ❶あけぼの。夜明け。❷あ-ける。夜があける。あく。夜があける。日が出る。用例〔唐、白居易、長恨歌〕遅遅鐘鼓初長夜（チチたるショウコはじめてながきよる）、耿耿星河欲レ曙天（コウコウたるセイガあけんとほっするテン）。↓（秋の）夜長を迎えたばかりなのに、（時を知らせる）鐘や太鼓の音がゆっくりと聞こえ、かすかに輝く天の川が、夜が明けようとする空にみえる。
名前 あき・あきら・あけ 難読 曙覧（あけみ）
注意 曙は、『康熙字典』では、日部に所属する。
解字 篆文 形声。日＋署（署）㊥。音符の署は、赭（シャ）に通じ、あかいの意味。日光が赤くかがやきそめる、あけぼのの意味を表す。
【曙△鴉・曙△鵶】ショア あけがらす。暁鴉。
【曙光】ショコウ ①あけぼのの光。夜明けのあかり。朝日の光。曙色。②国よい事の起きるきざし。好転のきざし。

13 【曐】 17画 4885 セイ 星(4719)の本字。→六六三ページ上。
注意 『康熙字典』では、日部に所属する。

13 【曚】 17画 4886 漢ボウ 呉モウ 董 東 mēng 5904 9E43 —
字義 くら-い。くらし。ほの暗い。はっきりと見えない。
注意 『康熙字典』では、日部に所属する。
解字 形声。日＋蒙㊥。音符の蒙（モウ）は、おおうの意味。日の光がおおわれてほのぐらいの意味を表す。
【曚昧】モウマイ ①暗い。うす暗い。②道理に暗い。おろか。「無知曚昧」
【曚△曨・曚△朧】モウロウ ①ほの暗くぼうっとしているさま。②心などがぼうっとしていて不確かなさま。

14 【曛】 18画 4887 クン 文 xūn 8542 — 3471
字義 ❶入り日の光。夕日のくすんだ日ざし。❷たそがれ。夕方。❸赤黄色。
注意 『康熙字典』では、日部に所属する。
解字 形声。日＋熏㊥。音符の熏（クン）は、いぶすの意味。いぶしたような入り日のひかりの意味を表す。
【曛黄】クンコウ たそがれ。夕方。黄昏（コウコン）。
【曛黒】クンコク 日がくれて暗い。また、夕やみ。
【曛日】クンジツ 夕日。夕陽。

14 【曙】 18画 (4884) ショ 曙(4883)の旧字体。→六八二ページ中。

14 【鼂】 18画 (14499) チョウ 黽部。→一六四九ページ下。

14 【暴】 18画 4888 ボウ 暴(4858)の本字。→六八〇ページ中。
注意 『康熙字典』では、日部に所属する。

14 【曜】 18画 4889 教2 ヨウ 4543 976A —

14 〖曜〗 18画 4890 ヨウ（エウ） 嘯 yào

筆順 日 … 曜

字義 ❶かがや-く。ひかる。＝燿(7027)・耀(9565)。❷ひかり。日のかがやき。❸あきらか（明）。❹日・月と五星（火・水・木・金・土）の総称。七曜。国ヨウ（エウ）。日・月と五星を一週七日に配当して呼ぶ称。
名前 あき・あきら・てらす・てる・よう
注意 曜は、『康熙字典』では、日部に所属する。
解字 形声。日＋翟（翟）㊥。音符の翟（テキ）は、高くおどりあがるの意味。高くあがる日、かがやくの意味を表す。
逆 光曜・七曜・照曜
【曜威】ヨウイ 威光をかがやかす。威武を示す。
【曜霊（靈）】ヨウレイ 日。太陽。燿霊（ヨウレイ）。

15 【曠】 19画 4891 標 コウ（クワウ） 漾 kuàng 5905 9E44 —

［昿］ 4705 俗字
字義 ❶むな-しい（空）。むなし。広くて何もない。用例〔唐、孟浩然、宿二建徳江一詩〕野曠天低レ樹（のひろくして、テンきにたれ）、江清月近レ人（コウきよくして つきひとにちかし）。↓野は見渡す限り広がり、空は木々の上に垂れこめるように低く、江の水は清らかに澄み、水面に映じた月は人の手が届くほどに近い。

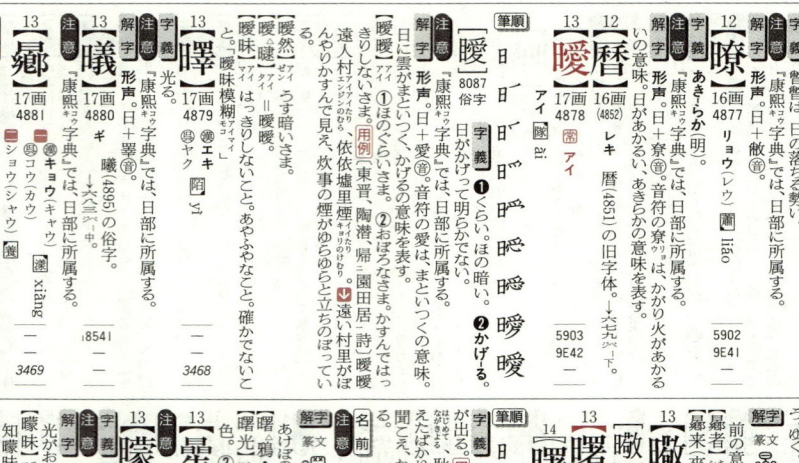

❷むなしくする。からにする。㋐あける。からにする。㋑むだにする。おろそかにする。❸ひろい(広)。大きい。「曠度」❹ひさしい(久)。遠い。❺あきらか。さえぎるものがなくて明らかなさま。難読 曠野(あらの)

注意 『康熙字典』では、日部に所属する。

参考 現代表記では〔広〕(3175)に書きかえることがある。「曠野→広野」

解字 篆文 形声。日＋廣㊅。音符の廣(広)は、ひろいの意味。日が広く照って明るいの意味を表す。また、転じて、ひろすぎてむなしいの意味をも表す。

【曠遠】(コウエン) 広くて遠い。また、遠い。
【曠恩】(コウオン) 広大な恩。
【曠懐(懷)】(コウカイ) 広々とした心。また、心を広くする。
【曠官】(コウカン) 官を曠しくする。官職を怠り、務めをおろそかにすること。
【曠古】(コウコ) 古をむなしくする意。前例のないこと。空前。未曽有。前代未聞。「曠古の大業」
【曠歳・曠載】(コウサイ) むだに年月を過ごす。また、久しい年月。
【曠士】(コウシ) 物事にこだわらず、心のゆったりした人物。
【曠日】(コウジツ) ①一日中。終日。②日をむなしくする。むだに日を過ごす。③多くの月日を経る。曠日経年。
【曠日持久】(コウジツジキュウ) ①長い間もちこたえる。〔戦国策、趙〕②なにもせずに(むなしく)幾日もすごす。
【曠日弥(彌)久】(コウジツビキュウ) ①多くの月日を経る。〔韓非子、説難〕②日をむなしくして久しきに弥る。むだに月日を過ごす。〔戦国策、燕〕
【曠職】(コウショク) ①職務をおこたること。職責をつくさないこと。②官職を欠けたままにしておいて後任者を置かないこと。
【曠世】(コウセイ) ①一世をむなしくする意。また世にない。当世にくらべ得るものがない。「曠世の才」②久しい間。また、一生の間。
【曠然】(コウゼン) ①広大なさま。②むなしいさま。わだかまりのないさま。用例〔先哲叢談〕歳暮不ㇾ能ㇾ買ㇾ糯餈一、亦曠然不ㇾ以為ㇾ意。↓歳の暮れになっても、餅を買うことも出来なかったが、少しも心にかけず平気だった。
【曠阻】(コウソ) 隔たりはばまれる。遠く隔たり会うことがない。用例〔人虎伝〕我自ㇾ与ㇾ足下一別、音容曠阻且久矣。↓そなたと別れてから声も姿も遠く隔たり、随分時間も経ってしまった。
【曠代】(コウダイ) ①世にまれな。「曠代の盛事」②何代も経る。長い年月にわたる。「曠代弥久」
【曠達】(コウタツ) 心が広く、物事にこだわらないこと。
【曠度】(コウド) 大きな度量。広い心。大きな気構え。大度。
【曠△蕩】(コウトウ) ①広々として広大なさま。②広く大きい度量。③しまりのないこと。放埒なこと。
【曠年】(コウネン) ①長い年月。長い間。②長い年月を経る。
【曠廃(廢)】(コウハイ) ①捨てる。おこたる。おろそかにする。②すたる。弛廃。荒廃。
【曠夫】(コウフ) 男やもめ。壮年で妻のない男性。
【曠野】(コウヤ) 広い野原。人家や樹木のない荒れ野。曠原。広野。用例〔詩経、小雅、何草不黄〕匪ㇾ兕匪ㇾ虎、率ㇾ彼曠野一。↓(我々は)兕(野牛に似た獣)でもなく虎でもないのに、広い野原をかけまわる。

15【曡】19画 4892 ジョウ 畳(7657)の本字。→九七四ページ上。

15【曟】19画 4893 シン 晨(4771)と同字。→六七〇ページ下。 3472

注意 『康熙字典』では、日部に所属する。

15【曝】19画 4894 人 標 漢ホク・呉ボク 屋 pù 慣バク 3988 9498

筆順 日 旦 旦 旦 旦 暴 暴 曝 曝 曝

字義 さら-す。日にさらす。日にさらしてかわかす。＝暴(4858)。用例〔戦国策、燕〕蚌方出曝。↓どぶ貝がちょうど川から出て日光浴をしていた。国 あば-く。隠されたものを明るみに出す。

注意 『康熙字典』では、日部に所属する。

参考 現代表記では〔暴〕(4858)に書きかえることがある。「曝露→暴露」

解字 形声。日＋暴㊅。音符の暴は、さらすの意味で、曝の原字。

【曝書】(バクショ) 書籍を日光や風にさらして虫くいなどを防ぐこと。書物の虫干し。曬書。

16【曦】20画 4895 キ 支 xī 慣ギ 5907 9E46
［曦］4880 俗字

字義 ❶太陽の色。日色。❷太陽の光。日光。

注意 『康熙字典』では、日部に所属する。

解字 形声。日＋羲㊅。音符の羲は、義に通じ、規則正しいの意味。運行の規則正しい、太陽の意味を表す。

【曦月】(ギゲツ) 太陽と月。日光と月光。
【曦軒】(ギケン) 太陽が乗っている車。太陽をいう。
【曦光】(ギコウ) 日の光。

16【𣍘】20画 4896 ソウ 曹(4775)の本字。→六七一ページ中。

注意 『康熙字典』では、日部に所属する。

16【曨】20画 4897 ロウ 董 東 lōng 18543 3473

字義 あけぼの。日の出のころの明るさ。うす明るいさま。「曨曨」

注意 『康熙字典』では、日部に所属する。

解字 篆文 形声。日＋龍㊅。音符の龍は、はっきりしないさまを表す擬態語。まだうす暗い、あけぼのの意味を表す。

【曨曨】(ロウロウ) ほの暗い様子。

17【曩】21画 4898 ノウ(ナウ) 養 nǎng 5908 9E47

字義 ❶さき。さきごろ。以前。前日。昔。❷さき-に。かつて(嘗)。以前に。用例〔唐、柳宗元、捕ㇾ蛇者説〕曩与ㇾ吾祖一居者、今其室十無ㇾ一焉。↓以前に私の祖父と一緒に住んでいた人で、現在残っている家は、十軒に一軒もありません。

注意 『康熙字典』では、日部に所属する。

解字 篆文 形声。日＋襄㊅。音符の襄は、つめこむの意味。日数が間につめこまれた以前。さきごろの意味を表す。

【曩時】(ノウジ) さきの時。昔。以前。曩日。
【曩日】(ノウジツ) さきの日。昔。以前。曩時。
【曩者】(ノウシャ) ①さきに。以前に。むかし。▼者は、助字。②さきの者。前者。
【曩昔】(ノウセキ) さきの日。前日。以前。かつて。むかし。
【曩祖】(ノウソ) 先祖。祖先。

17【朇】21画 4899 ヒ 支 pí 3479

字義 増す。

注意 『康熙字典』では、日部に所属する。

解字 形声。會＋卑㊅。會は、集め合わせるの意味。音符の卑は、ちいさいの意味。ちいさい物を合わせるの意味を表す。

19【曬】23画 4900 サイ 晒(4745)と同字。→六六五ページ中。 21421 3475

注意 『康熙字典』では、日部に所属する。

19【曫】23画 4901 ラン 寒 luán 3474

字義 たそがれ。日暮れ。

注意 『康熙(コウキ)字典』では、日部に所属する。
解字 **形声**。日＋䜌(音)。

20【曮】24画 4902 (漢)**ゲン** (呉)ゴン yǎn
字義 ❶日がめぐる。❷月の宿り。❸おごそか。
注意 『康熙(コウキ)字典』では、日部に所属する。
解字 **形声**。日＋嚴(音)。

— — 3476

4画 月（月・⺝） つき にくづき（肉月） つきへん

〔**部首解説**〕この部首の月には、日月の月(ゲツ)と、肉が偏になるときの形の肉月(ニクづき)の、二種が含まれる。本来、日月の月は中の横線が右の縦線に接しない「月」、肉月の月は中の横線が左右に接する「月」であったが、現在では区別しない。そのため、両者は意味上まったく関係がないが、肉部の中で肉月の形をもつ文字もこの部首に含めた。また、この両者とも成り立ちの異なる舟月(ふなづき)の形(旧字体で、月。舟の変形)があるが、これはもとから月部に含まれていた。
〔**つき**〕月(月)を意符として、月や日にちに関する文字ができている。
〔**にくづき**〕→〔肉〕の部首解説(一一七〇ジペー)。

〔0〕月 六八四	〔3〕肓 六八七	肞 六八八	〔4〕育 六八八	肯 六八九	胏 六八九	肦 六八九	肪 六九一	胠 六九一	胛 六九二	胎 六九三	胅 六九四	胖 六九四	脉 六九五	胭 六九五	胸 六九五	脓 六九六	胶 六九六
〔2〕肌 六八五	肙 六八七	肖 六八八	肸 六八八	肴 六八九	肫 六八九	肥 六八九	肬 六九一	胊 六九一	胥 六九二	胆 六九三	肺 六九四	胐 六九四	胗 六九五	胍 六九五	脅 六九五	脋 六九六	骨 一五九五
肎 六八六	肝 六八七	肘 六八八	肣 六八八	肱 六八九	肭 六八九	肤 六九〇	〔5〕胃 六九一	胫 六九一	胗 六九三	胝 六九三	背 六九四	朏 六九四	胗 六九五	脍 六九五	脇 六九六	胯 六九六	朔 六九六
有 六八六	肛 六八七	肚 六八八	肩 六八八	肮 六八九	肧 六八九	服 六九〇	胤 六九一	胘 六九一	胜 六九三	冑 六九三	胚 六九四	胕 六九四	〔6〕胺 六九五	胲 六九五	胷 六九六	胱 六九六	脂 六九六
肋 六八七	肓 六八七	肜 六八八	股 六八八	肢 六八九	肺 六九四	朋 六九〇	胦 六九一	胡 六九一	胙 六九三	胒 六九三	胈 六九四	胞 六九四	胰 六九五	胳 六九五	脇 六九六	胻 六九六	胵 六九六

胹 六九六	脆 六九七	胴 六九七	朗 六九八	脧 六九九	腮 六九九	脰 七〇〇	脝 七〇〇	朙 七〇一	腇 七〇一	腌 七〇一	腔 七〇二
胸 六九六	脊 六九七	能 六九七	〔7〕脘 六九八	脩 六九九	腮 六九九	豚 一三四五	脬 七〇〇	脨 七〇一	腂 七〇一	期 七〇一	勝 一九七
胸 六九七	朓 六九七	胼 六九八	脚 六九八	脜 六九九	脡 六九九	脳 七〇〇	望 七〇〇	脹 七〇一	〔8〕腆 七〇一	朞 七〇二	腧 七〇二
胸 六九七	朓 六九七	胼 六九八	脛 六九九	脣 六九九	脱 六九九	脗 七〇〇	脖 七〇一	朖 七〇一	腆 七〇一	朞 七〇二	腓 七〇二
脃 六九七	朕 六九七	脈 六九八	脞 六九九	脤 六九九	脡 七〇〇	脯 七〇〇	朙 七〇一	朗 六九八	腋 七〇二	腒 七〇三	腈 七〇三

脺 七〇二	脹 七〇三	脾 七〇四	腼 七〇四	腮 七〇四	腺 七〇五	腯 七〇五	膃 七〇五	塍 三七六	膈 七〇六	膆 七〇六	膀 七〇七
腊 七〇二	腄 七〇三	腓 七〇四	腕 七〇四	腫 七〇四	腨 七〇五	腸 七〇五	腹 七〇五	膂 七〇六	膁 七〇六	膄 七〇七	膜 七〇七
腠 七〇二	腆 七〇三	腗 七〇四	〔9〕腭 七〇四	膝 三一七	腠 七〇五	腯 七〇五	腴 七〇五	膈 七〇六	膏 七〇六	腿 七〇七	膂 七〇七
腠 七〇二	腆 七〇三	腑 七〇四	腳 七〇四	腎 七〇四	腿 七〇五	腩 七〇五	膁 七〇五	〔10〕膃 七〇六	膈 七〇六	膇 七〇七	膂 七〇七
朝 七〇三	脝 七〇四	腁 七〇四	腱 七〇四	腥 七〇四	腟 七〇五	腦 七〇〇	腰 七〇六	膆 七〇六	膑 七〇六	膊 七〇七	〔11〕膕 七〇七

膠 七〇七	膛 七〇八	朢 七〇八	〔12〕膮 七〇八	螣 一二六四	膶 七〇九	膸 七〇九	謄 一三三五	膺 七二〇	臎 七二〇	臓 七二〇	騰 一五九二	〔18〕臞 七二一
膝 七〇七	滕 八〇九	朢 七〇八	膩 七〇八	膧 七〇九	〔13〕臆 七〇九	臊 七〇九	膿 七二〇	賸 一三六四	臍 七二〇	臕 七二一	臚 七二一	臟 七二〇
膞 七〇八	膘 七〇八	膢 七〇八	膲 七〇八	膰 七〇九	膾 七〇九	膽 六九三	臂 七二〇	臁 七二〇	臏 七二〇	臘 七二一	朧 七二一	黱 一六四八
膣 七〇八	膚 七〇八	膵 七〇八	膳 七〇八	膴 七〇九	臉 七〇九	膻 七〇九	朦 七二〇	〔14〕臏 七二〇	〔15〕臗 七二〇	〔16〕臙 七二一	〔17〕鰧 一六一九	
膓 七〇八	膸 七〇八	膳 七〇八	縢 一二三七	膨 七〇九	臅 七〇九	臂 七二〇	臙 七二〇	臑 七二〇	臋 七二〇	臛 七二一	臝 七二一	

0【月】4画 4903 (教)1 **ゲツ・ガツ** つき
熟字訓 五月(さつき)・五月雨(さみだれ)
2378 8C8E 一

0〖月〗4画 4904 (漢)**ゲツ**・(呉)ガチ(グヮチ) (慣)**ガツ**(グヮツ) 〔月〕yuè

筆順 丿 冂 月 月

字義 ❶**つき**。㋐太陰。地球の衛星。↕日(4647)。㋑つきの光。つきかげ。㋒一年を十二分した一期間。⇩コラム ㋓としつき。つきひ。歳月。光陰。**十二月の別名**(六八五ジペー)。㋔つきのもの。月経。❷月ごとに。毎月。
名前 つき・つぎ・づき
難読 月下部(かすかべ)・月極(つきぎめ)・月見里(やまなし)・月次(つきなみ)・月代(さかやき)・月日(おちごり)・月来(つきごろ)
注意 月は、『康熙(コウキ)字典』では、月部に所属する。
解字 甲骨文 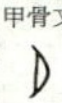 金文  篆文  **象形**。つきの欠けた形にかたどり、つきの意味を表す。形声文字の音符となるときには、えぐりとられて欠けるの意味を共有する。月を音符に含む文字に、刖(ゲツ)などがある。

逆 雨月・海月・隔月・花月・寒月・期月・季月・吉月・弦月・江月・極月・孤月・今月・蚕月・残月・日月・秋月・祥月・暑月・如月・除月・新月・水月・夕月・繊月・霜月・団月・半月・風月・片月・辺月・望月・満月・名月・明月・落月・良月・臨月・累月

【月△暈】ゲツウン つきがさ。月のまわりに生ずる環状の雲気。
【月下】ゲッカ つきかげのもと。月光のさす所。
【月下氷人】ゲッカヒョウジン 月下老と、氷上人。ともに縁結びの神。転じて、結婚のなかだちをする人。なこうど。媒酌人。
【月華】ゲッカ ①月の光。月光。②つきがさ。月暈(ゲツウン)。③月。
【月△晦】ゲッカイ 月のみそか。つごもり。
【月宮】ゲッキュウ つきのみやこ。また、月の中の都にあると信じられていた宮殿。広寒宮。月宮殿。月府。
【月琴】ゲッキン 弦楽器の一種。四弦で琴柱(ことじ)が十二ある。形は琵琶(ビワ)に似て、円く、音は琴に近い。

月琴

【月窟】ゲックツ ①月の中の岩穴。また、だれ一人訪れる者もなく、月だけがむなしく照らすいわやの中。②西の果ての地。西域の月氏国をいう。③月の出る所。
【月△桂】ゲッケイ ①月の中に生えるというかつらの木。②月。また、月光。③科挙に及第すること。④木の名。クスノキ科に属する常緑高木。中国南方や地中海沿岸などに産し、葉・実によいかおりがある。月桂樹。
【月△桂冠】ゲッケイカン ①月桂樹の枝葉で作った冠。昔、ギリシャで月桂樹をアポロ神の霊木とし、その枝葉で作った冠を競技の優勝者にかぶらせた。②勝利のしるし・最高の名誉のある地位をいう。
【折ニ月△桂一】ゲッケイをお(を)る・つきのかつらをお(を)る 科挙(官吏登用試験)に

及第すること。晋(シン)の郤詵(ゲキシン)が、試験に及第することを「桂林の一枝・崑山(コンザン)の片玉」にたとえた故事による。のちに「桂」を「月中の桂」としたもの。折桂。〔兼明書、雑説、月桂〕→桂林一枝(七三八ページ上)・折レ桂(七三八ページ上)。

【月△卿】ゲッケイ ①最高位高官の人。大臣。天子を日にたとえるに対し、大臣を月にたとえていう。②国三位以上の公卿(クギョウ)。

【月△卿雲客】ゲッケイウンカク 国高位高官の人たち。▼卿は三位以上の公卿(クギョウ)、雲客は雲の上人・殿上人(テンジョウびと)。

【月光】ゲッコウ 月の光。月あかり。用例〔唐、李白、把レ酒問レ月詩〕唯願当レ歌対レ酒時、月光長照二金樽裏一(ただねがう(ふ)うたにあたり、さけにタイするとき、ゲッコウのながくキンソンのうちをてらさんことを)。↓ただひたすら願うのは、歌をうたい、酒を飲んでいる時だけは、月の光がずっと黄金造りの酒だるの中まで照らしていることだ。

【月彩】ゲッサイ 月の光。月光。月華。

コラム

十二月の別名

月	季名	漢名	和名
一月	孟春・上春	元月(ゲンゲツ)・陬月(スウゲツ)・太簇(タイソウ)	睦月(むつき)
二月	仲春	令月(レイゲツ)・如月(ジョゲツ)・仲陽(チュウヨウ)・夾鐘(キョウショウ)	如月(きさらぎ)・衣更着(きさらぎ)
三月	季春・晩春	病月(ヘイゲツ)・嘉月(カゲツ)・姑洗(コセン)	弥生(やよい)
四月	孟夏・初夏	余月(ヨゲツ)・麦秋(バクシュウ)・正陽(セイヨウ)・中呂(チュウリョ)	卯月(うづき)
五月	仲夏	皐月(コウゲツ)・蕤賓(ズイヒン)	皐月(さつき)
六月	季夏・晩夏	且月(ショゲツ)・林鐘(リンショウ)	水無月(みなづき)
七月	孟秋・新秋	相月(ソウゲツ)・涼月(リョウゲツ)・夷則(イソク)	文月(ふみづき・ふづき)
八月	仲秋・正秋	壮月(ソウゲツ)・南呂(ナンリョ)	葉月(はづき)
九月	季秋・晩秋	玄月(ゲンゲツ)・粛霜(シュクソウ)・無射(ブエキ)	長月(ながつき)
十月	孟冬・初冬	陽月(ヨウゲツ)・良月(リョウゲツ)・応鐘(オウショウ)	神無月(かんなづき)
十一月	仲冬	辜月(コゲツ)・朔月(サクゲツ)・黄鐘(コウショウ)	霜月(しもつき)
十二月	季冬・残冬	涂月(トゲツ)・臘月(ロウゲツ)・極月(ゴクゲツ)・大呂(ダイリョ)	師走(しわす)

【月△朔】ゲッサク 月のはじめ。毎月のついたち。月吉。

【月支】ゲッシ ①弓の的。②＝月氏。③毎月の支出。

【月氏】ゲッシ 昔、西域の国の名。トルコ種族で、今の甘粛省の西境にいたが、漢代、匈奴(キョウド)に破られて、中央アジアのソクジアナ南部に移った。大月氏・小月氏がある。月支。

【月食・月△蝕】ゲッショク 地球が太陽と月との間にはいって、太陽の光をさえぎるために、月面の全部または一部分が暗くなる現象。

【月精】ゲッセイ ①月の精。また、姮娥(コウガ)(月中に住む美人)をいう。②うさぎ。

【月夕】ゲッセキ ①月の出ている夕べ。つきよ。②陰暦八月十五夜。中秋の名月の夜。③月末。

【月旦】ゲッタン ①月のついたち。朔日(サクジツ)。月朔。②人物の批評。後漢の許劭(キョショウ)が毎月のついたちに、友人と郷里の人物を批評し合った故事による。月旦評。〔後漢書、許劭伝〕

【月旦評】ゲッタンヒョウ ＝月旦②。

【月中△桂】ゲッチュウのかつら 月にはえているという、かつらの木。高さ五百丈あり、切っても切っても、すぐに切り口が合うという。→月桂(ゲッケイ)①。

【月△兎】ゲット 月の別名。月の中に兎(うさぎ)がいるという伝説に基づく。

【月白風清】つきしろくかぜきよし 月があきらかで、吹く風がここちよい。秋の月夜のさわやかなさま。用例〔北宋、蘇軾、後赤壁賦〕月白風清、如二此良夜一何(つきしろくかぜきよし、このリョウヤをいかんせん)。↓月は明るく風がここちよい、このすばらしい晩をどのようにして過ごそうか(とても無為に過ごす気にはなれない)。

【月△魄】ゲッパク 月の精。また、月の別名。月霊。

【月俸】ゲッポウ 月ぎめの給料。月給。

【月望】ゲッボウ もちづき。十五夜。望月。

【月満(滿)則△虧】つきみつればすなわち(は)ちかく 満月になるとかならずかける。物ごとがさかんになるとかならずおとろえるたとえ。用例〔史記、蔡沢伝〕月満則虧、物盛則衰(つきみつればすなわち(は)ちかけ、ものさかんなればすなわち(は)ちおとろう(ふ))。↓月は満月になると必ずかけ始め、物事は盛りを極めれば、後は必ず衰えるものである。

【月明】ゲツメイ 明るい月の夜。月明り。月光。

【月明星△稀】つきあきらかにほしまれなり 月の光があきらかで、星がまばらにしか見えない。すぐれた賢人が出て、小人の影の薄くなるたとえ。三国時代、魏(ギ)の曹操が、蜀(ショク)の劉備(リュウビ)の逃走をそしった詩句。用例〔三国魏、曹操、短歌行〕月明星稀、烏鵲南飛(つきあきらかに、ほしまれに、ウジャクみなみにとぶ)。↓月の光があきらかで星がまばらにしか見えず(英雄たる私の出現によって小人の影は薄くなり)、かささぎが南の方へ飛んで行く(劉備は南へ逃走した)。

【月落△烏△啼霜満(滿)レ天】つきおちからすないてしもテンにみつ 月は西に傾き、からすが鳴き、霜の気が天空いちめんに満ちている。用例〔唐、張継、楓橋夜泊詩〕月落烏啼霜満レ天、江楓漁火対二愁眠一(つきおちからすないてしもテンにみつ、コウフウギョカ シュウミンにタイす)。↓月が沈みからすが闇に鳴き、冷気はあたりに満ちている。川岸の楓樹(フウジュ)の間にいさり火が点々と灯り、旅愁のために寝つかれないわが目に映じている。

【月輪】 一ゲツリン 月をいう。二つきのわ 国①円い形。②熊(くま)ののどにある三日月(みかづき)形の白い毛。

【月令】ゲツレイ・ガツリョウ ①一年、十二か月の、それぞれの時候に応じて、行うべき政令。また、その政令を記録したもの。『礼記(ライキ)』に月令編がある。②時候。

【月齢(齡)】ゲツレイ 国月の満ち欠けの大きさを表す日数。新月を零として数える。満月は、ほぼ月齢十五。陰暦の基礎となるもの。

【月露】ゲツロ 月夜のつゆ。

【乗(乘)レ月】つきにジョウず 月夜をさいわいに。また、月の光を受けながら。

【酔(醉)レ月】つきによう(ふ) 月をながめながら酒に酔う。

【夕レ月】つきにセキす 月を祭る。昔、秋分に天子が西郊で月を拝したこと。

【△喘レ月】つきにあえ(へ)ぐ 呉の地方の牛が炎熱を恐れるあまり、月かげを見ても太陽かと思い、息をせわしくすること。過度に恐れることのたとえ。また、取り越し苦労のたとえ。〔世説新語、言語〕

【歩レ月】つきにホす つきかげをふんで歩く。月夜に歩く。歩月(ホゲツ)。

2
【肌】

6画 4905 常 はだ

一キ 㑊 jī 二漢キ・呉ケ 末 jī

4009
94A7
一

筆順 丿 冂 月 月 刖 肌

字義 一はだ。はだえ(はだへ)。皮膚。二からだ。肉体。国はだ。はだあい。気質(きかた)。「学者肌」

注意 『康熙(コウキ)字典』では、肉部に所属する。

難読 肌理(きめ)

解字 篆文  形声。月(肉)+几(音)。几(キ)は、緊(キン)に通じ、ひきしまるの意味。生きた肉体を覆う、ひきしまったはだの意味を表す。

逆 死肌・雪肌・氷肌

【肌膚】キフ はだ。はだえ。皮膚。

【肌理】キリ 皮膚のきめ。膚理。

2 **【冐】** 6画 4906 コウ 肯(4927)の本字。→六九ジ上。 ― ― 5376

注意 『康熙字典』では、肉部に所属する。

2 **【有】** 6画 4907 教3 ユウ・ウ あ-る
一 漢ユウ(イウ)・呉ウ 宥 yǒu
二 漢ユウ(イウ)・呉ウ 宥 yòu
4513 974C ―

2 **【有】** 6画 4908

筆順 ノ ナ 不 冇 有 有

字義 一 ❶あ-る。あり。ある空間・範疇に物・事・人が存在・出現することを表す。↔無(7065)・亡(137)。㋐ある。いる。物・事・人の存在・実存を示す。用例〔史記、楽書、正義〕天有ニ日月一、地有ニ山川一。↓天上には太陽と月があり、地上には山や川がある。／〔論語、泰伯〕天下有レ道則見、無レ道則隠。↓天下に道がある場合は、あらわれ(て活躍し)、道がなければ隠れる。／〔史記、留侯世家〕上不レ能レ致者、天下有ニ四人一。↓主上にもお招きできない方が、天下に四人おられます。

㋑あらわれる。起こる。生ずる。ある事態の発生・出現を示す。用例〔老子、十八〕大道廃有ニ仁義一。↓無為自然の道が衰えたために、仁義の道などというものが説かれるようになった。

㋒…という者がいて～。…がいて～。ある人や物がはじめて文脈に登場する場合に用いる。用例〔論語、雍也〕有ニ顔回者一好レ学。↓顔回という者がおり学問を好みました。／〔史記、高祖本紀〕前有ニ大蛇一当レ径。↓ゆくてに大蛇がおり、道をふさいでいます。

❷あること。あるもの。実存。「万有」

❸あ-る。たも-つ。も-つ。㋐持っている。備えている。用例〔論語、憲問〕仁者必有レ勇、勇者不ニ必有一レ仁。↓仁の人にはきっと勇気があるが、勇敢な人に仁があるとは限らない。

㋑手に入れる。また、維持する。転じて、おさめる。統治する。用例〔史記、高祖本紀〕吾所ニ以有ニ天下一者何。↓私が天下を手にした理由は何であろうか。

❹もちもの。所有物。富。財産。❺おおい(多)。とむ(富)。❻国名などに添える接頭語。「有虞氏」「有商(殷をいう)」 ❼仏十二因縁の一つ。生死輪廻の根源となるもの。「ウ」と読む。

二 ❶ま-た。さらに。ふたたび。=又(1266)。❷加えて。…と(あと～)。数の表記で、千、百、十などのまとまった数に端数を加えることを示す。用例〔論語、為政〕吾十有五而志ニ于学一。↓私は十五歳で学問で身を立てようと決心した。

名前 あ・あり・くに・すみ・たもつ・とお・とも・なお・なり・みち・もち・ゆ・ゆう・り **難読** 有家・有磯海・有功・有珠・有住・有年

注意 文字の成り立ちからいえば、意符の月は肉であるが、『康熙字典』は月の部に入れる。

使いわけ ある〔有・在〕
〔有〕…がある。「責任の一半が有る」
〔在〕…にある。存在する。「都の西北に在る」
ただし、紛らわしい例も多く、仮名書きが一般的。「ありし日のおもかげ・相手のあることだから…」

解字
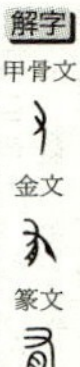

形声。月(肉。月は誤った形)＋又(音)。音符の又は、右手の象形で、有の原字。金文になって、下に肉を付した。肉を持つ・あるの意味を表す。

逆 享有・拠有・希有・固有・所有・占有・専有・通有・万有・富有・無有・領有

【有位】ユウイ ①天子の位。②官位のある者。役人。百官。
【有為(爲)】一ユウイ ①ことをなす才能がある。役に立つこと。有能。②なすべきつとめがある。二ウイ 仏人の世の変わりやすく、はかないこと。→有為転変。
【有為(爲)転(轉)変(變)】ウイテンペン 仏世の中のことが、常に移り変わって、少しの間も同じ状態にとどまらぬこと。無常ではかないこと。
【有夏】ユウカ ①中国本土。中国。中華。▼有は接頭語、夏は大の意。②夏后氏。夏の王朝。▼有は、接頭語。
【有間】ユウカン ①しばらくして。少したって。②病気が少しよくなる。③ひまがある。有閑。④すきまがある。仲が悪い。
【有閑】ユウカン ①ひまがある。有間。②国資産があって生活に余裕があり、ひまの多いこと。
【有機】ユウキ 生活機能を持っていること。また、その物。動・植物。↔無機(九一〇ジ中)。
【有機体(體)】ユウキタイ ①生活機能を持っている組織体。動・植物。有機物。②多くの部分が一つに組織され、部分と全体とが切りはなすことのできない関係にあるもの。宇宙・社会など。
【有給】ユウキュウ 給料が支給されること。「有給休暇」↔無給(九一〇ジ中)。
【有虞氏】ユウグシ =帝舜(四五五ジ中)。虞(今の山西省平陸県の北)を領したから称する。▼有は、接頭語。
【有△卦】ウケ 陰陽家の語。運が向いてきてよい事が続くこと。都合がよくなること。「有卦にいる」
【有形】ユウケイ かたちがある。また、形のある物。物体。
【有頃】ユウケイ・しばらくありて しばらくして。
【有功】ユウコウ ①てがらがある。②てがらのある人。功労者。
【有効(效)】ユウコウ ①ききめがある。効果がある。②役にたつ。③法律上の効力を生ずること。
【有子】ユウシ ①子がある。②孔子の門人の有若。▼子は、尊称。
【有史】ユウシ 国歴史としての記録が残っている。↔先史(一四〇ジ上)。「有史以来」
【有司】ユウシ 役人。官吏。用例〔史記、廉頗藺相如伝〕召ニ有司一案レ図、指ニ従レ此以往十五都予一レ趙。↓(秦王は)役人を呼びつけて、地図を調べて、ここからむこうの十五の都市は趙に与えようと指さした。
【有志】ユウシ こころざしがある。ある事について、それを実行し、または参加する意志があること。また、その人。
【有事】ユウジ ①仕事がある。用事がある。②ふだんと変わった事がある。事件が起こる。↔無事(九一一ジ上)。
【有職】一ユウショク つかさどるところがある。二ユウソク 国①その道にあかるい人。もの知り。学者。②朝廷や武家などの儀式・法制などに明るい人。有識家。故実家。
【有識】一ユウシキ・ユウソク・ユウショク 学問や見識があること。また、その人。ものしり。二ウシキ・ユウソク・ユウショク 仏生きもの。衆生。凡夫。三ユウソク・ユウショク 国①おおやけの儀式や先例。②人柄のりっぱなこと。
【有若】ユウジャク 孔子の門人。字は子有。顔が孔子に似ていたので、孔子の死後、門人が立てて師としようとした。有子。(前五三八―？)
【有若レ無】あれどもなきがごとし 自分が道を体得していても、そうでないようにふるまう。謙虚な態度をいう。〔論語、泰伯〕
【有周】ユウシュウ 周の国をいう。▼有は、接頭語。
【有終△之美】ユウシュウのビ 物事を最後までりっぱになしとげること。「有終の美を飾る」
【有衆】ユウシュウ たみ。人民。朝廷や君主が人民をよぶことば。▼有は、接頭語。
【有情】一ユウジョウ ①喜怒哀楽などの感情がある。↔非情(一五四三ジ上)。②なさけがある。③おもむきがある。④男女の間に恋心がある。恋愛。二ウジョウ 仏この世に生をうけてなさけを解するもの。いっさいの人間・鳥獣などをいう。↔無情(九二ジ上)。

【有心】㊀ユウシン ①心に思うことがある。思慮がある。②気をつける。㊁ウシン 国①分別がある。気がきいている。②普通の和歌。↔無心(九二ジ上)。③滑稽コッケイを主とする無心連歌に対して純正の連歌をいう。

【有身】ユウシン はらむ。妊娠する。

【有数(數)】ユウスウ ①数えるほどしかないこと。数少ない。屈指。②自然の道理がある。数は術。③定まった運命がある。

【有生】ユウセイ ①生きようとする気持ちがある。②生命あるもの。生き物。万物。③人。生物の中で最も霊妙なもの。

【有生二於無一】ユウはムにショウず・ユウはムよりショウず 形あるものは形のない無から生じる。天地万物が無形の道から生じることをいう。〔老子、四十〕

【有政】ユウセイ まつりごと。政事。▼有は、接頭語。

【有巣(巢)氏】ユウソウシ 中国古代伝説上の天子。人民に居住の方法を教え、鳥獣の害から守ったと伝えられる。

【有象無象】ウゾウムゾウ ①仏形のあるもの、ないものすべて。天地間のありとあらゆるもの。万物。②国つまらぬ者ども。

【有待】㊀ユウタイ たよりにするところがある。㊁ウダイ 仏人のからだ。食物や衣服など他のものの助力を待って存在するもの。

【有△智子内親王】うちこナイシンノウ 国平安前期の女流詩人。嵯峨サガ天皇の第八皇女(一説に第九皇女)。最初の賀茂斎院。『経国集』に数篇の詩を残す。(八〇七―八四七)

【有頂天】ウチョウテン ①仏形ある世界の最も高い所。九天の中で最も高い所にある天。②国喜びのあまり、われを忘れること。うわのそら。夢中。

【有土】ユウド 国をたもつ。また、その国君。「有土之君ユウドのきみ」

【有道】ユウドウ ①道徳を身にそなえていること(人)。②道徳が行われて、世の中のよく治まること。

【有徳】㊀ユウトク・ウトク りっぱな徳をそなえていること。また、その人。㊁ウトク 国富裕なこと。「有徳人(金持ち)」

【有年】ユウネン ①穀物がよくみのる。豊作。②幾年もたつ。

【有苗】ユウビョウ 古代、中国南方に居住した異民族。三苗。▼有は、接頭語。

【有方】ユウホウ ①四方。▼有は、接頭語。②道にかなった行い。③一定の方角がある。きまった場所がある。

【有邦】ユウホウ 国家。▼有は、接頭語。

【有△朋】ユウホウ 志を同じくする友達がある。用例〔論語、学而〕有レ朋自二遠方一来、不二亦楽一乎ともあり、エンポウよりきたる、またたのしからずや ⇒友人が遠くからやって来てくれる、なんと楽しいことではないか。

【有望】ユウボウ ①のぞみがある。みこみがある。②遠くから仰ぎ見る。

【有明】㊀ユウメイ 明の王朝。▼有は、接頭語。㊁ありあけ 国①夜があけているのにまだ残っている月。有明月。②ありあけ月のあるころ。あかつき。夜あけ。

【有無】㊀ユウム・ウム あることと、ないこと。あるなし。また、物がじゅうぶんにあることと、ないこと。㊁ウム 国承知することと、しないこと。いやおう。諾否。「有無をいわせず」

【有名】ユウメイ ①名高い。著名。②名のあるもの、天地をいう。天地の根源である道を無名というのに対していう。用例〔老子、一〕無名天地之始ムメイはテンチのはじめ、有名万物之母ユウメイはバンブツのはは ⇒名のつけようのないもの(道)こそ、天地の根源であり、(道によって生成されて)名づけられた天地は、万物を生みだす母である。

【有名無実(實)】ユウメイムジツ 名前だけがりっぱで、実質がそれに伴わないこと。〔三国志、呉志、趙達伝〕

【有△耶無△耶】ウヤムヤ 国どっちつかず。あいまいなこと。

【有用】ユウヨウ 使いみちがある。役にたつ。また、入り用がある。↔無用(九二ジ上)。

【有隣】ユウリン 同類のものが集ってくること。

2【肋】6画 4909 人 標 ロク 職 lèi　4730 985D —

筆順 ノ 刀 月 月 肋 肋

字義 あばら。あばらぼね。前部の胸骨とともに胸を囲んで肺や心臓を保護する骨。肋骨。

注意 『康熙コウキ字典』では、肉部に所属する。

解字 篆文 形声。月(肉)+力㊥。音符の力は、理に通じ、すじの意味。胸の所にすじになって見える、あばらの意味を表す。

【肋骨】ロッコツ ①あばらぼね。→字義。②国船体の外側を形づくる、あばら骨状の骨組み。

【肋膜】ロクマク あばらぼねの内部にあって、肺を包む薄いまく。

3【育】7画 4910 イク 育(4921)の本字。→六八八ジ中。

注意 『康熙コウキ字典』では、肉部に所属する。

3【肙】7画 4911 エン 先 霰 yuān　28516 — —

字義 ❶ぼうふら。❷むなしい。

注意 『康熙コウキ字典』では、肉部に所属する。

解字 会意。肉+口。

3【肝】7画 4912 常 カン きも　カン 寒 gān　2046 8ACC —

筆順 ノ 刀 月 月 肝 肝

字義 ❶きも。肝臓。五臓の一つ。❷こころ。また、まごころ。「銘肝」「肺肝」 ❸かなめ。たいせつな所。「肝要」 難読 肝属きもつき

注意 『康熙コウキ字典』では、肉部に所属する。

解字 篆文 形声。月(肉)+干㊥。音符の干は、幹に通じ、みきの意味。肉体の中のみきにも当たる重要な部分、きもの意味を表す。

逆 心肝・忠肝・肺肝・銘肝

【肝△膈】カンカク ①肝臓と、みぞおち。②心の中。

【肝心】㊀カンシン 肝臓と心臓。転じて、こころ。㊁カンジン 国かなめ。たいせつな所。肝要。肝腎カンジン。

【肝腎】カンジン ①肝臓と腎ジン臓。②国=肝心㊁。

【肝臓(臟)】カンゾウ 消化管に付属する一大分泌腺ブンピツセン。胆汁を作り、栄養をたくわえる。

【肝胆(膽)】カンタン ①肝臓と胆嚢タンノウ。きも。②こころ。また、まごころ。

【肝胆(膽)砕(碎)裂】カンタンサイレツ 肝胆がくだけ裂ける。極度に驚き慌てる形容。きもをつぶす。

【肝胆(膽)相照】カンタンあい(に)てらす たがいに心の中をうちあけ合って、親しく交わること。主として、友人の間についていう。〔故事必読成語考、朋友賓主〕

【肝脳(腦)】カンノウ ①肝臓や脳。②最も大切なもののたとえ。

【肝脳(腦)塗レ地】カンノウチにまみる 肝臓や脳がどろにまみれる。戦場などで悲惨な死に方をすること。肝胆塗レ地カンタンチにまみる。〔史記、劉敬伝〕

【肝肺】カンパイ 肝臓と肺臓。転じて、こころ。まごころ。

【肝銘】カンメイ 心に深く刻みこんで忘れない。

【肝要】カンヨウ 国かなめ。たいせつな所。肝心。肝腎カンジン。

3【肛】7画 4913 標 ㊀コウ(カウ) 江 gāng ㊁漢コウ・呉グ 東 gāng　7074 E3E8 —

字義 ㊀はれる。ふくれる。㊁しりのあな。肛門。

注意 『康熙コウキ字典』では、肉部に所属する。

解字 形声。月(肉)+工㊥。音符の工は、大きいの意味。腹がふくれるの意味を表す。工は、また、つらぬくの意味。肉体をつらぬく穴、しりの穴の意味をも表す。

3【肓】7画 4914 コウ(クヮウ) 陽 huāng　7075 E3E9 —

字義 **むなもと。** 心臓の下、横隔膜の上で、昔の医者が鍼はりも薬もとどかないと考えた所。「膏肓コウコウ」
注意 『康熙コウキ字典』では、肉部に所属する。
参考 〔盲〕(7958)は別字。
解字 篆文 **形声。** 月(肉)＋亡㊥。音符の亡ボウ=コウは、盲に通じ、見えないの意味。人の目のとどかない、肉体の奥の所の意味を表す。

3 **【肞】** 7画 4915 サ 麻 chā　— — 5378
字義 腵肞カサは、干し肉。
注意 『康熙コウキ字典』では、肉部に所属する。
解字 **形声。** 月(肉)＋叉㊥。

3 **【肖】** 7画 4916 常 ショウ　3051 8FD1 —

3 **〔肖〕** 7画 4917 ショウ(セウ) 嘯 xiào
筆順 丨 丶' 丷 ⺌ 屮 肖 肖
字義 ❶**に-る**(似)。骨組や体つきが似る。「不肖」 ❷**にせる。** のっとる。かたどる。 ❸ちいさい。＝小(2737)。 国 **あやか-る。** 幸せな人の影響を受けて、自分も同じように幸せになる。
名前 あえ・あゆ・あれ・すえ・たか・のり・ゆき　難読 肖者あえもの・あやかりもの・肖奈せな
注意 肖は、『康熙コウキ字典』では、肉部に所属する。
解字 篆文 **形声。** 月(肉)＋小㊥。骨肉の中の幼く小さいものの意味から、似るの意味を表す。
逆 不肖
【肖似】ショウジ よく似ていること。
【肖像】ショウゾウ にすがた。人の顔や姿などを写した絵、または彫刻。

3 **【肘】** 7画 4918 常 ひじ　チュウ(チウ) 有 zhǒu　4110 9549 —
筆順 丿 刀 月 月 肝 肘 肘
字義 ❶**ひじ**ひぢ。腕の関節。また、その上下の部分。 ❷ひじをつかまえてとめる。おさえる。掣肘セイチュウ。
名前 すけ・たすく
注意 『康熙コウキ字典』では、肉部に所属する。
解字 篆文 **形声。** 月(肉)＋寸㊥。音符の寸は、手のひじを示す指事文字。肉を付し、ひじの意味を表す。

---

3 **【肚】** 7画 4919 ㊀漢ト・呉ズ(ヅ) 麌 dù ㊁漢ト・呉ツ 麌 dǔ　7076 E3EA —
字義 ㊀**はら**(腹)。 ㊁い(胃)。いぶくろ。
注意 『康熙コウキ字典』では、肉部に所属する。
解字 **形声。** 月(肉)＋土㊥。
【肚裏・肚△裡】トリ 腹のうち。心の中。

3 **【肜】** 7画 4920 ユウ(イウ) 東 róng　z8517 — 5377
字義 ❶祭りの名。本祭りの翌日に行う祭り。 ❷肜肜は、やわらぎ楽しむさま。
注意 『康熙コウキ字典』では、肉部に所属する。
解字 **会意。** 月(肉)＋彡。

4 **【育】** 8画 4921 教3 イク そだ-つ・そだ-てる・はぐく-む　イク 屋 yù　1673 88E7 —
筆順 丶 亠 𠫓 𠫔 育 育 育
【育】4910 本字　【毓】6078 同字
字義 ❶**そだ-てる**そだつ。**はぐく-む。** やしなう。しつける。「養育」「教育」 ❷**そだ-つ。** 生長する。 ❸うむ。生まれる。 ❹おさない(幼)。
名前 いく・すけ・なり・なる・やす・ゆき
注意 『康熙コウキ字典』では、肉部に所属する。
解字 甲骨文 金文 篆文 別体 **象形。** 甲骨文・金文は、女性が子を生む形にかたどり、うむ・はぐくむの意味を表す。篆文は会意で、𠫓＋月(肉)。
逆 愛育・化育・教育・訓育・飼育・成育・生育・体育・徳育・発育・扶育・保育・養育
【育育】イクイク ①活発なさま。 ②生長するさま。
【育英】イクエイ ①英才を教育する。 ②教育。
【育△鞠】イクキク・イッキク こどもを育てる。用例(先哲叢談)家道育鞠カドウのイクキク、妾未ニ嘗為ニ不レ堪ショウいまだかつてたえ(へ)ずとなさず ↓家を治めるについての子供の養育など、私はいままでに一度だって我慢が出来ないと思ったことはございません。
【育成】イクセイ 養い育てる。育てあげる。

4 **【肸】** 8画 4922 漢キツ 呉キチ 質 xī　z8520 — 5382
〔肹〕4923 俗字
字義 ❶**し-く**(布)。ひろがる。ひびきわたる。 ❷ととのえる。 ❸ふるいおこる。さかんにおこる。
注意 『康熙コウキ字典』では、肉部に所属する。

解字 篆文 **形声。** 十＋肸㊥。十は、多いの意味。音符の肸キツは、肉を細かに切りならべるの意味。小虫などが、さかんに群がるの意味を表す。

4 **【肹】** 8画 4923 キツ　肸(4922)の俗字。→六八八ページ中。　— — 5383
注意 『康熙コウキ字典』では、肉部に所属する。

4 **【肩】** 8画 4924 常 ケン かた　2410 8CA8 —

4 **〔肩〕** 8画 4925 ケン 先 jiān
筆順 一 ㇋ ヨ 戸 戸 肩 肩 肩
字義 ❶**かた。** 腕と胴体とが接続する関節の上部。 ❷になう。かつぐ。また、たえる。もちこたえる。 ❸三歳の獣。
難読 肩巾ひれ
注意 『康熙コウキ字典』では、肉部に所属する。
解字 篆文 **会意。** 戸(戶)＋月(肉)。戸は、かたの象形。月は、肉の象形。かたの意味を表す。
逆 双肩・比肩・並肩
【肩章】ケンショウ 国軍人や警察官の制服のかたにつけて、階級などを表すしるし。
【肩随(隨)】ケンズイ ①目上の人と歩くとき、少しうしろからついて行くこと。 ②ついて行く。いっしょに行く。
【肩摩】ケンマ 肩と肩とがすれあう。人の混雑すること。
【肩摩△轂撃(擊)】ケンマコクゲキ 往来のこみあうさま。都市の混雑するさま。人の肩と肩とがすれあい、車の轂こしと轂とがぶちあう意。〔戦国策、斉〕
【肩△輿】ケンヨ ふたりで肩にかつぐかご。
【脅レ肩】キョウケン・ケンをそびやかす・かたをひそむ ㋐こびるさま。 肩をすくめて、身をすくませる。脅肩 ㋑おそれつつしむさま。
【比レ肩】かたをならぶ ＝比肩ヒケン(七九九ページ上)。

4 **【股】** 8画 4926 常 コ また　コ 麌 gǔ　2452 8CD2 —
筆順 丿 刀 月 月 肌 肸 股 股
字義 ❶**もも。** 足の膝ひざから上の部分。膝から下を脛ケイ(すね)という。大腿部ダイタイブ。 ❷**また。** ㋐またぐら。足のつけね。足の上部のまたになっている部分。 ㋑物の分かれてまたになっているもの。「釵股サコ」 ❸直角三角形の直角をはさむ二辺のうち、長い方の辺。 ❹物事の一部分。
難読 股座またぐら
注意 『康熙コウキ字典』では、肉部に所属する。

解字 篆文 形声。月(肉)＋殳(𣪊)音。音符の𣪊は、胯に通じ、またの意味を表す。

【股肱】①ももと、ひじ。手足。②主君の手足となって働く、最も頼りになる家来。「股肱之臣」③手足となって、助けること。

【股戦(戰)】恐ろしさで足がふるえる。▼戦は、おののく。

【股栗・股慄】＝股戦。

【刺レ股読(讀)レ書】刻苦勉励すること。戦国時代の蘇秦が読書して眠くなると、錐でももをさした故事による。〔戦国策、秦〕

4

【肯】

8画 4927 常 コウ

コウ 迥 kěn

2546 8D6D 一

筆順 ｜ ⺊ 止 肯 肯 肯 肯

[肎] 4906 本字

字義 ❶骨についた肉。「肯綮」 助 ❶あ-えて。⇩助字・句法解説。❷が-えんずる。うべな-う。うなずく。よいとする。承知する。用例〔戦国策、燕〕両者不レ肯ニ相舎一。⇩(しぎもどぶ貝も)どちらも互いに離そうとしなかった。

助字・句法解説

あ-えて 動詞の前に置かれ、続く動詞の行為が肯定的な判断の下に行われることを表す。訳 進んで…する。類 敢。

用例〔唐、杜甫、客至詩〕肯与ニ隣翁一相対飲。隔レ籬呼取尽ニ余杯一。⇩(そう言い)垣越しに呼び出して残りの酒を飲み干させた。ぜひ隣りのおじいさんをさそってさしむかいで飲もう。

名前 さき・むね

注意 『康熙字典』では、肉部に所属する。

解字 金文 篆文 会意。止＋月(肉)。篆文は、冂＋月(肉)。止・冂は、骨の象形。月は、肉の象形。ほねについている肉の意味を表し、承知するの意味をも表す。

逆 首肯

【肯綮】肯は骨についた肉、綮は筋肉の結合したところ。牛などの肉を切り離すとき、刃物がここにあたればたくみに切り離せることから、転じて、物事の急所・要所をいう。「中ニ肯綮一」〔荘子、養生主〕

【肯諾】国承知する。承諾する。

【肯定】国そうであると認める。↔否定(二五五ジ-中)。

4

【肴】

8画 4928 人 標 漢コウ(カウ) 呉ギョウ(ゲウ) 肴 yáo

2672 8DE6 一

筆順 ノ メ ナ 乄 希 肴 肴 肴

[餚] 13614 同字

字義 さかな。調理した骨つきの肉・魚。また広く、肉や魚を使った料理をいう。㋐酒を飲むとき、そえて食べる料理。㋑酒席で興をそえる歌舞など。国 さかな。

注意 『康熙字典』では、肉部に所属する。

解字 篆文 形声。月(肉)＋爻音。音符の爻は、まじえるの意味。いろいろな肉を交える、ごちそうの意味を表す。

【肴核】肉料理とくだもの。ごちそう。▼核は、くだもの。用例〔北宋、蘇軾、前赤壁賦〕肴核既尽、杯盤狼藉。⇩肉やくだものなどの酒の肴もなくなり、さかずきや皿などが入り乱れている。

4

【肱】

8画 4929 コウ 蒸 gōng

2547 8D6E 一

字義 かいな。うで。用例〔人虎伝〕及レ視ニ其肱髀一、則有ニ毛生一焉。⇩自分のうでやももをよく見てみると、毛が生えている。国 ひじ。腕の関節。また、その上下の部分。

注意 『康熙字典』では、肉部に所属する。

解字 形声。月(肉)＋厷音。音符の厷は、ひじの意味。肉を付し、ひじの意味を表す。

4

【肮】

8画 4930 漢コウ(カウ) 呉ゴウ(ガウ) 陽 háng

字義 のど。のどぶえ。＝吭(1364)・頏(13442)。

解字 形声。月(肉)＋亢音。

4

【肢】

8画 4931 常 シ

シ 支 zhī

2772 8E88 一

筆順 ｣ 月 月 肝 肢 肢

字義 てあし(手足)。＝支(4506)。「四肢」

注意 『康熙字典』では、肉部に所属する。

解字 形声。月(肉)＋支音。音符の支は、分かれるの意味。肉体の中の枝分かれになっている部分、手足の意味を表す。

逆 下肢・上肢

【肢解】手足を切り離す、昔の残酷な刑。

【肢体(體)】①手足と胴体。②からだ。③手足。

4

【胏】

8画 4932 シ 紙 zǐ

一 一 5386

字義 ❶食べ残し。❷干し肉。骨付き肉。

注意 『康熙字典』では、肉部に所属する。

解字 形声。月(肉)＋𠂔音。

4

【肫】

8画 4933 一 シュン 真 zhūn 二 シュン 真 chún 慣ジュン

一 一 5381

字義 一❶ほおぼね。❷肫肫は、丁寧なさま。また、精密なさま。二ほじし。まるごとの干し肉。切ったりしていない干し肉。

注意 『康熙字典』では、肉部に所属する。

解字 形声。月(肉)＋屯音。

4

【肭】

8画 4934 漢ドツ 呉ノチ 月 nà

7077 E3EB 一

字義 ❶膃肭は、肥えてやわらかい。❷膃肭臍は、海獣の名。→膃(5107)。

注意 『康熙字典』では、肉部に所属する。

解字 形声。月(肉)＋内音。

4

【肧】

8画 4935 ハイ 灰 pēi

₂8519 一 5380

字義 ❶はらごもり。妊娠一か月をいう。＝胚(4968)。❷物事の始め。

注意 『康熙字典』では、肉部に所属する。

解字 形声。月(肉)＋不音。

4

【肺】

8画 (4966)

ハイ 肺(4965)の旧字体。→六九四ジ-上。

4

【肦】

8画 4936 一 ハン 刪 bān 二 漢フン・呉ブン 文 fén

一 一 5379

字義 一大きい首。二首の大きいさま。

注意 『康熙字典』では、肉部に所属する。

解字 形声。月(肉)＋分音。

4

【肥】

8画 4937 教5 ヒ こ-える・こえ・こ-やす・こ-やし

漢ヒ・呉ビ 微 féi

4078 94EC 一

筆順 ｣ 月 月 肝 肥 肥 肥

字義 ❶こ-える。こえている。㋐ふとる。肉づきがよい。特に、腯が、豚・鳥のふとるのに対し、牛・羊のふとるのをいう。「肥満」㋑地味がゆたか。「肥沃」㋒ゆたか。富裕。さかん。❷こ-やす。ふとらせる。❸こえ。こ-やし。肥料。❹こえた馬。また、一般にこえているもの。❺たのしむ。ゆったりとして満足する。

名前 うま・くま・こえ・とみ・とも・みつ・ゆたか

注意 『康熙字典』では、肉部に所属する。

解字 篆文  会意。月(肉)＋巴。巴は、ふとった人の象形。肉を付し、ふとるの意味を表す。

逆 軽肥・鮮肥

【肥甘】ヒカン こえてうまい。また、こえた肉や、おいしい食物。ごちそう。美味。

【肥△墝・肥△磽】ヒコウ 地味のこえていることと、やせていること。

【肥△饒】ヒジョウ 地味のこえていること。肥腴ユ。肥沃ヒヨク。

【肥水】ヒスイ 安徽アンキ省を流れる川。淝水ヒスイ。

【肥△碩】ヒセキ ＝肥大。▼碩は、大。

【肥△瘠】ヒセキ ①からだがこえていることと、やせていること。②地味がこえていることと、やせていること。

【肥大】ヒダイ こえて大きい。ふとって大きい。肥碩ヒセキ。

【肥大漢】ヒダイカン 肥え太った男性。肥漢。

【肥△遯】ヒトン ゆったりとして世をのがれる。高隠。

【肥肉】ヒニク こえふとった鳥獣の肉。おいしい肉。

【肥美】ヒビ 土地がこえて美しい。

【肥△笨】ヒホン からだはこえふとって筋肉にしまりがないこと。

【肥満(滿)】ヒマン 肥えている。太っている。太る。

【肥△腴】ヒユ ＝肥饒ヒジョウ。

【肥沃】ヒヨク ＝肥饒ヒジョウ。

【肥料】ヒリョウ 植物の発育を促進するために、土地などにほどこす栄養物質。

【随(隨)ニ肥馬△塵ニ】ヒバのちりにしたがう(ふ) こえた馬のあげる土ぼこりの後について行く。富貴の人にこび従う。〔唐、杜甫、奉ニ贈韋左丞丈ニ詩〕

4【肤】8画 4938 フ 膚(5131)と同字。→七〇八ページ上。 ₂8518 ― ―

注意 『康熙字典』では、肉部に所属する。

4【服】8画 4939 教3 フク 4194 959E ―

4〖服〗8画 4940 漢フク 呉ブク 屋 fú, ⑭fù

筆順 丿 ⺆ 月 月 月 服 服

字義 ❶きもの。「衣服」 ❷きーる(着)。おびる。身につける。❸もちいる。身につけて使う。❹心につけて離さない。忘れない。「服膺フクヨウ」 ❺のむ(飲)。薬や茶などを飲む。「頓服トンプク」 ❻したがう。㋐心から従う。したう。「心服」「思服」 ㋑おそれいる。くだる。「屈服」 ❼こと(事)。つとめ。また、こととする。つとめる。「服務」 ❽ならう(習)。また、なれる(慣)。 ❾周代に、王畿オウキ(みやこ)の外に五百里ごとに設けた区域。「五服」 ❿もふく。また、喪もにこもる。「喪服」 ⓫車を引く馬。四頭立ての馬車の内側の二頭。 ⓬牛馬を車につける。 ⓭えびら。矢を入れるもの。＝箙(8794)。 ⓮一度に飲む薬の量。

名前 こと・はとり・もと・ゆき・よ 難読 服部はっとり・はとりべ

注意 服は、『康熙字典』では、月部に所属する。

解字 甲骨文  篆文 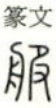 形声。月(舟)＋𠬝㊥。音符の𠬝フクは、つける・従えるの意味。舟は、ふねの意味。舟の両側につけるそえ板の意味を表す。転じて、身につけるの意味を表す。

逆 一服・威服・悦服・感服・歓服・帰服・凶服・屈服・敬服・元服・降服・克服・呉服・私服・春服・承服・信服・心服・臣服・推服・征服・喪服・素服・着服・朝服・内服・被服・微服・美服・便服・法服・紋服

【服役】フクエキ ①使われて公の仕事につとめる。②兵役に従うこと。③懲役に服すること。

【服玩・服△翫】フクガン 日常の愛用の品。

【服御】フクギョ ①天子が使用する衣服・車馬の類い。②使用する。③馬を車につけて走らせる。服馭フクギョ。

【服△虔】フクケン 後漢の学者。滎陽ケイヨウの人。名は重。また、祇。字あざなは子慎。太学に学び、『左氏伝解』を著した。

【服降】フクコウ・フッコウ 降参する。降伏。

【服罪】フクザイ つみに従い罰を受けること。

【服事】フクジ ①官の仕事に従事する。②したがい、つかえる。▼事は、仕える。

【服従(從)】フクジュウ つきしたがう。他人の意志・命令に従う。

【服色】フクショク 衣服・車馬などの色。昔、中国では王朝のかわるごとに服色を改め、夏カは黒、殷イは白、周は赤を尊び用いた。「正朔セイサク(こよみ)服色」

【服食】フクショク ①衣服と食物。②飲み食いする。また、服用する食物。

【服飾】フクショク ①衣服のかざり。昔は、身分によって区別があった。②衣服と装飾。

【服制】フクセイ ①喪服に関する制度。喪中のきまり。②身分・職業に応じて定めた服装のきまり。

【服属(屬)】フクゾク ①つき従う。手下になる。従属服従。②喪に服さなければならない一族。

【服毒】フクドク 毒薬を飲む。

【服馬】フクバ ①四頭立ての馬車の轅ながえをはさんだ内側の二頭の馬。他の左右の馬を驂サン(そえうま)という。②馬車に乗る。

【服△佩】フクハイ ①身につける。おびる。②心にとめて忘れないこと。同佩服ハイフク。

【服部南郭】はっとりナンカク 国江戸中期の儒者・詩人。京都の人。名は元喬ゲンキョウ。南郭は号。荻生徂徠おぎゅう(をぎふ)ソライの弟子。著書に『南郭文集』がある。(一六八三―一七五九)

【服務】フクム 国つとめにつく。官庁・会社などの仕事に従事すること。

【服薬(藥)】フクヤク くすりを飲む。

【服用】フクヨウ ①身につけて用いること。②国薬を飲むこと。

【服養】フクヨウ 衣服と飲食物。

【服△膺】フクヨウ 心にしっかりとめて片時も忘れぬこと。よく守ること。▼膺は、胸。「拳拳服膺ケンケンフクヨウ」

【服労(勞)】フクロウ 労役に従う。ほねおり仕事に従いつとめる。

4【朋】8画 4941 人 4294 95FC ―

4〖朋〗8画 4942 漢ホウ 呉ボウ 蒸 péng

筆順 丿 ⺆ 月 月 朋 朋 朋 朋

字義 ❶とも。㋐ともだち。友人。㋑師を同じくする学友。同門の友。㋒なかま。たぐい。用例〔北宋、欧陽脩、朋党論〕為ニ人君ー者、但当下退ニ小人之偽朋ー用中君子之真朋上 ジンクンたるものは、ただまさにショウジンのギホウをしりぞけ、クンシのシンポウをもちい(ゐ)るべし。↓君主たる者、ただ小人たちが作る偽物の仲間を退けて、君子が作る本当の仲間を登用するべきなのである。❷たから。貨幣に用いた五個一組、または二個一組の貝。❸対ツイ。組。❹おおとり。鳳凰ホウオウ。想像上の鳥の名。

名前 とも・ほう

注意 『康熙字典』では、月部に所属する。

解字 甲骨文  金文  象形。甲骨文・金文は、数個の貝を糸でつらぬいて二列に並べた形にかたどり、なかまの意味を表す。

【朋△儔】ホウチュウ 友達。なかま。▼儔は、ともがら。

【朋党(黨)】ホウトウ ①なかま。②主義や利害を同じくする人が一つに結び合って他の人を排斥する団体。一味徒党。

【朋党(黨)比周】ホウトウヒシュウ 悪事などをするために仲間を作り親しみ合うこと。〔韓非子、孤憤〕

【朋輩】ホウバイ・ホウハイ 身分・年齢が同じくらいの友達。なかま。

【朋友】ホウユウ 友達。友人。▼同門を朋、同志を友という。

用例〔論語、学而〕与ニ朋友ー交而不レ信乎 ホウユウとまじわ(は)りてシンならざるか。↓友人との交際で、誠実でなかったことはないか。

【有朋自遠方来】ともに学ぶ友人が遠くからやって来てくれる。用例〔論語、学而〕有朋自遠方来、不亦楽乎。↓友人が遠くからやって来てくれる、なんと楽しいことではないか。

4 【肪】 8画 4943 常 ボウ 漢ホウ(ハウ)・呉ボウ(バウ) 陽 fáng 4335 9662 —

筆順 肪

字義 ❶こえる(肥)。あぶらぎる。❷あぶら。動物の体内の油質の固まったもの。脂肪。

注意 『康熙字典』では、肉部に所属する。

解字 篆文 形声。月(肉)＋方音。音符の方は、両方にはり出すの意味。肉体がはり出す、あぶらぎるの意味を表す。

逆 脂肪

【肪脜】ホウ・ボウ ジ・ジ はだにあぶらがのっていて、すべすべしていること。

【肪脃】ホウ ゼイ あぶらがのっていて、やわらかい。

4 【肬】 8画 4944 ユウ 疣(7701)と同字。→九七八ページ中。 7079 E3ED —

注意 『康熙字典』では、肉部に所属する。

5 【胃】 9画 4945 教6 イ イ(ヰ) 未 wèi 1663 88DD —

筆順 胃

字義 ❶いぶくろ。いのふ。内臓の一つ。❷こころ。「心胃」❸星の名。えきえぼし。二十八宿の一つ。西方にある。胃宿。

注意 『康熙字典』では、肉部に所属する。

解字 金文 篆文 会意。田(図)＋月(肉)。図は、胃の中に入った食物の象形。肉を付し、いぶくろの意味を表す。

【洗胃】イをあらう(ふ) 心を改める。「飲灰洗胃はいをのんでイをあらう」

5 【胤】 9画 4946 人 イン 震 yìn 1693 88FB —

筆順 胤

字義 ❶つぐ。子孫が父祖のあとをつぐ。❷たね。ちすじ。血統。血統をうけついだ子孫。「後胤」❸よつぎ。あとつぎ。

名前 いん・かず・たね・つぎ・つぐ・つづき・み

注意 『康熙字典』では、肉部に所属する。

解字 金文 篆文 会意。月(肉)＋八＋幺。八は、分化するの意味。幺は、いとの象形で、つながりの意味。肉親が分化しつつもつながるさまから、つぐの意味を表す。

【胤裔】インエイ 子孫。後裔。

【胤嗣】インシ あとつぎ。また、子孫。胤子。

5 【胦】 9画 4947 一オウ 二漢ヨウ(ヤウ)・呉オウ(アウ) 江 陽 養 yāng 2 8525 — —

字義 一胦肛オウコウは、腹がはって前にかがめないこと。二脖胦ボツオウは、へそ。

注意 『康熙字典』では、肉部に所属する。

解字 形声。月(肉)＋央音。

5 【胠】 9画 4948 漢キョ 呉コ 魚 御 語 qū 1 9044 — 5392

字義 ❶わきのした。❷わきぞなえ。軍隊の右のそなえ。右翼。❸ひらく(開)。わきから開く。

注意 『康熙字典』では、肉部に所属する。

解字 篆文 形声。月(肉)＋去音。音符の去は、離れるの意味。身体の中、自由にひらける部分、わきのしたの意味を表す。

5 【朐】 9画 4949 漢ク 呉グ 虞 qú 1 9042 — —

字義 ❶まがったほし肉。乾肉のまがっているもの。❷まがる。

注意 『康熙字典』では、肉部に所属する。

解字 篆文 形声。月(肉)＋句音。音符の句は、曲がるの意味。曲がったほし肉の意味を表す。これに対して、まっすぐなほし肉のことを脡イテと言う。

5 【胫】 9画 4950 ケイ 脛(5022)の俗字。→六九九ページ上。 2 8521 — —

5 【胘】 9画 4951 漢ケン 呉ゲン 先 xián 2 8524 — 5391

字義 ❶牛の胃袋。❷胃。胃袋。❸胃の厚い肉。

注意 『康熙字典』では、肉部に所属する。

解字 形声。月(肉)＋玄(弦省)音。

5 【胡】 9画 4952 人 漢コ・呉ゴ 唐ウ 虞 hú 2453 8CD3 —

筆順 胡

字義 助なん-ぞ。⇩助字・句法解説。❶えびす。㋐北方または西方の異民族。秦・漢以前は主に匈奴キョウドをいう。北狄ホクテキ。用例〔淮南子、人間訓〕馬無故亡而入胡。↓馬がどうしたことか逃げて北方の異民族の地に行ってしまった。㋑異民族。外国。❷けだもののあごのたれ下がった肉。❸命がながい。長生き。老人。❹はるか。とおい。ながい。❺でたらめ。とりとめがない。「胡説」

助字・句法解説

なん-ぞ。疑問・反語。訳どうして…か。類何。原因・理由について問う疑問詞。用例〔史記、趙世家〕杵臼謂朔友人程嬰曰、胡不死。↓杵臼は、趙朔の友人の程嬰に言った、「どうして朔と一緒に死なないのか」。／〔東晋、陶潜、帰去来辞〕田園将蕪、胡不帰。↓故郷の田畑は今まさに荒れはてようとしている、どうして帰らずにおられようか(帰らずにはいられない)。

【胡為】なんす-れぞ。疑問。訳どうして。なぜ。なにゆえ。理由について尋ねる語。用例〔東晋、陶潜、帰去来辞〕曷不委心任去留、胡為乎遑遑欲何之。↓どうして心を自然にゆだねて運命に身を任せないのか。なぜ心おちつかず、うろうろとして、いったいどこに行こうとするのか。

名前 ひさ 難読 胡奚なんぞ・胡坐あぐら・胡座あぐら・胡床あぐら・胡頽子ぐみ・胡蝶花しゃが・胡獱とど・胡蜂すずめばち・胡籙やなぐい・胡簶やなぐい

注意 『康熙字典』では、肉部に所属する。

解字 篆文 形声。月(肉)＋古音。音符の古は、ぼんやりしている(模糊モコ)さまを表す擬態語。肉の一部なのか、あごひげなのか、ぼんやりしてわからない、牛のあごの下のたれ肉の意味を表す。またぼんやりしてよくわからない、はるかに遠いえびすの地の意味も表す。また、借りて、なんぞの意味の助字に用いられる。

【胡安国(國)】コアンコク 北宋の儒学者。字あざなは康侯、諡おくりなは文定。『春秋胡氏伝』を著し、世に胡氏春秋といわれた。(一〇七四—一一三八)

【胡夷】コイ 異民族。▼胡は西方の、夷は東方の異民族。

【胡為(爲)】なんすれぞ ⇩助字・句法解説。

【胡渭】コイ 清シンの儒学者・地理学者。字あざなは朏明。号は東樵。『大清一統志』の編集に参加し、著書に『禹貢錐指』『易図明弁』などがある。(一六三三—一七一四)

【胡越】コエツ ①北方の異民族と、南方の異民族。また、その居住地。②たがいに遠くへだたっているたとえ。

【胡△瑗】(コエン) 北宋の儒学者。字は翼之。教育に力を注ぎ、数百人の弟子をもった。安定先生とも呼ばれた。著書に『周易口義』『洪範口義』がある。(九九三―一〇五九)

【胡△燕】(コエン) つばめの一種。あまどり。胸に黒斑があり、声が大きい。

【胡△瓜】(コカ・きゅうり(きうり)) ウリ科の一年草。果実は細長く、食用となる。黄瓜。

【胡△笳】(コカ) あしぶえ。西北方の異民族があしの葉をまいて作った笛。もの悲しい音色を出す。用例(唐、岑参、胡笳歌送₃顔真卿使赴₂河隴₁詩)辺城夜夜多₂愁夢₁、向ㇾ月胡笳誰喜ㇾ聞(へんじょうやや しゅうむおおし、つきにむかう(ふ)のこか たれかきくをよろこばん)。↓辺境の町では毎夜さびしい夢をみることであろう。月に向かって吹く胡笳の悲しげな音を、だれが喜んで聞くだろうか(だれもいない)。

【胡△亥】(コガイ) 秦の二代皇帝。始皇帝の次子。始皇帝の死後、李斯・趙高等が詔をいつわり、長子扶蘇を殺したことにより帝位についたが、結局趙高に殺された。

【胡角】(コカク) 胡人(北方の異民族)の吹くつのぶえ。

【胡楽(樂)】(コガク) 異民族の音楽。

【胡△羯】(コカツ) 北方の異民族。▼羯は、匈奴の一派。

【胡△雁】(コガン) かり。がん。北方の異国の地に住むことから。

【胡姫(姬)】(コキ) 西北方の異民族の女性。

【胡△簋】(コキ) ①宗廟(先祖のみたまや)の祭りに用いる器。②礼儀作法。

【胡騎】(コキ) 北方異民族の騎馬兵。

【胡弓】(コキュウ) 弦楽器の一種。三弦で、形は三味線に似てそれより小さく、馬の尾をはった小弓で弦をすり鳴らす。鼓弓。

【胡居仁】(コキョジン) 明の儒学者。字は叔心。号は敬斎。仕官をせず、白鹿洞書院で子弟の教育に従事した。著書に『易象鈔』『胡文敬公集』『居業集』がある。(一四三四―一四八四)

【胡琴】(コキン) 弦楽器の一種。二弦で、形は琵琶に似、胴とさおとは竹で作り、馬の尾をはった竹の弓で弦をすり鳴らす。

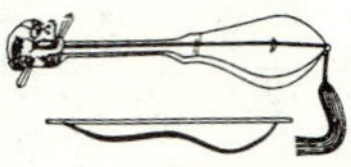

胡琴

【胡君】(コクン) 胡人で中国の天子となったもの。元や清の天子など。

【胡元】(コゲン) 元朝をいやしんでいう称。元は北方の異民族から起こったので、胡という。

【胡言】(コゲン) でたらめのことば。「胡言乱説」

【胡考】(ココウ) ながいき。また、老人。寿考。

【胡△宏】(ココウ) 宋の儒学者。胡安国の子。字は仁仲。五峰先生とも呼ばれた。著書に『知言』『詩文集』『皇王大紀』がある。(一一〇五―一一五五)

【胡△耇】(ココウ) 九十歳の称。転じて、年より。元老。胡老。

【胡△齕】(ココツ) 戦国時代の斉の宣王の近臣。

【胡沙】(コサ) 北方の未開の地の砂漠。蒙古地方の砂漠。

【胡△坐】(コザ・あぐら) 前で足を組んですわること。

【胡散】(ウサン) 国あやしい。疑わしい。いかがわしい。

【胡思乱量】(コシランリョウ) 無益な考えをめぐらす。胡思乱想。

【胡児(兒)】(コジ) ①北方の異民族の児童。②北方の異民族。北方の蛮人。

【胡床・胡△牀】(コショウ) ①背もたれのある腰掛け。不用のときはたたんでおく。②国高く大きく設けた座。高御座(たかみくら)。③あぐら。

【胡△椒】(コショウ) コショウ科の常緑低木。東インド原産。実は球形で、辛味が強い。また、その実を粉末にした調味料。

【胡人】(コジン) ①北方の未開の異民族。西域の異民族。②また広く、異民族。

【胡△塵】(コジン) 異民族の兵馬によって起こる砂塵(砂ぼこり)。

【胡説】(コセツ) でたらめの議論。

【胡△銓】(コセン) 南宋の政治家。字は邦衡、号は澹菴。高宗に仕え、金国との和議を主張した秦檜らを処刑すべきことを強く主張した。(一一〇二―一一八〇)

【胡△髯】(コゼン) あごひげ。▼胡は、たれ下がったあごの肉。

【胡孫】(コソン) さる。猿。

【胡△蝶】(コチョウ) 虫の名。ちょう。蝴蝶。

【胡△蝶△之夢】(コチョウのゆめ) 人生のはかないたとえ。また、物我一体の境地。昔、荘周が夢に胡蝶となって、物と我との差別を忘れ、物我一体の境地に遊んだ故事による。〔荘子、斉物論〕

【胡△狄】(コテキ) 胡(西方の異民族)と狄(北方の異民族)。転じて、異民族の総称。夷狄。

【胡適】(コテキ・コセキ) 中華民国の学者。字は適之。アメリカに留学し、北京大学教授となる。一九一七年、口語による文学を提唱し、新文学・国語運動の先駆者となる。のちにマルクス主義に反対し、アメリカに亡命。著書に『中国哲学史大綱』『白話文学史』『胡適文存』などがある。(一八九一―一九六二)

【胡天】(コテン) 北方の未開民族の国。また、その土地。胡国。胡地。

【胡桃】(コトウ・くるみ) クルミ科の落葉高木。秋、殻の堅い実を結び、食用となる。材木は家具などに用いる。

【胡同】(コドウ) 北方の中国人は、ちまた・横町・小路を、衚衕といい、胡同はその字形を省略したもの。

【胡寧】(コネイ) なんぞ。何故に。

【胡馬】(コバ) ①西方または北方の異民族の地に産する馬。②西方または北方の異民族の騎馬兵。

【胡馬依₂北風₁】(コバはホクフウによる) 北方の異民族の地に生まれた馬は、他国にいて北風が吹いてくると、頭をあげてその方に身を寄せてなつかしむ。転じて、故郷を忘れないたとえ。用例(文選、古詩十九首、其一)胡馬依₂北風₁、越鳥巣₂南枝₁(コバはホクフウによ り、エッチョウはナンシにすくう(ふ))。↓北方の異民族の地から来た馬は、北風の吹く方に身を寄せ、南の越から来た鳥は、同じ木でも南側の枝を求めて巣を作る。

【胡服】(コフク) 北方の異民族の衣服。

【胡粉】(ゴフン) ①おしろい。昔、鉛の粉にあぶらをまぜて作った。②貝殻を焼いて作った白い粉。絵の具・塗料に用いる。

【胡兵】(コヘイ) 異民族の兵。

【胡麻】(ゴマ) ゴマ科の一年草。実は小粒で、食用とし、また、油をしぼる。

【胡虜】(コリョ) ①西方または北方の異民族。秦・漢代以前は匈奴をさす。用例(唐、李白、子夜呉歌)何日平₂胡虜₁、良人罷₂遠征₁(いずれのひか コリョをたいらげて、リョウジン エンセイをやめん)。↓いつになったら、北方の異民族に勝利して、わが夫は遠征から帰ってくるだろうか。②異民族をののしっていう語。

【胡△盧】(コロ) ①口をおおって笑う。②ゆうがお。ふくべ。

【胡△禄・胡△簶・胡△籙】(コロク・やなぐい(ひ)) 矢を入れて背に負う武具。古鹿。

【胡乱(亂)】(ウロン) たしかでないこと。あやしく疑わしいこと。でたらめなこと。烏乱。

5 【胛】 9画 4953 コウ(カフ) 𠆢 jiǎ 7080 E3EE ―

字義 かいがらぼね。腕の骨をからだに接続させる、平たい逆三角形の骨。肩胛骨(ケンコウコツ)。

注意 『康熙字典』では、肉部に所属する。

解字 形声。月(肉)+甲㊥。音符の甲は、かめのこうの象形。かめのこうのように、肩を形づくる骨(肩胛骨)、かいがらぼねの意味を表す。

5 【胥】 9画 4954 ショ 魚 語 xū 7081 E3EF ―

字義 ❶あい(相)。たがいに。❷みな。ともに。❸みる。うかがう。❹まつ(待)。用例(戦国策、趙)太后盛ㇾ気而胥ㇾ之(タイコウ キをさかんにして これをまつ)。↓太后は意気込んで待ちかまえていた。❺下級の役人。小役人。❻語調をととのえる助字。

注意 『康熙字典』では、肉部に所属する。

解字 篆文 形声。月(肉)＋疋音。音符の疋は、酢に通じ、酢づけのかにの肉の意味を表したが、相に通じ用いられる。

【胥山】山名。今の江蘇省蘇州市の西南。春秋時代、呉王闔閭に仕えて不運な最期をとげた伍員(字は子胥)のほこらをたてたので、胥山という。一説に、今の浙江省杭州市の呉山。また、今の浙江省嘉興市の東。

【胥△靡】ろうやにつながれている人。囚人。胥は相、靡は繫、たがいに鎖でつながれる意。一説に、貧乏。貧困。

【胥吏】小役人。下級の役人。小吏。胥徒。

5 【胗】 9画 4955 ㊀シン ㊁キン 軫 zhěn ③zhūn 軫 ｜9043 — 5390

字義 ❶唇のわきの傷。❷はれもの。かざほろし(かぜの熱で皮膚にできる細かい瘡)。❸鳥類の砂嚢。

注意 『康熙字典』では、肉部に所属する。

解字 形声。月(肉)＋㐱音。

5 【胜】 9画 4956 漢セイ 呉ショウ(シャウ) 青 xīng

字義 ❶なまぐさ-い。犬の肉のにおい。❷なま。なま肉。

注意 『康熙字典』では、肉部に所属する。

解字 篆文 形声。月(肉)＋生音。音符の生は、なまの意味。なまの肉、なまぐさいの意味を表す。

5 【胙】 9画 4957 漢ソ 呉ゾ 遇 zuò 7082 E3F0 —

字義 ❶ひもろぎ。神に供えた肉で、祭りの後で分配するもの。❷むくいる。功績に報いる。❸さいわい。また、さいわいする。❹くらい(位)。＝祚(8359)。❺たまう(賜)。たまもの。

注意 『康熙字典』では、肉部に所属する。

解字 篆文 形声。月(肉)＋乍音。音符の乍は、つくるの意味。手を加えた肉、神に供える肉の意味を表す。

【胙余(餘)】お供え物のあまり肉。

5 【胎】 9画 4958 常 タイ タイ 灰 tāi 3459 91D9 —

筆順 丿 刀 月 月 肸 肸 胎 胎 胎

字義 ❶はら-む。みごもる。妊娠する。❷はらごもり。妊娠。妊娠三か月のこと。「懐胎」❸はらご。おなかの子。胎児。❹子ぶくろ。子の宿るところ。子宮。また、はら(腹)。❺きざし。物事のはじめ。もと。おこり。「胚胎」

名前 はら・み・もと

注意 『康熙字典』では、肉部に所属する。

解字 篆文 形声。月(肉)＋台音。音符の台は、始に通じ、はじめの意味。肉体のはじまりの意味から、はらむ・はらのこ・きざしの意味を表す。

逆 懐胎・受胎・堕胎・奪胎

【胎衣】＝胎盤。

【胎教】妊婦が胎児によい感化を与えるようにすること。胎誨。

【胎児(兒)】胎内の子。はらご。

【胎生】子が母親の胎内で適当に発育してから生まれること。↔卵生(二三二ページ下)。

【胎蔵(藏)界】仏密教で説く両部法門(二つの、仏の教法)の一つ。胎蔵は、一切を含有する意で、大日如来の慈悲をいう。

【胎息】腹の中で深く呼吸し、心を落ちつける法。腹式呼吸の類いで、道家の長生術。

【胎動】①母体内の胎児が行う運動。②物事の始まる気配。

【胎内】母親の腹の中。

【胎盤】胎児が臍への緒によって養分を受ける所。えな。

5 【胆】 9画 4959 常 タン 3532 925F —

13 〔膽〕 17画 4960 タン 感 dǎn 7128 E45B —

筆順 丿 刀 月 月 刖 刖 刖 胆 胆

字義 ❶きも。胆嚢。胆汁をたくわえておく器官。六腑の一つ。❷きもだま。たましい。気力。度胸。決断力。「胆力」❸こころ。「肝胆」❹ぬぐう。ふきとる。

名前 い 難読 胆振・胆沢

注意 膽は、『康熙字典』では、肉部に所属する。

解字 篆文 形声。月(肉)＋旦(詹)音。音符の詹は、ひさしの意味。肝臓をひさしのようにして位置する器官、きもの意味を表す。常用漢字の胆は俗字。

逆 肝胆・懸胆・豪胆・魂胆・心胆・大胆・落胆

【胆寒】ひどくびっくりする。ぞっとする。

【胆如△甕】きもだまの大きいたとえ。〔頼山陽、蒙古来詩〕

【胆如レ斗】きもが一斗ますのように大きいこと。転じて、きもだまの大きいことのたとえ。〔三国志、蜀志、姜維伝、注〕

【胆石】胆汁の成分からできる石のようなかたまり。

【胆大心小】大胆で細心の注意をはらう。度胸は大きく、注意は細かい。

【胆勇】物事に驚き恐れない勇気。ふといきもだま。

【胆略】大胆で知略のあること。度胸がよくて、はかりごとがうまい。

【胆力】物事に驚き恐れない気力。度胸。

【△嘗レ胆】かたきをうつために長い間苦心すること。また、将来の成功のために長い間苦心すること。嘗胆。春秋時代、越王の句践がにがい胆をなめて、呉王夫差に対する復讐を忘れなかった故事による。→臥薪嘗胆(二九二ページ下)。用例〔史記、越王句践世家〕苦レ身焦レ思、置二胆於坐一、坐臥即仰レ胆、飲食亦嘗レ胆也。↓(句践は)身を苦しめ復讐の思いをこがし、胆をそばに置き、起き伏しのたびに胆を仰いでなめ、飲食するたびにも胆をなめた。

5 【胝】 9画 4961 チ 支 zhī 7083 E3F1 —

字義 たこ。まめ。絶えずそこを使うため、手のひらや足うらなどの皮膚が厚くかたくなったもの。「胼胝」

注意 『康熙字典』では、肉部に所属する。

解字 篆文 形声。月(肉)＋氐音。音符の氐は、底の意味。足の裏にできるたこの意味を表す。

5 【胄】 9画 4962 漢チュウ(チウ) 呉ジュウ(ヂウ) 宥 zhòu 7084 E3F2 —

〔䏔〕 273 同字

字義 ❶よつぎ。あととり。あとつぎ。長男。❷ちすじ。ちつづき。すえ。子孫。

注意 『康熙字典』では、肉部に所属する。

参考 〔冑〕(768)は別字だが、古くから混用される。

解字 金文 篆文 形声。月(肉)＋由音。音符の由は、深い穴の意味。肉体的に深く通じあうものがある、よつぎの意味を表す。

【胄△裔】ちすじ。子孫。後裔。冑胤。

【胄子】天子から卿大夫に至るまでの、あととりの子。長子。

5 【胒】 9画 4963 漢デイ 呉ナイ 齊 nǐ — — 5387

字義 肥える。

注意 『康熙字典』では、肉部に所属する。

解字 形声。月(肉)＋尼音。

5 【胅】 9画 4964 漢テツ 呉デチ 屑 diē ²8522 — —

字義 ❶関節がはずれる。❷はれる。❸しりの肉。❹はらご。妊娠二か月目の胎児。

注意 『康熙字典』では、肉部に所属する。

解字 形声。月(肉)+失音。

5 【肺】 9画 4965 教6 ハイ 3957 9478 —

4 〔肺〕 8画 4966 ハイ 隊 fèi

筆順 丿 刀 月 月' 肝 肺 肺 肺

字義 ❶肺臓。五臓の一つ。❷こころ。まごころ。❸あかい(赤)。

注意 肺は、『康熙字典』では、肉部に所属する。

解字 篆文 形声。月(肉)+市(市)(朩)音。音符の朩は、わかれるの意味。左右ふたつにわかれている肺臓の意味を表す。

逆 肝肺

【肺肝】ハイカン ①肺臓と肝臓。②こころ。心の中。まごころ。

【肺△腑】ハイフ ①肺臓。②心の中。心の底。③たいせつなところ。急所。④みうち。親類。

5 【背】 9画 4967 教6 ハイ せ・せい・そむ-く・そむ-ける 3956 9477 —

一 ハイ 隊 bèi
二 漢ハイ・呉バイ 隊 bèi, ①bēi

筆順 丨 ㇉ ㇊ 北 北 背 背 背

字義 一 ❶せ。せい。せなか。↔腹(5100)。❷うしろ。うら。↔向(1336)・面(13291)。「背面」 二 ❶せ-にする。うしろにする。↔向(1336)。せなかを向ける。「背水之陣」 ❷そむ-く。㋐うしろ向きになる。せなかを向ける。そむ-ける。↔面(13291)。㋑うらぎる。「背信」「違背」 ㋒みすてる。すて去る。㋓死ぬ。

国 せ。せい。せたけ。身長。

名前 しろ・せ・のり 難読 背向・背評・背負子・背面

注意 『康熙字典』では、肉部に所属する。

参考 現代表記では[悖](3743)の書きかえに用いることがある。「悖徳→背徳」

解字 篆文 形声。月(肉)+北音。音符の北は、人の背の方、きたの意味。肉体のうちのせなか・せなかにする・そむくの意味を表す。

逆 違背・光背・向背・紙背

【背恩】ハイオン 恩義にそむく。

【背棄】ハイキ ①そむき捨てる。捨て去る。②死ぬ。

【背逆】ハイギャク そむきさからう。謀反する。

【背教】ハイキョウ ①教えにそむく。②宗教の教義にそむく。

【背景】ハイケイ 国①絵画で、主要題材の背後の部分。バック。②舞台正面に描かれたけしき。③背後のけしき。④背後の勢力。背後であやつるもの。⑤中心人物をとりまく周囲の情景。

【背後】ハイゴ ①うしろ。背面。②国表立っていない、陰の方。黒幕。「背後関係」

【背向・背郷(郷)】ハイコウ・ハイキョウ ①そむくことと、従うこと。向背。②前後をいう。

【背指】ハイシ ①うしろをふりかえって指さす。ふりかえって見る。②うしろから指さす。うしろゆびをさす。

【背△誦】ハイショウ そらよみ。暗誦。背書。背文。背読。

【背信】ハイシン 信義にそむく。信頼をうらぎる。「背信行為」

【背水△之陣】ハイスイのジン ①川や湖などをうしろにした陣立て。進むだけで絶対に退却しない決死の覚悟で敵に対すること。②失敗すれば滅亡する覚悟で事に当たること。のるかそるかの態勢。〔史記、淮陰侯伝〕

【背△馳】ハイチ ①そむく。②あべこべになる。反対になる。

【背徳】ハイトク 徳義にそむく。道徳に反する。

【背任】ハイニン 任務にそむく。役目にそむいて不正行為をする。

【背反】ハイハン ①そむく。謀反する。②論理的に両立しえないこと。悖反。「二律背反」

【背△叛・背畔】ハイハン ＝背反①。

【背面】ハイメン ①顔をそむける。②うしろ。背後。③うしろを向く。

【背約】ハイヤク 約束にそむく。違約。

【背理】ハイリ 道理にそむく。

【背戻】ハイレイ そむき逆らう。道理にたがう。

5 【胚】 9画 4968 標 ハイ 灰 pēi 7085 E3F3 —

字義 ❶はら-む。みごもる。❷はらごもり。妊娠。妊娠一か月のこと。❸物事のはじめ。きざし。また、始まる。きざす。

国 ハイ。㋐卵黄の上面にある眼点で、孵化するとひなになるもの。㋑種子の内部にある二枚の子葉をもった芽。「胚芽」

「胚胎」

注意 『康熙字典』では、肉部に所属する。

解字 形声。月(肉)+丕音。音符の丕は、大きいの意味。胎内で子が大きくなる、はらむの意味を表す。

【胚珠】ハイシュ 種子が子房内にあって、まだ果実とならないもの。後に成熟して種子となる。

【胚胎】ハイタイ ①はらむ。みごもる。妊娠する。②物事の初めきざし。また、始まる。きざす。

5 【肞】 9画 4969 漢ハツ 呉バチ 曷 bá — — 5384

字義 ❶もも(股)の毛。❷にこげ。うぶげ。やわらかい毛。❸白い肉。

注意 『康熙字典』では、肉部に所属する。

解字 形声。月(肉)+犮音。音符の犮は、髪に通じ、かみの毛の意味。肉の厚いところに生えた毛、ももの毛の意味を表す。

5 【胖】 9画 4970 7086 E3F4 —

一 ハン 翰 pàn
二 漢ハン 呉バン 寒 pàng, pán

字義 一 ❶かたみ(片身)。いけにえの半身の肉。❷あばら肉。 二 ❶ゆた-か。やすらか。おおらか。用例〔大学〕心広体胖。↓心はいつも広々とのびのびし、体もやすらかである。❷おおきい。肥えふとる。

注意 『康熙字典』では、肉部に所属する。

解字 篆文 形声。月(肉)+半音。音符の半は、はんぶんの意味。いけにえの肉の半分の意味を表す。また、半は般に通じ、大きいの意味を表し、肉体がゆたか、ふとるの意味を表す。

5 【朏】 9画 4971 ヒ 尾 fěi

〔胐〕 4972 俗字 月。

字義 みかづき。三日月。陰暦三日めの月。

注意 『康熙字典』では、月部に所属する。

解字 金文 篆文 会意。月+出。月が出はじめて、まだ光の明らかでないもの、みかづきの意味を表す。

5 【胐】 9画 4972 ヒ 5912 9E4B —

朏(4971)の俗字。→六四〇ﾍﾟｰｼﾞ下。

5 【胕】 9画 4973 ²8523 — 5389

一 漢フ・呉ブ 遇 虞 fù, fū
二 フ 虞 fū

字義 一 ❶はらわた。「肺胕」 ❷はれる(腫)。また、はれもの。 二 ❶あし(足)。❷はだ。

注意 『康熙字典』では、肉部に所属する。

解字 形声。月(肉)+付音。

5 【胞】 9画 4974 常 ホウ 4306 9645 —

5 【胞】 9画 4975 一 ホウ(ハウ) 肴 bāo 二 漢ホウ(ハウ)・呉ボウ(バウ) páo

筆順 丿 刀 月 月 肑 肑 胞 胞 胞

字義 一 ❶えな。胎児を包む膜。胎盤。胞衣（えな）。❷はら。母の体内。「同胞」 ❸同一父母から生まれた。「胞兄」 ❹外部を膜で包まれている小さいもの。「胞子」「細胞」 二 くりや。料理場。また、料理人。胞人。＝庖(3191)。 難読 胞衣（なえ）

注意 胞は、『康熙（コウキ）字典』では、肉部に所属する。

解字 篆文 形声。月(肉)＋包(包)音。音符の包は、子をみごもる形にかたどる。胎児を包む膜、えなの意味を表す。

逆 細胞・同胞

【胞衣（ホウイ）】えな。胎盤。
【胞子（ホウシ）】隠花植物の子嚢（シノウ）中にある粉状の生殖細胞。
【胞人（ホウジン）】料理人。庖人（ホウジン）。

5 【脉】 9画 4976 ミャク　脈(5016)の俗字。→六九八ジ中。　7087 E3F5 ―

注意 『康熙（コウキ）字典』では、肉部に所属する。

5 【朎】 9画 4977 漢レイ 呉リョウ(リャウ) 青 líng

[朎] 4978 俗字

字義 月の美しい光。

注意 『康熙（コウキ）字典』では、月部に所属する。

解字 形声。月＋令音。音符の令は、すぐれているの意味。月の美しい光の意味を表す。

5 【朎】 9画 4978 レイ　朎(4977)の俗字。→六九五ジ上。　― EDC3 3480

6 【胺】 10画 4979 漢アツ 呉アチ 曷 è　― ― 5406

字義 肉が腐って臭う。

注意 『康熙（コウキ）字典』では、肉部に所属する。

解字 形声。月(肉)＋安音。

6 【胰】 10画 4980 イ 因 yí　― ― 5401

字義 背骨の両脇の肉。せにく。そじし。

注意 『康熙（コウキ）字典』では、肉部に所属する。

解字 形声。月(肉)＋夷音。

6 【胭】 10画 4981 エン　臙(5172)と同字。→七一二ジ上。　― ― 5393

注意 『康熙（コウキ）字典』では、肉部に所属する。

6 【胍】 10画 4982 漢カ(クワ) 呉ケ 麻 guā　― ― 5385

字義 現代中国語で、化学品名。グアニジン。

注意 『康熙（コウキ）字典』では、肉部に所属する。

解字 形声。月(肉)＋瓜音。

6 【脍】 10画 4983 カイ　膾(5148)の俗字。→七〇九ジ中。　₂8527 ― ―

6 【胲】 10画 4984 一 カイ 灰 gāi 二 カイ 賄 gǎi, ②hǎi　― ― 5402

字義 一 ❶足の親指。また、その毛の生えた部分。❷奇胲（キカイ）は、尋常でないこと。 二 ❶頰肉（ほおにく）。また、おとがい。❷現代中国語で、有機化合物の一種。ヒドロキシルアミン。

注意 『康熙（コウキ）字典』では、肉部に所属する。

解字 形声。月(肉)＋亥音。

6 【胳】 10画 4985 一 カク 薬 gē 二 漢カク・呉ギャク 陌 gē　₁9045 ― 5403

字義 一 わき。わきの下。 二 ❶＝一。❷犠牲の動物のうしろはぎの肉。

注意 『康熙（コウキ）字典』では、肉部に所属する。

解字 形声。月(肉)＋各音。

6 【胸】 10画 4986 教6 キョウ むね・むな　漢キョウ・呉ク 冬 xiōng　2227 8BB9 ―

筆順 丿 刀 月 月 肑 肑 胸 胸 胸

[胷] 4989 同字

字義 むね。名詞などの上に付いて、むな。＝匈(1095)。㋐からだの前部で、首と腹との間。㋑こころ。おもい。むねのうち。「胸懐」

名前 むね　難読 胸座（むなぐら）

注意 『康熙（コウキ）字典』では、肉部に所属する。

解字 形声。月(肉)＋匈音。音符の匈（キョウ）は、むねの意を表す。

【胸宇（キョウウ）】＝胸中。
【胸奥（キョウオウ）】胸のおく。心のおく。心の中。
【胸臆（キョウオク）】胸の中。心の中。胸中。
【胸懐(懷)（キョウカイ）】胸の思い。心の思い。胸襟。
【胸郭・胸△廓（キョウカク）】胸をとりまく骨格。肋骨（ロッコツ）。心臓・肺臓がその中にある。
【胸襟（キョウキン）】胸の中。心の中。心。▼襟は、着物のえり。「胸襟を開く(心の中をうちあける)」
【胸算用（むなザンヨウ）】国 心の中で計算すること。胸勘定。
【胸中（キョウチュウ）】胸のうち。心の中。心。思い。
【胸中正△眸子瞭（キョウチュウただしければボウシあきらかなり）】心の中が正しくて曇りがなければ、自然にひとみも澄んで輝いてくる。〔孟子、離婁上〕
【胸中無二宿物一（キョウチュウシュクブツなし）】心の中にわだかまりがない。▼宿物は、とどこおり宿っているもの。先入観・偏見など。
【胸中有二成竹一（キョウチュウセイチクあり）】竹を描くに先だって胸の中に構図ができあがっていること。事を行う前から成功の見込みのあるたとえ。〔北宋、蘇軾、篔簹谷偃竹記〕
【胸底（キョウテイ）】胸のそこ。心の中。
【胸裏・胸△裡（キョウリ）】＝胸中。

6 【脅】 10画 4987 常 キョウ おびや-かす・おど-す・おど-かす　一 漢キョウ(ケフ)・呉コウ(コフ) 葉 xié 二 漢キュウ(キフ)・呉コウ(コフ) 緝 xiē　2228 8BBA ―

筆順 フ カ カ カ 劦 劦 脅 脅 脅

[脋] 4992 俗字

字義 一 ❶おびや-かす。おど-す。おど-かす。また、おび-える（おびゆ）。＝劫(1003)。「脅迫」 ❷わき。わきばら。胸の両がわ。＝脇(4988)。❸かたわら。そば。❹おさめる。＝翕(9532)。❺ひそめる。 二 すくむ。すくめる。肩をすぼめる。

注意 『康熙（コウキ）字典』では、肉部に所属する。

参考 もと、〔脇〕(4988)と同字。日本語では、「わき」の意味に〔脇〕、「おびやかす」の意味に〔脅〕と、使い分ける習慣があり、これに従って記述を分けた。

解字 篆文 形声。月(肉)＋劦音。音符の劦（キョウ）は、あわせるの意味。うでと胴の間に、わきばさむの意味を表す。また、劦は、劫（キョウ）にも通じ、おびやかすの意味をも表す。

逆 迫脅・誘脅

【脅威（キョウイ）】おびやかす。おどす。
【脅嚇（キョウカク）】どなりつけておどす。おどしつける。脅喝（キョウカツ）。
【脅喝(喝)（キョウカツ）】＝脅嚇。
【脅肩（キョウケン・キュウケン）】＝脅（そびやかす）レ肩（かたを）〔六八八ジ下〕。
【脅従(從)（キョウジュウ）】おびやかされて従う。おどされて、言いなりになる。
【脅制（キョウセイ）】おびやかし、おさえつける。
【脅息（キョウソク）】①いきを殺す。おそれる形容。②国 わき腹でいきをする。③ひじかけ。脇息（キョウソク）。
【脅迫（キョウハク）】おびやかしせまる。おどしつける。◆「脅迫(おどして実行を迫る)」と「強迫(無理強いをする)」は法令でははっきりと区別しているが、一般には区別しがたい場合がほとん

月部 5▼6画 〔脉朎朎胺胰胭胍脍胲胳胸脅〕

どなので「強迫観念」などを除いて、ほとんどの場合に「脅迫」を用いる傾向がある。
【脅△逼】キョウヒョク ＝脅迫。
【脅略】キョウリャク おびやかしてかすめ取る。

6 【脇】10画 4988 漢キョウ(ケフ)・呉コウ(コフ) 関xié 常 わき 4738 9865 —

筆順 丿 月 月 月ᄀ 肑 脇 脇

【脇】4990 俗字 【胁】4991 俗字

字義 脅(4987)と同字。❶わき。わきばら。胸の両がわ。❷かたわら。国わき。能楽で、仕手の相手をする人。

名前 おさむ

注意 『康熙字典』では、肉部に所属する。

参考 ⇩〔脅〕(4987)の参考。

解字 形声。月(肉)＋劦音。脅の別体で、わきばらの意味を表す。

【脇士】キョウジ・わきじ 仏中心となる仏像の左右に付きそって立っている仏。弥陀に対する観音・勢至、釈迦に対する文殊・普賢、薬師如来に対する日光・月光菩薩の類い。夾侍。脇侍。脇立。

【脇息】キョウソク 国ひじかけ。すわったとき、ひじをかけてよりかかり、からだを楽にする器具。脅息。

6 【胷】10画 4989 キョウ 胸(4986)と同字。→六九五ページ中。

注意 『康熙字典』では、肉部に所属する。

6 【脇】10画 4990 キョウ 脇(4988)の俗字。→六九六ページ上。 ₂8526 — —

6 【脎】10画 4991 キョウ 脇(4988)の俗字。→六九六ページ上。 ₂8530 — —

6 【脅】10画 4992 キョウ 脅(4987)の俗字。→六九五ページ下。 — — 5409

6 【胯】10画 4993 コ 週kuà 7088 E3F6 —

字義 また。またぐら。両股の間。股間。

注意 『康熙字典』では、肉部に所属する。

解字 篆文 形声。月(肉)＋夸音。音符の夸は、弓なりに曲がるの意味。人体の弓なりに曲がった部分、またの意味を表す。

6 【胱】10画 4994 標 コウ(クヮウ) 陽guāng 7089 E3F7 —

字義 膀胱は、小便ぶくろ。

注意 『康熙字典』では、肉部に所属する。

解字 形声。月(肉)＋光音。

6 【脝】10画 4995 漢コウ(カウ) 呉ギョウ(ギャウ) 庚 敬 hēng ₂8529 — —

字義 ❶むこうずね。❷牛の雄の生殖器。❸はら。

注意 『康熙字典』では、肉部に所属する。

解字 形声。月(肉)＋行音。

6 【胶】10画 4996 コウ 交(142)と同字。→六四ページ下。 — — 5404

6 【骨】10画 (13815) コツ 骨部。→一五九五ページ下。

6 【朔】10画 4997 人 2683 8DF1 —

6 【朔】10画 4998 サク 覚shuò

筆順 丶 丷 ㇊ 屰 屰 朔 朔 朔

字義 ❶ついたち。陰暦で月の第一日。「月朔」❷こよみ。昔、天子が年末に諸侯に与えた明年のこよみ。「正朔」❸天子の政令。❹はじめ。❺きた。北方。十二支の第一番の子が北に配されたことから、朔を北とした。

名前 きた・さく・はじめ・もと 難読 朔日

注意 『康熙字典』では、月部に所属する。

解字 篆文 形声。月＋屰音。音符の屰は、もとへもどるの意味。欠けた月がまた、もとへ逆もどりするついたちの意味を表す。

【朔気(氣)】サッキ 北方のきびしい寒気。
【朔△禽】サクキン・サッキン 雁をいう。北方の寒地を好むのでいう。
【朔日】サクジツ ついたち。月の第一日。朔月。
【朔吹】サクスイ ＝朔風。
【朔雪】サクセツ 北方の雪。
【朔旦】サクタン ついたちの朝。
【朔地】サクチ 北方の異民族の住む土地。朔北の地。朔土。朔野。
【朔馬】サクバ 北方の異民族の土地に産する馬。胡馬。
【朔漠】サクバク 北方の砂漠。
【朔風】サクフウ きたかぜ。北風。朔吹。
【朔辺(邊)】サクヘン 北方の辺地。
【朔方】サクホウ ①きた。北方。朔北。②郡名。漢の武帝のとき、匈奴を追いはらって朔方郡を置いた。今の内モンゴル自治区の黄河以南のオルドス地方。
【朔望】サクボウ 陰暦で、月のついたちと、十五日。
【朔北】サクホク ①きた。北方。②北方の辺境の地。北方のとりでの外の、未開の異民族の地。

6 【脂】10画 4999 シ 支zhī 常 シ あぶら 2773 8E89 —

筆順 丿 月 月 月' 肚 脂 脂 脂

字義 ❶あぶら。㋐動物性のあぶら。肉あぶら。㋑化粧用のあぶら。❷あぶらぎる。あぶらがのって肥える。また、あぶらをさす。あぶらを塗ってなめらかにする。❸やに。樹木のやに。樹脂。❹べに。くちべに。「燕脂」「脂粉」

注意 『康熙字典』では、肉部に所属する。

使いわけ あぶら〔油・脂〕⇩油(6272)。

解字 篆文 形声。月(肉)＋旨音。音符の旨は、うまいの意味。肉のうまみ、あぶらがのるの意味を表す。

逆 凝脂・樹脂・松脂・油脂

【脂△膏】シコウ あぶら。㋐動物のあぶら。転じて、豊かな物資のたとえ。㋑からだからにじみ出るあぶら。転じて、苦労して得た収益のたとえ。
【脂△膩】シジ あぶらあか。からだからにじみ出たあぶら。
【脂△燭】シショク・シソク 昔の照明具の一種。松の木を棒状に削り、先を炭火で焦がし、上にあぶらを塗って火をともすもの。紙燭。
【脂粉】シフン ①べにと、おしろい。②化粧。
【脂肪】シボウ ①動物のあぶら。②広く、動植物のあぶら。

6 【脛】10画 5000 シ 支chī ₂8528 — —

字義 ❶鳥の胃袋。❷鳥獣のはらわた。

注意 『康熙字典』では、肉部に所属する。

解字 形声。月(肉)＋至音。

6 【胹】10画 5001 漢ジ 呉ニ 支ér — — 5405

字義 にーる(煮)。よくにる。やわらかくにる。

注意 『康熙字典』では、肉部に所属する。

解字 篆文 形声。月(肉)＋而音。音符の而は、ひげの意味。しなやかによく煮えた肉の意味を表す。

6 【朒】10画 5002 漢ジク(ヂク) 呉ニク 屋nǜ

【肭】5003 俗字

字義 ❶ついたちづき。陰暦の一日に東に出る月。❷ちぢまる。❸足りない。

注意 『康熙字典』では、月部に所属する。

解字 形声。月＋肉音。

6 【朒】 10画 5003 ジク
朒(5002)の俗字。→六九六ジ下。
2 1425 — —

6 【朐】 10画 5004 シュン 軫 chǔn
字義 朐䏰ジジンは、㋐みみず。㋑漢代の県名。
注意 『康熙字典』では、肉部に所属する。

6 【脃】 10画 5005 セイ
脆(5006)の正字。→六九七ジ上。
注意 『康熙字典』では、肉部に所属する。
— — 5408

6 【脆】 10画 5006 標 漢セイ・呉サイ 霽 cuì
【脃】 5005 正字
字義 ❶もろ-い(もろし)。こわれやすい。よわい。「脆弱」 ❷やわらかい。 ❸かるい。かるがるしい。
注意 『康熙字典』では、肉部に所属する。
解字 篆文 形声。月(肉)+危(絶省)音。音符の絶は、たつの意味。たちきれやすい肉のさまから、もろい・やわらかいの意味を表す。
【脆弱】ゼイジャク もろくてよわい。弱い。
【脆薄】ゼイハク ①もろくてうすい。薄くてこわれやすい。②人情が軽く薄い。軽薄。薄情。
【脆美】ゼイビ やわらかくてうまい。
【脆味】ゼイミ やわらかくてうまい味。
3240 90C6 —

6 【脊】 10画 5007 常 セキ 漢セキ・呉シャク 陌 jǐ ③jí
筆順 ノ 人 人 犬 犮 脊 脊 脊
字義 ❶せ。㋐せぼね。脊椎セキツイ。㋑せなか。㋒せぼねのように、中央が高く両側の低くなっているもの。「山脊」 ❷すじ。すじみち。 ❸脊脊は、互いに踏みつけ乱れるさま。 国せ。せい。せたけ。身長。
注意 『康熙字典』では、肉部に所属する。
解字 篆文 会意。もと、巫+月(肉)。巫は、積み重なっているせぼねの象形。肉を付し、せぼねの意を表す。
【脊髄(髓)】セキズイ 脊椎骨セキツイコツの穴の中にある、やや平たい円柱状の器官。脳髄とともに中枢神経系をなす。
【脊椎】セキツイ せぼねを組み立てている骨。
【脊令】セキレイ 水辺にすむ小鳥の名。鶺鴒セキレイ。
3252 90D2 —

6 【朓】 10画 5008 チョウ(テウ) 蕭 篠 tiǎo
【脁】 5009 俗字
字義 ❶みそかづき。晦みそかに西方に見える月。 ❷はやい。進みがはやい。
注意 『康熙字典』では、月部に所属する。
解字 篆文 形声。月+兆音。音符の兆は、割れるの意味。西に傾いた割れたような月、みそかづきの意味を表す。

6 【脁】 10画 5009 チョウ
朓(5008)の俗字。→六九七ジ中。
1 8545 — 3481

6 【朕】 10画 5010 常 チン 漢チン・呉ジン(ヂン) 寝 zhèn
【朕】 10画 5011
筆順 丿 刀 月 月 朕 朕 朕 朕 朕
字義 ❶われ。㋐昔、一般に、自分をいう。㋑天子の自称。秦シンの始皇帝以来、天子の自称のことばとなった。用例〔史記、高祖本紀〕列侯諸将レッコウショショウ、無二敢隠一朕あえてチンにかくすことなく、皆言二其情一みなそのジョウをいえ(へ)。↓諸侯・将軍たちよ、私に隠しだてすることなく、みなそれぞれ思うところをありのままに話せ。 ❷きざし。また、しるし。あと。兆候。
注意 朕は、『康熙字典』では、月部に所属する。
解字 甲骨文 金文 篆文 形声。篆文は、舟+灷音。音符の灷チョウ・チンは、上に向かって物をおしあげるの意味。舟を上流に向かっておしあげるとき航跡をえがくさまから、しるし・あとの意味を表す。借りて、われ、天子の自称の意味を表す。
3631 92BD —

6 【胴】 10画 5012 常 ドウ 漢トウ・呉ドウ 送 dòng
筆順 丿 刀 月 月 肌 肌 胴 胴 胴
字義 大腸。腸。 国ドウ。㋐動物の、首と手足とを除いたからだの中間部。身体の幹部。胴体。㋑鎧よろい・剣道具などで、からだの幹部をおおう部分。㋒太鼓などの楽器で、音を共鳴させる中空の部分のかこい。㋓物の中央部。
注意 『康熙字典』では、肉部に所属する。
解字 形声。月(肉)+同音。音符の同は、筒に通じ、つつの意味。つつの形の大腸の意味を表す。日本では、首・手足を除いた身体の部分の意味に用いる。
【胴体(體)】ドウタイ 国①身体の胴にあたる部分。②物の中央部。
【胴欲・胴慾】ドウヨク 国貪欲ドンヨクの変化という。①よくが深いこと。②むごいこと。不人情なこと。
【胴乱(亂)】ドウラン 国①薬や印などを入れて腰にさげる皮製のふくろ。②植物採集で、採集物を入れる長方形の器。
3825 93B7 —

6 【能】 10画 5013 教5 ノウ ㊀漢ドウ・呉ノウ 蒸 néng ㊁漢ダイ・呉ナイ 灰 tái ㊂漢ダイ・呉ナイ 隊 nài
筆順 ム ム 台 台 育 育 能 能 能
字義 ㊀助 よ-く。あた-う。⇩助字・句法解説。 ❶よ-くする(よくす)。できる。用例〔孟子、尽心上〕人之所レ不レ学而能者ひとのまなばずしてよくするところのものは、其良能也そのリョウノウなり。↓人が学習によらずできるものは、生まれつきの才能である。 ❷はたらき。ちから。才能。能力。用例〔唐、韓愈、雑説〕安求二其能千里一也いずくんぞそのセンリなるをもとめんや。↓どうしてその馬に一日に千里走る能力を求められようか。 ❸ききめ。「効能」 ❹才能にすぐれている。また、その人。 国ノウ。能楽の略。 ㊁三本足の亀。 ㊂❶たえる(耐)。たえしのぶ。 ❷はたらき。

助字・句法解説
よく。あた-う。可能。訳…できる。…する能力がある。
動詞の前に置かれ、「能クＡス(よくＡす)」と読んで可能の意味を表す。否定形は「不レ能ハＡスル(Ａするあたわ(は)ず)」と読んで、不可能の意味を表す。
用例〔韓非子、難一〕吾盾之堅わがたてのかたきこと、莫二能陥一也よくとおすなきなり。↓私の盾の堅固なことといったら、これを突き通すことができるものはないほどだ。／〔史記、項羽本紀〕沛公不レ勝二杯杓一ハイシャクにたえ(へ)ず、不レ能レ辞ジすることあたわ(は)ず。↓わが君沛公はとてもこれ以上酒をいただけなくなり、お別れのあいさつもいたしかねました。

名前 きよ・たか・ちから・の・のぶ・のり・ひさ・みち・むね・やす・よき・よし 難読 能取のとろ・能生のう・能代のしろ・能都のと・能平のべい・のっぺい・能褒野のぼの
注意 『康熙字典』では、肉部に所属する。
解字 金文 篆文 象形。金文は、尾をふりあげ、大きな口をあけた「くま」の形にかたどり、くまの意味を表す。借りて、能力としてできるの意味を表す。
逆 可能・官能・機能・技能・芸能・権能・効能・職能・性
3929 945C —

能・多能・堪能・知能・低能・万能・本能・無能・良能

【能育】(ノウイク) そだてることができる。一説に、遂げることができる。

【能因】(ノウイン) ある事物をもとに、これを巧みに利用すること。

【能化】[一](ノウカ) よく教化する。[二](ノウゲ) 仏人をよく教化する者。仏・菩薩(ボサツ)。また、師の僧。↔所化(ショケ)(五六八ページ中)。

【能楽(樂)】(ノウガク) 国猿楽などから発達したもので、謡曲を歌い、笛・大鼓(おおかわ)・小鼓(こつづみ)に合わせて行う演劇。

【能幹】(ノウカン) はたらき。うでまえ。能力。才幹。

【能士】(ノウシ) 才能のある人物。はたらきのある人。

【能事】(ノウジ) ①なしとげなければならない事がら。なすべきこと。②特別にすぐれたわざ。

【能事畢△矣】(ノウジおわ(を)わ(は)る) なすべきことは、全部なしおわった。〔易経、繋辞上〕

【能者多レ労】(ノウシャロウおおし) 才能のある者は、余計な苦労をする。もの事のできる人ほど余分な苦労がある。

【能書】[一](ノウショ) 文字を巧みに書くこと。また、その人。能筆。[二](ノウがき) 国①薬や商品などの効能を書いたもの。②効能をいいふらすことば。自己宣伝。

【能臣】(ノウシン) 才能のある家来。能力のある臣下。

【能動】(ノウドウ) 国自分の方から他に働きかけること。↔受動(三三三ページ下)。

【能否】(ノウヒ) ①才能のあることと、ないこと。また、才能のある人と、ない人。②できるか、できないか。可能と不可能。

【能筆】(ノウヒツ) 国文字を達者に書く。また、その人。

【能文】(ノウブン) 文章を作ることのうまいこと。

【能弁(辯)】(ノウベン) 国弁説の達者なこと。また、よくしゃべる人。

【能吏】(ノウリ) 才能のある役人。事務にすぐれた官吏。能官。

【能率】(ノウリツ) 国①一定時間内にできあがる仕事の割合。②標準作業量に対する実際作業量の割合。

【能力】[一](ノウリョク) ①物事をなしとげることのできる力。はたらき。②国法律上、完全に私権を行使することのできる資格。[二](ノウリキ) 国寺男。寺の下働きの男性。

【不レ能】(あたわ(は)ず) できない。⇨助字・句法解説。

【無レ能】(よくするなし) 能力がなくてできない。

6 【胼】 10画 5014 ヘン 胼(5080)の俗字。→七〇四ページ上。 7106 E445 —

6 【胮】 10画 5015 ホウ(ハウ) 江 pāng

注意 『康熙(コウキ)字典』では、肉部に所属する。

[胮] 5041 俗字

字義 胮肛(ホウコウ)は、はれる。ふくれる。

6 【脈】 10画 5016 教5 ミャク 4414 96AC —

注意 『康熙(コウキ)字典』では、肉部に所属する。

解字 形声。月(肉)+𠂢(𠂢)(音)。

6 【脈】 10画 5017 漢バク 呉ミャク 陌 mài

筆順 丿 刀 月 月 肵 肵 脈 脈 脈 脈

[衇] 10808 古字 [脉] 4976 俗字

字義 ❶血のすじ。血管。❷すじになって続いているもの。「山脈」「水脈」「動脈」「静脈」❸脈拍。血管の規則正しい動き。また、脈拍をみて病状を診断する。国ミャク。物事についての見込み。

注意 脈は、『康熙(コウキ)字典』では、肉部に所属する。

解字 篆文 別体 形声。篆文は、血+𠂢(𠂢)(音)。音符の𠂢(ハ)は、支流の意味。体内を流れる血のすじの意味を表す。脈は別体で、月(肉)+𠂢(音)。

逆 気脈・血脈・鉱脈・支脈・水脈・泉脈・地脈・動脈・命脈・乱脈

【脈動】(ミャクドウ) 国①表面に出ず、奥底で絶えず行われている動き。②周期的に絶えず起こっている、地面のかすかな震動。

【脈拍・脈△搏】(ミャクハク) →字義❸。

【脈脈】(ミャクミャク) ①つづいて絶えないさま。②感情が心の中に波打っているさま。③たがいに情をこめて見つめ合うさま。

【脈絡】(ミャクラク) ①血の流れている管。血管。②すじみち。続きぐあい。条理。

【脈理】(ミャクリ) すじみち。続きぐあい。

6 【朗】 10画 5018 教6 ロウ ほが-らか 4715 984E —

7 【朗】 11画 5019 ロウ(ラウ) 養 lǎng

筆順 丶 ㇇ ヨ 自 良 良 朗 朗 朗

[朖] 5047 本字 [朖] 5048 俗字 [朗] 5049 俗字

字義 ❶ほが-らか。㋐明るく広々としているさま。「開朗」㋑曇りのないさま。「晴朗」㋒快活なさま。「明朗」❷あき-らか。きよらか。「清朗」❸たからか。たからかに。高く澄んでいるさま。

名前 あき・あきら・お・さえ・とき・ほがら・ろう

注意 朗は、『康熙(コウキ)字典』では、月部に所属する。

解字 篆文 形声。月+良(音)。音符の良は、よいの意味。よいつきの意味から、あかるいの意味を表す。

逆 開朗・高朗・晴朗・清朗

【朗詠】(ロウエイ) ①声高らかに歌う。朗吟。②国㋐雅楽の一種。平安時代に漢詩や和歌に節をつけて歌ったもの。㋑『和漢朗詠集』の略。

【朗吟】(ロウギン) 声高らかに歌う。ほがらかに歌う。朗詠。

【朗月】(ロウゲツ) あかるく、曇りのない月。

【朗唱・朗△誦】(ロウショウ) 声高らかに読む。朗読。

【朗然】(ロウゼン) =朗朗。

【朗達】(ロウタツ) 賢明で物事をよく知っている。

【朗△暢】(ロウチョウ) ほがらかで、のびのびしている。

【朗徹】(ロウテツ) 清くてすきとおる。

【朗読(讀)】(ロウドク) 声高らかに読む。朗誦(ロウショウ)。

【朗報】(ロウホウ) 国明るいしらせ。うれしいしらせ。

【朗朗】(ロウロウ) ①音声が清くすんで、よくとおるさま。②月光などの、あかるく、さえわたるさま。

7 【脘】 11画 5020 カン(クヮン) 旱 wǎn 9046 — 5412

字義 ❶胃。❷干し肉。

注意 『康熙(コウキ)字典』では、肉部に所属する。

解字 形声。月(肉)+完(音)。

7 【脚】 11画 5021 常 キャク・キャ あし 漢キャク・呉カク 藥 jiǎo, ③jué 唐キャ 2151 8B72 —

筆順 丿 刀 月 月 肚 肚 胠 胠 脚 脚

[腳] 5084 正字 [踋] 11723 同字

字義 ❶あし。㋐すね。はぎ。膝(ひざ)の下、くるぶしの上の部分。㋑あし全体。㋒物の下について、ささえの用をなすもの。「橋脚」㋓物の下部。もと。すそ。「脚注」「山脚」㋔あゆみ。歩行。通り過ぎること(もの)。「雲脚」㋕あしば。立場。身の置き所。「失脚」❷あしのある器物を数える語。「机二脚」❸役者。俳優。=角(11069)。

名前 あし・し 難読 脚崎(すねざき)・脚結(あゆい)・脚榻(きゃたつ)・脚立(きゃたつ)

注意 『康熙(コウキ)字典』では、肉部に所属する。

使いわけ あし〔足・脚〕⇨足(11670)。

解字 篆文 形声。月(肉)+却(卻)(音)。音符の卻は、ひざをつかってあとずさりするの意味。あとずさりする時に使う肉体の部分、すねの意味を表す。

【脚韻】キャクイン ①漢詩で、句の終わりにふむ韻。②詩歌などの句末ごとに、同じ響きの語をくりかえして用いる押韻法。

逆 行脚・雨脚・健脚・失脚・日脚・馬脚・立脚

【脚下】キャッカ ①あしのした。あしもと。②現在。目下。

【脚気(氣)】カッケ ビタミンBの欠乏によって、あしがしびれたり、むくんだりする病気。あしのけ。脚疾。

【脚光】キャッコウ 国舞台の正面の下方から俳優をてらす照明。フットライト。「脚光を浴びる(注目の的となる)」

【脚色】キャクショク ①昔、仕官の際にさし出した履歴書。②演劇で、俳優の役割。③国㋐芝居のしくみ。芝居のすじがき。㋑小説などを演劇や映画になるように書きかえること。

【脚注・脚△註】キャクチュウ 書物の本文の下方につけた注釈。↔頭注(一五六〇ページ下)。

【脚△絆・脚半】キャハン 国旅行や作業の際に、すねに巻きつける細長い布。脛巾はばき。脚巾はばき。

【脚本】キャクホン 国演劇などの筋書を書いた本。台本。シナリオ。

【脚力】キャクリョク ①あしのちから。歩く力。②飛脚。手紙や金品などを預かって送り届ける人。

7 【脛】 11画 5022 標 漢ケイ 呉ギョウ(ギャウ) 径 jìng | 7090 E3F8 —

〔胫〕 4950 俗字

字義 ❶すね。はぎ。膝ひざから下、踝くるぶしから上の部分。❷脛脛は、まっすぐなさま。正直なさま。＝踁(8184)。

注意 『康熙コウキ字典』では、肉部に所属する。

解字 篆文 形声。月(肉)＋巠音。音符の巠ケイは、力強くてまっすぐの意味。肉体の中で力強くまっすぐな部分。すねの意味を表す。

【脛巾】はばき 国＝脚絆キャハン(六九九ページ上)。

7 【脞】 11画 5023 サ 箇 cuǒ | 28533 — 5414

字義 ❶こまかい(細)。❷細かく切った肉。

注意 『康熙コウキ字典』では、肉部に所属する。

解字 形声。月(肉)＋坐音。

7 【脧】 11画 5024 漢サイ 呉スイ 灰 zuī | 28536 — 5417

字義 赤子の陰部。

注意 『康熙コウキ字典』では、肉部に所属する。

解字 形声。月(肉)＋夋音。

7 【脩】 11画 5025 人 漢シュウ(シウ) 呉シュ 尤 xiū | 7091 E3F9 —

筆順 ノ亻亻亻亻亻亻脩脩 (筆順)

字義 ❶ほじし。ほした肉。「束脩」❷おさめる(をさむ)。ととのえる。ととのえおさめる。＝修(3377)。❸いましめる。❹かざる。「脩飾」❺ながい(ながし)。「脩竹」

名前 おさ・おさむ・さね・しゅう・すけ・なお・なが・のぶ・はる・もろ

注意 『康熙コウキ字典』では、肉部に所属する。

参考 〔脩〕はほじし、〔修〕(3377)はおさめるの意で、もと別字であるが、音が通じて、後世、混用する。熟語は〔修〕をも見よ。

解字 篆文 形声。月(肉)＋攸音。音符の攸ユウ＝シュは、長いすじの意味。原義は、肉を細長く裂いて干したもの。乾肉。また、修に通じて、おさめるの意味に用いる。

【脩遠】シュウエン はるかに遠い。

【脩己】シュウコ 自分をりっぱに修養する。修己。「脩己治人」

【脩古】シュウコ ①上古。②昔の道を修め習う。

【脩飾】シュウショク かざる。修飾。

【脩竹】シュウチク 長い竹。また、竹やぶ。

【脩△飭】シュウチョク 身をおさめととのえること。修飭。

7 【脜】 11画 5026 漢ジュウ(ジウ) 呉ニュウ(ニウ) 尤 róu | — — 5413

字義 顔色が和らぐ。

注意 『康熙コウキ字典』では、肉部に所属する。

解字 形声。百＋月(肉)音。百は、頭の意味。音符の肉は、柔に通じ、しなやかの意味。

7 【脣】 11画 5027 シン 唇(1502)の正字。→二六六ページ上。 | 7092 E3FA —

注意 『康熙コウキ字典』では、肉部に所属する。

7 【脤】 11画 5028 漢シン 呉ジン 軫 shèn | 28535 — 5416

字義 ひもろぎ。社稷シャショク(土地・穀物の神)の祭りに供えるなま肉。

注意 『康熙コウキ字典』では、肉部に所属する。

解字 形声。月(肉)＋辰音。音符の辰シは、大はまぐりの象形。はまぐりの食器に盛って供えたなま肉、ひもろぎの意味を表す。

7 【脮】 11画 5029 一 漢ジン・呉ニン 軫 rěn 二 漢ジュン・呉ニン 震

字義 一 胸脮ジュンは、㋐みみず。㋑県名。

〔腍〕 5030 俗字

注意 『康熙コウキ字典』では、肉部に所属する。

解字 形声。月(肉)＋忍音。

7 【腍】 11画 5030 ジン 脮(5029)の俗字。→六九九ページ中。 | 28534 — —

7 【脡】 11画 5031 一 セン 先 shān 二 テン 先 chān | — — 5415

字義 一 ししびしお。肉の塩辛の類い。二 魚の塩辛。

注意 『康熙コウキ字典』では、肉部に所属する。

解字 形声。月(肉)＋延音。

7 【脱】 11画 5032 常 ダツ ぬ-ぐ・ぬ-げる 一 漢タツ・呉ダチ 曷 tuō 二 タイ 泰 tuì 慣ダツ | 3506 9245 —

7 〔脫〕 11画 5033

〔挩〕 4198 古字

筆順 丿刀月月'月'月"肸肸脱 (筆順)

字義 一 ❶ぬぐ(ぬぐ)。身につけていた物を取り去る。また、ぬげる(ぬぐ)。「脱衣」❷やせる。肉が落ちる。❸ぬける(ぬく)。ぬけ落ちる。「離脱」❹ぬかす。落とす。「脱字」❺ぬけ出す。のがれる。「脱走」❻おろそか。おまか。そまつ。❼もし。かりに。二 脱脱タイタイは、ゆったりした形容。また、よろこぶ。

注意 脱は、『康熙コウキ字典』では、肉部に所属する。

解字 篆文 形声。月(肉)＋兌(兊)音。音符の兊タは、ぬけおちるの意味。肉がおちてやせるの意味を表し、転じて、ぬける・ぬぐの意味を表す。

逆 逸脱・解脱・滑脱・虚脱・軽脱・誤脱・超脱

【脱化】ダッカ ①殻からぬけ出て形を変える。②古い形式からぬけ出て、新しい形式に変わる。

【脱簡】ダッカン 書物のページが脱落していること。古くは竹簡(竹の札)を連ねて、その上に書いたのでいう。

【脱却】ダッキャク ①ぬぎすてる。すて去る。②ぬけ出る。のがれ去る。危険な状態・因習などからぬけ出る。

【脱臼】ダッキュウ 骨の関節がはずれる。

【脱誤】ダツゴ 文字がぬけたり、まちがったりすること。

【脱穀】ダッコク ①穀つぶを穂からとりはなす。②もみがらから穀つぶをぬき出す。

【脱獄】ダツゴク 囚人が獄を破ってにげ出す。ろう破り。

【脱△屣】ダッシ ①はきものをぬぎ捨てる。惜しげもなく捨てること。②国天皇が退位すること。

【脱然】一ダツゼン 病気がさっぱりとよくなるさま。重荷をおろしたようにさっぱりするさま。二タイゼン ゆるやかなさま。

【脱△疽】ダッソ 手足の指先などから次第に腐ってゆく疾患。

【脱俗】ダツゾク 俗気をはなれる。俗世間からぬけ出る。世の中を超越する。
【脱胎】ダッタイ 他人の作った詩文の趣意をとり、形式を変えて自分の詩文を作ること。奪胎。「換骨脱胎」
【脱退】ダッタイ ぬけしりぞく。ひきさがる。関係している所から身をひく。
【脱△兎】ダット 逃げるうさぎ。行動のすばやいたとえ。「脱兎之勢いきおい」
【脱皮】ダッピ ①蛇や虫などが成長するにつれ古い表皮をぬいで新しい表皮に変わること。②古い考えからぬけ出て進歩すること。
【脱法】ダッポウ 法律をうまくくぐりぬける。法の抜けあなをくぐって禁制を犯す。
【脱落】ダツラク ①ぬけおちる。②仲間はずれになる。③すて去る。ぬぎすてる。
【脱略】ダツリャク ①軽んじおろそかにする。②ぬかしはぶく。
【脱漏】ダツロウ ぬけもれる。もれ落ちる。もれる。

7【脡】11画 5034 漢テイ 呉チョウ(チャウ) 迥 tǐng

字義 ❶ほじし。細長く伸ばしたほし肉。❷まっすぐ。
注意 『康熙字典』では、肉部に所属する。
解字 形声。月(肉)＋廷音。音符の廷は、まっすぐ突き出るの意味。まっすぐなほし肉の意味を表す。これに対し、曲がったほし肉を朐クという。

7【脰】11画 5035 漢トウ 呉ズ(ツ) 宥 dòu — — 5419

字義 ❶うなじ。くびすじ。❷すね。はぎ。
注意 『康熙字典』では、肉部に所属する。
解字 形声。月(肉)＋豆音。

7【豚】11画 (11469) トン 豕部。→一三四五ページ中。

7【脳】11画 5036 教6 ノウ 3930 945D —

9〘腦〙13画 5037 漢ドウ(ダウ) 呉ノウ(ナウ) 晧 nǎo 7110 E449 —

筆順 脳

〔匘〕1112字 同

字義 ❶脳髄。頭蓋骨ズガイコツの中にある、灰白色のやわらかい物質で、神経活動の中枢をなす。のうみそ。❷頭蓋骨ずがいこつ。あたま。❸頭のはたらき。精神のはたらき。また、こころ。たましい。「頭脳」❹草木のずい。しん。

注意 脳は、『康熙字典』では、肉部に所属する。
解字 篆文 会意。篆文は、匕＋巛＋囟。巛は、髪の象形。囟は、まだ上部が開いている乳児の頭蓋骨の象形。匕は、つくの意味。この匕は、のちに月(肉)に変形した。髪と頭蓋骨とについている脳みその意味を表す。
逆 主脳・首脳・髄脳
【脳△溢血】ノウイッケツ 脳の血管が破れて、脳の組織内に出血する病気。脳出血。
【脳△漿】ノウショウ 脳の外側や脳室内を満たす液。
【脳髄(髓)】ノウズイ ＝字義❶。
【脳天】ノウテン 国あたまのいただき。頭のてっぺん。
【脳裏・脳△裡】ノウリ あたまの中。心の中。

7【脗】11画 5038 漢ブン・呉モン 慣フン 吻 wěn — — 5411

字義 あ-う(合)。ぴったりあう。「脗合」
注意 『康熙字典』では、肉部に所属する。
解字 形声。月(肉)＋吻音。音符の吻は、唇の意味。上下の唇が合わさるように、あうの意味を表す。

7【脯】11画 5039 フ 慣ホ 麌 fǔ 7093 E3FB —

字義 ❶ほじし。ほし肉。薄くさいて塩をつけただけのほし肉。❷果実をほしたもの。❸ほじしにする。昔の残酷な刑罰。
注意 『康熙字典』では、肉部に所属する。
解字 篆文 形声。月(肉)＋甫音。音符の甫ホは、薄に通じ、うすいの意味。肉をうすくほした、ほじしの意味を表す。
【脯△醢】ホカイ ①ほし肉と、しおから。②人を殺して、そのからだをほし肉や、しおからにする、昔の残酷な刑罰。
【脯資】ホシ ①ほし肉と糧食。②旅費。
【脯△糒】ホビ ほし肉とほしいい。

7【脬】11画 5040 ホウ(ハウ) 肴 pāo ₂8537 — 5418

字義 ゆばりぶくろ。膀胱ボウコウ。
注意 『康熙字典』では、肉部に所属する。
解字 形声。月(肉)＋孚音。

7【胮】11画 5041 ホウ 胮(5015)の俗字。→六九八ページ上。 — — 5394

7【望】11画 5042 教4 ボウ・モウ のぞ-む 4330 965D —

7〘望〙11画 5043 漢ボウ(バウ) 呉モウ(マウ) 漾 陽 wàng

筆順 望

〔朢〕5133 本字 〔望〕5134 俗字

字義 ❶のぞ-む。㋐見わたす。遠くを眺めやる。「眺望」㋑ねがう。期待する。欲する。「希望」「待望」㋒仰ぎ見る。敬う。慕う。また、その対象。用例(詩経、小雅、都人士)万民之所ㇾ望バンミンののぞむところ。↓万民が崇あがめるお方。／(左伝、襄公十四)夫君神之主而民之望也それきみはかみのつかさにしてたみのボウなり。↓国君は、神の祀まつり手であり、民の仰ぎ望む者です。㋓向きあう。相対する。❷のぞ-み。㋐ねがい。期待。「願望」㋑ながめ。見晴らし。❸みため。様子。容姿。「風望」❹きこえ。ほまれ。名声。信用。「声望」「信望」❺うら-む。責める。とがめる。また、憂うれえる。用例(史記、張耳陳余伝)不ㇾ意君之望ㇾ臣深也きみのシンをうらむことのふかきをおもわ(は)ざりき。↓君が私をこんなに深く恨んでいようとは思っていなかった。❻もち。満月。また、満月の日。陰暦で小の月の十五日(大の月の十六日)。❼祭りの名。望祭。昔、王侯が領内の山川をはるかに望み、柴しばをたき、山川の神をまつった祭り。また、祭られる名山・大川。

名前 のぞみ・のぞむ・ぼう・み・もち 難読 望春こぶし・望春花こぶし・望帝ほととぎす

注意 望は、『康熙字典』では、月部に所属する。

使いわけ のぞむ〔望・臨〕
〔望〕希望する。また、遠くを眺める。「国民に望む・はるかに富士を望む」
〔臨〕そこへ行く。また、ある場所に面する。「会議に臨む・湖に臨むホテル」

解字 甲骨文 金文 篆文 形声。月＋壬＋亡音。甲骨文は背のびした人の上に強調した目のある形にかたどり、遠くをのぞむの意味を表す。金文から、満月の意味に借りて用いられるようになり、月を付して、朢となり、この臣の部分を変えて、音符の亡とし、望となった。のぞむ・もちづきの意味を表す。

逆 一望・威望・渇望・願望・企望・希望・既望・仰望・高望・懇望・才望・失望・四望・資望・宿望・春望・所望・信望・人望・勢望・声望・切望・絶望・想望・大望・待望・眺望・展望・徳望・熱望・非望・風望・本望・野望・有望・欲望・令望

【望雲】ボウウン 雲をのぞみ見る。㋐子が他郷で故郷の親を恋いしたうこと。「望雲の情」㋑臣下が君主の徳を仰ぎしたうこと。

【望外】ボウガイ 国思いのほか。期待したより以上。
【望気（氣）】ボウキ 雲気を望み見て人事の吉凶をうらなう。
【望郷（鄕）】ボウキョウ 故郷の方角をのぞみ見る。故郷をなつかしく思うこと。思郷。懐郷。
【望月】一ボウゲツ 月をながめる。二もちづき 国満月。陰暦十五日の夜の月。
【望春】ボウシュン ①春の景色をながめること。②百舌もずの別名。
【望△蜀】ボウショク 一つののぞみを達して、さらにもう一つと欲ばること。むさぼって飽くことを知らないたとえ。「得レ隴望レ蜀ロウをえてショクをのぞむ」〔後漢書、岑彭伝〕
【望族】ボウゾク 名高い家がら。令族。名門。
【望帝】ボウテイ 杜鵑ほととぎすの別名。蜀王ショクオウの杜宇トウは望帝と号したが、後に杜鵑に化したという伝説による。〔華陽国志〕
【望夫石】ボウフセキ 妻が遠方に旅立つ夫のうしろ姿を見送って悲しみ、また、はるかに夫の方を望んで待ちわびながら、そのまま化したという石。〔幽明録〕
【望風】ボウフウ ①はるかに風姿をのぞみ慕う。遠くから仰ぎ慕う。②いきおいを望み見る。③風声（評判）を遠くで聞く。
【望文生義】ボウブンセイギ 文章を解釈するとき、字義をよく考えず、その前後から推定すること。「望レ文生レ義ぶんをのぞみてぎをショウず」
【望望】ボウボウ ①恥じ入るさま。②後をも見ずに去って行くさま。③がっかりするさま。④思い慕うさま。
【望羊・望△佯・望洋・望陽】ボウヨウ 遠くを見やるさま。また、仰ぎ見るさま。また、まとまりのないこと。とりとめのないこと。▼望羊は、羊ひつじを望む意で、分かれ道が多くて、にげた羊がどの道を行ったか分からないこと。洋は、大海。陽は、太陽。佯は、羊・洋との同音から用いる。
【望楼（樓）】ボウロウ ものみやぐら。

7【脖】11画 5044 漢ホツ・呉ボチ 慣ボツ 円 bó 2-8532 — 5410
字義 ❶脖胦ボツオウは、へそ。❷脖項ボッコウは、うなじ。
注意 『康熙字典』では、肉部に所属する。
解字 形声。月（肉）＋孛音。

7【朙】11画 5045 メイ 明(4696)の古字。→六六六ジペー下。
注意 『康熙字典』では、月部に所属する。

7【朙】11画 5046 メイ 明(4696)の俗字。→六六六ジペー下。 2-1427 — 3482

7【朖】11画 5047 ロウ 朗(5018)の本字。→六九八ジペー中。
注意 『康熙字典』では、月部に所属する。

7【朖】11画 5048 ロウ 朗(5018)の俗字。→六九八ジペー中。 5913 9E4C —

7【朗】11画 5049 人 ロウ 朗(5018)の俗字。→六九八ジペー中。 1-8546 EDC4 —

7【朗】11画 (5019) ロウ 朗(5018)の旧字体。→六九八ジペー中。

7【腰】11画 5050 国字 2-1426 — —
字義 さおとめ。そうとめ。田植えをする若い女性。

7【脵】11画 5051 国字 2-8531 — 5420
字義 また。股。
注意 肉部に所属させる場合もある。
解字 俣たまの類推から、股コが変化した形。

8【朠】12画 5052 漢エイ 呉ヨウ（ヤウ） 庚 yīng
［朠］5053 俗字
字義 月の色。
注意 『康熙字典』では、月部に所属する。
解字 形声。月＋英音。

8【朠】12画 5053 エイ 朠(5052)の俗字。→七〇二ジペー中。 — — 3484

8【腋】12画 5054 標 漢エキ 呉ヤク 陌 yè 7094 E3FC —
字義 ❶わき。わきのした。❷わきの下の皮。
難読 腋臭わきが
注意 『康熙字典』では、肉部に所属する。
解字 形声。月（肉）＋夜音。音符の夜ヤ＝エキは、また、夕＋亦音の形声文字。この音符の亦エキは、わきの下の意味で腋の原字。亦が、またの意味に用いられるようになったため、わきの意味として腋が用いられるようになった。
【腋臭】エキシュウ わきが。わきの下のくさい症状。腋気。

8【腌】12画 5055 エン 塩 yān — — 5426
字義 ❶酢すに漬けの肉。❷塩漬けの肉。
注意 『康熙字典』では、肉部に所属する。
解字 形声。月（肉）＋奄音。音符の奄エンは、淹に通じ、ひたすの意味。

8【期】12画 5056 教3 キ・ゴ 2092 8AFA —
8［期］12画 5057
一 漢キ・呉ゴ・ギ 支 qī
二 漢キ 支 jī

筆順 一 廾 廿 甘 甘 其 其 期 期

［朞］5058 同字 ［朞］5059 俗字

字義 一 ❶あう（会）。約束して会う。用例〔詩経、鄘風、桑中〕期ニ我乎桑中一、要ニ我乎上宮一われをソウチュウにまち、われをジョウキュウにむかう（ふ）。↓私と桑中で逢い引きをし、私を上宮で待ち受ける。
❷ちぎる。約束する。用例〔世説新語、方正〕陳太丘与レ友期行チンタイキュウともとキしてゆく。期ニ日中一ニッチュウをキするに、過レ中不レ至チュウをすぐるもいたらず。↓陳太丘は友人と約束して出かけることにした。正午にと約束したのに、正午を過ぎてもやって来なかった。
❸きめる。固く心にきめる。決心する。用例〔左伝、哀公十六〕期レ死シをキするは、非レ勇也ユウにあらざるなり。↓死を覚悟するのは真の勇気ではない。
❹あてにする。希望する。まつ。用例〔韓非子、五蠹〕聖人不レ期ニ脩古一セイジンはシュウコをキせず、不レ法ニ常可一ジョウカにのっとらず。↓聖人は古い時代をあてにせず、固定した規準にもしたがわない。
❺とき。おり。㋐一定の日時・時間。㋑約束した日時。限定された日時。「期日」「期限」
㋒機会。用例〔南朝斉、王巾、頭陀寺碑文〕皇矣能仁おお(ほ)いなる、ノウニン、撫レ期命レ世キをブしてよになありて。↓偉大なる釈迦シャカは、時に応じてその名を世に現された。
❻百歳。→期頤キイ。
二 ❶ひとまわり。年・月のひとめぐり。＝稘(8496)。「期月」「期年」❷一年の喪。「期服」
国 ❶限度。きり。❷死ぬ時。

名前 さね・とき・とし
注意 『康熙字典』では、月部に所属する。

使いわけ キ〔期・季〕
〔期〕人間が定めた期間。「夏期休暇・前期」
〔季〕春夏秋冬のように、自然現象によって意識される期間。「冬季オリンピック・季刊」

解字 金文  篆文  形声。月＋其音。音符の其は、整然と区切るの意味。区切られた時間の意味を表す。また、一定期間に一定の効果が得られるのを待つの意味をも表す。

逆 延期・佳期・花期・婚期・最期・死期・周期・週期・所期・半期・末期・予期

【期△頤】キイ 百歳をいう。『礼記』曲礼上に、「百年を期といい、頤やしなわる」とあるに基づく。

月部 7▼8画 〔脖朙朙朖朖朗朗腰脵朠朠腋腌期〕

【期会(會)】キカイ ①日時を約束して集まること。②必ず実行しようと計画する。また、約束すること。③とき。おり。機会。④一年間の会計。また、会計。
【期月】キゲツ ①満一か月。②満一年。十二か月をひとめぐりする意。期年。
【期成】キセイ 物事が必ずできあがることを期待すること。
【期待】キタイ あてにしてまつ。まちもうける。
【期年】キネン 満一年。一周年。期月。用例（十八史略、春秋戦国、燕）不二期年一、千里馬至者三。↓まる一年も経たないうちに、千里の名馬が三頭もやってきた。
【期服】キフク 満一か年の喪。
【期約】キヤク 約束。

8 【朞】12画 5058 キ 期(5056)と同字。→七〇一ジ中。 5914 9E4D —
注意 『康熙字典』では、月部に所属する。

8 【朞】12画 5059 キ 期(5056)の俗字。→七〇一ジ中。 — — 5427

8 【腒】12画 5060 漢キョ 呉コ 魚 jū
字義 干し肉。ほじし。
注意 『康熙字典』では、肉部に所属する。
解字 形声。月(肉)＋居音。

8 【腔】12画 5061 人 標 コウ(カウ) 江 qiāng 2548 8D6F —
筆順 丿 月 月 肸 肸 胵 腔 腔
字義 ❶うつろ。胸・腹・口など、体内の空虚な所。「腹腔」❷からだ。身のうち。「満腔」❸ふし。歌のふしまわし。曲調。
注意 『康熙字典』では、肉部に所属する。
参考 医学用語では、クウと読むことが多い。「口腔(口の中)」
解字 篆文 形声。月(肉)＋空音。音符の空は、うつろの意味。体内の空虚なところの意味を表す。
【腔腸】コウチョウ くらげ・いそぎんちゃくなどの体内で、栄養をつかさどる所。「腔腸動物」

8 【勝】12画 (1055) ショウ 力部。→一九七ジ下。

8 【腫】12画 5062 一 漢ショク・呉シキ 職 zhí 二 漢チョク・呉ジキ(ヂキ) 職 ₂8540 — —
字義 一 ❶ほじし。真っ直ぐなほじし。❷のり。ねばり。二 ❶こえる。❷こむら。ふくらはぎ。
注意 『康熙字典』では、肉部に所属する。
解字 形声。月(肉)＋直音。

8 【脽】12画 5063 一 漢スイ・呉ズイ 支 shuí 二 漢シュウ(シウ)・呉シュ 尤 ₂8539 — —
字義 一 ❶しり。❷しりぼね。
注意 『康熙字典』では、肉部に所属する。
解字 形声。月(肉)＋隹音。

8 【腨】12画 5064 セイ 臍(5164)の俗字。→七一〇ジ下。 ₂8538 — —

8 【脺】12画 5065 一 セイ 霽 一 スイ 寘 二 隊 cuì suì — — 5421
字義 一 もろい。二 ❶顔のつやつやしていること。❷脳。
注意 『康熙字典』では、肉部に所属する。
解字 形声。月(肉)＋卒音。

8 【腊】12画 5066 漢セキ 呉シャク 陌 xī ₁9047 — 5425
字義 ❶ほじし。ほし肉。よく乾燥させた肉の小片。また、ほし肉にすること。用例（唐、柳宗元、捕レ蛇者説）得而腊レ之、以為レ餌。↓この蛇を捕らえて干し肉にし、それを薬に用いる。❷ひもの。「腊魚」❸はなはだしい。きびしい。「腊毒(猛毒)」
注意 『康熙字典』では、肉部に所属する。
解字 形声。月(肉)＋昔音。音符の昔は、腊の原字で、ほじしの意味。昔が、むかしの意味に用いられるようになったため区別して、肉を付した。
【腊葉】サクヨウ 押し葉。「サク」は「シャク」の転。

8 【腇】12画 5067 漢ダイ 呉ナイ 賄 něi — — 5424
字義 ❶萎腇は、弱いさま。❷飢える。
注意 『康熙字典』では、肉部に所属する。
解字 形声。月(肉)＋委音。

8 【腅】12画 5068 漢タン 呉ダン 勘 dàn — — 5423
字義 ❶肉。❷肴。❸食べる。
注意 『康熙字典』では、肉部に所属する。
解字 形声。月(肉)＋炎音。

8 【朝】12画 5069 教2 チョウ あさ 熟字訓 今朝 一 漢チョウ(テウ) 蕭 zhāo 二 漢チョウ(テウ)・呉ジョウ(デウ) 蕭 cháo 3611 92A9 —

8 【朝】12画 5070

筆順 一 十 𠫓 𠫔 吉 直 卓 朝 朝
字義 一 ❶あさ。あした。↔夕(2225)。「朝三暮四」❷はじめ。❸一朝は、ある日。また、一旦。用例（唐、白居易、長恨歌）天生麗質難二自棄一、一朝選在二君王側一。↓生まれつきのうるわしい姿かたちは、そのままうちすてておかれるものでなく、ある日、選ばれて天子のおそばにはべることになった。
二 ❶まつりのにわ。天子が政治をとるところ。朝廷。朝日を迎えて政治を行ったことから。↔野(12459)。用例（論語、公冶長）赤也、束帯立二於朝一、可レ使下与二賓客一言上也。↓公西赤は、礼服を着て朝廷に立ち、他国からきた客人たちと応対させることはできます。❷まつりごと。政治。政務。また、政務をとる。用例（唐、白居易、長恨歌）春宵苦短日高起、従レ此君王不二早朝一。↓春の宵は大変短く、日が高くなってから起き、これからというもの天子は朝の政務をとらなくなった。❸つかさ。官庁。諸侯や地方の太守などが政務をとるところ。❹まみえる。目上の人間におめにかかる。朝見。㋐朝廷に参る。宮中に参内して天子におめにかかる。用例（史記、廉頗藺相如伝）相如毎二朝時一常称レ病。↓相如は、朝廷に出仕すべきときは、いつも病気と称した。㋑子が朝に父母に拝謁する。㋒人のもとを訪問する。❺ひとりの天子が在位する期間。「唐朝」❻一王朝の存続する期間。❼くに(国)。「異朝」❽あつまる。あつめる。
名前 あき・あさ・あした・かた・さ・ちょう・つと・とき・とも・のり・はじめ 難読 朝霞・朝餉・朝日・朝来・あすら・あっそ・ききく
注意 朝は、『康熙字典』では、月部に所属する。
解字 金文 篆文 会意。もと、𠦝＋日。𠦝は、草原の意味。草原にあがる太陽で、あさの意味を表す。のち、これは𠦝に省略され、金文では、潮流が岸に至るさまを示す月が付された。
逆 異朝・一朝・王朝・外朝・帰朝・皇朝・今朝・在朝・市朝・聖朝・早朝・天朝・登朝・内朝・廃朝・本朝・来朝・歴朝
【朝衣朝冠】チョウイチョウカン 朝廷に出るとき着ける、制服やかんむり。礼装。正装。

朝衣朝冠

【朝威】(チョウイ) 朝廷の威厳。天子の威光。御稜威(みいつ)。

【朝意】(チョウイ) 朝廷の意志。また、天子の考え。朝旨。

【朝謁(謁)】(チョウエツ) 天子にお目通りする。朝見。

【朝宴】(チョウエン) 朝廷でもよおされる宴会。

【朝家】(チョウカ) ①天子の家。王室。②朝廷。また、国家。

【朝賀】(チョウガ) 臣下が参内(サンダイ)して天子に祝詞を述べること。また、その祝詞。

【朝△暉】(チョウキ) 朝日の光。▼暉は、日光。

【朝儀】(チョウギ) 朝廷で行われる儀式。

【朝議】(チョウギ) 朝廷で相談する。また、朝廷の会議。また、その決定した事がら。

【朝菌】(チョウキン) 短命なもの、はかないもののたとえ。㋐朝生えて晩に枯れるというきのこ。用例〔荘子、逍遥遊〕朝菌不レ知二晦朔一(チョウキンはカイサクをしらず)。↓朝生えて晩には枯れるきのこは、たかだか一日の寿命なので、一か月のみそかとついたちを知らない。㋑朝生まれて晩に死ぬという、かいこに似た水中の虫。蜉蝣(フユウ)。孳母(ジボ)。㋒=朝槿(チョウキン)。

【朝△槿】(チョウキン) むくげ。花が朝開いて夕方しぼむことから、はかないもののたとえ。木槿。

【朝△覲】(チョウキン) 諸侯が天子にお目にかかること。

【朝見】(チョウケン) =朝謁(チョウエツ)。

【朝権(權)】(チョウケン) 朝廷の権力。政治の権力。朝柄。

【朝憲】(チョウケン) 朝廷のおきて。国家のおきて。国法。国憲。

【朝△譴】(チョウケン) 朝廷のとがめ。天子の叱責(シッセキ)。

【朝貢】(チョウコウ) 諸侯や属国の使臣などが来朝して天子にみつぎものを奉ること。朝献。

【朝衡】(チョウコウ) =晁卿衡(チョウサン)(六六九ページ上)。

【朝三暮四】(チョウサンボシ) いつわって人をごまかすこと。また、どちらにしても大差のないこと。春秋時代、宋(ソウ)の狙公(ソコウ)(猿まわし)が、飼っている猿に朝三つ夕方四つのどんぐりをやるといったら猿が怒ったので、では朝四つ夕方三つやろうといったら、猿が喜んだ故事による。用例〔列子、黄帝〕与二若芧一、朝三而暮四、足乎(なんじ(ぢ)にショをあたう(ふ)るに、あしたにサンにして、くれにシにせん、たるか)。↓これからお前たちにどんぐりを与える時には、朝には三つやり暮れに四つやろう、それで満足するか。

【朝士】(チョウシ) 朝廷につかえる役人。

【朝市】 一(チョウシ) 朝廷と市場。転じて、名誉・利益を争う所。また、人の大ぜい集まる所。人なか。市朝。二(あさいち) 朝たつ市場。

【朝旨】(チョウシ) =朝意。

【朝△餉】(チョウショウ・あさがれい(ひ)) あさめし。朝食。

【朝臣】 一(チョウシン) 朝廷につかえる役人。二(あそみ・あそん) 国①昔、家がらの尊卑を分けた、八つの姓(かばね)の第二位。②五位以上の貴人の敬称。

【朝紳】(チョウシン) 朝廷の高位高官の人。

【朝夕】(チョウセキ) ①あさと、ゆうがた。②あけくれ。常に。ふだん。用例〔十八史略、春秋戦国、呉〕朝夕臥二薪中一(チョウセキシンチュウにふす)。↓ふだん薪を積んだ中に寝起きした。③朝見と暮見。朝と晩にごきげんをうかがうこと。

【朝鮮】(チョウセン) 国名。殷(イン)の箕子(キシ)が殷の乱を避けて朝鮮王となったのがその始めという。現在、北緯三十八度線の付近に軍事境界線が引かれて南北にわかれ、南部は大韓(ダイカン)民国、北部は朝鮮民主主義人民共和国となっている。

【朝宗】(チョウソウ) ①諸侯が天子にお目にかかること、また、帰服すること。②川の水が海に集まりそそぐこと。

【朝朝暮暮】(チョウチョウボボ) 毎朝毎晩。用例〔唐、白居易、長恨歌〕蜀江水碧蜀山青、聖主朝朝暮暮情(ショッコウはみず(づ)みどりにしてショクザンはあお(を)く、セイシュチョウチョウボボのジョウ)。↓蜀の川は碧玉のようにふかみどりの色であり、蜀の山は青々として美しいが、天子は毎朝毎晩悲しい思いをつのらせている。

【朝廷・朝庭】(チョウテイ) 天子が政治を執る所。朝堂。廟堂(ビョウドウ)。

【朝敵】(チョウテキ) 国朝廷にそむいて謀反する人。

【朝△暾】(チョウトン) あさひ。朝旭(チョウキョク)。

【朝不レ慮レ夕】(あしたにゆう(ふ)べをはかられず) あさにその日の晩のことを考えることができない。事がさし迫っていると一寸先が予測できない。また、物事のはかないこと。〔西晋、李密、陳情表〕

【朝服】(チョウフク) 朝廷に出仕するときに着る制服。礼服。朝衣。用例〔史記、刺客伝〕朝服設二九賓一、見二燕使者咸陽宮一(チョウフクしてキュウヒンをもう(ま)うけ、エンのシシャをカンヨウキュウにみる)。↓(秦王(シンオウ)は)宮中での正装に身を包み、賓客を迎えるための最高の儀礼を整え、燕の使者を咸陽宮で引見した。

【朝聞レ道夕死可△矣】(あしたにみちをきかばゆう(ふ)べにシすともカなり) あさ、人としての道を聞くことができたら、その日の夕方死んだとしても悔いることはない。孔子が、人として道を学ばねばならぬことを強調したことば。〔論語、里仁〕

【朝△聘】(チョウヘイ) 諸侯が天子にお目にかかって物を献上する。

【朝△謨】(チョウボ) 朝廷のはかりごと。政府の政策。

【朝命】(チョウメイ) 朝廷の命令。天子の命令。

【朝野】(チョウヤ) ①朝廷と民間。官吏と民間人。官民。②世の中。世間。天下。

【朝陽】(チョウヨウ) ①あさひ。旭日(キョクジツ)。②山の東がわ。朝日のあたる山面。↔夕陽(三二一ページ中)。

【朝来(來)】(チョウライ) ①あさ。朝早く。▼来は、助字。用例〔唐、劉禹錫、秋風引〕朝来入二庭樹一、孤客最先聞(チョウライテイジュにいり、コカクもっともさきにきく)。↓秋風がけさがた庭の樹々に吹き入ったのを、ひとりぼっちの旅人である私がだれよりも先に聞きつけた。②あさやって来る。

【朝令暮改】(チョウレイボカイ) あさ、命令を出して、夕方にはそれを改め変えること。むやみに命令や法律を変えること。〔漢書、食貨志上〕

【朝露】(チョウロ) あさつゆ。朝おりるつゆ。転じて、はかないもののたとえ。用例〔漢書、蘇武伝〕人生如二朝露一(ジンセイはチョウロのごとし)。↓人の一生は、朝日を受けてすぐ消える露のように短くはかないものだ。

8 【脹】 12画 5071 人 チョウ(チャウ) 漢 zhàng 3617 92AF —

筆順 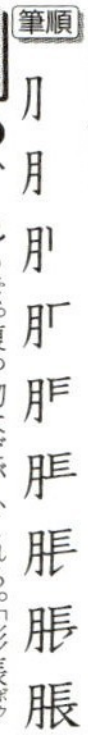

字義 ❶ふく-れる(ふくる)。腹や物などがふくれる。「膨脹(ボウチョウ)」 ❷は-れる(はる)。皮膚がはれる。

注意 『康熙(コウキ)字典』では、肉部に所属する。

解字 形声。月(肉)+長㊥。音符の長は、はるの意味。腹がはってふくれるの意味を表す。

【脹満(滿)】(チョウマン) ①腹がはりふくれること。②液体またはガスがたまって腹のふくれる病気。

8 【腄】 12画 5072 一ツイ 因 chuí 一 漢ツイ・呉ズイ(ヅイ) 寘 zhuì 二 漢ユウ(イウ)・呉ウ 尤

字義 一❶かかとのたこ。❷きずあとのかわ。二秦(シン)代に設けられた県。現在の山東省煙台市。

解字 形声。肉+垂(𠂹)㊥。

8 【腆】 12画 5073 テン 銑 tiǎn 7102 E441 —

字義 ❶あつ-い(あつし)。手厚い。丁重。「腆贈」「不腆」 ❷いたる(至)。❸おおい(多)。膳(ゼン)にごちそうが多い。❹よい(善)。美しい。

注意 『康熙(コウキ)字典』では、肉部に所属する。

解字 篆文  形声。月(肉)+典㊥。音符の典は、とうといの意味。とうとい肉の意味から、あつい・よいの意味を表す。

【腆贈(贈)】(テンソウ) てあついおくりもの。

8 【脝】 12画 5074 トン 元 tūn

字義 月の光。

【脝】 5075 俗字

注意 『康熙(コウキ)字典』では、月部に所属する。

8【脝】12画 5075 トン 脝(5074)の俗字。→七〇三ページ下。 — — 3483

解字 形声。月＋享㊥。

8【脾】12画 5076 標 ㊀㊥ヒ・㊥ビ 紙 bì ㊁ヒ 支 pí 7103 E442 —
【腗】5078 俗字

字義 ㊀脾臓(ヒゾウ)。五臓の一つ。胃の左下にあって、白血球を作り、老廃した赤血球を破壊する働きなどを営む。㊁もも(股コ)。「脾肉之歎(ヒニクのタン)」

注意 『康熙(コウキ)字典』では、肉部に所属する。

解字 篆文 形声。月(肉)＋卑㊥。音符の卑は、ひくいの意味。胃よりも低いところにある器官の意味を表す。

8【腓】12画 5077 ㊥ヒ ㊥ビ 微 féi 未 fèi 7104 E443 —

字義 ❶こむら。ふくらはぎ。脛(はぎ)のうしろのふくれた所。❷足きりの刑罰。❸さける(避)。

注意 『康熙(コウキ)字典』では、肉部に所属する。

解字 篆文 形声。月(肉)＋非㊥。音符の非は、肥に通じ、ふとるの意味。はぎのうしろのふとっている部分、こむらの意味を表す。

8【腗】12画 5078 ヒ 脾(5076)の俗字。→七〇四ページ上。 — — 5428

注意 『康熙(コウキ)字典』では、肉部に所属する。

8【腑】12画 5079 標 フ 麌 fǔ 7105 E444 —

字義 ❶はらわた。臓腑。❷こころ。心の中。「肺腑」❸身うちのたとえ。

注意 『康熙(コウキ)字典』では、肉部に所属する。

解字 形声。月(肉)＋府㊥。音符の府は、物をしまいこむ倉の意味。内臓をしまいこむ部分の意味を表す。

8【腁】12画 5080 ㊥ヘン ㊥ベン 先 pián — —
【胼】5014字 俗

字義 ❶たこ。まめ。絶えずそこを使うため、手のひらや足うらなどの皮膚が厚く堅くなったもの。❷あかぎれ。ひび。 難読 腁胝(たこ)

注意 『康熙(コウキ)字典』では、肉部に所属する。

解字 形声。月(肉)＋幷㊥。

【腁△胝】ヘンチ ひび。あかぎれ。また、たこ。まめ。

8【脼】12画 5081 リョウ(リャウ) 養 liǎng — — 5422

字義 ❶干し肉。ほじし。❷いろいろな味がする。❸背の肉。

注意 『康熙(コウキ)字典』では、肉部に所属する。

解字 形声。月(肉)＋兩㊥。

8【腕】12画 5082 常 ワン うで ワン 翰 wàn 4751 9872 —

筆順

字義 ❶うで。㋐かいな(かひな)。肘(ひじ)と手首との間。㋑手首。❷うでまえ。うでの力。てなみ。はたらき。「手腕」 国うで。㋐肩さきから手首までの称。手。㋑うでのように、本体から横につきだしたもの。

注意 『康熙(コウキ)字典』では、肉部に所属する。

解字 形声。月(肉)＋宛㊥。音符の宛は、しなやかに曲がるの意味。自由にしなやかに曲げることのできる肉体の部分、うでの意味を表す。

逆 手腕・敏腕

【腕白】ワンパク 国子供がわがままでいたずらなこと。また、その子供。

【△扼腕】ヤクワン うでをやくす 自分で自分のうでを強く握りしめる。怒ったり、残念がったりするときのさま。扼腕(ヤクワン)。切歯扼腕。〔戦国策、燕〕

9【腭】13画 5083 ガク 齶(14601)と同字。→一六六八ページ中。 9051 — 5434

注意 『康熙(コウキ)字典』では、肉部に所属する。

9【腳】13画 5084 キャク 脚(5021)の正字。→六九八ページ下。

注意 『康熙(コウキ)字典』では、肉部に所属する。

9【腱】13画 5085 標 ㊥ケン ㊥ゴン 願 jiàn 7107 E446 —

字義 ❶筋肉の繊維の端が集まって筋肉を骨に結びつけ、筋肉の運動を助ける組織。「アキレス腱」❷すじ。ふとい筋肉の繊維。

注意 『康熙(コウキ)字典』では、肉部に所属する。

解字 形声。月(肉)＋建㊥。

9【腮】13画 5086 サイ 灰 sāi 7108 E447 —
【顋】13497字 正

字義 あご。あぎと。 国えら。魚類の呼吸器。＝鰓(14084)。

注意 『康熙(コウキ)字典』では、肉部に所属する。

解字 形声。月(肉)＋思㊥。

9【腫】13画 5087 常 シュ は-れる・は-らす ㊥ショウ・㊥シュ・シュウ 腫 zhǒng 2880 8EEE —

筆順

字義 ❶は-れる。むくむ。ふくれる。また、は-らす。❷は-れ。むくみ。また、はれもの。できもの。「腫物(シュモツ)」

注意 『康熙(コウキ)字典』では、肉部に所属する。

解字 篆文 形声。月(肉)＋重㊥。音符の重は、ふくれておもいふくろの象形。肉体の一部がふくれた、はれものの意味を表す。

【腫瘍】シュヨウ はれもの。できもの。腫瘡(シュソウ)。

9【塍】13画 (2084) ショウ 土部。→三一七ページ下。

9【腎】13画 5088 常 ジン ㊥シン・㊥ジン 軫 shèn 3153 9074 —

筆順

字義 ❶腎臓(ジンゾウ)。五臓の一つ。下腹部後壁、脊椎(セキツイ)の両側にあって、尿の分泌をつかさどる器官。❷かなめ。たいせつな所。「肝腎」

注意 『康熙(コウキ)字典』では、肉部に所属する。

参考 現代表記では〔心〕(3473)に書きかえることがある。「肝腎→肝心」

解字 篆文 形声。月(肉)＋臤㊥。音符の臤(ケン)は、臣に通じ、家来として従うの意味。他の器官に従属してはたらく器官、じんぞうの意味を表す。

9【腥】13画 5089 ㊥セイ ㊥ショウ(シャウ) 青 径 xīng 7109 E448 —

字義 ❶なまぐさ-い(なまぐさし)。＝胜(4956)。❷豚のしもふり肉。❸生肉。❹あぶら。鶏肉のあぶら。❺きたない。けがらわしい。

注意 『康熙(コウキ)字典』では、肉部に所属する。

解字 篆文 形声。月(肉)＋星㊥。音符の星は、ほしの意味。肉の中に星のようにまじる白い脂肪のある、しもふり肉の意味を表す。

【腥血】セイケツ なまぐさい血。
【腥膩】セイジ なまぐさく、あぶらじみていること。
【腥臭】セイシュウ なまぐさいにおい。
【腥羶・腥膻】セイセン ①なまぐさい。また、その獣。②外国人をののしっていう。生肉を食するから。

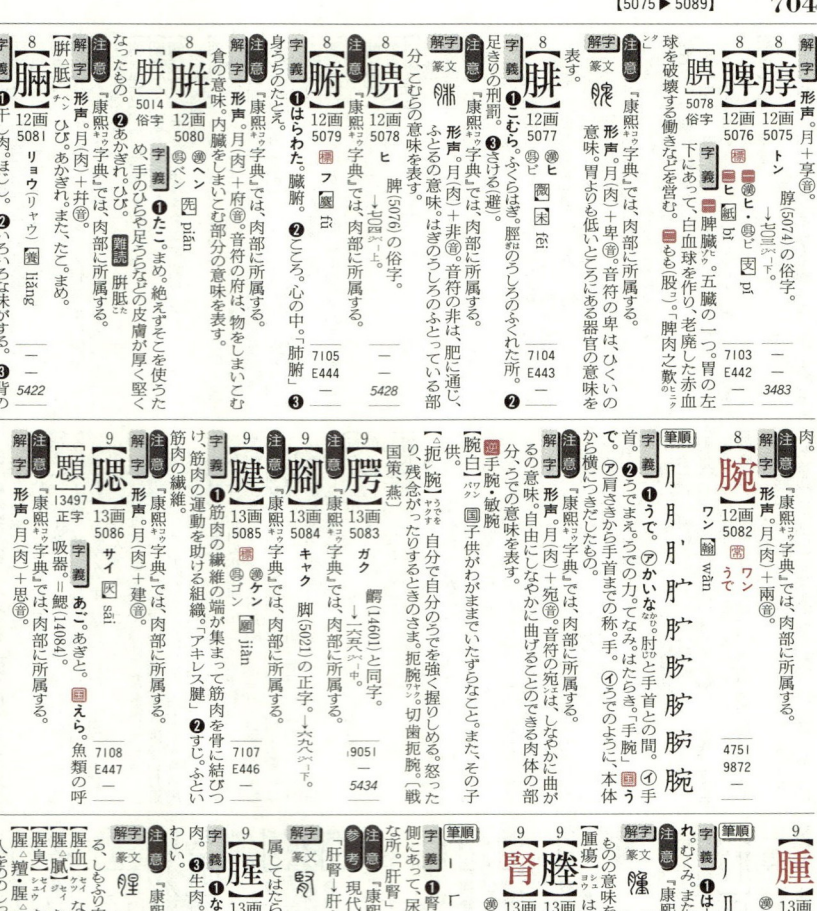

【腥△臊】セイソウ ①なまぐさい。②けがらわしい。
【腥聞】セイブン けがらわしいうわさ。不品行の評判。

9 【腺】13画 5090 国字 常 セン　3303 9142 —

筆順 丿 月 月' 肑 胉 胉 腺 腺

字義 セン。生物の体内にあって、特定の分泌作用を営む器官。「涙腺」「乳腺」

注意 肉部に所属させる場合もある。

参考 国字であるが、中国でも用いられ、xiàn と発音される。

解字 形声。月(肉)＋泉㊥。肉の中で水分がたまる部分の意。

【腺病質】センビョウシツ 体格が貧弱で貧血性の体質。また、病気にかかりやすい神経質な体質。

9 【腨】13画 5091 漢セン 呉ゼン 銑 shuàn　‖9050 — 5432

字義 こむら。ふくらはぎ。

注意 『康熙字典』では、肉部に所属する。

解字 形声。月(肉)＋耑㊥。

9 【腠】13画 5092 ソウ 宥 còu　‖9048 — 5429

字義 はだ(膚)。また、はだのきめ。腠理。

注意 『康熙字典』では、肉部に所属する。

解字 形声。月(肉)＋奏㊥。

9 【腿】13画 5093 タイ 腿(5116)の俗字。→七〇七ジ・上。

注意 肉部に所属させる場合もある。

9 【腟】13画 5094 チツ 膣(5127)と同字。→七〇八ジ・上。　7121 E454 —

注意 『康熙字典』では、肉部に所属する。

9 【腤】13画 5095 チョ 猪(7253)と同字。→九三四ジ・中。　‖8542 — —

注意 『康熙字典』では、肉部に所属する。

9 【腸】13画 5096 教6 チョウ 漢チョウ(チャウ)・呉ジョウ(ヂャウ) 陽 cháng　3618 92B0 —

注意 『康熙字典』では、肉部に所属する。

筆順 丿 月 肌 胆 胆 腸 腸 腸

字義 はらわた。㋐六腑プの一つ。消化器の一部で、消化・吸収・排泄ハイセツの作用を行う。大腸・小腸の別がある。㋑こころ。「心腸」

【膓】5128 俗字

注意 『康熙字典』では、肉部に所属する。

解字 篆文 形声。月(肉)＋昜㊥。音符の昜ヨウは、のびあがるの意味。のびる大腸・小腸、はらわたの意味を表す。

逆 剛腸・愁腸・寸腸・断腸・羊腸

【腸断(斷)】チョウダン はらわたがちぎれる。非常な悲しみの形容。断腸。

【腸断(斷)声(聲)】チョウダンのこえ はらわたもちぎれるばかりの悲しい音。用例(唐、白居易、長恨歌)行宮見レ月傷レ心色、夜雨聞レ鈴腸断声 ↓行宮で月を眺めると、月にも心を悲しませる雰囲気があり、雨の夜に駅馬の鈴の音を耳にすると、はらわたもちぎれるばかりに悲しく聞こえる。

【腸△肚】チョウト はら。心の中。▼肚は、腹。

9 【腯】13画 5097 ㊀漢トツ・呉トチ 月 tū ㊁漢トン・呉ドン 願　— — 5435

字義 ㊀㊁こえる(肥)。ふとる。豚や鳥がふとる。牛羊のこえるのは肥という。

注意 『康熙字典』では、肉部に所属する。

解字 形声。月(肉)＋盾㊥。

9 【腩】13画 5098 ㊀漢ダン・呉ナン 感 nǎn ㊁漢ダン・呉ドン 覃　‖8541 — 5433

字義 ㊀㊁❶煮た肉。❷肉のあつもの。❸干し肉。

注意 『康熙字典』では、肉部に所属する。

解字 形声。月(肉)＋南㊥。

9 【腦】13画 (5037) ノウ 脳(5036)の旧字体。→七〇〇ジ・上。

9 【腷】13画 5099 漢ヒョク 呉ビキ 職 bì　— — 5436

字義 ❶胸がつまって気がはればれしない。「腷臆ヒョクオク」❷腷腷・腷膊ハクは、鳥のはばたき・氷のさける音・戸をたたく音などの形容。

注意 『康熙字典』では、肉部に所属する。

解字 形声。月(肉)＋畐㊥。

【腷臆】ヒョクオク 胸がふさがり、気がはればれしない。また、その悩み。腷憶。

9 【腹】13画 5100 教6 フク はら フク 屋 fù　4202 95A0 —

筆順 丿 月 月' 肑 胙 胙 腹 腹

字義 ❶はら。㋐胸の下で、胃や腸などの内臓を包んでいる所。㋑こころ。考え。心中。また、度量。胆力。㋒母親の胎内。「同腹」㋓まえ。前面。↔背(4967)。「腹背」㋔中央のふくれた部分。「山腹」❷いだく。だきかかえる。❸あつい(厚)。

名前 はら 難読 腹赤はらか・腹帯はらたい

注意 『康熙字典』では、肉部に所属する。

解字 篆文 形声。月(肉)＋复(复)㊥。音符の复フクは、包に通じ、つつむの意味。内臓をつつむ肉体、はらの意味を表す。

逆 異腹・口腹・業腹・鼓腹・山腹・私腹・心腹・船腹・同腹・抱腹

【腹案】フクアン 心の中に持つ考え。

【腹稿】フクコウ 心の中であらかじめ文章を組み立てること。また、その草稿。

【腹△笥】フクシ 学問の素養。蘊蓄ウンチク。腹中の本箱の意。

【腹疾】フクシツ はらいた。腹の痛む病気。

【腹心】フクシン ①はらと、むね。②まごころ。心の奥底。③自分の腹とも胸ともたのむ人。絶対の信頼をおける人。

【腹心△之疾】フクシンのやまい(ひ) 腹や胸の病気。なおしがたい重い病気。転じて、救いがたい心配ごと・除きがたい敵のたとえ。〔史記、越王句践世家〕

【布二腹心一】フクシンをしく 心の中をかくさずにうちあける。▼布は、敷き広げる。

【腹蔵(藏)】フクゾウ 心の中に包みかくす。心に思うことをかくして外に表さない。

【腹中】フクチュウ ①腹の中。②心の中。

【腹背】フクハイ ①腹と背中。②前とうしろ。③近親をいう。

【腹膜】フクマク 腹部の内臓の表面および腹壁の内面をおおう薄い膜。

【鼓レ腹】はらをこす ＝鼓腹コフク①②(一六五一ジ・下)。

9 【腴】13画 5101 ユ 虞 yú　7111 E44A —

字義 ❶こえる。㋐下腹部が肥える。㋑地味が肥える。㋒美しく豊か。富む。「肥腴」❷あぶら(脂)。肥えてあぶらののった肉。❸はらわた。豚・犬のはらわた。

注意 『康熙字典』では、肉部に所属する。

解字 篆文 形声。月(肉)＋臾㊥。音符の臾ユは、円すい形に盛りあがるの意味。下腹部が肥えるの意味を表す。

9 【腧】13画 5102 ㊀シュ 遇 shù ㊁ユ 虞 yú　‖9049 — 5431

字義 ㊀つぼ。鍼はりを刺したり灸キュウをすえたりする体の要所。へそに相対し、背中にあるつぼ。 二 腧腧は、こびるさま。

注意

解字 形声。月(肉)＋兪㊜。

9 【腰】 13画 5103 常 ヨウ こし

2588 8D98 —

9 〖腰〗 13画 5104 ヨウ(エウ) 蕭 yāo

筆順 丿 月 肝 肝 胛 腰 腰 腰

［膋］ 5105 同字

字義 ❶こし。㋐背骨と骨盤とつながる部分。＝要(11007)。㋑物で、人体にたとえてこしにあたる部分。㋒山のふもとに近い部分。㋓重要な部分のたとえ。かなめ。❷こしにつける。帯びる。「腰刀」

国 こし。㋐押し通す気力。ねばり。がんばり。㋑弾力。ねばり。㋒和歌の第三句めの五字。

注意

解字 形声。月(肉)＋要(要)㊜。音符の要は、こしの意味。要が、こし以外の多くの意味に用いられるようになり、肉を付して区別し、こしの意味を表す。

逆 細腰・繊腰・柳腰

【腰間】ヨウカン こしのまわり。こしのあたり。

【腰斬】ヨウザン 胴切り。腰の部分を切りはなす刑罰。

【腰縄(繩)】ヨウジョウ・こしなわ 罪の軽い囚人などを、こしだけをなわでつなぐこと。また、そのなわ。

【腰椎】ヨウツイ 腰部の脊椎骨。

【腰△輿】ヨウヨ たごし。前後から手でながえを腰の高さにかかえて行く輿。

【折レ腰】こしをおる 人に頭をさげること。用例(晋書、陶潜伝)吾不レ能下為二五斗米一折上レ腰。↓私は五斗の米(わずかな俸禄)のために人に頭を下げることはしない。

9 【媵】 13画 (2506) ヨウ 女部。→三七六ページ下。

9 【膋】 13画 5105 ヨウ 腰(5103)と同字。→七〇六ページ上。

注意 『康熙字典』では、肉部に所属する。

9 【腡】 13画 5106 ラ 歌 luó

— — 5430

字義 手の筋。指紋。

注意 『康熙字典』では、肉部に所属する。

解字 形声。月(肉)＋咼㊜。

10 【膃】 14画 5107 漢オツ 呉オチ(ヲチ) 月 wà

7112 E44B —

字義 ❶膃肭は、肥えてやわらかい。❷膃肭臍は、アシカ科の海獣の名。膃肭獣。

注意 『康熙字典』では、肉部に所属する。

参考 膃肭臍は、アイヌ語onnepに膃肭を当てた語といわれる。その臍や睾丸・陰茎が強壮剤となり、膃肭臍と呼ばれたことにもとづく。

解字 形声。月(肉)＋𥁕㊜。

10 【膎】 14画 5108 漢カイ 呉ゲ 佳 xié

— — 5443

字義 ❶干し肉。ほじし。❷家に蓄えてある食料。❸煮た食物。❹膎臐は、塩漬けの魚。

注意 『康熙字典』では、肉部に所属する。

解字 形声。月(肉)＋奚㊜。

10 【膈】 14画 5109 漢カク 呉キャク 陌 gé

7113 E44C —

字義 ❶胸と脾との間。みぞおち。「膈膜」❷胸のうち。胸中。心中。❸つりぎ。鐘をつるす木。

注意 『康熙字典』では、肉部に所属する。

解字 形声。月(肉)＋鬲㊜。

10 【膁】 14画 5110 一 ケン 琰 qiǎn 二 漢カン・呉ゲン 陥 xiàn

₂8543 — 5437

字義 一 ❶腰の左右のくぼんでいる所。❷馬のわきばら。❸牛や馬のあばらの後ろのくぼんだ所。二 肉のあん。

注意 『康熙字典』では、肉部に所属する。

解字 形声。月(肉)＋兼㊜。

10 【膏】 14画 5111 人 標 一 コウ(カウ) 豪 gāo 二 コウ(カウ) 号 gào

2549 8D70 —

筆順 丶 亠 亠 亠 亠 高 高 膏 膏

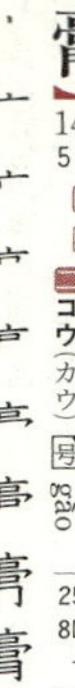

字義 一 ❶こえる(肥)。㋐ふとる。あぶらがのってふとる。㋑地味が肥える。肥えた土地。❷あぶら。㋐肥えた肉。肉のあぶら。脂肪。㋑化粧あぶら。べに。㋒あぶら薬。「軟膏」❸うまい。美味。❹つやがあってなめらか。❺めぐみ。恩沢。❻むなもと。心臓の下の部分。「膏肓」 二 ❶あぶらをさす。あぶらを塗ってなめらかにする。❷うるおす。めぐむ。

名前 こえ・ふとし・ゆたか・よし

注意 『康熙字典』では、肉部に所属する。

解字 甲骨文  篆文  形声。月(肉)＋高㊜。音符の高は、皦に通じ、つやのある白の意味。白い脂肪の意味を表す。

【膏雨】コウウ 草木をうるおし育てる雨。めぐみの雨。慈雨。

【膏火】コウカ あぶらの火。ともしびの火。灯火。

【膏火自煎】コウカみずからいる 自分の才能によって自ら禍にあうことのたとえ。▼膏は、あぶらで、あぶらは自分自身が燃えて、なくなってしまうことから。〔荘子、人間世〕

【膏血】コウケツ ①あぶらと、ち。②苦労して得た利益や財産。

【膏△肓】コウコウ 膏は心臓の下の部分、肓は横隔膜の上の部分。膏と肓との間は、薬も鍼も及ばぬ、病気のなおしがたい所という。「病入二膏肓一」〔左伝、成公十〕

◆肓を盲と混同して、コウモウと読むのは誤り。

【膏壌(壤)】コウジョウ 地味の肥えた土地。

【膏沢(澤)】コウタク めぐみ。恩恵。恩沢。

【膏△渟】コウテイ 淵などが、たまった油のように静かによどんでいること。

【膏田】コウデン よく地味の肥えた田地。

【膏味】コウミ よいあじ。うまい味。好味。美味。

【膏△沐】コウモク 口紅と、髪洗いの粉。転じて、化粧。みだしなみ。

【膏薬(藥)】コウヤク あぶらでねって作ったくすり。あぶらぐすり。

【膏油】コウユ あぶら。

【膏△腴】コウユ 地味のよく肥えていること。用例(戦国策、趙)今媼尊二長安君之位一、而封以二膏腴之地一、多予二之重器一。↓今、あなたさまは長安君の地位を尊くして、肥沃な土地の領主に任命され、貴重な宝物をたくさん与えておいでです。

【膏沃】コウヨク 地味のよく肥えていること。

【膏△粱】コウリョウ ①あぶらののった肉と、味のよい飯。うまい食物。美食。②富豪。財産家。

10 【膓】 14画 5112 一 漢シュウ(シウ) 宥 zhòu 二 漢シュ・呉ス 遇 zhù

₂8547 — —

字義 一 ほじし。二 ❶食事。❷うるわしい。❸しわ。

注意 『康熙字典』では、肉部に所属する。

解字 形声。月(肉)＋芻㊜。

10 【膄】 14画 5113 シン 真 chēn

₂8544 — —

字義 おこる(起)。ふくれる。肉が盛り上がる。

注意 『康熙字典』では、肉部に所属する。

解字 形声。月＋眞㊜。

10 【膆】 14画 5114 ソ 遇 sù

— — 5441

字義 ❶肥える。❷鳥ののどぶくろ。

注意 『康熙コウキ字典』では、肉部に所属する。
解字 形声。月(肉)＋素(音)。

10【膄】14画 5115 ソウ ₂8545 — 5439
瘦(7739)と同字。→九八〇ジ上。
注意 『康熙コウキ字典』では、肉部に所属する。

10【腿】14画 5116 標 漢タイ 呉ツイ 賄 tuǐ 3460 91DA —
［腿］5093 俗字
字義 もも。はぎ。股ももと脛すねを合わせた称。股を大腿、脛を小腿という。
注意 『康熙コウキ字典』では、肉部に所属する。
解字 形声。月(肉)＋退(音)。

10【膅】14画 5117 漢トウ(タウ) 呉ドウ(ダウ) 陽 táng ₂8546 — 5440
字義 こえる。太る。
注意 『康熙コウキ字典』では、肉部に所属する。
解字 形声。月(肉)＋唐(音)。

10【膊】14画 5118 ハク 薬 pò ③～⑤bó 7114 E44D —
字義 ❶ほじし。肉を薄くたたいて乾燥させたもの。❷はりつけにする。さらす。❸肩の骨。＝髆(13843)。❹うで。肘ひじから肩までを上膊、肘から手首までを下膊という。❺膊膊は、鶏の羽ばたきの音・物を打つ音・氷の割れる音の形容。
注意 『康熙コウキ字典』では、肉部に所属する。
解字 篆文 形声。月(肉)＋尃(音)。音符の尃フは、しくの意味。たたいてうすく敷いて乾かした肉の意味を表す。

10【膀】14画 5119 標 漢ホウ(ハウ) 呉ボウ(バウ) 陽 páng 7115 E44E —
字義 ❶わきばら。あばら。❷膀胱ボウコウは、小便ぶくろ。腎臓ジンゾウから出る尿をたくわえておくふくろ。
注意 『康熙コウキ字典』では、肉部に所属する。
解字 篆文 形声。月(肉)＋旁(音)。音符の旁ボウは、かたわらの意味。肉体の側面、わきばらの意味を表す。

10【膜】14画 5120 常 マク 一 漢バク・呉マク 薬 mó 二 漢ボ・呉モ 虞 mó 4376 968C —
筆順 丿 月 月 月一 𦙶 肼 腊 膻 膜 膜
字義 一 ❶体内の筋肉や器官をおおい包む薄い皮。❷物をおおう薄いかわ。うすかわ。二 膜拝モハイは、両手をあげ地にひざまずいて拝むこと。
注意 『康熙コウキ字典』では、肉部に所属する。
解字 篆文 形声。月(肉)＋莫(音)。音符の莫バクは、おおいかくすの意味。生物の体内の器官をつつみおおう薄い皮の意味を表す。

10【膂】14画 5121 漢リョ 呉ロ 語 lǚ 7116 E44F —
［膐］9663 同字
字義 ❶せぼね。❷ちから。筋骨の力。体力。膂力。❸になう。
注意 『康熙コウキ字典』では、肉部に所属する。
解字 篆文 形声。月(肉)＋旅(音)。音符の旅は、呂リョに通じ、つらなるの意味。三十以上の椎骨ツイコツがつらなってできている、せぼねの意味を表す。
【膂力】リョリョク せぼねの力。筋骨の力。

10【膋】14画 5122 リョウ(レウ) 蕭 liáo — — 5442
字義 あぶら(脂)。動物の腸の間にあるあぶら。
注意 『康熙コウキ字典』では、肉部に所属する。
解字 形声。月(肉)＋勞省(音)。

11【膕】15画 5123 カク(クワク) 陌 guó 7118 E451 —
字義 ひかがみ。よぼろ。ひざの後ろ側の折れ曲がってくぼんだ部分。
注意 『康熙コウキ字典』では、肉部に所属する。
解字 形声。月(肉)＋國(音)。

11【膠】15画 5124 標 一 漢コウ(カウ) 呉キョウ(ケウ) 肴 jiāo 二 漢コウ(カウ) 呉キョウ(ケウ) 巧 jiǎo 7117 E450 —
字義 一 ❶にかわ。動物の骨や皮などを煮つめて作った接着剤。❷にかわ-する。にかわでつける。❸つく。ねばりつく。❹かたい。❺もとる。ねじまがる。二 膠膠は、やわらぐさま。また、動き乱れるさま。
注意 『康熙コウキ字典』では、肉部に所属する。
解字 篆文 形声。月(肉)＋翏(音)。音符の翏リョウは、丩キュウに通じ、まといつくの意味。ねばりつくにかわの意味を表す。
【膠固】コウコ ①にかわでつけたように、かたいこと。②こり固まって融通のきかないこと。
【膠△瑟】コウシツ 琴柱ことじを一か所ににかわづけにすれば、それを動かして琴の音を変化させることができない意から、一つのことにとらわれ融通のきかないたとえ。
【膠漆】コウシツ ①にかわと、うるし。②たがいにぴったりとくっついて離れないこと。また、まじわりの固く親しいことのたとえ。「膠漆の心」「膠漆の交わり」
【膠質】コウシツ ①にかわのようにねばりのある性質。②にこごり。煮た魚肉などに生じるもの。
【膠州湾(灣)】コウシュウワン 山東半島の南、黄海に面した湾の名。湾口に青島チンタオ港がある。第一次世界大戦までドイツの租借地であった。
【膠折】コウセツ にかわが折れる。寒いとにかわが折れやすいことから、寒冷の気候をいう。
【膠着】コウチャク ①ぴったりと固まりつく。②戦線などが同じ状態を続けて、はかばかしく動かないこと。

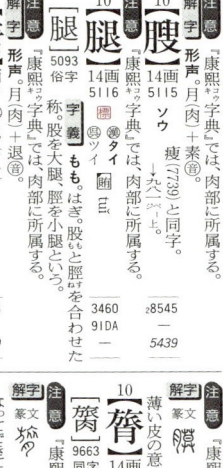

11【膝】15画 5125 常 ひざ 漢シツ・呉シチ 質 xī 4108 9547 —
筆順 丿 月 月一 月十 𦙶 脉 膝 膝 膝
［厀］1210 本字
字義 ❶ひざ。㋐股ももと脛はぎとの間の関節部。㋑ひざがしら。ひざのさき。ひざこぶし。❷ひざもと。
注意 『康熙コウキ字典』では、肉部に所属する。
解字 篆文 形声。もと、卩＋桼(音)。卩は、人がひざまずく形にかたどり、ひざ関節の意味。あわせて、ひざの意味を表す。膝は俗字で、月(肉)＋桼(音)の形声文字。音符の桼シツも節に通じ、ひざ関節の意味。
【膝下】シッカ ①ひざもと。父母のひざもと。親のそば。②手紙で父母などの宛名あての脇付わきづけに用いる語。
【膝行】シッコウ ひざを地にすりつけながら進む。非常におそれつつしむさま。膝歩。
【膝△癢△搔背】シツヨウソウハイ ひざがかゆいのに背をかく。議論などの理に合わないことのたとえ。
【屈レ膝】ひざをクッす ①ひざを折りまげる。ひざをかがめる。②人に屈服すること。同 屈膝クッシツ。
【促レ膝】ひざをうながす ひざを進める。すわったままだんだん前に進み出る。
【抱レ膝】ひざをいだく ひざをかかえる。相手がなくて、ひとりでさびしがっているさま。抱膝ホウシツ。
【容レ膝】ひざをいる やっとひざが入れられるほどの、せまい所をいう。せまく質素な部屋などの形容。容膝ヨウシツ。用例〔東晋、陶潜、帰去来辞〕倚ニ南窓一以寄レ傲、審ニ容レ膝之易レ安(南窓ナンソウによりて、もってゴウをよせ、ひざをいるるのやすんじやすきをつまびらかにす。)↓南側の窓にもたれて気ままにくつろぎ、膝しか入らないほどのこの狭いわが家こそ、もっとも落ち着く場所だと悟った。

11【膞】15画 5126 一㊥セン・㊨ゼン 銑 zhuǎn 二㊥シュン・㊨ジュン 眞 chún 三セン 先 zhuān — — 5447

字義 一❶切り身。丸く切った肉片。❷膝頭(ひざがしら)。二❶轆轤(ロクロ)。三古代、供え物として祭りに用いた股(もも)の肉。❷鳥の胃袋。

注意『康熙(コウキ)字典』では、肉部に所属する。

解字 形声。月(肉)＋専㊥。音符の専は、団(團)に通じ、かたまりの意味。

11【膣】15画 5127 標 ㊥チツ ㊨チチ 質 zhì 7120 E453 —

[腟] 5094字 同 字義 ❶肉ができる。❷女性の生殖器の一部。陰門から子宮までの管。

注意『康熙(コウキ)字典』では、肉部に所属する。

解字 形声。月(肉)＋窒㊥。

11【膓】15画 5128 チョウ 腸(5096)の俗字。→七〇五ページ上。 7122 E455 —

注意『康熙(コウキ)字典』では、肉部に所属する。

11【膛】15画 5129 トウ(タウ) 陽 táng — — 5446

字義 ❶物の中空になっている部分。❷胸。

注意『康熙(コウキ)字典』では、肉部に所属する。

解字 形声。月(肉)＋堂㊥。

11【滕】15画 (6138) トウ 水部。→七〇九ページ下。

11【膘】15画 5130 一ヒョウ(ヘウ) 篠 piǎo 二ヒョウ(ヘウ) 蕭 biāo ₂8548 — 5445

字義 一牛のわきばらに付いた肉。二はれものがつぶれかかる。国ほばら。魚の浮き袋。

注意『康熙(コウキ)字典』では、肉部に所属する。

解字 形声。月(肉)＋票㊥。

11【膚】15画 5131 常 フ フ 虞 fū 4170 9586 —

筆順 

字義 ❶はだ。はだえ。からだの表面。❷物の表面。うわっつら。うわべ。❸うすい。あさい。あさはか。「膚浅」❹おおきい。❺うつくしい。❻四本の指を並べた長さ。指四本を並べた長さを膚、指一本分の長さを寸という。

[肤] 4938字 同 字義「皮膚」

注意『康熙(コウキ)字典』では、肉部に所属する。

解字 篆文  形声。月(肉)＋盧(虜)㊥。音符の盧(ロ)は、クルッと一まわりするの意味。肉体をクルッと包む表皮、はだの意味を表す。

逆 完膚・肌膚・雪膚・皮膚・裂膚

【膚引】(フイン) あちこちから、うわべだけを引用して自分の説の助けとする。

【膚学(學)】(フガク) あさはかな学問。浅学。

【膚見】(フケン) うわべだけの見かた。あさはかな考え。浅見。

【膚合】(フゴウ) 集まり合う。きれぎれの雲が集まり合う。

【膚受】(フジュ) ①はだに切りつけられるように、痛切なこと。②うわっつらだけを受け伝えて、じゅうぶん理解しないこと。

【膚受之愬】(フジュのうったへ) 肌に切りつけられるような、痛切なうったえ。一説に、垢(あか)などがいつのまにか肌にたまるように、それとなしに次第に人を讒言(ザンゲン)してゆくこと。用例『論語、顔淵』浸潤之譖(シンジュンのそしり)、膚受之愬(フジュのうったへ)、不レ行焉(おこなはれざるは)、可レ謂レ明也已矣(めいといふべきのみ)。↓心にしみこむような悪口や、肌に切りつけるような非難にも惑わされないのは、賢明であるといえよう。

【膚寸】(フスン) わずかの長さ。▼膚は指四本を並べた長さ、寸は指一本の長さ。

【膚浅(淺)】(フセン) あさはか。浅薄。膚薄。

【膚撓】(フトウ) 皮膚を突きさされて、意気がくじける。

【膚敏】(フビン) 美徳があって、時を見るにすばやいこと。

【膚理】(フリ) はだのきめ。肌理。

11【膖】15画 5132 ホウ(ハウ) 江 pāng — — 5444

字義 膖肛(ホウコウ)は、はれる。

注意『康熙(コウキ)字典』では、肉部に所属する。

解字 形声。月(肉)＋逢㊥。

11【朢】15画 5133 ボウ 望(5042)の本字。→七〇〇ページ中。

注意『康熙(コウキ)字典』では、月部に所属する。

11【朢】15画 5134 ボウ 望(5042)の俗字。→七〇〇ページ中。 — — 3485

11【膢】15画 5135 一㊥ロウ・㊨ル 尤 lóu 二ル 虞 lǘ — — 5448

字義 一❶飲食の神の祭り。❷狩りの祭り。天子が立秋の日に出猟し、帰ってから宗廟(ソウビョウ)を祭る。

注意『康熙(コウキ)字典』では、肉部に所属する。

解字 篆文 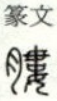 形声。月(肉)＋婁㊥。音符の婁(ロ)は、とぎれることなく続くの意味。むかし、春や秋や十二月に豚・羊などの肉を続けて食べて、豊作の続くことを祈ったまつりの意味を表す。

11【膵】15画 5136 国字 標 7125 E458 —

字義 スイ。膵臓(スイゾウ)。消化器官の一つ。胃の下部にあり、消化液の膵液(スイエキ)を分泌するもの。

注意 肉部に所属させる場合もある。

参考 国字であるが、中国でも用いられ、cuìと発音される。

解字 形声。月(肉)＋萃㊥。

11【膤】15画 5137 国字 7119 E452 —

字義 膤割(ゆきわり)は、熊本県の地名。

12【膮】16画 5138 キョウ(ケウ) 蕭 篠 xiāo — — 5449

字義 ❶豚のあつもの。❷かぐわしい。

注意『康熙(コウキ)字典』では、肉部に所属する。

解字 形声。月(肉)＋堯㊥。

12【膩】16画 5139 ㊥ジ(ヂ) ㊨ニ 寘 nì 7123 E456 —

字義 ❶あぶら。皮膚からにじみ出たあぶら。❷あぶらぎる。肥える。❸あか。あぶらあか。❹なめらか。すべすべする。

[貮] 11616字 俗

注意『康熙(コウキ)字典』では、肉部に所属する。

解字 篆文  形声。月(肉)＋貳㊥。音符の貳は、尼に通じ、くっつくの意味。ねばるあぶらの意味を表す。

【膩滑】(ジカツ) なめらか。すべすべする。

【膩理】(ジリ) なめらかで、きめが細かい。また、みめよいさま。

12【膲】16画 5140 ショウ(セウ) 蕭 jiāo ₂8549 — 5450

字義 みのわた。六腑(リップ)の一つ。三膲。三焦。

注意『康熙(コウキ)字典』では、肉部に所属する。

解字 形声。月(肉)＋焦㊥。

12【膳】16画 5141 常 ゼン ㊥セン・㊨ゼン 銑 shàn 3323 9156 —

筆順 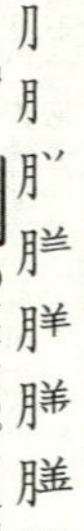

字義 ❶そなえもの。よく料理した食物。「食膳」❷そなえる。すすめる。食物を供えすすめる。❸くう(食)。たべる。国ゼン。㋐食器をのせる台。㋑めし。ごはん。食事。㋒茶碗に盛ったご飯を数える語。㋓箸(はし)の一対。

[饍] 13654字 同 字義 料理。

（膳の続き）
名前 よし 難読 膳所・膳夫・膳部
注意 『康熙字典』では、肉部に所属する。
解字 金文 篆文 形声。月(肉)＋善㊜。音符の善は、よいの意味。よい肉の意味から、よく整った料理の意味を表す。
【膳羞】うまい食物。料理。ごちそう。▼羞は、すすめ供する物。
【膳部】①晋代の官名。宮中の料理をつかさどる役。②国㋐料理人。㋑膳に供する食物。料理。

12 【縢】16画 (9313) トウ 糸部。→一二三七ページ中。

12 【螣】16画 (10686) トウ 虫部。→一二六四ページ上。

12 【朣】16画 5142 漢トウ 呉ドウ 東 tóng
字義 ❶月がはじめて出る。月の出。❷月が出かけて明るくなるさま。おぼろなさま。「朣朦」「朣朧」
注意 『康熙字典』では、月部に所属する。
解字 形声。月＋童㊜。
7124 E457 —

12 【膰】16画 5143 漢ハン 呉ボン 元 fán
字義 ひもろぎ。宗廟(祖先のみたまや)などの祭りに供える、焼いた肉。祭りが終われば人々に分け与える。
注意 『康熙字典』では、肉部に所属する。
解字 形声。月(肉)＋番㊜。音符の番は、放射状にひろがるの意味。祭りに供えた肉を、祭りの終わりに参加した人々にわけ、それが放射状に広がっていくさまから、ひもろぎの意味を表す。
【膰俎】膰肉をのせて神前に供える台。
【膰肉】ひもろぎ。→字義。

12 【膴】16画 5144 一漢ブ・呉ム 虞 二漢コ・呉ク 虞 hū 三漢ブ・呉ム 麌 wǔ
字義 一❶ほじし。骨のないほし肉。❷大きな肉の切り身。❸魚のひらき。魚のはらをさいたもの。二❶あつい(厚)。❷うつくしい。❸土地が肥えているさま。「膴膴」❹のり(法)。＝模(5715)。
注意 『康熙字典』では、肉部に所属する。
解字 篆文 形声。月(肉)＋無㊜。音符の無は、ないの意味。骨のないほし肉の意味を表す。
— — 5451

12 【膨】16画 5145 常 ボウ ふく-らむ・ふく-れる
4336 9663 —
漢ホウ(ハウ)・呉ビョウ(ビャウ) 慣ボウ(バウ) 敬 庚 pēng
筆順 月 月 肝 肚 肼 肼 腊 膀 膨
字義 ふく-れる。ふく-らむ。はれる。大きくなる。
注意 『康熙字典』では、肉部に所属する。
参考 現代表記では〔厖〕(1225)の書きかえに用いることがある。「厖大→膨大」
解字 形声。月(肉)＋彭㊜。音符の彭は、つづみの音の形容で、ふくれるの意味。肉体がはれる・ふくれるの意味を表す。
【膨大】ふくれて大きい。厖大。
【膨脹・膨張】①ふくれる。ふくれあがる。②物体が温度の上昇により体積を増す現象。◆本来の表記は「膨脹」。「当用漢字補正資料」(昭和二十九年)においてこの「脹」が当用漢字表から削除される候補になったのを受け、高校教科書も多く「膨張」を用いるようになった。

12 【膢】16画 5146 ロウ 膢(10357)と同字。→一二四二ページ上。
注意 『康熙字典』では、肉部に所属する。
7137 E464 —

13 【臆】17画 5147 常 オク
1818 89B0 —

漢ヨク・呉オク(ヲク) 職 yì
筆順 月 月 肝 肝 肝 胪 腤 脾 臆 臆
字義 ❶むね(胸)。❷こころ。心の中。おもい。考え。「胸臆」❸おしはか-る。推量する。国 オク-する。気おくれする。おどおどする。恐れる。

注意 『康熙字典』では、肉部に所属する。

参考 現代表記では〔憶〕(3893)に書きかえることがある。「臆説→憶説」「臆測→憶測」

解字 形声。月(肉)＋意㊜。音符の意は、おもうの意味。感情をつかさどる、むねの意味を表す。

【臆決】＝臆断。

【臆見】自分ひとりの考え。また、あて推量の考え。

【臆説】①確証のない、あて推量の意見。②仮説。

【臆測】おしはかる。また、あて推量。

【臆度】臆測。▼度は、はかる意。

【臆断(斷)】推量して断定する。臆決。

【臆面】国気おくれした顔色。おどおどするようす。

13 【膾】17画 5148 漢カイ(クワイ) 呉ケ 泰 kuài
7126 E459 —
[鱠]14157 同字 [脍]4983 俗字
字義 ❶なます。細かく切った生の肉。❷なますにする。なますにつくる。国なます。野菜や魚肉などを細かく切って酢づけにした食品。
注意 『康熙字典』では、肉部に所属する。
解字 篆文 形声。月(肉)＋會㊜。音符の會は、あわせるの意味。細かく切った生の魚肉に酢をあわせた、なますの意味を表す。
【膾炙】①なますと、あぶり肉。ともに美味で、人によろこばれる。②広く世にもてはやされる。転じて、広く世間の評判になる。多くの人に知られる。→膾炙人口(七二ページ上)。

13 【瞼】17画 5149 ケン 琰 liǎn
字義 ❶下まぶた。目の下、頰の上にあたる部分。❷かお。顔面。
注意 『康熙字典』では、肉部に所属する。
解字 形声。月(肉)＋僉㊜。
7132 E45F —

13 【臅】17画 5150 漢ショク 呉ソク 沃 chù
字義 臅膏は、狼の胸の脂。
注意 『康熙字典』では、肉部に所属する。
解字 形声。月(肉)＋蜀㊜。
— — 5455

13 【髓】17画 5151 ズイ 髓(13840)と同字。→一五九七ページ中。
注意 『康熙字典』では、肉部に所属する。
7127 E45A —

13 【臊】17画 5152 ソウ(サウ) 豪 sāo
字義 ❶豚や犬のあぶら。また、そのあぶらのにおい。❷なまぐさい。
注意 『康熙字典』では、肉部に所属する。
解字 形声。月(肉)＋喿㊜。
【臊羯狗】なまぐさい羯(北方の異民族)のいぬ。唐の顔杲卿が安禄山をののしった語。〔資治通鑑、唐紀〕
9053 — 5456

13 【膽】17画 (4960) タン 胆(4959)の旧字体。→六九三ページ中。

13 【膻】17画 5153 一漢タン・呉ダン 旱 dàn 二セン 先 shān
字義 一はだぬぐ。＝袒(10880)。二なまぐさ-い。なまぐさし。なまぐさ。＝羶(9510)。
注意 『康熙字典』では、肉部に所属する。
9052 — 5452

す。

解字 篆文 形声。肉(月)+亶(音)。音符の亶(タン)は、旦(タン)に通じ、あらわれるの意味。肌をあらわすの意味を表す。

13【臀】17画 5154 標 漢トン・呉ドン 元 tún 慣デン 7129 E45C —
[臋] 9664 同字

字義 ❶しり。いしき。「臀部」「臀肉」 ❷そこ。物の底。

注意 『康熙(コウキ)字典』では、肉部に所属する。

解字 形声。月(肉)+殿(音)。音符の殿は、しりの意味。

13【膯】17画 (11349) トウ 言部。→一三五六ページ中。

13【膿】17画 5155 標 漢ドウ 呉ノウ 冬 nóng 3931 945E —

字義 ❶うみ。うみしる。できものや傷などがくずれて生ずる汁。❷うむ。うみをもつ。「化膿」 ❸ただれる。

注意 『康熙(コウキ)字典』では、肉部に所属する。

解字 篆文 俗体 形声。もと、血+農(膿)省(音)。音符の農(ノウ)は、ねばっこいの意味。ねばる血、うみの意味を表す。膿は俗体。肉+農(音)の形声。

【膿血】(ノウケツ) うみち。血のまじったうみ汁。

13【臂】17画 5156 標 ヒ 寘 bì 7130 E45D —

字義 ❶うで。㋐かいなと、ただむき。肩から手首まで。㋑一の腕。ひじから手くびまで。㋒二の腕。肩からひじまで。❷動物の前足。国ひじ。一の腕と二の腕とをつなぐ関節部。また、その上下の部分。

注意 『康熙(コウキ)字典』では、肉部に所属する。

解字 篆文 形声。月(肉)+辟(音)。音符の辟(ヘキ)は、わきへ寄るの意味。人体の両わきにつく、ひじの意味を表す。

【臂指・臂使】(ヒシ) うでが手の指を使うように、自由に人を使うこと。

【把レ臂】(ひじ(ち)をとる) たがいにひじを取りあって、親愛の情を表すこと。

【奮レ臂】(ひじ(ち)をふるう(ふ)) 勇気をふるいおこす形容。

13【朦】17画 5157 標 漢ボウ 呉モウ 東 méng 5915 9E4E —

字義 おぼろ。月の光のうすぼんやりとしているさま。うすぐらい。

注意 『康熙(コウキ)字典』では、月部に所属する。

解字 篆文 形声。月+蒙(音)。音符の蒙(モウ)は、おおわれて見えないの意味。月が雲におおわれて見えないの意味を表す。

【朦朦】(モウモウ) ①おぼろなさま。うすぐらいさま。②ぼんやりとして物事の確かでないさま。

【朦朧】(モウロウ) ①おぼろに見えるさま。ぼんやりしたさま。②物事のはっきりしないさま。確かでないさま。

13【臃】17画 5158 ヨウ 癰(7854)と同字。→九六六ページ中。 2 8551 — 5454

注意 『康熙(コウキ)字典』では、肉部に所属する。

13【膺】17画 5159 漢ヨウ 呉オウ 蒸 径 yīng 7131 E45E —

字義 ❶むね(胸)。「服膺」 ❷あたる(当)。うける。引き受ける。「膺受」 ❸うつ(撃)。征伐する。「膺懲」 ❹馬のはらおび。馬帯。

注意 『康熙(コウキ)字典』では、肉部に所属する。

解字 金文 篆文 形声。月(肉)+雁(雁)(音)。音符の雁(ヨウ)は、たか狩りのたかの意味。金文は、ひじにとまらせたたかを胸わきに引き寄せた形にかたどる。これに肉を付し、たか狩りのとき、たかを引き寄せる人の肉体の部分、むねの意味を表す。

【膺懲】(ヨウチョウ) うちこらす。外敵を征伐する。

13【賸】17画 (11602) ヨウ 貝部。→一三六四ページ下。

13【臁】17画 5160 レン 塩 lián 2 8550 — —

字義 ❶あな。❷はぎ。膝(ひざ)から下、踝(くるぶし)から上の部分。

注意 『康熙(コウキ)字典』では、肉部に所属する。

解字 形声。月(肉)+廉(音)。

14【臗】18画 5161 カン 臗(5166)の俗字。→七一〇ページ下。 1 9055 — 5460

14【臑】18画 5162 一 漢ジュ・呉ニュ 虞 rú 二 漢ドウ(ダウ) 呉ノウ(ナウ) 号 nào 三 漢ジ・呉ニ 支 ér 7134 E461 —

字義 一❶犠牲(いけにえ)にする羊や豚の、前足の上部。❷やわらかなさま。二=一❶。三にる(煮)。やわらかににる。国すね。膝(ひざ)からくるぶしまでの間。脛(ケイ)。

注意 『康熙(コウキ)字典』では、肉部に所属する。

解字 篆文 形声。月(肉)+需(音)。音符の需は、しなやかの意味。羊や豚のやわらかなひじ肉の意味を表す。

14【臎】18画 5163 スイ 寘 cuì — — 5457

字義 ❶鳥の尾の上の肉。ひたれ。❷肥える。❸尻(しり)の骨。

注意 『康熙(コウキ)字典』では、肉部に所属する。

解字 形声。月(肉)+翠(音)。

14【臍】18画 5164 標 漢セイ・呉ザイ 斉 qí 慣サイ 7133 E460 —
[脐] 5064 俗字

字義 ほぞ。へそ。㋐腹の中央にある、臍帯(セイタイ)(へそのお)のあと。㋑へそのような形をしたもの。

注意 『康熙(コウキ)字典』では、肉部に所属する。

参考 医学用語では、「サイ」と読む。「臍帯(サイタイ)(へそのお)」

解字 金文 篆文 形声。月(肉)+齊(音)。音符の齊(セイ)は、そろいととのうの意味。均斉のとれた、身体の中央部にある、へその意味を表す。

【臍下丹田】(セイカタンデン) へその下の下腹部にあたる所。ここに力をこめると、健康を得、勇気を生ずるという。

【噬レ臍】(ほぞをかむ) 自分のへそをかもうとしても届かないことから、悔いても及ばぬことのたとえ。〔左伝、荘公六〕

14【臏】18画 5165 漢ヒン 呉ビン 軫 bìn 1 9054 — 5458
[髕] 13851 同字

字義 ❶ひざのさら。膝頭(ひざがしら)の骨。膝蓋骨(シツガイコツ)。❷脛(はぎ)の骨。❸あしきる。足を切断する刑罰。刖(ゲツ)(903)と同じ。一説に、膝蓋骨を取り去る刑罰。

注意 『康熙(コウキ)字典』では、肉部に所属する。

解字 形声。月(肉)+賓(音)。

【臏脚】(ヒンキャク) 足を切る刑罰。また、その刑に処せられること。

15【臗】19画 5166 一コン 元 二カン(クヮン) 寒 kuān
[臗] 5161 俗字

字義 二❶からだ。❷しり。❸もものつけね。

注意 『康熙(コウキ)字典』では、肉部に所属する。

解字 形声。月(肉)+寛(音)。

15【臖】19画 5167 漢キョウ 呉コウ 径 xìng 2 8552 — —

字義 ❶はれて痛む。❷はれあがる。❸むくみ。はれ。

注意 『康熙(コウキ)字典』では、肉部に所属する。

解字 形声。月(肉)+興(音)。

15【臓】19画 5168 教6 ゾウ 3401 919F —

18[臟]22画 5169 人 漢ソウ(サウ) 呉ゾウ(ザウ) 漾 zàng 7139 E466 —

字義 はらわた。内臓。体内にある諸器官の総称。五臓は、心臓・肝臓・腎臓・肺臓・脾臓。

注意 臓は、『康熙字典』では、肉部に所属する。

解字 形声。月(肉)＋蔵(藏)音。音符の蔵は、かくしまうの意味。身体の内部にかくされている器官の意味を表す。

逆 肝臓

【臓腑】ゾウフ ①五臓(心・肝・肺・腎・脾)と、六腑(胃・胆・大腸・小腸・膀胱・三焦)。はらわた。②こころ。胸のうち。

15 【臕】19画 5170 ヒョウ(ヘウ) 蕭 biāo — — 5459

字義 肥え太ったさま。

注意 『康熙字典』では、肉部に所属する。

解字 形声。月(肉)＋麃音。

15 【臘】19画 5171 標 ロウ(ラフ) 合 là 7136 E463 —

字義 ❶冬至の後、第三の戌の日に行う祭りの名。獣を猟して神々や祖先を祭る。❷くれ。年のくれ。陰暦十二月の別名。「旧臘」「臘月」 ❸仏 僧侶が得度してから後、修業を積んだ年数。 国 ロウ ❶年功によって得られる身分・地位の称。「上臈」 ❷「臈たける」は、洗練される。上品である。

注意 〔臈〕(10357)は、同字。日本語では、「上臈」「臈たける」などにはこちらを用いる。

参考 『康熙字典』では、肉部に所属する。 難読 臘虎

解字 篆文 形声。月(肉)＋巤音。音符の巤は、長いたてがみの象形。大きな狩りをして得た獲物で先祖を祭る祭りの名。それを行う年のくれの意味を表す。

【臘月】ロウゲツ 陰暦十二月の別名。臘祭を行う月の意。

【臘日】ロウジツ ①冬至の後、第三の戌の日。また、陰暦十二月八日。臘祭の日の意。②国 おおみそか。

【臘酒】ロウシュ 陰暦十二月にかもす酒。

【臘梅】ロウバイ 落葉低木の一つ。二月ごろ黄色の花を開き、うめに似たかおりがある。からうめ。南京梅。

【臘八】ロウハチ 陰暦十二月八日。釈迦が悟りを開いた日。

16 【臙】20画 5172 エン 先 yān 7135 E462 —

〔胭〕4981 同字

字義 ❶のど。❷べに。紅色の顔料。臙脂。

注意 『康熙字典』では、肉部に所属する。

解字 形声。月(肉)＋燕音。音符の燕は、咽に通じ、のどの意味。肉を付し、のどの意味を表す。また、燕の国でとれた、べにの意味をも表す。

16 【臛】20画 5173 一コク 沃 二カク 薬 huò 28553 — 5461

字義 一二 あつもの。野菜のないあつもの。

注意 『康熙字典』では、肉部に所属する。

解字 形声。月(肉)＋霍音。

16 【騰】20画 (13777) トウ 馬部。→一五九二ページ上。

16 【臚】20画 5174 漢リョ 呉ロ 魚 lú 7138 E465 —

字義 ❶かわ(皮)。はだ(膚)。皮膚。❷はら。腹の前部。❸つらねる。ならべる。また、ならぶ。❹つたえる。伝え告げる。また、述べる。

注意 『康熙字典』では、肉部に所属する。

解字 金文 篆文 形声。月(肉)＋盧音。音符の盧は、クルッと一まわりするの意味。肉体をクルッと包む表皮、はだの意味を表す。

16 【朧】20画 5175 標 ロウ 東 lóng 5916 9E4F —

字義 おぼろ。月の光のうすぼんやりとしたさま。 国 おぼろ。春の夜のうすぐもり。

注意 『康熙字典』では、月部に所属する。

解字 篆文 形声。月＋龍音。音符の龍は、はっきりしないさまを表す擬態語。おぼろ月の意味を表す。

【朧月】ロウゲツ・おぼろづき おぼろにかすんだ月。おもに、春の月をいう。

【朧明】ロウメイ おぼろなさま。うす明るいさま。

【朧朧】ロウロウ おぼろなさま。

17 【䲢】21画 (14115) トウ 魚部。→一六一九ページ上。

17 【臝】21画 5176 ラ 哿 luǒ — — 5462

字義 ❶はだか。また、はだかになる。＝裸(10928)。❷あらくて短い毛のある獣の総称。虎・豹など。

注意 『康熙字典』では、肉部に所属する。

解字 形声。羸＋果音。羸は、なめくじ・かたつむりの象形。音符の果は、裸に通じ、はだかの意味。なめくじのようなあかはだかの意味を表す。

18 【臞】22画 5177 漢ク 呉グ 虞 遇 qú — — 5463

字義 ❶やせる。体がほそる。❷へる。減ずる。

〔癯〕7853 同字

注意 『康熙字典』では、肉部に所属する。

解字 篆文 形声。月(肉)＋瞿音。音符の瞿は、おそれて目を見はるの意味。おそれて肉体がやせるの意味を表す。

18 【臟】22画 (5169) ゾウ 臓(5168)の旧字体。→七一〇ページ下。

18 【黱】22画 (14485) タイ 黒部。→一六四八ページ下。

木 き・きへん 4画

〔部首解説〕木を意符として、いろいろな木の種類、木の部分、木でできたもの、木の状態などを表す文字ができている。

0 木 七一三	1 札 七一四	朮 七一四	本 七一四	末 七一五
未 七一五	2 机 七一六	朽 七一六	朿 七一七	朱 七一七
朶 七一七	朵 七一八	朷 七一八	朾 七一八	朳 七一八
朴 七一八	耒 七一八	朸 七一八	杁 七一八	3 杆 七一八
杇 七一八	杆 七一八	杞 七一八	杇 七一八	杏 七一八
杠 七一八	杌 七一九	杈 七一九	材 七一九	杉 七一九
杍 七一九	杓 七一九	杓 七一九	条 七一九	杖 七一九
宋 三九一	束 七二〇	村 七二〇	杔 七二〇	杝 七二〇
杕 七二〇	杜 七二〇	杙 七二一	来 七二一	李 七二二
杋 七二三	杈 七二三	杣 七二三	杤 七二三	杢 七二三
4 枉 七二三	果 七二三	枒 七二四	极 七二四	枅 七二四
杰 七二四	杴 七二四	杬 七二四	枑 七二四	杭 七二四
杲 六五四	构 七二四	采 七二四	枝 七二五	杮 七二五
柢 七二五	杵 七二五	松 七二五	枩 七二六	枀 七二六
牀 九一八	枢 七二六	枘 七二六	析 七二六	杌 七二六
枏 七二六	杻 七二六	杶 七二六	杼 七二六	枕 七二六
東 七二七	枓 七二八	杷 七二八	杯 七二八	柿 七二八
梳 七二八	[illegible] 七二八	板 七二八	杸 七二九	枇 七二九
杪 七二九	枎 七二九	枌 七二九	枋 七二九	枚 七二九
枙 七二九	杳 六五八	枖 七二九	林 七二九	枦 七三〇
枦 七三〇	枅 七三〇	枠 七三〇	[illegible] 七三〇	5 栄 七三〇
枻 七三〇	荣 七三〇	栐 七三〇	枛 七三〇	架 七三〇
枷 七三一	柯 七三一	枒 七三一	枴 七三一	柺 七三一
柑 七三一	柬 七三一	枳 七三一	柩 七三一	柾 七三一

欉 七七六　欟 七七六　19 櫕 七七六　欄 七七六　欄 七七六
欏 七七六　欒 七七六　櫳 七七六　20 欗 七七六　21 欝 七七六
檽 七七六　檽 七七六　22 欝 七七六　欖 七七六　24 欝 七七六
欞 七七六　欟 七七六　25 鬱 一六〇五

0
【木】
4画 5178　教 1　ボク・モク　き・こ
熟字訓 木綿（もめん）
漢 ボク・呉 モク　屋 mù
4458 96D8 ―

筆順 一 十 才 木

字義 ❶き。名詞などの上に付いて、こ。㋐立ち木の総称。「樹木」 ㋑ざいもく。建築や器具製作の用材。用例〔論語、公冶長〕朽木不レ可レ雕也（キュウボクは ほるべからず）。↓腐った材木に彫刻することはできない。 ㋒五行（ゴギョウ）の一つ。その首位に当たり、生育の徳があるとされ、方位では東、四季では春、五音では角、五星では歳星（木星）、五味では酸、十干では甲（きのえ）・乙（きのと）、五常では仁に配する。 ㋓ひつぎ。棺おけ。用例〔左伝、僖公二十三〕又如レ是而嫁、則就レ木焉（またかくのごとくにして、かせば すなわち きにつかん）。↓この上このように〔長らく待って〕嫁ぐとしたら、その時はもう棺の中に入ることでしょう。 ㋔刑具。罪人にはめる手かせ・足かせ。用例〔荘子、列禦寇〕為二外刑一者、金与レ木也（ガイケイをなすものは、キンとボクとなり）。↓外から受ける刑罰は、金や木で作られた刑具である。 ❷七曜の一つ。木星。また、木曜日。 ❸八音の一つ。木製の楽器。 ❹ありのままでかざりけのないこと。＝樸（5824）。「木訥（ボクトツ）」

国 ❶き。芝居の拍子木の略称。 ❷ボク。曲がりくねって古びた、樹木の幹や根。 ❸モク。木目の略称。

名前 き・こ・しげ・ぼく　難読 木花開耶姫（このはなさくやひめ）・木患子（むくろじ）・木槵子（むくろじ）・木偶（でく）・木古内（きこない）・木魂（こだま）・木次（きすき）・木上（きのえ）・木場茶屋（こばんちゃや）・木全（きまた）・木端（こっぱ）・木知原（こちぼら）・木通（あけび）・木菟（みみずく）・木菟（づく）・木幡（こはた）・木尾（こんの）・木末（こずえ）・木賊（とくさ）・木綿（もめん）・木綿（ゆう）・木与（きよ）・木履（ぽっくり）

使いわけ き〔木・樹〕
〔木〕は①立ち木、②木材、の二つの意味があるが、①の場合に〔樹〕を用いることがある。「樹々の緑」。ただし、常用音訓では〔樹〕に「き」の訓を含めていない。

解字 甲骨文  金文  篆文 
象形。大地を覆う「き」の象形で、「き」の意味を表す。木を音符に含む形声文字に、沐（モク）などがある。形声文字の音符となるときは、覆うの意味を共有する。
逆 香木・算木・若木・神木・土木・板木・落木

【木下順庵】（きのしたジュンアン）国江戸前期の儒学者。京都の人。名は貞幹、順庵は号。錦里とも号した。松永尺五（セキゴ）に朱子学を学び、加賀侯に仕え、ついで徳川綱吉（つなよし）の侍講となる。著書に『錦里先生文集』がある。（一六二一―一六九八）

【木瓜】（ボッカ・ぼけ）バラ科の落葉低木。枝にとげがあり、春、紅色・白色などの花を開き、実を結ぶ。

【木客】（ボッカク）①きこり。②山に住むばけもの。山の精。

【木簡】（モッカン）文字を記すのに用いた木の札。紙のない時代に木を削って文字を記した。

木簡

【木牛流馬】（モクギュウリュウバ）三国時代、蜀（ショク）の諸葛亮（ショカツリョウ）が考案した、牛・馬にかたどり、機械仕掛けで動く、兵糧（ヒョウロウ）運びの車。

【木魚】（モクギョ）経（キョウ）を読むときにたたく木製の仏具。

【木強・木彊】（ボッキョウ）むきだしで気が強い。ぶこつ。用例〔漢書、周昌伝〕周昌（シュウショウ）、木強人也（シュウショウは、ボッキョウのひとなり）。↓周昌は、素朴でかたくなな人であった。

【木琴】（モッキン）打楽器の一種。シロフォン。

【木槿・木堇】（モッキン・モクキン・もくげ・むくげ）アオイ科の落葉低木。花は朝開き夕方しぼむので、はかないことのたとえに引かれる。

【木偶】（モクグウ）木で作った人形。でく。木人。木梗（モッコウ）。

【木屐】（ボクゲキ・モクゲキ）木製のはきもの。きぐつ。

【木工】（ボッコウ・モッコウ）①大工。木匠。②国木材を使って家具などを作ること。また、その仕事をする人。

【木公】（ボッコウ）松の別名。松の字を分解していう。

【木耳】（モクジ・きくらげ）きのこの一種。朽ち木に生じ、形は人の耳に似、食用。

【木食】（モクジキ）木の実だけを食べて命をつなぐこと。

【木主】（ボクシュ）位牌（イハイ）。みたましろ。

【木匠】（モクショウ・ボクショウ）大工。木工。

【木樵】（ボクショウ）一 木製の物見やぐら。二（きこり）国山で木をきることを職業としている人。

【木人】（ボクジン）①＝木偶。②おろかもの。愚直の人。

【木人石心】（ボクジンセキシン）木の体で石の心。感情の無い人をいう。

【木燧】（ボクスイ）木をすり合わせて火を出す道具。木の火きり。

【木犀・木樨】（モクセイ）モクセイ科の常緑小高木。十月ごろ、かおりの高い、黄または白の小花を開く。

【木精】（モクセイ）①樹木の精。木の魂。木霊（こだま）。②きりんの別名。③アルコールの一種。メチルアルコール。

【木石】（ボクセキ）①木と石。②人情味の薄い人のたとえ。

【木屑】（ボクセツ）のこぎりくず。おがくず。

【木賊】（モクゾク・とくさ）草の名。トクサ科の多年生常緑草。

【木乃伊】（ミイラ）ポルトガル語のmirraの当て字とされる。人間や動物の死体が腐らずにかわき固まり、原形を保存しているもの。

【木鐸】（ボクタク）①振り子を木で作った、金属製の鈴。昔、法令や教令を人民にふれまわるときに鳴らした。↓鐸（12905）。②世の人を教え導く者をいう。用例〔論語、八佾〕天将下以二夫子一為中木鐸上（テンまさにフウシをもってボクタクとなさんとす）。↓天はやがて先生を世の人を導く指導者になさるでしょう。

木鐸①

【木兎・木菟】（ボクト・みみずく・づく）鳥の名。ずく。このはずく。

【木奴】（モクド）①みかん・柑橘（カンキツ）の別名。②柯樹（カジュ）の別名。③果実の通称。

【木桃】（ボクトウ）①さんざしの別名。くさぼけ。②大きいもも。

【木訥】（ボクトツ）かざりけがなくて、無口なこと。朴訥（ボクトツ）。用例〔論語、子路〕剛毅木訥近レ仁（ゴウキボクトツ ジンにちかし）。↓心が強くしっかりしていて、かざりけがなく無口なことは、（ただちに仁とはいえないが）仁に近いものである。

【木版・木板】（モクハン）木の板に文字や絵を彫って作った印刷用の版。また、その出版物。

【木筆】（ボクヒツ）一①木製のふで。②辛夷（こぶし）（木の名）の別名。二（ボクヒツ・モクヒツ）国鉛筆。

【木母】（モクボ）①梅の別名。梅の字を分けたもの。松を木公というた類い。②母の木像。

【木本】（モクホン）①木の根もと。②植物学用語。木質の茎をもつ植物。↔草本（二〇九ページ下）。

【木魅】（ボクミ）老木の精。木の怪。こだま。

【木蘭】（モクラン・ボクラン）①＝木蓮（モクレン）①。用例〔史記、滑稽伝〕斉以二薑棗一、薦以二木蘭一（ととのうるにキョウソウをもってし、すすむるにモクランをもってす）。↓しょうがとなつめで味を調え、モクレンを供える。②昔、父に代わり、男装して十二年間従軍していたという娘の名。これを題材とした古詩に「木蘭辞」がある。

【木理】（モクリ）材木の切り口にあらわれる、年輪や繊維などの模様。木目（もくめ）。

【木履】（モクリ・ボクリ）①＝木屐（ボクゲキ）。②国㋐あしだ。㋑ぽっくり。少女用のげたの一種。

【木蓮】（モクレン）①モクレン科の落葉低木。葉は大きくて裏に毛があり、春、葉に先だって、大きな六弁の花を開く。木蘭。②木芙蓉（もくげ）の別名。

【縁レ木求レ魚】 木に登って魚を探し求める。目的と手段とが全く逆で、不可能なたとえ。『後漢書』劉玄伝の「升レ山採レ珠（珠は真珠）」と同じ。〔孟子、梁恵王上〕

1【札】5画 5179 ㊥サツ・㊦セチ 㕸 zhá 教4 サツ ふだ 2705 8E44 一

筆順 一 十 オ 木 札

字義 ❶ふだ。木のふだ。文字を書きしるす薄く小さな木片。「簡札」 ❷かきもの。かきつけ。㋐ふみ。手紙。書信。「書札」 ㋑上司から下級の官に与える公文書。 ❸さね。よろいで緒を通して編む、鉄または革の小片。 ❹若死に。また、流行病で死ぬこと。「夭札」 国❶サツ。紙幣。 ❷ふだ。㋐神社・仏寺などのお守り。㋑たてふだ。表示。

名前 さね・ぬき・ぬさ・ふさ 難読 札苅・札弦・札比内

解字 篆文 [篆文] 会意。木＋乙。乙は、彫刻刀の象形。木を刃物でけずり作ったふだの意味を表す。

逆 禁札・高札・手札・書札・制札・飛札・筆札・落札

【札記】 読書をして、その要点や、そこから得た知識・感想などを書きしるしたもの。読書ノート。

【札札】 ①せみの鳴き声の形容。②すきで耕す音の形容。③はたを織る音の形容。

1【朮】5画 5180 ━ ㊥シュツ・㊦ジュチ 㕸 shú ━ ㊥チュツ ㊦ジュチ（ヂュチ） 㕸 zhú 慣ジュツ 5918 9E51 一

字義 ━もちきび。＝秫（8453）。 ━薬草の名。おけら。うけら。えやみぐさ。

解字 象形。もちきびの穂の象形で、もちきびの意味を表す。秫の原字。朮を音符に含む形声文字に、怵・術・述・などがある。

1【本】5画 5181 ホン 阮 běn 教1 ホン もと 4360 967B 一

筆順 一 十 才 木 本

【夲】2250 俗字

字義 ❶もと。↕末（5182）。㋐ね。ねもと。草木の根。㋑物事の大切な部分。かなめ。中心。㋒はじめ（始）。おこり。みなもと。㋓もとい（基）。土台。「基本」 ㋔心。本性。 ㋕農業。国の本となる生産活動。 ㋖もとで。「資本」 ㋗もともと。元来。 ❷もと-づく。もとづく。もとをたずねる。 ❸正しい。主要な。本来の。「本義」 ❹ある語の上にそえて、この・その・当のなどの意を表す接頭語。「本朝」 ❺書物。書籍。また、版本。「書本」 ❻草木の数をかぞえる語。 ❼書物を数える語。 国ホン。㋐原本。㋑手本。模範。㋒ほんとう。真実。

名前 なり・はじめ・もと 難読 本江・本栖

使いわけ もと〔元・本・基・下〕⇩元（681）。

解字 金文 [金文] 篆文 [篆文] 指事。木の根もとの部分に、そのしるしを加えて、もとの意味を示す。

逆 赤本・印本・刊本・完本・基本・脚本・欠本・絹本・原本・校本・稿本・国本・紙本・写本・抄本・正本・善本・草本・俗本・大本・拓本・張本・定本・底本・謄本・日本・反本・板本・版本・秘本・民本・様本・和本

【本意】 ①まことの心。本心。②本来の意味。

【本営（營）】 総大将のいる陣営。本陣。

【本懐（懷）】 もとからの願い。本望。

【本覚（覺）】 仏人が本来もっている清浄な知覚力。

【本官】 ①おもな官職。正式の官職。本職。②もとの官職。③国官吏の自称。

【本貫】 本籍。原籍。

【本願】 ①本来の願い。もとからの願い。②仏㋐仏・菩薩が衆生を救おうとする、本来の願い。㋑「本願主（寺や仏像などを作る発起人）」の略。

【本紀】 紀伝体の歴史書で、帝王の事跡を記した部分。↕世家（三二ページ中）・列伝（一七八ページ上）。

【本義】 ①まことの意味。ほんとうの意味。根本の意味。②その文字や語句の最初の意味。↕転義（一三九一ページ上）。

【本拠（據）】 ①よりどころ。②ねじろ。

【本業】 ①根本の職業。農業をいう。↕末業（七一五ページ下）。②その人の主とする職業。本職。

【本△卦回】 国生まれた年の干支にかえること。満六十歳。本卦還。還暦。華甲。

【本原・本源】 もと。みなもと。根元。また、みなもとにさかのぼって考察する。

【本根】 おおもと。根本。

【本山】 ①仏一つの宗派に属する寺々を支配する、おおもとの寺。↕末寺（七一五ページ下）。②この寺。当寺。当山。

【本支・本枝】 ①もとと、わかれ。②幹と枝。③本家と分家。一家一門。

【本支百世】 一家一門の長く栄えること。〔詩経、大雅、文王〕

【本旨】 本来の趣旨。もともとのわけ。

【本字】 ①字源的に忠実な形の字。↕俗字（二一一ページ上）。②漢字。↕仮字（八三ページ下）。⇩コラム 異体字（九七三ページ）。

【本事】 ①根本の事。農業。商工業を末とするのに対していう。②物事の基づくいわれ。出典。

【本事詩】 書名。一巻。唐の孟棨の著。歴代詩人の作品を集め、その詩の作られたいきさつを述べた書。唐代詩人の逸話が多く集録されている。

【本質】 本来の性質。根本の性質。もちまえ。

【本州】 ①その人の生まれた土地。故郷。②国日本列島の中心をなす最大の島。

【本色】 ①本来のいろ。天然の色。②本来の性質。もちまえ。本領。③租税のうち（粟などに対して）米麦をいう。

【本心】 ①人間が生まれつき持っている真心。良心。②いつわり飾らぬ心。③本気。正気。

【本陣】 ①＝本営。②国江戸時代、宿駅にあって、大名が泊まった、公認の宿泊所。

【本性】 ━ 本来の性質。うまれつき。━ 国本気。正気。本心。

【本籍】 ①その人の身の上に関する事がらを登録してある戸籍。原籍。本貫。②本籍のある土地。本籍地。

【本然】 ①うまれつき（自然）のまま。②人の手を加えない、もとのままの姿。本来の姿。

【本然△之性】 天から与えられた、自然のままの性質。宋の学者はそれを、純粋で絶対的な善であるとした。天地之性ともいう。〔朱子語類、性理一〕↕気質之性（八〇三ページ中）。

【本草】 ①木と草。植物。②薬のもととなる草。薬草。転じて、広く薬となる植物・動物・鉱物の総称。それを研究する学問を、本草学という。

【本草学（學）】 漢方で、薬物を研究する学問。薬用の植物・動物・鉱物などを対象とする。

【本草綱目】 書名。明の李時珍撰。五十二巻。一千八百八十二種の薬物を分類し、その名称・産地・形態・薬効・処方・製造法などを注解する。

【本尊】 ①仏㋐信仰の中心としてあがめる仏・菩薩。㋑寺院の本堂の中央に安置する仏・菩薩。②国団体または事件の中心人物。

【本体（體）】 ①まことの姿。②天から与えられた、生まれつきの性質。本然之性(ホンネンのセイ)。③すべての現象の根本となる実体。④国神社の神体。寺院の本尊。

【本隊】(ホンタイ) ①軍隊で主力・中心となる部隊。②国この部隊。当隊。

【本態】(ホンタイ) もとの姿。本来の姿。

【本宅】(ホンタク) ①常に住んでいる家。自宅。本邸。②あの世。死後の世。この世をかりの宿とするに対していう。③国本家。↕分家(二七四ページ・中)。

【本地】(一ホンチ 二ホンジ) 一①人の性の本質。②その土地。この土地。当地。二仏仏・菩薩(ボサツ)の本身をいう。衆生(シュジョウ)を救うため、かりの姿をとって現れた垂迹神(スイジャクシン)に対していう。

【本地垂△迹】(ホンジスイジャク) 仏仏・菩薩(ボサツ)が衆生(シュジョウ)を救うため、その本身を仮に種々の姿に変えて現れること。日本の神々も、インドの仏・菩薩が仮に姿を現したものと説かれる。〔維摩経序〕

【本朝】(ホンチョウ) 自分の仕えている朝廷。また、わが国。

【本朝文粋(粹)】(ホンチョウモンズイ) 国書名。十四巻。藤原明衡(あきひら)の編。嵯峨(サガ)天皇の弘仁年間から後一条天皇の長元年間に至るまで、平安朝中期約二百年間の漢詩文四百二十七編を、『文選(モンゼン)』の体裁にならって編集したもの。

【本能】(ホンノウ) 教育や経験などによらないで、生まれながらにもっている心身の働き。先天的な一定の適応様式。↕理性(九五〇ページ・中)。

【本復】(ホンプク) 国病気が全快すること。

【本分】(ホンブン) ①本来の身分。②果たさなければならない務め。本務。③当然の運命。

【本文】(ホンブン・ホンモン) ①注釈などの文章に対し、そのもとの文章。②文書や書物の中の主要な文。③古い書物などにある、よりどころとなる文句。◆注釈に対する原文、引用のもとである原文、異本に対する原文などについては「ホンモン」と読むが、他は「ホンブン」と読むのが一般的。

【本末】(ホンマツ) ①もとと、すえ。②初めと、終わり。③先にすべきものと、後回しにすべきもの。大切なものと、そうでないもの。「本末転倒」④農業と商業。

【本務】(ホンム) ①はたさなければならない務め。本来の務め。②農業をいう。③国その人の主とする職務。

【本命】(一ホンメイ・ホンミョウ 二ホンメイ) 一生まれた年の干支(えと)。二国競馬・競輪などで、一着と予想されている馬や選手。

【本望】(ホンモウ) もとからののぞみ。心からの希望。

【本来(來)】(ホンライ) ①もとから。はじめから。②普通。

【本来(來)無一物】(ホンライムイチモツ) 仏この世のすべての事物はもともと空(クウ)で、真実の存在は一つもない。一切を空とさとって、物に執着しない、自由自在の心の境地。〔六祖壇経〕

【本来(來)面目】(ホンライのメンボク) 仏人為を加えない、生まれながらの心の本性。自己本来の心性。〔伝習録、中〕

【本立△而道生】(もとたちてみちショウず) 物事の根本が立ち定まれば道は自然に生ずる。人の道の根本たる孝悌(コウテイ)を行えば、自然に仁道にかなうようになる。用例〔論語、学而〕君子務レ本、本立而道生。⤵君子は根本に力をつくす、根本が定まれば道は自然に生ずる。

【本領】(ホンリョウ) ①もちまえ。特色。本質。本は木の根、領は着物のえりで、ものの大本をいう。②国もとからの領地。

【本論】(ホンロン) ①中心となる(主な)論説。②この議論。

【原レ本】(もとをたずぬ) 根本・本源・由来をたずねる。

1 【末】 5画 5182 教4 漢バツ・呉マチ 唐mò 慣マツ　マツ・バツ　すえ　4386 9696 一

筆順 一 二 キ 未 末

字義 ❶すえ。↕本(5181)。㋐こずえ。㋑はし。さき。「末端」㋒物事の大切でない部分。「末節」㋓終わり。しまい。はて。最後。「末尾」㋔人生の終わり。老後。晩年。「末路」㋕世の終わり。衰え乱れた時世。「末世」㋖のち。未来。将来。㋗子孫。「末孫」㋘しも。下位。下方。「末席」㋙とるに足らない。ちいさい。また、あさい。うすい。「瑣末(サマツ)」㋚商工業。農業を国のもとするのに対していう。㋛手足。また、背。❷すえに。ついに。終わりに。❸こな。くず。「粉末」❹演劇で、男性に扮装(フンソウ)する俳優。❺ない。また、なかれ。＝無(7065)・莫(10002)。

名前 すえ・とめ・とも・ひろし・ほず・ま・まつ　難読 末生(うらなり)・末成(うらなり)・末続(すえつぎ)・末木(うらき)

解字 金文  篆文  指事。金文は、木の上部に一線を加えて、こずえの意味を示す。篆文は、木＋丄の会意。丄は、うえの意味。木の上の方、こずえの意味を表す。末を音符に含む形声文字は、先端・先端でよく見えない等の意味を共有し、抹・沫(マツ)・秣(マツ)などがある。

逆 豪末・始末・粗末・本末

【末△裔】(マツエイ・バツエイ) 子孫。末孫。▼裔は、衣のすそ。

【末学(學)】(マツガク) ①未熟な学問。また、その学者。浅学。②学者の謙称。③重要でない学問。枝葉末節の学問。

【末喜・末△嬉】(バッキ・マッキ) 夏(カ)の桀王(ケツオウ)のきさき。妹喜(バッキ)。

【末期】(一マッキ 二マツゴ) 一終わりの時期。二国死にぎわ。

【末技】(マツギ) ①役に立たないわざ。②未熟なわざ。

【末議】(マツギ) ①議席の末。末席。②つまらない議論。

【末業】(マツギョウ) すえの職業。農業を本とするのに対し商工業をいう。↕本業(七一四ページ・中)。

【末光】(マッコウ) ①かすかな光。余光。②微細なものにまで及ぶ恩。天子の威光のたとえ。

【末座・末△坐】(マツザ) すえの座席。しもざ。末席。↕上座(三三〇ページ・上)。

【末寺】(マツジ) 本山の支配を受ける寺。↕本山(七一四ページ・中)。

【末△梢】(マッショウ・マツショウ) ①こずえ。②はし。さき。先端。「末梢神経」

【末世】(マッセイ・マッセ) ①すえの世。時代が下って、道のおとろえ乱れた世。②終わりの時代。世を終わるまで。終年。用例〔荀子、勧学〕末世窮年(マッセイキュウネン)、不レ免レ為ニ陋儒一而已(ロウジュたるをまぬかれざるのみ)。⤵一生涯、知識のかたよった学者であることから逃れられない。③仏末法の世。→末法①。

【末節(節)】(マッセツ) とるにたりない、つまらぬ事がら。

【末造】(マツゾウ) 末の世。来世。

【末孫】(マッソン・バッソン) 後世の子孫。

【末代】(マツダイ) ①すえの世。後世。②仏＝末法①。

【末塗】(マット) ①道の終わり。ゴール。②すえの世。おとろえた世。③晩年。老年。

【末年】(マツネン) ①すえの世。後世。②すえの年。晩年。

【末輩】(マッパイ) 国とるにたりない、つまらぬ者ども。

【末筆】(マッピツ) 手紙などの終わりの方に書く文句。

【末法】(マッポウ) ①仏釈迦(シャカ)の死後、五百年を正法、次の一千年を像法と称し、これに続く一万年を末法という。仏法のおとろえすたる時期。②時代が下って、道のおとろえ乱れた世。末世。

【末葉】(マツヨウ) ①すえの世。後世。②末年。③子孫。末孫。

【末利】(マツリ) 商工業の利益。また、商工業。

【末流】(マツリュウ・バツリュウ) ①川の下流。②子孫。末孫。③すえの世の悪い風俗。末俗。④すえの流派。⑤つまらぬ者。卑しい者。

【末路】(マツロ) ①道のすえ。行路のしまい。②一生のすえ。人生の終わり。晩年。特に、衰えてみじめな老後。なれのはて。

1 【未】 5画 5183 教4 漢ビ・呉ミ 唐wèi　ミ　4404 96A2 一

筆順 一 二 キ 未 未

字義 ❶いまだ…ず。いまだし。いまだしや。いなや。⇩助字・句法解説。❶いまだ。まだ。↕既(4642)・已(3064)。❷ひつじ。十二支の第八位。五行(ギョウ)では土、方位では西南と南南西の間、月では六月、日時では午後二時、また、午後一時から三時までの間、動物では羊に配する。

助字・句法解説

❶**いま-だ…ず**。再読文字。

㋐**未然**。訳**まだ…ない**。用例〔論語、里仁〕未ㇾ足㆓与議㆒也。↓まだ一緒に論ずる資格はない。

㋑**否定**。訳**…しない。…でない**。類不。未然の意味はなく、否定を表す。用例〔後漢書、陳寔伝〕不善之人、未㆓必本悪㆒。習以ㇾ性成、遂至㆓於此㆒。↓悪いことをする人も、もともとが悪いわけなのではない。習慣が身について生まれつきの性質と同じようになり、そのまま悪事を犯すようなことになってしまう。

❷**いま-だし**。**未然**。訳**まだである**。①㋐の、下の動詞が省略された場合の読み方。用例〔論語、季氏〕対曰、未也。↓まだであると答えた。

❸**いま-だしや**。**疑問**。訳**…したか、まだであるか**。文末に置かれ、その文の内容がすでに行われているかまだであるかを問う。用例〔唐、王維、雑詩〕来日綺窓前、寒梅著ㇾ花未。↓あなたが故郷を離れるとき、我が家の窓の近くの寒梅は、花を咲かせていましたか、まだでしたか。

❹**いな-や**。**疑問**。訳**…かどうか**。類否。文末に置かれ、相手に同意するかどうかを問う。用例〔後漢書、劉表伝〕言出㆓子口㆒而入㆓吾耳㆒。可㆓以言㆒未。↓(あなたの)言葉は、あなたの口から出てそのまま私の耳に届く(だけで他人は聞いてはいません)。この状況でもなにか助言をしてもらえませんか、どうですか。

名前 いま・いや・ひつじ・ひで・み　難読 未草(ひつじぐさ)・未通女(おとめ・おぼこ)・未蘭(ミラノ)

解字 甲骨文 金文 篆文 **象形**。木に若い枝がのびた形にかたどり、わかい・まだ小さいの意味を表したが、借りて、否定の助字に用い、また、十二支の第八位にも用いる。未を音符に含む形声文字は、事物がはっきり形をとらない、まだ小さい、かすかなどの意味を共有し、味・妹・昧(マイ)・眛(マイ)・魅などがある。

【未央】(ミオウ・ビオウ) ①まだなかばにならない。②まだ尽きない。③まだ朝にならない。④長安(今の陝西省西安市)にあった漢の宮殿の名。未央宮。用例〔唐、白居易、長恨歌〕帰来池苑皆依ㇾ旧、太液芙蓉未央柳。↓帰って来てみれば庭の様子は昔のままであり、太液の池のはすも未央宮の柳も(昔のままである)。

【未開】(ミカイ) ①まだ花が開かない。②人間の知識や土地がまだ開けないこと。「未開の国」

【未決】(ミケツ) ①まだきまらない。②犯罪の疑いで捕らえられているが、有罪か無罪かまだきまらない。↔既決(六四五ページ上)。

【未済(濟)】(ミサイ) ①まだきまりがつかない。②まだ物事の処理や支払いがすまない。↔既済(六四五ページ上)。③易(エキ)の六十四卦(カ)の一つ。☲☵坎下離上(カンカリショウ)。事がまだ完成しないかたち。

【未熟】(ミジュク) ①まだよく実らない。②まだよく焼けない。まだよく煮えない。③まだ上達しない。学問・技芸などの修業が十分でない。

【未詳】(ミショウ) まだくわしくわからない。

【未遂】(ミスイ) ①まだなしとげない。②法律上、犯罪に着手したが、まだ完全になしとげなかった場合をいう。↔既遂(六四五ページ上)。

【未ㇾ成㆓一簣㆒止】(いまだイッキをなさずしてやむ) 最後の一もっこの土を運べば山作りの仕事が完成するというところで中止すれば、結局、山はできない。最後のわずかな努力を欠くために、今までのせっかくの努力がむだとなるたとえ。『書経』旅獒に「為ㇾ山九仞、功虧㆓一簣㆒」とある。

【未然】(ミゼン) まだそうなっていない。事が起こらない前。

【未曽(曾)有】(ミゾウ) これまでにまだ一度もなかったこと。漢文で「いまだ曽て有らず」と訓読する。

【未知】(ミチ) ①まだ知らない。②まだ会ったことがないこと。

【未知数(數)】(ミチスウ) ①数学で、方程式の中で数値のまだわかっていない数。②国将来どうなるかわからないこと。

【未到】(ミトウ) まだ到達していない。

【未踏】(ミトウ) 国まだ足をふみ入れたことがないこと。◆独創的な業績に関しては「未到」、地理的なことに関しては「未踏」を用いる。「未到の研究」「人跡未踏の地」

【未発(發)】(ミハツ) まだ外に現れない。まだ動き出さない。

【未発(發)中】(ミハツのチュウ) 喜怒哀楽の情がまだ発動しない。中正の心的状態。『中庸』に「喜怒哀楽之未ㇾ発、謂㆓之中㆒」とあるのに基づく。

【未聞】(ミブン・ミモン) まだ聞いたことがない。「前代未聞」

【未亡人】(ミボウジン) 夫に死なれた女性。もと、その女性の自称であったが、今は他からその女性をいう称。後家(ゴケ)。↔義夫

【未満(滿)】(ミマン) まだ一定の数にみたないこと。(二五三ページ上)。

【未明】(ミメイ) 夜がまだあけきらない時。

【未来(來)】(ミライ) ①まだ来ない時。将来。②仏三世(過去・現在・未来)の一つ。死後の世。来世。

【未来(來)永劫】(ミライエイゴウ) 仏これからさきいつまでも。とこしえ。永久。永遠。

【未了】(ミリョウ) ①まだわからない。②まだ終わらない。

【未練】(ミレン) ①まだ慣れて(熟練して)いない。未熟。②国あきらめきれない。思いきりが悪い。

2 【机】 6画 5184 教6 キ つくえ
㊀キ 紙 jǐ ㊁キ 囡 jī
2089 8AF7 —

筆順 一 十 才 木 札 机

字義 ㊀❶つくえ。＝几(836)。❷さるなし。楡(にれ)に似た木の名。

解字 篆文 **形声**。木＋几㊥。音符の几(キ)は、つくえの意味。さらに木を付し、その意味を明らかにした。

逆 浄机

【机案】(キアン) つくえ。几案(キアン)。

【机下】(キカ) 国つくえの下の意で、手紙のあて名の左わきに書きそえる敬語。

【机上論】(キジョウロン) 国つくえの上の議論。理屈だけで実際の役に立たない議論。机上の空論。

2 【朽】 6画 5185 常 キュウ くちる
㊥キュウ(キウ)・㊤ク 有 xiǔ
2164 8B80 —

筆順 一 十 才 木 朾 朽

［杇］ 5201 俗字

字義 **く-ちる**。㋐くさる。腐れて形がやぶける。「腐朽」 ㋑おとろえる。衰えて役に立たなくなる。㋒すたれる。尽きる。滅びる。「不朽」

名前 え・ゆ　難読 朽木(くつき)・朽網(くたみ)

解字 金文 篆文 **形声**。木＋丂㊥。音符の丂(コウ)は、曲がるの意味。くさって曲がった木の意味を表す。

逆 衰朽・不朽・腐朽・老朽

【朽壊(壞)】(キュウカイ) くさって、こわれる。

【朽索】(キュウサク) くちたなわ。くされなわ。朽条。

【朽敗】(キュウハイ) くさって、くずれる。

【朽廃(廢)】(キュウハイ) くちすたれる。くさって役に立たない。

【朽木△糞△牆】 くち木と、腐りくずれた土壁。それらには彫刻も上塗りもできないことから、教育しようのない、精神の腐った者のたとえ。転じて、気力のないなまけ者。朽木糞土。『論語』公冶長編に「朽木不レ可レ雕也、糞土之牆不レ可レ杇也」とあるのに基づく。

【朽老】 年老いて気力がおとろえる。また、その人。老朽。衰老。

2
【朿】
6画 5186
㊀シ 寘 cì ㊁漢キョク・呉コク 職 jí
5919 9E52 ―

字義 ㊀とげ。草木ののぎ。㊁＝棘(5510)。

解字 甲骨文 金文 篆文 象形。とげの象形。とげの意味を表す。

2
【朱】
6画 5187 常 シュ
シュ 虞 zhū 慣ス
2875 8EE9 ―

筆順 ノ ㇒ 二 牛 牛 朱

字義 ❶あか。あけ。深赤色。五行で、南方の正色。❷赤色の顔料。また、朱墨。水銀と硫黄の化合した赤色の土。❸中心のあかい木。松・柏の類い。❹こびと。＝侏(323)。国シュ。昔の貨幣の単位。一両の十六分の一。＝銖(12610)の略字。また、目方の単位。一両の二十四分の一。

名前 あけ・あけみ・あや・す 難読 朱鞠内・朱子・朱雀・朱楽・朱欒・朱鷺

解字 甲骨文 篆文 指事。木の中心に一線を引いて、木の切り口のしんが赤いの意味を表す。朱を音符に含む形声文字に、侏・咮・姝・株・珠・硃・茱・誅などがある。

逆 丹朱

【朱印】 ①朱肉をつけて押した印章。②国武家時代、官許を証明する印。「御朱印船」

【朱夏】 なつ。朱明。

【朱顔】 ①酒に酔った赤い顔。②赤味がさして、生き生きとした顔。美人や少年の顔。紅顔。

【朱△熹】 南宋の儒学者。徽州婺源(今の江西省内)の人。字は元晦・仲晦。号は晦菴。諡は文公。朱子学の祖で、著書に『四書集注』『詩集伝』『通鑑綱目』『近思録』などがある。朱子。(一一三〇―一二〇〇)

【朱△闕】 ①朱ぬりの宮門。朱門。②皇居。

【朱軒】 ①朱ぬりの車。高位高官の人の乗り物。②朱ぬりのの き。

【朱元△璋】 明の第一代の天子。太祖。高皇帝・洪武帝ともいう。元末の乱を平定し、南京で即位した。在位三十一年。(一三二八―一三九八)

【朱△之△瑜】 明末清初の朱子学者。余姚(今の浙江省内)の人。字は魯璵・楚嶼、号は舜水。明朝の復興に努めたが失敗した。万治二年(一六五九)、日本に帰化して、徳川光圀に仕え、水戸学に影響を与えた。(一六〇〇―一六八二)

【朱子】 朱熹の尊称。

【朱子学(學)】 南宋の儒学者、朱熹が大成した学説。学問究理と道徳実践とによって自己を完成すべきことを説いた。朱子が継承した程顥・程頤の学と合わせて、程朱学という。江戸時代には、幕府が官学として保護したため、さかんに行われた。

【朱子語類】 書名。百四十巻。南宋の黎靖徳の編。朱熹とその門人との問答を事項別に分類して編集したもの。

【朱紫】 ①あかと、むらさき。②正と邪。善人と悪人。朱は正色(交じりけのない色)、紫は間色(他の色の交じりあった色)であるからいう。『論語』陽貨編に「悪二紫之奪一レ朱也」とあるのに基づく。③衣服や車などの色が朱や紫であること。高位高官の人にいう。

【朱△雀】 ㊀①東西南北の四方の星座の中、南方にあたる星座。南方の神とする。東は青竜、西は白虎、北は玄武。⇩コラム 二十八宿(五五六ページ)。②軍隊の旗号の名。行軍のとき、前方に立てる。③宮城の南にある門の名。④長安(今の陝西省西安市)の街路の名。⑤六朝時代、建康(今の南京市)の正南の橋の名。㊁国平安京大内裏の正南の門の名。

朱雀㊀①

【朱儒】 同侏儒。①体の小さな人。②未成年者。③道化役者。

【朱△舜水】 ＝朱之瑜。

【朱脣△皓歯(齒)】 赤いくちびると白い歯。美人の形容。〔楚辞、大招〕

【朱全忠】 五代、後梁の初代の天子。太祖。名は温。唐の哀帝に迫って帝位につき、汴州(今の河南省開封市)に都し、のち洛陽に遷都した。在位六年。(八五二―九一二)

【朱鳥】 ＝朱雀㊀①②。

【朱邸】 みやこにある、王侯のやしき。その門の戸を赤く塗ったからいう。朱門。

【朱頓】 ①春秋時代の越の陶朱公(范蠡)と、魯の猗頓。共に大金持ちであった。②大富豪をいう。「朱頓の門(金持ちの家)」

【朱買臣】 前漢の政治家。家が貧しく、行商しながら読書したという。武帝に仕え会稽(今の江蘇・浙江・安徽省の地)の太守・丞相長史となったが、後に失脚し、武帝に殺された。(？―前一〇九)

【朱墨】 ①しゅずみ。朱色のすみ。②朱色と黒色。物事の異なるたとえ。③朱ずみと、黒ずみ。朱筆と墨筆。④朱・墨の筆で、帳簿に記す。転じて、役所の事務をとること。⑤詩文に手を加えること。添削。

【朱明】 ㊀①夏の別名。②太陽。日。③祝融(火の神)。㊁明の王朝。朱明の天子は姓が朱であるからいう。

【朱門】 朱塗りの門。転じて、高位高官のやしき。朱邸。

用例 (唐、王維、酌レ酒与二裴迪一詩)白首相知猶按レ剣、朱門先達笑二弾冠一(白髪頭になるまでつき合って来た古い友人でも、〈語り合う時に〉剣のつかに手をかけて用心するし、豪壮な邸宅に住む先に出世した者も、推薦をあてにして待っている者をあざ笑って力を貸してはくれないのだ。

【朱陸】 南宋の朱熹と陸象山。学説を異にし、たがいに論争した。世に「朱陸の争い」という。

【朱楼(樓)】 美しくいろどられた高殿。

【近レ朱必赤近レ墨必△緇】 善人に交われば、その感化を受けて必ず善人となり、悪人に交われば必ず悪人となるたとえ。朱に交われば赤くなる。〔西晋、傅玄、太子少傅箴〕

2
【朶】
6画 5188 タ 哿 duǒ 慣ダ
5920 9E53 ―
【朵】5189 同字 【朶】9945 同字

字義 ❶えだ。花のついた枝。また、花のひとかたまり。「万朶の桜」❷動く。動かす。❸しだれる。木の枝・花・実がたれさがる。

解字 篆文 会意。乃＋木。乃は、たるんだ弓の形にかたどり、たるみ・たれるの意味を表す。木を付し、木の枝がたれる・しだれるの意味を表す。篆文は、几＋木。

【朶△頤】 あごを下げ動かして食べようとするさま。転じて、強国が弱国を征服しようとするさま。〔易経、頤〕

【朶雲】 垂れ下がった雲。他人からの手紙の敬称。

2 【朶】 6画 5189
ダ 朶(5188)と同字。→七一七ページ下。

2 【朷】 6画 5190 5923 9E56 —
㊀トウ(タウ) 豪 dāo ㊁漢チョウ(テウ) 呉ジョウ(デウ) 蕭 tiáo
字義 ㊀❶木の名。❷木の芯。㊁枝が落ちる。 難読 朷迫(おおさこ)
解字 形声。木+刀㊟。

2 【朾】 6画 5191 — — 3487
㊀漢トウ(タウ) 呉ジョウ(ヂャウ) 庚 chēng 敬 ㊁漢トウ(タウ) 呉チョウ(チャウ) 庚 zhēng
字義 ㊀❶突く。❷門の両側の柱。❸朾螘(トウギ)は、虫の名。いいあり(飯蟻)。㊁木を切る音。
解字 形声。木+丁㊟。音符の丁は、釘(くぎ)と同じで、ぶちあてるの意味。

2 【朳】 6画 5192 ₁8547 — 3486
漢ハツ 呉ハチ 黠 bā
字義 えぶり。さらい。土をならしたり、穀物などをかき寄せる農具。=捌(4204)。
参考 〔杁〕(5196)は別字。
解字 形声。木+八㊟。

2 【朴】 6画 5193 常 ボク 4349 9670 —
ハク 覚 薬 ①④pò, ②③pǔ, ⑤pū 慣ボク
筆順 一 十 才 木 朩 朴
字義 ❶木の皮。❷すなお(すなお)。かざりけがない。=樸(5824)。用例〔老子、五十七〕我無欲而民自朴(われヨクなくしてたみおのずからボクなり)。↓私が無欲になると、人民は自然に純真になる。❸大きい。❹ほお(ほお)。モクレン科の落葉高木。山野に自生し、五月ごろ、九弁の白い大きな花を開く。❺うつ。=扑(4036)。
名前 すなお・なお
解字 篆文 形声。木+卜㊟。音符の卜(ボク)は、ポクッという音を表す擬声語。ポクッという音のする厚い木の皮の意味を表す。樸(ボク)に通じ、すなおの意味にも用いられる。
逆 質朴・純朴・素朴
【朴直】(ボクチョク) かざりけがなく、正直。
【朴念仁】(ボクネンジン) 同 樸念仁(ボクネンジン)。国①無口で、あいそうのない人。②わからずや。
【朴野】(ボクヤ) かざりけがなく、田舎びている。素朴で粗野。
【朴魯】(ボクロ) かざりけがなく、おろか。

2 【来】 6画 5194
ライ 来(5221)の俗字。→七三一ページ中。

2 【朸】 6画 5195 5922 9E55 —
㊀ロク 職 lè ㊁漢リョク・呉リキ 職 lì
字義 ㊀もくめ。年輪。㊁すみ(隅)。へやのすみ。国おうご(あふご)。物をかつぐのに用いる棒。てんびん棒。
解字 篆文 形声。木+力㊟。音符の力は、理に通じ、すじの意味。木のすじ目の意味を表す。

2 【杁】 6画 5196 国字 5921 9E54 —
字義 杁中(いりなか)は、愛知県の地名。
参考 〔朳〕(5192)は別字。
解字 会意。木+入。

3 【杅】 7画 5197 — — 3488
㊀ウ 虞 yú ㊁ウ 遇 wū
【㭒】 5358 同字
字義 ㊀❶はち。飲食物を盛る器。=盂(7914)。❷ゆあみだらい。❸杅杅は、自ら満足するさま。㊁ひく。おさえる。
解字 形声。木+于㊟。

3 【杇】 7画 5198 ₁8549 — 3489
漢オ(ヲ) 呉ウ 虞 wū
字義 ❶こて。ぬりごて。壁をぬる道具。❷ぬ-る(塗)。壁をぬる。こてでぬる。用例〔論語、公冶長〕糞土之牆不可杇也(フンドのショウはぬるべからず)。↓ぼろ土の垣根に上塗りはできない。
解字 篆文 形声。木+亏㊟。音符の亏(ウ)は、弓なりに曲がるの意味。柄の曲がった、こての意味を表す。

3 【杆】 7画 5199 5924 9E57 —
カン 寒 gān
【桿】 5433 俗字
字義 ❶たて(盾)。=干(3161)。❷てこ。てこぼう。「槓杆(コウカン)」
解字 形声。木+干㊟。音符の干は、ふせぐの意味。木製のたての意味を表す。

3 【杞】 7画 5200 5925 9E58 —
キ 紙 qǐ 慣コ
字義 ❶木の名。㋐かわやなぎ。こぶやなぎ。水辺に生じる柳の一つ。杞柳。㋑くこ。ナス科の落葉小低木。夏、淡紫色の五弁の花を開き、卵形の赤い実を結ぶ。葉・根・皮とも薬用となる。枸杞(クコ)。㋒おうち。楠(くす)に似た落葉高木。もくめが細かくなめらかで、建築・家具の用材となる。「杞梓(キシ)」❷周代の国の名。夏(カ)の王朝の子孫が封ぜられ、雍丘(ヨウキュウ)(今の河南省杞県)に都した。
解字 形声。木+己㊟。
【杞梓】(キシ) おうちとあずさの木。ともに器物をつくる良材。
【杞憂】(キユウ) 無用の心配。とりこし苦労。昔、杞の国の人が天が落ちてきたらどうしよう、地がくずれたらどうしようと心配した故事による。〔列子、天瑞〕
【杞柳】(キリュウ) こぶやなぎ。かわやなぎ。木質がやわらかく、行李(コウリ)やさかずきを作るに用いる。

3 【朽】 7画 5201 ₂1428 — —
キュウ 朽(5185)の俗字。→七一六ページ下。

3 【杏】 7画 5202 人 1641 88C7 —
漢コウ(カウ) 呉ギョウ(ギャウ) 唐アン 梗 xìng 慣キョウ(キャウ)
筆順 一 十 才 木 朩 杏 杏
字義 ❶あんず(杏子)。バラ科の落葉高木。早春、白または淡紅色の花を開く。実は甘く、食用。からもも。❷銀杏(ギンナン)は、いちょうの木の実。
名前 あん・きょう 難読 杏子(あんず)
解字 形声。木+口(向)㊟。
【杏園】(キョウエン) 唐代、都長安(今の陝西(センセイ)省西安市)の西部、曲江のほとりにあった園の名。進士の試験に合格した人に宴を賜った所。
【杏花村】(キョウカソン) あんずの花咲く村。用例〔唐、杜牧、清明詩〕借問酒家何処有(シャモンすシュカいずれのところにかある)、牧童遥指杏花村(ボクドウはるかにゆびさすキョウカのむら)。↓お尋ねしますが居酒屋はどのあたりでしょうか。牧童ははるかかなたのあんずの咲く村を指さすのであった。
【杏壇】(キョウダン) ①孔子の旧居にある講堂の遺跡。壇を築き、周囲に杏を植えたからいう。②学問所。〔荘子、漁父〕
【杏仁】(キョウニン・アンニン) あんずの核(さね)の中の肉。薬用となる。
【杏林】(キョウリン) 医者の美称。三国時代、呉の董奉(トウホウ)が治療代を取らないで、重症者には五本、軽症者には一本の杏を植えさせたところ、数年で杏の林ができたという故事による。董仙(トウセン)の杏林。〔五車韻瑞〕

3 【杠】 7画 5203 5926 9E59 —
コウ(カウ) 江 gāng
字義 ❶こばし。小さい橋。❷はたざお。❸車の上の覆いの柄。❹寝台の前の横木。国❶ちぎ。ちぎり。大きな秤(はかり)。❷木の名。ゆずりは。
難読 杠秤(ちぎ・ちぎり)・杠葉(ゆずりは)

3 【杌】 7画 5204 漢ゴツ 呉ゴチ 月 wù 21430 — 3491

字義 ❶枝のない木。❷あやういさま。不安なさま。

解字 形声。木＋兀音。音符の兀ゴツは、はげあたまの象形。枝のない木の意味を表す。

3 【杈】 7画 5205 ㊀漢サ・呉シャ 麻 chā ㊁漢サイ・呉シャ 卦 ㊂漢サ・呉シャ 禡 chà 18550 — 3490

字義 ㊀❶えだ。またになった枝。❷やす。さきがまたになっていて、魚を刺し取る鉄製の漁具。❸稲の束に突き刺して挟み取る道具。㊁さらい。穀物をかき寄せたり、土をならしたりする農具。㊂人馬の立ち入りをさえぎるために門前に設けた柵サク。行馬。こまよせ。

杈㊀③

解字 篆文 形声。木＋叉音。音符の叉サは、さすまたの意味。木を付し、木製のさすまたの意味を表す。

3 【材】 7画 5206 教4 漢サイ・呉ザイ 灰 cái ザイ 2664 8DDE —

筆順 一 十 才 木 朩 村 材 材

字義 ❶まるた。あらき。建築などに用いる木。「材木」❷もと。原料。「材料」❸たち。もちまえ。資質。「逸材」❹はたらき。才能。＝才(4029)。用例〔唐、韓愈、雑説〕食レ之不レ能レ尽二其材一これをやしなう(ふ)にそのサイをつくさしむるあたわ(は)ず。↓千里の馬を飼い養うにも、その才能を十分発揮させるだけの能力がない。❺たから。＝財(11522)。❻はかる。きりもりする。＝裁(10827)。

名前 えだ・き・もとき・もとし

解字 篆文 形声。木＋才音。音符の才は、川のはんらんをせきとめるために建てられた木の象形。まっすぐにすえられた良い木材の意味を表す。

逆 異材・英材・角材・巨材・詩材・資材・俊材・人材・素材・題材・不材・良材

【材幹】サイカン ㊀はたらき。うでまえ。才幹。㊁ザイカン 木材。材木。

【材士】サイシ ①才知のすぐれた人。②武勇のすぐれた兵士。

【材質】㊀サイシツ うまれつき。素質。㊁ザイシツ 木材の品質。

【材能】サイノウ・ザイノウ はたらき。うでまえ。才能。

【材吏】ザイリ 有能な官吏。

【材料】ザイリョウ ①物を作るもとになるもの。原料。②芸術表現の題材。③物事の資料。

【材力】サイリョク はたらき。うでまえ。力量。能力。

3 【杉】 7画 5207 常 すぎ 漢サン・呉セン 咸 shān 3189 9099 —

筆順 一 十 才 木 朩 杉 杉

【檆】 5848 同字

字義 すぎ。スギ科の常緑高木。幹がまっすぐで、建築用材となる。

名前 すぎ

解字 形声。木＋彡音。

3 【杍】 7画 5208 ㊀シ 紙 zǐ ㊁リ 紙 21431 — —

字義 ㊀大工。㊁李(5223)の古字。 難読 杍山とちやま

解字 形声。木＋子音。

3 【杓】 7画 5209 標 ㊀漢ヒョウ(ヘウ) 蕭 biāo ㊁漢シャク 呉ジャク 薬 sháo 2861 8EDB —

【杓】 5210 俗字

字義 ㊀❶ひしゃくの柄。北斗七星の柄に当たる第五・六・七星。❷北斗七星。❸ひく。引きあげる。㊁❶ひしゃく。水をくむ器。＝勺(1080)。「杓子」❷くむ。くみかわす。しゃくる。 難読 杓文字しゃもじ

解字 篆文 形声。木＋勺音。音符の勺シャクは、ひしゃくの意。ひしゃくの柄の意味を表す。

【杓子定規】シャクシジョウギ 国①正しくないじょうぎ。②形式にとらわれて応用融通のきかないこと。

3 【杓】 7画 5210 シャク 杓(5209)の俗字。→七一九ページ中。 21434 — —

3 【条】 7画 5211 教5 ジョウ 3082 8FF0 —

7 【條】 11画 5212 人 漢チョウ(テウ) 呉ジョウ(デウ) 蕭 tiáo 5974 9E8A —

筆順 ノ ク 夂 冬 冬 条 条

字義 ❶えだ(枝)。こえだ。❷ながい(長)。❸のびる。のびのびとする。「条暢ジョウチョウ」❹すじ。すじみち。また、すじみちをたてて述べる。「条理」❺くだり。箇条。箇条書き。「条文」❻細長いものを数える語。❼木の名。柚ゆずの類い。また、楸ひさぎの類い。国ジョウ。㋐京都などの町筋を南北に割った道。㋑ゆえに。よって。書簡文に用いる。「何々に候条」

名前 え・えだ・じょう・なが・みち

解字 甲骨文 篆文 形声。木＋攸音。音符の攸ユウ＝ジョウは、長いすじの意味。木の長いすじ、えだの意味を表す。

逆 科条・箇条・教条・玉条・枝条・糸条・信条・繊条・逐条・別条・柳条

【条貫】ジョウカン すじみち。条理。

【条件】ジョウケン ①くだり。箇条。箇条書きの事柄。②きめた約束の事柄。③国ある事が成立するために必要な事柄。

【条項】ジョウコウ 順序立てて書きつらねた箇条。

【条緒】ジョウショ 順序立てて書いた法律の条文。

【条条】ジョウジョウ ①知恵のあるさま。②すじみちの立っているさま。条理あるさま。③みだれるさま。

【条対(對)】ジョウタイ 箇条書きにして答える。条答。

【条達】ジョウタツ ①伸び通じる。四方に伸びる。②のびやか。

【条暢】ジョウチョウ のびやか。のびのびとする。

【条陳】ジョウチン いちいち箇条を立てて述べる。

【条答】ジョウトウ いちいち箇条を立ててこたえる。条対。

【条風】ジョウフウ ①東北から吹いて来る、春の風。万物を伸ばし育てるからいう。②東風。こち。

【条目】ジョウモク 箇条書きの項目。条項。

【条約】ジョウヤク ①条文で約束すること。また、その約束。②国と国との間でたがいの権利・義務を定めた約束。また、その条文。

【条理】ジョウリ すじみち。物事の道理。

【条例】ジョウレイ ①いちいちすじみちを立ててならべあげた例。②箇条書きにした規則。③国地方自治体が、その地方の議会の決議を経て自主的に制定する法規。

3 【杖】 7画 5213 人 標 漢チョウ(チャウ) 呉ジョウ(ヂャウ) 養 zhàng 漾 3083 8FF1 —

筆順 一 十 才 木 朩 村 杖

字義 ❶つえ。歩行を助けるためにつく棒。❷つえつく。つえをつく。❸よる。たよる。たのむ。❹とる。持つ。❺むちうつ。たたく。❻昔の五刑(笞チ・杖・徒ト・流ル・死)の一つ。つえで打つ刑罰。

名前 き・つえ・もち・より

解字 篆文 形声。木＋丈音。音符の丈は、木の棒を手にした形にかたどる。長い木の棒の意味を表す。

【杖家】ジョウカ 五十歳をいう。昔、五十歳になると家の中でつえをつくことを許されたのでいう。また、六十歳を「杖郷」、七十歳を「杖国」、八十歳を「杖朝」という。〔礼記、王制〕

【杖履】ジョウク つえと、くつ。老人の持ち物。転じて、老人に対する敬称。杖履ジョウリ。〔礼記、曲礼上〕

【杖策】ジョウサク 馬のむちをつえにつく。むちを手にして立つ。

【杖履】ジョウリ ＝杖屨ジョウク。

【杖△藜】ジョウレイ あかざのつえ。あかざの茎を干して作ったつえは軽いので、老人が用いる。▼藜は、あかざ。

【泣レ杖】つえ(杖)になく 前漢の韓伯兪ハクユが、自分をむち打つ母の力のおとろえを泣き悲しんだ故事。〔説苑、建本〕

3【宋】7画 (2610) ソウ 宀部。→三九一ページ中。

3【束】7画 5214 漢ショク・呉ソク 因 shù 教4 ソク たば 3411 91A9 —

筆順 一 ｢ 𠃍 𠂤 申 朿 束

字義 ❶たば。ひとまとめにくくったもの。また、それを数える語。布帛フハクは十反。また五匹。矢は、五十本。また、百本、十二本。❷たばねる。つかねる。くくる。しばる。「束縛」❸つなぐ。ひきとめる。「拘束」 国❶ソク。㋐稲十把ワ。㋑紙十帖ジョウ。❷つか。㋐四本の指のひとにぎり。㋑わずか。すこしの時間。「束の間」㋒束柱つかばしらの略。梁うつばりと棟むなぎとの間などに立てる、短い柱。

名前 き・さと・つか・つかぬ・つかね 難読 束子たわし・束稲たばしね

解字 甲骨文 篆文 象形。たきぎをたばねた形にかたどり、たばねる・しばるの意味を表す。束を音符に含む形声文字に、嗽ソウ・漱ソウ・速などがある。

逆 結束・検束・拘束・収束・装束・約束

【束手】ソクシュ ＝束レ手てをつかぬ(五七〇ページ下)。

【束修・束△脩】ソクシュウ ①たばねた干し肉。一束は、細長い干し肉十本。昔、進物に用いた。②入門料・入学金。はじめて入門するときに、たばねた干し肉を師への進物としたことから。〔論語、述而〕

【束帯(帶)】ソクタイ ①礼服を着てしめるおび。転じて、礼装すること。②国平安時代以後の正服。天皇以下文武百官が朝廷の公事に着る服装。「衣冠束帯」

【束△帛】ソクハク たばねたきぬ。一束は絹十端で、昔、これを進物とした。

【束縛】ソクバク ①つかねしばる。しばる。②制限を加えて自由を奪う。

【束髪】ソクハツ ①男子が十五歳になって髪を結び冠をつけること。元服。結髪。転じて、十五歳。②国女性の、西洋風の髪の結い方。

束帯①

3【村】7画 5215 ソン 因 cūn 教1 ソン むら 3428 91BA —

筆順 一 十 オ 木 村 村 村

字義 ❶むら。さと。いなか。「村落」❷いなかめく。ひなびる。 国むら。地方行政区画の一つで、最も規模の小さい自治体。「市町村」

名前 すえ・そん・つね・むら 難読 村雨むらさめ・村主すぐり

解字 篆文 【邨】12260 古字 形声。篆文では、阝(邑)＋屯音。音符の屯トンは、集まるの意味。人が集まるむらの意味を表す。のち、音がトンからソンに変わり、木＋寸ツ音の村の字ができた。

逆 寒村・江村・孤村・水村

【村翁】ソンオウ 村の年寄り。いなかおやじ。

【村歌】ソンカ 村人のうたう歌。ひなうた。俚歌リカ。

【村学(學)】ソンガク いなかの学校。

【村漢】ソンカン 村の男。

【村居】ソンキョ いなかに住む。いなか住まい。

【村△墟】ソンキョ むらざと。村落。郊墟。

【村△巷】ソンコウ ①村のこみち。村路。②むらざと。

【村舎】ソンシャ 村の家。いなかや。村家。村戸。村屋。

【村酒】ソンシュ いなかの酒。地酒。村醸。村醪ソンロウ。

【村△墅】ソンショ いなかにある別荘。

【村笛】ソンテキ 村人の吹くふえ。

【村夫子】ソンプウシ 村のものしり。田舎の学者。見識のせまい、地方の学者をあざけっていう語。村学究。村儒。

【村落】ソンラク むらざと。▼落は、聚シュで、人の集まり住む所。

【村閭】ソンリョ ①村の入り口の門。②むらざと。

【村醪】ソンロウ ＝村酒。▼醪は、にごり酒。

3【杔】7画 5216 タク 奥 tuō 2|1432 — 3492

字義 木の名。杔櫨タクロは、うつぎ。

解字 形声。木＋乇音。 難読 杔原うつぎはら

3【杝】7画 5217 一漢チ・呉ジ(ヂ) 因 紙 chǐ 二イ 因 yí 2|1433 — 3494

字義 一まがき。柴垣しばがき。二木の名。㋐やまもも。㋑白楊ハクヨウに似た木。

解字 形声。木＋也音。 難読 杝もくめ

3【杕】7画 5218 一漢テイ・呉ダイ 霽 dì 二漢タ・呉ダ 哿 duò — 3493

字義 一❶木が一本だけはえているさま。一本立ちの木のさま。❷木が盛んに茂っているさま。二かじ。＝柁(5325)。

解字 金文 篆文 形声。木＋大音。音符の大は、のびやかにしている人の象形。のびやかな一本立ちの木の意味を表す。

3【杜】7画 5219 人 漢ト・呉ド・ズ(ヅ) 麌 dù 3746 936D —

筆順 一 十 オ 木 杜 杜 杜

字義 ❶やまなし。バラ科の落葉小高木。山野に自生し、春の末、五弁の白い小花を開き、りんごに似た小さな実を結ぶ。あまなし。こりんご。ずみ。棠梨トウリ。❷とじる(とづ)。ふさぐ。 国もり。森林。

名前 あり・と・もり 難読 杜宇ほととぎす・杜翁トルストイ・杜鵑ほととぎす・杜鵑花さつき・杜若かきつばた・杜松ねず・杜魄ほととぎす

参考 現代表記では〔途〕(12111)に書きかえることがある。「杜絶→途絶」

解字 金文 篆文 形声。木＋土音。

【杜宇】トウ ほととぎすの別名。周末の蜀王ショクオウ杜宇が死後化してこの鳥となったという伝説に基づく。杜鵑ケン。杜魂。杜魄ハク。子規。

【杜△鵑】トケン ①＝杜宇。②つつじの一種。さつき。ほととぎすの鳴くころ花を開くからいう。杜鵑花。

【杜口】トコウ くちをとじる。口をふさぐ。緘口カンコウ。

【杜工部】トコウブ ＝杜甫トホ。

【杜康】トコウ 中国で初めて酒を作った人という。周時代、一説に、黄帝時代の人という。少康。転じて、酒。

【杜衡】トコウ 香草の名。かんあおい。杜葵トキ。

【杜△撰】ズサン・ズザン ①詩文・著述などが、根拠がなく、誤りの多いこと。宋ソウの杜黙の詩が多く律に合わなかったことに基づくという。〔野客叢書、八〕②そまつ。ぞんざい。

【杜子春】トシシュン ①後漢の学者。前漢末の劉歆リュウキンから周礼シュライを学び、九十歳の高齢で南山に住み、鄭衆テイシュウ・賈逵カキに周礼を教えた。②唐の伝奇小説「杜子春伝」の主人公。

【杜子美】トシビ ＝杜甫トホ。子美は字あざな。

【杜氏】トジ 二とうじ 国酒を作る職人の長。

【杜若】トジャク ①ツユクサ科の多年草。やぶみょうが。山野の陰地に自生し、夏、白い小花を開き、球形の実を結ぶ。②国アヤメ科の多年草。燕子花かきつばた。

【杜如△晦】トジョカイ 唐初の政治家。杜陵(今の陝西センセイ省西安市の東南)の人。字あざなは克明。太宗に仕えてその創業を

助け、房玄齢とともに房杜と併称された。(五八五―六三〇)

【杜少陵】 ＝杜甫。少陵は号。

【杜審言】 初唐の詩人。字は必簡。襄陽(今の湖北省内)の人。杜甫の祖父。(六四五?―七〇八)

【杜絶】 ふさいでたちきる。とだえる。

【杜△魄】 ＝杜宇。

【杜△甫】 盛唐の詩人。襄陽(今の湖北省内)の人。字は子美。長安郊外の杜陵(漢の宣帝の陵)・小陵(許后の陵)の西に住み、杜陵の布衣・少陵の野老と称した。玄宗のとき、蜀(今の四川省)の節度使の厳武に用いられて検校工部員外郎となったので、杜工部ともよばれる。厳武の死後再び流浪し、代宗の大暦五年、耒陽(今の湖南省内)で死んだ。李白とともに唐代詩人の代表として李杜と併称されるが、李白が天才肌であるのに対して、杜甫は努力型とされている。また、李絶杜律(李白は絶句にすぐれ、杜甫は律詩にすぐれる意)の称がある。雄渾・沈痛な詩風で、現実に対する怒りや、人生の憂愁を誠実にうたいあげたものが多い。唐末の杜牧に対し、老杜・大杜ともよばれる。『杜工部集』二十巻がある。(七一二―七七〇) ⇩ コラム 唐詩(二六八ページ)。

杜甫

【杜牧】 晩唐の詩人。京兆(今の陝西省内)の人。字は牧之、号は樊川。詩風は豪放な面と、艶麗・軽妙な面とをあわせ持つ。杜甫に対して小杜といわれ、書画にもすぐれていた。(八〇三―八五三)

【杜門】 門をとざして外出しない。

【杜△佑】 唐の政治家・史学者。字は君卿。徳宗・憲宗に仕え宰相となった。著に『通典』がある。(七三五―八一二)

【杜預】 西晋の学者・政治家。杜陵(今の陝西省内)の人。字は元凱。武将として功があったが、学を好み、特に『春秋左氏伝』の学に精通していた。著書に『春秋経伝集解』『春秋釈例』がある。(二二二―二八四)

3
【杙】
7画 5220 漢ヨク 呉イキ 職 yì | 5927 9E5A ―

字義 ❶くい。牛馬などをつなぐくい。＝弋(3292)。❷木の名。ざくろの一種。

解字 金文 篆文 形声。木＋弋(音)。音符の弋は、くいの意味。木を付し、木のくいの意味を表す。

3
【来】
7画 5221 教2 ライ くーる・きたーる・きたーす | 4572 9788 ―

人6
〔來〕
8画 5222 人 漢ライ 灰 lái 呉ライ 隊 lài | 4852 98D2 ―

筆順 一 ㄷ ㄸ 平 来 来

〔耒〕 5194 俗字

字義 ㊀❶くーる。きたーる。用例〔論語、学而〕有ㇾ朋自二遠方一来。⇩友人が遠くからやって来てくれる、なんと楽しいことではないか。不二亦楽一乎。

❷いたる。帰る。

❸きたーす。㋐こさせる。従わせる。用例〔論語、季氏〕修二文徳一以来ㇾ之。⇩文の徳を修養して遠方の民がなついて従うようにさせる。㋑まねく。用例〔周礼、夏官、懐方氏〕懐方氏掌ㇾ来二遠方之民一。⇩懐方氏という官職は遠方の民を招き寄せることをつかさどる。

❹このかた。ある時から後。今にいたるまで。用例〔北宋、周敦頤、愛蓮説〕自二李唐一来、世人甚愛二牡丹一。⇩唐の時代から、世の人々は牡丹をたいへん愛している。

❺これから先の。将来。未来。「来者」

❻語勢を強めるために、句中または句末にそえる助字。訓読では、特定の読み方がある場合以外は読まない。用例〔東晋、陶潜、帰去来辞〕帰去来兮、田園将ㇾ蕪。⇩さあ帰ろう、故郷の田畑は今まさに荒れはてようとしている。

❼助字。㋐動詞などの後に置き、動作の方向を示す。用例〔北宋、梅尭臣、絶句詩〕上去下来船不ㇾ定、自飛自語燕争忙。⇩あがったりさがったり船は波間に揺れ動き、飛び交わしさえずりかわす燕も忙しさを競う。

㋑こーれ。述語の前に置き、述語と目的語の倒置を示す。用例〔詩経、邶風、谷風〕不ㇾ念昔者、伊予来塈。⇩以前は私を大切にしてくれたこと、もう忘れてしまったんですね。

㊁ねぎらう。＝徠(3435)。用例〔孟子、滕文公上〕労ㇾ之来ㇾ之。⇩人民をねぎらいなぐさめる。

名前 き・きたる・く・くる・こ・な・ゆき・らい 難読 来位・来宮・来待・来島

解字 甲骨文 篆文 象形。ライむぎの形にかたどり、借りて、くるの意味を表す。常用漢字の来は、來の省略形。來を含む形声文字に、勑・徠・賚などがある。

逆 往来・外来・元来・旧来・去来・近来・後来・古来・在来・襲来・従来・出来・将来・招来・子来・自来・生来・朝来・伝来・到来・如来・年来・舶来・晩来・本来・未来・夜来・由来

【来意】 ①来訪の目的・理由。②＝来旨。

【来△裔】 子孫。

【来王】 ①四方の異民族の王が即位し、中国に来て天子に会うこと。②四方の異民族が朝廷に従うこと。

【来往】 ゆきき。行ったりきたりすること。往来。用例〔唐、白居易、燕詩示二劉叟一〕須臾十来往、猶恐巣中飢。⇩ほんのわずかな時間に十回も巣に戻るほど頻繁に往来してもさらに、巣に待つ子らが腹を空かせているかと心配している。

【来賀】 よろこびを言いにくること。

【来△駕】 国来訪の敬語。身分の高い人や目上の人が訪問してくれること。おいでいただく。

【来格】 やってくる。▼格は、至る。㋐祭りに鬼神のやってくること。㋑人または物のくること。

【来学】 ①きて学ぶ。②後世の学者。後学。

【来簡】 ＝来信①。来翰。

【来帰(歸)】 ①帰ってくる。②やってきて集まる。③離婚されて実家へ帰る。

【来儀】 ①鳳凰などがやってきて威儀を正していること。〔書経、益稷〕②くることの敬語。

【来享】 諸侯が朝廷にうかがって、その地方の産物を献上する。

【来迎】 ㊀きてむかえる。㊁①仏人が死ぬ時、仏が現れて極楽浄土に迎えてくれること。②国㋐高山の上で日の出を見ること。㋑高山で日没・日の出時に、反対側の雲霧の上に自分の影が投影され、仏が来迎したように見えること。

【来光】 国①日の出。②特に、高山の上で見る日の出をいう。来迎。

【来貢】 他国の使者がきてみつぎ物を献上すること。

【来△寇】 外敵が攻めよせてくること。

【来旨】 手紙で言ってきた事がら。申し越しの趣旨。

【来示】 手紙に書いてきたこと。

【来事】 未来の事。将来の事。

【来△茲】 ①来年。用例〔文選、古詩十九首、其十五〕為ㇾ楽当ㇾ及ㇾ時、何能待二来茲一。

↓楽しむのなら機会のある時がよい、どうして来年まで待てようか(待ったとてどうにもならない)。②将来。

【来日】㊀①あす。明日。②将来の日。将来。後日。③この日ごろ。㊁国外国人が日本にくること。

【来者】①今から後にくる事。将来の事。②自分より後に生まれてくる者。後生。用例〔論語、子罕〕焉知二来者之不ㇾ如ㇾ今也。↓どうして自分より後に生まれてくる者が今の私に及ばないとわかろうか(わかりはしない)。③くる者。④したってくる者。

【来者可ㇾ追】将来の事はどうにでもやりようがある。▼「可ㇾ追」は、追いつくことができる、どうにでもすることができるの意。用例〔論語、微子〕往者不ㇾ可ㇾ諫、来者猶可ㇾ追。↓過ぎたことは改められないが、これからやってくることはまだ間に合う。

【来者不ㇾ可ㇾ待】未来の事は期待することができない。未来の事はどうなるか予測できない。〔呂氏春秋、聴言〕↔往者不ㇾ可ㇾ及(五〇一ページ下)。

【来者不ㇾ拒去者不ㇾ追】自分の所へくる者はきらって追い払おうとはしないし、去って行く者は追いかけて引き留めようとはしない。留まるも去るもその人の自由にまかせる。『孟子』尽心下編の語に基づく。

【来襲】きておそう。おそってくる。攻めよせてくる。

【来書】きた手紙。来札。来信。

【来信】①人からのたより。来書。②他人のおとずれ。③他人の申し出。他人の申し込み。

【来△訊】たずねてくる。

【来世】㊀後の世。後の時代。後世。㊁仏死後に生まれでる世界。後世。↔前世(一八三ページ上)・現世(九四九ページ中)。

【来孫】玄孫の子。耳孫ともいう。↔玄孫(九三九ページ下)。

【来朝】①諸侯が天子の朝廷にくること。入朝。②国外国人が日本にくること。

【来聴(聽)】きて人の話を聴く。

【来庭】①諸侯が朝廷にきて天子にお目にかかること。②諸侯が天子に服従している、また帰順する意を表す。②国法廷にくる。

【来哲】後日に現れる賢人。将来の知者。

【来賓】①くる。他国・他郷・外部の者がきて客となること。②国お客としてくる人。主として儀式・集会などでの特別な客をいう。

【来附】やってきて属する。帰順する。来属。

【来服】やってきて服従する。

【来復】かえってくる。

【来△聘】①来朝して礼物を献上する。聘問すること。②でかけて行き、礼を厚くして人を招く。

【来訪】人がたずねてくる。

【来奔】にげてくる。今まで住んでいた国からにげ出してくること。

【来命】他人が言ってきたことについて敬っていった語。申し越しのお言葉。てがみでのおさしず。来書。

【来由】起こり。いわれ。由来。原因。

【来遊】①きてあそぶ。遊びにくる。②旅行にくる。

【来葉】後の世。後世。来世。

【来臨】①そこへやってくる。その場所へくる(出席する)こと。②国他人が自分の所にくることに対する敬語。

【来歴(歷)】①物事の経てきた次第。由来。経歴。②人が経てきた身分・境遇など。履歴。経歴。③国従来のしきたり。前例。

【欲ㇾ知ㇾ来者察ㇾ往】未来の事を知りたいと思う者は過去の事をよく観察し調べる。未来の事を知ろうと思うなら過去の事を調べて参考にせよとの意。〔荀子、非相〕

3【李】 7画 5223 人 リ 紙 ㄌㄧ 4591 979B 一

筆順 一 十 オ 木 本 李 李

字義 ❶すもも。桃に似た果樹。春、白い花を開き、実には酸味がある。❷裁判官。法官。獄官。＝理(7408)・吏(1345)。❸つかい。使者。＝使(316)。「行李」

名前 き・すもも・もも

解字 篆文 会意。木＋子。子は、こどもの象形。実のたくさんなる、すももの意味を表す。

【李△娃伝(傳)】唐代の伝奇小説。白居易の弟、白行簡の作。長安の名妓の李娃が、常州刺史の息子を愛し、かれを励まして立身出世させる物語。

【李延年】前漢の音楽家。武帝の愛妃李夫人の兄。武帝に信任されて楽府の長官の協律都尉となった。李夫人の死後、殺された。(?—前八七?)

【李△淵】唐の第一代の天子。在位九年(六一八—六二六)。高祖。字は叔徳。隋の恭帝(煬帝の孫、楊侑)に迫り退位させ、唐朝を建てた。後に次子李世民(唐の太宗)に位を譲り、自らは太上皇と称した。(五六六—六三五)

【李下不ㇾ正ㇾ冠】実を盗むのではないかと疑われやすいから、李の木の下では冠をかぶり直すことをしない意。転じて、疑われやすい言動はさけねばならないたとえ。用例〔文選、古楽府、君子行〕瓜田不ㇾ納ㇾ履、李下不ㇾ正ㇾ冠。↓うり畑では履き物を履き直さない、すももの木の下では冠をかぶり直さない。

【李華】盛唐の詩人。賛皇(今の河北省内)の人。字は遐叔。天宝十一年(七五二)、監察御史となった。後、隠退して仏教を奉じた。散文にもすぐれ「弔二古戦場一文」がある。(七一五?—七七四)

【李賀】中唐の詩人。福昌(今の河南省内)の人。唐の王室の一族。字は長吉。若い時から詩才を称されたが、二十七歳で死んだ。『昌谷集』がある。(七九〇—八一六)

李賀

【李郭】①後漢の李膺と郭太。非常に仲がよかった。「李郭同舟」②唐の李光弼と郭子儀。ともに忠臣として名高い。

【李△嶠】初唐の詩人・政治家。賛皇(今の河北省内)の人。字は巨山。高宗・中宗・睿宗・玄宗の四朝に仕えた。その詩集の『李嶠雑詠』は、中国では散逸したが、日本に伝わっている。(六四四—七一三)

【李公佐】晩唐の文人。隴西(今の甘粛省内)の人。字は顓蒙。進士に及第して官吏になったが、晩年、罪にふれて免ぜられた。伝奇小説「謝小娥伝」「南柯太守伝」などの作品がある。(七七〇?—八五〇?)

【李広(廣)】前漢の武将。李陵の祖父。文帝の時、たびたび匈奴を討って功を立て、匈奴から飛将軍と恐れられたが、武帝の時、衛青に従って匈奴を討ち、道に迷ったことを責められ、自殺した。(?—前一一九)

【李△鴻章】清末の政治家。安徽省合肥の人。太平天国の乱の平定に活躍し、日清戦争(下関条約)・義和団事件(北京条約)などの外交交渉に当たった。(一八二三—一九〇一)

【李△翺】唐の儒学者。字は習之。韓愈のめいの婿。その著の『復性書』は、宋代の性理説の源をなしたといわれる。(七七二—八四一)

【李思訓】唐代の画家。字は建。王室の一族で、北宗画の祖。その子の昭道も画にたくみで、大李・小李と並び称された。(六五一—七一六)

【李△斯】秦の政治家。楚(今の湖北・湖南省)の人。始皇帝を助けて、丞相となり、従来の封建制を廃止して郡県制をしき、文字を制定し、焚書坑儒を行って思想統一をはかるなど、大いに活躍したが、始皇帝の死後、趙高に欺かれて刑死した。(？―前二〇八)

【李商隠(隱)】晩唐の詩人。河内(今の河南省内)の人。字は義山。号は玉渓生。温庭筠と並んで温李と称され、晩唐の象徴詩人の代表である。宋の初めの西崑体(故事を多用し、修辞に凝る詩風)の祖とされる。『李義山詩集』がある。(八一三―八五八)

【李世民】唐の第二代の天子、太宗。→唐太宗(三六七ページ中)。

【李△靖】唐初の武将。字は薬師。高祖・太宗に仕えて武功をたて、衛国公に封ぜられた。後の人が靖の用兵論を収録した『李衛公問対』がある。(五七一―六四九)

【李△勣】唐の武将。字は懋功。唐の高祖・太宗に仕え、突厥・薛延陀・高句麗を降した。(？―六六九)

【李善】唐の学者。江都(今の江蘇省内)の人。博学で、『文選』に注をつけた。(？―六八九)

【李太白】＝李白。太白は字。

【李朝】朝鮮の王室。一三九二年、李成桂が高麗を滅ぼして自立し、国を朝鮮と号した。一八九七年、国号を大韓帝国と改め、一九一〇年まで続いた。二十七代、五百十八年。

【李△杜韓柳】李白・杜甫・韓愈・柳宗元をいう。唐代の詩文の名家。

【李東陽】明の文学者・政治家。茶陵(今の湖南省内)の人。字は賓之。号は西涯。憲宗・孝宗・武宗の三代に仕え、詩文と書に巧みであった。(一四四七―一五一六)

【李唐】王朝の名。唐の称。▼李は、始祖李淵の姓。

【李白】盛唐の詩人。隴西成紀(今の甘粛省内)の人。字は太白、号は青蓮居士。若い時から諸国を遊歴。才を認められて玄宗の宮廷に迎えられたが、三年後、追われて諸国を放浪。安史の乱の時、永王李璘の謀反に加わった疑いで夜郎(今の貴州省内)に流されたが、途中で恩赦にあい、その後は江南各地を転々と放浪した。性質奔放で勇気があり、酒を好んだ。詩は天才的で豪放である。杜甫が詩聖と称されたのに対して、詩仙といわれる。『李太白集』三十巻がある。(七〇一―七六二) ⇩コラム 唐詩(三六八ページ)。

李白

【李△攀竜(龍)】明の詩人。歴城(今の山東省内)の人。字は于鱗。号は滄溟。古文辞派の主張に基づき、詩文は秦漢以前に学ぶべきことを唱え、王世貞と共に李王と称された。その文学思想は、日本の荻生徂徠らに影響を与えた。『唐詩選』は、後人が彼の名を使って出版したものという。(一五一四―一五七〇)

【李泌】唐の政治家。字は長源。玄宗・粛宗・代宗・徳宗に仕えた。(七二二―七八九)

【李夫人】前漢の武帝の夫人。李延年の妹。絶世の美人で舞がうまく、武帝に寵愛された。(？―前一二〇)

【李密】西晋の政治家。祖母劉氏に養育され、武帝に招かれたが、陳情表を奉って固辞し、祖母の喪を終えてから招きに応じた。(二二四―二八七)

【李△膺】後漢の政治家。襄城(今の河南省内)の人。字は元礼。桓帝に仕え、人望を集めた。霊帝のとき、宦官を除こうとして失敗し殺された。(一一〇―一六九)

【李陵】前漢の武将。李広の孫。字は少卿。武帝のとき、匈奴を討って捕らえられ、匈奴の右校王となって、とどまること二十余年で病死した。(？―前七四)

【李林△甫】唐の政治家。玄宗に仕え、後、宰相となって政治をもっぱらにし、安禄山の乱の原因をなした。(？―七五二)

3【杁】7画 5224 国字 ｜21429 ― ―

字義 くるみ。

3【杕】7画 5225 国字 ｜18548 EDC5 3501

字義 すぎ。＝杉(5207)。

参考 杉の旁彡を書写体に従って久に改めたもの。

3【杣】7画 5226 国字 標 ｜5928 9E5B ―

字義 そま。㋐そまやま。材木を切り出す山。㋑そまぎ。山林から切り出した木材。㋒そまびと。きこり。

解字 会意。木＋山。木をとるやま、そまやまの意味を表す。

3【杤】7画 5227 国字 ｜5929 9E5C ―

字義 とち　栃(5352)と同字。→七三五ページ下。

参考 ⇩栃(5352)の参考。

3【杢】7画 5228 国字 ｜4461 96DB ―

字義 もく(木工)。大工。こだくみ。

難読 杢師・杢比野

解字 会意。木＋工。木と工とを合わせて、だいくの意味を表す。

4【枉】8画 5229 ［抂］4053 俗字 オウ(ワウ) 養 wǎng ｜5930 9E5D ―

字義 ❶まがる。ゆがむ。まげる。ゆがめる。用例〔史記、滑稽伝〕恐下受レ賕枉レ法、為ニ姦触一大罪一、身死而家滅上(まいない(ひ)をうけホウをまげ、カンをなしてタイザイにふれ、みシしていえ(へ)ほろびんことをおそる)。⇩賄賂を収めて法を破り、悪事をはたらき大罪を犯し、身は死し一族も滅んでしまうのを心配する。❷しいたげる。いじめる。いためつける。❸まがった人。心のねじけた人。正しくない人。用例〔論語、為政〕挙レ直錯ニ諸枉一(なお(ほ)きをあげてこれをまがれるにおく)。⇩正しい人を引き上げて、その人を正しくない人の上に置く。❹まげて。無理にも。ことさらに。❺無実。無実の罪。また、それにおとしいれる。❻むだに。むなしく。いたずらに。国 まがまがしい。いまわしい。不吉だ。

解字 篆文 形声。木＋王音。音符の王は、匡に通じ、ため曲げるの意味。木を曲げるの意味を表す。

【枉△駕】乗り物をわざわざまげて立ち寄らせる。人の来訪をいう敬語。「枉駕光臨」

【枉屈】①まげる。ゆがめる。②とうとい身をまげかがめる。貴人の来訪にいう敬語。枉駕。

【枉顧】とうとい身をまげてたずねる。人の来訪にいう敬語。枉駕。枉屈。

【枉矢】①まっすぐでない矢。自分の矢の謙称。②矢の名。星の名に基づく。③星の名。流星。

【枉死】殺されたり災いにあったりして死ぬこと。非業の死。不慮の死。横死。「枉死城(地獄)」

【枉訴】事実を偽って訴える。

【枉道】①正道をまげる。②まわり道する。

【枉△撓】法をまげて罪におとしいれる。無実の罪におとす。

【枉法】法をまげる。法律を悪用する。

【枉臨】貴人が訪れること。また、その敬語。おいでになる。

4【果】8画 5230 教4 カ(クワ) 哿 guǒ ｜1844 89CA ―

カ はたす・はてる・はて　熟字訓 果物

筆順 果

字義 ❶くだもの。木の実。↔蓏(10304)。「果実」❷はて。終わり。また、できばえ。しあがり。「結果」❸はたす。なしとげる。用例〔孟子、公孫丑下〕聞ニ王命一而遂不レ果。↓王の用命を聞いていながら、そのまま果たさずにいる。

❹思いきりがよい。勇ましい。用例〔論語、子路〕言必信、行必果。↓ことばにはうそがなく、おこないはきっぱりとしている。

❺はたして。㋐最終的に。ついに。とうとう。用例〔左伝、僖公二十八〕晋侯在レ外十九年矣、而果得二晋国一。↓晋侯は国外にあること十九年にして、ついには晋国を手にした。

㋑本当に。予期した通り。やはり。用例〔史記、項羽本紀〕人言、楚人沐猴而冠耳、果然。↓楚の人は猿が冠をかぶったようなものだという人がいるが、まったくその通りだ。／〔十八史略、春秋戦国、斉〕出食頃、追者果至、而不レ及。↓出発してからほんの食事をするほどの短時間の後に、追っ手がはたして函谷関に到着したが、もう間に合わなかった。

㋒もしも本当に…ならば。用例〔中山狼伝〕果如レ是、是羿亦有レ罪焉。↓もし本当にそうであるならば、羿にも罪があるのだ。

㋓いったい。強い疑問の気持ちを表す。用例〔北宋、蘇軾、教戦守策〕夫当今生民之患、果安在哉。↓さて現在人々の苦しみは、いったいどのようなところにあるのだろうか。

❻仏むくい。善・悪・業の報い。応報。また、さとり。↔因(1812)。

国❶はてる。㋐終わる。きわまる。行きつく。㋑死ぬ。❷おおせる。動詞の下にそえて、やりとげる意を表す。

名前 あきら・か・はた・はたす・まさる 難読 果無

解字 甲骨文 金文 篆文 象形。甲骨文でわかるように、木に実がなる形にかたどり、木の実の意味を表す。転じて、なしとげるの意味をも表す。果を音符に含む形声文字は、クヮ・ラ両系に読まれ、いずれも外皮をむいた、つぶらな木の実の意味を共有する。夥カ・菓・裹・裸・課・踝・顆などがある。

逆 因果・結果・業果・成果・善果

【果鋭】 決断力に富み気力がするどいこと。

【果園】 果樹園。

【果△悍】 決断力があって強いこと。

【果敢】 思いきりがよく、物事をおしきってする。決断力があること。「勇猛果敢」

【果決】 思いきりがよい。果断。

【果然】 ①はたして。思ったとおり。②あきるさま。③尾ながざる。猓然。

【果断(斷)】 思いきりがよい。勇断。果決。

【果報】 ①仏「因果応報」の略。むくい。②国よい結果。しあわせ。幸運。「果報者」

【果△蓏】 草木の実。▼果は木の実、蓏は草の実。

4 【枒】 8画 5231 一漢ガ・呉ゲ 麻 yā 二ヤ 麻 yē
〔枒〕 5291 俗字

字義 一二❶木の名。やしのき。❷木の枝の入り交わるさま。

解字 形声。木+牙音。

4 【极】 8画 5232 漢キョウ(ケフ) 呉ゴウ(ゴフ) 葉 jí 18552 — 3507

字義 にぐら。驢馬の背につけて荷を載せる鞍。国まだのき。しなのき(シナノキ科の落葉高木)の方言。 難読 大极

解字 形声。木+及音。

4 【枅】 8画 5233 ケイ 枅(5376)の俗字。→七三八ページ上。 5939 9E66 —

4 【杰】 8画 5234 ケツ 傑(552)の俗字。→一二七ページ下。 5931 9E5E —

4 【枚】 8画 5235 一漢ケン・呉コン 塩 xiān 二ケン 塩 qiān 21437 — 3504

字義 一こすき。くわ・すきの類い。二水を注ぐ道具。

解字 形声。木+欠音。

4 【杬】 8画 5236 漢ゲン 呉ガン(グワン) 元 yuán — — 3502

字義 ❶木の名。栗に似た実がなる高木。❷木の名。ふじもどき。

解字 形声。木+元音。

4 【枑】 8画 5237 漢コ 呉ゴ 遇 hù — — 3511

字義 こまよけ。馬の進入を防ぐ柵。二本の棒を交差させて組み、一列に並べて横棒で結び付けたもの。

解字 形声。木+互音。音符の互は、交差するの意味。

4 【杭】 8画 5238 人 標 漢コウ(カウ) 呉ゴウ(ガウ) 陽 háng 2526 8D59 —

筆順 一 十 オ 木 木 杧 杭

字義 ❶わたる(航)。船で渡る。また、わたし船。❷杭州は、浙江省の省都。南宋のときの首都臨安の地。京杭大運河の南の起点として繁栄し、また、西湖に臨んで勝景が多い。国くい。杙。

名前 わたる

解字 形声。木+亢音。音符の亢は、行に通じ、行くの意味。木造の舟で行く、わたるの意味を表す。

4 【杲】 8画 (4682) コウ 日・曰部。→六五四ページ上。

4 【构】 8画 5239 漢コウ 呉ク 宥 gòu — — 3508

字義 木の名。こうぞ。

解字 形声。木+勾音。

4 【采】 8画 5240 常 サイ 一サイ 賄 cǎi 二サイ 隊 cài 2651 8DD1 —
4 〔采〕 8画 5241

筆順 ノ ⺈ ⺈ 爫 平 采 采

字義 一❶とる。手にとる。えらびとる。＝採(4235)。用例〔東晋、陶潜、飲酒詩〕采レ菊東籬下、悠然見二南山一。↓菊の花を、家の東のまがきのあたりにつみながら、ゆったりと南山(廬山)をながめる。❷知行所。領地。❸いろどり(彩)。もよう。あや。❹すがた。かたち。「風采」❺つかさ。官職。❻みつぎ。みつぎもの。二❶知行所。❷な(菜)。野菜。国サイ。采配の略。昔、大将が軍を指揮するのに使った道具。

名前 あや・うね・こと

注意 采は、『康熙字典』では、采部に所属する。

解字 甲骨文 金文 篆文 会意。木+爫。木は、甲骨文では、果につくるものもあり、木の実の意味。爫は、手の象形。果実を採取するの意味から、一般にとるの意味を表す。采(采)を音符に含む形声文字に、彩・採・綵・菜などがある。

【采衣】 いろどった着物。彩衣。綵衣。

【采△芹】 泮水の芹を採るということから、学校に入ることを「入泮」また、「采芹」という。泮水は学校をめぐる水。〔詩経、魯頌、泮水〕

【采采】 ①いろいろの事がら。②とり続ける。つぎつぎととる。③さかんなさま。多いさま。④はなやかにかざるさま。

【采詩】 民間の詩歌をとり集めること。昔、民情を察し政治の参考とするために行った。

【采女】 一①漢代の女官の階級の一つ。②女官。二うねめ 国天皇の食事を世話した宮女。

【采△樵】 山中にはいって、木を切るのを職業とする人。きこり。

【采色】サイショク ①美しい色どり。②かおいろ。用例〈荘子、人間世〉采色不レ定さだまらず。↓(わがままで目まぐるしく気分を変えるため、喜怒の)感情を表す顔色も一定しない。
【采薪之憂】サイシンのうれい(ひ) 病気で薪たきぎも採ることができない心配。自分の病気をへりくだっていうことば。負薪之憂フシンのうれい(ひ)。〈孟子、公孫丑下〉
【采△摭】サイセキ 拾いとる。採拾。摭拾。
【采地】サイチ 知行所チギョウショ。領地。采田。
【采△椽】サイテン ①櫟くぬぎのたるき。一説に、伐採したままのたるき。②質素な建物。
【采配】サイハイ 国大将が戦争で指揮するためにうち振る道具。また、指揮すること。さしず。
【采△薇歌】サイビのうた 伯夷ハク叔斉(九八ページ中)がその死に臨んで作った歌。〈史記、伯夷伝〉
【采△邑】サイユウ ＝采地。▼邑は、村。

4 【枝】8画 5242 教5 シ えだ 2762 8E7D 一
㊀シ 支 zhī ㊁漢キ・呉ギ 支 qí

筆順 一 十 才 木 木 杆 枝 枝

字義 ㊀❶えだ。㋐木の幹から分かれ出た部分。㋑大もとから分かれ出たもの。わかれ。すえ。❷分かれる。ばらばらになる。❸手足。四肢シ。❹えと。十二支。＝支(4506)。❺ささえる(支)。支え。支え柱。㊁足の指の数が、普通よりも多いこと。「枝指」

名前 え・えだ・き・しげ・しな 難読 枝幸えさし

解字 篆文 形声。木＋支㊥。音符の支は、えだの意味。木を付し、えだの意味を表す。

逆 寒枝・幹枝・折枝
【枝△胤】シイン 血すじの分かれ。子孫。
【枝△柯】シカ えだ。▼柯も、枝。
【枝解】シカイ ①ばらばらにする。②手足をばらばらに切りはなす。昔の残酷な刑罰。
【枝幹】シカン ①えだと、みき。②十二支と、十干。干支。③手足と、胴体。④上下主従の関係にいう。
【枝△梧】シゴ ささえる。また、さからう。抵抗する。枝捂シゴ。支吾。▼梧は、ななめの柱。
【枝条(條)】シジョウ えだ。▼条も、枝の意。
【枝族】シゾク 本家からの分かれ。分家。支族。
【枝頭】シトウ えだの先。
【枝葉】シヨウ ①えだと、は。②主要でない物事。③子孫。

【折レ枝】えだを(を)る・シを(を)る あんまする。枝は肢で、手足の意。一説に、草木の枝を折る。また、腰をかがめて敬礼する。折枝セッシ。用例〈孟子、梁恵王上〉為二長者一折レ枝ちょうじゃのためにえだを(を)る。↓年長者のためにあんまする。

4 【柹】8画 5243 シ 柿(5309)と同字。→七三ページ中。 8557 — 3524

4 【柢】8画 5244 漢シ 呉ジ 支 shì 21439 — —
字義 からうす(碓タイ)のさお。
解字 形声。木＋氏㊥。 難読 柢本かきもと

4 【杵】8画 5245 人 標 ショ 語 chǔ 2147 8B6E 一

筆順 一 十 才 木 朾 杵 杵 杵

字義 ❶きね。臼に入れたものをつく道具。❷つち。㋐砧きぬたを用いて布を打つ際のつち。「杵声(きぬたの音)」㋑土壁などをつき固めるつち。❸たて。大きな盾。身を守る武具。

名前 き・きね 難読 杵築きつき

解字 篆文 形声。木＋午㊥。音符の午ゴは、両人が向きあってかわるがわるつく、きねの象形で、きねの意味を表したが、午が、十二支のうまの意味に用いられるようになり、木を付した。

杵と臼

4 【松】8画 5246 教4 ショウ まつ 3030 8FBC 一
漢ショウ・呉ジュウ 図 sōng

筆順 一 十 才 木 朩 松 松 松

【枩】5247 同字 【枀】5248 同字 【柗】5321 同字
【[illegible]】5692 同字 【[illegible]】5454 古字

字義 まつ。常緑の高木。葉は針状。姿が男性的で樹齢が長く、その葉が色を変えないことから、人の節操・長寿・繁栄などの象徴とされる。

名前 しょう・ときわ・ます・まつ 難読 松毬まつかさ・まつぼっくり・松魚かつお・松橋まつばせ・松神子まつみこ・松前まつまえ・松濤まつなみ・松任まっとう・松蘿さるおがせ

解字 篆文 形声。木＋公㊥。

逆 孤松・貞松
【松韻】ショウイン まつかぜの音。松濤ショウトウ。松籟ショウライ。
【松煙】ショウエン ①まつをたく煙。墨の原料にする。松煤ショウバイ。②たいまつの煙。③まつをたいたすす。「松煙墨」
【松下村塾】ショウカソンジュク 国吉田松陰が長州の萩はぎ(今の山口県内)に開いた私塾。高杉晋作たかすぎシンサク・久坂玄瑞くさかゲンズイ・伊藤博文イトウひろぶみなどの人材が輩出した。
【松△龕】ショウガン まつに囲まれた寺。▼龕は、仏を安置する厨子ズシ。転じて、寺。
【松崎△慊堂】まつざきコウドウ 国江戸後期の儒者。肥後(今の熊本県)の人。名は復、慊堂は号。昌平黌ショウヘイコウに学び、掛川藩(今の静岡県内)の儒者となった。著書に『周礼札記』『慊堂存稿』などがある。(一七七一―一八四四)
【松菊】ショウキク まつと菊。用例〈東晋、陶潜、帰二園田居一詩〉三径就レ荒サンケイコウにつけども、松菊猶存ショウキクなお(ほ)ソンす。↓三本の小道は荒れはててようとしているが、松や菊はそれでもなお残っている。
【松△炬】ショウキョ ＝松明。
【松△喬】ショウキョウ ①赤松子セキショウシと王子喬オウシキョウ。ともに、長命の伝説上の仙人。②長寿。転じて、高尚な隠者をいう。
【松江】ショウコウ ①今の呉淞ウショウ江の古称。太湖から発して、上海で黄浦江に合流し海に注ぐ。②元・清シン代、府の名。今の上海市西部。
【松江△鱸】ショウコウのろ 呉淞ゴショウ江に産するすずきに似た魚。鱸魚ロギョ。美味で名高い。
【松子】ショウシ ①まつの実。まつかさ。松実。用例〈唐、韋応物、秋夜寄二丘二十二員外一詩〉山空松子落やまむなしくして、ショウシおつ、幽人応レ未レ眠ユウジンまさにいまだねむらざるべし。↓山には人の気配がなくひっそりとし、松かさの落ちる音が聞こえるだけだ。世捨て人たる君もきっとまだ眠らないでいることだろう。②赤松子。昔の仙人。
【松脂】ショウシ・まつやに まつの幹から出るやに。粘りけが強く、せっけん・テレビン油・ワニスなどの製造に用いる。
【松△颸】ショウシ まつかぜ。▼颸は、涼風。
【松△楸】ショウシュウ ①まつと、ひさぎ。ともに多く墓地に植える。②墓地をいう。
【松竹梅】ショウチクバイ ①まつと、たけと、うめ。冬の寒さに耐えるから、歳寒の三友という。②国まつと、たけと、うめ。めでたい物として慶事に用いる。
【松△濤】ショウトウ ＝松韻。▼濤は、なみ。
【松△柏】ショウハク まつと、このてがしわ。ともに樹齢の長い常緑樹であることから、人の節操・長寿・繁栄にたとえる。用例

〔論語、子罕〕歳寒(としさむくして)、然後知二松柏之後一レ彫也(しかるのちにショウハクのしぼむにおくるるをしるなり)。↓寒い季節になってはじめて松やこのてがしわの葉が、いつまでも散らずに緑を保っていることがわかるのである。

【松△柏△摧為(爲)レ薪】(ショウハクくだかれてたきぎとなる) 墓地に植えられている常緑の松柏(まつや、このてがしわ)も、ついにはきりくだかれてたきぎとなってしまう。世の中の変転のはげしさにたとえる。用例〔文選、古詩十九首、其十四〕古墓犂為レ田(コボはすかれてたとなり)、松柏摧為レ薪(ショウハクはくだかれてたきぎとなる)。↓古い墓は、いつのまにかすき耕されて田畑となってしまい、墓に植えられた常緑の松柏も切りくだかれてたきぎとなってしまう。

【松標】(ショウヒョウ) まつのこずえ。

【松風】(ショウフウ) 一 まつを吹く風。まつかぜ。二(まつかぜ) 国①茶の湯で茶がまの煮えたつ音。②菓子の名。

【松明】(ショウメイ・たいまつ) 昔、まつのやにの多い部分や竹・葦(あし)などを束ねて火をつけ、屋外の照明に用いたもの。松炬(ショウキョ)。

【松△籟】(ショウライ) =松韻。▼籟は、ひびき。

【松露】(ショウロ) ①まつの葉におく露。②小形の食用きのこの一種。

4 【枩】 8画 5247 ショウ 松(5246)と同字。→七三五ページ中。 5932 9E5F —

4 【枀】 8画 5248 ショウ 松(5246)と同字。→七三五ページ中。

4 【牀】 8画 (7103) ショウ 爿部。→九一八ページ上。

4 【枢】 8画 5249 常 スウ 3185 9095 —

11 【樞】 15画 5250 シュ 慣スウ 漢 shū 6068 9EE2 —

筆順 一 十 才 木 木 杅 杈 枢

字義 ❶とぼそ。くるる。開き戸を開閉する軸となる所。❷からくり。しかけ。❸かなめ。たいせつな所。「枢要」❹まんなか。中央。「中枢」❺天子の位。また、国家の政治の大権。❻よりどころ。たよりとする所。❼北斗七星の第一星。❽やまにれ。あきにれ。楡(にれ)に似た落葉低木。

名前 たる

解字 篆文［篆文］ 形声。木+区(區)音。音符の區(ク=ユシ)は、クルッとまわるの意味。開き戸がクルッと開閉するのに便利となるように工夫された軸、くるるの意味を表す。

逆 機枢・中枢・天枢

【枢奥】(スウオウ) 奥深く大切な所。

【枢機】(スウキ) ①物事の大切な所。かなめ。▼枢はとぼそ、機は弩(いしゆみ)のはじきがね。②大切な政務。天下・国家の政治。政治の大権。

【枢衡】(スウコウ) 国家政治上の重要な職務。また、中心。

【枢軸】(スウジク) ①開き戸のくるると、車の心棒。②活動の中心。大切な所。③政治機関の中心。権要な地位。④国第二次世界大戦の前から戦時中にかけて、日本・ドイツ・イタリアの間に結ばれた同盟関係。

【枢相】(スウショウ) ①枢密院の長官、枢密使の別称。②国明治憲法下の枢密院議長。

【枢府】(スウフ) =枢密院。

【枢柄】(スウヘイ) 政治上の権力。重要な権力。

【枢密】(スウミツ) ①政治上秘密にすべき事がら。政治の機密。②枢密院の略。枢府。

【枢密院】(スウミツイン) ①唐・五代・宋の各時代に、軍政や政治上の秘密事項をつかさどった役所の名。長官を枢密使、次官を枢密副使という。②国明治憲法下で、重要な国務や皇室の事務について天皇の相談に応じた機関。

【枢務】(スウム) 大切な政務。重要な国務。

【枢要】(スウヨウ) 大切な所。かなめ。

4 【枘】 8画 5251 漢ゼイ 呉ネイ 拼 ruì ₁8554 — 3514

字義 ほぞ。木材と木材とをつなぎ合わすため、他方の穴にさしこむ突起部。「枘鑿(ゼイサク)」

解字 形声。木+内音。音符の内(ダイ=ゼイ)は、なかに入れこむ意味を表す。穴にさしこむ木のほぞの意味を表す。

4 【析】 8画 5252 常 セキ 漢セキ・呉シャク 拼 xī 3247 90CD —

筆順 一 十 才 木 木 杉 析 析

字義 ❶さく。わる。木をわる。❷わける。わかつ。分解して明らかにする。「分析」❸わかれる。分散する。そむきはなれる。「析別」

解字 金文［金文］ 篆文［篆文］ 会意。木+斤。斤は、おのの意味。おので木をわる、さくの意味を表す。析を音符に含む形声文字に、淅(セキ)・晰(セキ)・蜥(セキ)などがある。

逆 解析・開析・分析

【負二析薪一】(セキシンをおう(ふ)) 父が薪を割れば、子がそれを背負う。子孫が父祖の業をつぐこと。

4 【枛】 8画 5253 漢ソウ(サウ) 呉ショウ(セウ) 拼 zhǎo ₁8555 — 3516

字義 木のとげ・はり。 難読 枛木(はぬき・はのき)

解字 形声。木+爪音。

4 【枏】 8画 5254 ダン 柟(5330)と同字。→七三三ページ下。 — — 3510

4 【杻】 8画 5255 一 チュウ(チウ) 拼 chǒu 二 漢ジュウ(ヂウ) 呉ニュウ(ニウ) 拼 niǔ ₁8551 — 3506

字義 一てかせ。罪人の手にはめて自由をうばう刑具。二もち。モチノキ科の常緑高木。木質が固くて弓や印材などになる。

解字 形声。木+丑音。音符の丑(チュウ)は、ひねるの意味。手をひねってはめる、てかせの意味を表す。

4 【杶】 8画 5256 チュン 拼 chūn ₂1438 — 3505

字義 ちゃんちん(香椿)。センダン科の常緑高木。 難読 杶(こも・つぎ)

解字 形声。木+屯音。

4 【杼】 8画 5257 一 漢チョ・呉ジョ(ヂョ) 拼 zhù 二 漢ショ・呉ジョ 拼 shù 5933 9E60 —

字義 一❶ひ。はた織りで、横糸を通す道具。❷うすい(薄)。また、けずって薄くしたもの。❸そぐ。先端を細める。❹のべる。=舒(9706)。二どんぐり。つるばみ。櫟(くぬぎ)の実。=芧(9833)。

解字 篆文［篆文］ 形声。木+予音。音符の予は、はた織りに用いる横糸を自由に走らせるための道具、「ひ」の象形で、ひの意味を表す。のち、木を加えた。

4 【枕】 8画 5258 常 まくら シン 慣チン 拼 zhěn 4377 968D —

筆順 一 十 才 木 木 杪 枕 枕

字義 ❶まくら。❷まくら-にする。まくらをして横になる。用例〔論語、述而〕曲レ肱而枕レ之(ひじをまげてこれをまくらとす)。↓肘を曲げて、それを枕にする。❸のぞむ(臨)。ほとりにある。❹車の後部の横木。軫(シン)。国まくら。前置きのことば。落語などで初めにつけて話す短い話。

名前 やす・より

解字 篆文［篆文］ 形声。木+冘音。音符の冘(イン)は、人が頭の下にしきあてるまくらの象形。木製のまくらの意味を表す。

【枕骸】(チンガイ) 重なり合った死体。

【枕△肱】ひじをまくらとする。清貧を楽しむさま。『論語』述而編に「曲レ肱而枕レ之、楽亦在二其中一矣」とあるのに基づく。

【枕△藉】たがいにまくらして寄りかかり合って寝る。重なり合って寝る。用例〔北宋、蘇軾、前赤壁賦〕相与枕二藉乎舟中一、不レ知二東方之既白一。↓(二人は)舟の中でたがいに寄りかかって眠り、東の空がもう明るくなり始めたことにも気が付かなかった。

【枕上】①まくらもと。まくらべ。枕頭。②まくらの上。眠りがさめて、まだ寝床の中にいるときをいう。

【枕席】①まくらと、しとね。寝具。②寝ること。

【枕中記】唐代の伝奇小説。唐の沈既済の作。盧生が邯鄲(河北省内)の宿屋で仙人の呂翁に会い、そのまくらを借りて眠り、栄枯盛衰の一生を夢みて、人生のはかなさをさとるという物語。

【枕△簟】まくらと、たかむしろ。寝具。ねどこ。

【枕頭】まくらもと。まくらべ。枕上。枕側。

【枕流△漱石】負け惜しみの強いこと。＝枕レ流漱レ石(八四三ページ下)。

【△欹レ枕聴(聽)】まくらを傾け、耳を澄まして聞く。用例〔唐、白居易、香炉峰下新卜二山居一草堂初成偶題二東壁一詩〕遺愛寺鐘欹レ枕聴、香炉峰雪撥レ簾看。↓遺愛寺でつく鐘の音は、ねたまま枕をかたむけてきき、香炉峰に積もる雪は、すだれをはねあげて眺める。

【高レ枕】やすらかに寝る。安心する。高枕。用例〔戦国策、魏〕高レ枕而臥。↓まくらを高くして安らかに眠る。

4
【東】8画 5259 教2 トウ ひがし
トウ 東 dōng
3776
938C
一

筆順 一 丅 冂 戸 白 申 東 東

字義 ❶ひがし。ひんがし。日の出る方角。五行では木、四季では春、五色では青に配する。❷ひがしする。東方へ行く。❸主人。昔は、客が西に、主人が東に位置したからいう。国あずま。箱根から東の方の地。東国。「関東」

名前 あがり・あきら・あずま・こち・と・とう・はじめ・はる・ひがし・ひで・もと 難読 東海林・東金・東庄・東風・東文・東北風・東浪見

解字 甲骨文  金文  篆文  象形。ふくろの両端をくくった形にかたどる。重いふくろをうごかすさまから、万物をねむりから動かす太陽の出る方、ひがしの意味を表す。一説に、木の中間に日があることによって、日がのぼるひがしの方の意味を示す指事文字とする。

逆 極東・大東・日東

【東亜(亞)】アジア大陸の東部。

【東△夷】一 東方の未開の異民族。東方の未開人。二 国①昔、東国に住んでいた異民族。②京都人が東国の武士をあざけって呼んだ語。

【東雲】一 東の空の雲。二 あかつき。あけがた。

【東△瀛】①東の海。▼瀛は、大海。②日本。

【東屋】一 東側にある家屋。二 国四本の柱を建て、屋根を四方にふきおろした、壁のない小屋。また草ぶきの民家。四阿。

【東下】一 都から東方へ行く。二 国昔、京都から関東に下ったこと。関東下向。

【東家】①東隣の家。②宿屋の主人。③主人。

【東海】①東方の海。②東シナ海。③日本。④国「東海道(江戸・京都間の海岸沿いの街道)」の略称。

【東岳(嶽)】①泰山(八〇九ページ上)の別称。五岳の一つ。東岱。②国筑波山の別称。関東平野の東部にあることから。

【東漢】①後漢の別称。東都(洛陽)に都したからいう。↔西漢(一二八九ページ上)。②五代十国の北漢。

【東観(觀)】漢代、宮中の図書館。

【東△魏】国名。後魏の末期、高歓が孝静帝を擁立して鄴(今の河北省臨漳県の西南)に都した国。(五三四—五五〇)

【東郷(鄉)・東△嚮】東向。東の方に向かう。

【東宮】①皇太子の宮殿。②皇太子。＝春宮(六六〇ページ上)。

【東君】①太陽。また、その神。②春の神。東皇。

【東京】一 ①後漢の都、洛陽(河南省内)。↔西京(一二八九ページ上)。②北宋の都汴京(今の河南省開封市)。二 ベトナムの北部地方。中心都市はハノイ。三 国日本の首都。

【東皇】春の神。また、春。東帝。東君。

【東△皐・東△皋】東方のおか。また、東方の田畑。

【東西】①東と西。②方角。方向。むき。③品物。また、銭。④別々の方角。⑤あたり。周囲。⑥あちこち動くこと。⑦芝居やすもうで見物人の注意を要求することば。⑧国東洋と西洋。

【東西南北人】①住所の一定しない人。流浪の人。用例〔礼記、檀弓上〕今丘也、東西南北之人也。↓今や丘(孔子)は流浪の人である。②四方の人。諸方の人。

【不レ弁(辨)二東西一】東と西の区別も知らない。物事を分別する力のないこと。〔唐、白居易、重傷二小女子一詩〕

【無二東西一】①農作物の列がひどく乱れていること。農作業に手の回らないさま。②無秩序のさま。用例〔唐、杜甫、兵車行〕縦有二健婦把二鋤犂一、禾生二隴畝一無二東西一。↓たとえすきを手に耕作に励む健気な婦人があったとしても、穀物は畑に生えても列をなさず無秩序なありさま。

【東作】春の耕作。春の農事。▼東は、四季で春に配する。〔書経、尭典〕

【東山】一 ①＝東蒙。②浙江省にある山の名。東晋の謝安がここに隠棲した。③東方の山。二 国「東山道」の略。八道の一つ。三 国京都の東方に連なる丘陵。

【東周】周の平王が都を鎬京(今の陝西省西安市)からその東方の洛邑(今の河南省洛陽市)に移して(前七七〇)以後の周をいう。

【為(爲)二東周一】周初の理想とされた政治を東方の魯で実現する。

【東城】①町の東。城東。用例〔唐、李白、送二友人一詩〕青山横二北郭一、白水遶二東城一。↓青々とした山が町の北に横たわっていて、白く輝く川は町の東をとりまくように流れている。②秦の県名(今の安徽省定遠県の南東)。

【東△晋(晉)】司馬睿が建てた国。都は建業(今の南京)。十一代、百四年(三一七—四二〇)で滅びた。後晋。↔西晋(一二八九ページ下)。

【東垂・東△陲】東の果て。国の東の果て。

【東征】東方を征伐する。

【東遷】①東方に移る。②周の平王が前七七〇年に都を鎬京(今の陝西省西安市)から、東方の洛邑(今の河南省洛陽市)に移したこと。

【東漸】しだいに東の方へ移り進む。

【東内】唐代、大明宮をいう。↔西内(一二八九ページ下)・南内(三一五ページ下)。

【東天紅】国①朝。東の空があからむこと。②晩に鳴く鶏の声。東の空の赤らむのを知らせる意を、その鳴き声にあてたもの。③長鳴鶏の一種。高知県原産。

【東都】①東周・後漢時代、洛陽を東都と称した。↓東京①。②国東京(昔は江戸)をいう。

【東道主人】主人となって来客の道案内や世話をする人。また、道案内。

【東△坡】一 東のどて。二 北宋の蘇軾の号。黄州(今の湖北省黄岡市)に流され、その東坡にいたから、東坡居士と号した。

【東風】①ひがしかぜ。こち。②春風。

【東風射二馬耳一】馬の耳に春風が吹き入る意で、人の意見・批評などをなんとも思わぬたとえ。馬耳東風。馬の耳に念仏。〔唐、李白、答二王十二…有レ懐詩〕

【東壁】①文章をつかさどる星の名。②図書室をいう。③東がわのかべ。

【東方△朔】前漢の文学者。字は曼倩。弁舌文章にすぐれ、そのユーモアと奇行によって武帝に愛された。伝説では、仙術をよくした方士で、西王母の桃を盗み食って長寿を保ったという。

【東奔西走】東西に奔走する。あちこちいそがしくかけまわる。東行西走。南行北走。

【東△蒙】山東省費県の西北にある蒙山をいう。魯の東にあり、昔、孔子が登ったという。東山。

【東洋】①アジア大陸の東部の称。②トルコ以東のアジアの諸国の称。③黄海。④中国人が日本をさしていう。

【東△籬】東がわのまがき。用例〔東晋、陶潜、飲酒詩〕采レ菊東籬下、悠然見二南山一 ↓菊の花を、家の東のまがきのあたりにつみながら、ゆったりと南山(廬山)をながめる。

【東流】一 ①水が東方に流れる。②川。中国の川は多く東に流れるからいう。二 仏東方に広まる。

4 【料】 8画 5260 一 シュ 䕫 zhǔ 二 漢トウ・呉ツ 有 dǒu 8553 — 3512
字義 一 ひしゃく。水をくむ道具。二 ますがた。とがた。柱の上の、棟木をささえる方形の材木。「料栱」
解字 篆文 形声。木＋斗音。音符の斗は、ひしゃくの象形。木製のひしゃくの意味を表す。

4 【杷】 8画 5261 人 標 一 漢ハ・呉バ 麻 pá 二 漢ハ・呉バ 禡 bà 3939 9466 —
筆順 一 十 オ 木 朾 杞 杷

字義 一 ❶さらい。えぶり。穀物をかき集める農具。❷くまで。牛や馬にひかせて田の土をならす。❸枇杷は、果樹の名。二 つか。え。刀剣や物のにぎり持つ部分。＝欛(5936)。
解字 篆文 形声。木＋巴音。音符の巴は、地面にぺったりつくの意味。地面を平らにするための木の柄のついた農具、さらいの意味を表す。

4 【杯】 8画 5262 常 ハイ さかずき ハイ 灰 bēi 3953 9474 —
［桮］5470 本字 ［盃］7920 俗字
筆順 一 十 オ 木 朩 杯 杯
字義 ❶さかずき。「酒杯」❷器物に入れた液体などの数量を数える語。
解字 篆文 形声。木＋不音。篆文は、木＋否音。音符の否は、ふっくらと大きいの意味。ものを入れるためのふっくらとした木製の器、さかずきの意味を表す。
逆 玉杯・金杯・献杯・賜杯・酒杯・寿杯・賞杯・大杯・罰杯・別杯・流杯
【杯△杓】さかずきと、酒をくむひしゃく。転じて、酒もり。
【不レ勝二杯△杓一】これ以上は酒が飲めない。飲みすぎてこれ以上酒の相手ができない。用例〔史記、項羽本紀〕沛公不レ勝二杯杓一、不レ能レ辞。↓わが君沛公はとてもこれ以上酒をいただけなくなり、お別れのあいさつもいたしかねました。
【杯酒】さかずきについだ酒。
【杯△觴】さかずき。
【杯中蛇影】神経質で自分から疑い迷う心が生じて苦しむこと。河南の長官楽広の友人が、役所の壁にかけた弓が杯の酒に映ったのを蛇だと思い込んでから、病気になった。しかし楽広から事実を聞いてけろりと治ったという故事による。疑心暗鬼。〔晋書、楽広伝〕
【杯中物】さかずきの中の物の意で、酒をいう。用例〔東晋、陶潜、責レ子詩〕天運苟如レ此、且進二杯中物一 ↓これが運命であるのなら、とりあえずは酒を飲むとしよう。
【杯盤△狼△藉】さかずきや皿などがいり乱れる。酒席が乱れているさま。用例〔北宋、蘇軾、前赤壁賦〕肴核既尽、杯盤狼藉 ↓肉やくだものなどの酒の肴もなくなり、さかずきや皿などが入り乱れている。

4 【柿】 8画 5263 ハイ 隊 fèi —— 3503

［杮］5264 本字
字義 国こけら。こっぱ。木のけずりくず。屋根をふくために、木材を薄くけずって作った細長い板。柿板の略。「柿葺」
参考 〔柿〕(5309)は別字で、つくりが亠と巾に分かれる。
解字 形声。木＋市音。

4 【杮】 8画 5264 ハイ 柿(5263)の本字。→七三八ページ中。 2̲1436 — —

4 【柨】 8画 5265 漢ハイ 呉ハ 卦 pài 2̲1441 — —
字義 ❶あさ(麻)。❷あさぬの。
解字 会意。朩を二つ合わせて、からむしの茎からはぎとった皮を細かくさいて整理するの意味を表し、派生して、あさの総称とする。

4 【板】 8画 5266 教3 ハン・バン いた ハン 潸 bǎn 慣バン 4036 94C2 —
筆順 一 十 オ 木 朾 扩 板

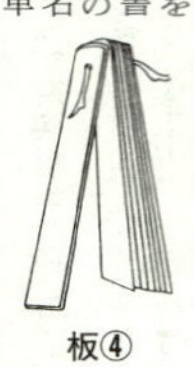
板④

字義 ❶いた。㋐材木をうすく平らにしたもの。㋑金属や石などをうすく平らにしたもの。❷はんぎ。印刷のために文字や絵を彫った木板。＝版(7111)。❸ばんぎ。たたき鳴らして合図に使う板。❹打楽器の一つ。平らな板を重ね合せ、一端をくくり、打ち合わせて音を出すもの。「拍板」❺ふだ。書きもの。㋐手紙。㋑みことのり。詔書。㋒辞令書。㋓名札。㋔戸籍簿。❻長さの単位。一丈(十尺)、また、八尺(周時代の一尺は、約二二・五センチメートル)。❼そむく。

名前 いた
解字 形声。木＋反音。

逆 甲板・手板・平板・木板
【板屋】板ぶきの屋根の家。

【板行】板木に彫り印刷して世に広めること。版行。

【板刻】印刷のため文字・図面を板木に彫ること。

【板築】①土べいや城壁を築くとき用いる、板と、きね。②土べいや城壁を築く工事。また、その工事をする人。

【板△蕩】国が乱れること。▼板も蕩も、周の厲王の無道な政治を歌った『詩経』大雅の編名。

【板板】そむく。反する。道を失う。また、その形容。

【板木】一 国印刷のために文字・図画を彫刻する、また、彫刻した板。【板本】板木に彫って印刷した書物。㊁国たたいて合図する板。↔写本(一六一ページ下)。

4 【柉】 8画 5267 ㊀漢ハン・呉ボン 國 fān ㊁漢ヘン・呉ベン 臣
— — 3530

字義 ㊀㊁木の名。皮は縄として用いる。

解字 形声。木＋乏(音)。

4 【枇】 8画 5268 人 標 漢ヒ 呉ビ 支 pí
4090 94F8 —

筆順 一 十 才 木 木 朼 枇 枇

字義 枇杷は、㋐果樹の名。また、その果実。㋑弦楽器の名。琵琶。

名前 ひ

解字 形声。木＋比(音)。

4 【杪】 8画 5269 漢ビョウ(ベウ) 呉ミョウ(メウ) 篠 miǎo
5934 9E61 —

字義 ㋐こずえ(杪)。木のさき。㋑はし。さき。すえ(末)。終わり。「歳杪(年末)」「杪春(晩春)」

解字 篆文 形声。木＋少(眇)(音)。音符の眇は、目に小さく映るの意味。木のすえの目に小さく見える部分、こずえの意味を表す。

4 【枎】 8画 5270 漢フ 呉ブ 虞 fú, ③fū
— — 3509

字義 ❶はびこる。❷かたわら。❸うてな。花の萼。また、花の子房。

解字 形声。木＋夫(音)。

4 【枌】 8画 5271 漢フン 呉ブン 文 fēn
5935 9E62 —

字義 木の名。白にれ。楡の一種。国そぎ。木をうすくそいだ板で、屋根をふくのに用いる。そぎ板。

解字 形声。木＋分(音)。

【枌楡】フンユ ①にれの木。②漢の高祖の郷里にあった、豊の社(土地の神)の名。にれの木が社にあったのでいう。高祖が天子となったのち、その社を都に移して望郷の心を慰めた。③郷里。「枌楡同契(郷里が同じであること)」

4 【枋】 8画 5272 ㊀ホウ(ハウ) 陽 fāng ㊁ホウ(ハウ) 漾 fǎng
5936 9E63 —

字義 ㊀❶ふしづけ。柴をならべて魚を捕らえるしかけ。❷木の名。まゆみ。檀。㊁いかだ。＝方(4612)。

解字 篆文 形声。木＋方(音)。音符の方は、並べるの意味。柴を並べて水をせきとめ魚を捕らえる、ふしづけの意味や、木を並べて作るいかだの意味を表す。

4 【枚】 8画 5273 漢バイ・呉マイ 灰 méi 教6 マイ
4371 9687 —

筆順 一 十 才 木 朩 朼 枚 枚

字義 ❶うすく平たいものを数える語。❷数える。いちいち数える。「枚挙」❸みき(幹)。❹むち。馬のむち。また、杖。❺昔、夜討ちなどのとき、声を立てぬように兵士の口にくわえさせ、ひもでくびに結びつけた、箸のような木。馬にも用いた。❻こまかなこと。細かいさま。「枚枚」

名前 かず・ひら・ふむ　難読 枚聞・枚方

解字 金文 篆文 会意。木＋攵(支)。支は、手にむちを持つ形にかたどる。手にするむち・みきの意味を表す。転じて、木片など、うすく平たいものをかぞえるときにそえる語としても用いる。

【枚挙(擧)】マイキョ 一つ一つ数えあげる。「枚挙に遑あらず」

【枚乗(乘)】バイジョウ 前漢の文学者。字は叔。賦(韻文の一体)にすぐれ、「七発」は、その代表作。武帝に召されたが、老齢のため途中で死んだ。(?—前一四〇)

【銜枚】バイをふくむ ＝銜枚(一四七〇ページ中)。

4 【枙】 8画 5274 ㊀ガ(グワ) 歌 è ㊁漢アク・呉ヤク 陌 è
— — 3515

字義 ㊀木の節。㊁くびき。

解字 形声。木＋厄(音)。

4 【杳】 8画 (4698) ヨウ 日・曰部。→六五八ページ下。

4 【枖】 8画 5275 ㊀ヨウ(エウ) 蕭 yāo ㊁ヨウ(エウ) 篠 yǎo
— — 3513

字義 ㊀木が若く盛んなさま。㊁木の名。

解字 形声。木＋夭(音)。音符の夭は、若々しいの意味。

4 【林】 8画 5276 教1 リン はやし 侵 lín
4651 97D1 —

筆順 一 十 才 木 朩 村 材 林

字義 ❶はやし。㋐木や竹が群がりはえている所。「森林」㋑物事や仲間が多く集まっている所。「語林」「儒林」❷多い。衆多。また、さかん。「林立」❸野外。

名前 き・きみ・きむ・しげ・しげる・とき・な・はやし・ふさ・もと・もり・よし・りん　難読 林檎

解字 甲骨文 篆文 会意。木＋木。木が並び立つさまから、はやしの意味を表す。林を音符に含む形声文字は、ある時空間を長くひとり占めにするの意味を共有し、惏・淋・痳・醂・霖などがある。

逆 学林・寒林・空林・芸林・儒林・植林・書林・辞林・深林・聖林・石林・禅林・談林・文林・緑林

【林園】リンエン 樹木の茂った庭園。林苑。

【林間煖酒焼(燒)紅葉】リンカンにさけをあたためてコウヨウをたく 林の中で紅葉を燃やして酒の燗をする。風流なおもむきを述べたもの。▼焼は、また「やく」ともよむ。用例〔唐、白居易、送王十八帰山寄題仙遊寺詩〕林間煖酒焼紅葉、石上題詩払緑苔　リンカンにさけをあたためてコウヨウをたき、セキジョウにシをダイしてリョクタイをはらう(ふ)。

↓林の中で紅葉を燃やして酒の燗をし、石上に緑のこけを払い清めて詩を書きつける。

【林景】リンケイ 林の姿。▼景は、影。

【林述斎(齋)】はやしジュッサイ 国江戸後期の儒学者。名は衡。字は徳詮。述斎は号。岩村藩(今の岐阜県内)主、松平乗蘊の子。幕命により林家を継ぎ、幕府の儒官となり、大学頭となった。(一七六八—一八四一)

【林鐘・林鍾】リンショウ ①音律の十二律の一つ。呂の音。六月の音律。②陰暦六月の別名。

【林泉】リンセン はやしといずみ。また、それのある庭園。

【林藪】リンソウ ①草木の茂ったところ。やぶ。▼藪は、水のない沢。②草深い田舎。③物の多く集まる所。

【林則徐】リンソクジョ 清の政治家。侯官(今の福建省内)の人。字は元撫・少穆。欽差大臣として広東に行き、アヘンの禁輸と取り締まりに努力し、アヘン戦争のきっかけをなした。のち、太平天国の討伐途上病死した。(一七八五—一八五〇)

【林塘】リントウ はやしと、つつみ。また、林の中の池。

【林薄】リンパク 草木の茂ったところ。やぶ。林藪。▼薄は、草むら。

【林霏】リンピ 林にたちこめているもや。林靄。

【林府】リンプ 物の多く集まる所。

【林逋】リンポ 北宋の詩人。銭塘(今の浙江省内)の人。字は君復。諡は和靖。博学で、詩・書にすぐれていたが、梅と鶴とを友として西湖の孤山にかくれ住み、生涯仕えなかった。著書に『林和靖詩集』がある。(九六七—一〇二八)

【林羅山】はやしラザン 国江戸前期の儒学者。林家の始祖。京都の人。名は忠、また信勝。字は子信。羅山は号。出家して道春と称した。藤原惺窩に朱子学を学び、家康・秀忠ら四代に仕えて書を講じ、また政治上の相談にもあずかった。(一五八三—一六五七)

【林立】リンリツ 林のように、物が群がり立つ。

4【枦】8画 5277 ロ 櫨(5912)の俗字。→七五五ページ下。 5937 9E64 —

4【枦】8画 5278 ロ 櫨(5912)の俗字。→七五五ページ下。 5938 9E65 —

難読 枦谷(かたらがい)・枦畑(はじはた)

4【枡】8画 5279 国字 標 ［桝］5494 簡易 ［桝］5424 俗字

字義 ます。＝升(3275)。㋐物の容量をはかる道具。㋑芝居などの観覧席の四角なしきり。

解字 会意。木＋升。「ます」の意味を表す升に、さらに木を付して意味を明らかにした国字。

4【枠】8画 5280 国字 常 わく 4740 9867 —

筆順 一 十 才 木 朾 杦 枠 枠

字義 わく。㋐まわりをふちどって囲むもの。㋑定まった型。制約。限度。

解字 会意。木＋卆。卆は、糸を巻きつける道具の象形。木を付し、わくの意味を表す。

4【杈】8画 5281 国字 2 1435 — —

杈栂木(とがのき)は、姓氏。

5【栄】9画 5282 教4 エイ さか-える・は-え・は-える 1741 8968 —

10【榮】14画 5283 人 漢エイ 呉ヨウ(ヤウ) 拼 róng 6038 9EC4 —

筆順 丶 丷 ⺍ ⺍ 𭕄 𭕄 栄 栄 栄

［荣］5285 俗字

字義 ❶さか-える。は-える。↔枯(5301)。㋐草木がさかんに茂る。㋑さかんになる。隆盛になる。繁昌する。㋒あらわれる。名声があがる。かがやく。❷さか-え。は-え。㋐草木がさかんに茂ること。花を咲かせること。用例〔東晋、陶潜、帰去来辞〕木欣欣以向レ栄(木はキンキンとしてエイにむかい)、泉涓涓而始流(いずみはケンケンとしてはじめてながる)。↓木はさかんに茂り花を咲かせようとし、泉の水はちょろちょろと流れ始めている。㋑隆盛。繁昌。「繁栄」㋒ほまれ。名誉。↔辱(1196)。「栄誉」「光栄」㋓ひかり。かがやき。光明。❸花。また、草花が咲く。

名前 え・えい・さい・さか・さかえ・さこう・しげ・しげる・たか・てる・とも・なが・はる・ひさ・ひさし・ひで・ひろ・まさ・よし

難読 栄螺(さざえ)

使いわけ はえる・はえ〔栄・映〕
〔栄〕名誉・栄光に関するもの。「栄えある優勝・出来栄え」
〔映〕光を受けて美しい。調和して美しい。「朝日に映える・ネクタイが洋服に映える」

解字 金文  篆文  象形。金文は、燃えるたいまつを組み合わせて立てた、かがり火の象形で、さかんにかがやくさまから、さかえるの意味を表す。篆文は、木＋熒省音の形声文字とし、あおぎりの意味を表すという。常用漢字の栄は、榮の省略形。

逆 虚栄・光栄・春栄・声栄・清栄・繁栄・余栄

【栄位】エイイ 名誉ある地位。光栄ある地位。

【栄華】エイガ ①草木がさかんに茂ること。花を開くこと。また、花。②時めきさかえる。はなやかにさかえる。

【栄冠】エイカン ほまれのかんむり。最上のほまれ。かがやかしい勝利・成功などにいう。

【栄観(觀)】エイカン ①りっぱなたかどの。宮殿。〔老子、二十六〕②りっぱな名声。

【栄顕(顯)】エイケン 身がさかえ名があらわれる。顕栄。

【栄枯】エイコ ①草木の茂ることと、かれること。②さかえることと、おとろえること。栄枯盛衰。

【栄光】エイコウ ①ほまれ。名誉。②かがやかしい光。はえある光。

【栄爵】エイシャク ①名誉ある爵位。貴い位。②国五位の称。

【栄辱】エイジョク ほまれと、はずかしめ。名誉と恥辱。

【栄進】エイシン 前より高い地位にのぼる。

【栄達】エイタツ さかえて高い地位に進むこと。

【栄適】エイテキ さかえ楽しむ。自分の思いがかなって栄えること。

【栄典】エイテン ①名誉を表彰するために設けた制度。国家に功労のあった人に与える爵位・位階・勲等など。②めでたい儀式。

【栄転(轉)】エイテン ①前よりもよい地位に移り進むこと。②他人の転任の敬称。

【栄名】エイメイ はえある名声。

【栄誉(譽)】エイヨ ほまれ。りっぱな名誉。

【栄養】エイヨウ ①親によい着物や食べ物を勧めて孝養をつくすこと。②生物が食物をとり養分を吸収して生活力を維持すること。また、その食物。◈②の本来の表記は「営み養う」、つまり「営養」であった。「栄養」の原義は①であったが、「美味」「養分」の意が栄の字と結びつきやすく、「栄養」の表記が早くから行われている。現在では「栄養」が一般的。

【栄△耀】㊀エイヨウ さかえかがやく。さかえる。栄曜。㊁エヨウ 国おごり。ぜいたく。はで。「栄耀栄華」

【栄落】エイラク さかえることと、おちぶれること。「一栄一落」

【栄覧(覽)】エイラン 他人の文書を見せてもらうこと。また、自分の文書を人が見ることをいう敬称。

【栄利】エイリ 名誉と利益。用例〔東晋、陶潜、五柳先生伝〕不レ慕二栄利一(エイリをしたわ(は)ず)。↓名誉と利益を追い求めない。

5【枻】9画 5284 ㊀漢エイ 拼 yì ㊁漢セツ・呉セチ 拼 xiè 1 8556 EDC6 3521

［栧］5359 同字

字義 ㊀かい。舟をこぎ進める道具。㊁ゆだめ。弓のまがりを直す道具。

解字 形声。木＋世音。

【鼓レ枻】エイをこす かいの音をたてる。舟をこぐ。用例〔楚辞、漁父〕漁父莞爾而笑(ギョホカンジとしてわらい(ひ))、鼓レ枻而去(エイをこしてさる)。↓漁師はにっこり笑い、かいの音をたてて去って行った。

5【荣】9画 5285 エイ 栄(5282)の俗字。→七三〇ページ上。 2 1442 — —

5【栐】9画 5286 漢エイ 呉ヨウ(ヤウ) 拼 yǒng 2 1443 — —

［栐］5360 同字

字義 木の名。

解字 形声。木＋永音。

5【柼】9画 5287 漢オウ(アウ) 呉ヨウ(エウ) 拼 yǎo 1 8560 — —

字義 物をひく。

解字 会意。木＋穴。

難読 柼木(うと)

5【架】9画 5288 常 カ か-ける・か-かる 漢カ 呉ケ 拼 jià 1845 89CB —

筆順 フ カ か 加 加 加 架 架 架

字義 ❶たな。物をのせる平らな台。「書架」❷いこう。きものかけ。「衣架」❸か-ける。かけわたす。か-かる。「架橋」

名前 みつ

使いわけ かける・かかる〔掛・架・懸・賭・係〕⇨掛(4218)。

解字 形声。木＋加音。音符の加は、くわえるの意味。木を加えわたすたな、また、かけるの意味を表す。

逆 衣架・橋架・後架・銃架・書架・筆架

【架橋】カキョウ 橋をかける。また、かけ渡した橋。

【架空】カクウ ①空中にかけ渡す。②根拠のないこと。

【架設】カセツ かけわたす。高い所に橋・電線などをかける。

【架蔵(藏)】カゾウ 国書籍をたなに所蔵する。

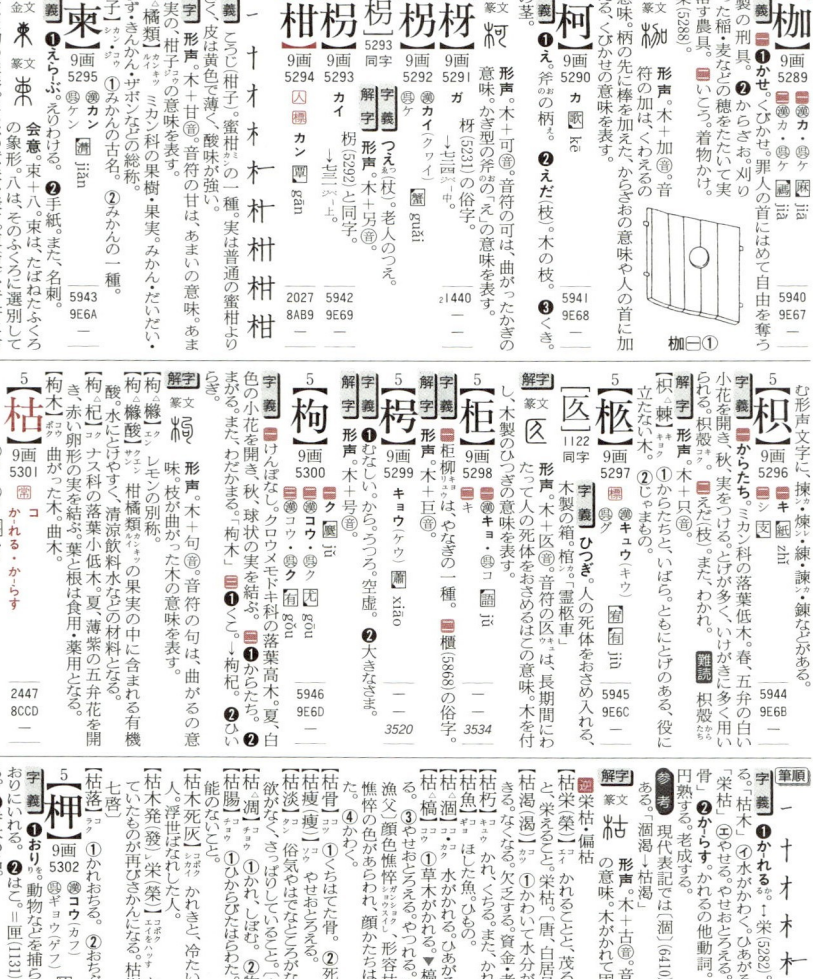

5 【枷】 9画 5289 一漢カ・呉ケ 麻 jiā 二漢カ・呉ケ 禡 jià 5940 9E67 —

字義 一❶かせ。くびかせ。罪人の首にはめて自由を奪う木製の刑具。❷からざお。刈り取った稲・麦などの穂をたたいて実を落とす農具。二いこう。着物かけ。＝架(5288)。

解字 篆文 形声。木＋加音。音符の加は、くわえるの意味。柄の先に棒を加えた、からざおの意味や人の首に加える、くびかせの意味を表す。

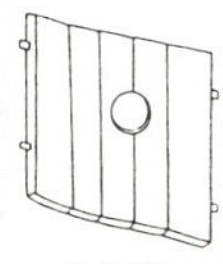
枷一①

5 【柯】 9画 5290 カ 歌 kē 5941 9E68 —

字義 ❶え。斧の柄。❷えだ(枝)。木の枝。❸くき。草の茎。

解字 篆文 形声。木＋可音。音符の可は、曲がったかぎの意味。かぎ型の斧の「え」の意味を表す。

5 【枒】 9画 5291 ガ 2 1440 — —

枒(5231)の俗字。→七三四ジ-中。

5 【枴】 9画 5292 漢カイ(クワイ) 蟹 guǎi 呉ケ
[柺] 5293 同字

字義 つえ(杖)。老人のつえ。

解字 形声。木＋另音。

5 【柺】 9画 5293 カイ 5942 9E69 —

枴(5292)と同字。→七三二ジ-上。

5 【柑】 9画 5294 人 標 カン 覃 gān 2027 8AB9 —

筆順 一 十 才 木 木一 杆 杆 柑 柑

字義 こうじ(柑子)。蜜柑の一種。実は普通の蜜柑より小さく、皮は黄色で薄く、酸味が強い。

解字 形声。木＋甘音。音符の甘は、あまいの意味。あまい実の、柑子の意味を表す。

【柑橘類】カンキツルイ ミカン科の果樹・果実。みかん・だいだい・ゆず・きんかん・ザボンなどの総称。

【柑子】コウジ ①みかんの古名。②みかんの一種。

5 【柬】 9画 5295 漢カン 潸 jiǎn 呉ケン 5943 9E6A —

字義 ❶えらぶ。えりわける。❷手紙。また、名刺。

解字 金文 篆文 会意。束＋八。束は、たばねたふくろの象形。八は、そのふくろに選別して入れた物の象形。えらぶの意味を表す。柬(柬)を音符に含む形声文字に、揀・煉・練・諫・鍊などがある。

5 【枳】 9画 5296 一キ 紙 zhǐ 二シ 支 5944 9E6B —

字義 一からたち。ミカン科の落葉低木。春、五弁の白い小花を開き、秋、実をつける。とげが多く、いけがきに多く用いられる。枳殻。二えだ(枝)。また、わかれ。

難読 枳殻(からたち)

解字 形声。木＋只音。

【枳棘】キキョク ①からたちと、いばら。ともにとげのある、役に立たない木。②じゃまもの。

5 【柩】 9画 5297 標 漢キュウ(キウ) 宥 jiù 呉グ 5945 9E6C —
[匛] 1122 同字

字義 ひつぎ。人の死体をおさめ入れる、木製の箱。棺。「霊柩車」

解字 篆文 形声。木＋匛音。音符の匛は、長期間にわたって人の死体をおさめるはこの意味。木を付し、木製のひつぎの意味を表す。

5 【柜】 9画 5298 一漢キョ・呉コ 語 jǔ — — 3534

字義 一柜柳は、やなぎの一種。二櫃(5868)の俗字。

解字 形声。木＋巨音。

5 【枵】 9画 5299 キョウ(ケウ) 蕭 xiāo — — 3520

字義 ❶むなしい。から。うつろ。空虚。❷大きなさま。

解字 形声。木＋号音。

5 【枸】 9画 5300 一ク 麌 jǔ 二漢コウ・呉ク 尤 gōu 三漢コウ・呉ク 有 gǒu 5946 9E6D —

字義 一けんぽなし。クロウメモドキ科の落葉高木。夏、白色の小花を開き、秋、球状の実を結ぶ。二❶からたち。❷まがる。また、わだかまる。「枸木」三❶くこ。→枸杞。❷ひいらぎ。

解字 篆文 形声。木＋句音。音符の句は、曲がるの意味。枝が曲がった木の意味を表す。

【枸櫞】クエン レモンの別称。

【枸櫞酸】クエンサン 柑橘類の果実の中に含まれる有機酸。水にとけやすく、清涼飲料水などの材料となる。

【枸杞】クコ ナス科の落葉小低木。夏、薄紫の五弁花を開き、赤い卵形の実を結ぶ。葉と根は食用・薬用となる。

【枸木】コウボク 曲がった木。曲木。

5 【枯】 9画 5301 常 コ かれる・からす 漢コ・呉ク 麌 kū 2447 8CCD —

筆順 一 十 才 木 木一 杆 杆 枯 枯

字義 ❶かれる。㋐草木の生気がなくなる。「枯木」↔栄(5282)。㋑水がかわく。ひあがる。「枯井」㋒おとろえる。㋓やせる。やせおとろえる。㋔死ぬ。くちはてる。「枯骨」❷からす。かれるの他動詞。❸かれき。国かれる。円熟する。老成する。

参考 現代表記では[涸](6410)の書きかえに用いることがある。「涸渇→枯渇」

解字 篆文 形声。木＋古音。音符の古は、ふるく固くなるの意味。木がかれて固くなるの意味を表す。

逆 栄枯・偏枯

【枯栄(榮)】コエイ かれることと、茂ること。また、おとろえることと、栄えること。栄枯。〔唐、白居易、草詩〕

【枯渇(渴)】コカツ ①かわいて水分がなくなる。涸渇。②つきる。なくなる。欠乏する。資金・考えなどについていう。

【枯朽】コキュウ かれ、くちる。また、かれくちた物。

【枯魚】コギョ ほした魚。ひもの。

【枯涸】ココ 水がかれる。ひあがる。枯渇。

【枯槁】ココウ ①草木がかれる。▼槁も、かれる意。②おちぶれる。③やせおとろえる。やつれる。生気がない。用例〔楚辞、漁父〕顔色憔悴ガンショクショウスイし、形容枯槁ケイヨウココウせり ↓その顔には憔悴の色があらわれ、顔かたちはすっかりやせおとろえていた。④かわく。

【枯骨】ココツ ①くちはてた骨。②死んだ人。

【枯痩(瘦)】コソウ やせおとろえる。

【枯淡】コタン 俗気やはでなところがなく、あっさりしていること。欲がなく、さっぱりしていること。〔宋書、鄭樵伝〕

【枯凋】コチョウ ①かれ、しぼむ。②物事のおとろえること。

【枯腸】コチョウ ①ひからびたはらわた。すきっぱら。②詩文の才能のないこと。

【枯木死灰】コボクシカイ かれきと、冷たいはい。転じて、情味のない人。浮世ばなれした人。

【枯木発(發)栄(榮)】コボクエイヲハッす かれきに花がさく。おとろえていたものが再びさかんになる。枯樹生華。〔三国魏、曹植、七啓〕

【枯落】コラク ①かれおちる。②おちぶれる。

5 【柙】 9画 5302 漢コウ(カフ) 洽 xiá 呉ギョウ(ゲフ) 2 1449 — 3533

字義 ❶おり。動物などを捕らえて入れておくもの。また、おりにいれる。❷はこ。＝匣(1131)。また、箱にいれる。おさめる。❸香木の名。

解字 篆文 形声。木＋甲㊥。音符の甲は、おさえるの意味。獣などをおさえこむための木のおりの意味を表す。

5 【査】 9画 5303 教5 サ 2626 8DB8 ─
㊥サ・㊁ジャ 麻 chá ③zhā
筆順 一 十 才 木 木 杏 杏 杳 査
【查】5305 俗字
字義 ❶しら-べる(調)。「検査」「調査」 ❷いかだ。＝槎(5680)・楂(5604)。 ❸木の名。さんざし(山査子)。＝樝(5746)。
名前 さだ・み
解字 形声。木＋且㊥。音符の且は、つみかさねるの意味。木をかさねた、いかだの意味を表す。楂・槎の原字。のちに、察に通じ、しらべるの意味を表す。
逆 監査・考査・主査・審査・精査・捜査・踏査
【査閲】サエツ 調べ見る。調べる。
【査験(驗)】サケン 調べ明らかにする。調査して証拠だてる。
【査察】ササツ 調べ見きわめる。調査・考察する。
【査△滓】サシ かす。渣滓。
【査収(收)】サシュウ 調べて受け取る。
【査証(證)】サショウ ①調べて証明する。②国旅券の裏書き。ビザ。
【査定】サテイ 調べて決定する。
【査問】サモン 調べ問いただす。

5 【柤】 9画 5304 ㊥サ ㊁シャ 麻 zhā 5947 9E6E ─
字義 ❶さんざし(山樝子)。果実は薬用となる。＝査(5303)・樝(5746)。 ❷いせき。水を他に引くために川水をせきとめる所。
難読 柤岡おけびおか
解字 篆文 形声。木＋且㊥。音符の且ヨシは、阻に通じ、はばむの意味。ものを阻みさえぎる、しきりの意味を表す。

5 【查】 9画 5305 サ 査(5303)の俗字。→七三二ページ上。

5 【柵】 9画 5306 常 サク ㊥サク・㊁シャク 陌 zhà 2684 8DF2 ─
筆順 一 十 才 木 杉 杊 枂 柵 柵
【栅】5308 同字
字義 ❶やらい(矢来)。木や竹を並べ立てて作ったかき。 ❷しがらみ。水中に設けたやらい。 ❸とりで。砦サイ。
難読 柵原やなはら・柵口ませぐち・柵養蝦夷きこうえぞ
解字 篆文 形声。木＋冊㊥。音符の冊サクは、ひもで編んだふだの象形。木や竹を編んでつくったかきねの意味を表す。

5 【柞】 9画 5307 ㊀㊥サク・㊁ザク 薬 zuò ㊁㊥サク・㊁シャク 陌 zé 5948 9E6F ─
字義 ㊀ははそ。くぬぎ(櫟)・なら(楢)の類い。国いすのき。マンサク科の常緑高木。 ㊁❶きる。木を切る。 ❷せまい。
難読 柞原くばら・ほそはら・ゆすはら・柞田くにた・柞磨たるま
解字 篆文 形声。木＋乍㊥。音符の乍サクは、柞の原字。木の小枝を切りはらう形にかたどり、きるの意味を表す。のち、木を付し、意味を明らかにした。

5 【栅】 9画 5308 サク 柵(5306)と同字。→七三二ページ上。

5 【柿】 9画 5309 常 かき ㊥シ・㊁ジ 紙 shì 1933 8A60 ─
筆順 一 十 才 木 木 杧 杧 柿 柿
【柹】5243 同字
字義 かき。果樹の名。また、その果実。
名前 かき
難読 柿川かきごう・柿生かきお・柿歯ばし
参考 〔杮〕(5263)は別字で、つくりの縦棒を一画で書く。
解字 形声。木＋市㊥。

5 【枲】 9画 5310 シ 紙 xǐ ²1445 ─ 3519
字義 からむし。麻の一種。夏、青色の小花をつけるが、実を結ばない。牡麻ボマ。茎の皮から繊維をとって、織物の原料とする。
解字 形声。木(朩)＋台㊥。

5 【栀】 9画 5311 シ 梔(5450)と同字。→七四四ページ上。

5 【柶】 9画 5312 シ 寘 sì ─ ─ 3539
字義 礼器の一。動物の角で作ったさじ。
解字 形声。木＋四㊥。音符の四は、ムシに通じ、小さくとりわけるの意味。

5 【枱】 9画 5313 ㊀イ 支 ㊁㊥シ・㊁ジ 支 紙 sì ㊂ダイ tái ─ ─ 3518
字義 ㊀鋤すきの先。 ㊂台。机。
解字 形声。木＋台㊥。音符の台イは、すきの意味。

5 【柅】 9画 5314 ㊥ジ(ヂ)・㊁ニ 紙 支 nǐ ─ ─ 3528
字義 ❶木の名。梨なしに似た実がなる。 ❷いとわく。 ❸はどめ。車どめ。車の進行をとめる木。 ❹柅柅は、さかんにしげるさま。
解字 篆文 形声。木＋尼㊥。音符の尼は、ねばりつくの意味。車の下につけ、速度をおさえる、とめぎの意味を表す。

5 【柒】 9画 5315 シツ 漆(6635)の俗字。→八四四ページ下。 ²1448 ─ 3531
参考 金銭の記載などには、文字の改変を防ぐため、〔七〕(5)のかわりに用いることがある。

5 【柘】 9画 5316 人 標 シャ 禡 zhè 3651 92D1 ─
筆順 一 十 才 木 杧 杧 柘 柘 柘
字義 ❶やまぐわ。野ぐわ。桑の一種。 ❷くわいろ。黄と赤との中間色。「柘黄」 国❶つげ。木の名。黄楊つげ。 ❷柘榴ざくろは、果樹の名。石榴の誤用。
難読 柘植つげ・つえ
解字 形声。木＋石㊥。

5 【柊】 9画 5317 人 4102 9541 ─
5 【柊】 9画 5318 シュウ(シウ) 東 zhōng
筆順 一 十 才 木 杉 杪 柊 柊 柊
字義 木の名。芭蕉バショウに似た木。国ひいらぎ。モクセイ科の常緑高木。葉は堅く、光沢があり、ふちにとげがある。秋、白色の小花を密生し、実を結ぶ。材は細工用となる。
解字 形声。木＋冬㊥。

5 【柔】 9画 5319 常 ジュウ・ニュウ やわらか・やわらかい ㊥ジュウ(ジウ)・㊁ニュウ(ニウ) 尤 róu 2932 8F5F ─
筆順 フ マ 予 矛 矛 柔 柔 柔 柔
字義 ❶やわ-らか。やわ-らかい。㋐しなやか。↔剛(947)。「柔軟」 ㋑よわい。弱々しい。もろい。「柔弱」 ㋒おだやか。やさしい。「柔和」 ❷やわ-らげる。なつける。安んずる。「懐柔」 ❸うるおす。ぬらす。水にひたす。 ❹したがう。 ❺陰。陰の日。十干の中の乙・丁・己・辛・癸きにあたる日。「柔日」 国やわ-ら。柔術。柔道。

名前 とう・なり・やす・やわ・よし 難読 柔田津
使いわけ やわらか・やわらかい〔軟・柔〕⇨軟(11878)。
解字 篆文 会意。木＋矛。矛は、ほこの意味。ほこの柄にすることができる、折れないしなやかな木の意味から、やわらかいの意味を表す。柔を音符に含む形声文字に、揉・糅・蹂・鞣などがある。
逆 陰柔・温柔・懐柔・剛柔・善柔・優柔

【柔恵(惠)】①おだやかで従順。②いつくしむ。いつくしみ。

【柔日】十干のうち乙・丁・己・辛・癸にあたる日。偶数の日をいう。↔剛日(一八五ページ中)。

【柔弱】やわらかでよわい。よわよわしい。用例〔老子、七十八〕天下莫柔弱於水。⇩天下に水ほど柔らかで弱いものはない。

【柔順】おとなしくて素直。↓従順(五〇六ページ下)。

【柔脆】やわらかで弱い。用例〔老子、七十六〕万物草木之生也柔脆。⇩草木などのあらゆるものは、生きているときは、柔らかで弱い。

【柔毳】①やわらかい細毛。わたげ。②やわらかなこと。

【柔蠕】やわらかい。

【柔惰】気が弱くてなまける。いくじがない。

【柔懦】心が弱く気が小さい。柔弱で臆病。

【柔道】①やわらかな道。柔順の道。②国武道の一つ。素手で立ち合い、相手の攻撃力を利用して相手を倒す。同時に、心身の鍛練・修養を目的とする。

【柔能制剛】柔弱なものがかえって剛強なものに勝つ。〔三略、上略〕

【柔軟・柔輭】やわらか。しなやか。

【柔媚】ものやわらかで、こびる。また、なまめく。

【柔櫓】静かにこぐ櫓。また、その音。

【柔和】おとなしい。やさしい。

5【柷】9画 5320 シュク 屋 zhù

2 1452 — 3540

字義 楽器の名。音楽を始めるとき合い図に鳴らすもの。長方形の木箱の一方に穴をあけて柄をさしこみ、柄を動かして鳴らす。

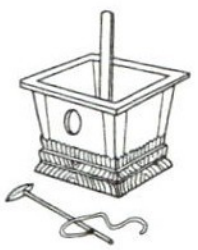
柷

解字 形声。木＋祝省音。
【柷敔】柷・敔は、ともに楽器の名。柷は音楽を始めるとき、敔は終えるときに合図として鳴らす。

5【柗】9画 5321 ショウ

1 8559 — 3532

松(5246)と同字。→七三五ページ中。

5【相】9画 (7968) ショウ

目部。→一〇〇五ページ下。

5【柛】9画 5322 シン 真 shēn

2 1450 — —

字義 木が自然にたおれる。
解字 形声。木＋申音。 難読 柛代

5【染】9画 5323 教6 セン そ-める・そ-まる・し-みる・し-み

漢ゼン・呉ネン 琰 豔 rǎn 慣セン

3287 90F5 —

筆順 丶 氵 氿 氿 氿 氿 染 染 染

字義 ❶そ-める。㋐きれ地などを液にひたして色を着ける。「染色」 ㋑色どる。ぬる(塗)。㋒ひたす。つける。㋓描く。書く。㋔けがす。よごす。❷そ-まる。㋐しむ。しみこむ。㋑色づく。㋒感化される。㋓うつる。病気などがうつる。「伝染」 ㋔けがれる。よごれる。「汚染」 ㋕なれる。習慣となる。❸し-み。けがれ。よごれ。国し-みる。㋐深く感じる。㋑うるおう。しみとおる。㋒…らしく見えるの意。「所帯染みる」
名前 そめ
解字 篆文 会意。氿＋木。氿は、穴からわき出る泉の意味。樹液などでそめるの意味を表す。
逆 愛染・汚染・感染・伝染

【染愛】深い愛情。

【染汚】よごれる。よごす。また、よごれ。しみ。

【染化】感化する。また、感化される。

【染翰】筆を墨にそめる。字をかく。

【染指】①ゆびをそめる。指を物にさしこみ、なめて味をためす。②物事に着手する。手をつける。

【染色】①そめだした色。そめいろ。②色をそめつける。

【染織】そめることと、おること。染め物と、織物。

【染筆】筆をそめる。筆に墨や絵の具をひたして、書や絵を書く。潤筆。染翰。

5【桒】9画 5324 ソウ

1 8562 EDC7 3541

桑(5405)の俗字。→七四〇ページ下。

5【柁】9画 5325 ダ

3440 91C6 —

舵(9739)と同字。→一〇八七ページ下。

5【柂】9画 5326

— — 3526

一 イ 支 yí　二 漢タ・呉ダ 哿 duǒ

字義 一木の名。白楊に似た木。二船のかじ。
解字 形声。木＋㐌音。柁に通じて、かじの意味。

5【柰】9画 5327 漢ダイ 呉ナイ 泰 nài

2 1451 — 3537

字義 ❶木の名。からなし。べにりんご。❷いかん。多くは「柰何」「柰…何」のように「何」の字を添えて、疑問・反語を表す。
解字 会意。木＋示。 難読 柰園

5【柝】9画 5328 タク 薬 tuò

5949 9E70 —

字義 ❶ひょうしぎ。合い図または警戒のために打ち鳴らす二本一組の角材。また、拍子木を打って警戒する。「撃柝」 ❷さける。木がさける。❸ひらく(開)。
解字 金文 篆文 形声。木＋斥(㡿)音。音符の㡿は、さくの意味。木をさく、木をさいて作ったひょうしぎの意味を表す。

5【柦】9画 5329 漢タン 呉ダン 旱 dǎn

— — 3536

字義 足のないゆだめ。弓の曲がりを直す道具。
解字 形声。木＋旦音。

5【柟】9画 5330

一 漢ダン・呉ナン 覃 nán　二 漢ゼン・呉ネン 琰

〔枏〕5254 同字

字義 一❶木の名。くすのきの類い。=楠(5625)。❷一説に、うめ(梅)。
解字 形声。木＋冄音。音符の冄は、南に通じ、南方の暖地を好む、くすの木の意味を表す。

5【柱】9画 5331 教3 チュウ はしら

一 漢チュウ(チウ)・呉ジュ(ヂュ) 麌 zhù　二 漢チュウ(チウ)・呉チュ 麌 zhǔ

3576 928C —

5〖柱〗9画 5332

筆順 一 十 オ 木 木 杧 杧 柱 柱

字義 一❶はしら。㋐梁・棟木を受けて屋根をささえる材木。㋑広く、物をささえるものの称。「天柱」「支柱」 ㋒はしらのように直立しているもの。「氷柱」 ㋓中心として他から寄り頼まれるもの。「柱石臣」 ❷ことじ。琴の弦をささえ、移動させて音調の高低を生じさせるこま。二❶ささえる。支持する。=拄(4115)。❷ふさぐ。国神仏や高貴な人を数えるのに添える語。
名前 はしら
解字 篆文 形声。木＋主音。音符の主は、静止している意味。動かない木、はしらの意味を表す。
逆 琴柱・支柱・天柱・鼻柱・氷柱

【柱下史】チュウカシ ①蔵書室のかかりの役人。②老子が周の蔵書室の役人であったため、特に老子をいう。③漢代の侍御史(天子の秘書役)の別称。

【柱幹】チュウカン はしらと、みき。転じて、大切なところ。中心。

【柱国(國)】チュウコク ①柱が家を支えるように、国家を支える重要な人物。また、重要な土地。国都。②官名。戦国時代、楚ソに置かれ、武功を賞して与えられた。後には、職務のない名誉職。

【柱石】チュウセキ ①はしらの下のいしずえ。②はしらと、いしずえ。③柱とも、いしずえともたのむべき物。また、人。国家を支える重任を負う人。

【△膠レ柱鼓レ△瑟】ことじ(ぢ)ににかわ(は)してシツをコす 動かして音調をととのえるべきことじをにかわづけにして瑟をひく。規則にこだわって融通のきかないたとえ。〔史記、廉頗藺相如伝〕

5【柢】9画 5333 漢テイ 呉タイ 薺 dǐ 5950 9E71 —

字義 ❶ね(根)。ア木の根。イ物事のもと。根本。基礎。「根柢」❷ねざす。もとづく。

参考 現代表記では[底](3187)に書きかえることがある。「根柢→根底」

解字 篆文 形声。木+氐音。音符の氐テイは、ひくいの意味。木の低い部分、ねの意味を表す。

5【柮】9画 5334 漢トツ 呉トチ 月 duò 5951 9E72 —

字義 ほた。ほだ。木の切れはし。木端こっぱ。榾柮コツトツ。

解字 形声。木+出音。

5【柸】9画 5335 ハイ 灰 pēi

字義 うらむ。

5【柏】9画 5336 人 標 漢ハク 呉ヒャク 陌 bǎi(bó) 3980 9490 —

筆順 一 十 才 木 木' 朩 柏 柏 柏

[栢] 5416 俗字

字義 ひのき・さわら・このてがしわなどの、常緑樹の総称。かえ。その葉が常に色を変えないことから、松とならんで、節操の堅いことなどにたとえられる。国かしわ。ア木の名。ブナ科の落葉高木。槲かしわ。イ食器の総称。ウかしわもちの略。

難読 柏原かいばら・かしわら・柏山かやま・柏林ベルリン

解字 形声。木+白音。

【柏手】かしわ(は)で 国神を拝するとき、両手を打ち合わせて鳴らすこと。拍手の誤用。

【柏酒】ハクシュ 邪気を払うため、元旦ガンタンに飲む酒で、柏(ひのき)などの常緑樹の葉をひたして作ったもの。柏葉酒。

【柏城】ハクジョウ みささぎ。天子の陵墓。

【柏台(臺)】ハクダイ 御史台の別称。漢代、御史府中に柏を植えたからという。柏府。

【柏△梁体(體)】ハクリョウタイ 漢の武帝が柏梁台を築いたとき、群臣に作らせた七言の連句の詩体。七言詩の最古のもので、連句の起源とされているが、後人の偽作ともいわれる。

【柏△梁台(臺)】ハクリョウダイ 漢の武帝が長安城内に築いた台。

5【柈】9画 5337 一漢ハン・呉バン 翰 pàn 二ハン 寒 pán 2 1447 — 3529

字義 一はち。たらい。二木の名。

解字 形声。木+半音。

5【柲】9画 5338 一ヒ 寘 bì 二漢ヒツ・呉ビチ 質 — — 3538

字義 一二❶え(柄)。にぎり。ほこの柄。❷ゆだめ。弓のまがりを直す道具。＝弼(3344)。

解字 篆文 形声。木+必音。音符の必ヒツは、柲の原字で、武器にしっかりとりつけられた柄の象形。のち、木を付し、木の柄の意味を明らかにした。

5【柀】9画 5339 ヒ 紙 bǐ 1 8558 EDC8 3525

字義 ❶すぎ(杉)。❷かや(榧ヒ)。❸まき。

難読 柀木山せぬきやま・晴柀はれまき

解字 形声。木+皮音。

5【柎】9画 5340 一フ 虞 fū 二フ 麌 fǔ 三漢フ・呉ブ 遇 fù 5953 9E74 —

字義 一うてな。花の萼がく。また、子房。二❶よる。よりかかる。❷弓を強くするため、弓束ゆづかにとりつける骨片。三つける。塗りつける。＝坿(1936)。

解字 篆文 形声。木+付音。音符の付は、つくの意味。花につく、うてなの意味を表す。

5【柄】9画 5341 常 ヘイ がら・え 漢ヘイ・呉ヒョウ(ヒャウ) 敬 bǐng 4233 95BF —

筆順 一 十 才 木 木一 朩 柄 柄 柄

字義 ❶え。器物のとって。❷つか。刀剣の手ににぎるところ。❸もと。もとい。根本。❹いきおい(勢)。ちから。権力。

用例 〔史記、張儀伝〕能用二秦柄一者、独張儀可耳 よくシンのヘイをもちい(る)るものは、ひとりチョウギのみカなるのみ ↓秦を操れるのはただ張儀だけである。 国がら。アなり。体格。イ身分。品格。「人柄」ウきれ地などの模様。

名前 え・えだ・かい・かみ・つか・へい・もと

難読 柄杓ひしゃく

解字 篆文 形声。木+丙音。音符の丙は、張り出すの意味。道具の張り出した所、とっての意味を表す。

【柄臣】ヘイシン 権力を握っている家来。権臣。

【柄用】ヘイヨウ 重く用いられて政権をにぎる。

逆 横柄・権柄・国柄・執柄・政柄・斗柄・話柄

5【枰】9画 5342 漢ヘイ 呉ビョウ(ビャウ) 庚 píng 敬 pìng 2 1444 — 3517

字義 ❶すごろく盤。また、碁盤ゴバン。❷腰かけ。寝台。

解字 形声。木+平音。

5【枹】9画 5343 一漢フ・呉ブ 虞 fū 二漢ホウ(ハウ) 肴 bāo 5952 9E73 —

字義 一ばち。太鼓のばち。二ならの木。ブナ科の落葉高木。ははそ。楢なら。

解字 形声。木+包音。

【枹鼓】コフ ばちと、つづみ。転じて、軍陣。

5【某】9画 5344 常 ボウ 一漢ボウ・呉モ 有 mǒu 二漢バイ・呉マイ 灰 méi 4331 965E —

筆順 一 十 卄 甘 甘 苷 苴 某 某

字義 一それがし。なにがし。ア人の名や、日時・場所などの明らかでないか、または、わざと明らかにしないときに用いる代名詞。「某氏」「某日」「某所」イ自分を謙遜ケンソンしていう自称代名詞。わたくし。やつがれ。用例〔本事詩〕某在レ斯それがしここにあり、某在レ斯それがしここにあり。↓わたくしはここにいますよ、わたくしはここにいますよ。二うめ。梅(5414)の古字。

名前 いろ

解字 金文 篆文 会意。甘(曰)+木。曰は、いのりの言葉の意味。子がさずかるように祈るのに用いる木、うめの意味を表し、借りて、それがしの意味にも用いる。某を音符に含む形声文字に、媒・禖・謀などがある。

5【柚】9画 5345 人 一漢ユウ(イウ) 呉ユ 宥 yòu 二漢チク 呉ジク(ヂク) 屋 zhóu(zhú) 4514 974D —

筆順 一 十 オ 木 朩 朷 柚 柚 柚

字義 ㊀ゆず。常緑小高木。柑橘類の一種。冬、香気と酸味のある黄色の果実を結ぶ。㊁たてまき。機織りの縦糸を巻く道具。

名前 ゆ　難読 柚子・柚須・柚木

解字 篆文 形声。木＋由㊥。

5 【枼】 9画 5346 ヨウ(エフ) 葉 yè — — 3522

字義 ❶薄い木札。❷薄い。❸葉。❹窓。

解字 篆文 象形。木の葉の象形で、葉(10141)の原字。

5 【柳】 9画 5347 常 リュウ やなぎ 漢リュウ(リウ)・呉ル 有 liǔ 4488 96F6 —

【栁】5488 本字 【桺】5348 俗字

字義 ❶やなぎ。㋐しだれやなぎ。枝が細長く下に垂れる種類のもの。中国の原産。㋑やなぎの総称。❷ぬりこ。星宿の名。二十八宿の一つ。

筆順 一 十 オ 木 朩 朾 杉 柳 柳

名前 りゅう　難読 柳津・柳葉魚・柳楽

解字 金文 篆文 形声。木＋卯(丣)㊥。音符の丣は、流に通じ、ながれるの意味。長い枝がながれるような形の木、しだれやなぎの意味を表す。

逆 花柳・細柳・新柳・垂柳・折柳

【柳暗花明】リュウアンカメイ 柳がこんもりとほの暗く茂っている間に、桃の花が灯のように明るく見える。田舎の美しい春景色のさま。用例〔南宋、陸游、遊二山西村一詩〕山重水複疑レ無レ路、柳暗花明又一村 ↓山が重なり合い川が幾重にも折れ曲がって流れていて、道はもう行き止まりかといぶかっていると、柳がこんもりと茂り桃の花が明るく咲いているところに、さらにまた一つの村が現れた。

【柳永】リュウエイ 北宋の詞人。字は耆卿。初めの名は三変。遊里に入りびたり、流行詞人として楽人や妓女に慕われたが、零落して死んだ。生没年未詳。

【柳営(營)】リュウエイ ①将軍の陣営。前漢の周亜夫が匈奴を討ったとき、細柳という地に陣し、軍営の規律がとれていたので、文帝が大いに感動した故事による。細柳営。〔漢書、周亜夫伝〕②国将軍。将軍家。

【柳煙】リュウエン 柳にたなびくかすみ・もや。

【柳下恵(惠)】リュウカケイ 春秋時代、魯(今の山東省内)の賢人。本名は展禽。柳下(地名)におり、仕えて士師(獄官)となり、恵と諡されたので、柳下恵という。孟子に、「聖の和となる者(だれとでも調和する聖人)」と称せられた。

【柳眼】リュウガン やなぎの新芽。細く、目に似ている。

【柳巷】リュウコウ ①やなぎのある町。②いろざと。花柳界。

【柳糸(絲)】リュウシ やなぎの枝。柳枝。

【柳州】リュウシュウ 地名。今の広西チワン族自治区の柳州市。

【柳絮】リュウジョ ①やなぎのわた。柳の実が熟して、それにつく白毛が、晩春のころ綿のように乱れ飛ぶもの。②雪の形容。

【柳条(條)】リュウジョウ やなぎの枝。柳枝。

【柳色】リュウショク やなぎの青々とした色。用例〔唐、王維、送二元二使一安西一詩〕渭城朝雨浥二軽塵一、客舎青青柳色新 ↓渭城に降った朝の雨が軽い土ぼこりをしめらせ、旅館の周囲は青々とした柳の新緑があざやかである。

【柳宗元】リュウソウゲン 中唐の詩人・文章家。河東(今の山西省内)の人。字は子厚。監察御史となったが、王叔文の罪に連座して、永州(今の湖南省内)の司馬・柳州(今の広西チワン族自治区)の刺史に左遷された。韓愈とともに古文復興を提唱。唐宋八大家の一人。柳河東・柳柳州ともいう。著書に『柳河東集』がある。(七七三—八一九)

柳宗元

【柳態】リュウタイ ①やなぎの枝ぶり。②しなやかな姿。

【柳塘】リュウトウ やなぎのはえているつつみ。柳堤。

【柳陌】リュウハク ①やなぎの植えてあるあぜみち。②いろざと。花街。柳巷。

【柳眉】リュウビ やなぎの葉のように細く美しいまゆ。美人のまゆをいう。柳葉眉。「柳眉を逆立てる」

【柳腰】リュウヨウ ①やなぎの細くしなやかな枝。②細くしなやかな腰。やなぎごし。美人の形容。細腰。

【柳緑花紅】やなぎはみどりはなはくれない ①春の自然の美しさを詠じた、北宋の蘇軾の詩句。②自然のままで人工を加えないことのたとえ。③物事に自然の理の備わっていることのたとえ。④物事がそれぞれに異なっていることのたとえ。

5 【桺】 9画 5348 リュウ 柳(5347)の俗字。→七三六ページ上。 8561 EDC9 —

5 【柃】 9画 5349 漢レイ 呉リョウ(リャウ) 青 líng 21446 — 3527

字義 ❶種まきの道具。また、麦を煎る道具。❷木の名。ひさかき。いちさかき。

解字 形声。木＋令㊥。

5 【柆】 9画 5350 ロウ(ラフ) 合 lā 5954 9E75 —

字義 折れた木。国くい(杭)。姓氏・地名に用いる。

解字 形声。木＋立㊥。

5 【栂】 9画 5351 国字 3646 92CC —

字義 とが。つが。マツ科の常緑高木。もくめがこまかく、建築用材や器具製作の材料として用途が多い。

解字 会意。木＋母。母は、拇指の意味。おやゆび大の果実のつく、つがの意味を表す。

5 【栃】 9画 5352 国字 教4 とち 3842 93C8 —

筆順 一 十 オ 木 朩 杤 栃 栃

【杤】5227 同字 【橡】5830 同字

字義 とち。トチノキ科の落葉高木。葉は七枚の小葉をそなえ、夏、淡黄色の花をつけ、実は栗に似て、食用となる。橡。

参考 もと「杤」と書く。明治初期に栃木県の「とち」を杤と書くことに定めてから、栃の字が広まった。さらには傍の厉(厉)を厲の略字とみなして、レイと読むこともある。「帰栃(栃木に帰る)」

解字 会意。もと、木＋万。十(とお)と千(ち)を掛ければ万になるところから、万を「とち」と読み、木を付して、とちのきの意味を表す。

5 【柾】 9画 5353 国字 人 4379 968F —

筆順 一 十 オ 木 木一 朾 杆 柾

字義 ❶まさ。まさめ。木材のもくめが縦にまっすぐ並び通っているもの。❷まさき。ニシキギ科の常緑低木。多く生垣に用いられる。

名前 ただ・まさ

解字 会意。木＋正。木目の正しくまっすぐな木の意。

6 【案】 10画 5354 教4 アン 漢アン 翰 àn 1638 88C4 —

筆順 ` ˊ 宀 宀 安 安 安 案 案 案

木部 5▼6画 〔枼柳桺柃柆栂栃柾案〕

字義 ❶つくえ。台。「几案キアン」 ❷ぜん。足のある食膳ショクゼン。❸かんがえる(考)。考え。また、取り調べる。＝按(4141)。「案問」「思案」 ❹おさえる。また、なでる。さする。＝按(4141)。❺やすんずる(安)。❻書類。公文書。訴訟の判決書や役所の訓令書など。国アン。㋐計画。㋑下書き。草稿。

名前 あん

参考 現代表記では〔按〕(4141)の書きかえに用いることがある。「按分→案分」

解字 篆文 形声。木＋安音。音符の安は、安定するの意味。安定したつくえの意味を表す。

逆 勘案・机案・議案・玉案・蛍案・懸案・原案・考案・思案・書案・成案・雪案・草案・廃案・発案・腹案・文案・翻案・妙案・名案・立案

【案件】アンケン 調査したり、相談したりすべき事がら。問題になっている事がら。

【案検(撿)・案験(驗)】アンケン 取り調べる。

【案行】アンコウ ①調べ歩く。②調べる。③隊列を整える。

【案山子】アンザンシ・かかし ①作物を守るため田畑に立てる、鳥おどしの人形。②見かけだけがりっぱで実のない人。

【案出】アンシュツ 考え出す。

【案△堵】アンド 自分の家のかきねの内に安んずる。転じて、安心する。安堵。▼堵は、かきね。用例〔史記、高祖本紀〕諸吏人皆案堵如レ故もろもろのリジンみなアンドすることもとのごとくせよ。↓役人や人民たちはみな、以前の通りに安住して生活せよ。

【案頭】アントウ つくえの上。案上。

【案△牘】アントク ①取り調べを必要とする書類。②書類や手紙。

【案内】アンナイ・アナイ 国①事情・内容によく通じて、人を導くこと。てびき。②内容。実情。ようす。③取り次ぎ。④まねき。招待。⑤知らせ。通知。⑥官庁の前例。⑦たずねる。聞く。

【案△撫】アンブ なでて安心させる。なつける。按撫アンブ。

【案分】アンブン 一定の比例で物を分けること。按分アンブン。

【案文】㊀アンブン ①下書きの文章。②文章を考える。㊁アンモン 国役所などの下書きの文章。

6 【桉】10画 5355 アン ān ②ān 21465 — —

字義 ❶案(5354)と同字。❷ユーカリ。フトモモ科の常緑高木。桉樹。

解字 形声。木＋安音。

6 【栘】10画 5356 ㊀イ 支 yí ㊁漢セイ・呉ゼイ 斉 21456 — —

字義 ㊀㊁木の名。にわうめ。バラ科の落葉低木。

解字 形声。木＋多(移省)音。

6 【栯】10画 5357 ㊀イク 屋 yù ㊁漢ユウ(イウ)・呉ウ 有 yǒu — — 3550

字義 ㊀にわうめ。バラ科の落葉低木。㊁木の名。梨なしに似た木。

解字 形声。木＋有音。

6 【桙】10画 5358 ウ 杅(5197)と同字。→七二八ページ中。 5966 9E82 —

字義 国ほこ。＝鉾(12627)。

6 【栧】10画 5359 エイ 枻(5284)と同字。→七三〇ページ下。 — — 3547

6 【栐】10画 5360 エイ 柡(5286)と同字。→七三〇ページ下。 — — 3535

6 【桜】10画 5361 教5 オウ さくら 2689 8DF7 —

17 【櫻】21画 5362 人 漢オウ(アウ) 呉ヨウ(ヤウ) 庚 yīng 6115 9F4E —

筆順 一 十 オ 木 木' 木'' 杪 桜 桜

字義 ゆすらうめ。ゆすら。桜桃。バラ科の落葉低木。春、葉に先だって白色の五弁花を開き、後、小果を結び、熟すれば濃い紅色を呈する。実は食用となる。国さくら。㋐バラ科の落葉高木。日本の国花。㋑露店などで、客をよそおって、他の客の購買心をそそる人。㋒桜肉の略。馬肉。

名前 おう・さくら・はる 難読 桜桃さくらんぼ・ゆすらうめ・桜府サクラメント

解字 篆文 形声。木＋嬰(嬰)音。音符の嬰エイは、首飾りをめぐらすの意味。首飾りの玉のような実をつける、ゆすらうめの意味を表す。

【桜花】オウカ ①ゆすらうめの花。②国さくらの花。

【桜桃】オウトウ ①ゆすらうめ。②美女の赤いくちびる。③国㋐さくらんぼ。また、その木。㋑さくらと、もも。

6 【桧】10画 5363 人 カイ 檜(5839)の俗字。→七七三ページ上。 4116 954F —

6 【格】10画 5364 教5 カク・コウ 漢カク・呉キャク 陌 gé 慣コウ(カウ) 1942 8A69 —

筆順 一 十 オ 木 杉 柊 柊 格 格

字義 ❶いたる(至)。来たる。また、いたす。来たす。用例〔論語、為政〕道レ之以レ徳これをみちびくにトクをもってし、斉レ之以レ礼これをととのうるにレイをもってすれば、有レ恥且格はず(づ)ることありてかついたる。↓人民を導き治めてゆくのに道徳をもってし、人民を統制してゆくのに礼をもってすれば、人民は(犯した罪を)恥じるようになり、そして正しい道に進んでゆく。❷ただす(正)。改める。❸そむく。食い違う。「扞格カンカク」 ❹たたかう。撃つ。「格闘」 ❺のぼる(登)。あがる。挙げる。❻あたる(当)。てむかう。敵対する。❼止める。止めおく。さしおく。❽のり。おきて。法則。「格式」 ❾地位。身分。品等。「資格」 ❿ようす。おもむき。姿。「風格」 ⓫こうし(格子)。方形に組み合わせたもの。⓬位。文法上、文中で語句が他の語句に対する関係を示す語。「主格」 ⓭たな。本だな。国キャク。平安時代、律令を補い、また、改めるために臨時に発せられた勅令・官符。「格式」

名前 いたる・かく・きわめ・ただ・ただし・ただす・つとむ・のり・まさ 難読 格拉斯哥グラスゴー

参考 現代表記では〔挌〕(4146)・〔骼〕(13830)の書きかえに用いることがある。「挌闘→格闘」「骨骼→骨格」

解字 甲骨文 金文 篆文 形声。木＋各音。音符の各は、いたる・つきでるの意味。木の枝がいたりつく、つきでるの意味を表す。転じて、ようす・のり(法)などの意味をも表す。

逆 価格・規格・厳格・降格・合格・骨格・資格・失格・主格・人格・性格・体格・破格・品格・風格・別格

【格外】カクガイ さだめのほか。なみはずれ。特別。

【格言】カクゲン 教えやいましめになることば。金言。

【格差】カクサ 国格付けの差。標準を定め、それをもとにした上での違い。「格差が目立つ」◆「格差」「較差」はともに、違い、差異を表す語であるが、前者が格付けの差、後者が比較した上での差といった別がある。「賃金格差」「気温の較差が大きい」。ただ、両者の別に紛らわしい例が多いので、「較差」を単に「差」「違い」などと言い換える傾向がある。

【格殺】カクサツ 手でうちころす。挌殺カクサツ。

【格子】コウシ 国①建具の一つ。細い角材を縦横に組んだ戸。しとみ。②細い木を縦横に間をすかして組み、窓や出入口に取りつける建具。れんじ。③格子の目のような縞しま模様。④遊女屋。また、遊女の格の一つ。上から二番目。

【格式】㊀カクシキ ①のり。おきて。きまり。方式。法則。②国身分・階級を表す儀式。また、身分・階級。㊁キャクシキ 国古代の律令リツリョウの格(捕足・改廃)と式(施行細則)。

【格心】カクシン 心を正しくする。また、正しい心。

【格致】カクチ ①おもむき。ようす。②「格物致知」の略。

【格調】カクチョウ ①詩歌の体裁と調子。②人がら。人品。人格。
【格闘(鬭)】カクトウ 手でうち合って戦う。組み打ち。挌闘カクトウ。
【格納】カクノウ しまい入れる。一定の物を一定の場所に整理してしまうこと。
【格物致知】カクブッチチ 『大学』の八条目の格物と致知。古来、異説が多い。→致知格物(二八二ページ上)。
【格令】カクレイ・キャクリョウ おきて。規則。格律。

6 【核】 10画 5365 漢カク・呉ギャク 陌 hé 常 カク 1943 8A6A —

筆順 一 十 木 朩 杧 杧 杉 核 核 核

字義 ❶さね。たね。果実の肉の中にあって、仁(胚、芽となるもの)を含むもの。果実の芯。❷かなめ。すべて、物事の大切なところ。中心。「核心」❸きびしい。❹きわめる(究)。調べる。正す。国カク。㋐生物学で、細胞の核をいう。㋑物理学で、原子核をいう。

解字 篆文 形声。木＋亥音。

逆 精核・地核・中核

【核心】カクシン ①果物のたね。②物事の中心。最も大切な所。急所。

6 【栝】 10画 5366 一テン 琰 艶 tiǎn 二漢カツ(クワツ) 呉カチ(クワチ) 曷 guā 18563 — 3544

字義 一たきぎ。炊事用のたきぎ。二❶ためぎ。木材や弓などの曲がりを直す具。「檃栝インカツ」❷はず。やはず。矢の、弓弦につがえる部分。❸木の名。びゃくしん。

解字 篆文 形声。木＋舌音。音符の舌カツは、括に通じ、くくるの意味。たばねたたき木の意味を表す。

6 【栞】 10画 5367 人 カン 寒 kān 5957 9E78 —

筆順 一 二 千 千二 千千 刊干 刊刊 栞

字義 ❶しおり(しをり)。山や林の中などで、木の枝を折ったり、幹を削ったりして道しるべとしたもの。❷きる(切)。また、ほる。刊。国しおり(しをり)。㋐本の間にはさんで、読みかけた所の目印にするもの。㋑案内。手びき。

名前 けん・しおり

解字 篆文 形声。木＋幵音。音符の幵ケンは、二つの干で、干は、けずるの意味。木をけずりけずりして道しるべとした、しおりの意味を表す。

6 【桓】 10画 5368 標 漢カン(クワン) 呉ガン(グワン) 寒 huán 2028 8ABA —

字義 ❶漢代、宿場のしるしに立てた木。鳥居に似たもの。❷墓穴にひつぎをおろすため四すみに立てる柱。「桓楹カンエイ」❸たけだけしい。勇ましい。「桓桓」❹めぐる。ぐるぐるめぐる。「盤桓」❺むくろじ。ムクロジ科の落葉高木。

解字 篆文 形声。木＋亘(亘)音。音符の亘カンは、めぐらすの意味。建物の四すみにめぐらして立てた木で、宿場のしるしの木の意味を表す。

【桓温(溫)】カンオン 東晋トウシンの武将。字あざなは元子。帝奕エキを廃して簡文帝を立て、帝位を奪おうとしたが、果たさずに病死した。(三一二—三七三)
【桓桓】カンカン たけだけしいさま。勇武のさま。
【桓公】カンコウ ＝斉桓公(二六五五ページ上)。
【桓△魋】カンタイ 春秋時代、宋ソウの大夫、向魋ショウタイの別名。孔子を殺そうとした。〔論語、述而〕
【桓文】カンブン 斉の桓公と、晋シンの文公。ともに春秋時代の五覇(諸侯の旗がしら五人)の一人。
【桓霊(靈)】カンレイ 後漢の桓帝と霊帝。ともに暗愚の君主。

6 【桅】 10画 5369 一ガイ(グワイ) 灰 wéi 二キ 紙 guì 21464 — 3557

字義 一ほばしら(帆柱)。二❶くちなし。梔(5450)の俗字。❷ほこ(矛)。短いほこ。

解字 形声。木＋危音。

6 【桔】 10画 5370 人 漢ケツ・呉ケチ 慣キツ 屑 jié 2143 8B6A —

筆順 一 十 木 朩 杧 杧 桔 桔 桔 桔

字義 ❶桔槹ケッコウ・キッコウは、はねつるべ。柱の上に横木を渡し、その一端に石を、他の端につるべをつけて、井戸水を汲み上げるしかけ。❷桔梗キッコウ・キキョウは、山野に自生する多年生草。初秋に紫または白色の花をつける。秋の七草の一つ。❸橘(5791)の俗字。

名前 きつ

解字 形声。木＋吉音。

6 【桕】 10画 5371 漢キュウ(キウ) 呉グ 有 jiù 21467 — 3560

字義 なんきんはぜ。とうはぜ。トウダイグサ科の落葉中高木。烏桕ウキュウ。

解字 形声。木＋臼音。

6 【栱】 10画 5372 漢キョウ 呉ク 腫 gǒng 18565 — 3552

字義 ❶くい。大きなくい。❷ますがた。とがた。柱の上の四角な木。

解字 形声。木＋共音。音符の共は、大きいの意味。大きな木のくいの意味を表す。

6 【框】 10画 5373 漢キョウ(キャウ) 呉コウ(クヮウ) 陽 kuàng 5958 9E79 —

字義 かまち。窓・戸・障子などの周囲のわく。

解字 形声。木＋匡音。

6 【栩】 10画 5374 ク 麌 xǔ 5959 9E7A —

字義 ❶くぬぎ。とち。木の名。❷栩栩・栩栩然は、喜ぶさま。うっとりするさま。用例〔荘子、斉物論〕栩栩然蝴蝶也ククゼンとしてコチョウなり。↓喜んでいて、まさに蝶である。

解字 形声。木＋羽音。

6 【桂】 10画 5375 人 ケイ 霽 guì 2343 8C6A —

筆順 一 十 オ 木 木一 杜 杜 桂 桂

字義 ❶木の名。㋐肉桂ニッケイなどの香木の称。㋑もくせい(木犀)。モクセイ科の常緑樹。秋、芳香を放つ小花を開く。㋒月に生えているという伝説上の木。月桂。❷広西チワン族自治区の別名。昔の桂林ケイリン郡にあたるのでいう。国かつら。カツラ科の落葉高木。腐りにくく、船や建築などの用材となる。

名前 かつ・かつら・けい・よし

解字 篆文 形声。木＋圭音。

【桂△庵】ケイアン 同慶庵ケイアン・慶安。国①奉公人の世話をする人。口入れ屋。周旋屋。②おせじをいう人。
【桂△庵玄樹】ケイアンゲンジュ 国室町時代の禅僧・儒学者。長門ながと(今の山口県)の人。明ミンに渡って儒学を学び、薩摩サツマ藩に朱子学を講じ、薩南漢学の祖となった。著書に『桂庵和尚家法倭点ワテン』『大学章句』などがある。(一四二七—一五〇八)
【桂花】ケイカ 木犀モクセイの花。黄色を金桂、白色を銀桂、赤色を丹桂という。
【桂華】ケイカ ①桂の花。②月の光。月光。▼桂は、月中に生えているという伝説上の木。
【桂冠】ケイカン ①かつらのかんむり。②月桂冠。
【桂宮】ケイキュウ ①かつらの木で作った、美しい宮殿。②月の中にあるという宮殿。③月。

【桂月】ケイゲツ ①月の別名。月に桂かつの木があるとの伝説による。桂魄ケイハク。②陰暦八月の別名。

【桂舟】ケイシュウ かつらの木で作った、美しい舟。

【桂秋】ケイシュウ 秋の別名。桂かつ(木犀モクセイ)の花が秋に開くのでいう。

【桂△櫂△蘭△槳】かつらのさおらんのかじ 桂で作ったさおと、蘭で作ったかい。桂と蘭(あららぎ)は、いずれも香りのよい木。さおと、かじを美しく形容したもの。用例(北宋、蘇軾、前赤壁賦) 桂櫂兮蘭槳かつらのさおらんのかじ、撃二空明一兮泝二流光一クウメイをうちてリュウコウにさかのぼる。↓美しいさおやかいをあやつって、水に映る月影にさおさして、光り輝く流れをさかのぼる。

【桂△魄】ケイハク 月の別名。桂月。

【桂林一枝】ケイリンのイッシ ①自分に与えられた官職に満足しないたとえ。少しばかりの出世。桂かつの林の中の一枝を得たに過ぎない意。晋シンの郤詵ゲキシンが賢良(官吏登用試験の一つ)に一番で及第して、雍州ヨウシュウの長官に任ぜられたとき、武帝に「桂林の一枝、崑山コンザンの片玉」と答えた故事による。折桂。〔晋書、郤詵伝〕→折二月桂一(六八四ジ下)。②人品が清く、けだかくて、世俗をぬけでているたとえ。

【桂林荘(莊)】ケイリンソウ 国広瀬淡窓(四七一ジ上)の開いた塾の名。今の大分県日田市にあった。

【桂輪】ケイリン 月の別名。

【折レ桂】かつらをおる →桂林一枝。

6 【枅】10画 5376 ケイ 斉 jī
【枅】5233 俗字

字義 ますがた(枅形)。ひじき。柱の上の横木。

解字 形声。木＋幵音。

6 【栔】10画 5377 一ケイ 霽 qì 二漢ケツ・呉ケチ 屑 qiè
【栔】5378 俗字

字義 一刻む。二絶つ。

解字 形声。木＋㓞音。音符の㓞ケイは、刃物で刻むの意味。

6 【栔】10画 5378 ケイ 一一 3542
栔(5377)の俗字。→七三八ジ上。

6 【桀】10画 5379 漢ケツ 呉ゲチ 屑 jié
【桀】5441 俗字

字義 ❶はりつけ。刑罰の一種。❷ねぐら。鶏のとまり木。また、鶏小屋。❸すぐれる。すぐる。ひいでる。＝傑(552)。❹になう。かつぎあげる。❺あらい。凶暴で悪がしこい。「桀黠ケッカツ」❻夏カ王朝の最後の天子の名。殷インの紂王チュウオウと並び、暴君の代表とされる。殷の湯王トウオウに滅ぼされた。

解字 〔篆文〕 会意。舛＋木。舛は、左右両足の象形。木の上に両足をはりつけにしたさまから、はりつけの意味を表す。

【桀△黠】ケッカツ あらあらしくわるがしこい。

【桀△紂】ケッチュウ 夏カの桀王と殷インの紂王。ともに暴君の代表とされる。→堯舜(二四三ジ中)。

【桀溺】ケツデキ 春秋時代、楚ソ(今の湖北・湖南省一帯の地)の隠者。長沮チョウソと並んで耕していたとき、孔子が子路に渡し場を問わせたところ、孔子の天下周遊は無駄なことだといって相手にしなかった。〔論語、微子〕

6 【梟】10画 (9671) ゲツ 自部。→一一八〇ジ中。

6 【桊】10画 5380 一ケン 霰 juàn 二ケン 先 quān 一一 3558

字義 一牛の鼻輪。はなぎ。二鉢ハチ。椀ワン。木を曲げて作った小鉢。

解字 形声。もと、木＋𢍏音。音符の𢍏ケンは、曲げるの意味。

6 【柧】10画 5381 漢コ 呉ク 虞 gū 5955 9E76 一

字義 ❶かど。㋐物の角。㋑殿堂の屋根の角のつき出た所。柧棱リョウ。❷さかずき。＝觚(11078)。

解字 形声。木＋瓜音。

6 【桍】10画 5382 漢コ 呉ク 虞 kū 5961 9E7C 一

字義 ❶木の名。❷むなしい(空)。

解字 形声。木＋夸音。

6 【校】10画 5383 教1 コウ 2527 8D5A 一
一漢コウ(カウ)・呉ギョウ(ゲウ) 効 xiào
二漢コウ(カウ)・呉キョウ(ケウ) 効 jiào

筆順 一 十 才 木 木' 杧 杧 杧 校 校

字義 一まなびや。学舎。「学校」 二❶くらべる。くらぶ。比較する。「校合」❷かんがえる。はかり考える。「考校」❸かぞえる。数をしらべる。❹むくいる。しかえしをする。❺かせ。罪人の手・足や首にはめて、自由を奪う刑具。❻ませ。獣をさえぎりとどめるために設ける柵サク。❼陣営中に設けて、みだりな出入を防ぐ、しきりの柵。やらい。❽軍隊を指揮する将。「将校」

名前 とし・なり 難読 校倉あぜくら

解字 〔篆文〕 形声。木＋交音。音符の交は、組む、まじわるの意味。木を組むの意味から、かせ・木のかきねの意味を表す。また、較に通じて、くらべるの意味を、学に通じて、まなびやの意味を表す。

逆 郷校・計校・検校・研校・考校・将校

【校尉】コウイ 天子の宮城の守備兵の隊長。

【校閲】コウエツ ①しらべみる。検査。②著書や文書などの原稿に目を通して、誤りがあれば正し直すこと。

【校△覈】コウカク 考え調べる。

【校勘】コウカン ①くらべ考える。②数種の異本を比べ考えて、その異同を正しく定める。

【校合】コウゴウ・キョウゴウ 国くらべあわせる。ひき合わせて異同を調べる。

【校△讎・校△讐】コウシュウ 書物をくらべ合わせて誤りを正すこと。▼一人が書物を読み、他の一人がひき合わせるさまが、かたきの向かい合うようであるから、讎・讐あだ・かたきという。

【校書】コウショ ①書物をくらべ合わせて、異同や正誤を調べる。②芸妓ゲイの別称。唐の蜀ショク(今の四川省)の芸妓、薛濤セットウに文才があり、元稹ゲンシンのため校書の役にたった故事による。〔唐詩紀事、元稹〕

【校人】コウジン ①池・沼・沢などを管理する下級の役人。②天子の馬の管理にあたる役人。

【校正】コウセイ 写本や印刷物をもとの本や原稿とひき合わせて、その誤りを正すこと。校合。校讐コウシュウ。

【校注・校△註】コウチュウ 書物の文字や文章などの異同・正誤を調べ定めて、注釈をつけること。

【校訂】コウテイ 書物の文字や誤りを調べ正す。校正。校定。▼訂は、正。

【校本】コウホン ①校合して誤りを正した本。校定本。②校合にあたり比較に用いた本。

6 【桁】10画 5384 常 けた 2369 8C85 一
一漢コウ(カウ)・呉ギョウ(ギャウ) 庚 héng
二漢コウ(カウ)・呉ゴウ(ガウ) 陽 háng
三漢コウ(カウ)・呉ゴウ(ガウ) 漾 hàng

筆順 一 十 才 木 木' 杄 杄 桁 桁 桁

字義 一けた。㋐柱の上にかけ渡した横木。㋑かけ渡した横木。二❶舟を並べて作った橋。浮き橋。❷かせ。足かせ。罪人の足にはめ自由を奪う刑具。三着物かけ。「衣桁」 国けた。㋐そろばんの玉を貫く縦の棒。㋑数の位。位どり。

解字 形声。木＋行音。

6 【栲】10画 5385 コウ(カウ) 皓 kǎo 5962 9E7D —

字義 ❶ぬるで。樗(おうち)に似た落葉小高木。❷栲栳(コウロウ)は、竹や柳の枝を折り曲げて編んだ入れもの。国 たえ(たへ)。たく。梶(かじ)の木の皮の繊維で織った白色の布。「白栲(しろたえ)」「和栲(にぎたえ)」

[栲] 5386 俗字

参考 字義国の「たえ」の意味では、俗字の〔栲〕を用いることが多い。

解字 形声。木＋考音。

6 【栲】10画 5386 コウ 栲(5385)の俗字。→七三九ページ上。 21459 — —

6 【桄】10画 5387 コウ(クヮウ) 漾 陽 guàng, ②guāng 21463 EDCA 3556

字義 ❶よこぎ(横木)。❷桄榔(コウロウ)は、木の名。くろつぐ。

解字 形声。木＋光音。

6 【桻】10画 5388 漢コウ(カウ) 呉ゴウ(ガウ) 江 xiāng — — 3543

字義 船の帆。

解字 形声。木＋夅音。

6 【根】10画 5389 教3 コン ね コン 元 gēn 2612 8DAA —

筆順 一 十 木 … 根

字義 ❶ね。㋐植物の地中で養分を吸収する部分。㋑物の下部。つけね。㋒もと。みなもと。はじめ。おこり。「根源」㋓よりどころ。「根拠」❷ねざす。㋐ねがつく。植物が根を生じる。㋑もとづく。よりどころとして起こる。❸ねこそぎにする。ねだやしにする。「根絶」❹仏㋐本来の性。たち。「性根」「鈍根」「利根」㋑物事を認識するはたらき。眼・耳・鼻・舌・身・意の六根。国コン。㋐物事にたえる気力。「根気」㋑数学で、方程式を満足させる未知数の価。㋒数学で、ある数を何乗かして得た数に対して、そのもとの数。㋓化学で、イオン化することのできない部分。

名前 ね・もと 難読 根雨(ねう)・根室(ねむろ)・根占(ねじめ)・根知(ねち)・根府川(ねぶかわ)・根本(ねもと)・根来(ねごろ)

解字 篆文 形声。木＋艮(皀)音。音符の皀(コン)は、とどまるの意味。植物を地中で固定する部分、「ね」の意味を表す。

逆 禍根・気根・菜根・罪根・宿根・精根・舌根・善根・同根・鈍根・盤根・病根・無根

【根幹】コンカン ①根と幹。②物事の主要な部分。根本。

【根拠(據)】コンキョ ①よる。よりどころとする。たてこもる。②よりどころ。③ねじろ。本陣。

【根原・根源】コンゲン ねもと。みなもと。おこり。はじめ。

【根治】コンジ・コンチ ①根本まで研究して、もとからなおし治める。②病気などを根本からなおす。

【根性】コンジョウ ①生来の気質。心だて。しょうね。②困難に屈しない気質。

【根絶】コンゼツ ねこそぎ取り去る。ねだやしにする。

【根△蔕】コンタイ・コンテイ ①根もと、へた。②物事のよりどころ。根拠。基礎。土台。

【根底・根△柢】コンテイ ①草木のね。ねもと。②物事のもと。土台。基礎。③基づく。

6 【栽】10画 5390 常 サイ 一サイ 灰 zāi 二漢サイ・呉ザイ 隊 zài 2647 8DCD —

筆順 一 十 土 … 栽

字義 一❶うえる(うう)。苗木を植える。「栽培」❷うえき。苗木。若木。❸わかめ。ひこばえ。❹うえこみ。にわ。「前栽(センザイ)」二ついじいた。土塀(ドベイ)を築くのに用いる長い板。

名前 たね

解字 篆文 形声。木＋𢦏音。音符の𢦏(サイ)は、また、戈＋才音。戈は、ほこの象形。才は、川のはんらんをせきとめるために建てた良材の象形。草木をたてたり、切ったりする、うえるの意味を表す。

逆 前栽

【栽植】サイショク 草木を植える。

【栽培】サイバイ ①草木を植えて育てる。②人材を養成する。

6 【柴】10画 5391 人 標 漢サイ 呉ジャ 佳 chái 2838 8EC4 —

筆順 丨 ト 止 … 柴

字義 ❶しば。山野に自生する小さな雑木(ゾウキ)。刈り取ってたきぎなどにする。また、そのたきぎ。❷まがき。かきね。❸祭りの名。しばをたいて天をまつる祭り。＝祡(8371)。❹ふさぐ。ふさぎ守る。また、積み重ねる。

名前 しげ・しば 難読 柴棍(サイゴン)

解字 篆文 形声。木＋此音。音符の此(シ)は、疵(シ)に通じ、きず口の意味から、細いの意味を表す。細い枝、しばの意味を表す。

【柴△扃】サイケイ ＝柴戸。▼扃は、とびら。

【柴△荊】サイケイ ①しばや、いばら。②貧しい住まい。粗末な住居。用例(菅原道真、不ㇾ出ㇾ門詩)一従㆓謫落在㆒柴荊㆒、万死兢兢跼蹐情(ひとたびタクラクせられて、サイケイにありしより、バンシキョウキョウキョクセキのジョウ)。⇩一たん(九州の太宰府に)配流されて粗末な家にわび住まいをするようになってからは、罪は万死にも相当するほどであるかと思うと、恐れ慎み身の置きどころもない気持ちだ。

【柴戸】サイコ ①しばで作った戸。②あばらや。貧しい住まい。粗末な住居。

【柴車】一サイシャ かざりのない、そまつな車。二しばぐるま 国①しばを積んだ車。②しばを束ねて山からころがし落とすこと。

【柴薪】サイシン たきぎ。薪柴。

【柴扉】サイヒ ＝柴戸。用例(広瀬淡窓、桂林荘雑詠示㆓諸生㆒詩)柴扉暁出霜如ㇾ雪(サイヒあかつきにいず(づ)れば、しもゆきのごとし)、君汲㆓川流㆒我拾ㇾ薪(きみはセンリュウをくめ。われはたきぎをひろわん)。⇩粗末な柴の扉を開けて明け方に外に出ると、霜が真白に降りていて雪のようだ。君は川の流れに水を汲みたまえ、私は薪を拾ってこよう。

【柴望】サイボウ しばをたいて天を祭り、山川を望んでその神を祭ること。

【柴門】サイモン ①しばで作った門。転じて、むさくるしい家。隠者の住まいなどにいう。柴戸。用例(唐、杜甫、羌村詩)柴門鳥雀噪(サイモンチョウジャクかまびすし)、帰客千里至(キカクセンリよりいたる)。⇩柴で作った門では、雀がにぎやかに鳴き騒ぎ、千里のかなたから帰宅した私を迎えてくれた。②門をとじる。外と交通しないこと。杜門(トモン)。

【柴野△栗山】しばのリツザン 国江戸後期の儒学者。高松(香川県内)の人。名は邦彦(くにひこ)、栗山は号。寛政三博士の一人。昌平黌(ショウヘイコウ)の儒官となり、異学の禁(朱子学以外の学問を禁止する)を建議した。著書に『栗山文集』がある。(一七三六―一八〇七)

6 【栈】10画 5392 常 サン 熟字訓 栈敷(さじき) 2723 8E56 —

8 【棧】12画 5393 漢サン 呉ゼン 潸 諫 zhàn 6002 9EA0 —

筆順 一 十 木 … 栈

字義 ❶かけはし。けわしい所に木をかけ渡した橋。「栈道」❷たな。物を載せるために板を渡したもの。❸ねだ。ゆか板をはるために下にしき渡した横木。❹やらい。木を組んで柵(サク)を作り、牛馬などを飼う所。❺ひつぎぐるま。霊柩車(レイキュウシャ)。また、きじのままでかざりのない車。国サン。㋐板のそりを防ぐためにつけた細い木。㋑戸や障子のほね。 難読 栈留(さんとめ)

解字 篆文 形声。木＋戔(戔)音。音符の戔セは、薄く平らにけずるの意味。木をたいらに並べたかけはしの意味を表す。

逆 飛桟

【桟雲】サンウン 山中のかけ橋のあたりにかかっている雲。

【桟閣】サンカク ＝桟道。

【桟道】サンドウ けわしいがけなどに、たなのように木をかけ渡して作った道。かけはし。桟閣。桟径。

桟道

【桟敷】さじき 国見物のために一段高く構えた床。

6 【栨】10画 5394 シ 寘 cì — — 3546

字義 梁(はり)。のき。

解字 形声。木＋次音。

6 【栭】10画 5395 漢ジ 呉ニ 支 ér 2 1458 — 3549

字義 ❶ますがた(枅形)。柱の上において棟木を支える角材。たたらづか(楄束)。❷木の名。しばぐり。栗の一種。

解字 形声。木＋而音。

6 【桎】10画 5396 漢シツ 呉シチ 質 zhì 5963 9E7E —

字義 ❶あしかせ。罪人の足にはめて自由を奪う刑具。「桎梏シッコク」❷しばる。とらえる。自由を奪う。また、ふさぐ。ふさがる。自由がきかない。

解字 篆文 形声。木＋至音。音符の至は、窒に通じ、ふさぐの意味。足をふさぎこめる、あしかせの意味を表す。

【桎△梏】シッコク ①足かせと手かせ。刑具。②自由を束縛する。「束縛桎梏」

6 【株】10画 5397 教6 かぶ 一 シュ 虞 zhū 二 漢チュウ(チウ)・呉チュ 虞 1984 8A94 —

筆順 一 十 才 木 朩 杧 杵 株

字義 一 二 かぶ。㋐草・木の幹の、地上での最下部で、根と接する部分。㋑くいぜ(くひぜ)。切りかぶ。木を切りたおした残りの部分。㋒草木の数をかぞえる語。国かぶ。㋐江戸時代にあった家格。また、名跡。「御家人株ゴケニンかぶ」㋑官許、またはその家に伝わっている営業権。㋒株式会社の出資者がその会社に対して所有する権利。「株券」㋓言語・動作などで、その人独特のくせとなっているもの。「お株を奪う」

名前 もと・より

解字 篆文 形声。木＋朱音。音符の朱は、木の切り口が、あかいの意味。木の切りかぶの意味を表す。

逆 守株

【株連△蔓引】シュレンマンイン かぶを連ね、つるをひっぱるように、それからそれへとたぐって、関係者を残らず罰すること。株蔓。一説に、株は誅チュで、処刑すること。

【守レ株】くいぜ(くひぜ)をまもる・かぶをまもる ＝守株シュシュ(三九〇ページ・中)。

6 【栻】10画 5398 漢ショク 呉シキ 職 shì 2 1461 — 3554

字義 ❶占いに用いる木製の道具。❷木の名。

解字 形声。木＋式音。

6 【栖】10画 5399 人 標 一 漢セイ 呉サイ 斉 qī 二 漢セイ・呉サイ 霽 3220 90B2 —

筆順 一 十 才 木 朩 杧 栖 栖 栖

字義 一 すむ。二 す(巣)。

名前 す・すみ

参考 ①〔棲〕(5533)と同字。字義・熟語は〔棲〕を見よ。②現代表記では〔生〕(7585)に書きかえることがある。「栖息→生息」

解字 形声。木＋西音。

6 【栬】10画 5400 セイ 霽 zuì 1 8564 — 3548

字義 小さな杙(くい)。国もみじ(もみぢ)。紅葉。

解字 形声。木＋色音。

6 【栓】10画 5401 常 セン

〔栓〕10画 5402 セン 先 shuān 3282 90F0 —

筆順 一 十 才 木 朩 朴 栓 栓 栓

字義 穴にさしこんで物が動かぬようにする木のくぎ。また、たる・びんなどの口にさしこんで中の物が出ないようにするもの。国セン。せんのき。ウコギ科の落葉高木。

解字 形声。木＋全(全)音。音符の全は、たもつの意味。物が動かぬようにたもつ木のくぎの意味を表す。

6 【栴】10画 5403 セン 先 zhān 3283 90F1 —

字義 栴檀センダンは、香木の名。インド・インドネシアなどに産する常緑高木。赤色のものを赤栴檀、または牛頭栴檀、黒紫色のものを紫檀、白色のものを白檀ビャクダンという。センダンは、木の名。センダン科の落葉香木。古名、おうち。国栴檀 →楝(5644)。

解字 形声。木＋旃省音。

【栴△檀従(從)二双(雙)葉一香】センダンはふたばよりかんばし せんだんの木は、芽ばえのときから香気がある。偉大な人物は幼少のころから並はずれてすぐれていることのたとえ。

6 【栫】10画 5404 漢セン 呉ゼン 霰 jiàn 5965 9E81 —

字義 ❶ふさぐ。柴木(しば)を立ててふさぐ。❷かこむ(囲)。❸まがき。垣根。

解字 形声。木＋存音。

6 【桑】10画 5405 常 ソウ くわ ソウ(サウ) 陽 sāng 2312 8C4B —

筆順 フ ヌ ヌ 叒 叒 叒 桑 桑 桑

【桒】5324 俗字 【桒】5406 俗字 【𣏾】8964 俗字

字義 ❶くわ(くは)。クワ科の落葉高木。葉は蚕の飼料、樹皮の繊維は製紙の原料、材は家具の良材。実は食用となる。❷くわをつむ。桑の葉をつみ取る。❸くわの木を植えて蚕を飼う。養蚕。「農桑」

名前 くわ 難読 桑港サンフランシスコ・桑折こおり

解字 甲骨文 篆文 象形。甲骨文は、枝葉のしなやかな「くわ」の木の象形で、くわの意味を表す。篆文は、叒＋木の会意。

逆 空桑・蚕桑・農桑・扶桑

【桑乾】ソウカン 山西省北部に源を発し、河北省西北部を流れて官庁水庫(ダム)に入る川の名。下流は永定河。

【桑間△濮上△之音】ソウカンボクジョウのオン みだらな音楽。亡国の音楽。殷の紂王チュウオウの作らせたみだらな音楽。殷の滅亡後、濮水ボクスイ(今の河南省内)のほとりの桑間(地名)で取材したと

いう。〔礼記、楽記〕
【桑戸】(ソウコ) ①くわの木で作った戸。貧しい家をいう。②昔の隠者、子桑戸の名。
【桑弧△蓬矢】(ソウコホウシ) くわの木の弓と、よもぎ(やなぎよもぎ)の矢。昔、男の子の生まれたとき、これで天地四方を射て、将来四方に雄飛することを祈った。転じて、男子が志を立てること。〔礼記、内則〕
【桑△梓】(ソウシ) ①くわと、あずさ。昔、住居の周囲に植えて子孫に残し、くらしの助けとした。②敬老。後漢以後、故郷・郷里の意。〔詩経、小雅、小弁〕
【桑△柘】(ソウシャ) くわ、やまぐわ。▼柘は、やまぐわ(桑の一種)。
【桑田】(ソウデン) くわばたけ。桑園。桑疇(ソウチュウ)。
【桑田変(變)成海】(ソウデンへんじてうみとなる) くわばたけが、いつしか変わって青海となる。世の中の移り変わりのはげしいたとえ。用例〔唐、劉廷芝、代悲白頭翁詩〕已見松柏摧為薪(すでにみるショウハクのくだかれてたきぎとなるを)、更聞桑田変成海(さらにきくソウデンのへんじてうみとなるを)。↓すでに松やこのてがしわがくだかれて薪となってしまうのを見たし、また、桑畑が海に変わってしまったことを耳にした。
【桑土△綢△繆】(ソウドチュウビュウ) 風雨の来る前に、鳥がくわの根を取って巣の穴をふさいで風雨を防ぐこと。災難を未然に防ぐ準備をするたとえ。▼桑土はくわの根、綢繆はまといからむ。〔詩経、豳風、鴟鴞〕
【桑年】(ソウネン) 四十八歳の称。桑の別体字の桒が、十が四つ、八が一つに分解でき、四十八になるからという。⇩コラム **年齢の別称**(四六六ページ)
【桑△蓬之志】(ソウホウのこころざし) 男子が四方に雄々しく活躍しようとする志。→桑弧蓬矢(ソウコホウシ)
【桑麻】(ソウマ) ①くわと、あさ。養蚕と機織りに用いるもの。②田園。桑麻を植える所の意。
【桑麻交】(ソウマのまじわり) 田園に生活する人の気楽な交わり。用例〔唐、杜甫、寄薛郎中璩詩〕蕩蕩桑麻交(トウトウたるソウマのまじわり)、公侯為等倫(コウコウもトウリンたり)。↓桑や麻がさかんに茂りあうように、(農民の富は)公や侯にも匹敵するばかりだ。
【桑門】(ソウモン) 仏出家(シュッケ)。僧。仏徒。沙門(シャモン)。
【桑野】(ソウヤ) ①くわを植えた野原。②東方の果ての地。八紘(ハッコウ)(大地の八方の隅)の一つ。
【桑△楡】(ソウユ) ①くわと、にれ。②西方の日の入る所。③日の入る所。④日のくれがた。夕ぐれ。⑤晩年。老年。
【桑林】(ソウリン) ①殷(イン)の湯王(トウオウ)が日照りに雨請いをした地。②殷の湯王の舞楽の名。

6【桒】10画 5406 ソウ 桑(5405)の俗字。→七四〇ページ下。

6【枽】10画 5407 ■ソウ(サウ) 陽 sāng ■ヨウ(エフ) 葉 yè — — 3523
字義 ■桑(5405)の俗字。■葉(10141)の俗字。

6【桗】10画 5408 タ 箇 duǒ 2 1468 — 3561
字義 ね(根)。かぶ(株)。
解字 形声。木＋朶(音)。

6【桌】10画 5409 タク 卓(1169)と同字。→二二四ページ中。 2 1466 — 3559

6【桘】10画 5410 ツイ 槌(5702)と同字。→七六二ページ上。 — — 3562

6【桃】10画 5411 常 トウ もも 漢トウ(タウ)・呉ドウ(ダウ) 豪 táo 3777 938D —
筆順 一 十 木 杉 杉 杉 材 桃 桃 桃
字義 もも。果樹の名。バラ科の落葉小高木。
名前 とう・もも 難読 桃花(つき)・桃花鳥(とき)・桃生(ものう)
解字 篆文 [篆文] 形声。木＋兆(音)。音符の兆は、割れるの意味。二つにきれいに割れる木の実、ももの意味を表す。
逆 桜桃・仙桃
【桃花源】(トウカゲン) ＝桃源。
【桃花源記】(トウカゲンのキ) 作品の名。東晋(トウシン)の陶潜の作。→桃源①。
【桃花水】(トウカスイ) ももの花の咲くころ、雪どけや春雨でみちあふれて流れる川の水。
【桃花扇】(トウカセン) 戯曲の名。清(シン)の孔尚仁の作。名士侯朝宗(コウチョウソウ)と名妓(メイギ)李香君(リコウクン)との恋愛を軸にして、明(ミン)朝の衰亡を描く悲劇。清朝第一の傑作とされる。
【桃花△潭】(トウカタン) 安徽(アンキ)省涇(ケイ)県の西南にある、ふちの名。用例〔唐、李白、贈汪倫詩〕桃花潭水深千尺(トウカタンスイふかさセンジャク)、不及汪倫送我情(およばずオウリンのわれをおくるのジョウに)。↓桃花潭の水は、深さが千尺というのだが、汪倫が私との別れを惜しむ気持ちの深さには及ばない。
【桃源】(トウゲン) ①東晋(トウシン)の陶潜の「桃花源記」に描かれた仙境。東晋のとき、武陵の一漁夫が、桃林中の流れをさかのぼって、ほら穴に入り、ついに秦(シン)の遺民の住む別世界に遊んだという。今、湖南省洞庭湖の西に桃源県があり、その西南の桃源山にある桃源洞は、陶潜が遊んだ所と伝える。②俗世間をはなれた別天地。理想郷。ユートピア。桃源郷。桃源境。
【桃弧】(トウコ) ももの木で作った弓。▼桃は、仙木で、災いを払うという。〔左伝、昭公四〕
【桃△之△夭△夭、△灼△灼△其華】(もものヨウヨウたる、シャクシャクたりそのはな) 若々しいももの木に、明るく美しく咲いている花。〔詩経、周南、桃夭〕
【桃△夭】(トウヨウ) 『詩経』周南の詩編名。婚期が来た女性の若々しい美しさを、ももの葉や花などにたとえて歌ったもの。
【桃△李】(トウリ) ①ももと、すもも。用例〔唐、劉廷芝、代悲白頭翁詩〕洛陽城東桃李花(ラクヨウジョウトウトウリのはな)、飛来飛去落誰家(とびきたりとびさりてたがいえ(へ)にかおつる)。↓洛陽の町の東には、桃李の花がまっ盛り、花びらがあちこちに舞い飛んでは、だれの家に落ちゆくのだろうか。②試験で採用された門下生。また、自分が推薦した賢士。転じて、門人。弟子。③兄弟のたとえ。④美しい顔色のたとえ。
【桃△李不言下自成△蹊】(トウリものいわ(は)ざれどもしたおのずから(づ)からケイをなす) ももやすももは口をきいて人を招くことはしないが、よい花や実があるから、人が争って来て、その下に自然に小道ができる。徳のある人には自然に人が心服するたとえ。〔史記、李将軍伝賛〕
【桃△茢】(トウレツ) ももの木と、あしの穂。ともに不吉を払うのに用いる。

6【桐】10画 5412 人 漢トウ 呉ドウ 東 tóng 2245 8BCB —
筆順 一 十 木 利 机 桐 桐 桐 桐 桐
字義 ❶きり。ゴマノハグサ科の落葉高木。薄紫の筒形五弁花を開く。材はやわらかで軽くて吸湿性が少なく、琴・たんす・箱類などの用材となる。樹皮は緑色。「梧桐(ゴドウ)」❷あおぎり。アオギリ科の落葉高木。❸こと(琴)。琴は桐で作るからいう。❹とおる(通)。とおす。
名前 きり・とう・どう・ひさ 難読 桐原(げと)・桐生(きりゅう)
解字 金文 [金文] 篆文 [篆文] 形声。木＋同(音)。音符の同は、筒に通じ、つつの意味。花は筒状で、幹の中心が筒のように中空になりやすい、きりの意味を表す。
【桐城】(トウジョウ) 安徽(アンキ)省の地名。清(シン)の乾隆(ケンリュウ)のころ、多くの古文作家を出し、その一派を桐城派という。

6【档】10画 5413 トウ 檔(5858)の俗字。→七七三ページ上。 5967 9E83 —
難読 档ケ山(まてがやま)

6【梅】10画 5414 教4 バイ うめ 3963 947E —
熟字訓 梅雨(つゆ)

7 【梅】 11画 5415 人 漢バイ 呉マイ 灰 méi　1 8569 — —

筆順

[楳] 5626字 同　[槑] 5709字 古

字義 ❶うめ。果樹の名。バラ科の落葉高木。早春に葉に先だって花を開き、つゆのころ、実が熟する。❷すっぱい味。酸味。❸つゆ。うめの実が熟し、雨の多い時節。「梅雨」「入梅」

名前 うめ・め　難読 梅花皮(かいらぎ)・梅華皮(かいらぎ)・梅桃(ゆすらうめ)・梅迫(うめざこ)

解字 篆文 別体 形声。木+毎(毎)音。

逆 塩梅・寒梅・探梅・入梅

【梅雨】バイウ・つゆ うめの実が熟するころに降るながあめ。さみだれ。また、このながあめの時期をいう。一説に、衣服などに黴(かび)が生じるから黴雨(バイウ)といい、黴・梅が同音で梅雨となったともいう。梅子雨。

【梅△尭(堯)臣】バイギョウシン 北宋(ホクソウ)の詩人。字(あざな)は聖兪(セイユ)、号は宛陵(エンリョウ)先生。西崑体(セイコンタイ)の華美な詩風に反対し、閑遠清淡な詩を作った。著書に『宛陵(エンリョウ)集』がある。(一〇〇二—一〇六〇)

【梅信】バイシン うめの花が咲いたことを知らせる便り。

【梅里先生】バイリセンセイ 国 徳川光圀(みつくに)(五二四ページ上)の自称。梅里は、光圀の号。西山荘(水戸市の北東、今の常陸太田(ひたちおおた)市内)に生前、墓碑をたて、「梅里先生の碑」と称し、みずから碑文を作った。

6 【栢】 10画 5416 ハク　柏(5336)の俗字。→七三四ページ上。　1992 8A9C —

字義 国 かや(榧)。　難読 栢山(かやま)

6 【栰】 10画 5417 バツ　筏(8744)と同字。→一〇七九ページ中。　— — 3551

6 【栿】 10画 5418 漢フク 呉ブク 屋 fú　— — 3555

字義 ❶梁(はり)。❷のせる。重ねる。

解字 形声。木+伏音。

6 【栟】 10画 5419 ヘイ　栟(5559)の俗字。→七五三ページ中。　2 1457 — 3545

6 【栾】 10画 5420 ラン　欒(5931)の俗字。→七七六ページ中。　2 1462 — —

6 【栗】 10画 5421 人 漢リツ 呉リチ 質 lì　2310 8C49 —

筆順

[桌] 5641字 本

字義 ❶くり。ブナ科の落葉高木。実は食用となり、材は強く、家屋の土台、鉄道のまくら木などに用いられる。❷みのる。よく実る。❸きびしい。いかめしい。「厳栗」❹さむい。「栗烈」❺ふるえる。おののく。恐れる。「戦栗」❻つつしむ。おそれつつしむ。=慄(3843)。「栗栗」

名前 くり　難読 栗花落(つゆり)・栗毬(いが)・栗刺(いが)・栗栖(くるす)・栗田(くんだ)

解字 甲骨文 篆文 象形。甲骨文は、くりのいがのついている木の象形で、くりの意味を表す。篆文は卤+木の会意。

【栗△鼠】リッソ・リス 小獣の名。きねずみ。「リス」は唐音。

【栗烈・栗△冽】リツレツ 寒さのきびしいさま。

6 【栳】 10画 5422 ロウ(ラウ) 晧 lǎo　2 1460 — 3553

字義 栲栳(コウロウ)は、柳行李(やなぎごうり)。竹や柳の枝で編んだ入れ物。

解字 形声。木+老音。

6 【桛】 10画 5423 国字　1 8566 — 3563

字義 かせ。㋐錘(つむ)でつむいだ糸を掛けて巻く器具。㋑「かせいと」の略。桛から外した糸。=綛(9197)。

解字 会意。木+上+下。軸となる木の上下にわくとなる木を組みたてて、糸を掛けて巻く器具の意味を表す。

6 【桝】 10画 5424 国字 ます　枡(5279)の俗字。→七三〇ページ上。

6 【[木+在]】 10画 5425 国字　2 1453 — —

字義 やまぶき。

6 【[木+守]】 10画 5426 国字　2 1455 — —

字義 [木+守]林(くればやし)は、姓氏。

6 【桲】 10画 5427 国字　2 1454 — —

字義 桲子(するこ)は、姓氏。

7 【梬】 11画 5428 一 漢エイ・呉ヨウ(ヤウ) 梗 yǐng　二 漢テイ 呉チョウ(チャウ) 梗 chěng

字義 一二 さるがき。柿の一種。

解字 形声。木+甹音。

7 【械】 11画 5429 漢カイ・呉ガイ 卦 xiè 教4 カイ　1903 8A42 —

筆順

字義 ❶かせ。手かせ。足かせ。罪人の手・足にはめて自由を奪う刑具。❷しかけ。からくり。「機械」❸うつわ。道具。器具の総称。「器械」

解字 篆文 形声。木+戒音。音符の戒は、いましめるの意味。いましめのために作られた木製の手足のかせの意味を表す。

逆 器械・機械

【械△繫】カイケイ かせをはめて、牢(ロウ)に入れる。かせをはめ、しばる。

7 【桷】 11画 5430 カク 覚 jué　5968 9E84 —

字義 ❶たるき。屋根やひさしをささえる長い角材。丸いものを椽(テン)という。❷えだ。平らにのびた枝。国 ずみ。ひめかいどう。こりんご。バラ科の落葉小高木。

解字 篆文 形声。木+角音。音符の角は、かどばるの意味。角材のたるきの意味を表す。

7 【桰】 11画 5431 漢カツ(クワツ) 呉カチ(クワチ) 曷 kuò　— — 3567

字義 ❶ゆだめ。弓矢の曲がりを直す道具。❷ゆはず。弓の両端。

解字 形声。木+𠯑音。

7 【梡】 11画 5432 漢カン(クワン) 呉ガン(グワン) 旱 kuǎn　— — 3583

字義 ❶まないた。舜帝(シュンテイ)時代の、四足のあるもの。❷たきぎ。また、たきぎのたば。

解字 形声。木+完音。

7 【桿】 11画 5433 カン　杆(5199)の俗字。→七一八ページ中。　5969 9E85 —

7 【梙】 11画 5434 漢カン(クワン) 呉ゲン 諫 huàn　2 1479 — —

字義 むく。ムクロジ科の落葉高木。無患子(ムクロジ)。

解字 形声。木+串音。

7 【梂】 11画 5435 漢キュウ(キウ) 呉グ 尤 qiú　2 1474 — 3575

字義 ❶いが。くぬぎの実。❷のみ(鑿)の先。

解字 形声。木+求音。

7 【梟】 11画 5436 キョウ(ケウ) 蕭 xiāo　5970 9E86 —

字義 ❶ふくろう。＝鴞(14211)。みみずくに似た鳥。性質があらく、昼はかくれ、夜出て小鳥などを捕食する。長じてその親鳥をも食うといい、悪鳥・不孝の鳥として憎まれる。❷たけだけしい。荒く強い。「梟雄」 ❸すぐれたもの。まさったもの。❹さら-す。さらし首にする。罪人の首を切って獄門にかける。「梟首」

解字 篆文 会意。鳥省＋木。鳥を木の上につきさしたさまで、ふくろう・さらすの意味を表す。ふくろうは不孝の鳥なので、これをさらし首にし、五月五日にそのスープを作り、みせしめに役人に飲ませたといわれる。

【梟騎】キョウキ 強く勇ましい騎兵。

【梟△獍・梟鏡】キョウキョウ ①親不孝の人。▼梟は母を食う鳥、獍は父を食う獣。②凶悪忘恩の人。

【梟△鴟】キョウシ ①ふくろう。悪鳥。②悪人。

【梟首】キョウシュ 罪人を殺して首をさらす。さらし首。

【梟臣】キョウシン 勢力のある悪臣。

【梟帥】キョウスイ 一 ①勇猛な大将。梟将。②賊軍の大将。二 たける 国昔、勇猛な未開民族の長をいう。「熊襲梟帥」

【梟名】キョウメイ 非常に強いという名声。武勇のほまれ。

【梟雄】キョウユウ ①あらく強い。悪事にたけている。②勇猛な英雄。

7 【梜】 11画 5437 一 キョウ(ケフ) 奥 jiā 二 漢コウ(カフ) 呉キョウ(ケフ) 洽 2|1481 — 3582

字義 一 ❶封書の上に書いた文字の磨滅を防ぐそえ板。❷はし(箸)。二 木目が乱れる。 難読 梜川

解字 形声。木＋夾音。

7 【梮】 11画 5438 漢キョク 呉コク 因 jú — — 3588

字義 ❶もっこ。石・土などを運ぶ道具。❷輿。昔、人を載せて運んだもの。❸かんじき。深い雪に足をふみこまないよう、履き物の下に付けるもの。❹膳。料理を載せる台。

解字 形声。木＋局音。

7 【桾】 11画 5439 クン 文 jūn 5985 9E95 —

字義 桾櫏は、果樹の名。さるがき。君遷。 難読 桾原

解字 形声。木＋君音。

7 【桱】 11画 5440 漢ケイ 呉キョウ(キャウ) 径 jìng — — 3568

字義 ❶木の名。杉に似た木。❷糸巻き。❸牀(寝台)の前にあるひじかけ。

解字 形声。木＋巠音。

7 【桀】 11画 5441 ケツ 5960 9E7B —

桀(5379)の俗字。→七三八ページ上。

7 【梘】 11画 5442 ケン 銑 jiǎn 2|1478 — 3580

字義 ❶せん(栓)。❷しらべる(検)。❸棺のおおい。❹かけい。＝筧(8753)。国梘水は、鹹水の当て字。

解字 形声。木＋見音。

7 【梧】 11画 5443 人 ゴ 虞 wú 2472 8CE6 —

筆順 一 十 木 木 朽 栢 梧 梧

字義 ❶あおぎり。アオギリ科の落葉高木。樹皮は緑色。葉は広く大きくて、長い柄がある。夏、黄白色の五弁の小花をつけ、豆に似た実を結ぶ。材は琴や建具などに用い、街路樹にも植える。「梧桐」 ❷こと(琴)。琴は梧で作ることからいう。❸ささえる。支持する。「枝梧」 ❹はしら。ささえ柱。❺さからう(牾)。

名前 ご・ひろ 難読 梧桐

解字 篆文 形声。木＋吾音。音符の吾は、五に通じ、いつつの意味。五弁の小花のあおぎりの意味を表す。

【梧下】ゴカ ①あおぎりの木のした。②あおぎり製の机の下の意。手紙のあて名のわきにそえて敬意を表す語。梧右。

【梧△檟】ゴカ ①あおぎりと、ひさぎ。ともに良材。②すぐれた人物。

【梧△桐】ゴドウ・ゴトウ あおぎり。→字義❶。用例〔荘子、秋水〕非梧桐不止、非練実不食、非醴泉不飲。梧桐の木でなければ止まらず、竹の実でなければ食べず、また、清らかでうまい泉の水でなければ飲まない。

【梧△桐一葉】ゴドウイチヨウ・ゴトウイチヨウ あおぎりの葉が一枚落ちて、秋になったことを知ること。転じて、物のおとろえるきざし。用例〔群芳譜〕梧桐一葉落、天下尽知秋。梧桐一葉落ちて、天下尽く秋を知る。あおぎりの葉が一枚落ちる(るのを見)て、世の中全体が秋になったことを知る。

【梧右】ゴユウ ＝梧下②。

【梧葉】ゴヨウ あおぎりの葉。用例〔伝、南宋、朱熹、偶成詩〕未覚池塘春草夢、階前梧葉已秋声。未だ覚めず池塘春草の夢、階前の梧葉已に秋声。池の堤の春の若草の中で見た夢の覚めやらぬうちに、階段あたりのあおぎりの葉には、早くも秋風が訪れている。

7 【梗】 11画 5444 常 コウ 漢コウ(カウ)・呉キョウ(キャウ) 梗 gěng 2528 8D5B —

筆順 一 十 木 木 杆 柯 梧 梗 梗

字義 ❶やまにれ。山野に自生するニレ科の落葉高木。刺がある。❷つよい。たけだけしい。❸まっすぐ。ただしい。正直。❹ふさぐ。ふさがる。つかえる。❺でく。人形。❻あらまし。おおよそ。大略。「梗概」 ❼桔梗は、秋草の一種。

名前 きょう・たけし・つよし・なお

解字 篆文 形声。木＋更(㪅)音。音符の㪅は、かたいの意味。固いとげのある、やまにれの意味を表す。

【梗概(概)・梗△槩】コウガイ あらまし。おおよそ。あらすじ。大略。

【梗正】コウセイ 強くて正しい。

【梗塞】コウソク ふさがって通じない。

7 【梏】 11画 5445 コク 因 gù 5971 9E87 —

字義 ❶てかせ。罪人の手にはめて自由を奪う刑具。「桎梏」 ❷しばる。つなぐ。捕らえる。また、手かせをする。❸みだす(乱)。

解字 篆文 形声。木＋告音。音符の告は、牛をとらえて神にささげつげるの意味。罪人をとらえておくための刑具、てかせの意味を表す。

【梏△桎】コクシツ 手かせと足かせ。刑具。転じて、自由を束縛すること。桎梏。

【梏亡】コクボウ 乱し滅ぼす。本心を乱して失わせる。

7 【梱】 11画 5446 一 コン 阮 kǔn 二 コン 願 2613 8DAB —

字義 一 ❶しきみ(閫)。とじきみ。門の中央に立てるくい。門の内外のしきり。❷たたく。二 そろえる。たばねる。国こり。こうり。㋐竹や柳で編んだかご。㋑包装した荷物。また、それを数える語。

解字 篆文 形声。木＋困音。音符の困は、とじこめるの意味。出入り口にしきりをして内部にとじこめる木、しきみの意味を表す。

【梱外△之任】コンガイのニン 外(国外)に出征する任務の意。将軍の職務。軍隊を率いて、しきみの外(国外)に出征する任務の意。

【梱包】コンポウ 国荷造りする。また、荷造りしたもの。

7 【梭】 11画 5447 サ 歌 suō 5972 9E88 —

字義 ひ。はたおりの道具。横糸を通す管のついているも

梭

の。＝杼(5257)。
解字 形声。木＋夋音。 難読 梭魚(かます)・梭魚子(いかなご)・梭子魚(かます)
【梭△杼】サチョ はたのひ。機杼。
【梭投】サトウ はたのひを通わす。㋐時間の速く過ぎさることのたとえ。㋑物事のすみやかなたとえ。

7 【桫】11画 5448 サ 歌 suō ₂1470 — 3564
字義 〈ご〉。ヘゴ科の常緑羊歯(しだ)植物。
解字 形声。木＋沙音。

7 【梓】11画 5449 人 シ 紙 zǐ 1620 88B2 —
筆順 一 十 木 木' 杧 柠 梓 梓
字義 ❶あずさ。楸(ひさぎ)・梓(ひき)の一種。きささげとも、あかめがしわともいい、定説はない。落葉高木で、中国では最もすぐれた良材として、各家庭に植えられ、棺・版木などに用いられる。❷はんぎ。また、文書を版木に彫って印刷すること。「上梓」❸木材で各種の器具を作る職人。建具師。指し物師。大工(ダイク)。
名前 あずさ
解字 篆文 形声。木＋宰省音。
【梓宮】シキュウ ①天子のひつぎ。あずさの木で作るからいう。②天子の墓。陵。
【梓匠】シショウ 建具師と大工。木工。
【梓人】シジン 大工の親方。また、建具師。指し物師。
【梓里】シリ ふるさと。故郷。父母があずさの木を植えて子孫に残した地の意。→桑梓(七四一ページ上)。
【上レ梓】シにのぼす ＝上梓(ジョウシ)(三三ページ上)。

7 【梔】11画 5450 シ 支 zhī 5973 9E89 —
【栀】5311 同字
字義 くちなし。アカネ科の常緑低木。夏、白色の六弁花を開き、赤黄色の実を結ぶ。果実は、染料に用い、薬用となる。梔子(くちなし)。 難読 梔子(くちなし)
解字 形声。木＋卮音。

7 【桼】11画 5451 漢シツ 呉シチ 質 qī ₂1473 — 3574
字義 うるし。また、うるしのき。＝漆(6635)。
解字 象形。木に六点を加え、樹液を採取するさまにかたどり、うるしの意味を表す。

7 【梢】11画 5452 人 3031 8FBD —
7 【梢】11画 5453 漢ソウ(サウ) 呉ショウ(セウ) 肴 shāo
筆順 一 十 木 木' 木'' 杪 梢 梢
字義 ❶こずえ。木のさき。幹の先端。❷すえ。はし。物の末端。また、お(尾)。「末梢」❸旗あし。❹かじ(舵)。船のかじ。❺さお。楽人が手に持って拍子をとる棒。
名前 こずえ・すえ・たか
解字 篆文 形声。木＋肖音。音符の肖は、小に通じ、ちいさいの意味。木の小さくなっていくところ、こずえの意味を表す。
【梢雲】ショウウン ①高い雲。②めでたいしるしの雲。
【梢工】ショウコウ 舟乗り。船頭。
【梢梢】ショウショウ ①風に吹かれて鳴る木の音。②小さい。わずか。③尾の垂れさがっているさま。④枝がなく高く伸びている木の形容。⑤木々のこずえ。

7 【㮤】11画 5454 ショウ 松(5246)の古字。→七三五ページ中。 ₁8571 — 3585

7 【條】11画 (5212) ジョウ 条(5211)の旧字体。→七一九ページ中。

7 【梣】11画 5455 漢シン 呉ジン 侵 chēn ₁8570 — 3584
字義 とねりこ。モクセイ科の落葉高木。
解字 形声。木＋岑音。

7 【梫】11画 5456 シン 侵 沁 寝 qǐn ₂1483 — —
字義 木の名。かつら。
解字 形声。木＋㑴(梫省)音。

7 【桵】11画 5457 漢ズイ 呉ヌイ 支 ruí ₁8568 — 3570
字義 たら。たらの木。白桜。
解字 形声。木＋妥音。

7 【梲】11画 5458 ㊀漢セツ・呉セチ 屑 zhuō ㊁漢タツ・呉タチ 曷 tuō ₁8572 — 3589
字義 ㊀うだち。うだつ。つか。梁(はり)の上に立て棟木(むなぎ)をささえる短い柱。㊁つえ(杖)。大きな杖。
解字 篆文 形声。木＋兌音。音符の兌(タ＝セツ)は、ぬけ出るの意味。梁(はり)の上にぬけ出ている支柱、うだちの意味を表す。

7 【梳】11画 5459 漢ソ 呉ショ 魚 shū 5964 9E80 —
字義 ❶くし。歯のあらい櫛(くし)。❷くしけずる。けずる(けづる)。とかす。すく。くしで髪をすく。
解字 篆文 形声。木＋疏省音。音符の疏(ソ)は、わけてとおすの意味。髪をすく「くし」の意味を表す。
【梳△盥】ソカン 髪をくしけずり、手を洗う。
【梳洗】ソセン 髪をくしけずり、顔を洗う。化粧する。
【梳△沐】ソモク 髪をすき洗うこと。

梳①(馬王堆漢墓)

7 【梍】11画 5460 ソウ 皁(7866)の俗字。→九九二ページ下。 5984 9E94 —
難読 梍橋(さいかいばし)

7 【梯】11画 5461 人 標 漢テイ 呉タイ 斉 tī 3684 92F2 —
筆順 一 十 木 木' 杧 梢 梯 梯
字義 ❶はしご。きざはし。かけはし。「雲梯」❷てびき。上の段階に進み、また、ある結果をみちびく手びきとなるもの。「階梯」❸よる。もたれる。 難読 梯子(はしご)
解字 篆文 形声。木＋弟音。音符の弟は、順序の意味。順序をふんでのぼりおりする、はしごの意味を表す。
【梯航】テイコウ ①はしごをかけて山に登り、船に乗って海を渡る。海山を越えて遠方に行くこと。②てびき。案内。
【梯索】テイサク なわばしご。

7 【梃】11画 5462 漢テイ 呉ジョウ(ヂャウ) 迥 tǐng 5976 9E8C —
字義 ❶まっすぐで丸い棒。また、つえ(杖)。❷大きい枝。また、幹。国てこ。
解字 篆文 形声。木＋廷音。音符の廷は、まっすぐ突き出るの意味。突き出た木のえだ・つえの意味を表す。

7 【桯】11画 5463 ㊀漢テイ 呉チョウ(チャウ) 青 tīng ㊁漢エイ 呉ヨウ(ヤウ) 庚 yíng — — 3566
字義 ㊀❶牀(ショウ)(寝台)の前にあるひじかけ。❷さお。柱。❸うすの柱。㊁柱。

解字 形声。木＋呈㊐。

7 【梴】11画 5464 ㊀テン ㊁レン [先] [先] chān 2 1484 — —
字義 ㊀❶ながい。木の長いさま。❷きぬた(砧)。
解字 形声。木＋延㊐。

7 【桶】11画 5465 [人] [標] 漢トウ 呉ツ [董] tǒng 1819 89B1 —
筆順 一 十 木 木ᄀ 朩マ 杓 梢 桶
字義 おけ。水を入れる木製のおけ。
名前 とう 難読 桶狭間(おけはざま)
解字 篆文  形声。木＋甬㊐。音符の甬(ウト)は、中が空洞になっている鐘の柄の象形。中が空洞の木器、おけの意味を表す。

7 【梪】11画 5466 漢トウ 呉ズ(ヅ) [宥] dòu 2 1482 — 3587
字義 ❶たかつき。❷数量の単位。一梪は四升。
難読 梪沢(きさいかち)
解字 形声。木＋豆㊐。

7 【梼】11画 5467 トウ 檮(5877)の俗字。→七七三ページ下。 3778 938E —
難読 梼原(ゆすはら)

7 【梛】11画 5468 [人] 漢ダ 呉ナ [歌] nuó 5975 9E8B —
筆順 一 十 木 朩 杊 杊 枏 梛ᄀ 梛 梛
【梛】5469 正字
字義 木の名。国なぎ。竹柏(チクハク)。暖地に自生する、マキ科の常緑高木。葉は竹に似て、厚い縦の線がある。材はきめが細かく、床柱や家具などに用いられる。
名前 なぎ
解字 形声。木＋那㊐。

7 【梛】11画 5469 ナ 梛(5468)の正字。→七四五ページ上。

7 【桮】11画 5470 ハイ 杯(5262)の本字。→七二八ページ中。 2 1471 — 3565

7 【梅】11画 (5415) バイ 梅(5414)の旧字体。→七四一ページ下。

7 【梖】11画 5471 ハイ 慣バイ [泰] bèi 2 1476 — 3579
字義 梖多羅(バイタラ)は、木の名。インドに産する常緑高木。葉は経文を書写するのに用いられる。貝多羅(バイタラ)。
解字 形声。木＋貝㊐。梵語(ボンゴ) pattra(葉の意)の音訳字。

7 【⿰木別】11画 5472 ㊀漢ハツ・呉ハチ [黠] bā ㊁漢ヘツ・呉ヘチ [屑] biē 2 1477 — —
字義 ㊀❶木の名。❷えぶり。掃除の道具。朳(5192)と同字。㊁ほこの柄。
難読 ⿰木別幡(やつはた)
解字 形声。木＋別㊐。

7 【梚】11画 5473 漢バン 呉マン [阮] wǎn 2 1480 — 3581
字義 木の名。国ひく(引・挽)。
解字 形声。木＋免㊐。

7 【梶】11画 5474 [人] [標] 漢ビ 呉ミ [尾] wěi 1965 8A81 —
筆順 一 十 木 朩ᄀ 朩ᄀ 杍 杍 椐 梶
字義 こずえ。国かじ(かぢ)。㋐かじのき。クワ科の落葉高木。楮(こうぞ)の一種。若枝の皮は和紙製造の原料。㋑船尾にあって船の方向を定める器具。舵(かじ)。㋒船を漕(こ)ぎ進める具。楫(かい)。㋓車のかじ棒。
名前 かじ・こずえ・すえ 難読 梶取(かんどり)
解字 形声。木＋尾㊐。音符の尾は、しっぽの意味。木のしっぽの方、こずえの意味を表す。日本ではこれを船尾にとりつけて船の方向を定める、かじの意味に用いる。

7 【梹】11画 5475 ヒン 檳(5880)の俗字。→七七四ページ上。 5978 9E8E —
難読 梹榔(びょうろう)

7 【桴】11画 5476 ㊀漢フ・呉ブ [虞] fú ㊁フ [虞] 5979 9E8F —
字義 ㊀❶むね。むなぎ。❷ばち。太鼓を打つ棒。㊁いかだ。小さいものを桴、大きいものを筏(バツ)という。用例〔論語、公冶長〕道不レ行(みちおこなわれず)、乗レ桴浮二于海一(いかだにのりてうみにうかばん)。↓道義が行われない今の世の中では、いっそいかだにでも乗って海に浮かんでみよう。
解字 金文  篆文  形声。木＋孚㊐。音符の孚(フウ＝フ)は、浮に通じ、うくの意味。家屋の中のうきあがった部分、むねの意味を表す。また、水上にうきあがるために組まれた木、いかだの意味を表す。

7 【棻】11画 5477 漢フン 呉ブン [文] fēn 2 1486 — 3618
字義 香木の名。
解字 形声。木＋芬㊐。

7 【梐】11画 5478 漢ヘイ 呉バイ [薺] bì 2 1475 — —
字義 ❶こまよけ。人馬の侵入を防ぐため、門前などに設けるもの。❷ひとや。牢獄(ロウゴク)。
難読 梐(けやき)
解字 形声。木＋坒㊐。

7 【梆】11画 5479 ホウ(ハウ) [江] bāng — — 3577
字義 ❶昔、役所で呼び出しの合図に打った、穴をあけた木、または竹の筒。❷梆子(ホウシ)は、中国の芝居で用いる拍子木。
解字 形声。木＋邦㊐。音符の邦は、パーンという音を表す擬声語。木製の打楽器の意味を表す。

7 【桻】11画 5480 漢ホウ 呉フ [冬] fēng — — 3573
字義 梢(こずえ)。
解字 形声。木＋夆㊐。

7 【梈】11画 5481 漢ホウ(ハウ) 呉ヒョウ(ヒャウ) [庚] pēng — — 3578
字義 木で作った大弓。
解字 形声。木＋亨㊐。

7 【桲】11画 5482 漢ホツ 呉ボチ 慣ボツ [月] bó, ②po 1 8567 — 3569
字義 ❶からざお。脱穀に用いる道具。❷榲桲(オツボツ)は、果樹の名。マルメロ。

7 【梵】11画 5483 [標] 漢ハン 呉ボン [陥] fàn 5980 9E90 —
字義 ❶仏梵語ブラフマン brahman の音訳字。㋐インドの婆羅門(バラモン)教で、宇宙の最高原理。また、創造原理。㋑梵天王。宇宙創造の主。❷仏梵語。サンスクリット。❸仏インドの貴族で、婆羅門教の司祭者。❹仏仏教に関する物事に冠することば。用例〔唐、銭起、送二僧帰一日本一詩〕水月通二禅寂一(スイゲツゼンジャクにツウじ)、魚竜聴二梵声一(ギョリョウボンセイをきく)。↓海に浮かぶ月影は静かな禅の境地に通じ、海に棲む魚や竜はあなたの読経の声に耳を澄ますことでしょう。
難読 梵論(ぼろ)
解字 篆文  形声。林＋凡㊐。音符の凡は、かぜの意味。林の上を吹く風の音の意味を表したが、梵語 brahmanの音訳字として用いる。
【梵宇】(ボンウ) てら。仏寺。寺院。梵宮。梵刹(ボンサツ)。
【梵△夾】(ボンキョウ) 仏教の経文(キョウモン)。お経。梵経。
【梵行】(ボンギョウ) 仏①清らかでけがれのない行い。②仏法の修行。

【梵△磬】ボンケイ 仏寺で用いる、への字形の石の楽器。多く案内を請うとき打ち鳴らす。

【梵語】ボンゴ インドの古代語。聖なる言語の意。サンスクリット。

【梵刹】ボンサツ・ボンセツ ＝梵宇。

【梵妻】ボンサイ 僧の妻。だいこく。

【梵字】ボンジ 仏古代インドの文字。梵語（サンスクリット）を記載するのに用いる文字。

【梵鐘】ボンショウ 寺のつりがね。寺鐘。

【梵天】ボンテン ①仏「梵天王」の略。婆羅門バラモン教で祭る宇宙創造の主。仏法の守護神として、帝釈天タイシャクテンとともに仏像の左右に侍する。②色界の第一天界（欲界を離れた天上界）。③インド。④国㋐修験道シュゲンドウで、祈禱キトウに用いる幣束（御幣ゴヘイ）。㋑昔、劇場で矢倉の左右に立てた招き。㋒延縄はえなわ漁業で、延縄につけためじるし。

【梵唄】ボンバイ 仏教の経文を節をつけて読むこと。

7 **【梦】** 11画 (2231) ム 夕部。→三三五ページ上。

7 **【椰】** 11画 5484 ヤ 椰(5633)と同字。→七五八ページ上。

7 **【梄】** 11画 5485 ユウ 槱(5773)と同字。→七六七ページ中。 ― ― 3576

7 **【梨】** 11画 5486 リ 因 lí 教4 なし 4592 979C ―

筆順 ノ 二 千 禾 禾 利 利 梨 梨 梨

【梨】5570 本字

字義 **なし。** 果樹の名。バラ科の落葉高木。四月ごろ、白い花を開く。

名前 なし・り・りん 難読 梨郷りんごう

解字 篆文 形声。木＋利(㓾)音。

【梨雲】リウン なしの花の多く咲くさまを白雲にたとえていう。

【梨園】リエン ①なしの木を植えた庭園。②芝居。演劇。また、役者の仲間。俳優の世界。演劇界。唐の玄宗が、長安の宮中の梨の園に青年や宮女を集めて、戯曲・音楽を学ばせた故事による。用例（唐、白居易、長恨歌）梨園弟子白髪新リエンのテイシハクハツあらたに、椒房阿監青娥老ショウボウのアカンセイガおいたり ↓かつての梨園の教習生たちは、このごろめっきりしらがになり、皇后のへやのとりしまりをした女官の美貌も老けこんでしまった。

【梨花一枝春帯雨】リカイッシはるあめをおぶ なしの花の白く咲いた小枝が、春の日に雨に打たれている。美人が涙にくれているさまの形容。用例（唐、白居易、長恨歌）玉容寂寞涙闌干ギョクヨウセキバクとしてなみだランカン、梨花一枝春帯レ雨リカイッシはるあめをおぶ ↓さびしそうな美しい顔からは涙がはらはらとこぼれ、梨の花の白く咲いた小枝が、春の雨に打たれているようなおもむきである。

【梨雪】リセツ なしの花の白さを雪にたとえていう。

7 **【梩】** 11画 5487 リ 因 lí ― ― 3586

字義 ❶すき。くわ。農具の名。❷もっこ。土をいれて運ぶ道具。

解字 形声。木＋里音。

7 **【栁】** 11画 5488 リュウ 柳(5347)の本字。→七三五ページ上。 2 1472 ― 3572

7 **【梠】** 11画 5489 漢リョ 呉ロ 語 lǚ 5981 9E91 ―

字義 **のき。** ひさしのはしの横木。たるきをそろえる木。

解字 金文 篆文 形声。木＋呂音。音符の呂リョは、つらねるの意味。

7 **【梁】** 11画 5490 人 標 リョウ（リャウ） 陽 liáng 4634 97C0 ―

筆順 丶 氵 汈 汈 汈 汈 洌 梁 梁

【樑】5774 俗字

字義 ❶**はり。** うつばり。柱の上に横たえ、屋根をささえる大きな木材。❷**橋。** また、橋をかける。「橋梁」❸**とびいし。** 水中に少しずつ離して、渡れるように置いた石。❹**やな。** 水流をせきとめて、一か所だけ流れるようにして魚を捕らえるしかけ。❺**つよい。** ❻国名。戦国時代、魏ギの別名。恵王が前三六一年に都を大梁（今の河南省開封市）に移してからの称。❼王朝の名。㋐南北朝時代、南朝の一つ。蕭衍ショウエンが南斉を奪って建てた国。四代五十六年（五〇二―五五七）で、陳に滅ぼされた。㋑五代の国の一つ。朱全忠が唐を滅ぼして建てた国。二代十七年（九〇七―九二三）で、後唐に滅ぼされた。後梁ともいう。

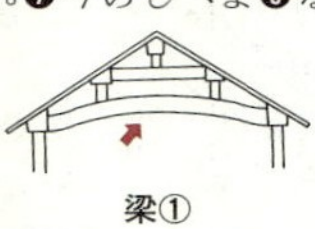

梁①

名前 たかし・はり・むね・やな・やね

解字 金文 篆文 会意。氵(水)＋刅＋木。刅は、やなの象形。金文には水の流れをせきとめた形が見える。川の両岸をおさえてせきとめた「やな」の意味を表す。

【梁園】リョウエン・【梁△苑】リョウエン 漢代、梁の孝王（文帝の次男）が今の河南省開封市付近に造営した庭園。多くの賓客を集めて遊んだ。兎園トエン。

【梁啓超】リョウケイチョウ 清シン末・民国初期の思想家・政治家。康有為コウユウイの門人。政界に活躍し、晩年は著述に専念した。著書に『清代学術概論』『飲冰室文集』などがある。（一八七三―一九二九）

【梁材】リョウザイ ①はりになるような、大きな材木。②すぐれた人材。

【梁山伯】リョウサンパク ①蝶チョウの一種。黄色い蝶。②東晋トウシンの人。山伯の病死後、以前、山伯から求婚されて結婚できなかった男装の美人祝英台が、その墓前で泣き悲しむと、地が裂けて、英台も共に葬られたという。後に二人の魂が蝶に化したともいう。黒色の蝶を、祝英台という。〔宣室志〕

【梁山泊】リョウザンパク 沢の名。山東省梁山県にある。梁山のふもとにあって、古来、天険の要地として知られた。北宋ホクソウの宣和年間に大盗賊の宋江らが立てこもり、『水滸伝スイコデン』で、宋江ら百八人の豪傑の活躍が書かれてから、転じて広く、豪傑を気どる者の集まりの意に用いる。〔水滸伝、十二回〕

【梁書】リョウジョ 書名。五十六巻。唐の姚思廉ヨウシレンの著。南朝梁の歴史を記した書物。二十四史の一つ。

【梁上君子】リョウジョウのクンシ ぬすびとのこと。後漢の陳寔チンショクが、梁はりの上に盗賊のひそんでいるのを知って、子弟を呼んで、「人の本性は善であるが、習慣によっては悪人ともなる。梁はりの上の君子はそれだ」といましめたところ、盗賊も感じさとって、罪を謝した故事による。〔後漢書、陳寔伝〕

【梁津】リョウシン 川の橋や渡し場。

【梁△塵】リョウジン はりの上のちり。昔、魯ロの名音楽家虞公グコウが歌うと、はりの上のちりまで動いたという故事から、巧妙な音楽を形容して、「動二梁塵一リョウジンをうごかす」「梁塵飛リョウジンとぶ」などという。〔劉向別録〕

【梁川星△巌（巖）】やながわせいがん 国江戸末期の儒学者・漢詩人。美濃みの（今の岐阜県）の人。名は孟緯モウイ、星巌は号。山本北山・古賀精里に学び、江戸神田お玉が池に玉池吟社を開いて詩作した。後、京都に移り、尊皇攘夷ジョウイを唱えた。安政の大獄直前に病死。（一七八九―一八五八）

【梁川紅△蘭】やながわこうらん 国江戸末期の女流詩人。美濃みの（今の岐阜県）の人。梁川星巌セイガンの妻。著書に『紅蘭詩集』がある。（一八〇四―一八七九）

【梁柱】リョウチュウ ①橋の柱。②はりとはしら。③はなばしら。鼻梁。

【梁田蛻巌(巖)】やなだぜいがん 国江戸中期の儒学者。江戸(今の東京都)の人。名は邦美。字あざなは景鸞ケイラン。蛻巌は号。明石あかし藩儒。著書に『学範』『四書講義』『蛻巌文集』などがある。(一六七二―一七五七)

【梁棟】リョウトウ うつばりと、むなぎ。転じて、重任を負う人。重要な人物。

【梁父・梁△甫】リョウホ 山東省泰安市の南にある、泰山の分かれの丘。昔、天子は泰山で天帝を祭り、梁父で地神を祭った。

【梁△甫吟・梁父吟】リョウホギン 人が死んで梁甫の山に葬られるのを歌った古歌。諸葛亮ショカツリョウはこれを好んで歌い、また自分でも歌詞を作った。

【梁木壊(壞)】リョウボクやぶる はりの木が折れくだける。転じて、偉大な人物の死をいう。梁木顚リョウボクたお(ふ)る。〔礼記、檀弓上〕

7 【桹】11画 5491 ロウ(ラウ) 陽 láng — — 3571
［樃］5776 俗字 ［榔］5777 俗字
字義 ❶木の名。❷高い木。❸船板。
解字 形声。木＋良音。

7 【梻】11画 5492 国字 2 1485 — 3590
字義 しきみ。山野に自生する常緑小高木。かおりがあり、その枝・葉を仏前に供える。＝樒(5772)。
解字 会意。木＋佛。仏前に供える、しきみの意味を表す。

7 【桛】11画 5493 国字 5982 9E92 —
字義 ふもと(麓ロク)。山のすそ。
解字 会意。木＋下。はやしのある山の下、ふもとの意味を表す。

7 【桝】11画 5494 国字 ます 4381 9691 —
枡(5279)の簡易慣用字体。→七三〇ページ上。

7 【椛】11画 5495 国字 人 1981 8A91 —
筆順 一 十 木 … 椛
字義 ❶もみじもみぢ。紅葉。❷かば。樺(5657)の略字。
解字 会意。木＋花。葉が花のように色づく、もみじの意味を表す。

7 【椖】11画 5496 国字 2 1469 — —
字義 椖島おおこしまは、長崎県の地名。

8 【椏】12画 5497 ア 麻 yā 5983 9E93 —
字義 また。木のまた。国三椏みつまたは、ジンチョウゲ科の落葉低木。内皮は製紙の原料となる。
解字 形声。木＋亞音。

8 【椅】12画 5498 常 イ 一イ 支 yī 二イ 紙 yǐ 1656 88D6 —
筆順 一 十 オ 木 … 椅
字義 一いいぎり。梓あずさの一種で、桐きりに似た木。琵琶ビワなどの楽器や器物を作るのに用いる。「椅桐イドウ」 二いす。腰かけ。
名前 あづさ・よし
解字 篆文 形声。木＋奇音。音符の奇は、寄に通じ、よるの意味。よりかかることのできる「いす」の意味を表す。また、木の名。
【椅△几】キイ きょうそく。おしまずき。ひじかけ。
【椅子】スイ 腰掛け。よりかかりのある腰掛け。

8 【棭】12画 5499 漢エキ 呉ヤク 陌 yì 1 8576 — 3613
字義 木の名。国ねむのき。マメ科の落葉高木。
解字 形声。木＋夜音。

8 【棪】12画 5500 エン 琰 yǎn — — 3610
字義 ❶木の名。棗なつめに似た実を結ぶ。❷梓棪エンシは、大木の名。
解字 形声。木＋炎音。

8 【椢】12画 5501 カイ 5990 9E9A —
槶(5729)の俗字。→七六四ページ中。

8 【椁】12画 5502 カク 5986 9E96 —
槨(5732)と同字。→七六四ページ中。

8 【棺】12画 5503 常 カン 一カン(クワン) 寒 二カン(クワン) 翰 諫 guān 2029 8ABB —
筆順 一 十 木 … 棺
字義 一ひつぎ。かんおけ。うちかん。死体をじかにおさめる箱。↕槨(5732)。「棺槨カンカク」 二死体をひつぎにおさめる。
解字 篆文 形声。木＋官音。音符の官は、かこうの意味。死体をつつみかこう、ひつぎの意味を表す。
逆 納棺
【棺△槨】カンカク ひつぎ。死体を納める箱。▼棺はうちかん、槨はそとかん。用例〔史記、滑稽伝〕使二群臣喪一レ之、欲下以二棺槨大夫礼一葬上レ之(群臣をして之を喪せしめ、棺槨大夫の礼を以て之を葬らんと欲す) ↓群臣に喪に服させて、棺と槨を用い大夫の礼式によって葬ろうとした。
【蓋レ棺事定】かんをおお(ほ)い(ひ)てことさだまる 死体を棺に納め、ふたをした後に初めて、その人の真の価値がきまる。生前のほまれやそしりは、あてにならない意。〔晋書、劉毅伝〕

8 【棵】12画 5504 一漢カン(クワン) 呉ガン(グワン) 旱 kuǎn 二カ(クワ) 哿 kě ②kē — — 3616
字義 一❶木切れ。❷薪たきぎの束たば。二❶まな板の名。❷現代中国語で、樹木を数える量詞。
解字 形声。木＋果音。

8 【棋】12画 5505 常 キ 漢キ・呉ゴ・ギ 支 qí 2093 8AFB —
［棊］5506 正字 ［櫀］5869 同字
筆順 一 十 木 … 棋
字義 ❶囲碁・将棋・すごろくの類い。こまを使って競う遊戯。❷こま。碁石。「棋子」 ❸碁を打つ。また将棋をさす。
名前 き・もと
参考 本来は、〔碁〕(8198)と同字。⇩〔碁〕の参考。
解字 篆文 形声。木＋其音。音符の其キは、ととのっているの意味。整然と線の引かれた囲碁・将棋などの盤の意味を表す。
逆 琴棋・象棋
【棋客】キカク 囲碁・将棋をよくする人。
【棋局】キキョク ①囲碁・将棋の盤。②盤上の居面・形勢。
【棋子】キシ 碁石。また、将棋などのこま。
【棋△峙・棋△跱】キジ 碁石のように並び立つ。英雄・豪傑が所々に割拠すること。
【棋布】キフ 碁石を並べたように散らばること。
【棋譜】キフ 囲碁・将棋の手順の記録。

8 【棊】12画 5506 キ 5987 9E97 —
棋(5505)の正字。→七四七ページ下。

8 **【椈】** 12画 5507 キク 屋 jú ｜5988 9E98 ―

字義 木の名。ひのきの類い。＝橅(5823)。 国 ぶな。ブナ科の落葉高木。

解字 形声。木＋匊㊥。音符の匊は、菊の花のような形のものの意味。菊の花のような形の実がなる、ひのきの類の意味を表す。

8 **【椐】** 12画 5508 ㊥キョ ㊡コ 魚 御 語 jū ｜― ― 3624

字義 ❶木の名。竹に似た木。杖に用いる。霊寿木。❷椐椐は、従うさま。

解字 形声。木＋居㊥。

8 **【渠】** 12画 (6485) キョ 氵部。→八五七ページ中。

8 **【極】** 12画 5509 教 4 キョク・ゴク きわ-める・きわ-まる・きわ-み ㊥キョク・㊡ゴク 職 jí ｜2243 8BC9 ―

筆順 木 木 朾 朾 柯 柯 極 極 極

字義 ❶むね。棟木。屋根の最も高いところにわたした横木。❷きわ-み。物事の頂点。到達点。また、行き止まり。終わり。「窮極」❸はて。辺境。また、遠い。はるかな。「四極」❹最高のもの。特に、天子の位。「登極」❺北極星。「太極」❻根本。天地宇宙の本源。本体。転じて、準則。法則。❼きわ-まる。最高限度にいたる。また、つきる。おわる。用例〔史記、李斯伝〕物極則衰。↓物事は頂点に達すれば衰えるものである。❽つか-れる。用例〔漢書、王褒伝〕匈喘膚汗、人極馬倦。↓呼吸は荒くなり汗は吹き出し、人も馬も疲れ果てる。❾きわ-める。㋐つくす。可能な限りを行う。用例〔唐、杜甫、剣門詩〕併呑与二割拠一、極レ力不二相譲一。↓併呑にしても割拠にしても、力の限り一歩も引かない。㋑最後まで至る。突き詰める。用例〔唐、王維、送三秘書晁監還二日本国一詩〕積水不レ可レ極、安知二滄海東一。↓大海の果てはきわめつくしようがないほど広い。その大海のさらに東にあるあなたの国のことなどどうして知ろうか。❿きわ-めて。この上なく。はなはだ。非常に。用例〔東晋、陶潜、桃花源記〕初極狭、纔通レ人。↓最初のうちはたいへん狭く、人がやっと通れるくらいだった。⓫地軸の両端。また、磁石の両端。「北極」「磁極」⓬陰陽両電気の出入りする所。「電極」⓭ころす。誅する。＝殛(6026)。⓮すみやか。迅速。＝亟(133)。

国 ❶きわ-め。書画・刀剣・道具類などの目きき。鑑定。❷き-める。定める。約束する。決心する。❸き-まる。定まる。❹き-め。きまり。決定。約束。「月極」

名前 いたる・きわ・きわむ・きわめ・たか・なか・むね

難読 極月・晦・ひ

使いわけ きわめる・きわまる〔究・窮・極〕⇩究(8569)。

解字 篆文 形声。木＋亟㊥。音符の亟は、問いつめるの意味。木を付して、家屋の最高のところにある、「むね」の意味を表す。きわみ・きわめるの意味を表す。

逆 究極・窮極・至極・終極・消極・積極・太極・無極

【極悪(惡)】ゴクアク この上なく悪い。最悪。

【極意】一 キョクイ 思う存分に行う。満足するまで行う。二 ゴクイ 国①奥の手。奥義。②至極。

【極△諫】キョッカン・ゴッカン はげしく(きびしく)諫める。

【極刑】キョッケイ きわめて重い刑罰。死刑のこと。

【極月】ゲツ・ゴクゲツ・ゴッキ 国十二月の別名。しわす(師走)。

【極言】キョクゲン ①ことばをつくしていう。思う存分にいう。②極端にいう。極端ないい方。

【極限】キョクゲン 国かぎり。果て。ぎりぎりの限度。

【極光】キョッコウ・キョクコウ 国地球の南・北両極に近い、高緯度の地方で、光線が空中に美しく現れる現象。オーロラ。

【極星】キョクセイ 極に最も近い恒星。極を指示するのに用いる星。北極では、小熊座の首星。北極星。

【極選】キョクセン よくえらぶ。精選。また、精選されたもの。

【極宗】キョクソウ きわめて大切な基本。

【極端】キョクタン 国①一番のはし。②はなはだしく一方にかたよること。

【極致】キョクチ この上もないおもむき。最上のところ。

【極天】キョクテン ①天のきわみ。大空の果て。②天空の続くかぎり。永久に。

【極度】キョクド ①どんづまり。果て。②この上ない程度。最高度。

【極東】キョクトウ ①東の果て。②国西欧から見た、日本とアジア大陸の東南地域。中国では遠東という。

【極熱地獄】ゴクネツジゴク 仏八大地獄の七番目にあたり、最も熱い地獄。無間地獄。

【極浦】キョクホ はるかに続くうら。

【極望】キョクボウ 見える限り遠くまでながめる。見渡すかぎり。

【極妙】キョクミョウ・ゴクミョウ この上なくすぐれていること。

【極目】キョクモク 目のとどくかぎり。見渡すかぎり。

【極楽(樂)】一 キョクラク 楽しみを十分につくす。また、この上ない楽しみ。二 ゴクラク 仏阿弥陀如来のいる所で、すべての苦しみのない、この上なく安楽な世界。極楽世界。極楽浄土。浄土。〔阿弥陀経〕。

【極力】キョクリョク 力のかぎり。できるかぎり。

【極論】キョクロン ①ぎりぎりまで論じる。また、極力、論じる。②極端な議論。

【建レ極】キョクをたつ 中正の道をたてる。道徳の大本をたてる。

8 **【棘】** 12画 5510 標 ㊥キョク ㊡コク 職 jí ｜5989 9E99 ―

字義 ❶いばら。なつめの一種。棗に似た、落葉小低木。たけは低く群生して、とげが多く、生けがきに植える。❷とげ。はり。また、とがる。❸ほこ。武器の一種。❹すみやか。せまる。また、あわてる。❺ろうや。牢獄。❻公卿の地位。昔、外朝(君主が政治を執る所)の左・右にそれぞれ九株ずつの棗を植えて九卿の位置を示したことに基づく。

解字 篆文 会意。朿＋朿。朿は、とげのある木の象形。からたちなど、とげのある木、いばらの意味を表す。

【棘囲(圍)】キョクイ 官吏登用試験の試験場。唐代に、不正防止のために、いばらで囲んだことからいう。棘院。

【棘矢】キョクシ いばらの木で作った矢。桃の弓と共に、魔よけにする。

【棘心】キョクシン ①いばらの木の心。②いばらの伸びにくいところから、子供の心がいつまでも幼稚で、父母が苦労することをいう。用例〔詩経、邶風、凱風〕棘心夭夭、母氏劬労。↓いばらの若芽は暖かい南風に吹かれてつやつやとなり、その南風のように子を育てた母は、ほねおり苦しむばかりであったのだ。

【棘人】キョクジン 父母の喪に服している人の自称のことば。非常な悲しみにあわてている人の意。

【棘門】キョクモン ほこや、やりなどを立て並べた門。軍門。

8 **【椇】** 12画 5511 ク 麌 jǔ ｜21507 ― ―

字義 木の名。けんぽなし。クロウメモドキ科の落葉高木。

解字 形声。木＋具㊥。

8 **【棨】** 12画 5512 ケイ 薺 qǐ ｜18575 ― 3609

字義 ❶かざりぼこ。王公以下の護衛兵の前駆の者が持ったほこ。❷わりふ。てがた。

解字 形声。木＋啓省㊥。

8【検】12画 5513 教5 ケン　2401 8C9F —
13〔檢〕17画 5514 人 ケン 琰 jiǎn　6093 9EFB —

筆順 …検

字義 ❶しらべる。しら‐ぶ。あらためる。あら‐たむ。とり調べる。「検査」 ❷ふう。封印。書状を封じて印をおす。 ❸とりしまる。しめくくる。また、しまり。しめくくり。「検束」 ❹かんがえる。はかる。 ❺のり(典)。てほん。方式。法度。 ❻ためぎ。木の曲がりをため直す器具。 ❼手かせ。手の自由を奪う刑具。 難読 検見川けみがわ

解字 篆文 形声。木＋㑒(僉)㊥。音符の㑒センは、多くの人が口をそろえて言うの意味。証言が相互につじつまがあうまでとり調べるため用いられた手かせの意を表す。しらべる・しらべてから署名するの意味を表す。

逆 考検・参検・実検・巡検・探検・点検・臨検

【検△按・検案】ケンアン 調べただす。調査。
【検疫】ケンエキ 伝染病のあるなしを調べること。
【検閲】ケンエツ ①調べる。そのまま認めていいかどうか調べる。②国新聞雑誌・出版物・映画などの、害があると認めたものの発売などを禁ずるため、強制的に調べること。
【検△覈】ケンカク ＝検校㊀①。▼覈は、調べ明らかにする。
【検挙(擧)】ケンキョ 犯罪者、またはその疑いのある人を官署につれて行くこと。あげる。
【検校】㊀ケンコウ ①調べ考える。取り調べる。検考。検覈ケンカク。②調べたずねる。検討。㊁ケンギョウ 国①寺社の事務や僧尼を監督する職。②昔、盲人の最上級の官名。③平安時代、荘園におかれた事務職員。
【検査】ケンサ 国よく注意して調べる。あらためただす。
【検索】ケンサク 調べさがす。さがし求める。
【検察】ケンサツ ①取り調べる。取り調べて事情を明らかにする。②犯罪を調査し、証拠を集めること。「検察官」
【検死】ケンシ 変死者の死因を取り調べる。検屍ケンシ。吟味ギンミ。
【検視】ケンシ ①実際に見て検査する。②＝検死。
【検字】ケンジ 漢字字典の索引の一種。漢字を総画数の順に並べ、その文字の所在を示すもの。
【検事】ケンジ ①事件を取り調べる。②国犯罪の捜査・公訴の提起・公判手続の遂行など、検察権を行う行政官。検察官。
【検△讎・検△讐】ケンシュウ 調べただす。調査校訂する。▼讎・讐は、二つのものをひき合わせてただすこと。
【検証(證)】ケンショウ ①検査し、証明すること。②国裁判官が証拠資料を得るため、直接に現場を調査すること。
【検正】ケンセイ しめくくりがあって正しい。また、取りしまってただす。検格。
【検束】ケンソク ①心をひきしめ、行いをつつしんで自分自身を取りしまる。②国㋐人を取りしまる。押さえつけて自由にさせないこと。㋑もと、警察官が職権で一時、個人の身体の自由を束縛し、警察署に連れて来て、とめ置いたこと。
【検定】ケンテイ 国検査して物の品質や人の資格などが一定の基準に合格するか、しないかをきめること。
【検討】ケントウ ①調べて、適不適を判断する。②宋ソウ・明ミン代に置かれた官名。歴史の編集をつかさどった。
【検非違使】ケビイシ 国平安時代、京都で、不法行為を取りしまり、罪人の逮捕・断罪などをつかさどった官職。今の警察官と裁判官とを兼ねたもの。
【検分】ケンブン 国立ち会って検査する。取り調べ見とどける。

8【棬】12画 5515 ㊀ケン 先 quān ㊁㊥ケン 呉カン(クワン) 阮 juàn　2 1504 — 3612

字義 ㊀❶まげもの。木をまげて作った容器。❷力を用いるさま。「棬棬」 ㊁牛のはなわ。

解字 形声。木＋巻㊥。音符の巻は、まくの意味。木をまいて造った容器の意味を表す。

8【楛】12画 5516 漢コ 呉ゴ 麌 hù, ②kǔ　— — 3639

字義 ❶木の名。にんじんぼくに似た、赤い木。矢を作るのに用いる。❷あらい。あら‐し。そまつ。器物のつくりや、仕事ぶりのぞんざいなこと。

解字 形声。木＋苦㊥。

8【棝】12画 5517 漢コ 呉ク 遇 gù　— — 3607

字義 ねずみ落とし。ます落とし。ねずみを捕らえる器具。

解字 形声。木＋固㊥。

8【椌】12画 5518 コウ(カウ) 江 qiāng　5993 9E9D —

字義 打楽器の名。 難読 椌木通ごうらきとおり

解字 篆文 形声。木＋空㊥。音符の空は、からの意味。箱やおけのように中がからになっていて、中に仕掛けた槌ちつが左右に振れ内側面を打つ素朴な楽器の意味を表す。

8【棡】12画 5519 コウ(カウ) 陽 gāng　5992 9E9C —

字義 土塀ドベイの横木。国つつじ。 難読 棡原ゆずりはら

解字 形声。木＋岡㊥。

8【椃】12画 5520 漢コウ(カウ) 呉ゴウ(ガウ) 豪　2 1506 — —

字義 木の名。 難読 椃木ぐむき

解字 形声。木＋虎(號省)㊥。

8【棍】12画 5521 コン 願 gùn　5994 9E9E —

字義 ❶ぼう(棒)。つえ。「棍棒」 ❷わるもの。ならずもの。無頼ブライの徒。❸たば。たばねる。

解字 形声。木＋昆㊥。音符の昆は、足の多い虫の象形。多くの木をたばねるの意味を表す。

8【棔】12画 5522 コン 元 hūn　6001 9E9F —

字義 合棔は、ねむのき。合歓木。

解字 形声。木＋昏㊥。

8【棌】12画 5523 サイ 隊 cǎi　2 1492 — 3593

字義 ❶かしわ。かし‐は。❷あらき。切り出したままで加工していない木材。

解字 形声。木＋采㊥。

8【棧】12画 (5393) サン 棧(5392)の旧字体。→七三九ページ下。

8【栻】12画 (3299) シ 弋部。→四八六ページ上。

8【楉】12画 5524 漢ジャク 呉ニャク 薬 ruò　1 8581 — 3636

字義 楉榴ジャクリュウは、ざくろ(柘榴)。国❶すわえ。ずわえ。㋐まっすぐに伸びた細い木の枝。㋑むち。❷しもと。枝のよく茂った若い木立ち。

解字 形声。木＋若㊥。

8【棕】12画 5525 ソウ 慣シュ 東 zōng　6003 9EA1 —
〔椶〕5612 正字

字義 棕櫚シュロは、暖地に産するヤシ科の常緑高木。円柱状の幹が直立して枝がなく、いただきに扇状の葉を群生する。

解字 篆文 形声。木＋宗㊥。篆文は、木＋嵏㊥。

8【集】12画 (13179) シュウ 隹部。→一五三四ページ中。

8【椒】12画 5526 標 ショウ(セウ) 𠁣 jiāo 6005 9EA3 —

字義 ❶はじかみ。ミカン科の落葉低木。春、黄色の小花をつけ、秋、実を結び、熟すと、裂けて黒い種子を散らす。葉と実には香気と辛味がある。山椒。❷かぐわしい。においがよい。❸みね(峰)。いただき。

解字 形声。木＋叔㊟。

【椒房】ショウボウ 皇后の御殿。昔、山椒は、暖気を与え、悪気を払うものとし、また、その実の多いのを子孫の多いのに比して、壁にぬりこめたことからいう。椒殿。椒屋。用例(唐、白居易、長恨歌)梨園弟子白髪新、椒房阿監青娥老。↓かつての梨園の教習生たちは、このごろめっきりしらがになり、皇后のへやのとりしまりをした女官の美貌も老けこんでしまった。

【椒蘭】ショウラン 山椒と、らん。香りのよいたきもの。

8【椄】12画 5527 一 漢ショウ(セフ) 呉ジョウ(ゼフ) 𠁣 jiē 二 慣セツ 𠁣 jiē 6006 9EA4 —

字義 一つぐ。つぎき。木をつぎ合わせる。＝接(4244)。二 椄槢セッシュウは、昔の刑具の名。かせ。くさび。

解字 篆文 形声。木＋妾㊟。音符の妾ショウは、ちかづけるの意味。木に木をつぎ合わせるの意味を表す。

8【椉】12画 5528 ジョウ 乗(88)の本字。→四五ページ上。 — — 3622

8【植】12画 5529 一 漢ショク・呉ジキ 𠁣 zhí 二 漢チ・呉ジ(ヂ) 𠁣 教3 ショク うえる・うわる 3102 9041 —

筆順 一 十 木 木 杧 枯 植 植 植

字義 一 ❶うえる。草木をうえつける。また、うわる。❷たてる。まっすぐに立てる。用例(東晋、陶潜、帰去来辞)懐良辰以孤往、或植杖而耘耔。↓天気の良い日を選んで、一人で行き、時にはつえを地に突き刺しておいて、雑草取りをしたり草の根に土をかけたりする。❸草木の総称。「動植物」❹そだつ。ふえる(殖)。❺よる。たよる。すがる。❻はしら(柱)。

【櫃】5856 同字

名前 おき・たつ・たね・なお

解字 篆文 形声。木＋直㊟。音符の直は、まっすぐであるの意味。まっすぐ立つ木、植物の意味や、はしらの意味を表す。また、まっすぐに立てる、木をうえるの意味を表す。

逆 誤植・培植・扶植

【植字】ショクジ 国活版印刷で原稿通りに活字を組み並べること。組版。「ちょくじ」とも言う。

【植民】ショクミン 国本国以外のまだ開けない土地に国民を移住、定着させて、その開拓に従事させること。また、その移住民。殖民。

【植林】ショクリン ①直立する樹木。②国苗木をうえつけて山林を育てる。

8【森】12画 5530 シン 𠁣 sēn 教1 シン もり 3125 9058 —

筆順 一 十 オ 木 木 本 杢 森 森 森

字義 ❶樹木のしげるさま。樹木の多いさま。「森森」❷ものの多いさま。また、さかんなさま。❸おごそかなさま。また、奥深いさま。「森厳」❹ならぶ。つらなりならぶ。❺そばだつ。そびえたつ。国もり。樹木が群がりはえているところ。

名前 しげ・しげる・しん・もり

解字 甲骨文 篆文 会意。三つの木で、木の多いさまを表す。

逆 厳森

【森閑】シンカン もの音一つせず、ひっそりとしたさま。

【森厳(嚴)】シンゲン おごそかなさま。きわめていかめしいさま。

【森森】シンシン ①樹木が高くそびえるさま。②樹木がさかんにしげるさま。用例(唐、杜甫、蜀相詩)丞相祠堂何処尋、錦官城外柏森森。↓蜀の丞相(諸葛亮)の廟はどこにたずねたらよかろう、錦官城外(成都郊外)の柏のこんもり茂ったあたり。

【森邃】シンスイ ほの暗く奥深い。

【森然】シンゼン ①樹木がこんもりと茂り立つさま。②並び立つさま。③おごそかなさま。④するどいさま。

【森羅殿】シンラデン 仏地獄界で、亡者の生前の罪悪を取り調べるという法廷。閻魔庁。

【森羅万(萬)象】シンラバンショウ 天地間に存在する万物や、あらゆる現象。宇宙間のありとあらゆる事物。万物。▼森羅は樹木が限りなく茂り並ぶこと、象は有形のものの意。

8【棯】12画 5531 漢ジン 呉ニン 𠁣 rěn 6012 9EAA —

字義 果樹の名。なつめの一種。国うつぎ。姓氏・地名に用いる。

解字 形声。木＋念㊟。

8【棰】12画 5532 スイ 𠁣 chuí 8577 — 3614

字義 つえ。杖で打つ。また、むちで打つ。国たるき。屋根の棟から軒にわたす木材。

解字 形声。木＋垂㊟。捶(4242)の別体。

【棰楚】スイソ ①罪人を打つむち。②むちうつ。

8【棲】12画 5533 人 標 一 漢セイ 呉サイ 𠁣 qī, ②xī 二 漢セイ・呉サイ 𠁣 3219 90B1 —

筆順 木 朩 杧 柯 枦 柊 棲 棲 棲

【捿】4243 同字

字義 一 ❶すむ。＝栖(5399)。㋐鳥が巣にやどりすむ。㋑その場所にとどまる。とまる。いこう。用例(唐、李白、山中問答詩)問余何意棲碧山、笑而不答心自閑。↓私に尋ねる、どんなつもりで、この緑濃い山に住んでいるのか、と。私は笑って答えないが、心は自然とのどかである。❷いそがしいさま。「棲棲」 二 す(巣)。＝栖(5399)。㋐鳥の巣。ねぐら。㋑すみか。宿。

名前 すみ・とし

参考 ①〔栖〕(5399)と同字。②現代表記では〔生〕(7585)に書きかえることがある。「棲息→生息」。③⇩〔住〕(261)の参考。

解字 形声。木＋妻㊟。音符の妻は、私に通じ、ひっそりするの意味。鳥が木にひっそりとしている、すむの意味を表す。

【棲鴉】セイア ねぐらのからす。ねぐらに帰るからす。棲鳥セイウ。

【棲隠(隱)】セイイン かくれて住む。世をのがれて住む。

【棲禽】セイキン 木にすんでいる鳥。

【棲遑】セイコウ ①＝棲棲②。②めぐりさまよう。

【棲宿】セイシュク ①とまる。やどる。②ねぐら。すみか。

【棲棲】セイセイ ①車馬を調べるさま。②おちつかないさま。いそがしいさま。

【棲息】セイソク ①とどまりいこう。やどる。住む。栖憩セイケイ。②国(動物が)生活・繁殖すること。生息。

【棲遅(遲)】セイチ いこう。のんびりくらす。人目につかぬ所で静かにくらす。また、隠退する。

8【棤】12画 5534 漢セキ 呉シャク 𠁣 què ₂1502 — —

字義 木の皮が粗い。

解字 形声。木＋昔㊟。

難読 棤木なら

8【棈】12画 5535 セン 霰 qiàn | 8573 ED48 3592

字義 木の名。国❶あべまき。ブナ科の落葉高木。❷棈木・棈松は、姓氏。

解字 会意。木+青。

8【棗】12画 5536 ソウ(サウ) 晧 zǎo | 6007 9EA5 —

字義 なつめ。クロウメモドキ科の落葉小高木。夏、黄白色の花をつけ、花後、長楕円形の実を結ぶ。実は、食用・薬用となる。国なつめ。抹茶の茶入れ。形がなつめの実に似ている。

解字 篆文 会意。朿+朿。朿は、とげの意味。とげの多いなつめの木の意味を表す。

【棗本】なつめの木を版木として作った書物。ひろく、書物。

【棗△栗】なつめと、くり。昔、女性が人を訪問するときの手みやげ(贄)にした。結婚にも用いる。

8【棷】12画 5537 漢ソウ 呉ス 尤 有 zōu | 21505 — —

字義 ❶たきぎ(薪)。❷あさがら。❸たて。❹はたぼこ。けやり。❺やぶ。

解字 形声。木+取音。

8【椊】12画 5538 漢ソツ 呉ゾチ 月 zuó | 18580 — 3623

字義 ほぞ。材木をつなぎ合わせるための突起。 難読 椊田・二本椊

解字 形声。木+卒音。

8【椓】12画 5539 タク 覚 zhuó | — — 3626

字義 ❶うつ。たたく。❷陰部を切りとる刑罰。宮刑。❸宦官。宮刑に処せられて、奥御殿に奉仕する人。

解字 篆文 形声。木+豖音。音符の豖は、木づちで打つときの音を表す擬声語。たたく・うつの意味を表す。

8【椆】12画 5540 一 漢チュウ(チウ) 呉ジュ(ヂュ) 尤 chōu 二 漢シュウ(シウ) 呉シュ 宥 zhòu | — — 3621

字義 一❶木の名。❷川の名。二 木椆は、舟をこぐさお。

解字 形声。木+周音。

8【棽】12画 5541 チン 侵 chēn | — — 3620

字義 木の枝の茂るさま。また、覆いかぶさるさま。

解字 形声。林+今音。

8【椎】12画 5542 常 ツイ 一 漢ツイ・呉ズイ(ツイ) 支 chuí ④zhuī 二 スイ 支 zhuī | 3639 92C5 —

筆順

字義 一❶つち(槌・鎚)。物を打ちたたく道具。「鉄椎」❷うつ。たたく。つちで打ちたたく。❸もとどり。❹せぼね。「脊椎」❺にぶい。口が重い。「椎魯」 二 しい。ブナ科の常緑高木。葉はかしに似ており、秋、円錐状の実をつける。

名前 しい・つち

解字 篆文 形声。木+隹音。音符の隹は、堆に通じ、うずたかいの意味。厚みのある木づちの意味を表す。

【椎撃(擊)】打ちたたく。椎打。

【椎殺】打ち殺す。

【椎埋】人を打ち殺してうずめる。

【椎輪】①竹や木で作った、かざりけのない車。②素朴でかざりけのないもの・不完全なもののたとえ。

【椎△魯】おろかで融通のきかないこと。

8【棣】12画 5543 漢テイ 呉ダイ 霽 dì | 6008 9EA6 —

字義 にわざくら。にわうめの一種。白色または淡紅色の重弁花を開き、ゆすらうめに似た実を結ぶ。 難読 棣棠

解字 形声。木+隶音。

【棣△鄂・棣△萼】①にわうめの花。②兄弟。にわうめは、萼が集まって美しい花をつけるからいう。

【棣△鄂△之情】兄弟の美しい愛情をいう。〔詩経、小雅、常棣〕

【棣棣】威儀の整っているさま。挙動のゆったりしたさま。

【棣△棠】木の名。やまぶき。

8【椗】12画 5544 テイ 径 dìng | — — 3628

字義 椗花は、沈丁花に類する香木。一名、山礬。国さかき。

解字 形声。木+定音。

8【椞】12画 5545 一 テン 銑 tiǎn 二 漢カツ(クワツ) 呉カチ(クワチ) 曷 guā | 21508 — —

字義 一❶灯芯をかきたてる棒。❷筆先をそろえる。❸はじく。二 栝(5366)と同字。

解字 形声。木+忝音。

8【棟】12画 5546 常 トウ むね・むな トウ 送 dòng | 3779 938F —

筆順

字義 ❶むね。接頭語で、むな。家屋の最も高い所。両面の屋根と屋根とがあう最上部。❷むなぎ。むねに渡す材木。家屋の構造上、主要なもの。❸かしら。おさ。首領。主要な人物。「棟梁」国むね。家屋を数える語。❹星の名。北斗星の南にあたる。大角。アークツルス。

名前 すけ・たか・たかし・みね・むなぎ・むね 難読 棟居

解字 篆文 形声。木+東音。音符の東は、重に通じ、おもいの意味。家屋の中で最も重要な部分、むねの意味を表す。

逆 充棟・上棟・飛棟

【棟宇】①家のむなぎと、のき。②家屋。

【棟幹】①むなぎの用材。②すぐれた才能。

【棟△梁】①家のむなぎと、はり。ともに家屋上、重要なもの。②一国または一家の重任にあたる人。③国㋐大工のかしら。㋑大工。

8【棹】12画 5547 標 漢トウ(タウ) 呉ジョウ(デウ) 効 zhào | 6010 9EA8 —

字義 ❶さお。かい。船を進める道具。❷さお-さす。かいで船を進める。用例〔東晋、陶潜、帰去来辞〕或命二巾車一、或棹二孤舟一 ⇒ある時にはほろをかけた車を出すことを命じ、またある時には、一そうの小舟を漕いで出かける。国さお。㋐竹ざお。㋑はかりざお。㋒三味線の柄。㋓箪笥や、長持ちなどをかつぐ棒。また、箪笥などを数える語。

解字 形声。木+卓音。音符の卓は、高くおどりあがるの意味。船を進めるために高くあげては押す、さおの意味を表す。

【棹歌】船頭が船をこぎながらうたう歌。ふなうた。棹唱。用例〔前漢、武帝、秋風辞〕簫鼓鳴兮発二棹歌一 歓楽極兮哀情多 ⇒笛や太鼓の調べが響いて舟歌が歌い出された。楽しみが極まると、かえっ

て悲しみの情が生ずる。

【棹郎】トウロウ 船頭。

8 【棖】 12画 5548 漢トウ(タウ) 呉ジョウ(ヂャウ) 庚 chéng 21494 ― 3604

字義 ❶はしら。また、つえ(杖)。❷ふれる(触)。さわる。「棖触」

解字 形声。木＋長音。

8 【棠】 12画 5549 漢トウ(タウ) 呉ドウ(ダウ) 陽 táng 6011 9EA9 ―

字義 ❶からなし。やまなし。こりんご。ずみ。バラ科の落葉小高木。春の末、白色で赤いぼかしのある花を開き、黄や紅色の実をつける。❷かいどう(海棠)。バラ科の落葉低木。春、薄紅色の五弁花をふさ状につけ、黄赤色の小果を結ぶ。❸棠棣テイは、にわうめ。こうめ。いくり。バラ科の落葉低木。春、淡紅色(白色)の五弁花を開き、球形の実を結ぶ。

難読 棠棣ずはね

解字 形声。木＋尚音。

8 【桡】 12画 5550 ドウ 21487 ― ―

桡 橈(5820)の俗字。→七七一ページ上。

8 【棏】 12画 5551 一漢トク・呉ドク 職 dé 二漢タク・呉チャク 陌 zhé 21493 EDCB 3594

字義 一木の名。二蚕の棚を組む用材。 難読 棏平ひたきひら

解字 形声。木＋导音。

8 【㮈】 12画 5552 ナ 21509 ― ―

㮈 奈(2267)の俗字。→三五四ページ上。

難読 㮈村はなむら

8 【棑】 12画 5553 一漢ハイ・呉バイ 佳 pái 二漢ハイ・呉バイ 国 bèi ― ― 3602

字義 一❶いかだ。❷盾たて。二❶木の名。❷船のかじ。

解字 形声。木＋非音。

8 【棥】 12画 5554 漢ハン 呉ボン 元 fán 21503 ― 3608

字義 まがき。かき。おおい。＝樊(5767)。

解字 会意。爻＋林。多くの木を組み合わせる意味を表す。

8 【棐】 12画 5555 ヒ 尾 fěi 18574 ― 3601

字義 ❶ゆだめ。弓のゆがみを直す道具。❷たすける(輔)。❸竹製の箱。＝篚(8845)。

解字 篆文 形声。木＋非音。音符の非は、左右に開くの意味。左右両側からあてる、あて木の意味を表し、転じて、たすけるの意味を表す。

8 【棻】 12画 5556 漢フン 呉ブン 文 fēn 18579 ― 3619

字義 ❶むなぎ(棟木)。二重屋根のある家屋の棟木。❷みだす。みだれる。＝棼(9095)。❸乱れるさま。木が入り乱れるさま。「棻棻」

解字 形声。林＋分音。

8 【棅】 12画 5557 漢ヘイ 呉ヒョウ(ヒャウ) 敬 bǐng 21491 ― 3591

字義 ❶え(柄)。❷いきおい。権力。ちから。❸もつ(持)。

解字 形声。木＋秉音。

8 【椑】 12画 5558 一漢ヘイ・呉バイ 斉 pí 二ヒ 支 bēi 三漢ヘキ・呉ビャク 陌 錫 bì ― ― 3625

字義 一❶樽たる。丸い樽。❷斧おのの柄。二ひつぎ。内棺うちカン。三❶果樹の名。柿の一種。❷ねずみもち。

解字 形声。木＋卑音。音符の卑は、小さいの意味。

8 【栟】 12画 5559 一漢ヘイ 呉ヒョウ(ヒャウ) 庚 bīng 二漢ヘン・呉ベン 先 ― ―

【栟】 5419 俗字

字義 一二しゅろ。ヤシ科の常緑高木。 難読 岩栟いわはえ・栟田はいだ・栟木ばべのき

解字 形声。木＋幷音。

8 【棚】 常 12画 5560 漢ホウ(ハウ) 呉ビョウ(ビャウ) 庚 pēng たな 3510 9249 ―

8 【棚】 12画 5561

筆順 一 十 木 机 朋 栩 棚 棚

字義 ❶たな。㋐物をのせるために板を渡したもの。㋑上に木や竹などをかけ渡して下をおおうもの。❷かけはし(棧)。長い木をかけ渡したはし。

名前 すけ・たな 難読 棚機たなばた

解字 篆文 形声。木＋朋(朋)音。音符の朋ホウは、凡に通じ、ひろげるの意味。木を組んで広がりを造った、たな・ひさし・かけはしの意味を表す。

8 【棓】 12画 5562 一漢ホウ(ハウ) 呉ボウ(バウ) 講 漾 bàng 二漢ホウ・呉フ 有 pǒu ― ― 3603

字義 一❶杖つえ。棒。❷打つ。たたく。❸星宿の名。二踏み板。

解字 形声。木＋音音。

8 【椖】 12画 5563 ホウ(ハウ) 庚 pēng ― ― 3627

字義 義未詳。

解字 形声。木＋房音。

8 【棒】 12画 5564 教6 漢ホウ(ハウ)・呉ボウ(バウ) 講 漾 bàng ボウ 4332 965F ―

筆順 一 十 木 杧 栐 栐 梼 棒

字義 ❶細長い木や鉄。また、つえ。❷うつ。たたく。

解字 形声。木＋奉音。音符の奉は、ささげ持つの意味。ささげ持つ木、ぼうの意味を表す。

逆 痛棒

【棒喝(喝)】ボウカツ 仏禅家の問答で、さとりを開かない者をしかって棒で打つ修行。

8 【椪】 12画 5565 ポン pèng 6014 9EAC ―

字義 椪柑ポンカンは、みかんの一種。実はやや大型で、甘く香気が高い。中国南部に多く産する。

解字 形声。木＋並音。音符の並ポは、インド西部の地名Poonaの音訳。ポーナ原産のみかんの意味を表す。 難読 椪田はいだ

8 【棉】 12画 5566 漢ベン 呉メン 先 mián 4441 96C7 ―

字義 わた。わたの木。きわた。アオイ科の一年草。インド・エジプトなどの原産。その実を包む白色の繊維から綿を作る。

参考 現代表記では[綿](9237)に書きかえることがある。「棉花→綿花」

解字 会意。木＋帛。帛は、しろぎぬの意味。しろぎぬを作る「わた」の木の意味を表す。

8 【棜】 12画 5567 漢ヨ 呉オ 御 yù ― ― 3606

字義 物を載せる足のない台。古代の礼器で、酒樽さかだる・いけにえなどを載せる。

解字 形声。木＋於音。

8 【棫】 12画 5568 漢ヨク 呉イキ(ヰキ) 職 yù ― ― 3611

字義 たら。たらのき。ウコギ科の落葉小高木。

解字 形声。木＋或音。

8 【棶】 12画 5569 ライ 灰 lái ― ― 3617

字義 ❶即棶ソクライは、むく。むくのき。❷棶椋リョウは、ちしゃのき。

解字 形声。木＋來(音)。

8 【棃】 12画 5570 リ 梨(5486)の本字。→七四六ジ上。 2 1490 — —

8 【椋】 12画 5571 人 リョウ(リャウ) 陽 liáng 4426 96B8 —

筆順 十 木 木' 村 枋 椋 椋 椋

字義 **むくのき**。ニレ科の落葉高木。けやきに似る。葉の面があらくて物をみがくに用いられ、紫黒色の小さな実を結ぶ。

名前 くら・むく **難読** 椋野(むくの)

解字 篆文 形声。木＋京(音)。

8 【棱】 12画 5572 ロウ 蒸 léng 慣リョウ 1 8578 — 3615

［楞］5642 同字 ［楞］5643 俗字

字義 ❶四角な材木。❷**かど**。すみ。❸かどだつ。きびしい。「剛棱」

解字 篆文 形声。木＋夌(音)。音符の夌(リョウ)は、おかのようにかどだつの意味。かどだつ材木・かどの意味を表す。

8 【棆】 12画 5573 リン 真 lún 6018 9EB0 —

字義 木の名。くすのきの類い。**難読** 棆町(くぬぎまち)

解字 形声。木＋侖(音)。

8 【棙】 12画 5574 漢レイ 呉ライ 霽 lì 2 1501 — 3605

字義 ❶**ばち**。琵琶(ビワ)をひくばち。❷ねじる。また、ねじ。

解字 形声。木＋戾(音)。

8 【椂】 12画 5575 ロク 屋 lù

字義 木の名。

解字 形声。木＋彔(音)。

8 【椀】 12画 5576 人 標 ワン 旱 wǎn 4748 986F —

筆順 一 十 木 木' 朴 柠 柠 椀 椀

字義 ㋐漆ぬりの木製の食器。盌(7931)と同字。食物を盛る小さなはち。㋑わんに盛った料理。わんもり。国ワン。

名前 つき・まり **難読** 椀飯(おうばん)

解字 形声。木＋宛(音)。音符の宛(エン)は、しなやかに曲がるの意味。しなやかな曲線を持つ、木製の小さなはちの意味を表す。

8 【椚】 12画 5577 国字 6015 9EAD —

字義 **くぬぎ**(櫟(レキ))。くのぎ。

解字 会意。木＋門。

8 【椡】 12画 5578 国字 6017 9EAF —

字義 **くぬぎ**。三ツ椡(みつくぬぎ)は、新潟県北蒲原(きたかんばら)郡の地名。

解字 会意。木＋到。

8 【椣】 12画 5579 国字 6016 9EAE —

字義 **しで**。椣原(しではら)は、奈良県生駒(いこま)市の地名。

解字 会意。木＋典。典は、礼式の意味。礼式のときに神前に供える「しで」に似た花穂の垂れる木、しでのきの意味を表す。

8 【椙】 12画 5580 国字 3190 909A —

字義 **すぎ**(杉(サン))。杉の木。**難読** 椙谷(すいだに)・椙杜(すぎのもり)

解字 形声。もとの字は榲(オン)で木＋昷(音)。すぎの意味を表す。のち、日本で字形が変形して、木＋昌となる。

8 【椨】 12画 5581 国字 6013 9EAB —

［⿰木苻］5582 同字

字義 **たぶ**。たぶのき。クスノキ科の常緑高木。暖地に自生し、春、黄緑色の小花を開く。材は装飾具の材に用い、樹皮は褐色の染料となる。いぬぐす。たまぐす。

解字 形声。木＋府(音)。音符の府で、たぶの「ふ」を表した国字。

8 【⿰木苻】 12画 5582 国字 たぶ 椨(5581)と同字。→七五三ジ中。 2 1489 EDCC —

8 【⿰木茷】 12画 5583 国字 2 1488 — —

字義 **たも**。たものき。とねりこの別名。

8 【椥】 12画 5584 国字 6009 9EA7 —

字義 **なぎ**。椥辻(なぎつじ)・椥ノ森(なぎのもり)は、京都市の地名。

解字 形声。木＋知(和)(音)。音符の和は、「なぎ」の読みを表す。のち、誤って知に変形した。

8 【⿰木労】 12画 5585 音義未詳。 5991 9E9B —

参考 JIS漢字に採られているが、典拠不明。〔椕〕(5831)の誤字か。

9 【彙】 13画 (3362) イ 彑部。→四九四ジ中。

9 【椸】 13画 5586 イ 支 yí — — 3632

字義 **ころもかけ**。衣服をかける家具。衣桁(イコウ)。椸架(イカ)。

解字 形声。木＋施(音)。

9 【楲】 13画 5587 イ(ヰ) 微 wēi 2 1516 — 3649

字義 ❶おまる。便器。❷いい。かけい。とい。

解字 形声。木＋威(音)。

9 【楹】 13画 5588 漢エイ 呉ヨウ(ヤウ) 庚 yíng 6019 9EB1 —

字義 **はしら**。丸くふとい柱。

解字 篆文 形声。木＋盈(音)。音符の盈(エイ)は、いっぱいになるの意味。まるまるとふとい柱の意味を表す。

【楹書(エイショ)】 遺言状。春秋時代、晏嬰(アンエイ)が臨終の際、柱に穴をあけて書を隠し、その子に残した故事による。

【楹棟(エイトウ)】 ①はしらと、むなぎ。②重要な人物。棟梁(トウリョウ)。柱石。

【楹△聯(エイレン)】 はしらかけ。聯句(レンク)を書いて柱に下げたもの。楹帖(エイチョウ)。

9 【椻】 13画 5589 エン 願 yàn 2 1511 — 3633

字義 せき。＝堰(2039)。**難読** 椻原(ひついはら)

解字 形声。木＋匽(音)。

9 【榅】 13画 5590 オツ 榲(5656)の俗字。→七五九ジ中。

9 【椵】 13画 5591 一 漢カ・呉ケ 馬 jiǎ 二 漢カ・呉ケ 麻 jiā 1 8583 — 3631

字義 一 木の名。柚(ゆず)の一種。二 ❶かせ。＝枷(5289)。❷犬をつなぐ器具。**難読** 椵川(とどかわ)・椵木(とどき)・椵倉(もみだんぐら)

解字 形声。木＋叚(音)。

9 【楷】 13画 5592 常 カイ カイ 蟹 kǎi 6020 9EB2 —

筆順 木 木' 杜 桦 桦 楷 楷 楷

字義 ❶ウルシ科の落葉高木の名。曲阜(キョクフ)(山東省)の孔子廟(コウシビョウ)に子貢がみずから植えたといわれる木。❷書体の一種。一点一画もくずさずに正しく書く法。真書。「楷書」⇩ **コラム** **文字・書体の変遷**(六三三ジ)。❸かた。手本。「楷式」❹のっとる。❺ただしい。「楷正」

解字 篆文  形声。木＋皆㊀。音符の皆は、ならぶの意味。枝や幹の模様が正しく並ぶ木の名を表す。転じて正しく整った手本の意味を表す。

9【楽】 13画 5593 教2 1958 8A79
ガク・ラク たの-しい・たの-しむ 熟字訓 神楽(かぐら)
一 ガク 覚 yuè
二 ラク 薬 lè
三 漢ゴウ(ガウ) 呉ギョウ(ゲウ) 効 yào

11〖樂〗 15画 5594 人 6059 9ED9

筆順 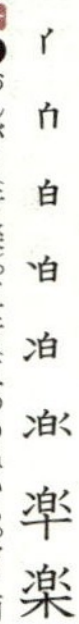

字義 一 ❶おんがく(音楽)。五音(五つのねいろ。宮・商・角・徴(チ)・羽)と八音(八種の楽器。金・石・糸・竹・匏(ホウ)・土・革・木)。❷かなでる。音楽を奏する。用例〔礼記、曲礼下〕歳凶、年穀不レ登、……士飲レ酒不レ楽。↓その年が不作で、穀物の実りがなければ、……士は酒を飲むときに音楽を演奏しない。❸なりもの。楽器。❹歌手。また、演奏者。「女楽」❺経書の名。六経(リクケイ)の一つ。楽経。

二 たの-しい。たの-しむ。たの-しみ。喜ぶ。用例〔論語、学而〕有下朋自二遠方一来上、不二亦楽一乎。↓友人が遠くからやって来てくれる、なんと楽しいことではないか。

三 この-む。愛する。ねがう。のぞむ。用例〔論語、雍也〕知者楽レ水、仁者楽レ山。↓知恵のある人は流動的な水の姿を好み、仁の徳をそなえた人は安定した山の姿を好む。

国 ❶ラク。㋐たやすいこと。㋑芝居の大太鼓入りのはやし。㋒興行物の千秋楽。㋓楽焼(ラクやき)(手で形を作り、低熱で焼く陶器)の略。❷ガク。能で中国ふうの人物がまう舞。

名前 ささ・たのし・もと・よし 難読 楽車・楽世・楽浪

解字 甲骨文  金文 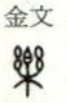 篆文  象形。どんぐりをつけたくぬぎ、または、それに似た楽器、すずの象形。音楽の意味から転じて、たのしいの意味を表す。樂を音符に含む形声文字に、櫟(レキ)・礫(レキ)・轢(レキ)などがある。

逆 逸楽・悦楽・快楽・歌楽・雅楽・管楽・歓楽・享楽・極楽・後楽・行楽・娯楽・散楽・至楽・女楽・神楽・仙楽・奏楽・道楽・独楽・能楽・伯楽・舞楽・礼楽・和楽

【楽易】(ラクイ) 心楽しく安らかなこと。人の性質にいう。

【楽△佚・楽逸・楽△軼】(ラクイツ) 楽しみ遊ぶ。安楽逸遊。

【楽園】(ラクエン) 安楽な場所。苦しみがなく、楽しみが満ちあふれている所。極楽(ゴクラク)。天国。パラダイス。

【楽歌】(ガッカ) 音楽に合わせて歌う歌。楽章。

【楽観(觀)】(ラッカン) ①楽しみ見る。楽しみ遊ぶ。②物事のなりゆきが簡単に(うまく)いくと気楽に考えること。↔悲観(五二九ページ上)。

【楽△毅】(ガクキ・ガッキ) 戦国時代、燕(エン)の将軍。昭王のとき、斉を討って、昌国公(ショウコクコウ)に封ぜられた。恵王のとき、趙(チョウ)に逃げ、観津(カンシン)(今の河南省内)に封ぜられ、望諸君と号した。

【楽郷(鄉)】(ラクキョウ・ラッキョウ) ①安楽な場所。楽土。楽境。②安楽な身分や境遇。

【楽経(經)】(ガクケイ・ガッキョウ) 書名。儒教の六経(リクケイ)の一つ。音楽について論じた書。秦(シン)の始皇帝の焚書(フンショ)のため亡びたとも、最初からなかったともいわれる。

【楽工】(ガッコウ) ①音楽をつかさどる人。楽人。楽士。②楽器を作る人。

【楽歳】(ラクサイ) 農作物が豊かに実った年。豊年。用例〔孟子、梁恵王上〕楽歳終身飽、凶年免二於死亡一。↓すぐれた君主は、民が、豊作の年には一年中腹一杯食べられ、凶作の年にも飢え死にすることから助かるようにする。

【楽△只】(ラクシ) 楽しむ。楽しい。▼只は、助字。

【楽思】(ゴウシ) 恋い慕う。

【楽師】(ガクシ) ①官名。音楽をつかさどる。楽正。②音楽を奏する人。

【楽事】(ラクジ) たのしい事がら。愉快な事がら。

【楽章】(ガクショウ) ①音楽に用いる歌。楽歌。②奏鳴曲・交響曲などを構成する数個の曲章。

【楽人】一(ガクジン・ガクニン) 音楽を奏する人。演奏家。楽工。楽師。二(ラクジン) 国気楽な人。ひまな人。

【楽正】(ガクセイ) 周代、楽官の長。大司楽(大楽正)・楽師(小楽正)の二つがある。

【楽壇】(ガクダン) 音楽家仲間の社会。楽界。

【楽天】(ラクテン) ①天命を楽しむ。自分の境遇を安んずること。②物事を苦にしないこと。くよくよしないこと。気楽。③唐の詩人、白居易の字(あざな)。

【楽土】(ラクド) 楽しいところ。安楽な場所。楽郷。用例〔詩経、魏風、碩鼠〕逝将去レ女、適二彼楽土一。↓さあお前のもとを逃げだして、あの楽しい地により従おう。

【楽府】一(ガクフ) 漢の武帝のとき宮中に設けた、音楽をつかさどる役所。二(ガフ・ガクフ) ①楽府(ガクフ)に採集された詩で、音楽に合わせて歌われたもの。②唐代以降、古い楽府の題をかりて作られた詩。歌うことがなくなり、単に古詩の一体となった。擬古楽府という。⇩コラム 漢詩(八六六ページ)。

【楽遊原】(ラクユウゲン) 地名。長安(今の西安市)市中の東、曲江の北にあった行楽地。

【楽律】(ガクリツ) 音楽の調子。

【楽浪】一(ラクロウ) 漢の武帝が衛氏朝鮮を滅ぼして(前一〇八)設けた四つの郡の一つ。今の平壌(ヘイジョウ)がその中心地であった。二(さざなみ・ささなみ) 国①細かく立つなみ。②近江(おうみ)(今の滋賀県)の国の一名。また、その枕詞(まくらことば)。

9【棄】 13画 5595 常キ 2094 8AFC
キ 寘 qì

筆順 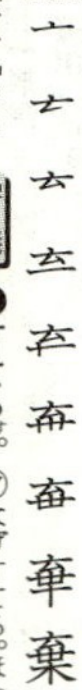

〔弃〕 3282 古字

字義 ❶す-てる。㋐なげすてる。ほったらかす。用例〔孟子、梁恵王上〕棄レ甲曳レ兵而走。↓よろいを脱ぎ捨て、武器を引きずって逃げました。㋑取り上げない。しりぞける。用いない。㋒見すてる。見放す。㋓忘れる。❷周の先祖、后稷(コウショク)の名。

名前 すて

参考 現代表記では〔毀〕(6061)の書きかえに用いることがある。「破毀→破棄」

解字 甲骨文  金文  篆文  古文  会意。廾＋華＋㐬省。華は、ごみをおしのける道具の象形。廾は、両手の象形。㐬は、子を流す形にかたどる。生まれた子をすてるさまから、すてるの意味を表す。

逆 遺棄・自棄・廃棄・破棄・放棄・揚棄

【棄△捐】(キエン) ①すてる。見すてる。用例〔文選、古詩十九首、其一〕棄捐勿二復道一、努力加二餐飯一。↓私はあなたに捨てられようとも、これ以上、二度と何も言いますまい。どうか、つとめて食事をじゅうぶんにとって、おからだをたいせつにしてください。②国財物を人に恵み与えること。施与。

【棄却】(キキャク) ①すてて用いない。すてて取り上げない。②国裁判所で訴訟を無効として下げもどすこと。

【棄権(權)】(キケン) 国自分の権利をすてて、行使しないこと。

【棄才】(キサイ) 用いられない才能。また、才能をすてる。

【棄妻】(キサイ) 追い出された妻。棄婦。
【棄材】(キザイ) ①すててしまう材木。②世に用いられぬ人。棄才。
【棄市】(キシ) 罪人を死刑にし、死体を市中にさらすこと。
【棄児(兒)】(キジ) すて子。すてられた子ども。
【棄世】(キセイ) 世をすてる。㋐俗世から超越する。㋑死ぬ。
【棄唾】(キダ) はきすてたつば。すてて惜しげのないもののたとえ。
【棄逐】(キチク) すてて追い払う。また、すてられ追われる。放逐。
【棄養】(キヨウ) 父母の死。子が親に孝養をつくせなくなる意。

9【業】13画 5596 教3 ギョウ・ゴウ わざ
漢ギョウ(ゲフ)・呉ゴウ(ゴフ) 㮸 yè　2240 8BC6 ―

筆順 丨 业 业 业 业 业 丵 業 業

字義 ❶木の板。㋐鐘・鼓などの楽器をつるしかける台の横木を装飾する板。㋑塀を築くときに用いる板。㋒書きつけの板。書冊。
❷わざ。㋐こと。事業。特に、大事業の基礎。もとい。用例〔史記、夏本紀〕舜挙二鯀子禹一、而使レ続二鯀之業一(シュンコンのこウをあげて、コンのギョウをつがしむ)。↓舜は鯀の子の禹を登用して、鯀の事業を継がせた。
㋑おこない。しわざ。
㋒なりわい。職業。仕事。よすぎ。生計。また、職務。つとめ。用例〔東晋、陶潜、桃花源記〕晋太元中(シンのタイゲンチュウ)、武陵人捕レ魚為レ業(ブリョウのひとうお(を)をとらう(ふ)るをギョウとなす)。↓晋の太元年間のこと、武陵に住む人で、魚捕りを仕事とする者がいた。
㋓てがら。いさお。功績。「功業」
㋔学問。技芸。用例〔唐、韓愈、師説〕師者所三以伝レ道受レ業解二惑一也(シはみちをつたえ(へ)ギョウをさずけ(づ)け、まどい(ひ)をとくゆえ(ゑ)んなり)。↓師というのは、道理を伝え、学業を伝授し、迷いを解決するためのものである。
❸はじめ。基礎。端緒。❹順序。次第。
❺はじ-める。はじむ。創業する。用例〔史記、太史公自序〕項梁業レ之(コウリョウこれをギョウとし)、子羽接レ之(シウこれをつぐ)。↓(秦末における群雄の争いは)項梁がはじめ、項羽がそれを継いだ。
❻仕事とする。従事する。「業レ医(イをギョウとす)」
❼すで-に。まえに。もはや。用例〔史記、留侯世家〕良業為取レ履(リョウすでにためにくつをとる)、因長跪履レ之(よりてチョウキしてこれにはかす)。↓張良はもうすでに(老人のために)履き物を取りにいっていたので、そこでひざまずくと老人に履き物を履かせてやった。
❽やしき。土地・建物の類い。「別業」❾あやうい。❿仏梵語kar-manの訳語。カルマ。「善業」「悪業」
国ゴウ。ゴフ。㋐腹。心。「業が湧(わ)く」㋑はじ(恥)。「業を曝(さら)す」

名前 おき・かず・くに・なり・のぶ・のり・はじめ・ふさ

使いわけ わざ〔業・技〕
〔業〕ある意図をもって行うこと。また、その能力。「至難の業」
〔技〕技術。うでまえ。また、格闘技の型。「技を磨く」

解字 金文 〔金文字形〕 篆文 〔篆文字形〕 象形。のこぎり状のぎざぎざの装飾をほどこした楽器を掛ける板の象形で、かざり板の意味を表す。音形上、厳に通じ、きびしい学芸の習得行為、しごとの意味に用いる。

逆 悪業・偉業・因業・営業・王業・稼業・課業・勧業・企業・兼業・功業・興業・罪業・産業・事業・実業・就業・修業・授業・宿業・術業・商業・所業・職業・成業・盛業・聖業・善業・創業・操業・卒業・大業・怠業・帝業・同業・廃業・覇業・罷業・非業・本業

【業△已】(すでに) もはや。とっくに。
【業因】(ゴウイン) 仏善悪の報いを受けるもととなる行い。
【業火】(ゴウカ) ①仏悪業(前世の悪い行い)の報いである地獄の猛火。②ものすごい火事。③はげしい怒り。
【業果】(ゴウカ) 仏前世の悪い行いによって、この世で受ける悪い報い。業報。
【業業】(ギョウギョウ) ①さかんなさま。高大なさま。②あやういさま。
【業苦】(ゴウク) 仏悪いことをした報いとして受ける苦しみ。
【業績】(ギョウセキ) 事業の成績。仕事のできばえ。
【業病】(ゴウビョウ) ①仏悪いことをした報いでかかると昔の人が考えた病気。②国なおらない重い病気。不治の病。
【業腹】(ゴウフク・ゴウはら) 国いまいましいこと。非常に腹の立つこと。
【業魔】(ゴウマ) 仏悪業。悪業が正道を妨げ、知恵を失わせることを悪魔にたとえていう。
【業余】(ギョウヨ) 仕事の余暇。
【業力】一(ギョウリョク) 事業に対する能力。二(ゴウリキ) 仏果報をひき起こす業因の力。
【創レ業垂レ統】(ギョウをはじめトウをたる) 王者が建国の基礎を定め、その事業のいとぐちを子孫に伝えること。〔孟子、梁恵王下〕

9【楬】13画 5597 漢ケツ 呉ゲチ 月 屑 jiē　₂1515 ― 3646

字義 ❶たてふだ。ものを書いて掲示する木の札。❷くい(杙(ヨク))。

解字 篆文 〔篆文字形〕 形声。木＋曷㊅。音符の曷(カツ)は、高くかかげるの意味。人目につくよう高くかかげる、たてふだの意味を表す。

9【楗】13画 5598 漢ケン 呉ゴン 願 jiàn　₁8585 ― 3638

字義 ❶かんぬき。門や戸をとざす横木。「関楗」❷せき(堰(エン))。水流をせきとめるもの。

解字 形声。木＋建㊅。

9【楥】13画 5599 一漢ケン 呉カン(クワン) 願 xuàn 二エン(ヱン) 元 yuān　― ― 3642

字義 一❶くつがた。靴を作るときに用いる木製の型。❷かた。模型。二木の名。

解字 形声。木＋爰㊅。やなぎの一種。

〔楦〕5600 俗字 楥(5599)の俗字。→七五五ページ下。

9【楦】13画 5600 ケン　― ― 3643

9【楜】13画 5601 漢コ 呉ゴ 虞 hú　6021 9EB3 ―

字義 胡椒(コショウ)。＝胡(4952)。国くるみ(胡桃)。姓氏・地名に用いる。

解字 形声。木＋胡㊅。

9【楻】13画 5602 漢コウ(クワウ) 呉オウ(ワウ) 庚 huáng　― ― 3651

字義 楻舼(コウヒツ)は、はたざお。

解字 形声。木＋皇㊅。

9【楎】13画 5603 一漢コン・呉ゴン 元 hún 二キ 微 huī　― ― 3637

字義 一からすき。田畑を耕す鋤(すき)。二ころもかけ。衣桁(イコウ)。

解字 形声。木＋軍㊅。

9【楂】13画 5604 漢サ 呉ジャ 麻 chā, ②zhā　₁8584 ― 3634

字義 ❶いかだ(槎(サ))。❷さんざし。こぼけ。木の名。❸楂枒(サガ)は、ふぞろいなさま。❹楂楂(ササ)は、かささぎの鳴く声。

解字 形声。木＋査㊅。

9【椾】13画 5605 一漢サン・呉ゼン 潸 諫 zhàn 二セン 銑 jiǎn　₂1512 ― ―

字義 一かけはし。桟(5392)と同字。二もむ。そろえる。揃(4311)と同字。

9【楸】13画 5606 漢シュウ(シウ) 呉シュ 尤 qiū　6022 9EB4 ―

9 **【楫】** 13画 5607 **シュウ**（シフ） 緝 jí 6023 9EB5 ―

［檝］5850 同字

字義 ❶**かじ**。かい。水をかいて舟を進める具。短いかい。❷こぐ。舟をこぐ。

難読 楫取（かとり）

解字 篆文 形声。木＋咠音。音符の咠は、寄せ集めるの意味。水を手もとに引き寄せては舟を進める、かじの意味を表す。

【楫師】シュウシ かじとり。船頭。舟子。

9 **【楺】** 13画 5608 漢**ジュウ**（ジウ） 呉ニュウ（ニウ） 宥 rǒu ₂1517 ― 3650

字義 ❶ためる。木を曲げる。❷木の名。

難読 楺井（もみい）

解字 形声。木＋柔音。

9 **【楯】** 13画 5609 人 標 漢シュン 呉**ジュン** 軫 dùn, ②shǔn 2961 8F7C ―

筆順 十 木 杧 析 枅 桥 楯 楯

字義 ❶**たて**。敵の攻撃から身を守る兵器。＝盾(7966)。❷てすり。欄干（ランカン）。

名前 たち・たて

解字 篆文 形声。木＋盾音。音符の盾は、「たて」の意味。木製の厚みのあるたての意味を表す。また、たてのようにさえぎるための、てすりの意味をも表す。

9 **【楔】** 13画 5610 標 □漢**セツ**・呉セチ 屑 □漢**ケツ**・呉ケチ 屑 xiē 6024 9EB6 ―

［㮨］5696 同字

字義 □❶**くさび**。二つの材木をつぎ合わせ、ぬけないようにはめこむV字型の木片、金片。❷ささえばしら。

解字 篆文 形声。木＋契音。音符の契は、きざむの意味。すきまに刻みこむようにはめこむ、くさびの意味を表す。

【楔形文字】セッケイモンジ・ケッケイモジ くさびの形をした文字。紀元前三千五百年ごろから前一千年ごろまで、アッシリア・バビロニアなどで用いられたもの。

【楔子】セッシ・ケッシ ①くさび。②元曲で、序幕、または間幕（幕合にはさむ幕）をいう。③明・清以降の長編小説で、前おきの章。序章。プロローグ。

9 **【楚】** 13画 5611 人 標 漢**ソ** 呉ショ 語 chǔ 3331 915E ―

筆順 一 十 木 林 林 梺 埜 楚 楚

字義 ❶**いばら**。うばら。❷にんじんぼく。クマツヅラ科の落葉低木。❸むち。しもと。にんじんぼくの杖で師が弟子を罰するとき用いた。❹打つ。むちうつ。❺いたむ。悲しむ。❻連なるさま。また、茂るさま。❼国名。㋐周の成王のとき、熊繹の封ぜられた国で、春秋の初め、王を称し、長江中流の地域を領有した。後、戦国時代の七雄の一つとなる。四十一代、五百余年で、秦に滅ぼされた。（？―前二二三）㋑隋の大業十二年(六一六)、林子弘が江南に建てた国。七年。㋒五代十国の一つ。馬殷が湖南に建てた国。六代、四十五年。(九〇七―九五一) ❽長江下流一帯の地域の称。湖南・湖北二省の異称。国**すわえ**。すはえ。しもと。ずわえ。㋐まっすぐに伸びた細い枝。㋑刑罰に用いるむち。

名前 いばら・うばら・しもと・たか・つえ・つら

解字 金文 篆文 形声。林＋疋音。林は、むらがる木の意味。音符の疋は、酢に通じ、刺激が強いの意味。群生してとげの刺激を持つ、ばらの意味を表す。

【楚歌】ソカ ①楚の地方の調子の歌。また、それを歌うこと。②敗北の歌。四面楚歌(三九〇ページ中)の故事による。

【楚懐(懷)王】ソのカイオウ ①戦国時代、楚国の王。在位三十年(前三二八―前二九九)。名は槐。おろかな君主で、忠臣屈原を退け、秦に捕らえられて殺された。(？―前二九六) ②①の孫。名は心。項梁に立てられて楚王となった。項羽は義帝の称号を奉ったが、後に殺させた。(？―前二〇五)

【楚狂接△輿】ソキョウセツヨ 春秋時代、楚(今の湖北・湖南省一帯の地)の隠者。接輿は、名、または字という。いつわって狂気の人のふりをし、孔子が乱世を救おうとして東奔西走するのを非難した。〔論語、微子〕

【楚江】ソコウ 川の名。洞庭湖付近を流れる長江。用例〔唐、李白、望天門山詩〕天門中断楚江開、碧水東流至此廻 ↓天門の山は二つに断たれて、その間を楚江が流れ、(長江の)緑色の水は東へ流れていたが、ここで方向を変える。

【楚山】ソザン ①楚の地方の山。②山名。㋐湖北省襄樊市襄陽の西南、馬鞍山(一名、望楚山)。㋑陝西省商県の西南。

【楚辞(辭)】ソジ 書名。戦国時代末の楚の屈原及びその門人や後人の、屈原にまねた作品とを集めたもの。北方文学の代表としての『詩経』に対し、南方文学の代表とされる。

【楚囚】ソシュウ ①他国に捕らえられた楚の国の人。春秋時代、楚の鍾儀が晋に捕らえられたとき、自国の冠の纓をしっかり結んで、ぬがなかった故事。②捕らえられて他郷にある人。

【楚人△沐△猴△而冠耳】ソひとはモクコウにしてカンするのみ 楚の人はちょうどさるが冠をかぶったようなもので、その衣冠のりっぱさに、につかわしくない。ある人が楚の項羽は学問教養のない野蛮人だとそしったことば。〔史記、項羽本紀〕

【楚楚】ソソ ①あざやかなさま。②いばらの茂ったさま。③痛み苦しむさま。④清らかで美しいさま。

【楚荘(莊)王】ソのソウオウ 春秋時代、楚国の王。在位二十三年(前六一三―前五九一)。名は旅。五覇の一人。(？―前五九一)

【楚△撻】ソタツ むちうつ。▼撻も、むちうつ。

【楚竹】ソチク 洞庭湖付近に多い篠竹。

【然二楚竹一】ソチクをもやす 朝食の準備をすること。

【楚腰】ソヨウ 美人のほっそりとした腰。やなぎごし。細腰。楚の霊王が細腰の美女を愛したので、宮女が食をへらしてやせようとした故事による。〔荀子、君道〕

9 **【椶】** 13画 5612 **ソウ** 6004 9EA2 ―

棕(5525)の正字。→七四九ページ下。

9 **【楤】** 13画 5613 漢**ソウ** 呉ス 董 sǒng ₁8587 ― 3641

字義 たら。たらの木。ウコギ科の落葉小高木。若芽は食用になる。

解字 形声。木＋忽音。

9 **【楱】** 13画 5614 漢**ソウ** 呉ス 宥 còu ― ― 3648

字義 果樹の名。橘の類い。

解字 形声。木＋奏音。

9 **【楕】** 13画 5615 人 標 タ 慣ダ 歌 tuǒ 3442 91C8 ―

筆順 十 木 杧 柞 柞 栌 楕 楕

［橢］5813 正字

字義 丸くて細長い。また、細長くする。「楕円」

解字 篆文 形声。木＋隋音。音符の隋は、くずれるの意味。形が細長くくずれた木器の意味を表す。楕は、略体。

9 **【椴】** 13画 5616 漢タン 呉**ダン** 翰 duàn 3846 93CC ―

字義 ❶白楊に似た木の名。❷木槿。落葉低木の一種。国とど。とどまつ（椴松）。日本では主に北海道に生える。マツ科の常緑高木。
解字 形声。木＋段音。 難読 椴松とどまつ・椴法華とどほっけ

9 【楮】 13画 5617 標 チョ 語 chǔ 6026 9EB8 —
字義 ❶こうぞ。クワ科の落葉低木。葉は桑に似て大きく、実も桑に似る。樹皮は製紙の原料。❷かみ。また、紙に書いた文書や手紙。「寸楮」❸さつ。紙幣。
解字 篆文 形声。木＋者音。音符の者は、署に通じ、しるすの意味。文字を書きつけるための紙の原料となる木、こうぞの意味を表す。

9 【楪】 13画 5618 一 ヨウ（エフ） 葉 yè 唐チャ 二 漢チョウ（テフ） 呉ジョウ（デフ） 葉 dié 6036 9EC2 —
字義 一まど。二こざら（小皿）。＝碟（8223）。国ゆずりは（譲葉）。トウダイグサ科の常緑高木。葉を正月の飾りものに用いる。交譲木。
解字 形声。木＋枼音。
【楪子】チャツ 円形の浅い朱塗りの木皿。茶菓子などを盛るのに用い、禅家では多く精進料理の食器として用いる。〔節用集〕

9 【椿】 13画 5619 人 チュン 真 chūn 慣チン 3656 92D6 —
筆順
字義 ❶ちゃん。ちゃんちん（香椿）。センダン科の落葉高木で、高さ十メートルに達する。夏、白色の小花を開く。材は堅くて器具などの製作に用いる。❷太古にあったという霊木。大椿タイチン。そのひと春が俗世の八千年にあたるという。転じて、長寿のたとえ。「椿寿」〔荘子、逍遥遊〕国❶つばき。ツバキ科の常緑高木。暖地の山野に自生し、また庭に植える。材で器具を作り、実から油を取る。❷チン（珍）。変わったこと。思わぬ出来事。「椿事」→椿（5766）の 参考。
名前 つばき 難読 椿象かめむし・くさがめ
解字 形声。木＋春音。
【椿△萱】チンケン 椿堂と萱堂。父母をいう。▼椿は、『荘子』にある長寿の木で、父にたとえ、萱は北堂（主婦のいる所）に植える木で、母にたとえる。
【椿事】チンジ 国不意の出来事。変わった出来事。珍事。→字義国❷。
【椿寿（壽）】チンジュ ながいき。長寿。椿年。椿齢。→字義❷。

9 【椹】 13画 5620 一 チン 侵 zhēn 二 漢シン・呉ジン 寝 shèn 6027 9EB9 —
字義 一あてぎ。木などを切り割るとき、下に当てる台。また、人を切る台。首切り台。二桑の実。国さわら。ヒノキ科の常緑高木。幹は槇まきに似、葉は檜ひのきに似ている。桶おけなどの製作に用いる。
解字 形声。木＋甚音。 難読 椹沢くぬぎざわ・さわらざわ・椹野ふしの・椹原ふしはら 音符の甚は、枕チンに通じ、まくらの意味。木などを切るとき、下に当てる木の意味を表す。

9 【槌】 13画 5621 ツイ 槌（5702）の俗字。→七六二ページ上。

9 【楨】 13画 5622 漢テイ 呉チョウ（チャウ） 庚 zhēn 8588 EDCD 3644
字義 ❶ねずみもち。モクセイ科の常緑低木。夏、白色の花を開き、黒紫色の実を結ぶ。材は造船・建築などに用い、実は強壮剤となる。つばきに似ている。別名、たまつばき・ひめつばき。❷土塀ベイの両端に立てるはしら。❸もと。根本。「楨幹」
解字 篆文 形声。木＋貞音。音符の貞はまっすぐで正しいの意味。まっすぐな木、はしらの意味を表す。
【楨幹】テイカン ①楨は牆かきの両端に立てる木、幹は牆の両辺に立てる木で、ともに牆を築くに大切なもの。②物事の根本となるもの。③ささえる。

9 【楴】 13画 5623 漢テイ 呉ダイ 霽 dì 6028 9EBA —
字義 かんざし。こうがい。 難読 楴山くしやま
解字 形声。木＋帝音。音符の帝は、しめくくるの意味。髪をくくるかんざしの意味を表す。

9 【椽】 13画 5624 漢テン 呉デン 先 chuán 6029 9EBB —
字義 たるき。家の棟から軒にかけて渡して、屋根をささえる木材。一説に、四角なたるきを桷カクというに対し、椽は丸いたるき。
解字 篆文 形声。木＋彖音。音符の彖テンは傳（伝）に通じ、つぎつぎにつたえるの意味。屋根のむな木・横木の間につなぎわたした、たるきの意味を表す。

9 【楠】 13画 5625 人 漢ダン 呉ナン 覃 nán 3879 93ED —
筆順
字義 木の名。くすのきの一種。＝柟（5330）。国くすのき。くす。常緑高木。材は堅く香気があり、種々の器具を作るに用い、また、樟脳ショウノウをとる。漢名は樟ショウ。
名前 くす・ぐす・くすのき 難読 楠久くすく
解字 形声。木＋南音。

9 【楳】 13画 5626 バイ 梅（5414）と同字。→七四一ページ下。 3964 9480 —

9 【楣】 13画 5627 漢ビ 呉ミ 支 méi 8586 — 3640
字義 ❶のき。ひさし。屋根の先端。❷まぐさ。門の上の横の梁はり。
解字 篆文 形声。木＋眉（𥆞）音。音符の𥆞ビは、まゆ毛の意味。家屋のまゆに似た部分、ひさしの意味を表す。

9 【楓】 13画 5628 人 フウ 東 fēng 4186 9596 —
筆順
字義 マンサク科の落葉高木。中国原産で、高さ約十メートル。葉は、かえでに似て、秋に紅葉する。国かえで。もみじ。落葉高木。葉は掌状で、秋、霜にあって紅葉する。漢名は槭セキ。中国の楓とは異なる。
名前 かえで
解字 篆文 形声。木＋風音。音符の風は、かぜの意味。風を媒介にして薄い種子が飛ぶの意味を表す。
【楓橋】フウキョウ 江蘇コウソ省蘇州市の城外にある石橋の名。もと封橋という。唐の張継の「楓橋夜泊」の詩で名高い。
【楓林】フウリン 楓（フウ）の林。

9 【楅】 13画 5629 一 漢ヒョク・呉ヒキ 職 bì 二 フク 屋 — — 3635
字義 一❶角除よけ。牛の角にかけ渡して人に突き当たるのを防ぐ横木。❷束つかねる。❸矢筒。
解字 形声。木＋畐音。音符の畐は、添えるの意味。

9 【椱】 13画 5630 一 漢フウ・呉ブ 宥 二 漢フク・呉ブク 屋 fù — — 3629
字義 一二いのあし。織複。織った布を巻く道具。
解字 形声。木＋复（复）音。

9 【楩】 13画 5631 漢ヘン 呉ベン 先 piān 2 1514 — 3645
字義 木の名。楠くすに似た高木。
解字 形声。木＋便音。

9 【楙】 13画 5632 漢ボウ 呉モ 宥 mào 6030 9EBC —
字義 ❶しげる。木が茂り栄える。＝茂（9900）。❷うつく

しい。よい。❸ぼけ(木瓜)。バラ科の落葉低木。枝にとげがあり、実を結ぶ。❹つとめる(勉)。
解字 甲骨文 金文 篆文 形声。林+矛音。茂の古字。音符の矛は、冃ボウに通じ、おおうの意味。林がおおいしげるの意味を表す。

9【椰】13画 5633 人 ヤ 麻 yē 6031 9EBD —
筆順 木 朩 朩 枒 柙 柙 椰 椰
字義 やし。椰子。熱帯地方に産する常緑高木。
【梛】5484字 同
名前 や・やし
解字 形声。木+耶音。

9【楡】13画 5634 標 ユ 虞 yú 6032 9EBE —
字義 にれ。ニレ科の落葉高木。はるにれ(寒地に自生する)・あきにれ(山地に自生する)の二種がある。
解字 形声。木+兪音。
【楡枋】ユホウ にれの木と、まゆみの木。
【楡柳】ユリュウ にれの木と、やなぎの木。

9【楰】13画 5635 ユ 虞 yú — — 3647
字義 木の名。ねずみもち。ひさぎの一種。
解字 形声。木+臾音。

9【楢】13画 5636 人 標 一 漢ユウ(イウ) 呉ユ 尤 yóu 二 漢シュウ(シウ) 呉シュ 尤 3874 93E8 —
筆順 十 木 朩 朩 柎 柎 楢 楢 楢
【楢】5637字 俗
字義 一二 なら。ブナ科の落葉高木。材は器具・薪炭シンタンに、樹皮は染料に、果実は食用にする。
名前 しゅ・しゅう・なら・ゆ・ゆう
解字 形声。木+酋音。

9【楢】13画 5637 ユウ 楢(5636)の俗字。→七五八ページ上。

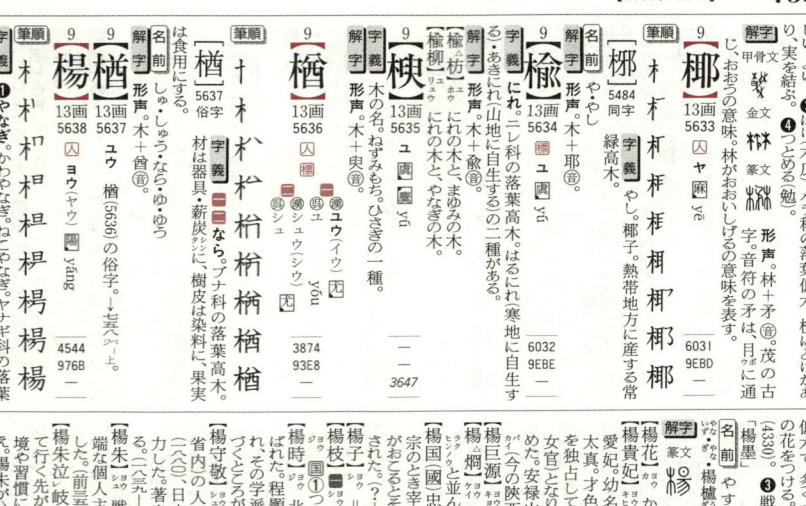

9【楊】13画 5638 人 ヨウ(ヤウ) 陽 yáng 4544 976B —
筆順 木 朩 朩 柙 柙 椙 楊 楊 楊
字義 ❶やなぎ。かわやなぎ。ねこやなぎ。ヤナギ科の落葉低木で、多く水辺に生ずる。春、葉に先だって黄白色の穂状の花をつける。枝は堅くて垂れない。❷あがる。あげる。=揚(4330)。❸戦国時代の思想家の、楊朱、また、その学派。「楊墨」
名前 やす 難読 楊胡こや・楊公こや・楊梅やまもも・楊柳かわやなぎ・楊櫨うつぎ やなぎ・やないず
解字 篆文 形声。木+昜音。音符の昜ヨウは、あがるの意味。長くのびあがる木、やなぎの意味を表す。

【楊花】ヨウカ かわやなぎの花。
【楊貴妃】ヨウキヒ 唐の玄宗皇帝の愛妃。幼名は玉環ギョクカン、号は太真。才色すぐれ、皇帝の寵愛を独占して貴妃(皇后に次ぐ女官)となり、一族も要職を占めた。安禄山アンロクザンの乱に馬嵬バカイ(今の陝西セン省内)で殺された。(七一九—七五六)

楊貴妃

【楊巨源】ヨウキョゲン 中唐の詩人。字あざなは景山。貞元の進士。
【楊炯】ヨウケイ 初唐の詩人。王勃オウボツ・盧照鄰ロショウリン・駱賓王ラクヒンノウと並んで初唐の四傑と称された。(六五〇—六九三?)
【楊国(國)忠】ヨウコクチュウ 唐の政治家。楊貴妃のまたいとこ。玄宗のとき宰相となり、権力をふるったが、安禄山アンロクザンの乱がおこるとその責を問われ、馬嵬バカイ(今の陝西セン省内)で殺された。(?—七五六)
【楊子】ヨウシ =楊朱。
【楊枝】一ヨウシ ①やなぎのえだ。②口の中を掃除する具。二ヨウジ 国①つまようじ。②歯ブラシ。
【楊時】ヨウジ 北宋ホクソウの学者。字あざなは中立。亀山キザン先生と呼ばれた。程顥テイコウ・程頤テイイの弟子。程氏の正統を継ぐ者とされ、その学派を道南学派という。朱熹シュキの学問もこれに基づくところが多い。(一〇五三—一一三五)
【楊守敬】ヨウシュケイ 清末の歴史・地理学者。宜都(今の湖北省内)の人。字あざなは惺吾セイゴ。号は鄰蘇リンソ。明治十三年(一八八〇)、日本に渡り、滞在四年、古書の収集・複製に努力した。著書に『日本訪書志』『水経注疏スイケイチュウソ』などがある。(一八三九—一九一四)
【楊朱】ヨウシュ 戦国時代の思想家。衛の人。字あざなは子居。極端な個人主義と、人間本能を肯定する快楽主義を主張した。(前三九五?—前三三五?)
【楊朱泣岐】ヨウシュキになく 分かれ道は、行く人の自由意志によって行く先が大きく隔たるように、人も生まれは同じでも環境や習慣によって善人とも悪人ともなることを悲しむたとえ。楊朱が分かれ道を見て泣いた故事による。〔淮南子、説林訓〕
【楊慎(愼)】ヨウシン 明ミンの文学者。新都(今の四川省内)の人。字あざなは用修。号は升菴ショウアン。著書に『升菴集』などがある。(一四八八—一五五九)
【楊震】ヨウシン 後漢の政治家・学者。字あざなは伯起。博学、清廉で関西の孔子と称された。(五四—一二四)
【楊梅】ヨウバイ やまもも。常緑高木。春、黄白色の小花を密生し、いちごに似た実を結び、食用。樹皮は染料にする。
【楊万(萬)里】ヨウバンリ 南宋ナンソウの詩人・学者。吉水(今の江西省内)の人。字あざなは廷秀。号は誠斎。尤袤ユウボウ・范成大ハンセイダイ・陸游リクユウとともに南宋四家の一人。著書に『誠斎集』などがある。(一一二七—一二〇六)
【楊墨】ヨウボク 戦国時代の思想家。楊朱と墨翟ボクテキ。
【楊柳】ヨウリュウ ①やなぎ。▼楊はかわやなぎ、柳はしだれやなぎ。②折楊柳の曲。別離を歌った。用例(唐、王之渙、涼州詞)羌笛何須怨楊柳キョウテキなんぞもちいん、ヨウリュウをうらむを ↓羌人の吹く笛よ、どうして折楊柳の曲をうらめしげに吹く必要があろうか(そんな必要はない)。春光不ㇾ度玉門関シュンコウわたらず、ギョクモンカン (柳を芽ぶかせる)春の光はここ玉門関まではやって来ない。

9【楆】13画 5639 ヨウ(エウ) 蕭 — —
【楆】5640字 俗
字義 なつめ(棗)の一種。
解字 形声。木+要音。

9【楆】13画 5640 ヨウ 楆(5639)の俗字。→七五八ページ下。 ₂1513 — —

9【㮚】13画 5641 リツ 栗(5421)の本字。→七四三ページ上。

9【楞】13画 5642 リョウ 棱(5572)と同字。→七五三ページ上。

9【楞】13画 5643 リョウ 棱(5572)の俗字。→七五三ページ上。 6033 9EBF —

9【楝】13画 5644 レン 霰 liàn 6034 9EC0 —
字義 おうち(あふち)。せんだん。暖地に自生する。センダン科の落葉高木。葉は羽状複葉。春、葉のつけねに薄紫の五弁花をつけ、球状の実を結ぶ。果実はひび薬、材は建築などに用いる。
解字 形声。木+柬音。

9【楼】13画 5645 常 ロウ 4716 984F —

11〔樓〕15画 5646 漢ロウ 呉ル 尤 lóu 6076 9EEA —

筆順 楼

字義 ❶たかどの。二階建ての建物。また、高層の建物。用例〔唐、王之渙、登鸛鵲楼(かんじゃくろうにのぼる)詩〕欲窮千里目(センリのめをきわめんとほっし)、更上一層楼(さらにのぼるイッソウのロウ)。↓千里かなたの眺望を極め尽くそうとして、更に楼を一層上まで登って行った。❷やぐら。城門・城壁や高い台の上に設けた建物。

名前 いえ・たか・つぎ・より・ろう

解字 篆文 形声。木＋娄(婁)音。音符の婁(ロウ)は、かさなるの意味。増築して上に上にとのびる建造物、たかどのの意味を表す。

楼①

逆 画楼・玉楼・高楼・鼓楼・酒楼・鐘楼・城楼・青楼・登楼・望楼

【楼閣】(ロウカク) たかどの。高層な建物。楼観。ものみ。

【楼△闕】(ロウケツ) やぐらのある門。二階づくりの門。楼門。

【楼月】(ロウゲツ) たかどのから見る月。また、たかどのを照らす月。

【楼鼓】(ロウコ) やぐら太鼓。物見やぐらに備えた太鼓。

【楼船】(ロウセン) 二階づくりの大船。

【楼台(臺)】(ロウダイ) ＝楼閣。用例〔唐、高駢、山亭夏日詩〕緑樹陰濃夏日長(リョクジュかげこまやかにして、かじつながく)、楼台倒影入池塘(ロウダイかげをさかしまにして、チトウにいる)。↓緑の木々が濃い陰を落とし、夏の日は長く、池辺の楼台は水にさかさまに姿を映す。

【楼門】(ロウモン) やぐらのある門。二階造りの門。

【楼△蘭】(ロウラン) 漢代の史書に見える西域諸国の一つ。天山南路、今の新疆(シンキョウ)ウイグル自治区ロプノール湖付近にあったと推定される。前二世紀後半ころの西域交通の要地。別名、鄯善(ゼンゼン)。〔史記、匈奴伝〕

9 【榔】 13画 5647 ロウ 榔(5720)の俗字。→七六三ページ中。

9 【椳】 13画 5648 ワイ 灰 賄 wēi — — 3630

字義 とぼそ。くるる。扉の回転軸。

解字 形声。木＋畏音。音符の畏は、くぼむの意味。

9 【楿】 13画 5649 国字 ₂1518 — 3652

字義 木の名。かつら。桂。

解字 会意。木＋香。

9 【榀】 13画 5650 国字 ₁8589 — 3653

字義 こまい(木舞・小舞)。㋑土壁の下地に組みわたす細長い材。㋐軒の垂木(たるき)にわたす細い竹。

解字 会意。木＋品。

9 【榊】 13画 5651 国字 さかき 榊(5723)の俗字。→七六三ページ下。

9 【⿰木荒】 13画 5652 国字 ₁8582 — —

字義 たらのき。

9 【楾】 13画 5653 国字 はんぞう ⿺瓦泉(7567)と同字。→九六〇ページ上。 6025 9EB7 —

9 【榁】 13画 5654 国字 6035 9EC1 —

字義 むろ。むろのき。ねず(杜松)の別名。ヒノキ科の常緑高木。

解字 会意。木＋室。室は日本語で「むろ」と訓じるので、木を付し、むろのきの意味を表す。

9 【⿰木厚】 13画 5655 国字 ₂1510 — —

字義 ⿰木厚木作(ほうのきざく)は、福島県の地名。

10 【榮】 14画 (5283) エイ 栄(5282)の旧字体。→七三〇ページ上。

10 【榲】 14画 5656 一 漢オツ 呉オチ(ヲチ) 月 wēn 二 オン(ヲン) 元 wēn 6037 9EC3 —

【榅】 5590 俗字

字義 一 榲桲(オッポツ)は、果樹の名。マルメロ。バラ科の落葉高木。実は梨に似、酸味が強く、砂糖づけにする。二 ❶すぎ(杉・榅)。❷ね(根)。

解字 形声。木＋𥁕音。

10 【樺】 14画 5657 人 1982 8A92 —

11 〔樺〕 15画 5658 漢カ(クワ) 呉ゲ 禡 麻 huà

筆順 樺

字義 かば。かんば。寒地に自生する落葉高木。樹皮の白いものを白樺(しらかば)という。材は細工用、また、脂(あぶら)が強くてたきぎとなる。国かば。かばいろ。赤みのある黄色。

名前 かば・から・かんば

解字 形声。木＋華音。

【樺△燭】(カショク) かばの葉で蠟(ロウ)を巻いて作ったともしび。

10 【榎】 14画 5659 人 標 カ 馬 jiǎ 1761 897C —

筆順 榎

字義 ひさぎ。＝檟(5838)。国えのき。え。ニレ科の落葉高木。葉は広い長円形、初夏に淡黄色の花を開き、球形でだいだい色の小さな実を結ぶ。

名前 え 難読 榎原(よわら)

解字 形声。木＋夏音。

10 【槐】 14画 5660 漢カイ(クワイ) 呉エ(ヱ) 佳 灰 huái 6039 9EC5 —

字義 ❶えんじゅ(えんじゅ)。マメ科の落葉高木。葉は藤(ふじ)に似、夏、黄白色の蝶形(チョウがた)の花をつけ、さやのある実を結ぶ。❷三公。三公の位。周代、朝廷の庭に三本の槐樹を植えて三公のつく位置を示した故事に基づく。「台槐」「槐鼎(カイテイ)」〔周礼、秋官、朝士〕

解字 形声。木＋鬼音。

【槐安国(國)】(カイアンコク) 蟻(あり)の王国をいう。→槐安夢(カイアンのユメ)。

【槐安夢】(カイアンのユメ) 夢をいう。唐の淳于棼(ジュンウフン)が酒に酔って庭の槐(えんじゅ)の木の下で昼寝した際、槐安国に遊んで王女と結婚し、南柯郡(ナンカグン)の太守となった夢を見た。目がさめると、槐の根もとに蟻(あり)の穴があり、蟻の女王が住んでいたという小説に基づく。南柯の夢(柯は枝の意)。〔南柯記〕

【槐位】(カイイ) 三公の位。→字義❷。

【槐△棘】(カイキョク) えんじゅと、いばら。三公と九卿(キュウケイ)。→字義❷・棘(5510)の字義❻。

【槐市】(カイシ) 漢代、長安城(今の陝西(センセイ)省西安市)の東にあった市場の名。

【槐△宸】(カイシン) 天子の宮殿。禁中。

【槐庭】(カイテイ) 三公の位。大臣の位。→字義❷。

【槐△鼎】(カイテイ) 大臣の位。鼎(かなえ)は三本の足が支えとなっているように、三公が天子を補佐すること。

【槐門】(カイモン) ＝槐庭。

10 【概】 14画 5661 常 ガイ 1921 8A54 —

11 〔槪〕 15画 5662 カイ 慣ガイ 隊 gài

【㮣】 5731 同字 【槩】 5730 俗字 【槩】 5784 俗字 【槪】 5785 俗字

筆順 概

字義 おおむね(おおむね)。㋐あらまし。おおよそ。大体。「概略」㋑おもむき。ようす。風致。「勝概」㋒みさお。節操。「気概」㋓とかき。ますかき。ますで物の量をはかるとき、上方を平らにならす棒。また、とかきでならす。㋔はかる。物の量をはかる。㋕なげく。悲しむ。感じる。＝慨(3823)。㋖洗う。そそぐ。＝漑(6669)。

名前 むね

解字 篆文 形声。木＋既(旣)音。音符の既は、容器にいっぱいになった物が外にあふれ出るの意味。米をますに入れ、上に盛りあがった米をならして外にあふれ出させる棒の意味を表し、転じて、ならしてみたところ、おおむねの意味を表す。

逆 一概・気概

【概括】ガイカツ 国似通った事物をひとまとめにする。すべくくる。
【概観(觀)】ガイカン 全体をざっと見通す。
【概況】ガイキョウ 国あらまし(だいたい)のようす。
【概見】ガイケン ①ざっと目を通す。②大体の見解。
【概説】ガイセツ あらましを説く。大要を述べる。また、その論説。
【概然】ガイゼン ①感激するさま。②悲しむさま。用例〔荘子、至楽〕是其始死也、我独何能无二概然一 ↓妻が死んだばかりのときには、私だって嘆き悲しむ思いがしないわけではなかった。
【概念】ガイネン 国個々の事物から共通点をひきだし、それをまとめて得た観念。
【概念的】ガイネンテキ 国物事の見方や考え方が概念にとどまって、個々に深くゆきわたらないさま。
【概要】ガイヨウ 国あらまし。おおよそ。
【概略】ガイリャク 国おおよそ。ざっと。あらまし。
【概論】ガイロン 大要を述べる。あらましの議論。

10【権】14画 5663 カク 覺 què 2 1525 ― 3665

字義 ❶まるきばし。一本橋。❷昔、政府が物品を専売して、その利益を独占したこと。「権利」❸税金をかける。

解字 篆文 形声。木＋隺音。音符の隺は、高くあがるの意味。高いところにかかる丸木橋の意味を表す。一本橋が人の通行を独占するところから、転じて、政府の専売制度による利益の独占の意味や、税の意味を表す。

【権△酤】カク・カッコ 民間の酒造を禁じ、政府で専売して利益を独占すること。
【権利】カクリ 政府が酒などを専売して得た利益。

10【槅】14画 5664 漢カク 呉キャク 陌 gé, ②hé ― ― 3669

字義 ❶くびき。大きな車の、轅の先につけて、牛の首のみねにかける横木。❷さね。果実の核。

10【榦】14画 5665 カン 幹(3168)の本字。→四六七ページ下。 2 1523 ― 3660

解字 形声。木＋倝音。

10【槏】14画 5666 一 漢カン・呉ケン 鎌 qiǎn 二 レン 塩 lián 1 8593 ― ―

字義 一 ❶と(戸)。❷窓の柱。二 ＝廉(3229)。

解字 形声。木＋兼音。

10【榿】14画 5667 キ 支 qī 6040 9EC6 ―

字義 はんのき。はりのき。カバノキ科の落葉高木。生長が早く、三年で大木になるという。難読 榿谷地

解字 形声。木＋豈音。

10【榉】14画 5668 キョ 欅(5917)の俗字。→七七五ページ下。 1 8590 EDCE ―

10【槗】14画 5669 キョウ 橋(5792)の俗字。→七六九ページ上。 ― ― 3673

10【榘】14画 5670 ク 矩(8117)と同字。→一〇一八ページ上。 2 1522 EDCF 3657

10【構】14画 5671 教5 コウ かま-える・かま-う 2529 8D5C ―

10〔構〕14画 5672 漢コウ 呉ク 宥 gòu

筆順 木 朾 朾 栉 構 構 構 構 構

字義 ❶かま-える。㋐組み立てる。家屋などを建設する。「構築」㋑考えを立てる。計画を立てる。詩文などの案を作る。「構想」㋒こじつける。しいる。ないことをあるかのようにしくむ。「虚構」㋓結ぶ。つくりあげる。㋔身がまえをする。❷かまえ。家屋のつくり。❸木の名。かじ。かぞ。こうぞ。

国 ❶かま-える。用意する。準備する。❷かま-う。㋐かかわる。干渉する。㋑追放の刑に処する。❸かま-え。㋐つくり。しくみ。組み立て。㋑用意。準備。したく。❹かま-い。㋐関係すること。㋑世話。ほねおり。㋒さわり。さしつかえ。㋓追放。所ばらい。

名前 こう

解字 篆文 形声。木＋冓(冓)音。音符の冓は、組み合わせるの意味。木を組み合わせる、かまえるの意味を表す。

逆 遺構・仮構・機構・虚構・結構

【構怨】コウエン うらみを結ぶ。仲たがいする。
【構会(會)】コウカイ 罪をなすりつける。罪をでっちあげる。
【構陥(陷)】コウカン 無実の罪をしくんで人を罪におとす。
【構殺】コウサツ 無実の罪をしくんで殺す。
【構成】コウセイ 国①かまえつくる。組み立てる。また、かまえ。組み立て。②成り立たせる。また、成り立つ。成立。
【構想】コウソウ 国①考えを組み立てる。また、その考え。②かりに組み立てた考え。想像。③芸術作品を作るとき、主題・思想内容・組み立て・表現形式など、すべての要素の構成を考えること。
【構造】コウゾウ かまえつくる。組み立て。つくり。
【構築】コウチク かまえきずく。家などを建設する。
【構図(圖)】一 コウト かまえ、はかる。計画する。二 コウズ 国図どり。色や形などの配合。また、効果的に配置すること。
【構兵】コウヘイ ＝構レ兵(兵をかまう)(一五三ページ上)。

10【槁】14画 5673 〔稾〕5676 同字 コウ(カウ) 皓 gǎo 6041 9EC7 ―

字義 ❶か-れる(枯)。木がかれる。からす。用例〔孟子、公孫丑上〕其子趨而往視レ之、苗則槁矣 ↓その人の子供が大急ぎで走って行って見てみると、苗はもう枯れてしまっていた。❷かれき。枯木。❸かわく(乾)。かわかす。❹やがら。矢の幹。

解字 甲骨文 篆文 形声。木＋高音。音符の高は、確に通じ、かたいの意味。木がかたくなる、かれるの意味を表す。

【槁△梧】コウゴ 琴。一説にひじかけ。かれた青桐で作ることから。
【槁壌(壤)】コウジョウ かわいた土。
【槁△悴】コウスイ ①草木がかれしぼむ。②やつれる。
【槁暴】コウバク 日光にさらして、乾かす。〔荀子、勧学〕
【槁木死灰】コウボクシカイ かれ木と、火のけのない灰。肉体は枯れ木のようであり、心は、冷たい灰のようで、まったく、生気のないさま。〔荘子、斉物論〕

10【槓】14画 5674 コウ(カウ) gàng 6042 9EC8 ―

字義 てこ。ぼう(棒)。重い物を動かすのに用いる棒。

解字 形声。木＋貢音。

【槓△杆】コウカン てこ。ぼう。▼杆も、てこ。

10【榼】14画 5675 コウ(カフ) 合 kē 2 1527 ― 3668

字義 ❶さかだる。酒を入れる器。❷みずおけ。❸さや。刀のさや。

解字 篆文 形声。木＋盍音。音符の盍は、蓋でおおうの意味。酒を入れ、おおう木の器、さかだるの意味を表す。

味を表す。

10 【槀】14画 5676 コウ 2 1528 — —
稿(5673)と同字。→七〇六ページ下。

10 【榥】14画 5677 漢コウ(クワウ) 呉オウ(ワウ) 養 huàng 1 8591 — 3659
字義 ❶まど(窓)。❷ひさし(廂)。国くるみ(胡桃)。
解字 形声。木＋晃音。

10 【穀】14画 5678 コク 屋 gǔ 2 1521 — 3656
字義 こうぞ。クワ科の落葉低木。樹皮は製紙の原料。「穀皮紙」
参考 〔穀〕(8512)は別字。
解字 篆文 形声。木＋殸音。音符の殸は、かたいからの意味。樹皮の固い、こうぞの木の意味を表す。

10 【榾】14画 5679 漢コツ 呉コチ 月 gǔ 6043 9EC9 —
字義 ほた。木の切れはし。こっぱ。 難読 榾柮
解字 形声。木＋骨音。

10 【槎】14画 5680 一 漢サ・呉ジャ 麻 chá 二 漢サ・呉シャ 馬 6044 9ECA —
字義 一いかだ。木材を組んで水に浮かべたもの。「浮槎」 二きる。そぐ。木をななめに切る。
解字 篆文 形声。木＋差音。音符の差は、ふぞろいの意味。多くの木を編んで、ふぞろいになっている、いかだの意味を表す。また、音符の差は、サッと切るの意味を表す擬声語。木をそぐの意味をも表す。
【槎牙・槎枒】サガ 木の枝をそいだようにかどだって入りくむ(ごつごつする)さま。
【槎蘖・槎櫱】サゲツ ななめに切った木から出る芽。ひこばえ。

10 【寨】14画 5681 漢サイ 呉ザイ 卦 zhài 6045 9ECB —
字義 ❶まがき。かきね。＝柴(5391)。❷とりで。敵を防ぐための囲いをめぐらした所。兵営、また、村落にもいう。
注意 『康熙字典』では、宀部に所属する。
解字 形声。木＋寒音。音符の寒は、ふさぐの意味。羊をとじこめておく小屋、まがきの意味を表す。

10 【槊】14画 5682 サク 覚 shuò 【槊】5685同字 【槊】5684俗字 【槊】5686俗字
字義 ❶ほこ。柄の長いほこ。周尺で、一丈八尺(約四メートル)のほこ。❷すごろく。すごろくの盤。「棊槊」
解字 篆文 形声。木＋朔音。音符の朔は、さからうの意味。敵にさからい向かう木製の柄つきのほこの意味を表す。
【横槊賦詩】ほこをよこたえ(へ)てシをフす ほこを横にして詩を作る。軍中で詩歌を作る風流のたとえ。三国時代、魏の曹操が呉を攻めたときの故事による。用例(北宋、蘇軾、前赤壁賦)釃酒臨江、横槊賦詩(さけをしたみて、コウにのぞみ、ほこをよこたえ(へ)てシをフす) (曹操は)酒を酌みながら川を眺めて、矛を横たえて陣中で詩を作った。

10 【榨】14画 5683 漢サ・呉シャ 禡 zhà 慣サク — — 3661
字義 ❶しめぎ。油や酒をしぼる器具。❷しぼる。圧搾して液汁を取りだす。
解字 形声。木＋窄音。音符の窄は、せばめるの意味。押しせばめて油や酒をしぼる木製の器具の意味を表す。のち、動詞のしぼるの意味に用いられて、手偏の搾の字ができた。

10 【槊】14画 5684 サク 6046 9ECC —
槊(5682)の俗字。→七六一ページ上。

10 【槊】14画 5685 サク
槊(5682)と同字。→七六一ページ上。

10 【槊】14画 5686 サク 1 8594 — —
槊(5682)の俗字。→七六一ページ上。

10 【榰】14画 5687 シ 支 zhī 2 1524 — —
字義 ❶ささえる(支)。❷いしずえ。柱の土台。 難読 榰柱
解字 形声。木＋耆音。

10 【榯】14画 5688 漢シ 呉ジ 支 shí — — 3664
字義 ❶そばだつ。樹木が直立する。❷落榯は、門の軸受けを支える部分。
解字 形声。木＋時音。音符の時は、峙に通じ、そばだつの意味。

10 【榭】14画 5689 漢シャ 呉ジャ 禡 xiè 1 8592 — 3663
字義 ❶うてな。屋根のある台。「台榭」❷道場。武術を練る所。❸楽器などの器物を納める倉庫。
解字 形声。木＋射音。

10 【樹】14画 5690 ジュ
樹(5799)の俗字。→七六九ページ中。

10 【榫】14画 5691 シュン 軫 sǔn — — 3662
字義 ほぞ。木材をつなぐための突起。
解字 形声。木＋隼音。

10 【窼】14画 5692 ショウ 2 1520 — —
松(5246)と同字。→七三五ページ中。

10 【榺】14画 5693 ショウ 径 shèng 2 1526 — 3667
字義 ちきり。縦糸巻き。機の縦糸を巻く道具。
解字 形声。木＋朕音。

10 【榛】14画 5694 人 シン 真 zhēn 3126 9059 —
筆順 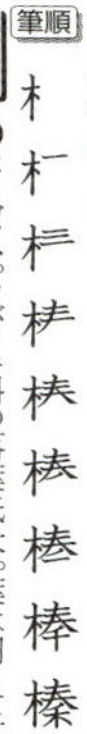
字義 ❶はしばみ。カバノキ科の落葉低木。葉は円くて広く、先がとがり、春、穂状に小花をつけ、実はしばぐりに似ている。❷やぶ。雑木林。国はり。はんのき。カバノキ科の落葉高木。実は松かさに似て小さく、樹皮とともに染料に用いる。
名前 はり・はる 難読 榛原・榛名
解字 篆文 形声。木＋秦音。音符の秦は、のびしげるの意味。雑木のしげる、やぶの意味や枝葉のしげる、はしばみの木の意味を表す。
【榛穢・榛薉】シンアイ・シンワイ 雑草が生いしげる。また、その草むら。転じて、悪習・悪政をいう。
【榛棘】シンキョク ＝榛荊。
【榛荊】シンケイ ①雑木のしげみ。②いばら。同榛棘。
【榛荒】シンコウ ①雑木や雑草が生いしげって荒れはてている。また、その所。②荒れはてる。
【榛蕪】シンブ ①雑木や雑草が生いしげる。また、その所。②入りまじって、ごたごたする。未開のさま。③けがれる。けがらわしい。④身分の低いこと。
【榛莽】シンボウ・シンモウ 雑木や雑草のしげっている所。やぶ。くさむら。

10 【榱】14画 5695 スイ 支 cuī 6067 9EE1 —
字義 たるき。屋根の裏に棟木から軒にわたす横木。＝椽(5624)・桷(5430)。
解字 篆文 形声。木＋衰音。音符の衰は、みのの意味。みのとして編まれた茅・菅のように、棟から軒に流れる、たるきの意味を表す。
【榱桷】スイカク たるき。▼桷は、四角いたるき。

【榱題】ダイ スイ たるきのはし。たるきのこぐち。
【榱△椽】テン スイ たるき。▼椽は、まるいたるき。

10 【榍】14画 5696 セツ 楔(5610)と同字。→七五六ページ上。 — — 3654

10 【榛】14画 5697 ソ 遇 sù — — 3658
字義 下地。素材。
解字 形声。木＋素音。

10 【槍】14画 5698 人 標 漢ショウ(シャウ) 陽 呉ソウ(サウ) qiāng 3368 9184 —
筆順 十 木 朩 朩 朩 朩 槍 槍
字義 ❶やり。＝鎗(12810)。❷つく。いたる。とどく。❸草を刈る農具。❹銃。鉄砲。
名前 しょう・そう
解字 篆文 形声。木＋倉音。音符の倉は、刅ソウに通じ、きずつくの意味。きずつけるやりの意味を表す。
【槍△杆・槍△竿・槍△桿・槍幹】カン ソウ やりの柄。
【槍手】シュ ソウ やりを使う兵士。槍兵。
【槍△鋒】ホウ ソウ やりのほさき。
【槍壘(壘)・槍△纍】ルイ ソウ とがらした木をめぐらしたとりで。

10 【榸】14画 5699 タイ 佳 zhāi — — 3666
字義 ❶枯れ木の根。❷くい。
解字 会意。木＋埋。埋もれている木の根の意味を表す。

10 【槖】14画 5700 タク 橐(5814)の俗字。→七七〇ページ下。 2 1530 — 3672

10 【榒】14画 5701 漢ダク 呉ニャク 陌 nuò 2 1519 — 3655
字義 木の名。難読 藤榒からまり
解字 形声。木＋弱音。

10 【槌】14画 5702 人 標 漢ツイ 呉ズイ(ヅイ) 支 chuí 3640 92C6 —
〔椎〕5410 同字 〔槌〕5621 俗字
字義 ❶つち(椎ツイ)。物を打ちたたく道具。❷うつ。つちで打ちたたく。
筆順 木 木' 朩 朩 朩 柏 柏 槌
名前 つち
解字 篆文 形声。木＋追音。音符の追は、椎ツイに通じ、つちの意味。木づちの意味を表す。

10 【槙】14画 5703 人 4374 968A —
10 〔槇〕14画 5704 人 テン 先 diān 8402 EAA0 —
筆順 木 朩 朩 朩 朩 植 植 槙
字義 こずえ。樹木のいただき。国まき。㋐暖地に自生するマキ科の常緑高木。葉は平たい針状、五月に小花を開き、夏、葉の間に実を結ぶ。㋑ひのき。真木。
名前 こずえ・しん・まき
解字 篆文 形声。木＋真(眞)音。音符の眞は、顚テンに通じ、いただきの意味。こずえの意味を表す。

10 【榻】14画 5705 トウ(タフ) 合 tà
〔榻〕5706 俗字
字義 こしかけ。ながいす。寝台。細長い寝台。国しじ。牛車ギッシャの轅ながえの軛くびきをささえる台。
解字 篆文 形声。木＋𦐇音。音符の𦐇トウは、おおうの意味。おおいかぶさるような、大きな木のこしかけの意味を表す。
【榻△牀】ショウ トウ こしかけ。寝台。
【榻布】フ トウ きめがあらくて厚い布。

榻

10 【榻】14画 5706 トウ 榻(5705)の俗字。→七六二ページ中。 6048 9ECE —

10 【樋】14画 5707 トウ 樋(5765)の俗字。→七六六ページ下。

10 【槈】14画 5708 漢ドウ 呉ヌ 宥 nòu — — 3670
字義 鋤きす。土を掘り起こす道具。
解字 形声。木＋辱音。音符の辱は、草刈り具の象形。

10 【槑】14画 5709 バイ 梅(5414)の古字。→七四一ページ下。 2 1529 — 3671

10 【槃】14画 5710 標 漢ハン 呉バン 寒 pán 6049 9ECF —
字義 ❶たらい(盥たらい)。両手でささげ持つ、平たいはち。❷たのしむ。また、たのしみ。❸めぐる。たちもとおる。とどまって進まないさま。
解字 甲骨文 金文 篆文 形声。木＋般音。音符の般は、おおきいふねの意味。大きな舟の形をした、たらいの意味を表す。
【槃虡】グ ハン たのしみあそぶ。槃遊。
【槃△跚・槃散】サン パン 片足をひいてあるく。よろめく。

10 【榧】14画 5711 ヒ 尾 fěi 6050 9ED0 —
字義 かや。かやのき。イチイ科の常緑高木。葉は平たい針状、花は四月ごろ開き、実はなつめに似て白く、食用とし、また、油をとる。
解字 形声。木＋匪音。音符の匪ヒは、左右に開くの意味。針葉が扁平に左右に開いてついている、かやの意味を表す。

10 【榑】14画 5712 漢フ 呉ブ 虞 fú 6052 9ED2 —
字義 榑桑フソウは、東方の日の出る所にあるという神木。扶桑。〔淮南子、覧冥訓〕国くれ。㋐まるた。山から切り出したままの木材。㋑薄板。へぎいた。難読 榑山くれやま・榑族部はあべ・はあらべ・榑林くればやし
解字 形声。木＋専音。

10 【榜】14画 5713 標 一 漢ホウ(ハウ) 養 bǎng 二 漢ホウ(ハウ) 呉ヒョウ(ヒャウ) 敬 bàng 三 漢ホウ(ハウ) 呉ビョウ(ビャウ) 庚 bēng 慣ボウ(バウ) 6054 9ED4 —
字義 一❶たてふだ。かけふだ。掲示板。特に、官吏登用試験の合格者名を発表する掲示板。用例〔南宋、陸游、入蜀記〕楼榜李監篆石刻独存ロウボウのリカンのテンセキコクのみひとりソンす。↓楼の立て札として李監が篆書で書いた石刻だけが立っていた。❷かかげる。掲示する。「標榜ヒョウボウ」 二❶むち。むち打つ。❷かじ。かい。舟をこぎ進める具。❸いかだ。＝方(4612)。三ゆだめ。弓のまがりを正す具。
解字 篆文 形声。木＋旁音。音符の旁ボウは、かたわらの意味。両側にそえて弓の曲がりをなおす、ゆみだめの意味を表す。
【榜歌】カ ボウ ふなうた。船頭のうた。
【榜眼】ガン ボウ 進士の試験(官吏登用試験)に二番で合格した人。▼眼は、二つあることから、二の隠語。
【榜人】ジン ボウ 船頭。かこ。舟人。
【榜△笞】チ ボウ 罪人をむちで打つこと。榜楚ボウソ。
【榜△掠】リャク ボウ・リョウ ボウ 罪人をむちうってきびしくせめる。

10 【榠】14画 5714 漢メイ 呉ミョウ(ミャウ) 青 míng 6053 9ED3 —
字義 榠樝メイサは、果樹の名。木瓜ぼけに似る。

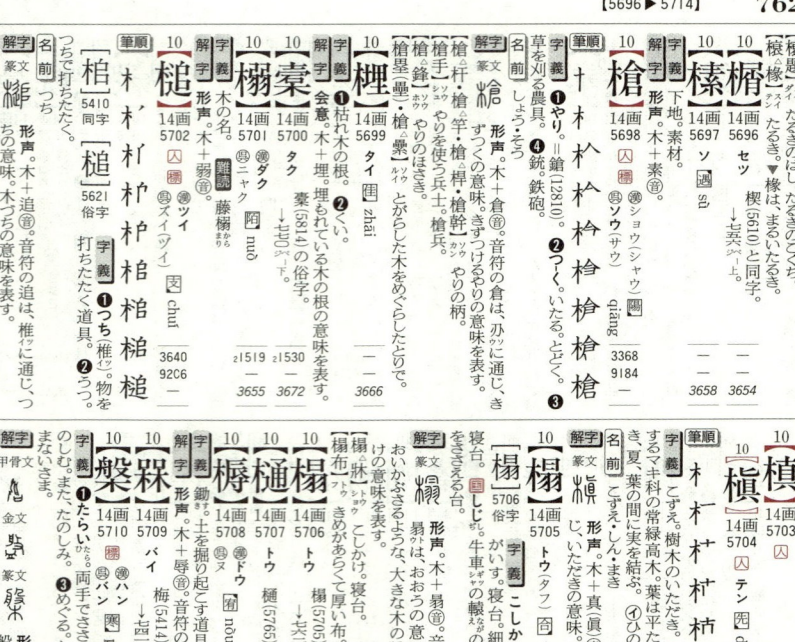

解字 形声。木＋冥㊥。

10 【模】14画 5715 教6 モ・ボ 漢ボ・呉モ 虞 mó, ①㋑mú 4447 96CD —

筆順 木 木 栌 栌 栟 栟 梢 模 模 模

［橅］5823 同字 字義 ❶かた。㋐のり。手本。法式。「規模」㋑いがた（鋳型）。同形の物を鋳造するための原型。また、ひながた。実物にかたどって作ったもの。「模型」㋒かたち。ありさま。「模様」❷かたど-る。似せる。まねる。のっとる。「模造」❸→模糊。

名前 かた・のり

参考 現代表記では〔摸〕(4367)の書きかえに用いる。「摸索→模索」「摸写→模写」

解字 篆文 形声。木＋莫㊥。音符の莫(ボ)は、さぐりもとめるの意味。同じ形のものを求めるための木型、転じて、手本の意味を表す。

逆 規模

【模楷】(モカイ) のり。てほん。法式。

【模擬】(モギ) まねる。似せる。まねて実物のように見せる。摸擬(モギ)。「模擬店」

【模型】(モケイ) ①いがた。同じ形の物を鋳造するための原型。②ひながた。実物の形に似せて作ったもの。

【模△糊】(モコ) はっきりしないさま。ぼんやりとしたさま。糢糊(モコ)。「曖昧模糊(アイマイモコ)」

【模効(效)・模△倣】(モコウ) 手本としてまねる。

【模刻】(モコク) 原本に似せて版木や石に彫ること。摸刻(モコク)。

【模索】(モサク) 手さぐりで物をさがす。摸索(モサク)。「暗中模索」

【模写(寫)】(モシャ) まねて書き写す。似せて書く。摸写(モシャ)。

【模造】(モゾウ) 国まねて、つくる。似せて造る。摸造(モゾウ)。

【模範】(モハン) のり。てほん。模楷(モカイ)。模表。

【模倣】(モホウ) まねる。似せる。手本とする。模傚(モコウ)。

【模様(樣)】(モヨウ) ①ありさま。ようす。かたち。②あや。織物・染め物などのかざりにほどこす種々のかた。

10 【様】14画 5716 教3 ヨウ さま 4545 976C —

11 〔樣〕15画 5717 人 ヨウ（ヤウ） 漾 yàng 6075 9EE9 —

筆順 木 木 栏 栏 样 样 样 様 様

字義 ❶さま。ありさま。かたち。ようす。状態。「同様」 ❷かた。㋐のり。手本。法式。㋑いがた。ひながた。㋒あや。もよう。「模様」❸しな。いろ。物品の質や種類。「多種多様」❹…のごとくに。…のように。国❶さま。㋐姓名・職名などの下につける敬語。「御苦労様」❷ヨウ(ヤウ)。㋑語の下につけて、ていねいにいう語。㋐将来そのようにあれと希望する語。㋑ゆえ。わけ。㋒こと。ものごと。❸ざま。ありさま。ていたらく。

参考 難読 様似(さまに)

解字 篆文 ⇩〔樣〕(6065)の参考。形声。木＋羕（羕）㊥。橡(ショウ)の正字で、とちの実の意味を表したが、相に通じ、ありさまの意味に用いる。

逆 異様・模様

【様子】(ヨウス) ㊀(ヨウシ) ①みほん。②かた。形式。㊁(ヨウス) ①ありさま。状態。具合。模様。③けはい。④国①なりふり。容姿。②ありさま。状態。具合。模様。③けはい。④理由。⑤旨。おもむき。

【様式】(ヨウシキ) ①一定の形式。かた。②かたち。すがた。

【様体(體)・様態】(ヨウタイ・ヨウダイ) 国①なりふり。すがた。状態。②いかにもそれらしい様子をすること。③しかた。手段。④病気の状態。容体。

【様本】(ヨウホン) みほん。

10 【榕】14画 5718 漢ヨウ 呉ユウ 冬 róng 6055 9ED5 —

字義 あこぎ。あこう。ガジュマル。熱帯に産する、クワ科の常緑高木。花は淡紅で、いちじくに似た実をつける。

解字 形声。木＋容㊥。

10 【榴】14画 5719 標 漢リュウ(リウ) 呉ル 尤 liú 6056 9ED6 —

［橊］5825 本字 字義 ざくろ。果樹の名。幹には瘤(こぶ)が多く、枝には刺(とげ)がある。六月ごろ、赤い筒形の花を開く。秋、実を結び、熟すると割れて中の種子があらわれる。「石榴(ざくろ)」「柘榴(ざくろ)」 難読 榴岡(つつじがおか)

解字 形声。木＋留㊥。

【榴火】(リュウカ) ざくろの花の赤いのを、火にたとえていう。

10 【榔】14画 5720 標 ロウ（ラウ） 陽 láng 4717 9850 —

［榔］5647 俗字 字義 檳榔(ビンロウ)・檳榔子(ビンロウジ)は、熱帯に産する、ヤシ科の常緑高木。幹は直立して枝がなく、葉は幹の上部に群生する。渋みのある鶏卵大の実をつける。薬用・染料となる。

解字 形声。木＋郎㊥。

10 【槞】14画 5721 ロウ 櫳(5913)の俗字。→七七五ジ下。 6057 9ED7 —

10 【槝】14画 5722 国字 6047 9ECD —

字義 かし。槝之浦(かしのうら)は、鹿児島県阿久根(あくね)市の地名。

解字 会意。木＋島。

10 【榊】14画 5723 国字 人 標 2671 8DE5 —

筆順 一 十 木 木 杧 柿 柙 神 榊

［榊］5651 俗字 字義 さかき。㋐ツバキ科の常緑亜高木。枝葉は椿(つばき)に似、五、六月ごろ黄白色の小花をつける。昔からその枝葉を神前に供える。㋑常緑樹の総称。ときわぎ。

解字 会意。木＋神。神を祭るときに用いる木、さかきの意味を表す。

10 【樮】14画 5724 国字 6051 9ED1 —

字義 ほくそ。樮川(ほくそがわ)は、和歌山県日高郡の地名。

解字 会意。木＋𤇾。𤇾は票(㶾)の変形で、火の粉が舞いあがるの意味。木のもえがら、ほくその意味を表す。

11 【樭】15画 5725 イン yín ₂1531 — —

字義 人名。国樭原(たらはら)は、長野県の地名。

解字 形声。木＋寅。

11 【槥】15画 5726 漢エイ（ヱイ） 呉エ（ヱ） 霽 huì — — 3675

字義 ひつぎ。小さな棺おけ。

解字 篆文 形声。木＋彗㊥。音符の彗(スイ)は、小さいの意味。小さなひつぎの意味を表す。

【槥車相望】(エイシャあい(ひ)のぞむ) 小さな棺おけを載せた車が道に連なる意。戦死して帰る者の多いたとえ。〔漢書、韓安国伝〕

【槥△櫝】(エイトク) 小さな棺おけ。小棺。

11 【横】15画 5727 教3 オウ よこ 1803 89A1 —

12 〔橫〕16画 5728 人 ㊀漢コウ（クワウ） 呉オウ（ワウ） 庚 héng ㊁漢コウ（クワウ） 呉オウ（ワウ） 敬 hèng ₁8616 EDD2 —

筆順 木 木 栏 栏 栟 栟 横 横 横 横

字義 ㊀❶よこ。↔縦(9304)。㋐左右、または東西の方向。㋑よこて。よこあい。そば。かたわら。❷よこ-たわる。よこた(はる)。

㋐よこになる。よこに長くねる。「横臥(オウガ)」 ㋑よこに長く連なる。たなびく。「横雲」 ㋒満ちあふれる。ふさがる。おおう。「横溢(オウイツ)」 ❸よこたえる(よこたふ)。㋐よこにおく。よこにねせておく。㋑よこにして身におびる。❹よこぎる。よこに通りぬける。「横断」 ❺まなびや。学校。＝黌(14458)。「横舎(オウシャ)」 ❻よこぎ。門にさしわたす門。国 よこしま。道理に従わない。邪悪。また、ほしいまま。かってきまま。わがまま。「横暴」「横行」

名前 み・よこ　難読 横川(よかわ)

解字 金文 [ ] 篆文 [ ] 形声。木＋黄(黃)音。音符の黄は、腰のよこに着ける帯び玉の意味。木を付し、よこの意味を表す。

逆 従横・縦横・専横

【横△佚・横失・横逸】(オウイツ) ①自由自在に才知や弁舌をふるう。②かってにふるまう。

【横△溢】(オウイツ) 水などがみなぎりあふれる。

【横禍】(オウカ) 思いがけぬ災難。

【横△臥】(オウガ) 横になって寝る。

【横議】(オウギ) ①かって気ままに議論する。②道理にそむいた議論。よこしまな議論。

【横虐】(オウギャク) わがままで人をいじめつける。

【横逆】(オウギャク) わがままで道理に従わないこと。

【横撃〔擊〕】(オウゲキ) ①横から攻撃する。②思うがままに攻撃する。

【横行】(オウコウ) ①横にあるく。②ほしいままに歩く。わがもの顔に、いばって歩く。③ほしいままにふるまう。かって気ままに行動する。④広くあちらこちら歩く。また、あまねく世に行われる。

【横行△闊歩】(オウコウカッポ) 思うままに大手をふってのし歩く。人に遠慮せず、かって気ままにふるまう。

【横死】(オウシ) 災難などで天命をまっとうしないで死ぬこと。思いがけない死。変死。

【横恣】(オウシ) わがまま。横肆(オウシ)。

【横舎】(オウシャ) 学校。黌舎(コウシャ)。

【横生】(オウセイ) ①あふれ出る。②さかんに起こる。③横に向かってはえる。④人以外の物。万物。

【横政】(オウセイ) 民をしいたげる悪い政治。暴虐な政治。

【横絶】(オウゼツ) よこぎる。よこぎり渡る。

【横塞】一(オウソク) みちふさがる。二(オウサイ) とりでを横ぎる。

【横著・横着】(オウチャク) 国 ①ずるいこと。②なまけること。③わがままかって。

【横笛】(オウテキ・ヨウジョウ) よこぶえ。「ヨウジョウ」は、「オウテキ」が「王敵」となるのを忌み、わざとなまったもの。

【横被】(オウヒ) ①あまねくゆきわたる。②不当に害を受ける。

【横柄】(オウヘイ) 国 おごりたかぶること。態度が、いばって無礼なさま。

【横暴】(オウボウ) わがままで乱暴なこと。

【横民】(オウミン) よこしまな民。法令に従わない民。暴民。

【横目】一(オウモク) ①人の目。人の目は横になっているからいう。「横目之民(オウモクのたみ)」(人類) ②四の字の隠語。二(よこめ) 国 ①そばめ。わきみ。②いろめ。ながしめ。

【横流】一(オウリュウ) ほしいままにあふれ流れる。二(よこながし) 国 品物を正しい道すじをとおさずに他に転売すること。

【横領】(オウリョウ) よこどりする。不法にうばい取って自分のものとする。

---

11 【樺】15画 (5658) カ 樺(5657)の旧字体。→七五九ページ・中。

11 【槶】15画 5729 カイ(クワイ) 隊 guì　8606 — —
字義 かご。また、箱。国 くぬぎ(櫟)。
解字 形声。木＋國音。
【椢】5501 俗字

11 【槪】15画 (5662) ガイ 概(5661)の旧字体。→七五九ページ・下。

11 【概】15画 5730 ガイ 概(5661)の俗字。→七五九ページ・下。

11 【槩】15画 5731 ガイ 概(5661)と同字。→七五九ページ・下。

11 【槨】15画 5732 カク(クワク) 藥 guǒ　6058 9ED8 —
【椁】5502 同字
字義 ひつぎ。うわひつぎ。そとかん(外棺)。棺をいれる外箱。↔棺(5503)。
解字 篆文 [ ] 形声。木＋郭音。音符の郭は、かこいの意味。棺の外をかこう、そとかんの意味を表す。篆文は、木＋𩫏音。音符の𩫏(カク)は、郭と同じ。

11 【樂】15画 (5594) ガク 楽(5593)の旧字体。→七五四ページ・上。

11 【樌】15画 5733 カン(クワン) 翰 guàn　6078 9EEC —
字義 木がむらがり生える。＝灌(6816)。
解字 形声。木＋貫音。

11 【槵】15画 5734 呉ゲン 漢カン(クワン) 諫 huàn　8605 — 3680
字義 むく。ムクロジ科の落葉高木。無患子(むくろじ)。
解字 形声。木＋患音。

---

11 【槻】15画 5735 人 キ 支 guī　3648 92CE —
筆順 [ ]
字義 ❶つき。ニレ科の落葉高木。欅(けやき)の古名。つきけやき。材は弓を作るに適する。❷樊槻(ハンキ)は、とねりこ。モクセイ科の落葉小高木。樹皮を秦皮(シンピ)といい、収斂剤(シュウレンザイ)・解熱剤に用い、また、膠(にかわ)を製する。
名前 けや・つき　難読 槻村(けやむら)・槻木(つきのき)
解字 形声。木＋規音。

11 【槣】15画 5736 キ 支 jī　21536 — —
字義 ❶はしではさむ。❷のせる。
解字 形声。木＋寄音。

11 【樛】15画 5737 呉ク 漢キュウ(キウ) 尤 jiū　6060 9EDA —
字義 ❶まがる。木の枝が曲がりたれる。❷めぐる。うねる。
解字 金文 [ ] 篆文 [ ] 形声。木＋翏音。音符の翏(リョウ)は、丩(キュウ)に通じ、まといつくの意味。まといつくしだれ木の意味を表す。

11 【槗】15画 5738 キョウ 橋(5792)の俗字。→七六九ページ・上。

11 【[木＋髙]】15画 5739 キョウ 橋(5792)の俗字。→七六九ページ・上。　21535 — —

11 【槿】15画 5740 呉コン 漢キン 吻 jǐn　6061 9EDB —
字義 むくげ。もくげ。アオイ科の落葉低木。夏から秋にかけて、一重または八重の赤・白などの花を開くが、朝開いて夕方にはしぼむので、はかないことのたとえに引かれる。「木槿」「槿花一朝」
解字 形声。木＋堇音。

【槿域】(キンイキ) 朝鮮の別名。槿花が多いのでいう。

【槿花・槿華】(キンカ) むくげの花。朝開いて夕方にはしぼむので、はかないこと・変わりやすいことにたとえる。

【槿花一日栄(榮)】(キンカイチジツのエイ) しばしの栄華のたとえ。唐、白居易の「放言詩」に「槿花一日自為レ栄(キンカのイチジツもおのずからエイをなす)」とあるのに基づく。

11 【権】15画 5741 教6 ケン・ゴン　2402 8CA0 —
18 【權】22画 5742 呉ゴン 漢ケン 先 quán

筆順 木 木 杧 杅 柠 椊 桥 権

【權】5918 俗字

字義 ❶はか-る。㋐物の目方をはかる。㋑はかりごとにかける。謀略をほどこす。㋐目的・結果は正しいが、その手段が常道に反すること。↔経(9102)。「権道」㋑臨機の処置。まにあわせ。方便。㋒かりそめ。一時。㋓一時的に他の官職を兼ねること。「権官」❹おもり。はかりの分銅。❺はかり。物の重さをはかる器具。「権度」❻つりあい。平均がとれること。均衡。「権衡」❼いきおい。勢力。物事を強制したり、処置する威力。「威権」「特権」❽はじまり。起こり。「権輿」 国ゴン。㋐そえ。正に対する副。定員外のかりにおいた職員。「権大納言(ゴンダイナゴン)」㋑地位が正式の者に準ずることを示す語。

権④(秦代)

名前 けん・げん・ごん・のり・ひら・よし

解字 篆文 形声。木＋雚(雚)音。音符の雚(カン)は、援に通じ、ひくの意味。はかろうとする物の重さと同じ重力で引く分銅の意味を表す。分銅を加減してはかるの意味や、転じて、権力の意味を表す。

逆 越権・官権・棄権・公権・国権・債権・実権・集権・主権・職権・親権・人権・政権・専権・大権・特権・覇権・兵権・民権・利権

【権威】(ケンイ) ①人を強制し、服従させる力。権力と威勢。②国その部門で最高の水準に達した人。最高の専門家。泰斗(タイト)。オーソリティー。

【権益】(ケンエキ) 国権利と利益。

【権家】(ケンカ) ①権力のある家柄。権門。②兵法家。権謀を用いるからいう。

【権官】 一(ケンカン) ①権力のある官位。また、その人。②本官以外に仮に他の官職を兼ねること。兼官。二(ゴンカン) 国昔、定員以外に仮に任じた官。

【権貴】(ケンキ) 権力があって地位が高い人。

【権宜】(ケンギ) ①時と場合とに応じて適宜に処置すること。臨機応変のはからい。②一時の都合。

【権化】(ゴンゲ) ①仏仏・菩薩(ボサツ)が衆生(シュジョウ)を救うために、かりに姿を変えてこの世に現れること。また、その姿。②国ある特質や観念が、人の形を借りて現れていること。また、その人。「まじめの権化」

【権限】(ケンゲン) 国法令の規定に基づいて、その職務を行い得る範囲。権能。

【権現】(ゴンゲン) ①仏＝権化(ゴンゲ)①。②国㋐昔、神の尊号として用いたもの。神は仏が仮に姿を現したものという考えに基づく。㋑江戸時代、特に徳川家康(いえやす)をいう。

【権綱】(ケンコウ) 政治の大権。

【権衡】(ケンコウ) ①はかりのおもりと、さお。②つりあい。均衡。平均。③事物を品評する標準。比較。

権衡①

【権豪】(ケンゴウ) 権力のすぐれた人。

【権詐】(ケンサ) いつわり。ごまかし。権謀と詐術。

【権術】(ケンジュツ) はかりごと。たくらみ。権謀術数の略。

【権制】(ケンセイ) ①権力と法制。力とおきて。②権力でおさえつける。③時世に適するように法などを定める。

【権勢】(ケンセイ) 人を強制し、服従させる力。権力と威勢。また、権力威勢のある人。

【権戚】(ケンセキ) 権力のある、王室の身内。

【権度】(ケンド) ①はかりと、ものさし。②より従うべき規則。

【権道】(ケンドウ) その時その場に応じたやりかた。臨機応変の手段。方便。非常の場合に取る、行為の目的・結果は正しいが、その手段が常道に反する一時的なやりかた。

【権能】(ケンノウ) ＝権限。

【権柄】(ケンペイ) 政治を行う権力。他を自分の思いのままに支配する権力。支配者の持つ、生殺与奪の権力。いきおい。ちから。▼権ははかりのおもり、柄は斧(おの)の「え」で、ともに事をなす本として手に握り持つもの。

【権変(變)】(ケンペン) ①時の変化に応じて適宜に物事を処置すること。臨機応変の処置。②いつわり。ごまかし。ぺてん。

【権謀術数(數)】(ケンボウジュツスウ) たくみに人をあざむくはかりごと。権変の謀略。権謀術策。▼術・数は、はかりごと。

【権門】(ケンモン) 官位が高く、権勢のある家。権家。

【権△輿】(ケンヨ) 物事のはじめ。衡を作るには権(はかり)(おもり)から始め、車をつくるには輿(車の台)から始めることから。

【権要】(ケンヨウ) 権力のある重要な地位。また、その地位にある者。

【権利】(ケンリ) ①権力と利益。②物事をなし、またはなさぬことを得る資格。↔義務(一二五五ページ上)。③一定の利益を受けることを主張し得る資格。

【権量】(ケンリョウ) ①はかりと、ます。②くらべる。比較。

【権力】(ケンリョク) 人を押さえつけて、自由に支配する力。

11 【槴】15画 5743 漢コ 呉ゴ 廛 hù ₂1541 ― ―

字義 ふばこ。ふみを入れる箱。

解字 形声。木＋扈音。

11 【槹】15画 5744 コウ(カウ) 豪 gāo 6063 9EDD ―

字義 ❶桔槹(ケッコウ)は、はねつるべ。柱の上に横木を渡し、その一端に石を、他の端につるべをかけ、井戸水をくみ上げるしかけ。❷木の名。㋐もっこく(木斛)。ツバキ科の常緑高木。㋑なんきんはぜ。トウダイグサ科の落葉高木。

解字 形声。木＋皋(皐)音。

11 【槲】15画 5745 漢コク 呉ゴク 屋 hú 6064 9EDE ―

字義 かしわ(かし・はは)。ブナ科の落葉高木。樹皮に深い裂け目があり、葉は大きく、ふちは波状で、柏餅(かしわもち)を包む。柏(かしわ)。

解字 形声。木＋斛音。

11 【樝】15画 5746 漢サ 呉シャ 麻 zhā ₂1545 ― 3689

字義 木の名。㋐しどみ。くさぼけ。㋑山樝子は、さんざし。春、梅に似た白い花を開く。実は酸味があり、薬用、また食用になる。山査子。

解字 形声。木＋虘音。

11 【槯】15画 5747 漢サイ 呉スイ 灰 cuī, ②zuǐ ₂1538 ― 3677

字義 ❶木の名。杖(つえ)を作るのに用いる。❷つむ(積)。

解字 形声。木＋崔音。

11 【槧】15画 5748 一 漢セン・呉ゼン 琰 qiàn 二 漢サン・呉ザン 感 qiàn 6065 9EDF ―

字義 一❶ふだ。昔、紙のなかった時代に文字を書くのに用いた、大きな木の札。❷手紙。書簡。また、文書。❸はんぎ。印刷するために文書・図画などを彫刻した木板。また、版木を用いて印刷した書籍。刊本。刻本。「槧本」

解字 篆文 形声。木＋斬音。音符の斬(ザン)は、きるの意味。文字を切り刻むためのふだの意味を表す。

11 【樬】15画 5749 漢シツ 呉シチ 質 qī ₁8601 ― ―

字義 うるしの木。＝漆(6635)。

解字 形声。木＋桼音。

11 【槢】15画 5750 漢シュウ(シフ) 呉ジュウ(ジフ) 緝 xí ₁8602 EDD0 3674

字義 くさび(楔(セツ))。 難読 槢木(すりき・するき)

解字 形声。木＋習音。

11 【樟】 15画 5751 人 ショウ(シャウ) 陽 zhāng 3032 8FBE —

筆順 樟

字義 くすのき。くす。暖地に自生する常緑高木。材は種々の器具を作るのに用い、また、特殊の芳香があって、樟脳を作る。

名前 くす 難読 樟葉

解字 形声。木＋章(音)。

11 【槳】 15画 5752 (漢)ショウ(シャウ) (呉)ソウ(サウ) 養 jiǎng 21539 — 3679

字義 かじ。かい。船をこぎ進める道具。

解字 形声。木＋將(音)。

〔⿰木將〕 5754 同字

11 【樅】 15画 5753 (漢)ショウ (呉)シュウ 冬 cōng 6066 9EE0 —

字義 ❶もみ。マツ科の常緑高木。山地に自生し、葉は線形で、初夏に花を開き、円柱状まり形の実を結ぶ。建築用材などとなり、クリスマス・ツリーともする。❷樅樅は、樹木の高くしげるさま。

解字 篆文 形声。木＋從(音)。音符の從は、たてにそびえるの意味。そびえたつもみの木の意味を表す。

11 【⿰木將】 15画 5754 ショウ 21540 — —

槳(5752)と同字。→七六六ページ上。

11 【槮】 15画 5755 一 シン 侵 sēn 二 (漢)サン・(呉)セン 寝 shěn 21537 — 3676

字義 一 樹木や草が長く伸びたさま。二 木の実の名。

解字 形声。木＋參(音)。

11 【樞】 15画 (5250) スウ

枢(5249)の旧字体。→七三六ページ上。

11 【槭】 15画 5756 一 シュク 屋 qī 二 (漢)サク・(呉)シャク 陌 sè (慣)セキ 6069 9EE3 —

字義 一 かえで。もみじ。カエデ科の落葉高木の総称。葉は、掌状で、秋、あざやかに紅葉する。楓(5628)と混同されるが、別種。二 かれる。葉がかれ落ちる。

解字 形声。木＋戚(音)。

11 【槽】 15画 5757 常 ソウ (漢)ソウ(サウ)・(呉)ゾウ(ザウ) 豪 cáo 3369 9185 —

筆順 槽

字義 ❶かいばおけ。牛・馬などの飼料を入れるおけ。❷おけ。水や酒などを入れる器。「水槽」❸さかぶね。酒を醸造する器。❹うす。茶をひくうす。❺とい。かけい。板で作った通水路。また、溝。

解字 篆文 形声。木＋曹(𣍘)(音)。音符の𣍘は、向きあうの意味。向きあう二対の面がある方形・長方形のおけの意味を表す。

逆 浴槽

【槽櫪】 馬のかいばおけ。皁櫪。▼櫪も、かいばおけ。一説に、櫪は、うまやのふみ板。用例〔唐、韓愈、雑説〕駢死於槽櫪之間、不以千里称也。(せっかくの名馬も)馬小屋の中で、なみの馬といっしょに首を並べて死んでゆき、千里の名馬としてたたえられることなく終わってしまうのである。

11 【樔】 15画 5758 一 (漢)ソウ(サウ) (呉)ジョウ(ゼウ) 肴 chāo 二 ショウ(セウ) 篠 jiǎo 6070 9EE4 —

字義 一 ❶あみ(網)。また、すくう。網ですくいとる。❷やぐら。沢の中の見張り所。二 たつ(絶)。たえる。＝剿(971)。「樔絶」

解字 形声。木＋巣(音)。

11 【樕】 15画 5759 ソク 屋 sù 18608 — 3687

字義 ❶しば。群生する小木。平凡なことの比喩に用いる。❷樸樕は、木の名。かしわ。

解字 形声。木＋欶(音)。

11 【槫】 15画 5760 (漢)タン (呉)ダン 寒 tuán 6071 9EE5 —

字義 ❶まるい(円)。❷ひつぎ車。

解字 形声。木＋專(音)。

11 【樗】 15画 5761 チョ 魚 chū 3584 9294 —

字義 ❶にわうるし。しんじゅ(神樹)。ニガキ科の落葉高木。別名、臭椿。古来、役に立たない木とされた。❷役に立たないもののたとえ。無用の長物。国 ❶おうち。せんだん。暖地に自生する落葉高木。楝。❷ごんずい。ミツバウツギ科の落葉小高木。

解字 形声。木＋雩(音)。

【樗散】 「樗櫟散木」の略。▼散木は、役に立たない木をいう。→樗櫟。

【樗蒲】 ばくち。ちょぼいち。一つのさいころで勝負を争うもの。▼樗・蒲は、ともにさいに用いた。

【樗櫟】 ①無用の材。▼樗も櫟も、ともに役に立たない木とされる。〔荘子、逍遥遊〕〔荘子、人間世〕②役に立たない人。無能の人物。「樗櫟散木」③自分の謙称。樗櫪。

11 【樢】 15画 5762 チョウ(テウ) 嘯 篠 niǎo 6088 9EF6 —

字義 草の名。つた。＝蔦(10240)。

解字 形声。木＋鳥(音)。

11 【樤】 15画 5763 (漢)チョウ(テウ) (呉)ジョウ(デウ) 蕭 tiáo — — 3691

字義 ❶木の名。ゆず。❷小枝。

解字 形声。木＋條(音)。

11 【樀】 15画 5764 (漢)テキ (呉)ジャク(ヂャク) 錫 dí — — 3682

字義 ❶軒。❷樀樀は、門などを叩く音の形容。

解字 形声。木＋啇(啻)(音)。

11 【樋】 15画 5765 人 標 (漢)トウ (呉)ツウ 東 tōng 4085 94F3 —

筆順 樋

〔樋〕 5707 俗字

字義 木の名。国 ❶ひ。かけい。とい。竹や木でかけわたして水をひくもの。❷とい。とよ。あまどい。屋根の雨水を受け集めて地上に流すもの。

難読 樋脇

解字 形声。木＋通(音)。日本語としては、音符の通は、とおるの意味。水をとおす、ひ・といの意味を表す。

11 【樁】 15画 5766 トウ(タウ) 江 zhuāng — — 3683

字義 ❶くい(杙)。土中に打ちこむ長い棒。❷樁事は、出来事。

参考 〔椿〕(5619)は、別字。日本で椿事と書いて、珍事の意とするのは、樁事の誤用といわれる。

解字 形声。木＋舂(音)。

11 【樊】 15画 5767 (漢)ハン (呉)ボン 元 fán 6072 9EE6 —

字義 ❶とりかご。「樊籠」❷まがき。垣根。「樊籬」❸かたわら。ほとり。❹きわ。はて。❺みだれるさま。「樊然」

解字 金文 篆文 形声。大(廾)＋楙(音)。音符の楙は、まがき(籬)の意味。廾は、両手をあげた形。両手でかこいの中に閉じこめるさまから、とりかごの意味を表す。

【樊噲】 秦末漢初、漢の高祖(劉邦)の武将。鴻門の会において項羽の臣、范増のさしがねで高祖が殺

されようとするのを救った。（?―前一八九）

【樊川】ハンセン ①陝西省西安市の南を流れる。別名、秦川。橘水の支流。②晩唐の詩人杜牧の号。

【樊△籬】ハンリ ①まがき。かき。②学術・文章などの入り口。

【樊籠】ハンロウ ①とりかご。②自由を束縛された境遇。官職や牢獄などのたとえ。用例〈東晋、陶潜、帰二園田居一詩〉久在二樊籠裏一、復得レ返二自然一（ひさしくハンロウのうちにあり、またシゼンにかえ(へ)ることをえたり）。↓長い間、鳥かごのような束縛の中にいたが、ふたたびもとの自由さの中に帰ることができた。

11 【標】15画 5768 教4 ヒョウ　4124 9557 ―

ヒョウ（ヘウ） 蕭 篠 biāo

筆順 木 朩 杆 栖 栖 標 標 標 標

字義 ❶しるし。めじるし。また、旗。「標識」❷まと。めあて。しるべ。「目標」❸こずえ。また、高い枝。❹すえ。はし。また、いただき。❺はしら（柱）。❻てほん。みほん。代表となるもの。「標本」❼しな。品格。器量。❽しるす。書きあらわす。また、高くあらわす。目につくようにする。「標榜ヒョウボウ」 国しめ。木をたてて、なわを張ったりなどして場所を限るしるし。「標縄しめなわ」

名前 あき・えだ・かた・こずえ・しな・すえ・しめき・たか・ひで

難読 標津しべつ・標茶しべちゃ・標野しめの・標葉しねは・しめは

解字 篆文 形声。木＋票（㶾）音。音符の㶾ヒョウは、火の粉が高く舞いあがるの意味。木の高いところ、こずえの意味を表し、転じて、高くて目につく目じるしの意味を表す。

逆 指標・商標・道標・浮標・墓標・門標

【標異】ヒョウイ ぬきんでる。傑出する。

【標記】ヒョウキ しるしをつける。また、その記号。

【標挙（擧）】ヒョウキョ ①高くあげる。あげ示す。②高くあがる。ぬきんでる。

【標語】ヒョウゴ 国主義や宣伝すべきことがらの内容を要領よく表した短い語句。スローガン。モットー。

【標高】ヒョウコウ ①高い。また、高い品格。②国海の水平面から地表のある点までの垂直の距離。海抜。

【標識】ヒョウシキ・ヒョウシ めじるし。しるし。

【標示】ヒョウジ 目じるしとして示す。◈「表示」と意味が似ているので、新聞用語では「表示」に統一している。

【標準】ヒョウジュン ①他の手本となるもの。かた。模範。②めじるし。めあて。基準。

【標題】ヒョウダイ ①書物の表に記されている書名。②国講演や演劇などの題目。◈「表題」も同意。本来の漢語は「標題」である。現今、専門用語としては「標題」、また、公文書も多く「標題」を用いている。ただ、新聞用語としては「表題」に統一している。

【標注・標△註】ヒョウチュウ 書物の欄外に書き記した注釈。

【標的】ヒョウテキ ①まと。めあて。目的。②手本。

【標点（點）】ヒョウテン ①めじるしの点。②めじるし。

【標△榜】ヒョウボウ ①人の善行を書き記してその人の門や戸口にかかげ、世人に示すこと。人の善行などを世に知らせる。②自分の主義・主張などを公然とかかげ示すこと。

11 【槾】15画 5769 呉マン 漢バン 寒 翰 màn　― ― 3681

［槾］5771 俗字

字義 ❶こて。❷むさぼる。❸樹脂。❹のき板。

解字 形声。木＋曼音。

11 【樠】15画 5770 呉マン 漢バン 寒 mán　― ― 3690

字義 ❶やに。樹脂。❷松の芯シン。❸木の名。松に似た木。

解字 形声。木＋㒼音。

11 【槾】15画 5771 マン 槾(5769)の俗字。→七六七ジペ・中。　21542 ― ―

11 【樒】15画 5772 慣ミツ 漢ビツ・呉ミチ 質 mì　6073 9EE7 ―

［櫁］5881 同字

字義 じんこう。ジンチョウゲ科の常緑高木。熱帯地に産する香木。沈香。国しきみ。シキミ科の常緑小高木。山地に自生し、枝・葉・根・実すべて有毒。仏に供える。＝梻(5492)。

解字 形声。木＋密音。音符の密は、ひそかの意味。花は目立たないが、その芳香がひそかに広がるじんこうの意味を表す。

11 【槱】15画 5773 漢ユウ（イウ） 呉ユ 有 宥 yǒu　― ― 3678

［梄］5485 同字

字義 ❶やく。たく。木を積みあげてもやす。❷祭りの名。柴しばを焼いて天をまつる祭り。❸かがり火。祭りにたくかがり火。

解字 形声。木＋火＋酉音。

11 【樣】15画 (5717) ヨウ 様(5716)の旧字体。→七六三ジペ・上。

11 【樑】15画 5774 リョウ 梁(5490)の俗字。→七四六ジペ・中。　21543 ― 3686

11 【樏】15画 5775 一ルイ 二ルイ 支 紙 léi lěi　18607 ― 3685

字義 一はち（鉢）。中仕切りのある、平たいはち。はち。二山道で使用される乗り物。国かんじき。深い雪や泥に足をふみこまぬよう、木の枝や蔓つるなどを曲げて輪にし、履き物の下につけるもの。

解字 形声。木＋累音。

11 【樓】15画 (5646) ロウ 楼(5645)の旧字体。→七五八ジペ・下。

11 【樃】15画 5776 ロウ 桹(5491)の俗字。→七四七ジペ・上。　― ― 3684

11 【樃】15画 5777 ロウ 桹(5491)の俗字。→七四七ジペ・上。

11 【樚】15画 5778 ロク 屋 lù　21544 ― 3688

字義 樚櫨ロクロは、車井戸の上にかけて釣瓶縄つるべなわにかけ、釣瓶を上下させる滑車。

解字 形声。木＋鹿音。 難読 樚本たぶもと

11 【樰】15画 5779 国字　21533 EDD1 3693

字義 ❶たら。樰沢たらさわは、姓氏。❷ゆき。樰沢ゆきざわは、姓氏。

解字 会意。木＋鱈省。国字の鱈たらの音を取り、たらのきの意味を表し、女房言葉では、「たら」を「ゆき」とも言うので、たらのきの意味で、「ゆき」とも読む。

11 【木+黒】15画 5780 国字 べんと 橅(5832)の俗字。→七七一ジペ・中。　21534 ― ―

11 【巣+木】15画 5781 国字　21532 ― ―

字義 宮巣+木みやつぐは、姓氏。

12 【橒】16画 5782 ウン 文 yún　21555 ― 3713

字義 ❶木の名。❷もくめ。国きさ。木目の模様。

解字 形声。木＋雲音。

12 【樾】16画 5783 漢エツ（ヱツ） 呉オチ（ヲチ） 月 yuè　18611 ― 3704

字義 ❶こかげ。樹陰。❷並木。街路樹。

解字 形声。木＋越音。

12 【橫】16画 (5728) オウ 横(5727)の旧字体。→七六三ジペ・下。

12 【槩】16画 5784 ガイ 概(5661)の俗字。→七五九ジペ・下。　18603 ― ―

12 【槪】 16画 5785 ガイ 概(5661)の俗字。→七五九ページ下。 18604 — —

12 【橄】 16画 5786 カン 感 gǎn 6077 9EEB —

字義 橄欖(カンラン)は、㋐熱帯原産のカンラン科の常緑高木。㋑オリーブ。地中海原産のモクセイ科の常緑小高木。卵形の実を結び、食用となり、また、オリーブ油をとる。 難読 橄欖(オリーブ・ほるとのき)

解字 形声。木+敢(音)。

12 【橺】 16画 5787 漢カン 呉ゲン 澗 xiàn

字義 大木のさま。 難読 橺山(くぬぎやま)

解字 形声。木+閒(音)。

［⿰木間］ 5788字 俗

12 【⿰木間】 16画 5788 カン 橺(5787)の俗字。→七六八ページ上。 21553 — —

12 【機】 16画 5789 漢キ・呉ケ 微 jī 教4 キ はた 2101 8B40 —

筆順 木 朩 桜 梺 機 機 機 機

字義 ❶はた。はた織りの道具。❷はじき弓の矢をとばすばね。❸からくり。しかけ。「機械」❹はずみ。物事の起こるきっかけ。「契機」❺きざし。物事の起ころうとするしるし。「機先」❻おり。しおどき。わかれめ。「機会」❼かなめ。物事の主要な部分。「枢機」❽はたらき。作用。活動。❾たくみ。たくらみ。また、いつわり。「機変」❿ひそか。また、秘密。「機微」

名前 あや・き・のり・はた 難読 機関(からくり)・機織(はたおり)

使いわけ キ〔機・器〕

〔機〕精密な構造を持ち、複雑な原理で動くもの。「印刷機・電算機」

〔器〕単純な構造で、動きのほとんどないもの。「消火器・電熱器」

したがって、複雑なものと単純なものとがある場合は、「計算機・計算器」のように書きわける。「機械・器械」についてもこれに準ずる。

解字 篆文 𣝔 形声。木+幾(音)。音符の幾は、こまかいの意。こまかなからくりのしてある器具の意味を表す。

逆 危機・軍機・契機・好機・事機・心機・枢機・戦機・待機・断機・転機・投機・動機・無機・有機

【機運】(キウン) 時のまわりあわせ。めぐりあわせ。とき。おり。◆「機運」と「気運」は同意として用いられているが、「機運」にはチャンス・時機といった意味合いがある点で「気運」と異なっている。「キウンが熟する」を「気運」と書きにくい理由である。なお、新聞用語では「機運」に統一している。

【機縁】(キエン) ①仏衆生(シュジョウ)の心の底に教えを受け入れるだけの能力が備わっていて、仏道に進む因縁(インネン)があること。機根と因縁。②とき。おり。きっかけ。

【機会(會)】(キカイ) ①ちょうどよい時。しおどき。チャンス。②運命を決定する、重要なわかれめ。

【機械】(キカイ) ①巧妙なしかけの器具。転じて、世渡りの知恵。また、いつわり。たくらみ。巧知。②武器の総称。③国いろいろな動力によって、一定の仕事をするように造られたしかけ。→使いわけ。

【機械△之心】(キカイのこころ) =機心。

【機関(關)】(キカン) ①活動のしかけをした機械。からくり。②種々に策略をめぐらす心の働き。心中のはかりごと。③熱エネルギーを動力に変える装置。エンジン。④国㋐個人または団体が、ある目的を達する手段として設けたしくみ。「報道機関」㋑その属する団体の意志を決定し、その活動を行う地位にある個人、または集団。

【機宜】(キギ) ①事のきざし。機微。②その場合に応じて、よろしきを得ること。ちょうどよい機会。

【機警】(キケイ) 物事のさとりの早いこと。

【機嫌】(キゲン) ①仏人のきらうこと。人のいやがること。②国㋐時機。場合。つごう。㋑ようす。安否。㋒気持ち。気分。おもわく。㋓気持ちのよいこと。◆「機嫌」を「気嫌」と書く例もあるが、本来の表記ではない。

【機巧】(キコウ) ①たくみなしかけ。精巧な装置。②たくみに知恵を働かせること。いつわり。たくらみ。策略。

【機構】(キコウ) しくみ。組み立て。組織。

【機根】(キコン) 仏衆生(シュジョウ)の心の中に備わっていて、仏の教えによって発動する力。気根。

【機事】(キジ) 秘密の事がら。秘密の政務。

【機軸】(キジク) ①弩(ド)(はじき弓)のばねと、車の心棒。②中心となる、重要な箇所。また、重要な地位。③しくみ。工夫(クフウ)。◆「機軸」「基軸」はともに「中心」という意味で似通っているが、「機軸」が、しくみ・方式という意味を持つ点で「基軸」とは別語である。「新機軸を打ち出す」「思想の基軸をなすもの」

【機心】(キシン) いつわりたくらむ心。策をたくらむ心。機械之心(キカイのこころ)。

【機枢(樞)】(キスウ) ①弩(ド)(はじき弓)のばねと、戸のとぼそ。②転じて、物事の最も大切な所。かんじんな所。かなめ。

【機数(數)】(キスウ) =機略。

【機先】(キセン) 物事の起ころうとする直前。また、相手の動こうとする直前。

【制二機先一】(キセンをセイす) 相手の先手をうって行動し、相手をおさえつけること。

【機知・機△智】(キチ) その場に応じて働く才知。人の意表をついて出る才知。きてん。頓知(トンチ)。

【機△杼】(キチョ) ①はたの杼(ヒ)(横糸を通す具)。②はたおりのしごと。③工夫(クフウ)。特に、文章を作る工夫。

【機転(轉)】(キテン) 国気のきくこと。機知。◆気がきくことを意味する「機転」は「気転」とも書くが、現代では「機転」が一般的。

【機動】(キドウ) ①からくりが動く。②国㋐交戦の間およびその前後に軍隊が行う戦略・戦術上の諸行動。㋑状況に応じて敏速に行動すること。

【機能】(キノウ) 国はたらき。作用。能力。

【機微】(キビ) かすかなきざし。微妙なけはい。

【機敏】(キビン) すばしこい。頭がよく働いて、身の動きがはやい。

【機△辟】(キヘキ) 鳥獣を捕らえるあみわな。用例〔荘子、逍遥遊〕中二於機辟一、死二於罔罟一(キヘキにあたり、モウコにシす)。↓わなにはまり、網にかかって殺されてしまう。

【機変(變)】(キヘン) ①たくらみ。いつわり。②臨機応変のはかりごと。

【機△鋒】(キホウ) ①するどいほこさき。②するどい気力や言葉。

【機密】(キミツ) ①重要で秘密なこと。枢機の秘密。②天子のそば近くの、重要な職務。

【機務】(キム) 重要な政務。大切な政治上の事務。

【機要】(キヨウ) かなめ。大切な事柄。

【機利】(キリ) よい機会に乗じて得る利益。

【機略】(キリャク) 臨機応変のはかりごと。機謀。

12 【樻】 16画 5790 漢キ 呉ギ 寘 kuì 18610 — 3703

字義 木の名。へびの木。霊寿木。

解字 形声。木+貴(音)。

12 【橘】 16画 5791 人 漢キツ 呉キチ 質 jú 2144 8B6B —

筆順 木 朩 杧 柕 桥 橘 橘 橘

字義 ❶みかんの一種。❷陰暦五月の別名。国たちばな。㋐こうじ。柑子蜜柑。普通のみかんより小さく、皮が薄くて、酸味が強い。㋑みかん類の総称。「柑橘」㋒四姓の一つ。「源平藤橘」

名前 たちばな

解字 篆文 形声。木＋矞音。音符の矞は、おどかすの意味。人をおどかすようなとげのある、たちばなの意味を表す。

【橘化為(爲)レ枳】江南地方の橘を江北に移植すると、変化して、からたちとなると一般に信じられたことから、境遇によって人の性質が変化するたとえ。江南橘化為レ枳。〔晏子春秋、雑下〕

【橘△柚】①みかんと、ゆず。②みかん類の称。

12【橋】16画 5792 教3 キョウ はし 2222 8BB4 ―

一㊥キョウ(ケウ)・㊇ギョウ(ゲウ) 蕭 qiáo
二キョウ(ケウ) 篠 jiǎo

筆順 木 杧 栎 栎 桥 桥 橋 橋

［槗］5669俗字 ［槁］5738俗字 ［槗］5739俗字

字義 一❶はし。川などにかけ渡して通路とするもの。❷はねつるべのよこぎ。❸たかい。＝喬(1590)。二ためる。また、もとる。＝矯(8124)。

名前 たか・はし 難読 橋作

解字 篆文 形声。木＋喬音。音符の喬は、高いの意味。谷川に高くかけられた、はしの意味を表す。

逆 架橋・艦橋・船橋

【橋架】はしげた。橋板を支える材。また、はし。橋桁。

【橋頭】はしのほとり。橋のたもと。橋畔。橋辺。橋津。

【橋頭△堡】①橋を守るため、その橋の前後に設けたとりで。②国㋐川・湖・海などの向こう岸で、味方の軍の渡過点を守り、作戦を有利にするための拠点。㋑足掛かり。

【橋本左内】国江戸末期の洋学者。名は綱紀。字は伯綱・弘道。左内は通称。号は景岳・藜園など。福井藩士。藩主松平慶永に認められ、幕政改革、開国論の中心となり活躍したが、安政の大獄で投獄され刑死した。著書に『啓発録』『景岳詩文集』がある。（一八三四―一八五九）

【橋△梁】はし。川や谷などにかけ渡した橋。

12【橇】16画 5793 6082 9EF0 ―

一キョウ(ケウ) 蕭 qiāo
二㊥セイ・㊇サイ 霽 cuì

字義 一❶そり。泥の上を進むときに用いる道具。❷かんじき。泥の上を歩くとき、すべったり足をふみこんだりしないように、履き物につけるもの。

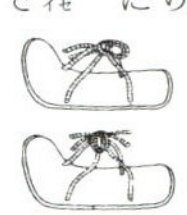

橇②

解字 形声。木＋毳音。音符の毳は、毳に通じ、かんじきの意味。木で作った、かんじきの意味を表す。

12【檠】16画 5794 ケイ 6091 9EF9 ―

檠(5845)の俗字。→七七三ページ中。

12【橛】16画 5795 ㊥ケツ ㊇カチ(クワチ) 月 jué 8615 ― 3716

［橜］5796同字

字義 ❶くい。地中に打ちこむ棒。❷とじきみ。門の中央にたてる低いくい。❸きりかぶ。❹かぎ。❺くつわ。くつばみ。馬にくわえさせる馬具。

解字 篆文 形声。木＋厥音。音符の厥は、石を掘るの意味。石を掘って立てるくいの意味を表す。

【橛飾】馬のくつわと、それにつけるかざりひも。用例〈荘子、馬蹄〉前有二橛飾之患一、而後有二鞭筴之威一。↓馬の身の前には、くつわや飾りひもといううわずらわしいものがあり、身の後ろにはむちによるおどしがある。

12【橜】16画 5796 ケツ 6080 9EEE ―

橛(5795)と同字。→七六九ページ中。

12【樶】16画 5797 サイ 灰 zuī

字義 ふし。木の節。

解字 形声。木＋最音。

12【樲】16画 5798 ㊥ジ ㊇ニ 寘 èr 21547 ― 3694

字義 さねぶとなつめ(核太棗)。棗の一種。枝に長い刺がある。果実は酸味があって、健胃剤などに用いる。「樲棘」

解字 形声。木＋貳音。

12【樹】16画 5799 教6 ジュ 2889 8EF7 ―

一㊥シュ・㊇ジュ 遇 shù
二㊥シュ・㊇ジュ 麌 shù

筆順 木 朴 桔 桔 桔 桔 樹 樹

［樹］5690俗字

字義 一❶き(木)。たちき。「樹木」❷くさき(草木)。植物の総称。❸たてる。❸たてる。また、へい。二❶う-える(植)。用例〈十八史略、春秋戦国、呉〉必樹二吾墓檟一。↓私の墓にはかならずひさぎの木を植えてくれ。❷た-てる。「樹立」

名前 いつき・き・じ・しげ・しげる・じゅ・たかし・たつ・たつき・な・のぶ・みき・むら

使いわけ き〔木・樹〕⇩木(5178)。

難読 樹懶

解字 甲骨文 篆文 形声。木＋尌音。音符の尌は、樹の原字で、甲骨文では、木＋寸＋豆の象形。寸は、手の象形。音符の豆は、安定して立つたかつきの象形。樹木や農作物を手で立てて安定させる、うえる・たてるの意味を表す。

逆 寒樹・種樹・大樹・芳樹

【樹陰・樹△蔭】①こかげ。木のかげ。②木のしげみ。

【樹影】①樹木の姿。②樹木のかげ。

【樹海】国広大で海のような森林地帯。森林を海にたとえていう。

【樹下石上】仏木の下、石の上の意で、山野・路傍などに宿ること。出家の身の上。仏道の修行をすること。

【樹芸(藝)】①草木を植える。種芸。②五穀をいう。

【樹子】①天子の命令であと継ぎとなった諸侯の子。②木の実。

【樹脂】木のやに。

【樹△梢】こずえ。樹杪。

【樹畜】農業の仕事をいう。▼樹は桑や麻を植えること、畜は鶏や豚などの家畜を飼うこと。

【樹欲レ静(靜)△而風不レ止】木が静かになろうとしても、風がやまず、木をゆり動かす。子が親に孝行をつくしたいと思う時には、親は死んで世にいないたとえ。風樹の嘆。用例〈韓詩外伝、九〉樹欲レ静而風不レ止、子欲レ養而親不レ待。↓木が静かになろうとしても、風がやまず(木をゆり動かし)、子が親に孝行をしたいときには親はもうこの世にいない。

【樹立】①立つ、また、立てること。②しっかりと立つこと。③助けて立たせること。もりたてる。

12【橡】16画 5800 ㊥ショウ(シャウ) ㊇ゾウ(ザウ) 養 xiàng 3843 93C9 ―

字義 ❶とち。七葉樹。トチノキ科の落葉高木。葉は大形の掌状複葉で、七枚の小葉から成る。実は栗に似て、食用となり、材は板や器具に用いる。❷くぬぎ。また、その実。どんぐり。古名、つるばみ。❸橡皮は、ゴム。

12 【樵】 16画 5801 漢ショウ(セウ) 呉ジョウ(ゼウ) 蕭 qiáo 3033 8FBF —

字義 ❶きこり。そまびと。山林の樹木の伐採を業とする人。「樵夫」 ❷たきぎ。まき。そだ。雑木ぞう。 ❸こ-る。きこる。山林の木を切る。たきぎを切り取る。「漁樵」 ❹やく。火ぜめにする。 ❺やぐら。物見やぐら。

解字 篆文 形声。木＋焦音。音符の焦は、火にあてて焼くの意味。たきぎ・たきぎをとるの意味を表す。

【樵歌】ショウカ きこりのうたう歌。樵唱。
【樵漁】ショウギョ きこりと漁夫。また、木を切り魚を取る。
【樵径(徑)】ショウケイ きこりの通う小みち。樵路。
【樵△蘇】ショウソ 木を切り、草を刈る。また、きこりと草かり。
用例〔史記、淮陰侯伝〕樵蘇後爨ショウソしてのちにかしぐ。↓薪を切り草を刈ってから飯を炊く。
【樵夫】ショウフ きこり。そまびと。樵子。樵者。樵父。

12 【檝】 16画 5802 漢ショク 呉シキ 職 zhí ₂1549 — 3701

字義 くいく。牛などの家畜をつなぐ棒ぐい。

解字 篆文 形声。木＋戠音。音符の戠ショクは、弋ヨクに通じ、くいの意味。木を付し、木のくいの意味を表す。

12 【樳】 16画 5803 漢シン 呉ジン 侵 xún ₂1548 — —

字義 大木の名。

解字 形声。木＋尋音。

12 【檇】 16画 5804 スイ 寘 zuì — — 3726

字義 ❶突く。木で突く。 ❷檇李スイリは、㋐地名。㋑果実の名。

解字 形声。木＋雋音。

12 【橤】 16画 5805 漢ズイ 呉ヌイ 紙 ruǐ ₂1556 — 3717

字義 ❶しべ。はなしべ。一説に、花。また一説に、実。 ❷たれる。また、たれるさま。

解字 形声。木＋惢音。

【橤橤】ズイズイ ①たれさがるさま。②花ごとに。どの花も。

12 【樨】 16画 5806 漢セイ 呉サイ 斉 xī, xū — — 3692

字義 木樨モクセイは、木の名。モクセイ科の常緑高木。

解字 形声。木＋犀音。

12 【樿】 16画 5807 漢セン 呉ゼン 霰 shàn ₂1550 — 3705

字義 つげ。常緑小高木。材質が細かく堅くて、版木や、櫛くし・印材・将棋のこまなどに用いられる。黄楊げっ。

解字 形声。木＋單音。

【樿△杓】センシャク つげの木で作ったさかずき。

12 【橪】 16画 5808 一 漢ゼン・呉ネン 銑 rǎn 二 エン 先 yān — — 3719

字義 一 ❶木の名。こなつめ。棗なつめの一種。 ❷染める。 二 橪支エンシは、香草の名。また、木の名。

解字 形声。木＋然音。

12 【橧】 16画 5809 一 ソウ 蒸 zēng 二 漢ショウ・呉ゾウ 蒸 céng — — 3718

字義 一 昔の夏期の住居。柴しばや薪を積んでその上に造ったもの。「橧巣ソウソウ」 二 ぶたごや。また、そのしきわら。

解字 形声。木＋曾音。

12 【樷】 16画 5810 ソウ — — 3702

叢(1298)と同字。→三三五ページ上。

12 【樽】 16画 5811 人 標 ソン 元 zūn 3514 924D —

筆順 木 木 木 木 木 木 樽 樽

［墫］2132 同字 ［罇］9420 同字 ［樽］5812 俗字

字義 たる。酒だる。酒を入れるたる。＝尊(2732)。 国 たる。すべて、酒だると同じ造りの木製の容器をいう。

解字 形声。木＋尊音。音符の尊は、酒だるの意味。尊が、たっとぶの意味にも用いられたため、木を付し区別する。

【樽△杓・樽酌】ソンシャク 酒だると、さかずき。
【樽酒】ソンシュ たるの中の酒。尊酒。
【樽前】ソンゼン 酒だるの前。
【樽△俎】ソンソ ①酒だると、牲いけにえの肉をのせる台。ともに宴会に用いる。②公式の酒宴。外交上の会見。
【樽△俎折衝】ソンソセッショウ 宴会での交渉のうちに敵が突いて来るほこさきをくじき折る意で、外交上の交渉で国威をかがやかすこと。また、外交交渉のかけひき。〔新序、雑事一〕
【樽△罍】ソンライ さかだる。▼罍は、雲雷を描いたたる。

12 【樽】 16画 5812 ソン — — —

樽(5811)の俗字。→七七〇ページ中。

12 【橢】 16画 5813 ダ 6083 9EF1 —

楕(5615)の正字。→七五六ページ下。

12 【橐】 16画 5814 タク 薬 tuó ₁8613 — 3711

［槖］5700 俗字

字義 ❶ふくろ。㋐小さい袋。㋑底のない袋。筒型の中に入れ両端をひもでくくる袋。 ❷ふいご。かじ屋が火を起こす道具で、長方形のはこに取っ手をつけ、取っ手を出し入れして風を送るもの。

難読 橐吾つわぶき

解字 篆文 形声。橐省＋石音。音符の石は、宕トウの省略体で、中がからの意味。橐は、ふくろの意味。中がからで、物を入れたら上下をしばる、ふくろの意味を表す。

【橐△駝】タクダ ①駱駝ラクダ。背に袋のような瘤こぶがあるからいう。②背骨の曲がる病気。また、その人。③植木屋。昔、郭という植木屋が背骨の曲がる病気であったことからいう。柳宗元に「種樹郭橐駝伝」の文がある。
【橐橐】タクタク 杵きぬたでたたく音。転じて、物音の高いさま。

12 【橱】 16画 5815 チュウ — — 3720

厨(1236)の俗字。→二三六ページ上。

12 【橙】 16画 5816 人 標 一 漢トウ(タウ) 呉ジョウ(ヂャウ) 庚 chéng 二 トウ 径 dèng 6084 9EF2 —

筆順 木 木 木 木 木 木 橙 橙

字義 一 だいだい。みかんの一種。実は大きく、酸味が強い。食用となり、正月のかざりにも用いる。 二 いす。腰かけ。

解字 形声。木＋登音。

【橙黄△橘緑時】トウコウキツリョクのとき・トウオウキツリョクのとき だいだいが黄ばみ、みかんが緑色になる時節。初冬小春のころ。陰暦十月のころ。〔北宋、蘇軾、初冬作贈ニ劉景文一詩〕

12 【樘】 16画 5817 漢トウ(タウ) 呉チョウ(チャウ) 庚 chēng — — 3714

字義 ささえ柱。支柱。また、ささえる。

解字 形声。木＋掌音。

12 【橦】 16画 5818 一 漢トウ・呉ドウ 東 tóng 二 漢ショウ 呉シュウ 冬 chōng 三 漢トウ(タウ) 呉ドウ(ダウ) 江 chuáng 6085 9EF3 —

字義 一 ❶木の名。雲南地方に産する。 ❷橦橦は、鼓つづみの音などの形容。 二 ❶木切れ。 ❷つ-く(突)。 三 ❶さお。はしら。 ❷はたざお。 ❸ほばしら。

解字 形声。木＋童音。

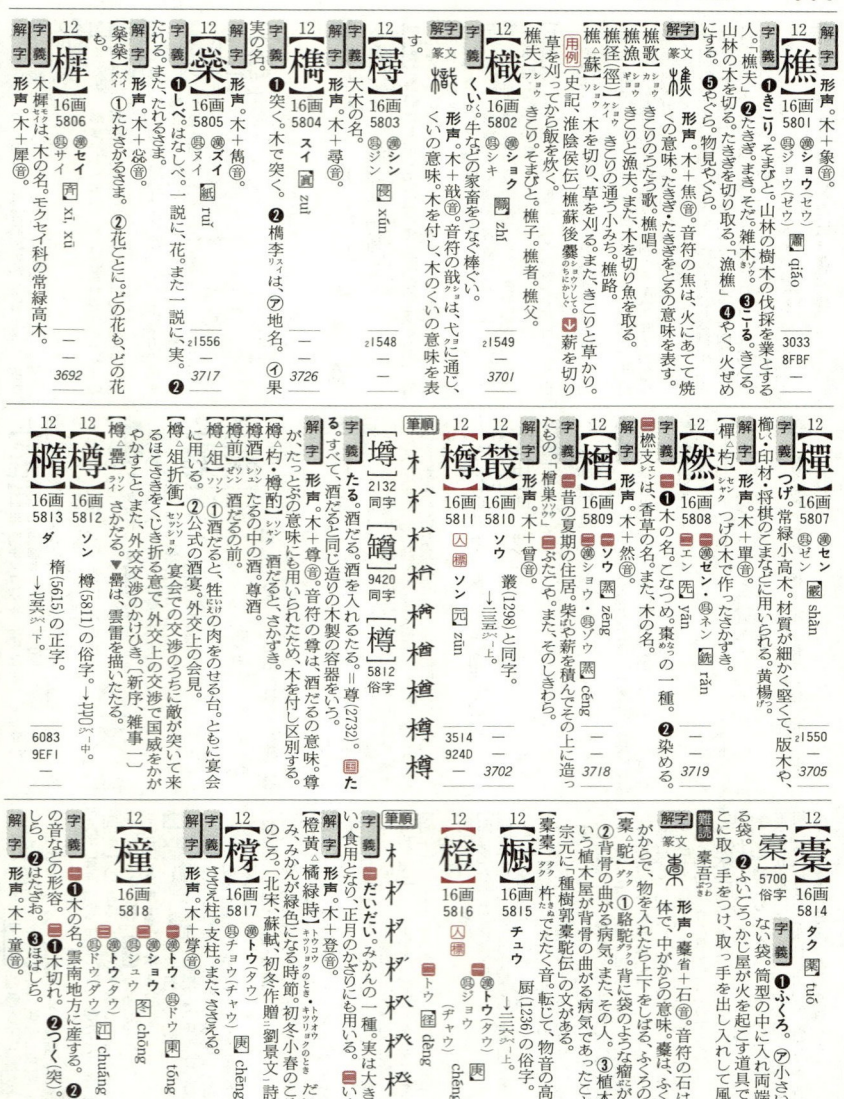

12 【樘】 16画 5819 (漢)トウ(タウ) (呉)チョウ(チャウ) 敬 庚 chēng　18614 ― 3715
字義 ❶ささえる(支)。❷支え柱。
解字 形声。木＋棠(音)。

12 【橈】 16画 5820 〖一〗(漢)ドウ(ダウ) (呉)ニョウ(ネウ) 効 巧 nāo 〖二〗(漢)ジョウ(ゼウ) (呉)ニョウ(ネウ) 蕭 rāo　6086 9EF4 ―
［桡］5550 俗字
字義 〖一〗❶曲がった木。❷たわむ。まがる。曲げる。たわめる。❸しなやか。やわらか。❹くじく。弱める。くじける。❺みだす。みだれる。〖二〗かじ。かい。船をこぎ進める具。
解字 篆文 形声。木＋堯(音)。音符の堯(ギョウ)は、弱に通じ、しなやかの意味。しなやかに曲がった木の意味を表す。
【橈敗】(ドウハイ) くじけやぶれる。乱れやぶれる。

12 【橎】 16画 5821 (漢)ハン (呉)ボン 元 fān　21554 ― 3710
字義 木の名。
解字 形声。木＋番(音)。
難読 橎本(はりもと)・橎堂(ばんどう)

12 【橆】 16画 5822 (漢)ブ (呉)ム 麌 wǔ　21551 EDD3 3707
字義 ❶ゆたか。しげる。❷蕪(10299)の古字。
解字 形声。林＋無(無省)(音)。

12 【橅】 16画 5823 ボ　18612 ― 3706
模(5715)と同字。→七六三ページ上。
字義 (国)ぶな。ブナ科の落葉高木。山野に自生する。山毛欅(ぶな)。

12 【樸】 16画 5824 〖一〗ハク 覚 pǔ 〖二〗ホク 屋 pú (慣)ボク　6087 9EF5 ―
字義 〖一〗❶あらき。まるき。切り出したままで、まだ加工しない木材。❷生まれたまま。きじ。自然のままの素質。❸かざりけがなくて、すなおなこと。誠実。「質樸」「樸実」❹じみ。はでてないこと。質素。〖二〗むらがる。密生する。むらがりしげる小木。

解字 篆文 形声。木＋菐(音)。音符の菐(ホク)は、卜(ボク)に通じ、ポクッと割れるの意味。ポクッと割れただけの木、手を加えない自然のままの木、きじの意味を表す。

【樸学(學)】(ボクガク) ①地味な学問。名誉や利益などを目的としない学問。②当面の実用にならない学問。③漢学をいう。

【樸厚】(ボクコウ・ボッコウ) かざりけがなく人情にあついこと。

【樸質】(ボクシツ) かざりけがない。地味。質素。

【樸実(實)】(ボクジツ) かざりけがなく、まじめなこと。樸直。

【樸直】(ボクチョク) 地味で正直。樸実。

【樸訥】(ボクトツ) かざりけがなく、口べたなこと。

【樸陋】(ボクロウ) かざりけがなく、いなかじみている。樸鄙(ボクヒ)。

【抱樸】(ボクをいだく) ＝抱朴(五八八ページ下)。

12 【橊】 16画 5825 リュウ　― ― 3709
榴(5719)の本字。→七六三ページ中。

12 【橉】 16画 5826 リン 軫 震 lìn　21552 ― 3708
字義 ❶りんぼく。バラ科の常緑小高木。❷木の皮。
解字 形声。木＋粦(音)。

12 【橑】 16画 5827 〖一〗ロウ(ラウ) 皓 lǎo 〖二〗リョウ(レウ) 蕭 liáo　― ― 3712
字義 〖一〗❶たるき。棟から軒にわたし、屋根板などをささえる木。椽(エン)。❷きぎれ。雑木を小さく切ったもの。❸かさぼね。車の蓋(おおい)の骨組み。＝轑(11968)。〖二〗かさぼね。＝〖一〗❸。
解字 形声。木＋尞(音)。

12 【樫】 16画 5828 国字 人 標　1963 8A7E ―
筆順 樫
字義 かし。ブナ科の常緑高木。材質が堅くて、器具などの製作に用いられる。
解字 会意。木＋堅。かたい木、かしの意味を表す国字。

12 【橲】 16画 5829 国字　6079 9EED ―
字義 ❶じさ。ずさ。えごのきの東北地方での方言。❷橲原(じさばら)は、福島県相馬郡の地名。

12 【橡】 16画 5830 国字 とち　21546 ― ―
栃(5352)と同字。→七三五ページ下。

12 【橳】 16画 5831 国字　18617 EDD4 3721
字義 ぬで。橳島(ぬでじま)は、群馬県前橋市の地名。
解字 会意。木＋勝。ぬるで(ぬで)の別名、かちのきの「かち」を勝で表し、しかも、「ぬで」と読ませる国字。

12 【橅】 16画 5832 国字
［樠］5780 俗字
字義 べんと。べんど。クスノキ科のヤブニッケイの兵庫県淡路地方での呼び名。

12 【槗】 16画 5833 国字　6081 9EEF ―
字義 まさ。木目(もくめ)がまっすぐ通っていること。正目(まさめ)。＝柾(5353)。
解字 会意。木＋晶。晶は、日本語で「まさ」と訓じるので、木を付し、まさの意味を表す。
難読 石槗(いしだる)

12 【橸】 16画 5834 国字　18609 ― ―
字義 ゆずりは。トウダイグサ科の常緑高木。

13 【檃】 17画 5835 (漢)イン (呉)オン 吻 問 yǐn　21559 ― 3724
字義 ❶ためぎ。木材や弓などの曲がりを直す道具。❷ためる。曲がっているのをまっすぐに直す。
解字 形声。木＋隱省(音)。
【檃括】(インカツ) ①ためぎ。▼栝は、方形を正すもの。②誤りを正すこと。

13 【檐】 17画 5836 〖一〗エン 塩 yán 〖二〗タン 勘 dàn　6089 9EF7 ―
字義 〖一〗＝簷(8898)。❶のき。ひさし。屋根のふきおろした端。❷ひさしの形をしたもの。まびさし。かぶと・帽子などのひさし。〖二〗になう。かつぐ。＝担(4111)。
参考 字義〖一〗の意味の熟語は、簷(8898)をも見よ。
解字 篆文 形声。木＋詹(音)。音符の詹(タン)には、のきの意味の产(エン)を含む。木を付し、のきの意味を表す。
【檐鈴】(エンレイ) のきの下につるした風鈴。用例〔菅茶山、冬夜読レ書詩〕雪擁二山堂一樹影深(ゆきはサンドウをヨウして、ジュエイふかし)、檐鈴不レ動夜沈沈(エンレイうごかず、よるチンチン)。↓雪が山中の家を埋めつくして、木々の影がくろぐろと奥深い。軒端につるしたままになっている風鈴は、静かに垂れていて、夜はしんしんと更けてゆく。

13 【檍】 17画 5837 (漢)ヨク (呉)オク(ヲク) 職 yì　6090 9EF8 ―
字義 もち。もちのき。冬青。モチノキ科の常緑高木。材質が堅くて印材となり、皮から鳥もちを作る。
解字 形声。木＋意(音)。

13 【檟】 17画 5838 (漢)カ (呉)ケ 馬 jiǎ　21563 ― 3733
字義 ひさぎ。きささげ。楸(シュウ)。ノウゼンカズラ科の落葉高木。昔、棺を作る材料とした。用例〔十八史略、春秋戦国、呉〕必樹二吾墓檟一(かならずわがはかにカをうえ(ゑ)よ)。↓私の墓にはかならずひさぎの木を植えてくれ。
解字 形声。木＋賈(音)。
【檟楚】(カソ) 人をこらしめるむち。▼檟は教えに従わない人を打つ、ひさぎのつえ、楚は礼にたがった人を打つ、いばらのつえ。

13 【檜】 17画 5839 人 標 漢カイ(クヮイ) 泰 呉ケ guì(kuài) 5956 9E77 —

筆順 木 朩 朩 枍 桧 檜 檜 檜

[桧] 5363 俗字

字義 ❶ひのき。ひ。ヒノキ科の常緑高木。材は黄白色で、きめが細かく光沢があり、上質の建築用材となる。木材の中で最も用途が広い。❷棺の上のかざり。❸春秋時代の国の名。＝鄶(12355)。

難読 檜原・檜原・檜枝岐・檜前・檜皮

解字 形声。木＋會音。

【檜皮】国①ひのきの皮。屋根をふくのに用い、また薬用とする。②「檜皮葺」の略。ひのきの皮でふいた屋根。

【檜皮色】国ひのきの皮のような黒味がかった赤色。

13 【槲】 17画 5840 漢カイ 呉ケ 蟹 jiě 8622 — 3732

字義 ❶まつやに。松脂。❷やどりぎ。ヤドリギ科の常緑低木。国かしわ。槲(5745)の誤用。

解字 形声。木＋解音。

13 【檴】 17画 5841 カク 檴(5867)の俗字。→七七三ページ中。 — — 3739

13 【檥】 17画 5842 ギ 紙 yǐ 8623 — 3734

字義 船を出す用意をする。船の準備をする。ふなよそおい。＝艤(9772)。用例〔史記、項羽本紀〕烏江亭長檥レ船待。↓烏江の亭長は、船の準備をして待っていた。

解字 篆文 形声。木＋義音。音符の義は、正しくよいの意味。木製の舟のしたくを正しく整えるの意味を表す。

13 【橿】 17画 5843 標 漢キョウ(キャウ) 陽 呉コウ(カウ) jiāng 1964 8A80 —

字義 ❶かし。樫。暖地に自生する、ブナ科の常緑高木。材質が堅く、船・車や器具などの用材とする。❷もち。冬青。モチノキ科の常緑高木。材質が堅くて印材となり、皮から鳥もちを作る。

難読 橿原

解字 篆文 形声。木＋畺音。音符の畺は、硬に通じ、かたいの意味。固い材質の意味を表す。

13 【檋】 17画 5844 ㊀漢キョク・呉コク 沃 jú ㊁キョウ(ケウ) 蕭 21560 — 3728

字義 ㊀❶かんじき。❷轅のまっすぐな車。

解字 形声。木＋葦音。

13 【檠】 17画 5845 漢ケイ 呉ギョウ(ギャウ) 庚 qíng 6092 9EFA —

[椝] 5794 俗字

字義 ❶ゆだめ。弓の曲がりをため直す道具。❷ためる。弓の曲がりをため直す。❸ともし火。灯火。また、ともしびたて。灯火を立てる台。灯架。燭台。「短檠」

解字 形声。木＋敬音。

13 【檄】 17画 5846 漢ケキ・呉ギャク 錫 xí 慣ゲキ

字義 ❶めしぶみ。ふれぶみ。回状。昔、召集、またはふれを告げるときなどに、役所から人民に出した、木札の文書。特に急を要するときは鶏の羽をつけた。「羽檄」❷めしぶみ・ふれぶみの文書を発すること。❸文体の名。急を告げはげます文。

解字 篆文 形声。木＋敫音。音符の敫は、うつの意味。木のふだに書かれた、心をうつふれぶみの意味を表す。

【檄羽】＝檄文。

【檄書】＝檄文。

【檄召】檄文で人を呼び集める。檄致。

【檄文】急にふれだす回しぶみ。ふれぶみ。回状。

【飛レ檄】急ぎの回状を四方にふれまわす。転じて、決起をうながすこと。

13 【檢】 17画 (5514) ケン 検(5513)の旧字体。→七四九ページ上。

13 【檎】 17画 5847 人 漢キン・呉ゴン 侵 qín 慣ゴ 2473 8CE7 —

筆順 木 朩 柃 桧 檎 檎 檎 檎

字義 林檎は、果樹の名。

名前 きん・ご

解字 形声。木＋禽音。

13 【檆】 17画 5848 サン 杉(5207)と同字。→七一九ページ中。 — — 3725

13 【櫛】 17画 5849 シツ 櫛(5890)の俗字。→七七四ページ中。

13 【檝】 17画 5850 シュウ 楫(5607)と同字。→七五六ページ上。 8621 — 3731

13 【檣】 17画 5851 漢ショウ(シャウ) 呉ゾウ(ザウ) 陽 qiáng 6094 9EFC —

[艢] 9773 同字

字義 ほばしら(帆柱)。マスト。「檣竿」

解字 形声。木＋嗇音。

【檣竿】帆柱。

【檣頭】帆柱のいただき。マストの上。

【檣楼(樓)】軍艦の帆柱の上部にある物見やぐら。

13 【橾】 17画 5852 ㊀漢スウ・呉シュ 虞 shū ㊁漢ソウ・呉ス 有 sǒu ㊂ショウ(セウ) 蕭 qiāo 21558 EDD5 3722

字義 ㊀㊁車のこしきの穴。㊂❶すき。❷さじ。

難読 橾久保

解字 形声。木＋喿音。

13 【檛】 17画 5853 漢タ 呉テ 麻 zhuā — — 3730

字義 ❶杖。鞭。また、むち打つ。❷管。管楽器の一種。

解字 会意。木＋過。過は、あやまちの意味。牛馬にあやまちを知らせる鞭の意味を表す。

13 【檡】 17画 5854 ㊀漢タク 陌 zhái ㊁呉ジャク(ヂャク) ㊁漢セキ・呉シャク 陌 shì 21564 — —

字義 ㊀木の名。㊁❶＝㊀。❷木の名。さるがき。カキノキ科の落葉高木。まめがき。しなのがき。

解字 形声。木＋睪音。

13 【檀】 17画 5855 人 漢タン 寒 tán 呉ダン 3541 9268 —

筆順 木 朩 杧 枟 檀 檀 檀 檀

字義 ❶まゆみ。ニシキギ科の落葉亜高木。初夏に淡緑色の多くの小花をつけ、果実は熟するとさけて赤い肉をあらわす。材質が強く、中国では車輪、日本では弓を作るに用いる。❷栴檀・白檀・紫檀などの香木の略称。❸仏ほどこす。ほどこし。布施。梵語 dāna の略音訳。「檀那」

名前 せん・まゆみ

解字 篆文 形声。木＋亶音。

【檀越】仏施主。檀那。▼檀はほどこし、越はそのほどこしによって僧が貧窮の海を越える意。

【檀家】仏一定の寺院に属し、金や物を寄付して、その寺院の維持を助ける信徒の家。

【檀弓】㊀まゆみの木で作った弓。㊁『礼記』の編名。㊁まゆみ 国檀樹の和名。弓の材となるからいう。

【檀紙】ダンシ・まゆみがみ 国和紙の一種。もと檀(まゆみ)の樹皮の繊維で作り、今は多く楮(こうぞ)を用いる。陸奥紙(みちのくがみ)。

【檀車】ダンシャ 戦争用の荷車。まゆみの木で車の輻(や)を作ったことから。

【檀徒】ダント 仏檀家の人々。

【檀那】ダンナ ①仏㋐ほどこす。ほどこし。布施(ふせ)。梵語(ぼんご) dāna の音訳。㋑施主(せしゅ)。金や物を施す信者を僧が呼ぶ称。檀越(ダンオツ)。②同旦那(ダンナ)。㋐主人。㋑目上の人を呼ぶ敬称。㋒夫(おっと)。㋓商人が得意客を呼ぶ称。

【檀板】ダンパン 楽器の名。拍子をとる板で、まゆみの木で作る。

【檀△欒】ダンラン 竹の美しいさま。竹が生長してしげるさま。

【檀林】ダンリン ①仏「栴檀林(センダンリン)」の略。㋐寺院。僧の住む所。㋑僧の学問所。②国江戸時代、西山宗因が始めた俳諧(ハイカイ)の一派。談林。

13【⿰木置】17画 5856 チ 植(5529)と同字。→七五〇ジ上。 2 1561 — —

13【檉】17画 5857 漢テイ 呉チョウ(チャウ) 庚 chēng 1 8619 — 3727
字義 かわやなぎ。御柳(ぎょりゅう)。ギョリュウ科の落葉小高木。針状で小さい葉が密生し、枝は糸のように下にたれ、五、六月ごろ、また秋に淡紅色の房状の花を開く。「檉柳(テイリュウ)」
解字 形声。木＋聖音。

13【檔】17画 5858 トウ(タウ) 漾 dàng 1 8620 — —
[档] 5413 俗字
字義 ❶わく。木の枠。❷檔案は、役所の永久保存用の文書記録。
解字 形声。木＋當音。

13【檗】17画 5859 漢ハク・呉ヒャク 慣バク 陌 bò 6101 9F40 —
[蘗] 10442 俗字
字義 きはだ。山地に自生する、ミカン科の落葉高木。葉は羽状複葉、夏、黄緑色の小花を開き、秋、球形の黒い実をつけ、薬用となる。また、幹の内皮は黄色で、染料・薬用となり、材は光沢があって、家具などになる。「黄檗(オウバク)」
解字 文 篆 形声。木＋辟音。音符の辟(へき)は、劈(へき)に通じ、ひきさくの意味。その樹皮をさいて、染料・薬用とする木、きはだの意味を表す。

13【檬】17画 5860 漢ボウ 呉モウ 東 méng 6108 9F47 —
字義 ❶檬果(モウカ)は、マンゴー。果樹の名。英語 mango の音訳語。❷檸檬(ドウモウ)は、レモン。
解字 形声。木＋蒙音。

13【櫑】17画 5861 ライ 灰 léi 2 1562 — 3729
字義 ❶木の名。❷武器の名。石または木の円柱形のもの。高所から押し落とす。
解字 形声。木＋畾音。

13【檁】17画 5862 リン 寝 lǐn — — 3723
字義 桁(けた)。梁(はり)。
解字 形声。木＋稟音。

13【檪】17画 5863 レキ 櫟(5898)の俗字。→七四一ジ下。 6112 9F4B —

13【⿰木鼠】17画 5864 国字 2 1557 — —
字義 くろべ。ヒノキ科の常緑針葉高木。

14【檿】18画 5865 エン 琰 yǎn — — 3742
字義 やまぐわ。クワ科の落葉高木。内皮で紙を造り、材は弓や車の轅(ながえ)などを作るのに用いる。檿桑(エンソウ)。
解字 形声。木＋厭音。

【檿弧】エンコ やまぐわで作った弓。

【檿糸(絲)】エンシ やまぐわの葉で育てた蚕の糸。琴などの糸を作るのに用いる。

14【櫆】18画 5866 カイ(クワイ) 灰 kuí 2 1568 — 3743
字義 櫆師は、北斗星の別名。
解字 形声。木＋魁音。

14【檴】18画 5867 漢カク(クワク) 呉ワク 薬 huò
[檴] 5841 俗字
字義 あきにれ。木の名。ニレ科の落葉高木。
解字 形声。木＋蒦音。

14【櫃】18画 5868 標 漢キ 呉ギ 寘 guì 6104 9F43 —
字義 ひつ。ふたつきの大型の木型の木箱。＝柜(5298)・匱(1147)。
解字 形声。木＋匚＋貴音。匚は、はこの象形。音符の貴は、とうとい意味。とうとい物を入れる木の箱の意味を表す。

14【檱】18画 5869 キ 棋(5505)と同字。→七四七ジ下。 — — 3738

14【檾】18画 5870 漢ケイ 呉キョウ(キャウ) 梗 qǐng — — 3741
字義 いちび。草の名。アオイ科の一年草。
解字 形声。𣏌＋熒省音。𣏌は、植物のアサの意味。

14【檫】18画 5871 漢サツ 呉セチ 黠 chá 2 1566 — 3735
字義 ❶木の名。あずさの一種。❷仏塔の中心の柱。
解字 形声。木＋察音。

14【⿱木爵】18画 5872 シャク 爵(7091)の俗字。→九二五ジ下。 1 8618 — —

14【檽】18画 5873 ㊀漢ゼン・呉ネン 銑 ruǎn ㊁漢ジュ・呉ニュ 虞 rú 2 1567 — 3740
字義 ㊀木の名。また、きくらげ。㊁うだち。梁(はり)の上に立てて棟木(むなぎ)を支える短い柱。

14【檯】18画 5874 漢タイ 呉ダイ 灰 tái — — 3736
字義 ❶木の名。❷机。卓。
解字 形声。木＋臺音。

14【櫥】18画 5875 チュウ(チウ) 虞 chú — — 3744
字義 櫃(ひつ)。
解字 形声。木＋廚音。

14【櫂】18画 5876 人 標 漢トウ(タウ) 呉ジョウ(デウ) 効 zhào 6105 9F44 —
字義 かい。さお。
筆順 木 … 櫂
名前 かい・こずえ・たく
参考 〔棹〕(5547)と同字。字義・熟語は〔棹〕を見よ。
解字 形声。木＋翟音。

14【檮】18画 5877 標 漢トウ(タウ) 呉ドウ(ダウ) 豪 táo 5977 9E8D —
[梼] 5467 俗字
字義 ❶きりかぶ。木を切ったあとの根かぶ。❷おろか。無知のさま。
解字 形声。木＋壽音。

【檮△杌】トウゴツ ①役に立たない木の名。②悪獣の名。一説に、瑞獣(ズイジュウ)(めでたい獣)の名。③悪人。凶悪な人物。④書名。春秋時代、楚(ソ)の国の歴史書。悪獣・悪木の名を取り、悪行を書き記していましめを残す意という。

14【櫈】18画 5878 トウ 凳(853)と同字。→一六九ジ中。 — — 3745

14【檸】18画 5879 漢ドウ(ダウ) 呉ニョウ(ニャウ) 庚 梗 níng 6106 9F45 —
字義 檸檬(ドウモウ)はレモン。果樹の名。英語 lemon の音訳語。

14【檳】18画 5880 ヒン 慣ビン 真 bīng 6107 9F46 —
[梹] 5475 俗字
字義 檳榔(ビンロウ)は、熱帯産のヤシ科の常緑高木。幹は直立して枝がなく、葉は幹の上部に群生する。渋みのある鶏卵大の実をつける。実を檳榔子(ビンロウジ)といい、薬用・染料となる。 難読 檳榔(あじまさ)・檳榔毛(びろうげ)
解字 形声。木＋賓音。

14【櫁】18画 5881 ミツ 樒(5772)と同字。→七六七ジ‐中。 6074 9EE8 —

14【櫋】18画 5882 漢ベン 呉メン 先 mián — — 3737
字義 木の名。はいまゆみ。杜仲(トチュウ)。
解字 形声。木＋綿音。音符の綿は、わたの意味。木を折ると白い綿のようなものが多い木、杜仲の意味を表す。

14【櫔】18画 5883 レイ 霽 lì 2 1569 — 3748
字義 木の名。国とち。栃(5352)と同字。
解字 形声。木＋厲音。

14【櫂】18画 5884 国字 2 1565 — —
字義 櫂賀(がさい)は、姓氏。

15【櫞】19画 5885 エン(ヱン) 先 yuán 6109 9F48 —
字義 枸櫞(クエン)は、果樹の名。また、その実。㋐まるぶしゅかん(丸仏手柑)。㋑レモン。
解字 形声。木＋縁音。

15【檻】19画 5886 標 漢カン 呉ゲン 豏 jiàn, kǎn 6103 9F42 —
字義 ❶おり(をり)。猛獣・罪人などを入れておく、堅固なかこい。❷てすり。おばしま。欄干(ランカン)。❸いたがこい。船や車などの上を塀のように板で囲んだもの。❹わな。おとしあな。
解字 篆文 形声。木＋監音。音符の監は、見張るの意味。罪人・猛獣などを入れて監視する、おりの意味を表す。
【檻猿】(カンエン) おりの中のさる。自由を奪われた者のたとえ。〔唐、白居易、与微之書〕
【檻檻】(カンカン) 車の進む音。轞轞(カンカン)。
【檻車】(カンシャ) 罪人や猛獣などを運ぶ、板囲いの車。おりぐるま。
【檻穽】(カンセイ) おりと、おとしあな。わな。
【檻送】(カンソウ) 罪人をおりに入れて送り届ける。檻致。
【檻輿】(カンヨ) 四方を板で囲んだこし(乗り物)。罪人を護送するもの。

15【櫜】19画 5887 コウ(カウ) 豪 gāo 2 1571 — 3751
[櫜] 5888 同字
字義 ❶おおぶくろ。車の上において、甲冑(カッチュウ)・弓矢などの武具・武器類をおさめる、大きな袋。❷ゆぶくろ。弓ぶくろ。弓矢を入れる袋。櫜鞬(コウケン)。❸つつむ。また、つつみ。
解字 形声。櫜省＋咎音。

櫜②

15【櫜】19画 5888 コウ 櫜(5887)の俗字。→七七四ジ‐中。

15【櫕】19画 5889 サン 欑(5927)と同字。→七七六ジ‐中。 — — 3749

15【櫛】19画 5890 人 標 漢シツ 呉シチ 質 zhì 2291 8BF9 —
15〖櫛〗19画 5891
[櫛] 5849 俗字
筆順 木 朩 朩 朩 朩 朩 朩 朩 櫛
字義 ❶くし。髪の毛をすきとかす道具。❷くしけずる(くしけづる)。㋐髪の毛をすく。㋑けずる。けずり落とす。❸ならぶ。重なり合ってならぶ。
「櫛比」
名前 きよ・くし 難読 櫛笥(くしげ)
解字 篆文 形声。木＋節(節)音。音符の節(セツ)は、竹のふしの意味。節度よく並ぶ歯をもつ、くしの意味を表す。
【櫛櫛】(シツシツ) 連なり続くさま。立ち並ぶさま。
【櫛梳】(シツソ) 髪をすく。くしけずる。
【櫛比】(シッピ) くしの歯のように、すきまなく並ぶ。ぎっしり並ぶ。▼比は、並ぶ。『詩経』周頌・良耜(リョウシ)に「其比如櫛(そのならぶことくしのごとし)」とあるのに基づく。
【櫛風沐雨】(シップウモクウ) 風で髪をくしけずり、雨で湯あみする。外にあって風雨にさらされながら苦労するたとえ。櫛雨。『荘子』天下編に「沐甚雨(ジンウにモクし)、櫛疾風(シップウにくしけずる)」とあるのに基づく。

15【櫏】19画 5892 セン 先 qiān
字義 梠櫏(クンセン)は、木の名。さるがき。
解字 形声。木＋遷音。

15【櫝】19画 5893 漢トク 呉ドク 屋 dú 2 1572 — 3752
字義 ❶はこ。ひつ。ふたのある箱。また、箱に入れてしまう。おさめる。❷ひつぎ。棺。
解字 篆文 形声。木＋賣音。音符の賣(クイ)は、出し入れするの意味。物を出し入れする木のはこの意味を表す。

15【櫌】19画 5894 漢ユウ(イウ) 呉ウ 尤 yōu — — 3746
字義 ❶鋤(すき)。田の土をかきならす道具。❷鋤(すき)の柄(え)。
解字 形声。木＋憂音。

15【櫑】19画 5895 一ライ 灰 léi 二ライ 賄 lěi 6110 9F49 —
字義 一たる。酒だる。罍(9423)と同字。二櫑具は、剣の柄頭(つかがしら)のかざり。
解字 形声。木＋畾音。罍(9423)を見よ。

15【櫖】19画 5896 漢リョ 呉ロ 御 lù — — 3750
字義 ❶草の名。ふじ。やまふじ。❷林櫖(リンリョ)は、山林。
解字 形声。木＋慮音。

15【櫐】19画 5897 ルイ 紙 lěi 2 1570 — 3747
字義 つる性植物の名。かずら。ふじ。 難読 上檜櫐(かみやらい)
解字 形声。木＋畾音。

15【櫟】19画 5898 標 漢レキ 呉リャク 錫 lì 6111 9F4A —
[栎] 5863 俗字
字義 ❶くぬぎ。ブナ科の落葉高木。実は、どんぐり。材を薪炭(シンタン)とする。❷うつ(撃)。❸こする。国いちい(一位)。イチイ科の常緑高木。材は、昔から笏(シャク)を作るのに用いた。 難読 櫟原(いちはら)・櫟原(くぬぎはら)・櫟本(いちのもと)・櫟(ひら)はら
解字 金文 篆文 形声。木＋樂音。音符の樂は、どんぐりをつけたくぬぎの象形。木を付し、くぬぎの意味を表す。

15【櫓】19画 5899 人 標 漢ロ 呉ル 麌 lǔ 4706 9845 —

筆順 櫓

字義 ❶たて。おおだて。大きな盾。❷やぐら。物見やぐら。❸船をこぎ進める具。＝艪(9779)。国やぐら。㋐武器倉。㋑木を高く組み上げて、太鼓などを打つ所。「櫓太鼓」㋒こたつの上を覆うわく。

解字 篆文 形声。木＋魯㊥。音符の魯は、露に通じ、あらわれてむきだしになるの意味。屋根がなく、むきだしになっている、物見やぐらの意味を表す。

【櫓声(聲)】ロセイ 船のろをこぐ音。

15【櫚】19画 5900 ㊀リョ ㊁ロ 魚 lǘ 6113 9F4C —

字義 かりん。バラ科の落葉高木。インドの原産。木目は細やかで紫檀に似、質は堅くて紅色を帯び、諸種の器具の材となる。

解字 形声。木＋閭㊥。

15【麓】19画 (14415) ロク 鹿部。→一六四〇ページ上。

15【〔木+前〕】19画 5901 国字 1 8624 EDD7 3753

字義 〔木+前〕山(たもやま)は、山形県村山市の地名。〔木+前〕ノ木(たものき)は、秋田県大仙市の地名。

16【櫰】20画 5902 ㊀㊁カイ(クワイ) ㊂エ(ヱ) 佳 賄 huái ㊀カイ(クワイ) 灰 guī — — 3756

字義 ㊀木の名。いぬえんじゅ。えんじゅの一種。㊁木の名。食べると力が出ると言われる。

解字 形声。木＋褱㊥。

16【櫱】20画 5903 ゲツ 櫱(10437)の正字。→一二四七ページ中。 2 1576 — 3757

16【〔木+篙〕】20画 5904 コウ(カウ) 豪 号 gāo 1 8626 — —

字義 みさお。みざお。舟を進めるためのさお。

解字 形声。木＋篙㊥。

16【櫧】20画 5905 ショ 魚 zhū 1 8625 — 3754

字義 かし(樫)。いちいがし(石櫧)。ブナ科の常緑高木。

解字 形声。木＋諸㊥。

16【櫬】20画 5906 シン 震 chèn 2 1575 — 3755

字義 ❶ひつぎ。なきがらを直接おさめる棺。❷あおぎり。梧桐。❸木の名。むくげ。

解字 篆文 形声。木＋親㊥。音符の親は、したしむの意味。死体に最も近い内側のひつぎの意味を表す。

16【欂】20画 5907 ハク 薬 bó — — 3761

字義 ますがた。柱の上の、棟木をのせる方形の材木。国くれ。板材。＝榑(5712)。

解字 形声。木＋薄㊥。

16【礬】20画 (8310) バン 石部。→一〇三三ページ下。

16【櫲】20画 5908 ヨ 御 yù 2 1577 — 3758

字義 櫲樟(ヨショウ)は、くすのき。難読 櫲樟(すく)

解字 形声。木＋豫㊥。

16【欄】20画 5909 常 ラン 4583 9793 —

17［欄］21画 5910 人 ラン 寒 lán 1 8627 — —

筆順 欄

字義 ❶てすり。おばしま。「欄干」❷おり。獣などを飼う囲い。❸木を横に渡したしきり。かき。❹文章などを罫で囲んだもの。枠。「欄外」❺いげた。井戸の上の縁を木で四角に組んだもの。

解字 篆文 形声。木＋闌(闌)㊥。音符の闌は、門にさしわたして出入をさえぎる木の意味。木を付して、てすり・わくの意味を表す。

逆 句欄・高欄

【欄外】ランガイ ①てすりのそと。欄干のかなた。②枠のそと。文章を囲む輪郭のそと。

【欄干】ランカン 同闌干。①てすり。欄檻。欄杆。②涙などのさかんに流れるさま。用例〔唐、白居易、長恨歌〕玉容寂莫涙欄干、梨花一枝春帯レ雨(ギョクヨウセキバクとして、なみだランカン、リカイッシはるあめをおぶ)。↓さびしそうな美しい顔からは涙がはらはらとこぼれ、梨の花の白く咲いた小枝が、春の雨に打たれているようなおもむきである。

【欄△杆・欄△檻】ランカン ＝欄干①。欄楯。

【欄間】ランま 国天井と鴨居との間を、格子またはすかし模様のある板などでかざったもの。

【欄△厩】ランキュウ 家畜小屋。畜舎。用例〔墨子、非攻上〕至下入二人欄厩一、取中人馬牛上者(ひとのランキュウにいりて、ひとのバギュウをとるものにいたりては)、其不義又甚レ攘二人犬豕鶏豚一(そのフギは、またひとのケンシケイトンをぬすむよりはなはだし)。↓他人の家畜小屋に侵入して他人の馬や牛を盗み取る者に至っては、不義の程度はまた他人の犬や豚や鶏や子豚を盗むよりも甚だしい。

16【櫪】20画 5911 ㊀レキ ㊁リャク 錫 lì 6114 9F4D —

字義 ❶かいおけ。かいばおけ。馬の飼料を入れるおけ。❷うまやのねだ。うまやの床下に渡す横木。うまやのふみ板。転じて馬小屋。❸くぬぎ(櫟)。木の名。❹指ひしぎ。指を責める刑具。

解字 篆文 形声。木＋歴㊥。音符の歴は、等間隔に並ぶの意味。等間隔に並べた木、指ひしぎ、うまやのねだの意味を表す。

【櫪馬】レキバ ①馬小屋につながれている馬。②束縛された自由のない身。

16【櫨】20画 5912 ㊀ロ ㊁ル 虞 lú 4007 94A5 —

［栌］5277 俗字 ［枦］5278 俗字

字義 ❶ますがた。とがた。柱の上に設けた四角な木。❷柑橘類の一種。❸はぜ。はじ。ウルシ科の落葉高木。五、六月ごろ、黄緑色の小花を開き、その後、やや平たい実を結び、実から蠟をとる。

解字 形声。木＋盧㊥。

16【櫳】20画 5913 ロウ 東 lóng 2 1578 — —

［榧］5721 俗字

字義 ❶おり。獣を入れて飼うおり。❷れんじ窓。へやの格子窓。

解字 篆文 形声。木＋龍㊥。音符の龍は、つめこむの意味。けものをつめこんだ、おりの意味を表す。

16【〔木+榮〕】20画 5914 国字 2 1573 — —

字義 〔木+榮〕良(なぎら)は、姓氏。

16【〔木+遺〕】20画 5915 国字 2 1574 — —

字義 〔木+遺〕輪田(ひしわだ)は、岩手県の地名。

17【檃】21画 5916 ㊀イン ㊁オン 吻 yǐn 2 1579 — 3760

字義 ❶むね(棟)。二重屋根の棟木。❷ため木。

解字 形声。木＋隱㊥。

17【櫻】21画 (5362) オウ 桜(5361)の旧字体。→七三六ページ中。

17【欅】21画 5917 標 ㊀キョ ㊁コ 語 jǔ 6116 9F4F —

木部 15▼17画 〔櫚麓〔木+前〕櫰櫱〔木+篙〕櫧櫬欂礬櫲欄櫪櫨櫳〔木+榮〕〔木+遺〕檃櫻欅〕

［櫸］5668 俗字 字義 ❶けやき。ニレ科の落葉高木。材質が堅くて美しく、建築・器具製作の用材となる。❷かわやなぎ。こぶやなぎ。杞柳(キリュウ)。水辺に生じる、ヤナギ科の落葉低木。春、黄白色の穂状の花をつける。
解字 形声。木＋擧(音)。

17【權】21画 5918 ケン 権(5741)の俗字。→七六四ページ下。 | 6062 9EDC —

17【欃】21画 5919 (漢)サン (呉)ゼン [咸] chān | — — 3762
字義 ❶木の名。檀(タン)。❷星の名。彗星(スイセイ)。
解字 形声。木＋毚(音)。

17【櫼】21画 5920 [一]セン [塩] jiān [二](漢)サン・(呉)セン [咸] shān | — — 3759
字義 [一]❶くさび。❷斗形(ますがた)。枡形(ますがた)。柱の上部につけた長方形の板。[二]木の名。すぎ。＝杉(5207)。
解字 形声。木＋韱(音)。

17【欄】21画 (5910) ラン 欄(5909)の旧字体。→七七五ページ中。

17【櫺】21画 5921 (漢)レイ (呉)リョウ(リャウ) [青] líng | 6118 9F51 —
字義 ❶れんじ(櫺子)。窓やてすりなどに取りつける格子(コウシ)。❷てすり。欄干。
解字 篆文 形声。木＋霝(音)。音符の霝(レイ)は、つらなるの意味。格子がつらなる、れんじまどの意味を表す。

18【欋】22画 5922 [一](漢)ク・(呉)グ [虞] qú [二]チュ [虞] | 21581 — —
字義 [一]❶さらい。くまで。❷くっつく。❸わだかまる。曲がりくねる。[二]すき(鋤)。
解字 形声。木＋瞿(音)。

18【權】22画 (5742) ケン 権(5741)の旧字体。→七六四ページ下。

18【欇】22画 5923 ショウ(セフ) [葉] shè | — — 3764
字義 ❶欇欇は、木の名。楓(フウ)。❷杖(つえ)。
解字 形声。木＋聶(音)。

18【欆】22画 5924 ソウ(サウ) [江] shuāng | — — 3763
字義 船の帆。
解字 形声。木＋雙(音)。

18【欉】22画 5925 ソウ [送] cōng | — — 3765
字義 ❶茂る。群がる。❷叢(1298)の俗字。
解字 形声。木＋叢(音)。音符の叢は、群がるの意味。

18【欟】22画 5926 国字 つき 欟(5941)の俗字。→七七六ページ下。 | 21580 — —

19【欑】23画 5927 (漢)サン (呉)ザン [寒] cuán | 21584 — 3768
［櫕］5889 同字
字義 ❶つえ。竹を束ねた杖(つえ)。❷むら-がる。あつまる。樹木がむらがり生える。また、その木立。❸あつめる。
解字 篆文 形声。木＋贊(音)。音符の贊は、全に通じ、そろうの意味。そろいむらがる木の意味を表す。

19【欛】23画 5928 ハ 欛(5935)の俗字。→七七六ページ下。 | 21585 — —

19【欛】23画 5929 ハ 欛(5935)の俗字。

19【欏】23画 5930 ラ [歌] [箇] luó | 21582 — 3766
字義 ❶木の名。㋐やまなし。㋑さらの木。❷まがき。❸さく(裂)。
解字 形声。木＋羅(音)。

19【欒】23画 5931 ラン [寒] luán | 6119 9F52 —
［栾］5420 俗字
字義 ❶おうち。センダン科の落葉高木。＝楝(5644)。❷ひじき。うでぎ。柱の上のますがたの一部で、上からの重みをささえる横木。❸まどか。まるい。＝圝(1864)・圞(1865)。「団欒」❹あつ-まる。むらがる。❺ふたご。＝孿(2593)。❻欒欒は、からだのやせたさま。＝欒(9666)。
解字 形声。木＋䜌(音)。

19【欐】23画 5932 [一](漢)レイ・(呉)ライ [霽] [霽] lì [二]リ [紙] lǐ | 21583 — 3767
字義 [一]❶むね。棟。棟木(むなぎ)。また、はり。うつばり。❷こぶね。小船。[二]欐佹(リキ)は、㋐ささえ柱。支柱。㋑かさなる。かさねる。
解字 形声。木＋麗(音)。音符の麗(レイ)は、きれいに並ぶの意味。

20【欗】24画 5933 ラン [寒] lán | 21586 — 3769
字義 木の名。＝欄(5909)。
解字 形声。木＋蘭(音)。

21【欝】25画 5934 ウツ 鬱(13928)の俗字。→一六〇五ページ中。 | 1721 8954 —

21【欛】25画 5935 ハ [禡] bà
［欛］5928 俗字 ［欛］5929 俗字 ［欛］5936 俗字
字義 つか。刀の手でにぎるところ。刀の柄。＝杷(5261)。「欛柄」
解字 形声。木＋霸(音)。
【欛柄】(ハヘイ) ①刀のつか。刀のえ。②話のたね。話柄。

21【欛】25画 5936 ハ 欛(5935)の俗字。→七七六ページ下。 | 18628 — 3770

22【欝】26画 5937 ウツ 鬱(13928)の俗字。→一六〇五ページ中。

22【欖】26画 5938 ラン [感] lǎn | 6120 9F53 —
字義 橄欖(カンラン)は、㋐カンラン科の常緑高木。㋑オリーブ。モクセイ科の常緑小高木。実から油をとる。
解字 形声。木＋覽(音)。

24【欝】28画 5939 ウツ 鬱(13928)の俗字。→一六〇五ページ中。

24【欞】28画 5940 (漢)レイ (呉)リョウ(リャウ) [青] líng | 18629 — 3771
字義 ❶れんじ。窓などに取りつける格子(コウシ)。また、てすり。＝櫺(5921)。❷長い木。
解字 形声。木＋靈(音)。

24【欟】28画 5941 国字 | 6122 9F55 —
［槻］5926 俗字
字義 つき。木の名。けやきの古名。＝槻(5735)。
解字 会意。權(権)＋現省。「権」と「現」を合わせて一字として、権現(ゴンゲン)をまつってある神社によくある木、つき(けやき)の意味を表す。

25【鬱】29画 (13928) ウツ 鬯部。→一六〇五ページ中。

4画

欠 あくび かける

〔部首解説〕 欠を意符として、息を吐く・吸うなど口をあけること、また、そういう状態を伴う気持ちの動きに関する文字ができている。

0 欠 七七七　2 次 七七七　4 欧 七七七　欣 七七八　欤 七七八
5 欨 七七八　欪 七七八　6 欬 七七八　欯 七七八　欱 一一四六
7 欸 七七八　欵 七七八　欷 七七八　欽 七七八　欶 七七八
欲 七七八　8 款 七七九　欿 七七九　欹 七七九　欺 七七九
欽 七七九　欻 七八〇　歇 七八〇　9 歆 七八〇　歂 七八〇
歃 七八〇　10 歍 七八〇　歌 七八〇　歊 七八一　歉 七八一
歎 七八一　11 歐 七七七　歓 七八一　歔 七八一　歎 七八一
歊 七八二　12 歖 七八二　歛 七八二　歗 七八二　歙 七八二
13 歟 七八二　歛 七八二　歜 七八二　15 歠 七八二　17 歡 七八二
18 歡 七八一

0
【欠】4画 5942 教4 ケツ かける・かく

㊀ 缶4【缺】10画 5943 漢ケツ 呉ケチ 屑 quē 6994 E39E —

㊁ 0【欠】4画 漢ケン・呉コン 陥 qiàn 慣ケツ・カン 2371 8C87 —

筆順 ノ ㇒ ケ 欠

㊀【缺】2292 同字 【缼】9410 俗字

字義 ㊀〔缺〕❶かける。また、かく。㋐一部分がこわれる。「残欠」㋑足りなくなる。不足する。「欠乏」㋒すたれる。❷かけ。㋐きず。㋑不足。不備。㋒官職などのあき。欠員。
㊁〔欠〕❶あくび。あくびする。「欠伸ケンシン」❷かける(かく)。不足する。＝歉(5973)。❸税を納めないこと。国❶かかす。㋐しないですます。おこたる。㋑なしですます。❷カン。めべり。目方・分量が減ること。難読 欠伸あくび・欠片かけら

参考 現代表記では〔歇〕(5968)の書きかえに用いることがある。「間歇→間欠」

解字 ㊀〔缺〕篆文 形声。缶＋夬音。缶は、かめの意味。音符の夬ケツは、えぐるの意味。かめの一部がえぐられかけるの意味を表す。常用漢字の欠は、もと別字であるが、日本では缺ケツの俗字として用いられた。
㊁〔欠〕篆文 象形。人が口をあけている形にかたどり、口をあける・あくびの意味を表す。
欠を音符に含む形声文字に厥ケツ・欮ケツ・蕨ケツ・蹶ケツ・闕ケツなどがある。

逆 残欠・補欠

【欠遺】ケツイ かき、落とした所。かけ、落ちている所。
【欠員】ケツイン 定員に満たないこと。また、足りない人員。
【欠画(畫)】ケツカク ①天子や貴人・父祖などの名をはばかり、その文字の画を省くこと。孔子の名の丘を避けて、丘と書く類い。闕筆ケッピツ。②文字の字画がかけて足りないこと。また、かけて足りないもの。不備。
【欠陥(陷)】ケッカン おちど。かけて足らないこと。
【欠勤】ケッキン 勤めに出ることを休むこと。
【欠口】ケッコウ ＝欠唇ケッシン・欠唇。
【欠航】ケッコウ 事故や悪天候などのために定期の船や飛行機が出ないこと。
【欠如】ケツジョ ①かけて不完全なさま。②不満足なさま。
【欠剰(剩)】ケツジョウ 不足と余り。
【欠伸・欠申】ケンシン あくびと背伸び。また、あくび。
【欠△唇・欠(缺)唇】ケッシン 上唇が縦に裂けていること。兎唇トシン。欠口。
【欠然】ケツゼン もの足りない(不満足な)さま。
【欠損】ケッソン ①かけ、そこなう。器物などがこわれる。②利益を失うこと。損をすること。
【欠乏】ケツボウ 物が不足する。とぼしい。不足。
【欠本】ケッポン 叢書ソウショ・全集などのひと揃いになっている本の中、かけている本。また、冊数の全部そろっていない本。闕本ケッポン。↔完本(三九一ページ中)。
【欠漏】ケツロウ かけ、もれる。ぬけ落ちている所。不備な所。

2
【次】6画 5944 教3 ジ・シ つぐ・つぎ 2801 8E9F —

2【次】6画 5945 慣ジ シ 寘 cì

筆順 、 冫 冫 次 次 次

字義 ❶つぐ。続く。❷つぎ。二番目。第二位。「次席」「次男」❸ついで。㋐順序。「次第」「席次」㋑くらい。位置。㋒おり。とき。…しさい。❹ついず。㋐順序をつける。順序よく並べる。㋑編集する。❺やどる。やどり。㋐軍隊が宿営する。また、その宿営地。陣屋。㋑宿泊する。また、宿屋。旅館。用例(人虎伝)去歳方還キョサイまさにかえ(へ)らんとし、道次汝墳みちにジョフンにやどり、忽嬰疾発狂たちまちやまい(ひ)にかかりてハッキョウす↓去年のこと、ちょうど家に帰ろうとして、途中、汝墳の地に宿泊したとき、突然病気にかかって発狂した。❻ところ。場所。❼うち(中)。あいだ。❽たび(度)。回数。また、回数を数える語。「二次会」❾とばりを張りめぐらした仮小屋。❿もや。喪に服するためのへや。⓫かつら。まげ。

名前 し・じ・ちか・つぎ・つぐ・なみ・ひで・やどる 難読 次官すけ・次木なみき

使いわけ つぐ〔次・継・接〕
〔次〕なにかの後に続く。「相次ぐ事件・社長に次ぐ地位」
〔継〕つなぎ続ける。また、うけつぐ。「夜を日に継ぐ・家業を継ぐ」
〔接〕切れ目をつなぐ。また、離れないようにつぎ合わす。「接ぎ木・骨を接ぐ」

解字 甲骨文 金文 篆文 象形。甲骨文でよくわかるように、人が吐息をついているさまにかたどり、ほっとしてやどるの意味を表す。また、斉に通じ、順序よく整えるの意味や、つぎにつづくの意味をも表す。次を音符に含む形声文字に、咨シ・姿・恣シ・茨シ・諮・資・餈シなどがある。

逆 位次・今次・順次・序次・漸次・逐次・途次・編次・旅次・列次・路次

【次韻】ジイン 他人の詩と同じ韻字を用いて詩を作ること。また、その詩。和韻の一つ。
【次骨】ジコツ ①刑罰のきびしいこと。骨に至る意。▼次は、至る。②人を恨むことのはなはだしいこと。③事を論じて深刻なこと。
【次舎】ジシャ ①宮中の詰め所。また、そこに詰める人。②宿る。また、とどまる。③軍隊の営舎。
【次序】ジジョ ①順序。②順序をつける。
【次将(將)】ジショウ ①大将の次位の人。二番目の将軍。副将。②星の名。
【次第】シダイ ①順序。②国㋐よし。わけ。由来。㋑事のぐあい・場合。㋒ただちに。即刻。即時に。「到着次第」㋓能・狂言などに用いられる七五調二句から成る歌謡。
【次比】ジヒ 順序配列の先後。

4
【欧】8画 5946 常 オウ 1804 89A2 —

11【歐】15画 5947 ㊀漢オウ・呉ウ 有 ǒu ㊁漢オウ・呉ウ 尤 ōu 6131 9F5E —

筆順 一 フ ヌ 区 区 欧 欧

字義 ㊀❶はく(吐)。もどす。へどをはく。＝嘔(1658)。「欧吐」❷うつ(撃)。たたく。＝殴(6048)。㊁❶うたう。＝謳(11356)。❷かる。かりたてる。おいたてる。❸欧羅巴ヨーロッパの略。欧州。転じて、広く西洋の意。難読 欧羅巴ヨーロッパ

解字 篆文 形声。欠＋区(區)音。欠は、人が口をあけている形。音符の區は、区切るの意味。有害なもの

を区別して吐くの意味を表す。

【欧亜(亞)】オウア ヨーロッパとアジア。西洋と東洋。

【欧化】オウカ ヨーロッパの風俗・思想に感化されること。また、西洋かぶれすること。

【欧△泄】オウセツ はいたり下したりする。嘔泄オウセツ。

【欧吐】オウト はく。もどす。へどをはく。嘔吐オウト。

【欧美】オウビ ヨーロッパとアメリカ合衆国。欧米。▼美は、美利堅メリケンの略で、アメリカをいう。

【欧米】オウベイ ヨーロッパとアメリカ。また、西洋諸国。

【欧陽△脩】オウヨウシュウ 北宋ホクソウの政治家・文学者。字あざなは永叔、号は六一居士ロクイチコジ、または酔翁スイオウ。仁宗のとき参知政事となったが、王安石と意見が合わず、辞職した。詩文にたくみで、唐宋八大家の一人。唐の韓愈カン・柳宗元のあとをうけ、古文復興のために活躍した。著書に『新唐書』『欧陽文忠公集』がある。(一〇〇七—一〇七二)

【欧陽△詢】オウヨウジュン 唐初の学者・書家。字あざなは信本。経学・史学に通じ、隋ズイに仕え、後に唐の高祖に仕えた。初め、王羲之ギシの書風を学んだが、後に一家の書体を作った。編著に『芸文類聚ゲイモンルイジュウ』がある。(五五七—六四一)

4【欣】8画 5948 人 漢キン・呉コン 慣ゴン 文 xīn 2253 8BD3 —

筆順 ノ 厂 斤 斤 斤 欣 欣

字義 ❶よろこぶ。笑いよろこぶ。用例〔東晋、陶潜、帰去来辞〕乃瞻二衡宇一すなわち(はち)こうのきをみて、載欣載奔すなわち(はち)よろこび、すなわち(はち)はしる ↓ようやくにしてわが家の門や屋根を遠く望み見て、喜びながら走り出した。❷たのしむ。

名前 きん・やすし・よし

解字 篆文 形声。欠＋斤音。欠は、口をあけた形にかたどる。音符の斤は、物をこまかに切るための刃物の象形。喜びのため呼吸が小刻みになり、うきうきしてよろこぶの意味を表す。

【欣悦】キンエツ よろこぶ。

【欣快】キンカイ よろこばしい。また、うれしく思う。

【欣喜△雀躍】キンキジャクヤク よろこびのあまり、こおどりする。▼欣喜は、欣熹とも書く。

【欣欣】キンキン ①よろこぶさま。②満足して楽しむさま。自得のさま。③草木の生き生きしているさま。用例〔東晋、陶潜、帰去来辞〕木欣欣以向レ栄きはキンキンとしてもってえいにむかい、泉涓涓而始流いずみはケンケンとしてはじめてながる ↓木はさかんに茂り花を咲かせようとし、泉の水はちょろちょろと流れ始めている。

【欣求】ゴング 仏よろこんで(心の底から)願い求める。

【欣求浄(淨)土】ゴングジョウド 仏極楽浄土に往生することを願い求める。〔往生要集〕

【欣賞】キンショウ よろこびほめる。欣喜賞玩キンキショウガン。

【欣然】キンゼン よろこぶさま。欣欣然。用例〔東晋、陶潜、桃花源記〕聞レ之これをききて、欣然規レ往キンゼンとしてゆかんことをはかる。↓その話を聞いて喜んで、そこへ行こうと計画した。

【欣服】キンプク よろこんで従う。悦服。

【欣慕】キンボ よろこびしたう。

【欣愉】キンユ よろこび楽しむ。

4【欤】8画 5949 ヨ 歟(5986)の俗字。→七八二ページ中。 — — 3772

5【⿰去欠】9画 5950 一 漢キョ・呉コ 御 qù 二 キャ 歌 ²1587 — —

字義 一 二 あくび。あくびをする。

解字 形声。欠＋去音。

5【欨】9画 5951 ク 虞 麌 xū — — 3773

字義 ❶ふく。息をはく。❷なく(鳴)。❸あたためる。＝呴(1405)。

解字 篆文 形声。欠＋句音。欠は口をあけた人の象形。音符の句は、口をすぼめてフッと息を吹きつける音の擬声語。息をフッと吹きつけるの意味を表す。

6【欬】10画 5952 一 カイ 隊 kài 二 アイ 卦 ài 慣ガイ ¹8630 — 3775

字義 一 ❶せき。しわぶき。＝咳(1444)。強いせき。軽いせきを謦ケイという。❷せきばらいする。❸ささめく。談笑する。❹風邪。また、喘息ゼンソク。二 おくび。げっぷ。

解字 甲骨文 篆文 形声。欠＋亥音。音符の亥カイは、せきの擬声音。

【欬△嗽】ガイソウ せき。しわぶき。咳嗽ガイソウ。▼嗽も、せき。

【欬唾】ガイダ せきをしてつばをはく。また、そのつば。長者の言葉を敬って言う語。→咳唾成レ珠ガイダたまをなす(二六二ページ中)。

6【欯】10画 5953 漢キツ 呉キチ 質 xì ²1588 — 3776

字義 ❶よろこぶ(喜)。❷わらう(笑)。

解字 形声。欠＋吉音。

6【⿰缶欠】10画 (9410) ケツ 缶部。→二四六ページ上。

7【欸】11画 5954 一 アイ 灰 āi 二 カイ 卦 6123 9F56 —

字義 一 ❶しかる。そしる。❷なげく。❸ああ。＝唉(1481)。㋐うらむ声。㋑そのとおりと肯定する語。相応ずる声。㋒そうではないと否定する語。二 いかる。また、その声。

解字 形声。欠＋矣音。

【欸乃】アイダイ・アイナイ ①舟にさおさして相応ずる声。また、櫓ロのきしる音。用例〔唐、柳宗元、漁翁詩〕煙銷日出不レ見レ人けむりきえひいでてひとをみず、欸乃一声山水緑アイダイイッセイサンスイみどりなり ↓朝靄が消え日がのぼるころ、漁翁の姿はなく、舟をこぎ出す櫓ロの音が一声響き渡ると、目に映るのは山水の緑だけ。②舟歌。また、漁夫の歌。③きこりの歌。

7【欵】11画 5955 カン 款(5960)の俗字。→七七九ページ上。 ¹8631 — 3777

7【欷】11画 5956 漢キ 呉ケ 微 未 xī 6124 9F57 —

字義 ❶なく。むせびなく。すすりなく。すする。「欷泣」❷なげく。「欷吁キク」❸おそれるさま。

解字 形声。欠＋希音。

【欷△歔】キキョ すすり泣く。すすり泣き。歔欷。

7【⿰缶欠】11画 5957 漢ケキ 呉キャク 錫 qì — — 3774

字義 笛などを吹く音。

解字 会意。缶(缶)＋欠。缶は、ほとぎの意味。欠は、人が口を開けた形の象形。ほとぎを吹いて出る音の意味を表す。

7【欶】11画 5958 一 サク 覺 shuò 二 漢ソウ・呉ス 宥 sòu — — 3778

字義 一 ❶吸う。❷つく。つける。二 咳せき。

解字 形声。欠＋束音。音符の束は、たばねるの意味。口をすぼめてすうの意味を表す。

7【欲】11画 5959 教6 ヨク ほっ-する・ほ-しい ヨク 沃 yù 4563 977E —

筆順 ノ ハ ⺍ 夂 谷 谷 谷 欲 欲

字義 助ほっ-す。⇩助字・句法解説。❶ほっ-する。㋐ほしがる。自分のものにしたいと思う。用例〔孟子、梁恵王上〕吾何快二於是一われなんぞここにこころよからん、将三以求二吾所二大欲一也まさにもってわがおおいにほっするところをもとめんとすればなり ↓私だって愉快ではない。(しかし)私は、ぜひ手に入れたいと思うものを得ようとしているのだから(やむを得ないのだ)。㋑願う。望む。用例〔論語、為政〕七十而従二心所一レ欲不レ踰レ矩しちじゅうにしてこころのほっするところにしたがいてのりをこえず ↓七十歳になると自分の望むままに行動しても、道徳からはずれることがなくなった。❷欲望。情欲。＝慾(3601)。❸仏梵語ボン rajasの訳。色・声・香・味・触・法の六塵(ロクジン)を願い求める意。

国ほ-しい。

助字・句法解説
ほっ-す。
㋐訳…したいと思う。動詞の前に置かれ、希望や欲求を表す。用例〔史記、項羽本紀〕欲下呼二張良一与倶去上(チョウリョウをよびてともにさらんとほっす)。↓張良を呼んで一緒に立ち去りたいと思った。
㋑訳…になろうとする。…しようとする。動詞の前に置かれ、「今にも…しそうである」という状態を表す。欲求の意味はないので単に「す」とのみ訓読することもある。類将。用例〔唐、杜甫、絶句詩〕江碧鳥逾白(コウみどりにしてとりいよいよしろく)、山青花欲レ然(やまあおくしてはなもえんとほっす)。↓川の水は紺碧(コンペキ)で、(それに対比して)鳥はいよいよ白く、山は浅みどりで花は燃えたつばかりにまっ赤である。

難読 欲賀(おしか)
参考 現代表記では〔慾〕(3601)の書きかえに用いる。「無慾→無欲」「慾情→欲情」
解字 篆文  形声。欠＋谷音。音符の谷は、容に通じ、物を入れるの意味。欠は、人が口をあけた形。物を口に入れようとするさまから、ほしいの意味を表す。
逆 愛欲・意欲・寡欲・禁欲・強欲・財欲・色欲・情欲・私欲・肉欲・物欲・利欲

【欲火】(ヨクカ・ヨッカ) 仏火のようにはげしい欲情。慾火(ヨクカ)。

【欲海】(ヨクカイ・ヨッカイ) 仏情欲の広く深いのを海にたとえていう。

【欲界】(ヨクカイ・ヨッカイ) 仏三界(サンガイ)(色界・無色界・欲界)の一つ。欲心のさかんな世界。人間社会をいう。

【欲情】(ヨクジョウ) ①色欲の情。慾情(ヨクジョウ)。②＝欲心。

【欲心】(ヨクシン) ものをほしがる心。欲念。慾心(ヨクシン)。

【欲△塵】(ヨクジン) 仏欲望が心身を汚すことを塵(ちり)にたとえたことば。また、六欲と五塵。

【欲念】(ヨクネン) ＝欲心。

【欲望】(ヨクボウ) ①ほしがること。②ほしいと思う心。慾望(ヨクボウ)。

8 【款】 12画 5960 常 カン
カン(クワン) 旱 kuǎn
2030 8ABC 一

筆順 一 十 士 圭 圭 圭 款 款 款
【欵】5955 俗字

字義 ❶のぞむ。ねがう。❷よろこぶ。楽しむ。❸まこと。真心。❹まじわる。したしむ。真心をもって親しむ。友好関係。よしみ。❺いたる(至)。また、とどまる。❻たたく。案内を求めて門をたたく。❼きざむ。ほる。しるす。また、金石などにきざみこむ。「落款」❽むなしい。空虚。❾ひろい(広)。❿ゆるやか。遅い。⓫なげく。⓬ひとまとまり。法律文などの箇条書き。条目。「定款」「約款」⓭(歳入・歳出の予算・決算で)部の下、項の上に位する科目。「款項目」
名前 ただ・すけ・まさ・ゆき・ゆく・よし　難読 款冬(ふき・やまぶき)
解字 篆文  形声。欠＋祟(祟・柰)音。欠は、大きな口をあけた人の象形。祟は、たたりの意味。柰は、紅色のりんごの意味。人が何かの対象(祟・柰)に対して、開放的に大きな口をあけ、しかも、かざりけがないさまから、よろこぶ・まこと・親しむの意味を表し、声を出しながら門をたたくの意味を表す。また、鐘鼎(ショウテイ)などに口をあける、きざむの意味や、刻まれた法律文の条項の意味をも表す。この文字には意味の多様と字形の不明が原因して定説がない。
逆 交款・借款・通款・定款・約款・落款

【款愛】(カンアイ) いつくしみ愛する。

【款款】(カンカン) ①忠実な(真心をこめる)さま。②ゆるやかなさま。③ひとりで楽しむさま。

【款曲】(カンキョク) ①いりくんだ事がら。委曲。②うちとけて交わること。ねんごろに親しむこと。

【款言】(カンゲン) そらごと。でたらめ。空言。

【款△晤】(カンゴ) うちとけて語る。▼晤は、対談する。

【款語】(カンゴ) うちとけて語る。懇談する。

【款交】(カンコウ) したしく交わる。したしい交わり。

【款△狎】(カンコウ) したしくなれあう。近づき親しむ。

【款項】(カンコウ) ①条項。項目。②款と項。→字義⓭。

【款識】(カンシ) 鐘や鼎(かなえ)などの銅鉄器に刻んだ文字。▼款は陰文で平面よりくぼんで刻む文字、識は陽文で平面より高く刻む文字をいう。

【款誠】(カンセイ) 真心。誠心。

【款然】(カンゼン) うちとけて(また、真心から)人に接するさま。

【款待】(カンタイ) 手厚くもてなす。優待。

【款冬】(カントウ) ふきの別名。款は、たたく意。冬に氷をたたき破って生えるのでいう。款東。款凍。

【款服】(カンプク) ①心から服従する。②伏罪すること。

【通レ款】(カンをツウず) 他国によしみを通ずる。敵に内通する。通款(ツウカン)。

【納レ款】(カンをいる) ＝納款(ノウカン)(一一一ページ上)。

8 【歆】 12画 5961 漢カン 呉ガン 感 kǎn
一 一 3780

字義 ❶もと-める。もとむ。❷うれえる。❸あきたらない。歆然は、不満足なさま。❹あな(穴)。＝坎(1892)。
解字 篆文  形声。欠＋臽音。音符の臽(カン)は、おちこむの意味。気がめいって救いを求めなげくの意味を表す。

8 【欹】 12画 5962 一イ 支 yī 二キ 支 qī
6126 9F59 一

字義 一ああ。嘆息することば。＝猗(7241)。二そばだ-てる。そばだつ。かたむける。また、かたむ-く。かしぐ。＝攲(4509)。

解字 形声。欠＋奇音。

【欹危】(キキ) かたむいて危ないさま。攲危(キキ)。

【欹傾】(キケイ) 傾く。攲傾(キケイ)。

【欹側】(キソク) かたむく。ななめになる。傾斜。攲側(キソク)。

【欹枕】(キチン) 枕(まくら)を傾けて聞く。また、枕もとで耳を傾ける。一説に、枕に横たわったまま聞く。→欹レ枕聴(まくらをそばだててきく)(七三七ページ上)。

8 【欺】 12画 5963 常 ギ あざむ-く
キ 支 qī 慣ギ
2129 8B5C 一

筆順 一 十 卄 甘 甘 其 其 欺 欺 欺

字義 ❶あざむ-く。だま-す。いつわる。「詐欺」❷いつわり。うそ。❸あなどる。しのぐ。軽蔑(ケイベツ)する。❹むさぼる。
解字 篆文  形声。欠＋其音。欠は、人が口をあけた形にかたどる。其(キ)は期に通じ、まつの意味。期待したものが得られなくなって、あいた口がふさがらないさまから、あざむくの意味を表す。
逆 詐欺・面欺

【欺△誑】(ギキョウ) あざむきたぶらかす。

【欺詐】(ギサ) あざむきいつわる。

【欺負】(ギフ) あざむきそむく。だます。

【欺△誣】(ギフ) あざむく。だます。たぶらかす。

【欺△騙】(ギヘン) だます。ぺてんにかける。▼騙も、だます。

【欺慢・欺△謾】(ギマン) あざむき、あなどる。だます。

【欺△瞞】(ギマン) あざむく。だます。▼瞞も、だます。

【欺△罔】(ギモウ・ギボウ) だます。あざむく。

【欺惑】(ギワク) あざむきまどわす。

8 【欽】 12画 5964 人 漢キン 呉コン 侵 qīn
2254 8BD4 一

筆順 ノ 八 𠆢 今 余 金 金 釒 欽 欽

字義 ❶あくびするさま。❷つつし-む。また、うやま-う。天子に関する物事に冠して敬意を示す語。「欽定」❸たれる。下がる。かがめる。❹ふま。

名前 きん・こく・ただ・ひとし・まこと・よし

解字 金文 篆文 形声。欠＋金㊥。音符の金は、含などに通じ、含み覆うの意味。欠は、あくびの意味。口をあけるのをこらえて、あくびするさまから、つつしむの意味を表す。

【欽仰】キンギョウ うやまいあおぐ。うやまいしたう。
【欽欽】キンキン ①鐘の音のさま。②思い望むさま。思慕して忘れる時がないさま。③つつしむさま。④うれえるさま。
【欽差】キンサ ①天子の使者。②公使。
【欽尚】キンショウ うやまいとうとぶ。欽崇。
【欽羨】キンセン うやまいうらやむ。
【欽勅(敕)】キンチョク 天子のみことのり。仰せ。
【欽定】キンテイ 天子が決めること。また、勅命によってえらび定めること。「欽定憲法」
【欽天監】キンテンカン 天文測候をつかさどる役所。唐代には司天台といい、宋代には司天監といい、明代に、欽天監と改めた。
【欽慕】キンボ うやまいしたう。仰慕。景慕。
【欽明】キンメイ つつしみ深くて道理に明らかなこと。

8 【欻】 12画 5965 ㊥クツ ㊍クチ 㘝 hū, xū ― ― 3779
【歘】 5983 同字
字義 ❶吹きおこる。❷にわかにおこる。❸たちまち。にわかに。欻忽。欻然。欻吸。❹軽く上がるさま。

解字 篆文 会意。欠＋炎。欠は、大きな口をする形にかたどる。炎は、ほのおの意味。火を吹きおこすの意味を表す。

8 【歇】 12画 5966 ケツ 歇(5968)の俗字。→七八〇ページ中。

9 【歆】 13画 5967 ㊥キン ㊍コン 㘝 xīn 18632 ― 3781
字義 ❶う-ける。㋐神が祭事に満足して供え物を受ける。㋑よろこんで人のもてなしを受ける。❷うごく(動)。❸よろこぶ。＝欣(5948)。❹むさぼる。

解字 篆文 形声。欠＋音㊥。音符の音は、音楽の意味。欠は人が口をあけた形にかたどる。神が祭りのときの音楽などに感じ、喜んでうけるの意味を表す。

【歆享】キンキョウ 祭事が神意にかなって、神が供え物を受けること。歆饗。
【歆羨】キンセン ほしがってうらやむ。望みしたう。

9 【歇】 13画 5968 ㊥ケツ ㊍ケチ 㘝 xiē 6128 9F5B ―
【歇】 5966 俗字
字義 ❶やす-む(休)。いこう(息)。用例〔唐、白居易、売炭翁詩〕牛困人飢日已高、市南門外泥中歇。↓牛はつかれ、人は腹ぺこ、日は、もう空高くのぼった。市場の南門の外がわの、泥んこの道で休息した。❷やどる。寝る。❸つ-きる(尽)。やむ。❹むなしい。ない。

参考 現代表記では〔欠〕(5942)に書きかえることがある。「間歇→間欠」

解字 篆文 形声。欠＋曷㊥。音符の曷は割に通じ、切るの意味。仕事をうちきってやすむの意味を表す。

【歇後】ケツゴ ある成語の下の語を略して、成語全体の意を示す方法。例えば、『論語』為政編の「友二于兄弟一」の「友于」をとり、兄弟いつくしみ合って仲よくする意に用い、また、紅於が紅葉を意味するのは、杜牧の山行詩「霜葉紅二於二月花一」の「紅於」をとった類い。後略語ともいう。
【歇息】ケッソク やすむ。休息する。

9 【歃】 13画 5969 ㊥ソウ(サフ) ㊍ショウ(セフ) 㘝 㘝 shà 6129 9F5C ―
字義 ❶すす-る。吸って飲む。歃盟は、血をすすってちかうこと。一説に、血を口のはたにぬってちかうこと。→歃レ血(一三七〇ページ下)。❷さしこむ。さしはさむ。＝插(4192)。

解字 篆文 形声。欠＋臿㊥。音符の臿は吸に通じ、すいこむの意味。人が口を大きくあけてすいこむ、するの意味を表す。

【歃血】ソウケツ ＝歃レ血(一三七〇ページ下)。

10 【歍】 14画 5970 一 ㊥オ(ヲ)・㊍ウ 㘝 wū 二 オウ(アウ) 㘝 yāng ― ― 3783
字義 一 ❶は-く(吐)。もどす。❷ああ。嘆く声。＝嗚(1625)。二 むせぶ。すすり泣く。

解字 篆文 形声。欠＋烏㊥。音符の烏は、擬声語。欠は、口をあけるの意味。むかついてはくの意味を表す。

10 【歌】 14画 5971 カ 歌 gē 教2 カ うた・うた-う 1846 89CC ―

筆順 一 ｢ ｢ ｢ 可 哥 哥 歌 歌

【謌】 11330 同字
字義 ❶うた-う。㋐歌をうたう。ふしをつけてうたう。また、音楽に合わせてうたう。㋑歌に作る。㋒鳥がさえずる。❷うた。音楽に合わせて、うたうように作った韻文。❸詩の一体。古詩の一種。
国 うた。やまとうた。和歌。

名前 うた・か 難読 歌志内・歌嬥・歌枕

使いわけ
①うたう〔歌・謡〕
〔歌〕広く一般に歌をうたう場合に用いる。「歌い手」
〔謡〕謡曲をうたう。「謡い物」
②うた〔歌・唄〕
〔歌〕広く一般に、ことばに節をつけ、声に出してうたうもの。和歌や動物の鳴き声などにも用いる。「はやり歌・かえるの歌」
〔唄〕邦楽や民謡。「長唄・子守唄」

解字 金文 篆文 形声。欠＋哥㊥。音符の哥は、歌の原字で、うたうの意味。欠は口をあけるの意味。人が口をあけ大きな声でうたうの意味を表す。

逆 詠歌・緩歌・狂歌・漁歌・弦歌・国歌・詩歌・清歌・俗歌・短歌・長歌・反歌・牧歌・連歌・和歌

【歌詠】カエイ うた。また、声を長くしてうたう。
【歌媛】カエン うたひめ。うたいめ。歌女。
【歌△筵】カエン うたい興ずるさかもりの席。
【歌△謳・歌△嘔】カオウ (声をそろえて)うたう。
【歌楽(樂)】一 カガク うたと音楽。二 カラク うたって楽しむ。
【歌管】カカン 歌声と笛の音。うたと器楽。▼管は、管楽器。用例〔北宋、蘇軾、春夜詩〕歌管楼台声細細、鞦韆院落夜沈沈。↓歌や管弦の音がひびきわたっていた高殿も、今ではかすかな音がきこえるばかりである。中庭にぶらんこが揺れ、夜は静かにふけてゆく。
【歌△妓】カギ うたいめ。歌姫。
【歌曲】カキョク ①うた。うたのふし。②声楽のための曲。
【歌呼】カコ ①うたとはやし。②うたったりはやしたりする。
【歌△哭】カコク ①うたい泣く。②吉事には楽しんでうたい、凶事には悲しんで泣く。
【歌△什】カジュウ ①詩歌。②歌集。▼什も、詩歌。
【歌女】カジョ ＝歌媛。
【歌△頌】カショウ 功徳をほめたたえるうた。また、それをうたうこと。
【歌鐘】カショウ 楽器の一種。うたの調子を整えるもので、十六の鐘を一つの虡業(鐘かけ)にかけたもの。

【歌吹】（カスイ）うたをうたい、楽器を吹きならす。また、うたと吹奏楽器。

【歌扇】（カセン）うたいめの持つおうぎ（うちわ）。昔、美女が扇で顔をおおってうたったのをいう。

【歌壇】（カダン）国うたよみの仲間。歌人の社会。

【歌舞】（カブ）①うたいまう。また、うたと舞。②うたい舞って、人の功徳をほめたたえる。③うたい舞って、歓楽を尽くす。

【歌舞伎】（カブキ）①うたや舞をする芸人。わざおぎ。②国㋐歌舞を演奏すること。㋑江戸時代から行われた、うたと踊りの要素の多い劇。歌舞伎芝居。

【歌謡（謠）】（カヨウ）うた。また、うたう。楽器に合わせてうたうのを歌といい、楽器に合わせないでうたうのを謡という。

【歌留多】（カルタ）国ポルトガル語cartaの音訳。骨牌（カルタ）。いろはがるた・歌がるたなど。

【歌楼（樓）】（カロウ）うたいめがいるたかどの。芸者屋。妓楼（ギロウ）。

10【歊】14画 5972　キョウ（ケウ）　韻 蕭 xiāo　21589 — 3782
字義 ❶水蒸気がのぼるさま。雲気が立ちのぼるさま。❷熱気。あつさ。❸さわがしい。
解字 篆文　形声。欠＋高音。欠は、人が口をあけていきを吐く形にかたどる。音符の高は、たかいの意味。気ののぼるさまを表す。

10【歉】14画 5973　ケン　韻 琰 韻 豔 qiàn　6130 9F5D —

字義 ❶あきたらない。少ない。足りない。㋐食いたりない。㋑不満に思う。❷ききん（飢饉）。穀物がみのらないこと。❸すくない。たりない。❹まずしい（貧）。❺心にうらみをもつ。

解字 篆文　形声。欠＋兼音。欠は、口を開くの意味。音符の兼は、心が二つのことにまたがり、どちらかだけでは食いたりないの意味。あきたりないの意味を表す。

【歉歳】（ケンサイ）飢饉（キキン）の年。凶作の年。

【歉然】（ケンゼン）不満足なさま。あきたらないさま。

【歉薄】（ケンパク）穀物が実らないこと。

【歉△敝】（ケンペイ）穀物が実らないで苦しみ疲れること。

10【歎】14画 5974　タン　歎（5978）の俗字。→七八一ページ下。

11【歐】15画（5947）　オウ　欧（5946）の旧字体。→七七七ページ下。

11【歓】15画 5975　常 カン　2031 8ABD —

18〔歡〕22画 5976　カン（クヮン）　韻 寒 huān

筆順

〔歡〕5988 俗字
字義 ❶よろこぶ。また、たのしむ。用例〔東晋、陶潜、帰去来辞〕僮僕歓迎（ドウボクよろこびむかえ）、稚子候門（チシモンにまつ）。↓召し使いも喜んで出迎え、幼い子どもたちは門のところでようすを見て待っている。❷よろこび。また、たのしみ。用例〔唐、李白、将進酒詩〕人生得意須尽歓（ジンセイイをえばすべからくよろこびをつくすべし）、莫使金樽空対月（キンソンをしてむなしくつきにタイせしむることなかれ）。↓人の一生で思いのままにふるまえる時には、ぜひとも歓楽をつくすべきだ。黄金作りの酒だるを、ただむだに、月とさし向かいにさせておいてはならない。❸よしみ。したしみ。「交歓会」❹めでる。愛する。また、愛人。

名前 やす・よし
参考 現代表記では〔驩〕（13811）の書きかえに用いることがある。「交驩→交歓」

解字 篆文　形声。欠＋雚（雚）音。音符の雚（カン）は喚に通じ、呼ぶの意味。人が大声で呼びあうさまから、よろこぶの意味を表す。

逆 哀歓・交歓・合歓・承歓
【歓会（會）】（カンカイ）楽しくうちとけた集まり。

【歓喜】㊀（カンキ）大いによろこぶ。よろこび、よろこぶこと。▼歓は身のよろこび、喜は心のよろこび。㊁（カンギ）仏①身も心もよろこぶこと。②釈迦（シャカ）の門人、阿難陀（アナンダ）をいう。

【歓喜仏（佛）】（カンギブツ）仏人に幸福・平和を与えるという神。夫婦が抱き合った形の仏で、象頭人身。歓喜天。

【歓△謔】（カンギャク）よろこびたわむれる。また、よろこび。用例〔唐、李白、将進酒詩〕陳王昔時宴平楽（チンオウセキジヘイラクにエンし）、斗酒十千恣歓謔（トシュジュウセンカンギャクをほしいままにす）。↓魏（ギ）の陳王（曹植（ソウチ））は、昔、平楽の宮殿で宴会を開き、一斗が一万銭もする高価な酒で、思いのままに楽しみたわむれた。

【歓△欣・歓△忻】（カンキン）よろこぶ。よろこび楽しむ。

【歓呼】（カンコ）よろこんで大声をあげる。また、その声。

【歓娯】（カンゴ）よろこび楽しむ。

【歓△狎】（カンコウ）よろこんでなれ親しむ。また、なれ親しむ。

【歓△洽】（カンコウ）よろこびやわらぐ。楽しくうちとけあう。

【歓△昵】（カンジツ）仲よくする。よろこび親しむ。

【歓笑】（カンショウ）よろこびわらう。うちとけて楽しく笑う。

【歓心】（カンシン）よろこぶ心。うれしく思う心。

【歓戚】（カンセキ）よろこびとかなしみ。

【歓然】（カンゼン）よろこぶさま。うちとけるさま。

【歓待】（カンタイ）よろこんで人をもてなす。

【歓談】（カンダン）うちとけて話し合う。

【歓適】（カンテキ）心にかなう。また、楽しむ。

【歓天喜地】（カンテンキチ）天によろこび地によろこぶ。立ったりすわったりして大よろこびする。

【歓騰】（カントウ）よろこんでおどりあがる。歓躍。

【歓服】（カンプク）よろこんで従う。悦服。

【歓楽（樂）】（カンラク）①よろこび楽しむ。②国病気のこと。不吉なのをきらっていったもの。

【歓楽（樂）極△兮哀情多】（カンラクきわ（は）まりてアイジョウおお（ほ）し）楽しみがきわまると、かえって悲しみの情が生ずる。あまりにも楽しみすぎると、かえって悲しい心が生ずる。用例〔前漢、武帝、秋風辞〕簫鼓鳴兮発棹歌（ショウコなりて、トウカをハッす）、歓楽極兮哀情多（カンラクきわ（は）まりてアイジョウおお（ほ）し）。↓笛や太鼓の調べが響いて舟歌が歌い出された。楽しみが極限に達すると、かえって悲しみの情が生ずる。

【承歓】（カンをうく）人のよろこびそうなことを、あらかじめ察して気に入るようにふるまうこと。承歓（ショウカン）。用例〔唐、白居易、長恨歌〕承歓侍宴無閑暇（カンをうけエンにジして、カンカなく）、春従春遊夜専夜（はるははるのあそびにしたがい（ひ）、よるはよるをもっぱらにす）。↓天子の気持ちを察して気に入られるようにふるまい、宴席にはべって天子のおそばにつききり、春は春の遊びのおともをし、夜は天子の夜を独り占めにする。

【尽（盡）歓】（カンをつくす）楽しみを極める。十分に楽しむ。

11【歔】15画 5977　キョ　歔（5982）の俗字。→七八二ページ上。

11【歎】15画 5978　人 標 タン　韻 翰 韻 寒 tàn　3523 9256 —
筆順
〔歎〕5974 俗字
字義 ❶うたう（歌）。❷たたえる。ほめる。用例〔人虎伝〕閲而歎者至於再三（けみしてタンずること、サイサンにいたる）。↓読んで何度も感嘆の声をあげたのだった。❸なげく。ため息をつく。＝嘆（1651）。「歎息」❹うめく。
参考 現代表記では〔嘆〕（1651）に書きかえる。「歎願→嘆願」「慨歎→慨嘆」。熟語は〔嘆〕をも見よ。
解字 篆文　形声。欠＋鸛省音。音符の鸛（カン）は難に通じ、むずかしいの意味。困惑に出くわして声をたてる、なげくの意味を表す。
【歎異】㊀（タンイ）すぐれていると感心する。㊁（タンイ・タンニ）仏異端・異議を批判する。「歎異抄（タンニショウ）」
【歎称（稱）】（タンショウ）＝歎賞。
【歎賞】（タンショウ）感心してほめる。ほめたたえる。
【歎息】（タンソク）①なげいてため息をつく。②ひどく感心する。

【歎美】タンビ ＝歎賞。
【歎服】タンプク 感心して従う。感服。嘆伏。
【歎△惋】タンワン びっくりしてため息をつく。用例〔東晋、陶潜、桃花源記〕此人一一為具言レ所レ聞、皆歎惋 ↓この男は村人のために、自分の聞き知っていることを、いちいちこまかに話してあげた。みんなびっくりしてため息をついている。

11 【歒】15画 5979 漢テキ 呉チャク 㘝dí — — 3784
字義 歒歖テキキは、子供が喜び笑うさま。
解字 形声。欠＋啇(音)。

12 【歖】16画 5980 キ 喜(1585)の古字。→二三三ページ中。 1 8633 — 3785

12 【歙】16画 5981 一 漢キュウ(キフ) 呉コウ(コフ) 㘝xī 二 ショウ(セフ) 慣キュウ(キフ) 㘝shè 6132 9F5F —
字義 一 ❶鼻をちぢめる。❷すう。息をすいこむ。❸あう。合わせる。＝翕(9532)。❹おさめる。❺すくめる。すぼめる。＝脅(4987)。二 安徽アン省の地名。硯すずりの名産地。「歙硯キュウケン(歙県産の硯)」
解字 篆文 形声。欠＋翕(音)。音符の翕キュウは、羽を合わせるの意味。鼻をちぢめるの意味を表す。
【歙歙】キュウキュウ ①固執しないさま。②一致するさま。③憂えるさま。
【歙肩】キュウケン 肩をすくめる。恐れ、または、こびるさま。
【歙然】キュウゼン あつまるさま。一致するさま。

12 【歔】16画 5982 漢キョ 呉コ 㘝xū 6133 9F60 —
【歔】5977 俗字
字義 ❶むせびなく。すすりなく。❷はく(吐)。鼻から息を出す。＝嘘(1700)。
解字 篆文 形声。欠＋虛(音)。音符の虛キョは、むせびなく声の擬声語。
難読 歔欷しゃくり
【歔△欷】キョキ ①すすり泣く。むせび泣く。②悲しみおそれるさま。
【歔泣】キョキュウ すすり泣く。むせび泣く。

12 【歘】16画 5983 クツ 欻(5965)と同字。→七八〇ページ上。 2 1590 — 3786

13 【歝】17画 5984 エキ 斁(4568)の古字。→六三〇ページ上。 — — 3787

13 【歛】17画 5985 カン 㘝hān 6134 9F61 —
字義 ❶のぞむ(望)。ねがう。❷あたえる(与)。
解字 形声。欠＋僉(音)。

13 【歟】17画 5986 ヨ 㘝yú 6135 9F62 —
【欤】5949 俗字
字義 ❶息がゆるやかで安らか。❷か。や。句末に用いて疑問・反語・推量・感嘆の意を表す助字。＝与(15)。用例〔唐、韓愈、与孟東野書〕吾言レ之、而聴者誰歟 ↓私が話しても、誰が耳を傾けてくれましょう。
解字 形声。欠＋與(音)。

15 【歠】19画 5987 漢セツ 呉セチ 㘝chuò 1 8634 — 3788
字義 ❶すする。のむ。❷飲み物。吸い物。
解字 篆文 形声。㱃省＋叕(音)。㱃イは、のむの意味。音符の叕テツ＝ツは、つづるの意味。息をつぎながら飲む、すするの意味を表す。

17 【歡】21画 5988 カン 歡(5975)の俗字。→七八一ページ上。 6136 9F63 —

18 【歡】22画 (5976) カン 歡(5975)の旧字体。→七八一ページ上。

4画 止 とめる・とめへん

〔部首解説〕止を意符として、あるく・とまるなどの足の動きや、時間の経過に関する文字ができている。

0 止 七八二	1 正 七八三	2 此 七八四	3 歩 七八六	4 肯 六六九
武 七八五	步 七八六	5 歫 七八六	歪 七八六	6 歭 七八六
8 帰 七八六	歯 一六五六	歮 七八六	9 歳 七八六	10 歰 七八七
歴 七八七	11 [illegible] 七八八	齒 一六五六	12 歷 七八七	14 歸 四五五
20 [illegible] 一五六五				

0 【止】4画 5989 教2 シ とまる・とめる 熟字訓 波止場はとば 㘝zhǐ 2763 8E7E —

筆順 ｜ ト 止 止

字義 ❶あし。また、あしあと。＝趾(11677)。
❷とまる。とどまる。㋐じっとして動かない。停止する。用例〔孟子、梁恵王上〕或百歩而後止、或五十歩而後止 ↓ある者は百歩逃げてから立ち止まり、ある者は五十歩逃げてから立ち止まりました。㋑やすむ。休息する。宿泊する。「投止(投宿する)」㋒すむ。生息する。居住する。用例〔詩経、商頌、玄鳥〕邦畿千里、維民所レ止 ↓京畿は広さ千里にわたり、(富み栄え)人民のとどまり住む所である。
❸とめる。とどめる。㋐ひきとめる。おさえる。用例〔史記、項羽本紀〕交戟之衛士、欲レ止不レ内 ↓番兵どもは戟を交えてこれを止め、中に入れまいとした。㋑さしとめる。禁ずる。「禁止」
❹やめる。㋐よす。中止する。廃する。用例〔論語、子罕〕譬如レ為レ山、未レ成ニ一簣一、止、吾止也 ↓例えば山を作って、もうここにあと一杯というところで完成しなければ、それをやめたのは自分がやめたのである。㋑さす。動詞の下にそえて、動作を途中でやめる意を表す。㋒減らす。そぐ。
❺やむ。㋐とまる。㋑なくなる。尽きる。終わる。❻いたる。また、帰る。「戻止レイシ」。❼まつ。❽すがた。様子。ふるまい。「容止」「挙止」❾礼儀。作法。
❿ただ。わずかに。用例〔南宋、陸游、入蜀記〕其西与ニ漢陽一相対、止隔ニ一水一 ↓その西側は漢陽の街と向き合い、ただ一筋の川によって隔てられているだけである。／〔荘子、天運〕止可ニ以一宿一而不レ可ニ久処一 ↓〔仁義などというものは先王の仮の宿にすぎず〕ただ一泊するだけならよいが長い間はとどまることができない。
⓫句末にそえる助字。用例〔詩経、召南、草虫〕亦既見止、亦既覯止、我心則降 ↓既にお顔を見、既にお会いできたので、私の心は落ち着きました。
国とどめ。人を殺し、のどをさして生き返らないようにする。

名前 おる・し・ただ・と・とど・とどむ・とまる・とめ・とも・もと
難読 止止呂美とどろみ・止若やむわか・止美とみ・止別やむべつ
参考 ⇩辞(11987)の参考。

使いわけ とまる・とめる〔止・留・泊〕
〔止〕動いていたものがとまる。「時計が止まる」
〔留〕動かないように固定される。また、心に残る。「留め置き・目に留まる」

〔泊〕船がとまる。また、宿泊する。「岸壁に泊める・友人宅に泊まる」

解字 甲骨文 篆文 象形。たちどまる足の象形で、あしの意味を表したが、止が、とまるの意味に専用されて、あしの意味には趾が用いられるようになった。止を音符に含む形声文字に、沚シ・祉シ・趾シ・阯シなどがある。

逆 挙止・行止・笑止・進止・阻止・鎮止・停止・廃止・容止・抑止

【止△遏】シアツ はばみとどめる。阻止する。停止させる。

【止△戈】シカ ＝止レ戈ほこをとどむ（五六〇ページ・中）。

【止△戈為（爲）レ武】シカをブとなす 止と戈（ほこ）の二字を合わせると武の字となる。武の字の本意は、戈ほこを止める（戦争をやめる）ことであるとされる。〔左伝、宣公十二〕

【止渇】シカツ のどのかわきをとめる。かわきをいやす。

【止観（觀）】シカン 仏多くの雑念を払い捨てて宇宙の真理をさとること。▼止は雑念をとどめて起こらないようにすること、観は真理をさとること。

【止至善】シシゼン 『大学』の三綱領の一つ。→止二於至善一しぜんにとどまる（一一八一ページ・中）。

【止舎】シシャ とまって休む。とまりやどる。

【止邪】シジャ よこしまな心を防ぎとどめる。

【止水】シスイ ①流れない水。たまり水。②心が静かで動かないたとえ。

【鑑二止水一】シスイにかんがみる 流れない静かな水に姿を映す。そうすれば、容貌ボウの善悪を知ることができることから、心を静虚にすれば、真理をさとることができる意。〔荘子、徳充符〕

【止足】シソク 自分の分に安じとどまって満足すること。→知レ止しるとどまるを②。

【止息】シソク ①とどまって休む。休息。②やむ。停止。

【止揚】シヨウ 国哲学用語。二つの矛盾・対立する概念を、そのままの状態を保ちながら、一段高い段階で統一させること。揚棄。アウフヘーベン。

【知レ止】とどまるをしる ①至善（最高の善、また、境地）にとどまっているべきことを自覚する。用例〔大学〕知レ止而后有レ定 とどまるをしりてのちさだまるあり ↓至善にとどまっているべきことを自覚した後で、人の志（善を選ぶこと）は一定する。②自分の分に安んじとどまっているべきことを自覚する。用例〔老子、四十四〕知レ止不レ殆 とどまるをしればあやうからず ↓自分の分に安んじとどまっているべきことを自覚すれば、危うい目に遭うことがない。

1 【正】 5画 5990 教1 セイ・ショウ ただしい・ただす・まさ

一 漢セイ・呉ショウ（シャウ） 敬 zhèng
二 漢セイ・呉ショウ（シャウ） 庚 zhēng

3221 90B3 一

筆順 一 丅 下 正 正

字義 一 ❶ただしい。㋐まちがっていない。うそではない。まっすぐである。↔邪（一二六九）。「公正」「中正」 ㋑きちんとしている。整っている。㋒まんなか。中央。❷ただす。ただしくする。まっすぐにする。㋐直す。改める。「校正」 ㋑定める。㋒問いただす。取り調べる。㋓心や行いをきちんとする。整える。❸あらかじめする。予期する。前もってはかる。❹まつりごと。政治。❺かしら。おさ。主君。また、村長。❻長男。嫡子チャクシ。また、正妻。❼北斗七星の第一星の指す方角。❽同じ官位の上位。また、主となる方のもの。↔従（三四一九）・副（九六四）。「正使」 ❾まさに。まさしく。ちょうど。たしかに。用例〔世説新語、徳行〕本所三以疑一、正為二此耳一 もとうたがい（ひ）しゆえ（ゑ）んは、まさにこれがためのみ ↓わたしがはじめにためらったわけは、まさにこのようなことになるのではと思ったからである。❿本すじのもの。主なもの。表向きのもの。「正妻」「正攻法」 二❶正月。年の初め。❷鳥の名。❸まと。弓のまとの中央。❹税。＝征（三四〇三）。国❶まさ。㋐たしか。確実。㋑正目（まさめ）の略。「桐正きりまさ」 ㋒そっくり。❷かみ。大宝令によって定められた役所の長官。

名前 あき・あきら・おさ・かみ・きみ・さだ・しょう・せい・たか・ただ・ただし・ただす・つら・なお・のぶ・ま・まさ・まさし・よし

難読 正親町おおぎまち・正面も

解字 甲骨文 篆文 会意。甲骨文は、口＋止。口は、国や村の象形。止は、あしの象形。他国へ向かって、まっすぐ進撃するの意味で、征の原字。転じて、まっすぐ・ただしいの意味を表す。篆文は、一＋止。正を音符に含む形声文字に、征・政・整などがある。

逆 改正・革正・楽正・賀正・雅正・規正・矯正・顕正・厳正・公正・校正・修正・粛正・是正・僧正・端正・弾正・中正・訂正・適正・方正・里正

【正位】セイイ ①ただしい位。中正の位置。②天子の位。③礼。用例〔孟子、滕文公下〕立二天下之正位一 テンカのセイイにたつ ↓天下の礼に立つ。④位置をただす。⑤清シ代の武官の階級で、日本の旧海軍大尉に当たる。

【正貨】セイカ 本位貨幣。その実質上の値うちが、名目上の価と等しい金銀貨幣。

【正△衙】セイガ 天子が政治を行う御殿。

【正会（會）】セイカイ 元旦ガンタンに朝廷に参内すること。また、その儀式。

【正確】セイカク ただしくたしかなこと。ただしくてまちがいがないこと。

【正学（學）】一セイガク ただしい学問。↔曲学（六四九ページ・上）・異端（九七二ページ・下）。二ショウガク 仏仏法のさとりをひらくこと。正覚。

【正覚（覺）】ショウガク 仏ただしいさとり。また、ただしいさとりをひらくこと。正学。

【正覚（覺）坊】ショウガクボウ 国①あおうみがめの別名。②俗に大酒飲みをいう。かめはよく酒を飲むということからいう。

【正△諫】セイカン 直言していさめる。また、そのいさめ。

【正眼】セイガン ①まともに見ること。正視。②国刀を中段に構えて切っさきを敵の目の真正面に向けること。青眼。「正眼の構え」

【正気（氣）】一セイキ ①天地間にみなぎると信じられている正大の気。万物のおおもとである元気。②人のただしい気性。③おだやかな感情。二ショウキ 国気が確かなこと。本心。

【正気（氣）歌】セイキのうた 南宋ソウの文天祥が、元に捕らえられ、至元十八年（一二八一）、獄中で作った五言古詩。孟子の浩然コウゼンの気に基づき、古来の忠臣烈士の事跡をのべ、天地間の正気が永遠に変わらぬことを詠じた。日本の藤田東湖トウコ・吉田松陰ショウイン・広瀬武夫などに、それを模した詩がある。

【正記】セイキ 国正当な将軍職の伝記。頼山陽は、『日本外史』を著すにあたり、正・前・後の三記を設け、天子の命によって将軍となった者を正記に、そうでない者を前・後記に述べて名分を明らかにした。

【正規】セイキ ただしいきまり。正式の規定。

【正義】セイギ ①人間のふみ行うべきただしい道。②ただしい議論。正議。③経書の解釈書の名。ただしい解釈の意。唐代の『五経正義』がその例。

【正襟】セイキン えりをただす 着ている着物をきちんと整える。態度をひきしめ、厳粛な気持ちになること。

【正系】セイケイ ただしい血すじ。正統。

【正経（經）】セイケイ ①儒教で用いるただしい経書。十三経をいう。→十三経（二一〇ページ・上）。②ただしい。また、まじめな。

【正月】セイゲツ・ショウガツ ①一月。睦月むつき。②＝正陽。

【正言】セイゲン ①いみはばからないで直言すること。また、そのことば。②道理に合ったことば。

【正午】ショウゴ 昼の十二時。まひる。▼午は正南で、太陽が正南に位置する時刻をいう。

【正攻】セイコウ 正面から堂々と攻めいること。「正攻法」

【正△鵠】セイコク・セイコウ ①弓のまと。▼正は、布を張ってまとを作り中心に正を描く。鵠は、皮を張って作り、中心に鵠を描く。正も鵠も、鳥の名。②ねらいどころ。要点。急所。〔礼記、射義〕

【正座】㊀セイザ 行儀ただしくすわること。正坐。㊁ショウザ 国正面の席。正客の席。

【正歳】セイサイ 夏暦（夏の時代のこよみ）の正月をいう。

【正△朔】セイサク ①正月とついたち。転じて、暦。②正月一日。

【奉二正△朔一】セイサクをホウず その国の臣民となること。中国で新たに国を建てると、新しい暦を作って天下に発布し、国民にこの暦を用いさせたことからいう。

【正史】セイシ ①『史記』『漢書』のような紀伝体の歴史。中国では二十四史をいい、日本では六国史をいう。②標準となるべき歴史。↕私史（一〇四六ページ上）・稗史（一〇五四ページ中）。

【正始】セイシ はじめをただしくする。特に、人倫のはじめである夫婦の道をただしくすること。用例〔詩経、大序〕周南・召南正始之道、王化之基。↓周南・召南は、夫婦の道をただしくすることを教え、文王の感化の根本である。

【正始石経（經）】セイシセッケイ 三国時代、魏の正始年間（二四〇—二四九）に建てられた石経。石経とは、経書の文を石に刻したもの。正始石経は、古文・篆文・隷書の三体で書いたので、三字石経、または三体石経ともいう。

【正視】セイシ ただしく見る。まともに見る。

【正字】セイジ ①字源的に見てただしい文字。↕俗字（一一ページ上）。②正式のあざな。↕且字（三三ページ上）。

【正室】セイシツ ①本妻。正妻。嫡妻。↕側室（一三ページ上）。②嫡子。長子。③正寝。君主の政事をとる表御殿。④家をおさめただす。

【正秋】セイシュウ 陰暦八月の別名。

【正△閏】セイジュン ①正統と閏統。正位と閏位。▼閏は、正統でない位。「正閏論」②平年とうるう年。▼閏は、うるう。

【正書】セイショ 書体の名。楷書をいう。真書。

【正色】セイショク ①色をただす。まじめな顔をする。顔色を改めてまじめになる。②青・黄・赤・白・黒の五色。③本来の色。その物自体の純粋な色。④美人。⑤役者の主な役割。

【正真（眞）正銘】ショウシンショウメイ 本当でまちがいがない。全くうそいつわりがなく、本物であること。

【正寝（寢）】セイシン 儀式や政事を行う表御殿。正殿。建物で天子・諸侯のいる処を寝といい、中央にあるものを正寝（路寝）、東西の両側にあるものを小寝（燕寝）といった。

【正正堂堂】セイセイドウドウ 「正正の旗、堂堂の陣」の略。㋐正面から明らかに事を行う態度の形容。㋑勢いがひるまずさかんな形容。㋒威儀の整った形容。

【正宗】セイソウ・ショウシュウ 初祖から伝えた宗派。転じて、本系統。ただしい標準とすべきものの意。↕邪教（一四三九ページ下）。

【正体（體）】㊀セイタイ ①ただしい姿。②ただしい書体。㊁ショウタイ 国①ころ。正気。②本当の姿。

（※【正体】の項目：①ただしい血すじの人。長子。また、太子をいう。③ただしい書体。）

【正大】セイダイ ①ただしく大きい。「天地正大気」「公明正大」②意志や言語が正々堂々としてりっぱなこと。

【正旦】セイタン ①元旦の朝。元旦。元朝。②中国の劇で女性になる主役。立て役の女性。

【正嫡】セイチャク・セイテキ ①本妻。正妻。②本妻の生んだ嫡子。正適。

【正中】セイチュウ ①まんなか。②まひる。③ちょうどさかんなこと。さかんな最中。

【正庁（廳）】セイチョウ おもてざしき。正殿。

【正朝】セイチョウ ①天子が群臣の参内をうける所。②正月一日の朝。元旦。

【正直】㊀セイチョク ただしい。まっすぐである。また、ただしくて強い。公正剛直。㊁ショウジキ 国うそいつわりを言わないこと。「正直一途（正直ひとすじ。全くかけひなたのないこと）」

【正適】セイテキ 本妻の生んだ嫡子。嫡長子。

【正殿】セイデン 儀式や政事を行う表御殿。正寝。

【正当（當）】㊀セイトウ ①ただしくあたる。ちょうど…にあたる。②国あたりまえなこと。道理にあっていること。㊁ショウトウ 国正直でまじめなこと。

【正統】セイトウ ①ただしい血統。②教養・学説などのただしい系統。③ただしい血すじの天子。

【正堂】セイドウ ①儀式や政事を行う表御殿。正殿。表座敷。用例〔杜子春伝〕其上有二正堂一、中有二薬炉一。↓上には大広間があり、中には仙薬を精製する薬炉が置かれていた。②清代、兵部尚書（兵部省の長官）。また、府・県の長官。③国奉行の別名。

【正犯】セイハン 犯罪行為を実行したもの。主犯。↕従犯（五〇七ページ上）。

【正妃】セイヒ 本妻。後世は、君主（皇族）の正妻をいう。

【正否】セイヒ ただしいことと、ただしくないこと。

【正風】㊀セイフウ 『詩経』の国風の周南・召南の二十五編をいう。王道のさかんなときの作といわれる。その他の国風を、変風と称し、王道のおとろえたときの作という。㊁ショウフウ 国江戸時代、松尾芭蕉の始めた句風。蕉風。

【正文】セイブン 本文。↕注釈（八二六ページ上）・付記（八一ページ下）。

【正平版論語】ショウヘイバンロンゴ 国『論語』の何晏集解本で、後村上天皇の正平十九年（一三六四）五月、堺浦の道祐居士が刊行したもの。日本における経典出版の最古のものとして有名。

【正法】㊀セイホウ ①ただしいおきて・方法。②法に処する。判決する。㊁ショウボウ 仏①ただしい教義。仏教をいう。↕邪法（一四三九ページ下）。②「正法時」の略。仏の入滅後五百年間（一千年間とも）。正法の行われる時期という。↕像法（一三一ページ中）・末法（七一五ページ下）。

【正法眼蔵（藏）】ショウボウゲンゾウ 仏①人が本来持っている心の妙徳の形容。一名、清浄眼蔵。▼正とは中正不偏、法とは中正不偏の心体から現れる方法、眼とは一切の事物を明らかに照らすこと、蔵とはこの心に一切の善法を包蔵していること。②書名。宋の宗杲の法語を侍者沖密慧然が集録した書。③書名。八十七巻、また九十五巻とも。日本の曹洞宗の開祖、道元の法語集。禅の本質や規範を述べた曹洞宗の基本経典。

【正房】セイボウ ①家の中央で最も奥にあたる室。家長のいる所。②正妻。本妻。正室。

【正本】㊀セイホン 本源をただす。㊁セイホン・ショウホン ①副本・謄本・訳本などの原本。②国㋐正規の法式によって原本を写した文書。㋑登記所の台帳。㊂ショウホン 国演劇の台本。脚本。

【正味】㊀セイミ ただしいあじ。本来の味。㊁ショウミ 国①なかみ。②なかみの目方。

【正名】セイメイ ①名をただす。物の名と実とを一致させること。名分を正しくすることだ。用例〔論語、子路〕必也正レ名乎。↓まずもって名分を正しくすることだ。②ただしい名。〔荀子、正名〕

【正命】セイメイ ①正当の寿命。天寿を全うし、または正義のために死ぬ命。②万物本来のもちまえ。性命。

【正陽】セイヨウ ①夏暦の四月、周暦の六月。この月は、陽気が満ち陰気がまだきざさないので正陽という。②日中の気。また、日中。まひる。正午。③陰暦四月の別名。

【正路】セイロ ①ただしい道。正道。②本道。

2
【此】 6画 5991 人 標 シ 紙 cǐ
2601 8D9F 一

筆順 ｜ ト ㇦ 止 止 此

字義 ❶ここ。ここに。㋐この所。この時。この点。このこと。用例〔史記、項羽本紀〕今卒困二於此一。↓今とうとう、ここで苦境に立たされることとなった。／〔史記、項羽本紀〕不レ然、籍何以至レ此。↓そうでなければ、私、籍（項羽）もどうしてこんなことをしようか。

㋑そこで。その結果。▼上の条件下で下の結果となることを示す。用例〔大学〕有レ徳此有レ人。↓（君子に）徳があればその結果としてその政治を助ける賢人が得られる。

❷こ-の。これ。近いものを指すことば。↕彼（3406）。用例〔唐、駱賓王、易水送別詩〕此地別二燕丹一、壮士髪衝レ冠。↓この地こそ、荊軻が燕の太子丹と別れたところだ。壮士荊軻の髪は、悲憤慷慨のあまり逆立って、冠をつき上げんばかりであった。

❸か-く。このように。このような。用例〔孟子、公孫丑上〕如レ此則無レ敵二於天下一。↓このようであれば天下無敵である。

難読 此処・此所・此奴・此方・此方・此方

解字 甲骨文 篆文 会意。止＋匕。止は、あしの意味。匕は、わずかにひらくの意味。趾の原字で、歩幅をわずかにひらいて踏むの意味を表したが、あしもとの意味からか、転じて、「これ・ここ」の意味を表すのに用いられる。此を音符に含む形声文字に、嘴・疵・眦・紫・胔・呰・雌・訾などがある。

【此学（學）】聖人の道を修める学問。儒学。

【此岸】仏こちらの岸。涅槃を彼岸というのに対して、さとりきれずに苦しみくらす生死の世界、俗世をいう。

【此君】竹の別名。晋の王徽之が竹を指して、「何可三一日無二此君一」と言った故事による。〔晋書、王徽之伝〕

3【歩】7画（5994） ホ 歩（5993）の旧字体。→七六六ページ上。

4【肯】8画（4927） コウ 月部。→六八九ページ上。

4【武】8画 5992 漢ブ・呉ム 奧wǔ 教5 ブ・ム 4180 9590 一

筆順 一 二 亍 亍 亓 正 武 武

字義 ❶たけ-し。強い。たけだけしい。勇ましい。用例〔詩経、鄭風、羔裘〕孔武有レ力。↓大いに勇ましく力がある。❷威力。武徳。戦乱をとどめること。↕文（4573）。「尚武」❸武器。兵器。❹もののふ。つわもの。武人。❺兵法。戦術。また、武芸。武道。❻あと。㋐足あと。㋑事業のあと。遺業。❼しのぐ。越える。用例〔老子、六十八〕善為レ士者不レ武。↓りっぱな武士は先を争って人をしのぐようなことはしない。❽つぐ（継）。用例〔詩経、大雅、下武〕下武惟周。↓子孫が跡をついだのは周であった。❾ひとあし（一歩）の半分の長さ。約三尺。半歩。❿舞楽の名。周の武王の作った舞楽。⓫冠の下の部分を巻くもの。かんむりまき。⓬金属製の楽器。鐘の類い。

名前 いさ・いさむ・たけ・たけし・たける・たつ・ぶ・ふか・む・ん

難読 武蔵・武甕槌神・武庫川・武士・武生・武尊山・武夫・武部・武並

解字 甲骨文 金文 篆文 会意。止＋戈。止は足の象形で、いくの意味。戈は、ほこの象形。ほこを持って戦いに行くの意味。

【武威】①武力の威勢・威光。威武。②もと匈奴の地。漢の武帝の時置いた河西四郡の一つ。今の甘粛省武威市。後に涼州ともいう。

【武運】①武道の運命。武事の気運。②国戦いの勝敗のめぐりあわせ。また、武士の運命。

【武衛（衞）】①武力をふるって守る。また、強い護衛。②軍制の名。皇居を護衛する軍隊。③平安時代、兵衛府の中国風の名。

【武王】周の初代の帝王。姓は姫、名は発。文王の子。殷の紂王をほろぼして周王朝を建てた。

【武学（學）】①宋代の学校の名。文武官で兵学に通じる人を選んで教授とし、兵書・弓馬・武芸を教授した。②国武士の修める学問。兵学。

【武幹】武芸のうでまえ。武道の才能。

【武漢】地名。長江中流にある湖北省の省都。もとの漢口・漢陽・武昌（武漢三鎮という）を合わせたもの。漢水が長江に合流する地点で、漢口・漢陽は江の左岸、武昌は右岸にある。武昌の蛇山にある黄鶴楼は有名。

【武関（關）】関所の名。今の陝西省丹風県の東南。秦代には南関といい、漢の高祖はここから秦に攻め入った。

【武鑑】国江戸時代、大名や旗本の氏名・系譜・官位・知行高・邸宅・家紋・臣下の氏名などを記したもの。江戸時代前期から幕末に至るまで逐次改訂出版された。

【武伎・武技】武道に関する技術。敵をたおす力わざ。

【武挙（擧）】武官の採用試験。武芸を試験して採用する。漢の文帝が、勇猛で兵法を知る人を採用したのがはじめで、唐の則天武后のとき、制度化された。↕文挙（六三一ページ中）。

【武勲（勳）】いくさをしてたてた手がら。軍功。武功。

【武経（經）七書】兵法の七種の古典。↓七書（一〇ページ上）。

【武芸（藝）】武道に関するわざ。武技。

【武芸（藝）十八事】十八種の武技。日本では普通、弓・馬・槍・剣・水泳・居合・短刀・十手・手裏剣・含針・薙刀・砲・捕手・柔・棒・鎖鎌・錑・隠形。武芸十八般。武芸十八番。

【武庫】①いくさの道具を入れる倉庫。武器ぐら。②博学多識の人をほめるに用いる語。

【武功】いくさの手がら。武勲。軍功。

【武后】①唐の高宗の皇后、武氏、すなわち則天武后をいう。→則天武后（一八四ページ上）。②唐の玄宗の皇后。

【武△庚】商の紂王の子。名は禄父。殷の滅亡後、周の武王により殷の故地に封ぜられて殷の祭祀を継いだ。

【武皇】漢の武帝。唐代の詩人が唐の天子を明言することをはばかって、暗に示唆する場合に使われることが多い。用例〔唐、杜甫、兵車行〕辺庭流血成二海水一、武皇開レ辺意未レ已。↓戦争が行われている辺境地帯では、血が海の水のように大量に流されているのだが、武帝様の国境を開拓しようというご意志は、まだやもうとしない。

【武骨】＝無骨③（九一〇ページ下）。

【武士】①もののふ。つわもの。②国昔、武道によって主君に仕えた階級。さむらい。

【武事】武人のなす事がら。軍事・戦争に関する事がら。用例〔史記、孔子世家〕有二武事一者必有二文備一。↓軍事・戦争に関する事がらに通じている人は、必ず学問上の事がらにも通じている。

【武△昌】湖北省の地名。→武漢。

【武城】地名。春秋時代の魯の町。後に南武城という。襄公の時、斉に備えて城を築いた。今の山東省費県の西南。

【武声（聲）】①武勇のほまれ。②勇壮な音楽。

【武断（斷）】①武力でおさえつけて事をとりきめる。↕文治（六三三ページ上）。②威力によってかってに処置すること。

【武帝】①前漢、第七代の孝武帝。漢武帝（八六七ページ上）。②三国時代、魏の始祖、曹操（六七一ページ中）。③西晋の始祖、司馬炎。（二三六―二九〇）④南朝宋の始祖、劉裕。（三五六―四二二）⑤南朝梁の始祖、蕭衍。（四六四―五四九）

【武道】①武術に関する道。軍事上の事がら。②武人のおさめるべき道。③国㋐武士道。㋑柔道・剣道・弓道など。

【武徳】ブトク ①武道の徳。②漢の雅舞の名。漢の高祖の四年に作る。③国武徳殿は、昔、天皇が武芸を観覧した御殿。

【武備】ブビ 戦争に対する備え。兵備。用例〔史記、孔子世家〕有二文事一者必有二武備一(ブンジあるものはかならずブビあり)。↓学問上の事がらに通じている人は、必ず軍事・戦争に関する事がらにも通じている。

【武夫】ブフ ①もののふ。武人。武士。②玉に似た美石。珷玞。

【武辺(邊)】ブヘン 国①武術。武道。②武士。さむらい。

【武弁】ブベン ①武官のかぶるかんむり。②武人。武士。

武弁①

【武名】ブメイ 武勇のほまれ。武人としての名声。勇名。

【武門】ブモン 国武人の家がら。武家。

【武勇】ブユウ たけく勇ましい。武術にすぐれて戦いに強いこと。

【武略】ブリャク 軍事上のはかりごと。兵略。

【武旅】ブリョ 軍隊。軍勢。▼旅は、多くの人。

【武陵桃源】ブリョウトウゲン ①秦(シン)代に乱世を避けた人たちがかくれ住んだという別天地。晋(シン)の陶潜(トウセン)の『桃花源記』に描かれた仙境。▼武陵は、今の湖南省常徳市の地。②理想郷。平和な別天地。桃源。

【武力】ブリョク 武勇のちから。軍隊の力。軍備の力。兵力。

【武烈】ブレツ 戦争でたてた手がら。武功。戦功。

4【歩】8画 5993 教2 ホ・ブ・フ あるく・あゆむ 4266 95E0 —

3【步】7画 5994 人 漢ホ 呉ブ 慣フ 週 bù ı8635 — —

筆順 丨 ト 止 止 牛 歨 歩 歩

字義 ❶あるく。あゆむ。㋐徒歩で行く。また、前進する。「進歩」「牛歩」㋑つきしたがう。❷あゆみ。歩くこと。❸なりゆき。めぐりあわせ。運命。また、境遇。立場。「国歩」「地歩」❹おしはかる。天体の運行をおしはかる。❺歩兵。❻長さの単位。㋐ひとあしの長さ。片足をふみ出した長さ。㋑ふたあしふみ出した長さ。六尺。または八尺。周代の一尺は、今の約二二・五センチメートル。用例〔東晋、陶潜、桃花源記〕夾レ岸数百歩(きしをはさむことスウヒャッポ)、中無二雑樹一(うちにザツジュなし)。↓岸をはさんで数百歩の間、その中にほかの木はない。❼面積の単位。六尺四方。❽みぎわ。❾波止場。＝埠(2029)。「歩頭」 国❶ブ。㋐つぼ(坪)。六尺四方(約〇・〇三アール)の地。㋑わりあい。率。口銭。㋒利率の単位。一割の十分の一。㋓度合い。程度。❷フ。将棋のこまの一つ。

名前 あゆ・あゆみ・すすむ・ほ・ぽ 難読 歩射(かちゆみ)

解字 甲骨文 篆文 象形。甲骨文でもわかるように、左右の足のあとの象形で、あるくの意味を表す。

逆 間歩・牛歩・散歩・譲歩・進歩・寸歩・退歩・独歩・徒歩・漫歩

【歩檐・歩簷】ホエン 屋外の渡り廊下。用例〔唐、杜甫、夜詩〕歩簷倚レ杖看二斗牛一(ホエンつえによりてトギュウをみれば)、銀漢遥応レ接二鳳城一(ギンカンははるかにまさにホウジョウにセッすべし)。↓屋外の渡り廊下でつえに寄りかかりながら、南天に輝く牽牛星と南斗星を見ると、天の川はきっとはるか北の長安の丹鳳白まで続いているのだろう。

【歩騎】ホキ 歩兵と騎兵。

【歩月】ホゲツ・つきにホす ＝歩レ月(つきにホす)(六八五ページ下)。

【歩行】ホコウ 歩いて行く。また、かち。徒行。用例〔史記、項羽本紀〕乃令二騎皆下レ馬歩行一(すなわち(は)ちキをしてみなうまよりおりてホコウせしむ)。↓そこで騎兵に命じて全員、馬より降りて歩かせた。

【歩驟】ホシュウ あるくことと走ること。▼驟は、疾走。

【歩哨】ホショウ 見はり番の兵。哨兵。

【歩渉】ホショウ 陸の上や水の中を徒歩であるき渡ること。▼渉は、歩いて川を渡る意。

【歩障】ホショウ 風やほこりを防ぐため、竹をたてて幕を張りめぐらしたかこい。

【歩趨・歩騶】ホスウ ①歩くことと小走りに走ること。②従い行く。相従う。人の後について行く。

【歩測】ホソク 歩幅で距離をはかること。

【歩卒】ホソツ 徒歩の兵隊。歩兵。歩士。

【歩調】ホチョウ ①多人数が一緒に歩くときの足運び。足並み。②多人数が行動を共にするときの調子。

【歩頭】ホトウ 水ぎわ。波止場。埠頭(フトウ)。

【歩武】ホブ ①わずかのへだたり。▼歩は今の二歩、武は半歩。②あゆみ。あしどり。▼武は、足跡。「歩武堂堂」③人に追随して学ぶ。

【歩兵】一ホヘイ ＝歩卒。二フヒョウ 国将棋のこまの一つ。歩(フ)。

【歩歩】ホホ 歩きながら。また、ひと足ごとに。一歩一歩。

【歩輿】ホヨ 輿(こし)の一種。人がかついで行くもの。

【歩揺(搖)】ホヨウ かんざしの一種。歩くのにつれて、ゆれることからいう。→金歩揺(一四〇三ページ中)。

【歩履】ホリ 歩きぶり。足の運び。

【歩輦】ホレン てぐるま。人が引く車。

【歩廊】ホロウ 渡り廊下。わたどの。

【学(學)二歩於邯鄲一】ホをカンタンにまなぶ 自分の固有のものを捨てて他の行為を習うと、両方とも失うこと。燕(エン)の少年が、人の歩き方がうまいといわれた趙(チョウ)の都邯鄲(今の河北省内)に行って、その歩き方をまねたところ、それを学ぶこともできず、もとの歩き方も忘れて、腹ばいになって帰ったという話。〔荘子、秋水〕

5【歫】9画 5995 漢キョ 呉ゴ 語 jù — — 3790

字義 ❶止める。防ぐ。❷至る。行きつく。

解字 形声。止＋巨音。音符の巨は、へだてるの意味。

5【歪】9画 5996 標 漢ワイ 呉エ(ヱ) 恒 wāi 4736 9863 —

字義 ❶ゆがむ。まがる。ゆがめる。まげる。また、ひずみ。いびつ。「歪曲」❷よくない。ただしくない。

解字 会意。不＋正。正しくないの意味を表す。

【歪曲】ワイキョク ①ゆがみまがる。②事実などを悪くゆがめる。

6【歬】10画 5997 ゼン 前(934)の古字。→一八二ページ中。 ₂1591 — —

8【帰】12画 5998 キ 帰(3104)の古字。→四五三ページ下。

8【歯】12画 (14568) シ 歯部。→一六五六ページ上。

8【歮】12画 5999 ジュウ 渋(6421)と同字。→八四八ページ上。 — — 3791

9【歳】13画 6000 常 サイ・セイ 熟字訓 二十歳(はたち) 2648 8DCE —

9【歲】13画 6001 漢セイ 呉サイ 平 suì

筆順 止 产 产 岸 岸 歳 歳 歳 歳

〔止二〕127字 古

字義 ❶星の名。木星。木星はほぼ十二年で天を一周するため、その軌道を十二次に分け、一次をめぐる間を一歳と呼んだ。「歳星」「太歳」❷とし。㋐一年。一月一日から十二月三十一日まで。「歳暮」「歳末」㋑新年。元旦。「歳朝」「歳旦」㋒つきひ。年月。用例〔論語、陽貨〕日月逝矣(ジツゲツゆき)、歳不二我与一(としわれとともならず)。↓月日は過ぎ、歳月は私を待ってくれない。㋓よわい。年齢。また、年齢を数える語。「晩歳」㋔一生。生涯。㋕としごと。毎年。㋖みのり。穀物のでき具合。用例〔左伝、哀公十六〕国人望レ君(コクジンのきみを)、如レ望二歳焉一(としをのぞむがごとし)。↓国の民はあなたのことを秋の実りのごとくに待ち望んでいます。❸その年の運勢。としまわり。

名前 とし・とせ・とも

解字 甲骨文 金文 篆文 形声。歩＋戌㊌。歩は、あゆむの意味。音符の戌(シュツ)は、まさかりの象形。まさかりでいけにえを裂いて一年ごとに祭る儀式から、みのり・としの意味を表す。歩は、一年が終わって次の年へと歩むの意味から付された。

逆 悪歳・飢歳・凶歳・去歳・迎歳・今歳・終歳・太歳・年歳・万歳・暮歳・楽歳

【歳陰】(サイイン) ①十二支をいう。↔歳陽。②木星。歳星。③年のくれ。年末。歳暮。

【歳華】(サイカ) ①としつき。光陰。▼華は、日月の光。②春の日光。また、春景色。年華。「歳華春」③青春時代。

【歳寒】(サイカン) ①寒い季節になる。②老年。③逆境。また、乱世。④困難に出あってもひるまないこと。「歳寒の心」

【歳寒三友】(サイカンのサンユウ) ①冬に友として賞すべき三つのもの。松・竹・梅。②君子の存在しない世に友とすべき三つのもの。山水・松竹・琴酒。

【歳寒然後知松柏之後凋也】(としさむくしてしかるのちにショウハクのしぼむにおくるるをしる) (夏にはどの木も葉をしげらせて同じように見えるが)寒い季節になると、はじめて松や柏(ひのき に似た常緑樹)が緑色のままで、他の木と違っていることがわかる。困難にあって初めて人物の高下・節操の堅否がわかるとのたとえ。〔論語、子罕〕

【歳月不待人】(サイゲツはひとをまたず) 年月はすみやかに過ぎ去って人を待ってはいない。時間を大切にすべきことをいう。用例〔東晋、陶潜、雑詩〕及時当勉励(ときにおよんでまさにベンレイすべし)、歳月不待人(サイゲツはひとをまたず)。↓時を失うことなく、つとめ励む(楽しみを尽くす)べきである。年月はどんどん過ぎ去って、人を待っていてはくれないのだから。

【歳功】(サイコウ) ①一年(季節)の順序。②一年の行事。③万物の化育。④一年中の農事。また、その収穫。

【歳歳】(サイサイ) 毎年。年々。歳歳年年。用例〔唐、劉廷芝、代悲白頭翁詩〕年年歳歳花相似(ネンネンサイサイはなあいに(ひ)にたり)、歳歳年年人不同(サイサイネンネンひとおなじからず)。↓来る年も来る年も、花は同じように咲くが、それを見る人は、毎年毎年違った人なのだ。

【歳次】(サイジ) 歳星(木星)が十二次のどれかに宿ること。歳星の宿り。としまわり。→字義❶。

【歳事】(サイジ) ①一年中に行うべき事。年中行事。㋐四時の祭り。㋑農業。農事。㋒毎年行う天子へのご機嫌うかがい。②月日。また、季節。

【歳時】(サイジ) ①歳と時。▼歳は一年、時は春夏秋冬の四時。②歳月。年月。時間。③一年中の折々。

【歳時記】(サイジキ) ①一年の四季に応じてある事物や行事などを順に記した書物。②国俳諧で、季語を季節ごとに分類して解説した書。歳事記。

【歳出】(サイシュツ) 国家や公共団体などの一会計年度中の支出の合計。一年間の支出。↔歳入。

【歳序】(サイジョ) 四季のめぐり。また、季節。

【歳除】(サイジョ) おおみそか。また、その夜。除夜。

【歳星】(サイセイ) 木星。五星の一つ。＝字義❶。

【歳旦】(サイタン) ①一月一日の朝。元旦。②新年。

【歳朝】(サイチョウ) ①元日の朝。元旦。②陰暦の正月から四月までの四か月をいう。

【歳徳神】(としトクジン) 国陰陽家で、正月に祭る神。その年の大将軍(ふさがりの方角)と相対する方角を支配する神。この神のある方角を明きの方・恵方といい、万事に吉とする。「歳徳棚(としトクだな)(歳徳神を祭る神だな)」

【歳入】(サイニュウ) 国家や公共団体などの一会計年度中の収入の合計。一年間の収入。↔歳出。

【歳晩】(サイバン) 年がくれる。また、年のくれ。年末。

【歳費】(サイヒ) ①一年間の費用。②国議員などの受ける一年間の手当。

【歳暮】(サイボ・セイボ) ①年末。歳末。用例〔先哲叢談〕歳暮不能買糯餈(サイボにダシをかう(ふ)ことあたわ(は)ざるも)、亦曠然不以為意(またコウゼンとしてイとなさず)。↓歳の暮れになっても、餅を買うことも出来なかったが、少しも心にかけず平気だった。②老年。老境。

二(セイボ) 国年末の贈答品。

【歳余(餘)】(サイヨ) ①一年あまり。年余。②暦法で、一年の基準日数のあまり。③冬。農閑期。農業のひまなとき。

【歳陽】(サイヨウ) 十干をいう。↔歳陰。

【歳闌】(サイラン) 年がまさにくれようとする。▼闌は、つきる。

【罪歳】(としをつみす) 人民の生活が苦しいのは、政治が悪いのではなく、不作のためであると言って、穀物の実りに罪をなすりつけること。〔孟子、梁恵王上〕

【守歳】(としをまもる) おおみそかの夜に寝ないで行く年を送ること。

10 【翜】 14画 6002

一 シュウ(シフ) 緝 sè 二 漢ソウ(サフ) 呉ショウ(セフ) 洽 shà —— 3792

字義 一 渋(6421)と同字。二 棺の羽飾り。

解字 会意。丣＋止＋丣＋止。二組の互いに反対方向の止を合わせて、足がうまく運ばないさまから、しぶるの意味を表す。

10 【歴】 14画 6003 教5 レキ 4682 97F0 —

12 【歷】 16画 6004 人 漢レキ 呉リャク 錫 lì 8637 — —

筆順 一 厂 厂 厈 厤 厤 歴 歴

字義 ❶へる。すぎる。わたる。めぐる。用例〔西郷南洲、偶成詩〕幾歴辛酸志始堅(いくたびかシンサンをへて、こころざしはじめてかたし)、丈夫玉砕恥甎全(ジョウフギョクサイ、センゼンをはず(づ))。↓何回もの困苦を乗りこえてこそ、はじめて強固な意志が養われるものである。りっぱな男子たるものは、たとえ玉となって砕け散るような死に方をしたとしても、いたずらに生き長らえることは恥とすべきだ。❷経過してきた事柄。「経歴」「履歴」❸こえる(越)。用例〔孟子、離婁下〕不歴位而相与言(くらいを(ゐ)をこえてあいともにいわ(は)ず)。↓位を飛び越えては、互いに話し合わない。❹まじえる。また、乱れる。❺順序立てる。整える。❻かぞえる(数)。また、数。❼えらぶ(選)。❽ことごとく。あまねく。また、次々に。ひとつひとつ。「歴観」「歴訪」「遍歴」❾あきらか。はっきりしている。「歴然」❿こよみ(暦)。⓫まばら。⓬かま(釜)。物をにる容器。用例〔史記、滑稽伝〕以壟竈為槨(ロウソウをもって、カクとなし)、銅歴為棺(ドウレキをカンとなす)。↓かまどを外棺とし、銅の釜を内棺とする。

名前 つぐ・つね・ちか・ひさ・ふる・ゆき

解字 甲骨文 金文 篆文 形声。止＋厤㊌。止は、あしの象形。音符の厤(レキ)は、屋内にいねを整然とつらねる形にかたどる。ほどよく並べた稲束の間をかぞえあるくさまから、すぎる・かぞえるの意味を表す。

逆 閲歴・経歴・巡歴・前歴・遍歴・遊歴・来歴・履歴

【歴運】(レキウン) めぐりあわせ。天運。

【歴階】(レキカイ) (作法通り一段ごとに両足をそろえることをしないで)きざはしの一段ごとに交互に片あしをかけてのぼる。急いで階段をのぼること。歴級。

【歴観(觀)】(レキカン) あまねくめぐり見る。また、見渡す。

【歴挙(擧)】(レッキョ・レキキョ) いちいち数えあげる。

【歴載】(レキサイ) 年をへる。歴歳。

【歴山】(レキザン) 舜が耕作したと伝えられる山。山東・山西・江蘇省など、各所に伝説化されてある。舜耕山。

【歴山王】(レキザンオウ) 古代ギリシャのアレキサンダー大王。

【歴仕】(レキシ) 代々の(また、二人以上の)君に仕える。

【歴史】(レキシ) ①人類社会の過去における変遷の記録。②過去における出来事。

【歴史時代】(レキシジダイ) 伝説や記録が残されるようになってからの時代。

【歴指】(レキシ) ひとつひとつ指さす。

止部 10画 〔翜 歴〕

【歴事】レキジ ＝歴仕。
【歴日】レキジツ ①年月。また、こよみ。②日をへること。
【歴巡】レキジュン 諸方をめぐり歩く。巡歴。
【歴象】レキショウ 天体をあまねく観測すること。▼象は、天体を観測する道具。
【歴数(數)】レキスウ ①いちいちかぞえる。②こよみ。③まわりあわせ。運命。④天命を受けて帝位につく運。
【歴世】レキセイ ①代々。歴代。②世をへる。世を経過する。
【歴戦(戰)】レキセン 何度も戦いをする。「歴戦の勇士」
【歴然】レキゼン はっきりしたさま。明らかなさま。歴々。
【歴代】レキダイ ＝歴世。
【歴代名画(畫)記】レキダイメイガキ 書名。十巻。唐の張彦遠(チョウゲンエン)の著。中国古代から唐代に至るまでの歴代の絵画について評論した書。唐以前の絵画論を集大成した。
【歴朝】レキチョウ 代々の朝廷・天子・王朝。
【歴程】レキテイ 国通りすぎてきた道すじ。
【歴任】レキニン 次々に官職に任命されること。
【歴年】レキネン ①連年。毎年。②年をへる。
【歴訪】レキホウ 次々にたずねまわる。
【歴遊】レキユウ 方々を旅してまわること。
【歴落】レキラク ①細事にこだわらないさま。②音声の絶えないさま。③入りまじって並ぶさま。交錯。
【歴乱(亂)】レキラン ①花が咲き乱れているさま。②物が乱れているさま。
【歴覧(覽)】レキラン 一つ一つみる。次々にみる。
【歴歴】レキレキ ①明らかなさま。はっきりしたさま。用例(唐、崔顥、黄鶴楼詩)晴川歴歴漢陽樹(セイセンレキレキたり、カンヨウのき) 芳草萋萋鸚鵡洲(ホウソウセイセイたり、オウムシュウ) ↓晴れた光に照らされた川の水がありありと見え、対岸の漢陽の並木まで手に取るようだ。かなた鸚鵡洲のあたりには、かんばしい春草が盛んに生い茂っている。②国㋐晴れがましいさま。㋑身分・家がらの高い人。また、芸能がすぐれて名高い人。

11 【磧】 15画 6005 漢サク 呉ジャク 陌 zé ₂1592 — 3793

字義 ❶ととのう(斉)。❷よい(好)。❸ただしい(正)。

解字 形声。止＋責音。

11 【齒】 15画 (14569) シ 歯部。→一六五六ジ―上。

12 【歷】 16画 (6004) レキ 歴(6003)の旧字体。→七八七ジ―中。

14 【歸】 18画 (3105) キ 帰(3104)の旧字体。→四四五ジ―下。

20 【顰】 24画 (13519) ヒン 頁部。→一三六五ジ―下。

歹 4画 がつ・がつへん いちた(一夕)へん

〔部首解説〕 歹(ガツ)を意符として、死に関する文字ができている。

0 歹 七八八	4 歽 七八九	5 殂 七九〇	6 残 七九〇	殛 七九二	殟 七九二	12 殪 七九二	殩 七九三	殰 七九三
1 歺 七八八	歾 七八九	殅 七九〇	殊 七九一	殘 七九〇	殠 七九二	殨 七九三	殬 七九三	17 殲 七九三
歺 七八八	殁 七八九	殆 七九〇	殉 七九一	殖 七九二	11 殣 七九二	殩 七九三	殮 七九三	
2 死 七八八	殁 七八九	殄 七九〇	7 殍 七九二	殕 七九二	殤 七九二	殫 七九三	14 殯 七九三	
列 一七七	殀 七九〇	殃 七九〇	8 殗 七九二	10 殞 七九二	殢 七九二	13 殭 七九三	15 殱 七九三	

0 【歹】 4画 6006 一漢ガツ・呉ガチ 曷 二タイ 賄 dǎi 6138 9F65 —

【歺】 6008 本字 【歺】 6007 同字

字義 一くずれた骨。残骨。二わるい(悪)。

解字 甲骨文 篆文 象形。肉の削りとられた、人の白骨死体の象形で、ばらばらの骨の意味を表す。本字は歺。歹はその省略形。

1 【歺】 5画 6007 ガツ 歹(6006)と同字。→七八八ジ―中。 ₂1593 — —

1 【歺】 5画 6008 ガツ 歹(6006)の本字。→七八八ジ―中。

2 【死】 6画 6009 教3 シ しーぬ シ 紙 sǐ 2764 8E80 —

筆順 一 厂 歹 歹 歹 死

字義 ❶しーぬ。㋐いのちがたえる。生命がなくなる。特に、身分の低い人(庶民)についていう。㋑活気がなくなる。生気がなくなる。「死文」㋒きえる。ほろびる。きわまる。つきる(尽)。終わる。㋓碁で、石の目がなくなる。❷ころーす。死刑にする。用例(韓非子、二柄)越官則死(カンをこゆれば すなわ(は)ちころされ)、不当則罪(あたらざれば すなわ(は)ちつみせらる)。↓官職を越えた場合には死刑にされるし、言行が一致しない場合には処罰される。❸死者。死人。また、死体。しかばね。❹幼少の者が死ぬこと。↔終(9113)。❺命をかける。死を惜しまない。危険を冒すこと。「死守」「死線」

参考 現代表記では〔屍〕(2796)の書きかえに用いることがある。「屍体→死体」

解字 金文 篆文 会意。歹(歺)＋匕(人)。歺は、白骨の象形。ひざまずく人の前に横たわる死体の意味から、しぬの意味を表す。

逆 圧死・横死・起死・客死・決死・検死・絞死・惨死・殉死・情死・垂死・生死・即死・致死・墜死・万死・必死・百死・憤死・変死・夢死

【死灰】シカイ ①火が消えた後に残っている灰。火のけのなくなった灰。②生気のないたとえ。③無我の境地になって俗念を忘れ去った心の形容。
【死灰復然】シカイまたもゆ 火のけのなくなった灰が再びもえはじめること。一度失った勢力をもりかえすことのたとえ。▼然は、燃に同じ。〔史記、韓長孺伝〕
【死骸】シガイ しかばね。なきがら。死体。屍骸(シガイ)。
【死角】シカク 国弾丸の射程内で、(物の陰などになって)弾丸の飛んで来ないところ。一般に、視線の届かない地点。
【死活】シカツ ①死ぬことと生きること。②死ぬか生きるか。死生の際。③死んでも生きても。どんな時でも。きっと。
【死諫】シカン 死をもっていさめる。▼諫は、いさめる。
【死肌】シキ くさったはだ。また、感覚のなくなったはだ。用例〔唐、柳宗元、捕蛇者説〕已大風・攣踠・瘻癘(タイフウ・レンエン・ロウレイを)、去死肌(シキを)、殺三虫(サンチュウを)。↓ハンセン病・手足の曲がる病気・首に腫れ物ができる病気を治し、感覚のなくなった肌をきれいに除き去り、体内の三虫を殺す。
【死期】一シキ 死ぬ時期。二シゴ 国死のまぎわ。いまわ。臨終。末期(マツゴ)。
【死苦】シク ①死ぬほどの苦しみ。②仏四苦(生・老・病・死)の一つ。人間ののがれられない死の苦しみ。
【死交】シコウ 相手のためには死んでもよいという堅い交わり。死生の交わり。刎頸之交(フンケイのまじわり)。
【死罪】シザイ ①死刑。また、それにあたる罪。②君主に上奏するとき、おそれいる意を表すために用いることば。
【死士】シシ 死を決した士。命がけの男性。
【死子】シシ ①囲碁で、敵にとられることになって盤上にある石。しにいし。②死んだ子供。死児。
【死屍】シシ ①しかばね。②仏罪をおかした僧。
【鞭死屍】シシにむちうつ 死体にむちうって、生前のうらみを晴らす。死んだ人を非難し攻撃すること。春秋時代、楚の伍子胥が、父と兄の仇を報ずるために平王の墓を掘りおこして、その死体にむちうった故事による。〔史記、伍子胥伝〕

【死△而後△已】死んでそこで初めてやめる。死ぬまで努力してやめない。→任重而道遠(九〇ページ中)。用例〔論語、泰伯〕仁以為二己任一、不二亦重一乎、死而後已、不二亦遠一乎。↓仁を行うことを自分の任務としている、なんと重いことではないか。しかもそれは死ぬまでやめない、なんと遠いことではないか。

【死守】命がけで(決死の覚悟で)守る。

【死囚】死刑に処する罪人。死刑囚。

【死且不レ朽】人の身は死んでなくなっても名声は後の世まで残り伝えられる。〔左伝、僖公三十三〕

【死所】死に場所。死にどころ。死処。

【死諸葛走二生仲達一】すでに死んだ諸葛亮が生きている司馬懿を退却させたこと。三国時代、蜀の諸葛亮(孔明)が五丈原(今の陝西省内)で死んだとき、蜀の軍隊はその死をかくして陣営を引き払おうとしたが、魏の司馬懿(仲達)はこれを見て蜀軍を討とうとした。ところが蜀の軍は反撃に出たので、仲達は孔明が生きていると思い退却した。このことを当時の民衆が言ったことわざ。〔三国志、蜀志、諸葛亮伝、注〕

【死水】一 動かない水。たまったまま流れない水。二 しにみず(づ) 国死にぎわの人の口をしめらす水。末期の水。

【死生】①死ぬことと生きること。生死。死活。②殺したり生かしたりする。

【死生契△闊】死生を共にしようと約束し、共に努力し苦しむこと。〔詩経、邶風、撃鼓〕

【死生有レ命】人の生命は天命で、人力ではどうすることもできない。用例〔論語、顔淵〕死生有レ命、富貴在レ天。↓人の生き死には天命によるものだし、富貴も天から与えられるものだ。

【死節(節)】節義のために生命を捨てること。生命を捨ててみさおを守ること。

【死戦(戰)】命がけで戦う。必死の戦い。死闘。

【死相】国①死が近づいてきたときの人相。②死にがお。

【死蔵(藏)】国ただしまっておくだけで、役に立てないこと。持ちぐされ。

【死地】助かる見込みのないところ。きわめて危険な場合や場所。↔生地(九六三ページ下)。用例〔史記、淮陰侯伝〕陥二之死地一而後生。↓死地におとしこんで、はじめて生きのびることができる。

【死中求レ活】=死中求レ生。

【死中求レ生】死ぬべき所で活路を求める。絶望的状態にあってなお切り抜ける方法を捜すこと。用例〔後漢書、公孫述伝〕男児当二死中求一レ生、可二坐窮一乎。↓男子たるものは、死ぬより他に方法がない絶望的な状態の中にあってもなお切り抜ける方法を捜すべきであって、何もしないで死ぬべきではない。

【死闘(鬪)】死にものぐるい(命がけ)で戦う。

【死△魄・死覇】陰暦のついたちをいう。▼魄は、月の輪郭の光らないところ。

【死物】①生命のない物。②働きのないもの。役に立たないもの。↔活物(八三一ページ中)。

【死文】国条文が残っているだけで、実際には用いられない法規。空文。

【死別】死にわかれ。↔生別(九六四ページ上)。

【死魔】仏四魔(天魔・煩悩魔・陰魔・死魔)の一つ。人の生命を奪って修業を妨げる魔物。死をいう。

【死命】①生命。②死ぬべき命。③死にものぐるい。極力。死力。④生きるか死ぬか。「死命を制する」

【死薬】飲むと死ぬ薬。毒薬。

【死友】①いのちを惜しまない友。命をかける友。②死んだ友だち。なき友。亡友。

【死力】あるだけの力。必死の努力。

【死霊(靈)】国死者のたましい。死んで浮かばれないたましい。↔生霊(九六四ページ中)。

【死△或重二△於泰山一△或軽(輕)二△於△鴻毛一】命には、大切に重んじて惜しまねばならぬ場合と、いさぎよく捨てねばならぬ場合とがあり、それは義の存するか否かによって決すべきである。▼泰山は山東省にある名山、鴻毛はおおとりの毛。〔前漢、司馬遷、報二任少卿一書〕

【視レ死若レ帰(歸)】死に直面した態度が、楽しんで我が家に帰ると同様である。平然として死を恐れるところのないさま。〔大戴礼、曽子制言上〕

【賜レ死】君主が臣下に自殺を命ずる。

【生レ死肉レ骨】死者を生きかえらせ、白骨に再び肉をつける。窮地や危険の中から人を助けるたとえ。〔左伝、襄公二十二〕

【喪レ死】死んだ人を手厚くとむらう。

【弔レ死】死者をとむらい霊をなぐさめる。↔問レ生(九六四ページ中)。

【買二死馬骨一】役に立たないもの(人)を買って、役に立つもの(人)がやってくるのを待つたとえ。郭隗という人が、燕の昭王に説いた故事で、昔、ある国の君主が使者を出して千里の馬を求めさせたところ、死んだ名馬の骨を五百金で買って来たので、その君主が使者をしかりつけた。ところが使者は死んだ馬の骨でさえ五百金で買ったのだから、必ず千里の馬を売りに来る者があるだろうと答えた。果たして一年もたたぬうちに、千里の馬の売り手が三人もやって来たという故事による。〔戦国策、燕〕

【比二死△於△鴻毛△之軽(輕)一】死をおおとりの毛のように軽く考える。義のために生命を惜しまぬたとえ。

【△瀕レ死】=瀕死(八八八ページ上)。

【昧レ死】=昧死(六六四ページ下)。

2 【列】6画 (907) レツ 刂部。→一七七ページ下。

4 【歽】8画 6010 漢セツ 呉セチ 屑 zhé — — 3794

字義 若死に。

解字 形声。歹(歺)+折省音。

4 【歾】8画 6011 一 漢ボツ・呉モチ 月 mò 二 漢ブン・呉モン 吻 wěn — — 3801

字義 一 しぬ(死)。=歿(6012)・没(6215)。二 くびをはねる。頸を切る。=刎(905)。

解字 篆文  形声。歹(歺)+勿音。音符の勿は、なくなるの意味。死んで骨と化し、姿がなくなる、死ぬ・つきるの意味を表す。

4 【歿】8画 6012 漢ボツ 呉モチ 月 mò 6139 9F66 —

[殁] 6013 俗字

字義 しぬ(死)。=歾(6011)・没(6215)。

参考 現代表記では[没](6215)に書きかえる。「死歿→死没」「歿年→没年」。熟語は[没]をも見よ。

解字 篆文  形声。歹(歺)+𠬛音。音符の𠬛は、しずむの意味。この世から沈んで見えなくなる、死ぬの意味を表す。歾の別体。

【歿後】人の死んだ後。死後。没後。

【歿年】人の死んだ時の年齢。また、その年代。没年。

4 【殁】8画 6013 ボツ 歿(6012)の俗字。→七八九ページ下。 21594 — —

4【殀】8画 6014 ヨウ（エウ） 篠 yāo, yǎo 6140 9F67 —

字義 ❶わかじに。短命。＝夭(2244)。「殀寿(若死にと長生き)」 ❷ころす。きりころす。

解字 形声。歹(歺)＋夭㊥。音符の夭は、わかいの意味。歺は死体の意味。わかじにの意味を表す。

5【殂】9画 6015 漢ソ 呉ゾ 虞 cú 8638 — 3802

字義 ゆ-く。し-ぬ(死)。君主の死をいみはばかっていうことば。「殂落」

解字 篆文 形声。歹(歺)＋且㊥。歺は、死体の象形。音符の且は、徂に通じ、ゆくの意味。死の世界にゆく、しぬの意味を表す。

【殂△隕・殂△殞】(ソイン) 死ぬ。▼隕・殞も、死ぬ。

【殂落】(ソラク) ①天子の死。君主の死。崩御。崩殂。用例〔書経、舜典〕帝乃殂落(テイすなわ(は)ちソラクす)。↓帝堯が亡くなった。②しぼみおちる。凋落。

5【殅】9画 6016 漢ソウ(サウ) 呉ショウ(シャウ) 庚 shēng — — 3803

字義 よみがえる。

解字 形声。歹(歺)＋生㊥。音符の生は、いきるの意味。

5【殆】9画 6017 人 標 漢タイ 呉ダイ 賄 dài 4356 9677 —

筆順 一 ア 万 歹 歹ム 殆 殆 殆 殆

字義 ❶あや-うい(あやふし)。危険。また、あやふや。しっかりしていない。用例〔論語、為政〕思而不レ学則殆(おもい(ひ)てまなばざれば、すなわ(は)ちあやうし(ふし))。↓物事を考えるだけで、それについて深く学ばなければ、(独断に陥って)危険である。❷あや-うくする(あやふくす)。危険にさらす。❸あや-ぶむ。疑う。また、心配する。❹おそれる。❺つかれる。❻くずれる。敗れる。❼ほとん-ど。㋐…にちかい。…に似ている。㋑おそらく。きっと。用例〔戦国策、趙〕二主殆将レ有レ変(ニシュほとんどまさにヘンあらんとす)。↓韓と魏の二君は変事を企んでいるに違いありません。❽ちかづく。近づける。❾はじめ(始)。

名前 ちか

解字 篆文 形声。歹(歺)＋台㊥。歺は、死体の象形。音符の台は、始・胎に通じ、きざしの意味。死のきざしの意味から、転じて、「あやうく…だ」の意味に用いる。

5【殄】9画 6018 漢テン 呉デン 銑 tiǎn 6141 9F68 —

字義 ❶つ-きる(つく)(尽)。また、つ-くす。たやす(絶)。たつ(絶)。「殄滅」 ❷しぬ(死)。❸ことごとく。残らず。すべて。❹よい。＝腆(5073)。

解字 篆文 形声。歹(歺)＋㐱㊥。音符の㐱(シン＝チン)は、盡(尽)に通じ、つきるの意味。歺は、死体の象形。死んで骨となってつきるの意味を表す。

【殄△夷】(テンイ) ことごとくころす。ころしつくす。▼夷は、ころす意。

【殄△瘁・殄△悴・殄△顇】(テンスイ) ことごとくつかれ苦しむ。また、病みつかれてほろびる。

【殄絶】(テンゼツ) たえる。たやす。つきる。ほろぼす。

【殄△殲】(テンセン) ほろびつきる。また、ほろぼしつくす。みなごろしにする。▼殲も、つきる、ほろびる。

【殄滅】(テンメツ) ほろぼす。たやす。また、ほろびる。たえる。

【殄△戮】(テンリク) ころしつくす。▼戮は、ころす。

5【殃】9画 6019 漢ヨウ(ヤウ) 呉オウ(アウ) 陽 yāng 6142 9F69 —

字義 ❶わざわ-い(わざはひ)(禍)。❷とがめ。神仏の下すとがめ。天罰。❸わざわいを与える。そこなう。

解字 篆文 形声。歹(歺)＋央㊥。音符の央は、首かせをはめられた人の象形。歺は、人の死体の象形。わざわいの意味を表す。

【殃禍】(オウカ) わざわい。災難。

【殃及二池魚一】(わざわ(は)いチギョにおよぶ) 意外な所にわざわいが及ぶたとえ。また、理由なくしてわざわいを受けるたとえ。まきぞえをくうこと。昔、宋の城門が焼けたとき、池の水をくんで火を消したので、池の魚が多く死んだ故事による。禍及二池魚一(わざわ(は)いチギョにおよぶ)。〔剪灯新話、三山福地志〕

【殃△咎】(オウキュウ) わざわい。また、とがめ。

【殃慶】(オウケイ) わざわいと、さいわい。吉凶。

6【残】10画 6020 教4 ザン のこ-る・のこ-す 2736 8E63 —
8〖殘〗12画 6021 漢サン 呉ザン 寒 cán 6144 9F6B —

熟字訓 名残(なごり)

筆順 一 ア 万 歹 歹 殅 残 残 残

字義 ❶そこ-なう(そこなふ)。㋐ころす。㋑ほろぼす。㋒きずつける。また、切る。㋓こわす。破る。また、こわれる。破れる。「残破」 ❷きず。痛み。❸むごい。ひどい。思いやりがない。むごく扱う。「残酷」 ❹わるい。荒っぽい。また、悪人。❺のこ-る。のこ-す。また、のこり。「残余」 ❻消えのこる。今にも消えそうなこと。❼煮た肉。

解字 篆文 形声。歹(歺)＋戔(戋)㊥。歺は、肉をそいだあとの骨の象形。音符の戔は、ずたずたに切るの意味。そこなうの意味を表し、転じて、のこりかすの意味を表す。

逆 焼残・衰残・敗残・無残・老残

【残△鶯】(ザンオウ) 晩春に鳴くうぐいす。

【残花・残華】(ザンカ) 散り残った花。色香のうせた花。残英。

【残夏】(ザンカ) 夏の末。また、夏のなごり。

【残△霞】(ザンカ) 夕日の沈んだ後の夕ばえ。夕ばえのなごり。

【残害】(ザンガイ) 国①(殺されてすておかれている)なきがら。死体。②こわされたままになっている残片。③自分の老衰を謙遜していう。

【残骸】(ザンガイ) いためそこなう。そこない殺す。

【残寒】(ザンカン) 春になってから(立春以後)の寒さ。余寒。

【残簡】(ザンカン) わずか(一部)残っている書き物。断簡。

【残△雁】(ザンガン) おくれてやってくるかり。時節おくれのかり。

【残△暉】(ザンキ) 夕日の光。また、入り日の余光。残照。

【残毀】(ザンキ) そこなう。こわす。傷つきこわれる。

【残旗】(ザンキ) 破れたはた。

【残菊】(ザンギク) ①初冬、また、晩秋まで咲き残っている菊。②霜にいためられた菊。いたんだ菊。③九月九日(重陽)を過ぎた菊。

【残虐】(ザンギャク) そこないしいたげる。苦しめいじめる。また、むごい。ひどい。

【残欠(缺)・残△闕】(ザンケツ) やぶれ欠ける。損じ欠ける。

【残月】(ザンゲツ) ありあけの月。夜明けの月。また、沈みかけている月。

【残更】(ザンコウ) 夜のあけがた。五更。午前四時前後。

【残△肴・残△殽】(ザンコウ) 食べ残しのさかな。酒宴のあとの食べ残しの料理。

【残紅】(ザンコウ) 散り残りの赤い花。また、落花。

【残香】(ザンコウ) あとに残っているかおり。余香。

【残酷】(ザンコク) むごい。そこないしいたげて平気でいるさま。残虐。

【残魂】(ザンコン) ①ようやく生きながらえている命。②今も残っているたましい。

【残殺】(ザンサツ) そこない殺す。むごたらしく殺す。

【残山剰(剩)水】(ザンザンジョウスイ) 山や川の一小部分のつまらぬながめ。戦いに敗れた後などの荒れ果てたさま。

【残△滓】(ザンシ・ザンサイ) 残りかす。また、水底に残っている不純物。

【残日】(ザンジツ) ①夕日。夕陽。②残りの日数。

【残秋】(ザンシュウ) 秋の末。また、秋のなごり。

【残春】(ザンシュン) 春の末。また、春のなごり。

【残暑】(ザンショ) 立秋の後の暑さ。秋になってからの暑さ。

【残傷】(ザンショウ) ①そこないきずつける。残害。②けが。

【残照】ザンショウ 夕日の光。また、入り日の余光。
【残△燭】ザンショク 消えかかっているともしび。また、夜ふけ・明け方のともしび。残灯。
【残生】ザンセイ ①ながくもない残りの命。余生。②災難をまぬかれて幸いに生きながらえている命。
【残星】ザンセイ 夜明けの空に残っている星。
【残△喘】ザンゼン ①死にかかっている命。余喘。②自分の年齢をいう場合の謙称。余命。「留₌残喘₌」(ザンゼンをとどむ)
【残△蟬】ザンゼン・ザンセン 季節を過ぎて鳴いているせみ。秋のせみ。
【残礎】ザンソ 残っている古い土台石。
【残賊】ザンゾク ①そこない殺す。用例〔荀子、性悪〕残賊生而忠信亡焉(ザンゾクショウじて、チュウシンほろぶ)。↓他人を害し傷つける行為が生じて、まことの心がなくなってしまう。②仁義をそこないやぶる、また、その人。③討ちもらされている賊。残っている賊。
【残尊・残△樽】ザンソン 酒の残っているたる。また、たるの中に残っている酒。
【残存】ザンソン・ザンゾン ①(なくならずに)残っている。②生き残る。
【残△黛】ザンタイ 消え残ったまゆずみ。
【残徒】ザント ＝残党。
【残冬】ザントウ 冬の末。また、冬のなごり。
【残灯(燈)】ザントウ ＝残燭ザンショク。
【残党(黨)】ザントウ 討ちもらされて残った仲間。
【残忍】ザンニン むごい。むごたらしい。
【残年】ザンネン 残り少ない命。余命。余生。用例〔唐、韓愈、左遷至₌藍関₌示₌姪孫湘₌詩〕欲下為₌聖明₌除中弊事上(セイメイのためにヘイジをのぞかんとほっす)、肯将₌衰朽₌惜₌残年₌(あえ(へ)てスイキュウをもって、ザンネンをお(を)しまんや)。↓聖明な天子のために、国家の悪弊を除こうと思ってしたことであるから、老い朽ちたこの身のために、今さら余生を惜しんだりしようか。
【残念】ザンネン ①思いが残る。未練がある。②くやしい。無念である。
【残破】ザンパ そこない破る。こわす。また、欠けいたむ。こわれる。
【残杯冷△炙】ザンパイ・レイシャ ザンパイ・レイセキ 飲み残りの酒と、焼きさましのあぶり肉。恥辱を受けることのたとえ。
【残兵】ザンペイ 戦いに敗れて生き残った兵士。
【残片】ザンペン ①こわれたもののかけら。②枝に散り残っている花びら。
【残編】ザンペン 散佚(サンイツ)した残りの書冊。「残編断簡」
【残芳】ザンボウ 散り残った花。残花。
【残亡】ザンボウ ①やぶれほろびる。また、そこないほろぼす。②負けてにげる。
【残△氓】ザンボウ 生き残った民。遺民。▼氓は、民。
【残暴】ザンボウ むごく荒々しい。
【残夢】ザンム 見はてぬ夢。見のこした夢。明けがたになってうとうとしながらも見続けている夢。また、目が覚めてからもなお続いている夢心地。用例〔唐、杜牧、早行詩〕林下帯₌残夢₌(リンカ ザンムをおび)、葉飛時忽驚(はとびてときにたちまちおどろく)。↓林を抜けるうち夢の続きから抜けられず、風に吹かれた木の葉に突然驚かされる。
【残夜】ザンヤ 夜明け。しののめ。
【残余(餘)】ザンヨ ①のこり。あまり。②災害をまぬがれて生きていること。
【残陽】ザンヨウ ①夕陽。入り日。残照。斜陽。②夏の末になっておとろえかけた陽気。
【残△戮】ザンリク ＝残害。
【残△掠】ザンリャク 人を殺傷して金品を奪い取る。残略。
【残略】ザンリャク ①そこなわれ欠ける。残欠。また、不完全と粗略。②＝残掠ザンリャク。
【残留】ザンリュウ あとに残りとどまる。居残る。
【残△溜】ザンリュウ ①残りの雨だれ。②残りの流れ。
【残涙】ザンルイ なみだのあと。涙痕ルイコン。
【残△瀝】ザンレキ 残りのしずく。余瀝。残滴。
【勝レ残去レ殺】ザンにかちサツをさる 人情・義理をわきまえぬ乱暴者を教化して、死刑などのいらない世の中にする。〔論語、子路〕

6 【殊】10画 6022 常 シュ こと
漢シュ・呉ジュ 虞 shū
2876 8EEA 一

筆順 一 ァ 万 歹 歹 歹 殅 殊 殊

字義 ❶ころす。死罪にする。殊殺(シュサツ)する。❷たつ。なくす。❸しぬ。命がなくなる。❹きめる。決定する。❺ことなる(ことなり)。㋐普通と違う。よそ。ほか。「特殊」㋑すぐれている。「殊勝」❻ことにする(ことにす)。違える。別にする。用例〔易経、繫辞下〕天下同帰而殊塗(テンカキをおなじくして、みちをことにす)。↓天下の道理は、その帰着するところは同じだが、ただその途中(手段・方法)が違うだけだ。❼ことに。特に。とりわけ。用例〔史記、廉頗藺相如伝〕恐懼殊甚(キョウクすることことにはなはだし)。↓そのおそれようはあまりにひどすぎます。❽すぎる。❾大きい。

名前 こと・よし

解字 篆文 形声。歹(歺)+朱(音)。音符の朱は、殳(シ)に通じ、うつの意味。歺は、死体の意味。ころすの意味を表す。転じて、ことなるの意味を表す。

逆 特殊・文殊

【殊位】シュイ 特別によい地位。特にたっといくらい。
【殊異】シュイ ことなる。ことにする。大いにことなる。
【殊域】シュイキ よその国。外国。
【殊△裔】シュエイ 遠い果ての国。遠方の未開の国。
【殊恩】シュオン 特別のめぐみ。格別のおぼしめし。
【殊境】シュキョウ ①よその国。外国。殊域。②他と土地のようすがちがっていること。
【殊遇】シュグウ 特別の待遇。特によいもてなし。特待。用例〔三国蜀、諸葛亮、前出師表〕追₌先帝之殊遇₌(センテイのシュグウをおう(ふ))。↓私は先帝の特別の待遇を追慕する。
【殊勲(勳)】シュクン ＝殊効。
【殊効(效)】シュコウ 特別な手がら。すぐれたいさお。大功。殊功。
【殊死】シュシ ①死を決する。命がけになる。必死になる。用例〔史記、淮陰侯伝〕軍皆殊死戦(グンみなシュシしてたたかう(ふ))。↓川岸の軍はみんな、命がけで戦った。②ころす。また、死罪の刑。また、死罪の者。
【殊勝】シュショウ ①とりわけてすぐれる。②国㋐けなげで感心なこと。奇特。「殊勝な心掛け」㋑こうごうしいさま。
【殊色】シュショク すばらしい美人。
【殊績】シュセキ すぐれた(抜群の)手がら。▼績は、いさおし。
【殊絶】シュゼツ 特にすぐれる。かけはなれている。他と非常に異なっていること。
【殊俗】シュゾク ①風俗を異にする。また、ちがった風俗。②風俗のちがった外国。他国。異国。
【殊致】シュチ ①おもむきを異にする。また、異なったおもむき。②すぐれた景色。
【殊△寵】シュチョウ 特別のかわいがり。特別の寵愛。殊恩。
【殊珍】シュチン 特別にめずらしいもの。すぐれた宝。
【殊能】シュノウ 特別の才能。すぐれた能力。
【殊品】シュヒン ①すぐれた品物。絶品。②種類や程度を異にする。異類。
【殊方】シュホウ ①ことなった土地。他国。外国。②ことなったやり方。ことなった手段。
【殊類】シュルイ ①種類・程度を異にする。②普通とちがったもの。種類のちがったもの。用例〔人虎伝〕偶因₌狂疾₌成₌殊類₌(たまたまキョウシツによりてシュルイとなり)、災患相仍不レ可レ逃(サイカンあい(ひ)よりてのがるべからず)。↓思いがけず気がふれたことでけだものになりはて、重なり合う災難は逃れるすべもなかった。③鬼神などをいう。

6 【殉】10画 6023 常 ジュン
漢シュン・呉ジュン 震 xùn
2962 8F7D 一

筆順 一 ァ 万 歹 歹 歽 殉 殉 殉 殉

字義 ❶したがう。㋐死んだ人について死ぬ。追いじに。主君・貴人などの死んだあとを追って自殺すること。㋑ある事のために身を捨てる。「殉教」 ❷もとめる。また、むさぼる。❸いとなむ。❹めぐる(巡)。

解字 形声。歹(歺)＋旬㊅。音符の旬は、徇に通じ、したがうの意味。貴人などの死にしたがうの意味を表す。

【殉教】国信仰する宗教のために身命をささげる。

【殉国(國)】＝殉レ国(三九六ページ下)。

【殉死】①主君のあとを追って、その妻や臣下が自殺すること。②上古、貴人を葬るときに、おそばに仕えたものなどを死なせること。

【殉職】国職務を果たすために命を捨てる。

【殉節(節)】節義のために身命を捨てる。

【殉葬】死者のおともをして墓に葬られること。また、死者と共に人を生き埋めにしたり、器物を埋めたりすること。

【殉道】正義のために身命を捨てる。

【殉難】国難や信仰のために身命を捨てる。

【殉名】名誉を守るために身命を捨てる。

【殉利】危険や災難をもかえりみず、ただ利益をむさぼること。また、利益を得る身を犠牲にする。用例(荘子、駢拇)小人則以レ身殉レ利。↓小人は、自分の身を投げ出してでも利益を求めようとする。

7
【殍】11画 6024
㊀㊁漢ヒョウ(ヘウ) 呉ビョウ(ベウ) 篠 piǎo ㊂フ 虞 6143 9F6A —

字義 ㊀㊁❶うえじに。餓死する。用例(人虎伝)時賑二卹之一、無レ使二殍死於道途一。↓しかるべき時に施しをして、道ばたで飢え死にさせることのないようにしてやってくれれば、これまた大きな恩徳だ。❷うえじにした死体。

解字 形声。歹(歺)＋孚㊅。音符の孚は、浮に通じ、ろきあがるの意味。うえて浮きあがるように軽くなってしまった死体のさまから、うえじにの意味を表す。

【殍餓】飢え死にする。また、飢え死にした人。餓死者。殍饉。

8
【殗】12画 6025
㊀漢ヨウ(エフ) 呉オウ(オフ) 葉 yè ㊁エン 琰 yǎn — — 3804

字義 ㊀❶病む。❷かすか。❸重なる。㊁死ぬ。

解字 形声。歹(歺)＋奄㊅。

8
【殛】12画 6026
漢キョク 呉コク 職 jí 27801 — 3805

字義 ころす。罰し殺す。誅殺する。

解字 篆文 形声。歹(歺)＋亟㊅。音符の亟は、問いつめるの意味。人を問いつめてころすの意味を表す。

8
【殘】12画 (6021)
ザン 残(6020)の旧字体。→七九〇ページ中。

8
【殖】12画 6027 常
漢ショク・呉ジキ 職 zhí
ショク ふ-える・ふ-やす 3103 9042 —

筆順 𠂆 歹 歹 歹 歼 殖 殖 殖

字義 ❶くさる。腐敗する。❷しげる。そだつ。のびる。また、そだてる。のばす。❸ふえる。また、ふやす。また、そのふえたもの。たくわえ。「学殖」 ❹うえる(植)。また、立てる。

名前 え・しげる・たね・なか・のぶ・ます・もち

使いわけ ふえる・ふやす〔増・殖〕⇩増(2118)。

解字 篆文 形声。歹(歺)＋直㊅。歺は、死体の象形。音符の直は、まっすぐであるの意味。まっすぐにのびた硬直死体の意味から、一般に、のびる・ふえるの意味を表す。

逆 学殖・貨殖・生殖・増殖・拓殖・繁殖・養殖・利殖

【殖貨】財貨をふやす。貨殖。

【殖財】財産をふやす。殖産。

【殖産】①＝殖財。②国生産物をふやす。産業をさかんにする。

【殖民】自国以外の未開の土地に、自国民を移住させ、開拓をさせること。また、その移住民。植民。

【殖利】利益をふやす。金もうけする。利殖。

8
【殕】12画 6028
㊀漢フウ・呉フ 有 fǒu ㊁漢ホク・呉ボク 職 bó 6145 9F6C —

字義 ㊀くさる。物が腐敗する。㊁たおれる。たおす。

難読 殕森

＝踣(11752)。

解字 形声。歹(歺)＋音㊅。

10
【殞】14画 6029
イン(ヰン) 軫 yǔn 6146 9F6D —

字義 ❶しぬ(死)。命をおとす。❷おちる。おとす。＝隕(13133)。「殞石」「殞レ涕」

解字 形声。歹(歺)＋員㊅。音符の員は、丸くなるの意味。歺は、死体の意味。木の葉などが枯死して丸くなって落ちる。しぬ・おちるの意味を表す。

【殞砕(碎)】命をおとすこと。死ぬ。

【殞石】流星が燃えきらずに、地上に落ちたもの。隕石。

【殞墜】おちる。落下する。▼墜も、おちる。

【殞斃】たおれる。しぬ。殞殪。

【殞命】命をおとす。死ぬ。

10
【殟】14画 6030
オン(ヲン) 元 wēn — — 3806

字義 ❶急に意識を失う。また、死にかかる。❷もだえる。❸ゆるやかなさま。

解字 形声。歹(歺)＋昷㊅。

10
【殠】14画 6031
㊀漢シュウ(シウ) 呉シュ 宥 chòu ㊁漢キュウ(キウ)・呉ク 宥 xiù — — 3807

字義 ㊀㊁くさみ。くさったにおい。わるいにおい。「悪殠」

解字 形声。歹(歺)＋臭㊅。歺は、ばらばらの骨の象形。音符の臭は、においの意味。くさったにおいの意味を表す。

11
【殣】15画 6032
漢キン 呉ギン 震 jìn — — 3809

字義 ❶うえじに。餓死。また、ゆきだおれ。❷うめる。死体を埋葬する。❸まみえる。諸侯が天子に会う。＝覲(11058)。

解字 篆文 形声。歹(歺)＋堇㊅。音符の堇は、土を塗り込むの意味。道のかたわらに、行き倒れになった人を棺など用いずに埋葬するの意味を表す。

11
【殤】15画 6033
ショウ(シャウ) 陽 shāng 6147 9F6E —

字義 ❶わかじに。二十歳前に死ぬこと。十六歳から十九歳までの死を長殤、十二歳から十五歳までを中殤、八歳から十一歳までを下殤といい、七歳以下の死を無服の殤という。❷とむらう人のない霊魂。無縁の仏。「国殤(国事で死んでとむらう人のない霊魂)」

解字 篆文 形声。歹(歺)＋傷省㊅。音符の傷は、きずつくの意味。二十歳未満で、わか死にするの意味を表す。

11
【殢】15画 6034
漢テイ 呉タイ 霽 tì — — 3808

字義 ❶つかれる。苦しむ。❷とどこおる。❸まつわりつく。しなだれかかる。

解字 形声。歹(歺)＋帶㊅。音符の帶は、おびのようにまつわるの意味。

12
【殪】16画 6035
エイ 霽 yì 6148 9F6F —

字義 ❶たおれる。死ぬ。❷たおす。ころす(殺)。

一矢で射殺す。一発で殺す。❸つきる(尽)。つくす。

解字 篆文 形声。歹(歺)＋壹音。音符の壹(壱)は、もっぱらにするの意味。いちずに息の根をとめてしまう、たおすの意味を表す。

12【殨】16画 6036 漢カイ(クヮイ) 呉ガイ(グヮイ) 隊 huì — — 3810

字義 ただれる。肉が腐る。

解字 形声。歹(歺)＋貴(貴)音。音符の貴は、毀に通じ、つぶれるの意味。

12【殩】16画 6037 サン 翰 cuàn — — 3811

［殩］6040 俗字

字義 殩孝は、喪家に食をおくること。

解字 形声。歹(歺)＋粲音。

12【殫】16画 6038 タン 寒 dān 6149 9F70 —

字義 ❶つきる(尽)。すっかりなくなる。「殫亡」❷つくす。すっかり出す。すっかり取る。用例(漢書、杜欽伝)殫二天下之財一(テンカのザイをつくす)↓天下の財をすっかり出した。／(唐、柳宗元、捕レ蛇者説)殫二其地之出一(そのチのシュツをつくし)、竭二其廬之入一(そのロのニュウをつくす)↓土地の産物を出し尽くし、一家の収入を出し尽くす。❸たおれる。たおす。❹病む。＝癉(7827)。❺ことごとく。のこらず。

解字 篆文 形声。歹(歺)＋單音。音符の單(単)は、袒タンに通じ、あらわになるの意味。歺は、死体の象形。白骨があらわとなる、つきはてるの意味を表す。

［殫見△洽聞］(タンケンコウブン) 残すところなくあまねく見聞する。学問・知識が広いこと。

［殫残］(タンザン) ことごとくそこなう。ほろぼしつくす。

［殫亡］(タンボウ) つきてなくなる。つき果てる。

13【殭】17画 6039 漢キョウ(キャウ) 呉コウ(カウ) 陽 漢 jiāng 8640 — 3813

字義 こわばる。死んでかたくなる。死んでくさらない。＝僵(620)。

解字 形声。歹(歺)＋畺音。音符の畺は、かたまる意味。

13【殩】17画 6040 サン 8639 — — 殩(6037)の俗字。→七九三ページ上。

13【殬】17画 6041 ト 遇 dù — — 3812

字義 敗れる。

解字 形声。歹(歺)＋睪音。斁トに通じ、敗れるの意味を表す。

13【殮】17画 6042 レン 艶 liàn 27802 — 3814

字義 なきがらをおさめる。かりもがり。埋葬する前に死体に衣を着せて棺に入れ、安置すること。＝斂(4569)。

解字 形声。歹(歺)＋僉音。音符の僉センは、おさめるの意味。死体をおさめるの意味を表す。

14【殯】18画 6043 ヒン 震 bìn 6150 9F71 —

字義 ❶かりもがり。もがり。また、かりもがりする。死体を棺に入れ、葬るまで安置し、賓客として待遇する意。❷ほうむる。埋葬する。「殯葬」

解字 篆文 形声。歹(歺)＋賓音。音符の賓は、まろうどの意味。人の死体をほうむる前に、死の世界からのまろうどとして棺に納めておくの意味を表す。

［殯△柩］(ヒンキュウ) 死体を納めたひつぎ。殯棺。

［殯宮］(ヒンキュウ) 崩御された天子の棺を、葬送まで安置する仮の御殿。かりもがりの宮。荒城あらきの宮。殯殿。

15【殱】19画 6044 セン 6152 9F73 — 殲(6046)の俗字。→七九三ページ中。

15【殰】19画 6045 漢トク 呉ドク 屋 dú — — 3815

字義 胎児が腹中で死ぬ。流産する。

解字 形声。歹(歺)＋賣音。

17【殲】21画 6046 セン 塩 jiān 6151 9F72 —

［殱］6044 俗字

字義 ❶つくす(尽)。殺しつくす。みな殺し。❷ほろぼす(滅)。また、ほろびる。全滅する。

解字 篆文 形声。歹(歺)＋韱音。原字は𢦏センで、多くの人を残りわずかとなるまで殺すの意味。のち、死体の意味の歺ガツを付し、殺しつくすの意味を表す。

［殲撲］(センボク) うちほろぼす。全滅させる。

［殲滅］(センメツ) ほろぼしつくす。全滅させる。

4画 殳 ほこづくり・るまた(ル又)

［部首解説］殳シュを意符にして、うつ、たたく、こわすなどの意味を含む文字ができている。

0【殳】4画 6047 漢シュ 呉ジュ 虞 shū 6153 9F74 —

字義 ❶ほこ。つえぼこ。兵器の名。兵車の上から人をつきはらうのに用いる。❷書体の名。兵器に書きつける書体。殳書シュショ。

解字 金文 篆文 象形。手に木のつえを持つ形にかたどり、ほこ・木のつえの意味を表す。部首となり、うつ・なぐるの意味を表す文字に用いられる。

4【殴】8画 6048 常 オウ なぐる 1805 89A3 —

11［毆］15画 6049 一 漢オウ 呉ウ 有 ǒu 二 漢ク 虞 qū 6156 9F77 —

筆順 一 フ ヌ 区 区 区' 殴 殴

字義 一 うつ(撃)。なぐる。たたく。むちや杖などでたたく。二 かる。走らせる。また、かける(駆)。走る。馬がかける。

解字 金文 篆文 形声。殳＋区(區)音。殳シュは、なぐるの意味。音符の區は、区切るの意味。なぐって邪悪なものとの区切りをつけるの意味を表す。

［殴撃］(オウゲキ) うつ。たたく。なぐる。殴打。

［殴殺］(オウサツ) なぐり殺す。

［殴縛］(オウバク) うちたたいてしばりつける。

4【股】8画 (4926) コ 月部。→六八八ページ下。

5【段】9画 6050 教6 ダン 漢タン・呉ダン 翰 duàn 3542 9269 —

筆順 ノ 丨 𠂆 𠂇 𠂇 㫃 段 段 段

字義 ❶くぎり。分割。また、ひとくぎり。ひとまとまりの事物をいう語。「段落」「一段」❷どんす。＝緞(9281)。❸きたえる。＝鍛(12770)。❹織物の長さの単位。一両(一匹)の半分。国❶タン。＝反(1272)。㋐織物の長さの単位。一匹の半分。鯨尺で長さ二丈八尺(一〇・六メートル)、幅九寸

（〇・三四メートル）。㋑距離の単位。六間（約一一メートル）。㋒面積の単位。昔は、三百六十歩。桃山時代以後は三百歩。九九一・七平方メートル。㋓帆の幅を数える単位。一段は、むしろ一枚の幅で、約一メートル弱。❷ダン。㋐きざはし。だんだん。「階段」㋑囲碁・将棋・柔道・剣道などの等級。㋒くだり。かど。件・次第などの意。「失礼の段」㋓語り物の一節。

難読 段子（どんす）・段峯（たみね）

解字 金文 篆文 会意。殳＋𠂤。殳は人工を加えるの意味。𠂤は金文では、岩石やがけに区切りをつけて、次第に高くのぼるさまにかたどる。がけなどに手を加え、登降に便利にした、だんの意味を表す。

逆 算段・手段・値段

【段階】ダンカイ 国①きざはし。階段。②等級。順位。

【段干木】ダンカンボク 戦国時代、魏（ギ）の賢者。子夏の弟子。魏の文侯に賓客の礼をもって待遇された。

【段玉裁】ダンギョクサイ 清（シン）の学者。字（あざな）は若膺（ジャクヨウ）。戴震（タイシン）の弟子。考証学・小学（文字の形や音や意味などを研究する学問）にすぐれ、著に『説文解字注（セツモンカイジチュウ）』がある。（一七三五—一八一五）

【段段】ダンダン ①きれぎれ。②しだいに。③国きざはし。階段。

【段落】ダンラク ①文章の切れめ。区切り。②物事の切れめ。区切り。

6 【殷】 10画 6051 6154 9F75 標

一 漢イン・呉オン 文 yīn
二 漢イン・呉オン 吻 yǐn
三 漢アン・呉エン 刪 yān

字義 一 ❶さか-ん。盛大。さかんに音楽を奏する。❷多い。大きい。ゆたか。富む。「殷賑（シン）」❸深い。❹正しい。正しくあたる。❺いたむ。うれえる。❻ねんごろ。丁寧。→殷勤。❼古代王朝の名。三代の一つ。初め商と称し、亳（ハク）（今の河南省商丘市の北）に都した。盤庚（バンコウ）のとき、殷（今の河南省安陽市の北西）に都を移し、国号を殷と改めたという。湯王から二十八代、約六百年続き、紂王（チュウオウ）のとき（前一〇二〇ころ）、周の武王に滅ぼされた。河南省安陽市北西の小屯村一帯に遺跡（殷墟（キョ））がある。 二 ❶雷の音の形容。とどろきわたる音声の形容。「殷殷」❷ふるわす（震）。❸かくす。 三 あかい。赤黒い色。

解字 金文 篆文 会意。殳＋月（㐆）。殳は、手にほこを持つ形にかたどり、強制するの意味。㐆は、身の字を裏返した形にかたどり、身ごもり大きくなるの意味。身ごもらせ大きくさせるさまから、さかん・多いの意味を表す。

【殷殷】インイン ①音声の大きくとどろく形容。「砲声殷殷」②雷のとどろく形容。③うれえの多い形容。④多い様子。⑤物のたおれようとするさま。

【殷鑑不遠】インカンとおからず 殷の国のいましめとなるよい手本は近く前代の夏（カ）の国の滅亡である。目前の他人の失敗を見て自分のいましめとするたとえ。商鑑不レ遠。▼鑑は、かがみ。〔詩経、大雅、蕩〕

【殷墟・殷虚（虚）】インキョ 殷の都のあと。今の河南省安陽市北西の小屯村を中心とした地。十九世紀末、うらないに使用した殷代の古文字を刻んだ亀甲（キッコウ）獣骨が発掘され、中国考古学上の貴重な史料となった。→甲骨文字（九〇七ペ・中）。

【殷勤・殷懃】インギン ねんごろ。手あつく親切なこと。▼殷は、慇とも書く。用例（唐、白居易、長恨歌）為レ感二君王展転思一（クンオウテンテンのおもいにカンずるがために）、遂教二方士殷勤覓一（ついにホウシをしてインギンにもとめしむ）↓（道士は）帝が夜も眠れずに楊貴妃を思っているという御心に感じ、部下の方士に命じて、ねんごろに（楊貴妃の魂のゆくえを）さがし求めさせた。

【殷紅】アンコウ 黒ずんだ赤色。

【殷衆】インシュウ さかんで多い。

【殷昌】インショウ 栄える。はんじょうする。

【殷商】インショウ 殷王朝。湯王にはじまり、商といったが、十七代盤庚（バンコウ）のとき殷（今の河南省安陽市の西北）に移り、殷といったことから。

【殷軫】インシン 盛んでにぎやか。多く盛んな様子。

【殷賑】インシン さかえにぎわうこと。富み栄えていること。繁華。

【殷正】インセイ 殷王朝で用いた暦。殷暦。▼正は、暦。⇩コラム 三正（一八ペ）。

【殷盛】インセイ さかんなこと。また、生活の豊かなこと。

【殷紂】インチュウ 殷の紂王（チュウオウ）。→紂（9072）の字義❷。

【殷阜】インプ さかんで豊か。▼阜は、大。

【殷富】インプ さかんで富む。富み栄えにぎわう。栄えて豊か。

【殷民】インミン ①殷の国民。②民を豊かにする。③裕福な人民。

【殷憂】インユウ 大いにうれえる。また、大きなうれえ。

【殷雷】インライ さかんに鳴りひびくかみなり。

【殷礼（禮）】インレイ ①殷代の礼法。また、制度。②盛大な祭礼。

6 【殸】 10画 6052 カク 殼（6056）の本字。→七九五ペ・上。

6 【羖】 10画 (9487) コ 羊部。→一二五三ペ・中。

6 【殺】 10画 6053 2706 8E45 教5 サツ・サイ・セツ ころす

7 〖殺〗 11画 6054 8641

一 漢サツ・呉セチ 黠 shā
二 漢サイ 国 shài
慣セツ

〖煞〗 7067 俗字

筆順 殺

字義 一 ❶ころ-す。あや-める。命をうばう。また、死刑にする。たたかう。用例（論語、衛霊公）志士仁人、無二求レ生以害一レ仁、有二殺レ身以成一レ仁（シシジンジンは、いきをもとめてもってジンをがいすることなく、みをころしてもってジンをなすことあり）↓仁を志す者、仁を体得した者は、生に執着して仁を害することはせず、自身の生命を絶ってでも仁を成し遂げる。❷死ぬ。用例（老子、七十三）勇二於敢一則殺、勇二於不一レ敢則活（あえてするにユウなればすなわちころされ、あえてせざるにユウなればすなわちいく）↓思いきりのよい者は死に、尻込みばかりする者は生き残る。❸ほろ-ぼす。なくす。取り除く。用例（荘子、大宗師）殺レ生者不レ死、生レ生者不レ生（セイをころすものはしせず、セイをショウずるものはショウぜず）↓生命を死滅させるもの自体は死ぬことがなく、生命を生成するもの自体は生まれることがない。❹そこ-なう。こわす。やぶる。また、すさんだ様子。「殺風景」❺か-れる。か-らす。植物などが枯れる。用例（春秋、僖公三十三）隕霜不レ殺レ草、李梅実（しもおちてくさをからさず、リバイみのる）↓霜が降りたが草は枯れず、李や梅が実をつけた。❻える。狩猟で獲物を手に入れる。❼いけにえ。祭りに供える犠牲。❽きびしい。すごい。「殺気」❾意味を強めるために添える助字。「悩殺」「笑殺」 二 ❶そ-ぐ。減らす。けずる。「減殺（ゲンサイ）」「相殺（ソウサイ）」❷おとろ-える。小さくなる。薄くなる。零落する。用例（呂氏春秋、長利）地日削、子孫弥殺（ちはひにひにけずられ、シソンいよいよおとろふ）↓領地は日に日に削られ、子孫はますます衰退する。❸ちがい。へだたり。区別。差異。用例（中庸）親レ親之殺、尊レ賢之等、礼所レ生也（シンをしたしむのサイ、ケンをとうとぶのトウは、レイのショウずるところなり）↓親族を愛する際の区別、賢者を尊ぶ際の等級によって、礼が生まれる。❹凶作。穀物が実らない。❺ほそい。ちいさい。❻ぬう。❼はなはだ。大いに。❽せきこむ。

難読 殺陣（たて）

解字 金文 篆文 会意。殳＋杀（杀）。杀は、いのししなど動物の象形。ころす・いけにえの意味を表す。

逆 圧殺・暗殺・活殺・虐殺・減殺・絞殺・惨殺・刺殺・愁殺・笑殺・生殺・相殺・族殺・他殺・毒殺・悩殺・必殺・忙殺・撲殺・抹殺・黙殺

【殺意】ころそうとする意志。

【殺害】ころすこと。

【殺活】＝殺生㊀①。

【殺気(氣)】①あらあらしく険悪なけはい。殺伐の気。②寒冷をもよおす気。草木をいためる秋冬の寒気。▼殺は、枯らす意。

【殺生】㊀①ころすことと生かすこと。生殺。②生きものをころすこと。㊁①㊋十悪の一つ。生命のあるものをころすこと。②国むごいこと。残酷。

【殺傷】ころすことと、傷つけること。

【殺傷過当(當)】敵を殺傷した数のほうが、味方の殺傷された数よりずっと多いこと。

【殺青】①竹を火にあぶって、青み(あぶら)を除きとること。昔、紙のなかったとき、竹の札に文字を書いたので、書きやすくするためにしたもの。汗簡。汗青。②文書。

【殺節(節)】草木を枯らす秋冬の寒い時節。

【殺到】勢いするどく押し寄せること。また、多くのものがどっと一時に押し寄せること。

【殺伐】①ころす。②あらあらしいこと。

【殺風景】風雅なおもむきを失わせる。興をさます。おもむきがない。また、その風景。荒涼たる風景。

【殺△戮】ころす。▼戮は、死罪にする。

【殺略・殺△掠】人をころし物をうばい取ること。

7【殹】11画 6055 エイ 霽 yì　—— —— 3817
字義 ❶うめき声。❷幕。天幕。覆い。❸音調を整える助字。

7【殻】11画 6056 常 カク から　1944 8A6B ——
8〖殼〗12画 6057 ㊀カク 覚 kē, qiào ㊁コク 屋　6155 9F76 ——
解字 形声。殳＋医音。
筆順 一 十 士 声 声 壳 壳 壳 殼 殻
［㱿］6052 本字　［壳］2194 俗字
字義 ㊀❶から。㋐内部をおおうかたい外皮。「貝殻」「卵殻」㋑ぬけがら。中味のない外皮。❷おおい。つつみ。カバー。❸たね。からの中味。❹たたく。上から下をうつ。

解字 篆文 形声。篆文は、殳＋肯音。音符の肯は、中がからになっている物の象形。殳は、たたくの意味。たたいて実をとりだした、からの意味を表す。
逆 地殻

7【𣪘】11画 6058 キ guǐ　27803 —— ——
字義 穀物を盛るための青銅器。＝簋(8855)。
解字 形声。殳＋既省音。

7【殸】11画 6059 ㊀漢ケイ 呉キョウ(キャウ) 径 qìng ㊁漢セイ 呉ショウ(シャウ) 庚 shēng　—— —— 3816
字義 ㊀磬(8260)の古字。㊁声(2190)の古字。

7【殺】11画 (6054) サツ　殺(6053)の旧字体。→七九四ページ下。

8【殼】12画 (6057) カク　殻(6056)の旧字体。→七九五ページ上。

8【殽】12画 6060 ㊀漢コウ(カウ) 呉ギョウ(ゲウ) 肴 xiáo, ③④yáo ㊁漢コウ(カウ) 呉ギョウ(ゲウ) 効 xiào　27804 —— 3818
字義 ㊀❶まじる。いりまじる。「混殽」❷乱れる。「殽乱」❸骨つきの肉。❹さかな。祭りの供えもの。また、酒のさかな。＝肴(4928)。㊁ならう。かたどる。＝効(1019)。

解字 篆文 形声。殳＋肴音。音符の肴は、いろんな肉をとりまぜる、さかなの意味。殳を付し、まじるの意味を表す。

【殽核】さかな。もりもの。▼殽は豆(木製の器)に盛ったもの、核は籩(竹製の器)に盛ったもの。

【殽△函】殽山と函谷関。ともに秦代の要害の地。殽山は河南省洛寧県の北西にあり、陝西省境に接し、その西方に函谷関がある。崤函。

【殽雑(雜)】いりまじる。混殽駁雑。

【殽乱(亂)】入り乱れる。混乱。


9【毀】13画 6061 常 キ 紙 huǐ　5244 9ACA ——

筆順 亻 F 臼 臼 臼 皀 皀 皀 毀
［毁］6062 俗字
字義 ❶こぼつ。こわす。こぼれる。こわれる。「毀損」❷かく。かける。きずつける。きずつく。「毀欠」❸やぶる。やぶれる。ほろぼす。❹のける。取り去る。用例〔列子、湯問〕以二残年余力一、曾不レ能レ毀二山之一毛一。残年の余力を以てしては、すなわち山の一毛をも毀つ能わず。↓老い先短いあなたの力では、山の一本の草でさえ取り除くことなどできはしない。❺くじく。くじける。❻そしる。人を悪くいう。「毀誉」❼やせほそる。「哀毀」

参考 現代表記では〔棄〕(5595)に書きかえることがある。「破毀→破棄」

解字 篆文 形声。土＋毇省音。音符の毇は、うすで米をつくの意味。土をつきつぶすさまから、こわすの意味を表す。

【毀垣】やぶれたかき。

【毀壊(壞)】①こわれやぶれる。②やぶりこわす。

【毀棄】壊し捨てる。破り捨てる。だめにする。

【毀言】そしることば。わるくち。悪口。

【毀歯(齒)】子供の歯が抜けかわること。また、その年ごろ。

【毀△呰・毀△疵】そしる。悪口をいう。▼呰・疵はともに、そしる。

【毀傷】そこないやぶる。いためきずつける。用例〔孝経、開宗明義章〕身体髪膚、受二之父母一、不二敢毀傷一孝之始也。身体髪膚、これを父母に受く、あえて毀傷せざるは、孝の始めなり。↓我々の体はすべて父母からいただいたものであるから、絶対にそこなわないようにするのが孝行の第一歩である。

【毀△瘠】悲しみのあまり、やせおとろえること。

【毀損】①いたむ。破れる。また、欠ける。②きずつける。いためる。破る。「名誉毀損」

【毀△詆】そしる。悪口をいう。▼詆も、そしる。

【毀△謗】そしる。けなす。▼謗も、そしる。

【毀誉(譽)褒(褒)△貶】そしることとほめること。▼毀と貶とは、そしりけなすこと、誉と褒とは、ほめること。

【毀滅】①こわす。こわしほろぼす。②喪の時。悲しみ甚だしく死に至ること。

9【毁】13画 6062 キ　毀(6061)の俗字。→七九五ページ中。
9【毄】13画 6063 ゲキ　轂(6067)の俗字。→七九六ページ中。
9【彀】13画 (3347) コウ　弓部。→四九三ページ中。
9【𣪩】13画 6064 シュン 震 xùn　27805 —— 3819
字義 きずく(築)。
解字 会意。殳＋者。者は、堵などに通じ、家の周囲のかきの意味。

9【殿】13画 6065 常 デン・テン との・どの 漢テン・呉デン 霰 diàn 3734 9361 —

筆順 ㇇ コ 尸 尸 屛 屈 屏 㞟 殿

字義 ❶との。㋐大きな建物。ご殿。「殿堂」㋑天子・皇后・皇族等の住居。また、貴人の住居。「宮殿」❷政務をとる所。朝廷。❸寺。寺院。❹貴人の尊称。→殿下㊀②。❺物を打つ音。❻しんがり。㋐退却時、後にふみとどまって敵を防ぐこと。また、その軍隊。↔啓(1532)。㋑最後尾。最下位。❼しずめる(鎮)。国❶との。㋐自分の仕える貴人の敬称。㋑城主の敬称。㋒夫または男性の敬称。❷どの。他人の姓名の下にそえて敬意を表す語。→参考。

名前 あと・すえ・との・とのもり 難読 殿賀(とのが)

参考 ①現代表記では〔澱〕(6744)の書きかえに用いることがある。「沈澱→沈殿」②公文書のあて先は〔殿(どの)〕を用いるのが一般的であるが、尊大な印象があるので、〔様〕を用いる自治体が増加している。

解字 篆文 殿 形声。もと、殳+屍(音)。音符の屍(デン)は、台にすわった人のしりの象形。殳は、うつの意味。古代、しりたたきの風俗などがあり、付された。転じて、しりのように安定感のある、たかどの意味を表す。

逆 貴殿・参殿・寝殿・正殿・夕殿・仏殿・便殿・浴殿

【殿宇】(デンウ) 御殿。宮殿。殿舎。

【殿下】(デンカ) ㊀①御殿の下。殿堂の階段の下。②昔、諸侯の尊称。漢以後は皇太子・諸王の尊称。魏(ギ)・晋(シン)・六朝(リクチョウ)では天子の尊称。清(シン)代では皇后・皇太子の尊称として用いた。㊁(デンカ・テンガ) 国①昔、皇族または摂政・関白・将軍などに対する敬称。②皇太子・皇太子妃など、陛下以外の皇族に対する敬称。

【殿階】(デンカイ) 宮殿の階段。御殿のきざはし。殿陛。

【殿閣】(デンカク) 宮殿と楼閣。宮殿。御殿。

【殿△檻】(デンカン) 御殿のてすり。宮殿の欄干。

【殿軍】(デングン) しんがりの軍隊。殿後。↔先鋒(センポウ)(一四〇ページ下)。

【殿後】(デンゴ) ①しんがりの軍隊。②御殿のうしろ。また、御殿の奥。

【殿最】(デンサイ) ①しんがりと先頭。殿軍と先鋒(センポウ)。②戦功や成績を調べて、下の者を殿、上の者を最という。③等級。順序。また、それを定めること。

【殿試】(デンシ) 宋(ソウ)の太祖が創設した、天子が自ら殿中で行った科挙の進士科の最終試験。

【殿舎】(デンシャ) 御殿。やかた。殿堂。宮殿。

【殿上】(デンジョウ) ㊀宮殿または殿堂の上。用例〔史記、刺客伝〕秦法(シンのホウ)、群臣侍(ジスル)殿上(ニ)者(グンシンのデンジョウにジするもの)、不(レ)得(レ)持(ニ)尺寸之兵(ヲ)(セキスンのヘイをジするをえず)。↓秦の法律では、臣下で殿上に仕える者は、ごく小さな武器さえも身に帯びることは禁止されていた。㊁(テンジョウ) 国①清涼殿にある殿上の間。②殿上の間に奉仕すること。③「殿上人(テンジョウびと)」(昇殿を許された人)の略。

【殿上虎】(デンジョウのとら) 殿上で天子をいさめることのはなはだしい人をいう。宋(ソウ)の劉安世(リュウアンセイ)をいう。〔宋史、劉安世伝〕

【殿堂】(デンドウ) 御殿。高大な建物。

【殿版】(デンパン) ＝殿本。

【殿△廡】(デンブ) 御殿の回廊。また、御殿の軒下。

【殿本】(デンポン) 清(シン)代、宮城内の武英殿から出版された書物。「武英殿本」の略。殿版。

10【毃】14画 6066 カク 覺 qiāo — — 3820

字義 撃つ。たたく。

解字 形声。殳+高(音)。音符の高は敲に通じ、たたくの意味。

10【毄】14画 6067 ㊀漢ケキ・呉キャク 錫 jī ㊁ケイ 霽 jì 慣ゲキ — — 3821

〔毃〕6063 俗字

字義 ㊀❶あたる。うち合う。❷はらう。うちはらう。❸つとめる。努力する。㊁つなぐ。家畜などをつなぎやしなう。＝繫(9371)。

解字 篆文 毄 会意。殳+軎。殳は、うつの意味。軎は、車軸の先端の意味。車と車とが接し、車軸の車どめのくさびがぶつかりあうの意味を表す。

10【穀】14画 (8512) コク 禾部。→一〇五五ページ上。

10【骰】14画 (13822) トウ 骨部。→一五九六ページ中。

11【毆】15画 (6049) オウ 殴(6048)の旧字体。→七九三ページ下。

11【毅】15画 6068 人 漢ギ・呉ゲ 未 yì 慣キ 2103 8B42 —

筆順 亠 ㇇ 立 辛 辛 豸 豙 豙 毅

字義 ❶つよ-い(つよ)。たけ-し。意志が強くてくじけない、また、決断力がある。「剛毅」❷いかる。大いにおこる。

名前 かた・き・こわし・さだむ・しのぶ・たか・たけ・たけし・つよ・つよき・つよし・とし・のり・はたす・み・よし

解字 篆文 毅 形声。殳+豙(豪)(音)。殳は、なぐるの意味。音符の豙(ギ)は、針をさされたいのししが毛を逆立てて怒るの意味。むやみやたらに怒る意味から、転じて、つよく決断するの意味を表す。

【毅然】(キゼン) 強くしっかりしているさま。

【毅勇】(キユウ) 強くて勇気がある。意志が強くて物に動じない。

12【毇】16画 6069 キ 紙 huǐ 27806 — —

字義 しらげる。米を臼(うす)でつく。

解字 会意。臼+米+殳。

12【穀】16画 (9029) コク 米部。→一一〇〇ページ下。

12【縠】16画 (9300) コク 糸部。→一一三五ページ下。

12【毈】16画 6070 ㊀漢タン・呉ダン 翰 duàn ㊁漢タ・呉ダ 哿 27807 — —

字義 ㊀㊁すもり。卵の腐って孵化(フカ)しないもの。

解字 形声。卵+段(音)。

13【觳】17画 (11088) コク 角部。→一三〇一ページ中。

13【轂】17画 (11952) コク 車部。→一三九八ページ下。

14【醫】18画 (1129) イ 匚・匸部。→二〇八ページ上。

14【毉】18画 6071 イ 医(1128)と同字。→二〇八ページ上。 27808 — 3822

16【馨】20画 (13679) ケイ 香部。→一五八二ページ下。

毋 なかれ 4画

〔部首解説〕 毋(ブ)が意符になる文字の例はないが、類似の形の母などを含めて、字形分類上から部首にたてられる。

0【毋】4画 6072 漢ブ・呉ム 虞 wú 6157 9F78 —

字義 助なか-れ。な-し。⇩助字・句法解説。

助字・句法解説

❶なかれ。禁止。「毋レA」（Aするなかれ）」。訳…するな。類勿・莫・無。

動詞の前に置かれる。

用例〔論語、先進〕以三吾一日長二乎爾一、毋二吾以一也　↓私がちょっとお前たちより年長だからといって、遠慮してはいけないよ。

❷なし。否定。「毋レA」（Aするなし）」。訳…しない。類無。

①と同じ形で、否定の意味を表す。

用例〔史記、廉頗藺相如伝〕趙王畏レ秦、欲レ毋レ行　↓趙王は、秦を心の中におそれて、行くまいと思った。

【毋寧・毋乃】むしろ。比較。訳むしろ。どちらかといえば。かえって。類寧。

二つをくらべて、どちらかといえば以下のものを選ぶことを表す。「毋」は語頭に意味なく置かれるもの。

用例〔左伝、襄公二十九〕先君而有レ知也、毋寧夫人。↓今は亡き悼公が知ったら、むしろ悼夫人こそしかられるでしょう。

参考〔毌〕(6073)は別字。

解字 金文　篆文　象形。もと、母と同形で、ははおやの意味を表したが、篆文から二点を横一線に改め、ないの意味に用いる。

【毋状（狀）】ブジョウ ①無状。よい行い（また、成績）がない。②無作法。

【毋乃】むしろ ⇩助字・句法解説。

【毋寧】むしろ ⇩助字・句法解説。

【毋望】ブボウ 望んでいない。また、思いがけない。「毋望之福（ブボウのフク）」

【毋慮】ムリョ おおよそ。大概。無慮。

0【毌】4画 6073 カン（クヮン）翰 寒 guàn　―　―　3823

字義 つらぬく。うがつ。＝貫(11526)。

参考〔毋〕(6072)は別字。

解字 甲骨文　篆文　象形。甲骨文でよくわかるように、物に穴をあけて、つらぬきとおす形にかたどり、つらぬくの意味を表す。貫の原字。毌を音符に含む形声文字に、慣・貫などがある。

1【母】5画 6074 教2 ボ はは　4276　95EA　―

漢ボウ・呉モ 有 mǔ

慣ボ

熟字訓 乳母（うば）・叔母（おば）・伯母（おば）・母屋（おもや）・母家（おもや）・母さん（かあさん）

筆順 乚 𠃊 口 母 母

字義 ❶はは。ははおや。↕父(7093)。「老母」❷ばば。年をとった女性。老女。❸うば（乳母）。めのと。❹めす（雌）。❺もと。根源。物を生ずるもととなるもの。❻もとで。元金。❼おやゆび。❽物の大きいもの・重いもの。

難読 母衣（ほろ）・母子里（もしり）・母刀自（あもとじ）・母野（はんの）

参考 現代表記では〔姆〕(2365)の書きかえに用いることがある。「保姆→保母」

解字 甲骨文　篆文　指事。女に二点を加えて、ははの意味を示す。二点は両手で子を抱きかかえるさまとも、乳を子に与えるさまともいう。子を生み、養い育てる女性、ははの意味を表す。甲骨文は、象形とも見られる。母を音符に含む形声文字に、姆（ボ）・拇（ボ）・苺（バイ）などがある。

逆 雲母・継母・賢母・国母・字母・慈母・叔母・聖母・乳母・伯母・父母・保母

【母家】ボカ 嫁の実家。嫁のさと。

【母儀】ボギ 人の母たるものの手本。母道の模範。母範。

【母兄】ボケイ 同じ腹から生まれた兄。同母兄。

【母系】ボケイ 母方に属する系統。↕父系(九一六ページ中)。

【母后】ボコウ 皇太后をいう。

【母国（國）】ボコク ①分かれた国から、そのもとの国をいう。②自分の生まれた国。生国。また、自分の属している国。主として、海外から自分の本国をいう。

【母子】ボシ ①母と子。②もと。本源。③元金と利子。

【母氏】ボシ はは。母親。用例〔詩経、邶風、凱風〕棘心夭夭、母氏劬労。↓いばらの若芽は暖かい南風に吹かれてつやつやとなり、その南風のように子を育てた母は、ほねおり苦しむばかりであったのだ。

【母字】ボジ ①母として（母が子に対するように）いつくしむ。②漢字の反切で、二字目の韻を表す字。例えば、母の反切、莫後の後。↕子字(三八〇ページ下)。

【母銭（錢）】ボセン 元金。もときん。資本。↕子銭(三八一ページ上)。

【母体（體）】ボタイ ①母のからだ。②国分かれ出たものの本のもの。

【母胎】ボタイ 国①母の胎内。母親のからだの中。②＝母体②。

【母弟】ボテイ 同じ腹から生まれた弟。同母弟。

【母党（黨）】ボトウ 母かたの親類。

【母堂】ボドウ 国他人の母を呼ぶ尊称。

【母憂】ボユウ 母の死。母の喪。母艱（ボカン）。

2【毎】6画 6075 教2 マイ　4372　9688　―

3〔每〕7画 6076 人　8642　―　―

漢バイ・呉マイ 賄 měi

筆順 丿 𠂉 乍 毎 毎 毎

字義 ❶つね。つねに（常）。いつも。用例〔三国蜀、諸葛亮、前出師表〕毎与レ臣論二此事一。↓（先帝は）つねに私とこのことについて議論した。❷ごと。ごとに。…するたびに。用例〔論語、八佾〕子入二大廟一毎レ事問。↓先生は大廟の中に入ると、一つ一つたずねた。❸いえども（雖）。…とはいっても。…ではあるが。用例〔詩経、小雅、常棣〕毎レ有二良朋一、況也永歎。↓良い友達があっても、ただ嘆き悲しむだけ。❹むさぼる。しきりにもとめる。用例〔漢書、叙伝下〕毎レ生作レ禍。↓生をむさぼって死のわざわいを受けた。

名前 かず・つね

解字 甲骨文　金文　篆文　象形。髪かざりをつけて結髪する女性の象形である。が、借りて、つねにの意味を表す。『説文解字』は中＋母音の形声とし、草がさかんに茂るの意味を表すと説く。毎（每）を音符に含む形声文字には、マイ・クヮイ両様の音があり、悔（カイ）・晦（カイ）・海・誨（カイ）などがある。

【毎次】マイジ そのつど。そのたびごとに。毎度。毎回。

【毎生】マイセイ 生命をむさぼって生きながらえようと思う。▼毎は、むさぼる。

【毎旦】マイタン 毎朝。朝な朝な。

【毎毎】マイマイ・バイバイ ①おろかなさま。混乱しているさま。用例〔荘子、胠篋〕天下毎毎大乱。↓世の中が収拾のつかないほどに混乱する。②草や穀物がさかんに生えるさま。用例〔左伝、僖公二十八〕原田毎毎。↓田んぼの草が青々と茂っている。国マイマイ つねづね。いつもいつも。

3【每】7画 (6076) マイ　毎(6075)の旧字体。→七九七ページ下。

4
【毒】 8画 6077 教5 ドク

㊀漢トク・呉ドク 因 dú
㊁漢タイ・呉ダイ 隊 dài

3839 93C5 —

筆順 一 十 キ 主 毒 毒 毒

字義 ㊀❶人の生命や健康を害するもの。「中毒」「消毒」❷わざわい。害悪。「毒舌」❸殺す。❹そこなう。いためる。苦しめる。❺毒を入れる。❻にくむ。うらむ。苦痛に思う。↓あなた。用例〔唐、柳宗元、捕レ蛇者説〕若毒レ之乎。蛇捕りが苦痛なのか。❼いきどおる。❽あらあらしい。乱暴。❾おさめる。❿そだてる。やしなう。⓫やすらか。

㊁毒冒は、海亀の名。玳瑁。＝玳(7360)・瑇(7448)。

難読 毒島

解字 篆文 会意。屮＋毒。屮は、くさの意味。毒は、人がみだらになるの意味。人をみだらにする草、どくの意味を表す。

逆 炎毒・解毒・身毒・丹毒・服毒

【毒悪(惡)】たいへんわるい。凶悪。

【毒牙】①どくのあるきば。②国邪悪な手段・行為。

【毒害】①いためる。害する。②わざわい。③毒を飲ませて殺す。毒殺。

【毒気(氣)】㊀人を害する悪い気。有毒な空気。毒ガス。㊁国①有毒な成分。②人をおとしいれようとする気持ち。「毒気を抜かれる」

【毒虐】そこないしいたげる。むごいことをする。

【毒言】人をそしり傷つけることば。悪口。

【毒殺】毒を飲ませて殺す。

【毒刺】①毒のあるとげ。毒針。②凶悪な人。また、そのことば。

【毒手】①凶悪なふるまいをする手。②凶悪な人。③邪悪な手段・行為。

【毒暑】ひどい暑さ。酷暑。

【毒△瘴】悪い病を起こす山川の悪気。毒気。

【毒刃】悪人が人を殺すに使うやいば。凶刃。

【毒舌】①毒を持っている舌。②国㋐ひどい悪口。㋑しんらつな皮肉。

【毒婦】悪心をいだいていて人を害する女性。奸婦。

【毒味】国飲食物を人にすすめる前に毒があるかないかをためす。転じて、料理の味かげんをみること。毒見。

【毒薬(藥)】①からく苦い薬。強い薬。よくきく薬。用例〔史記、淮南王安伝〕毒薬苦ニ於口一、利ニ於病一。毒薬は口にはからく苦いが、病気には効果がある。②少量ではげしい作用をなし、生命を危険に導く薬物。

【毒△癘】毒気。人を害する有毒な空気。また、それに犯されてかかる病気。用例〔唐、柳宗元、捕レ蛇者説〕触ニ風雨一、犯ニ寒暑一、呼ニ嘘毒癘一、往往而死者相藉也。↓風雨にさらされ、寒さ暑さに痛めつけられ、毒気を吸い込み、しばしば死んでいく人が次々に重なって続くのです。

【毒竜(龍)】毒で人を害する竜。また、欲望・煩悩のたとえ。用例〔唐、王維、過ニ香積寺一詩〕薄暮空潭曲、安禅制ニ毒竜一。↓夕暮れの静かな淵に、座禅をして心の中の毒竜(煩悩)を制御(滅却)している僧がいる。

【以レ毒制レ毒】毒を消すために他の毒薬を用いる。悪人を利用して悪人をおさえつけるたとえ。『普灯録』に「以レ毒攻レ毒(悪人を利用して悪人を押さえる)」とあるのに基づく。

7
【貫】 11画 (11526) カン

貝部。→一三五三ページ上。

10
【毓】 14画 6078 イク

6158 9F79 —

育(4921)と同字。→六八八ページ中。

比 くらべる 4画

〔部首解説〕比が意符になる文字は毖との一字のみで、音符としての意味も明らかでない。字形分類上から部首にたてられる。

0 比 七九八　5 皆 九九三　毖 七九九　毗 九七〇　毘 九七〇
8 毬 九五三

0
【比】 4画 6079 教5 ヒ くら-べる

㊀ヒ 紙 bǐ
㊁漢ヒ・呉ビ 寘 bì

4070 94E4 —

筆順 ｰ ヒ ヒ' 比

【𣬈】2255 古字

字義 ㊀❶くら-べる。㋐ならべて、善悪・優劣を考える。比較。㋑照らし合わせる。くらべ合わせる。「対比」㋒よそ-える。なぞらえる。たぐえる。「比喩」㋓あらそう。きそう。❷ならう。まねする。❸なれる。なれなれしくする。❹そなえる。ととのえる。❺同じ。等しい。❻しきりに。❼なかま。ともがら。同類。❽きまり。先例。❾割合。比率。❿『詩経』の六義の一つ。類似のものを取り出し、それにたとえて述べる詩体。

㊁❶したしむ(親)。ちかづく。また、助ける。❷たのしむ(楽)。やわらぐ。仲がよい。❸あう。合わせる。❹したがう。善を選んで従う。用例〔論語、里仁〕義之与比。↓正義に従っていく。❺くみする。仲間を作る。おもねる。用例〔論語、為政〕君子周而不レ比。↓君子は誠実で親密であり、一部の人だけにおもねらない。❻順序だてる。＝次(5944)。❼なら-ぶ。なら-べる。また、ならびに。みな。「比翼鳥」❽およ-ぶ。いたる。❾ころ。このごろ。❿このごろ。昨今。⓫ため。ため-に。用例〔孟子、梁恵王上〕願比ニ死者一一洒レ之。↓死者のためにぜひ一度この恥をすすぎたい。⓬すき櫛。⓭五人組。周代の制。五家を一組とした。⓮易の六十四卦の一つ。☷☵坤下坎上。世間の人が天子を仰ぎ親しむ象。

国国名。比律賓の略。

名前 これ・たか・たすく・ちか・つね・とも・なみ・ひ・ひさ

難読 比延・比斯馬児・比婆・比売宮・比布・比目魚・比律・比律賓・比律悉・比良・比良

解字 甲骨文 篆文 会意。人が二人並ぶさまから、ならぶ・したしむの意味を表す。比を音符に含む形声文字に、妣・秕・庇・批・陛などがある。

逆 対比・等比・無比・隣比

【比屋】①軒(家)をならべる。②やなみ。毎家。

【比較】(善悪や優劣を)くらべる。

【比干】殷の忠臣。紂王のおじで、紂をいさめて怒りにあい、胸をさかれたという。箕子・微子と合わせて殷の三仁(三人の仁者)といわれる。

【比擬】くらべなぞらえる。ひきくらべる。比況。

【比況】①ひきくらべる。くらべたとえる。②国動作や状態を他にくらべていう語。助動詞「ごとし(ようだ)」など。

【比興】①『詩経』の六義の比と興。→字義㊀❿。▼興は、自然界の事物などをたとえに引いて言い出し、それから本旨を述べる歌いかた。②他物にたとえておもしろくいうこと。

【比丘】ビク ①仏梵語ボン bhikṣu の音訳。僧。仏に帰依エキして法をこい、施主について食をこう意。②女性の道士。

【比丘尼】ビクニ ①仏梵語ボン bhikṣuṇī の音訳。あま。女僧。女性の出家したものの称。②国江戸時代に流行した、女僧のよそおいをしている売春婦。

【比△耦】ヒグウ ならぶ。▼耦は、ふたりならぶ。

【比肩】ヒケン かたをならべる。比レ肩かたをならぶ。㋐人が多いこと。肩と肩とが触れ合うほど人が多い。㋑ならんで歩く。㋒対等の地位を保つ。

【比国(國)】ヒコク ①となりの国。隣国。②ベルギーの略。③国フィリピンの略。

【比周】ヒシュウ ①かたよった交際と、公正な交際。▼比は私心でかたより親しむこと、周は正しい道で交わること。『論語』為政編に「君子周而不レ比クンシはシュウしてヒせず、小人比而不レ周ショウジンはヒしてシュウせず」とあるのに基づく。②かたよって一方に仲間入りすること。おもねりくみすること。比党。

【比照】ヒショウ くらべ合わせる。比較対照する。

【比党(黨)】ヒトウ ①徒党を組む。よくない仲間を組む。

【比年】ヒネン ①毎年。比歳。②近年。

【比比】ヒヒ ①しきりに。しばしば。毎々。②どれもこれも。すべてみな。

【比附】ヒフ つきしたがう。また、近づき親しむ。

【比方】ヒホウ ①くらべる。▼方も、比に同じ。②たとえ。

【比目】一ヒモク ①目をならべる。②比目魚の略。二めヒ 国やわらかく煮た飯。

【比目魚】ヒモクギョ ①伝説上の魚の名。一目の魚で、二尾並んで泳いだという。②ひらめ・かれいの類い。→鰈(14094)の参考。③ひらめ。

【比喩】ヒユ たとえる。また、たとえ。譬喩ヒユ。

【比翼】ヒヨク ①つばさをならべる。②比翼鳥の略。

【比翼鳥】ヒヨクのとり ①伝説上の鳥の名。雌雄ともに目がひとつ、つばさがひとつで、いつも二羽で一体となって飛ぶという鳥。②いつも二羽でいっしょに空を飛ぶ鳥。③愛情の深い夫婦をいう。比翼連理。用例〔唐、白居易、長恨歌〕在レ天願作ニ比翼鳥一テンにありてはねがわ(は)くはヒヨクのとりとなり、在レ地願為ニ連理枝一チにありてはねがわ(は)くはレンリのえだとならん ↓大空では翼をならべて飛ぶ鳥になりたい、地上では枝と枝とがつながりあった二本の木となりたい。

【比翼塚】ヒヨクづか 国情死した男女を、同じ穴に葬った墓。めおとづか。

【比翼連理】ヒヨクレンリ 比翼の鳥と連理の枝。連理の枝は、二本の木の枝が合わさって木目モクめが続いているもの。愛情の深い夫婦のたとえ。→比翼鳥③。

【比来(來)】ヒライ このごろ。ちかごろ。近来。

【比倫】ヒリン ①くらべる。②同類。同じ仲間。比類。

【比隣】ヒリン となり近所。近隣。用例〔唐、杜甫、兵車行〕生レ女猶得レ嫁ニ比隣一おんなをうまばなお(ほ)ヒリンにカするをえるも、生レ男埋没随ニ百草一おとこをうまばマイボツしてヒャクソウにしたがわ(は)ん ↓女児が産まれれば、まだ、隣近所の男と結婚させることもできるが、男児が産まれれば土に埋もれて草におおわれるだけだ。

【比類】ヒルイ ①よいものにくらべなぞらえる。▼類は、善の意。②同類のものをならべ合わせる。③同類。仲間。比倫。

【比例】ヒレイ ①ためし。前例。②前例にならう。③二つの数の割合が他の二つの数の割合と同じ関係にあること。

5【皆】9画 (7871) カイ 白部。→九九三ジペー中。

5【毖】9画 6080 ヒ 寘 bì　8643 EDD8 3824

字義 ❶つつし-む(慎)。❷とおい(遠)。❸つかれる。また、なやむ。❹ながれる。また、泉の流れ出るさま。

解字 形声。比＋必音。

5【毗】9画 (7627) ヒ 田部。→九七〇ジペー上。

5【毘】9画 (7626) ヒ 田部。→九七〇ジペー上。

8【琵】12画 (7429) ビ 玉部。→九五三ジペー上。

4画 毛 け

〔部首解説〕毛を意符にして、毛、毛で作られたものなどに関する文字ができている。

0 毛 七九九	4 毟 八〇〇	5 毡 八〇〇	6 毦 八〇〇	毧 八〇〇
耄 一一六六	毣 八〇〇	7 毬 八〇〇	毫 八〇〇	8 毱 八〇〇
毳 八〇〇	毯 八〇〇	9 毷 八〇〇	毹 八〇〇	10 髦 一六〇三
11 麾 一六四三	毿 八〇〇	氂 八〇〇	12 氅 八〇一	氄 八〇一
13 氈 八〇一	氊 八〇一	氉 八〇一	18 氍 八〇一	22 氎 八〇一

0【毛】4画 6081 教2 モウ け　漢ボウ・呉モウ 豪 máo　4451 96D1 一

筆順 ノ 二 三 毛

字義 ❶け。㋐人や動物のけ。「毛髪」㋑果実の表面に生ずる毛のようなもの。❷けもの(獣)。また、獣の毛皮。❸草木の生ずること。また、植物の総称。❹毛が同一色のいけにえ。❺頭髪の色で老壮を判断し席次を定める。❻かるい。細かい。わずか。また、軽い・細かい・わずかなもののたとえ。「毛管」❼分量の単位。一厘の十分の一。㋐尺度の単位。一尺の一万分の一。㋑重量の単位。一貫の百万分の一。㋒銭貨の単位。一銭の百分の一。㋓稲などの実り。「二毛作」

名前 あつ・け　難読 毛越寺もうつうじ・毛鉤けばり・毛蚕けご・毛人谷えびたに・毛馬内けまない・毛布ケット・毛枚ひらも・毛莨うまのあしがた・毛呂もろ・きんぼうげ

解字 金文　篆文　象形。「け」の生えているさまにかたどり、「け」の意味を表す。毛を音符に含む形声文字に、旄モウ・秏モウ・耗・耄モウなどがある。

逆 牛毛・紅毛・豪毛・吹毛・旋毛・不毛・厘毛

【毛衣】モウイ ①鳥の毛・羽。②毛皮で作った衣。

【毛羽】モウウ ①獣の毛と鳥の羽。②獣と鳥。

【毛△穎】モウエイ 筆の別名。▼穎は、とがっている。

【毛奇齢(齡)】モウキレイ 清シンの学者。字あざなは大可。経学に通じ、また、文人。世に西河先生と称した。(一六二三―一七一六)

【毛挙(擧)】モウキョ ①細かい事まで数えあげること。毛の先ほどのわずかな罪まで数えあげること。②細かい事まで筆で書きつくすこと。③重いものを軽く取り扱うこと。

【毛詩】モウシ 書名。二十巻。『詩経』の別称。漢初に先秦センシン時代の古文の『詩経』を、毛亨モウコウが伝えたので毛詩という。現在の『詩経』はこの毛詩である。→詩経(一三四四ジペー下)。

【毛△嬙】モウショウ 古代の美女の名。西施と並び称される。また、王昭君(九四四ジペー上)の名。〔荘子、斉物論〕

【毛遂】モウスイ 戦国時代、趙チョウの人。平原君の食客。弁舌をもって楚王ソオウに説き、趙の難を救った。

【毛△錐子】モウスイシ 筆の別名。錐きりに似ているのでいう。

【毛△毳】モウゼイ 鳥獣の細くやわらかい毛。にこげ。

【毛△氈】モウセン 一種の毛織物。幅が広く、敷物などにする。

【毛沢(澤)東】モウタクトウ 中華人民共和国の政治家・思想家。湖南省湘潭ショウタン県韶山ショウザンの人。字あざなは潤之ジュンシ。中国共産党の代表的指導者。一九四九年、中華人民共和国を建国。後、国家主席となった。主な論文には「新民主主義論」「矛盾論」「実践論」などがあり、『毛沢東選集』がある。(一八九三―一九七六)

【毛虫(蟲)】モウチュウ ①けもの。獣類。②国けむし。
【毛頭】モウトウ ①あかんぼう。幼児。②国毛の先ほど(も)。少し(も)。いささか(も)。下に打消を伴い、意図がないことを表す。
【毛病】モウヘイ ①毛の悪いくせ。②くせ。きず。欠点。
【吹レ毛求レ疵】けをふいてきずをもとむ 毛を吹き分けてきずをさがし出す。㋐小さな過ちも許さないできびしくさがし出すたとえ。〔韓非子、大体〕㋑事をあらだて、かえって自分の身に意外な結果を生ずるたとえ。

4【毟】8画 6082 国字 | 6159 9F7A —
〔挘〕4171同字 〔𢪸〕4285同字
字義 むし-る。つかんで引き抜く。
解字 会意。少＋毛。毛を少なくする。むしるの意味を表す。

5【毡】9画 6083 セン | — — 3826
氈(6098)の俗字。→八〇一ページ上。

6【毦】10画 6084 漢ジ 呉ニ 寘 ěr | 27810 — 3828
字義 ❶けかざり。羽毛のかざり。❷毛織物。❸香草の名。❹毛のようにたれさがるもの。ふさ。
解字 形声。毛＋耳音。

6【毧】10画 6085 漢ジュウ(ジウ) 呉ニュウ(ニウ) 東 róng | 27811 — 3829
字義 細い毛。難読 天鵞毧びろうど
解字 形声。毛＋戎音。

6【耄】10画 (9573) ボウ 老部。→一二六六ページ上。

6【毣】10画 6086 一漢ボク・呉モク 屋 mù 二漢ボウ・呉モウ 号 mào | — — 3827
字義 一❶うるわしいさま。❷考えるさま。二目がかすんでぼんやりしたさま。
解字 形声。羽＋毛音。

7【毬】11画 6087 人 漢キュウ(キウ) 呉グ 尤 qiú | 6160 9F7B —
筆順 ノ 二 毛 毛 毬 毬 毬 毬 毬
字義 ❶まり。けまり。❷たま。まりのように丸いもの。「花毬」❸いが。栗などの果実の外皮にとげの群がり生じたもの。
名前 まり 難読 毬杖ぎっちょう・毬打ぎっちょう
解字 篆文 形声。毛＋求音。音符の求は、一点に集まるの意味。毛糸などをまるくたまにした、まりの意味を表す。
【毬子】キュウシ ①まり。②菊の一種。
【毬灯(燈)】キュウトウ 丸形の灯籠とうろう。

7【毫】11画 6088 標 漢コウ(カウ) 呉ゴウ(ガウ) 豪 háo | 6161 9F7C —
字義 ❶ほそげ。長くとがっている細い毛。秋になってごく細くなった獣の毛。「秋毫」❷こまかい。わず-か。わずか。すこし。「毫末」❸分量の単位。釐りの十分の一。毛。❹筆の穂。転じて、筆。「揮毫」
参考 〔亳〕(154)は別字。
解字 形声。毛＋高省音。音符の高は、豪に通じ、やまあらしの意味。やまあらしのような、長くてとがっている毛の意味を表す。
【毫素】ゴウソ 筆と絵絹えぎぬ。筆と紙。
【毫端】ゴウタン ①筆の先。筆端。②毛の先。極めて微細なもののたとえ。
【毫楮】ゴウチョ 筆と紙。筆紙。
【毫髪】ゴウハツ ①毛すじ。細い毛。②ごくわずか。
【毫芒】ゴウボウ 毛と、のぎ(穂さき)。ごく微細なもの。
【毫末】ゴウマツ ①毛の先。②少し。わずか。③ごく小さいこと。
【毫毛】ゴウモウ ①細い毛。②うぶげ。③少し。わずか。
【毫釐】ゴウリ 少し。わずか。▼釐は、十毫。
【毫釐之失差以千里】ゴウリのシツたがうにセンリをもってす 初めはわずかの違いでも、最後には大きな違いとなる。『史記』太史公自序に「失之毫釐、差以千里」(これをゴウリに失えば、差うにセンリを以てす)とあるのに基づく。

8【毱】12画 6089 漢キク 呉ギク 屋 jū | 27813 — 3831
字義 まり。けまり。＝鞠(13340)。
解字 形声。毛＋匊音。音符の匊キクは、両手ですくうの意味。両手ですくうほどの球形の毛で作られた、まり・けまりの意味を表す。

8【毳】12画 6090 一漢セイ・呉サイ 霽 cuì 二漢セツ・呉セチ 屑 qiāo 慣ゼイ | 6162 9F7D —
字義 一❶むくげ。にこげ。細くてやわらかい毛。❷はらげ。鳥の腹の毛。❸けおりもの。❹けがわ。❺やわらかい。また、もろい。よわい。＝脆(5006)。二❶＝一❶。❷そり。＝橇(5793)。
解字 金文 篆文 会意。毛を三つ合わせて、密生した獣毛のさまから、にこげの意味を表す。
【毳衣】ゼイイ 一毛織の衣服。㋐大夫タイの服。㋑匈奴キョウドの服。二仏僧服の名。真言宗の僧衣。
【毳幕】ゼイバク 毛織の幕。匈奴キョウドの用いる幕。毳帳。
【毳冕】ゼイベン 周代に天子が四方の山川を祭るときに用いた服と冠。
【毳毛】ゼイモウ 細くて柔らかい毛。むくげ。また、鳥の腹の毛。

毳冕

8【毯】12画 6091 標 タン 慣ダン 感 tǎn | 6163 9F7E —
字義 毛織物の一種。「絨毯ジュウタン」
解字 形声。毛＋炎音。音符の炎は、ほのおの意味。ほのおのようにけばだつ、けむしろの意味を表す。
【毯子】タンシ・ダンツ 綿・麻・羊毛などを交ぜ織りにした、敷物用の厚い織物。緞通ダンツウ。

9【毷】13画 6092 漢ボウ 呉モウ 号 mào | — — 3832
字義 ❶解ける。落ちる。❷もだえる。くらむ。
解字 形声。毛＋冒音。

9【毹】13画 6093 ユ 虞 shū, yú | — — 3833
字義 氍毹クユは毛で作った敷き物。
解字 形声。毛＋兪音。

10【髦】14画 (13872) ボウ 髟部。→一六〇三ページ中。

11【麾】15画 (14450) キ 麻部。→一六四三ページ下。

11【毵】15画 6094 サン 覃 sān | 18645 — 3834
字義 毵毵は、㋐毛の長いさま。㋑木の枝などの細長く垂れるさま。
解字 形声。毛＋參音。

11【氂】15画 6095 一漢ボウ・呉モウ 豪 máo 二リ 支 lí | 27814 — 3835
字義 一❶からうし(犛ボウ)の毛。❷長い毛。二分量の単位。分の十分の一。＝釐(12461)。
解字 篆文 形声。毛＋犛省音。音符の犛ボウは、からうしの意味。毛を加えて、からうしの尾の意味を表す。
【氂纓】ボウエイ からうしの尾で作った、冠のひも。
【氂牛】ボウギュウ からうし。ヤク。犛牛ボウギュウ。

12【氅】16画 6096 ショウ(シャウ) 養 chǎng | 8646 — 3837

字義 ❶旗につけるかざりの、鷲鳥や孔雀などの鳥の毛。また、その旗。❷とりげ。鳥の羽毛。❸羽ごろも。鳥の羽で造った衣。けごろも。

解字 形声。毛＋敞㊥。

氅①

12【氄】16画 6097 漢ジョウ 呉ニュウ 腫 rǒng | — — 3836

字義 にこげ。むくげ。細くてやわらかい毛。「氄毛」

解字 会意。毛＋𠫤。

13【氈】17画 6098 セン 先 zhān | 6165 9F81 —

［毡］6083 俗字 ［氊］6099 俗字

字義 毛織物の一種。毛氈。難読 氈鹿

解字 篆文 形声。毛＋亶㊥。音符の亶は、展に通じ、のばしひろげるの意味。しきのべる毛むしろの意味を表す。

【氈△幄】もうせんのとばり。また、それを張りめぐらした所。匈奴が用いたので、転じて、匈奴をいう。
【氈△裘】毛織物とかわごろも。北方の異民族の衣服。
【氈車】毛織物を張りめぐらした車。
【氈△毳】毛織物。また、その服。北方の異民族の服。
【氈帳】もうせんのとばり。また、それをはりめぐらした家。北方の異民族の住居。

13【氊】17画 6099 セン 氈(6098)の俗字。→八〇一ページ上。 | 27815 — —

13【氉】17画 6100 ソウ(サウ) 号 sào | — — 3838

字義 ❶毛。❷強い毛。

解字 形声。毛＋喿㊥。

18【氍】22画 6101 漢ク 呉グ 虞 qú | — — 3839

字義 毛織物の一種。毛氈。

解字 形声。毛＋瞿㊥。

22【氎】26画 6102 漢チョウ(テフ) 呉ジョウ(デフ) 葉 dié | 27816 — 3840

字義 ❶織りめの細かい毛織物。❷木綿の布。

解字 形声。毛＋疊㊥。音符の疊は、厚く重なる意味を表す。

氏 うじ 4画

〔部首解説〕類似の形の民を含めて、字形分類上から部首にたてられる。

0氏 八〇一 1氐 八〇一 民 八〇一 2氒 八〇二 3帋 四五四 4昏 六五四 氓 八〇三 6舐 一一八四

0【氏】4画 6103 教4 シ うじ | 2765 8E81 —

一漢シ・呉ジ 紙 shì
二シ 支 zhī

筆順 ノ 𠃊 𠂔 氏

字義 一❶うじ。ア みょうじ。姓から分かれ出たもの。イ 姓。漢代以後、姓と混同して用いる。ウ 結婚した女性のもとの姓の下にそえることば。「母氏」エ 人を呼ぶ名称の下にそえることば。「伯氏」「仲氏」オ 爵位、または官職の名称の下にそえることば。「師氏」「媒氏」カ 王朝や国名、または諸侯の名称の下にそえることば。「夏后氏」❷同類。なかま。
二❶月氏は、漢代の西域の国名。❷閼氏は、単于の皇后の名。
国 うじ。ア 家がらを表す名称。「藤原氏」イ 他人の姓名の下にそえる敬称。

名前 うじ・し・じ

解字 甲骨文 金文 篆文 象形。甲骨文・金文は、民の字形とよく似た字形で、斜めの線は、両まぶたが閉じている形、縦線は鋭い刃物の形。刃物で突き刺されつぶれた目の形にかたどる。目をつぶされた被支配氏族の意味から、うじの意味を表す。氏を音符に含む形声文字に、抵・祇・紙・鴟などがある。

逆 姓氏・母氏

【氏寺】国昔、諸名家が、祖先の冥福と一族の幸福とを祈願するために建立し、帰依した寺。藤原氏の興福寺の類い。
【氏神】国①氏の祖先として祭る神。藤原氏の天児屋根命の類い。また、それを祭った神社。②氏にゆかりのある神。藤原氏の鹿島・香取の神の類い。③住む土地の鎮守の神。産土神。
【氏族】うじと、やから。同一の祖先を持つ諸家族の全体を族といい、一族中のある人を祖とする一団(共通の氏を有している)を氏という。
【氏族制度】同一の祖先からでた多数の家が集まって、祖先直系の長をいただき、その支配下に統率される古代の社会制度。
【氏閥】家がら。門閥。

1【氐】5画 6104 | 8647 — 3841

一漢テイ・呉タイ 齊 dǐ
二漢テイ・呉タイ 斉 dī

字義 一❶もと(本)。❷根。木の根。＝柢(5333)。❸いたる。＝底(3187)。❹おおよそ。おおむね。大氐。
二❶＝低(275)。ア ふせる。また、たれる。イ ひくい。いやしい。❷とも。星宿の名。二十八宿の一つ。氐宿。現在の天秤座の第一星を中心とする四星。和名ともぼし。❸チベット系に属する民族の名。漢代以後、しばしば中国に侵入し、南北朝時代には五胡の一つとして前秦・後涼などの国を建てた。

解字 篆文 指事。氏＋一。氏は、鋭利な刃物の象形。一は、その刃物をあててとぐ平らな、といしの意味を表す。砥の原字。刃をあてるところから、いたるの意味を表す。氐を音符に含む形声文字のうち、「といし」の意味のものに、底・砥があり、「低い底」の意味のものに、低・底・胝・柢・詆・骶などがあり、「底に至る・ふれる」の意味のものに、抵・牴・羝・觝・邸などがある。

1【民】5画 6105 教4 ミン たみ | 4417 96AF —

漢ビン・呉ミン 真 mín

筆順 ㇕ ㇆ 𠃋 𠂊 民

字義 ❶たみ。ア ひと。一般の人。用例〔左伝、成公十三〕民受天地之中以生 ↓人は天地の中正の気を受けて生まれる。イ 国家・君主に統治される人。用例〔孟子、梁恵王上〕古之人与民偕楽 ↓古の賢人は人民とともに楽しんだ。ウ 官位のないひと。身分の低い人。「庶民」❷くらい(暗)。また、おろか。

名前 たみ・ひと・み・みたみ・みん・もと 難読 民部

解字 金文 篆文 象形。金文でよくわかるように、片目を針でさした形にかたどり、片目をつぶされた奴隷・被支配民族の意味から、たみの意味を表す。

逆 逸民・移民・遺民・下民・寡民・義民・公民・細民・士民・蒸民・植民・殖民・庶民・臣民・人民・済民・難民・平民・辺民・吏民・流民・良民

毛部 12▼22画〔氅氄氈氊氉氍氎〕 氏部 0▼1画〔氏氐民〕

【民彝】イミン 人の常に守るべき道。▼彝は、常の道。
【民隠(隱)】インミン 人民の苦しみ。▼隠は、苦しみ。
【民可レ使レ由レ之不レ可レ使レ知レ之】たみはこれによらしむべしこれをしらしむべからず 人民は、君主の政策に従わせることはできるが、人民の一人一人にその理由を理解させることはできない。▼可は、可能の意。〔論語、泰伯〕
【民歌】カミン 民間で広く歌われている自然発生的な歌。民謡。
【民居】キョミン 人民のすみか。民家。
【民極】キョクミン 人民の守るべき(手本となる)中正の道。
【民芸(藝)】ゲイミン 国民間の生活から生まれた造形美術。工芸品など。民族芸術。
【民権(權)】ケンミン 国政治上における人民の権利。
【民戸】コミン 民の家。民家。民屋。
【民国(國)】コクミン 「中華民国」の略。
【民事】ジミン ①人民の仕事。農業。②人民に関すること。転じて、政治。③ぶやく。えだち。勤労奉仕。④法律で、私法上の法律関係に基づく事柄。
【民時】ジミン 民の農業をすべき大切な時期。農業のいそがしい時期。〔孟子、梁恵王上〕
【民主】シュミン ①民のかしら。君主。〔書経、多方〕②国国家の主権が人民全体にあること。「民主政体」
【民主主義】ミンシュシュギ 国国家の主権が人民にあり、人民が主体となって全体の幸福・利益を図ることを目的として政治を行う主義。デモクラシー。
【民衆】シュウミン 世間一般の多くの人々。大衆。庶民。
【民庶】ショミン たみ。民衆。庶民。
【民情】ジョウミン ①人民の心。②民間の実情。
【民心無レ常】たみのこころつねなし 人民の心は一定していないで、政治の善悪によって善にも悪にもなるという意。〔書経、蔡仲之命〕
【民人】ジンミン 人民。庶民。
【民生】セイミン ①人民の生活。②人の自然の性(天性)。③人民の生命。人命。④人民。
【民声(聲)】セイミン ①人民の声。②社会の輿論ヨロン。世論。
【民政】セイミン 人民の安寧幸福を増進するための政治。直接に人民の生活に関わることに関する政治。
【民選】センミン 国人民が選びだすこと。また、選びだされた人。
【民俗】ゾクミン 人民のならわし。民間の風俗。民風。
【民族】ゾクミン 同じ言語・風俗・習慣・宗教を持ち、同じ集団に属しているという意識を持つ人々の集まり。
【民族主義】ミンゾクシュギ ①他民族による支配に抵抗し、同一民族で一国家を作ろうとする主義。②中華民国の孫文の主張した三民主義の一つ。中国の全民族が外国の圧迫に抵抗して真実の解放を得るとともに、国内各民族が平等の基礎に立つ結合統一を目標とした主義。
【民団(團)】ダンミン ①地方民が防衛のために団結して作った団体。警防団のようなもの。②国外国の一定の区域に住む、本国の人民で組織する法人団体。居留民団。
【民度】ドミン 人民の文化・貧富の程度。
【民徳】トクミン 人民の道徳。人民の道義心。社会道徳。
【民表】ピョウミン 民の手本。民の師表。
【民部】ブミン 官名。人事・戸籍のことをつかさどる。北周にはじまり、唐のとき、太宗の名(李世民セイミン)をはばかり避けて戸部と改めた。
【民風】プウミン 人民のならわし。民間の風俗。
【民母】ボミン ①父の正妻。嫡母チャクボ。②召し使いの身分にある生母。③皇后。人民の母の意。
【民法】ポウミン 国人民相互の個人的権利義務を定めた法律。
【民氓】ボウミン たみ。▼民は土着の民、氓は他国から移ってきた民。
【民望】ボウミン ①人民の希望。民のねがい。②人民の仰ぎ望む人。③人民の手本。④人望。世間の人気。
【民本】ポンミン ①人民の生活の根本。②国人民は国家存立発展の根本をなすものであるとの意。民主。デモクラシーの訳語として用いられた。
【民免而無レ恥】たみまぬかれてはずることなし 人民は刑罰をまぬがれさえすれば何をやってもよいとして、悪事を恥じる心がなくなってしまう。用例〔論語、為政〕道レ之以レ政、斉レ之以レ刑、民免而無レ恥。↓人民を導くのに政令法律によって行い、人民を統一してゆくのに刑罰によってするならば、人民は刑罰をまぬがれて、罪を恥じる心が無くなってしまう。
【民力】リョクミン 人民の力。人民の財力や労働力。
【役レ民】たみをえきす 人民を使役する。
【刻レ民】たみをこくす 重税を課して民を苦しめる。
【視レ民如レ子】たみをみることこのごとし 君主が自分の子のように人民をいつくしむこと。〔左伝、昭公三十〕
【罔レ民】たみをあみす 人民を法網にかける。▼罔は、網と同じ。

2 【氒】6画 6106 漢ケツ 呉カチ(クワチ) 甲 jué ―― 3842

字義 ❶根。株。❷厥(1235)の古字。

解字 象形。もと、彫刻刀にかたどり、劂(977)の原字。甲骨文・金文では、厥(1235)と同じ用法で用いられる。氒は、その変形。

3 【帋】7画 (3089) シ 巾部。→四五四ペー上。

4 【昏】8画 (4685) コン 日・曰部。→六五四ペー中。

4 【氓】8画 6107 漢モウ(マウ) 呉ミョウ(ミャウ) 慣ボウ(バウ) 甲 méng 6166 9F82 ―

字義 たみ(民)。＝甿(7616)。㋐外来の民。移住民。㋑人民。庶民。「蒼氓ソウボウ」

解字 篆文 形声。民＋亡音。音符の亡は、盲に通じ、目が見えないの意味。おろかなたみの意味を表す。

6 【舐】10画 (9704) シ 舌部。→一一八四ペー下。

4画 气 きがまえ

〔部首解説〕 气を意符として、氣(天地の間を充たし、自然現象や生命などの元になると考えられているもの)に関する文字ができている。

0 气 八〇二　2 気 八〇二　3 氙 八〇四　4 氛 八〇四　5 氟 八〇四
6 氤 八〇四　氦 八〇四　氨 八〇四　氣 八〇三　氧 八〇四
8 氫 八〇四　氮 八〇四　10 氳 八〇四

0 【气】4画 6108 一漢キ・呉ケ 甲 qì 二漢キツ・呉コチ 甲 qǐ 6167 9F83 ―

字義 一❶雲気。水蒸気。かすみ。むらむらとたちのぼる気体。＝気(6109)。❷あたえる。＝乞(96)。三もとめる。＝乞(96)。

解字 金文 篆文 象形。わきあがる雲の象形で、水蒸気・いきの意味を表す。氣(気)の原字。气を音符に含む形声文字に、愾ガイ・氣・汽・餼キなどがある。

2 【気】6画 6109 教1 キ・ケ 熟字訓 意気地いくじ・浮気うわき 2104 8B43 ―

6 【氣】10画 6110 人 漢キ 呉ケ 甲 qì 6170 9F86 ―

筆順

字義 ❶雲気。水蒸気。かすみ。❷空気。大気。「気圧」❹元気。❸天地間の自然現象。風雨・寒暑など。「天気」❹元気。万物生成の根元力。身体の根元となる活動力。用例〔孟子、公孫丑上〕我善養二吾浩然之気一。↓私は十分に、自分の天地間に充満している至大至剛（至って大きく至って強い）の気を養っている。❺ちから。いきおい。「気蓋レ世」❻きだて。こころもち。「心気」❼うまれつき。もちまえ。「気質」❽宇宙の万物を生成する質料。宋の程頤・朱熹などの唱えた学説で、万物を生成する形而上のものの原理を理というのに対し、万物を生成する形而下のものを気という。「理気」❾におい。かおり。においをかぐ。❿いき。また、息をふきかける。⓫おもむき。ようす。感じ。「気運」⓬旧暦で一年を二十四分した一期間。転じて、時候。季節。

名前 おき・き・とき　**難読** 気障・気仙沼・気噴・気良

解字 篆文 氣　形声。米＋气㊥。米は、こめ粒のように小さいものの意味。音符の气は、わきあがる上昇気流の意味。雲気・水蒸気の意味を表す。

逆 悪気・意気・一気・陰気・運気・雲気・英気・鋭気・快気・火気・活気・脚気・鬼気・客気・狂気・景気・血気・元気・香気・語気・才気・殺気・士気・志気・磁気・秋気・臭気・酒気・蒸気・暑気・人気・正気・生気・精気・節気・俗気・短気・暖気・稚気・天気・電気・怒気・毒気・覇気・平気・夜気・陽気・理気・和気

【気韻】文章や書画などの、けだかい趣。気品。「気韻生動（画の六法の一つ。風格・気品の生き生きと満ちあふれていること）」

【気宇】心の広さ。心意気。見識。度量。「気宇雄豪」

【気鬱】気分がふさぐこと。気持ちがはればれしないこと。気結。

【気運】まわりあわせ。また、なりゆき。→機運（七六八ページ中）。

【気鋭】意気ごみのするどいこと。「新進気鋭」

【気炎・気焔・気燄】①火の燃えあがるさま。②勢いや意気のさかんなたとえ。

【気蓋レ世】意気がさかんで世を圧倒する。用例〔史記、項羽本紀〕力抜レ山兮気蓋レ世、時不レ利兮騅不レ逝。↓わが力は動かない山を引き抜くに足り、わが盛んなる気力は世間の人々を圧倒するのに足る。けれども時の運は私になく、愛馬の騅もすすもうとしない。

【気概（概）】意気と節操。しっかりしてくじけない意気。いきじ。気節。

【気俠】おとこだて。義俠。俠気。

【気候】①時候。時節。もと五日を一候、十五日を一気、六気を一時として、一年を二十四気七十二候に分けた。⇩コラム **気候（二十四気）**（八〇三ページ）。②天気の変化。天候。

【気骨】〔一〕信念を守って他に屈しない気性。〔二〕国気苦労。心づかい。

【気根】①物事にたえられる力。②根の一種。空気中に出ている根。

【気質】〔一〕①きだて。こころだて。きまえ。気性。②気から生ずる性質。→気質之性。〔二〕国身分や職業などに相応した気風。「書生気質」

【気質之性】宋の程頤や朱熹などの唱えた学説で、生まれながら持っている本然の性に対し、後天的に気から受ける性質。気の清濁・厚薄などによって、人の賢愚・善悪が分かれるという。〔朱子語類、性理一〕

【気如レ虹】①精気がにじのように輝く。②意気の盛んな形容。気成レ虹。

【気尚】けだかい人格。

【気性】①きだて。きまえ。気質。②気ままな性質。

【気祥】めでたいしるし。瑞祥。

【気象】①こころだて。気質。気性。②空中に起こる現象。風雨・寒暑など。③けしき。おもむき。用例〔南宋、陸游、入蜀記〕気象窘隘、非二楓橋以東比一也。↓景観は狭隘に感じられ、楓橋以東とは比べられないほど異なる。

【気丈】しっかりしていて、物に動かされない心。

【気色】〔一〕①気持ちが顔に現れる様子。②ありさま。ようす。〔二〕国きげん。気分。〔三〕国①様子。ありさま。②気うけ。おぼえ。おぼしめし。③わけ。しさい。④あやしいこと。⑤きざし。前兆。⑥気持ち。意思。⑦叱責。処分。

【気随（随）】国わがまま。気まま。

【気数（數）】めぐりあわせ。運命。気運。

【気勢】いきおい。元気。意気ごみ。

【気節（節）】①意気と節操。しっかりした気質と節操。②時節。気候。

【気絶】息が絶える。呼吸がとまる。一時息が絶え意識を失うこと。

【気息】いき。呼吸。また、呼吸する。

【気息奄奄】呼吸の絶え絶えなこと。いまにも息が絶えようとするさま。〔西晋、李密、陳情表〕

【気体（體）】①精気と身体。精神と肉体。心身。②空気・ガス・水蒸気などの気状物体。

【気転（轉）】①大気の変化。②国よく物事に気がつくこと。すばしこいこと。機転。→機転（七六八ページ下）。

【気配】国①気くばり。②ようす。ありさま。③そぶり。④景気。人気。

【気魄】気力。気概。根気。気迫。

コラム

気候（二十四気）

四季		節気名	節気	太陽暦相当日
春	春孟	立春	正月節	二月四日か五日
		雨水	正月中	二月十九日か二十日
	春仲	啓蟄	二月節	三月五日か六日
		春分	二月中	三月二十日か二十一日
	春季	清明	三月節	四月五日か六日
		穀雨	三月中	四月二十日か二十一日
夏	夏孟	立夏	四月節	五月五日か六日
		小満	四月中	五月二十一日か二十二日
	夏仲	芒種	五月節	六月六日か七日
		夏至	五月中	六月二十一日か二十二日
	夏季	小暑	六月節	七月七日か八日
		大暑	六月中	七月二十三日か二十四日
秋	秋孟	立秋	七月節	八月七日か八日
		処暑	七月中	八月二十三日か二十四日
	秋仲	白露	八月節	九月七日か八日
		秋分	八月中	九月二十三日か二十四日
	秋季	寒露	九月節	十月八日か九日
		霜降	九月中	十月二十三日か二十四日
冬	冬孟	立冬	十月節	十一月七日か八日
		小雪	十月中	十一月二十二日か二十三日
	冬仲	大雪	十一月節	十二月七日か八日
		冬至	十一月中	十二月二十二日か二十三日
	冬季	小寒	十二月節	一月五日か六日
		大寒	十二月中	一月二十日か二十一日

【気品】①万物。②きぐらい。人品。③けだかいおもむき。

【気△稟】①人が後天的に気から受ける気質の性。②生まれつき。天性。

【気分】①生まれつきの持ちまえ。気質。②国㋐きだて。気性。㋑気持ち。こころもち。

【気味】①においとあじ。②おもむき。けはい。③気持ち。感じ。

【気脈】①血液のかようすじ。②相互のつながり。感情・意志などのつながり。

【気量】心のはたらき。胸量。度量。器量。

【気力】物事を行うにたえる心の力。

【気類】①天地の気を受けて生ずるもの。人間と物とをいう。②心の合った仲間。また気性が似かよっていること。

【△馭レ気】大気に乗る。空中にただよう。

【作レ気】①元気をおこす。②怒ること。

【使レ気】①意気にまかせて勇む。血気にはやる。②国心をくばる。気を付ける。

【吐レ気】＝吐気(三四八ページ上)。

【負レ気】①血気をたのむ。元気にまかせる。②気色ばむ。気位が高い。

3【氙】7画 6111 セン xiān — — 3843
字義 現代中国語で、化学元素の名。キセノン。
解字 形声。气＋山音。

4【氛】8画 6112 漢フン 呉ブン 図 fēn 6168 9F84 —
字義 ❶き(気)。㋐事に先だって現れ吉凶を示す気。㋑わるい気。妖気。「妖氛」㋒天の気。雲気。❷わざわい。
解字 篆文 形声。气＋分音。气は、上昇気流の象形。音符の分は、分散するの意味。分散して空中に現れる雲気の意味を表す。

【氛△埃】空中のちり。土ほこり。氛垢。

【氛△氳】気のさかんなさま。

【氛△翳】悪い気。不吉の気。

【氛気(氣)】①空中に見える雲やかすみなどの気。②悪い気。わざわいの気。

【氛△霓】わざわいが生じる気。妖気。雰虹。▼霓は、にじ。

【氛祥】不吉な気配と、めでたい気配。

【氛妖】わざわい。


【氛△厲】悪い気の激しいこと。また、賊の活動のさかんなこと。

5【氟】9画 6113 フツ fú — — 3844
字義 現代中国語で、化学元素の名。フッ素。
解字 形声。气＋弗音。

6【氨】10画 6114 アン ān — — 3847
字義 現代中国語で、化合物の名。アンモニア。
解字 形声。气＋安音。

6【氤】10画 6115 イン 眞 yīn 6169 9F85 —
字義 気のさかんなさま。天地の気が合ってさかんなさま。
解字 形声。气＋因音。音符の因は、気のまつわりのぼる意味を表す。

【氤△氳】①天地の気のさかんなさま。絪縕。②気のやわらぐさま。③かおりのよいさま。芳香の形容。

6【氦】10画 6116 ガイ hài — — 3845
字義 現代中国語で、化学元素の名。ヘリウム。
解字 形声。气＋亥音。

6【氣】10画 (6110) キ 気(6109)の旧字体。→八〇三ページ下。

6【氧】10画 6117 ヨウ(ヤウ) yǎng — — 3846
字義 現代中国語で、化学元素の名。酸素。
解字 形声。气＋羊音。

8【氬】12画 6118 ア yà — — 3848
字義 現代中国語で、化学元素の名。アルゴン。
解字 形声。气＋亞音。

8【氮】12画 6119 タン dàn — — 3849
字義 現代中国語で、化学元素の名。窒素。
解字 形声。气＋炎音。

10【氳】14画 6120 ウン 図 yūn 18648 — 3850
字義 氤氳は、気のさかんなさま。
解字 形声。气＋𥁕音。音符の𥁕は、皿に盛られたあたたかな煮物の象形。気がさかんにたちのぼる意味を表す。

水(氺) みず したみず(氺)
4画 水部

氺は五画。 [氺] 27819 — 3853

〔部首解説〕 氺は水の変形。また、水が偏になるときは氵の形をとり、三水と呼ぶ。もと、氵も水部に含まれたが、形・画数とも異なるので、分離して水部のあとに氵部を設けた。水を意符として、水・川の名、また水の状態や水をともなう動作に関する文字ができている。

0 水 八〇四
1 永 八〇六
氶 八〇七
氷 八〇七
2 氽 八〇八
求 八〇八
3 汞 八〇八
4 沗 八〇八
沓 八〇八
5 盗 八〇八
泉 八〇八
泰 八〇八
6 [illegible] 八〇九
[illegible] 八〇九
[illegible] 八〇九
8 淼 八〇九
10 滎 八〇九
滕 八〇九
滕 八〇九
11 潁 八〇九
[illegible] 八〇九
漿 八〇九
漐 八〇九
12 [illegible] 八〇九
23 [illegible] 八一〇

0【水】4画 6121 教1 スイ みず 紙 shuǐ 熟字訓 清水 3169 9085 —

筆順 亅 才 水 水

字義 ❶みず。㋐透明で、無味無臭の液体。また一般に、水状のもの。「流水」㋑おおみず。洪水。㋒かわ。河川。また、池・沼・湖など。↔陸(13108)。❷うるおう。しみこむ。❸水をくむこと。水仕事をすること。「薪水の労」❹五行の一つ。四季では冬に、方位では北、五星では辰星、五音では羽、十干では壬(みずのえ)・癸(みずのと)に配する。❺しる(汁)。液汁。❻平らにする。国みず。㋐相撲で、勝負がつかず、両方が取り疲れた時、しばらく引き離して休ませること。㋑邪魔。故障。「水をさす」㋒さそい。暗示。「水を向ける」

名前 すい・たいら・な・なか・み・みず・みな・ゆ・ゆく

難読 水城・水瓜・水鶏・水月・水原・水杉・水松・水葱・水蕾・水鳥・水内・水馬・水夫・水黽・水母・水泡・水沫・水脈・水無瀬・水綿・水門・水流・水窪・水俣・水無月

解字 甲骨文 篆文 象形。流れる水の象形で、みずの意味を表す。

逆 雨水・雲水・渇水・渓水・硬水・行水・香水・山水・浸水・薪水・清水・逝水・積水・泉水・治水・手水・入水・排水・風水・覆水・放水・漏水

【水衣】 みずごけ。↕地衣（三〇一ページ下）。 国①水仕事などをするとき着る着物。みずぎ。②能装束の一種。

【水陰】 ①水。水は陰陽の陰に属するからいう。②川の南岸。山の北側・川の南岸を陰という。▼陰は、日光の当たらない所の意。↕水陽。

【水運】 水上の運送。水路によって物を運ぶこと。

【水雲】 ①水と雲。②水上にでる雲。③海藻の名。もずく。

【水駅（驛）】 水辺の宿駅。船着き場のある村。

【水煙・水烟】 ①水上のもや。②水たばこ。水ぎせる。③仏仏塔の九輪の上につけた火炎状のかざり。火を忌んでいう。 国水しぶき。飛沫。

【水甕】 みずがめ。水缸。

【水火】 ①水と火。ひみず。②水におぼれ火に焼かれるような、非常な苦しみ。用例〔孟子、滕文公下〕救民於水火之中。人民を非常な苦しみから救う。③食物の調理。にたき。④日常生活に一日もなくてはならないもののたとえ。用例〔孟子、尽心上〕使有菽粟如水火。水や火のように、食料を（いつでも）あるようにさせる。⑤怒りのはなはだしいことのたとえ。用例〔左伝、昭公十三〕衆怒如水火焉。（大衆の）はなはだしい怒りは大水や火災のように恐ろしい。⑥はなはだ危険なもののたとえ。⑦たがいに相反するもののたとえ。仲の悪いことのたとえ。⑧大水や火災のように勢いのきわめてさかんなさま。

【踏水火】 水や火を踏む。危険な場所や立場にいることの、また、危険を冒して事をすることのたとえ。

【不通水火】 日常生活に必要な水や火をも融通しあわない。近所と交際しないこと。用例〔漢書、孫宝伝〕杜門不通水火。門を閉じてしまい、（日常生活に必要な）水や火でさえ融通し合わない。

【赴水火】 水や火の中に向かって行く。危険を冒して事をすることのたとえ。

【水花】 ①浮き草。②はすの花の別名。水華。③水けむり。また、あわ（泡）。

【水涯】 みずぎわ。川や海などの岸。

【水客】 ①水路を行く旅客。船で行く旅人。②船頭。水夫。

【水郭】 水辺の町。河川や湖沼のほとりの町。

【水閣】 水辺に建てたたかどの。水観。水楼。水榭。

【水干】 ①水のほとり。②国㋐のりをつかわずに、水張りにして乾燥した絹。㋑昔の衣服の一種。狩衣から変化したもの。

【水旱】 ①大水と日照り。洪水と旱魃。②水と陸。

【水患】 洪水のわざわい。水害。

【水脚】 ふなあし。船の水中に沈む部分。吃水。

【水渠】 みぞ。堀割。溝渠。

【水魚之交】 水と魚との関係のように互いに離れることのできない親しい交際。㋐君臣が相親しむことをいう。『蜀志』諸葛亮伝に「孤之有孔明、猶魚之有水（わたし〔劉備〕が孔明〔諸葛亮〕がいるのは、魚に水があるようなものである）」とあるのに基づく。㋑夫婦の仲むつまじいことをいう。

【水郷（鄕）】 ①水のほとりにある村。水辺の村落。②湖沼などの多い土地。

【水鏡】 ①水の鏡。水が物の形を映すこと。②人の手本になるに足る人のたとえ。③聡明な人のたとえ。④月の別名。国①水の鏡。②水に映って見える物の形。③書名。三巻。鎌倉時代初期に作られた編年体の歴史物語。『大鏡』の記述以前の、神武天皇から仁明天皇までの五十四代、約千五百年間の事跡を記す。

【水曲】 ①川や湖などの屈曲した所。②みずぎわ。

【水禽】 みずとり。水上に浮遊する鳥。水辺に住む鳥。

【水虞】 昔の官名。河川や湖沼に関する禁令をつかさどった。

【水軍】 水上に行動する軍隊。海軍など。水師。

【水系】 河川が次々に集まりあって流れるとき、その水流の系統をいう。河川に付属する湖沼も含める。

【水経（經）】 書名。四十巻。著者は前漢の桑欽、西晋の郭璞などとされるが不明。中国の河川や湖沼について記した地理書。北魏の酈道元の注釈したものが、いま、『水経注』（四十巻）として伝えられる。

【水鶏（鷄）】 ①蛙の一種。かじか。②鳥の名。くいな。

【水月】 ①水と月。②水に映る月かげ。物事のむなしいことや、人格の清美なことのたとえ。③くらげの別名。水母。

【水戸学（學）】 国江戸時代に水戸藩で起こった学派。大義名分を立て、国体を明らかにすることを主眼とした。

【水滸伝（傳）】 明代の長編口語小説。七十回本・百回本・百二十回本などがある。作者については元末明初の施耐庵、また、その門人の羅貫中との合作などの説がある。北宋の徽宗の時、宋江を首領とする百八人の豪傑が梁山泊（今の山東省内）にたてこもり、官軍に抵抗して活躍する事を述べた長編で、構想・文章ともにすぐれ、『三国志演義』『西遊記』『金瓶梅』とともに四大奇書と称される。

【水光】 水面の光。用例〔北宋、蘇軾、飲湖上初晴後雨詩〕水光瀲灩晴方好、山色空濛雨亦奇。さざ波に揺れる水面が月や日の光にきらきらと映じ、西湖の景色は晴れた日こそよい。そぼ降る小雨に山々がぼんやりとかすみ、雨の西湖の景色もまたすばらしい。

【水行】 ①水路を行く。船で行くこと。②水の流れ。

【水垢離】 国神仏に祈願するため、頭から水を浴びて、身のけがれを去ること。▼垢離は、垢が離れる。

【水蛟】 みずち。水中にすむという竜。蛟竜。

【水閘】 水の取り入れ口。水門。

【水国（國）】 河川や湖沼の多い土地。水郷。

【水彩】 ①水の光。水で反射されて出る光。②「水彩画」の略。水でとかした絵の具で書く絵。洋画の一種。

【水際】 ①水と陸と接した所。みぎわ。②国「水際立つ」は、あざやかにきわだつこと。

【水師】 ①＝水軍。②船頭。水夫。

【水次】 水路の宿駅。また、水辺にある兵士のたまり場。

【水手】 船頭。水夫。船乗り。舟子。

【水宿】 ①＝水駅。②船の中に宿る。③水辺に宿る。④水中に住む。

【水準】 ①みずもり。水を盛って、水平かどうかを検する器。②国㋐水（特に海）の平面。陸の高低を計る基準とする。▼準は、平。㋑一定の標準。レベル。

【水処（處）】 ①水中に住む。②水辺に住む。

【水漿】 ①水と漿。▼漿は、どろりとした飲み物。②飲み物。③水。しる。

【水上】 ①水（湖沼、河川など）のほとり。水辺。②水の表面。水面。③みなかみ。川の上流。

【水城】 水辺に築いた城。みずしろ。 国まわりに堤を築いて水をたたえた城。

【水色】 水のいろ。水面の輝き。水のけしき。 国薄い青色。淡青色。

【水心】 水の中心。水面のまんなか。河や湖の中央。 国①水泳のたしなみ。②一方の人の好意に対する相手の好意。「魚心あれば水心あり」

【水神】 水の神。水を守護する神。河伯。水伯。

【水随（隨）方円（圓）器】 。①水は容器の形（方は四角、円はまるい）によってその形を変える。人民の善悪は君主の善悪によって左右されることのたとえ。『荀子』君道編に「君者槃也。槃円而水円。君者盂也。盂方而水方」とある。②国人間は友人・環境などによって変化することのたとえ。用例〔実語教〕水随₌方円器₋、人依₌善悪友₋。↓水は容器の形によってその形を変え、(それと同じように)人間も友のよしあしによってよくもなり悪くもなる。

【水清無₌大魚₋】清らかな水には大きな魚が住みつかない意で、人は清廉に過ぎると他人からなつかれないとの教え。水清ければ魚すまず。〔後漢書、班超伝〕

【水△棲】水中に住む。

【水精】一 水の精。㋐水星。㋑珠(水中から産するたま)。㋒水のすだま。水の妖精。㋓月。二 鉱物の名。水晶。用例〔唐、高駢、山亭夏日詩〕水精簾動微風起、満架薔薇一院香。↓そよ風が吹いて来て水晶のすだれを動かし、棚いっぱいのバラで庭中が香に満ちている。

【水石】①水と石。②水中にある石。

【水仙】①水中の仙人。②草花の名。

【水戦(戰)】ふないくさ。水上での戦い。

【水葬】死体を水中に沈めてほうむること。

【水族】水中で生活する動物。魚類や貝類など。

【水賊】湖沼や海・河川を働き場としている盗賊。

【水村】水辺の村。川岸や湖沼のほとりの村。用例〔唐、杜牧、江南春詩〕千里鶯啼緑映レ紅、水村山郭酒旗風。↓広々とした江南地方には、うぐいすが鳴き、柳の緑が桃の紅に照りはえ、水辺の村里、山辺の村里には、居酒屋の目印の旗が風になびいている。

【水沢(澤)】水のあるさわ。また、水と沢。

【水濁則魚△喁】水がにごると魚が水面に浮かび出てあっぷあっぷと呼吸する。むごい政治を行うと人民が苦しみあえぐことのたとえ。〔韓詩外伝、一〕

【水底】水をたたえた下の方。水のそこ。みなぞこ。

【水亭】水辺にたてた、あずまや。

【水程】①水路の里程。②船路。水路。海路。

【水滴】①水のしたたり。しずく。②すずりの水を入れる器具。水さし。

【水天一△碧】水と空とがひとつづきになって一様に青青としていること。

【水天△髣△髴青一髪】海と空とが接するあたりに一筋の髪の毛を横に引いたように、ぼんやりと陸地が横たわって見える。一説に、青一髪は水平線の意とする。用例〔頼山陽、泊₌天草洋₋詩〕雲耶山耶呉耶越、水天髣髴青一髪。↓向こうに見えるのは雲だろうか、山だろうか、それとも呉の国だろうか、越の国だろうか。海と空とが接するあたりに、一筋の髪の毛を引いたように、ぼんやりと陸地が横たわって見える。

【水土】①水と土。②河川や海と陸地。水陸。③その地方の気候・風土(自然の環境)。④地をいう。土地。

【水到△渠成】水が流れて自然とみぞができる。㋐学問を十分にすれば道が自然と体得できる。㋑時節が来れば自然と成就する。〔南宋、范成大、送₌劉唐卿₋…西帰₋詩〕

【水頭】水のほとり。水辺。

【水道】①水の流れるみち。②船の通るみち。航路。③海や湖で両側の陸地にはさまれてせまくなった部分。「対馬水道」④飲料水などを供給する設備。上水道。

【水難】①水害。②水上で起こる災難。溺死や難破など。

【水任₌方円(圓)器₋】＝水随₌方円器₋。

【水能載レ舟又覆レ舟】水は舟を浮かべることができるが、同時にまた舟を転覆させる。君主は人民によって立つが、また人民によってほろぼされるたとえ。『荀子』王制編に「君者舟也。庶人者水也。水則載レ舟、水則覆レ舟」とあるのに基づく。

【水馬】①虫の名。かつおむし。②たつのおとしご。

【水伯】①水の神。川の神。②もろもろの川の長。黄河。

【水畔】水のほとり。水辺。

【水盤】底が浅くて平たい陶器、または鉄器。水を盛って花を生け、盆石を置いたりする。

【水浜(濱)】水のほとり。水辺。水涯。

【水△蘋】浮き草。

【水府】①星の名。②水神のいる所。海底にあるという都。③国江戸時代、水戸藩の別名。

【水平】①水が平ら。また、水の表面のように平らなこと。②みずもり。水準。③鉛直線に直角な方向。

【水平線】①海上で、水と空との境界線。②地球の重力の方向に垂直な直線。③普通以上と以下との境界線。

【水辺(邊)】水のほとり。川や湖などのほとり。

【水母】①動物の名。くらげ。②水の神。

【水泡】①水のあわ。うたかた。②人生のはかないことのたとえ。③なんにもならないことのたとえ。「水泡に帰す」

【水墨】①水と墨。また、絵をかくに用いる、うすずみ。②「水墨画」の略。彩色をほどこさず、うす墨のみで書いた絵。

【水△沫】①水のあわ。みなわ。②水しぶき。

【水脈】①水の流れるみちすじ。水路。②かわ。河川。③地下水の流れるみち。

【水明】水流の澄んで明らかなこと。川や湖などの水の明るく美しいこと。「山紫水明」

【水門】一 貯水池や水路に設け、開閉して水の流れを調節する門。水閘。二 国川や海などの水の出入口。

【水紋】①水面に浮かぶ波の模様。②器物などの表面に自然に浮かんだ波模様。

【水陽】川の北岸。山の南側、川の北岸を陽という。水北。▼陽は、日の当たる所の意。↕水陰。

【水△楊】かわやなぎ。水辺に生ずる枝のたれない柳。蒲柳。

【水落石出】①水がひどく減って、川底などの石が露出すること。冬の川のけしき。〔北宋、蘇軾、後赤壁賦〕②事件の真相がついに露見すること。化けの皮がはがれる。

【水利】①河川などの水の便利。灌漑・船舶の交通などについての水の便。②河川などの水の利用。

【水△簾】たき(滝)。水が高処から落ちているさまが簾のように見えるからいう。

【水路】①水の流れるみち。②船の通るみち。

【水楼(樓)】＝水閣。

【水漏】水時計。→漏刻①(七七七ページ下)。

【水△潦】①みずたまり。にわたずみ。行潦。②あまみず。雨水。③あめ。降雨。④ながあめ。長い期間降り続く雨。淫雨。⑤おおみず。

1
【永】5画 6122 教5 エイ ながーい
漢エイ・呉ヨウ(ヤウ) 便 yǒng
1742 8969 一

筆順 丶 氵 氺 永

[汞] 6125 同字

字義 ❶ながーい。㋐物が長い。㋑距離が長い。遠い。はるか。㋒時間が長い。久しい。「永住」「永久」「永遠」❷とこしえ。とこしなえ。「永久」「永遠」❸ながくする。

名前 え・えい・つね・とう・なが・ながし・のぶ・のり・はるか・ひさ・ひさし・ひら 難読 永久・永並・永用

使いわけ ながい〔長・永〕⇩長(12955)。

解字 金文 篆文 **象形**。支流を引きこむ長い流域を持つ川の象形で、ながいの意味を表す。永を音符に含む形声文字に、泳・詠などがある。

【永永】エイエイ ながく続いて絶えないさま。いつまでも。ながなが。「永永無窮」

【永遠】エイエン ながく遠い。時間が無限であること。永久。

【永△嘉学(學)派】エイカガクハ 南宋の一学派。朱熹・陸象山の二学派に対立して、実用・経済の学を主張した。功利派ともいう。伊藤仁斎の古学派に影響を与えた。

【永歌】エイカ 声をながくのばしてうたう。

【永懐(懷)】エイカイ ながく思う。長年の心の思い。

【永久】エイキュウ ながく久しい。時間が果てしないこと。

【永△訣】エイケツ ながの別れ。永別。特に死別をいう。

【永言】エイゲン ながくのばしてうたう。

【永△巷】エイコウ 後宮の女官のいた所。家がつらなり、その間に長い道が通じていたからいう。漢の武帝が名を掖庭と改め、獄を置いて、罪のある女官をここに幽閉した。

【永康】エイコウ いつまでも安らかなこと。

【永△劫】エイゴウ 非常に長い時間。永久。▼劫は、仏教できわめて長い時間をいう。「未来永劫」

【永字八法】エイジハッポウ 「永」一字に運筆の八法がそなわっており、その八法にすべての文字の筆法が含まれているということ。後漢の蔡邕の創作とも、東晋の王羲之が始めたともいう。

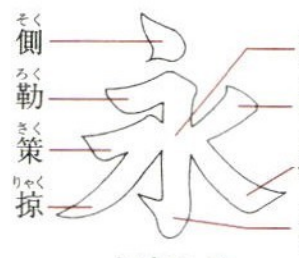

永字八法

【永日】エイジツ のどかな春の日。春の日なが。

【永寿(壽)】エイジュ 長生きする。長寿。

【永州】エイシュウ 隋・唐の州の名。州都は零陵(今の湖南省永州市)にあった。

【永終】エイシュウ ①ながく続く。②終わりをまっとうする。一説に、永久に絶える。

【永住】エイジュウ 同じ所に、長年、また、死ぬまで住む。

【永世】エイセイ ながい年代。世のある限り。とこよ。永代。

【永逝】エイセイ 永久に逝く。死去をいう。長逝。

【永代】エイダイ・エイタイ ＝永世。

【永嘆・永△歎】エイタン ながく嘆息する。ながくため息をしてなげく。

【永図(圖)】エイト 永遠のはかりごと。後々のための計画。

【永年】エイネン ながい年月。多年。長年。

【永別】エイベツ ながのわかれ。死別にもいう。永訣。

【永慕】エイボ 両親をながくしたう。終生父母のことを忘れないこと。

【永眠】エイミン ながいねむり。死ぬこと。

【永夜】エイヤ ながい夜。冬至前後の夜。長夜。

【永楽(樂)銭(錢)】エイラクセン 貨幣の名。明の永楽年間(一四〇三―一四二四)に鋳造された銅銭。表に永楽通宝の四文字があり、大小五種ある。日本にも輸入されて流通した。永楽通宝。⇩コラム 貨幣(一三五三ページ)。

永楽銭

【永楽(樂)大典】エイラクタイテン 書名。二万二千八百七十七巻。凡例目録六十巻。一万一千九百五十冊。明の永楽元年(一四〇三)から、永楽六年にかけて、解縉らが勅を奉じて編集した類書(分類式の一種の百科事典)。嘉靖年間に、原本の外に正副二本を書写したというが、原本・正本ともに明代に焼失し、副本も次第に散逸して、現在わずかに伝わっている。

【永楽(樂)帝】エイラクテイ 明朝第三代の皇帝。姓は朱、名は棣。太宗または成祖という。靖難の変により建文帝を倒して即位。モンゴルを征し、宦官の鄭和に南海を征させるなど国威を発揚した。『永楽大典』『四書大全』『五経大全』『性理大全』などを編集させ、文化の発展に寄与するところも大きい。(一三六〇―一四二四)

1 【丞】 5画 6123 ジョウ 丞(29)の俗字。→三三ページ下。 2|7818 — 3852

1 【氷】 5画 6124 教3 ヒョウ こおり・ひ ヒョウ 㬥 bīng 4125 9558 —

筆順 亅 冫 冫 氵 氷

[冰] 796 正字

字義 ❶こおり。ひ。❷こおる。❸清くすきとおり、純白でけがれないものを形容することば。「氷肌」❹矢筒のふた。❺とけやすいたとえ。「氷解」

名前 きよ・ひ　難読 氷雨・氷下魚・氷魚・氷見・氷上・氷柱・氷州・氷島

使いわけ こおり・こおる〔氷・凍〕
〔氷〕名詞の場合。「氷が張る」。「氷る」は常用音訓に含まれていない。
〔凍〕動詞の場合。「大地が凍る」

解字 金文 篆文 **形声**。水＋冫(仌)㊥。音符の仌は、こおりの象形で、こおりの意味を表し、冰の原字。のち、水を付し、冰となり、さらに省略されて、氷となった。

逆 堅氷・層氷・薄氷

【氷△夷】ヒョウイ 馮夷。川の神の名。河伯。

【氷河】ヒョウガ ①高山や極地で、万年雪が氷のかたまりとなり、斜面に沿って流れ下るもの。②氷のはりつめた川。氷川。

【氷解】ヒョウカイ ＝氷釈。

【氷肌】ヒョウキ ①氷のように清らかなはだ。雪の肌。氷膚。②梅の花を形容していう。氷魂。

【氷肌玉骨】ヒョウキギョッコツ ①寒中に白い花を開いた梅の姿を形容していう。氷姿玉骨ともいう。②美人の姿の形容。

【氷魚】ひうお(を)・ひお(を)・しらうお・しらお 国 鮎の稚魚。半透明白色で、白魚ににたもの。

【氷鏡】ヒョウキョウ ①氷のように澄んだかがみ。②澄みわたった月をいう。氷輪。

【氷△壺】ヒョウコ 氷をいれた玉のつぼ。転じて、心の清らかなたとえ。

【氷室】ヒョウシツ・ひむろ 氷をたくわえておくむろ。

【氷釈(釋)】ヒョウシャク 氷がとける。転じて、物事の結ぼれや疑いなどがすっかり解けさること。氷解。

【氷心】ヒョウシン 氷のように清らかなこころ。用例〔唐、王昌齢、芙蓉楼送二辛漸一詩〕洛陽親友如相問、一片氷心在二玉壺一(洛陽の親友もし相問わば、一片の氷心玉壺に在り)。↓洛陽にいる私の親友がもし私のことを尋ねたら、一片の氷が白玉のつぼの中にあるような清らかな心境でいると答えてほしい。

【氷人】ヒョウジン なこうど。結婚のなかだちをする人。媒酌人。氷翁。月下氷人。→月下氷人(六八四ページ下)

【氷刃】ヒョウジン 氷の(ように)とぎすました)やいば。

【氷水為(爲)レ之△而寒二△於水一】こおりはみずこれをなしてみずよりもさむし 氷は、水からできるが、水よりも冷たい。人は学問修養によって本来の才能以上に、りっぱになり得るたとえ。転じて、弟子が師よりもすぐれることをいう。用例〔荀子、勧学〕青取二之於藍一而青二於藍一、氷水為レ之而寒二於水一(青はこれを藍よりとりて、藍よりもあおし、氷は水これをなして、水よりもさむし)。↓青の染料は藍草から取るが、もとの藍草よりも青い、氷は水からできるが、水よりも冷たい。

【氷雪】ヒョウセツ ①氷と雪。②純白清潔なたとえ。用例〔荘子、逍遥遊〕肌膚若二氷雪一(キフはヒョウセツのごとし)。↓その肌は氷雪のように純白清潔である。

【氷霜】ヒョウソウ ①氷やしも。②苦しみのたとえ。③人のみさおの固いたとえ。また、性質の厳格なたとえ。

【氷炭不二相容一】ヒョウタンあい(ひ)いれず 二つのものの性質が正反対で、全く調和・一致することのないたとえ。氷炭不二相並一(ヒョウタンあい(ひ)ならばず)。氷炭不レ同レ器。〔楚辞、七諫〕

【氷柱】ヒョウチュウ ①つらら。垂氷(たるひ)。氷筍(ヒョウジュン)。②国こおりばしら。夏、室内に立てて涼をとるもの。

【氷△轍】ヒョウテツ こおった車輪の跡。用例〔唐、白居易、売炭翁詩〕夜来城外一尺雪(ヤライジョウガイイッシャクのゆき)、暁駕二炭車一輾二氷轍一(あかつきにタンシャにガしてヒョウテツをひく)。↓ゆうべから長安の郊外は一尺もの雪、あけがたに炭の車に牛をつなぎ、こおった道を、ごろごろと荷車をころがして町へいそぐ。

【氷△嚢】ヒョウノウ 氷ぶくろ。氷まくら。

【氷輪】ヒョウリン 月の別名。澄みわたった月をいう。

【抱レ氷】こおり(ほ)をいだく ＝抱氷(五六八ページ中)。

2 【汞】 6画 6125 エイ 永(6122)と同字。→八〇六ページ下。

2 【求】 7画 6126 漢キュウ(キウ)・呉グ 尤 qiú 教4 キュウ もと-める 2165 8B81 —

筆順 一 寸 寸 才 求 求 求

字義 ❶もと-める(もと-む)。自分のものにしようとする。㋐さがす。さがしもとめる。用例〔詩経、小雅、伐木〕嚶其鳴矣(オウとしてそれなく)、求二其友一声(そのともをもとむるのこえ)。↓鳥がオウオウと鳴くのは、友を探し求めている声。㋑ほしがる。のぞむ。こう。ねがいもとめる。用例〔左伝、昭公三十一〕求レ名而不レ得(なをもとめんとしてえず)。↓名声を求めようとして得られない。／〔易経、蒙〕匪三我求二童蒙一(われドウモウにもとむるにあらず)、童蒙求レ我(ドウモウわれにもとむ)。↓私が童蒙にお願いするのではなく、童蒙が私にお願いするのである。❷もと-め。要求。❸おわり。最後。

名前 く・ひで・まさ・もと・もとむ 難読 求肥(ぎゅうひ)・求名(ぐみょう・みょう)

解字 甲骨文 金文 古文(裘) 象形。甲骨文・金文でもわかるように、さきひらいた毛皮の形にかたどる。裘の原字で、かわごろもの意味を表す。借りて、もとめるの意味を表す。求を音符に含む形声文字に、捄・救・毬・球・裘・賕・逑などがある。

逆 希求・祈求・講求・購求・追求・反求

【求愛】キュウアイ 愛を求めること。とくに、異性に対し愛を打ち明け、相手の愛を求めること。

【求解】キュウカイ ①言いわけ(弁護)をたのむ。②解釈を求める。

【求刑】キュウケイ 検察官が、被告に刑を科するように請求すること。

【求索】キュウサク ①さがし求める。②要求する。

【求志】キュウシ ①志を守る。元来の志を変えないようにすること。②(他人の)志を推量する。

【求心】キュウシン 中心に近づこうとすること。「求心性」

【求全△之毀】キュウゼンのそしり 修養して完全な人になるようにと努力しているにもかかわらず他人から受けるそしり。思いがけないそしり。〔孟子、離婁上〕

【求道】一キュウドウ 道を求める。㋐正しい道理をさがし求める。㋑道徳を学び行うことに努めること。㋒その道に志す。㋓道路をさがし求める。二グドウ 仏仏道を求める。仏教により安心立命を願い求める。

【求法】一キュウホウ 方法をさがし求める。二グホウ 仏仏法を求める。仏法を学ぶことに努力する。

3 【汞】 7画 6127 一漢コウ・呉ク 董 gǒng 二漢コウ・呉グ 送 6171 9F87 —

字義 一二水銀。みずかね。「昇汞」

解字 形声。水＋工音。

4 【沗】 9画 6128 テン 添(6442)と同字。→五三〇ページ中。 27830 — 3879

参考 〔泰〕(6132)・〔黍〕(14459)の俗字としても用いられる。

4 【沓】 8画 6129 八 標 漢トウ(タフ) 呉ドウ(ダフ) 合 tà 2303 8C42 —

筆順 丨 力 水 水 氺 沓 沓 沓

字義 ❶すらすらと言う。流暢(リュウチョウ)にしゃべる。❷あふれる。水があふれる。❸水がよどみなく流れる。❹あう(合)。まじりあう。かさなる。多い。国くつ(靴カ)。

名前 かず 難読 沓掛(くつかけ)

参考 現代表記では〔踏〕(11750)に書きかえることがある。「雑沓→雑踏」

解字 篆文 会意。水＋曰。水は、流れる水の意味。曰は、言うの意味。水の流れのようにすらすらと言うの意味を表す。

【沓合】トウゴウ かさなりあう。

【沓雑(雜)】トウザツ こみあう。混雑する。雑沓。雑踏。

【沓至】トウシ 重なってやって来る。続々と来る。

【沓沓】トウトウ ①ことば数の多いさま。多弁で流暢(リュウチョウ)なさま。②怠るさま。③速く行くさま。

5 【盃】 9画 6130 カン 盥(7947)と同字。→一〇〇〇ページ下。 — — 3910

5 【泉】 9画 6131 漢セン・呉ゼン 先 quán 教6 セン いずみ 3284 90F2 —

筆順 ′ 亻 白 白 白 身 身 泉 泉

字義 ❶いずみ(いづみ)。地中からわき出ている水。「温泉」❷みなもと。水源。「原泉」❸地下水。「泉脈」❹地下。死後、人が行くと信じられた所。「九泉」「黄泉」❺ぜに(銭)。貨幣。「泉布」

【洤】 6317 古字

名前 い・いず・いずみ・きよし・ずみ・み・みぞ・みつ・もと

難読 泉原(はら・ばら)・泉二(もとじ)

解字 甲骨文 篆文 象形。甲骨文でわかるように、岩の穴からわき出すいずみの象形で、いずみの意味を表す。

逆 温泉・貨泉・原泉・源泉・言泉・鉱泉・黄泉・酒泉・刀泉・盗泉・飛泉・噴泉・林泉・霊泉

【泉韻】センイン いずみのわき出る音。流水のひびき。泉声。

【泉下】センカ 地下。冥途(メイド)。よみの国。泉界。泉路。

【泉界】センカイ 地下の世界。泉下。

【泉△壑】センガク 泉のわき出る谷。また、谷間の泉。

【泉水】センスイ ①いずみ。わきみず。②国庭に造った池。

【泉声(聲)】センセイ ＝泉韻。

【泉石】センセキ ①いずみと、いし。流水と石。②山水のけしき。③国㋐泉水(庭に造った池)と庭石。㋑庭園。

【泉台(臺)】センダイ ①人が死後に行く地下の世界にあるという高殿(たかどの)。死者はここに登って望郷の思いにかられるという。転じて、地下の世界。よみじ。②墓の中。墓穴。

【泉布】センプ 貨幣。ぜに。泉の水のように流通・流布(ルフ)するという意によるとも、泉は金属で作ったもの、布は絹製のものともいう。

【泉府】センプ 周代の官名。市税の取り立てや、公費で民間の不用物資を買い上げ、また原価で払い下げることをつかさどる。

【泉幣】センペイ ＝泉布。

【泉脈】センミャク 地中の水脈。地下水の通路。

5 【泰】 10画 6132 漢タイ 泰 tài 常 タイ 3457 91D7 —

筆順 一 三 声 夫 夫 奏 泰 泰 泰 泰

【泰】3506 俗字 【桊】6135 俗字 字義 ❶おおきい。きわめて大きい。広い。❷ゆたか。のびのびしている。❸やすらか。やすい。落ちついている。安心できる。用例〔論語、子路〕君子泰而不レ驕。君子は落ち着いていて、威張らない。／〔唐、白居易、香炉峰下新卜二山居一草堂初成、偶題二東壁一詩〕心泰身寧是帰処。故郷何独在二長安一。心身ともにやすらかであることこそ、人間本来の安住の地、故郷はどうして、長安だけにあるだろうか。❹ゆるやか(寛)。❺通る。❻おごる。㋐おごりたかぶる。つつしみがない。㋑ぜいたくする。❼はなはだしい。はなはだ。＝太(2241)。❽なめらか。❾山名。→泰山。❿易の六十四卦の一つ。☷☰乾下坤上。安泰の象。国 国名。タイ国。インドシナ半島にある王国。旧称、シャム(暹羅)。

名前 あきら・た・たい・だい・とうる・とおる・ひろ・ひろし・やす・やすし・ゆたか・よし

解字 甲骨文 篆文 古文 形声。甲骨文は、水＋大音。音符の大は、のびやかな人の象形。水につかって体のよごれを落とし、ゆったりしている人のさまから、やすらかの意味を表す。古文の夳(太)は、その変形。篆文は収＋水＋大音で、収は、両手の意味、両手で水をすくい体を洗うさまを表す。汰と同字であったが、汰は主として、よなげるの意味を表し、泰は、やすらかの意味を表す。

逆 安泰・否泰

【泰一・泰壱(壹)】昔、最も尊ばれた天神の名。太一。

【泰運】①安らかになって行く機運。②太平の機運。

【泰華】泰山と華山。共に五岳の一つ。

【泰山】山名。山東省泰安市の北。一五二四メートル。五岳の一つ。東岳。昔、天子が即位後、この山に登って封禅の祭り(天地を祭る儀式)を行った。太山。岱山。

【泰山鴻毛】重いものと軽いもののたとえ。▼鴻毛は、おおとりの毛。司馬遷の「報二任少卿一書」に「死或重二於泰山一、或軽二於鴻毛一」とあるのに基づく。

【泰山頽梁木折】賢人の死をいう。衆山の中心と仰がれる泰山がくずれ、建物で大切な梁が折れる意で、孔子が自分の死を予期してうたったことば。〔礼記、檀弓上〕

【泰山不レ譲(讓)二土壌(壤)一】泰山はわずかな土をもえり好みせずに受け入れる。大成しようと思うなら、度量を大きくして、広く受け入れよという教え。太山不レ譲二土壌一。用例〔秦、李斯、上二書秦始皇一〕泰山不レ譲二土壌一、故能成二其大一。泰山はわずかな土もえり好みせずに受け入れる、だから大きくなることができた。

【泰山北斗】→泰斗。

【挟(挾)二泰山一超二北海一】泰山をこわきにかかえて北海(渤海湾)をとびこえる。不可能な事のたとえ。〔孟子、梁恵王上〕

【泰侈】おごり高ぶる。身分不相応のぜいたくをする。

【泰而不レ驕】①重々しくどっしりと落ちついているが、おごり高ぶった所がない。君子の理想的な態度の一つ。〔論語、尭曰〕②地位・権力などを得て得意な境遇にいても、おごり高ぶらない。

【泰西】西の果て。西洋諸国をいう。↔泰東。

【泰然】ゆったりとしてるさま。どっしり構えているさま。「泰然自若(落ちつきはらっていて物に動じないこと)」

【泰斗】「泰山北斗」の略。学問・芸術などの大家・第一人者。泰山と北斗七星は共に仰ぎ尊ばれることからいう。

【泰東】東の果て。極東の諸国をいう。↔泰西。

【泰伯】①周の太王の長子。末弟の李歴(文王の父)に国を譲るため呉に去った。春秋時代、呉の始祖。②『論語』の編名。

【泰平】世の中がよく治まっていること。太平。

6 【洯】10画 6133 漢ケツ 呉ケチ 㕸 jiē, ②qiè | ₂7848 — 3924

【洯】6134 俗字

字義 ❶きよい。潔(6677)と同字。❷川の名。

解字 形声。水＋㓞音。

6 【洯】10画 6134 ケツ 洯(6133)の俗字。→八〇九ページ中。 | ₂7848 — 3924

6 【桊】11画 6135 タイ 泰(6132)の俗字。→八〇八ページ下。 | ₁8664 — —

8 【淼】12画 6136 漢ビョウ(ベウ) 呉ミョウ(メウ) 篠 miǎo | ₁8686 EDE6 3970

字義 ❶ひろびろと広がる水。大水。❷水面などの広く果てしないさま。「淼淼」

解字 篆文 会意。水を三つ合わせて、広々と果てしない水のさまを表す。

10 【滎】14画 6137 漢ケイ 呉ギョウ(ギャウ) 青 xíng | ₁8702 — 4025

字義 ❶きわめて小さい流れ。水たまり。❷滎陽は、地名。戦国時代、韓の領地。今の河南省内。

10 【滕】15画 6138 漢トウ 呉ドウ 蒸 téng

【滕】6139 俗字

字義 ❶あがる。わく。水がわき上がる。❷達する。また、送る。❸春秋・戦国時代の国の名。今の山東省滕州市のあたり。

解字 形声。水＋朕音。

解字 篆文 形声。水＋朕(𠂢)音。音符の𠂢は、上に送りだす。おしあげるの意味。水がおどりあがる、わきあがるの意味を表す。

【滕王閣】建物の名。唐の高祖の子の滕王元嬰が洪州の都督になっていた時に作った。今の江西省南昌市の贛江のほとりに再建されてある。唐の王勃の「滕王閣序」や韓愈の「滕王閣記」によって名高い。

10 【滕】15画 6139 トウ 滕(6138)の俗字。→八〇九ページ下。 | 6278 9FEC —

11 【潁】15画 6140 漢エイ 呉ヨウ(ヤウ) 梗 yǐng | 6283 9FF1 —

字義 川の名。→潁水。

参考 〔穎〕(8536)・〔潁〕(13465)は別字。

解字 形声。水＋頃音。

【潁水】川の名。潁川。河南省登封市の嵩山の南西に発し、安徽省で淮河に注ぐ。洗耳の故事で有名。→洗耳(八三四ページ上)。

11 【漦】15画 6141 漢シ 呉ジ 支 chí | — — 4042

字義 ❶流れる。液体がしみこむ。❷よだれ。特に、竜の口から出るよだれ。

解字 形声。水＋𠩺音。

11 【漿】15画 6142 標 漢ショウ(シャウ) 呉ソウ(サウ) 陽 jiāng | 6289 9FF7 —

字義 ❶はやず。こんず。㋐速成の酢。米を炊いで熱いうちに冷水に入れ、五、六日たつとできる。一種の酒でもある。㋑おもゆ。米を煮た汁。濃漿。❷のみもの。飲料。特に、どろりとした飲料。「箪食壺漿」❸しる(汁)。

解字 篆文 形声。水＋將音。音符の將(将)は、肉を調理するの意味。調理した飲み物の意味を表す。

11 【漐】15画 6143 漢チュウ(チフ) 呉ジュウ(ヂフ) 緝 zhí | ₁8703 — —

字義 ❶汗の出るさま。❷小雨が降りやまぬさま。

解字 形声。水＋執音。

12 【⿱須水】16画 6144 漢ケイ 呉キョウ(キャウ) 敬 jiǒng | — — 4067

水部 6▼12画 〔洯洯桊淼滎滕滕潁漦漿漐⿱須水〕

字義 清い。
解字 未詳。水＋頖㊥の変形したものか。

23 【灥】 27画 6145

㊀ ㊥シュン ㊉ジュン 真 xún
㊁ ㊥セン ㊉ゼン 先 quán

₂7954 — 4135

字義 ㊀❶多くの泉。❷多くの流れ。㊁❶いずみ。みなもと。水源。＝泉(6131)。❷雨で泉が湧き出る。

解字 会意。泉を三つ合わせて、多くの泉の意味を表す。

3画 氵 さんずい(三水)

₂7817 — 3851

〔部首解説〕 三画の水の意。水が偏になるときの形。→〔水〕の部首解説(八〇四ページ)。

2 氿八一一 汃八一一 汍八一二 汕八一三 汐八一四 汢八一五 汪八一五 決八一六 汯八一七 沁八一七 沢八一八 沛八一九 汾八二〇 汳八二〇 沃八二一 泳八二一 泔八二三 泫八二三 泘八二五 沮八二五 沰八二五 沾八二六 泮八二七 法八二七 沐八二九
汁八一一 3 汚八一一 汔八一二 汜八一三 汱八一四 4 汩八一五 汽八一五 沅八一六 沟八一七 汫八一七 沖八一八 泛八二〇 汶八二〇 汻八二〇 [illegible]八二一 泧八二一 泣八二三 沽八二四 泗八二五 泝八二五 注八二五 沺八二六 泌八二七 泡八二九 沫八二九
汀八一一 汙八一二 汲八一二 汋八一四 池八一四 沄八一五 沂八一五 汻八一六 沙八一七 泲八一七 沈八一八 汫八二〇 汨八二〇 汸八二〇 沪八二一 沿八二一 況八二三 泓八二四 沭八二五 泩八二五 泏八二六 波八二六 泯八二七 泙八二九 油八二九
氾八一一 污八一二 江八一二 汝八一四 汎八一五 沋八一五 汲八一五 沍八一六 泙八一七 汭八一七 沉八一九 沘八二〇 汴八二〇 没八二〇 沪八二一 泱八二二 泂八二三 泗八二四 沼八二五 沱八二五 泜八二六 沬八二六 泭八二七 泫八二九 泑八二九
氻八一一 汗八一二 汊八一三 汛八一四 汒八一五 沿八一五 汹八一六 沆八一六 沚八一七 汰八一七 沌八一九 沕八二〇 沔八二〇 沐八二一 5 泆八二一 河八二三 泬八二三 治八二四 泄八二五 淹八二五 泥八二六 泊八二七 沸八二七 泖八二九 泪八二九

沴 洇 活 汧 洽 洒 洳 洮 浊 洑 洼 浣 涓 涍 消 淋 涕 涒 浮 浟 流 淫 淵 淌 涫 淬 混 淄 渉 深 淛 添 淰 淝 洴 淶 淪 浸 湮 湝 渠 湟
泠 洩 洹 泒 洨 洙 浃 浅 洮 洋 7 浧 浛 涀 浞 浹 涗 涊 涅 浼 涌 涙 淫 測 淩 淦 涸 淯 渋 淞 滲 淺 淟 淘 淠 淎 淕 淚 9 渥 淵 渇 淏 淯
泐 洿 洎 洪 洒 洲 浄 洗 洞 洛 涠 浠 浯 涘 涉 浙 涂 涅 浦 浴 浰 渓 淹 涯 淊 淆 済 淑 淌 清 淙 添 涷 淝 渀 涼 渌 渭 温 渙 減 渾
6 洟 海 洶 洸 涑 浒 浛 洊 派 流 海 浗 浩 酒 浸 涏 涛 涀 浡 浬 浪 液 淤 渇 淇 淏 淬 淳 淐 淒 涿 添 淖 渁 游 淩 淮 湋 渦 湲 湖 滑
洧 洄 洫 洚 洱 洵 津 洤 洦 洌 浯 涇 浤 浚 浲 涑 浣 浜 浥 涖 8 淸 涴 淴 涵 渓 淈 淵 渚 淨 淅 淡 淀 淂 涪 減 淋 湘 湮 湏 渠 港 渣

湽 渻 湘 渲 測 渟 滔 湄 渹 渝 湾 滃 涵 溝 滚 溲 溽 溯 溘 溏 溢 溶 滝 漑 滮 滈 滐 滑 漸 漲 澤 滿 漻 漉 澗 澆 澔 潜 潘 潺 潬 澈
滋 湒 湜 湔 湌 渧 湞 渼 渤 渝 溂 溫 溛 滉 溠 溴 溱 滄 溺 湯 滂 溧 11 漪 漼 漁 滬 漨 漵 漱 滴 漂 漭 漊 潌 潣 潓 澒 澌 潤 潨 潴 潒
湿 湑 湕 渌 湛 湉 湃 渺 湓 湧 10 溢 滙 渙 溘 滓 準 湙 滞 溺 漠 溟 溜 演 漍 漌 潡 漬 漳 漕 滌 滮 漾 漣 12 澐 澗 潔 潩 澍 潯 潠 潮 潼
湫 渚 渚 湶 湍 渡 渫 湢 満 游 溢 滑 溪 滈 溮 滁 滑 溙 滇 澼 滅 溓 漚 漢 滸 滾 漆 滲 滯 漯 漰 潚 滷 潰 潙 潏 濟 潗 潟 潭 澄 澂
湊 湑 渫 湊 湳 湯 湲 渢 湎 溹 滇 漢 源 溷 溼 溲 溯 溠 滔 溥 滓 漣 潏 潅 滹 漼 滫 漩 漙 滌 漫 漓 漏 濈 澮 潰 潛 溢 潜 潭 澂 潑

2
【氿】
5画　6146　キ　紙 guǐ　2 7821　EDD9　3855

字義 ❶いずみ。横穴からわき出る泉。「氿泉」 ❷水のかれた岸の土。 ❸せまく長い川。

解字 篆文 形声。氵(水)+九㊥。音符の九は、曲がって行きどまりになるの意味。屈曲する穴の奥から流れ出る泉の意味を表す。

【氿泉】(キセン) 横穴からわき出る泉。

2
【汁】
5画　6147　常　ジュウ　しる　2933　8F60　—
シュウ(シフ)　緝 zhī
慣ジュウ(ジフ)

筆順 、 冫 氵 氵一 汁

字義 ❶しる。つゆ。㋐物質から出る、また物質にまじっている液体。「胆汁」 ㋑飲み物。おつゆ。吸い物。 ㋒利益。うまいしる。 ❷なみだ(涙)。 ❸みぞれ。

名前 つら

解字 篆文 形声。氵(水)+十㊥。音符の十は、探(タン)に通じ、さぐるの意味。果実の中に含まれる液をさぐりしぼる、しるの意味を表す。

逆 苦汁

【汁△滓】(ジュウシ) ①しるのかす。しるかす。 ②しると、かす。

【△啜レ汁】(しるをすする) 甘い汁をすする。うまい事にありついて利益を得ること。用例〔史記、魏世家〕欲レ啜レ汁者衆(しるをすすらんとほっするものおお(ほ)し)。⇩甘い汁をすすろうとする者は多い。

2
【汀】
5画　6148　入　漢テイ　呉チョウ(チャウ)　青 tīng　3685　92F3　—

筆順 、 冫 氵 氵一 汀

字義 ❶みぎわ(みぎは)。なぎさ。波打ちぎわ。水ぎわの平地。きし。はま。 ❷水が波立たず平らかなこと。

名前 てい・なぎさ・みぎわ

解字 篆文 形声。氵(水)+丁㊥。音符の丁は、くぎを打って固定させるの意味。寄せる波のなだらかになる所、なぎさの意味を表す。

【汀曲】(テイキョク) みぎわの入りこんだ所。

【汀沙】(テイサ・テイシャ) 水ぎわの砂原。はま。

【汀△洲】(テイシュウ) ①水中に土砂が積もってできた低い陸地。中州(なかす)。 ②なぎさと中州。

【汀△渚】(テイショ) ①みぎわ。なぎさ。▼渚も、なぎさ。 ②中州(なかす)。▼渚も、中州。→汀洲(テイシュウ)①。

【汀△濘】(テイネイ) ①どろ。どろ水。泥濘(デイネイ)。 ②浅い水。小さな流れ。

【汀△蘭】(テイラン) 水ぎわに生えた蘭(ラン)。

2
【氾】
5画　6149　常　ハン　漢ハン・呉ホン　陥 fàn　4037　94C3　—

筆順 、 冫 氵 氾 氾

字義 ❶ひろがる。はびこる。あふれひろがる。「氾濫(ハンラン)」 ❷ひろい。広くゆきわたっている。＝汎(6169)。「氾論」 ❸ただよう。ただよいゆれる。「氾氾」

参考 ①熟語は〔汎〕(6169)をも見よ。 ②〔汜〕(6162)は別字。

解字 篆文 形声。氵(水)+㔾㊥。音符の㔾(ハン)は、汎(ハン)に通じ、ひろがるの意味。水がひろがりはびこるの意味を表す。

【氾氾】(ハンハン・ハンパン) 水に浮かびゆれてじっとしていないさま。

【氾濫】(ハンラン) ①水があふれひろがる。用例〔孟子、滕文公下〕水逆行、氾濫於中国(みず(こ)ギャッコウして、チュウゴクにハンランす)。⇩(河川が下流で塞がって)水が逆流し、至る所で水があふれひろがる。 ②波にゆらぐさま。 ③浮き沈み。時世につれて変遷するさま。

【氾論】(ハンロン) 同 汎論(ハンロン)。 ①広く(全体を)論ずる。 ②大体(おおよそ)について論ずる。

2
【氻】
5画　6150　ロク　職 lè　—　—　3854

字義 水の音。

解字 形声。氵(水)+力㊥。

2
【汄】
5画　6151　国字　いり　2 7820　—　—

圦(1876)と同字。→300ページ中。

3
【汚】
6画　6152　常　オ　けがす・けがれる・けがらわしい・よごす・よごれる・きたない　1788　8998　—
㊀漢オ(ヲ)・呉ウ　虞 wū
㊁漢オ(ヲ)・呉ウ　遇 wù
㊂漢ワ・呉エ(ヱ)　麻 wā

筆順 、 冫 氵 氵一 氵二 汚

〔汚〕6154 本字　〔汙〕6153 同字

字義 ㊀❶けがれる(けがる)。よごれる(よごる)。 ❷けがす。よごす。「汚職」 ❸けがれ。よごれ。㋐あか。しみ。 ㋑不正。恥。 ❹きたない(きたなし)。けがらわしい(けがらはし)。きたならしい。不潔。はずかしい。ふしだら。「汚名」 ❺ひくい。㋐低い土地。くぼ地。また、そこにたまった水。 ㋑地位が低い。 ❻骨折り。苦労。 ❼くだる(下)。 ㊁❶よごれた水。にごった水。 ❷あらう。よごれを洗い落とす。 ❸小さい池。 ㊂❶ほる(掘)。くぼ地を作る。 ❷ひくい。劣る。 国 けがれ。昔、忌服・出産・月経などのことをいった。

解字 篆文 形声。氵(水)+亐(亏)㊥。音符の亐(ウ)は、くぼみの意味。くぼみにたまった水、けがれの意味を表す。

逆 血汚・卑汚

【汚下】(オカ) 土地が低い。また、低い土地。低地。

【汚行】(オコウ) けがれた行い。みだらな行為。

【汚垢】（オコウ） けがれ。よごれ。あか。垢汚。

【汚職】（オショク） 国職をけがす。職権や地位を悪用して自分の利益をはかること。瀆職。

【汚辱】（オジョク） ①けがしはずかしめる。②はじ。はずかしめ。恥辱。③けがれ。けがらわしいこと。

【汚世】（オセイ） けがれた世の中。けがれた時世。濁世。

【汚染】（オセン） ①よごす。しみをつける。②けがれに染まる。③よごれ。しみ。汚点。

【汚損】（オソン） ①よごしこわす。よごす。②よごれこわれる。けがれる。

【汚濁】（オダク） けがれにごる。よごれる。また、よごれたもの。↔清浄（八五一ページ中）。

【汚池】（オチ） 水がたまっている所。水たまり。池・沼など。

【汚泥】（オデイ） ①よごれた水と、どろ。②きたないどろ。③土がじめじめしている状態。④行為などのけがれていること。

【汚点(點)】（オテン） ①けがれ。よごれ。しみ。②きず。欠点。③不名誉な事がら。

【汚△瀆】（オトク） ①きたないみぞ。②小さいみぞ。③けがれる。けがす。

【汚名】（オメイ） けがれた名。不名誉。

【汚吏】（オリ） よこしまな（心のきたない）役人。不正な官吏。貪吏。用例〔孟子、滕文公上〕暴君汚吏、必慢其経界（暴君汚吏は、必ず其の経界を慢にす）。↓暴君と不正な官吏は、必ず土地の境界をいい加減にするものだ。

【汚隆】（オリュウ） ①低いことと高いこと。高低。凸凹。②おとろえることとさかんになること。盛衰。

【汚△穢】（オワイ・オアイ） ①きたない。けがらわしい。また、その行為。②けがれる。けがす。③きたない物。とくに、糞尿。

3 【汙】 6画 6153 オ
汚(6152)と同字。→八二一ページ下。
1 8649 — 3862

3 【汚】 6画 6154 オ
汚(6152)の本字。→八二一ページ下。

3 【汗】 6画 6155 常 カン あせ
一 漢カン・呉ガン 翰 hàn
二 漢カン・呉ガン 寒 hán
2032 8ABE —

筆順 丶 丶 氵 氵 汗 汗

字義 一 ❶あせ。「冷汗」 ❷あせ-する。あせをかく。「汗顔」 二 可汗（カカン・コクカン）の略。昔の突厥（トルコ族）の王の尊称。

難読 汗疹（あせも）

参考 〔汙〕(6153)は別字。

解字 篆文 形声。氵(水)＋干㊥。音符の干は、旱（カン）に通じ、ひでりの意味。暑くてあせが出るの意味を表す。

逆 盗汗・流汗・冷汗

【汗簡】（カンカン） ①油をぬいた竹のふだ。紙や帛（きぬ）のなかった時代に、竹を火にあぶり、青みを去り油をぬいて、それに漆で字を書いた。汗青。②文書・書籍・歴史書などの意。

【汗顔】（カンガン） 額（ひたい）に汗する。㋐はげしく労働すること。㋑非常に恥じいること。汗背。

【汗牛充棟】（カンギュウジュウトウ） 蔵書が多くて、牛車に載せて引かせると牛が汗をかき、室内に積み重ねると棟木までとどく。蔵書の多いことをいう。汗牛充棟。唐の柳宗元の「陸文通先生墓表」に「其為書、処則充棟宇、出則汗牛馬（其の書たるや、処（お）れば則ち棟宇に充ち、出づれば則ち牛馬に汗せしむ）」とあるのに基づく。

【汗血馬】（カンケツバ） 名馬をいう。大宛国（タイエンコク）（今の中央アジアのフェルガーナ地方）に産する馬（今のアラビア馬）は、漢代において名馬とされ、その馬が血のような汗を流すといわれたことに基づく。転じて、すぐれた才能のある人にもいう。

【汗△衫】 一（カンサン） はだぎ。あせとり。 二（かざみ） 国①平安時代の女官などが初夏に用いた上衣（うわぎ）。②男女共用の夏向きの肌着。

【汗△襦】（カンジュ） ＝汗衫一。

【汗△疹】（カンシン） あせも。

【汗青】（カンセイ） ＝汗簡。用例〔南宋、文天祥、過零丁洋詩〕人生自古誰無死、留取丹心照汗青（人生 古より誰か死無からん、丹心を留取して汗青を照らさん）。↓人として生まれたからは、昔から死を免れた者などいない。（同じ死ぬなら）せめて忠義の心を留めおき、歴史に残るような輝かしい働きをしたいものだ。

【汗馬△之労(勞)】（カンバのロウ） 馬を汗みどろにするほど働かせてするほねおり。㋐戦場におけるほねおり。転じて、戦功。〔韓非子、五蠹〕 ㋑運搬などのほねおり。〔戦国策、楚〕

【汗背】（カンパイ・あせにあせす） 背に汗をかく。＝汗顔㋑。

【汗漫】（カンマン） ①遠く広いさま。水の広々とした様子。②しまりのないさま。③うわっ調子で真実味のないこと。

3 【汍】 6画 6156 漢カン（クワン） 呉ガン（グワン） 寒 wán
2 7822 — 3858

字義 汍瀾（カンラン）は、涙の流れるさま。

解字 形声。氵(水)＋丸㊥。

3 【汔】 6画 6157 漢キツ 呉コチ 物 qì
— — 3861

字義 ＝汽(6177)。❶水がかれる。❷ちかい。また、ほとんど。❸川の名。

3 【汲】 6画 6158 キュウ
汲(6179)の俗字。→八一五ページ下。

解字 形声。氵(水)＋乞㊥。音符の乞は、氣(気)に通じ、蒸発するの意味。水が蒸発してかれるの意味を表す。

3 【江】 6画 6159 常 コウ え
コウ（カウ） 慣ゴウ（ガウ） 江 jiāng
2530 8D5D —

筆順 丶 丶 氵 氵 汀 江

字義 ❶川の名。中国南部の大河。長江。大江。→長江（一四九三ページ上）。❷大きな川。ことに中国南方地方の大河。国え。海や湖などの陸地に入り込んでいる所。入江（いりえ）。

名前 え・きみ・こう・ただ・のぶ

難読 江川（ごうかわ）・江釣子（えづりこ）・江豚（いるか）・江平（ごうひら）・江出（えずる）・江津（ごうつ）・

解字 金文 篆文 形声。氵(水)＋工㊥。音符の工は、公に通じ、多くの水系を広くのみこむ大きな川の意味を表す。

逆 寒江・大江・長江

【江雨】（コウウ） 川の水面に降る雨。

【江煙】（コウエン） 江上にただようもや。川霧。江靄（コウアイ）。

【江花】（コウカ） 川べりに咲いている花。長江の岸辺に咲く花。用例〔唐、杜甫、哀江頭詩〕人生有情涙沾臆、江水江花豈終極（人生情有り涙臆（むね）を沾（うるお）す、江水江花豈に終に極まらんや）。↓人として生まれ、自分には感情があって涙で胸がいっぱいになる。しかし、曲江の水の流れやそのほとりに咲く花など（自然のもの）は、そのような感情がなく、絶えて尽きてしまうことなどはない。

【江河】（コウカ・コウガ） ①長江と黄河。②大きい川。

【江夏】（コウカ） 地名。今の湖北省武漢市武昌（ブショウ）のあたり。

【江海】（コウカイ） ①長江と海。②大きな川と海。河海。③＝江湖②③。

【江外】（コウガイ） 長江から南の地をいう。

【江間】（コウカン） 川の中ほど。長江の流れ。

【江漢】（コウカン） 長江と漢水。▼漢水も、大河の名。

【江魚】（コウギョ） ①かわざかな。②いしもち。石首魚の別名。

【江月】（コウゲツ） ①川の上に照る月。②川に映っている月。

【江湖】（コウコ） ①川と湖。②世間。世の中。③中央の朝廷に対して、いなか。地方。民間。

【江湖客】（コウコのキャク） 各地を旅行して歩く人。各地をさすらい歩く人。

【江湖之人】民間にいる人。在野の人。

【江湖之楽(樂)】都をはなれ自然の中に(自然を友として)遊ぶ楽しみ。

【江滸】川のほとり。長江のほとり。

【江郊】川沿いの野原。川岸のあたり。

【江皐】①川と沢。②水辺の低地。③いなか。

【江左】＝江東①。長江の北岸からみていう。↔江右。

【江山】①川と山。山川。山水。山水の景色。②国土をいう。

【江酒】江州(今の江西省九江市)地方に産する酒。古来美酒として有名。用例(唐、白居易、与微之書)湓魚頗肥、江酒極美。↓湓江でとれる魚はとても肥え、江州の酒は極めて美味だ。

【江樹】川岸の樹木。

【江州】㊀唐代の州の名。州都は今の江西省九江市。㊁国近江の国(今の滋賀県)。

【江渚】川の水ぎわ。また、長江のなぎさ。

【江上】①川の水面。また、長江の水面。②川のほとり。また、長江のほとり。

【江城】川のほとりにある町。

【江心】川のまんなか。また、長江の中流。

【江津】①長江の渡し場。②川の船着き場。

【江水】長江の水。また、川の水。用例(楽府詩集、上邪)山無陵、江水為竭。↓山が平らになり、川の水が枯れ果ててしまう。／(唐、白居易、琵琶行)去来江口守空船、遶船明月江水寒。↓川のほとりに往き来して船の留守を守っているのだが、船を取り巻いて、明月の光と川の水が冷ややかに感じられる。

【江西】①長江中流の南岸、今の江西省あたりの地方をいう。江右。↔江東。②長江以北の地。③省名。長江中流の南に位置し、省都は南昌市。古名は贛。春秋時代、呉・越・楚の三国の占めた地。④国琵琶湖の西、近江の国の西部地方をいう。

【江西詩派】宋代、黄庭堅を第一人者とする詩の一派。

【江声(聲)】川の流れの音。また、長江の流水の音。

【江船】長江を上下する船。また、川を上下する船。用例(唐、杜甫、春夜喜雨詩)野径雲倶黒、江船火独明。↓野の小道は雲に包まれて黒々と沈み込んでいて、長江を上下する船のいさり火だけが明るく見える。

【江蘇】省名。長江の下流の地方。省都は南京市。春秋時代は呉・楚に属した。

【江村】川ぞいの村。用例(唐、杜甫、江村詩)清江一曲抱村流、長夏江村事事幽。↓清らかな川が大きく一曲がりして、村を抱きかかえるようにして流れ、日の長い夏、川ぞいのこの村はなにもかもひっそりと静かである。

【江村北海】国江戸中期の詩人。播磨(今の兵庫県)の人。名は綬。字は君錫。通称伝左衛門。北海は号。宮津藩儒。のち江戸の賜杖堂詩社を継ぎ、梁田蛻巌らと交わった。著書に『日本詩史』『日本詩選』『北海詩鈔』などがある。(一七一三—一七八八)

【江潭】川の深い淵。また、長江の深い淵。また、そのほとり。

【江潮】長江に起きる潮のさしひき。

【江天】川と空。江水と天空。また、川の水と大空とが接するあたり。

【江都】①隋代の郡名。今の江蘇省揚州市。別名、揚州・江陵。②国江戸(今の東京)の別名。

【江東】①長江下流の南岸の地方をいう。今の江蘇省南部、浙江省北部の地方。昔の呉・越の地方。楚の項羽はここに兵を挙げた。江左。↔江西。用例(史記、項羽本紀)籍与江東子弟八千人、渡江而西。↓私、籍(項羽)は江東の若者八千人と共に、長江を渡って西の方に進んだ。②国東京都内の隅田川の東岸に沿う一帯の地の称。

【江頭】長江のほとり。また、川のほとり。

【江南】長江以南、特に江蘇・安徽・江西三省の、長江の南岸一帯の地方をいう。

【江南一枝春】三国時代の呉の陸凱が、長安の范曄に江南から梅の花一枝に詩をそえて贈ったという故事に基づく語。その詩の末句に「聊贈一枝春」とある。

【江南橘化為(爲)枳】江南地方の橘を江北地方に移し植えると枳になってしまうと信ぜられたことから、人間はその環境によって変化するというたとえ。橘は、みかん。江南を淮南とすることもある。〔爾雅翼〕▼

【江馬細香】国江戸末期の女流詩人・画家。美濃(今の岐阜県)の人。頼山陽に師事し、梁川星巌とも交遊があった。著書に『湘夢遺稿』がある。(一七八七—一八六一)

【江畔】＝江浜。

【江表】長江の南岸の地方。江南。

【江浜(濱)】川のほとり。川岸。また、長江の岸辺。

【江岷】長江の水源地で、岷山のある巴蜀(今の四川省重慶・成都地方)の地方。

【江府】国①江戸。②江戸幕府。

【江楓】川のほとりの楓。用例(唐、張継、楓橋夜泊詩)月落烏啼霜満天、江楓漁火対愁眠。↓月が沈みからすが闇に鳴き、冷気はあたりに満ちている。川岸の楓樹の間にいさり火が点々と灯り、旅愁のために寝つかれないわが目に映じている。

【江碧鳥逾白】江の水は紺碧で、(それに対比して)鳥はいよいよ白い。用例(唐、杜甫、絶句詩)江碧鳥逾白、山青花欲然。↓川の水は紺碧で、(それに対比して)鳥はいよいよ白く、山は浅みどりで花は燃えたつばかりにまっ赤である。

【江北】長江以北の総称。今、江蘇省の長江以北の称。

【江右】＝江西。長江の北岸から見ていう。↔江左。

【江流】大きな川の流れ。また、長江の流れ。

【江陵】地名。湖北省南部、長江北岸の交通の要衝の地。春秋時代、楚の都、郢があった。一名、荊州。用例(唐、李白、早発白帝城詩)朝辞白帝彩雲間、千里江陵一日還。↓朝早く美しい朝焼け雲たなびく白帝城に別れを告げ、千里も離れた江陵まで、わずか一日で帰る。

【江楼(樓)】川のほとりのたかどの。江閣。

【江淮】長江と淮水。また、その二つの川のある地方。江蘇・安徽二省の地。

3【汊】6画 6160 呉シャ 漢サ chà ― ― 3856

字義 川が分かれて流れる。また、その場所。

解字 形声。氵(水)＋叉音。音符の叉は、ふたまたの意味。

3【汕】6画 6161 呉セン 漢サン shān 6172 9F88 ―

字義 ①魚のおよぐさま。②すなどる。魚をとる。また、すくいあみ。③汕頭は、広東省にある通商港。一八五八年、天津条約により開港。「スワ」は方言による。

解字 形声。氵(水)＋山音。

3【汜】6画 6162 呉ジ 漢シ sì 8650 EDDA 3864

字義 ①本流から分かれて、また本流に入る川。②行き止まりになっている川。水たまり。❸きし(岸)。

参考 〔氾〕(6149)は別字。

解字 形声。氵(水)＋巳㊅。

3【汋】6画 6163

漢シャク 呉ジャク 㒵 zhuó
ヤク 㒵 yuè

—
—
3857

字義 一 ❶水が激しく流れる音。❷取る。くみ取る。二 ❶煮る。❷くむ。酒をくむ。

解字 形声。氵(水)＋勺㊅。

3【汝】6画 6164

人 標 漢ジョ 呉ニョ 語 rǔ

3882
93F0
—

筆順 丶 氵 汄 汝 汝

字義 ❶なんじ。なれ。そなた。おまえ。対等、またはそれ以下の相手の人の称。＝爾(7101)。用例〔列子、湯問〕汝心之固、固不可徹。↓あなたの心の頑固なことといったら、その頑固さはとうてい取り除くことができない。❷川の名。→汝水。

解字 甲骨文 篆文 形声。氵(水)＋女㊅。川の名。借りて、なんじの意味に用いる。

【汝水】川の名。河南省嵩県に発し、東流して淮河に注ぐ。

【汝曹】おまえたち。君たち。汝輩。

【汝陽】①漢代に置かれた県名。今の河南省汝南県に移された。隋の時、今の河南省内。②唐の玄宗の兄の子の汝陽王、李璡(?―七五〇)。杜甫のパトロンの一人。酒を好んだ。一説に、北斉の王詢。用例〔唐、杜甫、飲中八仙歌〕汝陽三斗始朝天、道逢麹車口流涎。↓汝陽王の李璡は、三斗の酒を飲んでからやっと朝廷に参内し、途中でこうじを積んだ車に出会うと、口からよだれを流した。

【汝窯】汝州(今の河南省汝州市)の磁器のかま。宋代に始まり、名高い。

3【汎】6画 6165

シン 慣ジン 震 xùn

27823
—
3863

字義 ❶そそぐ。洗いそそぐ。払い除く。❷みなぎる。❸たずねる。しらべる。＝訊(11112)。

解字 形声。氵(水)＋卂㊅。

3【汐】6画 6166

人 漢セキ 呉ジャク 陌 xī

2814
8EAC
—

筆順 丶 氵 氵 汐 汐 汐

字義 しお。うしお。㋐海水が一定の時間に満ちたり引いたりする現象。特に夕方の干満をいい、朝の干満を潮というのに対する。㋑引きしお。干潮。

名前 きよ・しお 難読 汐首岬

解字 形声。氵(水)＋夕㊅。音符の夕は、日ぐれの意味。夕方におこるしおの意味を表す。

3【汏】6画 6167

漢タイ 呉ダイ 泰 tài

—
—
3859

字義 ❶よなげる。米を水で洗う。❷おごりたかぶる。❸はなはだしい。

解字 形声。氵(水)＋大㊅。音符の大は、人の象形。水につかって汚れを落とす人のさまから、よなげるの意味を表す。

3【池】6画 6168

教2 チ いけ

漢チ・呉ジ(ヂ) 支 chí

3551
9272
—

筆順 丶 氵 汈 汋 池

字義 ❶いけ。㋐地を掘って水をためた所。「貯水池」㋑すずりなどの、水をためておく部分。「硯池」❷ほり(堀)。みぞ。水のあるほり。↕隍(13120)。❸とい(樋)。❹ひつぎの飾り。

名前 いけ 難読 池鯉鮒

解字 篆文 形声。氵(水)＋也㊅。音符の也は、まがりくねるの意味。まがりくねった形の水たまり、いけ・ほりの意味を表す。

逆 汚池・差池・湯池・墨池・臨池

【池苑・池園】①いけと庭園。②庭園。また、そのいけや草木など。用例〔唐、白居易、長恨歌〕帰来池苑皆依旧、太液芙蓉未央柳。↓帰って来てみれば庭の様子は昔のままであり、太液の池のはすも未央宮の柳も(昔のままである)。

【池魚】①いけの中の魚。②自由をうばわれている身のたとえ。「池魚籠鳥」

【池魚之殃】不慮の(思いがけぬ)わざわい。また、まきぞえをくうこと。昔、宋の城門が焼けたとき、いけの水をくみつくして火を消したため、魚が死んだという故事による。〔剪灯新話、三山福地志〕

【池魚思故淵】いけの中の魚は、もと住んだふちを恋しがる。転じて、旅人が故郷を思い、あるいは、捕らわれ人がもとの自由な世界を恋しがるたとえ。用例〔東晋、陶潜、帰園田居詩〕羈鳥恋旧林、池魚思故淵。↓旅にある鳥はかつて飛びまわっていた林を恋しがり、池の中の魚は、もと住んでいたふちを恋しがる。

【池籞】①いけす。養魚場。②宮中の庭園。▼籞は、人の往来を防ぐためのやらい。

【池隍】城壁のまわりの堀。▼隍は、水のない堀。

【池榭】いけと高殿。また、いけのほとりにある高殿。

【池上】①いけの上。②いけのほとり。池頭。

【池心】①いけの中央。②いけの底。

【池台(臺)】①いけと高殿。②いけのほとり、またはいけの中の高殿。用例〔唐、劉廷芝、代悲白頭翁詩〕光禄池台開錦繍、将軍楼閣画神仙。↓前漢の光禄大夫王根が池のほとりの高殿で開いたような、また後漢の梁冀将軍が神仙を描いた楼閣で開いたような、そういう豪華な宴に加わって若いころは楽しんだ。

【池亭】いけのほとりのあずまや。

【池塘】①いけの堤。池坡。②いけ。用例〔唐、高駢、山亭夏日詩〕緑樹陰濃夏日長、楼台倒影入池塘。↓緑の木々が濃い陰を落とし、夏の日は長く、池辺の楼台は水にさかさまに姿を映す。

【池塘春草夢】つつみに生える春草の中の夢。また、いけのつつみに春草のもえでたころの楽しい思い出。少年時代の楽しさのたとえ。▼夢は、楽しさとはかなさの両意を含む。→一寸光陰不可軽(五ページ中)。用例〔伝、南宋、朱熹、偶成詩〕未覚池塘春草夢、階前梧葉已秋声。↓池の堤の春の若草の中で見た夢の覚めやらぬうちに、階段あたりのあおぎりの葉には早くも秋風が訪れている(まだ若いと思っていても、老いはいちはやく至るものであるから、若い時に学問に励むべきである)。

【池頭】いけのほとり。池辺。

【池畔】＝池頭。

【池辺】いけのほとり。用例〔唐、賈島、題李凝幽居詩〕鳥宿池辺樹、僧敲月下門。↓鳥は池の辺の木立に宿り、僧は月に照らされた門(の扉)をたたく。

【非池中物】狭い世界に安住している人物ではない。竜はいけの中にいてもいつかは天に昇る。それと同様に、やがて大成または大活躍する素質・能力をもっている人であるという意。三国の呉の周瑜が蜀の劉備を批評した語。〔三国志、呉志、周瑜伝〕

3 【汎】 6画 6169 常 ハン
漢ハン・呉ホン 陥 fàn
4038 94C4 —

筆順 丶 冫 氵 汎 汎 汎

字義 ❶うかぶ。水にうかぶ。また、うかべる。❷ただよう。水にただよう。❸ひろい。ひろし。あまねし。広くゆきわたる。また、ひろく。あまねく。用例〔論語、学而〕汎愛レ衆（ひろくシュウをアイす）。↓ひろく民衆を愛する。❹軽い。❺速い。

名前 みな・ひろ・ひろし

参考 現代表記では〔範〕(8824)に書きかえることがある。「広汎→広範」

解字 篆文 形声。氵(水)＋凡音。音符の凡は、かぜの意味。風のように軽く浮く、風のようにひろがるの意味を表す。

【汎愛】（ハンアイ・ひろくアイす） 広く公平に愛する。博愛。
【汎舟】（ハンシュウ） ①水にうかんで（ただよって）いる舟。②舟を浮かべる。
【汎称（稱）】（ハンショウ） 広く（ひっくるめて）呼ぶ。また、その呼び方。総称。
【汎渉】（ハンショウ） ①川や海を渡ること。②広く物事に通ずる。博渉。
【汎心論】（ハンシンロン） 哲学で、万物に心や魂があるとする説。
【汎神論】（ハンシンロン） 哲学で、神と万物とは同体で、万物の中に神が存在するという説。
【汎説】（ハンセツ） 広くまとめて説く。まとめて説明する。総説。
【汎汎】（ハンハン・ハンパン） ①川水などの、広々とみなぎり（すみやかに）流れるさま。②水にただよい流れるさま。③水に映った影のゆれ動くさま。
【汎濫】（ハンラン） ①水があふれる。あふれ流れる。氾濫（ハンラン）。②広く行きわたる。③でたらめなこと。
【汎濫停蓄】（ハンランテイチク） 学識が広く深い。広く書物を読んで知識を深く蓄えていること。▼停蓄は、たたえられた水のように深いの意。〔唐、韓愈、柳子厚墓誌銘〕
【汎論】（ハンロン） 全体にわたって論ずること。また、その論。総論。

3 【汒】 6画 6170 漢ボウ（バウ） 呉モウ（マウ） 陽 養 máng, ③mǎng
— — 3860

字義 ❶ぼんやり。くらい。「汒焉（ボウエン）」 ❷あわただしいさま。❸水の広々したさま。

3 【汢】 6画 6171 国字
6173 9F89 —

解字 形声。氵(水)＋亡音。

字義 ぬた。汢川（ぬたがわ）は、高知県高岡郡の地名。

解字 会意。氵(水)＋土。水と泥とでぬたくるの意味から、ぬたの意味を表す。

4 【汩】 7画 6172 一漢イツ（ヰツ）・呉イチ（ヰチ） 質 yù 二漢コツ・呉コチ 月 gǔ
—

字義 一❶おさめる（治）。㋐水を治める。㋑民を治める。❷みだれる。また、乱す。❸とおる。また、通す。❹ながれる。また、流れるさま。❺ゆく。速く行く。❻にわか。速い。❼きよいさま。また、高いさま。❽しずむ（沈）。

参考 〔汨〕(6209)は別字であるが、古くから混用された。

解字 形声。氵(水)＋曰音。

【汩汩】（イツイツ・コツコツ） ①水が速く流れるさま。②水が休みなく流れるさま。③すみやかに、また、休みなく去り行くさま。④水の流れる音。また、波の音。⑤多いさま。わずらわしいさま。⑥不安なさま。⑦沈みゆくさま。かくれ没するさま。⑧落ちぶれているさま。
【汩没】（コツボツ） ①沈んで見えなくなること。②世にうずもれる（落ちぶれる）こと。

4 【沄】 7画 6173 ウン 文 yún
27825 — —

字義 ❶水がめぐり流れるさま。❷広い。広々としているさま。

解字 篆文 形声。氵(水)＋云音。音符の云（ウン）は、めぐるの意味。水がめぐるの意味を表す。

【沄沄】（ウンウン） ①水がめぐり流れるさま。うずまき流れるさま。②水がわき流れるさま。③広々としているさま。④音声が広くひびきわたるさま。

4 【沇】 7画 6174 一エン 銑 yǎn 二漢イ（ヰ）・呉ユイ 紙 wěi
— — 3875

字義 一❶川の名。→沇水。❷沇沇は、㋐流れゆくさま。㋑広くゆきわたるさま。二沇溶（イヨウ）は、㋐水が谷間を流れゆくさま。㋑鳥獣の群れ去るさま。鳥獣のさかんにむらがるさま。さかんにむらがるさま。

解字 形声。氵(水)＋允音。

【沇水】（エンスイ） 川の名。済水（八四七ページ下）の別名。河南省済源市に発し、黄河に注ぐ。

4 【沿】 7画 6175 エン
6175 9F8B —

沿（6225）の俗字。→八二一ページ下。

4 【汪】 7画 6176 オウ（ワウ） 陽 wāng
6174 9F8A —

字義 ❶ひろい（広）。深くて広い。大きい。❷おおい（多）。❸いけ（池）。にごった池。❹うみ（海）。ゆたか。さかん。

解字 金文 篆文 形声。氵(水)＋王音。音符の王は、広く大きいの意味。水が広く深いの意味を表す。篆文は、水＋㞷音。

【汪琬】（オウエン） 清の文学者。字（あざな）は苕文（チョウブン）、号は鈍翁。康熙（コウキ）年間の詩文の大家。著書に『尭峰文鈔（ギョウホウブンショウ）』などがある。（一六二四—一六九〇）
【汪汪】（オウオウ） ①水の深く広いさま。②度量の広いさま。③涙が目にたまって、今にも泣き出しそうなさま。
【汪然】（オウゼン） ①広く深いさま。②水がさかんに流れるさま。③涙がとめどもなく流れるさま。用例〔唐、柳宗元、捕レ蛇者説〕蔣氏大戚、汪然出レ涕曰（ショウシおおいにいたみ、オウゼンとしてなみだをいだしていわく）、……。↓蔣氏はたいへん悲しみ、とめどもなく涙を流して言った、……。
【汪洋】（オウヨウ） ①海。大海。②広々として大きなさま。③ゆったりとしたさま。度量の広いさま。

4 【汽】 7画 6177 教2 キ
一漢キ・呉ケ 未 qì 二漢キツ・呉コチ 物
2105 8B44 —

筆順 丶 冫 氵 氵 汽 汽 汽

字義 一ゆげ。水蒸気。二＝汔(6157)。❶水がかれる。❷ほとんど。近い。

解字 篆文 形声。氵(水)＋气音。音符の气（キ）は、いきの意味。水が蒸発してかれる、また、そのゆげの意味を表す。

【汽缶（罐）】（キカン） 密閉した鋼製の容器内に圧力の高い蒸気を発生させて、動力源とする装置。ボイラー。

4 【沂】 7画 6178 一漢ギ・呉ゲ 微 yí 二ギン 真 yín 慣キ
6175 9F8B —

字義 一川の名。→沂水。用例〔論語、先進〕浴ニ乎沂一、風ニ乎舞雩一、詠而帰（キによくし、ブウにフウして、エイじてかえ(へ)らん）。↓沂水で水浴びをし、舞雩でちょっと涼んで、歌を歌いながら帰ろう。二❶大きい笛。❷ほとり。＝垠(1949)。❸ふち。へり。すみ（隅）。＝圻(12506)。

参考 〔泝〕(6244)は別字。

解字 形声。氵(水)＋斤音。

【沂水】（キスイ） 川の名。山東省にあり、汶水（モンスイ）と合し、さらに西南へ流れて江蘇（コウソ）省に入って運河にそそぐ。沂河。

4 【汲】 7画 6179 人 標 漢キュウ（キフ） 呉コウ（コフ） 緝 jí
2166 8B82 —

筆順 丶 冫 氵 氵 汲 汲 汲

〔汲〕6158 俗字 字義 ❶くーむ。水をくむ。❷ひく。㋐ひっぱる。㋑引き入れる。引き上げる。㋒みちびく(導)。❸いそがしい。せわしい。また、はげむ。「汲汲」

名前 くみ

解字 篆文 形声。氵(水)+及㊀。音符の及は、吸に通じ、すいこむの意味。水をひきこむの意味を表す。

【汲引】キュウイン 水をくみあげる。水をひき入れる。転じて、人を引きあげて用いる。登用する。

【汲汲】キュウキュウ ①いそがしいさま。②休まず努める(努力する)さま。また、あくせく求めるさま。用例〔東晋、陶潜、五柳先生伝〕不㆔汲㆓汲於富貴㆒(フウキにキュウキュウたらず)。⇩金や地位を求めてあくせくすることがない。

【汲古】キュウコ 古いものをくみあげる。㋐古書を読むこと。㋑昔の事を調べること。

【汲古閣】キュウコカク 明㆑末の毛晋(モウシン)の蔵書室(江蘇(コウソ)省常熟市にあった)の名。蔵書八万余冊に及び、その善本・稀書は覆刻されて世に広められた。

【汲△冢周書】キュウチョウシュウショ 書名。十巻。著者不明。周代の記録を載せている。西晋(セイシン)時代に汲郡(今の河南省)の不準が、戦国時代の魏(ギ)の襄王(ジョウオウ)(一説に、安釐王(アンキオウ))の墓から発見した先秦(センシン)時代の古書で、他に『竹書紀年』『穆天子伝(ボクテンシデン)』がある。逸周書ともいう。

4 【汹】7画 6180 キョウ 洶(6289)と同字。→㊁三二ページ中。 — — 3871

4 【決】7画 6181 教3 ケツ きーめる・きーまる 漢ケツ・呉ケチ 屑 jué 2372 8C88 —

筆順 丶 冫 氵 氵 沪 泱 決

〔决〕793字 俗 字義 ❶きーめる。㋐是非善悪を判断する。「判決」㋑きっぱりと定める。決断する。㋒覚悟する。用例〔史記、項羽本紀〕今日固決㆑死(きょう(けふ)もとよりシをケッす)。⇩今日もとより討ち死にすることを覚悟している。❷きーまる。「衆議一決」❸きる(切)。きれる。さける。堤防などがこわれて水があふれ出る。用例〔孟子、告子上〕決㆓諸東方㆒則東流、決㆓諸西方㆒則西流(これをトウホウにケッすればすなわち(はち)トウリュウし、これをセイホウにケッすればすなわち(はち)セイリュウす)。⇩その水を、堤防を切って東に流してやると、東へ向かって流出し、西に流してやると、西へ向かって流出する。❹あふれる。あふれ出る。❺きずつける。えぐる。❻わかれる。＝訣(11124)。「決別」❼かならず。たしかに。ゆめゆめ。用例〔史記、廉頗藺相如伝〕秦王雖㆑斎決負㆑約(シンオウはサイすといえ(へ)どもかならずヤクにそむかん)。⇩秦王は、(われわれの言う通りに)体を清めてはいますが、きっと約束を破るでしょう。❽思いきって、勢いがよい。勇敢に。「決起」「決然」❾ゆがけ。弓の弦を引くとき、手にはめる用具。

名前 さだ

参考 現代表記では〔蹶〕(11797)・〔訣〕(11124)の書きかえに用いることがある。「蹶起→決起」「訣別→決別」

解字 篆文 形声。氵(水)+夬㊀。音符の夬(カイ・ケツ)は、えぐり取るの意味。堤防を水がえぐって切れ口が生ずるの意味から、きめるの意味を表す。

逆 引決・既決・議決・採決・自決・専決・速決・対決・判決・否決・評決・未決・論決

【決意】ケツイ 心や考えをはっきり決める。決心。

【決河之勢】ケッカのいきおい(ひ) 川の堤防が切れて水があふれ流れるようなすさまじい勢い。

【決壊(壞)・決潰】ケッカイ ①水の勢いで堤防が破れくずれる。②腐った物がつぶれる。

【決起】ケッキ 勢いよく(勇敢に・すばやく)立ちあがる。蹶起(ケッキ)。

【決議】ケツギ 会議をして決める。評議して決める。また、その決めた事がら。

【決去】ケッキョ 別れ去ること。用例〔資治通鑑、漢紀〕泣下霑㆑衿(なみだくだりてえりをうるおす)、与㆓武㆒決去(ブとわかれさる)。⇩涙で衿を濡らすほど泣いて、蘇武(ソブ)と別れた。

【決決】ケッケツ 水の流れる音の形容。さらさら。

【決獄】ケツゴク 裁判して罪をきめる。訴訟の判決をする。

【決済(濟)】ケッサイ 金銭上の債務を終えること。代金の受け渡しを終えること。

【決裁】ケッサイ 国上役の人が下級の人の出した案を決める。

【決算】ケッサン 一定期間、または一会計年度における収入・支出の総計算。

【決死】ケッシ 死を決する。死ぬ覚悟をする。必死。

【決勝】ケッショウ ①戦って必ず勝つこと。必勝。②最後の勝負をきめること。

【決心】ケッシン 心を決めること。覚悟を決めること。

【決絶】ケツゼツ ながの別れ。永別。

【決然】ケツゼン ①思いきって(気力を込めて)するさま。②他にかかわることなくさっぱりとしているさま。③にわかに。急に。

【決断(斷)】ケツダン ①判断を決める。㋐さばきを決める。㋑心をきめる。②考えて下した決断。裁決。判決。③きっぱりとした判断(決心)。

【決着】ケッチャク きまりがつく。◆同じように用いられる語に「結着」があるが、本来の表記は「決着」である。新聞用語は「決着」に統一、国語審議会も「決着」を標準的な表記としている。

【決定】一ケッテイ 二ケチジョウ・ケツジョウ 一きっぱりと決めること。また、その取り決め。二仏仏の教えを固く信じて心の動揺しないこと。三国①定まっていること。②きっと。必ず。

【決△瀆】ケットク みぞを切り開いて水を流す。

【決別】ケツベツ わかれる。また、わかれ。訣別(ケツベツ)。

【決裂】ケツレツ ①きれさける。②きりさき分ける。分割する。③意見が一致せず、会議や交渉などが物別れになること。

4 【沅】7画 6182 漢ゲン 呉ガン(グワン) 元 阮 yuán 8654 — 3873

字義 川の名。→沅水。

解字 形声。氵(水)+元㊀。

【沅△湘】ゲンショウ 沅江と湘江。ともに洞庭湖に注ぐ。沅江は貴州省に発し、湖南省西部を東北に流れ、湘江は広西チワン族自治区に発し、湖南省東部を北東に流れて洞庭湖に入る。用例〔唐、戴叔倫、湘南即事詩〕沅湘日夜東流去(ゲンショウニチヤにひがしにながれさる)、不㆘為㆓愁人㆒住㆗少時㆖(シュウジンのためにしょうじもとどまらず)。⇩沅江・湘江はともに昼となく夜となく東に向かって流れ去っていき、心にうれいを持つ私などのためには、しばらくの間もとどまってくれない。

【沅水】ゲンスイ 川の名。沅江。貴州省に発し湖南省に入り、洞庭湖に注ぐ。

4 【汻】7画 6183 コ 麌 hǔ — — 3872

字義 みぎわ。水際(みずぎわ)。

解字 形声。氵(水)+午㊀。音符の午は、まじわるの意味。

4 【沍】7画 6184 一漢コ・呉ゴ 遇 hù 二漢カク・呉ガク 薬 6176 9F8C —

字義 一＝冱(794)。❶さむい。また、こおる。❷とじふさがる。閉塞(ヘイソク)する。二かれる(涸)。水がつきる。

解字 形声。氵(水)+互㊀。

【沍陰】ゴイン 陰気が堅く凍り結ぶ。非常に寒いこと。

【沍寒】ゴカン 非常に寒いこと。万物がこおりつく寒さ。

4 【沆】7画 6185 漢コウ(カウ) 呉ゴウ(ガウ) 養 hàng 8655 EDDB 3874

字義 ❶ひろい(広)。水の広大なさま。❷たまり水。とどまって流れない水。

解字 形声。氵(水)+亢㊀。

4【汯】7画 6186 漢コウ(クヮウ) 呉オウ(ワウ) 庚 hóng — EDDC 3867

字義 ❶舟を用いないで川を渡ること。❷水流の盛んなこと。

解字 形声。氵(水)＋厷音。

4【沟】7画 6187 漢コウ 呉ク 宄 gōu — — 3882

字義 水の音。

解字 形声。氵(水)＋勾音。

4【沙】7画 6188 常 サ 漢サ・呉シャ 麻 shā 2627 8DB9 —

筆順 丶 冫 氵 汌 沙 沙

字義 ❶すな。＝砂(8140)。用例(唐、杜甫、登高詩)風急天高猿嘯哀、渚清沙白鳥飛廻。↓風は強く吹きわたり、空は高く澄みきって、猿の鳴き声があたりに哀しくこだまする。長江の川辺は清らかに、砂は白く、その上を鳥が飛び交う。❷砂原。さばく。❸みぎわ。水辺。砂のある水辺の地。❹小さく(細かく)美味な物の名に冠する語。「沙糖(砂糖)」 ❺よな-げる。水で洗って悪い物を取り去る。選び分ける。淘汰する。「沙汰」

名前 いさ・さ・す 難読 沙魚・沙蚕・沙田・沙羅・沙流・沙留

解字 金文 篆文 会意。氵(水)＋少。少は、小さな点。水の中の小さな石、すなの意味を表す。

【沙翁】十六世紀のイギリスの文豪、シェークスピア(Shakespeare)の音訳。

【沙鷗】砂浜にいるかもめ。用例(唐、杜甫、旅夜書懐詩)飄飄何所レ似、天地一沙鷗。↓風に吹かれるがままにさすらいさまよいゆくわが身は、何に似ているというべきか。この広い天地の間にねぐら定めぬ、砂浜の一羽のかもめだろうか。

【沙丘】①砂漠や海岸などで、砂が一定の方向に吹く風に運ばれてできた丘。砂丘。②地名。今の河北省広宗県の北西の大平台。殷の紂王が台を築いて遊楽にふけった所。また、前二一〇年、秦の始皇帝が巡視の途中に没した所。

【沙塞】北方の砂漠にあるとりで。転じて、その地方の異民族をいう。

【沙嘴・沙觜・沙嘴】水中に突き出ている砂原。砂でできたみさき。▼嘴・嘴は、くちばし。

【沙州・沙洲】水中の砂原。すはま。

【沙書】砂を地上にこぼして書画をかく遊び。すながき。

【沙場】戦場。特に西域地方に広がる、異民族との戦いの場としての砂漠。用例(唐、王翰、涼州詞)酔臥二沙場一君莫レ笑、古来征戦幾人回。↓酔って砂漠に横になるが、君よ、笑ってくれるな、昔から戦争に行って何人が無事で帰ったことか(一人もいない)。

【沙磧】①砂原。砂漠。②砂や石におおわれた川原。

【沙汰】①よなげて悪い物を取り去る。また、選び分けること。淘汰。②国ア理非を論じ定めること。さばくこと。また、さばき。裁断。イ処置し定めること。決まりをつけること。ウ朝廷・役所などの命令。御沙汰。エ便り。知らせ。通知。「御無沙汰」 オうわさ。評判。カ訴訟。

【沙灘】川の洲。

【沙汀】水辺の砂原。砂浜。沙渚。

【沙棠】果樹の名。棠(やまなし)に似、花は黄色、実は赤い。その材は船を作るに用いられる。

【沙頭】なぎさのほとり。みぎわのあたり。

【沙漠】降雨量が少ないため、草木の生えない、非常に広い砂や小石ばかりの土地。砂漠。沙幕。

【沙弥(彌)】仏梵語 śrāmaṇera の略音訳。出家得度したばかりの僧。俗に、僧一般をいう。

【沙門】仏梵語 śramaṇa の音訳。出家者。僧。桑門。

【沙羅】梵語 śāla の音訳。①木の名。娑羅。フタバガキ科の常緑樹。葉は大形で長楕円形、花は小さく淡黄色で芳香がある。②ナツツバキの別名。沙(娑)羅木。

【沙羅双(雙)樹】二本ずつ対になってはえている沙羅の木の意。釈迦がインドのクシナガラ城外の沙羅樹の林で入滅(死)した際、その四方にあった二本ずつの沙羅樹が釈迦の上をおおい、白色に変じて枯れたという。

【沙礫】すなや小石。転じて、いやしく、くだらない人や物のたとえ。

【沙鹵】塩分のある砂地。

4【[氵卆]】7画 6189 サイ 淬(6418)と同字。→八四七ジー下。 ₂7827 — —

4【沚】7画 6190 シ 紙 zhǐ 6177 9F8D —

字義 ❶なかす(中州)。川や湖の中の砂の小島。❷うまれつき。さが。

解字 甲骨文 篆文 形声。氵(水)＋止音。音符の止は、とどまるの意味。水が流れてきて止まるところ、なかす・なぎさの意味を表す。

4【沁】7画 6191 標 シン 沁 寝 qìn 6178 9F8E —

字義 ❶し-みる。しみ込む。❷ひたす(漬)。❸さぐる。物を用いて水中をさぐる。❹川の名。→沁水。 難読 沁沁

解字 篆文 形声。氵(水)＋心音。音符の心は、侵に通じ、奥深くしだいに入るの意味。水がしみこむの意味を表す。

【沁水】川の名。山西省に発し、河南省に入り、黄河に注ぐ。

4【汫】7画 6192 セイ 穽(8576)の古字。→一〇六三ジー上。 — — 3865

4【泲】7画 6193 漢セイ 呉サイ 薺 jǐ — — 3909

字義 ❶したむ。酒をこして澄ませる。❷川の名。山東省を流れる済水の別名。

解字 形声。氵(水)＋𠂔音。

4【汭】7画 6194 漢ゼイ 呉ネイ 霽 ruì ₂7824 — 3866

字義 ❶ながれいる。合流する。❷流れ入る所。ア二つの川が合流する所。イ川口。河口。❸川のくま。水のくま。水流が曲がって陸地に入りこんでいる所。「洛汭」 ❹川の北。❺みぎわ。岸。

解字 篆文 形声。氵(水)＋内音。音符の内は、入るの意味。水のはいりこんでいるところ、いりえの意味を表す。

4【汰】7画 6195 常 タ タイ 泰 tài 慣タ 3433 91BF —

筆順 丶 冫 氵 汁 汏 汰

字義 ❶にごる(濁)。❷なみ。大波。❸おごる。ほこる。ぜいたくをする。「汰侈」 ❹はなはだしい(太)。❺すぎる。通り過ぎる。❻あらう。洗い除く。❼よなげる。水で洗って悪い部分を取り去る。一般に、劣悪なものを選び分けて取り去る。また、選び取る。「淘汰」 ❽うるおす(潤)。

解字 形声。氵(水)＋太音。泰と同一字。水につかってゆったりしている人のさまから、おごる・うるおうの意味を表

す。

【汰沙】(タイサ・サタ) 選び分ける。水で洗って劣悪・不用なものを取り去ること。淘汰(トウタ)。沙汰(サタ)。

【汰△侈・汰△肆】(タイシ・タシ) 身分不相応なおごり。

4
【沢】7画 6196 常 タク さわ
13
【澤】16画 6197

漢タク 呉ジャク(ヂャク) 陌 zé

3484 91F2 —
6323 E056 —

【臭】2264 古字

筆順 丶 丶 氵 氵 氵 沢 沢

字義 ❶さわ(はさ)。㋐つねに浅く水にひたっている所。浅く広い池や沼。「沼沢」 ㋑草木のしげっている湿地。谷間や湖沼や大河の付近にあることが多く、また、広大な地域にわたっているものもある。❷つや。ひかり。「光沢」「脂沢」 ❸うるおす。㋐ぬらす。しめらせる。㋑めぐむ。恩徳をほどこす。❹もてあそぶ。❺もむ。こする。❻扶持(フチ)。俸禄(ホウロク)。

名前 さわ・たく・ます　難読 沢渡(さわんど)・沢入(そうり・そおり)

解字 篆文 形声。氵(水)+尺(睪)音。音符の睪(エキ)は、つぎつぎにたぐり寄せるの意味。水や湿気が、次から次へと続く、さわ・うるおう・つやの意味を表す。

逆 恩沢・滑沢・恵沢・光沢・手沢・潤沢・沼沢・聖沢・徳沢・福沢・余沢・麗沢

【沢△庵】(タクアン) 国①江戸初期、臨済宗の僧。名は宗彭(ソウホウ)。沢庵はその字(あざな)。但馬(たじま)(今の兵庫県)出石(いずし)の人。徳川家光の帰依(キエ)を受け、江戸品川の東海寺を開いた。(一五七三―一六四五) ②「沢庵づけ」の略。沢庵が創始したという。

【沢雨】(タクウ) 万物をうるおすよい雨。慈雨。

【沢国(國)】(タクコク) 湖沼の多い地方・地帯をいう。水郷。

【沢△瀉】(タクシャ・おもだか) 草の名。オモダカ科の多年草。くわいに似る。水辺に自生し、夏、白い三弁の花を開く。

【沢潤】(タクジュン) ①うるおす。めぐみをほどこす。②つやがあってうるおう。

【沢△雉】(タクチ) ①沢に遊ぶ雉(きじ)。②楽府(ガフ)、雑曲歌辞の一。

【沢畔】(タクハン) 沢のほとり。沼や池のほとり。用例〔楚辞、漁父〕屈原既放(クツゲンすでにはなたれて)、游ニ於江潭一(コウタンにあそび)、行吟ニ沢畔一(タクハンにゆく)ギンずタクハンに。↓屈原は、放逐されて長江の淵に行き、沼や沢のほとりを歩きながら詩を口ずさんだ。

【沢△梁】(タクリョウ) 沢に設けたやな。▼梁は、魚を捕らえるしかけ。用例〔孟子、梁恵王下〕沢梁無レ禁(タクリョウキンなし)。↓沢に仕掛けた梁(やな)には、禁令を設けない。

【沢△鹵】(タクロ) 塩分を含んでいて作物のできない土地。

4
【沖】7画 6198 教4 チュウ おき

漢チュウ(チウ)・呉ジュウ(ヂウ) 東 chōng

1813 89AB —

【冲】795 俗字

筆順 丶 丶 氵 氵 沪 沪 沖

字義 ❶わく(湧ユウ)。水がわき動く。❷むなしい(空)。「沖虚」 ❸やわらぐ(和)。おだやか。かたよらない。「沖気」 ❹ととのう(調)。❺いたる。のぼる。高くあがる。「沖天」 ❻いとけない。「沖子」「沖人」 ❼深い。奥深い。国おき。㋐海・湖などの岸から遠く離れた水上。㋑村から遠い田畑。

名前 おき・なか・のぼる・ふかし・わか　難読 沖永良部(おきのえらぶ)・沖根婦(おんねぶ)

参考 〔冲〕(795)は俗字。一説に、沖と冲とは別字ともいう。

解字 甲骨文 金文 篆文 形声。氵(水)+中音。音符の中は、なかの意味。水の中の意味から、ふかいの意味を表す。

逆 虚沖・幼沖

【沖気(氣)】(チュウキ) 天地間の調和した根元の気。用例〔老子、四十二〕沖気以為レ和(チュウキもってワをなす)。↓沖気によって、調和がたもたれる。

【沖虚(虛)】(チュウキョ) ①何もないこと。むなしいこと。②雑念を去って心を空虚にすること。③空をしのぐ。空にのぼる(浮かぶ)。

【沖虚(虛)真(眞)経(經)】(チュウキョシンギョウ) 『列子』の別称。→沖虚真人。

【沖虚(虛)真(眞)人】(チュウキョシンジン) 列子(一七七ページ下)の別号。唐の玄宗の天宝元年(七四二)、列子を尊んで沖虚真人といい、その書を『沖虚真経』といった。

【沖子】(チュウシ) おさない子。いとけない子。幼児。童子。

【沖弱】(チュウジャク) おさない。いとけない。

【沖人】(チュウジン) ①=沖子。②天子が自分をいう謙称。

【沖寂】(チュウセキ・チュウジャク) ひっそりして静か。奥深く静か。

【沖積】(チュウセキ) 流水のために土砂や石などが積み重なって地層をつくること。「沖積平野」

【沖△澹】(チュウタン) 心にわだかまりがなく、さっぱりしている。

【沖沖】(チュウチュウ) ①たれ下がっているさま。②氷を切る音の形容。③心にうれえているさま。忡忡(チュウチュウ)。

【沖天】(チュウテン) 天にのぼる。空高く上がる。

【沖和】(チュウワ) おだやかにやわらぐ。また、調和した気。沖和之気(チュウワのキ)。

4
【沈】7画 6199 常 チン しず-む・しず-める

一漢チン・呉ジン(ヂン) 侵 chén
二シン 寝 shěn

3632 92BE —

【沉】6200 俗字

筆順 丶 丶 氵 氵 氵 沈 沈

字義 一❶しず-む(しづむ)。㋐水中に没する。「沈没」 ㋑おぼれる。水に陥って死ぬ。「沈溺(チンデキ)」 ㋒深入りする。ふける。迷う。「沈湎」 ㋓おちぶれる。「消沈」 ㋔弱る。気がふさがる。なやむ。思いに沈む。「沈痛」 ㋕落ち着いている。静かにしている。奥深く静か。「沈着」 ㋖とどこおる。とどまる。㋗かくれる。ひそむ。❷しず-める(しづむ)。❸ひさしい(久)。長年にわたる。❹たまり水。丘陵の上にたまった水。❺どろ(泥)。おり。❻干潟(ひがた)。❼→沈香。二人の姓。姓氏のときの音はシン。

名前 うし・ふか　難読 沈丁花(じんちょうげ)・沈黙(しじま)

使いわけ しずめる・しずまる〔静・鎮・沈〕⇩静(13283)。

解字 甲骨文 金文 篆文 形声。氵(水)+冘音。音符の冘(イン)は、人が頭をしずめるまくらの象形。水中にしずむの意味を表す。

逆 撃沈・消沈・深沈・浮沈・陸沈

【沈△痾】(チンア) ながわずらい。年久しくなおらない病気。宿痾。痼疾(コシツ)。沈痼(チンコ)。

【沈飲】(チンイン) 飲酒にふける。おおいに酒を飲む。

【沈鬱】(チンウツ) 気分が沈みふさがること。気がめいるさま。

【沈雲】(チンウン) 重なり合ったくも。層雲。

【沈下】(チンカ) しずみさがる。沈む。「地盤沈下」

【沈果】(チンカ) 落ち着いていて決断力のあること。沈着果断。

【沈既済】(チンキサイ) 唐、呉の人。伝記小説の作家として知られる。『枕中記(チンチュウキ)』『任氏伝』の作者。

【沈△毅】(チンキ) 落ち着いていて意志が強い。沈着で物事に動じないこと。「沈毅果断」

【沈魚落△雁】(チンギョラクガン) すばらしい美人の形容。美人をみて自分のみにくさを恥じ、魚は底へもぐり、雁(かり)は地に下りかくれる。『荘子』斉物論に「どんな美人でも魚や鳥には美しいとは見えず、かえっておそろしさを感じてにげかくれる」とある話に基づいて後世作られ、その反対の意味に使用された語。

【沈吟】(チンギン) ①静かに口ずさむ。②小声でぶつぶつとつぶやく。③思いに沈む。

【沈△痼】(チンコ) ①=沈痾(チンア)。②長年の悪習。

【沈荒】(チンコウ) おぼれすさむ。酒色などにおぼれて学問や仕事をおこたること。

【沈香】(チンコウ・ジンコウ) 熱帯に産する香木。また、それで製した香。

【沈香亭】(チンコウテイ) 唐代、宮中の庭園にあった亭の名。玄宗皇帝と楊貴妃(ヨウキヒ)とが芍薬(シャクヤク)を賞し、李白(リハク)に詩を作らせたところ。

【沈思】(チンシ) ①落ち着いてじっくりと考える。「沈思黙考」②思いに沈む。思い悩む。

【沈周】(シンシュウ) 明(ミン)代の人。字(あざな)は啓南。号は石田・白石翁など。博学で詩にたくみであり、また、書・画、特に画にもすぐれた。(一四二七—一五〇九)

【沈愁】(チンシュウ) ＝沈憂。

【沈浸】(チンシン) ①しずみひたる。②ひたしうるおす。

【沈深】(チンシン) ①落ち着いていて思慮が深い。②重々しくて奥ゆかしい。③深い。また、深い所。

【沈水】一(チンスイ・ジンスイ) 水中に沈む。二(チンズイ) ①沈香の別名。②香の一種。西施(セイシ)の浴びた水を松枝に注ぎ、水面に凝結した滓(おり)を乾かしたものという。

【沈酔(醉)】(チンスイ) ひどく酔う。酒に酔いつぶれる。

【沈睡】(チンスイ) ぐっすり眠る。熟睡。沈眠。

【沈静(靜)】(チンセイ) ①落ち着いて静か。沈着冷静。②静か。静けさ。→鎮静(一四八三ページ・中)。

【沈△佺期】(シンセンキ) 初唐の詩人。字(あざな)は雲卿(ウンケイ)。宋之問(ソウシモン)と共に沈宋と併称された。(六五三?—七一三)

【沈潜(潛)】(チンセン) ▼潜は、ひそむ・ひたる。①水中に深くもぐる、また、隠れること。②落ち着いて考え深いこと。③気を落ち着けてじっくり考えること。④沈みひたる。⑤国㋐ひたり味わう。㋑没頭する。一所懸命にする。

【沈△竈産△鼃】(チンソウアをサンす) ひどい洪水のたとえ。春秋時代、晋(シン)の智伯(チハク)が趙襄子(チョウジョウシ)の城を水攻めにしたとき、城中の人家の浸水がひどく、かまどが水びたしとなって、かえるがわいたという故事による。

【沈滞(滯)】(チンタイ) ①しずみとどこおる。②多く積み重なる。③物事がはかどらない。④官位が進まない。いつまでも低い地位にいる。

【沈△檀】(チンダン) 沈木と檀木。ともに香木の名。

【沈着・沈著】(チンチャク) 落ち着く。落ち着いて動じない。

【沈沈】(チンチン) ①さかんなさま。②草木の茂っているさま。③夜のふけるさま。用例(北宋、蘇軾、春夜詩)歌管楼台声細細(カカンロウダイこえサイサイ)、鞦韆院落夜沈沈(シュウセンインラクよるチンチン)。↓歌や管弦の音がひびきわたっていた高殿も、今ではかすかな音がきこえるばかりである。中庭にぶらんこが揺れ、夜は静かにふけてゆく。④静かなさま。奥深く静かなさま。静寂。用例(夏目漱石、題自画詩)唐詩読罷倚ニ闌干一(トウシをよみやめてランカンによれば)、午院沈沈緑意寒(ゴインチンチンとして、リョクイさむし)。↓唐詩を読むのをやめて、手すりによりかかると、昼の中庭はひっそりと静まりかえっていて、草木の緑のたたずまいは寒々と見える。⑤落ち着いて黙っているさま。⑥音が断続してかすかに響いて来るさま。⑦水などの深いさま。

【沈痛】(チンツウ) ①深く心にうれえること。また、そのさま。②心にひしひしと感ずること。痛切。

【沈溺】(チンデキ) ①しずみおぼれる。②水中に沈む。また、沈める。③困難におちいること。④悪習などにふけりおぼれる。

【沈殿・沈△澱】(チンデン) 沈殿は沈澱の書きかえ字。①水の中に沈みこむこと。また、そのもの。②水底に沈んでたまっている物。おり。かす。

【沈徳潜(潛)】(シントクセン) 清(シン)の詩人。字(あざな)は確士。号は帰愚。『唐宋八大家文読本』『古詩源』を編集。(一六七三—一七六九)

【沈南△蘋】(シンナンピン・チンナンピン) 清(シン)の画家。名は銓(セン)。南蘋はその号。花鳥画にたくみで、享保十六年(一七三一)長崎に渡来、日本の花鳥画に大きな影響を与えた。長崎派の祖。

【沈年】(チンネン) 長年。多年。

【沈浮】(チンプ) ①沈むことと浮かぶこと。沈んだり浮かんだりする。②重いものと、軽いもの。③世の浮き沈み。栄枯盛衰。浮枕。④万物が大自然の中で浮き沈みすることから、物の変化・生死のたとえ。⑤多い様子。⑥世俗の流れと歩調を合わせるたとえ。

【沈伏】(チンプク) ①隠れひそむ。志を得ないでうもれていること。②とどこおる。③隠れて現れない。

【沈没】(チンボツ) ①水中に沈んで見えなくなる。水中に沈む。②かくれてなくなる。ほろぶ。③国 酔って正体を失うこと。また、他所で遊んだあげく泊まりこむこと。

【沈冥】一(チンメイ) ①病気。②深いしじま。ひっそり。二(チンミョウ) 仏 生死の迷いに沈み無明の煩悩にくらまされること。

【沈△沔・沈△湎】(チンメン) 酒色にふけりおぼれる。

【沈黙(默)】(チンモク) ①落ち着いていて口かずの少ないこと。②黙っていること。

【沈約】(シンヤク) 南朝梁(リョウ)の詩人・音韻学者。字(あざな)は休文。博学で詩文に巧みであった。著書に『晋書(シンジョ)』『宋書(ソウジョ)』『四声譜』などがある。(四四一—五一三)

【沈勇】(チンユウ) ①落ち着いていて勇気があること。②落ち着いた勇気。

【沈憂】(チンユウ) うれいに沈む。深く思いわずらう。沈愁。

【沈腰】(チンヨウ) しとやかな細腰。美しい容姿の形容。

【沈△淪】(チンリン) ①深く沈む。▼淪も、沈む。②落ちぶれる。

4 【沉】 7画 6200 チン 2 7826 — 3876

沈(6199)の俗字。→八一八ページ・下。

4 【沌】 7画 6201 人 標 一 漢トン 呉ドン 阮 dùn 二 漢トン 呉ドン 元 tún 3857 93D7 —

筆順 丶 丶 氵 氵 汇 沍 沌

字義 一 ❶ふさがる。開通していない。❷万物が、まだ形をなさず、気がもやもやとうずまいているさま。「渾沌(コントン)」「混沌(コントン)」❸暗い。おろか。二 ❶水流のうずまくさま。また、川の小さいさま。

解字 形声。氵(水)＋屯音。音符の屯は、むらがり集まるの意味。水が入りまじるの意味を表す。

【沌沌】(トントン) ①波があとからあとからと連なって進むさま。②ぐるぐるめぐるさま。③まるいさま。④おろかで分別のないさま。用例(老子、二十)我愚人之心也哉(われはグジンのこころなるかな)、沌沌兮(トントンたり)。↓私は愚か者の心をもっている、愚かで分別もない。⑤はなれては合し、合してははなれるさま。

4 【沛】 7画 6202 ハイ 泰 pèi 6179 9F8F —

字義 ❶さわ。湿地帯。一面に水草のしげった沼沢地。❷さかんなさま。盛大なさま。力強いさま。また、雨などの勢いのよいさま。「滂沛(ホウハイ)」❸すばやい。迅速。❹つまずく。たおれる。「顛沛(テンパイ)」❺おおわれる。暗い。❻ため池。貯水池。❼非常に怒るさま。❽地名。今の江蘇(コウソ)省沛県。漢の高祖の出身地。

解字 篆文  形声。氵(水)＋巿音。音符の巿(ハイ)は、まえだれの象形。まえだれのような幅で水が豊かに流れる、さわの意味を表す。

【沛△艾】(ハイガイ) ①容姿のすぐれて美しいさま。②馬の勇ましく進み行くさま。

【沛△乎】(ハイコ) ＝字義❷。

【沛公】(ハイコウ) 漢の高祖(劉邦(リュウホウ)・一九〇ページ・中)がまだ漢王の位につかない時の称。高祖の郷里の沛(今の江蘇省内)の地名に基づく。→字義❽。

【沛然】(ハイゼン) 雨の勢いさかんに降るさま。用例(孟子、梁恵王上)天油然作レ雲(テンユウゼンとしてくもをおこし)、沛然下レ雨(ハイゼンとしてあめをふらす)。↓空に雲が湧きおこり、ざあざあと雨が降る。

【沛沢(澤)】(ハイタク) 湿地帯。草木がしげり鳥獣が多く集まるのでよく狩猟場とされた。用例(孟子、滕文公下)園囿・汚池・沛沢多(エンユウ・オチ・ハイタクおお(ほ)くして)、而禽獣至(キンジュウいたる)。↓狩猟場・湖沼・湿地帯が増えるにつれて、禽獣も多くなった。
【沛沛】ハイハイ ①水の流れるさま。②行くさま。

4 【泛】 7画 6203 ━漢ハン・呉ホン 陥 fàn ━漢ホウ・呉フウ 腫 fěng 6202 9FA0 ―

字義 ━❶うかぶ(浮・汎)。うかびただよう。また、うかべる。用例〔前漢、武帝、秋風辞〕泛楼船 兮済汾河 横中流 兮揚素波 ロウセンをうかべて、フンガをわたり、チュウリュウによこたわ(は)りて、ソハをあぐ 二階造りの舟を浮かべて汾河を渡り、流れの中ほどに舟を漂わせて白い川波をあげている。❷水の流れるさま。❸水の満ちているさま。❹ひろい(汎)。また、ひろく、あまねく。一般に。「泛称」「泛愛」。━くつがえす。(覆)。

解字 篆文 形声。氵(水)+乏(㠯)音。音符の㠯は、汎に通じ、うかぶの意味。水にうかぶの意味を表す。

【泛愛】ハンアイ 広く愛する。汎愛。
【泛観(觀)】ハンカン 眺めわたす。
【泛菊会(會)】ハンキクカイ 陰暦九月九日(重陽)の節句)に菊花を酒に浮かべて飲む宴会。重陽観菊の会。
【泛舟】ハンシュウ 舟を浮かべる。汎舟。
【泛称(稱)】ハンショウ ひっくるめての(一般的な)名称。
【泛△觴】ハンショウ さかずきを浮かべる。昔、三月三日の曲水の宴に流水に杯を浮かべて風流の遊びをした故事による。流觴。
【泛然】ハンゼン ①浮かびただようさま。②落ち着きのないさま。うわのそらで。
【泛泛】ハンハン・ハンパン ①=泛然。②水などの満ち満ちているさま。
【泛濫】ハンラン 水が広がりあふれる。泛溢。
【泛論】ハンロン 広く全体にわたって論ずる。汎論。

4 【泍】 7画 6204 ハン 翰 pàn 1 8657 ― 3881

字義 ❶水が流れる。❷岸。

解字 形声。氵(水)+片音。

4 【泚】 7画 6205 ヒ 紙 bǐ 1 8656 ― 3880

字義 川の名。→泚水。

解字 形声。氵(水)+比音。

【泚水】ヒスイ 川の名。安徽省内を流れる。

4 【沕】 7画 6206 ━漢ブツ・呉モチ 物 wù ━漢ビツ・呉ミチ 質 mì 2 7829 ― 3878

字義 ━深くかすかなさま。━❶ひそむ。❷けがれる。

解字 形声。氵(水)+勿音。

4 【汾】 7画 6207 漢フン 呉ブン 文 fén 6180 9F90 ―

字義 ❶川の名。↓汾水。❷大きい。❸汾沄は、多くてさかんなさま。

解字 形声。氵(水)+分音。

【汾水】フンスイ 川の名。汾河。山西省の北部に発し、太原市を流れ、省の中央を南西に流れて黄河に注ぐ。
【汾水△之遊】フンスイのあそび ①仙界に遊んで俗事を忘れるたとえ。尭帝が汾水のほとりで四人の賢者に会い、天下を忘れた故事による。〔荘子、逍遥遊〕②先帝の崩御。

4 【汶】 7画 6208 ━漢ブン・呉モン 問 吻 wèn ━漢ビン・呉ミン 眞 mín ━漢ボン・呉モン 元 mén 1 8653 ― 3869

字義 ━川の名。→汶水。━山名。→汶山。━❶けがれ。はじ。はずかしめ。❷暗いさま。

解字 形声。氵(水)+文音。

【汶山】ビンザン 山名。四川省茂県にある。岷山。
【汶水】ブンスイ 川の名。山東省にある川。汶河。
【汶汶】ボンボン・モンモン ①けがれているさま。けがらわしいさま。用例〔楚辞、漁父〕安能以身之察察 受物之汶汶 者乎 いずくんぞよくみの、サツサツたるをもって、もののモンモンたるをうくるものならんや 私はどうして潔白なこの身に、外界のけがれをまとうことができようか(できない)。②暗いさま。道理に暗くおろかなさま。

4 【汨】 7画 6209 ━漢ベキ・呉ミャク 錫 mì ━漢コツ・呉コチ 月 gǔ 6181 9F91 ―

字義 ━川の名。汨水。↓汨羅①。━しずむ(沈)。没する。=汩(6172)。

参考 〔汩〕(6172)は別字であるが、古くから混用された。

解字 形声。氵(水)+冥省音。

【汨汨】コツコツ ①沈んでゆくさま。かくれ没するさま。②落ちぶれているさま。
【汨羅】ベキラ ①川の名。江西省から西流した汨水が湖南省湘陰県の近くで羅水を合して汨羅江となり、湘水に注ぐ。②淵の名。汨水・羅水の合流する所とも、汨羅江が湘水に入る所ともいう。戦国時代、楚の屈原が投身自殺した所なので、屈潭ともいう。③市名。汨羅江下流の東北岸、湖南省湘陰県の北東にある。

4 【汴】 7画 6210 漢ヘン 呉ベン 霰 biàn 1 8652 ― ―
〔汳〕6212 同字 〔汴〕6213 俗字

字義 ❶川の名。↓汴水。❷地名。今の河南省開封市。

解字 形声。氵(水)+卞音。

【汴京】ベンケイ・ベンキョウ 五代の梁・晋・漢・周から北宋までの都。今の河南省開封市。↓汴梁。
【汴州】ベンシュウ 河南省開封市の、隋・唐代の名称。
【汴水】ベンスイ 川の名。汴河。黄河の一支流。河南省滎陽市で黄河から分かれ、安徽省泗県で淮水に入ったが、今はない。
【汴△梁】ベンリョウ 河南省の開封市。戦国時代の魏の都で大梁といい、後世、東魏がここに梁州を置き、隋・唐が汴州を置いたことに由来する名。

4 【沔】 7画 6211 漢ベン 呉メン 銑 miǎn 2 7828 ― 3877

字義 ❶川の名。↓沔水。❷みなぎる。水がみなぎり流れる。❸おぼれる。=湎(6543)。

解字 篆文 形声。氵(水)+丏音。音符の丏は、おおうの意味。水が一面におおう、水が満ちる・おぼれるの意味を表す。

【沔水】ベンスイ 川の名。陝西省から湖北省を南東へ流れる漢水の上流をいう。また、古くは漢水の別名。

4 【汳】 7画 6212 ベン 汴(6210)と同字。→820ページ中。 6182 9F92 ―

4 【汴】 7画 6213 ベン 汴(6210)の俗字。→820ページ中。 ― ― 3868

4 【汸】 7画 6214 ホウ(ハウ) 陽 fāng, ②pāng ― ― 3870

字義 ❶もやう。二つの舟を並べてつなぐ。❷水が盛んに流れるさま。❸泉の名。

解字 形声。氵(水)+方音。

4 【没】 7画 6215 常 ボツ 4355 9676 ―

4 〖沒〗 7画 6216 漢ボツ 呉モチ 慣モツ 月 mò, ④méi 6183 9F93 ―

筆順 丶 冫 氵 氵 汐 沙 没

字義 ❶しずむ(沈)。㋐水底に沈む。底へもぐる。㋑うまる(埋)。かくれる。また、かくす。㋒はまりこむ。「没入」❷なくなる。つきる(尽)。終わる。おとろえる。おちぶれる。また、なくす。「没我」❸死ぬ。=歿(6012)。「没年」❹ない。打消のことば。「没常識」❺すぎる。過ごす。❻取り上げる。「没収」❼むさぼる。❽利益を失うこと。

難読 没義道・没法子

参考 現代表記では〔歿〕(6012)の書きかえに用いる。「死歿→死没」「歿年→没年」

解字 篆文 形声。氵(水)＋殳(𠬛)音。音符の𠬛は、うずまく水中に手を沈め物を取りだすの意味。のち、水を付し、もぐる・しずむの意味を表す。

逆 陥没・出没・陣没・戦没・沈没・病没

【没我】自分をなくする。我を忘れる。

【没却】国①なくしてしまう。②無視する。▼却は、しりぞける。

【没交渉】交渉(かかわり)のないこと。無関係。

【没骨】画法の一種。北宋の徐崇嗣の始めた技法で、輪郭線を描かず、直接に水墨や彩色で描くもの。「没骨法」

【没死】①死を冒す。決死の覚悟で。もしその言に誤りがあれば死をもってわびる意で、上奏文などに用いる語。味死。「没死自陳」②死ぬ。

【没歯(齒)】①よわいのなくなるまで。一生涯。終生。▼歯は、年齢。②歯のぬけかわる年。男子は八歳、女子は七歳。

【没趣味】おもむきのないこと。面白味のないこと。趣味のわからないこと。無趣味。

【没収(收)】国①取りあげること。②刑法上の付加刑の一つ。犯人が所有する、犯罪関係の財産の所有権をうばって国家の所有に移すこと。③行政法上、ある物件が行政の目的を害する場合、その物件を無償で取り上げる処置。没取。

【没書】投書や原稿が採用されないこと。

【没人】水中にもぐり魚や貝を取って生活する人。あま。また、潜水夫。

【没世】同没レ世。①一生を終わる。一生涯。用例〔論語、衛霊公〕君子疾ニ没レ世而名不レ称焉。↓君子は、一生を終わった後に(自分の)名前の世に認められないことを悩みとする。②いつまでも。永久に。用例〔大学〕没レ世不レ忘也。↓(君子は)いつまでも人民に追慕され忘れられない。

【没頭】①頭をはねる。首を切る。②国事に熱中する。

【没入】①役所に取りあげる。㋐官有の奴隷にする。㋑財産を没収する。②事に深くはいりこむ。夢中になる。

【没年】国人の死んだ時の年齢、また、年代。歿年。

【没薬(藥)】アラビア等に産するカンラン科の小高木の樹脂。香料として用いる。

【没落】①穴などに落ち入る。②ほろびる。③城などが攻め落とされること。④落ちぶれる。

4【沐】7画 6217 漢ボク 呉モク 屋 mù 6184 9F94 —

字義 ❶あらう。髪を洗う。「沐浴」❷うるおう。めぐみをこうむる。恩を受ける。「沐恩」❸漢代、官吏の休暇をいう。家へ帰って髪を洗う意。「休沐」❹髪を洗うのに用いる米の汁。

解字 篆文 形声。氵(水)＋木音。音符の木は、冒に通じ、むく犬のように髪がたれるの意味。水で髪を洗うの意味を表す。

【沐雨】雨で髪を洗う意。雨中に身をさらすこと。「沐雨櫛風(雨風にさらされて苦労する)」

【沐恩】恩を受ける。めぐみを受けること。

【沐猴而冠】猿が冠をつけたようなものだ。〔史記、項羽本紀〕→楚人沐猴而冠耳(七五六ページ下)。

【沐櫛】髪を洗い、くしけずる。

【沐浴】①髪を洗い、体を洗うこと。▼浴は、ゆあみ。②(めぐみを)こうむる。用例〔聖天子武帝の〕輝かしい徳化の恩沢をこうむった。〔西晋、李密、陳情表〕沐ニ浴清化一。↓③習熟すること。

【沐露】露で髪を洗う。㋐露にさらされる。苦労する。㋑めぐみを受ける。

4【沃】7画 6218 常 ヨク 慣ヨク・ヨウ(エウ) 沃 wò 4564 9780 —

筆順

字義 ❶そそぐ(注)。㋐水を流しこむ。田に水をかける。㋑水をかける。水をかけて洗う。㋒心をそそぐ。教え導く。❷ひたす(漬)。うるおす。❸流れる。❹肥えている。地味が豊か。「肥沃」❺やわらか。みずみずしく美しい。若い。❻ヨウ。ドイツ語 Jod の音訳。沃度。元素の名。沃素。国 いる。そそぐ。あびせる。

難読 沃懸

解字 篆文 形声。氵(水)＋夭音。音符の夭は、髪ふりみだした若い巫子の象形。みずみずしく若いの意味を表す。転じて、豊かで生産的で、こえて美しいの意味をも表す。また、浴に通じて、そそぐの意味をも表す。

【沃盥】水をそそぎかけて手を洗うこと。

【沃灌】そそぎかける。そそぎかけて洗う。

【沃若】みずみずしくて、つやのあるさま。

【沃壌(壤)】地味の肥えた土地。

【沃饒】地味の肥えていること。▼饒は、豊か。

【沃瘠】地味の肥えていることと、瘠せていること。

【沃田】地味の肥えた田地。作物のよくできる田畑。

【沃土】地味の肥えた土地。沃地。沃壌。

【沃野】地味の肥えた土地・耕作地。用例〔戦国策、秦〕沃野千里、蓄積饒多。↓地味の肥えた土地が千里四方に及び、食料の蓄えも余りあるほどだ。

4【沍】7画 6219 リュウ 流(6381)の古字。→八四一ページ下。

4【沪】7画 6220 ロ 濾(6794)の俗字。→八八七ページ中。 8651 — —

4【沪】7画 6221 ロ 濾(6794)の簡易慣用字体。→八八七ページ中。

5【泆】8画 6222 漢イツ 呉イチ 質 yì 8659 — 3887

字義 ❶あふれる。水がゆれあふれる。❷わく(沸・湧)。わきこぼれる。❸ほしいまま。気まま。また、みだら。「淫泆」

解字 篆文 形声。氵(水)＋失音。音符の失は、それるの意味。水が流路をそれて、ほしいままにあふれるの意味を表す。

5【泳】8画 6223 教3 エイ およぐ 漢エイ・呉ヨウ(ヤウ) 敬 yǒng 1743 896A —

筆順

字義 およぐ。一説に、水に浮かんでおよぐことを游、水にもぐっておよぐことを泳という。「游泳」

解字 金文 篆文 形声。金文は、止＋永音。のち、氵(水)＋永音。止は、足の象形。音符の永は、長い川の象形。手足を長く引き伸ばして水をわたる、およぐの意味を表す。

逆 遊泳

5【泧】8画 6224 漢エツ(ヱツ) 呉オチ(ヲチ) 月 yuè — — 3904

字義 大水のさま。

解字 形声。氵(水)＋戉音。

5【沿】8画 6225 教6 エン そう エン 先 yán 1772 8988 —

筆順

氵部 4▼5画 〔沐 沃 沍 沪 沪 泆 泳 泧 沿〕

［沿］6175 俗字

字義 ❶そう。したがう(従)。㋐水流・道路などのふちにそう。「沿道」「沿線」 ㋑よる(因・依)。習慣・前例・時の流れなどにより従う。「沿革」 ❷ふち。へり。縁。

使いわけ そう〔沿・添〕
〔沿〕長く続いているものから離れない。「川沿いの家・線路沿いに歩く」
〔添〕ぴたりとくっついて離れない。また、夫婦になる。「影の形に添うごとく…・連れ添う」
ただし、「期待や目的に合致する」の意の場合には、「希望に添う／沿う」のように、使いわけが紛らわしい。

解字 篆文 形声。氵(水)＋㕣音。音符の㕣は、縁に通じ、まつわるの意味。川にそってくだるの意味から、一般にそうの意味を表す。

【沿海】エンカイ ①海に沿った土地。②陸地の近くの浅い海。
【沿革】エンカク (始めから今までの)移り変わり。変遷。▼革は、改め変える、また、改まり変わる。
【沿習・沿襲】エンシュウ 昔からのならわし。また、それに従う。因習。
【沿△泝】エンソ 流れに従い下ることと、流れに逆らい上ること。
【沿辺(邊)】エンペン 国や郡県などのはずれの土地。辺境。

5 【泱】 8画 6226
一 漢ヨウ(ヤウ) 呉オウ(アウ) 陽 yāng
二 オウ(アウ) 養 yǎng
三 漢エイ 呉ヨウ(ヤウ) 庚 yīng
6186 9F96 ―

字義 一 ❶雲のわき上がるさま。❷水の流れるさま。二 水の多いさま。三 白雲のわき上がるさま。

解字 篆文 形声。氵(水)＋央音。音符の央は、景に通じ、高まる光の意味。雲のわきおこるさま・水の流れの広く高まるさまを表す。

5 【河】 8画 6227 教5 カ かわ
漢カ・呉ガ 歌 hé
熟字訓 河岸・河原
1847 89CD ―

筆順 丶 氵 氵 汀 河 河 河 河

字義 ❶川の名。黄河の古名。もと、長江を江と呼ぶのに対し、黄河は単に河と呼んでいたが、後世、河を(大きな)川の意に用いることが多くなってからは、黄河と呼ぶようになった。❷かわ。㋐小さいのを川、大きいのを河という。今は混同して用いる。「河川」 ㋑水利・灌漑・航行などのため、陸地を掘って作った水路。ほりわり。「運河」 ❸あまのがわ。天の川。銀河。天漢。

名前 かわ 難読 河陰・河鰭・河曲・河堀口・河芸・河戸・河江・河骨・河内・河貝子・河鹿

参考 字義にあるように、大きい川を「河」、小さい川を「川」と使いわける習慣がある。ただ現在では河川の名称では日本・外国(中国を除く)ともに「川」と書くようになってきている。「アマゾン川・ライン川」。ただし、中国の河川については、中国での呼称をそのまま用いるのが普通である。なお中国の河川名は、長江より北はほとんどが「河」、長江より南は「江」と呼ばれている。

解字 甲骨文 金文 篆文 形声。氵(水)＋可音。音符の可は、かぎの形に曲がるの意味。曲がって流れる黄河の意味から、一般にかわの意味を表す。

逆 銀河・懸河・江河・山河・星河・渡河

【河陰】カイン ①黄河の南。②川の南(岸)。↔河陽。
【河海】カカイ ①黄河と海。②広大なたとえ。③深厚なたとえ。
【河海不レ択(擇)ニ細流一】カカイはサイリュウをえらばず 黄河や海は小さい川だからといって捨てはしない。小川をも合わせ入れるから大きくなる。心を広くもって人やその意見を受け入れないと大成しないという教え。→泰山不レ譲ニ土壌一(八〇九ページ上)。用例(秦、李斯、上ニ書秦始皇ニ)河海不レ択ニ細流ー、故能就ニ其深ー。↓黄河や海は小さい川もえり好みせず受け入れる、だから深くなるのである。
【河外】カガイ ①＝河右。中原地方から見ていう。②黄河の南の地方。河南。晋(今の山西省あたり)から見ていう。
【河岳(嶽)】カガク ①黄河と五岳。②大河と高山。
【河漢】カカン ①黄河と漢水。②天の川。銀河。用例(文選、古詩十九首、其十)河漢清且浅、相去復幾許。↓天の川は清くて浅いのに、(牽牛と織女の二星はこの川で)遠く隔てられていて会うことはできない。
【河漢△之言】カカンのゲン とりとめのないことば。捕らえようのないのを、天の川が遠く隔たってきわみないのにたとえていう。〔荘子、逍遥遊〕
【河漢女】カカンのジョ 織女星をいう。用例(文選、古詩十九首、其十)迢迢牽牛星、皎皎河漢女。↓天の川を隔ててはるかかなたの彦星と、明るく輝く織女星。
【河△渠】カキョ 川と、ほりわり(みぞ)。
【河△渠書】カキョショ 『史記』の巻名。水利・治水のことを記したもの。
【河曲】カキョク ①川の屈曲している部分。川の隈。②川のほとり。
【河源】カゲン ①黄河の水源。②川のみなもと。
【河△湟】カコウ 黄河と湟水(八五八ページ上)。また、その流域の地。西戎の地。
【河△朔】カサク 黄河の北の地方。河北。▼朔は、北。
【河上】カジョウ ①川のうえ。②川のほとり。また、黄河の岸辺。河辺。河畔。③川かみ。④「河上公」の略。河上公は、漢の文帝時代の仙人の名。『老子』に通じていたといわれる。『老子』の「河上公注」は後世の偽作。〔神仙伝、三〕
【河心】カシン 川の流れのまんなか。川の中流。
【河津】カシン 川の流し場。
【河西】カセイ ＝河右。
【河清】カセイ 黄河の水が澄むこと。黄河の水は常ににごっているが、千年に一度澄むといい、ふしぎなこと、太平のしるし、望んでも得られないことなどにたとえる。→百年俟ニ河清一(九九二ページ中)。
【河宗】カソウ ＝河伯。
【河内】カダイ 一 黄河から北の地方。今の河南省の黄河以北の地方。↔河外②。用例(孟子、梁恵王上)河内凶、則移ニ其民於河東ー、移ニ其粟於河内ー。↓河内が凶作であれば、そこの民を河東に移し、河東の食糧を河内に輸送する。二 ハノイ ベトナム社会主義共和国の首都。三 かわ(はち) 国旧国名。今の大阪府の南部。
【河図(圖)】カト →河図洛書。
【河図(圖)△洛書】カトラクショ 河図は、中国古代の伝説で、伏羲の時、黄河から出た竜馬の背に現れていた図で、易の卦のもととなったもの。洛書は、禹の時、洛水(川の名)から出た神亀(霊妙なかめ)の背にあった文字で、『書経』の洪範編のもととなったもの。伏羲も禹も古代伝説上の聖王。『易経』繋辞上に「河出レ図、洛出レ書、聖人則レ之」とあるのに基づく。

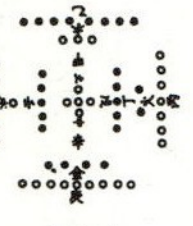
河図

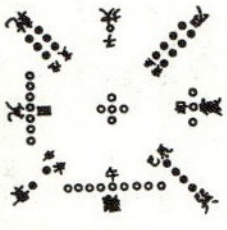
洛書

【河東】カトウ 黄河の、山西・陝西両省の境界を南流している部分から東の地方。今の山西省の南西部地方。唐代以後は広く山西全省をいう。

【河套】 今の内モンゴル自治区南部の砂漠地帯(オルドス)の東・西・北の三方が黄河に囲まれている地方。秦・漢代には河南といい、匈奴の勢力の圧迫を受けた。

【河童】・【河伯】 水中の妖怪。河太郎。

【河豚】 魚の名。

【河南】 ①黄河以南の地。②周末の王城、すなわち洛邑。今の河南省洛陽市の西。③=河套。④省名。黄河中流域に位置し、省都は鄭州市。洛陽・開封などの都市がある。

【河伯】 ①黄河の神。②川の神。

【河浜(濱)】 ①黄河のほとり(みぎわ)。②川のほとり。

【河不出図(圖)】 黄河が河図を出さない。孔子が現在の乱れた世を悲しみ、絶望的な気持ちで言った語。〔論語、子罕〕→河図洛書。

【河汾】 ①黄河と汾水。また、その間の土地。②汾水。

【河北】 ①黄河以北の地。②省名。中国北部にあり、北東部は渤海に臨む。省都は石家荘市。省中部の北京市は中華人民共和国の首都で、天津市などとともに、政府直轄市。

【河右】 黄河の、山西・陝西両省の境界を南流している部分から西の地で、陝西省・甘粛省などの地をいう。河西。

【河陽】 ①黄河の北。河北。②川の北岸。↕河陰。③地名。今の河南省孟州市の西。

【河洛】 ①黄河と洛水。②「河図洛書」の略。

【河梁】 ①(川にかけた)橋。②送別。また、送別の地。→河梁之別。

【河梁之吟】 送別の歌。→河梁之別。

【河梁之別】 人を送って橋の上で別れること。送別の意。漢の蘇武が十九年間捕らわれていた匈奴を去る時、同じく匈奴に捕らわれていた李陵が送別のために作った詩に「携手上河梁」という句があるのに基づく。

【河隴】 唐代、西域の地名。黄河の上流、隴山山脈の西の地方をいい、今の甘粛省の西部地方。

【河湾(灣)】 河の屈曲した所。

5【泔】 8画 6228 カン 覃 gān 1 8660 — 3893

字義 ❶しろみず。米のとぎしる。❷にる(煮)。❸すえる。くさる。食物がくさってすっぱくなる。❹あまい(甘)。

解字 篆文 形声。氵(水)+甘㊥。音符の甘は、あまいの意味。甘い水、米のとぎ汁の意味を表す。

5【泣】 8画 6229 教4 キュウ なく ㊥キュウ(キフ)・㊦コウ(コフ) 緝 qì 2167 8B83 —

筆順 、 冫 氵 氵 汁 汁 泣 泣

字義 ❶なく。もとは、涙を出して声をたてずになく。↕哭(1498)。「感泣」❷なみだ(涙)。用例〔資治通鑑、漢紀〕泣下霑衿、与武決去。 涙で衿を濡らすほど泣いて、蘇武と別れた。国なき。㋐苦労。辛苦。「泣きのはいっている芸」㋑わび。謝罪。㋒ぐち。なきごと。

名前 なき

使いわけ なく〔泣・鳴〕
〔泣〕人間がなく。つらい目にあう。また、名前が汚される。「泣く子も黙る・水不足に泣く・名が泣く」
〔鳴〕鳥獣や虫がなく。「鳥が鳴く」

解字 篆文 会意。氵(水)+立。立は地上にたつ人の象形。人の流す水、なみだの意味を表す。特に、息を急に吸いこんで、しゃくりなきするの意味を表す。

逆 哀泣・感泣・号泣・悲泣

【泣諫】 ないていさめる。

【泣血】 ①血の涙が出るほどなく。非常に悲しんではげしくなくこと。②血の涙。③声を立てずになく。

【泣哭】 なき悲しむ。なげく。哭泣。

【泣斬馬謖】 規律を維持するため、また、大事のためには、自分の愛する者をも、犠牲にすることのたとえ。三国時代、蜀の諸葛亮が軍律を維持するために、愛する部下の馬謖を、命令に背いて敗戦した罪で泣く泣く処刑した故事による。揮涙斬馬謖。〔三国志、蜀志、馬謖伝〕

【泣涕】 なみだ。また、涙を流してなく。

5【況】 8画 6230 常 キョウ ㊥キョウ(キャウ)・㊦コウ(クワウ) 漾 kuàng 2223 8BB5 —

筆順 、 冫 氵 汀 沪 沪 沢 況

[况] 798 俗字

字義 助 いわんや いはんや。⇩ 助字・句法解説。❶たとえる。たとふ。くらべあわせる。用例〔宋書、陶潜伝〕潜少有高趣、嘗著五柳先生伝以自況。 陶潜は、若いころからけだかいおもむきがあり、五柳先生伝を書いて自らにたとえた。❷ありさま。ようす。「近況」❸たまたま。偶然。❹ます(益)。ますます。まして。❺ここに。❻たまう。また、たまもの。=貺(11539)。

助字・句法解説
いわんや 抑揚。「況A乎(いわ(は)んやAをや)」「況於A乎(いわ(は)んやAにおいてをや)」。訳 ましてAならなおさらだ。前文を受けた上で本当に述べようとすることを示す働きをする。
用例〔十八史略、春秋戦国、燕〕死馬且買之。況生者乎。 死馬の骨さえ大金で買ったのです。まして生きた名馬は高く買うに違いない。

名前 きょう

解字 篆文 形声。氵(水)+兄㊥。本来の意味はよくわからない。様に通じて、ありさまの意味を表す。また、借りて、まして・ここになどの助字に用いる。

逆 概況・活況・近況・現況・好況・市況・事況・情況・状況・盛況・比況

5【洞】 8画 6231 ㊥ケイ ㊦ギョウ(ギャウ) 迥 jiǒng 2 7832 — 3886

字義 ❶さむい。つめたい。❷とおい。❸深く広いさま。

解字 篆文 形声。氵(水)+冋㊥。音符の冋は、はるかに遠いの意味。水がはるかの意味を表し、転じて、さむいの意味をも表す。

【洞洞】 水の清く深いさま。

【洞酌】 (祭りに神に供えるため)遠く出かけて行って小さな流れの清水をくむ。また、その水。〔詩経、大雅、洞酌〕

5【泬】 8画 6232 ㊥ケツ ㊦ケチ 屑 jué 2 7839 — 3907

字義 ❶ほとばしる。水が穴の中からほとばしり出る。❷泬泬・泬寥は、(からりとして)むなしいさま。

解字 篆文 形声。氵(水)+穴㊥。音符の穴は、あなの意味。水が穴から、ほとばしるの意味を表す。

【泬寥天】 秋の空。秋は空が高く澄みわたっているからいう。→字義❷。

5【泫】 8画 6233 ㊥ケン ㊦ゲン 銑 xuàn 1 8662 — 3906

字義 ❶ながれる。ながる。かくれ流れる。❷したたる。露などがしたたる。❸光る。露が光る。

解字 篆文 形声。氵(水)＋玄㊥。音符の玄は、おく深いの意味。水がおく深い所を流れるの意味を表す。

【泫泫】(ゲンゲン) ①涙の流れ落ちるさま。②露のしたたり落ちるさま。

【泫然】(ゲンゼン) 涙などのはらはらと落ちるさま。

【泫露】(ゲンロ) したたり落ちる露。

5 【沽】 8画 6234 ㊀コ 遇 gū ㊁コ 麌 gǔ 6188 9F98 ―

字義 ㊀❶う-る(売)。❷かう(買)。酒を買う。＝酤(12386)。㊁❶うる(売)。❷酒を売る人。❸おろそか。疎略。❹あらい(粗)。粗悪。

参考 〔沾〕(6254)は別字。

解字 金文 篆文 形声。氵(水)＋古㊥。もと河の名を表したが、音符の古が賈コに通じ、うりかいするの意味を表す。

【沽券】(コケン) 同 估券(コケン)。国①土地などの売り渡しの証文。②売り値。売価。③ねうち。品位。体面。「沽券にかかわる」

【沽取】(コシュ) 買い取る。買う。

【沽酒】(コシュ) ①買った酒。店売りの酒。②酒をうる。

【沽販】(コハン) 売り買い。売買。あきない。

5 【泓】 8画 6235 ㊀オウ(ワウ) 庚 hóng ㊁漢コウ(クワウ) 呉オウ(ワウ) 庚 hōng 6187 9F97 ―

字義 ㊀❶ふか-い。水が深い。❷水たまり。また、ふち(淵)。水の深い所。

解字 篆文 形声。氵(水)＋弘㊥。音符の弘は、ひろいの意味。外見は浅そうだが、下が深く広い水のさまを表す。

【泓泓】(オウオウ・コウコウ) 水が深いさま。また、水の清らかなさま。

【泓△涵】(オウカン・コウカン) 水を深くたたえているさま。

【泓量】(オウリョウ・コウリョウ) 深くて水かさのあること。

5 【泗】 8画 6236 シ 寘 sì 6189 9F99 ―

字義 ❶川の名。→泗水。❷はなじる。泣いたときに涙が鼻の中を通って出るもの。「涕泗(テイシ)」

解字 形声。氵(水)＋四㊥。

【泗△洙】(シシュ) ①洙泗。泗水と洙水。共に孔子の故郷、山東省の鄒スウを流れている川。②孔子の学。儒学。

【泗上】(シジョウ) ①泗水のほとり。②孔子の学派。孔子が泗水のほとりで教育に当たったからいう。「泗上弟子(シジョウのテイシ)」

【泗水】(シスイ) 川の名。山東省を流れ、大運河に注ぐ。古くは淮水(ワイスイ)に注いだ。泗河。

5 【治】 8画 6237 教 4 ジ・チ おさ-める・おさ-まる・なお-る・なお-す 漢チ・呉ジ(ヂ) 寘 zhì 2803 8EA1 ―

筆順 丶 冫 氵 氵 汋 治 治 治

字義 ❶おさ-める。おさ-まる。㋐河川をおさめ導く。用例〔史記、夏本紀〕尭求能治水者。↓尭は治水に長けた者を探した。

㋑すべる。まとめる。統治する。安定させる。用例〔大学〕欲治其国者、先斉其家。↓一国を安らかに治めようとするならば、最初に自分の一家をりっぱに治めることだ。

㋒つかさどる。とりしきる。管理・経営する。また、ある分野を修習する。専門・生業とする。用例〔史記、儒林伝〕以治春秋、孝景時為博士。↓春秋を修めそれによって景帝のときに博士となった。

㋓ととのえる。整理する。支度する。また、調達する。用例〔史記、孝武本紀〕治装行、東入海。↓旅支度をして出発し、東方の海上を進む。

㋔なお-す。修理・修築する。治療する。また、なお-る。「繕治」「療治」

㋕つくる。建造する。用例〔漢書、高帝紀下〕蕭何治未央宮。↓蕭何は未央宮を造営した。

㋖取り調べる。さばく。また、正す。「治獄」「治罪」

❷おさまった状態。また、平和な世の中。「治乱」

❸まつりごと。政治。用例〔荀子、成相〕治之経、礼与刑。↓政治の要諦は、礼と刑である。

❹みやこ。また、州・郡・県などの政庁の所在地。「県治」❺さかん。さかんになる。❻いさお。功績。❼くらべる。また、匹敵する。❽助ける。

名前 おさ・おさむ・きち・さだ・し・じ・ず・ただす・ち・つぐ・とお・のぶ・はる・よし 難読 治田(はった)

使いわけ ①おさめる・おさまる〔納・収・修・治〕⇩納(9091)。

②なおす・なおる〔直・治〕⇩直(7957)。

解字 篆文 形声。氵(水)＋台㊥。音符の台イは司に通じ、おさめるの意味。水をおさめるの意味から、一般に、おさめるの意味を表す。

逆 外治・根治・自治・主治・政治・退治・湯治・統治・徳治・内治・不治

【治安】(チアン) ①おさめ安んずること。②おさまって安らかなこと。秩序が保たれていること。

【治化】(チカ) 民をおさめて善に導くこと。▼化は、教化。

【治外法権(權)】(チガイホウケン) 外国の領土内にいながら、その国の法律の適用を受けない特権。

【治教】(チキョウ) ①政治。政治上の一つの仕事は人民を教化することであるからいう。②政治と教育。

【治国(國)平天下】(チコクヘイテンカ) 国をおさめ天下を太平にする。▼国は諸侯の治める一国、天下は天子の治める全国。〔大学〕

【治獄】(チゴク) 訴訟を取り調べさばくこと。

【治罪】(チザイ) 犯罪を取り調べさばくこと。

【治山】(チサン・チザン) 山を管理する意で、水害防止のために、山に植林したりすること。「治山治水」

【治産】(チサン) ①家業(産業)に従事し、または、はげむこと。②国財産の管理・処分。「禁治産者」

【治人】(チジン) ①人民をおさめる。②自分以外の人を教化する。「修己治人」

【治水】(チスイ) 河川・湖沼などを管理する意で、水害防止や用水・灌漑(カンガイ)のために、諸種の方法を講ずること。

【治世】(チセイ) ①よくおさまっている時代。太平の世。②世をおさめること。③君主の在位年間。

【治生】(チセイ) くらしの道をたてる。治産。

【治績】(チセキ) ①政治の成績。②政治上の功績。

【治装(裝)】(チソウ) 旅装(旅じたく)を整えること。

【治朝】(チチョウ) 王者が政事を聞く所。路門(朝廷の正殿の門)の外にある。一名、内朝。↕外朝(三三二ページ中)。

【治道】(チドウ) ①天下をおさめる道。政治の方法。②道路を作る(修理する)。③道路に関することをつかさどる。

【治任】(チニン) ＝治装。▼任は、荷物。

【治平】(チヘイ) ①世の中がよくおさまって平和なこと。太平。②平和にすること。

【治癒】(チユ) 病気がなおる。

【治要】(チヨウ) ①一年間の会計のしめくくりをする。②要点をとりしまる。大要をつかさどる。③国政の要点。政治のかなめ。

【治乱(亂)】(チラン) ①おさまることと、みだれること。「治乱興亡」②みだれること。③乱をおさめる。

【治療】(チリョウ) 病気やけがを手当てしてなおすこと。

【居治不忘乱(亂)】(チにい(ゐ)てランをわすれず) 太平の世においても、常に武を練って、戦乱のときの備えをおこたらないこと。現在

の平和・幸福に安心することなく、常に将来の万一の場合のために心を配っていること。治而不忘乱。〔易経、繫辞下〕

5 【泻】 8画 6238 シャ 瀉(6782)の俗字。→八六六ページ上。 18658 — —

5 【泅】 8画 6239 漢シュウ(シウ) 呉ジュ 尤 qiú 6190 9F9A —
字義 およ-ぐ(泳)。(水の上に)うかぶ。
解字 形声。氵(水)＋囚音。

5 【沭】 8画 6240 一 漢シュツ 呉ジュチ 質 shù 二 漢イツ(ヰツ) 呉イチ(ヰチ) 質 慣ジュツ 27831 — —
字義 一 川の名。→沭水。
解字 形声。氵(水)＋朮音。
【沭水】ジュツスイ 川の名。山東省内を流れる。

5 【沼】 8画 6241 常 ショウ ぬま ショウ(セウ) 篠 zhǎo 3034 8FC0 —
筆順 丶 冫 氵 沪 沼 沼 沼 沼
字義 ぬま。湖に似ているが水深が比較的浅く、泥が深く、水中植物などのはえる所。一説に、円いのを池、ゆがんでいるのを沼という。
名前 むま
難読 沼宮内ぬまくない・沼垂ぬたり・ぬったり
解字 篆文 形声。氵(水)＋召音。音符の召は、まねくの意味。河川の流域が変わって、その結果、本流から水を招き入れたようになってできた、ぬまの意味を表す。
【沼上】ショウジョウ ぬまのほとり。沼畔ショウハン。沼辺。
【沼沢(澤)】ショウタク ぬま。さわ。

5 【泄】 8画 6242 標 一 漢セツ・呉セチ 屑 xiè 二 エイ 霽 yì 6185 9F95 —
字義 一 ❶も-れる。もらす。㋐水があふれ出る。しみ出る。㋑秘密などが露見する。㋒便がもれる。くだる。下痢リゲをする。❷おこる。出る。発する。❸へる。減らす。なくす。❹まじえる。まぜる。❺なれる。なれなれしくする。 二 ❶さる(去)。除く。出る。❷→泄泄。
参考 ①〔洩〕(6281)は、同字。②漏泄・漏洩の語の泄・洩を「エイ」と読むのは、誤読による慣用読み。ただし、現代日本では、「漏洩」と書くのが一般的。
解字 篆文 形声。氵(水)＋世音。音符の世は、曳イェに通じ、ひきのばすの意味。たまった水をひきのばす、もらすの意味を表す。
【泄泄】エイエイ ①鳥のはばたきするさま。また、そのゆるやかなさま。②人が多いさま。③多言するさま。詍詍エイエイ。④ぐずぐずして、他人の意見に従うさま。⑤のびのびとするさま。
【泄利・泄痢】セツリ 腹くだし。下痢。
【泄漏】セツロウ もらす。もれる。漏泄ロウエイ。

5 【沮】 8画 6243 一 漢ソ・呉ジョ 語 jǔ 二 漢ソ・呉ショ 御 jù 三 漢ソ・呉ショ 魚 jū 6192 9F9C —
字義 一 ❶はば-む。＝阻(13066)。㋐さまたげる。くいとめる。邪魔をする。防ぐ。「沮止」㋑間を隔てる。❷やぶる。こわす。また、やぶれる。こわれる。❸もれる。もらす。❹くじける。ひるむ。「沮喪」 二 しめる。ひたす。また、しめった土地。 三 川の名。→沮水。
参考 現代表記では〔阻〕(13066)に書きかえる。「沮止→阻止」「沮喪→阻喪」。熟語は〔阻〕をも見よ。
解字 甲骨文 金文 篆文 形声。氵(水)＋且音。音符の且ヨシは阻に通じ、はばむの意味。川がはばまれるの意味を表す。
【沮勧(勸)】ソカン 悪をとどめ善を勧める。勧善懲悪チョウアク。
【沮止】ソシ はばみ止める。阻止。
【沮△洳】ショジョ 湿り気の多い(ぬかるみの)土地。
【沮色】ソショク ①はばむ顔色。不賛成の顔つき。気の進まない様子。②色をはばむ。色をさえぎる。
【沮水】ソスイ 川の名。湖北省内を流れ、漳水ショウスイと合し、沮漳ソショウ河となって長江に注ぐ。
【沮喪】ソソウ くじけよわる。くじける。気落ちする。阻喪。「意気沮喪」
【沮廃(廢)】ソハイ ①はばみ捨てる。②くじけすたれる。勢いがなくなる。

5 【泝】 8画 6244 ソ 遡(12191)と同字。→一四三〇ページ中。 6191 9F9B —

5 【泩】 8画 6245 漢ソウ(サウ) 呉ショウ(シャウ) 庚 shēng 27838 — 3905
字義 ❶みなぎる。❷水の深く広いさま。
解字 形声。氵(水)＋生音。

5 【沱】 8画 6246 一 漢タ・呉ダ 歌 tuó 二 漢タ・呉ダ 哿 6193 9F9D —
〔沲〕6247 同字
字義 一 ❶涙の流れるさま。「滂沱ボウダ」❷大雨のさま。「滂沱」❸川の名。→沱江。 二 水の流れるさま。
解字 金文 篆文 形声。氵(水)＋它音。音符の它タは、へびの象形で、まがりくねるの意味。まがりくねって流れる水の意味から、なみだや大雨のさまを表す。
【沱江】ダコウ 川の名。㋐長江の一支流の古名。今のどの川かについては諸説がある。㋑四川省内を流れる川。長江の支流。

5 【沲】 8画 6247 タ 沱(6246)と同字。→八二五ページ中。 — — 3884

5 【沰】 8画 6248 タク 藥 tuō — — 3883
字義 ❶石を投げ落とす。❷赤い。❸したたる。
解字 形声。氵(水)＋石音。

5 【注】 8画 6249 教3 チュウ そそ-ぐ 3577 928D —
5 〖注〗 8画 6250 一 シュ 遇 zhù 二 漢チュウ(チウ)・呉チュ 遇 zhù
筆順 丶 冫 氵 氵 汁 汴 注 注
字義 一 ❶そそ-ぐ。さ-す。水を流しこむ。引き入れる。「注水」㋐水が流れ進む。流れこむ。降る。㋑つ-ぐ。㋒向ける。心や視線を一点に集める。「注意」「注目」❷つける(付)。くっつける。つがえる。矢をつがえる。❸なげる(投)。投げうつ。 二 ＝註(11164)。❶しるす(記)。書く。また、記録。❷とく(解)。解き明かす。本文を解釈する。また、その解釈。
難読 注連縄しめなわ・注連飾しめかざり・注連内しめうち
参考 現代表記では〔註〕(11164)の書きかえに用いる。「註釈→注釈」「註文→注文」
解字 篆文 形声。氵(水)＋主音。音符の主は、とどめるの意味。水をたくわえとどめるためにそそぐの意味を表す。また、属に通じて、つぎつぎに連ねるの意味にも用いる。
逆 脚注・傾注・校注・古注・集注・新注・転注・伝注・頭注・補注
【注音字母】チュウインジボ・チュウオンジボ 民国七年(一九一八)に制定された中国語の発音記号。民国十九年に注音符号と改称。
【注解】チュウカイ ＝注釈①。
【注脚】チュウキャク 解釈。注釈。本文の間にあるものを注、下にあるものを脚という。註脚チュウキャク。
【注視】チュウシ 目を向けてよく見る。みつめる。
【注射】チュウシャ ①勢いよくそそぎ流れる。②立て板に水を流すように言語の流暢(リュウチョウ)でとどこおらないこと。③国医学用語。針で薬を体内につぎこむこと。

【注釈(釋)】(チュウシャク) ①注を加えて本文の語句・文章の意味を説明すること。また、その解釈。註釈(チュウシャク)。②国説明。また、言いわけ。

【注進】(チュウシン) 国①事を記して申し進める。②事件を急ぎ報告する。急報。

【注△疏】(チュウソ) 経書のくわしい解釈、注と疏。▼注は本文の解釈、疏は注を更にくわしく解釈したもの。

【注目】(チュウモク) 目をその方に向けてよく見る。

【注連】(チュウレン) 一 水をそそいで清めて連ね張ったなわ。出棺後、死者の魂が家に帰って来ないように、家の入り口に張る。二(しめ) 同 七五三縄(しめなわ)。国①地域を限るための目印の縄。②神前(神事の場)に張り渡す縄。

5 【泏】 8画 6251 ― ― 3889
一 漢チュツ・呉チュチ 質 zhú
二 漢コツ・呉コチ 月 kū
字義 一 水の流れ出るさま。二 ❶よどみ。❷渡る。
解字 形声。氵(水)＋出音。音符の出は、でるの意味。

5 【泜】 8画 6252 2 7837 ― 3902
一 漢テイ・呉タイ 斉 dǐ
二 シ 支 zhī
三 漢チ・呉ジ(ヂ) 支 chí
字義 一二三 川の名。→泜水。
解字 形声。氵(水)＋氏音。
【泜水】 一(テイスイ) 川の名。河北省内を流れる川。今の槐河(カイガ)。前漢の韓信(カンシン)が背水の陣を用いて勝利した所。二(チスイ) 川の名。河北省内を流れる川。今の泜河。

5 【泥】 8画 6253 常 デイ どろ 3705 9344 ―
一 漢デイ・呉ナイ 斉 ní
二 漢デイ・呉ナイ 霽 nǐ
三 漢デイ・呉ナイ 霽 nì
四 漢デツ・呉ネチ 屑 niè
筆順 丶 冫 氵 氵コ 氵尸 泥
字義 一 ❶どろ。ひじ。㋐水気を多く含んだ土。㋑土。❷ぬかるみ。「泥濘(デイネイ)」❸けがす。にごす。また、けがれる。にごる。「汚泥」❹どろ状の物。「金泥」❺南海に住むという、伝説的な一種の虫。骨がなく、ぐにゃぐにゃしているという。二→泥泥。三 なずむ(なづむ)。とどこおる。「拘泥」四 くろむ。黒くなる。黒くする。国 どろ。㋐はじ(恥)。㋑どろぼう(泥棒)の略。㋒きたない。「泥仕合(どろジあい)」
名前 どろ・ね 難読 泥谷(ひじや)・泥鰌(どじょう)・泥障(あおり・あふり)・泥濘(ぬかるみ)
解字 篆文 [篆文] 形声。氵(水)＋尼音。音符の尼は、二人がなじむの意味。ねばりつくどろの意味を表す。
逆 雲泥・汚泥・拘泥
【泥金】(デイキン) 金粉を膠(にかわ)に溶かしたもの。金泥。
【泥行】(デイコウ) どろみちを行く。
【泥沙】(デイサ) ①どろと砂。②価値の低くて惜しむに当たらないもののたとえ。用例〔唐、杜牧、阿房宮賦〕奈何取レ之尽ニ錙銖一、用レ之如ニ泥沙一(いかんぞこれをとることシシュをつくし、これをもちい(ゐ)ることデイサのごとくなる)。↓(秦王(シンオウ)は)どうしてわずかな物まで人々から絞りとり、それを泥や砂のように浪費したのか。
【泥首△銜玉】(デイシュカンギョク) 頭をどろにつけ、口に玉を含む。謝罪降伏する時の様子。〔後漢書、公孫述伝〕
【泥人】(デイジン) 土で作った人形。でく。
【泥酔(醉)】(デイスイ) はなはだしく酔うこと。酔って泥(虫の名)のようになること。一説に、どろのようにぐにゃぐにゃになる意。→字義一❺。
【泥塑人】(デイソジン) ＝泥人。
【泥中△蓮】(デイチュウのはちす) どろの中のはすの花。よごれた悪い環境の中にあっても、それに染まらず、清らかな美しさを保っているたとえ。〔維摩経〕
【泥泥】(デイデイ) ①草の葉などの柔らかくつやのあるさま。露のこまやかなさま。②うるおいぬれるさま。
【泥塗】(デイト) ①どろみち。ぬかるみ。②低い地位のたとえ。③けがれた物・場所のたとえ。④つまらない物のたとえ。⑤苦しくつらい境遇のたとえ。
【泥△濘】(デイネイ) ぬかるみ。どろみち。
【泥竜(龍)】(デイリュウ) ①泥で作った竜。昔、雨乞いに用いた。②役に立たないもののたとえ。

5 【沾】 8画 6254 6194 9F9E ―
一 テン 塩 tiān
二 セン 塩 zhān
字義 一 ❶ます(益)。そえる(添)。❷みる。うかがう。＝覘(11039)。❸川の名。→沾水。二 うるおす(うるほす)。ぬらす。また、うるおう。ぬれる。＝霑(13241)。用例〔唐、白居易、長恨歌〕君臣相顧尽沾レ衣(クンシンあいかえり(ひ)みて、ことごとくイをうるおす(ほす))、東望ニ都門一信レ馬帰(ひがしのかたトモンをのぞみ、うまにまかせてかえ(へ)る)。↓天子も家臣も、たがいに顔をみあわせ、みな涙で衣をぬらし、東方の都の門をさして、馬のすすむがままに、帰ってゆかれた。
参考 〔沾〕(6234)は別字。
解字 篆文 [篆文] 形声。氵(水)＋占音。音符の占は、点をつけるの意味。水分が点になってつく、うるおうの意味を表す。転じて、ます・そうの意味を表す。
【沾△洽】(センコウ) ①あまねくうるおう。また、うるおす。②広くゆきわたる。③あふれる。満ち足りる。
【沾湿(濕)】(センシュウ・センジュウ・センシツ) うるおう。また、うるおす。
【沾水】(テンスイ) 川の名。山西省南東に発し、淇水(キスイ)に注ぐ。
【沾漸】(センゼン) うるおす。うるおう。

5 【沺】 8画 6255 6201 9F9F ―
漢テン 呉デン 先 tián
字義 沺沺は、川の流れの広大ではてしないさま。
解字 形声。氵(水)＋田音。

5 【波】 8画 6256 教3 ハ なみ 3940 9467 ―
ハ 歌 bō
熟字訓 波止場(はとば)
筆順 丶 冫 氵 氵フ 汸 波
字義 ❶なみ。㋐小さな波。↔浪(6385)。㋑なみの総称。「防波堤」㋒なみ状のもの。「電波」「秋波」❷なみだつ。波が起こる。❸うごく。波のように動く。波のように伝わる。「波及」国 国名。波蘭(ポーランド)の略。
名前 な・なみ・ば 難読 波高島(はだかじま)・波佐見(はさみ)・波子(はし)・波止浜(はしはま)・波勝(はかち)・波川(はかわ)・波波泊(ははかべ)・波浮(はぶ)・波瀬(はぜ)・波謎羅(パミール)・波士敦(ボストン)・波希米(ボヘミア)・波力斐(ボリビア)
解字 篆文 [篆文] 形声。氵(水)＋皮音。音符の皮は、毛がわの意味。毛皮のようになみうつ水、なみの意味を表す。
逆 煙波・金波・銀波・鯨波・秋波・素波・風波・余波
【波及】(ハキュウ) 波が進んで行くように物事の影響が次第に他に及んで行くこと。
【波△斯】(ペルシャ) Persiaの音訳。国名。今のイラン。
【波旬】(ハジュン) 仏梵語(ボンゴ)Pāpīyasの音訳。悪魔の名。
【波△濤】(ハトウ) なみ。大波。波浪。▼濤は、大波。
【波紋】(ハモン) ①波のもよう。水面に広がる輪もよう。②物事の影響。
【波羅密】(ハラミツ) 仏生死にとらわれている境地(此岸(シガン))を脱して彼岸(ヒガン)に達すること。さとりを開くこと。波羅密多(ハラミッタ)・波羅(ハラ)。
【波△蘭】(ポーランド) Polandの音訳。ヨーロッパの国名。
【波△瀾】(ハラン) ①なみ。大波小波。②文章の起伏・変化。③ごたごた。もめごと。騒ぎ。④国生活上の起伏・変化。
【波乱(亂)】(ハラン) 国＝波瀾(ハラン)③④。
【波浪】(ハロウ) なみ。また、大波。▼浪は、大波。

5 【沬】 8画 6257
一 漢バイ・呉マイ 隊 mèi
二 カイ(クヮイ) 隊 huì

字義 一 ❶ほのぐらい（昧マイ）。かすかに明るい。❷地名。殷イの都、朝歌の地。牧野。今の河南省淇キ県。 二 あらう。顔を洗う。
参考 〔沬〕(6271)は別字。
解字 形声。氵(水)+未㊥。

5 【泊】 8画 6258 常 ハク とまる・とめる
一 漢ハク・呉バク 薬 bó
二 漢ハク・呉ヒャク 陌 pō
3981 9491 —

筆順 丶 氵 氵 氵' 泊 泊 泊

字義 一 ❶とまる。㋐船が岸についてとまる。「停泊」㋑とどまる。停止する。㋒宿る。旅の途中で宿る。また、その回数を数えることば。「三泊」㋓身を寄せる。寓居グウキョ。㋔いこう。休息する。❷とめる。「泊船」❸とまり。㋐船着き場。みなと。㋑宿屋。旅館。❹湖や沼。❺静か。心が静かであっさりしていること。さっぱりしている。「淡泊」「泊然」❻うすい(薄)。また、浅い。 二 泊栢ハクは、さざ波。 難読 泊瀬はせ

使いわけ とまる・とめる〔止・留・泊〕⇩止(5989)。

解字 形声。氵(水)+白㊥。音符の白は迫に通じ、ぴったり近づくの意味。舟がぴったり近づいてとまる水辺のさまから、とまるの意味を表す。

逆 淡泊・停泊・漂泊・夜泊

【泊如】ハクジョ ①心が静かで欲のないさま。②水の広いさま。
【泊船】ハクセン ふねを停泊させる。泊舟。
【泊然】ハクゼン 心静かで欲のないさま。泊如。泊乎ハクコ。

5 【泮】 8画 6259 ハン 翰 pàn
18663 — 3908

字義 ❶中国古代の諸侯の学校。泮宮。❷とける。氷がとける。＝泮(801)。❸わける。わかれる。＝判(911)。❹きし(岸)。つつみ。＝畔(7637)。❺なかば。
解字 形声。氵(水)+半㊥。

5 【泌】 8画 6260 常 ヒツ・ヒ
一 ヒ 寘 bì ③mì
二 漢ヒツ・呉ピチ 質 bì
4071 94E5 —

筆順 丶 氵 氵 氵' 泌 泌 泌

字義 一 二 ❶ながれ。早い流れ。細い流れ。❷いずみ。また、泉の流れるさま。❸しみる。小さな穴やすきまからしみ出る。にじみ出る。「分泌」

解字 篆文 形声。氵(水)+必㊥。音符の必は、閉に通じ、とじるの意味。とじられたところから、ひっそり流れ出る水の意味を表す。

逆 分泌

【泌尿器】ヒニョウキ 小便を排出する器官。腎臓ジンゾウ・輸尿管・膀胱ボウコウ・尿道の総称。

5 【泯】 8画 6261 〔泯〕802 俗字
一 漢ビン・呉ミン 軫 mǐn 眞
二 漢ベン・呉メン 銑 miǎn
6203 9FA1 —

字義 一 ❶ほろびる。つきる。なくなる。また、くらい(暗)。「泯滅」❷しずむ。没する。❸みだれる。「泯乱」❹→泯泯。 二 眩泯ゲンベンは、目がくらんでよく見えないさま。

解字 篆文 形声。氵(水)+民㊥。音符の民は、昏コンに通じ、くらい・かすかの意味。水におし流されて見えなくなる、ほろびるの意味を表す。

【泯尽(盡)】ビンジン ほろび尽きる。
【泯絶】ビンゼツ ほろびたえる。泯滅。
【泯然】ビンゼン ①ほろんでなくなるさま。②はっきりしないさま。 用例 〔北宋、王安石、傷仲永〕泯然衆人矣ビンゼンとしてシュウジンなり ⇩(幼いころに詩才で知られた仲永も)いまは目立たない普通の人だ。
【泯泯】ビンビン ①おろかで道理に暗いさま。②ほろびるさま。③乱れるさま。④豊かで多いさま。⑤水の清らかに流れるさま。
【泯没】ビンボツ ほろびる。なくなる。
【泯滅】ビンメツ ほろんでなくなる。泯絶。
【泯乱(亂)】ビンラン 秩序や道徳などがすたれ乱れる。

5 【泭】 8画 6262 漢フ 呉ブ 虞 fū
27840 — —

字義 ❶いかだ。❷あわ。
解字 形声。氵(水)+付㊥。

5 【沸】 8画 6263 常 フツ わく・わかす
一 ヒ 未 fèi
二 漢フツ・呉フチ 物 fú
慣 フツ
4208 95A6 —

筆順 丶 氵 氵 氵' 沪 洟 沸

字義 一 ❶わく。わかす。㋐にえたつ。煮えたぎる。「煮沸」「沸騰」㋑わき出る(涌ヨウ)。㋒さわがしく起こりたつ。さかんに起こる。「沸声」❷にえ湯。 二 ❶そそぐ。❷泉のわき出るさま。❸水の音。

使いわけ わく〔沸・湧〕
〔沸〕水などの液体が熱くなる。「風呂が沸く」
〔湧〕水や涙などが出てくる。また、虫が発生する。感情や考えなどが出てくる。「温泉が湧く・うじが湧く・興味が湧く」

解字 篆文 形声。氵(水)+弗㊥。音符の弗フツは噴フンに通じ、ふきだすの意味。水がふき出す、わくの意味を表す。

逆 煮沸・麻沸

【沸声(聲)】フッセイ ①わきたつ声。②多数の人がさわぎたつ声。
【沸騰】フットウ ①水が熱せられてわきたつこと。煮えたぎる。②水や波がわきあがること。③人々ががやがやさわぎたてること。議論などのやかましいこと。
【沸沸】フツフツ 水のわき出るさま。また、煮えたつさま。

5 【法】 8画 6264 教4 ホウ・ハッ・ホッ
漢ホウ(ハフ)・呉ホウ(ホフ) 洽 fǎ
慣 ハッ・ホッ
4301 9640 —

〔汯〕6268 同字 〔佱〕344 古字 〔灋〕6832 古字

筆順 丶 氵 氵 汁 注 法 法

字義 ❶のり。のっとるべきもの。㋐しおき。刑罰。㋑おきて。さだめ。規則。法令。制度。 用例 〔史記、高祖本紀〕与父老約法三章耳フロウとヤクするはホウサンショウのみ ⇩長老と取り決めたのは、三か条の法令だけだ。㋒手本。模範。㋓型。様式。礼式。きまったやり方。「文法」「戦法」「作法」❷のっとる。ならう。手本とする。従う。かたどる。❸法を適用する。法に従って処罰する。 用例 〔史記、商君伝〕将法太子まさにタイシをホウせんとす ⇩太子に法を適用しようとした。❹除数。割り算で割る方の数。❺国名。法蘭西フランスの略。「法国(フランス)」❻ 仏 のり。仏の道。仏の教え。「説法」。また、物・心一切の事象。「一切諸法」 国 ❶のり。㋐さしわたし。直径。㋑傾斜面の程度。❷フラン。かつてのフランスの貨幣単位。

名前 かず・つね・のり・はかる・ほう 難読 法被はっぴ・法螺ほら・法蘭西フランス・法郎西フランス

解字 金文 篆文 別体 会意。金文は、水+廌+去。廌チは、古代の裁判に用いた神獣の意味。裁判にやぶれてけがれた廌を皮袋に入

れて水に投じ去るさまから、おきての意味を表す。法は、氵(水)＋灋の省略体。

逆 違法・遺法・家法・技法・求法・軍法・憲法・厳法・合法・護法・作法・司法・私法・師法・邪法・手法・遵法・常法・書法・新法・寸法・正法・聖法・説法・脱法・適法・伝法・筆法・秘法・非法・仏法・文法・兵法・便法・妙法・無法・滅法・立法・礼法・暦法

【法印】ホウイン ①仏 仏法が、他と異なり、真実で不動不変の教えであることを示す標識。②国㋐法印大和尚(ホウインダイオショウ)の略。第一等の僧位。僧正に相当する。㋑江戸時代、画工・仏師・医師などに授けた称号。㋒山伏(やまぶし)。修験者。

【法雨】ホウウ 仏 衆生を教化しめぐみを人にほどこすこと。雨が万物をうるおすのにたとえていう。〔無量寿経〕

【法雲】ホウウン 仏 仏法が一切(イッサイ)をうるおしおおうたとえ。

【法会(會)】ホウエ 仏 ①仏法を説くための集会。②仏を祭るための行事。

【法衣】ホウエ・ホウイ 仏 ころも。僧衣。法服。

【法悦】ホウエツ ①仏 仏法によって得る喜び。②忘我の歓喜。うっとりするような喜び。

【法△筵】ホウエン 仏 仏法を説くための集会の場所。説法の席。▼筵は、むしろ・座席・場所。

【法皇】ホウオウ 国 仏門にはいった太上天皇(ダジョウテンノウ)(譲位した天皇)の尊称。

【法家】ホウカ ①諸子百家の一つ。法律至上主義で、人情・道徳を主とした儒家の徳治主義に対立した。韓非子(カンピシ)がその代表的人物。⇩ コラム 諸子百家系統図(一三二四ページ)。②＝法家払士。③法律家。

【法家払(拂)士】ホウカフッシ 法度(守るべきのり、道徳・法令など)を厳守して君主を補佐する臣下。▼払は、弼(ヒツ)に通じ、たすける意。

【法△駕】ホウガ ①天子の乗り物。②天子。

【法界】一 ホウカイ・ホッカイ 仏 ①全宇宙。②仏法の本体。③仏の道。仏道。④仏教徒の社会。仏門。二 ホウカイ 国「法界悋気(リンキ)」の略。自分に関係のないことに嫉妬(シット)すること。

【法外】ホウガイ ①法律にはずれていること。㋑度はずれな。はなはだしい。②国㋐道理にはずれている。不合理。

【法官】ホウカン 司法官。裁判官。

【法眼】一 ホウガン 正しい眼識。二 ホウゲン ①仏 五眼の一つ。諸法を観察する菩薩(ボサツ)の心眼。②国 僧の位。法印の次位。「法眼和尚位」の略。大・少僧都(ソウズ)に相当する。江戸時代、医師・画工・連歌師などにも授けた。

【法義・法儀】ホウギ のり。おきて。法則。法度。

【法橋】一 ホウキョウ・ホッキョウ 仏 仏法を、人を渡す橋にたとえていう。二 ホッキョウ 国 僧の位。「法橋上人位(ショウニンイ)」の略。法眼(ホウゲン)の次位。律師に相当する。江戸時代、医師・画工・連歌師などにも授けた。

【法禁】ホウキン 禁止の法令。禁止事項を定めているおきて。

【法華】ホウケ・ホッケ・ホケ 仏 ①経文の名。「妙法蓮華経(ミョウホウレンゲキョウ)」の略。②「法華宗」の略。㋐天台宗の別称。㋑日蓮宗の一派。

【法言】ホウゲン ①のっとるべき正しいことば。②書名。十三巻。漢の揚雄の著。『論語』にならって作った書。

【法語】ホウゴ ①正しいことば。忠告など。②仏 仏法の訓話。

【法効(效)・法△傚】ホウコウ のっとる。手本としてまねる。

【法号(號)】ホウゴウ 同 法名(ホウミョウ)。仏 仏式によってつけた名。㋐仏門にはいった人の名。僧の名。㋑死者の諡(おくりな)。戒名(カイミョウ)。

【法三章】ホウサンショウ 法律三か条。三か条しかない簡単な法。漢の高祖が秦(シン)を滅ぼした後、秦のわずらわしい法律を破棄して、「人を殺した者は死罪にする。人を傷つけた者及び盗みをした者は罰する」との三か条だけにすることを約束した故事による。〔史記、高祖本紀〕

【法師】ホウシ ①仏㋐仏教を修行してこの道の師となる人。㋑僧。出家。②国 男の子。

【法事】ホウジ ①礼法のこと。②仏㋐追善・供養(クヨウ)のために行う仏事。㋑死者の年忌に営む仏事。

【法主】ホウシュ・ホッシュ・ホッス 仏 ①釈迦如来(シャカニョライ)をいう。②一宗派の長。特に、真宗の最高職をいう。

【法趣】ホウシュ 君主の定めた法と、民衆の好み。また、法の禁ずることと、君主の取り上げること。

【法術】ホウジュツ ①法家が唱えた政治の術。法律を厳守し賞罰を明らかにするやりかた。②法家の学術。

【法△帖】ホウジョウ 手本とすべき筆跡を集めた冊子。習字の手本。法書。

【法親王】ホウシンオウ・ホウシンノウ・ホッシンノウ 国 皇子で、出家後に親王の称号を許された人。

【法制】ホウセイ ①法律と制度。また、法律で定めた各種の制度。②法律。おきて。

【法曹】ホウソウ ①司法官の役所。②司法官。③国 司法官や弁護士。

【法蔵(藏)】ホウゾウ 仏 ①仏教の教法。経典。②お経を納める所。

【法則】ホウソク ①規則。法律。②手本。模範。③のっとる。④国 時と所に関係なく、一定の条件の下に成立する普遍的・必然的の関係。また、それを言い表したことば。

【法体(體)】ホウタイ・ホッタイ 仏 僧の姿。僧であることを表す身なり。

【法治主義】ホウチシュギ ①法術をもって国家を治める主義。法家の主張した政治上の主義で、人間の性は本来悪であるとの考えに根ざしている。法律至上主義。②君主の統治権の絶対性を否定し、法律に準拠する政治を主張する、近代市民国家の政治原理。

【法廷・法庭】ホウテイ 裁判官が裁判を行う場所。

【法典】ホウテン ①法令など。規準・規範となるべきことが書いてある書籍。▼典は、重要な・尊ぶべき書籍。②のり・おきて・法令など。

【法度】一 ホウド ①法律と制度。おきて。②礼法の尺度。のっとるべき礼儀。③手本。模範。二 ハット 国 ①おきて。法律。「武家諸法度」②禁令。禁制。

【法灯(燈)】ホウトウ・ホットウ 仏 ①仏法をいう。迷いの闇(やみ)を照らすことを灯火にたとえていう。のりのともしび。②仏祖。③仏前に供えるともしび。

【法服】一 ホウフク ①規定せられた正式の着物。制服。②国 司法官が法廷で着用する制服。二 ホウフク・ホウブク 仏 僧の着物。ころも。法衣。

【法名】ホウミョウ 仏＝法号。

【法務】ホウム ①法律上の事務。司法関係の事務。②仏㋐仏道関係の事務。㋑寺院の事務。

【法網】ホウモウ 法律。法の規定。法律をあみにたとえた語。

【法門】ホウモン 仏 仏道に入る門。仏の教法をいう。

【法要】ホウヨウ 仏 ①仏法の要義。②＝法会(ホウエ)。

【法△螺】ホウラ・ホラ ①貝の名。ほら貝。②国 大言をはくこと。おおげさに言うこと。また、でたらめを言うこと。

【法楽(樂)】ホウラク ①仏㋐仏法を信仰し、善行を積んで自ら楽しむこと。㋑法会(ホウエ)の時、読経(ドキョウ)や奏楽をして本尊に供養(クヨウ)すること。②国㋐神仏のたむけにする行事。㋑なぐさみ。楽しみ。道楽。

【法力】ホウリキ 仏 仏法の力。仏法の威力。

【法輪】ホウリン ①道家で、教えの力をいう。②仏 広く衆生の悪を破る、仏の教法。仏法。

【法令】ホウレイ 法律と命令。おきて。さだめ。用例〔老子、五十七〕法令滋彰(ますますあきらかにして)、盗賊多有(おお(ほ)くあり)。⇩法令が明細に規定されればされるほど、盗賊が多く出てくる。

【法△臘】ホウロウ 仏 僧が仏門にはいってからの年数。

【法話】ホウワ 仏 仏法に関する話。説教。法談。

【△撓レ法】ほうをたむ 法律をまげる。〔史記、周陽由伝〕

5【泡】8画 6265 常 ホウ あわ 4302 9641 —

5〔泡〕8画 6266 ホウ(ハウ) 肴 pào

筆順 丶 冫 氵 汋 泃 泃 泡

字義 ❶あわ。うたかた。水上に浮かぶあわ。「水泡」 ❷さかん。 難読 泡沫(うたかた)

解字 篆文 形声。氵(水)+包㊤。音符の包は、つつむの意味。空気を中に包んでできた、あわの意味を表す。

逆 水泡

【泡影】ホウエイ・ホウヨウ ①あわ(泡)とかげ(影)。②はかないことのたとえ。

【泡泡】ホウホウ ①水のわき出るさま。②水の流れるさま。

【泡△沫】ホウマツ ①あわ。うたかた。水のあわ。▼沫は、空中に飛びちるしぶき。②はかないもののたとえ。「泡沫風灯」

5【泙】8画 6267 漢ホウ(ハウ) 呉ヒョウ(ヒャウ) 庚 pēng 6204 9FA2 —

字義 水の勢いのさかんなさま。また、その音のさま。 難読 泙野(なぎの)

解字 形声。氵(水)+平㊤。

【泙△湃】ホウハイ 水勢のさかんな(音の)さま。澎湃(ホウハイ)。

5【㳒】8画 6268 ホウ 法(6264)と同字。→八二七ページ下。 ²7834 — —

5【泖】8画 6269 漢ボウ(バウ) 呉モウ(マウ) 巧 mǎo ²7835 — 3894

字義 ❶湖の名。今の上海市内にあった。❷よどみ。

解字 形声。氵(水)+卯㊤。

5【泍】8画 6270 ホン 阮 běn — — 3888

字義 流れが早い。また、その流れ。

解字 形声。氵(水)+本㊤。

5【沫】8画 6271 人 標 漢バツ・呉マチ 曷 mò 慣マツ 4387 9697 —

筆順 丶 冫 氵 氵 汁 沫 沫 沫

字義 ❶あわ(泡)。水のあわ。「泡沫」 ❷つばき(唾ダ)。唾液の口外に飛び出したしぶき。また、よだれ(涎セン)。 ❸しぶき。とばしり。水の砕け飛び散ったもの。「飛沫」 ❹あせ(汗)。また、汗の流れるさま。 ❺水が上下するさま。 ❻やむ(已イ)。 ❼ゆばな。茶を入れると上に浮くあわ。厚いのを餑ボツ、薄いのを沫という。

名前 あわ・みずたま・わ

参考 〔沬〕(6257)は別字。

解字 篆文 形声。氵(水)+末㊤。音符の末は、木の先端の意味。飛び散った水の先端、しぶきの意味を表す。

5【油】8画 6272 教3 ユ あぶら 漢ユウ(イウ)・呉ユ 尤 yóu 4493 96FB —

筆順 丶 冫 氵 汩 汩 油 油 油

字義 ❶あぶら。 ❷→油油・油然。 難読 油谷(ゆや)・油須原(ゆすばる)・油田(あぶらでん)

使いわけ あぶら〔油・脂〕
〔油〕植物や鉱物から採れる、液体のあぶら。「チェーンに油を差す」
〔脂〕動物性の固体のあぶら。「牛肉の脂身」

解字 篆文 形声。氵(水)+由㊤。音符の由は、「底の深いつぼ」の象形。深いつぼの中からゆったり出る液体で、あぶらの意味を表す。

逆 麻油

【油煙】ユエン・ユウエン ①油・樹脂などを不完全燃焼させるとき生ずる、黒くこまやかな炭素粉。墨の原料となる。②「油煙墨(ユエンボク)」の略。油煙をにかわで固めて作った墨。

【油脂】ユシ・ユウシ 動・植物からとった油の総称。

【油然】ユウゼン・ユゼン ①進まぬさま。②意にとめぬさま。気にかけず、ゆったりしているさま。③雲などのさかんにわき起こるさま。④感情のわき起こるさま。⑤草などの勢いのさかんなさま。

【油断(斷)】ユダン 仏注意をおこたること。ある王が家来に油の容器を持たせてそれをくつがえすと、罰として生命を断ったことに基づく語という。〔涅槃経〕

【油△碧車】ユヘキシャ 青緑色の油で壁面を塗った貴族の女性用の車をいう。油壁車。

【油油】ユウユウ・ユユ ①水や雲などのゆるやかに流れるさま。②しとやかなさま。③ゆったりとして落ちついたさま。④物のつやつやしたさま。草などの勢いよく美しいさま。用例〔史記、宋微子世家〕麦秀漸漸兮(むぎひいでてゼンゼンたり)、禾黍油油兮(カショユウユウたり)。 ↓麦は元気にのびており、稲ときびは勢いよくつやつやとしている。

5【泑】8画 6273 漢ユウ(イウ) 呉ヨウ(エウ) 宥 尤 yōu — — 3891

字義 ❶水の色が黒い。 ❷泑沢(ユウタク)は、かつて存在した湖。ロプノールともいう。今の新疆ウイグル自治区内。 ❸うわぐすり。

解字 形声。氵(水)+幼㊤。

5【泪】8画 6274 ルイ 涙(6382)と同字。→八四三ページ下。 6205 9FA3 —

5【沴】8画 6275 漢レイ 呉ライ 霽 lì — — 3885

字義 ❶やぶる。そこなう。 ❷わざわい。悪気。 ❸よどむ。水がすらすら流れない。 ❹みぎわ。なぎさ。 ❺満ちる。

解字 篆文 形声。氵(水)+㐱(黎省)㊤。黎(黎レイ)は㐱シンに誤り伝えられたは、履に通じ、ふむの意味。水が足ぶみする、よどむの意味を表す。

5【泠】8画 6276 漢レイ 呉リョウ(リャウ) 青 líng ¹8661 — 3903

字義 ❶すむ(澄)。きよらか。「泠然」 ❷さとる(聆レイ)。心のさとくはっきりしていること。また、さとす。教える。 ❸おだやか。やわらぐさま。「泠風」 ❹楽人。音楽師。伶人(レイジン)。＝伶(292)。

参考 〔冷〕(804)は別字。

解字 形声。氵(水)+令㊤。音符の令は、すずしいの意味。水がすずしげに澄むの意味を表す。

【泠然】レイゼン ①清らかなさま。②軽やかなさま。③すずしく冷ややかなさま。冷と混同誤用された。

【泠風】レイフウ そよそよとおだやかに吹く風。気持ちのよいそよ風。微風。

【泠泠】レイレイ ①水や風の音の清らかなさま。②雨だれの音の清らかなさま。③音声のさかんなさま。④音響の清らかなさま。⑤清らかですずしいさま。⑥心中の清いさま。

5【泐】8画 6277 一 漢リョク・呉リキ 職 二 ロク 職 lè ²7833 — 3890

字義 一二 ❶石が筋目どおり割れる。 ❷水の通る道。水脈。

解字 形声。氵(水)+阞㊤。

6【洟】9画 6278 一 イ 支 yí 二 漢テイ・呉タイ 霽 tì 6206 9FA4 —

字義 一二 はなじる。鼻水。

解字 篆文 形声。氵(水)+夷㊤。音符の夷イ＝テは、涕テイに通じ、次第に流れてくる水の意味。はなみずの意味を表す。

6 【洧】 9画 6279 イ(ヰ) 紙 wěi ₂7846 — 3920

字義 ❶川の名。→洧水。❷地名。→洧川。

解字 形声。氵(水)＋有音。

【洧水】(イスイ) 川の名。今の河南省の双洎(ソウキ)河。

【洧川】(イセン) 旧県名。河南省中部にある、今の長葛(チョウカツ)市。

6 【洇】 9画 6280 ⊖イン 眞 yīn ⊖漢エツ・呉エチ 屑 yē — — 3912

字義 ⊖❶川の名。❷現代中国語で、インクなどがにじむ。⊖水の流れ落ちるさま。

解字 形声。氵(水)＋因音。

6 【洩】 9画 6281 標 ⊖漢セツ・呉セチ 屑 xiè ⊖エイ 霽 yì 1744 896B —

字義 ⊖もれる。もる。⊖さる。

名前 のぶ

参考 〔泄〕(6242)と同字。字義・熟語・解字は、〔泄〕を見よ。

6 【洿】 9画 6282 漢オ(ヲ) 呉ウ 虞 wū ₁8670 — 3928

字義 ❶たまり水。とくに、くぼみなどにたまっている濁水。「洿池」❷くぼ-み。くぼち。❸くぼむ。また、くぼめる。掘り下げる。❹たまる(溜(リュウ))。❺低い。深い。❻けがす。けがれる。また、けがれ。＝汚(6152)。❼染める。染まる。❽どろ(泥)。＝淤(6395)。

解字 篆文 形声。氵(水)＋夸音。音符の夸(コ)は、くぼみの意味。くぼみにたまったにごり水の意味を表す。

【洿下】(オカ) ①地勢の低いこと(所)。②地位・身分の低いこと。また、その地位・身分。

【洿池】(オチ) ため池。水をためてある池。

【洿隆】(オリュウ) おとろえることとさかんになること。盛衰。汚隆。

6 【海】 9画 6283 教2 カイ うみ 1904 8A43 —

熟字訓 海原(うなばら)・海女(あま)・海士(あま)・

7 【海】 10画 6284 人 カイ 賄 hǎi ₁8673 — —

筆順 、 丶 氵 氵 汇 海 海 海

字義 ❶うみ。わたつみ。↔陸(13108)。❷みずうみ(湖)。いけ(池)。「北海(バイカル湖)」❸物事の多く集まる所。「官海」「学海」❹広く大きい。また、広く大きい所。❺都から遠い土地。辺境。地の果て。

名前 あま・うな・うみ・か・かい・み

難読 海雲(もずく)・海蘊(もずく)・海月(くらげ)・海原(わたのはら)・海参(いりこ)・海士(あま)・海士名(あまな)・海松(みる)・海松布(みるめ)・海鞘(ほや)・海蛸(ほや)・海嘯(つなみ)・海神(わたつみ)・海人(あま)・海人草(まくり)・海仁草(まくり)・海星(ひとで)・海石榴市(つばいち)・海鼠(なまこ)・海鼠腸(このわた)・海桐花(とべら)・海象(せいうち)・海獺(あしか)・海胆(うに)・海田市(かいたいち)・海土路(あまどろ)・海豚(いるか)・海馬(せいうち)・海獺(らっこ)・海髪(おごのり)・海豹(あざらし)・海夫(あま)・海布(め)・海部(あま)・海栗(うに)・海驢(あしか)・海老名(えびな)

解字 金文 篆文 形声。氵(水)＋毎音。音符の毎(マイ＝カイ)は、くらいの意味。広く深く暗い、うみの意味を表す。

逆 雲海・沿海・外海・河海・学海・環海・苦海・江海・四海・樹海・人海・絶海・掃海・北海・領海

【海運】(カイウン) ①海水が動く。波が荒れる。〔荘子、逍遥遊〕②船による海上の輸送。

【海燕】(カイエン) ①うみつばめ。②ちどり。③いとまきひとでの別名。

【海外】(カイガイ) 四海の外。外国。

【海角】(カイカク) ①海の果て。遠い辺境の地をいう。「海角天涯」②半島や岬の突端。

【海客】(カイカク) ①海上の旅行者。②海辺を散歩している人。③海を渡って来る商人。海賈(カイコ)。④通り一遍の客。

【海闊】(カイカツ) ①海が広い。②海のように広い。

【海岸】(カイガン) 海の岸。海と陸の接するところ。

【海曲】(カイキョク) ①海が陸地に入り込んだ所。②(都から遠い)海辺。辺地。③海の果て。海角。海隅。

【海隅】(カイグウ) ＝海曲。▼隅は、すみ。

【海月】(カイゲツ) ①海上の月。海から出る月。②海面に浮かぶ月かげ。③貝の名。たいらぎ。④くらげ。水月。水母。

【海賈】(カイコ) 船に乗って海外に往来する商人。貿易商。

【海口】(カイコウ) ①港。②川が海に流れ入る所。

【海寇】(カイコウ) 海賊。

【海国(國)】(カイコク) ①四方が海に囲まれている国。②海に沿っている国。また、その地方。

【海士】(カイシ) 漁夫。漁師。あま。海人。

【海市】(カイシ) 無風の日に、大気の密度や日光の反射の関係で、遠方の物象が空中に出現する現象。蜃気楼(シンキロウ)。

【海若】(カイジャク) 海神の名。

【海女】⊖(カイジョ) 海神のむすめ。⊖(あま) 国海にもぐって貝や海藻などを取ることを職業とする女性。

【海嘯】(カイショウ) ▼嘯は、うそぶく・鳴る。①海が鳴る。また、海鳴り。海鳴りの音。②津波。海が鳴り、大波が押し寄せて来る現象。銭塘(セントウ)江のものが有名。

【海上】(カイジョウ) ①海の上。用例〔南朝梁、沈約、夕行聞₂夜鶴₁詩〕愍₂海上之驚鳧₁、傷₂雲間之離鶴₁。↓海上を急ぎ飛ぶ鴨(かも)を見てはあわれみ、雲の間に群れを離れた鶴を見ては胸を痛める。②海のほとり。

【海人】(カイジン) ①漁師。漁夫。海女。あま。②海中にいるという怪物の名。海坊主(うみボウズ)。

【海図(圖)】(カイズ) 海の深さ・岩礁の位置・潮流などを詳細に書き込んである地図。主に、航海に用いる。

【海千山千】(うみセンやまセン) 国海に千年、山に千年の年功を経た人の意で、あらゆる経験を積んで、悪賢くなった人をいう。

【海鼠】(カイソ) なまこ。棘皮(キョクヒ)動物。

【海象】(カイゾウ) 海獣の名。せいうち。北海に住む。海馬。

【海岱】(カイタイ) 舜(シュン)の時代の十二州の一つ。東海から泰山までの地。昔の青州。今の山東省。▼岱は、泰山。

【海苔】⊖(カイタイ) 水中の岩に生える苔(こけ)に似た藻の総称。⊖(のり) 国食品の名。浅草のりの類い。

【海内】(カイダイ・カイナイ) 海のうち。国内。天下。↔海外。用例〔唐、王勃、杜少府之₂任蜀州₁詩〕海内存₂知己₁、天涯若₂比隣₁。↓この天下のどこかに、理解し合える友を持つならば、たとえ空の果てにあろうとも隣同士にあるようなものだ。

【海潮音】(カイチョウオン) ①うしおのひびき。しおの満ちてくる音。②仏観世音菩薩(カンゼオンボサツ)の説法の声。

【海甸】(カイデン) 海に沿った地方。

【海棠】(カイドウ) ①バラ科の落葉低木。春、五弁で淡紅色の花が咲く。②なよなよとした美人の形容。

【海道】(カイドウ) ①海上の、船の通る道。航路。②海岸に沿った陸道。③国「東海道」の略称。

【海軟風】(カイナンプウ) 昼間、海上から陸地に向かって静かに吹いてくる風。海風。↔陸軟風(一五一六ページ上)。

【海馬】(カイバ) ①小魚の一種。たつのおとしご。②海獣の名。せいうち。海象。

【海抜】(カイバツ) 国海面を基準として測った陸地の高さ。標高。

【海表】(カイヒョウ) 海のそと。国外の遠い果て。海外。

【海豹】(カイヒョウ) 海獣の名。あざらし。

【海防】(カイボウ) 海外から来る敵を防ぐこと。海岸の防備。

【海容】(カイヨウ) 海のごとく受け入れる意。海がすべての河川を受け入れるように、度量を大きくもって、他人の言行を受け入れること。また、他人のあやまちなどを許すこと。海涵(カイカン)。

【海里】(カイリ) 海上の距離を表す単位。緯度一分の距離の平均値。約一八五二メートル。浬(カイリ)。

【海流】カイリュウ 海水が一定の方向に流れ動く現象。赤道方面へ流動するものを寒流、その逆を暖流という。
【海路】カイロ ①海上の、船の通る道。ふなじ。航路。②船旅。
【海老】カイロウ ㊀海水が減る。㊁カイロウ・えび 国蝦えびの別名。

6 【洄】9画 6285 漢カイ(クワイ) 呉ガイ(グワイ) 因 huí 8665 EDDE 3911

字義 ❶さかのぼる。流れに逆らって上る。「泝洄ソカイ」❷めぐる。うずまく。水がうずまき流れる。❸おろか(愚)。❹川。川流。

解字 篆文 形声。氵(水)+回音。音符の回は、めぐるの意味。水がめぐり流れるの意味を表す。

【洄沿】カイエン ①流れを逆上ることと、流れに沿って下ること。水流を上ったり下ったりする。②逆らうことと、従うこと。
【洄洄】カイカイ ①水の流れるさま。②おろかなさま。
【洄注】カイチュウ 水がうずまいて流れこむ。

6 【活】9画 6286 教2 カツ 1972 8A88 ―
漢カツ(クワツ)・呉ガチ(グワチ) 曷 huó

筆順 、 氵 氵 汗 汗 汗 活 活 活

【浯】6332 本字

字義 ❶いきる。いく。㋐生命を保っている。生存する。「活仏」㋑くらす。生計をたてる。「生活」㋒命が助かる。「活路」❷いかす。命を助ける。生き返らせる。❸いきいきしている。生気がさかんである。「活発」❹水の勢いよく流れるさま。国❶カツ。気絶した人の意識を戻す方法。❷いける。いく。「花を活ける」

名前 いく・いた・かつ

参考 現代表記では[濶](6761)の書きかえに用いることがある。「快濶→快活」

解字 篆文 形声。氵(水)+舌(𠯑)音。音符の𠯑カツは、固い誓いを破るさまを表す。水がせきをきってほしいままに流れるの意味から、転じて、いきるの意味をも表す。

逆 快活・死活・自活・生活・復活

【活火】カッカ さかんに燃えている火。よくおこっている炭火。
【活活】カツカツ ①水のさかんに流れるさま。②流れる水の音のさま。③泥路どろみちの音をたてるさま。
【活眼】カツガン 真意・真相などを見ぬく眼力。深く理解し、正しく認識する心のはたらき。
【活気(氣)】カッキ 生き生きとした元気・気分。
【活況】カッキョウ 活気のある状況。
【活句】カック 詩文中の生き生きとした句。活気のあることば。
【活計】カッケイ 生計。生活を維持するための仕事。
【活殺】カッサツ 生かすことと殺すこと。「活殺自在」
【活字】カツジ 活版印刷に用いる字型。普通、方形柱状の金属の一端に文字を左右逆に浮きぼりしたもの。中国では北宋ホクソウの慶暦年間(一〇四一―一〇四八)に畢昇ヒッショウが作った膠泥コウデイ(ねんど)活字が最初といわれるが、現存するものでは、明ミンの弘治年間の銅活字印刷書が最も古い。この法が朝鮮に伝わり、更に豊臣秀吉とよとみひでよしの朝鮮出兵によって日本に伝来した。
【活写(寫)】カッシャ 生き生きと写す。実際さながらに表現する。
【活人】カツジン ①人を生かす。②生きている人。
【活人剣(劍)】カツジンケン 人を殺傷する目的の刀剣も、使い方によっては、人を活かすに役立つということ。
【活水】カッスイ 流れ動いている水。流水。
【活脱】カツダツ 非常によく似ている。生き写し。▼脱は、本物から抜け出したような意。
【活発(發)・活△潑】カッパツ 生き生きとして、元気や勢いのよいこと。▼発は、潑の書きかえ字。
【活仏(佛)】カツブツ ①生き仏。なさけ深い人、高徳の僧の敬称。②ラマ教の首長。
【活物】カツブツ 生きもの。生気があって活動しているもの。↔死物(七九ページ中)。
【活躍】カツヤク 国①勢いよくおどる。はねまわる。②めざましく活動する。さかんに仕事をする。
【活用】カツヨウ ①物の性能・本質などを十分に活かして用いる。②国文法用語。動詞・形容詞などの語形変化。
【活力】カツリョク 活動、また、生活する力。生命力。
【活路】カツロ 命の助かる道。のがれ出る道。

6 【洹】9画 6287 漢カン(クワン) 呉ガン(グワン) 寒 huán 8669 ― 3926

字義 ❶川の名。→洹水。❷洹洹は、水の流れるさま。

解字 形声。氵(水)+亘音。

【洹水】カンスイ 川の名。河南省内を流れる。安陽河の古名。

6 【洎】9画 6288 キ 寘 jì 8666 ― 3914

字義 ❶そそぐ(注)。水をさす。❷うるおう。ひたす(浸)。❸およぶ。❹と(与)。および(及)。❺肉のしる。

難読 洎夫藍サフラン

解字 形声。氵(水)+自音。

6 【洶】9画 6289 ㊀漢キョウ・呉ク 腫 xiōng ㊁漢キョウ・呉ク 冬 xiōng 6208 9FA6 ―

【汹】6180 同字

字義 ㊀❶わく。水がさかんにわき出る。❷水のわく音の形容。㊁❶水の勢い。❷さわぐ(騒)。どよめく。

解字 篆文 形声。氵(水)+匈音。音符の匈キョウは、不吉な事を前にして、胸さわぎするの意味。水がわきたつの意味を表す。

【洶洶】キョウキョウ ①水がわきあがるさま。波のわきたつさま。②どよめきさわぐさま。おそれおののくさま。「人心洶洶」
【洶△涌・洶湧】キョウヨウ 水のわきあがるさま。波のわきたつさま。洶溶キョウヨウ。

6 【洫】9画 6290 漢キョク 呉コク 職 xù 6209 9FA7 ―

字義 ❶みぞ(溝)。田畑の用水の通る道。「溝洫」❷ほり(濠)。城壁の周囲にめぐらしたほり。❸小さい川。❹水門。水の出入り口。❺みだれる。やぶれる。❻むなしくする(虚)。

解字 篆文 会意。氵(水)+血。血は、めぐり流れる「ち」の意味。血管のようにめぐり流れる田間のみぞの意味を表す。

6 【汧】9画 6291 ケン 先 霰 qiān 2 7847 ― 3922

字義 ❶川の名。→汧水。❷さわ(沢)。❸ただよう。

解字 形声。氵(水)+幵音。

【汧水】ケンスイ 川の名。甘粛省から陝西センセイ省にかけて流れる。今の千河。

6 【泒】9画 6292 漢コ 呉ク 虞 gū ― ― 3892

字義 川の名。山西省内を流れる。今の沙河。

解字 形声。氵(水)+瓜音。

6 【洪】9画 6293 常 コウ 漢コウ・呉グ 東 hóng 2531 8D5E ―

筆順 、 氵 氵 汁 汁 洪 洪 洪 洪

字義 ❶水が増して川や湖からあふれること。おおみず。「洪水」❷大きい。転じて、広い・高い・すぐれた。❸大いに。❹はやせ。国国名。洪牙利ハンガリーの略。

名前 おお・こう・ひろ・ひろし

難読 洪牙利ハンガリー・洪都拉斯ホンジュラス

解字 篆文 形声。氵(水)+共音。音符の共は、広く大きいの意味。おおみずの意味を表す。

【洪恩】コウオン 大きなめぐみ。大恩。洪恵。洪沢。
【洪基】コウキ 大きな事業のもとい。帝王の事業の基礎。
【洪業】コウギョウ 大きな事業。帝王の事業。鴻業コウギョウ。

【洪△鈞】コウキン 天。造化。造物者。▼鈞は、陶器を作るろくろで、物を形造るもののたとえ。
【洪勲(勳)】コウクン 大きな手がら。偉勲。
【洪荒】コウコウ ①広大でとりとめのないさま。②世界の初め。
【洪儒】コウジュ 大学者。鴻儒コウジュ。
【洪秀全】コウシュウゼン 清シン代、太平天国の指導者。道光末年(一八五〇)に乱を起こし、翌年、太平天国を建国。十五年間続いたが、清朝の軍に破れ、自殺した。(一八一四―一八六四)
【洪△祚】コウソ おおいなる天子の位の意。帝位の美称。
【洪図(圖)】コウト 大きなはかりごと。
【洪△蕩】コウトウ 水面の広々としたさま。
【洪△濤】コウトウ 大きな波。大波。巨濤。洪瀾コウラン。
【洪範】コウハン ①偉大な手本。天地の大法。②『書経』の編名。
【洪武帝】コウブテイ =朱元璋(七一七ジペー中)。
【洪溶】コウヨウ 水の広く深いさま。
【洪烈】コウレツ 大きな手がら。大きな事業。大業。

6 【洸】 9画 6294 人 ㊀コウ(クヮウ) 陽 guāng ㊁漢コウ(クヮウ) 呉オウ(ワウ) 養 huàng 6211 9FA9 —

筆順 丶 冫 氵 氵' 氵'' 氵⺌ 洸 洸 洸

字義 ㊀❶水がわき立ち光るさま。❷怒るさま。㊁❶水が深く広いさま。❷水が押し寄せるさま。❸ほのか。かすか。明らかでないさま。=恍(3708)。

名前 たけし・ひろ・ひろし・ふかし

解字 篆文 形声。氵(水)+光音。音符の光は、ひかるの意味。水がひかるの意味を表す。

【洸洸】コウコウ ①水が沸き立って光るさま。②大水の押し寄せるさま。③怒るさま。④荒々しいさま。⑤勇ましいさま。
【洸洋】コウヨウ ①水の深く広いさま。②議論・学説などの深遠で知り難いさま。とりとめがないさま。

6 【洚】 9画 6295 コウ(カウ) 絳 jiàng — — 3918

字義 ❶水が増して川などがあふれでること。おおみず。=洪(6293)。❷くだる。=降(13086)。

解字 篆文 形声。氵(水)+夅音。音符の夅コウは、洪コウに通じ、おおみずの意味。水が増して川の水があふれでるの意味を表す。

【洚水】コウスイ おおみず。

6 【洽】 9画 6296 漢コウ(カフ) 呉ギョウ(ゲフ) 洽 qià 6210 9FA8 —

字義 ❶あまねし。広くゆきわたる。「博洽」❷うるおう(潤)。うるおす。❸あう(合)。かなう。❹やわらぐ(和)。うちとける。

解字 篆文 形声。氵(水)+合音。音符の合は、あうの意味。水が合流する、あまねし・水気が集まる・うるおうの意味を表す。

【洽博】コウハク あまねく広い。知識・学問などが広く、物事によく通じていること。
【洽聞】コウブン あまねく聞く。また、見聞が広いこと。「博学洽聞」
【洽覧(覽)】コウラン 広く書物を見る。

6 【洨】 9画 6297 漢コウ(カウ) 呉ギョウ(ゲウ) 肴 xiáo — — 3921

字義 ❶川の名。河北省内を流れる川。❷県名。今の安徽アンキ省内。

解字 形声。氵(水)+交音。

6 【洒】 9画 6298 標 ㊀漢サイ・呉シャ 蟹 sǎ ㊁漢セイ・呉サイ 薺 xǐ ㊂セン 銑 xiǎn 6215 9FAD —

字義 ㊀=灑(6837)。❶そそぐ。㋐水をまく。㋑したたる。❷散る。❸さっぱりしているさま。「瀟洒ショウシャ」→洒然㊀。㊁あらう。すすぐ。=洗(6315)。㊂うやうやしいさま。→洒然㊁。

参考 熟語は[灑](6837)をも見よ。

解字 篆文 形声。氵(水)+西(㔫)音。音符の㔫サイは、酒などをこすための竹かごの象形。酒をこすときのように、水をそそぎあらうの意味を表す。

【洒洒落落】シャシャラクラク =洒落㊁。
【洒然】㊀シャゼン けがれやわだかまりがなく、さっぱりしているさま。㊁センゼン つつしむさま。うやうやしいさま。
【洒掃】サイソウ 水をまき箒ほうきではく。また、ふき掃除。灑掃サイソウ。
【洒脱】シャダツ さっぱりしていて俗気のないこと。
【洒落】㊀サイラク 散り落ちる。灑落サイラク。㊁シャラク 性質・挙動などの、さっぱりしてこだわりのないこと。洒洒落落。㊂シャレ・シャラク 国①気のきいた、粋いきなさま。おしゃれ。②華美なよそおい。③ことばのしゃれ。ある文句をもじっていいかえること。④なまいき。

6 【涑】 9画 6299 ㊀漢サク・呉シャク 陌 sè ㊁漢シ・呉ジ 寘 zì — — 3917

字義 ㊀そぼふる。小雨が降るさま。㊁ひたす。

解字 形声。氵(水)+束音。

6 【洱】 9画 6300 漢ジ 呉ニ 紙 ěr 寘 èr 8668 — 3925

字義 川の名。→洱河。

解字 形声。氵(水)+耳音。

【洱河】ジガ 川の名。雲南省大理市の東。昔の葉楡ヨウユ水。

6 【洏】 9画 6301 漢ジ 呉ニ 支 ér — — 3915

字義 ❶ぬるま湯。❷よく煮る。

解字 形声。氵(水)+而音。

6 【洙】 9画 6302 漢シュ 呉ジュ 虞 zhū 6212 9FAA —

字義 川の名。→洙水。

解字 形声。氵(水)+朱音。

【洙△泗】シュシ ①洙水と泗水。②孔子が洙泗のほとりで門人を教育したことから、孔子の学を洙泗の学という。泗洙。
【洙水】シュスイ 川の名。山東省曲阜キョクフの近くを流れ、泗水シスイに注ぐ。

6 【洲】 9画 6303 人 漢シュウ(シウ) 呉ス・シュ 尤 zhōu 2907 8F46 —

筆順 丶 冫 氵 氵' 氵'' 氵川 洲 洲 洲

字義 ❶す。しま。中州。川や湖に砂が高くもり上がってできた島。❷大陸。「五大洲」

名前 くに・しま・しゅう・す 難読 洲股すのまた・洲本すもと

参考 現代表記では[州](3052)に書きかえる。「欧洲→欧州」「坐洲→座州」。熟語は[州]をも見よ。

解字 形声。氵(水)+州音。音符の州は、なかすの象形。

【洲△渚】シュウショ ①なかす。水中の小島。▼渚も、小島。②なかすのなぎさ。③なかすとなぎさ。④なぎさ。
【洲△嶼】シュウショ 島。▼嶼も、島。
【洲△汀】シュウテイ ①なかすのなぎさ。②なぎさ。

6 【洀】 9画 6304 漢シュウ(シウ) 呉シュ 尤 zhōu ₂7842 — —

字義 さざなみ。

解字 形声。氵(水)+舟音。

6 【洵】 9画 6305 人 漢シュン 呉ジュン 真 xún 6213 9FAB —

筆順 丶 冫 氵 氵' 汋 洵 洵 洵 洵

字義 ❶まこと。まことに。=恂(3716)・詢(11199)。❷ひとしい(均)。❸涙が流れる。

名前 のぶ・ひとし・まこと
解字 篆文 形声。氵(水)＋旬音。音符の旬は、絢に通じ、美しいもようの意味。水のもよう、うずまきの意味を表す。

6【洳】9画 6306 漢ジョ 呉ニョ 御 rù 6214 9FAC —

字義 ひた-る(浸)。うるおう(潤)。沮洳は、水気が多くてじめじめした土地。

6【浃】9画 6307 ショウ 浹(6350)の俗字。→八三八ページ下。

解字 形声。氵(水)＋如音。

6【浄】9画 6308 常 ジョウ 3084 8FF2 —

8〔淨〕11画 6309 人 漢セイ 呉ジョウ(ジャウ) 敬 jìng 6238 9FC4 —

筆順 丶 冫 氵 氵 汋 汋 浄 浄 浄

字義 ❶きよ-い。けがれがない。いさぎよい。澄んでいる。「清浄」 ❷きよ-める。きよくする。「洗浄」 ❸かたきやく(敵役)。悪役。中国の劇で主要な悪役をいう。❹仏迷いから解脱した意で、仏教に関する事物に冠して用いる語。「浄戒」

名前 きよ・きよし・しず

参考 現代表記では〔滌〕(6648)の書きかえに用いることがある。「洗滌→洗浄」

解字 篆文 形声。氵(水)＋争(爭)音。

逆 清浄・洗浄・不浄

【浄域】 社寺の境内。清く汚れのない地域の意。浄界。

【浄宇】 寺。寺院。仏寺。浄院。浄宮。

【浄衣】 一 ①仏僧の着る衣服。僧衣。②国ア しろむく。白色の衣服。イ神事・祭事に着用する、白木綿または生絹で作った狩衣形の服。二 清潔な衣服。

【浄化】 国清める。けがれを去って清くすること。

【浄戒】 仏仏のいましめ。五戒・十戒など。

【浄界】 ①けがれのない清らかな地域。社寺の境内など。霊地。②＝浄土。

【浄△几・浄机】 ほこりなどのついていない、清らかな机。

【浄行】 仏清浄な修行。仏教の修行をいう。

【浄財】 清い金銭。ア寺社などへの寄付金。イ慈善事業などへの寄付金。

【浄罪】 罪を清めること。

【浄捨】 金品を人に施し、または神仏に奉納したりすること。喜捨。

【浄刹】 仏①寺。仏寺。②浄土。極楽。

【浄土】 仏煩悩・迷い・罪悪などのない清らかな土地(世界)。如来の住む国。極楽。↔穢土(一〇五九ページ中)。

【浄△玻璃】 ①曇りのない透明な水晶。②仏「浄玻璃鏡」の略。地獄の閻魔の庁にあって亡者(死者)の生前の行いを映し出すという鏡。③あざむくことのできないするどい眼識。

【浄房】 便所。かわや。

【浄理】 仏仏教の教える道理。仏道。

【浄瑠璃】 ①仏清く透き通った瑠璃(宝石の名)。けがれのないもののたとえ。②国三味線を伴奏にした語りもの・音曲の総称。今は、とくに義太夫節をいう。

6【涩】9画 6310 ショク sè 27841 — —

字義 義未詳。国す。洲(6303)と同字。

6【津】9画 6311 常 シン つ 3637 92C3 —

〔𣲯〕6510 本字 シン 眞 jīn

筆順 丶 冫 氵 氵 浔 浔 浔 浔 津

字義 ❶つ。アみなと。船着き場。イ渡し場。「津渡」 ❷きし(岸)。がけ。❸あつまる(集)。❹重要なこと(ところ)。「津要」 ❺つて。てづる。てだて。方法。「津梁」 ❻しる(汁)。つば・あせ・涙など。「津液」 ❼しみ出る。あふれる。❽うるおう(潤)。

名前 しん・ず・つ・わた 難読 津幡

解字 篆文 形声。氵(水)＋聿(𦘔)音。音符の𦘔は進に通じ、すすむの意味。水を進む船の発着所の意味を表す。

逆 江津・星津・渡津・問津

【津液】 ①にじみ出る汁液。②人体から出る汁液。つば・なみだなど。

【津涯】 ①水ぎわ。岸。②船を着ける岸。

【津関(關)】 要地に設けた関所。

【津岸】 渡し場。渡船場。津渡。

【津津】 多くてあふれるさま。あふれるばかりに多いさま。「興味津津」

【津津浦浦】 国至る所の津や浦の意で、国中至る所。国のすみずみ。

【津人】 渡しもり。渡し場の船頭。

【津逮】 ①こちらからあちらへ行く。渡しで向こう岸へ達する。▼津は渡し場、逮は及ぶ。②橋渡し。手引き。

【津渡】 渡し場。津口。

【津頭】 渡し場。また、そのほとり。

【津童】 子どもの渡しもり。

【津△筏】 ①渡しのいかだ。②手引き。案内。

【津門】 ①渡し場に設けた関門。関所のある渡し場。②身体の中で関所や渡し場に当たる大事な所。

【津要】 重要な点。また、重要な地位。肝要。

【津△梁】 渡し場と橋。橋渡し。手引き。案内。

【問レ津】 ＝問津(二七一ページ下)。

6【泚】9画 6312 一 漢セイ 呉サイ 齊 cǐ 二 シ 紙 cǐ 27836 EDDD 3901

字義 一 ❶きよ-い。水が清い。❷あざやかなさま。鮮明なさま。❸汗の出るさま。❹ぬらす。ひたす。「泚筆」 ❺はかる。＝咨(1460)。二 きよい。＝一❶。

解字 形声。氵(水)＋此音。

6【浅】9画 6313 教4 セン あさ-い 3285 90F3 —

8〔淺〕11画 6314 セン 銑 qiǎn 6241 9FC7 —

筆順 丶 冫 氵 氵 浐 浐 浅 浅 浅

字義 ❶あさ-い。ア底までの距離が近い。水かさが少ない。↔深(6432)。「浅海」 イ少ない。おとっている。薄い。はかない。丁寧でない。「浅学」「浅緑」 ❷あさくする。❸虎の皮。国あさ。他の語に冠して「あさい・うすい」などの意味を表す語。「浅緑」

名前 あさ 難読 浅海・浅海・浅海・浅海井・浅傷・浅葱・浅葱・浅蜊

解字 篆文 形声。氵(水)＋戔(戔)音。音符の戔は、うすく細かに切るの意味。うすい水、あさいの意味を表す。

逆 危浅・卑浅

【浅学(學)△菲才】 学識があさく才知がとぼしいこと。▼菲は、薄。

【浅近】 あさはかで俗っぽいこと。浅薄で卑近。

【浅見】 低い見識。あさはかな考え。転じて、自己の見識・考えの謙称。

【浅紅】 うすくれない。

【浅△絳】うす赤色。▼絳は、赤。

【浅才】おとった才能。短才。菲才。

【浅酌】静かにほどよく酒を飲むこと。

【浅笑】ほほえむ。微笑。

【浅△斟低唱】適度に酒を飲みながら小声で歌って楽しむこと。

【浅浅】あさい水の速く流れるさま。

【浅薄】①あさく薄い。②あさはか。③薄っぺら。軽薄。④知恵・学問などのおとっていること。

【浅膚】あさはかなこと。浅薄。

【浅聞】見聞の少ないこと。知識が狭い。自己の見聞を謙遜していう。寡聞。

【浅△茅】短い(まばらに生えている)ちがや。

【浅△茅生】国浅茅の生えている所。

【浅劣】あさはかでおとっていること。浅短。

【浅△陋】①あさはかでせまい。見聞のせまいこと。②つたないこと。まずいこと。おとっていること。

6
【洗】
9画 6315 教6 セン あら-う
一セン 銑 xiǎn
二漢セイ・呉サイ 霽 xǐ

3286
90F4
—

筆順 丶 冫 氵 氵 氵 汢 泩 涉 洗

字義 一❶あら-う。㋐足をすすぎあらう。㋑あらい清める。あらい流す。「水洗」「筆洗」❷きよい。清らか。二❶あらい。❷たらいの類い。国❶あら-う。疑わしい物事を調べあげる。❷あら-い。料理の一種。魚肉を冷水にひたしてちぢませたもの。

名前 きよ・よし 難読 洗馬

解字 金文 篆文 形声。氵(水)＋先音。音符の先は、湔に通じ、あらうの意味。水であらうの意味を表す。洗の金文(湔)は、止＋舟の会意文字で、水盤で足をあらうさまを表す。

逆筆洗
【洗甲】＝洗兵。▼甲は、よろい。

【洗耳】耳をあらう。㋐俗世のけがれた事を聞いて、それをあらい清める。昔、許由が、堯から天下を譲られるという話を聞いて耳をあらった故事による。洗ㇾ耳〔高士伝〕㋑耳をすます。耳の穴を通して、話をよく聞こうとする意。

【洗浄(淨)】あらいきよめる。

【洗心】心をあらう。心のわだかまりをあらい去る。また、心のけがれや悪心をあらい去る。改心する。

【洗雪】①あらいすすぐ。②恥をすすぐ。名誉を回復する。

【洗足】足をあらう。転じて、俗界を超脱すること。

【洗△滌】あらいすすぐ。あらい清める。洗浄。「センジョウ」は、誤読による慣用読み。

【洗馬】①馬をあらう。②官名。王者の外出の行列の先駆をする役。漢以後は皇太子付きの役となる。

【洗筆】①筆をあらう。②筆を染める。書画を書くこと。

【洗兵】兵器をあらい清める。㋐出征の門出に雨が降って軍隊をぬらすこと。㋑戦争をやめること。

【洗△沐】①髪をあらう。また、髪とからだをあらい清める。②官吏の休暇。官吏が役所の当直から家に帰って身体や髪をあらう意。

【洗練・洗△煉】①あらいねる。②あらったり手を加えたりしてりっぱにする。③国㋐詩文などを、一層よくするために考え練る。㋑人格・趣味などを高尚にするために修養する。㋒あかぬけする。やぼくさい点を取り去る。修練する。

6
【洊】
9画 6316 漢セン 呉ゼン 霰 jiàn

27843
—
3913

字義 ❶いたる(至)。水がいたる。❷しきりに。たびたび。
解字 形声。氵(水)＋存音。

6
【洤】
9画 6317 セン

27844
—
—

泉(6131)の古字。→六〇八ページ下。

6
【浊】
9画 6318 ダク

—

—


濁(6741)の俗字。→六八三ページ上。

6
【洮】
9画 6319 トウ(タウ) 豪 tāo

18667
—
3923

字義 あら-う(洗)。㋐手や顔・髪などを洗う。㋑米をとぐ。㋒きよめる。洗いすすぐ。
解字 形声。氵(水)＋兆音。
【洮汰】①洗い清める。②米をとぐ。

6
【洞】
9画 6320 常 ドウ ほら
漢トウ・呉ドウ 送 dòng

3822
93B4
—

筆順 丶 冫 氵 汌 汌 洞 洞 洞 洞

字義 ❶ほら。ほら穴。うろ。「洞窟」❷うつろ。むなしい。「空洞」❸とおる。㋐つらぬく。つき通す。㋑さとり知る。見ぬく。「洞察」❹ふかい。奥深い。❺流れが速い。また、速いさま。❻疑う。心がきまらない。

名前 あき・あきら・ひろ・ほら

解字 篆文 形声。氵(水)＋同音。音符の同は、中空の意味。水が通りぬけるほらあなの意味を表す。

逆空洞・雪洞・仙洞
【洞開】広く開く。広々とひらける。洞闢。洞啓。

【洞△壑】①ほら穴と谷。②谷。深い谷。

【洞貫】①うがちつらぬく。突き通す。②物事についてよく知っていること。通暁。

【洞窟】ほら穴。いわや。

【洞穴】ほら穴。洞窟。

【洞戸】①ほら穴の口。②女性の部屋の入り口。

【洞察】見通す。見ぬく。洞見。洞視。

【洞照】明るく照らす。どこまでも照らす。

【洞△簫】尺八に似た竹製の管楽器。

【洞然】①穴などのぬけ通っているさま。②広々としたさま。③がらんどうなさま。④はっきりとしたさま。了然。⑤つつしむさま。⑥ほら穴などの中から聞こえてくる音のさま。

洞簫

【洞庭湖】湖の名。湖南省北部にある中国第二の淡水湖。面積約二千八百平方キロ。沅水・湘水などが流れ入り、長江に連なる。周辺に岳陽楼や瀟湘八景などの名勝がある。

【洞徹】①うがち通す(通る)。②明らかにさとる。

【洞天】①天にとどく(連なる)。②仙人の居る所。

【洞天福地】①仙人の住んでいる所。三十六洞天・七十二福地。②天下の名山景勝の地。

【洞洞】①まじめなさま。まことのあるさま。②無形のさま。③黒いさま。

【洞房】①奥深い所にある部屋。②女性の部屋。

【洞房花△燭】①女性の部屋に美しく輝いているともしび。②結婚式の夜。新婚。

【洞門】①ほら穴の入り口。②門と門とが重なり合う。

6
【派】
9画 6321 教6 ハ

6
【派】
9画 6322 漢ハイ 呉ハ 卦 pài

3941
9468
—

筆順 丶 冫 氵 氵 氵 汇 沠 泒 派

字義 ❶わか-れ(分)。㋐川の分かれ。分流。㋑本体・基のものから分かれ出たもの。分かれた系統。「分派」「学派」㋒主義・主張を同じくするグループ。「保守派」❷わか-れる。分ける。「派生」「特派員」

名前 また

解字 甲骨文 篆文 形声。氵(水)＋𠂢(𠂢)音。音符の𠂢は、水流が分かれているさまにかたどり、支流・わかれるの意味を表す。

逆 硬派・支派・宗派・増派・党派・軟派・流派

【派遣】ハケン ①分けて諸方へ差し向ける。②つかわす。差し向ける。使いにやる。出張させる。

【派出】ハシュツ ①分けてつかわす。②つかわす。③分かれ出る。

【派生】ハセイ 本源から分かれ生ずる。

【派閥】ハバツ 国①ある家から分かれた家がら。②出身地・思想・利害などの関係によってできた仲間。

【派兵】ハヘイ 軍隊を派遣すること。

6 【洦】 9画 6323 漢ハク 呉ヒャク 陌 pò 27845 — 3919

字義 浅い水。また、水の浅いさま。

解字 形声。氵(水)＋百音。

6 【洑】 9画 6324 漢フク 呉ブク 屋 fú — — 3916

字義 ❶うずまき流れる。❷くぐり流れる。かくれ流れる。❸みなと。船着き場。

解字 形声。氵(水)＋伏音。

6 【洋】 9画 6325 教3 ヨウ 4546 976D —

一 漢ヨウ(ヤウ) 陽 yáng 二 漢ショウ(シャウ)・呉ゾウ(ザウ) 陽 xiáng

筆順 、 丷 氵 氵' 氵⺷ 洋

字義 一 ❶おおうみ。大海。外海。「遠洋」 ❷おおなみ。大波。❸水の流れるさま。❹ひろい。広く大きい。また、満ちあふれる。❺外国。特に西洋のこと。「洋食」「洋行」 ❻中華民国の銀貨。洋銀。 二 川の名。洋水。漢水の支流。

名前 うみ・おき・きよ・なみ・ひろ・ひろし・ふかし・み・よ・よう・よし 難読 洋毬花あじさい・洋剣サーベル・洋灯ランプ

解字 甲骨文 篆文 形声。氵(水)＋羊音。音符の羊は、巨に通じ、大きいの意味。大きい水、海よりも大きな水域の意味に用いる。

逆 外洋・西洋・東洋・南洋・望洋

【洋△夷】ヨウイ 西洋人をいやしんでいう語。▼夷は、えびす。

【洋△溢】ヨウイツ 満ちあふれる。

【洋貨】ヨウカ 外国の貨物。舶来品。

【洋銀】ヨウギン ①銀貨。②国ニッケル二五%、亜鉛二五%、銅五〇%の合金。

【洋行】ヨウコウ ①中国にある外国人の商店。②国西洋(欧米)に行くこと。

【洋洋】ヨウヨウ ①広々として大きいさま。②水などの満ち満ちているさま。行き渡り満ちあふれているさま。③水流のさかんなさま。④多いさま。⑤盛大なさま。⑥美しくさかんなさま。⑦善美なさま。⑧ゆるやかなさま。ゆったりしているさま。⑨寄るべき所、帰るべき所のないさま。⑩足のよろめくさま。⑪うれえるさま。⑫想像するさま。⑬感動するさま。⑭心が広々としてわだかまりのないさま。⑮得意なさま。「意気洋洋」

6 【洛】 9画 6326 人 標 ラク 薬 luò 4576 978C —

筆順 、 氵 氵 汐 汐 洛 洛

字義 ❶川の名。→洛水。❷地名。洛陽の略。→洛陽。❸つらなる。つづく。＝絡(9166)。❹つきる(尽)。国京都をいう。洛陽が中国の周・後漢・西晋・後魏・隋などの都であったことになぞらえていう。

名前 みやこ 難読 洛桑ローザンヌ

解字 形声。氵(水)＋各音。

【洛花】ラクカ 牡丹ボタンの別名。洛陽花。

【洛外】ラクガイ ①洛陽の郊外。②国京都の郊外。

【洛学(學)】ラクガク 北宋の程顥・程頤兄弟の学問。洛党。→洛閩之学ラクビンのガク。

【洛京】ラクケイ・ラッキョウ ①洛陽。②都。京洛。

【洛書】ラクショ →河図洛書カトラクショ(八二三ページ下)。

【洛女】ラクジョ 洛水の神。洛神。宓妃フクヒ(三九六ページ下)をいう。

【洛城】ラクジョウ ①洛陽。洛陽城。▼城は、町・都。②国京都。→字義国。

【洛神】ラクシン 洛水の神。洛女。宓妃フクヒ(三九六ページ下)をいう。

【洛水】ラクスイ 川の名。陝西省南東の秦嶺に発し、河南省洛陽のあたりを過ぎて黄河に注ぐ。雒水。洛河。

【洛西】ラクセイ ①洛水の西。②洛陽の西。③国京都の西の郊外。

【洛東】ラクトウ ①洛水の東。②洛陽の東。③国㋐京都の東の郊外。㋑京都の加茂川から東の部分。

【洛△閩△之学(學)】ラクビンのガク 北宋の程顥・程頤の兄弟と、南宋の朱熹との学問。程顥・程頤は洛陽の人。朱熹は建陽(今の福建省、昔の閩の地)で学を講じたことから。その学は性命理気の説を主とした。→濂洛関閩

【洛浦】ラクホ 洛水の水辺。洛水のほとり。

【洛△邑】ラクユウ 今の河南省洛陽市の西。周の武王がここを東都とし、周の東遷後、王城(都)となる。洛陽の前身。

【洛陽】ラクヨウ ①地名。中国の古都。今の河南省洛陽市。洛水の北岸(陽)にあるのでいう。漢や唐がここに東都(都の長安が今の陝西省にあったのに対していう)を置き、後漢や西晋などがここに都したので、転じて、都の意にも用いられる。⇩コラム 洛陽(八三六ページ)。用例(唐、劉廷芝、代下悲二白頭一翁上詩)洛陽城東桃李花、飛来飛去落二誰家一。↓洛陽の町の東には、桃李の花がまっ盛り、花びらがあちこちに舞い飛んでは、だれの家に落ちゆくのだろうか。②国京都。→字義国。

【洛陽花】ラクヨウカ ①＝洛花。②なでしこ。瞿麦クバクの別名。

【洛陽才子】ラクヨウのサイシ 前漢の文人、賈誼カギ(三三七ページ中)をいう。賈誼は洛陽の人で、年少のとき、秀才と称された。

【洛陽紙価(價)貴】ラクヨウのシカたかし 著書の評判がよくてさかんに読まれること。西晋の左思の「三都賦」という文章が評判よく、人々がそれを書写するために争って紙を買ったために、洛陽の町の紙の値段が高くなった故事による。〔晋書、左思伝〕

6 【流】 9画 6327 リュウ 流(6381)の本字。→八四一ページ下。

6 【洌】 9画 6328 漢レツ 呉レチ 屑 liè 6216 9FAE —

字義 ❶きよい(清)。清らか。❷さむい。つめたい。＝冽(808)。

解字 篆文 形声。氵(水)＋列(𠜱)音。音符の𠜱は、首を切るの意味。身を切るほどのつめたく澄んだ水、きよい・つめたいの意味を表す。

6 【洼】 9画 6329 一 漢アイ・呉エ 佳 二 漢ワ・呉エ(ヱ) 麻 wā 27849 — 3927

字義 二 ❶ふかい池。❷くぼみ。くぼむ。＝窪(8607)。❸深い。

解字 形声。氵(水)＋圭音。

【洼然】ワゼン 深くくぼんでいるさま。

7 【浧】 10画 6330 一 漢エイ 呉ヨウ(ヤウ) 梗 yǐng 二 漢テイ 呉チョウ(チャウ) 梗 chěng — — 3934

字義 一 ❶泥。❷すらすらと流れる。❸満ちる。余る。

解字 形声。氵(水)＋呈音。

7 【浻】 10画 6331 一 漢オウ(ワウ) 梗 二 漢ケイ・呉キョウ(キャウ) 梗 jiǒng

字義 一 二 浻瀯コウオウ・ケイエイは、水のめぐり流れるさま。

コラム

洛陽

洛陽市は河南省西部に位置し、古来「中原に鹿を逐ふ」兵家必争の地であった。東周以来、後漢・三国魏・西晋・北魏・隋・唐（武后期）・後梁・後唐などの王朝がここに都を置いたところから、〈九朝の故都〉とも呼ばれる。

前七七年、周の平王は犬戎の侵寇を避けて、鎬京（陝西省西安市の西南）から洛邑に遷都した。東周の始まりである。東周は前二五六年に秦に滅ぼされる。のち、後漢・三国魏・西晋・北魏（孝文帝以後）が洛陽を首都とした。この四代の王朝の都城遺址を漢魏洛陽城と呼ぶ。

後漢の時代には太学が設置され、南宮の東観に大量の典籍が所蔵され、洛陽は学術の中心として全国から多くの人材を集めた。桓譚・賈逵・馬融・鄭玄・何休らの経学者のみならず、『漢書』を著した班固・班昭、『説文解字』を著した許慎、『論衡』を著した王充、蔡侯紙の製造で知られる蔡倫、渾天儀や候風地動儀を製作した張衡、神医とうたわれた華佗など、多彩な人材が洛陽を舞台に活躍したのである。

西晋の時代にも、権臣の石崇が築いた金谷園には、陸機・潘岳ら二十四友と称される名士が集い、左思の「三都賦」が洛陽の紙価を高騰させるなど、文化都市洛陽の繁栄は続いた。

洛陽はまた宗教都市でもあった。後漢の初期に仏教が伝来し、中国最古の寺院である白馬寺が洛陽に建てられた。五世紀、北魏王朝は篤く仏教を奨励し、洛陽内外の寺院は千三百六十七所にのぼった。北魏王朝はまた、伊河の東西岸に対峙する東山（香山）と竜門山に石窟を開鑿した。この竜門石窟は宋代に至るまで営々とうがち続けられる。北魏仏教の盛況は楊衒之の『洛陽伽藍記』に記されている。

唐代の洛陽は上陽宮・上清宮などの広壮な離宮を持ち、含嘉倉・洛口倉・回洛倉などの大型食料貯蔵庫が設けられ、東都として繁栄を極めた。とりわけ則天武后が帝位に即いて国号を周と改め、洛陽を神都と改称して国都としたころは、洛陽の歴史の中で最も光輝ある時代であった。竜門石窟は唐代にも盛んに開鑿が行われたが、咸亨六年（六七五）落成の奉先寺の盧舎那仏は、わが東大寺大仏のモデルともいわれる。また天宝三年（七四四）には、李白と杜甫は初めて洛陽で対面し、終生変わらぬ友情を結ぶ。白居易も晩年には洛陽に自適の生活を送り、香山居士と号した。竜門の東山（香山）には彼の墓がある。この他、多くの有名詩人が、洛陽を詠じた多くの詩編を残している。

唐の後、北宋は開封を都としたが、洛陽を西京とし、程顥（明道先生）・程頤（伊川先生）の兄弟や邵雍といった高名な学者が洛陽で講筵を開いた。また、唐宋期、洛陽は牡丹の花と庭園とで有名であった。宋の欧陽脩の『洛陽牡丹記』、李格非の『洛陽名園記』は洛陽の繁栄の姿を今に伝えてくれる。

元・明・清代には河南府の治所が置かれたが、洛陽はすでに地方の中都市に過ぎなかった。現在では農業機械・鉱山機械などの製造を主とする工業都市となっている。

〔主な遺跡〕

白馬寺　洛陽市の東十キロの地にある、中国最古といわれる寺院。伝承によると、後漢の永平七年（六四）に郎中の蔡愔・博士弟子の秦景らが仏法を求めて天竺（今のインド）に旅立ち、途中の月氏国で天竺僧の迦葉摩騰・竺法蘭の二人に遇い、彼らとともに経典を白馬に積んで洛陽に帰ったことに因んで、白馬寺と名付けられたという。永平十一年（六八）の創建。元来の建築規模は壮大で、唐代には一千人の僧徒がいたとされる。現在は天王殿・大仏殿・大雄殿・接引殿・毗盧閣などが残るが、明代以降の重修である。

白馬寺

竜門石窟　洛陽市の南一三キロ、伊河の両岸にある石窟の寺院群。この地は伊河をはさんで東に香山、西に竜門山の岩壁がそそり立つところから、伊闕（闕は、門の意）と呼ばれる。石窟は竜門山に多い。その造営は北魏の孝文帝が大同から洛陽に遷都した四九三年前後に始まり、隋・唐を経て北宋に至る四百余年にわたって行われた。現在は二千百余の窟龕と九万七千三百余の像、三十九座の仏塔が残るが、北魏時代の古陽洞・賓陽洞・蓮花洞・薬方洞や、唐代の潜渓寺・万仏洞・奉先寺・看経寺などが代表的なものである。

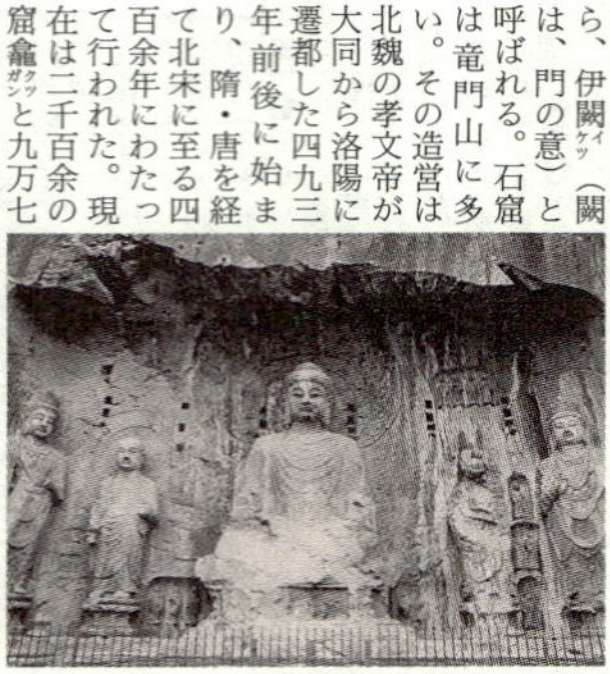
竜門石窟

白居易墓　竜門東山（香山）の琵琶峰の上にある。白居易は、字は楽天、晩年は香山に寓居し、香山居士と号した。墓のある琵琶峰からは東に嵩山の少室峰、北に邙山、南に蜂の巣のような竜門山の石窟が展望できる。

関林　洛陽市の南七キロにある。三国時代の蜀の将軍関羽の首級を埋葬したところと伝えられる。高大な墓塚には柏樹がうっそうと茂り、大殿・山門・戯楼などが残る関帝廟は、明代の建築である。

解字 形声。氵(水)＋毎音。

7【海】10画 (6284) カイ　海(6283)の旧字体。→八三〇ジ上。

7【⿰氵𠯑】10画 6332 カツ　活(6286)の本字。→八三一ジ上。

7【浣】10画 6333 漢カン(クヮン) 呉ガン(グヮン) 翰 旱 huàn　6217 9FAF —

［澣］6727 同字

字義 ❶あら-う。すすぐ。よごれを洗い去る。「浣濯」 ❷十日間(旬)をいう。唐代、官吏に身体や髪を洗うために、十日目ごとに一日の休暇を与え、この一か月に三度の休暇を、それぞれ上浣・中浣・下浣と称したことによる。

解字 篆文 別体 形声。氵(水)＋完音。音符の完は、めぐらすの意味。水をめぐるようにして注ぎ、あらうの意味を表す。

【浣花渓(溪)】カンカケイ 川の名。錦江の支流。四川省成都市の西郊を流れる。盛唐の詩人杜甫がそのほとりに草堂を構えて数年住んでいた。

【浣雪】カンセツ ①あらいすすぐ。②恥をすすぐ。名誉を回復する。

【浣濯】カンタク あらいすすぐ。浣洒カンサイ。

7【浛】10画 6334 漢カン 呉ゴン 覃 hán　₂7850 — —

字義 ❶あか。舟の底にたまる水あか。❷しずむ。❸どろ。

解字 形声。氵(水)＋含音。

7【浠】10画 6335 漢キ 呉ケ 微 xī　₂7852 — —

字義 川の名。→浠水。

解字 形声。氵(水)＋希音。

【浠水】キスイ 川の名。湖北省内を流れる川。

7【浗】10画 6336 漢キュウ(キウ) 呉グ 尤 qiú　— — 3929

字義 川の名。

解字 形声。氵(水)＋求音。

7【涇】10画 6337 漢ケイ 呉キョウ(キャウ) 青 jīng　₁8675 EDDF 3939

字義 ❶川の名。→涇水。❷ながれる。水が通ずる。❸みぞ。

解字 金文 篆文 形声。氵(水)＋巠音。音符の巠ケイは、まっすぐの意味。人が作ったまっすぐなみぞの意味を表す。また、まっすぐ流れる流れの意味をも表す。

【涇渭】ケイイ 涇水ケイスイと渭水イスイ。ともに川の名。涇水は濁っており、渭水は澄んでいるので、清濁・善悪などの区別の明らかなことにたとえる。「涇渭の分」。『詩経』邶風・谷風に「涇以レ渭濁ケイはイをもってにごる」とあるのに基づく。

【涇水】ケイスイ 川の名。寧夏ネイカ回族自治区の南部に源を発し、陝西センセイ省で渭水イスイに注ぐ。

7【涓】10画 6338 ケン 先 juān　6218 9FB0 —

字義 ❶小さい流れ。❷しずく。しずく。水滴。また、しずくが落ちる。「涓滴」 ❸小さい。わずか。❹えらぶ(選)。❺のぞく(除)。すてる。＝捐(4174)。❻きよい。いさぎよい。また、はらい清める。

解字 篆文 形声。氵(水)＋肙音。音符の肙ケンは、細く小さいの意味。小さい流れの意味を表す。

【涓埃】ケンアイ ①しずくとほこり。②少し。わずか。

【涓潔】ケンケツ 清くさっぱりしていること。清潔。

【涓涓】ケンケン 水がちょろちょろ流れるさま。用例〔東晋、陶潜、帰去来辞〕木欣欣以向レ栄、泉涓涓而始流(きはキンキンとしてもってエイにむかい(ひ)、いずみはケンケンとしてはじめてながる)。↓木はさかんに茂り花を咲かせようとし、泉の水はちょろちょろと流れはじめている。

【涓毫】ケンゴウ すこし。わずか。▼毫は、毛すじ。

【涓人】ケンジン ①宮中の掃除や雑用をする人。用例〔十八史略、春秋戦国、燕〕古之君(いにしえ(へ)のきみに)、有下以二千金一使三涓人求二千里馬一者上(センキンをもってケンジンをしてセンリのうまをもとめしむるものあり)。↓昔の王で、召使いに千金を持たせて一日に千里走る名馬を買いに行かせた方がいました。②宦官カンガン。涓人の仕事に宦官があたることが多かったため。

【涓塵】ケンジン ①しずくとちり。②すこし。わずか。

【涓滴】ケンテキ ①水のしたたり。しずく。②わずかなもの(小さいもの)のたとえ。

【涓流】ケンリュウ ①小さな流れ。細流。②微細な事物。

7【涀】10画 6339 漢ケン 呉ゲン 霰 xiàn　₂7854 — —

字義 川の名。→涀水。

解字 形声。氵(水)＋見音。

【涀水】ケンスイ 川の名。河南省内を流れる川。

7【浯】10画 6340 ゴ 虞 wú　— EDE0 3935

字義 川の名。山東省内を流れる川。

解字 形声。氵(水)＋吾音。

7【浩】10画 6341 人　2532 8D5F —

7【浩】10画 6342 漢コウ(カウ) 呉ゴウ(ガウ) 皓 hào

筆順 丶 氵 氵 汁 汼 浩 浩 浩

［澔］6681 同字

字義 ❶水の広々としたさま。大水のさま。❷ひろ-い。ひろし。大きい。また、大いに。「浩恩」「浩歌」 ❸ゆたか。多い。

名前 いさむ・おうい・おおい・きよし・こう・はる・ひろ・ひろし・ゆたか

解字 篆文 形声。氵(水)＋告音。音符の告は、好に通じ、このましいの意味。心が満たされるような豊かな水の意味を表す。

【浩飲】コウイン 大いに酒を飲む。痛飲。

【浩恩】コウオン 大きな恩。大恩。洪恩。鴻恩コウオン。

【浩歌】コウカ 大きい声で歌う。浩唱コウショウ。

【浩瀚】コウカン ①水の広大なさま。②物の多く豊かなさま。③書籍の巻数の多いこと。

【浩気(氣)】コウキ ＝浩然之気コウゼンのキ。

【浩浩】コウコウ ①広大なさま。②大水のさま。水の豊かに流れるさま。広々とした水のさま。③道路のはるかに続くさま。④光り輝くさま。

【浩浩乎】コウコウコ 広々としているさま。用例〔北宋、蘇軾、前赤壁賦〕浩浩乎如二馮レ虚御レ風、而不レ知二其所レ止(コウコウコとしてキョによりかぜにギョして、そのとどまるところをしらざるがごとし)。↓広々としたところで、空中に浮かび風に乗って、どこでとどまるのか見当もつかないような感じがする。

【浩浩湯湯】コウコウショウショウ 水が広大に流れるさま。たくさんの水がさかんに流れるさま。

【浩劫】コウゴウ ①宮殿の階段。また、塔。②きわめて長い世をいう。③仏人間の大きな災い。

【浩笑】コウショウ 大声で笑う。大いに笑う。

【浩然】コウゼン ①広大なさま。②ゆったりしたさま。③水の流れてやまないさま。④帰心のおさえきれないさま。

【浩然之気(氣)】コウゼンのキ 天地間に充満する至大至剛(至って大きく至って強い)の気。これが人間に宿って何物にも屈しない道徳的勇気となる。正気。正大の気。用例〔孟子、公孫丑上〕我善養二吾浩然之気一(われよくわがコウゼンのキをやしなう(ふ))。↓私は十分に、自分の天地間に充満している至大至剛(至って大きく至って強い)の気を養っている。

【浩嘆・浩歎】コウタン ①大いになげく。慨嘆。②感慨の深いこと。

【浩蕩】コウトウ ①水の広々としているさま。②広大なさま。

氵部 7画〔海⿰氵𠯑浣浛浠浗涇涓涀浯浩〕

③めぐみ・うれえなどの非常に大きいさま。④心の大きくなるさま。

【浩渺・浩緲】コウビョウ 広くはるかなさま。

【浩洋】コウヨウ 水の広々としたさま。

7 【浤】10画 6343 漢コウ(クヮウ) 呉オウ(ワウ) 庚 hóng 6219 9FB1 —

字義 浤浤は、波のたちさわぐ音の形容。また、水の激しくわきたつ様子。〔西晋、木華、海賦〕

解字 形声。氵(水)+宏音。

7 【浲】10画 6344 漢コウ(カウ) 呉キョウ(ケウ) 宥 xiào 27857 — —

字義 ❶川の名。❷泉の名。

解字 形声。氵(水)+孝音。

7 【浞】10画 6345 漢サク 呉ザク 覚 zhuó 27851 — 3930

字義 うるおう。水にぬれる。また、ひたる。

解字 形声。氵(水)+足音。

7 【涘】10画 6346 漢シ 呉ジ 紙 sì 27859 — 3945

字義 みぎわ。水際。岸。

解字 形声。氵(水)+矣音。

7 【酒】10画 (12373) シュ 酉部。→一四八六ページ下。

7 【浚】10画 6347 シュン 震 jùn 6220 9FB2 —

字義 ❶さらう。㋐くむ。くみ出す。㋑井戸・川などの底の土砂などを取り去る。底を深くする。「浚渫」㋒他人の物をうばい取る。かっさらう。❷ふかい(深)。「浚谷」❸待つ。❹大きい。

解字 篆文 形声。氵(水)+夋音。音符の夋は、出に通じ、だすの意味。水中から、たまったどろなどをくみ出す、さらうの意味を表す。

【浚急】シュンキュウ 水流の深く早いこと。

【浚渫】シュンセツ 泥などをさらい取って深くすること。「浚渫船」

7 【消】10画 6348 教3 ショウ きえる・けす 3035 8FC1 —

7 【消】10画 6349 ショウ(セウ) 蕭 xiāo

筆順 、 氵 氵 氵 氵 消 消 消 消

字義 ❶きえる。㋐火がきえる。㋑つきる。なくなる。きえうせる。「解消」「雲散霧消」❷けす。㋐火をけす。㋑なくす。使いつくす。ほろぼす。「消毒」「抹消」❸弱る。おとろえる。減る。ひかえ目にする。「消極」❹とかす(溶)。とける。

国❶きえる。死ぬ。❷けす。㋐跡や姿をなくす。㋑つぶす。「肝を消す」

参考 現代表記では〔銷〕(12654)の書きかえに用いる。「銷夏→消夏」「銷沈→消沈」

解字 篆文 形声。氵(水)+肖音。音符の肖は、すくないの意味。水が少なくなる、きえるの意味を表す。

逆 抹消・霧消

【消化】ショウカ ①物の形がきえて変化する。②胃の中で、食べ物がこなれる。食べ物をこなす。③国㋐(外から受け入れた知識・技術などを)十分に理解して自分のものにする。㋑商品などを売りさばく。

【消夏】ショウカ 夏の暑さを払い去る(しのぐ)こと。消暑。銷夏ショウカ。

【消渇(渴)】ショウカツ・ショウカチ ①のどがかわいて飲み物をほしがる病気。糖尿病。②女性の淋病リンビョウ。

【消寒】ショウカン 冬の寒さを払い去る(しのぐ)。銷寒ショウカン。

【消閑・消間】ショウカン ひまつぶし。退屈しのぎ。

【消却】ショウキャク ①けし去る。なくする。②国㋐ついやす。消費する。㋑(借金などを)かえす。償却。

【消極】ショウキョク 国物事を進んでしないこと。退き守ること。ひかえめ。↔積極(一〇五〇ページ下)。

【消遣】ショウケン ①けし去る。払い去る。②気を晴らす。

【消光】ショウコウ 国月日を送る。暮らす。▼光は、光陰・時間。

【消魂】ショウコン 魂を失う。銷魂ショウコン。㋐気を失う。㋑ひどく驚くさま。たまげる。㋒心がくじけ、元気を失う。がっかりする。㋓うっとりとする。われを忘れる。

【消索】ショウサク きえ尽きる。▼索は、尽。

【消散】ショウサン きえてちらばる。なくなる。

【消日】ショウジツ 日をすごす。暮らす。消光。

【消釈(釋)】ショウシャク・ショウセキ きえる。溶ける。

【消除】ショウジョ けしのぞく。取り消す。

【消尽】ショウジン ①きえつくす。②けしつくす。

【消瘠】ショウセキ 見るかげもなくやせ衰える。

【消息】ショウソク 一①陰気のきえ去ること(消)と、陽気の生ずること(息)。②時の移り変わり。③生ずることときえ去ること。生滅。④増えることと減ること。増減。⑤栄えることとおとろえること。栄枯。盛衰。⑥見えることとかくれること。隠顕。⑦様子。事情。安否。二ショウソク・ショウソコ ①おとずれ。手紙。幸(息)・不幸(消)などを知らせるものであるからいう。②国㋐口上。伝言。㋑訪れること。取り次ぎをたのむこと。

【消長】ショウチョウ きえてゆくことと生ずること。さかんになることとおとろえること。盛衰。

【消沈】ショウチン ①きえうせる。②おとろえる。活気がなくなる。

【消伏】ショウフク 災いを払いふせる。

【消磨・消摩】ショウマ すりへらす。

【消滅】ショウメツ きえてなくなる。

【消耗】ショウモウ・ショウコウ ①へる。へってなくなる。「ショウモウ」は、誤読による慣用読み。②(使い)へらす。

【消憂】ショウユウ うれいをけす。気をはらす。うさはらし。

【消揺(搖)】ショウヨウ 同逍遥ショウヨウ。①ゆったりとさまよい歩くこと。②あちらこちらをながめ望むこと。

7 【浹】10画 6350 一ショウ(セフ) 葉 jiā 二ソウ(サフ) 合 zā 6221 9FB3 —

【浃】6307 俗字

字義 一❶あまねし。広くゆき渡る。❷とおる(徹)。❸うるおう(潤)。うるおす。❹=二。二めぐる(匝ソウ)。ひとめぐりする。十干が十日間にひとめぐりするのを「浹日ショウジツ」、十二支が十二日間にひとめぐりするのを「浹辰ショウシン」という。

解字 篆文 形声。氵(水)+夾音。音符の夾キョウ=ショウは、はさむの意味。水が物をさしはさむ、うるおすの意味を表す。

【浹洽】ショウコウ ①あまねく行き渡る。②あまねくうるおす。③やわらぎむつまじい。たがいにうちとける。浹和。

【浹旬】ショウジュン 十日間。一旬。

7 【涉】10画 (6428) ショウ 涉(6427)の旧字体。→八四〇ページ下。

7 【浸】10画 6351 常 シン ひたす・ひたる 3127 905A —

7 【浸】10画 6352 一シン 沁 jìn 二シン 侵 qīn

筆順 、 氵 氵 氵 浔 浔 浔 浸 浸

【濅】6734 本字 【寖】2685 同字

字義 一❶ひたる。ひたす。つける。つかる。ぬれる。沈む。「浸水」二❶しみこむ。にじむ。しみる。「浸透」❷おかす(侵)。❸洗う。そそぐ。❹進む。近づく。また、増す。❺やや。ようやく。次第に。

参考 現代表記では〔滲〕(6640)の書きかえに用いることがある。「滲透→浸透」

解字 篆文 形声。氵(水)+侵省音。音符の侵は、おかすの意味。水がしだいにおかす、ひたすの意味を表す。

【浸淫】①次第にしみこむ。段々に進む。②次第に親しみつく。③ひたりふける。[逆]沈浸
【浸△灌】水をそそぐこと。水をかけること。

【浸漬】①ひたす。つける。ひたりつかる。②教化・讒言などが次第にしみこむこと。

【浸潤】①次第にしみこむこと。②次第に侵し広まること。

【浸潤△之△譖】水が次第にしみこむように、徐々に食いこんでゆく讒言。[用例]〔論語、顔淵〕浸潤之譖、膚受之愬、不ㇾ行矣、可ㇾ謂ㇾ明也已矣。[↓]心にしみこむような悪口や、肌に切りつけるような非難にも惑わされないのは、賢明であるといえよう。

【浸食・浸△蝕】[同]侵食。①水が次第にしみこんで岩や土などを破壊すること。②人の領域を次第に侵すこと。

【浸水】水にひたる。水につかる。「浸水家屋」

【浸染】①ひたしそめる。②しみこみそまる。③次第に感化されること。

【浸漸】次第に進む。

【浸透】しみとおる。滲透。


7【涔】10画 6353 (漢)シン (呉)ジン [侵] cén　₁8677 — 3942
[字義]❶ひた-す。つける(漬)。❷たまり水。水たまり。❸雨。また、長雨で水が増す。❹涙や雨のおちるさま。

[解字]形声。氵(水)+岑(音)。

【涔雲】雨を降らせる雲。雨雲。

【涔△旱】長雨と、日照り。洪水と旱魃。

【涔涔】①雨の多いさま。②涙や汗などのさかんに流れ落ちるさま。③天気が曇って薄暗いさま。④苦しみつかれるさま。

7【⿰氵杉】10画 6354 シン　₂7855 — —
滲(6640)と同字。→八七五ページ上。

7【涗】10画 6355 セイ [霽] shuì　— — 3944
[字義]❶ぬるまゆ。微温湯。❷あく。灰をとかした水。❸したむ。酒をこす。❹すむ。清い。
[解字]篆文 形声。氵(水)+兌(音)。音符の兌は、ぬけおちるの意味。にごりがぬけおちた、エキス・エキスだけにする、したむの意味を表す。

7【浙】10画 6356 [標] (漢)セツ (呉)セチ [屑] zhè　6222 9FB4 —

[字義]❶川の名。→浙江。❷浙江省の略称。❸よなぐ。とぐ。米などをとぐ。

[解字]形声。氵(水)+折(音)。

【浙江】①川の名。浙江省を流れる大河。新安江・東陽江・信安江の合流した川で、屈曲が多いので浙江と名づけられた。曲江ともいう。下流は銭塘江と呼ばれ、杭州湾に注ぐ。②省名。中国南東部に位置し、東シナ海に面す。省内を流れる浙江により名づける。春秋時代の越の地。省都は杭州市。

【浙江潮】杭州湾の満潮時に、海水が銭塘江(浙江)を逆流し、江水と衝突して起こる大波。すばらしい眺めとして有名。特に陰暦九月九日頃がよいとされる。

【浙西】浙江省北西部の総称。↕浙東。

【浙東】浙江より東部。浙江省南東部の地の総称。↕浙西。

7【涎】10画 6357 [一](漢)セン・(呉)ゼン [先] xián [二]エン [霰] yàn　6223 9FB5 —
[字義][一]❶よだれ。「垂涎」❷ねばりけのある液。粘液。[二]洏涎は、水の流れるさま。
[参考]「垂涎」の読みは「スイゼン」が正しいが、俗に「スイエン」とも読む。→垂涎(三〇五ページ下)。
[解字]篆文 形声。氵(水)+延(音)。音符の延は、のびるの意味。のびる水、よだれの意味を表す。篆文は、会意で、欠+水。欠は、人が口をあけている形にかたどる。人の口からの水、よだれの意味を表す。

7【涑】10画 6358 [一]ソク [屋] sù [二]ソウ [宥]　₂7858 — 3940
[字義][一]❶すす-ぐ。足でふみもんで洗った後、手ですすぐ。❷川の名。→涑水①。[二]＝[一]❶。
[解字]篆文 形声。氵(水)+束(音)。音符の束は、漱に通じ、すすぐの意味。水を付し、洗いすすぐの意味を表す。
【涑水】①川の名。山西省南西部にあり、黄河にそそぐ。②山西省夏県の西方の地名。北宋の司馬光の郷里。

7【涕】10画 6359 (漢)テイ (呉)タイ [薺] [霽] tì　6224 9FB6 —

[字義]❶なみだ(涙)。↕泗(6236)。[用例]〔唐、柳宗元、捕ㇾ蛇者説〕蔣氏大戚、汪然出ㇾ涕曰、……。[↓]蔣氏はたいへん悲しみ、とめどもなく涙を流して言った、……。❷なく(泣)。涙を流して泣く。「泣涕」

[解字]篆文 形声。氵(水)+弟(音)。音符の弟は、次第にの意味。次第に流れおちる、なみだの意味を表す。

【涕△洟】＝涕泗。なみだを流して泣く。[用例]〔史記、刺客伝〕士皆垂ㇾ涙涕泣。[↓]男たちはみな涙を流して泣いた。

【涕泣】なくこと。

【涕△泗】なみだと鼻水。また、なみだ。▼泗は、鼻の中を通って出るなみだ。[用例]〔唐、杜甫、登ニ岳陽楼一詩〕戎馬関山北、憑ㇾ軒涕泗流。[↓]わがふるさと、関所のある山々の北では、今も戦争が行われている。楼のてすりに寄りかかりながら、涙がとめどもなく流れてやまない。

【涕涙】なみだ。

【涕△泠・涕零】なみだが落ちる。


7【涊】10画 6360 (漢)デン (呉)ネン [銑] niǎn　₂7856 — —

[字義]❶淟涊は、けがれる。あかでよごれる。❷涊然は、汗の出るさま。

[解字]形声。氵(水)+忍(音)。

7【涂】10画 6361 [一](漢)ト・(呉)ズ(ヅ) [虞] tú [二](漢)チョ (呉)ジョ(ヂョ) [魚] chú [三]ヤ [麻] yě　₁8674 — 3938
[涂] 810 同字
[字義][一]❶みち(道)。＝途(12111)。㋐道路。通路。㋑溝にそった道。㋒堂の下から門までの石だたみの道。❷わたる。通る。❸ぬる(塗)。壁などを塗りかざる。❹そこなう。❺涂涂は、露の多いさま。❻＝[二]❶。[二]❶川の名。→涂水。❷涂月は、十二月の別名。[三]❶涿涂は、山の名。❷涂吾は、川の名。
[解字]篆文 形声。氵(水)+余(音)。音符の余は、除草具の象形。除草具のような形のこてで壁土をぬるの意味を表す。また、途に通じて、みちの意味をも表す。
【涂水】川の名。安徽省から江蘇省に入って長江に注ぐ。

7【涛】10画 6362 トウ　3783 9393 —
濤(6771)の俗字。→八六五ページ下。

7【涜】10画 6363 トク　3834 93C0 —
瀆(6787)の俗字。→八八六ページ中。

7【涒】10画 6364 [一]トン [元] tūn [二]イン(ヰン) [真] yūn　— — 3941
[字義][一]❶は-く(吐)。もどす。❷大きい。❸涒灘は、十二支の申の別名。[二]水がめぐり流れる。
[解字]形声。氵(水)+君(音)。

7 【涅】10画 6365 標 漢デツ・呉ネチ 屑 niè 6226 9FB8 —
〔涅〕6366 俗字 慣ネ・ネツ

字義 ❶くろつち。水底にある黒土。❷黒色。黒い。❸くろむ。黒くなる(染まる)。また、くろめる。黒くする。黒く染める。❹しずむ。おぼれる。

解字 篆文 形声。氵(水)＋土＋日音。音符の日は、泥に通じ、どろの意味。水底にあるどろの意味を表す。

【涅歯(齒)】デッシ・ネッシ 歯を黒く染める。また、黒く染めた歯。

【涅△槃】ネハン 仏梵語ボン nirvāna の音訳。①煩悩ボンノウをほろぼしつくした解脱ゲダツの境地をいう。②死ぬこと。聖者、特に釈迦シャカの死をいう。入滅。入寂ニュウジャク。③＝涅槃会ネハンエ。

【涅△槃会(會)】ネハンエ 仏釈迦シャカが入滅した陰暦二月十五日に行う、釈迦のための法会ホウエ。

7 【涅】10画 6366 ネ 2 7860 — —
涅(6365)の俗字。→八四〇ページ上。

7 【泥】10画 6367 漢ビ 呉ミ 尾 wěi 1 8671 — —

字義 泥泥ビビは、水の盛んに流れるさま。

解字 形声。氵(水)＋尾音。

7 【浜】10画 6368 常 ヒン はま 4145 956C —
㊀14 〔濱〕17画 6369 漢 ヒン 真 bīn 6332 E05F —
㊁7 〔浜〕10画 漢ホウ(ハウ) 呉ヒョウ(ヒャウ) 庚 bāng

筆順 、 氵 氵 氵 氵 浐 浜 浜

㊀〔濱〕6774 俗字

字義 ㊀〔濱〕❶はま。みぎわ。なぎさ。水辺。水に沿った土地。「海浜」❷かぎり。はて。「率土之浜ソツドのヒン」❸そう(沿)。土地が河・海などに沿う。用例(日本外史)武田信玄たけだシンゲンの甲斐かいの国は、国不レ浜レ海くにうみにヒンせず。海に接していなかった。❹せまる(迫)。近づく。＝瀕(6808)。「浜死」

㊁〔浜〕舟をひき入れておく水溝。

名前 はま 難読 浜四津はまよつ

解字 ㊀〔濱〕形声。氵(水)＋賓音。音符の賓は、しわがよるの意味。波がしわのように寄ってくる、はまの意味を表す。常用漢字は略字の浜による。

㊁〔浜〕形声。氵(水)＋兵音。

逆 河浜・江浜・水浜

【浜(濱)海】ヒンカイ 海に沿っている所。海辺。沿海。

【浜(濱)涯】ヒンガイ 水のほとり。みぎわ。浜辺。岸。

【浜(濱)死】ヒンシ 死に近づく。死にかかる。瀕死ヒンシ。

【浜(濱)木綿】はまゆう(ふ) 国暖国の海浜に自生するヒガンバナ科の常緑多年生の草。一名、浜万年青はまおもと。

7 【浮】10画 6370 常 フ うく・うかれる・うかぶ・うかべる 4166 9582 —
7 〔浮〕10画 6371 漢フ 呉ブ 尤 fú

熟字訓 浮気うわき・浮わつく

筆順 、 氵 氵 氵 氵 浮 浮 浮 浮

字義 ❶うく。うかぶ。うかべる。㋐水面や空中にふわふわただよう。「浮揚」「浮上」↕沈(6199)。㋑船などに乗って水上を行く。❷うく。うわつく。㋐落ち着きがない。軽々しい。「浮薄」㋑はかない。根拠がない。定めない。「浮説」「浮世」❸うき。浮き袋・釣糸のうきなど。❹すぎる。まさる。❺軽いもの。❻行う。国❶うく。㋐心が身にそわぬ。うかれる。❷うかぶ。㋐気が引き立つ。陽気になる。㋑余りが出る。㋒出世する。㋑死者の霊が成仏する。㋒心の中に出て来る。

名前 ちか 難読 浮子あば・浮塵子うんか・浮腫むくみ・浮鞭うきぶち

解字 金文 篆文 形声。氵(水)＋孚音。音符の孚フは、乳児を抱きかかえるさまを表し、包にも通じ、つつみふくれるの意味を表す。

逆 軽浮・羅浮

【浮雲】フウン ①うき雲。空にうかんでいる雲。用例(唐、李白、送二友人一詩)浮雲遊子意フウンユウシのイ、落日故人情ラクジツコジンのジョウ。↓空に浮かぶ雲は、ゆくえ定めぬ旅人(である私)の心であり、沈みゆく夕日は、古くからの友人(である君)の(別れを惜しむ)心である。②はかなく、あてにならない物事のたとえ。③自分に何の関係もない物事のたとえ。→不義而富且貴、於レ我如二浮雲一フギにしてとみかつたっときは、われにおいてフウンのごとし(三八ページ下)。④人を迷わせる悪人のたとえ。浮雲が太陽の光をさえぎることからいう。⑤筆勢のきわめて自由なさまの形容。「浮雲驚竜」

【浮雲蔽二白日一】フウンハクジツをおお(ほ)う(ふ) 浮き雲が太陽をおおいかくす。(白日を夫の心にたとえて)夫の心に迷いの生じたことのたとえ。また、邪臣が君主の心をまどわすたとえ。用例(文選、古詩十九首、其一)浮雲蔽二白日一フウンハクジツを、遊子不レ顧レ返ユウシかえ(へ)るをおもわ(は)ず。↓浮き雲が太陽をおおい隠すように、あなたの心に何かの迷いが生じたためでしょうか、旅先のあなたは、私のもとに帰ろうともしてくれない。

【浮△漚】フオウ ①水面にうかぶあわ。うたかた。②はかないもののたとえ。

【浮華】フカ うわべばかり華美で実のないこと。

【浮客】フカク さすらいの旅人。

【浮気(氣)】フキ・うわ(は)き ㊀フキ 空にただよっている気。かげろうの類い。㊁うわ(は)き 軽はずみで移りやすい気持ち。移り気。㊂国(一人の異性だけでなく)他の異性に愛情が移りやすいこと。

【浮言】フゲン ㊀①根も葉もないことば(うわさ)。②真心のないことば。㊁うわ(は)ごと 国無意識にいうとりとめのないことば。

【浮誇】フコ ①てらいほこる。②はでで大げさなこと。③大げさにいうこと。ほらをふくこと。

【浮光】フコウ 水にうかんだ光。水面の反射光。水面にきらきらと映っている月や日の光。

【浮腫】フシュ はれむくむこと。むくみ。

【浮世】フセイ・うきよ ㊀フセイ 定めのない(はかない)この世の中。㊁うきよ 国他の語に冠して、現代的・当世風・好色などの意を表す。「浮世絵」

【浮生】フセイ はかない生命・人生。

【浮生若レ夢】フセイはゆめのごとし 定めない人生は、夢のようにはかなく短い。用例(唐、李白、春夜宴二桃李園一序)浮生若レ夢フセイはゆめのごとし、為レ歓幾何よろこびをなすこといくばくぞ。↓定まりのない人生というものは、夢のようにはかない。歓楽をなしたところでどれほどか(たいしたものではない)。

【浮説】フセツ ①根拠の薄弱な説。②根も葉もないうわさ。③真心のないいいかげんなことば。

【浮浅(淺)】フセン ①あさはかなこと。軽薄。②はかないこと。もろいこと。

【浮△躁】フソウ ①うかれさわぐ。②うわっ調子。落ち着きがないこと。

【浮沈】フチン ①うくこととしずむこと。ういたりしずんだり。②重いことと軽いこと。③栄えたりおとろえたりすること。栄枯。盛衰。④時勢の変化に合わせて主義・言動を変えてゆくこと。時勢におし流されること。

【浮図(圖)・浮△屠】フト 仏①梵語ボン Buddha の音訳。仏をいう。転じて、仏教や僧をいう。②卒塔婆ソトバ(梵語 stūpa の音訳)。寺の塔。転じて、寺。

【浮薄】フハク 軽薄。うすっぺら。㋐心が軽々しくてしっかりしていないこと。うわすべりで落ちつきがないこと。軽はずみ。浮気。「軽佻浮薄ケイチョウフハク」㋑人情が薄い。

【浮△萍】フヒョウ ①うき草。②よりどころがなく、落ち着かない

人のたとえ。

【浮漂】フヒョウ ①水上にうきただよう。②真実のないこと。根も葉もないこと。

【浮標】フヒョウ 航路標識の一つ。暗礁などを知らせるため、目印として船の航路にうかべておくもの。ブイ。

【浮浮】フフ ①気のさかんに立ちのぼるさま。②雨雪のさかんに降るさま。③霧などがたちこめて動くさま。④水のさかんなさま。⑤道行くさま。

【浮文】フブン うわべだけで、真実味のない文章。

【浮沫】フマツ ＝浮漚フオウ。

【浮民】フミン ①仕事をせずにぶらぶら遊んでいる民。②浮浪者。

【浮名】フメイ 一 実際の値打ちに過ぎた評判・名声・名誉。虚名。同憂名うきな。 国 ①実際とは異なる評判。②男女間の情事についての評判。

【浮游・浮遊】フユウ ①あちらこちらと歩きまわる。所定めず旅をする。②(職業がなくて)流浪する。③うかびただよう。④虫の名。蜉蝣フユウ。かげろう。

【浮梁】フリョウ ①舟を連ねて作った橋。うき橋。②地名。江西省景徳鎮市の北東。古くより、茶の産地として知られる。

【浮浪】フロウ ①さすらう。さまよう。流浪。②住所不定で諸所をさまようこと。③一定の職業がなくてぶらぶら遊んでいること。

7 【浼】 10画 6372 — — 3937

一 漢バイ・呉マイ 賄 měi
二 漢バン・呉マン 寒
三 漢ベン・呉メン 銑

【浼】 811 俗字

字義 一 二 ❶けがす。また、けがれる。❷＝三。 三 浼浼ベンベンは、水のさかんなさま。また、なめらかに流れるさま。

解字 篆文 形声。氵(水)＋免(免)音。音符の免は、子を産むの意味。お産のときの水で、けがすの意味を表す。

7 【浦】 10画 6373 常 うら 1726 8959 —

漢ホ・呉フ 麌 pǔ

筆順 丶 氵 氵 汀 汅 浉 浦 浦 浦 浦

字義 ❶うら。川や湖などのほとりの地。はま。岸。水辺。❷支流が本流に、川が海に注ぐ所。 国 うら。海や湖などの陸地に入り込んでいる所。入り江。

名前 うら・ら 難読 浦塩斯徳ウラジオストク・浦回うらみ・浦曲うらわ

解字 篆文 形声。氵(水)＋甫音。音符の甫ホは、しきひろがるの意味。ひろがる水、うらの意味を表す。

【浦安国(國)】うらやすのくに 国 大和やまとの国、また日本の国の美称。心安らかな安泰の国の意。

【浦鷗】ホオウ 海辺に浮かぶかもめ。

【浦漵】ホジョ うら。うらべ。海辺。海岸。▼漵も、浦。

7 【浡】 10画 6374 慣ボツ 漢ホツ・呉ボチ 月 bó — — 3932

字義 ❶おこる(興・起)。さかんに起こる。❷わく(涌ヨウ)。水がわく。 難読 浡泥ボルネオ

解字 形声。氵(水)＋孛音。音符の孛ボツは、急にさかんになるの意味。水が盛んにわくの意味を表す。

【浡然】ボツゼン さかんなさま。さかんに興るさま。浡焉ボツエン。勃然。

7 【浥】 10画 6375 漢ユウ(イフ)・呉オウ(オフ) 緝 yì 8672 — 3933

字義 ❶うるおう(潤・湿)。うるおす。 用例 (唐、王維、送元二使安西詩)渭城朝雨浥軽塵イジョウのチョウウケイジンをうるおす、客舎青青柳色新カクシャセイセイリュウショクあらたなり。↓渭城に降った朝の雨が軽い土ぼこりをしめらせ、旅館の周囲は青々とした柳の新緑があざやかである。❷ひたる(浸)。つかる(漬)。

解字 篆文 形声。氵(水)＋邑音。湿に通じ、しめるの意味を表す。

【浥浥】ユウユウ ①露にぬれているさま。②香りがかすかにただよい流れるさま。

7 【浟】 10画 6376 一 漢ユウ(イウ)・呉ユ 尤 yóu 二 漢テキ・呉チャク 錫 dí — — 3931

字義 一 浟浟ユウユウは、水の流れるさま。 二 浟浟テキテキは、利益をむさぼるさま。

解字 形声。氵(水)＋攸音。

7 【涌】 10画 6377 標 漢ヨウ・呉ユウ 腫 yǒng 4516 974F —

字義 ❶わく。＝湧(6546)。㋐水がわき出る。「涌出」㋑わき上がる。ふき出る。❷あふれる。❸現れ出る。 難読 涌谷わくや

解字 篆文 形声。氵(水)＋甬音。音符の甬ヨウは、用に通じ、もちあげるの意味。水がもちあがる、わくの意味を表す。

【涌溢】ヨウイツ 水がわきあふれる。

【涌出】ユウシュツ・ヨウシュツ 水がわき出る。わく。湧出ユウシュツ。

【涌泉】ヨウセン ①わき出る泉。噴泉。②考えなどのさかんにわきおこるたとえ。③人体経穴ケイケツ(鍼はりをうち、灸キュウをすえる場所)の名。足の裏のくぼんだ所。土ふまず。

7 【浴】 10画 6378 教 4 ヨク あ-びる・あ-びせる 熟字訓 浴衣ゆかた 4565 9781 —

ヨク 沃 yù

筆順 丶 氵 氵 氵 汃 浴 浴 浴 浴 浴

字義 ❶あびる。㋐湯あみする。お湯をそそいで身体を洗う。↔沐(6217)。 用例 (楚辞、漁父)新沐者必弾冠、新浴者必振衣あらたにモクするものはかならずかんむりをはじき、あらたにヨクするものはかならずころもをふるう(ふ)。↓髪を洗い立ての者は、(その髪が汚れるのをきらって)必ずちりを指ではじき落としてから冠をかぶり、湯浴みしたての者は、(その体が汚れるのをきらって)必ず衣をふるってほこりを払ってから着物を着る。㋑こうむる。身に受ける。「日光浴」❷あびせる。湯や水をかける。❸湯あみ。

名前 あみ

解字 篆文 形声。氵(水)＋谷音。音符の谷ヨクは、低くくぼんでいるたらいの意味。たらいに水を注いであびるの意味を表す。

【浴恩】ヨクオン 恩に浴す。恩を受ける。恩義をこうむる。

【浴沂之楽(樂)】ヨクキのたのしみ 門人を供につれて郊外に遊ぶ楽しみ。また、名利を忘れて自適する楽しみ。▼浴沂は、沂水で体を洗う、沂は川の名。『論語』先進編に「浴二乎沂一、風二乎舞雩一、詠而帰エイじてかえらん」とあるのに基づく。

【浴日】ヨクジツ 日光をあびる。日光に照らされる。

【浴槽】ヨクソウ 入浴に用いる湯ぶね。ふろおけ。

【浴殿】ヨクデン ①宮中の浴室。浴堂殿。②湯殿ゆどの。ふろば。ふろばの建物。浴室。

【浴仏(佛)日】ヨクブツニチ 仏 陰暦四月八日。釈迦シャカの誕生日。この日、釈迦の像に甘茶をかける。灌仏カンブツ。

7 【浬】 10画 6379 人 リ 支 lǐ 1929 8A5C —

筆順 丶 氵 氵 汩 汩 浬 浬 浬 浬 浬

字義 かいり(海里)。海上の距離の単位。一浬は、一八五二メートル。 国 ノット(knot)。船の速度の慣用単位。一時間に一海里の速度を一ノットという。節ノット。

解字 形声。氵(水)＋里音。

7 【涖】 10画 6380 リ — EDE1 3943

莅(10009)と同字。→一三三五ページ中。

7 【流】 10画 6381 教 3 リュウ・ル なが-れる・なが-す 4614 97AC —

漢リュウ(リウ)・呉ル 尤 liú

筆順 流

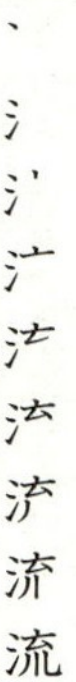

[流]6327本字 [㳅]6219古字

字義 ❶ながれる。ながる。㋐水などがながれる。用例〔易経、習坎〕水流而不レ盈。↓水は流れ満ちあふれるまでやむことがない。㋑水などの上を流れる。ただよう。用例〔詩経、小雅、小弁〕譬二彼舟流一、不レ知レ所レ届。↓舟が流れを漂うかのように、何処に行き着くか分からない。㋒さまよう。あてもなく歩く。用例〔列女伝、明徳馬后〕今水旱連レ年、民流満レ道。↓いま洪水と日照りの災害が毎年続き、人民はさまよい道にあふれている。㋓すらすらとゆく。なめらか。「流麗」㋔広まる。ゆきわたる。伝わる。用例〔東晋、陶潜、晋故西征大将軍長史孟府君伝〕名冠二州里一、声流二京邑一。↓君の名声は州内随一であり、都にまで伝わった。㋕移りゆく。おもむく。時がたつ。用例〔東晋、陶潜、飲酒詩〕冉冉星気流、亭亭復一紀。↓年月は移り、はやくも十二年が過ぎた。㋖形を成さずに終わる。「流産」「流会」㋗それる。「流矢」㋘度を越す。ふける。ほしいままにする。用例〔抱朴子、君道〕流二声色一而忘二庶事一。↓美人に心を奪われて政務を忘れる。❷ながす。㋐水などをながす。㋑水などの上をながす。「流觴曲水」㋒広める。伝える。用例〔三国志、魏志、文徳郭皇后伝〕並以二賢明一、流二芳上世一。↓ともに賢明であったことにより、上古の時代にかんばしい名声を広めた。㋓罰として遠地に追いやる。用例〔書経、舜典〕流二共工于幽州一。↓共工を北の果ての幽州に追いやった。㋔移す。用例〔東晋、陶潜、和二胡西曹一示二顧賊曹一詩〕流レ目視二西園一、曄曄栄二紫葵一。↓庭の西側に視線を移すと、そこには紫葵の花が輝くばかりに咲きほこっている。㋕なくす。用例〔漢書、高后紀〕江水・漢水溢、流二民四千余家一。↓江水・漢水が氾濫し、民家四千余戸をうしなった。❸ながれ。㋐川。「激流」㋑川のようなながれ。「気流」㋒系統。血統。階級。用例〔漢書、芸文志〕道家者流、蓋出二於史官一。↓道家の系統は、史官より出たものと思われる。❹なかま。㋐やから。人々。「流輩」㋑たぐい(類)。同類。㋒しな。品等。階級。「第一流」❺もとめる(求)。選び取る。用例〔詩経、周南、関雎〕参差荇菜、左右流レ之。↓高く低くしげる沼のあさざを、左に右に求め取る。❻根拠がない。たしかでない。「流言」「流説」❼辺地。殷代は都から千五百里～二千五百里の地。周代は三千五百里～五千里。❽㊫煩悩のために三界をめぐり迷うこと。

国❶ながす。㋐芸人・物売りなどが歩きながら客を求める。㋑心にとめないようにする。㋒質草を期限になっても受け取りに行かず、所有権を放棄する。㋓そのままやめにする。㋔無効にする。❷リュウ。旗・幕などを数える語。

名前 いたる・しく・とも・はる 難読 流行・流連

解字 篆文  会意。水と㐬(子が羊水と共に急に生まれ出るさまの字。ながれる意)との合字。原義は、水がながれゆくこと。

逆 亜流・一流・回流・海流・下流・我流・寒流・貫流・逆流・渓流・原流・源流・交流・合流・周流・主流・上流・女流・支流・時流・清流・川流・濁流・他流・暖流・中流・潮流・底流・配流・漂流・飛流・風流・奔流・末流・名流

【流亜(亞)】リュウア 肩をならべるほどの人物。同じ流派・系統をついだ人。亜流。▼流はなかま・同類、亜は次ぐ者。

【流域】リュウイキ 国川の流れにそった地域。

【流英】リュウエイ 風に飛ぶ花びら。落花。

【流△裔】リュウエイ 子孫。末流。末裔。

【流△鶯】リュウオウ 枝から枝へ飛び移って鳴くうぐいす。

【流火】リュウカ ①陰暦七月の夕ぐれに西の空に低く見える大火(心星)。②陰暦七月の別名。

【流△霞】リュウカ ①たなびく夕焼け雲。②仙人の飲む酒の名。流霞酒。

【流汗】リュウカン ①流れ落ちるあせ。「流汗淋漓」②恥じたり苦しんだりして、汗をかく。

【流観(觀)】リュウカン 見渡す。あちらこちらとながめる。

【流儀】リュウギ ①学問・技芸などで、その一派の特別の型・方法。②物事のやり方(方法)。

【流金△鑠石】リュウキンシャクセキ 金石を溶かし流す。非常な暑熱の形容。

【流金焦土】リュウキンショウド 金を溶かし流し、大地をこがす。非常な暑熱の形容。

【流△寓】リュウグウ 流浪して他郷に一時身を寄せること。

【流刑】リュウケイ・ルケイ 遠く離れた土地に追放する刑罰。島流し。流罪。

【流形】リュウケイ ①形を敷く。色々な形をして現れる。万物がこの世に現れ出るなどにいう。②単に物を生ずること。③万物。森羅万象。

【流景】リュウケイ ①流れ来る(照り輝く)日光。②落日の光。

【流憩】リュウケイ あちらこちら歩きまわったり、立ちどまって休息したりすること。用例〔東晋、陶潜、帰去来辞〕策扶レ老以流憩、時矯レ首而游観。↓老いたわが身をつえで支えて歩きまわっては、自由に休み、ときおり顔を上げて景色を眺める。

【流血】リュウケツ 血を流す。また、その血。

【流血成レ川】リュウケツかわをなす 血が川となって流れる。死傷者の多いたとえ。〔戦国策、秦〕

【流血漂レ△杵】リュウケツきねをただよわす 戦いで死傷者が多く、流れる血がきねのような重い物までおし流す。▼杵はきね、一説に、鹵で、楯という。〔書経、武成〕

【流言】リュウゲン ①根も葉もないうわさ。用例〔詩経、大雅、蕩〕流言以対、寇攘式内。↓いつわりのことばにこたえ、盗人のような家臣を重用する。②言いふらす。

【流言飛語・流言△蜚語】リュウゲンヒゴ ＝流言①。▼蜚は、飛。

【流光】リュウコウ ①流れ(もれ)出る光。②水流につれてゆれる月光。波に砕ける月光。用例〔北宋、蘇軾、前赤壁賦〕桂櫂兮蘭槳、撃二空明一兮泝二流光一。↓美しいさおやかいをあやつって、水に映る月影にさおさして、光り輝く流れをさかのぼる。③移り行く光陰。過ぎ行くとき(時間)。④祖先の残したおかげ(恩徳)。⑤光を流す。⑥恩徳や感化を広く及ぼす。

【流行】リュウコウ ①広く行き渡る。②広がる。③はやる。④国新しい境地へと絶えず進むこと。↔不易(二八ジペー中)。

【流荒】リュウコウ 遠い土地。辺境の地。▼荒も、辺地。

【流黄】リュウコウ ①玉虫色の絹布。②玉虫色の玉。③硫黄。→硫(8191)。

【流恨】リュウコン いつまでもつきないうらみや悲しみ。

【流沙】リュウサ ①中国北西部の砂漠地帯。▼沙は、砂。②砂漠。

【流罪】リュウザイ・ルザイ ＝流刑。

【流△竄】リュウザン・ルザン ①流刑に処せられること。②遠地へのがれかくれる。

【流矢】リュウシ ①飛び来る(行く)矢。②それ矢。流れ矢。

【流△觴曲水】リュウショウキョクスイ 陰暦三月三日、屈曲した水流に杯を流し、自分の所に杯の来ないうちに詩を作り合った故事。東晋の王羲之が蘭亭に文人を集めて行ったのに始まる。▼觴は、さかずき。用例（東晋、王羲之、蘭亭序）引以為二流レ觴曲水一（ひきてもってりゅうしょうきょくすいとなす）。⇩（川の水を）引き杯を浮かべて流す曲水を作る。

【流人】一（リュウジン）他郷にさすらう人。流浪している人。二（ルニン）・流刑に処せられている人。

【流声（聲）】（リュウセイ）①世に伝わっている評判。▼声は、名声・声誉。②声を流す。名声を広める。評判になる。

【流星】（リュウセイ）①流れ星。②昔の名剣の名。③すみやかな動作の形容。④のろし・花火などの光のたとえ。

【流星光底】（リュウセイコウテイ）振りあげた名刀の下。用例（頼山陽、題二不識庵撃一機山一図上詩）遺恨十年磨二一剣一（いこんなりじゅうねんいっけんをみがき）、流星光底逸二長蛇一（りゅうせいこうていちょうだをいっす）。⇩（謙信が）恨みに思うのは、十年剣を磨いて準備したものを、振り上げた名刀の下、一瞬のうちに大きな獲物（である信玄）を取り逃したことだ。

【流石】一（リュウセキ）①流れる石。②石をとかし流す。二（さすが）国①そうはいう（思う）ものの。そうではあるが。②すぐれたものであるだけあって。有名であるだけあって。なんといってもやはり。「枕レ流漱レ石（ながれにまくらしいしにくちすすぐ）」の故事から出た語。

【流説】（リュウセツ・ルセツ）＝流言。「流言流説」

【流▵歠】（リュウセツ）流しこみすする。流し飲みする。

【流▵涎】（リュウセン）①よだれ。②よだれを流す。③非常にうらやましがる。また、ほしがること。

【流▵蘇】（リュウソ）五色の糸や羽で作ったふさ。車馬や旗・幕などにつける。

【流霜】（リュウソウ）空中を流れる霜。

【流俗】（リュウゾク）①世の中の悪いならわし。②俗世間。世の中。③世俗の人。世人。

【流賊】（リュウゾク）あちらこちら渡り歩いて悪事を働く人。

【流滞（滯）】（リュウタイ）流れることと、とどこおること。流れたりとまったりする。

【流▵謫】（リュウタク・ルタク）国＝流刑。▼謫は、責める・罰する。

【流▵暢】（リュウチョウ）言語・文章などの、すらすらとしてとどこおらないこと。なだらか。

【流▵涕】（リュウテイ）涙を流す。また、流れる涙。用例（韓非子、五蠹）聞二死刑之報一（しけいのほうをききて）、君為流涕（きみためにりゅうていす）。⇩死刑の知らせを聞くと、君主はそのために涙を流した。

【流▵鏑馬】（やぶさめ）国古来の武道の一つ。騎射の一種。馬に乗って走らせながら鏑矢（かぶらや）で的を射るもの。

【流転（轉）】（リュウテン・ルテン）①ぐるぐるめぐること。②次から次へとめぐり移る（歩く）こと。③絶え間なく変化すること。「生死流転（ショウジルテン）」

【流伝（傳）】（リュウデン・ルデン）世に（後世にまで）広く伝わること。また、その伝わったもの。

【流電】（リュウデン）①いなずま。②きわめて速いもののたとえ。

【流動】（リュウドウ）①流れ動く。②動き変わる。

【流波】（リュウハ）①流水。②流し目で見る。思いをこめて見る。秋波。③恩恵の続いてやまないこと。

【流派】（リュウハ）①分かれ流れる。②分かれ。支流。㋐分かれ流れている水流（川）。㋑分かれて一派を成しているもの。主義や方法の違いによって分かれた、それぞれのグループ。

【流杯・流▵盃】（リュウハイ）さかずきを流す。流觴（リュウショウ）。→流觴曲水。

【流配】（リュウハイ・ルハイ）①流刑に処すること。②流刑に処せられた人。

【流輩】（リュウハイ）同じ組の人々。なかま。多くの人々。

【流▵萍】（リュウヒョウ）①流れただよう浮き草。②はかないもののたとえ。

【流漂】（リュウヒョウ）①流れただよう。また、ただよわす。②さすらう。

【流布】一（リュウフ・ルフ）広まる。行き渡る。二（ルフ）国世上に広く存在していること。

【流布本】（ルフボン）国同一の原本から出た諸本のうち、最も広く世間一般に用いられている本。

【流風】（リュウフウ）①後世に伝わり残っている美風。遺風。↕流弊。②流れて来る音楽。

【流聞】（リュウブン）うわさが広く伝わる。また、そのうわさ。

【流弊】（リュウヘイ）前から伝わって来た弊害・悪風。↕流風。

【流▵眄】（リュウベン）流し目。また、流し目に見る。ひとみだけななめに動かして見る。流盼（リュウハン）。

【流芳】（リュウホウ）①芳名を世に広める。また、後世に伝える。②世の中（後世）に伝えられた名声。

【流亡】（リュウボウ・ルボウ）①にげて他郷へ行くこと。②流浪する。さすらう。

【流▵氓】（リュウボウ）①＝流民。②無頼漢。

【流民】（リュウミン・ルミン）居所を失い（一定の居所をもたない）諸方をさすらい歩く人々。

【流目】一（リュウモク）目をあちらこちらと移して見ること。見まわす。二（ながしめ）国顔を向けずに、視線だけを向けて見ること。また、その目つき。

【流用】（リュウヨウ）国決まった使い道以外のことに使用する。他の使途に転用する。

【流落】（リュウラク）①落ちぶれて流浪すること。流浪落魄（ルロウラクハク）。②落ちぶれる。零落。

【流覧（覽）】（リュウラン）①諸方をめぐり歩いて見ること。周流観覧。②広く目を通す。③簡単に目を通す。

【流離】（リュウリ）①居所を失って諸所をさまようこと。さすらう。流浪。②滴り落ちるさま。③鳥の名。ふくろう。④宝石の名。琉璃（リュウリ・ルリ）。

【流麗】（リュウレイ）のびのびとして美しいこと。なだらかで美しく品のあること。詩文・書法などにいう。用例（唐、元稹、唐故工部員外郎杜君墓係銘）掩二顔謝之孤高一（がんしゃのここうをおおい）、雑二徐庾之流麗一（じょゆのりゅうれいをまじう）。⇩（杜甫の詩は）顔延之、謝霊運の傑出した気高さをしのぎ、徐陵、庾信のなめらかで華麗な要素を持っている。

【流連】（リュウレン）遊楽にふけって家に帰るのを忘れること。居つづけ。「流連荒亡」も同意。〔孟子、梁恵王下〕

【流露】（リュウロ）①草の上のつゆ。②奥底まで表し示すこと。③表れ見える。

【流浪】（ルロウ・リュウロウ）流れただよう。あてどもなくさすらう。

【▵汲レ流】（ながれをくむ）①水流をくむ。②国ある人、または流派などの流儀を学ぶ（あとを受け継ぐ）こと。

【枕レ流▵漱レ石】（ながれにまくらし いしにくちすすぐ）負け惜しみの強いこと。ひどいこじつけ。晋の孫楚が山林にかくれ住もうと思い、「石に枕し流れに漱がん」というべきを、誤って「流れに枕し石に漱ぐ」といったのを王済にとがめられたときに、「流れに枕するのは耳を洗う（俗世のけがれを洗い去る）ためであり、石に漱ぐのは歯をみがくためである」と答えた故事による。枕流漱石（チンリュウソウセキ）。〔晋書、孫楚伝〕

【乱（亂）レ流】（ながれをわたる）水流を横ぎって渡る。

7 【涙】 10画 6382 常 ルイ なみだ 4662 97DC

8 【淚】 11画 6383 人 一ルイ 寘 lèi 二漢レイ・呉ライ 霽 8683

筆順 丶 氵 氵 氵 沪 沪 沪 涙 涙 涙

【泪】6274 同字

字義 一❶なみだ。「感涙」❷なみだする。涙を流す。泣く。❸たれる。したたる。二❶早く流れるさま。❷凄涙（セイレイ）は、さむざむとしたさま。

国なみだ。なさけ。人情。思いやり。

解字 形声。氵（水）＋戾（戻）音。音符の戾は、黎レに通じ、すきまなくつらなるの意味。ときれずにつらなる、なみだの意味を表す。

逆 暗涙・感涙・血涙・紅涙・熱涙・落涙

【涙河】（ルイカ）涙が川のようにさかんに流れるさま。

【涙痕】（ルイコン）涙の流れた跡。落ちた涙の跡。用例（唐、杜甫、月夜詩)何時倚ニ虚幌一、双照涙痕乾。↓いったい、いつになったら、人けのない寝室のとばりに寄り添って、二人で月の光に照らされながら涙のあとを乾かすことができるのであろうか。

【飲レ涙】①悲しくあきらめるさま。②くやしいさま。残念なさま。

【揮レ涙斬二馬△謖一】＝泣斬二馬謖一(八三〇ページ中)。法やおきてを守るためには、私情をおさえ、愛するものをも犠牲にするたとえ。

7【浰】10画 6384 レン 霰 liàn 27853 — 3936

字義 ❶水が速く流れるさま。❷はやい(疾)。

解字 会意。氵(水)＋利。

7【浪】10画 6385 常 ロウ 4718 9851 —

㊀ロウ(ラウ) 漾 làng ㊁ロウ(ラウ) 陽 láng ㊂ラン 翰

筆順 丶 氵 氵 … 浪 浪

字義 ㊀❶なみ。㋐大波。大きな波は浪、小さな波は波という。㋑波の総称。❷なみだつ。波が起こる。❸起こる。きざす。また、動かす。❹さまよう。さすらう。「流浪」「放浪」❺しまりがない。ほしいまま。気まま。でたらめ。「浪費」❻みだりに。むやみに。やたらに。㊁→浪浪。㊂孟浪は、おろそかな。また、とりとめのないさま。

名前 なみ 難読 浪越・浪花節・浪華・浪逆浦・浪速・浪曼・浪漫

解字 篆文 形声。氵(水)＋良音。音符の良は、うねるなみを表す擬態語。水を付し、なみの意味を表す。

逆 逆浪・濁浪・波浪・浮浪・放浪・奔浪・流浪

【浪花】㊀波のしぶき。白い波がしら。波の花。㊁国大阪。また、摂津の国(今の大阪府・兵庫県の一部)の古名。浪華。難波。

【浪語】むだばなし。

【浪士】①官職がなく、流浪している人。②心の定まらない人。③国主家を去り俸禄を失った武士。

【浪死】むだ死に。犬死に。徒死。

【浪跡・浪△迹】①目当てもなく歩くこと。さまよう。②跡をくらます。

【浪人】①居所の定まらない(流浪している)人。②官職がなく流浪している人。浪士。③国㋐故郷を離れて他国に流浪している農民。浮浪人。鎌倉時代ころまでの用語。㋑主家を去り俸禄を失った武士。浪士。室町時代以後の用語。もと「牢人」と書いた。㋒一定の職業のない人。主として俸給を得て従事する職業関係についていう。㋓入学試験に不合格となって学籍をもたぬ人。

【浪費】むだづかい。金品をむだに使うこと。

【浪△孟】失意のさま。また、とりとめのないさま。孟浪。

【浪遊・浪△游】ぶらぶらと遊びくらす。

【浪浪】①涙のさかんに流れるさま。②雨の降り続くさま。③足のよろめくさま。蹌浪。④さまよい歩くさま。⑤流れるさま。⑥寄るべ(たよる所)のないさま。⑦国落ちぶれたさま。「浪浪の身」

8【淯】11画 6386 イク 屋 yù — — 3966

字義 ❶川の名。今の白河。河南省内を流れる川。❷育てる。

解字 形声。氵(水)＋育音。

8【淫】11画 6387 常 イン みだ-ら 1692 88FA —

イン 侵 yín

筆順 丶 氵 氵 … 淫 淫

［淫］6388 俗字

字義 ❶度を越す。度はずれ。深入りする。熱中し過ぎる。おぼれる。「淫雨」❷みだ-ら。㋐男女関係の不純・過度なこと。「淫蕩」「姦淫」㋑よこしま。道にはずれている。㋒だらしがない。ふしだら。❸みだす。みだれる。まどわす。おかす(犯)。❹みだ-りに。むやみに。❺うるおす。ひたす。また、うるおう。あふれる。❻とどまる。❼はなはだしい。大きい。❽あそぶ。遊ばせる。

解字 篆文 形声。氵(水)＋㸒音。音符の㸒は爪＋壬で、手をさし出し、進み出て求めるさまから、過度・はなはだしいの意味を表し、降りすぎの雨の意味から、ひたす・ふけるの意味を表す。

【淫△佚・淫△泆・淫逸】①なまけて遊びにふけること。放蕩。②男女間のみだらな交わりを行うこと。また、みだらな交わり。③乱れくずれる。乱れる。くずれる。

【淫淫】①涙や水のさかんに流れ下るさま。②増してゆくさま。③遠く去るさま。④往来するさま。

【淫雨】何日も降り続く雨。長雨。

【淫楽(樂)】㊀下品な(みだらな)音楽。淫声。㊁度を越した(みだらな)楽しみ。

【淫虐】みだらでむごいこと。道にはずれた、むごたらしい行い。

【淫△驕】ほしいままでおごりたかぶる。わがままかって。

【淫行】みだらなおこない。不品行。

【淫荒】正道を離れた行い。特に、酒色にふけることをいう。

【淫志】①心をみだらにする。みだらな心をおこす。②みだらな気持ち。

【淫△祀】いかがわしい(祭るべからざる)神を祭ること。

【淫△祠】いかがわしい神を祭った社。

【淫辞(辭)】①かざりが多く真実がないことば。②道理にはずれたことば。邪説。③人をまどわすようなことば。

【淫酒】酒にふけること。

【淫声(聲)】①さわがしい音楽。②正しくない音楽。下品な音楽。また、みだらな音楽。

【淫△殆】正道をはずれていること。ふしだらで危ういこと。淫乱危殆。

【淫△蕩】酒色などにふけって身持ちのよくないこと。特に、男女関係のだらしのないこと。▼蕩は、ほしいまま。

【淫△靡】①過度のおごりやぜいたく。②みだらなこと。

【淫奔】①正式の結婚をしないで私通すること。勝手に男性または女性のもとへ行くこと。▼奔は、はしる。②国性的にだらしのないこと。淫乱。

【淫△湎】酒色にふけり、気持ちがすさむ。

【淫欲・淫△慾】異性に対するみだらな欲望。男女間の性的欲望。情欲。

【淫乱(亂)】①規則を守らず過度にはしり、道にはずれた行いをすること。また、その行為。用例(荀子、性悪)淫乱生而礼義文理亡焉。↓度を過ごした行為が生じて、礼・義や秩序がなくなってしまう。②酒色におぼれ、遊びなまけること。③色を好み、みだらな行いをすること。

【淫△猥】みだらなこと。

8【淫】11画 6388 イン 淫(6387)の俗字。→八四四ページ中。

8【渶】11画 6389 漢エイ 呉ヨウ(ヤウ) 庚 yīng 27877 — 3977

字義 川の名。

解字 形声。氵(水)＋英音。

8【液】11画 6390 教5 エキ 1753 8974 —

㊀漢エキ・呉ヤク 陌 yè
㊁漢セキ・呉シャク 陌 shì

筆順 氵 氵 氵 汸 汸 汸 液 液 液

字義 一 ❶しる(汁)。物の内部から出るしる。「液汁」 ❷水のたぐい。液体。「血液」 ❸わき。両わき。＝掖(4215)。 二 ❶ひたす(浸)。つける(漬)。うるおす(潤)。 ❷とけ散る。

解字 篆文 形声。氵(水)＋夜(音)。音符の夜は、繹に通じ、次々に続くの意味。糸を引くようにつながる水、しるの意味を表す。

逆 津液・太液・粘液・鼻液

【液体(體)】一定の体積は有するが、きまった形をもたない流動性の物質。また、その状態。↔気体(八〇三ページ下)。

8 【涴】 11画 6391 一 漢エン(ヱン) 阮 wǎn 二 漢カ(クヮ)・呉ワ 箇 wò 27867 — 3948

字義 一 涴演は、水がめぐり曲がって流れるさま。 二 けがれる。よごれる。泥がつく。＝汚(6152)。

解字 形声。氵(水)＋宛(音)。

8 【渊】 11画 6392 エン 淵(6477)の俗字。→八五五ページ下。 6229 9FBB —

8 【渕】 11画 6393 エン 淵(6477)の俗字。→八五五ページ下。 6228 9FBA —

8 【淹】 11画 6394 エン 塩 yān 6227 9FB9 —

字義 ❶ひたす(浸)。つける(漬)。 ❷久しい。おそい。 ❸とどまる。久しくとどまる。とどこおる。 ❹やぶれる。決壊する。 ❺ひろい(広)。 国いれる。茶をいれる。

解字 篆文 形声。氵(水)＋奄(音)。音符の奄は、おおうの意味。物を水でおおう、ひたすの意味を表す。

【淹淹】気力のないさま。「気息淹淹」

【淹雅】学問が広く、人柄が上品なこと。淹博高雅。

【淹該】広く通じている。淹博。▼該は、かねる・そなわる。

【淹久】久しくとどまる。

【淹究】ひろく極める。

【淹月】一か月にわたる。

【淹歳】①久しい年月。②一年にわたる。

【淹数(數)】おそいことと速いこと。遅速。淹速。▼淹はおそいこと、数は速いこと。

【淹宿】一夜を経る。一夜を過ごす。よいごし。

【淹恤】久しい間他郷に留まって心配すること。▼淹は留、恤は憂。

【淹速】＝淹数。

【淹滞(滯)】①とどまる。久しくとどまる。②下位にとどまっていること。低い地位にとどまって出世しない。また、その人。

【淹遅(遲)】おそいこと。ゆっくり。

【淹通】広く通ずる。博通。淹貫。

【淹博】ひろい。身につけた学問などの広いこと。淹該。

【淹留】①＝淹滞①。②＝淹滞②。用例〔人虎伝〕宦途不レ致ニ淹留一乎。 ↓官途も順調だっただろうか。

8 【淤】 11画 6395 漢ヨ 呉オ(ヲ) 魚 御 yū 6243 9FC9 —

字義 ❶どろ(泥)。おり。かす。水などの底に沈殿したおり。 ❷す(洲)。しま。泥砂が積もってできた洲。 ❸とどこおる。ふさがる。 ❹あきる。あきたりる。

解字 篆文 形声。氵(水)＋於(音)。音符の於は、歍に通じ、胸がつまってはき気をもよおすの意味。たまったどろの意味を表す。 難読 淤能碁呂島

【淤閼】どろがふさがりたまる。どろでふさがる。淤塞。

【淤泥】どろ。ぬかるみ。

8 【淴】 11画 6396 漢オツ(ヲツ) 呉オチ(ヲチ) 月 hū — — 3968

字義 水のわき出る音。また、水の流れが速いさま。

解字 形声。氵(水)＋忽(音)。

8 【渮】 11画 6397 カ 歌 hé 6249 9FCF —

字義 川の名。→渮水。

解字 形声。氵(水)＋苛(音)。

【渮水】川の名。古代の済水の支流で、山東省にあった。

8 【涹】 11画 6398 漢カ(クヮ) 呉ワ 歌 wō — — 3950

字義 ❶にごる。 ❷ひたす。 ❸山名。 ❹水の集まる所。

解字 形声。氵(水)＋委(音)。

8 【涯】 11画 6399 常 ガイ 漢ガイ・呉ゲ 佳 yá 1922 8A55 —

【漄】 6619 同字

筆順 丶 丶 氵 汇 沪 沪 沪 涯 涯

字義 ❶みぎわ。水際。岸。 ❷はて。きわみ。かぎり。「天涯」「生涯」 ❸あたり。一方。

解字 篆文 形声。氵(水)＋厓(音)。音符の厓は、がけの意味。がけと水との接点、水ぎわの意味を表し、転じて、果ての意味を表す。

逆 境涯・際涯・生涯・水涯・天涯

【涯岸】①みぎわ。岸。②果て。かぎり。

【涯際】＝涯岸。

【涯涘】はて。限度。▼涘は、みぎわ。

【涯分】身分相応の境遇。分際。

8 【渇】 11画 6400 常 カツ かわく 1973 8A89 —

9 【渴】 12画 6401 人 一 漢カツ・呉カチ 曷 kě 二 漢ケツ・呉ゲチ 屑 jié 18688 — —

筆順 氵 氵 氵 沪 沪 沪 渇 渇 渇

字義 一 ❶かわく。㋐のどがかわく。用例〔荘子、馬蹄〕飢レ之渇レ之、馳レ之驟レ之、整レ之斉レ之。↓馬を空腹にさせたり喉を渇かせたり、駆けまわらせたり急に勢いをつけて飛びださせたり、きちんと整列させたりする。㋑のどがかわいて水をほしがるように切望する。強く希望する。「渇望」 ❷かわき。のどがかわくこと。 二 かれる。水がかれる。水がなくなる。「枯渇」

使いわけ かわく〔乾・渇〕⇨乾(108)。

解字 篆文 形声。氵(水)＋曷(曷)(音)。音符の曷は、割に通じ、たちきるの意味。水がつきる、かわくの意味を表す。

逆 飢渇・苦渇・枯渇・酒渇・消渇

【渇愛】非常に愛する。また、好む。

【渇仰】①仏のどがかわいて水を欲し、山をしたい仰ぐように、仏をしたうこと。②心からあこがれしたうこと。

【渇△而△穿レ井】のどがかわいてから井戸を掘る。事が起きてからあわてても むだなたとえ。〔説苑、奉使〕

【渇者易レ為(爲)レ飲】のどのかわいた者はどんな物でも喜んで飲む。虐待されている者はわずかな恩恵にも感じるたとえ。用例〔孟子、公孫丑上〕飢者易レ為レ食、渇者易レ為レ飲。↓飢えた者は食物を選ばず食べ、のどのかわいた者はなんでも喜んで飲む。

【渇者甘レ飲】のどがかわいている人は、どんな飲み物でも、うまいと感じる。用例〔孟子、尽心上〕飢者甘レ食、渇者甘レ飲。↓おなかのすいている人は、どんな食物でもうまいと感じ、のどの乾いている人は、どんな飲み物でも、うまいと感じる。

【渇水】日照りで、水がかれること。涸渇。

【渇不レ飲ニ盗泉△之水一】のどがかわいたとき、泉があっても、それが盗泉という名であれば、その名ゆえ

に、その泉の水は飲まない。どんな困苦にあっても不義を行わないことのたとえ。孔子が盗泉という名の泉であると聞いてその水を飲まなかった故事による。〔西晋、陸機、猛虎行〕

【渇望】（のどがかわいている人が水をほしがるように）はなはだしく希望すること。熱望。

8 【涵】 11画 6402 標 漢カン 呉ガン 覃 hán 6230 9FBC —

［涵］ 6561 本字

字義 ❶ひたす（浸・漬）。水などに（水などが）ひたす。ひたる。うるおす（潤）。うるおう。❷しずむ（沈）。❸いれる（容）。とり上げる。用いる。

解字 篆文 形声。氵（水）＋函（函）音。音符の函は、ふくむの意味。水分をふくむ、うるおうの意味を表す。

【涵泳】①水にひたり泳ぐ。水中に沈み泳ぐ。②恩恵をこうむること。

【涵煦】ひたしあたためる。めぐみをほどこすこと。

【涵濡】①ひたしうるおす。ひたりうるおう。②恩恵を施す。恩恵をこうむる。

【涵碧】みどりをひたす。水や空などの一面にみどり色に見えること。

【涵養】①ひたしやしなう。めぐみを施すこと。②水がしみ込むように次第に養成する。知識や徳などを養成すること。

8 【涫】 11画 6403 カン（クワン） 翰 guàn ₂7865 — —

字義 わく。わきたつ。沸騰する。また、その形容。

解字 形声。氵（水）＋官音。

8 【淦】 11画 6404 漢カン 呉コン 勘 覃 gàn 6232 9FBE —

字義 ❶あか。あか水。ゆ。舟の中に入って船底にたまった水。❷どろ。どろ水。

解字 形声。氵（水）＋金音。

8 【淊】 11画 6405 一 漢カン・呉ゴン 感 hàn 二 エン 琰 yǎn — — 3955

字義 一❶泥水のさま。❷糸を繰るのに用いる湯。❸ひたす。二水の満ちるさま。

解字 形声。氵（水）＋臽音。音符の臽は、落ち込むの意味。

8 【淇】 11画 6406 漢キ 呉ギ 支 qí 6231 9FBD —

字義 川の名。→淇水。

解字 形声。氵（水）＋其音。

【淇奥・淇澳】淇水のくま。淇水が湾曲した所で、河南省淇県の北西の地。竹が多い。淇園ともいう。

【淇水】川の名。河南省北部を流れて衛河に注ぐ。

8 【渓】 11画 6407 常 ケイ 2344 8C6B —

10 〘溪〙 13画 6408 ケイ 斉 xī 6268 9FE2 —

筆順 溪

［嵠］ 2977 同字 ［谿］ 11448 同字 ［磎］ 11445 俗字

字義 たに（谷）。たにがわ。 用例 〔東晋、陶潜、桃花源記〕縁レ渓行、忘二路之遠近一 ↓谷川に沿っていくうちに、どれほどの距離を来たのかわからなくなってしまった。

名前 けい・たに

解字 篆文 形声。氵（水）＋奚（奚）音。篆文は、谷＋奚。音符の奚は、糸がつながるの意味。糸がつながるように水が注ぎこむ、たにの意味を表す。

逆 深渓・清渓・雪渓・端渓

【渓雲】谷間の雲。渓谷のわきにただよう雲。

【渓壑】①たに。大きな谷。▼壑も、谷。②欲の深いのにたとえる。「渓壑の欲」

【渓澗】たにがわ。渓流。▼澗も、谷川・谷水。

【渓谷】たに。谷間。

【渓水】谷川の水。また、たにがわ。渓川。

【渓声（聲）】谷川の水音。谷間のせせらぎの音。

【渓嵐】谷あいの山気。▼嵐は、かすかに青く見えるもやのようなもの。

【渓流】谷川の流れ。

8 【涬】 11画 6409 漢ケイ 呉ギョウ（ギャウ） 迥 xìng ₁8679 EDE2 3947

字義 ❶ひく（引）。❷道家が言う溟涬は、自然の気。天地の元気のまだ分かれぬさま。

解字 形声。氵（水）＋幸音。

8 【涸】 11画 6410 標 一 漢コ・呉ゴ 遇 二 漢カク・呉ガク 薬 hé 6233 9FBF —

字義 一❶かれる。かる。かかる。かかる。かかる。

字義 一❶かれる。からびる。つきる（尽）。ひる（干）。水がつきてなくなる。「涸渇」❷からす。水をほす。❸きびしい。「涸陰」

参考 現代表記では〔枯〕（5301）に書きかえることがある。「涸渇→枯渇」

難読 涸沼

解字 篆文 形声。氵（水）＋固音。音符の固は、枯に通じ、かれるの意味。水がかれるの意味を表す。

【涸陰】きびしい寒さ。窮陰。

【涸渇（渇）】水がかれてなくなる。転じて、一般に物がとぼしくなる。つきてなくなること。枯渇。

【涸旱】水がれ。ひでり。

【涸轍】①水のかれかかっている車のわだち。②苦しい境遇のたとえ。

【涸轍鮒魚】涸轍にいるふな。困窮が身に迫っている者のたとえ。〔荘子、外物〕

【涸鮒】＝涸轍鮒魚。

8 【淆】 11画 6411 漢コウ（カウ） 呉ギョウ（ゲウ） 肴 xiáo 6234 9FC0 —

字義 ❶まじる。まざる。いりまじる。「玉石混淆」❷にごる（濁）。にごす。❸みだす（乱）。みだれる。

参考 現代表記では〔交〕（142）に書きかえることがある。「混淆→混交」

解字 形声。氵（水）＋肴音。音符の肴は、いりまじるの意味。水がまじり物でにごるの意味を表す。

8 【淏】 11画 6412 漢コウ（カウ） 呉ゴウ（ガウ） 晧 hào ₂7872 EDE3 3957

字義 水の清らかなさま。

解字 形声。氵（水）＋昊音。

8 【淈】 11画 6413 漢コツ 呉コチ 月 gǔ ₂7870 — 3954

字義 ❶にごる（濁）。にごす。❷みだれる（乱）。みだす。❸つきる（尽）。つくす。❹水の勢いよく流れるさま。「淈淈」❺どろ（泥）。

解字 篆文 形声。氵（水）＋屈（屈）音。音符の屈は、ほるの意味。水中からどろを掘り、にごすの意味を表す。

8 【混】 11画 6414 教5 コン まじる・まざる・まぜる・こむ 漢コン・呉ゴン 阮 hùn, ⑥gǔn 2614 8DAC —

筆順 混

字義 ❶まじる。まざる。まじりいる。入り乱れる。こむ。「混入」❷まぜる。まじえる。まぜ合わせる。「混合」❸にごる（濁）。にごす。「混濁」❹おなじくする。合わせて一つにする。「混同」❺物が一つになって分かれないさま。はっきりと区別のつかないさま。「混然」❻水が豊かに流れるさま。＝渾（6494）・滾（6630）。「混混」

名前 むら・むろ 難読 混凝土(コンクリート)

参考 現代表記では〔昏〕(4685)の書きかえに用いることがある。「昏迷→混迷」

使いわけ
①こむ〔混・込〕
「人や物がいっぱいになる・混雑する」の意で〔混〕を用いる以外は、広く一般に〔込〕を用いる。「電車が混む」「負けが込む・ふさぎ込む」
②まじる・まざる・まぜる〔交・混〕⇨交(142)。

解字 篆文 形声。氵(水)＋昆音。音符の昆は、むらがり集まる虫の意味。むらがり集まってくる水の意味から、まじるの意味を表す。

【混一・混壱(壹)】①一つにまとめる。統一する。②一つになる。

【混元】①天地のひらけ初め。②天地。宇宙。

【混交・混△淆】いりまじる。いりまじって区別がつかなくなる。▼交も淆も、まじる。「玉石混淆」

【混混】①水のさかんにわき出るさま。水のさかんに流れてつきないさま。②めぐり移り行くさま。③波の音のさま。④にごるさま。⑤いりまじって一つになり、区別のつかないさま。用例〔唐、韓愈、与孟東野書〕混混与レ世相濁、独其心追二古人一而従レ之。↓俗世間と混ざり汚れながらも、ただ一人気持ちは古の聖人を求めて後を追っていらっしゃる。⑥はっきりしないさま。

【混雑(雜)】①いりまじって区別がつかない。②ごたごたといり乱れて、秩序がないこと。

【混成】まじり合って一つのものができる。また、まぜ合わせてつくること。「混成部隊」

【混戦(戰)】敵と味方が入り乱れて戦う。また、力の似た者同士が戦い、どこが勝つかわからない状態。

【混濁】(乱れ)にごる。また、風俗・思想などの乱れること。溷濁。用例〔史記、伯夷伝〕挙レ世混濁。↓世の中がすべて乱れ濁っている。

【混同】①本来区別すべきものをごちゃまぜにして一つにする。②まじって一つになる。

【混△沌】①天地の初め、陰陽がまだ分かれない時のさま。②物事の区別のはっきりしないさま。渾沌。

【混△芒・混△茫】＝混沌①。

【混迷】①いりまじってわけがわからなくなること。②理性がくらみ、どうしていいかわからなくなる。昏迷の書きかえ。

【混冥・混△溟】①うす暗いこと。明らかでないこと。②道などの、はかり知れないほどの高妙深遠なこと。

【混乱(亂)】入り乱れて秩序がなくなる。

【混△淪】㊀①＝混沌。②入りまじる。③めぐり行くさま。㊁山名。＝崑崙。→崑(2933)。

8 【涽】11画 6415 コン 元 願 hūn — — 3951
〔涽〕6495 同字
字義 ❶涽涽は、考えが乱れて定まらないさま。❷くらい(暗)。＝昏(4685)。
解字 形声。氵(水)＋昏音。

8 【済】11画 6416 教6 サイ す-む・す-ます ㊀漢セイ・呉サイ 霽 jì ㊁漢セイ・呉サイ 薺 jǐ 慣ザイ 2649 8DCF —
14 〖濟〗17画 6417 6327 E05A —

筆順 

字義 ㊁❶ひとしい。＝斉(14560)。❷いれる。❸数の多いさま。おごそかなさま。美しく立派なさま。→済済。❹川の名。済水。
㊀❶す-む。す-ます。終わる。きまりがつく。「返済」❷わた-る。わた-す。川をわたる。用例〔前漢、武帝、秋風辞〕泛二楼船一兮済二汾河一、横二中流一兮揚二素波一。↓二階造りの舟を浮かべて汾河を渡り、流れの中ほどに舟を漂わせて白い川波をあげている。❸わたし場。わたし。❹すく-う。たすける。用例〔論語、雍也〕如有下博施二於民一、而能済上レ衆、何如。↓もし人民にあまねく恩恵を施して、民衆を救済することができるなら、どうでしょうか。❺な-す。成しとげる。また、成る。できあがる。用例〔北宋、欧陽脩、朋党論〕以レ之事レ国、則同レ心而共済。↓これ(道義や忠信・名節)によって国に仕えることで、心をひとつにして互いに協力し合う。

名前 いつき・お・かた・さだ・さとる・すみ・ただ・とうる・とおる・なり・なる・まさ・ます・やす・よし・わたす・わたり・わたる

解字 篆文 形声。氵(水)＋斉(齊)音。音符の齊は、そろうの意味。多くのものがそろう、ひとしいの意味を表す。また、齊は、進に通じ、すすむの意味。川をすすむ、わたるの意味を表す。また、貧困や障害をわたり過ごさせて、たすけるの意味をも表す。

逆 開済・完済・既済・救済・共済・経済・弁済・未済
【済化】救い教化する。救い導いて善に移らせる。

【済時才】時世を救う才能。

【済水】川の名。河南省済源市の王屋山に発し、南東へ流れて黄河に注ぐ。昔は黄河を過ぎて南下し、東流して山東省に至り、下流は黄河と並行して海に注いでいた。

【済世】世を救う。弊害を正し人民を救うこと。

【済生】生命を救う。また、生活を助ける。

【済済】①数が多くりっぱなさま。「多士済済」②威儀のりっぱなさま。③容姿や動作のつつしみ深くおごそかなさま。④整いそろっていて美しいさま。

【済度】仏すくう。仏道によって衆人をこの世の苦海から極楽の彼岸に救い渡すこと。

【済美】美事を成しとげる。子孫が父祖の業を受け継いでその善事を成しとげること。

【済北】地名。済水の北。今の山東省肥城県のあたり。

【済民】人民を助ける。人民を教化し、生活を豊かにしてやること。

8 【淬】11画 6418 漢サイ 呉スイ 隊 cuì 6235 9FC1 —
〔淬〕6189 同字
字義 ❶にら-ぐ。焼きを入れる。刀などをきたえるとき、質を堅くするため、赤く熱して急に水に入れること。「淬礪」❷つとめる。はげむ。「淬励」❸洗う。浴びる。❹そめる(染)。❺さむい(寒)。
解字 篆文 形声。氵(水)＋卒音。音符の卒は、つきるの意味。刃物に焼きを入れるとき、冷やす水が一気に蒸発してつきるさまから、にらぐの意味を表す。
【淬励(勵)・淬△厲】心をふるいおこして物事にはげむこと。つとめはげむ。淬勉。
【淬△礪】①(刃物に)焼きを入れ、きたえみがく。鉄をきたえみがくこと。②心をふるい起こして学問・修養などに励むこと。砥礪。

8 【涮】11画 6419 ㊀漢サン・呉セン 諫 shuàn ㊁漢セツ・呉セチ 屑 27866 — —
字義 ㊀❶すすぐ。❷茶の別名。㊁川の名。
解字 形声。氵(水)＋刷音。

8 【淄】11画 6420 シ 支 zī 18681 — 3953
〔淄〕6497 本字
字義 ❶くろ。黒色。❷くろむ。黒く染まる。❸川の名。→淄水。
解字 形声。氵(水)＋甾音。音符の甾は、川のくろにごりの意味。水を付し、くろの意味を表す。

【淄水】(シスイ) 川の名。山東省北部にあり、小清河に合流して萊州湾(ライシュウワン)に入る。戦国時代の斉の都臨淄(今の山東省淄博(シハク)市の北東)は、淄水に臨んでいるから名づけた。

8
【渋】 11画 6421 常
ジュウ しぶ・しぶ-い・しぶ-る
2934 8F61 —

12
〖澁〗 15画 6422 人
シュウ(シフ) 慣ジュウ(ジフ) 緝 sè
6307 E046 —

筆順 渋

〔澀〕 6765 正字 〔歮〕 5999 同字

字義 ❶しぶ-い。味がしぶい。❷しぶ-る。にぶる。とどこおる。すらすらと進まない。行きなやむ。「難渋」「渋滞」

国❶しぶ。㋐まだ熟さない柿(かき)の実の液から取った黒褐色の塗料。㋑草木の茎・幹・果実などから出る褐色の液。㋒栗(くり)の実の内皮。㋓あか。さび。❷しぶ-い。㋐はなやかでなく、落ちついた奥ゆかしい趣のあること。㋑にがい。いやな。不愉快な。

名前 しぶ・じゅう

解字 篆文 会意。篆文は、刃+止+刃+止。止は、あしの象形。足がもつれるさまから、とどこおるの意味を表す。のち、水を付し、水がなめらかに流れない、しぶるの意味を表す。常用漢字の渋は省略形。

逆 苦渋・難渋・冷渋

【渋滞(滯)】(ジュウタイ) とどこおる。物事がすらすらいかない。

【渋濁】(ジュウダク) しぶりにごる。声がすらすら出ないこと。

8
【淑】 11画 6423 常
シュク
漢シュク・呉ジュク 屋 shū
2942 8F69 —

筆順 淑

字義 ❶よ-い。㋐善良である。徳がある。「淑人」㋑しとやか。つつましい。上品。おもに女性についていう。「淑女」❷きよい。美しい。❸よくする。修養してりっぱになる。

名前 きよ・きよし・すえ・すみ・とし・ひで・ふかし・よ・よし

難読 淑景舎(しげいしゃ)

解字 金文 篆文 形声。氵(水)+叔音。金文では弔と同字で、他人の不運をいたむの意味から、善良であるの意味を表すようになった。きよくたたえる水と意味の上で共通する点があるので、水を付し、きよい・よいの意味を表す。

逆 私淑・貞淑・不淑・令淑

【淑婉】(シュクエン) 美しくあでやかなこと。うるわしい。

【淑艾】(シュクガイ) 君子の道を伝え聞いて修養にはげむこと。▼艾は、身を治める。

【淑気(氣)】(シュクキ) 春のなごやかな気。

【淑均】(シュクキン) 善良で公平なこと。

【淑景】(シュクケイ) ①春の日光。②春のよい景色(ケシキ)。

【淑質】(シュクシツ) ①善良な性質。りっぱな天性。②＝淑女①。

【淑女】(シュクジョ) ①善良な女性。教養があって上品な女性。用例(詩経、周南、関雎)窈窕淑女(ヨウチョウたるシュクジョは)、君子好逑(クンシのコウキュウ)。↓しとやかな淑女は、君子のよきつれあい。②国上流階級の女性。

【淑真(眞)】(シュクシン) しとやかで誠実なこと。

【淑人】(シュクジン) 善良の徳のある人。りっぱな人。善人。

【淑徳】(シュクトク) りっぱな徳。主に、女性の善美な徳をいう。

【淑美】(シュクビ) しとやかでうつくしい。

【淑問】(シュクブン) よい評判。よい聞こえ。令名。▼問は、聞。

8
【淳】 11画 6424 人
漢シュン 呉ジュン 真 chún
2963 8F7E —

筆順 淳

〔湻〕 6506 同字

字義 ❶あつ-い。こい(濃)。ゆたか。また、情が深い。❷すなお。ありのまま。かざりけがない。純粋。「淳朴」❸大きい。❹ひたす。また、こす。したむ。❺そそぐ。洗う。❻塩からい。塩分を含む。また、塩分を含んだ荒れ地。❼ひとそろい。兵車の一対。

名前 あき・あつ・あつし・きよ・きよし・しゅん・じゅん・すなお・ただし・とし・ぬ・まこと・よし

解字 篆文 形声。篆文は、氵(水)+享(䇺)音。音符の䇺(ジュン)は、厚いの意味。こくのある水、あつい・こいの意味を表す。

【淳于髡】(ジュンウコン) 戦国時代(孟子と同時代)、斉の威王に信任された名臣。博聞強記で、滑稽(コッケイ)多弁であった。

【淳化】(ジュンカ) 淳朴な教化。また、すなおにする。すなおになる。

【淳厚】(ジュンコウ) 邪心がなく(真心があって)手厚い。

【淳粋(粹)】(ジュンスイ) まじりけがないこと。純粋。

【淳風】(ジュンプウ) 淳朴な風俗。

【淳朴・淳樸】(ジュンボク) ①すなおでかざりけのないこと。②かざりけがなくて人情に厚いこと。淳淳。▼朴は、あら木、まだ細工を加えない材木。

【淳良】(ジュンリョウ) すなおで善良。

【淳和】(ジュンワ・ジュンナ) ①すなおでおだやか。②政治が人情あつく平和なこと。

8
【渚】 11画 6425 人
2977 8F8D —

9
〖渚〗 12画 6426 人
ショ 語 zhǔ
8687 — —

筆順 渚

字義 ❶なぎさ。みぎわ。水際(みずぎわ)。用例(唐、杜甫、登高詩)風急天高猿嘯哀(かぜキュウにテンたかくしてエンショウかなし)、渚清沙白鳥飛廻(なぎさきよくすなしろくしてとりとびめぐる)。↓風は強く吹きわたり、空は高く澄みきって、猿の鳴き声があたりに哀しくこだまする。長江の川辺は清らかに、砂は白く、その上を鳥が飛び交う。❷す。中州。土砂が積もって川や湖の中にできた小島。

名前 お・なぎ・なぎさ

難読 渚滑(しょこつ)

解字 篆文 形声。氵(水)+者(者)音。音符の者は、あつまるの意味。水中に土砂が集まってできた、なかすの意味を表す。

【渚煙】(ショエン) なぎさにたちこめたもや。

【渚涯・渚崖】(ショガイ) みぎわと川岸。なぎさ。岸。

【渚宮】(ショキュウ) ①春秋時代の楚(ソ)の宮殿の名。今の湖北省江陵県の城内にあった。後世、江陵の別称に用いる。②池や川などのほとりにある宮殿。用例(唐、白居易、八月十五日夜禁中独直対レ月憶二元九一詩)渚宮東面煙波冷(ショキュウのトウメン、エンパひややかに)、浴殿西頭鐘漏深(ヨクデンのセイトウ、ショウロウふかし)。↓渚宮の東側には、もやの立ちこめる水面が冷たく光っていて、浴室のある宮殿の西側には、時を知らせる鐘の音が夜ふけの静けさの中に聞こえてくる。

8
【渉】 11画 6427 常
ショウ
3036 8FC2 —

7
〖涉〗 10画 6428 人
漢ショウ(セフ) 呉ジョウ(ゼフ) 葉 shè
8676 — —

筆順 渉

字義 ❶わた-る。㋐水を歩いて渡る。「徒渉」㋑水上を舟などで渡る。用例(呂氏春秋、察今)楚人有二渉レ江者一(ソひとにコウをわたるものあり)。↓楚の人で長江を舟で渡る者がいた。㋒へる(経)。経過する。通過する。「渉歴」㋓あるく。歩きまわる。用例(東晋、陶潜、帰去来辞)園日渉以成レ趣(エンはひにわたればもっておもむきをなし)、門雖レ設而常関(モンはもう(ま)うけたりといえ(へ)どもつねにとざせり)。↓庭は毎日歩きまわると趣を増し、門は作ってはあるけれども、いつも閉じたままである。㋔およぶ。達する。連なる。㋕かかわる。あずかる(与)。関係する。「干渉」㋖広く見聞する。調べる。研究する。「渉猟」❷わたり。川などの歩いて渡れる場所。わたし。渡し場。

名前　さだ・しょう・たか・ただ・わたり・わたる

解字　甲骨文　金文　篆文　会意。氵(水)＋歩(歩)。水の中を歩く、わたるの意味を表す。

逆　干渉・関渉・交渉・徒渉・猟渉

【渉外】ショウガイ　国外国、また、外部と連絡・交渉すること。

【渉猟(獵)】ショウリョウ　歩きまわって狩をする。㋐歩きまわってたずねる。㋑書籍を広くあさって読むこと。用例〔漢書、賈山伝〕渉二猟書記一。↓書籍を広くあさって読む。

【渉歴(歷)】ショウレキ　①経る。㋐経過する(時間・場所のいずれにもいう)。㋑めぐりあるく。わたり歩く。②＝渉猟㋑。

8【淞】11画 6429　漢ショウ　呉シュ　ウ　图 sōng　6236 9FC2 ―

字義　川の名。→淞江。

解字　形声。氵(水)＋松音。

【淞江】ショウコウ　川の名。今の呉淞江。江蘇省の太湖に発し、上海市の北で黄浦江と合流して長江に注ぐ。河口を呉淞口という。

8【淌】11画 6430　一ショウ(シャウ)　漾 chàng　二トウ(タウ)　tǎng　6237 9FC3 ―

字義　一おおなみ。大波。二ながれる。たれる。涙・汗などが流れる。

解字　形声。氵(水)＋尚音。

8【淐】11画 6431　ショウ(シャウ)　陽 chāng　27873 ― ―

字義　川の名。

解字　形声。氵(水)＋昌音。

8【淨】11画 (6309)　ジョウ　浄(6308)の旧字体。→八三ページ上。

8【深】11画 6432　教3　シン　ふかーい・ふかーまる・ふかーめる　シン　侵 shēn　慣ジン　3128 905B ―

筆順　深

【㴱】6583 本字

字義　❶ふかーい。ふかし。↔浅(6313)。㋐下へ深い。㋑奥へ深い。「幽深」㋒厚い。ねんごろ。㋓くわしい。通暁している。用例〔礼記、経解〕其為レ人也、温柔敦厚而不レ愚、則深二於詩一者也。↓その人柄が、温厚で愚かでないなら、『詩経』に精通した者である。㋔大きい。重大である。用例〔三国志、魏志、陳思王植伝〕位益高者責益深。↓官位が高くなればなるほど、責任はますます重くなる。㋕さかんである。用例〔唐、杜甫、春望詩〕国破山河在、城春草木深。↓国都長安は反乱軍のために破壊されてしまったが、自然の山河はもとのままで少しもかわりなく存在している。長安の町には今春が来て、草木が青々と茂っている。㋖色が濃い。用例〔唐、杜甫、江畔独歩尋レ花絶句詩〕桃花一簇開無レ主、可レ愛二深紅一愛二浅紅一。↓桃の花がひとかたまり、あるじもなく咲いている。濃い紅色を愛でるべきか薄い紅色を愛でるべきか、どちらも美しく咲き誇っている。㋗たけなわである。(夜などが)ふけている。おそい。用例〔唐、杜甫、送三元二適二江左一詩〕乱後今相見、秋深復遠行。↓兵乱以後いまようやく会ったが、この秋深いときに君はまた遠くへ行く。㋘きびしい。ひどい。むごい。用例〔史記、刺客伝〕秦之遇二将軍一可レ謂レ深矣。↓秦の将軍に対する仕打ちはまことにむごいと言えましょう。❷ふかーさ。ふかみ。また、ふかいもの。ふかくにあるもの。用例〔唐、李白、贈二汪倫一詩〕桃花潭水深千尺、不レ及汪倫送レ我情。↓桃花潭の水は、深さが千尺というのだが、汪倫が私との別れを惜しむ気持ちの深さには及ばない。❸ふかーく。はなはだ。大いに。用例〔東晋、陶潜、飲酒詩〕深感二父老言一、稟気寡レ所レ諧。↓老人の言葉は深く心をうつが、生来の性分として人と調子を合わせるのが苦手なのだ。❹ふかくなる。ふかーまる。また、ふかーめる。ふかーくする。㋐度合いが進む。度合いを進める。用例〔国語、晋語三〕君深二其怨一。↓あなたが(秦の我々に対する)怨みを深くしたのです。㋑かくれる。かくす。用例〔周礼、考工記、梓人〕深二其爪一、出二其目一。↓手足の爪を隠し、まなこを突出させる。㋒川底などをさらう。用例〔国語、呉語〕闕レ溝深レ水。↓運河を掘り川底を深くする。

国❶み。ふかい意を表す接頭語。「深山」❷ふか。程度のはなはだしい意を表す接頭語。「深酒」❸ふーける。夜がふかくなる。季節がふかくなる。

名前　しん・とう・とお・ふか・ふかし・み

難読　深淵・深谷・深山・深傷・深栖・深雪・深田・深野

解字　篆文　形声。篆文は、氵(水)＋㝈音。音符の㝈は、胎内から赤子をまさぐりだすさまにかたどる。水を付し、水が奥へとふかいの意味を表す。深は㴱の変形。

逆　沈深・幽深

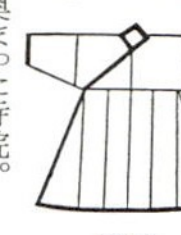
深衣

【深衣】シンイ　中国古代の身分ある人の制服。上着ともすそとを続けて仕立てたもの。一般には上(衣)・下(裳)別々のものが行われた。

【深意】シンイ　①深い心。深い考え。②深い意味。深いわけ。

【深院】シンイン　①奥深くにある中庭。②奥まった寺院。

【深△淵】シンエン　深いふち。用例〔詩経、小雅、小旻〕如レ臨二深淵一、如レ履二薄氷一。↓深いふちに臨むように、薄氷を踏むように慎重であるべきだ。

【深遠】シンエン　奥深く遠い。内容に深みがあり、容易には理解できない。また、そのような所。

【深穏(穩)】シンオン　奥深く静か。また、奥ゆかしくおだやか。

【深間】一シンカン　間者。スパイ。二ふかま　①ふかみ。水の深いところ。②男女間の交情が深いこと。

【深輝】シンキ　奥深い光。深くさしこむ光。

【深宮】シンキュウ　①奥深い宮殿や家。②宮殿や家の奥深い所。

【深刑】シンケイ　きびしい刑罰。酷刑。厳刑。

【深契】シンケイ　深いちぎり。固い約束。

【深渓(溪)・深△谿】シンケイ　深い谷。深谷。

【深△閨】シンケイ　奥深くにある室。女性の部屋。ねや。用例〔唐、白居易、長恨歌〕楊家有レ女初長成、養在二深閨一人未レ識。↓楊家にむすめがあり、折しも、年ごろに成長していたが、奥深い女性の住む部屋に養育されていたので、だれもしらない。

【深更】シンコウ　夜ふけ。真夜中。深夜。

【深△巷】シンコウ　奥深いさとの小道。深く奥まった路地。用例〔東晋、陶潜、帰二園田居一詩〕狗吠深巷中、鶏鳴桑樹顚。↓奥まった路地では犬が吠え、桑の木の梢では鶏が鳴いている。

【深厚】シンコウ　①深く厚い。②てあつい。ねんごろ。

【深刻】シンコク　①深くほりつける。②非常にきびしいこと。③きわめて残忍なこと。④きわめてさしせまること。

【深山幽谷】シンザンユウコク　人里を遠く離れた奥深い山や谷。

【深識】シンシキ　深く知る。また、深い見識。深い知識。

【深室】シンシツ ①奥深くにある部屋。②罪人をとじこめる部屋。座敷牢の類い。

【深謝】シンシャ ①深く感謝する。②深く、心からあやまる。

【深情】シンジョウ ①人を深く思う心。心のうちの深いせつない思い。まごころ。用例〔唐、白居易、長恨歌〕唯将₂旧物₁表₂深情₁、鈿合金釵寄将去。↓せめては思い出の品によって私の深い気持ちを表したいので、螺鈿の箱と金のかんざしをお持ちください。②心をかくす。本心をかくして人に知らせない。

【深深】シンシン ①奥深くかすかなさま。奥深くて姿や形がよく見えないさま。②静まりかえっているさま。③国㋐夜のふけてゆくさま。㋑寒さの身にしみるさま。

【深甚】シンジン 非常に深い。はなはだしい。

【深省】シンセイ ①心に深くさとる。②深く反省する。

【深切】シンセツ ①その事にきわめてよく当てはまること。適切。②きわめてねんごろなこと。親切。懇切。

【深窓・深△窗】シンソウ 奥深くにある室のまど。奥深くにある部屋。女性の部屋。

【深造】シンゾウ 深く至る。奥義をきわめる。▼造は、至る。

【深蔵(藏)】シンゾウ 奥深くかくす。また、奥深くかくれる。

【深長】シンチョウ ①奥深く遠い。②奥深くて含みの多いこと。

【深重】シンチョウ 落ち着いていて重々しい。

【深沈】シンチン ①考えが深く落ち着きのあること。②奥深く静かなこと。③深く沈む。物事に入りびたること。沈潜。

【深秘(祕)】シンピ 奥深くかくれて知りがたいこと。

【深謀遠慮】シンボウエンリョ 深くはかり、後々のことまで考える。将来のことまで考えた、深いはかりごと。〔前漢、賈誼、過秦論〕

【深墨】シンボク 真っ黒。顔の色の黒いこと。喪に服してやつれた顔色。〔孟子、滕文公上〕

【深憂】シンユウ 非常な心配。

【深林】シンリン 奥深い林。用例〔唐、王維、竹里館詩〕深林人不₂知、明月来相照。↓奥深い竹林の情趣は世の人々の知るところではなく、ただ明月だけが訪れて来て私を照らしてくれる。

8【滲】11画 6433 シン 滲(6640)の俗字。→八七五ページ上。 27861 — —

8【清】11画 6434 教4 セイ・ショウ きよ-い・きよ-まる・きよ-める 熟字訓 清水 3222 90B4 —

8〖清〗11画 6435 漢セイ 呉ショウ(シャウ) 唐シン 画qīng — EDE4 —

筆順 氵 氵 氵 氵 氵 清 清 清 清 清 清

字義 ❶きよ-い。きよ-らか。↔濁(6741)。㋐水が澄んでいる。「清水」㋑にごりやよごれがない。明らか。あざやか。「清潔」㋒心や行いにけがれがない。邪念がない。いさぎよい。「清貧」㋓さっぱりして気分がいい。さやか。さわやか。すがすがしい。「清涼」「清新」❷きよ-める。きれいに整理する。「粛清」「清算」❸す-む。きよ-まる。澄みわたる。❹す-ます。㋐にごりやけがれを取り去る。㋑くもりなくする。明らかにする。❺すずしい。ひややか。寒い。❻名詞に冠し、高い・貴い・すぐれている意を表す。「清門」❼しずか。おだやか。やわらぐ。❽きびしい。❾シン。王朝の名。ツングース族の愛新覚羅が中国東北部から興り、明を滅ぼして建てた国。北京に都し、十代二百六十八年(一六四四―一九一二)続いた。辛亥革命によって宣統帝が退位させられ、滅亡。

名前 き・きよ・きよし・さや・しん・すが・すみ・すむ・せ・せい

難読 清音・清科・清宮・清洲・清水・清水田・清白

解字 篆文  形声。氵(水)+青(靑)音。音符の青は、すみきっているの意味。水がよく澄んでいる、きよいの意味を表す。

逆 河清・粛清・太清

【清△夷】セイイ 世の中がよく治まっていること。▼夷は、平。

【清△渭】セイイ 清らかな(水の常に澄んでいる)渭水(陝西省を東流して黄河に注ぐ)。用例〔唐、杜甫、哀₂江頭₁詩〕清渭東流剣閣深、去住彼此無₂消息₁。↓清らかな渭水は東へと流れ、剣閣の山々は深い。蜀に去った人(玄宗)も、ここに死んだこの人(楊貴妃)も、ともに今では消息は途絶えてしまった。

【清△漪】セイイ 清らかなさざ波。

【清逸(逸)】セイイツ ①清らかで人なみすぐれていること。②清らかで俗ばなれしていること。

【清陰】セイイン ①すずしい木陰。②清らかな恩沢(恵み)。

【清韻】セイイン 清らかなひびき。

【清英】セイエイ ①清くてすぐれている。また、そのもの。②古琴の名。

【清栄(榮)】セイエイ ①美しく栄える。また、美しい栄え。②国相手の繁栄・健在を祝う言葉。◆同じく、祝う言葉に「盛栄」があるが、「清栄」が広く繁栄を祝うのに対し、これは商売繁盛に限って用いられる。

【清影】セイエイ ①清らかなくっきりとした、物のかげ。②清らかな月の光。

【清△瑩】セイエイ すっきりとして鮮やかなさま。

【清怨】セイエン 清らかなうらみ・悲しみ。美しい物のあわれ。

【清△婉】セイエン 清らかで美しい。また、清らかでなまめかしい。

【清△猨・清猿】セイエン 悲しげな、かん高い猿の鳴き声。また、その猿。

【清音】セイオン ①澄んだ語音。↔濁音(八八三ページ中)。②清らかな音声。③＝清唱。

【清化】セイカ 清らかな徳化。清らかなめぐみ。

【清河】セイカ ①郡名。漢代に置く。治所は清陽(今の河北省清河県)。②県名。㋐隋代に置く。治所は今の河北省清河県。㋑宋代に置く。治所は今の江蘇省淮安市。

【清華】セイカ 一 ①清らかで(俗気がなく)はなやか。②清らかな花。優美な景物。③高い家がら。二ガ 国平安時代、摂家の次に位し、大臣になる資格のある家がら。大臣家の上。

【清歌】セイカ ①清らかに歌う。用例〔唐、劉廷芝、代₃悲₂白頭₁翁₁詩〕公子王孫芳樹下、清歌妙舞落花前。↓貴公子たちと、香り高い花の咲く木の下で宴を張り、清らかな歌やみごとな舞いで落花のもとで楽しんだ。②管弦の伴奏なしに歌う。また、その歌。

【清雅】セイガ 清らかで上品なこと。

【清介】セイカイ 心が清らかで他人に左右されないさま。

【清客】セイカク ①風流な(高貴な)客人。②梅の別名。清友。

【清官】セイカン ①地位は高いが、低い俸給のひまな官職。清班。②清潔な官吏。不正をしない役人。清吏。

【清寒】セイカン ①清く寒い。②節操が高く、貧に安住していること。清貧。

【清閑・清間】セイカン ①清らかで静かなこと。②国相手のひまなことをいう敬語。

【清漢】セイカン 天の川をいう。銀漢。銀河。

【清鑑】セイカン ①明らかに見分けること。②明らかに自分を照して、写して見る。▼鑑は、鏡。③御覧。御一読。手紙などで相手に対していう。「清鑑を請う」

【清貴】セイキ 上品で清くとうとい。また、その官職(にいる人)。清顕。

【清△暉・清輝】セイキ 日や月の清らかな光。用例〔唐、杜甫、月夜詩〕香霧雲鬟湿、清輝玉臂寒。↓かぐわしい夜霧に妻の美しいまげはしっとりぬれて、清らかな月の光に妻の美しい腕は冷たく光っていることだろう。

【清機】セイキ 清らかな心のはたらき。

【清規】シンギ 禅宗で、修行僧の日常生活についての規則。

【清△穹】セイキュウ 清く澄んだ大空。

【清虚(虛)】セイキョ 我欲・我執がなく、心のさっぱりしていること。

【清狂】セイキョウ ①精神に異常をきたしていないのに、言行が異常をきたした人に似ていること。また、その人。②俗人ばなれをしていて、ほしいままに言動すること。また、その人。

【清興】セイキョウ ①清らかで風流な、興味や楽しみ。風流な遊び。②国相手の興味・遊びをいう敬語。

【清響(響)】セイキョウ 清らかに澄んだひびき。音色。

【清襟】セイキン きれいなえり。転じて、清らかな心。

【清吟】セイギン 清らかな声で吟ずること。また、その吟詠。

【清苦】セイク 清廉で、苦しい生活をすること。

【清△癯】セイク 清らかでやせている。やせてすらりとしている。

【清渓(溪)】セイケイ ①清らかな谷川。清谿セイケイ。②唐代の宿駅の名。今の四川省の平光ヘイキョウ江と岷江ビンコウの合流する楽山市より八〇キロ下流の犍為ケンイ県にあった。

【清潔・清△絜】セイケツ 清らかで、よごれ(けがれ)がない。清浄潔白。

【清倹(儉)】セイケン 清く、つつましい。心が清潔で倹約なこと。清廉。

【清顕(顯)】セイケン 高い位にあること(人)。

【清△絃】セイゲン 清らかな音を出す琴。また、清らかな琴の音。

【清光】セイコウ ①(日や月の)澄みきった清らかな光。②清らかな姿。けだかい姿。

【清江】セイコウ 清らかな川。用例〔唐、杜甫、江村詩〕清江一曲抱レ村流セイコウイッキョクむらをいだきてながれ、長夏江村事事幽チョウカコウソンジジしず(づ)かなり。↓清らかな川が大きく一曲がりして、村を抱きかかえるようにして流れ、日の長い夏、川ぞいのこの村はなにもかもひっそりと静かである。

【清香】セイコウ 清らかなかおり。清馥セイフク。清芬セイフン。用例〔徳川斉昭、弘道館賞二梅花一詩〕弘道館中千樹梅コウドウカンチュウセンジュのうめ、清香馥郁十分開セイコウフクイクジュウブンにひらく。↓弘道館の中に植えられた千本の梅の木は、清らかな香気を放ち今まっさかりである。

【清高】セイコウ ①土地などが清く高い。②人がらが清らかで品がある。気品がある。

【清斎(齋)】セイサイ ①身心を清め物忌みする。潔斎。②清らかな部屋。

【清△灑】セイサイ 清め、すすぐ。清掃。

【清算】セイサン ①貸し借りを整理する。②結末をつける。「過去を清算する」→精算(一〇九九ページ上)。

【清△斯濯レ△纓、濁△斯濯レ足△矣】すまばここにエイをあらい(ひ)、にごらばここにあしをあらう(ふ) 水が清らかに澄んでいれば貴重な冠のひもを洗い、濁っているときには、汚い足を洗う。人が清らかであれば大切にされ、けがれていれば粗末に扱われるというたとえ。用例〔孟子、離婁上〕清斯濯レ纓すまばここにエイをあらい(ひ)、濁斯濯レ足矣にごらばここにあしをあらう(ふ)、自取レ之也みず(づ)からこれをとるなり。↓水が澄んでいれば冠のひもを洗い、濁っていれば足を洗う(というように、人からどう扱われるかは)、自分自身がそれを招いているのだ。

【清室】セイシツ ①清らかで涼しいへや。②へやを清くする。

【清酒】セイシュ ①清(玄酒で、水のこと)と酒。祭りに用いる。②むした白米にこうじと水を加えて発酵させ、これをこして製した酒。きよみき。↔濁酒(八八三ページ中)。

【清秀】セイシュウ 顔だちの清らかで人にすぐれること。眉目秀麗。

【清秋】セイシュウ ①大気や空の清く澄み渡った、さわやかな秋。②陰暦八月の別称。

【清痩(瘦)】セイシュウ・セイソウ ①やせてすらりとしていること。②(山の姿などの)かど立って清らかなこと。

【清愁】セイシュウ 清らかな愁え。

【清△峻】セイシュン 清く厳しい。清潔で崇高である。

【清純】セイジュン 心が清らかでにごりのないこと。

【清△醇】セイジュン 清らかでまじりけのないこと。また、その酒。

【清商】[一]セイショウ ①音律の商の音。澄んだ音色。②清くすずしい風。秋風。[二]シンショウ 清国シンコクの商人。

【清唱】セイショウ 清らかな声で歌う。また、清らかな歌声。

【清浄(淨)】[一]セイジョウ・ショウジョウ 清らかでけがれのないこと。邪念・私心のないこと。↔汚濁(八二三ページ上)。[二]ショウジョウ 仏煩悩ボンノウを離れ、罪悪などがなく、心の清らかなこと。

【清△晨】セイシン 清らかに晴れたあけがた。

【清新】セイシン 清らかで新しい。すがすがしい。

【清水】[一]セイスイ 清く澄んだ水。[二]しみず(づ) 国地面や岩間からわき出る澄んだ水。

【清世】セイセイ よく治まった世。太平の世。

【清聖祖】シンのセイソ 清朝四代目の天子、康熙帝コウキテイ(四七五ページ下)。聖祖は廟号ビョウゴウ。

【清静(靜)・清△靚】セイセイ 清らかで静かなこと。無欲で安静なこと。

【清切】セイセツ ①きわめて清らかなこと。▼切は、はなはだしい。②寂しくいたましいこと。③きびしい。

【清雪】セイセツ 清め、すすぐ。

【清節(節)】セイセツ 清らかで汚れのない操。清廉潔白な節操。

【清絶】セイゼツ 非常に清らかなこと。▼絶は、他からかけ離れていること。

【清選】セイセン ①よりすぐる。また、よりぬき。②清くすぐれたもの。

【清素】セイソ 潔白で飾りけがないこと。

【清△楚】セイソ ①清らかで美しいこと。こざっぱりしていること。②明らかであること。はっきりしていること。

【清爽】セイソウ 清くさわやかなこと。

【清泰】セイタイ ＝清寧。

【清濁】セイダク ①澄むことと濁ること。②清水と濁水。③善と悪。正と邪。④善人と悪人。君子と小人。⑤清気と濁気。天地間の陰陽の気。⑥世の治まることと、乱れること。⑦清音と濁音。

【清旦】セイタン ＝清晨セイシン。

【清淡・清△澹】セイタン 清くさっぱりしていること。清浄淡白。

【清淡虚(虛)無】セイタンキョム 清くさっぱりとして物欲のないこと。

【清談】セイダン ①高尚な話。俗ばなれした話。②魏ギ・晋シンのころの人が、老荘思想によって、俗世間の形式的なことを打破しようと考え、論じあった談論。竹林七賢チクリンのシチケン(一〇七三ページ下)で有名。

【清致】セイチ ①清らかなおもむき。清趣。②清らかな風流心。

【清重】セイチョウ 潔白でおもおもしい。

【清朝】[一]セイチョウ ①清らかな朝。清晨セイシン。②清く明らかな朝廷。当代の朝廷をいう。③国「清朝活字」の略。毛筆書きの字体に似た楷書活字。[二]シンチョウ 王朝の名。→字義❾。

【清澄】セイチョウ ①清くすんでいること。②政治や刑罰などの、公平でよこしまのないこと。

【清聴(聽)】セイチョウ ①さえてよく聞こえる耳。澄んだ耳。②静かに、じっと聞き入る。③国相手に話を聴いてもらうことを尊敬していう語。

【清貞】セイテイ 心が清く正しいこと。

【清適】セイテキ ①さっぱりとして気持ちのよいこと。②国相手の無事で健康なことをいう敬語。

【清徹・清△澈】セイテツ ①清くすきとおる。清く明らか。②物事をよく見通すこと。

【清寧】セイネイ 同清泰。①世の中が平和に治まること。②無事平穏なこと。

【清白】セイハク ①清らかで白い。②清らかなこと。いさぎよいこと。清廉潔白。

【清泌】セイヒ 水が清らかに流れること。

【清△謐】セイヒツ 清らかで静かなこと。

【清△蹕】セイヒツ ①先払いする。また、先払い。先払いの声。②天子の行幸。また、その行列。

【清標】セイヒョウ ①きりりとしてけだかい。りりしい様子。②明月。

【清△廟】セイビョウ 清浄なみたまや。周の文王の廟。清明な徳のある者をまつるみたまやの意。

【清貧】セイヒン 清廉のため貧しいこと。貧しいながら心清らかなくらし。

【清風】セイフウ ①清らかな風。すずしい風。②清らかな風格。③清らかならわし。

【清福】セイフク ①清らかな幸福。②国相手の幸福をいう敬語。

【清△芬】セイフン ①清らかな香り。②人の徳行が清くすがすがしいさま。

【清△氛・清雰】セイフン 清らかな気。

【清平】セイヘイ ①清く平らかなこと。静かに治まること。②清廉潔白で公平なこと。

【清平調】セイヘイチョウ 楽府の一つ。唐の玄宗が楊貴妃と沈香亭で牡丹をながめ楽しんだとき、李白が勅を受けて作ったもの。

【清望】セイボウ 清廉潔白であるという人望。

【清△眸】セイボウ 清いひとみ。すずしい目もと。

【清△穆】セイボク ①清らかでやわらぐ。②国相手の幸福・健康をいう敬語。

【清明】セイメイ ①清く明らか。②二十四気の一つ。陰暦三月の節。春分から十五日目で、陽暦四月五、六日ごろ。墓参りをする日。⇩コラム 気候(二十四気)(八〇三ジ一)。用例〔唐、杜牧、清明詩〕清明時節雨紛紛、路上行人欲レ断レ魂 ⇩清明の時節とあって、雨がしきりに降り続いている。道行く旅人(私)の魂は消え入りそうだ。③清明節の後に吹く南東風。清明風。

【清門】セイモン りっぱな家がら。高い家がら。名門。

【清夜】セイヤ 清くはれた夜。清宵。

【清約】セイヤク 心清らかで、つつましいこと。清倹。

【清幽】セイユウ 清らかで奥深い。俗世間を離れた、清らかで静かな所。

【清遊・清△游】セイユウ ①俗世間のけがれを離れた清らかな遊び(旅行)。②国相手の遊びをいう敬語。

【清誉(譽)】セイヨ 清廉であるという名声。清名。

【清要】セイヨウ ①すっきりとして要領を得ていること。②けだかく重要なこと。また、その地位・官職。

【清曜・清△耀】セイヨウ 清らかな光。清いかがやき。

【清覧(覽)】セイラン ①清らかなながめ。②人の見ることに対する敬語。高覧。

【清流】セイリュウ ①清らかな水流。↕濁流(八八三ジ一中)。②清廉な人。③高貴な人。名士。④清らかな恩沢。とうといめぐみ。

【清△亮】セイリョウ 清らかで明るい。清くほがらか。人の性質や音声などについていう。

【清涼】セイリョウ ①清くすずしい。すがすがしい。②漢代の宮殿の名。③国紫宸殿の西にあった宮殿の名。清涼殿。

【清涼剤(劑)】セイリョウザイ ①気分をさっぱりさせるために飲む薬。②すがすがしい気分にさせる事柄。

【清△冷・清冷】セイレイ 清らかですきとおっていること。晴れた空・風・水・楽器の音などの形容。

【清△厲】セイレイ 清くはげしい。

【清△冽】セイレツ 水などが清らかで冷たいこと。

【清廉】セイレン 心が清く正しい事。私利・私欲に心を動かされないこと。「清廉潔白」

【清△漣】セイレン 清らかなさざなみ。

【清朗】セイロウ ①清らかでほがらか。すがすがしくほがらか。②天気のからりと晴れているさま。「天気清朗」

【清和】セイワ ①清らかでなごやか。のどか。②世の中のよく治まっていること。③陰暦四月一日、また、四月の別名。④初夏の気候の形容。よく晴れて暖かいこと。

【清話】セイワ 俗ばなれした清らかな話。高尚な話。清談。

8 【淒】11画 6436 漢セイ 呉サイ 齊 qī ｜6239 9FC5 ―

字義 ❶すさまじい。すさまじ。すごい。すごし。さびしい。ぞっとするほどさびしい。❷さむい。つめたい。すずしい。ひややか。＝凄(815)。❸いたましい。かなしい。＝悽(3770)。❹雨雲の出るさま。❺さかん。草木のさかんに茂るさま。＝萋(10044)。

参考 〔凄〕(815)は元来別字であるが、俗に通じて用いる。熟語は〔凄〕をも見よ。

解字 篆文 形声。氵(水)＋妻音。音符の妻は、齊に通じ、出そろうの意味。雨や雲などの気象が出そろって、寒けがする、すさまじいの意味を表す。

【淒淒】セイセイ ①雨雲のさかんに起こるさま。②草木の勢いよくしげるさま。③涙などのさかんに流れるさま。④楽音のひびき渡るさま。⑤風や雨のさびしく冷たいさま。

【淒絶】セイゼツ きわめてものさびしいこと。ぞっとするほどものさびしいこと。凄切。

【淒然】セイゼン ①つめたく、ひえびえとしているさま。②非常にものさびしいさま。③さびしくいたましいさま。

【淒△楚】セイソ ものすさまじく感ずる。悲しくいたましく思う。

【淒風】セイフウ ①すさまじい風。はげしい風。②南西の風。

【淒涼】セイリョウ ①ものさびしい。うらさびしい。②ひえびえとする。③さびしくひえびえとしている。

【淒冷】セイレイ ひえびえとする。つめたい。また、ものさびしい。

【淒△厲】セイレイ 風がもの寂しく吹きすさぶ。肌寒く吹きすさぶ。また、そのさま。

8 【淅】11画 6437 漢セキ 呉シャク 錫 xī ｜6240 9FC6 ―

字義 ❶よなげる。よなぐ。とぐ。米をとぐ。❷かしよね。水でといだ米。❸さびしい音や様子の形容。→淅瀝。

解字 篆文 形声。氵(水)＋析音。音符の析は、ときほぐすの意味。水に入れてゆすり、ときほぐす・よなぐの意味を表す。

【淅淅】セキセキ 風や鈴などのさびしい音の形容。

【淅△瀝】セキレキ あわれにさびしい様子の形容。また、風・雨・落葉・機の梭などのさびしい音の形容。

8 【淛】11画 6438 ㊀セイ 霽 ㊁漢セツ・呉セチ 屑 zhè ｜8684 ― 3959

字義 ㊀❶川の名。淛江。＝浙(6356)。→浙江(八三九ジ一中)。㊁❷山の名。→淛山。

解字 形声。氵(水)＋制音。

【淛山】セイザン・セツザン 山の名。福建省内。

8 【淺】11画 (6314) セン 浅(6313)の旧字体。→八三三ジ一下。

8 【淙】11画 6439 漢ソウ 呉ゾウ 冬 cóng ｜6242 9FC8 ―

字義 水の流れるさま。また、その音の形容。

解字 形声。氵(水)＋宗音。

【淙△潺】ソウセン さらさらと水の流れる音の形容。

【淙淙】ソウソウ ①さらさらと水の流れるさま。また、その音の形容。②金石のふれ合う音の形容。

【淙△琤】ソウソウ ①水の流れる形容。②玉がふれ合う音の形容。▼琤は、玉のふれ合う音。

8 【涿】11画 6440 ㊀漢トク・呉ドク 屋 ㊁タク 覺 zhuō ｜8680 ― 3952

字義 ㊀❶したたる(滴)。❷ひたす(漬)。❸うつ(撃)。❹みがく。＝琢(7402)。❺しり(尻)。㊁❶したたる。❷→涿鹿。

解字 甲骨文 篆文 形声。氵(水)＋豖音。音符の豖は、たたく音を表す擬声語。水が流れしたたるの意味を表す。

【涿鹿】タクロク 山の名。河北省涿鹿県の東南にある。黄帝が蚩尤と戦った地と伝えられる。

8 **【淡】** 11画 6441 常 タン あわ-い
㊀㊉タン・㊈ダン 勘 感 dàn
㊁エン 琰 yǎn
3524 9257 —

筆順 淡

字義 ㊀あわ-い。うすい。あっさりしている。↔濃(6745)。㋐味がない。味がうすい。「淡水」㋑色がうすい。「淡彩」㋒欲望が少ない。名誉・利益などに執着しない。「淡泊」㋓情が薄い。「冷淡」㊁あわ-い。❶水の満ちるさま。❷ただよう。また、水がゆれ動く。

名前 あう・あわ・あわし・あわじ 国あわ-い。㋐もろい。㋑薄情である。難読 淡河・淡竹・淡路

解字 甲骨文 篆文 形声。氵(水)＋炎㊅。音符の炎は、さかんにもえあがるほのおの意味。日光を受けて地面からさかんにもえあがる、かげろうの意味を表し、転じて、うすい・あわいの意味を表す。

逆 古淡・枯淡・惨淡・濃淡・平淡・冷淡

【淡靄】うすもや。
【淡煙・淡烟】①うすけむり。②うすいもや。
【淡雅】かざりけがなく上品なこと。
【淡海三船】国奈良時代の学者。官は大学頭・文章博士・刑部卿。神武天皇から光仁天皇までの諡を選んだという。(七二二―七八五)
【淡交】あっさりとした交際。君子の交際をいう。
【淡彩】あわい色どり。また、あっさり色どる。「淡彩画」
【淡如】①あっさりしたさま。②うすい、また、かすかなさま。
【淡粧】うす化粧。あっさりした化粧。
【淡然】＝淡如。
【淡淡】㊀＝淡如。㊁①水がいっぱいに満ちて静かに流れるさま。②水のゆれ動くさま。③物の影のかすかなさま。
【淡泊・淡白】あっさりしていること。澹泊。㋐味や色などの濃厚でないこと。㋑欲や執着心の少ないこと。㋒気持ちがさっぱりしていてかざりけのないこと。㋓おもむきやおもしろみの少ないこと。◆本来の表記は「淡泊」であって「淡白」は誤り。ただ「白」の意味が「淡(あっさりしている)」の意味と結びつきやすいために、「淡白」の表記が行われるようになってきている。
【淡飯】粗末な飯。
【淡墨】うすずみ。

8 **【添】** 11画 6442 常 テン そ-える・そ-う
テン 塩 tiān
3726 9359 —

筆順 添

［添］6444 正字 ［忝］6128 同字 ［添］6445 俗字

字義 そ-える。ます(益)。つけ加える。「添付」国そ-う。㋐つれそう。夫婦になる。㋑つきそう。つき従う。㋒かなう。適応する。

名前 そえ・ます 難読 添水

使いわけ そう〔沿・添〕⇩沿(6225)。

解字 形声。氵(水)＋忝㊅。

【添加】そえ加える。つけ加える。添付。加添。
【添削】国文字を加えたり削ったりして詩文を直すこと。
【添丁】男児を生むことの謙称。国のために壮丁を増し加える意。
【添付・添附】国そえる。いっしょにつける。

8 **【淟】** 11画 6443 テン 銑 tiǎn
27874 — 3961

字義 ❶けがれる。にごる。❷けがれ。あか。❸しずむ(沈)。また、滅びる。

解字 形声。氵(水)＋典㊅。

8 **【添】** 11画 6444 テン
添(6442)の正字。→八五三ページ中。

8 **【添】** 11画 6445 テン
添(6442)の俗字。→八五三ページ中。
27863 — —

8 **【淀】** 11画 6446 人 標 ㊉テン ㊈デン 霰 diàn
4568 9784 —

筆順 淀

字義 ❶よど。よどみ。水が浅くよどんでいる所。水深の浅い湖沼。❷よどむ。＝澱(6744)。国よど-む。とまって動かない。また、物事がすらすら進まない。「空気が淀んでいる」

解字 会意。氵(水)＋定。水がある一つの位置によどんで変わらないの意味を表す。

【淀江】国大阪府を流れる淀川。淀水。澱江。

8 **【淰】** 11画 6447 ㊀㊉デン・㊈ネン 琰 niǎn ㊁シン 寝 shěn
— — 3967

字義 ㊀❶にごる。❷水の流れるさま。㊁魚が驚くさま。

解字 形声。氵(水)＋念㊅。

8 **【淘】** 11画 6448 標 ㊉トウ(タウ) ㊈ドウ(ダウ) 豪 táo
3781 9391 —

字義 ❶よな-げる。㋐米をとぐ。㋑細かい物を水に入れてゆり動かし、善い物と悪い物と選び分ける。「淘金」㋒選び分けて悪い物を捨てる。淘汰する。❷さらう。浚渫する。

難読 淘綾

解字 形声。氵(水)＋匋㊅。音符の匋は、陶器の意味。陶器に米を入れて水を注ぎ雑物を除く、よなぐの意味や、さらうの意味を表す。

【淘金】砂金を水でえりわける。
【淘汰】①洗いよなげて選び分けること。②すぐる。選び分けて善い物を取り悪い物を捨てること。③洗う。洗い清める。④国生物の、環境に適したものが栄え、適しないものが滅びてゆくこと。自然淘汰。

8 **【涷】** 11画 6449 トウ 東 送 dōng
— — 3949

字義 ❶にわか雨。❷こごえる。＝凍(820)。❸川の名。山西省内を流れる川。

解字 形声。氵(水)＋東㊅。

8 **【淖】** 11画 6450 ㊀㊉ドウ(ダウ) ㊈ニョウ(ネウ) 効 nào ㊁シャク 薬 chuò
18682 — 3958

字義 ㊀❶どろ(泥)。ぬかるみ。❷ぬか-る。泥で行きなやむ。❸うるおう。ぬれる。❹おぼれる。❺にごる。❻やわらぐ。おだやか。㊁しなやか。なよやか。＝綽(9211)。

解字 篆文 形声。氵(水)＋卓㊅。音符の卓は、弱に通じ、しなやかの意味。どろ・うるおうの意味を表す。

【淖濘】ぬかるみ。泥濘。淖泥。
【淖約】しなやか。なよやか。あでやか。美人の容姿の美しいさま。綽約。用例〔荘子、逍遥遊〕淖約若処子(シャクヤクとしてショシのごとし)。⇩しなやかで処女のように柔軟だ。

8 **【淂】** 11画 6451 ㊀トク 職 dé ㊁㊉チョク・㊈チキ 職
27868 — —

字義 ㊀❶水のさま。❷川の名。

解字 形声。氵(水)＋㝵㊅。

8 **【淝】** 11画 6452 ㊉ヒ ㊈ビ 微 féi
18685 — 3960

字義 川の名。→淝水。

解字 形声。氵(水)＋肥㊅。

【淝水】川の名。安徽省を流れて一つは巣湖に、一つは淮河に注ぐ、その合流点は、五胡十六国の前秦の王、苻堅が東晋の謝玄と戦って大敗した所。

8 【淠】11画 6453 ㊀ヒ 寘 支 pì ㊁ハイ 泰 pèi — — 3962

字義 ㊀❶川の名。㋐河南省内を流れる川。㋑安徽アンキ省内を流れる川。❷舟の進むさま。㊁旗の動くさま。

解字 形声。氵(水)+畀(音)。

8 【淝】11画 6454 ヒ 微 féi — — 3972

字義 川の名。湘水ショウスイの支流。

解字 形声。氵(水)+非(音)。

8 【㳽】11画 6455 ビ 瀰(6819)の俗字。→八八九ページ上。

8 【涪】11画 6456 ㊀漢フウ・呉ブ 尤 fú ㊁漢ホウ・呉ブ 尤 pǒu 18678 — 3946

字義 ㊀川の名。→涪水。㊁涪漚ホウオウは、あわ。水泡。

解字 形声。氵(水)+咅(音)。

【涪水】フウスイ 川の名。四川省内を流れる。

8 【洴】11画 6457 ㊀漢ヘイ 呉ビョウ(ビャウ) 青 píng ㊁漢ホウ(ハウ) 呉ヒョウ(ヒャウ) 庚 27869 — —

字義 ㊀綿を白くするために水にさらすこと。「洴澼ヘイヘキ」㊁水の音の形容。

解字 形声。氵(水)+并(音)。

【洴澼】ヘイヘキ わたを水にさらしながら打つこと。また、その音。

8 【湗】11画 6458 ホウ 腫 pěng 27871 — 3956

字義 川の名。

解字 形声。氵(水)+奉(音)。

8 【渀】11画 6459 漢ホン 呉ボン 願 bèn — — 3971

字義 水が激して流れ込むさま。＝奔(2269)。

解字 形声。氵(水)+奔(音)。

8 【㳺】11画 6460 ユウ 游(6548)の俗字。→八六三ページ上。

8 【淢】11画 6461 ㊀漢ヨク・呉イキ(ヰキ) 職 yù ㊁漢キョク・呉コク 職 xù — — 3963

字義 ㊀❶速い流れ。❷溭淢ショクヨクは、波の勢いの盛んなさま。❸惻淢ソクヨクは、悲しみいたむさま。㊁溝。堀。

解字 形声。氵(水)+或(音)。

8 【淶】11画 6462 ライ 灰 lái 27876 — 3969

字義 川の名。→淶水。

解字 形声。氵(水)+來(音)。

【淶水】ライスイ 川の名。河北省内を流れる川。

8 【淕】11画 6463 漢リク 呉ロク 屋 lù 6244 9FCA —

字義 雪のしめり。

解字 形声。氵(水)+坴(音)。

8 【涼】11画 6464 常 リョウ すず-しい・すず-む リョウ(リャウ) 陽 liáng 4635 97C1 —

筆順 氵 氵 汁 汁 沽 沽 淳 涼 涼

「凉」822 俗字

字義 ❶すず-しい。ひややか。快い冷たさ。すがすがしくひややか。薄ら寒い。「涼秋」「納涼」❷うすい。少ない。低い。❸ものさびしい。荒れている。「荒涼」❹かなしむ。うれえる。❺国の名。東晋トウシンの時の五胡ゴコ十六国の一つ。前涼・後涼・北涼・西涼・南涼の五つがある。国❶すず-しい。清らかですずしそうな感じのすること。「目もとが涼しい」❷すず-む。すず-み。「夕涼み」

名前 きよ・すけ・すず・りょう

解字 篆文 形声。氵(水)+京(音)。音符の京は、良に通じ、よいの意味。良い水の意味から、転じて、すずしいの意味を表す。

逆 後涼・荒涼・秋涼・清涼・納涼

【涼意】リョウイ すずしい趣。すずしさ。

【涼陰】㊀リョウイン すずしい木こかげ。涼蔭リョウイン。㊁リョウアン 天子が父母の喪に服する期間。また、その部屋。諒闇リョウアン。

【涼雨】リョウウ ①すずしく気持ちのよい雨。②ひややかな、また、つめたい雨。③さびしい雨。

【涼月】リョウゲツ ①すずしげにひややかな感じの月。②秋の夜の月。③陰暦七月の別名。

【涼州】リョウシュウ 州の名。漢代に置かれたが、清シン代に廃された。今の陝西センセイ省の西部から甘粛省一帯の地。唐代の涼州は、今の甘粛省永昌県以東、天祝蔵族自治県以西の武威市を中心とした地。

【涼州詞】リョウシュウシ 楽府ガフの一つ。唐の玄宗の時、涼州から採集したもの。この題をつけている詩は、多く西域に関係ある内容を歌っている。〔唐、王翰、涼州詞〕

【涼秋】リョウシュウ ①すずしい秋。ひえびえとした秋。用例〔唐、岑参、胡笳歌送顔真卿使赴河隴詩〕涼秋八月蕭関道リョウシュウハチガツショウカンのみち、北風吹断天山草ホクフウふきたつテンザンのくさ ↓秋八月に蕭関の道を行けば、北風が天山山脈の草を吹きちぎるばかりに吹いているのが見えるであろう。②ものさびしい秋。

【涼天】リョウテン すずしい空。秋の空をいう。用例〔唐、韋応物、秋夜寄丘二十二員外詩〕懐君属秋夜きみをおもい(ひ)てシュウヤにゾクす、散歩詠涼天サンポしてリョウテンにエイず ↓君のことを思っている今は、ちょうど秋の夜だ。ぶらぶらと歩を進め、涼しい空の下詩を詠じている。

【涼徳】リョウトク ①薄い徳。低い徳。菲徳ヒトク。②よくない徳。不人情な性格や行為。

【涼風】リョウフウ ①すずしい風。②北風。③南西風。

【涼夜】リョウヤ ①すずしい夜。②秋の夜。

【涼涼】リョウリョウ ①すずしくひえびえするさま。②親しみのないさま。③軽薄なさま。

8 【淩】11画 6465 リョウ 蒸 líng 27875 — 3965

字義 ❶しの-ぐ。㋐おしわけていく。乗り越える。㋑犯す。❷はしる。はせる(馳)。❸おそれる(恐)。おののく。

参考 〔凌〕(821)は別字であるが通じて用いることがある。熟語は〔凌〕を見よ。

解字 篆文 形声。氵(水)+夌(音)。音符の夌リョウは、のりこえていくの意味。水が高い所を乗り越えていくの意味を表す。

8 【淋】11画 6466 人 標 リン 侵 lín 4652 97D2 —

筆順 氵 氵 汁 汁 沐 沐 沐 淋 淋

字義 ❶そそぐ(注)。水をそそぐ。❷したたる。したたり落ちるさま。「淋漓リンリ」❸なが雨。＝霖(13243)。「淋雨」❹りん病。＝痳(7770)。国さび-しい。さみ-しい。

名前 りん　難読 淋代さびしろ

解字 篆文 形声。氵(水)+林(音)。音符の林は、立に通じ、たつの意味。水が垂直に立つものをつたわってたれる、したたるの意味を表す。

【淋雨】リンウ ①なが雨。霖雨リンウ。②雨をそそぐ。

【淋漓】リンリ ①したたるさま。血・汗などがたらたら流れるさま。②元気や筆勢などのさかんなさま。

【淋淋】リンリン 水のしたたり落ちるさま。

【淋浪】リンロウ 水が流れそそぐさま。また、物や音などの入り乱れるさま。

8 【淪】11画 6467 ㊀リン 真 lún ㊁ロン 阮 lǔn 6245 9FCB —

字義 ㊀❶さざなみ。小さい波。❷しず-む。しずむ。㋐水中に没する。㋑おとろえる。おちぶれる。「淪落」㋒ほろびる。

❸いる。おちいる。おちこむ。❹ひきいる。㊁混淪は、水のうずまき流れるさま。

解字 篆文 形声。氵(水)＋侖㊅。音符の侖は、輪に通じ、わの意味。わのようにひろがる、さざなみの意味を表す。

【淪猗・淪漪】さざなみ。小波。

【淪棄】しずみかくれて世から見棄てられる。

【淪暮】落ちぶれて年よる。

【淪没】①しずむ。沈みかくれる。②おとろえる。おとろえほろびる。

【淪滅】①ほろびる。ほろぼす。②穴などをうずめること。

【淪落】①しずむ。②おとろえる。おとろえほろびる。③おちぶれる。

8 【淚】 11画 (6383) ルイ 涙(6382)の旧字体。→八四三ページ下。

8 【淥】 11画 6468 ㊀ロク 屋 lù ㊁㊇リョク・㊄ロク 沃 ― ― 3964

字義 ㊀㊁❶こす(漉)。水をこして清くする。❷きよい。水が清い。すむ(澄)。

解字 形声。氵(水)＋彔㊅。音符の彔は、くみあげたばかりの水の意味。きよい水の意味を表す。

8 【淮】 11画 6469 ㊇カイ(クワイ) ㊄エ(ヱ) ㊈ワイ 佳 huái 6246 9FCC ―

字義 ❶川の名。→淮水。❷かこむ。

参考 〔淮〕(814)は別字。

解字 形声。氵(水)＋隹㊅。

【淮陰】地名。今の江蘇省の淮陰市の地。漢の功臣韓信が封ぜられた地。

【淮陰侯】＝韓信(一五五〇ページ上)。

【淮水】①川の名。淮河。河南省桐柏山に源を発し、安徽・江蘇両省を経て洪沢湖に注ぐ。中国第三の大河。全長約一、一〇〇キロメートル。②秦淮河。今の江蘇省南京市の城南を流れ長江に注ぐ。

【淮南】淮水以南の地をいう。

【淮南子】書名。二十一巻。前漢の高祖の孫、淮南王劉安が学者たちに各自の学問を論講させて、編集したもの。その説は大体『老子』に基づいているが、一学派に片寄らず、当時の諸種の思想・学説が載せてある。

8 【⿰氵和】 11画 6470 国字 ₂7864 ― ―

字義 なぎ。水波のおだやかに静まること。 難読 野⿰氵和

8 【⿰氵叟】 11画 6471 国字 ₂7862 ― ―

字義 ⿰氵叟川・そまは、姓氏。

9 【渥】 12画 6472 人 アク 覚 wò 1615 88AD ―

筆順 渥

字義 ❶あつい(厚)。てあつい。ねんごろ。懇篤。「優渥」❷うるおう(霑・濡)。ぬれる。うるおす。ひたす(浸)。つける(漬)。❸うるおい。つや。光沢。美しい。つやがあって美しい。❹こい(濃)。「渥丹」❺めぐみ。恩恵。「恵渥」

名前 あつ・あつし・ひく

解字 篆文 形声。氵(水)＋屋㊅。音符の屋は、へやの意味。くつろげるへやのような、うるおいの意味を表す。

【渥恩】厚いめぐみ。

【渥厚】①てあつい。②ゆたか。

【渥赭】①濃い赤。真っ赤。②赤ら顔。赭顔。

【渥然】(顔が血色よく)つやのあるさま。

【渥丹】①濃いべに。②濃い赤。真っ赤。

【渥美】㊀①きわめて美しいこと。②つやつやして美しいこと。㊁国①地名。②姓氏。

9 【渭】 12画 6473 イ(ヰ) 未 wèi 6247 9FCD ―

字義 ❶川の名。→渭水。❷ゆく。流れ行く。

解字 形声。氵(水)＋胃㊅。

【渭樹江雲】遠方にある友人を思う情の切実なこと。一人は渭水のほとりに、他は長江のほとりにあって、たがいに思いを寄せ合う意。盛唐の杜甫の「春日憶二李白一詩」に「渭北春天樹、江東日暮雲」とあるのに基づく。

【渭城】①地名。秦の都の咸陽の地で、漢代、渭城県を置いたことから。今の陝西省咸陽市の北東。唐代、都の長安の北西にあたるこの地で、西域地方に行く人を見送った。②楽曲の名。渭城曲。また、送別の詩をいう。盛唐の王維の「送三元二使二安西一詩」に「渭城朝雨浥二軽塵一」とあるのに基づく。一名、陽関曲。

【渭水】川の名。甘粛省渭源県の鳥鼠山に発し、陝西省渭河平原を東流し、潼関県で黄河にそそぐ。黄河最大の支流。全長七百八十七キロ。渭河。渭川。水が清らかなので清渭とも呼ばれる。

【渭浜(濱)】①渭水のほとり。渭水の岸べ。②周の太公望をいう。→渭浜器。

【渭浜(濱)器】大臣・大将たるべき才能、また人物。周の太公望呂尚が、渭水のほとりで釣りをしていて文王に見出されて、名宰相になった故事に基づく。

【渭陽】①渭水の北岸の地。▼陽は、川の北岸。②母方のおじをいう。『詩経』の秦風・渭陽に「我送二舅氏一、曰至二渭陽一」とあるのに基づく。

【渭陽情】母方のおじを思う情。また、母方のおじが甥や姪を思う情。→渭陽②。

9 【湋】 12画 6474 イ(ヰ) 微 wéi ₂7886 ― 3985

字義 ❶めぐる。水流が旋回する。❷ふち(淵)。❸川の名。→湋水。

解字 形声。氵(水)＋韋㊅。

【湋水】川の名。陝西省内を流れ渭水に注ぐ。

9 【湮】 12画 6475 ㊀イン 真 yīn ㊁エン 先 yān

〔湮〕 6476 同字

字義 ㊀❶しずむ。埋もれる。ほろびる。❷ふさぐ(塞)。ふさがる。とどこおる。

解字 甲骨文 篆文 形声。氵(水)＋垔(㽟)㊅。音符の㽟は、ふさぐの意味。水蒸気や水などにふさがれる、しずむの意味を表す。

【湮鬱】うれいに気持ちがふさいで心が晴れ晴れしないこと。

【湮没】①うずもれ沈む。跡かたもなく消えうせる。ほろびる。②死ぬ。

【湮滅】＝湮没。

【湮厄・湮阨】ふさがること。不幸。不運。

【湮淪】＝湮没。▼淪は、沈む。

9 【湮】 12画 6476 イン 湮(6475)の俗字。→八五五ページ下。 6248 9FCE ―

9 【淵】 12画 6477 人 標 エン(ヱン) 先 yuān 4205 95A3 ―

〔囦〕 1821 古字 〔渊〕 6392 俗字 〔渕〕 6393 俗字

筆順 淵

字義 ❶ふち。水を深くたたえている所。川などの、特に深くなって水をたたえている所。❷物の多く集まる所。「淵藪」❸ふかい。「深淵」❹しずか。ひっそりしている。

名前 えん・しずか・すえ・すけ・なみ・のぶ・ひろ・ふか・ふかし・

ふち

解字 甲骨文 金文 篆文 **形声**。氵(水)+㴱㊥。音符の㴱は、両岸がせまり、間にふちのある形にかたどり、ふちの意味を表す。

【淵淵】①奥深く静かなさま。②鼓を打つ音の形容。

【淵雅】静かに落ち着いて上品なこと。

【淵海】ふちと海。転じて、深く大きいたとえ。

【淵玄】奥深いこと。深奥。幽深。

【淵源・淵原】みなもと。根原。根本。本原。

【淵静(靜)】奥深く静かなこと。

【淵泉】①ふちと泉。また、深い泉。②ふちのように深く、泉のように湧くこと。

【淵然】水の深くて静かなさま。

【淵△叢】=淵藪。▼叢は、くさむら。

【淵△藪】淵と藪(草木の密生している所。やぶ)。魚や鳥獣の集まる所。転じて、物の多く集まる所。〔書経、武成〕

【淵塞】①心が深く、徳が満ちていること。②思慮が深く誠実なこと。

【淵博】深く広い。見聞・知識などにいう。

【淵謀】深いはかりごと。淵図。淵謨。

【淵黙(默)】①じっと(深い淵のように)黙っていること。②落ち着いていて、むだ口をきかないこと。

【為(爲)レ淵敺レ魚】獺が魚を追いたてて川の深みに入れるのは、ちょうど川の深みのために入れてやるようなものだ。暴虐な君主が人民を追いたてて仁徳ある君主のもとにのがれ集まらせるたとえ。〔孟子、離婁上〕

【臨レ淵羨レ魚、不レ如ニ退△而結レ網】淵のそばで魚をほしがっているよりは家に戻って魚を捕らえる網を作った方がよい。いたずらに幸福をこいねがうよりは、いかにしたら幸福が得られるかを考え、地道に努力した方がよいことのたとえ。〔漢書、礼楽志〕

9
【温】
12画 6478 教3
オン
あたた-か・あたた-かい・あたた-まる・あたた-める
1825 89B7 —

10
〖溫〗
13画 6479 人
㊀オン(ヲン) 㐫 wēn ㊁ウン 問 yùn
18692 — —

筆順 氵 氵 氵 氾 沪 沪 沪 渭 渭 温 温

字義 ㊀❶**あたた-かい**。**あたた-か**。「温泉」「温暖」 ❷**あたた-める**。**あたた-まる**。㋐あたたかくする。㋑大切にする。しまいこむ。「温存」 ❸おだやか。なごやか。あたたかな感じを与える。「温和」「温顔」 ❹まるい。まろやか。円満。 ❺**たず-ねる**。ならう。復習する。よみがえらせる。「温故知新」 ㊁つつむ(包)。=蘊(10309)。 国**ぬる-い**。㋐(おもに液体が)冷めたりあたたまったりして、適温から外れている。㋑やり方が厳しさに欠けている。なまぬるい。

名前 あつ・あつし・いろ・すなお・ただす・つつむ・なが・ならう・のどか・はる・まさ・みつ・やす・ゆたか・よし **難読** 温海・温谷・温根沼・温習・温楽・温田・温湯・温飩

使いわけ 〔暖・温〕⇩暖(4830)。 **あたたか・あたたかい・あたたまる・あたためる**

解字 篆文 **形声**。氵(水)+𥁕(𥁃)㊥。音符の𥁕は、あたたかいの意味。もと川の名を表したが、借りて、あたたかいの意味を表す。

逆 寒温・微温

【温温】①柔和なさま。おだやかなさま。やさしいさま。②つやのあるさま。うるおいのあるさま。③熱気のさま。

【温雅】おだやかで、みやびやか。やさしくて奥ゆかしい。

【温顔】おだやかな顔。やさしい顔。

【温恭】おだやかで、つつしみ深い。

【温故知新】前に習ったことや昔の事をよく復習・研究して、新しい道理・知識を得ること。↓温レ故而知レ新(六三三ページ上)。

【温厚】①おだやかで篤実なこと。やさしく手厚いこと。②富んでいて不足がない。豊か。

【温克】あたたかくしとやかな中にも、自制心のあることと。やさしくうけいれるところがあって、しかも自分の節操をまげないこと。〔詩経、小雅、小宛〕

【温車】死骸を乗せる車。窓を閉じればあたたかく、あけると涼しくて、物が腐らないように装置した車。轀車。

【温州】唐代の州の名。州都は永嘉(今の浙江省温州市)。

【温習】前に学んだことを繰り返して学ぶこと。復習。おさらい。

【温柔】①おだやかなこと。温厚で柔順。②あたたかでやわらか。「温柔敦厚」

【温柔郷(鄉)】あたたかくやわらかな里。転じて、遊び場。色里。遊里。また、ねや。閨房。

【温純】おだやかですなおなこと。温和で純良。

【温順】おとなしくすなお。

【温潤】①あたたかくてうるおいのあること。②やわらかでつやのあること。③おだやかで、やさしいこと。

【温△恕】心がおだやかで思いやりの深いこと。

【温情】やさしい心。なさけ深い心。

【温色】①おだやかな顔色。やさしい顔色。②あたたかい感じを与える色。赤・黄・橙など。暖色。

【温尋】①あたため熱すること。▼尋は、燖。②復習すること。また、尋ね調べること。▼尋は、たずねる。

【温△凊定省】父母に対する心がけ。冬には暖かにし(温)、夏にはすずしくし(凊)、夜には寝室の具合に心をくばり(定)、朝にはごきげんの様子に気をくばる(省)。〔礼記、曲礼上〕

【温泉】いでゆ。地中から湯のわき出る泉。**用例**〔唐、白居易、長恨歌〕春寒賜レ浴華清池、温泉水滑洗ニ凝脂一 ↓春なお寒く華清の池に浴をたまわると、温泉の湯は固まった脂のような白い肌にするすると注いだ。

【温存】①ねんごろに慰問する。やさしくなぐさめる。②国大切に保存する。

【温暖・温△煖】あたたかい。気候などがおだやかであたたかい。また、あたたかさ。

【温庭△筠】晩唐の詩人。字は飛卿。特に詞に新風を開いたとされる。(八一二?―八七〇?)

【温突】中国の東北地方や朝鮮の暖房装置。床下に煙道をつくり、煙(熱気)を通すしかけ。中国の炕(カン)に同じ。「ドル」は、朝鮮音。

【温文】心がおだやかで態度が作法にかなって立派なこと。

【温飽】あたたかに衣服を着、十分に食事をとる。生活に不自由のないたとえ。飽食暖衣。

【温良】おだやかで、すなおなこと。

【温良恭倹(儉)譲(讓)】おだやか・すなお・うやうやしい・つつましさ・謙遜の五つの徳。子貢が師の孔子を評した語。**用例**〔論語、学而〕夫子温良恭倹譲、以得レ之 ↓先生は、おだやかさ・すなおさ・うやうやしさ・つつましさ・謙遜の五つの徳を持っていらっしゃるので、相談を持ちかけられるのだ。

【温和】①性質・態度がおだやかでやさしいこと。②気候があたたかくおだやか。◆「温和」「穏和」どちらにも①②両方の意味があるが、①では「穏和」、②では「温和」が用いられることが多い。

9
【渦】
12画 6480 常
カ
うず
㊀㊥カ(クワ)・㊃ワ 歌 wō ㊁カ(クワ) 歌 guō
1718 8951 —

筆順 氵 氵口 氵冂 氵冂 氵冎 渦 渦 渦

字義 一 ❶うず。うずまき。「渦紋」 ❷うず-まく。 二 川の名。渦水。河南省より安徽省に出て淮水に注ぐ。

解字 形声。氵(水)+咼㊥。音符の咼は、亘に通じ、めぐるの意味。めぐる水、うずの意味を表す。

逆 盤渦

【渦旋】うずまきめぐる。うずまく。

【渦中】①うずまきの中。②紛争の中。もめごとの中。「渦中に入る」

9 【湏】12画 6481 一 カイ(クワイ) 隊 huì 二 シュ ²7888 — 3986

字義 一 ❶顔を洗う。❷水のさま。❸ただれる。 二 須(13437)の俗字。

解字 会意。氵(水)+頁。

9 【湝】12画 6482 一 カイ 佳 jiē 二 漢カイ・呉ガイ 佳 xié — — 3993

字義 一 湝湝は、㋐水の流れるさま。㋑寒い。 二 ❶風雨が止まない。❷冷たい。

解字 形声。氵(水)+皆㊥。

9 【渴】12画 (6401) カツ 渇(6400)の旧字体。→八四三ページ下。

9 【渙】12画 6483 カン(クワン) 翰 huàn 6250 9FD0 —

字義 ❶とける。❷ちる(散)。㋐飛び散る。㋑分かれる。離れる。❸水の流れのさかんなさま。❹明らか。美しい。❺易の六十四卦の一つ。☵☴ 坎下巽上。離れ散らばる象。

解字 篆文 形声。氵(水)+奐㊥。音符の奐は、つぎつぎに変化するの意味。水がいろいろに変化して散るの意味を表す。

【渙汗】①天子が詔勅を発すること。出たあせがかえらぬように、詔勅は一度出せば取り消せないからいう。〔易経、渙〕②ひろまるさま。流布するさま。

【渙渙】水のさかんに流れるさま。

【渙然】①解け散るさま。②新しくなるさま。更新するさま。

【渙発(發)】詔勅を発すること。▼渙は、易の卦の名で、水が散るように四方に発布する意。

9 【湲】12画 6484 漢カン(クワン) 呉ゲン 刪 yuán 6251 9FD1 —

字義 潺湲は、水のさらさら流れる形容。

解字 形声。氵(水)+爰㊥。

9 【渠】12画 6485 標 一 漢キョ・呉ゴ 魚 qú 二 漢キョ・呉ゴ 御 jù 2184 8B94 —

【渠】6486 正字

字義 一 ❶みぞ(溝)。㋐地を掘って水を通した所。ほり。ほりわり。「溝渠」 ㋑小川。㋒物の面にきざんだ細い筋目。❷おおきい。❸かしら。「渠魁」 ❹かれ(彼)。第三人称の代名詞。 二 なん-ぞ。疑問・反語の意を表す副詞。＝詎(11144)。 難読 渠儂

解字 篆文 形声。氵(水)+梟(榘)㊥。音符の榘は、じょうぎの意味。定規をあてて人工的に造った、みぞ・ほりわりの意味を表す。

【渠荷】花の名。蓮の別名。

【渠魁】かしら。おやだま。頭目。首領。主として悪者のかしらをいう。▼魁も、かしら。

【渠渠】①つとめはげむさま。②落ち着かないさま。③深く広いさま。

【渠帥】＝渠魁。▼帥も、かしら。

9 【渠】12画 6486 キョ 渠(6485)の正字。→八五七ページ中。

9 【湨】12画 6487 漢ケキ 呉キャク 錫 jú — — 4003

字義 川の名。河南省内に発する川。

解字 形声。氵(水)+狊㊥。

9 【減】12画 6488 漢カン・呉ゲン 教5 ゲン へ-る・へ-らす 豏 jiǎn 2426 8CB8 —

筆順 氵 氵 氵厂 氵厂 氵乕 減 減 減

【減】823 俗字

字義 ❶へ-る。数量が少なくなる。「減少」「半減」 ❷へ-らす。ひく。数をひく。「加減」「削減」 ❸そこなう(害)。

名前 き・つぎ

解字 金文 篆文 形声。氵(水)+咸㊥。音符の咸は、ありったけの声を出しつくすの意味。水が出つくす、へるの意味を表す。

逆 加減・軽減・削減・縮減・節減・漸減・低減・逓減

【減却】へらす。おとろえさせる。また、減る。▼却は、語にそえてその意味を強める助字。 用例 〔唐、杜甫、曲江詩〕一片花飛減二却春一(イッペンはなとびて、はるをゲンキャクす)、風飄二万点一正愁レ人(かぜバンテンをひるがえ(へ)して、まさにひとをうれえ(へ)しむ)。 ↓ ひとひらの花が散っても春は色あせていく。まして風が万片を吹き散らすと見る者を憂鬱にさせるのだ。

【減降】へらす。下げる。刑罰などをへらして軽くする。

【減殺】へらす。へる。▼殺は、そぎけずってへらす。

【減収(收)】収入や収穫がへること。

【減少】へって少なくなる。へる。また、へらす。

【減食】食事の量をへらすこと。

【減水】水量のへること。また、水量をへらすこと。

【減水河】放水路。

【減省】へらしはぶく。

【減税】税額をへらすこと。

【減折】①へらす。②清代、財政窮乏のため、在京官吏の給与をへらしたこと。

【減竈】かまどの数をへらして、敵に弱っていると見せかける計略。戦国時代、斉の孫臏が魏の将、龐涓をあざむいた故事による。〔史記、孫武伝〕

【減速】速力をおそくすること。

【減損】へる。少なくなる。また、へらす。

【減退】①へって少なくなる。②おとろえる。

【減俸】俸給をへらす。減給。

【減免】軽減と免除。刑などをへらしたり免除したりすること。

9 【湖】12画 6489 漢コ・呉ゴ 教3 コ みずうみ 虞 hú 2448 8CCE —

筆順 氵 氵 汁 汁 沽 沽 湖 湖 湖

字義 みずうみ。うみ。湖水。

名前 こ・ひろし・れい

解字 篆文 形声。氵(水)+胡㊥。音符の胡は、巨に通じ、大きいの意味。大きな池、みずうみの意味を表す。

逆 江湖

【湖雲】湖の上に浮いている雲。

【湖煙・湖烟】湖上にたちこめているもや。

【湖海】①湖と海。②世の中。世間。江湖。③都に対して、いなか。江湖。「湖海の志」④広大で強いこと。「湖海の気」

【湖海之士】民間にあって豪快な気風をもつ人。

【湖月】湖の上空に出ている月。

【湖山】①湖と山。また広く山河をいう。②湖南・湖北地方の山。

【湖上】①湖の上。②湖のほとり。湖畔。

【湖心】(コシン) 湖のまんなか。

【湖水】(コスイ) ①湖の水。②湖。

【湖沢(澤)】(コタク) 湖と沢。

【湖南】(コナン) 省の名。長江中流の南側、洞庭湖の南に位置することによる。省都は長沙(チョウサ)市。古名は湘省(ショウショウ)。

【湖畔】(コハン) 湖のほとり。湖上。湖辺。

【湖北】(コホク) 省の名。長江中流の北に位置し、大体、洞庭湖の北にあるので名づけた。省都は武漢市。古名は鄂省(ガクショウ)。

9 【港】 12画 6490 教3 コウ みなと 2533 8D60 —

9 〖港〗 12画 6491 コウ(カウ) 講 gǎng

筆順 氵 氵 氵 汫 泄 洪 洪 港 港

字義 ❶みなと。入り海または入り江になっていて、舟が泊まるに適した所。舟着き場。「軍港」 ❷ふなみち。舟の通る道。❸分流。分かれて流れる小川。

名前 みなと 難読 港元(もと)

解字 篆文 形声。氵(水)＋巷(巷)音。音符の巷(コウ)は、村なかを通りぬけている道の意味。水上の道の意味から、みなとの意味を表す。

逆 鎖港

【港市】(コウシ) 港町。

【港湾(灣)】(コウワン) ①港と入り海。②港。

9 【湟】 12画 6492 漢コウ(クワウ) 呉オウ(ワウ) 陽 huáng 6252 9FD2 —

字義 ❶ほり(堀)。城の周りのほりわり。城池。❷くぼ地。湿地。❸川の名。→湟水。

解字 形声。氵(水)＋皇音。

【湟水】(コウスイ) 川の名。青海省に発し、甘粛省を流れ黄河に注ぐ。

9 【渹】 12画 6493 一 コウ(クワウ) 庚 hōng 二 漢セイ 呉ショウ(シャウ) 敬 qìng — EDE7 3978

字義 一❶波のとどろく音。❷大きい。 二冷ややか。涼しい。

9 【渾】 12画 6494 人 標 一 漢コン・呉ゴン 阮 hún 二 漢コン・呉ゴン 阮 hùn 6253 9FD3 —

解字 形声。氵(水)＋軍音。

字義 一❶にご-る(濁)。にご-す。❷水のわき出る音。また、水の流れる音。❸くぼみ。水たまり。 二❶まじる。いりまじって区別がつかない。一つになっている。「渾沌(コントン)」 ❷すべて。全く。「渾欲レ不レ勝レ簪(すべてシンにたえ(へ)ざらんとほっす)」 ❸大きい。さかん。「雄渾」 ❹まるい。角(かど)がない。

解字 篆文 形声。氵(水)＋軍音。音符の軍は、めぐるの意味。水がめぐりながらさかんに流れるの意味を表す。また、混に通じて用いられる。

【渾一】(コンイツ) 物が溶け合って一つになる。また、ひとまとめにする。

【渾元】(コンゲン) ①自然の気。天地広大の気。②天地。

【渾厚】(コンコウ) 大きくてどっしりしていること。

【渾△殽】(コンコウ) 入りまじる。混殽。▼殽も、まじる。

【渾渾】(コンコン) ①乱れるさま。濁るさま。②奥深くて(区別がはっきりせず)知り難いさま。③＝渾沌(コントン)。④水がさかんに流れる。また、波が連なり進むさま。

【渾身】(コンシン) からだ全体。全身。満身。

【渾然】(コンゼン) ①差別・区別のない(ひとまとまりになっている)さま。「渾然一体」 ②角(かど)やくぼみのない(まるい)さま。

【渾大】(コンダイ) 大きいこと。すべてを包含して大きいこと。

【渾天】(コンテン) 天。まるい天。

【渾天儀】(コンテンギ) 昔、天体の観測に使った機械。黄道・赤道の目盛りを設け、回転させて天体の位置と経緯度を観測したもの。

渾天儀

【渾△沌】(コントン) ①天体の初め、万物がまだ形成されず、陰陽の気が分かれない状態。用例〔淮南子、詮言訓〕洞ニ同天地一、渾沌為レ樸(テンチをドウドウし、コントンとしてボクをなす)。↓天地をつらぬき、混沌としていて素朴である。②物事の区別の明らかでないさま。

【渾△碧】(コンペキ) 見渡すかぎり青々としているさま。

【渾名】(コンメイ・あだな) 人の顔かたちや挙動・くせなどによって実名以外につける名。綽名(あだな)。諢名(コンメイ・あだな)。

【渾欲レ不レ勝レ△簪】(すべてシンにたえ(へ)ざらんとほっす) (仕官の人がつける)冠を髪に留めるピンも、もうまったくさせなくなろうとしている。用例〔唐、杜甫、春望詩〕白頭搔更短(ハクトウかけば、さらにみじかく)、渾欲レ不レ勝レ簪(すべてシンにたえ(へ)ざらんとほっす)。↓白髪頭を手でかきむしると、髪はいよいよ薄く短くなり、もはやまったく、冠をとめるピンも支えられなくなろうとしている。

【渾△淪】(コンリン・コンロン) 一つにまとまって分離しないさま。

9 【湣】 12画 6495 コン 涽(6415)と同字。→八四七ページ中。 ₂7893 — 4002

9 【渣】 12画 6496 漢サ 呉シャ 麻 禡 zhā 6254 9FD4 —

字義 おり。かす。沈澱物。「渣滓(サシ)」

解字 形声。氵(水)＋査音。

9 【淄】 12画 6497 シ 淄(6420)の本字。→八四七ページ下。 — — 4006

9 【滋】 12画 6498 教4 ジ 県名 滋賀(しが)県 2802 8EA0 —

9 〖滋〗 12画 6499 シ 支 zī 慣ジ

筆順 氵 氵 氵 汁 汁 汼 泫 滋 滋

【兹】 10034 古字 【兹】 743 俗字

字義 ❶ます(増・益)。ふえる。❷ますます。用例〔老子、五十七〕民多ニ利器一、国家滋昏(たみリキおお(ほ)くして、国家ますますコッカくらし)。↓人民に文明の利器が普及すると、国家はますます混乱する。❸しげ-る(茂・繁)。しげ-し。多い。育つ。成長する。「滋長」 ❹うえる(植)。まく(蒔)。種をまく。❺うるおす(潤)。ひたす(浸)。「滋雨」 ❻しる(汁)。❼うまい。味がよい。うまみ。「滋味」また、栄養分のあること。「滋養」

名前 あさ・じ・しげ・しげし・しげる・ふさ・ます・よし 難読 滋藤(しげとう)

解字 甲骨文 篆文 形声。氵(水)＋茲(兹)音。音符の茲(シ)は、ふえるの意味。甲骨文は、ふたつの糸と水の形で、糸や水がふえるさまから、ふえるの意味を表す。

【滋雨】(ジウ) 草木をうるおす雨。日照り続きの時に降る雨。めぐみの雨。

【滋滋】(シシ) つとめはげむさま。勤勉なさま。孜孜(シシ)。

【滋潤】(ジジュン) ①うるおう。しめる。また、うるおい。しめり。②恵みのゆきわたること。

【滋長】(ジチョウ) ①しげり長ずる。生長する。②ますます長ずる。ますます茂る。

【滋△蔓】(ジマン) ①草木がしげりはびこる。②権勢などのますます強大になること。

【滋味】(ジミ) よい味。美味。また、滋養になる食物。

【滋養】(ジヨウ) ①養い育てる。②からだの養いになること。また、その食物。

9 【湿】 12画 6500 常 シツ しめ-る・しめ-す 2830 8EBC —

14 〖濕〗 17画 6501 人 一 シュウ(シフ) 緝 shī 二 トウ(タフ) 合 慣シツ 6328 E05B —

筆順 氵 氵 沪 沪 浧 浧 湿 湿 湿

［溼］6575 同字 る。字義 一❶うるおう。しめる。ぬれる。用例（唐、杜甫、月夜詩）香霧雲鬟湿、清輝玉臂寒 ↓かぐわしい夜霧に妻の美しいまげはしっとりぬれて、清らかな月の光に妻の美しい腕は冷たく光っていることだろう。❷うるおす。しめす。しめらせる。ぬらす。❸性格や行為が暗くじめじめしている。「陰湿」❹うれえる。失望する。❺へり下る。卑下する。二川の名。→湿水。

参考 ⇩〔溼〕(6575)の参考。

解字 甲骨文 篆文 会意。甲骨文は、水＋㬎。糸を水につけたさまから、しめらすの意味を表す。のち、土を付し溼となり、また、変形して濕となる。常用漢字の湿は濕の省略体による。

逆 乾湿・低湿・卑湿

【湿邪】①リューマチス性の病気。②湿気と邪気。邪気は、人に害を与える気。

【湿潤】うるおう。しめる。また、湿気の多いこと。

【湿暑】湿気が多くて暑い。

【湿疹】皮膚の表層に起こる炎症。

【湿水】川の名。山東省に発し黄河にそそぐ。

9 【湫】12画 6502 一漢シュウ（シウ）尤 qiū 二呉シュ 三ショウ（セウ）篠 jiǎo 6255 9FD5 —
字義 一❶つきる（尽）。なくなる。❷あつまる（集）。❸土地が低くてせまい。❹いけ（池）。二❶＝一❸。❷すずしい。国くて。低くて湿っていて水草などのはえている土地。
解字 形声。氵（水）＋秋音。
【湫隘】土地が低くて湿気が多く、せまいこと。
【湫湫】うれえ悲しむさま。

9 【溲】12画 6503 シュウ 溲(6576)の本字。→六六九ジ下。

9 【湭】12画 6504 漢シュウ（シウ）呉ジュ 尤 qiū 27878 — 3973
字義 みなもと（源）。水源。
解字 形声。氵（水）＋首音。

9 【湒】12画 6505 シュウ（シフ）緝 jí — — 3988
字義 ❶雨が降る。❷水が沸く。また、そのさま。
解字 形声。氵（水）＋咠音。

9 【湻】12画 6506 ジュン 淳(6424)と同字。→八四八ジ中。 — — 4005

9 【渚】12画 (6426) ショ 渚(6425)の旧字体。→八四八ジ下。

9 【湑】12画 6507 ショ 語 xǔ 27889 — 3987
字義 ❶したむ。こす。酒をしたたらし、こして糟を除く。❷すむ（澄）。清い。❸露が物に宿るさま。❹また、その酒。❺美しい。❻楽しむ。さかんなさま。
解字 形声。氵（水）＋胥音。
【湑湑】①枝や葉がしげっているさま。また、枝や葉が乱れているさま。②吹く風の音の形容。③ちょろちょろ流れる水の音の形容。④露の宿るさま。

9 【湘】12画 6508 人 標 漢ショウ（シャウ）呉ソウ（サウ）陽 xiāng 3037 8FC3 —
筆順 、 氵 汁 沐 沭 湘 湘 湘
字義 ❶川の名。→湘水。❷にる（煮）。

名前 しょう
解字 形声。氵（水）＋相音。

【湘娥】①＝湘妃。②美人。

【湘君】＝湘妃。

【湘沅】湘水と沅水。ともに洞庭湖にそそぐ。

【湘水】川の名。湘江。広西チワン族自治区北部に発し、湖南省永州市に至って瀟水と合し（瀟湘という）、北流して洞庭湖に注ぐ。

【湘竹】湘水のほとりに産する竹。湘妃の涙のためにまだらができたといわれている。斑竹。笛などの材料として有名。

【湘南】①湘水の南の地方。大体、洞庭湖の南の地方をいう。②国神奈川県の南西部の海岸地方をいう。相模（昔の国名）の相に氵をそえて、唐風にしゃれたもの。

【湘妃】尭の娘で共に舜の妃となった娥皇・女英の二人。舜が南方に巡幸したあとを慕って湘水のほとりに来た時、舜の死を聞いて、泣き悲しみ、ついに湘水に投身自殺し、湘水の神になったという。湘君。

【湘流】湘水の流れ。また、湘水。〔楚辞、漁父〕

9 【湜】12画 6509 漢ショク 呉ジキ 職 shí 18690 EDE8 3992
字義 ❶きよい。水が澄んで底の見えるさま。「湜湜」❷心の持ち方の正しいさま。
解字 形声。氵（水）＋是音。

9 【津】12画 6510 シン 津(6311)の本字。→八三三ジ中。

9 【渻】12画 6511 漢セイ 呉ショウ（シャウ）梗 shěng — — 3979
字義 ❶省く。❷水門。❸渻丘は、前に川のある丘。
解字 形声。氵（水）＋省音。

9 【渫】12画 6512 漢セツ 呉セチ 屑 xiè 6256 9FD6 —
字義 ❶さらう。水底の泥などを除き去る。「浚渫」❷もれる（漏）。＝泄(6242)・洩(6281)。❸ちる（散）。❹けがす（汚）。❺あなどる。なれなれしくする。❻やむ。やめる。休止する。❼きよい。
解字 篆文 形声。氵（水）＋枼音。音符の枼は、刪に通じ、けずるの意味。水底のどろをけずる、さらうの意味を表す。また、泄に通じ、もらすの意味にも用いる。

9 【渲】12画 6513 セン 霰 xuàn 27882 — 3976
字義 ❶おがわ（小川）。❷くまどる。ぼかす。画法で、輪郭を薄墨でぼかして描くこと。
解字 形声。氵（水）＋宣音。

9 【湔】12画 6514 セン 先 jiān 27891 — 3990
字義 ❶あらう（洗）。よごれた所を洗う。❷そそぐ（注）。うるおす。ぬらす。❸けがす（汚）。
解字 篆文 形声。氵（水）＋前音。音符の前は、洗に通じ、あらうの意味を表す。

9 【湶】12画 6515 セン quán 6257 9FD7 —
字義 いずみ。＝泉(6131)。国あわら。富山県高岡市の地名。また、姓氏。

9 【溯】12画 6516 ソ 遡(12191)の本字。→一四三〇ジ中。 27881 — —

9 【湊】12画 6517 人 標 ソウ 宥 còu 4411 96A9 —
筆順 、 氵 氵 氵 浐 浃 湊 湊 湊
［凑］824 俗字
字義 ❶あつまる。水が集まる。＝輳(11940)。「輻湊」❷物や人の集まる所。❸みなと。舟の集まる所。舟着き場。❹おもむく。向かう。至る。❺はだのきめ。＝腠(5092)。「湊理」
名前 みなと
解字 篆文 形声。氵（水）＋奏音。音符の奏は、両手を寄せて物をおしすすめるの意味。水が寄ってくる

所、みなどの意味を表す。
【湊理】(ソウリ) 皮膚のきめ。肌理(キリ)。腠理(ソウリ)。

9
【測】 12画 6518 漢ショク・呉シキ 職 cè 慣ソク 教5 ソク はか-る
3412 91AA —

筆順 氵 氵 氿 泪 浿 測

字義 ❶はか-る。㋐物の長さ・深さなどをはかる。「測量」 ㋑思いはかる。推量する。「推測」「不測」 ❷ふかさ。水深。

名前 ふか・ひろ

使いわけ はかる〔計・測・量・図・謀・諮〕⇩計(11099)。

解字 篆文 形声。氵(水)＋則音。音符の則は、人が生活のものさしとするもの、のりの意味。ものさしで水深をはかるの意味を表す。

逆 憶測・観測・推測・不測・予測

【測恩】(ソクオン) 深い恩。また、恩を深くうける。
【測揆】(ソクキ・ソッキ) はかる。おしはかる。揆度(キタク)。
【測候】(ソッコウ) 天文・気象を観測すること。「測候所」
【測算】(ソクサン) はかりかぞえる。計算する。
【測度】 一(ソクタク) 心でおしはかる。推測する。▼度も、はかる。二(ソクド) 度数をはかる。
【測定】(ソクテイ) ①はかってきめる。②特別の器械を用いて、ある量の大きさを測ること。
【測量】(ソクリョウ) ①おしはかる。他人の心を推しはかる。忖度(ソンタク)。②機器を用いて、面積・高低・深浅・距離などをはかり調べること。

9
【湌】 12画 6519 ソン
27887 — —

飱(13561)と同字。→一五七三ページ下。

9
【湛】 12画 6520 人 標 一 漢タン 呉デン 豏 zhàn 二 タン 覃 dān 三 漢チン 呉ジン(ヂン) 侵 chēn 四 シン 沁 jìn
3525 9258 —

筆順 氵 氵 汁 泄 湛 湛 湛

字義 一❶しずむ(沈)。❷あつい(厚)。また、深い。❸たた-える。水などが満ちあふれる。❹川の名→湛水。二❶たのしむ。❷ふける。度を越す。深入りする。❸おそい。ゆるい。三＝一❶❷。四ひたす(漬)。

名前 きよ・たたう・たたえ・ふかし・やす

解字 金文 篆文 形声。氵(水)＋甚音。音符の甚は、深に通じ、ふかく水をたたえるの意味を表す。また、沈に通じ、しずむの意味をも表す。

【湛水】(タンスイ) 川の名。河南省を流れる、黄河の支流。
【湛然】(タンゼン) ①水のたたえているさま。②落ち着いて静かなさま。
【湛湛】(タンタン) ①重厚なさま。②水を深くたたえるさま。③清く澄んでいるさま。④積み重なっているさま。⑤深いさま。⑥水流の激しい音の形容。
【湛溺】(タンデキ・チンデキ) しずみおぼれる。物事にふけること。沈溺。耽溺(タンデキ)。
【湛△沔・湛△湎】(タンメン・チンメン) しずみおぼれる。まよいおぼれる。酒色などにふけること。
【湛楽(樂)】(タンラク) 楽しみにふける。耽楽(タンラク)。
【湛露】(タンロ) 一面に置いた露。繁露。

9
【湍】 12画 6521 タン 寒 翰 tuān
6258 9FD8 —

字義 ❶せ。はやせ(早瀬)。急流。「奔湍」 ❷はやい(速・疾)。❸うずまく。たぎる。水がさかまいて流れる。

解字 篆文 形声。氵(水)＋耑音。音符の耑(タン)は、遄(セン)に通じ、速いの意味。はやせの意味を表す。

【湍激】(タンゲキ) 水の勢いがはやくはげしい。
【湍水】(タンスイ) はやい流れ。また、流出する口がなく、うず巻いている水。用例〔孟子、告子上〕性猶二湍水一也(セイはなお(ほ)タンスイのごとし)。
↓(人の)本性は速い流れのようだ。
【湍瀬】(タンライ) はやせ(早瀬)。

9
【湳】 12画 6522 漢ダン 呉ナン 感 nǎn
— — 4004

字義 川の名。内モンゴル自治区に発する川。昔の黄河の支流。

解字 形声。氵(水)＋南音。

9
【渟】 12画 6523 漢テイ 呉ジョウ(ヂャウ) 青 tíng
6259 9FD9 —

字義 ❶たたえる。水がたまって流れないこと。❷とまる(止)。とど-まる。また、とどめる。「渟泊」 ❸みぎわ。岸。

難読 渟足(ぬたり)

解字 形声。氵(水)＋亭音。音符の亭は、とどまるの意味。水がとどまるの意味を表す。

【渟△膏△湛△碧】(テイコウタンペキ・テイコウみどりをたたう(ふ)) 水があぶらのようによどんで、濃い青色をたたえているさま。
【渟水】(テイスイ) たまり水。止水。死水。
【渟蓄】(テイチク) ①水がとどまりたまる。水がたたえられている。②学問の広く深いこと。
【渟渟】(テイテイ) 水を満々とたたえているさま。
【渟泊】(テイハク) 船が港にとまること。船どまり。碇泊(テイハク)。

9
【渧】 12画 6524 漢テイ 呉タイ 霽 dì
27880 EDE9 3975

字義 ❶泣くさま。❷しずく(滴)。❸こす(漉(ロク))。

解字 形声。氵(水)＋帝音。

9
【湉】 12画 6525 漢テン 呉デン 塩 tián
27885 — 3984

字義 水面の静かで平らなさま。

解字 形声。氵(水)＋恬音。

9
【渡】 12画 6526 常 漢ト・呉ド 遇 dù ト わた-る・わた-す
3747 936E —

筆順 氵 氵 汴 沪 浐 浐 渡 渡

字義 ❶わた-る。㋐流れを横切る。川や海を船で行く。「渡河」「渡来」 ㋑経る。通る。移動する。㋒いたる。行きわたる。およぶ。❷わた-す。㋐水上を通らせ対岸にやる。㋑かけわたす。架する。橋などをわたす。❸わた-し。渡し場。国❶わた-る。㋐世をわたる。くらす。「渡世」 ㋑行く・歩くの敬語。㋒在(あ)る・居(お)るの敬語。㋓あまねく通ずる。❷わた-す。物などを交付する。授ける。「譲渡」 ❸わた-り。かけあい。交渉。

名前 ただ・わたり・わたる

難読 渡会(わたらい)・渡座(わたまし)・渡守武(ともたけ)・渡島(おしま)・渡波(わたのは)・渡良瀬(わたらせ)

解字 篆文 形声。氵(水)＋度音。音符の度は、ものさしをわたしてはかるの意味。水をわたるの意味を表す。

逆 過渡・古渡・譲渡・野渡

【渡河】(トカ) 黄河を渡る。また、川を渡る。
【渡口】(トコウ) 渡し場。渡頭。
【渡江△楫】(トコウのシュウ・トコウのかじ(ぢ)) 西晋(セイシン)の祖逖(ソテキ)が長江を渡るとき、中流で楫(かい)をたたき、任務を果たさねば再びこの川を渡らぬ意を示して、北方中原の回復を誓い、遂に敵の石勒(セキロク)を破った故事。〔南宋、文天祥、正気歌〕
【渡航】(トコウ) 船で海を渡る。海外へ渡る。
【渡津】(トシン) ①渡し場。②津(渡し場)を渡る。
【渡世】(トセイ) 国世を渡る。くらす。また、世渡り。くらし。なりわい。生業。
【渡世人】(トセイニン) 国ばくち打ち。やくざ。
【渡頭】(トトウ) ①渡し場。②渡し場のかしら。

9【湯】12画 6527 ㊀トウ(タウ) 陽 tāng ㊁ショウ(シャウ) 陽 shāng 教3 ゆ トウ 3782 9392 ―

筆順 氵 氵 氵 沪 沪 浔 浔 湯 湯

字義 ㊀❶ゆ。㋐水をわかしたもの。「熱湯」㋑いでゆ。温泉。㋒ふろ。ふろ場。浴場。❷せんじぐすり。煎薬。「薬湯」❸ゆあみをする。湯にはいる。❹ほしいまま。＝蕩(10293)。❺わかす。にる(煮)。❻洗う。❼ゆり動かす。❽広く大きい。❾殷の建国者の名。→湯王。㊁水のさかんに流れるさま。

名前 のり・ゆ 難読 湯檜曽・湯女・湯人・湯泉津・湯槽・湯ノ岱・湯湯婆・湯婆・湯布院・湯麺・湯浴・湯来・湯ノ峠

解字 金文 篆文 形声。氵(水)＋昜㊇。音符の昜は、のびあがるの意味。水が自由におどりあがる、ゆの意味を表す。

逆 茶湯・探湯・薬湯

【湯王】殷(商)の建国の帝王。姓は子、名は履。夏の桀王を滅ぼして天子となり、亳(河南省内)に都し、国号を商と称した。成湯。

【湯火】①熱湯と火。②非常な苦難のたとえ。

【湯鑊】人を煮る刑罰。かまゆでの刑。▼鑊は、足のない大きな鼎(物を煮る器)。

【湯顕(顯)祖】明の戯曲作家。臨川の人。字は義仍。号は若士。臨川(今の江西省内)の人。書室を玉茗堂という。万暦の進士。「紫釵記」「還魂記」「南柯記」「邯鄲記」などの作がある。(一五五〇―一六一六)

【湯治】国 温泉にはいって病気をなおすこと。また、温泉に入って休養する。

【湯湯】①水のさかんに流れるさま。用例(呂氏春秋、本味)善哉乎鼓レ琴、湯湯乎若二流水一。↓実にすばらしい、この琴の演奏は、まるで川がとうとうと流れているかのようだ。②水のさかんなさま。大水のさま。③広い水の表面に波の動いているさま。

【湯誓】『書経』の編名。殷の湯王が、夏の桀王を討つに当たり衆民に発した宣誓文。

【湯池】①熱湯の池の意から、要害堅固な城のほり。「金城湯池」②温泉。

【湯桶読(讀)】国「湯桶」のように、上の字を訓で、下の字を音で読む読み方。「割印」「成金」など。↕重箱読(一四五七ジ-中)。

【湯武】殷の湯王と周の武王。共に人民の希望によって時の暴君を討ち、天子の位についた。

【湯網】寛大な処置をいう。殷の湯王が、網を四面に張って鳥獣がかかるようにと祈っていた人を見て、その三面を除去した故事に基づく語。〔呂氏春秋、異用〕

【湯沐】①ゆあみする。沐浴する。▼湯はからだを洗うこと、沐は髪を洗うこと。②＝湯沐邑。

【湯沐邑】天子や諸侯などの身のまわりの費用を徴収するために割り当てられた領地。〔礼記、王制〕

【湯薬(藥)】①せんじ薬。②湯治と服薬。

9【滔】12画 6528 トウ 27894 ― ―

滔(6596)の俗字。→八七一ジ-上。

9【湞】12画 6529 ㊀漢トウ(タウ) 呉ジョウ(ヂャウ) 庚 zhēn ㊁漢テイ 呉チョウ(チャウ) 庚 18691 ― 3994

字義 ㊀❶川の名。→湞水。❷湞陽は、県名。今の広東省内。

解字 形声。氵(水)＋貞㊇。

【湞水】川の名。広東省内を流れる。

9【湃】12画 6530 ハイ 卦 pài 6260 9FDA ―

字義 ❶水の波うつ勢い・音。❷澎湃・滂湃は、水勢のさかんなさま。また、大波の立つさま。

解字 形声。氵(水)＋拜㊇。

9【湈】12画 6531 漢バイ 呉マイ 灰 méi 27884 ― 3983

字義 やぶる。こわす。 難読 湈原

解字 形声。氵(水)＋某㊇。

9【溌】12画 6532 ハツ 4014 94AC ―

潑(6711)の俗字。→八八一ジ-中。

9【湄】12画 6533 漢ビ 呉ミ 支 méi 18689 ― 3981

字義 みぎわ。水際。水辺の地。岸。浜。水辺の草の茂っている所。

解字 甲骨文 篆文 形声。氵(水)＋眉(眘)㊇。音符の眘は、まゆ毛の意味。水のかたわらのまゆ毛にあたる所、みぎわの意味を表す。

9【渼】12画 6534 漢ビ 呉ミ 紙 měi 27883 EDEA 3980

字義 ❶なみ(波)。❷池の名。→渼陂。

解字 形声。氵(水)＋美㊇。

【渼陂】池の名。陝西省内。杜甫に遊観の詩がある。

9【渺】12画 6535 漢ビョウ(ベウ) 呉ミョウ(メウ) 篠 miǎo 6261 9FDB ―

字義 ❶はるか。ひろい。水面が広々とはてしないさま。❷かすか。はっきりと見えないさま。きわめて小さいさま。＝淼(6136)。用例〔北宋、蘇軾、前赤壁賦〕寄二蜉蝣於天地一、渺滄海之一粟。↓〔私とあなたは〕かげろうのようなはかない命をこの悠久の世に一時あずけているのだ。はてしなく広い青海原の中の一粒の粟のような存在である。❸小さな数の名。一〇のマイナス一一乗。⇩コラム 数を表すことば(六二八ジ-)。

解字 形声。氵(水)＋眇㊇。音符の眇は、目に小さく映るの意味。水のはるか遠く小さく見えるさまを表す。

【渺然】はるかに広いさま。広々としてきわまりないさま。

【渺渺】＝渺茫。

【渺茫】▼茫も、広い・はるか。①広く果てしないさま。②遠くかすかなさま。用例〔唐、白居易、長恨歌〕含レ情凝レ睇謝二君王一、一別音容両渺茫。↓思いをこめ、ひとみを凝らして天子にお礼を申しあげ言った、「お別れして以来、お声もお姿もともにはるかに遠い世界のものとなりました」。

【渺漭】▼漭も、広い。＝渺茫。

【渺漫】水の果てしなく広いさま。▼漫は、大水のさま。

9【湢】12画 6536 漢ヒョク 呉ヒキ 職 bì ― ― 4001

字義 ❶湯殿。浴室。❷整っているさま。❸迫る。

解字 形声。氵(水)＋畐㊇。

9【渢】12画 6537 ㊀漢フウ・呉ボウ 東 fēng ㊁漢ハン・呉ボン 咸 fán 27879 ― 3974

字義 ㊀❶水の音。❷大きい声。㊁渢渢は、声の調和を得ているさま。また、抑揚があってのびやかなさま。

解字 形声。氵(水)＋風㊇。

9【湗】12画 6538 漢ホウ 呉フウ 宋 fèng 27892 ― 3991

字義 ❶深い泥。❷まこもの根。 難読 湗田

解字 形声。氵(水)＋封㊇。

9【渤】12画 6539 漢ホツ・呉ボチ 慣ボツ 月 bó 6263 9FDD ―

字義 水のわき立つさま。水のはげしい音の形容。＝浡(6374)。 難読 渤海・渤耳匿阿

解字 形声。氵(水)＋勃㊱。音符の勃は、急に勢いさかんにおこるの意味。水のわきたつさまを表す。

【渤海】(ボッカイ) ①海の名。黄海の一部。遼東(リョウトウ)半島と山東半島とに囲まれた内海。渤海湾。②国名。唐の玄宗のころ、今の朝鮮北部から中国東北地区を領有。靺鞨族(マッカツゾク)の大祚栄(ダイソエイ)が建て、十四世、二百十五年(七一三—九二七)続き、五代の時、契丹(キッタン)に滅ぼされた。

9 【湓】 12画 6540 ㊀ホン 𠫓 pèn ㊁㊥ホン・㊦ボン 𠫓 pēn 27890 — 3989

字義 ㊀❶水がわきあふれる。また、その音。❷にわか雨。❸はく。はき出す。㊁川の名。→湓江。

解字 形声。氵(水)＋盆㊱。音符の盆は、噴に通じ、吹き出すの意味。水がわきあふれるの意味を表す。

【湓魚】(ボンギョ) 湓江でとれる魚。用例〔唐、白居易、与二微之一書〕湓魚頗肥(ボンギョすこぶるこえ)、江酒極美(コウシュきわ(は)めてビなり)。⇩湓江でとれる魚はとても肥え、江州の酒は極めて美味だ。

【湓口】(ボンコウ) 江西省九江市の西の地。湓江が長江に注ぐところ。湓浦。湓浦口。

【湓江】(ボンコウ) 川の名。湓水。江西省の瑞昌(ズイショウ)市に発し、九江市の西を流れて湓口で長江に注ぐ。今の竜開河。

【湓城】(ボンジョウ) 地名。唐代には尋陽ともいう。今の江西省九江市。湓江のほとりにある。

【湓水】(ボンスイ) ＝湓江。

【湓浦】(ボンポ・ホンポ) ①＝湓口。②湓江の別名。湓浦江。

9 【満】 12画 6541 教4 マン みちる・みたす 4394 969E —

11 〔滿〕 14画 6542 マン 𠫓 mǎn 6264 9FDE —

筆順 氵 氵 氵 汫 汫 洴 満 満 満 満

字義 ❶みちる。㋐いっぱいになる。十分になる。「充満」「満腹」㋑一定の標準・期限に達する。「満期」❷みたす。いっぱいにする。❸おごりたかぶる。おごり。❹全体。いっぱい。「満天下」❺満州・満州民族の略称。「満蒙(マンモウ)」

名前 あり・ま・ます・まろ・まん・みき・みち・みつ・みつる

難読 満俺(マンガン)・満天星(どうだんつつじ)・満剌加(マラッカ)・満 款(マンガン)・満(どうだん・つつじ・はくちょうげ)

解字 篆文 形声。氵(水)＋㒼(㒼)㊱。音符の㒼(マン)は、のびるの意味。水が容器いっぱいにのびひろがる、みちるの意味を表す。

逆 円満・干満・持満・充満・豊満・飽満・未満

【満△溢】(マンイツ) みちあふれる。

【満引】(マンイン) 同 引レ満(マンをひく)。①弓をいっぱいに引きしぼる。②杯に酒をなみなみとみたして、一息に飲む。

【満院】(マンイン) 中庭一面。屋敷じゅう。

【満△盈】(マンエイ) みちあふれる。十分にみちる。

【満悦】(マンエツ) 国非常に喜ぶ。満足し喜ぶ。

【満架】(マンカ) 棚いっぱい。

【満貫】(マンガン) ①銭さしに銭をいっぱいさすこと。また、その銭さし。②それ以上捨てておけないほどに悪事を重ねること。また、最高限度の罪。③満点。最高点。

【満願】(マンガン) ①仏願いのかなうこと。②国期間を定めてした願がけの予定の日数が終わること。

【満喫】(マンキツ) 国①十分に(満足するほど)飲食する。②十分に味わう。たんのうする。

【満月】(マンゲツ) ①陰暦十五夜の月。望月。②まる一月。

【満△腔】(マンコウ) ①胸(腹・からだ)いっぱい。全身。②全身からの。心からの。

【満座・満△坐】(マンザ) ①その座席にいるすべての人。用例〔唐、白居易、琵琶行〕凄凄不レ似二向前声一(セイセイとしてキョウゼンのこえ(ゑ)ににず)、満座聞レ之皆掩レ泣(マンザこれをききてみなななみだをおお(ほ)う(ふ))。⇩さびしくいたましいその音色は、さきほどの響きとは比べものにならぬほどで、その場にいるすべての人は、これを聞いて涙した。②その場に満ちあふれる。

【満載】(マンサイ) いっぱいにのせる。

【満山】(マンザン) ①山全体。全山。②寺じゅう。また、その僧全部。

【満酌】(マンシャク) 杯いっぱいに酒をくむ。用例〔唐、于武陵、勧レ酒詩〕勧レ君金屈卮(きみにすすむ、キンクツシ)、満酌不レ須レ辞(マンシャクジするをもちいる(ゐ)ず)。⇩君に黄金の杯を差し上げよう、なみなみとついだこの酒を、遠慮しないでくれたまえ。

【満州・満△洲】(マンシュウ) ①種族の名。中国東北部に住んでいたツングース族。明(ミン)を滅ぼして清(シン)朝を建て、中国を支配した。②地名。中国東北部一帯(遼寧(リョウネイ)・吉林・黒竜江省)で、清朝の東三省と呼ばれた地方。③国名。㋐清国の初名。㋑昭和七年(一九三二)に清国の最後の皇帝宣統帝溥儀(ギ)を元首として日本が中国東北部に建てた帝国。首都は新京(今の吉林省長春市)。第二次世界大戦の終結(一九四五)とともに消滅。

【満招レ損謙受レ益】(マンはソンをまねきケンはエキをうく) 尊大でおごり高ぶる者は損失を招き、謙虚な者は利益を受ける。〔書経、大禹謨〕

【満身】(マンシン) ①体に満ちる。②体じゅう。「満身是胆(マンシンこれタン)」

【満担(擔)】(マンタン) 肩いっぱいの荷物。

【満地】(マンチ) 地に満ちる。また、地上一面。

【満潮】(マンチョウ・みちしお(ほ)) 潮が満ちること。↔干潮(四六二ページ下)。

【満天下】(マンテンカ) 天下じゅう。全世界。また、全国。

【満堂】(マンドウ) ①へやいっぱい。②そのへやにいる全員。

【満帆】(マンパン) ①風が帆いっぱいにはらむこと。②帆をいっぱいに張ること。また、その帆。「順風満帆」

【満満】(マンマン) 満ちあふれるさま。「自信満満」

【満面】(マンメン) 顔いっぱい。顔中。用例〔唐、白居易、売炭翁詩〕満面塵灰煙火色(マンメンのジンカイ、エンカのいろ)、両鬢蒼蒼十指黒(リョウビンソウソウとしてジッシくろし)。⇩顔中ほこりや灰にまみれすすけた色をし、左右の鬢の毛はごましおになって、指は十本とも真っ黒だ。

【満目】(マンモク) ①目のとどく限り。見渡す限り。②(忘れられず)目の前にちらつくこと。心に浮かび、ありありと見えるように思われるさま。満レ目(めにみつ)。用例〔南朝梁、沈約、与二約法師一書〕音容満レ目(オンヨウめにみつ)。⇩声と姿が(忘れられず)目の前にちらつく。

【満目荒涼】(マンモクコウリョウ) 目に見えるかぎりのけしきが荒れはててものさびしい(ものすさまじい)こと。満目蕭然(ショウゼン)。

【満了】(マンリョウ) みち、おわる。かたがつく。完結すること。結了。

【引レ満】(マンをひく) ＝満引。

【持レ満】(マンをジす) ①弓を十分引きしぼって、今にも発射しようと構えていること。②物事の極点に達して、そのまま保っていること。十分に準備して待機する。③満ち足りた境遇・地位を長く維持する。

9 【湎】 12画 6543 ㊥ベン ㊦メン 𠫓 miǎn 6262 9FDC —

字義 ❶おぼれる(溺(デキ))。ふける(耽(タン))。しずむ(沈(チン))。物事(酒色など)に心を奪われて他をかえりみないこと。「沈湎」❷移り変わる。流れ移る。

解字 金文 篆文 形声。氵(水)＋面㊱。水は、ひたるの意味。音符の面は、顔を向けるの意味。酒やある物事に心を奪われるの意味を表す。

【湎△涎】(ベンエン・メンエン) 水の流れるさま。

【湎湎】(メンメン) 移り変わるさま。流れ移るさま。

9 【渝】 12画 6544 ユ 𠫓 yú 6265 9FDF —

〔渝〕 6545 俗字

字義 ❶かわる(かはる)。変化する。❷かえる(かふ)。変更する。改める。❸あふれる。「渝溢(ユイツ)」❹州の名。→渝州。

解字 篆文 形声。氵(水)＋兪㊱。音符の兪(ユ)は、ぬけでるの意味。水がある状態から他の状態にかわるの意味から、一般に、かわるの意味を表す。

【渝州】(ユシュウ) 隋(ズイ)・唐代の州の名。今の重慶市のあたり。

【渝替】(ユタイ) かわる。かわり衰える。

【渝盟】(ユメイ) ちかいをかえる。約束をたがえる。

9【渝】12画 6545 ユ 渝(6544)の俗字。→八六三ページ下。

9【湧】12画 6546 常 ユウ わ-く 4515 974E —
9〘湧〙12画 6547 漢ヨウ 呉ユウ 腫 yǒng

筆順 

字義 ＝涌(6377)。**わ-く**。水がわき出る。用例〔唐、杜甫、旅夜書㆑懐詩〕星垂㆓平野㆒闊、月湧㆓大江㆒流。↓星は平野に垂れ下がるように夜空にまたたき、平野はどこまでも広がり、月光は長江からわき出るように水面にきらめき、長江は流れてゆく。

名前 いさむ・ゆう・わか・わき・わく 難読 湧別(ゆうべつ)

参考 字義と熟語は〔涌〕(6377)を見よ。

使いわけ **わく**〔沸・湧〕⇩沸(6263)。

解字 **形声**。氵(水)＋勇音。音符の勇は、涌に通じ、わくの意味を表す。

9【游】12画 6548 〘游〙6460 俗字 一 漢**ユウ**(イウ)・呉ユ 尤 yóu 6266 9FE0 —
二 漢リュウ(リウ)・呉ル 尤 liú

字義 一 ❶**およ-ぐ**。うかぶ。水面をゆらゆら動く。❷ふらふらする。根拠がないこと。❸**あそ-ぶ**。あそび。＝遊(12177)。㋐行く。出歩く。歩きまわる。㋑仕える。他国に行って仕える。㋒交際する。つきあう。用例〔東晋、陶潜、帰去来辞〕帰去来兮、請息㆑交以絶㆑游。↓さあ帰ろう、どうか世間との交際はすべてやめてしまいたいものだ。㋓楽しむ。ゆったりする。用例〔論語、述而〕依㆓於仁㆒、游㆓於芸㆒。↓仁愛の情を忘れないようにし、芸を楽しむ。㋔なまける。何もせずぶらぶらしている。❹離宮。別荘。❺広がり。流行。
二 ❶はたあし。長い旗の末端の部分。＝旒(4632)。❷ながれ。水の流れ。＝流(6381)。

参考 熟語は〔遊〕(12177)をも見よ。

解字 甲骨文  金文  篆文  **会意**。甲骨文は、㫃＋子。㫃は、旗ざおにつけた吹き流しの象形。子は、流の変形字で、ながれるの意。水の流れの中をおよぐの意味を表す。『説文解字』では、㫃＋汓音。

【游泳】(ユウエイ) ＝遊泳(一四二七ページ下)。

【游宴・游△燕・游△讌・游△醼】(ユウエン) ＝遊宴(一四二七ページ下)。

【游学(學)】(ユウガク) ＝遊学(一四二七ページ下)。

【游△宦】(ユウカン) ＝遊宦(一四二七ページ下)。

【游観(觀)】(ユウカン) ①＝遊観①(一四二七ページ下)。用例〔東晋、陶潜、帰去来辞〕策扶㆑老以流憩、時矯㆑首而游観。↓老いたわが身をつえで支えて歩きまわっては、自由に休み、ときおり顔を上げて景色を眺める。②＝遊観②(一四二七ページ下)。

【游居】(ユウキョ) ①ゆったりとしてくつろいで居る。②何もせずに遊んでいること。③外に出ていることと家に居ること。いつでも。④来て住む。

【游居有㆑常】(ユウキョつねあり) 遊ぶ時にも家に居る時にも、その言行が一定のきまりに従っていること。

【游魚】(ユウギョ) 水中をおよぐ魚。

【游△侠】(ユウキョウ) ＝遊侠(一四二七ページ下)。

【游興】(ユウキョウ) ①遊覧したいという興味。②＝遊興①(一四二七ページ下)。

【游△禽】(ユウキン) ①みずとり。水鳥。水禽。②飛びめぐる鳥。

【游芸(藝)】(ユウゲイ) ①芸に遊ぶ。六芸を学んで、心をゆったりさせる。芸は、礼・楽・射・御・書・数など。『論語』述而編に「依㆓於仁㆒、游㆓於芸㆒」とあるのに基づく。②国歌舞・音曲などの技芸。遊芸。

【游撃(擊)】(ユウゲキ) ＝遊撃①(一四二八ページ上)。

【游言】(ユウゲン) 根拠のないことば。実のない話。

【游行】(ユウコウ) ①＝遊行一(一四二八ページ上)。②仏＝遊行二(一四二八ページ上)。

【游幸】(ユウコウ) ＝遊幸(一四二八ページ上)。

【游△敖・游△遨】(ユウゴウ) ①楽しんで歩きまわる。逍遥する。②諸国を歩きまわって君主に説き、または仕えること。③遊ぶ。遊び楽しむ。

【游魂】(ユウコン) ＝遊魂(一四二八ページ上)。

【游山】(ユウザン) ＝遊山一(一四二八ページ上)。

【游士】(ユウシ) ①遊説する人。士官を目的として他国を遊歴する人。また、他国から来て仕えている人。②宣伝・偵察などの目的で国内または他国を巡行する人。③富貴な人。農耕等の実業に従事していない人。④浪人。

【游子】(ユウシ) ＝遊子(一四二八ページ上)。用例〔史記、高祖本紀〕游子悲㆓故郷㆒。↓故郷を離れた旅人は、故郷をしたって心を痛める。

【游子猶行㆓残(殘)月㆒】(ユウシなお(ほ)ザンゲツにゆく) 旅人が道に迷って宿る所がなく、夜明けがたになってもなお道を歩いている。▼残月は、明け方まで残っている月。〔唐、賈島、暁賦〕

【游仕】(ユウシ) 他国に行って仕えること。

【游糸(絲)】(ユウシ) ＝遊糸(一四二八ページ上)。

【游女】(ユウジョ) ＝遊女①(一四二八ページ上)。

【游渉】(ユウショウ) ＝遊渉(一四二八ページ上)。

【游心】(ユウシン) 心を遊ばせる。㋐心を自由自在にし、ゆったりさせる。㋑常にその物事の上に心を置くこと。

【游人】(ユウジン) 一 ＝遊人一(一四二八ページ上)。二 国＝遊人二(あそびニン)(一四二八ページ上)。

【游説】(ユウゼイ) ＝遊説(一四二八ページ上)。

【游説△之徒】(ユウゼイのト) 遊説して歩く人たち。

【游息】(ユウソク) くつろいでいこう。楽しみ安んずる。

【游惰・游堕(墮)】(ユウダ) ＝遊惰(一四二八ページ中)。

【游談】(ユウダン) ①＝遊談①(一四二八ページ中)。②＝遊談②(一四二八ページ中)。③＝遊談③(一四二八ページ中)。

【游田・游△畋】(ユウデン) 狩りをする。また、狩り。

【游△蕩】(ユウトウ) ＝遊蕩(一四二八ページ中)。

【游必有㆑方】(あそべばかならずホウあり) 外出する時には必ず行きさきを父母に知らせておく。孝子の心がけの一つ。

【游牧】(ユウボク) ＝遊牧(一四二八ページ中)。

【游民】(ユウミン) 一定の職業をもたず、遊んでくらしている人。

【游目】(ユウモク) ＝遊目(一四二八ページ中)。

【游冶】(ユウヤ) ＝遊冶(一四二八ページ中)。

【游冶郎】(ユウヤロウ) ＝遊冶郎(一四二八ページ中)。

【游優】(ユウユウ) ゆったりとくつろぐこと。優游。

【游予(豫)】(ユウヨ) ①＝遊予①(一四二八ページ中)。②＝遊予②
【游△弋】(ユウヨク) ①＝遊弋①(一四二八ページ中)。②＝遊弋②
【游猟(獵)】(ユウリョウ) ＝遊猟(一四二八ページ中)。

【游△鱗】(ユウリン) 水中をおよいでいる魚。▼鱗は、うろこで、魚類。

【游歴(歷)】(ユウレキ) ＝遊歴(一四二八ページ中)。

9【湅】12画 6549 レン 霰 liàn — — 3982

字義 ❶練る。糸や絹を灰汁などで煮てやわらかにする。❷きたえる。＝錬(12733)。

解字 **形声**。氵(水)＋柬音。

9【湾】12画 6550 常 ワン 4749 9870 —
22〘灣〙25画 6551 ワン 刪 wān 6352 E073 —

筆順 

字義 ❶水が陸地に入り込んでいる所。入り江。入り海。「港湾」❷まがる。入りこむ。＝彎(3354)。

名前 みずくま

参考 現代表記では「彎」(3354)の書きかえに用いる。「彎曲→湾曲」「彎入→湾入」

解字 形声。氵(水)＋弯(彎)音。音符の彎ワンは、弓がまがるの意味。弓なりに曲がって海水が入りこむ、入り江の意味を表す。常用漢字の湾は灣の省略体。

逆 港湾

【湾曲】ワンキョク 弓なりに曲がること。彎曲ワンキョク。

【湾頭】ワントウ 入り江のほとり。入り海のほとり。

【湾入】ワンニュウ 国海や湖が陸地に入り込んでいること。

【湾泊】ワンパク みなと。港湾。▼泊は、舟のとまる所。

9【溂】12画 6552 国字 　6267 9FE1 ―

字義 ラツ。溌溂ハツラツは、生き生きと元気なさま。＝剌(939)。

参考 溌剌ハツラツの剌ラツにさんずい(氵)をつけて溂と書くのは、日本語の慣用。

解字 形声。氵(水)＋剌音。

10【溢】13画 6553 人 標 漢イツ 呉イチ 質 yì 　1678 88EC ―

筆順

【溢】6554 俗字

字義 ❶あふれる。こぼれる。水が一杯になってこぼれ出る。「横溢」❷みちる(満)。「充溢」❸程度を過ぎる。度を越す。はなはだしい。「溢誉」❹おごる。贅沢。❺春秋・戦国時代の量の単位。片手に盛った量。

名前 みつ・みつる

解字 篆文 会意。氵(水)＋益。益は、あふれるの意味。水があふれるの意味を表す。

【溢溢】イツイツ ①みちあふれるさま。②鳥の鳴き声の形容。

【溢喜】イツキ 非常な喜び。この上ない喜び。

【溢美】イツビ ①非常に美しい。②ほめすぎること。

【溢誉(譽)】イツヨ 事実に過ぎたほまれ・評判。

10【溢】13画 6554 イツ 溢(6553)の俗字。→八六四ページ上。 　― ―

10【溳】13画 6555 ㊀漢ウン 因 yún ㊁漢イン(キン) 軫 yǔn 　― ― 4015

字義 ㊀川の名。湖北省内に発する川。㊁落ちる。

解字 形声。氵(水)＋員音。

10【滃】13画 6556 漢オウ(ヲウ) 呉オ(ヲ) 董 wěng 　27905 ― 4020

コラム

日本の漢字音

中国近隣の日本・朝鮮・ベトナム等は古くから漢字・漢語を通して中国文明を積極的に摂取してきた。この漢語の原音を日本語の体系に取りこむ過程で生じた漢字音を〈日本漢字音〉という。

それはまたその母体となった漢語の時代差とそれに加えて地域差とから、①古音・②呉音・③漢音・④唐音に分けられる。

古音　五世紀から断片的に日本の金石文に見られ、中国の上古音に見合うものを原音としている。片仮名・平仮名の「ト・と」は「止」、「ノ・の」は「乃」に基づくが、そのトやノの音もこの古音を基礎としている。

呉音　古音に続いて、漢音伝来以前の時期に用いられていた字音で、五～六世紀の長江下流地域の音（江東音）の系統のものである。それは一時期にまとまって伝えられたものでなく、伝来の積み重なりによって複数の層をなしている。呉音という呼称は漢音の伝来につれ、それとの対立として平安初期に称し始めた。仏典の読誦ドクジュには伝統的にこの呉音が用いられる一方、日常生活に溶けこんだ漢語にもこの字音のものが多い。胡麻ゴマのゴ・天井テンジョウのジョウ・人間ニンゲンのゲン・極楽ゴクラクのゴクなど。

漢音　八世紀をピークに遣隋使ケンズイシ・遣唐使・学僧らや渡来中国人によって伝えられた。長安（今の西安）の音（長安音）に基づく字音である。延暦十一年（七九二）には漢音奨励の勅も出され、正音と呼ばれて正統視された。漢籍の読み方には一般にこれを用いる。

唐音　平安中期にはすでに見えはじめ、江戸末期までに伝えられた。宋ソウ・元ゲン・明ミン・清シン時代の江南・浙江セッコウ・南京ナンキン・福州などの各地の音に基づくもので、臨済・曹洞ソウトウ・黄檗オウバク宗の僧、訳官、中国商人らによってもたらされた。室町時代通行の語彙集『節用集』などに収録されている。行灯アンドンのアン・杏子アンズのアンとズ・椅子イスのス・蒲団フトンのトン・風鈴フウリンのリンなど。

ほかに、中国の原音によらない〈慣用音〉があるが、もとは誤読から生じて定着したものが多い。撒サン・攪カク・雑ゾウなど。

中国語の音節構造やそれを構成する子音・母音の種類は日本語音に比較して圧倒的に複雑である。それを日本語音の中に融和させるのには大変な苦心を要した。しかも母体の漢字音の変化を微妙に受けとめてきたのが日本漢字音である。

字義 ❶雲霧などのわき起こるさま。❷大水のさま。❸にごった色のさま。

解字 形声。氵(水)＋翁音。

【滃鬱】オウウツ 雲が出て暗くなること。

【滃滃】オウオウ 雲のさかんにわき起こるさま。

【滃然】オウゼン 雲や霧などのさかんにわき起こるさま。

【滃△渤】オウボツ ①雲や霧のさかんにわき起こるさま。②泉の水のさかんにわき出るさま。

10【溫】13画 (6479) オン 温(6478)の旧字体。→六五六ページ上。 　― ―

10【滙】13画 6557 カイ 匯(1146)と同字。→二〇九ページ上。 　27907 ― ―

10【滑】13画 6558 常 カツ・コツ すべ-る・なめ-らか 　1974 8A8A ―

筆順

㊀漢カツ(クヮツ)・呉ゲチ 黠 huá ㊁漢コツ・呉コチ 月 gǔ

字義 ㊀❶なめ-らか。㋐すべすべしている。㋑物事がとどこおりなくすらすら運ぶ。「円滑」「潤滑」❷すべ-る。「滑走」❸ずるい。＝猾(7280)。❹つややか。光沢がある。美しい。㊁❶みだす。乱れる。❷にごす。❸おさめる(治)。国❶すべ-る。㋐退位する。㋑退出する。㋒にじり移る。すわったまますり動く。㋓思わず口外する。「口が滑る」㋔落第する。❷ぬめ-る。㋐すべる。㋑すべすべしている。㋒なまめく。めかす。㋓うかれる。うかれ歩く。㋔まみれる。泥などにまみれる。❸ぬめ-り。㋐すべり。㋑なめらかさ。㋒ぬらぬらしていること。また、粘液。㋓物に付着した泥・よごれなど。㋔

のらりくらりとしていること。 難読 滑河・滑子・滑川

解字 篆文 [篆文] 形声。氵(水)＋骨㊥。音符の骨は、ほねの意味。肉体のうちの骨が、なめらかに動くところから、なめらかの意味を表す。

逆 円滑・潤滑

【滑稽】①口がたっしゃで人を言いくるめる力をもっていること。口先のうまいこと。また、べらべらしゃべること。多弁なこと。滑稽は、もと酒器の名で、今の漏斗の類い。そこからとどこおることなく酒が流れ出るからという。②知恵のよくはたらくこと。③たくみにおもしろく言いこなす。また、動作する。おかしいこと。おどけ。道化。諧謔。

【滑△膩】油けがあってすべすべしている。人の皮膚などにいう。

【滑沢(澤)】なめらかで、つやがある。

【滑脱】①すべりぬける。②とどこおりなく自由自在なこと。「円転滑脱」

10【漢】13画 6559 教3 カン 2033 8ABF

11〔漢〕14画 6560 人 カン 韓 hàn 8705

筆順 氵 氵 汁 洪 泄 浩 漟 漢 漢

字義 ❶川の名。→漢水。❷天の川。銀河。「天漢」「銀漢」❸おとこ。男性の称。「好漢」「悪漢」❹漢中の略。→漢中。❺王朝の名。劉邦(漢の高祖)が秦を滅ぼし、項羽を倒して建てた国(前二〇六—八)。都は長安(今の西安市)。後、一時、王莽に国を奪われたが、劉秀(光武帝)が奪回再興した(二五—二二〇)。都は洛陽。後世、前者を前漢(西漢)、後者を後漢(東漢)という。❻国名。㋐三国の一つ。劉備の建てた国。別名。蜀漢・季漢。(二二一—二六三)→蜀漢(一三五八ジ・下)。㋑晋の時の五胡十六国の一つ。㊙劉淵の建てた国。都は平陽(今の山西省臨汾市)。後、国号を趙と改め、後世、前趙と呼ぶ。(三〇四—三二九)㋺李特が建てた国。初号は成。後に漢と改めた。都は成都。後世、成漢または後蜀と呼ぶ。(三〇二—三四七)㋒五代の国の一つ。劉知遠の建てた国。都は汴(今の河南省開封市)。後世、後漢と呼ぶ。(九四七—九五〇)㋓五代十国の一つ。㊙劉旻の建てた国。都は晋陽(今の山西省太原市)。北漢。(九五一—九七九)㋺劉龑の建てた国。都は今の広東省広州市。南漢。(九一七—九七一)❼民族の名。中国本土の人口の大部分を占めている民族。漢族。漢民族。❽中国本土をいう。❾中国に関する事がら。「漢文」

国 から。あや。中国をいう。また、中国南方をさす「くれ(呉)」に対しては、あやは中国北方をさす。

名前 あや・あら・かみ・かん・くに・そら・なら 難読 漢意・漢郷・漢主・漢女・漢織・漢心・漢人・漢竹

解字 篆文 [篆文] 形声。氵(水)＋莫(莫)㊥。川の名を表す。

逆 悪漢・雲漢・怪漢・河漢・巨漢・好漢・史漢・星漢・痴漢・天漢・暴漢・羅漢・和漢

【漢音】国 唐代の長安付近の音が、平安時代初期までに伝わって日本語化された漢字音。南方音の日本語化されたと思われる呉音に対していう。昔から標準的な漢字音と考えられ、漢籍を読むには多く漢音による。仏典は呉音で読むのが通則。⇩ コラム 日本の漢字音(八六四ジ)。

【漢家】①漢の王室。漢の国家。また、漢の国家。唐代の詩人は、当時の朝廷に関することを直接指すことをはばかって、よく漢代のことになぞらえて歌い、唐の国家を漢家という。→漢皇。用例(唐、杜甫、兵車行)君不ㇾ聞漢家山東二百州、千村万落生ニ荊杞ー。

↓ 諸君もご存知であろう、漢の東半分の二百州ではどの村々でも雑草が生い茂っていることを。②国 中国をいう。

【漢画(畫)】国 ①鎌倉時代以後におこった宋・元風(北宋風の系統)の画。北画の別称。②日本画に対して、中国画をいう。

コラム

漢　語

漢語は漢民族が話す言語で、シナ・チベット語族の中でも最も長い歴史と最も多い人口を持つ。

漢語は典型的な孤立語で、たとえば英語のような格による語形の変化や、日本語の格助詞に当たるものもなく、語と語との文法的関係は主として語順によって示される。

文の基本構造には、次のような型がある。

(1)主語＋述語

天高、馬肥。(天 高く、馬 肥ゆ)

(2)主語＋述語＋補語

仁者愛ㇾ人。(仁者は 人を 愛す)

(3)修飾語は被修飾語の前に置かれる

盛者必衰。(盛んなる者は 必ず 衰ふ)

漢語の一語は原則として声調を有する単音節で構成される。一語は同時に漢字一字として表現される。しかし、単音節の変化にはおのずから限度があり、従って何千・何万とある語(字)には同音のものが数多くあることになる。そこでいくつかの語(字)を組み合わせて理解を容易にし、また意味内容を明確にする工夫が行われるようになった。そしてその組み合わせが長い間使用されて固定化したものを「熟語」と称するのである。

熟語の構造には、次のような型がある。

(1)主語＋述語……地震　雷鳴　日没　年少

(2)述語＋補語……読書　握手　帰国　入門

(3)修飾語＋被修飾語……天命　遠路　流水　仮定

(4)似通った意味や同類の語を並列する……山岳　草木　身体　永久　温暖　満足　滅亡　見聞

(5)対照的な意味の語を並列する……天地　内外　表裏　善悪　尊卑　愛憎　取捨　進退

(6)助字と結合する……〔不〕不安　〔非〕非常　〔無〕無理　〔未〕未定　〔将〕将来　〔被〕被害　〔所〕所信　〔然〕敢然　偶然　〔如〕突如　躍如　〔乎〕断乎

(7)同じ字を重ねる……堂堂　淡淡　洋洋　遅遅

(8)同声(頭の子音が同じ)の字を重ねる＝双声語　参差　髣髴　磊落　伶俐　玲瓏

(9)同韻の字を重ねる＝畳韻語　靉靆　従容　徘徊　模糊　爛漫

(10)外来語(多くは梵語)の音訳にもとづく語　瑠璃　閼伽　菩提　卒塔婆　耶蘇

このほかに、古人の言葉や故事に由来する成語がある。……古稀　而立　杞憂　推敲

【漢学(學)】カンガク ①漢代の、また、漢から唐までの学。漢唐の学。経典(ケイテン)の訓詁(クンコ)(読みや字義の解釈)を主とした。訓詁の学。宋(ソウ)・明(ミン)の性理の学(人性の原理に照らして経典を解釈した学風で、一名、宋学)に対していう。②国中国の学問を研究する学問。儒学。

【漢△奸】カンカン 敵に内通する者。スパイ。裏切り者。売国奴。

【漢宮】カンキュウ 漢の天子の宮殿。

【漢宮秋】カンキュウシュウ 戯曲(元曲)の名。元の馬致遠の作。王昭君が匈奴(キョウド)に嫁することに題材をとったもの。

【漢語】カンゴ ①漢民族の言語。⇩コラム 漢語(八六五ページ)。②国国語の中で、中国から伝来した語と、漢字で書かれ漢字音で読まれる語。

【漢口】カンコウ 地名。湖北省の漢水と長江との合流点の北西にあり、長江の中流域における商工業の中心地。現在は対岸の武昌(ブショウ)・漢陽と合併して武漢市。漢皐(カンコウ)。

【漢光武帝】カンのコウブテイ 後漢第一代の天子(在位、二五―五七)。前漢の高祖九代の孫。姓は劉(リュウ)、名は秀。字(あざな)は文叔。兵を湖北に挙げ、新(シン)の王莽(オウモウ)を滅ぼして漢室を再興した。(前六―後五七)

【漢皇】カンコウ 漢の天子。唐の詩人は、唐の天子のことを直接指すことをはばかり、漢皇の語を借り用いた。用例(唐、白居易、長恨歌)漢皇重レ色思レ傾国一(カンコウいろをおもんじて、ケイコクをおもう(ふ))、御宇多年求不レ得(ギョウタネンもとむれどもえず)。⇩漢の皇帝は色事を重んじて、国都をかたむけるほどの美人を得たいと思いつつ、御治世の長い間、求めたものの得られなかった。

【漢高】カンコウ ＝劉邦(一八九ページ中)。漢の高祖をいう。

【漢高祖】カンのコウソ ＝劉邦(一八九ページ中)。前漢初代の天子。

【漢才】カンサイ 国漢学によって得た知識・才能。「和魂漢才」

【漢三傑】カンのサンケツ 漢の高祖に仕えた功臣、張良・蕭何(ショウカ)・韓信(カンシン)の三人。

【漢詩】カンシ ①漢代の詩。②国㋐中国の伝統的な詩。㋑中国の作詩法に従って漢字だけを用いて作った詩。⇩コラム 漢詩(八六六ページ)。

【漢室】カンシツ 漢の王室。漢の朝廷。用例(三国蜀、諸葛亮、前出師表)漢室之隆、可二計レ日而待一也(カンシツのさかんならんこと、ひをかぞえ(へ)てまつべきなり)。⇩漢の王室が盛んになることは、日を数えながら待つように容易なことである。

【漢儒】カンジュ ①漢代の儒学者。②国中国の儒学者。ただし、現代の学者は別。

【漢女】カンジョ ①漢水の神女。②漢王朝の女性。

【漢書】カンジョ 一 書名。百巻。後漢の班固の著。前漢一代の歴史書。二十四史の一つ。その客観的な叙述態度は後

コラム

漢詩

中国で現存する最古の詩集は『詩経』であり、周初(前十一世紀)から春秋末の孔子以前の、主として黄河流域の歌謡を集めたものである。『楚辞(ソジ)』は、それに対して、楚すなわち長江流域の南方各地の民謡から発展したもので、戦国末の屈原・宋玉(ソウギョク)らを主な作者とする韻文集である。『詩経』が一句四言の形式を主とするのに対して、『楚辞』は三言を基調とする六言句が多く、また、音調を整える助字の「兮(ケイ)」を句中・句末に配することが多い。

前漢の武帝が李延年(リエンネン)に命じて集めさせた民間歌謡を〈楽府(ガフ)〉と称する。当時の楽府の詩句は、長短句入り乱れたものであったが、後漢の時代になると、「古詩十九首」(『文選』巻二十九)に代表される五言詩が成立した。続いて七言の詩形も現れ、魏晋(ギシン)南北朝期の五言・七言の詩の盛行に引き継がれた。

そして、いわゆる漢詩という文芸は、唐代約三百年間(六一八―九〇七)に最高の結実を見せた。『詩経』から唐以前の詩を総称して〈古体詩〉、略して〈古詩〉と呼ぶのに対して、唐代に成立し、以後長く盛行した五言・七言の詩体を〈近体詩〉または〈今体詩〉という。ただし、古体の形式の詩もまた唐代以後も長く作り続けられた。

詩
- 古体詩
  - 古詩　四言古詩・五言古詩・七言古詩・雑言古詩…句数は不定
  - 楽府　長短句不定のものが多い。
- 近体詩
  - 絶句　五言絶句・七言絶句…四句
  - 律詩　五言律詩・七言律詩…八句
  - 排律　五言排律・七言排律…十句以上の偶数句。

ここでは、主として近体詩における押韻(オウイン)・平仄(ヒョウソク)・構成・対句等について略述する。

押韻　詩には、句末に同韻の字を用いて音調を整える法則がある。これを押韻、または韻を踏むという。韻とは、漢字をその音の韻母にあたる部分によって、二百六種に分類したものである(元・明(ミン)以後は百六種で〈平水韻〉という。百六詩韻韻目表については、コラム 韻目(一五三二ページ)を参照)。

古体詩でも近体詩でも五言系統の詩は、次のように

○○○○○　○○○○◎
○○○○○　○○○○◎

◎で示した位置、すなわち偶数句末に韻を踏み、七言系統の詩は、次のように

○○○○○○◎　○○○○○○◎
○○○○○○○　○○○○○○◎

◎で示した位置、すなわち第一句末と偶数句末とに押韻するのが原則である。ただし、実際には、五言詩の第一句末に押韻したり、七言詩の第一句末に押韻しなかったりするものも少なくない。また、古体詩では、長編のものでも最後まで同一の韻のみを用いる〈一韻到底〉の法と、途中で韻を変える〈換韻〉の法とがあるが、近体詩では換韻されることはない。

平仄　漢字音の声調(四声)には、平声(ヒョウショウ)(上平と下平とに分けるが、いずれも高く平らな音)・上声(しり上がりの音)・去声(しり下がりの音)・入声(ニッショウ)(短くつまる音)の四種があり、これによって漢字は、平らで変化しない平声の字と、何らかの変化をする上声・去声・入声の字との二つに大別される。前者の〈平(ヒョウ)〉に対し、後者を〈仄(ソク)〉(仄は、かたむくの意)の字と称し、近体の詩をつくる場合、次のような平仄の原則が設けられている。(○は平字、●は仄字)

(1)二・四不同　二字めと四字めは平仄をかえる。
(2)二・六対(イッ)　二字めが平なら六字めも平、仄なら仄。ただし五言詩にはあてはまらない。
(3)一・三・五論ぜず　一字めと、三字めと、五字めは、それぞれ平・仄いずれでも自由。
(4)孤平をいむ　●○●のように、平声が一文字だけで仄声の間にはさまることを避ける。

世の史家の模範とするところとなった。『後漢書』に対して『前漢書』ともいう。[二] 国中国の書籍。漢籍。

【漢人】[一] 漢民族。漢人種。[二] ①漢の国の人。漢時代の人。②国広く中国の人をいう。[三] 国上代、日本に帰化した漢代遺民の子孫。

【漢水】川の名。陝西省西南部の寧強県に発し、湖北省を南東に流れて武漢で長江に注ぐ。全長約一五〇〇キロ。長江最長の支流。一名は沔水。漢江。

【漢籍】①漢代の書籍。②国中国の書籍。漢書。

【漢節(節)】漢の天子から使者のしるしとして授けられた割り符。▼節は、わりふ。〔唐、李白、蘇武詩〕

【漢△楚】①漢と楚。②沛公(漢の高祖)と項羽。沛公は秦を滅ぼした後、一時、漢中王となり、項羽は自ら西楚の覇王と称し、たがいに天下を争った。楚漢。「漢楚の興亡」

【漢中】秦の郡の名。治所は南鄭(今の陝西省漢中市の東)。漢の劉邦が秦を滅ぼした後に漢中王として項羽により封ぜられた地。

【漢土】①漢の土地。中国本土。②国広く中国をいう。

【漢武】＝漢武帝。

【漢武帝】前漢第七代の天子、劉徹(在位、前一四一—前八七)。国力を内モンゴル・西域・朝鮮・安南にまで伸張し、儒学を国学として文化の興隆に努め、大帝国を築きあげた。

漢武帝

【漢文】①漢代の文章・文学。②漢の文帝。(前一五六—前一五七) ③国㋐中国の文語体の文章・文学。ただし、口語文は別。⇩コラム 漢文(八六八ページ)。㋑漢字ばかりで書いた文章・文学。

【漢文学(學)】国漢字・漢文・漢詩などを研究する学問。漢学。

【漢方】国中国から伝わった医術。

【漢陽】①漢水の北の地。▼陽は、川の北側をいう。②湖北省の漢水と長江との合流点の南西にあり、東は長江を隔てて武昌と、北は漢水を隔てて漢口と相対して武漢三鎮を形成し、古来用兵争奪の地。今は三都市合して、武漢市となる。

【漢和】①中国と日本。②中国語と日本語。漢語と和語。「漢和辞典」

10【涵】13画 6561 カン 涵(6402)の本字。→八四六ページ上。

(5)下三連をいむ　七言で、最後の三字を○○○、または●●●にすることを避ける。

次に、絶句・律詩の平仄法と押韻を例示する。平仄の形式には〈平起式〉(第一句の第二字が平声)と〈仄起式〉の二つがある。(図中の、○は平声、●は仄声、◑は平仄どちらでもよい。◎は平韻、⊙は仄韻)

五言絶句

平起式(平韻)
◑○○●●
◑●●○◎
◑●○○●
◑○◑●◎

仄起式(平韻)
◑●○○●
◑○◑●◎
◑○○●●
◑●●○◎

平起式(仄韻)
◑○◑●○
◑●○○⊙
◑●●○○
◑○○●⊙

仄起式(仄韻)
◑●●○○
◑○○●⊙
◑○◑●○
◑●○○⊙

七言律詩(仄韻は略す)

平起式(平韻)
◑○◑●●○◎
◑●◑○◑●◎
◑●◑○○●●
◑○◑●●○◎
◑○◑●○○●
◑●◑○◑●◎
◑●◑○○●●
◑○◑●●○◎

仄起式(平韻)
◑●◑○◑●◎
◑○◑●●○◎
◑○◑●○○●
◑●◑○◑●◎
◑●◑○○●●
◑○◑●●○◎
◑○◑●○○●
◑●◑○◑●◎

構成　絶句の構成として〈起承転結〉の法則がある。この法則は、律詩にも適用される。絶句の起承転結　起句(第一句)で、まず詩のきっかけを述べ、承句(第二句)で、第一句を承けて展開し、転句(第三句)で、想をがらりと一転させ、結句(第四句)で、全体を結ぶことである。

春暁　(孟浩然)
春眠不覚暁　——起句
処処聞啼鳥　——承句
夜来風雨声　——転句
花落知多少　——結句

律詩の四聯　律詩は八句を二句ずつに分けて、首聯(起聯。第一・二句)、頷聯(前聯。第三・四句)、頸聯(後聯。第五・六句)、尾聯(結聯。第七・八句)と呼んでいるが、この四聯は、絶句の起承転結に相応するものである。そして律詩は、頷聯と頸聯とが必ずそれぞれ対句を構成しているのが特色である。(ただし、左の詩では、首聯も対句)

登岳陽楼　(杜甫)
昔聞洞庭水
今上岳陽楼　＞首聯　(起聯)—起
呉楚東南坼
乾坤日夜浮　＞頷聯(対句)　(前聯)—承
親朋無一字
老病有孤舟　＞頸聯(対句)　(後聯)—転
戎馬関山北
憑軒涕泗流　＞尾聯　(結聯)—結

対句　右に挙げた「登岳陽楼」の詩に例をとれば、

親朋 無 一字　　親朋 一字 無く
老病 有 孤舟　　老病 孤舟 有り

のように、対応して一対となっている二句を対句という。対句は、原則として、次の条件を備えていなければならない。
①二句の文字数が同じである。
②二句の文法的な構造がほぼ同じである。(従って対応する各語の品詞もほぼ同じ)
③二句の意味内容の概念・範疇に何らかの共通性がある。

コラム

漢文――内容と修辞

中国古来の文章、いわゆる漢文は、韻文と散文とに二大別されるが、これらは、内容上・修辞上から次のように分類することができる。ただし、ここでいう漢文とは、中国の文語体の文章であり、口語体で書かれたいわゆる〈白話文〉は含まれない。

〔内容上の分類〕

以下、(1)から(9)は散文、(10)から(13)は韻文（詩は除く）。

(1)論弁　議論文
　(例) 蘇軾「留侯論」
(2)序跋　著書や詩文などの序や跋（あとがき）
　(例) 王羲之「蘭亭序」
(3)奏議　君主に上奏する文章
　(例) 諸葛亮「出師の表」
(4)書論　論説を主とした書簡や文章
　(例) 韓愈「師の説」
(5)贈序　送別や慶事に贈る文章
　(例) 柳宗元「薛存義を送る序」
(6)詔令　君主の詔勅
　(例) 漢の武帝「賢良を求むる詔」
(7)伝状　伝記行状の文章
(8)碑誌　石に刻んで後世に示す文章
　(例) 柳宗元「種樹郭橐駝伝」
　(例) 韓愈「柳子厚墓誌銘」
(9)雑記　記事文
　(例) 范仲淹「岳陽楼の記」
(10)箴銘　戒める文章
　(例) 崔瑗「座右銘」
(11)賛頌　賞賛評論する文章
　(例) 夏侯湛「東方朔画賛」
(12)辞賦　『楚辞』の流れをくむ散文的な韻文。辞は叙情的、賦は叙事的なもの。
　(例) 陶潜「帰去来の辞」
(13)哀祭　死者をいたみ祭る文章
　(例) 韓愈「十二郎を祭る文」

〔修辞上の分類〕

駢儷文　四字句・六字句を基調として、対句を多用し、修辞句に美しく構成する文章。駢も儷も「ならべる」意。〈駢文〉〈四六文〉また、〈四六駢儷文〉などともいう。六朝時代から唐代にかけて盛行した。

春夜宴二桃李園一序（李白）

夫天地者万物之逆旅、
光陰者百代之過客。 ―八字対
而浮生若夢、
為歓幾何。 ―四字連用
古人秉燭夜遊、
良有以也。 ―六字・四字
況陽春召我以煙景、
大塊仮我以文章。 ―七字対
会桃李之芳園、
序天倫之楽事。 ―六字対
群季俊秀、
皆為恵連、 ―隔句四字対
吾人詠歌、
独慚康楽。 ―隔句四字対（以下略）

古文　修辞的傾向の強い駢儷文は、自らその思想的内容が空疎になるという弊風を生み、前漢以前の達意の古文（『孟子』『史記』など）を範として実用的文章を作ろうとする古文復興の運動が起こった。その先駆をなしたのは、初唐の陳子昂であったが、中唐の韓愈・柳宗元に至ってその極点に達し、宋代、欧陽脩・蘇洵・蘇軾・蘇轍・曾鞏・王安石などが輩出した。韓愈以下の八人の文豪たちを〈唐宋八大家〉あるいは〈唐宋八家〉と称する。

10【滊】13画 6562
㊀㊥キ・㊇ケ 未 xì ㊁㊥ケツ・㊇ケチ 月 xiē
字義 ㊀川の名。㊁塩水湖。
参考 俗に、〔汽〕(6177)と混用する。
解字 形声。氵(水)＋氣㊥。
27906 — 4023

10【渙】13画 6563
ギョ　漁(6623)の俗字。→八七三㌻下。

10【溪】13画 (6408)
ケイ　渓(6407)の旧字体。→八四六㌻中。

10【源】13画 6564
教6 ゲン みなもと
㊥ゲン・㊇ガン(グヮン) 元 yuán
2427 8CB9 —
筆順 氵 氵 沪 沪 沥 源 源 源 源
字義 みなもと。㋐水流の発する所。「水源」㋑物事のはじめ。もと。根本。「起源」 国みなもと。四姓(源・平・藤・橘)の一つ。源氏。
名前 げん・はじめ・もと・よし　難読 源間・源川
解字 形声。氵(水)＋原㊥。音符の原は、みなもとの意味。のち、水を付し、みなもとの意味を明らかにした。
逆 河源・起源・語源・根源・財源・資源・桃源・本源
【源源】ゲンゲン ①水の絶えず流れているさま。②物事の絶えないで続くさま。用例〔孟子、万章上〕源源而来きたる。（ゲンゲンとして。）
↓ 物事が絶えないで続く。
【源泉】ゲンセン ①水流のみなもと。②物事のはじめ・起こり。③もと。根本。原泉。
【源流】ゲンリュウ ①みなもとの流れ。みなもと。②物事のはじめ・起こり。③もと。根本。④源とその流れ。本末。

10【溝】13画 6565
常 コウ みぞ
2534 8D61 —

10〖溝〗13画 6566
㊥コウ ㊇ク 尤 gōu
筆順 氵 氵 汫 泔 泔 溝 溝 溝 溝
字義 ❶みぞ。㋐地を掘って作った、水を通す道。どぶ。ほり。ほりわり。「側溝」㋑谷川。小川。㋒細長くくぼんだすじ。❷みぞを掘る。

名前 みぞ

解字 篆文 形声。氵(水)+冓(冓)音。音符の冓コウは、組み合わせるの意味。人工的に網の目のように組み合わせた水路の意味を表す。

逆 禁溝・通溝

【溝澮】コウカイ ＝溝洫コウキョク。▼澮は、小さな流れ。

【溝壑】コウガク ①谷。谷間。谷あい。▼壑は、谷。②危険または困難な場所・境遇のたとえ。

【塡溝壑】コウガクにテンず みぞにはまる。のたれ死にすることのたとえ。用例〔戦国策、趙〕雖少、願及未塡溝壑而託之 わかしといえども、ねがわくはいまだコウガクにテンぜざるにおよんでこれをタクせん。↓(息子はまだ若いのですが、私めが野たれ死にしないうちに、おまかせしたい。)

【溝渠】コウキョ みぞ。ほり。どぶ。

【溝洫】コウキョク 耕作地の間にあるみぞ。▼洫も、みぞ。

【溝池】コウチ ①ほり。城のほり。②みぞと池。

【溝中瘠】コウチュウのセキ 困窮してみぞに落ちて死んだ人の死骸。

【溝瀆】コウトク みぞ。どぶ。▼瀆も、みぞ。

【経(經)於溝瀆】コウトクにケイす 自分で首をしめ、みぞにおちいって死ぬこと。つまらぬ死に方のたとえ。▼経は、首をくくる。〔論語、憲問〕

10【滉】13画 6567 人 漢コウ(クワウ) 呉オウ(ワウ) 養 huàng 6270 9FE4 —

筆順 氵 氵冂 氵日 氵旦 滉 滉 滉 滉 滉

字義 水の深く広いさま。

名前 あきら・こう・ひろ・ひろし

解字 形声。氵(水)+晃音。音符の晃クワウは、深くて広いさまを表す擬態語。深くて広い水のさまを表す。

【滉蕩】コウトウ ①水の深く広いさま。②はるかに遠いさま。

【滉漾・滉瀁】コウヨウ ①水の深く広いさま。②一般に、広くきわまりないさま。

10【溘】13画 6568 コウ(カフ) 合 kè 6269 9FE3 —

字義 たちまち。にわか。

解字 形声。氵(水)+盍音。

【溘焉】コウエン にわかなさま。にわかに。たちまち。多く人の死去にいう。

【溘溘】コウコウ ①急な勢いで来る水の音。②襲い来る寒気の形容。

【溘死】コウシ にわかに死ぬ。人の死去をいう。長逝。溘逝。

【溘然】コウゼン にわかなさま。忽然コツゼン。突然。

10【滈】13画 6569 一 漢コウ(カウ) 呉ゴウ(ガウ) 晧 hào 二 カク 覚 xuè — — 4022

字義 一❶長雨。❷川の名。今の西安市郊外を流れていた川。❸地名。西周の国都、鎬京コウケイ。二 水の沸わくさま。

解字 形声。氵(水)+高音。

10【溷】13画 6570 漢コン 呉ゴン 願 阮 hùn 6271 9FE5 —

字義 ❶みだれる(乱)。❷にごる(濁)。「溷濁」❸けがれる(汚)。❹まじる(雑)。はずかしめる(辱)。❺かわや。便所。❻家畜小屋。犬ごや。豚ごや。

解字 篆文 形声。氵(水)+圂音。音符の圂コは、ぶたごやの意味。きたない水のあるぶたごやの意味を表す。また、混に通じ、みだれるの意味をも表す。

【溷淆・溷殽】コンコウ まじり乱れる。

【溷廁】コンシ かわや。便所。溷圊コンセイ。

【溷濁】コンダク にごる。けがれる。また、にごり。けがれ。

10【滾】13画 6571 コン 滾(6630)の正字。→八七四ページ中。

10【溠】13画 6572 漢サ 呉シャ 麻 zhā — — 4010

字義 川の名。湖北省内に源を発する川。

解字 形声。氵(水)+差(𢀩)音。

10【滓】13画 6573 標 シ 紙 zǐ 慣サイ 6272 9FE6 —

字義 ❶おり。沈澱物。「渣滓サシ」❷かす。汁をしぼり取った残り物。❸くず。ちり。ごみ。❹けがれ。よごれ。にごり。また、けがす。よごす。

解字 篆文 形声。氵(水)+宰音。音符の宰は、調理するの意味。調理のとき底に沈むかすの意味を表す。

10【溮】13画 6574 シ 支 shī — — 4013

字義 川の名。河南省内に源を発する川。

解字 形声。氵(水)+師音。

10【溼】13画 6575 シツ 湿(6500)と同字。→六五八ページ下。

参考 〔濕〕(6501)は、もと別字。濕(湿)は音トウ(タフ)、川の名であるが、溼に通じて用いる。今、慣用に従い、濕(湿)と同字とした。

10【溲】13画 6576 一 シュウ(シウ) 有 sǒu 二 シュウ(シウ) 尤 sōu 唐シュ 6276 9FEA —

〔溞〕6503 本字

字義 一❶そそぎ洗う。また、よなぐ。米などをとぐ。❷こねる。水で粉をこねる。二❶ひたす。❷小便。ゆばり。「溲瓶シュビン・シビン」

解字 篆文 形声。氵(水)+叟(叜)音。音符の叜ソウは、手さぐりするの意味。水中で手さぐりする、そそぎ洗うの意味を表す。

10【溴】13画 6577 漢シュウ(シウ) 呉シュ 宥 xiù 27903 — —

字義 ❶うるおい。❷化学元素の名。臭素。ブローム。

解字 形声。氵(水)+臭音。

10【準】13画 6578 教5 ジュン 一 漢シュン 軫 zhǔn 二 漢セツ 呉セチ 屑 zhuó 慣ジュン 2964 8F80 —

〔凖〕826 俗字

筆順 氵 氵 氵' 氵' 氵' 淮 淮 準 準

字義 一❶たいら。水平。水面の平らなこと。❷みずもり。水平かどうかを調べる器具。❸のり。めあて。法則。手本。めやす。「標準」「基準」❹なぞらえる。なぞらう。のっとる。擬する。「準拠」❺はかる。おしはかる。❻ただす。ひとしくする。平らにする。❼質に入れる。抵当にする。❽ゆるす。許可する。「竜準リュウセツ」二 はなばしら。はなすじ。

準②

名前 かね・じゅん・せつ・とし・のり・なろう・ひとし・ひら

参考 ⇩准(814)の参考。

使いわけ ジュン〔準・准〕
〔準〕「それに次ぐ」の意で、広く一般に用いる。「準決勝・準会員」
〔准〕役職や階級がその次に当たることを示す場合に用いる。「准看護師・准教授」
なお、ヒジュンは「批准」と書く。

解字 篆文 形声。氵(水)+隼音。音符の隼シュンは、はやぶさの意味。はやぶさの形をしている水準器の意味を表す。また、水準器に似た鼻すじの意味をも表す。

逆 基準・規準・照準・水準・鼻準・標準

【準擬】なぞらえる。

【準拠(據)】①のっとる。より従う。②よりどころ。③のり。標準。

【準縄(繩)】①水平を測るみずもりと、直線を作る墨縄。→縄(9272)の図。用例〔孟子、離婁上〕継レ之以二規矩準縄一。↓更にその上規矩準縄を用いた。②標準。規則。

【準則】①のっとる。②のっとるべき規則・標準。

【準的】①めあて。まと。②標準。

【準備】用意。したく。そなえ。

【準用】国①標準として適用する。②あることに対して定めた法規を、それと類似する事がらに、なぞらえて適用すること。

10 【滁】 13画 6579 呉ジョ(ヂョ) 漢チョ 魚 chú |8694 — 4019
字義 ❶川の名。→滁河。❷州名。→滁州。
解字 形声。氵(水)+除音。
【滁河】川の名。安徽省東部を流れ、江蘇省で長江に注ぐ。
【滁州】州名。隋代に置く。今の安徽省滁州市。州城の西南に酔翁亭があり、北宋の欧陽脩がその記を作った。

10 【溭】 13画 6580 呉ジキ 漢ショク 職 zè — — 4012
字義 波。
解字 形声。氵(水)+畟音。

10 【溽】 13画 6581 呉ニク 漢ジョク 沃 rù 6273 9FE7 —
字義 ❶むしあつい。湿気が多く暑い。「溽暑」❷うるおう。しめる(湿)。❸こい。濃厚。
解字 篆文 形声。氵(水)+辱音。音符の辱は、草を刈り重ねるの意味。湿気が重なってむし暑いの意味を表す。

10 【溱】 13画 6582 シン 眞 zhēn |8693 — 4014
字義 ❶川の名。溱水。❷おおい(多)。さかん。=蓁(10177)。「溱溱」❸いたる。=臻(9685)。
解字 篆文 形声。氵(水)+秦音。音符の秦は、稲がのびしげるの意味。水がさかんなさまを表す。
【溱水】川の名。河南省新密市北東の渓谷に源を発し、北東へ流れて洧水と合流する。

10 【湥】 13画 6583 シン 深(6432)の本字。→八四九ジ上。

10 【溍】 13画 6584 シン 震 jìn — — 4007
字義 川の名。
解字 形声。氵(水)+晉音。

10 【溯】 13画 6585 ソ 遡(12191)と同字。→一四三〇ジ中。

10 【溯】 13画 6586 ソ 遡(12191)の俗字。→一四三〇ジ中。 6274 9FE8 —

10 【滄】 13画 6587 ソウ(サウ) 陽 cāng 6275 9FE9 —
字義 ❶さむい(寒)。=滄(827)。❷あおい(青)。水の色。=蒼(10182)。「滄海」

解字 篆文 形声。氵(水)+倉音。音符の倉は、蒼に通じ、あおいの意味。水があおいの意味を表す。

【滄海】①うみ。青い海。青海原。用例〔唐、銭起、送二僧帰一日本一詩〕浮レ天滄海遠。↓空に浮かぶように大海原を果てもなく、去レ世法舟軽。世俗を離れるように仏法をのせて舟は軽々と進む。②東海(渤海)。③北海中にある、仙人の住む島。

【滄海遺珠】大海中に取りのこされた玉。世に知られず埋もれている賢者のたとえ。〔唐書、狄仁傑伝〕

【滄海一粟】大海中の一粒の穀物。比較にならないほど小さい物のたとえ。また、広大で永遠に続く宇宙間における、小さくはかない一個の人間のたとえ。用例〔北宋、蘇軾、前赤壁賦〕寄二蜉蝣於天地一、渺滄海之一粟。↓(私とあなたは)かげろうのようなはかない命をこの悠久の世に一時あずけているのだ。はてしなく広い青海原の中の一粒の粟のような存在である。

【滄洲】①青い水にかこまれた中州。②いなかの水辺。③隠者の住む所。④仙人の住む所。

【滄桑之変(變)】滄海(おおうなばら)が桑田(くわばたけ)に変わる。世の中がはげしく変化することのたとえ。〔神仙伝、七〕

【滄滄】①寒々としたさま。②天空の広く青々としたさま。

【滄茫】水面などの青々として果てしなく広いさま。蒼茫。

【滄溟】青く薄暗い意で、海をいう。

【滄浪】①青く澄んだ水の色の形容。②川の名。㋐漢水の古名。㋑湖南省常徳市に発して長江に注ぐ。

【滄浪歌】①漁父(漁師)の歌。『楚辞』と『孟子』に見えるが、その解釈は異なる。「滄浪之水清兮、可三以濯二我纓一。滄浪之水濁兮、可三以濯二我足一」(滄浪の川の水が澄んでいるならば私の冠のひもを洗おう、滄浪の川の水が濁っているならば私の足を洗おう)。㋐世の中の成り行きに従って自己の出処進退を定めるべきことをいう。すなわち、世が治まっていれば出て仕えて理想を行い、世が乱れていれば隠退してひとり身を守る意。〔楚辞、漁父〕㋑わざわいをうけるのは自業自得であるとの意。〔孟子、離婁上〕②舟歌。ふなうた。

10 【滞】 13画 6588 常 タイ とどこおる 3458 91D8 —
11 【滯】 14画 6589 人 漢テイ・呉デイ 霽 zhì 慣タイ 6292 9FFA —
筆順
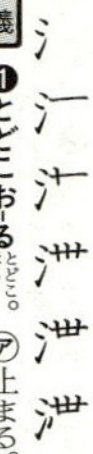
字義 ❶とどこおる。㋐止まる。つかえて進まない。動かない。㋑はかどらない。すらすらと運ばない。「渋滞」❷こる。こりかたまる。「凝滞」

解字 篆文 形声。氵(水)+帯(帶)音。音符の帯は、おびの意味。帯を巻きつけたように水が流れない、とどこおるの意味を表す。

逆 延滞・凝滞・結滞・渋滞・遅滞・沈滞・停滞
【滞淹】▼淹は、留。①とどこおって久しくとどまる。②賢才の世にうずもれていること。

【滞貨】①売れないで残っている品物。売れ残りの品。②輸送しきれないで残っている貨物。

【滞礙】①とどこおる。②さわり。さまたげ。

【滞在】ある土地にとどまること。

【滞思】とどこおりつもった思い。胸にふさがっている思い。滞念。

【滞穂(穗)】取り残された穂。また、落ち穂。

【滞積】㊀とどこおりつもる。㊁①つもったたくわえ。②=滞思。

【滞留】①とどこおる。停滞する。②他の地に長くとどまっていること。滞在。

10 【溙】 13画 6590 タイ 泰 tài — — 4009
字義 水のさま。
解字 形声。氵(水)+泰音。

10 【滍】13画 6591 漢チ 呉ジ(ヂ) 紙 zhì ― ― 4024

字義 川の名。河南省内に源を発し、潁水に注ぐ。今の沙河。

解字 形声。氵(水)＋蚩音。

10 【滀】13画 6592 チク 屋 chù ― ― 4018

字義 ❶あつ-まる。水がたまる。❷むすぼれる。怒りが胸にたまる。むっとする。

解字 形声。氵(水)＋畜音。音符の畜は、たまりふえる意味。

10 【溺】13画 6593 常 デキ おぼ-れる 3714 934D ―

一 漢デキ・呉ニャク 錫 nì
二 漢ジョウ(デウ)・呉ニョウ(ネウ) 嘯 niào

【溺】6594 俗字

筆順 丶 氵 氵 汈 溺 溺

字義 一 ❶おぼ-れる。㋐水にはまって苦しむ。また、死ぬ。「溺死」 ㋑度を越してふける。心を奪われる。深入りして抜けられない。「溺愛」「耽溺」 ❷しずむ。❸ひたる(漬)。 二 いばり。ゆばり。小便。また、小便をする。＝尿(2787)。

解字 篆文 形声。氵(水)＋弱音。音符の弱は、よわいの意味。水中でよわる、おぼれるの意味や、尿に通じて、いばりの意味を表す。

【溺愛】①愛におぼれる。②むやみに可愛がる。盲愛。
【溺死】水におぼれて死ぬ。水死。
【溺惑】おぼれまどう。迷って本心を失う。

10 【溺】13画 6594 デキ 溺(6593)の俗字。→八七一ページ上。

10 【滇】13画 6595 テン 先 diān 8701 ― 4021

字義 ❶漢代に今の雲南省に住んでいた異民族の名。❷湖の名。→滇池。❸雲南省の古名。❹さかんなさま。＝闐(13027)。

解字 形声。氵(水)＋眞音。

【滇池】湖の名。雲南省昆明市の南西にある。昆明池。

10 【滔】13画 6596 トウ(タウ) 豪 tāo 6277 9FEB ―

【滔】6528 俗字

字義 ❶はびこる。水が広がりみなぎる。ひろがる。満ちる。「滔天」 ❷大きい。広い。長い。❸集まる。❹うごく。❺おこたる。❻あなどる。

解字 篆文 形声。氵(水)＋舀音。音符の舀は、壽(寿)に通じ、つらなるの意味。水がつらなりひろがるの意味を表す。

【滔天】①天にはびこる。洪水が天にとどくほどに満ち広がること。②天をあなどる。
【滔滔】①水などの広がりみなぎるさま。その広いさま。②水などの勢いよく、さかんに流れ行くさま。用例〔北宋、曽鞏、虞美人草詩〕滔滔逝水流二今古一、漢楚興亡両丘土 ⇩勢いよく流れ去る川の水は今も昔も変わらないが、興った漢も亡んだ楚もともに今は丘の土となった。③多くのものがある方向に進み行くさま。衆に従って進み行くさま。④乱れるさま。⑤武人の勇ましいさま。⑥水の流れのようによどみなくしゃべるさま。
【滔滔者天下皆是△也】水が流れて帰らぬように、天下の人々がみな同じ風潮に従って行くことをいう。〔論語、微子〕

10 【溏】13画 6597 漢トウ(タウ) 呉ドウ(ダウ) 陽 táng 6279 9FED ―

字義 ❶いけ(池)。❷どろ(泥)。 難読 溏田

解字 形声。氵(水)＋唐音。

10 【溻】13画 6598 トウ(タフ) 合 tā ― ― 4016

字義 うるおう。うるおす。

解字 形声。氵(水)＋㒓音。

10 【漠】13画 6599 常 バク 漢バク・呉マク 薬 mò 3989 9499 ―

筆順 氵 氵 汁 汁 泔 漠 漠

字義 ❶すなはら。水も草もない広大な砂原。沙漠。砂漠。❷広い。果てしなく広い。「広漠」 ❸しずか。静寂。また、さびしい。＝寞(2687)。「寂漠」 ❹くらい。薄暗くぼうっとしている。❺はっきりしないさま。とりとめのないさま。うつろなさま。「空漠」 ❻きよい(清)。すむ(澄)。❼しげる。さかんにしげる。❽はかる。はかりごと。＝謨(11353)。

名前 とお・ひろ

解字 篆文 形声。氵(水)＋莫音。音符の莫は、ないの意味。水のない原、さばくの意味を表す。

逆 空漠・広漠・砂漠・寂漠・絶漠

【漠然】①静かなさま。ひっそりしているさま。寂然・寂。②気にかけぬさま。心安らかなさま。③広くてとりとめのない、また、ぼんやりとして明らかでないさま。
【漠南】ゴビの砂漠の南。内モンゴル地方。
【漠漠】①一面に続いているさま。平らに連なっているさま。②広々として果てしないさま。③草木の一面に茂っているさま。④ひっそりしているさま。声のしないさま。⑤さびしいさま。⑥ぼうっとして薄暗いさま。
【漠北】ゴビ砂漠の北方。外モンゴル地方(モンゴル人民共和国のある地方)。

10 【泮】13画 6600 ハン 翰 pàn 27904 EDEB 4017

字義 みぎわ。水際。岸。

解字 形声。氵(水)＋畔音。

10 【溥】13画 6601 漢ホ 呉フ 麌 pǔ 6280 9FEE ―

字義 ❶大きい。❷広い。❸あまね-し。広くゆきわたる。❹うら。みぎわ。＝浦(6373)。＝普(4816)。

解字 篆文 形声。氵(水)＋専音。音符の専は、しきひろげるの意味。水があまねくひろがるの意味を表す。

【溥△洽】あまねくゆきわたる。
【溥天】①広い天。おおぞら。天。②「溥天之下」の略。
【溥天△之下】天の下。天下。全世界。
【溥天△之下率土△之浜(濱)】天のあまねくおおう下、陸地の続き行く果て。天下じゅう。天の下。全世界。用例〔詩経、小雅、北山〕溥天之下、莫レ非二王土一、率土之浜、莫レ非二王臣一 ⇩天のあまねくおおう下は、天子の土地でないところはなく(みな天子の土地であり)、陸地の続き果てるどこまでも、(そこに住む人は)天子の臣でないものはいない(みな天子の臣である)。
【溥博】広く大きい。広大。

10 【滏】13画 6602 漢フ 呉ブ 麌 fǔ ― ― 4026

字義 川の名。河北省内に源を発する川。今の滏陽河。

解字 形声。氵(水)＋釜音。

10 【滂】13画 6603 ホウ(ハウ) 慣ボウ(バウ) 陽 pāng 6281 9FEF ―

字義 ❶水のみなぎり流れるさま。❷水流の音のさま。❸舟。

解字 篆文 形声。氵(水)＋旁音。音符の旁は、張り出すの意味。水が広がるの意味を表す。

【滂△澍】すさまじい勢いで降る。また、そのさま。

用例〔杜子春伝〕大雨滂澍として、雷電晦瞑す。↓大雨がすさまじい勢いで降り出し、稲妻が走ったかと思うと、あたりが暗くなった。

【滂沱】①雨のさかんに降るさま。②涙や血などのさかんに流れ落ちるさま。「洟泗滂沱」

【滂沛】①水の豊かで広いさま。②雨のさかんに降るさま。③気力などの大きくさかんなさま。④恩沢などの広く行き渡るさま。

【滂湃】①水勢のさかんなさま。②大波のわき起こるさま。

【滂薄】①まじり合って一つになっていること。②満ち広がっていること。

【滂渤・滂浡】①水流が激しく波立つさま。②不平で気がいらいらするさま。

【滂洋】豊かで広いさま。盛大なさま。

10【溟】13画 6604 漢メイ 呉ミョウ(ミャウ) 青 míng 6282 9FF0 —

字義 ❶くらい。ア小雨が降って暗い。イ遠く、深く、薄暗い。❷うみ。大海。海水の黒ずんでいることからいう。「北溟」

解字 篆文 形声。氵(水)＋冥音。音符の冥は、おおわれて暗いの意味。小雨が降りこめて暗いの意味を表す。

【溟煙】暗いもや。広大な水面をおおう朝もや。

【溟海】海。大海。冥海。

【溟溟】①薄暗いさま。②奥深くて知り難いさま。

【溟濛】雨がそぼ降って薄暗いこと。また、その雨。

10【滅】13画 6605 常 メツ ほろ-びる・ほろ-ぼす 漢ベツ・呉メチ 屑 miè 慣メツ 4439 96C5 —

筆順

字義 ❶ほろ-びる。なくなる。つきる(尽)。絶える。「絶滅」❷消える。光が消える。「点滅」❸ほろ-ぼす。「撃滅」❹沈む。❺仏死ぬ。「寂滅」 難読 滅金・滅茶

解字 篆文 形声。氵(水)＋威音。音符の威は、火が消えるの意味。水をかけて火を消す意味から、ほろぼす・消すの意味を表す。

逆 隠滅・壊滅・灰滅・撃滅・幻滅・自滅・消滅・衰滅・生滅・寂滅・絶滅・掃滅・族滅・点滅・入滅・破滅・必滅・覆滅・仏滅・不滅・摩滅・磨滅・明滅

【滅却】①ほろびる。②ほろぼしてなくする。用例〔碧巌録〕滅却心頭火亦涼↓心(の中の雑念)を滅ぼしなくすると、火さえも涼しくなる。③国死ぬこと。

【滅口】①秘密がもれるのを防ぐために人を殺す。②口止めすること。〔史記、春申君伝〕

【滅罪】仏仏の力によって罪をほろぼすこと。つみほろぼし。

【滅尽(盡)】ほろぼしつくす。また、ほろびたえる。

【滅性】父母の喪に服し、悲しみのあまり生命をほろぼすこと。▼性は、生命。

【滅相】①仏生命がつきて身体の形がなくなること。②国法外なさま。とんでもないさま。はなはだしいさま。滅法。

【滅多】国「めった」の当て字。アみだりに。やたらに。イ容易に。また、ほとんど。下に打ち消しの語がくる。

【滅度】仏①さとりを開いて生死に対する心の苦しみを滅ぼし、迷いの海を越えること。②死。入滅。

【滅法】①仏人間のすべての苦をなくすること。②国＝滅相②。滅法界。

【滅没】消えてなくなる。ほろびうせる。

【滅明】灯火などの暗くなったり明るくなったりすること。また、遠くにある物などが見えかくれすること。明滅。

【滅裂】①はなればなれになること。散り散りばらばらになること。「支離滅裂」②たち切る。③軽率で、事をするに粗略なこと。

10【漭】13画 6606 モウ 漭(6656)の俗字。→八七七ページ上。 — — 4051

10【溶】13画 6607 常 ヨウ と-ける・と-かす・と-く 漢ヨウ・呉ユウ 冬 róng 4547 976E —

筆順

字義 ❶水のさかんなさま。❷水の安らかに流れるさま。転じて、ゆったりとして安らかなさま。❸と-ける。と-かす。と-く。溶解する。「溶岩」

参考 現代表記では〔熔〕(6974)・〔鎔〕(12823)の書きかえに用いる。「熔接→溶接」「熔岩→溶岩」「熔解→溶解」「熔鉱炉→溶鉱炉」

使いわけ とける・とかす・とく〔解・溶〕⇩解(11075)。

解字 篆文 形声。氵(水)＋容音。音符の容は、多くのものを入れるの意味。広大な豊かな水の意味を表し、とけるの意味をも表す。

逆 洪溶

【溶溢】あふれること。

【溶接】電気やガスなどで、金属をとかしてつなぎ合わせること。熔接。

【溶然】ゆったりとしているさま。悠然。

【溶溶】①水がさかんに流れるさま。②心や態度のゆったりとしたさま。

【溶漾】波のゆれただようさま。

10【溧】13画 6608 漢リツ 呉リチ 質 lì 27902 — 4011

字義 川の名。→溧水。

解字 形声。氵(水)＋栗音。

【溧水】川の名。江蘇省内を流れる。

10【溜】13画 6609 人 標 一 漢リュウ(リウ) 呉ル 宥 liù 二 漢リュウ(リウ) 呉ル 尤 liú 4615 97AD —

筆順

【澑】6717 本字

字義 一❶したた-る。たれ落ちる。❷したたり。しずく。雨だれ。❸雨だれの落ちる所。軒下の水たまり。❹流れる。水の流れるさま。二ながれる。国❶た-める。た-まる。アたくわえる。イとどこおる。ウこらえる。❷たまり。多人数が集まり控える所。❸ため。物をためておく所。「ごみ溜め」

名前 りゅう・る

参考 現代表記では〔留〕(7642)に書きかえることがある。「乾溜→乾留」「蒸溜→蒸留」

解字 篆文 形声。氵(水)＋留(畱)音。もと、川の名。音符の畱は、流に通じ、流れるの意味。水がしたたり流れるの意味を表す。

【溜飲】国食物が胃の中にとどこおって、すっぱい液の出る症状。「溜飲がさがる(胸のつかえがすっきりする)」

10【溓】13画 6610 一 レン 塩 liǎn 二 漢デン・呉ネン 塩 niān 27901 — 4008

字義 一❶小川。❷水が静かなさま。❸薄い氷。うすごおり。二ねばりつく。

解字 形声。氵(水)＋兼音。

10【漣】13画 6611 レン 漣(6662)の俗字。→八七七ページ中。

10【滝】13画 6612 常 たき 3476 91EA —

16 【瀧】 19画 6613 人 一 ロウ 東 lóng 二 ソウ(サウ) 江 shuāng 三 ロウ(ラウ) 江 3477 91EB ―

筆順

字義 一 ❶雨の降りしきるさま。❷ひたす。うるおす。二 滝岡は、地名。→滝岡。三 はやせ(早瀬)。急流。国 たき。水の高い所から流れ落ちるもの。瀑布。

名前 たき・たけし・よし

解字 篆文 形声。氵(水)＋竜(龍)音。音符の龍は、つめこむの意味。雨が降りこめるの意味を表す。

【滝岡】地名。江西省永豊県の南の鳳凰山。北宋の欧陽脩が父を葬った所。

【滝岡△阡表】北宋の欧陽脩が父の墓に奉った文章。▼阡は、墓道。

【滝滝】水の流れる音の形容。

11 【漪】 14画 6614 イ 支 yī 8706 ― 4044

字義 ❶なみ(波)。㋐さざなみ。小波。「漪淪」 ㋑大波。❷波だつ。❸ほとり。岸。❹語調をととのえる助字。＝猗(7241)。

解字 形声。氵(水)＋猗音。音符の猗は、よるの意味。岸によってくる波の意味を表す。

11 【演】 14画 6615 教 5 エン エン 銑 yǎn 1773 8989 ―

筆順

字義 ❶の-べる。㋐のばす。引きのばす。広める。広く及ぼす。「演繹」 ㋑とく(説)。のべる(述)。「講演」「演説」 ❷ながれる。遠くまで流れる。❸しみこむ。うるおす。❹おこなう(行)。ならう。練習する。実地にやってみる。「熱演」「演習」「演奏」

名前 なが・のぶ・ひろ・ひろし

解字 甲骨文 篆文 形声。氵(水)＋寅音。音符の寅は、ひっぱるの意味。水を引きのばすの意味から、一般に、物事を引きのばすの意味を表す。

逆 講演・実演・敷演

【演△繹】①意義をおしひろめてくわしく説明すること。②国 一般的な原理から特殊な事理を推定すること。↔帰納(四五六ページ下)。

【演技】見物人の前で芝居・曲芸・舞踊などの芸をすること。また、その技。

【演義】①道理・事実などをくわしく述べ説くこと。②歴史上の事実をかざり引きのばしておもしろく述べること。また、その書物。「三国志演義」

【演芸(藝)】公衆の前でする芸。芝居・曲芸・舞踊・講談・落語など。

【演習】①けいこする。練習する。また、けいこ。②軍隊で、実戦同様に行う訓練。③国 大学で教師の指導のもとに学生が主となって研究を行う教育方法。ゼミナール。

【演出】国 脚本やシナリオに基づき、俳優の演技・舞台装置・照明・音楽などの各要素を総合して、舞台や映画の上に表現すること。

【演説】①道理や意義などを説明する。②公衆の前で意見や主義を述べること。演舌。

【演武】武術をけいこすること。

【演△漾】ただよう。ゆらゆらとただよう。

11 【漚】 14画 6616 一 漢 オウ・呉 ウ 宥 òu 二 漢 オウ・呉 ウ 尤 ōu 8704 ― 4040

字義 一 ❶ひたす。長く水につける。二 ❶あわ(泡)。うたかた。❷かもめ。鳥の名。＝鷗(14334)。

解字 篆文 形声。氵(水)＋區音。音符の區は、区分けするの意味。麻を長期間水中につけて置き、繊維だけを区別して取ることから、ひたすの意味を表す。

11 【漑】 14画 6617 ガイ 漑(6669)の正字。→八七八ページ上。

11 【漑】 14画 6618 ガイ 漑(6669)の俗字。→八七八ページ上。

11 【漄】 14画 6619 ガイ 涯(6399)と同字。→八四三ページ中。 ― ― 4033

11 【漍】 14画 6620 カク(クワク) 陌 guó ― ― 4037

字義 川の名。

解字 形声。氵(水)＋國音。

11 【漢】 14画 (6560) カン 漢(6559)の旧字体。→八六五ページ中。

11 【潅】 14画 6621 カン 灌(6816)の俗字。→八八八ページ下。 2035 8AC1 ―

11 【漶】 14画 6622 漢 カン(クワン) 呉 ガン(グワン) 翰 huàn 27916 ― 4048

字義 漫漶は、ぼんやりしてさだかに分からないさま。

解字 形声。氵(水)＋患音。

11 【漁】 14画 6623 教 4 漢 ギョ・呉 ゴ 魚 慣 リョウ(レフ) 御 yú ギョ・リョウ 2189 8B99 ―

筆順

【漁】 6563 俗字

字義 ❶すなど-る。いさ-る。魚・貝などを捕らえる。「密漁」 ❷あさ-る。捜し求める。また、むさぼり求める。「漁色」 ❸すなどりびと。漁夫。

参考 「リョウ(レフ)」と読むのは、猟にあてた日本語の音。

解字 甲骨文 金文 篆文 形声。氵(水)＋魚音。水中の魚、生きている魚をとらえるの意味を表す。金文には、魚＋両手で、いさるの意味を表すものがある。

逆 田漁・不漁

【漁翁】漁師の老人。老漁夫。

【漁火】・いさり 漁船のともしび。魚を集めるために舟でたくかがり火。用例 (唐、張継、楓橋夜泊詩) 月落烏啼霜満天、江楓漁火対愁眠 ↓(月落ち烏啼きて霜天に満つ、江楓の漁火愁眠に対す)。月が沈みからすが闇に鳴き、冷気はあたりに満ちている。川岸の楓樹の間にいさり火が点々と灯り、旅愁のために寝つかれないわが目に映じている。

【漁歌】漁夫の歌う歌。

【漁獲】魚・海藻などの水産物を取ること。また、その取れたもの。

【漁戸】魚を捕らえることを生業とする人の家。また、漁師。

【漁師】・リョウシ 魚を取って生活する人。漁子。漁夫。

【漁舟】魚を捕る舟。漁師の小舟。

【漁△樵】①魚夫ときこり。②すなどりやきこりをすること。漁師や木こりのような生活をする。用例 (北宋、蘇軾、前赤壁賦) 漁二樵於江渚之上一、侶二魚鰕一而友二麋鹿一(江渚のほとりに漁樵し、魚鰕を侶として麋鹿を友とす)。↓(私とあなたは)長江の水際のあたりで漁師や木こりのような生活をし、魚とえびを友達としとなかいや鹿を相手にする。

【漁色】・リョウショク 女性との情事をむさぼり求めること。猟色。

【漁食】魚を捕らえるように、意のままに人の物を奪いとって生活すること。

【漁荘(莊)】＝漁戸。▼荘は、いなかや。

【漁奪】魚を捕らえるように、民の物をむさぼりとること。あさり奪う。

【漁釣】ギョチョウ 魚を釣ること。魚釣り。
【漁夫】ギョフ 漁師。
【漁父】ギョフ・ギョホ 漁師リョウシ。漁夫。また、年老いた漁夫。
【漁父△之利】ギョフのリ・ギョホのリ 両者が相争っている隙につけこんで、他の人が横取りした利益。どぶ貝としぎ(鳥の名)とが争っている隙に乗じて、漁夫がその両者を捕らえたという故事による。鷸蚌之争イツボウのあらそい(ひ)。〔戦国策、燕〕
【漁父辞(辭)】ギョフのジ・ギョホのジ 『楚辞ソジ』の一編。楚の屈原の作というが不明。屈原と漁父との問答に託して、屈原の孤高清廉の心境を述べたもの。
【漁陽】ギョヨウ 唐の玄宗の時、安禄山アンロクザンが反乱の兵を挙げた地。今の天津市薊ケイ県付近。用例〔唐、白居易、長恨歌〕漁陽鼙鼓動レ地来ギョヨウのヘイコチをうごかしてきたり、驚破霓裳羽衣曲キョウハすゲイショウウイのキョク。↓漁陽から攻め太鼓が地をゆさぶってやって来て、霓裳羽衣の曲を演奏していた人々を大いに驚かした。
【漁利】ギョリ 利をあさる。利益をむさぼり求める。
【漁猟(獵)】ギョリョウ ①魚や鳥獣を取ること。②書物などを広く読みあさること。渉猟。
【漁労(勞)・漁△撈】ギョロウ 魚などをとること。すなどり。漁労は漁撈の書きかえ字。

11 【漌】 14画 6624 漢キン 呉コン 拼 jǐn ₂7913 — 4036
字義 ❶きよい(清)。❷ひたす(漬)。
解字 形声。氵(水)+菫㊥。

11 【滸】 14画 6625 コ 慣 hǔ 6287 9FF5 —
字義 ほとり。水岸。みぎわの地。「水滸」
解字 形声。氵(水)+許㊥。

11 【滹】 14画 6626 コ 慣 hū ₂7910 — 4030
字義 滹沱ダコは、川の名。→滹沱。
解字 形声。氵(水)+虖㊥。
【滹△沱】ダコ 川の名。山西省北東部から河北省へ流れる。

11 【滬】 14画 6627 漢コ 呉ゴ 慣 hù
［滬］ 6628 俗字
字義 ❶川の名。上海シャンハイ市の北東、呉淞ウースン江の下流の古称。❷上海市の別称。滬上ともいう。❸えり。あじろ。海辺に竹を並べ立てて魚を捕らえる仕掛け。
解字 形声。氵(水)+扈㊥。

11 【滬】 14画 6628 コ 6286 9FF4 —
滬(6627)の俗字。→八七四ページ上。

11 【漖】 14画 6629 漢コウ(カウ) 呉キョウ(ケウ) 拼 jiào — — 4038
字義 川の名。
解字 形声。氵(水)+教㊥。

11 【滾】 14画 6630 コン 慣 gǔn 6288 9FF6 —
［滚］ 6571 正字
字義 ❶たぎる。㋐水のさかんに流れるさま。＝渾(6494)。「滾滾」㋑湯がたぎる。わきたつ。❷ころがる。ころがり行く。
解字 形声。氵(水)+袞㊥。
【滾滾】コンコン ①水のさかんに流れるさま。用例〔唐、杜甫、登高詩〕無辺落木蕭蕭下ムヘンのラクボクはショウショウとしてくだり、不尽長江滾滾来フジンのチョウコウはコンコンとしてきたる。↓どこまでも続く森に落葉はかさかさと散り続け、尽きることを知らぬ長江の流れは、盛んに流れ下っていく。②泉のさかんにわき出るさま。③ころがり行くさま。めぐり移って行くさま。

11 【漼】 14画 6631 漢サイ 呉スイ 拼 cuǐ ₂7917 — 4050
字義 ❶ふかい。水の深いさま。❷涙の流れおちるさま。❸くだける。＝摧(4377)。「漼漼」
解字 形声。氵(水)+崔㊥。

11 【漈】 14画 6632 漢セイ 呉サイ 拼 jì — — 4034
字義 ❶みぎわ。水際みずぎわ。岸。❷海底の深く落ち込んだ所。
解字 形声。氵(水)+祭㊥。

11 【滻】 14画 6633 漢サン 呉セン 拼 chǎn ₂7911 — 4031
字義 ❶泣く。涙を流すさま。❷滻滻は、㋐多いさま。㋑魚が群がり泳ぐさま。❸川の名。→滻水。
解字 形声。氵(水)+産㊥。
【滻水】サンスイ 川の名。陝西センセイ省内を流れる。

11 【漬】 14画 6634 漢シ・呉ジ 拼 zì 常 つ-ける・つ-かる 3650 92D0 —
筆順 氵 氵 汁 汼 洼 清 清 清 漬
字義 ❶ひた-す。つ-ける。つ-く。水などにつける。❷ひた-る。つ-かる。❸しみる。しみこむ。染まる。感染する。
名前 つき・ひた
解字 篆文 形声。氵(水)+責(朿)㊥。音符の朿サクは、積に通じ、つみ重ねるの意味。水の中に積む、ひたすの意味を表す。
逆 浸漬・漸漬
【漬浸】シシン ひたる。水につかる。また、ひたす。

11 【漆】 14画 6635 漢シツ・呉シチ 拼 qī 常 シツ うるし 2831 8EBD —
［桼］ 5315 俗字
筆順 氵 氵 汁 汏 汰 涞 涞 漆 漆
字義 ❶うるし。㋐うるしの木。㋑うるしの樹液からとった塗料。❷黒い。うるしのように黒い。❸うるしする。うるしをぬる。❹数字の七に代用する。→七(5)の参考。❺川の名。陝西センセイ省の大神山に発し渭イ水に注ぐ。
解字 篆文 形声。氵(水)+桼㊥。音符の桼シツは、うるしの意味。水を付して、川の名を表す。また、液体であるうるしの意味をも表す。
逆 乾漆・黒漆
【漆園】シツエン ①地名。戦国時代の荘周が役人になった所。三説がある。㋐今の山東省菏沢カタク県の北。㋑河南省商丘市の故城の中。㋒安徽アンキ省定遠県の東。②荘周をいう。「漆園の吏」
【漆園吏】シツエンのリ 荘周をいう。荘周が漆園の役人となったことに基づく。〔史記、荘周伝〕
【漆黒】シッコク 漆をぬったように黒い。真っ黒。真っ暗。
【漆△喰】シックイ 国 石灰・粘土・ふのり・わらなどを混ぜてこねたもの。壁や天井などの上塗りなどに用いる。石灰の唐音の当て字。
【漆書】シッショ 漆で書く。また、漆で書いた文字。
【漆宅】シッタク ひつぎ。死体を入れる箱。漆をぬるのでいう。

11 【滫】 14画 6636 漢シュウ(シウ) 呉シュ 拼 xiǔ ₂7909 — 4027
字義 ❶しろみず。白水。にごし。米のとぎ汁。❷いばり。ゆばり。小便。❸すえたにおい。飲食物の腐ったにおい。
解字 形声。氵(水)+脩㊥。

11 【漘】 14画 6637 漢シュン 呉ジュン 拼 chún ₂7914 — 4039
字義 みぎわ。みぎわは(水際)。川岸。
解字 形声。氵(水)+脣㊥。

11 【漵】 14画 6638 漢ショ 呉ジョ 拼 xù ₂7908 — —

（前頁より）解字 …うら。水浦。
字義 形声。氵(水)＋敍㊥。

11【漳】14画 6639 ショウ(シャウ) 陽 zhāng
8708 — 4047
字義 ❶ささえる(障)。ふさぐ。❷とりで。❸川の名。→漳江・漳水。
解字 形声。氵(水)＋章㊥。
【漳江】川の名。福建省の大峰山に発し、南東に流れて海に注ぐ。
【漳水】川の名。山西省に発し、河北省に入り、衛河に注ぐ。

11【滲】14画 6640 標 ㊀シン 沁 shèn ㊁シン 侵 qìn
［渗］6354 同字 ［滲］6433 俗字
6290 9FF8 —
字義 ㊀❶したたる。しずくとなって落ちる。❷しみる。にじむ。しみこむ。しみ出る。❸つきる。㊁❶＝㊀❶。❷ひたす。
参考 現代表記では〔浸〕(6351)に書きかえることがある。「滲透→浸透」
解字 篆文 形声。氵(水)＋參㊥。音符の參は、侵に通じ、おかすの意味。水がしみこむの意味を表す。
【滲△泄】しみ、もれる。もれる。
【滲透】しみ通る。浸透。
【滲漏】①しみもれる。②手ぬかり。ぬけめ。遺漏。

11【漩】14画 6641 ㊥セン ㊐ゼン 先 xuān
— — 4043
字義 うずまく。めぐる。
解字 形声。氵(水)＋旋㊥。音符の旋は、めぐるの意味。

11【漸】14画 6642 常 ゼン
㊀㊥セン・㊐ゼン 琰 jiàn
㊁セン 塩 jiān
㊂㊥サン・㊐ゼン 咸 chán
慣ザン
3318 9151 —
筆順
字義 ㊀❶ようやく。だんだん。次第に。「漸次」❷すすむ(進)。次第に進む。じわじわ進む。「東漸」❸易の六十四卦の一つ。☶☴艮下巽上。順を追って進む象。❹きざし。物事の起こる前に、それが少し現れるもの。❺とおす(通)。通ずる。❻のびる。成長する。❼順序。段階。❽川の名。→漸水。❾→漸漸㊀。㊁❶そそぐ(注)。流れこむ。❷ひたす(漬)。しみこむ(浸)。うるおす(潤)。ぬらす。❸つくす。終える。㊂❶→漸漸㊂。❷→漸漸㊂。国やっとのことで。かろうじて。＝嶄(2992)・巉(3038)。
名前 すすむ・つぐ
解字 篆文 形声。氵(水)＋斬㊥。音符の斬は、きるの意味。水の流れを切って徐々に導きとおすの意味を表し、転じて、ようやくの意味を表す。
逆 浸漸・積漸・西漸・東漸
【漸減】次第にへる。次第にへらす。
【漸悟】仏次第にさとること。↔頓悟(一五五七ページ中)。
【漸漬】次第にひたす(しみこむ・感化する)。
【漸次】次第に。だんだん。徐々に進むさま。
【漸進】次第に進む。だんだんと進歩する。↔急進(五三三ページ中)。
【漸水】川の名。今の銭塘江とその上流の新安江の古名。漸江水。
【漸染】だんだんに染まる。次第に感化をうける。
【漸漸】㊀①次第に。漸次。徐々に進むさま。②麦などの元気にのびているさま。また、穂の出そろっているさま。用例〔史記、宋微子世家〕麦秀漸漸兮、禾黍油油兮。↓麦は元気にのびており、稲ときびは勢いよくつやつやとしている。㊁山の石の高くけわしいさま。㊂涙の流れるさま。
【漸層(層)法】修辞法の一つ。前の句の終わりの語を次の句の初めに置き、論旨を鎖を連ねるように積み重ねる修辞法。連鎖法・承遞法・尻取り法ともいう。
【漸入二佳境一】次第にすばらしい境地に進んでいく。物事が次第におもしろくなること。晋の顧愷之が砂糖きびの先の方から次第に根本の方へと食べるので、人がその理由をたずねると、ようやく佳境に入ると答えた故事による。〔晋書、顧愷之伝〕

11【漱】14画 6643 人 ソウ 宥 宄 shù, sòu
6291 9FF9 —
筆順
字義 ❶くちすすぐ。口をすすぐ。うがいする。❷すすぐ。あらう。㋐よごれを洗い去る。㋑よごれを洗い去って後、さらに水中でふるい清める。
名前 すすぐ・そう・そそぐ
解字 篆文 形声。氵(水)＋欶㊥。音符の欶は、すすって口に含むの意味。水を口に含んですすぐの意味を表す。
【漱玉】玉をすすぎ洗う。滝の水しぶきなどの飛び散るたとえ。
【漱石枕流】＝枕レ流漱レ石(八四三ページ下)。

11【漕】14画 6644 人 標 ㊥ソウ(サウ) ㊐ゾウ(ザウ) 豪 cáo
［漕］6843 本字
3370 9186 —
筆順
字義 ❶はこぶ(運)。舟ではこぶ。「回漕」❷舟。また、車。国こぐ。舟をこぐ。
名前 そう・ぞう
解字 篆文 形声。氵(水)＋曹(䜌)㊥。音符の𣍘は、二つが向きあうの意味。こぎ手と荷物とが舟の前と後とでバランスをとるように相対して穀物などを運ぶの意味を表す。
【漕運】船で物を運ぶこと。水上の運送。
【漕△渠】船で荷物を運ぶために掘ったみぞ。運河。
【漕△漼】水の流れる音の形容。
【漕船】貨物船。
【漕転(轉)】船で運び移すこと。

11【滯】14画 (6589) タイ
滞(6588)の旧字体。→八七〇ページ下。

11【漙】14画 6645 ㊥タン ㊐ダン 寒 tuán
字義 ❶露の多いさま。❷まるい。＝団(1817)。
解字 篆文 形声。氵(水)＋專㊥。音符の專は、まるくまとまるの意味。露の多いさまを表す。

11【漲】14画 6646 ㊀チョウ(チャウ) 漾 zhàng ㊁チョウ(チャウ) 養 zhǎng
6293 9FFB —
字義 ㊀❶みなぎる。満ちあふれる。用例〔唐、李商隠、夜雨寄レ北詩〕君問二帰期一未レ有レ期、巴山夜雨漲二秋池一。↓君は私が帰る時期を尋ねたが、まだその時期はわからない。巴山に降りしきる夜の雨が秋の池をみなぎらせる。❷みちしお。また、みなぎる水。❸なみ(波)。わきたつ波。また、海。❹わき起こる。
解字 形声。氵(水)＋張㊥。音符の張は、はるの意味。水がはる、みなぎるの意味を表す。
【漲△溢】みなぎりあふれる。満ちあふれる。
【漲海】南シナ海をいう。
【漲天】天いっぱいにみなぎる。

11【滴】14画 6647 常 テキ しずく・したたる
㊥テキ・㊐チャク 錫 dī
3709 9348 —

筆順 氵 汁 泞 浐 济 滴 滴 滴 滴 滴

字義 ❶しずく。したたり。「雨滴」 ❷したたる。しずくとなって落ちる。 ❸わずかなもの・小さいもののたとえ。

解字 篆文 形声。氵(水)＋啇(啻)㊉。音符の啻は、中心に寄り集まるの意味。水が表面張力によって、中心の一点に丸く寄る、しずくの意味を表す。

逆 雨滴・細滴・水滴・点滴

【滴水】 したたる水。水のしずく。

【滴滴】 ①流れ動くさま。②しずくがぽたぽたと落ちるさま。③水のしたたるようにつやがあって美しいさま。

【滴瀝】 ①しずくがしたたる。また、その音。②しずく。

【滴露】 したたる露。露の玉。

11 【滌】 14画 6648 ㊥テキ ㊤ジャク(ヂャク) ㊞デキ・ジョウ(デウ) 錫 dí 6294 9FFC —

字義 ❶あらう(洗)。すすぐ(濯)。 ❷はらう。除く。ぬぐい取る。掃除する。 ❸はやいさま。 ❹ほしいまま。きまま。 ❺犠牲を養う室。

参考 ①「洗う」意味の時に「ジョウ」と読むのは誤りであるが、俗にこの音を慣用している。「洗滌」 ②現代表記では〔浄〕(6308)に書きかえることがある。「洗滌→洗浄」

解字 篆文 形声。氵(水)＋條㊉。音符の條は、長いすじの意味。水を流して洗うの意味を表す。原字は攸。

【滌除】 ①洗いそそぐ。洗滌。②抵当になった不動産上の権利を取得した者が、その抵当権を消滅させること。

【滌蕩・滌盪】 ①洗いすすぐ。けがれを去る。②ほろびてなくなる。③ゆり動かす。ゆれ動く。

11 【漯】 14画 6649 ㊀トウ(タフ) 合 tà ㊁ルイ 紙 lěi 8707 — 4045

字義 ㊀❶漯漯は、水の集まるさま。❷川の名。→漯水㊀。㊁川の名。→漯水㊁。

解字 形声。氵(水)＋累㊉。

【漯水】 ㊀川の名。古代の黄河の分流。㊁川の名。今の桑乾河とその下流の永定河。

11 【滕】 14画 6650 ㊥トウ ㊤ドウ 蒸 téng — — 4041

字義 波。

解字 形声。氵(水)＋滕省㊉。

11 【潷】 14画 6651 ㊥ヒツ ㊤ヒチ 質 bì — — 4028

字義 泉などのわき出るさま。

解字 形声。氵(水)＋畢㊉。

11 【漂】 14画 6652 常 ヒョウ ただよう ㊀ヒョウ(ヘウ) 蕭 piāo ㊁ヒョウ(ヘウ) 篠 piǎo 4126 9559 —

筆順 氵 汀 沂 沔 沔 潭 漂 漂 漂 漂

字義 ㊀❶ただよう。㋐うかぶ。うかんでゆれる。「漂着」 ㋑さすらう。さまよう。「漂泊」 ㋒ひるがえる。高く飛ぶ。❷軽いさま。また、速いさま。❸する。こする。また、すれる。こすれる。❹はれもの。できもの。㊁さらす。水中で絮や布を白くするためにさらし打つこと。「漂母」 難読 漂白粉・漂泊

解字 篆文 形声。氵(水)＋票(㶾)㊉。音符の㶾は、火の粉が舞いあがるの意味。水面を火の粉の舞うように、ただようの意味を表す。また、水中をただよわせて、さらすの意味をも表す。

逆 浮漂・流漂

【漂寓】 さまよって他郷で仮住まいすること。

【漂説】 根拠のないうわさ。ねなしごと。

【漂着・漂著】 ただよい流れて岸につく。

【漂蕩】 ①さすらう。さまよう。②広々としたさま。

【漂白】 (水や薬品にさらして)白くする。

【漂泊】 ①水上にただようこと。②人が所定めずさすらうこと。さまよう。さすらい。

【漂漂】 ①ただようさま。②高くあがるさま。

【漂母】 絮や布を水でさらしている女性。▼母は、中年以上の女の人。

【漂揺(搖)】 ただよいゆれる。ただよい動く。

【漂落】 ①ただよい落ちる。②おちぶれる。零落。

【漂流】 ①ただよい流れる。②所定めずさすらうこと。

【漂淪】 ＝漂落②。▼淪は、しずむ。

【漂零】 ＝漂落②。

【漂浪】 ①波にただようこと。②さまようこと。

11 【滮】 14画 6653 ㊥ヒュウ(ヒウ) ㊤ビョウ(ベウ) 尤 biāo — — 4029

字義 滮滮は、水の流れるさま。

解字 形声。氵(水)＋彪㊉。

11 【漰】 14画 6654 ホウ 蒸 pēng — — 4046

字義 ❶水のはげしくうちあう音。「漰沛」「漰渤」❷せき。水をせきとめるせき。いせき。＝堋(2030)。

解字 形声。氵(水)＋崩㊉。音符の崩は、水のうちあう音の擬声語。

11 【漫】 14画 6655 常 マン ㊥マン 翰 màn 4401 969F —

筆順 氵 氵冖 沪 浔 淂 淂 温 溻 漫 漫

字義 ❶ひろい。水の果てしなく広いこと。❷はびこる。みなぎる。広くゆきわたる。「漫漫」「瀰漫」❸みだり。かってきまま。ほしいまま。とりとめがない。「放漫」「散漫」「漫談」❹みだりに。㋐勝手きままに。ほしいままに。㋑むやみに。いたずらに。❺けがす。けがれる。❻そぞろ。そぞろに。すずろ。なんとはなしに。

名前 ひろ・みつ 難読 漫識特

解字 形声。氵(水)＋曼㊉。音符の曼は、どこまでものびるの意味。どこまでものびる広い水の意味を表し、転じて、しまりがない・みだりにの意味を表す。

逆 散漫・冗漫・放漫

【漫衍】 ①広遠できわまりないさま。②一面にあふれ広がるさま。③水勢の広くさかんなさま。④いりまじっているさま。

【漫汗】 ①水のはてしなく広大なさま。②やぶれよごれるさま。③しまりのないさま。汗漫。

【漫興】 何となく感興をもよおすこと。また、その感興。〔唐、杜甫、絶句漫興九首〕

【漫言】 ①深く考えずに言うことば。②とりとめのないことば。

【漫糊】 はっきりしないさま。ぼんやり。模糊。

【漫語】 ＝漫言。

【漫然】 何とはなしに。とりとめのないさま。

【漫天】 天に広くゆきわたる。天一面にひろがる。

【漫筆】 筆のまにまに書きつけること。そぞろがき。漫録。

【漫歩】 どこと定まった目的もなくあちらこちら歩くこと。そぞろ歩き。散歩。

【漫漫】 ①広くはるかなさま。②長く遠いさま。用例 〔唐、岑参、逢ニ入レ京使一詩〕故園東望路漫漫、双袖竜鍾涙不レ乾 ↓故郷長安を東のかたにながめやると、道ははるばると続いている。わが衣

の両袖は涙でしとどに濡れて乾く間もない。③夜の長いさま。④雲などのたなびくさま。⑤もやなどの一面にたち込めているさま。⑥柳絮(リュウジョ)〔柳の綿毛をもった種子〕などの空中一面に飛散するさま。⑦雨・雪の静かに、しかもさかんに降るさま。⑧行動のゆるやかなさま。⑨品行のおさまらぬさま。しまりがないさま。⑩心のどかに遊ぶさま。

【漫遊】(マンユウ) 心のままに諸方を旅行して歩くこと。

【漫△瀾】(マンラン) ①はるかで限りがないこと。②水の広大なさま。

【漫浪】(マンロウ) きまった職業もなくぶらつくこと。放浪。

【漫録】(マンロク) ①＝漫筆。②そぞろ書きの文章を集めたもの。

11【滿】14画 (6542) マン　満(6541)の旧字体。→八六二ページ上。

11【漭】14画 6656 漢ボウ(バウ) 呉モウ(マウ) 養 漾 mǎng

［渀］6606 俗字

字義 ❶ひろ-い(ひろし)。はるか。水面や野原の平らで広大なさま。「漭漭」 ❷うす暗い。明らかでない。

解字 形声。氵(水)＋莽音。音符の莽(ボウ)は、草深く、草のほかになにもないの意味。野原や水面だけでほかになにもない、ひろいの意味を表す。

11【漾】14画 6657 ヨウ(ヤウ) 養 漾 yàng　6301 E040 —

字義 ❶ただよ-う(ただよふ)。ア水がゆれ動く。「溶漾」 イ水にゆらぐ。ただよい流れる。「揺漾」 ❷水の広大なさま。川の長いさま。

解字 金文 篆文 形声。氵(水)＋羕(羕)音。音符の羕(ヨウ)は、揚(ヨウ)に通じ、ゆれがあるの意味。水がゆれ動くの意味を表す。

11【滽】14画 6658 漢ヨウ 呉ユウ 冬 yōng　— — 4032

字義 川の名。河南省内を流れる川。

解字 形声。氵(水)＋庸音。

11【漓】14画 6659 リ 支 lí　6302 E041 —

字義 ❶うすい(薄)。❷しみる。水がしみこむ。＝灕(6842)。❸淋漓(リンリ)は、アしたたるさま。イさかんなさま。

解字 形声。氵(水)＋离音。

11【漻】14画 6660 — 漢リョウ(レウ) 蕭 liáo — 漢リュウ(リウ) 呉ル 尤 宥 liù — 漢レキ・呉リャク 錫 lì　— — 4049

字義 — ❶きよい。水が清い。清く深い。❷高く遠いさま。「漻漻」 ❸しずかなさま。さびしいさま。＝寥(2697)。「寂漻」「漻然」 ❹ながれる。 — 変化のさま。死んでゆくさま。「漻然」 — ＝ — ❶。＝瀏(6793)。

解字 形声。氵(水)＋翏音。

11【漊】14画 6661 — ル 虞 lú — 漢ロウ・呉ル 宥 lòu — 漢ロウ・呉ル 尤 lóu　27912 — 4035

字義 — ❶小雨の絶えないさま。❷飲みなれて酒に酔わないこと。 — みぞ。 — 川の名。→漊水。

解字 形声。氵(水)＋婁音。

【漊水】(ロウスイ) 川の名。湖北省から湖南省にかけて流れる。

11【漣】14画 6662 人 標 レン 先 lián　4690 97F8 —

筆順 氵 氵 氵 氵 漣 漣 漣 漣

［漣］6611 俗字

字義 ❶さざなみ。小波。「清漣」 ❷波だつ。さざなみが起こる。❸涙のながれるさま。「漣然」

名前 なみ

解字 形声。氵(水)＋連音。音符の連は、つらなるの意味。水のつらなり、さざなみの意味を表す。

【漣△漪】(レンイ) さざなみ。小波。▼漪も、小波。

【漣然】(レンゼン) 涙の流れるさま。漣如。

11【滷】14画 6663 漢ロ 呉ル 麌 lǔ　6303 E042 —

字義 ❶塩からい水。また、にがり(苦汁)。❷しおち(塩地)。塩分を含んだ土地。＝鹵(14390)。

解字 形声。氵(水)＋鹵音。音符の鹵(ロ)は、しおつちの意味。塩からい水の意味を表す。

11【漏】14画 6664 常 ロウ も-る・も-れる・も-らす 漢ロウ・呉ル 慣ロ 宥 lòu　4719 9852 —

筆順 氵 氵 氵 氵 漏 漏 漏 漏

字義 ❶も-る。も-れる(もる)。ア水・光などがすきまからもれ出る。「漏水」 イばれる。秘密が外に知れる。❷も-らす。ア水・光などをすきまから出す。ウ手ぬかりがある。「遺漏」 イ秘密を外部へ知らせる。❸物忘れのひどいこと。健忘。❹水時計。「玉漏」 ❺時刻。とき。❻仏煩悩(ボンノウ)をいう。「ロ」と読む。

難読 漏斗(じょうご)

解字 篆文 形声。氵(水)＋屚音。音符の屚(ロウ)は、また、尸＋雨の会意文字で、屋根に小さな穴があいて、雨水がもれるの意味。のち、水を付した。また転じて、水時計の意味をも表す。

逆 遺漏・屋漏・欠漏・鐘漏・疎漏・粗漏・脱漏

【漏△洩】(ロウエイ・ロウセツ) ＝漏泄(ロウセツ)。「機密漏洩」→泄(6242)の参考。

【漏屋】(ロウオク) 雨のもる家。あばら家。陋屋(ロウオク)。

【漏決】(ロウケツ) 水がもって堤がきれること。

【漏△壺】(ロウコ) ①水時計の水を入れるつぼ。②水時計。

【漏鼓】(ロウコ) 時刻を報ずる太鼓。

【漏刻】(ロウコク) ①時刻を計る器。水時計。漢代では、底に穴のある壺(つぼ)に水を入れ、それに目盛りのある矢を立て、底から水の漏れ出た量を矢の目盛りによって知り、時刻を計る。②漏箭(ロウセン)の目盛り。③わずかな時間。寸時。寸刻。

漏刻①(唐代)

【漏△卮】(ロウシ) ①酒のもれる杯。②大酒飲み。③利益が外に流れ出ること。また、その利益。

【漏水】(ロウスイ) ①もれ出る水。②水時計のしたたり落ちる水。

【漏声(聲)】(ロウセイ) 水時計の水の落ちる音。

【漏△泄】(ロウセツ) ①もれる。もれ出る。②もらす。

【漏△箭】(ロウセン) 水時計に付いている時刻を示す矢。→漏刻①。▼箭は、矢。

【漏天】(ロウテン) ①水のもれ落ちる天の意で、長雨の時の空(天候)をいう。②雨の非常に多い地方の名。

【漏斗】(ロウト) じょうご。液体を口の小さい器に入れる時などに用いる器。

【漏板】(ロウハン・ロウバン) 時刻を知らせるために打つ板木(ハンぎ)。

【漏網】(ロウモウ) ①目のあらいあみ。転じて、ゆるやかな法網。法律がゆるやかで厳しくないこと。②あみの目からもれる。法網をのがれる。

【漏露】(ロウロ) もれ、あらわれる。露顕する。

11【漉】14画 6665 標 ロク 屋 lù　2587 8D97 —

字義 ❶さらう。水をさらえる。❷こ-す。水や酒をこす。「漉酒」 ❸したたる。❹つきる(尽)。つくす。国す-く(抄)。紙をすく。

解字 篆文 別体 形声。氵(水)＋鹿㊟。音符の鹿は、別体の淥の字があることでもわかるように、彔に通じ、水をくみあげるの意味。井戸・池などをさらう、水をくみつくすの意味を表す。

【漉酒巾】酒をこす頭巾。晋の陶潜が酒を愛し、かもした酒を頭巾でこした故事。〔晋書、陶潜伝〕

11【漥】14画 6666 ワ 窪(8607)と同字。→一〇六四ページ中。 ₂7915 — —

12【澐】15画 6667 ウン 図 yún ₂7926 — 4073
字義 川の大波。長江の大波。
解字 形声。氵(水)＋雲㊟。

12【潰】15画 6668 常 カイ つぶ-す・つぶ-れる ㊦カイ(クワイ)・㊤ガイ(グワイ) 隊 kuì 3657 92D7 —
筆順 潰
字義 ❶つい-える。㋐くずれる。「決潰」㋑つぶれる。㋒やぶれる(敗)。「潰走」❷つい-やす。くずす。つぶす。用例〔史記、項羽本紀〕直夜潰囲、南出馳走。↓すぐさま夜をついて漢軍の囲みをうち破り、南方へ出て馬を走らせた。❸怒った顔の形容。❹みだれる。❺とげる(遂)。やりぬく。
参考 現代表記は〔壊〕(2150)に書きかえることがある。「潰滅→壊滅」「潰乱→壊乱」「決潰→決壊」「全潰→全壊」「倒潰→倒壊」「崩潰→崩壊」
解字 篆文 形声。氵(水)＋貴(蕢)㊟。音符の蕢は、毀に通じ、つぶれるの意味。堤防がくずれて水がもれるの意味から、ついえるの意味を表す。

【潰決】(堤防などが)くずれやぶれる。
【潰散】やぶれてちりぢりになる。ちりぢりになってにげる。
【潰走】やぶれてにげ走る。
【潰滅】やぶれほろびる。負けて全くなくなる。めちゃめちゃになってほろびる。
【潰瘍】①くずれた腫物。おでき。②国病気の名。胃潰瘍など。
【潰乱(亂)】戦いにやぶれて軍隊が混乱すること。

12【漑】15画 6669 標 カイ 慣ガイ 隊 gài 6284 9FF2 —
［漑］6617 正字 ［漑］6618 俗字
字義 ❶そそ-ぐ(注)。水をかける。水を流し入れる。「灌漑」❷すすぐ。あらう。洗い清める。「漑濯」

12【澗】15画 6670 標 ㊦カン ㊤ケン 諫 jiàn 2034 8AC0 —
［澗］6672 正字 ［磵］8273 同字 ［磵］8274 俗字
字義 たに(谷)。たにがわ(谷川)。
解字 金文 篆文 形声。氵(水)＋間(閒)㊟。音符の間は、あいだの意味。山あいの水、たにの意味を表す。

【澗渓(溪)・澗谿】谷川。谷。渓流。
【澗戸】谷川のほとりの家。用例〔唐、王維、辛夷塢詩〕澗戸寂無人、紛紛開且落。↓谷川のほとりの家は、ひっそりとして、人の気配もなく、花が盛んに咲いてはまた散っている。
【澗水】①谷川。谷川の水。②川の名。河南省の白石山に発し、洛水に注ぐ。
【澗声(聲)】谷川の水音。澗響。澗籟。
【澗泉】谷の泉。谷あいから流れ出る水。
【澗辺(邊)】谷川のほとり。
【澗籟】谷川の水音。せせらぎ。

12【澗】15画 6671 ㊦カン ㊤ゲン 閒 xián ₂7927 — 4077
字義 果てしなく広いさま。
解字 形声。氵(水)＋閑㊟。

12【澗】15画 6672 カン 澗(6670)の正字。→八七八ページ中。

12【潙】15画 6673 一キ 図 guī 二イ(ヰ) 図 wéi ₁8710 — 4057
字義 一川の名。→潙水一。二川の名。→潙水二。
解字 形声。氵(水)＋爲㊟。
【潙水】一川の名。湖南省内を流れる湘水の支流。二川の名。山西省内を流れる黄河の支流。

12【潝】15画 6674 ㊦キュウ(キフ) ㊤コウ(コフ) 緝 xì — — 4059
字義 速く流れる水の音。急流の音。
解字 形声。氵(水)＋翕㊟。
【潝潝】軽々しく和するさま。付和雷同するさま。

12【澆】15画 6675 慣ギョウ キョウ(ケウ) ㊤ギョウ(ゲウ) 蕭 jiāo 6304 E043 —
字義 ❶そそ-ぐ(注)。そそぎかける。❷ひたす(漬)。❸うすい。人情が薄い。また、薄くする。❹めぐる。うずまき流れる。
解字 篆文 形声。氵(水)＋堯㊟。音符の堯は、高くなるの意味。水気が高くなる、そそぐ・ひたす、水気が多くてうすまるの意味を表す。

【澆灌】田などに水をそそぐ。灌漑。澆漑。
【澆季】人情が薄く風俗の乱れた世。道徳風俗の軽薄な時代。末世。澆世。澆末。「澆季混濁の世」
【澆薄】人情の薄いこと。薄情で実のないこと。

12【潓】15画 6676 ㊦ケイ ㊤エ(ヱ) 霽 huì — — 4055
字義 ❶川の名。淮河の支流。❷泉の名。湖南省内。
解字 形声。氵(水)＋惠㊟。

12【潔】15画 6677 教5 ケツ いさぎよ-い ㊦ケツ ㊤ケチ 屑 jié 2373 8C89 —
［潔］6678 15画
筆順 潔
字義 ❶いさぎよ-い。きよ-い。㋐けがれがない。きれい。「清潔」㋑行いが正しく、私心がない。未練がない。「高潔」❷いさぎよ-くする。心や行為をおさめて清く正しくする。
名前 きよ・きよし・すみ・ゆき・よし
解字 篆文 形声。氵(水)＋絜(絜)㊟。音符の絜は、けがれをとり除いて清めるの意味。水を付し、いさぎよい・きよいの意味を表す。

逆 簡潔・高潔・純潔・清潔・貞潔・廉潔
【潔行】清らかでけがれのない行い。潔白な行為。
【潔斎(齋)】ものいみ。神仏に祈願する前などに、飲食・行為などをつつしみ、不浄をさけて心身を清らかにすること。
【潔白】①清く白い。②清い。清らか。特に、心や行為の清く正しいこと。▼白も、清い。「清廉潔白」
【潔癖】不潔・不正を極端にきらうこと。また、その性質。
【潔廉】私心・私欲がなく心や行為の清らかなこと。廉潔。

12【潏】15画 6679 一㊦ケツ・㊤ケチ 屑 jué 二㊦イツ(ヰツ) ㊤イチ(ヰチ) 質 — — 4052
字義 一❶わく。水がわき出る。また、その音の形容。❷水の速く流れるさま。
解字 形声。氵(水)＋矞㊟。

12 【潢】15画 6680 (漢)コウ(クヮウ) (呉)オウ(ワウ) 陽 huáng ㊁(漢)コウ(クヮウ) (呉)オウ(ワウ) 養 huǎng ㊂(漢)コウ(クヮウ) (呉)オウ(ワウ) 漾 huàng 8713 ― 4062

字義 ㊀❶たまり水。水たまり。❷いけ。ため池。❸渡し場。㊁水の深く広いさま。㊂紙を染める。また、表装(表具)をする。装潢。

解字 甲骨文 篆文 形声。氵(水)+黄(音)。音符の黄は、廣(広)に通じ、広いの意味。大きな水たまりの意味を表す。

【潢汚】(コウオ) たまり水。
【潢池】(コウチ) ①池。水がたまってできた池。②せまい土地のたとえ。
【潢洋】(コウヨウ) ①深く広いさま。②水の広々としているさま。潢漾(コウヨウ)。
【潢潦】(コウロウ) ①水たまり。にわたずみ。②雨で増した水。

12 【澔】15画 6681 コウ 浩(6341)と同字。→八三七ページ・中。 8718 ― 4076

12 【澒】15画 6682 (漢)コウ (呉)グ 送 hòng ― ― 4074

字義 ❶水銀。❷水のめぐり流れるさま。

解字 形声。氵(水)+項(音)。

12 【澋】15画 6683 ㊀(漢)コウ(クヮウ) (呉)オウ(ワウ) 梗 hòng ㊁(漢)ケイ (呉)ギョウ(ギャウ) 梗 jǐng ― ― 4070

字義 ㊀㊁泂澋(コウケイ)は、水のめぐり流れるさま。

解字 形声。氵(水)+景(音)。

12 【潸】15画 6684 (漢)サン (呉)セン 刪 潸 shān 6306 E045 ―

［澘］6685 同字 ［潜］6686 俗字

字義 ❶涙の流れるさま。❷雨の降るさま。

解字 篆文 形声。氵(水)+散省(音)。音符の散(散の本字)は、ばらばらになるの意味。はらはらと落ちる涙の意味を表す。

【潸潸】(サンサン・センセン) ①雨の降るさま。②=潸然。
【潸然】(サンゼン・センゼン) 涙の流れおちるさま。さめざめ。潸焉(サンエン)。

12 【澘】15画 6685 サン 潸(6684)と同字。→八七九ページ・上。

12 【潜】15画 6686 サン 潸(6684)の俗字。→八七九ページ・上。 2 7924 ― ―

12 【澌】15画 6687 シ 支 寘 sī 8716 ― 4071

字義 ❶水がつきる。❷つきる。なくなる。ほろびる。

解字 形声。氵(水)+斯(音)。

【澌澌】(シシ) 雨や雪の降る音。また、風の音の形容。
【澌尽(盡)】(シジン) 水がつきてなくなる。つきてなくなる。滅びつきる。「澌尽灰滅(シジンカイメツ)(跡形もなくなってしまう。滅びつきること)」

12 【澍】15画 6688 (漢)シュ (呉)ジュ 遇 shù 8717 ― 4072

字義 ❶時節にかなった雨。時雨(ジウ)。❷うるおう。また、ふえる。❸そそぐ(注)。

解字 篆文 形声。氵(水)+尌(音)。音符の尌(ジュ)は、立てるの意味。万物を生き生きと立たせる、ほどよい雨の意味を表す。

12 【潗】15画 6689 シュウ(シフ) 緝 jí 2 7920 ― 4056

字義 泉が湧き出る。また、その音・さま。

解字 形声。氵(水)+集(音)。

12 【澁】15画 (6422) ジュウ 渋(6421)の旧字体。→八四八ページ・上。

12 【𣿅】15画 6690 (漢)シュン (呉)ジュン 真 xún

字義 かわく(乾)。用例(史記、扁鵲倉公伝)病得二之流汗出𣿅一(やまい(ひ)これをリュウカンシュンたるにいでてう)。↓病気は汗を流して乾かしたのが原因です。

解字 形声。氵(水)+循(音)。

12 【潤】15画 6691 常 (漢)ジュン・(呉)ニン 震 rùn ジュン うるお-う・うるお-す・うる-む 2965 8F81 ―

筆順 氵 氵 沪 沪 浬 浬 潤 潤 潤 潤

字義 ❶うるお-う(うるおう)。また、うるお-す(うるおす)。㋐ぬれる。しめる。「湿潤」㋑ます(増)。ふえる。豊かになる。めぐみを受ける。㋒立派になる。かざりが加わる。つやがある。「潤色」❷うるおい(うるおい)。㋐うるおうこと。㋑つや。光沢。㋒めぐみ。利益。「利潤」❸おだやか。温和。国うる-む。ほと-びる(ほとぶ)。㋐しめりけを帯びる。㋑涙声になる。㋒色などがぼける。

名前 うる・うるう・うるお・さかえ・じゅん・ひろ・ひろし・まさる・ます・みつ 難読 潤目鰯(うるめいわし)

解字 篆文 形声。氵(水)+閏(音)。音符の閏(ジュン)は、うるおうの意味。水気を含んでうるおうの意味を表す。

逆 温潤・湿潤・浸潤・芳潤・豊潤・利潤

【潤益】(ジュンエキ) ①ます。ふやす。増加。②もうけ。利益。
【潤屋】(ジュンオク) 家庭を立派にする。潤レ屋(オクをうるお(ほ)す)。用例(大学)富潤レ屋、徳潤レ身(とみはオクを、うるお(ほ)し、トクはみをうるお(ほ)す)。↓財産が豊かになると自然に家庭が立派になり、徳があると自然に(それが外に表れて)わが身が立派になる。
【潤滑】(ジュンカツ) うるおってなめらか。
【潤湿(濕)】(ジュンシツ) うるおう。うるおす。うるおい。
【潤色】(ジュンショク) ①つやを出し色をつける。②美しくかざる。色つやを施して立派に仕上げる。用例(論語、憲問)東里子産潤二色之一(トウリのシサンこれをジュンショクす)。↓東里の子産がこれを美しく飾った。③国表面だけをいつわりかざること。
【潤飾】(ジュンショク) ①美しくかざる。美しく修飾する。②かざり。
【潤沢(澤)】(ジュンタク) ①うるおす。うるおい。②めぐむ。なさけをかける。めぐみ。③つやがある。つや。④国ゆたか。物が多くあること。
【潤緻】(ジュンチ) うるおいがあってきめがこまかい。
【潤筆】(ジュンピツ) (筆を墨などでぬらす意)書画を書くこと。また、その書き賃。潤筆料。

12 【潯】15画 6692 (漢)シン (呉)ジン 侵 xín 6309 E048 ―

字義 ❶ふち(潭(タン))。岸辺の水の深い所。❷みぎわ。水際(みずぎわ)。ほとり。岸。❸江西省九江市の別称。→潯陽。

解字 形声。氵(水)+尋(音)。

【潯陽】(ジンヨウ) 地名。もと唐代の郡及び県の名。今の江西省九江市。尋陽。
【潯陽江】(ジンヨウコウ) 川の名。潯陽付近を流れている間の長江の別名。白居易が琵琶行(ビワコウ)の詩を作ったことで有名。

12 【潟】15画 6693 教4 (漢)セキ・(呉)シャク 陌 xì かた 1967 8A83 ―

筆順 氵 氵 氵 泬 泬 泊 泊 泻 潟 潟

字義 ❶かた。ひがた。海が遠浅で、潮が満ちればかくれ、退けば現れる所。❷しおち(塩地)。にがつち(苦土)。塩分の多い土地。国かた。㋐砂丘などによって外海と分離されてできた湖沼。多くは狭い水路によって海に通じている。㋑湖。沼。㋒入り江。入り海。湾。

名前 かた

解字 形声。氵(水)＋舄㊂。音符の舄は、かささぎの象形。かささぎが飛来してくる、かたの意味を表す。

12【潜】15画 6694 常 セン ひそ-む・もぐ-る 3288 90F6 —

12〘潛〙15画 6695 漢セン 呉ゼン 塩 qián 6310 E049 —

筆順 氵 氵 氵 氵 氵 氵 潜 潜 潜 潜

［濳］6806 俗字

字義 ❶くぐ-る。もぐ-る。しずむ。「潜水艦」 ❷ひそ-む。かくれる。「潜行」 ❸ひそ-める。㋐かくす。しのばせる。㋑心をこらす。心を深く集中する。「沈潜」 ❹ひそ-かに。こっそりと。人知れず。用例〔唐、杜甫、春夜喜レ雨詩〕随レ風潜入レ夜、潤レ物細無レ声(かぜにしたがい(ひ)て、ひそかによるにいり、ものをうるお(ほ)して、こまやかにこえ(ゑ)なし)。↓風とともに、静かに夜まで降り続け、音も立てずに万物を潤している。❺深い。また、水の深い所。淵。❻ふしづけ。柴を水中に沈め、その中に集まった魚を捕らえるもの。

名前 すみ・せん・ひそむ 難読 潜戸(くけど)

解字 篆文 形声。氵(水)＋朁(朁)㊂。音符の朁は、かくれるの意味。水中にかくれる、くぐるの意味を表す。

逆 沈潜

【潜逸】センイツ ひそみのがれる。また、その人。隠者。

【潜隠(隱)】センイン ①ひそみ隠れる。②仕官しないで隠遁(トンイン)すること。

【潜晦】センカイ ▼晦は、暗い。①かくれて人目をくらますこと。②才知などをかくして世に知らせないこと。

【潜魚】センギョ 水中にひそむ魚。

【潜行】センコウ ①水中などをもぐって行くこと。②人目をさけてかくれて行くこと。しのび歩き。用例〔唐、杜甫、哀二江頭一詩〕少陵野老呑レ声哭(ショウリョウのヤロウ、こえ(ゑ)をのみてコクし)、春日潜行曲江曲(シュンジツセンコウす、キョクコウのくま)。↓少陵の田舎おやじである私は声をしのんで泣き、この春の日に人目を避けて、ひとりひそかに曲江の流れの湾曲したあたりを歩いてゆく。

【潜幸】センコウ 天子のしのびの外出。

【潜蛟】センコウ 谷間や水中などにひそんでいるみずち。▼蛟は、みずち、竜の一種。用例〔北宋、蘇軾、前赤壁賦〕舞二幽壑之潜蛟一(ユウガクのセンコウをまわ(は)しめ)、泣二孤舟之嫠婦一(コシュウのリフをなかしむ)。↓奥深い谷にかくれひそむ竜も舞いださせ、一そう浮かぶ小舟に乗るやもめも泣かせてしまうほどである。

【潜在】センザイ ひそかにかくれていること。外に現れないで内にひそんでいること。「潜在意識」↕顕在(一五六二ジ下)。

【潜△竄】センザン かくれのがれる。姿をくらます。

【潜志】センシ 志をひそめこらす。心志を集中する。

【潜思】センシ 心をひそめる。思いをこらす。心静かに、うちこんで考える。専心。

【潜心】センシン 心をひそめる。心をこらして考える。潜思。潜精。

【潜精】センセイ ＝潜心。

【潜蔵(藏)】センゾウ ①ひそみ隠れる。潜伏。②仕官しないで隠遁(トンイン)する。

【潜邸】センテイ 天子がまだ位につかない前に住んでいた屋敷。皇太子の邸宅。

【潜匿】セントク ①ひそみかくれる。②ひそかにかくす。

【潜徳】セントク ①徳をかくす。自分の美徳をかくして現さないようにすること。②かくれた美徳。また、その持ち主。

【潜夫】センプ 世をさけてかくれている人。世捨て人。

【潜夫論】センプロン 書名。十巻。後漢の王府が、自ら潜夫をもって任じ、当時の政治や社会事象を批評した書。

【潜伏】センプク ひそみかくれる。

【潜躍】センヤク ひそみおどる。ひそみはねる。魚が水中ではねること。

【潜竜(龍)】センリョウ・センリュウ ①水中や谷間などにひそんでいて、まだ天にのぼらない竜。②世に出ないでかくれている聖人、まだ活動する機会を得ない英雄などをいう。伏竜。

【潜竜(龍)△勿レ用】センリョウもちい(ゐ)るなかれ まだ天にのぼる時が来ないでひそんでいる竜は、活動してはならぬ。まだその時期や機会にあわず、不遇な地位にある時には、いかにすぐれた人であっても、無理に活動しようとしてはならないたとえ。〔易経、乾〕

【潜△鱗】センリン 水中に深くひそんでいる魚。▼鱗は、うろこで、魚類をさす。

12【潺】15画 6696 漢セン 呉ゼン 先 chán 6305 E044 —

字義 ❶浅い水の流れるさま。また、その音の形容。さらさら。❷涙の流れるさま。

解字 篆文 形声。氵(水)＋孱㊂。音符の孱は、水のさらさらと流れるさまを表す擬態語。

【潺△湲】センカン ①浅い水の流れるさま。その音の形容。さらさら。②涙の流れるさま。さめざめ。

【潺潺】センセン ①＝潺湲①。②雨の降るさま。また、その音の形容。

【潺流】センリュウ さらさら音をたてて流れる小川。せせらぎ。

12【潨】15画 6697 ━ 漢ソウ・呉ゾウ 冬 ③cóng ━ シュウ(シウ) 東 zhōng 27923 — 4063

【潨△潺】ソウセン 水の流れる音の形容。

【潨然】ソウゼン 水の流れる音の形容。

［灇］6830 同字

字義 ━ ❶あつ-まる。あつまりそそぐ。小川が大川に流れ入る。❷水の集まる所。川の合流する所。❸水の流れる音の形容。＝淙(6439)。❹きし(岸)。みぎわ。

解字 形声。氵(水)＋衆㊂。音符の衆は、多くのものが集まるの意味。水が集まり注ぐの意味を表す。

12【潠】15画 6698 ━ ソン 願 sùn ━ セン 霰 27922 — —

字義 ━ ❶ふく(噴)。はく(吐)。口から水を噴き出す。＝噀(1713)。❷洗う。

解字 形声。氵(水)＋巽㊂。

12【潭】15画 6699 漢タン 呉ダン 覃 tán

［澹］6700 俗字

字義 ❶ふかい(深)。❷ふち(淵)。水が深くなっている所。「江潭」 ❸みぎわ。水辺。きし(岸)。

解字 金文 篆文 形声。氵(水)＋覃㊂。音符の覃は、深いの意味。深い水、ふちの意味を表す。

【潭影】タンエイ 深いふちの水色。

【潭思】タンシ 深く思う。また、深い物思い。

【潭△湫】タンシュウ 深い池。

【潭心】タンシン 深いふちの底。潭底。

【潭深】タンシン ①水が深いこと。②学問などの深いたとえ。

【潭潭】タンタン ①水を深くたたえているさま。②奥深いさま。

【潭府】タンプ ①水を深くたたえている所。深いふち。②奥深い役所や役人の邸宅。また、他人の邸宅の敬称。

12【澹】15画 6700 タン 潭(6699)の俗字。→八八〇ジ下。 6312 E04B —

12【潬】15画 6701 ━ 漢タン・呉ダン 旱 dàn ━ 漢セン・呉ゼン 銑 shàn — — 4064

字義 ━ 州す。━ ❶湠潬(エンセン)は、水がぶつかり合う。❷宛潬(エンセン)は、水がめぐる。

解字 形声。氵(水)＋單㊂。

12【潴】15画 6702 チョ 瀦(6807)と同字。→八八八ジ上。 6344 E06B —

12【潮】15画 6703 教6 チョウ しお 3612 92AA —

12〘潮〙15画 6704 漢チョウ(テウ) 呉ジョウ(デウ) 蕭 cháo

筆順 潮

字義 ❶しお。うしお。㋐海水が一定の時間に満ちたり引いたりする現象。特に朝の干満をいい、夕方の干満を汐というのに対する。「満潮」㋑時勢の流れ。世の傾向。「風潮」「思潮」㋒海水。「潮流」❷さす。㋐潮がさす。海水がみなぎり進む。㋑色が現れ出る。色づく。❸うるおう。しめる。国❶しお。とき。しお時。機会。❷うしお。醤油を用いず、塩で味をつけた魚や貝の吸い物。

名前 うしお・しお　難読 潮騒・潮来

解字 金文 篆文 形声。氵(水)＋朝(朝)音。音符の朝は、日がのぼり、うしおのひたひた寄るあさの意味。水を付し、特に朝のうしおの意味を表す。

逆 干潮・江潮・思潮・主潮・春潮・赤潮・風潮

【潮音】①うしおの音。波の音。②仏多くの僧の読経の声。
【潮海】海をいう。
【潮候】しおの満ちたり引いたりする時刻。しおどき。
【潮州】州の名。今の広東省潮安県。唐の韓愈が「論仏骨表」を奉って流された所。
【潮信】海水の干満。また、満潮。▼信は、たより。
【潮△汐】しお。うしお。→字義❶㋐。
【潮流】①しおの流れ。海水の流れ。②国時勢の流れ。その時代の傾向。

12【澄】15画 6705 常 チョウ すーむ・すーます 漢チョウ・呉ジョウ(ヂョウ) 蒸 chéng 3201 909F —

〔澂〕6706 同字

筆順 澄

字義 ❶すーむ。清い。㋐水が静まり返っていて、かつ、清い。↔濁(6741)。㋑透き通って清い。㋒空などに曇りがない。㋓音などがさえる。❷すませる。清らかにする。国すーます。㋐まじめな顔をする。㋑気どる。㋒そしらぬ顔をする。

名前 きよ・きよし・きよむ・す・すみ・ずみ・すむ・すめる・とうる・とおる

解字 篆文 形声。氵(水)＋登音。篆文は、氵(水)＋澂省音。音符の澂は、止に通じ、とどまるの意味。静止する水、すむの意味を表す。

逆 清澄

【澄△瑩】すみわたって(透き通って)明らか。
【澄高】①月が高くすみわたること。②気品の清くけだかいたとえ。
【澄心】①心をすませる。心を静かにする。②静かにすんだ心。
【澄清】①すんで清らかなこと。②すまし清める。乱世を治め清める。
【澄爽】すみきってさわやかなこと。
【澄△潭】すんだ水をたたえているふち。
【澄△澹】すんでいて静か。清く静か。清く淡い。
【澄△澈】すみわたり透き通る。清くすみわたる。
【澄△碧】水がすんで、こいみどり色をしていること。
【澄明】すみきって明るい。

12【澂】15画 6706 チョウ 澄(6705)と同字。→八八一ページ上。 6313 E04C —

12【澈】15画 6707 漢テツ 呉デチ 屑 chè 18715 EDEC 4069

字義 ❶きよーい。水がすんで清い。❷つきる。水がつきる。

解字 形声。氵(水)＋徹省音。音符の徹は、とおるの意味。水がすきとおって、きよいの意味を表す。

12【潒】15画 6708 漢トウ(タウ) 呉ドウ(ダウ) 養 dàng 27919 — 4054

字義 ❶ただよう。ただよい流れる。❷水の広大なさま。

解字 形声。氵(水)＋象音。

12【潼】15画 6709 漢トウ 呉ドウ 東 tōng 6314 E04D —

字義 ❶川の名。→潼水。❷関所の名。→潼関。❸潼潼は、高いさま。

解字 形声。氵(水)＋童音。

【潼関(關)】関所の名。後漢時代に設けられた。陝西省潼関県の南東にあって、洛陽方面から長安に行く道の要地。
【潼水】川の名。陝西省潼関県の西を流れている。

12【潡】15画 6710 漢トン 呉ドン 阮 dùn 18712 — 4061

字義 おおみず(大水)。

解字 形声。氵(水)＋敦音。

12【潑】15画 6711 標 漢ハツ 呉ハチ 曷 pō 18709 — 4053

〔溌〕6532 俗字

字義 ❶そそぐ(注)。水をまき散らす。❷水が飛び散る。水がはね散る。❸わく。水がわき出る。❹勢いのよいさま。動作の生き生きしているさま。「活潑(活発)」❺わるい。性質がよくない。

参考 現代表記では〔発〕(7860)に書きかえることがある。「活潑→活発」

解字 形声。氵(水)＋發音。音符の發は、ひらくの意味。水がひろがりひらくように、まき散らすの意味を表す。

【潑△剌・潑△溂】①魚が飛びはねるさま。②あふれるばかりに元気のよいさま。→溂(6552)の参考。

12【潘】15画 6712 ハン 寒 pān, ②pān 6315 E04E —

字義 ❶しろ水。米のとぎ汁。❷うずまき。うずまく水。

解字 篆文 形声。氵(水)＋番音。音符の番は、放射状に広がるの意味。とぐ時、水中に白くにごりながら広がっていく、米のとぎじるの意味を表す。

【潘岳】西晋の文人。字は安仁。美男であった。主な作品に「悼亡詩」「秋興賦」がある。(二四七—三〇〇)

12【澓】15画 6713 漢フク 呉ブク 屋 fú — — 4075

字義 ❶めぐり流れる。❷地下の流れ。

解字 形声。氵(水)＋復音。音符の復は、帰るの意味。

12【濆】15画 6714 フン 濆(6746)の俗字。→八四ページ上。 6325 E058 —

12【潽】15画 6715 漢ホ 呉フ 麌 pǔ 27925 — 4065

字義 ❶川の名。❷液体がふきこぼれる。

解字 形声。氵(水)＋普音。

12【澎】15画 6716 漢ホウ(ハウ) 呉ヒョウ(ヒャウ) 庚 pēng 6316 E04F —

字義 ❶水の勢いのさかんなさま。❷水のぶつかりあう音の形容。

解字 形声。氵(水)＋彭音。音符の彭は、太鼓の音を表す擬声語。水のうち合うさまを表す。

【澎△湃】同澎濞。①水勢のさかんなさま。水のみなぎるさま。②水や波のうちあう音の形容。③物事の多くてさかんなさま。
【澎△濞】＝澎湃。

12【澑】15画 6717 リュウ 溜(6609)の本字。→八七三ページ下。 6317 E050 —

12【潾】15画 6718 二 リン 二 漢ラン・呉レン 真 lín 銑

〔潾〕6752 俗字

字義 二 ❶きよい(清)。❷川の名。❸波がきらきらする。二 淵潾は、水流のうずまくさま。

解字 形声。氵(水)＋粦音。

12【潦】15画 6719 ロウ(ラウ) 晧 lǎo 6319 E052 —

字義 ❶雨水。大雨であふれ流れる水。❷庭などのたまり水。にわたずみ。❸ながあめ。降り続く大雨。

解字 形声。氵(水)+尞音。

【潦水】①たまり水。にわたずみ。②大水。

【潦草】なげやりでそそっかしいこと。不注意。

【潦倒】①おだやかで奥ゆかしいこと。②老衰のさま。やつれて元気のないさま。また、落ちぶれたさま。用例〔唐、杜甫、登高詩〕艱難苦恨繁霜鬢、潦倒新停濁酒杯。⇩苦労ばかりの毎日で、鬢の毛が白くなってしまったことも恨めしく、年老いたために、つい最近、好きな濁り酒さえやめてしまった。

12【澇】15画 6720 ㊀ロウ(ラウ) 豪 晧 lāo ㊁ロウ(ラウ) 号 lào — — 4068

字義 ㊀❶大波。❷長雨。❸川の名。陝西省内を流れる川。㊁❶ひたす。ぬらす。❷注ぐ。

解字 形声。氵(水)+勞音。

12【澚】15画 6721 国字 — — 4078

字義 おき(沖)。＝澳(6723)。

解字 澳が変形した形。澳の国訓に、おきの読みがある。

12【滰】15画 6722 国字 27918 — —

字義 大滰は、姓氏。

13【澳】16画 6723 ㊀イク 屋 yù ㊁オウ(アウ) 号 ào 6320 E053 —

字義 ㊀くま。水が陸に湾入している所。また、その岸べ。みぎわ。㊁❶ふかい(深)。❷オーストラリアの略称。国おき ㋐陸地から遠い水面。㋑田畑・野原の遠く開けた所。

難読 澳太利・澳太利亜・澳門

解字 篆文 形声。氵(水)+奥音。音符の奥は、おくの意味。おくまで入りこんだ所、くまの意味を表す。

【澳州】オーストラリアの略称。六大州の一つ。濠(豪)州。また、大洋州。オセアニア。

【澳太利亜(亞)】Australia の音訳。南半球にある世界最小の大陸の名。六大州の一つ。また、国の名。オーストラリア連邦。首都はキャンベラ。

【澳門】地名。広東省の珠江河口の西側。清の光緒年間にポルトガル領となったが、一九九九年に返還された。古くは、阿媽神の廟があったので阿媽港または媽港と呼んだ。Macao は、それから出たポルトガル名。日本では、昔、天川といった。

13【澮】16画 6724 漢カイ(クワイ) 呉ケ 泰 kuài — — 4085

字義 ❶みぞ。小さい溝。耕作地の用水を通ずるみぞ。❷小さい流れ。小川。❸深く平らなさま。

解字 篆文 形声。氵(水)+會音。音符の會は、あつまるの意味。小さな溝に水が集まるの意味を表す。

【澮溝】①みぞ。耕地の用水路。溝澮。②川。小川。

13【澥】16画 6725 漢カイ 呉ゲ 蟹 xiè 27930 — 4081

字義 ❶勃澥・渤澥は、海の名。❷途中で切れた川。❸漻澥は、小さい川。

解字 形声。氵(水)+解音。

13【濩】16画 6726 カク 濩(6760)の俗字。→八四ページ下。 27938 — 4104

13【澣】16画 6727 カン 浣(6333)と同字。→六三七ページ上。 6321 E054 —

13【激】16画 6728 教6 ゲキ はげしい 漢ゲキ・呉キャク 錫 jī 慣ゲキ 2367 8C83 —

筆順 氵 氵 泊 泊 泊 湧 湧 激 激

字義 ❶はげしい。㋐勢いがするどく強い。「衝激」㋑きびしい。はなはだしい。「過激」㋒速い。すみやか。「急激」❷感情が高ぶる。心が奮い立つ。気が立つ。「感激」「憤激」❸はげます。用例〔史記、張儀伝〕召辱之、以激其意。⇩張儀をおびき寄せて辱め、その心を奮い立たせたのである。❹水をさえぎる。水をさえぎり水の勢いをはげしくする。また、水がつきあたる。勢いがはげしく流れる。また、その所。せき。❺きよい(清)。明らか。

参考 現代表記では〔戟〕(3952)の書きかえに用いることがある。「刺戟→刺激」

使いわけ ゲキ〔劇・激〕⇩劇(981)。

解字 篆文 形声。氵(水)+敫音。音符の敫は、うつ・たたくの意味。水が岩などにうちあたって、はげしいの意味を表す。

逆 過激・感激・急激・刺激・電激・噴激・憤激・奮激

【激越】①音楽などの高くはげしいこと。②感情が高ぶったために、声や行動のはげしいこと。

【激卬・激昂】①心がはげしく奮いたつこと。②感情が高ぶること。③怒ること。④はげまし奮い立たせること。

【激射】はげしく突きあたること。

【激賞】口をきわめて大いにほめること。

【激情】(一時的に高ぶった)はげしい感情。

【激甚】非常にはげしいこと。激烈。

【激切】①非常にはげしい。非常にきびしい。②感動・恐れなどのため、心を強く動かすこと。③はげます。はげみがく。④音の高く清らかなこと。

【激湍】流れの非常に速い瀬。はげしい早瀬。

【激怒】はげしくいかる。また、はげしい怒り。

【激発(發)】①ふるいおこる。興奮する。また、奮い立たせる。②はげしく興る。③急に思いがけない言動をすること。

【激憤】はげしくいきどおる。激怒。

【激変(變)】急にかわる。はげしくかわる。

【激揚】①はげしく興る。高くあがる。②はげまし奮い立たせる。③感動して奮い立つ。

【激励(勵)】はげます。奮い立たせる。

【激厲】①はげしくきびしいこと。②奮い立たせる。激励。

【激烈】きわめてはげしいこと。

【激論】①きびしく言いたてる。②はげしい議論。

13【澯】16画 6729 サン 翰 càn 27931 — 4086

字義 きよい(清)。水が清くすきとおるさま。

解字 形声。氵(水)+粲音。

13【濨】16画 6730 漢シ 呉ジ 支 zī — — 4103

字義 川の名。四川省内を流れる川。

解字 形声。氵(水)+慈音。

13【濈】16画 6731 シュウ(シフ) 緝 jí 27934 — 4093

字義 ❶やわらぐ。❷水が流れ出る。❸汗が出る。

解字 形声。氵(水)+戢音。

13【潚】16画 6732 ㊀ショウ(セウ) 蕭 xiāo ㊁シュク 屋 sù 27921 — 4058

字義 ㊀❶潚潚は、風雨の激しいさま。❷速いさま。㊁❶きよい(清)。❷きよい(清)。水が深く澄んでいる。

解字 形声。氵(水)+肅音。

13【濇】16画 6733 ㊀漢ショク・呉シキ 職 sè ㊁シュウ(シフ) 緝 18723 — 4092

字義 ㊀しぶる。とどこおる。すらすらと進まない。＝渋

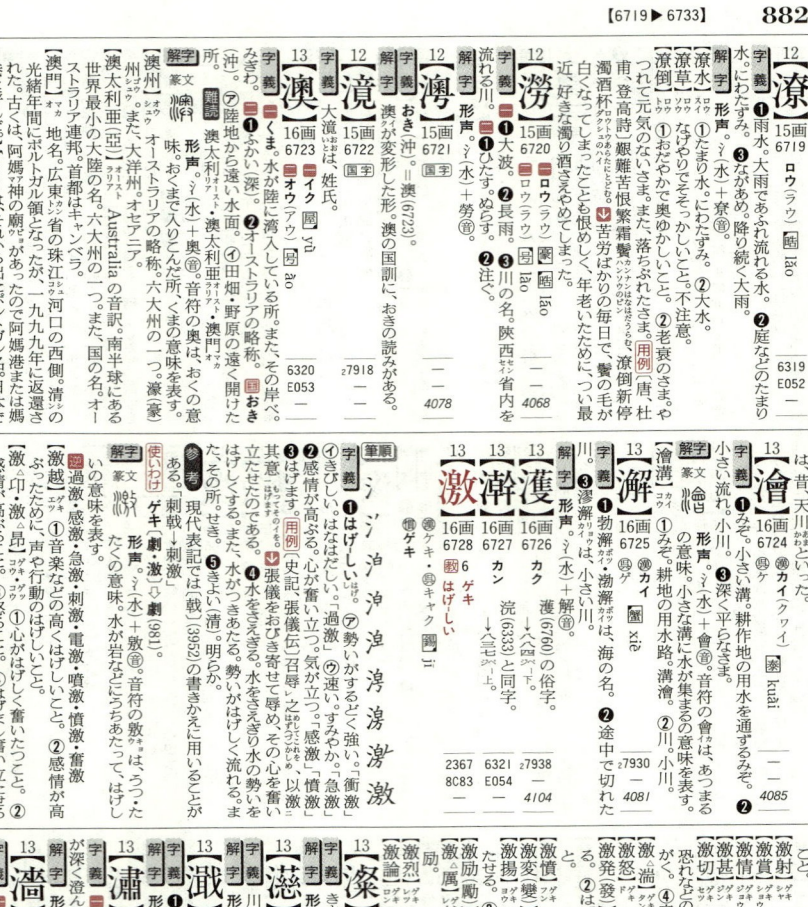

(6421)。

13【濅】16画 6734 シン — — 4091
字義 浸(6351)の本字。→八三八ページ下。
解字 形声。氵(水)+畗音。

13【澵】16画 6735 シン 震 真 qìn 27933 EDED 4088
字義 川の名。難読 澵井(さらい)
解字 形声。氵(水)+新音。

13【濉】16画 6736 スイ 27935 — —
字義 睢(8023)と同字。→一〇一二ページ上。

13【澨】16画 6737 漢セイ 呉ゼイ 霽 shì — — 4084
字義 ❶ついじ。つきじ。築地。水辺の埋め立て地。❷みぎわ。水際。なぎさ。岸。
解字 形声。氵(水)+筮音。

13【澶】16画 6738 一漢セン・呉ゼン 先 chān 二漢タン・呉ダン 翰 dàn 三漢テン・呉デン 先 18721 — 4089
字義 一地名。→澶淵。二❶水の流れるさま。❷水の静かなさま。三❶はびこる。❷ほしいまま。
解字 形声。氵(水)+亶音。
【澶淵】(センエン) 地名。河南省濮陽県の西南。景徳元年(一〇〇四)、宋と遼との間で盟約の結ばれた場所。

13【澡】16画 6739 ソウ(サウ) 晧 zǎo 6322 E055 —
字義 ❶あらう(洗)。すすぐ。清める。❷おさめる。よくする。
解字 篆文 形声。氵(水)+喿音。音符の喿は、操に通じ、つかいこなすの意味。水をたくみに使いこなす、あらうの意味を表す。
【澡熨】(ソウイ) 洗濯して火のしをかける。転じて、改善改良するたとえ。
【澡雪】(ソウセツ) あらいすすぐ。あらい清める。
【澡洗】(ソウセン) あらいすすぐ。

13【氵翜】16画 6740 漢ソウ(サフ) 呉ショウ(セフ) 洽 shà 27932 — —
字義 あふれる。
解字 形声。氵(水)+翜音。

13【澤】16画 (6197) タク 3489 91F7 —
沢(6196)の旧字体。→八一八ページ上。

13【濁】16画 6741 常 ダク にごる・にごす
漢タク・呉ダク 覚 zhuó 慣ジョク(ヂョク)

筆順 氵 氵 氵 氵 氵 濁 濁 濁 濁 濁

【浊】6318 俗字

字義 ❶にごる。にごす。にごり。↔澄(6705)・清(6434)。❷けがす。けがれる。けがれ。「濁世」❸みだれる。みだす。みだれ。国にごり。なまり。また、濁点。

難読 濁酒(どぶろく)・濁声(だみごえ)

解字 篆文 形声。氵(水)+蜀音。音符の蜀は、不快ないも虫の意味。不快な水、にごりの意味を表す。

逆 汚濁・混濁・清濁
【濁穢】(ダクアイ・ダクワイ) ①にごり。けがれ。②浮き世のけがれ。この世のけがらわしさ。

【濁音】(ダクオン) にごった語音。↔清音(八五〇ページ下)。

【濁酒】(ダクシュ) =濁醪(ダクロウ)。↔清酒(八五一ページ中)。用例〔唐、杜甫、登高詩〕艱難苦恨繁霜鬢(カンナンはなはだうらむ、ハンソウのビン)、潦倒新停濁酒杯(ロウトウあらたにとどむ、ダクシュのハイ)。↓苦労ばかりの毎日で、鬢の毛が白くなってしまったことも恨めしく、年老いたために、つい最近、好きな濁り酒さえやめてしまった。

【濁世】一(ダクセイ) にごった世。道徳がすたれ風俗の悪くなった世。二(ジョクセ) 仏人間の住む世界。この世。

【濁乱(亂)】(ダクラン) にごり乱れる。にごし乱す。

【濁流】(ダクリュウ) ↔清流(八五三ページ上)。①にごった水流。②不正を働く一味。潔白でない人のなかま。悪党。

【濁浪】(ダクロウ) にごっている波。

【濁醪】(ダクロウ) にごり酒。どぶろく。こさない酒。

13【澾】16画 6742 漢タツ 呉タチ 曷 tà 27928 — —
字義 なめらか。すべる。
解字 形声。氵(水)+達音。

13【澹】16画 6743 漢タン 呉ダン 感 勘 覃 dàn 6324 E057 —

字義 ❶水がゆっくりゆれ動くさま。❷うごく。うごかす。❸しずか。やすらか。❹さだまる。おちつく。❺あわい。うすい。あっさりしている。=淡(6441)。

解字 篆文 形声。氵(水)+詹音。音符の詹は、淡に通じ、あわいの意味を表す。

【澹然】(タンゼン) 静かで安らかなさま。

【澹台(臺)滅明】(タンダイメツメイ) 孔子の門人。澹台が姓、滅明が名。字は子羽。徳行にすぐれた。同門の子游の部下であったことがある。〔論語、雍也〕

【澹淡】(タンタン) ①水のゆれ動くさま。波紋の広がり行くさま。②水・波・風にただようさま。

【澹澹】(タンタン) ①あっさりしたさま。淡淡。②水のゆれ動くさま。③心の動かないさま。④静かであわいさま。

【澹蕩】(タントウ) ゆったりとしてのどかなこと。

【澹泊】(タンパク) 同淡泊。▼泊は、静か・安らか。①心が静かで安らかであること。②静かに落ち着いていて心を外に表さぬこと。③あっさりとして無欲なこと。

13【澱】16画 6744 標 漢テン 呉デン 霰 diàn 3735 9362 —
字義 ❶おり(滓)。かす。どろ(泥)。❷よど-む。㋐水流がとどこおりたまる。㋑泥などが水底に沈んでたまる。「沈澱」❸よど。よど-み。水の浅くよどんでいる所。=淀(6446)。国よど-む。止まって動かない。また、物事がすらすら進まない。
参考 現代表記では〔殿〕(6065)に書きかえることがある。「沈澱→沈殿」
解字 篆文 形声。氵(水)+殿音。音符の殿は、しりの意味。しりのように重く水中におちつくもの、おりの意味を表す。
【澱江】(デンコウ) 国大阪の淀川をいう。▼澱は、淀に同じ。

13【濃】16画 6745 常 ノウ こい
漢ジョウ(ヂョウ)・呉ニュウ 冬 nóng 慣ノウ 3927 945A —

筆順 氵 氵 氵 氵 氵 濃 濃 濃 濃

字義 こ-い。こま-やか。↔淡(6441)。㋐密度が大きい。こってりしていること。㋑厚い。深い。色・味・においなどの度合いが強い。㋒はなはだしい。さかん。しげる。㋓情がこまやか。なまめかしい。
名前 あつ・あつし
解字 篆文 形声。氵(水)+農音。音符の農は、ねっとりするの意味。水を付し、液体がねばって「こい」の意味を表す。
【濃艶(艷)・濃豔】(ノウエン・ジョウエン) あでやかで美しいこと。なまめかしいこと。用例〔和漢朗詠集、菅原文時、花〕誰謂水無心(たれかいう(ふ)みず(づ)こころなしと)、濃艶臨兮波変色(ノウエンのぞめばなみいろをヘンず)。↓だれが水には心がないといったのか、美しい花が水面をのぞきこむと水も色をかえてこたえるではないか。
【濃厚】(ノウコウ) ①こい。あつい。②ゆたか。多い。③こってりしている。しつこい。
【濃粧】(ノウショウ) こってりとした化粧。厚化粧。

【濃濃】①こまやかなさま。②露の多いさま。
【濃淡】こいことと、うすいこと。
【濃抹】こってりとぬる。厚化粧。用例〔北宋、蘇軾、飲二湖上一初晴後雨詩〕欲下把二西湖一比中西子上、淡粧濃抹総相宜。↓西湖を西施に比べると、どちらも薄化粧も厚化粧もいずれもよく似合う。

13【濆】16画 6746 一 漢フン・呉ブン 図 fēn 二 漢フン・呉ブン 吻 fèn
【濆】6714 俗字
字義 一 みぎわ。水際。なぎさ。岸。 二 ❶わく(涌)。わきあがる。わきでる。「濆水」 ❷みだれる。乱れ動く。
解字 篆文 形声。氵(水)+賁㊣。音符の賁は、さかんにふき出す(噴・墳)の意味。水が盛んにわきだす意味を表す。
8722 ― 4090

13【澼】16画 6747 漢ヘキ 呉ヒャク 錫 pì
字義 さらしろう。綿を白くするために、水中でさらしろう。「洴澼」
解字 形声。氵(水)+辟㊣。
8722 ― 4090

13【澠】16画 6748 一 漢ショウ 呉ジョウ 蒸 shéng 二 漢ベン・呉メン 銑 miǎn
字義 一 川の名。→澠水。 二 ❶澠河は、川の名。→澠河。 ❷澠池は、地名。→澠池。
解字 形声。氵(水)+黽㊣。
【澠河】川の名。河南省にある。
【澠水】川の名。古代、斉(今の山東省内)にあった。
【澠池】戦国時代の韓の地名。今の河南省澠池県。藺相如が趙の恵文王を助けて秦の昭王と会見し大いに国威をあげた所。
8719 ― 4080

13【濛】16画 6749 漢ボウ 呉モウ 東 méng
字義 ❶きりさめ。霧雨。こぬか雨。また、きりさめのさま。❷うす暗い。はっきり見えない。おぼろ。
解字 篆文 形声。氵(水)+蒙㊣。音符の蒙は、おおうの意味。天をおおうようにして降る雨、きりさめ・くらいの意味を表す。
【濛雨】きりさめ。霧雨。ぬか雨。細雨。
【濛気(氣)】たちこめているもや。
【濛昧】ぼうっとして薄暗いさま。もやや霧の深くたちこめているさま。▼昧も、暗。
【濛濛】①(霧や小雨で)煙るようにぼうっとしているさま。②心がぼうっとしているさま。
6334 E061 ―

13【澦】16画 6750 ヨ 御 yù
字義 灩澦堆は、長江の瞿塘峡の入り口の水中にあった大きな岩の名。→灩澦堆(八九〇ページ中)。
解字 形声。氵(水)+預㊣。
― ― 4082

13【澟】16画 6751 リン 寝 lǐn
字義 さむい(寒)。すずしい。=凜(831)。
解字 形声。氵(水)+稟㊣。
2 7929 ― 4079

13【潾】16画 6752 リン
潾(6718)の俗字。→八八一ページ下。
1 8714 ― 4066

13【澪】16画 6753 人 漢レイ 呉リョウ(リャウ) 青 líng
筆順 氵 氵 氵 氵 氵 氵 澪 澪
字義 川の名。国 みお。水脈・水緒の意。川や海の、水が深くて舟が通行するに適した道筋。水路。
名前 みお
解字 形声。氵(水)+零㊣。
【澪標】国 通行する舟に水路を知らせるために立てた杭。「みおつくし」は、「みをの串」の意。
6326 E059 ―

13【澧】16画 6754 漢レイ 呉ライ 薺 lǐ
字義 ❶川の名。→澧水。 ❷あまざけ。=醴(12442)。 ❸澧澧は、波の音。
解字 形声。氵(水)+豊㊣。
【澧水】川の名。湖南省にあり、洞庭湖に注ぐ。
1 8720 ― 4083

13【濂】16画 6755 レン 塩 lián
字義 ❶大きな川から絶えだえに流れ出た小川。 ❷うすい(薄)。
解字 形声。氵(水)+廉㊣。
【濂渓(溪)】①谷川の名。㋐湖南省道県(零陵の南方)の西を流れて瀟水に注ぐ。㋑江南省の廬山の蓮花峰のふもとを流れ長江に注ぐ。宋の周敦頤が蓮花峰下に住み、故郷湖南省道県の濂渓を取って命名した。②周敦頤の号。
【濂△洛関(關)△閩】北宋の大儒周敦頤(濂渓に住む)、程顥・程頤兄弟(洛陽の人)、張載(関中、今の陝西省の人)、及び南宋の大儒朱熹(閩中、今の福建省にいた)をいい、また、宋の五子という。宋学の中心人物で、この五人を中心とする学問を「濂洛関閩の学」という。
6318 E051 ―

13【澰】16画 6756 一 レン 琰 liàn 二 ラン 感 liǎn
字義 一 澰灎は、水のあふれるさま。 二 ❶清い。❷ひたす。
解字 形声。氵(水)+僉㊣。
― ― 4087

13【潞】16画 6757 漢ロ 呉ル 遇 lù
字義 ❶川の名。㋐→潞河。㋑→潞水。 ❷春秋時代の異民族の国名。 ❸春秋時代、斉の国にあった集落の名。 ❹(国力が)つかれ、弱る。
解字 形声。氵(水)+路㊣。
【潞河】川の名。北京市内を流れる白河の古名。
【潞水】川の名。山西省を流れる濁漳水の古名。
1 8711 ― 4060

13【濊】16画 6758 一 漢ワイ・呉エ(ヱ) 泰 wèi 二 漢カツ(クヮツ) 呉カチ(クヮチ) 曷 huò
字義 一 ❶水の深く広いさま。❷おおい。❸けがれ。けがれる。=穢(8562)。 二 ❶流れをせきとめる。❷濊濊は、網をうちこむ音。
解字 篆文 形声。氵(水)+歳㊣。音符の歳は、越に通じ、度をこすの意味。度を越して水が多いの意味を表す。
1 8724 ― 4094

14【濰】17画 6759 漢イ(ヰ) 呉ユイ 支 wéi
字義 ❶川の名。→濰水。 ❷濰坊市は、山東省内の市。
解字 形声。氵(水)+維㊣。
【濰水】川の名。山東省内を流れる。
1 8726 ― 4105

14【濩】17画 6760 一 漢コ・呉ゴ 遇 hù 二 漢カク(クヮク)・呉ワク 薬 huò
【濩】6726 俗字
字義 一 ❶雨だれのしたたるさま。❷物音などの形容。❸にる(煮)。=鑊(12915)。 二 ❶しく(布)。広める。❷大濩は、殷の湯王の定めた音楽の名。
解字 形声。氵(水)+蒦㊣。
【濩落】①うつろな(がらんとして何もない)さま。②世に用いられず、貧しくて、訪問する人もないさま。落ちぶれたさま。不遇なさま。③うつろな物が風に吹かれ、物にぶつかって鳴る音の形容。

14【濶】17画 6761 カツ
闊(13014)の俗字。→一五〇三ページ中。
7973 E889 ―

参考 「快濶→快活」 現代表記では〔活〕(6286)に書きかえることがある。

14 【滎】17画 6762 ㊀漢ケイ 呉ギョウ(ギャウ) 普 xíng ㊁漢エイ 呉ヨウ(ヤウ) 普 yíng 27936 — 4101

字義 ㊀小さな流れ。榮(6137)と同字。 ㊁水のうずまくさま。瀠(6813)と同字。

14 【鴻】17画 (14227) コウ 鳥部。→一六二七ジ上。

14 【濠】17画 6763 標 漢コウ(カウ) 呉ゴウ(ガウ) 普 háo 2574 8D8A —

字義 ❶川の名。→濠水。❷ほり。城のまわりにめぐらしたほり。＝壕(2168)。国濠太剌利オーストラリアの略。いま豪とも書く。

解字 形声。氵(水)＋豪㊥。

【濠洲】ゴウシュウ 国オーストラリアの略称。豪州。

【濠水】ゴウスイ 川の名。安徽アンキ省鳳陽ホウヨウ県の北東を流れ、淮水ワイスイに注ぐ。

【濠太剌利】オーストラリア 国 Australia の音訳。大陸の名。また、国の名。オーストラリア連邦。濠斯太剌利亜。中国語訳は、澳太利亜。

【濠梁】ゴウリョウ 濠水ゴウスイにかけた橋。荘周が、恵施とともにこのほとりに遊び、魚の楽しみを知ることができるか否か論議したという(濠水の楽しみ)。〔荘子、秋水〕

14 【濟】17画 (6417) サイ 済(6416)の旧字体。→六四七ジ中。

14 【濕】17画 (6501) シツ 湿(6500)の旧字体。→六五八ジ下。

14 【濡】17画 6764 人 標 漢ジュ 呉ニュ 慣 普 rú 3908 9447 —

筆順 氵 氵 沪 沪 洏 洏 渜 濡 濡

字義 ❶うるおう(うるほふ)。㋐ぬれる(ぬる)。しっとりとぬれる。㋑めぐみを受ける。❷うるおす(うるほす)。㋐ぬらす。㋑めぐむ。恩恵を施す。❸おだやか。やすらか。温和。❹ゆばり。小便。❺とどこおる。ぐずぐずする。

解字 篆文 形声。氵(水)＋需㊥。音符の需は、しなやか・やわらかの意味。水を含んでしなやかになる、つややかになる・ぬれるの意味を表す。

【濡染】ジュセン ①うるおいそまる。②うるおしそめる。字を書く。

【濡滞(滯)】ジュタイ とどこおる。ぐずぐずしている。

14 【澀】17画 6765 ジュウ 渋(6421)の正字。→四八ジ上。 6308 E047 —

14 【濬】17画 6766 シュン 普 jùn 6329 E05C —

字義 ❶さらう(浚シュン)。さらえる。泥などを取り除いて水底を深くする。❷ふかい(深シン)。奥深い。

解字 篆文 形声。氵(水)＋睿㊥。音符の睿シュンは、から谷の意味。水底をさらい深くするの意味を表す。

【濬哲】シュンテツ 深い知恵のあること。また、その人。

14 【瀞】17画 6767 セイ 瀞(6805)の俗字。→八八ジ上。

14 【濯】17画 6768 常 タク 3485 91F3 —

14 【濯】17画 6769 漢タク 呉ダク 普 zhuó

筆順 氵 氵 氵 沪 沪 浬 浬 濯 濯 濯

字義 ❶あらう(洗)。すすぐ。そそぐ。ゆすぐ。洗い清める。潔白にする。「洗濯」「濯纓濯足」❷大きい。❸うるわしい。❹あきらか。

名前 あろう・きよ・よし

解字 金文 篆文 形声。氵(水)＋翟(翟)㊥。音符の翟テキは、おどりあがるの意味。水中から衣類をあげるようにして、あらうの意味を表す。

【濯纓】タクエイ 冠のひもを洗う。転じて、世俗を超越するたとえ。→濯纓濯足。

【濯纓濯足】タクエイタクソク 水が清ければ冠のひもを洗い、水がにごれば足を洗う。時勢に応じて進退するたとえ。また、世俗を超越するたとえ。『孟子』離婁上に、「清斯濯レ纓、濁斯濯レ足矣。自取レ之也。」とあるのに基づく。

【濯盥】タクカン あらう。手足を洗う。

【濯錦江】タクキンコウ 川の名。長江の上流、四川省成都市を流れる浣花渓カンカケイの別名。

【濯足】タクソク ①足を洗う。世俗を超越するたとえ。→濯纓濯足。②遠い旅から帰った者を招く。

【濯濯】タクタク ①光り輝くさま。②姿のみやびやかで美しいさま。なまめかしく美しいさま。③水で洗ったように、きよらかであざやかなさま。④つやつやしているさま。⑤肥え太っているさま。⑥草木のないさま。はげ山・はげ地のさま。⑦楽しみ遊ぶさま。

14 【濔】17画 6770 ㊀漢デイ・呉ナイ 普 nǐ ㊁漢ビ・呉ミ 普 mǐ 6330 E05D —

字義 ㊀❶みちる(満)。水がみちる。❷ものの形容。→濔濔。㊁❶濔迆イビ・濔迤イビは、平らに遠く続くさま。❷水の流れるさま。

解字 形声。氵(水)＋爾㊥。

【濔迆・濔迤】イビ 平らに遠くつらなるさま。

【濔濔】デイデイ ①数の多いさま。一説に、柔らかなさま。②流れがどこまでも続くさま。

14 【濤】17画 6771 標 漢トウ(タウ) 呉ドウ(ダウ) 普 tāo 6225 9FB7 —

【涛】6362 俗字 (6703)

字義 ❶なみ。大波。❷うしお。＝潮。❸なみだつ。

解字 甲骨文 篆文 形声。氵(水)＋壽㊥。音符の壽は、長く連なるの意味。つらなる波の意味を表す。

【濤瀾】トウラン 波。大波。濤波。▼瀾も、大波。

14 【濘】17画 6772 漢ネイ 呉ニョウ(ニャウ) 普 nìng 6331 E05E —

字義 ❶ぬかる。❷ぬかるみ。どろ(泥)。❸小川。

解字 甲骨文 篆文 形声。氵(水)＋寧㊥。音符の寧は、やすらかの意味。おだやかな小さな流れの意味を表す。また、泥に通じ、どろの意味を表す。

14 【濞】17画 6773 慣ビ ㊀漢ヘイ・呉ハイ 普 bì ㊁ヒ 普 pì 27937 — 4102

字義 ㊀水が突然に流れて来る音。㊁川の名。

解字 形声。氵(水)＋鼻㊥。

14 【濱】17画 (6369) ヒン 浜(6368)の旧字体。→六四〇ジ上。

14 【濵】17画 6774 ヒン 浜(6368)の俗字。→六四〇ジ上。 8727 EDEE 4106

14 【濮】17画 6775 慣ボク ホク 普 pú 6333 E060 —

字義 川の名。→濮水ボクスイ。

解字 形声。氵(水)＋僕㊥。

【濮上之音】ボクジョウのオン みだらで国をほろぼす音楽。春秋時代、衛の霊公(孔子のころの君主)が晋シンに行く途中、濮水のほとりで聞いた音楽について、楽官の師曠シコウが、これは殷が滅亡を招くに至った音楽であるから演奏してはならないと言ったという故事による。〔礼記、楽記〕

【濮上之風】ボクジョウのフウ 勇武任侠ニンキョウの風習。昔の勇者夏育や孔子の門人子路が濮上に住んでいたために、そこの住民に勇武任侠の風習が生じた、という伝説から出た語。▼濮上は、濮水のほとり。〔漢書、地理志〕

【濮水】ボクスイ 川の名。もと、黄河の分流で、河南省北部から山東省東部を流れていたが、黄河の河道が変わり、なくなった。

14 【濹】17画 6776 国字 ボク 濹(6796)の俗字。→八八七ページ中。 — — 4107

15 【瀅】18画 6777 ㊀漢エイ 呉ヨウ(ヤウ) 径 yíng ㊁漢ケイ 呉キョウ(キャウ) 庚 18728 EDEF 4111

字義 ㊀❶小川。❷すむ(澄)。㊁=㊀❶。

解字 形声。氵(水)+熒省音。

15 【瀇】18画 6778 ㊀オウ(ワウ) 養 wǎng ㊁漢コウ(クヮウ) 呉オウ(ワウ) 養 27942 EDF0 4113

字義 ㊀㊁❶水の深く広いさま。❷水たまりの臭気。

解字 形声。氵(水)+廣音。

15 【[illegible]】18画 6779 コウ 灝(6844)と同字。→八九〇ページ上。 27939 — —

15 【灑】18画 6780 サイ 灑(6837)の俗字。→八八九ページ下。 — — —

15 【灒】18画 6781 サン 灒(6838)の俗字。→八九〇ページ上。 — — 4109

15 【瀉】18画 6782 ㊀シャ 馬 ㊁シャ 禡 xiè 6335 E062 —

【泻】6238 俗字

字義 ㊀❶そそ-ぐ(注)。㋐上からそそぎかける。また、降りそそぐ。㋑流す。流し込む。流し出す。また、流れる。流れ出る。❷のぞく。水を取り去る。㊁❶は-く(吐)。もどす。一度食べた食物をはく。❷くだる。くだす。もれる。下痢する。❸塩分を含んだ土。不毛の地。しおつち。国かた。潟(6693)の誤用。

解字 形声。氵(水)+寫音。音符の寫シャは、席に通じ、しきつめるの意味。水を一面にしきつめる、そそぐ・はく・くだすの意味を表す。

【瀉下】シャカ ①そそぎくだる。②下痢する。

【瀉出】シャシュツ そそぎでる。また、そそぎだす。

【瀉土】シャド 塩分を含んだ土。しお土。

【瀉△鹵】シャロ =瀉土。

15 【瀋】18画 6783 シン 寝 shěn 6336 E063 —

字義 ❶しる(汁)。液汁。❷川の名。→瀋水。

解字 篆文  形声。氵(水)+審音。音符の審は、探に通じ、さぐるの意味。果物に含まれる液をさぐりしぼった、しるの意味を表す。

【瀋水】シンスイ 川の名。遼寧リョウネイ省瀋陽市の南を流れて渾河コンガに入る。

【瀋陽】シンヨウ 地名。中国東北地区の遼寧リョウネイ省の省都、瀋陽市。清シン王朝初期は首都で盛京といい、北京遷都後は、奉天といった。

15 【濺】18画 6784 ㊀サン 翰 jiàn ㊁セン 霰 ㊂セン 先 jiān 6337 E064 —

字義 ㊀そそ-ぐ(注)。水をそそぎかける。また、降りそそぐ。

用例 〔史記、廉頗藺相如伝〕得下以二頸血一濺中大王上矣ケイケツをもってダイオウにそそぐことをえん。㊉(私の)この首から流れる血を大王様に注ぎかけさせていただきましょう。/〔唐、杜甫、春望詩〕感レ時花濺レ涙ときにカンじてははなにもなみだをそそぎ、恨レ別鳥驚レ心わかれをうらみてはとりにもこころをおどろかす。㊉(乱れた)時世をいたみ悲しむ心では、(美しい春の)花を見ても涙が流れ、(一家の)離別の状態を恨めしく思うと、(愛らしい春の)小鳥の鳴き声を聞いても心が痛むばかりである。

㊁水が激する。飛び散る。㊂水のはやく流れるさま。

解字 形声。氵(水)+賤音。音符の賤センは、うすいの意味。水が薄い布のようになってそそぐの意味を表す。

【濺濺】センセン ①水のはやく流れるさま。また、水のたぎり流れる音の形容。②涙の流れるさま。

【濺△沫】センマツ 飛び散るしぶき。水しぶき。

15 【瀦】18画 6785 チョ 瀦(6807)の俗字。→八八八ページ上。 — — —

15 【瀍】18画 6786 漢テン 呉デン 先 chán — — 4114

字義 ❶川の名。河南省内を流れる川。❷治める。

解字 形声。氵(水)+廛音。

15 【瀆】18画 6787 標 ㊀漢トク・呉ドク 屋 dú ㊁漢トウ・呉ズ(ヅ) 宥 dòu 18729 — 4112

【涜】6363 俗字

字義 ㊀❶みぞ(溝)。㋐耕作地や村の中の、水を通ずるみぞ。㋑小さいみぞ。どぶ。❷大きな河。江(長江)・河(黄河)・淮ワイ(淮水)・済セイ(済水)を四瀆という。❸にごす(濁)。にごる。❹けが-す(汚)。けがれる。「冒瀆」❺みだす。乱れる。❻あなどる。㊁あな。くぐり穴。

解字 篆文 形声。氵(水)+賣音。音符の賣トクは、蜀ショクに通じ、不快の意味。不快な水、どぶ・けがすの意味を表す。

【瀆告】トッコク・トクコク ①くどくどと言う。②けがしつづける。お耳をけがして申し上げる。貴人にものを言うことの謙称。

【瀆職】トクショク 国官公吏が執務上の不都合な行為をして職務をけがすこと。汚職。

15 【瀑】18画 6788 標 ㊀漢ホク・呉ボク 屋 pù ㊁漢ホウ・呉ボウ 号 bào 慣バク 6338 E065 —

字義 ㊀たき(滝)。瀑布。高所から直下する流水。㊁❶にわか雨。❷水しぶき。❸はやい。風がはげしい。

解字 篆文  形声。氵(水)+暴音。音符の暴は、にわかの意味。水を付し、にわか雨・たきの意味を表す。

【瀑泉】バクセン たき。

【瀑布】バクフ たき。高所から直下する、白い布のような水流の意。

15 【瀊】18画 6789 漢ハン 呉バン 寒 pān 27943 — —

字義 うずまく。

解字 形声。氵(水)+盤音。

15 【瀀】18画 6790 漢ユウ(イウ) 呉ウ 尤 yōu 27941 — 4110

字義 ❶うるおいが多い。恩沢が深い。=優(662)。❷ゆたか。❸ひろい(寛)。❹ひたす(漬)。

解字 形声。氵(水)+憂音。

15 【瀁】18画 6791 ヨウ(ヤウ) 漾 養 yàng 6339 E066 —

字義 ❶水のはてしなく広いさま。❷水のあふれはびこるさま。

解字 形声。氵(水)+養音。

15 【濫】18画 6792 常 ラン ㊀ラン 勘 làn ㊁漢カン・呉ゲン 豏 ㊂漢カン・呉ガン 勘 4584 9794 —

筆順 氵 氵 汀 汀 洍 洍 濫 濫 濫

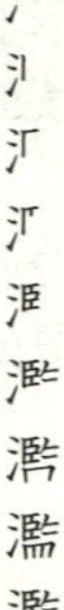

字義 ㊀❶あふれる。広がる。はびこる。「氾濫ハンラン」❷みだ-れる。㋐道理にそむく。あやまちをおかす。㋑度が過ぎる。「濫伐」「濫立」❸みだ-りに。むやみに。やたらに。❹ひたる(漬)。つかる。❺網をしかける。網をしかけて魚をとる。㊁わきでる。わく。また、泉。㊂❶たらい。❷湯あみする。沐浴モクヨク。❸氷を入れる容器。

味を表す。

解字 篆文 形声。氵(水)＋監㊀。音符の監は、のぞきこむの意味。のぞきこんではじめて見える、地中からふきだす泉の意味から、あふれる・みだれる・みだりになどの意味を表す。

【濫獲】むやみに鳥獣や魚類を捕らえること。
【濫挙(擧)】賢愚の区別なしにむやみに人を挙げ用いる。
【濫巾】隠者でないのに隠者の服装をすること。隠者をよそおった生活をすること。にせの隠者。いつわりの世捨て人。
▼巾は、隠者の頭巾。
【濫△觴】大河もその源は觴にあふれる程度の小流であるということばから、物事の初めをいう。一説に、さかずきをうかべるほどの小流の意という。用例〔荀子、子道〕其源可二以濫一觴。その源はさかずきに溢れるほどのわずかな水量に過ぎない。
【濫吹】才能がなくてその位にいること。斉の宣王が竽(笛の一種)を好んだので、南郭処士がその才能もないのに、数百人の楽人とともに楽人として養われたが、宣王の死後、一人ずつ竽を吹けといわれてにげ去った故事による。濫竽。〔韓非子、内儲説上〕
【濫読(讀)】むやみやたらに本をよむこと。選択もせず、目的も立てず、手当り次第に読むこと。
【濫発(發)】①むやみに発射する。②むやみに発行する。
→濫用。
【濫伐】国むやみに木を切ること。
【濫費】むやみに金銭などを使う。むだづかい。
【濫用】むやみに用いること。一定の限度を超えて勝手に使うこと。「職権濫用」◈常用漢字表では、「みだれる」の意には「乱」、「みだりに」の意には「濫」を用いることとしている。「乱戦・混乱・反乱」「濫伐・濫費・濫用」。ただ、国語審議会が一時「乱用」を標準的な表記とし、新聞用語が「乱用」に統一したことなどから「乱用・乱獲・乱作・乱読・乱発・乱立」などの表記が目に付くようになったが、これらは当て字というべきものである。

15【瀏】18画 6793 漢リュウ(リウ) 呉ル 因 有 liú 6340 E067 ―

字義 ❶きよい。きよらか。澄んでいる。すっきりしている。❷ふかい。水が深い。❸すずしい。❹風の速く吹くさま。また、その音の形容。

解字 篆文 形声。氵(水)＋劉㊀。音符の劉は、流に通じ、ながれるの意味。よく流れてきよいの意味を表す。

【瀏覧(覽)】書籍・文書などにひと通り目を通すこと。他人に見てもらう場合に言う語。劉覧。
【瀏瀏】①清らかなさま。清く明らかなさま。②風の速く吹くさま。また、その音の形容。③行動のすばやいさま。
【瀏△亮・瀏△喨】音声が清らかなさま、清く明らかなさま。澄みきって遠くまで聞こえるさま。

15【濾】18画 6794 標 漢リョ 呉ロ 御 lǜ 6341 E068 ―
［沪］6221 簡易 ［浐］6220 俗字

字義 こす。布などの細かい目をくぐらせて液体の中のまざり物を除き去る。

解字 形声。氵(水)＋慮㊀。音符の慮は、クルッとめぐらすの意味。液体を布の中でめぐらせて、こすの意味を表す。

【濾過】こすこと。→字義。

15【濼】18画 6795 一 漢ロク 屋 因 luò 二 漢ラク 薬 luò 三 漢ハク 薬 pō 四 漢レキ・呉リャク 錫 lì ₂7940 ― 4108

字義 一二❶川の名。→濼水。❷淫濼は、痛んで力がないこと。三湖。＝泊(6258)。四やぶそてつ。オシダ科の常緑性シダ植物。

解字 形声。氵(水)＋樂㊀。

【濼水】川の名。山東省内を流れる。

15【濹】18画 6796 国字 ₁8725 ― ―
［濹］6776 俗字

字義 ボク。川の名。隅田川。荒川の分流。東京都墨田区の西辺を流れ、東京湾に注ぐ。

参考 永井荷風の小説に、『濹東綺譚』がある。濹東は、隅田川下流の東岸、墨田区一帯を指す。

解字 形声。氵(水)＋墨㊀。隅田川(墨田川)の意味の「墨水」を一字にしたもの。

16【瀛】19画 6797 漢エイ 呉ヨウ(ヤウ) 庚 yíng
［瀛］6799 俗字

字義 ❶うみ。大海。❷池。沼。湖沼。沼沢。

解字 篆文 形声。氵(水)＋嬴㊀。音符の嬴は、みちる・あまるの意味。ありあまる水、うみの意味を表す。

【瀛海】海。大海。大洋。
【瀛△洲】中国の東方の海にあり、神仙が住んでいると考えられた三神山の一つ。〔列子、湯問〕
【瀛表】海のむこう。海外。

16【瀠】19画 6798 一 漢エイ 呉ヨウ(ヤウ) 庚 yíng 二 漢エイ・呉ヨウ(ヤウ) 迥 ― ― 4116

字義 一めぐる。水がめぐり流れるさま。二大水。洪水。

解字 形声。氵(水)＋縈㊀。音符の縈は、めぐるの意味。水がめぐり流れるの意味を表す。

16【瀛】19画 6799 エイ 6342 E069 ―

瀛(6797)の俗字。→八八七ページ中。

16【瀣】19画 6800 一 漢カイ・呉ガイ 卦 xiè 二 漢カイ(クワイ) 呉ガイ(グワイ) 隊 ₂7944 ― 4117

字義 一二沆瀣は、海の霧。また北方夜半の気。

解字 形声。氵(水)＋韰㊀。

16【瀚】19画 6801 漢カン 呉ガン 翰 hàn 6343 E06A ―

字義 ❶ひろい。広大なさま。「浩瀚」❷あらう(洗)。

解字 形声。氵(水)＋翰㊀。

【瀚海】①ゴビの砂漠をいう。一説に、バイカル湖をいう。②唐代の都護府の名。ゴビの沙漠以北の地を管轄した。初め燕然といった。

16【瀗】19画 6802 漢ケン 呉コン 願 xiàn
［瀗］6803 俗字

字義 川の名。

解字 形声。氵(水)＋憲㊀。

16【瀗】19画 6803 ケン ― ― 4115

瀗(6802)の俗字。→八八七ページ下。

16【瀟】19画 6804 ショウ(セウ) 蕭 xiāo 6347 E06E ―

字義 ❶川の名。→瀟水。❷きよい。清く深い。

解字 形声。氵(水)＋蕭㊀。

【瀟△灑・瀟△洒】さっぱりとして清らかなさま。俗気なく上品なさま。
【瀟△湘】瀟水が湘水に合流した後の湘水の別名。特に湘水の下流、洞庭湖に近い方。また、その沿岸。用例〔唐、銭起、帰雁詩〕瀟湘何事等間回 水碧沙明両岸苔。(雁は)どうして瀟湘の地を気にもとめずに帰っていくのか。川の水はみどりに岸の砂は明るく、両岸に苔むして美しいのに。
【瀟△湘八景】瀟湘の下流の付近の八つのよい景色。平沙の落雁・遠浦の帰帆・山市の晴嵐・江天の暮雪・洞庭の秋月・瀟湘の夜雨・煙寺の晩鐘・漁村の

夕照。日本の近江八景などはこれにならったもの。〔北宋、沈括、夢渓筆談〕
【瀟瀟】雨(風)のさびしく降る(吹く)音のさま。また、風雨のはげしいさま。
【瀟水】川の名。湖南省寧遠県の南の九嶷山に発し、北西流して、永州市で湘水に合流する。

16 【瀞】19画 6805 標 呉ジョウ(ジャウ) 漢セイ 敬 jìng 3852 93D2 —
【瀞】6767 俗字
字義 きよい(清)。＝浄(6308)。国とろ。どろ。川の流れが深くよどみ、波の静かなこと。また、その所。
解字 金文 篆文 形声。氵(水)＋靜(音)。音符の靜は、きよらかの意味。けがれがなくて、きよらかの意味を表す。

16 【潛】19画 6806 セン 潜(6694)の俗字。→八〇ジペー上。 6311 E04A —

16 【瀦】19画 6807 標 チョ 魚 zhū 3585 9295 —
【潴】6702 同字 【瀦】6785 俗字
字義 ❶みずたまり。沼。溜池(ためいけ)。❷たまる。水がたまる。
解字 形声。氵(水)＋豬(音)。

16 【瀕】19画 6808 人 標 ヒン 眞 bīn 4146 956D —
筆順 氵 氵 氵 汁 沖 涉 涉 瀕 瀕
【濒】6820 俗字
字義 ❶みぎわ。なぎさ。水辺。岸。＝浜(6368)。❷そう(沿)。土地が川や海などに沿っていること。❸せまる。さし迫る。近づく。「瀕死」
名前 ちか・はま
解字 金文 篆文 会意。渉＋頁。渉は、水を渡るの意味。頁は、かおの意味。川を渡るときの波のように顔にしわをよせる・しわのように波の寄る、みぎわの意味を表す。
【瀕海】海に沿っている土地。海辺。海浜。
【瀕死】死期が迫る。死にかかる。瀕レ死。垂死。

16 【瀬】19画 6809 常 せ 3205 90A3 —

16 【瀨】19画 6810 人 ライ 泰 lài 18730 EDF1 —
筆順 氵 氵 沪 沖 涑 涑 涑 瀬 瀬
字義 せ。㋐あさせ。砂石の上を水が流れる所。㋑はやせ。急流。国せ。㋐川などの歩いて渡れるほどの浅い所。浅瀬。㋑事に出合あう時。おり。場合。㋒その場所。たのみ所の意。
名前 せ 難読 瀬田(いわた)
解字 篆文 形声。氵(水)＋頼(賴)(音)。音符の賴は、刺に通じ、切れ目が入るの意味。水がくだけて流れるはやせの意味を表す。
逆 迅瀬・石瀬
【瀬戸】(せと) 国①小さな海峡。②「瀬戸物(陶器)」の略。
【瀬戸際】(せとぎわ) 国成功・失敗、また安全・危険などの分かれめ。

16 【瀝】19画 6811 呉リャク 漢レキ 錫 lì 6345 E06C —
字義 ❶こす。したむ。細かなすき間を通らせ不純物を取り除く。❷したたる。また、その音。また、そのしずく。❸ながれる。❹風・雨・川の流れなどの形容。「瀝瀝」 難読 瀝青(アスファルト・チャン)

解字 篆文 形声。氵(水)＋歷(音)。音符の歷は、一つ一つ歩を進めるの意味。物をこして、一滴ずつしたたらせるの意味を表す。

【瀝血】①したたる血。②血をしたたらせる。③血を注ぐ。㋐必ずかたきを討とうとちかうこと。「瀝血の仇」㋑真心をつくすこと。

【瀝青】①松やにに油を加えて作った塗料。黒色でねばっこく、腐朽を防ぐためなどに用いる。②石炭の乾溜、石油の蒸溜のときに釜の底に残る黒色または濃褐色の物質。ピッチ。アスファルト。地中に自然に存在しているものを土瀝青という。

【瀝滴】①したたる。したたり落ちる。②しずく。

【瀝瀝】①液体のしたたり落ちる音の形容。②水の音の形容。泉のわき出る音、浅い小川の流れの音などの形容。③風の音の形容。

16 【瀘】19画 6812 呉ル 漢ロ 虞 lú 6346 E06D —
字義 川の名。→瀘水。
解字 形声。氵(水)＋盧(音)。
【瀘水】川の名。金沙江の下流の古名。金沙江は長江の上流の名で、青海省に発して雲南省の北辺を流れ、四川省の宜賓市に至って岷江と合し、長江となる。

16 【瀧】19画 (6613) ロウ 滝(6612)の旧字体。→八七三ジペー下。

17 【瀯】20画 6813 呉ヨウ(ヤウ) 漢エイ 庚 yíng — — 4118
字義 ❶水のめぐり流れるさま。水のうずまくさま。❷水の流れる音の形容。
解字 形声。氵(水)＋營(音)。

17 【瀴】20画 6814 呉ヨウ(ヤウ) 漢エイ 庚 yíng — — 4119
字義 ❶瀴涬(えいけい)は、大水のさま。❷瀴溟(えいめい)は、水がはるかに遠いさま。
解字 形声。氵(水)＋嬰(音)。

17 【濶】20画 6815 カツ 闊(13014)の俗字。→一五〇三ジペー中。 27945 — —

17 【灌】20画 6816 標 ㊀カン(クワン) 翰 ㊁カン(クワン) 旱 guàn 6285 9FF3 —
【灌】6825 正字 【潅】6621 俗字
字義 ㊀❶そそぐ(注)。㋐そそぎかける。㋑流しこむ。流れこむ。用例(戦国策、趙)殺ニ守レ堤之吏一而決レ水灌ニ智伯軍一。→堤防を守る役人を殺し、川を決壊させて水を智伯の軍に注ぎ込んだ。㋒すすぐ。洗う。「湯灌」㋓酒を地に注いで神を招く。❷ひたす(漬)。❸ささげる。すすめる。❹むらがる。木が群がり生える。「灌木」❺ねんごろなさま。❻なれる。ならう。㊁❶あらう(洗)。手を洗う。❷＝㊀❶㋓。

解字 篆文 形声。氵(水)＋雚(雚)(音)。音符の雚は、巻などに通じ、まるくめぐらすの意味。水をめぐるようにかける、そそぐの意味を表す。

【灌嬰】前漢の高祖の武将。高祖に従って天下の平定に力を尽くし、潁陰侯となる。文帝のとき、丞相となる。(?―前一七六)

【灌園】①畑に水をやる。②畑仕事をする。農業に従事する。

【灌漑】田畑に水を引き入れること。

【灌注】①上から注ぎかける。②流れ込む。流し込む。③ほとばしる。

【灌頂】①インドで、国王の即位に、頭頂に水をそそいだ儀式。②仏㋐真言宗で、仏門にはいる人や地位の上がる修道者の頭上に香水を注ぎかける儀式。㋑墓に水をそそぐこと。

【灌仏(佛)】仏釈迦の像に甘茶を注ぎかけること。釈迦の誕生日である四月八日にこれを行う儀式を「灌仏会」という。

【灌木】①むらがり生えている木。②木の種類の名。たげが低く、根の近くから枝がむらがりはえている木。つつじ・やまぶきなど。低木の旧称。↔喬木キョウボク(三七四ページ中)。

【灌△莽】カンモウ 草木がむらがりはえている地。野原。

17 【瀺】 20画 6817 ㊀漢サン・呉ザン 咸 ㊁漢セン・呉ゼン 琰 chán 2 7947 — —

字義 ㊀❶瀺灂サンサクは、㋐水の落ちる音。小さな水音。㋑石が水中に出没するさま。❷そそぐ。❸手足の液。㊁瀺灂センサクは、魚や鳥の水に浮き沈みするさま。

解字 形声。氵(水)+毚㊥。

17 【瀼】 20画 6818 ㊀漢ジョウ(ジャウ) 呉ニョウ(ニャウ) 陽 ráng ㊁漢ドウ(ダウ) 呉ノウ(ナウ) 養 nǎng 2 7948 — 4122

字義 ㊀❶露の多いさま。❷大きな川に注ぎ込む谷川。㊁❶水の流れるさま。❷どろ(泥)。

解字 形声。氵(水)+襄㊥。

17 【瀰】 20画 6819 漢ビ 呉ミ 支 紙 mí 6348 E06F —

【㳽】 6455 俗字

字義 ❶ひろ-い ひろし。はるか。水のはてしなく広いさま。❷ふかい(深)。みちる。水が満ちているさま。

解字 形声。氵(水)+彌㊥。音符の彌ビは、のびやかにみちわたるの意味。水がひろくふかいの意味を表す。

【瀰瀰】ビビ ①川や湖などの水の満ちているさま。また、水の盛んに流れるさま。②物の満ちあふれるさま。多いさま。さかんなさま。

【瀰△茫】ビボウ 広く果てしないこと。

【瀰漫】ビマン 広がりはびこる。

17 【瀕】 20画 6820 ヒン 瀕(6808)の俗字。→八八八ページ上。

17 【瀹】 20画 6821 ヤク 薬 yuè 2 7946 — 4121

字義 ❶ひた-す(漬)。湯にひたす。ゆびく。❷ゆでる。❸あらう(洗)。すすぐ。❹おさめる。水を治める。治水。❺はやい。ながれの速いさま。❻決壊する。

解字 篆文 形声。氵(水)+龠㊥。音符の龠ヤクは、しめくくるの意味。湯や水にさっとひたして、食物などをひきしめる、ゆびくの意味を表す。

17 【瀷】 20画 6822 ヨク 瀷(6835)の俗字。→八九〇ページ下。 — — 4120

17 【瀾】 20画 6823 標 ㊀ラン 寒 lán ㊁ラン 翰 làn 6349 E070 —

字義 ㊀❶なみ。㋐大波。「狂瀾」㋑小波。さざなみ。=漣(6662)。❷なみだつさま。㊁❶→瀾汗。❷→瀾漫。

解字 篆文 形声。氵(水)+闌㊥。音符の闌ランは、連に通じ、つらなるの意味。水のつらなり、大なみ・さざなみの意味を表す。

【瀾汗】ランカン 同 闌干ランカン。①涙のはらはらと流れ落ちるさま。②波の起こり乱れるさま。波のうねりのさま。

【瀾漫】ランマン ①したたり落ちるさま。②分かれ散るさま。③乱雑でだらしのないさま。④色彩の美しいさま。

17 【瀲】 20画 6824 レン 琰 豔 liàn 6350 E071 —

字義 ❶水のあふれるさま。水のゆれ動くさま。❷うかぶ(泛ハン)。水にうかぶ。❸みぎわ。波うちぎわ。

解字 形声。氵(水)+斂㊥。音符の斂レンは、そろい集まるの意味。波がひたひたと集まる所、みぎわの意味を表す。

【瀲△灩】レンエン ①水の満ちあふれるさま。②さざなみの連なり動くさま。③水の満ちあふれるさま。喜びの色などの顔に満ちあふれるさま。③水の静かにゆれ動くさま。④水面が月や日の光に映じてきらめくさま。日光・月光が波にくだけるさま。用例〔北宋、蘇軾、飲二湖上一初晴後雨詩〕水光瀲灩晴方好スイコウレンエンとして、はれてまさによし山色空濛雨亦奇サンショククウモウとして、あめもまたキなり ↓さざ波に揺れる水面が月や日の光にきらきらと映じ、西湖の景色は晴れた日こそよい。そぼ降る小雨に山々がぼんやりとかすみ、雨の西湖の景色もまたすばらしい。

【瀲瀲】レンレン ＝瀲灩レンエン①②③。

18 【灌】 21画 6825 カン 灌(6816)の正字。→八八八ページ下。 — — 4125

18 【灈】 21画 6826 漢ク 呉グ 虞 qú

字義 川の名。河南省内を流れる川。

解字 形声。氵(水)+瞿㊥。

18 【灂】 21画 6827 漢サク 呉ザク 覚 zhuó

字義 ❶小さな水音。❷大波のぶつかり合う音。

解字 形声。氵(水)+爵㊥。

18 【灄】 21画 6828 ㊀ショウ(セフ) 葉 shè ㊁漢ジュウ(ヂフ) 呉ニュウ(ニフ) 緝 nì — — 4124

字義 ㊀川の名。湖北省・河南省の二源より発する長江の支流。㊁❶渋灄ジュウジュウは、雨露のさま。❷いかだ。

解字 形声。氵(水)+聶㊥。

18 【灊】 21画 6829 漢セン 呉ゼン 塩 qián 8731 — 4127

字義 ❶川の名。→灊水。❷県名。安徽キ省内。

解字 形声。氵(水)+鬵㊥。

【灊水】センスイ 川の名。四川省内を流れる。今の渠ヨ江。

18 【灇】 21画 6830 ソウ 潨(6697)と同字。→八九〇ページ中。 2 7950 — —

18 【灘】 21画 6831 タン 灘(6839)の俗字。→八九〇ページ上。

18 【灋】 21画 6832 ホウ 法(6264)の古字。→六三七ページ下。 2 7951 — 4128

18 【灃】 21画 6833 ホウ 東 fēng 2 7949 — 4123

字義 川の名。→灃水。

解字 形声。氵(水)+豐㊥。

【灃水】ホウスイ 川の名。陝西セイ省内を流れ渭水イスイに注ぐ。

18 【灉】 21画 6834 漢ヨウ 呉ユウ 冬 宋 yōng — — 4126

字義 川の名。黄河の分流。

解字 形声。氵(水)+雝㊥。

18 【瀷】 21画 6835 漢ヨク 呉イキ 職 yì

【瀷】 6822 俗字

字義 ❶川の名。河南省内に発する川。❷急な雨でできた流れ。

解字 形声。氵(水)+翼㊥。

19 【灎】 22画 6836 エン 灩(6846)と同字。→八九〇ページ中。 2 7953 — 4129

19 【灑】 22画 6837 ㊀漢サイ・呉シャ 蟹 ㊁漢サイ・呉シャ 馬 sǎ ㊂シ 紙 xǐ 6351 E072 —

【灑】 6780 俗字

字義 ㊀㊁＝洒(6298)。❶そそ-ぐ。㋐水をまく。㋑したたり落ちる。㋒洗い清める。❷ちる。散らばり落ちる。❸さっぱりしているさま。㊂あらう(洗)。

参考 熟語は〔洒〕(6298)をも見よ。

解字 篆文 会意。氵(水)+麗。麗は、きれいにならぶの意味。水をそそいできれいに整えるの意味を表す。

【灑灑】サイサイ ①木の葉などの散りしくさま。②水などのそそぎ落ちるさま。

【灑灑落落】シャシャラクラク 心がさっぱりしていて物事にこだわらぬこと。洒落シャラク。洒洒落落シャシャラクラク。

【灑然】サイゼン ①さっぱりとして清らかなさま。②雨が吹きつけるさま。

【灑掃応(應)対(對)】サイソウオウタイ ふき掃除をすることと人に応対すること。日常生活に必要な仕事や作法をいう。洒掃応対サイソウオウタイ。〔論語、子張〕

【灑落】シャラク 心がさっぱりしている。

19 【灒】 22画 6838 サン 翰 zàn
【灒】 6781 俗字

字義 そそぐ。はねる。水や泥をはねかける。

解字 形声。氵(水)＋贊㊀音。

19 【灘】 22画 6839 人 標 タン 寒 tān 慣ダン 3871 93E5 —
【灘】 6831 俗字

筆順 氵 汁 泔 漢 漢 漢 灘 灘 灘

字義 ❶せ。はやせ。水が浅く流れが速く、かつ、石や小さい砂州などが多くて、舟行に危険な所。❷す。砂州。中州。水中に土砂が積もってできた小島。❸みぎわ。水辺。岸。国 なだ。㋐せ。はやせ。㋑波が荒くて航海に困難な海洋。

解字 篆文 形声。氵(水)＋難㊀音。音符の難ナンは、なやむの意味。水が浅く舟のなんぎする、せの意味を表す。

【灘声(聲)】ダンセイ 急流のひびき。灘響。

19 【灞】 22画 6840 ハ 灞(6845)と同字。→八九〇ページ中。

19 【灞】 22画 6841 ハ 灞(6845)の俗字。→八九〇ページ中。 27952 — —

19 【灕】 22画 6842 リ 支 lí — — 4130

字義 ❶しみこむ。水がしみこむ。❷したたる。＝漓(6659)。「淋灕リンリ」❸川の名。→灕江。

解字 形声。氵(水)＋離㊀音。

【灕江】リコウ 川の名。広西チワン族自治区の北東部を流れる。なかでも、桂林ケイリン市を流れる一帯は、風光の美しさで有名。灕水。

20 【𣿅】 23画 6843 ソウ 漕(6644)の本字。→八七五ページ下。

21 【灝】 24画 6844 漢コウ(カウ) 呉ゴウ(ガウ) 皓 hào 18732 — 4131
【澔】 6779 同字

字義 ❶ひろい。大きい。平らで大きい。＝浩(6341)。❷天上の清らかな気。＝顥(13514)。❸豆の汁。豆を煮た汁。

解字 篆文 形声。氵(水)＋顥㊀音。音符の顥コウは、ひろいの意味を表す。

【灝気(氣)】コウキ ①広大な気。②天上の清らかな気。また、秋の大気。

21 【灞】 24画 6845 ハ 禡 bà 18733 — 4132
【灞】 6840 同字 【灞】 6841 俗字

字義 川の名。→灞水。

解字 形声。氵(水)＋霸㊀音。

【灞橋】ハキョウ 橋の名。長安(今の西安市)の東郊の灞水にかかる。唐代の人は、送別の時、この橋まで送って来て、柳の枝を折って旅に行く人に贈って別れた。覇橋。

【灞水】ハスイ 川の名。陝西センセイ省藍田ランデン県の東の秦嶺シンレイに発し、北西流して長安(今の西安市)の東方で渭水イスイにそそぐ。覇水。

【灞陵】ハリョウ 同 覇陵。①地名。もと漢の県名。陝西センセイ省咸陽カンヨウ市の東北にあり、秦シンの芷陽シヨウの地。漢の文帝の陵墓が作られてから灞陵といった。②漢の文帝の陵(墓)の名。

22 【灣】 25画 (6551) ワン 湾(6550)の旧字体。→八六三ページ下。

23 【灩】 26画 6846 エン 豔 陷 yàn 18734 — 4133
【灔】 6848 正字 【灎】 6836 同字

字義 ❶ただよう。水や波のただよい動くさま。❷水の満ちているさま。水の連なり続いているさま。

解字 形声。氵(水)＋豔(豓)㊀音。

【灩灩】エンエン ①水がなみなみと満ちているさま。②水が遠くまで連なり続いているさま。③水面(さざなみ)のゆれ動いているさま。④月の光が水にただよってきらきら光るさま。⑤風が絶えずそよそよ吹いて物をゆり動かしているさま。

【灩澦】エンヨ ＝灩澦堆。

【灩澦堆】エンヨタイ 重慶市奉節県の東、長江の瞿唐峡クトウキョウの入口にある大きな岩の名。また、そのあたりの場所の名。水中に岩石が多く水流がはげしく航行の難所として恐れられていたが、今では取り除かれている。

23 【灤】 26画 6847 ラン 寒 luán 18735 — 4134

字義 ❶もれる。もれ流れる。❷川の名。→灤河。

解字 形声。氵(水)＋欒㊀音。

【灤河】ランガ 川の名。河北省内を流れる。

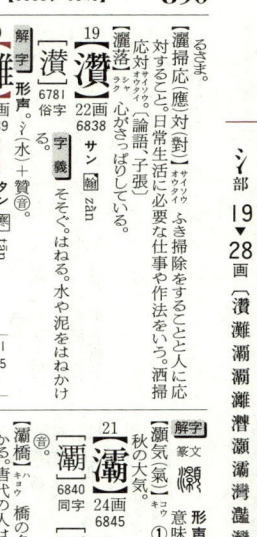

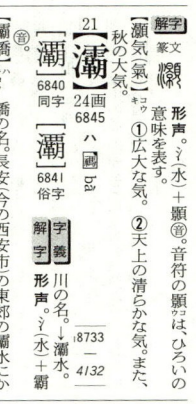

28 【灩】 31画 6848 エン 灩(6846)の正字。→八九〇ページ中。 27955 — —

火 4画 ひ・ひへん

〔部首解説〕 火が脚あし(漢字の下部)になるときは多く灬の形をとり、連火れんがあるいは列火れっかと呼ぶ。もと、火と灬とは同一部首に含まれたが、形の異なる灬を分離して、火部のあとに灬部を設けた。火を意符として、火を用いる道具や動作、火の性質・作用などに関する文字ができている。

燀 九〇二　燈 八九二　燙 九〇二　燉 九〇二　燃 九〇二
燔 九〇二　燓 九〇二　燌 九〇二　燜 九〇二　燗 九〇二
燗 九〇二　燎 九〇二　燐 九〇二　13 燠 九〇二　營 九〇二
燬 九〇二　燦 九〇二　燮 九〇二　燭 九〇三　燧 九〇三
燥 九〇三　燌 九〇三　燐 九〇三　燵 九〇三　14 爀 九〇三
燻 九〇三　燸 九〇三　燼 九〇三　燹 九〇三　爂 九〇三
燿 九〇三　爆 九〇四　15 爍 九〇四　爕 九〇四　爊 九〇四
爉 九〇四　爆 九〇四　爗 九〇四　爈 九〇四　爔 九〇四
16 爓 九〇四　爐 八九四　17 爚 九〇四　爛 九〇四　18 爟 九〇四
爝 九〇四　19 爢 九〇四　20 爤 九〇四　25 爨 九〇四

0 【火】 4画 6849 教1 カ(クワ) 圏 huǒ ひ・ほ　1848 89CE 一

筆順 丶 丷 火 火

字義 ❶ひ。ほのお。ほ。㋐物が燃える時に生ずる光と熱。「火力」「炭火」 ㋑燃える物。灯火・たいまつの類い。㋒火事。火災。「失火」「大火」 ㋓光のあるもの。明かりを出すもの。「蛍火」 ㋔火の模様。㋕はげしい感情。「情火」 ❷五行の一つ。方角では南、時節では夏、星では火星、十干では、丙・丁、十二支では寅(とら)。❸やく(焼)。もやす(燃)。また、やける。もえる。「火食」 ❹いそぐ。せく。「火急」 ❺唐代の兵制で、十人一組の称。❻仏四大(地・水・風・火)の一つ。国七曜の一つ。火曜日の略。

名前 か・ひ・ひかる・ほ　難読 火熨斗(ひのし)・火作(こづくり)・火傷(やけど)・火踏子(こたつ)

使いわけ ひ〔火・灯〕
〔火〕物が燃える時の炎。「火が燃える・火に掛ける」
〔灯〕物を照らす明かり。「灯をともす・街の灯」

解字 甲骨文 篆文 象形。燃えたつほのおの象形で、「ひ」の意味を表す。

逆 陰火・炎火・煙火・活火・挙火・漁火・蛍火・行火・業火・水火・石火・戦火・大火・耐火・鎮火・鉄火・点火・灯火・噴火・兵火・砲火・猛火・野火・烈火

【火雲】(カウン) 夏の雲。また、夏の入道雲。雷雲。

【火炎】(カエン) 火がもえる。また、火のほのお。

【火焰・火燄】(カエン) 火のほのお。ほのお。

【火化】(カカ) ①火で物を煮ること。②火葬。

【火官】(カカン) ＝火正。

【火浣布】(カカンプ) 石綿で織った、火に燃えない布。

【火気(氣)】(カキ) ①火の気。②火の勢い。③怒りっぽい性質。また、怒気。

【火器】(カキ) ①鉄砲の類い。②国火を入れる器物。小さい火鉢の類い。

【火急】(カキュウ) 火のついたように事のきわめて急なこと。焦眉(ショウビ)の急。

【火牛】(カギュウ) 牛の角に刀を結びつけ、尾に油を注いだ葦(あし)を結んで点火し、牛を怒らせて敵中に放ち、それに乗じて敵を攻める法。戦国時代、斉の田単の用いた奇計。「火牛之計(カギュウのケイ)」〔史記、田単伝〕

【火炬】(カキョ) たいまつ。松明(たいまつ)。

【火鶏(鷄)】(カケイ) ①鶏をなわでつなぎ、火をつけて敵中に放って攻める法。②ひくいどり。③七面鳥の別名。

【火伍】(カゴ) 唐代の兵制で、兵十人組と五人組の称。▼伍は五人、火は十人。

【火後】(カゴ) ①寒食節(冬至後、百五日の節)の後。寒食節には火を禁ずるのでいう。②寒食節後に咲く牡丹(ボタン)。↕火前。③火災のあと。

【火坑・火阬】(カコウ) ①火のあな。火の燃えている穴。②仏火の海。焦熱地獄。

【火候】(カコウ) ①火加減。②道家で丹薬をねること。③学問・修養の程度をいう。

【火耕】(カコウ) 田畑の草木をやき、そのあとに種子をまくこと。火種。

【火災】(カサイ) 火のわざわい。火事。

【火車】(カシャ) ㊀①火攻めに用いる車。②汽車。㊁(カシャ・ひのくるま) 仏罪人をのせて地獄に運ぶという車。㊂(ひのくるま) 国家計が非常にくるしいこと。

火車㊀①

【火定】(カジョウ) 仏仏道の信仰者が無余涅槃(ムヨネハン)(小乗の涅槃)に入るとき、自ら火の中に身を投じて死ぬこと。火中で入定(ニュウジョウ)すること。

【火縄(繩)】(カジョウ・ひなわ(は)) 昔、竹や檜皮(ひわだ)の繊維に、硝石を含ませた、鉄砲の導火線。

【火食】㊀(カショク) 火で物を煮て食べること。㊁(カジキ) 仏供物(モクツ)を火に投じて諸尊を供養すること。

【火辰】(カシン) 星の名。心星。↓火星②。

【火燼】(カジン) もえのこり。もえかす。

【火寸】(カスン) つけぎ。また、マッチ。

【火正】(カセイ) 昔の官名。五官の一つ。火星を祭り、火に関する政事をつかさどる。▼正は、長官。〔左伝、昭公二十九〕

【火星】(カセイ) ①惑星の一つ。地球の軌道よりも外側を回っていて、地球にもっとも近い星。②心宿の第二星。今のさそり座のα星。アンタ－レス。大火。

【火箭】(カセン) 火をつけて射る矢。ひや。

【火前】(カゼン) ①寒食節(冬至後、百五日の節)の前。寒食節には火を禁ずるのでいう。②寒食節の前に咲く牡丹(ボタン)。↕火後。

【火葬】(カソウ) 死体を焼いて骨を葬ること。もと仏教の制で、中国では宋(ソウ)代から行われ、日本では文武(モンム)天皇のころから行われた。荼毘(ダビ)。

【火鎗・火槍】(カソウ) 火銃。鉄砲。

【火速】(カソク) 大急ぎ。火急。

【火宅】(カタク) 仏火が充満している居宅。煩悩(ボンノウ)の多い俗界のたとえ。〔法華経〕

【火燵】(コタツ) 国炉の上にやぐらを置き、ふとんをかけて暖をとるもの。炬燵(コタツ)。「コタツ」の「コ」は唐音。

【火中】(カチュウ) ①(もえている)ひのなか。②火星が正南に位すること。

【火長】(カチョウ) 国大宝令の軍隊編成で兵士十人の長。

【火田】(カデン) ①田畑の雑草を焼いて行う狩り。②山林や原野などを焼きはらって田畑にすること。また、その田畑。

【火斗】(カト) ①ひのし。火熨斗(ひのし)。②国炭火をいれて運ぶ道具。十能。

【火徳】(カトク) ①王者が受命の運とする五行の徳の一つ。火の徳。昔、中国では王者は五行の徳の一つを受けて新王朝を建てたといわれる。②太陽の熱。

【火遁】(カトン) 火を利用して姿をくらます術。仙人の五遁(金遁・木遁・水遁・火遁・土遁)の一つ。

【火夫】(カフ) ①火の番人。②国汽車や汽船のかまの火をたく人。火手。

【火兵】(カヘイ) ①火をもって戦う兵。②炊事をつかさどる兵。③火消し。消防士。防火兵。④小銃・機関銃など。

【火薬(藥)】(カヤク) 硝石・木炭・硫黄(イオウ)などをまぜて作った発火薬。

【火曜】(カヨウ) ①火のひかり・かがやき。②火星をいう。七曜の一つ。③曜日の一。火曜日。

【火輪】(カリン) ①太陽の別名。②火のわ。また、火の玉。

【火烈】(カレツ) ①火の勢いのさかんなこと。②物事のはげしいたとえ。

【火炉(爐)】(カロ) ひばち。だんろ。いろり。

【若火之燎于原】 勢いの強い火が野原を焼くのに似ている。罪悪の勢いがさかんで手の下しようのないたとえ。また、物事の勢いのさかんで手の下しようのないたとえ。燎原之火。〔書経、盤庚上〕

2【灰】6画 6850 教6 カイ はい
2〖灰〗6画 6851 カイ(クワイ) 灰 huī
1905 8A44 —

〔炙〕6852 本字

筆順 一 厂 𠂆 𠂇 灰 灰

字義 ❶はい。もえがら。❷活気のなくなったもの、また、静かなさまのたとえ。「死灰」❸はいにする。焼きつくす。❹はいになる。滅びる。国はい。㋐取るにたらないもの。ちりあくた。㋑灰色は、浅黒色、ねずみ色。

名前 はい 難読 灰汁

解字 篆文 形声。火＋ナ(又)音。音符の又は、右手の象形。手でつまむことのできる冷めた火、はいの意味を表す。

逆 死灰

【灰死】 火が消えて灰となる。転じて、復活しないたとえ。また、心の静止して動かないたとえ。

【灰心】 ①冷たい灰のように、無欲で平静な心。無心の極をいう。②元気がなくてしょげている心。失意の極にいう。

【灰身】 身を灰にする。㋐死ぬこと。㋑心身の続く限り骨折り働くことのたとえ。

【灰△塵】 ①灰とちり。②値うちのないもの。取るにたらないもの。

【灰△燼】 ①灰ともえのこり。もえがら。②ほろびる。なくなる。③秦の始皇帝が儒教の経典を焼いたこと(焚書)をいう。

【灰滅】 ①ほろびてなくなる。②身がほろび死ぬこと。③焼きつくす。また、ほろぼしつくす。

【飲レ灰洗レ胃】 灰を飲んで胃を洗い清める。心を改めて善に移るたとえ。〔南史、荀伯玉伝〕

2【炙】6画 6852 カイ 灰(6850)の本字。→八九二ページ上。

2【尭】6画 6853 コウ 光(687)の本字。→一三八ページ下。
₂7957 — 4137

2【灯】6画 6854 教4 トウ ひ
3784 9394 —

㊀12【燈】16画 6855 人 ㊀トウ 燈 dēng 慣チン・トン
㊁2【灯】6画 ㊁トウ 漢テイ・呉チョウ(チャウ) 青 dīng
3785 9395 —

筆順 丶 丷 火 火 灯 灯

字義 ㊀〔燈〕❶ひ。ともしび。あかり。「消灯」「灯火」❷ひともし。油を入れて火をともす具。「行灯」❸ともす。ともる。❹仏仏の教え。仏法。世の中の闇(無明)を照らす意。「法灯」

㊁〔灯〕㊀ひ。はげしい火。烈火。㊁燈の俗字。

使いわけ ひ〔火・灯〕⇩火(6849)。 難読 灯影

解字 ㊀〔燈〕形声。火＋登音。音符の登は、のぼるの意味。照明した対象物をはっきりと視界の中にのぼす火の意味を表す。灯は燈の新字体として用いられる。

㊁〔灯〕形声。火＋丁音。

灯㊀②(漢代)

逆 学灯・寒灯・紅灯・行灯・孤灯・残灯・提灯・点灯・風灯・宝灯・法灯

【灯(燈)影】 ともしびの光。

【灯(燈)下】 ともしびのもと。灯火のほとり。

【灯(燈)火】 ともしび。あかり。

【灯(燈)火可レ親】 灯火のそばで読書するに適当であるとの意。初秋の季節について言った語。用例〔唐、韓愈、符読二書城南一詩〕灯火稍可レ親、簡編可二巻舒一。↓(秋の夜の)灯火の明かりにもようやくなれ親しめるようになったので、書物を開くこともできるだろう。

【灯(燈)花】 灯心のさきにできるもえかすのかたまり。また、灯火のもえはじけること。

【灯(燈)△蛾】 好んで灯火に集まる小虫。ひとり虫。

【灯(燈)△毬】 丸い灯籠。

【灯(燈)△檠】 ともしびをかかげるもの。提灯の類い。灯架。

【灯(燈)△燭】 ともしび。灯火。

【灯(燈)穂(穗)】 ともしびのほのお。灯火。▼穂は、ほのおの形の形容。

【灯(燈)台(臺)】 ①灯火をのせる台。②みさきや島などに設け、強いあかりをつけて航路の標識とした設備。

【灯(燈)台(臺)下暗】 国灯火をともす台の真下は、かえって暗い。手近のことは、かえって知りがたいたとえ。〔世間胸算用、三〕

【灯(燈)明】 ㊀ともしび。また、灯火の明るいこと。㊁仏仏前に供える灯火。また、迷いのやみを照らす知恵の光をいう。

【灯(燈)籠】 木・竹・石・金属などのわくに紙や薄いきれなどを張って、灯火をつける道具。神仏の前や軒先・庭などに置く。

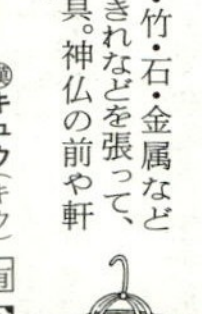
灯籠

3【灸】7画 6856 人 標 漢キュウ(キウ) 呉ク 宥 宥 jiǔ
2168 8B84 —

筆順 ノ ク 久 夂 夂 灸 灸

字義 ❶やいと。もぐさをはだに置いて火をつけ、その刺激で病気をなおす法。❷つける。おしあてでふせぐ。❸ささえる。

名前 あつ

解字 篆文 形声。火＋久音。音符の久は、もぐさで身体の一点を焼いて治療や刑罰として用いる、きゅうの意味。のち、火を付し、その意味を明らかにした。

【灸刺】 ①灸とはり。②病害を除くこと。

【灸△鍼】 灸とはり。針灸。

3【災】7画 6857 教5 サイ わざわ-い サイ 灰 zāi
2650 8DD0 —

〔烖〕6897 本字 〔灾〕6858 同字

筆順 く 巛 巛 巛 災 災 災

字義 ❶わざわい。㋐火事。大きな火事。「火災」㋑さいなん(災難)。禍害。自然におこるわざわい。洪水・地震など。「天災」❷そこなう。傷つける。やぶる。

解字 甲骨文 篆文 籀文 形声。篆文は、火＋𢦏音。音符の𢦏は、また、戈＋才音。戈も才も、災害を防ぐための器具の象形。火を付し、火事のようなわざわいの意味を表す。甲骨文は、火＋才音。籀文は火＋巛音。音符の巛は、わざわいの意味。災は、籀文の省略体。

逆 火災・震災・人災・息災・天災・変災

【災異】 「天災地異」の略。洪水・地震など。これらは、中国では、昔、悪い政治などに対するいましめとして天がくだすものと考えた。災変。災妖。

【災禍】 わざわい。災難。

【災害】(サイガイ) わざわい。天変地異のわざわい。災患。災厄。

【災咎】(サイキュウ) いましめとして天のくだすわざわい。災譴(サイケン)。▼咎は、とがめ。

【災祥】(サイショウ) ①わざわいと、さいわい。禍福。②わざわいのきざし。祥は、きざし。

【災難】(サイナン) わざわい。なんぎ。災禍。

【災厲】(サイレイ) わざわい。災害と疫病。▼厲は、流行病。

3 【灾】 7画 6858 サイ 災(6857)と同字。→八九二ジー下。 ₂7959 — 4140

3 【灼】 7画 6859 [人] [標] シャク [藥] zhuó 2862 8EDC —

筆順

字義 ❶やいと。お灸(キュウ)。❷やーく(焼)。あぶる。❸あきーらか。❹さかんなさま。[国]あらたーか。神仏の霊験(レイゲン)などがあきらかなさま。

名前 あき・あきら・あつ・てる

解字 篆文 形声。火＋勺[音]。音符の勺は、的に通じ、あきらかの意味。火が明るくかがやくの意味を表す。

【灼煥】(シャクカン) 光り輝く。輝き照らす。また、そのさま。[用例]〔杜子春伝〕高九尺余(たかさキュウシャクヨ)、紫焰光発(シエンコウハッし)、灼煥窓戸(ソウコにシャクカンす)。[↓]その高さは九尺あまりで、紫色のほのおが燃えかがやき、窓や戸を照らしていた。

【灼灼】(シャクシャク) ①花がさかんに咲いているさま。[用例]〔詩経、周南、桃夭〕桃之夭夭(もものヨウヨウたる)、灼灼其華(シャクシャクたりそのはな)。[↓]若く生き生きとした桃の木に、今、盛んに輝くような花が咲いている。②明らかなさま。光りかがやくさま。③才能のすぐれているさま。④功名の高いさま。⑤姿が美しくなまめかしいさま。

【灼爍】(シャクシャク) ①なまめかしく美しいさま。②光り輝くこと。

【灼熱】(シャクネツ) ①焼けてあつくなる。また、焼いてあつくする。②やけつくように熱い。「灼熱の太陽」

【灼爛】(シャクラン) 焼きただらす。焼けただれる。

3 【灶】 7画 6860 ソウ 竈(8629)の俗字。→一〇六六ジー中。 ₂7958 — 4139

3 【灵】 7画 6861 レイ 霊(13234)の俗字。→一五三五ジー中。 ₁8736 — 4138

4 【炎】 8画 6862 [常] エン ほのお [一][漢]エン [塩] yán [二][漢]エン [艶] yàn [三][漢]タン・[呉]ダン [覃] tán 1774 898A —

筆順

字義 [一]❶もーえる。もゆ。もえ上がる。「炎上」❷やく(焼)。❸あつい(熱・暑)。「炎天」❹さかんな形容。❺南方。炎は火で、火は五行では南方にあたるのでいう。[二]ほのお。ほむら。＝焰(6920)。「火炎」「陽炎」[三]→炎炎[三]。[国]からだのどこかに熱や痛みを起こす病気。「肺炎」「炎症」

名前 えん

参考 現代表記では〔焰〕(6920)の書きかえに用いる。「火焰→火炎」「気焰→気炎」

解字 甲骨文 金文 篆文 会意。火＋火。もえあがるほのおの意味を表す。炎の意味と音符とを含む形声文字に、剡(エン)・啖(タン)・毯(タン)・淡・郯(エン)などがある。

[逆]煙炎・火炎・気炎・陽炎

【炎炎】(エンエン) [一]①火がさかんに燃えあがるさま。②非常に暑いさま。③光りかがやくさま。④進むさま。⑤ひらひらと風になびくさま。[二](タンタン) 弁舌のたくみなさま。また、美しくさかんなさま。[用例]〔荘子、斉物論〕大言炎炎(タイゲンはタンタンたり)。[↓]りっぱな言葉は美しい。

【炎火】(エンカ) さかんに燃えあがる火。火炎。

【炎夏】(エンカ) あつい夏。真夏。また、あつさ。

【炎旱】(エンカン) ひでり。旱天。

【炎漢】(エンカン) 漢の王朝の別名。▼炎は、火で、漢は火徳をもって王となったのでいう。

【炎暑】(エンショ) きびしいあつさ。炎熱。

【炎症】(エンショウ) 細菌や薬品などで、体の一部が発熱したり、はれたり、赤くなったり、痛んだりする症状。

【炎上】(エンジョウ・エンショウ) ①火が燃えあがる。やける。②[国]宮殿や社寺など、大建築物の火災をいう。

【炎精】(エンセイ) ①太陽。日。②火徳の運。③漢の徳(火徳)。

【炎帝】(エンテイ) ①中国古代伝説上の帝王の名。神農。火徳をもって王となったという。〔補史記、三皇本紀〕②夏をつかさどる神。③太陽。

【炎天】(エンテン) ①夏の(暑い)空。②夏の太陽、また、日ざし。③南方の空。

【炎毒】(エンドク) あつさあたり。酷暑のくるしみ。

【炎熱】(エンネツ) 夏のきびしい暑さ・暑気。炎暑。

【炎風】(エンプウ) ①東北の風。八風の一つ。②熱風。

【炎氛】(エンプン) 燃え上がるほのおの熱気。厳しい暑気。

【炎涼】(エンリョウ) ①暑いこととすずしいこと。②人生の栄枯盛衰をいう。また、人情のあついこととうすいこと。

4 【炘】 8画 6863 [漢]キン [呉]コン [文] xīn — — 4148

字義 ❶あぶる。❷光の盛んなさま。❸熱い。

解字 形声。火＋斤[音]。

4 【炅】 8画 6864 [一][漢]ケイ [呉]キョウ(キャウ) [迥] jiǒng [二][漢]ケイ [呉]ケ [霽] guì ₁8737 EDF2 4142

字義 [一]❶あらわれる(現)。光があらわれる。❷ひかる(光)。❸熱。❹炅炅は、人の体の元気のさま。[二]❶煙の出るさま。❷あきらか。❸姓。

解字 会意。日＋火。

4 【炔】 8画 6865 [一][漢]ケイ・[呉]ケ [霽] guì [二][漢]ケツ・[呉]ケチ [屑] xuè — — 4144

字義 [一]煙が出るさま。[二]煙のさま。

解字 形声。火＋夬[音]。

4 【炛】 8画 6866 コウ 光(687)の俗字。→一三八ジー下。 — — 4149

4 【炕】 8画 6867 コウ(カウ) [漾] kàng ₂7962 — 4145

字義 ❶あぶーる。かわかす。火にあぶりかわかす。❷かわく。かわき枯れる。❸たつ(絶)。たえる。❹たかぶる。ほこる。❺オンドル。床下に熱を通して暖をとる装置。＝亢(139)。

解字 篆文 形声。火＋亢[音]。音符の亢(コウ)は、高めるの意味。火力を高めて、かわかすの意味を表す。

【炕暴】(コウボウ) たかぶって横暴なこと。

【炕陽】(コウヨウ) ①太陽の熱がはげしくて、物をかわかし枯らすこと。②下の者にむごく当たること。自ら尊大ぶること。

4 【炗】 8画 6868 コウ 光(687)の古字。→一三八ジー下。 ₂7963 — 4147

4 【炙】 8画 6869 [一][漢]セキ・[呉]シャク [陌] zhì [二]シャ [禡] 6353 E074 —

字義 [一]❶あぶーる。やく。❷あぶり肉。火で焼いた肉。❸ちかづく。親しみ近づく。親しく教えを受ける。「親炙」❹いかる(怒)。

解字 篆文 会意。夕(肉)＋火。肉を火の上におき、あぶるの意味を表す。

【炙輠】(シャカ) 車の油をさす所(輠(カ))を火であぶる。油が流れ出てとまらないことから、知恵や弁舌のきわまりないたとえ。▼輠は、棵とも書く。〔史記、荀卿伝、注〕
【炙膾】(シャカイ) 火であぶってこまかく切った肉。
【炙背】(シャハイ) ①太陽で背中をあぶる。転じて、気持ちのよいこと。②背中を火で焼く。転じて、苦しいこと。

4 【炒】8画 6870 標 漢ソウ(サウ) 呉ショウ(セウ) 因 chǎo 6354 E075 —

字義 ❶いる。いためる。土なべなどであぶりこがす。❷さわぐ。口やかましい。

解字 形声。火+少音。 難読 炒子(いりこ)・炒飯(チャーハン)

4 【炊】8画 6871 常 スイ たく スイ 図 chuī 3170 9086 —

筆順 丶 丷 火 火 炒 炊 炊

字義 ❶かしぐ。たく。めしをたく。「炊事」「自炊」 ❷もやす。❸ふく。＝吹(1371)。

名前 い・かし・かしぎ・とぎ・とぐ

参考 現代表記では、炊事の意の「たく」に〔炊〕を用い、火をもやす意の〔焚く〕は仮名書きが一般的。「炊きこみ御飯・火をたく」

解字 篆文 形声。火+欠(吹省)音。音符の吹は、ふくの意味。火を吹いて、かしぐの意味を表す。

逆 自炊・新炊

【炊△烟・炊煙】スイエン めしをたく煙。かまどの煙。

【炊金△饌玉】スイキンセンギョク 黄金をたいて食べ珠玉を食物とする。すばらしい食事をほめていう。また、他人の歓待を感謝することば。〔唐、駱賓王、帝京篇詩〕

【炊△桂】スイケイ 桂かつらで飯をたくこと。桂は高価な木であったことから、物価が高くて(他国での)生活に苦労することのたとえ。〔戦国策、楚〕

【炊△爨】スイサン 飯をたく。食事ごしらえ。▼爨も、かしぐ。

【炊△甑】スイソウ 食べ物を蒸す容器。蒸籠せいろう。

【炊累】スイルイ ほこりの舞いあがること。また、そのちりやほこり。吹累。〔荘子、在宥〕

4 【炖】8画 6872 一トン 冈 tūn 二漢トン・呉ドン 冈 dùn — — 4146

字義 一❶風が加わって火が盛んになるさま。❷赤。火の燃える色。二食品調理法の一種。

解字 形声。火+屯音。

4 【炆】8画 6873 漢ブン 呉モン 図 wén 27961 — 4143

字義 あたたかい。

解字 形声。火+文音。

4 【炉】8画 6874 常 ロ 4707 9846 —

16 【爐】20画 6875 漢ロ 呉ル 国 lú 6404 E0A2 —

筆順 丶 丷 火 灬 炉 炉 炉 炉

字義 ❶いろり。❷ひばち。用例〔杜子春伝〕其上有二正堂一、中有二薬炉一。↓上には大広間があり、中には仙薬を精製する薬炉が置かれていた。❸香炉。

解字 形声。火+盧音。音符の盧ロは、クルッととりまくの意味。火力がにげないように周囲を囲んだ設備、いろりの意味を表す。常用漢字の炉は俗字による。

逆 火炉・香炉・地炉・風炉

【炉頭】ロトウ いろりのほとり。ろばた。炉辺。

【炉辺(邊)】ロヘン いろりのほとり。ろばた。炉頭。「炉辺談話」

5 【烠】9画 6876 エン 煙(6937)と同字。→八九七ページ下。 27965 — —

難読 烠田(かまた)

5 【炴】9画 6877 漢ヨウ(ヤウ) 呉オウ(アウ) 養 yǎng — — 4154

字義 ❶火の光。❷気のさま。

解字 形声。火+央音。

5 【炬】9画 6878 標 漢キョ・呉ゴ 慣コ 語 jù 6357 E078 —

【炬】6879 正字

字義 ❶かがりび。たいまつ。「炬火」❷ともしび。❸やく(焼)。

解字 形声。火+巨(巨)音。音符の巨は、大きいの意味。大きい火。たいまつの意味を表す。

難読 炬火(たいまつ)

【炬火】キョカ たいまつの火。松明たいまつ。

【炬眼】キョガン かがり火のような眼。物事を明らかに見わける才能をいう。

【炬光】キョコウ たいまつの光。炬燭キョショク。

【炬△燵】コタツ 国炉の上にやぐらを置き、ふとんをかけて暖をとる設備。火燵コタツ。

5 【炬】9画 6879 キョ 炬(6878)の正字。→八九四ページ中。

5 【炯】9画 6880 【烱】6910 俗字 漢ケイ 呉キョウ(キャウ) 迥 jiǒng 6355 E076 —

字義 ❶ひかり。❷あきらか。「炯炯」

解字 篆文 形声。火+同音。音符の同ケイは、熒ケイに通じ、かがやく火の意味。ひかり・あきらかの意味を表す。

【炯介】ケイカイ かたく節操を守ること。▼介は、ひとり(独)。

【炯眼】ケイガン するどい目。物ごとを明らかに見ぬく目。

【炯炯】ケイケイ ①光りかがやくさま。②眼光のするどいさま。③明らかではっきりしているさま。

【炯然】ケイゼン ①明白なさま。②明るいさま。光りかがやくさま。③眼光のするどいさま。

5 【炫】9画 6881 漢ケン 呉ゲン 霰 銑 xuàn 8739 EDF3 4151

字義 ❶かがやく。ひかる。❷てらす。かがやかす。また、かがやき。火の光。❸とかす。❹てらう。ほこる。＝衒(3425)。❺目がくらむ。まぶしい。＝眩(7981)。

解字 篆文 形声。火+玄音。音符の玄は、おくふかいの意味。おくふかい火の光の意味を表す。

【炫怪】ゲンカイ 奇怪なことを行って人を驚かすこと。

【炫炫】ゲンゲン 光りかがやくさま。

【炫目】ゲンモク 目をくらます。また、目がくらむ。まぶしい。眩目ゲンモク。

【炫△耀・炫△燿】ゲンヨウ 光りかがやく。また、かがやき。

【炫惑】ゲンワク くらみまどう。くらましまどわす。眩惑ゲンワク。

5 【炸】9画 6882 標 一サク zhà 二ソウ(サフ) zhā 6358 E079 —

字義 一はじける。火薬で爆発させる。爆発する。「炸裂」二油であげる。また、あげもの。

解字 形声。火+乍音。

【炸薬(藥)】サクヤク 強烈な火薬。爆薬。

【炸裂】サクレツ 爆発して裂ける。炸発。

5 【炷】9画 6883 シュ 遇 麌 zhù 8740 — 4155

字義 ❶灯心。灯油にひたしてあかりをつけるもの。❷ともしび。❸たく(焚)。やく(焼)。ともす。❹香のひとくゆり。線香などを数える単位。

解字 形声。火+主音。音符の主は、炷の原字で、ともしび・灯心の意味を表す。主があるじの意味などを表すようになったため区別して火を付した。

5 【炤】9画 6884 一ショウ(セウ) 嘯 zhào 二ショウ(セウ) 蕭 zhāo 8738 — 4150

字義 一てる。てらす。＝照(7068)。二あきらか。＝昭(4714)。

解字 形声。火+召音。

5 【炻】9画 6885 セキ 陌 shí 27964 ED46 —

字義 炻器セッキは、吸水性のほとんどない粘土器。

解字 形声。火+石音。

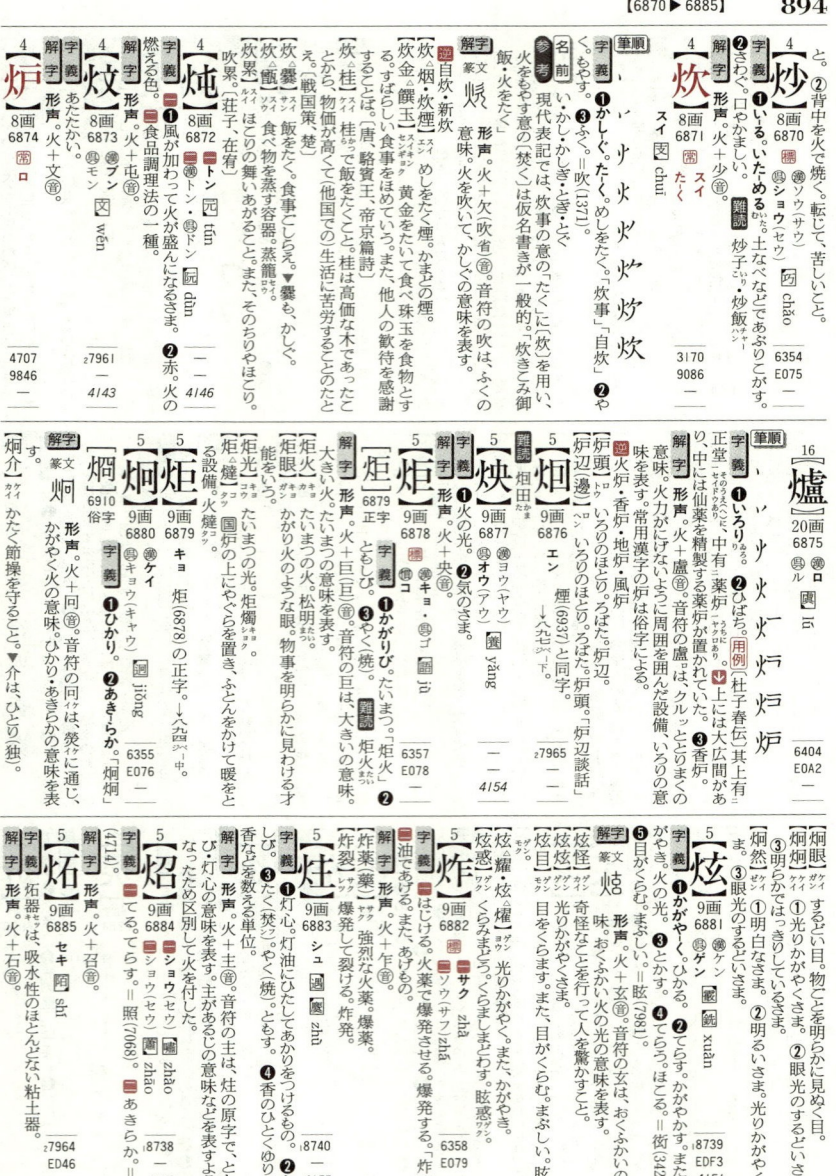

5 **【炱】** 9画 6886 漢**タイ** 呉ダイ 灰 tái ₂7967 — 4153

字義 ❶すす。❷黒い。

解字 **形声**。火＋台音。

5 **【炟】** 9画 6887 漢**タツ** 呉タチ 曷 tá ₂7966 — —

字義 ❶火が起こる。❷さける。はじける。

解字 **形声**。火＋旦音。

5 **【炭】** 9画 6888 教3 タン すみ 3526 9259 —

5 **〖炭〗** 9画 6889 **タン** 翰 tàn

筆順 丨 山 山 山 屵 屵 岸 炭 炭

字義 ❶**すみ**。㋐木をむしやきにして作った燃料。「木炭」㋑すみび。おき。㋒きたないもののたとえ。❷灰。❸石炭。「炭坑」❹化学元素の一つ。炭素。「炭化」 難読 炭櫃すびつ・炭団たどん

解字 篆文 **会意**。屵＋火。屵は、けずりとられた「がけ」の象形。がけから掘りだした石炭の意味を表す。

逆 骨炭・塗炭

【炭車】タンシャ 炭すみを積んだ荷車。

【炭坑】タンコウ 石炭を掘りだすあな。

【炭鉱（鑛）・炭△礦】タンコウ 石炭を掘り出す鉱山。

【炭田】タンデン 炭層のたくさんある地域。

5 **【炳】** 9画 6890 漢**ヘイ** 呉ヒョウ(ヒャウ) 梗 bǐng 6359 E07A —

字義 ❶**あき-らか**。はっきりしている。光りかがやく。＝昺(4725)。❷とる。手に持つ。＝秉(8438)。→炳燭ヘイショク。

解字 篆文 **形声**。火＋丙音。音符の丙は、ひろがるの意味。ひろがる火、あきらかの意味を表す。

【炳△焉】ヘイエン あきらかなさま。

【炳若二日星一】ヘイとしてジッセイのごとし 天にかがやく日や星のように明らかなこと。

【炳△燭】ヘイショク 同秉燭ヘイショク。①ともしびを手にとって照らす。②晩学のたとえ。春秋時代、晋シンの平公が晩学を嘆いたとき、師曠シコウが、若いころの勉学を朝日の光に、壮年の勉学を日中の光に比し、晩年の勉学を夜の灯火の明かりにたとえてその有意義なことを述べ、励ました故事に基づく。〔説苑、建本〕

【炳炳】ヘイヘイ ①明るくかがやくさま。②著明なさま。

5 **【炮】** 9画 6891 ㊀漢**ホウ**(ハウ) 呉ボウ(バウ) 肴 páo ㊁**ホウ**(ハウ) 効 pào 6360 E07B —

字義 ㊀❶**あぶ-る**。やく。丸やきにする。❷火にかけて練って薬品を作る。❸はじける。炸裂サクレツする。㊁❶やく。❷おおづつ。大砲。＝砲(8162)・礮(8317)。

解字 篆文 **形声**。火＋包音。音符の包は、つつむの意味。獣の毛に包まれたままに焼く、まるやきの意味や、物を包んで焼くの意味を表す。

【炮△柴】ホウサイ 柴しばをやいて天を祭ること。

【炮殺】ホウサツ あぶりころす。焼き殺す。

【炮△烙】ホウラク ㊀火あぶりの刑。銅柱に油をぬり、炭火の上にかけて罪人を歩かせ、足がすべって火中に落ちて焼け死なせる酷刑。殷インの紂王チュウオウが行ったという。〔韓非子、喩老〕㊁ホウロク 国すきやき用の平たい土なべ。焙烙ホウロク。

5 **【畑】** 9画 (7632) **はた** 田部。→九七〇ページ中。

6 **【烓】** 10画 6892 ㊀漢**エイ**(ヱイ) 呉エ(ヱ) 斉 wēi ㊁漢ケイ 呉キョウ(キャウ) 迥 ₂7972 — 4158

字義 ㊀㊁おきかまど。携帯用の明かりとりの小さなかまど。

解字 **形声**。火＋圭音。

6 **【烟】** 10画 6893 **エン** 煙(6937)と同字。→八九七ページ下。 6361 E07C —

難読 烟田かまだ

6 **【烜】** 10画 6894 ㊀漢**ケン** 呉カン(クワン) 阮 xuǎn ㊁**カン**(クワン) 翰 ₂7973 — 4163

字義 ㊀❶**かわ-く**。かわかす。❷火のさかんなさま。❸あきらか。㊁ひ。神を祭るのに用いる火。また、それをつかさどる官。

解字 **形声**。火＋亘音。音符の亘カンは、めぐるの意味。火をめぐらす、かわかす・あきらかの意味を表す。

6 **【烤】** 10画 6895 **コウ**(カウ) 号 kǎo ₁8743 — 4164

字義 **あぶ-る**。火であぶる。

解字 **形声**。火＋考音。音符の考は、おいるの意味。老人のはだの色のようになるまでに、あぶるの意味を表す。

6 **【烘】** 10画 6896 漢**コウ** 呉グ 東 hōng ₁8742 — 4162

字義 ❶かがりび。❷たく。かがりびをたく。また、火をもやす。❸あぶる。火でかわかす。また、火で暖める。

解字 篆文 **形声**。火＋共音。音符の共は、大きいの意味。火を大きくして、かがり火とするの意味を表す。

6 **【烖】** 10画 6897 **サイ** 災(6857)の本字。→八九三ページ下。 — — 4161

6 **【倐】** 10画 6898 **シュク** 條(7179)の俗字。→九三六ページ下。 ₂0157 — 1748

6 **【烬】** 10画 6899 **ジン** 燼(7023)の俗字。→九〇三ページ下。 ₂7969 — —

6 **【烔】** 10画 6900 漢**トウ** 呉ドウ 東 tóng ₁8741 — 4159

字義 ❶あついさま。熱気の激しいさま。❷やく(焼)。

解字 **形声**。火＋同音。

6 **【烕】** 10画 6901 漢ベツ 呉メチ 慣**メツ** 屑 miè — — 4160

字義 ＝滅(6605)。❶ほろびる。❷消える。

解字 **形声**。火＋伐音。音符の伐は、取り除くの意味。

6 **【烊】** 10画 6902 **ヨウ**(ヤウ) 陽 yáng ₂7970 — 4156

字義 ❶あぶる。❷とかす。金属をとろかす。

解字 **形声**。火＋羊音。

6 **【烑】** 10画 6903 **ヨウ**(エウ) 蕭 yáo ₂7971 — 4157

字義 かがやく。ひかる。

解字 **形声**。火＋兆音。

6 **【烙】** 10画 6904 **ラク** 慣ロク 薬 lào, ①㋐luò 6364 E080 —

字義 ❶**や-く**。㋐鉄を熱してからだに焼きつける。また、その刑罰。ひあぶりの刑。「炮烙ホウラク」㋑患部にさして病気をなおす鉄の針を熱する。また、熱した鉄の針を患部にさす。❷やきばり。やきがね。

解字 篆文 **形声**。火＋各音。音符の各は、つきだすの意味。火をつきだして、からだにやきを入れるの意味を表す。

【烙印】ラクイン ①牛馬などのからだに焼きつける印。②刑罰として罪人の額などに押した焼き印。③ぬぐいさることのできない不名誉のたとえ。「烙印を押される」

6 **【𤇾】** 10画 6905 ₂7968 — —

字義 螢(蛍)・榮(栄)などの漢字の一部分。

7【焆】11画 6906 ㊀㊥エツ(ヱツ) ㊦エチ(ヱチ) 屑 yè ㊁ケン 先 juān ₂7976 — 4169
字義 ㊀❶けむり。けむりのさま。❷燃え始める。㊁あきらか。照らす。
解字 形声。火＋肙㊥。

7【焔】11画 6907 エン 1775 898B —
焰(6920)の俗字。→八九六㌻・中。

7【焃】11画 6908 ㊀㊥カク・㊦キャク 陌 hè ㊁カク(クヮク) 陌 huò ₂7974 — 4166
字義 ㊀❶火の赤いさま。❷明らか。輝く。㊁火の光。
解字 形声。火＋赤(赫省)㊥。

7【〓】11画 6909 キ ₂7978 — —
熙(7074)の古字。→九三三㌻・上。

7【烱】11画 6910 ケイ 6356 E077 —
炯(6880)の俗字。→八九四㌻・中。

7【𤇾】11画 6911 ケイ ₂7980 — —
熒(6944)と同字。→八九八㌻・下。

7【焅】11画 6912 ㊀コク 沃 kù ㊁コウ(カウ) 号 kào — — 4168
字義 ㊀熱気。旱気。㊁かわかす。
解字 形声。火＋告㊥。

7【焌】11画 6913 ㊀シュン 震 jùn ㊁ソン 願 ㊂㊥シュツ・㊦シュチ 質 qū ₂7979 — 4172
字義 ㊀㊂❶やく。くべる。火で焼く。また、その火。❷占いの亀の甲を焼く。㊁火が消える。
解字 形声。火＋夋㊥。

7【焇】11画 6914 ショウ(セウ) 蕭 xiāo ₂7977 — 4170
字義 ❶かわく(乾)。❷とかす(溶)。金属を溶かす。❸日光にあてる。
解字 形声。火＋肖㊥。

7【焋】11画 6915 ㊥ショウ(シャウ) ㊦ソウ(サウ) 漾 zhuàng — — 4171
字義 ❶火のさま。❷米を甑の中に盛る。❸蒸す。
解字 形声。火＋壮㊥。

7【焫】11画 6916 ㊥ゼツ ㊦ネチ 屑 ruò ₁8745 — 4176
字義 やく(焼)。
解字 形声。火＋芮㊥。

7【烽】11画 6917 ホウ 冬 fēng 6366 E082 —
［逢］6983 本字 ［熢］6984 同字
字義 ❶のろし。敵の攻め寄せるのを味方に知らせるために、高くあげる火。「烽火」❷いましめ。敵襲に対する警戒。 難読 烽火
解字 篆文 形声。火＋夆㊥。音符の夆は、峰に通じ、みねの意味。みねのように高くあがっていくのろしの意味を表す。篆文は火＋逢㊥。烽は逢の省略体。
【烽煙・烽△烟】ホウエン のろしのけむり。転じて、辺境に事変のあるたとえ。
【烽火】ホウカ ①のろし。②兵乱。戦争。 用例〔唐、杜甫、春望詩〕烽火連二三月一、家書抵二万金一(烽火三月に連なり、家書万金に抵る)。↓のろしの火は春の三か月の間、うち上げ続けられていて(戦乱はおさまるようすもないので)、家族からの便りは、一万金に相当するほど(貴重なもの)に思われる。
【烽起】ホウキ のろしがあがる。転じて、兵乱がおこる。
【烽警】ホウケイ のろしをあげていましめる。また、のろしによるいましめ。転じて、辺地の警戒。
【烽鼓】ホウコ ①のろしと攻め太鼓。②兵乱。戦争。
【烽楼(樓)】ホウロウ のろしを打ち上げて警報を出す物見台。

7【烺】11画 6918 ロウ(ラウ) 養 lǎng — — 4165
字義 烺烺は、火が明るく輝くさま。
解字 形声。火＋良㊥。

8【煐】12画 6919 ㊥エイ ㊦ヨウ(ヤウ) 庚 yīng ₂7983 — 4188
字義 人名。
解字 形声。火＋英㊥。

8【焰】12画 6920 人 標 エン 艶 yàn ₁8749 — 4179
筆順
［燄］6991 同字 ［爓］7037 同字 ［焔］6907 俗字 ［焰］6939 俗字 ［熖］6940 俗字 ［燄］6964 古字
字義 ❶ほのお。ほむら。❷火がすこしもえあがるさま。❸ひかり。火の光。「焰焰」
参考 現代表記では〔炎〕(6862)に書きかえる。「火焰→火炎」「気焰→気炎」。熟語は〔炎〕をも見よ。
解字 形声。火＋臽㊥。

8【焱】12画 6921 エン 艶 yàn ₂7982 — 4180
字義 ❶ひばな(火花)。ほのお。❷火がさかんにもえあがるさま。
解字 篆文 会意。火＋火＋火。

8【焮】12画 6922 ㊥キン ㊦コン 問 xìn ₁8748 — —
字義 ❶やく。あぶる。❷てらす。かがやく。
解字 形声。火＋欣㊥。

8【焭】12画 6923 ケイ — — 4177
熒(6944)と同字。→八九八㌻・下。

8【〓】12画 6924 ㊀㊥コ・㊦ク 麌 gǔ ㊁㊥ケイ ㊦キョウ(キャウ) 迥 xiòng — — 4181
字義 ㊀人名。㊁火の光。
解字 形声。日＋炅㊥。音符の炅は、光の意味。

8【焜】12画 6925 ㊥コン ㊦ゴン 阮 kūn 6367 E083 —
字義 ❶かがやく。ひかる。「焜昱」❷あきらか。あきらかにする。❸焜黄は、草木が黄ばんでおとろえるさま。
解字 篆文 形声。火＋昆㊥。音符の昆はむらがり集まるの意味。むらがり集まる火、かがやくの意味を表す。
【焜△昱】コンイク 光りかがやく。まばゆいまで光輝がある。
【焜炉(爐)】コンロ 国物を煮るのに用いる鉄または土製の小さい炉。しちりん。

8【焠】12画 6926 ㊥サイ ㊦スイ 隊 cuì ₁8747 — 4175
字義 ❶にらぐ。焼いた刀剣の刃を水にいれて堅くする。 用例〔史記、刺客伝〕使二工以一レ薬焠レ之(工をして薬を以て之を焠がしむ)。↓刀工に毒薬を塗って焼きを入れさせた。❷焼く。❸そめる。ぬりつける。しみこませる。
解字 篆文 形声。火＋卒㊥。音符の卒は、まったく尽きるの意味。刀の刃をきたえるため、熱しては水に浸すとき、一気に焼いた刃の熱が尽きるさまから、にらぐの意味を表す。
【焠掌】サイショウ 刻苦勉励して学問すること。孔子の門人の有若が、勉強中、ねむけをさますために掌を焼いた故事による。 用例〔荀子、解蔽〕有子悪レ臥而焠レ掌(有子は臥を悪みて掌を焠く)。↓(孔子の門人の)有子は、(勉強中、)眠気を覚ますためにてのひらを焼いた。

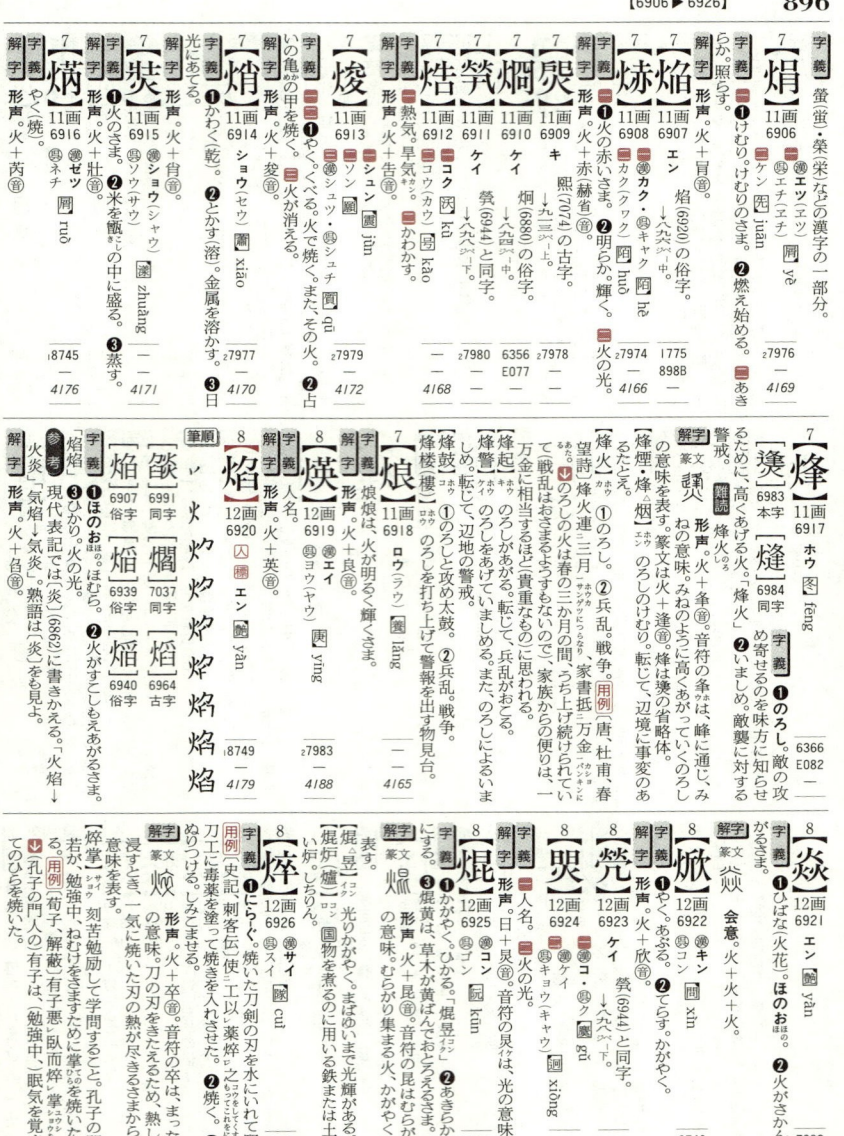

8【焯】12画 6927 シャク 薬 zhuó ₂7981 — 4178

字義 ❶あき-らか。明るく輝く。❷やく(焼)。❸火の気。

解字 篆文 形声。火+卓㊀。音符の卓は、高くあがるの意味。火が高くあがる、明るく輝くの意味を表す。

【焯焯】シャクシャク 明るく輝くさま。

8【焼】12画 6928 教4 ショウ や-く・や-ける ㊀ショウ(セウ) 蕭 shāo 3038 8FC4 —

12〔燒〕16画 6929 人 ㊁ショウ(セウ) 嘯 6386 E096 —

筆順 丷 火 火一 火十 火土 焐 焼 焼 焼

字義 ㊀❶や-く。や-ける。㋐たく。もやす。燃える。「燃焼」㋑火にあぶる。また、火で熱くなる。㋒心をこがす。もだえる。❷もやなどが日に映じて赤くなること。「夕焼」❸赤い。炎のように赤い。❹病熱。❺酒の一種。「焼酎」㊁❶野火。また、野を焼く。❷熱い。国❶や-く。㋐たちはたらく。世話をやく。㋑ねたむ。しっとする。❷や-き。刃物の刃をやいて堅くすること。❸く-べる。もやすために、火の中に薪などを入れる。

名前 やき 難読 焼尻やぎしり・焼津やいづ・焼売シュウマイ

解字 篆文 形声。火+尭(堯)㊀。音符の堯は、高いの意味。火を高くあげる、やくの意味を表す。

逆 延焼・類焼

【焼夷】ショウイ やきはらう。▼夷は、たいらげる。
【焼棄】ショウキ やきすてる。焼却。
【焼却】ショウキャク やきすてる。
【焼香】ショウコウ ①香をたく。②仏香をたき仏にたむけること。
【焼残(殘)】ショウザン ㊀やきほろぼす。▼残は、そこなう(害)。㊁やけのこり 国やけたあとに残ったもの。
【焼失】ショウシツ やけてなくなる。やけうせる。焼亡。
【焼尽(盡)】ショウジン やきつくす。
【焼酎】ショウチュウ 酒かす・さつまいもなどを蒸留して造ったアルコール分の強い酒。焼酒。火酒。
【焼溺】ショウデキ やけたりおぼれたりする。
【焼尾】ショウビ ①唐代、初めて大臣に任命された人が食を天子に献ずること。②唐代、士人の子弟で初めて進士に及第したときの祝宴。③魚が竜門で竜となるとき、雷がその尾を焼くという伝説。
【焼眉之急】ショウビのキュウ すておけない急場のこと。事態がさし迫っていること。焦眉之急ショウビのキュウ。

8【焞】12画 6930 ㊀トン 元 tūn ㊁漢シュン・呉ジュン 真 tūn ㊂漢タイ・呉ツイ 灰 tuī ₁8746 — 4174

字義 ㊀❶占いで、亀を焼く火。❷あき-らか(明)。❸火の色。㊁焞焞タイタイは、勢いの盛んなさま。

解字 篆文 形声。火+享(䭱)㊀。音符の䭱トンは、厚いの意味。占いで、亀の甲に当てる光はかすかながら熱は高い火、厚手の感じの火の意味を表す。

8【焚】12画 6931 人 標 漢フン 呉ブン 文 fén 4218 95B0 —

筆順 一 十 才 木 木十 林 林 梺 焚

〔熕〕7017 同字 〔燌〕7004 俗字

字義 ❶や-く。た-く。もやす。用例「人虎伝」乗ㇾ風縦ㇾ火かぜにジョウじて、ひをはなち、一家数人イッカスウニン、尽焚ㇾ殺之ことごとくこれをフンサツして。↓風の強いのにつけこんで火を放ち、一家数人をすべて焼き殺してそこを立ち去った。❷やきがり。やきがりをする。山野などを焼いて狩りをすること。❸火あぶりにする。

参考 ⇩〔炊〕(6871)の参考。

解字 篆文 会意。火+林。林を火でやくの意味を表す。

【焚毀】フンキ やきこわす。やけくずれる。
【焚灼】フンシャク ①火でやく。②火あぶりにする。③非常に暑いさま。④非常に心を苦しめること。
【焚舟】フンシュウ 舟を焼く。川を渡った後舟を焼き捨て、ふたたび戻らないという必死の覚悟を示すこと。〔左伝、文公三〕
【焚書坑儒】フンショコウジュ 秦シンの始皇帝の三十四年(前二一三)に丞相ジョウショウ李斯リシの建言によって『詩経』『書経』などの儒家の経典を焼き、翌三十五年に咸陽カンヨウで儒者四百六十余人を穴埋めにしたこと。〔史記、秦始皇本紀〕
【焚如】フンジョ 火がさかんに燃えるさま。転じて、火災。「焚如之刑フンジョのケイ(火あぶりの刑)」
【焚燼】フンジン もえのこり。もえかす。灰燼。
【焚滅】フンメツ やけほろびる。また、やきほろぼす。

8【焙】12画 6932 漢ハイ・呉バイ 隊 bèi 唐ホイ 慣ホウ 6368 E084 —

字義 ❶あぶ-る。火気にあてて熱する。❷ほいろ。→焙炉。

解字 形声。火+咅㊀。音符の咅は、ふっくらしているの意味。火気をあてて物をふっくらとさせる、あぶるの意味を表す。

【焙煎】バイセン 国茶の葉やコーヒー豆を煎いること。
【焙茶】ホウチャ・ハイチャ 茶をほうじる。また、ほうじた茶。
【焙炉(爐)】ホイロ 国①火にかざして茶などを焙ほうじ、また、物をかわかすのに用いる器具。②製茶に用いる乾燥炉。
【焙烙・焙碌】ホウロク 国素焼の平たい土製のなべ。薬品・茶・塩・米・豆などをいるのに用いる。炮烙ホウロク。
【焙烙頭巾】ホウロクズキン 国焙烙の形をしたずきん。僧や老人が用いる。大黒頭巾。

8【煉】12画 6933 レン 煉(6960)の俗字。→八九九ページ下。

9【煒】13画 6934 ㊀イ(ヰ) 尾 wěi ㊁キ 微 huī

〔煒〕6962 俗字

字義 ㊀❶明らかなさま。光り輝くさま。❷さかんなさま。❸あか。輝くような赤色。㊁かがやく。ひかる。ひかり。かがやき。また、そのさま。

解字 篆文 形声。火+韋㊀。音符の韋イは、偉に通じ、なみはずれるの意味。なみはずれた火のかがやきの意味を表す。

【煒煌】イコウ ①ひかりかがやくさま。②文章のりっぱなさま。
【煒曄】イヨウ ①さかんなさま。②かがやくさま。

9【煜】13画 6935 イク 屋 yù ₁8755 EDF6 4192

字義 ❶かがや-く。ひかる。「煜煜」❷ほのお。❸火の光。❹さかんなさま。

解字 篆文 形声。火+昱㊀。音符の昱イクは、さかんの意味。火が光り輝くの意味を表す。

【煜煜】イクイク 光るさま。輝くさま。

9【熅】13画 6936 ウン 熅(6963)の俗字。→九〇〇ページ上。

9【煙】13画 6937 常 エン けむ-る・けむり・けむ-い エン 先 yān 1776 898C —

9〔煙〕13画 6938

筆順 丷 火 火一 炳 炳 烟 烟 煙 煙 煙

〔烟〕6876 同字 〔烟〕6893 同字

字義 ❶けむり。けぶり。㋐火が燃えるときに立ちあがる黒い気。「火煙」「人煙」㋑かすみ・もやの類い。「雲煙」❷けむ-る。けぶ-る。また、けむらす。❸すす(煤バイ)。❹たばこ。煙草タバコ。また、阿片アヘン。「禁煙」国けむ-い。けむし。けむたい。気づまりである。心苦しい。

難読 煙管きせる

解字 篆文 形声。火＋垔㊐。音符の垔の甲骨文は、かまどから出るけむりの象形。火を付して、けむりの意味を表す。

逆 雲煙・寒煙・喫煙・禁煙・香煙・茶煙・紫煙・松煙・硝煙・水煙・炊煙・噴煙・油煙・緑煙

【煙雨】けぶるように降る雨。きりさめ。用例（唐、杜牧、江南春詩）南朝四百八十寺、多少楼台煙雨中。↓南朝の昔、寺院の多いこと四百八十といわれたが、その名残をとどめる多くの高い建物が、煙ったように降る春雨の中に数多く見えている。

【煙炎】①消えかかっている火。②けむりと、ほのお。

【煙火】①飯をたくけむり。②物をやく火。③のろし。④はなび。

【煙火色】すすけた顔色。

【煙花】①かすみと、花。②かすみがたなびき花が咲く。また、その景色。花がすみ。用例（唐、李白、黄鶴楼送㆓孟浩然之㆒広陵㆒詩）故人西辞㆓黄鶴楼㆒、煙花三月下㆓揚州㆒。↓わが友は西の黄鶴楼に別れを告げ、かすみがたなびき花が咲く三月に揚州に下る。③妓女。芸妓。歌い女。

【煙霞】①もやや、かすみ。②山水のけしき。

【煙霞癖】山水を愛する心が非常に強いこと。旅行ずき。煙霞痼疾。

【煙景】①かすみがたなびいている春景色。用例（唐、李白、春夜宴㆓桃李園㆒序）陽春召レ我以㆓煙景㆒。↓暖かな春が、かすみたなびく春景色で、私を呼び招いている。②湖上のもや。

【煙月】かすんで見える月。おぼろ月。

【煙樹】かすんでぼんやり見える樹木。

【煙渚】夕もやの漂うなぎさ。▼渚は、みぎわ、水辺。用例（唐、孟浩然、宿㆓建徳江㆒詩）移レ舟泊㆓煙渚㆒、日暮客愁新。↓舟を移して夕もやのたちこめた渚に停泊する。日が暮れて旅愁があらためて生じてくる。

【煙瘴】熱帯地方におこる風土病。

【煙塵】①けむりと、ちり。②兵馬の行きかうために起こるちりやほこり。③戦乱をいう。

【煙燼】けむりと燃えのこりのけむり。

【煙雪】けぶるように降る細かい雪。

【煙草】一かすみがかっている草原。二たばこ。草の名。また、その葉を干して醱酵させたもの。

【煙波】もや（かすみ）がたちこめている水面。また、けむったようにはっきりしない遠い水面。また、水面のもや。用例（唐、崔顥、黄鶴楼詩）日暮郷関何処是、煙波江上使㆓人愁㆒。↓夕暮れどき、わが故郷はいったいどこだろうか（と見渡してみると）、ただもやにかすむ長江の水面一帯が、人を憂いにとじこめる。

【煙波縹渺】遠く広い海上などがけむっているようで、空と水との境がはっきりしないさま。

【煙霏】①けむりと、もや。煙霧。②もやがたなびく。

【煙苗】もやにつつまれた苗。

【煙滅】①もやが消えうせる。②けむりのごとくほろぶ。はかなくほろんでなくなること。

【煙嵐】山がすみ。▼嵐は、たちのぼる薄青い山気。

【煙巒】かすみのたなびいている峰。煙嶺。

【煙楼（樓）】①かすんだたかどの。かすみの中にぼんやり見える高楼。②煙突。けむだし。

【撞㆓煙楼（樓）㆒】煙突をつきやぶることから、子が父に勝る意。

9 【焔】13画 6939 エン 焰(6920)の俗字。→八九六ページ中。

9 【焔】13画 6940 エン 焰(6920)の俗字。→八九六ページ中。 27987 — —

9 【煆】13画 6941 漢カ 呉ケ 麻 xiā 18750 EDF7 4184

字義 ❶あつい。かわく。❷やく。あぶってかわかす。❸かがやく。❹火の気が強い。

解字 形声。火＋叚㊐。

9 【煥】13画 6942 カン（クヮン） 翰 huàn 6369 E085 —

字義 ❶火のひかり。❷あき-らか。光りかがやくさま。❸あやのあるさま。りっぱなさま。

解字 篆文 形声。火＋奐㊐。音符の奐は、変化に富むいろどりの意味。色どりの変化に富む火のかがやきの意味を表す。

【煥乎】①光りかがやくさま。②文章のあやがあって美しいさま。煥煥。

【煥然】①明らかなさま。②さらりととけるさま。

【煥発（發）】①火が燃えでるように外面に輝きあらわれること。輝きあらわれる。②詔勅が出される。渙発の誤用。

9 【煇】13画 6943 一キ 微 huī 二クン 文 xūn 三ウン 問 yùn 18751 EDF8 4185

字義 一＝暉(4825)・輝(11918)。❶ひか-る。かがや-く。❷ひかり。かがやき。二やく。いぶす。＝熏(7072)。三かさ。太陽や月のまわりに現れる光の輪。＝暈(4822)。

解字 篆文 形声。火＋軍㊐。音符の軍は、とりかこむの意味。光源の周囲に放つ、かがやきの意味を表す。

9 【煢】13画 6944 漢ケイ 呉ギョウ（ギャウ） 庚 qióng 6373 E089 —

【𤇾】6911 同字 【茕】6923 同字

字義 ❶ひとり。❷ひとりもの。㋐兄弟のないひとりもの。㋑やもお。妻を失った男性。おとこやもめ。㋒ひとりぼっち。たよる所のないもの。❸うれえる。

解字 篆文 形声。卂＋熒省㊐。音符の熒は、めぐるの意味。卂は、鳥が速く飛ぶの意味。速くめぐるの意味を表す。借りて、ひとりもの・うれえるの意味をも表す。

【煢煢】①ひとりぼっちで、たよる所のないさま。②うれえるさま。③驚きおそれるさま。

【煢独（獨）】身よりのないひとりもの。兄弟のないものと子のないもの。〔書経、洪範〕

9 【煛】13画 6945 漢ケイ 呉キョウ（キャウ） 梗 jiǒng — — 4191

字義 ❶火。❷日の光。❸人名。

解字 形声。巨＋炅㊐。音符の炅は、光の意味。

9 【煊】13画 6946 ケン 暄(4827)と同字。→六七八ページ上。 27984 — 4186

9 【煌】13画 6947 人 標 漢コウ（クヮウ） 呉オウ（ワウ） 陽 huáng 6374 E08A —

筆順 丷 火 火' 火' 炉 炉 焻 焻 煌 煌

字義 ❶きら-めく。かがや-く。かがやき。「煌煌」❷きら-びやか。かがやくばかりに美しいさま。❸明らか。❹さかん。❺火の光。

名前 あき・あきら・こう・てる

解字 篆文 形声。火＋皇㊐。音符の皇は、大きく盛んの意味。盛んな火の光、かがやくの意味を表す。

【煌煌】①きらきら光るさま。②さかんなさま。③美しいさま。

9 【煑】13画 6948 シャ 煮(7061)と同字。→九〇八ページ下。 18752 — —

9 【煣】13画 6949 一漢ジュウ（ジウ）・呉ニュウ（ニウ） 宥 rǒu 二漢ジュウ（ジウ）・呉ニュウ（ニウ） 宥

字義 一二ためる。たわめる。木をあぶりやわらかにして曲げる。また、伸ばす。

解字 形声。火＋柔㊉。

9【煁】13画 6950 ㊉シン ㊉ジン 侵 chén — — 4182

字義 龕灯提灯。携帯できる照明。

解字 形声。火＋甚㊉。音符の甚は、取っ手の付いた携帯用照明器具の象形。

9【煋】13画 6951 ㊉セイ ㊉ショウ（シャウ） 青 xīng — — 4187

字義 ❶熱い。火が熱い。❷火が激しい。

解字 形声。火＋星㊉。

9【煓】13画 6952 タン 寒 tuān 27985 — —

字義 火の盛んなさま。 難読 煓

解字 形声。火＋耑㊉。

9【煅】13画 6953 タン 鍛（12770）と同字。→一四八一ページ上。 — — 4183

9【煖】13画 6954 ㊀㊉ダン・㊉ナン 旱 nuǎn ㊁㊉ケン ㊉カン（クワン） 元 xuān 6375 E08B —

字義 ㊀＝暖（4830）。❶あたたかい。あたたまる。また、あたためる。❷火気。㊁あたたかい。＝暄（4827）・煊（6946）。

参考 現代表記では〔暖〕（4830）に書きかえることがある。「煖房→暖房」「煖炉→暖炉」

解字 篆文 形声。火＋爰㊉。音符の爰は、引き寄せるの意味。火を引き寄せ、あたたまるの意味を表す。

【煖衣飽食】あたたかな着物をき、腹いっぱい食べること。衣食に不足のない生活のたとえ。〔荀子、栄辱〕

【煖△烟・煖煙】あたたかいもや。春のかすみ。暖烟。

【煖房】①あたたかいへや。また、室内をあたためること。暖房。②引越し祝いの宴。

【煖炉（爐）】①火をたいて室内をあたためるもの。いろり。暖炉。②ストーブ。

9【煗】13画 6955 ダン 暖（4830）と同字。→六七八ページ中。 — — 4190

9【煤】13画 6956 人 標 ㊉バイ ㊉マイ 灰 méi 3965 9481 —

筆順 煤

字義 ❶すす。油煙。「煤煙」❷すみ（墨）。❸石炭。国すすける。

解字 形声。火＋某㊉。すす。また、すすと煙。

【煤煙】すすと煙。

【煤炭】石炭。単に煤ともいう。

【煤油】石油。

9【煩】13画 6957 常 ハン・ボン わずらう・わずらわす ㊉ハン・㊉ボン 元 fán 4049 94CF —

筆順 煩

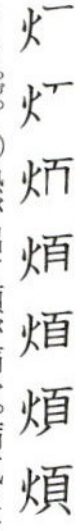

字義 ❶わずらう。㋐熱が出て頭が痛む。病気になる。㋑胸がつかえる。㋒いらいらする。あせる。㋓もだえる。思いなやむ。「煩悶」❷わずらわす。㋐めんどうをかける。㋑つかれさせる。㋒はずかしめる。恥をかかせる。❸わずらい。㋐もだえ。なやみ。心配。「煩悩」㋑めんどうなこと。うるさいこと。㋒病気。❹わずらわしい。㋐ごたごたと多い。くどい。「煩雑」㋑はげしい。いそがしい。㋒やかましい。㋓うるさい。めんどうくさい。いらいらする。

使いわけ わずらう〔煩・患〕
〔煩〕思い悩む。「あれこれと思い煩う」
〔患〕病気になる。「胃腸を患う」

解字 篆文  会意。火＋頁。頁は頭の意味。熱があって頭痛がするさまから、わずらうの意味を表す。

逆 頻煩

【煩△紆】心が乱れ、むすぼれる。憂鬱になる。

【煩△冤】もだえうらむ。もだえ苦しむ。用例〔唐、杜甫、兵車行〕新鬼煩冤旧鬼哭、天陰雨湿声啾啾（新鬼は煩冤し旧鬼は哭し、天陰り雨湿うるおうて声啾啾たり）。↓戦死したばかりの亡霊はもだえうらみ、古い亡霊はなきさけび、空が曇り雨がしっとりと降る時、亡霊のうらみ泣く声がしくしくと聞こえてくる。

【煩苛】わずらわしく、きびしい。煩雑苛酷。また、そうした法律。

【煩簡】煩雑と簡易。また、いそがしいことと、ひまなこと。

【煩言】①怒り争うことば。②くどくどしいことば。

【煩△囂】うるさくそうぞうしい。

【煩△瑣】こまごまとしてわずらわしいこと。

【煩雑（雜）】ごたごたしてわずらわしいこと。繁雑。◆「煩雑」も「繁雑」も、ともに「ごたごたしている」意。「煩雑」には心理的要素（わずらわしい）が含まれるのに対し、「繁雑」は複雑多様であるというような物理的要素が多い。

【煩△擾】（軍規が）わずらわしい。またそうぞうしいこと。

【煩辱・煩△縟】①わずらわしくくどくどしい。いそがしくこまごまとする。②いそがしくこまごましたことに使いまわされる。

【煩想】わずらわしい思い。

【煩多】わずらわしいことが多いこと。また用事が多くわずらわしいこと。繁多。

【煩悩（惱）】仏心身をまよわす欲望。心のまよい。

【煩文】①ごたごたした文章。②わずらわしい儀式。

【煩△悶】もだえ苦しむ。わずらいもだえる。

【煩△懣】①胸がつかえて苦しむこと。②もだえ苦しむ。③気がふさがる。

【煩憂】もだえうれえる。心配する。また、わずらわしい心配ごと。

【煩乱（亂）】ごたごたとして乱雑なこと。

【煩累・煩△纍】めんどう。わずらい。▼累は、かかわりあい。

【煩礼（禮）】わずらわしい礼儀作法。

9【煠】13画 6958 ㊀ヨウ（エフ） 葉 yè ㊁チョウ（テフ） 葉 ㊂㊉ソウ（サフ） ㊉ジョウ（ゼフ） 洽 zhá 18756 — 4194

字義 ㊀㊁やく（焼）。㊂❶ゆでる。湯に入れて煮る。❷あげる。油で揚げる。＝炸（6882）。

解字 形声。火＋枼㊉。

9【煬】13画 6959 ㊀ヨウ（ヤウ） 漾 yàng ㊁ヨウ（ヤウ） 陽 yáng 6376 E08C —

字義 ㊀❶あぶる。㋐あぶりかわかす。㋑物を火にあてる。また、火にあたる。㋒さらす。日にあてる。❷火のさかんなこと。❸かしぐ（炊）。㊁金属をとかす。

解字 篆文 形声。火＋昜㊉。音符の昜は、暑い日があがるの意味。火力をあげて、あぶるの意味を表す。

【煬帝】隋の第二代の天子。在位十二年。姓は楊。名は広（一名、英）。文帝の第二子で、文帝を殺して即位し、豪華な生活を好み、土木工事を起こし、離宮を造り、運河を開き、長城を築いて、国民の反感を買い、ついに部下に殺された。（五六九—六一八）

9【煉】13画 6960 人 標 レン 霰 liàn 4691 97F9 —

筆順 煉

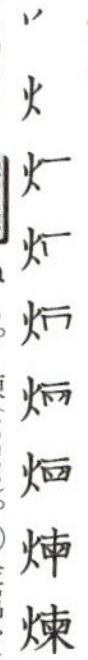

字義 ねる。＝錬（12733）。㋐金属を火でとかして精練する。㋑心をきたえる。

【煉】6933 俗字

名前 れん

参考 現代表記では〔練〕(9249)に書きかえることがある。「試煉→試練」「煉炭→練炭」「煉乳→練乳」
解字 篆文 形声。火＋柬㊟。音符の柬ケン・レンは、練に通じ、ねるの意味。火力で金属をねりとかすの意味を表す。
【煉瓦】レンガ 国粘土をこねて直方体に焼いた一種のかわら。
【煉丹】レンタン ①道教の術で、不老不死の仙薬をねること。丹は、金丹で、不老不死の薬。錬炭。②精神を丹田(へその下三寸のところ)に集中して心身を修錬する方法。

9 【煨】 13画 6961 ワイ 灰 wēi | 1 8757 — 4201
字義 ❶うずみび(埋み火)。灰の中に埋めてある火。「煨灰」 ❷うずめてやく。
解字 篆文 形声。火＋畏㊟。音符の畏ィは、尉に通じ、あたためるの意味。灰を掘ってその中に物を入れ、うずみ火でむし焼きするの意味を表す。
【煨△燼】ワイジン 焼けて灰となること。やけのこり。灰燼。

10 【煒】 14画 6962 イ 煒(6934)の俗字。→八九七ページ下。 | 1 8754 — 4189

10 【熅】 14画 6963 ウン 文 yūn | 1 8759 — 4204
〔煴〕 6936 俗字
字義 ❶うずみび。❷たちこめた煙。❸天地の元気。❹あたたかい。
解字 篆文 形声。火＋昷㊟。音符の昷ウンは、あたたかいの意味。うずみ火・けむりがたちこめるの意味を表す。

10 【焰】 14画 6964 エン 焰(6920)の古字。→八九六ページ中。 | 2 7988 — —

10 【熒】 14画 6965 一 漢ケイ 呉ギョウ(ギャウ) 青 yíng 二 漢エイ・呉ヨウ(ヤウ) 迥 | 1 8761 — 4207
字義 一 ❶ひかり。ともしびの光。❷ひかる。ひかりかがやく。❸あきらか。❹まどう。まどわす。目がくらむ。❺ほたる(蛍)。❻いとなむ(営)。 二 まどう。まどわす。
解字 篆文 形声。炏＋冂㊟。音符の冂ケイは、めぐらすの意味。多くの火をめぐらす、ひかるの意味を表す。熒(または熒の省㊟)を音符に含む形声文字に、犖エイ・瑩エイ・縈エイ・滎エイ・蛍(螢)・栄(榮)などがある。
【熒熒】ケイケイ ①ひかりかがやくさま。②ひかってつやがあるさま。③小さい光のさま。また、かすかに光るさま。
【熒光】ケイコウ かすかな光。
【熒惑】一ケイワク ①火星の別名。②火神の名。二ケイワク・エイワク まどわす。また、まどう。

10 【熕】 14画 6966 コウ gòng | 6380 E090 —
字義 熕砲コウホウ・砲熕ホウコウは、大砲。おおづつ。
解字 形声。火＋貢㊟。

10 【熀】 14画 6967 一 漢ヨウ(エフ) 葉 yè 二 漢キョウ(キャウ) 呉コウ(クワウ) 養 huǎng | 2 7989 — 4203
字義 一 火の盛んなさま。二 明らか。晃(4741)の俗字。
解字 形声。火＋晃㊟。

10 【煹】 14画 6968 漢コウ 呉ク 宥 gòu | — — 4202
字義 かがり火。また、のろし。
解字 形声。火＋冓㊟。音符の冓コウは、かがり火をたくためのかごの象形。

10 【熇】 14画 6969 一 コク 沃 hè 二 カク 薬 hè 三 漢コウ(カウ) 呉キョウ(ケウ) 肴 xiāo 四 コウ(カウ) 晧 kǎo | 1 8760 — 4205
字義 一 二 ❶あつい。火があつい。❷やく(焼)。❸さかんなさま。火がさかんにもえるさま。三 ❶日にさらす。❷熱さがきびしい。四 ❶かわく。火でかわかす。❷とろ火で煮る。
解字 篆文 形声。火＋高㊟。音符の高は、たかいの意味。高くあがる火、あつい・さかんの意味を表す。
【熇熇】一コクコク 二コウコウ ①火がさかんにもえるさま。②物事のさかんなさま。きびしいさま。むごたらしいさま。

10 【煽】 14画 6970 標 一 セン 霰 shàn 二 セン 先 shān | 3290 90F8 —
〔㷍〕 6971 俗字
字義 一 ❶あおる。=扇(3989)。㋐火をおこす。㋑そそのかす。相手を刺激して、ある行動に誘い込む。「煽動」 ❷さかん。火がさかんなこと。 国 ❶あおる。㋐あおぐ。扇で風をおこす。㋑風に吹かれて動くこと。㋐酒をひと息に飲む。❷あおり。㋐風に吹かれて動くこと。㋑馬の両わきにたれている泥よけ。❸おだてる。相手をほめて得意にさせる。
参考 現代表記では〔扇〕(3989)に書きかえることがある。「煽情→扇情」「煽動→扇動」
解字 篆文 形声。火＋扇㊟。音符の扇は、おうぎ・あおるの意味。火をおこすの意味を表す。
【煽情】センジョウ 国感情や情欲をあおること。扇情。
【煽動】センドウ すすめそそのかす。そそのかして事をやらせる。扇動。
【煽惑】センワク そそのかしてまどわす。扇惑。

10 【㷍】 14画 6971 セン 煽(6970)の俗字。→九〇〇ページ中。 | — — —

10 【熌】 14画 6972 セン 豔 shǎn | — — 4206
字義 ❶火が燃え上がる。❷ひらめく。きらめく。
解字 形声。火＋閃㊟。音符の閃センは、ひらめくの意味。

10 【熄】 14画 6973 漢ショク 呉ソク 職 xī | 6379 E08F —
字義 ❶うずみび。灰の中に埋めた火。❷きえる。火が消える。❸やむ。なくなる。ほろびる。=息(3525)。❹けす。ほろぼす。
参考 現代表記では〔息〕(3525)に書きかえることがある。「終熄→終息」
解字 篆文 形声。火＋息㊟。音符の息は、やすむの意味。火がやすむ、きえるの意味を表す。
【熄滅】ソクメツ きえてなくなる。きえうせる。やむ。

10 【熔】 14画 6974 標 漢ヨウ 呉ユウ 冬 róng | 4548 976F —
〔鎔〕 12823 正字 (8712)。
字義 ❶いがた。金物を鋳る型。→笵 ❷いる(鋳)。鋳造する。❸とかす(溶)。金属を熱で溶かす。とける。
参考 現代表記では〔溶〕(6607)に書きかえる。「熔接→溶接」「熔岩→溶岩」
解字 篆文 形声。火＋容㊟。音符の容は、物をとり入れるの意味。火で熱し金属をとかして、流し入れるいがたの意味を表し、転じて、とかすの意味も表す。
【熔解】ヨウカイ 金属を溶かす。また、溶ける。溶解。
【熔鋳(鑄)】ヨウシュ・ヨウチュウ ①金属を溶かし鋳ること。②物事をつくりあげること。
【熔炉(爐)】ヨウロ 金属を溶かす炉。
【熔和】ヨウワ 金属を溶かしてまぜる。

10 【燁】 14画 6975 ヨウ 燁(6988)の俗字。→九〇一ページ中。 | 1 8762 EDFA 4219

10 【燐】 14画 6976 リン 燐(8995)の本字。→一〇九七ページ下。

11 【熨】 15画 6977 一 イ(ヰ) 未 yù 二 漢ウツ・呉ウチ 物 yùn | 6381 E091 —
字義 一 ❶おさえる。おさえてあたためる。❷のし。ひのし。アイロン。尉(2728)の俗字。二 ❶のす。こてなどで衣服のしわをのばす。❷=一❷。 国 のし。進物の包み紙の上につけるもの。

解字 形声。火＋尉音。音符の尉は、火のしの意味。尉の意味が多くなり、区別して、火を付し、火のし・火のしでおさえるの意味を表す。

【熨斗】㊀トウッ・トウッ・ひのし 火のし。㊁のし 国①のしあわび。②方形の色紙を細長い六角形に折りたたみ、中にのしあわびを小さく切ってはさみ、進物の包み紙にそえるもの。

熨㊀②

11 【熰】15画 6978 ㊀漢オウ・呉ウ 尤 ōu ㊁漢オウ・呉ウ 宥 òu — — 4213

字義 ㊀❶あぶる。❷熱さがひどい。㊁あたたかい。

解字 形声。火＋區音。

11 【熯】15画 6979 ㊀漢ゼン・呉ネン 銑 rǎn ㊁カン 翰 hàn 27994 — 4212

字義 ㊀❶かわくさま。❷火がさかんなこと。❸つつしむ。❹もやす。❺つきる。なくなる。㊁❶かわかす。❷あぶる。

解字 甲骨文 篆文 形声。火＋𦰩音。音符の𦰩（ギン＝カン）は、甲骨文では、のりとをささげ持つ、「みこ」が焼かれるさまにかたどり、「やく」の意味。のち、火を付し、やくの意味を明らかにした。

11 【熲】15画 6980 漢ケイ 呉キョウ（キャウ） 迥 青 jiǒng — — 4214

字義 ❶光。❷光る。❸目覚まし枕まくら。

解字 形声。火＋頃音。

11 【熚】15画 6981 漢ヒツ 呉ヒチ 質 bì — — 4208

字義 熚熚ヒツヒツは、火のさま。

解字 形声。火＋畢音。音符の畢ヒツは、火の粉の飛び散るさま。

11 【熛】15画 6982 ヒョウ（ヘウ） 蕭 biāo 27990 — 4209

字義 ❶火の粉がとぶ。飛び火する。❷火の粉。飛び火。❸ひかる。❹あかい（赤）。❺はやい。はげしい。また、はやて。

解字 篆文 形声。火＋票（𤐫）音。音符の𤐫ヒョウは標の原字で、火の粉が舞いあがるの意味を表す。

【熛起】ヒョウキ 火の粉が飛ぶように、早くおこる。

【熛怒】ヒョウド 火がさかんにもえるさまをたとえていう。

【熛風】ヒョウフウ はげしい風。はやて。飄風ヒョウフウ。

11 【㷭】15画 6983 ホウ 烽(6917)の本字。→八九六ページ中。

11 【熢】15画 6984 ホウ 烽(6917)と同字。→八九六ページ中。 27992 — 4211

11 【熳】15画 6985 マン 翰 màn

字義 ❶色彩が鮮やかなさま。❷自然でこだわりのないさま。＝漫(6655)。

解字 形声。火＋曼音。

【熳】6986 俗字

11 【熳】15画 6986 マン 熳(6985)の俗字。→九〇一ページ中。 28001 — 4215

11 【熠】15画 6987 ㊀ユウ（イフ） 緝 yì ㊁漢シュウ（シフ）・呉ジュウ（ジフ） 緝 27991 — 4210

字義 ㊀❶ひかり。さかんな光。❷あざやか。あきらか。また、かがやくさま。❸光の定まらないさま。

解字 篆文 形声。火＋習音。音符の習は、かさなるの意味。火の光がかさなる、かがやくの意味を表す。

【熠燿】ユウヨウ・シュウヨウ ①光の定まらないさま。②あざやかなさま。③蛍の別名。

11 【燁】15画 6988 ヨウ（エフ） 葉 yè

【燁】6975 俗字

字義 ❶さかん。光がさかんなさま。❷かがやく。火のひかるさま。

解字 篆文 形声。火＋曅（曅）音。音符の曅ヨウは、日がかがやくの意味。火がかがやく、さかんの意味を表す。

【燁然】ヨウゼン ①てりかがやくさま。②さかんなさま。

【燁燁】ヨウヨウ かがやくさま。曄曄ヨウヨウ。

11 【熮】15画 6989 ㊀漢リュウ（リウ）・呉ル 有 liǔ ㊁リョウ（レウ） 蕭 嘯 27993 — —

字義 ㊀❶火のさま。❷やく。ただれる。❸はげしい。

国船熮ふなたでは、船を陸上げして下で火を燃やして、船体を乾かし、虫などを駆除すること。

解字 形声。火＋翏音。

12 【燚】16画 6990 漢イツ 呉イチ 質 yì — — 4226

字義 火のさま。

解字 会意。火を四つ並べて、火のさまを表す。

12 【燄】16画 6991 エン 焰(6920)と同字。→八九六ページ中。 18764 — 4220

12 【熺】16画 6992 キ 熹(7083)と同字。→九一四ページ下。 18763 — 4216

12 【熿】16画 6993 漢コウ（クヮウ） 呉オウ（ワウ） 陽 huáng — — 4217

字義 ❶輝く。❷明らか。

解字 形声。火＋黃音。

12 【熾】16画 6994 標 シ 寘 chì 6385 E095 —

字義 ❶さかん。㋐火がさかん。㋑勢いがさかん。❷さかんにする。❸あかい（赤）。国❶おこす。火の勢いを強くする。❷おき。→燠(7010)。

解字 篆文 古文 形声。火＋戠音。音符の戠ショク＝シは、縦横の糸をたがいちがいにして織るの意味。火が縦横に飛んでさかんに燃えるの意味を表す。

【熾盛】シセイ はげしくさかんなこと。

【熾烈】シレツ さかんではげしい。

12 【𤏳】16画 6995 ジュク 熟(7080)の俗字。→九一三ページ下。 28002 — —

12 【燒】16画 (6929) ショウ 焼(6928)の旧字体。→八九七ページ上。

12 【燋】16画 6996 ㊀ショウ（セウ） 蕭 jiāo ㊁漢ショウ（セウ） 呉ジョウ（ゼウ） 蕭 qiāo 28003 — 4221

字義 ㊀❶たいまつ（炬火キョカ）。❷こげる。こがす。㊁❶占いに用いる亀かめの甲をやく木。❷やつれる。

解字 篆文 形声。火＋焦音。音符の焦は、こげる・こがすの意味。人が手にするたいまつの意味を表す。

【燋△槁】ショウコウ 日にやけてかれる。▼槁は、枯れる。

【燋心】ショウシン 心をこがす。非常に思いなやむこと。焦心。

【燋頭△爛額為㆓上客㆒】ショウトウランガクをジョウカクとなす 火災を事前に予防しようとした者をほめずに、失火に際して、頭をこがし額をただれさせて消火につとめた者を第一としてほめたたえる。物事の根本よりも末端を重視するたとえ。〔漢書、霍光伝〕

【燋△爛】ショウラン やけただれる。

12 【燖】16画 6997 ㊀漢シン・呉ジン 侵 xún ㊁漢セン・呉ゼン 塩 qiān — — 4224

字義 ㊀❶にる。❷あたためる。㊁ゆびく。ゆがく。湯にひたす。肉を湯につける。

解字 形声。火＋尋音。

12 【燀】16画 6998 ㊀セン 銑 chǎn ㊁タン 旱 dǎn — — 4218

字義 ㊀❶かしぐ（炊）。たく。❷炎の立つさま。❸さかん。❹もえる。❺かがやく。「燀燿センヨウ」❻あつい（厚）。また、あたたかい。㊁＝㊀❻。

解字 篆文 形声。火＋單音。音符の單タンは、彈に通じ、はじけるの意。火がはじける。たくの意味を表す。

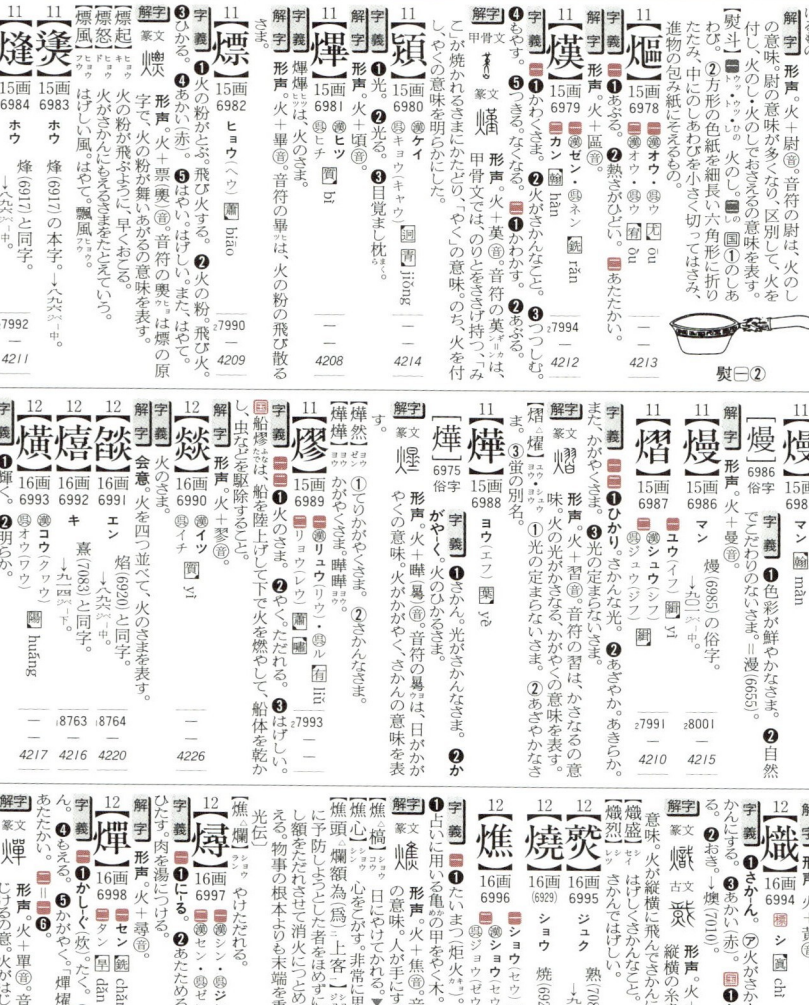

12【燈】16画 (6855) トウ 灯(6854)の旧字体。→八九二ページ上。

12【湯】16画 6999 漢トウ(タウ) 呉ドウ(ダウ) 漾 陽 tàng ₂8005 — 4225

字義 あたた-める。㋐熱する。㋑やけどする。

解字 形声。火+湯音。湯や火であたためるの意味を表す。

12【燉】16画 7000 漢トン 呉ドン 元 tūn, ⑤dūn, ⑥dùn 6387 E097 —

字義 ❶火のさかんなさま。❷火の色。❸大きい。❹むす。ふかす。❺燉煌は、地名。→敦煌(六二七ページ下)。❻にる。とろ火でゆっくり煮る。

解字 形声。火+敦音。

12【燃】16画 7001 教5 ネン も-える・も-やす・も-す 漢ゼン・呉ネン 先 rán 3919 9452 —

筆順

字義 も-える。も-やす。も-す。

解字 形声。火+然音。音符の然は、もえるの意味で、燃の原字。然が、「しかし」などの意味を表すのに用いられるようになり、火を付し区別した。

逆 再燃

【燃犀】ネンサイ 犀サイ(動物の名)の角をもやす意。くらい所を明らかに照らすこと。犀の角をもやした火は、よく水中まで照らすといわれた。〔晋書、温嶠伝〕

【燃犀之見】ネンサイのケン 明らかで徹底した見識。

12【燔】16画 7002 漢ハン 呉ボン 元 fán 6388 E098 —

字義 ❶やく。あぶる。❷かわかす。❸あぶった肉。❹ひもろぎ(膰ハン)。祭りにそなえる肉。

解字 篆文 形声。火+番音。音符の番は、種をまくの意味。しばなどをたいて火の粉を天にあげながら肉をやくの意を表す。

【燔柴】ハンサイ 柴しばの上に玉帛ギョクハク(玉と絹織物)やいけにえなどをのせ、これを焼いて天を祭ること。

【燔死】ハンシ ①やけ死ぬ。②やき殺す。

【燔炙】ハンシャ・ハンセキ ①やく。あぶる。②やき肉。

【燔肉】ハンニク 祭りにそなえた肉。ひもろぎ。

【燔燎】ハンリョウ ①やく。また、もやす。②(天や祖先を祭るために)かがり火をたくこと。

12【焚】16画 7003 一 漢フン・呉ブン 文 fén 二 漢ハン・呉ボン 元 ₂8004 — 4223

字義 一やく。=焚(6931)。二やきがり。山野を焼いて狩りすること。

解字 形声。火+棥音。

12【燌】16画 7004 フン 焚(6931)の俗字。→八九七ページ中。 — — 4222

12【燜】16画 7005 モン mèn ₂8006 — 4227

字義 密閉してとろ火で煮ること。

解字 形声。火+悶音。

12【燗】16画 7006 ラン 翰 làn

〔爛〕7007 俗字

字義 にる(煮)。国かん。酒をほどよくあたためること。

解字 形声。火+閒(蘭)音。音符の蘭ランは、さかりの火でにるの意味を表す。

12【爛】16画 7007 ラン 燗(7006)の俗字。→九〇二ページ中。 6383 E093 —

12【燎】16画 7008 人 一 リョウ(レウ) 篠 liǎo 二 リョウ(レウ) 嘯 liào 三 リョウ(レウ) 蕭 liáo 6389 E099 —

筆順

〔尞〕2749 同字

字義 一❶やく(焼)。もやす。「燔燎ハンリョウ」❷焼ける。燃える。❸やきがり。山林を焼いてする狩り。また、その火。かり火。❹あぶる。❺あきらか。二かがりび。にわび。庭燎。三❶柴しばをもやして天を祭ること。「郊燎」❷夜の狩り。❸てらす(照)。

名前 りょう

解字 篆文 形声。火+尞(尞)音。音符の尞リョウは、燎の原字で火の上に組み立てられた木と飛び散る火の粉との象形。かがり火・てらすの意味を表す。

【燎火】リョウカ にわび。かがり火。

【燎原火】リョウゲンのひ 野原を焼く火(野火)。転じて、火が野原に燃え広がるように勢いのさかんなこと。特に、悪事や禍乱のはびこるさまの形容。また、非常な勢いで広がったり、敵を次々と撃破して進んだりするさまの形容。〔書経、盤庚上〕〔左伝、隠公六〕

12【燐】16画 7009 リン 燐(7018)の正字。→九〇三ページ中。

13【燠】17画 7010 一 イク(ヰク) 屋 yù 二 オウ(アウ) 号 皓 ào 三 ウ 遇 6390 E09A —

字義 一あたた-かい。あたたか。あつい。㋐赤くおこった炭火。㋑薪まきが燃えて炭火になったもの。二→燠休。国おき(熾おき)。

解字 篆文 形声。火+奥音。音符の奥は、おくの意味。おくの方に火があって、あたたかいの意味を表す。

【燠休】キュウ・クウ ①いたみやをなぐさめるときに出す声。②いたむ所に息をかけてあたためること。転じて、他人の苦しみを救う意。

13【營】17画 (2758) エイ 営(2757)の旧字体。→四三三ページ中。

13【燬】17画 7011 キ 紙 huǐ 6391 E09B —

字義 ❶ひ(火)。はげしい火。烈火。❷や-く。やきつくす。

解字 篆文 形声。火+毀音。音符の毀キは、こわすの意味。火でやきつくすの意味を表す。

13【燦】17画 7012 人 サン 翰 càn 2724 8E57 —

筆順

字義 ❶あき-らか。あざやか。きらびやか。❷きら-めく。

名前 あき・きよ・よし

解字 篆文 形声。火+粲音。音符の粲サンは、あざやかな白米の意味。火があざやかの意味を表す。

【燦然】サンゼン 光りかがやくさま。あざやかなさま。粲然。

【燦爛】サンラン あざやかにかがやくさま。きらびやかなさま。粲爛。

13【燮】17画 7013 ショウ(セフ) 葉 xiè 5057 99D7 —

〔爕〕7030 俗字

字義 ❶やわ-らぐ。やわらぐ。やわらげる。調和する。❷にる(煮)。❸しだいに。ようやく。

解字 金文 篆文 会意。もと、燮で、又+炎+辛。辛は、調理用刃物の象形。食物に手を加え、加熱するさまから、よく煮る、煮てやわらかくするの意味を表す。辛は音に変形し、言となった。

【燮燮】ショウショウ しだいに。ようやく。

【燮理】ショウリ ①(陰陽を)やわらげととのえる。また、国を治める。国政をきりもりする。②宰相をいう。

【燮和】ショウワ ①やわらげる。やわらげととのえる。②宰相。

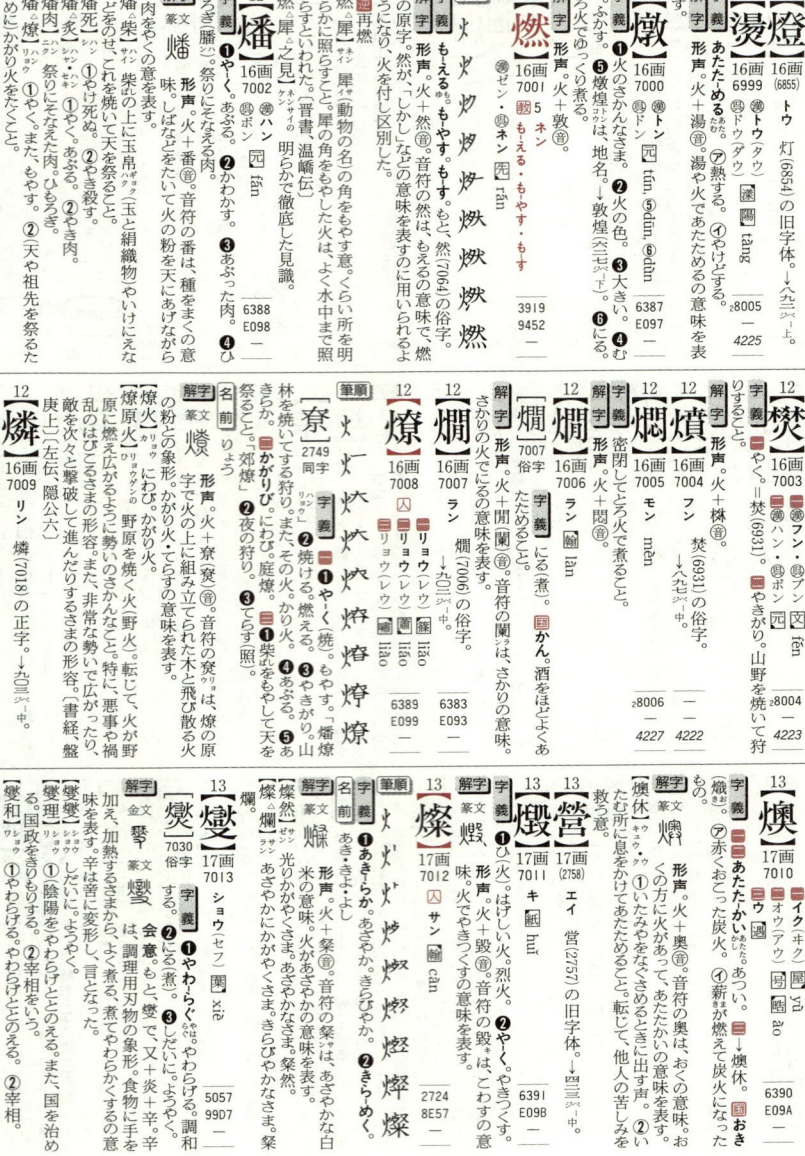

13 **【燭】** 17画 7014 人 標 漢ショク 呉ソク 因 zhú 3104 9043 —

筆順 火 炉 炉 炉 焊 焊 燭 燭 燭 燭

字義 ❶ひ(火)。㋐にわび。かがり火。㋑**ともしび**。たいまつ。あかり。「紙燭(シソク)」「燭火」「灯燭」 ㋒ろうそくの火。❷てらす。❸ひかるさま。国**ショク**。光度の単位。

名前 あきら・てる

解字 篆文 形声。火＋蜀音。音符の蜀(ショク)は、長時間つづくの意味。長い時間もえつづく火、ともしびの意味を表す。

【燭影】(ショクエイ) ともしびのひかり。

【燭花】(ショッカ) ともしびのほのお。また、ともしび。

【燭光】(ショッコウ) ①ともしびの火。灯光。②国光度の単位。

燭台

【燭台(臺)】(ショクダイ) ろうそく立て。燭架。

【挙(擧)燭】(ショクをあげよ) ともしびを高くあげよ。郢(エイ)の人が燕(エン)の大臣に手紙を書くとき、侍者に燭をあげよと命じ、そのまま手紙に書き込んでしまい、それを受け取った燕の大臣は、賢人を用いよという意味にとって、賢人を用いたという故事による。転じて、賢人を用いるたとえ。〔韓非子、外儲説左上〕

【背燭】(ともしびをそむく) ともしびを壁の方に向け、部屋を暗くする。用例〔唐、白居易、春中与盧四周諒華陽観同居詩〕背燭共憐深夜月(ともしびをそむけてはともに、あわ(は)れむシンヤのつき) 踏花同惜少年春(はなをふみてはおなじく、お(を)しむショウネンのはる)。↓ともしびの向きをかえて部屋を暗くし、夜のふけるまでともに深夜の月をめでた。落花を踏みながら、暮れ行こうとする少年の春をともに惜しんだ。

【秉燭夜遊】(ショクをとりてよるあそぶ) ともしびをともして夜まであそび楽しむ。用例〔唐、李白、春夜宴桃李園序〕古人秉燭夜遊(コジンショクをとりて、よるあそぶ)、良有以也(まことにゆえ(ゑ)あるなり)。↓昔の人がともしびをともして夜まで遊び楽しんだのは、まことにもっともなことだ。

13 **【燧】** 17画 7015 漢スイ 呉ズイ 眞 suì 6392 E09C —

字義 ❶**ひうち**。ひとり。火をつける道具。石と鉄とを打ち合わせて発火させるもの。❷たいまつの火。❸のろし。敵襲などを味方に合図するもの。

解字 形声。火＋遂音。

【燧人氏】(スイジンシ) 中国古代の伝説上の帝王の名。はじめて木をこすり合わせて火を取り、食物を煮たきすることを教えたという。〔韓非子、五蠹〕

【燧石】(スイセキ) ひうち石。石英の一種。鉄片と打ち合わせると火を発する。

【鑽燧】(スイをきる) 木や石をきりもみして火をおこす。

13 **【燥】** 17画 7016 常 ソウ ソウ(サウ) 号 皓 zào 3371 9187 —

筆順 火 炉 炉 炉 焊 焊 焊 焊 燥

字義 ❶**かわ-く**。かわかす。また、かわき。かわいたもの。「乾燥」❷こげる。❸火。国**はしゃ-ぐ**。陽気にさわぐ。

参考 現代表記では〔躁〕(11813)の書きかえに用いることがある。「焦躁→焦燥」

解字 篆文 形声。火＋喿音。音符の喿(ソウ)は、さわがしいの意味。さわがしい音をしてこげるさまから、かわくの意味を表す。

逆 乾燥・焦燥

【燥湿(濕)】(ソウシツ) ①かわくことと、しめること。また、かわいたものと、しめったもの。②人のすまいの様子。人のすまいは、しめった所を避けて、かわいた所に求めるからいう。

【燥吻】(ソウフン) ①かわいたくちびる。②詩文を作るのに苦心してくちびるがかわくことから、転じて、容易に詩文のよい句が浮かび出ないこと。〔西晋、陸機、文賦〕

13 **【燌】** 17画 7017 フン 焚(6931)と同字。→八九七ページ中。

13 **【燐】** 17画 7018 標 リン 眞 震 lín 4653 97D3 —

[燐] 7009 正字

字義 ❶おにび。ひだま。死体からの発光。「燐火」❷ほたるび。❸非金属元素の一つ。「黄燐」

難読 燐寸(マッチ)

解字 形声。火＋粦(粦)音。

【燐火】(リンカ) おにび。きつねび。燐光。

【燐光】(リンコウ) ①おにび。ひだま。燐火。②物体に光をあてて後、それを暗い所に置いた時に、その物体から発する光。

13 **【燵】** 17画 7019 国字 標 6393 E09D —

字義 **タツ**。炬燵(コタツ)は、暖を取る装置。

解字 形声。火＋達音。中国で、もと足をのせて暖を取る暖炉を火踏子(コタツ)という。この語が日本に入り、「踏子」部分を燵と書いた。

14 **【爀】** 18画 7020 漢カク 呉キャク 陌 hè 8766 — 4230

字義 火の色。火の赤いさま。＝赫(11633)。

解字 形声。火＋赫音。

14 **【燻】** 18画 7021 クン 文 xūn 6378 E08E —

字義 **いぶ-す**。くすべる。また、**くすぶ-る**。**ふすぶ-る**。熏(7072)の俗字。国**くゆ-らす**。けむりをゆるやかに立ちのぼらせる。

参考 現代表記では〔薫〕(10316)に書きかえることがある。「燻製→薫製」

解字 形声。火＋熏音。音符の熏(クン)は、いぶすの意味。

【燻製】(クンセイ) 国魚・獣肉などを塩づけにし、火の煙でいぶし乾かして貯蔵するように作ったもの。薫製。

14 **【燸】** 18画 7022 漢ジュ 呉ニュ 虞 rú — — 4228

字義 ❶温める。❷焼く。

解字 形声。火＋需音。

14 **【燼】** 18画 7023 漢シン 呉ジン 震 jìn 6394 E09E —

[烬] 6899 俗字

字義 ❶**もえのこり**。もえさし。「余燼」❷いき残り。災いから助かり残った民。また、亡国の遺民。

解字 形声。火＋盡音。音符の盡(ジン)は、つきるの意味。燃え尽きたあとの火、もえさしの意味を表す。

【燼滅】(ジンメツ) ①もえてなくなる。②ほろびつきる。

【燼余(餘)】(ジンヨ) 同余燼。①もえのこり。②生きのこり。

14 **【燹】** 18画 7024 セン 銑 xiǎn 6401 E09F —

字義 ❶ひ(火)。❷のび(野火)。❸兵乱のために起こる火事。「兵燹」

解字 形声。火＋豩音。

14 **【爂】** 18画 7025 ヒョウ 票(8376)の本字。→一〇四〇ページ上。

14 **【燿】** 18画 7026 人 6402 E0A0 —

14 **【燿】** 18画 7027 ヨウ(エウ) 嘯 yào

筆順 火 炉 炉 炉 焊 焊 焊 燿 燿

字義 耀(9565)と同字。❶**かがや-く**。ひかる。てる。かがやかす。＝曜(4889)。❷**かがや-き**。ひかり。❸あきらか(明)。

火部 13▼14画 〔燭燧燥燌燐燵爀燻燸燼燹爂燿〕

❹くらむ。くらます。

名前 てる・よう

解字 篆文 形声。火+翟音。音符の翟(テキ=ヨウ)は、高くかがやくの意味。火が高くかがやくの意味を表す。

【燿燿】(ヨウヨウ) ひかりかがやくさま。明らかなさま。曜曜。

14【燁】18画 7028 ヨウ 爗(7034)の俗字。→九〇四ページ中。 — — 4235

15【爍】19画 7029 シャク 関 shuò 6403 E0A1 —

字義 ❶ひかる。かがやく。また、その光。「灼爍(シャクシャク)」「閃爍(センシャク)」 ❷あつい(熱)。 ❸きえる。けす。 ❹くずす。 ❺と-ける。と-かす。

解字 形声。火+樂音。

【爍金】(シャクキン) ①金属をとかす。②ひとのことばのおそるべきたとえ。用例〔国語、周語下〕衆口爍金(シュウコウキンをとかす)。↓多くの人の言いふらすうわさや悪口は、力を持つと金属を溶かすほどになる。

15【爕】19画 7030 ショウ 燮(7013)の俗字。→九〇三ページ下。 8767 — —

15【⿰火節】19画 7031 一 漢セツ・呉セチ 屑 jié 二 漢シツ・呉シチ 質 jì 28008 — —

［⿰火節］7032 俗字

字義 一 二 もえのこり。もえかす。

難読 火⿰火節(ほくそ)

解字 形声。火+節音。

15【⿰火節】19画 7032 セツ ⿰火節(7031)の俗字。→九〇四ページ上。

15【爆】19画 7033 常 バク 一 ハク 覚 bào ④bó 二 ホウ(ハウ) 効 bào 慣 バク 3990 949A —

筆順 火 炉 炟 焊 焊 熼 熼 爆 爆

字義 一 ❶やく(焼)。 ❷火がはげしい。 ❸火のもえる音の形容。 ❹おちる(落)。はげおちる。 ❺は-ぜる。はじける。さける(裂)。 二 =一の❺。

難読 爆竹(どんど)

解字 篆文 形声。火+暴音。音符の暴は、あれるの意味。火がはじけるの意味を表す。

【爆竹】(バクチク) ①細い竹の筒に火薬をつめて爆発させるもの。後世は紙で作る。もと、鬼(もののけ)を追うために用いたが、後、正月や結婚の祝いの日などに用いる。②国正月十五日に、数本の青竹で左義長(サギチョウ)(どんど焼き用の集積)を作り、かどまつ・しめなわなどをそれと共に焼く行事。どんど。

【爆破】(バクハ) 火薬で破壊する。

【爆発(發)】(バクハツ) ①火山や火薬が猛烈な勢いで破裂する。②物事が急におこること。③国怒ること。

【爆裂】(バクレツ) 爆発して破裂する。

15【爗】19画 7034 ヨウ(エフ) 関 yè

［燁］7028 俗字

字義 光が盛ん。

解字 形声。火+曄音。

15【爈】19画 7035 漢リョ 呉ロ 魚 御 lǜ — — 4232

字義 ❶焼く。山を焼く。 ❷山火(やまび)。山が焼ける。

解字 形声。火+慮音。

15【爉】19画 7036 一 ロウ(ラフ) 合 là 二 リョウ(レフ) 葉 liè — — 4233

字義 一 火のさま。 二 火の音。

解字 形声。火+巤音。

16【爓】20画 7037 エン 焰(6920)と同字。→八六六ページ中。 — — 4234

16【爐】20画 (6875) ロ 炉(6874)の旧字体。→八九四ページ上。

17【爚】21画 7038 ヤク 関 yuè — — 4236

字義 ❶やく(焼)。とかす。 ❷ひかり。火の光。また、いなびかり。電光。 ❸ひかる。かがやく。 ❹とける。散る。散ってなくなる。

解字 形声。火+龠音。

17【爛】21画 7039 標 一 ラン 翰 làn 二 漢ラン・呉レン 刪 6405 E0A3 —

［爤］7043 本字

字義 一 ❶ただ-れる。ただらせる。また、ただれ。㋐やけどする。㋑くさる。㋒熟しすぎる。煮えすぎる。㋓傷つき破れる。 ❷ただらす。 ❸あきらか。あざやか。かがやくさま。「燦爛(サンラン)」「爛爛」 ❹にる。 二 ❶あきらかなさま。 ❷ひかる。

参考 現代表記では［乱］(101)に書きかえることがある。「腐爛→腐乱」

解字 篆文 形声。もと、火+蘭音。音符の蘭(ラン)は、長い時間ひたしておくの意味。火の中に長い時間おく、ただれる・にる・ひかるの意味を表す。

【爛額】(ランガク) ひたいをやけどする。頭をなやます、困りはてることのたとえ。

【爛熟】(ランジュク) ①果実などが十分に熟しきる。②物事が十分に成熟しきる。極度に発達する。③十分に発達して下り坂に向かうこと。

【爛酔(醉)】(ランスイ) ひどく酒に酔う。泥酔。

【爛然】(ランゼン) 明らかで美しいさま。あざやかなさま。

【爛発(發)】(ランパツ) ①かがやき出る。色つやなどの輝くばかりに美しいこと。②花が咲きみだれること。

【爛漫・爛△縵】(ランマン) ①花が咲きみだれているさま。②消え散らばるさま。消散。③くずれ散るさま。④水があふれているさま。⑤よくねむるさま。熟睡するさま。⑥光りかがやくさま。⑦明らかにあらわれ見えるさま。「天真爛漫」⑧ゆったりと歩くさま。あてどなくさまようさま。

【爛爛】(ランラン) ①きらきらかがやくさま。②眼光がするどく光るさま。

18【爟】22画 7040 カン(クヮン) 翰 guàn — — 4238

字義 ❶たいまつ。 ❷熱い。 ❸日から火を取る。 ❹火を挙げる。

解字 形声。火+雚音。音符の雚(カン)は、援に通じ、引く、引き取るの意味。

18【爝】22画 7041 漢シャク 呉サク 関 jué — — 4237

字義 ❶かがりび。 ❷かがり火をたいて、おはらいをする。

解字 形声。火+爵音。

19【爢】23画 7042 漢ビ 呉ミ 支 mí

字義 ❶ただれる。 ❷やぶれる。 ❸くだける。爢散(ビサン)は、くだけちる。 ❹くず。小さいもののたとえ。

解字 形声。火+靡音。

20【爤】24画 7043 ラン 爛(7039)の本字。→九〇四ページ中。 — — 4239

25【爨】29画 7044 サン 翰 寒 cuàn 6406 E0A4 —

字義 ❶かしぐ(炊)。飯をたく。「炊爨」 ❷かまど。 国サン。炊婦を「おさん・おさんどん」という「サン」は、この字に基づくかという。

解字 篆文 会意。𦥯+冖+林+廾+火。𦥯は、こしきなど物を煮たきする道具を両手でもちあげる形にかたどる。冖は、そのかま口をかたどる。かまどに両手で木をくべるさまにかたどり、かしぐの意味を表す。

【爨室】(サンシツ) 飯をたくへや。台所。

【爨炊】(サンスイ) 飯をたくこと。

【爨婦】(サンプ) 炊婦。ごはんをたく女性。

灬 れんが(連火)・れっか(列火) 四つ点

4画 ₂7956 — 4136

〔部首解説〕火が脚になるときの形。→〔火〕の部首解説(八九〇ページ)。

4 炁 九〇五	6 烏 九〇六	烈 九〇七	烹 九〇八	無 九〇九	蒸 一三二七	能 九一三	熬 九一三	熛 七六七
5 為 九〇五	烋 九〇七	7 焉 九〇八	8 喣 二七四	9 煦 九一二	煎 九一二	11 熙 九一三	熟 九一三	12 燕 九一四
炁 九〇六	羔 一一五三	烝 九〇八	煮 九〇八	煞 九一二	煎 九一二	熈 九一三	熱 九一三	熹 九一四
点 九〇六	烝 九〇七	焄 九〇八	焦 九〇八	煮 九〇八	10 熙 九一二	熈 九一三	麃 一六三八	14 燾 九一四
炰 九〇六	热 九一三	黒 一六四六	然 九〇九	照 九一二	熏 九一二	勲 九一三	默 一六四七	爇 九一四

4 【炁】 8画 7045 漢キ 呉ケ 未 qì

字義 いき。気息。また、雲気。

解字 形声。灬(火)+旡 音。

〔炁〕 7048 俗字

5 【為】 9画 7046 常 イ 熟字訓 為替(かわせ)

一 イ(ヰ) 支 wéi 二 イ(ヰ) 寘 wèi

1657 88D7 —

爪8 〔爲〕 12画 7047 人

6410 E0A8 —

筆順 丶 ソ 丬 為 為 為 為 為 為

字義 一 助 たーり。や。か。⇩助字・句法解説。

❶なーす。すーる。㋐行う。実施する。用例(論語、為政)為レ政以レ徳 ⇩徳で政治を行う。

㋑…とする。…にする。用例(論語、為政)温レ故而知レ新、可二以為一レ師矣 ⇩昔のことを研究してそこから新しい道理を得ることができたなら、その人は師として仰がれる資格がある。

㋒…と見なす。用例(易経、説卦)乾為レ馬、坤為レ牛 ⇩乾を馬、坤を牛と見なす。

㋓…と思う。「以為…」⇩以(182)の助字・句法解説。㋔…と言う。

㋕…である。用例(史記、項羽本紀)項王按レ剣而跽曰、客何為者 ⇩項羽は剣に手をかけ、片膝をたてて言った、「お前は何者だ」。

❷なーる。㋐できあがる。成就する。用例(淮南子、本経訓)五穀不レ為 ⇩五穀が実を結ばない。

㋑…となる。…になる。あるものが他のものに変わる。用例(十八史略、春秋戦国、呉)越王句践、以二余兵一棲二会稽山一、請二為レ臣妻為レ妾。⇩越王の句践は、敗残兵をひきつれて会稽山にたてこもり、自分は臣下となり、妻は召し使いとして差し出しますと(夫差に)嘆願した。

❸つくーる(作)。こしらえる。用例(戦国策、斉)請画レ地為レ蛇、先成者飲レ酒 ⇩ひとつ地面に蛇の絵を描き、最初に仕上げた者が酒を飲めるということにしようではないか。

❹おさーめる。㋐統治する。まとめる。用例(論語、里仁)能以二礼譲一為レ国乎、何有 ⇩礼儀を厚くして人にへりくだる心で国を治めることができたとしたら、何の困難もない。

㋑なおす。治療する。修理する。

㋒学ぶ。ならう。用例(論語、陽貨)女為二周南・召南一矣乎 ⇩お前は『詩経』の周南・召南の詩を学んだか。

❺いつわる(偽)。まねする。ふりをする。用例(史記、廉頗藺相如伝)秦王特以二詐詳一為レ予二趙城一 ⇩秦王は、ただうそをついて趙に都市を与えるふりをしているだけだ。

❻しわざ。行い。用例(北宋、范仲淹、岳陽楼記)予嘗求二古仁人之心一、或異二二者之為一何哉 ⇩私は以前、昔の人間愛を実践した人の心のあり方を探ってみたことがある。それは、景観に感動して境遇を悲しむのでもなく、楽しみ喜ぶのでもない生き方である。なぜであろうか。

❼ある(有)。❽さる(猿)。

二 助 ためーに。ため。なーる。る。らーる。⇩助字・句法解説。

❶たすける(助)。❷ためにする。ために行う。用例(論語、憲問)古之学者為レ己、今之学者為レ人 ⇩昔の学問する人は、自己自身の人格を高めるために学問をし、現代の学問する人は、人に知られるために学問をしている。

助字・句法解説

❶たーり。断定。「A為レB(AはBたり)」。訳 AはBである。A、Bの語が等しい関係にあることを表す。用例(史記、項羽本紀)如今、人方為二刀俎一、我為二魚肉一。⇩今、彼らは包丁とまな板であり、われわれは魚肉のような立場である。

❷ためーに。ため。「為二Aノ一(Aのために)」「為レAノ(Aのため)」。名詞などの前に置かれ、次のような意味を表す。

㋐目的。訳 Aのために。用例(史記、刺客伝)士為二知レ己者一死。⇩真の男子は、自分のことを理解してくれる者のために命を投げだすものだ。

㋑原因・理由。訳 Aのせいで。Aのために。Aのようなわけで。用例(史記、項羽本紀)漢卒十余万人皆入二睢水一。睢水為レ之不レ流。⇩漢の兵十余万人はみな睢水につかってしまった。睢水はこのために流れが止まった。/(世説新語、徳行)本所二以疑一、正為レ此耳。⇩わたしがはじめにためらったわけは、まさにこのようなことになるのではと思ったからである。

㋒対象。訳 Aに対して。用例(東晋、陶潜、桃花源記)不レ足下為二外人一道上也。⇩外部の人にお話しになるまでもないことですよ。

❸なーる。受身。「為二Aノ一B一ト(AのBとなる)」。訳 AにBされる。「為二A所一レB」の形の「所」が省略されたもの。⇩所(3979)の助字・句法解説①㋑。用例(文選、古詩十九首、其十五)愚者愛二惜費一、但為二後世嗤一。⇩愚か者は費用を惜しんで、ただ後世の人にあざけり笑われるだけだ。

❹る。らーる。受身。「為レBサ(Bさる)」「為レBセ(Bせらる)」。訳 Bされる。用例(韓非子、説難)厚者為レ戮、薄者見レ疑。⇩ひどい場合には殺され、軽い場合には疑われた。

❺や。か。疑問・反語。訳 …か。どうして…か。文末に置かれ、疑問・反語の語気を表す。用例(史記、項羽本紀)天之亡レ我、我何渡為。⇩天が私を亡ぼそうとしているのに、私はどうして(天命を無視してこの烏江を)渡って逃れるようなことをしようか(決してしない)。

名前 さだ・しげ・す・すけ・た・ため・ち・なり・ゆき・よし・より

難読 為歌可(がいか)・為体(ていたらく)・為栗(して)

解字 甲骨文 [字形] 篆文 [字形] 会意。甲骨文は会意で、爪＋象。象を飼いならすさまから、人為的につくるの意味を表す。篆文の爲は、それの変形。常用漢字の為は爲の省略形。

逆 営為・作為・所為・人為・天為・当為・無為・有為

【為我】(ヰガ) 自分だけの利益をはかる。戦国時代の楊朱(ヤウシュ)の主張。為(レ)我(わがためにす)。用例〔孟子、尽心上〕楊子取(二)為(レ)我(ヤウシは わがためにするを とる) ↓楊子は自分のためにする利己主義を主張した。

【為学(學)】(ヰガク) 学問をする。また、学問。

【為政】(ヰセイ) ①政治を行う。「為政者」 ②『論語』の編名。

【無(レ)不(レ)為】(なさざるなし) どんなことでもしてしまう。

5 【炁】 9画 7048 キ z7960 — 4141

炁(7045)の俗字。→六〇三ページ上。

5 【点】 9画 7049 教2 テン 3732 935F —

黒5 【點】 17画 7050 テン 琰 diǎn 8358 EA79 —

筆順 ト ト 占 占 占 点 点 点

【奌】 2266字 俗

字義 ❶ぽち。ほし。ちょぼ。「斑点(ハンテン)」 ❷しるし。小さいしるし。文章の切れ目のしるしなど。「句読点」 ❸てんをうつ。しるしをつける。「画竜点睛(ガリョウテンセイ)」 ❹わずかな動作をいう。㋐ちょっと書き入れる。「点景」 ㋑さす。ある部分に色をつける。 ㋒うなずく。「点頭」 ㋓軽くふれる。 ❺ともす。とぼす。つける。火や明かりをつける。「点火」 ❻一つ一つ調べること。「点検」 ❼けがす(汚)。よごす。また、よごれ。しみ。 ❽特定の場所や、物事のある部分を示す語。「起点」「要点」 ❾時刻を数える単位。更(コウ)(今の二時間)の五分の一。 ❿たてる。茶を入れる。 国テン。㋐漢文を訓読するときに加える各種の記号。訓点。「返り点」 ㋑品物を数える語。「衣類十点」 ㋒評点を数える語。「百点満点」 難読 点前(たてまえ)・点野(しめの)

解字 篆文 [字形] 形声。篆文は黒＋占㊥。音符の占は、特定の場所をしめるの意味。小さくて黒いほしの意味を表す。常用漢字は略体の点による。

逆 汚点・合点・加点・観点・拠点・句点・訓点・圏点・弱点・重点・読点・評点・論点

【点汚】(テンオ) ①しみ。よごれ。 ②きず。欠点。 ③けがす。

【点火】(テンカ) 火をつける。灯火をつける。

【点額】(テンガク) ①額(ひたい)に書く。額に字を書く。 ②＝竜門点額〔一六〇ページ下〕。試験に落第すること。〔水経注、河水〕

【点鬼簿】(テンキボ) ①死者の名をしるす帳簿。 ②詩文中に古人の名を多くいれる欠点。

【点景】(テンケイ) ①風景に人物などを描きそえること。 ②小さい石などを配した盆景。

【点検(檢)】(テンケン) ひとつひとつ調べる。あらため調べること。

【点呼】(テンコ) 国ひとりひとり呼んで人数を調べること。

【点行】(テンコウ) 召集令が下って戦争に徴発されること。用例〔唐、杜甫、兵車行〕道旁過者問(二)行人(一)、行人但云点行頻(ドウボウのすぐるもの コウジンにとえ(へ)ば、コウジンただいう(ふ)、テンコウしきりなりと) ↓道ばたを通りかかったものが、出征兵士に問いかけると、兵士はただこたえる、「徴兵がしきりなのです」と。

【点茶】(テンチャ・テンサ) 茶を入れる。抹茶(マッチャ)に湯をいれてあわだたせること。茶をたてる。

【点在】(テンザイ) あちらこちらに散らばっていること。散在。

【点竄】(テンザン) ①文章などの字句を改めること。 ②国和算の代数学。

【点心】(テンシン・テンジン) 簡単な食事をすること。また、その食物。少量の食事を心胸(腹)に点ずるということから、間食の意。また、広く茶菓子・茶うけの類いをいう。

【点睛】(テンセイ) 動物を描いて最後に、ひとみを入れる。大事な点を加えるたとえ。〔晋書、顧愷之伝〕→画竜点睛(ガリョウテンセイ)〔一七一ページ下〕

【点染】(テンセン) ①そめつける。画家が景色を描いてそめること。 ②文章をかざること。 ③けがれる。また、よごれ。しみ。

【点定】(テンテイ) 文章を調べなおす。改め正す。

【点綴】(テンテイ・テンテツ) 点をうったようにあちこちにつらなる。また、ほどよく配置する。「テンテツ」は慣用読み。

【点滴】(テンテキ) 雨だれ。しずく。雨滴。

【点灯(燈)】(テントウ) あかりをつけること。

【点頭】(テントウ) うなずく。承知の意を表して頭をさげること。

【点本】(テンポン) 国漢文にヲコト点や訓点を施した書籍。

【点滅】(テンメツ) 灯火をつけたり、消したりする。

5 【炰】 9画 7051 漢ホウ(ハウ) 呉ボウ(バウ) 肴 pāo — — 4152

字義 ❶やく。あぶる。＝炮(6891)。 ❷たけだけしい。はげしい。強い。

解字 形声。灬(火)＋包㊥。

【炰烋】(ホウコウ) 自ら誇って気の強いさま。▼烋も、気の強いさま。用例〔詩経、大雅、蕩〕女炰(二)烋于中国(一)(なんじ(ぢ)チュウゴクに)、歛(レ)怨以為(レ)徳(うらみをあつめて もってトクをなす)。↓あなた(紂王(チュウオウ))はみずから誇って中国に虐政をなし、恨みを一身に集めている。

【炰燔】(ホウハン) ①あぶる。焼く。また、あぶり肉。 ②暑さのはげしいたとえ。

6 【烏】 10画 7052 人 標 漢オ(ヲ) 呉ウ 虞 wū 1708 8947 —

筆順 ′ 丨 户 户 白 乌 鸟 烏 烏 烏

字義 助 なんぞ。いずくんぞ。ああ。⇨助字・句法解説。 ❶からす。 ❷くろい。黒色。

助字・句法解説

❶なんぞ。いずくんぞ。反語。訳どうして…か。類安・焉・悪。

原因・理由について問う反語表現を作る。

用例〔漢書、賈誼伝〕遅速有(レ)命、烏識(二)其時(一)(チソクメイあり、いずくんぞそのときをしらん)。↓遅いか速いかは運命である。どうしてその時を知っていようか(いや、だれにもわからない)。

❷ああ。詠嘆・嘆息。訳ああ。類嗚。

「烏乎」「烏呼」とも書く。

用例〔史記、司馬相如伝〕烏(ああ)、謂(レ)此邪(これをいうか)。↓ああ、そのようにいうのか。／〔韓非子、難二〕烏乎(ああ)、吾之士数弊也(われのシしばしばヘイするなり)。↓ああ、わが兵は疲れているのだなあ。

難読 烏賀陽(うがや)・烏干玉(うばたま)・烏丸(からすま)・烏帽子(えぼし)・烏魯木斉(ウルムチ)

解字 金文 [字形] 篆文 [字形] 象形。鳥の一点を欠いて、黒くて目の見分けがつかない鳥、からすの意味を表す。また、「ああ」など嘆息を表す擬声語としても用いられる。烏を音符に含む形声文字に、歍(ヲ)・嗚(ヲ)などがある。

【烏衣】(ウイ) ①黒い着物。粗末な衣。 ②つばめ。

【烏衣巷】(ウイコウ) 地名。金陵(今の江蘇(コウソ)省南京市)の秦淮(シンワイ)河の南。街の入り口に朱雀橋がかかっていた。晋(シン)代には王氏・謝氏などの貴族が住んでいた所で、その子弟が黒い衣を着ていたことから名づけられた。用例〔唐、劉禹錫、烏衣巷詩〕朱雀橋辺野草花、烏衣巷口夕陽斜(シュジャクキョウヘン ヤソウのはな、ウイコウコウ セキヨウななめなり) ↓朱雀橋のあたりには野草の花が咲き、烏衣巷の入り口には、夕陽が斜めに差し込んでいる。

【烏雲】(ウウン) ①黒い雲。暗雲。 ②女性の黒く豊かな髪。

【烏焉】(ウエン) 文字の誤り。烏と焉とは、字形が似ているのでたがいに誤るからいう。「烏焉成(レ)馬(うまとなる)」

【烏喙】(ウカイ) ①からすのくちばし。 ②からすのくちばしのようにとがった口をいう。欲深いことを表している人相であるという。〔呉越春秋、句践伐(レ)呉外伝〕

【烏角巾】(ウカクキン) ＝烏巾(ウキン)。

【烏獲】ウカク 戦国時代の秦の武王の臣で、大力のあった人。〔孟子、告子下、注〕
【烏巾】ウキン 隠者のかぶる黒いずきん。烏角巾。
【烏乎・烏呼】ああ ⇩助字・句法解説。
【烏江】ウコウ 地名。秦代に烏江亭が置かれた。今の、安徽省和県の東北、長江の北岸にあり、楚の項羽が漢の劉邦の軍に攻められて自殺した所。
【烏号(號)】ウゴウ ①黄帝が持っていたという良弓の名。②尊敬する人の死をいたんで泣くこと。
【烏合】ウゴウ からすの集まりのように、規律のないあつまり。「烏合之衆」
【烏之雌雄】からすのシユウ からすのめすと、おす。からすは黒くて、おす・めすを見分けにくいことから、物の是非善悪がまぎらわしいことのたとえ。用例〔詩経、小雅、正月〕具曰二予聖一、誰知二烏之雌雄一 ⇩誰もが己こそ賢いと言ってはいても、誰が烏のめすとおすを見分けられようか。
【烏鵲】ウジャク ①かささぎ。用例〔三国魏、曹操、短歌行〕月明星稀、烏鵲南飛。⇩月の光があきらかで星がまばらにしか見えず(英雄たる私の出現によって小人の影は薄くなり)、かささぎが南の方へ飛んで行く(劉備は南へ逃走した)。②からすと、かささぎ。
【烏鵲橋】ウジャクキョウ かささぎの渡す橋。陰暦七月七日の夜に、牽牛と織女の二星が天の川で会うとき、かささぎがその翼で天の川にかけるという橋。
【烏集】ウシュウ ①からすが集まる。②からすのように群がり集まること。秩序なく集まること。烏合。
【烏賊】ウゾク・いか 魚の名。いか。墨魚ともいう。
【烏孫】ウソン 漢代、天山山脈の北方に住んでいたトルコ族の遊牧民族。また、その国。漢と和親し、匈奴を破った。
【烏孫公主】ウソンコウシュ 劉細君ともいう。前漢の江都王劉建の娘で、武帝のとき、政略結婚によって公主(天子の娘)として西域の烏孫王にとつがせられた。その憂いを歌ったものが悲愁歌として有名である。〔漢書、西域伝〕
【烏鳥私情】ウチョウのシジョウ からすが親に恩返しをしようとする心。転じて、子が親に孝養をつくそうとする心。〔西晋、李密、陳情表〕
【烏兎】ウト ①太陽と月。太陽の中に三本足のからすが住み、月の中に兎がいるとの伝説に基づく。②つきひ(月日)。歳月。
【烏兎匆匆】ウトソウソウ 月日のたつのが速いこと。
【烏頭】一トウ ①黒髪の頭。②水草の名。おにばす。③国=烏帽子。二ズ(ヅ) 毒草の名。とりかぶと。
【烏飛兎走】ウヒトソウ 月日の速く過ぎ去ることをいう。→烏兎。
【烏府】ウフ 御史台の別名。台の周囲の柏がしげり、からすが常にすんでいたのでいう。
【烏帽】ウボウ ①隠者のかぶる黒い帽子。②国=烏帽子。
【烏帽子】えぼし 国昔の成人男子の日常的なかぶりもの。
【烏有】ウユウ なんぞあらんや。何も(全く)ないこと。火災にあって家財を失うこと。「烏有に帰す」
【烏有先生】ウユウセンセイ 世の中に実在しない仮の人名。前漢の司馬相如が、その文章中に無是公(実在しない人の名)とならべて用いた人名。〔史記、司馬相如伝〕
【烏有二反哺之孝一】からすにハンポのコウあり 子がらすは、幼時親に養われた恩返しに、親鳥に食べ物を口うつしにして食べさせるという孝行を行う。転じて、子が父母の恩に報いるたとえ。〔十六国春秋〕
【烏鷺】ウロ ①からすと、さぎ。②国㋐黒と白。㋑碁・碁石の別名。「烏鷺を戦わせる」は、碁をうつこと。
【烏乱(亂)】ウロン 国怪しく疑わしいこと。胡乱。

6 【烋】 10画 7053

6362 E07D 一

一 漢コウ(カウ) 呉キョウ(ケウ) 肴 xiāo
二 漢キュウ(キウ)・呉ク 尤 xiū

字義 一 気が強く、たかぶるさま。「烋烋」 二 ❶さいわい。めでたい。よろこび。よい(善)。❷やわらぐ(和)。❸うつくしい(美)。❹かすか。

解字 形声。灬(火)+休㊤。音符の休は、さいわいの意味を表す。

6 【羔】 10画 (9488)

コウ 羊部。→一二五三ページ中。

6 【烝】 10画 7054

6363 E07E 一

ショウ 慣ジョウ 蒸 zhēng

字義 ❶むす。㋐熱気などがたち上る。むれる。㋑ふかす。❷すすめる。献上する。❸いけにえを俎の上に載せる。❹もろもろ(衆)。多い。「烝民」❺きみ。君主。❻冬の祭り。❼身分の高い女性や、年上の女性と姦通すること。❽ここに。発語の語。

解字 甲骨文  篆文  形声。灬(火)+丞㊤。音符の丞は、下から上におしあげるの意味。熱気があがってむすの意味を表す。転じて、上の者に物を進める・冬の祭りの意味なども表す。

【烝矯】ジョウキョウ まがった木をむしてためなおす。火であたためたり、蒸気で蒸して柔らかくして矯正する。
【烝庶】ジョウショ 多くの民。庶民。
【烝烝】ジョウジョウ ①物がさかんにおこるさま。②善に向かって進むさま。③火がもえあがるさま。④志を得ないで、ぐずぐずするさま。
【烝民】ジョウミン もろもろの人民。万民。用例〔十八史略、五帝、帝尭〕立二我烝民一、莫レ匪二爾極一 ⇩われわれ万民が無事に生活を成り立たせているのは、すべてあなた尭帝様のこの上ない徳によらないものはない。

6 【热】 10画 7055

ネツ 熱(7081)の俗字。→九一三ページ下。

6 【烈】 10画 7056 常 レツ

4685 97F3 一

漢レツ・呉レチ 屑 liè

筆順 一 ア 歹 歹 列 列 列 列 烈 烈

字義 ❶はげしい。きびしい。あらい。たけだけしい。「烈火」「猛烈」❷気性が強く正しい。また、道義心にあつい。「烈婦」「義烈」❸やく。燃やす。あぶる。❹あきらか。輝かしい。❺てがら。いさお。功績。「功烈」❻あまり(余)。❼害毒。❽さく(裂)。さける。

名前 いさお・たけ・たけし・つよ・つら・やす・よし

解字 篆文  形声。灬(火)+列(𠛱)㊤。音符の𠛱は、さけるの意味。火力がはげしくて、物がさけるの意味から、はげしいの意味を表す。

逆 偉烈・威烈・遺烈・火烈・義烈・劇烈・激烈・誠烈・壮烈・忠烈・痛烈・貞烈・熱烈・武烈・猛烈・雄烈

【烈火】レッカ ①はげしく燃えあがる火。猛火。②はげしく怒ることの形容。③真っ赤なものの形容。
【烈行】レッコウ りっぱな行い。
【烈考】レッコウ 亡父をいう。皇考。▼考は、亡父。
【烈士】レッシ 気性が強く節義を守る男性。烈夫。烈丈夫。「賢人烈士」
【烈日】レツジツ はげしく照りつける太陽。夏の暑い日。
【烈女】レツジョ 気性が強く貞操のかたい女性。烈婦。
【烈祖】レッソ 大きな手がらをたてた祖先。〔書経、伊訓〕
【烈婦】レップ =烈女。
【烈風】レップウ はげしい風。暴風。
【烈烈】レツレツ ①高大なさま。②寒気のはげしいさま。③うれえるさま。④武威のさかんなさま。⑤火のさかんなさま。⑥気性のはげしいさま。⑦風のはげしいさま。⑧水のはげしく流れるさま。

7【焉】11画 7057 標 エン 囝 yān 6365 E081 ―

字義 助いずくんぞ。なにをか。いずくに。いずくにか。これ。ここ。ここに。⇩助字・句法解説。❶鳥の名。黄色の鳳凰。❷他の語の下に付いて状態を表す語を作る。「忽焉」

助字・句法解説
❶文末に置かれ、訓読では読まないが、次のような語気を表す。
㋐断定。訳…である。用例〔論語、述而〕三人行必有₌我師₋焉。⇩三人の人が同じ事を行えば、必ずその中には自分の師とすべき者がいる。
㋑疑問・反語。訳…だろうか。前の語に「や」を添えて訓読することが多い。用例〔孟子、公孫丑上〕吾不㆑惴焉。⇩私は恐れないだろうか(いや、恐れるだろう)。
❷いずくんぞ。反語。訳どうして…か。類安・烏・悪。原因・理由について問う反語表現を作る。用例〔論語、陽貨〕割㆑鶏焉用₌牛刀₋。⇩鶏を料理するのにどうして牛刀を用いるのか(そんな必要はない)。
❸なにをか。疑問・反語。訳なにを…か。事物について問う疑問詞。用例〔東晋、陶潜、帰去来辞〕世与㆑我而相遺、復駕言兮焉求。⇩世の人々も私を忘れ、私も世の人々を忘れてしまおう、再び馬車に乗る(役人の)身となって、そこで何を求めようというのか(何もない)。
❹いずくに。いずくにか。疑問。訳どこで。どこから。場所を問う表現を作る。用例〔論語、公冶長〕魯無₌君子₋者、斯焉取㆑斯。⇩魯に君子がいなければ、(弟子の)子賤はどこから徳を得られただろう。
❺これ。ここ。ここに。「是」「此」「之」や「於是」「於此」「於之」に相当する意味を表す。ただし、文末に用いられると、①㋐との区別がつきにくいこともある。用例〔左伝、隠公六〕我周之東遷、晋・鄭焉依。⇩わが周王室が東の洛陽に遷都した時、晋・鄭の二国の助けを得た。/〔大学〕心不㆑在㆑焉、視而不㆑見、聴而不㆑聞。⇩心がうわの空であれば、物を見ても見わけることができないし、物を聞いても耳には入らない。

解字 篆文 象形。鳥の形にかたどり、黄色い鳥の意味を表す。借りて、疑問の「いずくんぞ」の意味や、文末を示す助字に用いられる。
【焉△烏△之誤】文字の誤り。焉と烏の字形が似ていることから。烏焉。

7【㷇】11画 7058 キョク 亟(133)と同字。→六二ページ下。 ₁8744 EDF4 4173

7【焄】11画 7059 クン 図 xūn, hūn ₂7975 EDF5 4167

字義 ❶くすべる。いぶす。❷かおり。かんばしいにおい。香気。君蒿は、香気のむしのぼるさま。❸香気や、から味の強い野菜。

解字 形声。灬(火)+君㊥。音符の君は、熏に通じ、いぶすの意味。火を付して、いぶすの意味を明らかにした。

7【黑】11画 (14463) コク 黒部。→一六四六ページ上。

7【烹】11画 7060 漢ホウ(ハウ) 呉ヒョウ(ヒャウ) 図 pēng 4303 9642 ―

字義 ❶にる(煮)。また、煮たもの。料理したもの。「割烹」❷にて殺す。また、その刑。

解字 会意。亨(亯)+灬(火)。亯は、物を煮るための土なべの象形。火を付し、にるの意味を表す。

【烹△醢】①肉を煮たり、塩づけにしたりする。②残酷な方法で人を殺すたとえ。
【烹割】食物を煮たり、さいたりする。料理すること。割烹。
【烹刑】かまゆでの刑。人を煮て殺す漢代の刑罰。
【烹宰】食物を料理する。また、料理。
【烹△飪・烹△餁】よく煮た食物。手の込んだ料理。また、それを調理すること。
【烹煎】煮たり、いったりする。料理すること。
【烹鮮】国政を処理すること。小魚を料理するのに、あまり手を加えすぎると形が崩れてしまうように、国を治めるのに人為を用いすぎるとよく治まらないたとえ。用例〔老子、六十〕治₌大国₋、若㆑烹₌小鮮₋。⇩大国を統治するのは、小魚を(形をくずさないように)煮るようなものだ(難しいことのたとえ)。

8【煦】12画 (1592) ク 口部。→二七四ページ中。

8【煮】12画 7061 常 シャ にる・にえる・にやす 2849 8ECF ―

9〖煮〗13画 7062 人 ショ 慣シャ 語 zhǔ ₁8753 ― ―

筆順 一 十 土 耂 耂 者 者 者 煮 煮

字義 ❶にる。❷にえる。国にやす。煮えるようにする。「業を煮やす」

名前 に

【煑】6948 同字

解字 篆文 形声。灬(火)+者(者)㊥。音符の者は、煮の原字。

【煮沸】①わかす。にたてる。②にえたつ。
【煮△茗】茶をせんじる。▼茗は、茶。

8【焦】12画 7063 常 ショウ こげる・こがす・こがれる・あせる ショウ(セウ) 図 jiāo 3039 8FC5 ―

筆順 ノ イ 亻 什 件 隹 隹 焦

字義 ❶こげる。焼けて黒くなる。また、こがす。焼いて黒くする。❷こがれる。思いわずらう。なやみ苦しむ。いらだつ。恋いしたう。❸こげくさい。❹やつれる(憔)。国❶こがれる。❷あせる。気がいらだつ。じれる。また、じらす。

解字 金文 篆文 形声。もと、灬(火)+雥㊥。音符の雥は、多くの小鳥の意味。小鳥をあぶるの意味から、こげるの意味を表す。常用漢字の焦は、その省略体。焦を音符に含む形声文字に、憔・樵・礁などがある。

【焦心】・こころをこがす 気をもむ。また、いらだつ心。苦慮。焦思。
【焦△瘁】やみつかれる。
【焦燥】①やけこげる。②=焦躁。
【焦△躁】あせる。いらだつ。いらだちさわぐ。
【焦土】やけつち。火事の焼けあと。焼け野原。
【焦熱】焼け熱する。また、こがし焼く。
【焦熱地獄】仏八大地獄の一つ。はなはだしい火熱で、亡者(罪を犯して死んだ人)を苦しめるという所。
【焦眉△之急】まゆに火がついたような危急の場合。情勢の非常にさしせまったこと。焼眉之急。
【焦△爛】やけただれる。
【焦慮】気をもむ。あせる。いらだつ。

8 **【然】** 12画 7064 漢ゼン・呉ネン 先 rán 教4 ゼン・ネン 3319 9152 —

筆順 ノ ク タ タ タ 外 外 殀 然 然

字義 助 しかして。しかれば。しかれども。しかるに。しからば。しかる。しかく。しかも。⇩助字・句法解説。

❶しかり。㋐そのとおり。肯定・同意の意。㋑…のようである。▼「若／如ク…然リ（…がごとくしかり）」の形をとる。用例〔孟子、公孫丑下〕木若ニ以美一然。⇩木があまりに立派すぎるようだ。

❷しかりとする。もっともと認める。用例〔列子、湯問〕雑然相許。⇩家族一同もっともだということで賛成した。

❸しかする。そのようにする。用例〔孟子、公孫丑上〕非下悪ニ其声一而然上也。⇩世間に悪いうわさの立つのをおそれてそのようにしたのではない。

❹他の語の下について状態を表す語を作る。「泰然」「悠然」

❺もえる。もやす。＝燃(7001)。用例〔唐、杜甫、絶句詩〕江碧鳥逾白、山青花欲レ然。⇩川の水は紺碧で、(それに対比して)鳥はいよいよ白く、山は浅みどりで花は燃えたつばかりにまっ赤である。

国 ❶されど。しかし。❷されば。しこうして。❸さも。❹さる。❺そう。

助字・句法解説

❶しかして。しかれば。順接。訳そうであって。多くは「然而」の形で、「而」を読まないか、二字で「しかりしこ(か)うして」と読む。用例〔孟子、梁恵王上〕楽以ニ天下一、憂以ニ天下一。然而不レ王者、未ニ之有一也。⇩天下と共に楽しみ、天下と共に憂う。そうであって王となれない者は、いまだ存在しない。

❷しかれども。しかるに。逆接。訳そうではあるが。けれども。用例〔史記、高祖本紀〕周勃重厚少レ文。然安ニ劉氏一者必勃也。⇩周勃は重厚で文才に乏しい。しかし、劉氏一族を安定させてくれるのはきっと周勃であろう。

❸しからば。訳そうであるならば。多くは「然ラバ則チ(しからばすなわ(は)ち)」の形をとる。用例〔論語、先進〕子曰、師也過、商也不レ及。曰、然則師愈与。⇩先生は おっしゃった、「師(子張)は過ぎており商(子夏)は及ばない」。(子貢が)尋ねた、「それでは師の方がまさっているのですか」。

❹しかる。「然ル後(しかるのち)」。訳その後で。用例〔論語、子罕〕歳寒、然後知ニ松柏之後レ彫也。⇩寒い季節になってはじめて松やこのてがしわの葉が、いつまでも散らずに緑を保っていることがわかるのである。

❺しかく。訳このように。前文の内容を受ける語。用例〔詩経、鄘風、定之方中〕卜云其吉、終然允臧。⇩占って吉を得た。かくてまことによい土地を得た。

❻しかも。訳その上。なおかつ。前文の内容にさらに他のことが加わることを表す。用例〔楚辞、七諫、怨世〕年既已過ニ太半一兮、然埳軻而留滞。⇩年齢はすでに人生の大半をすぎ、その上、志を得ずに八方塞がりだ。

❼断定・推量。類焉。句末に用い、断定・推量の意味を表す。訓読では通常読まれない。用例〔論語、先進〕若レ由也不レ得ニ其死一然。⇩由(子路)のような者は普通の死に方はできないだろう。

名前 しか・ぜん・なり・のり・もえ 難読 然然・然別

解字 金文 篆文 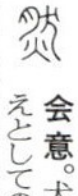 会意。犬＋夕(肉)＋灬(火)。いけにえとしての犬の肉を火でやくの意味から、一般に、もやすの意味を表す。借りて、しかり・しかしてなどの意味をも表す。然を音符に含む形声文字に、撚・燃などがあり、これらは「もえる」の意味を共有している。

逆 暗然・依然・隠然・慨然・果然・敢然・間然・凝然・居然・偶然・決然・厳然・公然・索然・雑然・自然・釈然・粛然・純然・粋然・井然・整然・全然・騒然・卒然・率然・泰然・卓然・端然・断然・超然・天然・陶然・同然・徒然・突然・漠然・判然・必然・憤然・平然・本然・翻然・慢然・漫然・未然・猛然・黙然・悠然・油然・冷然・歴然

【然賛(贊)】ゼンサン 賛成する。

【然△而】しかして・しかりしこ(か)うして ⇩助字・句法解説①。

【然諾】ゼンダク うけあう。承諾する。用例〔唐、張謂、題ニ長安主人壁一詩〕縦令然諾暫相許、終是悠悠行路心。⇩たとえ頼みを引き受けてしばらくは心を許してつき合っていても、(金がなくなれば)結局は縁のない通りすがりの人となってしまうのだ。

【重ニ然諾一】ゼンダクをおもんず 一度うけ合ったことは必ず実行する。

【然否】ゼンピ・ゼンプ そうか、そうでないか。

8 **【無】** 12画 7065 漢ブ・呉ム 虞 wú 教4 ム・ブ な-い 4421 96B3 —

筆順 ノ ㇐ 仁 午 血 𠕁 𣺨 無 無

［无］4641 同字

字義 助 なし。なく。なかれ。⇩助字・句法解説。❶な-い。否定の意。↕有(4907)。「絶無」「有無」❷混然として区別がなく、万物の根源となる道。道家の説で虚無の道。万物の本体。❸なみする。ないがしろにする。用例〔孟子、滕文公下〕無レ父無レ君、是禽獣也。⇩父をないがしろにし、君主をないがしろにするのでは、鳥や獣と同じだ。

助字・句法解説

❶なし。否定。訳…がない。人や事物の存在しないことを表す。用例〔唐、杜甫、登ニ岳陽楼一詩〕親朋無ニ一字一、老病有ニ孤舟一。⇩親類や友人からは全く便りもなく、年をとり病を得た身には一そうの舟があるのみである。

❷なく。「無レA卜(無レB卜)Cス(AとなくBとなくCす)」。訳A(、B)に関係なくCする。条件・範囲にとらわれないことを表す。用例〔史記、呂后本紀〕悉捕ニ諸呂男女一、無ニ少長一皆斬レ之。⇩呂氏の男女をすべて捕らえ、老若の区別なくすべて斬り殺した。／〔唐、韓愈、師説〕無レ貴無レ賤、無レ長無レ少、道之所レ存、師之所レ存也。⇩身分の上下に関係なく、年齢の多少に関係なく、道理の存在するところには師が存在するのである。

❸なかれ。禁止。訳…するな。類勿・毋・莫。動詞の前に置かれる。用例〔論語、学而〕無レ友ニ不レ如レ己者一。⇩自分よりすぐれていない者を友とするな。

名前 な・なし・む 難読 無花果・無患子・無患子・無数河・無頼漢

参考 ⇩〔不〕(21)の参考。

使いわけ ない〔無・亡〕
〔亡〕人の死に関する場合。「今は亡き人・交通事故で亡くなる」
〔無〕前述の〔亡〕の意以外で、広く一般に用いる。「自信が無い・愛国心が無くなる」

解字 甲骨文 篆文 奇字 仮借。もと、舞の字と同形で、人の舞う姿にかたどり、まいの意味を表したが、借りて、「ない」の意味に用いる。篆文は、亡を付し、ないの意味を明らかにし、省略して、無となった。無を音符に含む形声文字に、撫・蕪・嘸・憮などがあり、これらの漢字には、「ない」の意味のもの、「おおいしげる」の意味のものとがある。

逆 皆無・虚無・空無・絶無・有無

【無△已】①尽きることがない。はてしがない。②怠らない。③やむなし。やむをえない。よんどころない。

【無為(爲)】①何事もしない。少しも干渉しない。②人為を用いない。自然のままなこと。道家の語。用例〔老子、四十八〕無為而無レ不レ為。⇩「無為」であれば、できないことはなくなる。③清代の邪教の名。老子の教えを主とした。④仏真理をいう。

【無一物】一・一 一物もない。何もない。何一つ持っていない。

【無逸】遊び楽しむことがない。安逸に流れない。

【無射】①十二律の一つ。陽律の六番目。②陰暦の九月にあたる。③いとうことがない。きらわれることがない。④鐘の音。

【無益】役にたたない。用をなさない。むだ。

【無縁】①ゆかりがない。縁がない。②仏㋐仏に会い法を聞く縁がない。㋑死者を弔う縁者がない。「無縁仏」㋒だれのためと限るべき縁がない。

【無音】一 音がない。二 たよりや訪れがない。

【無仮(假)】①真、または道をいう。②いつわりがない。▼仮は、すべて形のあるもの、形体となって現れない本体。

【無何】①いくばくもなく。間もなく。用例〔人虎伝〕無レ何夜狂走、莫レ知二其適一。⇩ほどなく夜中にやみくもにかけ出してゆき、行方知れずになってしまった。②何もない。㋐何の罪もない。無罪。㋑ほかのことはない。他事ない。③「無何有之郷」の略。

【無何有△之郷(鄉)】何もなく、はてしなくひろびろとした所。荘子の説く理想郷。用例〔荘子、逍遥遊〕何不下樹二之於無何有之郷、広莫之野一、彷徨乎無レ為二其側一、逍遥乎寝中臥其下上。⇩どうしてこの木を何もない里、広々とした野原に植えて、その木のそばでぶらぶらと憩い、その木のかげで気ままに寝そべることをしないのですか。

【無花果】果樹の名。クワ科の落葉小高木。

【無価(價)】①価をつけられないほどに貴い(すぐれている)こと。②価値がない。

【無我】①私心がない。心が公平無私なこと。②無心。③われを忘れる。無我夢中。④仏万物には永遠不変の実体がないこと。一切のものはそれぞれ一定の因縁によって成立しているが、その因縁がなくなると滅びて空になる。

【無懐(懷)氏】道家が理想とする上古の帝王で、無為にして人民を化したという。〔東晋、陶潜、五柳先生伝〕

【無外】①遠い所。②外のわずらいがない。③対立するものがない。王者は天下を家としているので、外というものがない。④非常に大きいたとえ。

【無害】①害がない。②他をさまたげない。かかわりがない。③傷害しない。④人からそしられない。⑤人をそねみそこなうことをしない。⑥たぐいがない。無比。

【無△碍・無△礙】一 さえぎるものがない。二 仏自由自在でさまたげのないこと。融通無碍。用例〔往生論註、下〕無礙者、謂レ知二生死即涅槃一。⇩無礙とは、生死の苦しみがそのまま解脱の要因であることを知るということだ。

【無学(學)】学問がない。知識がない。

【無学(學)文盲】学問がなく文字を知らないこと。また、その人。

【無間】すきまがない。または、わけへだてがない。

【無気(氣)味】なんとなく気味が悪いこと。不気味。↓不(21)の参考。

【無軌道】国道路やレールがない。転じて、きまりのない行動や生活にいう。

【無幾】=無レ幾(四七〇ページ上)。

【無器量】国顔だちの醜いこと。不器量。→不(21)の参考。

【無機】①きざしがない。②無心。③生活機能のないこと。↔有機(六八六ページ中)。

【無給】給料の支払われないこと。↔有給(六八六ページ中)。

【無窮】きわまりない。はてしない。永久。

【無△疆】かぎりない。際限がない。無窮。

【無極】①かぎりがない。はてがない。尽きる所がない。②太極の別体。宇宙の本体。

【無虞】思いがけない。はかりえないこと。不慮。

【無稽】よりどころがない。でたらめ。「荒唐無稽」

【無芸(藝)】①法度がない。きまりがない。②きわまりない。とどまるところがない。でたらめ。③人に見せるような芸がない。芸なし。「無芸大食」

【無間地獄】仏八大地獄の一つ。絶えまなく苦しみを受けるという地獄。

【無限】かぎりがない。はてがない。

【無故】①理由がない。②事故がない。用例〔孟子、尽心上〕父母倶存、兄弟無レ故、一楽也。⇩父母がともに健在で、兄弟が無事であるのは、第一の楽しみである。

【無△辜】罪がないこと(者)。▼辜は、罪。

【無後】①あとつぎがない。無継。②おそくない。おくれない。

【無行】①列がない。整然としていない。乱れること。②実行がともなわない。③節操がない。品行がよくない。④行ってはならない行為。⑤特別の善行がない。

【無効(效)】①ききめがない。②法律上、行為が効果を生じないこと。

【無△垢】一 よごれがない。けがれがない。二 仏煩悩のけがれがないこと。清浄潔白。

【無告】だれにも告げ訴えて救いを求めることができない人。たよる所のない貧窮の人。

【無骨】一 ①骨がない。骨なし。②支離滅裂の文章。二 国①不作法。また、無風流。スマートなところがない。②才能のないこと。役にたたないこと。③具合の悪いこと。④曲芸の一つ。軽業など骨がないように見えるのでいう。

【無骨者】国無作法者。無風流な人。スマートでない人。また、才能が無く役に立たない人。

【無根】よりどころがない。事実がないこと。

【無言】ものを言わない。口をきかない。不言。

【無沙汰】国しらせがないこと。たよりをしないこと。

【無策】対策がない。策略がない。

【無産】①一定の職業がない。②財産がない。

【無残(殘)・無惨(慘)】=無慙②③。

【無△慙・無△慚】①悪いことをして心に恥じないこと。②むごたらしいこと。③いたわしいこと。ふびんなこと。

【無私】私心がない。

【無△疵】シム・ムきず ①見ない。②あってもないように扱う。眼中におかない。みくびる。

【無視】シム ①見ない。②あってもないように扱う。眼中におかない。みくびる。

【無似】ジム・ジブ ①似ない。賢人や父に似ていない意で、愚か者をいう。自分の謙称。不肖。②無比。

【無事】ジブ ①かわったことがない。息災。↔有事(六八六ページ下)。②仕事がない。することがない。ひまなこと。

【無実(實)】ジム ①それだけの中味がない。実がない。②みのらない。③国ア誠実の心のないこと。イ罪がなくて罰せられること。ぬれぎぬ。

【無住】ジュウ 仏①寺に住職のいないこと。また、その寺。②もとづくもののない状態。

【無精】ブショウ 国精を出さないこと。なまけること。ものぐさ。不精。無性。

【無償】ショウ ①つぐなわない。報酬を与えない。②つぐないがない。また、そのこと。ただ。

【無上】ジョウ ①この上もない。最高。②上にあって命令を出す人がない。③かみをなみする。長上をないがしろにする。

【無状(狀)】ジョウ ①形がない。②よい行いがない。功績がない。③礼儀のないこと。無礼。④そのありさまを言い表すことができない。⑤あわれなさま。

【無常】ジョウ ①定め(常)がない。②仏一切のものが生滅・変転してさだまりがない。③国人生のはかないこと。

【無情】ジョウ ①まごころがない。②情愛がない。薄情。③人や鳥獣が有情であるのに対して、金石・土木などのように心情がないもの。↔有情(六八六ページ下)。用例〔唐、李白、月下独酌詩〕永結二無情遊一、相期邈雲漢一。↓永久に(月や影と)人間の情を離れた楽しみを共にし、はるかな天の川で会うことを約束しよう。

【無心】シン ①自然であること。用例〔東晋、陶潜、帰去来辞〕雲無レ心以出レ岫、鳥倦レ飛而知レ還。↓雲は自然のままに山のほら穴からわき出ており、鳥は飛ぶのにあきては、ねぐらに帰って行くのを知っている。②何の考えもない。私心がない。③仏真心。煩悩をはなれた心。④国ア連歌で言葉を選びつくろわないこと。↔有心(六八七ページ上)。イ無欲。無邪気。ウ無遠慮。また、遠慮なく物をねだること。エ分別がない。気がきかない。オ風流心がない。

【無人】[一]ジン ①人がいない。人が住んでいない。②すぐれた人物がいない。[二]ブニン 国人手の少ないこと。

【無尽(盡)】ジン ①つきることがない。②国「無尽講」の略。

【無尽(盡)講】ムジンコウ 国金銭の融通をはかる一種の組合。多数の人が金を出し合って、くじびきで順番に金銭を融通するもの。頼母子講。

【無尽(盡)蔵(藏)】ムジンゾウ いくら取ってもなくならないこと。取ってもつきない蓄積。用例〔北宋、蘇軾、前赤壁賦〕取レ之無レ禁、用レ之不レ竭、是造物者之無尽蔵也。↓いくら取っても禁じられず、いくら使ってもなくならない。これこそ造物者の造った尽きることのないものだ。

【無粋(粹)】ブスイ 国①人情にうといこと。②風流の道にくらいこと。無骨。

【無性】[一]ムセイ 下等動物などで雌雄の性の区別のないもの。[二]ブショウ ①仏ア一切の万物は実体がないこと。イ仏となる素質のないもの。②国精を出さないこと。なまけがちなこと。不精。

【無適】[一]ムセキ かわらない。不変。[二]ムテキ ①熱中しない。固執しない。②心を他に散らさない。専一。「主一無適」③匹敵するものがない。

【無前】ゼン ①前に立って手向かう者がない。敵するものがない。②前世にない。

【無双(雙)】[一]ムソウ・ブソウ ならぶものがない。対比するものがない。用例〔史記、淮陰侯伝〕至レ如レ信者一、国士無双。↓韓信のような人物は、国中に並ぶものがないすぐれた人物である。[二]ムソウ 国①すもうの手の一つ。②衣服や器具などの表裏または全体を同じ材料で作ること。

【無象】ゾウ 形がない。無形。

【無他】タ ①ほかにない。ほかではない。②二心がないこと。③事故のないこと。また、いたわる言葉。恙なきやというのに同じ。無它。

【無△乃】むしろ どちらかといえば。いっそ。かえって。

【無端】タン ＝無レ端(一〇七一ページ上)。

【無断(斷)】ダン 事前にことわらない。許しを受けない。

【無知・無△智】チ 知識がない。知恵がない。おろか。

【無恥】チ はじを知らない。はじをはじとも思わない。

【無茶】チャ 国①すじ道の立たないこと。むやみな。無茶苦茶。②道理をかえりみないこと。乱暴。

【無腸】チョウ はらわた(堅固な心)がない。

【無敵】テキ 敵する者がない。相手がない。敵兵がいない。

【無道】ドウ・ブドウ ①世の中に道徳が行われていない。②道徳にそむく悪行。また、その人。

【無△頓着】ムトンジャク・ムトンチャク 国自分のことについて、他人がどう思うかなど少しも気にしない。

【無那・無奈】いかんともするなし どうしようもない。いたしかたない。

【無難】ブナン・ムナン ①わざわいがない。災難がない。②困難がない。③難点がない。さわりがない。

【無二・無弐(貳)】ニ ①ふたつとない。無比。②二心がない。

【無二無三】ムニムサン ①仏仏になる道は一つで、他の道がないこと。②国アただ一つあって他に類がないこと。唯一。イわき目もふらず。一散。

【無寧】むしろ どちらかといえば。いっそのこと。かえって。

【無年】ネン 凶作の年。

【無念】[一]おもう(ふ)こと なし ＝無レ念(五二一ページ中)。[二]ネン ①何も考えない。「無念無想」②国くやしいこと。残念。

【無能】ノウ はたらきがない。才能がない。↓無レ能(六九八ページ上)。

【無比】ヒ たぐいがない。くらべるものがない。

【無父】フ ①父がいない。②＝無レ父(九一六ページ下)。

【無辺(邊)】ヘン ひろびろとして果てしがない。数限りない。用例〔唐、杜甫、登高詩〕無辺落木蕭蕭下、不尽長江滾滾来。↓どこまでも続く森の落葉はかさかさと散り続け、尽きることを知らぬ長江の流れは、盛んに流れ下っていく。

【無方】ホウ ①一定の方角がない。②きまりがない。常がない。③ほしいままなこと。④限りがない。つきる所がない。

【無法】ホウ きまりがない。道にはずれている。乱暴。無理。

【無妄】ボウ・モウ ①あざむかない。いつわらない。②周易の六十四卦の一つ。☳☰震下乾上。真実でいつわりのない象。③思いがけず(突然)におこること。

【無望】ボウ ①望み見るところがない。望み見て真似るべきところがない。②望祭がない。③予期しない。思いがけない。④境界がない。

【無謀】ボウ 深い考えがない。でたらめ。

【無味】ミ ①あじがない。②おもむきがない。「無味乾燥」

【無名】メイ ①世間に名が知られていない。↔有名(六八七ページ中)。②姓名がわからない。③正しい理由がない。名義がたたない。④名がついていない。天地創造以前のもの。老子の説く、宇宙の本体たる道をいう。↔有名(六八七ページ中)。用例〔老子、一〕無名天地之始、有名万物之母。↓名のつけようのないもの(道)こそ、天地の根源であり、(道によって生成されて)名づけられた天地は、万物を生みだす母である。

【無名指】ムメイシ・ムメイのゆび 手の第四指。くすりゆび。〔孟子、告子上〕

【無文】モン 国①模様がないこと。無地。②かざりのない表現。平淡な表現。

【無有】ユウ 形体のないこと。道家で、道をいう。

【無用】ヨウ 役にたたない。用途がない。↕有用（六八七ジペ-中）。

【無用△之用】ムヨウの ヨウ 役に立たないように見えるものが、かえって役に立つこと。〔荘子、人間世〕

【無△恙】ヨウ・ブヨウ ＝無レ恙つつがなし（五二六ジペ-中）。

【無庸】ヨウ ①手柄がない。②もちいない。また、用いることなかれ。③労することがない。④凡庸なこと。

【無頼】ブライ ①たよりにならない。信頼できない。②やくざ。無頼漢。③にくしみののしることば。④愛するあまり、わざとののしることば。⑤やすんずることがない。苦しい。

【無頼漢】ブライカン やくざ。ごろつき。ならずもの。▼漢は、男性。

【無理】リ ①道理がない。いわれがない。②しいて。

【無慮】リョ ①深く考えない。②おおよそ。あらまし。

【無両】リョウ 二つとない。無二。

【無△聊】ブリョウ・リョウ ①心配ごとがあって楽しまないこと。▼聊は、たのしむ意。用例（唐、韓愈、与二孟東野一書）愈眼疾比劇このごろはげしく、甚無聊はなはだブリョウなり。↓私は眼病が近頃ひどくなり、まったくやりきれません。②さびしいこと。たいくつ。

【無量】リョウ ①一定の分量がない。②はかれないほどに多大なこと。「感慨無量」

【無量寿（壽）】ムリョウジュ 仏阿弥陀仏アミダブツの寿命の無限なこと。

【無量大数（數）】ムリョウタイスウ 最大の数の名。一〇の八八乗。⇩コラム 数を表すことば（六二八ジペ-）。

【無類】ルイ たぐいがない。

【無礼（禮）】ブレイ 礼儀を知らない。失礼。

【無礼（禮）講】ブレイコウ 身分・地位の上下の区別なく、入りみだれて行う会合。

【無漏】━ロウ もらすことがない。━ロ 仏迷いの世界に流転しないこと。煩悩を離れた法。清浄無垢クの境涯。▼漏は、煩悩。

【無△禄】ロク ①ふしあわせ。天禄がなく不幸なこと。不幸。②俸禄がない。知行がない。③士の死をいう。

【無論】ロン ＝無レ論ロンなし（一三三九ジペ-中）。

9 【煦】 13画 7066 ━ク 遇 xù ━ク 麌 xǔ 6372 E088 ―

字義 ━❶あたためる。あたたむ。㋐むす。熱する。㋑息をかけてあたためる。「吹煦」㋒めぐむ。なさけをかける。「恩煦」❷あかい。赤色。また、赤いさま。❸日光。

解字 篆文  形声。灬（火）＋日＋句㊥。音符の句は、口をすぼめてフッと息を吹きかける音の擬声語。熱気を吹きかけて温めるの意味を表す。

【煦育】イク ①あたためて育てる。②めぐみ育てる。

【煦△嫗】ウク あたためてそだてる。▼煦は息をかける、嫗は体温であたためる。

【煦煦】クク ①あたたかいさま。②小さいめぐみのさま。

9 【煞】 13画 7067 サツ 殺（6053）の俗字。→七九四ジペ-下。 ₂7986 ― *4193*

9 【煮】 13画 (7062) シャ 煮（7061）の旧字体。→九〇八ジペ-下。

9 【照】 13画 7068 ショウ（セウ） 教4 ショウ て-る・て-らす・て-れる 嘯 zhào 3040 8FC6 ―

筆順 丨 冂 日 日 日ㄱ 日刀 昭 昭 照

［曌］4866 同字 ［曌］4867 同字 ［曌］8093 同字

字義 ❶て-る。光る。明るく輝く。また、日の光。「光照」❷て-らす。㋐明るくする。輝かす。㋑つき合わせる。見くらべる。また、基準とする。「照合」㋒うつす。影をうつし見る。❸てがた。証明書。証券。免許状。❹写真。また、写真を撮る。国て-れる。恥ずかしがる。

名前 あき・あきら・あり・しょう・てらし・てらす・てり・てる・とし・のぶ・みつ

解字 篆文  形声。灬（火）＋昭㊥。音符の昭は、あきらかのいみ。火であきらかにする、てらすの意味を表す。

逆 観照・光照・参照・残照・夕照・対照・反照・返照・遍照・落照

【照応（應）】ショウオウ ①前後てらし合わせてつりあいをとる。②文章の前後がうまく対応していること。呼応。③せわをする。とりなす。

【照会（會）】ショウカイ ①てらし合わせて考える。②問い合わせる。かけあう。また、打ち合わせる。

【照合】ショウゴウ 照らし合わせる。

【照査】ショウサ つき合わせて調べる。

【照察】ショウサツ 明らかにしらべる。はっきり調べる。

【照準】ショウジュン 弾丸が目標に命中するように鉄砲のねらいを定める操作。また、ねらいをつけること。

【照祖】ショウソ 国徳川家康をいう。東照公。

【照破】ショウハ ①すべてを明らかに照らし出すこと。②仏仏の知恵の光で、凡夫の無明ムミョウのやみを照らすこと。

【照曜・照△耀】ショウヨウ てりかがやく。

【照覧（覽）】ショウラン ①てらしみる。明らかにみる。②仏神や仏がごらんになる。照鑑。

【照臨】ショウリン ①高い所から四方をてらす。日月が天井からてらす。②天子が天下を治めること。君として天下に臨み、明らかに治めること。③貴人の来ることの敬語。光来。④神仏がごらんになる。

【照例】ショウレイ 例の通り。規則通り。照レ例レイにてらす。

9 【蒸】 13画 (10175) ジョウ 艸部。→一二三七ジペ-下。

9 【煎】 13画 7069 ━セン 先 jiān ━セン 霰 jiàn 常 セン い-る 3289 90F7 ―

筆順 丷 䒑 䒑 前 前 前 前 煎 煎

［煎］7070 俗字

字義 ━❶い-る。㋐煮つめる。火にかけて溶かして練る。㋑せんじる。「煎茶」❷いりもの。こがし。いって調理したもの。━＝━❶。❸食物の一つ。果物を蜂蜜ハチミツに漬けた物。

難読 煎海鼠いりこ・きんこ・ほしこ

解字 篆文  形声。灬（火）＋前㊥。音符の前は刪に通じ、分離するの意味。エキスだけをとりだすためによく煮る、せんじるの意味を表す。

【煎茶】センチャ ①茶の葉をゆでせんじ出すこと。また、その葉。

【煎餅】センベイ ①うどん粉を水でねり、餡アンを包んで油であげたもの。②国うどん粉または米の粉に砂糖や水を加えて練り、うすくのばして焼いたもの。

【煎薬（藥）】センヤク せんじ薬。

9 【煎】 13画 7070 セン 煎（7069）の俗字。→九一二ジペ-下。

10 【熙】 14画 7071 キ 熙（7074）の正字。→九一三ジペ-上。 6370 E086 ―

10 【熏】 14画 7072 クン 文 問 xūn 6377 E08D ―

字義 ❶くすぶる。㋐けむる。いぶる。㋑すすける。❷いぶ-す。くすべる。香をたく。❸しみる。しみこむ。❹やく（焼）。

解字 金文  篆文  会意。屮＋黑。黑は物を袋に入れて下から火を燃やし、くろくいぶすさまにかたどる。屮はたちのぼる煙の象形。いぶすの意味を表す。

【熏熏】クンクン やわらぎ喜ぶさま。酒に酔ってよろこぶさま。

【熏△灼】クンシャク ①くすべやく。②勢力のさかんなこと。

【熏夕】クンセキ くれがた。日ぐれ。曛夕クンセキ。

【熏天】クンテン 天をいぶし焼く。天を感動させる。

10 【熊】 14画 7073 教4 ユウ(イウ) 東 xióng くま 2307 8C46 —

筆順 ム ム 𠂉 㠯 㠯 㠯 能 能 熊

字義 ❶くま。獣の名。❷あざやかに光るさま。「熊熊」

名前 かげ・くま 難読 熊谷・熊谷・熊野

解字 篆文 形声。能＋黒省＋肱省音。この字形についてはよくわからない。能は、くまの象形。肱は、ひじの意味。ひじを自由に動かし、木に登り、えさをとる黒くまの意味を表すか。

【熊虎】①くまと、とら。②勇猛な人のたとえ。
【熊襲】国古代、九州南部に住んでいた部族。
【熊掌】くまの手のひらの肉。非常に美味として珍重されている。熊蹯。〔孟子、告子上〕
【熊沢(澤)△蕃山】国江戸前期の漢学者。京都の人。名は伯継。字は了介。蕃山は号。本姓は野尻。熊沢家の養子となる。中江藤樹について学び陽明学を修め、岡山藩に仕えた。(一六一九—一六九一)
【熊胆(膽)】くまのい。薬用にする。
【熊△羆】①くまと、ひぐま。②勇猛な人のたとえ。③舜の臣の名。一説に、二人の名という。

11 【熙】 15画 7074 人 キ 支 xī 8406 EAA4 —

筆順 丨 𠃌 𠃌 𠃌 𦣝 𦣞 𦣞 巸 熙

【熙】7071 正字 【凞】7076 同字 【㷩】6909 古字 【熈】7075 俗字

字義 ❶かわーく。かわかす。❷ひかーる。光り輝く。❸ひろい。広まる。広める。❹おこる。興す。❺やわらぐ。たのしむ。やわらぎたのしむ。よろこぶ。よろこび笑う。❻ああ。感嘆のことば。

名前 おき・さと・てる・のり・ひろ・ひろし・ひろむ・よし

解字 金文 篆文 形声。灬(火)＋巸音。音符の巸は、授乳を待つ胎児の会意文字で、よろこぶの意味。火を付し、よろこびや光の意味を表す。

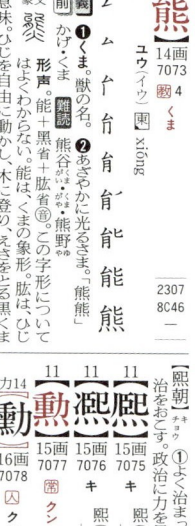

【熙熙】①やわらぎ楽しむさま。用例〔唐、柳宗元、捕レ蛇者説〕其余則熙熙而楽(そのヨはすなわ(は)ち、キキとしてたのしむ)。↓その他の日々は、のんびりと楽しく過ごしています。②みだらで情欲の多いさま。〔老子、二十〕
【熙春】やわらいだ春。のどかな春。
【熙笑】やわらぎ笑う。よろこび笑う。嬉笑。
【熙朝】①よく治まっている御代。盛世。②りっぱな政治をおこす。政治に力を尽くしてりっぱなものにすること。

11 【熈】 15画 7075 キ 熙(7074)の俗字。→九一三ジ上。 6371 E087 —

11 【凞】 15画 7076 キ 熙(7074)と同字。→九一三ジ上。 8758 EDF9 —

11 【勲】 15画 7077 常 クン 2314 8C4D —

力14 【勳】 16画 7078 人 クン 文 問 xūn 5014 99AC —

筆順 一 二 亍 旨 审 重 重 動 勲

【勛】1054 古字

字義 ❶いさお。いさおし。手がら。国家または王室のために尽くした手がら。また、いさおをたてた人。「勲功」❷門番。

名前 いさ・いさお・いさむ・いそ・くん・こと・つとむ・なり・ひろ

解字 篆文 形声。力＋熏音。音符の熏は、かおりたかいの意味。かおりたかい力、いさおの意味を表す。常用漢字の勲は勳の部分を簡略にしたもの。

逆 位勲・偉勲・遺勲・元勲・洪勲・殊勲・賞勲・叙勲・武勲

【勲位】①勲等と位階。手がらの等級と、くらいの等級。②昔、武功のあった人間に賜ったくらい。十二等級あった。

【勲旧(舊)】手がらのあるふるい家がら。

【勲業】手がら。また、りっぱな功績のある事業。

【勲功】手がら。いさお。▼勲は王事に尽くした手がら、功は国事につとめた手がら。

【勲章】手がらを表彰するために与える徽章。

【勲臣】手がらをたてた家来。

【勲等】勲功の等級。勲章の等級。

【勲閥】手がらのある家がら。勲伐。勲門。

【勲庸】手がら。いさお。▼庸も、功。

【勲労(勞)】手がら。いさお。また、りっぱな功績のあるほねおり。功労。

11 【熬】 15画 7079 ゴウ(ガウ) 豪 áo 6382 E092 —

字義 ❶いーる(煎)。㋐火でかわかし水気をとる。㋑こがす。やく。❷いらだつ。心がいらいらして苦しむ。❸たえしのぶ。

難読 熬海鼠・熬子

解字 金文 篆文 形声。灬(火)＋敖(敷)音。音符の敖は、思うままにもてあそぶの意味。思うままに動かして火でいるの意味を表す。別体に㸧、麥＋敖音がある。

11 【熟】 15画 7080 教6 ジュク うーれる 漢シュク・呉ジュク 屋 shú, shóu 2947 8F6E —

筆順 亠 亡 亨 享 享 孰 孰 孰 熟

【㸃】6995 俗字

字義 ❶にる(煮)。にえる。❷みのーる。うーれる。うる。熟する。「熟柿」❸なーれる。なる。また、ならす。「習熟」❹完全・十分な状態に達する。「熟睡」「未熟」❺つらつら。つくづく。じっと。国こなーす。うまく処理する。上手にやってのける。

名前 なり 難読 熟熟・熟寝・熟田・熟田津

解字 形声。灬(火)＋孰音。音符の孰は、よく煮こむの意味。孰が疑問の意味に用いられるようになって、火を付して、区別した。

逆 円熟・黄熟・習熟・成熟・早熟・晩熟・豊熟・未熟

【熟議】①十分に(事の是非を)はかる。よく相談する。②よくはかられた相談。

【熟計】じっくり考えはかる。また、じっくり考えたはかりごと。

【熟語】国①二字以上の漢字が結びついて、ひとつのまとまった意味を表すことば。②一定の言いまわしで特有の意味を表す成句。イディオム。

【熟考】国よく考える。熟思。熟慮。

【熟察】十分にしらべ考える。

【熟視】よくみる。じっと見る。十分に注意してみる。

【熟睡】ぐっすりと十分にねむる。

【熟達】なれてうまくなる。熟練。

【熟知】①十分に知る。②たがいによく知りあった人。

【熟読(讀)玩味】十分にくりかえし読んで、内容を深く味わうこと。〔小学、嘉言〕

【熟年】国人生の経験を積み円熟した年ごろ。老年の前の中高年。五、六十歳ごろ。

【熟△蕃】政府の教化に順応して帰服した先住民。↕生蕃(九六四ジ上)。

【熟慮】十分に念を入れて考える。

【熟練】①ねりぎぬの衣服。②なれてうまくなること。

11 【熱】 15画 7081 教4 ネツ あつーい 漢ゼツ・呉ネチ 屑 rè 3914 944D —

筆順

［热］7055 俗字

字義 ❶あつ-い。あつし。↔冷(804)・寒(2670)。❷あつくする。焼く。❸あつくなる。また、ほて-る。顔や体があつくなる。❹熱いもの。熱くする力。熱さ。❺のぼせる。興奮する。心を打ち込む。「熱中」「情熱」 国ネツ。㋐物ごとに対する心の向きかた。気のり。㋑体温。

名前 あつ

難読 熱海(あたみ)・熱川(あたがわ)・熱川(あつかわ)・熱邪(ねつぶ)

使いわけ あつい〔暑・熱・厚〕⇩暑(4801)。

解字 篆文 形声。灬(火)＋埶音。音符の埶(ゲツ)は、爇の異体字で、然に通じ、火でやくの意味。火を付し、あついの意味を表す。

逆 炎熱・苦熱・焦熱・情熱・白熱・余熱

【熱愛】(ネツアイ) はげしく愛する。大いに愛する。

【熱狂】(ネッキョウ) 国異常なほど興奮熱中すること。

【熱血】(ネッケツ) ①あつい血しお。生き血。②熱烈な精神。③激しく感じて奮起しやすい性質。④血がわきかえるほどの熱意。

【熱情】(ネツジョウ) 国①熱烈な情愛・思慕。②熱烈な心。

【熱心】(ネッシン) ①熱烈な愛情・同情心。②熱烈なまごころ。③国ある物事に全精神を注ぐこと。

【熱誠】(ネッセイ) 国熱烈なまごころ。熱情から生まれるまごころ。赤誠。

【熱腸】(ネッチョウ) ①悲しみのために腸が煮えかえる思いのすること。②熱烈なまごころ。熱誠。

【熱△鬧】(ネットウ・ネツドウ) ①人が混雑してやかましいこと。また、にぎやかな土地。②にぎやかなこと。さわぐこと。

【熱望】(ネツボウ) 国心をこめて願い望む。熱心に願う。切望。渇望。

【熱涙】(ネツルイ) 感激して流す涙。

【熱烈】(ネツレツ) ①感情がたかぶること。②熱心なこと。③権勢のさかんなこと。

11【麃】15画 (14401) ホウ 鹿部。→一六三八ページ下。

11【默】15画 (14467) モク 黒部。→一四四七ページ上。

11【槱】15画 (5773) ユウ 木部。→七六七ページ中。

12【燕】16画 7082 人 標 ㊀エン 㢩 yàn ㊁エン 㒈 yān

筆順

1777 898D 一

［鷰］14349 同字

字義 ㊀❶つばめ。つばくろ。❷さかもり。また、さかもりをする。＝宴(2636)・讌(11423)。❸やすんずる。やすんじ楽しむ。くつろぐ。「燕居」❹女性などの美しいさま。㊁❶国名。周代に建てられた国で、薊(ケイ)(今の北京市内)に都し、今の河北・遼寧(リョウネイ)省などを領有し、戦国時代には戦国の七雄の一つとなったが、四十三代、六百四十三年で前二二二年、秦(シン)の始皇帝に滅ぼされた。❷東晋(トウシン)時代、鮮卑族がたてた四つの国。前燕・後燕・西燕・南燕。❸河北省の古名。

名前 つばめ・てる・なり・なる・やす・よし

解字 甲骨文 篆文 象形。甲骨文でよくわかるように、つばめの象形。のち変形して燕となる。借りて、さかもり・やすらかの意味を表す。

【燕飲】(エンイン) 楽しんで酒を飲む。さかもりする。宴飲。

【燕歌】(エンカ) 燕の地方の歌。燕の地方は歌舞が盛んであったといわれる。「燕歌趙舞(エンカチョウブ)」

【燕△窩】(エンカ) 海つばめ(金糸燕(キンシエン))の巣。中国料理で珍重する食物。

【燕△頷虎頭】(エンガンコトウ) つばめのようなあごと、とらのような頭。遠国で諸侯となる人相。人相見が後漢の班超(九四八ページ中)の将来を予言した故事による。〔後漢書、班超伝〕

【燕△頷△虎△鬚】(エンガンコシュ) つばめのようなあごと、とらのようなひげ。武勇に秀でた相といわれる。

【燕居】(エンキョ) ひまでのんびりしていること。くつろいで休息すること。閑居。

【燕△饗】(エンキョウ) 酒もりをして客をもてなす。

【燕京】(エンケイ・エンキョウ) 北京市の別称。春秋戦国時代、燕国の都があったのでいう。

【燕語】(エンゴ) ①つばめがさえずる。また、つばめのさえずり。②酒もりしてうちとけて語る。

【燕子】(エンシ) つばめ。

【燕子花】(エンシカ) かきつばた・アヤメ科の草の名。

【燕支】(エンシ) ①＝燕脂。②匈奴(キョウド)の地にある山の名。べにを産する。転じて、美人のいる所にたとえる。

【燕私】(エンシ) ①うちとけて語る。②くつろいで休む。

【燕脂】(エンシ・エンジ) 草の名。べにを取る。転じて、べに。臙脂。

【燕室】(エンシツ) 休息のへや。くつろいで休むへや。

【燕△雀】(エンジャク) つばめやすずめのような小鳥。小人物のたとえ。

【燕△雀安知△鴻△鵠△之志△哉】(エンジャクいずくんぞコウコクのこころざしをしらんや) 燕雀のような人物に、どうして鴻鵠のような人物の気持ちがわかろうか。小人物には大人物の遠大な心はわからないということのたとえ。▼鴻鵠は、白鳥などの大鳥。〔史記、陳渉世家〕

【燕寝(寢)】(エンシン) 休むへや。居室。居間。

【燕石】(エンセキ) 燕山から出る、玉に似て玉でない石。似て非なるもの、真価のないもののたとえ。

【燕息】(エンソク) くつろいで休む。

【燕丹】(エンタン) 戦国時代、燕王の喜の太子。秦(シン)に人質となったが逃げて帰り、壮士荊軻(ケイカ)を遣わして秦の始皇帝を暗殺させようとしたが失敗した。そのため始皇帝に攻められ、秦の圧力に屈した父によって殺された。(?—前二二六)〔史記、燕召公世家〕

【燕△趙】(エンチョウ) 今の河北省の北部と山西省の西部地方で、戦国時代、燕と趙との二国の地。昔から悲憤慷慨(コウガイ)の士が多いといわれる。「燕趙悲歌士(エンチョウヒカのシ)(憂国の士)」

【燕服】(エンプク) ふだんぎ。いつも着る衣服。

12【熹】16画 7083 キ 図 xī

6384 E094 一

［熺］6992 同字

字義 ❶あぶる。熱する。むす(蒸)。❷さかん。火がさかんに燃える。❸かすかな光。ほのかな光。また、そのさま。❹よろこぶ。

解字 甲骨文 篆文 形声。灬(火)＋喜音。音符の喜は、吹き出す水蒸気・火気の音を表す擬声語。火を付し、あぶるの意味を表す。

【熹微】(キビ) 光がかすかなこと。夕方になって太陽の光がかすかになること。用例〔東晋、陶潜、帰去来辞〕問二征夫一以二前路一(セイフにとうにゼンロをもってし)、恨二晨光之熹微一(シンコウのキビなるをうらむ)。⇩旅人に故郷までの道のりをたずね、(まだかなり道のりを残すというのに夕暮れになって)日の光がかすかになったのをうらめしく思う。

14【燾】18画 7084 ㊀漢トウ(タウ) 呉ドウ(ダウ) 号 dào ㊁漢トウ(タウ) 呉ドウ(ダウ) 豪 tāo

1 8765 EDFB 4229

字義 ㊀❶て-らす。あまねくおおい照らす。❷おおう。上からおおいかぶせる。

解字 篆文 形声。灬(火)＋壽音。音符の壽(ジュ)は、ながくつらなるの意味。つらなる火、あまねくてらすの意味を表す。

14【爇】18画 7085 漢ゼツ・呉ネチ 屑 ruò 慣ネツ

2 8007 — 4231

字義 やく(焼)。もやす。

解字 形声。艹(艸)＋熱音。

4画

爪（⺥・爫）

つめ
つめかんむり（⺥）
のつ（ノツ）
そうにょう（爪）

［爫］ 28009 — —
［⺥］ 28010 — 4240

〔部首解説〕⺥は新字体で⺤になる。爪を意符として、手でつかむの意味を含む文字ができている。

0
【爪】4画 7086 常 つめ・つま
漢ソウ（サウ）・呉ショウ（セウ） 巧 zhǎo,zhuǎ
3662 92DC —

筆順 ノ 厂 爪 爪

字義 ❶つめ。名詞などの上に付いて、つま。㋐手足のつめ。㋑指先にはめるもの。琴爪（ことづめ）の類い。㋒物をかけたり、ひっかくために作ったもの。❷かく。つめで引きかく。❸手足のつめをきる。❹護衛するもの。「爪牙之士（ソウガのシ）」❺つかみとる。持つ。
難読 爪哇（ジャワ）

解字 篆文 象形。手を上からかぶせて、下にある物をつまみ持つ形にかたどり、つめの意味を表す。爪の意味と音符とを含む形声文字に、抓（ソウ）・笊（ソウ）などがある。

【爪印】ソウイン つめあと。㊁つめイン 国親指に墨・印肉をつけて、実印の代わりに押す印。拇印（ボイン）。

【爪牙】ソウガ ①つめと、きば。用例〔人虎伝〕今日爪牙誰敢敵（コンニチソウガたれかあえてテキせん）、当時声跡共相高（トウジセイセキともにあい（ひ）たかし）。↓現在、私の爪と牙にいったい誰が進んで手向かおうか、その昔、二人の名声と経歴はともに世に聞こえたものだった。②その人の爪となり牙となって助け守るもの。護衛の士。「爪牙之士（ソウガのシ）」③自分の仲間。部下。④てさき。

【爪角】ソウカク ①つめと、つの。②他を防いで自分を守るもの。

【匿レ爪】つめをかくす ①勇猛な獣や鳥は、むやみにつめをあらわさない。②名人などがその技能をつつみかくして、めったに示さないたとえ。「能ある鷹（たか）は爪を匿（かく）す」③悪意・悪計などをつつみかくしていること。

3 【妥】7画 (2331) ダ 女部。→三六三ジー上。

3 【孚】7画 (2573) フ 子部。→三八二ジー下。

4 【采】8画 (5240) サイ 木部。→七三四ジー下。

4 【受】8画 (1281) ジュ 又部。→二三三ジー上。

4 【争】8画 (115) ソウ 争(114)の旧字体。→五三ジー下。

4
【爬】8画 7087 標 漢ハ 呉バ 麻 pá
6408 E0A6 —

字義 ❶かく（搔ソウ）。つめでかく。「搔爬（ソウハ）」❷はう（匍ホ）。はって行く。

解字 形声。爪＋巴音。音符の巴（ハ）は、手をぺったり地面につけるの意味。爪は、つめ。手の意味。つめでかく、手ではうの意味を表す。

【爬行】ハコウ はっていく。匍伏（ホフク）して進む。

【爬虫（蟲）類】ハチュウルイ 脊椎（セキツイ）動物の一部門。冷血で肺で呼吸する種類。へび・とかげ・かめの類い。

【爬羅△剔△抉】ハラテキケツ ①かき集めてえぐり出す。②人の秘密や欠点などをあばき出す。③かくれた人材をさがし出すこと。〔唐、韓愈、進学解〕

5
【爰】9画 7088 漢エン（ヱン） 呉オン（ヲン） 元 yuán
6409 E0A7 —

字義 ❶ここに。ここにおいて。それで。用例〔詩経、魏風、碩鼠〕楽土楽土（ラクドラクド）、爰得我所（ここにわがところをえん）。↓楽しい地、楽しい地、そこに私の落ち着く場所が得られよう。❷ひく（援）。❸かえる。取りかえる。❹ゆるい。ゆるやか。

解字 甲骨文 篆文 象形。甲骨文は、ある物を上下から手をさしのべてひくさまにかたどり、ひくの意味を表す。援の原字。借りて、「ここに」の意味に用いる。爰の意味と音符とを含む形声文字に、媛（エン）・援・瑗（エン）などがある。

【爰居】エンキョ ①海鳥の一種。②住居をかえること。

【爰書】エンショ 罪人の口述書を交換する。昔、裁判官が公平に裁判するように、罪人の口述書をたがいに交換して取り調べたことによる。▼爰は、交換する。〔史記、張湯伝〕

【爰田】エンデン 昔、公田の税を賞与にきりかえて、賞すべき人に与えることにしていた田。〔左伝、僖公十五〕

5
【爯】9画 7089 ショウ 蒸 chēng
— — 4241

字義 ❶合わせ上げる。二つのものを一緒に上げる。❷名。ほまれ。

解字 会意。爪＋冓省。爪は上からかけられた手。冓は、甲骨文によれば、左右にぶらさがった物体を表す。

6 【奚】10画 (2279) ケイ 大部。→三五六ジー中。

6 【舀】10画 (9692) ヨウ 臼部。→一一八三ジー上。

7 【覓】11画 (11034) ベキ 見部。→一二九五ジー中。

8 【爲】12画 (7047) イ 為(7046)の旧字体。→九〇五ジー上。

9 【愛】13画 (3557) アイ 心部。→五三〇ジー上。

9 【舜】13画 (9715) シュン 舛部。→一一八五ジー中。

11 【爴】15画 7090 カク 攫(4501)と同字。→六一八ジー下。
28011 — 4242

13 【爵】17画 7091 常 シャク

14
【爵】18画 7092 漢シャク・呉サク 慣ジャク 薬 jué
2863 8EDD —

筆順

【[illegible]】13927 古字 【[illegible]】5872 俗字

字義 ❶さかずき（さかづき）。㋐すずめの形をした杯。㋑酒を飲む容器の総称。㋒一升を入れる杯。❷爵位。❸爵位を授ける。❹すずめ（雀ジャク）。

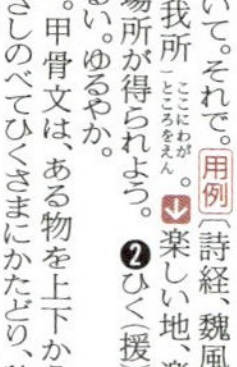
爵①㋑

名前 くら・たか

解字 甲骨文 金文 篆文 会意。『説文（セツモン）解字』は、㚒＋鬯＋又。㚒は、すずめの象形。鬯は、その中に入れる酒の意味。又は、手にとるの意味。すずめの形をしたさかずきの意味を表す。爵は𣪘の変形。常用漢字の爵は爵の省略形。甲骨文・金文は、すずめの形をしたさかずき、それに手をのばした形にかたどる。

【爵位】シャクイ ①公・侯・伯・子・男の五等の爵。②爵と位階。また、くらい。

逆 栄爵・高爵・襲爵・叙爵・人爵・天爵・封爵

【爵秩】シャクチツ くらいと、ふち（扶持）。爵位と秩禄（チツロク）（俸給）。また、位。

【爵土】シャクド 爵位と封土（領地）。爵邑（シャクユウ）。

爪部 0▼13画 〔爪妥孚采受争爬爰爯奚舀覓爲愛舜爴爵〕

【爵服】爵位とそれに相当する服装。

【爵弁】冠の名。▼爵は、すずめで、冠の形がすずめの頭に似ているのでいう。

【爵羅】すずめを捕らえるあみ。「門前爵羅」

【爵△禄】＝爵秩。

14【爵】18画 (7092) シャク 爵(7091)の旧字体。→九一五ページ下。

爵弁

4画

父 ちち

〔部首解説〕父を意符として、父親・老人に関する文字ができている。

0父 九一六 4爸 九一六 斧 六三六 6爹 九一六 釜 一四六三 7爺 九一六 9爺 九一六

0【父】4画 7093 教2 フ ちち 熟字訓 叔父・伯父・父さん
一 漢フ・呉ブ 慣 ①〜③fù
二 フ 慣 ③④fǔ
慣ホ
4167 9583 一

筆順 ノ ハ ク 父

字義 一 ❶ちち。父親。「父母」❷親族中の老年の男性。王父・叔父・外祖父など。❸老年の男性に対する敬称。おきな。「父老」❹男性の美称。普通「ホ」と読む。＝甫(7598)。㋐字に用いる。㋑男性の美称。師尚父(太公望)・仲父(管仲)の類い。㋒身分の低い老人を呼ぶことば。おやじ。じじい。用例〔韓非子、説難〕其隣人之父亦云 ↓その隣の老人もまた同じことを言った。

名前 ちち・のり 難読 父母

解字 甲骨文 金文 篆文 象形。甲骨文でよくわかるように手にむちを持つ形にかたどり、一族の統率者、ちちの意味を表す。父を音符に含む形声文字に、斧などがある。

逆 亜父・外父・岳父・家父・漁父・継父・厳父・師父・叔父・神父・親父・伯父・老父

【父為(爲)子隠(隱)子為(爲)父隠(隱)】父は自分の子供の罪悪をかばいかくす。それが父子の自然の情の発露であることをいう。用例〔論語、子路〕父為子隠子為父隠、直在其中矣 ↓父は自分の子供の罪悪をかばい、子は父の罪悪をかばう、まっすぐな心はそういう中に備わっているのだ。

【父君】自分、または他人の父の敬称。

【父兄】①父と兄。↔子弟(三八一ページ上)。②同姓の群臣。③長老。年寄りたち。④国学校などで、児童・生徒の保護者。

【父系】父かたに属する系統。↔母系(七九七ページ中)。

【父子】①父と子。親子。②おじとおい。

【父子有親】五倫の一つ。親は子をいつくしみ、子は親を愛して孝をつくすという、自然の情愛があること。〔孟子、滕文公上〕

【父師】①父と先生。教えを受ける人。②三公の一つ。太師。天子の指導者。③大夫で七十歳になって退官した人。

【父事】相手を尊んで、父としてつかえる。

【父執】父の友人。父の同志。父友。▼執は、志を同じくする者。

【父△讎△弗△与(與)共戴天】父のかたきとはともにこの世に生きていない。子は必ず父のかたきを打つべきであるとの意。「ともに」は「ともには」ともいう。不倶戴天之讎。〔礼記、曲礼上〕

【父祖】①父と祖父。②先祖。

【父道】①父の行った道。②父として守るべき道。

【父父子子】父親は父親としての道をつくし、子は子としての道をつくすこと。用例〔論語、顔淵〕君君臣臣、父父子子 ↓君主は君主らしく君主としての道をつくし、臣下は臣下としての道をつくし、父は父としての、子は子としての道を尽くす。

【父母】①父と母。両親。②国君。③州県の長官。

【父母国(國)】父母のいる国。㋐ふるさと。故郷。㋑祖国。故国。

【父母△之年、不可不知△也】父母の年齢は、子供としては正しく記憶しておくべきである。親を思う子供の真情を述べた言葉。用例〔論語、里仁〕父母之年、不可不知也、一則以喜、一則以懼 ↓父母の年齢は、子として知っていなければならない。一方では親が達者でいるのを喜び、一方では親の年齢を考えて老い先短いと心配する。

【父母唯△其疾△之憂】一 父母はただその病気を心配するものである。だから、子たる者は病気にかからぬように健康に注意すべきである。〔論語、為政〕二 父母に対しては、子は父母の病気のことを心配すべきである。三 父母に心配をかけるのはやむを得ないとしても、それ以外のことで心配をかけてはならない。

【父老】①村の主だった年寄り。有徳の老人。②老人の敬称。用例〔東晋、陶潜、飲酒詩〕深感父老言、稟気寡所諧 ↓老人の言葉は深く心をうつが、生来の性分として人と調子を合わせるのが苦手なのだ。

【無父】父を父とも思わない。父を無視する。無父。

4【爸】8画 7094 漢ハ 呉バ 𠀋 bà ₂8012 一 4243
字義 ❶ちち。父親。❷爸爸は、父の俗称。また、老人の尊称。
解字 形声。父＋巴音。

4【斧】8画 (4596) フ 斤部。→六三六ページ上。

6【爹】10画 7095 タ 𠀋 diē ₂8013 一 4244
字義 ❶ちち(父)。↔孃(2542)。「爹爹(父)」❷老人や目上の人に対する尊称。
解字 形声。父＋多音。音符の多は、年長の男性を呼ぶ時の俗語。

6【釜】10画 (12474) フ 金部。→一四六三ページ中。

7【爺】11画 7096 ヤ 爺(7097)と同字。→九一六ページ下。

9【爺】13画 7097 標 ヤ 𠀋 yé 4476 96EA 一
〔爺〕7096 同字
字義 ❶ちち。父の俗称。↔孃(2542)。だんなさま。❷主人・上司・尊貴の人に対する尊称。㋐としより。老人。㋑自分の父の謙称。㋒老人の謙遜の自称。じじい。国おやじ。
難読 爺爺岳
解字 形声。父＋耶音。
【爺娘・爺嬢(孃)】父母の俗称。
【爺爺】①父や長者の尊称。②祖父。

4画

爻(爻)　こう　めめ(メメ)

〔部首解説〕爻が意符になる例はなく、もっぱら字形上の分類のために部首にたてられる。

0爻 九一七　4肴 六八九　5俎 九一七　7爽 九一七　10爾 九一七

0【爻】 4画 7098

漢コウ(カウ)　呉ギョウ(ゲウ)　yáo, xiáo　肴 効　6411 E0A9 —

字義 ❶まじ-わる。まじ-はる。❷易の卦を組み立てている横画。⚋を陰爻、⚊を陽爻といい、この二つを組み合わせて八卦ができ、八卦が二組交わって六十四卦ができている。❸ならう。かたどる。

解字 甲骨文 篆文 象形。屋根のむねの千木のように、物を組み合わせた形にかたどり、まじわるの意味を表す。爻の意味と音符とを含む形声文字に、學(学)・攪・教・肴・覺(覚)などがある。

【爻辞(辭)】コウジ 易の各卦の各爻について説明したことば。象辞。

4【肴】 8画 (4928)

コウ　月部。→六八九ページ中。

5【俎】 9画 7099

ソ　俎(377)の俗字。→一二〇ページ中。　6412 E0AA —

7【爽】 11画 7100

常 ソウ さわ-やか　漢ソウ(サウ)・呉ショウ(シャウ)　養 陽　shuǎng　3354 9175 —

筆順 一 ㇒ ㇒ 㐅 㐅 㸚 爽 爽 爽

字義 ❶あきらか。㋐はっきりしている。㋑明るい。夜明け。㋒神霊のあらたかなこと。❷あきらかにする。❸さわ-やか。すがすがしい。「爽快」❹たがう。たがえる。誤る。❺ほろびる。失う。やぶれる(敗)。そこなう(傷)。❻たけだけしい。はげしい。

名前 あきら・さ・さや・さやか・さわ・そう

解字 金文 篆文 形声。金文は、日＋喪省㊥。音符の喪は、うしなうの意味。日はまだ出ないが明るくなりはじめた、夜あけの意味を表す。篆文の爽は、この金文の変形したものであろう。また、喪に通じて用いられ、失うの意味も表す。

【爽快】ソウカイ さわやかで気持ちがよい。
【爽旦】ソウタン 夜明け。早朝。
【爽涼】ソウリョウ さわやかですずしい。すがすがしい。

10【爾】 14画 7101

人 漢ジ 呉ニ 紙 ěr　2804 8EA2 —

筆順 一 ㇒ 𠂆 冂 帀 爾 爾 爾 爾

〔尒〕2739 同字　〔尔〕2740 俗字　〔尓〕2741 俗字

字義 ❶なんじ。相手を呼ぶことば。あなた。おまえ。用例〔論語、顔淵〕唯我与ㇾ爾有ㇾ是夫。⇩ただ私とお前とがいるくらいだなあ。❷指示語。㋐あれ。㋑これ。この。ここ。＝是(4717)・此(5991)。㋒それ。その。そこ。＝其(736)。「爾来」❸しか-り。そのようである。そのようにいる。▼「しかあり」を縮めた語。用例〔東晋、陶潜、飲酒詩〕問ㇾ君何能爾。心遠地自偏。⇩どうしてそのようなことが君にはできるのかと、問われれば、心が遠く俗界を離れているので、住む土地も自然とへんぴな場所になるのだ、と答えよう。❹しか-する。そうする。そのようにする。用例〔礼記、雑記下〕宦ニ於大夫一者之為ㇾ之服也、自ニ管仲一始也。有ニ君命一焉爾也。⇩大臣にかつて仕えた者がもとの主人のために服喪するのは、管仲(に対する服喪)に始まったものだ。君主の命令があったから、そのようにしたのである。❺他の語の下について状態を表す語をつくる。「卒爾」「莞爾」❻ちかい(近)。＝邇(12240)。❼花が咲きほこるさま。＝薾(10365)。

助字・句法解説

❶のみ。限定・強意。訳…だけ。…にすぎない。…なのだ。類耳・而已。文末に置かれ、断定や強意・限定の語気を表す。用例〔唐、柳宗元、捕ㇾ蛇者説〕非ㇾ死則徙爾。⇩死んでしまったか、そうでなければ移住してしまったのだ。

❷しか。しか-く。訳そのように。このように。前文の内容を受ける指示語。かくのごとく。用例〔論語、述而〕不ㇾ知ニ老之将ㇾ至云ㇾ爾。⇩すぐに老いのやって来ることにも気づかずにいる、そのようなものだ。／〔孟子、告子上〕富歳子弟多ㇾ頼。凶歳子弟多ㇾ暴。非ニ天之降ㇾ才爾殊一也。⇩豊作の年には若者たちに頼もしい者が多く、凶作の年には悪い者が多い。これは、天がそのように異なる素質を与えるからではない。

名前 じ・しか・ちか・ちかし・みつる

解字 金文 篆文 象形。美しく輝く花の象形で、美しく盛んな花の意味を表す。借りて、二人称に用いる。

【爾雅】ジガ ①言語や文章が正しく美しいこと。②書名。三巻。十三経の一つ。中国古代の辞書で、言語や事物を解釈したもの。『詩経』の語を解釈したものが多い。
【爾後】ジゴ そののち。その後。以後。爾来。
【爾今】ジコン いまから。こののち。自今。
【爾汝】ジジョ おまえ。きさま。人をいやしめていう語。また、人をなれ親しんでいう語。「爾汝の交」
【爾曹】ジソウ なんじら。おまえたち。爾輩。▼曹は、ともがら。
【爾余(餘)】ジヨ そのほか。その他。自余。
【爾来(來)】ジライ その後、それ以来。爾後。
【爾霊(靈)山】ニレイサン 国遼寧省大連市の旅順北西にある山名。日露戦争の激戦地「二〇三高地」の当て字。乃木の将軍が名づけたもの。
【云ㇾ爾】しかいう 以上のとおり。そのようにいう。文末に用いる語。云爾。⇩助字・句法解説②。
【出ニ乎爾一者反ニ乎爾一】なんじにいずるものはなんじにかえる 自分がしたことの報いは、必ず自分が受けること。善悪ともにいう。〔孟子、梁恵王下〕

4画

爿(丬)　しょうへん　丬は三画。

[丬] 28014 — —

〔部首解説〕爿は新字体では丬になる。爿が意符になる例はないが、つねに文字の左側の偏の位置にくるので部首にたてられる。ただし、壮(壯)・状(狀)などは右側の傍で分類される。

0爿 九一八　3妝 三六二　壮 三三五　4牀 九一八　状 九一八
5牁 九一八　6牂 九一八　7将 四一三　將 四一四　9牒 九一八
11牖 九一八　13牆 九一八

0 【爿】 4画 7102 漢ショウ(シャウ) 陽 呉ゾウ(ザウ) qiáng, pán 6413 E0AB 一

字義 ❶きぎれ。木を二つに割った左半分。↕片(7109)。❷ねだい。＝牀(7103)。

解字 甲骨文 篆文 象形。牀の原字。寝台をたてて横から見た形にかたどり、ねだいの意味を表す。『説文解字』では、木の字を縦に割った左半分によって、木片の意味を示す指事文字と説く。爿(丬)を音符に含む形声文字に、壮・奨・妝・将・牆・牀・荘・装・醬などがあり、これらの漢字は、「ベッドのように頑丈な」の意味を共有する牀・将・荘のほか、音符だけを借りたものもある。

3 【妝】 7画 (2329) ショウ 女部。→三六二ページ下。

3 【壮】 6画 (2186) ソウ 士部。→三三五ページ下。

4 【牀】 8画 7103 漢ショウ(シャウ) 陽 呉ジョウ(ジャウ) chuáng 6414 E0AC 一

字義 ❶ねだい。寝台。また、こしかけ。寝台とこしかけを兼用できる家具。＝床(3184)。用例〔本事詩〕崔亦感慟、請入哭之、尚儼然在牀。↓崔もまた、ひどく心を動かされ、ぜひ家にはいっておくやみをさせてほしいと頼み大声で死者をいたんで泣きながら、(見ると)娘はまだきちんとしたかっこうで、寝台に横たわっている。❷物をのせておく台。「筆牀(ふでおき)」❸いげた。井戸の上部のかこい。用例〔唐、李白、長干行〕郎騎竹馬来、遶牀弄青梅。↓あなたは竹馬にまたがってやってきて、井戸の上部の囲いをめぐって青い梅の実をもてあそんでいました。❹基部。地盤。「河牀」

解字 篆文 形声。木＋爿音。音符の爿は、長い寝台の象形で、牀の原字。のち、木を付した。床(3184)はその俗字であるが、常用漢字に用いる。

【牀几】 一 寝台と、ひじかけ。▼几は、脇息。二 国昔、陣屋で用いた、折りたたみできるこしかけ。

【牀上施牀】 前人の業績に重複して創見発明がないたとえ。屋下架屋。

【牀蓐】 ねどこ。牀褥。▼蓐は、しとね、ふとん。

【牀前】 寝台のまえ。用例〔唐、李白、静夜思詩〕牀前看月光、疑是地上霜。↓寝台の前に差し込んだ月の光を見、地面に霜がおりたのかと思った。

【牀頭】 寝台の辺り。こしかけの近く。用例〔世説新語、容止〕使崔季珪代、帝自捉刀立牀頭。↓風采のよい崔季珪を身代わりに立て、帝自身は刀をとって、こしかけのかたわらに立っていた。

【牀榻】 寝台。ベッド。こしかけ。

4 【状】 7画 (7176) ジョウ 犬部。→九二六ページ下。 4245

5 【牁】 9画 7104 カ 歌 gē 一 一

字義 舟をつなぎ止める杙。

解字 形声。爿＋可音。

6 【牂】 10画 7105 ソウ(サウ) 陽 zāng 28015 一 4246

字義 ❶めすの羊。❷あやしいさま。❸ふなつなぎ。舟をつなぎとめるもの。❹牂牂は、さかんなさま。

解字 形声。羊＋爿音。

7 【将】 10画 (2725) ショウ 寸部。→四一三ページ下。

7 【將】 11画 (2726) ショウ 将(2725)の旧字体。→四一三ページ下。

9 【牒】 13画 7106 漢チョウ(テフ) 呉ジョウ(デフ) 葉 dié 一 一 4247

字義 床板。すのこ。

解字 形声。爿＋葉音。

11 【牅】 15画 7107 ヨウ 墉(2125)と同字。→三二一ページ中。 一 一 4248

13 【牆】 17画 7108 漢ショウ(シャウ) 呉ゾウ(ザウ) 陽 qiáng 6415 E0AD 一

[墻] 2155 同字

字義 ❶かき。かきね。㋐ついじ。土塀。用例〔韓非子、説難〕天雨牆壊。↓雨が降り土塀が崩れた。㋑さかい。境界。間をさえぎるもの。❷柩のかざり。

参考 現代表記では〔障〕(13149)に書きかえることがある。「牆壁→障壁」

解字 篆文 形声。嗇＋爿音。嗇は、麦などの穀物をしまう倉の象形。音符の爿は、倉に通じ、しまうの意味。物をおおいかくし、しまいこむ土塀の意味を表す。

【牆衣】 かきねの苔。土塀の苔。

【牆垣】 かき。かきね。どべい。牆藩。牆籬。

【牆下】 かきねのもと。

【牆角】 土塀のかど。用例〔北宋、王安石、梅花詩〕牆角数枝梅、凌寒独自開。↓土塀の隅に数本の梅の枝がのぞいている。寒さを乗り越え梅だけが花を開いているのだ。

【牆頭】 かきねのほとり。土塀のあたり。

【牆壁】 ①土塀。②へだて。境界。

【牆面】 土塀に向かって立つ。先が何も見えないことから、学問しないで道理にくらい人のたとえ。〔論語、陽貨〕

【牆有耳】 かきにも耳があって聞いている。秘密がもれやすいことのたとえ。〔管子、君臣下〕

【鬩于牆】 兄弟が一家内で争うこと。用例〔詩経、小雅、常棣〕兄弟鬩于牆、外禦其務。↓兄弟は、たとえ家内で争っていたとしても、家族外から侮られることに対しては心を一にして対抗する。

4画

片 かたへん

〔部首解説〕 片を意符にして、板で作られたもの、札に関する文字ができている。

0 片 九一八	9 牐 九一九	10 牓 九一九
片 九一九	牎 九一九	11 牕 九一九
4 版 九一九	牒 九一九	牖 九一九
8 牋 九一九	牌 九一九	牅 九二〇
牌 九一九	牖 九一九	15 牘 九二〇

0 【片】 4画 7109 教6 ヘン かた 漢ヘン 霰 piàn, piān 4250 95D0 一

筆順 ノ 丿 片 片

[片] 7110 俗字

字義 ❶かた。かたかた。かた一方。「片手」❷きれ。㋐木ぎれ。木をふたつに割った右半分。↕爿(7102)。㋑かけら。「破片」❸ひら。薄く小さいもの。また、それを数える語。「花片」国❶かた-す。かたづける。❷ペンス。イギリスの貨幣の単位penceの音訳。

名前 かた 難読 片谷・片男波・片方・片木

使いわけ かたよる〔偏・片寄〕⇨偏(509)。

解字 甲骨文 篆文 指事。木の字の右半分で、木ぎれの意味や、平たく薄い物体の意味を表す。

逆 花片・玉片・残片

【片雨】 ある地域にだけ降る雨。通り雨。

【片雲】 ちぎれ雲。きれぎれの雲。

【片影】エイ ちらっと見えたかげ。わずかのかげ。また、ちょっと見える物の姿。
【片仮(假)名】かたかな 国平安時代初期に、漢字の字画を省略して作られた表音文字。⇩コラム仮名(五五ページ)。
【片月】ヘンゲツ かたわれ月。三日月。ゆみはり月。
【片言】ヘンゲン 一①ひとこと。わずかなことば。簡単なことば。②一方だけの申し立て。二かたこと 国子どもの不完全なことば。
【片言隻句】ヘンゲンセキク わずかなことば。片言隻辞。
【片山兼山】かたやまケンザン 国江戸中期の漢学者。上野こうずけ(今の群馬県)の人。出雲侯いずもこうに仕え、江戸に塾を開いた。著書に『古文孝経標注』などがある。(一七三〇―一七八二)
【片帆】ヘンパン・ほかた 一方に傾けて風をはらませた帆。↔真帆まほ(一〇〇八ページ・中)。
【片片】ヘンペン 一①きれぎれなさま。②ひらひらと軽く飛ぶさま。二かたかた 国一方。かたほう。
【片△鱗】ヘンリン ①魚のうろこのひとかけら。②わずかの部分。物事の一小部分。

0 【片】5画 7110 ヘン 片(7109)の俗字。→九一八ページ・下。

4 【版】8画 7111 教5 ハン 漢ハン 潸 bǎn 慣バン 4039 94C5 ー

筆順 ノ 丿 片 片 片 版 版

字義 ❶ふだ。木のふだ。氏名などを書く木のふだ。また、名簿。戸籍簿。❷いた。㋐木材・金属などを薄く平らにしたもの。＝板(5266)。㋑城壁や土塀を築くとき、土を両方からはさむ板。→版築。㋒しゃく。笏コツ。役人が手に持つ板。❸はんぎ。字をきざんだ印刷用の板。また、出版すること。「活版」「重版」❹長さの単位。一丈(約三メートル)、また、八尺。

解字 篆文 形声。片＋反㊥。片は、平たい板の意味。音符の反は、おしかえすの意味。土塀を築くとき、両側から相互に反対方向に力を作用させ、その中の土をはさみながら突き固めるための板の意味を表し、転じて、はんぎの意味をも表す。

逆 雲版・鉛版・改版・原版・製版・石版・殿版・木版

【版行】ハンコウ 書物を印刷して発行する。刊行。
【版心】ハンシン 袋とじの本で紙の折れ目(中心)の所をいう。また、用紙でそこに当たる箇所。⇩コラム書籍(六六〇ページ)。
【版籍】ハンセキ ①土地と戸籍とをしるした帳簿。②土地と人民。③書籍。
【版挿(插)】ハンソウ 城壁や土塀を築くに用いる板と、土をおこす鍬すき。土木工事用の道具。
【版築】ハンチク ①土木工事に使う、土どめの板と杵きね。②城壁や土塀などを築く。土木工事。また、それに従事する人。
【版図(圖)】ハント ①戸籍と地図。②一国の領土。
【版本】ハンポン ①木版ずりの本。版木にほって印刷した本。②印刷した書物。↔写本(二六二ページ・下)。

8 【牋】12画 7112 セン 先 jiān 6416 E0AE ー

字義 ＝箋(8785)。❶ふだ。かみ。文書を書きつける紙・帛ぬの・札など。❷かきつけ。文書。手紙。❸はりふだ。❹文体の名。天子に奉る文。上書。上表。後世、天子に奉るものを表、諸王に奉るものを啓、皇后・太子に奉るものを牋といった。

解字 形声。片＋戔㊥。片は、木ぎれの意味。音符の戔センは、うすいの意味。文書を書きつけるための薄い木ぎれ、かきつけの意味を表す。

【牋△檄】センゲキ まわしぶみ。ふれぶみ。箋檄センゲキ。
【牋△疏】センソ 上に申したてる書状。意見書。箋疏センソ。
【牋奏】センソウ 天子に奉る文章。上奏・上表の類い。箋奏センソウ。

8 【牌】12画 7113 標 漢ハイ 呉バイ 佳 pái 3955 9476 ー
【牌】7117 俗字

字義 ❶ふだ。㋐かけふだ。たてふだ。文字や目じるしを描いた、標識・掲示の板。㋑かるた・麻雀マージャンなどのふだ。ぱい。「骨牌」㋒わりふ。❷位牌イハイ。❸公文書の一つ。清シン代に中央から地方へ発行した。❹たて(盾)。

牌④

解字 形声。片＋卑㊥。片は、木ぎれの意味。音符の卑は、ひくいの意味。簡単なたてふだの意味を表す。

【牌子】ハイシ ①商標。看板。②ふだ。また、切符。また、鑑札。③いはい(位牌)。④カルタ。
【牌△牓・牌△榜】ハイボウ ①かけふだ。②看板。③掲示。牌標。
【牌楼(樓)】ハイロウ 中国の市街に立っている鳥居のような形をしたやぐら門で、上に額をかかげる。

牌楼

9 【牐】13画 7114 漢ソウ(サフ) 呉ジョウ(ゼフ) 洽 zhá ー ー 4251

字義 ❶城門を閉じる道具。❷板囲い。

解字 形声。片＋臿㊥。

9 【牎】13画 7115 ソウ 窓(8590)と同字。→一〇六三ページ・中。 ー ー 4249

9 【牒】13画 7116 人 標 漢チョウ(テフ) 呉ジョウ(デフ) 葉 dié 3613 92AB ー

筆順 ノ 丿 片 片 片 牒 牒 牒 牒

字義 ❶ふだ。文書をしるす薄いふだ。❷系図。「譜牒」❸公文書。㋐官庁間でやりとりする公文書。㋑辞令。任命の書。㋒証明書。㋓下級の役人から上官に奉る公文書。❹うったえぶみ。訴状。❺名簿。❻かきもの。記録。帳簿。

参考 現代表記では〔丁〕(7)に書きかえることがある。「符牒→符丁」

解字 篆文 形声。片＋枼㊥。音符の枼ヨウは、木の葉の意味。木の葉のように薄くひらたい、ふだ・かきつけの意味を表す。

9 【牌】13画 7117 ハイ 牌(7113)の俗字。→九一九ページ・中。

9 【牏】13画 7118 ユ 虞 yú ー ー 4250

字義 土塀を築くために用いる短い板。

解字 形声。片＋俞㊥。

10 【牓】14画 7119 慣ボウ 漢ホウ(ハウ) 呉ボウ(バウ) 養 bǎng ₂8016 ー 4252

字義 たてふだ。かけふだ。掲示板。がく。

解字 形声。片＋旁㊥。

【牓札】ボウサツ かけふだ。看板。
【牓子】ボウシ ①なふだ。名刺。②天子に謁見エッケンするときに差し出すかきつけ。

11 【牕】15画 7120 ソウ 窓(8590)と同字。→一〇六三ページ・中。 8768 ー 4253

11 【牖】15画 7121 漢ユウ(イウ) 呉ユ 有 yǒu 8769 ー 4254
【牗】7122 俗字

字義 ❶まど。㋐壁をうがち格子コウシをはめたまど。れんじまど。用例(論語、雍也)子問レ之、自レ牖執二其手一曰、……。⇩孔子は彼を見舞い、窓越しに彼の手を取って言った、……。

㋑南向きのまど。❷みちびく。❸ひとや。牢獄(ロウゴク)。

解字 篆文 会意。片＋戸＋甬の変形。甬は通に通じ、穴をあけて抜けとおるの意味。木片でわくどった、壁にあいているまどの意味を表す。甬はのち変形して甫となった。

【牖戸】(ユウコ) まどと出入り口。また、まどの戸。

【綢繆牖戸】(ユウコをチュウビュウす) 窓や戸をつくろう。小鳥が巣をつくろうこと。転じて、禍を未然に防ぐたとえ。〔詩経、豳風、鴟鴞〕

【牖民】(ユウミン・たみをみちびく) 民を善に導く。民智を開く。

11【牗】15画 7122 ユウ 牖(7121)の俗字。→九一九ジ下。 ₂8017 — —

15【牘】19画 7123 漢トク 呉ドク 屋 dú 6417 E0AF —

字義 ❶ふだ。文字をしるす木のふだ。❷かきもの。文書。書籍。❸公文書。❹てがみ。「尺牘(セキトク)」❺古代の楽器。竹で作り、地をたたいて音を出す。筑(チク)の類い。

解字 篆文 形声。片＋賣(音)。片は、板の意味。音符の賣(トク)は、属に通じ、つらねるの意味。文字をしるす板をつらねた木のふだの意味を表す。

4画 牙（牙） きば・きばへん 牙は五画。

〔部首解説〕牙は、常用漢字の邪(邑部)や雅(隹部)などでは牙になり、五画に数える。牙を意符にして、歯に関する文字ができている。

0牙 九二〇　牙 九二〇　3邪 一四三九　8雅 一五三五　牚 九二〇　牚 九二〇

0【牙】4画 7124 常 ガ・ゲ きば 漢ガ・呉ゲ 麻 yá 1871 89E5 —

筆順 一 ㄷ 牙 牙

［牙］7125 俗字

字義 ❶は(歯)。㋐歯の総称。歯ともいう。㋑奥歯。㋒いときり歯。犬歯。❷きば。㋐哺乳(ホニュウ)動物の歯の特に大きく生長したもの。ライオン・犬・猫などの犬歯、象の門歯の大きくなったもの(象牙(ゾウゲ))など。㋑武器・悪意など、人を害するものをたとえていう。「毒牙」㋒人を守り助ける物または人のたとえ。❸かむ(嚙(ケツ))。かみつく。❹天子または将軍の旗。竿(さお)の上部に象牙(ゾウゲ)のかざりがある。牙旗。❺本営。将軍の旗の立っている所。❻役所。牙門。❼さいとり。仲買。売買の仲介をして手数料をとる人。「牙銭」❽め。また、めばえる。

名前 が 難読 牙儈(さいとり)・牙買加(ジャマイカ)・牙埋加(ジャマイカ)

解字 篆文 象形。きばの上下がまじわる形にかたどり、きばの意味を表す。牙を音符に含む形声文字に、芽・砑(ガ)・訝(ガ)・雅・邪などがあり、これらの漢字には、「きば」の意味を共有するものが多い。

逆 童牙

【牙営(營)】(ガエイ) 将軍の陣屋。将軍の旗である牙旗が立っている陣営の意。本陣。本営。

【牙旗】(ガキ) 天子、または将軍の立てる旗。旗竿(はたざお)の上を象牙(ゾウゲ)でかざるのでいう。

【牙行】(ガコウ) 仲買い。さいとり。

【牙城】(ガジョウ) 大将のいる城。牙旗のたっている城。本城。本丸。

【牙人】(ガジン) 仲買人。

【牙銭(錢)】(ガセン) 手数料。口銭。

【牙籤】(ガセン) 象牙(ゾウゲ)で作ったふだ。書名などをしるし、分類の見分けに用いる。

【牙爪】(ガソウ) ①きばとつめ。爪牙。②防衛の道具。③手先の者。

【牙籌】(ガチュウ) 象牙(ゾウゲ)で作ったかずとり。象牙製の計算用の棒。▼籌は、かずとり。

【牙帳】(ガチョウ) 大将のいる陣営のとばり。また、大将の陣屋。

【牙纛】(ガトウ) ＝牙旗。▼纛は、軍の指揮に用いるはたぼこ。

【牙牌】(ガハイ) ①象牙(ゾウゲ)で作り、事物の名称をしるすに用いるふだ。②カルタ。もと、象牙で作った。骨牌。

【牙保】(ガホ) ①仲買人。牙儈(ガカイ)。②不正品と知りながら、その売買を仲介すること。

【牙門】(ガモン) ①大将のいる陣営の門。大将の旗である牙旗の立っている門の意。②役所。衙門(ガモン)。

【牙郎】(ガロウ) 仲買人。

0【牙】5画 7125 ガ 牙(7124)の俗字。→九二〇ジ上。

3【邪】8画 (12269) ジャ 邑部。→一四三九ジ中。

8【雅】13画 (13182) ガ 隹部。→一五三五ジ下。

8【牚】12画 7126 漢トウ(タウ) 呉チョウ(チャウ) 敬 庚 chēng, chèng — — 4255

字義 ❶ささえる(ささふ)。また、ささえばしら。支柱。つっかい棒。＝樘(5817)。❷はりあう。抵抗する。さからう。

［牚］7127 俗字

解字 形声。牙＋尚(音)。

8【牚】13画 7127 トウ 牚(7126)の俗字。→九二〇ジ下。 — —

4画 牛（牜） うし・うしへん（牜）

［牛］ — — 4256

〔部首解説〕牛を意符にして、いろいろな種類の牛や、牛を飼うこと、使うことに関する文字ができている。

0 牛 九二〇	牠 九二一	物 九二二	牲 九二三	特 九二三	觕 九二四	犀 九二四	犎 九二五	犖 九二五	犨 九二六
2 牞 九二一	牡 九二一	牧 九二三	牶 九二三	7 牽 九二四	[illegible] 九二四	犉 九二五	犃 九二五	11 犛 九二五	
牝 九二一	牢 九二二	牵 九二三	牴 九二三	牾 九二四	牻 九二四	犇 九二五	10 犗 九二五	13 犠 九二五	
牟 九二一	4 牫 九二二	5 牱 九二三	6 牸 九二三	牼 九二四	犁 九二四	犂 九二五	犒 九二五	15 犢 九二六	
3 牣 九二一	犺 九二二	牯 九二三	牷 九二三	牿 九二四	8 犄 九二四	9 犍 九二五	犓 九二五	16 犧 九二五	

0【牛】4画 7128 教2 ギュウ うし 漢ギュウ(ギウ)・呉グ 尤 niú 慣ゴ 2177 8B8D —

筆順 ノ ㇒ 牛

字義 ❶うし。家畜の一種。❷星の名。牽牛(ケンギュウ)星。ひこぼし。また、星座の名。二十八宿の一つ。

名前 うし・ぎゅう・とし 難読 牛久(うしく)・牛膝(いのこずち)・牛津(オックスフォード)・牛頭(ごず)・牛頭山(ごずさん)・牛頓(ニュートン)・牛酪(バター)

解字 甲骨文 篆文 象形。角のある「うし」の象形で、うしの意味を表す。

逆 火牛・耕牛・闘牛・斗牛・土牛・牧牛

【牛飲馬食】(ギュウインバショク) 牛が水を飲み、馬が草を食うように、大いに飲み大いに食うこと。

【牛王】㊀ 牛の神。㊁ 国熊野・祇園・八幡などから出す厄よけの守りふだ。牛王法印、または牛王宝命の四字をしるす。

【牛角】㊀ 牛のつの。㊁ 仏牛の二本のつのには大小・長短のないこと。物の並立するたとえ。互角。

【牛△驥同△皁】 足のおそい牛と一日に千里も走る馬とが、同じかいばおけで養われていること。賢者と愚者とが同じ待遇を受けているたとえ。南宋、文天祥の「正気歌」に「牛驥同一皁」とあるのに基づく。

【牛後】 牛のしり。強大なもののしりにつき従うたとえ。「鶏口牛後」→為鶏口無為牛後（一六三〇㌻上）。

【牛耕】 牛をつかってたがやす。

【牛山】 山東省淄博市臨淄の南にある山。斉の都の東南にあり、都に近かったので、常に木が伐採され、はげ山になっていたという。〔孟子、告子上〕

【牛耳】 ①牛の耳。②一党・一派・団体などの首領になる。「牛耳る」→執牛耳。

【執牛耳】 昔、諸侯が会盟をするとき、いけにえの牛の左の耳をさいてその血を口のまわりにぬったが、そのとき盟主が牛耳を手に取ることから、会盟をつかさどることをいい、転じて、一党一派の首領や中心人物となって人々を支配することをいう。〔左伝、定公八〕

【牛△竪】 牧童。▼竪は、子ども。

【牛△溲】 ①牛の小便。②草の名。おおばこ。

【牛△溲馬勃】 ①下等なくすり。▼馬勃は、ほこりたけ、湿地や腐った木の上などに生える菌の一種。〔唐、韓愈、進学解〕②ふだん用いぬつまらないもの。また、役に立たないもの。

【牛女】 牽牛と織女の二星。ひこ星とたなばたつめ。陰暦七月七日の夕、天の川で会うという。

【牛△喘】 暑さのために牛が苦しみあえぐこと。

【牛斗】 牽牛星と北斗星。

【牛刀割鶏（鷄）】 牛を料理する大きな刀で小さいにわとりを料理すること。大器を小事に用いることのたとえ。また、小事を処理するのに大がかりな手段を用いることのたとえ。『論語』陽貨編に「割鶏焉用牛刀」とあるのに基づく。

【牛頭】㊀ 牛の頭。用例〔唐、白居易、売炭翁詩〕半疋紅綃一丈綾、繫向牛頭充炭直。わずか半匹の紅絹と一丈ほどの綾を牛の角にひっかけて、炭の代金にあてろという。㊁ 仏牛頭人身をした地獄の番人。

【牛頭天王】 仏祇園精舎の守護神。日本では京都の祇園の八坂神社の祭神。

【牛頭馬頭】 仏地獄の番兵。牛頭は牛頭人身、馬頭は馬頭人身の鬼。また、地獄に落ちて、牛、または馬の頭の形をしている罪人。

【牛馬走】 自分のことを謙遜していうことば。牛馬の世話をする走り使いの者の意。〔前漢、司馬遷、報任少卿書〕

【牛歩】 ①牛のあゆみ。②おそい歩み。また、物事のはかどらないこと。③喪車。牛にひかせるのでいう。

【牛△蒡】 野菜の一種。

【牛毛】 牛の毛。㋐九牛の一毛。差のはなはだしいたとえ。㋑きわめて多いたとえ。㋒法令が細密なたとえ。㋓こまかいたとえ。小さいたとえ。

【牛羊】 ①牛と羊。②牛と羊の肉のごちそう。

【牛酪】 牛乳を精製して脂肪を取ったもの。バター。

【牛郎】 ①牛飼いの男性。②ひこぼし。牽牛星。

【汗牛充棟】 ＝汗牛充棟（八三㌻中）。

【懸牛首売馬肉】 店先に牛の頭をかけて、実際は馬の肉を売る。看板と内容とが違うこと。また、命令と実行とがともなわないこと。懸羊頭売狗肉。〔晏子春秋、雑下〕

【対牛弾琴】 牛に対して琴を弾く。愚人に向かって道を説いても益のないことのたとえ。馬の耳に念仏。猫に小判。

【放牛于桃林之野】 戦争がすんで平和が来たことのたとえ。武王が殷を滅ぼして後、戦争に用いた牛を桃林（地名）の野にはなし飼いにして、自由にさせ、再びこれを用いないことを天下に示したという周の武王の故事に基づく。〔書経、武成〕

2 【牞】 6画 7129 漢キュウ（キウ） 呉ク 中jiū ― ― 4257

字義 牛の大力。

解字 形声。力＋牛（牛）音。

2 【牝】 6画 7130 標 漢ヒン 呉ビン 中pìn 4438 96C4 ―

字義 ❶めす。め。鳥獣の雌。↕牡（7134）。「玄牝」❷たに（谷）。また、地。❸かぎあな。かぎのはいる穴。

名前 め

解字 甲骨文  篆文  形声。牛（牛）＋匕音。音符の匕は、女性の意味。めすの牛の意味を表す。

【牝鶏（鷄）△之△晨】 めんどりがときをつげる。女性が勢力をふるうこと。かかあ天下。わざわいのもとであるという。牝鶏司晨。〔書経、牧誓〕

【牝馬】 めすの馬。

【牝△牡】 鳥獣のめすとおす。

2 【牟】 6画 7131 人 標 漢ボウ 呉ム 中móu 4422 96B4 ―

筆順 ㇜ ム 𠂉 厶 牟 牟

字義 ❶牛の鳴き声。❷むさぼる。うばう。❸ます（増）。倍する。❹多い。また、大きい。❺大麦。❻ひとみ（眸）。❼かぶと。

名前 ます・もと 難読 牟岐・牟礼

解字 篆文  会意。牛＋ム。ムは、牛の鳴き声・吐く息の象形とも、牛の鼻輪の象形ともいう。牛の鳴き声の擬声語。

【牟食】 むさぼり食う。また穀つぶし。

【牟然】 牛が鳴く声の形容。

【牟尼】 仏梵語muni の音訳。静かに瞑想する聖者の意。おもに釈迦牟尼如来をいう。

【牟麦（麥）】 大麦。

【牟利】 利益をむさぼる。

3 【牣】 7画 7132 漢ジン 呉ニン 中rèn ₂8018 ― 4259

字義 ❶みちる。㋐充満する。㋑こえふとる。❷しなやか。やわらかで強い。

解字 形声。牛（牛）＋刃音。

3 【牠】 7画 7133 漢タ 呉ダ 中tuō ― ― 4258

字義 角のない牛。

解字 形声。牛（牛）＋也音。

3 【牡】 7画 7134 人 標 漢ボ 呉モ 中mǔ 1820 89B2 ―

筆順 ノ ㇐ 牛 牛 牡 牡

字義 ❶おす。お。鳥獣の雄。↕牝（7130）。❷ひだり。❸おか（丘）。❹かぎ。かぎ穴にさしこむかぎ。

名前 お 難読 牡鹿

解字 甲骨文  金文  篆文  会意。牛（牛）＋土。牛は、うしの意味。土は、おすの性器の象形。牛のおすの意味から、一般におすの意味を表す。

【牡丹】ボタン ①花の名。別名、ふかみぐさ。なとりぐさ。②国㋐襲の色目の一つ。㋑いのししの肉の別称。
【牡馬】ボバ・おうま・おすうま おすの馬。
【牡△牝】ボヒン 鳥獣のおすと、めす。
【牡△蠣】ボレイ・かき 貝類の一種。

3 【牢】 7画 7135 標 ロウ(ラウ) 豪 láo 4720 9853 —

字義 ❶おり。家畜を飼っておく所。❷かこむ。こめる。❸かこい。❹ひとや。罪人をとじこめておく所。監獄。「牢獄」「入牢」「土牢」 ❺扶持米。手当て。❻賃金。❼いけにえ。犠牲。また、ごちそう。牛・羊・家の三種をそなえたものを太牢(大牢)、羊・家を少牢という。❽かたーい。かたし。「堅牢」❾かたく守る。❿うれえる。「牢愁」

名前 かた・かたし・くら・たか・ろう

解字 金文 篆文 象形。金文でもよくわかるように、囲いに入れられた牛の形にかたどる。かこい・おりの意味を表す。

【牢△檻】ロウカン 監獄。刑務所。
【牢記】ロウキ しっかりとおぼえること。
【牢堅】ロウケン かたい。堅固。堅牢。
【牢△乎】ロウコ かたいさま。しっかりしたさま。
【牢固】ロウコ かたい。堅牢。
【牢獄】ロウゴク ひとや。監獄。刑務所。
【牢死】ロウシ 獄中で死ぬ。
【牢愁】ロウシュウ うれえる。憂愁。
【牢牲】ロウセイ いけにえ。犠牲。
【牢騒(騷)】ロウソウ 心が不平でふさいでいること。
【牢不レ可レ破】ロウとしてやぶるべからず 堅固で破ることができない。
【牢落】ロウラク ①ひろびろとしたさま。とりとめのないさま。②さびしいさま。③まばらなさま。
【牢△稟】ロウリン 扶持米。俸禄。
【牢△醴】ロウレイ 犠牲の動物と、甘酒。丁寧な供物をいう。
【牢牢】ロウロウ ①空の曇りふさがっているさま。②気がふさがるさま。③堅固なさま。
【牢籠】ロウロウ ①ひとまとめにする。②他人を自分の術中におとしいれて思うままにすること。籠絡。

4 【牪】 8画 7136 カ 歌 gē — — 4261

字義 群がって生える角。

4 【犺】 8画 7137 コウ(カウ) 陽 gāng — — 4260

解字 形声。牛(牛)+戈音。

4 【物】 8画 7138 教 3 ブツ・モツ もの 漢ブツ・呉モチ 慣モツ 物 wù 熟字訓 果物 4210 95A8 —

字義 ❶水牛。❷雄牛。

解字 形声。牛(牛)+九音。

筆順 ノ 〻 牛 牛 牜 牞 物 物

字義 ❶もの。㋐天地間に存在する一切のもの。動物・植物などの生物や、鉱物など天然のもの、及び器物など人造のもの。目に見えるすべてのもの。用例〔易経、序卦伝〕盈二天地之間一者唯万物。↓すべて天地の間に盈ち満つるもの、それこそが万物である。／〔荀子、正名〕物也者大共名也。↓物というのは、あらゆるものの総称である。㋑ものごと。ことがら。できごと。転じて、世事。世間。「物外」「物議」 ㋒内容。中身。用例〔易経、家人〕君子以言有レ物。↓君子の言葉には(それに対応する)実質がある。㋓たぐい。種類。㋔神。鬼神。また、もののけ。妖怪。用例〔史記、留侯世家〕学者多言レ無二鬼神一。然言レ有レ物。↓学問をする人は多く鬼神などいないという。その一方で物の怪はいるという人もいる。❷しるし。標識。❸いろ。色彩。❹(色のまじった)旗の名。周代、大夫や士が用いた。❺みる。じっくりみて選ぶ。「物色」
国❶もの。接頭語。なんとなく。「物寂しい」❷ものーする。詩文などをつくる。

名前 こと・たね・もの

難読 物集

物④

使いわけ もの〔物・者〕
〔物〕形を備えたもの。また、意識の対象となる物事。「物が出回る・物を思う」
〔者〕人間。「持てる者の悩み」
なお、抽象的なものは、仮名書きが一般的。「人生ははかないものだ」
また、接頭語的用法には〔物〕を用いる。「物覚え・物悲しい」

解字 甲骨文 篆文 形声。牛(牛)+勿音。音符の勿は、悪い物を払い清めるの意味。清められた、いけにえの牛の意味から、「もの」の意味を表す。
逆 逸物・異物・遺物・詠物・怪物・外物・貨物・器物・旧物・供物・景物・好物・財物・作物・抄物・書物・人物・即物・俗物・難物・廃物・博物・万物・風物・文物・名物

【物化】ブッカ ①物の変化すること。万物の変化するすがた。用例〔荘子、斉物論〕此之謂二物化一。↓これを、万物が変化すること、というのである。②人の死。物故。
【物華】ブッカ ①物の光。かがやき。②けしき。風景。
【物我】ブツガ ものと、われ。外物と自己。外部と内部。客観と主観。
【物怪】一ブッカイ もののけ。あやしいもの。二もののけ 国人にとりついたりする死霊・生霊の類い。三モッケ 国思いもかけぬこと。意外。勿怪。「物怪の幸い」
【物外】ブツガイ 世事をはなれた場所。俗世間のそと。
【物換星移】ものかわ(は)りほしうつる 物事はかわり、歳月が経過する。世の中が移り変わること。〔唐、王勃、滕王閣詩〕
【物議】ブツギ 世間のうわさ。世評。世論。「物議騒然」
【物故】ブッコ ①人の死をいう。②事故。
【物候】ブッコウ もののありさま。気候による風物。
【物象】ブッショウ ①ものの形。また、もの。②四季のけしき。自然の風景。
【物情】ブツジョウ ①事物のありさま。物事の実情。②世間のようす。人々の心。世人の心情。
【物色】ブッショク ①犠牲の動物の色。毛の色。②ありさま。形状。③人相書きで人をさがす。また、人相書。④さがしもとめる。⑤いろいろなもの。万象。⑥けしき。風物。
【物盛則衰】ものさかんなればすなわ(は)ちおとろう(ふ) 物事がさかんになるとかならずおとろえる。用例〔史記、蔡沢伝〕月満則虧、物盛則衰。↓月は満月になると必ずかけ始め、物事は盛りを極めれば、後は必ず衰えるものである。
【物△徂△徠】ブツソライ 国荻生徂徠(一二四ベー中)をいう。中国人的に三字に称したもの。物茂卿ともいう。
【物騒(騷)】ブッソウ 国①さわがしい。世の中がおだやかでないこと。②乱暴を働きそうなこと。
【物欲・物△慾】ブツヨク 金銭や品物をほしがる欲望。
【物理】ブツリ ①物ごとの道理。②「物理学」の略。
【物力】ブツリョク ①物を生ずる力。②租税以外に人民の財産の多少をはかって銭を徴収すること。③富の力。

【物累・物△纍】(ブツルイ) 外物のかかりあい。外物から受けるわずらわしさ。世俗のわずらわしさ。

【物論】(ブツロン) 世の中のうわさ。世間の評判。「物論囂囂(ブツロンゴウゴウ)」

【外レ物】(ものをそとにす) 物欲を断ち切ること。

【有レ物有レ則】(ものあればのりあり) すべての事物には一定のきまりがある。〔詩経、大雅、烝民〕

4【牧】 8画 7139 教4 ボク まき
漢ボク・呉モク 奧 mù
4350 9671 —

筆順 丿 𠂉 牛 牛 牜 牧 牧

字義 ❶うしかい。うまかい。「牧童」 ❷まき。まきば。牛馬などを放し飼いにする所。また、放し飼いにすること。「遊牧」「放牧」 ❸つかさ。役人。また、つかさどる。治める。㋐州の長官。地方長官。「牧民官」 ㋑田地をつかさどる役人。㋒舟をつかさどる役人。❹郊外。町はずれ。放牧に適している。❺やしなう。動物を養う。修養する。

名前 ぼく・まき

解字 甲骨文 金文 篆文 会意。牛(牛)+攵(支)。牛は、うしの意味。攴はむちでうつの意味。牛を養う人の意味を表す。

逆 司牧・人牧・畜牧・農牧・遊牧

【牧歌】(ボッカ) ①牛飼いの歌。牧人の歌う歌。②牛飼いや農夫の生活を歌った詩歌。「牧歌的」は、素朴でみずみずしい感じ。

【牧牛】(ボクギュウ) ①牛を飼う。牛を放牧する。②野飼いの牛。牧場の牛。

【牧△圉】(ボクギョ) ①牛や馬を飼う人。②まきば。牧場。▼牛を飼う所を牧、馬を飼う所を圉という。

【牧師】(ボクシ) ①周代、牧場をつかさどった官。②キリスト教のプロテスタントで信者を教えみちびく人。

【牧守】(ボクシュ) 地方長官。州郡の長官。州の長官を牧、郡の長官を守という。

【牧△豎】(ボクジュ) 牛馬を飼う子供。牧童。

【牧人】(ボクジン) ①周代、牧畜をつかさどった官。②牧畜をする人。牧夫。

【牧畜】(ボクチク) 家畜を飼育する。また、その家畜。

【牧笛】(ボクテキ) 牧人や牧童の吹く笛。

【牧童】(ボクドウ) 牛馬を飼う少年。牧子。牧児。

【牧伯】(ボクハク) ①地方の長官。②国大名。

【牧夫】(ボクフ) 牛や馬を飼う人。牧人。

【牧民】(ボクミン) 人民を養い治める。〔管子、牧民〕

【牧民官】(ボクミンカン) 地方長官。知事。→牧民。

【牧羊】(ボクヨウ) ひつじを飼う。

【牧養】(ボクヨウ) ①家畜を牧場で育て養う。②人民を養い治める。

4【⿱乂牛】 8画 7140 国字
₂8019 — —
字義 ⿱乂牛宮城(くじみやぎ)は、姓氏。

5【牁】 9画 7141 カ gē
— — 4264
字義 舟をつなぐ杭(くい)。
解字 形声。牛(牛)+可音。

5【牯】 9画 7142 漢コ 呉ク 奧 gǔ
₂8021 — 4263
字義 ❶雄牛。❷去勢した雄牛。
解字 形声。牛(牛)+古音。

5【牲】 9画 7143 常 セイ
漢セイ・呉ショウ(シャウ) 奧 shēng
3223 90B5 —

筆順 丿 𠂉 牛 牛 牜 牪 牲 牲 牲

字義 いけにえ。㋐神を祭るに供える牛。㋑祭りや食膳(ショクゼン)に供える畜類。㋒ある物事、またはある人のために生命など大切なものを投げ出すこと。「犠牲」

解字 金文 篆文 形声。牛(牛)+生音。音符の生は、生きているの意味。生きたままの神へのささげ物、いけにえの意味を表す。

逆 犠牲・特牲

【牲殺】(セイサツ) いけにえ。いけにえは、殺して用いるのでいう。

【牲△牷】(セイセン) いけにえ。牷は、毛色がまだらでなく、完全な体をした牛。いけにえは、必ず牷を用いるのでいう。

【牲△牢】(セイロウ) いけにえ。▼牢も、いけにえ。

5【⿹弋件】 9画 7144 セン 奧 jiàn
₂8020 — 4262
字義 ❶つっかえ棒。家屋の傾いたものを支えるもの。❷いせき(井堰)。土石を積んで水をさえぎるもの。
解字 形声。弋+件音。

5【牴】 9画 7145 一漢テイ・呉タイ 奧 dǐ 二漢テイ・呉タイ 斉 dī
6418 E0B0 —
字義 一❶ふれる。あたる(当)。角(つの)が当たる。❷いたる。あう(会)。❸ほぼ。おおよそ。二おすの羊。＝羝(9493)。
難読 牴牾(もどき)
参考 現代表記では〔抵〕(4116)に書きかえることがある。「牴触→抵触」

解字 篆文 形声。牛(牛)+氐音。音符の氐(テイ)は、いたるの意味。牛の角がふれるの意味を表す。

【牴△牾】(テイゴ) ①くいちがう。②さからいあたる。▼牾は、そむく。

【牴触(觸)】(テイショク) ①つきあたる。②さしさわる。抵触。

【牴羊】(テイヨウ) おひつじ。おすの羊。

6【牸】 10画 7146 漢シ 呉ジ 奧 zì
₂8022 — 4266
字義 ❶めすの牛。❷めす。畜類の雌。
解字 形声。牛(牛)+字音。

6【牷】 10画 7147 漢セン 呉ゼン 奧 quán
— — 4265
字義 いけにえ。毛色が一色で体の完全な牛。
解字 篆文 形声。牛(牛)+全音。音符の全は、完全の意味。その毛が一色で完全な牛、いけにえの意味を表す。

6【特】 10画 7148 教4 トク
漢トク・呉ドク 奧 tè
3835 93C1 —

筆順 丿 𠂉 牛 牛 牜 牪 牫 特 特 特

字義 ❶おす。畜類のおす。特におすの牛についていう。❷三歳、または四歳の獣。❸一匹のいけにえ。❹ひとり。ひとつ。㋐ただひとつ。「独特」 ㋑つれあいのないもの。片われ。❺つれあい。配偶者。❻ぬきんでている。また、すぐれている。ことに。とりわけ。「特権」「特約」 ❼ただ。わずか。これだけ。

用例〔史記、廉頗藺相如伝〕秦王特以二詐詳一為レ予二趙城一(シンオウただサヨウをもってチョウにしろをあたう(ふ)るまねす)。↓秦王は、ただうそをついて趙に都市を与えるふりをしているだけだ。

名前 こと・ただ・よし　難読 特牛(こっとい)

解字 形声。牛(牛)+寺音。おすの牛。獨(独)に通じて、ひとりの意味に用いる。

逆 奇特・孤特・独特

【特異】(トクイ) 特にかわった現象。

【特牛】(トクギュウ) ①一匹のいけにえの牛。②おうし(雄牛)。③ことい。こっとい。おうしの強健なもの。

【特許】(トッキョ) ①特別のゆるし。②国特許権を与えること。また、「特許権」の略。

【特権(權)】(トッケン) 国ある身分・地位・階級の人が特に持っている権利。

【特効(效)】(トッコウ) ある事がらに対する、とりわけすぐれたききめ。「特効薬」
【特旨】トクシ 特別のおぼしめし。
【特使】トクシ 特別の任務を持ち、特に派遣される使者。
【特賜】トクシ 特別にたまう。また、そのもの。
【特質】トクシツ 国そのものだけが持っている特殊な性質。
【特赦】トクシャ ①特別にゆるす。②恩赦の一つ。服役中の犯罪人に対して、刑の執行を免除すること。
【特殊】トクシュ 普通とことなる。特別。↕一般(七㌻中)・普遍(六七六㌻下)。
【特秀】トクシュウ とりわけすぐれる。ひとりひいでる。
【特色】トクショク ①そのものだけにあり、他と目立ってちがう所。②他とくらべてすぐれている所。↓特徴。
【特進】トクシン ①漢代、諸侯・王公・将軍のうち、功績のあった人に対してたまわった位で、三公の下。②国㋐正二位の中国風の呼び名。㋑官位などが特別に進級すること。
【特性】トクセイ 国そのものだけが持っている性質。特質。
【特牲】トクセイ 一匹のいけにえの牛、また、ぶた。
【特操】トクソウ 他に左右されないかたいみさお。他にたよらないで自立している、しっかりした心。
【特達】トクタツ ①品物を贈るとき、他の物を添えずにその品物だけをとどけること。②特に他よりもぬきんでる。
【特地】トクチ かくべつに。ことさらに。▼地は、助字。
【特長】トクチョウ 国他と比べてすぐれている所。↓特徴。
【特徴】トクチョウ ①特別のおめし。▼徴は、召すこと。②他と異なって特にめだつ点。特点。◆同音の「特長」は、単に「めだつ」だけでなく、プラスの評価を伴っている場合に用いる。「各人の特長を伸ばす」。なお、「特色」は字義からすれば「特徴」と類義であるが、一般には「特長」に近い意で用いることが多い。
【特典】トクテン ①特別の儀式。②特別の待遇。
【特筆】トクヒツ 特に目立つようにしるす。特別に取りたててしるす。「特筆大書」
【特別】トクベツ 普通でない。一般と異なる。格別。
【特命】トクメイ ①特に命ずる。また、特別の命令。②特別の任命。
【特約】トクヤク 国特別の利益・便宜・条件のある約束や契約。特別契約。
【特有】トクユウ その物だけに特にそなわっている。↕通有(一四六㌻中)。
【特立】トクリツ ①ひとりだち。他人にたよらない。独立。②特にすぐれてぬきんでる。特出。「特立之士」
【特立独(獨)行】トクリツドッコウ 自分の信念に従って独自に行動すること。世俗に従わず、自分の信念を行うこと。初志を貫徹すること。〔礼記、儒行〕

7
【牽】
11画 7149 人 標 ケン 囲 qiān　2403 8CA1 —

筆順 亠 亠 玄 玄 玄 夳 牵 牽

字義 ❶ひ-く。ひっぱる。㋐引いて進ませる。引き寄せる。
用例〔唐、白居易、売炭翁詩〕手把二文書一口称レ勅、廻レ車叱レ牛牽向レ北(てにブンショをとりくちにみことのりとショウす、くるまをめぐらしうしをシッしてひきてきたにむかわ(は)しむ)　書きつけを手につかみ、「勅命じゃ」と口ばしり、炭焼きじいさんの車のむきをかえさせて、牛を「しっしっ」とおいたて、北のほうにひっぱらせた。㋑ひきいる(率)。引き連れる。❷ひ-かれる。㋐ひきつけられる。㋑つながれる。とらわれる。❸つな。引き綱。❹いけにえ。いけにえにされるために引かれて行く動物。

名前 けん・くる・とき・とし・ひき・ひた　難読 牽牛花(あさがお)・牽牛星(ひこぼし)

解字 篆文 形声。牛＋冖＋玄㊥。冖は、つなの象形。音符の玄は、弦に通じ、張りつめたつなの意味。牛を引くつな・ひくの意味を表す。

【牽引】ケンイン ひきあう。また、ひく。ひきよせる。ひっぱる。
【牽牛】ケンギュウ ①牛を引く。②星の名。ひこぼし。牽牛星。七夕(たなばた)の男星。③花の名。あさがお。牽牛花。
【牽強】ケンキョウ こじつける。
【牽強付会(會)・牽強附会(會)】ケンキョウフカイ 自分のつごうよいように、むりにこじつける。傅会(フカイ)ともいう。
【牽糸(絲)】ケンシ ①糸にひかれる。初めて仕えること。②糸をひく。結婚を決めること。唐の郭元振(カクゲンシン)が宰相の張嘉貞(チョウカテイ)に見こまれて娘の婿(むこ)になるように求められ、五人の娘に糸をもたせ、紅糸をひいてその第三女と結婚したという故事に基づく。
【牽制】ケンセイ ①ひかれて自由にならない。拘泥(コウデイ)する。②ひきつけて自由にさせない。自由を束縛する。
【牽染】ケンセン 汚いこと、やっかいなことに引きこむ。
【牽率】ケンソツ ひっぱりひきいる。
【牽纜】ケンラン ともづなを引く。
【牽累】ケンルイ ①かかわりあい。②まきぞえの災難。③物にひかれてわずらわされる。
【牽連】ケンレン つながる。連なり続く。関連する。
【牽攣】ケンレン ひく。たがいに心がひかれる。
【牽攣乖隔】ケンレンカイカク 心は互いに引き合いながら、遠く離れ隔たっていること。〔唐、白居易、与二微之一書〕

7
【牾】
11画 7150 ゴ　6419 E0B1 —
忤(1535)と同字。→三七〇㌻上。

7
【牼】
11画 7151 漢コウ(カウ) 呉キョウ(キャウ) 庚 kēng　— — 4268

字義 牛の脛(はぎ)の骨。
解字 形声。牛(牛)＋巠㊥。

7
【牿】
11画 7152 コク 沃 gù　2 8023 — 4269

字義 ❶おり(檻カン)。❷牛馬をおりに入れてやしなう。❸牛のつのぎ。角のはしにつけて、人を突けないようにする横木。

解字 篆文 形声。牛(牛)＋告㊥。音符の告は、とらわれつげるときに用いる牛馬の入れられる、おりの意味を表す。牛をささげて、神につげるの意味。神や祖霊に

7
【觕】
11画 7153 一ソ 虞 cū 二漢ソ・呉ゾ 麌 三漢ショク・呉ソク 沃　— — 6121

字義 一あらい。おおまか。＝粗(8979)。二❶ほぼ。あらまし。おおよそ。だいたい。大略。❷牛の角のまっすぐなさま。三ふれる(触)。さわる。接触する。

解字 会意。牛(牛)＋角。

7
【犊】
11画 7154 トク　1 8770 — —
犢(7172)の俗字。→九二八㌻上。

難読 犊橋(こてはし)

7
【牻】
11画 7155 漢ボウ(バウ) 呉モウ(マウ) 江 máng　— — 4267

字義 ❶まだら。また、まだら牛。❷乱れる。

解字 形声。牛(牛)＋尨㊥。音符の尨(ボウ)は、むく犬の象形。

7
【犁】
11画 7156 レイ　6421 E0B3 —
犂(7161)と同字。→九二五㌻上。

8
【犄】
12画 7157 一イ 支 yī 二キ 支 jī　— — 4270

字義 一❶牛の名。❷去勢した牛。❸長い。よりかかる。ほどこす。

解字 形声。牛(牛)＋奇㊥。

8
【犀】
12画 7158 人 標 漢セイ 呉サイ 斉 xī　2652 8DD2 —

筆順 コ ョ 尸 尸 尸 犀 犀 犀

【犀】2795 同字

字義 ❶野獣の名。水牛に似て鼻端に一本の角がある。角は古来薬用に用いられ、皮は甲冑(カッチュウ)を作るのに適する。❷さいの角。また、それで

作ったかぎり。❸かたい(堅)。❹するどい。

名前 かた・さい

解字 金文 篆文 会意。牛＋尾。

【犀角】サイカク ①さいのつの。器物や薬用にする。②ひたいの髪ぎわに隆起している骨。貴人の相といわれる。③筆法の一つ。片かなの「ノ」の字風に書く筆法。

【犀甲】サイコウ さいの皮で造ったよろい。堅固なよろい。

【犀舟】サイシュウ 堅固な舟。

【犀利】サイリ ①かたくてするどい。②文章や論法などの勢いのするどいこと。

8 【犉】12画 7159 漢ジュン 呉ニン 真 rún, chún　— — 4271

字義 ❶体が黄色で唇の黒い牛。❷体長七尺(約一・六メートル)の牛。

解字 形声。牛(牛)＋享(𦎫)音。

8 【犇】12画 7160 ホン 元 bēn　6422 E0B4 —

字義 ❶牛がおどろく。牛がおどろいて走り出す。❷はしる。＝奔(2269)。国❶ひしめく。押しあって騒ぐ。❷ひしと。ぎゅっと。ひしめくさま。

解字 会意。牛三つで、牛がおどろくの意味を表す。 難読 犇犇ひしひし

8 【犂】12画 7161 ㊀漢レイ・呉ライ 斉 lí ㊁リ 支 ㊂漢リュウ(リウ)・呉ル 尤　6420 E0B2 —

【犁】7156 同字

字義 ㊀❶すき。からすき。農具の名。牛にひかせて土をたがやす道具。「鋤犂ジョレイ」❷たがやす。すく。すきで耕す。用例〔文選、古詩十九首、其十四〕古墓犂為田 古墓は犂すかれて田と為なり、松柏摧為薪 松柏は摧くだかれて薪たきぎと為なる ↘古い墓は、いつのまにかすき耕されて田畑となってしまい、墓に植えられた常緑の松柏も切りくだかれてたきぎとなってしまう。❸まだらうし。黄と黒とのまじった毛色の牛。犂牛。❹くろい。うすぐろい。また、うすぐらい。❺しみ。老人のはだに生ずるうすぐろい斑点ハンテン。❻ころ(頃ケイ)。ころおい。「犂明レイメイ」㊁おののく。おそれおののく。

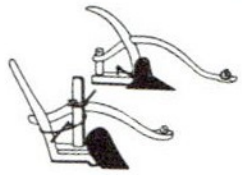

犂㊀㊁①

解字 篆文 形声。牛＋𥝢(黎)音。音符の黎リは、すきの意味。牛にすきをひかせて耕すの意味を表す。

【犂牛之子】リギュウのこ まだら牛の子。仲弓が悪人の父を持ちながら賢明であったので、孔子が牛にたとえて、まだら牛の子でも、毛色が赤く角がりっぱであれば、犠牲として神に供えることができると言ったことから、悪人から生まれたりっぱな子をいう。〔論語、雍也〕

【犂然】リュウゼン おそれおののくさま。

【犂明】レイメイ 夜あけごろ。あかつき。黎明レイメイ。犂旦レイタン。

【犂老】リロウ としより。老人。

9 【犍】13画 7162 漢ケン 呉コン 元 jiān, ④qiān　1 8771 — 4272

字義 ❶去勢した牛。❷去勢する。❸怪獣の名。豹ヒョウに似て尾が長く、人首一目で牛耳。❹犍為ケンイは、地名。↓犍為。

解字 形声。牛(牛)＋建音。

【犍為(爲)】ケンイ 漢代の郡名。今の四川省宜賓ギヒン市の南西。

9 【犎】13画 7163 漢ホウ 呉フウ 冬 fēng　2 8024 — 4273

字義 こぶうし。ウシ科の動物。インドウシ。

解字 形声。牛＋封音。

9 【⿰牛含】13画 7164 マン mān　2 8025 — —

字義 怛羅吒唅⿰牛含タラタカンマンは、仏教で、不動明王の真言の一部。

解字 形声。牛＋含音。

10 【犗】14画 7165 カイ 卦 jiè

字義 去勢した牛。

解字 篆文 形声。牛(牛)＋害音。音符の害は、たちきるの意味。動物の生殖器官をたちきる、去勢するの意味を表す。

10 【犒】14画 7166 コウ(カウ) 号 kào　6423 E0B5 —

字義 ❶ねぎらう(ねぎらふ)。飲食物を贈って将兵の労苦をなぐさめる。いたわりなぐさめる。❷ごちそう。ねぎらいの飲食物。

解字 形声。牛(牛)＋高音。

【犒師】コウシ 飲食物を贈り兵士の労苦をいたわる。▼師は、軍隊。

【犒労(勞)】コウロウ いたわりねぎらう。▼労は、疲れをいたわる。

10 【犓】14画 7167 漢スウ 呉シュ 虞 chú　— — 4274

字義 まぐさかう。まぐさを与えて牛や羊などを飼う。＝芻(9836)。「犓豢スウカン」

解字 篆文 形声。牛(牛)＋芻音。音符の芻スウは、まぐさの意味。まぐさで牛を飼うの意味を表す。

【犓豢】スウカン ①牛・羊や犬・ぶたの類いを飼う。家畜を養う。同芻豢スウカン。②草をたべる家畜の牛や羊と、穀類をたべる家畜の犬やぶたの類い。家畜類。

10 【犖】14画 7168 ラク 覚 luò　6424 E0B6 —

字義 ❶まだらうし。毛色のまだらな牛。また、その模様。❷あきらか。「犖犖」❸すぐれる。

解字 形声。牛＋勞省音。

【犖犖】ラクラク あきらかなさま。はっきりしているさま。また、すぐれているさま。

11 【犛】15画 7169 漢ボウ(バウ) 呉ミョウ(メウ) 肴 māo　1 8772 — 4275

字義 からうし。ヤク。牛に似、角は長く、毛は長い。チベットなどの高地に産する。昔、その毛で旄ボウ(旗竿のかざり)を作ったので旄牛ボウギュウともいう。犛牛。氂牛ボウギュウ。 難読 犛牛ヤク

解字 形声。牛＋𠩺音。

13 【犠】17画 7170 常 ギ　2130 8B5D —

16 【犧】20画 7171 キ 支 xī 慣ギ　6426 E0B8 —

筆順 牛 牜 … 犠

字義 ❶いけにえ。祖先の祭りに供える色がまだらでなく、体の完全な畜類。転じて、ある物事、またはある人のために生命など大切なものを投げ出すこと。❷いつくしみやしなう。❸いけにえの牛の形をした、酒だる。 難読 犠牲いけにえ

解字 篆文 形声。牛(牛)＋義(羲)音。音符の羲ギは、さらに義＋丂となる。義は、羊をのこぎり様の刃物で、いけにえにするの意味。丂も刃物の象形。いけにえの牛の意味を表す。

【犠牛】ギギュウ いけにえに用いる牛。

【犠象】ギショウ 周代に用いた酒器(さかがめの類い)。

【犠牲】ギセイ ①いけにえ。②他人のためや、ある目的のために生命やかけがえのないものを捨てること。殷インの湯王トウオウがひでりのとき、自分の身をいけにえにして天に祈り雨ごいをした故事に基づく。〔呂氏春秋、順民〕

【犠尊・犠樽】ギソン 祭器の名。いけにえの牛の形をした酒だる。また、いけにえの牛の形を描いた酒だる。

犧尊(漢代)

15【犢】19画 7172 漢トク 呉ドク 屋 dú 6425 E0B7 —
［犊］7154 俗字 犢鼻褌 難読
字義 こうし(子牛)。牛の子。
解字 形声。牛(牛)＋賣音。
【犢車】(トクシャ) 子牛に引かせる車。また、牛車。
【犢鼻△褌】(トクビコン) ふんどしの一種。布で腰の前面をおおい、後にまわして結ぶもの。▼褌は、したおび・ふんどし。
【△舐レ犢】(トクをなむ) ①親牛が子牛をなめて愛すること。②親が子をむやみにかわいがること。

16【犪】20画 (7171) ギ 犪(7170)の旧字体。→九二五ページ下。

16【犨】20画 7173 漢シュウ(シウ) 呉シュ 尤 chōu — — 4276
字義 ❶牛のあえぐ声。❷牛が鳴く。❸牛の名。❹当たる。
解字 形声。牛＋雔省音。

犬 いぬ 4画

〔部首解説〕 犬が偏になるときは犭の形をとり、獣偏(けものへん)と呼ぶ。もと、犭も犬部に含まれたが、形・画数とも異なるので分離して、犬部のあとに犭部を設けた。犬を意符にして、いろいろな種類の犬や、犬に似た獣類、また、むかしは異民族を軽んじたのでその名称に関する文字などもできている。そのほかに、犬の状態や、野獣的な性質・行為、狩猟に関する文字などがある。

0 犬 九二六　1 犮 九二六　3 状 九二六　4 狀 九二六　5 犾 九六九
6 臭 一一八〇　倏 九二六　7 條 九二六　8 猒 九二七　猋 九二七
9 献 九二七　猷 九二七　猷 九二七　10 獃 九二七　11 獒 九二七
獎 九二七　12 獣 九二七　獘 九二七　默 九二七　15 獸 九二七
16 獻 九二七

0【犬】4画 7174 教1 ケン いぬ 2404 8CA2 —

ケン 銑 quǎn
筆順 一ナ大犬
字義 ❶いぬ。家畜の一種。❷つまらない者のたとえ。自己を卑下し、または他人をさげすんでいう。「犬馬の労」 国いぬ。㋐まわし者。スパイ。㋑むだなこと。「犬死(いぬじに)」 難読 犬犂丸(いぬふぐり)・犬童(いんどう)・犬吠埼(いぬぼうさき)

解字 甲骨文 金文 篆文 象形。耳をたてた犬の象形で、いぬの意味を表す。犬を音符に含む形声文字に、獻(献)・犾(ケン)などがある。

【犬猿】(ケンエン) ①いぬとさる。②国非常に仲の悪いことのたとえ。逆豚犬・猟犬
【犬死】(いぬじに) 国むだじに。徒死。

【犬△戎】(ケンジュウ) 古代、中国の北西方(今の陝西(セン)省鳳翔(ホウショウ)県の北方)に住んでいた異民族。周の幽王は、この犬戎に攻められて、紀元前七七一年に都を洛陽(ラクヨウ)に移した。畎夷(ケンイ)。昆夷(コンイ)。

【犬△彘】(ケンテイ) いぬと、ぶた。転じて、身分の低い人のたとえ。

【犬馬】(ケンバ) ①いぬと、うま。②犬と馬などの獣類。③臣下の謙称。臣下が君主に対し、自分を卑下していうことば。④自己の謙称。犬や馬のように身分の低い人の意。

【犬馬△之歯(齒)】(ケンバのよわい(はひ)) 自分の年齢の謙称。犬や馬のようにむだにとった年齢という意。

【犬馬△之心】(ケンバのこころ) 臣下が主君につくす忠誠の心。

【犬馬△之養】(ケンバのやしない(ひ)) 犬や馬を養うような孝養。他に、犬や馬がその子どもを養う、また、犬や馬が人を養うと解する説もある。食べさせるだけで敬う心が欠けていること。用例〔論語、為政〕至ニ於犬馬一皆能有レ養(ケンバにいたるまでみなよくやしなう(ふ)ことあり)、不レ敬何以別乎(ケイせずんばなにをもってわかたんや)。↓人は犬や馬でも養っているから、(親を養うのに)尊敬の念がなければどうして(この犬や馬を養っているやり方と)区別できようか(同じになってしまう)。

【犬馬△之労(勞)】(ケンバのロウ) 主君や他人のために心力をつくすことの謙称。

【犬△吠】(ケンバイ) 一①犬がほえる。また、その声。②衆人が騒ぎたてる声のたとえ。二(いぬぼえ) 国上代、大嘗会(ダイジョウエ)に外国の使節が入朝したとき、隼人(はやと)が宮門を守るために犬の遠ぼえをまねたこと。

【犬羊】(ケンヨウ) 犬と羊。転じて、つまらない者、才能のない者のたとえ。

1【犮】5画 7175 漢ハツ 呉バチ 曷 bá 28027 — 4278
字義 ❶犬の走るさま。❷ぬ-く。ぬき去る。＝抜(4076)。
解字 篆文 象形。犬をはりつけにしたさまにかたどり、災害をとり除くの意味を表す。祓(フツ)の原字。犮を音符に含む形声文字に、抜(拔)・茇(ハツ)・跋(バツ)・髪(髮)・魃(バツ)などがある。

3【状】7画 7176 教5 ジョウ 3085 8FF3 —
4［狀］8画 7177 人 漢ショウ(シャウ) 呉ジョウ(ジャウ) 漾 zhuàng 18774 — —
筆順 丨丬丬丬状状
字義 ❶かたち。ありさま。すがた。顔かたち。㋐犬のかたち。㋑一般にかたちの意。「形状」「球状」㋒なりゆき。おもむき。様子。「異状」「情状」❷あらわす。かたどる。形容する。のべる。ことばや絵で表す。❸かきつけ。てがみ。「書状」「賞状」❹文体の名。上奏文の類い。
名前 かた・のり
解字 篆文 形声。犬＋丬(爿)音。音符の爿(ジョウ)は、像に通じ、すがたの意味。犬のさまざまなすがたの意味から、一般に、すがたの意味を表す。
逆回状・窮状・行状・形状・現状・国状・罪状・惨状・賞状・情状・書状・訴状・白状・名状・免状・令状
【状況】(ジョウキョウ) 国ありさま。ようす。◆「状況」と「情況」には意味・用法の違いはないが、昭和五六年、法令用語改正で「状況」に統一されて以来、一般でも「状況」が多く用いられている。
【状元】(ジョウゲン) 科挙(官吏登用試験)の最終試験である、天子が行う殿試に一番で合格した人。以下、二番が榜眼(ボウガン)、三番を探花という。▼元は、かしら。
【状態】(ジョウタイ) ありさま。ようす。◆「情態」も同意であるが、国語審議会が「状態」を標準的な表記とし、また新聞用語も「状態」に統一して以来、「状態」が一般的となった。
【状貌】(ジョウボウ) かおかたち。なりふり。用例〔後漢書、陳寔伝〕視ニ君状貌一(きみのジョウボウをみるに)、不レ似ニ悪人一(アクニンににず)。↓君の様子を見るに、悪人のようではない。

4【狀】8画 (7177) ジョウ 状(7176)の旧字体。→九二六ページ下。

5【犾】9画 (7622) ケン 田部。→九六九ページ下。

6【臭】10画 (9670) シュウ 自部。→一一八〇ページ上。

6【倏】10画 7178 シュク 倏(7179)の俗字。→九二六ページ下。

7【條】11画 7179 シュク 屋 shū 6439 E0C5 —

【倏】6898 俗字　【倐】7178 俗字

字義 ❶犬が速く走るさま。❷たちまち。すみやか(速)。にわか。❸ひかるさま。

解字 形声。犬＋攸音。

【倏倏】シュクシュク ひかるさま。
【倏瞬】シュクシュン ごく短い時間。一瞬時。
【倏然】シュクゼン すばやく。たちまち。

8【猒】12画 7180 ㊀エン 塩 艶 yàn ㊁ヨウ(エフ) 葉 yā　₂8038 — 4308

字義 ㊀❶あきる。❷やすらか。❸あざむく。㊁❶ふさぐ。❷せまる。

解字 会意。犬＋日＋月。

8【猋】12画 7181 ヒョウ(ヘウ) 蕭 biāo　— — 4306

字義 ❶犬が群をなして走るさま。❷はしる。速く走る。❸つむじかぜ。はやて。飆。旋風。「猋風」

解字 金文 篆文 会意。犬＋犬＋犬。犬が群れて走るの意味や、はやく走るの意味を表す。

【猋飛】ヒョウヒ つむじ風のように飛ぶ。
【猋風】ヒョウフウ つむじ風。猋忽。

9【献】13画 7182 常 ケン・コン　2405 8CA3 —
16【獻】20画 7183 漢ケン 呉コン 霰 xiàn　6459 E0D9 —

筆順 一 十 冂 冉 南 南 南 献 献

字義 ❶たてまつる。ささげる。すすめる。㋐犬を祖先の祭りに供える。㋑音楽を奏して神を祭る。㋒ささげる。主君に物を奉る。「献上」㋓君に申しあげる。上奏する。㋔人に物を贈る。㋕酒を客にすすめる。❷たてまつる物。㋐供物。㋑献上品。❸賢人。＝賢(11593)。「文献」

名前 けん・たけ・のぶ

解字 甲骨文 金文 篆文 形声。篆文は、鬳＋犬音。鬳は、頭部が虎の形をした、こしきの象形。犬は、その器に血を塗るためのいけにえの犬の意味。神聖化されたこしきのさまから、神に物をささげるの意味を表す。常用漢字の献は俗字による。

逆 貢献・文献・奉献

【献遺】ケンイ つつしんでおくる。進物を贈る。
【献可】ケンカ ためになることばを君に申しあげる。君に善言を奉って君のあやまちをただすこと。
【献享・献饗】ケンキョウ ごちそうをさしあげてもてなす。
【献芹】ケンキン 人に品物を贈ることを、へりくだっていうことば。また、目上に意見を申しあげる意にも用いる。▼芹は、せりで、つまらぬ野菜の意。〔列子、楊朱〕
【献言】ケンゲン 人に意見を申しあげる。また、その意見。
【献功】ケンコウ ①公務に力をつくす。②できあがった物を献上する。
【献歳】ケンサイ 正月元日。▼献は、進で、新しい年が進みきたる意。
【献策】ケンサク はかりごとを上の人に申しあげる。
【献酬】ケンシュウ 杯のやりとり。返杯。▼献は相手に杯をさすこと、酬は受けた杯を返して、その人に酒をすすめること。
【献觴】ケンショウ ＝献盃・献杯。
【献上】ケンジョウ ＝献呈。
【献身】ケンシン 一身をささげて、その事に力をつくす。
【献替】ケンタイ・ケンテイ 善を進め、悪をやめさせること。君主を補佐すること。▼献は進、替は廃(やめさせる)。
【献呈】ケンテイ 目上の人にさしあげる。献上。
【献納】ケンノウ ①善言を君にたてまつる。はかりごとを君に申しあげる。②神仏などに金品を奉る。奉納。③国大納言(ダイナゴン)を中国風に言った名。
【献盃・献杯】ケンパイ 相手に敬意を表してさかずきをさす。献觴。

9【猷】13画 7184 標 漢ユウ(イウ) 呉ユ 尤 yóu　4518 9751 —
【猶】7185 俗字

字義 ❶はかる。また、はかりごと。❷みち(道)。道義。❸えがく。また、え(画)。

解字 形声。犬＋酋音。

9【猶】13画 7185 ユウ 猷(7184)の俗字。→九二七ページ中。

10【獃】14画 7186 ガイ 灰 dāi　— — 4324

字義 ❶おろか。❷ぼんやりする。

解字 形声。犬＋豈音。

11【獒】15画 7187 ゴウ(ガウ) 豪 áo　₂8047 — 4327

字義 ❶いぬ(犬)。人の心を察して、よく役にたつ犬。❷おおいぬ。強い犬。猛犬。

解字 篆文 形声。犬＋敖音。音符の敖ゴウは、大きくて気ままの意味。

11【獎】15画 7188 ショウ 奨(2298)の本字。→三五八ページ上。　6450 E0D0 —

12【獣】16画 7189 常 ジュウ けもの　2935 8F62 —
15【獸】19画 7190 人 漢シュウ(シウ) 呉シュ 慣ジュウ(ジウ) 宥 shòu　6457 E0D7 —

筆順 丶 丷 ⺍ 𫩏 ⺍ 畄 畄 兽 獣

字義 ❶けもの。けだもの。❷ほじし。ほした肉。

解字 甲骨文 金文 篆文 会意。甲骨文・金文は、單＋犬。單は、はじき弓の象形。犬は、いぬの象形。犬とはじき弓とを使ってかりをしたときのえもの、けものの意味を表す。獸は、その変形。常用漢字の獣は獸の省略形。

逆 仁獣・聖獣・走獣・鳥獣・猛獣

【獣檻】ジュウカン けものを入れておくおり。
【獣畜】㊀ジュウキク 犬馬などを養うこと。また、けものとして養うことで、かわいがるだけで尊敬しないことをいう。〔孟子、尽心上〕㊁ジュウチク 野獣と家畜。また、けもの。▼畜は、養う。
【獣行】ジュウコウ けだものにひとしい行い。人道にはずれた行為。
【獣骨文】ジュウコツブン 古代文字の一種。殷イン代、獣骨にきざんだ文字。占卜センボク(うらない)のことばが多い。→甲骨文字(九六七ページ中)。
【獣心】ジュウシン けもののような心。人道にはずれた心。

12【獘】16画 7191 ヘイ 弊(3290)の本字。→四八五ページ上。　— — 4329
12【默】16画 (14468) モク 黒部。→一六四七ページ上。
15【獸】19画 (7190) ジュウ 獣(7189)の旧字体。→九二七ページ下。
16【獻】20画 (7183) ケン 献(7182)の旧字体。→九二七ページ上。

3画
犭 けものへん

[犭] ₂8026 — 4277

〔部首解説〕犬が偏になるときの形。→〔犬〕の部首解説(九二六ページ)。

2【犰】5画 7192 漢キュウ(キウ) 呉グ 囚 qiú

₂8028 一 一

字義 犰狳(キュウヨ)は、獣の名。穿山甲(センザンコウ)の類い。

解字 形声。犭(犬)+九(音)。

2【犯】5画 7193 教5 ハン おかす

漢ハン・呉ボン 陳 fàn

4040 94C6 一

筆順 ノ 犭 犭 犯 犯

字義 ❶おか-す(をかす)。一定のわくをふみこえるの意。㋐ふれる(触)。当たる。㋑法を破る。おきてを無視する。「防犯」㋒討つ。攻める。㋓さからう。しのぐ。用例〔論語、憲問〕勿レ欺也(あざむくことなかれ)。而犯レ之(しかしてこれをおかせ)。↓主君をだましてはならない。しかししっかりと立ち向かっていうべきことをいい(場合によっては)逆らいなさい。㋔そこなう(害)。㋕女性に暴行を加える。❷つみ(罪)。犯罪。また、刑を受けた回数を数える語。❸罪をおかした人。罪人。犯人。❹仏仏教で戒律にふれること。「ボン」と読む。「女犯(ニョボン)」

使いわけ おかす〔犯・侵・冒〕

〔犯〕法律・規則・道徳を破る。「校則を犯す」

〔侵〕他の領土に入りこむ。また、他人の分野などに勝手に入りこむ。「権利を侵す」

〔冒〕向こう見ずに進む。してはいけないことをあえてする。また、人や物を害する。「危険を冒す・病に冒される」

解字 篆文  形声。犭(犬)+㔾(音)。音符の㔾(ハン)は、氾(ハン)に通じ、はびこるの意味。犬がみだりにはびこる、おかすの意味を表す。

逆 違犯・干犯・共犯・従犯・重犯・主犯・侵犯・正犯・戦犯・不犯・防犯・累犯

【犯科】(ハンカ) 法律(とが)をおかす。▼科は、とが、つみ。

【犯顔】(ハンガン) ＝犯レ顔(かおをおかす)(一五六二ページ・中)。

【犯逆】(ハンギャク) 君父にそむくこと。そむきさからう。

【犯禁】(ハンキン) 禁制をおかす。また、その人。

【犯△闕】(ハンケツ) 宮中に押し入る。▼闕は、宮門。

【犯罪】(ハンザイ) つみをおかす。法にふれる。また、法をおかした罪。

【犯上】(ハンジョウ) 上をおかす。目上の人に反抗する。

【犯人】(ハンニン) 罪をおかした人。罪人。犯罪者。

【犯△蹕】(ハンピツ) 天子の行幸の道をおかす。

【犯分】(ハンブン) 分(区別・わりあて・身分など)をおかす。分限を越える。用例〔荀子、性悪〕出二於争奪一(ソウダツにいで)、合二於犯分乱理一(ハンブンランリにガッして)、而帰二於暴一(ボウにキす)。↓争いや奪い合いが始まり、分限を越え道理を乱す行為が盛んになって、混乱した状態に陥ってしまう。

3【犴】6画 7194 ガン

一 一 4280

豻(11488)と同字。→一三四七ページ・下。

3【犱】6画 7195 漢ケキ 呉キャク 陌 jí

₂8029 EDFC 4279

字義 獣の名。猿の一種。 難読 鹿犱(かとり)

解字 形声。犭(犬)+丸(執省)(音)。

3【犲】6画 7196 サイ

6428 E0BA 一

豺(11489)と同字。→一三四七ページ・下。

4【狁】7画 7197 イン(キン) 軫 yǔn

₂8030 一 4282

字義 獫狁(ケンイン)は、中国の古代、北方に住んでいた種族の名。漢代以後、匈奴(キョウド)という。

解字 形声。犭(犬)+允(音)。

4【狂】7画 7198 常 キョウ くる-う・くる-おしい

2224 8BB6 一

漢キョウ(キャウ)・呉ゴウ(グヮウ) 陽 kuáng

筆順 ノ 犭 犭 犴 犴 狂

字義 ❶くる-う(くるふ)。正常でない。㋐精神に異常をきたす。「発狂」㋑常軌をはずれる。くらむ。善悪の区別がつかない。一事に熱中し過ぎる。「狂気」㋒軽はずみに動く。落ちつきがない。あわてる。㋓こっけい。おどけ。「狂歌」「酔狂」❷狂犬。❸精神に異常をきたした人。❹くる-おしい(くるほし)。精神状態が正常でない。❺おろか。また、おろかな人。❻気持ちばかり大きくて実行のともなわない人。→狂簡。国くる-う(くるふ)。㋐酒色におぼれる。㋑たわむれあそぶ。㋒ねらいがはずれる。㋓機械などの調子が変になる。

名前 よし

解字 甲骨文  篆文  形声。篆文は、犭(犬)+㞷(音)。音符の㞷(ウォ)は、王と省略して書かれる。枉(ウォ)に通じ、曲がるの意味。獣のように精神が曲がる、くるうの意味を表す。

逆 酔狂・清狂・熱狂・陽狂

【狂飲】(キョウイン) むやみに酒を飲む。

【狂易】(キョウエキ) 性質が常軌を逸する。

【狂華】(キョウカ) ①季節はずれの花。狂花。②目がくらんだようなときに、眼前にちらちら見える花のようなもの。眼花。

【狂歌】(キョウカ) ①正常とは思えない声で歌う。また、たわむれに歌う。②正常とは思えない歌。③たわむれに歌う。また、たわむれに作った詩。狂詩。④国おどけた歌。たわむれうた。ざれうた。江戸中期以後に流行した。

【狂怪】(キョウカイ) 奇怪な。あやしい。

【狂簡】(キョウカン) 志が大きくて実行のともなわないこと。進取の気象に富んでいるが実行のともなわないこと。また、その人。〔論語、公冶長〕

【狂気(氣)】(キョウキ) ①正常とは思えない気質。②熱中して他をかえりみないこと。

【狂喜】(キョウキ) 常軌を逸するほどよろこぶ。

【狂△狷・狂△獧】(キョウケン) むやみに理想に走って実行がともなわず、思慮が浅く、かたくななこと。▼狷・獧は、知識は浅いが心に守る所がある意。〔論語、子路〕

【狂言】(キョウゲン) ①道理にもとることば。②人を驚かすことば。〔荘子、知北遊〕③国㋐能のあいまに行われるこっけいな芝居。田楽(デンガク)・猿楽(サルガク)などの民間芸能からおこり、中世に完成した演芸。㋑歌舞伎(カブキ)の出し物。㋒うそを本当らしく、うまくしくんだ事柄。「狂言自殺」㋓芸能を演ずること。㋔ざれごと。

【狂言綺語】（キョウゲンキゴ・キョウゲンキギョ） 道理にもとる語と、かざりたてたことば。転じて、小説などの文をいう。〔唐、白居易、香山寺白氏洛中集記〕

【狂△狡】（キョウコウ） 常軌を逸して乱れる。また、その者。

【狂号（號）】（キョウゴウ） ものぐるおしく泣きさけぶ。

【狂士】（キョウシ） 志が大きくて実行のともなわない人。

【狂恣】（キョウシ） 常軌を逸するほどほしいままなこと。

【狂詩】（キョウシ） 国江戸中期以後に流行した、おどけの意をふくんだ漢詩。

【狂疾】（キョウシツ） 精神病。

【狂生】（キョウセイ） ①常軌を逸した男性。②でたらめでしまりのない人。③志を高く持っている人。常識にとらわれない人。

【狂草】（キョウソウ） 書体の一つ。大きくくずした草書。唐の張旭が始めたもの。

【狂△噪・狂△躁・狂△譟】（キョウソウ） ①物ぐるおしくさわがしい。狂騒。②軽はずみ。あわてて手を出す。

【狂態】（キョウタイ） 正常とは思えない状態。

【狂痴（癡）】（キョウチ） 常軌を逸する。また、その人。▼痴は、おろか。〔漢書、韋玄成伝〕

【狂直】（キョウチョク） 他人をはばからずに正しさをかたく主張すること。また、その人。

【狂△顚】（キョウテン） 精神に異常をきたすこと。

【狂△悖】（キョウハイ・キョウボツ） 本心を失って道にそむく。

【狂夫】（キョウフ） ①精神に異常をきたした男性。②おろかな男性。③女性が自分の夫をいう謙称。拙夫。④風雅を求める人。

【狂風】（キョウフウ） 荒れくるう風。強く吹きまくる風。

【狂妄】（キョウボウ・キョウモウ） 道理にはずれる。

【狂暴】（キョウボウ） 精神に異常をきたしたようにあばれる。常識はずれの乱暴。

【狂奔】（キョウホン） ①夢中になって走りまわる。②ある目的のために、熱心に動き回り努力すること。

【狂薬（藥）】（キョウヤク） 酒の別名。酒は人の心を正常ではなくすから。

【狂△瀾】（キョウラン） ①あれくるう大きな波。②物事の非常に乱れるさま。

【△廻二狂△瀾△於既（既）倒一】（キョウランをキトウにかえ（へ）す） さかまく大波がほとんど倒れふしたのを、ささえてもとに押しかえす。衰えて亡びかけているものをもとにかえすたとえ。〔唐、韓愈、進学解〕

【狂惑】（キョウワク） 理非がわからなくなる。

4 【狖】 7画 7199 漢ギン 呉ゴン 図 yín　18773 EE40 4281
字義 ❶かむ。犬がかみ合う。❷犬が吠え合う。
解字 会意。犬＋犬。本字は㹜。
難読 狖守（いずもり・えずもり）・狖舘（いぞだて・いだて・えずだて・えんだて）

4 【狃】 7画 7200 漢ジュウ（ヂウ） 呉ニュ 宥 niǔ　6429 E0BB ―
字義 ❶なーれる。なる。㋐犬が人になれ親しむこと。㋑なれしたしむ。㋒なれもてあそぶ。なれて気ままにふるまう。❷ならう。習熟する。❸むさぼる。❹ただす。
解字 篆文 形声。犭（犬）＋丑（音）。音符の丑（ジュウ）は、ひねるの意味。犬が身をくねらせて人になれ親しむの意味を表す。

4 【狆】 7画 7201 漢チュウ（チウ） 呉ジュウ（ヂウ） 送 zhòng　6430 E0BC ―
字義 貴州・雲南地方に住む種族の名。国ちん。犬の一種。体が小さくて毛が長い愛玩（アイガン）用の犬。
解字 形声。犭（犬）＋中（音）。

4 【狄】 7画 7202 漢テキ 呉ジャク（ヂャク） 錫 dí, ③⑥⑦tì　6431 E0BD ―
字義 ❶えびす。㋐北方の異民族。「東夷（トウイ）西戎（セイジュウ）南蛮（ナンバン）北狄（ホクテキ）」㋑広く未開の異民族をいう。「夷狄（イテキ）」❷身分の低い役人。下士。❸よこしま。❹いぬ（犬）。❺きじの羽。また、それを描いた諸侯の夫人の衣。＝翟（9539）。❻遠い。＝逖（12110）。❼けずる（削）。除きととのえる。整理する。
解字 金文 篆文 形声。犭（犬）＋火（亦）（音）。音符の亦（エキ＝テキ）は、人のわきの下の意味。漢民族のわきに住む異民族をさげすんで、犬を付した。
【狄牙】（テキガ） 易牙（六五三ページ上）の別称。春秋時代の料理の名人。
【狄人】（テキジン） 北方の異民族。

4 【㹠】 7画 7203 漢トン 呉ドン 元 tún　28031 ― ―
字義 ぶたの子。
解字 形声。犭（犬）＋屯（音）。

4 【狇】 7画 7204 ボク mù　― ― 4283
字義 狇狫（ボクロウ）は、異民族の名。木狫（ボクロウ）。
解字 形声。犭（犬）＋木（音）。

4 【犹】 7画 7205 ユウ　6427 E0B9 ―
猶（7275）と同字。→九三五ページ下。

5 【狗】 8画 7206 標 一漢コウ・呉ク 有 二漢コウ・呉ク 宥 gǒu　2273 8BE7 ―
【㺃】 7246 同字
字義 一いぬ。家畜の一種。犬。また、小さい犬。犬の子。二熊（くま）や虎（とら）の子。

名前 く・こう
難読 狗尾草（えのころぐさ）

解字 篆文 形声。犭（犬）＋句（音）。音符の句は、クルッと曲がるの意味。クルクルはねまわる子犬の意味を表す。

【狗犬】（クケン） いぬ。

【狗△鼠】（クソ） いぬと、ねずみ。転じて、人格のいやしい人のたとえ。くだらぬ小人。

【狗△彘】（コウテイ・クテイ） ①いぬと、ぶた。用例〔孟子、梁恵王上〕鶏豚狗彘之畜（ケイトンクテイのキク）、無レ失二其時一（そのときをうしなう（ふ）ことなくんば）、七十者可二以食一レ肉矣（シチジュウのものもって。ニクをくらう（ふ）べし）。↓とり・ぶた・いぬなどの家畜を飼って、殺して食べるタイミングを間違えないようにすれば、七十歳の人も肉を食べて暮らすことができるだろう。②身分が低いこと。また、その人。人をののしることば。

【狗△屠】（コウト・クト） 犬を殺すこと。▼屠は、殺す。

【狗盗】（クトウ） 犬のようにこっそり忍び込んで、盗みを働く人。小さな盗みをする人。こそどろ。狗偸（クトウ）。→鶏鳴狗盗（一六三〇ページ中）。用例〔十八史略、春秋戦国、斉〕客有下能為二狗盗一者上（カクによくクトウをなすものあり）。↓食客の中に犬のように忍び込んで物を盗み出すことができる者がいた。

【狗肉】（クニク） 犬の肉。「羊頭狗肉」

【狗馬】（コウバ・クバ） ①犬と馬。②臣下が主君に対して自分を卑下することば。犬馬。「狗馬の心」

【狗△吠】（コウハイ・クバイ） ①犬のほえること。また、その声。②犬が飼い主以外の人を怪しんでほえること。③人がその主に専心に報いること。

5 【狘】 8画 7207 漢ケツ 呉カチ（クヮチ） 月 xuè　― ― 4288
字義 ❶獣が驚いて走るさま。❷獣の名。
解字 形声。犭（犬）＋戉（音）。

5 【狎】 8画 7208 漢コウ（カフ） 呉ギョウ（ゲフ） 洽 xiá　6432 E0BE ―
字義 ❶なーれる。なる。㋐習熟する。㋑近づく。なれ近づく。親しみなれる。㋒なれなれしくする。なれてあなどる。なれて相手を軽んずる。用例〔唐、柳宗元、三戒〕稍近益狎（ややちかづきてますますなれ）、蕩倚衝冒（トウイショウボウす）。↓もう少し近づき、いよいよなれてきて、いいように驢馬（ロバ）に寄りかかったり、突き当たったりした。㋓たわむれる。もてあそぶ。❷ならす。飼いならす。❸かわるがわる。交互に。❹ならぶ。たくさん並ぶ。

解字 篆文 (篆文字形) 形声。犭(犬)＋甲㊥。音符の甲は、おさえるの意味。犬などを自分の意のままにおさえこむ、飼いならすの意味を表す。

【狎客】コウカク ①代々親交のある家。②なれ親しんで、遠慮のいらない人。③花柳界のたいこもち。

【狎玩・狎△翫】コウガン あなどりもてあそぶ。なれなれしくしてもてあそぶ。

【狎近】コウキン なれ近づく。また、近づけてかわいがる。

【狎△昵】コウジツ なれしたしむ。

【狎邪】コウジャ ①なれっこになり礼をかくこと。②遊女をいう。

【狎臣】コウシン お気に入りの家臣。

【狎侮】コウブ なれなれしくして相手を軽んずる。

【狎弄】コウロウ なれたわむれる。いちゃつく。

5【狌】8画 7209 ㊀㊇セイ ㊒ショウ(シャウ) 庚 xīng ㊁㊇セイ ㊒ショウ(シャウ) 敬 shēng ₂8032 ― 4285

字義 ㊀狌狌(ショウジョウ)は、猿の一種。猩猩(ショウジョウ)。＝猩(7270)。㊁いたち。＝鼪(14528)。

解字 形声。犭(犬)＋生㊥。

5【狙】8画 7210 常 ソ ねら-う ㊇ショ 魚 jū ㊓ソ 3332 915F ―

筆順 ノ 犭 犭 犭 犭 犭 狙

字義 ❶さる。てながざる。❷わるがしこい。また、いつわる。❸いぬ(犬)。❹ねら-う。ねらう。うかがう。「狙撃」

解字 篆文 (篆文字形) 形声。犭(犬)＋且㊥。音符の且ッは、相に通じ、みるの意味。人のすきをうかがう動物、さるの意味や、ねらうの意味を表す。

【狙害】ソガイ ねらって害する。

【狙撃(撃)】ソゲキ ねらいうつ。

【狙公】ソコウ さるを飼う人。さるまわし。用例〔列子、黄帝〕宋有二狙公者一(ソウにソコウといふものあり)。愛レ狙養レ之成レ群(さるをアイしこれをやしないてむれをなす)。↓宋の国に狙公という者がいた。猿を愛し、群れを成すほど飼っていた。

【狙候】ソコウ ねらいうかがう。▼候は、うかがう。

【狙△猴】ソコウ さるの別名。

【狙詐】ソサ いつわりあざむく。だます。

【狙伺】ソシ さるが物をうかがうように、ひそかにねらいうかがう。

5【狪】8画 7211 チョウ(テウ) 蕭 diāo ₂8033 ― ―

字義 短い尾の犬。

解字 形声。犭(犬)＋召㊥。

5【狛】8画 7212 ハク 薬 bó 2593 8D9D ―

字義 獣の名。狼(おおかみ)に似ているという。国こま。昔の朝鮮半島の一国、高麗(コウライ)を「こま」とも呼び、狛の字をこれに当てたもの。後には朝鮮半島全体の意にも用いた。

解字 形声。犭(犬)＋白㊥。

【狛犬】こまいぬ 国神社の社殿の前などにすえられている、石や木で作った、獅子(シシ)に似た、一対の獣の像。魔よけのために置かれる。高麗犬(こまいぬ)の意という。

5【狒】8画 7213 ㊇ヒ ㊒ビ 未 fèi 6433 E0BF ―

字義 狒狒(ヒヒ)は、獣の名。猿の一種。多くアフリカに産する。国狒狒(ヒヒ)は、淫欲(インヨク)のさかんな人のたとえ。

解字 形声。犭(犬)＋弗㊥。

5【狉】8画 7214 ヒ 支 pī ― ― 4284

字義 ❶こだぬき。狸(たぬき)の子。❷狸の別名。❸狉狉は、獣のむれ走るさま。

解字 形声。犭(犬)＋丕㊥。

5【狖】8画 7215 ユウ yòu ₂8034 ― ―

字義 ＝狖(7216)。国狖川(いたちがわ)は、神奈川県の地名。

5【狖】8画 7216 ㊇ユウ(イウ) ㊒ユ 宥 yòu ― ― 4287

字義 獣の名。黒色の猿。くもざる。また、おながざる。

解字 形声。犭(犬)＋穴㊥。

5【狕】8画 7217 ヨウ(エウ) 巧 yǎo ― ― 4286

字義 獣の名。豹(ヒョウ)に似た動物。

解字 会意。犭(犬)＋幼。

6【狢】9画 7218 カク 6434 E0C0 ―

字義 ㊀貉(11496)と同字。→一三四八ページ上。㊁㊇カン(クワン) ㊒ガン(グワン) 寒 huān

6【狟】9画 7219 ㊀㊇ケン ㊒カン(クワン) 元 xuān ― ― 4289

字義 ㊀❶犬が行く。❷大きな犬。㊁まみ。あなぐま。

解字 形声。犭(犬)＋亘㊥。

6【狭】9画 7220 常 キョウ せま-い・せば-める・せば-まる 2225 8BB7 ―

7【狹】10画 7221 人 ㊇コウ(カフ) ㊒ギョウ(ゲフ) ㊓キョウ(ケフ) 洽 xiá 6437 E0C3 ―

筆順 ノ 犭 犭 犭 犭 犭 狭

字義 ❶せま-い。せまし。❷せば-まる。また、せば-める。せばむ。国さ。音調をととのえるための接頭語。せまい意に用いることもある。「狭衣(さごろも)」

名前 さ 難読 狭衣(さごろも)・狭間(はざま)・狭山(さやま)

解字 形声。犭(犬)＋夾(夾)㊥。もと、陜(13084)の俗字。

逆 険狭・隘狭・広狭・偏狭

【狭△隘・狭△阸】キョウアイ せまくて窮屈。せまくるしい。

【狭義】キョウギ あることばの意味の範囲に広さの違いのあるとき、その狭い意味をいう。↔広義(四七〇ページ下)。

【狭△巷】キョウコウ せまいちまた。小路。

【狭斜】キョウシャ 道がななめに通っているせまいちまた。もと長安の遊里の名。花柳街。いろまち。

【狭小】キョウショウ せまくて小さい。

【狭量】キョウリョウ 度量がせまい。また、せまい度量。

【狭△陋】キョウロウ せまくてきたない。せまくてむさ苦しい。

6【狐】9画 7222 標 ㊇コ ㊒ゴ 虞 hú 2449 8CCF ―

字義 国きつね。野獣の一種。疑い深いたとえにも用いる。㋐たくみに人をごまかす人。㋑娼妓(ショウギ)の別称。㋒きつねうどん。㋓いなりずし。㋔きつね色。

名前 こ・ご 難読 狐臭(わきが)

解字 金文 (金文字形) 篆文 (篆文字形) 形声。犭(犬)＋瓜㊥。音符の瓜カは、ひさごの意味。頭部が小さく後尾の大きくふくらんだ、ひさご形をした獣、きつねの意味を表す。

【狐仮(假)二虎威一】(きつねとらのイをかる) 人の威光をかさにきる。〔戦国策、楚〕→仮二虎威一(一二四八ページ下)。

【狐△狢・狐△貉】コカク ①きつねとむじな。②きつねやむじなの皮で作った衣。貴人のきる衣。

【狐疑】コギ 疑いぶかくて決心のつかないこと。狐は疑いぶかくて、凍った川を渡るとき、水のない所をたしかめて渡るという。用例〔楚辞、離騒〕心猶予而狐疑兮(こころユウヨしてコギし)、欲二自適一而不可(みずからゆかんとほっするもフカなり)。↓心はためらい迷い疑って、しかし自分で行くこともできない。

【狐△裘】コキュウ きつねの腋下(わきした)の白い毛を集めて作ったころも。貴人の着る服として珍重された。狐白裘。

【狐裘三十年】斉の晏子が一枚の狐裘を三十年も着たことで、その倹約をほめたことば。〔礼記、檀弓下〕

狐裘

【狐死首丘】きつねは死ぬときに、自分の住んでいた丘の方に頭を向ける。根本を忘れないたとえ。また、故郷を思うたとえ。「首丘の情」〔礼記、檀弓上〕

【狐臭】わきが。

【狐鼠】①きつねとねずみ。②小人。また、こそどろ。

【狐白裘】きつねのわきの下の白い毛を集めて作った皮ごろも。古来、容易に得がたいものとして貴ばれた。狐裘。〔史記、孟嘗君伝〕

【狐媚】きつねが人をまどわすように、たくみに人にこびへつらうこと。

【狐狸・狐貍】①きつねと、たぬき。②こそどろ。

【狐狼】①きつねと、おおかみ。②ずるくて他を害する心を持つもののたとえ。

【狐惑】①うたがいまどう。②あざむきまどわす。

6【狡】9画 7223 標 漢コウ(カウ) 呉キョウ(ケウ) 巧 jiǎo 6436 E0C2 —

字義 ❶ずるーい。こすーい。わるがしこい。❷すばやい。はしこい。❸うたがう。また、そねむ。❹くるう。乱れる。❺そこなう(害)。❻顔は美しいが誠実さのないこと。→狡童。❼犬の名。また、獣の一種。

解字 篆文 形声。犭(犬)+交音。音符の交は、まじわりの意味。犬のような交わりの意味から、転じて、わるがしこいの意味を表す。

【狡獪】わるがしこい。狡猾。▼獪も、わるがしこい。

【狡猾】わるがしこく、ずるい。▼猾も、わるがしこい。

【狡譎】わるがしこく、いつわりが多い。▼譎は、いつわる。

【狡詐】わるがしこく、うそをつく。

【狡知・狡智】わるがしこい知恵。

【狡兎三窟】ずるいうさぎは、三つのかくれあなをもっている。転じて、難をまぬかれるにたくみなたとえ。また、身をかたく保つたとえ。〔戦国策、斉〕

【狡兎死良狗烹】すばしこいうさぎが死ぬと、それを捕らえるに役だったよい猟犬は不用になり煮て食われる。敵国が滅びると、戦功のあった謀臣は殺される、というたとえ。また、役に立つ間は使われるが、用がなくなると捨てられるたとえ。「狡兎死走狗烹」ともいう。用例〔史記、淮陰侯伝〕狡兎死良狗烹、高鳥尽良弓蔵。↓すばしこいうさぎが死ぬと、(それを捕らえるのに役だった)猟犬は不要になり煮て食われ、空高く飛ぶ鳥がつきると、(それを捕らえるのに役立った)弓はしまいこまれる。

【狡童・狡僮】①わるがしこい子。②顔は美しいが誠実さのない子供。

【狡吏】わるがしこい役人。

6【狠】9画 7224 一ギン 真 yín 二コン 阮 hěn 6435 E0C1 —

字義 一犬のかみあう声。=狺(7231)。二❶かむ。❷ねじける。用例〔人虎伝〕覚二心愈狠一、力愈倍。↓気持ちがますます残忍になり、力もますます強くなっていくのを感じた。❸はなはだ。すこぶる。きわめて。

解字 篆文 形声。犭(犬)+艮(皀)音。音符の皀は、もとるの意味。動物的で心がねじけているの意味を表す。また、擬声語として、犬のあらそう声を表す。

【狠恣】心がねじけて気ままなこと。

【狠戾】心がもとりねじけていること。

6【狩】9画 7225 常 シュ かーる・かーり 漢シュウ(シウ)・呉シュ 宥 宥 shòu 2877 8EEB —

筆順 ノ 犭 犭 犭 狞 狞 狩 狩 狩

字義 ❶かーり。㋐鳥獣をかりたてて捕らえること。㋑冬のかり。㋒火を放ち草を焼いて行うかり。❷かーりする。かーる。狩猟する。❸守っている所。天子の命を受けて守り治めている諸侯の領地。「巡狩」❹やしなう。❺うつ(伐)。征伐する。国かーり。求めること。さがしもとめること。

名前 かり・もり 難読 狩生・狩野・狩留家

解字 甲骨文 篆文 形声。犭(犬)+守音。甲骨文は、獣と同一字。本来音符の嘼がシュウ=シュに変化したため、守が用いられるようになった。かりの意味を表す。

逆 出狩・巡狩

【狩谷棭斎(齋)】国江戸後期の漢学者。名は望之、字は卿雲。号は棭斎。通称は、津軽屋三右衛門。考証の学に精通した。(一七七五—一八三五)
【狩人】かりゅうど。かりをする人。猟師。
【狩田】冬に行うかり。▼田も、かり。
【狩猟(獵)】かりをする。また、かり。

6【狗】9画 7226 ジュン 徇(3415)の俗字。→五〇五ページ中。 — — 4290

6【独】9画 7227 教 5 ドク ひとーり 13【獨】16画 7228 漢トク 呉ドク 屋 dú 3840 93C6 — 6455 E0D5 —

筆順 ノ 犭 犭 犭 犳 犳 狆 独 独

字義 助ひとーり。⇩助字・句法解説。❶ひとーり。つれがない。助ける者がない。ただひとり。「孤独」❷ひとりもの。老いて子のない人。夫のない女性。また、子孫のない人。❸犬のかみ合うこと。国国名。独逸(または独乙)の略。「日独」

助字・句法解説

ひとーり。

㋐限定。「A ノミ独リ(Aのみひとり)」「独リ A ノミ(ひとりAのみ)」。訳ただAだけ。

内容を限定する働きをする。

用例〔孟子、滕文公上〕治二天下一独可二耕且為一与。↓天下を治めることだけが耕しながらでもできるというのか。/〔史記、項羽本紀〕今独臣有レ船。↓今私だけが船をもっています。/〔史記、老子伝〕子所レ言者、其人与レ骨皆已朽矣。独其言在耳。↓あなたが言うようなものは、言った人も死に、骨だってみんな朽ちてしまったものだ。ただその言葉が残っているだけだ。/〔資治通鑑、漢紀〕独有二女弟二人、両女一男一。↓ただ妹御お二人と二女一男がおられるだけです。

㋑反語。訳どうして…か。

文末に「乎」「哉」などを伴って、反語の意味を表す。「ただ…だけ」の意味はない。

用例〔史記、項羽本紀〕籍独不レ愧二於心一乎。↓私、籍(項羽)は、どうして心に恥じないでいられようか(きっと恥じる)。

名前 かつ 難読 独逸・独乙・独活

使いわけ ひとり〔独・一人〕
〔独〕単独・孤独ということに力点を置く場合。「彼はまだ独りだ」
〔一人〕人数が一人であること。「一人ずつ会った」
ただし、実際には「ひとり暮らし・ひとり歩き・ひとりぼっち」のように、両方の漢字を用いているものが多い。

解字 篆文 形声。犭(犬)+虫(蜀)音。音符の蜀は、不快ないもむしの意味。争うことの好きな不快な犬の意味から、転じて、ひとりの意味を表す。

逆 孤独・慎独

【独演】他の人の協力を求めず、自分ひとりで出演、または講演をすること。ひとり舞台。

【独往】ただひとりで行く。

【独覚(覺)】①ただひとりめざめる。②ただひとりさとる。③仏ただひとり仏道をさとって生死を離れること。

【独学(學)】師につかず自分一人で学問すること。

【独活】草の名。うこぎ科の多年草。若芽は食用になる。

【独眼竜(龍)】①目が一つしかない英雄。②目が一つしかない徳の高い人。③国㋐伊達政宗の別称。㋑目が一つしかないこと。また、その人。

【独居】ひとりでいること。特に、女性のひとりでいること。寡居。

【独吟】自分一人で詩歌を吟ずる。また、一人で詩歌を作る。

【独△鈷】仏真言宗で用いる仏具。▼鈷は、もと天竺(インド)の兵器で、煩悩を破るという意。

独鈷

【独行】①ただひとりで行く。②他人にたよらないで自分の力だけで行うこと。③節操や主義を守って、世間の人に左右されないこと。④ひとりぼっち。

【独座・独△坐】①ただひとりですわる。用例〔唐、王維、竹里館詩〕独坐幽篁裏、弾レ琴復長嘯。↓私はただひとりこの奥深い静かな竹林に座り、琴を弾じ長く声を引いてうたう。②いばって、他人を相手にしないこと。③小さいこしかけ。

【独裁】①独断で物事を処理すること。②「独裁政治」の略。

【独自】①自分ひとり。単独。②国=独特。

【独酌】相手がなくひとりで酒を飲むこと。

【独修】①他人にかまわず、自分ひとり身を修めること。②国独学。独習。

【独宿】たったひとりでとまる(宿直する)。

【独唱】①ひとりで主張する。ひとりでとなえる。②ひとりで歌う。

【独身】①自分ひとり。単身。②国つれあいのないもの。ひとりみ。

【独占】ひとりじめ。単独で占有する。

【独△擅】自分ひとりで思いのままにする。

【独△擅場】国ひとり舞台。その人だけがかってにふるまえる所。「独擅レ場」と同じ。擅を壇と書くのは誤用による慣用。

【独善】①自分だけを正しく修める。自分だけをりっぱにする。②国ひとりよがり。

【独走】①ただひとりで走ること。②他を大きく引き離して走ること。③ひとりだけかってに行動すること。

【独創】国自分ひとりの考えで独特なものをつくり出す。

【独尊】①仏自分ひとりが他よりすぐれて尊い。仏のことをいう。「唯我独尊」②自分だけが尊いと考える。

【独断(斷)】①自分だけの考えできめる。自分かってにきめる。②証拠も研究もなくて、かってに自分の判断をくだすこと。ドイツ語dogmaの訳語。

【独壇場】国独擅場の誤用による慣用。

【独直】ひとりで宿直する。

【独特】国そのものだけが特に持っていること。◆ユニークを意味する「ドクトク」の本来の用字は「独得」であるが、現在の日本では「独特」の使用例が多い。

【独得】①自分でえらいと思いあがること。②そのものだけが持っていること。→独特。

【独白】国劇などで、ひとりでいうせりふ。モノローグ。

【独夫】①独身の男性。②くだらない男性。匹夫。③臣下や人民がそむきはなれている悪逆無道の君。

【独歩】①非常にすぐれて他にならぶ者のないこと。②ひとりで歩く。他人の力を借りず自分一人で行う。「独立独歩」

【独房】①はなれ座敷。また、一軒屋。②国刑務所で受刑者をひとり閉じこめておくへや。

【独夜】ひとりでさびしい夜。用例〔唐、杜甫、旅夜書レ懐詩〕細草微風岸、危檣独夜舟。↓細い草の葉がかすかな風にそよぐ岸辺で、高く帆柱を立てた舟の中、一人さびしく夜を過ごしている。

【独△侑】ひとりで酒を飲むこと。▼侑は、酒を勧める。

【独楽(樂)】[一]自分ひとりで楽しむ。自分だけ楽しむ。[二]国子供のおもちゃの一種。

【独立】①ひとりで立っている。②他の力を借りないで存在すること。③世俗と交渉がなく生活すること。④他から左右されないで存在すること。

【独立自尊】国人の力を借りず何事も独力で行い、自分の尊厳を維持してゆくこと。

【独立独行】他の力を借りず、また他の支配を受けずに、自分の信念を実行すること。独立独歩。

【独立不レ△慚二△于影一】人から見られていないところでも、その行いに恥ずべきやましさのないこと。▼影は、自分の影。

【独力】①自分ひとりの力。自力。②短くみにくい様子。

7【猂】10画 7229 カン 悍(3728)の俗字。→四六六ページ上。 — — 4302

7【狶】10画 7230 [一]漢キ・呉ケ 微 xī [二]シ 紙 shǐ

字義 [一]いのこ。ぶた。=豨(11478)。[二]狶韋は、古代の帝王の名。

解字 形声。犭(犬)+希音。

7【狭】10画 (7221) キョウ 狭(7220)の旧字体。→九三〇ページ下。

7【狺】10画 7231 漢ギン 呉ゴン 図 真 yín 28036 — 4293

字義 犬がかみあう声。また、犬のほえる声。「狺狺」

解字 形声。犭(犬)+言音。

7【狷】10画 7232 ケン 霰 juàn 6438 E0C4 —

字義 ❶気みじか。心がせまい。せっかち。❷かたいじ。信念は強いが心がせまいこと。また、がんこであるが不義を行わないこと。

解字 篆文 形声。犭(犬)+肙音。音符の肙は、ぼうふらの象形で、細くて小さいの意味。気が細くて小さい、せっかち・かたいじの意味を表す。

【狷△隘】気みじかで度量がせまい。狷狭。

【狷介】かたいじ。かたく心に守る所があって、他に屈従しないこと。かたくなで、人と融和しないこと。

【狷急】心がせまく気みじかなこと。せっかち。

【狷狭(狹)】気みじかで心がせまい。

【狷者】かたく守る所があるが、心のせまい者。用例〔論語、子路〕狷者有レ所レ不レ為也。↓心の狭い者はしないことがあるのだ。

【狷△忿】心がせまくせっかちで、おこりっぽい。狷憤。

【狷戻】心がせまくねじけている。

7【狻】10画 7233 サン 寒 suān 18775 — 4294

字義 ❶ししの一種。狻麑・狻猊は、からじし。用例〔杜子春伝〕俄而猛虎・毒竜・狻猊・獅子・蝮蝎万計前、猛虎・毒竜・狻猊・獅子、哮吼拏攫而争(モウコ・ドクリュウ・シュンゲイ・シシ、コウコウダカクして、あらそい(ひ)すすむ)。↓突然、猛虎・毒竜・狻猊・獅子、そして無数のまむしやさそりが現れ、ほえ狂いつかみ合って争い進んだ。❷仏獅子座。仏のすわるところ。転じて、高僧のすわるところ。「狻下(高僧を呼ぶ敬称)」

狻猊

7【猘】10画 7234 セイ 霽 zhì ― ― 4301
字義 ❶狂犬。❷狂う。
解字 形声。犭(犬)+折音。

7【狽】10画 7235 標 ハイ 泰 bèi 慣バイ 3966 9482 ―
字義 獣の名。→狼狽(九三三ページ中)。
解字 形声。犭(犬)+貝音。

7【狴】10画 7236 漢ヘイ 呉ハイ 斉 bì ― ― 4292
字義 ❶狴犴は、獣の名。❷狴牢は、牢獄。
解字 形声。犭(犬)+坒音。

7【狳】10画 7237 ヨ 魚 yú 28035 ― 4291
字義 犰狳は、獣の名。穿山甲の類い。
解字 形声。犭(犬)+余音。

7【狸】10画 7238 標 リ 支 lí 3512 924B ―
【貍】11503 正字
字義 国たぬき。やまねこ(山猫)。また、野猫。
名前 り 難読 狸穴
解字 篆文 形声。犭(犬)+里音。篆文は、豸+里音。

7【猁】10画 7239 リ lì
字義 猞猁猻は、獣の名。
解字 形声。犭(犬)+利音。

7【狼】10画 7240 人 標 ロウ(ラウ) 陽 láng 4721 9854 ―

筆順 ノ 犭 … 狼
字義 ❶おおかみ。猛獣の名。性質が猛悪。❷おおかみのように、性質がたけだけしくなさけ心のないもののたとえ。「豺狼之心」❸みだれる。みだれ散らばる。「狼藉」❹あらい。あらあらしい。すさむ。❺東方にある星の名。

名前 ろう 難読 狼煙・狼狽
解字 甲骨文 篆文 形声。犭(犬)+良音。音符の良は、浪に通じて、なみの意味。おし寄せるなみのように群れをなしておそう、おおかみの意味を表す。

【狼煙・狼烟】のろし。おおかみの糞を用いると、風が吹いても煙はまっすぐにのぼるという。狼火。

【狼虎】おおかみと、とら。転じて、欲が深く、他を害する者のたとえ。虎狼。

【狼顧】①おおかみは後ろを見る性質があることから、人が恐れて見返ること。②おおかみのように、真後ろを振り返ることのできる首。

【狼疾】①心がみだれていること。②心がみだれて反省することのできないたとえ。おおかみは、よくふり返るが、病気になるとそれができないのでいう。〔孟子、告子上〕

【狼心】おおかみのように、欲が深い心。

【狼藉】①とりみだしたさま。ものが散らばっているさま。一説に、おおかみが草をしいて寝たあとの乱雑さからいう。▼狼も藉も、乱雑の意。用例〔北宋、蘇軾、前赤壁賦〕肴核既尽、杯盤狼藉。↓肉やくだものなどの酒の肴もなくなり、さかずきや皿などが入り乱れている。②国暴行。無法な行い。

【狼狽】うろたえる。あわてる。狽も獣の一種。狼は前の二足が長く、後の二足が短いが、狽はその反対である。そこで狼と狽とは常にいっしょに行き、離れると倒れるので、あわてる意に用いるという。

【狼戻】①おおかみのように、心がねじけて道理にもとること。②みだれ散らばること。

8【猗】11画 7241 一イ 支 yī 二イ 紙 yǐ 6440 E0C6 ―
字義 一❶ああ。嘆美のことば。❷うるわしい(美)。❸ながい(長)。❹よる(依)。よりかかる。❺去勢した犬。二❶くわえる(加)。くわわる。❷よる(倚)。❸たばねる。
解字 篆文 形声。犭(犬)+奇音。音符の奇は、整っていないの意味。去勢された犬の意味を表す。また、嘆美のことば、「ああ」の擬声語として用いられる。
【猗猗】①美しくさかんなさま。②多くさかんなさま。一説に、鳥の遊ぶさま。
【猗違】どっちつかず。判然と決しないさま。依るかたがうか、決しないさま。依違。▼猗は、依。
【猗嗟】・ああ 嘆息の声。
【猗頓】春秋時代、魯の人。大富豪で、越王句践の臣の范蠡(陶朱公)と並び称せられた。
【猗靡】①しなやかで美しいさま。②よりそうさま。よりそうようになびくさま。③たがいに思いあって忘れないさま。

8【猓】11画 7242 カ(クワ) 哿 guǒ ― ― 4309
字義 猓然は、おながざる。
解字 形声。犭(犬)+果音。

8【猄】11画 7243 漢ケイ 呉キョウ(キャウ) 庚 jīng ― ― 4303
字義 ❶獣の名。❷現代中国語で、黄猄は、鹿の一種。
解字 形声。犭(犬)+京音。

8【猊】11画 7244 ゲイ 斉 ní 6441 E0C7 ―
【貎】11504 同字(14413)。
字義 ❶狻猊は、からじし。=麑 ❷仏仏のすわる所。獅子座。転じて、高僧の座席。猊座。
解字 形声。犭(犬)+兒音。
【猊下】①仏高僧の敬称。猊は、猊座(獅子座)で、高僧はそれにのぼって説法するのでいう。今は、一宗の管長の敬称。②僧に送る書状の脇付に用いる語。
【猊座】仏仏のすわる座席。獅子座。転じて、高僧のすわる所。

8【猇】11画 7245 一漢コウ(カウ) 呉キョウ(ケウ) 肴 xiāo 二漢オウ(アウ) 呉ヨウ(エウ) 肴 28037 ― 4305
字義 一❶虎の声。虎が人をかもうとするうなり声。二❷犬のほえる声。
解字 会意。犭(犬)+虎。

8【⿰犭句】11画 7246 コウ 28041 ― ―
狗(7206)の俗字。→九二九ページ下。

8【猜】11画 7247 サイ 灰 cāi 6442 E0C8 ―

字義 ❶そねむ。ねたむ。うらやみにくむ。また、そねみ。❷きらう(嫌)。❸うたがう。疑い。❹おそれる。

解字 篆文 会意。犭(犬)+青。青黒い犬の意味から、疑いぶかく、ねたむの意味を表す。

【猜畏】そねみおそれる。猜懼。

【猜怨】そねみうらむ。猜恨。

【猜忌】そねみきらう。猜嫌。

【猜疑】①ねたみうたがう。②うたがう。用例〔近古史談、織篇、稲葉一徹〕今乃知下其有二文学一如上此、猜疑之心、頓消矣。↓今そなたがこれほどに学問があることを知り、そなたを疑っていた気持ちは急に消え失せた。


【猜拳】手に物をにぎって、その奇数・偶数・数量・色などをいいあてる、酒興の遊戯の名。

【猜嫌】人をそねみきらう。

【猜険(險)】そねみ害する。疑い深く、陰険である。

【猜弐(貳)】ねたみうたがう。▼弐は、うたがう。

【猜忍】ねたみ深くて無慈悲なこと。

【猜△謗】ねたみそしる。猜毀。

8 【猞】 11画 7248 シャ shē — — 4312

字義 猞猁猻は、獣の名。猫に似て大きく、毛皮は珍重される。
解字 形声。犭(犬)+舍音。

8 【猖】 11画 7249 ショウ(シャウ) 陽 chāng 6443 E0C9 —

字義 くるう。たけりくるう。あばれる。さわぐ。みだれる。
解字 形声。犭(犬)+昌音。音符の昌は、さかんの意味。勢いさかんな犬、たけり狂うの意味を表す。
【猖狂】はげしくくるう。正常でない行いをする。
【猖△獗・猖△蹶】①たけりくるう。はげしくあばれる。②かたむきくつがえる。また、失敗する。

8 【猘】 11画 7250 セイ 霽 zhì 28039 — 4310

字義 ❶狂犬。❷あらい。凶暴な。
解字 形声。犭(犬)+制音。音符の制は、手で引きとめて自由にさせないの意味。自由に放しておいてはいけない犬、凶暴な犬の意味を表す。

8 【猙】 11画 7251 一 漢ソウ(サウ) 呉ショウ(シャウ) 庚 zhēng 二 漢トウ(タウ) 呉ジョウ(ヂャウ) 庚 28040 — 4311

字義 一 怪獣の名。㋐一本の角と五本の尾がある、豹に似た獣。㋑翼がある、きつねに似た獣。二 猙獰は、あらあらしく、にくらしいさま。また、犬の毛の多いさま。
解字 形声。犭(犬)+爭音。

8 【猝】 11画 7252 漢ソツ 月 cù 6444 E0CA —

字義 ❶にわか。にわかに。だしぬけ。いきなり。「猝然」❷はやい。すみやか。
解字 篆文 形声。犭(犬)+卒音。音符の卒は、突に通じ、にわかにの意味。犬が急にとび出すさまから、にわかにの意味を表す。
【猝然】にわかに。だしぬけに。俄然。
【猝△嗟】にわかに怒声を発する。また、その声。

8 【猪】 11画 7253 人 3586 9296 —
9 【猪】 12画 7254 人 チョ 魚 zhū 18779 EE42 —

筆順 ノ 犭 犭 犭 犾 狫 猪 猪

[豬] 11482 正字 [䐗] 5095 同字

字義 ❶い。いのこ。ぶた。❷野猪は、いのしし。
解字 篆文 形声。犭(犬)+者(者)音。篆文は、豕+者音。
名前 い・しし 難読 猪牙船・猪甘・猪口才・猪苗代・猪養
【猪口】国①陶製の小さなさかずき。②さしみ・酢の物などをいれる小さな器。
【猪△狗不レ食二其余(餘)一】人の食べのこしは、ぶたも犬もくわぬ意で、人をののしる語。犬もくわぬ。〔漢書、元后伝〕
【猪飼敬所】国江戸後期の儒学者。京都の人。名は彦博。敬所は号。古義に基づいて諸家の説を折衷し、『論孟考文』『管子補正』などを著した。(一七六一―一八四五)
【猪突】国いのししのようにまっしぐらに突進すること。むこうみずに進むこと。
【猪突△豨勇】①新の王莽が組織した軍隊の名。②むこうみずに突き進み勇みたつ者。いのしし武者。〔漢書、食貨志下〕
【猪突猛進】国まっしぐらに突き進む。がむしゃらに突き進むことのたとえ。
【猪勇】国むこうみずの勇気。

8 【猅】 11画 7255 漢ハイ 呉バイ 佳 pái — — 4304

字義 首の短い犬。
解字 形声。犭(犬)+非音。

8 【猫】 11画 7256 常 ビョウ ねこ 漢ビョウ(ベウ)・呉ミョウ(メウ) 蕭 māo 3913 944C —

筆順 ノ 犭 犭 犭 猎 猎 猫 猫 猫

[貓] 11505 正字

字義 ねこ。家畜の一種。
解字 形声。犭(犬)+苗音。
【猫額】国ねこのひたい。きわめて狭い場所のたとえ。

8 【猛】 11画 7257 常 モウ 漢モウ(マウ)・呉ミョウ(ミャウ) 梗 měng 4452 96D2 — 熟字訓 猛者

筆順 ノ 犭 犭 犭 犭 犭 猛 猛 猛

[勐] 1042 俗字

字義 ❶たけだけしい犬。❷たけし。たけだけしい。㋐いさましい。あらあらしい。「猛将」「獰猛」㋑きびしい。はげしい。ひどい。「猛烈」❸たけ-る。いかる。❹にわか。

名前 たか・たけ・たけお・たけき・たけし・たけり 難読 猛者
解字 篆文 形声。犭(犬)+孟音。音符の孟は、罵に通じ、ののしるの意味。ののしる犬、たけだけしいの意味を表す。

【猛威】たけだけしい勢い。猛烈な威勢。

【猛雨】はげしい雨。豪雨。

【猛火】はげしく燃える火。烈火。

【猛△悍】強くてあらあらしい。

【猛△禽】たけだけしい鳥。猛禽類の鳥をいう。わし・たかの類い。

【猛虎】①たけだけしいとら。②はげしく強い者のたとえ。

【猛虎伏レ草】英雄が世をのがれかくれていることのたとえ。自然に世に知られる意をたとえていう。

【猛士】強く勇ましい兵士・武士・人。

【猛獣(獸)】強くあらあらしいけもの。しし・とらの類い。

【猛将(將)】たけだけしい(勇猛な)大将。

【猛△捷】たけくすばやい。▼捷は、すばやい。

【猛進】国勢いするどく進む。はげしい勢いで進む。

【猛省】①大いに反省する。②にわかにさとる。

【猛勢】非常に強くはげしい勢い。

【猛然】①急に。にわかに。②国勢いのはげしいさま。

【猛勇】たけだけしく勇ましい。勇猛。

【猛烈】強くはげしい。

8 【猍】 11画 7258 ライ 灰 lái — — 4307

字義 たぬき。また、猛獣の名。
解字 形声。犭(犬)+來音。

8 【猟】 11画 7259 常 リョウ 4636 97C2 —

筆順 ノ 犭 犭 犭 犭 犭 猟 猟 猟

15〔獵〕18画 7260 リョウ(レフ) 奥 liè 6458 E0D8 —

字義 ❶かり。鳥獣をかりたて捕らえること。「狩猟」「密猟」❷かる。かりをする。捕らえる。また、さがす。あさる。「渉猟」❸とる。手に取る。❹風や笛などの音の形容。❺へる(経)。わたる。❻ふむ。歩く。❼ふるわす。動かす。国リョウ。魚を取ること。また、その獲物。

名前 さち 難読 猟虎(らっこ)・猟矢(さつや)・猟人(かりゅうど)・猟夫(さつお)

解字 篆文 形声。犭(犬)+巤(リョウ)音。音符の巤は、長いたてがみの象形。犬を使って長いたてがみの獣類をかるの意味を表す。

逆 会猟・漁猟・狩猟・渉猟・田猟・遊猟

【猟官】リョウカン 国官職にありつこうとして運動すること。

【猟奇】リョウキ 国普通とかわったものをあさり求めること。特に、グロテスクなものについていう。

【猟△狗】リョウク かりに用いる犬。猟犬。

【猟犬】一リョウケン かりに用いる犬。二かりいぬ 国星座の名。北斗七星の南側にある星座。

【猟戸】リョウコ ①猟師の家。②かりゅうど。猟夫。

【猟較】リョウコウ・リョウカク かりをして、えものの多少をくらべること。一説にかりをして、えものをうばいあい、それで祖先を祭ることという。〔孟子、万章下〕

【猟師】リョウシ ①かりゅうど。猟夫。②国漁夫。

【猟渉】リョウショウ 同渉猟。①あちらこちらを歩きまわること。②書物などを広くあさり見ること。▼猟は経る、渉は川を渡る。また、植物などを採集すること。

【猟夫】リョウフ かりゅうど。猟人。

9【猬】12画 7261 イ 2 8043 — 4317
蝟(10638)と同字。→一三六一ページ下。

9【猨】12画 7262 エン 1 8778 — 4316
猿(7279)の正字。→九三六ページ中。

9【猧】12画 7263 漢ワ 呉カ(クワ) 歌 wō 1 8777 — 4315
字義 犬の一種。ちん。
解字 形声。犭(犬)+咼音。

9【猳】12画 7264 漢カ 呉ケ 麻 jiā 2 8045 — —
字義 ぶた。
解字 形声。犭(犬)+叚音。

9【猲】12画 7265 一漢カツ・呉カチ 曷 xiē 二漢キョウ(ケフ) 呉コウ(コフ) 洽 hè — — 4319
字義 一猲獢(カツキョウ)は、口の短い犬。二おどす。=喝(1529)。
解字 形声。犭(犬)+曷音。

9【猤】12画 7266 漢キ 呉ギ 寘 支 jì — EE41 4314
字義 たけだけしい。勇ましいさま。勇壮なさま。
解字 形声。犭(犬)+癸音。

9【猢】12画 7267 漢コ 呉ゴ 虞 hú — — 4313
字義 猿の別名。
解字 形声。犭(犬)+胡音。

9【猴】12画 7268 漢コウ 呉グ 尤 hóu 6445 E0CB —
〔猴〕7269 本字
字義 さる(猿)。ましら。「猨猴(エンコウ)」
解字 甲骨文 篆文 形声。犭(犬)+侯音。音符の侯は、けはいをうかがうの意味。けはいをうかがって騒ぎたてる「猿」の意味を表す。

9【猴】12画 7269 コウ
猴(7268)の本字。→九三五ページ中。

9【猩】12画 7270 漢セイ 呉ショウ(シャウ) 庚 xīng 6447 E0CD —
字義 ❶猩猩(ショウジョウ)は、猿の一種。❷赤色。→猩血。
解字 形声。犭(犬)+星音。

【猩血】ショウケツ 猩猩(ショウジョウ)の血。真紅の色のたとえ。

【猩紅】ショウコウ 猩猩の血のようにあざやかな紅色。

【猩猩】一ショウジョウ ①想像上の獣。さるの一種。最も人類に近く、声は小児の泣き声に似、人の言葉を解し、酒を好むという。狌狌(ショウジョウ)。②オランウータン。ボルネオ・スマトラに住む、類人猿の一種。③国大酒飲みの別称。二セイセイ 犬のほえる声。

9【猯】12画 7271 タン 寒 tuān 6446 E0CC —
字義 まみ。あなぐま。
解字 形声。犭(犬)+耑音。

9【猹】12画 7272 チャー chā 2 8042 — —
字義 獣の名。アナグマに似た動物。魯迅(ロジン)が小説「故郷」の中で動物に当てた字。
解字 形声。犭(犬)+査音。

9【猪】12画 (7254) チョ
猪(7253)の旧字体。→九三四ページ中。

9【猱】12画 7273 漢ドウ(ダウ) 呉ノウ(ナウ) 豪 náo 2 8044 — 4318
字義 ❶さる。手ながざるの一種。❷琴をひく指法の名。左手で弦をおさえて音をふるわせること。❸ふざける。たわむれみだす。
解字 形声。犭(犬)+柔音。

9【猵】12画 7274 一ヘン 先 biān 二ヘン 銑 piàn — — 4320
字義 一獣の名。かわうそ(獺(ダツ))。かわおそ。二猵狚(ヘンソ)は、犬の頭をした、さるに似た獣。
解字 形声。犭(犬)+扁音。

9【猶】12画 7275 常 ユウ 漢ユウ(イウ) 呉ユ 尤 yóu 宥 4517 9750 —
9〔猶〕12画 7276

筆順 ノ 犭 犭 犷 犹 猶 猶 猶 猶

〔犹〕7205 同字

字義 助なお…ごとし。なお。⇨助字・句法解説。❶さるの一種。疑いぶかく、人の声を聞くと木にのぼり、人がいなくなると木からおり、常に木を上下し、ためらうようであるという。❷より。から。=由(7604)。用例〔孟子、公孫丑上〕文王猶方百里起(ブンオウはなおホウヒャクリよりおこる)↓文王は、わずか百里四方の領土から台頭した。❸大きい犬。❹ゆったりしたさま。❺はかりごと。=猷(7184)。

助字・句法解説

❶なお…ごとし。比況。再読文字。「A猶B(AはなおBのごとし)」。訳 AはちょうどBのようである。

AがBに類似していることを表す。

用例〔論語、先進〕過猶不及(すぎたるはなおおよばざるがごとし)。↓やり過ぎたのはちょうどやり足りないのと同じである。

❷なお。

㋐訳 やはり。それでもなお。

動詞などの前に置かれ、「依然として…である」の意味を示す。

用例〔東晋、陶潜、帰去来辞〕三径就荒、松菊猶存(サンケイコウにつけども、ショウキクなおソンせり)。↓三本の小道は荒れはててようとしているが、松や菊はそれでもなお残っている。

㋑「A猶B、況C乎(Aすらなお(ほ)B、いわ(は)

んやCをや)」。訳 **AでさえBなのだから、ましてCならなおさらBである。**

本当に述べようとすること(CがBである)の前段で、「AでさえBだ」と程度の低いことを示すのに用いる。

用例〔左伝、隠公元〕蔓草猶不レ可レ除。況君之寵弟乎 ↓はびこった草でさえ取り除くことはできない、まして殿のお気に入りの弟はなおさらのことである。

名前 さね・なお・より 難読 猶原・猶太

解字 甲骨文 金文 篆文 形声。犭(犬)+酋(酋)音。音符の酋は、ふるざけの意味。いけにえの犬と酒とを神に供えて、神前ではかりごとをするの意味を表す。猷は異体字。また、逌に通じて、ゆったりするの意味も表し、借りて、なおの意味にも用いる。

【猶レ運二之掌一也】 手のひらの上で物をころがすように、ごくたやすいたとえ。〔孟子、公孫丑上〕

【猶疑】 ためらって決しないこと。

【猶二魚△之有レ水】 ちょうど魚が水を得ているようなものである。離れることのできない関係、君臣や夫婦の親密な関係にたとえる。〔三国志、蜀志、諸葛亮伝〕

【猶子】 ①わが子と同様である。②兄弟の子。おい。めい。『礼記』檀弓上編に「兄弟之子猶レ子也」とあるのに基づく。③国養子。

【猶太】 Judea の音訳。西紀前十世紀から前六世紀ごろ、現在のパレスチナ地方にあったユダヤ人の王国の名。ユダヤ人は第二次世界大戦後、イスラエル共和国を立てた。

【猶父】 父と同じようにつかえる。転じて、先生をいう。『論語』先進編に「回也視レ予猶レ父也」とあるのに基づく。

【猶予(豫)・猶与(與)】 ①ぐずぐずする。ためらう。→字義❶。▼予も、疑いぶかい獣という。②国予定の時日をのばすこと。

9 【猥】 12画 7277 標 ワイ 賄 wěi 6448 E0CE ー

字義 ❶**みだりに**。㋐まげて。わざわざ。みずから謙遜することば。㋑むやみに。やたらに。❷みだれる。みだれまじる。❸**みだら**。いやしい。㋐けがらわしい。㋑男女間のだらしないこと。❹すべる(統)。一緒にする。❺おおい(多)。❻さかん。さかんになる。❼にわか。急に。❽犬のほえる声。

解字 篆文 形声。犭(犬)+畏音。音符の畏は、犬の鳴き声の擬声語。犬のほえ声の意味を表し、転じて、みだらの意味をも表す。

【猥△瑣】 みだりで小ざかしいこと。

【猥雑(雜)】 ごたごたと入り乱れる。乱雑。

【猥人】 いなかの人。鄙人。

【猥△褻】 みだらなこと。男女間のだらしない行為。

【猥多】 ごたごたと多いこと。

【猥談】 国みだらな話。特に、性に関する話。

9 【猨】 12画 7278 国字 8776 ー ー

字義 **たじひ**。まむし(蝮)の古名。

10 【猿】 13画 7279 常 エン さる 漢エン(ヱン)・呉オン(ヲン) 元 yuán 1778 898E ー

筆順 犭 犭 犭 犭 犭 猿 猿 猿 猿

字義 **さる**。**ましら**。猨(7262)の俗字。

【猨】 7262 正字

名前 さる 難読 猿子・猿渡・猿島・猿麻潤・猿野

解字 形声。犭(犬)+袁音。音符の袁は、爰に通じ、ひくの意味。長い手で物をひき寄せてとる動物、さるの意味を表す。

逆 犬猿・玄猿・心猿・夜猿

【猿鶴沙虫(蟲)】 さると、つると、すなと、むし。戦死者を言う。周の穆王が南征したとき、全軍戦死し、君子は猿鶴、小人は沙虫となったという故事による。

【猿楽(樂)】 国①能楽の前身である、こっけい味のある劇。②能楽。

【猿△猴】 さる。▼猴も、さる。

【猿△猴取レ月】 身のほどを知らないと災いを受けるたとえ。さるが水にうつった月かげを取ろうとして枝が折れておぼれ死んだ故事による。〔僧祇律〕

【猿△嘯】 さるが鳴く。また、その声。猿声。猿啼。猿鳴。用例〔唐、杜甫、登高詩〕風急天高猿嘯哀 渚清沙白鳥飛廻 ↓風は強く吹きわたり、空は高く澄みきって、猿の鳴き声があたりに哀しくこだまする。長江の川辺は清らかに、砂は白く、その上を鳥が飛び交う。

【猿狙】 さる。▼狙は、手長ざる。

【猿△臂】 さるのひじ。さるのように長いひじをいう。弓を射るに都合がよいといわれる。〔史記、李将軍伝〕

【猿△臂△之勢】 軍の進退攻守を自由にすること。

10 【猾】 13画 7280 漢カツ(クヮツ) 呉ゲチ 黠 huá 6449 E0CF ー

字義 ❶**みだれる**。みだす。❷わるがしこい。ずるい。また、その人。「狡猾」❸もてあそぶ。

解字 形声。犭(犬)+骨音。音符の骨は、滑に通じ、なめらかの意味。悪知恵がなめらかに動く、人らしくない人の意味から、わるがしこい・みだすの意味を表す。

【猾悪(惡)】 わるがしこい。

【猾△獪】 わるがしこい。猾悪。

【猾賊】 わるがしこくて人を害する。また、わるがしこい。

【猾民】 わるがしこい人民。

【猾吏】 わるがしこい役人。猾胥。

10 【獂】 13画 7281 一 漢ゲン 呉ガン(グワン) 元 huán, yuán 二 漢カン(クヮン) 呉ガン(グヮン) 寒 huán

字義 一❶ぶたの一種。❷伝説上の獣の名。三本足で、牛に似ている。❸中国西方の異民族の住む地の地名。

解字 形声。犭(犬)+原音。

10 【獅】 13画 7282 人 標 シ 支 shī 2766 8E82 ー

筆順 ノ 犭 犭 犭 犭 犭 獅 獅

字義 **しし**。ライオン。獅子。

名前 し・しし

解字 形声。犭(犬)+師音。

【獅子】 ①しし。ライオン。また、それに類する想像上の動物。②星座の名。黄道上の第六の星座。主星はレグルス。

【獅子△吼】 ①ししがほえること。②ねたみぶかい妻が夫にがみがみいう悪声。③雄弁をふるうこと。④仏獅子がほえると百獣がおそれおののいてかくれふすように、釈迦の説法で悪魔や外道が降伏すること。

【獅子座】 ①仏仏の説法する座席。転じて、高僧の座席。②星座の名。→獅子②。

【獅子身中虫(蟲)】 ①仏獅子のからだに寄生する害虫のように、仏法を害する仏の弟子。〔梵網経〕②味方でありながら、味方に害をなすもの。うらぎりもの。

【獅子奮迅勢】 獅子が奮い立ちあばれまわるような、はげしい勢い。『大般若経』五十二に「如二獅子王自在奮迅一」とあるのに基づく。

10 【猻】13画 7283 ソン 元 sūn — — 4322
字義 猴猻(コウソン)は、獣の名。猿の一種。
解字 形声。犭(犬)+孫㊜。

10 【獏】13画 7284 バク 6451 E0D1 —
貘(11509)と同字。→一三四八ページ・下。

10 【猽】13画 7285 漢メイ 呉ミョウ(ミャウ) 青 míng ₂8046 — 4323
字義 小さいぶた。
解字 形声。犭(犬)+冥㊜。

10 【猺】13画 7286 ヨウ(エウ) 蕭 yáo — — 4321
字義 ❶獣の名。❷異民族の名。広東(カントン)・広西・湖南・雲南など、中国の西南地方に居住する種族。❸獏猺(ボヨウ)は、犬の一種。また、広西チワン族自治区合浦県の山中に住む民族。
解字 形声。犭(犬)+䍃㊜。

11 【獍】14画 7287 漢ケイ 呉キョウ(キャウ) 敬 jìng — — 4325
字義 獣の名。虎(とら)や豹(ひょう)に似て、体は小さい。父(一説に母)を食うので、親不孝の獣とされる。
解字 形声。犭(犬)+竟㊜。

11 【獄】14画 7288 常 ゴク 漢ギョク・呉ゴク 沃 yù 2586 8D96 —
筆順
【[illegible]】1863 古字
字義 ❶うったえる(訴)。訴訟する。用例 [呂氏春秋、高義]以ニ小利之故一、弟兄相獄(ショウリのゆえをもって、テイケイあいうったう)。↓小さな利益のために兄弟で訴え合う。❷うったえ。さばき。訴訟。裁判。「断獄」 ❸さばく。しらべる。❹ひとや。ろうや。獄舎。「下獄」「牢獄」 ❺つみ。罪状。❻おきて。刑法。

解字 金文 篆文 会意。㹜+言。㹜は、二匹の犬が番をして見張るの意味とも、二匹の犬が争うの意味とも、いけにえの犬の意味ともいう。言は、ちかうの意味とも、うったえ争うの意味ともいう。人に威圧感をあたえるような場所、ひとや。また、うったえの意味を表す。

逆 下獄・監獄・疑獄・魚獄・刑獄・決獄・囚獄・詔獄・制獄・折獄・大獄・脱獄・断獄・地獄・治獄・聴獄・典獄・投獄・破獄
【獄△掾】(ゴクエン) ろうやの役人。獄胥(ゴクショ)。獄吏。

【獄△犴・獄△豻】(ゴッカン) 囚人を収容する所。獄舎。牢獄(ロウゴク)。

【獄辞(辭)】(ゴクジ) ①法廷で被告が自白したことば。②裁判の判決文。

【獄囚】(ゴクシュウ) ろうやに入れられている罪人。

【獄訟】(ゴクショウ) うったえ。訴訟。罪を争うのを獄といい、財を争うのを訟という。

【獄成】(ゴクセイ) 司法官が犯人を尋問して犯罪事実を確定すること。

【獄訴】(ゴクソ) うったえ。訴訟。

【獄窓】(ゴクソウ) ①ろうやのまど。②ろうやの中。獄中。

【獄卒】(ゴクソツ) ①ろうやの下役。②仏 地獄で死者を苦しめるという鬼。

【獄丁】(ゴクテイ) ろうやの番人。看守。

【獄法】(ゴクホウ) 罪人をただす法律。

【獄房】(ゴクボウ) ろうやの中の罪人のいるへや。

【獄門】(ゴクモン) ①ろうやの門。ろうやの入り口。②国 さらしくび。昔、斬罪(ザンザイ)に処した犯人の首をろうやの門にさらした。

【獄吏】(ゴクリ) ①裁判官の役人。②ろうやの役人。

11 【獐】14画 7289 ショウ ₁8780 — 4326
麞(14419)と同字。→一六四〇ページ・中。

12 【獦】15画 7290 一 漢カツ・呉カチ 曷 gé 二 リョウ(レフ) 葉 liè ₁8781 — 4334
字義 一 口の短い犬。二 ❶かり(狩)。=猟(7259)。❷異民族の姓。難読 獦子鳥(あとり)
解字 形声。犭(犬)+葛㊜。

12 【㺔】15画 7291 一 キ 支 huī 二 カイ 泰 huì ₂8048 — —
字義 一 異民族の名。二 獣の名。
解字 形声。犭(犬)+爲㊜。

12 【獝】15画 7292 一 漢キツ・呉キチ 質 xù 二 漢イツ(ヰツ) 呉イチ(ヰチ) 質 yù — — 4330
字義 一 ❶狂う。❷驚きあわてるさま。二 獣の走るさま。
解字 形声。犭(犬)+矞㊜。

12 【獟】15画 7293 一 ギョウ(ゲウ) 嘯 yào 二 キョウ(ケウ) 嘯 xiāo — — 4332
字義 一 狂犬。二 ❶くるう(狂)。❷すばや-い(すばしこい)。いさましい。=獟悍。
解字 形声。犭(犬)+堯㊜。
【獟△悍・獟△驍】(キョウカン) すばしこくて荒々しい。

12 【獢】15画 7294 キョウ(ケウ) 蕭 xiāo
字義 口の短い犬。
解字 形声。犭(犬)+喬㊜。

12 【獗】15画 7295 漢ケツ 呉カチ(クヮチ) 月 jué 6453 E0D3 —
字義 たけ-る。たけりくるう。また、悪事にたけている。「猖獗(ショウケツ)」
解字 形声。犭(犬)+厥㊜。

12 【獞】15画 7296 漢トウ 呉ドウ 東 tóng ②zhuàng — — 4331
字義 ❶犬の名。❷民族名。今のチワン族の旧称。広西チワン族自治区・広東(カントン)省に居住するタイ系の民族。
解字 形声。犭(犬)+童㊜。

12 【獖】15画 7297 フン — — 4328
獖(7306)の俗字。→九三八ページ・中。

12 【獠】15画 7298 一 リョウ(レウ) 嘯 liáo 二 ロウ(ラウ) 晧 lǎo — — 4333
字義 一 かり(狩)。狩猟。二 ❶民族名。今の広西・貴州両省あたりに住む少数民族。今は佬(ロウ)と書く。❷人をののしることば。
解字 形声。犭(犬)+尞㊜。

13 【獬】16画 7299 漢カイ 呉ゲ 蟹 xiè ②jiè ₂8050 — 4338
字義 ❶獬豸(カイチ・カイタイ)は、想像上の獣の名。牛に似て、人のたたかうのを見れば、その邪悪な方の人を角でつき、人の議論を聞けば、その不正の方をかむという。後世、その姿を裁判官の服にえがいた。❷強く雄々しいさま。
解字 形声。犭(犬)+解㊜。

獬豸

13 【獪】16画 7300 漢カイ(クワイ) 泰 呉ケ 卦 kuài 6454 E0D4 —
字義 ❶わるがしこい。ずるい。「狡獪(コウカイ)」 ❷みだす。
解字 篆文 形声。犭(犬)+會㊜。音符の會は、活に通じ、生き生きするの意味。野獣的な心が生き生きする、わるがしこいの意味を表す。
【獪△猾】(カイカツ) わるがしこい。猾獪。

13 【獲】16画 7301 常 カク え-る 1945 8A6C —
14 【獲】17画 7302 漢カク(クヮク) 呉ワク 陌 huò
筆順

字義 ❶える。㋐狩りをして鳥や獣を捕らえる。「漁獲」㋑とる(取)。取り入れる。用例〔人虎伝〕徵在二呉楚一、且二歳余一、所レ獲饋遺甚多。

↓李徵が呉楚の地に滞在して一年あまりになろうとするころ、手にした餞別はおびただしいものになっていた。㋒ぶんどる。うばい取る。「捕獲」❷えられる。㋐捕らえられる。㋑信ぜられる。認められる。気に入られる。❸えもの。狩りや戦争で手に入れたもの。❹貴人のそばに仕える女性。また、その子。

名前 え・みのる

使いわけ える〔得・獲〕⇩得(3433)。

解字 甲骨文 金文 篆文 形声。犭(犬)＋蒦㊔。甲骨文は会意で、隹＋又。とりを手でつかみとるの意味。のち、隹が蒦に変形し、犬を付し、犬を使って鳥獣をとるの意味を表す。

逆 漁獲・生獲・捕獲・乱獲・濫獲

【獲罪】つみを得る。罪人になる。

【獲得】手に入れる。とらえる。

【獲△麟】①麒麟を得る。孔子の著した『春秋』に、魯の哀公十四年(前四八一)に西方に狩りして麟を得た、という記事がある。②孔子の『春秋』は獲麟の記事で終わっていることから、絶筆・擱筆・臨終などの意に用いられる。

13【獧】16画 7303 ㊀ケン ㊁ケン 㔾 juàn ― ― 4335

字義 ㊀❶はやくはねおどる。❷犬がはねる。犬が走りまわる。❸はやい。㊁心はせまいが、信念がかたい。＝狷(7232)。「獧者」

解字 篆文 形声。犭(犬)＋睘㊔。音符の睘は、めぐるの意味。犬がかけまわるの意味を表す。

13【獫】16画 7304 ケン 㔾 xiǎn 2 8049 ― 4337

字義 ❶くちさきの長い犬。猟犬。❷異民族の名。獫狁は、周代の北方の異民族。夏の時代には獯鬻、秦・漢代以後は匈奴という。玁狁。

解字 形声。犭(犬)＋僉㊔。

13【獟】16画 7305 ショウ(セウ) 㔾 xiāo 2 8051 ― ―

字義 山獟は、伝説中の山男。

解字 形声。犭(犬)＋喿㊔。

13【獨】16画 (7228) ドク 独(7227)の旧字体。→九三一ジ下。

13【獖】16画 7306 ㊀㊥フン・㊐ブン 㔾 fèn ㊁㊥ホン・㊐ボン 㔾 běn

［獖］7297 俗字

字義 ㊀羊の名。㊁❶犬の一種。❷番犬。

解字 形声。犭(犬)＋賁㊔。

13【獩】16画 7307 ㊥ワイ ㊐エ(ヱ) 㔾 huì ― ― 4336

字義 獩貊は、もと、異民族の名。中国東北部や朝鮮半島北部地方に居住した。

解字 形声。犭(犬)＋歲㊔。

14【獲】17画 (7302) カク 獲(7301)の旧字体。→九三七ジ下。

14【獯】17画 7308 クン 㔾 xūn 2 8053 ― 4340

字義 獯鬻は、異民族の名。夏の時代、北方に住んでいた。周代は獫狁、秦・漢代以後は匈奴という。

解字 形声。犭(犬)＋熏㊔。

14【獮】17画 7309 セン 㔾 xiǎn 2 8052 ― 4339

字義 ❶かり(狩)。秋の狩り。また、夏の狩り。❷ころす。

解字 篆文 形声。篆文は、犭(犬)＋璽㊔。

14【獰】17画 7310 ㊥ドウ(ダウ) ㊐ニョウ(ニャウ) 㔾 níng 6456 E0D6 ―

字義 ❶わるい。かおかたちや性質がにくにくしい。❷狰獰は、犬の毛の多いさま。また、にくにくしいさま。

解字 形声。犭(犬)＋寧㊔。音符の寧は、佞に通じ、口さきがうまいの意味。憎らしげで、たけだけしい犬の意味を表す。

【獰悪(惡)】悪事にたけ乱暴。にくらしくたけだけしい。

【獰猛】悪事にたけ、たけだけしい。

14【獳】17画 7311 ㊀㊥ドウ・㊐ヌ 㔾 nòu ㊁㊥ドウ・㊐ヌ 㔾 nòu ㊂㊥ジュ・㊐ニュ 㔾 rú 2 8054 ― 4341

字義 ㊀㊁犬の怒るさま。㊂朱獳は、伝説上の獣の名。魚のようなひれがあり、狐に似ている。

解字 形声。犬＋需㊔。

14【獱】17画 7312 ㊥ヒン ㊐ビン 㔾 bīn

字義 かわうそ。「獱獺」

解字 形声。犭(犬)＋賓㊔。

15【獷】18画 7313 コウ(クヮウ) 㔾 jiǒng 2 8055 EE43 4342

字義 ❶あらい。あらくてなつかない。❷あらいぬ。猛犬。❸わるいさま。粗暴なさま。❹さとっているさま。

解字 形声。犭(犬)＋廣㊔。

【獷△悍】(野蛮で)あらくたけだけしい。

【獷獷】あらあらしいこと。礼儀・風俗などが粗暴なこと。

【獷俗】粗暴な風習。あらあらしいならわし。

【獷賊】わるくたけだけしい賊。

【獷戾】荒々しくて道理にもとる。

15【獵】18画 (7260) リョウ 猟(7259)の旧字体。→九三四ジ下。

16【獺】19画 7314 ㊥タツ・㊐タチ 㔾 tǎ ㊗ダツ 6460 E0DA ―

字義 かわうそ。獣の名。「獱獺」 難読 獺郷

解字 篆文 形声。犭(犬)＋賴㊔。音符の賴は、川の瀬の意味。川の瀬に住む、かわうその意味を表す。

【獺祭】①かわうそが自分の捕らえた魚をならべること。人が物を供えて祭るのに似ているのでいう。用例〔礼記、月令〕獺祭レ魚。↓かわうそが、魚をならべる。②詩文を作るとき、多くの参考書を左右にならべひろげることのたとえ。

16【獹】19画 7315 ㊥ロ ㊐ル 㔾 lú ― ― 4343

字義 戦国時代、韓の名犬の名。韓獹。

解字 形声。犭(犬)＋盧㊔。

17【獼】20画 7316 ㊥ビ ㊐ミ 㔾 mí 1 8782 ― 4344

字義 さる(猿)。おおざる。獼猴は、さる。おおざる。

解字 形声。犭(犬)＋彌㊔。

19【玀】22画 7317 ラ 㔾 luó ― ― 4345

字義 玀玀は、異民族の名。雲南・貴州・四川省などに居住する。

解字 形声。犭(犬)＋羅㊔。

20【玃】23画 7318 ㊥キャク ㊐カク(クヮク) 㔾 jué ― ― 4347

字義 さる(猿)の一種。おおざる。

解字 篆文 形声。犭(犬)＋瞿㊔。音符の瞿は、きょろきょろ見まわすの意味。きょろきょろ見まわす大きな猿の意味を表す。

【玃鳥】鷹や隼のような猛鳥。

20【獵】23画 7319 ケン 𤡾 xiǎn 2 8056 — 4346

字義 獵狁(ケンイン)は獫狁に同じ。→獫(7304)。

解字 形声。犭(犬)＋嚴音。

5画 玄 げん

〔部首解説〕 玄を意符として、黒いの意味を表す文字ができている。

0玄 九三九 4妙 九四〇 5玆 九四〇 畜 九七〇 6牽 九二四 率 六八

0【玄】5画 7320 常 ゲン 熟字訓 玄人(くろうと) 漢ケン・呉ゲン 先 xuán 2428 8CBA —

筆順 丶 亠 ㄊ 玄 玄

字義 ❶くろ。くろ-い(くろし)。また、暗い。㋐黒い色。「玄米」㋑赤味を帯びた黒い色。❷天の色。転じて、天。「玄黄」❸北。北向き。五行説で、黒(玄)を北に配することに基づく。❹とおい。かすかで遠い。❺ふかい。奥深い。「幽玄」「深玄」❻しずか(静)。❼非常にすぐれていること。たえ(妙)。神妙。❽老子の説いた道の性質。時間・空間を超越して存在し、天地万物の根源である絶対的な道の性質を玄という。❾老子の説いた道。道家(老荘学派)及びその道・学派などに関することに冠する語。

名前 くろ・げん・しず・しずか・つね・とう・とら・のり・はじめ・はる・はるか・ひかる・ひろ・ふか・ふかし・みち・もと 難読 玄孫(やしゃご)・玄理(くろまろ)

解字 金文 8 篆文 𢆯 象形。くろい糸をたばねた形にかたどり、黒い糸の意味を表す。転じて、おくふかいの意味も表す。玄を音符に含む形声文字のうち、おくふかいの意味の系列のものに、幻・泫(ゲン)・炫(ゲン)・玆(ゲン)・眩(ゲン)・衒(ゲン)などがあり、つるの意味の系列のものに弦・舷(ゲン)・鉉(ゲン)などがある。

逆 太玄・幽玄

【玄英】ゲンエイ ①冬の別名。②純黒。まっくろ。

【玄猨・玄猿】ゲンエン 黒い手長ざる。

【玄奥】ゲンオウ 奥深いこと。奥深くて測り知れないこと。

【玄翁】ゲンノウ・ゲンオウ 国鉄製の大きな槌(つち)。大きなかなづち。玄能。玄翁法師が殺生石(セッショウセキ)を砕いた故事に基づく語。

【玄化】ゲンカ ①道徳によって教化すること。徳化。②呉(ゴ)の鼓吹曲の名。韋昭(イショウ)の作。

【玄学(學)】ゲンガク 老荘の学をいう。→字義❾。

【玄冠】ゲンカン 周代の冠の一つ。赤味を帯びた黒色の冠。

【玄間】ゲンカン 大空。天空。空中。▼玄は、天の色。

【玄関(關)】ゲンカン ①仏㋐玄妙な道に入る関門。仏門にはいる入り口。㋑禅寺で、客殿にはいる門をいう。②世捨て人、また、風雅な人の家の門。③国家の正面の入り口。

【玄鑑・玄鑒】ゲンカン ①玄妙なかがみ。転じて、はっきり見通す心。②国神仏の深遠な照覧(見通す力)をいう。

【玄虚(虛)】ゲンキョ ①奥深くて知りがたく、虚無で無為なこと。②老荘の道や書をいう。③大空(おおぞら)。空中。

【玄月】ゲンゲツ 陰暦九月の別名。

【玄元】ゲンゲン もと。はじめ。

【玄元皇帝】ゲンゲンコウテイ 唐代、老子(老耼・二六三ページ下)に贈った尊号。唐の天子の姓は李(リ)であるので、同じ李姓の老子を自家の始祖として尊んだ。

【玄玄】ゲンゲン 奥深い様子。また、深遠な道。

【玄黄】ゲンコウ ①黒と黄。天地の色。天は黒、地は黄。②天地。宇宙。③黒と黄との幣帛(ヘイハク)(進物として贈る織物)。④美しい色どり。⑤馬が疲れ弱ること。黒い馬が疲れ弱ると毛が黄色味を帯びるからいうという。転じて、一般に疲れ(病んで)弱ること。

【玄混】ゲンコン 太古の混沌の時。

【玄之又玄】ゲンのまたゲン 奥深い上にも更に奥深いこと。道が深遠で測り知り難いことの形容。老子が道を説明した語。〔老子、一〕

【玄旨】ゲンシ ①奥深い道理。②老荘の学で説く道理。

【玄駟】ゲンシ 黒い四頭の馬。

【玄珠】ゲンシュ ①道家でいう道の本体。②黒い玉。

【玄酒】ゲンシュ 祭礼に用いた水。

【玄象】ゲンショウ 天の物象。日・月・星など。天象。

【玄裳】ゲンショウ 黒いもすそ。▼裳は、腰から下の服、はかまやスカートのようなもの。「玄裳縞衣(ゲンショウコウイ)(黒いもすそに白いうわぎ。鶴(つる)の姿の形容)」

【玄裳縞衣】ゲンショウコウイ 黒いもすそと白い上衣。鶴の姿の形容。転じて、鶴の別名。

【玄奘】ゲンジョウ 唐の名僧。通称、三蔵法師。太宗の時にインドに行き、そこで十七年とどまって仏教を研究し、帰国後、多くの経典(キョウテン)を翻訳した。その時の旅行見聞記『大唐西域記』は、当時のインドや西域の地理・風俗を知るための重要な文献である。(六〇二—六六四)

【玄人】くろうと ↔素人(二一〇ページ上)。国①その物事に熟達している人。専門家。②芸妓(ゲイギ)・娼妓(ショウギ)など、水商売の女性。

【玄聖】ゲンセイ ①非常にすぐれた聖人。②孔子。③老子。

【玄静(靜)】ゲンセイ 玄靖(ゲンセイ)。静かなこと。

【玄宗】ゲンソウ ＝唐玄宗(三六七ページ上)。唐の第六代の天子。

【玄草】ゲンソウ 原稿。草稿。

【玄孫】ゲンソン 曽孫(ソウソン)の子。孫の孫。やしゃご。

【玄端】ゲンタン 周代の礼服の一つ。麻製で黒色。▼端は、正で、袖(そで)の下方がほぼ方形であるからいう。

【玄談】ゲンダン 深遠な老荘の道に関する話。

【玄鳥】ゲンチョウ 鳥の名。㋐つばめ。㋑つる。

【玄天】ゲンテン ①自然の道。老荘の道。②北方の天。③天。

【玄兎】ゲント 月の別名。兎は、うさぎ。月の中にうさぎがいるとの伝説に基づく語。

【玄菟】ゲント 漢の郡名。武帝が置いた郡。朝鮮の咸鏡道(カンキョウドウ)および吉林省南部を版図とした。

【玄都】ゲント 神仙のいる所。

【玄都観(觀)】ゲントカン 長安の南にある道教の寺の名。

【玄冬】ゲントウ 冬。五行説(ゴギョウセツ)で、冬は北・黒(玄)・水に配する。

【玄同】ゲンドウ 自己の才知をつつみかくして俗人と同じ仲間になっていること。差別観を立てないで、万物を同一視すること。〔老子、五十六〕

【玄徳】ゲントク ①非常にすぐれた徳。②内に備わっているが外に現れない徳。かくれている徳。③天の徳。④他のために力をつくしても報いを求めない性格。天地自然が万物に対するやり方。⑤三国時代、蜀(ショク)の先主劉備(リュウビ)の字(あざな)。

【玄牝】ゲンピン 万物を生ずる道(本体)。▼玄は、人間の感覚では知り得ず、その作用の微妙なこと。牝は、雌で、子を生むように万物を生み出すものの意。〔老子、六〕

【玄武】ゲンブ ①北方の神。また、水の神。形は亀(かめ)と蛇との合体という。東方の青竜、南方の朱雀(シュジャク)、西方の白虎(ビャッコ)とを合わせて四神という。⇩コラム ②「玄武旗」の略。玄武をえがいた旗。行軍などの後方に立てる。③北方に位する物の名に用いる。「玄武門」

二十八宿(五五ページ)。

【玄風】ゲンプウ ①老荘の道。②天子の徳教。

玄武①

【玄冕】ゲンベン 小祀（ちいさな祭り）に着る黒い服と冠。
【玄圃】ゲンポ 崑崙（コンロン）山の上にあるという仙人の居所。
【玄謀】ゲンボウ 深いはかりごと。また、奥深い道。
【玄妙】ゲンミョウ 奥深く微妙なこと。また、すぐれて深遠なこと。
【玄冥】ゲンメイ ①暗い。奥深くかすか。②太陰の神。冬の神。北方の神。③水の神。雨の神。
【玄黙（默）】ゲンモク もの静かでだまっていること。もの静かで口かずの少ないこと。
【玄覧（覽）】ゲンラン ①心を奥深い所において万物を見ること。②心。③天子が見ること。天覧。
【玄理】ゲンリ 奥深い道理。

4【妙】9画 7321 ミョウ 妙（2339）と同字。→三六三ページ・中。 2 8057 ― 4348

5【茲】10画 7322 ㊀㊥ケン・㊥ゲン 因 xuán ― ― 4349
㊁シ 因 zī

字義 ㊀❶くろい。❷にごる（濁）。㊁ここ。これ。この。ここに。＝茲（9929）。用例〔論語、子罕〕文王既没（ブンオウすでにボッしたれども）、文不レ在レ茲乎（ブンここにあらずや）。↓文王は、とうに世を去っているが、文王以来の道は、この私に残っているではないか。

参考 〔茲〕（9929）は別字であるが、古くから混同して用いる。

解字 金文  篆文  会意。玄を二つ合わせて、黒いの意味を表す。

5【畜】10画（7635） チク 田部。→九七〇ページ・中。
6【牽】11画（7149） ケン 牛部。→九二四ページ・中。
6【率】11画（158） ソツ 亠部。→六八ページ・下。

5画 玉（王） たま たまへん・おうへん（王） 王は四画。

〔部首解説〕王は玉が偏になるときの形で、王とは関係がない。玉を意符として、いろいろな種類の玉や、玉製のもの、玉の状態、玉を細工することなどに関する文字ができている。

0【玉】5画 7323 ㊥ギョク・㊥ゴク 因 yù 教1 ギョク たま 2244 8BCA ―

筆順 一 丅 干 王 玉

字義 ❶たま。美しい石。宝石。また、輝石の類い。用例〔詩経、小雅、鶴鳴〕他山之石可二以攻一レ玉（タザンのいしもってたまをおさむべし）。↓他の山から出た粗末な石でも自分の持っている宝石を磨き美しくするのに役立つ。
❷玉のようなもの。玉のようなこと。㋐「美しい・すぐれた・たっとい・高価」などの意を表す。「玉顔」「玉楼」㋑天子や他人に関する物事に冠し、尊敬の意を表す。「玉座」「玉音」
❸たまにする（たまにす）。㋐玉のようにりっぱにする。用例〔北宋、張載、西銘〕貧賤憂戚（ヒンセンユウセキは）、庸玉二女于成一也（もってなんじ(を)なるにたまにす）。↓貧しさや賤しさ、心配や悩みは人間を完成させるのに役立つ。
㋑玉を愛し惜しむように大切にする。用例〔詩経、大雅、民労〕王欲レ玉レ女（オウなんじ(を)たまにせんとほっす）。↓王はなんじらを寵愛しようとしている。

国❶たま。㋐まるいもの。球形をしたもの。「飴玉（あめだま）」「水玉（みずたま）」「鉄砲玉（テッポウだま）」㋑真珠。㋒代物（しろもの）。人間にもいう。「善玉（ゼンだま）」「悪玉（アクだま）」「上玉（ジョウだま）」❷ギョク。㋐飲食店で鶏卵、特に卵焼きをいう。㋑将棋の玉将（ギョクショウ）。㋒取引所で売買約束の株式をいう。㋓芸妓（ゲイギ）。娼妓（ショウギ）。また、玉代（ギョクダイ）（＝揚げ代）の略。「半玉」

名前 きよ・ぎょく・たま 難読 玉響（たまゆら）・玉筋魚（いかなご）・玉梓（たまずさ）・玉章（からすうり）・玉蜀黍（とうもろこし）・玉生（たまにゅう）・玉来（たまらい）

使いわけ ①たまご〔卵・玉子〕⇩卵（1199）。
②たま〔玉・球・弾〕
〔玉〕美しいたま。球形をしたもの一般。「玉にきず・玉の汗」
〔球〕球技のボールや電球など。「電気の球」
〔弾〕弾丸。「流れ弾」

解字 甲骨文 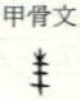 金文 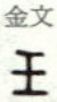 篆文  象形。三つのたまを、縦のひもで貫きとおした形にかたどり、たまの意味を表す。

逆 金玉・攻玉・鋼玉・珠玉
【玉案】ギョクアン ①玉でかざった食台（ちゃぶだいのようなもの）。②玉でかざった机。③りっぱな机。机の美称。④天子の机。⑤他人の机の敬称。

【玉音】ギョクオン ①天子のことば。②内容のりっぱなことば。また、他人の手紙の敬称。③清らかな、よい音色。④他人のことば。⑤玉のふれあう音。
【玉花】ギョッカ ①雪の別称。②鏡をいう。③魚の名。鱸の一種。④沈丁花の花。
【玉△珂】ギョッカ 馬の勒につける玉のかざり。
【玉華宮】ギョッカキュウ 宮殿の名。唐の太宗の離宮。後、寺として用いた。陝西省宜君県の西南。
【玉階】ギョッカイ 玉をちりばめた階段。美しい階段。また、宮殿のりっぱな階段。
【玉関(關)】ギョッカン ①玉門関の略称。用例〔唐、李白、子夜呉歌〕秋風吹不レ尽、総是玉関情。↓秋風はいくら吹いても吹きやまず、(月も、砧の音も、秋風も)それらすべてが、玉門関のかなたに遠征している夫を思う情をかきたてる。②天の入り口の門。③道教で、鼻をいう。
【玉環】ギョッカン ①玉のわ。腰にさげる玉かざり。②月をいう。③楊貴妃の幼名。④琵琶の名。
【玉顔】ギョクガン ①美しい顔。美人の顔。②天子の顔。
【玉肌】ギョクキ 玉のように美しいはだ。
【玉宮】ギョクキュウ ①玉をちりばめた宮殿。美しい宮殿。②月にある宮殿。月の宮殿。
【玉鏡】ギョクキョウ ①玉で作った鏡。②月の別名。③澄んで静かな、湖の水面などをいう。④氷の表面の形容。
【玉禁】ギョッキン 皇居。宮禁。禁裏。
【玉△扃】ギョッケイ 玉のじょうまえ。美しいじょうまえ。入り口の美しいとびら。用例〔唐、白居易、長恨歌〕金闕西廂叩二玉扃一、転教二小玉報一レ双成一。↓黄金造りの御殿の西側の部屋へ行って、玉で飾ったかんぬきをたたいて案内をこい、侍女の小玉にさらに双成へと順次とりつがせた。
【玉△玦】ギョッケツ ドーナツ形をしていて一部に欠けた所のある佩玉(腰さげの玉)。決断心をもつようにとの願いから腰にさげる。▼玦は、決と音が通ずる。用例〔史記、項羽本紀〕挙二所レ佩玉玦一。↓腰におびている玉玦を挙げて合図した。
【玉△闕】ギョッケツ ①玉をちりばめた美しい門。②天帝(神仙)の宮殿の門。③宮城の門。また、宮城。
【玉戸】ギョッコ 玉で飾った扉。美しく立派な扉。
【玉△壺】ギョッコ ①玉で作った美しいつぼ。用例〔唐、王昌齢、芙蓉楼送二辛漸一詩〕洛陽親友如相問、一片氷心在二玉壺一。↓洛陽にいる私の親友がもし私のことを尋ねたら、一片の氷が白玉のつぼの中にあるような清らかな心境でいると答えてほしい。②玉で作った水時計。また、宮中や貴人の家の水時計。玉漏。
【玉△壺氷】ギョッコのこおり ①玉壺の中のこおり。②高潔な心をたとえていう。用例〔南朝宋、鮑照、白頭吟〕直如二朱糸縄一、清如二玉壺氷一。↓朱糸の弦のようにまっすぐで、玉壺の氷のように澄んでいる。
【玉工】ギョッコウ 玉を加工する職人。玉の細工人。
【玉△缸】ギョッコウ 玉のように美しい(酒などを入れる)かめ。
【玉稿】ギョッコウ 相手の原稿に対する敬称。
【玉衡】ギョッコウ ①玉でかざった天文観測器。②星の名。㋐北斗七星の第五星。㋑北斗七星の柄にあたる部分の星の総称。北斗の柄。
【玉骨】ギョッコツ ①高潔な風采。りっぱな人がら。②美人の骨、また、死骸。③梅の木。
【玉座】ギョクザ 玉をちりばめた座席。天子のすわるところ。また、天子の位。
【玉砕(碎)】ギョクサイ 玉のごとく砕ける。玉となって砕ける。節義のために(功名を立てて)、いさぎよく死ぬこと。↕瓦全(九五八ページ下)。用例〔北斉書、元景安伝〕大丈夫寧可二玉砕一、不レ能二瓦全一。↓立派な男子は玉となって砕けるべきで、瓦となって生き抜くべきではない。
【玉山】ギョクザン ①美しい容姿の形容。②雪におおわれている山をいう。
【玉山崩】ギョクザンくずる 容姿のすぐれている人が、酒に酔いつぶれること。玉山倒ともいう。玉山頽。
【玉子】ギョクシ ━ ①玉。宝玉。②玉製の碁石。③仙人の名。姓は韋、周の南郡の人。━ たまご 卵。特に、鶏卵をいう。→卵(1199)の使いわけ。
【玉△卮無レ当(當)】ギョクシトウなし 玉の杯に底がない。役に立たない宝をいう。▼卮は杯、当は底。〔韓非子、外儲説右上〕
【玉璽】ギョクジ 天子の印鑑。御璽。

乾隆帝玉璽

【玉質】ギョクシツ ①玉のような材質。②生まれつきのうるわしい性質・容姿・肌。
【玉樹】ギョクジュ ①美しい樹木。②すぐれて高潔な人のたとえ。③槐(えんじゅ)の木の別名。
【玉△筍・玉△笋】ギョクジュン ①美しい竹の子。竹の子の美称。②人材の輩出するたとえ。③美人の指や足の形容。
【玉女】ギョクジョ ①女性の仙人。天女。用例〔杜子春伝〕玉女九人、環レ炉而立、青竜・白虎、分二拠前後一。↓仙女九人が炉を巡るように立ち、青竜と白虎が前後に分かれて座を占めていた。②美人。③他人の娘の敬称。
【玉章】ギョクショウ ①他人の文章の美称。②他人の手紙の敬称。たまずさ。玉簡。
【玉照】ギョクショウ 他人の写真の敬称。お写真。
【玉条(條)】ギョクジョウ ①美しい枝。②りっぱな規則。尊ぶべき法律。「金科玉条」
【玉食】ギョクショク ①りっぱな食物。ぜいたくな食物。また、それを食べること。②天子の食物。
【玉△燭】ギョクショク 四時の気候が調和すること。気候が調和すると、万物の光り輝くこと、玉の光に似ているからいう。
【玉△宸】ギョクシン ①天帝の宮殿。②天子の宮殿。
【玉振】ギョクシン 八音を合奏するとき、最後に磬をうって終わりにすること。転じて、物事を集大成するたとえ。
【玉人】ギョクジン ①＝玉工。用例〔新序、節士〕以示二玉人一。↓これを玉工に見せたところ、玉工は宝玉と認めました。②玉のように高潔な人。③玉のように美しい人。美女。④玉で作った人形。
【玉成】ギョクセイ 玉のようにりっぱにみがきあげる。りっぱな人物にしあげる。
【玉石混△淆】ギョクセキコンコウ 玉と石がまじっている。善い物と悪い物、賢者と愚者とが入りまじっているたとえ。玉石雑糅。〔抱朴子、外篇、尚博〕
【玉折】ギョクセツ ①玉が割れ欠けるように、折れること。りっぱなものがそこなわれること。②りっぱな人が若死にすること。才子・佳人が若死にすること。夭折。
【玉△屑】ギョクセツ ①玉の粉末。長生不死の薬として用いられるという。②ことばや詩文のすぐれた語句をいう。③降りしきる細かい雪をいう。
【玉泉山】ギョクセンザン 山名。㋐北京市の西北。清の康熙帝が、山のふもとに静明園を造った。㋑湖北省当陽市の西。山中に玉泉寺がある。別名、覆舟山。
【玉△搔頭】ギョクソウトウ 玉で作ったかんざし。用例〔唐、白居易、長恨歌〕花鈿委レ地無二人収一、翠翹金雀玉搔頭。↓花かんざしは地に捨てられたままでとり上げる者もなく、かわせみの羽の髪飾りも、黄金のすずめの形をしたかんざしも、玉のかんざしも、(うち捨てられたままであった)。

【玉体(體)】 ①天子や貴人の身体の敬称。用例〔戦国策、趙〕恐太后玉体之有所郄也。↓太后様のお身体に障りがあるのではないかと心配です。②美人の美しい身体。

【玉台(臺)】 ①玉のうてな。りっぱな宮殿。▼台は、高殿。②天帝の宮殿。③天子の宮殿。

【玉台(臺)新詠】 書名。十巻。南朝陳の徐陵が、漢から梁までの詩を集めたもの。

【玉△墀】 宮殿の庭(きざはし)の上の石だたみ。

【玉帳】 ①美しいとばり(幕・カーテン)。②将軍の幕営(戦地で幕を張って応急に作った陣屋)。

【玉△牒】 ①天を祭るときの祭文を書いた札。②帝王や王族の系図。③その国の歴史の書。典策の類い。④仏教・道教の経典。

【玉笛】 玉で作った笛。また、美しい笛。笛の美称。用例〔唐、李白、春夜洛城聞笛詩〕誰家玉笛暗飛声、散入春風満洛城。↓どこからともなく流れてくるあの美しい笛の音は、だれの家のものだろうか。春風に乗って洛陽の町中に響きわたる。

【玉斗】 ①玉で作ったひしゃく。酒をくむ器。用例〔史記、項羽本紀〕玉斗一双欲与亜父。↓(沛公は)玉斗一対を亜父(范増)に与えるつもりで持参した。②北斗七星。

【玉△兎】 月の中に住んでいるというウサギ。転じて、月。

【玉△佩・玉△珮】 玉製のおびもの。おびだま。

玉佩

【玉杯・玉△盃】 玉のさかずき。また、杯の美称。

【玉△帛】 玉と絹織物。諸侯が天子または他の諸侯に公式に会う時の贈り物。

【玉△璞】 掘り出されたままで、まだみがいてない玉。あらたま。

【玉盤】 ①玉で作った盤。▼盤は、小さくきわめて浅いたらいのような形をした、食物を盛る器。②月の別名。

【玉△臂】 玉のように美しい腕。用例〔唐、杜甫、月夜詩〕香霧雲鬟湿、清輝玉臂寒。↓かぐわしい夜霧に妻の美しいまげはしっとりぬれて、清らかな月の光に妻の美しい腕は冷たく光っていることだろう。

【玉不△琢不成器】 玉もみがいたり細工を加えたりしなければ、器物として役立つことができない。すぐれた素質をもっている人でも、学問をしなければりっぱな人にはなれないことのたとえ。用例〔礼記、学記〕玉不琢不成器、人不学不知道。↓玉もみがいたり細工を加えたりしなければ、器物として役立つことができず、人も学ばなければ道理がわからない。

【玉片】 ①玉のかけら。②氷の形容。

【玉△篇】 書名。三十巻。南朝梁の顧野王が五四三年に著した字書。『説文解字』の体裁にならうが、部首は五百四十二部、収録字数一万六千九百十七字、『説文解字』よりも詳しい。

【玉歩】 ①天子や貴人の歩み。②美人の歩み。

【玉門関(關)】 漢代に置かれた関所の名。その遺跡は、今の甘粛省敦煌市の西北にある。その西南にある陽関と並んで西域に通ずる重要な関所。玉関。

玉門関

【玉容】 美しい容姿。美しい顔だち。用例〔唐、白居易、長恨歌〕玉容寂寞涙闌干、梨花一枝春帯雨。↓さびしそうな美しい顔からは涙がはらはらとこぼれ、梨の花の白く咲いた小枝が、春の雨に打たれているようなおもむきである。

【玉葉】 ①玉で作った葉。また、青い玉のように美しい葉。②天子の一族。皇族。公子王孫。「金枝玉葉」③国㋐他人の手紙の敬称。㋑藤原兼実の日記。平安末から鎌倉初期にかけての政局についての記事が多い。

【玉塁(壘)】 山名。四川省理県の東南にある。

【玉△輦】 玉でかざった天子の手車。玉輅。

【玉露】 ①玉のように美しい露。用例〔唐、杜甫、秋興詩〕玉露凋傷楓樹林、巫山巫峡気蕭森。↓玉のような露が下りて、楓樹の林も赤く色づきしおれ始め、ここ巫山・巫峡のあたりは、静寂で厳粛な身のひきしまるような雰囲気に満ちている。②緑茶の中の最高のもの。

【玉楼(樓)】 美しい高殿。りっぱな御殿。用例〔唐、白居易、長恨歌〕金屋粧成嬌侍夜、玉楼宴罷酔和春。↓りっぱな御殿で、化粧を終えるとあでやかな姿で夜のお仕えをし、美しい高殿で宴会が終わると、酔って春の雰囲気にとけこんでしまう。

【玉漏】 ＝玉壺②。

【懐(懷)玉△其罪】 身分不相応な高価な物を持っていると、かえって災いを招くことになる。用例〔左伝、桓公十〕匹夫無罪、懐玉其罪。↓ふだん罪のない善良な凡人でも、身分不相応な宝玉を持つと、禍を招く。

【如玉】 ①美しいものの形容。②温和な、また、円満な人がらの形容。

0
【王】

4画 7324 教1 オウ

一オウ(ワウ) 陽 wáng
二オウ(ワウ) 漾 wàng
三オウ(ワウ) 養 wǎng

1806
89A4
一

筆順 一 丅 干 王

字義 一❶きみ。君主。㋐天下の統治者。天子。帝王。周代までは、天子のみを王とよび、諸侯は公といった。用例〔詩経、小雅、北山〕溥天之下、莫非王土、率土之浜、莫非王臣。↓天のあまねくおおう下は、天子の土地でないところはなく(みな天子の土地であり)、陸地の続き果てるどこまでも、(そこに住む人は)天子の臣でないものはいない(みな天子の臣である)。㋑春秋・戦国時代の諸侯。周の王室が衰えると諸侯も王と自称するようになった。「呉王夫差」「梁恵王」❷爵位。㋐秦末以降、功績をあげた臣下に与えられる爵位。用例〔史記、淮陰侯伝〕立信為斉王。↓(劉邦は)韓信を斉王の地位につけた。㋑漢代以降、帝室の男子の爵位。同姓の一族に与えられた。用例〔史記、黥布伝〕立皇子長為淮南王。↓(皇帝は)皇子の長を淮南王にした。❸徳によって天下を統治すること。武力をもってする覇に対していう。用例〔孟子、公孫丑上〕以力仮仁者覇、……以徳行仁者王。↓武力で仁を装う者は覇であり、……徳によって仁を行う者は王である。❹尊称。㋐相手に対して尊敬や親愛の情を示すのに用いる。「王孫（お若い方）」「王父」「王母」 ❺かしら。おさ（長）。同類の中で最高位のもの。また、最高とされるもの。「竜王」「魔王」「花王（牡丹の別称）」 ❻大きい。立派な。「王蛇」
㊁ ❶王となる。王を称する。用例（史記、高祖本紀）沛公欲レ王二関中一 ➡沛公は関中で王となろうとしている。
❷王とする。王として立てる。用例（史記、荊王劉賈世家）欲下王二同姓一以鎮中天下上 ➡（高祖の子はまだ幼く、兄弟も少ないうえに出来が悪かったので）同姓（の劉氏一族）を王として天下をおさえようとした。
❸さかん。＝旺（4674）。
㊂ゆく。＝往（3398）。
国 オウ。みこ。㋐天皇の子・孫で、親王の宣下なく、姓も賜わらなかった男子の称。㋑明治以後五世以内、現在は三世以内の皇族の男子の称。
名前 お・き・きみ・こきし・こにきし・たか・まさ・み・わ・わか
難読 王子保
解字 甲骨文 金文 篆文 象形。古代中国で、支配権の象徴として用いられた、まさかりの象形で、きみの意味を表す。王を音符に含む形声文字のうち、大きく盛んの意味の系列のものに、往・旺・皇・徨・凰などがある。また、まがるの意味（尪）の系列のものに、筐・狂・枉などがある。
逆 花王・勤王・君王・蔵王・親王・聖王・先王・素王・大王・天王・仁王・覇王・魔王・明王・竜王

【王安石】北宋の政治家・文人・学者。臨川（今の江西省内）の人。字は介甫。号は半山。新法といわれる各種の改革を断行したが、保守派の政治家たちの反対に遭い、所期の目的は達せられなかった。唐宋八大家の一人。（一〇二一—一〇八六）
【王位】①帝王の位。皇位。②春。
【王威】帝王の威光。みいつ。
【王維】盛唐の詩人。字は摩詰。粛宗に仕えて尚書右丞になったので王右丞ともいわれる。その詩は脱俗の趣があり、日本でも昔から愛読された。また、画にもたくみで、文人画（南画）の始祖とされている。著書に『王右丞集』などがある。（六九九?—七六一?）

王維

【王逸】後漢の楚辞学者。宣城の人。字は叔師。順帝（在位、一二六—一四四）のとき侍中となる。著書に『楚辞章句』がある。
【王応（應）麟】南宋末期の政治家・学者。慶元の人。字は伯厚。号は深寧・浚儀遺民。宋滅亡後は著述に専念し、著書に『玉海』『困学紀聞』などがある。（一二二三—一二九六）
【王化】君主の徳の感化。天子のりっぱな人格・政治によって人民が善良になること。
【王家】①帝王の家。王室。②君主。天子。
【王闓運】清末期の学者・文学者。字は壬秋・壬父。号は湘綺老人。公羊学者であり、清末一流の詩人でもあった。著書に『春秋公羊伝箋』『八代詩選』がある。（一八三三—一九一六）
【王学（學）】王陽明の学説・学派。
【王翰】盛唐の詩人。晋陽（今の山西省内）の人。字は子羽。「涼州詞」が有名。（六八七?—七二七?）
【王気（氣）】天子や将来天子になるべき運命をもっている人の住む上空に立ちのぼる気。
【王姫（姬）】周王の娘。周王の娘は、みな姫姓であるのでいう。後に、王者の娘の意に用いる。
【王畿】王城から四方へ五百里以内をいう。畿内。
【王羲之】東晋の書家。字は逸少。書道にすぐれて、書聖といわれる。右軍将軍に任ぜられたので、王右軍と呼ばれる。行書では「蘭亭序」、草書では「十七帖」が名高い。（三二一—三七九）
【王業】帝王が国土を治める大業。
【王珪】唐の太宗の名臣。字は叔玠。貞観の治に力があった。生没年未詳。
【王建】中唐の詩人。字は仲初。韓愈などと親しく交わった。（七六八—八三〇?）
【王献（獻）之】東晋の書家。羲之の子。字は子敬。草書・隷書をよくし、父と共に二王と呼ばれる。絵画も巧みであった。作品は楷書に「洛神賦」、行書に「地黄湯帖」、草書に「中秋帖」がある。（三四四—三八八）
【王公】①天子と諸侯。②身分の非常に高い人。「王公大人」も同じ。
【王后】㊀きみ。君主。天子。▼后も、きみ。㊁君主のきさき（妻）。皇后。▼后は、きさき。
【王侯】＝王公①。
【王侯将（將）相寧有レ種乎】王（帝王）・侯（大名）・将（大将）・相（大臣）も、必ずしもすぐれた家がら・血筋によるものとは限らない。だれでも自分の心がけや実力次第でなれるという意。〔史記、陳渉世家〕
【王国（國）維】清末・民国初期の学者。海寧（今の浙江省内）の人。字は静庵、号は観堂。史学・考古学に長じていたが、晩年、世をいとい、投身自殺した。著書に『観堂集林』などがある。（一八七七—一九二七）
【王佐】天子の補佐。天子を補佐する人。
【王佐才】帝王を補佐することのできる才能。また、その才のある人。「王佐材」も同じ。
【王粲】三国時代、魏の詩人。字は仲宣。魏の曹操に仕えた。建安七子の一人。（一七七—二一七）
【王之渙】盛唐の詩人。并州（今の山西省内）の人。辺塞の風物を好んで詠じた。（六八八—七四二）
【王士禛】清の詩人。乾隆帝の時、詔命により士禎と改称した。字は貽上。号は阮亭、また、漁洋山人。王維の詩風を尊び、詩論は厳羽の妙悟論をとり入れ、神韻説を説いた。（一六三四—一七一一）
【王子】①帝王の子。君主の子。②国旧制度で、親王宣下のない、皇族の男子。
【王子喬】周の霊王の太子晋。仙人になり、白い鶴に乗って雲中に去ったという。
【王師】①帝王の先生。②王者の軍隊。
【王事】①帝王の事業。②王室に関する事がら。③帝王の命ずる労役。
【王室】①帝王の家。帝室。皇室。②国家。
【王実（實）甫】元の劇作家。大都の人。作品に「西廂記雑劇」がある。
【王者】①天子。帝王。②王道によって天下を治めている君主。↔覇者（一二九二ページ上）。
【王者師】①帝王の先生。②天子の軍隊。
【王守仁】明の学者。字は伯安、号は陽明。南宋の朱熹の学説に対抗し、南宋の陸象山の学説に基づいて、知行合一・致良知を説き、陽明学の祖とせられた。（一四七二—一五二八）
【王充】後漢の思想家。字は仲任。儒教などの伝統的思想や迷信などの非合理性を批判し、『論衡』八十五編を著した。（二七—九七?）
【王戎】西晋の政治家。竹林の七賢の一人。礼教を無視し、竹林の遊びを楽しんだ。（二三四—三〇五）
【王粛（肅）】三国時代、魏の学者。後漢の鄭玄の学説に反対した。『孔子家語』などは、彼の偽作書といわれる。（一九五—二五六）
【王昌齢（齡）】盛唐の詩人。字は少伯。辺塞の風物を好んで詠じた。(?—七三六?)

【王昭君】 前漢の元帝の女官。名は嬙。昭君は字。非常な美人であったが、匈奴の王妃として遣わされ、その地で死んだ。後世、さまざまな文学作品の題材として取り上げられた。

【王城】 ①天子の都。みやこ。②天子の居所。宮城。③仏仏のいる所。

【王慎(愼)中】 明の文学者。字は道思。号は南江・遵巌。古文を主張して一家をなし、唐順之と並んで王唐と称せられた。著書に『遵巌集』がある。(一五〇九—一五五九)

【王世貞】 明の政治家・文人。字は元美。号は鳳洲、また弇州山人。李攀竜と共に詩文の復古を主張し、李王古文辞派と称せられ、日本の荻生徂徠などに影響を与えた。(一五二六—一五九〇)

【王制】 ①天子の定めた制度。②国君主制。

【王政】 ①天子の行う政治。②王道政治。

【王△迹・王跡】 王者の事業。また、その後世まで残っているもの。

【王先謙】 清末期の学者。長沙の人。字は益吾。号は葵園老人。曾国藩に師事し、学を究め、郷里で教育に従事した。著書に『漢書補注』『後漢書集解』『荀子集解』『荘子集解』『東華録』『皇清経解読編』などがある。(一八四二—一九一八)

【王孫】 ①天子・諸侯の子孫。②貴族の子弟。貴公子。

【王沢(澤)】 君王のめぐみ。天子の恩沢。

【王朝】 ①帝王が政治をする場所。帝王親政の朝廷。朝は、朝廷。②帝王の朝廷でする政治。③同じ王家に属する統治者が治めている時期。「周王朝」④国奈良・平安両時代をいう。また、平安時代の称。

【王通】 隋の儒学者。字は仲淹。文中子とよばれる。広く儒学に通じ、河汾に住んで門人を教育した。房玄齢・魏徴らはその教えを受けた。著書に『文中子十巻』がある。(五八四—六一七)

【王程】 天子の命を受けた旅程。天子の使者の旅程。また、赴任の期限。

【王統】 帝王の血筋。

【王道】 帝王として行うべき道。道徳によって、人民の幸福をはかって天下を治める政治のやり方。孟子が強く主張した。↕覇道(一三九二ジ上)。用例(孟子、梁恵王上)養レ生喪レ死無レ憾、王道之始也。↓人民の生活を安定させ、葬儀を手厚くし、日常生活に満足させる、これが王者への道の第一歩である。

【王導】 東晋の政治家。字は茂弘。元帝に信任され、宰相となり政治の大権を握り、晋朝の復興に努めた。さらに明帝・成帝を補佐し、太傅となった。(二六七—三三〇)

【王仁】 朝鮮の百済の人。応神天皇の十六年(二八五)に来朝して、『論語』と『千字文』とを献じたといわれる。その子孫は朝廷の記録係の役人として仕えた。

【王念孫】 清の言語学者。高郵の人。字は懐祖。戴震に学び、古韻・訓詁の学にすぐれ、著書に『広雅疏証』『読書雑志』などがある。(一七四四—一八三二)

【王覇】 王者と覇者。→字義一❸。

【王八】 ①人をののしる語。ばかやろう。五代の前蜀の王建が無頼(ろくでなし)で盗みを行ったので、人々が賊王八と呼んだのに始まるという。王八は、元来、王家の八番目の男の子の意。後、同音から「忘八」とも書く。②妻を人に盗まれた人をいう。

【王妃】 ①帝王・王族の第二夫人。きさき。②皇族の中、王の配偶者。

【王△弼】 三国時代、魏の学者。字は輔嗣。儒・道二学に通じ、『易経』や『老子』の注を書いた。(二二六—二四九)

【王父】 ①祖父を尊んでいう語。②帝王の父。

【王符】 後漢中期の学者・思想家。字は節信。猟官運動の盛んな時代に超然としていたので、ついに隠棲して著述に専念した。馬融・崔瑗と交際し、社会悪を批判し、『潜夫論』を著した。

【王夫△之】 明末・清初の学者・思想家。衡陽の人。字は而農。号は薑斎・梼杌外史。明末に挙人に合格したが、衡山にのがれ、のち衡陽の石船山に住んだので、船山先生と呼ばれた。著書に『船山遺書』がある。(一六一九—一六九二)

【王母】 ①祖母を尊んでいう語。②帝王の母。

【王法】 一 帝王の定めたおきて。二 仏国王の法令。

【王勃】 初唐の詩人。字は子安。若くして才をうたわれたが、早逝した。「滕王閣序」という文章を作ったことで有名。(六四九—六七六)

【王鳴盛】 清中期の学者。字は鳳喈。号は礼堂・西荘・西沚。蘇州に隠棲すること三十年、考証史学を中心とし、経学・詩などに詳しく、著書に『十七史商榷』『尚書後案』『西沚居士集』などがある。(一七二〇—一七九七)

【王△莽】 新の君主。字は巨君。前漢の平帝を毒殺して国を奪い、自ら仮帝と称して国を新と号したが、在位十五年で、後漢の光武帝(劉秀)に攻められて敗死した。(前四五—後二三)

【王右軍】 =王羲之。

【王右△丞】 =王維。

【王右△丞集】 書名。二十八巻。唐の王維の詩文集。注釈に、清の趙殿成の「王右丞集箋注」がある。

【王融】 南斉の詩人。字は元長。中書郎となったが、のち獄死した。詩文にすぐれ、著書に『王寧朔集』がある。(四六八—四九四)

【王陽明】 =王守仁。

【王略】 天子のはかりごと。天子の政治。

【王良】 春秋時代、晋の人。馬を御するにたくみな人として有名。すぐれた御者の代名詞のように用いられる。

0 【玊】 5画 7325 漢キュウ(キウ) 呉ク 宥 sù ₂8058 一 一

字義 ❶玉に加工する人。玉細工の職人。❷きずのある玉。

参考 〔玉〕(7323)と〔玊〕との異同については、別字とする説と同字とする説とがある。

解字 篆文 王 指事。王に一点を加えて、きずのある玉の意味を示す。王は、たまの意味。

2 【玎】 6画 7326 漢テイ 呉チョウ(チャウ) 青 dīng 一 一 4350

字義 玉の触れ合う音。

解字 形声。王(玉)+丁音。音符の丁は、擬声語。

2 【玐】 6画 7327 漢ハツ 呉ハチ 黠 bā 一 一 4351

字義 ❶玉の触れ合う音。❷玉の名。

解字 形声。王(玉)+八音。

3 【玗】 7画 7328 ウ 虞 yú 一 一 4354

字義 玉に似た美しい石。

解字 形声。王(玉)+于(亐)音。

3 【玕】 7画 7329 カン 寒 gān ₁8783 一 4353

字義 琅玕は、玉に次いで美しい石。真珠に似る。

解字 形声。王(玉)+干音。

3 【玘】 7画 7330 キ 紙 qǐ ₂8060 一 4355

字義 ❶玉。❷古代、身につけた玉。

3 **【玖】** 7画 7331 人 漢キュウ(キウ) 呉ク 有 jiǔ 2274 8BE8 —

解字 形声。王(玉)＋己音。

筆順 一 丁 干 王 玐 玖 玖

字義 ❶黒色の美しい玉のような石。❷数字の九に代用する。→九(93)の参考。

名前 き・く・ぐ・たま・ひさ 難読 玖珠(くす)・玖波(くば)・玖馬(キューバ)

3 **【玔】** 7画 7332 セン 霰 chuàn ₂8059 — —

解字 形声。王(玉)＋久音。

字義 玉の環。

3 **【玓】** 7画 7333 漢テキ 呉チャク 錫 dì — — 4352

解字 形声。王(玉)＋川音。

字義 玉が光る。一説に、玉の色。

解字 形声。王(玉)＋勺音。音符の勺は、輝くの意味。

3 **【弄】** 7画 (3284) ロウ 廾部。→四八四ページ中。

4 **【玠】** 8画 7334 カイ 卦 jiè ₁8785 — 4359

字義 昔、諸侯を封じるしるしに用いた一尺二寸(約三九・六センチ)の大圭(たいけい)(圭は、上がとがり下が四角の玉)。

解字 形声。王(玉)＋介音。

4 **【玨】** 8画 7335 ㊀カク 覚 jué ㊁コク 屋 jué ₂8064 — —

字義 ㊀㊁一対の玉。

解字 会意。王(玉)を二つ合わせて、一対の玉の意味を表す。

4 **【玩】** 8画 7336 常 ガン ガン(グヮン) 翰 wán 2065 8ADF —

筆順 一 丁 干 王 王一 王二 玗 玩

字義 ❶もてあそぶ。＝翫(9541)。㋐手に持って遊ぶ。また、遊ぶ物。おもちゃ。㋑からかう。なぶる。なぐさみ物にする。おもちゃにする。また、あなどる。軽視する。㋒めでる(賞)。めで楽しむ。なぐさみ興ずる。賞玩する。また、珍重する。「愛玩」❷なれる。なれ親しむ。❸味わう。味わい考える。「玩味」❹むさぼる(貪ドン)。ふける(耽タン)。「玩読」

名前 なり・よし

解字 篆文 𤣩 形声。王(玉)＋元音。音符の元は、めぐるの意味。一つの玉に心をとられ、手の中でめぐらす、もてあそぶの意味を表す。

【玩詠】(ガンエイ) よく味わいながら歌うこと。玩諷(ガンプウ)。

【玩△繹】(ガンエキ) 意味を調べ味わう。

【玩好】(ガンコウ) ①好みもてあそぶ。また、その品物。②珍重すべき物。珍宝。

【玩索】(ガンサク) 意義をよく考え求めること。

【玩習】(ガンシュウ) 意味をよく味わって習う。

【玩世】(ガンセイ) 世をもてあそぶ。世間の事を軽視すること。

【玩読(讀)】(ガンドク) ①意味をよく味わって読むこと。②批判的に読まないで、ただひたすらに読みふけること。

【玩物】(ガンブツ) ①景物を賞玩すること。②無用な物をもてあそぶこと。→玩物喪志。③おもちゃ。

【玩物喪志】(ガンブツソウシ) 無用な物をもてあそんで本心を失うこと。〔書経、旅獒〕㋐珍宝などを度を越して愛好し、正しい心を失うこと。㋑学問上、枝葉末節のことに力を注いで、真に習得すべきものを見失うこと。

【玩味】(ガンミ) じっくり味わう。㋐食物をよくかみしめて味わうこと。㋑詩文を読んでその意味などをよく考え味わうこと。「熟読玩味」㋒物の趣などをよく味わって賞美すること。道理をよく考え味わうこと。

【玩弄】(ガンロウ) ①もてあそぶ。②なぶる。なぶりものにする。③おもちゃにする。

4 **【玪】** 8画 7337 漢ギン 呉ゴン 侵 yín — — 4363

字義 玉の名。

解字 形声。王(玉)＋今音。

4 **【玦】** 8画 7338 漢ケツ 呉ケチ 屑 jué ₁8787 — 4362

字義 ❶おびだま(腰さげの玉)の一種。環状で、一部分の欠けている玉。これを腰におびるのは決断を尊ぶ意。人に示す時には「決断せよ」「絶縁する」「訣別(ケツベツ)する(別れる)」の意を表す。→玉玦(九四一ページ上)。❷ゆがけ。弓を射るとき、右手の親指にはめるもの。

玦①

解字 篆文 形声。王(玉)＋夬音。音符の夬(カイ＝ケツ)は、欠けるの意味。一部分をわざわざ欠いて作った環状の玉の意味を表す。

4 **【玥】** 8画 7339 漢ゲツ 呉ガチ(グヮチ) 月 yuè

［玥］ 7340 俗字

字義 神に供える玉。

解字 形声。王(玉)＋月音。

4 **【玥】** 8画 7340 ゲツ 玥(7339)の俗字。→九四五ページ中。 ₂8063 — 4361

4 **【玜】** 8画 7341 漢コウ 呉ク 東 hōng ₂8061 — 4356

字義 玉の名。

解字 形声。王(玉)＋公音。

4 **【玫】** 8画 7342 漢バイ 呉マイ 灰 méi ₁8788 — 4364

字義 ❶美しい石。火珠。❷玫瑰(バイカイ・マイカイ)は、㋐赤色の美玉の名。南方に産する。㋑バラ科の落葉低木。はまなし。はまなす。茎に刺(とげ)が密生し、夏に紅色五弁の香気ある花を開く。花を香料に、根皮を黄色染料とする。

難読 玫瑰(はまなす)

解字 形声。王(玉)＋枚省音。

4 **【玢】** 8画 7343 ㊀ヒン 真 bīn ㊁フン 文 fēn ₁8786 — 4360

字義 ㊀❶玉の模様。❷玉の名。㊁現代中国語で、賽璐玢は、セロハン。

解字 形声。王(玉)＋分音。

4 **【玭】** 8画 7344 漢ヒン 呉ビン 真 pín — — 4365

字義 玉の名。淮河(ワイガ)に産し、たたくと良い音を発する。

解字 形声。王(玉)＋比音。

4 **【玟】** 8画 7345 ㊀漢ビン・呉ミン 真 mín ㊁漢バイ・呉マイ 灰 méi ㊂漢ブン・呉モン 文 wén ₁8784 — 4358

字義 ㊀㊁玉に似た石。㊂玉の模様。

解字 形声。王(玉)＋文音。

4 **【玞】** 8画 7346 フ 虞 fū ₂8062 — 4357

字義 珷玞(ブフ)は、玉に次いで美しい石。

解字 形声。王(玉)＋夫音。

5 **【珆】** 9画 7347 ㊀イ 支 yí ㊁タイ 灰 tāi — — 4373

字義 ㊀玉に似た美しい石。㊁瓏珆(ロウタイ)は、上がとがり下が四角い玉。圭(ケイ)。

解字 形声。王(玉)＋台音。

5 **【珂】** 9画 7348 人 標 カ 歌 kē 1849 89CF —

筆順 一 丁 干 王 玎 玎 玗 珂

字義 ❶玉の名。白瑪瑙。❷くつわ貝。馬の勒のかざりを作る。❸くつわ貝で作った、勒のかざり。転じて、くつわ。

名前 か・たま・てる

解字 篆文 形声。王(玉)＋可㊥。音符の可は、よいの意味。よい玉の意味を表す。

5 【珈】 9画 7349 囚 漢カ・呉ケ 痲 jiā 6461 E0DB —

筆順 一 丅 干 王 玎 玏 珈 珈 珈

字義 女性の髪かざり。玉をたれ下げた一種のかんざし。国珈琲は、英語coffeeの音訳。中国では「咖啡」の字をあてる。

解字 篆文 形声。王(玉)＋加㊥。音符の加は、くわえるの意味。髪の上に加えたかざりの玉の意味を表す。珈琲は、コーヒーの日本における漢字音訳。

5 【珏】 9画 7350 ㊀カク 覺 jué ㊁コク 屋 jué 18790 — 4377

字義 ㊀㊁一対の玉。

解字 会意。玉を二つ合わせて一対の玉の意を表す。

5 【玵】 9画 7351 ガン 覃 ān 28065 — 4366

字義 美しい玉。

解字 形声。王(玉)＋甘㊥。

5 【玹】 9画 7352 漢ケン・呉ゲン 先 霰 xuán 28067 — 4368

字義 ❶玉に次ぐ美石。❷玉の色。

解字 形声。王(玉)＋玄㊥。

5 【玽】 9画 7353 漢コウ・呉ク 有 宥 gǒu — EE44 4370

字義 玉に似た美しい石。

解字 形声。王(玉)＋句㊥。

5 【皇】 9画 (7873) コウ 白部。→九九三㌻中。

5 【珊】 9画 7354 囚 標 サン 寒 shān 2725 8E58 —

〔珊〕7355 同字 〔珊〕7356 同字

筆順 一 丅 干 王 玔 玔 珊 珊 珊

字義 ❶珊瑚は、熱帯の海中に住む珊瑚虫(腔腸動物の一種)の石灰質の骨格が集積したもので、美しいものは外皮をはいで、中味を装飾に用いる。しばしば樹枝状をなしているので、古人は珊瑚樹とも呼んだ。❷媻珊は、よろめき歩くさま。❸闌珊は、さかりを過ぎてさびしくなるさま。国サンチ。センチメートルの略音訳。

名前 さん・たま

解字 篆文 形声。王(玉)＋冊(刪)㊥。音符の刪は、けずりとるの意味。海中からけずりとってくる、さんごの意味を表す。

【珊珊】サンサン ①おび玉(腰にさげる玉)が鳴る音の形容。②鈴の澄んだ音の形容。③水や雨の音の形容。④きぬずれの音の形容。

5 【珊】 9画 7355 サン 珊(7354)と同字。→九四六㌻上。

5 【珊】 9画 7356 サン 珊(7354)と同字。→九四六㌻上。

5 【玺】 10画 7357 ジ 璽(7522)の俗字。→九五七㌻下。

5 【玿】 9画 7358 漢ショウ(セウ) 呉ジョウ(ゼウ) 蕭 shāo 28069 — 4371

字義 美しい玉。

解字 形声。王(玉)＋召㊥。

5 【珅】 9画 7359 シン 眞 shēn 28070 — 4372

字義 美しい玉。

解字 形声。王(玉)＋申㊥。

5 【玳】 9画 7360 漢タイ 呉ダイ 隊 dài 6462 E0DC —

〔瑇〕7448 同字

字義 玳瑁は、熱帯に産する亀の一種で、その甲羅は鼈甲細工に用いる。

解字 形声。王(玉)＋代㊥。

5 【珍】 9画 7361 常 チン めずら-しい 眞 zhēn 3633 92BF —

〔弥〕7362 俗字

筆順 一 丅 干 王 玐 玠 珍 珍 珍

字義 ❶めずら-しい。㋐めったにない。類が少ない。たやすく手に入らない。㋑たっとい。貴重。㋒すぐれている。美しい。よい。おいしい。❷㋐めずらしい物。めずらしいこと。たから。㋐たっとぶべき物。貴重な物。㋑おいしい物。❸めずらしいとする。貴重である・奇異である・すぐれているなどと考える。また、たっとぶ。重んずる。めでる。愛する。国チン。こっけい。「珍談」

名前 いや・うず・くに・くる・たか・のり・はる・よし

難読 珍神

解字 篆文 形声。王(玉)＋㐱㊥。音符の㐱は、塡に通じ、密度が高くみちたりているの意味。貴重な玉の意味を表し、転じて、めずらしいの意味を表す。

逆 時珍・自珍・殊珍・土珍

【珍愛】チンアイ ①めずらしい物として愛する。②めでる。愛する。たいせつにする。

【珍異】チンイ ①めずらしい。普通と異なる。また、その食物。②貴重な物。

【珍怪】チンカイ ①めずらしい。また、めずらしい物。▼怪も、他と異なる。②貴重な物。たから物。③まれに見る怪しいもの。

【珍玩】チンガン ①めずらしがってもてあそぶ。②愛好してもてあそぶ。また、そのもの。③めでる。愛する。▼玩も、めでる。

【珍卉】チンキ めずらしい草花。

【珍奇】チンキ ①めずらしい。また、めずらしい物。▼奇も、他と異なる。②すぐれている。また、すぐれた物。▼奇も、すぐれる。

【珍事】チンジ ①めずらしい事がら。②不思議な事がら。③国思いがけない出来事。一大事。椿事。

【珍羞・珍饈】チンシュウ めずらしいごちそう。珍膳。

【珍什】チンジュウ 類が少なくすぐれた道具。珍器。

【珍惜】チンセキ めでおしむ。愛惜する。珍重する。

【珍説】チンセツ ①めずらしい説。耳新しい説。②奇怪な説。③国こっけいな説。

【珍蔵(藏)】チンゾウ 宝物として蔵する。たいせつにしてしまっておく。また、その物。

【珍重】チンチョウ ①めずらしい物として、愛好してたいせつにする。②人に身体をたいせつにするようにという書簡文用語。また、別れのあいさつにいう語。「自重自愛を祈る」の意。③賛美の意を表す語。すばらしい。あっぱれである。④国めでたい。よろこばしい。結構。また、その事。

【珍宝(寶)】チンポウ ①めずらしい宝。②すぐれた宝。たから。宝物。珠玉の類い。▼珍も、たから。

【珍味】チンミ めずらしい(おいしい・変わった)食物・料理。

5 【弥】 9画 7362 チン 珍(7361)の俗字。→九四六㌻中。 6463 E0DD —

5 【玷】 9画 7363 テン 豔 琰 diàn 28066 — 4367

字義 ❶か-ける。㋐玉が欠ける。㋑あやまつ(過)。❷きず。㋐玉のきず。㋑過失。欠点。❸けがす。はずかしめる。

解字 形声。王(玉)＋占㊥。音符の占は、点をつけるの意味。玉に点がつく、かけるの意味を表す。

【玷欠(缺)】テンケツ きず。欠点。

【玷辱】テンジョク きずつけ、はずかしめる。

5【玻】9画 7364 ハ 歌 bō　6464 E0DE —

字義 玻璃ハリ・玻瓈ハリは、玉の名。七宝の一つ。水晶の類い。また、ガラス。難読 玻里非ボリビア

解字 形声。王(玉)+皮音。玻璃ハリは、梵語ボン sphāṭika の音訳。古くはガラスも玉と見なされ、そのため玉を付した。

【玻璃】ハリ ①ガラス。ギヤマン。一説に玉。②仏 七宝の一つ。水晶。

【玻△瓈】ハリ =玻璃①。

5【珀】9画 7365 人 漢ハク 呉ヒャク 陌 pò　6465 E0DF —

筆順 一 丅 干 王 王' 玐 珀 珀 珀

字義 琥珀コハクは、玉の名。

名前 すい・たま・はく

解字 形声。王(玉)+白音。

5【珌】9画 7366 漢ヒツ 呉ヒチ 質 bì　— — 4376

字義 腰に帯びる刀のこじりにある飾り。

解字 形声。王(玉)+必音。

5【珉】9画 7367 漢ビン 呉ミン 真 mín　18789 EE45 4374

字義 玉に似た美石の名。珉玉。珉石。

解字 形声。王(玉)+民音。

【瑉】7453 同字

5【珋】9画 7368 漢リュウ(リウ) 呉ル 宥 liù　28071 — 4375

字義 光を発する石。

解字 形声。王(玉)+卯音。

5【玲】9画 7369 人 漢レイ 呉リョウ(リャウ) 青 líng　4672 97E6 —

筆順 一 丅 干 王 玐 玐 玪 玲 玲

字義 ❶玉や金属のふれ合って鳴る美しい音。❷すきとおるように美しいさま。さえてあざやかなさま。

名前 あきら・たま・ほまれ・れ・れい

解字 篆文 形声。王(玉)+令音。

【玲玲】レイレイ ①玉や金属がふれあって鳴る美しい音の形容。②さえてあざやかなさま。③すきとおるように美しいさま。

【玲△瓏】レイロウ =玲玲。用例〔唐、白居易、長恨歌〕楼殿玲瓏五雲起ロウデンレイロウとしてゴウンおこり、其中綽約多二仙子一そのうちシャクヤクとしてセンシおお(ほ)し。↓高殿は玲瓏と光るすきとおった玉のように美しく、五色の雲がわきおこり、その中には、しとやかで美しい仙人がたくさんいる。

6【珙】10画 7370 漢キョウ 呉ク 腫 冬 gǒng　18792 — 4381

字義 ❶玉の名。❷手で抱えるほどの大きな玉。

解字 形声。王(玉)+共音。

6【珦】10画 7371 漢キョウ(キャウ) 呉コウ(カウ) 漾 xiàng　— — 4385

字義 玉の名。

解字 形声。王(玉)+向音。

6【琹】10画 7372 キン　28072 — 4383

琴(7418)の本字。→九五一ページ上。

6【珝】10画 7373 ク 麌 xǔ　— — 4382

字義 玉の名。

解字 形声。王(玉)+羽音。

6【珪】10画 7374 標 ケイ 斉 guī　2330 8C5D —

字義 たま。

参考 〔圭〕(1881)の古字。字義・解字は〔圭〕を見よ。

【珪△璋】ケイショウ 礼式のとき、飾りに用いる玉。転じて、人品の高いことや俊秀の士のたとえ。〔荘子、馬蹄〕

【珪石】ケイセキ 石英の別名。

【珪素】ケイソ 化学元素の名。シリコン。硅素ケイソ。

6【珩】10画 7375 漢コウ(カウ) 呉ギョウ(ギャウ) 庚 héng　18794 — 4387

字義 ❶おび玉。佩玉ハイギョクを組み立てるとき、上部にあってそれに組ひもを通し、琚キョ・璜コウなどの玉をつなぎたらすもの。❷かむりひも。冠のひも。

解字 篆文 形声。王(玉)+行音。音符の行は、衡に通じ、よこの意味。他の玉を掛けるように横にわたされたおびだまの意味を表す。

珩①

6【珖】10画 7376 コウ(クワウ) 陽 guāng　18791 EE46 4380

字義 ❶玉の名。❷玉で作った笛。玉笛。

解字 形声。王(玉)+光音。

6【珓】10画 7377 漢コウ(カウ) 呉キョウ(ケウ) 効 jiào　— — 4379

字義 杯珓ハイコウは、玉・貝がらなどで作った、吉凶を占う道具。

解字 形声。王(玉)+交音。

6【玼】10画 7378 一 漢セイ・呉サイ 薺 cǐ　二 シ 紙 cǐ　三 漢シ・呉ジ 支 cī　28068 — 4369

字義 一❶あざ-やか。㋐できたばかりの玉の色のあざやかなさま。㋑りっぱではっきりしているさま。❷きず。=疵(7727)。 三❶玉の中にまじっている石。❷きず。玉のきず。

解字 形声。王(玉)+此音。

6【珥】10画 7379 漢ジ 呉ニ 寘 紙 ěr　6466 E0E0 —

字義 ❶みみだま。耳かざりのたま。❷つば。刀剣のつば。❸さす(挿)。はさむ。さしはさむ。つらぬく。❹上に載せる。いただく。❺ちぬる。犠牲の血をぬる。❻すう。なめる。

解字 篆文 形声。王(玉)+耳音。音符の耳は、みみの意味。耳かざりの意味を表す。

【珥△璫】ジトウ みみだま。耳かざりの玉。▼璫も、耳玉。

6【珠】10画 7380 常 シュ シュ 虞 zhū 熟字訓 数珠じゅず　2878 8EEC —

筆順 一 丅 干 王 王' 玓 玝 玝 珠 珠

字義 ❶たま。㋐貝類の体内に産する丸いたま。真珠の類い。㋑真珠のように丸い粒になっている物。「念珠(じゅずだま)」❷美しい物のたとえや形容。

名前 じゅ・す・たま・み 難読 珠芽むかご・珠鶏ほろほろちょう・珠洲ずず

解字 篆文 形声。王(玉)+朱音。音符の朱は、木の切り口の美しい赤の意味。美しい玉、真珠の意味を表す。

逆 貫珠・数珠・真珠・念珠・美珠・宝珠・文珠・連珠

【珠△瓔】シュエイ 真珠で作った首かざり。

【珠△纓】シュエイ 真珠でかざった、冠の紐ひも。

【珠△璣】シュキ たま。宝石。▼珠は丸いたま、璣は角ばったたま。

【珠玉】シュギョク ①たま。②たっといもの・すぐれたもの・美しいもののたとえや形容。

【珠江】シュコウ 川の名。雲南省の東境に発し、広西チワン族自治区を経て広東カントン省広州市の南で海に注ぐ大河。

【珠数(數)】ジュズ・ズズ 仏 仏をおがんだり、念仏をとなえるときに、手に持ったり掛けたりする具。念珠。数珠。

【珠△翠】シュスイ 真珠と翡翠ヒスイ。女性の髪かざりに用いることから、転じて、女性の髪かざりをいう。

【珠唾】 真珠のように美しいつば。名言・佳句の形容。

【珠△綴】 たまをつづる。たまをつづってかざる。また、そのもの。

【珠△箔】 たまでかざったすだれ。美しいすだれ。用例〔唐、白居易、長恨歌〕攬衣推枕起徘徊、珠箔銀屏邐迤開。⇩手に上衣をとり、枕をおしのけ、たちあがったが、(あまり突然のことなので驚いて)へやの中をあるきまわる。(やがて)いくつか重なる玉のすだれや銀のびょうぶが、次々に開かれた。

【珠履】 真珠でかざったくつ。りっぱなくつ。「珠履客(上等の客)」

【珠△簾】 ＝珠箔。用例〔唐、李白、怨情詩〕美人巻珠簾、深坐嚬蛾眉。⇩美人が珠の簾を巻き上げ、部屋の奥深くに座り、美しい眉をひそめてもの思いに沈んでいる。

【珠楼(樓)】 真珠でかざった高殿・宮殿。美しくりっぱな高殿・宮殿をいう。

6 【珣】 10画 7381 シュン 真 震 xún ı8793 EE47 4384

字義 ❶玉の名。東方の異民族の地に産する玉。❷玉製の器。

解字 形声。王(玉)＋旬音。

6 【珒】 10画 7382 シン 真 jīn ― EE48 4378

字義 玉の名。

解字 形声。王(玉)＋聿音。音符の聿は、飾るの意味。

6 【珮】 10画 7383 ハイ 隊 pèi 6467 E0E1 ―

字義 おびだま。腰にさげる玉。＝佩(337)。→玉佩(九四二ページ上)。

参考 熟語は〔佩〕(337)を見よ。

解字 会意。王(玉)＋凡＋巾。凡は、風をはらむ布の象形。巾も、布きれの象形。腰に布のように帯びる玉の意味を表す。

6 【班】 10画 7384 教6 ハン 刪 bān 4041 94C7 ―

〔班〕 7385 本字

筆順 一 T 王 丑 玎 玎 玨 班 班

字義 ❶わける(分)。わかつ。㋐いくつかに分ける。㋑分配する。㋒順序・階級・席次などをきめる。また、その順序・階級・席次。❷わかれる(別)。離れる。「班馬」❸列。組。グループ。「炊事班」❹つらねる。ならべる。行き渡っている。いっぱいに広がっている。❺あまねし。❻ひとしい(等)。❼かえす(還)。ひきもどす。❽しく(敷)。しき広げる。❾めぐる。ぐるぐる回って進まない。❿まじる。まだら。＝斑(4576)。

名前 つら・なか　難読 班鳩・班目

解字 金文  篆文  会意。玨＋刀。玨は、二つにわけた玉の意味。刃物でわけて天子が諸侯にしるしの玉をわけあたえるの意味から、一般に、わけるの意味を表す。

逆 首班

【班位】 ①くらい。階級。②位する。ある地位にいること。

【班固】 後漢の歴史家。扶風(今の陝西省内)の人。字は孟堅。父彪の志を継ぎ、二十余年間『漢書』の著述に従事したが、完成しないうちに獄死したので、妹の昭がそれを補った。(三二―九二)

【班史】 後漢の班固の著した歴史書。『漢書』の別称。

【班師】 ①軍隊をかえす(引きもどす)こと。②凱旋(戦争に勝って帰る)すること。

【班資】 地位と俸給。

【班次】 位の順序。位次。階級。くらい。班位。

【班△婕△妤・班△倢△伃】 前漢の成帝の寵妃。女流詩人。趙飛燕の中傷で、成帝の愛を失い、長信宮で太后に仕えた。「怨歌行」はその悲しみをうたったもの。

【班昭】 後漢の女性歴史家。班固の妹。字は恵姫。曹世叔に嫁した。その死後、その淑徳と学問を認められて和帝に召され、皇后や宮女の師に任ぜられた。世人は敬して曹大家という。兄の固の遺業を継いで『漢書』を完成した。→班固。

【班超】 後漢の人。字は仲升。班固の弟。西域を征して五十余国をてなずけ、定遠侯に封ぜられた。西域都護などの役に任ぜられて、西域にあること三十一年、年老いて帰国した。(三三―一〇二)

【班田収(收)授】 昔、国家が公民に一定の規則によって田地を分け与え、死後、これを返させたこと。中国では唐代に、日本では大化の改新後に行われた。

【班馬】 ①隊列から離れた馬。はぐれた馬。②別れて行く馬。用例〔唐、李白、送友人詩〕揮手自茲去、蕭蕭班馬鳴。⇩手をふって、ここから別れ去ろうとすると、別れゆく馬でさえ、さびしい声でいないている。③戦場から帰る馬。④班固と司馬遷。共に漢代の歴史家。

【班白】 白髪まじり。また、その老人。頒白。

【班班】 ①まだらなさま。②あざやかではっきりしているさま。③車の音の形容。

6 【班】 10画 7385 ハン 班(7384)の本字。→九四八ページ上。

6 【珱】 10画 7386 ヨウ 瓔(7534)の俗字。→九五八ページ上。 6494 E0FC ―

6 【珧】 10画 7387 ヨウ(エウ) 蕭 yáo ₂8073 ― 4386

字義 たいらぎ。ハボウキガイ科の二枚貝。たいらがい。

解字 形声。王(玉)＋兆音。

6 【珞】 10画 7388 ㊀ラク 薬 luò ㊁漢レキ・呉リャク 錫 lì 6468 E0E2 ―

字義 ㊀瓔珞は、玉をつないで作った首かざり。㊁つぶて。こいし。また、石の形容。

解字 形声。王(玉)＋各音。

7 【珴】 11画 7389 ガ 歌 é ― ― 4388

字義 珪璋(祭礼に用いる玉)をささげ持つさま。

解字 形声。王(玉)＋我音。

7 【琓】 11画 7390 カン ₂8075 ― ―

字義 人名。

解字 形声。王(玉)＋完音。

7 【琀】 11画 7391 漢カン 呉ゴン 勘 覃 hān ― ― 4402

字義 死者の口に含ませる玉。

解字 形声。王(玉)＋含音。音符の含は、含むの意味。

7 【球】 11画 7392 教3 キュウ たま 漢キュウ(キウ)・呉グ 尤 qiú 2169 8B85 ―

筆順 T 王 王 玎 玎 玎 球 球 球

字義 ❶たま。㋐美しい玉。㋑丸い玉。❷球のように丸い物。球状をなすもの。「地球」❸まり(毬)。「野球」

名前 た・たま　難読 球磨

使いわけ たま〔玉・球・弾〕⇩玉(7323)。

解字 篆文  形声。王(玉)＋求音。音符の求は、一点を中心に集まるの意味。一点を中心にまるくなっている美玉の意味を表す。

【球△琳】 美しい玉。転じて、すぐれた才能をいう。

7 【珺】 11画 7393 クン 問 jùn ₂8076 — 4392

字義 美しい玉。

解字 形声。王(玉)+君音。

7 【琄】 11画 7394 漢ケン 呉ゲン 銑 xuàn — — 4404

字義 ❶玉や佩玉(ハイギョク)のさま。❷琄琄は、手柄や才能がないのに位におり、佩玉を帯びるさま。

解字 形声。王(玉)+肙音。

7 【現】 11画 7395 教5 ゲン あらわ-れる・あらわ-す 漢ゲン・呉ゲン 霰 xiàn 2429 8CBB —

筆順 一 T Ŧ 玎 玑 玥 珇 玥 現 現

字義 ❶あらわ-れる(あら。はる)。「出現」 ❷あらわ-す(あら。はす)。「表現」 ❸今。まのあたり。「現在」 国うつつ。㋐物事が実際に存在していること。㋑死に対して、この世に生きていること。㋒夢に対して、さめていて正気なこと。また、さめている時。㋓心がぼんやりしている状態。うつらうつらとしている状態。夢うつつから転じた誤用。

名前 あり・げん・み 難読 現御神(あきつみかみ)・現津御神(あきつみかみ)・現人(うつせみ・うつそみ)・現人神(あらひとがみ)・現川(うつつがわ)

使いわけ あらわれる・あらわす〔現・表・著〕
〔現〕隠れていたもの、なかったものを表に出す。「姿を現す・正体が現れた」
〔表〕感情や考えなどを表に出す。象徴する。また、代表する。「喜びが文面に表れる・図に表す」
〔著〕(「あらわす」のみ)書物を世に出す。「伝記を著す」
なお、「神仏があらわれる・尊い行いが世に知られる」の意で「霊験が顕れる」のように書いたり、「隠しておくべきものをあらわす」の意で「肌を露わす」のように書いたりすることもあるが、これらは常用音訓には含まれていない。

解字 形声。王(玉)+見音。音符の見は、みえるの意味。玉の光があらわれる、一般に、あらわれるの意味を表す。

逆 具現・顕現・権現・示現・実現・体現・発現・表現

【現役】(ゲンエキ) ①もと常備兵役の一。常時軍務に服していて戦時の部隊の中核となる者。②現に職務についている者。

【現況】(ゲンキョウ) 国現在のありさま。現在の状況。

【現行】(ゲンコウ) 現に行われている。

【現在】(ゲンザイ) ①仏ただ今。過去と未来との境目。②今存在していること。まのあたりにあること。③国㋐現今。現時。㋑まのあたり。現に。実際。

【現実(實)】(ゲンジツ) 国現在実際にある事実・状態。

【現出】(ゲンシュツ) あらわし出す。また、あらわれ出る。実際に起こる。

【現象】(ゲンショウ) 国①あるかたちをとって現れる。また、その状態。観察・確認された事実。「自然現象」 ②哲学で、感覚によって受け入れられ、経験されうる現象。↕本質(七一四ページ下)・本体(七一四ページ下)。

【現状(狀)】(ゲンジョウ) 現在の状態。いまの様子。

【現身】 一(ゲンシン) 仏仏の三身(法身・報身・応身)の一つ。応身の別名。人間の形をしてこの世に現れた仏のからだ。二(うつしみ・うつそみ) 国現在のからだ。なまみ。

【現世】 一(ゲンセ・ゲンゼ) 仏現在の世。現在世。この世。↕前世(一八三ページ上)・後世(五〇四ページ下)。二(ゲンセイ・ゲンセ) 現在の世の中。今の世。現代。

【現存】(ゲンソン・ゲンゾン) 現在、実際に存在している。

【現代】(ゲンダイ) 今の時代。今の世の中。

【現地】(ゲンチ) ①現在の土地。②現在、ある事の行われている土地。

【現報】(ゲンポウ) 仏現世での報い。

7 【珸】 11画 7396 ゴ 虞 wú 6473 E0E7 —

字義 琨珸(コンゴ)は、山名。また、その山などに産する美石の名。精錬して剣を作る。国珸瑶瑁(ゴヨウマイ)は、北海道根室市の地名。

解字 形声。王(玉)+吾音。

7 【琑】 11画 7397 サ — — 4407

瑣(7464)の俗字。→九五四ページ下。

7 【琇】 11画 7398 漢シュウ(シウ) 呉シュ 宥 xiù ₁8801 EE49 4405

字義 ❶美しい石の名。❷美しい。

解字 形声。王(玉)+秀音。

7 【珿】 11画 7399 漢シュク 呉スク 屋 chù — — 4401

字義 等しい。整っている。

解字 形声。王(玉)+足音。

7 【珹】 11画 7400 漢セイ 呉ジョウ(ジャウ) 庚 chéng ₂8074 — 4391

字義 ❶玉の名。❷珠(また)(球状の玉)の一種。

解字 形声。王(玉)+成音。

7 【琁】 11画 7401 セン ₂8077 — 4403

璇(7484)と同字。→九五五ページ下。

7 【琢】 11画 7402 人 3486 91F4 —

8 〔琢〕 12画 7403 人 タク 覚 zhuó ₁8805 — —

筆順 一 T Ŧ 玎 玎 玎 琢 琢 琢

字義 ❶みが-く。玉をうつ(打)。たたく。える(彫)。椎(つち)や鑿(のみ)で玉をけずって形を整えること。❷徳・技などをみがくこと。学問・修養・練習などによってりっぱにすること。❸かざる。修飾する。❹えらぶ。選択する。

名前 あや・たか・たく・たつ・みがく

解字 篆文 形声。王(玉)+豖(豕)音。音符の豖(チク=タク)は、玉を刻むときの音を表す擬声語的音符。玉をみがくの意味を表す。

【琢句】(タック・タクク) 字句をみがく。詩文を推敲(スイコウ)すること。

【琢切】(タクセツ) =琢磨。▼切は、骨や角を切ること。

【琢磨】(タクマ) ①玉をみがくこと。▼磨は、砂や石ですりみがくこと。②おこたらず努力して学徳をみがき修めること。「切磋(セッサ)琢磨」。『詩経』衛風・淇奥に「如レ切如レ磋(セッするがごとく、サするがごとし)、如レ琢如レ磨(タクするがごとく、マするがごとし)」とあるのに基づく。

7 【珵】 11画 7404 一 漢テイ 呉ジョウ(ヂャウ) 庚 chéng 二 漢テイ 呉チョウ(チャウ) 迥 tǐng — EE4A 4389

字義 一美玉の名。二玉製の笏(シャク)。

解字 形声。王(玉)+呈音。

7 【珽】 11画 7405 漢テイ 呉チョウ(チャウ) 迥 tǐng — — 4394

字義 玉製の笏(シャク)。天子の持つもの。

解字 形声。王(玉)+廷音。

7 【珻】 11画 7406 漢バイ 呉マイ 灰 méi — — 4393

字義 玉の名。

解字 形声。王(玉)+每音。

7 【望】 11画 (5042) ボウ 月部。→七〇〇ページ中。

7 【琊】 11画 7407 ヤ 麻 yá

〔瑘〕 7433 俗字

字義 琅琊(ロウヤ)は、山名。また、郡名。→琅琊(九五〇ページ下)。

解字 形声。王(玉)+邪㊥。

7
【理】 11画 7408 教2 リ 紙 lǐ　4593 979D 一

筆順 一 丅 王 到 玑 珂 珥 理 理 理

字義 ❶**おさ-める**(をさ-む)。㋐みがく。玉をみがく。㋑ただす。整える。すじを通す。処置する。さばく。「管理」「料理」「代理」「処理」 ㋒分ける。区別する。❷**おさ-まる**(をさ-まる)。すじが通る。整う。❸きめ。すじ。㋐ある種の玉の表面に現れる細かなすじ。㋑木のもくめ。「木理」 ㋒皮膚のきめ。「膚理」 ㋓物の表面に見えるすじ。❹**ことわり**。道理。物事のすじみち。理屈。条理。「義理」「生理」 ❺みち。人の従うべき道。道義。❻宇宙の本体。宋学で、現象を気というのに対し、その根底の本性を理といった。❼こと。ものごと。❽区別。区分。❾なかだち。媒酌人。

名前 あや・おさ・おさむ・さ・さだむ・さと・すけ・たか・ただ・ただし・ただす・とし・のり・まさ・まろ・みち・よし・り

解字 篆文 理　形声。王(玉)+里㊥。音符の里は、すじの意味。玉のすじ・きめ、玉のすじ目を美しく見せるようにみがく・おさめるの意味を表す。

逆 管理・究理・窮理・肌理・義理・空理・経理・原理・公理・合理・修理・受理・純理・条理・処理・事理・審理・心理・真理・推理・性理・整理・生理・摂理・総理・代理・調理・地理・定理・哲理・天理・道理・非理・物理・分理・文理・弁理・無理・木理・料理・倫理・連理・論理

【理化】リカ ①物事の道理の変化。②政治と教化。③正しい方向へ治め導く。④物理学と化学。

【理会(會)】リカイ ①道理の集まっている所の意。転じて、道理。②理解し会得すること。よく知ること。③考え。思案。意見。④理が合う。道理(考えが)一致する。

【理解】リカイ 物事の道理を解きわけてさとる。よくわかる。

【理学(學)】リガク ①宋代の儒学は人性と天理との関係を説き、性命と理気との問題が論議の主潮をなした。これを漢唐の訓詁学・清朝の考証学に対して、性理学、略して理学という。②自然を対象として研究する学問。自然科学。特に、物理学。

【理官】リカン 裁判官。

【理気(氣)】リキ 理と気。宇宙の本体とその現象。宋の学者は、宇宙は理と気から成ると考え、万物は陰陽の交錯によって生じ、陰陽は気であり、陰陽を働かせ作用させるのが理であると説いた。

【理義】リギ 正しい道理。

【理屈】リクツ 国=理窟③。

【理窟】リクツ ①道理の多く蔵せられている所の意。▼窟は、岩屋・ほらあな・むろ。②道理をよくわきまえている人。道理に明るい人。③国㋐物事のすじ道。道理。㋑こじつけの道理・理由。

【理財】リザイ 財をおさめる。財貨をうまく処置して運用すること。経済。

【理事】リジ ①事をおさめる。物事を処理・処置する。事務をとる。②国法人などを代表してその事務を執行する人。

【理趣】リシュ ことのわけ。道理のおもむき。道理。意義。

【理数(數)】リスウ ①道理。②理科と数学。

【理世】リセイ ①世を治める。②治まった世。

【理性】リセイ 国①真偽・善悪を識別し、正しく判断する能力。②他の動物と区別する人間特有の(本能や欲望に左右されないで行動する)能力。また、人間最高の思考能力。↔本能(七一五㌻上)。

【理勢】リセイ 自然のいきおい。自然のなりゆき。

【理宗】リソウ 南宋第五代の帝(在位、一二二四—一二六四)。趙昀。(一二〇五—一二六四)

【理想】リソウ 国努力して到達しようとする、心に描く最高の目標。

【理想郷(鄕)】リソウキョウ 国理想的な世界。ユートピア。

【理知・理△智】リチ 国①物事の道理をよく分別判断する能力。②理性と知恵。

【理念】リネン 国哲学で、経験では得られず、理性によって理解されうる最高の考え。絶対的に実在するもの。イデー。

【理髪】リハツ ①髪をととのえる。髪をくしけずる。②国髪を切る。散髪。

【理非】リヒ 道理にかなっていることと道理にかなっていないこと。正しいことと正しくないこと。

【理不尽(盡)】リフジン 国条理を尽くさない。無理を通す。

【理法】リホウ 物事の道理。すじみち。法則。

【理乱(亂)】リラン ①治まることと乱れること。治乱。②乱をおさめる。乱れたのをおさめる。乱を平定する。

【理路】リロ 物事のすじみち。「理路整然」

【理論】リロン 個々の事実や認識を、ある原理・原則によって統一的に、だれにでも納得できるように説明し、しかも実践の指針となり得るもの。

7
【琉】 11画 7409 人 漢リュウ(リウ) 呉ル 尤 liú　4616 97AE 一

筆順 一 丅 王 王' 玗 玝 珫 琉 琉

字義 =瑠(7476)。琉璃は、玉の名。→琉璃。

解字 形声。王(玉)+流省㊥。

【琉球】リュウキュウ ①地名。沖縄の別称。古くは、琉求とも書いた。②王国の名。十五世紀から、明治政府によって日本に併合されるまで、沖縄にあった。

【琉璃】ルリ 同瑠璃。①玉の名。梵語 vaidūrya の音訳「吠琉璃」の略。青玉。紺青色の美しい宝石で七宝の一つ。②ガラスの古称。

7
【琅】 11画 7410 ロウ(ラウ) 陽 láng　6470 E0E4 一

［瑯］7477 俗字

字義 ❶玉石・金属のふれ合う音の形容。❷清らかなたとえ。❸道教に関する物の名の上にしばしば冠する。

解字 形声。王(玉)+良㊥。

【琅△玕】ロウカン ①真珠のような色つやをした玉。一説に、玉に似た美しい石。②青色の珊瑚。③仙界にあるという木の名。琅玕樹。④美しい竹の別名。⑤美しい文章。

【琅然】ロウゼン 玉のころがる音や水声の形容に用いる。

【琅当(當)・琅△璫】ロウトウ ①罪人をしばる鎖。また、それでしばること。②すず(鈴)。鈴鐸。③つりさげた玉がふれあって鳴る音の形容。

【琅邪・琅△琊】ロウヤ ①山名。山東省膠南市の南境にある。②郡名。秦代に琅邪郡を置く。今の山東省諸城市の東南部の地。諸葛亮の出身地。

【琅邪台(臺)】ロウヤダイ ①秦の始皇帝が琅邪山の上に築いた土の台。三方に海を見おろしている。その上に秦の徳をたたえた文を刻んだ碑を建てた。清の咸豊・同治(一八五一—一八七四)ころまで存在していたという。②春秋時代の越王句践が琅邪山上に建てた高殿の跡という。

【琅琅】ロウロウ ①玉・石・金属がふれ合って鳴る音の形容。②鳥の鳴き声の形容。

8
【瑛】 12画 7411 人 漢エイ 呉ヨウ(ヤウ) 庚 yīng　1745 896C 一

筆順 一 丅 王 王一 玨 珙 瑛 瑛 瑛

字義 ❶透明な玉。水晶の類い。❷玉の光。

名前 あき・あきら・えい・たま・てる

解字 篆文 瑛　形声。王(玉)+英㊥。音符の英は、景に通じ、ひかりの意味。玉のひかりの意味を表す。

【瑛△琚】エイキョ 水晶で作った佩玉(身に帯びる玉)。

8 【琬】 12画 7412 漢エン(ヱン) 呉オン(ヲン) 阮 wǎn
8810 — 4416

字義 上部がとがっていない圭。天子から諸侯に賞を賜うとき、王の使者がその証として持って行くもの。琬圭。

解字 篆文 形声。王(玉)+宛音。音符の宛は、しなやかに曲がるの意味。上部がしなやかな曲線になっている圭という玉の意味を表す。

8 【琰】 12画 7413 エン 琰 yǎn
8813 — 4420

字義 ❶玉をみがいて光をだす。❷玉をけずって上端をとがらす。また、その玉。琰圭。❸美玉の名。❹琰琰は、光沢のあるさま。

解字 形声。王(玉)+炎音。

8 【琯】 12画 7414 カン(クワン) 旱 guǎn
8812 — 4419

字義 ❶六個の律管のある玉の笛。❷節気の移りかわりを観測する管。

解字 篆文 形声。王(玉)+官音。音符の官は、管に通じ、まるいくだの意味。玉製の笛の意味を表す。

8 【琦】 12画 7415 漢キ 呉ギ 支 qí
8806 EE4B 4411

字義 ❶玉の名。❷=奇(2262)。㋐すぐれている。大きい。美しい。㋑めずらしい。ふしぎな。奇異な。

解字 形声。王(玉)+奇音。

【琦行】 普通でない行為。変わった行い。また、りっぱな行い。

8 【琪】 12画 7416 漢キ 呉ギ 支 qí
8808 EE4C 4414

字義 美玉の名。

解字 形声。王(玉)+其音。

【琪樹】 ①玉樹。玉のように清らかな美しい木。②雪をかぶった木の形容。③木の名。なんてん。

8 【琚】 12画 7417 漢キョ 呉コ 魚 jū
8803 — 4408

字義 ❶玉の名。おびだま(佩玉)の中で、衝牙と珩璜との中間に飾るもの。❷赤い玉。また、玉に似た石。

解字 形声。王(玉)+居音。

8 【琴】 12画 7418 常 キン こと 漢キン・呉ゴン 侵 qín
2255 8BD5 —

筆順 一 T 千 王 玨 玨 玨 玨 琴 琴

〔琹〕 7372 本字 〔琹〕 7419 俗字

字義 こと。弦楽器の一種。胴を桐で作り、その上に弦を張ったもの。上古は五弦。周代に七弦とした。長さは周尺で三尺六寸(約八一センチ)、幅は六寸(約一三・五センチ)。国こと。㋐箏・琴・和琴・百済琴など、同種の相似た弦楽器の総称。㋑普通には筑紫箏(十三弦ある)をさす。

名前 きん・こと 難読 琴南

解字 篆文 象形。篆文は、ことじの立つ、「こと」の断面図にかたどり、ことの意味を表す。のち吟に通じる音符の今を付し、玨+今音の形声文字となった。

琴

逆 月琴・提琴・風琴・鳴琴・木琴

【琴韻】 琴の音。琴音。琴声。

【琴棋】 琴と碁。風雅な人や世捨て人などが友として楽しむものの一つ。「琴棋書画」

【琴瑟相和】 琴と瑟(おおごと)の音がよく調和する。夫婦・兄弟・友だちなどの仲のよいこと。『詩経』小雅・常棣に「妻子好合、如レ鼓ニ瑟琴一」とあるのに基づく。

【琴書】 琴と書物。琴を弾奏することと読書すること。

【琴心】 琴の音に託した弾奏者の心持ち。琴意。

【琴線】 国①琴の弦。②心。感じて動く心を琴の弦にたとえていう。

【琴樽・琴尊】 ①琴と酒だる。②文士が宴会して詩文を作ること。

【琴柱】 琴の胴の上に立てて弦をささえる道具。これを移動させて音の高低を調節する。

8 【琹】 12画 7419 キン
28080 — 4422

琴(7418)の俗字。→九五一ジー上。

8 【琥】 12画 7420 人 コ 麌 hǔ
6472 E0E6 —

筆順 T 王 玨 玨 玨 玨 琥 琥

字義 ❶虎の形をした玉の器。❷虎の皮の模様を刻んだ玉製のわりふ。兵を徴発するときに用いる。

名前 く・こはく・たま

解字 篆文 形声。王(玉)+虎音。音符の虎は、とらの意味。とらの形をした玉器の意味を表す。

琥①

【琥珀】 宝石の名。太古の樹脂などが地中に埋没して化石になったもの。多くは黄色を帯びる。

【琥珀光】 琥珀のように黄色に澄んだ美しい色。美酒の色をたとえていう。用例(唐、李白、客中行)蘭陵美酒鬱金香、玉椀盛来琥珀光(蘭陵の美酒、鬱金香。玉椀に盛り来たる琥珀の光)。↓蘭陵の美酒、(その名は)鬱金香。玉杯に(酒を)なみなみと注げば、琥珀の光(を放つ)。

8 【琨】 12画 7421 コン 元 kūn
8807 — 4412

字義 ❶玉に次ぐ美しい石の名。また、美玉の名ともいう。❷おび玉の名。

解字 形声。王(玉)+昆音。

【琨玉秋霜】 美しい玉と秋のしも。人格が高尚で、威勢や節操のきびしいたとえ。用例(後漢書、孔融伝論)其与ニ琨玉秋霜一比レ質可也(それ琨玉秋霜と質を比して可なり)。↓(孔融は)美玉のように純粋・高尚で、秋の霜のように厳粛な人物だと言ってよい。

【琨珸】 山名。また、その山に産する美しい石の名。

8 【琩】 12画 7422 ショウ(シャウ) 陽 chāng
— EE4D 4413

字義 耳飾り。異民族の耳飾り。

解字 形声。王(玉)+昌音。

8 【琤】 12画 7423 漢ソウ(サウ) 呉ショウ(シャウ) 庚 chēng
28078 — 4410

字義 ❶玉の鳴る音。玉のふれあう音の形容。❷物の打ち合う音。❸琤琤は、琴の音の形容。また、谷川の流れの音の形容。

解字 篆文 形声。王(玉)+争音。音符の争は、玉の触れあう音を表す擬声語。

8 【琮】 12画 7424 漢ソウ 呉ゾウ 冬 cóng
8811 EE4E 4418

字義 ❶しるし玉の名。外周が四角く、中央に円い穴のあるもの。㋐天地四方を祭る六器の一つで地を祭るのに用いる。㋑諸侯が天子または皇后を接待するとき用いる。㋒兵を徴発するときの割符として用いる。❷半分の璧。

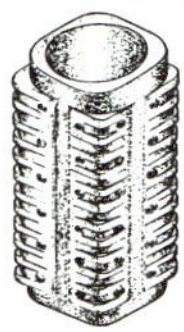
琮①

解字 形声。王(玉)+宗音。

【琮琤】 ①玉石のふれあう音の形容。②泉流の音の形容。

8 【琢】12画 (7403) タク 琢(7402)の旧字体。→九四九ジペー下。

8 【琱】12画 7425 チョウ(テウ) 圞 diāo ₂8079 — 4421
字義 ❶玉をみがく。❷ほる。きざむ。＝彫(3380)。❸えがく(画)。
解字 金文 篆文 形声。王(玉)＋周音。音符の周は彫に通じ、ほるの意味。玉にほり刻むの意味を表す。

8 【琛】12画 7426 チン 侵 chēn ₁8804 — 4409
字義 ❶たからもの。❷たま(玉)。
解字 形声。王(玉)＋罙音。

8 【琶】12画 7427 人 標 漢ハ 呉バ 麻 pā 3942 9469 —
筆順 一 T 千 王 玨 玨 珡 琶 琶
字義 ❶琵琶ワビは、弦楽器の名。→琵(7429)。❷弦楽器の弦を上から下にかき鳴らすこと。
解字 形声。玨(𤤴)＋巴音。𤤴は、琴(7418)の本字。

8 【琲】12画 7428 漢ハイ 呉バイ 隊 賄 bèi 6474 E0E8 —
字義 ❶玉をつないで作ったかざり。❷つらぬく。国 珈琲は、コーヒー。→珈(7349)。
解字 篆文 形声。王(玉)＋非音。音符の非ヒ＝ハイは、排・配に通じ、ならべるの意味。玉をならべたかざりの意味を表す。日本では、珈琲は、coffeeの音訳。

8 【斑】12画 (4576) ハン 文部。→六三三ジペー下。

8 【琵】12画 7429 人 標 漢ヒ 呉ビ 支 pí 4092 94FA —
筆順 一 T 千 王 玨 玨 玨 琵 琵
字義 ❶琵琶ワビは、弦楽器の名。木製の茄子形なすがたの胴に長い柄のようなものがあり、胴の表は平らで背は丸く、胴の表の下方から柄の上方に四弦を張り、ばちで鳴らす。全長は周尺で三尺五寸(約七九センチ)。西域より伝わる。❷弦楽器の弦を、手前から前方へ押し鳴らすこと。

琵琶

解字 形声。玨(𤤴)＋比音。𤤴は、琴(7418)の本字。
【琵△琶記】ビワキ 元の戯曲。高明の作。後漢の蔡邕サイヨウの栄華と、故郷に残されたその妻趙五娘チョウゴジョウの苦労を描いた作品。南曲中の最大傑作とされる。
【琵△琶行】ビワコウ 唐の白居易の作った詩の名。作者が左遷されて、今の江西省九江に役人になっていたとき、かつては都ではなやかな歌い女めであったが、今は零落して舟を住居としてさびしくくらす女性の弾奏する琵琶に心をうたれ、更にその身の上話を聞いてあわれに思い、また、自分の今の境遇を悲しんで作った長編の七言古詩。「長恨歌」とともに白居易の代表作。

8 【珷】12画 7430 漢ブ 呉ム 麌 wǔ — — 4390
字義 珷玞ブフは、㋐玉に次いで美しい石。㋑おろかな人。
解字 形声。王(玉)＋武音。

8 【琺】12画 7431 ホウ(ハフ) fà 6475 E0E9 —
字義 エナメル。不透明ガラス質の物質。→琺瑯ホウロウ。
解字 形声。王(玉)＋法音。
【琺△瑯・琺△瑯】ホウロウ 不透明ガラス質のうわ薬を金属器物の表面に塗って焼き、装飾としたり、腐食を防いだりするもの。瀬戸引き・エナメル引きなどがあり、装飾品では七宝焼シッポウやきがある。

8 【琫】12画 7432 漢ホウ 呉フ 董 běng ₁8809 — 4415
字義 ❶刀の飾り。❷ささげる(捧)。ささげ持つ。
解字 形声。王(玉)＋奉音。

8 【琊】12画 7433 ヤ 琊(7407)の俗字。→九四九ジペー下。 ₁8802 — 4406

8 【琳】12画 7434 人 リン 侵 lín 4654 97D4 —
筆順 一 T 王 王 玗 玗 玤 琳 琳
字義 ❶美玉の名。❷青色の宝玉。❸玉がふれあって鳴る音の形容。
名前 たま・りん
解字 篆文 形声。王(玉)＋林音。音符の林は、玉が触れて鳴る音を表す擬声語的音符。
【琳宇】リンウ ①美しい玉でかざった家。②道教の寺。道観。琳宮。
【琳△琅・琳△瑯】リンロウ ①美玉の名。②玉がふれあって鳴る音の形容。玲瓏レイロウ。③美しい詩文などのたとえ。

8 【琭】12画 7435 ロク 屋 lù — — 4417
字義 ❶玉の名。❷琭琭は、少ないことのたとえ。
解字 形声。王(玉)＋彔音。

9 【瑋】13画 7436 イ(ヰ) 尾 wěi 【瑋】7459 俗字
字義 ❶玉の名。また、美しい玉。❷美しい。❸すぐれる。
解字 形声。王(玉)＋韋音。

9 【瑀】13画 7437 ウ 麌 yǔ ₂8082 — 4423
字義 ❶玉に似た美しい石。❷佩玉おびだまの一つ。珩ウコと衝牙ショウガとの中間に飾るもの。
解字 形声。王(玉)＋禹音。

9 【瑗】13画 7438 エン(ヱン) 霰 yuàn ₁8818 — 4432
字義 ❶璧へき・またの一種。穴の直径が、周辺の幅より大きいものをいう。昔、人を召すのに用いた。❷玉の名。
解字 篆文 形声。王(玉)＋爰音。音符の爰エンは、ひくの意味。むかし、人君が人を召すのに用いた玉の意味を表す。

瑗①

9 【瑕】13画 7439 標 漢カ 呉ゲ 麻 xiá 6476 E0EA —
字義 ❶きず。玉のきず。かけめ。ひび。割れめ。用例〈史記、廉頗藺相如伝〉璧有レ瑕たまにきずあり。請指二示王一こう(ふ)オウにきししめさん。↓その璧にはきずがございます。それを王様にお教え申し上げましょう。❷あやまち。過失。欠点。❸つみ(罪)。とが。❹あやまつ(過)。あやまる(誤)。❺遠い。はるか。❻すきま。❼赤味を帯びた玉。❽するどい。
解字 篆文 形声。王(玉)＋叚音。音符の叚カは、未加工で、きずのある玉の意味。瑕の原字。のちに、玉を加え、きずの意味を表す。
【瑕△瑾】カキン 国きず。欠点。短所。▼瑾は、美玉の名であり、これをきずの意に用いるのは誤用。
【瑕△釁】カキン ①きず。あやまち。過失。②すき間。▼釁も、きず・すき間。㋐物事のすきま。㋑仲たがい。うらみ。欠点。
【瑕△疵】カシ ①玉のきず。②欠点。短所。過失。
【瑕△瑜】カユ 欠点と美点。▼瑜は、美玉の名。

9 【瑍】13画 7440 カン(クヮン) 翰 huàn ₂8084 — 4429

字義 ❶美しい模様のある玉。❷あや模様の美しいさま。❸光り輝くさま。
解字 形声。王(玉)+奐音。

9【頊】13画 (13441) キョク 頁部。→一三三七ページ上。

9【琿】13画 7441 漢コン・呉ゴン 元 hún, ③huī 慣グン 6477 E0EB —
字義 ❶玉の名。また、美しい玉。❷琿春は、市名。吉林省内。❸瑷琿は、県名。今の黒竜江省黒河市内。
解字 形声。王(玉)+軍音。

9【瑚】13画 7442 人 漢コ 呉ゴ 虞 hú 2474 8CE8 —
筆順 一 T 王 玎 玒 玗 珐 瑚 瑚
字義 ❶→瑚璉。❷珊瑚は、珊瑚虫の骨格が集積したもの。→珊(7354)。
解字 篆文 瑚 形声。王(玉)+胡音。
【瑚△璉】 ①祭器の名。黍稷(きびなどの穀物)を盛って祖先の廟(みたまや)に供える器。夏の時代には瑚といい、殷の時代には璉と呼んだ。②孔子が子貢を評して瑚璉と言ったことから、すぐれた人物をいう。〔論語、公冶長〕

9【瑝】13画 7443 漢コウ(クワウ) 呉オウ(ワウ) 陽 庚 huáng 28086 — 4433
字義 ❶玉の触れ合う大きな音。❷鐘の音。
解字 形声。王(玉)+皇音。

9【瑟】13画 7444 漢シツ 呉シチ 質 sè 6478 E0EC —
字義 ❶おおごと。琴に似た楽器の名。長さは周尺で八尺一寸(約一八二センチ)。幅は一尺八寸(約四五センチ)。弦は二十五本。また、長さの短いものもあり、弦の数も十五・十九・二十三・二十七などがある。太古は五十弦あったという。琴柱を移動させて音を調節する。用例〔史記、廉頗藺相如伝〕請奏レ瑟(こう(ふ)シツをソウせよ)。↓瑟を弾いていただきたい。❷おごそかなさま。きびしいさま。❸多いさま。しげっているさま。❹寒いさま。また、さびしいさま。❺風の音の形容。❻あざやかなさま。

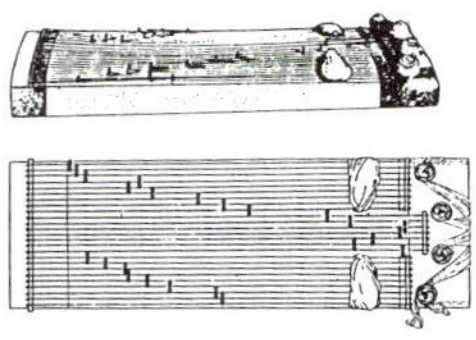

瑟①(馬王堆漢墓)

解字 篆文 会意。玨(珡)+必。珡は、琴(7418)の本字。必は、すきまがなくつく意味。弦の多くついている「こと」の意味を表す。
【瑟琴】 ①瑟と琴。②夫婦・親子などの関係がうまくいくこと。「瑟琴相和す」
【瑟瑟】 ①さびしげに冷たく吹く風の音の形容。②さびしい様子や色の形容。
【瑟縮】 ①ちぢまっているさま。すくむ。②寒いさま。つめたいさま。

9【瑞】13画 7445 人 漢スイ 呉ズイ 寘 ruì 3180 9090 —
筆順 T 王 王' 玔 玔 玔 瑞 瑞 瑞
字義 ❶しるしの玉。天子が諸侯を封ずる時に授ける圭。また、祭りのときに持つ玉。❷めでたいしるし。瑞兆。天や神仏が示すと考えられている。また、めでたい。よろこばしい。
国 ❶みず。㋐みずみずしい。㋑善美な。❷国名。瑞西の略。
名前 たま・みず
難読 瑞香・瑞穂・瑞浪・瑞西・瑞典
解字 篆文 瑞 形声。王(玉)+耑音。音符の耑は、ものの生まれはじめの意味。事物の発生に先だって神意を見るための玉器の意味から、めでたいしるしの意味を表す。
【瑞異】 めでたく不思議なこと(もの)。
【瑞雲】 めでたいときにそのしるしとして現れるという雲。慶雲。景雲。
【瑞応(應)】 人間の善美な行為に応じて天や神仏の降すめでたいしるし。
【瑞気(氣)】 めでたい雲気。
【瑞△禽】 =瑞鳥。
【瑞験(驗)】 めでたいしるし。
【瑞獣(獸)】 麒麟・白虎など、めでたいしるしとして現れるけもの。
【瑞祥】 めでたいしるし。
【瑞穂(穗)国(國)】 国日本の別称。稲の穂がみずみずしく実る国の意。
【瑞相】 ①めでたい人相。福々しい人相。福相。②めでたいしるし。吉兆。瑞兆。
【瑞兆】 めでたいきざし。めでたい前兆。
【瑞鳥】 鳳凰など、めでたいしるしとして現れる鳥。
【瑞徴】 =瑞兆。
【瑞典】 ①めでたいしるし。②めでたい儀式。
【瑞夢】 めでたい夢。
【瑞命】 天から与えられためでたい命令。
【瑞△籬】 国神社の周囲のかきね。玉垣。

9【瑆】13画 7446 漢セイ 呉ショウ(シャウ) 青 xīng 18815 — 4426
字義 玉の光。
解字 形声。王(玉)+星音。

9【聖】13画 (9624) セイ 耳部。→一一七一ページ上。

9【瑄】13画 7447 セン 先 xuān 18814 — 4425
字義 直径六寸(約一三・五センチ)の璧。
解字 形声。王(玉)+宣音。

9【瑇】13画 7448 タイ 玳(7360)と同字。→六九六ページ中。 18816 — 4427

9【瑃】13画 7449 チュン 真 chūn 28083 — 4424
字義 玉の名。
解字 形声。王(玉)+春音。

9【瑒】13画 7450 一 漢チョウ(チャウ) 漾 chàng 二 漢トウ(タウ) 呉ドウ(ダウ) 養 dàng 三 ヨウ(ヤウ) 陽 yáng 28085 — 4431
字義 一 圭の一種。二 ❶佩刀の飾りに用いる黄金。❷=一。三 玉の名。
解字 形声。王(玉)+昜音。

9【瑑】13画 7451 漢テン 呉デン 霰 銑 zhuàn — — 4430
字義 玉に彫刻して模様をほどこすこと。玉の面に浮彫をほどこすこと。「瑑刻」
解字 形声。王(玉)+彖音。
【瑑刻】 玉に彫刻する。

9【瑙】13画 7452 漢ドウ(ダウ) 呉ノウ(ナウ) 皓 nǎo 6479 E0ED —
[碯] 8229 同字 (7472)。
字義 瑪瑙は、宝石の名。↓瑪
解字 形声。王(玉)+𡿺音。

玉部 9画 〔頊琿瑚瑝瑟瑞瑆聖瑄瑇瑃瑒瑑瑙〕

9【瑉】13画 7453 ビン 珉(7367)と同字。→九四七ページ上。

9【瑁】13画 7454 ㊀漢ボウ・呉モウ 号 mào ㊁漢バイ・呉マイ 隊 mài 6480 E0EE —

字義 ㊀天子の持つ、しるしの玉。㊁玳瑁(タイマイ)は、亀(かめ)の一種。→玳(7360)。

解字 金文 篆文 形声。王(玉)＋冒音。音符の冒(ボウ)は、覆うの意味。天子が諸侯を封じる時に、諸侯に授けた圭(ケイ)という玉にぴったり符合するように造られ、天子の手元に残しておく玉の意味。圭にかぶせる帽子のような玉の意味を表す。

9【瑜】13画 7455 ユ 虞 yú 6481 E0EF —

字義 ❶美玉の名。❷玉の輝き。❸美しいさま。

解字 形声。王(玉)＋兪音。

【瑜伽(ユガ・ヨーガ)】仏梵語(ボンゴ) yoga の音訳。心の統一をはかって解脱に至る修行法。

9【瑶】13画 7456 人 6486 E0F4 —

10〔瑤〕14画 7457 ヨウ(エウ) 蕭 yáo 8404 EAA2 —

筆順 丅 王 王' 王ク 珆 瑶 瑶 瑶

字義 ❶たま。美しい玉。❷玉で作った。玉をちりばめた。❸草の名。❹中国の少数民族の一つ。主として広西チワン族自治区に居住。

名前 たま・よう

解字 篆文 形声。王(玉)＋䍃(䍃)音。音符の䍃(ヨウ)は、ゆらめくの意味。ゆらめく玉の意味を表す。

【瑶堦・瑶階(ヨウカイ)】①玉をちりばめたきざはし。美しい階段。②雪の積もっているきざはし。

【瑶函(ヨウカン)】①めずらしい手紙。また、美しい手紙。②他人の手紙の美称。瑶簡。瑶札。

【瑶瓊(ヨウケイ)】美しい宝玉。▼瓊は、赤色の美玉。

【瑶觴(ヨウショウ)】玉のさかずき。玉杯。杯の美称。

【瑶台(臺)(ヨウダイ)】①たまのうてな。りっぱな高殿(たかどの)・宮殿。②仙人の住んでいる高殿。

【瑶池(ヨウチ)】①崑崙(コンロン)山(伝説上の西方にある山で、今の崑崙山とは限らない)にある池の名で、そのほとりに西王母(仙人の名)が住んでいるという。②宮中の池。また、美しい池。

【瑶圃(ヨウホ)】①玉の園。仙人の住んでいる所。玄圃。②美しい園。美しい畑。花畑。

【瑶林瓊樹(ヨウリンケイジュ)】玉のように美しい林や木。人品のけだかくてすぐれている形容。〔晋書、王戎伝〕

9【瑓】13画 7458 レン 霰 liàn ₂8081 — —

字義 玉の名。

解字 形声。王(玉)＋柬音。

10【瑋】14画 7459 イ 瑋(7436)の俗字。→九五三ページ下。 ₁8817 — 4428

10【瑩】15画 7460 漢エイ(ヱイ) 呉ヨウ(ヤウ) 庚 径 yíng 6482 E0F0 —

字義 ❶玉に似た美しい石。❷あき-らか。あざやか。❸みがく(磨)。

解字 篆文 形声。王(玉)＋熒省音。音符の熒(ケイ=イエ)は、かがやくの意味。かがやく宝石の意味を表す。

【瑩潤(エイジュン)】①つやつやしていること。光沢のあること。②物の表面のにぶく光っていること。

【瑩徹(エイテツ)】明るくすきとおっていること。

10【瑦】14画 7461 漢オ(ヲ) 呉ウ 麌 虞 wǔ — — 4435

字義 玉に似た美しい石。

解字 形声。王(玉)＋烏音。

10【瑰】14画 7462 漢カイ(クヮイ) 呉ガイ(グヮイ) 灰 guī 6483 E0F1 —

〔瓌〕7529 同字

字義 ❶玉の名。一説に、丸くて形のよい玉。❷すぐれている。大きい。❸美しい。❹めずらしい。不思議。

解字 篆文 形声。王(玉)＋鬼音。音符の鬼は、なみはずれているの意味。めずらしい玉の意味を表す。

【瑰偉・瑰瑋(カイイ)】①すぐれて大きいこと。また、すぐれてりっぱなこと。②心が広く大きく、物事にこだわったり、屈したりしないこと。

【瑰意(カイイ)】普通と異なった、めずらしくすぐれた心。

【瑰岸(カイガン)】人相・容姿のすぐれてたくましいこと。

【瑰奇・瑰琦(カイキ)】①めずらしく、すぐれていること(物)。また、すぐれてりっぱなこと。②山などのけわしくそびえているさま。

10【瑳】14画 7463 人 サ 歌 哿 cuō 2628 8DBA —

筆順 丅 王 王ˇ 王ᐟ 瑳 瑳 瑳 瑳

字義 ❶あざやか。色のあざやかなさま。❷愛らしく笑うさま。また、笑って歯の白くあらわれるさま。❸みが-く。骨や角をやすりでみがく。=磋(8246)。「切瑳」

名前 さ・てる・みがく・よし

解字 篆文 形声。王(玉)＋差音。音符の差は、ふぞろいの意味。ざらざらした磨き砂などで、玉をみがくの意味を表す。

10【瑣】14画 7464 サ 哿 suǒ 6484 E0F2 —

〔琑〕7397 俗字 〔瑣〕7465 俗字

字義 ❶玉のふれ合う音。❷玉のくず(屑)。玉の粉。❸小さい。細かい。また、かよわい。❹身分が低い。いやしい(卑)。❺くだくだしい。わずらわしい。「煩瑣」❻書きとどめる。記録する。❼くさり形の模様。また、その模様のある、りっぱな門。

解字 篆文 形声。王(玉)＋貨音。音符の貨(サ)は、ちいさいの意味。玉のくずの意味を表す。

【瑣闈(サイ)】宮殿の門をいう。昔、宮殿の門にくさりをつらねた模様をきざんだのでいう。

【瑣瑣(ササ)】①小さく細かなさま。こせこせしたさま。また、いやしい(低劣な)さま。②くだくだしくわずらわしいさま。③疲れたさま。④玉のかすかな音のさま。静かで澄んだ音のさま。

【瑣砕(碎)(サイ)】①小さい。細かい。②くだくだしい。わずらわしい。▼砕は、くだく・くず・こな。

【瑣細(ササイ)】小さい。細かい。わずかな。また、その物。瑣小。

【瑣事(サジ)】細かい、また、つまらないことがら。些事(サジ)。

【瑣末(サマツ)】小さい。細かい。わずかな。瑣細。

10【瑣】14画 7465 サ 瑣(7464)の俗字。→九五四ページ下。

10【瑨】14画 7466 シン 震 jìn — — 4437

字義 玉に次いで美しい石。

解字 形声。王(玉)＋晉音。

10【瑧】14画 7467 シン 真 zhēn — — 4436

字義 玉の名。

解字 形声。王(玉)＋秦音。

10【瑲】14画 7468 漢ショウ(シャウ) 呉ソウ(サウ) 陽 qiāng — — 4442

字義 ❶佩玉(おびだま)や鈴などの鳴る音の形容。=鏘(12848)。「瑲瑲」❷音楽の音。また、鈴の音。

解字 篆文 形声。王(玉)＋倉音。音符の倉は、玉の触れあう音を表す擬声語的音符。

10【瑱】14画 7469 テン 霰 tiàn 2 8087 — 4441
字義 ❶みみだま。耳をふさぐ玉。一説に、耳にさげる玉。イヤリング。❷玉の名。❸王の持つ、しるしの玉。❹美しい形容。❺いしずえ。土台の石。
解字 篆文 瑱 形声。王(玉)+眞音。音符の眞シは、つめこむの意味。耳につめこむ耳だまの意味を表す。

10【瑫】14画 7470 トウ(タウ) 豪 tāo 1 8820 — 4438
字義 ❶美しい玉の名。❷玉で飾った剣。
解字 形声。王(玉)+舀音。

10【瑭】14画 7471 漢トウ(タウ) 呉ドウ(ダウ) 陽 táng 1 8821 — 4439
字義 玉の名。
解字 形声。王(玉)+唐音。

10【瑪】14画 7472 漢バ 呉メ 馬 mǎ 6485 E0F3 —
字義 瑪瑙メノウは、宝石の名。石英・玉髄・蛋白石タンパクセキが岩石のすき間に沈澱混合してできたもの。樹脂状の光沢を有し、しばしば他の鉱物質がしみ込んで、赤・白・灰色などの雲状あるいは縞しまの模様を表す。
解字 形声。王(玉)+馬音。

10【瑢】14画 7473 漢ヨウ 呉ユウ 冬 róng — — 4434
［瑢］7474 俗字
字義 瑽瑢ショウヨウは、おびだまの鳴る音。また、その揺れるさま。
解字 形声。王(玉)+容音。

10【瑢】14画 7474 ヨウ 瑢(7473)の俗字。→九五五ページ上。 1 8819 EE4F —

10【瑤】14画 (7457) ヨウ 瑶(7456)の旧字体。→九五四ページ上。

10【瑮】14画 7475 漢リツ 呉リチ 質 lì — — 4440
字義 玉が連なって美しいさま。
解字 形声。王(玉)+栗音。

10【瑠】14画 7476 常 ル 漢リュウ(リウ)・呉ル 尤 liú 4660 97DA —
筆順 王 王 丬 玐 玐 玐 瑠 瑠 瑠
［瓈］7503 本字
字義 =琉(7409)。瑠璃リルは玉の名。↓

名前 る
解字 形声。王(玉)+留音。
【瑠璃】リル 同琉璃ルリ。①玉の名。梵語ボンゴ vaidūrya の音訳「吠瑠璃ベイルリ」の略。青玉。紺青コンジョウ色の美しい宝石で七宝の一つ。②ガラスの古称。

10【瑯】14画 7477 ロウ 琅(7410)の俗字。→九五〇ページ下。 6471 E0E5 —

11【璆】15画 7478 漢キュウ(キウ) 呉グ 尤 qiú 1 8822 — 4446
字義 ❶美しい玉。=球(7392)。❷璆で作った磬ケイ(楽器の一種)。❸玉のふれあう音の形容。「璆然」
解字 形声。王(玉)+翏音。
【璆鏘】キュウソウ 玉や金石がふれあって鳴る美しい音。
【璆琳】キュウリン 美しい玉。璆林。

11【瑾】15画 7479 漢キン 呉ギン 震 jǐn 6487 E0F5 —
字義 美しい玉の名。一説に、赤い玉。
参考 瑕瑾カキンと連ねて瑾を「きず」の意味に用いるのは誤用。
解字 形声。王(玉)+菫音。

11【璈】15画 7480 ゴウ(ガウ) 豪 áo 2 8090 — —
字義 楽器の名。
解字 形声。王(玉)+敖音。

11【璀】15画 7481 漢サイ 呉スイ 賄 cuǐ — — 4443
字義 ❶玉の名。❷玉の光。玉のつや。璀璨サイサンは、玉などの清く明らかなさま。光り輝くさま。
解字 形声。王(玉)+崔音。

11【璋】15画 7482 ショウ(シャウ) 陽 zhāng 6488 E0F6 —
字義 ❶たま。しるしとして持っている玉。しるしの玉。圭ケイを縦に二分したもの。半圭。❷一般に、たま(玉)の意。❸ひしゃく。❹明らか。明らかにする。
解字 金文 篆文 璋 形声。王(玉)+章音。音符の章は、あやの意味。あやのある玉の意味を表す。

璋①

11【瑽】15画 7483 漢ショウ 呉シュ 冬 cōng
字義 瑽瑢ショウヨウは、おびだまの鳴る音。また、その揺れるさま。

11【璇】15画 7484 漢セン 呉ゼン 先 xuán 1 8823 — 4447
［琁］7401 同字 ［璿］7525 同字
字義 ❶美しい玉の名。❷星の名。北斗七星の第二星。
解字 形声。王(玉)+旋音。
【璇璣】センキ ①北斗七星の第一星と第二星と第三星。また、第一星から第四星をいう。②=璇璣玉衡①。
【璇璣玉衡】センキギョッコウ ①天体を観測する機械の名。渾天儀コンテンギ。②北斗七星。第一星から第四星までを璇璣(ひしゃくの首にあたる部分)、第五星から第七星(柄にあたる部分)を玉衡という。

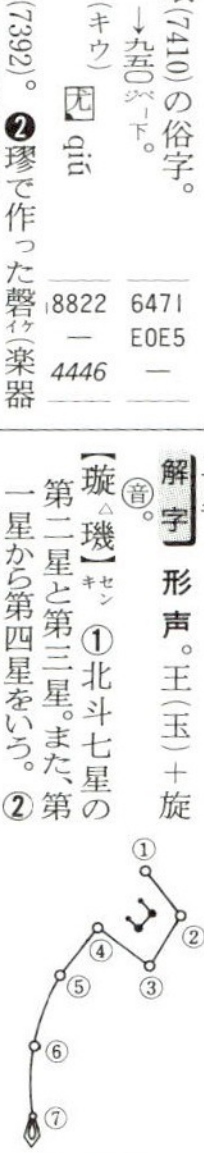

璇璣玉衡②

11【璁】15画 7485 ソウ 東 董 cōng 2 8088 — 4444
字義 ❶玉に似た美しい石。❷璁瓏ソウロウは、清らかなさま。

11【璅】15画 7486 一 ソウ(サウ) 皓 zǎo 二 サ 哿 suǒ 2 8089 — 4445
字義 一 玉に似た石。二 ❶玉の触れ合うかすかな音。❷小さい。細かい。❸宮門にちりばめた飾り。転じて君主を直接指すのを避けて霊璅という。
解字 形声。王(玉)+巣音。

11【璃】15画 7487 常 リ リ 支 lí 4594 979E —
筆順 王 玗 玗 玗 璃 璃 璃 璃
字義 ❶琉璃リルは、玉の名。→琉璃(九五〇ページ下)。❷玻璃ハリは、玉の名。頗璃ハリ。→玻璃(九四七ページ上)。
名前 あき・り
解字 形声。王(玉)+离音。

11【璉】15画 7488 一 レン 銑 liǎn 二 レン 先 lián 1 8824 EE50 4448
字義 一 ❶祭器の名。穀物を盛って祖先のみたまやに供えるもの。「瑚璉コレン」❷美しい。二 つらなる。=連(12122)。
解字 形声。王(玉)+連音。

12【璣】16画 7489 漢キ 呉ケ 微 jī 1 8828 — 4460
字義 ❶たま。かどのある玉。❷星の名。北斗七星の第三星。❸天体を観測する機械の名。「璇璣玉衡（センキギョッコウ）」❹鏡の名。
解字 形声。王(玉)＋幾㊀。

12【璟】16画 7490 一 ㊁エイ ㊀ヨウ(ヤウ) 梗 二 ㊁ケイ ㊀キョウ(キャウ) 梗 jǐng
字義 一二 玉の光。
解字 形声。王(玉)＋景㊀。
1 8827 EE51 4457

12【璬】16画 7491 ケイ
璥(7510)の俗字。→九六七ページ上。
2 8103 — —

12【璚】16画 7492 ケイ
瓊(7521)と同字。→九六七ページ中。
— — 4455

12【璜】16画 7493 ㊁コウ(クヮウ) ㊀オウ(ワウ) 陽 huáng
字義 ❶しるしとする玉の名。璧(へき)を半分にした形のもの。㋐天地四方を祭る六器の一つ。北方を祭るのに用いる。㋑人民を徴発するのに用いる。❷おび玉の一種。璧を半分にした形のもの。珩(コウ)の両端からたれた組紐(くみひも)の最下部にあり、衝牙(ショウガ)がふれて音をたてる。❸美玉の名。また、玉に似た石。❹光り輝くさま。「璜璜」

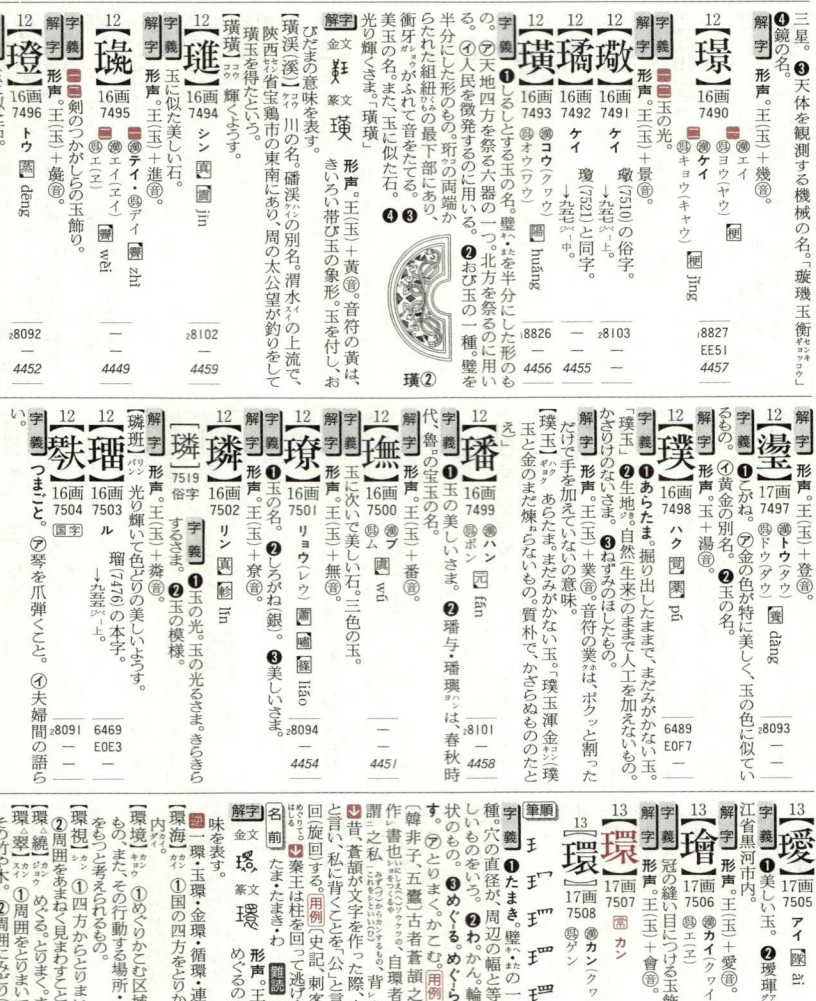

璜②

解字 金文 篆文 形声。王(玉)＋黄㊀。音符の黄は、きいろい帯び玉の象形。玉を付し、おびだまの意味を表す。
【璜渓(溪)】コウケイ 川の名。磻渓(ハンケイ)の別名。渭水(イスイ)の上流で、陝西(センセイ)省宝鶏市の東南にあり、周の太公望が釣りをして璜玉を得たという。
【璜璜】コウコウ 輝くようす。
1 8826 — 4456

12【璡】16画 7494 シン 真 震 jìn
字義 玉に似た美しい石。
解字 形声。王(玉)＋進㊀。
2 8102 — 4459

12【璏】16画 7495 一 ㊁テイ・㊀デイ 霽 zhì 二 ㊁エイ(ヱイ) ㊀エ(ヱ) 霽 wèi
字義 一二 剣のつかがしらの玉飾り。
解字 形声。王(玉)＋彘㊀。
— — 4449

12【璒】16画 7496 トウ 蒸 dēng
字義 玉に似た石。
解字 形声。王(玉)＋登㊀。
2 8092 — 4452

12【璗】17画 7497 ㊁トウ(タウ) ㊀ドウ(ダウ) 養 dàng
字義 ❶こがね。㋐金の色が特に美しく、玉の色に似ているもの。㋑黄金の別名。❷玉の名。
解字 形声。玉＋湯㊀。
2 8093 — —

12【璞】16画 7498 ハク 覚 pú
字義 ❶あらたま。掘り出したままで、まだみがかない玉。「璞玉」❷生地(きじ)。自然(生来)のままで人工を加えないもの。かざりけのないさま。❸ねずみのほしたもの。
解字 形声。王(玉)＋菐㊀。音符の菐(ホク)は、ポクッと割っただけで手を加えていないの意味。
【璞玉】ハクギョク あらたま。まだみがかない玉。「璞玉渾金(コンキン)」(璞玉と金のまだ煉(ね)らないもの。質朴で、かざらぬもののたとえ)
6489 E0F7 —

12【璠】16画 7499 ㊁ハン ㊀ボン 元 fán
字義 ❶玉の美しいさま。❷璠与・璠璵(ハンヨ)は、春秋時代、魯(ロ)の宝玉の名。
解字 形声。王(玉)＋番㊀。
2 8101 — 4458

12【璑】16画 7500 ㊁ブ ㊀ム 虞 wǔ
字義 玉に次いで美しい石。三色の玉。
解字 形声。王(玉)＋無㊀。
— — 4451

12【璙】16画 7501 リョウ(レウ) 蕭 嘯 篠 liáo
字義 ❶玉の名。❷しろがね(銀)。❸美しいさま。
解字 形声。王(玉)＋尞㊀。
2 8094 — 4454

12【璘】16画 7502 ［璘］7519 俗字 リン 真 軫 lín
字義 ❶玉の光。玉の光るさま。きらきらするさま。❷玉の模様。
解字 形声。王(玉)＋粦㊀。
【璘班】リンパン 光り輝いて色どりの美しいようす。

12【璢】16画 7503 ル
瑠(7476)の本字。→九五五ページ上。
6469 E0E3 —

12【〓】16画 7504 国字
字義 つまごと。㋐琴を爪弾くこと。㋑夫婦間の語らい。
2 8091 — —

13【璦】17画 7505 アイ 隊 ài
字義 ❶美しい玉。❷璦琿(アイグン)・璦輝は、県名。今の黒竜江省黒河市内。
解字 形声。王(玉)＋愛㊀。
1 8830 — 4461

13【璯】17画 7506 ㊁カイ(クヮイ) ㊀エ(ヱ) 泰 huì
字義 冠の縫い目につける玉飾り。
解字 形声。王(玉)＋會㊀。
— — 4467

13【環】17画 7507 常 カン
13［環］17画 7508 ㊁カン(クヮン) ㊀ゲン 刪 huán
2036 8AC2 —

【筆順】

字義 ❶たまき。璧(へき)・瑗(エン)の一種。穴の直径が、周辺の幅と等しいものをいう。❷わ。かん。輪状のもの。❸めぐる。めぐらす。㋐とりまく。かこむ。用例〔韓非子、五蠹〕古者蒼頡之作レ書也、自環者謂二之私一、背レ私謂二之公一。(いにしえソウケツのしょをつくるや、みずからカンするもの、これをシといい、シにそむくもの、これをコウという。)↓昔、蒼頡が文字を作った際、自分で囲い込むことを「私」と言い、私に背くことを「公」と言った。㋑まわる。まわす。巡回(旋回)する。用例〔史記、刺客伝〕秦王環レ柱而走(シンオウはしらをめぐりてはしる)。↓秦王は柱を回って逃げまわった。

環①

名前 たま・たまき・わ 難読 環餅(まがり)
解字 金文 篆文 形声。王(玉)＋睘㊀。音符の睘(カン)は、めぐるの意味。輪の形をした玉の意味を表す。
逆 一環・玉環・金環・循環・連環
【環海】カンカイ ①国の四方をとりかこんでいる海。②国内。海内(カイダイ)。
【環境】カンキョウ ①めぐりかこむ区域。②あるものの周囲にあるもの、また、その行動する場所・状況。あるものと関係・影響をもつと考えられるもの。
【環視】カンシ ①四方からとりまいて見ること。「衆人環視」②周囲をあまねく見まわすこと。
【環△繞】カンジョウ めぐる。とりまく。また、めぐらす。
【環△翠】カンスイ ①周囲をとりまいている竹や木のみどり。また、その竹や木。②周囲にみどり(緑の竹や木)をめぐらす。

【環△堵】カントト ①家の周囲の塀・垣。②四方が垣に囲まれている屋敷や家。小さくせまい屋敷や家。貧しい住居。方一丈(周代は二・二五メートル)の垣を板(版)、五板を堵という。
【環△堵△蕭然】カントショウゼン 家が非常に狭小で、貧しくみすぼらしいさま。用例(東晋、陶潜、五柳先生伝)環堵蕭然、不ㇾ蔽二風日一。(ショウゼンとして、フウジツをおお(ほ)わ(は)ず) ↓家は狭苦しくみすぼらしく、寒い風や強い日差しを遮ることもできない。
【環△佩・環△珮】カンパイ 腰さげの玉。
【環列】カンレツ 輪のように、まるく並ぶ。

13 【璩】 17画 7509 漢キョ 呉ゴ 魚 qú ｜8832 ― 4463
字義 たま。環の一種。
解字 形声。王(玉)＋豦㊥。

13 【璥】 17画 7510 漢ケイ 呉キョウ(キャウ) 梗 敬 jǐng
字義 玉の名。
[璥] 7491 俗字
解字 形声。王(玉)＋敬㊥。

13 【璨】 17画 7511 サン 翰 càn ｜8831 ― 4462
字義 ❶美しい玉。❷玉の光。❸たれた玉などの清く明らかなさま。
解字 形声。王(玉)＋粲㊥。

13 【璱】 17画 7512 漢シツ 呉シチ 質 sè ― ― 4468
字義 ❶玉の色つやが鮮やかなさま。❷璱璱は、青い玉。
解字 形声。王(玉)＋瑟㊥。

13 【璲】 17画 7513 漢スイ 呉ズイ 寘 suì ― ― 4469
字義 証明・象徴などの印となる佩玉おびだま。
解字 形声。王(玉)＋遂㊥。

13 【璪】 17画 7514 ソウ(サウ) 晧 zǎo ₂8104 ― 4464
字義 ❶冠の垂れ飾り。❷玉に彫った飾りの模様。❸玉の名。
解字 形声。王(玉)＋喿㊥。

13 【璮】 17画 7515 タン 旱 tǎn ― ― 4466
字義 玉の名。
解字 形声。王(玉)＋亶㊥。

13 【璫】 17画 7516 トウ(タウ) 陽 dāng ₂8105 ― 4465
字義 ❶みみだま。耳かざりの玉。㋐耳をふさぐ玉。㋑耳にさげる玉。イヤリング。❷冠のかざり。金玉で作り、冠の前につける。❸たるきの端の玉のかざり。❹たま。
解字 形声。王(玉)＋當㊥。

13 【璧】 18画 7517 常 ヘキ 漢ヘキ・呉ヒャク 陌 bì 6490 E0F8 ―
筆順 コ 尸 吊 启 启' 辟 辟 辟 璧
字義 ❶たま。㋐円形で平たく、中央に円い穴のあいた玉器。穴の直径が、周辺の幅より小さいものをいう。用例(史記、項羽本紀)我持二白璧一双一、欲ㇾ献二項王一。(われハクヘキイッソウをじし、コウオウにケンぜんとほっす) ↓私は白璧一対を項王に献上するつもりだった。㋑天子が所持して長さの尺度とする玉。㋒たまの通称。❷玉のように美しいもの、りっぱなもののたとえ。「双璧」

璧①㋐

解字 金文 篆文 形声。王(玉)＋辟㊥。音符の辟ヘキは、きみの意。きみの持つ玉の意味を表す。

13 【璵】 17画 7518 ヨ 魚 yú ｜8833 ― 4470
字義 ❶璵璠ヨハン・璠璵ハンヨは、春秋時代、魯ロの宝玉の名。❷璵璠ヨハンは、美しい玉のさま。
解字 形声。王(玉)＋與㊥。

13 【璘】 17画 7519 リン ｜8825 ― 4453
璘(7502)の俗字。→九五六ページ・中。

13 【璐】 17画 7520 ロ 遇 lù ｜8829 ― 4450
字義 ❶美しい玉。❷現代中国語で、賽璐珞は、セロハン。
解字 形声。王(玉)＋路㊥。

14 【瓊】 18画 7521 漢ケイ 呉ギョウ(ギャウ) 庚 qióng 6491 E0F9 ―
[璚] 7492 同字
字義 ❶たま。に(玉、特に赤い玉の意の古語)。㋐赤色のたま。㋑美しい色の玉。また、その色。❷玉で作った。玉をちりばめた。玉のように美しい。❸さいころ。❹海南省の別称。
難読 瓊音ぬなと・瓊脂ところてん・瓊瓊杵尊ににぎのみこと・瓊矛ぬぼこ
解字 形声。王(玉)＋夐㊥。

【瓊△筵】ケイエン ①玉のように美しいむしろ(敷き物)。②美しい宴席。さかんな宴会。用例(唐、李白、春夜宴二桃李園一序)開二瓊筵一以坐ㇾ華(ケイエンをひらいてもってはなにざす) ↓美しい宴席を開いて花を眺めて座る。③天子の宴席。
【瓊音】ケイオン ①澄んで調子の高い音響。玉の音。②手紙の美称。
【瓊枝玉葉】ケイシギョクヨウ 皇室の子孫・一族のたとえ。金枝玉葉。
【瓊樹】ケイジュ ①玉の生じる木。その花を食べると長生きするという。②玉のように美しい木。③人格が高潔であることのたとえ。

14 【璽】 19画 7522 常 ジ シ 紙 xǐ 慣ジ 2805 8EA3 ―
筆順 一 丆 币 币 币 爾 爾 璽 璽
[璽] 2170 同字 [玺] 7357 俗字
字義 しるし。おしで。印。印形インギョウ。秦シンより前は天子をはじめ諸侯ショコウ・卿ケイ・大夫タイフ・士などの印をいい、秦・漢以後は特に天子の印の専称となる。「剣璽(草薙剣くさなぎのつるぎと八坂瓊曲玉)」 国 たま。八坂瓊曲玉やさかにのまがたまをいう。
名前 しるし
解字 篆文 形声。王(玉)＋爾㊥。音符の爾ジは、美しくさかんの意味。王土を支配する人のかがやかしい印の意味を表す。
逆 印璽・玉璽・剣璽・国璽
【璽△綬】ジジュ 印とその紐ひも。印の紐。転じて、天子の印や役人の官印をいう。
【璽書】ジショ ①諸侯・大夫タイフの印を押した書類。②秦シン・漢以後は、天子の印を押した文書・詔書をいう。
【璽符】ジフ ①印と割符わりふ。②天子の印。

14 【璹】 18画 7523 一 漢シュウ(シウ)・呉ジュ 有 二 漢トウ(タウ) 呉ドウ(ダウ) 号 三 漢シュク・呉ジュク 屋 shū ₂8106 ― 4471
字義 一二 玉の名。三 ❶玉の容器。❷玉の名。
解字 形声。王(玉)＋壽㊥。

14 【璻】 18画 7524 スイ 紙 zuǐ ₂8107 ― 4472
字義 玉の色。
解字 形声。王(玉)＋翠㊥。

14【璿】18画 7525 セン 璇(7484)と同字。→九五五ページ下。 1 8834 ― 4473

14【璺】19画 7526 一㊥ブン・㊒モン 問 wèn 二キン 震
字義 器物にできたひび。細かく裂け割れたきず。
解字 形声。玉＋釁(釁省)㊅。 2 8108 ― ―

15【瓉】19画 7527 サン 瓚(7537)の俗字。→九五八ページ中。 1 8836 ― 4475

15【瓈】19画 7528 ㊥レイ・㊒ライ 斉 lí
字義 玻瓈ハリは、玉の名。七宝の一つ。水晶の類い。また、ガラス。＝玻璃(九四七ページ上)。
解字 形声。王(玉)＋黎㊅。 ㊇リ 1 8835 ― 4474

16【瓌】20画 7529 カイ 瑰(7462)と同字。→九五四ページ中。 ― ― 4476

16【瓐】20画 7530 ㊥ロ ㊒ル 虞 lú
字義 碧玉ヘキギョク。青緑色の玉。
解字 形声。王(玉)＋盧㊅。 ― ― 4477

16【瓏】20画 7531 ロウ 東 lóng
字義 ❶玉や金属や風などの音の形容。❷明らかなさま。あざやかなさま。
解字 形声。王(玉)＋龍㊅。音符の龍は、りゅうの意味。りゅうの模様のある玉の意味を表す。 篆文 瓏
【瓏玲ロウレイ】①明らかなさま。あざやかなさま。玉などの光り輝くさま。②玉や金属のさわやかに鳴る音の形容。
【瓏瓏ロウロウ】①＝瓏玲ロウレイ。②雷や車輪などの遠くから聞こえてくるひびきの形容。 6492 E0FA ―

17【瓘】21画 7532 カン 瓘(7536)の俗字。→九五八ページ中。 2 8110 ― ―

17【瓖】21画 7533 ㊥ショウ(シャウ)・㊒ソウ(サウ) 陽 xiāng
字義 ❶玉の名。❷馬の腹帯の飾り玉。
解字 形声。王(玉)＋襄㊅。 2 8109 ― ―

17【瓔】21画 7534 ㊥エイ ㊒ヨウ(ヤウ) 庚 yīng
［瑛］7386 俗字
字義 玉に似た石の名。
解字 形声。王(玉)＋嬰㊅。音符の嬰イエは、女性の首かざりの意味。
【瓔珞ヨウラク】インドの貴族の男女が珠玉や貴金属を編んで頭・頸びく・胸にかけた装身具。また、仏像の装飾ともした。瑤珞ヨウラク。纓絡ヨウラク。 6493 E0FB ―

17【瓓】21画 7535 ラン 翰 làn
字義 玉のあや。玉の色どり。
解字 形声。王(玉)＋闌㊅。 ― ― 4478

18【瓘】22画 7536 カン(クワン) 翰 guàn
［瓘］7532 俗字
字義 ❶玉の名。❷昔、諸侯のしるしとして与えた玉の名。圭イケ。❸玉製のます(升)。
解字 形声。王(玉)＋雚㊅。 ― ― 4479

19【瓚】23画 7537 ㊥サン ㊒ザン 翰 旱 zàn
［瓉］7527 俗字
字義 祭器の名。玉と石とで作った、しゃもじ形の器で、柄に溝をつけ、神おろしの祼カンの祭りに鬱鬯ウッチョウの酒を地に注ぐのに用いる。
解字 形声。王(玉)＋贊㊅。 1 8837 ― 4480

20【瓛】24画 7538 一㊥カン(クワン)・㊒ガン(グワン) 寒 huán 二㊥ケン・㊒コン 願
字義 一二 証明・象徴の印となる玉の名。圭イケ(1881)の一種。
解字 形声。王(玉)＋獻㊅。 ― ― 4481

5画 瓦 かわら

〔部首解説〕 瓦を意符として、土器・陶器類に関する文字ができている。また、国字ではグラムの単位に関する文字ができている。

0 瓦 九五八	瓯 九五九	瓲 九五九	瓸 九五九	8 甁 九五九	甃 九六〇	11 甌 九六〇	甎 九六〇	16 甗 九六一
2 瓧 九五八	瓰 九五九	瓱 九五九	7 甀 九五九	甂 九五九	甌 九六〇	甎 九六〇	13 甕 九六〇	
3 瓨 九五九	瓪 九五九	5 瓴 九五九	瓵 九五九	9 甄 九五九	甅 九六〇	甑 九六〇	甒 九六〇	
瓩 九五九	瓫 九五九	6 瓷 九五九	瓼 九五九	甄 九六〇	甋 九六〇	甍 九六〇	甓 九六一	
4 瓮 九五九	瓰 九五九	瓶 九五九	瓻 九五九	甆 九六〇	10 甍 九六〇	12 甑 九六〇	14 甖 九六一	

0【瓦】5画 7539 常 ガ かわら ㊥ガ(グヮ)・㊒ゲ 馬 wǎ 2004 8AA2 ―
筆順 一 丆 瓦 瓦
字義 ❶かわらかは。土を焼いて造った板。屋根や土間に敷いたりする。❷かわらけ。素焼すやきの土器の総称。❸いとまき。弄瓦ロウガ。国 グラム。重さの単位。仏語 gramme の音訳、瓦蘭姆の略。
名前 たま 難読 瓦斯ガス・瓦落がら
解字 象形。粘土をこねて焼いた土器の象形で、土器の意味を表す。 篆文 瓦
【瓦甕ガオウ】素焼きのかめ。瓦盎ガオウ。瓦甌ガオウ。
【瓦解ガカイ】①つぎ目の不完全な屋根がわらが次々とすべり落ちるようにくずれること。②かわらが砕け散るようにばらばらに分散すること。③めちゃめちゃになる。④つぶれる。
【瓦解土崩ガカイドホウ】かわらがなだれ落ち土がくずれ落ちるように、くずれつぶれること。土崩瓦解。〔淮南子、泰族訓〕
【瓦解氷銷ガカイヒョウショウ】かわらが砕け散り氷がとけて消えるように、すみやかに四散して(消えて)なくなること。〔旧唐書、李密伝〕
【瓦合ガゴウ】自己の正しさを曲げて、かわらけのような凡俗の人々と調子を合わせる。また、その人々。烏合ウゴウの衆。「瓦合鳥集ガゴウチョウシュウ」
【瓦石ガセキ】かわらと石。転じて、価値のないものをいう。
【瓦全ガゼン】かわらとなって安全に残ること。何もなすことなく、いたずらに生き長らえていること。↔玉砕(九四一ページ中)。
【瓦当(當)ガトウ】軒丸瓦のきまるがわらの先端の円形の部分。古くは半円形で、半瓦当という。装飾として文字や文様が施される。
【瓦釜雷鳴ガフライメイ】素焼のかまがかみなりのような音を出して鳴る。〔賢者がいなくなり忠言が鳴りをひそめると〕悪人の讒言ザンゲンがさかんにはばをきかすこと。〔楚辞、卜居〕
【瓦甓ガヘキ】かわら。▼甓は、敷きがわら。
【瓦縫ガホウ】かわらの継ぎ目。並んだかわらの列で屋根にできる線をいう。
【瓦礫ガレキ】かわらと小石。転じて、価値のない物。瓦石。

瓦当

2【瓧】7画 7540 国字 6503 E142 ―

字義 **デカグラム**。重さの単位。グラムの十倍。
解字 **会意**。瓦＋十。瓦は、グラムの音訳。十は、グラムの十倍、デカグラムの意味を表す国字。

3【瓨】8画 7541 漢**コウ**(カウ) 呉ゴウ(ガウ) 江 陽 xiáng ― ― 4485
字義 もたい。首の長い甕。十升分入る。
解字 **形声**。瓦＋工音。

3【瓩】8画 7542 国字 6504 E143 ―
字義 **キログラム**。重さの単位。グラムの千倍。
参考 中国では「キロワット(電流の効率の単位)」の意味に用いる。
解字 **会意**。瓦＋千。瓦は、グラムの音訳。千は、グラムの千倍、キログラムの意味を表す国字。

4【瓫】9画 7543 **オウ** 甕(7575)と同字。→九六〇ページ下。 6505 E144 ―

4【瓯】9画 7544 **オウ** 甌(7569)の俗字。→九六〇ページ中。 28112 ― ―

4【瓲】9画 7545 **オウ** 甌(7569)の俗字。→九六〇ページ中。 ― ― 4488

4【瓪】9画 7546 **ハン** 潸 bǎn ― ― 4486
字義 ❶割れた瓦。❷牝瓦。半円筒状の屋根瓦で、くぼんだ面を上に向け、牡瓦を組んで用いる。
解字 **形声**。瓦＋反音。

4【瓫】9画 7547 漢**ホン** 呉ボン 元 pēn 28113 ― 4487
字義 ❶ほとぎ。土を焼いて作った容器。❷あふれる。
難読 埴瓫
解字 **形声**。瓦＋分音。

4【瓰】9画 7548 国字 6507 E146 ―
字義 **デシグラム**。重さの単位。グラムの十分の一。
解字 **会意**。瓦＋分。瓦は、グラムの音訳。分は、一の十分の一。グラムの十分の一、デシグラムの意味を表す国字。

4【瓱】9画 7549 国字 6506 E145 ―
字義 **トン**。重さの単位。キログラムの千倍。＝噸(1750)。
解字 **形声**。瓦＋屯音。音符の屯は、トンの音訳。瓦を付し、トンの意味を表す国字。

4【瓸】9画 7550 国字 6508 E147 ―

字義 **ミリグラム**。重さの単位。グラムの千分の一。
解字 **会意**。瓦＋毛。毛は、小さいの意味。瓦は、グラムの音訳。ミリグラムの意味を表す国字。

5【瓴】10画 7551 漢**レイ** 呉リョウ(リャウ) 青 líng ― ― 4489
字義 ❶かめ。取手のついているかめ。❷かわら。
解字 **形声**。瓦＋令音。
【瓴△甓】敷きがわら。▼甓は、敷きがわら。
【建二瓴水一】高い屋上から、かめの水をこぼす。勢いが強く防ぎきれないことのたとえ。▼建は、覆の意。〔史記、高祖本紀〕

6【瓷】11画 7552 漢**シ** 呉ジ 支 cí 6510 E149 ―
【甆】7563 俗字
字義 ❶いしやき。質の細かく堅い焼き物。磁器。＝磁(8220)。❷かめ(瓶)。また、徳利。
解字 **形声**。瓦＋次音。

6【瓶】11画 7553 常 **ビン** 4151 9572 ―
8〔甁〕13画 7554 漢**ヘイ** 呉ビョウ(ビャウ) 唐**ビン** 青 píng 18839 EE52 ―

筆順 ソ 䒑 并 并 瓶 瓶 瓶 瓶

〔缾〕9416 同字 〔餅〕9415 俗字
字義 ❶**かめ**。酒などを入れる、口が小さく腹の大きい容器。日本の徳利にあたるもの。❷つるべ。水をくむ器。❸こしき。米などを炊く器。国❶徳利。酒を入れる器。「瓶子」❷**ビン**。壜。㋐ガラス製の、徳利形の容器。㋑陶製または金属製で、湯や水を入れたり、煮沸に使用したりする器。「鉄瓶」

瓶①

難読 瓶原
解字 金文 篆文 別体 **形声**。瓦＋并(幷)音。缾は形声。缶＋幷音。音符の幷は、合わせるの意味。同じ鋳型で作った半分を合わせて作る、かめの意味を表す。
逆 花瓶・銀瓶・茶瓶
【瓶△之△罄△罍△之恥】小出しの酒を入れる瓶の酒のなくなるのは、大がめの罍からの補給がなくなるからで、罍のはじである。酒宴で準備した酒がすっかりなくなることのたとえ。転じて、富者が貧者を、あるいは多数が少数をあわれまないことのたとえ。罍恥。〔詩経、小雅、蓼莪〕
【瓶子】一 かめ。▼子は、接尾語。二 国徳利の古語。酒を入れる器。
【見二瓶水△之凍一知二天下△之寒一】つるべの水が凍るのを見て、冬が到来したことを知る。微細なことから全般的な大きなことの理を察知するたとえ。〔呂氏春秋、察今〕

6【瓸】11画 7555 国字 6509 E148 ―
字義 **ヘクトグラム**。重さの単位。グラムの百倍。
解字 **会意**。瓦＋百。瓦は、グラムの音訳。百と合わせてグラムの百倍、ヘクトグラムの意味を表す国字。

7【甃】12画 7556 **チ** 支 chī ― ― 4491
字義 酒を入れる甕。
解字 **形声**。瓦＋絺省音。

7【瓺】12画 7557 漢**チョウ**(チャウ) 呉ジョウ(ヂャウ) 陽 漾 cháng 28115 ― 4490
字義 かめ。みか。
解字 **形声**。瓦＋镸(長)音。

7【瓼】12画 7558 国字 ― ― 4492
字義 **さらけ**。底の浅いかめ。
解字 **会意**。瓦＋里。

7【甅】12画 7559 国字 28114 ― ―
字義 大物主櫛𤭖玉命は、日本の神の名。大神神社の祭神。大物主神。

8【甁】13画 (7554) **ビン** 瓶(7553)の旧字体。→九五九ページ中。

8【瓿】13画 7560 漢**ホウ** 呉ブ 有 bù 18838 ― 4493
字義 **かめ**。もたい。小さなかめ。
解字 篆文 **形声**。瓦＋音音。音符の音は、ふっくらとしているの意味。ふっくらとしたかめの意味を表す。

瓿

9【甄】14画 7561 一**ケン** 先 二**シン** 真 zhēn
【甄】7562 俗字
字義 一❶**すえ**(陶)。すえもの。陶器。❷陶器を作る。また、その道具。ろくろ・やきがまの類い。❸つく-る(造)。つくり変える。教化する。❹みわ-ける。はっきり区別する。❺あらわす(表)。明らかにする。

解字 篆文 形声。瓦＋垔㊥。音符の垔は、えんとつの意味。えんとつを用いて高温で焼く、すえ器のやきものの意味を表す。

【甄陶】ケントウ 土をこねて陶器を作る。転じて、天地が万物を生成すること。また、王者が人民を教化すること。

【甄抜】ケンバツ 人材の優劣を見分けて登用すること。甄擢ケンテキ。

【甄別】ケンベツ 明らかに見分けること。はっきりと優劣を区別すること。

9 【甄】14画 7562 ケン 甄(7561)の俗字。→九五九ページ下。 6511 E14A —

9 【甆】14画 7563 ジ 瓷(7552)の俗字。→九五九ページ中。 — — 4494

9 【甃】14画 7564 シュウ(シウ) 宥 zhòu 6512 E14B —

字義 ❶かわら。敷き瓦。また、その敷いてある所。❷かわらを積み重ねたり、敷き詰めたりすること。㋐井戸瓦。井戸の内壁に積む瓦。㋑敷き瓦。

解字 篆文 形声。瓦＋秋㊥。音符の秋は、修に通じ、けがれを去り飾るの意味。井戸水の清潔を保つために内壁や周囲に敷くかわらの意味を表す。

【甃砌】シュウセイ 煉瓦や敷き瓦、敷き石を敷き詰めた所。石だたみ。▼砌は、石だたみ。

【甃甎】シュウセン 敷き瓦。▼甎も、敷き瓦。

9 【甂】14画 7565 ヘン 先 biān

字義 かめ。口が大きく丈の低い、小形の器。食物を盛るもの。

解字 形声。瓦＋扁㊥。

9 【甅】14画 7566 国字 6513 E14C —

字義 センチグラム。重さの単位。グラムの百分の一。

解字 会意。瓦＋厘。瓦は、グラムの音訳。厘は、一の百分の一の意味。グラムの百分の一、センチグラムの意味を表す。

9 【⿰泉瓦】14画 7567 国字 ［楾］5653 同字 28116 — —

字義 はんぞう(半挿)。はそう。湯・水を注ぐ道具。胴部に管状の柄を挿しこんで注ぎ口にしたもの。𤭖(はんぞう)。

解字 会意。瓦＋泉。注ぎ口から、泉のように注ぐ道具、はんぞうの意味を表す。

10 【甍】15画 7568 ボウ 甍(7572)の俗字。→九六〇ページ中。 6516 E14F —

11 【甌】16画 7569 漢オウ 呉ウ 尤 ōu ［瓯］7544 俗字 ［瓯］7545 俗字 6514 E14D —

字義 わん。はち。小さい鉢。また、口が大きく平べったい鉢。

甌

解字 形声。瓦＋區㊥。

【甌脱】オウダツ 北方の異民族が敵情をさぐるために国境付近に作った土のあなぐら。

【甌窶満(滿)篝】オウロウマンコウ せまい畑に産する穀物が、竹かごに満ちあふれること。▼甌窶は、せまい耕地をいう。〔史記、滑稽伝〕

11 【甎】16画 7570 セン 先 zhuān 6515 E14E —

字義 かわら。敷きがわら。煉瓦。＝塼(2116)・磚(8264)。

解字 形声。瓦＋專㊥。音符の專は、ころがすの意味。手でころがし固めた、かわらの意味を表す。

【甎全】センゼン かわらのようにつまらないものとなって身を全うすること。何もなさず、いたずらに生き長らえること。瓦全。

用例 〔西郷南洲、偶成詩〕幾歴辛酸志始堅(いくたびかシンサンをへてこころざしはじめてかたし)、丈夫玉砕恥甎全(ジョウフギョクサイセンゼンをはず)。↓何回もの困苦を乗りこえてこそ、はじめて強固な意志が養われるものである。りっぱな男子たるものは、たとえ玉となって砕け散るような死に方をしたとしても、いたずらに生き長らえることは恥とすべきだ。

11 【甑】16画 7571 ソウ 甑(7573)の俗字。→九六〇ページ下。

11 【甍】16画 7572 一 漢モウ(マウ) 呉ミョウ(ミャウ) 庚 mēng 二 漢ボウ・呉モウ 径 ［甍］7568 俗字

字義 二 いらか。かわらぶきの棟。また、棟瓦。

解字 篆文 形声。瓦＋夢省㊥。音符の夢は、暗いの意味。それでふいた屋根の下が暗くなる、かわらの意味を表す。

【甍宇】ボウウ かわらぶきの家。

【甍棟】ボウトウ ①かわらと、むね。屋根と、むね。②重要な器量・人材のたとえ。

12 【甑】17画 7573 標 漢ショウ 呉ソウ 径 zèng ［甑］7571 俗字 2589 8D99 —

字義 こしき。せいろう。土焼きの槽で、底に穴があり、中に簀などを敷いて上に米を入れ、釜に載せて蒸す器。蒸し器。→甗(7579)。 難読 甑島(こしきじま)

解字 篆文 形声。瓦＋曾㊥。瓦は、土器の意味。音符の曾は、こしきの意味。もともと、曾が、こしきの意味を表したが、「かつて」の意味に用いられるようになり、区別して瓦が付された。

【甑中生塵釜中生魚】ソウチュウちりをショウじフチュウうお(を)をショウず 貧しくて長いこと炊事をしないので、蒸し器にはちりが積もり、かまは魚のすみかとなる。一説に、魚はぼうふら。きわめて貧しいことをいう。〔後漢書、范冉伝〕

【坐甑】ソウにザす 蒸し器の中にすわる。むし暑いこと。

12 【甒】17画 7574 漢ブ 呉ム 麌 wǔ — — 4501

字義 かめ。もたい。酒を入れる小さい甕。

解字 形声。瓦＋無㊥。

13 【甕】18画 7575 標 オウ(ヲウ) 送 wèng ［瓮］7543 同字 ［罋］9421 同字 6517 E150 —

字義 ❶かめ。もたい。液体を入れる容器。❷つるべ。水をくむ器。

解字 形声。瓦＋雍㊥。音符の雍は、胸もとにかかえるの意味。かかえるほどの大きさのかめの意味を表す。

国 みか。酒をかもすに用いる大きなかめ。

【甕城】オウジョウ 城門の外に突出した、円形または方形の小城。防禦に用いる。

【甕天】オウテン かめの中の天地(世界)。世間と隔絶したせまい世界。見聞がせまく、我見・我執にたてこもっていることにいう。見識のせまいたとえ。→甕裏醯鶏(オウリのケイケイ)。

【甕頭】オウトウ その年にはじめてかもした酒。

【甕牖】オウユウ かめの口を壁にはめこんで作った窓。一説に、割れたかめの口のような円形の窓。貧しい家のたとえ。

【甕裏醯鶏(鷄)】オウリのケイケイ かめの中の醯鶏(酒や酢にわく、虫の名。かつおむし)。見聞や知識のせまい人のたとえ。孔子が老子に会った後に、老子にくらべれば自分は醯鶏のようなものだと言ったという故事による。〔荘子、田子方〕

13 【甔】18画 7576 漢タン・呉トン 覃 勘 dān

字義 かめ。一石を入れる大がめ。一説に、小さいかめを指すとも言う。

13 【甓】 18画 7577 漢ヘキ 呉ビャク 錫 pì　6518 E151 —

解字 形声。瓦＋辟音。

字義 かわら。敷き瓦。

14 【甖】 19画 7578 オウ　— — 4502

甖(9422)と同字。→一二四六ページ中。

16 【甗】 21画 7579 一 漢ゲン・呉ゴン 阮 二 ゲン 銑 yǎn　8840 — 4503

字義 一 ❶こしき。㋐底のないこしき。㋑上部は大きく、甑に似て底がなく、簀を敷いて用いる。下部は上部より小さく、鬲に似て三足、あるいは四足があり、物を煮ることができる器。鬲の上に甑を置いた器。❷甗の形をした山。また、でこぼこがあり、曲がりくねっているさま。

解字 甲骨文 金文 篆文

甗①㋑

形声。瓦＋鬳音。音符の鬳は、虎の形をした、こしきの意味。それにさらに、瓦を付した。

5画

甘 あまい

〔部首解説〕 甘を意符として、あまい・うまいの意味を含む文字ができている。

0 甘 九六一　4 甚 九六一　6 甜 九六二　䑙 九六二　8 甞 九六二

0 【甘】 5画 7580 常 カン　あま-い・あま-える・あま-やかす　2037 8AC3 —

カン 覃 gān

筆順 一 十 廾 甘 甘

字義 ❶あま-い。㋐五味(辛・苦・酸・鹹)の一つ。㋑ゆるい(緩)。にぶい。てぬるい。㋐おいしい。また、おいしい物。㋑好ましい。快い。㋒たくみである。「甘言」 ❸あまし-とする。うまし-とする。㋐あまい(おいしい)と思う。用例〔老子、八十〕甘二其食一、美二其服一、安二其居一、楽二其俗一。↓食物をうまいと食べ、彼ら自身の衣服を心地よく着、彼らの住居に落ち着き、自分たちの風俗習慣を楽しむようにさせる。㋑好む。㋒楽しむ。喜ぶ。㋓むさぼる(貪)。❹あま-んずる。㋐満足する。㋑仕方がないとあきらめ心静かに耐えしのぶ。❺十分に。よく。心から。国 ❶あま-い。㋐食物の塩気が少ないこと。㋑愛情におぼれやすい。だらしがない。㋒おろかである。間が抜けている。❷あま-える。❸あま-やかす。

名前 かい・よし　難読 甘葛・甘藷・甘蕉・甘樫丘・甘棠・甘南備・甘楽

解字 甲骨文 篆文 指事。口中に一線を引いて、食物を口にはさむさまを示し、舌にのせて、うまさ・あまさを味わうの意味を表す。甘を音符に含む形声文字に、拑・勘・戡・柑・泔・箝・酣・鉗などがあり、これらの漢字は、多く「口にふくんでみてうまい」の意味を共有している。

逆 旨甘・肥甘

【甘雨】 ほどよい時に降る雨。農作物などに都合のよい雨。時雨。滋雨。

【甘橘】 みかん類の総称。柑橘。

【甘苦】 ①あまいとにがい。あまい味とにがい味。②楽しみと苦しみ。

【甘言】 他人の気にいるようなことば。こびへつらいのことば。人をうまく迷わせ誤らせるようなたくみなことば。甘辞。

【甘酸】 ①あまい味とすっぱい味。あまさと、すっぱさ。②楽しみと苦しみ。苦楽。甘苦。

【甘旨】 うまい物。おいしい食物。

【甘蔗】 さとうきび。茎から砂糖を作る。

【甘若醴】 甘酒のようにあまい。甘い利益で結びつくくだらない人の交際をたとえていう。用例〔荘子、山木〕小人之交甘若レ醴。↓小人の交際は甘酒のように甘い(が長くは続かない)。

【甘酒】 ①おいしい酒。②酒を好む。③もち米の粥に麹を混ぜて作った飲み物。あまざけ。醴。

【甘受】 ①こころよく(満足して)受ける。②国あまんじて受ける。苦難などを心静かに受けること。

【甘粛(肅)省】 省の名。中国西北部、陝西省と青海省との間に位置する。省都は蘭州市。隴山山脈の西にあるので隴西・隴右なども呼ぶ。その北部は、古来、西域に通ずる交通の要路に当たっていたので、敦煌の千仏洞など古の西域の文化の遺跡が多い。

【甘藷・甘諸】 さつまいも。

【甘食】 ①うまい食物。②＝甘レ食(一五七二ページ中)。

【甘心】 ①口があまいものを好み続けるように、心に思い続けること。②思いの晴れるまで、思う存分行うこと。③あまんずること。苦難などに遭って静かにいること。

【甘井先竭】 良い水の出る井戸は先に枯れる。才能のある人物は早く退けられることのたとえ。〔荘子、山木〕

【甘脆】 あまくて柔らかい。うまくて歯ざわりがよい。また、その食物。甘毳。▼脆は、柔らかい・もろい。

【甘沢(澤)】 ＝甘雨。

【甘棠之愛】 善政を行う人に対する敬愛の情の深いことのたとえ。周の召公の善政に感激して、人民が召公がその下で休んだ甘棠(やまなし・からなし。野生で梨に似た実をつける)の木を大切にした故事に基づく。甘棠之恵ともいう。〔詩経、召南、甘棠〕

【甘美】 ①あまくうまい。おいしい。また、その食物。②音楽などが、人をうっとりさせて気持ちよいこと。

【甘眠】 ①ここちよくねむる。心安らかにねむる。ぐっすりねむる。熟睡。安眠。②むさぼりねむる。ねむりをむさぼる。

【甘藍】 野菜の名。たまな。キャベツ。

【甘醴】 あまざけ。＝甘酒③。

【甘露】 ①あまい(おいしい)つゆ。天子が善政を行い天下が太平になると天が降らせるという。②仏梵語 amṛta の訳語。不死・天酒とも訳す。忉利天の甘い霊液。よく苦悩をいやし、長寿を保たせ、死者を復活させるという。仏の教法のたとえ。③国おいしいこと。美味。

4 【甚】 9画 7581 常 ジン　はなは-だ・はなは-だしい　3151 9072 —

漢シン・呉ジン 沁 shèn, 寝 ③shēn

筆順 一 十 廾 甘 甘 其 其 甚 甚

字義 ❶はなは-だしい。度を越えている。非常である。ひどい。用例〔韓非子、二柄〕以為、侵レ官之害甚二於寒一。↓自分の職分を守らないことから起こる弊害は、寒さよりもひどいと考えたからである。❷はなは-だ。いた-く。非常に。ひどく。まことに。用例〔東晋、陶潜、桃花源記〕漁人甚異レ之。↓漁師はこのような場所があるのをとても不思議に思った。❸疑問詞。なに。なんの。どんな。どうして。「甚麼」「甚事」「甚処」

名前 おお・しげ・じん・たう・たね・とう・ふか・やす　難読 甚目寺

参考 現代表記では〔尽〕(2784)に書きかえることがある。「蝕甚→食尽」

解字 金文 篆文 象形。金文でよくわかるように、かまどの上に水をたたえた器などを載せ、下で火をたくさまにかたどり、おきかまどの意味を表す。煁の原字。転じて、耽などに通じ、度を越す・はなはだの意味を表す。『説文解字』では、甘＋匹の会意とし、甘は、食物のうまい意味、匹は男女の楽しみの意味で、食と性とがはなはだ楽しいの意味を表すとする。

逆 劇甚・激甚・幸甚・深甚

【甚雨】ひどく降る雨。大雨。

【甚解】しいてその意義を理解しようとする。

【不レ求二甚解一】読書に際して、大体わかる程度に主眼をおいて、すみずみまで理解しようとはしない。用例〔東晋、陶潜、五柳先生伝〕好レ読レ書、不レ求二甚解一。↓書物を好んで読むが、難解な所はしばらくそのままにして、無理にわかろうとはしない。

【甚大】非常に大きい。「被害甚大」

【甚適】非常にひまなこと。

【甚△麼】同 什麼。①なに。どんな。疑問の意。②何でも。どんなものでも。③何か。不定の意。

6
【甜】 11画 7582
漢テン 呉デン 國 tián
3728 935B —

字義 ❶あまーい。あまし。❷うまい。おいしい。❸黒甜は、うたたね・ひるね（午睡）。

［甛］7583 同字

難読 甜瓜

解字 篆文 会意。舌＋甘。舌は、したの象形。甘はあまいの意味。舌にあまいの意味を表す。

【甜△瓜】まくわうり。

【甜言蜜語】人の気に入るようなうまいことば。

【甜菜】①枸杞の新芽。②野菜の名。とうちさ。③砂糖大根。

6
【甛】 11画 7583
テン 甜（7582）と同字。→九六二ページ上。

8
【甞】 13画 7584
ショウ 嘗（1672）の俗字。→二八一ページ中。
6519 E152 —

5画
生 いきる

〔部首解説〕生を意符として、出産・生命などに関する文字ができている。

0生 九六二　4甠 九六四　5甡 九六四　眚 一〇〇八　6産 九六四
7甤 九六四　甥 九六四　甦 九六五　9甧 九六五　甦 九六五

0
【生】 5画 7585
教1
セイ・ショウ
いーきる・いーかす・いーける・うーまれる・うーむ・おーう・はーえる・はーやす・き・なま
熟字訓 芝生・弥生
漢セイ・呉ショウ（シャウ）　庚 敬 梗 shēng
3224 90B6 —

筆順 ノ 𠂉 牛 牛 生

字義 ❶いーきる。いーかす。命がある。命を保つ。↕死（6009）・殺（6053）。用例〔論語、為政〕生事レ之以レ礼。↓親の存命中は礼のきまりによって仕える。

❷いきながら。いきたままで。用例〔唐、杜甫、夢二李白一詩〕死別已呑レ声、生別常惻惻。↓死別はどうすることもできず声を抑えて泣くほかないが、生き別れはいつまでも悲しみが絶えない。

❸いのち。生命。用例〔荘子、譲王〕危レ身棄レ生以殉レ物。↓身を危地に置き、命をうち捨てて外物を追い求める。

❹いきもの。あらゆる生物。また、人民。「衆生」

❺しごと。生業。また、くらし。生活。用例〔史記、絳侯周勃世家〕勃以レ織二薄曲一為レ生。↓周勃は養蚕のための台を織るのを生業としていた。／〔左伝、僖公二十七〕民懐レ生矣。↓民衆は生活を落ち着かせた。

❻人の一生。生涯。用例〔東晋、陶潜、飲酒詩〕吾生夢幻間、何事紲二塵羈一。↓我が人生は夢まぼろしのようなもの、どうして世俗のしがらみに縛られようか。

❼いけどりにする。捕虜。用例〔前漢、司馬相如、上林賦〕生二貔豹一。↓貔や豹を生け捕りにする。

❽なま。き。未熟。↕熟（7080）。㋐熱などで加工していない。天然のままの。用例〔荀子、礼論〕飯以二生稲一。↓死者の口中には生米を入れる。㋑熟れていない。「生瓜」㋒慣れていない。習熟していない。うとい。用例〔唐、杜甫、戯贈レ友詩〕自誇足二膂力一、能騎二生馬駒一。↓自分で誇っていたのはせぼねの力が十分強く、馴れていない暴れ馬も乗りこなせること。

❾うーまれる。うーむ。㋐誕生する。用例〔史記、孔子世家〕孔子生二魯昌平郷陬邑一。↓孔子は魯の昌平郷の陬邑という地に生まれた。㋑子ができる。子をうむ。なーす。用例〔唐、白居易、長恨歌〕遂令二天下父母心、不レ重レ生レ男重レ生レ女。↓かくて世の父母たちの心は、男の子を生むことを重んじず女の子を生むことを重んじるようになった。㋒なーる。実ができる。用例〔東晋、陶潜、戊申歳六月中遇レ火詩〕果菜始復生、驚鳥尚未レ還。↓果樹や野菜はようやくまた芽を出したが、驚いて逃げ去った鳥はまだ戻ってこない。㋓物を作りだす。うみだす。用例〔大学〕生レ財有二大道一。↓財物を作るには大きな道がある。㋔起こる。発生する。用例〔東晋、陶潜、詠二荊軻一詩〕蕭蕭哀風逝、淡淡寒波生。↓ひゅうひゅうと悲しみをおびた風が吹き、寒々とした波がさらさらと川面に起こる。

❿うーまれながら。うまれつき。用例〔文子、上徳〕石生而堅、芷生而芳。↓石はもともと堅いもので、よろいぐさはもともと芳しいものである。

⓫はーえる。おーう。むーす。芽が出る。生長する。また、はーやす。用例〔荀子、勧学〕蓬生二麻中一、不レ扶自直。↓よもぎは麻の中に生えると、つっかい棒をしなくても、自然と真っ直ぐ育つ。

⓬やしなう。そだてる。用例〔周礼、天官、大宰〕生二万民一。↓人民を育てやしなう。

⓭とても。ひどく。用例〔唐、盧照隣、長安古意詩〕生憎帳額繡二孤鸞一、好取門簾帖二双燕一。↓いまいましいのはとばりのふちに縫いとられたやもめの鸞、喜ばしいのは門にかかった簾に貼りつけてあるつがいのつばめ。

⓮学者・学生などの称。㋐学者・教師にいう。「先生」㋑弟子・生徒にいう。「門下生」㋒自己の謙称。用例〔人虎伝〕生乃与二君等一為レ伍耶。↓おれがなんで君たちと仲間でいられようか。

⓯旧劇の男役の一つ。立役。

国 き。まじりけがない。純粋。「生一本」

名前 あり・い・いき・いく・いける・う・うぶ・うまる・お・おき・き・さく・しょう・すすむ・せい・たか・なり・のう・ひさむ・ふ・ぶ・ふゆ・み・ゆき・よ

難読 生活・生月・生姜・生業・生駒・生見・生絹・生原・生贄・生子・生贄・生粋・生石・生憎・生地・生天目・生田・生田目・生飯・

・生保内(おぼない)・生瀬(なませ)に用いることがある。

参考 現代表記では〔栖〕(5399)・〔棲〕(5533)の書きかえに用いることがある。「栖息→生息」「棲息→生息」

使いわけ うむ・うまれる〔産・生〕⇩産(7588)。

解字 金文 篆文 象形。草木が地上に生じてきたさまにかたどり、はえる・いきるの意味を表す。生を音符に含む形声文字のうち、「生まれる」の意味の系列のものに姓・性・牲・甥・笙などがある。また生は青(青)という二次的な形声符を造り、「青く澄みきる」の意味を共有し、倩・凊・圊・晴・清・瀞・睛・精・蜻・請・錆・靜(静)などの要素となった。また、同じく、「澄みきる」の意味を共有する惺・腥・醒などの形声符、星ともなった。

逆 一生・衛生・往生・回生・学生・化生・寄生・畜生・愚生・群生・厚生・後生・更生・互生・今生・殺生・死生・写生・終生・衆生・儒生・出生・小生・書生・諸生・新生・人生・摂生・前生・先生・双生・相生・胎生・他生・多生・誕生・派生・発生・半生・浮生・平生・放生・民生・野生・養生・余生・羅生・卵生・老生

【生意】セイイ ①いきいきとしたおもむき。生気。②万物生々の意義。③私意・私情を起こす。④なりわい。商売。

【生育】セイイク ①生まれそだつ。そだつ。生(成)長する。②生みそだてる。生んで養育する。◆「生育」「成育」ともに育つ意味。一般に、熟成してゆく、諸機能が整備されてゆくということに力点を置く場合には「成育」、植物についていは「生育」、動物についていは「成育」を用いる。

【生員】セイイン 科挙(官吏登用試験)を受験する資格のできた、府・州・県の学校の学生。

【生煙】セイエン わき起こるけむりや、もや。

【生△孩】セイガイ 生まれて間もない子供。あかんぼう。みどりご。▼孩は、あかんぼう。〔西晋、李密、陳情表〕

【生涯】ショウガイ 生きている間。終生。

【生獲】セイカク いけどる。生擒セイキン。

【生活】セイカツ ①生きてゆく。生きながらえる。〔孟子、尽心上〕②生かす。③くらし。生計。

【生還】セイカン 生きてかえる。死ぬかもしれぬ危険なところから生きて帰る。

【生気(氣)】セイキ ①万物を発生成長させる自然の気。②いきいきとした勢い・趣。生動の気。③気を生ずる。敵愾テキガイの気を生ずる。怒りを発する。

【生業】セイギョウ 生活を維持するための仕事。なりわい。家業。職業。

【生△擒・生△禽】セイキン いけどる。また、いけどり。

【生刑】セイケイ 死刑以外の刑。

【生計】セイケイ 生活を維持するための仕事。転じて、くらし。生活。

【生口】セイコウ ①とりこ。捕虜。②家畜。

【生梗・生硬】セイコウ ねれていないこと。ごつごつしてぎこちないこと。やぼくさいこと。

【生国(國)】セイコク・ショウコク (自分が)生まれた国。

【生彩】セイサイ みずみずしく、つややかなさま。生き生きとしている。→精彩(一〇九九ページ上)。

【生殺】セイサツ ■ 生かすことと殺すこと。「生殺与奪」■ 国①半殺し。②物事を中途半端にしておくこと。

【生殺与(與)奪】セイサツヨダツ 生かしたり殺したり、与えたりうばったりすること。「生殺与奪の権」

【生産】セイサン ①生活のための仕事。②自然物に人力を加えて、生活に必要なものを作りだすこと。

【生死】■セイシ ①生きていることと死ぬこと。また、生の世界と死の世界。②生まれることと死ぬこと。■ショウジ 仏=■①。

【生死流転(轉)】ショウジルテン 仏人間が各自の業力ゴウリキによって、生まれては死に、また、生まれ変わって、六道(地獄・餓鬼・畜生・修羅シュラ・人間・天上の六界)を、次々とめぐり行くこと。▼流転は、水が流れ車輪が転ずるようにめぐり行くこと。〔順正理論〕

【生師】セイシ 学生と教師。生徒と先生。

【生△祠】セイシ 生きている人を神として祭った社やしろ。

【生歯(齒)】セイシ ①生まれて歯が生えはじめた幼児。ことし生まれた子。当歳子。②人民。

【生事】セイジ ①生きている人に対して仕える礼。②暮らし。生活。③事を生ずる。事を引き起こす。

【生者日親】いくるものはひにしたし 生きて身近にいる人は日ごとに親しくなってゆく。用例〔文選、古詩十九首、其十四〕去者日以疎さるものはひにもってうとく、生者日以親いくるものはひにもってしたし。⇩死んだ人は日ごとに忘れられ、生きて身近にいる人は日増しに親しくなるものだ。

【生者必滅】ショウジャヒツメツ 仏生きているものは必ず死ぬ。

【生渋(澁)】セイジュウ さびを生ずる。転じて、円熟しないこと。

【生△聚】セイシュウ 人民をふやし物資を豊かにすること。国力を充実させること。用例〔十八史略、春秋戦国、呉〕越十年生聚エッジュウネンセイシュウし、十年教訓ジュウネンキョウクンす。⇩越は十年の間、人民を増やし物資を豊かにし、次の十年間は教育に努めた。

【生小】セイショウ 小さい時。幼少の時。

【生色】セイショク ①生き生きとした色・つや・ようす。②色に出る。顔色にあらわれる。

【生殖】セイショク うまれふえる。また、生みふやす。

【生心】セイシン ①生まれたままの心。②心を生ずる。異心をいだく。反意をもつ。

【生△辰】セイシン 生まれた日。誕生日。生日セイジツ。

【生身】■セイシン からだ。肉体。■ショウジン ①仏衆生を救うために、この世に生まれて来た肉体。②国生きているからだ。なま身。

【生人】セイジン ①生きている人。②人民。生民。③初めて会う人。新しい人。見知らぬ人。生客。

【生生】セイセイ ①次々と物が生ずるさま。②生き生きとしているさま。生長し育つさま。活動しつつ向上するさま。「生生発展」③生をいかす。自分の生に執着し、これを生かそうとすること。

【生生世世】ショウジョウセゼ 仏現世も来世も。いつの世にも。未来永劫ミライエイゴウ。

【生成】セイセイ ①生ずる。できる。②そだつ。成育。

【生鮮】セイセン 肉や野菜などの新しいこと。新鮮。

【生△羶】セイセン なまぐさい。▼羶は、なま肉のにおい。

【生前】セイゼン 生きている時。存命中。

【生憎(憎)】セイゾウ・あやにく・あいにく 折(都合)悪く。意地悪く。

【生息】セイソク ①生きること。生きていること。②生活。また、生活する。棲息セイソク。③繁殖。また、繁殖する。④住む。

【生態】セイタイ ①生じた態。また、態を生ずる。▼態は、すぐれた容姿、なまめかしい姿、あでやかなおもむき、美しいさまなどの意。②生き生きした姿・おもむき。③国㋐生きているありさま。生活の状態。㋑ありさま・実際の状態。

【生誕】セイタン うまれること。誕生。

【生地】■セイチ ①生まれた土地。②生き得る土地。戦場で、生還できる土地。↔死地(七八九ページ上)。③初めて来た(よく知らない)土地。未知の土地。■きジ 国①手を加えないもとのままの質。②もって生まれた性質。地がね(地金)。③ある段階までの加工を施したままの物。素焼きのままの陶器や染色しないままの織物など。陶器の地質・織物の地質の意。

【生知】セイチ 生まれながらに知っていること。転じて、非常にすぐれた資質の人をいう。

【生知安行】セイチアンコウ 生まれながらに道を知っており、何の迷いもなく心安らかに実行する。聖人の境地をいう。〔中庸〕

【生致】セイチ いけどりにして連れて来る、また、行く。

【生長】セイチョウ ①生まれそだつ。発生し成長する。→成長

（五六二ジペー上）。②のびる。そだつ。

【生徒】学校で教えを受ける者。学生。

【生動】絵などが生き生きとして、真にせまっていること。

【生得】一 ①いけどる。生獲。②生まれながらにして得ている。また、そのもの。二 国生まれつき。天性。

【生△呑活剝】他人の詩文などをまるまる盗むこと。なまのまま飲みこみ、生きたままはぎ取る意。

【生年】①生まれた年。②生きている間。生涯。寿命。用例〔文選、古詩十九首、其十五〕生年不レ満レ百、常懐二千歳憂一。↓一生は百年にも満たないのに、いつも千年分もの憂いを抱えている。③国生まれてからたった年月。年齢。

【生△蕃】政府の教化に従わないで従来どおりの生活を続ける異民族。↕熟蕃（九一三ジペー下）。

【生平】一 常ひごろ。ふだん。平常。平素。平生。二 国永久に変わることがない。

【生兵】①まだ十分に訓練されていない兵士。新兵。②新手の兵士。

【生別】生きていながら別れている。生別離。↕死別（七八九ジペー中）。

【生民】①人民。人類。②人民を教え養うこと。

【生命】①いのち。②物事が、それなしでは存在・成立しない、大切なもの。

【生滅】一 生まれることと死ぬこと。また、存在していることと滅びてなくなること。二 仏＝一。

【生滅滅△已】仏生滅してやまない現象界（この世）を超越すること。▼滅已は、ほろぼしおわる、ほろぼしつくす。『涅槃経』十四に、「諸行無常、是生滅法（これ生滅の法）、寂滅為楽（寂滅を楽しみとなす）」とある。

【生面】①生き生きとした顔・趣・様子。②新しい方面。他と異なった面。新機軸。③初めて会うこと。初対面。また、その人。

【生友】生きている間だけの友。↕死友（七八九ジペー中）。

【生来（來）】①生まれてからこのかた。②生まれつき。天性。

【生理】①生物が生長生存する原理。②生命を保ってゆく道。健康保持の道。③生活の道。生業。生計。④生物個体の諸器官の機能や生活現象。生理学（physiology の訳語）が輸入されてからの用語。⑤国月経。「生理休暇」

【生類】いきもの。生物。


【生霊（靈）】一 ①たみ。人民。生民。②いのち。生命。③たましい。魂。二 いきすだま。国生きている人の怨霊（祟りをするたましい）。↕死霊（七八九ジペー中）。

【生△黎】人民。生民。黎民。あおひとぐさ。

【生路】①命の助かり得る道。にげ道。②生存・生活の道。③はじめて通るよく知らない道。

【生老病死】仏人間の免れ得ない四つの苦しみ。四苦。

【△偸レ生】同偸生。①恥辱や不幸にあっても、がまんして生きていること。用例〔唐、杜甫、石壕吏詩〕存者且偸レ生、死者長已矣。↓生きているものは、まあまあともかくも、しばらくはかりそめのいのちをむさぼれますが、死んでしまった者は、もうどうにもなりません。②恥を恥とも思わず、命を惜しみ、おめおめと生きていること。用例〔前漢、李陵、答二蘇武一書〕豈偸レ生之士、而惜レ死之人哉。↓どうして、おめおめと生きながらえる男、死を恐れる人間でありましょうか（そんなことはありません）。③なす事もなく、ただいたずらに生きていること。

【不レ△聊レ生】安心してくらせない。

【問レ生】生きている人を慰問する（世話をする、恩徳を施す）。↕弔レ死（七八九ジペー中）。

【養レ生喪レ死】生きている者を十分に養い、死んだ者を手厚くとむらう。〔孟子、梁恵王上〕

4【昨】9画 7586 漢セイ 呉ジョウ（ジャウ） 庚 qíng ₂8117 ― 4504
字義 はれる（晴）。夜になって雨が上がる。
解字 形声。日＋生音。

5【甡】10画 7587 シン 真 shēn ― ― 4505
字義 多い。また、多くのものが集まるさま。
解字 会意。生＋生。

5【眚】10画 (7989) セイ 目部。→一〇〇八ジペー下。

6【産】11画 7588 教4 サン うむ・うまれる・うぶ 熟字訓 土産 2726 8E59 ―

6〖產〗11画 7589 漢サン 呉セン 濟 chǎn

筆順 亠 亠 立 产 产 产 産 産 産

字義 ❶うむ。うまれる。むす。㋐子を生む。子が生まれる。「出産」 ㋑造り出す。できる。できあがる。生ずる。「生産」「量産」 ❷うまれ。出身地や出産地。用例〔孟子、滕文公上〕陳良楚産也。↓陳良は楚の生まれだ。❸産物。❹生活の資。財産。❺なりわい。仕事。生業。「恒産」 国うぶ。「うむ」と同系の語で、出産・出生の意。他語の上に冠して用いる。「産声」「産着」「産土」

名前 うむ・さん・ただ・むすび 難読 産衣・産声・産着・産田・産土・産湯・産婦木・産霊

使いわけ うむ・うまれる〔産・生〕
「子を生む・新しく何かを作り出す・生じさせる」の意で、広く〔生〕を用いるが、出産ということに力点を置く場合には、「子どもを産む・産みの苦しみ」のように〔産〕を用いる。

解字 篆文 会意。生＋彦省。彦は、顔料の意味。生まれたばかりの子に顔料でも塗る習慣があったのか、うむの意味を表す。

逆 遺産・共産・恒産・国産・財産・資産・授産・殖産・生産・畜産・治産・倒産・動産・破産・無産

【産育・産△毓】生み育てる。

【産業】①なりわい。生業。生活維持のための一定の仕事。〔史記、平準書〕②物を生産する仕事。生産事業。

【産△褥・産△蓐】出産の時の産婦の寝床。

【産地】国①その人の生まれ出た土地。②その物品のできる土地。その物のとれる土地。

7【甤】12画 7590 漢ズイ 呉ヌイ 支 紙 ruí ₂8118 ― 4506
字義 ❶草木の実の垂れ下がるさま。❷豚の子が多く生まれる。
解字 形声。生＋豕音。

7【甥】12画 7591 人 標 漢セイ 呉ショウ（シャウ） 庚 shēng 1789 8999 ―

筆順 ノ 𠂉 牛 生 𤯓 甥 甥 甥 甥

字義 ❶おい。姉妹の生んだ男の子。❷そとまご。外孫。むすめの生んだ子。❸父の姉妹の子、母の兄弟の子、妻の兄弟、姉妹の夫の総称。❹むこ（婿）。むすめの夫。国おい。兄弟姉妹の生んだ男の子。

解字 篆文 形声。男＋生音。音符の生は、うまれるの意味。姉妹の生んだ男の子、おいの意味を表す。

【甥△舅】①姉妹の子と母の兄弟（姉妹ではない）。②

むすめの夫と妻の父。むこ(婿)と、しゅうと。【甥△姪】おい(を)・めい(ひ) 一 セイテツ 姉妹の生んだ子と兄弟の生んだ子。二 セイテツ 国兄弟姉妹の生んだ男の子と兄弟姉妹の生んだ女の子。その子の性別によって甥と姪とを区別する。

7【甦】12画 7592 標 ソ 廣 sū 6520 E153 —

字義 よみがえ-る よみがへる。生きかえる。＝蘇(10416)。

参考 現代表記では〔更〕(4663)に書きかえることがある。「甦生→更生」

解字 会意。生＋更。更は、かえる・あらたまるの意味。生きかえるの意味を表す。

【甦生】ソセイ よみがえる。生きかえる。「コウセイ」は誤読による慣用読み。

9【⿱甡月】14画 7593 漢シン 呉ソン 侵 shēn — — 4507

字義 多い。

解字 形声。月(肉)＋甡音。音符の甡シは、多いの意味。

9【甦】14画 7594 ソ 甦(7592)の本字。→九六五ページ上。

5画

用 もちいる

〔部首解説〕おもに字形分類上、部首に立てられる。

0 用 九六五　甩 九六五　1 甪 九六五　2 甫 九六五　甬 九六六
7 甯 九六六

0【用】5画 7595 教2 ヨウ もち-いる 漢ヨウ・呉ユウ 宋 yòng 4549 9770 —

筆順 丿 冂 月 月 用

字義 ❶もち-いる もちゐる・もちふ。㋐つかう。使用する。活用する。また、おこなう。実施する。用例〔論語、陽貨〕割レ鶏焉用二牛刀一。↓鶏を料理するのにどうして牛刀を用いるのか(そんな必要はない)。㋑はたらかせる。能力・機能を発揮させる。用例〔論語、陽貨〕飽食終レ日、無レ所レ用レ心、難矣哉。↓一日中、腹いっぱいになるまで食べてばかりで、心をはたらかせることがないようでは、どうしようもない。㋒とりあげる。とりいれる。(意見・方策などを)採用する。用例〔史記、淮陰侯伝〕言不レ聴、画不レ用。故倍レ楚而帰レ漢。↓(楚では、私の)発言は聞き入れられず、計画は採用されなかった。そこで楚にそむき漢に帰属したのだ。㋓とりたてる。登用する。用例〔論語、述而〕用レ之則行、舎レ之則蔵。↓自分を見込んで用いてくれるものがあれば出て行ってできることを行い、見捨てられればじっと隠れている。㋔おさ-める をさむ。管理・掌握する。主宰する。統治する。用例〔荀子、正論〕能用二天下一之謂レ王。↓よく天下を治めることのできる者を王という。㋕まもる。遵守する。用例〔書経、甘誓〕用レ命、賞二于祖一。弗レ用レ命、戮二于社一。↓命令を遵守した者は祖廟で賞する。命令に違反した者は社廟で殺す。㋖あう。適合する。通用する。㋗召しあがる。また、いただく。「飲食する」の婉曲表現。❷はたらき。㋐使いみち。用途。㋑能力。才能。㋒作用。効用。効果。用例〔論語、学而〕礼之用、和為レ貴。↓礼のはたらきとしては、調和という点が最も重要である。❸ついえ。経費。費用。用例〔荀子、天論〕強レ本而節レ用、則天不レ能レ貧。↓根本(である農業)に励み経費を節約す(る国であ)れば、たとえ天であっても貧しくすることはできない。❹もとで。資力。資材。また、たから。財貨。❺うつわに盛った供え物。❻もって(以)。用例〔孟子、滕文公上〕用レ夏変レ夷。↓(文明の進んだ)夏が(文明の遅れた)夷を(感化して)あらためた。国ヨウ。㋐しごと。すべき事がら。㋑必要。

名前 ちか・なか・もち・よう 難読 用宗もちむね・用瀬もちがせ

参考 現代表記では〔傭〕(575)の書きかえに用いることがある。「雇傭→雇用」

解字 金文  篆文  象形。金文でよくわかるように、甬鐘ヨウショウという鐘の象形。鏞ヨウの原字。この柄を持ってもちあげるの意味を表す。甬鐘の意味から、転じて、とりあげる・もちいるの意味を表す。甬鐘の意味を表す字には、甬がある が、用・甬は、本来、同一字であった可能性がある。用・甬を音符に含む形声文字のうち、「もちあげる」の意味を共有するものに、俑ヨウ・傭ヨウ・墉ヨウ・庸ヨウ・慂ヨウ・涌ヨウ・蛹ヨウ・誦ショウ・踊ヨウ・鏞ヨウなどがある。

逆 悪用・引用・運用・援用・応用・活用・慣用・逆用・器用・起用・兼用・公用・効用・雇用・雑用・算用・実用・借用・収用・準用・私用・信用・節用・善用・俗用・徴用・重用・通用・適用・転用・当用・登用・土用・費用・服用・併用・並用・無用・有用・濫用・流用

【用舎・用捨】ヨウシャ ①用いることと捨てること。用いられることと用いられないこと。取舎。②国㋐ひかえめにすること。手加減すること。㋑ゆるす。容赦。

【用舎行蔵(藏)】ヨウシャコウゾウ 出処進退の時宜にかなうこと。出処進退がりっぱなこと。『論語』述而編に「用レ之則行、舎レ之則蔵」とあるのに基づく。→字義❶㋓。

【用心】ヨウジン ①心を用いる。注意する。心を労する。②心づかい。注意。③国㋐警戒すること。気をつけること。㋑あらかじめ備えておく(用意しておく)こと。

【用途】ヨウト・ヨウド ①費用。②銭の別名。③国使いみち。

【用度】ヨウド ①かかり。いりまえ。要する費用。入費。②国㋐銭の別名。㋑物品。役所などで事務・室内の設備などに必要とする物品。「用度係」

【用兵】ヨウヘイ 兵を用いる。戦争をする。用武。

0【甩】5画 7596 シュツ shuǎi — — 4508

字義 現代中国語で、振る。振り捨てる。投げる。

解字 会意。用＋尾省。尾に力を入れて振るの意味を表す。

1【甪】6画 7597 ロク 屋 lù 28119 — 4509

字義 ＝角(11069)。甪里先生は、漢代の隠者の名。→角里先生(一二九九ページ上)。

2【甫】7画 7598 人 フ 慣ホ 麌 fǔ 4267 95E1 —

筆順 一 丆 冂 冃 甫 甫 甫

字義 ❶元服した時につける字あざなにそえる語。孔子(字は仲尼チュウジ)を尼甫という類い。父とも書く。＝父(7093)。❷はじ-め。はじ-めて。また、はじまる。はじめる。㋐物事のはじまり。㋑やっと…になったばかり。…なりはじめる。❸おおきい(大)。ひろい(広)。おおい(多)。

名前 かみ・すけ・とし・なみ・のり・はじめ・ほ・まさ・み・もと・よし

生部 7▼9画 (甦 ⿱甡月 甦) 用部 0▼2画 (用 甩 甪 甫)

解字 甲骨文 金文 篆文 会意。甲骨文は、屮＋田。屮は草の芽の意味。田は耕地の意味。田に苗を一面に植えるの意味から、大きい・おおい・うつくしいの意味を表す。金文から、用＋父㊫の形声文字に変化し、今日の甫の字形となった。音符の父は、手にむちを持つ人、ちちの意味。用はもちあげるの意味。男性が社会の一員として用いられ、父の資格を得るの意味から、男性の美称に用いられる。甫を音符に含む形声文字に、傅フ・匍ホ・哺ホ・舗・圃ホ・捕・敷・脯ホ・浦・溥フ・簿・蒲ホ・甫フ・補・輔ホなどがある。

2

【甬】 7画 7599 漢ヨウ 呉ユウ 腫 yǒng ｜6521 E154 ―

字義 ❶花の開きかけたさま。❷酒・穀物などをはかるますの一種。❸甬道は、道の一種。❹鐘の柄。

解字 金文 篆文 象形。甬鐘ヨウショウという筒形の柄のついた鐘の形にかたどり、その筒形の柄の意味を表す。甬を音符に含む形声文字は、つつのように中が空洞であるの意味を共有し、痛・桶トウ・樋トウ・筩トウ・通などがある。

【甬道】ヨウドウ ①塀や土塀などで両側に防壁を築いて、外から見えないようにした道路。軍事物資などの輸送路として用いる。②高殿たかどのの間をつなぐ高架式の渡り道。

7

【甯】 12画 7600 漢ネイ 呉ニョウ(ニャウ) 青 径 níng ｜8841 ED8C *4510*

［寗］ 2686 俗字

字義 ❶ねがい(願)。❷＝寧(2694)。㋐やすーい。やすし。やすらか。㋑むしろ。

注意 宀部に所属させる場合もある。

解字 形声。用＋寧省㊫。

5画

田 た

〔部首解説〕 田を意符として、田畑・耕作に関する文字ができている。

0

【田】 5画 7601 教1 デン た 漢テン・呉デン 先 tián 熟字訓 田舎いなか ｜3736 9363 ―

筆順 丨 冂 冂 田 田

字義 ❶た。たはた。耕作地の総称。また、土地。❷たがやす(耕)。❸かーり。また、狩りをする。＝畋(4525)。「田猟」 国 ❶た。たんぼ。水田。❷特定の産物を出す土地。「油田」「炭田」

名前 た・だ・ただ・みち 難読 田原坂たばるざか・田作ごまめ・田舎館いなかだて・田道間守たじまもり・田布施たぶせ・田部井ためがい・田平たびら・田圃たんぼ・田万川たまがわ・田又利たたり・田螺たにし・田立たち・田令たつかい・田老たろう

解字 甲骨文 篆文 象形。区画された狩猟地・耕地の象形で、かり・田畑の意味を表す。田の意味と音符とを含む形声文字に、佃デン・甸デン・畋デンなどがある。

逆 園田・塩田・火田・帰田・公田・耕田・私田・井田・桑田・丹田・炭田・屯田・白田・美田・良田

【田嬰】デンエイ 戦国時代、斉の威王の公子。薛セツに封じられ靖郭君セイカククンと号した。二十数年にわたり斉の宰相であった。孟嘗君モウショウクン田文の父。

【田園】デンエン ①田畑。耕作地。用例〔東晋、陶潜、帰去来辞〕帰去来兮かえりなんいざ、田園将レ蕪デンエンまさにあれんとす。↓さあ帰ろう、故郷の田畑は今まさに荒れはてようとしている。②農村。③郊外。④領地。

【田翁】デンオウ いなかの老人。田舎翁。

【田横】デンオウ 秦シン末・漢初の人。秦末の乱に自立して斉王となる。漢の高祖に従わず、そのなかま五百人と海中の島に逃れ、高祖の招きに応ぜず、ついに自殺し、なかまもまた、田横に殉じて自殺した。(?―前二〇二)

【田家】デンカ ①いなかの家。農家。用例〔唐、孟浩然、過二故人荘一詩〕故人具二鶏黍一ケイショをそなえ(へ)、邀レ我至二田家一われをむかえ(へ)てデンカにいたる。↓古くからの友人が、鶏と黍きびのご馳走を用意して、私をこの田舎の家に招待してくれた。②いなか。

【田客】デンカク ①小作人。②草の名。ひるがおの別名。三十客の一。

【田漁】デンギョ・デンリョウ 狩と、すなどり(魚や貝をとること)。

【田業】デンギョウ ①農作業。農業。②田地。田畑。

【田作】デンサク 一 田畑を耕作すること。一 たづくり 国 ①田を耕作すること。また、その人。②ごまめの別名。

【田子方】デンシホウ 戦国時代、魏ギの人。文侯の師として尊敬された。

【田舎】一 デンシャ ①耕作地と家。②耕作地の中にある家。③いなかや。いなかにある家。農家。一 デンシャ・いなか 国 ①ふるさと。故郷。②いなか。農村。

【田舎翁】デンシャオウ いなかの老人。いなかのおやじ。田翁。

【田舎漢】デンシャカン いなかもの。農夫。愚直な者にたとえていう。▼漢は、男。

【田主】デンシュ ①田畑の所有者。②田の神。田神。

【田△塍】デンショウ 田のあぜ。田畑のうね。

【田斉】デンセイ 戦国時代の斉の国。周の安王の時、田氏が斉王となって以後、田斉と呼ばれる。これに対し、それ以前の呂リョ氏(姜キョウ姓)の斉を姜斉と呼ぶ。

【田租】デンソ 田畑に課する税。田税。また、田畑の小作料。

【田△鼠】デンソ 動物の名。㋐もぐら。㋑ねずみの一種。

【田宅】デンタク 田畑と宅地。田と家。

【田単(單)】デンタン 戦国時代の斉の武将。斉が燕エンに破れて七十余城を失い、莒キョと即墨とだけになったとき、推されて将となり、火牛の計を用いて、燕の名将楽毅ガッキを破り、七十余城を奪還し、後に安平君に封じられた。↓火牛(八九一ジペー中)。

【田地】デンチ・デンジ 田畑。耕作地。転じて、立脚地。立場。

【田△疇】デンチュウ ①たはた。耕作地。▼疇は、あぜ・うね。②田のあぜ。畑のうね。▼疇も、耕作地。

【田田】デンデン ①蓮はすなど、水草の広い葉が水にうかんでいるさま。②太鼓などの鳴りひびく音の形容。③物の連なるさま。④倒れかかっているさま。

【田能村竹田】たのむらチクデン 国 江戸後期の画家・詩人。豊後ブンゴ(今の大分県)の人。名は孝憲。字あざなは君彝クンイ。号は竹田・九重仙史・紅荳コウトウ詞人。岡山藩儒・由学館頭取。詩文

書画にすぐれ、著書に『竹田荘師友画録』『山中人饒舌』『紅荳詞』などがある。(一七七七―一八三五)

【田農】農事。農業。

【田夫】①農夫。②いなかもの。粗野ないなか者。

【田父】農夫。いなかおやじ。用例〔史記、項羽本紀〕田父紿曰、左。(田父紿きて、左せよと曰ふ)↓農夫はうそをついて言った、「左へ行きなさい」。

【田父野老】いなかおやじ。▼野老は、いなかの老人。

【田婦】農業に従事している女性。農婦。

【田賦】田畑にかかる税。国家が土地に課する税。漢以後は、小作人から地主が取る田租と区別する。

【田文】戦国時代、斉の王族・政治家。斉の宰相となり、孟嘗君と号した。→孟嘗君(三八四ページ下)。

【田駢】戦国時代、斉の学者。稷下の学士(→稷下一〇五六ページ中)の一人。著に『田子』二十五編がある。(前三五〇?―前二七五?)

【田圃】①たはた。田畑。耕作地。②郊外。

【田畝】①=田圃。②田のあぜ。畑のうね。

【田野】①耕作地と野原。②耕作地。③いなか。

【田里】①耕作地と屋敷。②村里。いなか。③故郷。

【田猟(獵)】かり。狩猟。▼田も、かり。

【田盧】いなかや。耕作地の中にある家。

0

【甲】

5画 7602 常 コウ・カン

漢コウ(カフ)・呉キョウ(ケフ) 慣カッ・カン 洽 jiǎ

2535 8D62 一

筆順 丨 冂 日 甲

字義 ❶きのえ。「木の兄」の意。十干の第一位。㋐方位では東。㋑五行では木。㋒時刻では午後八時、およびその前後の二時間。❷よろい(鎧)。また、よろいを着た兵士。❸こうら。亀のこうら。また、から(殻)。「亀甲」❹物事の第一番目。「甲乙丙丁」❺つめ(爪)。㋐手足の爪。㋑琴などの爪。❻種子の外皮。また、種子の皮のついている芽ばえ。かいわれ。❼すぐれる。第一となる。また、最もすぐれたもの。かしら。❽なにがし。それがし。不定の人名を知らぬ人・他人の名の代わりにいう語。また、「手の甲」㋑甲斐(山梨県)の略。甲州。国❶コウ。㋐物の背面。❷カ

甲②

。もと冑が「かぶと」、甲が「よろい」であるのを誤って逆に用いる。❸かぶと。声の調子の高いこと。「甲高い」

名前 か・かつ・き・きのえ・こう・は・まさる 難読 甲山・甲子・甲矢・甲奴・甲藤・甲斐・甲必丹・甲武信岳・甲浦・甲楽城・甲良

解字 甲骨文 金文 篆文 象形。尾をひいたかめのこうらの象形で、こうら・からの意味を表す。借りて、十干の第一位に用いる。甲を音符に含む形声文字に、匣・呷・岬・押・胛・柙・狎・鴨などがあり、これらの漢字は、多く「(亀の甲羅のようなもので)覆う」の意味を共有している。

逆 花甲・華甲・精甲・装甲・鉄甲・兵甲・保甲

【甲乙】①順序。②優劣。③名の知れぬ(仮定の)人や物事を挙げて言う語。たれかれ。あれこれ。

【甲科】①科挙の試験の最もむずかしい部門。②科挙の試験の及第者の第一位。甲第。③進士。

【甲館】①皇太子の宮殿。②南北朝時代の、図書をつかさどる所。③図書館。

【甲騎】よろいを着、馬に乗った兵士。武装した騎馬武者。

甲骨文字

【甲骨文字】殷代に、占い用に使用された亀の甲や獣の骨に刻まれた文字。紀元前千三百年ごろのものと考えられ、今日の漢字の源。

⇩コラム 文字・書体の変遷(六三三ページ)。

【甲士】よろいを着た兵士。武装した兵士。

【甲子】㊀①干支の総称。十干と十二支。甲は十干の初め、子は十二支の初めで、甲と子で干支を代表する。両者を組み合わせて、日や年にあてる。③とし。年齢。④時候。季節。㊁②甲子の年や日。干支の第一番目。

【甲首】①よろいを着た兵士。また、よろい武者の首。②戸数数十戸の自治団の長。甲長。

【甲族】すぐれた一族。すぐれた家がら。貴族。

【甲第】①第一の邸宅。上屋敷。②りっぱな邸宅。③科挙の試験に第一等で及第すること。甲科。

【甲虫(蟲)】①身体の外部が堅いものにおおわれている動物。亀など。②鞘翅目に属する昆虫の総称。かみきり・かぶとむしの類い。③国かぶとむし。

【甲冑】よろい(鎧)とかぶと(兜)。武具。

【甲馬】①よろいと馬。②兵乱のたとえ。③紙に神仏の像を描いたもの。

【甲板】船のデッキ。

【甲兵】①よろい(鎧)と武器。武具と武器。用例〔老子、八十〕雖有甲兵、無所陳之。(甲兵有りと雖も、之を陳ぬる所無し)↓武器があっても、それを並べて戦争することはしない。②武装した兵士。よろい武者。③軍事。戦争。

【甲夜】五更の第一番目の時刻。初更。今の午後八時およびその前後の各一時間。一説に、午後八時から後の二時間。

【甲論乙駁】たがいに是非を議論すること。

0

【申】

5画 7603 教3 シン もうす

シン 真 shēn

3129 905C 一

筆順 丨 冂 日 日 申

字義 ❶もうす。のべる(陳・述)。㋐言う。告げる。用例〔唐、杜甫、兵車行〕長者雖有問、役夫敢申恨。(長者問ふ有りと雖も、役夫敢へて恨みを申べんや)↓年上のあなたのおたずねであっても、兵士である私たちは、思いきって恨みを言うことなどできましょうか(とてもできない)。㋑言上する。申し上げる。「上申」❷さる。十二支の第九位。㋐方位では西南西。㋑月では陰暦の七月。㋒時刻では午後四時、およびその前後の各一時間。一説に、その後の二時間。申の刻。くれ六つ。㋓動物では猿。❸のびる(伸)。のばす。❹かさねる(重)。繰り返す。❺いたす(致)。文書を送る・提出する。

名前 さる・しげる・しん・のぶ・み・もち・もぶ 難読 申楽

解字 甲骨文 金文 篆文 象形。甲骨文でよくわかるように、いなびかりの走るさまにかたどり、のびる・天の神の意味を表す。申の意味と音符とを含む形声文字に、伸・呻・神・紳などがある。

逆 具申・屈申・上申・追申・答申

【申韓】法家の申不害と韓非(一五五〇ページ上)。

【申申】①のびのびとして和らいでいるさま。②幾度も繰り返すさま。③きちんと整っているさま。

【申請】願い出る。人民が役所に対し、願い出ること。

【申奏】申し上げる。

【申達】①栄達する。②文書で通達する。また、その通達。

【申徒狄】殷の賢人。湯王が天下を譲ろうとしたことをけがらわしいと恥じ、石を抱き投身自殺したという。

【申不害】 戦国時代、韓の思想家。法家の祖。また、政治家。昭侯の大臣として十五年間政治をつかさどり、富国強兵に努め、外敵を防いだ。(前三八五?—前三三七)

【申理】 無実の罪を申し開きする。▼理は、治める意。

0 **【由】** 5画 7604 教3 ユ・ユウ・ユイ よし
漢ユウ(イウ)・呉ユ 慣ユイ 因 yóu
4519 9752 一

筆順 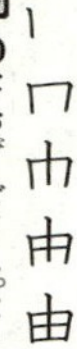

字義 ❶よる。㋐もとづく。用例〔論語、顔淵〕為レ仁由レ己、而由レ人乎哉。↓仁を実践していくのは、自分自身の力によるのであって、どうして他人の力によるであろうか。㋑へる(経)。用例〔論語、雍也〕行不レ由レ径。↓歩いていくときに小道や近道を通らない。㋒たよる。従う。たより従う。用例〔孟子、告子上〕舎二其路一而弗レ由。↓その正道を捨ててしまって、より従わない。㋓のっとる。手本とする。まねる。❷よし。よる所。㋐わけ。理由。原因。用例〔左伝、襄公二十三〕有二臧武仲之知一、而不レ容二於魯国一、抑有レ由也。↓臧武仲ほどの知恵ある者も、魯国にとどまることができなかったのには、理由があるのだ。㋑てだて。方法。用例〔論語、子罕〕雖レ欲レ従レ之、末レ由也已。↓先生につき従いたいと思っても、てだてがない。❸ひこばえ。木の切り株からはえた芽。❹孔子の弟子、子路の名。

国よし。伝え聞いたという意を示す語。多く手紙に用いる。…であるということ。様子。趣。「御病気の由」

助字・句法解説
❶なお…ごとし。比況。再読文字。「A由B(Aはなお(ほ)Bがごとし)」。訳 **Aはちょうど Bのようである**。類猶。
AがBに類似していることを表す。
用例〔孟子、公孫丑上〕以二斉王一、由レ反レ手也。↓斉のような大国をもって天下に王者となるのは、ちょうど手を裏がえすように簡単なことだ。
❷より。起点。「由A(Aより)」。訳 **Aから**。類自・従。
続く語Aが起点・経路であることを示す。
用例〔孟子、尽心下〕由二文王一至二於孔子一、五百有余歳。↓文王から孔子までは五百余年である。

名前 ただ・みち・ゆ・ゆう・ゆき・よし・より 難読 由宇・由縁・由仁・由比・由布院

解字 甲骨文  象形。甲骨文でもわかるように、底の深い酒つぼの象形。『説文解字』には繇の別体として由を載せる。酉・卣と同じ語で、字体だけが異なっていた由の字を借りて、よるの意味に用いる。由を音符に含む形声文字に、冑・宙・抽・油・紬・袖・釉・鼬などがある。

逆 因由・縁由・遠由・解由・経由・事由・自由・来由

【由縁】 ①由来。いわれ。②ゆかり。手がかり。

【由旬】 仏 梵語 yojana の略音訳。由旬那。踰繕那。帝王の一日の行軍の里程。中国里で、八十里・六十里・十六里などの諸説がある。中国の一里は時代によって異なるが、約四〇〇〜六〇〇メートル。

【由緒】 いわれ。すじみち。由来。来歴。

【由由】 ①自得のさま。満足しているさま。②喜ぶさま。③ゆったりしているさま。④ためらうさま。

【由来(來)】 ①よって来る、また、よって来たところ。来歴。いわれ。原因。②もとから。もともと。元来。③…からこのかた。それからこのかた。以来。

1 **【甴】** 6画 7605 漢フツ 呉フチ 物 fú
一 一 4511

字義 鬼の頭。
解字 象形。鬼の頭にかたどる。

2 **【男】** 7画 7606 教1 ダン・ナン おとこ
漢ダン・呉ナン 覃 nán
3543 926A 一

筆順 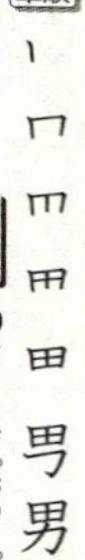

［俤］382 俗字

字義 ❶おとこ。おのこ。↔女(2307)。㋐男性。㋑むすこ。おとこの子。㋒血気さかんな若者。壮丁。「丁男」 ❷子が父母に対する自称。❸五等爵(公・侯・伯・子・男)の第五位。男爵。

名前 お・おと 難読 男垂・男達・男郎花・男鹿

解字 甲骨文  金文  篆文  会意。田+力。田は、耕作地の象形。力は、ちからのあるうでの象形。耕地で生産する働き手、おとこの意味。

逆 嫡男・丁男

【男女不レ同レ席】 男女の別を正しくする意。〔礼記、内則〕男と女とは、同一の席(敷物)に座らない。

【男女有レ別】 男と女とでは、守り従うべき礼儀に区別のあること。また、男と女とはたがいに礼儀を守って交わるべきこと。用例〔礼記、喪服小記〕男女有レ別者、人道之大者也。↓男と女とで守り従うべき礼儀に区別のあることは、人間道徳の重大な秩序である。

【男色】 美しい男性が君主などから寵愛を受けること。また、その男性。かげま。男寵。

【男尊女卑】 社会の慣習上、男を尊び、女を男より低く見ること。〔列子、天瑞〕

2 **【町】** 7画 7607 教1 チョウ まち
漢テイ・呉チョウ(チャウ) 迥 青 tǐng, tīng
3614 92AC 一

筆順 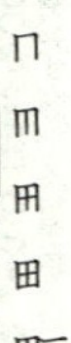

［甼］7608 同字

字義 ❶畑のうね。また、田のあぜ。❷さかい(境)。㋐耕作地の境界。㋑一般に、境界。国❶まち。市街。❷チョウ。㋐地方自治体の一つ。㋑距離の単位。六十間。約一〇九メートル。㋒面積の単位。十反。三千坪。約九九三〇平方メートル。

名前 まち

使いわけ
まち〔町・街〕
「まち」には、①住宅の密集地、②地方公共団体の一つとしてのまち、③商店などの並んでいるにぎやかな区域、の三つの意味があるが、③の場合に限って〔街〕を用いることが多い。「街の明かり」

解字 篆文  形声。田+丁音。音符の丁は、釘を打ちこむの意味。耕作地の境界に釘のように打ちこまれたあぜ道、さかいの意味を表す。

【町畦】 ①畑のうね。田のあぜ。②さかい。境界。③区別。けじめ。

2 **【甼】** 7画 7608 チョウ 町(7607)と同字。→九六八ページ下。
6522 E155 一

2 **【甸】** 7画 (1096) デン 勹部。→二〇三ページ中。

2 **【畂】** 7画 7609 デン 畂(4525)と同字。→六三三ページ下。
28121 一 一

2【甹】7画 7610 ㊅ヘイ ㊇ビョウ(ビャウ) 青 pīng
字義 ❶せわしい。❷おとこだて。
解字 会意。由＋丂。
— — 4512

2【畂】7画 7611 国字 うね
畝(7639)の俗字。→九七〇ジペー下。
₂8120 — —

3【甽】8画 7612 ケン
畎(7622)と同字。→九六九ジペー下。
₂8122 — 4513

3【甾】8画 7613 ㊀シ 支 zī ㊁シ 寘
字義 ㊀ほとぎ。かめ。㊁あらた(新田)。
参考 〔甾〕(7624)は本来、別字であるが、混用する。
解字 象形。ほとぎの形にかたどり、ほとぎの意味を表す。
₂8123 — 4514

3【畃】8画 7614 シュン 真 xún
字義 言いつけ。命令。
解字 形声。甸＋詢省㊍。
— — 4517

3【畀】8画 7615 ヒ 寘 bì
字義 あた-える(与)。たま-う(賜)。
解字 篆文 会意。もと、由＋丌。由は、こしきの中じきの象形。丌は、台の象形。箅への原字で、こしきの底にしく「すのこ」の意味を表したが、借りて、あたえるの意味を表す。
₂8124 — 4516

3【甿】8画 7616 ㊀㊅モウ(マウ) ㊇ミョウ(ミャウ) 庚 méng ㊁㊅ボウ・㊇モウ 蒸 径
字義 ㊀たみ(民)。人民。とくに、農夫。無知の民。＝氓(6107)。
解字 篆文 形声。田＋亡㊍。音符の亡は、盲に通じ、目が見えない人の意味。耕作に従う無知の民の意味を表す。
— — 4515

3【畄】8画 7617 リュウ
留(7642)の俗字。→九七一ジペー上。
6523 E156 —

4【畏】9画 7618 常 イ おそ-れる イ(ヰ) 未 wèi
筆順 畏
字義 ❶おそ-れる。㋐おそれおののく。こわく思う。
用例 〔戦国策、楚〕虎不ㇾ知㆓獣畏ㇾ己而走㆒(とらけもののおのれをおそれてはしるをしらず)。⇩虎は獣たちが自分を恐れて逃げているのに気づかなかった。㋑おそれはばかる。㋒いむ(忌)。きらう。㋓おそれ従う。㋔うやまう。うやまい従う。❷つつしむ。自分をいましめる。用心する。
用例 〔論語、子罕〕子畏㆓於匡㆒(しキョウにいす)。危難にあって警戒する。⇩先生が匡の地で恐ろしいめにあった。❸恐ろしいめにあう。
国 ❶かしこ-し。㋐おそれ多い。もったいない。㋑かたじけない。ありがたい。❷かしこ-まる。㋐うやまう。畏敬する。㋑おそれつつしむ。おそれ入る。㋒正しくすわる。威儀を正してすわる。㋓つつしんで承る。❸かしこ。女性が手紙の末尾に書く語。「つつしんで申し上げました」の意。かしく。
使いわけ おそれ・おそれる〔恐・虞・畏〕⇩恐(3514)。
解字 甲骨文 金文 篆文 会意。甲骨文・金文は、鬼＋卜。鬼は、普通とちがった形のものの象形。卜は、むちの象形。怪しい物がむちを持つさまから、おそれるの意味を表す。『説文解字』では、由＋虎省の会意文字とし、由は、おにの頭、虎は、とらの象形で、おそろしいの意味を表すとする。畏を音符に含む形声文字に、猥ワイ・煨ワイ・隈ワイなどがある。
【畏愛】アイ 畏敬と親愛。畏敬し親愛する。
【畏忌】キイ おそれ、忌みはばかる。
【畏△懼】イク おそれる。おそれはばかる。▼懼も、おそれる。
【畏敬】ケイ おそれうやまう。心からうやまう。
【畏事】ジイ おそれつかえる。心からつかえる。
【畏日】ジツ 夏の太陽。恐ろしいほど光が強く、暑いからいう。『左伝』文公七、杜預トヨ注に「冬日可ㇾ愛アイすべく、夏日可ㇾ畏おそるべし」とあるのに基づく。
【畏縮】シュク おそれちぢまる。
【畏△憚】タン おそれはばかる。
【畏怖】フ おそれる。▼怖も、おそれる。
【畏服】フク おそれて服従する。
【畏友】ユウ 自分の畏敬している友。敬服すべき友。
1658 88D8 —

4【胃】9画 (4945) イ 月部。→六九一ジペー上。

4【畇】9画 7619 ㊀イン(ヰン) 真 yún ㊁㊅テン・㊇デン 先 tián
字義 ㊀耕し開く。㊁地名。今の山東省内。
解字 形声。田＋匀㊍。
— — 4518

4【界】9画 7620 教3 カイ カイ 卦 jiè
筆順 界
字義 ❶さかい(境)。㋐しきり。くぎり。「境界線」㋑かぎり。はて。「限界」㋒ほとり。あたり。「辺界」❷さかいする。㋐さかいを作る。区切る。㋑さかいを接する。隣りあう。❸へだてる(隔)。仲たがいする。❹さかいめより内側。区域。範囲。場所。
名前 さかい
解字 篆文 形声。田＋介㊍。音符の介は、体と体をはっきり区切るようなよろいの意味。田と田とをはっきり区切る、さかいの意味を表す。土を付した堺は、同字。
逆 外界・各界・眼界・境界・苦界・下界・限界・視界・色界・人界・世界・仙界・租界・魔界・幽界
【界域】カイイキ ①さかい。境界。②あたり。近所。
【界限】カイゲン 同限界。①さかい。区切り。②限り。果て。
【界△隈】カイワイ 国あたり。近所。▼隈は、くま・すみ。
1906 8A45 —

4【畍】9画 7621 カイ
界(7620)と同字。→九六九ジペー中。
6524 E157 —

4【禺】9画 (8425) グ 内部。→一〇四四ジペー中。

4【畎】9画 7622 ケン 銑 quǎn
［甽］7612 同字
字義 ❶みぞ(溝)。耕作地の間を流れる用水のみぞ。❷谷。谷川。
解字 篆文 形声。田＋犬㊍。音符の犬は、涓ケンに通じ、水がちょろちょろ流れるの意味。耕地の中の用水路の意味を表す。
【畎畝】ケンポ ①耕作地の境界。また、うねと用水のみぞ。②はたけ。たんぼ。田園。③いなか。農村。④民間。「畎畝之中ケンポのうち」
₂8126 — 4520

4【畊】9画 7623 コウ
耕(9587)の古字。→一一六七ジペー下。
6525 E158 —

4【甾】9画 7624 ㊀サイ 灰 zāi ㊁シ 支 zī
字義 ㊀わざわ-い(わざわひ)。＝災(6857)。㊁荒れ田。耕さないで雑草の生えている土地。
参考 〔甾〕(7613)は、もと「ほとぎ」の意味で別字であるが、甾と混用する。
解字 形声。田＋巛㊍。音符の巛イサは、川のはんらんによるわざわいの意味。荒れた田の意味を表す。

4【胄】9画 (768) チュウ 冂部。→一六〇ジペー中。

田部 2▼4画 〔甹 畂 甽 甾 畃 畀 甿 畄 畏 胃 畇 界 畍 禺 畎 畊 甾 胄〕

4 【胄】9画 (4962) チュウ 月部。→六九三ページ下。

4 【畋】9画 (4525) デン 支部。→六三三ページ下。

4 【畈】9画 7625 漢ハン 呉ホン 願 fàn 2 8125 — 4519

字義 た(田)。耕作地。

解字 形声。田＋反音。

4 【毘】9画 7626 人 標 漢ヒ 呉ビ 囡 pí 4091 94F9 —

筆順 丨 冂 冃 田 田 毘 毘 毘 毘

［毗］7627 同字

字義 ❶あつい(厚)。あつくする。また、ます(増)。❷たすける。たすく。❸へそ。ほぞ。

名前 すけ・たる・てる・とも・のぶ・ひで・まさ・やす・よし

注意 『康熙字典』では、比部に所属する。

解字 篆文 形声。田(囟)＋比音。囟は、通気口の象形。しわのある通気口の形をした人体の「へそ」の意味を表す。また、比に通じ、たすけるの意味を表す。

【毘沙門天】ビシャモンテン 仏梵語 Vaiśravaṇa の音訳。多聞と訳す。四天王の一つ。北方を守り、財宝をつかさどる。日本では七福神の一つ。

【毘補】ヒホ 助け補う。

【毘△盧遮那】ビルシャナ 仏梵語 Vairocana の音訳。光明遍照と訳す。仏身の尊称。各宗派で解釈がちがうが、天台宗では法身仏、華厳宗では報身仏、密教では大日如来。

4 【毗】9画 7627 ビ 1 8644 — —

毘(7626)と同字。→九七〇ページ上。

注意 『康熙字典』では、比部に所属する。

4 【畉】9画 7628 漢フ 呉ブ 虞 fū 6526 E159 —

字義 たがやす(耕)。

解字 形声。田＋夫音。

4 【畐】9画 7629 一漢フク・呉ブク 屋 fú 二漢ヒョク・呉ヒキ 職 2 8127 — 4521

字義 一❶みちる(満)。❷布の幅。

解字 象形。神に供えて福を祈る、ふっくらとした酒樽にかたどる。

4 【畆】9画 7630 ホ 6528 E15B —

畝(7639)の俗字。→九七〇ページ下。

4 【畒】9画 7631 ホ 2 8128 — 4522

畝(7639)の俗字。→九七〇ページ下。

4 【畑】9画 7632 国字 教3 はた・はたけ 4010 94A8 —

筆順 丶 ッ 火 火 灯 炽 畑 畑

字義 はた。はたけ。陸田。水を張らない田畑。

難読 畑田かまだ

解字 会意。火＋田。森林を焼いて開いたはたけの意味を表す火田の二字を一字に合わせた国字。

5 【畟】10画 7633 漢ショク 呉シキ 職 cè — — 4525

字義 ❶畟畟は、農夫が土をすき起こして進むさま。❷整う。

解字 会意。田＋儿(人)＋夊。田は、農地の意味。夊は、人の足踏みの象形。

5 【畛】10画 7634 シン 軫 真 zhěn 6527 E15A —

字義 ❶耕作地の間の道。❷さかい(境)。㋐耕作地の境。㋑一般に、さかい。境界。❸つげる。いたす。祭って神に告げる。

解字 篆文 形声。田＋㐱音。音符の㐱シは、密度が高いの意味。田の境界ごとに多くつけられた道の意味を表す。

【畛域】シンイキ ①さかい。境界。②境界に囲まれた中。境域。場所。

5 【畜】10画 7635 常 チク 3560 927B —

一チク 屋 chù 二キク 屋 xù 三漢キュウ(キウ)・呉ク 宥 四チュウ(チウ) 宥 chù

筆順 丶 亠 玄 玄 玄 斉 畜 畜

字義 一❶たくわえる。たくわう。つむ。集める。集め積む。＝蓄(10184)。❷たくわえ。たくわえられたもの。❸とどめる(止)。引きとめる。二❶やしなう。やしなふ。(養)。養い育てる。かう(飼)。用例〔孟子、梁恵王上〕仰足三以事二父母一、俯足三以畜二妻子一 あお(ふ)いではもって父母につかうるにたり、ふしてはもって妻子をやしなう(ふ)にたる。↓上は父母に十分に仕えて孝養を尽くすことができ、下は妻子を十分に養うことができる。❷いれる(容)。ゆるす。❸したがう(従)。❹このむ(好)。愛する。三四家に飼われている鳥獣。家畜。特に犠牲いけにえとして供えるために飼っている鳥獣。

名前 ます

解字 金文 篆文 象形。獣の頭にひもをつけた形にかたどり、やしない育てるの意味を表す。

逆 鬼畜・獣畜・人畜・牧畜

【畜産】チクサン・キクサン ①家に飼う牛・馬・鶏・犬など。家畜。②家畜を飼って利益をあげる産業。

【畜積】一チクセキ 一チクシ たくわえ。積みたくわえる。

【畜生】一チクショウ・キュウセイ ①鳥けもの。鳥獣。②人をののしって言う語。二チクショウ 仏六道の一つ。畜生道の略。

【畜生道】チクショウドウ 仏生前の悪業アクゴウにより、死後に畜生に生まれ変わって苦しみを受けること。

【畜牧】チクボク・キクボク 家畜を野原で飼う。

【畜養】チクヨウ・キクヨウ やしなう。飼い養う。

5 【畗】10画 7636 一トウ(タフ) 合 dā, dā 二フク 屋 fú — — 4523

字義 一答(8741)の古字。二福(8403)の古字。

5 【畔】10画 7637 常 ハン 漢ハン 呉バン 翰 pàn 4042 94C8 —

5 ［畔］10画 7638

筆順 丨 冂 冃 田 田 田' 田' 畔 畔 畔

字義 ❶さかい(境)。㋐耕作地のさかい。あぜ。くろ。㋑一般に、さかい。境界。❷きし(岸)。水ぎわ。❸ほとり。かたわら。「湖畔」❹そむく。離れる。離反する。＝叛(1291)。

名前 くろ・べ

難読 畔蒜あびる・畔柳あぜやなぎ・くろやぎ・くろやなぎ

解字 篆文 形声。田＋半(半)音。音符の半は、わけるの意味。耕地を区分するあぜの意味を表す。

逆 江畔・湖畔・沢畔・池畔・背畔

【畔換】ハンカン 強くてわがまま。

【畔岸】ハンガン ①田のあぜと川の岸。転じて、はて。辺際。②へだて。人をへだてて近づけないこと。③ほしいまま。かってきまま。

【畔逆】ハンギャク むほんを起こす。そむきさからう。叛逆ハンギャク。

【畔路】ハンロ 田の間のあぜ道。田の中の小道。

【譲(讓)レ畔】ハンをゆずる(ゆずる)・あぜをゆずる(ゆずる) 耕地のあぜを譲りあう(相手の面積を広げてやる)。民情の厚いこと。

5 【畝】10画 7639 常 うね 漢ボウ・呉モ 有 mǔ(mǒu) 3206 90A4 —

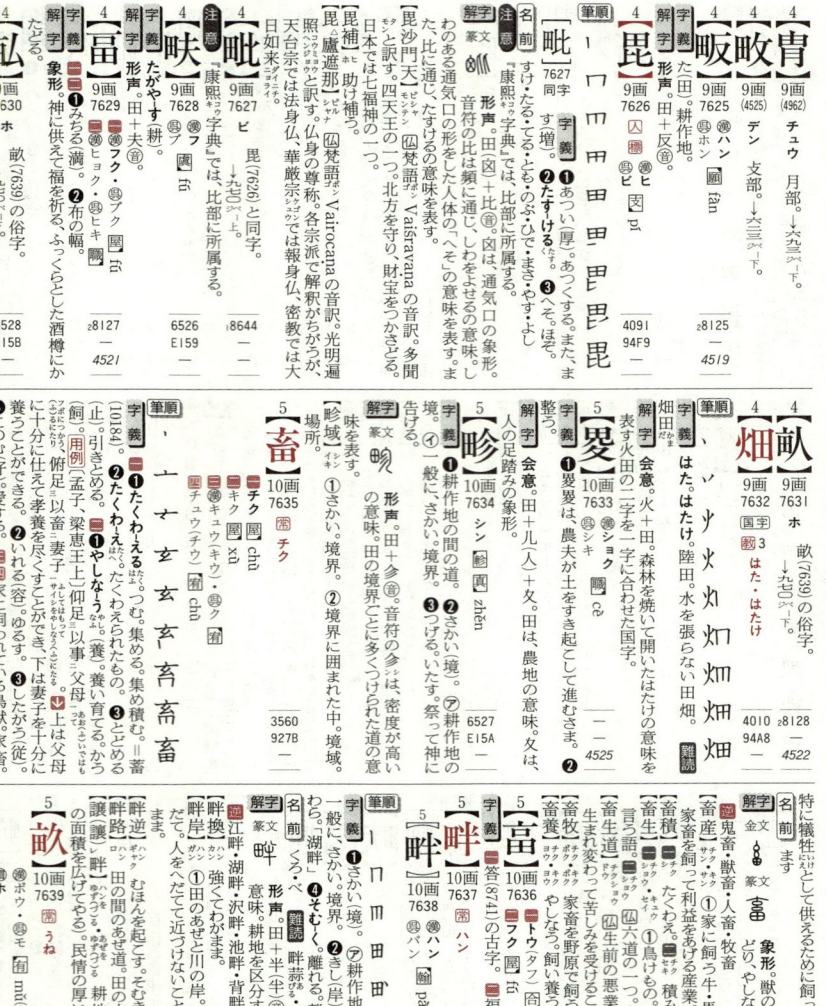

筆順 丶 亠 亠 亣 亩 亩 亩 畆 畆

［畂］7640 同字 ［畒］7611 俗字 ［畝］7630 俗字 ［畞］7631 俗字

字義 ❶耕地の面積の単位。周代では、六尺平方(周代の一尺は約二二・五センチメートル)を歩とし、百歩を畝とした。約一・八二アール。約一アール。約一アール。❷うね。畑のうね。国せ。面積の単位。三十歩。約一アール。

名前 うね・せ 難読 畝傍(うねび)

解字 金文 篆文 別体 形声。金文・篆文は、田＋毎㊥。音符の毎は、乳房のある女性の象形。田畑の乳房のようなもりあがり、うねの意味を表す。

逆 田畝・農畝

5 【畆】10画 7640 ホ 畝(7639)と同字。→九七〇ページ下。 — — 4524

5 【畚】10画 7641 ホン 阮 běn 6529 E15C —

［畚］1264 俗字

字義 ふご。もっこ。あじか。藁(わら)や縄などで作った、土を運ぶ道具。

解字 篆文 形声。田(甾)＋弁㊥。甾は、ほとぎ・かごの象形。音符の弁(ヘン＝ホン)は、かんむりの意味。かんむりのような形をした、ふご・もっこの意味を表す。

5 【留】10画 7642 教 5 リュウ・ル と-める・と-まる

㊀㊂リュウ(リウ)・㊁ル 尤 liú
㊁㊂リュウ(リウ)・㊁ル 宥 liù

4617 97AF —

［畱］7661 本字 ［畄］7617 俗字

筆順 ノ ㇄ ㇄ ㇄ 㽞 㽞 㽞 留 留 留

字義 ㊀❶とまる。とどまる。㋐その所にとどまる。動かない。用例〔孟子、告子下〕願留而受業於門(ねがわくは とどまりて ギョウをモンにうけん)。⇩ここに長くとどまって、先生の教えを受けたいと思います。㋑とどこおる。進まない。用例〔東晋、陶潜、遊斜川詩序〕悲日月之遂往、悼吾年之不留(ジツゲツの ついにゆくをかなしみ、わがとしの とどまらざるをいたむ)。⇩このまま月日は流れ去り、自分が年をとってゆくことをいたみ悲しむ。㋒今までのままにする。変わらない。用例〔管子、正世〕不慕古、不留今(いにしえ(へ)を したわ(は)ず、いまに とどまらず)。⇩いたずらに古代を慕ったりせず、現状にもとどまらない。㋓後に残る。「遺留」

❷とめる。とどめる。㋐とどまらせる。動かないようにする。おさえる。用例〔史記、樊噲伝〕沛公留車騎、独騎一馬(ハイコウ シャキをとどめ、ひとり イチバにのる)。⇩沛公は車を留め置いて、ひとりで馬に乗った。㋑やめさせる。㋒引きとめる。用例〔孟子、公孫丑下〕有欲為王留行者(オウのために コウを とどめんとほっするものあり)。⇩斉王のために〔孟子が〕帰国するのを引き留めようとする者がいた。㋓後に残す。用例〔東晋、陶潜、飲酒詩〕雖留身後名、一生亦枯槁(シンゴのなを とどむといえ(へ)ども、イッショウ またコウコウす)。⇩死後の名声を残したものの、生涯やせおとろえていた。／〔荘子、秋水〕此亀者寧其死為留骨而貴乎、寧其生而曳尾於塗中乎(このかめなるものは、むしろそれ しして ほねをとどめて、たっと(たふ)とばるるをなさんか、むしろそれ いきて お(を)を トチュウにひかんか)。⇩この亀としては、死んでから骨を残して貴ばれているほうがいいか、むしろ生きていて尾をどろの中に引きずっているほうがいいか。㋔ぐずぐずしていて決定しない。長びかせる。用例〔易経、旅〕君子以明慎用刑而不留獄(クンシは もって あきらかに つつしんで ケイをもちい(ゐ)て ゴクをとどめず)。⇩君子たるものは、実情を明察して刑罰には慎重を期し、その断罪を長引かせない。

❸ひさしい(久)。長い。用例〔礼記、儒行〕悉数之乃留(ことごとく これをかぞう(ふ)れば すなわ(は)ち ひさし)。⇩全部を数えるとなれば長く時間がかかる。

❹うかがう(うかがふ)。まつ。すきをねらう。用例〔荘子、山木〕執弾而留之(ダンをとりて これをうかがう(ふ))。⇩弾き弓を手にしてこれを射とめようとうかがった。

❺ルーブル。ロシアの貨幣単位rublの略音訳。

㊁すばる。星座の名。牡牛座(おうしざ)のプレアデス星団。六星から成る。＝昴(4730)。

名前 たね・と・とめ・ひさ・る 難読 留辺蘂(るべしべ)・留萌(るもい)

参考 現代表記では〔溜〕(6609)の書きかえに用いることがある。「乾溜→乾留」「蒸溜→蒸留」

使いわけ とまる・とめる〔止・留・泊〕⇨止(5989)。

解字 金文 篆文 形声。田＋丣㊥。音符の丣(リュウ)は、流に通じ、ながれるの意味。田の間を流れる水がとまるの意味を表す。留を音符に含む形声文字には、「ながれがとまる」の意味と「ながれる」の意味との二つの系列があり、溜(リュウ)・瘤(リュウ)・遛(リュウ)・霤(リュウ)・餾(リュウ)などがある。

逆 慰留・去留・居留・寄留・拘留・在留・残留・滞留・駐留・保留・抑留

【留意】(リュウイ) 心をある物事にとどめる。気をつける。

【留△寓】(リュウグウ) 他郷にとどまっていること。

【留侯】(リュウコウ) 漢の張良(四九二ページ中)をいう。

【留止】(リュウシ) とどまる。そこに残っている。

【留守】㊀(リュウシュ) ①とどまり守る。②天子の巡行中、重臣が国都にとどまっていて、これを統べ守ること。唐以後、しばしば官名とされた。㊁(ルス) 国①天子・大名の不在中、宮城・城を統べ守る主役。②主人の不在中、家を統べ守る人。③出かけて不在のこと。

【留取】(リュウシュ) とどめておく。後に残しておく。▼取は、助字。

【留滞(滯)】(リュウタイ) とどまり、とどこおる。停滞。

【留任】(リュウニン) 任期が終わってもなおその役職にとどまること。

【留別】(リュウベツ) 旅立つ人が別れを告げること。別れの心を後にとどめる。離別を惜しむ。

【留保】(リュウホ) ①決定しないで一時そのままにとどめておくこと。→保留(一二三ページ中)。②〔国際法〕で自分の国については適用しないという意志を示すこと。

【留落】(リュウラク) 〔軍を進めても〕事故などで遅れて戦えなかったり、また、功を挙げられなかったりすること。

【留連】(リュウレン) ①去るに忍びず、ぐずぐずしているさま。②さまよい歩くさま。流浪するさま。

5 【畠】10画 7643 国字 人 標 4011 94A9 —

筆順 ノ 亻 亇 白 白 自 畠 畠 畠 畠

字義 畑(7632)と同字。はた。はたけ。

名前 はた・はたけ

解字 会意。白＋田。中国で水田に対するはたけを、白田の二字で表したものを、日本で一字に合わせた国字。

6 【異】11画 7644 教 6 イ こと 1659 88D9 —

7 〖異〗12画 7645 イ 寘 yì

筆順 冂 冂 田 田 甲 甲 里 里 異 異 異

字義 ❶ことなる(ことなり)。㋐同じでない。違っている。用例〔韓非子、五蠹〕世異則事異(よことなれば すなわ(は)ち こと ことなる)。⇩時代が違えば物事も同じでなくなる。㋑ほかの。別の。よその。「異域」「異国」「異姓」㋒普通ではない。めずらしい。特別な。「奇異」「異聞」㋓なみでない。すぐれている。非凡である。「秀異」「異才」「異能」㋔特殊な。正統でない。「異学」「異端」。㋕ふしぎな。奇怪な。❷変わったこと。変わったもの。「怪異」❸わざわい(災)。「災異」「天変地異」❹むほん。反逆。「異心」❺ことにする(ことにす)。㋐別々になる。分かれる。用例〔荀子、勧学〕生而同声、長而異俗、教使之然也。↓（違う民族同士のこどもが生まれた時は同じ声を発しながら、成長すると風俗・習慣を異にするのは、（後天的な）教育がそうさせるのである。
㋑区別する。識別する。見分ける。用例〔新語、道基〕異是非、明好悪。↓是非を区別し、好悪を明白にする。
㋒別にする。特別にする。用例〔史記、張丞相伝〕年雖少、然奇才也、君必異之。↓（あなたの部下は）年齢は若いが、非凡な才能の持ち主だ。あなたはきっと彼を特別扱いなさった方がよい。
❻めずらしがる。㋐すぐれていると認める。
㋑ふしぎにおもう。あやしむ。用例〔東晋、陶潜、桃花源記〕漁人甚異之。↓漁師はこのような場所があるのをとても不思議に思った。

名前 こと・より

解字 甲骨文 金文 篆文 象形。人が鬼やらいにかぶる面をつけ、両手をあげている さまにかたどる。それをかぶると恐ろしい別人になるところから、ことなるの意味を表す。甲骨文・金文の象形が、『説文解字』では廾＋畀の会意として説かれる。常用漢字の異は、『説文解字』の異の省略形。

逆 怪異・奇異・驚異・考異・差異・災異・地異・同異・特異・変異

【異意】イイ ①むほんの心。②別の意味。③意を異にする。意見・意味・心・考えを異にする。

【異域】イイキ 外国をいう。異郷。▼域は、区域。

【異域之鬼】イイキのおに 外国で死んだ人。また、互いに異なった地で死んだ両者。

【異客】イカク・イキャク ①別の客。②普通と異なった、不思議な客。③他郷にある人。旅にいる身。④他郷から来た人。

【異学（學）】イガク ①異端の学問。正統でない学問。②国家で認めている学問に反する学問。③国江戸時代、朱子学以外の学問をいう。「寛政異学の禁」

【異義】イギ ①異なった意味。②＝異議。

【異議】イギ 同異見・異論。①他と異なる意見・議論。②反対または不服の意見・議論。

【異教】イキョウ ①異なった教え。②自分の信仰している以外の宗教。

【異郷（鄕）】イキョウ よその土地。他郷。外国。

【異曲同工】イキョクドウコウ ＝同工異曲（一五九ジ・中）。一見異なっているようであるが、詳しく見ると、結局、同じような方法によっていること。

【異形】イケイ 一 異なる形。違う形。二 ギョウ 異様な形。普通と異なる不思議な形・姿。

【異見】イケン ＝異議。

【異口同音】イコウドウオン・イクドウオン 多数の人が口をそろえて同じことを言うこと。

【異才】イサイ すぐれた才能。また、その才のある人。異材。用例〔後漢書、孔融伝〕融幼有異才。↓孔融は小さい時からすぐれた才能の持ち主であった。

【異彩・異△采・異△綵】イサイ ①すぐれた色彩。目をうばうばかりの光彩。②人や物の、目を見張らせるほどりっぱですぐれていること。

【異材】イザイ ＝異才。

【異志】イシ ①ふたごころ。謀反の心。二心。異心。②すぐれた志。非凡な志。

【異時】イジ 別の時。㋐ある時。㋑かつて。前に。前日。むかし。㋒後日。

【異日】イジツ 別の日。他日。㋐前日。むかし。㋑後日。

【異状（狀）】イジョウ 異常な状態。ふだんと違う状態。↓異常。

【異常】イジョウ 正常でない。普通でない。◆「異常」と「異状」は、厳密には違いはあるが、現代日本では「異常」の方を用いることが多い。「異常」は、「異常な」「異常に」というように形容動詞として用いることができる点、「異常事態」のように複合語を構成することができる点で、「異状」より使用範囲が広い。

【異色】イショク ①異なる色。②すぐれて美しい色。③他と異なってすぐれていること。

【異心】イシン ①ふたごころ。謀反の心。二心。異志。②他と異なる考え。別な考え。

【異人】イジン ①別の人。他の人。②普通と異なった人。㋐すぐれた人。㋑風変わりな人。変人。㋒仙人・魔女など。③国外国人。特に、西洋人をいう。

【異数（數）】イスウ ①異なる等級。②普通と異なること。異例。

【異性】イセイ ①性質が異なること。②性（男女・雌雄）が異なること。③男性から女性を、女性から男性を指していう語。

【異蛇】イダ 普通と変わっているへび。めずらしいへび。また、不思議なへび。用例〔唐、柳宗元、捕蛇者説〕永州之野産異蛇。↓永州の野に、変わった蛇が住んでいる。

【異体字】イタイジ 字音・字義ともに同じであるが、字体が異なる字。⇩コラム異体字（九七三ジ）。

【異端】イタン ①聖人の道でなく、別に一端をなすもの。正統でない道。正しくない道。儒家が自家の道・思想以外のもの、たとえば道家・墨家などの道・思想を指して言った語。用例〔論語、為政〕攻乎異端、斯害也已。↓正統でない道を学ぶのは、ただ害があるだけである。②国㋐正しくない道。よこしまな道。㋑宗教で、正統以外の説、また、正統中にあって異議を唱える説。㋒時流に受け入れられぬ思想や学説。㋓異端者の略。

【異端者】イタンシャ 国①異端を信奉し、主張する人。②伝統や権威に反抗する人。

【異朝】イチョウ 国外国の朝廷。また、外国。

【異図（圖）】イト 謀反の心。背く心。異心。

【異同】イドウ 異なる点。違い。▼同は、そえ字。

【異能】イノウ 非凡な才能。用例〔唐、柳宗元、三戒〕然往来視之、覚無異能者。↓しかしながら、驢馬の周囲を行ったり来たりしながら観察したが、これといった特別な才能があるようにも思われなかった。

【異△稟】イヒン 普通の人と異なった、すぐれた生まれつき。

【異腹】イフク 父が同じで、母の違う兄弟姉妹。

【異物】イブツ ①異なる物。②普通と異なった見なれない物。㋐めずらしい物。㋑すぐれた物。㋒怪しい物。③幽鬼。あの世の者。死者。④人間以外の動物。⑤肉体。

【異聞】イブン ①めずらしい話。珍聞。②ある事に関して普通に言われている話と異なる点のある話。③（他人の知らない事について）特別に聞いた話。用例〔論語、季氏〕陳亢問於伯魚曰、子亦有異聞乎。↓陳亢は伯魚にたずねた、「あなたは（孔子の息子であるから）なにか特別な教えを聞いたことがありますか」。

【異方・異邦】イホウ 外国。異国。▼方・邦は、くに。

【異味】イミ めずらしい、また、おいしい食物。ごちそう。珍味。

【異様（樣）】イヨウ・ことヨウ 国普通と変わったありさま。

【異類】イルイ 一 ①異民族。②鬼神・鳥獣などをいう。二 ルイをことにす たがいに種類が異なっている。

【異例】イレイ ①前例、また、普通と異なること。前例のないこと。②国身体の調子が常と異なること。病気。

【異路同帰（歸）】イロドウキ 路を異にして帰を同じくする。通って行く道はたがいに異なっているが、行きつく所は同じである。〔淮南子、本経訓〕

【異論】イロン ＝異議。

コラム

異体字

一般に、漢字の字体は、中国で十八世紀に刊行された『康熙字典』をよりどころとし、そこで標準とされる字体（康熙字典体）を「正字」と呼んでいる。しかし、漢字の中には、字音も字義も同じであるが字体が異なるという文字がたくさんある。その場合、標準的な字体に対して、それと異なる字体の文字を「異体字」という。異体字の種別についてはいろいろな立て方があるが、この辞典では、次のような用語を用いている。

①本字　一般の正字よりも、さらに字源に忠実な形（篆文をそのまま楷書にしたような形）をした文字。「亡」に対する「亾」、「留」に対する「畱」など。

②古字　異体字のうち、特に古い起源を持つ文字。「善」に対する「譱」などで、たとえばこの古字は、金文に由来する。

③同字　正字とは字体が異なるが、それと同等に用いられてきた字体。「別体」ともいう。「島」に対する「嶋」、「峰」に対する「峯」、「涙」に対する「泪」など。

④俗字　正字が字典など公式な場で用いられてきたのに対して、主に世間一般で用いられてきたとされる字体。その多くは、筆画を省いたり、字を構成する一部分を同音のより簡略な文字に置き換えたりした、いわゆる「略字」である。「糧」に対する「粮」、「蠣」に対する「蛎」など。

なお、常用漢字表などで「いわゆる康熙字典体」とされている字体で、実際には正字と異なるものについても、この辞典では俗字としている。「寬」に対する「寛」、「歡」に対する「歓」など。

ただし、これらの区分には一定したものがなく、ある字体がある字体のどういう種類の異体字にあたるのかについては、諸説あることが多い。

---

6 【畡】 11画 7646 カイ 灰 gāi ㊎ガイ　—　—　4526

字義 地の果て。極地。

解字 形声。田＋亥㊥。

---

6 【畦】 11画 7647 標 漢ケイ 呉エ(ヱ) 斉 qí(xī)　2345　8C6C　—

字義 ❶耕地の面積の単位の一つ。五十（一説に、二十五）畝。周代の一畝は約一・八二アール。❷あぜ。さかい（境）。境界。❸うね。畑のうね。また、畑。

解字 篆文 形声。田＋圭㊥。音符の圭は、幾何学模様のある玉の象形。圭の模様のような、田のさかいのあぜの意味を表す。

【畦丁】 畑作り。作男。農夫。園丁。

---

6 【畤】 11画 7648 シ 紙 zhì ㊎ジ　6531　E15E　—

字義 祭りの庭。天地の神あるいは五帝（東・西・南・北・中央の神）を祭る場所。祭場。

解字 篆文 形声。田＋寺㊥。音符の寺は、たちどまるの意味。田は区画された地の意味。天地の神々が、そこを根拠地として、よりとどまるところ、聖地の意味を表す。

---

6 【畢】 11画 7649 人 標 漢ヒツ 呉ヒチ 質 bì　4113　954C　—

筆順 丶 冂 冃 田 罒 冉 昌 昌 畢

字義 ❶おわる（終）。また、おえる。用例（史記、項羽本紀）寿畢、請以剣舞。↓長寿の祈りが終わったら、剣の舞をしたいと申し出ろ。❷ことごとく（尽・悉）。みな。残らず。❸ついに（終・竟）。❹あみ。柄のついた網。また、網で捕らえる。❺星座の名。二十八宿の一つ。畢宿。あめふり。牡牛座のアルデバランを含む中央部。

名前 みな

解字 甲骨文 金文 篆文 形声。田＋華㊥。音符の華は、畢の原字で、かも猟に用いられる柄のついたあみの象形で、あみの意味を表す。のち、かりの意味の田を付した。閉に通じ、おわるの意味をも表す。

【畢竟】 つまり。要するに。結局。

【畢業】 業を終える。卒業。

【畢生】 一生を終わるまで。また、一生の。畢世。一生涯。終生。

---

6 【略】 11画 7650 教5 リャク 薬 lüè　リャク　4612　97AA　—

筆順 冂 冊 田 田' 畋 畋 畧 略 略

［畧］ 7651 同字

字義 ❶おさめる（治）。いとなむ（営）。境界を定めてその内を治める。❷ゆく（行）。めぐる。見まわる。❸おかす。「侵略」❹うばい取る。かすめ取る。攻めて取る。「略奪」❺うつ（討）。征伐する。❻はぶく（省）。「省略」❼はかりごと。「計略」「謀略」❽ちえ（知恵）。「知略」❾みち。㋐すじみち。㋑道徳。❿のり（法）。法則。規則。⓫さかい。㋐土地の境界。㋑境界内の土地。地内。⓬かなめ。要点。「要略」⓭ほぼ。およそ。あらまし。「大略」⓮あらい（粗）。くわしくない。精密でない。「粗略」

名前 とる・のり・もと

参考 現代表記では〔掠〕（4279）の書きかえに用いる。「掠奪→略奪」「侵掠→侵略」

解字 篆文 形声。田＋各㊥。田は、農業の生産地の意味。音符の各は、いたるの意味。自分の生産地に行きおさめるの意味や、他人の生産地に行きおかすの意味などを表す。また、転じて、はぶくの意味をも表す。

逆 簡略・奇略・機略・軍略・計略・攻略・作略・策略・算略・侵略・政略・省略・戦略・前略・大略・脱略・中略・知略・謀略・雄略

【略解】 ㊀大体の意味を解きあかす。また、あらましを理解する。㊁あらましを言う。また、省かれたことば。国あらましの解釈。

【略言】 あらましを言う。また、省かれたことば。

【略取】 ①かすめ取る。奪い取る。掠取。②攻め取る。攻撃して取る。

【略述】 あらまし（およそのこと）を述べる。

【略奪】 うばい取る。かすめとる。掠奪。

【略地】 ①土地を攻め取る。敵地を占拠する。②境界の地を巡行し視察すること。▼略は、巡行の意。

【略定】 攻略し平定する。用例（史記、項羽本紀）行略定秦地、至函谷関。↓進みながら秦の領地を攻略し平定して、函谷関にたどり着いた。

【略伝（傳）】 国あらましの伝記。簡略な伝記。

【略売（賣）】 他家の婦女やこどもをかどわかして売る。

【略要】 大体の要点。

---

6 【畧】 11画 7651 リャク　6532　E15F　—

略（7650）と同字。→九七三ページ下。

6 【累】 11画 (9129) ルイ 糸部。→二一七ページ中。

6 【畩】 11画 7652 国字 6530 E15D —

字義 けさ。畩ケ山(けさがやま)は姓氏。また、鹿児島県曽於(そお)市の地名。

解字 会意。田＋衣。田は、まんじ(卍)の図案化したものが一見、田の字に似ているところから、卍を紋にしている、けさの意味を表す。

7 【異】 12画 (7645) イ 異(7644)の旧字体。→九七一ページ下。

7 【畫】 12画 (862) ガ 画(861)の旧字体。→一七一ページ上。

7 【畬】 12画 7653 一ヨ 魚 yú 二シャ 麻 shē ₂8129 — —

［畲］7654 同字 ［畭］7655 同字

字義 一 あらた(新田)。開墾したばかりの田。また、田をひらく。開墾する。 二 ❶やきた。雑草を焼きはらって作った耕地。❷福建省・浙江(せっこう)省などに住む種族の名。ショオ族。

解字 篆文 形声。田＋余㊟。音符の余は、除草具の象形。除草したばかりの、あらたの意味を表す。

7 【畲】 12画 7654 シャ 畬(7653)と同字。→九七四ページ上。 ₂8130 — —

7 【畭】 12画 7655 シャ 畬(7653)と同字。→九七四ページ上。 6534 E161 —

7 【畯】 12画 7656 シュン 震 jùn ₁8842 EE53 4527

字義 ❶田地を取り締まり農事を奨励する役人。田大夫。❷農夫。田夫。

解字 甲骨文 篆文 形声。田＋夋㊟。音符の夋(シュン)は、すぐれるの意味。農業の知識にすぐれた人・農政の役人の意味を表す。

7 【畳】 12画 7657 常 ジョウ たた-む・たたみ 3086 8FF4 —

17 〖疊〗 22画 7658 人 漢チョウ(テフ) 呉ジョウ(デフ) 葉 dié 6540 E167 —

筆順 冂 冂 田 田 㽕 畀 冐 冒 畳

［曡］4892 本字 ［疉］7677 同字 ［叠］1295 俗字 ［疂］7672 俗字

字義 ❶たた-む。かさ-ねる。折りたたむ。積み重ねる。また、たた-まる。かさ-なる。❷かさなり。たたみ。たたむこと。重なること。❸繰り返す。また、繰り返し。歌の同一文句を繰り返して歌うこと。国❶たたみ。たたみ重ねて作った物。㋐座敷の敷き物。㋑石や瓦などを敷き並べた所。石だたみ。㋒草履や下駄の表につける物。❷たた-む。㋐すぼめる。「傘を畳む」㋑しまう。片づける。閉じる。「店を畳む」㋒責める。いじめる。いじめつけて弱らせる。㋓表に出さずにかくす。「胸に畳んでおく」

名前 あき

解字 篆文 会意。もと、晶＋宜。晶は、また、もと、畾で、同じ形のものを重ねるの意味。宜は、まないたの上に重なる美食の意味。かさなる・たたむの意味を表す。

逆 重畳・半畳

【畳韻】ジョウイン ①前の詩と同じ韻で詩を作ること。②同じ韻の二字が連なって、韻のひびきからある状態などの意味を成すもの。逍遥(しょうよう)・優游(ゆうゆう)・嬋娟(せんけん)など。

【畳語】ジョウゴ 同一の単語を重ねて一語としたことば。「時時・山山・かえすがえす」など。

【畳重】ジョウチョウ かさねる。また、かさなる。

【畳△濤】ジョウトウ 重なって寄せる波。

【畳峰】ジョウホウ 重なり連なる山々。

7 【畴】 12画 7659 チュウ 疇(7676)の俗字。→九七五ページ中。 6539 E166 —

7 【番】 12画 7660 教2 バン 漢ハン・呉ホン 元 fān 慣バン 4054 94D4 —

筆順 一 ㇒ 立 平 平 采 采 番 番 番

字義 ❶かわるがわる。代わりあうこと。交代。❷かず(数)。㋐順序の数。㋑たび。回数。㋒個数。枚数。❸未開の民族。異民族。外国人。転じて、外国のもの、外国から来たものに冠する語。国❶バン。㋐見張り。当直。宿直。「番人」㋑組合わせ・取組などを数える語。「十番勝負」㋒ある語に冠して「常用の・粗末な」の意を表す語。「番茶」「番傘」❷つが-い。㋐つがったもの。組。㋑二つで一組になったもの。㋒つがいめ。関節。「蝶番(ちょうつがい)」㋓動物の雌雄(しゆう)一対(いっつい)。㋔夫婦。❸つが-う。継ぎ合うの意。㋐二つ以上が組みあう。㋑対になる。㋒交尾する。❹つが-える。㋐二つ以上を組み合わせる。㋑弓の弦に矢をあてる。㋒ちぎる(契)。堅く約束する。

名前 つぎ・つぐ・つら・ふさ

難読 番長(おさ)・番南瓜(とうなす)

解字 金文 篆文 形声。田＋釆㊟。音符の釆(ハン)は、獣のつめの象形で、放射状に広がるの意味。田畑に種をまくの意味を表し、播(ハ)の原字。借りて、かわるがわる事にあたるの意味に用いる。

逆 下番・交番・週番・上番・茶番

【番△禺】バングウ 県名。広東(カントン)省広州市内。もと、秦(シン)代の県名。

【番語】バンゴ 未開の異民族のことば。また、外国語。蕃語(バンゴ)。

【番匠】バンショウ・バンジョウ 国①古代、飛驒(ひだ)(岐阜県)や大和(奈良県)から、交替で京都に上って木工寮で働いた大工。②大工。

【番舶】バンパク 外国船。

7 【畱】 12画 7661 リュウ 留(7642)の本字。→九七一ページ上。 ₂8131 — 4528

7 【塁】 12画 (2069) ルイ 土部。→三二六ページ上。

7 【⿰田寸】 12画 7662 国字

字義 の。布の幅を数える語。約三六センチメートル。

8 【畹】 13画 7663 漢エン(ヱン) 呉オン(ヲン) 阮 wǎn(yuǎn) ₁8843 — 4529

字義 耕作地の面積の単位。三十畝(ぽ)。一説に、十二畝。

解字 形声。田＋宛㊟。

8 【畸】 13画 7664 キ 支 jī 6535 E162 —

字義 ❶井田(六三ページ上)によって区切った耕地の残りの地。❷はした。余り。端数(はすう)。＝奇(2262)。❸めずら-しい。変わっている。＝奇(2262)。❹身体に障害のあること。

参考 現代表記では[奇](2262)に書きかえる。「畸人→奇人」「畸形→奇形」。熟語は[奇]をも見よ。

解字 篆文 形声。田＋奇㊟。音符の奇は、変わっているの意味。井田法で区画した耕地の残りで、変わった形の耕地の意味を表す。

【畸形】キケイ 身体が通常と異なる形態であること。奇形。

【畸人】キジン ①性質や挙動などの普通と変わっている人。変人。奇人。②身体に障害のある人。

8 【畺】 13画 7665 キョウ 疆(7675)と同字。→九七五ページ中。 ₂8132 — 4530

8 【畷】 13画 7666 一 漢テツ・呉テチ 屑 zhuì 二 テイ 霽 3877 93EB —

字義 一 二 なわて。耕作地の間の道。田のあぜ道。国 なわて。

解字 篆文 形声。田＋叕㊊。音符の叕ﾃﾂは、つづるの意味。糸をつなげたような田間の道、あぜみちの意味を表す。

8 【當】13画 (2746) トウ 当(2745)の旧字体。→四二〇ページ上。

9 【畻】14画 7667 ショウ 塍(2084)と同字。→三一七ページ下。 — — 4531

9 【畽】14画 7668 タン 旱 tuǎn 2 8133 — 4533

字義 ❶鹿かしの足跡。❷町畽ﾃｲﾀﾝは、田舎の空き地。❸田の境に接する地。また、田間の道。 難読 畽武ゆかたけ

解字 会意。田＋重。

9 【暢】14画 (4845) チョウ 日・曰部。→六七九ページ上。

9 【畼】14画 7669 チョウ(チャウ) 漾 chàng — — 4532

字義 ❶生えない。草が伸びない。❷伸びる。茂る。❸地名。戦国時代の魏ぎ国内。

解字 形声。田＋昜㊊。

10 【畿】15画 7670 常 キ 漢キ・呉ゲ 微 jī 2106 8B45 —

筆順 幺 幺 幺幺 幺幺 畿 畿 畿 畿 畿

字義 ❶みやこ。帝都。❷王城(帝都)から五百里以内の地(周代の一里は約四〇五メートル)。天子の直轄に属する。❸地域の称。周代、王城から五百里以外の地を、外に向かって五百里ごとに区分し、これを九畿、または九服(侯ｺｳ・甸ﾃﾞﾝ・男・采ｻｲ・衛・要・夷ｲ・鎮・蕃ﾊﾞﾝ)と呼んだ。❹国。地方。また、さかい。境界。❺はたけ。田野。

名前 ちか・みやこ

解字 篆文 形声。田＋幾㊊。音符の幾は、近に通じ、ちかいの意味。天子に近い所、みやこの意味を表す。

【畿外】ｷｶﾞｲ 畿内の外。王城を中心として四方五百里以外の土地。

【畿内】ｷﾅｲ ①＝字義❷。②国京都の周囲の地方の称。山城(京都府)・大和(奈良県)・河内かわち・和泉いずみ(共に大阪府)・摂津せっつ(大阪府・兵庫県)の五か国の総称。

10 【畾】15画 7671 一 ライ 二 ルイ 灰 léi 紙 2 8134 — 4534

字義 一 ❶田間の地。❷とりでを築く。また、とりで。＝塁(2069)。

解字 会意。田を三つ重ねて、とりで、田間の地の意味を表す。

11 【畳】16画 7672 ジョウ 疊(7657)の俗字。→九四〇ページ上。 6542 E169 —

11 【奮】16画 (2305) フン 大部。→三五八ページ中。

11 【疁】16画 7673 漢リュウ(リウ) 呉ル 尤 liú 2 8135 — 4535

字義 草を焼いて種をまく。また、その畑。焼き畑。

解字 形声。田＋翏㊊。

13 【疅】18画 7674 漢キョウ(キャウ) 呉コウ(カウ) 陽 jiāng — — 4536

字義 さかい。

解字 形声。田＋畺㊊。

14 【疆】19画 7675 標 漢キョウ(キャウ) 呉コウ(カウ) 陽 jiāng 6537 E164 —

[壃] 2152 同字 [畺] 7665 同字

字義 ❶さかい(さかひ)。境界。土地(領地)の境。❷かぎり。きわまり。果て。❸地方。辺境。また、領土。❹さかいする。かぎる。㋐境をつくる。㋑境を正す。㋒境を守る。

参考 ①〔彊〕(3351)は別字。②現代表記では〔境〕(2104)に書きかえることがある。「辺疆→辺境」

解字 金文 篆文 別体 形声。土＋彊㊊。畺ｷｮｳの別体。畺は、指示。田と田の間にしきりを示す三を書き、さかいの意味を表す。

【疆域】ｷｮｳｲｷ ①国のさかい。国境。②国境内の地。領土。

【疆宇】ｷｮｳｳ 国土。領土。

【疆△場】ｷｮｳｴｷ ①耕作地のさかい。▼場も、境。②耕作地。田畑。③国のさかい。国境。国境地帯。

【疆土】ｷｮｳﾄﾞ ①国境を示すために、堤防のように積みあげた土。封土。国境。②領地。国。

14 【疇】19画 7676 標 漢チュウ(チウ) 呉ジュウ(ヂウ) 尤 chóu 6538 E165 —

[畴] 7659 俗字

字義 ❶たぐい(たぐひ)。㋐部類。「範疇」㋑ともがら。仲間。㋒つれあい。配偶。❷耕作地。田畑。用例(東晋、陶潜、帰去来辞)農人告レ余以二春及一、将レ有二事于西疇一。(ノウジン ヨにつぐるに はるのおよべるをもってし、まさに セイチュウに ことあらんとす。)↓隣人の農夫が春の作業のときが来たことを知らせてくれた。いよいよ西の畑で耕作を始めるときだ。❸うね(畝)。畑のうね。「田疇」❹さかい(境)。❺ひとしくする。❻だれ(誰)。❼時間を表す「昔」「日」「夕」等の前に用いて過去を表す語を作る。

解字 甲骨文 篆文 形声。田＋壽㊊。音符の壽ｼﾞｭは、つらなるの意味。つらなる田、つらなる田のうねの意味を表し、儔ﾁｭｳに通じて、たぐい・なかまの意味をも表す。甲骨文は象形で、耕地の中を走る水路、または、うねの連なる形にかたどり、うねの意味を表す。

【疇日】ﾁｭｳｼﾞﾂ ①きのう。昨日。②過去の、ある日。過日。

【疇人】ﾁｭｳｼﾞﾝ ①家業を代々伝承する人。②同じ仲間の人。同類の人。③算数に熟達している人。④天文暦算の学者。

【疇生】ﾁｭｳｾｲ 同類のものが一か所にむらがり生えること。

【疇夕】ﾁｭｳｾｷ ゆうべ。昨夜。

【疇昔】ﾁｭｳｾｷ ①＝疇日①。②＝疇夕。③むかし。往昔。↓字義❼。

【疇輩】ﾁｭｳﾊｲ なかま。同類。

【疇△隴】ﾁｭｳﾛｳ 田のうね。転じて、田畑。

16 【罍】21画 (9423) ライ 缶部。→一二四六ページ中。

17 【疊】22画 (7658) ジョウ 畳(7657)の旧字体。→九七四ページ上。

17 【疉】22画 7677 ジョウ 畳(7657)と同字。→九七四ページ上。 6541 E168 —

5画 疋(⺪) ひき ひきへん〔⺪〕

[⺪] 2 8136 — —

〔部首解説〕字形分類上、部首にたてられる。これを「ヒキ」と呼ぶのは、中国で匹の俗字として疋が用いられていたことによる。

0 【疋】5画 7678 人 標 一 漢ソ・呉ショ 魚 shū 二 漢ガ・呉ゲ 馬 yǎ 三 漢ヒツ・呉ヒチ 質 pǐ 慣ヒキ 4105 9544 —

筆順 一 丅 下 𤴓 疋

字義 一 あし(足)。＝足(1119)。二 ただしい。＝雅(13182)。三 ＝匹(1119)。国 ひき。＝匹(1119)。㋐金銭を数える語。古くは

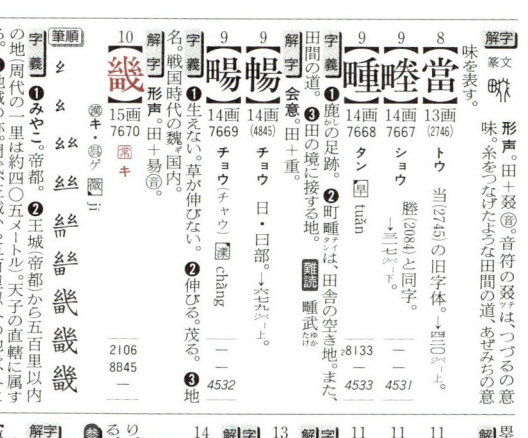

銭十文を一疋とし、後には二十五文を一疋とした。㋑織物を数える語。一疋は、布二反をいう。

名前 ただ・とも

解字 篆文 象形。もと足と同形で、あしの形にかたどり、あしの意味。雅の省略体の牙を疋に誤り、雅の意味にも用いる。疋を音符に含む形声文字に、胥(ショ)・楚(ソ)・疎・疏(ソ)・礎・糈(ショ)・蔬(ソ)・醑(ショ)などがある。

【疋△帛】(ヒツバク) 絹の反物。

3 【疌】 8画 7679 一 漢ジョウ(デフ) 呉ニョウ(ネフ) 葉 二 チ 眞 三 漢ショウ(セフ) 呉ジョウ(ゼフ) 葉 jiè ₂8137 ― ―

字義 一 機(はた)の下の、足で踏む所。 二 さえぎる。 三 はやい。

解字 形声。止＋又＋入音。

4 【胥】 9画 (4954) ショ 月部。→六九二ページ下。

6 【蛋】 11画 (10539) タン 虫部。→一三五六ページ上。

7 【疎】 12画 7680 常 ソ うと-い・うと-む 漢ソ・呉ショ 魚 shū 3334 9161 ―

筆順 ㇇ ㇇ 下 产 正 正 距 踈 疎

字義 疏(7681)の俗字。❶うと-い(うとし)。㋐親しくない。関係が深くない。用例〔文選、古詩十九首、其十四〕去者日以疎(さるものはひにもってうとく)、生者日以親(いくるものはひにもってしたし)。↓死んだ人は日ごとに忘れられ、生きて身近にいる人は日増しに親しくなるものだ。㋑よく知らない。❷うと-んずる(うとんず)。うと-む。㋐遠ざける。また、すてる。㋑忌み嫌う。❸うといこと。また、うとい人。遠い親戚。❹おろそ-か。注意が行き届かない。また、おろそかにする。粗末に扱う。❺あら-い(あらし)。㋐細かでない。おおまか。用例〔老子、七十三〕天網恢恢(テンモウカイカイ)、疎而不失(ソにしてうしなわず)。↓天の網は大きく広く、網目は粗いが、取り逃すことはない。㋑粗末である。丁重でない。❻まば-ら。少ない。❼とおる。通ずる。また、通す。開き通す。❽分ける。また、分かれる。❾のぞく。取り去る。また、洗う。❿おさめる。⓫ほる。彫刻する。また、描く。⓬しく。しきつらねる。国おろ-か。多く「AはおろかB…」の形で、Aは言うまでもなくBまで…の意を表す。

参考 ①〔疎〕と〔疏〕(7681)は元来同様に用いられており、ここに示した字義の場合には、疎・疏のいずれにも書く。字義と熟語は〔疏〕をも見よ。②現代表記では〔疏〕の書きかえに用いることがある。「疏水→疎水」「疏通→疎通」「疏明→疎明」

解字 形声。束＋疋音。疏(7681)の俗字。

逆 空疎・親疎

【疎逸】(ソイツ) 性格が大ざっぱ。物事にこだわらない、気ままな性格であること。用例〔人虎伝〕徴性疎逸(チョウセイソイツ)、恃才倨傲(サイをたのみてキョゴウなり)。↓李徴(リチョウ)は人と親しまない気ままな性格で、自分の才能を鼻にかけて尊大に振る舞うところがあった。

【疎遠】(ソエン) ①うとんじ遠ざける。②たがいの交わりがうといこと。平素、親しみ、近づきのないこと。③久しく会わないこと。

【疎△懈】(ソカイ) ①おこたる。また、おこたり。②事のしかたが粗略なこと。

【疎外】(ソガイ) うとんじしりぞける。のけものにする。疎斥。

【疎隔】(ソカク) ①うとんじへだてる。うとんじしりぞける。②うとくなりへだたる。交わりがうとくなること。

【疎△闊】(ソカツ) ①久しく会わないこと。②おおまか。㋐粗雑。㋑簡単。簡略。粗略。

【疎狂】(ソキョウ) そそっかしく、常軌を逸していること。

【疎△忽】(ソコツ) ①そそっかしい。軽卒。②手ぬかり。

【疎索】(ソサク) ①おこたる。②まばら。③粗略。

【疎△鑿】(ソサク) 土地を切り開いて水や川を通すこと。

【疎食】(ソシ) 粗末なめし。疎飯。用例〔論語、述而〕飯疎食飲水(ソシをくらい(ひ)みず(づ)をのむ)。↓粗末な食事をとり、水を飲む。

【疎水】(ソスイ) 土地を切り開いて水を通す。また、その流れ。疏水。

【疎疎】(ソソ) ①衣服のりっぱなさま。②まばらなさま。

【疎族・疎属(屬)】(ソゾク) 血筋の遠い身内。遠い親類。

【疎通】(ソツウ) ①とどこおりなく通ずる、また、通じさせる。疏通。②物事を解き分けて明らかにすること。

【疎△蕩】(ソトウ) ①粗略でおおまか。②おおらか。気が大きく、小事にこだわらないこと。

【疎放】(ソホウ) 気ままで締まりがない。

【疎密】(ソミツ) 疎と密。あらいことと、こまかいこと。疎緻(ソチ)。

【疎明】(ソメイ) ①開けて明るくなる。②まばらになって明るくなる。③申し開きをする。疏明。

【疎野】(ソヤ) 下品で礼儀作法を知らないさま。粗野。

【疎△懶・疎△嬾】(ソラン) 怠ける。ものぐさ。

【疎略】(ソリャク) おろそか。粗末。粗略。→粗略(一〇九六ページ中)。

【疎△糲】(ソレイ・ソラツ) ①粗末なめし。疎食(ソシ)。②おろそかであらい。

【疎漏】(ソロウ) おろそかで手落ちがあること。手ぬかり。

7 【疏】 12画 7681 人 標 漢ソ 呉ショ 御 shū 3333 9160 ―

筆順 ㇇ ㇇ 下 产 正 正 跲 跦 疏

〔䟽〕11727 同字 〔踈〕11728 俗字

字義 ❶しる-す。㋐書きしるす。㋑箇条書きにする。❷手紙。また、その文体。「書疏」❸文体の名。上奏文の一種。「奏疏」❹ときあかし。解釈。書籍の注釈。「注疏」❺あおもの。野菜。＝蔬(10288)。❻くしけずる。＝梳(5459)。

名前 とおる

参考 ①〔疏〕と〔疎〕(7680)は元来同様に用いられていたが、ここに示した字義の場合には、習慣上、俗字の疎の字は用いない。字義と熟語は〔疎〕をも見よ。②現代表記では〔疎〕に書きかえることがある。「疏水→疎水」「疏通→疎通」「疏明→疎明」

解字 篆文 形声。㐬＋疋音。㐬は、ながれるの意味。音符の疋(ショ)は、あしの意味。足のように二すじにわかれて流れが通じるの意味から、とおるの意味を表す。転じて、空間ができて距離が遠くなるの意味を表す。

【疏記】(ソキ) 箇条書きにする。また、その文書。

【疏奏】(ソソウ) 箇条書きにして申し上げる。

【疏陳】(ソチン) ①まばらに並べ連ねる。②筋道をたてて申し上げる。箇条を追って陳述する。

8 【楚】 13画 (5611) ソ 木部。→七五六ページ中。

9 【疑】 14画 7682 教6 ギ うたが-う 一 ギ 支 yí 二 漢ギツ・呉ゴチ 物 三 ギョウ 蒸 níng 2131 8B5E ―

筆順 ㇒ ヒ ㇒ 𠤎 𠤏 𠤏 𠤏 𠤏 疑

字義 一 ❶うたが-う(うたがふ)。㋐あやしむ。「猜疑(サイギ)」㋑まよう。ためらう。用例〔世説新語、徳行〕本所以疑(もとうたがい(ひ)しゆえ(ゑ)んは)、正為此耳(まさにこれがためのみ)。↓わたしがはじめにためらったわけは、まさにこのようなことになるのではと思ったからである。㋒悪く推量して恐れる。㋓しりごみする。❷うたが-わしい(うたがはし)。㋐あやしい。うたがうべき点がある。㋑似ていて区別しにくい。疑似。❸うたが-い(うたがひ)。㋐疑惑。嫌疑(ケンギ)。「懐疑」

㋑おそれ。心配。❹**うたがうらくは**（うたがふらくは）。推量する語。たぶん…であろう。…ではなかろうかと思われる。用例〔唐、李白、静夜思詩〕牀前看㆓月光㆒（ショウゼンゲッコウをみる）、疑是地上霜（うたがうらくはこれチジョウのしもかと）。↓寝台の前に差し込んだ月の光を見、地面に霜がおりたのかと思った。㊁とどまる。じっと立つ。㊂❶さだまる。❷こる。＝凝（834）。

解字 甲骨文  金文  篆文  **象形**。もと甲骨文は、人が頭をあげ、思いをこらしてじっと立つ形にかたどる。金文になると、この𠤕に彳＋止＋牛㊌が加わり、人がわかれ道にたちどまって、のろまな牛のようになるの意味を表す。のち、『説文解字（セツモンカイジ）』では、子＋止＋匕＋矢㊌とした。𠤕を誤って二字の結合とし、牛を誤って子とした。

逆 懐疑・嫌疑・質疑・遅疑・容疑

【疑義】ギギ ①疑わしい意味。意味のはっきりしないところ。用例〔菅茶山、冬夜読㆑書詩〕閑収㆓乱帙㆒思㆓疑義㆒（しずかにランチツをおさめて、ギギをおもう（ふ））、一穂青灯万古心（イッスイのセイトウ、バンコのこころ）。↓取り散らかした書物を心静かに片づけながら、（今読んだ本の）疑問の箇所を考えていると、一本の稲穂のような青白いともし火が、昔の聖賢の心を明るく照らし出してくれるような感じがする。②疑わしい事がら。③国疑念。疑問。

【疑議】ギギ ①ああでもないこうでもないという論議。なかなか決定しない評議。②あれかこれかとはかり考えること。③ためらうこと。

【疑△懼・疑惧】ギク 疑いおそれる。また、疑い。恐れ。

【疑△狐】ギコ ①疑い深いきつね。②疑い深いこと。

【疑獄】ギゴク ①罪の有無がはっきりせず、判決のしにくい事件。犯罪の疑いがあって調べている裁判事件。②国大規模の贈賄・収賄事件。

【疑弐（貳）】ギジ ①疑う。また、疑い。②疑って背き離れること。そむく。

【疑似】ギジ よく似ていて見分けのつかぬこと。

【疑心生㆓暗鬼㆒】ギシンアンキをショウず 疑いの心をもっていると、ありもしない（起こることのない）恐ろしいことが心に浮かんで来る。「疑心暗鬼」〔列子、説符、口義〕

【疑兵】ギヘイ 敵をだますためのいつわりの兵。幕を張り旗を立てたりなどして、多数いるように見せかける兵。

【疑惑】ギワク 疑いまどう。また、疑い。まどい。

9【疐】14画 7683 チ 寘 zhì ― ― 4537

［疐］7684 正字

字義 ❶**つまずく**（つまづく）。たおれる。❷ひきとめる。また、さえぎる。

解字 甲骨文  金文  篆文  **会意**。金文は、辛＋止＋苗の変形。辛は、はりの象形。苗の変形は、苗の上部が生育をはばまれた形にかたどる。苗にその生長がはばまれる針が加えられるさまから、さまたげる・つまずくの意味を表す。

10【疐】15画 7684 チ 疐（7683）の正字。→九七七ページ上。

5画 疒 やまいだれ

〔部首解説〕疒（ダク）を意符として、病気や傷害、それに伴う感覚などに関する文字ができている。

0 疒 九七七	3 ⿸疒下 九七七	4 疫 九七八	疺 九七八	痀 九七八	症 九七九	疸 九七九	疿 九七九	痎 九八〇	痊 九八〇	痤 九八一	⿸疒余 九八一	痗 九八一	8 痾 九八二	痯 九八二	瘄 九八二	痺 九八二	瘕 九八三	⿸疒皇 九八三	瘓 九八三	瘍 九八三	瘣 九八三	瘛 九八四	瘜 九八四	11 癃 九八四	瘲 九八四	瘻 九八四
2 疞 九七七	疙 九七七	疥 九七八	疣 九七八	痃 九七八	疹 九七九	疷 九七九	病 九七九	痕 九八〇	痌 九八〇	痠 九八一	痛 九八一	痞 九八一	瘂 九八二	⿸疒奉 九八二	痰 九八二	痱 九八二	⿸疒曷 九八三	瘊 九八三	瘏 九八三	瘌 九八三	瘵 九八三	瘠 九八四	瘨 九八四	癇 九八四	瘳 九八四	瘺 九八五
疓 九七七	疚 九七八	疢 九七八	5 疴 九七八	痄 九七八	痁 九七九	疼 九七九	疱 九八〇	疵 九八〇	痒 九八〇	痣 九八一	痘 九八一	痡 九八一	痿 九八二	痼 九八二	痴 九八二	痲 九八二	瘧 九八三	瘒 九八三	瘩 九八三	瘻 九八三	⿸疒帰 九八三	瘡 九八四	瘼 九八四	瘟 九八四	⿸疒豹 九八四	12 癋 九八五
疔 九七七	疝 九七八	疢 九七八	痂 九七八	疾 九七八	疽 九七九	疼 九七九	6 痍 九八〇	痓 九八〇	7 痙 九八〇	痏 九八一	⿸疒尭 九八一	⿸疒虎 九八一	痬 九八二	⿸疒家 九八二	⿸疒辰 九八二	痳 九八三	瘈 九八三	瘇 九八三	瘋 九八三	10 瘞 九八三	瘥 九八三	瘙 九八四	瘢 九八四	瘵 九八四	瘭 九八四	癇 九八五
疕 九七七	疰 九七八	疤 九七八	疳 九七八	疰 九七九	疷 九七九	疲 九七九	痏 九八〇	痔 九八〇	痧 九八〇	痩 九八一	痚 九八一	痢 九八一	瘀 九八二	瘁 九八二	痹 九八二	9 瘖 九八三	瘈 九八三	瘐 九八三	瘉 九八三	瘟 九八三	瘱 九八四	瘦 九八一	瘤 九八四	瘴 九八四	瘰 九八四	癇 九八五

癇 九八五	⿸疒賁 九八五	癅 九八五	癜 九八五	癗 九八六	⿸疒頻 九八六	癭 九八六	癲 九八六
癌 九八五	癉 九八五	療 九八五	癖 九八五	15 癤 九八六	癩 九八六	癬 九八六	23 癴 九八六
癀 九八五	癈 九八五	癘 九八五	癒 九八五	癥 九八六	癧 九八六	18 癯 九八六	
癄 九八五	⿸疒复 九八五	癆 九八五	癕 九八六	癢 九八六	癪 九八六	癰 九八六	
⿸疒彭 九八五	⿸疒逢 九八五	13 癲 九八五	14 癡 九八二	16 癨 九八六	17 癮 九八六	19 癱 九八六	

0【疒】5画 7685 漢ダク 呉ニャク 陌 nè 8844 ― 4538

字義 ❶よる。病んで寝台にもたれる。❷**やむ**（病）。病気になる。

解字 篆文  **会意**。人＋爿。爿は、寝台の象形。人が病気で寝台にもたれるさまから、よりかかる・病気の意味を表す。

2【疞】7画 7686 漢**キュウ**（キウ） 呉ク 有 xiǔ 8845 ― ―

字義 やむ（病）。やまい。

解字 **形声**。疒＋丂㊌。

2【疓】7画 7687 漢**ダイ** 呉ナイ 賄 蟹 nǎi ― ― 4539

字義 ❶やむ（病）。やまい。❷欲する。むさぼる。

解字 **形声**。疒＋乃㊌。

2【疔】7画 7688 漢テイ 呉**チョウ**（チャウ） 青 dīng 6543 E16A ―

字義 **できもの**。**かさ**。小さくて根の深い悪性のできもの。顔面などにできる。「面疔」

解字 **形声**。疒＋丁㊌。音符の丁は、くぎの象形。顔にくぎをうちこんだようにできる、できものの意味を表す。

2【疕】7画 7689 ヒ 紙 支 bǐ ― ― 4540

字義 ❶頭のできもの。❷頭痛。❸はげ。❹かさぶた。

解字 **形声**。疒＋匕㊌。

3【⿸疒下】8画 7690 漢**カ** 呉ゲ 禡 xià ― ― 4542

字義 下痢（ゲリ）。

解字 **形声**。疒＋下㊌。

3【疙】8画 7691 漢**ギツ** 呉ゴチ 物 yì, gē ― ― 4541

字義 ❶おろかなさま。❷頭のできもの。

解字 **形声**。疒＋乞㊌。

3【疚】8画 7692 漢キュウ(キウ) 呉ク 宥 jiù　6544 E16B —
字義 ❶や-む(病)。なやむ。 ❷やま-しい。気がとがめる。良心にはじる。
解字 形声。疒＋久音。音符の久は、ひさしいの意味。長いやまいの意味を表す。

3【疝】8画 7693 漢サン 呉セン 諫 shàn　6545 E16C —
字義 疝気（センキ）は、腹や腰部の痛む病気。
解字 形声。疒＋山音。

3【庄】8画 7694 ソウ　₂8138 — —
荘(9943)の俗字。→一三一〇ページ上。

4【疫】9画 7695 漢エキ・呉ヤク 陌 yì 常 エキ・ヤク　1754 8975 —
筆順 丶 亠 广 广 疒 疒 疒 疫 疫
字義 えやみ。悪性の流行病。「悪疫」 難読 疫病（えやみ）
解字 篆文 形声。疒＋殳(役)音。音符の役は、人を苦しめる、きびしいつとめの意味。人を苦しめる流行病の意味を表す。
逆 悪疫・検疫・防疫・免疫
【疫鬼】（エッキ・エキキ） 流行病を起こす悪魔。疫病神（ヤクビョウがみ）。
【疫死】（エキシ） 疫病で死ぬこと。
【疫病】（エキビョウ・ヤクビョウ） 悪性の流行病。

4【疥】9画 7696 カイ 卦 jiè　6546 E16D —
字義 ❶→疥癬。 ❷おこり。ぎゃく(瘧)。マラリヤ。
解字 形声。疒＋介音。
【疥癬】（カイセン） ①皮膚のかゆくなる病気。皮癬（ヒゼン）。 ②とるに足りないわざわい・外患のたとえ。

4【㽷】9画 7697 スイ 寘 shuì　₂8140 — —
字義 身体がはれる病気。
解字 形声。疒＋水音。

4【疢】9画 7698 チン 震 chèn　₂8139 — 4543
字義 ❶やまい（ひ）。また、熱病。 ❷うまい食物。人の欲望をそそって病を生じさせるからいう。
解字 篆文 会意。疒＋火。火のように熱の出る病気の意味を表す。
【疢疾】（チンシツ） 病気。熱病。転じて、わざわい。

4【疤】9画 7699 ハ 麻 bā　— — 4544
字義 ❶筋・節の病。 ❷できもののあと。
解字 形声。疒＋巴音。

4【疺】9画 7700 ㊀漢ホウ(ハフ) 呉ボウ(ボフ) 洽 fá ㊁ヘン 琰 biǎn　— — 4546
字義 ㊀❶やせる。 ❷疲れる。 ㊁やむ(病)。やまい。
解字 形声。疒＋乏音。

4【疣】9画 7701 漢ユウ(イウ) 呉ウ 尤 yóu　6547 E16E —
［肬］4944 同字
字義 ❶いぼ。皮膚に生ずる小さい突起物。 ❷はれもの(腫（シュ）)。
解字 形声。疒＋尤音。
【疣贅】（ユウゼイ） いぼと、こぶ。転じて、無駄・不要なもの。
【疣蠹】（ユウト） いぼや、しみ(虫の名)。転じて、害毒。

5【疴】10画 7702 ア　— — 4545
痾(7751)と同字。→九八二ページ上。

5【痂】10画 7703 漢カ 呉ケ 麻 jiā　6548 E16F —
字義 かさぶた。できものがなおるにつれて生ずる皮。
解字 篆文 形声。疒＋加音。音符の加は、くわわるの意味。傷がなおるにつれて皮膚に加わるかさぶたの意味を表す。

5【疳】10画 7704 カン 覃 gān　6549 E170 —
字義 ❶小児に起こる慢性消化器傷害。脾疳（ヒカン）。 ❷下疳（ゲカン）は、性病の一種。 国カン。㋐小児の神経症の一種。夜泣きなどを伴う。「疳の虫」 ㋑癇（カン）と混用する。㋐ひきつけ。小児の発作性の痙攣（ケイレン）。㋑激しやすく怒りっぽい性質。
解字 形声。疒＋甘音。
【疳積】㊀（カンセキ・カンシャク） 小児の貧血症。 ㊁（カンシャク） 栄養不良・寄生虫などによって起こる、国＝癇癪（カンシャク）（九八五ページ上）。

5【痀】10画 7705 ク 虞 jū　₂8144 — 4548
［瘻］7808 同字
字義 背骨が弓なりに曲がる病気。
解字 篆文 形声。疒＋句音。音符の句は、クルッと曲がるの意味。背骨が曲がる病気の意味を表す。
【痀僂・痀瘻】（クル） ビタミンDの欠乏などにより骨の発育が不良になる病気。

5【痃】10画 7706 漢ケン 呉ゲン 先 xuán, xián　6550 E171 —
字義 ❶痃癖（ケンペキ）は、頸（くび）から肩にかけて筋のひきつる病気。 ❷横痃（オウゲン）は、よこね。鼠蹊（ソケイ）部の淋巴腺（リンパセン）の炎症で起こるはれもの。
解字 形声。疒＋玄音。

5【痄】10画 7707 ㊀漢サ・呉シャ 馬 zhà, zhǎ ㊁漢サ・呉ジャ 麻　— — 4550
字義 ㊀病気が重い。 ㊁❶傷口がふさがらない。 ❷痄腮（ササイ）は、耳下腺炎。
解字 形声。疒＋乍音。

5【疾】10画 7708 漢シツ・呉ジチ 質 jí 常 シツ　2832 8EBE —
筆順 丶 亠 广 广 疒 疒 疒 疒 疾 疾
字義 ❶やまい（ひ）。㋐病気。また、急性や流行・悪性の病気。用例〔論語、雍也〕伯牛有ㇾ疾（ハクギュウやまい(ひ)あり）。↓伯牛が、病気になった。㋑傷。また、欠点。㋒くせ。悪癖。 ❷や-む。㋐病気になる。㋑なやむ。㋒苦しむ。 ❸や-ます。やましめる。㋐なやます。心を痛める。㋑しいたげる。そこなう。 ❹にく-む。また、ねたむ。 ❺はや-い。と-し。㋐すばやい。すみやか。㋑はげしい。 ❻はや-く。と-く。すみやかに。 ❼苦しみ。なやみ。 難読 疾風（はやて）
解字 甲骨文 金文 篆文 形声。甲骨文は、大＋矢音。大は人の象形。音符の矢は、「や」の象形。人が矢にあたって傷つくの意味から、やまいの意味を表す。篆文は、疒＋矢音。
逆 固疾・廃疾・風疾
【疾疫】（シツエキ） ①流行病。悪性の流行病。 ②病気。
【疾悪(惡)】㊀（シツオ） にくむ。▼悪は、憎む意味の時の音はオ。用例〔荀子、性悪〕生而有ㇾ疾悪ㇾ焉（うまれながらにして、シツオすることあり）。↓生まれたときから他人を憎み嫌う心を持っている。 ㊁（シツアク） 悪を憎む。悪人・悪事を憎む。
【疾患】（シッカン） やまい。病気。
【疾苦】（シック） ①なやみ苦しむ。また、なやみ。苦しみ。 ②なやまし苦しめる。
【疾駆(驅)】（シック） ①(車や馬を)はやく走らせる。 ②はやく駆ける。
【疾言】（シツゲン） ①早口に言う。また、そのことば。 ②はげしい口調で言う。また、そのことば。
【疾言遽色】（シツゲンキョショク） 早口のことばと、あわてた顔つき。落ち着かないさま。

【疾呼】シッコ ①はげしく叫ぶ。しきりに叫ぶ。②歌の激しい調子。

【疾視】シッシ ①にらむ。②憎しみを表して見る。

【疾首】シッシュ 頭をいためる。心配する。また、頭痛。

【疾徐】シツジョ はやいこととおそいこと。緩急。

【疾状(狀)】シツジョウ 病気の様子。病状。

【疾趨】シッスウ 走り進む。走りおもむく。

【疾走】シッソウ はやく走る。

【疾痛】シッツウ ①いたむ。㋐患部が痛む。㋑心が痛む。なやみいたむ。②苦しみ。なやみ。苦痛。

【疾霆】シッテイ 突然鳴る雷。

【疾妬・疾妒】シット ねたみ憎む。また、そねみ。ねたみ。嫉妬。

【疾風】シップウ 速い風。はやて。あらし。暴風。「疾風怒濤ドトウ」

【疾風迅雷】シップウジンライ はげしい風と雷。転じて、事態の急変や行動の敏速なさまなどの形容。

【疾風知二勁草一】シップウにケイソウをしる 激しい風が吹くと、はじめて風に倒れない強い草の存在がわかる。困難に遭って、はじめて節操の堅さがわかるたとえ。

【疾病】㊀シッペイ 病気。㊁やまい(と)へいなり 病気が重態である。

【疾恙】シツヨウ 病気。▼恙も、やまい。

【疾雷】シツライ はげしい雷。

【疾癘】シツレイ はやりやまい。悪性の流行病。

5【疰】10画 7709 シュ 遇 zhù ₂8141 — —

字義 やむ(病)。やまい。流行病。

解字 形声。疒＋主音。

5【症】10画 7710 ショウ(シャウ) 径 zhèng 常 ショウ 3041 8FC7 —

筆順 丶 亠 广 广 疒 疔 疔 症 症

字義 ❶やまい。病気。❷しるし。病気の徴候・状態。

解字 形声。疒＋正音。もと、證(証)の俗字。意符の言を疒にかえて病気のしるしの意味を表す。

逆 炎症・重症・病症

【症候群】ショウコウグン ある疾患や病的変化が基になって現れる、いくつかの身体的・精神的症状。

【症状(狀)】ショウジョウ 病気の状態。

5【疹】10画 7711 標 ㊀シン 軫 zhěn ㊁チン 震 chèn 3130 905D —

【瘮】7825 俗字

字義 ㊀皮膚にたくさん出る小さなはれ物。発疹。また、その病気。「麻疹(はしか)」 ㊁やまい。熱病。

解字 形声。疒＋㐱音。音符の㐱シは、疹の原字。人のわきの下にできる、じんましん(蕁麻疹)などの皮膚病の意味を表す。

5【痁】10画 7712 セン 塩 shān — — 4549

字義 ❶おこり。マラリア性の熱病。❷やまい。うれえ。

解字 形声。疒＋占音。

5【疽】10画 7713 標 慣ソ ショ 魚 jū 6552 E173 —

字義 悪性のできもの。癰ヨウの一種。根が深くて非常になおりにくい。

解字 篆文 形声。疒＋且音。音符の且ショは、つみ重なるの意味。かさ・はれものの意味を表す。

5【痆】10画 7714 ㊀漢ダツ・呉ネチ 黠 niè ㊁漢ジツ(ヂツ)・呉ニチ 質 nì ₂8145 — 4551

字義 ㊀❶きず。きずのいたみ。❷やむ(病)。やまい。㊁かゆい。

解字 形声。疒＋尼音。

5【疸】10画 7715 標 タン 旱 dǎn 翰 dàn 6553 E174 —

字義 黄疸オウダンは、肝臓及び胆嚢タンノウの疾患のために、身体の黄色くなる病気。

解字 篆文 形声。疒＋旦音。音符の旦タンは膽(胆)に通じ、胆汁の意味。胆汁の移行によっておこる病気、おうだん(黄疸)の意味を表す。

5【疷】10画 7716 ㊀チ 支 zhī ㊁漢テイ・呉タイ 齊 ₂8142 — —

字義 ㊀表皮にできるたこ。㊁やむ(病)。

解字 形声。疒＋氐音。

5【疼】10画 7717 標 漢トウ 呉ドウ 冬 téng 6554 E175 —

【疼】7718 俗字

字義 いたむ(痛)。うずく(うづく)。また、痛み。

解字 形声。疒＋冬音。音符の冬は鼕トウに通じ、つづみをトントンとうつの意味。間をおいて痛む・うずくの意味を表す。

【疼腫】トウショウ 痛んではれる。

【疼痛】トウツウ いたむ。うずく。また、いたみ。うずき。

5【疼】10画 7718 トウ 疼(7717)の俗字。→九七九ページ中。

5【疲】10画 7719 常 ヒ つかれる 漢ヒ・呉ビ 支 pí 4072 94E6 —

筆順 丶 亠 广 广 疒 疒 疒 疒 疲 疲

字義 ❶つかれる。つからす。㋐くたびれる。だるい。㋑体力・気力が弱くなる。老いおとろえる。㋒財物・金銭がつきて苦しむ。❷つかれ。疲労。❸やせる(瘠セキ・痩ソウ)。❹うむ(倦ケン)。あきる。

解字 篆文 形声。疒＋皮音。音符の皮は、跛ハに通じ、片足を引いて歩く意味。つかれて片足を引いて歩くの意味から、つかれるの意味を表す。

【疲倦】ヒケン つかれうむ。つかれていやになる。

【疲瘠】ヒセキ ①やせる。②土地がやせていること。③人民の生活が困窮していること。

【疲怠・疲殆】ヒタイ ①つかれおこたる。②あきてなまける。

【疲憊】ヒハイ つかれおとろえる。つかれ果てる。

【疲敝・疲弊】ヒヘイ つかれ弱る。つかれおとろえる。

【疲乏】ヒボウ つかれる。弱る。

【疲羸】ヒルイ つかれ弱る。▼羸も、つかれる・弱る。

【疲労(勞)】ヒロウ つかれる。くたびれる。

5【疿】10画 7720 ヒ 未 fèi ₂8143 — 4547

字義 あせも。

解字 形声。疒＋弗音。

5【病】10画 7721 教3 ビョウ・ヘイ やむ・やまい 漢ヘイ・呉ビョウ(ビャウ) 敬 bìng 4134 9561 —

筆順 丶 亠 广 广 疒 疒 疔 病 病 病

字義 ❶やまい(やまひ)。㋐病気。「疾病」㋑欠点。短所。❷やむ。㋐病気にかかる。㋑つかれる(疲)。用例〔孟子、公孫丑上〕今日病矣つかれたり、予助レ苗長矣なえのちょうずるをたすけたり ⇩今日は疲れた、私は(一日中)苗を引っ張って生長を助けてやったのだ。㋒なやむ。うれえる。心配する。また、かたしとする。むつかしいと考える。用例〔論語、憲問〕脩レ己以安二百姓一、堯舜其猶病レ諸おのれをおさめてもって、ヒャクセイをやすんずるは、ギョウシュンもそれなおこれをやめりとせり ⇩自己を修養してそれで万民を安らかにすることは、古の聖天子である堯や舜でさえも苦心された。❸やましめる。㋐苦しめる。㋑はずかしめる。㋒うらむ。遺憾とする。㋓とがめる。

❹病気が重い。用例〔論語、述而〕子疾病。 先生の病気が重くなった。

解字 篆文 𤵸 形声。疒＋丙㊤。音符の丙は、ひろがるの意味。病気が重くなるの意味を表す。

逆 疫病・仮病・業病・疾病・傷病・多病・余病・老病

【病△痾】長わずらい。また、持病。宿痾。

【病仮(假)】病気による休暇。

【病△臥】病気で寝る。病気で床につく。

【病客】①つかれた客。②つかれた旅人。

【病間】㊀①病気中。②病気が少しよい時。㊁病勢が少しおとろえる。病気が少し楽になる。

【病苦】①病気の苦しみ。②仏四苦(生・老・病・死)の一つ。

【病△軀】病気にかかっているからだ。

【病原・病源】病気の原因。病気のもと。

【病根】①病気のもと。②悪習・悪弊の根源。

【病従(從)レ口入、禍従(從)レ口出】病気は口から食べる食物によって入ってくるものであり、災難は口から発する言葉から起こるものである。口は禍いの門の意。発言を慎むべきことの戒め。〔西晋、傅玄、口銘〕

【病△牀・病床】病人の寝ている床。

【病症・病証(證)】病気の徴候。病気のしるし。

【病△蓐・病△褥】病気で寝ている床。

【病心】①病中の気持ち。②うれえを持つ心。

【病身】病気のからだ。また、からだが弱く病気がちなこと。

【病入△膏△肓一】①病気が進んで治療のできないほど重くなっていること。春秋時代の晋の景公が、病魔が名医も治療のできない膏(心臓の下)と、肓(横隔膜の上)の間に隠れた夢を見たという故事に基づく。膏肓を「コウモウ」と読むのは、肓を盲と誤っての誤読。〔左伝、成公十〕②習慣・好みなどの、直しにくいほどに深くなっていること。

【病夫】①病気の夫。②病気の男性。病人。

【病癖】悪いくせ。片寄った不健全なくせ。

【病坊】①病気の養生所。病院。②唐代、秘書監・著作郎・秘書郎・著作佐郎等をいう。みな閑職で、老病の官吏が要職から退いて就く官であったため。

【病魔】①人体にとりついて病気を起こさせる魔物。②病気。

【病没・病△歿】病気で死ぬこと。病死。

【病葉】①病気や虫におかされた葉。②落葉の時期でないのに色づき、あるいは枯れた葉。③常緑樹の枯れ葉。

【病利】損と益。損害と利益。利病。

【謝レ病】病気であるとの理由で、君命や人のたのみなどを断ること。

【利レ病】病気に効く。

5 【疱】10画 7722 標 ホウ(ハウ) 効 pào 6555 E176 —

字義 ❶もがさ。疱瘡。痘瘡。天然痘。❷とびひ。液汁を含んだ水泡のようなできもの。水疱。 難読 疱瘡

解字 形声。疒＋包㊤。音符の包は、つつむの意味。水を包んだような形になる皮膚病の一種、とびひの意味を表す。

6 【痍】11画 7723 イ 因 yí 6556 E177 —

字義 ❶きず(傷)。切り傷。「傷痍」 ❷きずつく。負傷する。また、きずつける。そこなう。害する。

解字 篆文 形声。疒＋夷㊤。音符の夷は、きずつくの意味。のち、疒を付した。

6 【痏】11画 7724 ㊀イ(ヰ) 紙 wěi ㊁漢ユウ(イウ)・呉ウ 宥 yòu ㊂イク 屋 yù ₂8146 — 4554

字義 ㊀❶うちきず。❷きずあと。❸うつ。たたいて傷つける。❹うめき声。㊁ふるえる。㊂やむ(病)。やまい。

解字 形声。疒＋有㊤。

6 【痎】11画 7725 ㊀カイ 佳 jiē ㊁漢カイ・呉ガイ 隊 ₁8846 — 4553

字義 ㊀㊁おこり(瘧)。マラリアの類い。＝疥(7696)。

解字 形声。疒＋亥㊤。

6 【痕】11画 7726 常 コン あと 漢コン・呉ゴン 元 hén 2615 8DAD —

筆順 亠 广 疒 疒 疔 痕 痕 痕

字義 あと。㋐傷あと。㋑広く、物のあと。痕跡。痕蹟。「涙痕」「墨痕」

使いわけ あと〔跡・後・痕〕⇩跡(11713)。

解字 篆文 形声。疒＋艮(皀)㊤。音符の皀は、ふみとどまるの意味。傷がなおり、そのしるしをとどめた部分、あとの意味を表す。

6 【疵】11画 7727 標 ㊀漢シ・呉ジ 支 cī ㊁シ 紙 6551 E172 —

字義 ㊀❶きず。㋐身体のきず。㋑物のきず。㋒欠点。㋓あやまち。㋔罪。❷傷つける。そこなう。㊁そしる。悪口を言う。

解字 篆文 形声。疒＋此㊤。音符の此は、わずかにひらくの意味。わずかにひらいたきず口の意味を表す。

【疵△瑕】①きず。▼瑕も、きず。②欠点。過失。③きずつける。そこなう。

【疵病】①きず。②欠点。

6 【痓】11画 7728 シ 寘 chì ₂8147 — —

字義 ❶わるい。❷手足のひきつり。

解字 形声。疒＋至㊤。

6 【痔】11画 7729 標 漢チ 呉ジ(ヂ) 紙 zhì 2806 8EA4 —

字義 肛門にできるはれもの。しもがさ。「痔瘻」

解字 形声。疒＋寺㊤。

6 【痊】11画 7730 セン 先 quān 6557 E178 —

字義 いえる。病気がなおる。また、いやす。「痊癒」

解字 形声。疒＋全㊤。音符の全は、まったいの意味。病気がなおって、まったい身体となるの意味を表す。

【痊可】病気が治る。治癒する。

6 【痌】11画 7731 トウ 東 tōng — — 4552

字義 ❶いたむ。また、うめく。❷できものがつぶれる。

解字 形声。疒＋同㊤。

6 【痒】11画 7732 標 ㊀ヨウ(ヤウ) 陽 yáng ㊁ヨウ(ヤウ) 養 yǎng 6558 E179 —

字義 ㊀❶やむ(病)。❷つかれる(疲)。❸できもの。おでき。❹きず(傷)。㊁かゆい。かゆし。＝癢(7844)。

解字 篆文 形声。疒＋羊㊤。音符の羊は瘍に通じ、はれものの意味。はれもの・やむの意味を表す。

7 【痙】12画 7733 標 漢ケイ 呉ギョウ(ギャウ) 梗 jìng 6559 E17A —

字義 ひきつる。つる。筋肉がひきつる。また、ひきつり。筋肉のひきつり。痙攣。

解字 篆文 形声。疒＋巠㊤。音符の巠は、力が加わってまっすぐの意味。急に筋肉がこわばる、ひきつりの意味を表す。

7 【痧】12画 7734 サ 麻 shā ₂8151 — 4561

字義 ❶コレラ。❷現代中国語で、痧子は、はしか。

解字 形声。疒＋沙音。

7 【痤】12画 7735 漢サ 呉ザ 歌 cuó
1 8847 / — / 4560

字義 ❶はれもの。小さなできもの。❷疥癬(カイセン)。皮癬(ヒゼン)。皮膚のかゆくなる病気。

解字 形声。疒＋坐音。

7 【痠】12画 7736 サン 寒 suān
2 8150 / — / 4558

字義 ❶いたむ(痛)。うずく。❷石の名。

解字 形声。疒＋夋音。

7 【痣】12画 7737 シ 寘 zhì
6560 / E17B / —

字義 ❶あざ。皮膚にできる変色。❷ほくろ(黒子)。

解字 形声。疒＋志音。

7 【痟】12画 7738 ショウ(セウ) 蕭 xiāo
2 8149 / — / 4557

字義 ❶頭痛。❷消渇(ショウカチ)。尿の通じない病気。❸やむ(病)。

解字 形声。疒＋肖音。

7 【痩】12画 7739 常 ソウ やせる
3373 / 9189 / —

10 【瘦】15画 7740 人 シュウ(シウ) 宥 shòu 慣ソウ
1 9493 / — / —

筆順 亠 广 疒 疒 疒 疒 疒 痩 痩

字義 やせる ㋐体が細くなる。↔肥。㋑こける。やせて肉がおちる。㋒ほっそりしている。

[膄] 5115 同字 [瘦] 7781 俗字 (4937)

解字 篆文 形声。疒＋叟(変)音。音符の変は縮に通じ、ちぢむの意味。病気でやせるの意味を表す。

【痩△軀】ソウク やせたからだ。
【痩古】ソウコ やせて古色を帯びていること。
【痩硬】ソウコウ 文字が細くてかたい。例えば、褚遂良(チョスイリョウ)の書など。
【痩骨】ソウコツ ①余分の肉がとれて、たくましく見える骨。名馬の姿などにいう。②老いてやせたからだ。老人。おいぼれ。

7 【[疒+余]】12画 7741 ㊀漢タ・呉ダ 麻 chā ㊁漢チョ・呉ジョ(ヂョ) 魚

字義 ㊀㊁きずあと。かさのあと。

解字 形声。疒＋余音。

7 【痛】12画 7742 教6 ツウ いたい・いたむ・いためる トウ 送 tòng 慣ツウ
3643 / 92C9 / —

筆順 亠 广 疒 疒 疒 疗 疠 痟 痛

字義 ❶いた-む。いた-める。㋐肉体が病みいたむ。傷つきいたむ。「激痛」「疼痛(トウツウ)」㋑心がいたむ。「心痛」㋒なやむ。苦しむ。㋓なげく。悲しむ。❷いた-み。㋐病気や傷などで肉体がいたむこと。㋑心のいたみ。なやみ。苦しみ。悲しみ。㋒にくみ。うらみ。❸いたましい。「沈痛」❹いた-い。きびしい。はげしい。❺いたく。きびしく。はげしく。国いた-む。㋐破損する。㋑くさる。㋒損をする。

使いわけ いたむ・いためる〔痛・傷・悼〕
〔痛〕心や体の苦しみ。「歯が痛む・痛み入る」
〔傷〕傷や破損。また、食べ物が腐ること。「体を傷める・道路が傷む・傷みやすい魚」
〔悼〕〔「いたむ」のみ〕人の死についての悲しみ。「母を悼む」

解字 篆文 形声。疒＋甬音。音符の甬(トウ)は、つきぬけるの意味。からだをつきぬけるようないたみの意味を表す。

逆 哀痛・劇痛・疾痛・心痛・陣痛・沈痛

【痛飲】ツウイン 大いに酒を飲むこと。
【痛快】ツウカイ はなはだ愉快なこと。
【痛感】ツウカン 身にしみて感ずる。
【痛撃(擊)】ツウゲキ ①はげしく攻撃する。②ひどい打撃。
【痛△哭】ツウコク ①はげしく泣く。▼哭は、声をあげて泣くこと。②ひどく悲しむ。
【痛恨】ツウコン 非常にうらむ。残念に思う。ひどく悲しむ。
【痛心】ツウシン 心をいためる。
【痛惜】ツウセキ 非常に惜しむ。ひどく惜しがる。
【痛責】ツウセキ きびしく責める。
【痛切】ツウセツ ①ひしひしと身にしみること。②心情のこもっていること。③身を切られるほどの苦痛。④はげしいこと。
【痛△楚】ツウソ いたみ苦しむ。また、ひどい苦しみ。▼楚は、いたむ。
【痛嘆・痛△歎】ツウタン ひどくなげき悲しむ。
【痛罵】ツウバ ①ひどくののしる。②てきびしく非難する。
【痛風】ツウフウ 病名。関節や骨膜・骨髄などに尿酸塩が付着して炎症を起こす病気。
【痛憤】ツウフン ①はげしくいきどおる。②ひどく憤慨する。
【痛棒】ツウボウ ①仏座禅のとき、気が散って落ち着かない人を打ちこらす棒。②国㋐きびしい叱責(シッセキ)。㋑てひどい攻撃。
【痛△痒・痛△癢】ツウヨウ ①いたみと、かゆみ。②物事が自分に及ぼす影響。
【痛烈】ツウレツ 国非常にはげしいこと。

7 【痘】12画 7743 常 トウ 漢トウ・呉ズ(ヅ) 宥 dòu
3787 / 9397 / —

筆順 亠 广 疒 疒 疒 疔 疔 痘 痘

難読 痘痕(あばた)・痘瘡(いもがさ・もがさ)

字義 もがさ。疱瘡(ホウソウ)。天然痘。熱性の伝染病。

解字 形声。疒＋豆音。

【痘痕】トウコン 天然痘のあと。あばた。
【痘瘡】トウソウ ほうそう(疱瘡)。天然痘。

7 【痜】12画 7744 トク 屋 tū
— / — / 4555

[[疒+禿]] 7745 俗字

字義 首に生ずるかさ。

解字 形声。疒＋禿音。

7 【[疒+禿]】12画 7745 トク
— / — / 4556

痜(7744)の俗字。→九八〇ページ下。

7 【痗】12画 7746 漢バイ 呉マイ 隊 mèi

字義 や-む(病)。なやむ。

解字 形声。疒＋毎音。

7 【痞】12画 7747 ヒ 紙 pǐ
6561 / E17C / —

字義 ❶はらいたみ。腹がしくしくいたむ。❷つか-え(つかえ)。胸もとに物がつかえふさがるようで苦しいこと。

解字 形声。疒＋否音。

7 【痡】12画 7748 漢ホ 呉フ 虞 pū
— / — / 4559

字義 や-む(病)。つかれ病む。

解字 篆文 形声。疒＋甫音。音符の甫は、薄に通じ、うすいの意味。体力が衰えてやむの意味を表す。

7 【痝】12画 7749 漢ボウ(バウ) 呉モウ(マウ) 江 máng
2 8148 / — / —

字義 ❶病み苦しむ。❷二日酔い。

解字 形声。疒＋尨音。

7 【痢】12画 7750 常 リ リ 寘 lì
4601 / 979F / —

字義 げり(下痢)。はらくだり。はらくだし。
解字 形声。疒＋利音。
筆順 亠广疒疒疒疔疔痢痢

8 【痾】13画 7751 ア 歌 ē 6562 E17D —
【疴】7702 同字 字義 やまい。長い病気。重い病気。「宿痾」
解字 形声。疒＋阿音。

8 【瘂】13画 7752 ア 馬 yǎ 1 8849 — 4568
字義 言葉の不自由なこと。また、その人。＝啞(1523)。
解字 形声。疒＋亞音。

8 【痿】13画 7753 イ(ヰ) 支 wěi 6563 E17E —
字義 ❶しびれる。また、しびれ。❷なえる。力がなくなる。❸いざる。足の立たない病気。
解字 篆文 形声。疒＋委音。音符の委は、萎に通じ、なえるの意味。なえる・しびれるの意味を表す。
【痿蹶】ケイ ケツ 足がしびれる。脚気の類い。

8 【瘍】13画 7754 ㊀漢エキ・呉ヤク 陌 yì ㊁漢セキ・呉シャク 陌 yì 2 8152 — 4562
字義 ㊀❶心臓の鼓動が激しくなる病気。❷病気が伝染する。
解字 形声。疒＋易音。

8 【瘀】13画 7755 漢ヨ 呉オ 御 魚 yū 1 8848 — 4567
字義 鬱血。局部に静脈血がたまる症状。
解字 篆文 形声。疒＋於音。音符の於は、歍に通じ、はき気をもよおすの意味。血液がにごりつかえておこる病気の意味を表す。
【瘀血】オケツ ①ふるち。悪い血。②血のたまりから起こる病気。

8 【痯】13画 7756 カン(クヮン) 旱 guǎn — — 4564
字義 痯痯は、病み疲れるさま。
解字 形声。疒＋官音。

8 【悸】13画 7757 漢キ 呉ギ 寘 jì
字義 ときめく。胸がどきどきする。恐れたり、驚いたりして、心臓の鼓動が速くはげしくなること。また、その病気。＝悸(3754)。
解字 篆文 形声。疒＋季音。音符の季は悸に通じ、むなさわぎがするの意味。むなさわぎがして胸がどきどきするの意味を表す。

8 【痼】13画 7758 漢コ 呉ク 遇 gù 6564 E180 —
字義 長い間治らない病気。持病。国しこり。㋐筋肉などがこって固くなったところ。㋑物事がすんだあとに残る、しっくりしない気持ち。
解字 篆文 形声。疒＋固音。音符の固は、かたまるの意味。たちの悪い、なかなか治らない病気の意味を表す。
【痼疾】コシツ ①長い間治らない病気。持病。②痼癖。こびりついて治りにくいくせ。

8 【瘃】13画 7759 ㊀漢ショク・呉ソク 沃 ㊁漢チョク・呉トク 沃 zhú 2 8156 — 4569
字義 ㊀㊁しもやけ。しもくち。凍傷。
解字 形声。疒＋豕音。

8 【瘁】13画 7760 漢スイ 呉ズイ 寘 cuì 6565 E181 —
字義 ❶やむ(病)。❷つかれる(疲)。やつれる。❸うれえる。
解字 形声。疒＋卒音。音符の卒は、つきるの意味。体力がつきて、やむ・つかれるの意味を表す。

8 【瘄】13画 7761 ソ 遇 cù — — 4570
字義 ❶はしか。❷放置する。
解字 形声。疒＋昔音。

8 【痰】13画 7762 標 漢タン 呉ダン 覃 tán 6566 E182 —
字義 咳につれて気管から出る粘液。
解字 形声。疒＋炎音。

8 【痴】13画 7763 常 チ 3552 9273 —
14 〖癡〗19画 7764 チ 支 chī 6587 E197 —
筆順 亠广疒疒疒疒疾痴痴
字義 ❶おろか(愚)。❷異常なほど物事に夢中になること。「書痴」❸仏三毒(さとりをさまたげる三種の煩悩)の一つ。三毒は、貪(むさぼり)・瞋(いかり)・痴(まよい)。
解字 篆文 形声。篆文は、疒＋疑音。音符の疑は、じっと立ちどまってためらうの意味。物事にうまく対応できない病気、おろかの意味を表す。常用漢字の痴は、疒＋知音の形声で、もと癡の俗字。
逆 愚痴・書痴・白痴
【痴漢】チカン ①おろかな男性。②国女性に性的ないやがらせをする男性。▼漢は、男性。
【痴愚】チグ おろか。〔論衡、道虚〕
【痴情】チジョウ 国色欲の情。色情のまどい。
【痴人】チジン おろかな人。愚人。愚者。
【痴人説夢】チジンゆめをとく 言っている内容がさっぱりわからないことのたとえ。
【痴態】チタイ ばかな様子。おろかなありさま。
【痴鈍】チドン おろかでにぶい。
【痴呆】チホウ おろか。また、おろか者。▼呆も、おろか。
【痴話】チワ 国①情人たちが戯れ合ってする話。②情事。

8 【脹】13画 7765 チョウ(チャウ) 漾 zhàng 2 8153 — 4563
字義 腹腔中に液体またはガスがたまって腹のふくれる症状。
解字 形声。疒＋長音。

8 【痹】13画 7766 ヒ 寘 bì 2 8155 — 4566
字義 ❶しびれる。また、しびれ。＝痺(7767)。❷リュウマチス。
解字 形声。疒＋畀音。

8 【痺】13画 7767 標 漢ヒ 呉ビ 支 pí, ②bì 6567 E183 —
字義 ❶鳥の名。うずらの雌。❷しびれる。＝痹(7766)。本来は、痹の誤用。今は一般に用いる。
解字 形声。疒＋卑音。

8 【痱】13画 7768 ㊀漢ヒ・呉ビ 微 féi ㊁漢ヒ・呉ビ 未 fèi 2 8154 — 4565
字義 ㊀❶中風。腕や足などの身体の一部が麻痺する病気。❷小さいはれもの。㊁あせも。
解字 形声。疒＋非音。

8 【痲】13画 7769 漢バ 呉メ・マ 麻 mā 6568 E184 —
字義 ❶しびれる。また、しびれ。からだの器官が、感覚作用を失うこと。＝麻(14446)。❷痲疹は、はしか。発疹をともなう伝染性の病気。 難読 痲疹
解字 形声。疒＋林音。
【痲痺・痲痹】ヒマ しびれること。しびれ。麻痺。▼痺・痹も、しびれる。

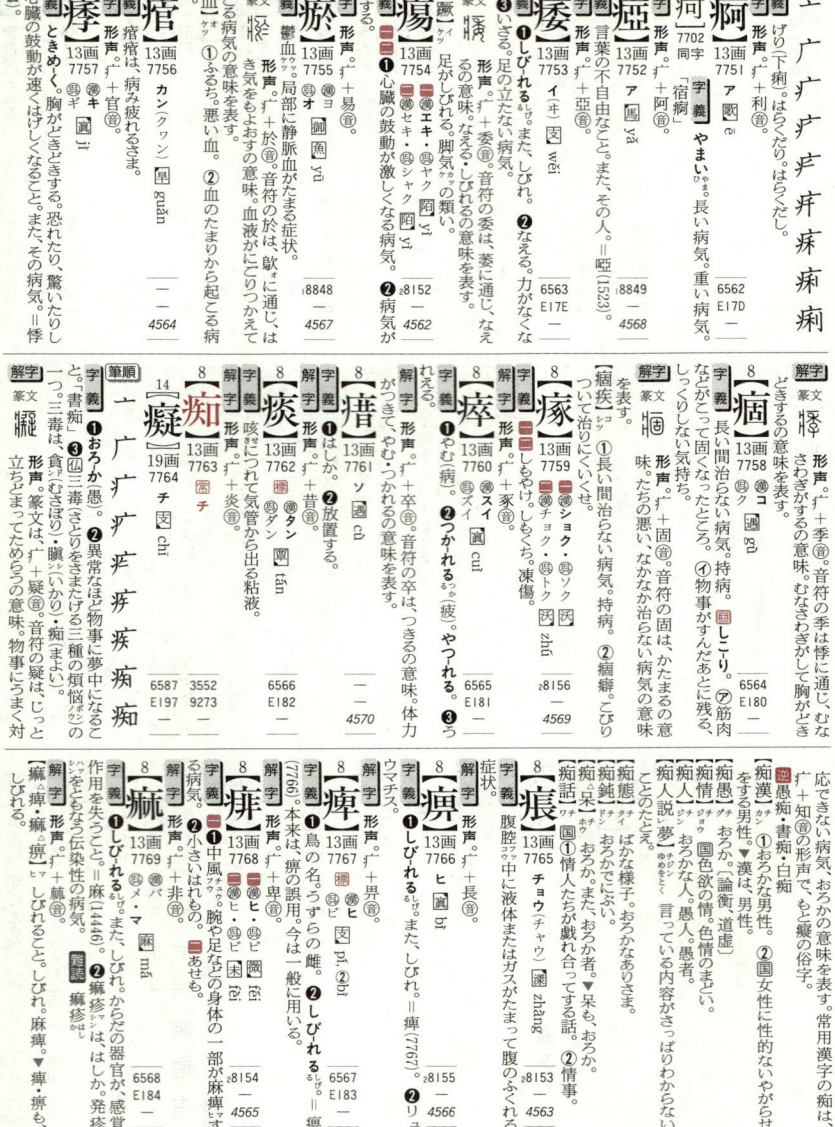

8 【痳】13画 7770 リン 㐅 lín 6569 E185 —

字義 痳病(リンビョウ)は、性病の一種。淋病(リンビョウ)。

解字 形声。疒＋林㊖。音符の林は、立に通じ、ひととこころにたちどまるの意味。治りにくい病気の意味を表す。

9 【瘖】14画 7771 漢イン 呉オン 㐅 yīn 1 8852 — 4579

字義 発声機能の障害などによって声の出ないこと。また、その病気。

解字 篆文 形声。疒＋音㊖。音符の音は、言葉にならないこえの意味。言葉が言えない病気、口がきけないの意味を表す。

【瘖△啞(インア)】口のきけない人。啞者。▼啞も、声の出ないこと。

【瘖默(默)(インモク)】ものを言わないで黙っていること。沈黙。

【瘖△聾(インロウ)】口のきけないことと、耳のきこえないこと。聾啞。

9 【瘕】14画 7772 漢カ 呉ケ 麻 馬 禡 jiǎ 1 8851 — 4578

字義 ❶やまい(病)。のどの病気。また、腹の中にしこりのできる病気。❷きず。＝瑕(7439)。

解字 形声。疒＋叚㊖。

9 【㾏】14画 7773 ㊀漢カツ・呉カチ 曷 hài ㊁漢エツ・呉オチ 月 yē 2 8161 — —

字義 ㊀❶あつけ。暑さにあたること。❷やむ(病)。

解字 形声。疒＋曷㊖。

9 【瘧】14画 7774 漢ギャク 呉ガク 薬 nüè, yào 6574 E18A —

字義 おこり。わらわやみ。熱病の一種。マラリア。

解字 篆文 形声。疒＋虐㊖。音符の虐は、むごいの意味。むごい病の意味から、おこり・マラリアの意味を表す。

9 【瘈】14画 7775 ケイ 霽 jì 1 8850 — —

字義 ❶くる-う(くるふ)。精神に異常を生ずること。❷瘈瘲(ケイショウ)は、小児のひきつけ。

【瘛】7776 俗字

解字 形声。疒＋契㊖。

9 【瘛】14画 7776 ケイ 瘈(7775)の俗字。→九八三ページ上。 — — 4572

9 【瘟】14画 7777 漢コウ(クワウ) 呉オウ(ワウ) 陽 huáng 2 8160 — —

字義 おうだん(黄疸)。肝臓及び胆嚢(タンノウ)の疾患のために、身体の皮膚が黄色くなる病気。

解字 形声。疒＋皇㊖。

9 【瘊】14画 7778 漢コウ 呉グ 尤 hóu — — 4573

字義 いぼ。

解字 形声。疒＋侯㊖。

9 【瘒】14画 7779 ゴン 元 wēn — — 4576

字義 おろか。

解字 形声。疒＋軍㊖。

9 【瘇】14画 7780 漢ショウ 呉ジュウ 腫 zhǒng 2 8158 — 4571

字義 足がはれる。また、その病気。

難読 瘇物(びにき)

解字 形声。疒＋重㊖。

9 【瘦】14画 7781 ソウ 瘦(7739)の俗字。→九八一ページ上。 — — 4587

9 【瘓】14画 7782 タン 旱 huàn 2 8162 — 4577

字義 癱瘓(タンタン)は、中風。

解字 会意。疒＋奐。

9 【瘏】14画 7783 漢ト 呉ズ(ヅ) 虞 tú 2 8159 — 4575

字義 ❶や-む(病)。❷病みつかれる。

解字 形声。疒＋者㊖。

【瘏△悴(トスイ)】病んでやつれる。つかれてやつれる。

【瘏△痡(トホ)】疲れはてる。▼痡は、病みつかれる。

9 【瘩】14画 7784 トウ(タフ) dá, ②da — — 4588

字義 ❶現代中国語で、瘩背(ターペイ)は、背中にできるはれもの。❷疙瘩(ギットウ)は、小さなおでき。

解字 形声。疒＋荅㊖。

9 【瘋】14画 7785 フウ 東 fēng 6570 E186 —

字義 精神に異常をきたす病気。「瘋癲(フウテン)」

解字 形声。疒＋風㊖。

9 【瘉】14画 7786 ユ 癒(7838)の正字。→九八五ページ下。 6572 E188 —

9 【瘍】14画 7787 常 ヨウ ヨウ(ヤウ) 陽 yáng 6571 E187 —

筆順 疒 疒 疒 疒 疒 疸 疸 瘍 瘍

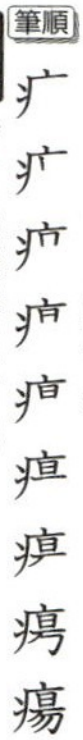

字義 できもの。悪性のはれもの。

解字 篆文 形声。疒＋昜㊖。音符の昜(ヨウ)は、あがるの意味。皮膚がはれあがる病気、できものの意味を表す。

9 【瘌】14画 7788 漢ラツ 呉ラチ 曷 là — — 4574

字義 ❶薬の副作用でかぶれたり痛んだりすること。❷ひりひりする肌の痛み。❸傷。

解字 形声。疒＋剌㊖。

9 【瘻】14画 7789 ロウ 瘻(7816)の俗字。→九八四ページ下。 2 8157 — —

10 【瘞】15画 7790 エイ 霽 yì 1 8854 — 4584

字義 ❶うず-める(うづむ)(埋)。㋐地中にかくしうめる。㋑地中に犠牲や玉などをうめて地を祭ること。また、その祭り。瘞埋(エイマイ)。❷はか(墓)。

解字 形声。土＋瘗㊖。

10 【瘟】15画 7791 オン(ヲン) 元 wēn 6573 E189 —

字義 えやみ。熱病。急性の伝染性感染症の総称。

解字 形声。疒＋昷㊖。

10 【瘣】15画 7792 漢カイ(クワイ) 呉ガイ(グワイ) 賄 huì — — 4585

字義 ❶やむ(病)。❷こぶ。はれもの。できもの。❸瘣木(カイボク)は、病んで枝のなくなった木。❹山が高く盛り上がってけわしいさま。

解字 形声。疒＋鬼㊖。音符の鬼は、塊に通じ、かたまりの意味。

10 【瘝】15画 7793 カン(クワン) 刪 guān — — 4583

字義 ❶やむ(病)。❷無視する。

解字 形声。疒＋眔㊖。音符の眔(トウ)は、目から涙が落ちる形の象形。これをカンと読むのは、瞏との混同か。

10 【瘨】15画 7794 ㊀ガン(グワン) 刪 ㊁漢クン・呉グン 文 qūn 2 8165 — —

字義 ㊀㊁しびれる。

解字 形声。疒＋㡒㊖。

10 【瘥】15画 7795 ㊀漢サ・呉ザ 歌 cuó ㊁シャ 麻 cuō 2 8166 — 4586

字義 ㊀❶いえる。病気が治る。❷やむ(病)。❸軽い流行病。

解字 形声。疒＋差㊖。

10 【瘛】 15画 7796 一 漢セイ 霽 chì 二 漢セツ 呉セチ 屑 chì, ②zhì
［瘈］ 7797 俗字
字義 一 ❶瘛瘲(セイショウ)は、小児のひきつけ。❷おろか。
解字 形声。疒＋心＋㓞(契省)音。

10 【瘈】 15画 7797 セイ 瘛(7796)の俗字。→九八四ページ上。 28163 — 4581

10 【瘠】 15画 7798 漢セキ 呉ジャク 陌 jí 6575 E18B —
字義 ❶やせる(やす)。↔肥(4937)。㋐体が細くなる。㋑地味がとぼしい。❷へる。へらす。また、省く。❸うすい(薄)。人情が薄い。
解字 形声。疒＋脊音。音符の脊(セキ)は、背ぼねの意味。病気で背ぼねだけになる、やせるの意味を表す。
【瘠軀】(セキク) やせているからだ。やせた身体。
【瘠土】(セキド) 地味の悪い土地。やせ地。

10 【瘡】 15画 7799 標 漢ショウ(シャウ) 呉ソウ(サウ) 陽 chuāng 6576 E18C —
字義 ❶かさ。くさ。できもの。はれもの。皮膚にできるできものの総称。❷きず(傷)。傷あと。「刀瘡」
解字 形声。疒＋倉音。音符の倉は創に通じ、きずの意味。疒を付し、きずあとの意味を表す。
【瘡痍】(ソウイ) ①きず。②苦難や損害など。
【瘡瘢】(ソウハン) ①きず(傷)。②きずあと。

10 【瘙】 15画 7800 ソウ(サウ) 号 豪 sào 18853 — 4580
字義 かさ。ひぜん。疥癬(カイセン)。
解字 形声。疒＋蚤音。

10 【瘦】 15画 (7740) ソウ 痩(7739)の旧字体。→九八一ページ上。

10 【瘜】 15画 7801 漢ショク 呉ソク 職 xī 28164 — 4582
字義 あまじし。いぼ・こぶなど、皮膚にできる余分な肉。
解字 形声。疒＋息音。

10 【瘨】 15画 7802 テン 先 diān 28167 — —
字義 ❶やむ(病)。❷発作的に痙攣(ケイレン)などを起こす症状。
解字 形声。疒＋眞音。

10 【瘼】 15画 7803 漢バク 呉マク 薬 mò 28168 — 4602
解字 形声。疒＋莫音。
字義 ❶やむ(病)。やまい。❷ちる(散)。

10 【瘢】 15画 7804 漢ハン 呉バン 寒 bān 6577 E18D —
字義 ❶きずあと。傷のあと。❷一般に、あと・あとかた。❸そばかす。顔などにできる斑点(ハンテン)。
解字 篆文 形声。疒＋般音。音符の般は、大きなふねの意味。ふねのようにくぼんだ、大きな傷あとの意味を表す。
【瘢痕】(ハンコン) きずあと。傷跡。一般に、あと。あとかた。

10 【瘤】 15画 7805 標 漢リュウ(リウ) 呉ル 尤 liú 6578 E18E —
［癅］ 7831 本字
字義 こぶ。㋐からだにできる塊状の突起。㋑すべて物の表面の塊状の突起。国こぶ。邪魔もの。厄介もの。また、子供。
解字 篆文 形声。疒＋留音。音符の留は、流れがとどこおるの意味。血液の流れがとどこおって、はれあがったこぶの意味を表す。

11 【癊】 16画 7806 漢イン 呉オン 沁 yìn — — 4603
字義 ❶胸の病気。❷血のあと。血痕(ケッコン)。
解字 形声。疒＋陰音。

11 【瘸】 16画 7807 漢カ(クワ) 呉ガ(グワ) 歌 qué — — 4593
字義 手足の病気。
解字 形声。肉＋痂音。

11 【瘶】 16画 7808 ク 痀(7705)と同字。→九七八ページ中。 28170 — —

11 【瘵】 16画 7809 一 サイ 卦 zhài 二 漢セイ・呉サイ 霽 jì 18856 — 4592
字義 一 ❶やむ(病)。肺結核。❷つかれる。❸災害。二 ❶まじわる。❷筋がひきつったり、ゆるんだりする病気。
解字 形声。疒＋祭音。

11 【瘴】 16画 7810 ショウ(シャウ) 漾 zhàng 6579 E18F —
字義 ❶山川に生ずる毒気。瘴気。特に中国南方地方の川や湖沼の辺に多いという。❷山川の毒気にあたって起こるという熱病。

解字 形声。疒＋章音。

【瘴雨】(ショウウ) 瘴気を含んでいる雨。

【瘴疫】(ショウエキ) ＝瘴癘(ショウレイ)。

【瘴煙・瘴烟】(ショウエン) 瘴気を含んでいるもや。

【瘴気】(ショウキ) 熱帯の山川に生ずる毒気。

【瘴江】(ショウコウ) 瘴気のただよう川。用例(唐、韓愈、左遷至二藍関一示二姪孫湘一詩)知汝遠来応レ有レ意(なんじ(ち)のとお(ほ)くきたるまさにイあるべし)、好収二我骨一瘴江辺(よしわがほねをお(を)さめよショウコウのほとりに)。↓私には分かる。お前がはるばるここまで見送りに来てくれたのは、きっと心に期することがあってのことだ、と。よろしい、それなら私の骨を毒気のたちこめる南方の大川のほとりで拾い収めてくれ。

【瘴癘・瘴厲】(ショウレイ) 瘴気のために起こる病気。今のマラリアなどの熱病。

11 【瘲】 16画 7811 漢ショウ 呉シュ 宋 zòng — — 4590
字義 瘈瘲(ケイショウ)・瘛瘲(セイショウ)は、小児のひきつけ。
解字 形声。疒＋從音。

11 【瘳】 16画 7812 漢チュウ(チウ) 呉チュ 尤 chōu 28169 — 4591
字義 ❶いえる(いゆ)。㋐病気がなおる。㋑おとろえていた勢いが回復する。❷へる。損ずる。❸たがう。差違がある。
解字 形声。疒＋翏音。

11 【瘹】 16画 7813 チョウ(テウ) 嘯 diào — — 4594
字義 ❶正常ではない。❷小児の病気。
解字 形声。疒＋釣音。

11 【瘭】 16画 7814 ヒョウ(ヘウ) 蕭 biāo 18855 — 4589
字義 瘭疽(ヒョウソ)は、指先が化膿(カノウ)するはれもの。
解字 形声。疒＋票音。

11 【瘰】 16画 7815 ラ 哿 luǒ 慣ルイ 6580 E190 —
字義 瘰癧(ルイレキ)は、首の淋巴腺(リンパセン)のはれもの。結核性頸部リンパ節炎。
解字 形声。疒＋累音。

11 【瘻】 16画 7816 標 一 漢ロウ・呉ル 宥 lòu 二 ル 虞 lǘ 6581 E191 —
［瘘］ 7789 俗字
字義 一 瘻癧(ルイレキ)。→瘰(7815)。二 瘻痀(ルク)・痀瘻は、背骨の曲がる病気。また、その病気にかかっている人。
解字 篆文 形声。疒＋婁音。音符の婁(ロウ)は、かさなるの意味。病気のかさの意味を表す。
【瘻癘】(ロウライ・ロウレイ) 瘰癧(ルイレキ)とハンセン病。首に腫(は)れ物のできる病気。用例(唐、柳宗元、捕レ蛇者説)已二大風・攣踠・瘻癘一(タイフウ・レンエン・ロウライをいやす)。↓ハンセン病・手足の曲がる病気・首に腫れ物ができる病気を治す。

11【瘺】16画 7817 漢ロウ 呉ル 宥 lòu — — 4601
字義 痛むかさ。なかなか治らないかさ。
解字 形声。疒＋扇音。

12【癋】17画 7818 漢カク 呉ガク 薬 hè 1 8858 — 4610
字義 胸の病気。
解字 形声。疒＋惡音。

12【癇】17画 7819 漢カン 呉ゲン 删 xián
［癎］7820 俗字 ［癇］7821 俗字
字義 ❶ひきつけ。小児の病気。発作的に痙攣を起こすもの。驚風。❷てんかん（癲癇）。痙攣・意識障害などの発作を繰り返す脳疾患。国カン。㋐激しやすく怒りっぽい性質。㋑神経質の俗称。
解字 篆文 形声。疒＋閒音。音符の閒は、あいだの意味。間をおいて起こる発作、ひきつけの意味を表す。
【癇△癪】カンシャク 国①激怒しやすい性癖。②怒り。
【癇癖】カンペキ 国激怒しやすい性癖。

12【癎】17画 7820 カン 癇（7819）の俗字。→九八五ジペー上。 6582 E192 —

12【癇】17画 7821 カン 癇（7819）の俗字。→九八五ジペー上。

12【癌】17画 7822 標 ガン 咸 ái（yán） 2066 8AE0 —
字義 悪性でなおすことの困難なできもの。国ガン。のぞきにくいじゃまもの。
解字 形声。疒＋嵒音。音符の嵒は嚴に通じ、きびしいの意味。きびしい悪性の病気、がんの意味を表す。

12【癀】17画 7823 漢コウ（クワウ） 呉オウ（ワウ） 陽 huáng — — 4604
字義 ❶黄疸。❷現代中国語で、癀病は、炭疽の病。
解字 形声。疒＋黄音。音符の黄は、黄色くなるの意味。

12【癄】17画 7824 漢ショウ（セウ） 呉ジョウ（ゼウ） 蕭 qiáo — — 4607
字義 ❶縮む。❷やつれる。
解字 形声。疒＋焦音。

12【瘮】17画 7825 シン 疹（7711）の俗字。→九七九ジペー上。 2 8173 — —

12【㿉】17画 7826 漢タイ 呉ズイ（ヅイ） 灰 tuí 2 8171 — —
［𤻲］7846 同字
字義 陰部の病気。
解字 形声。疒＋貴（穨省）音。

12【癉】17画 7827 ━タン 翰 dàn ━タ 箇 ━タン 寒 dān 2 8174 — 4609
字義 ━❶やむ（病）。病みつかれる。苦しむ。❷黄疸。＝疸（7715）。❸悪性のできもの。━熱。熱の高い症状。
解字 篆文 形声。疒＋單音。音符の單は、つきるの意味。力がつき、つかれるの意味を表す。

12【癈】17画 7828 ハイ 隊 fèi 6583 E193 —
字義 ❶なおらない病気。不治の病。痼疾。❷病気やけがで身体に重い障害を生じること。
解字 篆文 形声。疒＋發音。音符の發は廢に通じ、こわれるの意味。不治の病気の意味を表す。
【癈疾】ハイシツ ①不治の病。②病気で身体に障害を生じること。また、その病気。
【癈人】ハイジン 身体の障害や不治の病にかかって仕事などのできなくなった人。廃人。

12【癁】17画 7829 漢フク 呉ブク 屋 fù 2 8172 — 4605
字義 ❶やむ（病）。❷病気がぶりかえす。
解字 形声。疒＋復音。

12【癃】17画 7830 リュウ（リウ） 東 lóng 1 8857 — 4606
字義 ❶や-む（病）。つかれ病む。❷背骨の曲がる病気。
解字 形声。疒＋隆音。

12【癅】17画 7831 リュウ 瘤（7805）の本字。→九八四ジペー中。 — — 4608

12【療】17画 7832 常 リョウ リョウ（レウ） 嘯 liáo 4637 97C3 —
筆順 疒 疒 疾 疾 疾 瘆 瘆 瘆 療
字義 い-やす。㋐なおす。病気をなおす。「治療」㋑救う。苦痛などを救う。
解字 形声。疒＋尞音。音符の尞は、了・料に通じ、おわる・おさめるの意味。病気をおわらせる、なおすの意味を表す。
逆 診療・施療・治療
【療養】リョウヨウ 病気の治療と養生。病気の保養。

12【癘】17画 7833 ━レイ 霽 lì ━ライ 泰 lài 6586 E196 —
字義 ━❶えやみ。流行病。❷熱病を起こさせる悪気。━ハンセン病。＝癩（7847）。
解字 篆文 形声。疒＋萬音。音符の萬は、さそりの象形。
【癘疫】レイエキ 流行病。疫癘。
【癘疾】━レイシツ 流行病。━ライシツ ハンセン病。

12【癆】17画 7834 ロウ（ラウ） 号 lào 6584 E194 —
字義 ❶やつ-れる。おとろえやせる。また、その病気。❷結核。とくに肺結核をさす。
解字 形声。疒＋勞音。
【癆△痎・癆△咳】ロウガイ 身体が次第にやせ細り、体力のおとろえる病気。今の肺結核。癆症。

13【癙】18画 7835 慣ソ ショ 語 御 shǔ — — 4612
字義 きやみ。憂鬱症。また、その症状になる。うれえふさぐ。国ペスト。急性の伝染性感染症の一種。黒死病。
解字 形声。疒＋鼠音。

13【癜】18画 7836 慣デン テン 霰 diàn 6585 E195 —
字義 なまず。肌に白色あるいは褐色の斑紋ができる皮膚病。
解字 形声。疒＋殿音。

13【癖】18画 7837 常 ヘキ くせ 漢ヘキ・呉ヒャク 陌 錫 pǐ 4242 95C8 —
筆順 疒 疒 疒 疒 疒 疒 癖 癖 癖
字義 ❶くせ。その人の習慣的動作。個人的傾向の強い動作。「性癖」「癇癖」❷腹の病気。消化不良。また、病気。国直そうとしてもなかなか直らない状態。「くせ毛」
解字 形声。疒＋辟音。音符の辟は、わきに寄るの意味。体調がくずれてなる病気の意味を表す。また、転じて、くせの意味を表す。
逆 奇癖・潔癖・酒癖・性癖

13【癒】18画 7838 常 ユ い-える・い-やす 4494 96FC —

13［癒］18画 7839 ユ 麌 虞 yù

疒部 11▶13画 〔瘺癋癇癎癇癌癀癄瘮㿉癉癈癁癃癅療癘癆癙癜癖癒癒〕

筆順 疒 疒 疒 疥 瘉 瘉 瘉 瘉 癒 癒

［瘉］7786 字 正

にかかる。悩む。

字義 ❶いーえる。病気がなおる。また、いーやす。なおす。「治癒」 ❷やむ(病)。病気

解字 篆文 形声。篆文は、疒＋兪㊥。音符の兪は、いえるの意味。病気がいえるの意味を表す。

逆 快癒・治癒・平癒

【癒着】①皮膚・膜などが(炎症などのために)くっついてしまうこと。②国権力・組織に必要以上に依存する。

13 【癰】 18画 7840 ヨウ 癰(7854)と同字。→九八六ページ中。 2 8175 — 4611

14 【癡】 19画 (7764) チ 痴(7763)の旧字体。→九八二ページ中。 — — 4613

14 【癟】 19画 7841 漢ヘツ 呉ベチ 屑 biě — — 4613

字義 ❶身体が動かなくなる病。中風の類い。❷飛べない。❸しなびる。❹戻癟は、正しくない。

解字 会意。疒＋自＋侖。

15 【癤】 20画 7842 漢セツ 呉セチ 屑 jiē(jié) 1 8859 — 4614

字義 ❶ねぶと。皮膚にできるはれものの一種。❷えのご。血管内にできるはれもの。

解字 形声。疒＋節㊥。

15 【癥】 20画 7843 チョウ 蒸 zhēng 1 8860 — 4615

字義 ❶腹のしこり。❷足のかさ。

解字 形声。疒＋徵㊥。

15 【癢】 20画 7844 ヨウ(ヤウ) 養 yǎng 6588 E198 —

字義 ❶かゆーい。＝痒(7732)。❷はがゆい。心がむずむずする。もだえる。「伎癢」

解字 形声。疒＋養㊥。音符の養は、痒に通じ、かゆいの意味を表す。

16 【癨】 21画 7845 カク(クヮワ) 藥 huò 6589 E199 —

字義 癨乱は、暑気にあたって、吐き下しする病気。

解字 形声。疒＋霍㊥。

16 【癩】 21画 7846 タイ 癀(7826)と同字。→九八五ページ中。 2 8176 — —

16 【癩】 21画 7847 ライ 泰 lài 6590 E19A —

字義 ハンセン病。らい菌の感染によって起こる慢性の伝染性感染症。＝癘(7833)。

解字 形声。疒＋賴㊥。

16 【癧】 21画 7848 漢レキ 呉リャク 錫 lì 6592 E19C —

字義 瘰癧は、ぐりぐり。→瘰(7815)。

解字 形声。疒＋歴㊥。

16 【癪】 21画 7849 国字 6591 E19B —

字義 シャク。㋐さしこみ。胸や腹の激しく痛む病気。胃痙攣など。㋑激しやすい感情。怒り。腹だち。「癇癪」

解字 形声。疒＋積㊥。

17 【癮】 22画 7850 漢イン 呉オン 吻 yǐn 2 8177 — 4617

字義 ❶癮疹は、風邪の熱で皮膚に生ずる発疹。かざほろし。❷酒・阿片・たばこなどの中毒。

解字 形声。疒＋隱㊥。

17 【癭】 22画 7851 漢エイ 呉ヨウ(ヤウ) 梗 yǐng 1 8861 — 4616

字義 こぶ(瘤)。㋐人体にできるこぶ。㋑樹木のこぶ。

解字 篆文 形声。疒＋嬰㊥。音符の嬰は、女性の首かざりの意味。首すじにできる、こぶの意味を表す。

17 【癬】 22画 7852 標 セン 銑 xuǎn 6593 E19D —

字義 たむし・ひぜん(皮癬)の類い。皮膚に生ずるかゆいできもの。疥癬。

解字 篆文 形声。疒＋鮮㊥。音符の鮮は遷に通じて、うつるの意味。疒を付し皮膚にうつって広がるたむしの類いの意味を表す。

18 【癯】 23画 7853 ク 臞(5177)と同字。→七二一ページ中。 1 8862 — 4618

18 【癰】 23画 7854 漢ヨウ 呉オウ 冬 yōng 6594 E19E —

［臃］5158 同字 ［癕］7840 同字

字義 悪性のできもの。首すじや背中、顔などにできる。

解字 篆文 形声。疒＋雝㊥。音符の雝は、かかえこむの意味。細菌をかかえこんで炎症をおこした、はれものの意味を表す。

【癰腫】①はれもの。できもの。腫物。②樹木のふしこぶ。また、大きいばかりで役にたたないもの。

【癰疽】①悪性で危険なできもの。②できものを治療する医者。外科医。

19 【癱】 24画 7855 タン 寒 tān 1 8863 — 4619

字義 中風。手足などが麻痺する病気。

解字 形声。疒＋難㊥。

19 【癲】 24画 7856 テン 先 diān 6601 E19F —

字義 ❶くるーう(狂)。精神に異常を生ずること。❷癲癇は、痙攣・意識障害などの発作を繰り返す脳疾患。

解字 形声。疒＋顛㊥。

【癲狂】精神に異常を生ずること。

23 【癴】 28画 7857 レン 先 luán — — 4620

字義 ❶やむ(病)。やまい。❷病んで体がかがまる。

解字 形声。疒＋攣㊥。音符の攣は、手足が伸ばせないの意味。

5画

癶 はつがしら

〔部首解説〕 癶を意符として、足の動作に関する文字ができているが、例は少ない。主に字形上の分類のために部首に立てられる。

0 癶 九八六 4 癸 九八六 発 九八七 7 登 九八八 發 九八七

0 【癶】 5画 7858 漢ハツ 呉ハチ 曷 bō 6602 E1A0 —

字義 背く。両足が左右に開く。

解字 篆文 象形。人が両足をそろえて直立したときの足の形にかたどる。

4 【癸】 9画 7859 キ 紙 guǐ 6603 E1A1 —

字義 ❶みずのと。㋐五行では水。「水の弟」の意。十干の第十位。㋑方位では北。㋒四季では冬。❷はかる(測)。＝揆(4298)。

解字 甲骨文 金文 篆文 象形。甲骨文・金文でもわかるように、二本の木を十字に組み合わせ、日の出・日の入りをはかり、東西南北の方位を知る器具の象形で、はかるの意味を表す。借りて、

十干の第十位に用いるのは、この日に向こう一旬の吉凶をうらなった中国古代の習慣からであろう。癸を音符に含む形声文字に、揆・葵などがある。

4【発】9画 7860 教3 ハツ・ホツ　4015 94AD

7【發】12画 7861 漢ハツ・呉ホチ 慣ホツ 円 fā　6604 E1A2

筆順 

字義 ❶はな-つ（放）。いる。弓を射る。鉄砲を撃つ。❷ひら-く（開）。㋐あける。用例〔史記、刺客伝〕秦王発レ図。↓秦王は地図を開いた。㋑花が咲く。用例〔唐、于武陵、勧レ酒詩〕花発多二風雨一、人生足二別離一。↓花の咲くころは、とかく風雨が多くて花のさまたげになるように、人の一生には別ればかりが多い。㋒明らかにする。用例〔論語、述而〕不レ憤不レ啓、不レ悱不レ発。↓（理解できないことがあるときには）いきどおりの心をふるいおこすほどでなければ、教えてやらず、一応わかってはいるが、うまく言い表わせないでいらいらするほどでなければ、教えてはやらない。❸あば-く。❹つか-わす（遣）。さしむける。❺おくる。やる。致す。㋐かくれているものを出す。「摘発」㋑掘り出す。「発送」❻た-つ。出発する。ゆく。進む。去る。用例〔唐、白居易、長恨歌〕六軍不レ発無二奈何一、宛転蛾眉馬前死。↓近衛の軍隊は出発しようとせずどうにもならなくなり、すんなりと美しいまゆの美人（楊貴妃）は、天子の馬前で死んだのである。❼でる。出す。「発芽」❽おこる。おこす。始まる。始める。「開発」❾あらわす。現れる。また、もらす（漏）。もれる。❿うごく。動かす。⓫のびる。「発育」「発達」⓬めす。徴集する。用例〔史記、項羽本紀〕発二沛中児一、得二百二十人一、教二之歌一。↓沛の少年を募って百二十人を集め、彼らに歌を教えた。

名前 あき・あきら・おき・しげ・ちか・とき・なり・はつ・ひらく

難読 発寒・発条

参考 現代表記では〔潑〕(6711)・〔撥〕(4424)・〔醱〕(12434)の書きかえに用いることがある。「活潑→活発」「反撥→反発」「醱酵→発酵」

解字 篆文  形声。篆文は、弓＋癹㊀。音符の癹は、左右の足と手で草をふみわけるさまにかたどる。弓をひきはなつの意味を表す。常用漢字の発は、省略体による。發（発）を音符とする形声文字に、廃・撥・潑・癈・醱・鏺などがある。

逆 映発・開発・活発・揮発・偶発・啓発・告発・自発・蒸発・触発・続発・徴発・挑発・摘発・突発・爆発・反発・不発・奮発・併発・暴発・誘発・利発・連発

【発哀】死亡を発表すること。発喪。

【発案】①考えを出すこと。②国議案を提出すること。

【発意】㊀仏菩提心を起こすこと。発心。↓発菩提心。㊁国考え出す。思いつく。またその考え。

【発育】育つ。また、育ち。成長。

【発引】葬式の時、棺が墓地に向かって出発すること。▼引は、霊柩車の前方に取りつけた引き綱。

【発解】解（公文書）を中央政府に送って、地方の試験の優等者に、都で試験を受けさせること。転じて、郷試に合格すること。また、物を送り出すこと。

【発覚（覺）】かくしていたことがばれること。

【発願】①仏悟りを完成し、人々を救おうとする心をもつこと。誓願を立てること。②国願いをたてる。

【発起】①開き起こす。始め起こす。企てる。②起こる。始まる。③仏仏を信じ道を求める心を起こすこと。発心。

【発揮】①現し出す。現し示す。②奮い起こす。

【発議】①意見を言い出す。また、その意見。発義。②国議案を提出する。また、その議案。

【発禁】国「発売禁止」の略。特定の出版物の発売を、政府など公権力が禁止すること。

【発句】㊀律詩の第一・二句。㊁国①連歌・連句の第一句。五・七・五の十七字から成る。②連句の第一句の独立したもの。俳句。③和歌や漢詩の第一句。④漢文で、発語の語。「夫」「惟」の類い。

【発掘】①土中からほり出すこと。②世に知られていない物事や人材を世に出すこと。

【発見】㊀あらわれ出る。㊁国知られていないものを、はじめて見つけだすこと。

【発遣】①使者などを送り出す。②追放する。

【発現】あらわれ出る。また、あらわし出す。

【発源】①水がわき出す。また、水のわき出るみなもと。②物事の起きるもと。

【発語】①いい出す。いい始める。②文章や、いい出すときのはじめに用いる語。「さて」「それ」など。

【発酵】酵母・細菌などの微生物の働きで、有機化合物が分解や酸化・還元の変化を起こし、アルコール・酸・気体などを生成する現象。醱酵。

【発興】軍を起こし人々を動かす。▼発は士卒を徴発すること、興は軍の人夫や軍需品を徴集すること。

【発作】㊀①発し起こる。発動する。起こる。②勢いのよい（乱暴な）言動をすること。㊁国急激に発し、比較的短い時間に去る症状。

【発策】①天子自ら問題を出して試験をすること。策問。▼策は、試験問題。②①の問題の答案をだすこと。

【発散】光・におい・声などを、外へあらわしちらす。↕収束（三〇ジー中）。

【発△售】＝発兌。▼售は、売る。

【発祥】①天子となるめでたいしるしが現れること。②帝王の祖先の出生をいう。「発祥地」③物事の起こり出ること。

【発縦指示】戦いを指揮する人。▼発縦は縄を解いて猟犬を放つこと、指示は獲物のありかを指さして知らせること。

【発条（條）】国ばね。また、ぜんまい。

【発心】㊀心に発する。心の中から出る。発する。思い立つ。㊁仏菩提心を起こすこと。↓発菩提心。

【発△疹】皮膚にできる小さいふきでもの。

【発生】①物事が起こり始まること。用例〔唐、杜甫、春夜喜レ雨詩〕好雨知二時節一、当レ春乃発生。↓よい雨は降るべき時を心得ており、春になった今こそ降りはじめたのである。②はえ出る。生まれ出る。

【発跡・発△迹】①おこる。出発する。②出世すること。功名をたてること。

【発△泄・発△洩】（内部のものが）しみ出る。もれ出る。あらわれ出る。

【発倉】①倉を開く。②倉の中の米穀や金品を出して貧困者や災害にかかった人に施し与えること。

【発想】国①楽曲の感じを演奏に表現すること。②思想・感情などを、文章・詩歌などに表現すること。「発想法」

【発足】①出発。旅立ち。②活動を開始する。

【発△兌】書籍などを印刷して売り出すこと。発行。発売。▼兌は、交換する意から売る意となる。

【発達】①発育成長して、完全な段階に達する。②学問や社会状態などが、進歩すること。

【発端】ハッタン・ホッタン ①物事をはじめること。②物事のはじめ・いとぐち。▼端は、はし・はじめ。
【発程】ハッテイ 出発。かどで。
【発展】ハッテン ①のび広がること。はびこること。また、さかえること。②低い段階から高い段階にだんだんと進むこと。
【発伝(傳)】ハッデン 伝車(宿つぎの車)を出すこと。▼発は関所の門を開いて車を出すこと、一説に、伝は旅行券。用例〔史記、孟嘗君伝〕鶏尽鳴、遂発ㇾ伝出。↓あたりの鶏がみな鳴き出し、かくして駅馬車を発して函谷関を脱出した。
【発動】ハツドウ ①動き出すこと。動作を起こすこと。②動力を起こすこと。③国法律による権利の条項を適用する。「強権発動」
【発難】ハツナン・ハツダン ①兵乱をおこす。②質問し難詰する。
【発発】ハツハツ ①風が速く吹くさま。②魚が勢いよくはねるさま。
【発病】ハツビョウ 病気になる。
【発布】ハップ 法律や命令などを広く世の中に知らせること。
【発憤】ハップン ①いきどおりを発すること。怒ること。②発奮。心を奮い立たせること。→発奮。
【発奮】ハップン ＝発憤②。◆「発憤」は別語であるが、意味が似通っているので現在では同じように用いられている。新聞用語では「発奮」に統一している。
【発△菩提心】ホツボダイシン 仏①菩提(さとり)を開こうとする心、仏道修行の心を起こすこと。②大慈悲心を起こすこと。仏道を修めて一切の衆生(シュジョウ)を済度しよう(救おう)との心を起こすこと。
【発凡】ハツボン・ハッパン ①書物の大意や要領。②凡例。
【発明】ハツメイ ①開き明らかにすること。②国今までなかった新しい物事を考え出すこと。
【発△蒙】ハツモウ ①物のおおいを取り去ること。はなはだ容易なことのたとえ。②事理に暗いのを明らかにすること。蒙をひらく。啓蒙。
【発揚】ハツヨウ ①かがやき現れること。②かがやかせる。③ふるい起こる。ふるい起こす。
【発令】ハツレイ 法令・命令・辞令などを出すこと。
【発△輦】ハツレン 天子の御出発。▼輦は、天子の車。
【発露】ハツロ 現れる。また、現す。

7
【登】
12画 7862 教3 トウ・ト のぼ-る
トウ 蒸 dēng
慣ト
3748 936F 一

筆順 フ ヌ ヌ 癶 癶 癶 登 登 登

字義 ❶のぼ-る。㋐あがる。高い所にあがる。用例〔老子、二十〕如ㇾ春登ㇾ台。↓春の日に高台に登っているかのようだ。㋑舟や車に乗る。㋒参上する。朝廷・官庁などに出仕する。㋓合格する。資格試験に合格する。「登科」㋔出発する。用例〔唐、杜甫、石壕吏詩〕天明登ㇾ前途、独与ㇾ老翁ㇾ別。↓明け方、続く旅路に出発したが、そのとき、ただじいさんに別れをつげたのみであった。㋕位につく。即位する。「登極」❷のぼ-す。㋐あげる。引き上げる。人を取り立てる。㋑すすめる。奉る。㋒しるす。記録する。記載する。登記。❸みの-る。成熟する。用例〔孟子、滕文公上〕五穀不ㇾ登。↓穀物はみのらない。❹なる(成)。できあがる。また、なす(成)。完成する。作り上げる。❺いま(今)。ただちに。「登時」

名前 たか・ちか・と・ど・とう・とみ・とも・なり・なる・のぶ・のぼる・のり・み・みのる 難読 登米(とめ・とよま)

使いわけ のぼる〔昇・登・上〕⇩昇(4688)。

解字 甲骨文 金文 篆文 形声。癶＋豆㊥。癶は、上向きの両足の象形で、のぼるの意味。豆の部分は、甲骨文では、さらに、上にあげる両手の象形、廾が付加していて、祭器をあげるの意味。のぼる・あげるの意味を表す。登を音符に含む形声文字に、嶝(トウ)・燈(トウ)(灯)・磴(トウ)・證(証)・簦(トウ)・鐙(トウ)などがある。

【登仮(假)・登△遐】トウカ ①登り至る。②死。特に天子の死。
【登科】トウカ 科挙(官吏登用試験)に合格する。
【登記】トウキ しるす。帳簿に記載すること。
【登極】トウキョク 天子の位につくこと。▼極は、北極星で、天子の位置にたとえられる。
【登高】トウコウ 同登ㇾ高(たかきにのぼる)。①高所に登ること。②陰暦九月九日(重陽の節句)に、赤い袋に茱萸(シュユ)(ぐみに似た木の実)を入れて臂(ひじ)にかけ、丘や山に登って菊酒を飲み、災厄をはらう行事。用例〔唐、王維、九月九日憶ㇾ山東兄弟ㇾ詩〕遥知兄弟登ㇾ高処、偏挿ㇾ茱萸ㇾ少ㇾ一人ㇾ。↓はるか遠く故郷を離れていても私にはわかる、今ごろ兄弟たちが小高い丘に登っていることが。兄弟たちはみんなそろって頭に茱萸をさしているのに、私一人だけが欠けている。③陰暦正月七日または十五日(上元の日)に丘や山に登る行事。
【登載】トウサイ 新聞や雑誌にのせること。
【登時】トウジ 今、現在。また、今すぐに。即座に。
【登城】■トウジョウ 城壁の上に登ること。■トジョウ 国昔、日本で、主君の城に参上すること。
【登場】トウジョウ ①試験場に臨むこと。②舞台などに現れること。③新しく現れること。「新製品登場」④穀物がみのること。▼場は、畑。
【登仙・登△僊】トウセン 仙人の世界に登って行くこと。また、仙人になって天に登って行くこと。また、その人。
【登第】トウダイ 試験に合格すること。
【登壇】トウダン ①祭段に登ること。②大将などを任命する式場の壇に登ること。転じて、大将などに任命されること。③天子の位につくこと。④国演壇に登ること。
【登朝】トウチョウ 朝廷に参上する。転じて、役人になること。
【登途】トウト かどで(門出)。旅行のかどで。
【登登】トウトウ ①労働するときのかけ声の形容。②物を打つ音の形容。③多いさま。④登るさま。
【登△攀】トウハン・トハン 高い所によじ登ること。
【登封】トウホウ 天子が泰山(今の山東省内)に登り、壇を作って天を祭ること。▼封は、土を積み重ねて作った一種の壇。
【登用・登庸】トウヨウ 人を引き上げて用いること。
【登竜(龍)門】トウリュウモン・トウリョウモン 竜門を登る。竜門は黄河の上流、山西省河津(カシン)市と陝西(センセイ)省韓城(カンジョウ)市との間にある急流の名。鯉(こい)がここを登れば竜になれるという。転じて、立身出世を得る関門。栄達の門。また、立身出世。登ㇾ竜門ㇾ(リュウモンにのぼる)。〔後漢書、李膺伝〕
【登臨】トウリン 高い所に登って下方をながめること。転じて、帝位について人民を治めること。
【登楼(樓)】トウロウ ①高殿(たかどの)に登ること。②妓楼(ギロウ)(遊女屋)に行って遊ぶこと。
【登録】トウロク 国書きしるす。帳簿に記載すること。

7
【發】
12画 (7861) ハツ 発(7860)の旧字体。→九八七ページ上。

5画
白 しろ

〔部首解説〕白を意符として、白い・明らかなどの意味を表す文字ができている。

0
【白】

5画 7863 教1 ハク・ビャク しろ・しら・しろ-い 熟字訓 白髪(しらが)

漢ハク・呉ビャク 陌 bái(bó)

3982 9492 一

筆順 ノ 亻 白 白 白

字義 ❶しろ。㋐しろい色。㋑五行(ゴギョウ)では、金・西・秋などに当てる。❷しろ-い(しろし)。↕黒(14463)。㋐色がしろい。㋑清い。いさぎよい。けがれがない。「清廉潔白」㋒かざらない。かざり気がない。❸しら-む。㋐白くなる。㋑明るくなる。夜が明ける。用例〔北宋、蘇軾、前赤壁賦〕相与枕二藉乎舟中一、不レ知二東方之既白一。(あい(ひ)ともにシュウチュウに、トウホウのすでにしらむをしらず。)↓(二人は)舟の中でたがいに寄りかかって眠り、東の空がもう明るくなり始めたことにも気が付かなかった。❹しらげる。白くする。「精白」❺あきらか。明るい。明らかにする。「明白」❻むなしい。何もない。「空白」❼もう-す(まうす)。㋐申し上げる。用例〔唐、韓愈、与二孟東野一書〕恐足下不レ知(おそらくはソッカし、らざらん)故具此白(ゆえ(ゑ)につぶさにここにも(ま)うす)。↓たぶんあなたはご存じないでしょうから、詳しく申し上げた次第です。㋑語る。告げる。「告白」❽せりふ。芝居などのせりふ。「科白」「独白」❾さかずき。もと、罰杯をいう。❿官位のないこと。また、身分の低い人。「白丁」国国名。白耳義(ベルギー)の略。

名前 あき・あきら・きよ・きよし・し・しら・しろ・しろし・つぐ・はく・ぱく　難読 白及(しらん)・白膠木(ぬるで)・白酒(しろき)・白水(しろうず)・白水郎(あま)・白癬(しらくも)・白太(しらた)・白帯下(こしけ)・白湯(さゆ)・白檮(かし)・白馬(あおうま)・白馬(しろうま)・白粉(おしろい)・白面(しらふ)・白楊(どろのき)・白楊(どろやなぎ)・白楊(ポプラ)・白老(しらおい)・白鑞(しろめ)・白耳義(ベルギー)・白露(ベルー)

解字 甲骨文 金文 篆文

象形。頭のしろい骨の象形とも、日光の象形とも、どんぐりの実の象形ともいい、しろいの意味を表す。白を音符に含む形声文字のうち、何もないの意味の系列のものに、怕・粕・魄などがあり、ひゃく(百)の意味の系列のものに、百・佰・陌などがあり、薄に通じて、うすくぴったりつくの意味の系列のものに、泊・箔・舶・迫などがある。

逆 科白・関白・空白・啓白・敬白・潔白・建白・告白・黒白・自白・純白・精白・独白・斑白・頒白・漂白・表白・明白・面白・腕白

【白堊(ハクア)】①しろつち。また、白色の土で塗った壁。②国㋐白色粉状の物質。石灰岩の一種。成分は炭酸カルシウム。㋑白墨。チョーク。

【白衣(ハクイ・ビャクイ)】一①白い着物。②無位無官の人。白衣(庶民の着物)を着ているからいう。③役所の使用人。二(ビャクエ)仏仏徒の黒衣に対して、俗人をいう。

【白羽(ハクウ)】①白い羽。しらは。②白い羽で作った、軍隊の指揮に用いる旗じるし。③白い羽の矢。しらはのや。④白い羽で作った扇。白羽扇。

【白雨(ハクウ)】白色に見える雨。はげしいにわか雨。急雨。

【白雲郷(郷)(ハクウンキョウ)】天帝または仙人のいる所。

【白屋(ハクオク)】①白い茅(かや)で屋根をふいた家。粗末な貧しい家。②庶民。貧乏人。

【白皚皚(ハクガイガイ)】雪が降りつもって一面まっ白なさま。

【白間(ハッカン・ハクカン)】窓をいう。

【白簡(ハッカン・ハクカン)】官吏を弾劾(ダンガイ)する上奏書。

【白眼(ハクガン)】①しろめ。目の白い部分。②冷淡な、また、軽蔑(ケイベツ)する目つき。晋(シン)の阮籍(ゲンセキ)が礼儀などにこだわる俗人に会うと白眼で見たとの故事による。〔晋書、阮籍伝〕↕青眼(一五四〇ページ中)。

【白起(ハッキ)】戦国時代、秦(シン)の武将。秦の昭王に仕え、南は楚(ソ)を攻め、北は趙(チョウ)を破り、四十万の兵卒を穴うめにして、武安君に封ぜられた。のち范雎(ハンショ)と反目して兵卒におとされ、死罪となった。(前二五七―?)

【白旗(ハクキ・ハッキ)】①しらはた。②国㋐源氏の用いた旗。㋑降参のしるしにたてる旗。

【白居易(ハクキョイ)】中唐の詩人。字(あざな)は楽天(ラクテン)。号は香山居士。山西省太原の人。その詩は諷諭(フウユ)をもって生命とし、平易流暢(リュウチョウ)な表現を尊んだ。「長恨歌」「琵琶行(ビワコウ)」「新楽府(シンガフ)」などが特に有名で、日本の平安時代以降の文学に多大の影響を及ぼした。作品集に友人元稹(ゲンシン)の手によって編集された『白氏長慶集(白氏文集)』がある。(七七二―八四六)⇩

白居易

コラム 唐詩(三六八ページ)。

【白魚(ハクギョ)】一①虫の名。しみ。②こいに似た川魚。にごい。白花魚。二(しらうお(を))国体長一〇センチメートル前後の、半透明の小魚。

【白魚入レ船(ハクギョふねにいる)】周の武王が殷(イン)の紂王(チュウオウ)を討とうとして、川を渡ったとき、白色の魚が舟の中に飛びこんで来た故事。白は殷の色であったから殷の滅びる前兆とされた。

【白玉盤(ハクギョクバン)】①天子が天地の神を祭る封禅の儀式で、供え物を盛る器。②月の別称。

【白玉楼(樓)(ハクギョクロウ)】詩人・文人が死後に行くという天上の楼閣。中唐の詩人李賀(リガ)が死ぬ時、天使が来て「上帝の白玉楼ができたから、君を招いてそれについての文を作らせることになった」と言ったという故事に基づく。〔唐詩紀事、李賀〕

【白金(ハッキン)】①しろがね。銀。②銀・錫(すず)の合金。③国㋐金属元素の一つ。プラチナ。㋑金・銀・ニッケルの合金。

【白銀(ハクギン)】しろがね。銀。

【白駒(ハック)】①白い毛の馬。②日光。また、歳月。

【白駒過レ隙(ハックゲキをすぐ)】白い馬が壁などのすき間を走り過ぎるのがちらりと見えること。月日のたつのが非常に速いことのたとえ。また、人生のはかないことのたとえ。一説に、白駒は日光。〔史記、留侯世家〕

【白圭(ハクケイ・ハッケイ)】①白く清らかな玉。②『詩経』大雅の詩編名。ことばをつつしむべきことを教えた詩。③人名。戦国時代、孟子と同じころの人。

【白虎(ビャッコ)】①白いとら。②四神獣(蒼竜(ソウリュウ)・白虎・朱雀(シュジャク)・玄武)の一つ。西方を守る神獣。白いとらの形をしているという。⇩③白虎を描いた旗。④星の名。西方の七宿の総名。

コラム 二十八宿(五五ページ)。

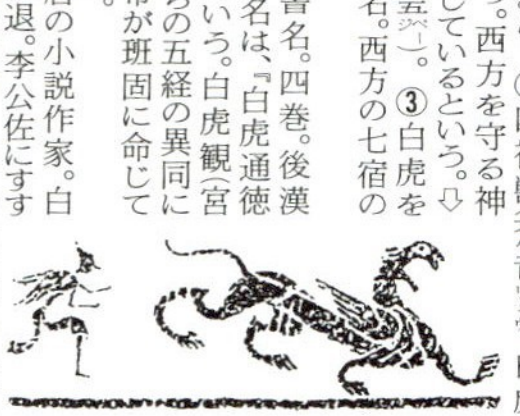

白虎②(漢代画像石)

【白虎通義(ビャッコツウギ)】書名。四巻。後漢の班固の著。正しい名は、『白虎通徳論』。『白虎通』ともいう。白虎観(宮殿の名)での学者たちの五経の異同に関する議論を、章帝が班固に命じて整理記録させたもの。

【白行簡(ハクコウカン)】中唐の小説作家。白居易の弟。字(あざな)は知退。李公佐にすすめられて、長安の遊女李娃(リアイ)と滎陽公(ケイヨウコウ)の息子の恋愛物語「李娃伝」を書いた。また、三つの夢の物語「三夢記」もある。(七七六―八二六)

【白虹貫レ日(ハッコウひをつらぬく)】白色の虹(にじ)が太陽をつらぬく。精誠が天に感応して現れる象(すがた)。また、君主(日)が兵乱を受ける象ともいう。▼白虹は、兵の象。〔戦国策、魏〕

【白香山(ハクコウザン)】＝白居易。▼香山は、号。

【白毫(ハクゴウ)】一白い毛。二(ビャクゴウ)仏仏の額(ひたい)にあって光を発し、果てしない国土を照らすという毛。

【白黒分明】ハッコクブンメイ 善悪の区別がはっきりしていること。

【白△衫】ハクサン 白い上着。▼衫は、短い上着。用例〔唐、白居易、売炭翁詩〕翩翩両騎来是誰（ヘンペンたるリョウキきたるはこれたれぞ）、黄衣使者白衫児（コウイのシシャハクサンのジ）。↓衣服をひらめかせて駆けてくる二騎の乗馬、それはだれかといえば、黄色の服を着た宮中からの使者と、白いうわぎの若者。

【白△粲】ハクサン ①漢代、女性の犯罪者に科した刑。祭礼に供えるための米粒をえりわける作業。刑期は三年。②米の別名。白米。

【白氏文集】ハクシモンジュウ 書名。七十一巻。中唐の白居易の詩文集。一名、『白氏長慶集』。日本にも古く伝来し、平安時代以降の文学に大きな影響を与えた。

【白耳義】ベルギー België の音訳。ヨーロッパの国名。中国の音訳名は、比利時。

【白磁】ハクジ 白い素地（きじ）に透明な釉薬（うわぐすり）を施し、高温の窯（かま）で焼いた磁器。中国古代に興り、日本では江戸初期、有田焼に始まるという。

【白日】ハクジツ ①かがやく太陽。用例〔唐、王之渙、登鸛鵲楼詩〕白日依山尽（ハクジツやまによりてつき）、黄河入海流（コウガうみにいりてながる）。↓明るく輝く太陽は西の山によりかかるように沈んで行き、黄河は東の海に向かって流れて行く。②ひるま。日中。真昼。③国罪の疑いが晴れて、潔白を証明されることをたとえていう。「青天白日の身となる」

【白日夢】ハクジツム・ハクジツのゆめ 国まひるの夢。実現しそうもないことのたとえ。非現実的な空想。白昼夢。

【白首】ハクシュ しらが頭。また、老年・老人をいう。用例〔唐、王維、酌酒与裴迪詩〕白首相知猶按剣（ハクシュのソウチも、なお（ほ）ケンをアンじ）、朱門先達笑弾冠（シュモンのセンダツ、ダンカンをわらう（ふ））。↓白髪頭になるまでつき合って来た古い友人でも、（語り合う時に）剣のつかに手をかけて用心するし、豪壮な邸宅に住み先に出世した者は、推薦をあてにして待っている者をあざ笑って力を貸してはくれないのだ。

【白首窮経（經）】ハクシュキュウケイ 老人になってもなお経書の研究（学問）をやめないこと。

【白酒】[一]ハクシュ にごりざけの類い。また、焼酎（ショウチュウ）などをもいう。[二]しろざけ 国もち米を原料とした、白くて特有の香気がある甘い酒。

【白寿（壽）】ハクジュ 国九十九歳をいう。百の字から一を除いた形が白になるところから。⇨コラム**年齢の別称**（四六六ページ）。

【白書】ハクショ ①木をけずって白くした所に書いた文字。②国実情報告書。イギリス政府の報告書の表紙に白紙を用いたことに基づく。

【白商素節（節）】ハクショウソセツ 秋。〔西晋、張協、七命〕

【白章】ハクショウ 白い斑紋（ハンモン）。白い模様。用例〔唐、柳宗元、捕蛇者説〕黒質而白章（コクシツにしてハクショウなり）。↓黒い色の体で、白い模様がついている。

【白状（狀）】ハクジョウ ①自ら罪状を述べること。②国罪人の申し立てた箇条を書いた書類。口書。

【白身】ハクシン 無位無官の者。平民。まだ科挙（官吏登用試験）に合格しない者。

【白刃】ハクジン・しらは さやからぬいた刀。ぬきみ。

【白水】[一]ハクスイ ①清く澄んだ水・川。②白く輝く川。用例〔唐、李白、送友人詩〕青山横北郭（セイザンホッカクによこたわ（は）り）、白水遶東城（ハクスイトウジョウをめぐる）。↓青々とした山が町の北に横たわっていて、白く輝く川は町の東をとりまくように流れている。③心の潔白なさま。④崑崙（コンロン）山から流れ出るという伝説の川。⑤後漢の関所の名。陝西（センセイ）省寧強県。[二]しろみず（づ） 米のとぎ汁。

【白水真（眞）人】ハクスイシンジン 後漢が興起するという予言となったことば。王莽（オウモウ）が前漢を奪った時、銭の文字に金刀とあったのを、二字合わせるとほぼ劉（リュウ）（漢の姓）の字になるというので、漢朝の再興をきらい、文を改めて貨泉とした。しかし泉の字を分けると白水の二字となり、貨の字を分けると真人（まことの人物）の二字となり、これも光武帝が白水郷（河南省）から興る前兆となったという故事。転じて、銭の別名。

【白水素女】ハクスイソジョ 螺（ラ）（貝の一種、ほらがい）の異名。晋の謝端が大きな螺を拾い、これを割ったところ中から美女が現れ、白水素女と名乗ったという伝説に基づく。転じて、女神の意。

【白水郎】ハクスイロウ 漁業に従事する者。あま。漁師。

【白△晳】ハクセキ 皮膚の色の白いこと。▼晳も、白。

【白奏】ハクソウ 申し上げる。上奏。

【白草】ハクソウ ①植物の名。やまかがみ。やまかがむ。白斂（ビャクレン）。②植物の名。ひよどりじょうご。山野に自生し、毒がある。白英。③北地に生える白い草。

【白△叟】ハクソウ ①老人。頭髪が白いことから。②唐の白居易の自称。

【白蔵（藏）】ハクゾウ ①秋の別名。秋は、五色では白に当たり、作物を貯蔵する時であることから。②倉庫の名。③晋（シン）の宮殿の名。

【白打】ハクダ ①二人で向かいあってするけまり。②から手で打ち合う。武芸十八般の一つ。

【白△檀】ビャクダン 熱帯産の香木の一種。

【白地】[一]ハクチ・しろジ しろじ。白い地色（ジいろ）。[二]ハクチ なんとなく。特別のわけもなく。[三]あからさま 国ありのまま。明白に。

【白痴（癡）】ハクチ 知能がひどく遅れている。

【白著】[一]ハクチョ いちじるしい。[二]ハクチャク ①所定以外にかってに取る税。②やけ酒を飲んで酔っぱらうこと。

【白丁】[一]ハクテイ ①庶民。無位無官の民。庶民の日常の衣服が白色であったことからという。②丁壮（一人前の男性）になっても兵籍に属さない人。[二]ハクチョウ 国①衣服の名。狩衣（かりぎぬ）の一種。最下級の役人の着る白い着物。白張。②白い狩衣を着て神事などに物をかつぐ人。

【白帝】ハクテイ 五天帝の一つ。西方、また、秋をつかさどる神。五行説（ゴギョウセツ）で、西・秋・白を金（かね）に配当することに基づく名。用例〔史記、高祖本紀〕吾子白帝子也（わがこはハクテイのこなり）。↓私の子は白帝の子です。

【白帝城】ハクテイジョウ 城郭の名。重慶市奉節県の東の白帝山上にあった。三国時代、蜀（ショク）は、ここで呉の軍を防いだ。また、蜀の昭烈皇帝（劉備）が崩じた所。

【白△狄】ハクテキ 春秋時代の異民族の一つ。もと、今の陝西（センセイ）省延安市付近にいたが、後に河北省内に移った。白翟（ハクテキ）。

【白田】ハクデン はたけ。国字の畠（はたけ）は、白田の合字。

【白△兎】ハクト ①白いうさぎ。②月。月中にうさぎがいるという伝説に基づく。

【白徒】ハクト 訓練しない兵卒。

【白頭】ハクトウ しらが頭。白首。↔黒頭（一六四六ページ中）。

【白頭翁】ハクトウオウ ①白髪の老人。②鳥の名。㋐むくどり。㋑せぐろせきれい。③植物の名。おきなぐさ。ねこぐさ。白頭公。根を乾燥して薬用とする。

【白頭如新】ハクトウシンのごとし 互いに白髪頭になるまで付き合っても、心が通じ合わなければ、付き合いはじめたばかりの交際と同じである。転じて、友人の心を推し量れなかったことをあやまる意に用いる。

【白銅】ハクドウ ①銅の一種。②銅とニッケルの合金。③白銅で鋳造した硬貨。白銅貨。

【白熱】ハクネツ 国①白色の光を出すほどの高温（摂氏千度以上）になること。②最高潮に達すること。

【白波】ハクハ ①しらなみ。②山西省にあったとりでの名。黄巾（コウキン）の賊の拠点であったため、転じて盗賊をいう。白浪（しらなみ）。

【白馬寺】ハクバジ 寺の名。今の河南省洛陽（ラクヨウ）市の東にある。竺法蘭（ジクホウラン）らが西域から初めて仏典を白馬に載せて持って来たとき、後漢の明帝がこの寺を建て、竺法蘭らに訳経に従事させたという。中国最初の仏寺。⇨コラム**洛陽**

(八三六ページ)。

【白馬非馬論】ハクバヒバロン 戦国時代の末、公孫竜の唱えた認識論の一つ。「白い馬」という概念と「馬」という概念とは、その包含する範囲の広狭が異なることを説き、概念の区別を明確にすべきを主張した論。

【白白】ハクハク ①白い。まっ白。②明らか。「明明白白」③むなしい。何もない。「空空白白」④むなしく。いたずらに。むだに。

【白髪三千丈】ハクハツサンゼンジョウ しらがが三千丈も長く伸びている。▼三千丈は、非常に長いことを誇張した表現。用例〔唐、李白、秋浦歌〕白髪三千丈、縁レ愁似レ箇長。↓わが白髪が、なんと三千丈。愁いのために、こんなにも長くなってしまったのだ。

【白眉】ハクビ ①白いまゆ。②最も傑出しているもの。蜀の馬良の五人の兄弟は皆すぐれていたが、中でも白いまゆ毛があり、人々から白眉と呼ばれた馬良が最もすぐれていたことに基づく。〔三国志、蜀志、馬良伝〕

【白△蘋】ハクヒン 葉が十字形で白い花をつける浮草。

【白文】ハクブン 国漢文で、句読点や返り点・送りがなをつけない原文をいう。

【白兵】ハクヘイ 光る武器。するどい刀剣。抜き身。しらは。

【白兵戦(戰)】ハクヘイセン 敵・味方が入り乱れて、刀剣などを持って戦うこと。

【白璧微△瑕】ハクヘキのビカ 白い玉の少しのきず。立派なものにわずかな欠点のあるたとえ。

【白△茅】ハクボウ 草の名。ちがや。つばな。潔白なものとされる。

【白△旄】ハクボウ 白い旄牛の尾を竿の頭につけた旗、また、采配。大将が指揮するのに用いる。

【白望】ハクボウ ①事実以上の名誉。虚名。②唐の徳宗が他人の物を強制的に買い上げさせた役。

【白△樸】ハクボク 元の劇作家。字は仁甫・太素。父の華は元好問と親しかった。金滅亡後、一生放浪生活を送り、酒・詩・山水を愛した。戯曲に巧みで、作品に「梧桐雨雑劇」がある。また著書に『天籟集』がある。(一二二六—一二八五)

【白麻】ハクマ ①唐代、天子の詔勅を書いた白色の麻紙。②麻の一種。いちび。③紙の別名。

【白民】ハクミン =白丁㊀。

【白面】ハクメン ①白い顔。色が白くて美しい顔。②年少で経験がとぼしい。また、年少の人をいう。

【白面書生】ハクメンのショセイ 顔のなま白い若者。年少で経験の乏しい書生。青二才。

【白面郎】ハクメンロウ ①色の白い(美しい)青年。②年少で経験をつんでいない青年。③唐代、貴人の子弟をいう。

【白夜】ハクヤ・ビャクヤ 国北極や南極で、夏、日没後も、反映する太陽の光のために薄明るい状態が続くこと。また、その夜。

【白△楊】ハクヨウ 木の名。はこやなぎ。ヤナギ科の落葉高木。葉は広楕円形で、下面は灰白色。四月ころ、褐色の穂状花を開く。

【白楽(樂)天】ハクラクテン =白居易。▼楽天は、字。

【白△蓮教】ビャクレンキョウ 宗教的秘密結社の名。仏教から発して、元代に始まり、祈禱・治病などで信仰を得、清の乾隆・嘉慶(一七三六—一八二〇)のころ、しばしば乱を起こして清朝をなやまし、結社が禁止された後にも、名を変えて色々な形で活動した。義和団もこの分派。

【白露】ハクロ ①白いつゆ。しらつゆ。②白いもや。③二十四気の一つ。陽暦九月八日ごろ。秋の気配がみえはじめる。
⇩コラム 気候(二十四気)(八〇三ページ)。

【白△鷺△洲】ハクロシュウ 中州の名。今の江蘇省南京市の西南の長江の中にあった。

【白△狼】ハクロウ 白いおおかみ。仁徳の王のときにあらわれるとされる瑞祥。

【白△狼河】ハクロウガ 大凌河の古名。遼寧省の淩源市に発し、遼東湾に注ぐ。

【白鹿洞】ハクロクドウ 洞の名。江西省の廬山の五老峰のふもとにある。唐の李渤兄弟が隠棲した所。五代の南唐の時、学校が建てられた。後、おとろえたが南宋の朱熹が修復し、多くの書籍を蔵し、講堂も備わり、多くの学者が集まって中国第一の学校となった。明・清両時代にもその存続に力がつくされた。

【白話】ハクワ 口語。日常語。↔文言(六三一ページ中)。

1【百】 6画 7864 教1 ヒャク 熟字訓 八百屋・八百長 漢ハク・呉ヒャク 陌 bǎi(bó) 4120 9553 一

筆順 一 丆 丆 丙 百 百

字義 ❶もも。数の名。十の十倍。用例〔文選、古詩十九首、其十五〕生年不レ満レ百、常懐二千歳憂一。↓一生は百年にも満たないのに、いつも千年分もの憂いを抱えている。❷百たび。また、百たびする。❸もろもろ。あらゆる。多い。さまざま。

名前 お・と・はげむ・ひゃく・も・もも 難読 百槻・百磯城・百女木・百石・百千万億・百草・百足・百目木・百道・百百・百敷・百目鬼・百

参考 金銭の記載などには改変を防ぐため、〔陌〕(13079)の字を用いることがある。

解字 甲骨文 金文 篆文  形声。一+白㊥。音符の白は博に通じ、ひろいの意味。ひろいの意味から、大きい数としての「ひゃく」の意味を表したものであろう。

逆 凡百

【百越・百△粤】ヒャクエツ 中国南部からインドシナにかけて住んだ民族の名。於越(浙江)・閩越(福建)・楊越(江西)・南越(広東)・駱越(安南)の類い。中国人からは、夷狄と見なされた。

【百花斉(齊)放】ヒャッカセイホウ いろいろな花が一斉に開くこと。多くの人々が議論を自由に展開することのたとえ。

【百花△繚乱(亂)】ヒャッカリョウラン いろいろの花がさき乱れる。

【百家】ヒャッカ ①百軒の家。多くの家庭。②多くの学者。また、儒家以外の学派の学者たちの総称。「諸子百家」

【百家争(爭)鳴】ヒャッカソウメイ 多くの人々が何の遠慮もなく自由に議論を展開すること。

【百官】ヒャッカン 多くの役人。百揆。

【百鬼夜行】ヒャッキヤコウ・ヒャッキヤギョウ 国①いろいろな妖怪(もののけ)が、暗夜に列をなして歩くこと。②多くの人が怪しくみにくい行為をすること。③悪人どもが時を得て勝手なふるまいをすること。

【百△揆】ヒャッキ ①多くのはかりごと。また、いろいろな政務。②多くの役人。百官。③役人を統率する官。百官の長。今の総理大臣にあたる。

【百口】ヒャッコウ ①百人。②一家中の者。③さまざまに(弁解・説諭などを)言うこと。

【百工】ヒャッコウ もろもろの役人・工人・職人。

【百合】ゆり 草花の名。ユリ科の植物の総称。

【百谷】ヒャッコク 多くの谷川。〔老子、六十六〕

【百谷王】ヒャッコクのオウ 多くの谷川を集めたもの。長江や海をいう。〔老子、六十六〕

【百済(濟)】クダラ・ヒャクサイ 古代、朝鮮半島の南西部にあった国の名。前漢末、高句麗の王族が建てたと伝えられる。晋の初め、馬韓の地を領有したが、後、唐と新羅との連合軍にほろぼされた。(?—六六〇)

【百歳△之後】ヒャクサイのノチ 百年の後。転じて、人の死後。〔詩経、唐風、葛生〕

【百氏】ヒャクシ 多くの学者。諸子百家。また、その著書。

【百死】ヒャクシ ほとんど命を失うような危険の場合。

【出二百死一得二一生一】ヒャクシをいでてイッセイをう 死ぬような危険な場面

を抜け出し、やっと生き抜くことができた。


【百△爾】(ヒャクジ) もろもろの。あらゆる。▼爾は、強意の助字。

【百日紅】(ヒャクジッコウ・さるすべり) ミソハギ科の落葉高木。

【百舎】(ヒャクシャ) 長途の旅。また、遠路。旅に出て百度やどる意。▼舎は、宿る。

【百舎重繭】(ヒャクシャチョウケン) 長途の旅をして足の裏にまめが重なりできること。また、そのことから、苦痛をものともせず遠路を大急ぎで行くこと。▼繭は、趼とも書く。〔荘子、天道〕

【百尺△竿頭】(ヒャクシャクカントウ) 百尺の竿の先端。転じて、非常に高いことのたとえ。「百尺竿頭進二一歩一(工夫をこらした上に更に工夫すること)」〔無門関、四十六〕

【百出】(ヒャクシュツ) ①いろいろさまざまに現れ出ること。②次から次と現れ出ること。

【百△昌】(ヒャクショウ) あらゆる生き物。▼昌は、生き生きとして盛んなもの。

【百乗(乘)△之家】(ヒャクジョウのいえ(へ)) 周代、領内から戦車百乗(百台)を徴発し得る家(家老)。卿大夫をいう。

【百数(數)】一(ヒャクスウ) 百いくつ。百あまり。百以上。二(ヒャクもてかぞう(ふ)) 百を単位として数える。非常に多いこと。

【百世】(ヒャクセイ) 百代。万世。非常に長い年月。永久。

【百世△之師】(ヒャクセイのシ) 百代の後までも師と仰がれる人。

【百姓】一(ヒャクセイ) ①多くの役人。②多くの人民。二(ヒャクショウ) 国 農民。人民。

【百折】(ヒャクセツ) ①幾度も折れ曲がること。②幾度も困難に会ってくじかれそうになること。「百折不撓(幾度困難に会ってもくじけないこと)」

【百舌】(ヒャクゼツ・もず) 鳥の名。「百舌鳥」も同じ。

【百千】(ヒャクセン・もも・ち) ①あるいは百、あるいは千。②非常に多数。

【百戦(戰)】(ヒャクセン) 百度戦う。数多く戦う。〔孫子、謀攻〕

【百足】(ヒャクソク・むかで) 多足類の毒虫の名。蜈蚣。

【百態】(ヒャクタイ) 種々さまざまな様子。

【百代】(ヒャクダイ・ハクタイ) 後々の世。多くの年月。永遠。

【百代△之過客】(ヒャクダイのカカク・ハクタイのカカク) 永久に絶えることなく次々と過ぎ去って行く旅人。時間・月日のたとえ。用例〔唐、李白、春夜宴二桃李園一序〕夫天地者万物之逆旅、光陰者百代之過客。↓そもそも天地というものは万物の宿屋のようなものであり、月日というものは永遠の旅人のようなものである。

【百端】(ヒャクタン) いろいろさまざま。種々雑多。

【百中】(ヒャクチュウ) ①百のうち。多くある物事の中。②百度当たる。必ず当たる。「百発百中」

【百二】(ヒャクニ) きわめて要害堅固なこと。天下の兵百万人に対して二万人をもって当たり得る意とも、百万人なら、その倍の二百万人に相当する意ともいう。もと秦の地の要害堅固なことを言った語。「百二山河・百二都城」〔史記、高祖本紀〕

【百年△俟二河清一】(ヒャクネンカセイをまつ) 百年間も黄河の澄むのを待つ。黄河の水は澄むことがないから、あてにならないことをいつまでも待つことのたとえ。〔左伝、襄公八〕

【百発(發)百中】(ヒャッパツヒャクチュウ) 矢を百度発射して百度とも的に命中すること。転じて、計画・考案などのすべてが、適当で時宜に当たること。〔戦国策、西周〕

【百般】(ヒャッパン) いろいろ。さまざま。すべて。あらゆる。▼般は、種類。

【百△媚】(ヒャクビ) もろもろのなまめかしさ。用例〔唐、白居易、長恨歌〕回レ頭一笑百媚生、六宮粉黛無二顔色一。↓(楊貴妃が)ふりむいてニコッと笑うとなまめかしさがあふれ、天子の後宮として造られた六つの宮殿に仕える、化粧をこらした美女たちも見劣りがしてしまった。

【百聞不レ如二一見一】(ヒャクブンはイッケンにしかず) 百度聞くより、一度見る方がまさっている。人から話を聞くより自分で見る方が確実に知ることができる。〔漢書、趙充国伝〕

【百△辟】(ヒャクヘキ) 多くの君主。諸侯。▼辟は、君。

【百畝△之田】(ヒャッポのデン) 井田の法で、一組の夫婦が朝廷から与えられる耕作地。一畝は、約一・八二アール。〔孟子、梁恵王上〕→井田(六二ページ上)。

【百方】(ヒャッポウ) ①いろいろな方法・手段。②いろいろな方角・方面。諸方面。③諸方の国々。諸国。

【百薬(藥)△之長】(ヒャクヤクのチョウ) 酒の異名。多くの薬の中で、最も優れたものの意。

【百憂】(ヒャクユウ) さまざまな心配。「百憂千慮」

【百里△奚】(ヒャクリケイ) 春秋時代の人。秦の穆公の大臣。五羖大夫と称された。

【百里△之命】(ヒャクリのメイ) 百里四方の国(諸侯の国をいう)の政令(政治)。用例〔論語、泰伯〕可三以寄二百里之命一。↓百里四方の国の政治を預けることができる。

【行二百里一者半二九十一】(ヒャクリをゆくものはキュウジュウをなかばとす) 百里の道を行く者は、九十里に達したとき、やっと半分来たと考えるべきである。事をなすには、終わりの方をゆるめてはならないとの戒め。〔戦国策、秦〕

【百霊(靈)】(ヒャクレイ) ①多くの神。②多くの人民。

【百錬鉄(鐵)】(ヒャクレンのテツ) ①幾度もきたえた鉄。よくきたえた強い鉄。②国 すぐれた日本刀。

2 【皀】 7画 7865
一 漢 キュウ(キフ) 呉 コウ(カフ) 拼 jí, xiāng
二 漢 ヒョク・呉 ヒキ 拼 bī
6605 EIA3 一

字義 一 二 ❶かんばしい(香)。穀物のよい香り。❷つぶ(粒)。穀物の一粒。

参考 〔皂〕(7867)は別字であるが、誤って混同する。難読 皀角・皀莢

解字 篆文 象形。食器に盛られた食物の象形で、穀物のよい香りの意味を表す。『説文解字』では、会意で、白+匕。白はもみ殻の中の米の象形、匕は、それをすくうさじの象形とする。

2 【皁】 7画 7866
【梍】 5460 俗字 【皂】 7867 俗字
漢 ソウ(サウ) 呉 ゾウ(ザウ) 拼 zào
8864 一 4621

字義 ❶どんぐり。櫟・橡などの実。❷しいな。❸しもべ。家来。こもの。❹穀物の実の十分に実らないもの。❺くろい。黒色。「皁帽」❻うまや(厩)。また、馬屋のねだ。

解字 形声。ノ+早音。ノは、どんぐりの象形。音符の早は、その音を示す。どんぐりの意味を表すが、どんぐりは黒色の染料ともなったところから、くろいの意味をも表す。また、とち・栗などの木材は腐りにくく、うまやなどの建材に用いられたため、うまやの意味をも表す。

【皁衣】(ソウイ) 黒い衣服。漢代には下級官吏の服。

【皁△莢】(ソウキョウ・さいかち) 木の名。マメ科の落葉高木。さや状の実を結び、昔、これを洗濯に用いた。一名、皁角。

【皁桟(棧)】(ソウサン) 厩舎をいう。▼皁は馬小屋のねだ、桟はふみ板、また、囲い。用例〔荘子、馬蹄〕連レ之以二羈馽一、編レ之以二皁桟一。↓首にかける飾りひもや足をつなぐ縄で馬をつなぎとめ、何頭も並べて厩舎に飼う。

【皁白】(ソウハク) ①黒と白。転じて、是と非。黒白。②黒衣と白衣。漢代、官吏は黒衣、賤役者は白衣をつけた。

【皁隷(隸)】(ソウレイ) しもべ。召し使い。奴隷。また、下級の役人。

【皁△櫪】(ソウレキ) うまや(厩)。▼櫪は、うまやの敷き板、一説に、ません棒。

2 【皂】 7画 7867 ソウ
一 EE54 一

皁(7866)の俗字。→九九二ページ下。

参考 〔皀〕(7865)は別字であるが、誤って混同する。

2
【皃】
7画 7868 ボウ
6606 EIA4 —

貌(11502)と同字。→一三四八ページ中。

3
【的】
8画 7869 教4 テキ まと
3710 9349 —

3
〖旳〗8画 7870 漢テキ 呉チャク 錫 dì, ④dí, ⑤de

筆順 ′ 亻 白 白 白 的 的 的

〖旳〗4669 本字

字義 ❶まと。㋐弓のまと。「標的」㋑めあて。標準。「目的」❷かなめ。要点。要所。❸あき-らか。あざやか。はっきりしている。用例〔唐、柳宗元、送二薛存義一序〕其為レ不二虚取一直也的矣（その むなしく あたい(ひ)をとらずとなすや、的（あきら）かなり。）↓彼が無駄に報酬をもらっていたわけではないことは、明らかである。❹明らかに。はっきりと。まことに。確かに。「端的」❺助字。口語で、名詞・動詞・形容詞・副詞などの下にそえる。底・地と書くこともある。㋐所属・修飾の関係を表す。「我的書（私の本）」「買的書（買った本）」㋑…のもの、…する人、などの意を表す。「我的（私のもの）」「開門的（門番）」㋒動詞・形容詞を名詞化する。＝得(3433)。「走的快（歩くのが速い）」㋓副詞的修飾関係を表す。＝地(1886)。「一直的（まっすぐに）」国テキ。英語の…ticの訳語。…上の、…性の、…むきの、…風（フウ）の、…のような、…に関するなどの意。「哲学的思考」「美的情操」

名前 あきら・いくは・まさ・まと

解字 篆文 [篆文] 形声。篆文は、日＋勺(音)。音符の勺（シャク＝テキ）は、多くの物の中から一つをすくいあげ、きわだたせるの意味。日は、太陽の象形。明らかの意味を表す。常用漢字の的は旳の俗字。

逆 金的・射的・端的・標的・表的・目的

【的確】(テキカク・テッカク) たしか。まちがいないこと。確実。◆「適確」は、古くは誤りとされたが、「適正確実」の略として最近行われている。一般には、「的確」。

【的言】(テキゲン) はっきりと言う。

【的然】(テキゼン) ①明らかなさま。②確かなさま。

【的中】(テキチュウ) ①矢が的にあたること。②うまくあたる。ぴったりとあたる。◆同意の語に「適中」があるが、国語審議会は「的中」を標準的な表記としており、新聞用語も「的中」に統一している。

【的的】(テキテキ) 明らかなさま。

【的歴(歷)・的△皪・的△礰】(テキレキ) 明らかなさま。鮮明なさま。

3
【帛】
8画 (3095) ハク

巾部。→四五四ページ中。

4
【皆】
9画 7871 常 カイ みな
1907 8A46 —

カイ 佳 jiē

筆順 一 ヒ ヒ 比 比 比 皆 皆 皆

字義 ❶みな。すべて。ことごとく。残らず。「悉皆（シッカイ）」❷ともに。同じく。＝偕(473)。❸あまねし。また、あまねく。広く。

名前 とも・み・みち・みな　難読 皆実（みなみ）・皆生（かいけ）・皆瀬（かいぜ）

解字 金文 [金文] 篆文 [篆文] 会意。比＋白。比は、人がならぶの意味。白は、ものを言うの意味。人が声をそろえて言うの意味から、みな・ならぶ・ともにの意味を表す。皆を音符に含む形声文字に、偕（カイ）・喈（カイ）・楷（カイ）・諧（カイ）・階などがある。

【皆川△淇園】(みながわ(は)キエン) 国江戸後期の漢学者。京都の人。名は愿（ゲン）。字（あざな）は伯恭。淇園は号。著に『論語繹解（エキカイ）』『淇園詩集』などがある。(一七三四—一八〇七)

【皆無】(カイム) 国少しもない。全くない。

【皆目】(カイモク) 国まるきり。全く。全然。

4
【皈】
9画 7872 キ
6607 EIA5 —

帰(3104)の俗字。→四五五ページ下。

4
【皇】
9画 7873 教6 コウ・オウ
2536 8D63 —

漢コウ（クヮウ）・呉オウ（ワウ） 陽 huáng

筆順 ′ 亻 白 白 白 白 皇 皇 皇

字義 ❶きみ。君主。天子。❷かみ。天帝。万物の主宰者。❸天子または天帝に関係する事物に冠する語。❹死んだ父母・祖先・夫などに冠する敬称。「皇祖考」「皇考」❺おおきい。広い。❻美しいさま。また、おごそか。重々しい。❼ただす。＝匡(1125)。❽ひま。いとま。＝遑(12156)。国❶すめらぎ。すべらぎ。天皇を称する古語。❷すめら。すべら。国民が天皇に関する事物に冠して尊敬を表す語。「皇国（すめらみくに）」

名前 すべ・すめら　難読 皇子（みこ）・皇女（みこ）・皇孫（すめみま）・皇尊（すめらみこと）

参考 現代表記では〔惶〕(3798)の書きかえに用いることがある。「蒼惶→倉皇」

解字 金文 [金文] 篆文 [篆文] 形声。白＋王(音)。白は、金文では、光を放つ日の象形。音符の王は、まさかりの象形。日に輝くまさかりの形から、かがやくの意味を表し、王に通じ、きみの意味も表す。

逆 上皇・人皇・聖皇・倉皇・天皇・法皇

【皇△胤】(コウイン) 天子の子孫。

【皇運】(コウウン) ①天子となるべき運命。また、天子の運命。②国天皇の運命。また、日本の運命。

【皇化】(コウカ) 天子の感化。天子の徳治による感化。

【皇家】(コウカ) ①皇室。②天子。

【皇学(學)】(コウガク) 国日本固有の制度文物などを研究する学問。

【皇紀】(コウキ) 国日本の紀元。『日本書紀』の記事に基づいて、神武天皇の即位の年を元年とした。西暦元年は、皇紀六六一年にあたる。

【皇基】(コウキ) 天子が天下を治める事業。また、その基礎。

【皇△穹】(コウキュウ) おおぞら（大空）。天空。▼穹は、空。

【皇△舅】(コウキュウ) 死んだ舅（しゅうと）（夫の亡父）の敬称。

【皇恐△灘】(コウキョウダン) 惶恐灘（コウキョウダン）。江西省を南西から北東に流れる贛江（カンコウ）の上流、贛県・万安県の間にある十八灘の一つ。最も水流のはげしい所。

【皇極】(コウキョク) ①広大で片寄らず正しい道。大中至正の道。▼皇は大、極は中。②帝王の位。また、帝王の定めた道。

【皇継(繼)】(コウケイ) 天子のよつぎ。皇太子。

【皇△姑】(コウコ) 死んだ姑（しゅうとめ）（夫の亡母）の敬称。

【皇考】(コウコウ) ①死んだ父。また、その敬称。②曽祖父（ソウソフ）。③国天皇の亡父。

【皇皇】(コウコウ) ①明らかなさま。きらびやかなさま。華やかなさま。美しく盛んなさま。煌煌（コウコウ）。②大きなさま。広々としているさま。③さまようさま。安定しないさま。あわただしいさま。

【皇后】(コウゴウ) ①天子の称。▼后は、君の意。②秦（シン）・漢以後、天子の正妻をいう。きさき。

【皇国(國)】(コウコク) ①天子が徳をもって治めている理想的な国。②国もと、日本国をいう。すめらみくに。

【皇子】(コウシ・オウジ) 天子の男の子。みこ。

【皇嗣】(コウシ) ＝皇継。

【皇室】(コウシツ) 帝王の一家。天皇とその一族。

【皇緒】(コウショ) ①天子の血統。②天子が国家を治める大業。③天子の位。

【皇女】(コウジョ) 天子のむすめ。ひめみや。

【皇上】(コウジョウ) 天子。皇帝。今の天子。今上（キンジョウ）。

【皇城】(コウジョウ) 皇居。宮城。

【皇祖】(コウソ) ①天子の祖先。天子の始祖。②死んだ祖父。また、その敬称。③国天照大神（あまてらすおおみかみ）をいう。

【皇祖考】(コウソコウ) ＝皇祖②。

【皇祖△妣】(コウソヒ) 死んだ祖母。また、その敬称。

【皇宗】(コウソウ) ①天子の一族。皇族。②国歴代の天皇。

【皇太后】コウタイゴウ 天子の母。
【皇太子】コウタイシ 天子の位をつぐ皇子。
【皇△儲】コウチョ ＝皇継。▼儲は、よつぎ・嗣子。
【皇朝】コウチョウ ①現在の朝廷。②国日本の朝廷。
【皇朝史略】コウチョウシリャク 国書名。十二巻。青山延于著。神武天皇から後小松天皇までの事跡を漢文で書いた歴史書。
【皇帝】コウテイ 帝王。天子。〔史記、秦始皇本紀〕
【皇天】コウテン ①天。天帝。②国㋐天皇。㋑皇室。
【皇天后土】コウテンコウド 天の神と地の神。天神地祇。
【皇典】コウテン 国日本の古典。
【皇図(圖)】コウト ①天子の版図。天子の領有する地域。②天子のはかりごと。
【皇統】コウトウ 天子の血統。
【皇道】コウドウ ①古代の帝王の道。三皇五帝の道。②大道。③国国体を基礎として立てられた日本固有の道。
【皇△辟】コウヘキ ①天子。▼辟も、君。②死んだ夫。また、その敬称。
【皇△謨】コウボ ＝皇図②。
【皇明】コウメイ 一天子の明徳。二明ミン王朝をいう。

4【泉】9画 (6131) セン 水部。→八〇八ページ下。

4【皅】9画 7874 ハ 麻 pā
字義 ❶花が白い。❷皅皅は、多いさま。
解字 形声。白＋巴音。

5【皋】10画 7875 コウ 皐(7879)と同字。→九四ページ中。 6608 EIA6 —

5【皍】10画 7876 ソク 即(1197)の古字。→三三ページ上。 — — 4624

5【皌】10画 7877 漢バツ 呉マチ 曷 mò
字義 うすい白色。
解字 形声。白＋末音。
— — 4623

5【畠】10画 (7643) はた 田部。→九七一ページ下。

6【皎】11画 7878 一 漢キョウ(ケウ) 篠 jiǎo 二 漢コウ(カウ) 呉キョウ(ケウ) 巧
字義 一❶しろ-い(白)。もと、月光の白く輝くこと。❷きよい(清)。潔白。❸あき-らか。あかるい。曇りがない。
6609 EIA7 —

[晈] 11551 同字

解字 篆文 形声。白＋交音。音符の交は姣に通じ、うつくしいの意味。白く美しいの意味を表す。
【皎皎】キョウキョウ・コウコウ ①潔白なさま。白く清らかなさま。〔詩経、小雅、白駒〕②明るいさま。明るく光るさま。用例〔文選、古詩十九首、其十〕迢迢牽牛星、皎皎河漢女。↓天の川を隔ててはるかかなたの彦星と、明るく輝く織女星。
【皎潔】コウケツ ①白く清らか。白くてけがれのないこと。②星などの清らかに輝くさま。
【皎月】コウゲツ 明るく輝く月。

6【皐】11画 7879 人 コウ(カウ) 豪 gāo
2709 8E48 —

[皋] 7875 同字 [臯] 9673 俗字

筆順 ′ 𠂉 白 白 皀 皁 皐

字義 ❶さわ(沢)。沼地。湿地。❷きし(岸)。水ぎわ。❸さかい(界)。かぎり。❹くま(曲)。水辺の曲がっている所。❺おか(丘)。用例〔東晋、陶潜、帰去来辞〕登二東皐一以舒嘯、臨二清流一而賦レ詩。↓東方の丘にのぼって静かに口ずさんだり、清い流れに向かって詩を作ったりする。❻たかい(高)。❼ゆるい(緩)。ゆるやか。❽よぶ(呼)。つげる(告)。また、命ずる。❾さつき。五月。皐月。
名前 さ・すすむ・たか・たかし
解字 篆文 象形。白い頭骨と四足の獣の、死体の象形から、しろくかがやくの意味を表す。転じて、水面のしろくかがやく、さわ・沼の意味を表す。皐(皋)を音符に含む形声文字に皞・皥・翺などがある。
【皐月】コウゲツ・さつき 陰暦五月をいう。
【皐皐】コウコウ ①かたくなで道理を知らない様子。頑固でおごりたかぶる様子。②任務を怠る様子。なまけている様子。
【皐比】コウヒ ①虎の皮。②将軍や儒者の席。虎の皮を敷き物としたのでいう。
【皐門】コウモン 天子の五門の一。王宮の最も外側にある。
【皐陶・皐△繇】コウヨウ 中国古代の伝説上の帝舜の名臣。法律・刑罰を定めたという。
【皐△牢】コウロウ まるめこむ。籠絡する。

6【習】11画 (9525) シュウ 羽部。→一二五八ページ上。

6【兜】11画 (714) トウ 儿部。→一四三ページ中。

7【皖】12画 7880 漢カン(クヮン) 呉ゲン 潸 wǎn
字義 ❶県名。今の安徽省潜山県の北。❷安徽省の別名。
解字 形声。白＋完音。
6610 EIA8 —

7【皓】12画 7881 人 6611 EIA9 —
7〔皓〕12画 7882 漢コウ(カウ) 呉ゴウ(ガウ) 晧 hào

筆順 ′ 𠂉 白 白′ 白⺧ 白生 白牛 皓

字義 ❶しろ-い(白)。❷ひかる。白く光る。❸あきらか。❹きよい。潔白。❺水のひろいさま。＝浩(6341)。
名前 あき・あきら・こう・つく・つぐ・てる・ひかる・ひろ・ひろし
解字 形声。白＋告音。音符の告は好に通じ、このましいの意味。このましくひかる「しろ」の意味を表す。
【皓月千里】コウゲツセンリ 明るく輝く月の光が、遠くまで照り渡っていること。用例〔北宋、范仲淹、岳陽楼記〕長煙一空、皓月千里。↓もやが広い空に細長くたなびき、明るい月の光が遠くまで照り渡っている。
【皓皓】コウコウ ①明らかなさま。②白く輝くさま。白いさま。③清らかなさま。潔白なさま。④広大なさま。
【皓歯(齒)】コウシ 白く美しい歯。転じて、美人。用例〔唐、杜甫、哀二江頭一詩〕明眸皓歯今何在、血汚遊魂帰不レ得。↓あの明るいひとみと白い歯の美人は、いったいどこにいるのか。血でけがされた人のさまよう魂は、帰ってきて落ちつくことができずにいる。
【皓首】コウシュ ①白髪の頭。白首。②老年。

7【皕】12画 7883 一 漢ヒョク・呉ヒキ 職 bì 二 ヒ 寘
字義 一二にひゃく(二百)。
解字 会意。百＋百。
₂8178 — 4625

8【皙】13画 7884 漢セキ 呉シャク 錫 xī
字義 しろ-い(白)。人の皮膚の色の白いこと。「白皙」
解字 篆文 形声。白＋析音。音符の析は、くっきりと分けるの意味。すっきりときわだって白いの意を表す。
6612 EIAA —

10【皚】15画 7885 ガイ 灰 āi
字義 しろ-い(白)。雪や霜などの白いさま。
6613 EIAB —

【解字】形声。白＋豈㊂。
【皚皚】ガイガイ ①雪や霜の白いさま。「白雪皚皚」 ②花が一面に白く咲いているさま。

10【皛】15画 7886 一漢キョウ(ケウ) 呉ギョウ(ゲウ) 篠 xiǎo, 二漢ケイ 呉ギョウ(ギャウ) 迥 jiǎo ｜8865 EE57 4626
【字義】一二❶あきらか。明らかにする。❷しろい。一面に白いさま。「皛皛」
【解字】篆文  会意。白を三つ合わせて、一面に白い、あきらかの意味を表す。

10【皞】15画 7887 漢コウ(カウ) 呉ゴウ(ガウ) 皓 hào ｜8867 EE56 ―
【皡】4840同字 【皥】4854同字 【皡】7891俗字 【皥】7895俗字
【字義】❶しろい(白)。❷あきらか。❸皞皞コウコウは、心が広くゆったりしているさま。❹皞天は、天。＝昊(4681)。
【解字】篆文  形声。白＋皋㊂。篆文は、日＋皋㊂。音符の皋コウは、白くかがやくの意味。白くかがやく日、あきらか・しろいの意味を表す。

10【皜】15画 7888 漢コウ(カウ) 呉ゴウ(ガウ) 皓 hào ₂8179 EE55 4627
【字義】❶しろ-い(白)。白いさま。❷かたく正しいさま。清らかなさま。
【解字】形声。白＋高㊂。音符の高は、確などに通じ、たしかの意味。たしかで白いの意味を表す。
【皜皜】コウコウ 潔白なさま。

10【皝】15画 7889 漢コウ(クワウ) 呉オウ(ワウ) 漾 養 huàng ｜8866 ― 4628
【字義】❶気のさま。❷慕容皝ボヨウコウは、人名。五胡ゴ十六国時代、前燕ゼンの太祖。
【解字】形声。白＋皇＋光㊂。

10【魄】15画 (13946) ハク 鬼部。→一二〇八ページ中。

10【緜】15画 (9289) メン 糸部。→一一三四ページ下。

10【皣】15画 7890 ヨウ(エフ) 葉 yè ― ― 4632
【字義】❶花の白いさま。❷明らか。
【解字】会意。白＋華。

11【暨】16画 (4861) キ 日・曰部。→六八一ページ中。

11【皡】16画 7891 コウ 皞(7887)の俗字。→九九五ページ上。 ₂8180 ― ―

11【皠】16画 7892 漢サイ 呉スイ 賄 cuǐ ₂8181 ― 4630
【字義】❶高く険しいさま。❷白い。特に、霜や雪の白いさま。

11【皟】16画 7893 漢サク 呉シャク 陌 zé ― ― 4629
【字義】❶清い。❷白い。❸やせる。
【解字】形声。白＋責㊂。

12【皢】17画 7894 キョウ(ケウ) 篠 xiǎo ― ― 4631
【字義】❶日の白い光。❷白い。❸明らか。
【解字】形声。白＋堯㊂。音符の堯ギョウは、高いの意味。

12【皥】17画 7895 コウ 皞(7887)の俗字。→九九五ページ上。 ― ― 4634

12【皤】17画 7896 漢ハ 呉バ 歌 pó ― ― 4633
【字義】❶しろ-い(白)。老人の髪の白いさま。❷腹の太く肥えているさま。
【解字】篆文  形声。白＋番㊂。音符の番は、広がるの意味。広がりおおう老人の白い髪の意味を表す。
【皤皤】ハハ ①髪などの白いさま。②豊かで多いさま。

13【皧】18画 7897 アイ 隊 ài ₂8182 ― 4636
【字義】❶清い。❷白い色。
【解字】形声。白＋愛㊂。

13【皦】18画 7898 キョウ(ケウ) 篠 jiǎo ｜8868 EE58 4635
【字義】❶しろ-い(白)。玉の白い色。❷あき-らか。はっきりしている。❸かがやく。
【解字】篆文  形声。白＋敫㊂。音符の敫キョウは、日の光が流れるの意味。白くてつやのある宝石の意味を表す。
【皦皦】キョウキョウ ①白く明らかなさま。②光り輝くさま。
【皦日】キョウジツ 照り輝く太陽。白日。
【皦如】キョウジョ (楽曲の音色の)明らかなさま。

13【皨】18画 7899 セイ 星(4719)の古字。→六六三ページ上。 ₂8183 ― 4637

15【皪】20画 7900 漢レキ 呉リャク 錫 lì ｜8869 ― 4638
【字義】❶てらす(照)。また、輝くさま。❷あきらか。❸白いさま。
【解字】形声。白＋樂㊂。

18【皭】23画 7901 漢シャク 呉ザク 薬 jiào ― ― 4639
【字義】❶しろい(白)。❷きよらか。潔白。
【解字】形声。白＋爵㊂。

5画 皮 けがわ ひのかわ

〔部首解説〕革カク(かわへん)・韋イ(なめしがわ)に対して、けがわと呼んで区別する。皮を意符として、皮膚に関する文字ができている。

0皮 九九五　3皯 九九六　5皰 九九六　7皴 九九六　9皸 九九六
皹 九九六　皷 九九六　皶 九九六　10皺 九九六　13皻 九九六

0【皮】5画 7902 漢ヒ・呉ビ 支 pí 教3 ヒ かわ 4073 94E7 ―
【筆順】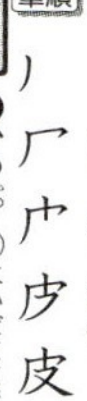
【字義】❶かわ(皮)。㋐はいだままで毛のついている獣の毛がわ。㋑物の表面をおおっているもの。「樹皮」 ㋒なめしがわ(革)。❷物事の外部・表面。うわべ。❸かわごろも(裘キュウ)。❹まと(的)。皮を張った弓のまと。❺皮のように薄いもの。
国かわ(皮)。鼓つづみの別名。
【難読】皮蛋ピータン

【使いわけ】かわ〔皮・革〕
〔皮〕広く動植物のかわ。また、中身をおおい包むもの。「とらの皮・ギョウザの皮」
〔革〕なめしたかわ。「革のかばん」

【解字】金文  篆文  象形。金文でもわかるように、獣の皮を手ではぎとるさまにかたどり、かわの意味を表す。

逆 脱皮・陳皮・面皮
【皮革】ヒカク ①毛皮となめしがわ。②かわ。皮類の総称。
【皮褐(褐)】ヒカツ 身分の低い人が着る粗末な皮ごろも。
【皮△裘】ヒキュウ 皮ごろも。皮で作った着物。

【皮日休】晩唐の詩人。酒を好み、酔吟先生と号した。(?—八〇〇)

【皮相】①うわべのすがた。表面の様子。②浅薄なこと。

【皮肉】①皮と肉。②うわべ。浅薄。③国㋐あてこすり。いやみ。㋑意地が悪いこと。ぐあいが悪いこと。

【皮傅】うわべの理由でこじつける。

【皮膚】動物のからだの表面をおおい包むもの。はだ。

【皮幣】①皮と帛。昔、贈答用の品。〔孟子、梁恵王下〕②白いしかの皮で作った貨幣。〔史記、平準書〕

【皮弁】白いしかの皮で作った冠。▼弁は、かんむり。

3【皯】8画 7903 カン 旱 gǎn ₂8184 — —

字義 ❶顔の皮膚の薄黒いこと。❷顔の皮膚の黒くなる皮膚病。

解字 形声。皮＋干音。

5【皰】10画 7904 漢ホウ(ハウ) 呉ボウ(バウ) 効 pào 6614 E1AC —

［靤］13293 同字

字義 ❶にきび。主として青年のころに顔に出るふきでもの。面皰。❷とびひ。皮膚病の一種。＝疱(7722)。

解字 篆文 形声。皮＋包音。音符の包は、泡に通じ、皮膚にあわのように生じたにきびの意味を表す。

【皰瘡】国天然痘の俗称。もがさ。疱瘡。

7【皴】12画 7905 シュン 真 cūn 6615 E1AD —

字義 ❶しわ(皺)。❷ひび。あかぎれ。❸東洋画で、山や石のひだを描き表す技法。皴法。

解字 形声。皮＋夋音。

9【皸】14画 7906 クン 文 問 jūn 6616 E1AE —

［皹］7907 同字

字義 ひび。あかぎれ。

解字 篆文 形声。皮＋軍音。音符の軍は、とりかこむの意味。寒さで手足などの上皮が小さなさけ目でかこまれる。ひびの意味を表す。

【皸裂】寒さのために、ひびができる。

9【皹】14画 7907 クン 皸(7906)と同字。→九九六ページ上。 6617 E1AF —

9【皷】14画 7908 コ 鼓(14515)の俗字。→一六六一ページ中。 8373 EA89 —

9【皻】14画 7909 一 漢サ・呉シャ 麻 chā 二 ソ 虞 ₁8870 — —

字義 一 ❶にきび。❷鼻の頭の赤くなる病気。二 ひび。

解字 形声。皮＋查音。

10【皺】15画 7910 標 漢シュウ(シウ) 呉シュ 慣スウ 宥 zhòu 6618 E1B0 —

字義 ❶しわ。皮膚にできるしわ。また、一般に、物の表面のひだ。❷しわむ。しわがよる。

解字 形声。皮＋芻音。音符の芻は、草を手にまとめにぎって刈るの意味。にぎった草のようにできる、しわの意味を表す。

【皺月】しわのよった月。水にうつった月をいう。

【皺面】顔にしわのあること。

13【皽】18画 7911 一 テン 銑 zhǎn 二 セン 銑 zhǎn 三 ショウ(セウ) 蕭 zhāo — — 4640

字義 一二 ❶皮。❷皮がたるむ。三 皮膚のうす皮。

解字 形声。皮＋亶音。

皿 さら 5画

〔部首解説〕皿を意符として、いろいろな種類の皿や、皿に盛ることなどに関する文字ができている。

0 皿 九九六　2 盁 九九六　3 盂 九九六　盓 九九六　孟 三八四

4 盈 九九六　昷 九九七　盃 九九七　盅 九九七　盃 九九七

盇 九九七　盆 九九七　5 益 九九七　盎 九九七　盄 九九七

盉 九九八　监 九九八　盍 九九八　盋 九九八　盌 九九八

6 盔 九九八　盬 九九八　盖 九九八　盒 九九八　盛 九九八

盗 九九九　7 盛 九九八　盜 九九九　盙 九九九　8 蓋 一二三六

盞 九九九　盟 九九九　9 盡 四二七　盠 九九九　10 監 九九九

盤 一〇〇〇　11 盦 一〇〇〇　盥 一〇〇〇　盧 一〇〇〇　12 盨 一〇〇一

盩 一〇〇一　盪 一〇〇一　14 盬 一〇〇一　18 蠱 一三六九　20 鹽 三一六

0【皿】5画 7912 教3 さら 漢メイ・呉ミョウ(ミャウ) 慣ベイ 梗 mǐn 2714 8E4D —

筆順 丨 冂 冂 冊 皿

字義 さら。食物を盛る平たい鉢。

難読 皿鉢(さはち・さわち)

解字 甲骨文 金文 篆文 象形。食物を盛る「さら」の象形。さらの意を表す。

2【盁】7画 7913 エイ 盈(7916)と同字。→九九六ページ下。 — — 4641

3【盂】8画 7914 標 ウ 虞 yú 6619 E1B1 —

［盓］7915 本字

字義 はち。わん。飲食物を盛る器。

解字 甲骨文 篆文 形声。皿＋于(亐)音。音符の于は、弓なりに曲がるの意味。弓なりの曲線をもつ食器の意味を表す。

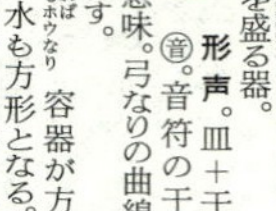

盂

【盂方水方】容器が方形ならば、それに入った水も方形となる。民の善悪は君主の善悪によって決まるたとえ。〔韓非子、外儲説左上〕

【盂蘭盆】仏①梵語ullambanaの音訳。倒懸(さかさまにつるされる)と訳し、はなはだしい苦しみの意。②「盂蘭盆会」の略。

【盂蘭盆会(會)】仏陰暦七月十五日(中元)に行われる仏事。種々の食物を死者の霊に供えて餓鬼への施しとし、死者の苦しみを救い、その冥福を祈る。

3【盓】8画 7915 ウ 盂(7914)の本字。→九九六ページ下。

3【孟】8画 (2578) モウ 子部。→三八四ページ中。

4【盈】9画 7916 漢エイ 呉ヨウ(ヤウ) 庚 yíng 1746 896D —

［盁］7913 同字

字義 ❶みちる(満)。㋐いっぱいになる。用例〔東晋、陶潜、帰去来辞〕携レ幼入レ室、有レ酒盈レ樽。(幼をたずさえて室にいれば、酒ありて樽にみてり。)↓幼い子どもたちをつれて部屋に入れば、酒が樽にいっぱい用意されていた。㋑いっぱいある。㋒満ち足りる。満足する。㋓あふれる。❷みたす。❸あまる。また、あまり。

解字 篆文 会意。皿＋乃＋又。乃は、のびた弓の象形。又は手の象形。のびゆるんだ弓を手でいっぱいに引きしぼるように、皿に物を盛りあげるの意を表す。

【盈溢】満ちあふれる。

【盈盈】①水の満ちているさま。用例〔文選、古詩十九首、其十〕盈盈一水間、脈脈不レ得レ語。(盈盈たる一水の間、脈脈として語るを得ず。)↓水の満ちあふれた川を隔てて、言葉ひとつかわせずに、じっと目と目を見合わすばかりである。②女性の容姿のしなやかなさま。用例〔文選、古詩十九首、其二〕盈盈楼上女、皎皎当二窓牖一（エイエイたるロウジョウのジョ、キョウキョウとしてソウユウにあたる）。↓あでやかな女性が高殿の上で、肌を白く輝かせながら窓辺に立っている。

【盈△厭】エイエン 満足する。

【盈科】エイカ・あなにみつ 水の流れは低いくぼ地を満たしてから先へ進む。学問も順序段階を追って進むべきことのたとえ。用例〔孟子、離婁下〕原泉混混不レ舎二昼夜一、盈レ科而後進、放二乎四海一（ゲンセンコンコンとしてチュウヤをおかず、あなにみちてしかるのちにすすみ、シカイにいたる）。↓泉は盛んに昼夜休まずわき出て、低いくぼ地があればそこを満たしてから先に進んで、ついに四方の海に流れ注ぐ。

【盈貫】エイカン ①弓を矢じりのところまで十分に引きしぼること。▼貫は、鏑テ（やじり）。②銭さしいっぱいに穴あき銭を通すこと。③罪悪の限りを尽くすこと。

【盈△虧】エイキ 満ちることと欠けること。

【盈虚（虛）】エイキョ ①満ちることと空しくなること。満ちることと欠けること。用例〔北宋、蘇軾、前赤壁賦〕盈虚者如レ彼、而卒莫二消長一也（エイキョするものはかのごとくなれども、ついにショウチョウするなきなり）。↓満ちたり欠けたりするものはこの月のようだといわれるが、結局、何も変化していない（本体のまんまるな月は変化していない）。②さかんになることとおとろえること。

【盈月】エイゲツ 満月。

【盈満（滿）】エイマン ①いっぱいになる。充満する。②富貴・権勢などの非常に強大なこと。

4【昷】9画 7917 オン 昷（7926）と同字。→九九七ジ・下。 — — 3416

4【盇】9画 7918 コウ 盍（7929）と同字。→九九八ジ・上。

4【盅】9画 7919 チュウ（チウ） 東 zhōng ₁8871 — 4642

字義 むなしい（虚）。容器の中になにもない。

解字 篆文 形声。皿＋中音。音符の中は、なかの意味。さらの中は、物を入れるためにからであるところから、むなしいの意味を表す。

4【盃】9画 7920 人 ハイ 杯（5262）の俗字。→七三八ジ・中。 3954 9475 —

4【盋】9画 7921 ハツ 鉢（12572）と同字。→一四六九ジ・中。 ₂8185 — —

4【盆】9画 7922 常 ボン 漢ホン・呉ボン 元 pén 4363 967E —

筆順 ノ 八 分 分 分 盆 盆 盆 盆

字義 はち。ほとぎ。円形で浅く比較的大きな、物を入れる瓦器（ガキ・かわらけ）。国 ボン。ア盂蘭盆会（ウラボンエ）の略称。（陰暦七月十五日）の前後数日の称。イ盂蘭盆会の前後数日の称。ウ茶器・食器などを載せる、縁が低く比較的大きな円形の器。

解字 金文 篆文 形声。皿＋分音。音符の分は墳に通じ、土がふき出た形の墓の意味。ふせた形が墳墓のようになるさら、ぼんの意味を表す。

盆

逆 鼓盆・覆盆

【盆地】ボンチ 山岳や台地に四方を囲まれた平地。

【盆池】ボンチ はちのように小さな池。庭などに作った小さな池。

【盆缶・盆△瓿】ボンプ 飲み物を入れる土器。これをたたいて歌の拍子をとることがある。用例〔史記、廉頗藺相如伝〕請奉二盆缻秦王一、以相娯楽（こう（ふ）ボンプを、シンオウにホウじ、もってあい（ひ）ゴラクせん）。↓盆缻をささげたてまつって、ご一緒に楽しみあいたいものです。

5【益】10画 7923 教5 エキ・ヤク 1755 8976 —

5〔益〕10画 7924 漢エキ 呉ヤク 陌 yì — EE59 —

筆順 丶 丷 䒑 尖 关 㒸 益 益 益 益

字義 ❶ます（増）。アふやす。ふえる。用例〔老子、四十八〕為レ学日益（ガクをなせば、ひにまし）、為レ道日損（みちをなせば、ひにソンず）。↓学問を修めてゆけば、世俗的な知識は一日ごとに増えてゆくし、反対に、無為自然の道を修めてゆけば、世俗的な知識は一日ごとに減ってゆく。イたす（足）。つけ加える。ウすすめる。深める。エこえる。超過する。うわまわる。❷富む。多い。ゆたか。「富益」「饒益（ジョウエキ）」❸もうけ。また、もうける。「利益」。↔損（4355）。❹ためになること。役に立つこと。効果。効き目。用例〔論語、衛霊公〕吾嘗終日不レ食、終夜不レ寝、以思、無レ益。不レ如レ学也（われかつてシュウジツくらわず、シュウヤいねず、もっておもう、エキなし。まなぶにしかざるなり）。↓わたしはある時、一日中食物を取らず、一晩中寝もしないで、思索にふけったことがあったが、何の得もなかった、やはり勉強したほうがよい。❺助ける。❻ますます。アさらに。いよいよ。程度がより一層強まることを示す。用例〔史記、淮陰侯伝〕臣多多而益善耳（シンはタタますますよきのみ）。↓私は（率いる兵卒の数が）多ければ多いほど、ますますよく能力を発揮いたします。イ少しずつ。だんだんと。事態が徐々に進むことを示す。用例〔史記、李将軍伝〕広身自以二大黄一射二其裨将一、殺二数人一（コウみずからタイコウをもってそのヒショウをいて、スウニンをころす）。胡虜益解（コリョますますとく）。↓匈奴に包囲、攻撃され窮地に陥ると、李広（リコウ）は自ら大黄という弩（ゆみ）で敵の将校を射ぬき数人を殺した。匈奴は次第に包囲を解いた。❼あふれる。こぼれる。＝溢（6553）。❽易（エキ）の六十四卦（カ）の一つ。☴☳ 震下巽上（シンカソンショウ）。上を損じて下を益する象（かたち）。

名前 あり・えき・えつ・すすむ・のり・まし・ます・また・み・みつ・よし

難読 益荒男（ますらお）・益子（ましこ）・益城（ましき）

解字 甲骨文 金文 篆文 象形。皿に物を大きく盛りあげた形にかたどり、ます・あふれるの意味を表す。常用漢字の益は略体による。益を音符に含む形声文字に、嗌（エキ）・縊（イ）などがある。

逆 権益・公益・広益・収益・潤益・損益・便益・無益・利益

【益者三楽】エキシャサンゴウ・エキシャサンラク 人の好むところのもので、有益な三つのもの。礼楽をほどよくわきまえること、人の善をほめること、賢友の多いこと。三楽（サンゴウ）。〔論語、季氏〕

【益寿】エキジュ 年齢を増し加える。長生きする。益年。

【益州】エキシュウ 州の名。漢代に置かれた。隋（ズイ）代は蜀（ショク）郡といった。今の四川省を中心とする地。

【益年】エキネン ＝益寿。

【益友】エキユウ 交わってためになる友。→三益友（一四ジ・上）。

5【盎】10画 7925 オウ（アウ） 漾 àng ₁8873 — 4646

字義 ❶ほとぎ。口が小さく腹の大きい瓦器（ガキ・かわらけ）。酒などを入れるのに用いる。❷あふれる。満ちあふれる。❸さかんなさま。

解字 篆文 形声。皿＋央音。音符の央は、首かせをはめられた人の象形。平面図的に見ると、ちょうど人が首かせをかけられたように、中央に口があり、それより大きめの腹の、酒などを入れる瓦器（ほとぎ）の意味を表す。

5【𥁕】10画 7926 漢オン 呉オン（ヲン） 元 wēn ₂8187 — —

〔昷〕7917 同字

字義 ❶あたたかい（あたたかし）。＝温（6478）。❷思いやりがある。

解字 篆文 会意。囚＋皿。囚は、あたたかな煮物の象形。皿に盛られた、あたたかな煮物のさまから、あたたかいの意味を表す。𥁕（昷）を音符に含む形声文字に慍ン・温・緼・褞・轀・醞などがある。

5 【盉】 10画 7927 ㊀㊥カ(クヮ)・㊤ワ 歌 hē ㊁㊥カ(クヮ)・㊤ワ 箇 hè ₂8186 — 4643

字義 ㊀五味を調えるのに用いる器。㊁味を調える。

解字 金文 篆文 形声。皿＋禾㊟。皿は、さらの象形。音符の禾カは、和に通じ、つりあいととのうの意味。味をととのえる・味をととのえるのに用いる器の意味を表す。

盉㊀

5 【监】 10画 7928 カン 監(7944)の俗字。→九九九ジ下。

5 【盇】 10画 7929 ㊥コウ(カフ) ㊤ゴウ(ガフ) 合 hé 6620 E1B2 —

[盍] 7918 同字

字義 助字・句法解説。㊉なん-ぞ…ざ-る。なん-ぞ。❶おおう(覆・蔽ヘイ)。❷あう(合)。

助字・句法解説

❶なん-ぞ…ざ-る。再読文字。反語。「盇ゾ ルレ Aセ(なんぞAせざる)」。訳どうしてAしないのか。Aすればよいのに。類蓋・闔。

詰問や勧誘の意味を表す。「何不」の二字と同音であることから、仮借して用いられる。

用例〔論語、公冶長〕盇三各言二爾志一(なんぞおのおのなんじ(ぢ)のこころざしをいわ(は)ざる)。↓どうしてそれぞれ自分の考えを述べないのか(述べてみなさい)。

❷なん-ぞ。反語。「盇ゾ不ルレ Aセ(なんぞAせざる)」。訳どうしてAしないのか。

原因・理由を問う反語表現を作る。

用例〔管子、小称〕盇不三起為二寡人寿一(なんぞたちてカジンのジュをなさざる)。↓どうして立ってわたしのために寿(健康の祈り)をなさないのか(寿をなしなさい)。

5 【盋】 10画 7930 ハツ 鉢(12572)と同字。→一四六九ジ中。 — — 4644

5 【盌】 10画 7931 ワン 旱 wǎn ₁8872 — 4645

解字 金文 篆文 象形。物をのせた皿にふたをした形にかたどり、おおうの意味を表す。

【盇△簪】コウシン 友だちが速く集まって来ること。転じて、友人の会合。▼盇は合う、簪は速。

字義 食物を盛る小鉢。椀(5576)・碗(8213)と同字。

解字 金文 篆文 形声。皿＋夗㊟。音符の夗エン＝ワンは、しなやかに曲がるの意味。しなやかな曲線をもつ皿、わんの意味を表す。

盌

6 【盔】 11画 7932 カイ(クヮイ) 灰 kuī ₁8874 — —

[盙] 7933 俗字

字義 ❶はち。わん。❷かぶと。戦争の時などにかぶる防具。

解字 形声。皿＋灰㊟。

6 【盙】 11画 7933 カイ 盔(7932)の俗字。→九九八ジ中。 — — 4647

6 【盖】 11画 7934 ガイ 蓋(10153)の俗字。→一三三六ジ上。 6621 E1B3 —

6 【盒】 11画 7935 ㊥コウ(カフ) ㊤ゴウ(ガフ) 合 hé 6622 E1B4 —

字義 ❶さら。はち。❷ふたもの。ふたと本体がぴったり合うように作られた容器。

解字 形声。皿＋合㊟。音符の合は、こばこの意味。合が、あうの意味に用いられ、皿を付して区別した。

盒②

6 【盛】 11画 7936 教6 セイ・ジョウ も-る・さか-る・さか-ん 3225 90B7 —

7 〖盛〗 12画 7937 ㊀㊥セイ・㊤ジョウ(ジャウ) 庚 chéng ㊁㊥セイ・㊤ジョウ(ジャウ) 敬 shèng 慣ショウ(シャウ)

筆順 ノ 厂 万 成 成 成 成 盛 盛 盛

字義 ㊀❶も-る。物を容器にいっぱいにする。❷もりもの。器にもって神に供えたもの。❸物をもる容器。さら。はち。㊁❶さか-ん。さか-り。㋐勢いが強くさかんである。用例〔唐、韓愈、師説〕位卑則足レ羞、官盛則近レ諛(くらいひくければすなわ(は)ちはず(づ)るにたり、カンさかんなればすなわ(は)ちへつらう(ふ)にちかしとす)。↓(師とすべき人の)官位が低ければ恥ずかしいことだとし、官位が高くてはぶりがよいとこびへつらっているようだとする。㋑富み栄えている。「隆盛」㋒しげる。「茂盛」㋓年が若い。㋔多い。㋕満ちあふれる。㋖広く大きい。㋗厚い。手厚い。㋘はなはだしい。㋙きびしい。いかめしい。㋚りっぱ。すぐれた。❷さか-る。さかんになる。❸さかんにする。もりたてる。国❶も-る。㋐うず高く積みあげる。㋑薬を調合して人に服用させる。㋒はかりに目盛りを刻みつける。❷さか-り。㋐若いさかり。㋑人が多く集まること。「盛り場」㋒交尾期。

名前 さかり・しげ・しげる・しょう・せい・たけ・みつ・もり

解字 金文 篆文 形声。皿＋成㊟。音符の成は、盈イエに通じ、みたすの意味。さらに農作物をみたして神への供え物とするの意味から、もるの意味を表す。転じて、さかんの意味をも表す。

逆全盛・繁盛・隆盛

【盛位】セイイ 高いくらい。立派なくらい。

【盛意】セイイ 親切な心。深い好意。厚情。

【盛運】セイウン ①栄えてゆく気運。②よいめぐり合わせ。好運。

【盛栄(榮)】セイエイ 国相手の商売繁盛を祝う言葉。→清栄(八五〇ジ中)。

【盛鋭】セイエイ さかんで鋭いこと。また、その物。

【盛△筵】セイエン さかんな宴会。盛宴。

【盛観(觀)】セイカン りっぱな見もの。また、そのながめ。

【盛顔】セイガン 青年時代の元気な顔色。

【盛気(氣)】セイキ 気力をさかんにする。さかんにいきごむ。

【盛儀】セイギ さかんな儀式。盛大な儀式。盛典。

【盛挙(擧)】セイキョ さかんな、また、りっぱな事業・行事・企画。

【盛況】セイキョウ 国人が多く集まったりしてさかんなありさま。

【盛業】セイギョウ ①盛大な事業。②国商売がさかんなこと。

【盛京】セイケイ 遼寧リョウネイ省瀋陽シンヨウ市(もとの奉天)の旧名。清シンの初期の首都。

【盛功】セイコウ さかんないさお。立派なてがら。

【盛△熾】セイシ さかんなこと。▼熾も、さかん。

【盛事】セイジ 立派な事がら。さかんな事業。

【盛時】セイジ ①栄えて勢いのさかんな時。②年若くて元気のよい時。

【盛者必衰】ショウジャヒッスイ・ジョウシャヒッスイ 仏さかんなものは必ずおとろえる。生きているものは必ず死ぬ。世の無常をいう語。〔仁王経〕

【盛色】セイショク 美しい容色。美人。

【盛衰】セイスイ さかんなこととおとろえること。「栄枯盛衰」

【盛世】セイセイ 栄えている時世。国運の盛大な時代。盛代。

【盛△餞】セイセン 盛大な送別の宴。

【盛△饌】セイセン たくさんの(りっぱな)ごちそう。〔論語、郷党〕

【盛壮(壯)】セイソウ 年が若くて元気なこと。若ざかり。

【盛装(裝)】セイソウ ①りっぱな服装。②おごそかな服装。③正式の服装。正装。

【盛典】セイテン さかんでりっぱな儀式。盛大な儀式。

【盛唐】セイトウ ①唐代。▼盛は、ほめていう語。②詩風による唐代の区分の一つ。盛唐はその極盛の時代で、開元から永泰元年まで(七一三—七六五)。李白・杜甫・王維などの活躍した時代。⇩コラム唐詩(三六八ページ)。

【盛徳】①さかんな徳。高くすぐれた徳。②天地のさかんな元気。天地が万物をそだてる力。

【盛年】血気のさかんな年ごろ。若い時。青年。

【盛年不二重来(來)一】若い時は二度とはこない。人生の最もよい時期を失うことなく、充実した時を過ごすべきであることをいう。用例〔東晋、陶潜、雑詩〕盛年不二重来一、一日難二再晨一。⬇若い時は二度とは来ず、一日に朝は二度はやって来ない。

【盛満】さかんに満ちる。もりあがる。

【盛名】さかんな名声。世にもてはやされている評判。

【盛烈】さかんな功績。りっぱなてがら。

6 【盗】11画 7938 常 トウ ぬす-む 3780 9390 —

7 【盜】12画 7939 人 漢トウ(タウ) 呉ドウ(ダウ) 号 dào 6125 9F58 —

筆順 冫 冫 次 次 次 咨 盗 盗

字義 ❶ぬす-む。㋐人の物を取る。うばう(奪)。「窃盗」㋑ひそかに自分の利益をはかる。私する。㋒自己の実力以上のものを得る。「位を盗む」㋓不義をする。❷ぬす-み。❸ぬすびと。❹小人。また、身分の低い人。国ぬす-む。㋐かくして物事をする。ごまかす。「人目を盗む」㋑繰り合わせて利用する。さしくる。「暇を盗む」 難読 盗汗

解字 篆文 会意。次(次)＋皿。次は、うらやましげによだれを流すの意味。皿は、さらの意味。皿の中の食物を見て、欲しく思うの意味から、ぬすむの意味を表す。

逆 群盗・強盗・窃盗

【盗汗】寝あせ。

【盗△跖・盗△蹠】中国古代の伝説的な大盗賊の名。数千人の徒党を組んで連日人民を殺害略奪し、暴虐の限りをつくしたという。

【盗泉】山東省泗水県の北東にあった泉の名。孔子は盗という名を憎んで、その地に宿らず、その水を飲まなかったという。不正の手段によって得られる利益にたとえる。用例〔西晋、陸機、猛虎行〕渇不レ飲二盗泉水一、熱不レ息二悪木陰一。⬇のどが渇いても、盗泉の水は(その名ゆえに)飲まない。暑くても悪木の木陰には休まない。

【盗賊】ぬすびと。▼盗は財貨を盗むもの・窃盗、賊は国法を破るもの・反逆人・殺人犯。

【盗聴(聽)】他人の会話などをひそかに聞き取ること。

【△齎二盗糧一】ぬすびとに食料をもって来てやる。敵に便利を与えて自分の害を招くことのたとえ。用例〔史記、范雎伝〕借二賊兵一、齎二盗糧一。⬇盗賊に武器を貸し、盗人に食料を持ってくる。

7 【盛】12画 (7937) セイ 盛(7936)の旧字体。→九九八ページ中。

7 【盜】12画 (7939) トウ 盗(7938)の旧字体。→九九九ページ上。

7 【盙】12画 7940 フ 簠(8896)の本字。→一〇九一ページ上。 — — 4648

8 【蓋】13画 (10153) ガイ 艸部。→一一三六ページ上。

8 【盞】13画 7941 漢サン 呉セン 漕 zhǎn 6623 E1B5 —

字義 さかずき(杯)。玉で作った小さい杯。

解字 形声。皿＋戔音。音符の戔は、こまかくうすいの意味。小さくて薄手のさかずきの意味を表す。

8 【盟】13画 7942 教6 メイ 一漢メイ・呉ミョウ(ミャウ) 庚 méng, míng 二漢モウ(マウ)・呉ミョウ(ミャウ) 敬 mèng 4433 96BF —

筆順 丨 冂 日 日 明 明 盟 盟 盟 盟

字義 一❶ちか-う。ちかう。神に告げていけにえを殺し、その血をすすって約束をかためること。❷ちか-い。ちかい。用例〔資治通鑑、漢紀〕使下得中奮二大辱之積志一、庶幾乎曹柯之盟上。⬇大きな恥辱をすすごうという長年の志を奮い立たせて、かつて曹沫が柯の会盟でみせたような活躍をしてみせる気にもなったでしょう。❸約束。❹モンゴルで、数集落を合わせた区域をいう。二盟津は、地名。＝孟(2578)。→盟津。

名前 あき・ちか 難読 盟神探湯

解字 甲骨文 金文 篆文 形声。甲骨文は、囧＋皿。金文は、盟。篆文は、血＋朙音。諸侯の間でたがいに疑問とするところをあきらかにさせ、いけにえの血をすすりあって、ちかうの意味を表す。

逆 加盟・血盟・締盟・同盟・約盟・連盟

【盟兄】親しい友を呼ぶ敬称。

【盟契】かたいちぎり。かたい約束。

【盟主】盟首。同盟者の長。また、その主宰者。

【盟津】地名。古代の黄河の渡し場。今の河南省孟津県の北東。

【盟神探湯】昔の占いの一つ。正邪を決めるため、熱湯に手を入れさせたこと。→探湯(六〇一ページ上)。

【盟誓】ちかう。また、ちかい。

【盟△詛】ちかう。また、ちかい。▼大事には盟といい、小事には詛という。

【盟府】天子・諸侯の盟約の書類を入れておく倉。

【盟邦】①同盟国。②親しい国。友邦。

【盟約】堅い約束をする。また、ちかい。約束。

【盟友】親しい交わりを結んでいる友。

9 【盡】14画 (2785) ジン 尽(2784)の旧字体。→四三七ページ上。

9 【盠】14画 7943 漢レイ 呉ライ 斉 齊 lí — — 4649

字義 ❶ひさごで作った飲器。❷古代の官職の一つ。

解字 会意。皿＋彖。

10 【監】15画 7944 常 カン 一漢カン・呉ケン 咸 jiān 二漢カン・呉ケン 陥 jiàn 2038 8AC4 —

筆順 丨 𠂇 𠂇 臣 臣 臣 臣 監 監

〔䰎〕11413 古字 〔监〕7928 俗字

字義 一❶み-る。㋐上から見おろしてみさだめる。㋑見張る。また、取りしまる。「監察」「監督」❷かんが-みる(鑑)。鏡や手本・先例に照らしてみきわめる。二❶み-る。＝一❶。❷かがみ。また、手本。いましめ。＝鑑(12922)。❸めつけ役。見張りの役人。❹宦官。後宮に仕える去勢された役人。国ゲン。❶太政官の直轄領。❷大宰府の三等官。大少の別がある。

名前 あき・あきら・かね・ただ・てる・み

解字 金文 篆文 会意。金文は、臣＋人＋皿。臣は、目の象形。人が水の入ったたらいをのぞきこむさまから、鏡に写して見るの意味を表す。監を音符に含む形声文字に、塩・攬・檻・濫・籃・纜・艦・艦・鑑などがある。

逆 軍監・収監・総監・統監

【監禁】身体の自由を束縛し、一定の場所におしこめておくこと。

【監軍】官名。軍隊を監督する役。いくさめつけ。

【監護】監督し保護する。

【監国(國)】①国の政治を監督すること。昔、君主の不

在の時に太子が代行したので、太子をもいう。②諸侯の国を監督すること。

【監獄】カンゴク 犯罪容疑者・犯罪人を入れておく所。

【監査】カンサ 監督し検査する。

【監察】カンサツ 監督し視察する。見張る。また、その役・人。

【監察御史】カンサツギョシ 隋ズイ代から置かれた官。役人の行為・農事・賦役エキなどを監察し、地方の政治を巡察する。

【監司】カンシ ①監察し取りしまる。②州・郡を監察する官。

【監視】カンシ 気をつけて見張る。監督し取りしまる。

【監試】カンシ 試験を監督する。また、その役人。科挙の試験官。

【監守】カンシュ ①物事を取りしまること。また、その役職・人。②牢獄ロウゴクの番人。

【監修】カンシュウ 書籍の著述・編集を監督すること。

【監生】カンセイ 国子監(大学)の学生。

【監奴】カンド 家事を監督処理するしもべ。しもべがしら。

【監督】カントク 取り締まったり、指示したりする。見張る。また、その人。

【監△寐】カンビ 寝てもよく寝つかれないこと。うたたね。▼監は、目を開いている。

【監房】カンボウ 罪人をとらえておくへや。

【監本】カンポン 国子監(貴族の子弟や全国から選抜された秀才を教育する所)で校定出版した本。

【監門】カンモン 門を見張る人。門番。

【監臨】カンリン その場に行って監督する。

10【盤】15画 7945 漢ハン・呉バン 寒 pān 常 バン 4055 94D5 一

筆順 ノ 丿 介 舟 舟 舟 舟几 般 盤

字義 ❶さら(皿)。はち(鉢)。食物を盛る器。❷たらいたらひ(盥カン)。手や顔を洗う平たいはち。❸物を載せたりする台。「碁盤」❹大きな岩。＝磐(8253)。❺わだかまる。とぐろをまく。複雑に入り組んでいる。❻まがる。まがりくねる。ぐるぐるめぐる。❼たのしむ(楽)。❽しらべる。検査する。

盤①

名前 まる・やす 難読 盤田いわた

参考 現代表記では「磐」(8253)の書きかえに用いることがある。「落磐→落盤」

解字 形声。皿＋般音。音符の般は、大きい舟の意味。大きな舟の形をした、たらいの意味を表す。

逆 基盤・玉盤・銀盤・碁盤・算盤・地盤・終盤・旋盤・胎盤・落盤

【盤△盂】バンウ 食物を盛る皿や鉢。食器。

【盤△紆】バンウ めぐる。曲がる。まがりくねる。屈曲が多いこと。

【盤渦】バンカ めぐる。うずまく。また、うずまき。

【盤回・盤△廻】バンカイ まわる。めぐる。ぐるぐるまわる。

【盤△桓】バンカン ①さまようさま。ぐずぐずしていて進まないさま。用例〔東晋、陶潜、帰去来辞〕景翳翳以将レ入かげはエイエイとしてもってまさにいらんとし、撫二孤松一而盤桓コショウをブしてバンカンす。↓夕日の光はほの暗くなってゆき、いまにも沈もうとしている。私は一本松をなでながら、立ち去りかねて留まっている。②ぐずぐずして志を決しないさま。ためらうさま。③楽しむさま。④広大なさま。

【盤詰】バンキツ 詰問する。問いただす。

【盤拠(據)】バンキョ わだかまりよる。より所にしっかりとよっていること。しっかりとして広い根拠地によっていること。

【盤△踞】バンキョ ①わだかまる。▼踞は、うずくまる。②しっかりと根をはること。

【盤屈】バンクツ ①わだかまる。②うねり曲がる。

【盤古】バンコ 天地の開けはじめにこの世を治めていたという伝説上の天子の名。

【盤谷】バンコク 地名。㋐河南省済源市の北。㋑Bangkokの旧音訳。タイの首都。曼谷。

【盤根】バンコン わだかまっている根。転じて、困難な事柄。

【盤根錯節】バンコンサクセツ 盤根と、木の入りくんだふし。困難な事柄のたとえ。

【盤△坐】バンザ あぐらをかいてすわる。

【盤錯】バンサク ①入りくんで交わっていること。②盤根錯節の略。

【盤散・盤△跚・盤△姍・盤△珊】バンサン ①よろめき歩くさま。②おどるさま。

【盤△峙】バンジ わだかまりそばだつ。山などがおわんをふせたような形でそびえていること。

【盤石】バンセキ・バンジャク 大きな石。どっしりと地についている大石。転じて、事の安泰なたとえ。「盤石の固かため」

【盤旋】バンセン ぐるぐるまわる。めぐり歩く。さまよう。

【盤△飧・盤△飱】バンソン ①食器に盛った食物。②夕食。

【盤△陀】バンダ ①石のわだかまっているさま。蛇のとぐろのような形の石のさま。②馬のくら。■ハンダ 国錫すず・鉛の合金。金属を接合するのに用いる。半田。

【盤△飣】バンテイ 皿に盛りつけた食物。

【盤盤】バンバン まがりくねっているさま。どこまでもまがりくねっているさま。

【盤舞】バンブ ぐるぐるまわりながら舞う。また、その舞い。

11【盦】16画 7946 アン 覃 ān 8875 一 4650

字義 ❶ふた(蓋ガイ)。器物のふた。❷食物を盛るふたつきの器物。❸＝庵(3205)。

盦②

解字 甲骨文 篆文 形声。皿＋酉＋今音。音符の今は、函カンに通じ、ふくむの意味。飲食物を入れて保つ、ふたつきの容器の意味を表す。

11【盥】16画 7947 カン(クヮン) 翰 旱 guàn 6625 E1B7 一

〔盌〕6130 同字

字義 ❶たらいたらひ。手を洗う器。❷あらう。すすぐ。手を洗う。国たらいたらひ。洗濯などをする器。

解字 甲骨文 金文 篆文 会意。臼＋水＋皿。臼は、両手の象形。皿は、さらの象形。両手に水をくんであらう、たらいの意味を表す。

【盥△櫛】カンシツ 手や顔を洗い髪を櫛くしけずること。身づくろいをする。化粧する。

【盥洗】カンセン 洗う。手足や器物などを洗う。

【盥△漱】カンソウ 手や顔を洗い口をすすぐこと。〔礼記、内則〕

【盥濯】カンタク 洗いすすぐ。洗う。すすぐ。

【盥△沐】カンモク 顔や髪を洗う。また、沐浴する。

【盥浴】カンヨク ゆあみをする。行水をする。

11【盧】16画 7948 漢ロ 呉ル 虞 lú 6626 E1B8 一

字義 ❶めしびつ。飯を入れる器。❷すびつ(炉)。火いれ。火を入れる器。❸酒屋で酒がめを置く場所。土を盛って作る。転じて、酒を売る店。酒盧。❹くろい(黒)。黒い色。また、黒い物。

解字 甲骨文 金文 篆文 形声。皿＋虘(虍)音。音符の虘ロは、口の小さなかめの意味。クルッとろくろ(轆轤)を回して作った、めし入れの意味を表す。

【盧△橘】ロキツ 果樹の名。㋐びわ。㋑金柑キンカン。

【盧遮那仏(佛)】ルシャナブツ 梵語ボンゴVairocanaの音訳。宇宙の根本的な存在を人格化した仏。華厳宗・真言宗の本尊。大日如来。

【盧照△鄰】ロショウリン 初唐の詩人。字あざなは昇之ショウシ。号は幽憂子。王勃・楊烱・駱賓王と共に初唐の四傑と称せられた。著書に『盧昇之集』などがある。(六四〇?—六八〇?)

【盧生之夢】人生の栄華のはかないことのたとえ。盧生が邯鄲(今の河北省内)の旅宿で仙人に会い、粟のめしが煮える短い時間のうたた寝に、一生の栄枯盛衰の夢を見たという故事による。一炊之夢。邯鄲之夢。〔枕中記〕

【盧仝】中唐の詩人。号は玉川子。(?—八三五)

【盧綸】中唐の詩人。字は允言。著に『盧戸部詩集』がある。

12【盨】17画 7949
㊀シュ 慶 ㊁漢ソ・呉ショ 語 xǔ
2 8188 — 4651

字義 ㊀㊁古代の食器。

解字 形声。皿＋須㊥。

12【盩】17画 7950
チュウ(チウ) 尤 zhōu

字義 ❶うつ(撃)。❷くま。山や川の曲がった所。❸盩厔は、県名。今の陝西省周至県。

解字 金文 篆文 会意。幸(㚔)＋攵(攴)＋皿(血)。

12【盪】17画 7951
㊀漢トウ(タウ) 呉ドウ(ダウ) 養 dàng ㊁トウ(タウ) 漾 dàng ㊂トウ(タウ) 陽 dāng
6627 E1B9 —

字義 ㊀あら-う。洗いすすぐ。㊁＝蕩(10293)。❶あらう。❷うごく。また、動かす。❸ゆれる(揺)。ゆらぐ。❹きままにする。ほしいままにする。❺広く大きい。㊂つく(突)。つきあたる。

解字 篆文 形声。皿＋湯㊥。音符の湯は、ゆらゆら動くの意味。器物に水や瓦石を入れ、ゆり動かして洗い清めるの意味、うごかすの意味を表す。

【盪撃】動いて突きあたる。はげしくぶつかる。

【盪尽(盡)】全部なくなる。蕩尽。

【盪滌】あらいすすぐ。

【盪盪】①広く大きいさま。また、広々として何もないさま。②やぶれくずれるさま。

14【盬】19画 7952
コ 麌 gǔ
2 8189 — 4652

字義 ❶しお(塩)。あらしお。精製しない塩。❷塩湖。塩のとれる湖。❸もろ-い。堅固でない。❹あらい。粗悪。❺すする。すう。また、かむ。

解字 篆文 形声。監(鹽)＋古㊥。鹽は、しおの意味。音符の古は、苦に通じ、にがいの意味。にがりのあるしおの意味を表す。

18【蠱】23画 (10789) コ 虫部。→一二六九ページ下。

20【鹽】25画 (2074) エン 塩(2073)の旧字体。→三一六ページ中。

5画 目 め・めへん

〔部首解説〕目を意符として、目の動きや状態、見ることなどに関する文字ができている。

0【目】5画 7953
教1 漢ボク・呉モク 屋 mù
モク・ボク め・ま
熟字訓 真面目
4460 96DA —

筆順

字義 ❶め。㋐まなこ。眼球。㋑見る目。見識。用例(孟子、告子上)不レ知二子都之姣一者、無レ目者也。↓子都の美しさを知らない者があるとすれば、それは見る目のない者である。㋒あな。すきま。用例(呂氏春秋、用民)一引二其網一、万目皆張。↓網を引けば網の目は一斉に張る。❷見る。㋐目でとらえる。用例(白居易、不出門詩)不レ知二天壌内一、目レ我為二何人一。↓世人は私を見て何者と思うだろうか。㋑目をつけて見る。注視する。にらみつける。用例(左伝、桓公元)宋華父督見二孔父之妻于路一、目逆而送レ之。↓宋の華父督は孔父嘉の妻を路で見かけ、やって来るのをじっと見つめ通り過ぎるのを見送った。❸目くばせする。目で合図する。用例(史記、項羽本紀)范増数目二項王一。↓范増はたびたび項羽にめくばせした。❹称す。名前をいう。名づける。用例(水経注、巨洋水)目レ之為二冶泉祠一。↓冶泉祠と名付けている。❺評価する。批評する。用例(世説新語、賞誉)世目二周侯一嶷如二断山一。↓世間は周侯の高くそびえたつさまは、きりたった山のようだと評した。❻分類する。❼かなめ。要点。「眼目」❽箇条。また、分類。細別。用例(論語、顔淵)顔淵曰、請問其目。↓顔淵は、「その細目をお教えください」と申し上げた。❾名。名まえ。名前をつけたもの。用例(水経注、河水三)即レ状表レ目、故有二高闕之名一也。↓外観に即して名称を表したので、高闕の名があるわけである。❿品さだめ。品評。用例(後漢書、許劭伝)曹操微時、常卑レ辞厚レ礼、求レ為二己目一。

もと。↓曹操は無名の頃、よく言葉を丁重にし態度をうやうやしくして、自分の評価を下すよう相手に求めた。

⓫かしら。人の上に立つ者。「頭目」

国❶め。㋐目玉の形をしているもの。「魚の目」 ㋑はかりの目もり。きざみ。㋒重さの単位。匁(もんめ)の別称。㋓重さ。目方。㋔めきき。物を見分ける力。眼力。㋕歯の形に並んでいるもの。「鋸(のこぎり)の目」 ㋖縁(ふち)と縁、または端と端との相合う所。「合わせ目」「折り目」 ㋗場合。境遇。めぐりあわせ。「憂き目」 ㋘はかり・寒暖計などに度を計るためにつけたしるし。目盛り。㋙横に並んだ線。「畳の目」 ㋚物事の順序を表す。「三番目」 ㋛物事の程度を表す。「細目(ほそめ)」 ❷ま。「め」の古形。「目蓋(まぶた)」「目差(まなざし)」 ❸モク。㋐昔の官制で、国司の第四等官。さかん。㋑生物分類学上の一単位。綱と科との間。㋒囲碁(ゴ)で、碁盤のめ、または石を数える語。

名前 あき・あきら・ま・み・め・より 難読 目眩(めくるめく・めまい)・目脂(めやに)・目出(めで)・目処(めど)・目比(めくらべ)

解字 甲骨文 金文 篆文 象形。金文でよくわかるように、人の目の象形で、めの意味を表す。

逆 一目・皆目・科目・眼目・極目・項目・細目・式目・耳目・衆目・条目・嘱目・属目・色目・触目・書目・除目・総目・側目・題目・地目・着目・注目・鳥目・頭目・徳目・反目・品目・満目・名目・面目・盲目・要目

【目下】(モッカ) ㊀①ただいま。現在。②目の前。からだのすぐそば。③目の下。㊁(めした) 国自分より地位や年齢の低い人。

【目逆】(モクゲキ) 目でむかえる。来る人を自分の前に来るまで目を放さないでむかえること。目迎。

【目撃(擊)】(モクゲキ) 目で見る。その場で直接見る。また、ひとめ見る。ちょっと見る。

【目見二毫末一不レ見二其睫一】(めはゴウマツをみるもそのショウをみず) 目は細い毛の端まで見ることができるが、自分のまつ毛を見ることができない。他人のことはよく目につくが、自分のことには気がつかないというたとえ。〔史記、越王句践世家〕

【目語】(モクゴ) 口で言わず目で気持ちを伝える。

【目耕】(モッコウ) 書を読み学問にはげむこと。目で紙をたがやす意で、読書を田をたがやすことにたとえた語。

【目今】(モッコン) ただいま。現在。目下。

【目算】(モクサン) 国①目分量。見つもり。②見こみ。計画。

【目使・目指】(モクシ) 目くばせして(人を)使う。目でさしずする。

【目眥】(モクシ) まなじり。めじり。

【目眥尽(盡)裂】(モクシことごとくさく) まなじりがひどく裂ける。大いに怒ったようす。用例〔史記、項羽本紀〕頭髪上指(ジョウシ)、目眥尽裂(ハットウ…モクシことごとくさく)。↓髪の毛が逆立ち、まなじりが裂けるほどに目を見開いた。

【目笑】(モクショウ) 目と目を見合わせて笑う。また、目にあざけりの意をこめて笑う。〔史記、平原君伝〕

【目睫】(モクショウ) 目とまつ毛。転じて、きわめて接近していることをいう。

【目睛】(モクセイ) めだま。また、ひとみ。目精。

【目前】(モクゼン) 目のまえ。まぢか。時間にも場所にもいう。

【目送】(モクソウ) 目を離さずに人を見送ること。行く人のあとを目で追うこと。

【目代】(モクダイ) 国①平安末以後、国守の代理として在国して事務を扱う人。②鎌倉時代以後、代理として現地で執務する人。③江戸時代、代官。

【目断】(モクダン) 眼力がとどかない。眺めやる果て。

【目挑心招】(モクチョウシンショウ) 目でさそい心で招き寄せる。女性が人を誘惑するたとえ。

【目的】(モクテキ) 国めあて。到達または実現をめざすところ。心のめざす所を、弓矢の的(まと)にたとえていう。

【目途】(モクト) 国めあて。みこみ。

【目睹】(モクト) みる。目で直接見る。▼睹も、見る。

【目標】(モクヒョウ) 国めじるし。めあて。

【目礼(禮)】(モクレイ) 目つきで礼意を通ずること。目で会釈(エシャク)すること。〔漢書、叙伝〕

【目連】(モクレン) 仏「摩訶目犍連(マカモクケンレン)」の略。釈迦(シャカ)の高弟。地獄に落ちていた母を救うため、今の盂蘭盆会(ウラボンエ)の始まりである施餓鬼会(セガキエ)を行った。

【目録】(モクロク) ①書の題目を集めて書いたもの。目次。②国㋐贈り物の(実物の代わりに)品名を記した文書。㋑師から弟子に与える免許の趣意を書いた文書。㋒所蔵品・陳列品などの品名を書いたもの。

【目論】(モクロン) ㊀他人のことはわかっても自分のことのわからないこと。目は小さな物まで見えても自分のまつげを見られないからいう。〔史記、越王句践世家〕㊁(もくろみ) 国くわだて。計画。「目論見(もくろみ)」は、当て字。

【属(屬)レ目】(めをショクす) ＝属目(ショクモク)①(四三一ジペー中)。

【側レ目】(めをそばむ) ＝側目(ソクモク)①(一三三ジペー上)。

【満レ目】(めにみつ) ＝満目(マンモク)②(八六二ジペー下)。

0【且】5画 (24) ショ 一部。→三二ジペー中。

2【見】7画 (11027) ケン 見部。→一三九三ジペー下。

2【㫐】7画 7954 ゴン 㫐(9782)の本字。→一一八九ジペー下。 ― ― 4653

3【盰】8画 7955 カン 旱 翰 gàn ― ― 4653

字義 ❶白眼のさま。❷目を見張る。

参考 〔盱〕(7956)は別字。

解字 形声。目＋干㊥。

3【盱】8画 7956 ク 虞 xū 8876 ― 4654

字義 ❶みはる。目を見はる。❷見上げる。❸大きい。❹うれえる(憂)。なやむ。

参考 〔盰〕(7955)は別字。

解字 金文 篆文 形声。目＋于(亏)㊥。音符の亏(ウ)は、華に通じ、はなやかの意味。はなやかで目をみはるの意味を表す。

【盱盱】(クク) ①目をみはるさま。②ほこってはびこるさま。③目を見はるさま。

【盱衡】(クコウ) 目を張る。にらむさま。

3【具】8画 (737) グ 八部。→一五二ジペー下。

3【直】8画 7957 教2 チョク・ジキ ただ-ちに・なお-す・なお-る 3630 92BC ―

㊀㊇チョク・㊇ジキ(ヂキ) 職 zhí ㊁㊇チ・㊇ジ(ヂ) 寘

筆順 一 十 冇 冇 有 直 直

字義 ㊀㊒ただ。ただ-ちに。⇩助字・句法解説。
❶なお-し(なほし)。㋐曲がっていない。まっすぐである。↔曲(4653)。「一直線」 ㋑正しい。よろしい。すなおである。正直だ。↔曲(4653)。用例〔論語、子路〕吾党之直者異二於是一(わがトウのなお(ほ)きものはこれにことなり)。↓私の仲間で言う正直者は、それとは違います。
❷なお-くする(なほくす)。なお-す(なほす)。㋐ただす(正)。㋑のばす。曲がっているものをのばす。
❸あたる(当・値)。㋐向かう。対する。向かい進む。㋑相当する。
❹とのい(とのゐ)。また、とのいする。当直する。「宿直」
❺ことさらに。故意に。用例〔史記、留侯世家〕有二一老父一、衣レ褐、至二良所一、直堕二其履圯下一(イチロウフありカツをき、リョウのところにいたり、ことさらにそのくつをイカにおとす)。↓ひとりの粗末な身なりの老人が、張良のところに来ると、わざと履いていた靴を橋の下に落とした。
㊁❶あたい(あたひ)(値)。❷あたいする。値うちがある。❸あたる。あう。㋑賃金。俸給。㋐ねだん。価格。「直千金(あたいセンキン)」

遭遇する。相当する。＝値(444)。

国❶なお-す。なお-る。㋐病気をなおす。病気がなおる。㋑修理する。もとのようになる。㋒訂正する。❷ジキ。㋐ジカ。間に物や人を入れないですること。直接。㋑す-ぐ。時を移さずにすること。即時。❸ひた。㋐ひたむき。ひたすら。㋑純粋。

助字・句法解説
❶ただ。限定・強意。訳ただ…だけ。類惟・唯・徒。続く内容を限定・強意する働きをする。用例〔孟子、梁恵王上〕直不二百歩一耳（ただヒャッポならざるのみ）。↓ただ百歩でないだけである。
❷ただ-ちに。訳すぐに。前後のできごとが引きつづいて起こることを表す。用例〔唐、李白、長干行〕相迎不レ道レ遠（あいむかう（ふ）るに、とおきをいわ（は）ず）直至二長風沙一（ただちにチョウフウサにいたらん）。↓あなたを迎えるのに遠いなどとは言いません。ただちにあの長風沙までも参りましょう。

名前 あたい・すぐ・すな・すなお・ただ・ただし・ただす・ちか・なお・なおき・なおし・なが・ね・のぶる・ま・まさ 難読 直衣（のうし）・直違（すじかい）・直向（ひたむき）・直根（ひたね）・直垂（ひたたれ）・直入（そそり）・直方（のうがた）・直面（ひためん）

参考 「ただちに」は法令では、急迫性が最も強いのが「直ちに」、弱いのが「遅滞なく」、中間が「速やか」であるとされる。

使いわけ なおす・なおる〔直・治〕
〔治〕病気やけがに関する場合。「風邪を治す」
〔直〕前述の〔治〕の意以外で、広く一般に用いる。「書き直す」
ただし、病気やけがについても〔直〕を用いる場合がある。

解字 篆文  象形。上にまじないの印の十をつけた目の象形で、まっすぐ見つめるの意味を表し、一般に、まっすぐであるの意味を表す。直を音符に含む形声文字に、値・埴・植・殖・置などがある。

逆 曲直・謹直・愚直・硬直・剛直・司直・実直・宿直・正直・率直・当直

【直衛（衞）】チョクエイ ①宿直して守る。また、その任に当たる人。②国そばに居て直接に守ること。

【直音】チョクオン ①音を説明するとき、それと同音の一字を用いて説明すること。②漢語で、イ類の介音を含まない音。イ拗音以外の音。③国日本語で、拗音・促音以外の音。

【直下】チョッカ ①まっすぐに落下する。用例〔唐、李白、望二廬山瀑布一詩〕飛流直下三千尺（ヒリュウチョッカ、サンゼンジャク）、疑是銀河落二九天一（うたがう（ふ）らくはこれギンガの、キュウテンよりおつるかと）。↓飛ぶような流れが勢いよく真下に落ちること三千尺、天の川が九重の天の高きから落ちてきたかのよう。②すぐ下。ました。

【直覚（覺）】チョッカク 対象を、他の認識方法の媒介（推理や経験など）なしに、直接とらえること。

【直轄】チョッカツ 直接に支配すること。直接の管轄。

【直幹】チョッカン まっすぐなみき。

【直感】チョッカン 推理や説明なしに、直接感ずること。

【直△諫】チョッカン 思うことをはばからずに言っていさめること。

【直観（觀）】チョッカン ＝直覚。

【直△躬】チョッキュウ 自身の行いを正しくする人。一説に、躬という名の正直者。春秋時代の楚ッの人。あだなが呼び名になっていた。〔論語、子路〕

【直系】チョッケイ 国祖先から子孫まで直接に続いた血統。↕傍系（二三六ジベー下）・旁系（ボウケイ）（六四三ジベー中）。

【直結】チョッケツ 媒介なしに、直接つながっていること。

【直言】チョクゲン 正しいと信ずることをはばからずに言うこと。また、そのことば。

【直行】チョッコウ ①正しい行い。また、正しく行う。②まっすぐに行く（歩く）。③国寄り道しないで直ちに目的地に行く。

【直項】チョッコウ うなじを正しくして曲げないこと。転じて、剛直なこと。強項。

【直講】チョッコウ ①官名。唐代、博士・助教を補佐し、経術を講義する人。②白話（口語）で講義すること。

【直斎（齋）書録解題】チョクサイショロクカイダイ 書名。二十二巻。宋ソウの陳振孫（チンシンソン）の編。書籍目録。易・書・詩以下の五十三類に分類して書籍を著録し、各書に解題をほどこしたもの。

【直裁】チョクサイ 国①すぐに決める。②最高の責任者が自身で決めること。

【直参（參）】ジキサン 国①直接に主君に仕える家来。②江戸時代、将軍家に直属した一万石以下の武士。旗本（はたもと）や御家人（ゴケニン）をいう。

【直士】チョクシ 行いの正しい人。

【直指】チョクシ まっすぐにゆびさす。㋐遠慮なく指摘する。㋑まっすぐにめざす。

【直視】チョクシ まともに（まっすぐに）見つめる。

【直詞】チョクシ 思うことをはばからずに言って人をいさめることば。直諫（チョッカン）の語。

【直日】チョクジツ 宿直の日。当直の日。

【直射】チョクシャ ①まっすぐに射る。②（光が）まともに照らす。「直射日光」

【直書】チョクショ 正しく書く。また、ありのままに書く。ジキショ 国じきひつ。自筆。自分自身で書くこと。

【直省】チョクショウ 天子直轄の省（行政区画の名）。

【直上】チョクジョウ ①まっすぐにのぼる。②まうえ。

【直情】チョクジョウ ①まっすぐな心。②心を曲げないこと。また、心をそのまま表すこと。

【直情径（徑）行】チョクジョウケイコウ 他人のおもわくや周囲の事情などを考えないで、思うことや感情をそのまま行動に表すこと。〔礼記、檀弓下〕

【直心】チョクシン 心を正しくする。また、正しい心。

【直臣】チョクシン ①心の正しい家来。用例〔韓非子、五蠹〕以レ是観レ之（ここをもって、これをみれば）、夫君之直臣（かのクンのチョクシンは）、父之暴子也（ちちのボウシなり）。↓この例で見れば、君主にとっての忠臣は、父親にとっての乱暴な子ということになる。②主君にへつらわず、直言する家来。

【直接】チョクセツ 媒介なしに、じかに接すること。

【直△截】チョクセツ 「チョクサイ」と読むのは誤り。▼截は、切る。国①すぐ決める。②てっとりばやいこと。まわりくどくなく、きっぱりしていること。「直截簡明」

【直千金】あたい（ひ）センキン 千金の価値がある。非常にねうちのあること。用例〔北宋、蘇軾、春夜詩〕春宵一刻直千金（シュンショウイッコク、あたい（ひ）センキン）、花有二清香一月有レ陰（はなにセイコウあり、つきにかげあり）。↓春のよいは、ひとときが千金にもあたいする。花には清らかな香りがただよい、月はおぼろにかすんでいる。

【直前】チョクゼン ①ただちに、また、まっすぐに進む。②国すぐまえ。

【直伝（傳）】ジキデン 国秘伝や奥義などを、師から弟子に直接伝えさずけること。

【直答】チョクトウ・ジキトウ ①その場ですぐ返答すること。また、その答え。②本人が直接に答えること。また、その答え。

【直道】チョクドウ ①まっすぐな道路。②人としてふむべき正しいみち。〔論語、衛霊公〕

【直入】チョクニュウ すぐに（まっしぐらに）はいる。ずばりと入る。「単刀直入」

【直披】チョクヒ・ジキヒ 国封筒のあて名の脇（わき）に書く語。あて名の本人自身で開封してほしいとの意。親展。▼披は、開く。

【直筆】チョクヒツ ①事実を、ありのままに書くこと。↕曲筆（六四九ジベー下）。②筆を垂直に立てて持つこと。ジキヒツ 国その人自身で書くこと。また、その文字・文書。自筆。

【直方】正しい。正直。方正。

【直訳(譯)】外国語を、その語・文法に従って忠実に訳すこと。↔意訳(五三一ページ中)。

【直喩】国直接に、二つの事物を比較する修辞法。明喩。↔隠喩(一三二ページ上)。

【直立】まっすぐに立つ。「直立不動」

【直△諒】ただしくて、まことのあること。

【直隷(隸)】①政府などに、直接に隷属すること。②直隷省。ほぼ今の北京市・天津市・河北省にあたる。

【以ㇾ直報ㇾ怨】直道(正しい道)をもって自分が恨んでいる者に返報する。恨みのある者に対しても公平無私な道をもって接すること。用例〔論語、憲問〕以ㇾ直報ㇾ怨、以ㇾ徳報ㇾ徳。↓自分が恨んでいる者には正しい道をもって返報し、恩徳には恩徳で返報する。

【挙(擧)ㇾ直錯ニ諸△枉ニ】正しくまっすぐな人を挙用して、正しくない人の上に置く。用例〔論語、為政〕挙ㇾ直錯ニ諸枉ニ、則民服。↓正しい人を引き上げて、その人を正しくない人の上に置けば、人民はいうことをきくであろう。

3
【盲】
8画 7958 常 モウ
4453 96D3 一

3
〔盲〕8画 7959 漢モウ(マウ) 呉ミョウ(ミャウ) 庚 máng

筆順 丶 亠 亡 㠩 肓 盲 盲

字義 ❶目が見えないこと。また、その人。❷物事や道理の分からぬこと。また、その人。❸くらい(暗)。❹はやい。また、はげしい。

参考 ①〔盲〕(4914)は別字。②現代表記では〔妄〕(2320)の書きかえに用いることがある。「妄動→盲動」

解字 篆文 形声。目＋亡音。音符の亡は、なくなるの意味。ひとみがなくなる、目が見えないの意味を表す。

【盲△瘂】目のみえないことと、口のきけないこと。盲瘖。

【盲愛】国むやみにかわいがること。妄愛。

【盲雨】はげしい雨。大雨。にわか雨。

【盲亀(龜)値ニ浮木ニ】仏盲目のかめが百年に一度海面に顔を出し、たまたま浮木を得てその穴に入る。人と会うことが非常にむずかしいたとえ。〔雑阿含経〕

【盲従(從)】国善悪にかかわらず、むやみに人に従うこと。人の言いなりになること。

【盲信】国自分で判断せずに、わけもなく信ずること。

【盲進】むやみやたらに進むこと。

【盲人△摸ㇾ象】目の見えない人が象をなでる。手の触れた一部分しか分からず、全体を把握できないことから、衆生が仏の教えを十分に理解しないたとえ。視力障害を比喩に用いた差別的な表現。〔涅槃経〕

【盲動】考えなしに行動すること。妄動の書きかえ。

【盲昧】国物事や道理に暗いこと。おろか。

【盲滅法】国全く見当をつけないこと。むちゃくちゃ。

【盲目】①目が見えないこと。②国理性を失って是非の判断のできないこと。視力障害を比喩に用いた差別的な表現。

【盲△聾】目が見えないことと、耳が聞こえないこと。また、その人。

4
【看】
9画 7960 教6 カン
一カン 翰 kān 二カン 寒 kān
2039 8AC5 一

筆順 一 二 三 手 禾 看 看 看 看

字義 一❶みる。㋐手をかざして見る。ながめる。㋑よく見る。熟視する。㋒訪問する。見舞う。❷もてなし。待遇。❸みすみす。みるみるうちに。用例〔唐、杜甫、絶句詩〕今春看又過、何日是帰年。↓今年の春も、みるみるうちにまた過ぎてゆき、いったいいつ、故郷に戻って春を迎えることができるのだろう。二❶見守る。見張る。❷世話をする。介抱する。

名前 あきら・たく・み・みつ・みる 難読 看督長

解字 篆文 会意。手＋目。手をかざし、太陽をさえぎって見るの意味を表す。

逆 回看・参看
【看過】①みのがす。見のがしてとがめない。②眺めながら立ち寄る。

【看看】①みる。よく見る。②みるみる。見る間に。

【看経(經)】「キン」は唐音。②静かに堂内で経文を黙読すること。仏①禅宗で経文を読むこと。

【看守】①みまもる。番をする。②国刑務所などで、囚人の番をする人。

【看取】①みる。▼取は、強意の助字。②見抜く。

【看破】みやぶる。かくれた真相をみぬくこと。

4
【盻】
9画 7961 漢ケイ 呉ゲイ 霽 xì
6629 E1BB 一

字義 ❶にらむ。うらみ・怒りをふくんで見る。❷かえりみる(顧)。❸盻盻は、努め苦しむさま。一説に、うらみ見るさま。

解字 篆文 形声。目＋兮音。音符の兮は、閡に通じ、うらみあらそうの意味。うらみ見るの意味を表す。

4
【県】
9画 7962 教3 ケン
2409 8CA7 一

糸10
〔縣〕16画 7963 人
一漢ケン 呉ゲン 先 xuán 二漢ケン 呉ゲン 霰 xiàn
6949 E370 一

筆順 丨 冂 冃 目 目 旦 県 県 県

字義 一❶かける。㋐つり下げる。㋑かかげる。㋒つなぐ(繋)。また、連ねる。㋓しめす。かかげ示す。掲示して広く知らせる。❷かかる。㋐つり下がる。つながる。㋑首くくる。㋒へだたる。かけ離れる。❸つり下げて鳴らす楽器。鐘・磬の類い。二地方行政区画の一つ。秦の始皇帝が郡県制をしき、郡の下に県を置いた。これは後にも継承されたが、清は府の下に、中華民国は省の下に置いた。今は地級市の下に置かれることが多い。国❶あがた。㋐大化改新(六四五)以前に、諸地方にあった大和朝廷の直轄地。後には県主がこれを支配した。㋑平安時代には国守の任国をいう。㋒いなか。地方。❷ケン。明治以後の地方行政区画の一つ。

名前 あがた・さと・たろ・むら・もと 難読 県犬養・県主・県造

解字 金文 篆文 会意。金文では、木＋糸＋目で、木から髪または、ひもで首をさかさまにかけたさまから、かけるの意味を表す。眅に通じ、耕作地の意味から、さらに地方行政区画の一つを表す、郡県の県の意味を表すようになった。篆文は、系＋県。県は、首の字の倒形。常用漢字の県は、篆文の縣の省略体。

逆 知県
【県尉】官名。県の警察・軍事をつかさどる官。県丞の属官。

【県△衙】県の役所。県庁。

【県隔】かけはなれている。遠くかけ離れる。懸隔。

【県官】①天子。②県の長官。③県の役人。用例〔唐、杜甫、兵車行〕県官急索ㇾ租、租税従ㇾ何出。↓県の役人はあわただしく租税をとりたてるが、租税などどこから出せばよいのだろう。

【県象(ケンショウ)】空に高く現れているもの。月・日・星などをいう。▼象は、すがた・現象。

【県水(ケンスイ)】たき(滝)。瀑布(バクフ)。懸水。

【県△旌(ケンセイ)】①旗を高く掲げる。▼旌は、旗。②高く掲げた旗。風にゆれるので、心の安らかでないさまにたとえる。

【県△旌万里(ケンセイバンリ)】遠い地方へ軍隊を出動させること。県二旌万里一(セイをバンリにかく)。万里も離れた地へ遠征すること。

【県治(ケンチ)】①県の行政。②県の役所の所在地。県の首都。日本の県庁の所在地に当たる。

【県長(ケンチョウ)】①非常に長い。②県の長官。

【県廷・県庭(ケンテイ)】県の行政をつかさどる役所。県庁。

【県△圃(ケンポ)】崑崙(コンロン)山(伝説上の山)のいただきで、神仙が住むという所。玄圃。懸圃。

【県△疣(ケンユウ)】こぶ・いぼなど。むだなもののたとえ。

【県令(ケンレイ)】①中国の県の長官。②国㋐明治十九年以前の県知事の称。㋑県知事の出す行政命令。

4【睆】9画 7964 漢ゲン 呉ガン(グワン) 阮 yuǎn ― ― 4655

字義 ❶見る。❷形が劣る。

解字 形声。目＋元音。

4【盹】9画 7965 シュン 震 dǔn ― ― 4656

字義 いねむり。

解字 形声。目＋屯音。

4【盾】9画 7966 常 ジュン たて 2966 8F82 ―

一漢シュン・呉ジュン 軫 dǔn(shǔn)

二漢トン・呉ドン 阮 dùn

筆順 一 厂 F 斤 斤 盾 盾 盾 盾

字義 一たて。矢・刀・やりなどを防ぐ武具。「矛盾」二趙盾(チョウトン)は、人名。春秋時代の晋(シン)の家老。

名前 たて

解字 篆文 盾 象形。それで身を守り、目をおおうたての象形で、たての意味を表す。盾を音符に含む形声文字に、循・楯(ジュン)・遁(トン)などがある。

盾一

逆 矛盾

4【省】9画 7967 教4 セイ・ショウ かえり-みる・はぶ-く 3042 8FC8 ―

漢セイ 呉ショウ(シャウ) 梗 xǐng, ⑤〜⑪shěng

筆順 丨 ⺌ 小 少 省 省 省 省 省

字義 ❶かえり-みる(かへりみる)。㋐自分の心をふりかえる。反省する。用例(論語、学而)吾日三二省吾身一(われひにみたびわがみをかえ(へ)りみる)。▽私は一日に三度(または、三つのことがらについて)わが身を反省する。

㋑たずねる。安否を問う。おとずれる。用例(礼記、曲礼上)昏定而晨省(くれにさだめてあしたにかえ(へ)りみる)。▽晩には父母の寝床の世話をし、早朝にはご機嫌をうかがう。

㋒思い起こす。思い返す。用例(唐、白居易、画竹歌)西叢七茎勁而健(セイソウのシチケイはつよくしてすこやかなり)、省向二天竺寺前石上一見(テンジクジゼンのセキジョウにおいてみるをかえ(へ)りみれば)。▽西の草むらに描かれている七本の竹は強くしっかりとしていて、思い起こせば天竺寺の前の石のあたりで見たもののようだ。

❷みる。注意して見る。よく調べる。視察する。用例(易経、観)先王以省レ方(センオウもってホウをみ)、観レ民設レ教(たみをみておし(を)しえ(へ)をもう(ま)うく)。▽古代の聖王は四方を巡察し、民衆の暮らしを観察して政教を立てた。

❸あき-らか。つまび-らか。用例(列子、楊朱)実偽之弁(ジツギのベン)、如レ此其省也(かくのごとくそれあきらかなり)。▽本物と偽物との違いは、このようにはっきりしている。

❹理解する。さとる。

❺かつ-て。以前。用例(唐、劉禹錫、九日登高詩)年年上二高処一(ネンネンコウショにのぼり)、未三省不二傷レ心(いまだかつてこころをいたましめずんばあらず)。▽毎年重陽の節句に高所に登っているが、これまで悲しまなかったことはない。

❻はぶ-く。㋐取り去る。用例(国語、周語下)天道導レ可而省レ否(テンドウはカをみちびきてヒをはぶく)。▽天道は善を教え悪をとりのぞく。㋑減らす。短くする。用例(後漢書、百官志)幷レ官省レ職(カンをあわ(は)せショクをはぶく)。▽官位をまとめて職務を減らす。

❼わざわい。災害。

❽あやまち。過失。用例(史記、秦始皇本紀)飾レ省宣レ義(セイをかざりギをのぶ)。▽あやまちをつくろい、義理にかなっているかのように述べる。

❾天子の宮殿。宮中。禁中。用例(後漢書、清河王慶伝)入レ省宿止(ショウにいりてシュクシす)。▽禁中に泊まりこんだ。

❿役所。官庁。「中書省」⓫行政区画の名。「山東省」

名前 あきら・かみ・しょう・せい・はぶく・み・みる・よし

参考 日本では一般に、かえりみるの意の場合はセイ、それ以外の意の場合はショウと読むことが多い。

使いわけ かえりみる〔顧・省〕⇨顧(13512)。

解字 甲骨文 金文 篆文 古文 形声。篆文は、目＋生音。音符の生は、清に通じ、すみきっているの意味。よくみる・視察する役所の意味を表す。はぶくの意味は、目＋少というような文字が別にあったにもかかわらず、本来、眚と書くべき字形を、古文のように省と書き誤って生じた混乱から出てきた。

逆 冠省・帰省・三省・自省・反省・猛省

【省会(會)(ショウカイ)】省の主都。省の中心官庁の所在地。省治。省城。

【省改(セイカイ)】かえりみて改める。

【省画(畫)(セイカク・ショウカク)】字の画を省く。また、その文字。

【省禁(ショウキン)】宮中。禁中。

【省悟(セイゴ)】反省して自分の不十分な点や悪い点をよくさとり知ること。

【省察(セイサツ)】①注意してよく観察する。②反省してよく考える。

【省視(セイシ)】①よく調べてみる。②人を見舞う。

【省試(ショウシ)】唐・宋(ソウ)の時、地方の試験に合格した人を尚書省に集めて行った官吏登用試験。明(ミン)・清(シン)では、会試という。

【省審(セイシン)】くわしく調べる。十分に調べる。

【省親(セイシン)】故郷をはなれている人が、帰郷して父母を見舞う。

【省中(ショウチュウ)】宮中。

【省筆(セイヒツ・ショウヒツ)】①語句を省略すること。②＝省画。

【省風(セイフウ)】風俗をかえりみる。風俗について考える。

【省文(セイブン)】①＝省画。②字句を省いた文章。

【省墓(セイボ)】墓まいり。墓参。

【省問(セイモン)】帰省して親の安否を尋ね問う。

【省約(セイヤク・ショウヤク)】はぶきちぢめる。簡略にする。

【省略(セイリャク・ショウリャク)】(簡単にするために一部を)はぶく。

4【相】9画 7968 教3 ソウ・ショウ あい 熟字訓 相撲(すもう) 3374 918A ―

一漢ショウ(シャウ)・呉ソウ(サウ) 漾 xiàng

二漢ショウ(シャウ)・呉ソウ(サウ) 陽 xiāng

【眛】7970 同字

筆順 一 十 才 木 朩 相 相 相 相

字義 一❶み-る。㋐くわしく見る。用例(左伝、隠公十一)相レ時而動(ときをみてうごく)。▽時勢を見定めて行動する。㋑うらなう。人相などをみてうらなう。❷かたち。ありさま。様子。「人相」「骨相」❸たす-

ける。補佐する。用例〔論語、八佾〕相維辟公、天子穆穆。↓助けるのは諸侯、天子はうるわしく穏やかにひかえている。❹補佐役。かいぞえ役。また、接待役。❺治める。❻大臣。君主を補佐して政治を行う執政官。「宰相」❼主人を補佐して家務を行う人。家宰。■助あい。⇩助字・句法解説。国あい。㋐なかま。ぐる。㋑動詞に冠して語調を強める接頭語。「相変わらず」

助字・句法解説
あい。動詞などの前に置かれ、以下のような意味を表す。
㋐訳たがいに。動作・行為が双方向であることを表す。用例〔老子、八十〕隣国相望、鶏犬之声相聞。↓隣国とたがいに望めるほど近く、鶏や犬の鳴き声が聞こえ合う。
㋑動作・行為が相手に及ぶことを表す。訳出されないことも多い。用例〔唐、王維、竹里館詩〕深林人不知、明月来相照。↓奥深い竹林の情趣は世の人々の知るところではなく、ただ明月だけが訪れて来て私を照らしてくれる。

名前 あい・あう・さ・しょう・すけ・たすく・とも・はる・まさ・み・みる 難読 相可・相生・相知・相模・相良・相楽・相老

参考 日本では一般に、たすける、大臣の意の場合にはショウと読む。「首相」

解字 甲骨文  篆文  会意。木+目。木のすがたを見るの意味から、一般に、事物のすがたを見るの意味を表す。相を音符に含む形声文字に、孀・想・霜などがある。

逆 悪相・亜相・吉相・形相・賢相・宰相・死相・実相・首相・将相・真相・世相・皮相・貧相・変相・名相・滅相・面相・良相

【相違】たがいに異なっていること。ちがい。◆「相異」と書く例もあるが極めて少ない。新聞用語も「相違」に統一。

【相印】宰相（大臣）の印（はんこ）。

【相応(應)】①たがいに答える。②反応する。③国つりあう。ふさわしい。

【相器】宰相となるべき器量・才能。また、その人。

【相君】宰相。大臣。

【相月】陰暦七月の別名。

【相公】①宰相。大臣。②貴公子・紳士の敬称。


【相好】■あい好む。たがいに愛しあうこと。今、俗に友だちをいう。■国かおかたち。姿態。様子。

【相克・相剋】五行の運行の一つ。相勝。↓五行相勝（五八ページ上）。

【相国(國)】①宰相。もと丞相の上に位したが、後、丞相をも称し、ついに宰相の通称となった。②国太政大臣の中国風の呼び名。

【相殺】■たがいに殺しあう。■国差し引き。たがいに差し引きして損得なしにすること。

【相思】①思う。思慕する。②たがいに思い合う。愛し合う。「相思相愛」▼相は、それを対象としての意。

【相似】■たがいににる。用例〔唐、劉廷芝、代悲白頭翁詩〕年年歳歳花相似、歳歳年年人不同。↓来る年も来る年も、花は同じように咲くが、それを見る人は、毎年毎年違った人なのだ。■二つの多角形の対応する角が等しく、辺が比例するものをいう。

【相事】宰相の事務。大臣のやるべき事がら。

【相識】しりあい。知人。用例〔唐、劉廷芝、代悲白頭翁詩〕一朝臥病無相識、三春行楽在誰辺。↓いったん病気になると友人も離れ、春の行楽を謳歌したのは誰のことだったのか。

【相室】宰相。大臣。また、諸侯の家老。

【相者】■会合などの礼式で主人を助ける人。かいぞえ役。■人相・家相などを見て吉凶をうらなう人。

【相人】①人相をみる人。人相見。②土や木で作った人形。偶人。

【相生】■五行の運行の一つ。↓五行相生（五八ページ上）。■国①一緒に生まれでること。双生。②一本の根もとから二つの幹となって分かれでた木。

【相続(續)】財産や家名などを受けつぐ。

【相対(對)】①むかいあう。②国二つのものが、相互に関係すること。または、対立するもののあること。↕絶対（一一三ページ下）。

【相知】知り合い。友人。

【相伝(傳)】何代も受け継いでくること。

【相当(當)】①あいあたる。両者が向かいあい、相対している。②つりあう。力などがたがいにつりあって優劣がない。③国㋐あてはまる。㋑すぐれている。㋒かなり。

【相伴】国①客の相手をすること。また、その人。②正客の相手となって共にもてなしを受けること。また、その人。

【相府】宰相の役所。また、その官舎。


【相聞】■互いに安否を尋ねる。■耳にすることができる。距離の近いたとえ。■国「相聞歌」の略。『万葉集』の部立ての一つ。恋愛・贈答の歌が多い。

【相貌】顔かたち。姿。様子。

【相門】宰相の家。宰相となる家がら。

【相輪】仏寺塔の上の九輪をいう。↓九輪（四八ページ上）。

4 【眨】 9画 7969 漢ソウ（サフ） 呉ショウ（セフ） 洽 zhǎ ― ― 4670
字義 またたく。まばたく。
解字 会意。目+乏。

4 【眛】 9画 7970 ソウ 2 8190 ― ―
相（7968）と同字。↓一〇〇五ページ下。

4 【眈】 9画 7971 タン 覃 dān 6630 E1BC ―
字義 ❶にらむ。見つめる。❷眈眈は、にらんでねらっているさま。「虎視眈眈」
解字 篆文  形声。目+冘音。音符の冘は、しずむ・熱中するの意味。熱中して見る、見つめるの意味を表す。

4 【盼】 9画 7972 漢ハン 呉ヘン 諫 pàn 1 8877 ― 4657
字義 ❶目の黒白がはっきりしていて美しいこと。❷流し目に見る。美しい目を動かす。❸見る。かえりみる（顧）。
解字 篆文  形声。目+分音。音符の分は、わかれるの意味。目の白黒がはっきり分かれていて美しいの意味を表す。

4 【眉】 9画 7973 常 ビ・ミ まゆ 漢ビ・呉ミ 支 méi 4093 94FB ―
筆順 
［睂］8021 本字
字義 ❶まゆ。まゆ毛（白眉）。❷ふち。へり。❸老人。長生きしてまゆ毛の長い老人。
名前 まゆ 難読 眉目
解字 甲骨文  金文  篆文  象形。甲骨文でわかるように、目の上の毛の象形で、まゆの意味を表す。篆文は、のちに省略して眉となる。眉を音符に含む形声文字に、媚・楣・湄などがある。
【眉宇】①まゆと額のあたり。まゆの顔における位置が家の宇に当たる場所にあるからいう。②顔かたち。みめ。
【眉間】両まゆの間。まゆのあたり。また、額。

【眉月】(ビゲツ・まゆづき) 三日月。初月。新月。

【眉寿(壽)】(ビジュ) 長生き。長寿。長寿の人は、まゆに長い毛があることからいう。

【眉雪】(ビセツ) まゆ毛が雪のように白いこと。転じて、老人。用例〔藤井竹外、芳野詩〕眉雪老僧時輟レ帚(ビセツのロウソウときにはくことをやめ)、落花深処説二南朝一(ラッカふかきところナンチョウをとく)。↓まゆの白い老僧がほうきを動かす手を止め、散った花が深く積もった所で、南朝の昔を語ってくれた。

【眉黛】(ビタイ) まゆずみ。また、まゆずみでかいたまゆ。

【眉目】(ビモク) ①まゆと目。②顔かたち。顔つき。みめ。「眉目秀麗」③国ほまれ。面目。

【伸レ眉・舒レ眉・信レ眉】(まゆをのぶ) しかめたまゆを伸ばすこと。転じて、心配の去ること。

【揚レ眉】(まゆをあぐ) まゆをあげる。揚眉(ヨウビ)。㋐目をみはる。㋑意気のさかんな顔つき。〔唐、李白、与二韓荊州一書〕

【斂レ眉】(まゆをお(を)さむ) まゆをひそめる。まゆをしかめる。斂眉(レンビ)。㋐悲しそうな顔つき。用例〔北宋、曽鞏、虞美人草詩〕芳心寂寞寄二寒枝一(ホウシンセキバク、カンシによる)、旧曲聞来似レ斂レ眉(キュウキョクきききたりてまゆをお(を)さむるににたり)。↓虞(グ)美人の美しい心は花となってひっそりとか細い茎に咲いている。それは愛する項羽の垓下(ガイカ)の歌を聞いて眉をひそめて悲しんだ姿そっくりである。㋑不快そうな顔つき。

4【眇】9画 7974 ㊀㊥ビョウ(ベウ) ㊐ミョウ(メウ) 篠 miǎo ㊁㊥ビョウ(ベウ) ㊐ミョウ(メウ) 嘯 miào 6631 EIBD —

字義 ㊀❶細く小さい目。また、片方の目の小さいこと。❷片方の目が見えないこと。❸目を細くして見る。❹小さい。細かい。❺遠い。はるか。❻いやしい(卑)。㊁美しい。かわいい。＝妙(2339)。

解字 篆文 会意。目＋少。少は、小さいの意味。細くて小さい目、目に小さく映るの意味を表す。眇を音符に含む形声文字に、妙・秒・渺(ビョウ)などがある。

【眇軀】(ビョウク) 小さいからだ。たけの低い身体。

【眇小】(ビョウショウ) 小さい。たけが低い。短小。

【眇然】(ビョウゼン) ①遠くはるかなさま。②小さいさま。

【眇眇】(ビョウビョウ) ①小さいさま。②遠いさま。③風の音の形容。④目の美しいさま。

【眇目】(ビョウモク) ＝字義㊀❷。

4【眄】9画 7975 ㊀㊥ベン・㊐メン 霰 miàn ㊁㊥ベン・㊐メン 銑 miǎn 6632 EIBE —

字義 ㊀❶かえりみる。あわれむ。❷流し目で見る。横目で見る。用例〔東晋、陶潜、帰去来辞〕引二壺觴一以自酌(コショウをひきてもってみずからくみ)、眄二庭柯一以怡レ顔(テイカをかえ(へ)りみてもってかお(ほ)をよろこばしむ)。↓酒つぼとさかずきとを引き寄せて自分で酒をくみ、庭の木の枝に目をやりながら顔をほころばせる。

解字 篆文 形声。目＋丏㊥。音符の丏(ベン)は、おおうの意味。目がおおわれて見えない・仮面をあてたまま見るようにして、横目で見るの意味を表す。

【眄視】(ベンシ) ながし目に見る。横目で見る。

4【昉】9画 7976 ホウ(ハウ) 養 fǎng — — 4659

字義 ❶ほのか。ほのかに見える。❷ならう。まねをする。

解字 形声。目＋方㊥。

4【冒】9画 (4728) ボウ 日・曰部。→六六四ジペー上。

4【旄】9画 7977 ㊥ボウ ㊐モウ 号 mào 18878 — 4660

字義 ❶くら-い(暗)。目がぼうっとしてはっきりしない。用例〔孟子、離婁上〕胸中不レ正(キョウチュウただしからざれば)、則眸子旄焉(すなわ(は)ちボウシくらし)。↓心が正しくなければ、ひとみが暗い。❷くら-む。目がくらむ。また、暗くなる。❸おろか(愚)。❹年老いて心身が衰える。また、その人。

解字 篆文 形声。目＋毛㊥。音符の毛は、かすかの意味。目がかすみ暗いの意味を表す。

【旄眩】(ボウゲン) 目がくらむ。

4【明】9画 7978 ㊥メイ ㊐ミョウ(ミャウ) 庚 míng

［明］7979 俗字

字義 ❶見る。明らかに見る。❷明らか。＝明(4696)。

4【明】9画 7979 メイ 明(7978)の俗字。→一〇〇七ジペー中。 — — 4658

解字 形声。目＋明省㊥。音符の明は、明らかの意味。

5【眗】10画 7980 ㊀ク 虞 jū ㊁㊥コウ・㊐ク 尤 qū 28191 — 4665

字義 ㊀❶きょろきょろ見る。❷笑う。㊁落ちくぼんだ目。

解字 形声。目＋句㊥。

5【眩】10画 7981 標 ㊥ケン ㊐ゲン 霰 先 xuàn 6633 EIBF —

字義 ❶くら-む。くるめ-く。㋐ま-う。目がくらむ。目まいがする。㋑まどう。心がまどう。❷くらます。㋐目をくらませる。㋑まよわせる。❸暗い。はっきりしない。❹めまい。❺まぶしい。まばゆい。

難読 眩暈(めまい)

解字 篆文 形声。目＋玄㊥。音符の玄は、おくふかい・かすかの意味。視力がかすか、くらむの意味を表す。

【眩暈】(ゲンウン) ①目がくらむ。②めまい。

【眩人】(ゲンジン) 人の目をくらまして奇術を行う人。手品師(てじなし)。魔法使い。幻人。

【眩瞑】(ゲンメイ) ＝眩暈(ゲンウン)。

【眩曜・眩燿・眩耀】(ゲンヨウ) ①まばゆいほどに光り輝く。②心がまよい乱れる。

【眩惑】(ゲンワク) ①目がくらんでまどう。②人の目をくらましてまどわせる。ごまかす。③何かに気を取られ大切なことを見失う。

5【眎】10画 7982 シ 視(11032)の古字。→一三五三ジペー上。 — — 4661

5【昵】10画 7983 ジツ 昵(4712)の俗字。→六五九ジペー下。 6634 EIC0 —

5【真】10画 7984 教3 シン ま 3131 905E —

熟字訓 真面目(まじめ)・真っ赤(まっか)・真っ青(まっさお)・

5［眞］10画 7985 人 シン 眞 zhēn 6635 EIC1 —

筆順 一 十 亡 冇 冇 直 直 真 真

字義 ❶まこと。㋐いつわりでないこと。㋑かりものでないもの。ほんもの。㋒正しい。正しいもの。❷まことに。本当に。❸自然のまま。「天真爛漫(ランマン)」❹生まれつき。天性。❺もと。本質。❻みち。自然の道。自然の妙理。❼道家で、奥義をきわめた人。また、その著書などに冠して用いる語。❽書法の一体。楷書(カイショ)。❾すがた。物の姿。「写真」国ま。㋐まこと。本当。真実。「真に受ける」㋑接頭語。㋐正しい。まじめ。「真人間」「真顔」㋑まことの。うそいつわりのない。「真心」㋒完全な。まじりもののない。「真白(まっしろ)」「真直(まっすぐ)」「真水」㋓正確・中央などの意。「真正面(ましょうめん)」・「真夜中(まよなか)」㋔美しい、立派など、ほめたたえる意を表す。「真鉄(まがね)」「真清水(ましみず)」「真弓」㋕ある種の生物などの標準的なものの意を表す。「真鯉(まごい)」

名前 あつ・さだ・さな・さね・ざね・しん・ただ・ただし・ちか・なお・ま・まき・まこ・まこと・まさ・ます・また・まな・み・みち・もと

難読 真鶴(まなづる)・真葛(さねかずら)・真魚(まな)・真魚鰹(まながつお)・真幸(まさき)・真岡(もおか)・真砂(まさご)・真山(まやま・みやま)・真似(まね)・真室川(まむろがわ)・真秀(まほ)・真申(まさる)・真倉(まぐら)・真田(さなだ)・真備(まきび)・真布(まっぷ)・真風(まじ・まぜ)・真木柱(まけばしら)・真面(まとも)

解字 金文 篆文 会意。金文は、匕＋鼎。匕は、さじの象形。鼎は、かなえの象形。かなえにさじで物をつめるさまから、つめるの意味を表す。なか身がいっぱいにつまっていてほんもの、まことの意味を表す。篆文で眞に変形し、常用漢字はその略体の真による。眞(真)を音符に含む形声文字に、嗔・填・巓・慎(愼)・槙・瑱・瞋・稹・縝・蹎・鎮(鎭)・闐・顚・鬒などがある。

逆 写真・純真・天真

【真意】(シンイ) ①まことの心。本当の心。②自然と一体となった時に得られる真精神。用例(東晋、陶潜、飲酒詩)此中有真意、欲弁已忘言(このうちシンイあり、べんぜんとほっしてすでにゲンをわする)。↓此の境涯の中に(自然と人事との一体になった)真実の精神が感じられる。その境地を語ろうと思っても、もはや言葉にはならない。

【真影】(シンエイ) ①まことの姿。②国写真。

【真価(價)】(シンカ) 国ほんとうのねうち。

【真贋】(シンガン) ほんものとにせもの。

【真偽(僞)】(シンギ) ほんとうとうそ。真仮。真贋(シンガン)。

【真空】(シンクウ) ①仏相(現象)をはなれた真如から見れば、一切の現象は空であること。②空気もない(物質の全くない)空間。

【真君】(シンクン) ①(にせものでない)ほんとうの君主。君主としての価値・資格のある君主。②道教で、仙人の尊称。③天。宇宙の主宰者。造物者。

【真剣(劍)】(シンケン) ①本物のかたな。②国まじめで熱心なこと。本気。

【真元】(シンゲン) 人間の元気の根本。精気。

【真箇・真個】(シンコ) まことの。まことに。▼箇・個は、強意の助字。

【真紅】(シンコウ・シンク) 濃いくれない。まっか。

【真言】(シンゴン) ①仏梵語(ボンゴ) mantra(音訳は曼怛羅(マンダラ))の訳語。仏・菩薩(ボサツ)の本願を示した秘密語。②呪文(ジュモン)。③「真言宗」の略。中国の密教を空海が日本に伝え、独立した一宗派としたもの。加持の力によって即身成仏(ソクシンジョウブツ)させることを宗旨とする。

【真宰】(シンサイ) 老荘学派で天地の主宰者・造物者をいう。

【真摯】(シンシ) 心がまっすぐでまじめなこと。▼摯は、至る・きわまる。

【真字】(シンジ) 一(シンジ) 楷書(カイショ)。真書。二(まな) 国＝真名(まな)。

【真珠】(シンジュ) ①あこや貝などの中から出る美しい玉。②ほんとうの玉。③牡丹(ボタン)の一種。

【真書】(シンショ) 楷書(カイショ)をいう。

【真情】(シンジョウ) ①まことの心。まごころ。②実際のありさま。実情。

【真人】 一(シンジン) ①老荘学派で、道の奥義をさとり得た人をいう。至人。②男性の仙人。↔元君(一三七ページ下)。二(シンニン) 仏真理をさとった人。仏・羅漢などをいう。三(まひと・まうと・もうと・まっと) 国奈良時代に、皇族に賜った姓(かばね)の一つ。

【真髄(髓)】(シンズイ) 国物事の中心となる大事な所。その物事の奥義。「神髄」の俗用。

【真性】 一(シンセイ) ①自然に有する性質。天性。本性。用例(荘子、馬蹄)此馬之真性也(これうまのシンセイなり)。↓これが馬の本来の性質である。②国純真の性質。二(シンセイ・シンショウ) 国にせでないこと。ほんものであること。「真性コレラ」

【真跡・真△蹟・真△迹】(シンセキ) その人の書いた文字または絵画。にせものでない筆跡。真筆。

【真詮・真△筌】(シンセン) ①まことのさとり。ほんとうの理解。②真理を書き表した文句。

【真宗】 一(シンソウ) ①本当の教え。②北宋(ホクソウ)の第三代の天子、趙恒(チョウコウ)の諡(おくりな)。二(シンシュウ) 仏日本の仏教宗派の一つ。正しくは、浄土真宗という。鎌倉時代の僧親鸞(シンラン)を開祖とし、阿弥陀仏(アミダブツ)の他力本願信仰によって成仏することを宗旨とする。

【真相】(シンソウ) 物事の本当のすがた。

【真率】(シンソツ) ①率直でかざりけのないこと。正直でさっぱりしていること。②ひたむきなこと。

【真諦】(シンタイ) 仏まことの道。真実でいつわりのない道。↔俗諦(二二ページ中)。

【真読(讀)】(シンドク) 仏経典の文句を略さないで読むこと。↔転読(一三九一ページ中)。

【真如】(シンニョ) 仏「真実如常(本当に実在して常に変わらない)」の略語。宇宙万有の本体で、永久不変の真理。変化してやまない現実の仮相に対していう。如実(ニョジツ)。

【真帆】(まほ) 国追風を受けて帆走する船の十分に張り広げられた帆。↔片帆(かたほ)(九一九ページ上)。

【真筆】(シンピツ) ＝真跡(シンセキ)。↔偽筆(一三一ページ上)。

【真名】(まな) 国仮名(かな)に対して、漢字をいう。真字。

【真面目】 一(シンメンモク) ありのままの姿。本然(ホンネン)のままでかざりのないさま。真相。実相。二(まじめ) 国①実直なこと。②うそいつわりのないこと。

【真理】(シンリ) ①本当の道理。②国哲学用語。㋐認識・判断の内容や命題が、あるがままの事物と一致すること。存在と思考の一致。㋑ある命題が、論理の形式・法則に矛盾しないこと。

【真竜(龍)】(シンリュウ・シンリョウ) ①本当の竜。すぐれた竜。②すぐれた馬。駿馬(シュンメ)。③英雄。英傑。

5 【眒】 10画 7986 シン 真 shēn ― ― 4662
字義 ❶目を見張る。❷驚く。❸速い。
解字 形声。目＋申音。

5 【眕】 10画 7987 シン 軫 zhěn ― ― 4664
字義 ❶しのぶ。㋐一点を見つめて恨みを耐え忍ぶ。㋑自重する。❷告げる。
解字 形声。目＋㐱音。

5 【眘】 10画 7988 シン 慎(3834)の古字。→五三三ページ下。

5 【眚】 10画 7989 漢セイ 呉ショウ(シャウ) 梗 shěng 2 8192 ― 4667
字義 ❶わざわい(災)。災難。❷あやまち。過失。❸かすむ。目がかすむ。また、その病気。❹やむ。病気になる。また、病気。あやしい病気。❺はぶく(省)。そぐ。減らす。
解字 篆文 形声。目＋生音。音符の生は、星に通じ、ほしの意味。眼球にほしが生じる病気の意味を表す。

5 【眙】 10画 7990 チ 寘 chì 1 8879 ― 4666
字義 みつめる(みつむ)。また、驚き見るさま。
解字 篆文 形声。目＋台音。音符の台ィは、止に通じ、とどめるの意味。視線をじっと一点にとどめて見る、直視するの意味を表す。

5 【眜】 10画 7991 一 漢バツ・呉マチ 曷 mò 二 漢ベツ・呉メチ 屑 miè ― ― 4668
字義 一目がはっきり見えない。二春秋時代の地名。
解字 形声。目＋末音。音符の末は、物の端の意味。

5 【眛】 10画 7992 漢バイ 呉マイ 隊 mèi 6638 E1C4 ―
字義 くらい(くらし)(暗)。目がはっきり見えない。
解字 篆文 形声。目＋未音。音符の未は、味(イマ)に通じ、くらいの意味。目がくらいの意味を表す。

5 【眽】 10画 7993 ミャク 脈(8009)と同字。→一〇一〇ページ上。

5 【眠】 10画 7994 常 ミン ねむる・ねむい 4418 96B0 ―
メン 先 mián
慣ミン

筆順 丨 冂 目 目 目 目 目 眇 眠 眠

字義 ねむ-る。ねる。また、ねむ-り。「睡眠」 国 ❶ねむ-る。死ぬ。「永眠」 ❷ねむ-い(ねむし)。

解字 形声。目＋民㊀。瞑(メイ)の俗字。瞑の音が変化するにつれ、民の音符にかわった。

逆 永眠・高眠・催眠・愁眠・春眠・惰眠

5 【眢】 10画 7995 ㊀ 漢エン(ヱン) 呉オン(ヲン) 元 yuān ㊁ ワン 寒 ― ― 4669

字義 ㊀❶目の見えないこと。❷水が涸(か)れた井戸。

6 【眼】 11画 7996 教5 ガン・ゲン まなこ 熟字訓 眼鏡(めがね) 漢ガン・呉ゲン 潸 yǎn 2067 8AE1 ―

字義 形声。目＋皃㊀。

筆順 冂 月 目 目 目ヲ 目ヨ 眼 眼 眼

【䁆】 8012 本字

字義 ❶め。まなこ。㋐めだま。眼球。㋑めつき。❷あな(穴)。「銃眼」 ❸かなめ。要点。要所。「主眼」 ❹みる。また、見ること。「眼力」

名前 まなこ・め 難読 眼下(さっか)・眼間(まなかい)・眼差(まなざし)

参考 現代表記では〔嵌〕(2951)の書きかえに用いることがある。「象嵌→象眼」

解字 篆文 形声。目＋艮(皀)㊀。音符の皀(コン＝ガン)は、人の目を強調した形にかたどり、めの意味。のち、めの意味を明らかにするため、さらに目を付した。

逆 開眼・活眼・具眼・字眼・銃眼・主眼・心眼・酔眼・正眼・青眼・象眼・着眼・肉眼・白眼・半眼

【眼花】(ガンカ) 目がかすむこと。目がちらちらすること。用例〔唐、杜甫、飲中八仙歌〕知章騎レ馬似レ乗レ船(チショウのうまにのる、はふねにのるににたり) 眼花落レ井水底眠(ガンカい(ゐ)におちて、スイテイにねむる) ↓賀知章が酔って馬に乗るさまは(ゆらゆら揺れて)船に乗っているようだ。目がかすんで井戸に落ちても、そのまま水の底で眠っている。

【眼△窩】(ガンカ) 眼球のはいっているあな。

【眼界】(ガンカイ) ①目に見える範囲。②考えのおよぶ限り。

【眼△瞼】(ガンケン) まぶた。

【眼孔】(ガンコウ) ①目のあな。また、目。②物事を見分ける力。見識。

【眼光】(ガンコウ) ①目の光。②物事の真相を見分ける力。

【眼光徹二紙背一】(ガンコウシハイにテッす) ＝眼透二紙背一(ガンシハイにとお(ほ)る)。

【眼識】(ガンシキ) 物事の真偽正否などを見分ける力。

【眼△睛】(ガンセイ) めだま。ひとみ。眸子(ボウシ)。〔伝灯録〕

【眼中人】(ガンチュウのひと) 常に目の中にちらついていて、心にかかっている人。親愛する人。なつかしい人。

【眼中無レ人】(ガンチュウひとなし) 人を人とも思わないこと。人に対しておごりたかぶること。傍若無人。

【眼到】(ガントウ) 三到(三〇ページ上)の一つ。読書に際しては、まず目を集中することが大切であることをいう。

【眼透二紙背一】(ガンシハイにとお(ほ)る) 目(の光)が紙の裏まで通る。読書してその意味を奥底まで理解すること。〔塩谷宕陰、送二安井仲平東遊一序〕

【眼福】(ガンプク) 貴重なものや、珍しいものなどを見ることのできた幸せ。

【眼目】(ガンモク) ①め。目つき。②物事のたいせつな所。要点。

【眼力】(ガンリキ・ガンリョク) ①見る力。視力。②物事を見ぬく力。主眼。観察力。洞察力。

6 【眭】 11画 7997 ㊀ キ 支 huī ㊁ スイ 支 suī ㊂ 漢ケイ・呉ケ 齊 xié 28193 ― 4671

字義 ㊀❶落ちくぼんだ目。❷眭盱(キク)は、すこやかなさま。㊁姓。㊂眭然は、じっと見すえるさま。

解字 形声。目＋圭㊀。

6 【眶】 11画 7998 漢キョウ(キャウ) 呉コウ(クヮウ) 陽 kuàng 18881 ― 4676

字義 ❶まぶち。目のふち。❷高眶は、落ちくぼんだ目。

解字 形声。目＋匡㊀。音符の匡(キョウ)は、筐(キョウ)に通じ、はこの意味。目のふち、まぶちの意味を表す。

6 【眷】 11画 7999 ケン 霰 juàn 6639 E1C5 ―

【睠】 8025 同字

字義 ❶かえり-みる(かへりみる)。㋐ふりかえって見る。㋑目をかける。いつくしむ。❷おもう(思)。心が引かれる。こいしたう。❸めぐみ。なさけ。❹身うち。親族。

解字 篆文 形声。目＋𠔉(龹)㊀。音符の龹(ケン)は、まくの意味。視線をまきかえす、かえりみるの意味を表す。

【眷△焉】(ケンエン) かえりみる。

【眷遇】(ケングウ) ①特別に目をかける。②手厚くもてなす。

【眷眷】(ケンケン) 心にとめて回顧する様子。心にとめて思い慕う様子。

【眷顧】(ケンコ) ①ふりかえって見る。②目をかける。ひいきにする。また、なさけ。ひいき。

【眷想】(ケンソウ) かえりみ思う。

【眷属(屬)】(ケンゾク) ①うから。やから。一族。親族。②国恩顧を受けている人。配下の者。手下。

【眷△眄】(ケンベン) 目をかける。

【眷命】(ケンメイ) 目をかけていつくしむ。天子が人民をいたわる。

【眷恋(戀)】(ケンレン) 思いしたう。恋いこがれる。

6 【眴】 11画 8000 ㊀ ケン 霰 xuàn ㊁ シュン 震 shùn 18880 ― 4674

字義 ㊀❶またた-く。まばた-く。❷目がくらむ。＝眩(7981)。㊁❶＝㊀❶。❷めくばせする。❸驚く。

解字 形声。目＋旬㊀。

6 【眥】 11画 8001 ㊀ 漢セイ・呉ザイ 霽 zì ㊁ 漢シ・呉ジ 寘 zì ㊂ 漢サイ・呉ジャ 卦 6636 E1C2 ―

【眦】 8002 同字

字義 ㊀まなじり。目じり。㊁みる。＝視(11032)。㊂にらむ。目をいからす。「睚眥(ガイサイ)」

解字 篆文 形声。目＋此㊀。音符の此(シ)は、わずかにひらくの意味。目のわずかにひらきはじめた部分、まなじりの意味を表す。

6 【眦】 11画 8002 シ 眥(8001)と同字。→一〇〇九ページ下。 6637 E1C3 ―

6 【眵】 11画 8003 シ 支 chī 28194 ― 4675

字義 ❶目やに。目くそ。❷目じりを痛める。

解字 形声。目＋多㊀。

6 【眺】 11画 8004 常 チョウ ながめる チョウ(テウ) 嘯 tiào 3615 92AD ―

筆順 冂 月 目 目 則 眇 眇 眺 眺 眺

字義 ❶なが-める(ながむ)。遠くを望み見る。❷なが-め。見晴らし。

解字 篆文 形声。目＋兆㊀。音符の兆は、左右に分けるの意味。左右に障害となる物を分けて、視線を遠くに向けるの意味を表す。

【眺△矚】(チョウショク) 遠くながめる。また、ながめ。

【眺望】(チョウボウ) ①ながめる。見渡す。②ながめ。見晴らし。見渡した景色。

【眺臨】(チョウリン) 見おろす。高い所からながめること。

6 【眹】 11画 8005 漢チン 呉ジン(ヂン) 軫 zhěn ― ― 4677

字義 ❶瞳(ひとみ)。❷きざし。

解字 形声。目＋关(弅)㊀。

6【睊】11画 8006 漢トウ 呉ドウ 東 董 送 tōng ―― ― 4672

字義 ❶目のふち。❷見回す。❸にらみ回す。

解字 形声。目＋同音。

6【眯】11画 8007 一 漢ベイ・呉マイ 薺 mǐ 二 漢ビ・呉ミ 寘 mì 三 漢ビ・呉ミ 支 mí ―― ― 4673

字義 一 くら-む。目にごみなどが入って見えない。また、くらます。二 うなされる。夢におそわれてうなされる。三 斜視。

解字 篆文 形声。目＋米音。音符の米は、迷に通じ、まようの意味。目にごみが入って視力が乱されるの意味を表す。

6【眸】11画 8008 人 漢ボウ 呉ム 尤 móu 6640 EIC6 ―

筆順 眸

字義 ❶ひとみ。眼球の黒い部分。❷目。「明眸」

名前 ひとみ

解字 篆文 形声。目＋牟音。音符の牟ボウは、目に通じ、めの意味。目を付し、めの意味を表す。

【眸子】ボウシ ひとみ。用例〔孟子、離婁上〕存二乎人一者、莫レ良二於眸子一(ひとをみるには ボウシよりよきはなし)。↓人を観察するのに、瞳よりよいものはない。

6【眽】11画 8009 漢バク 呉ミャク 陌 mò ―― ― 4678

【脈】7993 同字

字義 ❶横目で見る。ながし目に見る。❷見る。見合う。また、見るさま。↓眽眽。

解字 篆文 形声。目＋𠂢音。音符の𠂢ハ＝バクは、わかれて流れるの意味。ながし目に見るの意味を表す。

【眽眽】バクバク・ミャクミャク 見合うさま。たがいに見つめあうさま。用例〔文選、古詩十九首、其十〕盈盈一水間(エイエイたるイッスイのカン)、眽眽不レ得レ語(ミャクミャクとしてかたるをえず)。↓水の満ちあふれた川を隔てて、言葉ひとつかわせずに、じっと目と目を見合わすばかりである。

7【睆】12画 8010 漢カン(クヮン) 呉ゲン 潸 huǎn 1 8882 EE5A 4682

字義 ❶大きな目。❷目の出ているさま。❸明らかなさま。❹美しいさま。

解字 形声。目＋完音。

7【睅】12画 8011 漢カン(クヮン) 呉ゲン 潸 hàn ―― ― 4681

字義 大きな目。まるまるとした目。また、目の飛びでている様子。

解字 形声。目＋旱音。

7【睍】12画 8012 ガン 眼(7996)の本字。→一〇〇九ページ上。

7【睎】12画 8013 漢キ 呉ケ 微 xī 1 8884 ― 4685

字義 のぞ-む。望み見る。

解字 形声。目＋希音。

7【睨】12画 8014 ゲイ 睨(8024)の俗字。→一〇一一ページ上。 2 8201 ― ―

7【睊】12画 8015 ケン 霰 先 juàn ―― ― 4683

字義 見るさま。睊睊は、目をそばめて見るさま。

解字 形声。目＋肙音。

7【睍】12画 8016 漢ケン 呉ゲン 銑 xiàn 1 8883 ― 4684

字義 ❶目の出ているさま。❷小さい目のさま。また、ちょっと見るさま。❸睍睆ケンカンは、声のうつくしいさま。うるわしいさま。用例〔詩経、邶風、凱風〕睍睆黄鳥(ケンカンたるコウチョウ)、載好二其音一(すなわ(は)ちそのねをよくす)。↓うつくしい声で鳴くうぐいす。ほんとうによい声でないている。

解字 形声。目＋見音。

7【睏】12画 8017 コン kùn ―― ― 4686

字義 現代中国語で、眠い。眠る。いねむりする。

解字 形声。目＋困音。

7【睫】12画 8018 一 ショウ(セフ) 葉 jiē 二 漢コウ(カフ) 呉キョウ(ケフ) 洽 jiā 2 8202 ― ―

字義 一 まつげ。＝睫(8029)。二 ❶斜視(眇ビョウ)。❷片方の目がつぶれて見えないこと。❸目をつぶる。

解字 篆文 形声。目＋夾音。音符の夾キョウは、はさむの意味。目を上下からはさむようなさまになっている、まつげの意味を表す。

7【着】12画 8019 教3 チャク・ジャク き-る・き-せる・つ-く・つ-ける 3569 9285 ―

一 漢チャク 呉ジャク(ヂャク) 薬 zhuó, ③④zhāo, ⑤zhāo

二 チョ 御 zhù

筆順 着

字義 一 ❶つ-く。つ-ける。㋐くっつく。「付着」「密着」 ㋑住みつく。「土着」 ㋒はく。はき物をはく。㋓かぶる。冠をかぶる。㋔ほどこす。そえる。㋕仕事にかかる。❷き-る。衣服などを身につける。また、き-せる。❸接触する。❹火がつく。❺おる。いる。また、置く。❻策略。手段。二 →著(10051)の一。国❶つ-く。とどく。「到着」❷チャク。㋐着物を数える語。㋑到着の順序を数える語。

参考 もと、〔著〕(10051)の俗字。字義二の音チョの場合に、日本では、著の字を用いる。両字には元来、字義上の区別はなかったが、現代中国語でも、日本とほぼ同様の使いわけをしている。字義と熟語は〔著〕をも見よ。

使いわけ つく・つける〔付・着・就〕⇩付(201)。

解字 著の草書体から生まれた文字。→著(10051)。

逆 愛着・横着・帰着・執着・祝着・沈着・土着・粘着・漂着・癒着

【着意】チャクイ ①考えつく。おもいつく。着想。②心をとめる。気をつける。注意する。

【着眼】チャクガン めをつける。注意する。着目。

【着御】チャクギョ 国陛下または殿下の到着に用いる敬語。おつき。御到着。

【着実(實)】チャクジツ ①おちついてまじめなこと。②実に。はなはだ。たしかに。③仕事ぶりが確実であること。

【着手】チャクシュ 手をつける。仕事にとりかかる。

【着想】チャクソウ おもいつく。おもいつき。くふう。着意。

【着到】チャクトウ ①到着。②国㋐昔、官庁に備えておいて、出勤する役人の姓名を記入した帳簿。出勤簿。㋑昔、出陣のとき、諸方から集まった軍勢の名を書きとどめたもの。

【着服】チャクフク ①着物をきる。また、着物。②国他人の金品や公金をごまかして、ひそかに自分のものとすること。

【着△鞭】チャクベン ①むちをあてる。②人に先だって事をする。先鞭をつける。

【着目】チャクモク ①気をつけて見る。着眼。②将来性や物事の重大性に目をつけること。

【着落】チャクラク ①おちつき。おさまり。落着。②命令。申しつけ。

【着力】チャクリョク 力をだす。力を用いる。

7【睇】12画 8020 漢テイ 呉ダイ 霽 dì 6641 EIC7 ―

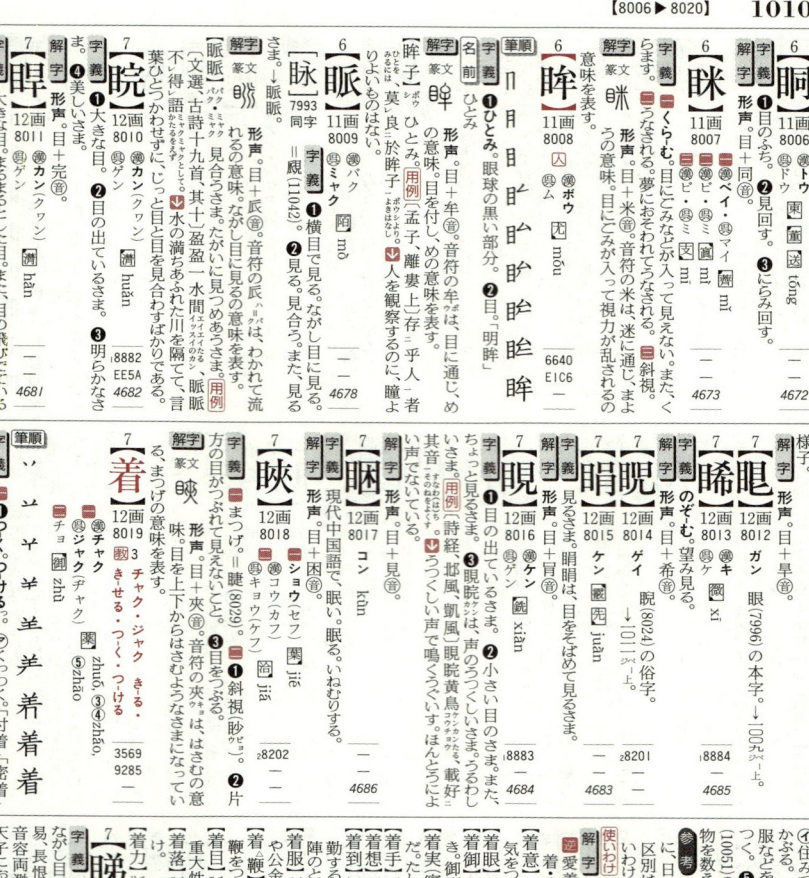

字義 ❶ながし目で見る。横目で見る。ぬすみ見する。また、ながし目。横目。「睇視」❷見る。❸ひとみ。用例〔唐、白居易、長恨歌〕含レ情凝レ睇謝二君王一(ジョウをふくみひとみをこらしてクンオウにシャす)、一別音容両渺茫(イチベツオンヨウふたつながらビョウボウ)。↓思いをこめ、ひとみを凝らして天子にお礼を申しあげ言った、「お別れして以来、お声もお姿

もともにはるかに遠い世界のものとなりました」。

解字 形声。目＋弟音。

【睇眄】テイベン ①流し目(横目)で見る。②ながめる。

7 【睂】12画 8021 ビ 眉(1973)の本字。→一〇〇六ページ・下。 — — 4680

8 【睚】13画 8022 漢ガイ 呉ゲ 佳 yá 6642 EIC8 —

字義 ❶まなじり。また、まぶち。目のふち。❷にらむ。怒った目つきで見る。また、にくみ見る。

解字 篆文 形声。目＋厓音。音符の厓ガイは、涯に通じ、水ぎわの意味。目のきわ、まなじりの意味を表し、転じて、にらむの意味をも表す。

【睚眥・睚眦】ガイサイ・ガイシ ①目を怒らして見る。にらむ。②わずか。

【睚眥之怨】ガイサイのうらみ ちょっとにらまれたほどのうらみ。わずかなうらみ。〔史記、范睢伝〕

8 【睢】13画 8023 ㊀キ 支 huī ㊁スイ 支 suī 18887 — 4694

【濉】6736 同字

字義 ㊀❶みあげる。あおぎ見る。❷にらむ。目を見はって見る。❸そしる。けなす。❹ほしいまま。気ままにふるまうさま。㊁川の名。→睢水。

参考 〔雎〕(13185)は別字。

解字 形声。目＋隹音。

【睢水】スイスイ 川の名。汴水ベンの分流。河南省に発し泗水シスイに注いだ。今はほとんどうずまってしまった。

【睢陽】スイヨウ ①地名。河南省商丘県の南。②唐の張巡をいう。安禄山アンロクザンの乱に、睢陽城に拠って賊軍と勇敢に戦ったことからいう。

8 【睨】13画 8024 標 ゲイ 霽 nì 6643 EIC9 —

【睨】8014 俗字

字義 ❶みる。㋐にらむ。用例〔史記、廉頗藺相如伝〕相如持二其璧一睨レ柱、欲三以撃二柱。↓相如はその璧を持って、柱をにらみ、いまにもそれにぶちつけようとした。㋑流し目で見る。横目で見る。㋒ふりかえり見る。㋓うかがい見る。のぞき見る。❷かたむく。日が斜めになる。

解字 篆文 形声。目＋兒音。音符の兒ジ=ゲイは、こどもの意味。こどもの見るようにして下から見るの意味を表す。

8 【睠】13画 8025 ケン 眷(7999)と同字。→一〇〇九ページ・中。 ₂8206 — 4693

8 【瞼】13画 8026 ケン 瞼(8089)の俗字。→一〇一四ページ・下。 ₂8203 — —

8 【睧】13画 8027 コン 元 hūn — — 4702

字義 ❶目が暗い。❷利欲などに目がくらむ。

解字 形声。目＋昏音。音符の昏は、暗いの意味。

8 【睬】13画 8028 サイ 賄 cǎi — — 4704

字義 ❶注目する。❷招く。礼遇する。

解字 形声。目＋采音。

8 【睫】13画 8029 標 ショウ(セフ) 葉 jié 6644 EICA —

字義 ❶まつげ。まぶたの毛。❷まばたく。

解字 形声。目＋疌音。

8 【睡】13画 8030 常 スイ 漢スイ 呉ズイ 寘 shuì 3171 9087 —

筆順

字義 ❶ねむる。㋐いねむりする。すわったままねむる。「仮睡」㋑床につく。ねる。いぬ。❷ねむり。眠ること。用例〔唐、白居易、香炉峰下新卜山居、草堂初成偶題東壁詩〕日高睡足猶慵レ起、小閣重レ衾不レ怕レ寒 ↓日は高くあがり、眠りは足りているが、なお起きるのはものうい。ささやかな高殿に布団を重ねて眠っているので、寒さの心配はない。

解字 篆文 形声。目＋垂(𡍮)音。音符の垂は、たれるの意味。まぶたがさがってきて眠るの意味を表す。

逆 仮睡・午睡・熟睡

【睡鴨】スイオウ 銅製の、ねむった鴨かも型の香炉。くちばしから香が出るようにしたもの。

【睡臥】スイガ ねむる。

【睡郷(鄉)】スイキョウ 夢の国。ねむっている間に魂の行く所。

【睡語】スイゴ ねごと。

【睡魔】スイマ ねむけ。ねむけを催させる魔物という意。

【睡味】スイミ ねむるここち。ねごこち。

【睡余(餘)】スイヨ ねむりからさめたあと。寝ざめ。

【睡蓮】スイレン スイレン科の水草。ひつじぐさ。葉は円形で水面にうかび、夏から秋にかけて長い柄を持った花が咲く。

8 【睟】13画 8031 スイ 寘 suì 18886 — 4692

字義 ❶正視するさま。❷あきらか。目がはっきりしているさま。❸つやのあるさま。つややか。「睟然」❹まじりけがないこと。純粋。

解字 形声。目＋卒音。

8 【睜】13画 8032 漢セイ 呉ジョウ(ジャウ) 梗 zhēng 18885 — 4690

字義 みはる。目を見開く。

解字 形声。目＋爭音。音符の爭ソウ=セイは、上下から引き合う意味。目を大きくみはる意味を表す。

8 【睛】13画 8033 漢セイ 呉ショウ(シャウ) 庚 jīng 6645 EICB —

字義 ひとみ。眼球。黒目。用例〔歴代名画記〕点レ睛即飛去 ↓ひとみを描き入れると、どこかに飛んでいってしまうのです。

解字 形声。目＋青音。音符の青は、あおく澄むの意味。よく澄んだひとみの意味を表す。

8 【睗】13画 8034 漢セキ 呉シャク 陌 shì — — 4689

字義 ❶急いで見る。❷睒睗センセキは、雷光。❸たまう。与える。

解字 形声。目＋易音。

8 【睒】13画 8035 セン 琰 shǎn — — 4687

字義 うかがう。ぬすみ見る。

解字 篆文 形声。目＋炎音。音符の炎エン=センは、古くは淡に通じ、あわいの意味。ちょっと見る・うかがうの意味を表す。

8 【晫】13画 8036 タク 覚 zhuó ₂8204 — —

字義 明るい。目がよく見える。

解字 形声。日＋卓音。

8 【鼎】13画 (14509) テイ 鼎部。→一六五〇ページ・中。

8 【督】13画 8037 常 トク トク 沃 dū 3836 93C2 —

筆順

字義 ❶みる。よく見る。調べる。❷ただす。㋐取りしまる。「監督」㋑いましめる。㋒責める。とがめる。❸うながす。すすめる。「督促」❹かしら。おさ。多くの人を統率する人。長官。大将。「総督」「提督」❺ひきいる。統率する。❻長子。家をつぐ人。「家督」

名前 おさむ・かみ・こう・すけ・すすむ・ただ・ただす・とく・まさ・よし

解字 篆文 形声。目＋叔㊀。音符の叔は、いたむの意味。目がいたむの意味を表す。また、叔は中に通じ、中正な目でとりしまるの意味をも表す。また、とりしまるべき位置にあるかしら、長子の意味をも表す。

逆 縁督・家督・基督・総督・提督

【督過】(トッカ) あやまちを責める。過失をとがめる。用例〔史記、項羽本紀〕聞ニ大王有レ意督ニ過之一(ダイオウこれをトッカするにイありときき)、脱レ身独去(みをダッして、ひとりされり)。↓大王様には沛公(ハイコウ)をおとがめになるご意志がおありと聞き、(沛公は)ここを抜け出てただひとりで立ち去りました。

【督学(學)】(トクガク) 学事を監督する。また、その人。

【督軍】(トクグン) ①軍隊の統率や監督をする官。②中華民国の初めに、一省の軍政をつかさどった官。

【督△亢】(トッコウ) 地名。戦国時代、燕(エン)の、地味の肥えていた地方。今の河北省涿州(タクシュウ)市・固安県・高碑店(コウヒテン)市のあたり。

【督責】(トクセキ) 忠実に職務を果たすように監督する。

【督戦(戰)】(トクセン) ①戦いを監督する。②現場に行って、味方の軍隊が奮戦するようにはげますこと。

【督促】(トクソク) 物事の実行や約束の履行をうながすこと。

【督郵】(トクユウ) 郡の長官の補佐役で、所属の県を巡察して、官吏の成績を調査した官。

【督励(勵)】(トクレイ) とりしまり、はげます。監督激励。

8 【睰】 13画 8038 ㊅バツ ㊄マチ 㸃 mà ― ― 4705

字義 みる(視)。

解字 形声。目＋蔑省㊀。

8 【瞄】 13画 8039 ビョウ(ベウ) miáo ― ― 4712

字義 現代中国語で、見つめる。ねらう。

解字 形声。目＋苗㊀。

8 【睥】 13画 8040 ㊅ヘイ ㊄ハイ 㸃 bì 6646 EICC ―

字義 みる。横目でにらみ見る。うかがい見る。

［睤］ 8041 同字

解字 形声。目＋卑㊀。

【睥△睨】(ヘイゲイ) ①流し目で見る。横目で見る。②にらむ。③城壁の上のひめがき(たけの低い垣)。

8 【睤】 13画 8041 ヘイ 睥(8040)と同字。→1012ページ上。 ― ― 4701

8 【睦】 13画 8042 常 ボク ㊅ボク・㊄モク 㸃 mù 4351 9672 ―

筆順 冂 月 目 目一 目十 目土 目圭 睦

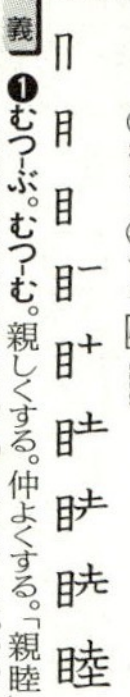

字義 ❶むつ-ぶ。むつ-む。親しくする。仲よくする。「親睦」❷むつ-まじい(むつまじ)。親しい。仲がよい。❸うやうやしい。つつしむ。❹あつい。手厚い。

名前 あつし・ちか・ちかし・とき・とも・のぶ・まこと・む・むつ・むつみ・よし・りく

解字 篆文 形声。目＋坴㊀。音符の坴(ボク)は、穆(ボク)に通じ、やわらぐの意味。目がおだやかの意味から転じて、むつまじいの意味を表す。

【睦月】(むつき) 国陰暦正月の別名。

【睦親】(ボクシン) ①むつみ親しむ。親睦。②親しい身うち。仲のいい親族。

8 【睞】 13画 8043 ライ 㸃 lài ― ― 4691

字義 ❶斜視。❷みる(視)。見回す。また、わき見をする。

解字 形声。目＋來㊀。

8 【睖】 13画 8044 リョウ 㸃 lèng ― ― 4688

字義 ❶睖瞪(リョウトウ)は、見つめる。また、そのさま。❷にらみつける。

解字 形声。目＋夌㊀。

9 【睿】 14画 8045 エイ 叡(1296)の古字。→234ページ下。 6647 EICD ―

9 【睽】 14画 8046 ケイ 㸃 kuí 2 8211 ― 4710

字義 ❶そむ-く。たがう。㋐相反する。反対になる。㋑はなれる。❷目を見張るさま。❸易(エキ)の六十四卦(カ)の一つ。☲☱兌下離上(ダカリジョウ)。物事がうまく行かない象(かたち)。

解字 金文 篆文 形声。目＋癸㊀。音符の癸(キ)は、そむくの意味。左右の目がそむきあって同じ物を見ないの意味を表す。金文は、左右の目＋癸㊀。

【睽△乖】(ケイカイ) にらみあう。そむく。睽違。

【睽間】(ケイカン) 離れ隔てる。遠く隔たる。隔たって会わない。

【睽携】(ケイケイ) そむきはなれる。▼携も、そむく。

【睽離】(ケイリ) たがいにそむきはなれる。睽別。

9 【睺】 14画 8047 ㊅ケイ ㊄ケ 㸃 huì ― ― 4707

字義 ❶やせた人が見るさま。❷体が丈夫でも心に徳がないこと。❸目がかすむ。❹畦(ケイ)(7997)の誤字。

解字 形声。目＋奎㊀。

9 【睺】 14画 8048 コウ 㸃 hóu 1 8888 ― 4709

字義 ❶片方の目。❷くぼんだ目。

解字 形声。目＋侯㊀。

9 【睴】 14画 8049 コン 㸃 gùn ― ― 4708

字義 ❶大きく出た目。❷目が飛び出る。❸見つめるさま。

解字 形声。目＋軍㊀。

9 【睲】 14画 8050 一 ㊅セイ ㊄ショウ(シャウ) 㸃 xǐng 二 ㊅セイ ㊄ショウ(シャウ) 㸃 xīng 2 8209 ― 4706

字義 一 ❶みる。❷睲睲は、照らし見る。二 瞳(ひとみ)が輝く。

解字 形声。目＋星㊀。

9 【睼】 14画 8051 ㊅テイ ㊄ダイ 㸃 tí 2 8210 ― ―

字義 ❶近視。❷ながめる。❸座ったままで見る。

解字 形声。目＋是㊀。

9 【睹】 14画 8052 ㊅ト ㊄ツ 㸃 dǔ 6649 EICF ―

［覩］ 11049 古字

字義 み-る。㋐見わける。㋑よく見る。

解字 篆文 古文 形声。目＋者㊀。音符の者は、あつめるの意味。視線をある一点に集めて見るの意味を表す。

9 【瞎】 14画 8053 トウ(タフ) 㸃 dā 2 8212 ― ―

字義 下がり目のさま。

解字 形声。目＋荅㊀。

9 【瞀】 14画 8054 ㊅ボウ ㊄モ 㸃 mào 1 8889 ― 4711

字義 ❶くら-い(くらし)(暗)。㋐目がはっきりしない。㋑心が暗い。㋒まどう。心がくらむ。❷みだれる(乱)。心が乱れる。❸つつしみ深く、ふし目で見るさま。まともに見ぬさま。

解字 篆文 形声。目＋敄㊀。音符の敄(ボ)は、冃(ボウ)に通じ、おおうの意味。目がおおわれていて、まともに見ないの意味から、くらいの意味を表す。

9 【瞒】14画 8055 マン 瞞(8071)の俗字。→一〇一三ページ下。 ₂8208 — — —

10 【瞎】15画 8056 漢カツ 呉ケチ 黠 xiā 6650 EID0 — —

字義 ❶目がみえないこと。❷片方の目がみえないこと。独眼。

解字 形声。目＋害㊅。音符の害は、わざわいの意味。目のわざわい、盲目の意味を表す。

10 【瞌】15画 8057 コウ(カフ) 合 kē — — 4713

字義 ❶うとうとするさま。❷いねむり。

解字 形声。目＋盍㊅。

10 【瞋】15画 8058 シン 眞 chēn 6651 EID1 —

字義 ❶いかーる(怒)。❷いかーらす。怒って目をむく。目を見張る。用例〔史記、項羽本紀〕瞋レ目視ニ項王一(めをいからして。コウオウをみる)

↓目をむいて項羽をにらみつけた。

解字 篆文 形声。目＋眞㊅。音符の眞ｼは、つめこむの意味。怒りがいっぱいになったときの目、いかって目をむくの意味を表す。

【瞋恚】(シンイ) いかる。はげしく怒る。また、怒り。瞋怒。

【瞋目】(シンモク) 目を見張る。目をいからす。

10 【瞍】15画 8059 ソウ 有 sǒu — — 4714

字義 目が見えない。盲目。

解字 篆文 形声。目＋叟(叜)㊅。音符の叜ｿｳは、手さぐりするの意味。手さぐりしなければならない、盲目の意味を表す。

10 【瞢】15画 8060 ボウ 瞢(8070)の俗字。→一〇一三ページ下。 ₂8216 — —

10 【瞑】15画 8061 標 一 漢メイ 呉ミョウ(ミャウ) 青 míng 二 漢ベン・呉メン 先 mián 三 漢ベン・呉メン 霰 miàn 6652 EID2 —

字義 一 ❶つぶーる。つむーる。目をとじる。❷くらーい(くらし)(暗)。目がはっきり見えない。❸盲目。二 ❶ねむる。ねる(寝)。＝眠(7994)。❷＝二❷。三 →瞑眩(メンゲン)。

解字 篆文 形声。目＋冥㊅。音符の冥ｲﾒは、おおいをするの意味。目をとじるの意味を表す。

【瞑眩】(メンゲン) 目がくらむ。目まいがする。また、目まい。用例〔孟子、滕文公上〕若薬不ニ瞑眩一、厥疾不レ瘳(もしくすりメンゲンせずんば、そのやまい(ひ)いえず)。↓目もくらむような強い作用を起こす薬でなければ、その病気は治らない(強い薬だけが治すことができる)。

【瞑想】(メイソウ) 国目をつぶって静かに考えること。

【瞑瞑】(メイメイ) はっきりと見えないさま。

【瞑目】(メイモク) ①目をつぶる。②死ぬ。安らかに死ぬ。

10 【瞗】15画 8062 ヨウ(エウ) 蕭 篠 yǎo ₂8213 — —

字義 ❶美しい目。❷見るさま。❸ながめる。

解字 形声。目＋䍃㊅。

10 【瞱】15画 8063 ヨウ 瞱(8072)の俗字。→一〇一三ページ下。 — — 4725

11 【瞖】16画 8064 エイ 霽 yì — — 4717

字義 目がかすむ。眼球に白い膜ができる病気。白内障。

解字 形声。目＋殹㊅。

11 【瞔】16画 8065 漢サク 呉シャク 陌 zé ₁8890 — 4715

字義 目を見張る。

解字 形声。目＋責㊅。

11 【瞚】16画 8066 シュン 震 shùn ₂8214 — 4718

字義 ❶まばたーく。まばたきする。＝瞬(8091)。❷ちらっと見合わす。

解字 形声。目＋寅(寅)㊅。

11 【瞕】16画 8067 ショウ(シャウ) 漾 zhàng — — 4716

字義 目にかげが生じてよく見えない。

解字 形声。目＋章㊅。

11 【瞠】16画 8068 漢トウ(タウ) 呉チョウ(チャウ) 慣ドウ(ダウ) 庚 chēng 6653 EID3 —

【瞪】8081 同字

字義 みはーる。目を見張る。見つめる。

解字 形声。目＋堂㊅。音符の堂は、広くいかめしいの意味。目をいっぱいにひろげてみるの意味を表す。

【瞠若】(ドウジャク) 目を見張って驚きあきれるさま。瞠乎(ドウコ)。瞠然。▼若は、助字。

【瞠目】(ドウモク) ①驚いて目を見張る。②あきれて見つめる。

11 【瞟】16画 8069 ヒョウ(ヘウ) 篠 piǎo ₂8215 — 4719

字義 みる。㋐うかがう。㋑横目で見る。流し目で見る。

解字 形声。目＋票(㶾)㊅。

11 【瞢】16画 8070 一 漢ボウ・呉ム 東 mēng 二 漢ボウ(バウ) 呉ミョウ(ミャウ) 庚 māng — — 4720

【矒】8101 同字 【瞢】8060 俗字

字義 一 ❶くらーい(くらし)(暗)。明らかでない。はっきりしない。❷もだえる(悶ﾓﾝ)。気がはれない。❸はじる(恥)。二 目が見えない。＝盲(7958)。

解字 篆文 会意。苜＋旬。苜は、目が正しくないの意味。旬は、まばたきの意味。目がかすんで明らかでないの意味を表す。転じて、心がすっきりしない状態、はじる・もだえるの意味をも表す。瞢(瞢)を音符に含む形声文字に、儚ﾎﾞｳ・夢(夢)・懜ﾎﾞｳ・甍ﾎﾞｳ・薨ｺｳ(薨)などがある。

11 【瞞】16画 8071 標 マン 寒 mán 6654 EID4 —

【瞒】8055 俗字

字義 ❶くらい。目がよく見えない。❷だまーす。あざむく。くらます。「欺瞞」

解字 篆文 形声。目＋㒼㊅。音符の㒼ﾏﾝは、丏ﾒﾝに通じ、おおうの意味。まぶたでおおわれた目の意味を表す。

【瞞著・瞞着】(マンチャク) だます。▼著・着は、助字。

11 【瞱】16画 8072 ヨウ(エフ) 葉 yè

【瞱】8063 俗字

字義 ❶目の動くさま。❷にらむ。にらみつける。

解字 形声。目＋曄省㊅。

12 【瞰】17画 8073 標 カン 勘 kàn 6655 EID5 —

字義 ❶みおろーす。上から見る。「俯瞰(フカン)」❷ながめる。遠くを見る。

解字 形声。目＋敢㊅。音符の敢は、監に通じ、上からのぞきみるの意味。目を付し、見おろすの意味を表す。

【瞰視】(カンシ) 見おろして視察する。

【瞰臨】(カンリン) 高い所から見おろすこと。瞰下。

12 【瞯】17画 8074 一 漢カン・呉ケン 諫 jiàn 二 漢カン・呉ゲン 刪 xiān

【瞷】8075 俗字

字義 一 うかがーう(うかがふ)。うかがい見る。のぞき見る。二 ❶うわ目づかい。❷驚風。小児のひきつけ。

解字 篆文 形声。目＋閒㊅。音符の閒は、すきまの意味。すきまからのぞき見るの意味を表す。

12 【瞷】17画 8075 カン 瞯(8074)の俗字。→一〇一三ページ下。 — — 4724

12 【瞶】17画 8076 ㊀キ 宋 guì ㊁漢イ(ヰ)・呉ユイ 寘 wèi　6656 EID6 —

字義 ㊀目をこらして見る。㊁目の病気。眼病。

解字 形声。目＋貴㊥。

12 【瞬】17画 (8092) シュン　瞬(8091)の旧字体。→一〇一四ページ下。

12 【瞤】17画 8077 漢ジュン 呉ニン 眞 rún　2 8217 — —

字義 ❶またたく。❷肉がひきつる。

解字 形声。目＋閏㊥。

12 【瞧】17画 8078 漢ショウ(セウ) 呉ジョウ(ゼウ) 蕭 qiáo　— — 4721

字義 ❶ぬすみ見るさま。❷現代中国語で、㋐見る。㋑診察する。㋒訪問する。

解字 形声。目＋焦㊥。

12 【瞩】17画 8079 ショク　矚(8106)の俗字。→一〇一五ページ下。　2 8218 — —

12 【瞮】17画 8080 漢テツ 呉テチ 屑 chè　— — 4723

字義 明らか。

解字 形声。目＋徹省㊥。

12 【瞪】17画 8081 トウ　瞠(8068)と同字。→一〇一三ページ中。　1 8891 — 4722

12 【瞳】17画 8082 常 ドウ ひとみ 漢トウ・呉ドウ 東 tóng　3823 93B5 —

筆順 目 旷 旷 旷 暗 暗 暲 暲 瞳

字義 ❶ひとみ。瞳孔。❷何もわからず無心にみつめる様子。

名前 あきら・ひとみ

参考 「曈」(4873)は別字。

解字 形声。目＋童㊥。音符の童は、わらべの意味。目の中のわらべ、ひとみの意味を表す。

【瞳子】ドウシ ひとみ。瞳孔。〔史記、項羽本紀賛〕

【瞳人】ドウジン ひとみ。他人から見ると、そのひとみの中に自分の姿が見えるからいう。

【瞳睛】ドウセイ ひとみ。▼睛も、ひとみ。

【瞳矇】ドウモウ 道理にくらい。また、その人。

12 【瞥】17画 8083 人 標 漢ヘツ 呉ヘチ 屑 piē 慣ベツ　4245 95CB —

筆順 丶 小 尙 尙 尙 敝 敝 瞥 瞥

字義 ❶みる。ちらりと見る。「一瞥」❷ちらつく。❸かすむ。目がかすむ。ぼんやりとしてよく見えない。

〔瞥〕8084 俗字

解字 篆文 形声。目＋敝㊥。音符の敝ヘイは、やぶれるの意味。左右の目の視線が集中しないで、均衡がやぶれたままで見る、ちらっと見るの意味を表す。

【瞥見】ベッケン ①ちらりと見る。②ちらりと見える。

【瞥然】ベツゼン ちらりとひらめくさま。ちらりと心にうかぶさま。

12 【瞥】17画 8084 ベツ　瞥(8083)の俗字。→一〇一四ページ上。

12 【瞭】17画 8085 常 リョウ リョウ(レウ) 篠 liǎo ②liào　4638 97C4 —

筆順 目 盯 盯 旷 睁 睁 瞭 瞭 瞭

字義 ❶あきらか。㋐ひとみが明るくはっきりしていること。用例〔孟子、離婁上〕胸中正キョウチュウただしければ、則眸子瞭焉すなわちボウシあきらかなり。↓心が正しければ、ひとみが明るい。㋑物事の明らかなこと。「明瞭」❷はるか(遥ヨウ)。＝杳(4698)。

名前 あき・あきら

解字 形声。目＋尞㊥。音符の尞リョウは、かがり火があかるいの意味。目があかるい、あきらかの意味を表す。

【瞭然】リョウゼン 明らかなさま。はっきりしているさま。「一目瞭然」

12 【瞵】17画 8086 リン 眞 lín　〔瞵〕8096 俗字

字義 ❶ひとみ。❷にらむ。目を怒らす。❸瞵盼リンは、空の明るくなるさま。

解字 形声。目＋粦㊥。音符の粦リンは、おに火の意味。ひとみの光の意味を表す。

13 【瞹】18画 8087 アイ　曖(4878)の俗字。→六〇二ページ上。　6657 EID7 —

解字 篆文 形声。目＋愛㊥。

13 【瞿】18画 8088 ク 遇 jù　6658 EID8 —

字義 ❶みる。㋐にらみ見る。㋑驚き見る。㋒疑い見る。見まわす。❷おどろく(驚)。また、驚くさま。また、恐れるさま。

解字 篆文 会意。䀠＋隹。䀠は、両眼の象形。隹は、はやぶさの意味。はやぶさがにらむの意味から、おどろきおそれた目つきで見るの意味を表す。

【瞿瞿】クク ①驚きあわてるさま。②目を見張るさま。③守る所のないさま。心が常に動揺して変わるさま。④身をつつましくして道を守るさま。

【瞿然】クゼン ①驚くさま。②恐れるさま。③うれえ悲しむさま。④喜ぶさま。⑤せわしいさま。

【瞿唐峡(峽)】クトウキョウ 峡谷の名。長江中流にある三峡の一つ。重慶市奉節県の東。両岸がそびえ、水流が激しく、舟行の難所とされる。

【瞿曇】クドン 仏 梵語ボン Gautama(釈迦シャカの姓)の音訳。釈迦をいう。転じて、仏教をいう。

【瞿麦(麥)】クバク・なでしこ ①せきちく(石竹)。からなでしこ。②秋の七草の一つ。撫子なでしこ。

13 【瞼】18画 8089 標 ケン 琰 jiǎn　〔瞼〕8026 俗字　6659 EID9 —

字義 まぶた。目を上下からおおう皮。眼瞼。

解字 篆文 形声。目＋僉㊥。音符の僉センは、多くの人が口をそろえてつじつまを合わせるの意味。上下のまぶたがぴったりあうところから、まぶたの意味を表す。

13 【瞽】18画 8090 呉ク 漢コ 麌 gǔ　6660 EIDA —

字義 ❶目が見えない。❷心が暗く分別がない。❸古代、音楽を奏する役人。楽官。楽工。多く盲人が任ぜられたことによる。

解字 篆文 形声。目＋鼓㊥。音符の鼓は、つづみの意味。古代の音楽を演奏する役人は多く盲人があたったところから、転じて、盲目の意味を表す。

【瞽言】コゲン でたらめな、また、つまらぬことば。瞽説。

【瞽師】コシ 盲目の音楽師。

【瞽女】㊀コジョ 目の見えない女性。㊁ごぜ 国 三味線シャミセンなどをひき、歌を歌い、金品をもらい受けた、盲目の女性芸能者。

【瞽瞍・瞽叟】コソウ 舜帝シュンテイの父の名。物の道理の分からない人であったからとも、実際に目が見えなかったからともいう。▼瞍も、目が見えないこと。

13 【瞬】18画 8091 常 シュン またたく　2954 8F75 —

12 〔瞬〕17画 8092 シュン 震 shùn

筆順 目 盯 盯 盯 瞬 瞬 瞬 瞬 瞬

字義 ❶またたく。まばたく。しばたたく。まじろぐ。❷またたき。まばたき。まじろぎ。❸きわめて短い時間。瞬間。「一瞬」
名前 しゅん
解字 形声。目＋舜(舜)音。音符の舜は、すばやい足ぶみの意味。
逆 一瞬
【瞬間】シュンカン 一度まばたきをする間。きわめて短い時間。しばし。しばらく。瞬刻。瞬時。
【瞬息】シュンソク ①一度まばたきや呼吸をするほどのわずかな時間。瞬間。②小さな数の名。一〇のマイナス一六乗。⇩
コラム 数を表すことば(六二八ページ)。

13【瞾】18画 8093 ショウ 照(7068)と同字。→九二三ページ中。 ― ― 4727
参考 則天武后(一八四ページ上)の作った文字の一つ。

13【瞻】18画 8094 セン 塩 zhān 6661 EIDB ―
字義 み-る。㋐見あげる。あおぎ見る。㋑見おろす。上から見る。㋒ながめる。望み見る。遠くを見やる。用例〔東晋、陶潜、帰去来辞〕乃瞻二衡宇一(すなわ(は)ち、コウウをみて)、載欣載奔(すなわ(は)ちよろこび、すなわ(は)ちはしる)。⇩ようやくにしてわが家の門や屋根を遠く望み見て、喜びながら走り出した。
解字 篆文 形声。目＋詹音。音符の詹は、ひさしの意味。ひさしのように目の上に手をかざして見るの意味を表す。
【瞻依】センイ 仰ぎ尊び、頼りにする。
【瞻仰・瞻△卬】センギョウ ①あおぎ見る。②あおぎしたう。
【瞻視】センシ 見る。また、その目つき。
【瞻慕】センボ あおぎしたう。たっとびしたう。
【瞻望】センボウ ①望み見る。はるかに遠くをながめる。用例〔詩経、魏風、陟岵〕陟二彼岵一兮(かのコにのぼりて)、瞻二望父一兮(ちちをセンボウす)。⇩あの岩山に登って、父のいる方を望み見る。②あおぎしたう。

13【矇】18画 8095 漢ボウ 呉モウ 東 méng 6662 EIDC ―
字義 ❶目がみえない。❷くらい(暗)。㋐目が明らかでない。㋑道理を分別する能力がない。
解字 篆文 形声。目＋蒙音。音符の蒙は、おおうの意味。目がおおわれている、盲目の意味を表す。
【矇△瞽】モウコ ①盲目。▼瞽も、盲目。②音楽師の古称。
【矇△瞍】モウソウ ①盲目。②古代、楽官・楽師をいう。
【矇昧】モウマイ ①暗い。はっきり見えない。②盲目。③道理に暗い。「無知矇昧」
【矇矇】モウモウ 暗いさま。明らかでないさま。
【矇△朧】モウロウ ①目がぼんやりする。意識がかすむ。②暗いさま。

13【瞵】18画 8096 リン 瞵(8086)の俗字。→一〇一四ページ中。 ― ― 4726

14【矃】19画 8097 漢ネイ 呉ニョウ(ニャウ) 迥 nǐng ― ― 4728
字義 みる(視)。
解字 形声。目＋寧音。

14【矉】19画 8098 漢ヒン 呉ビン 真 pín ― ― 4729
字義 ❶しか-める(しかむ)。顔をしかめる。＝顰(13519)。❷にらむ。うらんで見はる。
解字 篆文 形声。目＋賓音。音符の賓は、頻に通じ、顔をしかめるの意味。顔をしかめてうらみ見るの意味を表す。

15【矍】20画 8099 漢キャク 呉カク(クワク) 薬 jué 6663 EIDD ―
字義 ❶驚き見るさま。きょろきょろ落ちつかないさま。また、おどろく。❷はやるさま。元気のよいさま。
解字 篆文 形声。又＋瞿音。音符の瞿は、おどろきおそれて見るの意味。手に持った鳥が驚き恐れて見まわすさまを表す。
【矍△鑠】カクシャク ①壮健なさま。勇ましいさま。主に、老人についていう語。〔後漢書、馬援伝〕②ふるえるさま。

16【矐】21画 8100 カク 薬 huò
字義 目をつぶす。目がつぶれる。
解字 形声。目＋霍音。

16【矒】21画 8101 ボウ 瞢(8070)と同字。→一〇一三ページ下。 ― ― 4731

16【矑】21画 8102 ロ 虞 lú ― ― 4730
字義 ❶みる。❷ひとみ。「清矑」
解字 形声。目＋盧音。

19【矗】24画 8103 チク 屋 chù 6664 EIDE ―
字義 ❶さかん。草木がさかんにしげるさま。❷深く長いさま。長くてまっすぐなさま。❸そびえ立つさま。
解字 形声。直＋直＋直音。直は、まっすぐの意味。
【矗矗】チクチク 高くそびえたつさま。

19【𥍉】24画 8104 漢バン 呉マン 潸 mǎn ― ― 4732

字義 ❶み-る。また、みとれるさま。うっとり見入るさま。「𥍉𥍉」。❷こうむる(被)。身につける。国みそなわす。見るの敬語。𥍉をみそなわすと読むのはこの字と見誤ったからという。
解字 形声。目＋䜌音。

20【矙】25画 8105 カン 勘 kàn ― ― 4733
字義 みる(視)。うかがい見る。
解字 形声。目＋闞音。音符の闞は、門の間からのぞき見るの意味。

21【矚】26画 8106 漢ショク 呉ソク 沃 zhǔ 6665 EIDF ―
［瞩］8079 俗字
字義 み-る。注意して見る。目をつけて見る。見続ける。
解字 形声。目＋屬音。音符の屬は、つづく・つらなるの意味。見る物に視線をつづけていく、目を離さずに見続けるの意味を表す。
【矚望】ショクボウ ＝矚目②。
【矚目】ショクモク ①じっと目をつけて見ること。注目。②ある人の将来に期待をかけて見ていること。

5画
矛 ほこへん むのほこ

〔部首解説〕矛を意符として、ほこに関する文字ができている。なお、戈もほこであるが、ほこづくり、あるいは、かのほこと呼んで、矛と区別する。

0【矛】5画 8107 常 ム ほこ 漢ボウ・呉ム 尤 máo 4423 96B5 ―
筆順 ￣ マ ヌ 予 矛
字義 ほこ。長い柄の先に両刃(もろは)の剣をつけた兵器。敵を刺すのに用いる。→戟(3952)の参考。
名前 たけ・ほこ

銅矛

目部 13▼21画 〔瞾瞻矇瞵矃矉矍矐矒矑矗𥍉矙矚〕 矛部 0画〔矛〕

解字 篆文 象形。長い柄の頭に、鋭い刃を付けた武器、ほこ・ほこでたち向かうの意味の系列のものに、務・楙・茅・蝥・鶩などがあり、冃に通じて、おおいかぶさるの意味の系列のものに、楙・瞀・袤・鍪・霧・髳などがある。

【矛△戈】ボウカ ほこ。▼戈は、一つの枝のあるほこ。
【矛△戟】ボウゲキ ほこ。▼戟は、二つの枝のあるほこ。
【矛△叉】ボウサ さすまた。先がふたまたに分かれたほこ。
【矛△槊】ボウサク ほこ。柄の長いほこ。
【矛盾・矛△楯】ムジュン ①ほこ(矛)とたて(盾)。②前後のつじつまが合わぬこと。また、整合・両立しないこと。自家撞着。昔、楚に、この矛はどんな盾でも突き通す、この盾はどんな武器でも突き通せないといって、矛と盾を売る者があったが、ではその矛でその盾を突いたらどうなるかと問われ、答えにつまった故事による。〔韓非子、難一〕

4
【矜】
9画 8108
㊀キョウ 圏 jīn ㊁漢カン(クヮン) 呉ケン 刪 guān
6666 E1E0 ―

字義 ㊀❶あわれむ。あはれむ。いたむ。❷ほこる。おごりたかぶる。用例〔戦国策、趙〕其志矜、其行高(そのこころざし、ほこり、そのゆくこと、たかし)。彼は意気揚々と、闊歩しておりました。❸つつしむ。うやまう。貴ぶ。❹おしむ(惜)。❺あやぶむ。また、あぶない。㊁❶やもお。年とって妻のない男性。「矜寡」❷やむ(病)。

解字 篆文 形声。矛+今音。矛は、ほこの意味。音符の今は、覆うの意味。ほこの、手で覆い握る部分、柄の意味を表す。一説に、今音を令音とし、憐に通じて、あわれみ惜しむの意味をも表すという。

【矜育】キョウイク あわれみ、そだてる。
【矜寡】カンカ 老いて妻のない人と、老いて夫のない人。やもおと、やもめ。鰥寡。
【矜貴】キョウキ ほこりたかぶる。
【矜矜】キョウキョウ 身をつつしむさま。
【矜競】キョウキョウ 才能をほこって、人と優劣を競う。
【矜△驕】キョウキョウ =矜貴。▼驕も、おごる。
【矜厳(嚴)】キョウゲン つつしみ深く、おごそか。
【矜誇・矜△夸】キョウコ ほこる。いばる。おごりたかぶる。
【矜△肆】キョウシ おごりたかぶって、ほしいままなこと。
【矜△恃】キョウジ 自分の才能をほこり尊大にかまえること。自負。自尊心。「キンジ」は慣用読み。
【矜持】キョウジ ①自分をおさえつつしむ。②みずから自分をかざる。③自負。矜恃と混同して用いる。→矜恃。
【矜△恤・矜△卹】キョウジュツ あわれみめぐむ。憐恤。
【矜式】キョウショク うやまい、のっとる。尊敬して手本とする。
【矜人】キョウジン あわれむべき人。あわれな人。
【矜荘(莊)】キョウソウ つつしみ深く、おごそか。
【矜大】キョウダイ ほこりたかぶる。
【矜伐】キョウバツ ほこる。おごりたかぶる。▼伐も、ほこる。
【矜△愍・矜△憫】キョウビン あわれむ。また、あわれみ。
【矜負】キョウフ 才能をほこり、それをたのむ。
【矜△憐】キョウレン =矜愍。

6
【務】
11画 (1050)
ム 力部。→一九七ページ中。

7
【矞】
12画 8109
㊀漢イツ(ヰツ) 呉イチ(ヰチ) 圏 yù ㊁漢キツ・呉キチ 圏 xù ㊂漢ケツ・呉ケチ 屑 jué
₂8219 ― 4734

字義 ㊀うがつ。きりで穴をあける。つきさす。㊁❶おどろき恐れるさま。驚きあわてるさま。❷矞矞は、春風に物が成長するさま。㊂いつわる。=譎(11378)。

解字 篆文 象形。台座にたてたほこの象形で、つきさすの意味を表す。

7
【矟】
12画 8110
サク 覚 shuò
₂8220 ― 4735

字義 ほこ。馬上で持つほこ。長さ、周尺で一丈八尺(約三・二五メートル)。

解字 形声。矛+肖音。

8
【矠】
13画 8111
㊀漢サク・呉シャク 陌 zé ㊁漢サク・呉ジャク 陌 zé
₁8892 ― 4736

字義 ❶ほこの一種。❷さす。ほこで物を刺して取る。

解字 形声。矛+昔音。

5画
矢 や・やへん

〔部首解説〕 矢を意符として、矢に関する文字ができている。

0
【矢】
5画 8112 シ 紙 shǐ 教2 や シ
4480 96EE ―

筆順 ノ ㇀ 𠂉 𠂒 矢

字義 ❶や(箭)。㋐弓の弦にかけて射るもの。㋑投壺に使う矢。かずとり。籌。❷つらねる(陳)。並べる。❸ただしい。なおし。また、正しくする。❹ちかう(誓)。❺ほどこす(施)。❻くそ。ふん。=屎(2797)。

名前 し・ただ・ちかう・ちこう・なお・や・やはぎ

難読 矢掛・矢幹・矢橋・矢作・矢集・矢矧・矢頭・矢田・矢方

解字 甲骨文 金文 篆文 象形。やの象形で、やの意味を表す。矢を音符に含む形声文字に、嫉・彘・疾・薙・雉などがある。

逆 雨矢・馬矢・流矢

【矢丸】シガン 弓の矢と鉄砲のたま。
【矢言】シゲン 誓いのことば。誓言。〔書経、盤庚上〕
【矢口】シコウ ①口を開いてでまかせに言う。②誓って言う。
【矢人】シジン 矢を作る職人。やはぎ。矢師。用例〔孟子、公孫丑上〕矢人豈不仁於函人哉(シジンはあにカンジンよりフジンならんや)。⬇矢を作る職人はよろいを作る職人に比べどうして残忍だと言えようか(そうは言えない)。
【矢石】シセキ 弓の矢と弩の石。転じて、戦争。
【矢△鏃】シゾク やじり。矢の根。やさき。
【矢服・矢△箙】シフク えびら。やなぐい。矢を入れて背に負う具。
【矢△礮】シホウ 弓矢と鉄砲。飛び道具。兵器。武器。

2
【矣】
7画 8113
イ 紙 yǐ
6667 E1E1 ―

字義 助 かな。⇩助字・句法解説。

助字・句法解説
❶文末に置かれ、訓読では読まないが、次のような語気を表す。
㋐断定。訳…のである。
用例〔論語、学而〕可レ謂レ孝矣(コウといういうべし)。⬇親孝行と言ってよいのである。
㋑命令・決断。
前の語を命令形にしたり、前の語に「ン」(意志の助動詞「む」)を送ったりして訓読する。
用例〔荘子、秋水〕往矣(ゆけ)。吾将レ曳二尾於塗中一(われまさにおをとちゅうに

↓行きなさい。私はこれから尾を泥の中に引きずっていこうとするのです。／〔史記、刺客伝〕請辞決矣。↓おいとまいたしましょう。

㋒推量。訳(〜であるなら)…だろう。仮定条件に対して、その結果を表すことが多い。用例〔唐、柳宗元、捕レ蛇者説〕嚮吾不レ為二斯役一、則久已病矣。↓以前から私がこの(蛇捕りの)仕事をしていなかったなら、私はとうに困窮していたでしょう。

❷かな。詠嘆。訳…であることよ。文末に置かれ、詠嘆の語気を表す。用例〔論語、述而〕甚矣、吾衰也。↓なんとひどいことよ、私の衰えは。

解字 篆文  象形。人が口をあけている形にかたどり、文末の語気を表す擬声語。

3【知】8画 8114 教2 チ し-る ㊀チ 支 zhī ㊁チ 寘 zhì 3546 926D 一

筆順 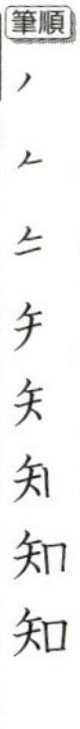

字義 ㊀❶し-る。㋐(存在・状態を)みとめる。感じる。知覚する。また、気づく。意識する。用例〔論語、述而〕子在レ斉聞レ韶、三月不レ知二肉味一。↓先生は斉の国で(帝舜の舞楽である)韶をお聞きになって(感動のあまり)、三か月も肉の味が分からぬほどであった。

㋑(事柄を)おぼえる。記憶する。用例〔論語、里仁〕父母之年、不レ可レ不レ知也。↓父母の年齢は、子として知っていなければならない。

㋒わかる。理解・習得する。「不レ知為レ不レ知」

㋓(価値・本質を)さとる。得心する。把握する。また、見分ける。用例〔論語、尭曰〕不レ知レ命、無三以為二君子一也。不レ知レ礼、無三以立一也。不レ知レ言、無三以知二人一也。↓天命を自覚しなければ君子にはなれない。礼をわきまえないと独り立ちできない。ことばを理解できなければ人のことが分からない。

㋔したしむ(親)。交際する。用例〔史記、淮陰侯伝〕当二是時一、臣唯独知二韓信一、非レ知二陛下一也。↓その当時、私は韓信とのみ付き合っており、陛下のことは存じ上げませんでした。

㋕かかわる。関与する。用例〔史記、高祖本紀〕此後亦非二而所一レ知也。↓その後のことはもうお前の知ったことではない。

㋖つかさど-る。治める。取りしまる。用例〔左伝、襄公二十六〕子産其将レ知レ政矣。↓子産はきっと国政にあずかることになるだろう。

❷し-らせる。また、知らせ。「通知」「報知」

❸知っている事がら。知識。また、見解。見識。用例〔論語、子罕〕知者不レ惑、仁者不レ憂、勇者不レ懼。↓道理をわきまえた人はものの判断に迷うことなく、仁徳を備えた人はむやみな心配をせず、勇気のある人はことにあたって恐れおののくことはない。

❹感覚。知覚。❺しりあい。知人。また、交遊。つきあい。「素知(日頃からの知りあい)」「知遇」❻もてなし。待遇。❼耳目の欲望。❽たぐい(類)。また、たぐう。同類が並ぶ。❾州・県などの長官。知事。「県知」

㊁=智(4811)。❶頭のはたらき。智恵。「機知」「知恵」❷さとい。かしこい。

名前 あき・あきら・おき・かず・さと・さとし・さとる・し・じ・しり・しる・ち・ちか・つぐ・とし・とも・のり・はる 難読 知床・知波田・知立

参考 現代表記では〔智〕(4811)の書きかえに用いる。「智能→知能」「機智→機知」

解字 篆文 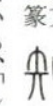 会意。口+矢。口は、いのる言葉の意味。矢は、やの意味。矢をそえていのり、神意を知ることから、「しる」の意味を表す。

逆 与知・英知・感知・関知・機知・旧知・下知・巧知・後知・告知・故知・才知・察知・至知・周知・熟知・承知・上知・辱知・神知・生知・聖知・世知・相知・探知・通知・認知・未知・明知・予知・理知・良知

【知音】①楽の音を聞いて、演奏者の心を知ること。春秋時代、鍾子期は伯牙のひく琴の音色で伯牙の心境を理解したが、鍾子期が死ぬや、伯牙はもはやわが琴の音を知る者はないと、弦を切り去ったという故事による。〔列子、湯問〕②心の底まで知り合った友。知己。

【知恵(惠)・知△慧】物事を考え、分別する心の働き。物事の理をさとり、善悪を弁別し、また、物事を考え、計画し、処理して行く心の作用。智慧。用例〔荘子、列禦寇〕知慧外通。↓知恵は外物によって働く。

【知覚(覺)】①知りさとる。②心が外界の事物を認識するはたらき。③感覚器官(視・聴・嗅・味・触の五感)によって外界から刺激を得、過去の経験によって、それらの事物・運動などを具体的に認識する働き。

【知己】①自分の心や真価をよく知ってくれる人。用例〔史記、刺客伝〕士為二知レ己者一死。↓真の男子は、自分のことを理解してくれる者のために命を投げだすものだ。②知り合い。知人。友。

【知旧(舊)】昔なじみ。古くからの知り合い。旧知。

【知遇】人格・学問・才能などを認められて、てあつく待遇されること。知待。

【知見】①知ること。②見分けること。③知識と見識。

【知県(縣)】県知事。

【知行】㊀知識と行為。㊁国①武士の領地。封土。②扶持。俸禄。③支配すること。治めること。

【知行合一】明の王陽明が唱えた学説。南宋の朱熹の先知後行説に対し、知識と行為とは同一体のもので、真の知は必ず行をともない、知って行わないのは真の知ではないと説いた。〔伝習録、上〕

【知事】①州・県の長官。②仏禅寺で、役僧(庶務係)をいう。③国都・道・府・県の長官。

【知識】同智識。①考える働き。知恵。②知っている事がら。③知人。朋友。④仏仏道のさとりを開いた、りっぱな僧。名僧。「善知識」

【知△悉】知りつくす。また、くわしく知る。

【知者不レ言】真に物事を知っている者は、ことば少なで、やたらにしゃべらない。用例〔老子、五十六〕知者不レ言、言者不レ知。↓真に物事を知っている者は、やたらにしゃべらず、やたらにしゃべる者は、実はなにも知らない。

【知者不レ惑】知者は物事の道理によく通じているから、思いまどうことがない。〔論語、子罕〕

【知者楽(樂)レ水】知者は、物事をよく知っていて、滞らないこと水の流れるごとくである。だから、水を好む。用例〔論語、雍也〕知者楽レ水、仁者楽レ山。↓知恵のある人は流動的な水の姿を好み、仁の徳をそなえた人は安定した山の姿を好む。

【知人】①知恵のある人。②国知り合い。友人。

【知制△誥】官名。唐代、翰林学士が学士院に入って一年後にこの官に移り、詔勅の作成をつかさどる。

【知性】①さとい性質。②心理学で、知的作用に関する性能。認識と理解の性能。

【知足】=知レ足(二三七四ページ中)。

【知能】知恵と才能。頭のはたらき。智能。

【知△嚢】知恵ぶくろ。知恵にとんだ人。智嚢。

【知謀】知恵のあるはかりごと。知略。智謀。

【知名】チメイ 名高いこと。有名。

【知命】チメイ ①天命を知る。天のわれに与えた使命を自覚する。同知レ命メイをしる。②五十歳。孔子が一生をふりかえって「五十にして天命を知る」と述べたことに基づく。⇩用例（論語、為政）五十而知二天命一ゴジュウにしてテンメイをしる。⇩五十歳になると天が自分に与えた使命を自覚した。

コラム **年齢の別称**（四六六ページ）。

【知友】チユウ 友人。知人。また、特に深く知りあっている友。

【知勇】チユウ 知識と勇気。

【知略】チリャク ＝知謀。智略チリャク。

【知慮】チリョ かしこい考え。賢い分別。思慮。智慮チリョ。

【処（處）レ知】チにショす 知を用いる。知識を活用する。

【不レ知為（爲）レ不レ知】しらざるをしらずとなす 知らないことは知らないとはっきりさせる。用例（論語、為政）知レ之為レ知レ之これをしるをこれをしるとなし、不レ知為レ不レ知しらざるをしらずとなす、是知也これしるなり。⇩知っていることは知っているとはっきりさせ、知らないことは知らないとはっきりさせる、これが本当に知るということなのだ。

4 【矦】9画 8115 コウ 28222 — 4738
矦(365)の本字。→一〇八ページ中。

4 【矧】9画 8116 シン 㣴 shěn 3974 948A —
【矤】3317 本字 【訠】11130 同字
字義 ❶いわんや。まして。❷はぐき。国はぐ。㋐竹に羽をつけて矢を作る。㋑ひっかける。つける。
解字 篆文 形声。矢＋引音。篆文は、矢＋引省音。

5 【矩】10画 8117 人
5 【矩】10画 8118 ク 寠 jǔ 2275 8BE9 —
筆順 ノ ヒ 午 矢 矢 知 知 矩 矩
【榘】5670 同字
字義 ❶**さしがね**。かねざし。まがりがね。方形を書くかぎ型の定規。定木。「規矩」❷四角形。矩形。❸**のり**。おきて。きまり。法則。法度ハット。
名前 かど・かね・く・ただし・ただす・つね・のり
解字 **形声**。矢＋巨音。音符の巨は、定規の意味。矢はまっすぐで正しいの意味。正確な定規の意味を表す。

【矩度】クド きまり。法則。規律。

【矩墨】クボク さしがねと墨なわ。転じて、物事の基準となるもの。法則。基準。矩縄クジョウ。

【不レ踰レ矩】のりをこえず 道（法則・規則）からはずれない。言動が常に道にかなっていることをいう。用例（論語、為政）七十而従二心所一レ欲不レ踰レ矩シチジュウにしてこころのほっするところにしたがいてのりをこえず。⇩七十歳になると自分の望むままに行動しても、道徳からはずれることがなくなった。

6 【矪】11画 8119 漢チュウ（チウ） 呉チュ 因 zhōu 28223 — 4739
字義 くるりや。水鳥を射る矢。国からさお。連枷レンカ。
解字 **形声**。矢＋舟音。

7 【規】12画 8120 キ 28225 — —
規(11031)の本字。→一二四ページ中。

7 【矬】12画 8121 漢サ 呉ザ 歌 cuó 28224 — 4740
字義 みじかい（短）。背が低い。
解字 **形声**。矢＋坐音。

7 【短】12画 8122 3 教 タン みじか-い タン 旱 duǎn 3527 925A —
筆順 ノ ヒ 午 矢 矢 知 知 短 短
字義 ❶**みじか-い**（みじかし）。↔長(12955)。㋐長くない。「短距離」㋑たけが低い。せが低い。「短軀タンク」㋒経過する時間が少ない。「短期」㋓おとる。つたない。また、あさはか。「短才」「短見」❷みじかくする。❸あやまち。欠点。❹そしる。欠点を挙げて悪くいう。❺わかじに。年若くて死ぬ。夭折ヨウセツ。「短折」
難読 短尺たんざく
解字 篆文 **会意**。矢＋豆。矢は、大工がしらの象形の変形したもの。豆は、頭部の大きいたけの低い、たかつきの意味。大工がしらのもとで働く、たけのみじかい年少者のさまから、みじかいの意味を表す。
逆 修短・長短

【短歌】タンカ ①短い歌。②国和歌で、五句、五七五七七の三十一音で構成されたもの。

【短歌行】タンカコウ 楽府題ガフダイの一つ。主として人生のはかなさを詠ずる。

【短褐（褐）】タンカツ たけが短いそまつな着物。▼褐は、荒い毛織物、また、そまつな麻布。用例（東晋、陶潜、五柳先生伝）短褐穿結センケツす ⇩たけが短い粗末な着物はぼろぼろである。

【短気（氣）】タンキ ①気おちする。落胆。②息がつまる。③国気みじか。せっかち。

【短晷】タンキ 日中の短いこと。短日。

【短計】タンケイ 思慮のたりないはかりごと。あさはかな計略。

【短檠】タンケイ たけの低い燭台ショクダイ（ろうそくたて）。

【短見】タンケン あさはかな考え。未熟な意見。浅見。

【短才】タンサイ とぼしい才知・才能。また、その人。鈍才。

【短窄】タンサク 短くせまい。低くせまい。

【短冊】タンザク 国和歌・俳句などを書く細長い紙。

【短札】タンサツ ①短い手紙。②自分の手紙の謙称。③国短いかきつけ。また、自分の書いたかきつけの謙称。

【短日】タンジツ ①短い日。主として冬の日をいう。↔長日（一四九三ページ上）。②国わずかな日数。短時日。短日月。

【短醜】タンシュウ 背たけが低くみにくい。

【短縮】タンシュク 距離や時間を短くちぢめる。

【短所】タンショ おとっているところ。欠点。↔長所（一四九三ページ中）。

【短書】タンショ ①小説。雑記の書。②手紙。

【短小】タンショウ からだなどが短く小さいこと。こがら。

【短信】タンシン 短い手紙。

【短世】タンセイ わかじに。短命。

【短長】タンチョウ ①短いことと長いこと。②短所と長所。③損と益。④長所。▼短には、意味はない。

【短亭】タンテイ 五里ごとに置かれた宿場。↔長亭（一四九四ページ上）。

【短筆】タンピツ へたな書きぶり。まずい筆跡。

【短兵】タンペイ 短い武器。刀剣をいう。↔長兵（一四九四ページ上）。用例（史記、項羽本紀）持二短兵一接戦タンペイをじしてセッセンす ⇩刀剣を持って白兵戦をした。

【短兵急】タンペイキュウ 国だしぬけ。にわか。やにわ。

【短兵接】タンペイセツ 刀剣が接する。近づいて戦うこと。短接。

【短編・短△篇】タンペン 短い文章・小説。

【短命】タンメイ 短い寿命。わかじに。↔長命（一四九四ページ中）。用例（論語、雍也）不幸短命死矣フコウ、タンメイにしてしせり。⇩不幸なことに、若死にした。

【短△籬】タンリ 低いまがき。せたけの低い竹などをあんで作ったかきね。

【短慮】タンリョ ①あさはかな考え。浅慮。浅見。②国気みじか。短気。

【舎レ短取レ長】タンをすててチョウをとる 欠点をすて、長所をとる。

8 【肄】13画 (9654) イ 聿部。→一一七六ページ中。

8 【雉】13画 (13186) チ 隹部。→一三六六ページ中。

8 【矮】13画 8123 漢アイ・呉エ 慣ワイ 蟹 ǎi 6668 E1E2 —
字義 ❶みじかい。また、ひくい。せたけが低い。❷せたけが低い人。
難読 矮鶏ちゃぼ・矮柏ちゃぼひば・はいびゃくしん

解字 篆文  形声。矢＋委㊟。矢は、もと、人の象形。音符の委は、萎ィに通じ、なえるの意味。なえ衰えた人の意味から、せがひくいの意味を表す。

【矮屋】ワイオク 低い家。また、小さな家。
【矮△軀】ワイク せたけの低いからだ。短軀。
【矮子看戯(戲)】ワイシカンギ 身長の低い人が高い人の後にいて観劇すること。前人の批評をきいて、考えもなくそれに従うこと。識見がないたとえ。矮人看場。〔朱子語類〕
【矮小】ワイショウ たけが低くて、小さい。短小。
【矮人】ワイジン せたけの低い人。矮子。
【矮△陋】ワイロウ ①せたけが低くてみにくい。②家などの小さくて、むさくるしいさま。

12 【矯】 17画 8124 キョウ(ケウ) 篠 jiǎo 常 キョウ た-める 2226 8BB8 一

筆順 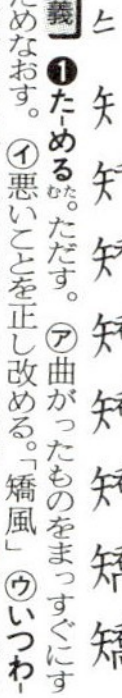

字義 ❶た-める。ただす。㋐曲がったものをまっすぐにする。ためなおす。㋑悪いことを正し改める。「矯風」㋒いつわ-る。事実を曲げいつわる。かこつける。「矯命」❷つよい。勇ましい。「矯矯」❸あ-げる(挙)。また、あがる。高くあがる。「矯首」❹とぶ(飛)。

名前 いさみ・たか・たかし・たけし・ただ・つよ

解字 篆文  形声。矢＋喬㊟。音符の喬キョウは、たかいの意味。矢の曲がったのをまっすぐに伸ばして、そのたけを高くする、ためるの意味を表す。

逆 奇矯

【矯△枉】キョウオウ 曲がったものを正してまっすぐにする。
【矯△枉過正】キョウオウカセイ 不正を正そうとして度を過ぎ、かえって中正を失うこと。中庸を得ないこと。矯枉過直。
【矯革】キョウカク 欠点などをなおして改める。
【矯矯】キョウキョウ ①強くいさましいさま。勇猛なさま。②高くあがるさま。志を高く持って、ぬけでるさま。超然としているさま。
【矯激】キョウゲキ ①言動が普通と違ってはげしいこと。②正し、はげます。
【矯△亢・矯抗】キョウコウ ことさらにおごりたかぶること。
【矯詐】キョウサ いつわる。事実を曲げいつわる。
【矯殺】キョウサツ 君主の命令だといつわって殺すこと。
【矯首】キョウシュ 頭をあげる。用例〔東晋、陶潜、帰去来辞〕策扶レ老以流憩(つえ(杖)もておいをたすけてもってリュウケイし)、時矯レ首而游観(ときにこ(かう)べをあげてユウカンす)。🔽老いたわが身をつえで支えて歩きまわっては、自由に休み、ときおり顔を上げて景色を眺める。
【矯△揉・矯△輮】キョウジュウ 悪いことを、ため、あらためる。
【矯情】キョウジョウ ことさらに人情に背いて異を示す。
【矯飾】キョウショク ①いつわりかざる。②矯正し、修飾する。〔荀子、性悪〕
【矯世】キョウセイ 世の中を正す。
【矯正】キョウセイ ためなおす。曲がったものを正しなおすこと。
【矯制】キョウセイ 天子の詔だといつわる。矯詔。
【矯俗】キョウゾク ①悪い風俗をためなおす。矯風。②世間の風俗と違ったことをする。
【矯託】キョウタク いつわり、かこつける。また、いつわって託すること。
【矯△誣】キョウフ 事実を曲げていつわる。
【矯風】キョウフウ ＝矯俗①。
【矯命】キョウメイ 君主の命令だと、いつわる。
【矯励(勵)】キョウレイ 欠点を改めなおして、つとめはげむこと。

12 【矰】 17画 8125 ソウ 蒸 zēng 2 8226 一 4741

字義 いぐるみの矢。また、いぐるみ。矢に糸をつけて、飛ぶ鳥を射落とす猟具。難読 矰繳いぐるみ

解字 形声。矢＋曾㊟。

【矰△繳】ソウシャク いぐるみ。矰弋ソウヨク。
【矰△繳△之説】ソウシャクのセツ いぐるみで鳥を捕らえるように、自分の利益を目的として人に説くこと。
【矰△弋】ソウヨク ＝矰繳ソウシャク。

13 【矱】 18画 8126 ワク 矱(8127)の俗字。→一〇一九ページ中。 一 一 4742

14 【矱】 19画 8127 ワク 薬 yuē

〔矱〕 8126 俗字

字義 ❶ものさし。「準矱」❷のり。標準。

解字 形声。矢＋蒦㊟。

5画 石 いし・いしへん

〔部首解説〕 石を意符として、いろいろな種類の石や鉱物、石でできたもの、石の状態などに関する文字ができている。

0 石 一〇一九　2 矴 一〇二一　3 矸 一〇二一　岩 四二六　矼 一〇二一
矻 一〇二一　4 砑 一〇二一　砎 一〇二一　砉 一〇二一　砉 一〇二一

砍 一〇二一　研 一〇二一　砂 一〇二一　砕 一〇二二　斫 六二六
砌 一〇二二　砒 一〇二二　砆 一〇二二　砭 一〇二二　砅 一〇二二
砛 一〇二二　5 砭 一〇二二　砑 一〇二二　砝 一〇二二　砡 一〇二二
砿 一〇二二　砥 一〇二二　砷 一〇二二　砠 一〇二二　砣 一〇二二
砧 一〇二二　砮 一〇二三　破 一〇二三　砵 一〇二四　砲 一〇二四
砰 一〇二四　砢 一〇二四　砬 一〇二四　砺 一〇二四　6 硓 一〇二四
硅 一〇二四　硎 一〇二四　硏 一〇二一　硄 一〇二四　砦 一〇二四
硃 一〇二四　硒 一〇二四　硋 一〇二四　硇 一〇二四　硑 一〇二五
硌 一〇二五　7 硪 一〇二五　确 一〇二五　硞 一〇二五　硯 一〇二五
硬 一〇二五　硜 一〇二五　硤 一〇二五　硡 一〇二五　硣 一〇二五
硨 一〇二五　硝 一〇二五　硫 一〇二六　硠 一〇二六　硫 一〇二六
硲 一〇二六　8 碤 一〇二六　碍 一〇二六　碕 一〇二六　碁 一〇二六
碎 一〇二二　碏 一〇二六　碊 一〇二六　碓 一〇二六　碌 一〇二六
碓 一〇二六　碇 一〇二六　碘 一〇二六　碡 一〇二六　碆 一〇二六
碚 一〇二六　碑 一〇二七　碔 一〇二六　硼 一〇二六　硼 一〇二七
碌 一〇二七　碗 一〇二七　䃗 一〇二七　9 碬 一〇二七　碞 一〇二七
碕 一〇二七　碣 一〇二七　碱 一〇二七　磁 一〇二七　碩 一〇二七
碟 一〇二七　碝 一〇二七　碳 一〇二七　碪 一〇二七　碲 一〇二七
碭 一〇二七　碯 一〇二七　碑 一〇二七　碧 一〇二八　碰 一〇二八
硍 一〇二八　碵 一〇二八　10 磤 一〇二八　磒 一〇二九　磈 一〇二九
磕 一〇二九　磑 一〇二九　確 一〇二九　碻 一〇二九　碿 一〇二九
磎 一〇二九　磒 一〇二九　磋 一〇二九　磉 一〇二九　磆 一〇二九
磔 一〇二九　磓 一〇二九　碾 一〇二九　磌 一〇二九　磐 一〇二九
磈 一〇三〇　磅 一〇三〇　碼 一〇三〇　磊 一〇三〇　磏 一〇三〇
11 礀 一〇三〇　磬 一〇三〇　磪 一〇三〇　磛 一〇三〇　磧 一〇三〇
磚 一〇三〇　磜 一〇三〇　磦 一〇三〇　磨 一〇三〇　磠 一〇三一
磖 一〇三一　磟 一〇三一　12 磺 一〇三一　磵 一〇三一　磵 一〇三一
磯 一〇三一　礏 一〇三一　磽 一〇三一　礁 一〇三一　磼 一〇三一
磶 一〇三一　磳 一〇三一　磾 一〇三一　磹 一〇三一　磹 一〇三一
磴 一〇三一　磻 一〇三一　磷 一〇三一　磿 一〇三一　13 礇 一〇三一
礚 一〇三一　礐 一〇三二　礒 一〇三二　礆 一〇三二　礠 一〇三二
礎 一〇三二　礑 一〇三二　礔 一〇三二　礞 一〇三二　礜 一〇三二
礌 一〇三二　磷 一〇三二　䳁 一〇三二　14 礙 一〇三二　礘 一〇三二
礮 一〇三二　礪 一〇三二　15 礛 一〇三二　礦 一〇三二　礥 一〇三二
礬 一〇三二　礓 一〇三二　礫 一〇三二　16 礭 一〇三二　礩 一〇三二
礴 一〇三三　礡 一〇三三　礉 一〇三三　礰 一〇三三　礱 一〇三三
17 礵 一〇三三　19 礳 一〇三三

0 【石】 5画 8128 教1 セキ・シャク・コク いし 漢セキ・呉ジャク 陌 shí 慣シャク・コク 3248 90CE 一

筆順 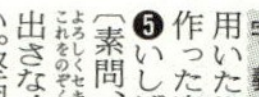

字義 ❶**いし**。いわ。「岩石」「玉石」 ❷つぶて。昔、戦いに用いた投げ石。また、石弓で飛ばした石。「矢石」 ❸いしで作った楽器。八音の一つ。磬。 ❹いしぶみ。石碑。「金石」 ❺いしばり。治療に用いる石の鍼。また、石鍼を打つ。用例〔素問、病能論〕夫気盛血聚者、宜石而写之 ↓血気が盛んで多い場合は、石鍼を打って血を出さなくてはならない。 ❻鉱物質のくすり。「薬石」 ❼かたい。堅固である。「鉄石心」 ❽融通が利かない。役に立たない。「石田」 国❶**いし**。㋐じゃんけんで、にぎりこぶし。ぐう。㋑堅いもの、融通のきかないことなどのたとえ。 ❾容量の単位。十斗。 ❿重量の単位。百二十斤。 ❷**コク**。㋐容積の単位。十斗。現代の一石は約一八〇リットル。→斛(4585) 参考 ㋑和船の積載量の単位。十立方尺。㋒材木の容積の単位。十立方尺。㋓大名・武士の知行高の単位。

名前 あつ・いし・いそ・いわ・かず・かた・し・せき **難読** 石下・石花・石花海・石蟹・石決明・石見・石原・石室崎・石首魚・石女・石上・石城・石神井・石生・石尊・石竹・石鳥谷・石動・石南花・石斑魚・石剣・石竜子・石榴・石蕗・石廊崎・石和

解字 甲骨文 金文 篆文 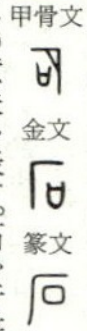 **象形**。がけをかたどる厂の下に落ちている石をかたどり、いしの意味を表す。石を音符に含む形声文字に、妬・碩・祏・跖などがある。

逆 懐石・危石・金石・刻石・砂石・磁石・矢石・水石・泉石・礎石・胆石・柱石・定石・鉄石・盤石・木石・薬石・流石

【石印】（セキイン） ①石に彫った印。②石版で印刷すること。石版印刷。またその印刷した本。石印本。

【石火】（セキカ・セッカ） ①火打ち石を打つときに出る火。②非常にはやく短い時間のたとえ。また、動作の非常にすばやいことのたとえ。「電光石火」

【石火光中寄二此身一】（セッカコウチュウにこのみをよす） 石を打ち合わせて出る火のようなあっという間の人生にこの身を置いている。用例〔唐、白居易、対レ酒詩〕蝸牛角上争二何事一、石火光中寄二此身一 ↓かたつむりの角のような小さい世の中で何を争っているのか、石を打ち合わせて出る火のようなあっという間の人生にこの身を置いているというのに。

【石花・石華】（セキカ・セッカ） ①珊瑚の一種。②海草の一種。ところてん。③鍾乳石の一種。④貝の一種。かき。⑤石上に咲いた花。

【石△罅】（セキカ・セッカ） 石の割れめ。石のすきま。

【石介】（セキカイ・セッカイ） 北宋の学者。字は守道。徂徠山のふもとにいたので、徂徠先生と称された。（一〇〇五―一〇四五）

【石階】（セキカイ・セッカイ） 石の階段。石段。石級。石磴。

【石塊】（セキカイ・セッカイ） 石のかたまり。いしころ。

【石△槨・石△椁】（セキカク・セッカク） 石で造った槨。▼槨・椁は、棺の外をおおうもの、外棺。

【石△澗】（セキカン・セッカン） 石の多い谷川。

【石級】（セキキュウ・セッキュウ） ＝石階。

【石△渠】（セキキョ・セッキョ） 石の多いみぞ。

【石窟】（セキクツ・セックツ） 石のほらあな。いわあな。

【石径(徑)・石△逕】（セキケイ・セッケイ） 石の多い小道。用例〔唐、杜牧、山行詩〕遠上二寒山一石径斜、白雲生処有二人家一 ↓遠く郊外まででかけ、さびしい山を上っていくと石の転がる小道が斜めに続き、白い雲がわき出ているあたりにも、人の住む家があった。

【石経(經)】（セキケイ・セッケイ） 石に彫った経書。標準テキストとして世人に示した経書の石碑で、漢代から行われた。

【石鯨】（セキゲイ） 漢の武帝が、昆明の池に造った石製のくじら。雷雨があると鳴動したという。

【石△碣】（セキケツ・セッケツ） 石のたてぶみ。石碑。

【石鼓】（セキコ・セッコ） 中国古代の刻文のある鼓形の石。十個一組として作られた現存最古の刻石で、唐代に天興(陝西省鳳翔県)で発見され、宋代、汴京(河南省開封市)に移され、金代以後、北京に置かれた。→石鼓文。

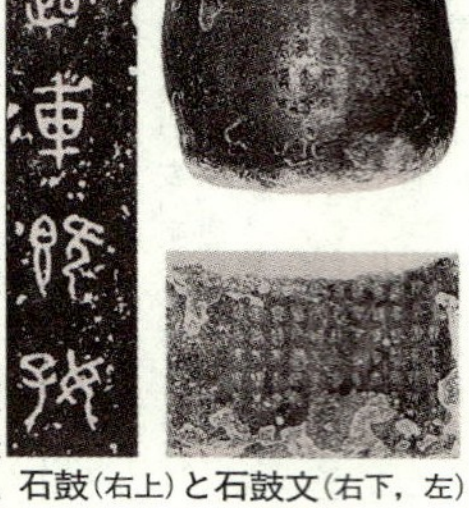
石鼓(右上)と石鼓文(右下，左)

【石鼓文】（セキコブン・セッコブン） 石鼓に刻まれた文字。もとは七百字以上を存したが、今日では二百七十二字を存するだけで、大体、狩猟をうたった韻文であると見られる。古くは西周の宣王の時代、太史史籀の作といわれたが、今日では東周の敬王の時代、秦の国で作られたとするのが通説である。

【石△壕】（セキゴウ） 地名。今の河南省陝県にあった村。

【石刻】（セキコク・セッコク） 石に文字や絵を彫刻すること。また、その彫刻したもの。

【石桟(棧)】（セキサン） 石のかけはし。

【石室】（セキシツ） ①石で造ったむろ。いしむろ。いわや。②図書を大切にしまっておく部屋。厳重に封蔵する意。③御史(図書・記録の官)の別名。

【石△甃】（セキシュウ） 石だたみ。㋐板状の石を重ねてつみあげたもの。井戸の内壁などに用いる。㋑板状の石を敷きつめた所。

【石△皴】（セキシュン） 石のひだ・しわ。また、それを描く筆法。

【石△筍・石△笋】（セキジュン） 鍾乳洞の中にできる筍形の石。

【石女】（セキジョ・うまずめ） 昔、子供の産まれない女性をいった語。

【石△牀】（セキショウ） ①石の寝台。②鍾乳石。

【石上題レ詩払二緑△苔一】（セキジョウにシをダイしてリョクタイをはらう(ふ)） 石上に緑のこけを払い清めて詩を書きつける。→林間煖レ酒焼二紅葉一(七二九ページ下)。

【石心】（セキシン） ①石の中心。②堅固な心。鉄心。「石心鉄腸」

【石△晋(晉)】（セキシン） 五代の後晋(九三六―九四六)の別称。石敬塘の建てた国であるからいう。

【石人】（セキジン） ①墓道などに立てた石の人間像。②無知な人。

【石崇】（セキスウ） 西晋の詩人。字は季倫。荊州の刺史となり、商人に貿易をさせて巨利を得た。今の河南省洛陽市に金谷園(別荘の名)を作り、金谷酒数(一四六ページ中)の故事がある。(二四九―三〇〇)

【石川丈山】（いしかわ(は)ジョウザン） 国江戸前期の漢詩人。三河(今の愛知県)の人。名は凹・重之。丈山は字。号は六六山人・詩仙堂など。徳川家康に仕えたが、のち藤原惺窩に詩を学ぶ。晩年は京都に詩仙堂を構えて、詩・書を楽しんだ。著書に『詩仙詩』『丈山夜譚』『覆醤集』などがある。(一五八三―一六七二)

【石△苔】（セキタイ） 石にはえているこけ。

【石△黛】（セキタイ） 眉を描くのに用いた顔料の名。

【石竹】（セキチク） ナデシコ科の多年草。からなでしこ。

【石腸】（セキチョウ） ＝石心②。

【石田】（セキデン） 石の多い耕作地。転じて、ものの用をなさないことのたとえ。〔左伝、哀公十一〕

【石塔】①石造りの塔。②墓石。

【石△榻】石のこしかけ。

【石頭】①石の上。②石のほとり。③石。▼頭は、名詞に付いて語勢を助ける助字。

【石△磴】①石の多い坂道。②いしだん。石階。

【石△楠花・石南花】高山に自生するツツジ科の常緑低木。初夏に淡紅色などの花を開く。

【石馬】墓の前などに並べる石の馬。

【石版】平版印刷の一種。石灰石の面に石鹼と脂肪とを含む材料で文字や絵などを書き、それを原版として印刷するもの。

【石盤】粘板岩を薄くはいで表面をなめらかにし、石筆で文字や絵を書く用具。

【石碑】①いしぶみ。記念として文字を石に彫って建てたもの。②墓石。石塔。

【石婦】①＝石女。②＝望夫石(七〇一ページ上)。

【石仏(佛)】㊀セキ・ブツ 石で造った仏像。また、岩石に彫りつけた仏像。㊁いしぼとけ 国感情を動かさない人。

【石墨】①鉱物の一種。炭素を成分とし、黒または鉛色を呈する。鉛筆のしんや電気工業などに用いられる。②石炭。

【石瀬】石の上を川が流れている所。浅瀬。

【石△榴】果樹の名。ザクロ科の落葉低木。柘榴。

【石△梁】①石の橋。いしばし。②飛び石。

【石△稜】いわかど。岩石のかど。

【石林】①石の林。石が林のように立っている所。②岩石がけわしく林の深い所。③浙江省湖州市の北にある園の名。石林精舎。

【石△鱗】石の上を流れる、魚のうろこのような波。石の上に立つ波。

【石△礫】こいし。いしころ。転じて、価値のないもの。

【石△勒】五胡十六国の後趙の建国者。河北を領有し、前趙を滅ぼして皇帝となった。僧の仏図澄を尊崇し、文化擁護につとめた。(二七四―三三三)

【△漱レ石枕レ流】＝枕レ流漱レ石(八四三ページ下)。

用例(世説新語、排調)語二王武子一、当レ枕レ石漱レ流、誤曰二漱レ石枕レ流一。➡王武子に自分の気持ちを語ろうとして、当然、「石を枕とし小川の流れにうがいをするつもりだ」と言うべきところを、誤って、「石でうがいをし、流れを枕としようと思う」と言ってしまった。


【△勒レ石】文章を石に彫りつける。

2 【矴】7画 8129 テイ 碇(8204)と同字。→一〇二六ページ中。 28227 ― 4743

3 【矸】8画 8130 ㊀㊁漢カン・呉ガン 寒 gān 翰 gàn ㊂カン 旱 gǎn ― ― 4744
字義 ㊀山の石が白くきれいなさま。㊁丹矸は、丹砂(三九ページ中)。㊂❶撃つ。❷きぬた。
解字 形声。石＋干㊥。

3 【岩】8画(2860) ガン 山部。→四三六ページ下。

3 【矼】8画 8131 ㊀コウ(カウ) 江 kāng ㊁漢コウ・呉ク 送 kòng 6669 E1E3 ―
字義 ㊀いしばし。また、水中に置いた飛び石。㊁かたい。すなおで誠実なさま。
解字 形声。石＋工㊥。

3 【矻】8画 8132 漢コツ 呉コチ 月 kū 28228 ― 4745
字義 矻矻は、ほねおって働くさま。また、疲れるさま。
解字 形声。石＋乞㊥。

4 【砑】9画 8133 漢ガ 呉ゲ 禡 yà
字義 する。みがく。すって光らせる。
解字 形声。石＋牙㊥。
【砑】8150 俗字

4 【砎】9画 8134 ㊀漢カイ 卦 jiè ㊁漢カツ・呉ケチ 黠 qiā ― ― 4750
字義 ㊀硬い。㊁石のさま。
解字 形声。石＋介㊥。

4 【砉】9画 8135 ㊀漢ケキ・呉キャク 錫 xū ㊁カク(クヮク) 陌 huā
字義 ㊀㊁骨と皮とがはなれる音。また、物のはなれる音の形容。「砉然」
解字 形声。石＋丰㊥。音符の丰は、刻みを入れる意味を表す。
【砉】8136 俗字

4 【砉】9画 8136 カク 砉(8135)の俗字。→一〇二一ページ中。 28232 ― 4748

4 【砍】9画 8137 漢カン 呉コン 感 kǎn 28233 ― 4749
字義 きる(切)。
解字 形声。石＋欠㊥。

4 【研】9画 8138 教3 ケン と-ぐ 2406 8CA4 ―

6 〔研〕11画 8139 ㊀ゲン 先 yán 慣ケン ㊁ゲン 霰 yàn 18903 ― ―
筆順 一 ア 不 石 石 石 石 研 研
字義 ㊀❶とぐ。みがく。すりみがく。研磨。❷きわめる。物事の道理をきわめる。研究。㊁すずり。＝硯(8182)。

名前 あき・きし・きよ・きわむ・けん・とぎ
解字 篆文 形声。石＋开(幵)㊥。音符の开は、けずりみがくの意味。石を付し、石などですりみがくの意味を表す。

逆 摩研・薬研
【研△覈】調べ考えて明らかにする。

【研学(學)】学問を修めみがく。

【研詰】根ほり葉ほり問いつめること。

【研究】調べきわめる。よく調べる。研窮。

【研校】調べくらべる。▼校は、比較する。

【研△鑽】物事の道理をきわめ調べること。

【研精】くわしく調べる。また、深く研究する。

【研席】学問をする場所。「筆研几席」の略。硯席。

【研北】手紙の宛名の左下に書きそえる語。硯北。机を南向きに置くとき、人は研の北側にすわるからいう。

【研摩・研磨】①する。こする。②とぎみがく。③深く研究する。

4 【砂】9画 8140 漢サ・呉シャ 麻 shā 教6 サ・シャ すな 熟字訓 砂利 2629 8DBB ―
筆順 一 ア 不 石 石 石 砂 砂 砂
字義 すな。いさご。まさご。きわめて細かく砕けた岩石の粒。＝沙(6188)。
名前 いさご・さ・すな 難読 砂金・砂子・砂石・砂沢
解字 会意。石＋少。小さく砕けた石粒の意味。
逆 黄砂・丹砂・風砂
【砂金】川底や海底のすなや小石にまじって出る小粒の金。沙金。
【砂子】㊀すな。㊁すなご 国金・銀の箔の粉末で、蒔絵・色紙などにふきつけてかざりとするもの。
【砂州・砂△洲】潮流や風や川の流れによって、海や川の、岸べや水中にできた砂地。沙州。
【砂△塵】すなぼこり。砂煙。

【砂石】(サセキ・シャセキ) 砂や小石。また、すな。沙石(サセキ)。

【砂鉄(鐵)】(サテツ・シャテツ) 川底や海底のすなや小石にまじって出る鉄の細かな粒。磁鉄鉱の砕けたもの。

【砂△嚢】(サノウ) ①鳥類の胃の一部。腸の直前にあり、すながつまっていて、食物を細かく砕く働きをする。②砂をつめた、ズック製のふくろ。弾丸などを防ぐのに用いる。

【砂漠】(サバク) 乾燥気候のために植物がほとんど生育しない、すなや小石の多い広い土地。沙漠(サバク)。

【砂利】(ジャリ・ザリ) 国①小さな石。また、小石に砂のまじったもの。②子ども。

【砂△礫】(サレキ・シャレキ) すなと小石。沙礫(サレキ)。

4 【砕】 9画 8141 常 サイ くだ-く・くだ-ける 2653 8DD3 —

8 〖碎〗 13画 8142 人 サイ 隊 suì 6676 E1EA —

筆順 一 ア 不 石 石 矿 砕 砕 砕

字義 ❶くだく。細かにわる。「粉砕」 ❷くだける。細かにわれる。「玉砕」 ❸くず。くだけ。細片。 ❹くだくだしい。くどい。細かい。 国 くだける。うちとける。

参考 現代表記では〔摧〕(4377)の書きかえに用いることがある。「破摧→破砕」

解字 篆文 形声。石+卆(卒)音。音符の卒は、完全に終わってしまうの意味。石が形を失ってくだけるの意味を表す。常用漢字の砕は碎の省略形。

逆 玉砕・撃砕・破砕・粉砕

【砕金】(サイキン) こまかくくだけた金。美しい詩文の字句のたとえ。

【砕身】(サイシン) 身をくだいて粉にする意で、一心にはたらくこと。「粉骨砕身」

【砕△屑】(サイセツ) くだけたくず。破片。砕片。

【砕破】(サイハ) くだきやぶる。こわす。また、こわれる。

【砕務】(サイム) こまごましたつとめ。

4 【斫】 9画 (4597) シャク 斤部。→六三六ジ中。

4 【砌】 9画 8143 漢セイ 呉サイ 霽 qì 6670 E1E4 —

字義 ❶みぎり。㋐階段の下の石だたみ。階段下のしきがわらを敷いたところ。㋑石の階段。 ❷石を積み重ねる。 ❸重なりこみ入っているさま。 国 みぎり。㋐軒下の石だたみ。㋑庭。㋒所。場所。㋓おり。ころ。時節。

解字 篆文 形声。石+切音。音符の切は、きるの意味。石を切りそろえて重ねた階段の意味を表す。

4 【玭】 9画 8144 標 一 漢ヘイ・呉ハイ 斉 pí 二 漢ヒ・呉ビ 支 6671 E1E5 —

字義 一 二 ❶化学元素の一種。砒素(ソヒ)。 ❷砒素を含む、有毒の鉱物。砒石。

解字 形声。石+比音。

4 【砆】 9画 8145 フ 虞 fū 2 8231 — 4747

字義 碔砆(ブフ)は、赤い地(ジ)に白い模様のある美しい石。

解字 形声。石+夫音。

4 【砭】 9画 8146 ヘン 塩 艶 biān 1 8893 — 4756

字義 ❶石針をうつ。石針をさして病気を治療する。また、石ばり。 ❷いましめる。また、いましめ。

解字 形声。石+乏音。

【砭△灸】(ヘンキュウ) 石針とお灸。ともに治療法。

4 【砅】 9画 8147 一 レイ 霽 lì 二 リ 支 寘 2 8230 — 4746

字義 一 飛び石をふみ水を渡る。 二 水が山の岩をうつ音。

解字 会意。石+水。水中の石を踏んで渡る意味を表す。

4 【砕】 9画 8148 国字 2 8229 — —

字義 砕打(じゃくうち)は、福島県いわき市内の地名。

4 【瓦】 10画 8149 ガ wǎ 2 8234 — —

字義 大きな磚(セン)。

解字 形声。石+瓦音。 難読 瓦礫(ごうろ)

5 【砑】 10画 8150 ガ 砑(8133)の俗字。→一〇三一ジ中。 — — 4751

5 【砝】 10画 8151 一 漢キョウ(ケフ) 呉コウ(コフ) 葉 jiē 二 コウ(カフ) 合 gě 三 ホウ(ハフ) 洽 fǎ — — 4752

字義 一 硬い。 二 石の音。 三 砝碼(ホウマ)は、てんびんの分銅。

5 【砡】 10画 8152 一 ギク 屋 yù 二 漢ギョク・呉ゴク 沃 2 8235 EE5C 4753

字義 一 二 そろえる。頭をそろえる。

解字 形声。石+玉音。

5 【砿】 10画 8153 コウ 礦(8308)の俗字。→一〇三三ジ下。 2560 8D7B —

5 【砥】 10画 8154 人 標 シ 紙 支 zhǐ, dǐ 3754 9375 —

筆順 一 ア 不 石 石 矿 矿 砥 砥

字義 ❶と。といし。刃物をとぐ、きめの細かなといし。↕礪(8306)。 ❷たいらか。ひとしい。また、たいらにする。平均にする。「砥平」 ❸と-ぐ。みがく。 ❹はげむ。つとめる。

名前 たいら・と・ひとし・ひら 難読 砥用(ともち)

解字 形声。石+氐音。音符の氐(テイ)は、といしの意味。のち、石を付した。

【砥石】(シセキ・といし) 刃物をとぐきめの細かいといし。

【砥平】(シヘイ) といしのように平らなこと。また、平らにすること。

【砥磨】(シマ) といしでみがく。みがく。

【砥△礪・砥△厲】(シレイ) ①とぎみがく。②学問・修養につとめはげむ。③といし。▼礪は、きめのあらいといし。

5 【砷】 10画 8155 シン shēn — — 4760

字義 現代中国語で、化学元素の一。砒素(ソヒ)。

解字 形声。石+申音。

5 【砠】 10画 8156 ショ 慣ソ 魚 jū 6673 E1E7 —

字義 いしやま。石をいただいた山。また、つちやま。土をいただいた石山。

解字 形声。石+且音。音符の且(ショ)は、積み重なるの意味。石が積み重なっている山の意味を表す。

5 【砣】 10画 8157 漢タ 呉ダ 歌 tuó — — 4755

字義 ❶瓦(かわら)を投げる遊戯。 ❷石臼(いしうす)。 ❸はかりの分銅。

解字 形声。石+它音。

5 【砧】 10画 8158 人 チン 侵 zhēn 2146 8B6D —

筆順 一 ア 不 石 石 矿 矿 砧 砧

字義 ❶きぬた。きねで打って、布をやわらげ、つやを出すのに用いる石の台。=碪(8226)。 ❷人をのせて切る台。また、木を切る台。=椹(5620)。

名前 きぬ・きぬた

解字 篆文 形声。石+占音。音符の占は、一

砧①

定の場所に固定するの意味。布のつやを出すために一定の場所にすえておく石の台の意味を表す。

【砧響(響)】きぬたのひびき。

【砧△杵】きぬた(砧)ときね(杵)。また、きぬたのきね。用例〔唐、白居易、聞夜砧詩〕誰家思婦秋擣帛、月苦風凄砧杵悲 ↓どこの家の夫を待つ妻であろうか、秋の夜に砧を打っているのは。月は寒々と冴え渡り、風がすさまじく吹く中に、砧の音が悲しく響く。

【砧声(聲)】きぬたを打つ音。砧響。

【砧△斧】人切り台と、人切りのおの。

5 【砮】10画 8159 漢ド 呉ヌ nǔ — — 4757

字義 やじりにする石。また、石のやじり。

解字 篆文 形声。石+奴音。音符の奴は、弩に通じ、ばねじかけの石弓の意味。石弓に用いる矢の、やじりにする石の意味を表す。

5 【破】10画 8160 教 5 ハ やぶる・やぶれる ハ 簡 pò 3943 946A —

筆順 一 厂 石 石 矿 矽 砂 破

字義 ❶やぶる。やぶれる。㋐こわす。こわれる。わる(割)。われる。用例〔史記、項羽本紀〕亜父受玉斗、置之地、抜剣、撞而破之曰、……。↓亜父は玉斗を受けとって、これを地上に置き、剣を抜いてついてこなごなに砕いて言うには、……。／〔唐、杜甫、春望詩〕国破山河在、城春草木深。↓国都長安は反乱軍のために破壊されてしまったが、自然の山河はもとのまま少しもかわりなく存在している。長安の町には今春が来て、草木が青々と茂っている。㋑さく。さける。やぶく。「破棄」㋒負かす。負ける。用例〔史記、孫子伝〕斉因乗勝尽破其軍。↓斉はこれによって勝ちに乗じてことごとく魏の軍を打ち負かした。㋓とく。解除する。用例〔唐、杜甫、諸将詩〕多少材官守涇渭、将軍且莫破愁顔。↓いま多くの武官たちが涇河と渭河の流域を守備している、将軍たるものしばらくは愁いの面持ちを崩してはいけない。㋔つくす。すべてにわたる。用例〔唐、杜甫、贈韋左丞詩〕読書破万巻、下筆如有神。↓万巻の書物を読み尽くし、詩文を作れば神がかりのようできばえ。㋕あばく。明らかにする。用例〔唐、白居易、杜陵叟詩〕長吏明知不申破、急斂暴徴求考課。↓長吏は事情をよく知っていても述べて明らかにはせず、かえって厳しく激しく税を取り立てて功績を挙げようとした。㋖細かく分ける。分析する。解釈する。用例〔中庸〕語小、天下莫能破焉。↓(君子は)小事を説けば、誰もそれ以上細かく分析することのできない(ほど小さなところまで及ぶ)。㋗つぼみがほころぶ。ひらく。用例〔唐、韓愈、薦士詩〕霜風破佳菊、嘉節迫吹帽。↓霜を帯びた冷たい風がかんばしい菊のつぼみをほころばせ、重陽の佳節に帽子を吹き落とす。❷やぶれ。やぶれた所。❸楽曲の名。次第に調子が細かく変化が多くなってゆく曲。「序破急」❹助字。㋐強意の助字。上の動詞の程度を強める。用例〔唐、白居易、長恨歌〕漁陽鼙鼓動地来、驚破霓裳羽衣曲。↓漁陽から攻め太鼓が地をゆさぶってやって来て、霓裳羽衣の曲を演奏していた人々を大いに驚かした。㋑完了・結果の助字。動詞の直後に置いて動作が完了、またはある結果に到達したことや、目的を達成したことを表す。用例〔北宋、蘇軾、送任伋通判黄州兼寄其兄孜詩〕別来十年学不厭、読破万巻詩愈美。↓別れてから十年を経たが依然として学問に励み、万巻の書物を読み通して作る詩はますますすばらしい。

難読 破子・破天連・破不山・破落戸・破籠

使いわけ やぶれる〔破・敗〕
〔破〕物が裂けたり、穴があいたりする。また、だめになる。「障子の破れ・縁談が破れる」
〔敗〕負ける。また、失敗する。「決勝で敗れる・選挙に敗れる」

解字 篆文 形声。石+皮音。音符の皮は、波に通じ、なみの意味。くだける波のように石がくだける、やぶれるの意味を表す。

逆 喝破・看破・驚破・撃破・残破・説破・走破・踏破・道破・読破・爆破・論破

【破駅(驛)】破れすたれた宿場。荒れはてた宿場。廃駅。

【破屋】やぶれや。あばらや。陋屋。

【破△瓜】①女性の十六歳。瓜の字を二分すると二個の八の字となるからいう。②男性の六十四歳。八八、六十四の意。

【破戒】仏 仏道に帰依して戒を受けた人が、そのいましめをやぶること。↔持戒(五九一ページ下)。

【破壊(壞)】こわす。また、こわれる。

【破格】①きまりや先例を破ること。②普通でないこと。なみはずれ。特別。

【破顔】よろこびやおかしさのために、相好(顔つき)をくずすこと。うれしそうな(また、おかしそうな)顔つきをすること。ほほえむこと。笑うこと。「破顔一笑」

【破棄】国①破りすてる。②=破毀②。

【破毀】①破りこわす。②国上級の裁判所でもとの裁判所の判決を取り消すこと。破棄。

【破却】①破る。こわす。▼却は、強意の助字。②破り捨てる。

【破鏡】①こわれたかがみ。②夫婦仲が破れて離縁すること。昔、夫婦が別れるとき、鏡を割ってその半分ずつを持ち合った故事による。③かけて円くない月。かたわれ月。

【破暁(曉)】よあけ。あけがた。

【破局】国①破壊的な局面。平和的な交渉が破れて起こる戦争などの状態にいう。②事がついに破れること。悲劇的な終末。③悲劇の終末。カタストロフィ。

【破獄】囚人が牢獄を破ってにげること。ろうやぶり。脱獄。破牢。

【破砕(碎)】破りくだく。こなごなにくだく。破摧。

【破産】財産をつぶすこと。〔史記、孔子世家〕

【破算】国算盤で、次の計算に移るとき、前に置いた珠を払い消すこと。「御破算」

【破字】経文中の仮借字を本字によって読み、解釈すること。

【破邪顕(顯)正】仏 邪説・邪道を打ち破って、正道をあらわし明らかにすること。〔三論玄義〕

【破傷風】病気の名。傷口から破傷風菌がはいって起こる伝染病。

【破船】船が難破すること。また、難破船。

【破損】破りそこなう。こわす。また、破れこわれる。

【破題】詩文の初めの一句あるいは二句で、題意を言い表すこと。また、その句をいう。

【破胆(膽)】きも玉をつぶす。おどろきおそれる。

【破綻】①破れほころびる。②事業などがうまくゆかなくなること。

【破談】ハダン 国①相談がおりあわないこと。話し合いがまとまらないこと。②縁談がこわれること。

【破竹△之勢】ハチクのいきおい(ひ) 刃物で竹を割るときのように、止めようのないはげしい勢い。〔北史、周高祖紀〕

【破的】ハテキ・まとをやぶる まとに当てる。転じて、言葉が理屈にかなうことのたとえ。

【破天荒】ハテンコウ 今まで人がなし得なかったことを初めて行うこと。前人未踏の境地を開くこと。天荒は、凶作。また、凶作などで雑草の生いしげること。荊州ケイシュウでは毎年、官吏登用試験の合格者がなかったので、世人はこれを天荒と言っていたが、やがて劉蛻リュウゼイが合格し、人々が破二天荒一テンコウをやぶると言った故事による。旧説に、天地未開の混沌コントンとした状態(天荒)を破り開くという。〔北夢瑣言、四〕

【破△廟】ハビョウ 破れ寺。廃寺。

【破風】ハフ 国屋根の山形のところにつける合掌形のかざり板。また、家の両側面の屋根の切り棟が下がって山形になっている所。「破風作り」

【破墨】ハボク 水墨画の技法の一つ。淡墨うすずみで描いた上に次第に濃い墨を加えて、墨の濃淡やにじみで趣を出すもの。「破墨山水」

【破滅】ハメツ 破れほろびる。破りほろぼす。〔墨子、所染〕

【破門】ハモン ①破れた門。②国㋐師弟の関係を絶ち切って師が弟子を棄てること。㋑信徒としての資格を取り上げて宗門から除名すること。

【破約】ハヤク 約束を破る。違約。背約。

【破落戸】ハラッコ・ハラクコ・ごろつき ならずもの。一定の住所も職業もなくて良民を害する悪者。無頼漢ブライカン。〔水滸伝、二回〕

【破裂】ハレツ ①破れさける。勢い強くはじける。②談判がまとまらずに破れる。

【破廉恥】ハレンチ 恥を恥とも思わぬこと。恥しらず。

5【砵】10画 8161 ハツ bō ― ― 4759

字義 ❶砵崙ハツロンは、ポートランド。アメリカ合衆国の地名。❷砵酒ハッシュは、ポートワイン。

解字 形声。石＋鉢省音。

5【砲】10画 8162 常 ホウ 4304 9643 ―

5［砲］10画 8163 ホウ(ハウ) 效 pào

筆順 一 ア 不 石 石' 矽 矽 砲 砲

字義 ❶いしゆみ。いしはじき。昔、石をはじき飛ばして敵にあてた武器。❷つつ。鉄砲・大砲の類い。特に、おおづつ。大砲。

【礮】8305 同字 【礟】8317 同字

解字 形声。石＋包(包)音。

逆 号砲

【砲煙弾雨】ホウエンダンウ 〔砲煙弾(彈)雨〕 大砲や鉄砲の煙が一面にたちこめ、弾丸が雨のようにふりそそぐ。激戦のさまの形容。

【砲火】ホウカ ①大砲や鉄砲を発射したときに出る火。また、うち出す弾丸。②戦い。

【砲艦】ホウカン 海岸や川岸の警備を主務とする小型の軍艦。

【砲△熕】ホウコウ おおづつ。大砲。

【砲台(臺)】ホウダイ 敵を防ぐため、海岸や山上などの要所に大砲を設備した構築物。

【砲塔】ホウトウ 軍艦などで大砲や砲手などを守るため、そのまわりを厚い鋼鉄で囲んだもの。

【砲門】ホウモン ①大砲の弾丸が発射される口。砲口。②軍艦の側面や城壁などに、射撃のためにあけた穴。砲眼。

5【砰】10画 8164 漢ホウ(ハウ) 呉ヒョウ(ヒャウ) 庚 pēng ― ― 4758

字義 ❶音の形容。ひびき渡る音。雷のような、とどろき渡る音。❷さかんなさま。

解字 形声。石＋平音。

【砰然】ホウゼン 音声のとどろきひびくさま。〔列子、湯問〕

【砰△湃】ホウハイ ①波が音をたててはげしく打ち合うさま。水がさかまくさま。②音がはげしく鳴り響くさま。

【砰砰】ホウホウ 鼓の音の形容。

5【砢】10画 8165 ラ 哿 luǒ ― ― 4754

字義 磊砢ライラは、石が積み重なっているさま。

解字 形声。石＋可音。

5【砬】10画 8166 一リュウ(リフ) 緝 lì 二ロウ(ラフ) 合 2 8236 ― ―

字義 一砬礫リュウレキは、㋐石の崩れる音。㋑毒消しの薬。

解字 形声。石＋立音。

5【砺】10画 8167 レイ 礪(8306)の俗字。→一〇三三ページ中。 3755 9376 ―

6【硈】11画 8168 漢カツ 呉ケチ 黠 qià ― ― 4764

字義 ❶堅い。石が堅い。❷突く。

解字 形声。石＋吉音。音符の吉は、堅に通じ、かたいの意味。

6【硅】11画 8169 カク(クヮク) 陌 guī 慣ケイ 6675 E1E9 ―

字義 ❶やぶる。❷化学元素の一つ。硅素ケイソ。

解字 形声。石＋圭音。

6【硎】11画 8170 一漢ケイ 呉ギョウ(ギャウ) 青 xíng 二漢コウ(カウ) 呉キョウ(キャウ) 庚 kēng 1 8902 EE5D 4766

字義 一といし。砥石シセキ。二❶いし(石)。❷あな。＝阬(13055)。

解字 形声。石＋刑音。

【若△発(發)二於硎一】ケイよりハッするがごとし といしにかけてといだばかりのように刀の刃が、光り輝くこと。〔荘子、養生主〕

6【研】11画 (8139) ケン 研(8138)の旧字体。→一〇二一ページ中。

6【硄】11画 8171 コウ(クヮウ) 陽 kuāng ― ― 4762

字義 ❶石の音の形容。❷光沢のある石。

解字 形声。石＋光音。

6【砦】11画 8172 人 標 漢サイ 呉ザイ 卦 zhài 2654 8DD4 ―

筆順 ｜ ト 上 止 止' 此 此 些 砦 砦

字義 ❶まがき。❷とりで。

解字 形声。石＋此音。

6【硃】11画 8173 シュ 虞 zhū 1 8901 ― 4761

字義 ❶赤い砂。朱色の顔料や朱墨を作る鉱石。辰砂シンシャ・丹砂・銀砂の類い。❷あかい。あかい色。＝朱(5187)。

解字 形声。石＋朱音。音符の朱は、あかいの意味。赤い石、しゅの意味を表す。

【硃批】シュヒ ①上奏文に、天子自ら、さしずのため、朱筆で必要事項を記入すること。②朱筆で批評を書くこと。

6【硒】11画 8174 セイ 斉 xī ― ― 4767

字義 現代中国語で、化学元素の一つ。セレン。

解字 形声。石＋西音。

6【[石戋]】11画 8175 セン 碊(8200)の俗字。→一〇二六ページ中。 1 8894 ― ―

6【硇】11画 8176 漢ドウ(ダウ) 呉ニョウ(ネウ) 肴 náo 2 8237 ― 4763

【字義】硇砂ドウシャは、塩化アンモニウム。碙砂ロシャ。

【解字】形声。石＋凶音。

6 【硑】11画 8177 一 漢ホウ(ハウ) 呉ヒョウ(ヒャウ) 庚 pēng 二 漢ヘイ 呉ビョウ(ビャウ) 青 píng　18904 — —
【字義】一 音の形容。砰(8164)と同字。 二 かめ。瓶(7553)と同字。

6 【硌】11画 8178 ラク 薬 luò　— — 4765
【字義】❶山上の大岩。❷磊硌ライラクは、石の大きいさま。❸硌硌は、石のごつごつしているさま。

【解字】形声。石＋各音。

7 【硪】12画 8179 ガ 歌 é　28239 — 4775
【字義】❶いわお。岩石。❷石で地を突き固める。

【解字】形声。石＋我音。

7 【确】12画 8180 漢カク 呉ガク 覚 què ⑤jué　18906 — 4776
【字義】❶そね。石の多いやせ地。＝埆(1975)。「磽确コウカク」❷うすい。少ない。❸たしか。正しい。＝確(8241)。❹まこと。❺きそう。また、くらべる。
【解字】篆文 形声。石＋角音。音符の角は、かたいつのの意味を表す。かたい石の意味から、転じて、たしかの意味を表す。

7 【硞】12画 8181 一 カク 覚 què 二 漢カク・呉キャク 陌 kè 三 コク 沃 kù　— — 4769
【字義】一 ❶石の音の形容。❷固い。 二 礐硞カクカクは、水が石に激しくぶつかる音。 三 碌硞ロクコクは、石の平らでないさま。
【解字】形声。石＋告音。

7 【硯】12画 8182 人 標 漢ゲン 慣ケン 銑 yàn　2407 8CA5 —
【筆順】ア 不 石 矶 硐 硐 硯 硯
【字義】❶なめらかな石。❷すずり。墨をする道具。＝研(8138)。
【名前】けん・げん
【解字】篆文 形声。石＋見音。音符の見は、研に通じ、みがくの意味。墨をする道具、すずりの意味を表す。

【硯海ケンカイ】＝硯池。

【硯席ケンセキ】学問をする座席。「同二硯席一ケンセキをおなじくす(同じ師について学問をする)」

【硯池ケンチ】すずりの水を入れる部分。硯海。

【硯滴ケンテキ】すずりの水さし。水注。

【硯△屏ケンペイ】すずりの前にたてる衝立ついたて。

【硯北ケンボク】手紙のあてなの脇付わきづけに用いる語。机を南向きにおくとき、人はすずりの北にすわるからいう。おそばの意。

7 【硬】12画 8183 常 コウ かたい 漢ゴウ(ガウ)・呉ギョウ(ギャウ) 敬 yìng 慣コウ(カウ)　2537 8D64 —
【筆順】一 ア 不 石 石一 硒 硒 硬 硬
【字義】かた-い。また、つよい。↔軟(11878)。
【名前】かた・かたし 【難読】硬山ぼたやま
【参考】現代表記では[鯁](14026)の書きかえに用いることがある。「鯁骨→硬骨」

【使いわけ】かたい〔硬・堅・固・難〕

〔硬〕力を加えても形が変わらない。また、こわばっている。「軟らかい」の対。「硬い石・硬い表現・表情が硬い」

〔堅〕中がつまっていて砕けにくい。また、確かである。「もろい」の対。「堅い炭・義理堅い・堅い守り」

〔固〕全体が強く形が変わらない。また、融通がきかない。「ゆるい」の対。「固く結ぶ・固い約束」

〔難〕むずかしい。「やさしい」の対。「想像に難くない」

「頭が固い／硬い」「決意が堅い／固い」のように、使いわけが紛らわしい例も多いが、各々その反対語を考えて判断するのがよい。


【解字】形声。石＋更音。音符の更は、かたくてつよいの意味。更が、あらためるの意味などに用いられるようになったため、区別して石を付した。

逆 強硬
【硬化コウカ】↔軟化(三九一ページ下)。①かたくなる。②てごわくなる。強い意見や態度に変わること。

【硬貨コウカ】金貨・銀貨・銅貨など、金属製の貨幣。

【硬骨コウコツ】①かたいほね。②意志が強くて、たやすく人に屈しないこと。鯁骨コウコツ。「硬骨漢(漢は男性の意)」

【硬渋(澁)コウジュウ】文章などがかたくるしくて、もたつくこと。

【硬水コウスイ】カルシウム塩・マグネシウム塩などの鉱物質を多く含む水。↔軟水(三九一ページ下)。

【硬直コウチョク】国①こわばって曲がらなくなること。②態度や方針を絶対に変えない状態をいう。

【硬派コウハ】↔軟派(三九一ページ下)。国①強い意見・主張を持つ一派。強硬論の人々。②好んで正義を主張し、時に暴力をふるう一派。

7 【硜】12画 8184 漢コウ(カウ) 呉キョウ(キャウ) 庚 kēng　— — 4768
【字義】硜硜は、㋐石をたたく音のかたい感じ。㋑小人物のかた苦しいさま。融通のきかないさま。いやしいさま。

【解字】形声。石＋巠音。

7 【硤】12画 8185 漢コウ(カフ) 呉ギョウ(ゲフ) 洽 xiá　28238 EE5E 4773
【字義】硤石は、地名。湖北省内。 【難読】硤合あいそ
【解字】形声。石＋夾音。

7 【硡】12画 8186 漢コウ(クヮウ) 呉ゴウ(グヮウ) 庚 hōng　— — 4771
【字義】❶石。❷石の落ちる音の形容。❸大きい音。

【解字】形声。石＋宏音。

7 【硣】12画 8187 漢コウ(カウ) 呉キョウ(ケウ) 肴 xiāo　— — 4772
【字義】硣磟コウロクは、山のさま。

【解字】形声。石＋孝音。

7 【硨】12画 8188 シャ 麻 chē　18905 — 4774
【字義】硨磲シャコは、㋐珊瑚礁サンゴショウに住む二枚貝の名。おうぎがい。大きさ七十センチメートルから一メートルに及び、昔から七宝の一つに数えられ、みがいて装飾に用いる。車渠シャコ。㋑玉に次いで美しい宝石。

【解字】形声。石＋車音。

7 【硝】12画 8189 常 ショウ
7 〔硝〕12画 8190 ショウ(セウ) 蕭 xiāo　3043 8FC9 —
【筆順】一 ア 不 石 石' 石'' 硝 硝 硝
【字義】鉱物の名。無色のガラス状の結晶体で、火をつければ紫の炎をだして燃える。ガラス(硝子)・火薬などの原料。硝石。 【難読】硝子ガラス
【解字】形声。石＋肖音。
【硝煙ショウエン】国火薬の爆発によって起こるけむり。
【硝薬(藥)ショウヤク】国火薬。

7 【硫】12画 8191 常 リュウ 漢リュウ(リウ)・呉ル 尤 liú 熟字訓 硫黄(いおう) 4618 97B0 —

筆順 一 ア 不 石 矿 矿 砬 砬 硫

字義 硫黄は、いおう。ゆおう。火山地に産する黄色の鉱物。化学元素の一。火をつければ青い炎をだして燃え、悪臭を放つ。火薬・マッチなどの原料。難読 硫黄(いおう・ゆおう)

解字 形声。石＋㐬(音)。音符の㐬(リュウ)は、ながれるの意味。石の間から流れ出る、いおうの意味を表す。

7 【硠】12画 8192 ロウ(ラウ) 陽 láng — — 4770

字義 音の形容。㋐石の打ちあう音の形容。㋑大きい音の形容。㋒くずれる音の形容。

解字 形声。石＋良(音)。

【硠硠】ロウロウ ①＝字義㋐。②堅いさま。

7 【硴】12画 8193 国字 6677 E1EB —

字義 かき(牡蠣)。

解字 会意。石＋花。石花(セッカ)は、かきの別名。

7 【硲】12画 8194 国字 4003 94A1 —

字義 はざま。たにあい。峡。さこ。

解字 会意。石＋谷。岩石の多い、たにあいの意味を表す。

8 【碤】13画 8195 漢エイ 呉ヨウ(ヤウ) 庚 yīng 28243 — 4787

字義 ❶水中の石。❷模様のある石。

解字 形声。石＋英(音)。

8 【碍】13画 8196 ガイ 礙(8303)の俗字。→一〇三三ページ・中。 1923 8A56 —

参考 現代表記では[害](2638)に書きかえることがある。「障碍→障害」「妨碍→妨害」

【碍子】ガイシ 国電線と支柱とを絶縁する器具。

8 【碕】13画 8197 キ 埼(1999)と同字。→三一〇ページ・下。 2676 8DEA —

8 【碁】13画 8198 常 ゴ 漢キ・呉ゴ・ギ 支 qí 2475 8CE9 —

筆順 一 卄 甘 甘 其 其 其 其 碁 碁

字義 棋(5505)と同字。囲碁。難読 碁笥(ごけ)

参考 日本語の習慣では、碁は「ゴ」と読み、もっぱら囲碁のことを指すが、漢語としては元来、[棋](5505)との区別はない。熟語は[棋]をも見よ。

解字 形声。石＋其(音)。棋(5505)と同字。

逆 囲碁

【碁盤】ゴバン 碁をうつのに用いる、四角な木の盤。縦・横それぞれ十九本の線を引き、三百六十一の目をもったもの。

8 【碎】13画 (8142) サイ 砕(8141)の旧字体。→一〇二三ページ・上。

8 【碏】13画 8199 漢シャク 呉サク 薬 què — — 4780

字義 ❶敬う。❷さまざまな色が混じった石。

解字 形声。石＋昔(音)。

8 【碊】13画 8200 一セン 先 jiān 二漢セン・呉ゼン 先 三漢サン・呉ゼン 潸 zhàn 28241 — 4779

[石戋] 8175 俗字

字義 一❶おく。のせる。❷そそぐ。❸うつる(移)。二さか(坂)。三かけはし。

解字 形声。石＋戔(音)。

8 【碓】13画 8201 人 標 漢タイ 呉ツイ 隊 duì 1716 894F —

筆順 ア 石 石' 矿 矿 砟 砟 碓 碓 碓

字義 うす。からうす。ふみうす。足でふみ、または水力で杵(きね)を上下して穀類をつく農具。難読 碓氷(うすい)

解字 篆文 形声。石＋隹(音)。音符の隹(スイ＝タイ)は、敦(タイ)に通じ、厚みがあるの意味。厚みのある石、石うすの意味を表す。

碓

[碓擣](タイトウ) からうすでつく。

8 【硺】13画 8202 タク 覚 zhuó — EE5F 4777

字義 撃つ。たたく。

解字 形声。石＋豖(音)。

8 【硾】13画 8203 漢ツイ 呉ズイ(ツイ) 寘 zhuì, ③chuí — — 4778

字義 ❶おもりを付けて垂らす。❷物の重さをはかる。❸突く。打つ。

解字 形声。石＋垂(音)。音符の垂は、たれるの意味。

8 【碇】13画 8204 標 漢テイ 呉チョウ(チャウ) 径 dìng 3686 92F4 —

[矴] 8129 同字

字義 ❶いかり。舟をとめるとき、水中に投げおろすおもり。もと石で造り、後に鉄で造る。❷いかりをおろす。舟をとめる。

参考 現代表記では[停](499)に書きかえることがある。「碇泊→停泊」

解字 形声。石＋定(音)。舟を定位置にとめておく石、いかりの意味を表す。

【碇泊】テイハク 船がいかりをおろしてとまる。停泊。碇宿。

8 【碘】13画 8205 テン diǎn — — 4782

字義 現代中国語で、化学元素の一つ。沃素(ヨウソ)。

解字 形声。石＋典(音)。

8 【碡】13画 8206 漢トク 呉ドク 屋 因 dú — — 4783

字義 碌碡(ロクトク)・磟碡(ロクトク)は、農具の名。田を平らにするローラー。

解字 形声。石＋毒(音)。

8 【碆】13画 8207 一漢ハ・呉バ 歌 bō 二ハ 歌 箇 6678 E1EC —

字義 一いぐるみに石をつける。また、その石。二やじりの石。やじりにする石。＝磻(8286)。国はえ。岩礁の意。地名に用いる。

解字 形声。石＋波(音)。

8 【碚】13画 8208 ハイ bèi 6680 E1EE —

字義 ❶碚礧(ハイライ)は、つぼみ。蓓蕾(ハイライ)。❷北碚は、重慶市にある地名。

解字 形声。石＋音(音)。

8 【碑】13画 (8231) ヒ 碑(8230)の旧字体。→一〇三七ページ・下。 28242 — 4781

8 【碔】13画 8209 漢ブ 呉ム 麌 wǔ

字義 軽い石の名。

解字 形声。石＋武(音)。

8 【硼】13画 8210 漢ホウ(ハウ) 呉ヒョウ(ヒャウ) 庚 pēng

[䃅] 8211 俗字

字義 ❶さかんな音声の形容。❷化学元素の名。硼素。❸硼砂(ホウシャ)は、鉱物の一種。多く火山付近の地中から産する、無色透明なガラス状の結晶体。金属の接合や防腐剤などに用いる。❹硼酸(ホウサン)は、薬品の一種。うがい薬・化粧水・防腐剤などに用いる。

解字 形声。石＋朋(音)。

8 【硼】13画 8211 ホウ
硼(8210)の俗字。→一〇二六ページ下。
6679 E1ED —

8 【碌】13画 8212 ロク 屋 lù
字義 ❶碌碌ロクロクは、㋐平凡なさま。役に立たぬさま。㋑人の後につき従うさま。㋒車輪の音の形容。轆轆ロクロク。❷碌硞ロクコクは、石の平らでないさま。
解字 形声。石＋彔音。
【碌青】ロクショウ 銅に生ずる緑色のさび。緑青。
6681 E1EF —

8 【碗】13画 8213 人 標 ワン 旱 wǎn
字義 盌(7931)の俗字。食物を盛る小さな鉢。
解字 形声。石＋宛音。
筆順 ア 石 石' 石宀 砂 砂 碗 碗
4750 9871 —

8 【碆】13画 8214 国字
字義 茶碆山ちゃうすやまは、京都府城陽市内の地名。
₂8240 — —

9 【碬】14画 8215 漢カ 呉ゲ 麻 xiá
字義 砥石といし。
解字 形声。石＋叚音。
— — 4789

9 【嵒】14画 8216 ㊀漢ガン・呉ゲン 咸 yán ㊁漢ギン・呉ゴン 侵
字義 ㊀❶けわしい。㋐岩山がけわしい。㋑人情がけわしい。❷たがう。❸いわお。岩石。
解字 会意。石＋品。
₂8245 — 4785

9 【碕】14画 8217 キ
埼(1999)の俗字。→三一〇ページ下。
₁8909 — —

9 【碣】14画 8218 漢ケツ 呉ゲチ 屑 jié
字義 ❶立っている石。きわだってそびえている石。❷山のそびえているさま。❸いしぶみ。文章を彫りこんだ石。特に円形または楕円形ダエンケイの石碑。→碑(8230)。
解字 篆文 形声。石＋曷音。音符の曷カツは、高くかかげるの意味。きわだって高い石の意味を表す。
【碣石館】ケッセキカン 今の北京市豊台区の西、碣石山上にあった建物。戦国時代の燕エンの昭王が騶衍スウエンを住まわせた。
6682 E1F0 —

9 【碱】14画 8219 ケン
鹼(14395)の俗字。→一六三八ページ上。
— — 4792

9 【磁】14画 8220 教6 ジ
2807 8EA5 —

9 〖磁〗14画 8221 漢シ 呉ジ 支 cí
〖磁〗8294 同字
筆順 一 ア 石 石' 石丷 石兹 磁 磁 磁
字義 ❶鉱物の一種。鉄を吸いつける性質がある。磁鉄鉱。磁石。❷やきもの。いしやき。高温でかたく焼きあげた陶器。＝瓷(7552)。→磁器。「陶磁器」
名前 じ
解字 形声。石＋茲(玆)音。音符の茲シは、ものがつながるの意味。金属を引きつけつなげる鉱物の意味を表す。
逆 青磁
【磁気(氣)】キジ 磁石などの物体が鉄を引き、また、南北をさす性質。
【磁器】キジ かたく焼けしまってガラス質化し、吸水性のない白色の焼き物。石焼き。多く磁州(今の河北省磁県)の窯まかに産したからいう。
【磁極】キョクジ 磁石の陰と陽との両はし。
【磁石】ジシャク・ジセキ ①鉄を吸いつける性質のある鉱物。天然のものを磁鉄鉱といい、人工的な磁石には永久磁石・電磁石などがある。〔呂氏春秋、精通〕②国「磁石盤(磁石を応用して方位を測る器械)」の略称。
【磁針・磁△鍼】ジシン 磁石のはり。磁石盤・羅針盤の指針。

9 【碩】14画 8222 人 漢セキ 呉ジャク 陌 shuò(shí)
3257 90D7 —
筆順 一 ア 石 石一 石丅 砳 碩 碩 碩
字義 ❶おおきい。❷すぐれている。りっぱである。えらい。
名前 おう・おお・ひろ・みち・みつ・みつる・ゆたか
解字 金文 篆文 形声。頁＋石音。頁は、あたまの意味。音符の石は、いしの意味。石のようにおおきく充実している頭の意味を表す。
【碩学(學)】セキガク 大学者。偉い学者。碩師。碩儒。
【碩言】セキゲン すぐれたことば。
【碩士】セキシ すぐれた人。りっぱな人。えらい人。
【碩師】セキシ ＝碩学。
【碩儒】セキジュ ＝碩学。
【碩人】セキジン ①りっぱな人格の人。〔詩経、邶風、簡兮〕②美人。〔詩経、衛風、碩人〕
【碩△鼠】セキソ おおきなねずみ。君主が重税をとりたてて人民を苦しめるのをおおきなねずみにたとえて歌った、『詩経』の詩に基づく。用例〔詩経、魏風、碩鼠〕碩鼠碩鼠セキソセキソ、無レ食ニ我黍一わがきびをくらう(ふ)ことなかれ。↓大ねずみよ、大ねずみよ。私の黍を食べてはならない。
【碩大】セキダイ ①顔だちがりっぱで、徳の備わっていること。②大きい。
【碩徳】セキトク おおきい徳。また、大徳のある人。
【碩謀】セキボウ おおきなはかりごと。すぐれたはかりごと。
【碩茂】セキモ ①おおきくなりしげること。②子孫が繁栄する。③学問・徳行のすぐれた大人物。
【碩老】セキロウ 徳の高い老人。

9 【碟】14画 8223 ㊀漢セツ・呉ゼチ 屑 shé ㊁漢チョウ(テフ) 呉ジョウ(デフ) diē
字義 ㊀皮をなめす。㊁小皿。
解字 形声。石＋枼音。
₂8246 — 4786

9 【碝】14画 8224 漢ゼン 呉ネン 銑 ruǎn
字義 玉に次いで美しい石。国さざれいし。
解字 形声。石＋耎音。
₂8244 — 4784

9 【碳】14画 8225 タン tàn
字義 現代中国語で、化学元素の一つ。炭素。
解字 形声。石＋炭音。
— — 4794

9 【碪】14画 8226 チン 侵 zhēn
字義 きぬた。＝砧(8158)。
解字 形声。石＋甚音。
6684 E1F2 —

9 【碲】14画 8227 テイ dì
字義 現代中国語で、化学元素の一つ。テルル(テルリウム)。
解字 形声。石＋帝音。
— — 4793

9 【碭】14画 8228 漢トウ(タウ) 呉ドウ(ダウ) 漾 陽 dàng
字義 ❶あやのある石。❷大きい。❸あふれる。❹はねあがる。
解字 形声。石＋易音。
₁8910 — 4790

9 【碯】14画 8229 ノウ
瑙(7452)と同字。→九五三ページ下。
6685 E1F3 —

9 【碑】14画 8230 常 ヒ
4074 94E8 —

8 〖碑〗13画 8231 人 ヒ 支 bēi
₁8907 — —

石部 8▼9画 〔硼碌碗碆碬嵒碕碣碱磁碩碟碝碳碪碲碭碯碑〕

筆順 石 石′ 矿 矿 砷 砷 砷 碑 碑 碑

字義 ❶たていし。㋐昔、庭に立てて日かげによって時間をはかった石の柱。㋑宗廟(ソウビョウ)(おたまや)に立てていけにえをつなぐ石の柱。㋒貴人の棺を墓穴におろすとき、棺をつり下げる綱をかけるために穴の四方に立てた石または木。たてぎ。❷いしぶみ。事跡を後世に伝えるために文字を彫って建てておく石。特に形の四角なものをいう。石碑。円いものを碣(ケツ)という。

解字 篆文 形声。石＋卑(卑)音。音符の卑は、ひくいの意味。ひくいたていしの意味を表す。もと、日時計や、いけにえをつなぐのに用いたが、のち、文をほりつける、いしぶみの意味に用いる。

逆 口碑・石碑・墓碑

【碑陰】ヒイン 石碑のうら。また、そこに書いてある文。
【碑碣】ヒケツ いしぶみ。▼碑は四角、碣は円形のもの。
【碑誌】ヒシ 文体の名。石碑に刻む文章。碑文。⇩コラム 漢文(六八ページ)。
【碑帖】ヒジョウ いしぶみなどをすって本にしたもの。石ずりを集めた本。
【碑版】ヒハン ①いしぶみ。石碑。②＝碑誌。
【碑文】ヒブン ＝碑誌。
【碑銘】ヒメイ 姓名・本籍・性質・経歴などをしるした文章で、墓所・石碑に刻むもの。石碑の銘文。

9 【碧】 14画 8232 人 漢ヘキ 呉ヒャク 陌 bì 4243 95C9 ―

筆順 一 丁 王 王′ 珀 珀 珀 珀 碧

字義 ❶みどり。あお。あおみどり。濃い青色。用例(唐、杜甫、絶句詩)江碧鳥逾白(コウみどりにしてとりいよいよしろく)、山青花欲レ然(やまあおくしてはなもえんとほっす) ⇩川の水は紺碧で、(それに対比して)鳥はいよいよ白く、山は浅みどりで花は燃えたつばかりにまっ赤である。❷あおいし。青い色の美しい石。碧玉。

名前 あお・きよし・たま・へき・みどり 難読 碧海(あおみ)

解字 篆文 形声。王(玉)＋石＋白音。音符の白は、かがやくの意味。光沢のある玉のような石、あおいしの意味を表す。

【碧衣】ヘキイ みどりの衣。
【碧宇】ヘキウ あおぞら。碧天。
【碧雲】ヘキウン みどり色の雲。
【碧円(圓)】ヘキエン 蓮(はす)の葉などの、青く丸いものをいう。
【碧瓦】ヘキガ 青色のかわら。
【碧海】ヘキカイ あおうなばら。青い海。用例(唐、李白、哭二晁卿衡一詩)明月不レ帰沈二碧海一、白雲愁色満二蒼梧一 ⇩明月のような君は帰ることなく青い海の底に沈んでしまい、白い雲が悲しみの色をたたえて蒼梧の空を覆っている。
【碧漢】ヘキカン ①青空と天(あま)の川。②天空。あおぞら。
【碧澗】ヘキカン みどり色の水の流れる谷川。碧渓(ヘキケイ)。
【碧眼】ヘキガン ①青い目。②西洋人。
【碧巌(巖)】ヘキガン みどり色の岩。
【碧巌(巖)録】ヘキガンロク 宋(ソウ)代の仏書。十巻。雲門宗の雪竇重顕(セッチョウジュウケン)の公案に、臨済宗の仏果圜悟(ブッカエンゴ)が解説を加えたもの。
【碧虚(虛)】ヘキキョ ＝碧空。
【碧玉】ヘキギョク ①青色の美しい玉。サファイアの類い。②空や水の青くすんで美しいさまのたとえ。
【碧空】ヘキクウ あおぞら。碧虚。碧天。碧落。用例(唐、李白、黄鶴楼送二孟浩然之二広陵一詩)孤帆遠影碧空尽、唯見長江天際流 ⇩友を乗せた船の帆が遠く碧空のかなたに消え、あとにはただ長江が天の果てへと流れて行くのが見えるばかりである。
【碧渓(溪)】ヘキケイ みどり色の水の流れる谷。
【碧血】ヘキケツ 忠誠の人の血。忠誠の至りをいう。周の萇弘(チョウコウ)が讒言(ザンゲン)にあい、蜀(ショク)に流されて自害したところ、その血が碧玉に化したという故事による。
【碧梧】ヘキゴ あおぎり。梧桐(ゴトウ)。
【碧篁】ヘキコウ 鮮やかなみどりの竹やぶ。
【碧紗】ヘキサ みどり色のうすぎぬ。
【碧山】ヘキザン 樹木の青々としげった山。用例(唐、李白、山中問答詩)問レ余何意棲二碧山一、笑而不レ答心自閑 ⇩私に尋ねる、どんなつもりで、この緑濃い山に住んでいるのか、と。私は笑って答えないが、心は自然とのどかである。
【碧樹】ヘキジュ ①みどり色の木。②青い玉でできているという伝説上の木。宝樹。
【碧霄】ヘキショウ ＝碧空。
【碧城】ヘキジョウ 仙人のすむ城。(唐、李商隠、碧城詩)
【碧水】ヘキスイ 緑色の水。深く水をたたえた川など。用例(唐、李白、望二天門山一詩)天門中断楚江開、碧水東流至レ此廻 ⇩天門の山は二つに断たれて、その間を楚江が流れ、(長江の)緑色の水は東へ流れていたが、ここで方向を変える。
【碧青】ヘキセイ 銅からできる青色の絵の具。ぐんじょう。
【碧蘚】ヘキセン あおごけ。
【碧草】ヘキソウ みどり色の草。青々と茂った草。用例(唐、杜甫、蜀相詩)映レ階碧草自春色、隔レ葉黄鸝空好音 ⇩階(きざはし)に映える青々と茂った若草には、そこにそのまま春の気配があふれる。木の葉に隠れたうぐいすは、聞く者もないのに好い声で鳴いている。
【碧窓・碧窗】ヘキソウ みどりのまど。緑色のうす絹をかけたまど。
【碧苔】ヘキタイ みどり色のこけ。あおごけ。
【碧潭】ヘキタン 青々としたふち。
【碧殿】ヘキデン 美しくいろどられた高殿。
【碧波】ヘキハ 青い波。青々とした波。
【碧羅】ヘキラ みどり色のうすぎぬ。
【碧蘿】ヘキラ 青々としたつたかずら。
【碧落】ヘキラク ＝碧空。▼落は、広大の意。用例(唐、白居易、長恨歌)上窮二碧落一下黄泉、両処茫茫皆不レ見 ⇩上は大空のはてまで、また下は黄泉の国までくまなく探したが、どちらも広々として求める人は見あたらない。
【碧流】ヘキリュウ 青く澄んだ川の流れ。用例(唐、李白、経二下邳圯橋一懐二張子房一詩)唯見碧流水、曽無二黄石公一 ⇩ただ青く澄んだ水の流れる川が見えるだけで、(張良に兵法の書を授けた)黄石公などいないのだ。
【碧緑】ヘキリョク ふかみどり。深緑色。
【碧瑠璃】ヘキルリ ①みどり色の瑠璃(ルリ)。→瑠璃(九五三ページ中)。②空や水の青々と澄んでいることにいう。

9 【碰】 14画 8233 ホウ 8908 ― 4791

字義 掽(4326)の俗字。→六〇六ページ上。

9 【碨】 14画 8234 漢ワイ 呉エ(ヱ) 賄 wěi ― ― 4788

字義 碨磊(ワイライ)は、石の平らでないさま。

解字 形声。石＋畏音。

9 【碵】 14画 8235 6683 E1F1 ―

字義 音義未詳。国碵(せき)・碵人(ひろと)など、人名に用いられる。

参考 〔碩〕(8222)あるいは〔磧〕(8252)の異体字か。

10 【磤】 15画 8236 漢イン 呉オン 吻 yǐn 8911 ― 4813

字義 雷などの音の形容。＝殷(6051)。国磤馭慮島(おのころじま)は、伊奘諾(いざなぎ)・伊奘冉(いざなみ)の二神が天降ったという島。

解字 形声。石＋殷音。

10 【碩】15画 8237 イン(キン) 軫 yǔn — — 4809

字義 落ちる。石が落ちる。＝隕(13133)。

解字 形声。石＋員(音)。音符の員は、張りがなくなるの意味。

10 【磈】15画 8238 ㊀イ(ヰ) 尾 wěi ㊁カイ(クワイ) 賄 kuǐ 2 8248 — 4805

字義 ㊀高くけわしいさま。㋑石のごろごろしているさま。㊁磈礧(カイライ)・磈磊(カイライ)は、㋐平らでないさま。

解字 形声。石＋鬼(音)。音符の鬼は、異常であるの意味。石があぶなげでけわしいの意味を表す。

10 【磕】15画 8239 ㊀カイ 泰 kē ㊁コウ(カフ) 合 kē 2 8251 — 4811

字義 ㊀㊁❶磕磕は、石のぶつかりあう音の形容。＝礚(8290)。❷太鼓の音の形容。❸ぶちあたる。ぶつかる。

解字 形声。石＋盍(音)。

10 【磑】15画 8240 ㊀ガイ(グワイ) 隊 wèi ㊁ガイ(グワイ) 灰 ái 6686 E1F4 —

字義 ㊀石うす。ひきうす。㊁磑磑(ガイガイ)は、㋐石のかたいさま。㋑霜や雪などの白いさま。＝皚(7885)。㋒高いさま。

解字 形声。石＋豈(音)。

【磑磨】(ガイマ) 残酷な刑の一つ。石うすでひく。

10 【確】15画 8241 カク 覚 què 教5 カク たし-か・たし-かめる 1946 8A6D —

筆順 石 矿 矿 矿 矿 矿 碎 碎 確 確

字義 ❶たし-か。真実で間違いのないこと。あぶなげのないこと。はっきりしていること。「確実」「明確」 ❷しか-と。たしかに。また、たし-かめる。「確認」 ❸かた-い(堅)。しっかり。しっかりして動かない。「確信」「確立」 ❹つよい(剛)。

名前 あきら・かた・かたし・たい・たかし

解字 形声。石＋隺(音)。音符の隺(カク)は、硬(コウ)に通じ、かたいの意味。かたい石の意味から、かたい・たしかの意味を表す。

逆 正確・精確・的確

【確言】(カクゲン) しかと言い切る。はっきり言い切る。また、そのことば。

【確乎】(カッコ) しっかりして動かないさま。たしかなさま。

【確固】(カッコ) たしか。かたい。しっかりして動かないこと。

【確志】(カクシ) しっかりしてものに動じない志。

【確執】(カクシツ) ①たがいに自説を主張して譲らないこと。強情をはりあうこと。②不和。争い。仲たがい。

【確実(實)】(カクジツ) たしか。まちがいのないこと。

【確証(證)】(カクショウ) たしかな証拠。

【確信】(カクシン) かたく信じる。また、かたく信じて動かない心。しっかりした信念。

【確然】(カクゼン) ①＝確乎(カッコ)。②強いさま。

【確定】(カクテイ) しっかりときまる。しっかりときめる。

【確答】(カクトウ) たしかな返事。はっきりした答え。

【確認】(カクニン) たしかにそうだとみとめる。

【確聞】(カクブン) たしかに聞く。また、信用できる聞きこみ。

【確保】(カクホ) 自分のものとしてしっかりと保有すること。

【確報】(カクホウ) たしかな知らせ。

【確立】(カクリツ) しっかり立てる。また、しっかり立つ。

【確率】(カクリツ) 国物事が起こると予測される割合。たしからしさ。

10 【碻】15画 8242 カク 覚 què 2 8247 — 4801

字義 ❶かたい(堅)。つよい。❷むち(鞭)。

解字 形声。石＋高(音)。

10 【磆】15画 8243 漢カツ(クワツ) 呉ゲチ 黠 huá 6687 E1F5 —

字義 磆石は、薬物の名。滑石。＝滑(6558)。

難読 磆(なめら)

解字 形声。石＋骨(音)。

10 【磎】15画 8244 ケイ 斉 xī, qī 2 8250 — 4808

字義 ❶石。❷谷。谷川。

解字 形声。石＋奚(音)。

10 【碽】15画 8245 漢コウ 呉ク 東 送 gōng — — 4802

字義 打つ音。石を打つ音。

解字 形声。石＋貢(音)。

10 【磋】15画 8246 標 サ 歌 箇 cuō 6688 E1F6 —

字義 みが-く。すりみがく。㋐象牙(ゾウゲ)や骨・角などをみがく。㋑努力して学問・道徳などをみがく。「切磋」

解字 形声。石＋差(音)。音符の差は、ふぞろいの意味。ざらざらにした石の歯の間で、ときみがくの意味を表す。

10 【磉】15画 8247 ソウ(サウ) 養 sǎng — — 4806

字義 いしずえ。建物の礎石。

解字 形声。石＋桑(音)。

10 【⿰石屑】15画 8248 漢ソツ 呉ソチ 月 sù ②xiè — — 4803

字義 ❶磨く。❷石を砕く。

解字 形声。石＋屑(音)。

10 【磔】15画 8249 漢タク 呉チャク 陌 zhé

【磔】8265 俗字

字義 ❶さく(裂)。解きひらく。㋐罪人のからだを引き裂いて殺した刑罰。車裂き。牛裂き。㋑いけにえを裂き、神に供えて祭る。❷死体を物にはりつけ市中にさらす刑罰。棄市。❸物音の形容。また、鳥の鳴き声や、羽ばたきの音の形容。磔磔。国はりつけ。十の字形の木の柱に罪人をしばりつけ、槍(やり)で左右から突き殺す刑罰。

解字 篆文  形声。桀＋石(音)。桀は、はりつけの刑の象形。音符の石は、拓などに通じ、さき開くの意味。死体をはりつけてさらす刑の意味を表す。

【磔刑】(タクケイ) ①からだを引き裂く刑罰。②国はりつけの刑罰。

【磔殺】(タクサツ) ①からだを引き裂いて殺すこと。②国はりつけにして殺すこと。

10 【磓】15画 8250 漢タイ 呉ツイ 灰 duī — — 4810

字義 ❶石の集まり。❷石を投げ落とす。

解字 形声。石＋追(音)。

10 【碾】15画 8251 慣テン 漢デン・呉ネン 銑 霰 niǎn 6690 E1F8 —

字義 ❶うす。いしうす。ひきうす。❷ひ-く。うすでひいて粉にする。

解字 形声。石＋展(音)。音符の展は、のばすの意味。穀物などをひきのばし、すりつぶす、石うすの意味を表す。

10 【磌】15画 8252 ㊀漢テン・呉デン 先 tián ㊁シン 真 2 8249 — 4807

字義 ㊀❶石の落ちる音。❷いしずえ。❸しずめる。

解字 形声。石＋眞(音)。

10 【磐】15画 8253 人 標 漢ハン 呉バン 寒 pán 4056 94D6 —

筆順 ノ 力 舟 舟 舟 舟 般 般 般 磐

字義 ❶いわ。いわお。大きく厚い石。巨石。「磐石」❷わだかまる。とぐろをまく。❸ぐるぐるめぐる。行きつもどりつする。❹つらなる。結びつく。

名前 いわ・いわお

難読 磐城(いわき)・磐田(いわた)・磐余(いわれ)

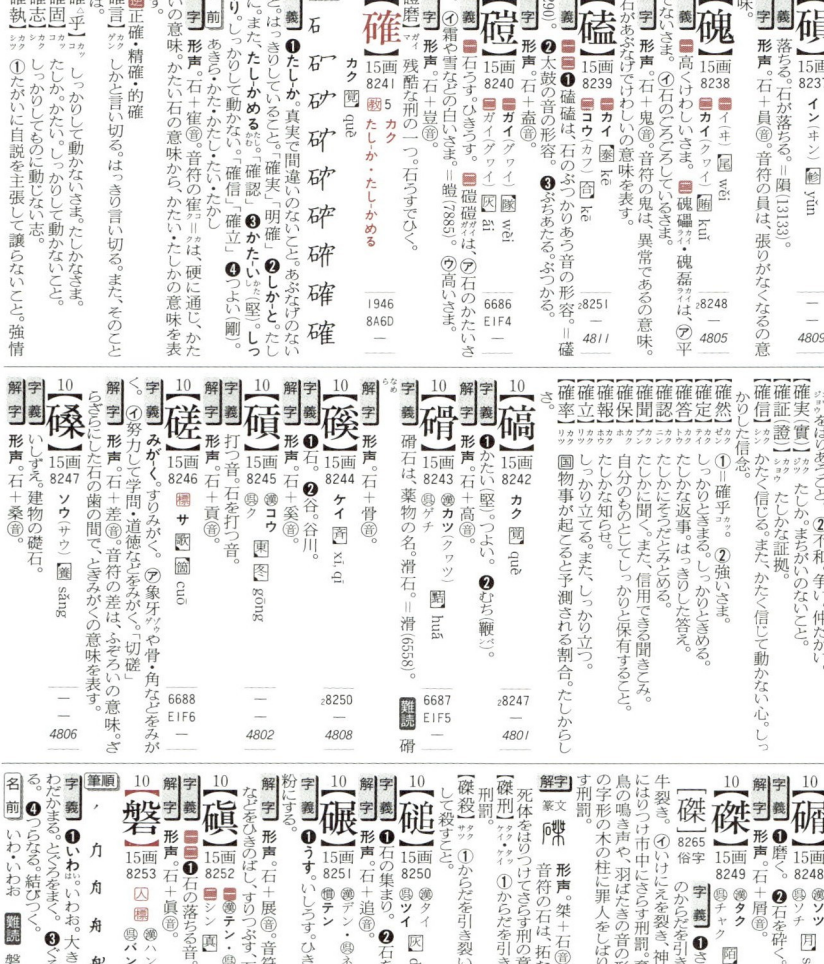

参考 現代表記では〔盤〕(7945)に書きかえることがある。「落磐→落盤」

解字 形声。石＋般音。音符の般は、大きいの意味。大きいいわの意味を表す。

【磐牙】たがいにつらなり結びつくこと。盤牙。

【磐△桓】行きつもどりつする。たちもとおる。徘徊する。盤桓。〔易経、屯〕

【磐△峙】そばだつ。盤峙。

【磐石】同盤石。①大きな石。いわお。②どっしりかまえて動かないことのたとえ。また、堅固なことのたとえ。〔韓非子、顕学〕

10【䃈】15画 8254 漢ヘイ・呉ハイ 慣ヒ 斉 pí ― ― 4804

字義 薬石の名。＝砒(8144)。

解字 形声。石＋皃音。

10【磅】15画 8255 一ホウ(ハウ) 陽 pāng 二漢ホウ(ハウ) 呉ヒョウ(ヒャウ) 庚 ②pāng, ③bàng 6692 EIFA ―

字義 一二❶石の落ちる音の形容。❷磅礴は、まぜ合わせて一つにする。また、広がっていっぱいになるさま。❸ポンド。英語 pound の音訳。㋐ヤード・ポンド法の重さの単位。一ポンドは、普通には四五三・六グラム。また、金銀・薬剤の重さの単位。一ポンドは、三七三・二グラム。㋑イギリスの貨幣の単位。

解字 形声。石＋旁音。

10【碼】15画 8256 呉マ・メ 漢バ 馬 mǎ 6691 EIF9 ―

字義 ❶碼瑙は、宝石の名。＝瑪(7472)。❷ヤード。英語 yard の当て字。イギリスの長さの単位。九一・四四センチメートル。ヤール。❸号碼は、番号。

解字 形声。石＋馬音。

10【磊】15画 8257 ライ 賄 lěi 6693 EIFB ―

字義 ＝礧(8300)。❶石の重なりあっているさま。石がごろごろしているさま。❷大きな石のさま。❸心が大きく、小さな事にこだわらないさま。「磊落」

解字 篆文 会意。石を三つ合わせて、多くの石が重なりあうの意味を表す。

【磊塊】①石のかたまり。②心中おだやかでないさま。

【磊△磈・磊△嵬】高大なさま。

【磊△砢】①物の積み重なったさま。②壮大なさま。一説に、ふぞろいなさま。③才能のすぐれているさま。

【磊磊】①多くの石が積み重なっているさま。②＝磊落①。

【磊落】①心が大きく、小事にこだわらないさま。磊磊落落。②高く大きなさま。大きくてすぐれているさま。③数の多いさま。うずたかく積み重なっているさま。

10【磏】15画 8258 レン 塩 lián

字義 ❶あらと。赤い砥石。❷はげむ(励)。苦心する。❸いさぎよい。

解字 形声。石＋兼音。

11【磡】16画 8259 漢カン 呉コン 勘 kàn ₂8253 ― 4817

字義 ❶がけの下。❷山の岩。

解字 形声。石＋勘音。

11【磬】16画 8260 漢ケイ 呉キョウ(キャウ) 径 qìng 6694 EIFC ―

字義 ❶楽器の名。玉または石で「へ」の字形に作り、つるして打ち鳴らすもの。「編磬」❷馬を走らせる。❸くびる。首をくくる。❹むなしい。また、むなしくなる。つきる。＝罄(9419)。

磬①

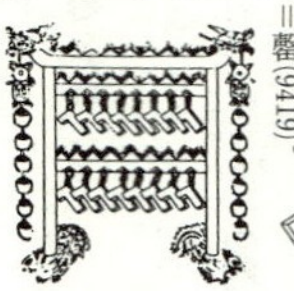
編磬

解字 甲骨文 篆文 形声。石＋殸音。音符の殸は、磬の原字。声＋殳。声は、「けい」の象形。殳は、うつの意味。打ち鳴らす石製の楽器の意味を表す。

【磬鐘】磬と、つり鐘。また、その音。奏楽の基本となるもの。

【磬折】磬の形のように折れ曲がること。また、磬の形のように身を折り曲げて礼をすること。

11【磪】16画 8261 漢サイ 呉ズイ 灰 cuī ― ― 4819

字義 山の高く険しいさま。

解字 形声。石＋崔音。音符の崔は、山が高いの意味。

11【磛】16画 8262 漢サン 呉ザン 咸 chān ― ― 4814

字義 山の石が険しいさま。

解字 形声。石＋斬音。音符の斬は、切るの意味。

11【磧】16画 8263 漢セキ 呉シャク 陌 qì 6701 E240 ―

字義 ❶かわら(川原)。石の多い川原。❷砂原。砂漠。

解字 篆文 形声。石＋責音。音符の責は、積に通じ、つむの意味。石のつみ重なる所、かわらの意味を表す。

【磧沙】川原のすな。

【磧中】砂漠のなか。〔唐、岑参、磧中作詩〕

【磧△礫】かわらの小石。また、砂と小石。

11【磚】16画 8264 セン 慣タン 先 zhuān 6702 E241 ―

字義 かわら(瓦)。しきがわら。煉瓦。＝塼(2116)・甎(7570)。

解字 形声。石＋専音。音符の専は、ころがすの意味。手でころがし固めた、かわらの意味を表す。

【磚茶】紅茶、または緑茶の粉末を蒸し固めて煉瓦状にした茶。団茶。

11【磔】16画 8265 タク 磔(8249)の俗字。→一〇二九ページ下。 6689 EIF7 ―

11【磦】16画 8266 ヒョウ(ヘウ) 蕭 piāo ₂8254 ― 4818

字義 山の峰のつき出ているさま。

解字 形声。石＋票音。

難読 磦田

11【磨】16画 8267 常 マ みが-く 4365 9681 ―

11〔磨〕16画 8268 一漢バ・呉マ 歌 mó 二漢バ・呉マ 箇 mò

筆順 亠 广 庀 庐 庥 床 麻 摩 磨

〔礳〕8321 本字

字義 一❶みが-く。と-ぐ。石をすりみがく。転じて、物事に励む。「錬磨」❷す-る。こする。摩擦する。❸すりへる。すれて消える。「磨滅」 二❶ひきうす。石うす。❷ひく。ひきうすですりつぶす。

磨二①

名前 おさむ・きよ・な・ま・みがく

難読 磨井

解字 篆文 形声。石＋麻(䃺)音。音符の䃺は、つぶすの意味。すりつぶす・すりつぶすための石うすの意味を表す。

逆 研磨・消磨・練磨・錬磨

【磨△淬】①刀剣などをみがく。②人格や学識をきたえみがく。

【磨滅】すりへる。すれ、消える。また、すりへらす。→摩滅

（五七四㌻中）。

【磨励（勵）自△彊】マレイジキョウ　おおいに修養して、みずからつとめはげむこと。▼磨励は、みがきはげむ。

【磨△礪・磨△厲】マレイ　①みがく。とぐ。②つとめはげんで修養すること。

11 【磠】 16画 8269 ロ 麌 lǔ　₂8252 — 4816
字義 すな。小石。
解字 形声。石＋鹵㊅。

11 【磖】 16画 8270 ロウ（ラフ） 合 lā　— — 4812
字義 磖礁（ロウショウ）は、物を割る音。
解字 形声。石＋摺省㊅。音符の摺（ロウ）は、くだくの意味。

11 【磟】 16画 8271 ロク 屋 因 liù, lù　— — 4815
字義 磟碡（ロクトウ）は、農具の名。田を平らにするローラー。
解字 形声。石＋翏㊅。

12 【磺】 17画 8272 ㊀コウ（クヮウ） 梗 kuàng（gǒng） ㊁㊅コウ（クヮウ）㊄オウ（ワウ） 陽 huáng　₂8256 — 4825
字義 ㊀あらがね。掘り出したままでまだ精錬していない鉱石。＝礦（8308）・鉱（12542）。㊁硫磺は、いおう。ゆおう。硫黄。
解字 篆文 形声。石＋黄㊅。音符の黄は、きいろの意味。黄色の石、銅・鉄などの原石の意味を表す。

12 【磵】 17画 8273 カン　澗（6670）と同字。→八七八㌻中。

12 【磵】 17画 8274 カン　澗（6670）の俗字。→八七八㌻中。　₁8913 — 4822

12 【磯】 17画 8275 人 ㊅キ ㊄ケ 微 jī　1675 88E9 —
筆順 石 砂 礠 礠 礠 磯 磯 磯 磯
字義 ❶いそ。海や湖の波うちぎわで、石の多い所。❷激する。荒くなる。水が岩にあたって激する。
名前 いそ・し　難読 磯回（いそみ）・磯廻（いそわ）・磯鶏（そけい）・磯歯津（しはつ）・磯馴松（そなれまつ）・磯城（しき）
解字 篆文 形声。石＋幾㊅。音符の幾は、機に通じ、布を織るはたの意味。はたを織るときのような音のする、いその意味を表す。

12 【磲】 17画 8276 ㊅キョ・㊄ゴ 魚 qú 慣コ　₁8912 — 4820
字義 ❶硨磲（シャコ）は、㋐珊瑚礁（サンゴショウ）に住む二枚貝の名。㋑玉に次いで美しい宝石。❷耳に飾る宝石。イヤリング。
解字 形声。石＋渠㊅。

12 【磽】 17画 8277 ㊅コウ（カウ）㊄キョウ（ケウ） 肴 qiāo　6703 E242 —
［墝］2129 同字
字義 そね。やせ地。石が多く、地味のやせている土地。「肥磽」
解字 篆文 形声。石＋堯㊅。音符の堯（ギョウ）は、高に通じ、たかいの意味。たかい石、転じて、石の多いやせ地の意味を表す。
【磽△确】コウカク　石の多いやせ地。そね。磽瘠（コウセキ）。
【磽△陿】コウキョウ　土地がやせていてせまい。また、その土地。
【磽△瘠】コウセキ　＝磽确（コウカク）。
【磽肥】コウヒ　やせた土地と肥えた土地。地味のよしあし。肥磽。

12 【礁】 17画 8278 常 ショウ ショウ（セウ） 蕭 jiāo　3044 8FCA —
筆順 石 矿 矿 矿 矿 碓 碓 礁 礁
字義 かくれ岩。水面下にかくれて見えない岩。「暗礁」
解字 形声。石＋焦㊅。
逆 暗礁・岩礁・座礁

12 【磼】 17画 8279 ㊅ショウ（セフ）㊄ジョウ（ゼフ） 葉 shē
字義 磖礁（ロウショウ）は、物を割る音。
解字 形声。石＋集㊅。

12 【磶】 17画 8280 ㊅セキ ㊄シャク 陌 xì　— — 4823
字義 いしずえ。建物の礎石。
解字 形声。石＋舄㊅。

12 【磳】 17画 8281 ㊀㊅ソウ・㊄ゾウ 蒸 zēng ㊁㊅ソウ・㊄ジョウ 庚 zēng　— — 4821
字義 ㊀㊁石のさま。
解字 形声。石＋曾㊅。

12 【磾】 17画 8282 ㊅テイ ㊄タイ 斉 dī　₂8258 — —
字義 絹を染めるのに用いる黒い石。
解字 形声。石＋單㊅。

12 【磹】 17画 8283 ㊅テン ㊄デン 豔 diàn
字義 石のくさび。
解字 形声。石＋覃㊅。
［磹］8284 俗字

12 【磹】 17画 8284 テン　磹（8283）の俗字。→一〇三一㌻下。　₂8255 — —

12 【磴】 17画 8285 トウ 径 dèng　6704 E243 —
字義 ❶いしざか（石坂）。石の坂道。また、石段。❷いしばし（石橋）。
解字 形声。石＋登㊅。音符の登は、のぼるの意味。石の登り坂の意味を表す。
【磴桟（棧）】トウサン　石のかけはし。
【磴道】トウドウ　石だたみの道。また、石段の道。

12 【磻】 17画 8286 ㊅ハン ㊄バン 寒 pān　₂8257 — 4826
字義 川の名。→磻渓（ハンケイ）。
解字 形声。石＋番㊅。
【磻渓（溪）】ハンケイ　川の名。陝西（センセイ）省宝鶏市の南東を流れ、渭水（イスイ）に注ぐ。昔、周の文王を助けた太公望呂尚（リョショウ）が釣りをした川という。一名、璜河（コウガ）。

12 【磷】 17画 8287 ㊀リン 眞 lín ㊁リン 震 lìn
［磷］8301 俗字
字義 ㊀❶磷磷（リンリン）は、水が石の間を流れるさま。❷化学元素の名。＝燐（7018）。㊁❶うすらぐ。石がすりへって薄くなる。❷磷磷は、玉石がつやつやと輝くさま。
解字 形声。石＋粦㊅。

12 【磿】 17画 8288 ㊅レキ ㊄リャク 錫 lì　— — 4827
字義 ❶石の小さい音の形容。❷葬式で、棺の綱を引く人の名を記す帳簿。
解字 形声。石＋厤㊅。

13 【礇】 18画 8289 イク 屋 yù　6705 E244 —
字義 玉（ギョク）に似た石。
解字 形声。石＋奥㊅。

13 【礚】 18画 8290 カイ 泰 kē　— — 4831
字義 礚礚は、㋐石がぶつかりあう音の形容。㋑水が石にぶつかり流れる音の形容。＝磕（8239）。
解字 形声。石＋蓋㊅。

13 【礐】18画 8291 一カク 覚 què 二漢コク・呉ゴク 屋 hù 三漢ラク・呉リャク 陌 ₂8260 — 4830

字義 一二三❶石を打つ音。❷山に大石の多いこと。❸水が石にぶつかる音。

解字 形声。石＋學(學省)音。

13 【礒】18画 8292 ギ 紙 yǐ 6706 E245 —

字義 岩石のさま。国いそ。海や湖の波うちぎわで、石の多い所。

解字 形声。石＋義音。

13 【礆】18画 8293 ケン 険(13099)と同字。→一五二四ページ・上。 — — 4828

13 【礠】18画 8294 ジ 磁(8220)と同字。→一〇三一ページ・上。 — — 4835

13 【礎】18画 8295 漢ソ・呉ショ 語 chǔ 常 ソ いしずえ 3335 9162 —

筆順 石 … 礎

字義 いしずえ。どだいいし。家屋の柱の下におく石。礎石。転じて、物事のもとい。「基礎」

名前 き・もと・もとい

解字 篆文 形声。石＋楚音。音符の楚ソは、木の下の足の形。柱の足となる石、土台石の意味を表す。

逆基礎

【礎業】ソギョウ 国基礎(根本)となる事業。

【礎材】ソザイ 国土台に使う石や木材。

【礎石】ソセキ ①土台石。②物事の基礎。

13 【礑】18画 8296 トウ(タウ) 漾 dàng 6707 E246 —

字義 そこ(底)。国はたと。はったと。㋐平手で打つ音の形容。㋑思いあたるさま。㋒行きづまるさま。当惑するさま。㋓にらみつけるさま。㋔物の落ちる音の形容。物にぶつかる音の形容。

解字 形声。石＋當音。

13 【礔】18画 8297 漢ヘキ 呉ヒャク 錫 pī

字義 かみなり(雷)。＝霹(13263)。「礔礰ヘキレキ」

解字 形声。石＋辟音。

13 【礞】18画 8298 漢ボウ 呉モウ 東 méng — — 4833

字義 鉱物の名。脳膜炎の治療剤などに用いられる。

解字 形声。石＋蒙音。

13 【礜】18画 8299 ヨ 御 yù ₁8915 — 4832

字義 砒素ヒを含んだ鉱石。毒砂。

解字 形声。石＋與音。

13 【礌】18画 8300 一ライ 賄 lěi 二ライ 隊 lèi — — 4829

字義 一＝磊(8257)。❶石の重なりあっているさま。❷大きい石のさま。❸心の広いさま。→礌礌落落。二石をころがし落とす。＝礧(8311)。

解字 形声。石＋雷音。

【礌礌落落】ライライラクラク 心が広く、公明正大なさま。磊磊落落ライライラクラク。

13 【磷】18画 8301 リン 磷(8287)の俗字。→一〇三一ページ・下。 ₁8914 — 4824

13 【[石+鳥]】18画 8302 国字 ₂8259 — —

字義 鷹[石+鳥]たかのはしは、姓氏。

14 【礙】19画 8303 漢ガイ 呉ゲ 隊 ài 6708 E247 —

【㝵】2718 同字 【碍】8196 俗字

字義 さまたげる。さえぎる。じゃまをする。また、さまたげ。じゃま。「障礙」

解字 篆文 形声。石＋疑音。音符の疑は、人が思いまようさまにかたどる。石を前にして人がたちつくすさまから、さまたげる・さえぎるの意味を表す。

14 【礘】19画 8304 漢キュウ(キフ) 呉コウ(コフ) 緝 qì

字義 砬礘リュウキュウは、㋐石の崩れる音。㋑毒消しの薬。

解字 形声。石＋㬎音。

14 【礟】19画 8305 ホウ 砲(8162)と同字。→一〇二四ページ・上。 — — 4834

14 【礪】19画 8306 レイ 霽 lì 6674 E1E8 —

【砺】8167 俗字

字義 ❶といし(砥石)。あらと。きめのあらいといし。↔砥(8154)。❷とぐ。みがく。転じて、はげむ。つとめる。用例(世説新語、排調)所ニ以漱ㇾ石、欲ㇾ礪ニ其歯一 石いしに漱くちすすがんとする所以ゆえんは、其の歯を礪みがかんと欲すればなり ↓石でうがいをするわけは、歯を磨こうと思うからだ。

解字 篆文 形声。石＋厲音。音符の厲レイは、といしの意味。石を付し、意味を明らかにした。

【礪行】コウレイ おこないをみがく。「砥節礪行」

【礪砥】レイシ ①といし。②とぎみがく。身をおさめみがくこと。

15 【礛】20画 8307 一漢カン・呉ケン 咸 jiān 二ラン 覃 ₂8261 — —

字義 一二とい し(砥石)。あおと。質の緻密な青灰色の砥石。

解字 形声。石＋監音。

15 【礦】20画 8308 コウ(クワウ) 梗 kuàng(gǒng) 6672 E1E6 —

【砿】8153 俗字

字義 あらがね。掘り出したままで、まだ精錬しない鉱石。＝鉱(12542)。

参考 現代表記では[鉱](12542)に書きかえる。「炭礦→炭鉱」「礦石→鉱石」。熟語は[鉱]を見よ。

解字 形声。石＋廣音。

15 【礩】20画 8309 漢シツ 呉シチ 質 zhì — — 4838

字義 いしずえ。建物の礎石。

解字 形声。石＋質音。

15 【礬】20画 8310 漢ハン・呉ボン 元 fán 慣バン 6709 E248 —

字義 ❶硫酸を含んだ一種の鉱物。特に明礬ミョウバンをいう。❷山礬サンバンは、花の名。じんちょうげ。

難読 礬水どうさ

解字 形声。石＋樊音。

15 【礧】20画 8311 一ライ 賄 lěi 二ライ 灰 léi 三ライ 隊 lèi — — 4837

字義 一大きい石のさま。＝礌(8300)。二石をころがし落とす。＝礌(8300)。三うつ(撃)。石がぶつかりあう。

解字 形声。石＋畾音。音符の畾ライは、かさなるの意味。ごろごろと大きい石の重なるさまを表す。

15 【礫】20画 8312 標 漢レキ 呉リャク 錫 lì 6710 E249 —

字義 こいし(小石)。いしころ。「砂礫」「礫石」

解字 篆文 形声。石＋樂音。音符の樂は、どんぐりの象形。石のつぶつぶ、こいしの意味を表す。

16 【礭】21画 8313 カク 覚 què — — 4839

字義 ❶むち(鞭べん)。❷たしか。＝確(8241)。

解字 形声。石＋霍音。

16 【礥】21画 8314 一漢キン・呉ギン 真 xín 二漢ケン・呉ゲン 先 xián ₂8263 — 4836

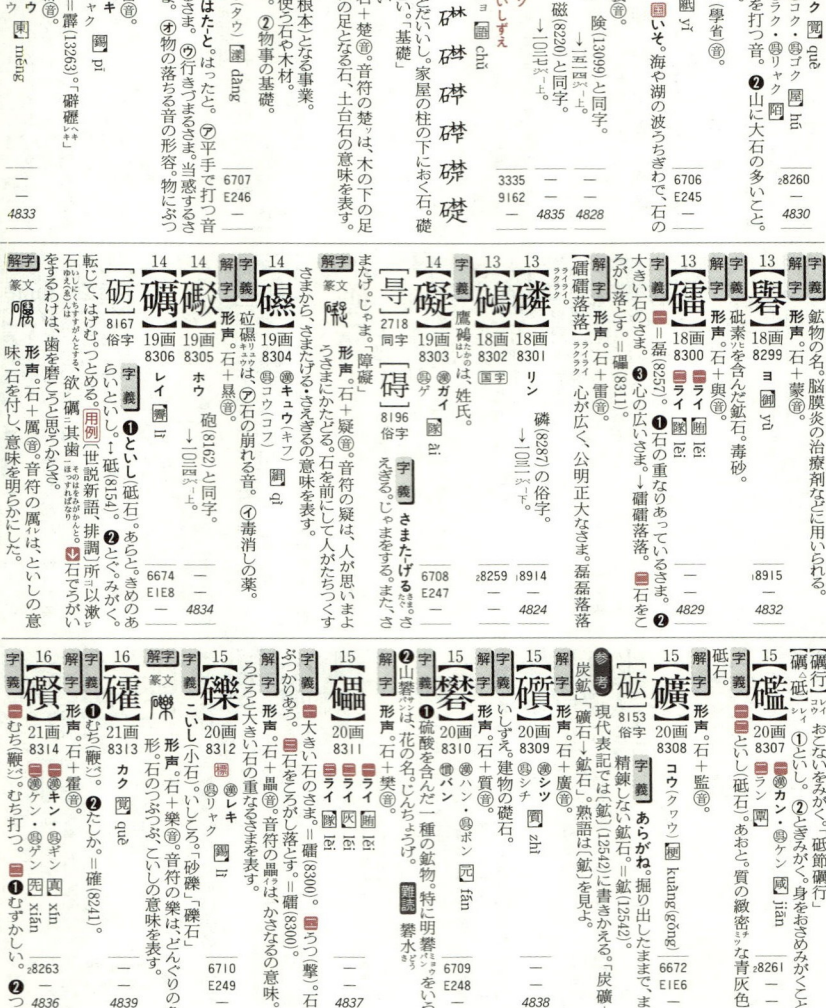

字義 一むち(鞭べん)。むち打つ。二❶むずかしい。❷つよ

い。

16【礡】21画 8315 ㊥ハク ㊢バク 薬 bó 〔—〕〔8918〕〔—〕〔—〕
解字 形声。石＋賢㊟。

［礴］8316同字
字義 広くおおう。いっぱいになる。
解字 形声。石＋薄㊟。

16【礴】21画 8316 ハク 〔—〕〔—〕〔4841〕
礡(8315)と同字。→一〇三三ページ上。

16【礉】21画 8317 ホウ 〔8916〕〔—〕〔—〕
砲(8162)と同字。→一〇三四ページ上。

16【礰】21画 8318 ㊥レキ ㊢リャク 錫 lì 〔28262〕〔EE60〕〔—〕
字義 ❶石を打つ音。石のぶつかる音。❷礔礰(へきれき)は、かみなり。
難読 大礰(おおいし)
解字 形声。石＋歴㊟。

16【礱】21画 8319 ロウ 東 送 lóng 〔8917〕〔—〕〔4840〕
字義 ❶する。また、とぐ。みがく。❷すりうす。穀物のもみがらをすりとるうす。
解字 篆文 形声。石＋龍㊟。音符の龍は、りゅうの意味。たつまきのように、もみがすりうすに入ってすられるさまから、すりうす・するの意味を表す。

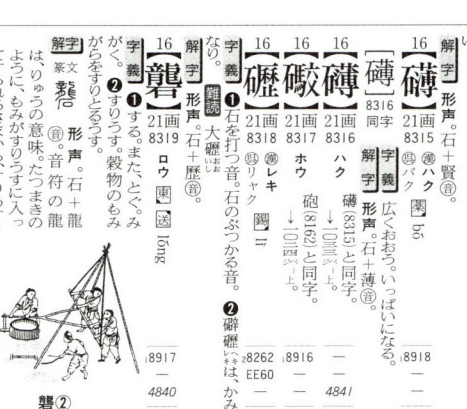

礱②

【礱△斲(ロウタク)】みがくことと切ること。切磋琢磨(セッサタクマ)。
【礱磨(ロウマ)】みがく。すりみがく。
【礱△厲・礱△礪(ロウレイ)】①といし(砥石)。②みがく。

17【礵】22画 8320 ソウ(サウ) 陽 shuāng 〔—〕〔—〕〔4842〕
字義 砒礵(ヒソウ)は、砒素(ヒソ)酸化物。
解字 形声。石＋霜㊟。

19【礳】24画 8321 マ
磨(8267)の本字。→一〇三〇ページ下。

5画 示(ネ) しめす・しめすへん ネは四画。 [ネ] 〔28264〕〔—〕〔4843〕

〔部首解説〕 新字体のネは、古くからの筆写体に基づく。示を意符として、神、祭事、神がくだす禍福などに関する文字ができている。なお、「表外漢字字体表」では、示の字形を用いるものを印刷標準字体としているが、現にネの字形を用いているものについても、一括許容されている。

0 示 一〇三三	1 礼 一〇三三	礼 一〇三四	2 礽 一〇三四	3 祁 一〇三四
祁 一〇三四	祀 一〇三四	祀 一〇三四	社 一〇三四	奈 三五四
礿 一〇三五	4 祄 一〇三五	祈 一〇三五	祇 一〇三五	祇 一〇三五
祅 一〇三五	祉 一〇三五	祋 一〇三五	祊 一〇三五	祅 一〇三六
5 祛 一〇三六	祜 一〇三六	祌 一〇三六	祠 一〇三六	祗 一〇三六
祠 一〇三六	祝 一〇三六	神 一〇三七	祟 一〇三八	祏 一〇三八
祖 一〇三八	祚 一〇三八	祑 一〇三九	祢 一〇三九	祕 一〇五一
祔 一〇三九	祓 一〇三九	祓 一〇三九	祐 一〇三九	6 祭 一〇三九
[illegible] 一〇三九	祫 一〇三九	祧 一〇三九	祡 一〇三九	斎 一六五五
祩 一〇三九	祥 一〇三九	祭 一〇四〇	票 一〇四〇	7 視 一二九五
祲 一〇四〇	祷 一〇四〇	8 祼 一〇四〇	祺 一〇四〇	禁 一〇四〇
祻 一〇四一	祹 一〇四一	禀 一〇四一	祾 一〇四一	禄 一〇四一
9 禕 一〇四一	禋 一〇四一	禍 一〇四一	禑 一〇四一	禊 一〇四二
禌 一〇四二	禌 一〇四二	禅 一〇四二	禎 一〇四二	禔 一〇四二
禘 一〇四二	禖 一〇四二	福 一〇四二	禓 一〇四三	10 禕 一〇四三
禜 一〇四三	禝 一〇四三	禛 一〇四三	禡 一〇四三	11 禩 一〇四三
隷 一五三三	12 禧 一〇四三	禨 一〇四三	禦 一〇四三	齋 六九
禩 一〇四三	禪 一〇四二	禫 一〇四三	隸 一五三三	13 禯 一〇四三
禮 一〇三三	14 禰 一〇四三	禰 一〇四四	禱 一〇四四	17 禳 一〇四四
論 一〇四四				

0【示】5画 8322 教5 ジ・シ しめす 〔2808〕〔8EA6〕〔—〕
㊀㊥シ・㊢ジ 寘 shì
㊁㊥キ・㊢ギ 支 qí

筆順 一 二 亍 亓 示

字義 ㊀❶しめす。㋐人にあらわして見せる。「示威」㋑教える。人につげ知らせる。指図する。「指示」❷しめし。教え。指図。「教示」㊁くにつかみ。地の神。＝祇(8337)。↕神(8353)。

名前 し・じ・しめ・しめす・とき・み

解字 甲骨文 篆文 象形。神にいけにえをささげる台の象形で、祖先神の意味を表し、また、指に通じて、しめすの意味をも表す。示の意味と音符とを含む形声文字に、視がある。

逆 暗示・訓示・啓示・掲示・顕示・公示・誇示・指示・呈示・展示・表示・黙示・諭示・例示

【示威】イジ・イシ 気勢・威力・勢力を示す。「示威運動」
【示教】キョウ・ジキョウ しめし教える。教示。
【示訓】ジクン 教えしめす。また、おしえ。
【示現】ゲン・ジゲン ①仏仏・菩薩(ボサツ)が衆生(シュジョウ)を救うために、種々に身を変じてこの世に現れること。②国神や仏が不思議なしるしを現し示すこと。
【示唆】シサ 国①そそのかす。②それとなくしめし知らせる。
【示寂】ジジャク 仏僧が死ぬこと。入寂。
【示談】ジダン 国おたがいが話し合って争いを解決すること。
【示範】ハン 国模範・手本を示す。

1【礼】5画 8323 教3 レイ・ライ 〔4673〕〔97E7〕〔—〕
13【禮】18画 8324 人 ㊥レイ ㊢ライ 薺 lǐ 〔6725〕〔E258〕〔—〕

［礼］8325 古字

筆順 丶 ラ ネ 礼

字義 ❶神をまつる。また、その儀式。用例(儀礼、観礼)礼二日於南門外一、礼二月与四瀆於北門外一(ひをナンモンのそとに、つきとシトクとをホクモンのそとにレイす)。↓太陽を南門の郊外で祭り、月と四つの川の神を北門の郊外で祭る。❷いや(ゐや)。うや。㋐儀式。また、礼儀。作法。「婚礼」「葬礼」㋑社会的慣習。転じて、規範。道徳。人のふみ行うべきみち。用例(論語、為政)道レ之以レ徳、斉レ之以レ礼、有レ恥且格(これをみちびくに、トクをもってし、これをととのうるに、レイをもってすれば、はず(づ)ることありてかついたる)。↓人民を導き治めてゆくのに道徳をもってし、人民を統制してゆくのに礼をもってすれば、人民は(犯した罪を)恥じるようになり、そして正しい道に進んでゆく。「節礼」❸法律。制度。❹贈り物。「受礼」❺うやまう。敬意を表す。また、礼を尽くしてもてなす。用例(礼記、月令)聘二名士一、礼二賢者一(メイシをヘイし、ケンジャをレイす)。↓すぐれた人物を招き、賢人に礼を尽くす。❻礼について書かれている経書。『礼記(ライキ)』『周礼(シュライ)』『儀礼(ギライ)』の三書。国レイ。㋐おじぎ。㋑謝礼。

名前 あき・あきら・あや・いや・うや・かた・と・なり・のり・ひろ・ひろし・まさ・まさし・みち・ゆき・よし・れい

難読 礼受(れうけ)・礼文(れぶん)

解字 甲骨文 篆文 古文 形声。ネ(示)＋乚(豊)㊟。音符の豊(レイ)は、あまざけの意味。甘酒を神にささげて幸福の到来を祈る儀式の意味を表す。常用漢字の礼は、古文による。

逆 吉礼・享礼・凶礼・虚礼・敬礼・婚礼・祭礼・失礼・謝礼・巡礼・順礼・喪礼・大礼・典礼・答礼・拝礼・非礼・無礼・返礼・黙礼・目礼

【礼意】①敬いの気持ち。②礼の精神。

【礼闈】①漢代、尚書省の別称。②唐代、礼部の別称。③明・清代、礼部が進士を試験すること。会試。

【礼楽(樂)】礼節と音楽。中国では昔から、礼は社会の秩序を定め、楽は人の心をやわらげるものとして重視され、主なる教科とされた。

【礼記】書名。四十九編。五経の一つ。周の末から秦・漢代の儒者の、礼に関する理論と実際の記録を集めた書。漢の戴聖が世に伝えたもので、戴徳の『大戴礼』(三四一ジ・上)に対して、『小戴礼』ともいう。

【礼器】祭りやお客などのときに用いる器物。

【礼義】①礼と義。用例〔荀子、性悪〕淫乱生而礼義文理亡焉↓度を過ごした行為が生じて、礼・義や秩序がなくなってしまう。②人のふみ行うべき礼の道。用例〔孟子、梁恵王上〕奚暇治礼義哉↓どうして礼義を学ぶ余裕がありましょうか(ありません)。

【礼儀】敬いつつしむ気持ちを形の上に正しく表す動作のしかた。礼の作法。用例〔詩経、小雅、楚茨〕献酬交錯、礼儀卒度↓酒を酌み交わしあうその様子は、礼儀にことごとくかなっている。

【礼教】礼儀に関する教え。

【礼饗】礼をそなえて客をもてなすこと。

【礼遇】礼を厚くして人をもてなすこと。礼待。

【礼経(經)】①礼のすじみち。礼の常法。②聖人の定めた礼法の書。多く『儀礼』を指す。

【礼敬】礼にそってうやまう。敬礼。

【礼交】礼をもって交際する。

【礼賛(贊)・礼讃】①仏三宝(仏・法・僧)をおがんで、その功徳をたたえること。②国ほめたたえること。礼拝賛美。

【礼紙】国①書状の上に巻いた白紙。②書き物の端の余白。

【礼式】国礼儀の法式。礼儀作法。礼法。

【礼順】礼を守り、すなおなこと。

【礼譲(讓)】礼儀を厚くして人にへりくだること。用例〔論語、里仁〕以礼譲為国乎↓礼儀を厚くして人にへりくだる心で国を治めようか。

【礼数】身分に応じた礼儀。格式。

【礼制】①礼儀のきまり。②国家・朝廷の礼法や制度。

【礼節(節)】礼儀のきまり。礼儀の節度。

【礼装(裝)】国儀式のときに着る服装。


【礼俗】古くから行われる婚礼葬祭。風俗習慣。

【礼典】①礼儀のさだめ。国の礼法を定めた制度。②礼法について書いた書物。

【礼拝(拜)】神仏をおがむこと。◆仏教では「ライハイ」、キリスト教では「レイハイ」と読むのが一般的。

【礼部】役所の名。唐代尚書省六部の一つ。礼楽・祭祀・学校・貢挙などのことをつかさどる。後代は大体この制によった。

【礼物】①敬意や感謝の意を表すために贈る品物。②儀式を行うために用いる品物。③礼儀と文物。

【礼文】①その国の文化を表す制度・文物。②礼に定めた条文。

【礼聘】①礼を厚くして人を招くこと。②礼をととのえて妻をめとること。

【礼法】礼儀作法。

【礼貌】①礼儀正しい態度。②礼儀正しく人をもてなすこと。〔孟子、離婁下〕

【礼与(與)其奢也寧倹(儉)】礼は派手にするよりは、ひかえめにするのがよい。→喪与其易也寧戚(三七六ジ・下)。

【礼容】うやうやしいさま。礼儀正しい態度。

1 【礼】6画 8325 レイ 礼(8323)の古字。→一〇三三ジ・下。 — EE61 —

2 【礽】7画 8326 漢ジョウ 呉ニョウ 蒸 réng — — 4844
字義 ❶さいわい。幸福。❷就く。
解字 形声。示＋乃音。

3 【祁】8画 8327 人 標 漢キ 呉ギ 支 qí 2323 8C56 —
[祁] 8328 同字
筆順 一 二 亍 亓 示 示 礻 祁
字義 ❶さかんに。大いに。はなはだ。❷漢代の県名。今の山西省内。
名前 お・おお・き・のぶ
解字 形声。阝(邑)＋示音。
【祁祁】多いさま。また、静かなさま。
【祁山】山名。今の甘粛省礼県の東にある。三国時代、蜀の諸葛亮が六度ここに出て魏と戦った。
【祁連】山名。甘粛省張掖市の西南。天山・南山・雪山ともいう。

3 【祁】7画 8328 キ 祁(8327)と同字。→一〇三四ジ・中。

3 【祀】8画 8329 標 漢シ 呉ジ 紙 sì 6711 E24A —
[禩] 8415 同字 [祀] 8330 俗字 [禩] 8411 俗字
字義 ❶まつる。神としてまつる。また、祭り。用例〔孟子、離婁下〕斎戒沐浴、則可以祀上帝↓ものいみをし、身を清めれば、上帝を祀ることができる。❷とし(年)。殷代は祀、夏代は歳、周代は年といった。
解字 甲骨文 篆文 形声。示＋巳音。音符の巳は、神としてのへびの象形。神を祭るの意味を表す。
【祀典】祭りの儀式。また、そのことを記した書物。
【絶祀】先祖の祭りをたやす。国や家をほろぼすこと。絶祀。
【奉祀】①先祖を祭る。②先祖の祭りに奉仕する。

3 【祀】7画 8330 シ 祀(8329)の俗字。→一〇三四ジ・下。

3 【社】7画 8331 教2 漢シャ 呉ジャ 馬 shè やしろ 2850 8ED0 —
3 [社] 8画 8332 人 1 8919 — —
筆順 丶 ラ ネ ネ ネ一 ネ+ 社
字義 ❶くにつかみ。土地の神。土地の守護神。また、それを祭るほこら。やしろ。「神社」❷祭りの名。土地の神を祭って豊作を祈る祭り。❸立春・立秋後の第五の戊の日。社日。❹昔の社会制度の一つ。民家二十五家の組合。❺ある目的・事業のために同志の者が作った集まり。団体。組合。「結社」国❶やしろ。ほこら。お宮。神社。❷シャ。会社の略。
名前 あり・こそ・たか 難読 社下・社家・社戸
解字 篆文 形声。ネ(示)＋土音。音符の土は、農民が共同で祭る農耕地の神の意味。土が、つちの意味に用いられるようになり、示を付して、区別した。転じて、集合団体の意味を表す。
逆 吟社・結社・寺社・書社・神社・宗社・大社・里社
【社会(會)】①昔、社日に催した同じ集落の住民の会合。〔東京夢華録〕②同じ集落の住民が生活の向上のために作った組合。昔は二十五家で一つの社を作った。〔近思録、治法〕③共同生活をする組織・団体。④交友の範囲。なかま。⑤人の世の中。世間。

【社交】社会での交際。世間のつきあい。「社交界」

【社日】立春または立秋後の五番目の戊の日。この日、土地の神を祭り豊作を祈る。春を春社、秋を秋社という。

【社△稷】①土地の神と、五穀の神。昔、天子・諸侯は、宮殿の右にこの二神を、左に宗廟(先祖のみたまや)を祭った。〔書経、太甲上〕②国家。用例〔老子、七十八〕受二国之垢一、是謂二社稷主一。(くにのはじ(ち)をうくる、これをシャショクのシュという(ふ)。) ↓国の恥辱を引き受ける人こそを国の主という。

【社△稷△之臣】国家の安危・存亡をになっている(になうことのできる)りっぱな臣。国家の重臣。

【社△稷壇】皇帝が社稷を祭った祭壇。清代には、北京皇城の中、午門の右(現在の中山公園)にあり、壇上の中央に黄、東に青、南に赤、西に白、北に黒色の土が敷かれた。

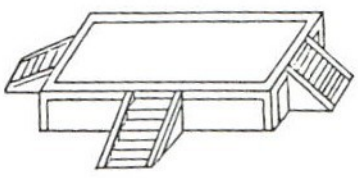
社稷壇

【社説】国新聞や雑誌などで、その社の主張としてのせる論説。

【社△鼠】神殿に巣くうねずみ。人がやたらに手を出せないことから、転じて、主君の側につかえる悪臣をたとえていう。城狐。〔韓非子、外儲説右上〕

【社倉】飢饉の時などに貧民を救うために設けた米倉。隋に始まる。

【社壇】①＝社稷壇。②神を祭ったやしろ。社殿。

【社中】①組合の仲間。②国詩歌・邦楽などで、同門の仲間の称。

【社長】①組合のかしら。村長の類い。②国会社を代表する人。

【社頭】国神社のほとり。神社の前。

3 【奈】8画 (2267) ナ 大部。→三西ページ上。

3 【礿】8画 8333 ヤク 圜 yuè —— 4845

【禴】8422 同字

字義 まつり。宗廟の祭り。時代によって、春の祭りとも夏の祭りともいう。

解字 形声。示＋勺音。

4 【祄】9画 8334 漢カイ 呉ガイ 卦 xiè —— 4846

字義 助ける。助け。

解字 形声。示＋介音。

4 【祈】8画 8335 常 キ いの-る 2107 8B46 —

4 〔祈〕9画 8336 人 漢キ 呉ゲ 微 qí 8923 ——

筆順 、ラネネ′ネ厂ネ斤祈

字義 ❶いの-る。神仏に福を願い求める。また、いの-り。❷もとめる。願う。❸つげる。神や人に告げる。

難読 祈答院(けとういん)

解字 甲骨文 金文 篆文 形声。甲骨文・金文は、㫃＋單＋斤音。㫃は、ふき流しの旗の象形。單は、鈴の象形。音符の斤は、近に通じ、ちかづくの意味。鈴の飾りをつけた旗を持ちながら、幸福に近づくことを願うさまから、いのるの意味を表す。篆文は、示＋斤音。

【祈雨】雨ごい。雨ごいをする。〔詩経、小雅、甫田〕

【祈願】神仏にいのり、ねがう。願がけをする。祈請。

【祈求】いのりもとめる。ひたすら願い求める。

【祈誓】神仏にちかいを立てていのること。

【祈請】神仏にいのり、請うこと。祈願。

【祈△禱】神仏にいのること。また、その儀式。

【祈年祭】国昔、毎年陰暦二月四日に、神祇官や国司の庁で、その年の豊作を天地の神々に祈った祭り。としごいまつり。▼年は、みのり(豊作)の意。

【祈年殿】皇帝が豊作を祈る所。北京の天壇圜丘の北にある。祈穀殿ともいう。

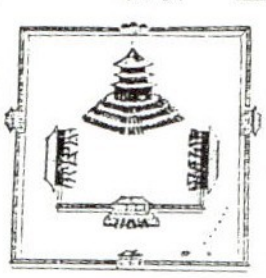
祈年殿

【祈念】心をこめていのる。一心に祈ること。

4 【祇】9画 8337 人 標 一漢キ・呉ギ 支 qí 二シ 支 zhī 2132 8B5F —

筆順 一ニテネネ′ネ氏祇祇

【祇】8338 同字

字義 一❶くにつかみ。地の神。また広く、神をいう。「天神地祇」❷おおきい。❸やすらか。安んずる。二ただ。㋐…だけ。＝只(1314)。㋑まさ-に。ちょうど。用例〔本事詩〕人面祇今何処去、桃花依レ旧笑二春風一(ジンメンただいまいず(づ)れのところにか、さる、トウカキュウによりて、シュンプウにえ(ゑ)む) ↓あの方は、いったい、いまどこへいってしまったのか。桃の花は、もとのように春風の中にほほえんでいるのに。

名前 けさ・ただ・つみ・のり・まさ・もと・やす

参考 〔祇〕(8349)は別字。

解字 篆文 形声。示＋氏音。音符の氏は、うじの意味。氏の神の意味を表す。

【祇園精舎】仏昔、インドのマカダ国の須達長者が祇陀太子の所有する園林を買って、釈迦のために建てた説法道場。▼精舎は、僧が仏道を修行する所で、寺の意。

【祇園南海】国江戸中期の儒学者。紀伊(今の和歌山県)の人。名は正卿・瑜。字は伯玉。号は南海・蓬萊。詩・書・画にも巧みであった。柳沢淇園・服部南郭らとともに日本南画の始祖と呼ばれる。著書に『詩学逢源』『一夜百首』『南海詩集』などがある。(一六七一—一七五一)

【祇樹】仏祇園精舎の樹林。

4 【秖】8画 8338 ギ 祇(8337)と同字。→一〇三五ページ中。

4 【祆】9画 8339 ケン 先 xiān 8922 —— 4848

字義 火祆は、拝火教(ゾロアスター教)の神の名。祆教・祆道は、その教え。祆廟は、その寺院。

参考 〔祅〕(8344)は別字。

解字 形声。示＋天音。

4 【祉】8画 8340 常 シ 2767 8E83 —

4 〔祉〕9画 8341 人 シ 紙 zhǐ 8920 ——

筆順 、ラネネ丨ネト祉祉

字義 さいわ-い。しあわせ。神からさずかる幸福。「福祉」「嘉祉」

名前 とみ・よし

解字 篆文 形声。ネ(示)＋止音。音符の止は、とどまるの意味。神のとどまるところ、さいわいの意味を表す。

逆 福祉

4 【祋】9画 8342 タイ 泰 duì —— 4850

字義 ❶つえぼこ。矛の一種。❷古代、侵入者を防ぐために、羊の皮を高く掲げ示したこと。

解字 形声。『説文解字』では、殳＋示音。

4 【祊】9画 8343 漢ホウ(ハウ) 呉ヒョウ(ヒャウ) 庚 bēng 28265 — 4849

字義 先祖をまつる祭りの名。
解字 形声。示＋方㊥。

4 **【祅】** 9画 8344 **ヨウ**(エウ) 𠔉 yāo　|8921 — 4847

字義 **わざわ-い**。まがごと。地のあらわし示す凶変。＝妖(2341)。

参考 〔祆〕(8339)は別字。

解字 篆文 形声。篆文は、示＋芺㊥。音符の芺は、髪をふり乱した巫女の象形。示は、神事に関することを示す。巫女をとおして示される神の意志のさまから、特に神のくだすわざわいの意味を表す。のち、芺の部分が夭となった。

【祅怪】ヨウカイ ばけもの。もののけ。妖怪。また、怪しい出来事。用例〔荀子、天論〕祅怪不ㇾ能ㇾ使㆓之凶㆒ 妖怪も人に凶事をもたらすことはできない。
【祅△孽】ヨウゲツ わざわい。妖孽。
【祅変(變)】ヨウヘン わざわい。妖変。

5 **【祛】** 10画 8345 漢**キョ** 呉コ 𠔉 qū　2 8267 — 4855

字義 ❶**はら-う**。わざわいを払いのぞく。また、追い散らす。❷ひらく。❸祛祛キョキョは、強くすこやかなさま。強健。

解字 形声。示＋去㊥。音符の去は、とり除くの意味。神に祈って、わざわいをとり除く、はらうの意味を表す。

5 **【祜】** 10画 8346 漢**コ** 呉ゴ 𠔉 hù　|8926 — 4856

字義 **さいわ-い**。しあわせ。神から授かる幸福。

解字 金文 篆文 形声。示＋古㊥。音符の古は、固に通じ、かたいの意味。神から下された、確固たる幸いの意味を表す。

5 **【祘】** 10画 8347 **サン** 𠔉 suàn　2 8266 — 4854

字義 かぞえる。よく見て数える。

解字 会意。示＋示。示は、視に通じ、よく見るの意味。

5 **【祠】** 10画 8348 標 漢**シ** 呉ジ 𠔉 cí　6712 E24B —

〔祠〕8350 俗字

字義 ❶**ほこら**。やしろ。神を祭ってある所。用例〔十八史略、春秋戦国、呉〕呉人憐ㇾ之、立㆓祠江上㆒、命曰㆓胥山㆒ ↓呉の国の人々は、それを気の毒に思い、ほこらを長江のほとりに立てて、そこを胥山となづけた。❷まつり。春の祭り。❸**まつ-る**。㋐神を祭る。用例〔戦国策、斉〕楚有㆓祠者㆒ ↓楚の国に神官がいた。㋑願いのかなった礼として祭る。❹おたまや。先祖の霊を祭ってある所。❺ことば。誓いのことば。また、祭りのことば。＝辞(11987)。

解字 甲骨文 金文 篆文 形声。示＋司㊥。示は、神事に関することを示す。音符の司は、神意をことばによって察知するの意味。春のまつりの意味を表す。春には牧畜に支障をきたさないように、いけにえを用いず、のりとを主としたからという。

【祠宇】シウ ほこら。やしろ。おみや。神社。祠屋。
【祠屋】シオク ＝祠宇。
【祠官】シカン かんぬし。神官。神職。〔史記、高祖本紀〕
【祠△賽】シサイ 神から受けた恩に報いる祭り。
【祠△祀】シシ 祭る。また、祭りをつかさどる役人。
【祠△竈】シソウ かまどの神をまつる。祀竈。
【祠壇】シダン 祭場。祭壇。
【祠堂】シドウ ①ほこら。やしろ。②おたまや。先祖の霊を祭った廟。用例〔唐、杜甫、蜀相詩〕丞相祠堂何処尋、錦官城外柏森森 ↓蜀の丞相(諸葛亮)の廟はどこにたずねたらよかろう、錦官城外(成都郊外)の柏のこんもり茂ったあたり。③仏殿。寺院。

5 **【祗】** 10画 8349 **シ** 𠔉 zhī　6713 E24C —

字義 ❶**つつし-む**。うやまう。❷大きい。❸**た-だ**。まさに。

参考 〔祇〕(8337)は別字。字義❸は、誤って〔祇〕に通じて用いたもの。

解字 金文 篆文 形声。示＋氏㊥。音符の氏は、慎に通じ、つつしむの意味。示を付し、つつしむの意味を表す。

【祗畏】シイ つつしみおそれる。
【祗役】シエキ つつしんで君主の命を奉じて任務におもむくこと。
【祗敬】シケイ つつしみうやまう。
【祗候】シコウ ①つつしんで貴人のおそばに仕えること。また、つつしんで参上すること。②国もと、華族や功労のある官吏を待遇するために与えた、宮中での資格。
【祗粛(肅)】シシュク つつしみうやまう。
【祗服】シフク つつしみ従う。つつしんで服従する。

5 **【祠】** 9画 8350 **シ** 祠(8348)の俗字。→一〇三六ページ上。

5 **【祝】** 9画 8351 教4 **シュク・シュウ** **いわ-う** 熟字訓 祝詞のりと　2943 8F6A —

5 **【祝】** 10画 8352 人 ㊀漢**シュク** 𠔉 zhù ㊁漢**シュウ**(シウ) 呉シュ 𠔉 zhòu　|8927 — —

筆順 、 ラ ネ ネ ネ ネ祀 祀 祝

字義 ㊀❶**いわ-う**。㋐めでたいことを喜ぶ。ことほぐ。「祝賀」㋑さいわいをいのる。❷**はふり**。神に仕える人。かんぬし。神官。「巫祝」❸**いわ-い**。ことほぎ。よろこび。❹断つ。断ち切る。「祝髪」❺織る。㊁❶**の-る**。神に告げる。❷のりと。神に告げることば。❸のろう。＝呪(1414)。

名前 い・いわい・とき・のり・はじめ・ほう・よし　難読 祝園・祝山・祝女・祝部

解字 甲骨文 篆文 会意。ネ(示)＋儿＋口。儿は、人のひざまずく形にかたどる。口は、いのりの言葉の意味。幸福を求めていのる・いわうの意味を表す。

【祝意】シュクイ いわいの気持ち。
【祝△允明】シュクインメイ 明の学者・書家。蘇州(江蘇省)の人。字は希哲。枝指(六本指)で、枝山・枝指生と号した。文徴明と並ぶ能書家。(一四六〇—一五二六)
【祝賀】シュクガ 国いわう。ことほぐ。
【祝儀】シュウギ 国①祝いの儀式。祝典。②祝賀の意を表すための贈り物。③芸人などに贈る心づけ。はな。チップ。
【祝言】シュウゲン 国①祝いのことば。②婚礼。
【祝史】シュクシ ①かんなぎ。みこ。巫覡。②神官。神主。
【祝詞】㊀シュクシ・シュウシ 祝いの気持ちを述べることば。また、その文章。祝辞。㊁のりと 国神を祭り、神に祈るとき用いる詞で、古体の独特の文章。
【祝辞(辭)】シュクジ ①神に祈ることば。②祝いのことば。
【祝△佗・祝△鮀】シュクダ 春秋時代、衛の人。字は子魚。官は大祝(神官)。口さきがうまく、たくみに人の心をとらえた。用例〔論語、雍也〕不ㇾ有㆓祝佗之佞㆒、而有㆓宋朝之美㆒、…… ↓祝佗のような弁舌の才能がなくて、宋朝のような外見の美だけが尊ばれたら、……。
【祝着・祝著】シュウチャク 国いわいよろこぶこと。慶賀。
【祝△禱】シュクトウ・シュウトウ 神につげていのる。おいのり。
【祝髪】シュクハツ ①かみをたちきる。断髪。②かみの毛をそり落として僧となること。剃髪。
【祝福】シュクフク ①幸福を祈る。②キリスト教で、神からさずかるしあわせ。神のめぐみ。
【祝融】シュクユウ ①上古の人。顓頊の孫、または子といわれる。名は重黎。後世、火の神・夏の神・南海の神・南方神などとしてまつられる。②火事。火災。

5【神】9画 8353 教3 シン・ジン かみ・かん・こう 熟字訓 お神酒(みき)・神楽(かぐら) 県名 神奈川(かながわ)県 3132 905F —

5〔神〕10画 8354 人 漢シン 呉ジン 真 shēn 18928 EE62 —

筆順 丶 ラ ネ ネ 礻 礻口 礻日 神

〔魌〕13945 同字

字義 ❶かみ。㋐天の神。宇宙万物の主宰者。↔祇(8337)。「天神地祇」㋑神の総称。❷たましい。霊魂。❸こころ。精神。❹霊妙ではかり知れない働き。理性でははかれない不思議な働き。❺きわめて尊くて、侵すことのできないこと。用例〔唐、柳宗元、三戒〕虎見レ之尨然大物也。以為レ神。↓虎がその驢馬を見つけたが、とても大きかった。そこで、きわめて尊い存在なのだと思った。

名前 あお・か・かむ・きよ・しの・しん・たる・みわ 難読 神威(かむい)・神海(こうみ)・神崎(こうざき)・神吉(かんき)・神居古潭(かむいこたん)・神戸(かのと・かんべ・こうど・ごうど・こうべ)・神西(じんざい)・神山(かみやま・こうやま)・神子(みこ・よりまし)・神子元島(みこもとじま)・神子上(みこがみ)・神志山(こうしやま)・神酒(みき・みわ)・神嘗(かんなめ)・神津島(こうづしま)・神石(じんせき)・神前(かんざき)・神足(こうたり)・神代(こうじろ・じんだい)・神通川(じんずうがわ)・神田(こうだ)・神馬藻(なのりそ・ほんだわら)・神辺(かんなべ)・神母木(いげのき)・神無月(かんなづき)・神目(こうめ)・神楽(かぐら・からき・じんらく)・神立(かんだつ)・神流(かんな)・神領(じんりょう)・神俣(かんまた)

解字 金文 [古字] 篆文 [古字] 形声。礻(示)+申㊥。音符の申は、いなびかりの象形で、天の神の意味。示を付し、一般に、かみの意味を表す。

逆 鬼神・軍神・失神・心神・水神・精神・聖神・喪神・存神・天神・入神・明神・雷神・乱神・竜神

【神意】(シンイ) ①神のこころ。神の考え。神の意志。②こころ。精神。

【神異】(シンイ) 不思議。人間わざでないこと。

【神域】(シンイキ) ①神のいるところ。②国神社の境内。

【神韻】(シンイン) きわめてすぐれたおもむき。人格にも、詩文・書画にもいう。

【神化】(シンカ) ①神のような、不思議な変化。②国㋐神の化育。神が万物を生じ育てること。㋑神になること。

【神火】(シンカ) 一 ①不思議な火。②神宮などでたく神聖な火。二(シンカ・ジンカ) 国火山の火煙。

【神怪】(シンカイ) 不思議な、また、あやしいこと。また、そのもの。

【神学(學)】(シンガク) 神について研究する学問。特に、キリスト教を研究する学問。

【神楽(樂)】一(シンガク) ①霊妙な音楽。②神を祭る音楽。二(かぐら) 国神を祭るために奏する舞楽。

【神気(氣)】(シンキ) ①不思議な雲気。②万物を形成する元素。③精神。気力。④すぐれたおもむき。

【神奇】(シンキ) すぐれて不可思議なもの。〔荘子、知北遊〕

【神亀(龜)】(シンキ) ①神通力を持った亀。②国家の大事を占うのに用いる亀の甲。用例〔荘子、秋水〕楚有二神亀一、死已三千歳矣。↓楚の国には占いに用いる亀の甲があり、(その亀は)死んでからもう三千年になる。

【神器】一(シンキ) ①神がさずけた神聖なもの。②神を祭る器物。③帝位継承のしるしとする宝物。転じて、帝位。④精妙な器械。二(ジンギ) 国「三種の神器(八咫鏡・天叢雲剣・八坂瓊曲玉)」の略。皇位継承のしるし。

【神△祇】(シンギ・ジンギ) 天の神と地の神。天神地祇。用例〔論語、述而〕禱二爾于上下神祇一。↓お前のことを天神地祇に祈禱する。

【神君】(シンクン) ①神を尊んで言う言葉。②神のように功徳の高い人の意で、賢明な地方長官をほめていう語。③国江戸時代、徳川家康の尊称。

【神軍】(シングン) 天子の軍隊。天子の率いる軍隊。

【神経(經)】(シンケイ) ①不思議な書物。②動物の体内にあって、知覚・運動などをつかさどる糸状の器官。③物事を感じ、また、考える力。④「神経質」の略。神経の働きが過敏または繊弱で、物事に感じやすく、心配しすぎる性質。

【神験(驗)】(シンケン) 神のあらわす不思議なはたらき。神のみるし。霊験。

【神△譴】(シンケン) 神のとがめ。神罰。

【神工・神功】(シンコウ) かみわざ。人知・人力ではなし得ないほどの巧みな製作。また、その品。天工。

【神国(國)】(シンコク) 国神が基を開き、神が守る国の意で、もと、日本の称。神州。

【神△坐・神座】(シンザ) 神棚。位牌。また、ほこら。

【神彩・神△采】(シンサイ) ①精神と風采。こころと、すがた。②神のようにけだかいすがた。

【神算】(シンサン) 人知では及ばぬほどのたくみなはかりごと。神謀。神略。「神算鬼謀」

【神事】(シンジ) ①神を祭る儀式。②神秘的な事がら。神や神仙に関する事。

【神社】(ジンジャ) 神のやしろ。おみや。ほこら。〔墨子、明鬼〕

【神主】一(シンシュ) ①天の神に代わって人民を治める者。②人民。③儒家で、死者の官位・姓名を書いて、おたまやに安置するもの。位牌。木主。二(かんぬし) 国①祭主。②神に仕える人。神官。神職。

【神授】(シンジュ) 神からさずかること。また、神からのさずかりもの。天の与え。

【神州】(シンシュウ) ①昔、中国の自称。②神仙の住む所。③都。④国=神国。

【神出鬼没】(シンシュツキボツ) 神わざのように自由自在に現れたり消えたりすること。きわめて巧妙に出没すること。〔唐戯場語〕

【神△駿】(シンシュン) 馬の姿態の非常にすぐれていること。

【神女】(シンジョ・シンニョ) ①めがみ。女神。天女。②仙女。

【神助】(シンジョ) 神のたすけ。天助。神祐。

【神将(將)】(シンショウ) ①神のような将軍。②天・地・兵・陰・陽・月・日・四時の主である八神をいう。

【神情】(シンジョウ) ①こころもち。心情。②顔色。顔つき。

【神色】(シンショク) 精神と顔色。また、顔色。態度。ようす。用例〔杜子春伝〕子春神色不レ動、有レ頃而散。↓杜子春が一向に動じないでいると、しばらくして消えていった。

【神色自若】(シンショクジジャク) 顔色が落ち着いて、物事に動揺しないさま。

【神人】(シンジン) ①神と人。②神のようにけだかい人。③神通力を得た人。〔荘子、逍遥遊〕④神に奉仕する人。かんぬし。⑤国キリスト教で、キリストの称。

【神髄(髓)】(シンズイ) 精神と骨髄の意。その道の奥義。蘊奥。精髄。

【神聖】(シンセイ) ①清らかで、少しのけがれもないこと。②きわめてけだかく、侵しがたい徳のあること。③きわめて尊く、侵しがたい権威のあること。

【神仙・神△僊】(シンセン) 人間の世界から抜け出て、不老長生の世界に住む人。仙人。

【神速】(シンソク) 人間わざでない、非常なはやさ。

【神体(體)】(シンタイ) ①精神と肉体。心とからだ。②国礼拝の対象に、神の霊として祭る物体。神の本体。

【神代】(ジンダイ・かみよ) 国神が世を統べ治めたという時代。神武天皇以前の時代。太古。

【神託】(シンタク) 神のおつげ。神宣。神勅。

【神知・神△智】(シンチ) 霊妙な知恵。

【神通力】(ジンツウリキ・ジンズウリキ) どんな事でも思いのままになし得る、不思議な力。

【神灯(燈)】(シントウ) ①神が照らすともしび。不思議なあかり。②神に供えるあかり。みあかし。

【神童】(シンドウ) 才知がきわめてすぐれた子供。

【神道】シンドウ ㊀①墓場に行く道。また、墓穴にはいる道。「神道碑」〔後漢書、中山簡王焉伝〕②人知ではかり知ることのできない、不思議な道。霊妙な道。〔易経、観〕㊁シントウ 国①かんながらのみち。神の意志のままで人為を加えない、神代以来伝わった、日本固有の道。②日本固有の宗教。民族の祖先である神々を敬い祭ることを中心とし、政治はその祭りと一体であるとした。

【神農】シンノウ 中国古代伝説上の帝王の名。初めて人民に農作を教え薬を作ったという。炎帝ともいう。

【神罰】シンバツ 神のくだすばつ。天罰。

【神秘(祕)】シンピ ①人知ではかり知れない、不思議なこと。②秘密にして人に示さないこと。

【神品】シンピン ①人間わざではできないような、非常にすぐれた品。絶品。②国きわめてけだかい品位。

【神父】シンプ ①すぐれた地方長官を尊び親しんで、神や父にたとえていう。②キリスト教のカトリックで信者を教えみちびく人。

【神符】シンプ ①神の守り札。おまもり。②神の予言。

【神仏(佛)混△淆】シンブツコンコウ 国神は仏が衆生を救うためにかりに姿を現したものという思想(本地垂迹説)から、神道と仏教とを同じものとし、神と仏とをいっしょに祭ること。

【神兵】シンペイ ①神の配下の兵。②行動が迅速で非常な威力をもっている兵。

【神変(變)】シンペン 人知ではかり知ることのできない、不思議な変化。

【神宝(寶)】シンポウ ①神聖な宝物。②君主の位。

【神木】シンボク ①めずらしい木。霊妙な樹木。〔後漢、班固、西都賦〕②国神社の境内にあって、その神社にゆかりの深い木。

【神妙】シンミョウ ㊀人知ではかり知れない、不思議なはたらき。㊁シンミョウ・シンビョウ 国①けなげ。殊勝。奇特。②すなお。おとなしいこと。

【神明】シンメイ ①神。②人のこころ。精神。③国祭神としての天照大神の特別の称。

【神△佑・神△祐】シンユウ 神のたすけ。天助。天佑神助。

【神△游・神遊】シンユウ 体はそのままで、心だけが飛んでいって楽しみ遊ぶこと。〔列子、黄帝〕

【神△輿】シンヨ・みこし ①神霊を安置した輿。②天子の乗る輿。

【神△籟】シンライ ①神の声。②すぐれた音楽や詩歌などをいう。

【神慮】シンリョ ①＝神意。②天子のこころ。

【神力】シンリョク ①不思議なちから。②神の威力。

【神霊(靈)】シンレイ ①霊妙な造化の神。〔列子、湯問〕②神のみたま。③人のたましい。霊魂。④霊妙な知恵。

【神話】シンワ 自然界・人間界の事象を、その氏族や部族または民族にとっての神のしわざと考えたことから生じて、伝承された古代の説話。

5【祟】10画 8355 標 スイ 漢 suì 6714 E24D —

字義 たた-る。また、たた-り。神仏などが人をいましめるために下すわざわい。

解字 篆文 形声。示＋出音。音符の出は、追い出すの意味。神に追い出される、たたりの意味を表す。

5【祏】10画 8356 漢セキ 呉ジャク 陌 shí — — 4851

字義 ❶いはい(位牌)。❷宗廟の木主を安置する石室。

解字 甲骨文 篆文 形声。示＋石音。音符の石は、いしの意味。石で造られた位牌の意味を示す。

5【祖】9画 8357 教5 ソ 3336 9163 —
5〖祖〗10画 8358 人 ソ 麌 zǔ 8925 — —

筆順 、ラネネ初初祖祖祖

字義 ❶じじ。父の父。祖父。❷先祖。㋐その家系を開いた、初代の人。おや。とおつおや。「始祖」㋑その家系の初代から先代に至る代々の総称。❸先祖のおたまや。❹はじめ。もと。物事の初めを開き、もといとなったもの。「元祖」❺はじめて。はじめの。❻もとどする。もととしてならう。のっとる。「祖述」❼道祖神。道路の安全を守る神。また、旅立つとき、道祖神を祭ること。また、その際に、送別の宴を開くこと。

用例〔史記、刺客伝〕至易水之上一、既祖取道（すでにソして、みちをとる）。↓易水のほとりまで来て、道祖神を祭って酒宴を開いてから(秦への)旅路についた。

名前 おや・さき・のり・はじめ・ひろ・もと 難読 祖谷（いや）・祖父江（そぶえ）・祖父（じい・じじ）・祖母（ばば）・祖母傾（そぼかたむき）・祖母井（うばがい）・祖母島（うばしま）

解字 甲骨文 金文 篆文 形声。ネ(示)＋且音。音符の且は、祭器で、肉をのせる台の象形。そなえ物をして祭る先祖の意味を表す。

逆 開祖・教祖・元祖・高祖・始祖・聖祖・宗祖・鼻祖・父

祖

【祖宴・祖△筵】ソエン 旅立つ人を送る宴会。送別の宴。

【祖業】ソギョウ 祖先が開き、残し伝えた事業。

【祖訓】ソクン 先祖がのこした教え。

【祖考】ソコウ ①死んだ祖父。②死んだ祖父と亡父。③はるか遠い先祖。

【祖国(國)】ソコク 祖先以来住んで来た国。自分の生まれた国。母国。父祖の国。

【祖師】ソシ ①一派の学問を開いた先生。②仏一派の宗門を開いた僧。日蓮宗で日蓮、浄土真宗で親鸞、禅宗で達磨大師の類い。「祖師堂」

【祖述】ソジュツ 先人の道を本とし、それを受け継いでのべること。〔中庸〕

【祖神】ソシン 道路の神。道祖神。

【祖生△之△鞭】ソセイのむち 先鞭をつける。人に先立って着手する。晋の祖逖が官に任用されたのを聞き、その友人が、祖生に先鞭をつけられたと言った故事による。〔晋書、劉琨伝〕

【祖席】ソセキ 送別の宴席。

【祖先】ソセン ①その家系を開いた初代の人。先祖。〔三国志、魏志、毛玠伝〕②その家系の初代から先代までの人々。

【祖△餞】ソセン 旅立つ人にはなむけすること。餞別。

【祖宗】ソソウ ①君主の始祖と、中興の祖。②初代から先代までの君主。

【祖送】ソソウ ＝祖餞。

【祖帳】ソチョウ 人の旅立ちに道中の安全を祈るため道祖神を祭り、送別の宴を開くこと。また、路傍で催す送別の宴。▼帳は、供帳のことで、休息や宴会の場所を作るために、路傍に幕を張りめぐらすこと。

【祖道】ソドウ ①旅立つとき、道祖神を祭って道中の安全を祈ること。②宴を設けて旅立つ人を送ること。また、その宴。送別会。

【祖△妣】ソヒ 死んだ祖母。

【祖△廟】ソビョウ 祖先の霊をまつるおたまや。

【祖父】ソフ ①父母の父。②祖父と父。

【祖母】ソボ 父母の母。

【祖法】ソホウ 先祖が定めたおきて。

5【祚】10画 8359 漢ソ 呉ゾ 遇 zuò 6715 E24E —

字義 ❶さいわ-い。しあわせ。神から授かる幸福。「天祚」❷さいわいする。神が幸いを授ける。❸くらい(位)。天子の位。「践祚」❹むくいる。

解字 篆文 形声。示＋乍㊥。音符の乍ッは、胙ッに通じ、さいわいの意味。示を付し、さいわいの意味を表す。

【祚胤】よい子孫。幸福な世継ぎの意。

5 【祑】10画 8360 ㊥チツ ㊤ジチ(ヂチ) 質 zhì — — 4852

字義 祭りに順序があること。祭りの順序。

解字 形声。示＋失㊥。

5 【祢】9画 8361 人 ネ 禰(8418)の俗字。→一〇四三ページ下。 3910 9449 —

5 【祕】10画 (8462) ヒ 秘(8461)の旧字体。→一〇五一ページ上。

5 【祔】10画 8362 ㊥フ ㊤ブ 遇 fù — — 4853

字義 ❶あわせまつる。先祖のおたまやに、死者の霊を合わせ祭る。❷あわせほうむる。先祖の墓に、なきがらを合わせ葬る。合葬。

解字 篆文 形声。示＋付㊥。音符の付は、よせ合わせるの意味。子孫の霊を先祖の墓に合わせ祭るの意味を表す。

5 【祓】10画 8363 標 ㊥フツ ㊤フチ 物 fú 6717 E250 —

［祓］8364 俗字 ［秡］8466 俗字

字義 ❶はらう。神に祈ってわざわいをのぞく。❷はらい。はらえ。㋐神に祈って身のけがれを払う。㋑おはらいの行事。❸のぞく(除)。弊害をのぞき去る。

解字 篆文 形声。示＋犮㊥。音符の犮ッは、不吉なものをはらい除くために、犬をいけにえとして殺す形にかたどる。示を付し、はらう・のぞくの意味を表す。

【祓禊】身のけがれを清めて災いを払うこと。陰暦三月上巳(はじめの巳の日)の節に水辺で行った祭り。みそぎ。〔広雅、釈天〕

【祓除】けがれを払い除く。

【祓禳】神に祈って災いを払う。

【祓飾】古くなったものを除き、新しくかざること。

【祓濯】払い清める。

5 【祓】9画 8364 フツ 祓(8363)の俗字。→一〇三九ページ上。

5 【祐】9画 8365 人 4520 9753 —

5 〔祐〕10画 8366 人 ㊥ユウ(イウ) ㊤ウ 宥 yòu 18924 — —

筆順 、ラネネ礻礻祐祐祐

字義 たすける。神が助ける。また、たすけ。神の助け。天の助け。＝佑(288)・右(1300)。「天祐神助」

名前 さち・すけ・たすく・ち・ひろ・まさ・ます・みち・むら・ゆ・ゆう・よし

解字 篆文 形声。ネ(示)＋右㊥。音符の右は、たすけるの意味。示を付し、神の助けの意味を表す。

【祐助】天の助け。神助。天祐。

【祐筆】国①貴人に侍し書記の役をする人。秘書。右筆。②武家の職名。文書をつかさどる。③文筆に長じた人。文学に従事する人。④文字を書くこと。筆記。

6 【㚘】11画 8367 ケン 霰 juàn

［桊］8368 俗字

字義 まつり。

解字 形声。示＋巻省㊥。国 秦(8456)の俗字。

6 【桊】11画 8368 ケン 㚘(8367)の俗字。→一〇三九ページ中。 28268 — —

6 【祫】11画 8369 ㊥コウ(カフ) ㊤ギョウ(ゲフ) 洽 xiá — — 4859

字義 代々の先祖を始祖のおたまやに合わせて祭る。また、その祭り。祫祭。

解字 篆文 形声。示＋合㊥。音符の合は、あわせるの意味。先祖のすべての霊をあわせまつるの意味を表す。

6 【祭】11画 8370 教3 ㊥セイ・㊤サイ 霽 jì サイ まつ-る・まつ-り 2655 8DD5 —

筆順 ノクタタタ夕夕祭祭祭祭

字義 まつる。神や先祖を、物を供えてまつる。また、まつり。祭祀。国 記念・祝賀などのために行う行事。「港祭」

名前 あき・さい・たか

解字 甲骨文 金文 篆文 会意。示＋又＋夕(肉)。いけにえの肉を手で神にささげる、まつるの意味を表す。甲骨文は、血のしたたるいけにえを手でささげる形にかたどる。

逆 享祭・血祭・合祭・主祭・喪祭・葬祭・例祭・霊祭

【祭器】まつりに用いる道具。祭具。

【祭司】まつりをつかさどる人。特に、ユダヤ教・キリスト教で、宗教上の職務をつかさどる人。

【祭祀】まつり。神や祖先のまつり。祭典。用例〔戦国策、趙〕祭祀必祝之(祭祀には必ずこれを祝る)。↓祭祀の際には必ずお祈りなさいます。

【祭粢】まつりの時に神に供える穀物。

【祭主】①まつりを主宰する人。②国 伊勢神宮の神官の長。

【祭酒】①昔、会合や宴会の席で、尊長者が最初に酒をそそいで地を祭ったこと。②同僚の中で、年長で徳の高い人の称。③官名。学政をつかさどった長官。④国 江戸時代、大学頭の中国風の呼び名。

【祭政一致】国 神をまつることと、国家の政治を行うこととは一体のものであるという考え方、また、その政治形態。政教一致。

【祭壇】まつりを行う壇。祭場。

【祭典】まつりの儀式。まつり。祭礼。

【祭奠】まつりの供え物。また、まつり。

【祭文】一 ①まつりのとき、神前で読みあげる文。②死者を弔い祭る文。二 国 江戸時代に行われた俗曲の一種。歌祭文。

【祭礼(禮)】＝祭典。

6 【柴】11画 8371 ㊥サイ ㊤ジャ 佳 chāi

字義 柴をたいて天を祭る。＝柴(5391)。

解字 篆文 形声。示＋此㊥。音符の此シは、柴に通じ、しばの意味。しばをたいて天をまつる祭の意味を表す。

6 【斎】11画 (14562) サイ 齊部。→一六五五ページ中。

6 【祩】11画 8372 シュ 遇 zhù — — 4858

［株］8475 俗字

字義 呪う。

解字 形声。示＋朱㊥。音符の朱は、呪に通じ、のろうの意味。

6 【祥】10画 8373 常 ショウ 3045 8FCB —

6 〔祥〕11画 8374 人 ㊥ショウ(シャウ) ㊤ゾウ(ザウ) 陽 xiáng 18929 EE63 —

筆順 、ラネネ礻礻礻祥祥

字義 ❶さいわい。めでたいこと。喜ばしいこと。「吉祥」❷きざし。しるし。吉事・凶事のある前兆。また特に、吉事の前兆。❸忌みあけの祭り。喪の一定の期間の終わりにする祭り。「小祥」「大祥」

名前 あきら・さか・さき・さち・さむ・しょう・ただ・なが・ひろ・やす・ゆき・よし

解字 篆文 祥 形声。ネ(示)＋羊音。音符の羊は、ひつじの意味。神に羊(ひつじ)を供えて、よき神意を受ける、さいわいの意味を表す。 難読 祥雲(かぐも・きくも)

逆 気祥・吉祥・慶祥・災祥・発祥・不祥・符祥

【祥雲】ショウウン めでたい雲。瑞雲ズイウン。

【祥応(應)】ショウオウ めでたいしるし。

【祥気(氣)】ショウキ めでたいしるしの気。めでたい気配。

【祥月】しょうつき 仏 一周忌以後、死者が死んだ月にあたる月。祥月命日は、死んだ月日と同じ月日。

【祥△瑞】ショウズイ 一 めでたいしるし。〔漢書、元后伝〕 二 ションズイ 国 白い釉うわぐすりで光沢のある染め付け陶器。

【祥△氛】ショウフン ＝祥気。

6 【祧】 11画 8375 チョウ(テウ) 圝 tiāo ₂8269 — 4857

字義 おたまや。自分から五代前より昔の先祖は、特別の功労者を除いて、遷主といって、みな一つのおたまやに遷うつして合わせ祭った。その遷主を合わせ祭るおたまや。祧廟チョウビョウ。遷廟。

解字 篆文 祧 形声。示＋兆音。音符の兆は、割れるの意味。今までおさまっていた廟ビョウ(おたまや)から離れた先祖の廟の意味を表す。

6 【票】 11画 8376 教4 ヒョウ 4128 955B —

一 ヒョウ(ヘウ) 圝 piāo
二 漢ヒョウ(ヘウ)・呉ビョウ(ベウ) 嘯 piào

筆順 一 ㇐ 覀 覀 覀 覀 覀 票 票 票

【㶾】 7025 本字

字義 一 ❶火が飛ぶ。火の粉が飛び散る。また、とびひ。火の粉。❷ゆれる。また、ゆれ動くさま。 二 ❶かるい。また、ひるがえるさま。「票然」❷はやい。また、強くはやいさま。「票軽」❸ふだ。てがた。転じて、切符。切手。質札。紙片。「投票」「伝票」 国 札の数を数える語。

解字 篆文 㶾 会意。篆文は、火＋囟。囟は、人の死体の頭を両手でかかげる形で、高くあげるの意味。囟の下の一は廾の省略形で両手の意味。火が高く飛ぶの意味を表す。㶾ヒョウの原字。転じて、まいあがる紙片、ふだの意味をも表す。常用漢字の票は㶾の変形。票の意味と音符とを含む形声文字に、僄ヒョウ・剽ヒョウ・彯ヒョウ・摽ヒョウ・標・漂・熛ヒョウ・瓢ヒョウ・飄ヒョウ・驃ヒョウなどがある。

逆 軍票・証票・伝票

【票軽(輕)】ヒョウケイ すばしこい。剽軽。

【票決】ヒョウケツ 国 投票によって決定すること。

【票然】ヒョウゼン ＝飄然ヒョウゼン(一三六九ページ中)。

7 【視】 11画 (11032) シ 見部。→一三九三ページ上。

7 【祲】 12画 8377 シン 沁 jìn ₂8270 — 4860

字義 ❶わざわいを起こす気。妖気ヨウキ。❷太陽の周囲に現れるかさ。❸さかんにする。

解字 篆文 祲 形声。示＋侵省音。音符の侵は、おかすの意味。人の生活をおかす邪気の意味を表す。

7 【祷】 11画 8378 人 トウ 3788 9398 —

禱(8420)の簡易慣用字体。→一〇四四ページ上。

8 【祼】 13画 8379 カン(クワン) 翰 guàn — — 4863

字義 祭りの名。黒黍くろきびから作った鬱鬯ウッチョウという酒を尸かたしろに献じ、尸がその酒をうけて地に注ぎ、神の降臨を願う祭り。

解字 篆文 祼 形声。示＋果音。音符の果は、涫カンに通じ、水を流し洗うの意味。地に酒をそそぎ、神を求める祭りの意味を表す。

8 【祺】 13画 8380 漢キ 呉ギ 支 qí 6718 E251 —

字義 ❶さいわい。さいはひ。しあわせ。❷めでたいしるし。吉兆。❸安らかなさま。

解字 形声。示＋其音。

8 【禁】 13画 8381 教5 キン 2256 8BD6 —

一 漢キン・呉コン 沁 jìn
二 漢キン・呉コン 侵 jīn

筆順 一 十 才 木 林 林 梺 梺 禁 禁

字義 一 ❶いみ(忌)。吉を求め凶をさけるために守るべきこと。また、いみさける。「禁忌」❷とどめる。さしとめる。「禁止」❸おきて。規則。いましめ。「国禁」❹御所。天子の居所。宮城。門ごとに番所を設けて人の通行をとどめるからいう。「禁裏」❺鳥獣を飼うおり。❻ろうや。監獄。「禁卒」❼杯を置く台。禁と名づけて酒をいましめる。❽ひそか。秘密。「禁方」❾のろい。まじない。「禁呪」 二 とどめる。また、たえる。おさえる。

難読 禁忌ブタ・禁野しめの

解字 篆文 禁 会意。示＋林。示は神の意味。林におおわれた聖域の意味を表す。おおいとじこめるの意味から、いみさけるの意味をも表す。

逆 解禁・厳禁・拘禁・国禁・紫禁・軟禁・発禁

【禁△遏】キンアツ おさえつけてとどめる。

【禁△闈】キンイ 御所。宮中。▼闈は、宮門の小門。

【禁域】キンイキ 御所。宮中。

【禁衛(衞)】キンエイ 御所のまもり。また、その兵士。近衛コノエの軍。

【禁△掖】キンエキ 御所。▼掖は、宮門の左右にある小門。

【禁垣】キンエン 御所のかきね。

【禁園・禁△苑】キンエン 宮中の庭園。

【禁煙】キンエン ①寒食の節(冬至から百五日め)に、火を使わないで冷たい物を食べること。②御所のあたりに立ちこめるもや。③国 煙草たばこを吸うことを禁ずること。また、煙草をやめること。

【禁火】キンカ ①火をたくことを禁ずる。②＝禁煙①。

【禁戒】 一 キンカイ 禁じいましめる。 二 ゴンカイ 仏 仏の定めたいましめ。

【禁忌】キンキ ①いみさける。②いみきらうべきこととして禁止する事がら。日月・方位・医薬・食物などについていう。

【禁御・禁△禦】キンギョ とどめふせぐ。

【禁句】キンク 国 ①和歌・俳句などで使用を避けるべきことば。止め句。②他人の感情を害さぬために使用を避けるべきことば。

【禁軍】キングン 宮中守護の軍隊。近衛コノエの軍。

【禁△闕】キンケツ ①御所の門。②御所。宮中。

【禁固・禁錮】キンコ ①仕官の道をふさいで仕えさせぬこと。②一室内に閉じこめて外出させないこと。おしこめ。③国 刑務所に監禁するが、労役には服させない刑罰。

【禁溝】キンコウ 御所のほり。

【禁△坐】キンザ 天子の御座。内裏ダイリ。

【禁札】キンサツ 国 禁止の箇条を公衆にふれ知らせる立てふだ。制札。

【禁止】キンシ ①やめさせる。さしとめる。制止。②刑罰の一つ。人を閉じ込め行動の自由を奪う刑。軟禁。

【禁呪・禁祝】キンシュウ まじない。

【禁書】キンショ ①法律で刊行・所蔵・閲覧を禁止した本。禁止本。②国 江戸時代、幕府がキリスト教禁止のために書籍の輸入を禁じたこと。また、その書籍。

【禁城】キンジョウ 御所。宮中。宮城。

【禁制】キンセイ ①さしとめる。〔荘子、説剣〕②さしとめ。禁令。

【禁絶】キンゼツ とどめたつ。厳重に禁止する。

【禁足】キンソク ①家の中や一定の地域から外に出ぬこと。②国外出をさしとめること。足止め。
【禁卒】キンソツ ろうやの番人。獄卒。
【禁△闥】キンタツ 宮中の小門。転じて、宮中。奥御殿。
【禁断(斷)】キンダン さしとめる。禁止。
【禁中】キンチュウ 天子の御所の中。御所。宮中。
【禁庭】キンテイ 御所。宮中。禁中。禁廷。
【禁△屠】キント 殺生を禁止する。
【禁物】㊀キンブツ 禁制の品。さしとめた品物。②きらいな物。③してはならないこと。㊁キンモツ 国①所持を禁じた品物。
【禁兵】キンペイ 宮中守護の兵士。近衛エコノの兵士。
【禁方】キンポウ 秘伝の調薬方法。▼方は、処方。
【禁網】キンモウ おきて。法律。禁令を犯す者が罪を得るのを、魚が網に触れて捕らえられるのにたとえていった語。
【禁門】キンモン ①御所の門。②厳重に出入を禁じた門。
【禁△厭】キンヨウ まじない。禁呪。
【禁欲】キンヨク 欲望をおさえとどめること。
【禁裏・禁△裡】キンリ 御所。禁中。▼裏・裡は、中。
【禁林】キンリン ①宮中の庭園の林。②翰林院カンリンイン(天子の詔勅をつかさどる役所)の別称。
【禁令】キンレイ 禁止の法令。禁制。

8
【祻】13画 8382 漢コ 呉ク 遇 gù
字義 祭り。
解字 形声。示＋固音。
— — 4862

8
【祹】13画 8383 漢トウ(タウ) 呉ドウ(ダウ) 豪 táo
字義 ❶さいわい。❷神。
解字 形声。示＋匋音。
8930 — 4861

8
【禀】13画 8384 ヒン
稟(8507)の俗字。→1054ページ下。
6741 E268 —

8
【祾】13画 8385 ㊀リョウ 蒸 líng ㊁ロウ 蒸 líng
字義 ㊀❶祭り。❷供え物のお下がり。神の福。
解字 形声。示＋夌音。
— — 4864

8
【禄】12画 8386 人
4729 985C —

8
〔祿〕13画 8387 人 ロク 屋 lù
6719 E252 —

筆順 禄

字義 ❶さいわい。喜び。「福禄」「天禄」❷ふち(扶持)。役人の給与。俸給。また、ふちを与える。「俸禄」国ロク。㋐報酬。謝礼。祝儀。㋑利益。㋒富。財産。㋓生活の資。
名前 さち・とし・とみ・よし・ろく
解字 甲骨文 金文 篆文 形声。ネ(示)＋彔音。音符の彔ロクは、甲骨文でわかるように、つるべ井戸の滑車のあたりに水があふれる形にかたどる。くみあげられる水のさまから、さいわいの意味を表す。

【禄位】ロクイ 俸給と官位。禄次。
【禄仕】ロクシ 俸給を受けて官に仕えること。
【禄賜】ロクシ 俸給と賞賜。
【禄爵】ロクシャク ふちと、くらい。俸給と爵位。〔礼記、王制〕
【禄食】ロクショク 役人となり、俸給を受けて生活すること。俸給生活。
【禄秩】ロクチツ ふち。俸給。身分によって差があるから秩という。
【禄米】ロクベイ・ロクマイ 秩禄。扶持米フチマイ。昔、役人が俸給として与えられた米。
【禄命】ロクメイ 人の運命。貧富や、地位の上下などの運命。
【禄利】ロクリ 俸禄と利益。
【干レ禄】ロクをもとむ 俸禄(また、天の福禄)を求める。仕官する。干禄カンロク。用例〔論語、為政〕子張学レ干レ禄シチョウロクをまなぶ。↓子張は俸禄を求めることを学んだ。

9
【禕】14画 8388 イ(ヰ) 支 yī
字義 ❶美しい。よい。❷めずらしい。
解字 形声。示＋韋音。
— — —

9
〔禕〕8406 俗字

9
【禋】14画 8389 ㊀イン 真 yīn ㊁エン 先
字義 ㊀まつ-る。身を清めて祭る。誠意をこめて祭る。㊁天帝を祭る。
解字 甲骨文 金文 篆文 形声。示＋垔音。音符の垔イは、けむりの意味。火をたき煙をあげてまつる祭りの意味を表す。
— — 4865

9
【禍】13画 8390 常 カ
1850 89D0 —

9
〔禍〕14画 8391 人 漢カ(クワ) 呉ワ 哿 huò
8931 — —

〔旤〕4646 古字

筆順 禍

字義 ❶わざわ-い。わざはひ。神のとがめ。思いがけず受ける不幸。災難。↕福(8403)。❷わざわいする。わざわいを与える。国まがまが-しい。まがまがし。いまわしい。不吉だ。
名前 まが
難読 禍禍まがまがしい
解字 篆文 形声。ネ(示)＋咼音。音符の咼カは、けずられ、ゆがむの意味。神のくだすわざわいの意味を表す。
逆 患禍・奇禍・災禍・惨禍・舌禍・戦禍・大禍・筆禍・輪禍

【禍△殃】カオウ わざわい。禍害。
【禍階】カカイ わざわいの糸口。わざわいを導くもの。禍梯カテイ。
【禍害】カガイ わざわい。災難。
【禍機】カキ わざわいの起きるきざし。また、わざわいを引き起こすはずみ。
【禍根】カコン わざわいのもと。禍源。
【禍災】カサイ わざわい。災禍。
【禍△簒】カサン 簒奪などのわざわい。用例〔墨子、兼愛中〕凡天下禍簒怨恨およそテンカのカサンエンコン、可レ使レ毋レ起者おこることなからしむべきものは、以二相愛一生也あいアイするをもってショウずるなり。↓すべて、この世のわざわいや奪い合い、うらみごとなどが、起こらないようにさせることができるのは、お互いに愛し合うことから生まれるのである。
【禍従(從)レ口生】わざわいはくちよりショウず わざわいは、言葉をつつしまないことから起こる。禍従レ口出わざわいはくちよりいず。〔釈氏要覧、下〕→病従レ口入、禍従レ口出やまいはくちよりいり、わざわいはくちよりいず(九八〇ページ上)。
【禍心】カシン 悪い計画をたくらむ心。謀反ムホンの心。
【禍胎】カタイ わざわいのもと。▼胎は、物事のはじめ。
【禍難】カナン わざわい。災難。
【禍敗】カハイ わざわいと失敗。また、わざわい。
【禍福如二糾△纆一】カフクはキュウボクのごとし 不幸は転じて幸福となり、幸福はまた不幸となって、めぐりめぐることが、より合わせた縄のようである。▼糾纆は、あざなった縄。用例〔鶡冠子、世兵〕禍乎福之所レ倚カやフクのよるところ、福乎禍之所レ伏フクやカのふすところ、禍与レ福如二糾纆一カとフクとはキュウボクのごとし。↓不幸は幸福の宿るところにあり、幸福は不幸の隠れているところにある、不幸と幸福はより合わせた縄のようにめぐりめぐる。
【禍福無レ門】カフクモンなし 人がわざわいや幸せに至る道には、もともと一定の門はない。▼禍福は、その人の善悪によることをいう。〔左伝、襄公二十三〕
【禍乱(亂)】カラン 世のわざわいや乱れ。兵禍戦乱。
【転(轉)レ禍為(爲)レ福】わざわい(はい(ひ))をテンじてフクとなす わざわいをうまく処理して、かえって幸福な結果が得られるようにする。〔戦国策、燕〕

9
【禑】14画 8392 グ 虞 wú
— — 4867

字義 さいわい。幸福。
解字 形声。示＋禺㊟。

9 【禊】 14画 8393 標 ㊥ケイ ㊠ゲイ 霽 xì 6720 E253 —

字義 ❶みそぎ。はらい(祓ﾌﾂ)。水辺で身を洗い清めて悪を払い除く祭り。年中行事の一つ。陰暦三月上巳ｼﾞｮｳｼ(月の初めの巳みの日。後には三日)に行うのを春禊、七月十四日に行うのを秋禊という。❷はら-う(はらふ)。みそぎをする。

解字 形声。示＋契㊟。音符の契ｹｲは、罪・けがれを清めるために人のはだにしるしを刻む意味。示を付し、けがれを払うみそぎの意味を表す。

【禊宴】ｹｲｴﾝ みそぎの祭りのあとで開くさかもり。

9 【禌】 14画 8394 シ 支 zī — — 4866

字義 いこう。休む。

解字 形声。示＋茲㊟。

[禌] 8395 俗字 14画 8395 シ 禌(8394)の俗字。→一〇四二ﾍﾟｰｼﾞ上。

9 【禅】 13画 8396 常 ゼン 3321 9154 —

12 〖禪〗 17画 8397 人 一 ㊥セン ㊠ゼン 霰 shàn 二 ㊥セン ㊠ゼン 先 chán 6724 E257 —

筆順 ラ ネ ネ ネ" 祌 袒 禅 禅

字義 一 ❶ゆず-る(ゆづる)。㋐天子が位をゆずり与えること。「禅譲」㋑伝える。授ける。❷祭りの名。昔、天子が地を払い清めて天の神や山川の神をまつった祭り。「封禅」 二 仏 ❶梵語ﾎﾞﾝｺﾞ dhyāna の音訳、禅那ｾﾞﾝﾅの略。静座して精神を統一し、無我・静寂の境に至り、真理をさとること。❷座禅の略。❸禅宗の略。仏教の一宗派。

名前 さと・よし

解字 篆文 禪 形声。ネ(示)＋単(單)㊟。音符の單は、壇に通じ、平坦な台地の意味。壇を設けて天を祭るの意味を表す。

逆 安禅・座禅・参禅・受禅・封禅

【禅院】ｾﾞﾝｲﾝ 禅宗のてら。禅寺。禅刹ｾﾞﾝｻﾂ。
【禅機】ｾﾞﾝｷ 禅の修行によって得た無我の境から生ずる心の働き。
【禅△閤】ｾﾞﾝｺｳ 国太閤ﾀｲｺｳ(摂政、または太政大臣ﾀﾞｲｼﾞｮｳﾀﾞｲｼﾞﾝ)の尊称)が、出家して仏門に入ってからの称。
【禅刹】ｾﾞﾝｻﾂ 禅宗のてら。禅寺。禅院。
【禅師】ｾﾞﾝｼﾞ ①徳の高い禅僧の称。②国知徳の高い禅僧に朝廷から賜る称号。
【禅寂】ｾﾞﾝｼﾞｬｸ 静かに瞑想にふけること。用例〔唐、銭起、送三僧帰二日本一詩〕水月通二禅寂一、魚竜聴二梵声一。ｽｲｹﾞﾂ ｾﾞﾝｼﾞｬｸにツウじ、ｷﾞｮﾘｮｳ ﾎﾞﾝｾｲをきく ↓海に浮かぶ月影は静かな禅の境地に通じ、海に棲すむ魚や竜はあなたの読経の声に耳を澄ますことでしょう。
【禅宗】ｾﾞﾝｼｭｳ 仏教の一宗派。インドの達磨ﾀﾞﾙﾏが中国に伝えたもので、座禅による悟りを説く。臨済・曹洞ｿｳﾄｳ・黄檗ｵｳﾊﾞｸなどの諸派があり、日本には栄西ﾖｳｻｲ･ｴｲｻｲや道元・隠元らがこれを伝えた。
【禅△牀】ｾﾞﾝｼｮｳ 座禅用のいす、また席。
【禅△杖】ｾﾞﾝｼﾞｮｳ 仏①座禅のとき、眠る者をいましめて打つつえ。警策。②禅僧のつくつえ。
【禅定】ｾﾞﾝｼﾞｮｳ 仏①座禅で精神を統一し、静かに真理を考えること。②日本で、高山(富士山・白山・立山など)に登って信徒が修行すること。
【禅譲(讓)】ｾﾞﾝｼﾞｮｳ 易姓ｴｷｾｲ革命の思想で、天子が位を世襲せずに、有徳者にゆずること。〔書経、堯典〕↕放伐(六三二ﾍﾟｰｼﾞ上)。
【禅△榻】ｾﾞﾝﾄｳ 座禅を組む腰かけ。禅牀ｾﾞﾝｼｮｳ。
【禅堂】ｾﾞﾝﾄﾞｳ ①禅宗のてら。禅寺。②座禅する堂。
【禅那】ｾﾞﾝﾅ →字義 二 ❶。
【禅尼】ｾﾞﾝﾆ 国「禅定尼」の略。仏門に入った女性。↕禅門。
【禅房】ｾﾞﾝﾎﾞｳ ＝禅堂。
【禅味】ｾﾞﾝﾐ 禅のおもむき。俗気のないおもむき。
【禅門】ｾﾞﾝﾓﾝ ①禅宗。②国仏門に入った男性。↕禅尼。
【禅林】ｾﾞﾝﾘﾝ ①禅宗のてら。禅寺。②禅僧の仲間。

9 【禎】 13画 8398 人 3687 92F5 —

9 〖禎〗 14画 8399 人 ㊥テイ ㊠チョウ(チャウ) 庚 zhēn 18932 — —

筆順 ラ ネ ネ ネ' ネ⺊ 祐 禎 禎

字義 ❶めでたいしるし。「禎祥」❷さいわい。❸ただしい。

名前 さだ・さだむ・さち・ただ・ただし・つぐ・てい・とも・よし

解字 篆文 禎 形声。ネ(示)＋貞㊟。音符の貞は、うらなって神意を問うの意味。めでたいしるしの意を表す。

【禎祥】ﾃｲｼｮｳ めでたいことが起こる前兆。
【禎命】ﾃｲﾒｲ めでたい天命。

9 【禔】 14画 8400 一 シ 支 zhī, ②zhǐ 二 ㊥テイ・㊠ダイ 斉 tí 28271 EE64 4869

字義 一 ❶さいわい。喜び。❷ただ。まさに。＝祇(8337)。

解字 形声。示＋是㊟。

9 【禘】 14画 8401 ㊥テイ ㊠ダイ 霽 dì 18934 — 4872

字義 ❶大祭の名。天子が正月に南の郊外で天をまつる祭り。始祖が出たとされる天帝を主とし、これに始祖を配して祭る。❷おたまや(宗廟ｿｳﾋﾞｮｳ)の祭りの名。㋐夏ｶ・殷ｲﾝの時代、天子・諸侯が夏なつに祖先の霊廟をまつった祭り。㋑天子・諸侯が五年ごとに祖先の霊廟をまつった祭り。

解字 甲骨文 金文 篆文 形声。示＋帝㊟。音符の帝は、神をまつる台の象形。示を付し、天や祖先をまつるまつりの意味を表す。

【禘郊】ﾃｲｺｳ ＝字義❶。
【禘△祫】ﾃｲｺｳ ＝字義❷㋑。
【禘△嘗】ﾃｲｼｮｳ ①天子が祖先の霊廟ﾚｲﾋﾞｮｳに新穀を供える祭り。②天子・諸侯が祖先の霊廟をまつる、夏と秋の祭り。▼嘗は、秋祭り。

9 【禖】 14画 8402 ㊥バイ ㊠マイ 灰 méi 28273 — 4871

字義 天子が子を授かるように祈る祭り。また、子授けの神。

解字 篆文 禖 形声。示＋某㊟。音符の某は、神に子を求めようと祈るの意味。天子が子を求めるために祭る神の意味や、そのまつりの意味を表す。

9 【福】 13画 8403 教3 フク 4201 959F —

9 〖福〗 14画 8404 人 フク 屋 fú 18933 EE65 —

筆順 ラ ネ ネ' ネ' 袹 福 福 福

字義 ❶さいわ-い(さいはひ)。しあわせ。↕禍(8390)。「幸福」❷しあわせを与える。❸天のたすけ。神からさずかる助け。❹ひもろぎ。祭りのとき神に供える酒肉。祭りが終われば関係者に分け与える。

名前 さき・さち・たる・とし・とみ・ふく・むら・もと・よ・よし

難読 福朱さふく・福生ふっさ・福当とんだ

解字 甲骨文 金文 篆文 形声。ネ(示)＋畐㊟。音符の畐ﾌｸは、神にささげる酒のたるの象形。神に酒をささげ、酒だるのように豊かに満ち足りてしあわせになることを祈るさまから、さいわいの意味を表す。
逆 景福・幸福・祝福・寿福・裕福

【福音】フクイン ①よろこびのおとずれ。②キリスト教で、キリストの死と復活によって示された神の教え。
【福運】フクウン よい運命。しあわせ。幸運。
【福建】フッケン・フクケン 省の名。中国南東部に位置し、東は海を隔てて台湾と相対する。省都は福州市。昔の閩ビンの地で、閩省ともいう。
【福祉】フクシ ①さいわい。しあわせ。幸福。▼祉も、しあわせ。②国恵まれない人々に生活を保障すること。
【福寿(壽)】フクジュ ①幸福と長生き。②幸福で長生きすること。
【福相】フクソウ 国福々しい(福が多いようすの)人相。↔貧相(一三四ページ下)。
【福沢(澤)】フクタク しあわせと、めぐみ。福利恩沢。また、めぐみ。
【福地】フクチ ①安楽の土地。②道家で、仙人の住む所。
【福田】フクデン ①仏福徳の報いをもたらす基となる善行を、田が物を生ずるのにたとえていう。㋐僧に供養すること。㋑三宝(仏・法・僧)を敬い、父母の恩に報い、貧者をあわれむこと。②国幸福をもたらす基となるもの。
【福徳】フクトク ①幸福と利益。▼徳は、得で、利得。②仏善行。また、善行の報いとして受けた幸福と利益。
【福利】フクリ 幸福と利益。さいわい。しあわせ。
【福△禄】フクロク ①幸福と俸禄。②さいわい。しあわせ。
【福△禄寿(壽)】フクロクジュ ①幸福と俸禄と寿命。②七福神の一つ。その像は、せたけが低く、頭が長くて、ひげが多く、杖つえに経巻を結び、多く鶴つるを従えている。

9 【禓】 14画 8405 ㊀ヨウ(ヤウ) 陽 yáng ㊁ショウ(シャウ) 陽 shāng — — 4868
字義 ㊀❶道上の祭り。❷道祖神。㊁鬼の名。また、鬼やらい。
解字 形声。示+昜㊥。

10 【禕】 15画 8406 イ 禕(8388)の俗字。→一〇四一ページ中。 ₂8272 — 4870

10 【禜】 15画 8407 漢エイ 呉ヨウ(ヤウ) 敬 庚 yǒng(yíng) — — 4874
字義 なわばりして祭場を設け、山川の神々に祈ってわざわいをはらう祭り。
解字 篆文 形声。示+熒省㊥。音符の熒ケイ・エイは、夜営のかがり火の意味。かがり火をたき自然神をまつるまつりの意味を表す。

10 【禝】 15画 8408 漢ショク 呉シキ 職 jì 6721 E254 —
字義 人名。古代の尭帝ギョウテイの臣下で、よく五穀を播まき育てた。=稷(8529)。
解字 金文 形声。示+畟㊥。音符の畟ショクは、耕作するの意味。五穀の神の意味を表す。

10 【禛】 15画 8409 シン 真 zhēn ₂8274 EE66 4873
字義 誠を尽くしてさいわいをうける。
解字 形声。示+眞㊥。

10 【禡】 15画 8410 漢バ 呉マ・メ 禡 mà ₂8275 — 4875
字義 いくさの祭り。軍を止めた所で、いくさの神を祭る。
解字 篆文 形声。示+馬㊥。音符の馬は、うまの意味。軍馬を用いる戦争の勝利を祈って馬の先祖を祭る軍隊の祭りの意味を表す。

11 【禩】 16画 8411 シ 祀(8329)の俗字。→一〇三四ページ下。 ₂8276 — 4877

11 【隷】 16画 (13168) レイ 隷部。→一五三三ページ上。

12 【禧】 17画 8412 キ 支 xǐ, xī 6722 E255 —
字義 さいわい。めでたいこと。「新禧(新年の幸福)」
解字 篆文 形声。示+喜㊥。音符の喜は、よろこびの意味。神に祈って得られたよろこび、さいわいの意味を表す。

12 【禨】 17画 8413 ㊀漢キ・呉ケ 微 jī ㊁漢キ・呉ケ 未 jì — — 4876
字義 ㊀❶きざし。吉事・凶事の起こるしるし。❷たたり。㊁❶めでたいきざし。❷ゆあみした後で酒を飲むこと。
解字 形声。示+幾㊥。音符の幾は、かすかの意味。吉凶のおこるかすかなしるし、きざしの意味を表す。
【禨祥】キショウ ①鬼神のたたりとさいわい。②吉凶のきざし。

12 【禦】 17画 8414 漢ギョ 呉ゴ 語 御 yù 2190 8B9A —
字義 ❶まつる。災いのないように祈る。❷ふせぐ。㋐こばみ守る。ささえ守る。「防禦」㋑あたる。抵抗する。用例 〔唐、柳宗元、捕蛇者説〕触二草木一、尽死、以齧レ人、無二禦レ之者一。↓草木に触れるとすっかり枯れてしまうし、人間に嚙かみつくと、もう死を免れることはできない。㋒とどめる。さえぎる。用例 〔荘子、馬蹄〕馬蹄可三以践二霜雪一、毛可三以禦二風寒一。↓馬は、その蹄ひづめが、それによって霜や雪をふみつけるのに適しているし、その体毛が、それによって風や寒さを防ぐのに適しているのである。❸ふせぎ。防ぐこと。また、防ぐもの。まもり。そなえ。❹強い。
参考 現代表記では〔御〕(3440)に書きかえることがある。「制禦→制御」「防禦→防御」
解字 金文 篆文 形声。示+御㊥。音符の御は、神を迎えるの意味。たたりを防ぐために神を迎えるの意味から、ふせぐの意味を表す。
【禦侮】ギョブ ①あなどりをふせぐ。②外敵の来襲を防ぐこと。③武臣。

12 【齋】 17画 (14563) サイ 齊部。→一六五五ページ中。

12 【禩】 17画 8415 シ 祀(8329)と同字。→一〇三四ページ下。

12 【禪】 17画 (8397) ゼン 禅(8396)の旧字体。→一〇四二ページ上。

12 【禫】 17画 8416 漢タン 呉ドン 感 dàn — — 4878
字義 服喪を除く祭り。三年の喪を終えてから行う。
解字 形声。示+覃㊥。

12 【隸】 17画 (13169) レイ 隷部。→一五三三ページ上。

13 【禯】 18画 8417 漢ジョウ(ヂョウ) 呉ニュウ 冬 nóng — — 4879
字義 手厚い祭り。
解字 形声。示+農㊥。音符の農は濃に通じ、密度が高いの意味。

13 【禮】 18画 (8324) レイ 礼(8323)の旧字体。→一〇三三ページ下。

14 【禰】 19画 8418 人 標 漢デイ・呉ナイ 慣ネ 薺 nǐ 3909 9448 —
筆順 禰
【禰】 8419 同字 【祢】 8361 俗字
字義 ❶父のおたまや。親にまつった父の称。❷霊廟レイビョウ。禰廟。❸戦争に奉じて行く位牌イハイ。
名前 ない・ね
解字 篆文 形声。示+爾㊥。音符の爾ジは、邇ジに通じ、ちかいの意味。自分に最も近い先祖、父のおたまやの意味を表す。

【禰宜】ネギ 国宮司グウジまたは神主カンヌシに次ぐ神官。
【禰祖】デイソ ①父のおたまやと祖父のおたまや。②死んだ父と祖父。

14【禰】18画 8419 デイ 禰(8418)と同字。→一〇四三ページ下。

14【禱】19画 8420 人 標 トウ(タウ) 皓 dǎo |8935 ― 4880
筆順
【祷】8378 簡易
字義 ❶いのる。神に事を告げてさいわいを願い求める。また、いのり。「祈禱」❷まつる。
名前 いのる
解字 篆文 形声。示＋壽音。音符の壽ジュは、いのちながからんことを祈るの意味。示を付し、いのるの意味を表す。
【禱祠・禱祀】トウシ いのり、まつる。

17【禳】22画 8421 漢ジョウ(ジャウ) 呉ニョウ(ニャウ) 陽 ráng 6726 E259 ―
字義 はら-う。神を祭って災いをはらう。また、はらい。
解字 篆文 形声。示＋襄音。音符の襄ジョウは、邪気を払うの意味。示を付し、神を祭って邪気を払うの意味を表す。
【禳禱】ジョウトウ 神を祭ってわざわいをはらい、福をいのる。

17【禴】22画 8422 ヤク 礿(8333)と同字。→一〇三五ページ上。 ₂8277 ― 4881

5画 禸(禸) ぐうのあし

〔部首解説〕この部首に属する文字の多くは動物に関する象形文字で、禸ジュはその後足と尾とを表している。なお、禸の画数は、明朝体では四画のように見えるが、内と同じとして五画に数える。

0【禸】5画 8423 漢ジュウ(ジウ) 呉ニュウ(ニウ) 宥 róu |8936 ― 4882
字義 けもののあしあと。
解字 古文 篆文 象形。獣の後足が地を踏みつけている形にかたどり、足あとの意味を表す。左右に開いているのが後足、ムは尾の象形。古文は、ム＋九音の形声。篆文の蹂は、足＋柔音。ふむの意味を表す。

4【禹】9画 8424 ウ 麌 yǔ 6727 E25A ―
字義 ❶夏カの国を建てたといわれる王の名。初め堯ギョウ・舜シュンの二帝に仕え、洪水を治めて大功があり、舜から位を譲られて天子となったという。❷むし(虫)。
解字 金文 篆文 象形。爬虫類ハチュウルイの一種の形にかたどり、音形上は、雨に通じて、雨水の神の意味を表す。
【禹域】ウイキ 中国の別称。夏カの禹王が洪水を治めて中国全土の九つの州の境界を正したといわれることに基づく。
【禹穴】ウケツ 浙江セッコウ省紹興市の宛委エンイ山にある洞穴。夏カの禹王が書物を蔵したという。禹井ともいう。
【禹行舜趨】ウコウシュンスウ 夏カの禹王の歩き方や、舜帝の走り方のような聖人の外面的な動作だけを見習って、その内容を備えていないたとえ。〔荀子、非十二子〕
【禹貢】ウコウ 『書経』の編名。夏カの禹王が九州の境界を定め、その地理・物産を調査して租税を定めたものに基づく記録書。中国最古の地理書。
【禹迹・禹跡】ウセキ ①中国全土。夏カの禹王の足跡が中国全土に及んだということからいう。②夏カの禹王の功績。禹績。
【禹廟】ウビョウ 夏カの禹王をまつった廟。今の重慶市忠県にある。

4【禺】9画 8425 一グ 遇 yù 二グ 虞 yú 慣グウ 6728 E25B ―
字義 一おながざる。尾の長い猿。二❶わかち。区別。❷あらわれる。❸昔、太陽が入ると想像した所。虞淵グエン。
解字 金文 篆文 象形。大きな頭と尾を持った「さる」の類いの形にかたどり、おながざるの意味を表す。禺を音符に含む形声文字に、偶・寓グ・嵎グ・愚・耦グ・遇・隅・顒グなどがある。

6【离】11画 8426 一チ 支 chī 二リ 支 lí ₂8278 ― 4883
字義 一獣の形をした山神。＝螭(10710)。二はなれる。ちる。＝離(13209)。
解字 篆文 会意。もと、山＋凶＋禸(厶)。凶は、あたまの象形。厶は、足を開き尾を垂れている形にかたどる。山の神の意味を表す。一説に、象形で、頭に飾りをつけた獣の形にかたどるという。

7【禼】12画 8427 漢セツ 呉セチ 屑 xiè
字義 ❶むしの名。❷人名。殷インの祖の名。＝契(2274)。
解字 象形。

8【禽】13画 8428 人 標 漢キン 呉ゴン 侵 qín 2257 8BD7 ―
筆順
字義 ❶とり。鳥類。❷鳥獣の総称。❸とりこ。とりこにする。とらえる。いけどりにする。また、とりこ。いけどり。＝擒(4436)。用例〔戦国策、趙〕大敗ニ智伯軍一、而禽ニ智伯一（おおいにチハクのグンをやぶりて、チハクをとりこにす）↓大いに智伯の軍を敗り、智伯を生け捕りにした。
解字 金文 篆文 形声。金文は、畢＋今音。畢は、取手のついた網の象形。音符の今は、含に通じ、のみこむの意味。鳥を網で取りおさえるの意味に引かれて、畢の部分が獣尾のように変形し、禽の字体となった。『説文解字』では、厹＋凶＋今音の形声文字で、厹は足の象形。凶は頭の象形。走りまわる獣の意味を表すという。
【禽獲】キンカク とらえる。また、とりこにする。擒獲キンカク。
【禽語】キンゴ 鳥の鳴き声。鳥語。
【禽荒】キンコウ 狩猟にふけること。
【禽困覆レ車】キンコンフクシャ（キンもくるしめばくるまをくつがえす） いけどりにした鳥も苦しめば車をくつがえす。弱者も死に物狂いになれば、大きな力を出すことができるというたとえ。〔戦国策、韓〕
【禽獣(獸)】キンジュウ 鳥やけもの。鳥獣。用例〔孟子、告子上〕夜気不レ足ニ以存一、則其違ニ禽獣一不レ遠矣（ヤキもってソンするにたらざれば、すなわちそのキンジュウをさることとおからず）↓夜間、昼の雑念を去った清らかな心が(仁義の心を)存在させることができないならば、鳥や獣と変わりないものとなってしまう。
【禽翦】キンセン とらえてきり殺す。
【禽息鳥視】キンソクチョウシ ①けものや鳥のように、いたずらに食を求めるのみで他の志を持たないこと。②爵禄シャクロクを受けるのみで、世に益をもたらさないこと。
【禽鳥】キンチョウ とり。鳥類。
【禽犢】キントク 鳥と小牛。人への贈り物をいう。仕官先を得る手段。

5画　禾　のぎ・のぎへん

〔部首解説〕禾ヵをノ木と書くことから、のぎと呼ぶ。禾を意符として、稲・穀物、その収穫や、租税などに関する文字ができている。

0【禾】5画　8429　人　漢カ（クヮ）　呉ワ　hé　歌　1851　89D1　一

筆順　一　二　千　禾　禾

字義　❶いね（稲）。❷穀物。穀類の総称。用例（唐、杜甫、兵車行）縦有三健婦把二鋤犂一、禾生二隴畝一無二東西一（たとい（ひ）ケンプのジョリをとるありとも、カはロウホにショウじてトウザイなし）。↓たとえすきを手に耕作に励む健気な婦人があったとしても、穀物は畑に生えても列をなさず無秩序なありさま。❸なえ（苗）。穀物の苗。❹わら。穀類の茎。❺穀物の穂が出たもの。

名前　いね・のぎ・ひいず・ひで　難読　禾（のぎ）・禾本（のぎもと）・禾森（のぎのもり）

解字　甲骨文 　篆文 　象形。穂先が茎の先端にたれかかる形にかたどり、いねの意味を表す。禾を音符に含む形声文字に、和・盉ヮ・科・龢ヮなどがある。

【禾△穎】カエイ　いねの穂。いなほ。禾穂。

【禾稼】カカ　穀物。穀類。▼稼は、実った稲の穂。

【禾△黍】カショ　いねときび。用例（唐、耿湋、秋日詩）古道少二人行一、秋風動二禾黍一（コドウひとのゆくことまれなり、シュウフウカショをうごかす）。↓古びた道には行きかう人もほとんどなく、秋風が稲やきびを揺らしているばかりである。

【禾穂（穗）】カスイ　いねの穂。いなほ。

【禾苗】カビョウ　いねのなえ。また、穀物のなえ。

2【私】7画　8430　教6　シ　わたくし・わたし　シ　因　sī　2768　8E84　一

筆順　一　二　千　禾　禾　私　私

字義　❶わたくし。わたくし-の。㋐自分。自己。（国家や公的なものではない）個人の。↔公（728）。「私事」「私田」「私撰」㋑利己的。私欲。用例（書経、周官）以レ公滅レ私（コウをもってわたくしをメッす）。↓公平な立場をとって個人の都合をかえりみない。㋒好き勝手な。「私心」「私利」㋓不正な。邪悪な。また、非合法の。「私曲」「私鋳」㋔個人的な時間。私生活。㋕かくしごと。秘密。㋖特別に可愛がっている者。お気に入り。❷わたくし-する（わたくしす）。㋐自分のものにする。占有する。㋑自分の利益をはかる。㋒好き勝手にする。不公平にする。えこひいきする。㋓不倫する。姦通カンツウする。❸ひそ-かに。こっそりと。正式ではなく。用例（史記、項羽本紀）私見二張良一（ひそかにチョウリョウをみる）。↓こっそり張良に面会した。❹ふだんいる所。自分の家。❺ふだん着。くつろいで着る服。❻またげらい。家来の家来。陪臣バイシン。❼みうち。家族。❽ゆばり。ゆばりする。小便する。❾あいむこ。姉妹の夫同士。❿かくしどころ。陰部。⓫いね。小作人の所有となる稲。国わたくし。わたし。一人称の代名詞。

名前　とみ　難読　私語（ささめごと）・私市（きさいち）・私都（きさいち）・私部（きさきべ）

解字　篆文 　形声。禾＋厶音。音符の厶は、わたくしするの意味。禾ヵは、いねの意味。私有の稲の意味から、わたくしするの意味を表す。

逆　去私・公私・偏私・無私

【私△阿】シア　えこひいき。

【私愛】シアイ　①えこひいき。②こっそりと愛する女性。

【私意】シイ　自分だけの意志。また、わがままかってな心。私心。

【私謁（謁）】シエツ　個人的なたのみごとのために、ひそかに身分の高い人に面会すること。私請。

【私怨】シエン　個人的なうらみ。わたくしごとのうらみ。

【私恩】シオン　個人的なおなさけ。個人的なめぐみ。

【私家】シカ　①個人の家。また、役所に対して、自宅。②自分の家の利益をはかること。③大夫タイフ以下の家。臣下の家。④民間の人。⑤妻の実家。

【私回】シカイ　＝私曲。

【私学（學）】シガク　①自分かってに学ぶこと。②私立の学校。一個人のたてた学校。③国学校法人が設置・経営する学校。↔官学（三九三ジ下）。

【私忌】シキ　①個人的なうらみ。②個人の家の忌日。

【私△諱】シキ　自分の父の名を諱いむこと。

【私議】シギ　①内密に、また、かげであれこれいう。②自分だけの考えで批評すること。自分勝手の意見。私見。

【私曲】シキョク　よこしま。公平でないこと。

【私刑】シケイ　国法律によらずに裏ぎり者や犯人に加える制裁。リンチ。

【私計】シケイ　個人の考え。自分の考え。

【私恵（惠）】シケイ　臣下が君命によらないで、勝手に人民にめぐんだり、法をまげて罪をゆるしたりすること。

【私見】シケン　①こっそり面会する。②国自分の見る所。自分の考え。また、それを謙遜ケンソンしていう語。

【私言】シゲン　一個人のことば。

【私語】シゴ　①こっそり話す。ささやく。用例（唐、白居易、長恨歌）七月七日長生殿（シチガツなのか、チョウセイデン）、夜半無レ人私語時（ヤハンひとなくシゴのとき）。↓七月七日の七夕の夜、長生殿で、夜更けに二人だけで（愛の誓いを）ささやいたとき。②ひそひそばなし。③個人的なことで願い出ること。

【私交】シコウ　個人的な交際。

【私行】シコウ　①自分かってに行う。また、その行い。②私用で出かける。③個人としての行い。④ぬけみち。

【私財】シザイ 自分の持っている財産。個人の財産。私産。
【私産】シサン ＝私財。
【私史】シシ 個人の書いた歴史の書。野史。私乗。野乗。↔正史(七〇四ページ上)。
【私△諡】シシ 世間の人からも尊敬されていながら位が低いために諡(おくりな)を賜らないとき、親族・郷人や門下生がそれにふさわしい諡を贈ること。
【私事】シジ ①一身一家に関係した事柄。個人的な事柄。用例〔孟子、滕文公上〕公事畢、然後治私事。→おおやけの事がすんで、その後に個人的な事をする。②秘密のこと。わたくしごと。
【私△昵・私△暱】シジツ 個人が特に目をかけて愛する者。▼昵・暱は、近づき親しむ。
【私△讎・私△讐】シシュウ 個人的なうらみ。用例〔史記、廉頗藺相如伝〕吾所以為此者、以先国家之急、而後私讎也。→私がこのようにしているのは、国家の危急を第一とし、個人的な恨みごとなどは二の次にしているからなのだ。
【私淑】シシュク ひそかにわが身をよくすること。直接に教えを受けなくても、内々その人をしたい、その人の著書などによって自分を修養すること。古人を理想として、その言行を学ぶこと。用例〔孟子、離婁下〕予未得為孔子徒也、予私淑諸人也。→私は孔子に直接教えていただくことはできなかったが、その道を伝える方から学び自分を高めたのだ。
【私塾】シジュク 国個人が開いている学舎。個人が設立した学校。
【私書】シショ ①個人的な用事を書いた手紙・書類。②内密な手紙。
【私乗(乘)】シジョウ ＝私史。
【私情】シジョウ ①個人的な情愛。②個人的な考え。③自分だけの利益をはかる考え。
【私心】シシン ①自分だけの考え。②自分だけの利益をはかる心。利己心。
【私信】シシン 個人の用事を書いた手紙。
【私人】シジン ①召し使い。また、家臣。②国家社会に対して、一個人をいう。「一私人」③親類。
【私請】シセイ ＝私謁。
【私△褻】シセツ ふだんぎ。
【私△撰】シセン 一個人の著した書物。官命を受けないで個人が選び集めて著した書。↔勅撰(一九五ページ上)。
【私蔵(藏)】シゾウ 個人が所有すること。

【私属(屬)】シゾク ①召し使い。従者。家の子。②新の王莽のとき、奴婢(召し使い)をいう。
【私宅】シタク 個人の家。私邸。
【私知・私△智】シチ 自分ひとりの、せまい(不公正な)知識。
【私鋳(鑄)】シチュウ 鉄製品・貨幣などを個人が鋳造すること。漢代以降、鋳造は官が独占していた。
【私通】シツウ ひそかに他と通ずる。また、男女がこっそりと情を通ずること。密通。
【私第・私邸】シテイ 個人の邸宅。自宅。↔官邸(三九三ページ下)。
【私△覿】シテキ ①役人が個人の資格で上役に面会すること。②個人の用事で同僚と会うこと。▼覿は、面会。
【私溺】シデキ 特定の人だけを特に愛すること。
【私田】シデン ①個人の所有する田地。②昔、井田の法で、九等分した真中の一区を公田とし、それ以外の八区を私田といった。一区画は百畝(ヒャッポ)で、今の一・八二アール。→井田(六三ページ上)。
【私奴】シド 私有の奴隷。
【私党(黨)】シトウ 個人的な利害のために集まっているなかま・集団。
【私闘(鬭)】シトウ 個人同士の争い。個人的な利害やうらみのための争い。
【私徳】シトク ①自分一身に関する徳。節倹・勉強などの類い。↔公徳(一四七ページ下)。②公平でない恩恵・徳沢。
【私△慝】シトク 人に知られない悪事。隠れた悪事。
【私販】シハン ①政府の専売品をこっそり売ること。密売。②一個人の営業で売ること。
【私費】シヒ ①役所の金品をかってに使うこと。また、公人が私的に使う費用。②国一個人の負担すべき費用。自費。↔官費(三九三ページ下)。
【私服】シフク 国①個人の常用する服装。②私服を着て勤務している警官。
【私腹】シフク 国自分の財布(サイフ)。自分の利益。「私腹を肥(こ)やす」
【私△忿・私憤】シフン 個人としてのいきどおり。個人の立場としていきどおること。▼忿・憤は、いかり。↔公憤(一四八ページ上)。
【私兵】シヘイ 国自分の勢力をはるために自分の財力や権力によって設置養成している軍隊。手兵。手勢。
【私弁(辨)】シベン 自分で費用を出すこと。自腹を切ること。
【私法】シホウ 国①個人で定めた法律。②個人相互間の権利や義務の関係を規定した法律。民法・商法など。
【私門】シモン ①朝廷に対して人臣の家。臣下の家。特に、権力家。権門。②家の門。自分の家。

【私与(與)】シヨ 自分ひとりのはからいで人に物を施す。また、ひそかに与える。また、ある者にえこひいきして与える。
【私用】シヨウ ①役所または公共の物品をひそかに使用すること。②国私的な用件。自分の用事。↔公用(一四八ページ上)。
【私欲】シヨク 個人の欲望。「私利私欲」
【私利】シリ 自分または自分の家だけの利益。
【私立】シリツ ①自分でつくる。②国個人または団体が設立・維持すること。また、そのもの。
【私論】シロン ①公然とではなく、こっそりと論ずること。また、その議論。↔公論(一四八ページ上)。②私的な意見。かってな議論。
【私和】シワ 裁判の判決によらないで、当事者同志が話し合って和解すること。

2 【秀】 7画 8431 常 シュウ ひい-でる
シュウ(シウ) 宥 xiù
2908 8F47 —

筆順 一 二 千 禾 禾 乔 秀

字義 ❶ひい-でる。㋐すぐれる。他と異なって目立つ。「優秀」㋑ぬきんでる。高く出る。「秀峰」㋒のび出る。成長する。❷花が咲く。また、花。❸すぐれた人・もの。「俊秀」

名前 さかえ・さかり・しげる・しゅう・しょう・すえ・てる・ひいず・ひで・ひでし・ほ・ほず・ほら・みつ・みのる・ゆき・よし

難読 秀積(ほづみ)

解字 篆文  会意。禾＋乃。禾は、つき出た稲穂の象形。乃は、のびた弓の象形。長く伸びる、ひいでるの意味を表す。

逆 俊秀・清秀・麦秀・茂秀・優秀

【秀異】シュウイ すぐれて他とことなる。人より特にすぐれている。
【秀偉】シュウイ すぐれて偉大なこと。
【秀逸】シュウイツ すぐれていること。また、そのもの。
【秀英】シュウエイ ひいですぐれていること。また、その人。
【秀△穎】シュウエイ ①ひいでている(りっぱな)、穀物の穂。②才能の衆人にぬきんでてすぐれていること。また、その人。
【秀外恵(惠)中】シュウガイケイチュウ 容姿がすぐれていると共に、知恵もさとい。
【秀気(氣)】シュウキ ①すぐれた気。純粋な気。②すぐれた趣。
【秀吟】シュウギン すぐれた詩歌。秀作。名吟。
【秀句】一シュウク すぐれた句。すぐれた詩歌。 二シュウク・シュウ 国①言いかけのたくみなしゃれ。②すぐれた俳句。
【秀才】一シュウサイ ①学問才能のすぐれた人。用例〔北宋、王安石、傷仲永〕伝一郷秀才観之(イッキョウのシュウサイにつたえてこれをみしむ)。

↓村中の秀才たちに回して見てもらった。②科挙(官吏登用試験)の科目の名。また、その合格者。漢に始まり、後漢では光武帝の名を避けて茂才と称した。唐代、明経・進士などとともに設けられ、宋代は科挙の応募者を称し、明・清代、府州県学の学生を称した。㊁シュウサイ・スサイ 国昔、大学寮の文章生(モンジョウショウ)の試験に及第した人。

【秀作】(シュウサク) (詩文、書画などの)すぐれた作品。

【秀士】(シュウシ) 徳行学芸のすぐれた人。すぐれた人物。秀才。

【秀出】(シュウシュツ) 一般の人よりすぐれぬきんでている。

【秀粋(粹)】(シュウスイ) すぐれて美しい。

【秀絶】(シュウゼツ) この上なくすぐれている。

【秀発(發)】(シュウハツ) ①花や実が美しくさかんなこと。②風采(フウサイ)などがすぐれていること。③美しくさかんな光彩。

【秀抜】(シュウバツ) 一般の人よりすぐれぬきんでている。

【秀眉】(シュウビ) ひいでたまゆ。顔つきがすぐれて立派なこと。

【秀敏】(シュウビン) 一般の人よりすぐれてかしこい。

【秀峰】(シュウホウ) 高くそびえ立つみね。

【秀茂】(シュウモ) ①草木などの高くしげること。②(詩文の才・人格などが)大いにすぐれる。

【秀麗】(シュウレイ) すぐれて美しい。「眉目(ビモク)秀麗」

2 【秂】 7画 8432 漢ジン 呉ニン 真 rén — 2 8279 — 4884

字義 実を結ぼうとしている稲やきび。

解字 形声。禾＋人音。

2 【禿】 7画 (700) トク 儿部。→一四三ページ上。

2 【利】 7画 (915) リ 刂部。→一七九ページ上。

3 【委】 8画 (2342) イ 女部。→三六四ページ中。

3 【秆】 8画 8433 カン 稈(8479)と同字。→一〇五三ページ中。

3 【季】 8画 (2576) キ 子部。→三八四ページ上。

3 【秇】 8画 8434 ゲイ 芸(9826)の古字。→一一九七ページ中。 — 2 8280 — 4886

3 【秄】 8画 8435 シ 紙 zǐ — — — 4885

字義 つちかう。苗の根元に土をかける。

解字 形声。禾＋子音。

3 【秈】 8画 8436 セン 先 xiān — 1 8937 — 4887

字義 うるちの一種。ねばらない米で、秔(コウ)(＝粳)よりも収穫が早い品種。早稲(わせ)。

解字 形声。禾＋山音。

3 【秊】 8画 8437 ネン 年(3165)の本字。→四六五ページ上。 — 1 8938 — 4888

3 【秉】 8画 8438 ㊀漢ヘイ 呉ヒョウ(ヒャウ) 梗 bǐng ㊁漢ヘイ 呉ヒョウ(ヒャウ) 敬 慣ヒン — 6729 E25C —

字義 ㊀❶とる。㋐もつ。手ににぎる。「秉燭」㋑心にしっかりと守る。❷いねたば。ひとにぎりの稲たば。❸穀物の容積の単位。十六斛(コク)(石)。㊁❶え(柄)。❷権勢。権柄(ケンペイ)。

解字 甲骨文 金文 篆文 会意。又＋禾。いねを手でつかむさまから、とるの意味を表す。

【秉彝・秉夷】(ヘイイ) 常道を取り守る。天から与えられた正しい道を守る。

【秉公】(ヘイコウ) 公正をとり守る。「秉公持平」

【秉燭】(ヘイショク) ①灯火を手に持つ。秉レ燭(ショクをとる)。用例(唐、李白、春夜宴二桃李園一序)古人秉レ燭夜遊(コジンショクをとりてよるあそぶ)。↓昔の人はともしびをともして夜まで遊び楽しんだ。②晩学のたとえ。→炳燭(ヘイショク)(八九五ページ上)。

【秉心】(ヘイシン) 正しい心を保ち続けること。

【秉徳】(ヘイトク) 道徳をとり守る。

3 【和】 8画 (1433) ワ 口部。→二三九ページ下。

4 【科】 9画 8439 教2 カ カ(クワ) 歌 kē — 1842 89C8 —

筆順 ノ 二 千 千 禾 禾 禾 科 科

字義 ❶しな。品等。等級。❷ほど。程度。きりめ。区分。❸すじ。箇条。条目。❹のり。おきて。法律の条文。「金科玉条」❺わりあて。わりあてる。税などを割りあてる。❻あてはめる。法律によって罪をあてはめる。❼類別。区分。「文科・理科」❽官吏登用試験の科目。また、その試験。「科挙」❾あな。くぼみ。❿うつろ。むなしい。⓫しぐさ。芝居の役者のしぐさ。国❶カ。生物を分類する単位。目と属との間。❷とが。あやまち。つみ。「罪科」

名前 しな・もと 難読 科木(しなのき)・科良(あきら)

使いわけ カする〔科・課〕
〔科〕刑罰として金を払わせたり労働させたりする。「五万円を科する」
〔課〕義務として割り当てる。「租税を課する」

解字 篆文 形声。斗＋禾音。音符の禾(カ)は、穀物の意味。斗は、ますの象形。穀物をはかるさまから、区分する・しなの意味を表す。

逆 考科・高科・罪科・重科・選科・前科・登科

【科役】(カエキ) 租税と夫役(ブヤク)。夫役は、義務で国の工事に使われること。

【科学(學)】(カガク) ①組織・系統のある学問。②自然科学。

【科挙(擧)】(カキョ) 官吏登用試験をいう。科目によって人材をあげ用いる意。時代によって科目が異なり、唐代では秀才・明経・進士・俊士・明法・明算の六科目に分かれ、宋代に至って進士・明経・明法の三科目となった。また、試験の段階も解試(郷試)・省試(会試)・殿試の三種に分かれた。解試は地方の試験官が行い、省試は尚書省礼部で行い、殿試は天子みずから行った。

【科禁】(カキン) おきて。法度(ハット)。

【科甲】(カコウ) ①科挙の別名。甲乙等の科があるのでいう。②科挙に優秀な成績で及第した人。

【科条(條)】(カジョウ) ①法律・法令・規則などの条文。②分類して整理する。

【科場】(カジョウ) 科挙の試験場。場屋。

【科第】(カダイ) ①試験で優劣をきめること。②科挙(官吏登用試験)。③等級。

【科斗】(カト) ①おたまじゃくし。②「科斗文字」の略。

【科斗文字】(カトモンジ) 中国の古代文字の一つ。昔、筆墨がなかったころ、木や竹の先に漆をつけて書いたので点画の頭が太く、尻が細くなって、科斗(おたまじゃくし)に似ていたのでいう。古文。

【科頭】(カトウ) 冠や頭巾(ズキン)をかぶらない頭。

【科白】(カハク) ㊀役者のしぐさとせりふ。㊁せりふ 国①劇中の人物が話すことば。台詞。②文句。言い分。

【科罰】(カバツ) 罪にあてて罰する。処罰。

【科別】(カベツ) 等級・才能などによって分ける。

【科名】(カメイ) 科挙に及第した人に与えられる呼称。進士・明経の類い。

【科目】(カモク) ①科挙の試験の種目。また、その試験をいう。②国㋐箇条。条目。㋑学問の領域の区分。㋒課目。

㊀課せられた項目。㊁品分け。「勘定科目」

【科料】 国刑罰の一つ。軽い罰金刑。◈「科料」も「過料」もともに制裁として金銭を支払わせることであるが、「科料」が刑罰の一種であるのに対し、「過料」は刑罰ではなく一種の行政処分である。なお、発音上の紛らわしさを避け一般に「科料」を「とがりょう」、「過料」を「あやまちりょう」と読んでいる。

【△盈レ科△而後進】 水の流れは、くぼみがあればそれを一杯にみたしてから先に進む。学問は速成を求めないで、順序次第を追って進めるべきだというたとえ。〔孟子、離婁下〕

4【香】9画 (13671) キョウ 香部。→一五八一ページ中。

4【秔】9画 8440 コウ 粳(8999)の正字。→一〇九八ページ上。 ｜8940 — 4890

4【秏】9画 8441 コウ 耗(9591)の本字。→一一六八ページ上。 — — 4889

4【秖】9画 8442 シ 図 zhǐ ₂8283 — 4891

字義 ❶穀物が実りはじめる。❷ただ。まさに。＝祇(8337)。用例〔唐、韓愈、雑説〕秖辱二於奴隷人之手一。↓使用人の手によって粗末に扱われるだけだ。

解字 形声。禾＋氏音。音符の氏は、つぶれた目の象形。つぶれた目のように中にまだ実の入っていない、穀物の実りはじめの意味を表す。

4【秭】9画 8443 シ 紙 zǐ ｜8943 — 4906

字義 ❶数量の単位。㋐億の万倍。㋑億の億倍。❷容量の単位。稲二百秉。一秉は、十六石。

解字 形声。禾＋𠂔音。

4【秋】9画 8444 教2 シュウ あき シュウ(シウ) 因 qiū 2909 8F48 —

筆順 ノ ニ 千 禾 禾 禾ノ 秒 秋

【烁】8445 本字 【穐】8566 古字 【龝】14623 古字 【穐】8543 俗字

字義 ❶あき。四季の一つ。九月から十一月まで。旧暦では七月から九月まで。五行説では金に配し、それに基づいて、色は白、方位で西に配する。❷とき。だいじな時。「危急存亡の秋」❸みのり。穀物が実ること。また、その時。❹としつき。歳月。「千秋」❺→秋秋。

名前 あき・あきら・おさむ・しゅう・とき・とし・みのる 難読 秋桜・秋保・秋勇留・秋鹿

解字 篆文 烁 籀文 龝 形声。籀文に見られるように、もとは、禾＋火＋龜音。音符の龜は、かめの意味。古代の占いは亀の甲に火を近づけて行われた。その亀は秋季に捕獲され、また秋季には穀物の収穫もあるため、禾を付し、あきの意味を表す。

逆 季秋・高秋・春秋・新秋・清秋・千秋・仲秋・麦秋・晩秋・悲秋・立秋・涼秋

【秋意】 秋のおもむき。秋のけはい。

【秋陰】 ①秋の日のくもり。また、秋のひややかさ。②秋のこかげ。

【足二秋陰一】 秋の曇りの日の多いこと。用例〔唐、白居易、八月十五日夜禁中独直対レ月憶二元九一詩〕猶恐清光不二同見一、江陵卑湿足二秋陰一。↓わが友はこの明月の澄みきった光を私と同じようには見ていないかもしれないことが気がかりだ、江陵の地は土地が低くて湿り気が多く、秋は曇りの日が多いのだから。

【秋韻】 秋の声。秋のひびき。また、秋のおもむき。

【秋影】 ①秋の日光。②秋の姿。秋らしいおもむきのある姿。

【秋怨】 ①秋の悲しみ。②人に捨てられた悲しみ。

【秋稼】 ①秋の田畑。②秋の作物。

【秋河】 秋の夜のあまのがわ。銀河。

【秋懐(懷)】 秋のものさびしい思い。秋思。

【秋官】 周代の六官の一つ。刑罰をつかさどる。

【秋気(氣)】 ①秋の気候。②秋のすがすがしい気。用例〔唐、杜甫、夜詩〕露下天高秋気清、空山独夜旅魂驚。↓露が降り天は高く、秋のすがすがしい気が澄みわたる。誰もいない山にただ独り、旅の心は痛ましい思いでいっぱいになる。③きびしい気質。

【秋△暉】 秋の日の光。

【秋△蛩】 秋の夜に鳴くこおろぎ。

【秋興】 ①秋の感興。秋の風物に接しておこる感慨。②秋のおもむき。

【秋月】 ①秋の夜の月。②秋の季節。「秋月春風」

【秋憲】 ①刑法。②御史(検察官)。

【秋光】 ①秋のけしき。秋色。②秋の日光。

【秋高】 秋の空がすんで高く見えること。「秋高馬肥(気候のよい秋の季節の形容)」

【秋△毫】 秋になって先が細くなった獣の毛。一説に、夏に抜け秋になって新しく生えた細い毛という。転じて、ごく細いもの。また、ごくわずか。

【秋△毫△之末】 秋になって先の細くなった獣の毛の先端。極めて微細なもののたとえ。用例〔孟子、梁恵王上〕明足三以察二秋毫之末一。↓秋になって先の細くなった獣の毛の先端を見分けられるほど目がよい。

【秋思】 秋のものさびしいおもい。

【秋収(收)】 秋のとりいれ。秋の収穫。

【秋秋】 ①舞うさま。②おどりあがるさま。

【秋娘】 ①唐代の謝秋娘・杜秋娘という二人の美人の名から転じて、世の美人をいう。②容色がおとろえた女性。娘盛りを過ぎた女性。

【秋色】 秋のけしき。また、秋のけはい。

【秋水】 ①秋にあふれ流れる水。②澄みきった秋の水。③清くすきとおったさまの形容。㋐清らかな心。㋑くもりなく光る刀。「三尺の秋水」㋒明鏡。㋓清らかな目。特に美人の目をいう。

【秋成】 農作物などが、秋に成熟すること。秋のみのり。

【秋声(聲)】 秋の声。秋風の音や木の葉の落ちる音。

【秋△霽】 秋の雨がやんでさわやかに晴れること。

【秋千】 ぶらんこ。鞦韆。

【秋扇】 ①秋になって不用となった扇。②愛されなくなった女性のたとえ。③価値がなくなったもののたとえ。

【秋△蟬】 秋に鳴くせみ。ひぐらし。秋蜩。

【秋霜】 ①秋のしも。②威勢・節操・刑罰などのきびしいことのたとえ。③白髪のたとえ。用例〔唐、李白、秋浦歌〕不レ知明鏡裏、何処得二秋霜一。↓澄んだ鏡の中、いったいどこから秋の霜(のような白髪)を得たのであろうか、わからない。④曇りなく光る刀。

【秋霜烈日】 秋の冷たい霜と夏のはげしい日光。刑罰・威勢・節操などのきびしいたとえ。

【秋刀魚】 国魚の名。サンマ科の海魚。

【秋波】 ①秋の澄みわたった波。②美人のすみきった目もと。③こびる女性の目つき。いろめ。よこめ。

【秋△杪】 秋の末。▼杪は、こずえ・終わり。

【秋△旻】 秋のそら。秋天。

【秋風】 ①あきかぜ。秋に吹く風。②こおろぎの異名。

【秋分】 二十四気の一つ。陽暦九月二十三日ごろ。昼夜の長さが同じ日。彼岸の中日。⇩ コラム 気候(二十四気)(八〇三ページ)。

【秋浦】 ①秋の水辺。秋の海辺。②地名。今の安徽省池州市の南西を流れる秋浦河下流の地。

【秋芳】秋に咲く花。特に菊をいう。

【秋望】秋のながめ。

【秋瞑】秋の夕暮れ。

【秋陽】秋の太陽。また、その強い光。用例〔孟子、滕文公上〕秋陽以暴之。↓秋の強い光にさらす。

【秋涼】①秋の涼しさ。②陰暦八月の別名。

【秋霖】秋の長雨。

【秋冷】秋のひややかさ。ひえびえした秋の気候。

【秋斂】①秋のとりいれ。②秋に税として課した穀物をとりたてること。

【秋潦】秋の大雨。

4【秌】9画 8445 シュウ 秋(8444)の本字。→一〇四八ページ上。 28281 — —

4【秄】9画 8446 ジョ 18939 — —
字義 数量の単位。→秭(8443)。
参考 秭(8443)の誤字。
解字 形声。禾+予㊟。

4【种】9画 8447 漢チュウ 呉ジュ(ヂユ) 東 chōng 28282 — —
字義 ❶わかい。=沖(6198)。❷姓。
解字 形声。禾+中㊟。

4【秕】9画 8448 ヒ 紙 bǐ 6730 E25D —
〔粃〕8973 同字
字義 ❶しいな。米の殻ばかりで実のないもの。❷正しくないもの。役に立たないもの。
解字 篆文 形声。禾+比㊟。音符の比は、ならぶの意味。皮と皮とが並びひっついた、しいなの意味を表す。
【秕糠】同糠秕。①しいな(秕)とぬか(糠)。②役に立たない残りもの。かす。つまらないもの。
【秕政】わるい政治。悪政。

4【秒】9画 8449 教3 ビョウ 漢ビョウ(ベウ)・呉ミョウ(メウ) 篠 miǎo 4135 9562 —
筆順 ノ 二 千 千 禾 利 利 秒 秒
字義 ❶のぎ。稲や麦の穂の先のかたい毛。❷かすか。わずか。きわめて微細なもの。❸時間の単位。一分の六十分の一。❹角度の単位。一度の三百六十分の一。
解字 篆文 形声。禾+少(眇)㊟。音符の眇は、目に小さく映るの意味。いねの小さい部分、のぎの意味を表し、転じて、かすかの意味を表す。
逆 分秒

5【秧】10画 8450 漢ヨウ(ヤウ) 呉オウ(アウ) 陽 yāng 6731 E25E —
字義 ❶なえ(苗)。稲や草木の苗。❷うえる。栽培する。❸魚の子。
難読 秧鶏
解字 篆文 形声。禾+央㊟。音符の央は、首かせをした人の象形。首かせのように、わらでたばねた稲の苗の意味を表す。
【秧歌】田植歌。また、それに踊りのついたもの。民間舞踊。
【秧鶏(鷄)】鳥の名。くいな。
【秧田】稲の苗を育てる田。苗代。
【秧稲(稻)】稲の苗。

5【秬】10画 8451 漢キョ 呉ゴ 語 jù 6732 E25F —
字義 くろきび。実の黒いきび。
解字 形声。禾+巨㊟。
【秬鬯】祭りに用いる酒。鬱金という香草と黒きびとをまぜて作る。

5【秖】10画 8452 ㊀チ 支 zhī ㊁シ 支 zhǐ — — 4904
字義 ㊀穀物が実り始める。㊁秖(8442)の俗字。
解字 形声。禾+氏㊟。

5【秫】10画 8453 漢シュツ・呉ジュチ 慣ジュツ 質 shú 18942 — 4905
字義 ❶もちきび。また、もちあわ。❷もちごめ。
解字 篆文 形声。禾+朮㊟。音符の朮は、もちきびの穂の象形で、もちきびの意味を表す。のちに、禾を付した。

5【称】10画 8454 常 ショウ 3046 8FCC —

9〖稱〗14画 8455 ㊀ショウ 蒸 chēng ㊁ショウ 径 chèng ㊂ショウ 径 chèn
〔稱〕8517 俗字 〔穪〕8563 俗字
筆順 ノ 二 千 千 禾 禾 称 称 称
字義 ㊀❶たた-える。ほ-める。「称揚」❷はかる。目方をはかる。❸とな-える。㋐いう。用例〔唐、杜甫、贈衛八処士詩〕主称会面難、一挙累十觴。↓主人は、再び会うことは難しかろう、と言い、一気に杯を十杯かさねた。㋑呼ぶ。また、となえ。呼び名。「称号」❹ほまれ。名声。❺あ-げる。㋐もちあげる。ささげる。また、上をむける。㋑おこす。はじめる。㋒人をあげ用いる。登用する。㊁はかり。天秤。目方をはかる器具。㊂❶かな-う。㋐適合する。ほどよい。㋑つりあう。ひとしい。用例〔北宋、王安石、傷仲永〕令作詩、不能称前時之聞。↓詩を作らせてみると、以前に聞こえた評判ほどのものではなかった。❷そろい。衣服のひとそろい。

名前 あぐ・かみ・な・のり・みつ・よし
解字 篆文 形声。禾+尓(爯)㊟。音符の爯は、てんびんで物をもちあげるの意味。穀物をてんびんであげることから、はかる・はかり・あげるの意味を表す。

逆 愛称・改称・仮称・偽称・敬称・謙称・呼称・誇称・詐称・俗称・対称・通称・美称・名称
【称謂】①となえ。よびかた。名称。②意見をのべる。

【称引】ひきあいに出す。引証。

【称挙(擧)】あげ用いる。採用する。

【称計】数えあげる。

【称呼】となえる。呼ぶ。また、となえ。なまえ。よびな。

【称号(號)】①となえ。よびな。名称。②名号をとなえること。

【称賛(贊)・称讃】①ほめたたえる。ほめはやす。②ほまれ。声誉。賞讃。

【称旨】①御意にかなう。相手の心にかなう。②おきにいり。

【称首】第一に名をよばれる者。第一人者。

【称誦・称頌】ほめたたえる。

【称貸】①金を貸して利息をとること。②借りる。

【称嘆・称歎】ほめて感心する。ほめたたえる。

【称道】ほめていう。ほめたたえる。▼道は、いう。

【称美】ほめたたえる。賞美。

【称慕】ほめしたう。あおぎしたう。

【称名】㊀①なまえ。②名をとなえる。なまえを呼ぶ。㊁仏仏の名をとなえること。唱名。

【称誉(譽)】①ほめたたえる。②ほまれ。名誉。

【称揚】ほめあげる。賞揚。

5【秦】10画 8456 人 漢シン 呉ジン 真 qín 3133 9060 —

筆順 一 三 夫 夫 夫 奉 奉 秦 秦

字義 ❶国名。㋐周代に建てられた。今の陝西省の地を領有し、戦国時代には戦国七雄の一つとなり、始皇帝のとき天下を統一した。→❷。㋑五胡十六国の一つ。㊊晋のとき苻健が建てた国。大秦と号す。都は長安。前秦。(三五一―三九四) ㋥姚萇が前秦を滅ぼして建てた国。大秦と号す。都は長安。後秦。(三八四―四一七) ㋩乞伏国仁が後秦から独立して建てた国。都は苑川(今の甘粛省靖遠県の南西)。西秦。(三八五―四三一) ❷王朝の名。始皇帝が天下を統一して建てた王朝。咸陽に都した。三代十五年で漢の高祖に滅ぼされた。(前二二一―前二〇六) ❸甘粛省の古名。❹陝西省の別称。国はた。応神天皇のとき帰化した漢民族の子孫に賜った姓。

名前 しん・はた 難読 秦荘・秦皮・秦野

解字 甲骨文 金文 篆文 会意。禾＋舂省。舂は、うす(臼)の上に両手で持ちあげるきねの象形で、あがるの意味。稲が上へ上へとのびしげるの意味を表し、蓁・榛の原字。のち、国名に用いる。甲骨文・金文は、秝＋舂省で、きねを両手で持ちあげているさまがわかる。秦を音符に含む形声文字に、榛・溱・蓁・蓁などがあり、これらの漢字は、「伸び茂る」の意味を共有している。

【秦火】シンカ　秦の始皇帝が儒家や諸子百家の書を焼いたこと。

【秦灰】シンカイ　①秦の宮殿の焼けた灰。②秦の始皇帝が書籍を焼いた灰。焚書の灰。

【秦△檜】シンカイ　南宋の政治家。高宗のとき宰相となり、金国との和議を主張し、岳飛などの主戦論者を殺した。死後、売国奴として非難された。(一〇九〇―一一五五)

【秦関(關)】シンカン　①秦の地方の関所。また、秦代に設けられた関所。②関中の地をいう。

【秦皇】シンコウ　秦の始皇帝をいう。→秦始皇。

【秦桟(棧)】シンサン　秦地(今の陝西省)にある桟道(山中のかけ橋)。一説に、秦の時代に作った桟道。

【秦山】シンザン　①秦地(今の陝西省)の山。②＝秦嶺。

【秦始皇】シンのシコウ　秦の第一代の皇帝(在位、前二四六―前二一〇)。姓は嬴、名は政。即位後二十六年で天下を統一し、皇帝と称し、咸陽に都した。法家の李斯を重用して儒家を弾圧し(焚書坑儒)、従来の封建制度を廃して天下を三十六郡に分け、度量衡を定めるなど、中央集権を強化した。万里の長城を築き、匈奴を討ち、南方を征した。(前二五九―前二一〇)

【秦声(聲)】シンセイ　①秦(今の陝西省)の地方で歌われる俗謡。②秦代の音楽。

【秦政】シンセイ　①秦の政治。②秦の始皇帝をいう。▼政は、始皇の名。

【秦川】シンセン　今の陝西省、また、陝西・甘粛の二省の秦嶺山脈以北の平原地帯をいう。

【秦△楚】シンソ　①戦国時代の秦・楚二大強国。②＝秦楚之路。

【秦△楚△之路】シンソのみち　遠く隔たることのたとえ。秦は西辺、楚は南の長江流域にあって、ともに北東の斉や魯から遠く離れていたのでいう。用例(孟子、告子上)不遠秦楚之路。↓秦国や楚国の(遠い)距離を、遠いと思わない。

【秦中】シンチュウ　今の陝西省中部の平原地区。関中。

【秦△篆】シンテン　漢字の書体の一つ。秦代に籀文(大篆)を簡略化して作ったもの。小篆ともいう。李斯の作といわれる。⇩コラム 文字・書体の変遷(六三三ページ)。

【秦兵】シンペイ　秦(今の陝西省)出身の兵士。

【秦△穆公】シンのボクコウ　春秋時代、秦の君主。努めて賢士を求め、春秋五覇の一人となった。(?―前六二一)

【秦陵】シンリョウ　秦の始皇帝の墓。今の陝西省咸陽市にある。用例(唐、荊叔、題慈恩塔詩)漢国山河在、秦陵草樹深。↓漢代の都長安の地には山河が変わらず残っているが、秦陵は草や樹に深くおおわれている。

【秦隷(隸)】シンレイ　秦の始皇帝のとき、程邈が小篆を簡略にして、作ったという書体の名。

【秦△嶺】シンレイ　陝西省南部を東西に走る山脈。西は甘粛省東部から東は河南省北部の山地に至る。また、陝西省西安市の南にあるこの山脈の主峰、終南山を中心とした山地。秦山。用例(唐、韓愈、左遷至藍関示姪孫湘詩)雲横秦嶺家何在、雪擁藍関馬不前。↓雲は秦嶺山脈にたなびき、私の家はどこにあるのだろうか(どこにあるかわからない)。雪は藍関あたりをおおい尽くして、馬も進もうとしない。

【秦△淮】シンワイ　川の名。今の江蘇省南西部に発し、南京市内を通って長江に注ぐ運河の名。その両岸は歓楽街として栄えた。用例(唐、杜牧、泊秦淮詩)煙籠寒水月籠沙、夜泊秦淮近酒家。↓霧が冷たい川面をつつみ、月光は岸辺の砂をおおう。今夜、船泊する秦淮の運河、そこは居酒屋が近い。

5 【租】 10画 8457 常 ソ
ソ 慮 zū
3337 9164 ―

筆順 ノ 二 千 禾 禾 利 和 和 和 租

字義 ❶みつぎ。㋐ねんぐ。田地に割りあてて、その収穫の一部を納めさせるもの。田租。「貢租」 ㋑税金。人民に割りあてて、その収入の一部を納めさせるもの。❷たくわえる。つむ(積)。❸ちんがり(賃借)。また、かりちん(借賃)。土地・家などを借りる代金。

名前 つみ・みつぎ・もと

解字 篆文 形声。禾＋且㊅。音符の且は、そなえ物の象形。稲のそなえもの、みつぎものの意味を表す。

逆 地租・賦租

【租課】ソカ　割りあてた租税。また、租税の割りあて。

【租界】ソカイ　もと中国にあった外国人の居留地。治安・裁判等は中国政府の権限外とし居留地管理国が行った。

【租借】ソシャク　①借りる。②ある国が条約によって他国の領土の一部を一定の期間借りて、みずから統治すること。

【租税】ソゼイ　①みつぎ。ねんぐ。田畑の税で、穀物で納めた。②国や自治体が必要な経費にあてるために、国民から取り立てる税金。

【租入】ソニュウ　①租税の収入。②租税の納入。また、納入すべき租税。用例(唐、柳宗元、捕蛇者説)募有能捕之者、当其租入。↓この蛇を捕らえることのできる人を募集して、それを租税代わりに充てることにした。

【租賦】ソフ　ねんぐ。みつぎ。田畑の租税で、米で納めた。

【租庸調】ソヨウチョウ　唐代の税法で、地租として穀物を取りたてるのを租、労働者を徴発して労役させるのを庸、家業に課して布などを取り立てるのを調という。日本でも、大化の改新の時、唐制にならって、この制度を採用した。

【租△徭】ソヨウ　年貢と、えだち(力役)。租税と徭役。▼徭は、労働者を徴発して労役させること。

5 【秩】 10画 8458 常 チッ
漢チツ・呉ジチ(ヂチ) 質 zhì
3565 9281 ―

筆順 ノ 二 千 禾 禾 禾 秆 秩 秩 秩

字義 ❶ついで。順序。次第。また、秩序。❷ついでる。ついず。順序だてる。整える。❸つむ(積)。順につみあげたさま。❹ふち(扶持)。俸給。役人の俸給。用例(資治通鑑、漢紀)

秩中二千石(チツチュウニセンセキ)、賜二銭二百万・公田二頃・宅一区一(ぜにニヒャクマン・コウデンニケイ・タクイックをたまう(ふ))。↓俸禄はまる二千石、褒美に銭二百万、公田二頃、宅地一区を与えた。❺くらい(位)。つかさ。官職。❻つね(常)。❼十年。

名前 さとし・ちち・つね 難読 秩父(ちちぶ)・秩父別(ちっぷべつ)

解字 篆文 形声。禾＋失㊥。音符の失は、塡(テン)に通じ、つめるの意味。穀物を倉庫に順序よくつめるの意味。穀物をその人の倉庫につめこむの意味から、つむ・ついず・ふち米の意味などを表す。

逆 爵秩・増秩・品秩

【秩次】(チツジ) ①＝秩序。②俸禄の高下。

【秩序】(チツジョ) ①物ごとの正しい順序。きまり。②特に、社会の整然とした状態。

【秩然】(チツゼン) きちんと順序立つさま。

【秩秩】(チツチツ) ①川の水の流れるさま。②秩序が整っているさま。③うやうやしくつつしむさま。④知のあるさま。⑤清らかなさま。⑥美しいさま。

【秩米】(チツマイ) 俸給としてもらう米。扶持米(フチマイ)。

【秩△禄】(チツロク) 上から与えられる俸給。扶持(フチ)。

5 【秥】 10画 8459 ㊥デン ㊥ネン 塩 niān ― ― 4903

字義 稲。もちいね。

解字 形声。禾＋占㊥。

5 【秚】 10画 8460 ㊥ハン ㊥バン 旱 bàn ― ― 4892

字義 和らぐ。

解字 形声。禾＋半㊥。

5 【秘】 10画 8461 教 6 ヒ ひ-める 4075 94E9 ―

示5 〔祕〕 10画 8462 人 ヒ 寘 mì 6716 E24F ―

筆順 ノ 二 千 禾 禾 秘 秘 秘 秘

字義 ❶ひ-める(ひむ)。かくす。「秘密」 ❷奥深くて知ることができない。人知では知ることができない。「神秘」 ❸めずらしい。❹ひそ-かに。国ひそ-やか。㋐ひっそりと静まっているさま。㋑人に知られないよう、静かに行うさま。 難読 秘露(ペルー)・秘魯(ペルー)

解字 篆文 形声。示＋必㊥。音符の必は、閉に通じ、とじるの意味。とじられた神の世界の意味から、奥深くて知ることができない、ひめかくすの意味を表す。常用漢字の秘は俗字による。

逆 奥秘・深秘・神秘

【秘△蘊】(ヒウン) 学問・芸術などの奥義。秘訣(ヒケツ)。

【秘奥】(ヒオウ) ①おく深い所。②秘密。

【秘閣】(ヒカク) ①天子の書物を蔵する文庫。宮中の書庫。秘府。②尚書省。③字を書くときにひじを置く台。

【秘境】(ヒキョウ) 国人がまったく(あるいは、ほとんど)行ったことがない、奥深い地域。

【秘曲】(ヒキョク) ひめかくして容易に人に伝えない音楽。特定の人にだけ伝える楽曲。

【秘計】(ヒケイ) ①秘密のはかりごと。②ふしぎなはかりごと。

【秘経(經)】(ヒケイ) ①緯書(経書に対する一種の解釈書であるが、予言や怪異な説が多い)をいう。②秘密の書物。

【秘△訣】(ヒケツ) 容易に人に知らせない奥義。秘密の法。奥の手。

【秘校】(ヒコウ) 新たに試験に合格した人。科挙(官吏登用試験)に合格した人を、初めに秘書省の校書郎に採用したのでいう。

【秘策】(ヒサク) 秘密のはかりごと。

【秘史】(ヒシ) 秘密にされ、世間に知られていない歴史上の出来事。また、それを記した書物。

【秘事】(ヒジ) ①秘密な事がら。ないしょ事。②国奥義。秘伝。

【秘術】(ヒジュツ) ①すぐれた術。②人に知らせない秘密のわざ。秘法。③奥の手。

【秘書】(ヒショ) ①他人に容易に見せないめずらしい書物。②天子の秘蔵する書物。宮中の蔵書。③秘密で重要な文書。機密文書。④国大臣・社長などに直属して機密の文書や用務を取り扱う職。

【秘書監】(ヒショカン) ①官名。宮中の図書や秘密の記録をつかさどる。②国図書頭(ズショのかみ)の中国風の呼び名。

【秘書省】(ヒショショウ) ①官庁の名。宮中の図書や秘密の記録をつかさどる。②国図書寮(ズショリョウ)の中国風の呼び名。

【秘籍】(ヒセキ) ①宮中の書物。②めずらしい書物。

【秘蔵(藏)】(ヒゾウ) ①大切にしまっておく。また、その物。②国大切にして愛すること。また、そのもの。子供や弟子など。

【秘伝(傳)】(ヒデン) 秘密にして容易に人に伝授しない術。奥義。

【秘匿】(ヒトク) 秘密にしてかくす。こっそりとかくす。

【秘府】(ヒフ) ①大切な品を入れておく倉庫。②宮中の書庫。秘閣。③秘書省の別称。

【秘方】(ヒホウ) 国人に知らせない、薬や香料の調合方法。

【秘宝(寶)】(ヒホウ) 大切にしてたやすく人に見せない宝。

【秘法】(ヒホウ) ①秘密の方法。秘術。②国真言宗などで行う秘密のいのり。

【秘本】(ヒホン) 国秘密の本。また、大切に所蔵している本。秘蔵本。

【秘密】(ヒミツ) ①人にかくして知らせないこと。②仏人に容易にわからない奥深い法。

【秘△鑰】(ヒヤク) ①秘密のくらをあけるかぎ。②秘密を明らかにする手引き。

5 【秠】 10画 8463 ヒ 支 紙 pī ― ― 4901

字義 くろきび。一つのもみの中に実が二つあるくろきび。

解字 形声。禾＋丕㊥。

5 【秤】 10画 8464 人 標 ショウ 慣ビン 径 chèng 3973 9489 ―

〔秤〕 8465 俗字

筆順 ノ 二 千 禾 禾 秆 秆 秤

字義 ❶はかり。てんびん。物の重さをはかる器具。❷はかる。

解字 会意。禾＋平。平は、てんびんが平ら、公平の意味。称(8454)の俗字。

【秤量】(ショウリョウ) はかりにかけてはかる。「ヒョウリョウ」は誤読。

5 【秤】 10画 8465 ビン 秤(8464)の俗字。→一〇五一ページ下。

5 【秡】 10画 8466 フツ 祓(8363)の俗字。→一〇三九ページ上。 6733 E260 ―

5 【秣】 10画 8467 ㊥バツ・㊥マチ 慣マツ 曷 mò 6734 E261 ―

字義 ❶まぐさ。かいば。牛馬の飼料。❷まぐさか-う(まぐさかふ)。まぐさかう。牛馬にかいばを与えて養う。

解字 形声。禾＋末㊥。音符の末は、先端の意味。馬の飼料になるよう草の先端の柔らかな部分を干したもの、まぐさの意味を表す。

【秣穀】(マツコク・マッコク) 馬の飼料。また、牛馬に穀類を食べさせること。

【秣△粟】(マツゾク) 穀物をかいばに用いる。また、その穀物。

5 【秞】 10画 8468 ㊥ユウ(イウ) ㊥ユ 尤 yóu 8941 ― 4894

字義 ❶稲やきびが盛んに茂る。❷物の初めて生えるさま。

解字 形声。禾＋由㊥。

5 【秢】 10画 8469 ㊥レイ ㊥リョウ(リャウ) 青 líng ― ― 4902

字義 ❶実る。稲が熟し始める。❷年齢。＝齢(14584)。

解字 **形声**。禾＋令(音)。

5【秝】10画 8470 漢**レキ** 呉リャク 錫 lì ―― ― 4893

字義 ❶ほどよく並ぶ。間隔がほどよいこと。❷まばら。

解字 **会意**。禾＋禾。稲がほどよく並ぶの意味を表す。

6【移】11画 8471 教5 イ うつ-る・うつ-す イ 支 yí 1660 88DA ―

筆順 ノ 二 千 禾 禾 彩 移 移

字義 ❶いねがなびく。❷**うつ-る**。㋐他へ行く。動く。「移動」㋑かわる(変)。変化を生ずる。「変移」❸**うつ-す**。㋐動かす。「移植」㋑変える。❹知らせる。❺文書の一体。まわしぶみ。回覧文。国**うつ-る**。㋐色がかわる。㋑花が散る。㋒時間がたつ。㋓伝染する。㋔転任する。㋕移転する。

名前 あき・のぶ・や・ゆき・よき・より・わたる

使いわけ **うつす・うつる**〔写・映・移〕⇩写(776)。

解字 篆文 **形声**。禾＋多(音)。音符の多(タ、イ)は、蛇(ダ)に通じ、なよなよするの意味。いねが成長して、風にゆれ動くさまから、うつるの意味を表す。

逆 推移・遷移・転移

【移景】(イエイ) ①日かげが移る。長時間にわたること。移日。②日月の影が次第に転じ移ること。

【移易】(イエキ) うつしかえる。また、うつりかわる。

【移禍】(イカイ) わざわいを他人に転嫁すること。

【移管】(イカン) 国管理を他に移すこと。

【移△檄】(イゲキ) ふれをまわす。飛檄。

【移行】(イコウ) 別な場所・状態に移ってゆくこと。

【移△徙】(イシ) 一 ①うつる。うつり動く。移転。②移植する。二 (わたまし) 国転居の敬語。とのうつり。やうつり。渡座。

【移時】(イジ) 時をすごす。

【移書】(イショ) ①文書を移し伝えること。移文。②信書を差し出すこと。

【移譲(讓)】(イジョウ) 他にゆずる。

【移籍】(イセキ) ①戸籍を他へうつすこと。②国所属を変える。

【移奪】(イダツ) うばう。奪い取る。

【移△牒】(イチョウ) 他の役所に文書をまわすこと。また、その文書。ふれぶみ。移文。

【移転(轉)】(イテン) ①うつる。ひっこす。②権利が他にうつる。

【移入】(イニュウ) 国①うつしいれる。②国内で、ある地域から他の地域に物資をうつしいれること。

【移風易俗】(イフウエキゾク) 風俗をうつしかえて世の中をよくすること。▼易は、かえること。用例〔孝経、広要道章〕移(ウツシ)風易(カウル)俗(フウゾクを)、莫(ナシ)善(キハ)於楽(ガクヨリ)。⇩人々のよくない風俗をよい方に移して善良な風俗に変えるには、音楽をすすめるのがもっともよい。

【移文】(イブン) まわしぶみ。回覧文。回状。

【移病】(イヘイ) 役人が病気が理由の辞表を出して職をやめること。一説に、病気のために転居すること。

【移封】(イホウ) 諸侯の領地をうつしかえること。国がえ。

【移民】(イミン) ①凶年のとき、困った人を救済する方法で、凶作の地の住民を他の地方に移し、その地の穀物を凶作の地に送って老人や子どもを救うこと。②人口の多い土地の人民を人口の少ない土地に移すこと。③国労働に従事し生活するために外国に移住する人々。

6【桊】11画 8472 イン(キン) yuàn ―― ― ―

字義 義未詳。国秦(8456)の俗字。

[桊] 8473 俗字

6【桊】11画 8473 イン 桊(8472)の俗字。→一〇五二ページ中。 ₂8284 ― ―

6【秸】11画 8474 漢**カツ** 呉ケチ 黠 jiē ― ― 4908

字義 ❶わら。❷みご。みごしべ。表皮を取り去ったわら。

解字 **形声**。禾＋吉(音)。

6【秼】11画 8475 シュ 袾(8372)の俗字。→一〇三九ページ下。 ― ― 4909

6【稅】11画 8476 ゼイ 税(8486)の俗字。→一〇五三ページ上。

6【秱】11画 8477 漢**トウ** 呉ドウ 東 tōng ― ― 4907

字義 ❶稲の盛んなさま。❷わらの節と節との間。

解字 **形声**。禾＋同(音)。

6【䅈】11画 8478 国字 ₂8285 ― ―

字義 䅈井(いびゆ)は、姓氏。

7【稈】12画 8479 カン 旱 gǎn 6735 E262 ―

[秆] 8433 同字

字義 **わら**。稲や麦などの茎。「麦稈(むぎわら)」 難読 稈心(みごみ)

解字 篆文 **形声**。禾＋旱(音)。音符の旱(カン)は、ほすの意味。ほした「わら」の意味を表す。

7【稀】12画 8480 人 漢**キ** 呉**ケ** 微 xī 2109 8B48 ―

筆順 二 千 禾 秒 秒 稀 稀 稀

字義 **まれ**。㋐まばら(疎)。もと、稲がまばらなこと。㋑すくない。稀少。また、めったにない。「稀有(ケウ)」㋒うすい。↕濃(6745)。「稀薄」

名前 き・まれ 難読 稀府(まれっぷ)

参考 現代表記では〔希〕(3087)に書きかえる。「稀少→希少」「稀代→希代」。熟語は〔希〕をも見よ。

解字 篆文 **形声**。禾＋希(音)。音符の希は、まれの意味。まばらに植えられた稲の苗のさまから、まれの意味を表す。

【稀有】(ケウ) めったにない。めずらしい。ふしぎな。希有。

【稀△覯】(キコウ) まれに見ること。めったにないこと。めずらしいこと。希覯。▼覯は、見る意。「稀覯本」

【稀少】(キショウ) まれ。すくない。めったにない。希少。

【稀世】(キセイ) ＝稀代。

【稀△疏】(キソ) まばらなこと。また、まれなこと。

【稀代】(キダイ・キタイ) 世にもまれな。めずらしい。希代。

7【嵇】12画 (2958) ケイ 山部。→四四二ページ上。

7【稉】12画 8481 コウ 粳(8999)の俗字。→一〇九八ページ上。 ― ― 4913

7【䅣】12画 8482 コク 因 kù

字義 稲穂が成熟する。

解字 **形声**。禾＋告(音)。

[稭] 8483 俗字

7【稭】12画 8483 コク 䅣(8482)の俗字。→一〇五三ページ下。 ₂8286 ― ―

7【稇】12画 8484 コン 稛(8497)と同字。→一〇五三ページ下。 ― ― 4912

7【黍】12画 (14459) ショ 黍部。→一六四五ページ中。

7【稍】12画 8485 漢ソウ(サウ) 呉**ショウ**(セウ) 効 shāo, shào 6736 E263 ―

字義 ❶**すえ**(末)。稲の茎の末。うら。❷**ようや-く**(やうやく)。しだいに。だんだん。用例〔南宋、陸游、入蜀記〕近(チカヅケバ)無錫県(ムシャクケン)、始(ハジメテ)稍(ヤウヤク)平曠(ヘイコウナリ)。⇩無錫県に近づくと、しだいに平らかで広々としてきた。❸**やや**。すこし。用例〔唐、柳宗元、三戒〕稍(ヤヤ)出(イデテ)近(チカヅケバ)之(コレニ)、慭慭然(ギンギンゼンとして)莫(ナシ)相知(アイシル)。⇩少し林から出て近づいたところ、虎は驢馬(ロバ)をうやうやしくやしく思うだけで、何者であるか皆目わからなかった。❹すくない。ちいさい。❺ふち(扶持)。俸給。❻周代、王城から三百里(約一二〇キロメートル)から四百里の地域。

解字 篆文 形声。禾＋肖。音符の肖は、小さいの意味。稲の茎の先端の意味を表す。また、転じて、ようやくの意味にも用いる。

【稍稍】ショウショウ ①ようやく。しだいに。だんだん。用例〔北宋、王安石、傷仲永〕邑人奇レ之、稍稍賓二客其父一、或以二銭幣一乞レ之 ↓村人たちは驚き、しだいに父親を賓客としてもてなすようになり、時には金銭を与えて仲永の詩を欲しがった。②やや。すこし。わずか。

【稍食】ショウショク 官吏の俸給。扶持米。

7 【税】 12画 8486 教5 ゼイ

7 【稅】 12画 8487 慣ゼイ セイ 霽 shuì 3239 90C5 —

筆順 ニ 千 禾 禾' 禾'' 秒 税 税

【税】 8476 俗字

字義 ❶みつぎ。ねんぐ。税金。「租税」❷とりたてる。税金を割りあてて徴収する。❸とく(釈・解)。解き放つ。❹おくる(贈)。

名前 おさむ・ちから・みつぎ 難読 税所・税部

解字 篆文 形声。禾＋兌(兌)音。音符の兌は、ぬけおちるの意味。自分の年間の収穫の中からぬけおちる穀物の意味から、租税の意味を表す。

逆 課税・租税・納税・免税

【税駕】ゼイガ ①馬を車から解き放って休息させること。②人のおちつく所。また、旅行者が休息すること。

【税権】ゼイカク 税を取り立て、利益を独占すること。

【税関(關)】ゼイカン 国境や、外国と往来する船・車・飛行機などの発着地に設け、出入国者の持ち物・輸出入品などの検査・とりしまり・関税の徴収などの事務を行う役所。

【税斂】ゼイレン 税金を受け入れること。また、税金を取りたてること。用例〔孟子、梁恵王上〕省二刑罰一、薄二税斂一 ↓刑罰を減らし、税金の取り立てを軽くする。

7 【程】 12画 8488 教5 テイ ほど

7 【程】 12画 8489 漢テイ 呉ジョウ(ヂャウ) 庚 chéng 3688 92F6 —

筆順 ニ 千 禾 和 和 和 程 程

字義 ❶のり。てほん。きまり。さだめ。「教程」「規程」❷ほど。ほどあい。程度。❸長さの単位。一分の十分の一。また、一厘の十分の一。❹みち。㋐みちすじ。㋑みちのり。「行程」❺標準。一定の分量。「日程」❻はかる(量)。❼わりあてる。仕事をわりあてる。国ほど。㋐ころ(頃)。おり。時間。㋑身分。「身の程」㋒ぐあい。

名前 たけ・てい・のり・ほど・みな

解字 篆文 形声。禾＋呈(呈)音。音符の呈は、突き出るの意味。稲の伸び突き出るぐあいの意味から、ほどあいの意味、長さの単位などを表す。

逆 駅程・音程・課程・過程・規程・工程・航程・行程・道程・里程・旅程・路程

【程頤】テイイ 北宋の儒学者。洛陽(今の河南省内)の人。字は正叔。伊川先生と称された。兄の顥(明道)とともに周敦頤に学び、二程子と称された。宋の理学の大家。(一〇三三—一一〇七)

【程限】テイゲン ①きまり。②日程。

【程顥】テイコウ 北宋の儒学者。洛陽(今の河南省内)の人。字は伯淳、明道先生と称された。弟の頤(伊川)とともに周敦頤に学び、二程子と称された。宋の理学の大家。(一〇三二—一〇八五)

【程子】テイシ 北宋の程顥・程頤兄弟をいう。二程子。

【程式】テイシキ かた。のり。方式。規程。

【程朱】テイシュ 北宋の儒学者程顥(明道)・程頤(伊川)兄弟と南宋の儒学者朱熹をいう。また、その学派。

【程度】テイド どあい。ほどあい。ころあい。段階。

【程邈】テイバク 秦の獄吏。罪によって捕らえられ、獄中で隷書を作って始皇帝に献じ、許されて御史に任じられたという。

7 【稊】 12画 8490 漢テイ 呉ダイ 斉 tí 28288 — 4914

字義 ❶雑草の名。いぬびえ。のびえ。イネ科の一年草。❷かわやなぎの芽。

解字 形声。禾＋弟音。

【稊稗】テイハイ いぬびえ(稊)と、ひえ(稗)。つまらないもののたとえ。稊秕。

【稊秕】テイヒ いぬびえ(稊)と、しいな(秕)。つまらないもののたとえ。稊稗。

【稊米】テイマイ いぬびえ。

7 【稌】 12画 8491 漢ト 呉ツ 虞 麌 tú — — 4915

字義 いね(稲)。一説に、もちいね。ねばりけがあってよくのびる、もちいねの意味を表す。

解字 篆文 形声。禾＋余音。音符の余は、のびるの意味。ねばりけがあってよくのびる、もちいねの意味を表す。

7 【⿰禾尾】 12画 8492 漢ビ 呉ミ 尾 未 wěi 28287 — —

字義 かゆ。熱いかゆ。

解字 形声。禾＋尾音。

7 【稃】 12画 8493 フ 虞 fū 18944 — 4911

字義 もみがら。米穀のから。

解字 形声。禾＋孚音。

7 【稂】 12画 8494 ロウ(ラウ) 陽 láng — — 4910

字義 いぬあわ。雑草の名。稲を害する雑草。

解字 形声。禾＋良音。

8 【稞】 13画 8495 ㊀カ(クヮ) 歌 kē ㊁ラ 哿 28292 — 4919

字義 ㊀❶穀粒のよいもの。❷皮のないむぎ。はだかむぎ。

解字 形声。禾＋果音。

8 【稘】 13画 8496 キ 支 jī 6737 E264 —

字義 ❶ひとまわり。年・月の一まわり。一周年。一か月。＝期(5056)。❷わら。稲のくさ。❸まめがら。豆のくき。＝萁(10022)。

解字 形声。禾＋其音。

8 【稇】 13画 8497 ㊀コン 阮 kǔn ㊁キン 軫 28291 — 4918

【稛】 8484 同字

字義 ㊀❶くくる。たばねる。つかねる。❷たばねる。㊁❶みちる。みたす。❷うれる。成熟する。いっぱいにする。

解字 篆文 形声。禾＋困音。音符の困は、禾を束ねる意味。

8 【稡】 13画 8498 サイ 泰 cuì — — 4920

字義 集める。

解字 形声。禾＋卒音。

8 【稕】 13画 8499 シュン 震 zhùn 28290 — 4917

字義 わらを束ねる。わら束。

解字 形声。禾＋享音。

8 【稚】 13画 8500 常 チ 漢チ・呉ジ(ヂ) 熟字訓 稚児 寘 zhì 3553 9274 —

筆順 禾 禾 利 秆 秆 秆 稚 稚 稚

［稺］8533 本字 ［穉］8550 同字

字義 ❶おさない。わかい。いとけない。いわけない。「幼稚」 ❷おくて。おそく実る稲。晩稲。↕稙(8502)。

名前 のり・わ・わか・わく　難読 稚鰤・稚咲内・稚内

解字 篆文 稺　会意。禾＋隹。隹は、小鳥の意味。小さな稲の意味から、おさないの意味を表す。篆文は、形声。禾＋遅省音。音符の遅は、おそいの意味。おくての稲の意味から、おくて・おさないの意味を表す。

逆 丁稚・童稚・幼稚

【稚気(氣)】こどもっぽい気持ち。こどもっぽいようす。

【稚魚】生まれたばかりのさかな。幼魚。

【稚子】①おさないこども。幼児。用例(東晋、陶潜、帰去来辞)僮僕歓迎、稚子候レ門。↓召し使いも喜んで出迎え、幼い子どもたちは門のところでようすを見て待っている。②天子以下、卿大夫までの嫡子。③竹の子の別名。

【稚児(兒)】一 あかご。また、こども。二 国①武家や寺などで給仕に使った少年。②祭礼や法会などの行列に美しく着かざって出るこども。

【稚拙】こどもらしく、へたなこと。なれないで、へたなこと。

8 【稠】 13画 8501 漢チュウ(チウ) 呉ジョウ(ヂウ) 因 chóu 6739 E266 —

字義 ❶おおい。稲が多い。❷こみあっている。こい(濃)。こまやか。稲の密生すること。「稠密」

解字 篆文 形声。禾＋周音。音符の周は、あまねくゆきわたるの意味。いねがしげるの意味を表す。

【稠人】多くの人。

【稠密】多く集まっている。こみあっている。

8 【稙】 13画 8502 チョク 職 zhī 6738 E265 —

字義 ❶わせ。はやく実る稲。早稲。↕稚(8500)。❷はやい。

解字 形声。禾＋直音。

8 【稔】 13画 8503 人 漢ジン・呉ニン 慣ネン 寝 rěn 4413 96AB —

筆順 禾 禾 秂 秂 秂 稔 稔 稔 稔

字義 ❶みのる。稲が成熟する。穀物がみのる。❷つもる。かさなる。❸とし(年)。稲が一回みのる期間。

名前 とし・なり・なる・ねん・のり・みのる・ゆたか

解字 篆文 会意。禾＋念。念は、時間をかけてある重さのものをたもつの意味。穀物が成熟するの意味を表す。

【稔歳】穀物のよく実る年。豊年。

【稔熟】①穀物が十分に実ること。②充実する。また、盛んになる。

【稔聞】十分に聞きなれていること。

8 【稗】 13画 8504 標 漢ハイ 呉バ 卦 bài 4103 9542 —

［稗］8522 俗字

字義 ❶ひえ。穀物の名。❷ちいさい(小)。こまかい。いやしい。

解字 篆文 形声。禾＋卑音。音符の卑は、いやしいの意味。稲よりも一段と小さく、価値の低い、ひえの意味を表す。小さいの意味にも用いる。

【稗官】①政治の参考にするために民間の説話・物語などを集めることを任務とした役人。▼稗は、細で、民間のこまごました話を集めたのでいう。②小説。また、小説家。

【稗官小説】①稗官の集めた話の記録。→稗官①。②小説。作者の想像によって世事・人情などを実話のように書いたもの。つくりものがたり。フィクション。

【稗史】①民間の細かい物語などを書いた書。↕正史(七八四ページ上)。②小説ふうの歴史。伝記小説。

8 【稑】 13画 8505 漢リク 呉ロク 屋 lù ₂8289 — 4916

字義 わせ(早稲)。後から植えて先に熟する稲。

解字 形声。禾＋坴音。

8 【稜】 13画 8506 人 ロウ 慣リョウ 蒸 léng 4639 97C5 —

筆順 禾 禾 秆 秆 秆 秆 稜 稜 稜

字義 ❶かど。すみ。多面体の面と面の交わる所。＝棱(5572)。「稜角」 ❷威光。権勢。御稜威。

名前 いず・いつ・かど・たか・たる・りょう・ろう　難読 稜威

解字 形声。禾＋夌音。音符の夌は、おかの意味。禾は、もと木と書いた。おかのように二つの面が交わってできる線、かどの意味を表す。

【稜威】①みいつ。威光。②国天皇の威光。

【稜角】かど。とがったかど。

【稜線】国峰から峰へと続く山の背。尾根。

【稜稜】①寒さのきびしいさま。②かどばっていかめしいさま。

8 【稟】 13画 8507 人 一 漢ヒン・呉ホン 寝 bǐng 二 リン 寝 lǐn 6740 E267 —

筆順 亠 亠 亠 㐭 㐭 亩 亶 稟 稟

［禀］8384 俗字

字義 一 ❶うける。命令を受ける。天命を受けて生まれる。❷生まれつき。生まれながらの性質。「天稟」 ❸ふち(扶持)。役人の俸給。❹与える。さずける。❺申し上げる。奏上する。 二 こめぐら。

名前 うくる・りん

解字 金文 篆文 会意。㐭＋禾。㐭は、こめぐらの象形。禾は、いねの意味。米倉の中の穀物の意味から、役人が受け取るふち米の意味を表す。また、品に通じ、天から受けとった人それぞれの、うまれつきの意味をも表す。

【稟議】一 上からの命令を受けて討議する。二 国上奏して審議してもらうこと。

【稟給】扶持米。俸給。給料。

【稟質】＝稟性。

【稟受】①うける。②生まれつき。天性。

【稟食】官より下される食糧。用例(資治通鑑、漢紀)初蘇武既徙二北海上一、稟食不レ至。↓当初、蘇武が北海のほとりに移されたときには食糧の支給がなかった。

【稟申】上役に申しあげること。上申。

【稟性】生まれつき。天性。稟質。稟賦。

【稟奏】天子の命令を受けて、意見を申しあげること。

【稟賦】＝稟性。

【稟命】①命令を受ける。②生まれつき。天賦の性質。③天命。運命。

9 【稭】 14画 8508 カイ 佳 jiē ₂8294 — 4923

字義 みご。みごわら。わらしべ。しべ。皮を取り去ったわら。

解字 形声。禾＋皆音。

9 【稧】 14画 8509 一 漢ケイ・呉ゲイ 霽 xì 二 漢ケツ・呉ケチ 屑 qiè

［稧］8510 俗字

字義 一 ❶刈った稲。❷みそぎ。＝禊(8393)。 二 わら。

解字 形声。禾＋契㊥。

9 【稧】 14画 8510 ケイ 稧(8509)の俗字。→一〇五四ページ下。 — — 4921

9 【[禾皇]】 14画 8511 ㊥コウ(クヮウ) ㊞オウ(ワウ) 陽 huáng 28293 — —
字義 きび。きびの黄色でねばらないもの。
解字 形声。禾＋皇㊥。

9 【穀】 14画 8512 教6 コク 2582 8D92 —
10 〔穀〕 15画 8513 人 コク 屋 gǔ 18945 — —
筆順
〔穀〕 9029 同字
字義 ❶穀物。「五穀」 ❷食物。 ❸よい(善)。また、よくする。 ❹やしなう(養)。 ❺いきる(生)。 ❻さいわい。 ❼扶持米(フチマイ)。役人に与える俸禄(ホウロク)。また、それを受ける。 ❽年少の召し使い。 国もみ。外皮をとらない米。籾(もみ)。
名前 よし・より
参考 〔穀〕(5678)は別字。
解字 篆文 形声。禾＋㲉㊥。音符の㲉(コク)(殻)は、中味のない外皮、からの意味。からをかぶったもみ、穀物の意味を表す。
逆 旧穀・脱穀・年穀・不穀
【穀雨】(コクウ) 二十四気の一つ。陽暦四月二十日ごろ。穀物を育てる雨の意。⇩コラム 気候(二十四気)(八〇三ページ)。
【穀穀】(コクコク) 鳥のなく声の形容。
【穀日】(コクジツ) よい日。めでたい日。吉日。
【穀旦】(コクタン) ①よい朝。天気のよい朝。②＝穀日。
【穀物】(コクモツ) 米・麦・粟(あわ)・黍(きび)・豆など、主食とする作物。五穀の類い。穀類。
【穀△梁伝(傳)】(コクリョウデン) 書名。魯(ロ)の穀梁赤の著とされる。孔子が制作したといわれる『春秋』を解釈し、問答体で述べたもの。春秋三伝の一つ。

9 【稵】 14画 8514 一 シ 支 zī 二 ㊥シュウ(シウ) ㊞シュ 尤 jiū — — 4927
字義 一❶稲の生えるさま。❷種をまく。❸増す。＝滋(6498)。 二稲が生える。
解字 形声。禾＋茲㊥。

9 【種】 14画 8515 教4 シュ たね 2879 8EED —
一 ㊥ショウ・㊞シュ・シュウ 腫 zhǒng 二 ㊥ショウ・㊞シュ・シュウ 宋 zhòng
筆順
字義 一❶たね。㋐穀物や草木のたね。種子。㋑もと。原因。㋒血筋。血統。用例(史記、陳渉世家)王侯将相寧有レ種乎(オウコウショウショウ、いずくんぞシュあらんや)。⇩王・大名・大将・大臣になるのに、どうして生まれつきの血筋によろうか(そんなものは関係ない)。❷しな。種類。❸たぐい。なかま。部族。種族。❹とも。ともがら。 二❶うえる(植)。また、まく。たねをまく。❷しく(布)。
名前 おさ・かず・くさ・ぐさ・しげ・たね・ふさ 難読 種子(たね)・種子島(たねがしま)・種石(うえし)
解字 篆文 形声。禾＋重㊥。禾は、いねの意味。音符の重は、おもいの意味。いねの穂の重い部分、たねの意味を表す。
逆 貴種・耕種・人種・品種・薬種・竜種
【種芸(藝)】(シュゲイ) 草木や作物を植えること。また、耕作する。
【種作】(シュサク) 種々のものを植えつけて耕作すること。用例(東晋、陶潜、桃花源記)往来種作男女衣著悉如二外人一(オウライシュサクする、ダンジョのイチャク ことごとくガイジンのごとし)。⇩行き来したり種をまいたり耕したりしている男女の衣服は、みな、外部の人と同じだった。
【種子】(シュシ) ①草木のたね。②もと。原因。
【種△蒔】 一(シュジ) ①植える。▼種も蒔も、植える。②まく。たねをまく。▼種も蒔も、まく。 二(たねまき) 国たねをまくこと。たねおろし。
【種種】(シュジュ) ①いろいろ。さまざま。②いろいろなもの。③髪がおとろえて短くなっているさま。④つつしむさま。
【種樹】(シュジュ) ①草木を植えること。②農業や園芸。③植木職。
【種族】(シュゾク) ①同種のもの。同じ部類に属するものの集団。たぐい。②一族もろともに殺されること。▼族は、族殺(皆ごろし)の意。③共同の祖先をもつ家族や氏族などで構成される社会集団で、まだ国家としての組織をもたないもの。
【種落】(シュラク) 同じ種族の人が集まっている所。

9 【稰】 14画 8516 一 ショ 魚 xū 二 ショ 語 xǔ — — 4925
字義 一穀物の実が落ちる。 二❶晩稲(おくて)。❷神に供える洗った米。
解字 形声。禾＋胥㊥。

9 【稱】 14画 8517 ショウ 称(8454)の俗字。→一〇四九ページ中。 6742 E269 —

9 【稱】 14画 (8455) ショウ 称(8454)の旧字体。→一〇四九ページ中。

9 【稯】 14画 8518 ソウ 東 zōng — — 4924
字義 ❶稲四十束(た)。❷布の八十本の縦糸。
解字 形声。禾＋㚇㊥。

9 【稬】 14画 8519 ダ 糯(9050)と同字。→一一〇三ページ上。

9 【稲】 14画 8520 常 トウ いね・いな 1680 88EE —
10 〔稻〕 15画 8521 人 ㊥トウ(タウ) ㊞ドウ(ダウ) 晧 dào 6743 E26A —
筆順
字義 いね。五穀の一つ。秔(コウ)。

名前 いな・いね・しね・とう・ね 難読 稲架(はさ・はざ・はぜ)・稲城(いなぎ)・稲置(いなぎ)・稲熱病(いもちびょう)

解字 金文 篆文 形声。禾＋舀(舀)㊥。音符の舀(トウ)は、うすから取り出す意味。うすから取り出す穀物、いねの意味を表す。

【稲雲】(トウウン) 広い田のいねを雲にたとえたことば。

【稲荷】(いなり) 国五穀をつかさどる倉稲魂神(うかのみたまのかみ)を祭ったもの。「稲荷神社」の略。また、狐(きつね)の別名。

【稲△畦】(トウケイ) ＝稲田。

【稲田】(トウデン・いなだ) いねを植えつけた田。

【稲△粱】(トウリョウ) いねと、おおあわ。穀物をいう。

9 【稗】 14画 8522 ハイ 稗(8504)の俗字。→一〇五四ページ中。 — — 4922

9 【稫】 14画 8523 ㊥ヒョク ㊞ヒキ 職 pì
字義 稲の密生するさま。
解字 形声。禾＋畐㊥。

10 【稼】 15画 8524 常 カ かせ-ぐ ㊥カ・㊞ケ 禡 jià 1852 89D2 —
筆順
字義 ❶うえる(植)。穀物をうえる。また、うえつけ。耕作。農事。❷みのり。実った稲の穂。 国❶かせぐ。㋐精を出して働く。㋑お金を得る。❷かせぎ。㋐かせぐこと。はたらき。㋑世渡りの業。㋒かせぎ高の略。
名前 か・たか・たね

禾部 9▶10画 〔稧[禾皇]穀稵種稰稱稱稯稬稲稗稫稼〕

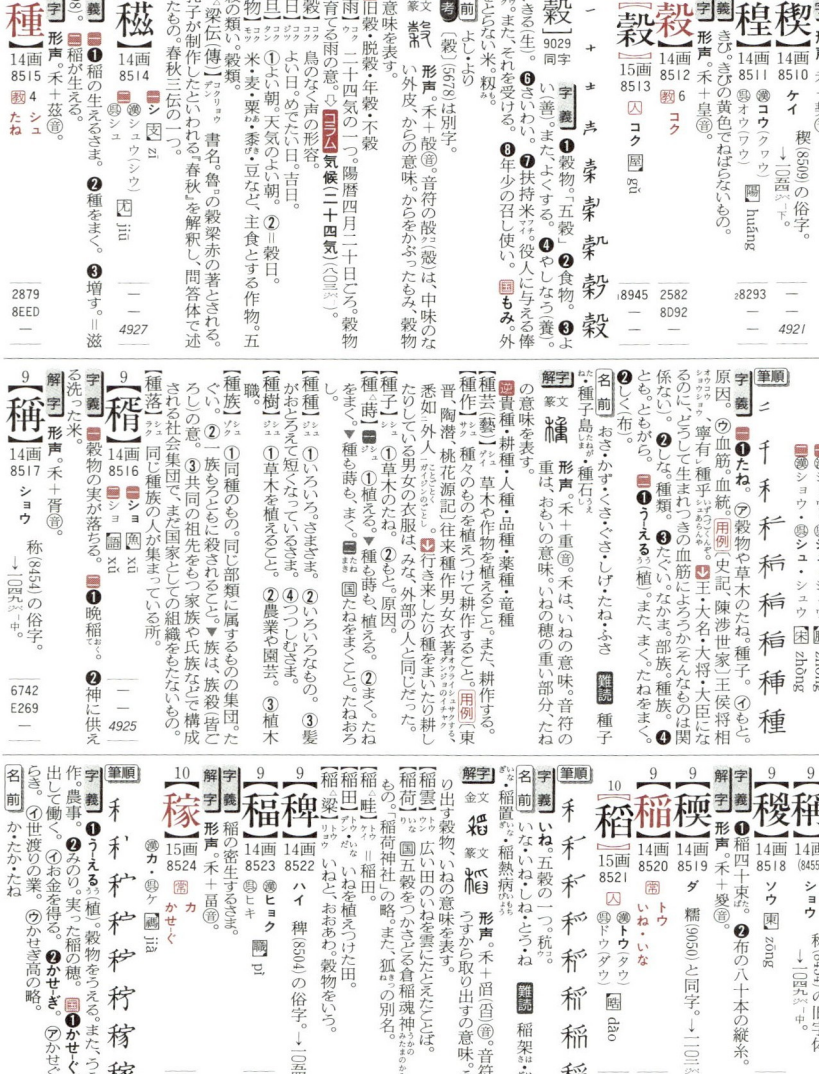

解字 篆文 形声。禾＋家㊥。音符の家は、嫁に通じ、うつし植えるの意味。稲をうつし植える農事の意味を表す。また、農作業の結果、みのった稲の意味をも表す。

逆 耕稼・秋稼・農稼

【稼業】①農業。②家業。生活をささえる仕事。

【稼穡】作物をうえつけ、また、刈り取ること。農業。

【稼動】機械などを動かして働く。→稼働。

【稼働】国①はたらき、かせぐ。②機械などを動かすこと。稼動。◈「稼動」もよく似た語であるが、「稼働」が「人がかせぐために働く」という意味であるのに対し、「稼動」は「機械などを動かして働く」意味に用いる。「稼働人口」「稼動施設」。ただ、新聞用語では、この使いわけは行わず、すべて「稼働」としている。

10 【稽】 15画 8525 常 ケイ

一ケイ 斉 jī　二ケイ 薺 qǐ　2346 8C6D —

筆順 稽

【稽】8539 俗字

字義 一❶とどまる(留)。❷とどめる。ひきとめる。さえぎる。❸かんがえる。❹はかる(計)。かぞえる。くらべる。❺いたる(至)。❻たくわえる。二頭を地につけて敬礼する。また、その敬礼。

名前 おさむ・かず・とき・のり・み・よし

解字 篆文 形声。禾＋尤＋旨㊥。音符の旨は、いきつくの意味。尤は、手の一端をおさえとどめた形にかたどり、とがめるの意味。穀物の成長がいきつくところまでいって止まるさまから、とどまるの意味を表す。また、考えをいきつくところまでめぐらせる、かんがえるの意味をも表す。

【稽古】①いにしえの道を考える。『書経』尭典編に「曰若稽二古帝尭一」とあるのに基づく。②国学習する。練習する。復習する。

【稽式】①法則。法式。②考え求める。考えあわせて手本とする。

【稽首】①頭を地につけて敬礼する。また、その敬礼。稽顙。②ひざまずいて両手を地につけ、その手のところまで頭を下げて敬礼する。

【稽顙】ひたいを地につけて敬礼する。ぬかずく。用例〔後漢書、陳寔伝〕盗大驚、自投二於地一、稽顙帰レ罪。↓泥棒は大変に驚いて、自分から地面に身を投げだし、額を地面につけて礼をし、自らの罪を認めた。

【稽滞(滯)】とどこおる。とどこおらせる。

【稽留】とどめる。また、とどまる。とどこおる。稽遅。

10 【稴】 15画 8526

一漢ケン・呉ゲン 銑 xiǎn　二レン 艶 琰 liàn　— — 4926

字義 一うるち。二稴穇は、稲の実らないさま。

解字 形声。禾＋兼㊥。

10 【稿】 15画 8527 常 コウ

コウ(カウ) 晧 gǎo　2538 8D65 —

筆順 稿

【稾】8528 正字　【藁】10388 同字

字義 ❶わら。稲の茎。❷したがき。詩文のしたがき。「草稿」

名前 たか

解字 篆文 形声。禾＋高㊥。音符の高は、槁に通じ、かれて固いの意味。かれて固い稲、わらの意味を表す。また、わらの未整理なさまから、転じて、詩文のしたがきの意味をも表す。

逆 遺稿・寄稿・起稿・草稿

【稿人】わら人形。

【稿砧】わらを打つ台石。妻が夫をいう隠語。昔、木などを断ち切る台(椹＝砧)の上に重罪人を寝かせ、鈇(まさかり)で胴を切った。「鈇」と「夫」と同音なのでいう。用例〔玉台新詠、古絶句四首、其一〕稿砧今何在、山上復有レ山。↓夫は今どこにいるのか。出かけていったまま。

【稿本】したがき。草稿。原稿。

10 【稾】 15画 8528

コウ　稿(8527)の正字。→一〇五六ページ中。　6744 E26B —

10 【穀】 15画 (8513)

コク　穀(8512)の旧字体。→一〇五五ページ上。

10 【稷】 15画 8529

漢ショク・呉ソク 職 jì　6745 E26C —

字義 ❶きび。たかきび。高粱。中国では最も早く栽培され穀物の長として重んじられた。❷五穀の神。また、そのほこら。「社稷」❸たおさ。農事をつかさどる役人。

解字 篆文 形声。禾＋畟㊥。音符の畟は、耕作するの意味。禾を付し、五穀・きびの意味を表す。

【稷下】地名。戦国時代、斉の都臨淄(今の山東省淄博市)の稷門(城門の名)付近にあった学者街。紀元前四世紀中頃、斉の威王・宣王が天下の学者を優遇し、ここに学者街を造り、俸給を払って研究させた。孟子・荀子・騶衍などが有名。

【稷狐】①五穀の神を祭った社に住むきつね。②君のそばにいる悪臣のたとえ。

【稷正】穀物の神。

【稷契】中国古代の伝説で、尭・舜時代の名臣の名。稷は農業をつかさどり、周の祖先となり、契は教育をつかさどり、殷の祖先となったという。〔書経、舜典〕

10 【稹】 15画 8530

シン 軫 真 zhěn　18946 — 4929

字義 ❶しげる。むらがる。❷こまかい。緻密。

解字 篆文 形声。禾＋眞㊥。音符の眞は、いっぱいにつめこむの意味。いねがこみいっているの意味から、しげるの意味を表す。

10 【穂】 15画 8531 常 スイ ほ

4270 95E4 —

12 【穗】 17画 8532 人

漢スイ・呉ズイ 寘 suì　6747 E26E —

筆順 穂

字義 ほ。㋐穀物の茎の実のつく部分。穂先。㋑ほのような形をしたもの。ともしびなどをいう。「一穂の寒灯」

名前 お・のり・ほ・み・みのる

解字 篆文 俗体 もと采に作る。爫(手)でつみとる禾(いね)のほの意味。穂はその俗字。形声。禾＋恵(惠)㊥。音符の恵は、めぐみの意味。穀物のめぐみ、ほの意味を表す。

逆 滞穂・灯穂

10 【穉】 15画 8533

チ　稚(8500)の本字。→一〇五四ページ上。　— — 4930

10 【穑】 15画 8534

チク 屋 xù　28301 — 4928

字義 つむ(積)。たくわえる。

解字 形声。禾＋畜㊥。

10 【稲】 15画 (8521)

トウ　稲(8520)の旧字体。→一〇五五ページ下。

10 【黎】 15画 (14460)

レイ　黍部。→一六四五ページ下。

10 【穃】 15画 8535 国字

6746 E26D —

字義 穃原(ようばる)は、沖縄県の地名。

解字 榕(5718)の誤字か。

11 【穎】 16画 8536 標 漢エイ 呉ヨウ(ヤウ) 梗 yǐng 1747 896E —
〔頴〕 13465 簡易

字義 ❶ほさき。ほ(穂)。穀物の穂。❷穂先のようにとがった物の先。筆のさき・錐(きり)のさきなど。❸すぐれる。抜きんでる。才能が人にすぐれる。また、その人。❹つか(柄)。刀のにぎり。❺め(芽)。

難読 穎娃(えい)・穎割(かいわれ)

参考 ①現代表記では〔英〕(9855)に書きかえることがある。「穎才→英才」②〔頴〕(6140)は別字。

解字 篆文 形声。禾＋頃音。音符の頃(ケイ)は、かたむくの意味。稲のかたむいた穂先の意味を表す。

【穎異】(エイイ) 才知が非常にすぐれていること。

【穎悟】(エイゴ) 才知がすぐれてかしこいこと。

【穎才】(エイサイ) すぐれた才能。また、その人。英才。

【穎秀】(エイシュウ) 才知がひいですぐれていること。

【穎脱】(エイダツ) 袋の中にある錐(きり)の先が全部抜け出ること。才気が外にあらわれることのたとえ。〔史記、平原君伝〕

【穎哲】(エイテツ) すぐれてかしこい。また、その人。

【穎抜】(エイバツ) 衆よりひいでぬきんでること。

【穎敏】(エイビン) すぐれてかしこい。

11 【穏】 16画 8537 常 オン おだ-やか 1826 89B8 —
14 〔穩〕 19画 8538 オン(ヲン) 阮 wěn 6751 E272 —

筆順 禾 禾 禾 秤 稃 稃 穏 穏 穏

字義 ❶おだ-やか。やすらか。「安穏(アンノン)」「穏和」❷穀物を足で集める。

名前 しず・とし・やす・やすき・より

難読 穏地(おんち)・穏野(おんの)

解字 篆文 形声。禾＋㥯(㥯)音。音符の㥯(オン)は、まつわらせるの意味。穀物を手足にまつわらせて、もみながら集めるの意味を表す。また、温に通じ、おだやかの意味を表す。

逆 安穏・不穏・平穏

【穏穏】(オンオン) やすらかなさま。おだやかなさま。

【穏健】(オンケン) ①おだやかでしっかりしていること。②国思想がおだやかであること。

【穏当(當)】(オントウ) ①道理にかなっていて無理のないこと。おだやかで妥当なこと。②国おだやか。おとなしい。

【穏便】(オンベン) 一 無理がなく、おだやかにはこぶこと。二(オンビン) 国おだやか。かどをたてないこと。荒だてないこと。

【穏和】(オンワ) 国性質がおだやかで、おとなしい。また、気候がおだやかなこと。→温和(八五六ページ下)。

11 【稽】 16画 8539 ケイ 稽(8525)の俗字。→一〇五六ページ上。 — — 4932

11 【穅】 16画 8540 コウ 糠(9039)と同字。→一二〇一ページ上。 — — 4931

11 【穄】 16画 8541 漢セイ 呉サイ 霽 jì — — 4931

字義 くろきび。きびの一種で、粘りけのないもの。

解字 形声。禾＋祭音。

11 【穇】 16画 8542 漢サン 呉セン 咸 shān 28302 — 4933

字義 いぬきび。国ひえ。

解字 形声。禾＋參音。

11 【穐】 16画 8543 シュウ 秋(8444)の俗字。→一〇四八ページ上。 1612 88AA —

難読 穐原(あきはら)・(あしはら)

11 【積】 16画 8544 教4 セキ つ-む・つ-もる 3249 90CF —
一 漢セキ・呉シャク 陌 jī
二 シ 寘

筆順 禾 禾 秆 秆 稍 精 積 積 積

字義 一 ❶つ-む。㋐つみかさねる。あつめかさねる。㋑あつめたくわえる。❷つ-もる。つみ重なる。たび重なる。「堆積(タイセキ)」❸おおい(多)。❹ひさしい(久)。❺とどこおる(滞)。❻数学用語。二つ以上の数を掛け合わせた数値。↔商(156)。二 たくわえ(貯)。国 ❶つ-もる。㋐あらかじめ見計らって計算する。㋑他人の心をおしはかる。㋒もくろむ。たくらむ。❷つもり。㋐みつもり。予算。㋑心ぐみ。心算。

名前 あつ・かず・かつ・さ・さね・つね・つみ・づみ・つむ・つもる・もち・もり

難読 積丹(しゃこたん)

解字 篆文 形声。禾＋責音。音符の責は、金品を求めるの意味。農作物を求め集める、たくわえる・つむの意味を表す。

逆 委積・山積・滞積・畜積・蓄積・沖積・累積

【積△痾】(セキア) ながい間なおらない病気。持病。宿痾。

【積悪(惡)】(セキアク) ①数々のわるい行い。②悪事を重ねる。

【積悪(惡)△之余(餘)△殃】(セキアクのヨオウ) ＝積不善之家必有二余殃一(セキフゼンのいえ(へ)にはかならずヨオウあり)。

【積陰】(セキイン) ①つもりつもった陰気。②寒気。また、冬の季節。③久しく続いたくもり日。

【積羽沈レ舟】(セキウふねをしず(づ)む) 軽い羽でも、たくさんつもれば、その重さで舟までも沈めることができる。ちりもつもれば山となるのたとえ。〔史記、張儀伝〕

【積雨】(セキウ) ながあめ。長雨。霖雨(リンウ)。

【積鬱】(セキウツ) 国①長くうっとうしいこと。連日天気が晴れやかでないこと。②つもる心配・うれい・不平。

【積怨】(セキエン) つもり重なったうらみ・かなしみ。積恨。

【積塊】(セキカイ) つもり重なったつちくれ。地をいう。

【積貫】(セキカン) ならわし。永年のならわし。習慣。▼貫は、慣。

【積気(氣)】(セキキ) つもり重なった気。天をいう。

【積毀△銷レ骨】(セキキほねをとかす) 悪口も積み重なると、堅い骨さえもとかしてしまう。世間の人々のうわさの恐るべきたとえ。〔漢書、鄒陽伝〕

【積居】(セッキョ) つみたくわえる。

【積極】(セッキョク) 国自分から進んで事を行うこと。進取的なこと。肯定的・能動的なこと。↔消極(八三八ページ中)。

【積慶】(セキケイ) ①よろこびを重ねる。②つもったよろこび。

【積載】(セキサイ) 国つみのせる。船や車などに荷物をのせること。

【積財】(セキザイ) ①財産をたくわえる。②多くの財産。

【積志】(セキシ) 年来のこころざし。

【積日】(セキジツ) 日数を経る。また、多くの日数。「積日累久」

【積日累久】(セキジツルイキュウ) 日数をつみ、久しきを重ねる。多くの月日を経ること。

【積△聚】(セキシュウ・シュウ) つみ、たくわえる。また、つみ、たくわえた物(糧食・薪炭(シンタン)など)。

【積習】(セキシュウ) ①久しく行われ習慣となったもの。また、久しい間の弊害。②練習をつむ。

【積愁】(セキシュウ) つもるうれい。積憂。

【積襲】(セキシュウ) つみかさなる。積累。積量。

【積薪】(セキシン) ①つみあげたたきぎ。また、たきぎをつむ。②星の名。③＝如二積薪一(セキシンのごとし)。

【如二積薪一】(セキシンのごとし) ①後に来た者が重く用いられ、前から仕えていた者が下積みになるたとえ。②後から来た者が最後に災いをうけるたとえ。

【積水】(セキスイ) ①集まりつもった水。たまり水。また、水を集める。②海。用例〔唐、王維、送二秘書晁監還一日本国一詩〕積水不レ可レ極(セキスイきわ(は)むべからず)、安知二滄海東一(いず(づ)くんぞソウカイのひがしをしらんや)。↓大海の果てはきわめつくしようがないほど広い。その大海のさらに東にあるあなたの国のことなどどうして知ろうか。③星の名。

【積△翠】(セキスイ) つみかさなったみどり。青山の形容。

【積世】(セキセイ) よよ。代々。累世。

【積精】セキセイ 精気をつみたくわえる。また、つみたくわえた精気。
【積善】セキゼン ↕積悪。①善いことをつみ重ねる。②数々のよい行い。
【積善△之家必有ニ余(餘)慶一】セキゼンのいえ(へ)にかならずヨケイあり 善事を多く行った家では、必ず子孫までがさいわいを受ける。積善之余慶セキゼンのヨケイ。用例〔易経、坤〕積善之家必有ニ余慶一セキゼンのいえ(へ)にかならずヨケイあり、積不善之家必有ニ余殃一セキフゼンのいえ(へ)にかならずヨオウあり。↓善事を多く行った家では、必ず子孫までが幸いを受け、悪事を重ねる家では、必ず子孫までが災いを受ける。
【積漸】セキゼン 順序を追って次第に進むこと。だんだんにつみ重ねること。
【積素】セキソ ①つもり重なった白いもの。雪をいう。②古くから。もとから。積故。
【積蓄】セキチク つみたくわえる。また、そのもの。蓄積。
【積貯】セキチョ つみたくわえる。また、そのもの。積蓄。
【積土成レ山】セキドやまをなす 細かな土も積もれば山となる。微細なものも積み重なれば高大なものになるたとえ。塵ちりも積もれば山となる。
【積徳】セキトク ①仁徳をつみ重ねる。また、その仁徳。②山。
【積年】セキネン 多くの年月。多年。累年。
【積不善△之家必有ニ余(餘)△殃一】セキフゼンのいえ(へ)にかならずヨオウあり 悪事を重ねた家では、子孫にまでわざわいがおよぶ。積悪之余殃セキアクのヨオウ。〔易経、坤〕
【積△忿】セキフン つもったいかり。また、非常にいかる。積怒。積憤。
【積弊】セキヘイ 長い間の悪い習慣。多年の弊害。
【積憂】セキユウ つもる心配ごと。積愁。
【積累】セキルイ つみ重ねる。つみ重なる。累積。
【積△潦】セキロウ 大水。洪水。

11【穌】16画 8545 ソ 漢 呉 sū ₂8303 — 4935
字義 ❶よみがえる。❷かき集めて取る。
解字 会意。禾＋魚。

11【穈】16画 8546 漢ビ 呉ミ 図 méi — — 4934
字義 きびの赤い苗。また、実。
解字 形声。禾＋麻音。

11【穆】16画 8547 漢ボク 呉モク 屋 mù 4352 9673 —
字義 ❶つつしむ(敬)。また、うやうやしいさま。❷まこと(信)。❸てあつい。ていねい。❹もっぱら。❺やわらぐ(和)。❻よろこぶ。❼うつくしい(美)。❽宗廟ソウビョウの序列で子の位。父の位を昭という。「昭穆」
解字 金文 篆文 象形。金文は、穀物の実が豊かに美しく熟して、いまにも散り落ちようとする形にかたどり、美しくやわらぐの意味を表す。のち、禾＋㣎音の形声文字。
【穆公】ボクコウ ＝秦穆公シンのボクコウ(一〇五〇ページ中)。
【穆如ニ清風一】ボクとしてセイフウのごとし やわらいで、さわやかな風のようである。人物などのおだやかなさま。〔詩経、大雅、烝民〕
【穆清】ボクセイ ①清和の徳。一説に、美徳があり清らかなこと。②清らかでおだやかなこと。
【穆然】ボクゼン ①沈黙して深く思うさま。②音のかすかなさま。③やわらぎつつしむさま。
【穆天子伝(傳)】ボクテンシデン 書名。六巻。著者不明。周の穆王が西遊したという故事を記した書。晋シンの太康年間、魏ギの襄王ジョウオウの墓から竹簡に記されたこの書が発掘されたという。晋の郭璞カクハクが注を作った。
【穆△忞】ボクビン ①成り行きを静かに見守る。静観する。②形のないこと。無形。
【穆穆】ボクボク ①うるわしくりっぱなさま。②やわらぎ美しいさま。③つつしむさま。④静かなさま。

11【稡】16画 (13675) ホツ 香部。→一五八二ページ中。

12【馣】17画 (13676) アン 香部。→一五八二ページ中。

12【穖】17画 8548 一 漢キ・呉ケ 尾 jǐ 二 キ 寘 jì ₂8304 — 4937
字義 一 稲の穂のずい。二 密生している。 難読 穖村のぎむら
解字 形声。禾＋幾音。

12【穛】17画 8549 ショウ(セフ) 葉 qiè — — 4936
字義 土穛シドショウは、古代の農具の一つ。
解字 形声。禾＋集音。

12【穗】17画 (8532) スイ 穂(8531)の旧字体。→一〇五六ページ下。

12【穉】17画 8550 チ 稚(8500)と同字。→一〇五四ページ上。 6748 E26F —

12【穜】17画 8551 漢トウ 呉ドウ 東 tóng ₂8306 — 4939
字義 おくて。早く植えておそく成熟する稲。
解字 形声。禾＋童音。

12【黏】17画 (14461) ネン 黍部。→一六四五ページ下。

12【穙】17画 8552 漢ホク 呉ボク 屋 pú ₂8305 — 4938
字義 稲の苗が密生する。 難読 穂穙ほつも
解字 形声。禾＋業音。

12【穝】17画 8553 国字 ₁8947 — 4940
字義 穝東さいひがし町は、岡山市の地名。

13【穫】18画 8554 常 カク 1947 8A6E —
14〖穫〗19画 8555 漢カク(クヮク) 呉ワク 薬 huò
筆順 禾 秆 秆 秆 秆 秆 稚 穫 穫
字義 ❶かる(刈)。稲や麦をかりとる。❷とりいれる。おさめる。「収穫」❸える(得)。❹とらえる。＝獲(7301)。
名前 え・みのる
解字 篆文 形声。禾＋蒦(蒦)音。音符の蒦カクは、鳥を手でつかまえるの意味。稲を取り入れるの意味を表す。

13【穣】18画 8556 人 逆収穫 3087 8FF5 —
17〖穰〗22画 8557 人 一 漢ジョウ(ジャウ) 呉ニョウ(ニャウ) 陽 rǎng 二 漢ジョウ(ジャウ) 呉ニョウ(ニャウ) 養 6753 E274 —
筆順 禾 秆 秆 秆 秆 穣 穣 穣
字義 一 ❶ゆたか。みのる。豊かにみのる。「豊穣」❷充満している。多いさま。❸いのる。豊年をいのる。❹きびがら。きびの茎。❺くさ(草)。よもぎ。二 ❶繁栄する。多い。❷極めて大きい数の名。
名前 おさむ・しげ・じょう・みのる・ゆたか
解字 篆文 形声。禾＋襄(襄)音。音符の襄ジョウは、中にたくさんつめこむの意味。稲のもみがふくらんで、たくさんつく、ゆたかの意味を表す。
【穣歳】ジョウサイ みのりのよい年。豊年。
【穣穣】ジョウジョウ ㋐穀物がゆたかにみのっているさま。㋑しあわせの多いさま。

13【穠】18画 8558 漢ジョウ(ヂョウ) 呉ニュウ 冬 nóng ₂8308 — 4942
字義 ❶しげる。草木がさかんにしげるさま。❷花がさか

んに咲くさま。

解字 形声。禾＋農音。音符の農は、こい（濃）の意味。花木がしげるの意味を表す。

【穠華】（ジョウカ）①さかんに咲いた花。満開の花。②咲き乱れた花のように美しい女性のたとえ。

【穠△李】（ジョウリ）花がたくさん咲いているすもも。

【穠緑】（ジョウリョク）しげって緑がこいこと。こい緑色。

13【穡】18画 8559 漢ショク 呉シキ 職 sè　6749 E270 —

字義 ❶とりいれ。穀物を収穫する。❷農事。農業。「穡事」❸おしむ。ものおしみする。ものおしみ。けち。❹つつましい。倹約。

解字 金文 篆文 形声。禾＋嗇音。音符の嗇は、収穫の意味で穡の原字。のち、禾を付した。

13【穟】18画 8560 漢スイ 呉ズイ 寘 suì　₂8307 — 4941

字義 ❶ほ。穀物の穂。＝穂（8531）。❷穟穟（スイスイ）は、苗の美しいさま。

解字 形声。禾＋遂音。

13【馥】18画 (13677) フク　香部。→一五八二ページ中。

13【穥】18画 8561 ヨ 御 yù　— — 4943

字義 ❶稲を植える。❷穥穥は、きびや粟のうるわしいさま。

解字 形声。禾＋與音。

13【穢】18画 8562 標 一 漢ワイ・呉エ（ヱ） 隊 huì　二 漢ワイ・呉エ（ヱ） 泰　慣アイ　6750 E271 —

字義 一 ❶けがれる。よごれる。けがす。よごす。❷あれる（荒）。雑草が生いしげる。❸けがれ。よごれ。けがらわしい所・もの。「汚穢」❹きたない。きたならしい。けがらわしい。❺雑草。❻東方に住んでいた未開の異民族。二 わるいもの。悪者。

解字 形声。禾＋歲音。音符の歲は、越に通じ、度をこすの意味。雑草が度を越して多い、あれるの意味を表す。

【穢悪（惡）】（ワイオ）けがす。また、けがれ。けがらわしいこと。

【穢行】（ワイコウ）けがれた行い。

【穢史】（ワイシ）けがれた歴史。事実を曲げて書いた史書。特に『魏書（ギショ）』をいう。『魏書』の著者魏収が自分の好悪によって記事・論説等を書いたことによる。

【穢草】（ワイソウ・アイソウ）わるい雑草。悪草。

【穢濁】（ワイダク・アイダク）けがれにごる。

【穢土】（エド）仏けがれた世界。この世。↔浄土（八三三ページ中）。

【穢徳】（ワイトク）けがれた徳。悪い徳。悪徳。

【穢△慝】（ワイトク）けがれ。よごれ。

14【穩】19画 (8538) オン　穏（8537）の旧字体。→一〇五七ページ上。

14【穫】19画 (8555) カク　穫（8554）の旧字体。→一〇五八ページ下。

14【馦】19画 (13678) ケン　香部。→一五八二ページ下。

14【穪】19画 8563 ショウ　称（8454）の俗字。→一〇四九ページ中。　₂8310 — 4945

14【穧】19画 8564 漢セイ 呉ザイ 霽 jì　₂8309 — 4944

字義 かりいね。刈りたおしたままの稲。

解字 篆文 形声。禾＋齊音。音符の齊は、そろえるの意味。刈りたおしてそろえた稲の意味を表す。

15【穭】20画 8565 漢リョ 呉ロ 語 lǚ　₁8948 — 4946

字義 ひつじばえ。刈り取った後に再び稲の生えること。

解字 形声。禾＋魯音。

16【龝】21画 8566 シュウ　秋（8444）の古字。→一〇四八ページ上。　6752 E273 —

17【穰】22画 (8557) ジョウ　穣（8556）の旧字体。→一〇五八ページ下。

18【黐】23画 (14462) チ　黍部。→一六四六ページ上。

5画　穴　あな・あなかんむり

〔部首解説〕穴を意符として、穴や穴状の器物、穴の状態、また、穴をあけることなどに関する文字ができている。

0【穴】5画 8567 漢ケツ・呉ゲチ 屑 xué, xuè　教6 ケツ あな　2374 8C8A —

筆順 丶 宀 宀 穴 穴

字義 ❶あな。㋐むろ。つちむろ。土室。㋑つかあな。墓穴。㋒ほらあな。いわや。「洞穴」㋓つきぬけているあな。㋔くぼみ。へこみ。㋕人体の急所。灸（キュウ）をすえる所。❷うがつ。あなをほる。国あな。㋐きず。欠点。㋑損失。㋒かくれが。秘密。㋓思いがけぬもうけ。競馬などの番くるわせ。「大穴」

名前 これ・な　難読 穴太（あのう・あの）

解字 篆文 象形。穴居生活の住居の象形で、あなの意味を表す。

逆 管穴・同穴・洞穴・風穴・墓穴

【穴居】（ケッキョ）穴に住むこと。あなずまい。先史時代の人類の住居で、竪穴（たてあな）・横穴の二形式がある。用例〔易経、繫辞下〕上世穴居而野処（ジョウセイはケッキョしてヤショせり）。↓太古の世は（まだ家屋がなかったので）穴に住み野原に住んでいた。

【穴隙】（ケツゲキ）あな。また、すきま。

【穴見】（ケッケン）あなからのぞいて見る。見識のせまいたとえ。

【穴蔵（藏）】一（ケツゾウ）穴の中にかくれる・住む。二（あなぐら）国地中に穴を掘って物をしまっておくところ。穴倉。

1【穵】6画 8568 漢ワツ 呉エチ（ヱチ） 黠 wā　₂8311 — 4947

字義 ❶うろ。あな。❷深い。❸穴をあける。うがつ。❹手探りして取る。

解字 形声。穴＋乙音。

2【究】7画 8569 漢キュウ（キウ）・呉ク 宥 jiū　教3 キュウ きわ-める　2170 8B86 —

筆順 丶 宀 宀 穴 穵 究

字義 ❶きわ-める（きはむ）。きわ-まる（きはまる）（窮）。おしきわめる。最後までさぐる。つきる。極限に達する。❷……❸きわまり。はて。

終わり。「究極」 ❹はかる(謀)。考える。「考究」
名前 きわむ・さた・さだ・すみ・ふかし・み

使いわけ
きわめる・きわまる〔究・窮・極〕
〔究〕(「きわめる」のみ)深くたずねて真理・本質を明らかにする。「真相を究める」
〔窮〕可能な限度まで進む。「繁栄を窮める」
〔極〕この上がないところまで達する。また、出し尽くす。「山頂を極める・口を極めてののしる」
ただし、〔窮〕と〔極〕については紛らわしい場合が多いため、〔極〕を用いるのが一般的。

解字 篆文 **形声**。穴＋九㊥。音符の九は、屈曲して尽きる形にかたどり、つきる・きわまるの意味。穴をきわめるの意味を表す。

逆 学究・研究・攻究・考究・探究・追究・論究

【究△覈】(キュウカク) じゅうぶんに調べること。▼覈も、調べる。

【究詰】(キュウキツ) 問いつめる。どこまでも問い正す、また、責めなじること。

【究究】(キュウキュウ) ①にくんで親しまないさま。②止まらないさま。

【究△竟】(キュウキョウ) ㊀(キュウキョウ) ①つまる所。最後。究極。②きわめつくす。㊁(クキョウ) 仏無上。最上。事理の至極をいう。㊂(クッキョウ) 国①非常に力の強いこと。屈強。②つごうがよいこと。

【究極】(キュウキョク) ①きわめつくす。②つまる所。きわまり。終局。最後。終わり。窮極。

【究△悉】(キュウシツ) 調べつくす。きわめつくす。

【究明】(キュウメイ) 国真理・道理などをくわしく、つきつめて明らかにすること。

【究問】(キュウモン) 問いつめる。じゅうぶんに問いただす。

【究理】(キュウリ) 事物の道理や法則を調べきわめること。窮理。

3
【穹】 8画 8570 人 漢キュウ(キウ) 呉クウ 東 qiōng 6754 E275 —

[穹] 2602 同字

字義 ❶そら。大空。「蒼穹(ソウキュウ)」 ❷ゆみ形にもり上がっている形。アーチがた。❸たかい(高)。❹ふかい(深)。❺きわまる。きわめる。

名前 たか・たかし・ひろ・みそら

解字 篆文 **形声**。穴＋弓㊥。音符の弓は、ゆみの意味。弓状(アーチ型)をしたあなの意味を表す。

【穹蓋】(キュウガイ) おおぞら。天空。

【穹△昊】(キュウコウ) おおぞら。天空。▼昊も、そら。

【穹谷】(キュウコク) ①深い谷。②大きな谷。

【穹△蒼】(キュウソウ) おおぞら。弓なりで青く見えるのでいう。蒼弓。

【穹天】(キュウテン) おおぞら。

【穹隆・穹△窿】(キュウリュウ) ①中央が高くて周辺が垂れさがっている形。アーチがた。天の形をいう。②高く弓なりにもりあがっているさま。③さかんなさま。

【穹△廬】(キュウロ) ①テント。匈奴(中国北方の遊牧民族)の住む天幕。用例(楽府詩集、勅勒歌)天似二穹廬一、籠二蓋四野一。↓天はあたかも天幕のように四方の野原をおおっている。②匈奴をいう。

3
【空】 8画 8571 教1 クウ そら・あ-く・あ-ける・から 漢コウ・呉クウ 東 kōng 2285 8BF3 —

筆順 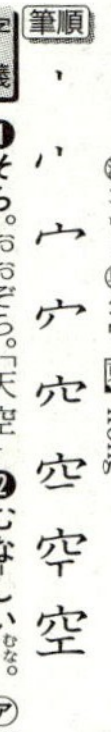

字義 ❶そら。おおぞら。「天空」 ❷むな-しい。㋐ない。何もない。㋑つきる(尽)。とぼしい。㋒うそ。実がない。「架空」 ㋓さびしい。ひっそりする。用例(唐、韋応物、秋夜寄二丘二十二員外一詩)山空松子落、幽人応レ未レ眠。↓山には人の気配がなくひっそりとし、松かさの落ちる音が聞こえるだけだ。世捨て人たる君もきっとまだ眠らないでいることだろう。㋔かいがない。無駄である。❸むな-しく。むだに。いたずらに。用例(唐、李白、将進酒詩)人生得レ意須レ尽レ歓、莫レ使二金樽空対一レ月。↓人の一生で思いのままにふるまえる時には、ぜひとも歓楽をつくすべきだ。黄金作りの酒だるを、ただむだに、月とさし向かいにさせておいてはならない。❹むなしくする。㋐からにする。㋑うつろにする。❺から。うろ。からっぽなこと。❻大きい。❼広い。❽道家思想でいう虚無。❾虚心のさま。❿仏世の中のすべての物事は因縁によって生じる仮のすがたで、実体がないということ。↕有(4907)。「色即是空」 ❷そら。いつわり。「空涙」 ❸うつ-け。ぼんやりしている。国❶あ-く。す-く。また、あ-ける。からになる(する)。

名前 そら・たか

難読 空閑(くが・こが)・空穂(うつぼ)・空蟬(うつせみ)・空洞(うつろ)・空木(うつぎ)

使いわけ
あく・あける〔空・開・明〕
〔空〕からになる。また、すきまができる。「ふさがる」の対。「空き家」
〔開〕閉じていたものが開く。「閉じる」の対。「幕が開く」
〔明〕明るくなる。また、見通しが開ける。「夜が明ける・らちが明く」

解字 金文 篆文 **形声**。穴＋工㊥。音符の工は、のみなどの工具でつらぬくの意味。つらぬいた穴の意味から、むなしいの意味を表し、転じて、そらの意味を表す。また、工は、広いの意味。広い穴、そらの意味とも考えられる。

逆 架空・寒空・虚空・真空

【空位】(クウイ) ①死者の名号。②名ばかりで実権のない位。③用いないであけてある場所。④あいている帝位。また、一時的に君主のいないこと。

【空院】(クウイン) ①人のけはいのない寺。②人の住んでいないやしき。

【空宇】(クウウ) がらんとした部屋。空室。

【空王】(クウオウ) 仏仏の尊称。仏が世界をすべて空であると説いたのでいう。

【空海】(クウカイ) 国平安初期の僧。真言宗の開祖。俗姓は佐伯氏、幼名は真魚。讃岐(今の香川県)の人。延暦二十三年(八〇四)、唐の長安に学び、大同元年(八〇六)帰国。高野山に金剛峰寺を創建し、真言宗をひろめた。博学多能で、書は三筆の一人。著書に『三教指帰』『文鏡秘府論』『十住心論』『性霊集』などがある。諡は、弘法大師。(七七四—八三五)

【空懐(懐)】(クウカイ) むなしい思い。

【空外】(クウガイ) はるかな天空。天外。

【空△闊】(クウカツ) ひろびろとしていること。空豁。

【空居】(クウキョ) ㊀(クウキョ) ①むなしくくらす。なすこともなくくらすこと。②あきや。㊁(クウゴ) 仏寺をいう。

【空虚(虚)】(クウキョ) ①むなしい。から。②からになる。③そら。虚空。④国見せかけだけで内容のないこと。

【空△竅】(クウキョウ) ①すきま。また、あな。▼竅は、あな。②耳・目・鼻・口をいう。

【空曲】(クウキョク) ひとけのない山あい。空山曲阿。

【空吟】(クウギン) とりとめもなく詩歌を口ずさむこと。

【空空】(クウクウ) ①誠実なさま。②おろかなさま。③むなしいさま。④仏宇宙の事物はみな因縁によってできているもので実体がないということ。

【空群】(クウグン) 人材を選び取ること。伯楽(よく馬の良否を見分けたという人)が良馬を選び抜いたので、伯楽の通る所はすぐれた馬がいなくなったという故事による。

【空華】(クウゲ) 仏かすんだ目で天空を見るときに、ちらちら見える花のようなもの。煩悩からおこる種々の迷いをいう。

【空△閨】(クウケイ) さびしいねや。夫または妻のいない、ひとりねの寝室。空房。

【空隙】クウゲキ すきま。あな。
【空拳】クウケン ①こぶしだけで、一物も持たないこと。すで。からて。用例〔塩鉄論、険固〕奮二空拳一而破二百万之師一。↓こぶしをふり上げ奮い立ち、百万の軍隊を破った。②他人の援助・助力などを借りないこと。③矢が尽きはてた弩弓（いしゆみ）。▼拳は、いしゆみ。
【空言】クウゲン ①うそ。そらごと。根も葉もないことば。用例〔史記、廉頗藺相如伝〕秦貪負二其彊一、以二空言一求レ璧。↓秦の国は貪欲にして、その強大なことをたのみ、口先だけのでたらめを言って璧を求めている。②実行をともなわないことば。空論。
【空語】クウゴ うそ。そらごと。空言。
【空江】クウコウ 人の気配のないさびしい川。
【空耗・空△秏】クウコウ むなしくとぼしい。何もないこと。
【空谷】クウコク ①人の気配のないさびしい谷。②大きい谷。
【空谷△跫音】クウコクのキョウオン 人けのない谷にひびく足音。転じて、非常に珍しいこと。予期しない喜びなどのたとえ。『荘子』徐無鬼編に「夫逃二空谷一者、……聞二人之足音跫然一而喜矣」とあるのに基づく。
【空谷足音】クウコクのソクオン ＝空谷跫音。
【空際】クウサイ 空が地と接して見えるような、はるかな空。天際。
【空山】クウザン 人の気配のないさびしい山。また、木の葉の落ちつくした山。用例〔唐、王維、鹿柴詩〕空山不レ見レ人、但聞二人語響一。↓静まりかえった山に、人の姿はない、ただ人の話し声が響きとして伝わってくるだけ。
【空寂】クウジャク さびしい。ひっそりとしてさびしいこと。
【空手】クウシュ 一 すで。からて。徒手。二 から て 国沖縄から伝わった武術。素手で敵をたおす術。唐手。
【空△翠】クウスイ ①したたるような緑色。②空にそびえる木立ちの緑色。
【空青】クウセイ ①おおぞら。青空。②鉱石の一種。銅鉱から採り、薬・顔料の原料とした。
【空前絶後】クウゼンゼツゴ 以前にもあったことがなく、今後もないと想像されること。非常にめずらしいこと。〔宣和画譜、道釈二〕
【空疎・空△疏】クウソ 形だけで内容のないこと。
【空桑】クウソウ 僧徒。仏徒。仏門。
【空想】クウソウ ①わだかまりのない考え。②現実からかけはなれた考え。現実にあり得ないことを想像すること。
【空即（卽）是色】クウソクゼシキ 仏この世の物に実体がないということ、それがそのまま一切のものであり、その本然のすがたであるということ。〔般若心経〕→色即是空（一一九一ページ下）。
【空△潭】クウタン ものさびしい淵ふち。静かな淵。
【空談】クウダン ①むだばなし。無用の談話。②＝空論。
【空中楼（樓）閣】クウチュウのロウカク ①空中に築いたたかどののように見えるもの。蜃気楼シンキロウ。〔北宋、沈括、夢渓筆談〕②根拠のない物事。空想的な文章や議論など。〔通俗編、居処〕
【空洞】クウドウ ①ほらあな。うつろ。②度量の広いことの形容。
【空白】クウハク ①紙面の何も書いていない所。余白。②むなしいこと。何もないこと。
【空漠】クウバク ①広い砂はら。②広いさま。また、とりとめもないさま。
【空文】クウブン ①役に立たない文章。実用に適しない文章。②効力のない法律。有名無実の規則。
【空乏】クウボウ とぼしいこと。貧乏。
【空房】クウボウ ①さびしいねや。夫または妻のいない、ひとりねの寝室。空閨クウケイ。②人のいない部屋。③あき家。
【空無】クウム 仏一切の事物には実体がないという考え。
【空名】クウメイ 実際にそわない名声。虚名。
【空明】クウメイ ①清らかな水中にうつる月影。用例〔北宋、蘇軾、前赤壁賦〕桂櫂兮蘭槳、撃二空明一兮泝二流光一。↓美しいさおやかいをあやつって、水に映る月影にさおさして、光り輝く流れをさかのぼる。②空中。
【空冥】クウメイ おおぞら。天空。
【空△濛】クウモウ 小雨が降ったり、もやがたちこめたりして、うすぐらいさま。用例〔北宋、蘇軾、飲二湖上一初晴後雨詩〕水光瀲灎晴方好、山色空濛雨亦奇。↓さざ波に揺れる水面が月や日の光にきらきらと映じ、西湖の景色は晴れた日こそよい。そぼ降る小雨に山々がぼんやりとかすみ、雨の西湖の景色もまたすばらしい。
【空門】クウモン 仏仏教の総称。万物みな空という理を説くのでいう。
【空理】クウリ 実際とかけはなれた、よりどころのない理論。「空理空論」
【空裏】クウリ 空中。大空。
【空林】クウリン ①木の葉の落ちつくした林。②人里離れた林。③人けのない林。
【空論】クウロン 実際とかけはなれた、実行できない議論。

3【穸】8画 8572 漢セキ 呉ジャク 陌 xī 28312 — 4948

字義 ❶よる（夜）。長い夜。❷つかあな。墓穴。❸＝夕（二二二五）。

解字 篆文  形声。穴＋夕音。音符の夕は、日ぐれの意味。暗い墓穴・夜の意味を表す。

3【突】8画 8573 常 トツ つく 3845 93CB — —

4〔突〕9画 8574 人 漢トツ 呉ドチ 月 tū 18949 — —

筆順 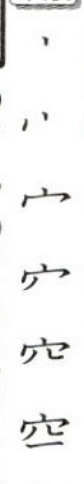

字義 ❶つく。㋐つきあたる。ぶつかる。「衝突」㋑つきでる。㋒しのぐ。冒す。❷にわか。にはか。だしぬけ。突然。「唐突」❸うがつ（穿セン）。ほる。❹けむだし。煙突。国❶つき。㋐剣術で、のどをつくわざ。㋑相撲すもうの手の名。❷つつく。㋐指先やくちばしで軽く何度もつく。㋑欠点や落ち度を取り上げて問題にする。

難読 突慳貪つっけんどん・突尼斯チュニジア

解字 甲骨文  篆文  会意。穴＋犬。あなから犬が出しぬけに飛び出すさまから、つきでるの意味を表す。

逆 温突・衝突・唐突

【突貫】トッカン 国①つきつらぬく。②一気につっこみ進むこと。つき破って進む。③一気に実行すること。「突貫工事」
【突起】トッキ 上につきでる。また、そのもの。
【突騎】トッキ 敵陣に突進する騎兵。
【突隙】トツゲキ ①煙突のすきま。②すきまをつく。虚をつく。すきに乗ずる。
【突撃（擊）】トツゲキ 敵陣に突き進んで攻撃すること。
【突△厥】トッケツ・トックツ türküt の音訳。南北朝時代から唐初にかけて中国の北方や中央アジアで強大であったトルコ民族。
【突△兀】トッコツ 高く突き出るさま。山などが高くそびえ立つさま。▼兀は、高い意。
【突出】トッシュツ ①つきでる。高くつきでる。②突然に飛び出る。③勢いするどく飛びでる。
【突如】トツジョ ＝突然。
【突進】トッシン 国まっしぐらにつき進む。一気につき進む。突前。猪突猛進チョトツモウシン。
【突然】トツゼン だしぬけに。にわかに。不意に。突如。突忽トッコツ。
【突△梯滑稽】トッテイコッケイ 世俗に従ってさからわず、それとともに移り変わること。〔楚辞、卜居〕
【突堤・突△隄】トッテイ 海中などにつき出して築いた堤防。
【突怒△偃△蹇】トツドエンケン 岩石などが突き出して怒っているようなようすの形容。人の怒ったさま、高慢なさまのたとえ。〔唐、柳宗元、鈷鉧潭西小邱記〕
【突発（發）】トッパツ 国だしぬけにおこる。突然発生する。

【突飛】ﾄｯﾋﾟ 国①だしぬけ。意外。②非常に変わっていること。人の意表に出ること。
【突鼻】ﾄｯﾋﾟ 国①主君の前でとがめを受けること。②さわぎ。騒動。

3【帘】8画 8575 レン 䀡 lián ⁱ8410 — 2810
字義 酒屋のしるしの旗。「酒帘」 難読 帘(さかばやし・さかばやし)
解字 会意。巾＋穴。穴のように狭い入り口に掛ける布、酒屋の看板の機能を果たす旗の意味を表す。

4【穽】9画 8576 漢セイ 呉ジョウ(ジャウ) 梗 敬 jǐng 6755 E276 —
［阱］13057 同字 ［汬］6192 古字
字義 おとしあな。けものをおとし入れて生けどるために設けたあな。陥穽。
解字 甲骨文 篆文 別体 形声。穴＋井音。阱の別体。音符の井は、いどの象形。井戸のような、おとしあなの意味を表す。
【穽陥(陷)】ｾｲｶﾝ おとしあな。陥穽。

4【窃】9画 8577 常 セツ 3264 90DE —
17『竊』22画 8578 漢セツ 呉セチ 屑 qiè 6770 E286 —
筆順
字義 ❶ぬす-む。㋐こっそりぬすみ取る。用例〔韓非子、五蠹〕其父窃レ羊、而謁二之吏一。↓父親が羊を盗んだところ、そのことを役人に告げた。㋑不当に受け取る。むなしく禄位などをうける。用例〔史記、孔子世家〕窃二仁人之号一、送レ子以レ言。↓(私は本当は仁人などではないが)仁人としての呼び名を許してもらい、あなたへ言葉をはなむけとする。／〔世説新語、言語〕雖レ有二窃秦之爵千駟之富一不レ足レ貴也。↓秦から盗んだ爵位や、四頭立ての馬車千台の富があったところで、尊ぶ価値はない。❷ぬすびと。❸ひそ-かに。㋐そっと。人知れず。心の中で。用例〔史記、廉頗藺相如伝〕寡人窃聞二趙王好レ音。↓私が内々に聞くところによると、趙王には音楽をお好みとのこと。㋑失礼ながら。卑見では。謙遜の辞。用例〔史記、項羽本紀〕窃為二大王一不レ取也。↓おそれながら、項王様のためにはよくないことだと考えます。
解字 篆文 会意。篆文は、穴＋米＋廿＋禼。この字形の意味は、はっきりしないが、一説に、穀象虫のたぐいで、人の知らない間に穀類を食い荒らす虫の意味から、ひそかにぬすむの意味を表すという。常用漢字の窃は、穴＋切音の形声文字で俗字による。
逆 草窃
【窃位】ｾｯｲ くらいをぬすむ。その徳・能力がなくて位につくこと。また、官職についていて、その特質をつくさないこと。
【窃視】ｾｯｼ ひそかにぬすみ見る。
【窃取】ｾｯｼｭ ひそかにぬすみ取る。
【窃窃】ｾｯｾﾂ ①声のかすかなさま。②明らかなさま。③知ったかぶりをするさま。④こそこそと話すさま。私語するさま。
【窃盗】ｾｯﾄｳ ぬすびと。また、ぬすむ。ぬすみ。
【窃△鈇】ｾｯﾌﾟ 天下の大権をぬすみ取ること。▼鈇は、刑罰の道具で、王者の大権を象徴するもの。
【窃△鈇疑】ｾｯﾌﾟのうたがい(ひ) 疑いの心で見ると、その人の動作のすべてが疑わしく見えること。鈇を失った者がその隣人を疑って見ると、その言語・動作のすべてが、盗んだ者らしく見えたという故事に基づく。〔列子、説符〕

4【穿】9画 8579 人 標 一セン 先 chuān 二セン 霰 chuàn 3292 90FA —
［穿］8585 俗字
筆順
字義 一❶うが-つ。㋐ほる。ほりひらく。用例〔史記、滑稽伝〕発二甲卒一為穿レ壙。↓兵士たちを徴発して馬のために墓穴を掘る。㋑穴をあける。穴があく。破れる。㋒きわめる。じゅうぶん調べる。㋓つらぬく。用例〔杜子春伝〕見三其紫焔穿二屋上一。大火起四合、屋室俱焚。↓紫色の炎が屋根を突き抜けたのが目に入ったかと思うと、大火が起こって四方を取り巻き、建物が燃え始めた。❷あな(孔)。❸つかあな。墓穴。❹は-く。二つらぬく。国ほじ-る。ほじく-る。つついて穴をあける。つついて中のものを外へ出す。
解字 篆文 会意。穴＋牙。穴は、あな、牙は、きばの意味。きばであなをほる、うがつの意味を表す。
【穿結】ｾﾝｹﾂ 破れた所を結び合わせること。ぼろぼろの服をつづり合わせること。用例〔東晋、陶潜、五柳先生伝〕短褐穿結。↓たけが短い粗末な着物はぼろぼろである。
【穿孔】ｾﾝｺｳ ①穴をあける。②うがったあな。③銭の穴。
【穿△鑿】ｾﾝｻｸ ①穴をあけること。②穴のない所に穴をあけるように、根ほり葉ほり調べること。③こじつけて解釈すること。④国㋐並べたてること。㋑事がら。様子。
【穿井】ｾﾝｾｲ 井戸を掘る。
【穿鼻】ｾﾝﾋﾞ ①鼻に穴をあけること。南方の異民族の風俗。その穴に玉などをさげる。②未開の異民族の一種。③人に引きずられるばかりで自主性のないことのたとえ。④語尾が鼻に抜ける音をいう。
【穿△敝】ｾﾝﾍﾟｲ 穴があいて破れる。
【穿△窬・穿△踰】ｾﾝﾕ 壁に穴をあけたり、かきねを越えたりして忍びこんで盗みを働くこと。こそどろ。また、こそこそと悪い事をする人のたとえ。穿窬之盗。〔孟子、尽心下〕
【穿△窬△之盗】ｾﾝﾕのﾄｳ ＝穿窬・穿踰。〔論語、陽貨〕

4【窀】9画 8580 チュン 真 zhūn — — 4950
字義 ❶あつい(厚)。また、ながい(長)。❷あつく葬る。また、埋葬する。
解字 篆文 形声。穴＋屯音。音符の屯は、集めるの意味。土を厚く盛り集めて墓穴に手厚く葬るの意味を表す。
【窀△穸】ﾁｭﾝｾｷ ①埋葬する。②つかあな。墓穴。

4【突】9画 (8574) トツ 突(8573)の旧字体。→一〇六一ページ下。

4【窆】9画 8581 ヘン 琰 艶 biǎn — — 4953
字義 ❶ほうむ-る。ひつぎを墓穴におろして埋める。❷つかあな。墓穴。
解字 形声。穴＋乏音。

4【窅】9画 8582 ヨウ(エウ) 嘯 yǎo — — 4949
字義 ❶ふかい(深)。❷くらいところ。❸部屋の南東の隅。
解字 形声。穴＋夭音。音符の夭は、不可思議なみこ(巫女)の象形。穴は、あなの意味。知り尽くせない深い穴の意味を表す。

4【窂】9画 8583 ロウ(ラウ) 豪 láo ₂8313 — 4951
字義 ❶みちる。❷おり。＝牢(7135)。❸かたい。
解字 会意。穴＋牛。

5【窄】10画 8584 人 標 漢サク 呉シャク 陌 zhǎi 2685 8DF3 —
筆順
字義 ❶せま-い(狭)。❷せまる(迫)。せばまる。❸すぼーむ。すぼーまる。縮んで小さくなる。また、先のほうが細くなる。つぼーむ。

解字 形声。穴＋乍㊥。音符の乍(サク)は、つくるの意味。穴を作る、せまいの意味を表す。

【窄狭(狭)】(サクキョウ・サッキョウ) すぼまってせまい。

【窄窄】(サクサク) せまいさま。

【窄△衫】(サクサン) つつ袖(そで)。また、その衣服。

5 【穿】 10画 8585 セン 穿(8579)の俗字。→一〇六二ページ・中。

5 【窋】 10画 8586 ━㊛チュツ・㊒チュチ 質 zhú ━㊛タツ・㊒タチ 黠 ― ― 4955

字義 ━❶物が穴の中にあるさま。❷穴から出かかるさま。❸むなしい。うつろ。━❶＝━❶。❷いわや。あな。❸周の先祖、后稷(コウショク)の子の名。

解字 篆文 形声。穴＋出㊥。物が穴から出かかるの意味を表す。

5 【窈】 10画 8587 ヨウ(エウ) 篠 yǎo 6756 E277 ―

字義 ❶ふかい(深)。おくぶかい。また、とおい。深遠。❷かすか。また、くらい。❸よい。また、うつくしい。❹しとやか。また、おくゆかしい。❺あでやか。❻のびやか。

解字 篆文 形声。穴＋幼㊥。音符の幼は、幽に通じ、光がかすかの意味。穴が暗く、ふかいの意味を表す。

【窈糾】(ヨウキュウ) 女性の姿ののびのびとしてしなやかなさま。

【窈然】(ヨウゼン) 奥深くかすかなさま。

【窈△窕】(ヨウチョウ) ①おくゆかしい。上品。②しとやか。女性のしとやかなさま。用例〔詩経、周南、関雎〕窈窕淑女(ヨウチョウたるシュクジョは)、君子好逑(クンシのコウキュウ)。↓しとやかな淑女は、君子のよきつれあい。③なまめかしい。④男性のしとやかな姿をいう。⑤奥深いさま。また、奥深い所。用例〔東晋、陶潜、帰去来辞〕既窈窕以尋レ壑(すでにヨウチョウとしてたにをたずね(づ)ね)、亦崎嶇而経レ丘(またキクとしておか(を)をへ(ふ))。↓奥深い谷をおとずれてみたし、また、けわしい丘を通りすぎて自然を楽しんでもみたのだった。

【窈△窕之章】(ヨウチョウのショウ) 『詩経』周南・関雎(カンショ)の詩をいう。用例〔北宋、蘇軾、前赤壁賦〕誦二明月之詩一(メイゲツのシをショウし)、歌二窈窕之章一(ヨウチョウのショウをうたう(ふ))。↓『詩経』の明月の詩(陳風「月出」)を歌い、窈窕の章(周南「関雎」)を歌った。

【窈△渺】(ヨウビョウ) ひろびろとしているさま。

【窈冥】(ヨウメイ) ①奥深く暗いさま。②うす暗い。③奥深くてはかり知ることのできないさま。

【窈窈】(ヨウヨウ) ①奥深く遠いさま。②暗いさま。

5 【窅】 10画 8588 ━ヨウ(エウ) 篠 yǎo ━㊛ベン・㊒メン 霰 ― 8950 ― 4952

字義 ━❶くぼんだ目のさま。❷深く遠いさま。❸のぞむ(望)。遠くみやる。━なげきうらむさま。

解字 篆文 会意。穴＋目。穴は、あなの意味。深くくぼんでいる目の意味を表す。

【窅然】━(ヨウゼン) 奥深く遠いさま。用例〔唐、李白、山中問答詩〕桃花流水窅然去(トウカリュウスイ ヨウゼンとしてさる)、別有二天地非一人間(ベツにテンチのジンカンにあらざるあり)。↓桃の花びらを浮かべた水がはるか遠くに流れて行く。ここに俗界を超越した別天地があるのだ。━(ベンゼン) なげいてぼんやりするさま。

【窅△窕】(ヨウチョウ) 奥深いさま。

【窅△眇】(ヨウビョウ) 深くはるかなさま。

【窅冥】(ヨウメイ) 奥深く暗いさま。

【窅窅】(ヨウヨウ) ①奥深く遠いさま。②暗いさま。

6 【窐】 11画 8589 ━㊛ケイ・㊒ケ 斉 guī ━㊛コウ(カウ)・㊒キョウ(ケウ) 肴 2 8315 ― 4956

字義 ━❶うつろ。あな。❷こしき(土製の蒸し器)の底の穴。━窐寥(コウリョウ)は、奥深くうつろなさま。

解字 形声。穴＋圭㊥。

6 【窓】 11画 8590 ━ソウ(サウ) 江 chuāng ━ソウ 東 cōng 教6 ソウ まど 3375 918B ―

筆順 丶 宀 穴 穵 空 窓 窓 窓 窓

【窗】8598 正字 【囪】1832 本字 【牕】7115 同字 【牎】7120 同字 【窻】8615 同字 【窓】8604 俗字

字義 ━まど。あかりとり。用例〔東晋、陶潜、帰去来辞〕倚二南窓一以寄レ傲(ナンソウによりて、もってゴウをよせ)、審二容レ膝之易一レ安(ひざをいるるのやすんじやすきをつまびらかにす)。↓南側の窓にもたれて気ままにくつろぎ、膝しか入らないほどのこの狭いわが家こそ、もっとも落ち着く場所だと悟った。━❶まど。❷けむだし。煙突。

名前 まど

解字 篆文 篆文(囪) 別体(窗) 形声。穴＋忩(悤)㊥。もと、穴＋囪㊥。音符の囪(ソウ)は、屋根にあけた、まどの象形で、窓の原字。常用漢字の窓は、窗の省略体。

逆 学窓・寒窓・蛍窓・獄窓・書窓・深窓・鉄窓・同窓

【窓△紗】(ソウサ) まどにかける薄絹。

【窓前草不レ除】(ソウゼンのくさのぞかず) 自然のままの状態を、そのままにして楽しむこと。宋の周敦頤(シュウトンイ)が、窓さきに生じた草を伸びるにまかせた故事による。〔北宋、程顥、程氏遺書〕

【窓△牖】(ソウユウ) まど。▼牖は、壁にうがった窓。

【窓△櫺】(ソウレイ) まどの格子(コウシ)。まどのれんじ。

6 【窒】 11画 8591 ━㊛チツ・㊒チチ 質 zhì ━㊛テツ・㊒テチ 屑 zhì 常 チツ 3566 9282 ―

筆順 丶 宀 穴 穵 空 窒 窒 窒 窒

字義 ━❶ふさーぐ。とじる。また、ふさーがる。つまる。「窒息」❷とまる(止)。とどまる。❸元素の名。窒素。

難読 窒扶斯(チフス)

解字 篆文 形声。穴＋至㊥。音符の至は、塡(テン)に通じ、いっぱいつめこむの意味。穴の中に物がいっぱいにつまるの意味を表す。

【窒△礙】(チツガイ) ふさぎさまたげる。また、そのもの。

【窒皇】(テッコウ) 宗廟(ソウビョウ)(祖先のみたまや)の前の門。墓前の門。

【窒息】(チッソク) 国呼吸がふさがりとまる。いきがつまる。

【窒塞】(チッソク) ①陰暦の七月と八月とをいう。②ふさがる。

6 【窕】 11画 8592 ━㊛チョウ(テウ)・㊒ジョウ(デウ) 篠 tiǎo ━チョウ(テウ) 蕭 tiāo 6758 E279 ―

字義 ━❶ふかい(深)。おくぶかい。❷しとやか。また、おくゆかしい。「窈窕(ヨウチョウ)」❸みめよい。容貌が美しい。━❶かるい。かるがるしい。軽率。❷いどむ(挑)。❸ぬすむ(盗)。

解字 篆文 形声。穴＋兆㊥。音符の兆は、割れるの意味。割れ目の深い穴の意味を表す。

6 【窑】 11画 8593 ヨウ 窯(8610)の俗字。→一〇六五ページ・中。 ― ― 4957

6 【窔】 11画 8594 ヨウ(エウ) 嘯 篠 yào ― ― 4958

字義 ❶深い。❷部屋の東南隅。

解字 形声。穴＋交㊥。

6 【窊】 11画 8595 ━㊛ワ・㊒エ(ヱ) 麻 wā ━㊛ワ・㊒エ(ヱ) 禡 wā 2 8314 ― 4954

字義 ━❶くぼーむ。❷ひくい(低)。━くぼみ。くぼ地。

解字 篆文 形声。穴＋瓜㊥。音符の瓜(カ)は、うりのような曲線の意味。くぼむの意味を表す。

7 【窘】 12画 8596 漢キン 呉ギン 軫 jiǒng 6759 E27A —

字義 ❶せまる(迫)。さしせまる。❷くる-しむ。「困窘」❸きわまる。つまる。❹あわただしい。国たしな-める(たしなむ)。穏やかに注意する。

解字 篆文 形声。穴＋君音。音符の君は、困に通じ、くるしむの意味。穴に追いつめられ苦しむの意味を表す。

【窘急】キンキュウ さしせまる。また、ゆきづまる。
【窘窮】キンキュウ 苦しみゆきづまる。
【窘困】キンコン ①苦しみこまる。②貧しくてこまる。
【窘△蹙】キンシュク 苦しみちぢまる。すくむ。
【窘辱】キンジョク 苦しめはずかしめる。
【窘束】キンソク ちぢまって伸びない。ちぢまって自由にならない。
【窘迫】キンパク さしせまる。困窮する。
【窘歩】キンポ ①いそがしく歩む。②歩行になやみ苦しむ。
【窘厄】キンヤク 苦しみ。災難。

7 【窖】 12画 8597 漢コウ(カウ) 呉キョウ(ケウ) 効 jiào 6760 E27B —

字義 ❶あなぐら。地中の穴。❷ふかい(深)。❸蔵する。

解字 篆文 形声。穴＋告音。音符の告は、牿(コク＝コウ)に通じ、牛馬をとじこめる「おり」の意味。穀類を密閉して貯える地下倉の意味を表す。

7 【窗】 12画 8598 ソウ 6757 E278 —
窓(8590)の正字。→一〇六三ページ中。

8 【窠】 13画 8599 カ(クワ) 歌 kē 1 8951 — 4960

字義 ❶す。穴の中の巣。鳥や獣の巣。❷へや。家。❸くぼみ。あな。うつろ。

解字 篆文 形声。穴＋果音。音符の果は、盌(ワン)に通じ、わんのようにくぼんでいるの意味。くぼんでいるあな、鳥獣の「す」の意味を表す。

8 【窟】 13画 8600 常 クツ 漢コツ・呉コチ 慣クツ 月 kū 2302 8C41 —

筆順 窟

字義 ❶いわや(いはや)。あなぐら。「洞窟(ドウクツ)」❷あな。ほらあな。❸すみか。人や動物の集まるところ。「巣窟」❹動物のすむあな。

参考 現代表記では〔屈〕(2793)に書きかえることがある。「理窟→理屈」

解字 形声。穴＋屈音。音符の屈は、身をかがめるの意味。身をかがめて入る穴、いわやの意味を表す。

【窟居】クッキョ ほらあなずまい。いわやずまい。
【窟穴】クッケツ ①あな。ほらあな。②ねじろ。巣窟(ソウクツ)。根拠地。③物がその中から出てくる所。
【窟室】クッシツ むろ。地下室。

8 【窣】 13画 8601 漢ソツ 呉ソチ 月 sū 2 8316 — 4961

字義 ❶穴の中からにわかに出る。にわか。突然。❷窣窣(ソツソツ)は、風音のものさびしい形容。

解字 篆文 形声。穴＋卒音。音符の卒は、にわかの意味。穴からにわかに出るの意味を表す。

8 【窞】 13画 8602 漢タン 呉ドン 感 dàn — — 4959

字義 ❶横穴。❷穴の底にある小穴。

解字 形声。穴＋臽音。

9 【窩】 14画 8603 標 ワ 慣カ(クワ) 歌 wō 6761 E27C —

字義 ❶むろ。あなぐら。いわや。❷くぼみ。「眼窩」❸すみか。別荘。❹かくす。また、物をかくしておく所。 難読 窩主買(けいずかい)

解字 形声。穴＋咼音。音符の咼は、渦(カ)に通じ、うずのようなくぼみの意味。穴を付し、くぼみの意味を表す。

【窩蔵(藏)】カゾウ 盗賊をかくまったり、その盗品を隠してやったりすること。かくまう。また、その人。その宿。窩主。

9 【窻】 14画 8604 ソウ 6 8316
窓(8590)の俗字。→一〇六三ページ中。

9 【竃】 14画 8605 ソウ 1 8952 — —
竈(8629)の俗字。→一〇六六ページ中。

9 【窬】 14画 8606 ユ 虞 yú 2 8317 — 4962

字義 ❶壁をくりぬき木で作った戸。門のかたわらのくぐり戸。❷こえる(越)。＝踰(11767)。「穿窬(センユ)」

解字 篆文 形声。穴＋俞音。音符の俞は、ぬけでるの意味。門のかたわらに壁をうがって作ったくぐり戸の意味を表す。

9 【窪】 14画 8607 人 標 漢ワ 呉エ(ヱ) 麻 wā 2306 8C45 —

筆順 窪

字義 ❶くぼ-む。へこむ。ひくい(低)。❷くぼ。くぼみ。❸しみず。清い水。また、たまり水。

〔漥〕 6666 同字

解字 篆文 形声。氵(水)＋窐音。音符の窐(ケイ＝ワ)は、あなの意味。水のたまるようなくぼみの意味を表す。

【窪下】ワカ くぼんで低い。また、くぼんだ場所。くぼ地。
【窪△樽】ワソン 石がくぼんで酒樽(さかだる)のような形をしたもの。
【窪隆】ワリュウ ①くぼむことと、もりあがること。高低。②すたれることと、おこること。盛衰。

10 【窮】 15画 8608 常 キュウ きわ-める・きわ-まる 漢キュウ(キウ)・呉グウ 東 qióng 2171 8B87 —

筆順 窮

〔竆〕 8626 本字

字義 ❶きわ-まる(きはまる)。㋐おわる。終わりになる。用例〔史記、刺客伝〕図窮而匕首見(ずきわ(は)まりてヒシュあらわ(は)る)。↓地図をひろげ終わるとあいくちが現れた。㋑とまる(止)。㋒つまる。ふさがる。㋓苦しむ。尽きる。困る。「困窮」㋔貧しくなる。「貧窮」❷きわ-める(きはむ)。㋐つきつめてたずねる。用例〔唐、王之渙、登二鸛鵲楼一詩〕欲レ窮二千里目一(センリのめをきわ(は)めんとほっし)、更上一層楼(さらにのぼるイッソウのロウ)。↓千里かなたの眺望を極め尽くそうとして、更に楼を一層上まで登って行った。㋑苦しめる。困らせる。㋒しらべる。❸きわまり。きわみ。はて。「無窮」❹困り苦しむ人。たよる所のない人。❺ふしあわせ。不遇。逆境。貧乏。

名前 きわむ・み

使いわけ きわめる・きわまる〔究・窮・極〕⇩究(8569)。

解字 篆文 形声。篆文は、穴＋躳音。音符の躳(キュウ)は、また、身＋呂。身は、はらんだ腹の象形。呂は、せぼねの象形。合わせてからだの意味。人の体が穴に押しつめられる、きわまるの意味を表す。窮は、弓の音が変化し、躳と同音となってから書かれるようになった。

逆 困窮・振窮・貧窮・不窮・無窮・厄窮

【窮案】キュウアン きわめしらべる。罪状を徹底的に調べる。
【窮陰】キュウイン 冬の末。季冬。陰気のきわまる時の意。
【窮△裔】キュウエイ 非常に遠い土地。▼裔は、衣服のすそで、辺地の意。
【窮海】キュウカイ ①遠い海。また、海のはて。②遠いはての地。▼海は、晦(カイ)で、文化の及ばないへんぴな所。③海のはてまで行く。「窮海極天」④海辺(遠いはての地)で困窮する。
【窮期】キュウキ きわまる時期。終わり。際限。
【窮△匱】キュウキ ①貧乏になる。また、貧乏人。②尽きる。

用例〔列子、湯問〕子子孫孫、無二窮匱一也。↓こうして、子々孫々人は尽きることがないのだ。
【窮居】キュウキョ ①貧乏ぐらしをする。②いなかずまいをする。仕えないで野(民間)にいること。
【窮△竟】キュウキョウ ①きわめつくす。②つまり。結局。究竟。
【窮境】キュウキョウ 苦しい境遇。ひどく苦しい立場。
【窮極】キュウキョク ①きわまり。おわり。はて。②きわまる。おわる。また、きわめつくす。③貧窮の極。貧乏のどん底。
【窮屈】キュウクツ ①きわまりつきる。②国自由がきかない。気楽でない。
【窮△蹇】キュウケン 貧乏して苦しみなやむこと。
【窮孤】キュウコ みよりのないもの。困窮してたよる所のないもの。
【窮△巷】キュウコウ ①むさくるしいちまた。②行きづまった小道。
【窮荒】キュウコウ ①凶作で苦しむ。②荒れはてた遠方の地。
【窮△寇】キュウコウ 追いつめられた敵兵。用例〔孫子、軍争〕窮寇勿レ追。↓追いつめられた敵兵は死にものぐるいで抵抗するので、深追いしてはいけない。
【窮困】キュウコン 苦しみこまる。なんぎする。用例〔史記、滑稽伝〕居数年、其子窮困負レ薪。↓数年を経、息子は貧乏になり、薪を背負って暮らしを立てていた。
【窮△而後工】キュウしてのちにたくみなり 行きづまった末に作品が巧妙になる。生活に窮してはじめて詩文が上達する。
【窮愁】キュウシュウ 困窮の悲しみ。また、はなはだしいうれえ。
【窮状(狀)】キュウジョウ こまっているようす。
【窮人】キュウジン 生活にこまっている貧しい人。また、身分の低い人。
【窮泉】キュウセン ①地下のはての泉。泉下。墓の中をいう。②地を深く掘ること。
【窮措大】キュウソダイ 貧乏書生。窮書生。
【窮△鼠△嚙レ猫】キュウソねこをかむ 追いつめられたねずみがねこにかみつく。弱い者もいざというときは、強い者に勝つことがあるというたとえ。〔塩鉄論、刑法〕
【窮達】キュウタツ 困窮と栄達。こまり苦しむことと立身出世すること。窮通。用例〔後漢、班彪、王命論〕窮達有レ命、吉凶由レ人。↓人生の困窮と栄達は運命だが、吉と凶はその人の行動内容が原因だ。
【窮地】キュウチ ①遠いはての地。②遠いはてまでも行くこと。③国苦しい立場。なんぎな場合。
【窮鳥入レ懐(懷)】キュウチョウふところにいる 追いつめられたとりが、人のふところに入る。困窮してたよってくる者があれば、あわれみ助けるべきことのたとえ。〔顔氏家訓、省事〕
【窮通】キュウツウ ①困窮と栄達。貧困と立身出世。窮達。②奥底まで通ずること。
【窮途】キュウト 行きづまりの道。転じて、困窮の境遇。特に仕官の道を得ないこと。
【窮冬】キュウトウ 冬の末。陰暦の十二月。
【窮年】キュウネン 年をきわめる。㋐一生涯。㋑天寿を全うすること。
【窮迫】キュウハク ひどくこまる。こまりきる。
【窮髪】キュウハツ 草木のはえない極北の地方。不毛の地。
【窮乏】キュウボウ 貧しくなる。貧しい。また、貧しさ。貧乏人。
【窮北】キュウホク 北のはて。極北の地。
【窮民】キュウミン ①たよる所のない民。苦しみなやむ民。②貧乏な民。
【窮厄・窮△阨】キュウヤク 苦しみこまる。㋐不遇でいること。㋑貧乏していること。
【窮約】キュウヤク 貧しいこと。不如意なこと。
【窮余(餘)】キュウヨ 国苦しんだあげく。苦しまぎれ。「窮余の一策」
【窮理】キュウリ ①物事の道理を推しきわめること。②万物に宿る理(性)をきわめ明らかにすることによって人間の本性をさとること。宋代の朱子は、居敬(心を専一にすること)とともに、学問修養の眼目とした。
【窮△閭】キュウリョ へんぴな村里。▼閭は、村里の門。
【窮△廬】キュウロ ①天幕で作ったすみか。穹廬。②貧乏ずまい。貧しい家。
【窮老】キュウロウ ①貧しいことと、年をとっていること。困窮と老年。②非常に年老いること。また、その人。③老いをきわめる。天寿をまっとうする。
【窮△臘】キュウロウ おしせまった年のくれ。▼臘は、陰暦十二月に行う祭り。

10【⿱穴氣】15画 8609 ヒ 寘 pì　$_2$8318 — —
字義 へ(屁)。
解字 会意。穴+氣。

10【窯】15画 8610 常 ヨウ かま　ヨウ(エウ) 蕭 yáo　4550 9771 —
筆順 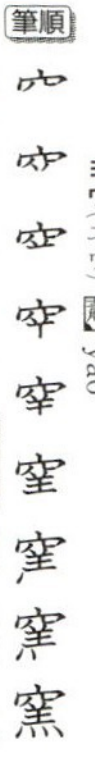
［窰］8611 同字 ［窑］8593 俗字
字義 ❶かま。かわらや陶器を焼くかまど。❷すえもの。陶器。
解字 篆文  形声。穴+羔音。音符の羔ヨウは、羊をやくの意味。土器をやく穴、かまどの意味を表す。
逆 陶窯

10【窰】15画 8611 ヨウ　窯(8610)と同字。→一〇六五ページ中。　6763 E27E —

11【窺】16画 8612 人 標 ㊀キ 支 kuī ㊁キ 紙 kuǐ　1714 894D —
筆順 
字義 ㊀❶うかがう。のぞく。そっと見る。用例〔唐、柳宗元、三戒〕蔽二林間一窺レ之。↓(虎は)林の間に隠れて驢馬の様子をうかがった。❷みる(視)。㊁片足をふみだす。また、片足の歩幅。
名前 み
解字 篆文  形声。穴+規音。音符の規は、はかるの意味。穴の中をはかる、のぞき見るの意味を表す。
【窺△掩】キエン のぞき見する。そっと見る。
【窺管】キカン くだをのぞく。くだの中から天上をのぞく。見識のせまいことのたとえ。用例〔西晋、陸雲、与二陸典一書〕窺二管而瞻レ天。↓管の穴から天上をのぞき見る。
【窺△覬】キキ うかがいねらう。▼覬も、うかがう。
【窺△釁】キキン すきをうかがう。▼釁は、すき。
【窺伺】キシ うかがう。のぞいて見る。また、人の様子をうかがって、機会があったら事をしようとすること。「窺伺傚慕」
【窺△覘】キテン うかがう。うかがいねらう。
【窺△窬・窺△覦】キユ すきをうかがう。ひそかに身分不相応のことを願い望むこと。用例〔南朝斉、王倹、褚淵碑文〕窺二窬神器一。↓神器を(得ようと)すきをうかがう。

11【窶】16画 8613 ㊀漢ク・呉グ 麌 jù ㊁漢ロウ・呉ル 尤 lóu　6764 E280 —
字義 ㊀❶まずしい(貧)。みすぼらしい。「貧窶」❷ちいさい(小)。せまい。㊁甌窶オウロウは、せまい高地。国❶やつれる。㋐やせおとろえる。㋑様子が悪くなる。みすぼらしくなる。❷やつす。㋐目立たないように姿をかえる。㋑文字の画をくずす。㋒やせるほどに心をつかう。「憂き身をやつす」
解字 形声。穴+婁音。音符の婁ル=ロクは、佝僂などに通じ、不自由の意味を表す擬態語。穴に入ったようで窮屈、まずしい、の意味を表す。

11【窹】16画 8614 ゴ 遇 wù　$_2$8320 — 4965

字義 かまど。
解字 形声。穴＋爿＋吾音。

11【窹】16画 8615 ソウ 窓(8590)と同字。→一〇六三ページ中。 1 8954 ― 4966

11【竃】16画 8616 ソウ 竈(8629)の俗字。→一〇六六ページ中。 2 8319 ― ―

11【窼】16画 8617 漢ソウ(サウ) 呉ショウ(セウ) 宥 zhāo 2 8321 ― 4967
字義 ねぐら。す。穴の中の鳥の巣。
解字 形声。穴＋巣音。

11【窵】16画 8618 チョウ(テウ) 嘯 diào ― ― 4964
字義 窵窅(チョウヨウ)は、奥深いさま。
解字 形声。穴＋鳥音。

12【窾】17画 8619 カン(クヮン) 旱 kuǎn 2 8322 ― ―
字義 ❶むなしい(空)。うつろ。❷あな(穴)。❸かれる(枯)。
解字 形声。穴＋款音。
【窾言】(カンゲン) でたらめ。うそ。款言。

12【竀】17画 8620 ソウ 竈(8629)の俗字。→一〇六六ページ中。 1986 8A96 ―

12【窳】17画 8621 ユ 麌 yǔ 1 8953 ― 4963
字義 ❶くぼむ。また、くぼんでいる。❷ゆがむ。いびつになる。器物の形がゆがむ。「苦窳」 ❸よわる(弱)。❹おこたる。
解字 篆文 形声。穴＋㼌音。音符の㼌(ユ)は、弓なりの曲線の意味。くぼんだ穴、くぼむ・ゆがむの意味を表す。
【窳△楛】(ユコ) 器物がいびつでもろいこと。苦窳。
【窳惰・窳堕(墮)】(ユダ) なまけおこたる。

12【窿】17画 8622 リュウ(リウ) 東 lóng 6767 E283 ―
［窿］2702 同字
字義 天空のまるく弓なりになっているさま。
解字 形声。穴＋隆音。音符の隆は、高くもりあがる意味を表す。

13【竅】18画 8623 キョウ(ケウ) 嘯 qiào 6765 E281 ―
字義 ❶あな(穴)。❷あなをあける。❸とおす(通)。
解字 篆文 形声。穴＋敫音。音符の敫(キョウ)は、うつの意味。うって穴をあけるの意味を表す。

13【竄】18画 8624 サン 慣ザン 翰 cuàn
［竄］8625 俗字
字義 ❶かくれる。かくす。❷のがれる。❸いれる(容)。❹かすか。また、ひそか。❺すてる。また、はなつ。追放する。遠地においやる。「流竄(ルザン)」 ❻しみいる。香などがしみこむ。❼あらためる。文字をかえる。「改竄(カイザン)」
解字 篆文 会意。穴＋鼠。ねずみが穴にかくれるさまから、一般に、かくれるの意味を表す。
【竄改】(ザンカイ) 文字を書きかえる。改竄。
【竄斥】(ザンセキ) 追いはらい、しりぞける。
【竄窃(竊)】(ザンセツ) 他人の詩文やその一部を盗み取って自分の作とすること。
【竄△謫】(ザンタク) 罪によって遠方の地に流すこと。竄流。
【竄△黜】(ザンチュツ) 官位をおとして遠地に追放する。竄貶(ザンペン)。黜は、しりぞける。
【竄定】(ザンテイ) けずり改める。詩文などの悪い所をなおして正しく改めること。改定。
【竄逃】(ザントウ) にげのがれる。逃竄。
【竄匿】(ザントク) にげかくれる。竄伏。
【竄入】(ザンニュウ) ①にげこむ。かくれ入る。②まぎれこむ。原文の中に原文以外の文句がまぎれこむこと。
【竄伏】(ザンプク) ＝竄匿。
【竄流】(ザンリュウ) 島流しにする。流竄。

13【竄】18画 8625 ザン 竄(8624)の俗字。→一〇六六ページ中。 6766 E282 ―

14【竆】19画 8626 キュウ 窮(8608)の本字。→一〇六四ページ下。 ― ― 4968

14【竂】19画 8627 ゲイ 霽 yì 2 8323 ― ―
字義 ねごと。
解字 形声。穴＋爿＋臬音。

15【竇】20画 8628 □一 漢トウ・呉ズ(ヅ) 宥 dòu □二 漢トク・呉ドク 屋 dú 6769 E285 ―
字義 □一 ❶あな。まるい穴。❷穴を通す。❸水ぐち。水道。❹くぐり門。□二 みぞ。水道。＝瀆(6787)。
解字 形声。穴＋賣音。音符の賣(トク＝トウ)は、出し入れするの意味。出し入れする穴の意味を表す。

16【竈】21画 8629 標 ソウ(サウ) 号 zào 6762 E27D ―
［灶］6860 俗字 ［竃］8605 俗字 ［竃］8616 俗字 ［竈］8620 俗字
字義 ❶かまど。へっつい。❷かまどの神。また、かまどの祭り。❸塩を売る家。
解字 金文 篆文 会意。金文は、穴＋黽。黽(ボウ)は、かえるの象形。四つの足に力を入れてふんばるかえるの形をした、かまどの意味を表す。のち、さらに、土を付した。
難読 竈突(くど)
【竈君】(ソウクン) かまどを守る神。竈神。
【竈戸】(ソウコ) 塩を売る家。また、塩を焼く家。
【竈神】(ソウシン) かまどを守る神。旧暦十二月二十三日に天に上り、上帝にその家の事を告げ除夜に降(くだ)るといわれ、家ごとに送迎の祭りを行う。竈君。
【竈突未△黔】(ソウトツいまだくろまず) かまどの煙突がまだ黒くならない。新居に移って間もないこと。転々と家をかえることにいう。〔塩谷宕陰、送二安井仲平東遊一序〕
【△媚△於竈一】(かまどにこぶ) かまどの神にこびへつらう。主権者よりも、実力のある者にこびへつらうたとえ。〔論語、八佾〕

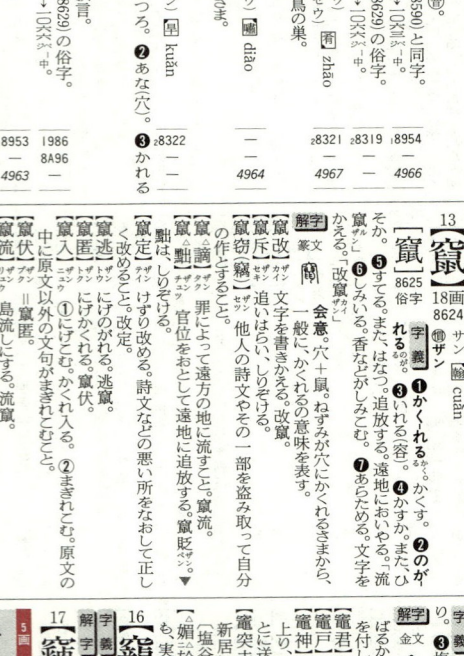

16【竉】21画 8630 ロウ 董 lǒng ― ― 4969
字義 孔竉(コウロウ)は、穴。
解字 形声。穴＋龍音。

17【竊】22画 (8578) セツ 窃(8577)の旧字体。→一〇六三ページ上。

立 たつ・たつへん 5画

〔部首解説〕 立を意符として、立つ動作に関する文字ができている。なお、竟(キョウ)・章は、本来は、音の部首に属する文字であるが、検索の便宜上、立部に含まれている。また、リットルを立と意訳したところから、メートル法の体積の単位を表す文字ができている。

19 贛 一三六六

0
【立】
5画 8631 教1

リツ・リュウ
たつ・たてる
熟字訓 立ち退く
リュウ(リフ) 𠮷 lì
慣リツ

4609
97A7
—

筆順 丶 亠 亣 立

字義 ❶たつ。㋐たちどまる。とどまり立つ。㋑まっすぐに立つ。「直立」㋒立ちあがる。おきあがる。㋓しっかりたつ。固く守って動かない。一人前になる。用例〔論語、為政〕三十而立。⇩三十歳になると学問・思想の基礎が確立した。㋔さだまる。決定する。用例〔後漢書、郎顗伝〕恭陵火災主犯の名前がなお判明しなかった。㋕なる(成)。用例〔礼記、冠義〕君臣正、父子親、長幼和、而後礼義立。⇩君臣の道は正しく、父子は親しく、老人と若者はなごみ、そうして礼義というものが完成する。㋖存在する。行われる。用例〔戦国策、燕〕燕秦不一両立一。⇩燕と秦とはともには存在しえない。㋗位につく。用例〔戦国策、斉〕威王薨、宣王立。⇩威王が逝去して、宣王が位についた。㋘のぞむ(臨)。

❷たてる。㋐たてにする。おこす。用例〔書経、牧誓〕立二爾矛一。⇩おまえたちの矛を立てなさい。㋑樹立する。成し遂げる。㋒もうける。また、建てる。つくる。用例〔管子、軽重〕立二台榭一、築二牆垣一。⇩物見台を建造し、土塀を築く。㋓さだめる。決める。用例〔荀子、議兵〕立レ法施レ令、莫レ不二順比一。⇩法度を決めて命令を下すと、皆なついてしたがう。㋔位につける。用例〔韓非子、内儲下〕立二奚斉一為二太子一。⇩奚斉を立てて太子とした。㋕とめる。とどめる。用例〔史記、范雎伝〕立レ車而語曰。⇩車を止めて話した。

❸たちどころに。ただちに。用例〔史記、項羽本紀〕沛公至レ軍、立誅二殺曹無傷一。⇩沛公は自軍に帰り着くと、すぐさま曹無傷を処刑した。

国 リットル。容積の単位。一リットルは一辺一〇センチの立方体の容積。

名前 たか・たかし・たち・たつ・たつる・たて・たる・はる

使いわけ たてる・たつ〔建・立〕⇩建(3270)。

解字 甲骨文 金文 篆文 指事。甲骨文でよくわかるように、一線の上に立つさまを示し、たつの意味を表す。立の意味と音符とを含む形声文字に、笠・粒などがある。

逆 確立・却立・建立・骨立・孤立・樹立・侍立・自立・成立・存立・対立・卓立・中立・直立・佇立・独立・擁立・林立

【立案】①計画のしくみをたてる。趣向を考える。②国文章の下書きを作る。草案を作る。

【立夏】二十四気の一つ。暦の上で、夏にはいる日。陽暦の五月六日ごろ。⇩コラム 気候(二十四気)(八〇三ページ)。

【立願】仏願をかける。神仏に願い事をする。

【立脚】①立場を定めること。②よりどころ・根拠とすること。「立脚地」

【立教】教えを立てる。教えを世に示す。

【立極】極をたてる。㋐中正の道を定めること。㋑国皇位を定める。

【立憲】国憲法を定め設けること。

【立言】①後世のいましめとなるりっぱなことばを残すこと。また、そのことば。②国意見を述べる。また、述べた意見・論説。

【立后】皇后を定めたてること。

【立号(號)】①「天子・皇帝」などと称すること。帝位につくこと。②号令すること。③立って、声をあげて泣く。

【立志】①こころざしを立てる。②心をふるいおこす。奮発する。用例〔孟子、万章下〕懦夫有レ立レ志。⇩意志の弱い人も発奮するようになる。

【立秋】二十四気の一つ。暦の上で、秋にはいる日。陽暦の八月八日ごろ。⇩コラム 気候(二十四気)(八〇三ページ)。

【立春】二十四気の一つ。暦の上で、春にはいる日。陽暦の二月四日ごろ。八十八夜・二百十日は、この日から起算する。⇩コラム 気候(二十四気)(八〇三ページ)。

【立証(證)】国証拠をあげること。証拠だてる。

【立身】①=立レ身(一三八六ページ下)。②国出世する。

【立身出世】国社会的に高い地位につき、世間に名をあらわすこと。りっぱな人になり、栄達すること。

【立△錐△之地】きりのさきを立てるほどのせまい土地。また、わずかな空所。立錐の余地。用例〔史記、留侯世家〕滅二六国後一、使レ無二立錐之地一。⇩秦は六国の跡継ぎたちを滅ぼし、わずかな土地さえないようにしました。

【立体(體)】位置・形・大きさを持つ物体。

【立談】①立ちながら話をする。たちばなし。②説をたてる。論ずる。

【立地】①国土を平定すること。②たちまち。すぐに。③地上に立つ。

【立△儲】皇太子を定める。▼儲は、皇太子。

【立冬】二十四気の一つ。暦の上で、冬にはいる日。陽暦の十一月七、八日ごろ。⇩コラム 気候(二十四気)(八〇三ページ)。

【立派】国みごと。優れている。「立破(相手を論破する)」からの語という。

【立腹】国腹をたてる。怒る。

【立法】①法律を定める。②国国家の三権の一つ。国が法律を定めること。

【立命】一メイ 天から与えられた本性をそこなわないで、天命を全うすること。二メイ 仏身を天命にまかせて生死利害に処して泰然としていること。「安心立命」

【立論】議論のすじみちをたてる。議論を構成する。また、その議論。

【可二立△而待一△也】立って待っていればよい。たちまちのうちにそうなってしまう意。

【不レ立】世に処してゆくことができない。

2
【竌】
7画 8632
ショ 𠮷 chù

28324
—
4970

字義 ただしい。

解字 形声。立+處省音。

2
【𨐨】
7画 (11982)
シン 辛部。↓一四〇一ページ上。

2
【竍】
7画 8633 国字

6771
E287
—

字義 デカリットル。容積の単位。リットルの十倍。

解字 形声。十+立音。litre の音訳を音符の立が表し、十は、その十倍の意味を表す一種の新形声文字。

3
【妾】
8画 (2351)
ショウ 女部。↓三六六ページ上。

3
【竎】
8画 8634
漢フウ 呉フ 宥 fù

18955
—
4971

字義 のぼる(登)。

解字 会意。立+廾。

難読 日竎

3【音】8画 (1428) ホウ 口部。→二五九ページ中。

3【竏】8画 8635 国字 6772 E288 —
字義 キロリットル。容積の単位。リットルの千倍。
解字 形声。千＋立㊥。litre の音訳を音符の立が表し、千は、その千倍の意味を表す一種の新形声文字。

4【音】9画 (13418) イン 音部。→一三五一ページ下。

4【奇】9画 (148) キ 大部。→六七ページ中。

4【彦】9画 (3374) ゲン 彡部。→四九六ページ上。

4【竑】9画 8636 漢コウ(クワウ) 呉オウ(ワウ) 庚 hóng 28325 EE67 4972
字義 ❶ひろい(広)。❷はかる。ものさしではかる。❸つよい。
解字 形声。立＋厷㊥。

4【竕】9画 8637 国字 6773 E289 —
字義 デシリットル。容積の単位。リットルの十分の一。
解字 形声。分＋立㊥。litre の音訳を音符の立が表し、分は、その十分の一の意味を表す一種の新形声文字。

4【竓】9画 8638 国字 6774 E28A —
字義 ミリリットル。容積の単位。リットルの千分の一。
解字 形声。立＋毛㊥。litre の音訳を音符の立が表し、毛は、一の千分の一の意味を表す一種の新形声文字。

5【站】10画 8639 漢タン 呉テン 陥 感 zhàn 6775 E28B —
字義 ❶たつ。ひとりで立つ。❷たたずむ。久しく立ち止まる。❸うまつぎ。宿駅。宿場。❹さかずきをのせる台。❺停車場。駅。「車站」
解字 形声。立＋占㊥。音符の占は、特定の点をしめるの意味。たつの意味を表す。

站④

5【竚】10画 8640 漢チョ 呉ジョ(ヂョ) 語 zhù 6776 E28C —
字義 たたずむ。＝佇(274)。
解字 形声。立＋宁㊥。

5【竝】10画 (37) ヘイ 並(36)の旧字体。→三三ページ上。

5【竜】10画 (14607) リョウ 龍部。→一六五八ページ下。

5【竛】10画 8641 漢レイ 呉リョウ(リャウ) 青 líng — — 4973
字義 竛竮(レイヘイ)は、せかせか行くさま。
解字 形声。立＋令㊥。

6【竟】11画 8642 標 一 漢ケイ 呉キョウ(キャウ) 敬 jìng 二 漢ケイ 呉キョウ(キャウ) 梗 8079 E8ED —
字義 一❶おわる(終)。また、おえる。おわり。用例〔史記、廉頗藺相如伝〕秦王竟レ酒、終不レ能レ加二勝於趙一。→秦王は酒宴を終えるまで、結局趙を屈服させることはできなかった。❷つきる(尽)。音楽がつきる。❸きわまる。また、きわめる。用例〔史記、司馬穰苴伝賛〕雖二三代征伐一、未レ能レ竟二其義一。→三代の頃の征伐でさえも、〔司馬兵法の〕精神を究めているとはいえない。❹わたる。つらなる。用例〔漢書、王莽伝上〕恩施下竟二同学一。→恩恵がくだって同学の者にまで及んだ。❺ついに。㋐とうとう。用例〔杜子春伝〕問者大怒、摧斬争射レ之、声如レ雷、竟不レ応。→問いただした者たちは大いに怒り、彼を切り刻み、争って射殺そうとし、その声はまるで雷のようであったが、〔杜子春は〕あくまで応じようとはしなかった。㋑かえって。あろうことか。用例〔史記、伯夷伝〕盗跖日殺二不辜一、肝二人之肉一、暴戻恣睢、聚レ党数千人、横二行天下一、竟以レ寿終。→大泥棒の盗跖は毎日罪のない人を殺し、人の肉を酢づけにし、乱暴を行い勝手気ままにふるまい、数千人の仲間を集めて天下に横行したが、あろうことか天寿をまっとうした。二さかい。さかひ。＝境(2104)。
解字 篆文 会意。音＋儿。儿は、人の象形。人が音楽を演奏し終わるの意味を表す。竟を音符に含む形声文字に、境・鏡などがある。

【竟△場】キョウエキ さかい。境界。また、国境。
【竟宴】キョウエン 国宮中で、祭事・書物の講義や編修などが終わった後で開く宴会。
【竟日】キョウジツ 一日中。終日。
【竟夕】キョウセキ 夜どおし。夜もすがら。終夜。
【竟内】キョウナイ・ケイダイ 境のうち。区域のうち。用例〔荘子、秋水〕願以二竟内一累矣。→どうか、〔楚国の〕国政をおまかせしたいのです。▼竟は、境。

6【章】11画 8643 教3 ショウ ショウ(シャウ) 陽 zhāng 3047 8FCD —
筆順 亠 立 立 产 音 音 音 章 章 章
字義 ❶あや。美しい模様。かざり。色どり。❷しるし。「記章」❸はん。はんこ。「印章」❹あきらか。明らかにする。＝彰(3385)。「表章」❺あらわれる。また、あらわす。❻楽曲の一節。首尾の完結した一段落。「楽章」❼詩文の一節。首尾がそろい意義のまとまっている文章のひとくぎり。❽ふみ。文書。文章。❾くぎり。ほど。きりめ。わかち。区別。❿のり。てほん。法律。法式。⓫はた(旗)。⓬かたち(形)。⓭殷代の冠の名。⓮文体の名。上奏文の一つ。⓯古代の暦法で、十九年をいう。
名前 あき・あきら・あや・き・しょう・たか・とし・のり・ふさ・ふみ・ゆき 難読 章魚たこ
解字 金文 篆文 象形。金文は、墨だまりのついた大きな入れ墨用の針の象形で、あや・しるしの意味を表す。『説文解字』では、音＋十の会意とし、音楽のまとまりの意味と説く。章を音符に含む形声文字に、嶂・彰・璋などがある。
逆 印章・回章・楽章・玉章・勲章・憲章・肩章・顕章・詞章・辞章・周章・首章・日章・表章・文章・平章・褒章・紋章

【章回小説】ショウカイショウセツ 白話(口語)で書かれた小説の、話題ごとに回を分けて書かれたもの。
【章懐太子】ショウカイタイシ 唐の李賢の諡おくりな。字あざなは明允メイイン。高宗と則天武后の子。上元二年(六七五)、太子となったが、武后に逆らい、太子を廃されて庶人となり、のちに自殺した。諸儒を集めて范曄ハンヨウの『後漢書』に注したことで知られる。(六五四?—六八四)
【章学(學)誠】ショウガクセイ 清シンの史学者。字あざなは実斎。四十一歳で進士となるも仕官せず、黄宗羲コウソウギ・朱筠シュインらに学び、著述に専念した。史学・地方志に精通し、著書に『文史通義』『史籍考』『実斎文鈔』などがある。(一七三八—一八〇一)
【章魚】ショウギョ たこ。海産動物の一種。蛸たこ。
【章句】ショウク ①文章の章と句。▼句は短いくぎりで、章は句が集まって一段をなすもの。②文章の意味を明らかにするために、文章を章・句に分け、句読点をつけること。
【章句学(學)】ショウクガク 文章の一句一章の読みや解釈のみにこだわって、全体の内容に通じない学問。漢代の訓詁学クンコガクは、この弊害があるといわれる。〔後漢書、韓融伝〕
【章皇・章△偟】ショウコウ さまよう。彷徨ホウコウ。彷徨ホウコウ。
【章識】ショウシ 旗じるし。紋どころ。
【章奏】ショウソウ 天子にたてまつる文書。上奏文。
【章草】ショウソウ 草書の一体。前漢の元帝のとき、史游シユウの作った『急就章』の書体からできたものとも、後漢の章帝の作ったものともいわれる。⇩コラム 文字・書体の変遷(六三三ページ)。
【章程】ショウテイ ①暦や度量衡などの標準を定める法式。②規則。おきて。法律。
【章△牘】ショウトク 文書。書きもの。
【章表】ショウヒョウ ①しるし。②あらわす。表章。
【章服】ショウフク ①紋、または記号などの模様のある衣服。②罪人に着せる衣服。
【章△甫】ショウホ 殷イン代の冠の名。緇布シフの冠。孔子がこれを用いてから、儒者の冠となったという。
【章法】ショウホウ 文章の章・段のくみたて方。
【尋レ章摘レ句】ショウをたずね(つ)ねクをつむ ＝尋章摘句ジンショウテキク(四二五ページ下)
【断(斷)レ章取レ義】ショウをダンじギをとる ＝断章取義ダンショウシュギ(六三七ページ上)。

6 【翌】 11画 (9527) ヨク 羽部。→一一五八ページ中。

6 【翊】 11画 (9529) ヨク 羽部。→一一五八ページ中。

6 【竡】 11画 8644 国字 6778 E28E —
字義 ヘクトリットル。容積の単位。リットルの百倍。
解字 形声。百＋立(音)。litre の音訳を音符の立が表し、百は、その百倍の意味を表す一種の新形声文字。

7 【竢】 12画 8645 シ 6779 E28F —
俟(368)の古字。→一〇八ページ下。

7 【竣】 12画 8646 人 シュン 真 jùn 2955 8F76 —
筆順 亠 立 竣 竣 竣 竣 竣 竣
字義 ❶おわる(をはる)。おえる(をふ)。仕事をなしおえる。「竣工」 ❷しりぞく。さがる。 ❸うずくまる。ふす(伏)。 ❹とどまる。とどめる。やむ(止)。また、あらためる。
名前 たかし
解字 篆文 形声。立＋夋(音)。音符の夋シュンは、蹲ソンに通じ、うずくまるの意味。立は、たつの意味。うずくまる・とどまる・やむの意味を表す。
【竣工・竣功】シュンコウ 工事ができあがること。竣成。

7 【竦】 12画 8647 標 漢ショウ 呉シュウ 腫 sǒng 6780 E290 —
字義 ❶おそれる(おそる)。すくむ。 ❷おどろく。 ❸つつしむ。かしこまる。 ❹つまだつ。つま先で立つ。のびあがる。 ❺そばだつ。そびえたつ。 ❻あげる(上)。あがる。用例(杜子春伝)左右竦レ剣而前 さゆうケンをそばだててすすみ、逼問二姓名一 セイメイをとう(ふ)。⇩側近たちは剣をかざして進み、迫って(杜子春トシシュンに)姓名を問うた。 ❼うごく(動)。うごかす。 ❽すすめる(勧)。
解字 篆文 形声。立＋束(音)。音符の束ソク=ショウは、ひきしめるの意味。心をひきしめて立つ、つつしむの意味を表す。
【竦企】ショウキ 足をつまだてること。また、そうして待ち望む。
【竦△懼】ショウク おそれおののく。
【竦△峙】ショウジ 高くそびえる。そびえたつ。
【竦竦】ショウショウ 高くそびえるさま。

7 【竫】 12画 8648 漢セイ 呉ジョウ(ジャウ) 敬 jìng 2 8326 EE68 —
字義 ❶人名。❷身が正しくきちんとしている。
解字 会意。立＋身。

7 【童】 12画 8649 教 3 ドウ わらべ 漢トウ・呉ドウ 東 tóng 3824 93B6 —
筆順 亠 立 产 音 音 音 音 童 童
字義 ❶わらべ。わらわ(わらは)。未成年者。「児童」 ❷おろか。 ❸角のまだ生えない牛や羊。 ❹はげる。㋐頭髪がなくなる。㋑山に草木がなくなる。 ❺しもべ。めしつかい。罪によってしもべとなった人。男性を童、女性を妾ショウという。 ❻ひとみ。＝瞳(8082)。
名前 のぶ・み・わか・わらわ
解字 金文 篆文 形声。金文は、辛＋目＋重(音)。辛は、いれずみのはりの象形。音符の重は、おもいふくろの象形。目の上にいれずみをされ、重いふくろを背負わされた、どれいの意味を表し、転じて、わらべの意味をも表す。
逆 怪童・河童・山童・児童・神童・牧童・幼童
【童牙】ドウガ 幼いこども。幼少。
【童△孩】ドウガイ 小さいこども。▼孩は、あやすと笑う。
【童△丱】ドウカン こども。▼丱は、こどもの髪型、あげまき。
【童顔】ドウガン ①こどもの顔。②こどもっぽい顔。
【童形】ドウギョウ ①おさな子の姿。稚児姿ちごすがた。②貴人の元服以前の称。
【童子】ドウジ ①こども。未成年者。②こどもの召し使い。③ひとみ。瞳子ドウシ。
【童児(兒)】ドウジ こども。幼い者。童子。
【童△豎】ドウジュ ①こども。▼豎も、こども。②こどもの召し使い。
【童女】ドウジョ 未婚の女子。処女。また、十歳前後の女子。
【童心】ドウシン こども心。無邪気な心。
【童男】ドウダン・ドウナン 未婚の男子。また、十歳前後の男子。
【童稚】ドウチ こども。童幼。
【童貞】ドウテイ まだ異性と関係したことのないこと。また、その人。主として、男子についていう。
【童土】ドウド 草木の生えない土地。荒れ地。
【童童】ドウドウ ①さかんなさま。②木に枝のないさま。③きよくかがやくさま。④木が茂ってあたりを覆っているさま。
【童僕】ドウボク こどもの召し使い。
【童△蒙】ドウモウ ①こども。▼蒙は、物事にくらい。②無知なもの。無知な初学者。
【童幼】ドウヨウ おさないもの。こども。童稚。
【童謡(謠)】ドウヨウ ①こどもの間に自然に発生して流行する歌。②こどもが歌うために作られた歌。

8 【竩】 13画 8650 ギ — — *4975*
誼(11255)の古字。→一三二一ページ中。

8 【靖】 13画 8651 人 4487 96F5 —

8 〔靖〕 13画 8652 漢セイ 呉ジョウ(ジャウ) 梗 敬 jìng — EE69 —
筆順 亠 立 立 立 竍 竍 靖 靖
字義 ❶やすい(やすし)。やすらか。しずか。❷やすんずる(やすんず)。やすらかになる。やわらぐ。また、やすらかにする。静める。おさめる。❸おもう(思)。はかる(謀)。❹やめる(息)。❺よい(善)。きよい。
名前 おさむ・きよ・きよし・しず・せい・のぶ・やす・やすし
注意 靖は、『康熙コウキ字典』では、青部に所属する。
解字 篆文 形声。立＋青(青)(音)。音符の青は、静に通じ、しずかの意味。静かに立つ、やすんじるの意味を表す。
【靖共・靖恭】セイキョウ 自分の職務をつつしみ勤めること。

【靖△匡】（セイキョウ） やすんじただす。やすらかに治めること。

【靖献(獻)】（セイケン） 臣下が義をつくして、先王の霊に誠意を尽くすこと。

【靖献(獻)遺言】（セイケンイゲン） 国書名。二巻。江戸中期の学者浅見絅斎（あさみケイサイ）の著。楚ッの屈原以下八人の忠臣の事跡を述べて、尊王倒幕の思想を鼓吹した。

【靖国(國)】（セイコク） 国をやすらかに治めしずめる。国家を安泰にする。靖ㇾ国（くにをやすんず）。用例〔左伝、僖公二十三〕吾以靖ㇾ国也（われもってくにをやすんずるなり）。↓私は国をやすらかに治めしずめる。

【靖△綏】（セイスイ） やすらか。また、やすんじる。綏靖。

【靖節(節)先生】（セイセツセンセイ） 陶潜（一五一五ページ中）の諡（おくりな）。

【靖難】（セイナン） 国難を救い、平和にすること。

【靖兵】（セイヘイ） 戦争をやめる。息兵。

8 **【竫】** 13画 8653 漢セイ 呉ジョウ(ジャウ) 梗 jìng | 18956 EE6A 4976

字義 ❶**しず-か**（しずか）。＝静(13283)。❷やすらか。おちつき安んずる。＝靖(8651)。❸えらぶ(撰)。また、述べる。

解字 **形声**。立＋争㊥。

8 **【竨】** 13画 8654 漢**チョウ**(テウ) 呉ジョウ(デウ) 嘯 diào | 28327 — 4974

字義 竨嬈（チョウギョウ）は、高く険しい。

解字 **形声**。立＋卓㊥。

9 **【竬】** 14画 8655 ク 麌 qǔ | — — 4977

字義 立つ。

解字 **形声**。立＋禹㊥。

9 **【竭】** 14画 8656 漢**ケツ** 呉ゲチ 屑 月 jié | 6781 E291 —

字義 ❶**つ-きる**（つく）。なくなる。❷**つ-くす**(尽)。あるかぎりを出す。用例〔唐、柳宗元、捕ㇾ蛇者説〕殫ニ其地之出一（そのチのシュツをつくし）、竭ニ其廬之入一（そのロのニュウをつくす）。↓土地の産物を出し尽くし、一家の収入を出し尽くす。❸かれる(渇)。水がなくなる。用例〔楽府詩集、上邪〕山無ㇾ陵（やまにリョウなく）、江水為ㇾ竭（コウスイつくるをなす）。↓山が平らになり、川の水が枯れ果ててしまう。❹やぶれる(敗)。ほろびる(滅)。❺ことごとく。❻せおいあげる。もちあげる。

解字 篆文  **形声**。立＋曷㊥。音符の曷ㇰは、高くあげるの意味。立を付し、背負ってあげるの意味を表す。また、渇に通じ、つきるの意味を表す。

【竭△蹶・竭△蹷】（ケツケツ） ①つまずき倒れる。ころげるようにして急いで行くこと。②力が足りないのに努力してゆくこと。

【竭尽(盡)】（ケツジン） つくす。ありったけをつくす。また、つきる。

【竭誠】（ケッセイ） まごころをつくす。

9 **【颯】** 14画 (13528) サツ 風部。→一五六八ページ下。

9 **【竪】** 14画 8657 人 標 漢シュ 呉**ジュ** 麌 shù | 3508 9247 —

筆順 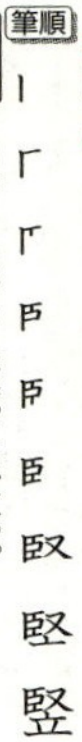

字義 ＝豎(11460)。**たて**(縦)。また、立つ。

名前 ただ・ただし・たつ・なお・なおし 難読 竪堀（たてぼり）

解字 **会意**。臤＋立。本字は豎であるが、たつの意味に引かれ、また、豆と立との字形の似ているところから、豎が竪となった。

9 **【端】** 14画 8658 常 タン はし・は・はた タン 寒 duān | 3528 925B —

筆順 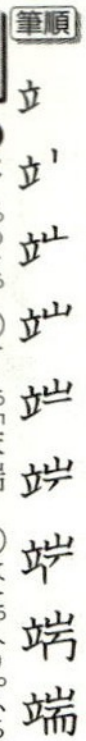

字義 ❶**はし**。つま。㋐すえ。「末端」㋑はた。へり。ふち。きわ。㋒はて。かぎり。「端涯」❷**ただ-しい**（ただし）。まっすぐ。かたよらない。「端正」❸ただす。正しくする。❹はじめ。いとぐち。おこり。きざし。用例〔孟子、公孫丑上〕惻隠之心（ソクインのこころは）、仁之端也（ジンのタンなり）。↓あわれみの心は仁の萌芽である。❺もと(本)。本源。「大端」❻つまびらか。❼織物の長さの単位。周代の一端は二丈。または一丈六尺。一丈は約一・八メートル。❽周代の朝廷の礼服。黒色の麻製で、袖での下がほぼ方形のもの。→玄端（九三九ページ下）。国❶**タン**。織物の長さの単位。鯨尺で長さ二丈六尺または二丈八尺、幅九寸の布。一丈(十尺)は約三・八メートル。❷**はた**。㋐器物のへり。外縁。㋑ほとり。また、かたわら。❸**は**。㋐はし。「山の端」㋑はした。はんぱ。「端役（はヤク）」「端数（はスウ）」

名前 ただ・ただし・ただす・なお・はし・はじめ・まさ・もと 難読 端岡（はしおか）

解字 篆文  **形声**。立＋耑㊥。立は、まっすぐたつの意味。音符の耑ㇱは、何物にも汚されていない物事のはじめの意味。まっすぐ・はじめの意味を表す。

逆 異端・極端・戦端・多端・途端・発端・万端・筆端・両端

【端衣】（タンイ） 周代、朝廷で用いた正式な礼服。主に喪祭で用いた。

【端委】（タンイ） 周代、朝廷で用いた礼服。▼端は正しい、委は長くて地に垂れるさま。

【端一】（タンイツ） ①まっすぐでひとすじなこと。②陰暦の五月一日の別名。

【端崖・端涯】（タンガイ） 果て。かぎり。

【端△愨】（タンカク） 心が正しくて誠意がある。▼愨は、誠意。

【端△揆】（タンキ） 宰相をいう。もろもろの政治を正しくはかる意。

【端居】（タンキョ） 一 ①ふだん。つねづね。②正しくきちんとすわっていること。二 はしい(居) 国座や家のはしにすわる。

【端△拱】（タンキョウ） 正しく手をこまぬく。▼拱は、手をこまぬくこと。㋐人君が無為にして天下を治めること。㋑じっとして何もしないこと。㋒臣下が顔色を正して朝廷に立つこと。

【端渓(溪)】（タンケイ） ①地名。広東（カントン）省高要市の東南にある、硯（すずり）の名産地。②端渓産のすずり石。

【端△倪】（タンゲイ） ①事の本末終始。▼端はいとぐち、倪は田の境界の意で、田の終わる所。用例〔荘子、大宗師〕不ㇾ知ニ端倪一（タンゲイをしらず）。↓始まりと終わりが分からない。②きわ。はし。③物事の初めから終わりまでを測り知る。用例〔唐、韓愈、送ニ高閑上人一序〕旭之書（キョクのショは）、変動猶ニ鬼神一（ヘンドウしてなお(ほ)キシンのごとく）、不ㇾ可ニ端倪一（タンゲイすべからず）。↓張旭の草書の字は、(心の変化を表現するために)自由奔放に変化し動くので、ちょうど霊魂や神の存在のように、初めから終わりまでその変化を測り知ることができない。

【端月】（タンゲツ） 正月の別称。▼端は、はじめ。

【端△妍】（タンケン） 端麗で美しい。

【端言】（タンゲン） 正しくいう。また、そのことば。

【端厳(嚴)】（タンゲン） 正しくおごそか。正しくきびしい。端正厳格。

【端午】（タンゴ） 陰暦五月五日の節句。古来、この日を男子の節句とし、邪気を払うため菖蒲（ショウブ）や蓬（よもぎ）を軒にさしたりなどする行事が行われる。端五。▼端は始め、午は五の意。

⇩コラム 年中行事（四六五ページ）。

【端行】（タンコウ） ①正しくあゆむ。まっすぐ歩く。②正しい行為。

【端厚】（タンコウ） 正しくおとなしいこと。端正温厚。

【端座・端△坐】（タンザ） 正しくすわる。きちんとすわる。用例〔杜子春伝〕瞬息之間（シュンソクのカンに）、波及ニ坐下一（なみザカにおよぶも）、子春端坐不ㇾ顧（シシュンタンザしてかえり(へ)りみず）。↓あっという間に波が杜子春（トシシュン）の座っているあたりまで押し寄せたが、彼はじっと座ったまま顧みようともしなかった。

【端舟】（タンシュウ） 大型船に積み込まれ、上陸や連絡などに用いる小船。ボート。はしぶね。

【端書】 一（タンショ） 正しく書くこと。二（はがき） 国郵便はがき。三（はしがき） 国序文。また、手紙のはしに書きそえる文。

【端緒】（タンショ・タンチョ） はじめ。いとぐち。手がかり。「タンチョ」は誤読による慣用読み。

【端章△甫】（タンショウホ） 礼服と礼冠。▼端は、玄端の服で、周代

に諸侯が用いた黒色の正式の礼服。章甫は殷(イン)代の儀式用の冠。〔論語、先進〕

【端人】(タンジン) 心の正しい人。端士。

【端正】(タンセイ) 正しく、きちんとしていること。

【端誠】(タンセイ) 心が正しく誠があること。

【端整】(タンセイ) 正しく、きちんとととのっている。

【端然】(タンゼン) 行儀正しく、きちんとしているさま。

【端荘(莊)】(タンソウ) 正しくおごそか。きちんとして重々しい。

【端直】(タンチョク) 正しくまっすぐなこと。

【端艇】(タンテイ) 国ボート。はしけ。短艇。

【端的】(タンテキ) ①はたして。てっきり。案の定。②まさしく。㋐明白に。はっきり。㋑確実に。③事情。

【端門】(タンモン) ①宮殿の(南にある)正門。②魯(ロ)の城門の名。

【端憂】(タンユウ) 端然としてうれえる。

【端容】(タンヨウ) きちんとした姿かたち。

【端陽】(タンヨウ) ＝端午。

【端麗】(タンレイ) 行儀正しく姿が美しい。

【無ㇾ端】[一](タンなし・はしなし) ①いとぐちがない。②はてしない。無限。③やるせない。また、たいくつ。[二](はしなし) 思いがけなく。ゆくりなく。用例〔唐、賈島、度二桑乾一詩〕無ㇾ端更渡桑乾水(はしなくもさらにわたるソウカンのみず(を))、却望二幷州一是故郷(かえって(へ)ってヘイシュウをのぞめばこれコキョウ)。→思いがけなくも桑乾河を渡って、さらに北へ行くことになった。今まで過ごした幷州の方をふりかえって眺めると、(仮の宿と思っていたその町が)自分の故郷のように思われる。

9【竰】14画 8659 国字 6782 E292 —
字義 センチリットル。容積の単位。リットルの百分の一。
解字 形声。厘+立㊟。litre の音訳を音符の立が表し、厘(リ)は、寸の百分の一の意味を表すところから、合わせてセンチリットルの意味を表す一種の新形声文字。

11【竱】16画 8660 セン 銑 zhuǎn — — 4978
字義 等しい。等しくする。
解字 形声。立+專㊟。

11【竮】16画 8661 漢ヘイ 呉ヒョウ(ヒャウ) 青 píng
字義 竛竮(レイヘイ)は、せかせか行くさま。
解字 形声。立+屏㊟。

12【⿰立堯】17画 8662 ギョウ(ゲウ) 嘯 yáo
字義 ⿰立卓⿰立堯(チョウギョウ)は、高く険しい。
解字 形声。立+堯㊟。

12【竴】17画 8663 シュン 真 cūn ₂8328 — 4979
字義 よろこぶさま。
解字 形声。立+尊㊟。

15【競】20画 8664 教4 キョウ・ケイ きそ-う・せ-る 漢ケイ・呉ギョウ(ギャウ) 慣キョウ(キャウ) 敬 jìng 2205 8BA3 —
筆順 
［竸］8665 俗字
字義 ❶きそ-う(きそふ)。争う。くらべる。「競争」❷おう(逐)。❸すすむ(進)。おもむく。❹つよい。国❶せ-る。㋐せく。あせる。㋑せりあげる。❷せ-り。㋐せること。きそうこと。㋑せりうり。「競売」
名前 きそう
解字 甲骨文 金文 篆文  会意。もと、両言+両人。二人が向きあってことばを出しあう、きそうの意味を表す。

【競争(爭)】(キョウソウ) きそいあらそう。勝負・優劣を争う。

【競走】(キョウソウ) きそい走る。速さを争って走る。

【競逐】(キョウチク) さきを争って追いかける。

【競渡】(キョウト) 小舟で競走する、ボートレースの類い。

【競売(賣)】(キョウバイ・ケイバイ) せり売り。

【競奔】(キョウホン) さきを争って走る。

17【竸】22画 8665 キョウ 4931 995E —
競(8664)の俗字。→一〇七一ページ中。

19【贛】24画 (11628) コウ
貝部。→一三六六ページ中。

6画
瓜(瓜) うり
瓜は五画。

〔部首解説〕瓜を意符として、いろいろな種類のうりを表す文字ができている。なお、瓜の画数は、現行の字体では6画に数えるのが普通であるが、『康熙(コウキ)字典』では厶の部分をムのように連続して数えるので5画になる。本書では孤・弧なども含め、すべて6画とした。

0【瓜】6画 8666 人 標 漢カ(クワ) 呉ケ 麻 guā 1727 895A —
筆順 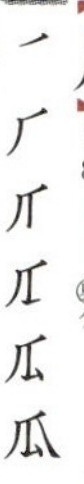
字義 うり。野菜の名。
名前 か 難読 瓜哇(ジャワ)・瓜生(うりゅう)・瓜破(うりわり)・瓜連(うりづら)
解字 金文 篆文  象形。つるに生(な)った、うりの象形で、うりの意味を表す。

【瓜葛】(カカツ) うりと、くず。ともに、つる草で、枝葉が互いにまといつくので、親類縁者にたとえる。

【瓜期】(カキ) ＝瓜時。

【瓜時】(カジ) ①うりの熟する時。陰暦七月。②任期が満ちて役人の交代する時期。春秋時代の斉の襄公(ジョウコウ)が、ある家来をうりの熟する時節に任地にやり、来年のうりの熟するころに交代させようと約束したという故事による。〔左伝、荘公八〕

【瓜代】(カタイ) 任期が満了すること。瓜時。

【瓜田不ㇾ納ㇾ履】(カデンにくつをいれず) うり畑を通っているときにくつが脱げても、うりを盗んだと疑われるから、うつむいてくつをはくことをしない。人から疑いを受けるような行為をするなとのたとえ。「不納履」は、足を履に納れないの意。「履に」と読むべきであるが、昔から「履を」と読んでいる。用例〔文選、古楽府、君子行〕瓜田不ㇾ納ㇾ履(カデンにくつをいれず)、李下不ㇾ正ㇾ冠(リカにかんむりをただきず)。→うり畑では履き物を履き直さない、すももの木の下では冠をかぶり直さない。

【瓜分】(カブン) うりを切りさくように、国土をたやすく分割する。

【瓜△李】(カリ) 瓜田と李下。うり畑とすももの木の下。ともに疑いをかけられやすいところ。→瓜田不ㇾ納ㇾ履。

5【瓞】11画 8667 漢テツ 呉デチ 屑 diē ₂8111 — 4482
字義 小さい瓜(うり)。もとなりの小瓜。
解字 形声。瓜+失㊟。

5【瓟】11画 8668 [一]漢ホウ(ハウ) 呉ビョウ(ベウ) 肴 pāo [二]漢ハク・呉バク 覚 bó — — 4483
字義 [一]ひさご。[二]小さい瓜(うり)。
解字 形声。瓜+包㊟。

6【瓠】12画 8669 [一]漢コ・呉ゴ 虞 遇 hù [二]漢カク(クワク) 呉ワク 薬 huò 6501 E140 —
字義 [一]ひさご。㋐ひょうたん・ゆうがお・とうがんなどの総称。㋑ひょうたん。ふくべ。ひょうたんの果実の内部を取り去って乾燥させたもの。酒などの容器として用いる。 二→瓠落。

解字 篆文 形声。瓜＋夸(音)。音符の夸(コ)は、弓なりに曲がるの意味。弓なりの曲線をもつ、ひさごの意味を表す。

【瓠△犀】(コサイ) ひさごの中のさね。美しくならんでいる白い歯の形容。美人の歯の形容。

【瓠尊】(コソン) ひさご型の酒つぼ。

【瓠落】(カクラク) ぼろぼろと欠け落ちること。一説に、平たく浅くて物を入れることのできないさま。また、一説に、廓落(カクラク)に通じ、中が広大でがらんどうなさま。〔荘子、逍遥遊〕

11 【瓢】 17画 8670 人 標 漢ヒョウ(ヘウ) 呉ビョウ(ベウ) 簫 piáo 4127 955A —

筆順 覀 覀 票 票 瓢 瓢 瓢 瓢

字義 ❶ひさご。ふくべ。ひょうたん。また、その果実で作った容器。＝瓠(8669)。❷ひしゃく。

名前 ひさ 難読 瓢虫(てんとうむし)

解字 篆文 形声。瓜＋票(㶾)(音)。音符の㶾(ヒョウ)は、火の粉が舞いあがるの意味を表す。うりの中でも軽い、ひょうたんの意味を表す。

【瓢飲】(ヒョウイン) ①ひさごに入れた飲みもの。②簡易生活をいう。顔回が一瓢の飲、一箪(タン)の食(シ)(わりごに入れた食べ物)の生活をして学問した故事に基づく。箪食(タンシ)瓢飲。用例〔論語、雍也〕一箪食(イッタンのシ)、一瓢飲(イッピョウのイン)、在二陋巷一(ロウコウにあり)。↓竹の器一盛りの飯と、ひさごの器一杯の飲み物とで満足して、みすぼらしい路地裏に住んでいる。

【瓢軽(輕)】(ヒョウキン) 国気軽でこっけいなこと。気軽でおどけること。「キン」は唐音。

【瓢△壺】(ヒョウコ) ひょうたんのつぼ。

【瓢△箪】(ヒョウタン) ①ひさごと、わりご。▼瓢は飲み物を入れる器、箪はわりごで、竹製のかごで飯を入れる器。②国＝字義❶。

14 【瓣】 20画 (3278) ベン 弁(3276)の旧字体。→四八三ページ中。

17 【瓤】 23画 8671 漢ジョウ(ジャウ) 呉ニョウ(ニャウ) 陽 ráng — — 4484

字義 ❶うりわた。瓜(うり)の実の中の種子を包んでいる部分。❷みかんなどの果実の内部の分かれた各房。

解字 形声。瓜＋襄(音)。

6画 竹 たけ・たけかんむり

〔部首解説〕 竹を意符として、いろいろな種類の竹や竹製の用具に関する文字ができている。符・箋(セン)・簿・籍・簡など、文書に関係ある文字に竹冠がつくのは、むかし、文字を書くのに竹の札(竹簡)を用いたことによる。

0 竹 一〇七三	2 竺 一〇七三	笂 一〇七三	3 竽 一〇七三	竿 一〇七四
笈 一〇七四	笣 一〇七四	笃 一〇七四	笉 一〇七四	笂 一〇七四
4 笈 一〇七四	笄 一〇七四	笏 一〇七四	笇 一〇七四	笫 一〇七四
笋 一〇七四	笑 一〇七四	笑 一〇七四	笒 一〇七四	笊 一〇七四
笔 一〇七四	笆 一〇七五	笔 一〇七五	5 笶 一〇七五	笳 一〇七五
笴 一〇七五	笻 一〇七五	笱 一〇七五	笮 一〇七五	笧 一〇七五
笥 一〇七五	笶 一〇七五	笙 一〇七五	笘 一〇七五	第 一〇七五
笪 一〇七五	笞 一〇七五	笛 一〇七六	笯 一〇七六	笩 一〇七六
笵 一〇七六	符 一〇七六	笫 一〇七六	笣 一〇七六	笨 一〇七六
笠 一〇七六	笭 一〇七六	笹 一〇七六	笽 一〇七七	6 筈 一〇七七
筐 一〇七七	笰 一〇七七	筃 一〇七七	筋 一〇七七	笲 一〇七七
筆 一〇七七	笟 一〇七七	筕 一〇七七	策 一〇七七	筍 一〇七八
筎 一〇七八	筌 一〇七八	筬 一〇七八	筅 一〇七八	筌 一〇七八
箋 一〇七八	筝 一〇七八	筑 一〇七八	答 一〇七八	等 一〇七八
筒 一〇七九	筏 一〇七九	筆 一〇七九	筈 一〇七九	7 筠 一〇八〇
筵 一〇八〇	筷 一〇八〇	筦 一〇八〇	筥 一〇八〇	筺 一〇八〇
筧 一〇八〇	箽 一〇八〇	筴 一〇八〇	筰 一〇八〇	箅 一〇八〇
筱 一〇八〇	箵 一〇八〇	筿 一〇八〇	筬 一〇八〇	筮 一〇八〇
節 一〇八〇	筹 一〇八一	筯 一〇八一	筳 一〇八一	筩 一〇八一
筫 一〇八一	8 箇 一〇八一	箉 一〇八二	管 一〇八二	箝 一〇八二
箕 一〇八二	箘 一〇八三	箟 一〇八三	箜 一〇八三	箞 一〇八三
箍 一〇八三	箎 一〇八三	算 一〇八三	箬 一〇八三	箠 一〇八三
箐 一〇八四	箋 一〇八四	箏 一〇八四	箒 一〇八四	箑 一〇八四
箸 一〇八四	箚 一〇八四	箪 一〇八四	箥 一〇八四	箈 一〇八四
箙 一〇八四	箙 一〇八四	箆 一〇八四	箪 一〇八四	箖 一〇八四
簑 一〇八四	9 篋 一〇八四	篏 一〇八四	篋 一〇八四	箛 一〇八四
箛 一〇八五	篌 一〇八五	篁 一〇八五	篊 一〇八五	箺 一〇八五
箄 一〇八五	箱 一〇八五	箾 一〇八五	箴 一〇八五	篇 一〇八五
箸 一〇八五	篂 一〇八五	節 一〇八五	節 一〇八〇	箭 一〇八五
箭 一〇八五	篊 一〇八五	箪 一〇八五	箸 一〇八五	篆 一〇八五
篁 一〇八六	範 一〇八六	篇 一〇八六	篇 一〇八六	篌 一〇八六
篈 一〇八六	篥 一〇八六	篂 一〇八六	10 篔 一〇八六	篙 一〇八六

篝 一〇八六	篝 一〇八六	簑 一〇八七	篡 一〇八七	篩 一〇八七
篛 一〇八七	篨 一〇八七	篪 一〇八七	築 一〇八七	篖 一〇八七
篤 一〇八七	篚 一〇八七	篦 一〇八七	簗 一〇八八	篭 一〇八八
篗 一〇八八	簗 一〇八八	篠 一〇八八	11 簃 一〇八八	篶 一〇八八
篋 一〇八八	篕 一〇八八	篭 一〇八八	篵 一〇八八	簑 一〇八八
簀 一〇八八	簎 一〇八八	篬 一〇八八	篹 一〇八八	簁 一〇八八
簉 一〇八八	篠 一〇八八	篸 一〇八八	簐 一〇八八	簇 一〇八八
篵 一〇八八	簌 一〇八九	篴 一〇八九	篼 一〇八九	篺 一〇八九
篳 一〇八九	簈 一〇八九	篾 一〇八九	篷 一〇八九	篰 一〇八九
簍 一〇八九	簏 一〇八九	篣 一〇八九	篻 一〇八九	12 簡 一〇八九
簣 一〇九〇	簥 一〇九〇	簀 一〇九〇	簛 一〇九〇	簨 一〇九〇
簮 一〇九〇	簞 一〇九〇	簟 一〇九〇	簟 一〇九〇	簦 一〇九〇
簙 一〇九一	簠 一〇九一	簱 一〇九一	13 簷 一〇九一	簳 一〇九一
簚 一〇九一	簺 一〇九一	籔 一〇九一	簫 一〇九一	簽 一〇九一
籀 一〇九一	簹 一〇九一	簸 一〇九一	簿 一〇九一	籅 一〇九二
簾 一〇九二	簾 一〇九二	簬 一〇九二	籙 一〇九二	篗 一〇九二
14 篝 一〇九二	纂 一一四三	簪 一〇九二	籍 一〇九二	籌 一〇九二
籕 一〇九二	籊 一〇九二	籆 一〇九二	籏 一〇九二	15 簣 一〇九三
籖 一〇九三	籔 一〇九三	籀 一〇九三	籘 一〇九三	籐 一〇九三
籓 一〇九三	籃 一〇九三	籥 一〇九三	16 籝 一〇九三	籛 一〇九三
籜 一〇九三	籗 一〇九三	籐 一〇九三	籟 一〇九三	簴 一〇九三
籠 一〇九三	籙 一〇九三	籐 一〇九三	17 籧 一〇九三	簶 一〇九四
籤 一〇九四	籥 一〇九四	籣 一〇九四	籢 一〇九四	18 籩 一〇九四
19 籭 一〇九四	籩 一〇九四	籮 一〇九四	籬 一〇九四	20 籯 一〇九四
籰 一〇九四	26 籲 一〇九四			

0 【竹】 6画 8672 教 1 チク たけ 熟字訓 竹刀(しない) 漢チク 屋 zhú 唐シツ 3561 927C —

筆順 ノ 𠂉 ケ 𥫗 竹

字義 ❶たけ。植物の名。❷ふえ(笛)。竹で作り、吹き鳴らす楽器。笙(ショウ)・簫(ショウ)などの類い。「糸竹」❸たけのふだ。昔、紙のなかった時代に文字を書いたもの。転じて、かきもの。書籍。「竹帛(チクハク)」

名前 たか・たけ 難読 竹城(たかぎ)・竹仁(たかに)・竹生島(ちくぶじま)・竹杷(いさらい)・竹柏(なぎ)・竹麦魚(ほうぼう)

解字 篆文 象形。たけの象形で、たけの意味を表す。竹を音符に含む形声文字のうち、「厚い」の意味を表すものに、竺(トク)・篤・築などがある。

逆 寒竹・苦竹・孤竹・糸竹・修竹・成竹・石竹・爆竹・墨

竹・緑竹

【竹院】チクイン　庭に竹の植えてある書院。また、竹林の中の書院。竹斎。

【竹雨】チクウ　竹に降りそそぐ雨。

【竹園】チクエン　①竹やぶ。②天子の子孫をいう。前漢の文帝の子の孝王が梁に封ぜられて庭園に竹を植えた故事に基づく語。竹の園生。

【竹管】チクカン　①竹のくだ。②竹のくだで作った容器。③筆の軸。④笛。⑤竹。

【竹簡】チクカン　竹の札。竹を細長く削って作った札で、昔、これを韋(なめし皮)で編んで巻物とし、漆で文字を書きしるした。転じて、書物。

竹簡

【竹△几】チクキ　竹のひじかけ。竹製の脇息。

【竹径(徑)】チクケイ　竹林の中の小道。

【竹光】㊀チクコウ　竹林のおもむき。竹の色合い。㊁たけみつ　国刀身が竹でできた刀。

【竹斎(齋)】チクサイ　＝竹院。

【竹枝】チクシ　竹のえだ。

【竹紙】チクシ　①竹を原料として作った紙。②国㋐薄い鳥の子紙。㋑雁皮紙、または唐紙の別名。

【竹書】チクショ　竹のふだに漆で書きしるした文字や文章をいう。

【竹△牀】チクショウ　竹製の腰かけ。竹製の寝台。

【竹素】チクソ　＝竹帛①。▼竹は簡、素は絹。

【竹添光△鴻】たけぞえ(へ)コウコウ　国明治・大正の漢学者。熊本の人。通称は進一郎、号は井井。光鴻は字。天津領事・朝鮮弁理公使・東京帝国大学教授を歴任した。程朱の学を主としたが、一派に偏せず、博学で考証に長じた。著書に『左氏会箋』『毛詩会箋』『論語会箋』『桟雲峡雨日記』などがある。(一八四二—一九一七)

【竹田】チクデン　たけやぶ。

【竹刀】㊀チクトウ　①竹製の刀。②臍の緒を切る竹の小刀。㊁しない(ひ)　国割り竹を束ねて作った刀。剣道の練習に用いる。

【竹筒】チクトウ・たけづつ　①竹のつつ。②昔、酒を入れて持ち歩いた竹づつ。

【竹頭木△屑】チクトウボクセツ　竹の切れはしと、木のくず。細事をゆるがせにしないたとえ。晋の陶侃が竹のきれはしと木のくずを保存して後の用に役立てた故事に基づく。

【竹堂】チクドウ　竹で作った家。

【竹馬】㊀チクバ　竹ざおを馬に見立てて、それにまたがって子どもが遊ぶもの。用例(唐、李白、長干行)郎騎二竹馬一来、遶レ牀弄二青梅一。↓あなたは竹馬にまたがってやってきて、井戸の上部の囲いをめぐって青い梅の実をもてあそんでいました。㊁たけうま　国二本の竹ざおにつりつけた足がかりに乗って、子どもが遊ぶもの。

【竹馬△之友】チクバのとも　竹馬に乗って遊んだ友。幼いときの友だち。また、幼時からの友。『晋書』殷浩伝に「少時吾与レ浩共騎二竹馬一」とあるのに基づく。

【竹△牌】チクハイ　①敵の矢を防ぐために竹をたばねて作った楯。②マージャン(麻雀)。

【竹△帛】チクハク　①書物。昔、紙がなかった時代に、竹の札や帛ぬに文字を書いたことによる。用例(資治通鑑、漢紀)雖二古竹帛所レ載、丹青所レ画、何以過二子卿一。↓古い時代の竹簡や帛書に残された記録にも、また絵画に描かれた記録にも、どうしてあなた以上のものがありましょうか。②歴史をいう。

【垂二△于竹△帛一】チクハクにたる　史上に名を残すこと。→垂二名竹帛一(三四九ページ下)。用例(後漢書、鄧禹伝)垂二功名于竹帛一耳。↓手柄や誉れを歴史に残して後世に伝えるだけだ。

【竹△柏】チクハク　①竹と、このてがしわ(ひのきの一種)。②竹と柏は、霜雪に屈しないところから、志操の堅固なことにたとえる。③木の名。なぎ。

【竹△篦】㊀チクヒ　①竹のむち。宮中で用いる刑罰の道具。②仏仏家で用いる罰具。座禅のとき、人を戒めるために用いる、割った竹を合わせたもの。「シッペイ」は唐音。㊁シッペイ　国片手の人差し指と中指をそろえて相手の手首を打つこと。

【竹夫人】チクフジン　夏すずしく寝るため、ふとんの間に入れて空気の通りをよくする竹製で円筒形のかご。だきかご。

【竹葉】チクヨウ　①竹の葉。②酒の名。紹興酒の一つ。竹葉青・竹葉清ともいう。

【竹里館】チクリカン　唐の王維が別荘を営んで自適した輞川二十景の一つ。今の陝西省藍田県の南、竹林の中に館があったので竹里館という。

【竹△籬】チクリ　竹でつくったまがき。

【竹林寺】チクリンジ　寺の名。今の河南省輝県市の南西にある。竹林の七賢の遊んだ所で、七賢祠がある。旧名、七賢観・尚賢寺。

【竹林七賢】チクリンのシチケン　魏・晋の阮籍・嵇康・山濤・向秀・劉伶・王戎・阮咸の七人をいう。互いに親しく交わり、老荘思想にふけり、礼法を軽んじ、俗世間を避けて竹林に遊び、自然と詩酒とを友とした。

竹林七賢

【竹炉】チクロ　小さな火鉢を、竹を編んで作った枠で囲んだ暖房器具。

2
【竺】

8画　8673　人　標

㊀チク　屋　zhú
㊁トク　沃　屋　dǔ
慣ジク(ヂク)

2819　8EB1　—

筆順　ノ　𠂉　𥫗　竺　竺　竺

字義　㊀❶たけ(竹)。❷国の名。天竺の略。インドの古称。❸杭州(浙江省)西湖の南の地方をいい、三竺(上天竺・中天竺・下天竺)に分ける。㊁あつい。＝篤(8844)。

名前　あつ・あつし・たけ・ひろ

解字　篆文　[篆文]　形声。二＋竹音。二は、かさなって厚みがある の意味。音符の竹も、厚いの意味を表す。篤の原字。借りて、天竺の意味に用いる。

【竺学(學)】ジクガク　仏教の学問。仏学。

【竺経(經)】ジクキョウ　仏書。仏教の経典。

2
【竻】

8画　8674　ロク　職　lè

—　—　4980

字義　❶竹の根。❷竹の名。ばらだけ。

解字　形声。竹＋力音。

3
【竽】

9画　8675　ウ　虞　yú

8957　—　4981

字義　❶笛の一種。笙の類いで、昔は三十六管あり、後に十九管となった。竹の管の短いものと長いものをならべ、鳥の翼の形にかたどる。❷かしら。「盗竽」かしら。盗賊のかしら。

解字　形声。竹＋于音。

【竽△瑟】ウシツ　①笛と琴。②笛と琴とを合奏すること。

【竽△笙】ウショウ　笛。▼笙は、竽の小さな

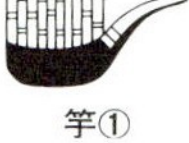
竽①

もの。

3 **【竿】** 9画 8676 人 標 ㊀カン 寒 gān ㊁カン 旱 gǎn ㊂カン 翰 gàn 2040 8AC6 —

筆順 ノ ⺈ ⺮ … 竺 竺 竿

字義 ㊀❶さお。たけざお。❷おかす。＝干(3161)。❸竹のふだ。＝簡(8883)。㊁やがら。矢の棒の部分。㊂きものかけ。かけざお。

名前 かん・さね・なが

解字 篆文 形声。竹＋干㊟。音符の干は、㫃(カン)に通じ、旗ざおの意味。たけざおの意味を表す。

【竿頭】カントウ さおのさき。

【竿△牘】カントク ①書簡。手紙。②書物。簡牘。

3 **【笈】** 9画 8677 キュウ 笈(8682)の俗字。→一〇七四ページ上。 — — —

3 **【竾】** 9画 8678 漢チ 呉ジ(ヂ) 支 chí — — 4982

字義 横笛の一種。＝篪(8840)。

解字 形声。竹＋也㊟。

3 **【⿱竹与】** 9画 8679 ヨ 籅(8910)の俗字。→一〇九二ページ上。 2 8330 — —

3 **【⿱竹弓】** 9画 8680 国字 2 8329 — —

字義 や(矢)。

3 **【笂】** 9画 8681 国字 6783 E293 —

字義 笂井(うつぼい)は、群馬県前橋市の地名。

4 **【笈】** 10画 8682 人 標 漢キュウ(キフ) 呉ゴウ(ゴフ) 緝 jí 2172 8B88 —

筆順 ノ ⺈ ⺮ … 笈 笈

字義 ❶おい。おいばこ。本箱。書物などを入れて背に負う、竹を編んで作った箱。❷にぐら。荷物を背負わせるために馬の背に置く器具。

笈①

解字 形声。竹＋及㊟。音符の及は、人を追いかけるの意味。人の背にその人を追いかけるように負われた、おいの意味を表す。

【負△笈】フキュウ 本箱を背負って遠方の地に遊学すること。故郷を離れた土地に遊学すること。負笈。〔晋書、王裒伝〕

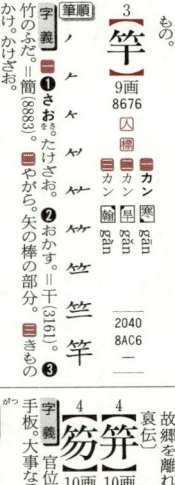

4 **【笄】** 10画 8683 ケイ 笄(8726)の俗字。→一〇七七ページ中。 6802 E2A0 —

4 **【笏】** 10画 8684 漢コツ・呉コチ 慣シャク 月 hù 6784 E294 —

字義 官位ある人が礼装したとき、帯の間にさしはさむ板。手板。大事なことを忘れないように書きつけた。 難読 笏賀

参考 日本では、骨と同音であることを避け、笏の長さが一尺あることから、尺の音を借用して、「シャク」と読んだ。

解字 篆文 形声。竹＋勿㊟。音符の勿は、忽(コツ)に通じ、うっかり忘れるの意味。君主の命令を忘れないように書きつけた竹の札の意味を表す。

【投レ笏】コツをトウず しゃくを投げ捨てる。官職をやめること。

4 **【笇】** 10画 8685 サン 翰 suàn 2 8331 — 4983

字義 かぞえる。かぞえはかる。＝算(8781)。

解字 会意。竹＋廾。

4 **【笫】** 10画 8686 シ 紙 zǐ — — 4990

字義 ❶ゆか(床)。ゆかいた。❷すのこ。「牀笫」

解字 形声。竹＋𠂔㊟。

4 **【笋】** 10画 8687 ジュン 筍(8731)と同字。→一〇七七ページ上。 6804 E2A2 —

4 **【笑】** 10画 8688 漢ショウ(セウ) 嘯 xiào 教4 ショウ わら-う・え-む 熟字訓 笑顔 3048 8FCE —

筆順 ノ ⺈ ⺮ … 竺 竽 笑

［笑］8689 本字

字義 ❶わら-う。㋐よろこびわらう。うれしがる。「談笑」㋑あざわらう。あざける。あなどる。「嘲笑」㋒え-む。ほほえむ。「微笑」㋓花が咲く。❷わら-い。え-み。ほほえみ。

名前 え・えみ・さき 難読 笑内(おかしない)

解字 篆文 象形。髪を長くした若いみこの象形で、わらうの意味を表す。竹の部分は長い髪の象形が、しだいに変形したものである。

逆 歓笑・苦笑・失笑・談笑・冷笑

【笑△謔】ショウギャク わらいたわむれる。

【笑△瞼】ショウケン わらい顔。えがお。転じて、美人の形容。

【笑言】ショウゲン わらいながら話す。また、わらいばなし。

【笑傲・笑△敖】ショウゴウ 人をあなどりわらう。

【笑殺】ショウサツ ①大いにわらう。▼殺は、助字。②わらって相手にしない。わらって否定する。

【笑△粲】ショウサン 大いにわらう。▼粲は、歯を出してわらうさま。

【笑止】ショウシ 国①ばかばかしい。おかしい。「笑止千万」②気の毒に思うこと。困ったこと。③わらいごとでない。迷惑だ。大変だ。「勝事」の転。

【笑中刀】ショウチュウのトウ 表面に温和をよそおい、内心に悪意を秘めていること。〔唐書、李義府伝〕

【笑納】ショウノウ 国自分の贈り物を相手が受け入れてくれることを望む、という謙譲語。笑留。笑領。

【笑破】ショウハ ①大いにわらう。▼破は、助字。②相手をわらってその意気をくじきやぶる。③一笑に付すること。

【笑罵】ショウバ わらいののしる。あざけりわらう。

【笑府】ショウフ 書名。十三巻。明の墨憨斎(ボクカンサイ)主人(本名は馮夢竜(フウムリョウ・フウボウリョウ))の著。中国の笑話を集大成したもの。原本は中国では散逸したが、日本に伝存し、七百八話を収めている。

【笑柄】ショウヘイ わらいのたね。

【笑貌】ショウボウ わらい顔。

【笑△靨】ショウヨウ えくぼ。▼靨は、えくぼ。

【笑覧(覽)】ショウラン 国自分のものを他人に見せるときの謙譲語。

【笑林】ショウリン 書名。後漢の邯鄲淳(カンタンジュン)の著。中国最古の笑話集。もと三巻あったが、現存するのは二十九編だけ。

4 **【笑】** 10画 8689 ショウ 笑(8688)の本字。→一〇七四ページ中。 1 8958 — —

4 **【笒】** 10画 8690 ㊀漢シン・呉ジン 侵 cén ㊁漢キン・呉ゴン 沁 jìn — — —

字義 ㊀竹の名。㊁竹製のくじ(籤)。

解字 形声。竹＋今㊟。

4 **【笊】** 10画 8691 漢ソウ(サウ) 呉ショウ(セウ) 効 巧 zhào 6785 E295 —

字義 ❶ざる。割り竹で編んだ竹かご。❷す。鳥の住む穴。 難読 笊籬(いかき)

解字 形声。竹＋爪㊟。音符の爪は、下向きにした手の象形。手を伏せるようにして置く、ざるの意味を表す。

4 **【⿱竹屯】** 10画 8692 漢トン 呉ドン 阮 dùn 2 8332 — —

字義 米穀を入れる竹製の器。

解字 形声。竹＋屯㊟。

4 **【笆】** 10画 8693 ㊀㊥ハ・㊤バ 馬 bā ㊁ハ 麻 bā　6786 E296 —

字義 ㊀いばらだけ。とげのある竹。㊁いばら竹の垣。

解字 形声。竹＋巴㊥。

【笆籬】(ハリ) 竹のいけがき。

4 **【笔】** 10画 8694 ヒツ　筆(8745)と同字。→一〇七九ページ中。　— — 4984

5 **【筴】** 11画 8695 ㊀オウ(アウ) 養 漾 ǎng ㊁㊥ヨウ・㊤オウ 蒸 yīng　₂8339 — —

字義 ㊀❶竹の名。❷竹に色が無いこと。㊁たけのこ。

解字 形声。竹＋央㊥。

5 **【笳】** 11画 8696 ㊥カ ㊤ケ 麻 jiā　6787 E297 —

字義 あしぶえ。葦(あし)の葉を巻いて作った笛。胡人(コジン)(北西方の異民族)のもの。「胡笳」

解字 形声。竹＋加㊥。

5 **【笴】** 11画 8697 カ 哿 gě　— — 5002

字義 矢柄(やがら)。矢の棒の部分。

解字 形声。竹＋可㊥。

5 **【笻】** 11画 8698 キョウ　筇(8723)の俗字。→一〇七七ページ上。　₁8960 — —

5 **【笱】** 11画 8699 ㊥コウ ㊤ク 有 gǒu　₂8338 — 5001

字義 やな。うえ。うけ。もじり。細い割り竹を編んで筒状にし、水中にしかけて魚を捕らえるもの。

解字 篆文 形声。竹＋句㊥。音符の句は、曲げるの意味。竹を曲げて作った漁具、やなの意味を表す。

5 **【筰】** 11画 8700 ㊀㊥サク・㊤シャク 陌 zé ㊁㊥サク・㊤ザク 薬 zuó ㊂㊥サ・㊤シャ 禡 zhà　₂8336 — 4992

字義 ㊀❶やねじた。屋根瓦の下に敷く竹製のすのこ。❷おさえる(圧)。圧迫する。❸えびら(箙(フク))。矢を入れる道具。竹で編んだもの。㊁❶なわ。竹で編んだ縄。＝筰(8756)。❷ほる。＝鑿(12952)。㋐いれずみを入れること。刑罰の一種。㋑うがつ。㊂しぼる。したむ。水分をしたたらせる。

解字 形声。竹＋乍㊥。

5 **【笧】** 11画 8701 ㊥サク ㊤シャク 陌 cè　₂8334 — 4987

字義 ❶＝冊(758)。❷＝策(8730)。㊐しがらみ。水をせき止めるために、竹を編んで作った柵(サク)。

5 **【筍】** 11画 8702 標 シ 寘 紙 sì ㊡ス　3158 9079 —

解字 形声。竹＋冊㊥。

字義 はこ。け。飯、または衣服などを入れる四角なはこ。葦(あし)、または竹を編んで作る。「簞笥(タンス)」

解字 篆文 形声。竹＋司㊥。音符の司は、治める・秩序づけるの意味。衣類を整理しておくための竹製の器の意味を表す。

5 **【笶】** 11画 8703 シ　矢(8112)と同字。→一〇一六ページ下。　6793 E29D —

5 **【笙】** 11画 8704 人 ㊥セイ ㊤ショウ(シャウ) ㊧ソウ(サウ) 庚 shēng　6789 E299 —

筆順 ノ ト ⺮ 竺 竿 笙 笙

字義 ❶しょうのふえ。形は竽(ウ)に似て十九管、または十三管ある。❷ちいさい。細い。

笙①

名前 しょう

解字 篆文 形声。竹＋生㊥。音符の生は、はえるの意味。竹管が生えそろった形で十三管あるふえの意味を表す。

【笙歌】(ショウカ) しょうの笛と歌。また、しょうに合わせて歌う。

【笙鼓】(ショウコ) しょうの笛と、つづみ。

【笙簧】(ショウコウ) しょうの笛の舌。

【笙詩】(ショウシ) 『詩経』小雅の中の南陔(ナンガイ)・白華などの六編で、しょうに合わせて歌った詩。今日の『詩経』には、その題と序だけあって詩はない。

5 **【笘】** 11画 8705 ㊀セン 塩 shān ㊁チョウ(テフ) 葉 shān　6788 E298 —

字義 ㊀❶むち。竹のむち。❷ふだ。児童が文字を習う竹のふだ。竹簡。㊐とま。苫(9873)の誤用。

解字 形声。竹＋占㊥。

5 **【第】** 11画 8706 教3 ㊥テイ・㊤ダイ 霽 dì　ダイ　3472 91E6 —

筆順 ノ ト ⺮ 竺 竺 笃 第 第

［才］55 俗字

字義 ❶順序。また、順序をつける。「次第」❷物事の順を数えるのにそえて用いる語。「第一」❸順序を定める。しな定めをする。❹しな。階級。❺やしき。いえ(い)。邸宅。「第宅」「別第」❻官吏登用試験。科挙。また、その試験に合格すること。用例〔人虎伝〕修昔与㆑徴同登㆓進士第㆒(サンむかしチョウとおなじく、シンシのダイにのぼり)、分極深(ブンきわ(は)めてふか)し。⬇袁修(エンサン)は、その昔、李徴(リチョウ)と同じ年に進士に合格し、非常に深い付き合いがあった。❼ただ(但)。しばらく(且(ヨシ))。かりに。

名前 いえ・くに・しな・ただ・つき・てい

解字 篆文 形声。竹＋弟省㊥。音符の弟は、順序の意味。順序よく連ねた竹簡の意味から、一般に、順序の意味を表す。

逆 下第・科第・及第・高第・次第・譜第・落第

【第一】(ダイイチ) ①一番目。最初。②最もすぐれたもの。③最も重要なもの。

【第一義】(ダイイチギ) ①本来の意義。根本の意義。②最も重要な事がら。③第一に行うべき道。④最上の方法。⑤仏究極の真理。

【第下】(ダイカ) ①身分の高い人への尊称。貴下。貴台。②唐代、太守の別称。

【第館】(テイカン) やしき。やかた。邸宅。

【第観(觀)】(テイカン) やしきと、物見やぐら。

【第次】(ダイジ) 順序。次第。順位。

【第宅】(テイタク) やしき。やかた。邸宅。

【第六感】(ダイロッカン) 五感以外の特殊な心のはたらき。勘。直感。

【就㆑第】(テイにつく) ①やしきに帰る。②官職を辞すること。

5 **【笪】** 11画 8707 ㊀㊥タツ・㊤タチ 曷 dá ㊁タン 翰 dàn　₂8335 — 4989

字義 ㊀❶むち。❷たかむしろ。竹であんだむしろ。❸船のひきづな。㊁うつ。むちうつ。

解字 篆文 形声。竹＋旦㊥。音符の旦(タン)は、撻(タツ)に通じ、むちうつの意味。竹のむちの意味を表す。

5 **【笞】** 11画 8708 チ 支 chī　6790 E29A —

字義 ❶むち。しもと。罰するときに使う竹のむち。❷むちうつ。むちでたたく。用例〔史記、高祖本紀〕人乃以㆑媼為㆑不㆑誠(ひとすなわ(は)ちウをもって、まこととならずとなし)、欲㆑笞㆑之(これをむちうたんとほっす)。⬇その者は老女が本当のことを言っていないと思い、笞で打とうとした。❸たたき。五刑の一つ。むちうちの刑。苔刑。罪の軽重により打つ数に多少がある。

解字 形声。竹＋台㊥。

【笞刑】(チケイ) むちでうちたたく刑罰。五刑の一つ。

【笞撃(擊)】(チゲキ) むちでうちたたく。むちうつ。

【笞杖】(チジョウ) むちでうつ刑と、杖(つえ)でうつ刑。

【笞辱】ジョク むちでうってはずかしめる。
【笞撻】チタツ むちうつ。▼撻も、むちうつ。
【笞鞭】チベン むち。
【笞掠】チリャク むちうって、きびしく取り調べる。

5【笛】11画 8709 漢テキ・呉ジャク(ヂャク) 錫 dí 教3 テキ ふえ 3711 934A —

筆順 ノ ㇒ ㇖ ⺮ ⺮ 竹 笛 笛 笛

字義 ふえ。㋐竹のくだに七つの穴をあけて吹き鳴らす楽器。五つ穴、三つ穴のものもある。㋑竽ウ・笙ショウ・尺八など、吹き鳴らす楽器の総称。

名前 ふえ 難読 笛吹うすい・うずしき・うとう

解字 篆文 形声。竹＋由音。音符の由は、底の深い穴の意味。深い穴からできている竹製のふえの意味を表す。

笛

逆 横笛・玉笛・警笛・鼓笛・牧笛
【笛伶】テキレイ 笛を吹く楽人。笛ふき。▼伶は、楽人。

5【筎】11画 8710 漢ド 呉ヌ 虞 遇 nú ₂8337 — 4993

字義 とりかご。国ド。どう。うえ。ふせご。水中に沈めて、うなぎやどじょうなどを捕らえる道具。

解字 篆文 形声。竹＋奴音。音符の奴は、どれいの意味。奴隷のように鳥をとらえておく竹かごの意味を表す。

5【笩】11画 8711 漢ハイ 呉バイ 泰 pài — — 4988

字義 ❶笩筏は、飛び上がる。❷筏(9952)の俗字。

解字 形声。竹＋伐省音。

5【笵】11画 8712 漢ハン 呉ボン 豏 fàn 6791 E29B —

字義 ＝範(8824)。❶のり。法律。手本。❷かた。いがた。土製のものを型、金属製のものを鎔ヨウ、竹製のものを笵・範という。

解字 篆文 形声。竹＋氾音。音符の氾ハンは、法に通じ、おきて・てほんの意味。竹製のいがた(鋳型)の意味や、てほんの意味を表す。

5【符】11画 8713 漢フ・呉ブ 虞 fú 常 フ 4168 9584 —

筆順 ノ ㇒ ㇖ ⺮ ⺮ 竹 笁 符 符

字義 ❶わりふ。しるし。竹ぎれ、または木ぎれの上に、しるしとなる文字を書き、それを二分して、互いにその一方を持っていて、他日の証拠としたもの。「符節」 ❷おしで。印章。「符璽」 ❸きざし。めでたいしるし。「符瑞ズイ」 ❹未来記。予言書。「符讖シン」 ❺おふだ。神仏の守り札。「護符」 ❻あかし。証拠。「符験」 ❼あう。わりふを合わせたように、ぴったり合う。「符合」 ❽文体の名。上級の官庁から下級の官庁に下す文書。

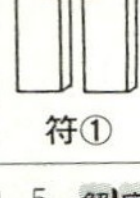
符①

解字 篆文 形声。竹＋付音。音符の付は、よせあわすの意味。両片を合わせて証拠とする竹製の、わりふの意味を表す。

逆 官符・魚符・契符・護符・神符・兵符・霊符
【符運】フウン 天運。運命。
【符応(應)】フオウ しるし。感応。天がくだす符瑞フズイ。また、それが人事と応ずること。
【符契】フケイ わりふ。転じて、よく的中するたとえ。
【符券】フケン わりふ。通行証などをいう。
【符験(驗)】フケン 国しるし。証拠。
【符号(號)】フゴウ しるし。記号。
【符合】フゴウ わりふが合う。ぴったりと合う。
【符璽】フジ 天子の御印。また、広く印(はんこ)をいう。
【符呪】フシュ・フジュ まじない。
【符祥】フショウ めでたいしるし。めでたいきざし。符瑞フズイ。
【符信】フシン ①しるし。証拠。②わりふの類い。
【符讖】フシン 未来のことを予言した書きもの。未来記。▼讖も、未来記。
【符瑞】フズイ めでたいしるし。吉兆。
【符節(節)】フセツ わりふ。てがた。→字義❶。
【若レ合二符節(節)一】フセツをガッするがごとし わりふを合わせるようにぴったり合う。両者が全く同じだというたとえ。〔孟子、離婁下〕
【符牒】フチョウ ①しるしの書き付け。②同符帳・符丁フチョウ。国㋐記号などで、特別の意味を持たせたもの。㋑仲間の者にだけ分かるように、あらかじめ定めてあるしるしやことば。
【符伝(傳)】フデン 道中手形。旅行証明書。
【符命】フメイ ①天子となる人に天が与えるめでたいしるし。天子となるべき天の命令。②文体の名。天子の瑞祥ズイショウなどを述べて天子の徳をたたえるもの。
【符籙】フロク ＝符讖フシン。▼籙は、記録・未来記。

5【笰】11画 8714 ㊀漢フツ・呉フチ 物 fú ㊁ヒ 未 fèi — — 4994

字義 ㊀❶車の後ろの戸。❷矢。㊁矢を削って細くすること。

解字 形声。竹＋弗音。

5【笣】11画 8715 漢ホウ(ハウ) 呉ヒョウ(ヘウ) 肴 bāo — — 4986

字義 竹の名。

解字 形声。竹＋包音。

5【笨】11画 8716 漢ホン 呉ボン 阮 bèn 6792 E29C —

字義 ❶竹の筒の中にある白い薄皮。❷あら-い(あら-し)。粗末。貧しい。粗雑。「粗笨」

解字 篆文 形声。竹＋本音。音符の本は、菲ヒに通じ、うすいの意味。竹の幹の内側の白くて薄い皮の意味を表す。転じて、貧に通じ、まずしい・粗末の意味をも表す。

【笨車】ホンシャ ①粗末な車。②重いものをのせる車。
【笨拙】ホンセツ 粗末でつたない。粗末。

5【笠】11画 8717 人 標 リュウ(リフ) 緝 lì 1962 8A7D —

筆順 ノ ㇒ ㇖ ⺮ ⺮ 竹 竺 笠 笠

字義 かさ。頭にかぶり、雨や日光をさけるかさ。かぶりがさ。すげがさ。柄のないかさ。↔簦(8894)。

名前 りゅう 難読 笠沙かささ・笠田かせだ

解字 篆文 形声。竹＋立音。音符の立は、たつの意味。柄がなくて安定していて、置けばそのまま立つかさの意味を表す。

【笠檐・笠簷】リュウエン かさのひさし。

5【笭】11画 8718 漢レイ 呉リョウ(リャウ) 青 迥 líng ₁8959 — 4991

字義 ❶かご。❷ゆか。舟の底に敷くすのこ。

解字 形声。竹＋令音。

5【笹】11画 8719 国字 人 2691 8DF9 —

筆順 ノ ㇒ ㇖ ⺮ 竺 竿 笹 笹 笹

字義 ささ。㋐小さい竹の総称。㋑酒の別称。

解字 会意。竹＋世。世は、葉の省略体ともいわれ、小さな竹・ささの意味を表す。

5【笸】11画 8720 国字 ²8333 — 5003

字義 ❶そうけ(笊笥)。ざる。竹で編んだ器。❷笸島(そうけじま)・(しま)は、姓氏。笸山(そうけやま)は、富山県富山市の地名。

解字 会意。竹＋皿。そうけ(笊笥)は、ざるの意味の笊(ソウ)、食物を盛る器の意味の「け」で、北陸地方では今も竹で編んだ半円形のざるを、「そうけ」と言う。皿は、半円形のざるの意味。

6【筈】12画 8721 人標 漢カツ(クヮツ) 呉カチ(クヮチ) 曷 guā, kuò 4006 94A4 —

筆順 ノ ⺈ ⺮ 竺 竺 笁 筈 筈

字義 やはず。はず。矢の末端の、弓のつるを受けるところ。国はず。㋐ゆはず。弓の両端のつるをかける所。㋑当然そうなる意を表す。

解字 形声。竹＋舌㊐。音符の舌(カツ)は、會(カイ)に通じ、あうの意味。弓のつると矢とが会する部分、やはずの意味を表す。

6【筐】12画 8722 漢キョウ(キャウ) 呉コウ(クヮウ) 陽 kuāng 6794 E29E —

［筺］8752 俗字

字義 ❶かご。かたみ。食料・書物・衣服などを入れる竹製のかご。四角いものを筐、まるいものを筥(キョ)という。❷ねだい。寝台。四角な寝台。筐牀(キョウショウ)。❸小さいかんざし。

筐①

解字 形声。竹＋匡㊐。音符の匡(キョウ)は、まげるの意味。竹などを曲げて造った、はこの意味を表す。

【筐筥】(キョウキョ) 四角なかごと、まるいかご。

【筐篋】(キョウキョウ) 竹製の箱。本箱。

【筐笥】(キョウシ) 竹製のかご。手もとにおく箱。

6【筇】12画 8723 漢キョウ 呉グ 冬 qióng ¹8961 — 5007

［笻］8698 俗字

字義 ❶竹の一種。四川省に産し、杖(つえ)に適する。筇竹。❷つえ(杖)。竹のつえ。

解字 形声。竹＋邛㊐。

6【筁】12画 8724 漢キョク 呉コク 沃 qū ²8342 — 5006

字義 蚕(かいこ)の簀(す)。蚕を飼う道具。

解字 形声。竹＋曲㊐。

6【筋】12画 8725 教6 キン すじ 漢キン・呉コン 文 jīn 2258 8BD8 —

筆順 ノ ⺈ ⺮ 竹 笋 笞 筋 筋

字義 ❶すじ(すぢ)。筋肉。❷ちから。体力。国すじ(すぢ)。㋐細長く一続きになっているもの。「毛の筋」㋑血管。「青筋をたてる」㋒しま。「赤い筋のはいった着物」㋓血すじ。血統。家がら。㋔素質。「芸の筋」㋕道理。理由。条理。「筋道」㋖しくみ。趣向。「筋書」㋗細長いものを数える単位。「帯一筋」㋘大略。あらすじ。難読 筋違(すじかい)

解字 会意。月(肉)＋力＋竹。肉の中に通る力あるすじ、特に竹などに見られるすじの意味から、一般に、すじの意味を表す。

【筋骨】(キンコツ) ①すじと骨。筋肉と骨格。②体力。③文字を書く筆法。

【筋書】(キンショ) 一 文字の一体。枯れて骨ばった書。二 国 すじ(ぢ)がき ①事がらのすじ道を書いたもの。②演劇・映画などのすじを書いたもの。③しくみ。計略。

【筋斗】(キント) もんどりうつこと。とんぼがえり。觔斗(キント)。

【筋脈】(キンミャク) ①すじと血脈。血液の運行連絡する経路。②文字を書く筆法。

【筋力】(キンリョク) ①筋肉の力。②体力。

6【笄】12画 8726 ケイ 斉 jī

［筓］8683 俗字

字義 ❶こうがい(かうがい)。たばねた髪をとめるもの。また、冠をとめるためにさすもの。かんざし。「玉笄」「金笄」❷こうがいする。こうがいを髪にさす。❸女子の成人式。昔、女子は十五歳になって婚約すれば笄(こうがい)をつけて成人式をあげ、婚約しない人は二十歳でこれを行った。用例〔礼記、内則〕十有五年而笄(ジュウユウゴネンにしてケイす)。↓十五歳でこうがいをさす。国こうがい(かうがい)。㋐女性の頭髪にさしてかざりとするもの。㋑刀のさやにさしておき、平時は髪を巻きあげ、戦いには敵の首にさして討ち手を明らかにするもの。

笄①

解字 篆文 形声。竹＋幵㊐。音符の幵(ケイ)は、髪にさすこうがいの象形。竹製のこうがいの意味を表す。

【笄冠】(ケイカン) かんざしと、かんむり。男女ともに成人の礼をあげることをいう。

【笄字】(ケイジ) 昔、女子が十五歳になって婚約がととのい、かんざしをさし、字(あざな)をつけること。女子が一人前になった礼。転じて、婚約すること。〔礼記、曲礼上〕

【笄年】(ケイネン) 女子がはじめてかんざしをつける年。女子の十五歳をいう。⇩コラム 年齢の別称(四六六ページ)。

6【筀】12画 8727 漢ケイ 呉ケ 霽 guì — — 5005

字義 竹の名。昔の呉越の地に産する。

解字 形声。竹＋圭㊐。

6【笟】12画 8728 漢コ 呉ク 虞 gū — — 4985

字義 たが。桶(おけ)の外側を締めるのに用いる輪。

解字 形声。竹＋瓜㊐。

6【筕】12画 8729 一 漢コウ(カウ) 呉ギョウ(ギャウ) 庚 háng 二 漢コウ(カウ) 呉ゴウ(ガウ) 陽 háng ²8344 — 5009

字義 一二 筕篖(コウトウ)は、アンペラ。カヤツリグサ科の多年草。また、それで編んだむしろ。

解字 形声。竹＋行㊐。

6【策】12画 8730 教6 サク 漢サク・呉シャク 陌 cè 2686 8DF4 —

筆順 ノ ⺈ ⺮ 竺 笁 笞 第 策

字義 ❶むち。馬をうつむち。❷むち-うつ。馬にむちうつ。用例〔唐、韓愈、雑説〕策レ之不レ以二其道一(これをむちうつにそのみちをもってせず)。↓その馬にむち打って調教するときに、適切な方法を用いない。❸つえ(つゑ)。用例〔東晋、陶潜、帰去来辞〕策扶レ老以流憩、時矯レ首而游観(つゑもておいをたすけて、もってリュウケイし、ときにこうべをあげてユウカンす)。↓老いたわが身をつえで支えて歩きまわっては、自由に休み、ときおり顔を上げて景色を眺める。❹つえつく。❺ふだ。昔、紙がなかった時代に文字を書きしるした竹の札。「簡策」❻ふみ。かきつけ。文書。冊。❼命令書。王命を伝えるもの。冊。❽しるす。書きつける。「策勲」❾うらないに用いるめどき。筮竹(ゼイチク)。「亀策(キサク)」❿かず。かずとり。「籌策(チュウサク)」⓫はかりごと。「策略」⓬はかりごとを立てる。⓭文体の名。策に書いて意見を問うものを策問といい、これに答えるものを対策という。⓮→策策。

名前 かず・さく・つか・もり

解字 篆文 形声。竹＋朿㊐。音符の朿(シ＝サク)は、とげの象形で、責に通じ、せめるの意味。馬を責める竹、むちの意味を表す。また、冊に通じて、文書の意味をも表す。

逆 画策・奇策・金策・警策・献策・国策・散策・施策・失策・術策・上策・政策・拙策・対策・得策・秘策・墳策・

方策・無策・論策

【策応(應)】たがいにはかりごとを通じて助けること。しめし合わせること。

【策勲(勳)】軍功を竹のふだに書きつける。論功行賞を行うこと。

【策画(畫)】はかりごとをめぐらすこと。画策。

【策策】①木の葉が落ちる音の形容。②竹のきしむ音の形容。③秋風の音の形容。

【策士】策略の多い人。いろいろとはかりごとをめぐらす人。好んで事をたくらむ人。

【策試】＝策問①。

【策書】官吏を任免する辞令書。冊書。

【策△杖】つえをつく。転じて、出歩く。

【策動】国人に知られぬように、ひそかに策略をめぐらして行動すること。「策動家」

【策勉】むちうってつとめる。大いに勉励すること。

【策謀】はかりごと。策略。

【策命】天子から臣下に与えた命令書。冊命。

【策免】君主の辞令によって官職をやめさせること。

【策問】①官吏登用試験に、天子が題を出して試問すること。また、その文体。②筮竹を使って占う。

【策略】はかりごと。計略。

【策励(勵)】むちうちはげます。大いにはげます。

【△仗レ策】馬のむちをつえにつく。出陣の姿。仗策。

6 【筍】12画 8731 ㊀シュン 㴑sǔn ㊁イン(ヰン) 眞yún 慣ジュン 6803 E2A1 —

【筝】8687 同字 【簨】8809 同字

字義 ㊀❶たけのこ。「竹筍」❷楽器のかけざお。鐘や磬をかける横木。＝簨(8889)。㊁❶わか竹。❷竹の皮。

解字 金文 篆文 形声。竹＋旬㊥。音符の旬は、均に通じ、ひとしいの意味。幾何学的な美しい形をもつ、たけのこの意味を表す。

【筍席】たけのこの皮で編んだむしろ。一説に、竹の幹の青い皮を編んだものという。アンペラの類い。

【筍△輿】竹製のこし。

6 【筎】12画 8732 漢ジョ 呉ニョ 魚rú ı8962 — 5008

字義 まきはだ。舟に水がしみこむのを防ぐために、竹の皮で造った綿のような材料。檜の内皮を砕いて造ることもある。

解字 形声。竹＋如㊥。

6 【筳】12画 8733 漢ジン 呉ニン 寝rèn ₂8343 — —

字義 寝具としてのむしろ(蓆)。シーツ。

解字 形声。竹＋任㊥。

6 【筬】12画 8734 セイ 6813 E2AB —

筬(8761)の俗字。→一〇八〇ページ中。

6 【筅】12画 8735 セン 銑xiǎn 6806 E2A4 —

字義 ❶ささら。小さい竹製のほうき。鍋・釜をこすり洗うときに使う。❷茶筅は、抹茶をたてるとき、茶をかきまわす竹製の道具。

解字 形声。竹＋先㊥。音符の先は洗に通じ、あらうの意味。洗うときに用いた竹製のささらの意味を表す。

6 【筌】12画 8736 セン 先quán 6805 E2A3 —

字義 ❶うえ。うけ。ふせご。ど。どう。魚を捕らえる道具で、細い竹を筒状に編んで、水中にしずめるもの。❷ふしづけ。しばなどを水中にしずめ、魚を集めて取るもの。

解字 形声。竹＋全㊥。

【筌△蹄】①魚を捕らえるうえと、うさぎを捕らえるわな。ともに目的が達成されると忘れられる。〔荘子、外物〕②目的を達するまでの方便。③手引き。案内。④士大夫が講話のときに用いた払子。

6 【箋】12画 8737 セン ₂8340 — —

箋(8785)と同字。→一〇八四ページ上。

6 【箏】12画 8738 ソウ 6824 E2B6 —

箏(8786)の俗字。→一〇八四ページ上。

6 【筑】12画 8739 人 標 3562 927D —

6 【筑】12画 8740 チク 屋zhú

筆順 ノ ㇒ ⺮ 竺 竻 笂 筑 筑

字義 楽器の一種。琴に似て、竹でうち鳴らす。五弦・十三弦・二十一弦の三種がある。用例〔史記、刺客伝〕高漸離撃レ筑、荊軻和而歌、為二変徴之声一。↓高漸離が筑をかき鳴らし、荊軻はその曲に合わせて歌ったが、それは悲しみを帯びた変徴のしらべであった。

難読 筑紫

解字 篆文 形声。巩(巩)＋竹㊥。音符の竹は、たけの意味。巩は工具・楽器などを手にするの意味。竹製の楽器の意味を表す。

6 【答】12画 8741 トウ(タフ) 合dá, dā 教2 トウ こた-える・こた-え 3790 939A —

筆順 ノ ㇒ ⺮ 竺 笞 笒 答 答

字義 ❶こた-える。㋐返事をする。㋑質問に対し説明する。「答弁」㋒応ずる。したがう。㋓むくいる。答礼。㋔しかえしをする。❷こた-え。いらえ。返事。また、解答。「答案」❸ふせぐ。さまたげる。

名前 さと・とし・とみ・とも・のり

使いわけ こたえる〔答・応〕
〔答〕質問などに返事をする。また、問題のこたえを出す。「問い合わせに答える・正解を答える」
〔応〕働きかけに反応する。また、強く感じる。「期待に応える・身体に応える」

解字 会意。竹＋合。合は、あうの意味。竹ふだが合うさまから、こたえるの意味を表す。

逆 応答・確答・酬答・贈答・直答・筆答・奉答

【答応(應)】①こたえる。また、こたえ。②承知する。引き受ける。③神仏のご利益。応報。

【答△賽】神仏にお礼参りすること。

【答辞(辭)】①こたえることば。②式辞などに対してこたえることば。

【答申】国上役の問いに対して返答すること。

【答拝(拜)】先方の敬礼に対して敬礼をすること。

【答弁(辯)】質問にこたえて言い開きをすること。

【答問】①他人の問いにこたえること。②問答体で書いた文章。

【答礼(禮)】他人の敬礼に対して礼をすること。また、人から受けた礼にこたえる。返礼。

6 【等】12画 8742 トウ 迥děng 教3 トウ ひと-しい 3789 9399 —

筆順 ㇒ ⺮ ⺮ 竺 竺 笙 等 等

字義 ❶ひと-しい。性質・内容や数量などが同じ。用例〔唐、韓愈、雑説〕且欲下与二常馬一等上不レ可レ得。↓そのうえ普通の馬と同じであろうとしても、できない。❷ひとしく。平均に。「等分」❸ととのえる(斉)。ひとしくする。❹ともがら。なかま。たぐい。「儕等」❺など。ら。㋐多数のものを表すことば。㋑省略するときにつけることば。❻しな。階級。わかち。区分。「等級」「差等」❼だん(段)。階段。「土階三等」❽数詞につけて、順位を表すことば。「一等」❾はかる。はかりくらべる。比較する。用例〔孟子、公孫丑上〕由二百世之後一、等二百世之王一、莫二之能違一也。↓百代もの後から百代にわたる帝王を比較してみるに、わたしの見分けかたにまったく狂いがない。❿まつ(待)。⓫なに(何)。「何等」

名前 しな・たか・と・とし・とも・ひとし 難読 等閑・等々力

解字 篆文 形声。竹＋寺音。竹は、竹簡の意味。音符の寺は、役所の意味。役人が書籍を整理するの意味から、ひとしい・階段の意味を表し、待に通じて、まつの意味を表す。

逆 均等・勲等・差等・親等・対等・平等・劣等・郎等

【等夷】ともがら。同輩。仲間。▼夷も、ともがら。

【等外】国 ①等級の外。等級にはいらないこと。②「等外官(無位の官)」の略。

【等閑・等間】①いいかげんにする。②離れてすきまができる。うとくなること。③同じ。同様。一般。④のどか。

【等級】しな。たぐい。品別。階級。くらい。上下・優劣を示す区分。

【等差】①ちがい。区別。等級の区別。差等。②国(数学で)等しい差。

【等身】人のからだと同じ高さ。「等身大」

【等身書】自分のからだと同じほどの高さの書。読んだ書物や著書の多いことにいう。

【等輩】なかま。同輩。

【等比】①ひとしい。②ひとしいもの。ならぶもの。たぐい。③数学用語。二つの比の等しいこと。

【等類】同じ種類。また、同じなかま。

【等列】①同じ位にいること。また、同じ位。②くらい。順位。

【不△躐レ等】次第に順序をふんで進むこと。用例〔礼記、学記〕学不レ躐レ等也。↓学問には順序があり、急に進むべきではない。

6 【筒】 12画 8743 常 トウ つつ 漢トウ・呉ドウ 東 tǒng(tōng) 3791 939B —

筆順 ⺈ ⺮ 竹 笁 筒 筒 筒 筒 筒

字義 国つつ。つつ。㋐竹のくだ。竹づつ。㋑中がうつろの円柱。㋐銃身。㋑鉄砲。㋒井戸側。「筒井筒」

名前 つつ・まる 難読 筒城

解字 篆文 形声。竹＋同音。音符の同は、つつの象形。中空の竹のつつの意味を表す。

逆 竹筒

6 【筏】 12画 8744 標 漢ハツ・呉バチ 月 fá 慣バツ 4021 94B3 —

【栰】 5417 同字

字義 ❶海中の大船。❷いかだ。竹や木を編んで水上に浮かべたもの。大きいものを筏、小さいものを桴という。「舟筏」

解字 形声。竹＋伐音。

6 【筆】 12画 8745 教3 ヒツ ふで 漢ヒツ・呉ヒチ 質 bǐ 4114 954D —

【笔】 8694 同字

筆順 ノ ⺈ ⺮ 竹 笁 笔 筀 筆 筆

字義 ❶ふで。文字や絵を書く道具。秦の蒙恬が発明したという。「毛筆」❷かきしるす。のべしるす。「筆記」❸かきたす。かき加える。❹散文。無韻の文。↔詩(11192)。❺筆で書いた詩文書画など。「妙筆」❻詩文書画などを書く手腕。

名前 ふで 難読 筆頭菜

解字 篆文 会意。竹＋聿。聿は、手にしたふでの象形。竹を付し、竹の軸のふでの意味を表す。

逆 悪筆・運筆・下筆・加筆・起筆・才筆・執筆・紙筆・自筆・主筆・真筆・拙筆・絶筆・達筆・直筆・特筆・肉筆・能筆・文筆・末筆・漫筆・妙筆・名筆・右筆・乱筆・良筆

【筆意】①筆づかい。②詩文の趣旨。

【筆架】筆かけ。筆をかけておく台。

【筆禍】国書いた文章のために受ける災難。

【筆管】筆のじく。また、筆。

【筆△翰】①筆。②文字を書くこと。〔晋書、陶侃伝〕

【筆簡】①筆と竹簡(竹の札)。昔、文字を竹簡に書いた。②筆と紙。筆紙。

【筆記】①書きしるす。筆写。②随筆記録をいう。③かきやく。書記。

【筆△硯】①筆とすずり。筆研。②詩文を作ること。文筆にたずさわること。

【筆耕】文字を書写して、その料金で生活すること。料金を取って文字を書くこと。

【筆削】①書くべきところは書き、削りとるべきところは削る。▼削は、竹簡の文字をけずりとること。『史記』孔子世家に「筆則筆、削則削」とあるのに基づく。②孔子の筆削した『春秋』(書名)をいう。

【筆札】①筆と木牘(木の札)。昔、紙のない時代、文字を木牘に書いた。②筆と紙。③手紙。④筆跡。

【筆趣】筆づかい。書きぶり。筆勢。

【筆順】国文字を書くときの字画の順序。

【筆触(觸)】筆づかい。絵画の筆あたり。タッチ。

【筆陣】①詩文が勢いのあること。詩文の雄健なこと。軍隊にたとえていった語。②国文章をもって論戦すること。「筆陣を張る」

【筆生】書写を職業とする人。

【筆跡・筆△迹・筆△蹟】①筆のあと。②書きぶり。③書きしるした文字や画。

【筆舌】筆で書き、口でいうこと。文書と言語。

【筆洗】筆のほさきをあらう道具。筆あらい。

【筆戦(戰)】文章によって議論をたたかわす。

【筆端】①筆先。②筆のはこび。行文。

【筆談】①随筆や記録をいう。②口頭ではなく、用件を文字に書いて話し合う。

【筆致】①筆つき。かきぶり。②文章のおもむき。

【筆△誅】人の罪悪を文章によって責める。

【筆答】書いて答える。文書で答える。↔口答(三三七ページ上)。

【筆頭】①筆の穂。②国連名の中の最初の人。

【筆法】①筆の製法。②運筆の法則。文字の書きぶり。③文章の作りかた。④物事のやりかた。流儀。方法。

【筆△鋒】①筆のさき。②書画や文章の筆の勢い。③国論争の勢い。

【筆墨】①筆とすみ。②文章。③手跡。筆跡。

【筆名】国詩文を発表するときの別名。ペンネーム。

【筆力】①筆づかいの勢い。筆勢。②文章の勢い。

【筆録】筆記する。また、筆記したもの。

【下レ筆】①(一三ページ上)。

【△呵レ筆】＝呵筆(二五六ページ中)。

【△擱レ筆・閣レ筆】手にしていた筆を置く。書くことをやめること。

【曲レ筆】＝曲筆(六四九ページ下)。

【投レ筆】＝投筆(五八一ページ上)。

6 【筰】 12画 8746 ラク 薬 luò — — 5004

字義 ❶杯を盛ったり、香をたいたりするのに用いる竹製のかご。❷束(たば)ねる。

解字 形声。竹＋各音。

7 【筠】 13画 8747 イン(キン) 眞 yún 18963 — 5010

字義 ❶たけ(竹)。❷竹の青い皮。竹の幹のかたい所。❸うるおい。つやのあるさま。❹たけのこ。

解字 篆文 形声。竹＋均音。音符の均は、ひとしいの意味。ふしの間がひとしい竹の意味を表す。

【筠篁(インコウ)】たけ。▼篁も、竹。

【筠心(インシン)】竹のようにまっすぐな心。正直な心。

【筠籠(インロウ)】たけかご。筠籃(インラン)。

7 【筵】 13画 8748 標 エン 先 yán 6807 E2A5 —

字義 ❶むしろ。㋐竹を編んでつくったむしろ。たかむしろ。㋑しきものの総称。❷座席。ところ。場所。「講筵」

解字 篆文 形声。竹＋延音。音符の延は、のばすの意味。竹製で、のべてひきしく、むしろの意味を表す。

【筵席(エンセキ)】❶むしろ。▼筵は下に敷くもの、席はその上に敷くもの。❷宴会の席。

7 【筷】 13画 8749 カイ(クワイ) kuài — — 5019

字義 はし(箸)。

解字 形声。竹＋快音。

7 【筦】 13画 8750 カン(クワン) 旱 guǎn 28347 — 5012

字義 ❶機(はた)の横いとを巻くくだ。❷笛などの管楽器。＝管(8772)。❸つかさどる。

解字 形声。竹＋完音。

【筦権(カンカク)】利益をひとりじめすること。

【筦籥(カンヤク)】同管籥。❶笛。❷かぎ。

7 【筥】 13画 8751 呉コ 漢キョ 語 jǔ 6808 E2A6 —

字義 ❶はこ。米などを入れる、まるいかご。❷いなたば。ひとにぎりの稲たばを秉(ヘイ)といい、四秉を筥という。

筥①

解字 金文 篆文 形声。竹＋呂音。音符の呂(ヨ→キョ)は、つらねるの意味。積み重ねた米などを入れる竹かごの意味を表す。

【筥迫(はこせこ)】国女性がふところに入れて持ち運ぶ箱形の装飾具。紙入れとした。筥狭子(はこせこ)。

7 【筺】 13画 8752 キョウ 筐(8722)の俗字。→一〇七七ページ・上。 6801 E29F —

7 【筧】 13画 8753 ケン 銑 jiǎn 6810 E2A8 —

字義 かけい(かけひ)。かけどい。竹をかけ渡して水を通すもの。

解字 形声。竹＋見音。

7 【筪】 13画 8754 呉ギョウ(ゲフ) 漢コウ(カフ) 洽 xiá — — 5014

字義 竹の名。

解字 形声。竹＋匣音。

7 【筴】 13画 8755 一 漢サク・呉シャク 陌 cè 二 キョウ(ケフ) 葉 jiā 6809 E2A7 —

字義 一 ❶めどぎ。うらないに用いる筮竹(ゼイチク)。❷はかりごと。用例(韓非子、八説)臣主之権筴也(シンシュのケンはサクなり) ↓臣下に対する君主の権力は計略である。二 ❶はさむ。❷はし(箸)。

解字 形声。竹＋夾音。

7 【筰】 13画 8756 呉ザク 漢サク 薬 zuó 6811 E2A9 —

字義 ❶たけなわ。割り竹を編んで作ったなわ。舟を引くのに用いた。＝笮(8700)。❷せまる(迫)。❸国名。漢代、南西の異民族が興した。

解字 形声。竹＋作音。

7 【筭】 13画 8757 サン 算(8781)と同字。→一〇八三ページ・中。 18964 — 5015

7 【筱】 13画 8758 ショウ 篠(8865)の本字。→一〇八八ページ・下。 6812 E2AA —

7 【筲】 13画 8759 呉ショウ(セウ) 漢ソウ(サウ) 肴 shāo 18966 — 5017

字義 ❶ふご。かご。❷めしびつ。一斗二升(周代の一斗は、約一・九四リットル)の飯米を入れる竹の器。❸わずかの分量。また、つまらぬ人をいう。「斗筲」❹はしご。はしたて。

解字 形声。竹＋肖音。

筲②

7 【筿】 13画 8760 ショウ 篠(8865)の俗字。→一〇八八ページ・下。 28341 — —

7 【筬】 13画 8761 呉ジョウ(ジャウ) 漢セイ 庚 chéng

【筬】 8734 俗字

字義 ❶おさ(筬)。はたおりの道具の一つ。竹の薄い板をくしの歯のように並べて作る。織物の縦糸をそろえ、横糸を押しつけて織り目を整えるのに用いる。❷竹の名。

解字 形声。竹＋成音。 難読 筬島(おさじま)

7 【筮】 13画 8762 呉ゼイ 漢セイ 霽 shì 6814 E2AC —

字義 ❶めどぎ。めどはぎの茎で作った、うらないの道具。後世は竹で作り、筮竹という。❷うらなう(うらなふ)。めどぎを用いてうらなう。また、うらない。「筮占」「卜筮(ボクゼイ)」

解字 篆文 会意。もと、竹＋巫。巫は、巫の古字で、みこの意味。みこがうらないに用いた竹のめどぎの意味を表す。

【筮仕(ゼイシ)】吉凶をうらなって仕官する。転じて、初めて仕官する。

【筮竹(ゼイチク)】うらないに用いるめどぎ。五十本で、長さ九寸。上をまるくして天にかたどり、下を四角にして地にかたどる。

【筮卜(ゼイボク)】めどぎでうらなうことと、亀(かめ)の甲を焼いてうらなうこと。転じて、うらない。卜筮。

7 【節】 13画 8763 教4 セツ・セチ ふし 3265 90DF —

9 【節】 15画 8764 呉セチ 漢セツ 屑 jié

筆順 𠂉 ⺮ 竺 笞 管 節 節

【節】 8816 俗字

字義 ❶ふし。㋐竹のふし。㋑草木の節。㋒骨と骨とが接続する部分。「関節」㋓音楽の調子。メロディー。「曲節」❷みさお。自分の志・行動・主義を固く守って変えないこと。「貞節」❸きまり。おりめ。「礼節」❹くぎり。きりめ。詩歌・文章のひとくぎり。段落。「章節」❺わりふ。てがた。「符節」❻はたじるし。旄牛(ボウギュウ)(からうし)の尾でかざった、大将・使臣などに賜るしるしの旗。「使節」❼とき。おり。時期。「時節」❽時候の区分の名。気候の変わりめ。一年を二十四節に分ける。「季節」❾いわいの日。祝日。「佳節」❿ほどあい。ころあい。適度。⓫ほどよい。ほどよくする。適度を保つ。「節制」⓬かぎる。はぶく。ひかえ目にする。また、つつましくする。倹約する。「節約」⓭ますがた。とがた。柱などの上に設けた立方体、または直方体の木。⓮楽器の名。打って他の楽器のふしを調えるもの。⓯易(エキ)の六十四卦(カ)の一つの名。☱☵ 兌下坎上(ダカカンショウ)。節度(カンシ)があるさま。国ノット。英語 knot の訳。船が一時間に一海里(一八五二メートル)走る速さ。

節⑥

名前 お・さだ・せつ・たか・たかし・たけ・とき・とも・のり・ふ・

ふし・ほど・まこと・みさ・みさお・みね・もと・よ・よし

解字 金文 篆文 形声。竹＋即(卽)音。音符の卽は、食物の前にひざ関節をつける形にかたどる。竹は、ふしのあるたけの象形。合わせて、ふしの意味を表す。

逆 音節・佳節・漢節・気節・苦節・慶節・高節・細節・使節・時節・小節・臣節・聖節・大節・忠節・調節・貞節・晩節・変節・末節・名節・令節・礼節

【節△鉞】節と鉞。▼節は旄牛の尾でかざったしるしの旗、鉞は大きなおの。昔、征討のとき、威信を示すため天子から将軍にたまわった。

【節下】①節（はたじるし）のもと。転じて、将軍をいう。②使者の尊称。③唐代、太守の別称。

【節介】①節操をかたく守って世俗に合わないこと。②国よけいな世話（をやくこと）。おせっかい。

【節会(會)】■ 朝廷の儀式の際に開く宴会。■ 国昔、朝廷で節句の日などに行われた宴会。

【節解】①霜のために草木の葉が落ちること。②音節が分解すること。③刑罰の名。骨の関節をときはなす。

【節概(槪)】みさお。気概のあるみさお。節操気概。

【節気(氣)】五日を一候とし、三候を一気として、一年を二十四気に分け、月の初めにあるものを節気といい、月の中にあるものを中気という。また、節気と中気とを合わせて節気ともいう。⇩コラム 気候(二十四気)(八〇三ページ)。

【節季】①時節の終わり。また、時節。②年の末。歳暮。③盆・くれの勘定期。

【節義】節操があって行いが道義にかなっていること。また、道義をかたくとり守るみさお。

【節△俠】正義や信義を重んじ、弱い者を助け強い者をくじくこと。おとこだて。義俠。

【節句・節供】節日（一〇八一ページ中）のうち、特に重要な日。人日（正月七日）・上巳（三月三日）・端午（五月五日）・七夕（七月七日）・重陽（九月九日）。節供。◆以前は多く「節供」と表記したが、現代では「節句」が一般的。

【節倹(儉)】むだな費用をへらしてつつましやかにすること。倹約。節約。

【節減】ひかえめにしてへらす。むだをはぶいてへらす。

【節孝】①節操があり孝心のあついこと。②若くして夫を失った女性が再婚せずに、よく夫の父母に仕えること。

【節候】季節時候をいう。

【節士】節操のある人。節夫。

【節日】①君主の誕生日。②季節の変わりめに行う祝日。③祝祭日。

【節序】①時節の移り変わる順序。転じて、季節。②順序。次第。

【節食】食物の量をひかえめにする。

【節制】①ほどよくして度をすごさないこと。ひかえめにすること。②節度のあること。規律が厳正なこと。③取りしまる。

【節省】ほどよくはぶく。また、はぶく。

【節奏】音楽のリズム・拍子。

【節葬】①葬儀を簡素にすること。②『墨子』の編名。

【節操】①みさお。節義をかたく守って変えないこと。②音律。

【節鎮(鎭)】①節度使のいる役所。②節度使。

【節度】①きまり。のり。規制。また、抑制のきいた態度。②ほど。ころあい。③さしず。指令。

【節度使】①官名。唐・宋代、軍政と行政とをつかさどった地方長官。節鎮。②国奈良時代の官名。地方の行政・軍事をつかさどった。後世は、地方に派遣された武将をもいう。

【節刀】国昔、将軍や遣唐使などに天子が与えた刀。

【節婦】みさおの正しい女性。

【節符】わりふ。

【節物】四季おりおりの花鳥・景色・品物などをいう。

【節分】①気候の移り変わる時をいう。立春・立夏・立秋・立冬などの前日をいう。②国立春、また、俗に立春の前夜をいう。豆まきをする。

【節文】ほどよくしてかざる。▼文は、かざる。

【節△旄】天子から使者に賜る任命のしるしの品。からうしの尾を、旗ざおの先につけたもの。〔漢書、蘇武伝〕

【節目】■ ①木のふしと、もくめ。②細目。箇条。■ 国①材木のふしのある所。②物事の区切り目。

【節約】①倹約をする。節倹。②しばること。束縛。

【節用】費用を節約すること。むだづかいをしない。

【節用集】国書名。室町時代の国語辞書。著者未詳。語の最初の音によって、いろは四十三部に分類し、あてるべき漢字とその簡単な注解を記す。室町から江戸時代にかけて広く用いられた。印度本・伊勢本・乾本の三種のテキストがある。

【節欲】私欲をおさえる。欲望をほどよくおさえる。制欲。

【節理】①すじめ。②すじみち。節義道理。③岩石にできるやや規則的なわれめ。

【節略】①あらまし。概要。摘要。②ほどよくへらす。節減。省略。

【節録】国事がらを適当に取捨選択して記録すること。また、その記録。

【持ㇾ節】①天子から賜った節旄（から牛の尾の飾りのついた旗）を持って使いすること。また、それを身からはなさないこと。②みさおをかたく守る。

【折ㇾ節】節操をまげる。主義主張をまげる。

【全ㇾ節】節操・節義を守りとおす。守ㇾ節。

7 【筭】13画 8765 チュウ 籌(8920)の俗字。→一〇九二ページ下。 2 8345 — —

7 【筯】13画 8766 漢チョ 呉ジョ(ヂョ) 御 zhù 1 8965 — 5016

字義 はし。＝箸(8821)。

解字 形声。竹＋助音。

7 【筳】13画 8767 漢テイ 呉ジョウ(ヂャウ) 青 tíng 2 8349 — 5018

字義 ❶いとくだ。機糸を巻くくだ。ひくだ。❷細い竹。折れ竹。❸こえだ。竹・木の小枝。

解字 形声。竹＋廷音。

7 【筩】13画 8768 ■ 漢トウ・呉ドウ 東 tǒng ■ 漢ヨウ・呉ユウ 腫 yǒng 2 8348 — 5013

字義 ■ ❶つつ。㋐竹のつつ。竹筒。㋑小さい口のあるつつ。一度入れたら取り出せないように作ったもの。❷かぎ。魚を捕らえるかぎ。■ やづつ。矢を入れるつつ。

解字 形声。竹＋甬音。音符の甬は、筒に通じ、中空の意味。円柱形をした、化粧品を入れる小箱・竹のつつの意味を表す。

7 【筤】13画 8769 ロウ(ラウ) 陽 養 lāng 2 8346 — 5011

字義 ❶かご。竹かご。また、竹製の車のおおい。❷蒼筤は、若竹。

解字 形声。竹＋良音。

8 【箇】14画 8770 常 カ カ 箇 gè 唐コ 1853 89D3 —

筆順 箇

字義 ❶物を数えるときにそえることば。古くは竹を数えることばとして用いた。＝個(421)・个(164)。「矢五十箇」❷この。か-くの。物や場所などをさすことば。これ。あの。あれ。用例〔唐、李白、秋浦歌〕白髪三千丈、縁レ愁似レ箇長 ↓わが白髪が、なんと三千丈。愁いのために、こんなにも長くなってしまったのだ。❸意味を強める助字。「真箇」

名前 かず・とも

解字 篆文 𥫗 形声。竹＋固㊄。音符の固は、かたいの意味。一つの独立性の固い竹ふだの意味から、物を数える時にそえる助字として用いる。

逆 各箇・好箇

【箇箇】ひとつひとつ。おのおの。個個。

【箇所】その場所。

【箇条（條）】すじ。くだり。一つ一つの条項。

【箇中人】ある物事について、よくその道理を知っている人。また、ある風景などについて、実際によく知っている人。この中にある人という意。

【箇裏】この中。

8【箉】14画 8771 ㊥カイ（クワイ） ㊀ゲ 囮 guǎi ―― 5021

字義 魚をとる竹製の道具。

解字 形声。竹＋拐㊄。

8【管】14画 8772 教4 カン くだ カン（クワン） 旱 guǎn 2041 8AC7 ―

筆順 ノ ㇑ 𥫗 竺 竺 笁 管 管 管

字義 ❶くだ。竹のくだ。また、細長いつつ。「鉄管」❷ふえ。楽器の一種。❸吹き鳴らす竹製の楽器の総称。「管弦」❹筆のじく。「筆管」「彤管」❺かぎ（鍵）。「管鍵」❻つかさどる。支配する。管理する。「管掌」❼とりしまる。拘束する。❽かなめ（要）。

名前 うち・すげ

解字 篆文 管 形声。竹＋官㊄。音符の官は貫に通じ、つらぬくの意味。竹のくだ・ふえの意味を表す。

逆 移管・歌管・彩管・細管・主管・所管・吹管・竹管・保管

【管晏】管仲と晏嬰（六六五ページ上）。ともに春秋時代、斉の名宰相。

【管夷吾】＝管仲。

【管下】①下を支配する。②国受け持ちの範囲。担当区域。管内。

【管楽（樂）】①管仲と楽毅（七五四ページ中）。管仲は、春秋時代、斉の名臣、楽毅は、戦国時代、燕の名将。②笛・笙などの吹奏楽器。管楽器。

【管葛】春秋時代、斉の管仲と、三国時代、蜀の諸葛亮（二三三ページ中）。ともに名宰相。

【管轄】①重要な地位をいう。▼管は門戸の開閉をつかさどるかぎ、轄は車軸のくさび。②取りしまる。支配する。

【管翰】ふで。

【管窺】せまい見識。せまい見聞から立てた意見。↓以レ管窺レ天。

【管区（區）】管理する区域。取り締まる範囲。

【管穴】くだの穴から見る。狭い見識のたとえ。

【管見】①狭い見識。くだの中から見る意。②自己の見識を謙遜していうことば。

【管鍵】かぎ。

【管弦・管絃】①管楽器と弦楽器。また、楽器。②音楽。

【管財】財産を管理すること。

【管子】①管仲をいう。▼子は、美称。②書名。二十四巻。春秋時代の斉の管仲の著と伝えられるが、後人の筆に成る部分が多いといわれる。主として法家思想に基づいた政治論集。

【管商】管仲と商鞅（六八ページ中）。管仲は春秋時代、斉の桓公に仕え、商鞅は戦国時代、秦の孝公に仕えた。ともに法家思想の政治家。

【管掌】つかさどる。取りしまる。

【管城子】筆の別名。唐の時代、韓愈が、筆の材料となる兎の祖先を毛穎という架空の人物にしてその伝記「毛穎伝」を記し、毛穎が管城に封じられたとしたことから名づけられたもの。管城侯。

【管制】管理制限する。

【管説】見識の狭い言説。管見の所説。

【管中窺天】くだの穴から天をうかがい見る。見聞の狭いたとえ。〔王学提綱〕

【管中窺豹】くだの穴から豹をうかがい見る。極めて見聞の狭いたとえ。

【管仲】春秋時代、斉の政治家。名は夷吾。字は仲。諡は敬。管敬仲・管子ともいう。初め斉の公子の糾に仕え、桓公と戦ったが、のち若いときの親友鮑叔牙の推挙によって桓公に仕え、富国強兵の策を立て、桓公を天下の覇者とした。その著といわれる『管子』は、後人の手に成るものが多いといわれる。（？―前六四五）

【管長】①取りしまりの長。②仏一宗一派を管理する長。

【管鮑】春秋時代、斉の桓公に仕えた管仲と鮑叔牙（一六一三ページ中）とをいう。→管鮑交。

【管鮑交】管仲と鮑叔牙（一六一三ページ中）との親しい交際。両人は貧しいときから富貴になるまで、その友情が変わらなかった。転じて、親密な交際のたとえ。用例〔唐、杜甫、貧交行〕君不レ見管鮑貧時交、此道今人棄如レ土。↓見たまえ、あの管仲と鮑叔牙との貧しいときの交友を、あのような交友を人々は価値ないものとして捨ててしまっている。

【管籥】①ふえ。▼籥は、三つまたは六つ穴のある笛。②かぎ。

【管理】取りしまる。つかさどりおさめる。

【管領】①取りしまる。治める。②受領する。③国室町時代、将軍を補佐した官職。

【管蠡】くだとほら貝。転じて、くだで天をのぞき、ほら貝で大海の水を測るように、極めて見識の狭いたとえ。

【以レ管窺レ天】くだの穴から天をうかがい見る。見聞の狭いたとえ。〔荘子、秋水〕

8【箝】14画 8773 ㊥ケン・㊀ゲン 慣カン 囮 qián 6815 E2AD ―

字義 ＝鉗（12539）。❶はさ-む。用例〔戦国策、燕〕蚌合箝二其喙一 ↓どぶ貝は殻を閉じてしぎのくちばしをはさんだ。❷くびかせ。また、くびかせをはめる。❸つぐむ。口をとじる。国す-げる。さしこむ。はめこむ。

参考 熟語は〔鉗〕（12539）をも見よ。

解字 篆文 箝 形声。竹＋拑㊄。音符の拑は、はさむの意味。口に竹片をはさませて声を出させないの意味を表す。

【箝口】口をつぐんでいわない。また、口をふさぎとどめる。言論を束縛する。鉗口。箝語。「箝口令」

8【箕】14画 8774 人 標 キ 囡 jī 4407 96A5 ―

筆順 ノ ㇑ 𥫗 竺 笋 笋 箕 箕

字義 ❶み。穀物にまじっているちりやからなどをあおり出す道具。用例〔列子、湯問〕叩レ石墾レ壌、箕畚運二於渤海之尾一 ↓石を叩き割り、土を掘り起こし、みやもっこを使って渤海の端まで土石を運んだ。❷星の名。みぼし。二十八宿の一つ。射手座の

箕①

東部。「箕宿」 ❸ちりとり。「箕帚」 ❹両足を投げだして座る。箕の形のように、あぐらをかく。「箕踞」 ❺国名。殷の箕子の封ぜられた国。今の山西省太谷県の東。
名前 み・みる 難読 箕郷・箕面・箕輪・箕匂
解字 形声。竹＋其音。
【箕裘】 祖先伝来の家業。また、その家業を受けつぐこと。弓作りの子は、父が堅い木を曲げて弓を作るのを見て、やわらかい柳の枝を曲げて箕を作ることを学び、かじ屋の子は、父が堅い鉄を溶かしてなべ・かまを作るのを見て、やわらかい獣皮をつぎ合わせて裘(皮衣)を作ることを学ぶ意。〔礼記、学記〕
【箕倨・箕踞】 両足をのばしてすわること。礼儀にはずれたすわりかた。用例〔荘子、至楽〕荘子則方箕踞、鼓盆而歌。↓荘子はちょうど両足を投げ出して腰を下ろし、盆をたたいて歌をうたっていた。
【箕坐】 ＝箕踞。
【箕山】 山名。尭のとき、隠者の許由と巣父が隠れ住んだ所という。今の河南省登封市の南東。許由が隠れ住んだといわれる箕山は、ほかにも数か所ある。
【箕山之志】 退隠して節操を守ろうとする心。尭のとき、許由と巣父が箕山に退隠した故事に基づく。箕山之節。〔三国魏、文帝、又与呉質書〕
【箕子】 殷末の王族。紂王の叔父。箕に封ぜられたので箕子という。紂の暴虐をいさめたが聞きいれられず、狂気の人のまねをして逃げ、後に朝鮮古代王朝の始祖となったと伝えられる。紂の没後、周に朝する途中、殷の旧都のあとを過ぎて麦秀之歌を作ったといわれる。平壌にその陵がある。〔史記、殷本紀〕
【箕帚・箕箒】 ちりとりとほうき。
【箕帚妾】 ちりとりとほうきを持つ女性。掃除をする女性。転じて、人の妻となることの謙称。〔史記、高祖本紀〕
【執箕帚】 ①臣下として人に仕えること。②人の妻となること。
【奉箕帚】 ＝執箕帚。
【箕伯】 風の神。風伯。
【箕賦】 ＝箕斂。
【箕斂】 箕ですくいとるように民の財をきつくとりたてる。箕賦。

8【箘】 14画 8775 漢キン 呉ギン 軫 jùn 6816 E2AE —

[箟] 8776 古字
解字 形声。竹＋囷音。
字義 ❶箘簬は、しのだけ。矢の軸に用いる。❷や(矢)。❸たけのこ。

8【箟】 14画 8776 キン 6817 E2AF —
箘(8775)の古字。→一〇八三ページ上。

8【箜】 14画 8777 漢コウ 呉ク 東 kōng 6819 E2B1 —
字義 くご。くだらごと。→箜篌。
解字 形声。竹＋空音。
【箜篌】 楽器の名。くだらごと。二十三弦あり、両手でかきならす。竪箜篌・臥箜篌などの別があり、竪箜篌は西欧のハープに似、臥箜篌は瑟に似る。日本へは、百済から、竪箜篌が伝わった。

箜篌演奏(五代石刻)

8【箞】 14画 8778 ケン 先 霰 quān 8967 EE6B 5027
字義 竹をたわめる。
解字 形声。竹＋巻音。

8【箍】 14画 8779 漢コ 呉ク 虞 gū 6818 E2B0 —
字義 ❶たが。桶などにはめる竹や金属の輪。❷たがをはめる。
解字 会意。竹＋扌(手)＋匝(帀)。帀は、めぐらすの意味。桶にめぐらす竹製の「たが」の意味を表す。

8【篪】 14画 8780 一漢コ・呉ク 麌 hǔ 二漢チ・呉ジ(ヂ) 支 chí — — 5022
字義 一竹の名。丈の高い竹。二篪(8840)の俗字。
解字 形声。竹＋虎音。

8【算】 14画 8781 教2 サン 一サン 旱 suàn 二サン 翰 2727 8E5A —
筆順 ⺊ ⺮ 竹 筲 笪 笪 算 算
[筭] 8757 同字
字義 一❶かぞ-える。かぞ。「計算」 ❷かず。❸かご。竹製の器具。二❶さんぎ。かずとり。そろばん。「籌算」 ❷暦・数をかぞえる方法。「算術」 ❸はかる。はかりごと。「成算」 ❹ちえ。❺命数。年齢。「宝算」
名前 かず・さん・とも
解字 篆文 会意。竹＋具。具は、そなえるの意味。数をかぞえる竹の棒をそろえる、かぞえるの意味を表す。
逆 暗算・違算・合算・換算・起算・決算・口算・公算・誤算・採算・函算・勝算・書算・心算・神算・成算・清算・聖算・測算・打算・通算・破算・宝算・目算・予算
【算画(畫)】 計画。計略。
【算術】 計算のしかた。昔は広く数学と同義に用いられたが、今は初等の数学をいう。
【算数(數)】 ①かぞえる。計算する。また、その方法。②国小学校の教科の一つ。数学。
【算段】 国くふう。手段方法。また、くめんする。
【算入】 数え入れる。費用や予算を他のものに加えて一緒に計算する。
【算盤】 一計算用具の一つ。二国①計算。②損得。
【算木】 国①計算用具の一つ。和算で、そろばんで算出できない場合、すなわち開平以上の計算に用いるもの。②占いに用いる長さ一〇センチメートルぐらいの六個の正方柱体の木。
【算命】 ①計画して命ずること。②運命を占うこと。また、うらない。生年月日の干支によって行う。
【算用】 国①計算。かんじょう。「算用数字」 ②みつもり。目算。「胸算用」
【算略】 はかりごと。計略。
【算暦(曆)】 算法と暦象(天文)。
【無算】 ①数えることができないほど多い。②少なくて数えるまでもない。③定数がない。数がいくつと定められていないこと。
【乱(亂)算】 国算木をみだしたように、ちりぢりばらばらになる。

8【箬】 14画 8782 漢ジャク 呉ニャク 薬 ruò — — 5030
[篛] 8838 同字
字義 ❶竹のかわ。竹皮。❷くまざさ。「箬竹」
解字 形声。竹＋若音。

8【箠】 14画 8783 スイ 紙 chuí — — 5028
字義 ❶むち。馬を打つむち。❷むちうつ。❸たたき。刑罰の一つ。笞刑。
解字 篆文 形声。竹＋垂(𠂹)音。音符の𠂹は、捶に通じ、むちうつの意味。竹のむち、また、それでむちうつの意味を表す。

【箠策】(スイサク) ①むち。むち。

【箠楚】(スイソ) ①むち。罪人を打つのに用いた。▼楚は、にんじんぼく。②むちうつ。

8 **【箐】** 14画 8784 漢セイ 呉ショウ(シャウ) 庚 jīng ₂8352 — 5023

字義 ❶笭箐(レイセイ)は、小さいかご。❷大きな竹林。

解字 形声。竹＋青音。

8 **【箋】** 14画 8785 常 セン 漢セン 先 jiān 6821 E2B3 —

筆順 ⺈ ⺮ 竺 笺 笺 笺 箋 箋

［笺］8737 俗字 字義 ＝牋(7112)。❶はりふだ。ふだ。書物にはりつけて、注解などをしるしておくもの。「付箋」❷ときあかし。注釈。「箋釈」❸ふみ。かきもの。❹てがみ。❺ふだ。詩文や手紙を書くのに用いる小幅の美しい紙。「詩箋」「便箋」❻なふだ。名刺。❼文体の名。上奏文の類い。

解字 篆文 形声。竹＋戔音。音符の戔(セン)は、うすく平たいの意味。うすく平たい竹、ふだの意味を表す。

【箋紙】(センシ) 詩文や手紙を書くのに用いる用紙。書簡用紙。牋紙(センシ)。

【箋釈(釋)】(センシャク) 本文の解釈。注釈。箋注。

【箋注・箋註】(センチュウ) ＝箋釈。

8 **【箏】** 14画 8786 標 漢ソウ(サウ) 呉ショウ(シャウ) 庚 zhēng 6823 E2B5 —

［筝］8738 俗字 字義 ❶こと。箏(ソウ)の琴。昔は五弦で、竹で作り、筑(チク)に似る。秦(シン)の蒙恬(モウテン)が改めて十二弦とし、木で作り、形を変えて瑟(シツ)のようにした。唐以後、十三弦を用いる。❷風箏は、軒先にかける風鈴。

解字 篆文 形声。竹＋争音。音符の争(ソウ)は、両方から引きあうの意味。竹製の本体に、五弦を両端に張りつめた楽器の意味を表す。

箏

【箏曲】(ソウキョク) 箏で奏する音楽。

8 **【箒】** 14画 8787 標 漢シュウ(シウ) 呉シュ 慣ソウ(サウ) 有 zhǒu 6822 E2B4 —

［帚］10048 同字 字義 ほうき(はうき)。ははき。掃除道具。

解字 甲骨文 篆文 形声。竹＋帚音。甲骨文は、象形。たてかけた「ほうき」の形にかたどり、「ほうき」の意味を表す。篆文は、又＋冂＋巾の会意と解し、ある境界内を布ではらうの意味から、「ほうき」の意味を表すという。のち、竹を付し、竹製の道具の意味を加えた。

8 **【箑】** 14画 8788 漢ソウ(サフ) 呉ショウ(セフ) 洽 shà ₂8353 — 5024

字義 おうぎ。うちわ。

解字 篆文 形声。竹＋疌音。音符の疌(ショウ)は接に通じ、つなぐの意味。竹をつぎあわせて作った、おうぎの意味を表す。

8 **【箸】** 14画 8789 チョ 箸(8821)の俗字。→一〇八五ページ下。 — — —

8 **【箚】** 14画 8790 トウ 劄(978)と同字。→一八八ページ中。 6820 E2B2 —

8 **【⿱竹卓】** 14画 8791 トウ 罩(9457)の俗字。→一二四九ページ中。 ₂8351 — —

8 **【箥】** 14画 8792 ハ pǒ — — 5029

字義 箥籮(ハラ)・箥籮は、柳の枝や竹で編んだざる・かご。

解字 形声。竹＋波音。

8 **【箔】** 14画 8793 人 標 漢ハク 呉バク 薬 bó 3983 9493 —

筆順 ノ ⺈ ⺮ 笞 笞 笵 箔 箔

字義 ❶すだれ。❷まぶし。蚕にまゆをかけさせるためのすのこ。❸金属を薄くたたき延ばしたもの。「金箔」

解字 形声。竹＋泊音。音符の泊は薄に通じ、うすいの意味。薄く平たい竹製のすだれ・薄い金銀の「はく」の意味を表す。

8 **【箙】** 14画 8794 漢フク 呉ブク 屋 fú 6825 E2B7 —

［箙］8795 俗字 字義 えびら。やなぐい。矢を入れて背に負う道具。

解字 甲骨文 篆文 形声。竹＋服音。音符の服は、身につけるの意。竹は、竹製であることを表す。矢を入れて背負う道具、えびらの意味を表す。甲骨文は象形で、矢を入れたえびらにかたどる。本来は、備と同一の象形字であったが、備の字に他の意味が加わったので、別に箙の字が作られた。

箙

8 **【箙】** 14画 8795 フク 箙(8794)の俗字。→一〇八四ページ中。 6825 E2B7 —

8 **【箆】** 14画 8796 ヘイ 篦(8846)の俗字。→一〇八七ページ下。 4247 95CD —

難読 箆(やたけ)・箆代(のしろ)・箆岳(ののだけ)・箆津(のず)・箆野島(ぬのしま)

8 **【箄】** 14画 8797 一 漢ヘイ・呉ハイ 斉 bēi 二 漢ハイ・呉バイ 佳 pāi 三 ヒ 紙 bǐ — — 5020

字義 一❶小さい竹かご。❷魚をとるためのふせご。二いかだ。三ふるい。粉などをふるい分ける道具。

解字 形声。竹＋卑音。音符の卑は、小さいの意味。

8 **【箖】** 14画 8798 リン 侵 lín — — 5025

字義 竹の名。河南省内にある諸葛亮(ショカツリョウ)の祠(ほこら)の中に生じ、高く、先端に葉があるという。

解字 形声。竹＋林音。

8 **【簑】** 14画 8799 国字 ₂8350 — —

字義 簑ヶ作(おきがさく)は、福島県いわき市の地名。

9 **【箼】** 15画 8800 オク(ヲク) 屋 wū ₂8358 — 5038

字義 竹の密生するさま。

解字 形声。竹＋屋音。

9 **【篏】** 15画 8801 カン qiàn 6829 E2BB —

字義 はめこむ。象嵌(ゾウガン)(象眼)する。＝嵌(2951)。

9 **【篋】** 15画 8802 キョウ(ケフ) 葉 qiè 6826 E2B8 —

字義 はこ。かご。竹製の長方形のはこ。

解字 篆文 形声。竹＋匧音。音符の匧(キョウ)は、また、匚＋夾音で、匚は、はこの意味。夾は、はさむの意味。書類などをはさんでしまう、はこの意味。竹を付し、竹製のはこの意味を表す。

【篋笥】(キョウシ) 書物や衣類などを入れる箱。

【篋扇】(キョウセン) ①箱の中に収められて使われなくなったおうぎ。②男性に捨てられた女性。

9 **【箛】** 15画 8803 漢コ 呉ク 虞 gū ₂8354 — 5026

字義 ❶笛。鞭(むち)に穴をあけ、馬上で吹く。また、木皮・芦(あし)の葉を巻いて作り、後世は銅管を用いる。❷竹の名。

解字 形声。竹＋孤音。

9 【箶】15画 8804 漢コ 呉ゴ 虞 hú ｜一 一 5035

字義 ❶竹の名。❷箶簏コロクは、やなぐい。矢を入れて背負う道具。

解字 形声。竹＋胡音。

9 【篌】15画 8805 漢コウ・呉グ 慣ゴ 尤 hóu ｜6828 E2BA 一

字義 箜篌コウゴは、楽器の名。→箜篌(一〇八三ページ・中)。

解字 形声。竹＋侯音。

9 【篁】15画 8806 漢コウ(クワウ) 呉オウ(ワウ) 陽 huáng ｜6827 E2B9 一

字義 ❶たかむら(竹叢)。たけやぶ。「幽篁」❷たけ。㋐竹の一種。質がかたく、笛や舟などを作る。㋑たけの通称。

解字 篆文 形声。竹＋皇音。音符の皇は、広く大きいの意味。広いたかむらの意味を表す。

9 【篊】15画 8807 漢コウ 呉グ 東 hōng ｜2 8360 一 5043

字義 ❶とい(樋)。❷たば。❸くし(串)。❹やな。魚をとるための竹製の道具。国ひび。しび。のり・かきなどを養殖するために海中に立てる棒。

解字 形声。竹＋洪音。

9 【箺】15画 8808 シュン 軫 chǔn ｜一 一 5036

字義 竹の名。

解字 形声。竹＋春音。

9 【箰】15画 8809 ジュン 筍(8731)と同字。→一〇七八ページ・上。 ｜一 一 5032

9 【箱】15画 8810 教3 はこ 漢ショウ(シャウ)・呉ソウ(サウ) 陽 xiāng ｜4002 94A0 一

筆順 箱

字義 ❶はこ。かたみ。物を入れる竹製のはこ。また、一般に、物を入れるはこ。❷車の荷受け。車内の、荷物を入れる所。❸わきべや(廂ショウ)。ひさし。正寝(おもてざしき)の東西にある室をいう。「東箱」「西箱」

名前 はこ

解字 篆文 形声。竹＋相音。音符の相は、倉に通じ、しまうの意味。竹製の車に載せる、はこの意味を表す。

【箱△筥】ショウキョ はこ。▼筥は、円形のはこ。

【箱△篋】ショウキョウ はこ。▼篋は、長方形のはこ。

【箱△匣】ショウコウ はこ。▼匣は、小さなはこ。

9 【箾】15画 8811 一ショウ(セウ) 蕭 xiāo 二サク 覺 shuò

字義 一❶韶箾ショウショウは、舜シュンの音楽の名。❷象箾は、舞う人が手に持つもの。二うつ。さおでたたく。

解字 形声。竹＋削音。

9 【箴】15画 8812 シン 侵 zhēn ｜6830 E2BC 一

字義 ❶はり。＝鍼(12765)・針(12468)。㋐裁縫に用いるはり。ぬいばり。㋑病気をなおすために用いる石ばり。「箴石」❷いましめ。また、いましめる。❸文体の名。いましめの意味を含むもの。

解字 篆文 形声。竹＋咸音。音符の咸カは、針に通じ、はりの意味。竹のはりの意味を表す。

【箴△誡】シンカイ いましめる。また、いましめ。

【箴△諫】シンカン いましめいさめる。また、いましめ。いさめ。

【箴規】シンキ いましめただす。また、いましめ。

【箴言】シンゲン いましめのことば。教訓となることば。

【箴石】シンセキ 病気をなおすために用いるいしばり。

【箴△砭】シンペン ①＝箴石。②人をいましめて過失をただすこと。いましめ。針砭。

【箴銘】シンメイ 文体の名。いましめの文。⇩コラム 漢文(六六八ページ・一)。

9 【篅】15画 8813 一漢スイ・呉ズイ 支 chuán 二漢セン・呉ゼン 先 chuán ｜2 8359 一 5041

字義 一❶竹囲いの米倉。❷竹製の器具。国いざる。竹製のざる。

解字 形声。竹＋耑音。

9 【箵】15画 8814 漢セイ 呉ショウ(シャウ) 梗 shěng ｜2 8357 一 5034

字義 ❶笭箵レイセイは、㋐かご。小さいかご。㋑車のちりよけ。㋒漁具の総称。❷竹の名。

解字 形声。竹＋省音。

9 【篂】15画 8815 漢セイ 呉ショウ(シャウ) 青 梗 xīng ｜一 一 5040

字義 簈篂ヘイセイは、竹製の車のちりよけ。

解字 形声。竹＋星音。

9 【節】15画 8816 人 セツ 節(8763)の俗字。→一〇八〇ページ・下。 ｜1 8968 一 一

9 【節】15画 (8764) セツ 節(8763)の旧字体。→一〇八〇ページ・下。

9 【箭】15画 8817 標 セン 霰 jiàn ｜3293 90FB 一

［箭］8818 俗字

字義 ❶や(矢)。「弓箭」❷やだけ。しのだけ。幹は細く強く、節の間が長くて矢を作るに適する。❸やがら。矢の、軸の部分。❹すごろくのさい。❺水時計の目もりを刻んだ矢。「漏箭」

解字 篆文 形声。竹＋前音。音符の前は、すすむの意味。飛ぶ竹、「や」の意味を表す。

【箭幹・箭△竿】センカン やがら。矢の軸の部分。

【箭眼】センガン 矢を射るために城や櫓やぐらなどに設けた小窓。矢狭間やざま。

【箭書】センショ 矢に結びつけて送る文書。やぶみ。矢文。

【箭△鏃】センゾク やじり。矢の先端。

9 【箭】15画 8818 セン 箭(8817)の俗字。→一〇八五ページ・下。

9 【筅】15画 8819 セン 銑 xiǎn ｜一 一 5033

字義 ささら。小さな竹製のブラシ。

解字 形声。竹＋洗音。音符の洗は、あらうの意味。

9 【箪】15画 8820 タン 簞(8891)の俗字。→一〇九〇ページ・下。 ｜3529 925C 一

9 【箸】15画 8821 常 はし 一漢チョ・呉ジョ(ヂョ) 御 zhù 二チャク 薬 zhuó ｜4004 94A2 一

筆順 箸

［箸］8789 俗字

字義 一❶はし。食物をはさむはし。＝筯(8766)。❷たる(樽ソン)。❸いちじるしい(著)。あきらか。二＝著(10051)。❶きる(着)。❷つく(付・附)。ねばりつく。

名前 あき・あきら・つく

解字 篆文 形声。竹＋者音。音符の者は、集めるの意味。食物を集めとる竹製の「はし」の意味を表す。また、署に通じ、書きつけるの意味を表すが、今日では、この意味の時には著に作って区別している。

9 【篆】15画 8822 標 漢テン 呉デン 銑 zhuàn ｜6831 E2BD 一

字義 ❶書体の名。周の宣王の太史籀チュウの作ったといわれる大篆(籀文ともいう)と、秦シンの李斯リの作ったといわれる小篆とがある。現在印章に使われることの多い書体。「篆文」⇩コラム 文字・書体の変遷(六三二ページ・一)。❷鐘の周囲にめぐら

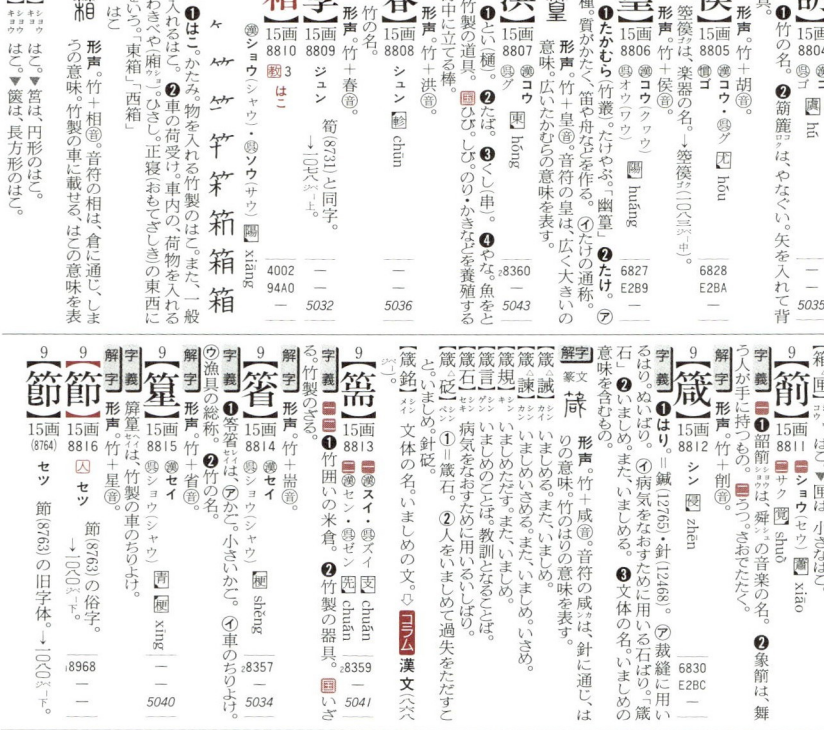

した帯。❸印章。多く篆書を用いるのでいう。❹人の名前。名を印に刻むには篆体を用いるのでいう。

解字 篆文 篆 形声。竹＋彖㊟。音符の彖テンは、轉テンに通じ、めぐらすの意味。筆を回転させるようにして書く書体の意味を表す。

【篆額】テンガク 石碑の上部に篆書で書いた題字。

【篆刻】テンコク ①篆字を印にきざみつける。印をほること。②一字一句を練ってかざりが多く、実用に適しない文章。また、文章を作ることにいう謙辞。

【篆字】テンジ 篆体の文字。篆文。篆書。↓字義❶。

【篆書】テンショ 漢代の書体六種の一。大篆と小篆とがある。また、特に小篆をいう。大篆は、西周の宣王の時代(前八二七―前七八二)に太史の籀チュウが作ったと伝えられ、籀文ともいわれるが、東周末期、紀元前四、三世紀ころの秦シンの地方で用いられていたもの。小篆は、秦の始皇帝が李斯リシに命じて大篆を基礎として改変し、天下に通行させたもの。別名、秦篆ともいう。後漢の許慎の『説文セツモン解字』は、この小篆に基づく。均整のとれた荘重美麗な字形で、今日でも印章や石碑の題額の文字などに用いられる。篆字。篆文。〔漢書、芸文志〕⇩コラム 文字・書体の変遷(六三二ペー)。

【篆体(體)】テンタイ 篆文の書体。〔北史、江武伝〕

【篆△籀】テンチュウ 周の太史籀の作ったといわれる大篆をいう。籀文ともいう。

【篆文】テンブン 篆体の文字。篆字。

【篆隷(隸)】テンレイ 篆書と隷書。隷書は、篆書の後に出た書体。

9【箽】15画 8823 漢トウ 呉ツウ 董 dǒng — — 5039

字義 竹の名。また、竹製の器具。

解字 形声。竹＋重㊟。

9【範】15画 8824 常 ハン 漢ハン・呉ボン 鎌 fàn 4047 94CD —

筆順 範

字義 ❶のり。てほん。＝笵(8712)。「模範」「軌範」❷かたどでのまつり。旅に出るとき、道祖神に告げて祭ること。❸かた。鋳型いがた。金属を鋳造する型。↓笵(8712)。❹つね(常)。❺くぎり。さかい。しきり。「範囲」❻あう(遇)。

名前 すすむ・のり

参考 現代表記では〔汎〕(6169)の書きかえに用いることがある。「広汎→広範」

解字 篆文 範 形声。車＋笵省㊟。音符の笵ハンは、てほんの意味。車をつくるための模型の意味から、てほんの意味を表す。また、笵は犯に通じ、おかすの意味。旅立ちにあたって、犬を車でひき殺し血をぬるお払いの意味をも表す。

逆 規範・広範・師範・模範

【範囲(圍)】ハンイ ①鋳型に入れて周囲を正すこと。②一定の限られた場所。さかい。くぎり。

【範式】ハンシキ のり。てほん。

【範△疇】ハンチュウ ①しなわけ。分類。部門。『書経』の「洪範九疇」から出たことば。②国哲学上、外物を認識して概念化するとき、必ずよるべき思惟の形式。ドイツ語 Kategorieの訳語。

【範例】ハンレイ 手本になる例。

【垂レ範】ハンをたる 手本を示す。垂範スイハン。用例〔宋書、謝霊運伝〕垂ニ範後昆一ハンをコウコンにたる。↓手本を後世に示す。

9【篇】15画 8825 人 標 ヘン 先 piān 4251 95D1 —

筆順 篇

字義 ❶ふみ。ひとつづりとなった書物。❷一つにまとまった詩歌・文章。❸詩文を数える語。❹まき。書物の部わけ。「前篇」❺はりふだ。

【篇】8826 俗字

参考 現代表記では〔編〕(9284)に書きかえる。「長篇→長編」「前篇→前編」。熟語は〔編〕をも見よ。

解字 篆文 篇 形声。竹＋扁㊟。音符の扁ヘンは、ふだの意味。文字を書きつけるための竹製のふだの意味から、書物の意味を表す。

【篇△翰】ヘンカン 文章。詩文。

【篇次】ヘンジ 書物の部わけの順序。

【篇首】ヘンシュ 詩や文章の初め。

【篇△什】ヘンジュウ 詩歌を集めたもの。また、詩歌。『詩経』の雅頌ガショウで十編を一什としたのでいう。

【篇章】ヘンショウ ①詩文の編と章。②文章、または書物。

【篇籍】ヘンセキ 書物。

【篇△帙】ヘンチツ ①ふみづつみ。書物の外部をおおい包むもの。書衣。②書物。

【篇△牘】ヘントク 書物。▼牘は、木簡(木の札)、また、それに書いた文書。

9【篇】15画 8826 ヘン 篇(8825)の俗字。↓一〇八六ペー中。

9【箯】15画 8827 漢ヘン 呉ベン 先 biān ₂8356 — 5031

字義 竹製の輿こし。

解字 形声。竹＋便㊟。

9【篈】15画 8828 漢ホウ 呉フウ 冬 fēng — — 5042

字義 竹の名。

解字 形声。竹＋封㊟。

9【䈎】15画 8829 ㊀ヨウ(エフ) 葉 yè ㊁チョウ(テフ) 葉 yè ₂8355 — —

字義 ㊀❶竹のふだ。かみ。字を書き付ける物。❷紙を数える単位。＝葉(10141)。

解字 形声。竹＋葉㊟。

9【箻】15画 8830 漢リツ 呉リチ 質 lǜ — — 5037

字義 鳥を射るのに用いる竹筒。

解字 形声。竹＋律㊟。

10【篔】16画 8831 ウン 文 yún ₂8363 — 5044

字義 篔簹ウントウは、大竹の名。水辺に生じ、肉うすく、節と節との間が長い。竹の中で最も大きい。

解字 形声。竹＋員㊟。

10【篙】16画 8832 コウ(カウ) 豪 gāo ₁8970 — 5047

字義 さお。ふなざお。船を進める棹さお。

解字 形声。竹＋高㊟。

【篙工】コウコウ 舟をたくみにあやつるもの。船頭。舟子。篙師。篙手。篙人。

10【篝】16画 8833 標 漢コウ 呉ク 尤 gōu 6832 E2BE —

【篝】8916 同字 【篝】8834 俗字

字義 ❶ふせご。火の上におおいかけ、物をその上に載せて、かわかすのに用いる道具。また、かごを伏せて上に衣服をかけ、中で香をたいて、香をたきしめる道具。❷かご。物を負うかご。❸かがり。かがり火をもやす鉄製のかご。

解字 篆文 篝 形声。竹＋冓㊟。音符の冓コウは、かがり火をたくためのかごの象形。竹のかごの意味を表す。

【篝火】コウカ・かがりび 夜の警護や魚取りなどで、周囲を照らすためにたく火。篝かがりでたく火。

10【篝】16画 8834 コウ 篝(8833)の俗字。↓一〇八六ペー下。

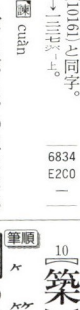

10【簑】16画 8835 サ
蓑(10161)と同字。→一二三七ジー上。
6834 E2C0 ―

10【篡】16画 8836 漢サン 呉セン 諫 cuàn
「簒」8862 俗字
字義 うばう。とる。㋐うばい取る。よこどりする。用例(墨子、兼愛中)家主相愛、則不二相簒一。↓卿・大夫がお互いに愛し合えば、お互いに奪い合わない。㋑いぐるみ(狩猟道具。矢に糸・網をつけて獲物にからませる)にかけてとる。

解字 篆文 [篆文] 形声。ム＋算㊥。音符の算は、計算するの意味。ムは、農具のすきの意味。計画的にすきとるの意味から転じて、うばうの意味を表す。

【簒位】臣下が君主の位をうばい取ること。

【簒逆】臣下が君主を廃して、その位をうばうこと。

【簒△弑】臣下が君主を殺して、その位をうばい取ること。簒殺。

【簒奪】君主の位をうばい取ること。

【簒立】臣下が君主の位をうばって、これにかわること。

10【篩】16画 8837 一シ 支 shī 二サイ 佳 shāi
6833 E2BF ―
字義 一❶ふるい。ふるって物をえりわけるのに用いる、竹などで編んだ底に目のある器具。❷ふるう。ふるいにかける。
解字 形声。竹＋師㊥。

篩①

10【篛】16画 8838 ジャク
箬(8782)と同字。→一〇八三ジー下。
― ― 5049

10【篨】16画 8839 漢チョ 呉ジョ(ヂョ) 魚 chú
― ― 5050
字義 籧篨は、㋐目のあらい竹のむしろ。たかむしろ。㋑はと胸。

10【篪】16画 8840 漢チ 呉ジ(ヂ) 支 chí
2-8366 ― 5051
【䶵】14629 同字
字義 横笛の一種。八つ、または七つ穴がある。
解字 形声。竹＋虒㊥。
【篪△塤】横笛と、土ぶえ。

10【築】16画 8841 教5 チク きずく 熟字訓 築山
3559 927A ―

筆順

10【築】16画 8842 チク 屋 zhù
字義 ❶きずく。城や庭園・建物などを作る。「建築」「構築」❷つく。つきかためる。❸きね。土をつきかためる道具。
難読 築館・築地・築城
解字 金文 [金文] 篆文 [篆文] 古文 [古文] 形声。木＋筑(筑)㊥。音符の筑は、また工＋丮＋竹㊥。工は、工具の象形。丮は、手に取るの意味。音符の竹は篤に通じ、厚いの意味。きねなどの工具を用いて盛土を厚くつき固める、きずくの意味を表す。古文は、土＋筥㊥。音符の筥は、厚いの意味。土を厚くつき固めるの意味を表す。
逆 構築・修築・板築・版築
【築山】一 土を積んで山を造る。二 国庭などに人工によって造った小山。
【築城】城壁をきずく。城をきずく。
【築塁(壘)】塁をきずく。

10【篖】16画 8843 漢トウ(タウ) 呉ドウ(ダウ) 陽 táng
2-8364 ― 5045
字義 符篖は、アンペラ。カヤツリグサ科の多年草。また、それで編んだむしろ。
解字 形声。竹＋唐㊥。

10【篤】16画 8844 常 トク 沃 dǔ
3838 93C4 ―

筆順

【篤】10187 同字
字義 ❶馬がゆっくり歩く。また、行きづまる。❷あつい。㋐手あつい。人情があつい。また、真心がある。誠実である。用例(杜子春伝)数年、恩情甚篤。↓それから数年、情愛はいよいよ深くなった。㋑かたい(固)。㋒もっぱらである。熱心である。「篤学」「篤農」㋓病気がおもい。「危篤」❸あつくする。手あつくする。国トクと。念を入れて。

名前 あつ・あつし・しげ・すみ・とく・ひろ
解字 篆文 [篆文] 形声。馬＋竹㊥。音符の竹は、毒に通じ、そこなうの意味。馬が行き悩むの意味から、一般に、ゆきづまるの意味を表す。また、竺に通じて、あついの意味を表す。

逆 危篤
【篤△痾】重い病気。大病。重患。

【篤学(學)】熱心に学問にはげむ。学問研究に熱心なこと。用例(史記、伯夷伝)顔淵雖二篤学一、附二驥尾一而行益顕。↓顔淵はもともと学問好きだが、孔子のおかげでその徳行がますます世に知られるようになった。

【篤義】義にあつい。義理にあつい。

【篤恭】誠実で、つつしみ深い。

【篤敬】誠実で、つつしみ深い。

【篤行】①人情深い行い。②誠実な行い。③誠実に実行する。てあつく実行する。『中庸』に説く、学問をする五つの方法(博学・審問・慎思・明弁・篤行)の一つ。

【篤孝】手あつい孝行。真心をこめてつくす孝行。

【篤厚】親切で手あつい。誠実で人情深い。

【篤志】①熱心にこころざすこと。②手あつい心。親切なこころざし。③国社会事業などに熱心なこと。

【篤疾】重い病気。不治の病気。篤病。

【篤実(實)】人情に厚くて実直なこと。誠実で親切。

【篤信】熱心に信じる。自分のよいと思うものを厚く信じこむ。〔論語、泰伯〕

【篤慎(愼)】深くつつしむ。慎重にする。

【篤誠】人情深くて誠実なこと。

【篤農】農業に熱心なこと。また、その人。

【篤論】行きとどいた議論。着実な議論。

10【篚】16画 8845 ヒ 尾 fěi
2-8365 ― 5048
字義 ❶車のちりよけ。❷はこ。かご。かたみ。方形の竹かご。一説に円形の竹かご。
解字 形声。竹＋匪㊥。

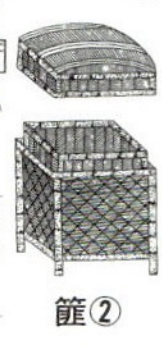
篚②

10【篦】16画 8846 一漢ヘイ・呉ハイ 斉 pí 二漢ヒ・呉ビ 寘 bì
6836 E2C2 ―
【箆】8796 俗字
字義 一❶けすじたて。髪の毛のすじを正し、わけるのに用いる道具。❷かんざし。❸うえ。竹製の漁具。たが。二くし。すきぐし。国❶へら。竹きれを細長く平たく削ったもの。❷の。㋐矢だけ。矢に用いる竹。㋑矢がら。矢の竹の部分。
解字 形声。竹＋毘㊥。
【篦△撓】国矢がらのそりをため直すこと。また、その道具。
【篦△撓形】国①なめ。②ひねくれていること。

篦二(漢代)

10【篥】16画 8847 漢リッ・呉リチ 質 lì　6837 E2C3 —
字義 ❶竹の一種。❷篳篥(ヒチリキ)は、楽器の名。胡笳(カコ)(あしぶえ)に似て九孔ある笛。
解字 形声。竹＋栗音。

10【篭】16画 8848 ロウ　籠(8941)の俗字。→一〇九三ページ・中。　4722 9855 —

10【篗】16画 8849 ワク 薬 yuè　18969 — 5046
字義 いとわく。糸を巻き取る道具。
解字 形声。竹＋隻音。

10【篜】16画 8850 国字 やな　簗(8882)と同字。→一〇八九ページ・中。　28361 — —

10【篠】16画 8851 国字　28362 — —
字義 篠(いざき)・篠(いざき)は、姓氏。

11【簃】17画 8852 一イ 支 yí 二漢チ・呉ジ(ヂ) 支 yí　28368 — 5062
字義 一二 脇(わき)部屋。大きな建て物に接続する小部屋。
解字 形声。竹＋移音。

11【篶】17画 8853 エン 先 yān　6846 E2CC —
字義 黒い竹。国 すず。㋐小さく細い竹。ささ。しの。㋑小竹のたけのこ。
解字 形声。竹＋焉音。

11【簂】17画 8854 カイ(クワイ) 隊 guì　— — 5061
字義 ❶箱。かご。❷髪飾り。
解字 形声。竹＋國音。

11【簋】17画 8855 キ 紙 guǐ　28369 — 5066
字義 祖先神に供える穀物を盛る祭器。外側がまるく、内側が四角なもので、一斗二升(周代の一斗は、約一・九四リットル)をいれるという。「簠簋(ホキ)」
解字 金文  篆文  会意。金文は、皀＋殳。皀は、食器に盛った食物の象形。殳は、食物を盛るまるい祭器の意味を表す。のち、竹＋皀＋皿の会意文字に変形した。
【簠△簋】(ホキ) ①簠と簋。ともに祖先神に供える穀物を盛る祭器。②細かい礼儀作法。

11【簄】17画 8856 漢コ 呉ゴ 麌 hù　— — 5063

11【簆】17画 8857 漢コウ 呉ク 宥 kòu　— — 5064
字義 おさ。機(はた)織りの道具。
解字 形声。竹＋寇音。

11【簑】17画 8858 サ　蓑(10161)の俗字。→一二三七ページ・上。　6835 E2C1 —

11【簀】17画 8859 標 漢サク 呉シャク 陌 zé　6839 E2C5 —
字義 ❶す。すのこ。寝台の上に敷くたかむしろ。❷寝台の敷き板。❸まくら木。❹つむ(績)。 難読 簀子(すのこ)
解字 篆文  形声。竹＋責音。音符の責は冊に通じ、ひもで編むの意味。竹を編んで作った、すのこの意味を表す。
【易レ簀】(サクをかう(ふ)) りっぱな人の死をいう。孔子の門人の曽参(ソウシン)が、臨終のとき、大夫(タイフ)から賜った簀を身分にふさわしくないといって、他の物と取りかえさせた故事による。易簀(エキサク)。〔礼記、檀弓上〕

11【簎】17画 8860 一漢サク・呉シャク 陌 cè 二漢セキ・呉ジャク 陌 jí　28370 — 5068
字義 一二❶さす。魚を刺す。また、その道具。やす。もり。❷おり。いけにえを飼っておく檻(おり)。
解字 形声。竹＋措(籍省)音。

11【簒】17画 8861 一サン 旱 suǎn, zuǎn 二漢サン・呉ゼン 潸 zhuàn　— — 5056
字義 一かたみ。かご。竹で編んだ器。二❶のべる(述)。書物をつくる。＝撰(4411)。❷そなえもの。ごちそう。＝饌(13617)。
解字 形声。巳(卩)＋算音。巳は、ひざまずく人の象形。音符の算は、そろえかぞえるの意味。きちんとのべる・そなえるの意味を表す。

11【簔】17画 8862 サン　簒(8836)の俗字。→一〇八七ページ・上。　5053 99D3 —

11【簁】17画 8863 シ 支 紙 shāi　18971 — 5060
字義 ふるい。ゆり動かして細かい物と粗い物を仕分ける道具。＝篩(8837)。

11【簉】17画 8864 漢シュウ(シウ) 呉シュ 宥 zào, chòu　— — 5065
字義 ❶そえ(副)。❷そろう。❸混じえる。❹満ちる。
解字 形声。竹＋造音。

11【篠】17画 8865 人 標 ショウ(セウ) 篠 xiǎo　2836 8EC2 —
筆順 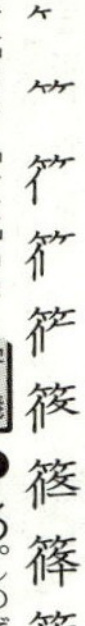
［筱］8758 本字 ［筿］8760 俗字
字義 ❶しの。しのだけ。ささ。すず。細くて矢を作るのに用いる。❷あじか。土を運ぶのに用いる竹製の道具。
名前 ささ・しの　難読 篠山(ささやま)・篠栗(ささぐり)・篠路(しのろ)
解字 形声。竹＋條音。
【篠懸】(すずかけ) 国 ①修験者(シュゲンジャ)が衣服の上にきる麻の衣。山道の篠(しの)の露を防ぐためという。鈴掛け。②すずかけの木。

11【篸】17画 8866 一シン 侵 cēn 二サン 覃 zān　— — 5055
字義 一❶長短そろわないさま。❷竹の長いさま。二かんざし。
解字 篆文  形声。竹＋參音。音符の參(シン)は、長短いりまじるの意味。竹やぶの不ぞろいのさまから、そろわないの意味を表す。

11【篲】17画 8867 一漢セイ・呉ゼイ 霽 huì 二漢スイ・呉ズイ 寘　— — 5052
字義 一二❶ほうき(はうき)。ははき。竹ぼうき。❷竹の名。しのだけの一種。❸ほうきぼし。「篲星(スイセイ)」
解字 形声。竹＋彗音。音符の彗(スイ)は、ほうきの意味。竹製のほうきの意味を表す。

11【簇】17画 8868 一ソク 屋 cù 慣ゾク 二漢ソウ・呉ス 宥 còu　6840 E2C6 —
字義 一❶ささだけ。小さい竹。❷＝二。二むらがる。あつまる。「簇生」国しんし(伸子)。洗い張りをするとき、布の両縁にさしわたす竹のくし。
参考 現代表記では〔族〕(4627)に書きかえることがある。「簇生→族生」
解字 形声。竹＋族音。
【簇生】(ソウセイ・ゾクセイ) むらがり生ずる。族生。
【簇簇】(ソウソウ) むらがり集まるさま。
【簇擁】(ソウヨウ) ①むらがりおし寄せる。②むらがり守る。寄り集って取りまく。

11【篵】17画 8869 漢ソウ 呉スウ 東 cōng　— — 5054
字義 いたんで役に立たない竹。
解字 形声。竹＋從音。

11 【簌】 17画 8870 ソク 屋 sù —— —— 5067

字義 ❶ふるい。粉などをふるい分ける道具。❷はらはら落ちるさま。

解字 形声。竹＋欶音。

11 【篴】 17画 8871 一 漢テキ 呉ジャク(ヂャク) 錫 dí 二 漢チク 呉ジク(ヂク) 屋 zhú —— —— 5053

字義 一笛。二竹の一種。

解字 形声。竹＋逐音。

11 【篼】 17画 8872 漢トウ 呉ツ 尤 dōu —— —— 5058

字義 ❶飼い葉桶おけ。馬に飼料を与える器。❷竹の輿こし。

解字 形声。竹＋兜音。

11 【篺】 17画 8873 漢ハイ 呉バイ 佳 pāi —— —— 5057

字義 いかだ。

解字 形声。竹＋捭音。

11 【篳】 17画 8874 漢ヒツ 呉ヒチ 質 bì 6842 E2C8 ——

字義 ❶まがき(籬り)。しばや竹を編んで造った垣。❷いばら。しば。

解字 形声。竹＋畢音。

【篳門】ヒツモン しばや竹を編んで作った粗末な門。

【篳△篥】ヒツリツ・ヒチリキ 楽器の名。胡笳カコ(あしぶえ)に似て九つ穴のある笛。觱篥ヒツリキ・ヒチリキ。

【篳路】ヒツロ しばを編んで作った粗末な車。

【篳路藍△縷】ヒツロランル しばで作った粗末な車と、ぼろの着物。大いに苦労して働くこと。また、貧賤ヒンセンから身を起こし、困難にたえしのんで事業をはじめること。〔左伝、宣公十二〕

11 【簈】 17画 8875 一 漢ヘイ・呉ヒョウ(ヒャウ) 庚 梗 pīng 二 漢ヘイ・呉ビョウ(ビャウ) 青 —— ——

字義 一二簈篂ヘイセイは、竹製の車のちりよけ。

解字 形声。竹＋屛音。

11 【篾】 17画 8876 漢ベツ 呉メチ 屑 miè —— —— 5059

字義 ❶竹の皮。竹の青い皮をとり去った次の皮。❷竹の一種。とう。

解字 形声。竹＋蔑省音。

11 【篷】 17画 8877 漢ホウ 呉ボウ 東 péng 6843 E2C9 ——

字義 ❶とま。竹やかやなどを編んで、船や車のおおいをするもの。❷ふね。小舟。「一篷」

解字 形声。竹＋逢音。音符の逢ホウは、あうの意味。竹を編み、寄せ合わせた、とまの意味を表す。

【篷窓・篷△窗】ホウソウ とまをかけた船のまど。

【篷底】ホウテイ 船の中。また、船底。

11 【篰】 17画 8878 漢ホウ 呉ブ 有 bù 2 8367 —— ——

字義 ふだ。たけふだ。国しとみ。＝蔀(10251)。

解字 形声。竹＋部音。

11 【簍】 17画 8879 漢ロウ 呉ル 有 尤 lǒu 6845 E2CB ——

字義 たけかご。目のあらいかご。

解字 篆文 形声。竹＋婁音。音符の婁ロウは、つながり重なるの意味。竹を編みつなげた、かごの意味を表す。

11 【簏】 17画 8880 ロク 屋 lù 2 8371 —— 5069

字義 はこ。竹を編んだ背の高めの箱。

解字 形声。竹＋鹿音。

11 【簓】 17画 8881 国字 6841 E2C7 ——

字義 ささら。竹を細かく割って束ねたもの。

解字 会意。竹＋彫。

11 【簗】 17画 8882 国字 6844 E2CA ——
［簗］ 8850 俗字

字義 やな(梁)。川の瀬などで魚をとるしかけ。流水をせきとめ一か所に流し、そこに竹簀すたけなどを立て魚を捕らえるもの。難読 簗場やなば

解字 会意。竹＋梁。梁リョウは、やなの意味。日本でこれに更に竹を付した。

12 【簡】 18画 8883 教6 カン 2042 8AC8 ——
12 〖簡〗 18画 8884 漢カン 呉ケン 潸 jiǎn

筆順 ⺮ 竹 竻 笳 節 節 節 節 簡

字義 ❶ふだ。文字を書く竹のふだ。「竹簡」❷ふみ。㋐てがみ。「書簡」㋑命令などの書きつけ。❸はぶく。てがるにする。また、てがる。おおまか。「簡略」❹つつましい。つづまやか。❺すくない(少)。すくなくする。❻おろそか。おおまか。❼おごる。みくだす。また、あなどる。❽おこたる。なまける。❾くらべる。くらべ数える。調べる。❿えらぶ。「簡抜」⓫おおきい。志が大きい。「狂簡」

名前 あきら・ひろ・ふみ・もと・やすし

参考 現代表記では〔翰〕(9549)の書きかえに用いることがある。「書翰→書簡」

解字 篆文 形声。竹＋間(閒)音。音符の閒は、すきまの意味。竹をけずり編んで文字を書くふだの意味を表す。ふだとふだとの間にすきまがあるので閒を用いた。また、揀カンに通じ、えらぶの意味にも用いる。

逆 易簡・汗簡・狂簡・錯簡・残簡・手簡・書簡・断簡・竹簡・繁簡・料簡・了簡

【簡易】カンイ ①てがる。たやすい。やさしい。また、礼儀作法などにうるさくないこと。②性格がおだやかで、あっさりしていること。

【簡閲】カンエツ しらべる。数えしらべる。また、えらぶ。

【簡化字】カンカジ 現在、中国で使われている、字画を簡略化した文字。簡体字。

【簡簡】カンカン ①やわらいでさかんなさま。②福の大きいさま。③のんびりしているさま。

【簡潔】カンケツ ①つつましやかで清潔なこと。②潔白でやましくないこと。③簡単で要領を得ていること。

【簡古】カンコ 余分なものがなく、すっきりとして、古色を帯びていること。

【簡傲】カンゴウ おごり高ぶる。簡倨カンキョ。

【簡冊・簡策】カンサク 文字を書いた竹ふだ。転じて、手紙・書物をいう。⇩コラム 書籍(六六八ページ)。

簡冊

【簡札】カンサツ ＝簡冊・簡策。

【簡出】カンシュツ ①選び出す。選出する。②時期を選んで、外へ出る。

【簡書】カンショ ①命令などの書きつけ。②手紙。紙片を二枚の板ではさみ封じた密書。

【簡△捷】カンショウ てがるではかどる。てがるですばやい。

【簡省】カンセイ はぶく。むだを除く。

【簡静(靜)】カンセイ 穏やかで物静かなこと。また、簡易で静かなこと。

【簡素】カンソ ①てがるでかざらない。②竹簡(竹ふだ)と白ぎぬ。紙のなかったとき、文字を書いたもの。竹帛ハクチク。

【簡率】カンソツ 物事にこだわらず無造作なこと。おおまか。

【簡惰】カンダ おろそかにしておこたること。

【簡体(體)字】カンタイジ ＝簡化字。
【簡怠】カンタイ ＝簡惰。
【簡択(擇)】カンタク えらぶ。えらび抜きとる。
【簡△擢】カンタク・カンテキ えらんで抜き出すこと。抜擢バッテキ。
【簡単(單)】カンタン ①単純でわかりやすい。②手数がかからない。手みじか。③やさしい。容易。
【簡△牒】カンチョウ 文字を書いた札。簡札。
【簡△牘】カントク ①紙のなかった時代の、文字を書いた竹のふだと木のふだ。▼牘は、木のふだ。②書物・手紙。
【簡任】カンニン えらび任ずる。
【簡馬】カンバ 馬をえらび調べる。軍馬を検閲する。馬ぞろえ。
【簡抜】カンバツ えらびぬく。多人数の中から選んで登用すること。
【簡兵】カンペイ 軍隊を検閲して訓練すること。閲兵。
【簡編】カンペン 書物。典籍。
【簡便】カンベン てがるで便利なこと。軽便。
【簡朴・簡△樸】カンボク 簡単で素朴(樸)。てがるでかざりけがないこと。
【簡慢】カンマン ①おろそかにしてあなどる。②接待のゆきとどかないこと。
【簡明】カンメイ 簡潔でわかりやすい。簡単明瞭。
【簡黙(默)】カンモク ことば数の少ないこと。寡黙カモク。
【簡約】カンヤク ①手がるでつつましい。②要点を押さえて簡潔にまとめること。
【簡要】カンヨウ あっさりとして要領を得ていること。
【簡略】カンリャク てがるなこと。くだくだしくないこと。
【簡練】カンレン ①選び抜いて、訓練する。選練。②経験が豊富で、有能なこと。

12 【簣】 18画 8885 漢キ 呉ギ 寘 kuì　6847 E2CD 一

字義 もっこ。あじか。土を運ぶのに用いる竹かご。用例〔書経、旅獒〕為レ山九仞やまをつくる、キュウジン、功虧二一簣一コウイッキに。↓山を作るのに九仞の高さになったのに、最後のひともっこの骨折りを止めてしまう(最後のわずかなつまずきで全部が失敗に帰するたとえ)。

解字 形声。竹＋貴音。音符の貴は、両手で物を送る形を表す。竹で編んだ、もっこの意味を表す。

12 【簥】 18画 8886 漢キョウ(ケウ) 呉ギョウ(ゲウ) 蕭 jiāo　一 一 5073

字義 ❶大きな笛。❷農具の一種。

解字 形声。竹＋喬音。

12 【簧】 18画 8887 漢コウ(クヮウ) 呉オウ(ワウ) 陽 huáng　6848 E2CE 一

字義 ❶笛の舌。吹いて振動させ音を出すもの。リード。❷ふえ。笙ショウ・竽ウの類い。

解字 形声。竹＋黄音。

12 【簛】 18画 8888 シ 支 shāi, ②③sī　一 一 5071

字義 ❶ふるい。粉などをふるい分ける道具。❷竹の枝。❸竹の節。

解字 形声。竹＋斯音。

12 【簨】 18画 8889 シュン 軫 sǔn　一 一 5075

字義 かねかけ。鐘や磬ケイなどをかける横木。

解字 形声。竹＋巽音。

12 【簪】 18画 8890 ㊀シン 侵 zān ㊁サン 覃 zān

［兂］682 本字 ［先］685 俗字 ［簮］8917 俗字

字義 ㊀❶かんざし。こうがい。冠をとめるために髪にさすもの。「玉簪」❷かざす。かんざしをさす。㊁かんざし。＝㊀❶。

解字 篆文 [篆] 俗体 [俗体] 象形。本字は先で、人が後方を向いて口を開いた形にかたどり、かくれて言うの意味を表したが、借りて、髪に深くさして、先端がかくれてしまうかんざしの意味に用いる。簪は、竹＋朁音の形声文字。

【簪△纓】シンエイ ①冠をとめるこうがいと、冠のひも。②高位高官の人。
【簪裾】シンキョ ①冠をとめるこうがいと、衣服のすそ。②身分の高い人の服装。また、礼装した官吏。
【簪△笏】シンコツ ①冠をとめるこうがいと、手に持つしゃく。②官吏の礼服。また、礼服をつけた官吏。③任官すること。官吏となること。
【簪筆】シンピツ ①毛で飾ったかんざし。冠の前方にさす。②下級官吏になること。官吏が筆を頭髪にはさむからいう。
【簪△紱】シンフツ ①冠をとめるこうがいと、官印のひも。②官吏の礼服。
【不レ勝レ簪】シンにたえ(へ)ず 冠を留めるピンがさせなくなる。用例〔唐、杜甫、春望詩〕白頭搔更短ハクトウかけば、さらにみじかく、渾欲レ不レ勝レ簪すべてシンにたえ(へ)ざらんとほっす。↓白髪頭を手でかきむしると、髪はいよいよ薄く短くなり、もはやまったく、冠をとめるピンも支えられなくなろうとしている。

12 【簞】 18画 8891 人 標 タン 寒 dān　8973 一 一

筆順 ⺮ 𥫗 笁 笓 笧 笪 簞

［箪］8820 俗字

字義 ❶かたみ。はこ。竹製の小さいはこ。❷わりご。竹製の丸い飯びつ。「簞食タンシ」❸ひさご。「瓢簞ヒョウタン」❹竹の一種。

簞②

解字 篆文 [篆] 形声。竹＋單音。音符の單タンは、坦タンに通じ、ひらたいの意味。ひらたい竹製のこばこの意味を表す。

【簞食】タンシ ①わりごに飯を入れること。②竹の器に盛った飯。
【簞食△壺△漿】タンシコショウ ①飯を竹の器に盛り、飲み物をつぼに入れること。②飲食物を備えて、自分たちを救う軍隊を歓迎することをいう。〔孟子、梁恵王下〕
【簞食△瓢飲】タンシヒョウイン 竹の器に盛った飯と、ひさごに入れた飲み物。質素な生活に安んじること。顔回が一簞の食、一瓢の飲に安んじて学問した故事に基づく。用例〔論語、雍也〕一簞食イッタンのシ、一瓢飲イッピョウのイン、在二陋巷一ロウコウにあり。↓竹の器一盛りの飯と、ひさごの器一杯の飲み物とで満足して、みすぼらしい路地裏に住んでいる。
【簞△笥】㊀タンシ 飯を入れる器。▼簞は丸い形、笥は四角な形の器。㊁タンス 国衣服を入れる家具。
【簞△瓢】タンピョウ 飯を盛る器と、飲み物を入れるひさご。

12 【簟】 18画 8892 漢テン 呉デン 琰 艶 diàn

［簟］8893 俗字

字義 ❶たかむしろ。竹で編んだむしろ。❷ござ。すのこ。❸竹の一種。

解字 金文 [金文] 篆文 [篆文] 形声。竹＋覃音。音符の覃タン＝テンは、厚いの意味。竹であんだ厚味のあるむしろの意味を表す。

12 【簟】 18画 8893 テン　簟(8892)の俗字。→一〇九〇ページ下。　6850 E2D0 一

12 【簦】 18画 8894 トウ 蒸 dēng　28372 一 5074

字義 かさ。さしがさ。大きくて柄のあるかさ。↕笠(8717)。

解字 篆文 [篆] 形声。竹＋登音。音符の登は、あげるの意味。持ちあげる柄のついた竹のかさの意味を表す。

【担レ簦】トウをになう(ふ) かさを背負う。遊学して仕官を求めること。〔史記、虞卿伝〕

12 **【簙】** 18画 8895 ハク 薬 bó
字義 すごろく。＝博(1176)。
解字 形声。竹＋博音。
— — 5070

12 **【簠】** 18画 8896 フ 慶 虞 遇 fǔ 慣ホ
［盙］7940 本字 ［䀿］2696 同字
字義 祖先神に供える穀物を盛る祭器。外側が四角で内側がまるく、一斗二升(周代の一斗は、一・九四リットル)を入れるという。一説に、簋キの発達したものという。「簠簋ホキ」
解字 甲骨文 金文 篆文 形声。竹＋皿＋甫音。
【簠簋不飾】ホキととのわ(は)ず 祭りに用いる器物がそろっていない意。大臣が収賄罪に問われることを遠回しにいうことば。▼簋は、外がまるく内側が四角な祭器。〔前漢、賈誼、治安策〕
8974 — 5072

簠

12 **【籏】** 18画 8897 国字 はた
旗(8924)と同字。→一〇九二ページ下。
8972 — 5077

13 **【簷】** 19画 8898 エン 塩 yán
字義 ＝檐(5836)。❶のき。ひさし。❷たれ。ひさしのように物をおおって四方にたれさがるもの。
解字 形声。竹＋詹音。音符の詹タン＝エンは、のきの意味の广を含み、竹製ののきの意味を表す。
【簷陰】エンイン のきかげ。ひさしのかげ。檐陰。
【簷宇】エンウ のき。ひさし。檐宇。
【簷雨】エンウ のきに降る雨。檐雨。
【簷花】エンカ のき先の花。
【簷牙】エンガ のき先に牙のように突きでたたるき。
【簷間】エンカン のきのあたり。のきば。
【簷際】エンサイ のき先。のきぎわ。のきした。
【簷端】エンタン のき先。のきばた。
【簷溜】エンリュウ のきから落ちる雨だれ。簷滴エンテキ。
【簷鈴】エンレイ のき先に下げた風鈴。簷鐸エンタク。
6851 E2D1 —

13 **【簳】** 19画 8899 カン 旱 gǎn
字義 ❶やがら。矢の竹の部分。❷しのだけ。矢だけ。
8975 — 5078

13 **【簴】** 19画 8900 漢キョ 呉ゴ 語 jù
字義 鐘・磬ケイ・鼓などの楽器を掛ける台。
解字 形声。竹＋虡省音。
— — 5079

13 **【簺】** 19画 8901 サイ 隊 sài
字義 ❶すごろくをする。❷やな。竹や木を組んで、魚を捕らえる仕掛け。
解字 形声。竹＋塞音。音符の塞は、ふさぐの意味。
— — 5082

13 **【簸】** 19画 8902 シュ
籔(8927)の俗字。→一〇九三ページ上。
8977 — —

13 **【簫】** 19画 8903 ショウ(セウ) 蕭 xiāo
字義 ❶ふえ。㋐しょうの笛。小さい竹管を長短不揃いにならべて造った楽器。管数は、十三管から二十四管まである。㋑単管で縦にして吹くもの。後世は専らこれをいう。❷舜シュンの音楽の名。❸ゆはず。弓の両端の弦をかける部分。
解字 篆文 形声。竹＋肅音。音符の肅は、口をすぼめるの意味。口をすぼめて吹く管楽器の意味を表す。

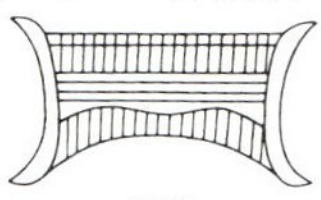

簫①

【簫管】ショウカン ①ふえ。簫と管。昔の管楽器の総称。②一本の管からなる笛で縦にして吹く。
【簫鼓】ショウコ 簫の笛と太鼓。笛と太鼓。用例〔前漢、武帝、秋風辞〕簫鼓鳴兮発ニ棹歌一ショウコなりて、トウカをハッす 歓楽極兮哀情多カンラクきわ(は)まりて、アイジョウおお(ほ)し ↓笛や太鼓の調べが響いて舟歌が歌い出された。楽しみが極まると、かえって悲しみの情が生ずる。
【簫史】ショウシ 春秋時代、秦シンの穆公ボクコウのころの人。簫の名手で、穆公の娘の弄玉ロウギョクを妻とし、鳳台ホウダイに住んでいたが、のち鳳凰ホウオウに従って去ったという。〔列仙伝〕
【簫韶】ショウショウ 舜シュンが作ったという音楽の名。
【簫郎】ショウロウ ①＝簫史。②夫の通称。
6852 E2D2 —

13 **【簽】** 19画 8904 セン 塩 qiān
字義 ❶かご。竹のかご。❷ふだ。つけふだ。はりふだ。標題・見出しなどを書くもの。「題簽」❸名前をしるすこと。
解字 形声。竹＋僉音。音符の僉センは、つじつまを合わせるの意味。物とその所有者とのつじつまを合わせるため、竹ふだに名をしるすの意味を表す。
【簽押】センオウ 署名して印をおす。
【簽書】センショ ①署名する。②官名。宋ソウ代、枢密院の属官。
6853 E2D3 —

13 **【籀】** 19画 8905 漢チュウ(チウ) 呉ジュウ(ヂウ) 宥 zhòu
［籒］8928 本字 ［籕］8921 俗字
字義 ❶書体の一種。籀文。周の太史籀の作ったといわれるもので、秦シンの李斯リシの作った小篆ショウテンに対して大篆ダイテンともいう。⇩コラム 文字・書体の変遷(六三三ページ)。❷よむ。ふみを読む。
解字 篆文 形声。竹＋擂(擂)音。音符の擂チュウは、ひきぬくの意味。竹に書かれたふみを、ひきぬいてきて読むの意味を表す。
6858 E2D8 —

13 **【簹】** 19画 8906 トウ(タウ) 陽 dāng
字義 篔簹ウントウは、大竹の名。→篔(8831)。
解字 形声。竹＋當音。
— — 5081

13 **【簸】** 19画 8907 ハ 哿 箇 bǒ
字義 ❶ひる。箕みであおって、穀物の糠ぬかやちりを除く。❷あおる。あおりあげる。おだてる。そそのかす。
解字 篆文 形声。箕＋皮音。音符の皮は、波に通じ、なみの意味。箕は、「み」の意味。「み」を波うたせ、米のぬかなどを除去する、ひるの意味を表す。
【簸蕩】ハトウ 箕みであおったように、ゆれ動くこと。ゆらゆらする。簸揺。
【簸揚】ハヨウ あおりあげる。箕みで米をあおって、糠ぬかを去る。
【簸弄】ハロウ ①もてあそぶ。おもちゃにする。②そそのかして問題を起こさせる。
4086 94F4 —

13 **【簿】** 19画 8908 常 ボ
13 ［簿］19画 8909 ㊀漢ホ・呉ボ 麌 bù ㊁漢ハク・呉バク 薬 bó
筆順 ⺮ 𥫗 箔 箔 箔 簿 簿 簿
字義 ㊀❶ちょうめん。会計簿。「帳簿」❷しらべる。❸行列。天子の行列。「鹵簿ロボ」㊁❶せまる。❷まぶし。えびら。蚕かいこのまゆを掛けさせるもの。
解字 形声。竹＋溥音。音符の溥ホは、一面にひろがるの意味。竹を薄くけずった、ちょうめんの意味を表す。
逆 主簿・名簿
【簿記】ボキ ①帳面に書きつけること。②国会計帳簿の記入整理のしかた。
【簿書】ボショ ①役所の金銭や穀物の出納をしるす帳簿。②
4277 95EB —

報告書。公文書。

【簿正】(ボセイ) 帳簿によって数をただしくそろえる。

【簿責】(ボセキ) 文書を証拠として問い責める。

【簿籍】(ボセキ) ①戸籍簿。②帳簿。

【簿領】(ボリョウ) 帳簿に記録すること。また、文書。

13【籅】19画 8910 ヨ 魚 yú ₂8373 — —
[竽] 8679 俗字
字義 かご。丸いかご。国ざる。そうけ。
解字 形声。竹+與音。

13【簾】19画 8911 人 標 レン 塩 lián 4692 97FA —

[簾] 8912 俗字
筆順 簾
字義 すだれ。御簾(みす)。竹などを編んで作ったとばり。「珠簾」

名前 れん
解字 篆文 形声。竹+廉音。音符の廉は、へやのすみの意味。へやのすみにたらす、すだれの意味を表す。

【簾△帷】(レンイ) すだれととばり。

【簾外】(レンガイ) ①すだれのそと。②科挙の試験官で、考査には関係せず、試験監督を担当する人をいう。

【簾官】(レンカン) 官名。科挙の試験で、試験場の監督官などを外簾官といい、答案を審査する人を内簾官という。

【簾△鉤】(レンコウ) すだれを巻いてかけておくかぎ。すだれかけの金具。

【簾政】(レンセイ) 皇太后・皇后などがみすの内側で政治をとること。垂簾の政。

【簾中】(レンチュウ) ①すだれのなか。転じて、后妃の居室をいう。②国公卿(クギョウ)・大名の正妻の敬称。

【△撥レ簾】(すだれをかかぐ) すだれをはね上げる。撥簾(ハツレン)。用例〔唐、白居易、香炉峰下新卜二山居一草堂初成偶題二東壁一詩〕遺愛寺鐘欹レ枕聴(イアイジのかねはまくらをそばだててきき)、香炉峰雪撥レ簾看(コウロホウのゆきはすだれをかかげてみる)。↓遺愛寺でつく鐘の音は、ねたまま枕をかたむけてきき、香炉峰に積もる雪は、すだれをはねあげて眺める。

13【簾】19画 8912 レン 簾(8911)の俗字。→一〇九二ページ上。 — — 5076

13【簬】19画 8913 漢ロ 呉ル 遇 lù
字義 竹の一種。矢を作るのに適する。
解字 形声。竹+路音。

13【簶】19画 8914 ロク 屋 lù ₁8976 — 5080
字義 胡簶(コロク)は、やなぐい。矢を入れる道具。箙(えびら)の類い。
解字 形声。竹+祿音。

13【篗】19画 8915 ワク 籰(8923)の俗字。→一〇九二ページ下。 — — 5083

14【𥶡】20画 8916 コウ 篝(8833)と同字。→一〇八六ページ下。

14【纂】20画 (9379) サン 糸部。→一一四三ページ下。

14【簮】20画 8917 シン 簪(8890)の俗字。→一〇九〇ページ中。 6849 E2CF —

14【籍】20画 8918 常 セキ 一漢セキ・呉ジャク 陌 jí 二シャ 禡 jiè 3250 90D0 —
14[籍]20画 8919
筆順 籍
字義 一❶ふみ。書物。「書籍」❷かきつけ。また、帳面。❸人別・戸別・地所などを記した帳簿。「戸籍」❹しるす。書きこむ。❺戸籍に登録する。❻かりる(借)。また、かす。❼しく(布)。❽とりたて。税のとりたて。❾ふむ。足でふむ。❿たがやす。すく。「籍田」⓫→籍籍。二ゆるす。＝藉(10366)。
名前 ふみ・もり・より
解字 篆文 形声。竹+耤(耤)音。音符の耤(セキ)は藉(セキ)に通じ、草を編んだしきものの意味。竹をしきもののように編んだ、ふだ・ふみの意味を表す。
逆 移籍・漢籍・鬼籍・軍籍・経籍・原籍・国籍・戸籍・在籍・史籍・除籍・聖籍・典籍・入籍・兵籍・本籍・名籍・門籍・落籍
【籍貫】(セキカン) 戸籍。出生地の本籍。
【籍甚】(セキジン) 名誉・評判が高いこと。
【籍籍】(セキセキ) ①やかましく言いはやすさま。②乱雑なさま。みだれるさま。
【籍田】(セキデン) 天子が祖先に供える米を、みずから耕作する田地。また、それを耕す儀式。
【籍没】(セキボツ) 重大犯人の財産を没収する。帳簿に記して取りあげること。
【籍△斂】(セキレン) ①年貢(ネング)の取り立て。②籍田にみのった穀物を取り入れること。

14【籌】20画 8920 漢チュウ(チウ) 呉ジュウ(ヂウ) 尤 chóu 6854 E2D4 —

[筹] 8765 俗字
字義 ❶かずとり。㋐投壺(トウコ)の矢。㋑数をかぞえる棒。❷はかる。㋐相談する。㋑計画・策略をめぐらす。❸はかりごと。「籌略」❹くじ(籤)。

解字 篆文 形声。竹+壽(𠷎)音。音符の𠷎(ジュ)は、つらなるの意味。つらなった竹、数をかぞえる一組の竹棒、かずとりの意味を表す。また、転じて、はかりごとの意味をも表す。

【籌画(畫)】(チュウカク) ①計画する。くふうする。②はかりごと。

【籌議】(チュウギ) 相談する。はかる。

【籌策・籌△筴】(チュウサク) ①かずとり。計算用の棒。②はかりごと。計画。用例〔史記、高祖本紀〕運二籌策帷帳之中一、決二勝於千里之外一(チュウサクをイチョウのうちにめぐらし、かちをセンリのそとにケッす)。↓はかりごとを陣幕の中でめぐらし、はるかかなたの地での勝利を決める。

【籌算】(チュウサン) ①数字をきざんだ竹のかずとり。計算の道具。また、そろばん。また、それで計算すること。②はかりごと。計略。③見積もる。

【籌度】(チュウタク) ①はかる。②はかりごと。計略。

【籌馬】(チュウバ) 勝負の数を計る道具。ばくちの数とり。▼馬は、勝負の数を示す道具。

【籌略】(チュウリャク) はかりごと。策略。

14【籀】20画 8921 チュウ 籒(8905)の俗字。→一〇九一ページ下。 — — 5085

14【籊】20画 8922 一漢テキ・呉チャク 錫 tì 二漢テキ 呉ジャク(ヂャク) 錫 tì ₂8374 — 5084
字義 一二竹の細長いさま。
解字 形声。竹+翟音。

14【籰】20画 8923 ワク 薬 yuè
[篗] 8915 俗字
字義 いとわく。糸を巻きつける道具。
解字 形声。竹+蒦音。音符の蒦(クワ)は、つかむの意味。

14【籏】20画 8924 国字 6857 E2D7 —
[簱] 8897 同字
字義 はた。籏(はた)・籏野(はたの)・降籏(ふりはた)・ふるはたなど、姓氏や地名に用いる。
解字 会意。竹+旗。

15 **【籑】** 21画 8925 一漢セン・呉ゼン 篆 zhuàn 二漢サン・呉ゼン 清 zhuàn 慣セン ₂8375 — 5086

字義 一そなえる。食物をそなえる。＝餞(13617)。二あらわす。著述する。また、編集する。＝撰(4411)。

解字 形声。食＋算音。

15 **【籛】** 21画 8926 セン 籛(8946)の俗字。→一〇九四ページ上。 6863 E2DD —

15 **【籔】** 21画 8927 一ソウ 有 sǒu 二漢スウ・呉シュ 麌 shǔ 6856 E2D6 —

［籔］ 8902 俗字

字義 一容積の単位。十六斗(周代の一斗は一・九四リットル)。二ざる。米あげざる。国やぶ。竹やぶ。藪(10391)と同義に用いる。

解字 形声。竹＋數音。

15 **【籕】** 21画 8928 チュウ 籒(8905)の本字。→一〇九一ページ下。 — — 5087

15 **【籐】** 21画 8929 漢トウ 呉ドウ 蒸 téng

［籘］ 8938 同字 ［籐］ 8930 俗字

字義 ❶とうづる。ヤシ科の蔓性の木。竹に似て、自由に曲げて細工ができる熱帯産の植物。❷竹製の器具。

解字 形声。竹＋滕音。

15 **【籘】** 21画 8930 トウ 籐(8929)の俗字。→一〇九三ページ上。 6859 E2D9 —

15 **【籓】** 21画 8931 漢ハン 呉ホン 元 fān — — 5088

字義 ❶大きい箕。穀物を空中に放り広げながら、ごみや殻をとり除く農具。❷覆う。また、覆い。

解字 形声。竹＋潘音。音符の潘は、放射状に広げるの意味。

15 **【籃】** 21画 8932 ラン 覃 lán 6855 E2D5 —

字義 ❶かご。かたみ。目のこまかいかご。用例〈人虎伝〉食籃中有羊肉数斤(ショクランのなかにヨウニクスウキンあり)。↓私の食べ物入れの竹かごの中に数斤の羊の肉がある。❷大きいふせご。伏せかご。❸大きいかご。あじろかご。「揺籃」「籃輿」

解字 篆文 形声。竹＋監音。音符の監は檻に通じ、おりの意味。おりのように竹で編み囲んだ、ふせかごの意味を表す。

藍輿

【籃輿】(ランヨ) あじろかご。竹を編んでつくった乗り物。

15 **【籈】** 21画 8933 国字 ₁8978 — —

字義 たが。割り竹で作った輪。桶・樽などを締めるのに用いる。＝箍(8779)。

解字 会意。竹＋輪。

16 **【籯】** 22画 8934 エイ 籯(8955)と同字。→一〇九四ページ中。 — — 5093

16 **【籛】** 22画 8935 セン 先 jiān — — 5091

字義 したぐら。馬の鞍の下に敷くもの。

解字 形声。竹＋錢音。

16 **【籜】** 22画 8936 タク 薬 tuò — — 5092

字義 ❶たけのかわ。たけのこの皮。❷草の名。

解字 形声。竹＋擇音。

16 **【籗】** 22画 8937 一タク 覚 zhuó 二カク(クワク) 薬 ₂8376 — —

字義 一二魚を採るためのかご。

解字 形声。竹＋霍音。

16 **【籘】** 22画 8938 トウ 籐(8929)と同字。→一〇九三ページ上。 6860 E2DA —

16 **【籟】** 22画 8939 ライ 泰 lài 6861 E2DB —

字義 ❶ふえ。㋐三つの穴のある笛。㋑簫の笛。❷ひびき。こえ。「万籟」「天籟」

解字 篆文 形声。竹＋賴。音符の賴は、剌に通じ、切れ目を入れるの意味。竹に三つの切れ目、あなをあけて作った、ふえの意味を表す。

16 **【籚】** 22画 8940 漢ロ 呉ル 虞 lú — — 5090

字義 ❶割った竹を束ねて作った、矛の柄。❷かご。❸竹の名。

解字 形声。竹＋盧音。

16 **【籠】** 22画 8941 常 ロウ かご・こ-もる 一ロウ 東 lóng 二ロウ 董 lǒng 6838 E2C4 —

筆順 ⺮ 笁 笿 箮 箵 篭 籠 籠 籠

［篭］ 8848 俗字

字義 一❶かご。こ。㋐もっこ。土を盛って運ぶ竹製の器具。㋑とりかご。「籠鳥」㋒物を入れるかご。「茶籠」❷えびら。矢を入れて背に負う器具。二こ-める。かごに入れる。つつむ。「籠蓋」国❶こ-もる。㋐しのぶ。かくれる。㋑家の中にいて、外へ出ない。「籠居」㋒城にたてこもる。「籠城」㋓祈願のために神社仏閣に泊まりこむ。「参籠」❷こもり。神社仏閣に宿泊して祈願すること。

難読 籠手(こて)

解字 篆文 形声。竹＋龍音。音符の龍は、つめこむの意味。土をつめこむ竹かご。もっこの意味や、つめこむの意味を表す。

【籠鶯】(ロウオウ) かごに入れられたうぐいす。転じて、束縛されて自由にならない身のたとえ。

【籠蓋】(ロウガイ) 閉じこめおおう。かぶさるようにおおう。用例〈楽府詩集、勅勒歌〉天似穹盧(テンはキュウロににて)、籠蓋四野(シヤをロウガイす)。↓天はあたかも天幕のように四方の野原をおおっている。

【籠居】(ロウキョ) 国家の中に閉じこもる。

【籠禽】(ロウキン) かごの鳥。転じて、自由を束縛されている身のたとえ。

【籠城】(ロウジョウ) 国城中にたてこもる。また、家の中にひきこもる。

【籠鳥】(ロウチョウ) ＝籠禽。

【籠絆】(ロウハン) しばって自由にさせない。閉じこめる。

【籠樊】(ロウハン) ①かご。樊籠。②人の自由を奪うこと。拘束。

【籠養】(ロウヨウ) 小鳥などをかごに入れて飼うこと。

【籠絡】(ロウラク) ①からみまつわる。②まるめこむ。他人をうまく言いくるめて、自分の思うままにする。

【籠籠】(ロウロウ) かくれこもったさま。明らかでないさま。

16 **【籙】** 22画 8942 漢リョク 呉ロク 沃 lù ₁8979 — 5089

字義 ❶ふみかご。本箱。❷ふみ。書物。❸未来記。予言書。「図籙」❹道家の秘文。

解字 形声。竹＋錄音。

16 **【籡】** 22画 8943 国字 ₂8378 — 5101

字義 しんし(伸子)。洗い張りするとき、布の両端にさし渡し、布が縮まないようにする細い竹棒。＝簇(8868)。

解字 会意。竹＋撿。撿は、引きしめるの意味。布幅を張り伸ばして引きしめる竹製の、しんしの意味を表す。

17 **【籧】** 23画 8944 一漢キョ・呉ゴ 魚 qú 二漢キョ・呉コ 語 jǔ — — 5103

字義 一籧篨(キョジョ)は、㋐目のあらい竹のむしろ。たかむしろ。㋑はと胸。二籧筐(キョキョウ)は、蚕をかう道具。

解字 形声。竹＋遽音。

17 【籞】 23画 8945 漢ギョ 呉ゴ 語 yù ₂8377 ― 5094

字義 ❶とめば。竹などで囲んで、狩猟や伐採を禁じている場所。❷いけす。竹などで囲んだ養魚場。❸竹などで囲んだ鳥の檻(おり)。

解字 形声。竹＋禦㊣。

17 【籤】 23画 8946 セン 塩 qiān 6862 E2DC ―

［籖］ 8926 俗字

字義 ❶くじ。㋐おみくじ。㋑くじびき。「抽籤」 ❷かずとり。ものを数えるときの竹の札。❸ためす(験)。❹未来記。予言の書。＝讖(11431)。

解字 篆文 形声。竹＋韱㊣。音符の韱(セン)は、かぼそいの意味。ほそい竹で神意を問いたずねる、くじの意味を表す。

17 【籥】 23画 8947 ヤク 薬 yuè 6864 E2DE ―

字義 ❶ならいふだ。習字用の竹札。❷ふえ。三孔、または六孔ある。❸かぎ。じょう。＝鑰(12944)。「管籥」 ❹かぎをかける。とじる。❺ふいごの風を送るくだ。

解字 篆文 形声。竹＋龠㊣。音符の龠(ヤク)は、ふえの意味。竹製のふえの意味を表す。

【籥舞】(ヤクブ) 籥を吹いて舞う、文の舞(文徳を象徴する舞)。↕羽舞(一一五七ページ中)。

17 【籣】 23画 8948 ラン 寒 lán ― ― 5102

字義 えびら。石弓の矢を入れて背負うための容器。

解字 形声。竹＋闌㊣。

17 【籢】 23画 8949 レン 奩(2301)と同字。→三五八ページ中。

18 【籩】 24画 8950 ヘン 籩(8952)の俗字。→一〇九四ページ上。 ― ― 5104

19 【籭】 25画 8951 一シ 支 紙 shī 二漢サイ・呉シャ 佳 shāi ₁8980 ― 5105

字義 一❶ふるい。ゆり動かして細かい物と粗い物とを仕分ける道具。＝篩(8837)。❷竹製の器。かごの一種。

解字 会意。竹＋麗。麗は、整然と並ぶの意味。

19 【籩】 25画 8952 ヘン 先 biān ₂8379 ― ―

［籩］ 8950 俗字

字義 たかつき。竹製で、口に籐(トウ)のふちがあり、祭りに果実やほし肉を盛るもの。

解字 篆文 形声。竹＋邊(邉)㊣。音符の邉(ヘン)は、へりの意味。そのへりに工夫をこらしてある竹製の祭器、たかつきの意味を表す。

籩

【籩豆】(ヘントウ) 祭器の名。祭りや宴会のときに、食物を盛るもの。▼籩は竹製、豆は木製。

19 【籮】 25画 8953 ラ 歌 luó ₂8380 ― 5106

字義 み(箕)。米をますに移すときに用いる器具。

解字 形声。竹＋羅㊣。

19 【籬】 25画 8954 標 リ 支 lí 6865 E2DF ―

字義 まがき。かき(垣)。ませがき。竹やしばをあらく編んだかき。「竹籬」

解字 形声。竹＋離㊣。

【籬垣】(リエン) まがき。かきね。籬藩。籬牆(リショウ)。

【籬間】(リカン) まがきのあたり。

【籬菊】(リキク) まがきのきく。

【籬△牆】(リショウ) ＝籬垣。

【籬畔】(リハン) ＝籬辺。

【籬藩】(リハン) ＝籬垣。

【籬壁間物】(リヘキカンブツ) まがきや、かべのあたりにある物。手近にある物のたとえ。

【籬辺(邊)】(リヘン) まがきのほとり。籬畔。

【籬落】(リラク) まがき。かきね。▼落は、かこい。

20 【籯】 26画 8955 漢エイ 呉ヨウ(ヤウ) 庚 yíng ₂8381 ― ―

［籝］ 8934 同字

字義 ❶かたみ(筐)。❷竹筒。箸(はし)を入れる筒。❸袋。金入れ袋。

解字 形声。竹＋嬴㊣。

20 【籰】 26画 8956 ワク 薬 yuè ₂8382 ― 5107

字義 糸枠(いとわく)。つむいだ糸を巻きつけるもの。

解字 形声。竹＋矍㊣。

26 【籲】 32画 8957 一ユ 遇 yù 二ヤク 薬 yuè ― ― 5108

［龥］ 13522 同字

字義 一二❶よぶ。㋐さけぶ。呼びさけぶ。祈り訴える。㋑まねく。❷やわらぐ(和)。やわらげる。

解字 形声。頁＋籥㊣。

【籲天】(ユテン) 天にさけぶ。天に向かって無実を訴える。

竹部 17▼26画 〔籞籤籥籣籢籩籭籮籬籯籰籲〕 米部 0画 〔米〕

米 6画 こめ・こめへん よねへん

〔部首解説〕 米を意符として、いろいろな種類の米・穀物、その性質、それを加工した食品などに関する文字ができている。また、メートルを米・米突と音訳したところから、メートル法の長さの単位を表す文字ができている。

0 【米】 6画 8958 教2 ベイ・マイ こめ 漢ベイ・呉マイ 薺 mǐ 4238 95C4 ―

筆順 丶 丷 丬 半 米 米

字義 ❶こめ。よね。稲の実。❷穀類(麦・きびなど)の実。また、その脱穀したもの。さらに竹・まこも・はすなどの実もいう。「米穀」 ❸メートル。フランスの長さの単位 mètre の音訳、米突の略。国亜米利加(アメリカ)または米利堅(メリケン)の略。㋐アメリカ合衆国。米国。中国では美国という。㋑アメリカ大陸。「南米」

名前 こめ・みつ・め・よね 難読 米原（まいばら）・米子（よなご）・米内（よない）・米利堅（メリケン）・米所波大米（メソポタミア）

解字 甲骨文 米 篆文 米 象形。甲骨文は、横線と六点とからなり、横線が穀物の穂の枝の部分、六点がその実の部分を示す象形文字で、こめの意味を表す。米を音符に含む形声文字に眯（べ）・迷・謎（メ）などがあり、これらの漢字は、「とまどうほどの多くの粒」の意味を共有している。

逆 欧米・供米

【米塩（鹽）】（ベイエン） ①米と塩。②食糧。生活の必需品。③細かくわずらわしいことのたとえ。

【米塩（鹽）博弁（辯）】（ベイエンハクベン） こまかいことまで詳しく話す。くだくだと話す。〔韓非子、説難〕

【米寿（壽）】（ベイジュ） 国 八十八歳をいう。八十八を一字にすると米の字に似ているからいう。⇩ コラム 年齢の別称（四六六ページ）。

【米粟】（ベイゾク） ①米ともみ。②穀物。▼粟は、もみのついたままの穀物。

【米突】（メートル） フランスの長さの単位 mètre の音訳。略して米とも書く。

【米芾】（ベイフツ） 北宋（ホクソウ）の書家・画家・文人。字（あざな）は元章。号は海岳外史など。湖北省襄陽（ジョウヨウ）の人なので米襄陽ともいう。著書に『画史』『書史』などがある。（一〇五一―一一〇七）

2 【籴】 8画 8959 テキ 糴（9055）と同字。→一一〇三ページ上。

2 【籵】 8画 8960 国字 6866 E2E0 —

字義 デカメートル。長さの単位。一メートルの十倍。

解字 形声。十＋米音。mètre の音訳を音符の米が表し、その十倍の意味を十が表す一種の新形声文字。

3 【籽】 9画 8961 シ zǐ — — 5111

字義 たね。植物の種子。

解字 形声。米＋子音。音符の子は、たねの意味。

3 【籹】 9画 8962 漢ジョ（ヂョ） 呉ニョ 語 nǚ 8981 — 5109

字義 粔籹（キョジョ）は、米や麦粉に蜜を混ぜて煎（い）って作る菓子。おこしの類い。

解字 形声。米＋女音。 難読 粟籹（あわおこし）

3 【籼】 9画 8963 セン 先 xiān — — 5110

字義 うるち。うるしね。粘りけのない普通の米。

解字 形声。米＋山音。

3 【桒】 9画 8964 ソウ 桑（5405）の俗字。→七四〇ページ下。 2 8383 — —

3 【粁】 9画 8965 国字 2246 8BCC —

字義 キロメートル。長さの単位。一メートルの千倍。

解字 形声。千＋米音。mètre の音訳を音符の米が表し、その千倍の意味を千が表す一種の新形声文字。

3 【粂】 9画 8966 国字 標 2309 8C48 —

字義 くめ。久（ク）と米（メ）の音を合わせた字。姓名や地名などに用いる。

解字 久＋米の合字で、「くめ」と読む国字。

3 【籾】 9画 8967 国字 人 標 4466 96E0 —

筆順 、 丷 ⺌ 半 米 米 籾 籾 籾

［籾］ 8968 俗字

字義 もみ。㋐穀物の実の皮。もみがら。㋑からをかぶっている穀物。主として稲の実をいう。

解字 会意。米＋刄（刃）。刃は、刀の「は」の意味。刀のように鋭いからをつけたままの、もみの意味を表す国字。

3 【籾】 9画 8968 国字 もみ 籾（8967）の俗字。→一〇九五ページ中。

4 【粇】 10画 8969 コウ 糠（9039）と同字。→一一〇一ページ上。 — — 5113

4 【粆】 10画 8970 ㊀漢サ・呉シャ 麻 shā ㊁ショウ（セウ） chǎo — — 5112

字義 ㊀砂糖。㊁干し飯（いい）。飯を乾燥させた保存食。国 ミクロン。長さの単位。一ミリメートルの千分の一。

解字 形声。米＋少音。

4 【粋】 10画 8971 常 スイ いき 3172 9088 —

8 ［粹］ 14画 8972 人 ㊀スイ 寘 cuì ㊁漢サイ・呉スイ 隊 suì 6879 E2ED —

筆順 、 丷 ⺌ 半 米 米 粁 粋 粋 粋

字義 ㊀❶まじりけがない。「純粋」 ❷もっぱら。専一。❸完全。かけるところがない。質がよい。また、その部分。最も良質で純粋な部分。「精粋」 ㊁くだける。くだく。＝砕（8141）。国 スイ。いき。↔野暮（一四五八ページ下）。㋐世相・人情に通じていて、ものわかりのよいこと。㋑遊里や芸人の社会などの事情に通じ、動作が自然とその道にかなっていること。

名前 きよ・ただ・よし

参考 現代表記では〔萃〕（10040）の書きかえに用いることがある。「抜萃→抜粋」

解字 篆文 粹 形声。米＋卆（卒）音。音符の卒（ツ）は、まったい（完全）の意味。完全に精米した米の意味から、まじりけがないの意味を表す。

逆 国粋・純粋・精粋・抜粋・不粋・無粋

【粋士】（スイシ） 国＝粋人。

【粋人】（スイジン） 同 粋士。国 ①芸ごとや遊里の事情に通じている人。②世相・人情に通じている人。

【粋然】（スイゼン） まじりけのないさま。

【粋白】（スイハク） ①まじりけのないこと。純粋。②まっしろ。純白。

【粋美】（スイビ） まじりけがなく美しい。清く美しい。

4 【粃】 10画 8973 ヒ 秕（8448）と同字。→一〇四九ページ上。 6867 E2E1 —

4 【敉】 10画 (4530) ビ 支部。→六三三ページ下。

4 【粉】 10画 8974 教 5 フン こ・こな フン 吻 fěn 4220 95B2 —

筆順 、 丷 ⺌ 半 米 米 米 粉 粉 粉

字義 ❶こな。こ。㋐米のこな。穀物のこな。㋑くだいて細かにしたもの。「粉末」 ❷粉にする。細かくくだく。「粉骨」 ❸おしろい。また、おしろいをつける。化粧する。「粉白」 ❹いしばい（石灰）。❺しろい（白）。❻かざる（飾）。彩る。国 デシメートル。長さの単位。一メートルの十分の一。十センチメートル。

難読 粉河（こかわ）

解字 篆文 粉 形声。米＋分音。音符の分は、わけるの意味。米をくだきわけたもの、こなの意味を表す。

逆 鉛粉・紅粉・脂粉

【粉絵（繪）・粉繢】（フンカイ） ①えがき、いろどる。②彩色画。

【粉毫】（フンゴウ） 絵筆。▼毫は、ふで。

【粉骨砕（碎）身】（フンコツサイシン） 骨を粉にし身をくだく。はなはだしく骨折ること。力の限り努力すること。

【粉砕（碎）】（フンサイ） ①こなごなにくだく。②相手を完全に打ち負かすこと。

【粉飾】（フンショク） ①おしろいをぬって化粧する。②かざる。つくろいかざる。③かざり。④人をりっぱなものとしてほめること。地位や名誉などを与えること。

【粉△黛】フンタイ ①おしろいとまゆずみ。②化粧。③美人。用例〔唐、白居易、長恨歌〕回レ頭一笑百媚生(こうべをめぐらしていっしょうすればひゃくびしょうじ)、六宮粉黛無二顔色一(りくきゅうのふんたいがんしょくなし)。↓(楊貴妃が)ふりむいてニコッと笑うとなまめかしさがあふれ、天子の後宮として造られた六つの宮殿に仕える、化粧をこらした美女たちも見劣りがしてしまった。

【粉白△黛黒】フンパクタイコク おしろいを白くぬり、まゆずみを黒くつける。化粧をする。

【粉白】フンパク・おしろい ①おしろい。②美人。

【粉△蝶】フンチョウ ①白い羽の蝶。②美しい蝶。

【粉白△黛緑】フンパクタイリョク ＝粉白黛黒フンパクタイコク。

【粉壁】フンペキ 白塗りの壁。

【粉墨】フンボク ①おしろいとすみ。転じて、たがいに全く異なること(もの)。②おしろいとまゆずみ。粉黛フンタイ。③胡粉ゴフンと墨。えのぐ。また、美しい色彩。④修飾。かざり。

【粉本】フンポン ①絵の下書き。下絵。昔、胡粉ゴフンを用いて大体の下書きをしたからいう。②国㋐後日の再考に供するために模写した絵。㋑手本。

4 【料】10画 (4584) リョウ 斗部。→六三四ページ下。

4 【粏】10画 8975 国字 | 8982 — 5114

字義 ダ。糂粏ジンダは、食品の名。→糂(9020)。

解字 形声。米＋太㊥。中国で糂糟サンタンとよぶ「ぬかみそ」の意味を表す言葉の糟を「ダ」となまり、それに合わせて作られた国字。

4 【粍】10画 8976 国字 | 4416 96AE —

字義 ミリメートル。長さの単位。一メートルの千分の一。

解字 形声。毛＋米㊥。mètre の音訳を音符の米が表す。毛は千分の一の意味。一メートルの千分の一で一ミリメートルの意味を表す一種の新形声文字。

4 【粐】10画 8977 国字 | 6868 E2E2 —

字義 粐蒔沢ぬかまきざわは、秋田県秋田市の地名。

5 【粔】11画 8978 漢キョ 呉ゴ 語 jù | 8983 — 5115

字義 粔籹キョジョは、米や小麦粉に蜜を混ぜて煎いって作る菓子。おこしの類い。難読 粔籹おこし

解字 形声。米＋巨㊥。

5 【粛】11画 (9652) シュク 聿部。→二七六ページ上。

5 【粗】11画 8979 常 ソ あら-い 漢ソ 語 cū | 3338 9165 —

筆順 丶 丷 䒑 半 米 米 籿 籾 粗 粗

字義 ❶あら-い。あら。㋐細かくない。↔密(2944)。㋑おおまか。おおざっぱ。詳しくない。念入りでない。雑である。↔精(9008)。「粗雑」。㋒あらあらしい。「粗暴」。❷よくない。粗末。「粗衣」。❸ほぼ。あらまし。大体。国人に贈るものに冠する謙称。「粗品」「粗茶」。難読 粗目ざらめ

使いわけ あらい〔粗・荒〕
〔粗〕大まか。大ざっぱ。「細かい」の対。「粗い網の目」
〔荒〕勢いが激しい。「穏やか」の対。「金遣いが荒い」

解字 篆文 形声。米＋且㊥。音符の且ソは疏ソに通じ、はなれるの意味。ねばりけのない米、あらいの意味を表す。

逆 精粗

【粗悪(惡)】ソアク 粗末で品質が劣っていること。

【粗△肴】ソコウ 粗末な料理。料理を他人にすすめるときの謙称。

【粗△忽】ソコツ 国①物事を行うのに念入りでないこと。かるはずみでそそっかしいこと。②そそう。過失。

【粗雑(雜)】ソザツ 物事の仕方・考え方が、あらっぽくいいかげんなこと。

【粗△餐】ソサン 国粗末な食事。他人に出す食事の謙称。粗飯。

【粗製】ソセイ 国品物を粗末につくる。また、粗末なつくり方。「粗製濫造ソセイランゾウ」

【粗△朶】ソダ 国切り捨てられた枝。たきものにする枝。

【粗△鄙】ソヒ あらあらしく下品。粗野。

【粗放】ソホウ 国①綿密でない。②おおまかでしまりがない。③わがままでだらしがない。やりっぱなし。

【粗暴】ソボウ 動作や態度があらあらしいこと。

【粗△樸】ソボク 粗末でかざりけがない。

【粗△笨】ソホン あらくてつたない。ざつ。▼笨も、粗。

【粗末】ソマツ 国①品質の劣っていること。できの悪いこと。②ぞんざい。念入りでないこと。

【粗野】ソヤ 国①いなかびているさま。②無作法であらあらしい。無遠慮で下品。

【粗略】ソリャク ①かりそめ。いささか。②ていねいでないこと。おろそか。ぞんざい。なげやり。◆「疎略」も同意だが、新聞用語などでは「粗略」に統一している。

【粗△糲】ソレイ ①あらい玄米。②粗末な食物。

【粗漏】ソロウ 国手おち。手ぬかり。

5 【粜】11画 8980 チョウ 糶(9056)と同字。→一〇二三ページ中。

5 【粘】11画 8981 常 ネン ねば-る 漢デン 呉ネン 語 nián | 3920 9453 —

【黏】|4461| 正字

筆順 丶 丷 䒑 半 米 米 料 粘 粘 粘

字義 ❶ねば-る。また、ねば-り。「粘着」❷ねばい。ねばっこい。

解字 篆文 形声。米＋占㊥。篆文は、黍＋占㊥。音符の占は、拈ネンに通じ、つまむの意味。粉をねってつまんで感じる、ねばりの意味を表す。

【粘液】ネンエキ ねばりけのある液体。

【粘着】ネンチャク ねばりつく。

【粘葉】デッチョウ 国書物の装丁テイソウの一種。紙を一枚ずつ、中央で縦に二つ折りにして重ね合わせ、背に糊のりつけ、表紙で包む。胡蝶装コチョウソウ。「デッチョウ(テフ)」は「デンヨウ(エフ)」の音転。

5 【䊀】11画 8982 ハ 語 pō | 28384 — —

字義 義未詳。国䊀塚すくもづかは、鳥取県東伯郡の地名。

解字 形声。米＋皮㊥。

5 【粕】11画 8983 標 ハク 漢ハク 語 pò | 3984 9494 —

字義 かす。酒などのしぼりかす。また、よいものをしぼり取ったあとの残りかす。「糟粕ソウハク」

解字 篆文 形声。米＋白㊥。音符の白は、空白で何もない意味。酒のエキスをしぼりとったあとの白いかすの意味を表す。

5 【粒】11画 8984 常 リュウ つぶ リュウ(リフ) 語 lì | 4619 97B1 —

筆順 丶 丷 䒑 半 米 米 粁 粒 粒 粒

字義 ❶つぶ。㋐米つぶ。「米粒」。㋑つぶの形をしているもの。「顆粒カリュウ」。❷穀物。❸穀物(米)をたべる。

解字 篆文 形声。米＋立㊥。音符の立は、たつの意味。粉とはちがって、一つ一つが独立した形を持

つ、つぶの意味を表す。


【粒食】穀物をたべる。米をたべる。

【粒米】穀類のつぶ。また、米。米つぶ。穀物。

【粒粒辛苦】物事を成就するのに、こつこつと苦心努力すること。唐の李紳の「憫」農詩」に「粒粒皆辛苦」とあるのに基づく。

6 【粤】 12画 8985 漢エツ(ヱツ) 呉オチ(ヲチ) 月 yuè 6869 E2E3 —

字義 ❶ここに。発語のことば。❷ああ。嘆息のことば。❸種族、また、国の名。＝越(11646)。❹今の広東・広西両省の地。昔、これを百粤といい、後世、両省を両粤という。また、広東省を粤と簡称する。

解字 甲骨文 金文 篆文 会意。金文では、雨＋于。意味と字形との関係は不明。ただし、音形が于に近く、早く金文時代から、「ここに」などの助字として用いられる。音形が、越・遠に通じ、遠方の地、広東省・広西省の意味に用いられる。『説文解字』では、宷＋亏の会意。宷は、つまびらかの意味で、つまびらかにしようとして発する言葉の意味とする。

【粤犬吠雪】粤の地方は雪が少なく、雪が降ると犬が怪しんでほえること。転じて、見識のせまい者が賢人のすぐれた言行を理解できず非難攻撃するたとえ。蜀犬吠日。

【粤江】珠江(九四七ジ下)の別名。

【粤西】広西チワン族自治区の別名。

6 【粠】 12画 8986 漢コウ 呉グ 東 hōng 8984 — 5117

字義 あかごめ。古くなって赤味を帯びた米。 難読 粠田

解字 形声。米＋共音。

6 【粢】 12画 8987 シ 支 zī 6871 E2E5 —

字義 ❶穀物の総称。特にきびをいう。❷神に供える穀物。また、神に供える餅。しとぎ。「粢盛」❸餅。米のもち。

解字 形声。米＋次音。＝餈(13585)。

【粢盛】神に供える、器に盛った穀物。▼盛は、盛り物。

【粢糲】玄米食。きわめて粗末な食物。

6 【粥】 12画 8988 人 標 一シュク 屋 zhōu 二イク 屋 yù 2001 8A9F —

筆順 ⺕ ⺕ 弓 弜 弜 粥 粥 粥 粥

【鬻】13939 本字 【侑】404 俗字

字義 一❶かゆ。水を多くして米をやわらかに煮たもの。特に、薄いかゆをいう。また、かゆを煮る。↔饘(13658)。❷ものの形容。↓粥粥。二❶ひさ-ぐ。売る。用例〔荀子、儒効〕魯之粥ニ牛馬一者、不ニ予賈一。↓魯の牛馬を売る者は、掛け値をしなくなった。／〔韓非子、難一〕楚人有下鬻ニ盾与レ矛者上。↓楚の国の人で、盾と矛とを売る者がいた。❷薫粥は、匈奴の古名。❸＝二❷。

解字 会意。弜＋米。弜は、ゆげの象形。水を多くしてかまのふたをあけたまま煮る「かゆ」の意味を表す。鬻の省略形。また、賣に通じて、ひさぐの意味をも表す。

【粥魚】木魚。仏具の一つ。
【粥粥】一 へりくだるさま。また、ぐにゃぐにゃしているさま。つつしみおそれるさま。二 鶏が呼びあう声。また、鶏を呼ぶ声の形容。

6 【粧】 12画 8989 常 ショウ 漢ソウ(サウ)・呉ショウ(シャウ) 陽 zhuāng 3049 8FCF —

筆順 丷 㐅 米 米 粁 粁 粧 粧

字義 ＝妝(2329)。❶よそお-う。化粧する。かざる。かたちづくる。❷よそお-い。化粧。 難読 粧坂

解字 形声。米＋庄音。米は、おしろいの粉の意味。音符の庄は、もと荘で、装に通じ、よそおうの意味。おしろいの粉でかざるの意味を表す。

逆 化粧・仮粧・紅粧・淡粧・濃粧

【粧鏡】化粧用のかがみ。

【粧飾】よそおいかざる。美しく化粧してかざる。

【粧梳】顔を化粧し髪をくしけずる。

【粧点(點)】①よそおいかざる。②そこここを色どりかざる。

【粧涙】化粧した顔に流れる涙。

【粧奩】①化粧道具。②嫁入り道具。

【粧楼(樓)】化粧をするたかどの。女性の居室をいう。

6 【粞】 12画 8990 漢セイ 呉サイ 斉 xī — — 5116

字義 粉米。砕けた米。

解字 形声。米＋西音。

6 【粟】 12画 8991 人 標 漢ショク 呉ソク 慣ゾク 沃 sù 1632 88BE —

筆順 一 ㄏ 冖 襾 襾 覀 覀 粟 粟

字義 ❶穀類の総称。用例〔孟子、梁恵王上〕河内凶、則移ニ其民於河東一、移ニ其粟於河内一。↓河内が凶作であれば、そこの民を河東に移し、河東の食糧を河内に輸送する。❷もみ。稲・麦・きびなどの実の、外皮のついたままのもの。❸あわ。イネ科の一年草。穀物の一種。実は小粒で黄色。❹つぶ(粒)。穀物の粒に似たもの「粟粒」❺扶持米。俸禄。 難読 粟生・粟生津・粟飯原

解字 甲骨文 篆文 会意。篆文は、米＋鹵。鹵は、草木の実の垂れさがる形にかたどる。実の垂れさがる穀物の意味を表す。甲骨文は、実の垂れさがった穀物の象形。

【粟散】仏粟粒のように小さくて散らばっていること。また、小さくて多いことのたとえ。「粟散国(幾つかの小島から成り立っている国)」

【粟帛】穀物と絹織物。

【粟膚】寒さやおそろしさなどのために皮膚に粟粒のようなものを生ずること。鳥はだ。

【粟米】①穀物。▼米も、穀物。②もみのままの穀物と、もみを取り去った穀物。③あわとこめ。

6 【粡】 12画 8992 漢トウ 呉ドウ 東 tóng 6873 E2E7 —

字義 ❶ちまき。❷あらごめ(粗米)。精白していない米。 難読 粡町

解字 形声。米＋同音。

6 【[米当]】 12画 8993 トウ 28385 — —

糖(9034)の俗字。→一一〇〇ジ下。 難読 [米当]形

6 【[米貝]】 12画 8994 ブン 28387 — —

聞(9632)の古字。→一一七三ジ上。

6 【粦】 12画 8995 リン 震 lìn

【[炎舛]】6976 本字 【粦】9004 俗字

字義 おにび(鬼火)。ひだま。人や動物の死体から発する燐火。＝燐(7018)。

解字 金文 篆文 会意。炎＋舛。舛は、左右のステップの象形。炎は、ほのおの意味。左右にゆれるおに火の意味を表す。

6 【粭】 12画 8996 国字 6870 E2E4 —

米部 6画 〔粤粠粢粥粧粞粟粡[米当][米貝]粦粭〕

6 **【粨】** 12画 8997 国字 6874 E2E8 —

字義 **すくも**。粭島（すくもじま）は、山口県徳山市の地名。

解字 **会意**。米＋合。合は、こばこの意味。米粒の入っていた小さな箱、すくも（もみがら）の意味を表す。

6 **【粨】** 12画 8997 国字 6874 E2E8 —

字義 **ヘクトメートル**。長さの単位。一メートルの百倍。

解字 **形声**。百＋米㊥。mètre の音訳を音符の米が表し、百は、その百倍の意味を表す新形声文字。

6 **【粫】** 12画 8998 6872 E2E6 —

字義 粫田（うるちだ）は、福島県白河市の地名とされる。現地では、「糯田」と表記されている。

解字 糯(9050)の誤字か。

7 **【粳】** 13画 8999 [秔] 8440 正字 [稉] 8481 俗字 ㊥コウ（カウ） ㊤キョウ（キャウ） 庚 jīng 6875 E2E9 —

字義 **うるち**。うるしね。うるごめ。ねばらない普通の米。↔糯(9050)。国 **ぬか**。あらぬか。 難読 粳間（うるま）

解字 **形声**。米＋更㊥。音符の更は、かたいの意味。かたいねばりけのない米、うるちの意味を表す。

【粳稲(稻)】（コウトウ） うるち米のいね。

【粳糧】（コウリョウ） うるち米の食糧。用例〔史記、滑稽伝〕祭以二粳糧一、衣以二火光一。（まつるにコウリョウをもってし、きするにカコウをもってす。） ↓米を供えてまつり、燃える火の光を着せる。

7 **【粲】** 13画 9000 サン 翰 càn 6876 E2EA —

字義 ❶しらげよね。特によくついて白くした米。白米。❷いい（飯）。めし。＝餐(13600)。❸あきらか（燦）。あざやか（鮮）。❹きよい。きよらか。いさぎよい（潔）。❺みめよい。美しい。❻白い歯を出して笑うさま。転じて、わらい。

解字 篆文  **形声**。米＋奴㊥。音符の奴は、骨をとるさまにかたどる。雑物を除去した米、白米の意味を表す。

【粲花】（サンカ） 言論の美しくりっぱなことのたとえ。唐の李白の談論を時の人が春の花にたとえた故事による。

【粲粲】（サンサン） ①あざやかで美しいさま。②かしこいさま。

【粲然】（サンゼン） ①輝くさま。あざやかなさま。②清らかなさま。③白い歯を出してにこやかに笑うさま。

【粲△爛】（サンラン） 美しく輝くさま。美しくあざやかなさま。▼爛は、かがやく。

7 **【粰】** 13画 9001 一 フ 虞 fū 二 ㊥フウ・㊤ブ 尤 fú — — 5119

7 **【粱】** 13画 9002 リョウ（リャウ） 陽 liáng 6877 E2EB —

字義 一 ❶おこし。米を煎って飴にからめたもの。❷粥（かゆ）。 二 もみがら。また、ふすま。穀物を粉にしたあとのかす。

解字 **形声**。米＋孚㊥。

7 **【粱】** 13画 9002 リョウ（リャウ） 陽 liáng 6877 E2EB —

字義 ❶**あわ**。**おおあわ**。穀物の一種。粟（あわ）の大粒なもの。❷おおあわのめし。昔、上等の食物とされた。

解字 金文  篆文  **形声**。米＋梁省㊥。音符の梁は、「はし」の意味。そり橋のような穂をつける、「あわ」の意味を表す。

【粱肉】（リョウニク） 上等の米と肉。ぜいたくな食事。

【粱飯】（リョウハン） ①おおあわの飯。②うまい飯。

7 **【粮】** 13画 9003 リョウ 糧(9046)と同字。→一一〇一ページ下。 6878 E2EC —

7 **【粦】** 13画 9004 リン 粦(8995)の俗字。→一〇九七ページ下。 ₂8386 — 5118

7 **【糀】** 13画 9005 国字 6881 E2EF —

字義 **こうじ**。米・麦などを蒸して麹黴（こうじかび）を繁殖させたもの。＝麹(14440)。

解字 **会意**。米＋花。米に花が咲いたように生えるかび、「こうじ」の意を表す。

8 **【粿】** 14画 9006 一 カ（クワ） 哿 guǒ 二 ㊥カ（クワ）・㊤ゲ 馬 huà ₂8390 — 5125

字義 一 ❶精白した米。❷米の飯。❸こごめ。くだけごめ。 二 穀粒のよいもの。また、皮のない穀物。 難読 粿米（よかしよね）

解字 **形声**。米＋果㊥。

8 **【粷】** 14画 9007 キク 屋 jū ₂8389 — 5121

字義 ❶こな。❷こうじ。

解字 **形声**。米＋匊㊥。

8 **【粹】** 14画 (8972) スイ 粋(8971)の旧字体。→一〇九五ページ中。

8 **【精】** 14画 9008 教5 セイ ショウ 3226 90B8 —

8 **[精]** 14画 9009 ㊥セイ ㊤ショウ（シャウ） 庚 jīng — EE6C —

筆順 丶 丷 米 米 米 粁 粐 粓 精 精

字義 ❶**くわしい**（詳）。こまかい。つまびらか。↔粗(8979)。用例〔荀子、解蔽〕農精二於田一、而不レ可三以為二田師一。（ノウはたにくわ(は)しきも、もってデンシとなるべからず。） ↓農民は農事にくわしく通じていても農事を管理する長官にはなれない。❷こころ。たましい。「精魂」「精神」❸まこと（誠）。まごころ。用例〔管子、心術下〕中不レ精者心不レ治。（うちセイならざるものは、こころお(を)さまらず。） ↓心にまことのないものは、心が安定しない。❹神。また、もののけ。あやしく不思議なもの。「精霊」❺しらげよね。ついて白くした米。白米。また、**しらげる**。しらぐ。用例〔論語、郷党〕食不レ厭レ精。（シはセイをいとわ(は)ず。） ↓食事には精米したものを嫌がらない。❻まじりけがない。純粋。また、まじりけのないもの。最もすぐれたもの。用例〔国語、周語上〕長レ衆使レ民之道、非レ精不レ和、非レ忠不レ立。（シュウにチョウとしてたみをつかう(ふ)のみち、セイにあらざればワせず、チュウにあらざればたたず。） ↓人々の指導者となり民を使う道は、純粋でなければ親しまないし、忠実でなければ成り立たない。❼もっぱら。また、もっぱらにする。「精一」❽すぐれている。えりすぐった。「精鋭」「精兵」❾きよい。清らか。いさぎよい。「精純」❿奥深い。かすか。用例〔呂氏春秋、大楽〕道也者至精也。（みちなるものはシセイなり。） ↓道というものは、極めて奥深いものである。⓫ひかり。日月の光。また、日・月・星。用例〔三国魏、曹植、棄婦詩〕天月相終始、流星没無レ精。（テンとつきはあい(ひ)シュウシするも、リュウセイボッしてセイなし。） ↓天と月はたがいに循環して永続するが、流れ星はすぐに姿をかくして光が消えてしまう。⓬もと（本）。㋐生命の根源。生殖のもととなるもの。「精液」㋑万物を生成する陰陽の気。用例〔淮南子、天文訓〕天地之襲精、為二陰陽一。（テンチのシュウセイ、インヨウとなる。） ↓天地の重なり合った精気が、陰と陽になる。⓭ひとみ。＝睛(8033)。

名前 あき・あきら・きよ・きよし・くわし・しげ・しょう・しら・すぐる・すみ・せい・ただ・ただし・つとむ・ひとし・まこと・まさし・もと・もり・よし

難読 精進湖（しょうじこ）

解字 篆文  **形声**。米＋青（靑）㊥。音符の青は、すみきっているの意味。きれいについた米の意味や、すんだ心の意味を表す。

逆 月精・山精・水精・丹精・無精・不精・励精

【精一】（セイイツ） もっぱら。ひとすじ。心をこまかくひとすじにすること。また、その状態。〔書経、大禹謨〕

【精英】（セイエイ） たましい。精霊。また、すぐれひいでたもの。神髄。精粋英華。

【精鋭】（セイエイ） ①すぐれてするどい。②よく訓練された兵士。すぐれて強い軍隊。

【精衛】（セイエイ） 鳥の名。海辺に住む、からすに似た小鳥。昔、炎帝の娘が東海に溺死してこの鳥に化し、常に西山の木石をふくんで東海を埋めようとしたという伝説がある。
【精華】セイカ ①すぐれてりっぱなこと。また、そのもの。②まじりけがなく美しいこと(もの)。③純粋なこと(もの)。
【精解】セイカイ ①くわしく理解する。②くわしく解釈する。くわしい解釈。
【精核・精△覈】セイカク ①精密でたしかなこと。②くわしく調べて明らかにする。
【精確】セイカク ①くわしくたしか。たしか。正確。②非常に強い。
【精△悍】セイカン 気性がするどく強い。また、その人。
【精鑑】セイカン くわしく観察・目ききする。また、すぐれた観察・目きき。
【精気(氣)】セイキ ①天地万物の根元となると考えられる気。元気。②生命の根元と考えられる気。体気。③すぐれた気。純粋の気。エキス。④まごころ。まこと。誠心。
【精騎】セイキ すぐれて強い騎兵。精鋭の騎兵。
【精義】セイギ ①すぐれた道理。②くわしい道理や意味。道理や意味を十分にきわめる。
【精究】セイキュウ くわしく調べて明らかにする。
【精強・精△疆】セイキョウ 非常にすぐれていて強い。
【精勤】セイキン つとめはげむ。ひとすじにはげむ。
【精△勁】セイケイ ①すぐれて強い。▼勁は、強。②筆づかいの強くするどいこと。
【精潔】セイケツ きよらかでいさぎよい。純潔。
【精△妍】セイケン すぐれていて美しい。
【精巧】セイコウ すぐれてたくみ。細工などの精密でたくみなこと。正確で狂いがなくたくみなこと。
【精甲】セイコウ すぐれて強いよろい・兵士・軍隊。
【精光】セイコウ ①明らかにさえた光。②すばらしい評判。③よく整ってりっぱな容姿態度。
【精好】セイコウ 精密でよいこと。また、精巧で美しいこと。
【精根】セイコン 国根気。精力。体と心の真底からの力。
【精魂】セイコン たましい。精神。
【精査】セイサ くわしく調べる。くわしく調査する。
【精彩】セイサイ ①鮮やかな色どり。②生き生きとしたつや。③輝き。光。◆「精彩」と「生彩」は意味の上でほとんど差異はない。国語審議会では「精彩」を標準的表記とする。
【精細】セイサイ 細工などの、細かい所までゆきとどいてりっぱなこと。
【精察】セイサツ くわしく観察する。
【精算】セイサン 最終的にくわしく計算する。「運賃の精算」◆財産関係の整理の意味や、比喩的用法には「清算」を用いる。「二人の関係を清算する」
【精思】セイシ 細かに考える。思いをこらすこと。
【精舎】セイシャ 一①門人を教える建物。学校。塾。②書斎。③精神のやどる所。心。④道士の住む建物。二ショウジャ 仏寺。寺院。
【精熟】セイジュク 十分になれる。十分に熟達する。
【精純】セイジュン 清らかでまじりけのないこと。精醇セイジュン。
【精神】セイシン ①こころ。たましい。↔肉体(二一七七ページ・中)。②気力。元気。③生気のあふれていること。生気・光彩があって美しいこと。④意義。理念。
【精神一到何事不ㇾ成】セイシンイットウなにごとかならざらん 精神を集中して事に当たれば、どんな難事でも成しとげられないことがあろうか。用例(朱子語類、学二)陽気発処金石亦透ヨウキのハッするところキンセキもまたとおる、精神一到何事不ㇾ成セイシンイットウなにごとかならざらん。↓陽気が発生し活動すれば、金石をも貫く。精神を集中して事に当たれば、どんな事でも成し遂げられないことがあろうか(なんでも成し遂げられる)。
【精進】一セイシン・ショウジン 心をひとすじにして進む。懸命に努力すること。二ショウジン 仏①一心に仏道を修めつとめること。②仏に仕えるために心身を清めること。③肉食をさけて菜食をすること。
【精進潔斎(齋)】ショウジンケッサイ 肉食をたち身を清めること。転じて、ものいみすること。
【精粋(粹)】セイスイ ①まじりけのないこと。②最もすぐれているもの。えりぬきのもの。③清潔な空気。
【精髄(髓)】セイズイ 最もすぐれた部分。また、中心をなして最も大切な所。真髄。
【精誠】セイセイ まごころ。精心誠意。
【精精】一セイセイ ①獣の名。牛に似て、尾は馬のような獣。②きわめて詳細であること。二ゼイゼイ 国①できるだけ。力の及ぶかぎり。②多く見積もっても。③満足できるまで。十分に。
【精整】セイセイ きちんと整う。
【精選】セイセン 厳密に、念入りにえらぶ。精簡。
【精粗・精疎】セイソ ①細かいことと、あらいこと。②くわしいこととおおまかなこと。③ていねいなこととぞんざいなこと。
【精爽】セイソウ ①清らかでさわやか。明るくてさわやか。②たましい。精神。心。
【精致】セイチ すぐれたおもむき。
【精緻】セイチ くわしくこまやか。詳密。精細緻密セイサイチミツ。
【精忠】セイチュウ ひとすじの真心。少しも私心のない純粋な忠義。
【精通】セイツウ ①精神が他のものに通ずること。②くわしく知っていること。
【精到】セイトウ 細かくゆきとどく。
【精討】セイトウ くわしくたずね求める。精密に検討する。
【精読(讀)】セイドク くわしく念入りに読む。熟読。↔通読(二四一六ページ・中)。
【精白】セイハク ①いさぎよい。清らか。潔白。②まっしろ。③穀物をついて白くすること。
【精博】セイハク くわしくて、ひろい。
【精△魄】セイハク ＝精魂。
【精美】セイビ すぐれて美しい。精巧で美しい。
【精微】セイビ くわしく細かなこと。
【精敏】セイビン くわしくさとい。
【精兵】セイヘイ 鋭くすぐれた武器・兵士・軍隊。
【精米】セイマイ 玄米をついて白くすること。また、その米。
【精密】セイミツ くわしく綿密なこと。くわしい。こまか。精細緻密セイサイチミツ。
【精妙】セイミョウ 非常にすぐれていること。すぐれてたくみなこと。
【精明】セイメイ 物事の道理にくわしく明らかなこと。聡明ソウメイなこと。
【精力】セイリョク ①物事をやりとげる力。心身の活動力。元気。②つとめはげむ。
【精励(勵)】セイレイ 力をつくしてつとめはげむ。
【精霊(靈)】一セイレイ ①かみ(神)。また、もののけ。②すぐれていること。不思議な能力をもっていること。二ショウリョウ 仏死者の魂。
【精霊(靈)会(會)】ショウリョウエ 仏盂蘭盆ウラボンに死者の魂を祭る行事。
【精練】セイレン ①十分にねりきたえる。②糸などを精製すること。③＝精錬・精煉セイレン。
【精錬・精△煉】セイレン ①十分にきたえる。②鉱石から金属を取り出して精製すること。
【精△廬】セイロ ①書斎。②寺。寺院。

8 【粽】 14画 9010 漢ソウ 呉ス 送 zòng | 6880 E2EE —

【糉】 9021 正字 字義 ちまき。笹ささの葉などにもち米を包んで蒸した食品。古来、五月五日の端午の節句に作る。粽茭ソウコウ。粽子。

8 【粻】 14画 9011 チョウ(チャウ) 陽 zhāng | — — 5123

解字 篆文 糉 形声。米＋宗音。糉(9021)の俗字。糉は、米＋嵏音。

字義 ❶かて(糧)。食糧。❷飴あめ。
解字 形声。米＋長㊟。

8【粺】14画 9012 漢ハイ 呉バ 卦 bài ― ― 5122
字義 ❶白米。❷ひえ。穀物の一種。
解字 形声。米＋卑㊟。

8【粼】14画 9013 リン 眞 lín
［粼］9025 俗字
字義 ❶水が清くすき通って、石の見えるさま。❷月の光のさえわたるさま。
解字 形声。巜＋粦㊟。

8【粶】14画 9014 ロク 屋 lù ₂8388 ― 5120
字義 はぜごめ。火ではぜた米。
解字 形声。米＋彔㊟。

9【糊】15画 9015 人 標 漢コ 呉ゴ 虞 hú 2450 8CD0 ―
筆順 丷 半 米 米 籵 粘 粘 糊 糊
字義 ❶のり。米や麦の粉を煮て作ったのり。❷のりをつける。のりではりつける。❸ねばる(粘)。また、ねばらせる。❹かゆ(餬コ)。また、かゆをすする。転じて、口すぎする。やっとくらしをたてる。❺模糊は、ぼんやりしてよく見えぬさま。はっきりしないさま。
解字 形声。米＋胡㊟。音符の胡コは、ぼんやりしているさまを表す擬態語。米粒がぼんやりしていて見えない、のり・かゆの意味を表す。
【糊口】ココウ・くちにのりす ①かゆをすする。転じて、なんとか貧しい生活を立てること。②口すぎ。くらし。生活。「困＝糊口一ココウにくるしむ」
【糊塗】コト ①はっきりしない。おろか。②ごまかす。あいまいにする。また、つくろう。

9【糇】15画 9016 コウ ― ― 5127
餱(13628)と同字。→一五七七ページ・中。

9【糍】15画 9017 シ ₂8401 ― 5130
餈(13585)の俗字。→一五七四ページ・下。

9【糅】15画 9018 漢ジュウ(ジウ) 呉ニュウ(ニウ) 尤 宥 róu 6882 E2F0 ―
字義 ❶まじる。また、まぜる。まずる。まじえる。❷まぜめし。かてめし。かて。主食に他のものをまぜて炊いた飯。国「糅かてて加えて」は、その上さらに。
解字 形声。米＋柔㊟。音符の柔は揉ジュウに通じ、もむの意味。いろんな穀物の粒をもんでまぜるの意味を表す。

9【糈】15画 9019 ショ 語 xǔ ₂8394 ― 5128
字義 ❶かて(糧)。食料。❷神に供える精米。糈米センマイ。また、神に供える餅もち。しとぎ。
解字 篆文 形声。米＋胥㊟。音符の胥ショは疏ソに通じ、わけるの意味。良いものだけをえりわけた米、精米の意味を表す。

9【糂】15画 9020 サン 慣ジン 感 sǎn 6883 E2F1 ―
字義 羹あつものの中に米を加える。また、そのもの。雑炊・こなかきの類い。＝糝(9040)。国糂粏ジンダは、㋐ぬかみそ。糠ぬかに塩をまぜたもの。野菜などを漬けるのに用いる。㋑麹こうじと糠に塩を加えてならした食品。㋒ゆでた枝豆をすりつぶして調味した食品。
解字 形声。米＋甚㊟。

9【糉】15画 9021 ソウ ― ― 5129
粽(9010)の正字。→一〇九九ページ・下。

9【糄】15画 9022 ヘン 先 銑 biān, ②biǎn ₂8392 ― 5126
字義 ❶こめ(米)。❷焼き米。籾もみのまま炒いり、搗ついて殻を取ったもの。いりごめ。
解字 形声。米＋扁㊟。

9【⿰米東】15画 9023 ラン 旱 翰 lǎn ₂8393 ― ―
字義 飯がねばりつく。
難読 ⿰米東塚すくもづか
解字 形声。米＋東㊟。

9【⿰粦巛】15画 9024 リン 眞 lín ₂8391 ― ―
字義 ❶水が清くすき通って、石の見えるさま。水が石の間を流れるさま。＝磷(8287)。❷月の光のさえわたるさま。
解字 形声。巛＋粦㊟。

9【粼】15画 9025 リン ₁8985 ― 5124
粼(9013)の俗字。→一一〇〇ページ・上。

9【糎】15画 9026 国字 3324 9157 ―
字義 センチメートル。長さの単位。一メートルの百分の一。
解字 形声。厘＋米㊟。mètre の音訳を音符の米が表す。厘は、百分の一の意味。一メートルの百分の一、センチメートルの意味を表す一種の新形声文字。

10【糗】16画 9027 漢キュウ(キウ) 呉ク 有 qiǔ ₂8403 ― 5135
字義 ❶いりごめ(煎米)。また、いって粉にした食品。❷ほしいい。かれい。
解字 篆文 形声。米＋臭㊟。音符の臭シュウ＝キュウは、においの意味。香ばしい「いり米」の意味を表す。

10【糕】16画 9028 コウ(カウ) 豪 gāo ₁8986 ― 5134
［餻］13636 同字
字義 こなもち。米の粉などを蒸して作った菓子。
解字 形声。米＋羔㊟。

10【糓】16画 9029 コク ― ― 5132
穀(8512)と同字。→一〇五五ページ・上。

10【⿰米索】16画 9030 漢サク 呉シャク 陌 suǒ ₂8402 ― ―
字義 ゆとりめし。多量の水で米を煮た後に、その汁を取り除いたもの。老人・子供用の飯。
解字 形声。米＋索㊟。

10【⿰米蚤】16画 9031 漢シュウ(シウ) 呉シュ 有 xiǔ ― ― 5133
字義 ❶古い米の研とぎ汁。❷粉を水でこねる。
解字 形声。米＋蚤㊟。

10【糏】16画 9032 漢セツ 呉セチ 屑 xiè ― ― 5131
字義 粉米こごめ。砕けた米。
解字 形声。米＋屑㊟。音符の屑セツは、くずの意味。

10【糚】16画 9033 漢ショウ(シャウ) 呉ソウ(サウ) 陽 zhuāng ― ― 5137
字義 よそおう(装)。
解字 形声。米＋莊㊟。米は、おしろいの意味。音符の莊は、装に通じ、よそおうの意味。

10【糖】16画 9034 教6 トウ 3792 939C ―
10〖糖〗16画 9035 漢トウ(タウ) 呉ドウ(ダウ) 陽 táng
筆順 米 籵 粇 粇 粇 糖 糖 糖
［⿰米当］8993 俗字
字義 ❶あめ(飴イ)。＝餹(13637)。❷砂糖。
名前 あら
解字 篆文 形声。米＋唐(唐)㊟。

【糖花】トウカ 周囲に細かい突起のある小さな球状の砂糖菓子。こんぺいとう。
【糖精】トウセイ ①氷砂糖。②サッカリン。
【糖霜】トウソウ 糖分が霜のようになったもの。白砂糖。

10【糒】16画 9036 漢ヒ 呉ビ 賓 bèi 6885 E2F3 ―
字義 ほしいい。ほしいい。かれい。干した飯。行軍の時などの食料。

10【糢】16画 9037 漢ボ 呉モ 虞 mó 6887 E2F5 ―
解字 形声。米＋莫音。
字義 糢糊モコは、㋐はっきりしないさま。ぼんやりとしたさま。「曖昧アイマイ糢糊」㋑小さな数の名。一〇のマイナス一三乗。
⇩コラム 数を表すことば（六二八ページ）。

10【糘】16画 9038 国字 6884 E2F2 ―
字義 ❶すくも。もみがら。❷糘地すくもじは、広島県安芸高田あきたかた市の地名。
解字 会意。米＋家。米つぶの家であった、すくも（もみがら）の意味を表す。

11【糠】17画 9039 標 コウ（カウ） 陽 kāng 2539 8D66 ―
【穅】8540 同字 【粇】8969 同字
字義 ❶ぬか。あらぬか。穀物の中身を取り去った外皮などのくず。❷ごく小さなもの、つまらないもの、粗末な食物などのたとえ。「糟糠ソウコウ」❸やぼ。洗練されていない。
難読 糠南ぬかなん・糠平ぬかびら
解字 篆文  形声。米＋康音。篆文は、禾＋康音。音符の康は、もみすりの形にかたどる。もみすりでできる、あらぬかの意味を表す。
【糠△粃】コウヒ 同 秕糠。①ぬか（糠）としいな（粃。殻ばかりで実のない籾もみ）。②つまらない物事のたとえ。

11【糝】17画 9040 サン 感 sǎn ₁8988 ― 5138
字義 羹あつものの中に米を加える。また、その食品。雑炊・こなかきの類い。＝糂（9020）。
解字 形声。米＋參音。

11【糟】17画 9041 ソウ（サウ） 豪 zāo 3376 918C ―
字義 ❶かす。㋐酒かす。酒のしぼりかす。㋑よい部分を取り去った残りかす。❷もろみ。にごり酒。こしていない酒。
解字 篆文 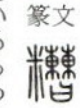 形声。米＋曹（𣍘）音。音符の𣍘ソウは、二つが相対するの意味。醸造してエキスとかすが混在しているもろみの意味を表す。また、エキスに対する「かす」の意味をも表す。
【糟丘】ソウキュウ 酒のかすで作った丘。夏カの桀王ケツオウが飲酒にふけり、その酒かすは丘のようになったと伝えられる。転じて、飲酒にふけることのたとえ。糟隄ソウテイ。
【糟△糠】ソウコウ ①酒のかすと米のぬか。②粗末な食物。
【糟△糠△之妻不レ下レ堂】ソウコウのつまはドウよりくだざず 貧しいときに、糟糠を食べながら苦労を共にしてきた妻は、立身出世してからも、堂（表座敷）に置いて大切にする。〔後漢書、宋弘伝〕
【糟△隄】ソウテイ 酒のかすでできたつつみ。→糟丘。
【糟△粕】ソウハク ①かす。②つまらないもののたとえ。

11【糙】17画 9042 ソウ（サウ） 号 cāo ₁8987 ― 5136
字義 ❶くろごめ。あらごめ。❷あらい（粗）。きめがあらい。
解字 形声。米＋造音。

11【糜】17画 9043 漢ビ 呉ミ 支 mí 6886 E2F4 ―
字義 ❶かゆ。濃いおかゆ。「糜粥ビシュク」❷ただれる。ただれる。ただらす。「糜爛ビラン」
解字 篆文  形声。米＋麻音。音符の麻は、つぶれるの意味。つぶれた米つぶ。かゆの意味や、ただれるの意味を表す。
【糜△粥】ビシュク かゆ。▼粥は、うすいかゆ。
【糜沸】ビフツ かゆが煮え、湯がわくように世の乱れること。
【糜△爛】ビラン ①ただれる。また、ただれさせる。②疲弊・荒廃の程度のひどいこと。

11【麋】17画（14406） ビ 鹿部。→一六三九ページ上。

11【糞】17画 9044 標 フン 問 fèn 4221 95B3 ―
字義 ❶くそ。大便。↕尿（2787）。「糞尿」❷こえ。こやし。肥料。❸つちかう（培）。作物に肥料を与える。❹はらう。けがれを払い除く。掃除する。「糞除」
解字 甲骨文  篆文  会意。もと釆＋華＋廾。釆は、ちりの象形。華は、ちりとりの象形。廾は、両手の象形。両手でちりとりを持ち、ちりを取るさまから、掃除する・くその意味を表す。
【糞除】フンジョ けがれたものをはらいのぞく。掃除する。
【糞土】フンド ①けがれた土。くさった土。②きたないもの、価値のないもの。
【糞土△之△牆不レ可レ△杇】フンドのショウはぬるべからず ぼろぼろにくさった土塀は、うわぬりをしようとしてもできない。転じて、怠惰で修養する意志がない人間は教え導きようがない、というたとえ。〔論語、公冶長〕
【糞尿】フンニョウ くそと、小便。

12【糦】18画 9045 ㊀シ 寘 chì ㊁キ 支 ₂8405 ― 5139
字義 ㊀❶酒と酒の肴さかな。酒肴シュコウ。❷大祭に供える酒食。㊁❸きびめし。❹蒸す。
解字 形声。米＋喜音。

12【糧】18画 9046 常 リョウ・ロウ かて リョウ（リャウ） 慣ロウ（ラウ） 陽 liáng 4640 97C6 ―
筆順 
【粮】9003 同字
字義 ❶かて。㋐穀類の食糧。㋑旅行や行軍に携帯する食糧。昔は多く乾飯ほしいいを用いた。「兵糧」㋒学問・修養などの資となるもの。❷ねんぐ（年貢）。租税。
解字 篆文  形声。米＋量音。音符の量は、はかるの意味。はかって収納しておく米、かての意味を表す。
逆 衣糧・食糧・兵糧
【糧運】リョウウン 食糧を運送すること。食糧の輸送。
【糧△餉】リョウショウ 食糧。特に、軍隊の食糧。
【糧△仗】リョウジョウ 兵糧ヒョウロウ（軍隊の食糧）と兵器。
【糧食】リョウショク かて。食糧。また、軍隊の食糧。兵糧。
【糧道】リョウドウ 食糧を運ぶ道。また、食糧の供給。用例〔史記、高祖本紀〕鎮二国家一撫二百姓一給二餽餉一不レ絶二糧道一、吾不レ如二蕭何一（コッカをしずめ、ヒャクセイをぶし、キショウをキュウし、リョウドウをたたざるは、われショウカにしかず）。⇩国家を安定させ、民草をかわいがり、軍糧を補給し、その輸送路を維持するという点においては、私は蕭何にかなわない。
【糧△秣】リョウマツ 兵糧ヒョウロウ（軍隊の食糧）と軍馬の食糧。▼秣は、まぐさ。
【△裹レ糧△坐レ甲】リョウをつつみてコウにざす 食糧を用意し、鎧よろいを着てすわる。戦闘の用意をして待つこと。〔左伝、文公十二〕

12【⿰米無】18画 9047 国字 ₂8404 ― ―
字義 しいな。しいな。実のないもみ。

13【糩】19画 9048 漢カイ（クワイ） 呉ケ 泰 kuài ― ― 5140

字義 ぬか。あらぬか。

解字 形声。米＋會㊱。

13【糫】19画 9049 漢カン(クワン) 呉ゲン 画 huán ₂8406 ― 5141

字義 まがり。まがりもちい。米・麦の粉を練って輪状にして油で揚げた菓子。

解字 形声。米＋瞏㊱。

14【糯】20画 9050 漢ダ 呉ナ 箇 nuò 6889 E2F7 ―

[稬] 8519 同字

字義 ❶もちごめ。ねばりけの多い米。↕粳(8999)。❷もち。穀類のねばりけの多いもの。「糯米(ダマイ・もちごめ)」「糯粟(ダゾク・もちあわ)」

解字 会意。米＋需。需はやわらかいの意味。ねばってやわらかい、もちごめの意味を表す。

【糯△餈】ダシ もち(餅)。用例〔先哲叢談〕歳暮不レ能レ買二糯餈一(サイボにダシをかう(ふ)ことあたわ(は)ざるも)、亦曠然不三以為二意(またコウゼンとしてもってイとなさず)。↓歳(とし)の暮れになっても、餅を買うことも出来なかったが、少しも心にかけず平気だった。

14【糲】20画 9051 一レイ 霽 lì 二漢ラツ・呉ラチ 曷 lì 6890 E2F8 ―

字義 一❶くろごめ。皮をとっただけでよくついていない米。玄米。❷あらい。粗末。また、粗末なもの。

解字 形声。米＋厲㊱。

【糲△粢】レイシ 玄米ときび。転じて、粗末な食物。粗飯。

15【糷】21画 9052 国字 ₂8407 ― ―

字義 糷(ぜは)は、姓氏。

16【糵】22画 9053 漢ゲツ 呉ゲチ 屑 niè

[蘖] 9054 同字

字義 ❶もやし。麦・豆などを水に浸して発芽させたもの。❷こうじ(かうぢ)。米などを蒸して、これに麹菌(こうじキン)を繁殖させたもの。酒などを作るのに用いる。

解字 形声。米＋辥㊱。

16【糱】22画 9054 ゲツ ₂8408 ― 5142

糵(9053)と同字。→二〇三ジ-上。

16【糴】22画 9055 漢テキ 呉ジャク(ヂャク) 錫 dí 6891 E2F9 ―

[籴] 8959 同字

字義 ❶かう。穀物を買い入れる。❷かいよね(かひよね)。買い入れた穀物。↕糶(9056)。

解字 形声。入＋糶㊱。

【糴△糶】テキチョウ ①穀物を買うことと売ること。②買い入れる穀物と売り出す穀物。

19【糶】25画 9056 チョウ(テウ) 嘯 tiào 6892 E2FA ―

[粜] 8980 同字

字義 ❶うる。穀物を売り出す。❷うりよね。売る穀物。また、穀物を売り出す。↕糴(9055)。国 せーる。せーり。糶売(せりうり)の略。競売。また、行商。

解字 形声。出＋糶㊱。

6画 糸 いと・いとへん

〔部首解説〕 糸を意符として、いろいろな種類の糸や紐(ひも)の類い、その性質・状態、それを用いる動作、また、糸を織ること、織物、その紋様などに関する文字ができている。

0 糸 一一〇三	紈 一一〇三	紇 一一〇七	4 紖 一一〇七	紗 一一〇八	純 一一〇八	紐 一一一〇	紊 一一一一	紟 一一一二	紘 一一一三	紮 一一一五	紾 一一一六	紬 一一一六	紱 一一一七	6 絆 一一一八	絙 一一一八	絇 一一一九	絖 一一二〇	絲 一一二一	紕 一一二一	絧 一一二三	絠 一一二三	經 一一二三	綆 一一二四	綝 一一二四
1 糺 一一〇三	紀 一一〇五	紃 一一〇七	紜 一一〇七	紣 一一〇八	紓 一一〇九	料 一一一〇	紒 一一一一	紵 一一一三	紭 一一一四	絁 一一一五	紲 一一一六	絀 一一一七	紼 一一一七	絪 一一一八	給 一一一八	絹 一一一九	絳 一一二〇	絑 一一二一	綫 一一二一	絥 一一二三	絤 一一二三	綗 一一二四	綋 一一二四	綅 一一二四
系 一一〇三	級 一一〇五	紉 一一〇七	級 一一〇五	索 一一〇八	紝 一一〇九	納 一一一〇	紛 一一一一	5 経 一一一二	紭 一一一四	終 一一一五	組 一一一六	紵 一一一七	累 一一一七	絨 一一一八	結 一一一八	絝 一一一九	絰 一一二〇	絨 一一二一	絶 一一二二	絣 一一二三	7 綖 一一二三	綌 一一二四	綑 一一二四	綏 一一二四
2 紏 一一〇五	糾 一一〇五	紂 一一〇七	紒 一一〇七	紮 一一〇八	素 一一〇九	紦 一一一一	紡 一一一二	絇 一一一三	紺 一一一四	紹 一一一六	紽 一一一六	絈 一一一七	絺 一一一八	絵 一一一八	絜 一一一九	絞 一一一九	絗 一一二〇	絮 一一二一	経 一一二三	絡 一一二三	綠 一一二三	絹 一一二四	綉 一一二四	続 一一二四
3 紆 一一〇三	紅 一一〇五	約 一一〇七	紘 一一〇七	紙 一一〇八	紞 一一一〇	紕 一一一一	紋 一一一二	絅 一一一三	細 一一一四	紳 一一一六	紿 一一一六	絆 一一一七	絃 一一一八	絓 一一一八	絜 一一一九	絎 一一二〇	紫 一一二〇	絍 一一二一	統 一一二三	絭 一一二三	継 一一二三	絸 一一二四	綃 一一二四	絺 一一二五

綈 一一二五	綁 一一二五	8 維 一一二五	綮 一一二六	綷 一一二六	綧 一一二七	緆 一一二七	綞 一一二八	綯 一一二九	緢 一一二九	綹 一一三〇	綟 一一三一	9 緭 一一三一	緺 一一三三	緊 一一三三	緝 一一三三	線 一一三三	緹 一一三四	緶 一一三四	緘 一一三四	縕 一一三五	縠 一一三五	縟 一一三六	緻 一一三七	縫 一一三八	徽 一一三八	縦 一一三六	繊 一一三九	繁 一一三七	繃 一一四〇	縭 一一四〇	繢 一一四〇	繝 一一四一	繹 一一四一	繚 一一四二	繮 一一四二	繸 一一四三	繾 一一四三	纃 一一四四	續 一一四四	纍 一一四四	纔 一一四五
條 一一二五	綟 一一二五	綶 一一二五	綣 一一二六	緇 一一二六	緒 一一二七	綪 一一二七	綻 一一二八	緋 一一二九	綿 一一二九	綾 一一三〇	練 一一三一	緯 一一三一	緞 一一三三	緪 一一三三	緒 一一二七	總 一一三三	緞 一一三四	緌 一一三四	10 緯 一一三四	徽 一一三五	縗 一一三五	縉 一一三六	縋 一一三七	緹 一一三八	縱 一一三八	縮 一一三八	縲 一一三九	縻 一一三九	繃 一一四〇	縷 一一四〇	繥 一一四一	繝 一一四一	繕 一一四一	縹 一一四二	繋 一一四二	繰 一一四三	纂 一一四三	15 纈 一一四四	纏 一一四四	纇 一一四四	纕 一一四五
綂 一一二五	綤 一一二五	綺 一一二五	綱 一一二六	綽 一一二七	縦 一一二七	綫 一一二八	綅 一一二八	緡 一一二九	網 一一二九	緑 一一三〇	綰 一一三一	縁 一一三一	緷 一一三三	緱 一一三三	緗 一一三三	緵 一一三三	緲 一一三四	緬 一一三四	縊 一一三五	縣 一〇〇四	縡 一一三六	縯 一一三七	縢 一一三七	縞 一一三八	繫 一一三八	縅 一一三九	總 一一二八	繆 一一三九	縵 一一四〇	繅 一一四〇	繈 一一四一	繖 一一四一	繎 一一四二	13 繹 一一四二	繯 一一四三	繵 一一四三	繻 一一四三	纊 一一四四	纆 一一四四	16 纏 一一四四	纖 一一三九
綒 一一二五	綛 一一二五	綦 一一二六	緄 一一二六	綬 一一二七	綏 一一二七	総 一一二八	綢 一一二九	絣 一一二九	緎 一一三〇	綸 一一三〇	緕 一一三一	緹 一一三三	緩 一一三三	緦 一一三三	縄 一一三三	緻 一一三三	緡 一一三四	緜 一一三四	縜 一一三五	縑 一一三五	縒 一一三六	縉 一一三七	11 縝 一一三七	縛 一一三八	縿 一一三八	縧 一一三九	縶 一一三九	縹 一一四〇	縵 一一四〇	縺 一一四〇	繐 一一四一	繞 一一四一	繒 一一四二	繪 一一一八	繡 一一四三	14 纁 一一四三	繽 一一四四	纉 一一四四	纇 一一四四	纑 一一四四	纜 一一四五
絻 一一二五	綣 一一二五	緊 一一二六	綵 一一二六	緅 一一二七	緀 一一二七	綜 一一二八	綴 一一二九	綳 一一二九	緒 一一三〇	綝 一一三一	緗 一一三一	縕 一一三三	緘 一一三三	緇 一一三三	緤 一一三三	締 一一三三	編 一一三四	練 一一三二	縈 一一三五	縞 一一三五	縦 一一三六	縭 一一三七	繁 一一三七	繄 一一三八	縺 一一三八	績 一一三九	縳 一一三九	縫 一一三八	繇 一一四〇	12 繘 一一四〇	繭 一一四一	織 一一四一	繙 一一四二	繳 一一四二	繩 一一三三	繼 一一三三	辮 一一四四	纎 一一四四	繿 一一四四	17 纓 一一四四	18 纛 一一四五

0 【糸】6画 9057 教1 シ いと 2769 8E85 —

㊀6 【絲】12画 9058 シ 因 sī 6915 E34E —
㊁0 【糸】6画 漢ベキ 呉ミャク 錫 mì

筆順 く 幺 幺 糸 糸 糸

字義 ㊀〔絲〕❶いと。㋐よりいと。綿・麻・繭(まゆ)などから取った糸筋(いとすじ)をより合わせたもの。糸の総称。㋑糸のように細くて長いもの。「柳糸」㋒糸を張った楽器。弦楽器。「糸竹」❷きいと。絹糸。また、絹糸で織った織物。❸つむぐ(紡)。糸をつむぐ。❹小数の名。一の一万分の一。昔、蚕のはく一すじを忽(コツ)、五忽を糸(べキ)、十忽を絲(シ)といった。
㊁〔糸〕❶いと。いとすじ。細い糸。❷かすか(微)。すくない。こまかい。❸蚕のはく糸の五すじ。→㊀❹。

名前 いと・つら 難読 糸魚川(いといがわ)・糸魚沢(いといざわ)

解字 ㊀〔絲〕甲骨文 金文 篆文 会意。糸＋糸。蚕がつぎつぎにはき出す、いとの意味を表す。常用漢字は省略体の糸を用いる。
㊁〔糸〕金文 篆文 象形。よりいとの象形で、いとの意味を表す。常用漢字では絲の意味に用いる。

逆 垂糸・練糸

【糸(絲)雨】(シウ) 糸のように細かい雨。こさめ。

【糸(絲)瓜】(シカ)・(へちま) ウリ科の植物の一種。

【糸(絲)管・糸篁】(シカン) 琴と笛。弦楽器と管楽器。

【糸(絲)毫】(シゴウ) きわめて少ないこと。わずか。▼毫は細い毛、また、糸も毫も小数の名、毫は糸の十倍。

【糸(絲)事】(シジ) 紡績や裁縫の仕事。

【糸(絲)条(條)】(シジョウ) 糸のように細い枝。

【糸(絲)竹】(シチク)・(いとたけ) ①弦楽器と管楽器。琴の類いと笛の類い。管弦。②音楽。

【凝二糸(絲)竹一】(シチクをこらす) 管弦の音をみごとに響かせること。

【糸(絲)綢之路】(シチュウのみち) 中国から中央アジアを経てローマに至る交通路。シルクロード。▼綢は、絹織物。⇩コラム
シルクロード(一一〇四ページ)。

【糸(絲)桐】(シトウ) 琴の別名。琴の胴体は桐(きり)で作ることから。

【糸(絲)帛】(シハク) 絹糸と絹織物。

【糸(絲)髪】(シハツ) いとと、かみの毛。転じて、きわめて少ないことやもののたとえ。

【糸(絲)遊】(シユウ)・(いとゆう) 国かげろう(陽炎)。游糸(ユウシ)。春のうららかな日に野原などに立ちのぼる水蒸気。

【糸(絲)蘿】(シラ) ①兎糸(トシ)(ねなしかずら)と松蘿(ショウラ)(さがりごけ)。②物にまつわりつくことから転じて、結婚のたとえ。

【糸(絲)履】(シリ) 絹糸で編んだくつ。

【糸(絲)柳】(シリュウ)・(いとやなぎ) しだれやなぎの別名。

【糸(絲)綸】(シリン) 天子のことば。天子のみことのり。糸言。『礼記』緇衣(シイ)編に「王言如レ糸(オウゲンいとのごとくなれば)、其出如レ綸(そのいずることリンのごとし)」とあるのに基づく。

【糸(絲)涙】(シルイ) 糸のように細いなみだ。

【糸(絲)路】(シロ) 本は同じでも末は異なることを嘆く。墨子が白いねり糸を見て泣き、楊朱(ヨウシュ)が分かれ道を見て泣いた故事に基づく。〔淮南子、説林訓〕→墨子泣レ糸(ボクシいとになく)(七五八ページ・中)・楊朱泣レ岐(ヨウシュキになく)(三二ページ・上)。

1 【糺】7画 9059 キュウ 6893 E2FB —
糾(9066)と同字。→一一〇五ページ・中。

1 【系】7画 9060 教6 ケイ 漢ケイ・呉ゲイ 霽 xì 2347 8C6E —

筆順 一 ㇀ 幺 玄 系 系 系

字義 ❶か-ける(かく)。㋐ひっかける。つるす。㋑つな-ぐ。ひもや線でつなぐ。また、まきつける。㋒つらなる。つながる。用例〔後漢、班固、幽通賦〕系二高項之玄冑一兮(コウギョクのゲンチュウにかく)(わが一族は高陽氏帝顓頊(センギョク)につらなる家系である。)㋓つ-ぐ。うけつぐ。継承する。❷すじ(筋)。㋐糸すじ。ひも。㋑ちすじ。血統。「家系」「直系」❸ひとつらなりのもの。つながり。つづき。「山系」

名前 いと・けい・つぎ・つら・とし

解字 甲骨文 金文 篆文 象形。甲骨文は、つながる糸を手でかける形にかたどり、かける・つなぐの意味を表す。系の意味と音符とを含む形声文字に奚(ケイ)・係・徯(ケイ)・蹊(ケイ)・鶏・渓などがある。

逆 水系・世系・正系・体系・傍系

【系図(圖)】(ケイズ) 国①祖先から代々の血統を書き記したもの。②由来。来歴。

【系族】(ケイゾク) 血すじをひいた親族。

【系孫】(ケイソン) 血すじをひいた遠い子孫。

【系統】(ケイトウ) ①血すじ。家すじ。②国㋐順序を追って、続き、つながり、統一のあること(もの)。㋑つながり。すじ。

【系譜】(ケイフ) ①祖先からの血統を書き記したもの。系図。②学問・芸術・宗教などの師弟関係を書き記したもの。

【系列】(ケイレツ) 国系統的に並べられた一連のもの。物事の統一的なつながり。順序。

2 【糾】8画 (9067) キュウ
糾(9066)の旧字体。→一一〇五ページ・中。

3 【紆】9画 9061 ウ 虞 yū 6894 E2FC —

字義 ❶ま-がる(曲)。まげる。かがまる(屈)。❷めぐ-る。「縈紆(エイウ)」❸まつわる。からみつく。❹心がむすぼれる。気がふさぐ。

解字 篆文 形声。糸＋于㊥。音符の于(ウ)は、弓なりに曲がるの意味。糸を付し、まがるの意味を表す。

【紆鬱】(ウウツ) ①心がむすぼれる。気がふさぐ。また、そのさま。②怒るさま。③まがりくねって奥深いさま。

【紆縈】(ウエイ) まといめぐる。めぐりまとう。

【紆回】(ウカイ) まわり道をする。遠まわりする。迂回(ウカイ)。

【紆曲】(ウキョク) うねりまがる。

【紆徐】(ウジョ) ①ゆっくり歩くさま。②たれさがるさま。

【紆遶】(ウジョウ) ＝紆縈(ウエイ)。

【紆軫】(ウシン) ①心がむすぼれ痛む。▼軫は、いたむ。②地形のまがりくねっているさま。

【紆折】(ウセツ) ＝紆曲。

【紆盤】(ウバン) めぐりわだかまる。山道などの、まがりめぐるさま。

【紆余(餘)】(ウヨ) ①まがりくねる。「曲行紆余」②うねうねと続いているさま。③才気や文章の、のびのびとして余裕のあるさま。ゆったりとしたさま。

【紆余(餘)曲折】(ウヨキョクセツ) 国①まがりくねる。②こみいったいきさつ。複雑な経過。

3 【紈】9画 9062 漢カン(クワン) 呉ガン(グワン) 寒 wán 8990 — 5145

字義 しろぎぬ。白い練り絹。織り目が細密で光沢のある白絹。

解字 篆文 形声。糸＋丸㊥。音符の丸は、まるいの意味。まるくなめらかな、しろぎぬの意味を表す。

【紈綺】(ガンキ) ①白い練り絹と綾絹(あやぎぬ)。②ぜいたくな服装。③貴族の子女。

【紈袴】(ガンコ) ①白い練り絹のはかま。貴族の子弟が用いた。②貴族の子弟。紈袴子。紈袴子弟(ガンコのシテイ)。

【紈扇】(ガンセン) 白い練り絹で作ったうちわ。

【紈素】(ガンソ) 白い練り絹。▼素は、白・白絹。

コラム

シルクロード

中国から中央アジアを経由してローマに至る、古代の東西交通路は、その交易品の主たるものとして中国の絹が西に運ばれたところから、〈絹の道〉〈糸綢の道〉と名づけられた。この交易は極めて古い時代までさかのぼると考えられるが、国家的・民族的規模でそれが行われ、中国といわゆる〈西域〉、つまり玉門関・陽関（ともに今の甘粛省の西端）以西の地との交易路が確立されるのは前漢になってからである。

漢代中期、第五代武帝は、北方の遊牧騎馬民族である匈奴を牽制するために西方にある月氏国と同盟を結ぼうとし、張騫を派遣した。彼は十三年の歳月ののち帰国したが、その張騫がもたらした西域の情報は武帝の強い関心をひき、武帝は西域に大軍を派遣して本格的な経略に乗り出した。西域各国・各民族も長安に使者を派遣して朝貢するようになり、こうして西域への道は経済・文化交流の陸上ルートとして確立されたのである。

長安を発して武威・張掖・酒泉のいわゆる河西回廊を経由して玉門関・陽関に至ると、幹線は南北に分かれる。タリム盆地の南縁、崑崙山脈の北辺を于闐（ホータン）・莎車（ヤルカンド）を経由して葱嶺（パミール高原）を越える〈西域南道〉と、タリム盆地の北縁、天山山脈の南辺を車師（のちの高昌、今のトルファン）・疏勒（カシュガル）を経由して葱嶺を越える〈西域北道〉である。ともにオアシス都市をたどるところから、オアシスルートと呼ばれる。

後世、砂漠の乾燥化とともに西域南道の利用は減少し、西域北道は、トルファンからカシュガルへ向かう〈天山南路〉と、トルファンからウルムチを経て天山山脈の北麓をたどる〈天山北路〉とに分かれて利用された。

シルクロードを通って、中国からは特産の絹や陶器が、西方からは宝石・ガラス製品、葡萄・石榴・胡桃・胡麻などの植物類、琵琶・箜篌（ハープの類）などの楽器類といった物産のほか、音楽・舞踊・曲芸などの芸術文化、さらに後漢以降、仏教・祆教（ゾロアスター教）・マニ教・景教（ネストリウス派のキリスト教）・回教（イスラム教）などの宗教も伝えられ、中国の思想・文化の発展に大きく貢献した。

東西交通路としては、近年、このオアシスルートのみならず、ステップ（大草原）を経由する草原の道、海運を利用した海の道なども注目されている。

〔主な遺跡〕

莫高窟　甘粛省敦煌市の東南二五キロ、鳴沙山の東麓の断崖に南北一・六キロにわたってうがたれた石窟寺院。千仏洞ともいわれる。四世紀半ばから開鑿され始めたといわれ、現在では北魏・西魏・北周・隋・唐・五代・宋・西夏・元の各時代の石窟四百九十二洞、彩色の塑像二千四百十五体、四万五千平方メートルに及ぶ壁画が残されている。一九〇〇年、第十六窟の脇室たる第十七窟（蔵経洞）の中から、経巻・文書・錦繍・画像などの歴史文物五万余件が発見されたが、スタイン、ペリオらの外国探検隊によって大量に国外に持ち出された。

高昌故城　新疆ウイグル自治区トルファン（吐魯番）市の東約四〇キロにある。ほぼ正方形の城壁に囲まれ、周囲約五キロ、面積は約二百万平方メートル、宮城・内城・外城に分かれ、唐の長安城とよく似た構造であるが、建築物は荒廃が激しい。六世紀初め、麴嘉を王とする高昌国が誕生し、その麴氏王朝は百四十余年続いた。唐代初期、仏教経典を求めてインドへの旅に出た玄奘がこの国に立ち寄り、王の麴文泰のもてなしを受けたことはよく知られている。

交河故城　トルファン市の西約十キロにある。二本の川に挟まれたほぼ長方形の台地上に建造された城で、南北約千メートル、東西約三百メートル、台地の高さは約三〇メートルである。中央を南北に大道が貫き、西北部に寺院の遺跡があり、東北部は居民区、東南区は行政の中心であったとされる。ここに都を置いた車師前国は五世紀中ごろに高昌国に滅ぼされ、高昌国はここに交河郡を置いたが、高昌国も六四〇年に唐に滅ぼされる。唐はこの地に交河県を置いた。現存する遺跡は主に唐代以後の建築である。

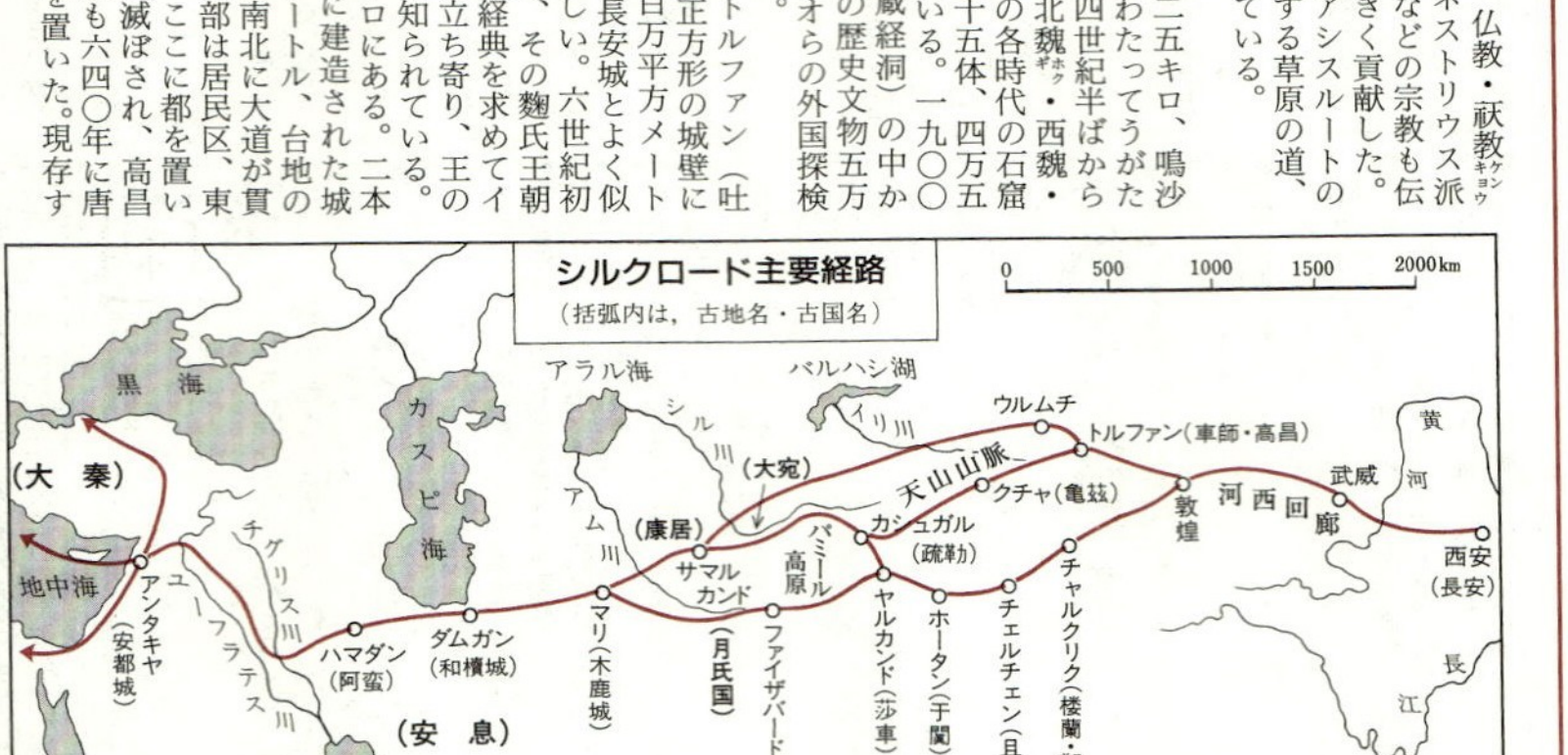

3
【紀】
9画 9063 教5 キ
キ 紙 jì
2110 8B49 ―

筆順 く 幺 幺 糸 糸 糸 紀 紀 紀

字義 ❶おさ-める(理)。ただす。㋐糸を分けて整理する。㋑秩序を正す。❷いとぐち(緒)。はじめ。また、もとい(基)。根本。❸かなめ。要点。要所。❹つな。細い綱。「紀綱」❺みち。人のふみ行うべき道。「人紀」❻のり(法)。おきて。❼十二年間。十二支の一めぐり。❽よ(世・代)。一紀は一世。今は百年をいう。「世紀」❾とし(年)。歳月。「年紀」❿しる-す。かく(書)。＝記(11105)。⓫歴史書の帝王に関する記述。「本紀」 国キ。『日本書紀』の略称。「記紀」

名前 あき・おさ・おさむ・かず・かなめ・き・きい・きの・こと・しるす・すみ・ただ・ただし・つぐ・つな・とし・のり・はじめ・ひろ・みち・もと・もとい・よし

解字 篆文 形声。糸＋己音。音符の己は、糸巻の象形。糸すじを分けるの意味を表す。転じて、おさめる・きまりの意味を表す。

逆 記紀・軍紀・綱紀・世紀・帝紀・風紀・芳紀

【紀昀】 清中期の文学者。字は暁嵐・春帆・河間。号は石雲。経学・詩文にすぐれ、『四庫全書』『四庫全書総目提要』の編集に従った。著書に『閲微草堂筆記』などがある。(一七二四―一八〇五)

【紀極】 おわり。終極。

【紀元】 ①元年をしるし定める。建元。②国家を建てた最初の年。③一国の経過した年を数えるもとになる年。日本では神武天皇の即位の年を紀元元年と定め、皇紀と呼んだ。④以後の年数を数えるもととした、しかるべき年。たとえばキリスト紀元(西暦紀元)。

【紀行】 旅行の日程・見聞などを記すこと。また、それを書いた文章・日記など。

【紀綱】 ①つな。小づなと大づな。②おきて。きまり。特に国家のおきてをいう。③おさめる。取り締まる。

【紀識】 書きしるす。記録する。

【紀事】 記事。事実の経過を書くこと。また、その文章。

【紀事本末体(體)】 歴史記述の形式の一つ。一事件ごとに、その起こり(本)・経過・結末(末)を書いたもの。記事本末体。↔紀伝体・編年体(一二三四ページ下)。

【紀淑望】 国平安前期の漢学者・歌人。紀長谷雄の子。古今集真名序(漢文序)の作者。(？―九一九)

【紀序】 のり。秩序。

【紀信】 人名。漢の高祖の忠臣。

【紀長谷雄】 国平安前期の漢学者。菅原道真の弟子。文章博士。醍醐天皇時代の詔勅はみなその作という。(八四五―九一二)

【紀伝(傳)体(體)】 歴史記述の形式の一つ。天子のこと及び大事件を年代順に書いた本紀と、重要人物の伝記をしるした列伝とを中心としてできている歴史書の体裁をいう。『史記』『漢書』などの正史はこの類い。↔紀事本末体・編年体(一二三四ページ下)。

【紀年】 ①ある一つの紀元から起算した年数。②年齢。③年をしるす。干支を配して年をしるすこと。

【紀念】 後日の思い出に残しておくこと。また、その品。念に紀す意。記念。◆日本では「記念」を用い、現代中国では「紀念」を用いる。

【紀要】 ①事がらの要点をしるした文章・書籍。②国大学・研究所などで、学術論文などを集めて逐次に刊行する出版物。

【紀律】 ①のり。おきて。規律。②国秩序。順序。

3
【級】
9画 9064 教3 キュウ
4
『級』 10画 9065 漢キュウ(キフ) 呉コウ(コフ) 緝 jí
2173 8B89 ―

筆順 く 幺 幺 糸 糸 糸 糸 紗 級 級

字義 ❶しな。くらい。順序。次第。「階級」「等級」❷きざはし。階段。❸くび(首)。しるし。斬り取った敵の首。秦代、敵の首を一つ斬った者は位一級を進められたことからいう。「首級」

名前 しな

解字 篆文 形声。糸＋及音。音符の及は、追いつくの意味。前の糸に続いて次の糸が追いつくというように、順序があるの意味を表す。

逆 階級・首級・等級

3
【糾】
9画 9066 常 キュウ
2
『糾』 8画 9067 キュウ(キウ) 有 jiū
2174 8B8A ―
「糺」 9059 同字

筆順 く 幺 幺 糸 糸 糸 糸 糸 糾

字義 ❶あざな-う。なう。縄などをなう。よる。より合わせる。❷あわせる(合)。あつめる。「糾合」❸まつわる。からみつく。「糾糾」❹みだれる。もどる(戻)。「紛糾」❺ただ-す。㋐正しくさせる。「糾正」㋑取り調べる。問いただす。「糾問」❻あばく。摘発する。「糾弾」

名前 ただ・ただし・ただす

解字 篆文 形声。糸＋丩音。音符の丩は、まつわるの意味。糸をより合わせるの意味を表す。また、事態のもつれを正すの意味をも表す。

逆 紛糾

【糾案・糾按】 問いただして調べる。取り調べる。

【糾葛】 からみ合ったつたのように、事がらがこみいりもつれて処理しがたいさま。

【糾糾】 もつれあうさま。一説に、まばらなさま。

【糾結】 ①からみ、結ばれる。②集まり結ぶ。団結する。

【糾合】 散らばっているものを集めること。寄せ集める。鳩合。

【糾察】 罪などを取り調べる。

【糾正】 正しなおす。是正する。

【糾奏】 官吏などの罪を調べて天子に申し上げること。

【糾弾(彈)】 罪をあばくこと。また、罪状を調べて天子や上官に報告すること。

【糾黜】 罪をただして退ける。

【糾纏】 ①よりあわせた縄。②縄のようにからみあう。あざなう。

【糾紛】 ①入り乱れる。もつれ乱れる。②山などの重なり合っているさま。

【糾墨】 ①縄。より合わせた縄。また、縄のように、互いにより合いまつわること。②すみ縄。大工が直線をしるすのに用いる。③のり。法度。縄墨。

【糾縵縵兮】 雲が入り乱れて長くたなびいているさま。教化の広くゆきわたっているたとえ。▼縵縵は長くうねうねしたさま、兮は助字で、訓読する際には通常読まない。

【糾明】 取り調べて明らかにする。罪状をただし明らかにする。

【糾問】 問いただし調べる。罪を問いただす。

3
【紅】
9画 9068 教6 コウ・ク べに・くれない
漢コウ・呉グ 東 hóng
慣ク
熟字訓 紅葉
2540 8D67 ―

筆順 く 幺 幺 糸 糸 糸 紅 紅 紅

字義 ❶くれない。べに。❷あか。あざやかな赤色。また、あかーい。❸紅色の花(花びら)。❹べに。㋐べに色の顔料。「口紅」 ㋑べに色。❺工作。しごと。「女紅(女性の仕事)」 国もみ。赤色の薄い絹布。

名前 あか・いろ・くれ・こう・べに・もみ　難読 紅殻・紅玉・紅型・紅絹・紅草・紅白

解字 形声。糸＋工音。音符の工は、烘に通じ、赤いかがり火の意味。赤い糸の意味から、あかいの意味を表す。

逆 残紅・真紅・鮮紅・退紅

【紅△夷】 和蘭。また、和蘭人。▼夷は、異民族の意。

【紅衣】 ①赤い衣服。女性のはでな衣服。②蓮の花びら。③＝紅夷。

【紅一点(點)】 ①一面の緑の草むらの中に一輪の赤い花の咲いていること。用例〔書言故事大全(伝、北宋、王安石、石榴詩)〕万緑叢中紅一点、動レ人春色不レ須レ多 ↓新緑の中にただ一つの赤い花、人を感動させるのに春は多くを用いない。②男性ばかりの中にただひとり女性のいること。③つまらない物の中にただ一つすぐれた物のあること。

【紅雨】 ①赤い色の雨。②くれないの花に降りそそぐ雨。③くれないの花びらの多く散って行くさまを雨にたとえていう語。

【紅雲】 ①くれないの雲。②くれないの花の一面に咲き乱れているさまを雲にたとえていう語。

【紅衛兵】 一九六六年に起こった文化大革命において、運動を推進した中学・高校・大学のグループ。

【紅△纓】 ①べに色のむながい。▼纓は、馬の胸部から鞍にかけわたす組みひも。②清代、官吏の帽子の赤い房。

【紅△焔】 真っ赤なほのお。紅蓮のほのお。

【紅鉛】 べにとおしろい。紅粉。

【紅△艶(艷)】 くれないのつややかな色。また、赤く美しい花。

【紅△於】 楓樹の別名。唐の杜牧の「山行詩」に「停レ車坐愛楓林晩、霜葉紅ニ於二月花一(馬車をとめて、何とはなしに、楓樹の林の夕暮れをめでる。霜によって赤く色づいた木の葉は、春の花よりも、なおくれない色にさえている)」とあるのに基づく。

【紅△霞】 ①くれないの夕焼け。紅色のかすみ。②くれないの花が一面に咲いているのを霞にたとえていう語。

【紅△萼】 赤い花びら。赤い花。用例〔唐、王維、辛夷塢詩〕木末芙蓉花、山中発ニ紅萼一。↓こずえに咲いたはすの花のようなモクレンの花、山中に赤い花びらを開かせる。

【紅顔】 ①少年のつやつやしている顔。若々しく美しい顔。②少年。紅顔子。③美人。「紅顔薄命」

【紅顔美少年】 若々しく美しい顔をした少年。用例〔唐、劉廷芝、代下悲ニ白頭一翁上詩〕此翁白頭真可レ憐、伊昔紅顔美少年。↓この老人のしらが頭は、まことにあわれむべきであるが、これでも、昔は紅顔の美少年であった。

【紅教】 チベット仏教(ラマ教)の旧称。

【紅頬】 あかい美しいほお。紅顔。

【紅△旭】 くれないの朝日。

【紅玉】 ①美人の顔色や膚の色の、あかみを帯びて美しい形容。②宝石の名。紅玉石。ルビー。

【紅巾賊】 元末に今の河南・安徽両省あたりに起こった宗教結社による農民反乱。紅色の巾を目じるしとしてつけていた。

【紅△裙】 ①くれないの裳。緋の袴。②妓女(芸妓)または美人をいう。

【紅軍】 中国共産党の軍隊。赤軍。

【紅△閨】 赤くぬりかざった部屋。女性(美人)の室。また、寝室。

【紅△瞼】 ①血色のよい美しい顔。▼瞼は、目の下、頬の上。②美人をいう。

【紅彩】 くれないの色どり。花をいう。

【紅糸】 ①あかい糸。②男女の縁の綱。

【紅脂】 ①べに。赤いべに。②女性の化粧。③美人。④妓女(芸妓)。

【紅紫】 ①くれないと、むらさき。ともに中間色。②色とりどりの花の色。

【紅日】 あかく輝く太陽。朝日。紅旭。

【紅樹】 ①秋の紅葉した木。②くれないの花の咲いている木。③赤い夕日に照らされている木。④おひるぎ。マングローブ。

【紅袖】 ①あかいそで。美人の着物のそで。②女子。美人。

【紅十字会(會)】 中国の赤十字社。

【紅女】 はたを織る女。工女。▼紅は、工。

【紅粧・紅△妝】 ①くれないの化粧。女性の化粧。②化粧をした美人。用例〔北宋、曽鞏、虞美人草詩〕英雄本学万人敵、何用屑屑悲ニ紅粧一。↓英雄(項羽)は、本来万人を相手とするものとして兵法を学んだ。くよくよと化粧した女性のことなど、どうして悲しむ必要があろうか。

【紅△綃】 ①くれないのうすぎぬ。赤い上等の絹。用例〔唐、白居易、売炭翁詩〕半疋紅綃一丈綾、繫ニ向牛頭ニ充ニ炭直一。↓わずか半匹の紅絹と一丈ほどの綾を牛の角にひっかけて、炭の代金にあてろという。②唐代の妓女(芸妓)の名。

【紅唇・紅△脣】 ①赤いくちびる。②美人のくちびる。

【紅△塵】 ①日に映じて赤く見える、空中にただよう砂ぼこり。人通りの多い道路などに起こる砂ぼこり。②にぎやかで人の雑踏する所。③俗世間のわずらわしい事がら。また、俗世間。うき世。

【紅△蜻】 赤とんぼ。

【紅雪】 ①くれないの雪。㋐桃の花の形容。㋑戦争などで多量の血の流れている川水の砕け散るさまをいう。②桃の別名。

【紅泉】 花で赤くいろどられた泉。

【紅箋】 詩などを書く紅色の色紙。名刺・招待状などにも用いる。

【紅茶】 茶の若芽をつみ取り、発酵させて作った茶。煎じた汁は紅褐色。主に中国・インド・スリランカ(セイロン)で生産する。〔唐、司空図、紅茶花詩〕

【紅潮】 ①朝日や夕日に映じて紅色に見える海水。②興奮・恥じらい・酒の酔いなどのために、ほおに赤みのさすこと。③月経。

【紅亭】 あかく装飾した料亭。

【紅△杜△鵑】 紅躑躅。赤いつつじ。杜鵑は、杜鵑花の略。また、ほととぎす。つつじは、ほととぎすの鳴くころに咲き、ほととぎすの吐く血によって赤くそめられるという伝説がある。

【紅灯(燈)】 ①赤いともしび。②国㋐歓楽街のはなやかなあかり。㋑赤いちょうちん。

【紅△暾】 くれないの朝日。紅旭。

【紅△葩】 くれないの花。赤い花。▼葩は、花びら。

【紅粉】 ①べにおしろい。②美人。

【紅芳】 あかい花。

【紅毛】 ①紅色の毛。赤毛。②オランダ国。また、オランダ人。③西洋人。欧米人。

【紅薬(藥)】 芍薬の別名。

【紅友】 酒の別名。

【紅葉】 一 ①秋になって木の葉が赤く色づくこと。また、赤く色づいた葉。もみじ。②なこうど。媒酌人。唐代、詩を書きつけた紅葉が仲介となって男女の結ばれた故事による。「紅葉良媒」㊁もみじ(ぢ) 国楓(かえで)。

【紅梨】コウリ りんご。

【紅涙】コウルイ くれないの涙。㋐女性の涙。美人の涙。化粧のべにが涙にとけて涙が赤くなるからいう。㋑血の涙。悲しみや憤りの涙。

【紅△蓮】㊀コウレン 紅色のはす。赤いはす。㊁グレン ①㊕八寒地獄の一つ。寒さのために皮肉が裂けて赤いはすの花のようになるという。②猛火の赤いほのお。

【紅炉(爐)】コウロ 火の赤く燃えているいろり。

【紅楼(樓)】コウロウ ①朱塗りの高殿(たかどの)。②金持ちの家の女性の住んでいる所。転じて、女性の住むところ。③歌や舞などを提供して客をもてなす店。妓楼(ギロウ)。青楼。↔緑窓(一一三〇ページ・下)。

【紅楼(樓)夢】コウロウム 清代の長編小説の名。曹雪芹(ソウセッキン)の作。一名『石頭記』。貴公子と美女たちの生活を中心に貴族の没落を描いたもので、中国小説の代表作の一つ。

3 【紇】 9画 9069 漢コツ 呉ゴチ 月 hé 18989 — 5144
字義 ❶質のよくない生糸。❷人名。叔梁紇(シュクリョウコツ)は、孔子の父。❸回紇(カイコツ・ウイグル)は、中国北西方にいた民族の名。今のウイグル族。
解字 篆文 形声。糸+乞㊅。音符の乞(コツ)は乙に通じ、なめらかでないの意味。なめらかでない下等の糸の意味を表す。

3 【紃】 9画 9070 漢シュン 呉ジュン 真 xún ₂8409 — 5143
字義 ❶ひも。まるうちのひも。二本以上の糸で組み合わせたひも。❷のり(法)。きまり(訓)。
解字 形声。糸+川㊅。

3 【紉】 9画 9071 漢ジン(ヂン) 呉ニン 真 rèn ₂8410 — 5146
字義 ❶なわ(縄)。細いなわ。❷むすぶ。たばねる。❸針に糸を通す。❹する。こする。
解字 篆文 形声。糸+刃㊅。音符の刃(刄)は、弾力があってしかも強いの意味。しなやかで強いの意味を表す。
【紉績】ジンセキ 裁縫したり糸を紡いだりする。

3 【紂】 9画 9072 漢チュウ(チウ) 呉ジュウ(ヂウ) 有 zhòu 6901 E340 —
字義 ❶馬のしりがい。馬の尻(しり)にかけて、くらをひきしめるひも。❷人名。殷(イン)の最後の天子の名。紂王。夏(カ)の桀王(ケツオウ)と共に、暴虐な天子の代表とされている。周の武王にほろぼされた。「夏桀殷紂」「桀紂」
解字 形声。糸+寸(肘)㊅。

3 【約】 9画 9073 教4 ヤク 4483 96F1 —
3 〔約〕 9画 9074 漢ヤク 呉アク 薬 yuē, ⑪yāo
筆順 く 幺 幺 糸 糸 糸 約 約
字義 ❶むすぶ。たばねる。合わせる。結合する。❷しめくくる。また、しめくくり。しめくくりがあること。要領を得ていること。❸つづまやかにする。つめる。㋐省略する。簡単にする。「要約」㋑ひかえめにする。㋒倹約する。節約する。❹つづまやか。㋐おごらぬこと。「倹約」㋑ひかえめなこと。㋒手軽・簡単なこと。❺つづまる。つづめる(つづむ)。ちぢめる。❻けち。もの惜しみ。❼ちかう(盟)。約束する。また、ちかい。約束。「誓約」❽苦しむ。なやむ。また、苦しみ。なやみ。「困約」❾かがむ。かがまる。❿おおむね。ほぼ。大略。「大約」⓫はかりで量る。
名前 なり
解字 甲骨文 篆文 形声。糸+勺㊅。音符の勺(シャク)は、要に通じ、ひきしめるの意味。糸でひきしめまとめるの意味を表す。転じて、費用をきりつめるの意味をも表す。
逆 違約・括約・旧約・契約・公約・婚約・集約・従約・条約・制約・誓約・節約・大約・特約・破約・密約・盟約・要約
【約音】ヤクオン 連続する二音節の一方の母音または音節が脱落して生ずる音韻変化。
【約款】ヤッカン 国①約束の個条。約定書の条目。②とりきめ。
【約契】ヤクケイ ①約束する。契約する。用例(史記、刺客伝)以欲下生劫レ之、必得二約契一、以報中太子上也(いきながらこれをおびやかし、かならずヤクケイをえて、もってタイシにほうぜんとほっするをもってなり)。↓秦王を生かしたまま脅迫し、必ず約束をとりつけて、太子に報告しようとしたためである。②契約書。
【約倹(儉)】ヤクケン つつましくする。物事をひかえめにすること。倹約。
【約言】ヤクゲン ①できるだけことばを省いて要点だけを述べること。かいつまんで言う。また、そのことば。②約束のことば。
【約定】ヤクジョウ 国①約束してきめること。②約束。
【約身】ヤクシン 身を養うことを薄くする。つつましく身を保つ。
【約信】ヤクシン ことばでかたく約束する。約レ信(シンをヤクす)。
【約数(數)】ヤクスウ 数学で、ある整数・整式に対して、それを割り切ることのできる整数・整式。
【約省】ヤクセイ はぶく。節約して省略する。
【約誓】ヤクセイ ちかう。ちかい。誓約。
【約束】ヤクソク ①つかねる。たばねる。しばる。②ちぎる。言いかわす。ちかう。また、ちぎり。ちかい。③押さえる。取りしまる。
【約勅(敕)】ヤクチョク 約束して戒める。
【約法】ヤクホウ ①放棄を約束する。②法を簡約にする。また、簡約な法。
【約盟】ヤクメイ ちかい。また、ちかいを結ぶ。盟約。
【約略】ヤクリャク ①あらまし。大概。②しなやかなさま。
【約礼(禮)】ヤクレイ 礼をもって身(行動)をしめくくる。『論語』雍也(ヨウヤ)編に「君子博学二於文一、約レ之以レ礼」(クンシひろくブンをまなび、これをヤクするにレイをもってす)とあるのに基づく。
【以レ約失レ之者鮮△矣】(ヤクをもってこれをうしなうものはすくなし) なにごとにもつつしみ深く、ひかえめにして行えば失敗することは少ない。〔論語、里仁〕
【処(處)レ約・居レ約】ヤクにお(を)り 苦しい境遇にいる。貧しいくらしをしている。〔論語、里仁〕

4 【紖】 10画 9075 ㊀漢チン 呉ジン(ヂン) 軫 zhèn ㊁漢イン 軫 yǐn — — 5151
字義 ㊀❶牛の鼻綱(はなづな)。❷綱(つな)。❸車を引く綱。
解字 形声。糸+引㊅。音符の引は、ひくの意味。

4 【紜】 10画 9076 ウン 文 yún 6902 E341 —
字義 みだれる(乱)。多くのものが乱れもつれる。
解字 形声。糸+云㊅。音符の云(ウン)は、雲の象形。雲のようにいりみだれるの意味を表す。

4 【級】 10画 (9065) キュウ 級(9064)の旧字体。→一一〇五ページ・中。

4 【紒】 10画 9077 ケイ 霽 jì ₂8412 — 5149
字義 ゆう(結)。髪を結ぶ。
解字 形声。糸+介㊅。

4 【紘】 10画 9078 人 漢コウ(クワウ) 呉オウ(ワウ) 庚 hóng 2541 8D68 —
筆順 く 幺 幺 糸 糸 糸 紘 紘
【絋】 9179 俗字
字義 ❶ひも。冠のひも。❷つな。大綱。また、綱でたばねる。❸なわばり。境界。果て。「八紘」❹ひろい(ひろし)(広)。おおきい(大)。

名前 こう・ひろ・ひろし

解字 篆文 形声。糸＋厷㊥。音符の厷コウは、ひじの意味。冠を着けるとき、あごの下を曲げて、ひじのようにめぐらすひもの意味を表す。

4 【紗】 10画 9079 人 漢サ 呉シャ 麻 shā 2851 8ED1 —

筆順 く 幺 糸 糸 糸 糸 糹 紗 紗 紗

字義 うすぎぬ。薄くて目の粗い絹織物。国❶羅紗ラシャは、毛織物の一種。❷更紗サラサは、金巾カナキンに型模様をつけた織物。❸袱紗フクサは、ふろしきの上等なもの。また、茶の湯のふきん。

名前 さ・すず・たえ

解字 会意。糸＋少。

【紗巾】サキン 薄絹で作った頭巾ズキン。
【紗障】サショウ 薄絹を張ったふすま・障子。
【紗窓・紗△窗・紗△牕】サソウ 薄絹を張った窓。
【紗灯(燈)】サトウ 薄絹を張った灯籠トウロウ。紗籠サロウ。
【紗帽】サボウ 薄絹で作った帽子。
【紗羅】サラ うすぎぬ。▼羅も、薄絹。

4 【綷】 10画 9080 サイ 綷(9209)の俗字。→一一六六ページ下。 8993 — 5154

4 【索】 10画 9081 常 サク 漢サク 薬 suǒ 2687 8DF5 —

筆順 一 十 𠂇 𡗗 𡗗 𡘋 𡘋 索 索 索

字義 ❶なわ。つな(綱)。太いなわ。また、なわをなう。❷もとめる。㋐さがす。もとめる。用例(唐、白居易、燕詩示ニ劉叟一)四児日夜長シジニチヤチョウじ、索レ食声孜孜ショクをもとめてこえシシたり。↓四羽のひな鳥は日ましに成長し、食事を欲しがってしきりに鳴く。㋑請求する。用例(唐、杜甫、兵車行)県官急索レ租ケンカンキュウに、ソをもとむるも、租税従レ何出ソゼイいずくよりいださん。↓県の役人はあわただしく租税をとりたてるが、租税などどこから出せばよいのだろう。❸つきる(尽)。なくなる。ほろびる。❹ちる(散)。離れる。ひとりになる。

名前 さく・もと・もとむ

解字 金文 篆文 会意。難読 索麺そうめん 金文は、宀＋糸＋廾。宀は、家屋の意味。糸は、いとの意味。廾は、両手の象形。屋内でなわをなう、なわの意味を表す。また、なわをたぐり寄せるようにして、なにかを求めるの意味を表す。『説文解字セツモンカイジ』では、宋で木＋糸の会意。常用漢字の索は、その変形。

逆 朽索・思索・捜索・探索・鉄索・模索

【索引】サクイン ①さがし出す。②書籍の中の語句や項目などをさがし出すために、それらを一定の順序で並べた目録。引得。インデックス。「音訓索引」
【索隠(隱)】サクイン かくれた事実や深い道理をさがし求めること。
【索居】サクキョ ひとりいる。友人と交際しないで離れている。ひとりさびしくいる。
【索索】サクサク ①心の安らかでないさま。②恐れるさま。③音声の形容。さらさら。かさかさ。④つきてなくなるさま。⑤風の寂しいさま。用例(唐、白居易、琵琶行)潯陽江頭夜送レ客ジンヨウコウトウよるカクをおくれば、楓葉荻花秋索索フウヨウテキカあきサクサク。↓潯陽の川のほとりで、夜、旅だつ人を見送ろうとした。あたりでは楓の葉や荻の花が、秋風に吹かれてさみしい音をたてていた。
【索取】サクシュ ①もとめとる。②要求する。請求する。
【索条(條)】サクジョウ 麻・鋼製の線を芯シンにして鋼製の針金のよりあわせ数本を巻きつけた太い鋼。ワイヤーロープ。
【索然】サクゼン ①涙の流れるさま。②つきてなくなるさま。③興味のないさま。「興味索然」④散らばるさま。
【索△莫・索△寞・索漠】サクバク ①ものさびしいさま。②がっかりするさま。しょんぼりするさま。③うらぶれたさま。
【索虜】サクリョ 南北朝時代、南朝側が北魏ホクギを軽んじて呼んだ語。髪をなわで編んでいたことからいう。

4 【紮】 10画 9082 サツ 紮(9111)の俗字。→一一二五ページ上。

4 【紙】 10画 9083 シ 紙 zhǐ 教2 シ かみ 2770 8E86 —

筆順 く 幺 糸 糸 糸 糸 紅 紅 紙 紙

【帋】 3089 同字

字義 かみ。主として植物性繊維を材料として作る。後漢の蔡倫サイリンが初めて作ったという。⇩コラム 書籍(六六ページ)。

名前 かみ 難読 紙衣かみこ・紙鳶いかのぼり・紙縒こより・紙捻こより・紙撚こより・紙凧いかのぼり

解字 篆文 形声。糸＋氏㊥。音符の氏は、つぶれた目の象形。繊維の目をつぶして、平たくなめらかにした、かみの意味を表す。

逆 懐紙・抄紙・双紙・草紙・唐紙・料紙

【紙格】シカク あかりしょうじ。障子。▼格は、格子。
【紙魚】シギョ・しみ 本や衣類などを食う、銀白色の小虫。
【紙△衾】シキン ①紙のふすま。②紙の夜着。紙被。
【紙△燭】シショク・シソク 国①こよりを油にひたしてともし、あかりとするもの。②松の枝の先を焦がし、油を塗ってかわかしたたいまつ。
【紙銭(錢)】シセン 死者を葬る時、棺の中に入れたり燃やしたりする、紙でつくったお金。
【紙帳】シチョウ ①紙で作ったとばり(カーテン)。②紙で作ったかや。防寒にも用いる。
【紙背】シハイ ①紙の裏。②文書の背面。③文章のなかに含まれている言外の意味。
【徹ニ紙背一】シハイにテッす 書いてない裏のことまでわかるの意。
【紙筆】シヒツ ①紙と筆。筆紙。用例(唐、岑参、逢ニ入レ京使一詩)馬上相逢無ニ紙筆一バジョウあい(ひ)あい(ひ)てシヒツなし、憑レ君伝語報ニ平安一きみによりデンゴしヘイアンをホウぜん。↓旅の馬上であなたに会ったので、紙と筆の用意もない。あなたに伝言を頼み、無事でいることを家族に伝えよう。②学問。
【紙幣】シヘイ ①神に奉るぬさ。②＝紙銭。③貨幣の代わりとして用いられる紙製の通貨。さつ。
【紙墨】シボク ①紙とすみ。②詩文などの書き物。
【紙本】シホン 紙に書いた書画。↔絹本(一一二四ページ中)。
【紙面】シメン ①紙の上。紙の表面。②てがみ。書面。文書。③新聞・雑誌などの記事をのせてある所。紙上。

4 【純】 10画 9084 教6 ジュン 2967 8F83 —
一漢シュン・呉ジュン 真 chún
二シュン 軫 zhǔn
三漢トン・呉ドン 元 tún

筆順 く 幺 糸 糸 糸 糸 紅 紅 紅 純

字義 一❶いと。まじりけのない糸。生糸きいと。❷まじりけがないこと。↔雑(13189)。「純粋」❸もっぱら。専一。❹かざらない。自然のままであること。いつわりのないこと。「純樸ジュンボク」❺よい(善)。美しい。❻やわらぐ(和)。おだやか。「純如」❼大きい。「純嘏ジュンカ」二へり(縁)。ふち。三つつむ。たばねる。

名前 あつ・あつし・あや・いたる・いと・きよ・きよし・じゅん・すなお・すみ・ずみ・つな・とう・のり・まこと・よし

解字 金文 篆文 形声。糸＋屯㊥。音符の屯は、たばねた髪飾りをつけた幼児の象形で、まじりけのない美しさの意味を表す。まじりけのない糸の意味から、一般に、まじりけがないの意味に用いる。

逆 至純・清純・精純・単純・忠純・貞純・不純

【純愛】ジュンアイ 国まじりけのない愛。純粋な愛情。

【純衣】ジュンイ 昔、士の身分の人が着る祭礼服。無地の絹織物で作る。
【純一】ジュンイツ ①まじりけがないこと。「純一無雑」 ②ありのままでかざりやいつわりのないこと。 ③心がもっぱらなこと。まことひとすじなこと。
【純化】ジュンカ ①りっぱな徳による感化。 ②国㋐まじりものを除いて純粋なものにすること。㋑にごったものを清めること。㋒複雑なものを単純化すること。
【純△嘏】ジュンカ 大きな幸福。▼嘏は、幸福。
【純血】ジュンケツ ①純粋な血統。同種の動物の雌雄から生まれたもの。 ②まじりけのない血液。
【純潔】ジュンケツ ①けがれがなく清らかなこと。 ②国男女が童貞・処女のままでいること。
【純△乎】ジュンコ 全くまじりけのないさま。純然。
【純厚】ジュンコウ 非常に手厚い。
【純儒】ジュンジュ 純粋の儒者。真の学者。学徳ともにすぐれた学者。
【純如】ジュンジョ やわらぐさま。調和するさま。〔論語、八佾〕
【純情】ジュンジョウ 国①すなおでけがれのない性質。 ②いつわりのない愛情。真心からの愛情。
【純心】ジュンシン 汚れのない心。まごころ。
【純臣】ジュンシン ひとすじに忠義な家来。
【純真(眞)】ジュンシン ①まじりけのないこと。 ②けがれのないこと。 ③自然のままでかざりけのないこと。
【純粋(粹)】ジュンスイ ①少しもまじりけのないこと。 ②ひとすじで、邪念がない。
【純正】ジュンセイ ①まじりけや汚れがなくて正しいこと。 ②理論の探求を主として、応用の方面に及ばないこと。
【純然】ジュンゼン まじりけのないさま。また、ひたむきなさま。
【純忠】ジュンチュウ まじりけのない忠義。一点の私心もない忠義。
【純直】ジュンチョク 一点の私心もなく正直なこと。
【純篤】ジュントク まごころがあって親切なこと。
【純白】ジュンパク ①まじりけのない白色。まっしろ。 ②まじりけがなく清らかなこと。
【純朴・純△樸】ジュンボク ありのままで飾りけがない。
【純明】ジュンメイ まじめで賢明なこと。
【純陽】ジュンヨウ ①最も盛んなもの。最もすばらしいもの。 ②火。
【純吏】ジュンリ まじめな官吏。仕事に忠実な役人。
【純理】ジュンリ 純粋の理論(学理)。感情などの混入の全くないもの。
【純良】ジュンリョウ まじりけがなく善良なこと。うそ・いつわりがなくて性質のよいこと。

4 【紓】 10画 9085 一ショ 魚 shū 一漢ショ・呉ジョ 語 shū 8991 — 5150

字義 一一 ❶ゆる-やか。ゆるい。また、ゆるめる。 ❷やわらげる(和)。とける(解)。和解する。

解字 篆文 形声。糸＋予㊉。音符の予は、伸びやかの意味。糸を伸びやかにする、ゆるめるの意味を表す。

4 【紝】 10画 9086 ［絍］9156 同字 漢ジン 呉ニン 沁 rèn 8992 — 5152

字義 ❶はたいと。機の糸。 ❷きぬ(絹)。絹布。

解字 篆文 形声。糸＋壬㊉。音符の壬は、はた糸の象形。糸を付し、はた糸の意味を表す。

4 【素】 10画 9087 教 5 ソ・ス ソ 遇 sù 慣ス 熟字訓 素人 3339 9166 —

筆順 一 十 キ 主 [illegible] [illegible] [illegible] [illegible] 素

字義 ❶もと。㋐はじめ。本始。根本。㋑しろ(料)。原料。「素材」 ㋒きじ(生地)。かざりのない、もとのままのもの。㋓たち。性質。㋔昔。以前。用例〔史記、廉頗藺相如伝〕相如素賤人。↓相如はもとは卑賤の出の者である。 ❷もと-より。前から。元来。また、前もってする。 ❸しろぎぬ(白絹)。生地のままの白い絹。また、白糸。 ❹しろ。白い。「素衣」 ❺つね(常)。つねづね。「平素」 ❻まこと。真情。 ❼ひくい。いやしい(卑)。そまつな。「素官」「素族」 ❽むなしい。実質のともなわない。「素王」「素餐」 ❾もとづく。分にしたがう。「素位」 国ス。㋐ただの。何も加わっていないことを表す。「素肌」 ㋑程度のはなはだしいことを表す。「素早い」

名前 しろ・しろし・すなお・そ・つね・はじめ・もと・もとい・もとむ 難読 素魚・素戔嗚尊・素地・素直・素面・素麺

解字 篆文 形声。糸＋昔(㫺)省㊉。音符の㫺は初に通じ、はじめの意味。まゆからつむぎだしたばかりの、もとの白い糸の意味から、もと・しろいの意味を表す。㫺の字形の上部が巫に変形し、さらに主に簡略化されて、素となった。

逆 絵素・簡素・倹素・後素・色素・質素・平素

【素衣】ソイ 白い着物。白衣。また、白絹の着物。
【素位】ソイ その地位に応じて職分をりっぱに果たす。〔中庸〕
【素意】ソイ かねてからの意志。平素の意志。
【素因】ソイン もと。おこり。原因。また、要素。
【素影】ソエイ 白い光。月の光、雪の白さなどをいう。
【素謁(謁)】ソエツ 清貧な人々の会合をいう。
【素王】ソオウ 王者の位をもたないで、王者の徳を備えている人。儒家では孔子、道家では老子をいう。
【素△娥】ソガ ①月にある宮殿にすむという仙女。姮娥。色が白いので素という。 ②月。 ③白衣の美女。
【素雅】ソガ ふだんからの正しい行い。
【素懐(懷)】ソカイ 前々からの思い。日ごろの望み。
【素官・素△宦】ソカン 低い官職。
【素冠】ソカン 白絹の冠。凶事に用いる。
【素顔】ソガン 一すがお(ほ) 女性の白い顔。また、化粧しない顔。ひげのない顔。国①化粧しない顔。 ②ふだんの顔。
【素願】ソガン もとからの願い。平素の願い。宿願。
【素肌】ソキ 一すはだ ①白いはだ。 ②衣服をつけないで、皮膚がむき出しなこと。国化粧をしない生地のはだ。
【素気(氣)】ソキ 秋の気。→素秋。
【素旧(舊)】ソキュウ 古い知り合い。昔なじみ。
【素業】ソギョウ ①前から従事している仕事。平素の業。 ②じみな仕事。
【素琴】ソキン 装飾のない琴。
【素襟】ソキン ①白いえり。 ②ふだんのありのままの心。本心。
【素景】ソケイ ①白いかげ。白い光。 ②月の光。 ③金の光。 ④晋朝の別称。金徳の王とされたからいう。
【素月】ソゲツ ①白い月。光の明らかな月。 ②陰暦八月の別名。→素秋。
【素倹(儉)・素検(檢)】ソケン 質素倹約。
【素△絢】ソケン 白絹の地の上に彩色をほどこす。転じて、まごころが根本にあってこそ礼儀作法が美しくかがやくたとえ。『論語』八佾編に「素以為絢兮」とあるのに基づく。
【素絹】ソケン ①白いきぬ。白絹。 ②国「素絹衣」の略。白絹で作った質素な僧衣。
【素△縑】ソケン 白い絹織物。▼縑は、かとりぎぬ(こまかく堅く織った絹)。
【素交】ソコウ ①平素の交わり。また、昔からの交わり。 ②正しい交際。また、高尚な交わり。
【素光】ソコウ 白い光。月・露・霜・雪などの光をいう。
【素行】ソコウ 一ソコウ 平素の行い。日ごろの品行。一ソしておこなう(ふ) ＝素位。
【素材】ソザイ 国①もととなる材料。原料。 ②素質。もちまえ。 ③芸術作品の基礎となった材料。自然物や人間の行動など。題材。

【素△餐】ソサン 職務をおこたってただ俸禄ホウロクをもらっていること。また、功労や才能がないのに高位高官にいること。

【素士】ソシ 官職についていない人。また、下級の人物。

【素糸(絲)】ソシ ①白い糸。②どんな色にも変化し得る下地。善悪いずれにもなり得る素地。

【素志】ソシ 日ごろの志。年来の希望。

【素質】ソシツ ①白色の地質。②もとから持っている性質。本質。③国ある事、分野に適した性質。

【素車】ソシャ 白木の車。装飾をほどこさない車。凶事(葬式、降伏、死を決してする謝罪など)に用いる。

【素車白馬】ソシャハクバ 白木の車と白い馬。かざりのない車を白馬にひかせたもの。凶事(葬式、降伏、死を決してする謝罪など)に用いる。〔十八史略、殷、成湯〕

【素手】ソシュ 白く美しい手。女性の手の形容。三すで 国何も物を持っていない手。空手からて。徒手。

【素秋】ソシュウ 秋の別称。五行説ゴギョウセツで秋を白に配することから。素月。

【素習】ソシュウ ふだんから習っていること。平素の学習・習慣。

【素書】ソショ 手紙。昔、白絹に書いたことからいう。

【素女】ソジョ 古代の仙女。歌に巧みであった。

【素尚】ソショウ ①清くさっぱりとしていて上品なこと。②前々からの願い。素願。

【素粧】ソショウ あっさり化粧する。薄化粧。

【素生・素姓】スジョウ 国①血統。家がら。②由来。由緒ユイショ。③生いたち。生まれ。育ち。④本来の性質。◆本来の用字は「素姓」であるが、「素生・素性」とも書かれた。常用漢字表で「素性」の形を採用して以来、一般に「素性」が多く用いられている。

【素情】ソジョウ ①平素の心。素意。②常日ごろのなさけ。

【素食】ソショク ①何もしないで、ただ食う。徒食。素餐ソサン。②肉を食わないで野菜を常食とすること。菜食。精進料理ショウジンリョウリ。三ソシ 平素の食物。

【素心】ソシン ①かざりけのない心。潔白な心。②平素の心。常日ごろの考え。③本心。

【素人】しろうと ↔玄人(九三九ジ下)。国①その物事に経験の浅い人。その物事の専門家でない人。②芸妓ゲイギ・娼妓ショウギなどに対して、普通の女性をいう。

【素△稔】ソジン 平素からよく知っていること。▼稔は、みのる意から転じて、物事によく習熟していること。

【素性】ソセイ 生まれつき。性質。三スジョウ 国→素生・素姓スジョウ。

【素節(節)】ソセツ ①秋。→素秋。②清らかなみさお。

【素像】ソゾウ 彩色しない肖像。

【素族】ソゾク 身分の低い一族。

【素△飡・素△飧】ソソン =素餐ソサン。

【素△湍】ソタン 白い波のたつ急流。

【素地】ソチ・ソジ ①細工や装飾を加えないもとのままのもの。生地きじ。②したじ。基礎。また、本質。

【素敵・素的】ステキ 「素敵」は当て字。国①特にすぐれてすばらしい様子。②程度がはなはだしい様子。

【素読(讀)】ソドク・スよみ 国文章の意味や内容を考えずに文字だけを声を出して読むこと。特に漢文についていう。

【素波】ソハ 白い波。しらなみ。用例(前漢、武帝、秋風辞)泛二楼船一兮済二汾河一(ロウセンをうかべて、フンガをわたり)、横二中流一兮揚二素波一(チュウリュウによこたわ(は)りて、ソハをあぐ)。↓二階造りの舟を浮かべて汾河を渡り、流れの中ほどに舟を漂わせて白い川波をあげている。

【素髪】ソハツ 白いかみの毛。白髪。

【素描】ソビョウ 国ある一色、特に黒の線で物の形を描くこと。また、その絵。デッサン。

【素風】ソフウ ①まじりけのない純粋な風習。②秋風。商風。→素秋。

【素服】ソフク 白絹の衣服。凶事に用いる。

【素封】ソホウ 爵位シャクイや領地がなくて、しかもその富が封侯ホウコウに等しいこと。また、その家。大金持。▼封は、封土・領地。

【素△袍】ソホウ 白いうわぎ。三スオウ 国昔の平民の服。後、侍の礼服となる。素襖スオウ。

【素望】ソボウ =素志。

【素朴・素△樸】ソボク ①原始のままで人為のかざりのないこと。▼朴は、樸ボクに通じ、加工しない材木。②かざりがなくありのままなこと。洗練されていないがきまじめなこと。

【素本】ソホン・スホン 国①返り点・送りがなのついていない漢文の本。無点本。②訓点や注釈のついていない本。

【素△沫】ソマツ 白いあわ。

【素面】ソメン ①白い顔。②化粧をほどこさない顔。すがお。三スメン 国①剣道や能などで面をつけないこと。②酒を飲まないときの顔。しらふ。

【素門】ソモン 身分の低い家がら。また、その家がらの人。素流。

【素問】ソモン 書名。作者不明。秦シン・漢代の作といわれ、黄帝とその臣の名医、岐伯との生理、病理、衛生に関する問答を記したもの。中国最古の医書として貴ばれる。正しくは『黄帝素問』という。

【素友】ソユウ 昔からの友人。親友。素交。

【素養】ソヨウ ①平素から学徳技芸などを修養すること。②かねてから学びおぼえた事がら。かねて養った力。

【素履】ソリ 質素な生活をする。

【素粒子】ソリュウシ 国物理学用語。電子などのように極めて微小な粒子と考えられているもの。物質・電磁場を構成する基礎となる粒子。

【素練】ソレン 白いねり絹。

4【紞】10画 9088 タン 感 dǎn ²8413 — 5153

字義 ❶ひも。冠の両側に垂れていて、耳飾りの玉をつるす紐ひも。❷衾ふすま(夜着)のふちかざり。

解字 篆文 紞 形声。糸＋冘音。音符の冘シンは、しずむの意味。かんむりから耳のあたりにまでたれたひものの意味を表す。

4【紐】10画 9089 人 標 漢ジュウ(ヂウ) 呉ニュウ(ニウ) 慣チュウ(チウ) 有 niǔ 4119 9552 —

筆順 く 幺 幺 糸 糸 糸 紅 紐 紐 紐

字義 ❶ひも。❷むすぶ(結)。また、結びめ。❸もとづく。

名前 くみ 難読 紐育ニューヨーク・紐約ニューヨーク・紐約克ニューヨーク

解字 篆文 紐 形声。糸＋丑音。音符の丑チュウは、ひねるの意味。ひねって堅く結ぶひもの意味を表す。

【紐育】ニューヨーク New Yorkの音訳。アメリカ合衆国の都市の名。また、州の名。紐約。紐約克。

4【料】10画 9090 漢トウ 呉ツ 有 tǒu — — 5147

字義 ❶告げる。❷黄色い糸。

解字 形声。糸＋斗音。

4【納】10画 9091 教 6 ノウ・ナッ・ナ・ナン・トウ おさ-める・おさ-まる 3928 945B —

4【納】10画 9092 漢ドウ(ダフ)・呉ノウ(ナフ) 慣トウ(タフ)・ナッ・ナ・ナン 合 nà

筆順 く 幺 幺 糸 糸 糸 紅 納 納 納

字義 ❶おさ-める。をさむ。㋐しまう。しまっておく。「収納」㋑とる。㊀収穫する。取り入れる。㊁徴収する。㊂受けとる。㋒たてまつる。献上する。「奉納」「上納」㋓うける。受け入れる。「受納」㋔引き入れる。みちびく。❷い-れる。いる。㋐送る。また、贈る。用例(十八史略、春秋戦国、斉)秦昭王聞二其賢一(シンのショウオウ、そのケンをきき)、乃先納二質於斉一(すなわ(は)ちまず(ず)、チをセイにいれ)、以求レ見(もってみんことをもとむ)。↓秦の昭王は、孟嘗君モウショウクンが賢明であると聞いて、そこでまず、人質を斉に送り、会いたいと申し入れた。国❶おさ-める。終える。❷おさ-め。おしまい。最終。「見納め」❸おさ-まる。おさめるの自動詞。

名前 いり・おさむ・とも・のり 難読 納沙布のさっぷ

使いわけ
おさめる・おさまる〔納・収・修・治〕
〔納〕金品を受け取り手に渡す。きちんとしまう。また、おしまいにする。「税を納める・胸に納める・飲み納め」
〔収〕とりまとめる。鎮める。記録に残す。また、よい結果を生み出す。「紛争が収まる・カメラに収める・好成績を収める」
〔修〕学ぶ。身につける。また、行いを正しくする。「語学を修める・身を修める」
〔治〕統治する。また、痛みや症状をなおす。「国を治める・頭痛が治まる」

解字 金文 篆文 形声。糸＋内(内)音。音符の内は、入れるの意味。水中に入れひたした糸のさまの意味を表す。また、入れるの意を表す。

逆 格納・帰納・結納・献納・察納・収納・受納・笑納・上納・出納・奉納

【納衣】㊀ノウ 木綿のちぢみで作った、質素な着物。㊁ノウエ 仏ぼろを拾い集めて作った僧衣。また、それを着た禅僧。
【納会(會)】ノウカイ 国①一年の最後に催す会合。おさめ会。②取引所における毎月最終の立ち会い。十二月末の納会を年末納会・大納会という。
【納棺】ノウカン 国死体をひつぎにおさめること。
【納款】ノウカン 誓詞をいれる。よしみを通ずる。主として、敵に内通することにいう。納レ款カンを。
【納吉】ノウキツ 周代、結婚の六礼の一つ。妻としようとする女性の可否をうらない、吉のうらないを得て女性の家に申し込むこと。→納采。
【納言】㊀ノウゲン 尭ギョウ・舜シュン時代に、天子の言を下に伝え、下の言を天子に奏上する官。㊁ナゴン 国太政官ダジョウカンの官職名。大臣の次官。大納言・中納言・少納言の総称。
【納貢】ノウコウ みつぎ物をたてまつる。
【納骨】ノウコツ 遺骨を墓などに入れおさめること。
【納采】ノウサイ 周代、結婚の六礼の一つ。男性の家から結婚の申し込みをした後、女性の家の承諾の返事を待って男性の家から女性の家に礼物を贈ること。結納ゆいのう。〔儀礼、士昏礼〕
【納受】ノウジュ ①うけ、おさめる。受けいれる。②国ききいれる。神仏が祈願者の心、願いをききいれること。
【納税】ノウゼイ 税金をおさめる。
【納徴】ノウチョウ 周代、結婚の六礼の一つ。婚約成立の証として男性の家から女性の家に礼物を贈ること。結納ゆいのう。↓納采。
【納得】ナットク 国①十分に理解する。②よく理解して承知する。
【納入】ノウニュウ 金銭や品物などを納めること。納付。
【納納】ノウノウ ①物を大きく包み入れるさま。②うるおい湿るさま。
【納幣】ノウヘイ ＝納徴。
【納履】ノウリ ①はきものをはく。②足をある場所に踏み入れる。入る。
【納涼】ノウリョウ 涼気を入れる。夏の暑さをさけてすずむこと。すずみ。夕すずみ。

4【紦】10画 9093 ハ — — 5155

字義 絹布の一種。薄くて光沢がある。

解字 形声。糸＋巴音。

4【紕】10画 9094 漢ヒ 呉ビ 支 pí ② pī 6903 E342 —

字義 ❶ふちかざり。へりのかざり。❷あやまる(誤)。まちがう。また、あやまり。まちがい。「紕繆ヒビュウ」

解字 篆文 形声。糸＋比音。音符の比は、ならべるの意味。糸を並べてひもを組む意味を表す。

4【紊】10画 9095 漢ブン・呉モン 慣ビン 問 wěn 6904 E343 —

字義 みだ-れる。また、みだ-す。もと、糸がもつれ乱れる意。

解字 篆文 形声。糸＋文音。音符の文は、模様の意味。模様や糸のように、もつれ乱れるの意味を表す。

【紊乱(亂)】ブンラン・ビンラン ①みだれる。②みだす。「風紀紊乱」

4【紑】10画 9096 ㊀漢フウ・呉フ 尤 ㊁有 fōu ㊂漢ハイ・呉バイ 灰 — — 5148

字義 ㊀㊁鮮やか。清らか。衣が白く鮮やかなさま。

解字 形声。糸＋不音。音符の不は、ふっくらとして美しいの意味。美しく清らかな衣服の意味を表す。

4【紛】10画 9097 常 フン まぎ-れる・まぎ-らす・まぎ-らわす・まぎ-らわしい フン 文 fēn 4222 95B4 —

筆順

字義 ❶みだ-れる。入り乱れる。もつれる。散乱する。❷まぎ-れる。まが-う。まぎれこむ。入り交って区別がつかなくなる。また、まがい。まぎれ。「紛失」❸多いさま。また、乱れるさま。❹旗のふき流し。国❶まぎ-らす。まぎ-らわす。❷まぎ-らわしい。間違えやすい。

名前 お・もろ

解字 篆文 形声。糸＋分音。音符の分は、わかれるの意味。糸がわかれてしまってまとまらない、みだれるの意味を表す。

逆 世紛・俗紛・内紛

【紛郁】フンイク ①美しくさかんなさま。②香気のさかんなさま。
【紛紜】フンウン ①乱れるさま。②さかんなさま。③多いさま。
【紛衍】フンエン 乱れ茂る。さかんに茂る。▼衍は、はびこる。
【紛華】フンカ 美しくはなやかなさま。美しい。
【紛起】フンキ ①さかんに起こる。乱れ起こる。②あちこちに起こる。
【紛議】フンギ もつれてまとまらない議論。
【紛糾】フンキュウ 乱れもつれる。ごたごたする。
【紛劇】フンゲキ ごたごたとして忙しい。また、その仕事。
【紛喧】フンケン やかましい。かまびすしい。
【紛更】フンコウ かき乱して改め変える。
【紛訌】フンコウ うちわもめ。内訌。
【紛錯】フンサク 入り乱れる。ごちゃごちゃになる。
【紛雑(雜)】フンザツ もつれ乱れる。ごたごたと込み入っている。
【紛失】フンシツ 物がまぎれてなくなる。また、なくす。
【紛奢】フンシャ はなやかなおごり。はでで、ぜいたくなこと。
【紛揉・紛糅】フンジュウ 乱れもつれる。
【紛如雪】フンとしてゆきのごとし 雪のように入り乱れて飛び散る様子の形容。用例〔北宋、曾鞏、虞美人草詩〕鴻門玉斗紛如レ雪コウモンのギョクトフンとしてゆきのごとし、十万降兵夜流レ血ジュウマンのコウヘイよるちをながす ↓鴻門の会で沛公ハイコウから贈られた玉のひしゃくは、范増ハンゾウによって雪のようにこなごなにくだかれてしまった。項羽は秦軍を夜襲し、秦シンの降伏した兵十万人は皆殺しにされた。
【紛擾】フンジョウ ①乱れる。ごたつく。②乱れ。ごたごた。
【紛縟】フンジョク 入り交じってわずらわしい。
【紛塵】フンジン わずらわしい俗事。
【紛然】フンゼン ①いりまじって乱れるさま。②多くごたついているさま。③まぎらわしいさま。区別しにくいさま。
【紛争(爭)・紛諍】フンソウ 乱れて争う。もつれあって争う。また、その争い。ごたごた。もめごと。

【紛騒(騷)】(フンソウ) =紛擾(フンジョウ)。

【紛△拏】(フンダ) 入り乱れて相撃つ。乱れ争う。

【紛△沓】(フントウ) ごたごたと混雑する。こみあう。雑沓。

【紛△呶】(フンドウ・フンド) =紛喧(フンケン)。

【紛△鬧】(フンドウ) ごたごたと忙しい。

【紛△葩】(フンパ) ①咲き乱れた花。また、乱れ散る花びら。②入り乱れて多いさま。入り乱れてさかんなさま。

【紛披】(フンピ) ①花が乱れ咲くさま。②乱れ散るさま。また、乱れ飛ぶさま。③落ちついてゆったりしているさま。④多いさま。

【紛紛】(フンプン) ①乱れるさま。まじり乱れるさま。ごたつくさま。②乱れ起こるさま。乱れ飛び散るさま。用例〔唐、杜牧、清明詩〕清明時節雨紛紛(セイメイのジセツ、あめフンプン)、路上行人欲レ断レ魂(ロジョウのコウジン たましい(ひ)をたたんとほっす)。↓清明の時節とあって、雨がしきりに降り続いている。道行く旅人(私)の魂は消え入りそうだ。③わずらわしいさま。④多いさま。用例〔唐、杜甫、貧交行〕翻レ手作レ雲覆レ手雨(てをひるがえ(へ)せば くもとなり、てをおお(ほ)え(へ)ば あめとなる)、紛紛軽薄何須レ数(フンプンたるケイハク なんぞかぞう(ふ)るをもちい(ゐ)ん)。↓手を上に向ければ雲となり、下に向ければ雨となる(ように簡単に心変わりをしてしまう)。そんな多くの軽薄な者どもは物の数ではないのだ。⑤さかんなさま。

【紛乱(亂)】(フンラン) 乱れる。乱す。また、乱れ。ごたごた。

【紛△綸】(フンリン) ①乱れるさま。②多いさま。③広大なさま。

4 【紡】 10画 9098 常 ボウ つむ-ぐ 4334 9661 —

ホウ(ハウ) 慣ボウ(バウ) 養 fǎng

筆順 く 幺 幺 糸 糸 糸' 糸亠 紡 紡

字義 ❶つむ-ぐ。よる。麻や綿などの繊維をより合わせて糸を作る。❷つむいだ糸。よった糸。「混紡」

名前 つむ

解字 篆文 紡 形声。糸+方㊥。音符の方は、並べるの意味。糸を並べていく、つむぐの意味を表す。

紡車

逆 織紡・績紡

【紡花】(ボウカ) 綿花をつむぐ。また、そのつむいだ糸。

【紡車】(ボウシャ・つむぎぐるま) 手で車輪をまわして糸をつむぐ機械。

【紡織】(ボウショク) ①糸をつむぐことと織物を織ること。②女性の手仕事。

【紡△錘】(ボウスイ) 糸をつむぐ機械の付属品で、つむいだ糸を巻き取る器具。つむ。

【紡績】(ボウセキ) 糸をつむぐこと。また、その仕事。〔史記、平準書〕

【紡△甎】(ボウセン) 糸巻き。甎(かわら)で作った糸巻き。

4 【紋】 10画 9099 常 モン 4470 96E4 —

漢ブン・呉モン 図 wén

筆順 く 幺 幺 糸 糸 糸' 糸亠 紋 紋

字義 ❶あや(文)。織物の織り目の模様。❷しわ。すじ。「波紋」 国モン。家々によって定まっている、家を表すしるし。紋所。紋章。

名前 あや・もん

解字 形声。糸+文㊥。音符の文は、あやの意味。文に多くの意味が派生したため、区別して糸を付し、あやの意味を表す。

逆 衣紋・水紋・波紋・羅紋

【紋章】(モンショウ) 国家々や団体で定めてある、その家・その団体のしるしの紋。

【紋付】(モンつき) 国家の定紋(ジョウモン)のついた衣服。儀式などのときに着る礼服。

【紋服】(モンプク) 国=紋付。

【紋様(樣)】(モンヨウ) 国模様。

【紋理】(モンリ) 手や足のすじ。

4 【〔糸戸〕】 10画 9100 ロ 纑(9395)の俗字。→一二四四ページ下。 28411 — —

参考 纑は、国訓で「かせ」の意味に用いる。〔糸戸〕は、〔糸戸〕井(かせい)・〔糸戸〕田(かせだ)・〔糸戸〕沢(かせざわ)など、もっぱら姓氏に用いる。

4 【〔糸戸〕】 10画 9101 ロ 纑(9395)の俗字。→一二四四ページ下。 — — —

5 【経】 11画 9102 教5 ケイ・キョウ へ-る 2348 8C6F —

熟字訓 読経(どきょう)

7 【經】 13画 9103 漢ケイ 呉キョウ(キャウ) 唐キン 青 径 jīng 6920 E353 —

筆順 幺 幺 糸 糸 紀 紀 経 経 経 経

字義 ❶へ-る。ふ。経過する。通る。また、めぐる。用例〔東晋、陶潜、帰去来辞〕既窈窕以尋レ壑(すでにヨウチョウとして、もってたにをたずね(づ)ね)、亦崎嶇而経レ丘(またキクとして、おかをふ)。↓奥深い谷をおとずれてみたし、また、けわしい丘を通りすぎて自然を楽しんでもみたのだった。❷たていと。織物の縦糸。↔緯(9291)。❸たて(縦)。㋐東西に対して、南北の方向。㋑平面に対して、上下の方向。❹みち。㋐すじ。すじみち。道理。㋑道路。❺のり(法)。法則。❻つね(常)。一定不変の理。「経常」❼さかい(境)。また、境を定める。「経界」❽おさめる(治)。統治する。「経国」❾いとなむ(営)。❿はかる。測量する。⓫くびれる。首をくくる。「経死」⓬かかる。ぶらさがる。かける。⓭めぐり。月経。⓮かつて。今まで。「曽経(ソウケイ)」⓯ふみ。文書。㋐儒教で、聖人の言行や教えを書いた書物。経書(ケイショ)。㋑仏教で、仏の言行や教えを書いた書物。経文(キョウモン)。㋒学問や宗教上のよりどころとなる基本的な書物。

名前 おさむ・けい・つね・のぶ・のり・ふ・ふる 難読 経緯(いきさつ・たてぬき・たてよこ)

解字 金文 經 篆文 經 形声。糸+圣(巠)㊥。音符の巠(ケイ)は、はたおりのたていとの象形。糸を付し、たていとの意味を明らかにした。

逆 緯経・看経・群経・講経・自経・写経・神経・政経・聖経・読経・秘経・不経・仏経・明経

【経緯】(ケイイ) ①縦糸と横糸。②たてとよこ。縦横。③東西と南北。④いきさつ。細かい事情。⑤物事の骨子となるもの。道の常法。⑥おさめととのえる。

【経営(營)】(ケイエイ) ①なわばりをして規模を定め家屋などを作ること。②一般に、計画を立てて物事をすること。治め営む。また、事業。

【経△筵】(ケイエン) 天子が経書の講義を聞く席。▼筵は、むしろ・座席。

【経過】(ケイカ) ①通り過ぎる。通過。②国㋐通って来た途中の状態。㋑事件などのなりゆき。

【経界】(ケイカイ) 土地の境。さかい。境界。

【経学(學)】(ケイガク) 経書を研究する学問。

【経巻】(ケイカン) 一 =経書。二 (キョウカン) 仏教の経文(キョウモン)を書きしるした巻き物。経文。

【経紀】(ケイキ) ①すじみち。紀律。綱紀。②通り過ぎる。通過。③治める。生活上の世話をする。④仲買人。⑤番頭。

【経義】(ケイギ) 経書の意味。経書に述べてある道理。

【経業】(ケイギョウ) ①一定の仕事。常にきまっている仕事。②経学の修業。

【経訓】(ケイクン) 経書の字句の解釈。

【経穴】(ケイケツ) ①血脈。②鍼灸(シンキュウ)のつぼ。

【経験(驗)】(ケイケン) ①何かを実際にやってみること。また、それによって得た知識・技能。②国外界認識の源泉としての感覚や知覚の作用によって与えられた内容。

【経口】(ケイコウ) 国口を通ること。薬剤などを口から飲むこと。また、口から体に入ること。

【経国(國)】(ケイコク) 国家を経営する。国を治める。

【経国(國)△之大業】(ケイコクのタイギョウ) 国家を治めるのに大切な大事業。文章をいう。用例〔三国魏、文帝、典論論文〕文章経国之大業、不朽之盛事。↓文章は国家を治めることにも匹敵するほどの大事業で、永久に滅びることなく後世に伝わるりっぱな仕事だ。

【経国(國)集】(ケイコクシュウ) 国書名。もと二十巻。現存するものは六巻。良岑安世・滋野貞主らが淳和天皇の勅命により、天長四年(八二七)に編集した、平安時代の漢詩・漢文集。勅撰三集(他に『凌雲集』『文華秀麗集』)の一つ。⇩コラム平安漢詩(一六六ページ)。

【経済(濟)】(ケイザイ) ①国を治め民を救う。経世済民。▼済は、救う。②財貨を収得したり使用したりする各種の行為や状態。③国㋐つつましくすること。費用を節約すること。倹約。㋑費用がかからないこと。消費が少なくてすむこと。

【経史子集】(ケイシシシュウ) 昔の中国の書籍分類法の目。経書・歴史書・諸子類・詩文集。

【経旨】[一](ケイシ) 経書の主旨。[二](キョウジ) 仏仏教の経典の主旨。

【経死】(ケイシ) 首をくくって死ぬ。また、首くくり。縊死。

【経始】(ケイシ) ①家を建てはじめる。また、土木工事を始める。経は、土地を測量して規模を定めること。②はじめる。開始する。

【経師】[一](ケイシ) ①経書を教える教師。②徳行がなく、ただ経書の読みや字義だけを教えて、その内容である道や精神を教えない教師。↔人師(七二ページ中)。[二](キョウジ) 国①経巻を書写した人。②経巻の表装を職業とする人。③書画・ふすまなどを表装する職人。表具師。

【経手】(ケイシュ) ①みずから事に親しむ。みずから手をかける。②仲買する。媒介する。また、係官。仲買人。

【経首】(ケイシュ) 楽章の名。尭の楽音。

【経術】(ケイジュツ) ①＝経学。②経学に基づく政治上の方法。

【経書】(ケイショ) 聖人や賢人の言行や教えを記した書籍。四書・五経の類い。↔緯書(一一三五ページ上)。

【経商】(ケイショウ) 各所をめぐって商業を営む人。㋐行商人。旅商人。㋑貿易商。

【経渉】(ケイショウ) あちこちを歩きわたる。

【経常】(ケイジョウ) ①一定して変わらないこと。決まっていること。②ふだん。常時。

【経世】(ケイセイ) 世を治める。「経世家(政治家)」

【経世済(濟)民】(ケイセイサイミン) →経済①。

【経制】(ケイセイ) ①国家を治める制度。②治めてほどよくきりもりすること。

【経籍】(ケイセキ) ①＝経書。②書籍。本。

【経籍△簒△詁】(ケイセキセンコ) 書名。百六巻。清の阮元らの編。嘉慶三年(一七九八)に成立。古典の語とその意味を集めた辞書。訓詁学を重んじる清朝の学風の中から生まれたもので、その引用の正確さには定評がある。

【経説】(ケイセツ) ①経書の中に述べられている説。②経書の意味を解説した書。

【経線】(ケイセン) 経度を表す線。緯線と直角に交わって両極を連結した仮想の大円。子午線。

【経蔵(藏)】(キョウゾウ) 仏①三蔵(経・律・論)の一つ。仏の説いた経典を総括していう。中に一切の真理を含んでいるから蔵という。②一切経を納めておく蔵。経堂。

【経典】[一](ケイテン) ①＝経書。②国㋐宗教・学問などの基本となる書籍。㋑依拠すべき一定不変の常道。[二](キョウテン) 仏仏の教えを書いた書籍。経文。お経。

【経典釈(釋)文】(ケイテンシャクモン) 書名。三十巻。唐の陸徳明の著。『論語』『老子』『荘子』など十四種の経典について、その本文ならびに注の音義と文字の異同を記した書。

【経伝(傳)】(ケイデン) ①経と伝。㋐経は経書。伝は経書を説明・解釈した書。㋑経は聖人の著書。伝は賢人の著書。②儒教の教えを記した書。

【経伝(傳)釈(釋)詞】(ケイデンシャクシ) 書名。十巻。清の王引之の著。経書を主とした漢代以前の古書中の助字(虚字)百六十について解説した書。音の相通ずる点から語義を帰納的に追求する方法を用いている。

【経度】(ケイド) 基準とする経線から東西への隔たりを示す座標。↔緯度(一一三五ページ上)。

【経徳】(ケイトク) ①人として守るべき道。②徳を常にする。徳を守って変わらない。

【経年】(ケイネン) ①年を経る。幾年もたつこと。②年来。年ごろ。

【経費】(ケイヒ) ①経常的に支出する費用。②国必要な費用。

【経文】[一](ケイブン) 経書の文章。[二](キョウモン) 仏お経の文章。また、お経。

【経文緯武】(ケイブンイブ) 文武両道であること。文を縦糸とし武を横糸とする意。緯武経文。

【経由】(ケイユ) 通過する。通って行く。また、来る。

【経絡】(ケイラク) 動脈(経)と静脈(絡)。十二経脈と十五絡脈。経落。

【経理】(ケイリ) ①治める。②一定不変のすじみち。常理。③＝経義。④取り扱う。処理する。⑤国会計事務を処理すること。

【経略】(ケイリャク) ①国家などを治めること。②天下を経営し、四方を攻め取ること。

【経△綸】(ケイリン) 制度、または計画を立てて天下国家を治めること。また、その制度・計画。▼経は糸を治め分ける、綸は類をもって合わせる。用例〔易経、屯〕君子以経綸。↓君子は、制度や計画を立て政治の大綱を定めて、天下国家を治める。

【経歴(歷)】(ケイレキ) ①通り過ぎる。②過ぎ去る。年月を経る。③経めぐる。あちこちを巡り歩く。④経て来た事柄。過去の事。⑤これまでに経てきた仕事や地位。▼歴も、経る・過ぎる。

【経路】(ケイロ) ①通過して来た道。また、通る道。②国物事の経て来た(行く)すじ道。

【経論】(ケイロン) ①経書についての論議。②すじみちを論ずる。

5 【絇】 11画 9104 漢ク 呉グ 拼qú | 28419 — 5164

字義 ❶合わせてよった糸。❷くつかざり。くつの先のかざり。

解字 篆文  形声。糸＋句音。音符の句は、かぎ型に曲がるの意味。かぎ型に曲がった、くつの先のかざりひもの意味を表す。

5 【絅】 11画 9105 漢ケイ 呉キョウ(キャウ) 拼jiǒng | 6905 E344 —

【絅】9174 俗字

字義 ひとえもの。うすぎぬ。着物の上にかける布。ベールの類い。

解字 形声。糸＋冋音。

【絅△裳】(ケイショウ) うすぎぬのもすそ。

【尚レ絅】(ケイをくわ(は)う(ふ)) 錦の着物を着た上に、うすぎぬをかける。はなやかさが表面に現れないようにすること。〔中庸〕

5 【絃】 11画 9106 人 漢ケン 呉ゲン 拼xián | 2430 8CBC —

筆順 ㄑ 幺 幺 糸 糸 糸' 紆 紘 絃

字義 ❶いと。つる。弦楽器に張った糸。＝弦(3314)。❷ひく。弾ずる。弦楽器をひくこと。「絃歌」❸弦楽器の総称。琴などの類い。弦楽器。「管絃」

名前 いと・お・げん・つる・ふさ

参考 現代表記では〔弦〕(3314)に書きかえる。「管絃楽→管弦楽」「絃歌→弦歌」。熟語は〔弦〕を見よ。

解字 形声。糸＋玄音。音符の玄は、弦に通じ、つるの意味。いとの意味を表す。

5 【紘】 11画 9107 コウ 纊(9385)の俗字。→一二四ページ上。 6906 E345 —

5 【紭】 11画 9108 漢コウ(クヮウ) 呉オウ(ワウ) 興 hóng — — 5157

字義 ❶網の綱。また、網。❷係る。

解字 形声。糸+弘音。

5 【紺】 11画 9109 常 コン 漢カン・呉コン 勘 gàn 2616 8DAE —

字義 コン。こん色。赤みを少しふくんだ濃い青色。青と紫との合色。

筆順 幺 幺 糸 糸 糸 紺 紺 紺 紺

解字 篆文 形声。糸+甘音。音符の甘は拑に通じ、はさむの意味。青地に赤色をはさみこんだ色、「こん」の意味を表す。

【紺宇】①紺色の軒・屋根。貴人の邸宅。②仏仏寺をいう。紺園。

【紺珠】手でなでると忘れていた記憶を呼び起こすという紺色のたま。転じて、広く物事を知っているたとえ。唐の張説の故事による。〔開元天宝遺事〕

【紺△緅】紺色と淡紅色。孔子はこの二色は喪服のえりかざりの色であるとして、平素の着物のかざりには用いなかった。〔論語、郷党〕

【紺青】あざやかな濃い藍色。

【紺殿】=紺宇②。

【紺△碧】黒みを帯びた濃い藍色。

5 【細】 11画 9110 教 2 サイ ほそ-い・ほそ-る・こま-か・こま-かい 漢セイ・呉サイ 霽 xì 2657 8DD7 —

筆順 幺 幺 糸 糸 糸 糸 細 細 細 細

字義 ❶ほそ-い。ほそ。「細腰」❷こま-かい。こま。こま-か。㋐小さい。↔大(2238)。「細大」㋑くわしい。「詳細」㋒くだくだしい。わずらわしい。㋓つまらない。また、わずか。少し。「些細」❸こまかに。くわしく。❹身分が低い。また、その人。「細民」 国❶ほそ-る。細くなる。❷こま-やか。相手を思う心が、こまかいところにまで行き届いている。❸ささ-やか。㋐こぢんまりとして目立たない。㋑粗末だ。自分が整えたものなどを謙遜していう。

名前 くわし 難読 細弋千足国・細魚・細枝・細石・細雪・細波・細螺・細々・里

解字 篆文 形声。糸+田(囟)音。音符の囟は、乳児のひよめきの象形。ひよめきのように、かすか、糸のように、ほそいの意味を表す。

逆 委細・巨細・子細・精細・繊細・微細・零細

【細雨】こまかな雨。きり雨。こぬか雨。

【細△瑕】①小さいきず。②小さい欠点。細瑾。

【細看】こまかく、また、くわしく見る。よくよく見る。

【細管】①ほそいくだ。②ほそい笛。③笛のほそい音。

【細△綺】目のこまやかなあやぎぬ。

【細謹】小さなつつしみ。細かな礼儀作法。つまらない礼式。また、それにこだわること。用例〔史記、項羽本紀〕大行不レ顧ニ細謹一 ↓大事をなす時は、小さなつつしみなど気にかけていられない。

【細工】国①こまかな道具を作ること。②くふう。③くわだて。また、策略。④細かに思案する人。

【細君】①自分の妻の謙称。②(同輩以下の)他人の妻をいう。日本では、妻君ともいう。

【細故】①小さい事がら。つまらない事がら。小事。▼故は、事。②度量のせまい。小人。

【細行】①小さい行い。些細な行為。②こまかな礼儀作法。③卑俗な行為。

【細査】くわしく調べる。

【細砕(碎)】①こまかくくだく。②こまかくわずらわしい。③つまらない。また、つまらない事。

【細細】①こまやかなさま。ささやかなさま。かすかなさま。用例〔北宋、蘇軾、春夜詩〕歌管楼台声細細、鞦韆院落夜沈沈 ↓歌や管弦の音がひびきわたっていた高殿も、今ではかすかな音がきこえるばかりである。中庭にぶらんこが揺れ、夜は静かにふけてゆく。②ほそぼそとしたさま。③軽やかなさま。

【細作】まわしもの。間者。スパイ。

【細酌】少し酒を飲む。しめやかに酒をくむ。また、少量の酒。浅酒。

【細弱】①ほそくて弱い。また、そのもの。②妻子。

【細書】①こまかい文字。細字。②こまかく書く。

【細心】①こまかい心づかい。②気が小さいこと。小心。

【細△斟】①=細酌。▼斟は、酒をくむ。②雨の静かに降るさま。

【細人】①つまらぬ人。性質のいやしい人。小人。②身分の低い人。官位の低い人。③よい女。美しい女性。④歌い女。芸妓。

【細井広(廣)沢(澤)】国江戸中期の儒学者・書家。遠江(今の静岡県)の人。朱子学・陽明学を修め、文徴明の書法を学び、幕府・水戸家などに仕えた。(一六五八—一七三五)

【細井平△洲】国江戸後期の儒学者。尾張(今の愛知県)の人。江戸で塾を開き、後、米沢の上杉侯や尾張侯に仕えた。(一七二八—一八〇一)

【細雪】こまかな雪。粉雪。ささめゆき。

【細節(節)】①わずかなみさお。小さな節操。②ほそいふし。

【細説】①くわしく説く。②こまかい説明。③つまらぬ説。つまらない人のことば。用例〔史記、項羽本紀〕聴ニ細説一、欲レ誅ニ有功之人一 ↓つまらない者の言うことを聞いて、功績のある者を殺そうとする。

【細草】こまかな草。また、かぼそい草。用例〔唐、杜甫、旅夜書レ懐詩〕細草微風岸、危檣独夜舟 ↓細い草の葉がかすかな風にそよぐ岸辺で、高く帆柱を立てた舟の中、一人さびしく夜を過ごしている。

【細則】個々の事項・具体的運用などについての規則。↔総則(一二八ページ中)。

【細大】①小さいことと大きいこと。②小さいことも大きいことも。いちぶしじゅう。

【細緻】①目のこまかい絹。②こまかくすきまのないこと。緻密。

【細滴】しずく。細雨のようにしたたる意。

【細読(讀)】くわしく読む。精読。

【細馬】よい馬。骨格がひきしまった良馬。

【細微】①こまかい。かすか。また、その物。②身分の低いこと。また、低い身分。

【細風】かすかな風。そよ風。微風。

【細胞】①生物のからだを作っている最小の単位。②もと、共産主義運動などで、種々の団体の内部に設けて、宣伝その他の活動を行う小さな組織。

【細密】①こまかくすきまのないこと。②こまかくて入りくんでいること。

【細民】①身分の低い民。②まずしい人。

【細目】①小分け。②こまかい箇条。

【細腰】ほっそりした腰。柳腰。美人の腰。また、美人。

【細柳】柳のほそい枝。生えたばかりの柳の枝。また、ほそい枝の柳。しだれ柳。用例〔唐、杜甫、哀ニ江頭一詩〕江頭宮殿鎖ニ千門一、細柳新蒲為レ誰緑

↓河のほとりの宮殿は、門という門はみなとざし、柳やがまの細い新芽は、いったいだれのために美しい緑色にもえているのか(それに値する人はいない)。

【細△鱗】①小さいうろこ。②小さい魚。

【細論】こまかに議論する。詳論。

5 【紮】11画 9111 標 漢サツ 呉セチ 黠 zā, ②zhā 6907 E346 —

［紥］9082 俗字

字義 ❶まとう。まきつける。❷しばる。ア とどまる。駐屯する。国 から-げる。イ 着物の裾などをまくり上げて、落ちないように束ねてくくる。

解字 形声。糸＋札音。

5 【絁】11画 9112 シ 支 shī 9001 — 5163

字義 つむぎ。紬糸(くずまゆ・真綿をつむいで、よりをかけた、太い絹糸)で織った絹布。

解字 形声。糸＋㐌音。

5 【終】11画 9113 教 3 シュウ おわる・おえる 2910 8F49 —

5 〖終〗11画 9114 シュウ(シウ) 慣ジュウ(ジウ) 東 zhōng

筆順 幺 幺 糸 糸 糸 糸 終 終 終 終 終

字義 ❶お-わり。しま-い。つい。おしまい。果て。↕始(2347)。用例〔史記、太史公自序〕王迹所興、原始察終、見盛観衰。↓王者の事績については、その起源をたずね結末を見極め、盛衰を観察した。

❷お-わる。ア おしまいになる。完成する。完了する。用例〔孝経、開宗明義章〕夫孝始於事親、中於事君、終於立身。↓孝は、親につかえることに始まり、君子につかえることに半ばし、社会の中で一人立ちすることで完成する。

イ つきる。なくなる。用例〔荘子、天道〕夫道、於大不終、於小不遺。故万物備。↓道は、どんな大きなものに対しても尽き果てず、どんな小さなものに対しても取りこぼさない。万物は道によって完全な働きを得るのだ。

ウ 死ぬ。特に、老人・君子の死をいう。↕死(6009)。用例〔戦国策、韓〕老母今以天年終。↓我が母は、今や天寿をまっとうし亡くなりました。

❸お-える。ア しとげる。完成させる。用例〔唐、張鷟、陳情表〕昔司馬遷請就腐刑以終史記。↓昔、司馬遷は宮刑を受け入れて史記を完成させた。

イ しつくす。すべて…する。用例〔礼記、儒行〕遽数之、不能終其物。↓急に数えようとしても、これを挙げつくすことはできない。

❹つい-に。ア しまいに。とうとう。最終的な結末を示す。用例〔戦国策、斉〕為蛇足者、終亡其酒。↓蛇に足を描いた者は、とうとう酒を飲むことができなかった。

イ ずっと。終始。最後まで。初めから終わりまで一貫して。用例〔史記、管仲伝〕鮑叔終善遇之、不以為言。↓鮑叔は最後まで親しく彼に接し、ぐちを言わなかった。

❺百里四方の土地。❻音楽の一楽章。❼十二年間。歳星(木星)が一公転する周期。

名前 すえ・つき・のち

難読 終日・終夜

解字 甲骨文 [甲骨文の字形] 篆文 [篆文の字形] 形声。糸＋冬音。甲骨文は象形で、糸の両端を結んだ形にかたどり、糸の結びめ、おわりの意味を表す。篆文は季節の終わりの冬に糸を付した。

逆 一終・始終・慎終・臨終

【終△焉】①その場所で、身が落ち着くこと。隠居して晩年を送ること。②終わり。果て。③国命の終わり。死。

【終△竟】終わる。また、終わり。▼竟も、おわる。

【終業】国①仕事を終わること。②学校などで、学期、または学年の課業の終わり。

【終局】①碁・将棋の勝負の終わり。②事件の終わり。◆「終局」と「終極」は同意ではないが、実際には区別がつかないものが多い。現代では、「終局」が優勢。

【終極】終わる。また、終わり。果て。→終局。

【終結】終わる。また、終わり。しまい。

【終古】①いつまでも。永久に。②むかし。古昔。③常に。平素。

【終歳】①一年中。年中。②一生涯。③歳を終わる。一年を終わる。一年をすごす。

【終始】①終わりと始め。②始めから終わりまで。③たえず。いつまでも。④終始する。始めから終わりまで続く(続ける)。⑤終わって、また始まる。循環する。

【終始一貫】始めから終わりまで一つの主義・主張でつらぬき通すこと。〔漢書、王莽伝上〕

【終日】①一日中。朝から晩まで。ひねもす。②日を終わる。一日を終わる。一日をすごす。

【終宵】＝終夜。通宵。

【終食△之間】食事を終わるほどの間。わずかな時間。食頃。用例〔論語、里仁〕君子無終食之間違仁。↓君子は、食事をとるわずかな時間も仁にそむくことはない。

【終身】①身を終わるまで。一生涯。用例〔論語、衛霊公〕有一言而可以終身行之者乎。↓ただ一言で、一生涯それを実行すべきようなことばはありますか。②身を終わる。一生を過ごす。③一年中。終歳。用例〔孟子、梁恵王上〕楽歳終身飽、凶年免於死亡。↓豊作の年には一年中腹一杯食べられ、凶作の年にも飢え死にすることを免れる。

【終身△之計】一生の計画。生涯の計画。

【終身△之憂】一生を通じての心配事。

【終世】＝終身①②。

【終生】＝終身①②。

【終制】①三年間の服喪を終わること。②葬式の制度。また、制度通りの葬具。

【終夕】＝終夜。

【終然】ついに。とうとう。結局。

【終△熄・終息】やむ。終わる。終止。

【終朝】①夜明けから朝食のころまでの間。朝の間。②わずかの間。

【終天】この世の終わりまで。永久に。永久の。

【終南山】山名。陝西省西安市の南を東西に走る山脈の一峰。二六〇四メートル。別名、南山・秦山・秦嶺・太一。

【終年】＝終歳。

【終盤】国①碁や将棋で、終わりに近づいたこと。また、その盤面。②事件の終わり。

【終風】一日中吹く風。一説に、西風。

【終幕】国①芝居の最後の一幕。②芝居の全部が終わること。はねる。③事件の最後・落着。

【終末】国終わり。末尾。

【終夜】夜どおし。よもすがら。終夕。用例〔論語、衛霊公〕終夜不寝、以思。↓一晩中寝もしないで、思索にふけった。

【終養】父母への孝養を最後までやりとげること。特に、親の最期を見とること。〔西晋、李密、陳情表〕

【終了】おわる。おえる。◆「終了」が広く、終わることを表すのに対し、一定の学業・教育課程についていう場合は、「修了」の語を用いる。「授業が終了した」「中学校の課程を修了し卒業した」

【慎(愼)レ終】 同慎終。①物事の最後を慎重にして、りっぱにやりとげようと努力すること。〔老子、六十四〕②父母の葬式を丁寧にとり行うこと。〔論語、学而〕

5 【紹】 11画 9115 [常] ショウ
[漢]ショウ(セウ)・[呉]ジョウ(ゼウ) [篠] shào　3050 8FD0 —
筆順 幺 幺 糸 糸 紹 紹 紹 紹 紹
字義 ❶つぐ(継)。うけつぐ。継承する。「継紹」 ❷ひきあわせる。とりもつ。会見の時、主客の間にあって世話をする。「紹介」
名前 あき・しょう・すけ・つぎ・つぐ
解字 金文 篆文 形声。糸＋召[音]。音符の召は、まねくの意味。祖霊を招き、その意志をうけつぐの意味を表す。
[逆]介紹
【紹介】 引き合わせる。両者の間をとりもつ。また、引き合わせ。はしわたし。なかだち。
【紹△恢】 前の事業を受けついで、更にそれを大きくすること。▼恢は、大。
【紹継(繼)】 うけつぐ。継承。
【紹興】 ①引き続いておこる。②地名。浙江省にある。紹興酒の産地として名高い。春秋時代、越の都。③南宋、高宗のときの年号。
【紹述】 前の人の事業・制度などを受けついで、さらに発展させること。
【紹復】 つぎおこす。前の人の事業の後をついで、再びさかんにすること。再興する。

5 【紳】 11画 9116 [常] シン
シン [眞] shēn　3134 9061 —
筆順 幺 幺 糸 糸 紀 紀 紳 紳 紳
字義 ❶大帯。昔、高位高官者の礼装に用いた装飾用の帯。絹を合わせてつくり、朱と緑のかざりをつけ、革帯の上に結んで前に垂らす。❷紳を用いる資格のある人。高位高官の人。また、役人。「紳士」
名前 しん
解字 篆文 形声。糸＋申[音]。音符の申は、のびるの意味。結んだ上、その先端を長く前に垂らした、大きな帯の意味を表す。
[逆]貴紳・郷紳・薦紳
【紳△衿】 地方の有力者・上流階級。紳士。郷紳。▼衿は、青衿の略で、士大夫の子をいう。
【紳△笏】 紳(大帯)と笏(官位の高い人が礼装した時に持つ細長い板。しゃく)。転じて、官吏の礼装。
【紳士】 ①地方にいる官吏。②退官して郷里にいる人。③地方の有力者・上流階級。④国英語 gentleman の訳語。㋐教養があり人格の高い男性。㋑身分の高い男性。㋒富裕階級の男性。㋓男性の美称。
【紳商】 ①官吏と商人。②国㋐徳義を守るりっぱな商人。㋑豪商。
【書レ紳】 (忘れないように)大帯の垂れさがっている部分に書きつけること。〔論語、衛霊公〕

5 【紾】 11画 9117 [一]シン [軫] zhěn [二]テン [銑] tiǎn　28417 — 5161
字義 [一]❶ねじる。ねじまげる。また、ねじれる。❷めぐらす。また、まつわる。❸ひとえ。ひとえの着物。[二]❷めぐる。[二]＝[一]❶❷。
解字 形声。糸＋㐱[音]。

5 【紲】 11画 9118 [紲] 9158 同字 [漢]セツ [呉]セチ [屑] xiè　6908 E347 —
字義 ❶きずな。ほだし。かけなわ。㋐牛馬などをつなぐなわ。㋑物をつなぎしばるなわ。㋒罪人を獄につなぐなわ。「縲紲」❷つなぐ。㋐なわでつなぐ。㋑しばる。束縛する。❸はだぎ。下着。＝褻(10855)。
解字 篆文 形声。糸＋世[音]。音符の世は、つながり続くの意味。物をつなげるなわ、きずなの意味を表す。
【紲△袢】 あせとり用のはだぎ。

5 【組】 11画 9119 [教]2 ソ くむ・くみ
ソ [麌] zǔ　3340 9167 —
筆順 く 幺 幺 糸 糸 糹 組 組 組
字義 ❶ひも。くみひも。冠や印などにつける綬・ひもの類い。❷くむ。㋐ひもをくむ。ひもを編む。㋑くみ合わせる。くみたてる。構成する。織る。❸ぬう。ぬいつける。また、刺繡する。国❶くむ。㋐組織する。編成する。㋑くみになる。仲間になる。㋒相手の身体に取りつく。❷くみ。㋐仲間。㋑団体。㋒対。そろい。
名前 くみ・くむ
解字 篆文 形声。糸＋且[音]。音符の且は、積み重ねるの意味。糸を積み重ねていく、ひもを編むの意味を表す。
[逆]解組・改組
【組△纓】 冠のくみひも。
【組閣】 国内閣を組織構成すること。
【組甲】 ①くみひもでつづって作った鎧。②武装した兵。
【組織】 [一]①糸を組み、機を織ること。②順を追って次第にりっぱに作りあげること。学徳などを次第に身につけること。[二]①くみたてる。くみたて。②大きさ・形・動きの似通った細胞の集団。③人や物が集まって形成した秩序のある団体。
【組△綬】 佩玉や官印をつけるためのくみひも。
【組成】 国①くみたて。構成。②集まって成り立つ。③くみたてる。
【組帳】 ひもで掛けつるした幕。
【組練】 ①組甲と被練(陣羽織の類い)。②武人・兵士の武装具。よろい・かぶとの類い。③兵士。武装した兵士。④くみひもと練絹。
【解レ組】 退官すること。在官中、所持している官印を退官の時に朝廷に返上する。解組。▼組は、官印のひも。

5 【紽】 11画 9120 [漢]タ [呉]ダ [歌] tuó　28416 — 5160
字義 ❶糸束。❷ひびろ。糸束を数える語。
解字 形声。糸＋它[音]。

5 【紿】 11画 9121 [漢]タイ [呉]ダイ [賄] dài　6909 E348 —
字義 ❶あざむく(欺)。いつわる。あざむき。いつわり。＝詒(11139)。[用例]〔史記、項羽本紀〕田父紿曰、左。(田父あざむきて、左せよと曰う) 農夫はうそをついて言った、「左へ行きなさい」。❷いたる(至)。❸糸がふるくなって弱る。
解字 篆文 形声。糸＋台[音]。音符の台は、怠に通じて、機能が弱くなるの意味。古くて弱くなった糸の意味を表す。

5 【紬】 11画 9122 [人] [漢]チュウ(チウ) [尤] chōu, [呉]ジュウ(ヂウ) ③④chōu　3661 92DB —
筆順 幺 幺 糸 糸 糸 紅 紬 紬 紬
字義 ❶つむぎ。くずまゆや真綿をつむいだ太糸で織った絹織物。❷つむぐ(紡)。繭や綿から糸を引き出す。＝抽(4114)。「紬績」❸ひく。引き出す。抜き出す。「紬繹」❹つづる。集めつづる。あつめる。

名前 つむぎ

解字 篆文 形声。糸＋由㊍。音符の由は、抽に通じ、ひきぬくの意味。まゆや綿から糸を引きだす、つむぐ・つむぎの意味を表す。

【紬繹】 糸口をみつけて引き出すこと。▼繹も、引き出す・たずねる。

【紬績】 糸をつむぐ。紡績。

【紬段】 つむぎと、どんす。

5 【絀】 11画 9123 ㊌チュツ ㊏チュチ 質 chù 28418 ― 5162

字義 ❶ぬう。また、ぬいめ。❷しりぞける。しりぞく。＝黜(14471)。❸かがむ。

解字 篆文 形声。糸＋出㊍。音符の出は、でるの意味。糸を出し入れして縫うの意味を表す。黜に通じて、しりぞけるの意味を表す。

【絀陟】 官位の下がることと上がること。臣下の官位などを、下げることと、上げること。黜陟。

5 【紵】 11画 9124 ㊌チョ ㊏ジョ(ヂョ) 語 zhù 6910 E349 ―

字義 ❶いちび。麻の一種。❷あさぬの(麻布)。いちびの皮をつむいで織った粗い布。

解字 形声。糸＋宁㊍。

【紵衣】 あさのころも。麻で作った衣服。

5 【絈】 11画 9125 ハク 19002 EE6D 5165

帕(3096)と同字。→四五四ジー下。

参考 日本では「かせ」と読み、絈井・絈沢・絈谷・など、もっぱら姓氏に用いる。

5 【絆】 11画 9126 人 標 ハン 慣バン 翰 bàn 6911 E34A ―

筆順 く 幺 幺 糸 糸 糸 糸 糸 絆

字義 ❶きずな。ほだし。㋐牛馬などの足をつなぐなわ。㋑物をつなぎとめるもの。自由を束縛するもの。「羈絆」❷ほだす。つなぐ。つなぎとめる。

解字 篆文 形声。糸＋半㊍。音符の半は、攀に通じ、ひきつなぐの意味。きずなの意味を表す。

【絆繫】 つなぐ。つなぎとめる。

【絆創膏】 国傷口の保護やガーゼなどの固定のために用いる、粘着剤を塗った布・紙。

5 【紱】 11画 9127 ㊌フツ ㊏フチ 物 fú 18994 ― 5158

字義 ❶ひも。印につける綬。印綬。❷まとう(纏)。身につける。からむ。

解字 形声。糸＋犮㊍。

【紱冕】 ①天子からたまわった、官印のひもと冠。共に高位高官に賜るもの。②礼服。③高位高官の地位。

5 【紼】 11画 9128 ㊌フツ ㊏フチ 物 fú ― ― 5159

字義 ❶つな(綱)。なわ。㋐大づな。大なわ。㋑引きづな。車の引きづな。特に、霊柩車の引きづな。❷ひも。印のひも。印綬。＝紱(9127)。

解字 形声。糸＋弗㊍。

5 【累】 11画 9129 常 ルイ 一ルイ 支 léi 二ルイ 紙 lěi 三ルイ 寘 lèi 4663 97DD ―

筆順 丶 冂 冂 田 田 罒 罗 罗 累 累

［絫］ 9167 本字

字義 一つなぐ。しばる。＝纍(9392)。二❶かさなる。かさねる。つみかさなる。つみかさねる。「累積」❷しきりに。つづいて。次々に。「累戦」三❶わずらわす。わずらう。㋐関係を及ぼす。手数をかける。㋑たのむ。ゆだねる。まかせる。用例 (荘子、秋水)願以二竟内一累矣。ねがわくはケイダイをもってわずらわさん。↓どうか、(楚国の)国政をおまかせしたいのです。❷わずらい。わずらう。また、わずらい。㋐うれえ(憂)。心配。また、めいわく。㋑かかりあい。まきぞえ。「累坐」㋒足手まとい。やから。みうち。「係累」

名前 たか 難読 累標

解字 篆文 形声。糸＋田(厽)㊍。音符の厽(田は変形)は、かさねるの意味を表す。糸を順序よくかさねるの意味。

逆 係累・世累・煩累

【累茵】 しとね(敷物)を何枚も重ねる。ぜいたくな生活にいう。

【累加】 重なり加わる。また、重ね加える。順々に加える。

【累害】 わずらい。うれい。累礙。

【累官】 官位が次第に上がること。官を重ねる。

【累計】 すべての合計。総計。累算。

【累月】 多くの月を重ねる。幾月にもわたる。連月。

【累減】 国次第にへる。また、次第にへらす。↔累増。

【累呼】 しきりに呼ぶ。続けざまに呼ぶ。

【累坐】 他人の罪に関連して、自分も罰せられること。まきぞえ。連座。

【累歳】 来る年も来る年も。毎年。累年。

【累次】 国次々と重なり続く。㋐次々と。㋑たびたび。しばしば。たびたび。時を重ねる。

【累時】 しばしば。たびたび。時を重ねる。

【累日】 幾日も。毎日。連日。日を重ねる。

【累囚】 つながれた罪人。

【累宵】 毎夜。連夜。夜な夜な。

【累觴】 杯を重ねる。何杯も酒を飲む。▼觴は、さかずき。

【累進】 ①官位などが次第に上がり進むこと。②国価格や数量が増加するにつれて、比率が上がること。

【累世】 ①代々。歴代。累代。②世をかさねる。代を重ねる。天子などの代を重ねること。

【累積】 ①重なりつもる。②重ね積む。

【累紲】 同纍紲・縲紲。①罪人をしばるなわ。②罪人として捕らわれること。また、牢獄。

【累戦(戰)】 次々と戦い続ける。連戦する。

【累遷】 次第に高い官位にうつり進むこと。

【累祖】 ①代々の先祖。また、先祖代々。②道祖神の名。旅人の安全を守る神。

【累増(增)】 次第にふえる。また、次第にふやす。↔累減。

【累息】 ①息をころす。息をひそめる。②ため息をつく。③あえぐ。はあはあと息をする。

【累代】 ＝累世。

【累重】 身のわずらいとなるもの。足手まとい。

【累朝】 歴代の朝廷。代々の天子。

【累土】 ①積み重ねた土。わずかな土。②土を積み重ねる。

【累徳】 ①徳のわざわいとなるもの。悪い行い。②徳を重ね積む。

【累年】 ＝累歳。

【累犯】 犯罪を重ねる。何度も罪を犯すこと。

【累夜】 夜を重ねる。毎夜。夜な夜な。累宵。

【累卵】 積み重ねた卵。非常に危うい物事のたとえ。

【危於累卵】 累卵よりあやうし 積み重ねた卵のくずれやすいのより、なおあやうい。非常に危険なたとえ。〔戦国策、秦〕

【累累】 同纍纍。①重なりあっているさま。②物の連続して多くあるさま。続き連なって並んでいるさま。

【及累】 ルイをおよぼす 他に迷惑をかけること。

【挈累】 ルイをたずさう 足手まといになる子供などを連れていること。

5【絺】11画 9130 国字 ₂8414 — —
字義 かたびら。

5【紋】11画 9131 国字 ₂8415 — —
字義 ひきづな。

6【緆】12画 9132 漢イツ 呉イチ 質 yù ₂8422 — —
字義 ながい(長)。
解字 形声。糸＋聿音。

6【絪】12画 9133 イン 真 yīn ₂8425 — 5176
字義 ❶しとね。❷絪縕は、天地の気がさかんなさま。また、天地の気が密に交わり合うこと。用例〔易経、繋辞下〕天地絪縕。↓天の陽気と地の陰気が密に交じり合う。
解字 形声。糸＋因音。

6【綏】12画 9134 エイ ₂8427 — —
纓(9396)の俗字。→二四〓下。

6【絵】12画 9135 教2 カイ・エ 1908 8A47 —
13〖繪〗19画 9136 6973 E389 —
一 漢カイ(クワイ) 呉ガイ(グワイ) 隊 huì
二 漢カイ(クワイ) 呉エ(ヱ) 泰 huì

筆順 幺 幺 糸 糸 糸 紒 絵 絵 絵 絵

字義 一 二 ❶絵画。❷えがく。いろどる。色彩をつけた絵を書く。また、刺繡をする。❸もよう。色彩をつけた模様。また、色彩をつけた絹。

名前 え 難読 絵鞆

解字 篆文 繪 形声。糸＋会(會)音。音符の會は、うまくあつまるの意味。五彩の糸をあつめて、ししゅうするの意味から、「え」の意味を表す。

逆 図絵・粉絵

【絵事後ﾚ素】絵を描くには、まずその下地(素)の準備が十分であることが大切である。一説に「素を後にす」と読んで、彩色をほどこした後で胡粉(素)をぬって彩色を鮮明にする意に解する。根本にまごころがあってこそ礼儀作法が生きてくるというたとえ。〔論語、八佾〕

【絵素】絵。図画。

【絵塑】色彩を施した土人形。

【絵像】人物を描いた絵。肖像画。画像。

6【絓】12画 9137 ₁9003 — 5168
一 漢カイ(クワイ) 呉ケ 佳 kuā
二 漢カイ(クワイ) 呉ゲ 卦 guà

字義 一 しけ糸。ふし糸。繭からひきだしたままの練らないあら糸。二 ❶かかる。かける。❷つむぎ。

解字 形声。糸＋圭音。

6【絙】12画 9138 ₂8423 — 5170
一 漢カン(クワン) 呉ガン(グワン) 寒 huān
二 コウ 蒸 gēng

字義 一 くみひも。印のひも。二 おおなわ。＝緪(9266)。

解字 形声。糸＋亘音。

6【給】12画 9139 教4 キュウ 2175 8B8B —
漢キュウ(キフ)・呉コウ(コフ) 緝 jǐ, gěi
慣キュウ(キフ)

筆順 幺 幺 糸 糸 糸 紒 紒 給 給 給

字義 ❶たまう。たまわる。目上の人から目下の人に物品を与える。また、たまもの(賜物)。「賑給」❷あたえる。あてがう。たす(足)。また、飲食をまかなう。「供給」❸たる(足)。たりる。十分にある。備わる。「給足」❹てあて。給与。給料。❺すみやか。はやい。国 たまう。動詞にそえて尊敬・謙譲の意を表す補助動詞。

名前 たり・はる

解字 篆文 給 形声。糸＋合音。糸をつむぐとき、切れればすぐにつづけてつなぎ合わせて足すさまから、足すの意味を表す。

逆 供給・口給・支給・自給・需給・薄給・補給・有給

【給仮(假)・給暇】官吏に休暇を与えること。賜暇。

【給△犒】物を与えてねぎらう。

【給仕】国①飲食の席に侍して世話をすること(人)。②役所・会社などで雑用に使われる少年・少女。

【給事】貴人のそばに仕えること。給侍。▼給はそなわる、事はつかえる。

【給事中】官名。秦・漢には、天子の諮問に答える加官(他の官の人が兼任する官)をいい、晋以後、正式の官名となる。時代によってその属する官署は異なるが、その職務は大体、侍従・奏上・規諫(天子をいさめること)などで、清代に及んだ。

【給助】金品を与えて助ける。ほどこし。給扶。

【給足】①十分に足りる。②足す。十分に与える。

【給費】①費用を支給する。②費用にあてる。

【給付】供給交付する。渡し与える。与える。

【給与(與)】金銭や品物などを与えること。また、その金銭・品物など。

【給養】あてがい養う。金品を支給して養う。

6【結】12画 9140 教4 ケツ むすぶ・ゆう・ゆわえる 2375 8C8B —
一 漢ケツ・呉ケチ 屑 jié, ①コjiē
二 漢ケイ・呉ゲイ 霽 jì

筆順 幺 幺 糸 糸 糸 紅 紅 結 結 結

字義 一 ❶むすぶ。ゆう。ゆわえる。㋐糸やなわをつなぐ。また、むすびめをつくる。㋑つなぐ。物をつなぎ合わせる。「連結」㋒たばねる。「結束」㋓しめくくる。まとめる。「収結」㋔集める。集まる。組をつくる。同盟する。「結集」「団結」㋕かまえる(構)。組みたてる。㋖約束する。ちぎる(契)。「締結」㋗こり固まる。「凝結」㋘気がふさぐ。「鬱結」㋙草木の実がなる。「結ﾚ実」㋚終わる。完了する。「終結」❷むすび。㋐むすびめ。㋑終わり。「結末」二 ❶つなぐ。❷もとどり。髪の毛を頭の上で束ねたところ。国 ゆい。労力をたがいに貸し合うこと。また、その人。

名前 かた・ひとし・ゆ・ゆい・ゆう 難読 結城

解字 篆文 結 形声。糸＋吉音。音符の吉は緊に通じ、しっかりしめるの意味。糸をしっかりむすびあわせるの意味を表す。

逆 完結・帰結・起結・凝結・終結・集結・妥結・団結・直結・締結・凍結

【結宇】家を作る。結屋。

【結怨・結△冤】①うらみをむすぶ。うらみを生ずる。また、うらまれる。②深いうらみ。いつまでも消えないうらみ。

【結縁】一 縁をむすぶ。関係をつける。近づきになる。二 仏衆生が得道・成仏のために、縁を仏にむすぶこと。また、仏が世を救うために、衆生に縁をむすぶこと。

【結△跏△趺△坐】仏座禅する時の正しい座り方。左右の足をたがいに反対の股の上に置いて脚を組み合わせること。

【結果】①原因によってできあがった事物。↔原因(三三五〓中)。②できあがり。できばえ。③とどのつまり。果て。④植物が実をむすぶこと。また、その果実。結実。

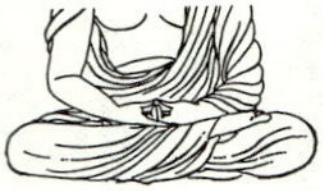
結跏趺坐

【結客】(ケッカク)　客(外来者)とよしみをむすぶ。客と近づきになる。

【結括】(ケッカツ)　くくる。むすびつける。

【結歓(歡)・結△驩】(ケッカン)　たがいによろこびあう。仲よくする。

【結願】(ケチガン)　仏願(ガン)がけの日数が終わること。満願。

【結局】(ケッキョク)　①碁の勝負(ショウブ)(局)を終わる意。②とどのつまり。ついに。

【結句】(ケック)　①詩歌の終わりの句。むすびの句。②国㋐つまり。とうとう。ついに。㋑いっそ。むしろ。

【結夏】(ケゲ)　仏陰暦四月十五日、禅宗の僧や尼が寺で安居(アンゴ)(室内にこもって行う修行)を始めること。

【結語】(ケツゴ)　むすびのことば。結言。

【結構】(ケッコウ)　①組み立て。作り方。しくみ。②国㋐もくろみ。計画。㋑すぐれてりっぱなこと。よいこと。㋒十分なこと。

【結合】(ケツゴウ)　むすび合って一つになる。むすび合わせて一つにする。

【結婚】(ケッコン)　夫婦になること。

【結△綵】(ケッサイ)　祝祭日に門や家の上などに赤い絹を張り、その両端を柱などにたれ、所々に造化をむすんだかざり。

【結子】(ケッシ)　実をむすぶ。みのる。結実。

【結△駟連騎】(ケッシレンキ)　車馬をならべて行く。行列の盛んなさま。

【結実(實)】(ケツジツ)　①植物が実をむすぶこと。実がなる。②しかと。確実な。③国具体的に成果が現れること。

【結社】(ケッシャ)　同志が共同の目的を達するために、合意によって組合を作ること。また、その団体。

【結△綬】(ケツジュ)　＝結レ綬(ジュをむすぶ)(一一三七ページ中)。

【結集】(ケッシュウ)　■集めて一つにすること。■(ケチジュウ)　仏釈迦(シャカ)の死後、門人たちが教義の統一をはかって、釈迦の遺訓・遺説を編集したこと。

【結愁】(ケッシュウ)　悲しみに心のむすぼれること。心をしめつける悲しみ。

【結晶】(ケッショウ)　①一定の法則に従い、規則正しい数個の平面で囲まれた形と内部の原子の配列とを有する固体。②つもりかたまる。こりかたまる。

【結縄(繩)】(ケツジョウ)　なわをむすぶこと。上古、文字のなかった時代に、なわをいろいろにむすんで約束のしるしとしたこと。転じて、上古の政治をいう。結縄之政(ケツジョウのまつりごと)。

【結審】(ケッシン)　国①裁判の、最後のとり調べ。②とり調べを終わること。

【結成】(ケッセイ)　①同盟する。また、会や組織を作る。②でき上がる。成就(ジョウジュ)する。

【結△帨】(ケツゼイ)　①古代中国で、娘の嫁入りに母親が帨(佩巾(ハイキン)・手拭いの類い)をむすびつけてやったこと。②結婚。

【結舌】(ケツゼツ)　だまる。沈黙する。緘口(カンコウ)。

【結草】(ケッソウ)　①草をむすぶ。②草庵(ソウアン)を作る。③恩返しをする。春秋時代、晋(シン)の大夫、魏武子(ギブシ)は死に臨んで子の顆(カ)に死後、愛妾(アイショウ)を殉死させよと遺言したが、顆は他にとつがせた。後、秦(シン)との戦いで杜回(トカイ)のため顆が危うかったとき、愛妾の父の亡霊が草を結んで杜回をつまずかせ、顆は危険を逃れ杜回を捕らえることができた、という故事に基づく。〔左伝、宣公十五〕

【結束】(ケッソク)　①しばる。たばねる。②旅行または出陣の身じたく。③国一致団結する。

【結滞(滯)】(ケッタイ)　とどこおる。とまる。▼滞も、とどこおる。

【結託】(ケッタク)　①たがいに心を合わせて助けあうこと。②悪事を行うために仲間を作ること。ぐるになること。

【結着】(ケッチャク)　①むすびつく。決著(ケッチャク)。②きまりがつく。↓決着(八一六ページ中)。

【結△轍】(ケッテツ)　車が行き来して、わだちが交錯すること。往来の多いことをいう。

【結党(黨)】(ケットウ)　①仲間として互いにむすびつくこと。党派を作ること。また、仲間に引き入れること。②国政党を結成する。

【結納】■(ケツノウ)　互いに心を通じて助けあうこと。■(ケツノウ・ゆいノウ)　結婚の約束の証拠として男女両家でとりかわす贈り物。

【結髪】■(ケッパツ)　①髪をゆうこと。②元服する。一人前の成人になること。男子は二十歳、女子は十五歳で、成人の髪をゆうからいう。③その年ごろをいう。年少。少年。少女。④夫婦になること。結婚の夜、夫婦が互いの髪をむすび合わせることからいう。⑤正妻。本妻。■(むすびがみ)　国ただぐるぐると巻きつけた女性の髪。

【結尾】(ケツビ)　おわり。むすび。結末。

【結膜】(ケツマク)　まぶたの内面から眼球の表面をおおう膜。

【結末】(ケツマツ)　物事のおわり。最終的な結果。終局。

【結盟】(ケツメイ)　ちかいをむすぶ。ちかう。

【結△縭】(ケツリ)　昔、娘の嫁入りに母親が縭(花嫁衣裳のたれひも)をむすびつけてやったこと。転じて、結婚の意。↓結帨(ケツゼイ)。用例〔詩経、豳風、東山〕親結二其縭一(したしくそのりをむすび)、九二十其儀一(そのぎをキュウジュウにす)。↓母親が親しく手ずから縭(服のひも)を結び、丁重に儀式を行う。

【結了】(ケツリョウ)　おわる。おわり。

【結△廬】(ケツロ)　いおりを構える。小屋を作る。▼廬は、いおり、そまつな家。

【結論】(ケツロン)　国①論じつめた最後の、まとめの意見。②論理学で、前提から推論して得た断定。

6【絜】12画 9141　漢ケツ　呉ケチ　■ jié, ②③xié　9004 EE6E —
【絜】9142 俗字
字義　❶きよ-い(きよし)。いさぎよい。また、きよめる。＝潔(6677)。❷くくる(束)。たばねる。❸はかる(度(タク))。長短・大小などを計る。「絜矩(ケック)」
解字　篆文　形声。糸＋㓞㊖。音符の㓞(ケツ)は、罪・けがれをとり除くためにきざむの意味。糸は、麻いとの意味。麻糸で結んできよめるの意味を表す。
【絜矩】(ケック)　さしがねで計る。▼矩は、さしがね。
【絜△矩之道】(ケックのみち)　人の心を推量し、相手のいやがることはせず、相手の好むことをするやり方。恕(ジョ)(思いやり)の道。〔大学〕
【絜斎(齋)】(ケッサイ)　ものいみ。神仏に祈願する前に、飲食・行為などをつつしみ、不浄をさけて心身を清らかにすること。潔斎。
【絜白】(ケッパク)　心がきよくけがれのないこと。潔白。

6【絜】12画 9142　ケツ　— — 5172
絜(9141)の俗字。↓一一一九ページ下。

6【絢】12画 9143　人　ケン　■ xuàn　1628 88BA —
筆順　幺 糸 糸 約 約 絢 絢 絢
字義　❶あや。織物の美しい模様。また、あやがあって美しいさま。❷はやい(疾)。
名前　あや・じゅん・はる
解字　篆文　形声。糸＋旬㊖。音符の旬は均に通じ、ひとしいの意味。均質な織り目、幾何学的な美しいもようの意味を表す。
【絢飾】(ケンショク)　美しくかざる。
【絢美】(ケンビ)　あやがあって美しいこと。
【絢文】(ケンブン)　美しいあやもよう。
【絢△爛】(ケンラン)　①きらびやかで、きわめて美しいこと。②詩文の字句が豊富で美しいこと。

6【絹】12画 9144　ケン　— — —
絹(9176)の俗字。↓一一二四ページ上。

6【絝】12画 9145　コ　— — 5173
袴(10893)と同字。↓一三八三ページ上。

6【絞】12画 9146　常　コウ　しぼ-る・し-める・し-まる　2542 8D69 —
■漢コウ(カウ)・呉キョウ(ケウ)　■ jiǎo
■漢コウ(カウ)・呉ギョウ(ゲウ)　■ xiáo

筆順 幺 糸 糸 紅 紅 紋 紋 絞 絞

字義 一 ❶しめる。くくりしめる。❷くびる。くくる。縄などで首をしめる。「絞殺」 ❸きびしい。ゆとりがない。 二 ❶死者に飾りとして用いる布の帯。 ❷もえぎ色。 国 ❶しぼる。㋐しぼって水分を取る。㋑責め苦しめる。 ❷しぼり。しぼり染め。 ❸しまる。

使いわけ
①しまる・しめる〔締・閉・絞〕⇩締(9279)。
②しぼる〔絞・搾〕
〔絞〕ねじってしぼる。また、小さくする。「絞り染め・音量を絞る」

〔搾〕強く押ししぼる。また、無理にとりあげる。「乳を搾る・税金を搾り取る」

解字 篆文 形声。糸＋交㊃。音符の交は、交差させるの意味。糸を交差させる、しめるの意味を表す。

【絞△縊】首をくくる。首をしめる。▼縊も、くびる。

【絞罪】しばり首の刑にあたる罪。

【絞殺】首をしめてころす。

【絞死】①首をくくって死ぬこと。②首をしめて殺すこと。絞殺。

【絞首】首をしめて殺す。また、その刑。絞首刑。

6 【絎】 12画 9147 ㊅コウ(カウ) ㊇ギョウ(ギャウ) 敬 háng 6914 E34D —

字義 ぬう(縫)。 国 くける。糸目を表に出さぬようにぬう。

解字 形声。糸＋行㊃。

6 【絖】 12画 9148 コウ(クワウ) 漾 kuàng 6913 E34C —

字義 わた。きぬわた。＝纊(9385)。 国 ぬめ。絹布の一種。地が薄くつやがあり。書画を書くのに用いる。

解字 形声。糸＋光㊃。

6 【絳】 12画 9149 コウ(カウ) 絳 jiàng 6912 E34B —

字義 ❶あか。濃い赤色。深紅色。 ❷地名。春秋時代の晋の都。今の山西省翼城県の南東。

解字 篆文 形声。糸＋夅㊃。音符の夅は紅に通じ、あかの意味。濃い赤の意味を表す。

【絳衣大冠】真紅の衣服と大きなかんむり。将軍の服装。〔後漢書、光武紀上〕

【絳英】真紅の花。あかい花房。絳房。▼英は、はな。

【絳河】①天の別称。②天の川。銀河。

【絳△裙】①あかいもすそ。②芸妓をいう。

【絳△闕】①あかくぬった王宮の門。②宮城。皇居。

【絳樹】①昔の美女の名。②珊瑚の別称。

【絳△裳】＝絳裙。

【絳唇・絳△脣】あかいくちびる。美人の形容。紅脣。朱唇。

【絳△繒】あかいかとりぎぬ。▼繒は、目を細かくかたく織った絹。

【絳帳】①あかいとばり。②先生の座る所。また、学者の書斎。後漢の馬融が、赤い垂れ幕を張って教えた故事による。〔後漢書、馬融伝〕

6 【絚】 12画 9150 コウ 縆(9266)と同字。→一〇三三ページ下。 28424 — 5171

6 【絙】 12画 9151 ㊅コツ ㊇ゴチ 月 hú — — 5169

字義 糸がめぐる。

解字 会意。糸＋回。

6 【紫】 12画 9152 常 シ むらさき シ 紙 zǐ 2771 8E87 —

筆順 丨 ト 上 止 止 此 此 紫 紫 紫

字義 ❶むらさき。色の名。青と赤のまじった色。 ❷帝王・神仙・道教などに関する事物に冠する語。むらさきは、もと帝王・神仙の色とされていたことに基づく。「紫禁」 国 むらさき。㋐むらさき草。根からむらさき色の染料をとる。㋑醤油の別名。

名前 し・むら・むらさき 難読 紫雲英・紫香楽・紫合・紫菜・紫波

解字 篆文 形声。糸＋此㊃。音符の此は觜に通じくちばしの意味。くちばしのような色、むらさきの意味を表す。

逆 金紫・紅紫・青紫

【紫衣】一 ①むらさき色の衣服。もと、君主の服。②苔の一種。 二 仏むらさき色の袈裟。

【紫雲】①天子・聖人・神仙などの居る所にたなびくというむらさき色の雲。瑞雲。②仏念仏修業する人の臨終に、弥陀三尊が極楽から乗って迎えに来るという雲。

【紫雲英】れんげそう。マメ科の越年草で、春、紫紅色の花を開く。

【紫△苑】一 むらさきの花園。 二 菊科の多年草。秋に淡紫色の花を開く。

【紫煙】①むらさき色のけむり。②むらさき色のもや。 用例〔唐、李白、望盧山瀑布詩〕日照香炉生紫煙、遥看瀑布挂前川 ③むらさき色のもやのたちこめている所。帝王・神仙などの居所。④国たばこのけむり。

【紫△燕・紫△鷰】昔の良馬の名。

【紫△霞】①むらさき色のかすみ。②神仙の宮殿にたなびくかすみ。転じて、神仙の住む宮殿。仙宮。仙界。

【紫蓋】①むらさき色の車のおおい。②嵐気(山中に立ちこめるもや)。

【紫閣】①むらさき色の宮殿。②神仙や、隠者のすまい。③中書省。

【紫気(氣)】①むらさき色の雲気。むらさき色のもや。めでたいこと、楽しいことの前兆とされる。②剣の光の形容。

【紫宮】①星座の名。紫微宮。天帝の居所という。②天子の居所。皇居。③神仙の居所。④道教の寺院。道観。

【紫虚(虛)】天をいう。大空。▼虚は、そら。

【紫極】①天子の居所。皇居。②天子の位。

【紫金山】江蘇省南京市の東にある山。別名、鍾山。明の孝陵や、孫文の中山陵などがある。

【紫禁】皇居をいう。

【紫禁城】北京にある明・清代の宮城の名。紫金城とも書く。

【紫△荊】中国原産のマメ科の落葉低木。はなずおう(花蘇芳)。

【紫△誥】天子のみことのり。詔書。むらさき色の印泥を用いて封をしたからいう。

【紫芝】薬草の名。むらさき色の霊芝(ひじりだけ・さいわいだけ)。

【紫△霄】①天空。そら。▼霄は、空・おおぞら。②王宮。

【紫△宸】天子の御殿。▼宸は、天子の居所。

【紫△宸殿】一 唐・宋代の宮殿の名。諸侯が朝する所。路寝。 二 国皇居の正殿。朝賀・即位などの諸公事を行う御殿。南殿。

【紫△翠】①むらさきとみどり。山の色の美しい形容。②宝石の名。紫翠玉。濃緑色で、明かりに照らすと紫赤色を呈する。アレクサンドライト。

【紫清】(シセイ) 天空。㋐そら。㋑神仙の居所。

【紫石】(シセキ) ①紫水晶。紫石英。②鋭いひとみの形容。③むらさき色のすずり。

【紫△髯緑眼】(シゼンリョクガン) 赤茶色のほおひげと、青い目。西方の異民族の顔の形容。用例〔唐、岑参、胡笳歌送₃顔真卿使₂赴河隴₁詩〕君不₂聞胡笳声最悲₁。紫髯緑眼胡人吹。↓聞きたまえ、胡笳の音色が大変悲しげなのを。赤みがかったひげで緑色の眼の胡人が吹いているのだ。

【紫△蘇】(シソ) シソ科の一年草。葉と実に香気があり、食用香味科として用いる。

【紫台(臺)】(シダイ) 神仙、また、天子の居所。紫宮。

【紫△闥】(シタツ) ①宮中の門。②皇居。

【紫奪₂朱₁】(むらさきシュをうばう(ふ)) 間色のむらさきが正色の朱よりも人に喜ばれ用いられること。邪佞(ジャネイ)(よこしま口さきのたくみ)の者が用いられて正しい者が遠ざけられることのたとえ。〔論語、陽貨〕

【紫△檀】(シタン) マメ科の常緑高木。熱帯地方に産し、材質が堅く、暗赤色。上等の器物を作るのに用いる。

【紫竹】(シチク) 幹に紫黒色のまだらのある竹。かんちく。苦竹。

【紫庭】(シテイ) ①宮城の庭。②皇居。

【紫泥】(シデイ) ①むらさき色の印泥。昔、書を封ずるのに印泥を用い、天子の書には紫泥を用いた。②「紫泥書(天子の詔勅書)」の略。

【紫電】(シデン) ①むらさき色の電光(いなずま)。②むらさき色の光。めでたい光。瑞光(ズイコウ)。③鋭い眼光の形容。④きらりとひらめく刀剣の光の形容。⑤速いさまの形容。⑥呉(国名)の宝剣の名。

【紫洞】(シドウ) ①仙人の居所。②奥深く静かな場所・宮殿。

【紫△陌】(シハク) ①帝都の道路。②帝都の市街。都。

【紫微】(シビ) ①北斗星の北にある星の名。天帝の居所という。紫微宮。②王宮。皇居。宮城。また、都。③唐代、中書省の別名。紫微省。

【紫△薇】(シビ) さるすべり。ミソハギ科の落葉高木。

【紫服】(シフク) むらさき色の衣服。高位高官の人が着る。

【紫陽花】(シヨウカ・あじさい(ゐ)) ユキノシタ科の落葉低木。

【紫嵐】(シラン) 山のむらさき色のもや。▼嵐は、むらさきまたは青色に見える山気。

【紫△蘭】(シラン) 花の名。ラン科の多年草。

【紫△騮】(シリュウ) 暗褐色の馬。黒栗毛(くりげ)の馬。

6 【絲】 12画 (9058) シ 糸(9057)の旧字体。→一一〇三ジ上。

6 【絑】 12画 9153 シュ 廣 zhū ― ― 5167

字義 ❶朱色。❷もみ。紅で無地に染めた絹布。

解字 形声。糸+朱㊥。音符の朱は、朱の色の意味。

6 【絨】 12画 9154 標 漢ジュウ(ジウ) 呉ニュウ(ニウ) 東 róng 6916 E34F ―

字義 ❶地の厚い毛織物。❷刺繡(シシュウ)用の糸。

解字 形声。糸+戎㊥。

【絨△毯】(ジュウタン) 毛で織った厚地の敷物。絨緞(ジュウタン)。絨氈(ジュウタン)。

6 【絮】 12画 9155 ㊀ショ 御 xù ㊁チョ 御 chù 慣ジョ 6917 E350 ―

字義 ㊀❶わた。㋐繭(まゆ)を水にひたして伸ばして作ったわた。真綿。㋑古綿。古い真綿。新しいものを綿という。❷柳のわた毛や雪片をたとえていう。「柳絮」❸わたいれ。❹くどい。くだくだしい。「絮説」㊁ととのえる。味を調える。「絮₂羹₁(あつものをととのう(ふ))」

解字 篆文  形声。糸+如㊥。音符の如は、しなやかの意味。しなやかな纖維のわたの意味を表す。

【絮衣】(ジョイ) ①ぼろぼろの着物。破れ衣。②綿入れの衣。

【絮△纊】(ジョコウ) わた。▼絮は古綿、纊は新しい綿。

【絮絮】(ジョジョ) ①物事にとらわれて決定しない。ためらうさま。②綿や羽毛などがはいっていて暖かいさま。③くどくど話すさま。

【絮説】(ジョセツ) くどくどと述べる。

【絮煩】(ジョハン) くだくだしい。くどい。わずらわしい。

6 【絍】 12画 9156 ジン 紝(9086)と同字。→一一〇九ジ中。 ― ― 5166

6 【紪】 12画 9157 セイ 緀(9219)と同字。→一一三七ジ下。 ― ― 5156

6 【絏】 12画 9158 セツ 紲(9118)と同字。→一一一六ジ中。 6918 E351 ―

6 【絶】 12画 9159 教5 ゼツ た-える・た-やす・た-つ 3268 90E2 ―

6 〖絕〗 12画 9160 漢セツ・呉ゼチ 屑 jué 慣ゼツ

筆順 幺 糸 … 絶

字義 ❶たつ。㋐断ち切る。中断する。㋑さえぎる。とめる。やめる。用例〔論語、子罕〕子絶₂四(シをたつ)₁。↓孔子は四つのことをやめた。㋒こばむ。ことわる。用例〔後漢書、張奐伝〕奐悪₂卓為₁人、絶而不₂受(たちてうけず)₁。↓張奐(チョウカン)は董卓(トウタク)の人柄を憎み(カンはタクのひととなりをにくみ)、贈り物を拒んで受けとらなかった。㋓た-やす。なくす。滅ぼす。尽くす。「根絶」㋔殺す。
❷た-える。㋐切れる。たち切れる。なくなる。㋑とぎれる。とまる。「断絶」㋒ほろびる。㋓死ぬ。
❸かけはなれる。㋐へだたる。はなれている。用例〔三国魏、曹操、却東西門行〕長与₂故根₁絶、万歳不₂相当₁(バンサイまであい(ひ)あたらず)。↓もとの根と離れ、永遠に出会うことはない。㋑遠い。中心から離れている。用例〔三国志、魏志、劉曄伝〕呉絶在₂江漢之表₁(ゴはぜっしてコウカンのヒョウにあり)。↓呉は遠く長江・漢水の向こうにある。㋒すぐれている。まさる。用例〔南朝宋、鮑照、代朗月行〕鬢奪₂衛女迅₁、体絶₂飛燕先₁(かみはエイジョのはやきをうばい(ひ)、からだはヒエンのさきんずるにぜっす)。↓髪の美しさは衛皇后にもまさり、体の軽やかさは趙飛燕(チョウヒエン)にもまさる。㋓きわまる。「絶頂」
❹わたる。㋐横ぎる。まっすぐに渡る。用例〔荀子、勧学〕仮₂舟楫₁者(シュウシュウをかるものは)、非₂能₁水也(みずにたう(ふ)るにあらざるなり)、而絶₂江河₁(しかるにコウカをわたる)。↓舟と楫(かじ)の助けを受ける者は、自分が水に浮いて乗り越えられるわけではないが、川を横切り渡ることができる。㋑よぎる。通過する。用例〔漢書、武帝紀〕衛青復将₂六将軍₁絶₂幕(エイセイまたロクショウグンをひきい(ゐ)てバクをわたる)₁。↓衛青はふたたび六将軍を率いて砂漠をよぎった。
❺けわしい(険)。きり立っている。「絶壁」「絶崖」
❻た-えて。全く。決して。用例〔南宋、陸游、老学庵筆記〕今則絶不₂復見₁(いまはすなわ(は)ちたえてまたみず)。↓いまではすっかり見ることはない。
❼はなは-だ。きわめて。用例〔唐、杜甫、新安吏詩〕中男絶短小(チュウダンははなはだタンショウなれば)、何以守₂王城₁(なにをもってかオウジョウをまもらん)。↓中男たちはひどく体が小さいので、どうして洛陽(ラクヨウ)城を守ることができようか。
❽絶句の略。「五絶」

名前 たう・たえ

使いわけ たつ〔断・絶・裁〕⇩断(4600)。

解字 甲骨文  篆文  会意。糸+刀+卩。卩は、人がひざを折る形にかたどる。刃物で糸を切り、人がひざを折るさまから、中断する・たつの意味を表す。常用漢字の絶は、絲に横の三線を入れて、糸を切る形にかたどる。甲骨文は、刀+卩の部分を色に変形させたもの。

逆 介絶・隔絶・奇絶・気絶・義絶・凝絶・拒絶・根絶・謝絶・秀絶・殊絶・勝絶・壮絶・断絶・超絶・途絶・廃絶・

妙絶

【絶異】①他とはなはだしく異なる。②非常にすぐれている。

【絶域】①中央から遠くはなれた土地。辺境。②外国。③世間からかけはなれた土地。絶境。

【絶遠】①関係を断ち切って遠ざける。しりぞける。捨てる。②非常に遠い。また、その土地。

【絶縁】①縁を切る。関係を断つ。②電気や熱が通じないようにすること。

【絶艶(艷)・絶△豔】非常にあでやかで美しいこと。

【絶佳】非常によい。すばらしい。はなはだすぐれている。

【絶海】①陸から非常に遠くはなれた海。②海を渡る。海を通る。海を横ぎる。また、海の上を飛ぶ。

【絶海中津】国室町時代の禅僧。土佐(今の高知県)の人。絶海は号、中津は名。俗姓藤原氏。義堂周信とともに夢窓疎石に師事した。五山文学の代表者で、詩をよくし、書も巧みであった。著書に『絶海録』『蕉堅稿』などがある。(一三三六—一四〇五)

【絶学(學)】①中絶して伝わっていない学問。すたれている学問。②学をたつ。学問をやめる。

【絶△壑】深くけわしい谷。絶谷。絶澗。

【絶奇】非常に珍しい。すぐれている。また、そのもの。

【絶棄】たちすてる。きりすてる。

【絶伎・絶技】非常にすぐれた技術。また、技術がこの上なくすぐれている。

【絶叫】大声でさけぶ。声を限りに叫ぶ。

【絶境】世間から遠くはなれた(隔絶した)土地。用例〔東晋、陶潜、桃花源記〕来二此絶境一、不二復出一焉。↓この世間から隔絶した土地にやって来て、それから二度と外へ出ていない。

【絶響(響)】名曲などのたえほろびること。また、その曲をいう。晋の嵆康が死刑に処せられるとき、琴の名曲、広陵散もこれで絶えるであろうと言った故事による。〔晋書、嵆康伝〕

【絶業】たえてしまった事業。

【絶句】①近体の漢詩の一種。四句から成り、初句から順に起句・承句・転句・結句と呼ぶ。五字句四句の五言絶句(押韻は、一・二・四句の末尾)、七字句四句の七言絶句(押韻は、一・二・四句の末尾)とがある。⇩コラム漢詩(八六六ページ)。②国話の途中でことばにつまって続かなくなること。

【絶景】非常にすぐれた景色。すばらしい景色。

【絶弦・絶△絃】琴の弦をたち切る。親友の死を悲しむこと。春秋時代、伯牙は琴の名手で、親友の鍾子期はよくそれを理解したが、鍾子期の死を聞くや、伯牙は琴糸をたち切って二度と琴をひかなかったという故事による。〔呂氏春秋、本味〕

【絶後】①後に同様のことが決してないこと。今後にないこと。「空前絶後」②あとつぎのないこと。③死んだ後。死後。

【絶交】まじわりをたつ。交際をやめる。

【絶好】①きわめてよい。この上なくよい。②よしみをたつ。絶交する。

【絶国(國)】①遠くはなれた国。②絶縁の国。

【絶才】非常にすぐれた才能。また、その持ち主。

【絶塞】①遠い国境のとりで。②遠い国境。遠く離れた外地。絶域。③国境のとりでを越える。

【絶賛(贊)・絶△讃】非常にほめたたえること。

【絶四】意・必・固・我の四つをたって、執着の心がないこと。▼意は私意をさしはさむこと、必は何でもかでもやると主張すること、固は固執すること、我は自我を張ること。

【絶△祀】＝絶レ祀(一〇三四ページ・下)。

【絶唱】すぐれた詩歌・文章をいう。

【絶勝】①非常にすぐれている。きわめてまさっている。②非常にすぐれた景色。③地勢のすぐれた土地。

【絶色】①すぐれて美しい容色。また、すばらしい美人。②非常に美しい色。

【絶△塵】①俗世間と関係を絶つこと。世間をのがれる。世俗を超越している。②塵ひとつたてないこと。馬などが非常に軽やかに、かつ速く走るさまの形容。

【絶世】①世に並びなくすぐれていること。「絶世独立」②子孫がたえてあとつぎのない家。③世をたつ。㋐世を捨てる。㋑死ぬ。

【絶跡・絶△迹】①あとをたってゆくえをかくす。世人と遠くへだたること。②非常に特殊な事がら。またとない事。③人里遠く離れた所。人の来たことのない所。

【絶息】①たえる。やむ。なくなる。▼息も、やむ。②息がたえる。死ぬ。

【絶俗】①世俗とかけはなれること。世事を捨てること。俗事に関係しないこと。②世俗一般よりはるかにすぐれていること。

【絶体(體)絶命】国からだも命もつき極まる意。どうにものがれようのない、さしせまった状態をいう。体を対と書くのは誤り。

【絶対(對)】国⇔相対(一〇〇六ページ・中)。①対立するもの・対立すべきもののないこと。②少しも他から制約を受けないこと。③何らの前提や約束によることなく、それ自体として存すること。④哲学用語。宇宙の根底として無条件・純粋・完全で、自ら独立に存在する唯一の者(最高者)。

【絶大】非常に大きい。この上なく大きい。

【絶代】①＝絶世①。②世にまれなこと。③遠くかけ離れた時代。

【絶地】①ぬけ出しにくい難所。のがれる方法のない場所。②非常に遠くへだたった土地。

【絶頂】①一番高いいただき。山などの最も高い場所。てっぺん。絶巓。②物事の極点。最高の状態。

【絶倒】①気絶して倒れる。また、急に倒れる。卒倒。②曲がり倒れる。極度の感情のたかまりのため自分で自分がわからなくなるさまの形容。㋐腹をかかえて笑うさま。ころげまわって笑うさま。「捧腹絶倒」㋑非常な悲しみや憂えのためにくず折れるさま。身もだえして悲しむさま。㋒非常に感服・敬服して上体を倒し頭をさげるさま。傾倒。

【絶島】陸地から遠くはなれている島。絶海の孤島。

【絶幕・絶漠】砂漠を横断すること。また、遠くはなれている砂漠。▼幕は、漠に通じ、砂漠。

【絶筆】①絶命の時に書いた筆跡。一生の最後に書いたもの。②比類なくすぐれた筆跡。③筆をたつ。書くことをやめる。筆をおく。擱筆。絶麟。

【絶品】非常にすぐれた品。

【絶壁】きり立って、非常にけわしいがけ。きりぎし。

【絶望】のぞみをたつ。希望が全くなくなること。

【絶妙】非常にすぐれていること。きわめてたくみなこと。

【絶無】①全くない。少しもない。②絶えていて存在しない。

【絶無△而△僅有】きわめてまれなこと。非常に少ないこと。

【絶命】命がたえる。死ぬ。また、命をたつ。

【絶命詞】死ぬ時に言いのこすことば。また、死ぬ時に作る詩歌文章。辞世の詞。絶命辞。

【絶滅】①たえほろぶ。全くなくなる。②たやしほろぼす。ほろぼしつくす。

【絶粒】①穀類がなくなる。②穀類をたべない。絶食。

【絶糧】①食糧がたえる。②食糧をたって食べない。

【絶力】すぐれた力。大力。

【絶倫】同類からかけはなれている意。人なみはずれてすぐれていること。▼倫は、類・同類。

【絶△麟】ゼツリン ＝絶筆③。孔子が『春秋』（経書の名）を編修し、魯ロの哀公十四年の獲麟（麒麟キリンをつかまえた）の記事で筆をおいた故事による。

6 【絰】12画 9161 漢テツ 呉デチ 屑 dié ₂8426 — 5177
字義 おび。喪服を着た時に首と腰に巻く麻の帯。首に巻くものを首絰・環絰、腰に巻くものを要絰・絰帯という。「哀絰サイテツ」
解字 形声。糸＋至音。

6 【統】12画 9162 教5 トウ すべる 漢トウ 宋 tǒng 3793 939D —
筆順
【統】9191 俗字
字義 ❶すべる。㋐一つにまとめる。「統一」㋑すべ治める。「統治」❷おおすじ。全体につながる、本となるすじ。「正統」❸血すじ。続きあい。「血統」❹いとぐち（緒）。はじめ。❺のり（法）。きまり。❻すべて。全体で。とりまとめて。
名前 おさ・おさむ・かね・すみ・すめる・つぐ・つづき・つな・つね・とう・とし・とも・のり・はじめ・むね・もと
解字 篆文 形声。糸＋充音。音符の充は、みたすの意味。多くの糸を集めて一本の糸とする、すべるの意味を表す。
逆 一統・王統・学統・系統・血統・正統・聖統・総統・大統・伝統・道統
【統一】トウイツ 一つにまとめる。また、一つにまとまる。
【統括】トウカツ すべくくる。一つにまとめる。◈「統括」と「統轄」は、もと法令では意味を異にしていたが、昭和二十九年、法令用語改正で「統括」に統一されて以来、一般でも「統括」が多く用いられる。
【統轄】トウカツ すべ治める。すべつかさどる。→統括。
【統管】トウカン 全体をすべつかさどる。
【統監】トウカン 全体を合わせて監督すること。また、その人。政治・軍事についていう。
【統御・統△馭】トウギョ 一つにまとめて治める。全部を治める。
【統計】トウケイ 同種類に属する個々の現象を、数量的に整理統合することによって、その一般的な法則・状態などを表すこと。
【統合】トウゴウ 国すべ合わせる。一つにまとめる。
【統帥】トウスイ すべひきいる。統率する。また、その人。
【統制】トウセイ ①すべ治める。まとめて取り締まる。②官名。出征軍の司令官。③国一定の計画のもとに規制によって制限すること。
【統率】トウソツ 全体をまとめてひきいる。かしらとなってひきいる。
【統治】トウチ ①すべ治める。②主権者が、国・人民を治めること。
【統督】トウトク すべつかさどる。すべただす。統轄。
【統領】トウリョウ すべ治める。また、その人。かしら。
【垂レ統】トウヲたる 子孫の受けつぐべきいとぐちを後にのこす。事業の基盤を作って子孫にのこすこと。垂統スイトウ。用例（孟子、梁恵王下）君子創レ業垂レ統クンシギョウヲはじめトウヲたる ↓君子は基を作り、子孫の受け継ぐべき糸口を後にのこす。

6 【絧】12画 9163 一漢トウ 呉ドウ 東 tóng 二漢トウ・呉ドウ 送 dòng — — 5175
字義 一布の名。二鴻絧コウトウは、㋐まっすぐ走るさま。㋑相連なるさま。㋒深く遠いさま。
解字 形声。糸＋同音。

6 【絥】12画 9164 漢フク 呉ブク 屋 fú — — 5174
字義 車の軾ショク（前方の横木）の上の覆い。
解字 形声。糸＋伏音。

6 【絣】12画 9165 標 漢ホウ（ハウ） 呉ヒョウ（ヒャウ） 庚 bēng 6919 E352 —
【絣】9234 正字
字義 ❶きぬ。無地の絹。❷わた（綿）。❸つぐ（継）。また、続く。続ける。国かすり。所々かすったような模様のある織物。また、その模様。
解字 形声。糸＋并（幷）音。

6 【絡】12画 9166 常 ラク からむ・からまる・からめる 漢ラク 薬 luò 4577 978D —
筆順
字義 ❶まとう（まとふ）。からむ。からまる。からめる。からげる。まきつく。まとわる。まきつける。❷めぐる。めぐらす。❸つなぐ。つながる。続く。「連絡」❹きずな。馬などをつなぐ綱。たづな。❺すじ。㋐血管や神経などの細いすじ。㋑すじみち。「脈絡」
名前 つら・なり
解字 篆文 形声。糸＋各音。音符の各カク＝クラは、虘ロに通じ、めぐらすの意味。糸をめぐらす、まとうの意味を表す。
逆 経絡・脈絡・連絡
【絡緯】ラクイ 虫の名。こおろぎ。きりぎりす。一説に、くつわむし。
【絡△繹・絡駅（驛）】ラクエキ 連なり続くさま。人馬の往来などの絶えず続くさま。▼繹も、連なる・続く。
【絡頭】ラクトウ ①おもがい。馬のたてがみの上からくつわにかけるかざり。②頭にまきつける布。
【絡脈】ラクミャク すじみち。また、人体の神経・血管など。脈絡。

6 【絫】12画 9167 ルイ 累（9129）の本字。→一一二七ジペー中。 ₂8421 — —

6 【⿰糸旨】12画 9168 国字 ₂8420 — —
字義 きぬ（絹）。

6 【⿰糸如】12画 9169 国字 — — —
字義 のみ。船の浸水を防ぐためのつめもの。また、船の排水口の栓。

7 【綎】13画 9170 エン 先 銑 霰 yán — — 5192
字義 冠の前後に垂らす覆い。
解字 形声。糸＋延音。

7 【絿】13画 9171 漢キュウ（キウ） 呉グ 尤 qiú ₂8428 — 5181
字義 ❶きびしい。❷ゆるやか。❸もとめる。❹東絿は、周代の大学の一つ。
解字 形声。糸＋求音。

7 【継】13画 9172 常 ケイ つぐ 2349 8C70 —
14 【繼】20画 9173 ケイ 霽 jì 6975 E38B —
筆順
【㡭】3173 同字
字義 ❶つぐ。㋐つなぐ。「中継」㋑続ける。「継続」㋒受けつぐ。受けつたえる。「継承」❷つぎ。あとをひきうける人。あとつぎ。用例（戦国策、趙）趙主之子孫侯者、其継有レ在者乎チョウシュのシソンのコウたるもの、そのケイあるものありや ↓趙の君主のご子孫で侯となられたかたの中で、そのお世継ぎが続いている家があるでしょうか。❸ついで。㋐続いて。㋑やがて。間もなく。国❶つぎ。着物や布の破れに他のきれを当てて補修すること。また、そのきれ。❷まま。血のつながりのないことを表す。「継母ままはは」
名前 けい・つぎ・つぐ・つね・ひで
使いわけ つぐ〔次・継・接〕⇨次（5944）。

解字 金文 篆文 象形。金文は、糸に糸をつなぐ形にかたどり、つぐの意味を表す。のち、さらに糸を付し、糸＋㡭(音)の形声文字となる。

逆 後継・承継・紹継

【継起】ケイキ ①あとに続いておこる。②あとをついで起こす(さかんにする)。

【継妻】ケイサイ 後ぞいのつま。後妻。

【継子】ケイシ・ままこ 義理の子。配偶者の子で自分と血のつながりのない子。ままこ。

【継嗣】ケイシ 同嗣継。①つぐ。あとをつぐ。②あとつぎ。あととり。相続人。継弐ケイジ。

【継室】ケイシツ ①後ぞいの妻。後妻。継妻。②室をつぐ。妻のあとをつぐ。正妻のあとをついで妻となる。

【継述】ケイジュツ 前人のあとをついでその事を明らかに述べ行うこと。継承祖述。

【継承】ケイショウ あとを受けつぐ。▼承は、うける。

【継△踵】ケイショウ あとをつぐ。ひきつぐ。▼踵は、かかと。

【継続(續)】ケイゾク あとを受けつぐ。また、続ける。

【継体(體)】ケイタイ 先祖のあと、天子の位をつぐ。また、その人。皇太子。

【継父】㊀ケイフ 父をつぐ。父のあとをつぐ。㊁ケイフ・ままちち 母の夫であって、自分の実父でない人。

【継母】ケイボ・ままはは 父の妻であって、自分の生母でない人。

7【經】13画 (9103) ケイ 経(9102)の旧字体。→二二三㌻中。

7【綗】13画 9174 ケイ 絅(9105)の俗字。→二二三㌻下。 ₂8433 — 5193

7【綌】13画 9175 漢ケキ・呉キャク 陌 xì 慣ゲキ ₂8432 — 5189

字義 葛くずの粗い糸で織った布。また、その布で作った衣服。かたびらの類い。「絺綌」

解字 篆文 形声。糸＋谷(音)。音符の谷は、隙ゲキに通じ、すきまの意味。すきまのあるあらいおりめの布の意味を表す。

7【絹】13画 9176 教6 ケン きぬ ㊀ケン 霰 juàn ㊁ケン 銑 2408 8CA6 —

［絹］9144 俗字

筆順 幺 糸 糸 糸 糸口 絹 絹 絹

字義 ㊀きぬ。蚕の繭まゆからとった糸。また、それで織った織物。㊁からめとる。＝羂(9472)。

名前 きぬ・まさ

解字 篆文 形声。糸＋肙(音)。音符の肙エン＝ケンは、細く小さいの意味。細い糸、きぬいとの意味を表す。

逆 素絹・練絹

【絹素】ケンソ 書画を書くのに用いる白いきぬ。▼素は、白絹。

【絹△綢】ケンチュウ 絹織物の一つ。やままゆに似た蚕の糸で織ったもの。きぬつむぎ。

【絹△帛】ケンパク きぬ。絹織物。

【絹布】ケンプ ①絹織物ともめん織物。②絹織物。

【絹本】ケンポン 書画を書くのに用いる絹地。また、絹地に書画を書いたもの。↔紙本(二一〇八㌻下)。

7【絸】13画 9177 ケン 繭(9355)の古字。→二二四一㌻上。 — — 5178

7【綆】13画 9178 漢コウ(カウ) 呉キョウ(キャウ) 梗 gěng ₂8430 — 5186

字義 つるべなわ。井戸なわ。つるべにつけて井戸の水をくみ上げるなわ。

解字 篆文 形声。糸＋更(㪅)(音)。音符の㪅コウは、かたいの意味。つよくかたいなわ、つるべなわの意味を表す。

7【綋】13画 9179 コウ 紘(9078)の俗字。→二一〇七㌻下。 ₁9007 — 5188

7【綑】13画 9180 コン 阮 kǔn — — 5191

字義 ❶織る。❷打つ。たたく。

解字 形声。糸＋困(音)。

7【綉】13画 9181 シュウ 繡(9373)の俗字。→二二四四㌻上。 6921 E354 —

7【綃】13画 9182 ショウ(セウ) 蕭 xiāo ₁9006 — 5184

字義 ❶きいと(生糸)。また、きぎぬ(生絹)。❷あやぎぬ。また、うすぎぬ。

解字 篆文 形声。糸＋肖(音)。音符の肖ショウは、小さく細いの意味。きいと、また、きぎぬの意味を表す。

【綃△紈】ショウガン 薄いしろぎぬ。

【綃△縠】ショウコク うすぎぬ。▼縠も、うすぎぬ。

【綃素】ショウソ しろぎぬ。

7【〓】13画 9183 ショク 織(9360)と同字。→二二四一㌻中。 ₂8429 — —

7【綅】13画 9184 ㊀シン 侵 qīn ㊁セン 塩 xiān — — 5185

字義 ㊀糸。また、縫う。㊁縦糸が白く横糸が黒い絹。

解字 形声。糸＋侵省(音)。

7【綏】13画 9185 ㊀スイ 支 suí, suī ㊁タ 哿 tuǒ 6923 E356 —

字義 ㊀❶やすい(やすし)。やすらか。また、やすんじる。❷車のとり手。車に乗るとき、また、車中に立っているときにつかまるひも。❸とめる。とどめる。㊁たれる(垂)。さげる。

解字 甲骨文 篆文 形声。糸＋妥(音)。音符の妥は、やすらかの意味。車に乗るときの安定を保つためのひも、車のとっ手の意味を表し、やすらかの意味をも表す。

【綏安】スイアン 安んじる。安らかにすること。

【綏遠】スイエン ①遠い地方をしずめ安んじる。②旧省名。山西・陝西セン両省の北に接していたが、今は内モンゴル自治区に編入された。

【綏懐(懷)】スイカイ 手なずける。手なずけ従わせる。

【綏綏】スイスイ ①つれだって行くさま。②つれあい(配偶者)をさがし求めるさま。③雨・雪などの降りそそぐさま。④水のそそぎ落ちるさま。さらさら。たらたら。「綏綏灑灑サイ」⑤安らかなさま。

【綏△靖・綏静(靜)】スイセイ 安んじる。しずめ安んじる。

【綏定】スイテイ 国家をよく治めて安定させる。

【綏寧】スイネイ ＝綏靖・綏静。

【綏△撫】スイブ 安んじいたわる。▼撫は、なでる。

7【続】13画 9186 教4 ゾク つづく・つづける 3419 91B1 —

15【續】21画 9187 呉ゾク 漢ショク 沃 xù 6984 E394 —

筆順 幺 糸 糸 糸 糸十 紶 続 続 続

字義 ❶つづく。つらなる。つながる。「継続」❷つづける。つづけて。❸つぐ(継)。絶えた所をつぎ続ける。㋐つらねる。㋑つけ足す。㋒つなぐ。❹つづき。㋐つづくこと。㋑後につづくもの。二の舞。用例 [史記、項羽本紀]此亡秦続耳これボウシンのゾクのみ。↓これでは亡んだ秦の二の舞にすぎない。

名前 つぎ・つぐ・つづく・ひで 難読 続飯そくい

解字 甲骨文 篆文 形声。糸＋売(賣)(音)。音符の賣ショクは、属に通じ、つづくの意味。糸がつづくさまから、つぐ・つづくの意味を表す。

逆 継続・持続・接続・相続・断続・陸続

【続弦・続△絃】ゾクゲン 二度めの妻を迎えること。琴瑟キンシツの糸の切れたのをつなぐ意。夫婦を琴瑟にたとえることからいう。

▼瑟は、琴に似てそれより大きな楽器。

【続行】ゾッコウ ひきつづいて行う。

【続成】ゾクセイ あとをついで仕上げる。

【続続】ゾクゾク あとからあとからひきつづくさま。用例〔唐、白居易、琵琶行〕低眉信手続続弾（まゆをたれてにまかせてゾクゾクとしてダンず）、説尽心中無限事（ときつくすシンチュウムゲンのこと）。↓伏し目がちに手にまかせて、後から後から弾き続け、まるで心中の無限の思いを語りつくすようであった。

【続△貂】ゾクチョウ ①りっぱなもののあとに粗悪なものがつづくこと。▼貂は、高位の人の冠の飾り。②高官の人。晋の趙王倫の一党が下僕に至るまで高官になったので、世人が、高官になる資格のある人だけでは足りないとみえて、犬のしっぽのようなつまらない人までも高官に任じた（貂不足狗尾続）とそしった故事に基づく。〔晋書、趙王倫伝〕③他人の残した事業をつぐことを謙遜していう。

【続発（發）】ゾクハツ 国つぎつぎとおこる。続生。

【続文章軌範】ゾクブンショウキハン 書名。七巻。『文章軌範』にならって周末から明代までの文章を集めたもの。明の鄒守益の編と称するが、実は書籍商の手に成ったもの。

【続編・続△篇】ゾクヘン 正編につづく編。つづきとして出る本。

7 【絺】13画 9188 チ 支 chī ｜9005 ― 5179

字義 葛の細い糸で織った布。また、その布で作った衣服。かたびらの類い。

解字 篆文 形声。糸＋希音。音符の希キ＝チは、織り目が少ない、まれの意味。葛の繊維で織った、比較的目のあらい布の意味を表す。

【絺衣】チイ かたびら。葛衣。

【絺△綌】チゲキ かたびら。▼綌は、葛の繊維で織ったあらい布で作った衣服。

7 【綈】13画 9189 漢テイ 呉ダイ 斉 tí ｜2 8431 ― 5187

字義 あつぎぬ（厚絹）。つむぎ。太糸で厚く織った絹。

解字 形声。糸＋弟音。

【綈△袍】テイホウ 厚い絹の綿入れ。どてらの類い。

【綈△袍恋（戀）恋（戀）】テイホウレンレン 旧恩を思うことのたとえ。また、友情の厚いたとえ。戦国時代、秦の宰相范雎が、魏の須賈から、寒苦をあわれんで綈袍を与えられたのに対して言った語。▼恋恋は、情の厚いこと。〔史記、范雎伝〕

7 【絛】13画 9190 トウ（タウ） 慣ジョウ（デウ） 豪 tāo ｜6922 E355 ―

〔縧〕9331 同字

字義 ❶さなだ。さなだひも。ひらひも。うちひも。糸を組んで作った平たいひも。❷馬絛は、馬の腹帯。❸絛虫は、人体の寄生虫の名。さなだむし。条虫。

解字 篆文 形声。糸＋攸音。音符の攸ユウ＝トウは、長いすじの意味。長く編んだひもの意味を表す。

7 【綂】13画 9191 トウ ｜― ― 5183

統（9162）の俗字。→一一三一ページ上。

7 【綍】13画 9192 一 漢フツ・呉フチ 物 fú 二 ヒ 未 fú ｜― ― 5190

字義 一 棺を引くための縄。二 大綱。

解字 形声。糸＋孛音。

7 【絻】13画 9193 一 漢ブン・呉モン 問 wèn 二 漢ベン・呉メン 銑 miǎn ｜― ― 5180

字義 一 ❶喪の時に用いる一種の冠。頂上の部分がなく、はちまきのように頭につける。❷ひつぎづな。棺（ひつぎ）を引く綱。二 かんむり（冠）。＝冕（772）。

解字 形声。糸＋免音。

7 【綁】13画 9194 ホウ（ハウ） 養 bǎng ｜― ― 5182

字義 しばる。

解字 形声。糸＋邦音。

7 【綟】13画 9195 レイ ｜6938 E365 ―

綟（9248）の俗字。→一一三一ページ上。

7 【絽】13画 9196 漢リョ 呉ロ 語 lǚ ｜6924 E357 ―

字義 ❶縞織の布。❷ぬう（縫）。国ロ。織り目の透いた薄い絹織物。夏の衣服に用いる。

解字 形声。糸＋呂音。音符の呂は、つらなるの意味。

7 【綛】13画 9197 国字

〔綛〕9198 俗字

字義 ❶かすり。かすったように所々に小さな模様のある織物。また、その模様。＝絣（9165）。❷かせ。㋐「かせいと」の略。桛からはずした糸。＝桛（5423）。㋑一定の長さの糸を巻きとどのえて束ねたもの。

解字 会意。糸＋忍。

7 【綛】13画 9198 国字 かすり ｜6925 E358 ―

綛（9197）の俗字。→一一二五ページ中。

8 【維】14画 9199 常 イ 漢イ（ヰ）・呉ユイ 支 wéi ｜1661 88DB ―

筆順 糹 糸 糸 糺 糾 紵 維 維

字義 ❶つな。㋐張りづな。㋑おおづな（大綱）。おおもと。❷道徳の基礎となるもの。四維（礼・義・廉・恥）。❸つなぐ。㋐綱をはってささえる。ささえる。㋑しばる。また、結ぶ。❹すみ（隅）。天地のはて。天地は四本の大綱でつながれささえられているという考えに基づく。「地維」❺発語の助字。㋐ただ（唯）。㋑これ（惟）。

名前 い・これ・しげ・すけ・すみ・ただ・ただし・たもつ・つな・つなぐ・ふさ・まさ・ゆき　難読 維納（ウィーン）・維也納（ウィーン）

解字 金文 篆文 形声。糸＋隹音。音符の隹スイは、一定の道すじに従うの意味。一定の道すじにつなぎとめるの意味を表す。

逆 綱維・国維・繊維・地維

【維△繋】イケイ つなぐこと。

【維綱】イコウ ①おおづな。②大綱でつなぐ。つなぐ。しばる。③のり。法度。

【維持】イジ たもち続ける。ささえる。

【維時】これときこれ 年月をいう時の発語の語。

【維新】イシン ①改まる。新しくなる。㋐万事が改まって新しくなること。革新する。用例〔詩経、大雅、文王〕周雖旧邦（シュウはキュウホウといえども）、其命維新（そのメイこれあらたなり）。↓周は古い国であるけれども、天下に王たる天命を受けて国を新しくした（殷に代わって文王が中国を統治した）。㋑政治の体制が一新すること。②国明治初年の政治体制の改革をいう。御一新。

【維摩】ユイマ 仏釈迦の弟子の一人。「維摩経」は、その所説を述べたお経。

8 【綶】14画 9200 カ（クワ） 哿 guǒ ｜2 8438 ― 5206

字義 まとう（纏）。たばねる。

解字 形声。糸＋果音。

8 【綺】14画 9201 人 キ 紙 qǐ ｜6926 E359 ―

筆順 糹 糸 糸 紸 紸 綺 綺 綺

字義 ❶あやぎぬ。あや織りの絹。模様のはいった絹織物。綸子。❷あや。ひかり。いろ。つや。❸うつくしい。「綺麗」国いらう。いじる。もてあそぶ。

名前 あや・はた・き　難読 綺田（かばた）

参考 現代表記では〔奇〕（2262）に書きかえることがある。「綺談→奇談」

解字 篆文 形声。糸+奇㊥。音符の奇は、平凡でないの意味。目をうばうようなうつくしいあやぎぬの意味を表す。

【綺雲】(キウン) あや絹のように美しい雲。

【綺筵】(キエン) 美しいむしろ。美しい敷き物。

【綺紈】(キガン) ①あや絹と練り絹。②美しい織物・衣服。

【綺語】(キゴ・キギョ) ①美しいことば。②仏十悪の一つ。たくみにいつわりかざったことば。

【綺縞】(キコウ) ①あや絹と細い絹。一説に、あや絹と白い絹。②樹木の名。

【綺縠】(キコク) 模様の織りこまれた薄絹。

【綺食】(キショク) ご馳走。美食。綺饌(キセン)。

【綺疏・綺疎】(キソ) 美しい模様を彫刻し、ちりばめること。また、そうした窓など。

【綺窓・綺窗】(キソウ) 美しい彫刻やカーテンのある窓。

【綺譚】(キタン) =綺談。

【綺談】(キダン) おもしろくあでやかな話。珍しい話。

【綺帳】(キチョウ) あや絹の美しいとばり。

【綺靡】(キビ) はなやかで美しい。はでやか。

【綺羅】(キラ) ①あや絹と薄絹。②美しい衣服。美服。また、それを着た人。③国㋐美しいこと。はでやかなこと。㋑装い飾ること。㋒栄華をきわめるさま。威光の盛んなさま。

【綺羅星】(キラぼし) 国美しい星。きらめき輝く星。

【綺麗】(キレイ) ①あやがあって美しい。うるわしい。②国㋐いさぎよい。見苦しくない。㋑残りのないこと。きれいさっぱり。

8 【綦】 14画 9202 漢キ 呉ギ 囡 qí 9009 — 5202

字義 ❶もえぎ。もえぎ色。青と黄との中間色。きみどり。また、もえぎ色の絹。昔、未婚の女性の衣服とした。「綦巾(キキン)」❷青黒色。また、赤黒色。❸くつのひも。また、くつの飾り。

解字 形声。糸+其㊥。

【綦巾】(キキン) もえぎ色の絹の衣服。昔、未婚の女性が着た。「縞衣綦巾(コウイキキン)」

8 【綮】 14画 9203 ㊀ケイ 齊 qǐ ㊁漢ケイ 呉キョウ(キャウ) 徑 qìng 6927 E35A —

【綮】 9204 俗字

字義 ㊀きめの細かい絹。㊁❶筋肉のつけね。肉と骨とのつなぎめ。肯綮(コウケイ)。❷物事の急所。かなめ。

解字 形声。糸+𢼄㊥。

8 【綮】 14画 9204 ケイ 綮(9203)の俗字。→一二六六ページ上。

8 【綣】 14画 9205 漢ケン 呉カン(クヮン) 阮 願 quǎn 6928 E35B —

字義 ❶まつわる。つきまとって離れない。❷ねんごろ。情が厚い。また、ねんごろにする。

解字 篆文 形声。糸+卷㊥。音符の卷は、まくの意味。ひもがまといつくの意味を表す。

【綣繾】(ケンケン) ねんごろ。ねんごろにする。情が深くつきまとって離れない。繾綣。

8 【綱】 14画 9206 常 コウ つな コウ(カウ) 陽 gāng 2543 8D6A —

筆順 糸 糸 糿 網 網 綱 綱 綱

字義 ❶つな。おおづな。網をしめくくるもとづな。❷物事をささえ保つ根本のもの。おおもと。かなめ。㋐物事をとりしまるもの。法則。規則。「綱紀」㋑人の守るべき道。道徳。「三綱五常」❸同類中での分類上の大きな区分。生物分類では門の下、目(モク)の上。❹すべる(統)。すべ治める。しめくくる。❺つなぐ(繋(ケイ))。

名前 こう・つな・つね・みち

解字 篆文 形声。糸+岡㊥。音符の岡(コウ)は、強に通じ、つよいの意味。つよいなわ、つなの意味を表す。

逆 紀綱・大綱

【綱維】(コウイ) ①おおづな。もとづな。▼維も、おおづな。②のり(法)。おきて。国家の法度。③道徳。君臣・父子・夫婦の三綱と礼・義・廉・恥の四維。④つなぐ。すべくくる。

【綱紀】(コウキ) ①おおづなと小づな。つな。転じて、物事のしめくくり。規則。規律。用例(荀子、勧学)礼者法之大分(ホウのタイブン)、類之綱紀也(ルイのコウキなり)。↓礼は法の大本であり、それに関連した物事の規則である。②国家を治める大法と細則。③すべ治める。

【綱紀粛(肅)正】(コウキシュクセイ) 国役人の不正をいましめ規律を正すこと。

【綱常】(コウジョウ) 人の守るべき大道。道徳。三綱五常。

【綱目】(コウモク) ①物事の大分類と小分類。大綱と細目。②編年史の一種。「資治通鑑綱目(シジツガンコウモク)」③要点。全体の中の重要な所。

【綱要】(コウヨウ) 最も重要な点。主要な眼目。要点。大本。

【綱理】(コウリ) すべおさめる。統治する。

【綱領】(コウリョウ) ①おおづなと、えりくび。②最も重要な点。③国団体の立場・方針・守るべきことなどを、要約したもの。テーゼ。

8 【緄】 14画 9207 ㊀コン 阮 gǔn ㊁漢コン・呉ゴン 阮 hǔn — — 5211

字義 ㊀❶織った帯。❷なわ。❸たば(束)。㊁緄夷(コンイ)・緄戎(コンジュウ)は、中国西方の異民族。

解字 形声。糸+昆㊥。

8 【綵】 14画 9208 サイ 賄 cǎi 6929 E35C —

字義 ❶あやぎぬ。模様のある絹。五色の色どりのある織物。また、その衣服。❷あや。色どり。模様。=彩(3378)。

解字 形声。糸+采㊥。音符の采(サイ)は、彩に通じ、いろどりの意味。色どりのよい糸、あやぎぬの意味を表す。

【綵衣】(サイイ) 五色のあや模様のある美しい衣服。綵服。

【綵帷】(サイイ) =綵帳。

【綵雲】(サイウン) 美しい色どりの雲。五色の雲。

【綵花・綵華】(サイカ) つくりばな。造花。

【綵虹】(サイコウ) 美しい色どりのにじ。

【綵糸(絲)】(サイシ) 美しい色の糸。色糸。彩糸。

【綵繡】(サイシュウ) 美しいあや模様のある絹。

【綵組】(サイソ) 美しい色の組みひも。▼組は、くみひも。

【綵線】(サイセン) =綵糸。

【綵帳】(サイチョウ) 美しい色の絹のとばり(カーテン)。

【綵房】(サイボウ) 美しく色どった部屋。

8 【綷】 14画 9209 サイ 隊 cuì 2-8439 EE6F 5207

【䌨】 9080 俗字

字義 ❶えぎぬ(絵絹)。五色の絹。❷あわせる。まじえる。

解字 形声。糸+卒㊥。

【綷雲】(サイウン) 美しい色の雲。五色の雲。

8 【緇】 14画 9210 シ 囡 zī 6930 E35D —

【緇】 9269 本字

字義 ❶くろ。黒色。❷黒色の絹。また、黒色の衣服。❸墨染めのころも。黒色の僧衣。転じて、僧。❹くろむ。黒くなる。黒くそまる。

解字 篆文 形声。糸+甾㊥。音符の甾(シ)は、川のはんらん、わざわいの意味。にごりのある糸、くろの意味を表す。

【緇衣】㊀(シイ) 黒色の衣服。用例(論語、郷党)緇衣羔裘(シイにはコウキュウ)。↓黒色の衣服には、子羊の黒い毛皮(を合わせた)。㊁(シエ) 仏①墨染めのころも。僧衣。②僧。

【緇黄】(シコウ) ①黒と黄。②僧侶(ソウリョ)と道士。道教の僧(道士)は黄色の冠をかぶる。

【緇素】(シソ) ①黒と白。黒衣と白衣。②僧侶(ソウリョ)と俗人。

【緇徒】＝緇流㋐。

【緇布】①黒色のぬの。②「緇布冠（元服のときかぶる冠）」の略。

【緇流】墨染めのころもを着ている人々。㋐僧。㋑僧の社会。

【緇林】①緇帷（黒いとばり）を張ったように樹木のおおい茂った林。②仏寺院。

【緇林△杏壇】孔子が緇帷の林に遊び、杏（あんず）の花咲く土壇に休息した故事から、学問所・講堂をいう。〔荘子、漁父〕

8

【綽】

14画 9211 標 シャク 漢 chuò 6931 E35E —

字義 ❶ゆる-やか。ゆったりとしたさま。「余裕綽綽」❷しとやか。たおやか。しなやか。用例〔本事詩〕妖姿媚態、綽有二余妍一。↓その美しい姿、なまめかしいようすなど、しとやかで、おくゆかしく、あふれるばかりの美しさがあった。❸おおい（多）。

解字 金文 篆文 形声。もと、素（糸）＋卓音。糸は、白い糸の意味。音符の卓は、きわだっての意味。しなやかなすぐれた糸の意味から、転じて、ゆったりとしてしなやかの意味を表す。

【綽寛（寛）】心がゆったりしてひろい。寛大。

【綽号（號）】あだ名。綽名。

【綽綽】ゆったりしたさま。余裕のさま。用例〔詩経、小雅、角弓〕此令兄弟、綽綽有レ裕。↓世の中の立派な同姓の一族は、ゆったりとして余裕がある。

【綽然】ゆったりとしたさま。

【綽名】その人の顔・くせなどによって、本名のほかに、他人が付けた呼び名。綽号。渾名。

【綽約】①柔弱なさま。なよやかなさま。②しとやかなさま。やさしく美しいさま。用例〔唐、白居易、長恨歌〕楼殿玲瓏五雲起、其中綽約多二仙子一。↓高殿は玲瓏と光るすきとおった玉のように美しく、五色の雲がわきおこり、その中には、しとやかで美しい仙人がたくさんいる。

8

【綬】

14画 9212 標 漢シュウ（シウ） 呉ジュ 有 宥 shòu 2890 8EF8 —

字義 ひも。㋐組み紐。打ち紐。ひら紐。㋑膝掛の紐。㋒佩玉や官印をさげる、組み紐を連ねたもの。官職をあらわした。国ジュ。勲章・褒賞などの佩び紐。

綬㋒

解字 篆文 形声。糸＋受音。音符の受は、うけわたすの意味。官職を表す印と革帯との間をうけわたす（つなぐ）ひもの意味を表す。

【綬帯（帶）】官印をおびるための組みひものおび。

【解レ綬】官職をやめる。辞職する。官印の綬を解き去る意。

【結レ綬】官職につくこと。官印の綬を身につける意。結綬。

8

【緅】

14画 9213 一 漢シュウ（シウ） 呉シュ 尤 zōu 二 漢ソウ・呉ス 尤 zōu — — 5212

字義 一二 青と赤との中間色。一説に、黒みがかった赤色。また、その絹。

解字 形声。糸＋取音。

8

【綧】

14画 9214 シュン 軫 zhǔn 2 8436 — 5203

字義 ❶乱れる。❷はば。布の幅。❸決まり。限度。

解字 形声。糸＋享音。

8

【緒】

14画 9215 常 ショ・チョ お 2979 8F8F —

9

〖緒〗

15画 9216 人 漢ショ・呉ジョ 慣チョ 語 xù 1 9012 EE71 —

筆順

字義 ❶いとぐち。糸の先端。また、糸。❷はじめ。おこり。発端。「端緒」❸のこり。あまり。「緒余」❹すじ。つづき。系統。❺順序。次第。「緒次」❻こと。仕事。事業。「遺緒」❼こころ（心）。「情緒」❽たずねる（尋）。「緒正」国お㋐糸。㋑紐。㋒履物のはなお。㋓長く続くもの。「玉の緒（いのち）」

名前 いお・お・つぎ・つぐ 難読 緒形・緒県・緒方

参考 「チョ」と読むのは誤読による慣用読み。

解字 篆文 形声。糸＋者（者）音。音符の者は、にるの意味。まゆ（繭）を煮て糸を引きだすの意味から、いとぐちの意味を表す。

逆 一緒・情緒・心緒・聖緒・端緒・頭緒・由緒

【緒業】①はじめた仕事・事業。②後に残した事業。遺業。

【緒言】①論説の発端のことば。②国書籍のはしがき。序。

【緒正】たずねただす。検討して補正する。

【緒戦（戰）】国初めの戦い。戦争の初め。一つの戦いの第一段階。◆「初戦」は「幾つかの戦いの最初の戦い・試合の第一戦」をいうのに対し、「緒戦」は「戦いの始まったころ・序盤戦」をいう。「初戦から優勝候補同士がぶつかった」「緒戦は優勢だったが、終盤に逆転された」

【緒余（餘）】①あまり。のこり。②本業以外の余技。③余力。

【緒論】本論にはいる前の論説。序論。

【△纘レ緒】前の人の事業をうけつぐ。纘緒。用例〔中庸〕武王纘二大王・王季・文王之緒一。↓武王は大王・王季・文王の大事業を受け継いだ。

【就レ緒】事業の端緒につく。事業が開始される。成功の糸口が開ける。用例〔詩経、大雅、常武〕不レ留不レ処、三事就レ緒。↓駐屯せず兵を引きあげて、三事（司徒・司馬・司空）に仕事を開始させる。

8

【縦】

14画 9217 漢ショウ 呉シュウ 冬 宋 zōng — — 5210

字義 ❶いろぎぬ。色糸で織った絹織物。❷車馬の飾り。

解字 形声。糸＋従省音。

8

【緌】

14画 9218 漢ズイ 呉ヌイ 支 ruí 1 9011 — 5214

字義 ❶冠のたれひも。❷旄牛・犛の尾をはたざおの先につけた旌。❸せみの長い管状の口。国おいかけ。おいかけ。昔、武官の冠の両耳の上につけた、菊花を半分に切ったような形のかざり毛。

解字 篆文 会意。糸＋委。委は、なよやかに垂れるの意味。冠のたれひもの意味を表す。

8

【緀】

14画 9219 漢セイ 呉サイ 斉 qī 2 8440 — —

字義 あや。絹の美しい模様。

解字 形声。糸＋妻音。

〔紕〕9157 同字

8

【緆】

14画 9220 漢セキ 呉シャク 錫 xì — — 5213

字義 ❶細い糸で織った麻布。❷衣服のすその飾り。

解字 形声。糸＋易音。

8

【綪】

14画 9221 一 センス 霰 qiàn 二 漢ソウ（サウ） 呉ショウ（シャウ） 庚 zhēng 2 8437 — 5204

字義 一❶あかね。あかね色。暗赤色。茜草・茜で染めた色。❷あかね色の絹。二❶まげる。かがめる。❷まとう。めぐらす。

8 【綫】 14画 9222 セン 6932 E35F ―

解字 形声。糸＋青㊨。線(9275)と同字。→一一三三ページ中。

8 【総】 14画 9223 教5 ソウ 3377 918D ―

11 【總】 17画 9224 ソウ 簡 zǒng 6933 E360 ―

［捴］4252 同字 ［摠］4386 同字 ［緫］9276 同字 ［揔］4315 俗字

筆順 糸 糸 糸八 糸公 糸公 総 総 総

字義 ❶すべる(すぶ)。㋐多くのものを集め合わせる。まとめる。「総合」「総括」 ㋑すべ治める。支配する。監督する。「総管」 ㋒率いる。❷あつまる。一つになる。また、集まり。❸すべて。みな。全部。用例〔唐、李白、子夜呉歌〕秋風吹不尽(シュウフウふいてつきず)、総是玉関情(すべてこれギョッカンのジョウ)。↓秋風はいくら吹いても吹きやまず、(月も、砧(きぬた)の音も、秋風も)それらすべてが玉門関のかなたに遠征している夫を思う情をかきたてる。❹多くの。もろもろの。❺むすぶ。つなぐ。❻ふさ。多くの糸を集めくくって作ったかざり。

名前 おさ・さ・すぶる・そう・のぶ・ふさ・みち 難読 総元(ふさもと)・総社(そうじゃ)

参考 現代表記では、①〔惣〕(3548)の書きかえに用いる。「惣領→総領」「惣菜→総菜」 ②〔綜〕(9225)の書きかえに用いることがある。「綜合→総合」

解字 篆文 形声。もと、糸＋悤㊨。音符の悤(ソウ)は、束に通じ、たばねるの意味。多くの糸などをたばねるの意味から、すべる・ふさの意味を表す。常用漢字の総は俗字による。

【総意】(ソウイ) 国すべての人の意見・意志。

【総角】(ソウカク)・(あげまき) ①髪を集めて頭の両側に角のような形に束ねたらした髪型。小児の髪型。→丱(47)。②小児。

【総画(畫)】(ソウカク) ①一つの漢字の全画。一つの漢字の構成単位になっているすべての点や線。②「総画数(画の合計数)」の略。

【総括】(ソウカツ) すべくくる。まとめる。全体を一つにまとめる。綜括(ソウカツ)。

【総轄】(ソウカツ) すべつかさどる。全体をまとめてつかさどる。

【総△丱】(ソウカン) ＝総角。

【総管】(ソウカン) すべ取りしまる。また、その官職。綜管(ソウカン)。

【総監】(ソウカン) 事務・人員の全体を監督すること。また、その官職。

【総御・総△馭】(ソウギョ) すべおさめる。まとめ治める。

【総見】(ソウケン) 国一つの団体の人たちが全員で芝居などを見に行くこと。

【総合】(ソウゴウ) 個々別々のものを一つによせ集める。綜合(ソウゴウ)。

【総裁】(ソウサイ) 全体をまとめてつかさどる。また、その官職。

【総菜】(ソウザイ) おかず。副食物。惣菜(ソウザイ)。

【総持】(ソウジ) 仏すべての善徳を保持して失わず、悪を押さえて起こさせない意。梵語(ボンゴ)の陀羅尼(ダラニ)(dhāraṇi)の訳語。

【総集】(ソウシュウ) ①すべて集める。また、集まる。②多くの人の詩文を一つに集めた書籍。↔選集(一四三五ページ上)・別集(一七八ページ下)。

【総帥】(ソウスイ) ①とりまとめてひきいる。②総大将。

【総摂(攝)】(ソウセツ) 全体をまとめて治める。

【総説】(ソウセツ) 全体をまとめて説明する。また、その文。

【総則】(ソウソク) 全体に共通する規則。↔細則(一一一四ページ下)。

【総率】(ソウソツ) 全体をまとめひきいる。

【総統】(ソウトウ) ①全体をまとめて治める。また、その官職。②中華民国の最高の官職。大統領に当たるもの。

【総督】(ソウトク) ①全体をまとめてひきいる。全体をまとめて監督する。また、その職。②明(ミン)代、軍務を統括した官。③清(シン)代、一省または数省の民政・軍務などを統括した官。④国もと、植民地などで、民政・軍務などを統括した官。

【総髪】(ソウハツ) ①髪をたばねる。②たばねた髪。＝総角。③国昔、男性がさかやきを剃(そ)らず、全体の髪を伸ばして後頭部でたばねた髪形。

【総△辦】(ソウベン) ①事務をまとめてつかさどること。また、その官職。②支配人。マネージャー。

【総務】(ソウム) ①全体の事務。②全般の事務をつかさどる。また、その職。綜務(ソウム)。

【総目】(ソウモク) ①全体の目録。総目録。②全体の箇条。

【総門】(ソウモン) 国外構えの正門。外構えの大門。

【総要】(ソウヨウ) ①すべくくる。全体を一つにまとめる。総括。②綱紀。大本。

【総覧(覽)】(ソウラン) ＝綜覧(一一二八ページ下)。

【総△攬】(ソウラン) まとめて持つ。すべてを手におさめること。▼攬は、取る・持つ。㋐政治などを一手に握り治める。㋑人心をすべて自分に服せしめること。

【総理】(ソウリ) ①全体をすべ治めること。また、その官職。綜理(ソウリ)。▼理は、おさめる。②国「総理大臣」の略。

【総領】(ソウリョウ) ①全体をまとめて治める。取りしまること。また、その官職。▼領も、すべる・おさめる。②国惣領(ソウリョウ)。㋐昔、大国の国司。また、数国を兼ね治めた国司。㋑家名をつぐべき子。嫡子(チャクシ)。㋒長男。長女。

【総録】(ソウロク) ①すべおさめる。②国昔、検校(ケンギョウ)・勾当(コウトウ)の上に立って盲人の取りしまりをした盲人の官職。

【総論】(ソウロン) 全体をまとめて、そのあらましについて論じる。↔各論(二四五ページ中)。

8 【綜】 14画 9225 人 ソウ 困 ①zōng, ②zèng, zòng 3378 918E ―

筆順 糸 糸 糸' 糸' 糸宀 綜 綜 綜

字義 ❶すべる(すぶ)。＝総(9223)。㋐糸を集めて織る。㋑すべ集める。すべくくる。「綜合」「綜括」 ㋒すべ治める。「綜管」 ❷へ。おさ。機(はた)を織る時、縦糸を通して整える器具。

名前 おさ

参考 現代表記では〔総〕(9223)に書きかえることがある。「綜合→総合」。熟語は〔総〕をも見よ。

解字 篆文 形声。糸＋宗㊨。音符の宗は、おさ・族長の意味。一族の長が一族を治めるように、糸を整え織るためのおさ(筬)の意味や、すべくるの意味を表す。

【綜核・綜△覈】(ソウカク) すべくくって明らかにする。物事の本末を明らかにする。事情を総合してくわしく考察する。

【綜合】(ソウゴウ) 国個々のものを一つにまとめること。総合。

【綜覧(覽)】(ソウラン) 同総覧。①総合して通覧する。全体をまとめて見る。②国ある事がらに関するものをまとめて記した書籍。

8 【綞】 14画 9226 タ 簡 duǒ ― ― 5201

字義 綞子(タシ)は、あや(綾)。

解字 形声。糸＋垂㊨。

8 【綻】 14画 9227 常 タン ほころ-びる 漢タン・呉デン 諫 zhàn 3530 925D ―

筆順 幺 幺 糸 糸 糸宀 綜 綜 綻

字義 ❶ほころ-びる(ほころぶ)。ほころぶ。㋐ぬい目がとける。㋑花のつぼみが開きかかる。㋒事が破れる。❷ほころび。

解字 形声。糸＋定㊨。音符の定は、旦(タン)に通じ、隠れていたものが顔を出すの意味。ほころびて下着が見えるの意味を表す。

8 【綅】 14画 9228 一タン 覃 tiān 二セン 塩 9010 ― 5209

字義 一 ❶あざやか。衣服の色があざやかなこと。❷けずる。するどくする。一説に、つなげる。国だん。種々の色糸で組んだ平組みのひも。
解字 形声。糸＋炎音。

8 【綢】14画 9229 漢チュウ(チウ) 呉ジュウ(ヂウ) 尤 chōu 6934 E361 ―

字義 ❶まとう。まつわる。「綢繆(チュウビュウ)」 ❷くくる。たばねる。❸こまかい。また、こみあっている。多くある。＝稠(8501)。「綢密」 ❹どんす。地質の厚い精巧な絹織物。＝紬(9122)。❺絹織物の通称。

解字 篆文 形声。糸＋周音。音符の周は、こみあうの意味。糸がこみあっている、こまかい・まとうの意味を表す。

【綢直】チュウチョク 心がこまやかで行いの正しいこと。
【綢△繆】チュウビュウ ①まつわりつく。すきまなく糸などをからめてふさぐ。②苦心して経営すること。③びっしりこんでいるさま。綢密なさま。
【綢密】チュウミツ びっしりこんでいる。たてこむ。

8 【綴】14画 9230 人 標 一漢テイ 霽 zhuì 二漢テツ 呉テチ 屑 chuò 3654 92D4 ―

筆順 糹 糹 糸 糸ヌ 糸ヌ 綴 綴 綴

字義 一❶つづる。㋐つなぎ合わせる。つなぐ。結ぶ。「連綴」 ㋑つくろう。修繕する。「補綴」 ㋒作る。文章を作る。❷と-じる。重ねてぬう。❸つらねる。つづける。あつめる。❹ふち(縁)。また、ふちかざり。❺しるし。標識。また、しるしの旗。国はぐ。布や板をつぎ合わせる。

名前 せつ

解字 篆文 形声。糸＋叕音。音符の叕は、糸をつなぎ合わせた形にかたどり、つづるの意味。糸を付し、意味を明らかにした。

【綴集・綴△輯・綴△緝】テイシュウ つづり集める。

8 【綯】14画 9231 漢トウ(タウ) 呉ドウ(ダウ) 豪 táo 6935 E362 ―

字義 ❶な-う。あざなう。縄をなう。❷なわ。

解字 形声。糸＋匋音。

8 【緋】14画 9232 人 ヒ 微 fēi 4076 94EA ―

筆順 糸 紀 紨 紨 絹 緋 緋 緋

字義 ❶あか。あかい。あけ。赤色。濃い紅色。❷赤色の絹。

名前 あけ

解字 篆文 形声。糸＋非音。音符の非は、左右に開くの意味。目がひらかれるような、あざやかな赤い布・あかの意味を表す。

【緋△縅】ひおどし 国①緋色にそめた、鎧(よろい)の縅毛(おどしげ)(よろいのさね(鉄や皮の板)をつづる糸や皮)。②緋色の縅毛でつづり合わせた鎧。

8 【緍】14画 9233 ビン 緡(9283)と同字。→一二三四ページ上。 ― ― 5215

8 【絣】14画 9234 ホウ 絣(9165)の正字。→一二三三ページ中。 ― ―

8 【綳】14画 9235 ホウ 繃(9341)と同字。→一二四〇ページ上。 ― ― 5205

8 【緢】14画 9236 一漢ビョウ(ベウ) 呉ミョウ(メウ) 蕭 miáo 二漢ボウ(バウ) 呉ミョウ(メウ) 肴 māo ― ― 5220

字義 一からうしの尾の極めて細い毛。二糸がめぐる。

解字 形声。糸＋苗音。音符の苗は、かぼそいの意味。

8 【綿】14画 9237 教 5 メン わた 熟字訓 木綿(もめん) メン 先 mián 4442 96C8 ―

筆順 糸 糸 糸' 糸' 約 約 綿 綿 綿

【緜】9289 正字

字義 ❶わた。㋐繭(まゆ)から製したわた。真綿(まわた)。㋑木綿(モクメン)・草棉(ソウメン)(共に植物)の実から製したわた。木綿綿(もめんわた)。❷つらなる。長く続く。絶えない。「連綿」「綿綿」 ❸わたる。一面に行き渡っている。はびこる。❹とおい(遠)。はるか。「綿邈(メンバク)」 ❺まとう。まつわる。「纏綿(テンメン)」 ❻こまかい。小さい。ほそい。弱い。「綿密」「綿弱」

名前 つら・まさ・ます・やす・わた

参考 現代表記では[棉](5566)の書きかえに用いることがある。「棉花→綿花」

解字 篆文 会意。糸(系)＋帛。系は、つなぐの意味。帛は、白ぎぬの意味。白ぎぬを作るときにつながってできる、まわたの意味を表す。転じて、つらなるの意味をも表す。

逆 連綿

【綿延】メンエン つらなりのびる。
【綿△亘】メンコウ つらなりわたる。一面に続いている。
【綿弱】メンジャク かよわい。きゃしゃ。しなやか。
【綿△惙】メンテツ ①病気が重く、息が絶え絶えなこと。②心配で心のおちつかぬこと。
【綿△邈】メンバク はるかに遠い。緬邈(メンバク)。
【綿蛮(蠻)】メンバン ①小鳥の鳴く声の形容。用例(詩経、小雅、綿蛮)綿蛮黄鳥(メンバンたるコウチョウ)、止二於丘阿一(キュウアにとどまる)。↓声を長く引いてさえずるうぐいすが、丘の隈にいる。②美しい模様のあるさま。
【綿密】メンミツ 細かく行き届くこと。
【綿綿】メンメン ①長く続いて絶えないさま。用例(唐、白居易、長恨歌)天長地久有レ時尽(テンはながくチはひさしきも、ときありてつく)、此恨綿綿無二絶期一(このうらみはメンメンとしてたゆるときなからん)。↓天地は永久に変わらないといってもいつか滅びることもあろうが、この二人の満たされない恋心は、いつまでも長く続いて絶え尽きることはないだろう。②事こまかにするさま。落ちのないように、ていねいにするさま。③安らかで静かなさま。④かすかなさま。
【綿力】メンリョク 力が弱い。弱い。
【綿麗】メンレイ 弱々しく美しい。
【綿歴(歷)】メンレキ ながく経過する。
【綿連】メンレン 続いて絶えないこと。連綿。

8 【網】14画 9238 常 モウ あみ 熟字訓 投網(とあみ) 4454 96D4 ―

8 〔網〕14画 9239 漢ボウ(バウ) 呉モウ(マウ) 養 wǎng

筆順 糸 糸 糽 約 網 網 網 網 網

字義 ❶あみ。㋐魚鳥などを捕らえる道具。「魚網」 ㋑あみのように縦横に交錯したもの。㋒おきて。法律。「法網」 ㋓法網にかける。法のあみにかける。❷あみ-する。㋐あみで捕らえる。㋑残らず取る。「網羅」

難読 網引(あびき)・網干(あぼし)・網走(あばしり)・網繰(あぐり)・網代(あじろ)・網部(よさみべ)

解字 形声。糸＋罔音。

逆 魚網・法網・羅網

【網△罟】モウコ あみ。▼罟も、あみ。
【網糸(絲)】モウシ 蜘蛛(くも)の巣。
【網虫(蟲)】モウチュウ あみのように巣を張った蜘蛛(くも)。また、くも。
【網密】モウミツ ①あみの目がこまかい。②法令などが細かくすきまのないこと。
【網目】モウモク ①あみめ。あみの目。②法令をいう。
【網羅】モウラ ①あみ。魚を捕るあみと鳥を捕らえるあみ。②(あみで取るように)残らずさめ入れる。全部集める。③刑罰の法令をいう。

8 **【緎】** 14画 9240 漢ヨク 呉イキ(ヰキ) 職 yù — — 5216

字義 縫い目。皮衣(かわごろも)のふちどりの縫い目。

解字 形声。糸＋或㊟。

8 **【綹】** 14画 9241 漢リュウ(リウ) 呉ル 有 liǔ

字義 ❶糸を数える単位。❷組みひも。❸糸束(いとたば)。

解字 形声。糸＋咎㊟。

8 **〔綹〕** 9242 同字 14画 9242 リュウ — — 5208

綹(9241)と同字。→二三〇ページ上。

8 **【綾】** 14画 9243 囚 リョウ 唐リン 蒸 líng 1629 88BB —

筆順 糸 糸 糸 糸 紸 紸 綾 綾 綾

字義 あや。あやぎぬ。織り出しの模様のある絹。用例〔唐、白居易、売炭翁詩〕半疋紅綃一丈綾、繋二向牛頭一充二炭直一。⇩わずか半匹の紅絹と一丈ほどの綾を牛の角にひっかけて、炭の代金にあてろという。

名前 あや

解字 篆文 形声。糸＋夌(夌)㊟。音符の夌(リョウ)は、凌(リョウ)に通じ、盛りあがった氷の意味。織物に盛りあがった氷のような模様が織りこまれたもの、りんずの意味を表す。

【綾△紈】(リョウガン) あや絹と、白いねり絹。また、その衣服。

【綾△綺】(リョウキ) あや絹。また、その衣服。

【綾羅】(リョウラ) あや絹と薄絹。上等の絹。美しい絹。

8 **【緑】** 14画 9244 教3 リョク・ロク みどり 4648 97CE —

8 **〖綠〗** 14画 9245 囚 漢リョク 呉ロク 因 lǜ, lù 19008 EE70 —

筆順 糸 糸 糸 紀 紀 紀 紀 紀 緑

字義 ❶みどり。㋐みどり色。黄と青との間色。㋑みどり色の絹。㋒つやのある黒色。「緑髪」❷草の名。かりやす。もえぎ色を染める染料とする。＝菉(10073)。

名前 つか・つな・のり・みどり・ろく 難読 緑威(ニッジグリ)

解字 篆文 形声。糸＋录(彔)㊟。音符の彔(リョク＝ロク)は、つるべでくみあげた水の象形。みどり色の糸の意味を表す。

逆 常緑

【緑衣】(リョクイ) ①みどり色の衣服。身分の低い人の服。②鸚鵡(オウム)の別名。緑衣使者ともいう。

【緑意】(リョクイ) 草や木のみどり。用例〔夏目漱石、題二自画一詩〕唐詩読罷倚二闌干一 緑意寒。⇩唐詩を読むのをやめて、手すりによりかかると、昼の中庭はひっそりと静まりかえっていて、草木の緑のたたずまいは寒々と見える。

【緑陰】(リョクイン) 青葉のかげ。樹木の下。樹陰。こかげ。

【緑△筠】(リョクイン) みどりの竹。また、新しい竹。

【緑雨】(リョクウ) 青葉の季節に降る雨。

【緑雲】(リョクウン) ①みどりの雲。②女性の、黒くて多い髪の形容。③一面にしげっている青葉の形容。

【緑営】(リョクエイ) 清(シン)代、各省で募った漢人(満人に対していう)をもって組織した軍隊。みどり色の旗をその標識としたことから。

【緑煙・緑△烟】(リョクエン) ①みどり色のけむり。②みどり色のもや。㋐青葉の樹間にただようもや。㋑夕方のもや。用例〔唐、李白、把レ酒問レ月詩〕皎如二飛鏡臨一丹闕一、緑煙滅尽清輝発。⇩月は白く輝いて、空を飛ぶ鏡が朱塗りの門にさしかかったようであり、夕靄もすっかりはれて月の光がさえわたる。

【緑△鬟】(リョクカン) 黒髪のまげ。緑髪。

【緑眼】(リョクガン) みどり色の目。碧眼(ヘキガン)。胡人(コジン)(北西方の異民族)の目。用例〔唐、岑参、胡笳歌送二顔真卿使赴一河隴一詩〕君不レ聞胡笳声最悲、紫髯緑眼胡人吹。⇩聞きたまえ、胡笳の音色が大変悲しげなのを。赤みがかったひげで緑色の眼の胡人が吹いているのだ。

【緑玉】(リョクギョク) ①みどり色の玉。②宝石の名。エメラルド。緑柱石。③竹。④天帝の宮庭に生ずるという木の名。

【緑△紗】(リョクサ・リョクシャ) みどり色の紗(目のあらい薄絹)。また、それで作った窓かけ。

【緑字】(リョクジ) ①黒色の文字。②石碑に刻した文字。③符瑞(フズイ)(神のお告げの文字)をいう。

【緑事】(リョクジ) みどり色のもの。草木の芽生えのようすなどにいう。

【緑酒】(リョクシュ) みどり色の酒。上質の酒。

【緑青】(ロクショウ) 銅に生ずるみどり色のさび。炭酸ガスと銅と化合して生ずるもの。

【緑条(條)】(リョクジョウ) ①みどり色の枝。葉のしげっている枝。②柳の枝。③竹。

【緑△縟】(リョクジョク) 草のしげっているさまの形容。▼縟は、多い。

【緑水】(リョクスイ) みどりの水。深い淵(ふち)や、樹影の映った水。

【緑△翠】(リョクスイ) みどり。樹木や山の色などにいう。

【緑窓・緑△窗】(リョクソウ) ①貧しい女性の住み家。↕紅楼(二〇七ページ上)。②女性の部屋の窓。

【緑△苔】(リョクタイ) みどり色のこけ。青苔。用例〔唐、李白、長干行〕門前遅行跡、一一生二緑苔一。⇩門のあたりにはあなたがためらいがちに旅立っていったときの足跡が残り、その一つ一つに緑色の苔が生えています。

【緑△黛】(リョクタイ) ①青色のまゆずみ。②青々とした夏山の形容。

【緑△潭】(リョクタン) みどりの水をたたえた淵(ふち)。青々とした淵(ふち)。碧潭(ヘキタン)。

【緑竹】(リョクチク) ①みどりの竹。青い竹。②かりやす(草の名)と、かわやなぎ(低木の名)。

【緑髪】(リョクハツ) つやのある黒く美しい髪。みどりの黒髪(くろかみ)。

【緑△蘋】(リョクヒン) みどり色の浮き草。緑萍(リョクヒョウ)。

【緑△蕪】(リョクブ) ①みどり色の雑草。青々としげっている雑草。②雑草のしげっている荒れ地。また、亡国の跡。

【緑風】(リョクフウ) 青葉を吹き渡るさわやかな初夏の風。

【緑△蒲】(リョクホ) みどり色のがま。がまのもえ出た葉。

【緑△茗】(リョクメイ) ①みどりの茶の木。②美しいみどり色の煎茶(センチャ)。

【緑△蘿】(リョクラ) みどり色のつた。青々としたかずら。

【緑林】(リョクリン) ①みどり色の林。②盗賊をいう。前漢の末、無頼(ブライ)(ならずもの)の徒が緑林山(山の名)にかくれて盗賊になった故事による。〔後漢書、劉玄伝〕

8 **【綸】** 14画 9246 囚 一リン 真 lún 二漢カン(クワン) 呉ケン 刪 guān 6937 E364 —

筆順 糸 糸 糸 糸 糸 糸 綸 綸 綸

字義 一❶いと。㋐太い糸。㋑釣り糸。㋒弦楽器の糸。❷つかさどる。おさめる(治)。「経綸」❸つつむ。おおう。まとう。からめる。❹天子の意。「綸言」「綸旨」 二青色のおびひも。

名前 お・くみ

解字 篆文 形声。糸＋侖㊟。音符の侖(リン)は、すじみちをたてるの意味。糸すじの整った糸の意味を表す。

【綸閣】(リンカク) 天子のことばを起案するところ。中書省。

【綸巾】(カンキン・リンキン) 頭巾(ズキン)の一種。隠者や風流な人が用いた。諸葛亮(ショカツリョウ)が用いたことから、一名、諸葛巾。

【綸言】(リンゲン) 天子のことば。みことのり。

【綸言如レ汗】(リンゲンあせのごとし) 汗は出たらもとに返らぬことから、天子の言は一度口から出たら取り消せないという意。〔漢書、劉向伝〕

【綸旨】(リンシ) ＝綸言。

【綸子】(リンズ) 国紗(シャ)に似て光沢のある絹織物。

【綸△綍】(リンフツ) いとと、ひつぎをひくなわ。転じて、天子のみことのり。天子の仰せは初めは綸(いと)のように小さくても、一度口から出てしまえば綍(ひつぎをひくなわ)のように大きくなる意。→綸言如レ汗(リンゲンあせのごとし)。

【綸命】(リンメイ) 天子の命令。みことのり。

8 【綝】 14画 9247 ㊀チン 㑀 chēn ㊁リン 㑀 lín　2 8435 ― 5194

字義 ㊀とめる。禁止する。㊁綝纚(リンリ)は、さかんなさま。さかんに飾るさま。

解字 形声。糸＋林㊥。

8 【綟】 14画 9248 ㊞レイ ㊐ライ 簡 lì

〔綟〕 9195 俗字

字義 もえぎ。もえぎ色。かりやすで染めた色。また、もえぎ色の絹。国 もじ(もぢ)。もじり(もぢり)。麻の目のあらい布。夏衣などを作る。

解字 形声。糸＋戻㊥。

8 【練】 14画 9249 教3 レン ねる　4693 97FB ―

9 〔練〕 15画 9250 人 レン 簡 liàn　1 9014 ― ―

筆順 糸 糸 紅 紅 紅 絧 絧 紳 練

字義 ❶ねる。㋐生糸や絹布を灰汁(はいじる)などで煮て、白く柔らかくする。㋑きたえる。みがく。「訓練」「練磨」 ㋒しらべる。また、工夫する。❷ねりぎぬ。生絹をねって、しなやかにさせたもの。❸なれる。なれる(慣)。習熟する。「熟練」 ❹えらぶ。❺白い。「練糸」 ❻喪服の名。一周忌のときに着る。白いねりぎぬで作った喪服。また、一周忌の祭り。

参考 現代表記では〔煉〕(6960)の書きかえに用いることがある。「試煉→試練」「煉炭→練炭」「煉乳→練乳」

解字 篆文 形声。糸＋柬(柬)㊥。音符の柬(カン=レン)は、えらぶの意味。生糸などから雑物をとり除いて、よい質のものをえらびとる、ねるの意味を表す。

逆 教練・訓練・修練・習練・熟練・手練・試練・洗練・操練・鍛練・調練・未練・老練

【練冠】(レンカン) ねりぎぬで作ったかんむり。

【練絹】(レンケン・ねりぎぬ) 灰汁(はいじる)などでねって白く柔らかくした絹布。

【練祭】(レンサイ) 人の死後十三か月目に行われる祭り。一周忌の祭り。

【練材】(レンザイ) ①十分に心身の修練を積んだ人。②精練された材料。すぐれた材料。

【練士】(レンシ) 兵士を訓練する。また、よく訓練された兵士。

【練糸(絲)】(レンシ) ねって白く柔らかくした絹糸。白い絹糸。

【悲二練糸(絲)一】(レンシをかなしむ) 墨翟(ボクテキ)(戦国時代の学者)が、白い絹糸を見、それが種々の色に染まるように、善人になり得る人間も環境などによって悪人になることを考え、悲しんだ故事。〔淮南子、説林訓〕

【練実(實)】(レンジツ) 竹の実。竹はまれにしか実を結ばない。用例〔荘子、秋水〕非二梧桐一不レ止(ゴドウにあらざれば、とまらず)、非二練実一不レ食(レンジツにあらざれば、くらわ(は)ず)、非二醴泉一不レ飲(レイセンにあらざれば、のまず)。↓梧桐の木でなければ止まらず、竹の実でなければ食べず、また、清らかでうまい泉の水でなければ飲まない。

【練習】(レンシュウ) 学問・技芸などを繰り返し習うこと。稽古(ケイコ)。

【練熟】(レンジュク) 物事によく慣れてよくできること。熟練。

【練達】(レンタツ) 物事に慣れてよく知っており、よくできること。熟達。

【練△嚢】(レンノウ) ねりぎぬで作った袋。

【練兵】(レンペイ) ①軍隊を訓練すること。戦闘の練習をすること。「練兵場」 ②よくきたえられた武器。

【練磨】(レンマ) ねりみがく。練習研磨。

8 【綰】 14画 9251 ㊞ワン ㊐エン(ヱン) 簡 wǎn　6939 E366 ―

字義 ❶たがねる(ぬ)。全体をまとめる。一まとめにして治める。すべる(統)。❷つなぐ(繫(ケイ))。むすぶ(結)。国❶たく。たくる。たぐる。❷わがねる(ぬ)。ため曲げて輪にする。

解字 金文 篆文 形声。糸＋官㊥。音符の官は、括に通じ、くくるの意味。糸をつなぐ・むすぶの意味を表す。

8 【綪】 14画 9252 国字 かすり　6978 E38E ―

䋎(9383)の俗字。→二一四四ページ上。

8 【綳】 14画 9253 国字　2 8434 ― ―

字義 綳田(あきた)は、姓氏。

9 【緝】 15画 9254 ㊀イ(ヰ) 簡 wèi ㊁㊞キ・㊐ギ 簡 wèi　― ― 5225

字義 ㊀❶絹(きぬ)。❷うちひも。㊁ひも。緒(お)。

解字 形声。糸＋胃㊥。

9 【緯】 15画 (9292) イ

緯(9291)の旧字体。→一二三四ページ下。

9 【縁】 15画 9255 常 エン ふち　1779 898F ―

9 〔緣〕 15画 9256 人 ㊀エン 簡 yuàn ㊁エン 先 yuán　1 9013 ― ―

筆順 糸 紀 紀 紀 紀 紀 縁 縁 縁

字義 ㊀ふち。へり。㋐衣服のふちかざり。㋑物のへり。まわり。㊁❶よる。㋐ちなむ(因)。もとづく。用例〔唐、李白、秋浦歌〕白髪三千丈(ハクハツサンゼンジョウ)、縁レ愁似レ箇長(うれえ(へ)によりて、かくのごとくながし)。↓わが白髪が、なんと三千丈。愁いのために、こんなにも長くなってしまったのだ。㋑したがう。㋒たよる。たどる。用例〔東晋、陶潜、桃花源記〕縁レ渓行(たににそりてゆき)、忘二路之遠近一(みちのエンキンをわする)。↓谷川に沿って行くうちに、どれほどの距離を来たのかわからなくなってしまった。❷えにし。ゆかり。つながり。かかりあい。よすが。関係。「縁故」「由縁」 ❸まつわる。からむ。まとう。めぐらす。❹仏因によって果を生ずる作用。めぐりあわせ。「因縁」 国エン。えんがわ(縁側)。

名前 まさ・むね・やす・ゆか・よし・より　難読 縁取(へつとり)

解字 篆文 形声。糸＋彖(彖)㊥。音符の彖(タン=エン)は、転に通じ、めぐらすの意味。衣服のふちにめぐらせた装飾、ふちかざりの意味から、ふち・まつわるの意味を表す。

逆 悪縁・因縁・外縁・奇縁・機縁・逆縁・結縁・血縁・周縁・宿縁・仏縁・無縁・由縁・離縁・良縁・類縁

【縁家】(エンカ) ゆかりのある家。親類。

【縁起】(エンギ) ①仏因縁生起の意。㋐因(物事を生ずる種子)と縁(因を発動させる働き)と相応じて万物を生ずること。㋑物事の起源・由来。㋒神社・寺院などの由来または霊験の言い伝え。また、その文章。②国㋐きざし。吉凶の前兆。㋑めでたいこと。よろこび。

【縁故】(エンコ) ①わけ。理由。②国㋐ゆかり。関係。㋑つづきあい。えんつづき。

【縁語】(エンゴ) 国一つの歌や文の中において、音韻・意味の上から、ある語に関係のある語。「うらやましくも返る波かな」でうら(浦)と返るは波の縁語。

【縁△坐】(エンザ) 罪のない人が他人の罪で罰せられること。まきぞえ。連座。

【縁者】(エンジャ) ゆかりのある者。身内の者。親類の人。

【縁飾】(エンショク) ①外面をかざる。つくろいかざる。②てらう。誇り示す。自己宣伝する。③ふちかざり。また、かざり。

【縁督】(エントク) 中道にしたがって行う。▼督は、着物の背の中央の縫い目、転じて、中道の意。〔荘子、養生主〕

【縁日】(エンニチ) ①仏因縁を結んだ日。結縁(ケチエン)の日。僧となる因縁のある日。②国神仏にゆかりのある日。有縁(エウ)の日。祭りや供養などが行われる日。

【縁辺(邊)】(エンペン) ①まわり。ふち。周囲。②国㋐縁故のある人。㋑婚姻の続きあいのある家。また、その家の人。親類。

【縁由】(エンユウ) ①ゆかり。関係。縁故。②ちなむ。

【縁類】(エンルイ) 国=縁辺②㋑。

9 【⿰糸屋】 15画 9257 漢オウ 呉ウ 宥 ǒu ₂8446 — —

字義 喪の時、死者の手を束ねるひも。 難読 ⿰糸屋見(ゆるみ)

解字 形声。糸+屋音。

9 【緼】 15画 9258 オン 縕(9296)と同字。→一二三五㌻中。

9 【緺】 15画 9259 一 漢カイ(クワイ) 呉ケ 佳 guāi 二 漢カ(クワ)・呉ケ 麻 guō — — 5230

字義 一二紫青色の平ひも。

解字 形声。糸+咼音。

9 【縀】 15画 9260 漢カ 呉ゲ 麻 xiá — — 5219

字義 靴(くつ)。また、靴のかかとに貼りつけるきれ。

解字 形声。糸+叚音。

9 【緙】 15画 9261 漢カク 呉キャク 陌 kè ₂8442 — 5218

字義 ❶ぬう(縫)。❷よこいと(緯)。

解字 形声。糸+革音。

9 【緩】 15画 9262 常 カン ゆる-い・ゆる-やか・ゆる-む・ゆる-める 2043 8AC9 —

9 〖緩〗 15画 9263 漢カン(クワン) 呉ガン(グワン) 旱 huǎn

筆順 緩

字義 ❶ゆる-い(ゆるし)。ゆる-やか。↔急(3499)。㋐ゆったりしている。きびしくない。㋑しまりがない。㋒いそがしくない。㋓のろい。おそい。❷ゆる-む(ゆるむ)。ゆる-める(ゆるむ)。ゆるやかになる。ゆるくする。

名前 のぶ・ひろ・ふさ・やす

解字 篆文 別体 形声。篆文は、糸(素)+爰音。音符の爰(エン＝カン)は、寛(カン)に通じ、ゆるやかの意味。糸をゆるめるの意味を表す。常用漢字の緩は、別体による。

逆 遅緩

【緩歌】(カンカ) ゆるやかにうたう。また、その歌。用例〈唐、白居易、長恨歌〉緩歌慢舞凝二糸竹一(カンカマンブ、シチクをこらし)、尽日君王看不レ足(ジンジツクンオウ。みれどもたらず)。↓ゆるやかな歌とゆるやかな舞と管弦の音楽の粋を凝らし、天子は一日中見ても見あきることがなかった。

【緩緩】(カンカン) ゆるやかなさま。ゆったりしたさま。

【緩急】(カンキュウ) ①ゆるやかであることと、きびしいこと。②さしせまっている状態。また、その事がら。危急。▼緩は、付帯字で意味をもたない。

【緩頰】(カンキョウ) 顔色を和らげること。顔色を和らげて物を言うこと。▼頰は、顔のほお。

【緩行】(カンコウ) ①ゆっくり行進する。②ゆっくり歩く。

【緩衝】(カンショウ) 対立するものの間の不和・衝突を和らげること。「緩衝地帯」

【緩怠】(カンタイ) ゆるみおこたる。おこたる。なまける。

【緩帯(帶)】(カンタイ) 帯をゆるめること。転じて、くつろぐこと。休息する。安心する。

【緩舞】(カンブ) ゆるやかにまう。

【緩歩】(カンポ) ゆっくりあるく。

【緩慢】(カンマン) ゆるやか。のろい。手ぬるい。また、怠る。

【緩和】(カンワ) ゆるむ。やわらぐ。ゆるめる。和らげる。

9 【緘】 15画 9264 漢カン 呉ケン 咸 jiān 6940 E367 —

字義 ❶とじる(とず)。㋐封をする。「封緘」㋑口をふさぐ。黙る。「緘口」❷とじなわ。箱などをしばるひも。また、しばる。❸手紙などの封じめ。❹封筒。また、文箱(ぶんこ)。❺手紙。書信。

解字 金文 篆文 形声。糸+咸音。音符の咸(カン)は、尽きるの意味。箱に物を入れ終わってかける、とじなわの意味を表す。

【緘口】(カンコウ) 口をとじる。だまる。箝口(カンコウ)。「緘口結舌」

【緘札】(カンサツ) 封をした手紙。封書。緘書。

【緘愁】(カンシュウ) 心にひめているうれいや悲しみ。

【緘書】(カンショ) ＝緘札。

【緘秘(祕)】(カンピ) ひめかくす。

【緘封】(カンプウ) 封じ閉じる。封をする。

【緘黙(默)】(カンモク) 口を閉じて物を言わない。

9 【緊】 15画 9265 常 キン 漢キン 軫 jǐn 2259 8BD9 —

筆順 緊

字義 ❶きびしい(きびし)(急)。ゆるみがない。❷しめる(しむ)。引きしめる。「緊張」❸しまる。引きしまる。❹ちぢむ(縮)。ちぢめる。「緊縮」❺せまる(迫)。さしせまる。いそぐ。「緊急」❻かたい(堅)。つよい(強)。❼まとう。まつわる。

解字 篆文 形声。糸+臤音。音符の臤(ケン)は、しっかり固めるの意味。糸でしっかりしめるの意味を表す。

逆 喫緊・至緊

【緊急】(キンキュウ) ①ゆるみがなくきびしい。琴の糸などのぴんと張っていること。②さし迫っていること。

【緊褌】(キンコン) 国ふんどしをしめなおす意で、心を引きしめて奮い立つこと。

【緊褌一番】(キンコンイチバン) 国=緊褌。▼一番は、一回。

【緊縮】(キンシュク) ①引きしめる。②節約する。「緊縮財政」

【緊切】(キンセツ) ①非常にたいせつなこと。②国㋐きびしくさし迫っていること。㋑きわめてきびしいこと。㋒きわめてよく当てはまること。ぴったり。

【緊張】(キンチョウ) ①糸などをぴんと張ること。強く張る。②ひきしまる。心が張りつめること。

【緊迫】(キンパク) 非常にさし迫っていること。せっぱつまっていて少しの油断もできない。

【緊密】(キンミツ) かたくぴったりとついてすきまのないこと。

【緊要】(キンヨウ) 最もたいせつなこと。

9 【緪】 15画 9266 コウ 蒸 徑 gēng — — 5223

〔絚〕 9150 同字

字義 ❶なわ。おおなわ。太いなわ。❷はる。つよく張る。❸おわる。おえる。

解字 篆文 形声。糸+恆音。音符の恆(コウ)は、月が正しく規則的に運行するの意味。月が東から西へと渡るように弦を強く張り渡すの意味を表す。

9 【緱】 15画 9267 漢コウ 呉ク 尤 gōu ₂8444 — 5226

字義 つか。剣の束(つか)。

解字 形声。糸+侯音。

9 【緦】 15画 9268 シ 支 sī ₂8443 — 5222

字義 目のあらい麻布。軽い喪の喪服に用いる。

解字 形声。糸+思音。

【緦衰・緦縗】(シサイ) 目のあらい麻布で作った喪服の名。王が諸侯の喪のために着る。

【緦麻】(シマ) 三か月の喪に服する人が着る喪服の名。

9 【⿰糸甾】 15画 9269 シ 緇(9210)の本字。→一二三六㌻下。

【緝】9 15画 9270 シュウ(シフ) 緝 jī(qì) 6941 E368 —

字義 ❶つむ-ぐ(紡・績)。糸をつむぐ。❷つぐ。続ける。❸あつ-める。あつまる。「編緝」❹あう(合)。かなう。ととのう。ととのえる。❺おさめる(治・理)。❻やわらぐ(和)。やわらげる。仲良くする。仲良くさせる。❼ひかる。かがやく。あきらか。

解字 篆文 形声。糸＋咠(音)。音符の咠シュは、口と耳とを寄せて話す意味。糸と糸とを寄せあつめて、つむぐの意味を表す。

【緝綏】シュウスイ 集めて安らかにする。また、仲良く安らかにしている。
【緝熙】シュウキ 光りかがやく。また、光。輝き。光明。
【緝績】シュウセキ つむぐ。糸をつむぐ。
【緝綴】シュウテイ ①集めつづる。集める。②文章を作ること。
【緝捕】シュウホ 罪人を取り押さえる。また、その役人。
【緝穆】シュウボク 集めて仲良くさせる。また、集まって仲良くする。むつまじくする。緝和。
【緝和】シュウワ ＝緝穆シュウボク

【緒】9 15画 (9216) ショ 緒(9215)の旧字体。→一一二七ページ・中。

【緗】9 15画 9271 漢ショウ(シャウ) 呉ソウ(サウ) 陽 xiāng 2844I — 5217

字義 あさぎ。浅黄色。また、その織物。

解字 形声。糸＋相(音)。

【緗素】ショウソ ①浅黄色のきぬ。縑素ケンソ(白いかとり絹)を染めたもので、書籍のおおいにした。②書籍。
【緗帙】ショウチツ 浅黄色の絹で作った書物のおおい。
【緗縹】ショウヒョウ ①浅黄色。また、その衣服。②＝緗帙。

【縄】9 15画 9272 教4 ジョウ なわ 3876 93EA —
13【繩】19画 9273 漢ショウ 呉ジョウ 蒸 shéng 6974 E38A —

筆順 幺 糸 糸 紀 紀 紀 絹 縄

字義 ❶なわ。わら・糸などをより合わせたもの。❷すみなわ(墨縄)。すみいと。大工が材木などに直線を引くのに用いる。「縄尺」❸のり(法)。法則。規則。標準。「準縄」❹ただ-す(正)。また、いましめる。❺ほめる。❻つぐ。受けつぐ。また、続く。続ける。

名前 ただ・つぐ・つな・つね・なお・なわ・のり・まさ

墨縄

解字 篆文 形声。糸＋蠅省(音)。音符の蠅ヨウは、腹のふくらんだ、はえの意味。なわのよりをかけた部分が、ふくらんだ腹のようなところから、なわの意味を表す。常用漢字の縄は俗字による。

逆 火縄・結縄・準縄・赤縄

【縄矩】ジョウク ①墨縄すみなわと曲尺まがりかね(指矩さしがね)。②のり。規則。
【縄橋】ジョウキョウ なわの橋。なわで作ったつり橋。
【縄検(檢)】ジョウケン しめくくる。ひきしめる。
【縄索】ジョウサク なわ。つな。▼索も、なわ・つな。
【縄牀】ジョウショウ なわを張って作った腰かけ。
【縄縄】ジョウジョウ ①絶えることなく続くさま。きわまりなく続くさま。②多いさま。③いましめつつしむさま。
【縄枢(樞)】ジョウスウ なわのとぼそ。なわで縛ってある戸。貧しい家のさま。「縄枢之子ジョウスウのこ」
【縄正】ジョウセイ ①墨縄すみなわによってまっすぐにする。②法によってただす。
【縄尺】ジョウシャク・ジョウセキ ①墨縄すみなわと物指ものさし。②のり。規則。
【縄直】ジョウチョク 墨縄すみなわがまっすぐなこと。また、墨縄のようにまっすぐなこと。
【縄文】㊀ジョウブン 昔、文字のない時代になわを結んで約束のしるしとしたこと。用例(晋書、王羲之伝)縄文鳥跡ジョウブンチョウセキ不レ足レ可レ観みるべきにたらず。↓縄の結び目や鳥の足跡のような原始的な文字は、見るべきほどのものではない。㊁ジョウモン 国 古代の土器につけられた、なわやむしろの編み目のような模様。「縄文式土器」
【縄墨】ジョウボク ①すみなわ(墨縄)。大工が直線をひくのに用いる器具。用例(荘子、逍遥遊)其大本擁腫而不レ中ニ縄墨一そのタイホンはヨウショウして、ジョウボクにあたらず。↓その大きな幹はこぶだらけですみなわで直線を引くことができない。②のり。規則。

【緤】9 15画 9274 漢セツ 呉セチ 屑 xiè 6942 E369 —

字義 ❶きずな。犬・馬をつなぐ綱。＝紲(9118)。❷つなぐ。

解字 形声。糸＋枼(音)。

【線】9 15画 9275 教2 セン セン 霰 xiàn 3294 90FC —

筆順 糸 紒 約 約 約 紳 綿 綿 線

【綫】9222 同字

字義 いと。糸すじ。また、糸のように細長いもの。

解字 篆文 古文 形声。糸＋泉(音)。綫センの古字。音符の泉は、いずみの意味。岩穴から一すじわきだすいずみのような、いとすじの意味を表す。

逆 幹線・琴線・視線・雪線・戦線・前線・伏線

【線香】センコウ 香料を粉にし、松やになどで線状にかためたもの。火をつけて仏前に供える。〔本草、線香〕
【線装(裝)】センソウ 装訂の一つ。用紙を重ね、背に近い部分に糸を通してつづったもの。⇨コラム 書籍(六六八ページ)。
【線縷】センル 糸。糸すじ。▼縷は、糸・細い糸。

【總】9 15画 9276 ソウ 総(9223)と同字。→一一二八ページ・上。 — — 5224

【緵】9 15画 9277 ソウ 東 送 zōng — — 5227

字義 ❶糸を数える単位。八十本の称。❷魚をとるための網。

解字 形声。糸＋㚇(音)。

【緻】9 15画 9278 チ 緻(9311)の正字。→一一三七ページ・上。 3689 92F7 —

【締】9 15画 9279 常 テイ し-まる・し-める 漢テイ 呉ダイ 霽 斉 dì

筆順 糸 糸 紵 紵 統 綈 綈 締 締

字義 ❶むす-ぶ。㋐かたく結ぶ。しめる。㋑とりきめる。とりかわす。「締盟」❷むすぼれる。心がはればれしない。国 ❶し-まる。㋐ゆるみがなくなる。緊張する。㋑しっかりする。堅実になる。また、品行がよくなる。㋒倹約するようになる。㋓整う。よく治まる。㋔閉じる。㋕監督する。警戒する。❷し-める。㋐ゆるまぬように堅く結ぶ。㋑しばる。くくる。たばねる。㋒ゆるんでいるのをひきしめる。㋓しぼる。圧搾する。㋔閉じる。とざす。㋕合計する。㋖監督をきびしくする。㋗とっちめる。こらしめる。❸しまり。❹しめ。㋐合計。㋑和紙百帖ジョウ(二千枚)。

名前 てい

使いわけ しまる・しめる〔締・閉・絞〕
〔締〕緩みをなくす。きつく結ぶ。また、たるんだところをなくす。「ひもが締まる・帯を締める・気を引き締める」
〔閉〕あいていた戸や鍵などをしめる。また、業務を終える。「窓を閉める・店が閉まる」
〔絞〕首に強い力を加える。「首を絞める」

解字 篆文 形声。糸+帝㊥。音符の帝は、しめくくるの意味。ひもで解けないように結ぶの意味を表す。

【締姻・締△婣】テイイン 夫婦の縁を結ぶ。

【締結】テイケツ ①むすぶ。しめくくる。②約束・条約などを結ぶ。

【締交】テイコウ 交わりを結ぶ。

【締盟】テイメイ ちかいを結ぶ。条約をとりかわす。

9 【緹】15画 9280 漢テイ 呉ダイ 斉 tí ₂8445 — 5229

字義 ❶赤黄色の絹。❷あか。赤色。

解字 形声。糸+是㊥。

【緹騎】テイキ 漢代、執金吾の支配下の騎兵。宮外の非常の警戒、高官の護衛などにあたった。後に罪人を捕らえる役となる。赤い官服を着た。赤衣。

9 【緞】15画 9281 漢タン・呉ダン 翰 唐ドン 旱 duàn 6943 E36A —

字義 練った絹糸で織った、厚くてつやのある上等の絹織物。緞子ドンス。

解字 形声。糸+段㊥。

【緞帳】ドンチョウ 国①厚地の織物で作った幕。②刺繡シシュウや宝石類ではなやかな図案を施した布。③上に竿さおがあって巻いて上げおろしする幕。

9 【緲】15画 9282 漢ビョウ(ベウ) 呉ミョウ(メウ) 篠 miǎo 6945 E36C —

字義 かすか。ぼんやり見えるさま。

解字 形声。糸+眇㊥。音符の眇ビョウは、目を小さく細める意味。糸と合わせてさらに、かすかな意味を表す。

9 【緡】15画 9283 漢ビン 呉ミン 真 mín 6946 E36D —

【緍】9233 同字

字義 ❶いと。釣り糸。❷なわ(縄)。❸さし。穴のある銭を集めつらぬくひも。ぜにさし。また、ぜにさしでつらぬいた銭。「緡銭」❹こうむらせる。着せる。つける。ほどこす。

解字 形声。糸+昏㊥。

【緡銭(錢)】ビンセン ①銭さしでつらぬいた銭。②漢代の税法の名。

【緡緡】ビンビン 無知なさま。

【緡△綸】ビンリン 釣り糸。▼綸も、つりいと。

9 【編】15画 9284 教5 ヘン あ-む 4252 95D2 —

9 〔編〕15画 9285 ヘン 先 biān

筆順 編 編

字義 ❶あ-む。㋐組む。組み合わせる。おる(織)。㋑とじる。糸などでとじる。㋒まとめる。文書などを集めまとめる。書籍を作る。「編集」㋓順序をつける。順序をつけてならべる。「編次」㋔つらねる。組み入れる。「編入」❷書籍のとじ糸。転じて、書籍。「韋編イヘン」国ヘン。㋐書籍の中の部分け。「前編」「後編」㋑詩文などを数える語。「三編」

名前 つら・よし 難読 編木ささら

参考 現代表記では[篇](8825)の書きかえに用いる。「長篇→長編」「前篇→前編」

解字 篆文 形声。糸+扁㊥。音符の扁ヘンは、ふだの意味。糸で竹のふだをあむの意味を表す。

逆 佳編・残編・続編・短編・類編

【編簡】ヘンカン ほん。書籍。▼簡は、文字を書いた竹の札。

【編△磬】ヘンケイ 楽器の名。→磬(8260)。

【編戸】ヘンコ ①戸籍に編入すること。戸籍に名をしるすこと。②戸籍に編入させられた人。平民・庶民をいい、税を徴収する対象とされた。

【編△纂】ヘンサン =編修②。▼纂は、集める。

【編次】ヘンジ 順序をつけてならべること。

【編修】ヘンシュウ ①順序だって整っていること。②色々の材料を集め、取捨整理して書籍を作ること。↓編集・編輯。③官名。昔、中国で国史を編修した官。

【編集・編△輯】ヘンシュウ =編修②。◆「編集」も、「編修」も、ともに書籍を作る意。現代では「編修」は史書や教科書についていう場合に多い。書籍以外の番組・映画・テープを取捨整理してまとめ上げる場合には「編集」を用いる。

【編述】ヘンジュツ =編修②。

【編鐘】ヘンショウ 楽器の名。大きさの異なる十六個の鐘を一つの鐘かけに二段にかけたもの。

編鐘

【編成】ヘンセイ 国①組み立てること。組織して組み立てること。②組み立て。組織。◆「編成」「編制」ともほぼ同意。「編制」は実際には軍隊の組織についていう場合がほとんどである。「戦時編制」

【編制】ヘンセイ 国①個々のものを組み立て団体とすること。②軍隊の組織内容。→編成。

【編著】ヘンチョ 文書や書籍を作りあらわすこと。

【編入】ヘンニュウ 組み入れる。組み込む。

【編年史】ヘンネンシ 編年体の歴史。

【編年体(體)】ヘンネンタイ 歴史記述の一体。年月の順を追って史実を記述する体裁。宋ソウの司馬光の『資治通鑑シジツガン』の類い。↔紀伝体(二〇五ぺ・中)。

【編△綴】ヘンテイ とじる。あみつづる。文書を集めてつづる。

【編列】ヘンレツ ①順序だてて並べる。②戸籍に組み入れる。編戸。

9 【緶】15画 9286 ヘン 銑 biǎn — — 5228

字義 ❶麻をより合わせる。❷ぬう(縫)。

解字 形声。糸+便(便)㊥。

9 【緥】15画 9287 ホウ 褓(10943)の正字。→一〇八五ぺ・下。 — — 5221

9 【緬】15画 9288 メン 銑 miǎn 4443 96C9 —

字義 ❶ほそいと(細糸)。❷はるか(遥ヨウ)。遠い。はるかに遠いさま。❸もの思うさま。国国名。緬甸ビルマの略。ミャンマー。かつてのビルマ。

解字 篆文 形声。糸+面㊥。音符の面は、顔を向けるの意味。目的に心を向け糸をたぐるように思うの意味や、遠くのものを糸をたぐるように引き寄せるような思い、はるかの意味を表す。 難読 緬甸ビルマ

【緬思】メンシ はるかに思いやる。また、はるかな思い。緬想。

【緬然】メンゼン ①はるかに遠いさま。②はるかに思うさま。心を遠くにはせるさま。③思いにふけるさま。

【緬想】メンソウ はるかに思いやる。

【緬△邈】メンバク ①はるかに遠いさま。②ぼんやりと見えるさま。かすかなさま。

【緬羊】メンヨウ ひつじ。綿羊。

9 【緜】15画 9289 メン 綿(9237)の正字。→一一二九ぺ・中。 6936 E363 —

9 【練】15画 (9250) レン 練(9249)の旧字体。→一一三一ぺ・上。

9 【縅】15画 9290 国字 6947 E36E —

字義 ❶おど-す。よろいの札さね(鉄または革製の小片)を、紐ひもまたは革でつづり合わせる。❷おど-し。おどした紐や革。また、その色あい。

10 【緯】16画 9291 常 イ 1662 88DC —

解字 会意。糸+威。威は、おどし(緒通し)の意味。

9 【緯】15画 9292 イ（ヰ） 㝡 wěi

筆順 糸 糸' 糸ナ 糸卉 糸音 糸音 糸韋 緯 緯

字義 ❶よこいと。織物の横糸。ぬきいと。↔経(9102)。❷よこ(横)。㋐左右または東西の方向。㋑左右または東西に通ずる道。❸すじ(筋)。道。❹未来記。予言書。↔経(9102)。「緯書」

名前 つかね

解字 篆文 形声。糸＋韋(韋)㊥。音符の韋イは、囲に通じ、めぐらすの意味。機織りで、たて糸の周囲にめぐらしていく糸、よこ糸の意味を表す。

逆 経緯・図緯

【緯経(經)】イケイ ①横糸と縦糸。横すじと縦すじ。②縦横に交わること。

【緯車】イシャ いとぐるま。いとをつむぐ車。

緯車

【緯書】イショ 漢代に、経書にかこつけて未来の事や吉凶禍福を予言した書籍。↔経書(一二三ページ上)。

【緯度】イド ━横にわたる。▼度は、渡。━ドイ 赤道から南北へのへだたりを示す座標。赤道を零度とし、南北それぞれ九十度まである。↔経度(一二三ページ中)。

【緯武経(經)文】イブケイブン 武を緯(横糸)とし文を経(縦糸)とする意。文武両道を兼ね備えること。経文緯武。〔晋書、斉王攸伝賛〕

【不恤緯】イをうれえ(へ)ず ＝不恤緯フジュツイ(二九ページ中)。

10 【縊】16画 9293 ━エイ 霽 yì ━イ 寘 yì 6948 E36F ━

字義 ━❶くびれる。くびる。自分で自分の首をくくって死ぬ。「縊死」 ❷くびる。人の首をしめて殺すこと。しめ殺す。「縊殺」

解字 篆文 形声。糸＋益㊥。音符の益は、厄ヤクに通じ、せまくるしいの意味。ひもで首をしめるの意味を表す。

10 【縜】16画 9294 イン（ヰン） 真 yún ― ― 5236

字義 綱なつ。

解字 形声。糸＋員㊥。

10 【縈】16画 9295 ㊥エイ ㊐ヨウ（ヤウ） 庚 yíng ı9016 ― 5231

字義 ❶めぐる。㋐まつわる。まつはる。とりまく。からみつく。㋑うねうねと曲がる。まがりくねる。「縈回」 ❷めぐらす。

解字 金文 篆文 形声。糸＋熒省㊥。音符の熒ケイは、めぐらす夜営のかがり火の意味。ひもがからみつく、めぐるの意味を表す。

【縈紆】エイウ ①うねり曲がる。まがりくねる。▼紆も、めぐる。

用例 〔唐、白居易、長恨歌〕黄埃散漫風蕭索コウアイサンマン、かぜショウサク 雲桟縈紆登剣閣ウンサンエイウ、ケンカクにのぼる。㊦黄色い土ぼこりがあたり一面に舞い上がり、風はわびしく吹きすさぶ中、雲までとどく蜀ショクの桟道がうねうねと続く道を、剣閣山に登ってゆく。②まつわる。からみつく。

【縈回・縈廻】エイカイ ①めぐる。ぐるぐるめぐる。②とりまく。③うねりめぐる。うねうねと曲がる。

【縈結】エイケツ まつわりむすぶ。からみつく。

【縈青繚白】エイセイリョウハク ＝縈レ青繚レ白セイをまとい(ひ)ハクをめぐらす (一五四一ページ下)。

【縈帯(帶)】エイタイ ①ぐるりととりまく。②うねり曲がる。③身にまといめぐらした帯。しめている帯。

【縈纏】エイテン ①まといめぐる。とりかこむ。②まつわりつく。

【縈絆】エイハン まといつなぐ。まつわりつく。また、きずな。

10 【縕】16画 9296 ━㊥オン ㊐オン（ヲン） 元 wēn ━ウン 文 yūn ━ウン 問 物 yùn ı9018 ― 5234

【緼】9258 同字

字義 ━赤と黄の中間色。━❶ふるわた。古い綿。また、もつれた麻のくず。❷ゆたか。さかんなさま。「絪縕インウン」 ━奥深い。また、その所。「縕奥ウンオウ」

難読 縕袍どてら

解字 篆文 形声。糸＋𥁕㊥。音符の𥁕ウン＝オンは、熱気がこもるの意味。むれてもつれた古綿の意味を表す。

【縕奥】ウンオウ 学問・技芸などの奥深いところ。奥義。蘊奥ウンオウ。

【縕袍】ウンポウ 古綿を入れたどてら。ぬのこの綿入れ。身分の低い人が着る粗悪な衣服。「敝縕袍ヘイウンポウ」

10 【徽】16画 9297 キ 徽(9324)の俗字。→一一三八ページ中。

10 【縣】16画 (7963) ケン 県(7962)の旧字体。→一〇〇四ページ下。

10 【縑】16画 9298 ケン 塩 jiān ı9017 ― 5233

字義 かとり。かとりぎぬ。より合わせた糸で堅く織った絹。

解字 篆文 形声。糸＋兼㊥。音符の兼は、かねるの意味。糸をよりあわせたきぬの意味を表す。

【縑紈】ケンガン ＝縑素。▼紈は、白いねり絹。

【縑綵】ケンサイ あや絹。あや模様のある絹。

【縑緗】ケンショウ あさぎ色のうすぎぬ。書物の表装に用いる。転じて、書物をいう。

【縑素】ケンソ 白いかとりぎぬ。書画を書くのに用いる。

【縑帛】ケンパク かとりぎぬ。また、一般に、絹織物。

10 【縞】16画 9299 人 標 コウ（カウ） 晧 号 gǎo 2842 8EC8 ―

筆順 幺 糸 糸 糸亠 糸亠 糸亠 糸亠 縞 縞

字義 ❶きぬ。㋐しろぎぬ(白絹)。㋑きぎぬ(生絹)。㋒ねりぎぬ(練絹)。㋓ちぢみ。ちりめん。❷しろ(白)。白色。白い。国しま。模様の一種。また、しま模様の織物。

名前 しま

解字 篆文 形声。糸＋高㊥。音符の高は、皦キョウに通じ、つやのある白の意味。しろぎぬの意味を表す。

【縞衣綦巾】コウイキキン ①白い衣服(色や模様のない服)と、もえぎ色の巾(腰に帯びる布)。周代の身分の低い女性の服装。②自分の妻の謙称。〔詩経、鄭風、出其東門〕

【縞裙】コウクン 白絹のもすそ。

【縞素】コウソ ①白い絹。②白色の喪服。③書画を書く白い絹。絵絹。

【縞紵】コウチョ ①縞帯(白絹のおび)と紵衣(麻布の衣服)。②友人間の贈り物、また友情をいう。春秋時代、呉の季札が鄭テイの子産に縞帯を贈り、子産が紵衣を返した故事による。〔左伝、襄公二十九〕③白絹と麻布。

10 【縠】16画 9300 ㊥コク ㊐ゴク 屋 hú 28452 ― 5238

字義 うすでの、ちりめん(縮緬)。しわの入った、やや目が粗い薄い絹織物。

解字 形声。糸＋㱿㊥。

【縠衫】コクサン ちぢみのひとえ。

10 【縗】16画 9301 ㊥サイ ㊐スイ 灰 cuī 28450 ― 5235

字義 ❶喪服を着た時に胸部にかける長方形の麻布。三年の喪に服する人が用いる。略して、衰とも書く。❷喪服。

解字 篆文 形声。糸＋衰㊥。音符の衰は、おとろえるの意味。喪に服し、悲しみで心の衰えた近親者がつける布の意味を表す。一説に、衰は縗の原字であるという。

【縗△絰】(サイテツ) 喪服。▼絰は、喪服を着たとき首と腰とに巻く麻の帯。

10 【綷】 16画 9302 サイ 䏁 隊 zài 6950 E371 —

字義 こと(事)。ことがら。＝載(11900)。国こと。息(いき)。生命。「綷切れる」は、息が絶える。死ぬ。

解字 形声。糸＋宰㊖。

10 【縒】 16画 9303 シ 囡 cī 6951 E372 —

字義 ふぞろいのさま。乱れるさま。国❶よ-る。糸をより合わせて一筋にする。❷より。よった状態。また、よった物。

解字 篆文 形声。糸＋差㊖。音符の差は、ふぞろいの意味。糸がふぞろいの意味を表す。

10 【縦】 16画 9304 教6 ジュウ たて 2936 8F63 —

11 〖縱〗 17画 9305 人 6952 E373 —

一 漢ショウ 呉シュウ 宋 zòng
二 漢ショウ 呉シュウ 图 zōng
慣ジュウ

筆順 糸 糹 糿 紒 紛 紵 紼 縦 縦 縦

字義 一 ❶ゆるい。ゆるむ。ゆるくなる。ゆるめる。「弛縦(シショウ)」
❷はな-つ(放)。㋐ゆる-す。解きはなつ。放す。許してにがす。用例〔史記、高祖本紀〕夜乃解ㇾ縦所ㇾ送徒一(よるすなわ(は)ちおくるところのトをときはなつ)。↓夜、護送中の人夫たちを解放した。／〔史記、田叔伝〕何為縦二太子一(なんすれぞタイシをゆるせる)。↓どうして太子を逃がしたのか。
㋑兵を出す。用例〔史記、項羽本紀〕諸侯軍救二鉅鹿下一者十余壁莫二敢縦ㇾ兵(ショコウのグンキョロクのもとをすくう(ふ)ものジュウヨヘキしてあえ(へ)てヘイをはなつものなし)。↓鉅鹿の救援に駆けつけた諸侯の軍勢は、十数か所に土塁を築いて守るだけで、兵を出して戦おうとするものはなかった。

㋒矢を射る。

㋓火をつける。用例〔人虎伝〕乗ㇾ風縦ㇾ火(かぜにジョウじて、ひをはなち)、一家数人(イッカスウニン)、尽焚二殺之一而去(ことごとくこれをフンサツしてさる)。↓風の強いのにつけこんでに火を放ち、一家数人をすべて焼き殺してそこを立ち去った。
❸ほしいまま。㋐心のまま。思うまま。「縦観」㋑勝手気まま。わがまま。限度がない。「放縦」
❹ほしいまま-にする。ほしいままにす。思うままにする。まかせる。用例〔北宋、蘇軾、前赤壁賦〕縦二一葦之所ㇾ如(イチイのゆくところをほしいままにし)、凌二万頃之茫然一(バンケイのボウゼンたるをしのぐ)。↓一そうの小舟のゆくにまかせ、ひろびろとした中を進んで行く。
二 ❶たて。↔横(5727)・衡(3469)。❷合縦(二四七ページ下)の略。
国よ-し。よ-しや。よ-しんば。たとい。かりに。

助字・句法解説
たと-い(たとひ)。仮定。訳かりに…であっても。後の内容を受けて、逆接の仮定条件を表す。「縦令」「縦使」「縦然」とも書く。「たとい(ひ)…とも」と呼応させて訓読する。
用例〔史記、項羽本紀〕縦江東父兄憐而王ㇾ我(たとい(ひ)コウトウのフケイあわ(は)れみてわれをオウとすとも)、我何面目見ㇾ之(われなんのメンボクありてこれにまみえん)。↓たとえ江東の父兄たちが私をふびんに思って王としてくれても、私はどのような顔で彼らに会えようか(いや会えない)。／〔唐、張謂、題二長安主人壁一詩〕縦令然諾暫相許(たとい(ひ)ゼンダクしてしばらくあい(ひ)ゆるすも)、終是悠悠行路心(ついに(ひ)にはこれユウユウたるコウロのこころ)。↓たとえ頼みを引き受けてしばらくは心を許してつき合っていても、(金がなくなれば)結局は縁のない通りすがりの人となってしまうのだ。

名前 なお
参考 一般に、「ジュウ」と読むのは「たて」の意味の場合。ただし、「縦観・縦覧」の「縦」は「ジュウ」とも読む。

解字 篆文 形声。糸＋従(從)㊖。音符の従は、たてに人がつきしたがうの意味。たて糸の意味から、たての意味を表す。また、心にしたがうままにする・ほしいままにするの意味を表す。

逆 合縦・操縦・放縦

【縦△佚・縦逸】(ショウイツ) ほしいまま。気まま。また、気ままにする。

【縦淫】(ショウイン) ほしいままにすること。度を越した、勝手気ままな行いをすること。

【縦飲】(ショウイン) ほしいままに飲む。暴飲する。

【縦横】(ジュウオウ・ショウオウ) ①たてとよこ。たてよこ。十文字。②南北と東西。東西南北。③自由自在。思いのまま。また、思いのままにふるまう。④「合縦連衡(ガッショウレンコウ)」の略。「縦横計」

【縦横家】(ジュウオウカ・ショウオウカ) ①諸子百家の一つ。戦国時代に、合縦(ガッショウ)または連衡(＝横)の策を諸侯に説いてまわった蘇秦(ソシン)・張儀などの一派をいう。→合縦(二四七ページ下)・連衡(一四一八ページ下)。⇩コラム諸子百家系統図(一三二四ページ)。②策士。縦横家は諸侯のためにするように見せかけて結局は自分の立身出世を目的としていたことに基づく。

【縦横無△礙】(ジュウオウムゲ) 国＝縦横無尽。

【縦横無尽(盡)】(ジュウオウムジン) 国自由自在。思いのまま。無尽は、限りないこと。

【縦歌】(ショウカ) ほしいままに歌う。

【縦貫】(ジュウカン・ショウカン) 国①たてにつらぬく。②南北につらぬく。

【縦観(觀)】(ショウカン・ジュウカン) 自由に見る。

【縦撃(擊)】(ショウゲキ) ①自由自在に攻撃する。また、勝手に攻撃する。②自由自在に(太鼓などを)たたく。

【縦言】(ショウゲン) 勝手きままに言う。また、そのことば。

【縦使】(たとい(ひ)) ⇩助字・句法解説。

【縦恣・縦△肆】(ショウシ) わがまま勝手。勝手きまま。

【縦酒】(ショウシュ) ほしいままに酒を飲む。

【縦囚】(ショウシュウ) 牢屋(ロウや)にはいっている罪人を釈放すること。囚人を釈放する。また、釈放された囚人。

【縦△迹・縦跡】(ショウセキ) ①足あと。②行くえ。

【縦然】(たとい(ひ)) ⇩助字・句法解説。

【縦誕】(ショウタン) 勝手きまま。わがままで、しまりがない。

【縦断(斷)】(ジュウダン) ①たてに断ち切る。②南北に断ち切る。③国たてに横ぎる。

【縦適】(ショウテキ) 気のむくままにする。

【縦△囀】(ショウテン) 思うままにさえずる。ぞんぶんにさえずる。

【縦放】(ショウホウ) 同放縦。①ほしいまま。わがまま。勝手。②自由自在。③ほしいままにさせておく。放任する。

【縦目】 一(ジュウモク) たてについている目。二(ショウモク) 目をほしいままにする。気のむくままにながめる。

【縦△臾】(ショウユ) すすめそそのかす。慫慂(ショウヨウ)。

【縦容】(ショウヨウ) ①おちついてゆったりとしたさま。②ゆるす。黙認する。③やりっぱなしにする。

【縦欲】(ショウヨク) 欲望をほしいままにする。欲望のおもむくままに行動する。

【縦覧(覽)】(ショウラン・ジュウラン) ＝縦観。

【縦令】(たとい(ひ)) ⇩助字・句法解説。

10 【縟】 16画 9306 漢ジョク 呉ニク 因 rù 6953 E374 —

字義 ❶かざり。多くの色どりのあるかざり、「繁縟」❷しげし(繁)。㋐多い。㋑わずらわしい。こみいっている。

解字 篆文 形声。糸＋辱㊖。音符の辱は、草を刈り重ねるの意味。いろいろな色の糸の重なりの意味から、かざり・模様の意味を表す。

【縟礼(禮)】(ジョクレイ) こまごまとした礼儀作法。わずらわしい礼法。「繁文縟礼」

【縟麗】(ジョクレイ) はなやか。色どりがさまざまで美しい。

10 【縉】 16画 9307 シン 震 jìn 6954 E375 —

【縉】9309 俗字

字義 ❶薄い赤い色の絹。❷うすあか色。❸**さしはさ-む**。礼装した時、笏を大帯にさしはさむこと。＝搢(4349)。

解字 篆文 形声。糸＋晉㊥。音符の晉は、搢に通じ、さしはさむの意味。

【縉紳】シンシン ①紳に縉む。礼装した時、笏を紳(大帯)にさしはさむこと。②①のような服装のできる身分の人。高位高官の人。③かつて高位高官の人で、退官して家にいる人。④儒者。

10 【縝】16画 9308　㊀シン 眞 chēn　㊁シン 軫 zhěn　₂8451 — 5237

字義 ㊀あさいと(麻糸)。㊁❶こまかい(細)。❷くろい(黒)。❸くろかみ(黒髪)。

解字 形声。糸＋眞㊥。音符の眞は、つめこむの意味。糸の目がつんでこまかいの意味を表す。

10 【縉】16画 9309　シン　縉(9307)の俗字。→一一三六ページ下。　₂8448 — —

10 【縐】16画 9310　シュウ(シウ) 宥 zhòu　㊉スウ　₂8449 — 5232

字義 ❶ちぢみ(縮)。㋐麻や葛で織った、細かなしわのある織物。㋑細かなしわの模様。❷ちぢむ(縮)。しわがよる。

解字 篆文 形声。糸＋芻㊥。音符の芻は、草をつかんで刈るさまから、ちぢむ・しわの意味。ちぢみの意味を表す。

【縐絺】シュウチ・スウチ 織り目のこまかいちぢみ。

10 【緻】16画 9311 常 チ　㊇チ・㊐ジ(ヂ) 寘 zhì　6944 E36B —

【緻】9278 正字

筆順 緻

字義 ❶こま-かい(細・密)。㋐きめがつんでいる。㋑念入りで手落ちがない。「精緻」❷くわしい(詳)。

参考 正字は、攵(4画)を夂(3画)と書く。

解字 篆文 形声。糸＋致㊥。音符の致は、きわめつくすの意味。糸の目がきわめてこまかいの意味を表す。

【緻密】チミツ ①きめが細かいこと。②細工などが細かいこと。③ぎっしりとこみあっていること。④くわしくつまびらかなこと。⑤手落ちのないこと。

10 【縋】16画 9312　㊇ツイ　㊐ズイ(ツイ) 寘 zhuì　6955 E376 —

字義 ❶かける。さげる。縄を上に掛けてたらし下げる。また、その縄。❷すがる。人が縄にすがって下りる。国**すが-る**。取りつく。よりかかる。たよる。

解字 形声。糸＋追㊥。

10 【縢】16画 9313　㊇トウ　㊐ドウ 蒸 téng　6956 E377 —

字義 ❶しばる。からげる。くくる。とじる。❷**かが-る**。❸なわ。ひも。❹ふくろ(袋)。❺むかばき。はばき。きゃはん。「行縢」国かな。四本をあわせて一本とした織物の縦糸。

解字 金文 篆文 形声。糸＋朕(舟关)㊥。音符の舟关は、上に向かっていくの意味。ふじのつるが巻きつきながらあがっていくように、しばる・からげるの意味を表す。また、からげるきゃはんの意味をも表す。

10 【縛】16画 9314 常 バク しば-る　3991 949B —

10 【縛】16画 9315　㊐バク　㊇ハク 薬 fù

筆順 縛

字義 ❶**しば-る**。㋐くくる。ゆわえる。たばねる(束)。つかねる。㋑つなぐ(繫)。しばって動けないようにする。捕らえつなぐ。「捕縛」❷**いまし-め**。なわめ。縄でしばること。

解字 篆文 形声。糸＋専㊥。音符の専は、稲の苗を手にする形にかたどる。稲の苗をにぎりたばねるさまから、しばるの意味を表す。

逆 自縛・囚縛・収縛・束縛・捕縛

【縛擒】バクキン しばり捕らえる。縛執。

【縛紲】バクセツ しばったなわ。

【縛束】バクソク しばりくくる。

10 【繁】16画 9316 常 ハン　4043 94C9 —

11 【繁】17画 9317 人　㊀㊇ハン・㊐ボン 元 fán　㊁㊇ハン・㊐バン 寒 pān　₁9019 — —

筆順 繁

字義 ㊀❶**しげ-る**。㋐多くなる。ふえる。㋑さかんになる。「繁栄」㋒草木がしげる。「繁茂」❷**しげ-し**。㋐多い。「繁多」㋑さかんである。「繁盛」㋒いそがしい。「繁忙」㋓わずらわしい。「繁細」㋔いりまじっている。「繁雑」㋕しばしば。しきりに。「頻繁」㊁❶馬のはらおび。＝鞶(13357)。❷馬のたてがみのかざり。おもがい。

名前 えだ・しげ・しげし・しげる・とし・はん

難読 繁縷

参考 現代表記では〔蕃〕(10297)の書きかえに用いることがある。「蕃殖→繁殖」

解字 形声。攵(攴)＋緐㊥。

逆 頻繁

【繁委】ハンイ 多くてくわしい。くだくだしい。

【繁蔚】ハンイ・ハンウツ ①しげる。②多い。③文章のことばのあやが多くあるさま。

【繁育】ハンイク しげりそだつ。栄え長ずる。よく生長する。

【繁陰・繁蔭】ハンイン しげった木かげ。

【繁栄(榮)】ハンエイ さかえる。また、さかえ。

【繁纓】ハンエイ 諸侯の馬のかざり。▼繁は馬のはらおび、纓は馬のむながい。

【繁衍】ハンエン しげり伸びる。はびこる。

【繁苛】ハンカ 法律・規則などの、わずらわしくきびしいこと。

【繁華】ハンカ ①草木が茂って花の咲くこと。②にぎわい栄える。また、にぎやか。はなやか。③富貴。④若くて美しいこと。あでやか。⑤咲き乱れている花。繁花。

【繁華子】ハンカシ・ハンカのこ ①咲きほこる花のように若く美しい人。美女・美青年。②富貴な家の青年。

【繁夥】ハンカ しげくおびただしい。非常に多い。

【繁簡】ハンカン 繁雑なことと簡単なこと。繁約。

【繁劇】ハンゲキ 非常にいそがしいこと。また、いそがしく責任が重い。▼劇は、はげしい。

【繁弦・繁絃】ハンゲン 琴などの音が多くさわがしいこと。「繁弦急管」

【繁砕(碎)・繁細】ハンサイ わずらわしく細か。くだくだしい。煩細。

【繁雑(雜)】ハンザツ 事が多くていりまじっていること。転じて、わずらわしいこと。→煩雑(八九九ページ中)。

【繁辞(辭)】ハンジ あれこれと言いたてることば。くだくだしいことば。

【繁手】ハンシュ 楽器をたくみにかなでること。手または指をしきりに動かす意。

【繁昌】㊀ハンショウ・ハンジョウ ①草木がしげり栄えること。②国や家が栄えること。㊁ハンジョウ 国町や店などがにぎわい栄えること。繁盛。

【繁殖】ハンショク しげりふえる。動植物が生まれふえる。蕃殖。

用例〔孟子、滕文公上〕禽獣繁殖。⇩鳥と獣がふえる。

【繁縟】ハンジョク ①複雑でかざりが多いこと。▼縟は、文彩。②くだくだしくわずらわしいこと。

【繁盛】(ハンセイ) 一(ハンジョウ) ①しげり栄える。②富み栄える。③勢いがさかん。二 国＝繁昌(ハンジョウ)二。

【繁説】(ハンセツ) くだくだしく述べる。

【繁霜】(ハンソウ) たくさん降りたしも。

【繁霜△鬢】(ハンソウのビン) 霜が厚くおりたようにまっ白になった鬢。▼鬢は、耳ぎわの髪。用例〔唐、杜甫、登高詩〕艱難苦恨繁霜鬢(カンナンはなはだうらむ、ハンソウのビン)、潦倒新停濁酒杯(ロウトウあらたにとどむ、ダクシュのハイ)。↓苦労ばかりの毎日で、鬢の毛が白くなってしまったことも恨めしく、年老いたために、つい最近、好きな濁り酒さえやめてしまった。

【繁多】(ハンタ) ①しげく多い。②国仕事が多くていそがしいこと。

【繁△蕪】(ハンブ) ①わずらわしい。わずらわしさ。②草木がさかんにしげる。

【繁文】(ハンブン) ①うるさいほど多いかざり。▼文は、あや・かざり。②こまごまとした、わずらわしい規則など。

【繁文△縟礼(禮)】(ハンブンジョクレイ) ①わずらわしいかざりやこまごました礼式。無用の虚礼。②手続きなどで、無用で形式的なことの多いこと。

【繁忙】(ハンボウ) 非常にいそがしい。

【繁茂】(ハンモ) 草木がおいしげる。

【繁用】(ハンヨウ) ①しきりに用いる。さかんに使う。②国㋐いそがしい用事。㋑用事の多いこと。

【繁乱(亂)】(ハンラン) いりまじる。まぎれこむ。

【繁慮】(ハンリョ) わずらわしい心配。めんどうな心配事。

【繁礼(禮)】(ハンレイ) わずらわしい礼式。縟礼(ジョクレイ)。

【繁露】(ハンロ) ①たくさん置いたつゆ。②冠の前後に垂れさげる、玉をつないだかざり。③草の名。つるむらさき。

10【縫】16画 9318 常 ホウ ぬ-う 4305 9644 —

11〖縫〗17画 9319 一 漢ホウ・呉ブ 图 féng 二 漢ホウ・呉ブ 困 fèng

筆順 糸 糸ク 糸夂 縫 縫 縫 縫 縫

字義 一 ❶ぬ-う(ぬふ)。㋐針でぬう。㋑ぬい合わせる。❷とりつくろう。「弥縫(ビホウ)」 二 ぬいめ。合わせめ。

名前 ぬい

解字 篆文 形声。糸＋逢音。音符の逢(ホウ)は、あうの意味。糸でぬい合わせるの意味を表す。

逆 織縫

【縫△腋・縫△掖】(ホウエキ) ①袖の下から両腋(リョウわき)をぬい合わせた衣服。②国昔、天皇・文官、及び四位以上の武官の着用した袍(ホウ)(宮中で着る正式の上衣)。腋の下をぬいつけ、下に襴(すそ)をつけたもの。

【縫△罅】(ホウカ) ①ぬいめ。合わせめ。▼罅は、すきま。②すきま。裂けめ。割れめ。

【縫合】(ホウゴウ) ぬい合わせる。

【縫△帔】(ホウヒ) 赤いうちかけ。赤い肩がけ。▼縫は、絳(コウ)と同じ。

10【縨】16画 9320 国字 9015 — 5240

字義 ほろ。＝幌(3127)。㋐戦陣で、矢を防ぐために背にかける大形の布。㋑風雨を防ぐための、車のおおい。

解字 会意。糸＋晃。晃は、幌(ほろ)の意味。

10【[糸+島]】16画 9321 国字 2 8447 — —

字義 「為朝(ためとも)が[糸+島]廻(しまめぐり)」は、江戸時代の黄表紙の書名。

11【縯】17画 9322 一 エン 銑 㯋 yǎn 二 イン 軫 yǐn — — 5243

字義 一 長い。二 引く。引き入れる。

解字 形声。糸＋寅音。

11【繄】17画 9323 エイ 斉 yī — — 5247

字義 ❶ほこぶくろ。ほこを入れる袋。❷赤黒色の絹。❸発語の助字。㋐ああ。嘆息の声。㋑これ(伊(イ))。㋒ただ(唯(イ))。

解字 形声。糸＋殹音。

11【徽】17画 9324 人 標 キ 微 huī 2111 8B4A —

〔徽〕9297 俗字

筆順 彳 彳' 彳山 徾 徽 徽 徽 徽

字義 ❶よ-い(よし)(善)。美しい。❷よくする。よく美しくする。❸はたじるし。しるし。❹三本よりのなわ。大綱(おおづな)。❺たばねる(束)。❻むかばき。きゃはん。

名前 よし

注意 参考 『康熙(コウキ)字典』では、彳部に所属する。現代表記では〔記〕(11105)に書きかえることがある。「徽章→記章」

解字 篆文 形声。糸＋微省音。音符の微は、小さいの意味。小さいが、しるしとなる組みひも、しるしの意味を表す。

【徽音】(キイン・キオン) ①よい評判。令聞。②美しい音楽。③よいたより。④よいことば。善言。

【徽徽】(キキ) ①美しいさま。②さかんなさま。

【徽言】(キゲン) よいことば。りっぱなことば。

【徽号(號)】(キゴウ) ①旗じるし。旗章。②ほめたたえる称号。天子・皇后などの功徳をほめたたえるための称号。

【徽章】(キショウ) ①旗じるし。旗章。②しるし。目じるし。記章。メダル。バッジ。

11【繈】17画 9325 漢キョウ(キャウ) 呉コウ(カウ) 養 qiǎng

〔繦〕9353 同字

字義 ❶ふしいと。ふしのあるあらい糸。❷なわ。❸さし(緡(ビン))。銭さし。❹せおいおび。小児を背負う帯。＝襁(10955)。

解字 形声。糸＋強音。

【繈△緥・繈保】(キョウホウ・キョウホ) 同 襁褓(キョウホウ)。①小児を背負う帯と小児の産衣(うぶぎ)。▼緥・保は、子どものうぶぎ・むつきの類い。②子供。小児。

11【繋】17画 9326 ケイ 繫(9371)の俗字。→一一四三ページ下。 2350 8C71 —

11【縿】17画 9327 一 漢サン・呉セン 咸 shān 二 ショウ(セウ) 蕭 xiāo — — 5246

字義 一 旗あし(長い旗の末端部)を取り付けてある所。二 生糸(きいと)。

解字 形声。糸＋參音。

11【繍】17画 9328 シュウ 繡(9373)の簡易慣用字体。→一一四三ページ上。 2911 8F4A —

11【縱】17画 (9305) ジュウ 縦(9304)の旧字体。→一一三六ページ上。

11【縮】17画 9329 教6 シュク ちぢ-む・ちぢ-まる・ちぢ-める・ちぢ-れる・ちぢ-らす 漢シュク・呉スク 屋 suō 2944 8F6B —

筆順 糸 糸' 糸' 紵 紵 紵 縮 縮

字義 ❶ちぢ-む。ちぢ-まる。↔伸(265)。㋐短くなる。小さくなる。「縮小」㋑ちぢ-れる。㋒すくむ。くじける。「恐縮」「畏縮」❷ちぢ-める(ちぢむ)。ちぢ-らす。㋐短くする。小さくする。㋑しかめる。しわをよせる。㋒くじけさせる。❸おさめる。❹なお-し(なほし)(直)。正しい。用例〔孟子、公孫丑上〕自反而縮(みずから(づ)からかえ(へ)りみて、なお(ほ)くんば)、雖千万人(センマンニンといえ(へ)ども)吾往矣(われゆかん)。↓自らを反省して正しければ、(相手が)千人万人であろうと私は進んでゆく。❺したむ。こす。酒をこす。❻かく(欠)。足りない。とぼしい。国ちぢみ。ちぢみ織りの略。

名前 なお 難読 縮屯倉(しじみみやけ)

解字 篆文 縮 形声。糸＋宿㊥。音符の宿は、粛に通じ、おそれちぢむの意味。糸がちぢむの意味を表す。

逆 圧縮・恐縮・凝縮・緊縮・軍縮・収縮・伸縮

【縮△頞】(シュクアツ) 鼻すじをしかめる。不愉快さをあらわす表情。

【縮減】(シュクゲン) ちぢめへらす。また、へる。

【縮刷】(シュクサツ) 国原本の形を縮めて印刷すること。また、その印刷物。

【縮尺】(シュクシャク) 国製図で、原形より縮小して書く場合、その縮小すべき一定の比例の寸法。

【縮縮】(シュクシュク) おそれてちぢこまるさま。すくむさま。

【縮△槭】(シュクセキ) ちぢみしぼむ。

【縮地補天】(シュクチホテン) 天子が政治上の大改革をするたとえ。地をちぢめて天をおぎなう意。〔旧唐書、音楽志一〕

【縮△緬】(ちりメン) 国縮織(ちぢみおり)の一種。→字義国。

【縮△栗】(シュクリツ) ①ちぢみおそれる。すくむ。縮慄(シュクリツ)。②草木の葉などが、枯れてちぢまること。

11【縬】 17画 9330

シュク 屋 cù

字義 ❶ちぢむ。❷しじらき。絹のしわ模様。国しじら(縮羅)。経糸(たていと)の張り方を変えて、織物に表したしわ。また、その織物。しじらおり。

2 8454 — 5241

11【縧】 17画 9331

ジョウ

條(9190)と同字。→一一三五ページ・上。

2 8453 — 5239

解字 形声。糸＋戚㊥。

11【績】 17画 9332 教5 セキ

漢セキ・呉シャク 錫 jì

3251 90D1 —

筆順 糸 糸 糸 綪 綪 績 績 績 績

字義 ❶つむ‐ぐ。う‐む。繭(まゆ)や綿から繊維をひき出して、よりをかけて糸にする。「紡績」 ❷こと(事)。わざ(業)。仕事。また、その結果。「事績」「成績」 ❸いさお。てがら。仕事のすぐれた結果。「功績」

名前 いさ・いさお・さね・つみ・なり・のり・もり

解字 金文 篆文 形声。糸＋責㊥。音符の責は、積に通じ、つむの意味。糸をつみ重ねる、つむぐの意味を現す。

逆 業績・功績・事績・成績・戦績・治績・紡績

【績功】(セキコウ) いさお。てがら。功績。績用。績効。

【績女】(セキジョ) 糸をつむぐ女性。

【績文】(セキブン) 文章を作る。

【績紡】(セキボウ) 糸をつむぐ。紡績。

11【繊】 17画 9333 常 セン

〔17【纖】 23画 9334〕 人 セン 塩 xiān

3301 9140 — / 6989 E399 —

筆順 糸 糸 紅 紆 紆 紆 繊 繊 繊

【纖】 9387 俗字

字義 ❶糸すじ。また、細かいすじ。「繊維」 ❷ほそい(細)。また、ちいさい(小)。❸うすぎぬ。薄い絹。❹しなやか。たおやか。かよわい。かぼそい。❺しわい。けち。倹約。❻わずか。少し。「繊介」

解字 篆文 形声。糸＋韱㊥。音符の韱(セン)は、かぼそい山にらの意味。かぼそい糸の意味を表す。常用漢字の繊は纖の省略形。

【繊△埃】(センアイ) ①細かいほこり。繊塵(センジン)。②わずかなこと。

【繊維】(センイ) 生物体を組織する細い糸状のもの。また、それに類似した、織物・紙の原料となるもの。

【繊△翳】(センエイ) わずかなくもり。わずかなかげり。

【繊△婉・繊△艶(艶)】(センエン) ほっそりとしていてあでやかなこと。

【繊介】(センカイ) こまかい。小さい。少し。わずか。

【繊△芥】(センカイ) ①細かいちり。②細かい。小さい。少し。わずか。「繊芥之悪(センカイのアク)」

【繊月】(センゲツ) 細い月。三日月(みかづき)。

【繊△妍】(センケン) ほっそりとしていて美しい。

【繊巧】(センコウ) 細かくてたくみなこと。繊細で巧緻(コウチ)なこと。

【繊△毫】(センゴウ) ＝繊介。▼毫は、毛すじ。

【繊細】(センサイ) ①物の形が細かくかぼそい。②国感情が、細かく鋭いこと、微妙なこと。デリケート。

【繊指】(センシ) ほそくしなやかな指。主として美人の指をいう。

【繊児(兒)】(センジ) こども。小児。人を軽んじていう語。

【繊△悉】(センシツ) ①細かいところ。②微細なところまでゆきとどくこと。

【繊弱】(センジャク) ほっそりしてよわい。かよわい。きゃしゃ。

【繊手】(センシュ) 女性の細く美しい手。かぼそくしなやかな手。織指。

【繊条(條)】(センジョウ) ほそい枝。

【繊△嗇】(センショク) けちけちする。しわい。けち。吝嗇(リンショク)。

【繊人】(センジン) ①性質の弱い人。②つまらない人間。小人。

【繊△塵】(センジン) ①細かいちり。②わずかのちり。

【繊繊】(センセン) ①細かいさま。②かぼそいさま。かよわいさま。

用例〔文選、古詩十九首、其十〕娥娥紅粉粧(ガガたるコウフンのよそおい)、繊繊出二素手一(センセンとしてソシュをいだす)。↓美しくべにおしろいで化粧して、かぼそい白い手を出している。③こまごましていてわずらわしいさま。

【繊眉】(センビ) 細かいまゆ。主として美人のまゆをいう。

【繊微】(センビ) ①細かい。また、そのもの。②少し。わずか。また、そのもの。

【繊腰】(センヨウ) ほっそりとした腰。美人の腰。

【繊羅】(センラ) うすい着物。うすぎぬ。

【繊麗】(センレイ) しなやかでうるわしい。(女性の体などが)ほっそりとしてうるわしい。

11【繰】 17画 9335

一 ソウ(サウ) 豪 sāo
二 ソウ(サウ) 晧 zǎo

2 8455 — 5248

字義 一 く‐る(繰)。糸を繰る。繭(まゆ)から糸を引き出す。＝繅(9375)。
二 ❶冠の垂れ紐(ひも)。❷玉に敷く敷き皮。

解字 篆文 形声。糸＋巣㊥。音符の巣(ソウ)は、「す」の意味。鳥が「す」を作るようにたくみに糸を引き出すの意味をいう。

11【總】 17画 (9224)

ソウ

総(9223)の旧字体。→一一二八ページ・上。

11【縶】 17画 9336

チュウ(チフ) 緝 zhí

— — 5245

字義 ❶つな‐ぐ(繋(ケイ))。しばる(縛)。また、とらえる(捕)。❷ほだし。きずな。つなぎとめるもの。自由を束縛するもの。

解字 形声。糸＋執㊥。音符の執(シュウ)は、とらえるの意味。糸を付し、つなぐの意味を表す。

11【縛】 17画 9337

漢テン 呉デン 霰 zhuàn

— — 5244

字義 ❶羽を束(たば)ねたもの。❷白絹(しろぎぬ)。

解字 形声。糸＋専㊥。

11【繁】 17画 (9317)

ハン

繁(9316)の旧字体。→一一三七ページ・中。

11【縻】 17画 9338

漢ビ 呉ミ 支 mí

6959 E37A —

字義 ❶きずな(きずな)。牛のはなづな。❷つなぐ(繋(ケイ))。しば‐る(縛)。❸くだく(砕)。

解字 形声。糸＋麻㊥。

11【繆】 17画 9339

一 漢ボウ・呉ム 尤 móu
二 漢ビュウ(ビウ) 呉ミョウ(メウ) 尤 móu
三 漢ビュウ(ビウ) 呉ミョウ(メウ) 宥 miù
四 キュウ(キウ) 尤 jiū
五 リョウ(レウ) 蕭 liǎo
六 漢ボク・呉モク 屋 mù

6957 E378 —

字義 一二 ❶たばねる。まつわる。❷麻十たばの称。三 ❶あやまる(誤)。あやまり。＝謬(11365)。❷もとる。たがう(違)。❸いつわる(詐)。いつわり。四 ❶くびる。首をくくる。❷まとう。まつわる。からみつく。五 まとう。まつわる。＝繚(9366)。六 沈黙して深くおもうさま。＝穆(8547)。「繆然」

解字 篆文 形声。糸＋翏㊨。音符の翏は、丩に通じ、まつわるの意味。糸がまつわるの意味を表す。

【繆巧】ビュウコウ ①たくらみ。相手をだます巧妙なはかりごと。②すぐれた方法。

【繆繞】ビュウジョウ まといめぐる。まつわる。

【繆説】ビュウセツ あやまって説く。また、あやまった説や意見。謬説。

【繆繆】一ボクボク やわらいで美しいさま。穆穆。二リョウリョウ 糸など細長いもののもつれるさま。

【繆戻】ビュウレイ 道理に反する。

11 【縹】17画 9340 ヒョウ(ヘウ) 篠 piǎo, ③piāo 6961 E37C 一

字義 ❶はなだ。はなだいろ。薄い藍色。そら色。❷はなだ色の絹。❸ひるがえる。＝飄(13542)。

解字 形声。糸＋票(㶾)㊨。

【縹色】ヒョウショク・はなだいろ 薄い藍色。そら色。

【縹帙】ヒョウチツ ①はなだ色の本包み。▼帙は、本のおおい。②書物。本。

【縹縹・縹△飄】ヒョウヒョウ ひるがえるさま。軽くあがるさま。

【縹△渺・縹△眇・縹△緲】ヒョウビョウ ①遠くかすかなさま。②はるかに広いさま。用例〔唐、白居易、長恨歌〕忽聞海上有㆓仙山㆒、山在㆓虚無縹緲間㆒ たちまちきくカイジョウに、センザンあり、やまはキョムヒョウビョウのカンにありと。↓ふと聞いたことによると、海上に仙人の住む山があり、その山はむなしく、何物もなくはるかに広いところにそびえている。

11 【縫】17画 (9319) ホウ 縫(9318)の旧字体。→一一三八ページ上。

11 【繃】17画 9341 ㊥ホウ(ハウ) ㊣ヒョウ(ヒャウ) 庚 bēng 【繃】9235 同字 【繃】9342 俗字

字義 ❶つかねる(束)。たばねる。くくる(括)。❷せおいおび。幼児を背中に負う帯。

参考 現代表記では[包](1093)に書きかえることがある。「繃帯→包帯」

解字 篆文 形声。糸＋崩㊨。音符の崩は、凡に通じ、ひろがり散らばるの意味。弾力性があり、やわらかなはだざわりの繊維を素材とする、幼児の背負い帯の意味を表す。

【繃帯(帯)】ホウタイ 国 傷口などに巻きつけてこれを保護する細い帯状の木綿の布。包帯。

11 【繃】17画 9342 ホウ 繃(9341)の俗字。→一一四〇ページ上。 6962 E37D 一

11 【縵】17画 9343 マン 翰 諫 màn 【縵】9344 俗字

字義 ❶無地の絹。転じて、模様やかざりのないもの。❷つれびき。他人のひく楽器に交えて奏すること。❸ゆるい。ゆるやか。＝慢(3862)。

解字 篆文 形声。糸＋曼㊨。音符の曼は、のびやかの意味。模様もなくのびやかな感じのきぬの意味を表す。

【縵舞】マンブ 静かでゆったりした舞。慢舞。

【縵縵】マンマン ①広がりのびているさま。㋐雲などのたなびくさま。㋑教化の行きとどいているさま。②ゆったりとしているさま。

11 【縵】17画 9344 マン 縵(9343)の俗字。→一一四〇ページ中。 6960 E37B 一

11 【繇】17画 9345 一ヨウ(エウ) 蕭 yáo 二㊥ユウ(イウ)・㊣ユ 尤 yóu 三㊥チュウ(チウ) ㊣ジュ(ヂュ) 宥 zhòu 9020 一 5249

字義 一❶えだち。夫役ブヤク。税の一種として政府が人民に課する公共の労役や兵役。また、それに従事すること、人。❷うた(歌)。＝謡(11326)。❸しげる(茂)。伸びる。❹うごく。ゆれ動く。❺→繇繇。二❶＝由(7604)。㋐よる。㋑より。から。㋒よって。よりて。❷みち(道)。三うらかた(占形)。易エキに表れたうらないのことば。

解字 形声。糸＋䍃(䍃)㊨。

【繇役】ヨウエキ 昔、人民が公共の土木工事などに使われたこと。徭役ヨウエキ。夫役ブヤク。

【繇△戍】ヨウジュ 召集されて国境を守ること。また、その兵。

【繇俗】ヨウゾク その土地の歌謡。また、歌謡と風俗。

【繇賦】ヨウフ 繇役と租税。

【繇繇】ヨウヨウ ①はるかに遠いさま。②ゆったりとしたさま。③遠く行くさま。

11 【縭】17画 9346 リ 支 lí 一 一 5242

字義 ❶糸でくつを飾る。❷おび(帯)。玉飾りのある帯。❸におい袋を下げるひも。

解字 形声。糸＋离㊨。

11 【縷】17画 9347 一ル 麌 lǚ 二㊥ロウ・㊣ル 尤 6963 E37E 一

字義 一❶いと(糸)。いとすじ。「布縷」❷糸のように細長いもの。用例〔北宋、蘇軾、前赤壁賦〕余音嫋嫋、不レ絶如レ縷 ヨインジョウジョウとして、たえざることルのごとし ↓余音は細く長く続き、いとすじのようにとぎれない。❸くわしい(詳)。こまかい。「縷述」二やぶれごろも。つづれ。ぼろ。＝褸(10964)。「藍縷ランル」

解字 篆文 形声。糸＋婁㊨。音符の婁ルは、とぎれずに続くの意味。とぎれずに続く糸すじの意味を表す。

【縷言】ルゲン くわしくこまごまと述べる。また、そのことば。

【縷述】ルジュツ くわしく述べる。こまやかに述べる。縷陳。

【縷切】ルセツ こまかにきる。きざむ。

【縷説】ルセツ ＝縷言。

【縷縷】ルル ①糸のように細く長く続くさま。②こまごまと述べるさま。③細かいさま。

11 【縲】17画 9348 ルイ 支 léi 6964 E380 一

字義 なわ。罪人をしばる黒色のなわ。＝纍(9392)。

解字 形声。糸＋累㊨。音符の累は、つなぐの意味。罪人をしばるなわの意味を表す。

【縲△紲・縲△絏】ルイセツ 罪人をしばる黒いなわ。また、牢獄につながれること。また、牢獄。累紲ルイセツ。纍紲ルイセツ。用例〔論語、公冶長〕雖レ在㆓縲紲之中㆒、非㆓其罪㆒也 ルイセツのうちにありといえども、そのつみにあらざるなり ↓黒いなわにつながれて牢に入ったことがあるが、それは本人の罪ではない。

11 【縺】17画 9349 レン 先 lián 6965 E381 一

字義 もつれる(もつる)。糸がからまって解けない。国❶もつれる(もつる)。事件などがごたごたする。❷もつれ。もめごと。

解字 形声。糸＋連㊨。音符の連は、つらなるの意味。糸がもつれつらなるの意味を表す。

12 【繘】18画 9350 一㊥イツ(ヰツ) 質 yù 二㊥キツ・㊣キチ 質 jú 一 一 5253

字義 一二 釣瓶つるべに付けて井戸の水をくみあげる縄なわ。

解字 形声。糸＋矞㊨。

12 【繢】18画 9351 ㊥カイ(クワイ) ㊣ガイ(グワイ) 隊 huì 一 一 5256

字義 ❶絵。絵画。＝絵(9135)。❷えぎぬ(絵絹)。あやぎぬ。彩色や刺繍シュウをした絹。

解字 形声。糸＋貴音。

12【繥】18画 9352 キ 図 xì — — 5257
字義 ❶笑う。❷楽しむ。
解字 形声。糸＋喜音。

12【繈】18画 9353 キョウ 繈(9325)と同字。→一一三八ページ下。 6958 E379 —

12【繐】18画 9354 ㊀漢セイ・呉サイ 霽 suì ㊁漢ケイ・呉エ(ヱ) 霽 suì — — 5251
字義 ㊀㊁薄くて粗悪な布。
解字 形声。糸＋惠音。

12【繭】18画 9355 常 ケン まゆ ケン 銑 jiǎn 4390 969A —
筆順 艹 艹 芇 芇 萠 繭 繭 繭 繭
[絸] 9177 古字 [蠒] 10771 俗字
字義 ❶まゆ。蚕が糸を吐き出して作った巣。❷いと。繭から取った糸。絹糸。また、絹織物。❸わたいれ。真綿を入れた着物。
名前 まゆ
解字 篆文 会意。糸＋虫＋巿。巿は、僅に通じ、わずかにその身をおおうの意味とする説、桑の象形とする説などがある。糸を吐いて蚕が身をおおう、まゆの意味を表す。
【繭糸(絲)】ケンシ ①きぬいと。蚕糸。②まゆの糸をひきだすように、次々に税金をとりたてること。〔国語、晋語九〕
【繭△紬・繭△綢】ケンチュウ やままゆの糸で織った絹織物。絹紬。
【繭△栗】ケンリツ ①小さい角の形容。初めて生える小牛の角が、まゆやくりのような形で、小さいからいう。②子牛。③徳や節操のかたいこと。④花のつぼみ。

12【繝】18画 9356 漢カン 呉ケン 諫 jiàn
[繝] 9357 俗字
字義 にしきのあや。国繧繝(ウンゲン)・暈繝(ウンゲン)は、濃い色から少しずつうすくなるように、ぼかしながら染める染色法。また、その織物。
解字 形声。糸＋閒音。

12【⿰糸間】18画 9357 ケン 繝(9356)の俗字。→一一四一ページ上。 6967 E383 —

12【繖】18画 9358 サン 旱 翰 sǎn 6968 E384 —
字義 かさ(蓋)。㋐きぬがさ。上方に絹を張り、また、四周に絹布をたらしめぐらしたかさ。「繖蓋(サンガイ)」 ㋑からかさ。雨傘。
解字 篆文 形声。糸＋散音。音符の散は、四方に分かれちるの意味。
【繖蓋】サンガイ きぬがさ。衣笠。
【繖形花序】サンケイカジョ 国多数の花が密集して傘を開いたような形に咲くもの。にんじん・うど・さくらそうなどの花がその例。散形花序。

繖㋐

12【繞】18画 9359 漢ジョウ(ゼウ) 呉ニョウ(ネウ) 篠 rào 6969 E385 —
字義 ❶まとう(纏)。まつわる。まきつく。❷めぐる。かこむ(囲)。また、めぐらす。＝遶(12218)。用例〔北宋、王安石、鍾山即事詩〕澗水無声繞竹流(カンスイこえなく、たけをめぐりてながる)、竹西花草弄春柔(チクセイのカソウはシュンジュウをロウす) ↓谷川の水は音もなく竹藪をとりまいて流れる。竹藪の西に群がる草花は春の柔らかさをただよわせる。国ニョウ。漢字の構成上、左側から下部へめぐる字形部分。
解字 篆文 形声。糸＋堯音。音符の堯(ギョウ)は、弱に通じ、しなやかに曲がるの意味。糸をしなやかにして、まとうの意味を表す。
【繞繞】ジョウジョウ まつわりめぐるさま。
【繞帯(帶)】ジョウタイ ①まつわりめぐる。②めぐる。とりまく。③めぐらす。まとう。
【繞△梁】ジョウリョウ 歌声がすぐれて美しく余韻の長く続くこと。昔、韓娥(カンガ)という歌手の歌の余韻が、梁(うつばり)のあたりに三日間もまつわりめぐっていたという故事による。〔列子、湯問〕
【繞△繚】ジョウリョウ まつわりめぐる。ぐるりとめぐる。うねうね曲がっているさま。繚繞。

12【織】18画 9360 教5 ショク・シキ おる 3105 9044 —
㊀漢ショク・呉シキ 職 zhī ㊁シ 寘 zhì
筆順 糸 糸 紵 紵 紵 紵 織 織 織
[⿰糸赤] 9183 同字
字義 ㊀❶おる。機(はた)をおる。❷くみたてる。「組織」❸はたおり。機を織る技術。また、織った物。㊁❶あやぎぬ。色糸で織った絹。❷しるし。㋐記章。㋑はた(旗)。はたじるし。＝幟(3143)。
名前 おり・おる・はとり・り
難読 織女(めあや・たなばたつめ)・織田(おだ)・織部(おりべ・はとり)
解字 金文 篆文 形声。金文は、音＋弋音。音は、何を意味するかわからないが、はた織りの器具の象形かも知れない。音符の弋(ヨク)は、たがいちがいに組むの意味。篆文は糸を付し、糸をたがいちがいに組む、おるの意味を表す。
逆 耕織・染織・組織・紡織
【織△烏】ショクウ 太陽の別名。
【織機】ショッキ 織物をおる機械。はた。
【織室】ショクシツ 漢代、宮中ではたをおった部屋。過失を犯した女性に織らせた。
【織女】ショクジョ ①はたをおる女性。②星の名。織女星。琴座の主星ヴェガの漢名。天(あま)の川の東にあり、七月七日の夜、対岸にある牽牛星(ケンギュウセイ)と会うという伝説がある。たなばたつめ。〔荊楚歳時記〕
【織△紝】ショクジン 織る。はたをおる。また、その人。
【織成】ショクセイ ①おりなす。おって作り出す。②物事を作り出す。③色糸や金糸・銀糸を使った織物。
【織婦】ショクフ ＝織女。
【織文】㊀ショクブン ①模様のある織物。錦(にしき)などの類い。②織物の模様。㊁シブン 旗の模様。旗じるし。
【織縫】ショクホウ はたおりと、裁縫。
【織紡】ショクボウ はたをおることと糸をつむぐこと。また、その人。
【織絡】ショクラク ①おる。②(機織りの糸のように)しきりに道を往来すること。③貴人のそばに仕えて立ち働く人。

12【繟】18画 9361 セン 銑 𣫐 chǎn — — 5254
字義 ❶ゆるい。❷帯がゆるい。❸続いて絶え間ないさま。
解字 形声。糸＋單音。音符の單(セン)は、嬗(セン)に通じ、ゆるいの意味。

12【繕】18画 9362 常 ゼン つくろう 漢セン・呉ゼン 霰 shàn 3322 9155 —
筆順 糸 糸 糸 紸 紸 繕 繕 繕 繕
字義 ❶つくろう(繕)。なおす。修理する。「修繕」❷おさめる(治・修)。❸そなえる(備)。❹つよい。強くする。
名前 もち・よし・より
解字 篆文 形声。糸＋善音。音符の善は、よいの意味。糸で補い、よくする・つくろうの意味を表す。
逆 営繕・修繕・補繕

【繕写(寫)】①乱れや誤りなどを正して清書しなおすこと。②集めて書く。文書を編録する。

【繕修】つくろいなおす。修繕。

【繕飾】つくろいかざる。

【繕治】つくろいなおす。修繕する。

12【繎】18画 9363 漢ゼン 呉ネン 円 rán — — 5250
字義 ❶もつれる。糸のもつれ。❷くれない。深紅色。
解字 形声。糸＋然音。音符の然は、撚に通じ、ひねるの意味。

12【繒】18画 9364 一 漢ショウ 呉ゾウ 蒸 zēng 二 ソウ 蒸 径 zēng ı9021 EE72 5252
字義 一❶きぬ。絹織物の総称。❷いぐるみ。矢に糸をつけて鳥を射る猟具。＝矰(8125)。

解字 形声。糸＋曾音。

【繒纊】きぬと、わた。また、絹の衣服や綿入れの着物。

【繒綵】いろどったきぬ。

【繒繳】いぐるみの糸。矰繳。→字義❷。

【繒帛】きぬ。絹織物。

12【繙】18画 9365 漢ハン 呉ホン 元 fān 6970 E386 —
字義 ❶ひもと-く。㋐結んである紐を解く。㋑書籍を開く。昔の書籍は巻いて紐で結んであったからいう。❷ひるがえる(翻)。ひるがえす。❸くりかえす。❹翻訳する。「繙訳」
解字 篆文 形声。糸＋番音。音符の番は、放射状にひろがるの意味。むすぼれていたひもをときひろげるの意味を表す。
【繙閲】書籍を開いて読み調べる。
【繙訳(譯)】一つの国の言語・文章を他の国語に書き直すこと。翻訳。

12【繚】18画 9366 リョウ(レウ) 蕭 嘯 liáo 6971 E387 —

字義 ❶まと-う。まつわる。❷めぐ-る。めぐらす。糸などでしばる。❸もとる(戾)。道理などに反する。❹おさめる(理)。＝撩(4428)。

解字 篆文 形声。糸＋尞音。音符の尞は、かがり火の意味。火の粉が、もつれみだれるようにまつわりつくの意味を表す。

【繚垣】周囲にめぐらしたかき。そとがき。

【繚糾】まつわりつく。もつれる。

【繚繞】①まつわりめぐる。ぐるぐるめぐる。くねくね曲がっているさま。繞繚。②そでが長く、まつわるさま。また、ひるがえるさま。

【繚乱(亂)】①まつわり乱れる。もつれ乱れる。②花の咲き乱れているさま。また、散り乱れるさま。「百花繚乱」

【繚繚】まつわりつくさま。

12【繧】18画 9367 国字 6966 E382 —
字義 ウン。繧繝は、濃い色から少しずつうすくなるように、ぼかしながら染める染色法。また、その織物。
解字 形声。糸＋雲音。音符の雲は、うすくぼける意味。

13【繹】19画 9368 漢エキ 呉ヤク 陌 yì 6972 E388 —

字義 ❶ひく。ぬく。糸を引き出す。「演繹」❷いとぐち(緒)。糸の端。❸たずねる(尋)。きわめる(究)。「尋繹」❹つらなる。つらねる。また、つらなりつづくさま。「絡繹」❺祭りの名。「繹祭」

解字 篆文 形声。糸＋睪(睾)音。音符の睪は、つぎつぎにたぐり寄せるの意味。糸をたぐり寄せるの意味を表す。

【繹繹】①連なり続くさま。②さかんなさま。③よく走るさま。

【繹祭】祭りの名。祖先の廟(みたまや)の正祭の翌日に行う祭り。あとまつり。

【繹如】続いて絶えないさま。連なり続くさま。

【繹騒(騷)】さわぎが続くこと。ひっきりなしにさわぐ。

13【繪】19画 (9136) カイ 絵(9135)の旧字体。→一一八ページ上。

13【繳】19画 9369 一 シャク 薬 zhuó 二 キョウ(ケウ) 篠 jiǎo ₂8456 — 5261
字義 一❶いと。練らない糸。生糸。また、いとすじ(縷)。❷いぐるみの糸。転じて、いぐるみ。矢に糸をつけて鳥を射るしかけ。「矰繳」二❶かえす。物を持ち主に返す。❷おさめる。役所などに納付する。「繳納」❸まとう。まつわる。からまる。「繳繞」
解字 形声。糸＋敫音。
【繳繞】①からまりまつわる。②こだわる。拘泥する。
【繳進】①文書などを役所などにさし出すこと。②他を非難した文を上奏する。悪しざまに申し上げる。
【繳矰】いぐるみの糸と、その矢。

13【繮】19画 9370 漢キョウ(キャウ) 呉コウ(カウ) 陽 jiāng — — 5259
字義 手綱。

13【繫】19画 9371 人 標 一 ケイ 霽 二 漢ケイ 呉ゲイ 霽 xì ı9494 — 5258
筆順 一 旦 車 軎 軎 軗 毄 繫
【繋】9326 俗字
字義 一二❶つな-ぐ。㋐結びつける。しばりつけておく。「繫束」㋑しばりつける。

用例 (唐、杜甫、秋興詩)叢菊両開他日涙 孤舟一繫故園心(旅にでてから二度目、去年の涙がよみがえる。一そうの小舟に、ただひたすらに故郷を思う心をつなぎとめているのだ。)↓群がる菊が花を開くのは(ソウキクふたたびひらく、タジツのなみだ コシュウひとえ(へ)に つなぐコエンのこころ)

㋒続ける。連ねる。❷つな-がる。連なる。「連繫」❸か-ける。㋐つり下げる。

用例 (唐、白居易、売炭翁詩)半疋紅綃一丈綾 繫向牛頭充炭直(ハンピキのコウショウ、イチジョウのあや ギュウトウにかけてすみのあたい(ひ)にあつ)↓わずか半匹の紅絹と一丈ほどの綾を牛の角にひっかけて、炭の代金にあてろという。㋑関係する。❹か-かる。㋐ぶらさがる。㋑関係づける。❺とらえる。また、捕らえられた人。

用例 (資治通鑑、漢紀)加以老母繫保宮(くわう(ふ)るにロウボのホキュウにつながるるをもってす)↓さらには年老いた母が獄舎に繫がれたのです。❻つな。ひも。また、きずな。ほだし。つなぎとめる綱。

名前 つぎ・つぐ・つな
参考 現代表記では〔係〕(361)に書きかえることがある。「繫船→係船」「繫争→係争」「繫属→係属」「繫留→係留」「連繫→連係」

解字 篆文 形声。糸＋毄音。音符の毄は、車と車とが接し、ぶつかりあうの意味。糸を付し、つなぐ・つながるの意味を表す。

【繫援】頼りにして助けてもらう。

【繫羈】つなぎしばる。しばりつける。自由を拘束する。

【繫獄】牢獄につなぐ。繫囚。

【繫辞(辭)】①易の十翼の一つ。彖辞と爻辞とを説明したもの。孔子の作という。②論理学で、命題の主辞と賓辞をむすび、肯定または否定を表す語。

【繫囚】①しばって獄に入れる。捕らえて獄に入れる。②しばられた罪人。捕らえられた罪人。

【繫船】船をつなぐ。また、つないだ船。係船。

【繫争(爭)】訴訟で当事者同士が争うこと。係争。

【繫属(屬)】つながりつく。つづく。つづける。係属。

【繫泊】船をつないで停泊する。

【繫縛】しばりつなぐ。自由を束縛すること。

【繫匏】ぶらさがっているひょうたん。転じて、何もしないで、ぶらぶらとして日を過ごすたとえ。匏繫。▼匏は、ふくべ・ひょうたん。『論語』陽貨編に「吾豈匏瓜也哉。焉能繫而不ㇾ食」とあるのに基づく。

【繫△纜】船のともづなをつなぐ。船を止めること。↕解纜（一三〇〇ジペ中）。

【繫留】①つなぎとめる。つなぎとめておく。係留。②牢屋に入れておく。

【繫累・繫△纍】①つなぐ。しばる。また、つながれる。しばられる。▼累も、つなぐ。②心や身をつなぎ縛っているもの。心や身にかかるわずらい。足手まとい。特に、肉親・家族など。▼累は、わずらい。

13 【繯】 19画 9372 漢ケン 呉ゲン 銑 huán — — 5260

字義 ❶からむ。❷帰る。めぐる。❸輪。❹網。❺薄絹の模様。

解字 形声。糸＋睘音。

13 【繡】 19画 9373 人 標 漢シュウ（シウ） 呉シュ 宥 xiù ₁9022 — 5255

筆順 糸 紣 紣 紣 繡 繡 繡 繡

［繍］9328 簡易 ［綉］9181 俗字

字義 ❶ぬいとり。ぬひ。えぎぬ。刺繡。諸種の色糸でかがり縫って、布の表に模様を作り出すこと。また、その模様。また、その模様を一面につけた布。にしき。❷ぬいとりをする。転じて、美しく飾った、美しいの意。「繡戸」

名前 あや・ぬい 難読 繡眼児・繡線花・繡線菊

解字 形声。糸＋肅音。

【繡衣】美しいぬいとりのある着物。美しい着物。

【繡閣】①美しく飾ったたかどの。②女性の部屋。繡房。

【繡△衾】ぬいとりした美しい夜具。にしきの夜着。

【繡戸】美しくかざった室。女性の部屋。繡房。

【繡△梓】①文字・文章を梓の板に美しく彫刻する。版木を彫る。また、その版木。②書物を出版すること。

【繡△襦】ぬいとりしたはだ着。

【繡△裳】五色のぬいとりをしたもすそ（スカート）。中国古代の礼服。

【繡像】刺繡でえがき出した肖像。後世、画像もいう。

【繡段】ぬいとりした美しい織物。転じて、美しい詩文のたとえ。

【繡仏（佛）】刺繡でえがき出した仏像。

【繡房】＝繡戸。

【繡面】①入れ墨をほどこした顔。②唐代、召し使いの女性の化粧すること。

【繡羅】ぬいとりした薄絹。いろどり美しいあやぎぬ。

【衣ㇾ繡夜行】美しい着物を着て夜道を行く。出世しても故郷に帰らないたとえ。

用例（史記、項羽本紀）富貴不ㇾ帰二故郷一、如三衣ㇾ繡夜行一。衣ㇾ錦夜行。美しさをわかってもらえなくてつまらないこと。出世しても故郷に帰らないたとえ。↓富貴になって故郷に帰らないのは、刺繡をした美しい着物を着て闇夜を歩くようなものだ。

13 【繩】 19画 (9273) ジョウ 縄(9272)の旧字体。→一二三ジペ上。

13 【繸】 19画 9374 漢スイ 呉ズイ 寘 suì — — 5262

字義 佩玉のひも。

解字 形声。糸＋遂音。

13 【繰】 19画 9375 常 くる [一]ソウ（サウ） 晧 zǎo [二]ソウ（サウ） 豪 sāo 2311 8C4A —

筆順 糸 糹 紀 紀 紹 綽 繰 繰

字義 [一]紺色の絹。また、濃紺色。[二]くる。糸をくる。糸をとる。繭や綿から糸を引き出して巻き取る。＝繅(9335)。国くる。順に送りやる意。㋐細長い物を巻きつける。㋑たぐる。㋒綿繰車にかけて綿花の種子を除き去る。㋓つまぐる。指先でくる。㋔順にめくる。㋕順に数える。「日を繰る」㋖都合する。「繰り合わせる」「さし繰る」

解字 篆文 形声。糸＋喿音。音符の喿は、繅に通じ、糸をくるの意味を表す。

【繰言】国同じことを繰り返してくどくどという。また、そのことば。ぐち。

13 【繵】 19画 9376 [一]漢テン・呉デン 先 chán [二]漢タン・呉ダン 寒 旱 dǎn ₂8457 — —

字義 [一]まとう。[二]❶なわ。❷むらさき色。❸腰に巻く大帯。❹ひとえ。

解字 形声。糸＋亶音。

14 【纁】 20画 9377 クン 文 問 xūn — — 5264

字義 黒みがかった薄赤い色。また、その絹。

解字 金文 篆文 形声。糸＋熏音。音符の熏は、ふすべるの意味。うす赤い・うす暗いの意味を表す。

【纁黄】たそがれの色。転じて、たそがれ。日ぐれ。

14 【繼】 20画 (9173) ケイ 継(9172)の旧字体。→一二三ジペ下。

14 【繾】 20画 9378 ケン 銑 霰 qiǎn ₂8458 — 5263

字義 ❶まといつく。つきまとう。❷情があつい。ねんごろ。

解字 形声。糸＋遣音。

【繾△綣】①まといつく。からみつく。②情の厚いさま。心に忘れず思い続けるさま。③何回も繰り返すさま。物事を丁寧にするさま。

14 【纂】 20画 9379 人 標 サン 旱 zuǎn 2728 8E5B —

筆順 ノ ⺈ ⺮ 竹 笛 笪 箕 纂

字義 ❶あつめる。あつまる。「編纂」❷つぐ（継）。受けつぐ。続ける。❸赤い組み紐。❹あや。模様。色どり。

名前 あつ・みつ

解字 篆文 形声。糸＋算音。音符の算は、ととのえるの意味。あつめととのえて書物を編むの意味を表す。

【纂次】集めて順序をつける。編集する。

【纂修】①文書を集めて整理すること。また、書籍を編修すること。②受けついで修める。③整え修める。

【纂集・纂△輯】文書を集める。編集する。

【纂述】①集めて述べる。②前人のものを受けついでさらにくわしく述べる。祖述。

【纂承】受けつぐ。

【纂録】集めしるす。集録。

14 【繻】 20画 9380 [一]漢シュウ（シウ） 呉シュ 虞 xū [二]漢ジュ・呉ニュ 虞 rú 6976 E38C —

字義 [一]❶目の細かい薄絹。❷絹織物の色どり。

解字 篆文 形声。糸＋需音。音符の需は、しなやかの意味。しなやかな糸の意味を表す。

【繻子】国織物の名。経糸・緯糸の浮いた組織の絹織物で、表面がなめらかで光沢がある。

【繻珍】国織物の名。繻子地に種々の模様を浮き織りに織り出したもの。オランダ語satijnなどの音訳とも、漢語「七糸緞」の略音当て字ともいい、朱珍とも書く。

14【繽】20画 9381 ヒン 眞 bīn 6979 E38F —

字義 ❶多いさま。盛んなさま。❷みだれるさま。

解字 形声。糸＋賓㊤。

【繽翻・繽△繙】(ヒンパン) ①旗などの風にひるがえるさま。②鳥・花びらなどのひるがえり飛ぶさま。

【繽繽】(ヒンピン) ＝繽紛。

【繽紛】(ヒンプン) ①もつれ乱れるさま。②花などの乱れ散るさま。用例〔東晋、陶潜、桃花源記〕芳草鮮美、落英繽紛（ホウソウセンビ、ラクエイヒンプンたり）。↓香りの良い草が鮮やかで美しく、美しい花が散りしきっている。③旗などの風にひるがえるさま。④なよなよした姿でたくみに舞うさま。⑤さかんで美しいさま。

14【辮】20画 9382 ㊥ヘン ㊤ベン 銑 biàn 6980 E390 —

字義 あむ(編)。くむ。組み合わせる。

参考 日本では、〔弁〕(3276)で代用することがある。

解字 篆文 形声。糸＋辡㊤。音符の辡は、並べるの意味。糸をあむ意味を表す。

【辮髪】(ベンパツ) ①髪を辮む。髪の毛を組み合わせて編む。②中国北方の民族の間に行われた男性の髪形。頭の中央の髪をのばしてあんで長くうしろにたらし、周囲はそったもの。古くから行われたが、清朝では、漢民族にも強制された。

14【繂】20画 9383 国字 6977 E38D —

【絣】9252 俗字

字義 かすり。所々にかすった模様をつけた織物。また、その模様。飛白(かすり)。＝絣(9165)。

解字 会意。糸＋齊。齊は、そろうの意味。かすった模様がそろっている、かすりの意味を表す。

15【纈】21画 9384 ㊥ケツ・㊤ゲチ ㊝ケチ 屑 xié 6982 E392 —

字義 ❶しぼり。しぼりぞめ。「纐纈(コウケツ・コウケチ)」❷しぼる。しぼりぞめにする。❸むすぶ(結)。❹かすむ。目がかすむ。また、目のかすみ。

解字 形声。糸＋頡㊤。音符の頡は、しっかりしめるの意味。布のあちこちをつまんで糸でくくって染めるの意味を表す。難読 纈帯(いわたおび)

15【纊】21画 9385 コウ(クヮウ) 漾 kuàng 1 9023 ED40 5267

【絋】9107 俗字

字義 ❶わた。新しい綿。❷わたいれ。綿を入れた着物。

解字 形声。糸＋廣㊤。

15【纉】21画 9386 サン 纘(9401)の俗字。→一二四五ページ・中。 6983 E393 —

15【纖】21画 9387 セン 繊(9333)の俗字。→一二三九ページ・中。 6990 E39A —

15【續】21画 (9187) ゾク 続(9186)の旧字体。→一二三四ページ・下。

15【纏】21画 9388 人 標 ㊥テン ㊤デン 先 霰 chán 3727 935A —

筆順 纏

【纒】9394 俗字

字義 ❶まとう。まつわる。からまる。めぐる。❷くくる(括)。たばねる(束)。からしばる(縛)。国❶まとい。竿の先に種々の形の物をつけ、その下に馬簾などを下げたもの。昔は陣所の目印に、江戸時代以後には消防組の印として用いる。❷まとめる。また、まとまる。❸まつる。まつり縫いをする。

名前 まき・まとむ

解字 篆文 形声。糸＋廛㊤。音符の廛は、帯に通じ、おびるの意味。ひもをおびる、まといめぐらすの意味を表す。難読 纏向山(まきむくやま)・纏頭(はな)

【纏△繞】(テンジョウ) ①まつわりつく。からみつく。②足手まとい。

【纏足】(テンソク) 女子の四、五歳のときから足を布でかたくしばり、足の成長を妨げて、小さくした風習。美人の条件の一つとされた。唐末から五代にかけて起こり、中華民国まで続いた。

【纏頭】(テントウ) かずけもの。はな。祝儀。芸人などに与える祝儀。また、祝儀を与えること。

【纏綿】(テンメン) ①まつわりつく。②心にまつわりついて離れないさま。情愛の深いこと。「情緒纏綿」

【纏絡】(テンラク) まつわりからむ。

15【纆】21画 9389 ㊥ボク ㊤モク 職 mò 2 8459 — 5265

字義 なわ(縄)。三つより(一説に二つより)のなわ。

解字 形声。糸＋墨㊤。

15【纇】21画 9390 ライ 隊 lèi 2 8460 — 5266

字義 ❶ふしいと。よじれて節の多い粗悪な糸。❷あやまち。❸もとる。そむく。また、かたよる。

解字 形声。糸＋頪㊤。

15【繿】21画 9391 ラン 艦(10993)と同字。→一三八八ページ・上。 6981 E391 —

15【纍】21画 9392 ルイ 支 léi 1 9024 — 5268

字義 ❶つなぐ。しばる。捕らえる。❷つづる(綴)。からめる。❸まとう。まつわる。用例〔詩経、周南、樛木〕南有樛木、葛藟纍之(みなみにキュウボクあり、カツルイこれにまとう(ふ))。↓南の方に枝を垂れた木があり、つたかずらが、まといつく。❹きずな。つなぎとめるもの。束縛するもの。また、なわ。つな。❺かさなる(重)。連なる。＝累(9129)。

参考 〔累〕(9129)に通ずる。熟語は〔累〕をも見よ。

解字 篆文 形声。糸＋畾㊤。音符の畾は、重ねるの意味。糸を重ねていく、つづる・からめるの意味を表す。

【纍△紲】(ルイセツ) 同累紲。縲紲(ルイセツ)。①罪人をしばるなわ。②牢屋(ロウや)。③とらわれる。

【纍纍】(ルイルイ) 同累累。①連なり続くさま。②積み重なるさま。③つかれはてたさま。④がっかりしたさま。意気消沈したさま。

15【纐】21画 9393 国字 6986 E396 —

字義 コウ。纐纈(コウケツ・コウケチ)は、染色法の一種。しぼりぞめ。くくりぞめ。板締めしぼり。

解字 形声。頁＋絞㊤。音符の絞は、しぼるの意味。頁は、あたまの意味。布を小さな頭のようにくくって染める、しぼりぞめの意味を表す。難読 纐纈(きくとじ・くくり・こうけつ・はなぶさ)

16【纒】22画 9394 テン 纏(9388)の俗字。→一二四四ページ・中。 6985 E395 —

16【纑】22画 9395 ㊥ロ ㊤ル 虞 lú 2 8462 — 5269

【絽】9100 俗字 【紵】9101 俗字

字義 ❶ぬのいと。あさいと。❷ねる(練)。麻などを灰汁(はいじる)などで煮て白く柔らかくする。国かせ。かせ糸。つむいだ糸をかけて巻く器具。＝綛(9197)。

17【纓】23画 9396 ㊥エイ ㊤ヨウ(ヤウ) 庚 yīng 6987 E397 —

【緓】9134 俗字

字義 ❶ひも。㋐冠の紐(ひも)。冠をかぶって顎(あご)の下で結ぶ紐。㋑かざりのさげ紐。❷むながい(鞅)。馬の胸から鞍(くら)にかけ渡す組みひも。❸まとう。まつわる。国エイ。冠の付属品。冠の後方に垂れている、薄絹張りの細長いもの。もと、巾子(コジ)の根を締めた紐(ひも)の余りを背後に垂れたものの遺風。

解字 形声。糸＋盧㊤。

解字 篆文 形声。糸＋嬰音。音符の嬰ｴｲは、首かざりをまとうの意味。あごにまといつかせる、かんむりのひもの意味を表す。

【纓冠】エイカン ①冠の紐ひもを結ぶ。②髪をたばねずに冠の紐ひもを結ぶこと。転じて、事態が差し迫っているときに急いで人を救うさま。用例〔孟子、離婁下〕被髪纓冠救レ之ヒハツエイカンしてこれをすくう(ふ)。↓髪をたばねずに冠のひもを結んで(急いで)人を救う。

【纓紳】エイシン ①冠のひもと、大帯。②貴族や高官のこと。

【纓絡】エイラク 珠玉を編んで作った装身具。頭・頸ケイ・胸などにかける。もとインドの風俗で、梵語ボン keyura を音訳して瓔珞・瑶珞・瓔絡などと書く。

17【纔】23画 9397 ㊀漢サン・呉セン 咸 shān ㊁漢サイ・呉ザイ 灰 cái ― 6988 E398 ―

字義 ㊀❶赤黒い色の絹。一説に、青みがかった薄黒い色の絹。❷赤黒色。すずめ色。一説に、青みがかった薄い黒色。㊁わずか。少し。また、わずかに。やっと。かろうじて。用例〔東晋、陶潜、桃花源記〕初極狭、纔通レ人はじめはきわ(は)めてせまく、わずかにひとをつうずるのみ。↓最初のうちはたいへん狭く、人がやっと通れるくらいだった。

解字 篆文 形声。糸＋毚音。音符の毚サンは、まじるの意味。赤みと黒みのまじった絹の意味を表す。借りて、わずかに・かろうじての意味にも用いる。

17【纕】23画 9398 漢ジョウ(ジャウ) 呉ニョウ(ニャウ) 陽 rāng ― ― 5270

字義 ❶腕まくりする。❷たすき。❸帯。❹馬の腹帯。

解字 形声。糸＋襄音。

17【纖】23画 (9334) セン 纖(9333)の旧字体。→一一三九ページ・中。

17【纜】23画 9399 ラン 纜(9404)の俗字。→一一四五ページ・中。 ²8461 ― ―

18【纛】24画 9400 ㊀漢トウ(タウ) 呉ドウ(ダウ) 号 dào ㊁漢トク・呉ドク 沃 dú 6991 E39B ―

字義 ㊀㊁はたぼこ。旄牛ボウギュウ(からうし)の尾または雉きじの羽や尾で飾った大旗。㋐舞をまう人が用いる。㋑軍中の指揮に用いる。㋒天子の車に立てる。天皇旗。転じて、天子の親政軍。㋓軍陣の本営に立てる。㋔葬式に柩車ひつぎぐるまを引く人の指揮に用いる。

解字 形声。縣＋毒音。

纛

19【纘】25画 9401 サン 旱 zuǎn ²8463 ― 5271

〔纉〕9386 俗字

字義 ❶つぐ(継)。受けつぐ。つづける(続)。❷あつめる。＝纂(9379)。

解字 篆文 形声。糸＋贊音。音符の贊は、そろえるの意味。先人の事業にあわせそろえる、うけつぐの意味を表す。

【纘継(繼)】サンケイ つぐ。つづける。継続。

【纘述】サンジュツ 集めのべる。纂述サンジュツ。編纂撰述センジュツ。

【纘緒】サンショ ＝纘レ緒ショをつぐ(一一三七ページ・下)。

【纘承】サンショウ 受けつぐ。継承。▼承も、受けつぐ。

19【纚】25画 9402 ㊀シ 紙 xǐ, shǐ ㊁リ 支 lí ²8464 ― 5272

字義 ㊀❶髪づつみ。髪を包む黒い絹。❷つづく。つらなる。また、そのさま。❸ゆく。連れだって行く。㊁❶冠のたれひも。❷つなぐ(繋ケイ)。

解字 篆文 形声。糸＋麗音。音符の麗イレは、きれいにならぶの意味。

21【纝】27画 9403 ルイ 支 léi ― ― 5273

字義 まとう。からめる。また、くろなわ。

解字 形声。糸＋纍音。音符の纍ルイは、まとうの意味。

22【纜】28画 9404 ラン 勘 lǎn 6992 E39C ―

〔纜〕9399 俗字

字義 ともづな。舟を岸などにつなぐために、船尾につけてある綱。

解字 形声。糸＋覽音。音符の覽は、攬ランに通じ、とりおさめるの意味。舟をおさめるためのつなの意味を表す。

【解レ纜】ともづなをとく ともづなをといて船出する。出帆する。解纜カイラン。↔繋纜ケイラン(一一四三ページ・上)。

【収レ纜】ともづなをおさ(を)さむ ＝解レ纜ともづなをとく。

23【纞】29画 9405 レン 霰 liàn ― ― 5274

字義 つづく。絶えない。

解字 形声。糸＋戀音。音符の戀は、つながるの意味。

6画 缶 ほとぎ・ほとぎへん

〔部首解説〕缶フを意符として、つぼに関する文字ができている。常用漢字では缶をカン(ブリキ製容器)と読むが、この文字の本来の音や意味ではない。また、つぼは、素材から見れば、かわらけ(土器)であるから、缾ヘイ＝瓶、甕オウ＝甕、罎タン＝壜のように、この部首の文字の多くは瓦かわらや土偏でも書かれ、罇ソンは木偏(樽)にも書かれる。

0【缶】6画 9406 常 カン 2044 8ACA ―

㊀18【罐】24画 9407 カン(クヮン) 翰 guàn

㊁0【缶】6画 フ 宥 fǒu

筆順 ノ 𠂉 𠂉 午 缶 缶

㊀〔鑵〕12946 同字 〔罐〕9426 俗字 〔鏆〕12835 俗字 〔鑵〕12940 俗字

㊁〔缻〕9413 同字

字義 ㊀(罐) ❶つるべ。水を汲み上げるおけ。❷かめ。水を入れる素焼きのかめ。「缶子カンス」「薬缶ヤカン」 国❶カン。金属、特にブリキ製の入れ物。「缶詰」 ❷かま。ボイラー。

㊁(缶) ❶ほとぎ。もたい。腹が大きくふくらみ、口のつぼんだ素焼きの器で、酒などを入れるのに用いる。また、昔は、この器をたたいて歌の拍子をとった。用例〔史記、廉頗藺相如伝〕秦王不レ肯レ撃レ缶シンオウほとぎをうつことをがえんぜず。↓秦王は、ほとぎをたたくことを承知しなかった。❷昔の容積の単位。四斛コク(一斛は一九・四リットル)。また、十六斗。

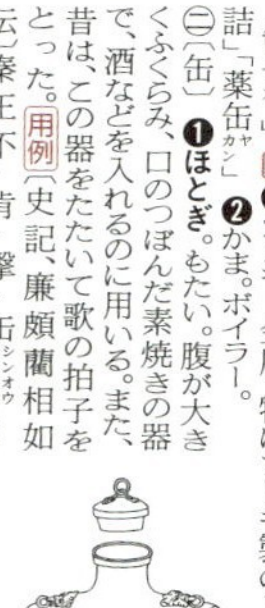

缶㊁①

名前 べ

解字 ㊀(罐) 篆文 形声。缶＋雚音。音符の雚カンは、こうのとりの象形。こうのとりのように腹部のふくらんだ円筒形の器の意味を表す。常用漢字の缶は日本で使われた略字で、別字の缶フと同じ字体となる。

㊁(缶) 金文 篆文 象形。酒などの飲み物を入れる、胴部のふくらんだふたつき土器の形にかたどり、器の意味を表す。

逆 汽缶

2【卸】8画 9408 シャ 卸(1204)の俗字。→三三ページ上。 6993 E39D —

3【缸】9画 9409 漢コウ(カウ) 呉ゴウ(ガウ) 江 gāng
字義 かめ。もたい。大きな素焼きのかめ。
解字 篆文 形声。缶＋工音。缶フは、ほとぎ(酒などを入れた、胴部が大きくふくらみ、口のつぼんだ、素焼きの器)の意味。音符の工は、大きいの意味。大きいかめの意味を表す。

4【缺】10画 9410 ケツ 欠(5942)の俗字。→七七七ページ上。 2 8466 — 5275

4【缺】10画 (5943) ケツ 欠(5942)の旧字体。→七七七ページ上。

4【缶】10画 9411 一 漢ユウ(イウ) 呉ユ 尤 yóu 二 ヨウ(エウ) 蕭 2 8465 — —
字義 一❶もたい。かめ。❷かま。
解字 会意。缶＋夕(肉)。

5【鉢】11画 9412 ハツ 鉢(12572)の俗字。→一四六九ページ中。 — — 5277

5【瓴】11画 9413 フ 缶(9406)と同字。→一二四五ページ下。 2 8467 — 5276

6【缿】12画 9414 一 漢コウ・呉グ 宥 hòu 二 漢コウ(カウ) 呉ゴウ(ガウ) 講 xiàng — — 5279
字義 一ぜにがめ。銭を蓄えるための甕かめ。二❶＝一。❷投書箱。
解字 形声。缶＋后音。

6【缾】12画 9415 ヘイ 瓶(7553)の俗字。→九五九ページ中。 2 8468 — 5278

8【缾】14画 9416 ヘイ 瓶(7553)と同字。→九五九ページ中。

10【罃】16画 9417 漢オウ(アウ) 呉ヨウ(ヤウ) 庚 yīng 2 8469 — 5280
字義 みずがめ。防火用の首の長い水がめ。
解字 形声。缶＋熒省音。

11【罅】17画 9418 漢カ 呉ケ 禡 xià 7001 E39F —
字義 ❶さける(裂)。陶器にひびがはいる。かける。われる。❷ひび。われめ。また、すき。すきま。あな。「石罅」
解字 形声。缶＋虖音。
【罅隙】カゲキ 欠けたすきま。すきま。

11【罄】17画 9419 漢ケイ 呉キョウ(キャウ) 径 迥 qìng 2 8470 — 5281
字義 ❶むなしい。うつろ。器の中に何もないこと。❷つきる(尽)。また、つくす。「罄尽」❸ことごとく。すべて。みな。
解字 篆文 形声。缶＋殸音。音符の殸ケイは、高い音の出る中国の古代楽器、けいの意味。高く軽快な音のする中空の土器の意味から、つきる・からの意味を表す。
【罄△竭】ケイケツ ①つきる。なくなる。▼竭も、尽きる。②つくす。ありったけをつくす。
【罄尽(盡)】ケイジン なくなる。つきる。すっかりなくなる。

12【罇】18画 9420 ソン 樽(5811)と同字。→七〇〇ページ中。 1 9025 EE73 5282

13【罋】19画 9421 オウ 甕(7575)と同字。→九六〇ページ下。

14【罌】20画 9422 漢オウ(アウ) 呉ヨウ(ヤウ) 庚 yīng 7002 E3A0 —
[甖] 7578 同字
字義 かめ。もたい。腹が大きく口のつぼんだかめ。
解字 形声。缶＋賏音。
【罌△粟】オウゾク・けし 草花の名。ケシ科の二年草の一つ。五月ごろ四弁の花を開き、実の乳液から阿片アヘンをとる。芥子ケシ。罌子粟けし。

15【罍】21画 9423 ライ 灰 léi 7003 E3A1 —
字義 たる。酒だる。雷雲の文様のある酒だるで、大きなものは一斛コイッコクを入れる。＝櫑(5895)。「金罍」
解字 金文 篆文 別体 形声。缶＋畾音。音符の畾ライは、雷、かみなりの意味。雷雲の文様のある酒だるの意味を表す。もと、櫑の別体。

罍(周代)

【罍△罌】ライオウ 酒だる。
【罍尊・罍△樽】ライソン 酒だる。▼尊も、酒だる。
【罍恥】ライチ 酒だるのはじ。準備した酒がすっかりなくなること。→瓶之罄罍之恥へいのつくるはらいのはじ(九五九ページ中)。

16【罎】22画 9424 タン 壜(2177)と同字。→三二四ページ中。 7004 E3A2 —

16【罏】22画 9425 漢ロ 呉ル 虞 lú 2 8471 — 5283
字義 かめ。酒がめ。また、飯を入れる鉢。
解字 形声。缶＋盧音。

17【罐】23画 9426 カン 缶(9406)の俗字。→一二四五ページ下。 7005 E3A3 —

18【罐】24画 (9407) カン 缶(9406)の旧字体。→一二四五ページ下。

6画

网(⺳・罒) あみがしら あみ
⺳は四画。罒は五画。
[⺳] 2 8472 — —
[罒] 2 8473 — —

〔部首解説〕 ⺳・罒は、网ウモの変形。また、罒の形にもなり、网・罒は元来同一の部首であったが、字形が異なるので、便宜上分離して、网部のあとに罒(よこめ)部を設けた。网を意符として、いろいろな種類の網や、網にかける・捕らえるなどの意味を含む文字ができている。

0 网 一二四六　冈 一二四六　3 罕 一二四六　罕 一二四六　罔 一二四七
12 罾 一二四七

0【网】6画 9427 漢ボウ(バウ) 呉モウ(マウ) 養 wǎng 7006 E3A4 —
[冈] 9428 俗字　[⺲] 9433 俗字
字義 あみ。＝罔(9431)・網(9238)。
解字 甲骨文 金文 篆文 象形。あみの象形であみの意味を表す。罔ウモ(網)の原字。

0【冈】4画 9428 モウ 网(9427)の俗字。→一二四六ページ下。 — — 5285

3【罕】7画 9429 カン 旱 hǎn 7007 E3A5 —
[罕] 9430 本字
字義 ❶とりあみ。鳥をとる、柄の長い小網。❷はた(旗)。❸まれ。まれに。たまに。また、まれである。めったにない。用例〔論語、子罕〕子罕言レ利シまれにりをいう(よ)。↓先生はめったに利益のことは語らなかった。
解字 篆文 形声。网＋干音。音符の干は、さお(竿)の意味。長い柄のついた網。

3【罕】9画 9430 カン 罕(9429)の本字。→一二四六ページ下。

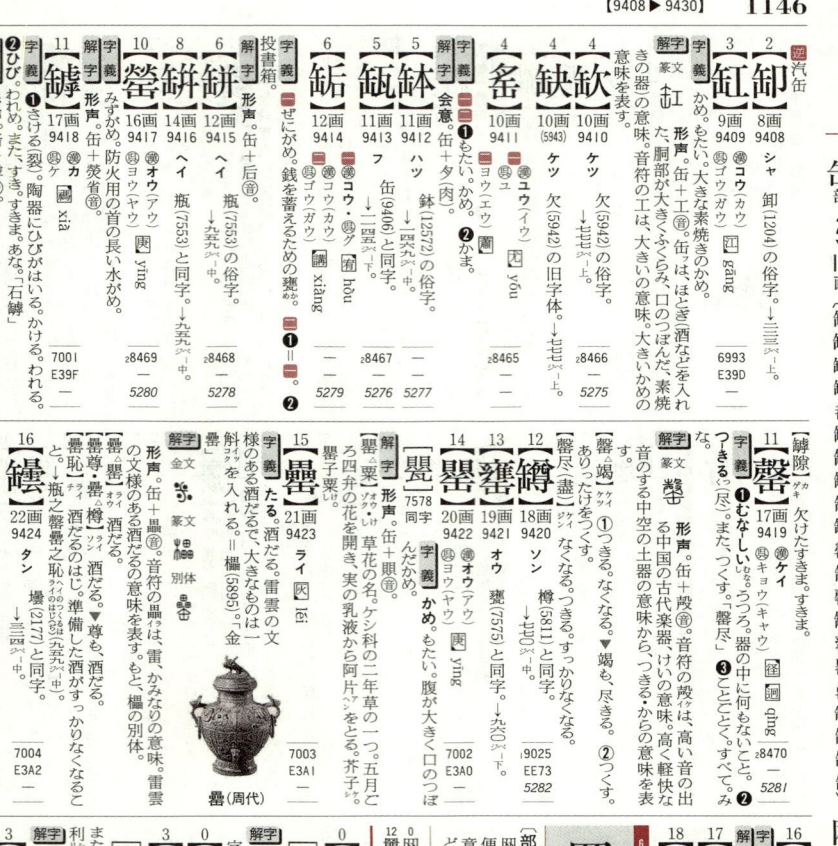

3【罔】8画 9431 漢ボウ(バウ) 呉モウ(マウ) 慣ム 養 wǎng 7008 E3A6 —

字義 ❶あみ。＝網(9238)。㋐鳥獣や魚を捕らえる網。㋑罪人を捕らえる網。おきて・法律のたとえ。㋒人を束縛するもの。世のきずな。❷あみ-する(あみ-す)。㋐網で捕らえる。また、網で捕らえるように根こそぎ取る。㋑法網にかける。用例〔孟子、梁恵王上〕及レ陥ニ於罪一(つみにおちいるにおよんで)、然後従而刑レ之(しかるのちにしたがい(ひ)て、これをケイするは)、是罔レ民也(これたみをあみするなり)。↓罪を犯すようになってから、それから追いかけるように刑罰に処してゆくのは、人民を法の網にかけることです。❸おおう。また、くらます。見えなくする。❹むすぶ(結)。❺な-い(な-し)。な-かれ。用例〔詩経、小雅、蓼莪〕欲レ報ニ之徳一(これがトクにむくいんと)、昊天罔レ極(コウテンきわ(は)まりなし)。↓父母の恩徳に報いたいと思っても、広大で果てしがない。❻なみ-する(なみ-す)。ないがしろにする。あなどる。❼くら-い(くら-し)。おろか。用例〔論語、為政〕学而不レ思則罔(まなびておもわ(は)ざればすなわ(は)ちくらし)。↓物事を学んでも、自分でそれについて深く考えてみなければ、本当の理解には到達しない。❽し-いる(し-ふ)(誣フ)。道理に合わないことを無理にこじつける。事実を曲げる。用例〔論語、雍也〕罔レ之生也(これをしい(ひ)て、いくるは)、幸而免(さいわ(は)い(ひ)にまぬかるるなり)。↓事実を曲げて生きているのは、まぐれで生き延びているだけだ。❾うれえる。心配する。

解字 形声。冂(网)＋亡音。网は、あみの象形。音符の亡は、おおいかくすの意味。獲物をおおって捕らえる、あみの意味を表す。網の原字。借りて、亡に通じて、ないの意味をも表す。罔を音符とする形声文字に、惘(モウ)・誷(モウ)などがあり、これらの漢字は、「網で捕らえる」の意味を共有している。

【罔極】(モウキョク・ムキョク) ①極まりがない。限りがない。特に、父母の恩が無限であることを指す場合がある。②中正の道がないこと。無道。③極悪人(ゴクアクニン)。

【罔△罟】(モウコ) あみ。獣を捕らえる網と、魚を取る網。用例〔荘子、逍遥遊〕中ニ於機辟一(キヘキにあたり)、死ニ於罔罟一(モウコにシす)。↓わなにはまり、網にかかって殺されてしまう。

【罔象】(モウショウ) ①ただよう。②なにもないこと。虚無。象罔。③水中の妖怪(ヨウカイ)。一説に、水神の名。

【罔然】(ボウゼン) ぼんやりしているさま。つかれたり、がっかりしたりしている様子。惘然(ボウゼン)。芒然(ボウゼン)。

【罔羅】(モウラ) 同網羅。①あみ。大きい網と小さい網。②残らず収め入れる。全部ひっくるめること。

【罔両(兩)】(モウリョウ) 同魍魎(モウリョウ)。①影のそばに生ずる薄いかげ。②より所のないさま。たよりないさま。③すだま。山や川の精。山や川の妖怪(ヨウカイ)。「魑魅罔両(チミモウリョウ)」

12【罶】18画 9432 漢リュウ(リウ) 呉ル 有 liǔ — — 5305

字義 うえ。うけ。竹を徳利型に編んで作った、魚を捕らえるための仕掛け。

解字 形声。网＋畱音。音符の畱(リュウ)は、留めるの意味。

5画 罒 よこめ・あみがしら よんかしら

〔部首解説〕この部首に属する文字のほとんどは、もと网(モウ)(あみがしら)部の文字で、罒(モウ)の形も従来、あみがしらと呼ばれた。ほかに、もと目部の文字で罒の形をもつ文字がある。その両者を合わせて、罒部を設けた。→〔网〕の部首解説(一一四六ページ)。

0 罒 一一四七	罝 一一四七	罛 一一四八	罦 一一四八	罬 一一四八	置 一一四九	署 一一四九	詈 一一四九	罿 一一五〇	羅 一一五〇
4 罡 一一四七	罜 一一四七	罧 一一四八	詈 一三一三	罪 一一四八	罩 一一四九	罨 一一四九	罷 一一五〇	罾 一一五〇	17 羇 一一五一
罘 一一四七	罛 一一四七	7 買 一一四八	8 罨 一一四八	署 一一四八	罭 一一四九	罰 一一四九	11 罻 一一五〇	13 羂 一一五〇	19 羈 一一五一
5 罟 一一四七	罠 一一四七	罥 一一四八	罣 一一四八	蜀 一三五八	9 睾 一一四九	10 罽 一一五〇	罹 一一五〇	冪 一一五〇	
罡 一一四七	6 罣 一一四八	買 一三五六	罫 一一四八	罧 一一四九	罳 一一四九	罵 一一五〇	12 罽 一一五〇	14 羆 一一五〇	

0【罒】5画 9433 モウ 网(9427)の俗字。→一一四六ページ下。 ₂8474 — 5284

4【罡】9画 9434 コウ(カウ) 陽 gāng ₂8475 — —

字義 ❶おか。岡(2868)の俗字。❷星の名。罡(9437)と同字。

4【罘】9画 9435 一漢フ・呉ブ 尤 fú 二フ 虞 fú 7009 E3A7 —

注意 网部に所属させる場合もある。

字義 一あみ(網)。㋐うさぎあみ。兎(うさぎ)を捕る網。兎罝(トシャ)。「罘罝(フシャ)」㋑広く、鳥獣を捕る網をいう。「罘網」二❶鳥獣をからめとる仕掛けのついた網。❷罘罳(フシ)は、宮門の内(一説に、外)にある塀(ヘイ)へ。

注意 『康熙(コウキ)字典』では、网部に所属する。

解字 形声。罒(网)＋不音。

5【罟】10画 9436 コ 麌 gǔ 7010 E3A8 —

字義 ❶あみ(網)。㋐網の総称。㋑うおあみ。魚を取る網。目の細かい網。用例〔孟子、梁恵王上〕数罟不レ入ニ洿池一(ソッコオチにいらず)。↓目の細かい網を沼や池にいれない。㋒罪人を捕らえる網。法律・おきてのたとえ。❷あみする。網にかけて取る。

注意 『康熙(コウキ)字典』では、网部に所属する。

解字 篆文  形声。罒(网)＋古音。音符の古は、固に通じ、かたくとざすの意味。あみの意味を表す。

【罟△擭陥(陷)△阱】(コカクカンセイ) 網と、わなと、落とし穴。ともに鳥獣を捕らえるしかけ。▼擭は、わな。〔中庸〕

【罟師】(コシ) 漁夫。

5【罡】10画 9437 コウ(カウ) 陽 gāng ₂8476 — 5289

字義 天罡は、北斗星の別名。

注意 『康熙(コウキ)字典』では、网部に所属する。

解字 形声。正＋罒(网)音。

5【罝】10画 9438 一シャ 麻 jiē 二ショ 魚 jū — — 5288

字義 一二あみ(網)。獣、特にうさぎを取る網。「兎罝(トシャ)」

注意 『康熙(コウキ)字典』では、网部に所属する。

解字 篆文  形声。罒(网)＋且音。网は、あみの象形。音符の且(シヨ)は、積み重ねるの意味。糸を組み重ねた、あみの意味を表す。

【罝△罘】(シャフ) 鳥獣を捕らえる網。

5【罜】10画 9439 シュ 遇 麌 zhǔ — — 5287

字義 こあみ。魚をとる小さい網。

注意 『康熙(コウキ)字典』では、网部に所属する。

解字 形声。罒(网)＋主音。

5【罛】10画 9440 漢トウ(タフ) 呉ドウ(ドフ) 合 tà — — 4663

字義 ❶及ぶ。及び。❷目であとをつける。見送る。

注意 『康熙(コウキ)字典』では、目部に所属する。

解字 会意。目＋隶省。隶(タイ)は、及ぶの意味。視線が及ぶの意味を表す。

5【罠】10画 9441 標 漢ビン 呉ミン 真 mín 7011 E3A9 —

字義 ❶つりいと。❷あみ(網)。㋐うさぎあみ。兎を捕らえる網。㋑しかあみ。鹿を捕らえる網。㋒人をあざむく計略。国わな。㋐獣をおびきよせて捕らえるしかけ。
注意 『康熙字典』では、网部に所属する。
解字 篆文 形声。罒(网)＋民㊥。音符の民は、敃に通じ、強引にするの意味。強引にあみで獣をとらえる、あみの意味を表す。

6【罣】11画 9442 一 漢カイ(クヮイ) 卦 guà 二 漢ケイ・呉ケ 霽 guà ₂8477 — 5290
字義 一 ❶さまたげる。はばむ。ささえる。❷かかる。ひっかかる。また、かける。
注意 『康熙字典』では、网部に所属する。
解字 形声。罒(网)＋圭㊥。

6【罛】11画 9443 漢コ 呉ク 虞 gū — — 5286
字義 ❶魚を捕らえる、大きな網。❷現れるさま。
注意 『康熙字典』では、网部に所属する。
解字 形声。罒(网)＋瓜㊥。音符の瓜は罟に通じ、網の意味。

6【眾】11画 9444 シュウ 衆(10807)の本字。→一三七一ページ上。 — — 4679
注意 『康熙字典』では、目部に所属する。

7【罥】12画 9445 ケン 銑 juàn — — 5292
字義 ❶かける。からめとる。❷まとわりつく。❸網。罠。
注意 『康熙字典』では、网部に所属する。
解字 形声。罒(网)＋肙㊥。音符の肙は、繯に通じ、からむの意味。

7【罤】12画 9446 漢テイ 呉ダイ 斉 tí ₂8478 — 5291
字義 うさぎあみ。うさぎを捕らえる網。
注意 『康熙字典』では、网部に所属する。
解字 形声。罒(网)＋弟㊥。

7【買】12画 (11545) バイ 貝部。→一三六六ページ下。

7【罦】12画 9447 フ 虞 fú — — 5293
字義 ❶あみ(網)。鳥獣をからめとる仕掛けのついた網。＝罘(9435)。❷罦罳は、ついたて。また、宮門の内(一説に、外)にある塀。
注意 『康熙字典』では、网部に所属する。
解字 形声。罒(网)＋孚㊥。音符の孚は、つつむ・おおうの意味。

7【詈】12画 (11175) リ 言部。→一三一三ページ上。

8【罨】13画 9448 エン 琰 yǎn 慣アン 7012 E3AA —
字義 ❶あみ(網)。上からおおいかぶせて魚や鳥を捕らえる網。❷おおう。おおいかぶせる。「罨法」
注意 『康熙字典』では、网部に所属する。
解字 篆文 形声。罒(网)＋奄㊥。音符の奄は、おおうの意味。あみでおおうの意味を表す。
【罨法】アンポウ 冷水または湯にひたした布で患部をおおい、炎症または充血を消し去る治療法。「冷罨法」「温罨法」

8【睪】13画 9449 漢エキ 呉ヤク 陌 yì ₂8207 — 4703
字義 ❶うかがい見る。様子をさぐる。❷たぐり寄せる。
難読 采睪(わけ)
注意 『康熙字典』では、目部に所属する。
解字 会意。目＋幸。

8【罫】13画 9450 一 漢カイ(クヮイ)・呉ゲ 卦 huà 二 漢カイ(クヮイ)・呉ケ 蟹 guǎi 慣ケイ 2351 8C72 —
字義 一 さまたげる。二 ❶め。すじ。すじめ。基盤の、縦横にまじわった線。❷文字をまっすぐに書くための線。文字の列をまっすぐにするために引いた線。界線。「罫紙」
注意 『康熙字典』では、网部に所属する。
解字 形声。罒(网)＋卦㊥。
【罫紙】ケイシ けいの引いてある紙。

8【睘】13画 9451 漢ケイ 呉ギョウ(ギャウ) 庚 qióng ₂8205 — —
【睘】9463 正字
字義 ❶おどろきみる。❷睘睘は、よるべのないさま。ひとりぼっち。＝煢・煢(八九八ページ下)。
注意 『康熙字典』では、目部に所属する。
解字 金文 篆文 形声。篆文は、目＋袁㊥。睘は省略形。

8【罪】13画 9452 漢サイ・呉ザイ 賄 zuì 教5 ザイ つみ 2665 8DDF —
筆順 罒 罪

【辠】11986 同字
字義 ❶つみ。とが。㋐道理に反する行為。「犯罪」㋑法律を犯す行為。「謝罪」㋒わざわい。災禍。❷つみ-する。㋐刑罰を加える。用例〔韓非子、二柄〕越レ官則死、不レ当則罪(官職を越えた場合には死刑にされるし、言行が一致しない場合には処罰される。)㋑責める。とがめる。国つみ。㋐人からうらまれるようなしうち。㋑無慈悲なしわざ。
注意 『康熙字典』では、网部に所属する。
解字 篆文 会意。罒(网)＋非。网は、あみの象形。非は、あやまちの意味。あやまちある人を法の網にかける、つみするの意味を表す。
逆 原罪・功罪・死罪・謝罪・断罪・犯罪・服罪・余罪・流罪

【罪悪(惡)】ザイアク つみ。とが。悪事。非難すべき悪い行い。
【罪科】ザイカ ①つみ。とが。②しおき。刑罰。
【罪過】ザイカ ①つみ。②あやまち。
【罪疑惟軽(輕)】つみのうたがわしきはこれかるくす つみの軽重いずれにすべきか疑わしい場合は、軽い方をとる。〔書経、大禹謨〕
【罪業】ザイゴウ 仏つみとなるべき業。▼業は、身・口・意によってなされる善悪の所行で、未来に善悪の果を招く因となる。
【罪根】ザイコン 仏罪悪の根源。つみのもと。罪業をいう。
【罪死】ザイシ 死刑。死罪。
【罪障】ザイショウ 仏極楽往生のさまたげとなる悪い行い。
【罪状(狀)】ザイジョウ 犯した罪のありさま。犯罪の行われた時の様子。
【罪不レ容レ誅】つみチュウをいれず 非常な重罪で殺してもなお足りないこと。〔漢書、王莽伝上〕
【罪戻】ザイレイ つみ。つみとが。▼戻も、罪の意。
【罪隷(隸)】ザイレイ ①つみによって役所の下働きとなった人。②周代の官名。下級役人をつかさどる。
【獲ニ罪於天一】つみをテンにう 天の神から罰を受ける。〔論語、八佾〕
【坐レ罪】つみにザす つみにかかる。罰せられる。また、つみのかかりあいになる。つみに連座する。

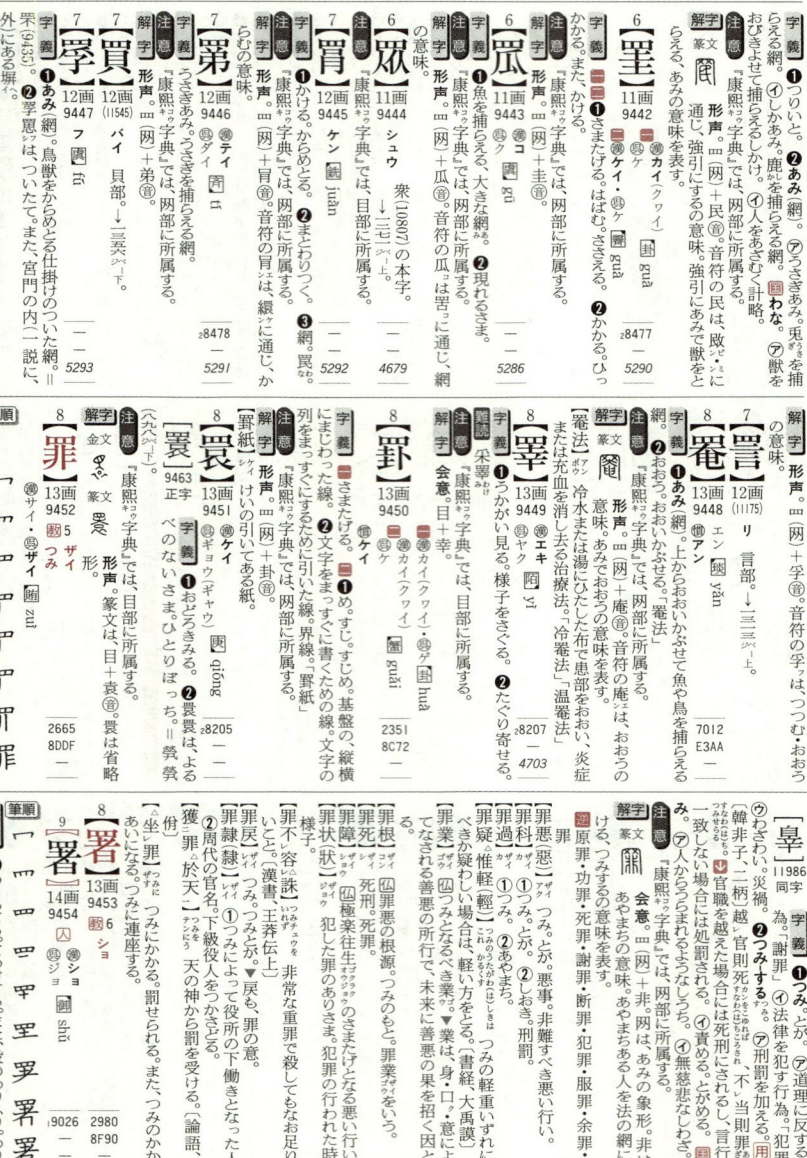

8【署】13画 9453 教6 ショ 2980 8F90 —
9【署】14画 9454 人 漢ショ 呉ジョ 御 shǔ ₁9026 — —
筆順 罒 罒 署 署
字義 ❶わりあてる。てわけする。また、役のわりふり。わりあて。❷役所。「官署」❸しるす。㋐物の表面に書きしるす。また、表書き。㋑名前を書く。「署名」❹職務を代行する。

注意 署は、『康熙字典』では、罒部に所属する。

解字 篆文 形声。罒(网)＋者(者)音。网は、あみの象形。音符の者は、あつめるの意味。集めてあみの目のように区分けされた各やくわりの意味を表す。また、その各やくわりにしるしをつけることから、しるすの意味をも表す。

逆 自署・親署・代署・副署・部署・連署・郎署

【署置】役割をきめること。また、任免すること。

【署名】自分の姓名を書き記すこと。サイン。記名。

8 【蜀】13画 (10592) ショク 虫部。→一三五八ページ下。 7014 E3AC —

8 【罧】13画 9455 シン 沁 寝 shēn

字義 ふしづけ。柴を水中に積んで魚を集め捕らえる仕掛け。また、その漁法。難読 罧原

注意 『康熙字典』では、网部に所属する。

解字 篆文 形声。罒(网)＋林音。音符の林は、柴などの束を表す。

8 【置】13画 9456 チ 寘 zhì 教4 チ おく 3554 9275 —

筆順

字義 ❶おく。㋐すえつける。そなえる。設置する。用例 〔史記、秦始皇本紀〕銷以為鍾鐻金人十二、重各千石、置廷宮中。↓全国から没収した兵器をとかして鐘や太鼓をかける台や銅像十二体、重さそれぞれ千石のものを作り、宮廷に置いた。㋑もうける。もよおす。開催する。「置酒」㋒(組織・機関・制度などを)もうける。設立する。用例 〔漢書、百官公卿表〕元狩四年、初置大司馬。↓元狩四年、初めて大司馬の職を設けた。㋓(地位・役職などに)たてる。とりたてる。用例 〔呂氏春秋、当務〕有妻之子、而不可置妾之子。↓正妻の子がいるのに側室の子を後継にたてるわけにはいかない。㋔そのままにしておく。とどめおく。また、すておく。用例 〔史記、項羽本紀〕沛公則置車騎、脱身独騎。↓沛公はそこで(乗ってきた)馬車や騎兵はそのままにして、(項羽の陣営から)抜け出してひとりだけ馬に乗った。㋕(しかるべく)さだめる。処理する。また、その始末。「処置」「措置」㋖ゆるす(赦)。釈放する。用例 〔漢書、酷吏伝〕賞親閲見十置一。↓尹賞は自身で検閲し、十人に一人を放免した。❷うまつぎ。旅の途中で馬を乗りつぐ所。宿駅。宿場。「厩置」

名前 おき・き・やす 難読 置戸・置賜

注意 『康熙字典』では、网部に所属する。

解字 篆文 形声。罒(网)＋直音。音符の直は、まっすぐである意味。あみをまっすぐ張ってたてておく、おくの意味を表す。

逆 拘置・処置・装置・措置・倒置・配置・布置・並置・放置

【置字】国 漢文を訓読するとき読まない字。焉・矣・兮・於・于などの助字。

【置酒】酒盛りをする。また、酒盛り。酒宴。用例 〔史記、滑稽伝〕荘王置酒、優孟前為寿。↓荘王が宴会を開いた際に、優孟は進み出て王の長寿を祝った。

【置錐之地】きりの先端を立てるほどの少しの地。〔荘子、盗跖〕

【置対(對)】向かい合って議論する。

【置亭】宿場。宿駅。

【置郵】①宿場。宿駅。また、その馬車。②宿駅の馬車を次々に乗りつぐこと。置伝。

8 【罩】13画 9457 漢トウ(タウ) 呉チョウ(テウ) 効 zhào 7013 E3AB —

【箪】8791 俗字

字義 ❶かご。魚とりかご。水につけて魚を取る、竹を編んで作ったかご。❷こめる。こめる。入れ包む。

注意 『康熙字典』では、网部に所属する。

解字 篆文 形声。罒(网)＋卓音。音符の卓は、高くおどりあがるの意味。水中におさえこんで魚をすくいあげる、魚とりかごの意味を表す。

8 【罭】13画 9458 漢ヨク 呉イキ(ヰキ) 職 yù 2 8479 — 5294

字義 うおあみ。小魚を捕らえる小さな網。

注意 『康熙字典』では、网部に所属する。

解字 篆文 形声。罒(网)＋或音。音符の或は、区切るの意味。水中のある場所に区切って張る、うおあみの意味を表す。

9 【睪】14画 9459 標 コウ(カウ) 豪 gāo 6648 E1CE —

字義 ❶さわ(沢)。❷高いさま。広大なさま。❸きんたま。睪丸。難読 睪丸

注意 『康熙字典』では、目部に所属する。

解字 もと、皐の俗字。高に通じ、高いさまを表す。睪にノを加え、男性の身体の、さわの部分にある突起したもの、ふぐりの意味も表す。

9 【罳】14画 9460 シ 支 sī

字義 罘罳・罦罳は、宮門の内(一説に、外)にある塀。

注意 『康熙字典』では、网部に所属する。

解字 形声。罒(网)＋思音。

9 【署】14画 (9454) ショ 署(9453)の旧字体。→一二四八ページ下。

9 【罱】14画 9461 漢タン 呉ナン 感 nǎn — — 5301

字義 捕った魚を入れる網。

注意 『康熙字典』では、网部に所属する。

解字 形声。罒(网)＋南音。

9 【罰】14画 9462 常 バツ・バチ 漢ハツ・呉バチ 月 fá 慣バツ 4019 94B1 —

筆順

【罸】9465 同字

字義 ❶つみ。軽い罪。❷しおき。また、とがめ。罪またはあやまちを犯した人に対するこらしめ。「刑罰」❸しおきする。刑罰に処する。「処罰」国 バチ。罪の報い。神仏のとがめ。「罰があたる」

注意 『康熙字典』では、网部に所属する。

解字 金文 篆文 会意。もと、詈＋刂(刀)。詈は、ののしるの意味。刃物を突きつけ、ののしる、とがめるの意味を表す。

逆 刑罰・賞罰・神罰・懲罰・天罰・必罰・仏罰

【罰金】①罰として課す金銭。制裁のために徴収する金銭。②太白星の別名。

【罰爵】①昔、酒宴の席で失礼をおかした人に罰として酒を飲ませたこと。▼爵は、さかずき。②＝罰杯。

【罰杯】勝負に負けた人などに、罰として飲ませる酒。晋の石崇が洛陽の金谷園に客を招いて詩を作らせ、でき

ない人に罰杯を飲ませた故事は有名。罰爵。罰酒。

【罰俸】罰として俸給の全部または一部分の支給を一定期間やめること。

10 【罣】 15画 9463 ケイ 3945 946C —

注意 『康熙字典』では、目部に所属する。

罣(9451)の正字。→一二四八ページ中。

10 【罵】 15画 9464 常 バ ののしる 漢バ・呉マ 禡 馬 mà 3945 946C —

筆順 罵

字義 ののしる。どなる。悪口をいう。口ぎたなくけなす。また、ののしり。悪口。用例〔史記、刺客伝〕軻自知事不就、倚柱而笑、箕踞以罵曰、……。↓荊軻は計画の失敗をさとり、柱に寄りかかって笑い、両足を投げ出して座り、罵って言った、……。

注意 『康熙字典』では、网部に所属する。

解字 篆文 形声。罒(网)＋馬音。网は、あみの象形。馬は幕に通じ、おおいかぶせるの意味。網や幕をかぶせるように悪口をあびせかける、ののしるの意味を表す。

【罵言】ののしること。また、そのことば。

【罵辱】ののしりはずかしめる。

【罵声(聲)】ののしる声。ののしりさわぐ声。

【罵倒】はげしくののしる。口ぎたなく悪口をいう。ひどい悪口をいう。

【罵△詈】ののしる。口ぎたなく悪口をいう。また、ののしり。

▼詈も、ののしる意。「罵詈雑言」

10 【罸】 15画 9465 バツ 7015 E3AD —

罰(9462)と同字。→一二四九ページ下。

10 【罷】 15画 9466 常 ヒ 4077 94EB —

一 漢ハイ・呉バ 蟹 bà
二 漢ヒ・呉ビ 紙
三 漢ヒ・呉ビ 支 pí

筆順 罷

字義 一 二 ❶やめる。やむ。㋐中止する。また、廃止する。用例〔史記、廉頗藺相如伝〕既罷帰国。↓会談を中止して帰国した。㋑しりぞける。免ずる。「罷免」❷ゆるす。釈放する。❸かえる(帰)。三 ❶つかれる。つかる。くたびれる。＝疲(7719)。「罷弊」❷病む。わずらう。❸にぶい。おろか。また、弱い。❹きわまる。国まかる。㋐退出する。去り帰る。㋑来る。㋒行く。㋓死ぬ。みまかる。㋔他の動詞の上にそえて、謙譲の意を表す。「罷り在り」㋕意味や語調を強めるのに用いる。「罷りならぬ」

注意 『康熙字典』では、网部に所属する。

解字 篆文 会意。罒(网)＋能。网は、あみの象形。能は、けだものの象形。おそいかかるけだものを網でとらえるさまから、しりぞける・除く・やめさせるの意味を表す。また、疲に通じ、つかれるの意味にも用いる。

【罷休】仕事を途中でやめてやすむ。

【罷業】国①仕事をわざと休むこと。②「同盟罷業」の略。ストライキ。

【罷極】つかれきる。疲極。罷尽。

【罷△倦・罷△勌】つかれあきる。疲倦。

【罷散】つかれて役に立たない。〔史記、秦始皇本紀〕

【罷士】①つかれた兵士。②才能のおとった人。

【罷市】①市場を開くことをやめる。商店が一斉に休業する。②商人のストライキ。

【罷△黜】やめしりぞける。

【罷△駑】①つかれはてたのろ馬。②役に立たないおろか者。

【罷病】つかれなやむ。つかれ弱る。疲病。

【罷弊・罷△敝】つかれ弱る。疲弊。

【罷免】職務をやめさせる。免職する。

【罷△癃】①背骨がかがまる病気。②役に立たないこと。

【罷露】疲れ弱る。また、疲れ苦しむ。

【罷労(勞)】つかれる。疲労。

11 【罻】 16画 9467 イ(ヰ) 未 wèi

字義 あみ(網)。鳥を捕らえる小さな網。

注意 『康熙字典』では、网部に所属する。

解字 形声。罒(网)＋尉(尉)音。

11 【罹】 16画 9468 標 リ 支 lí 5677 9CEB —

字義 ❶うれえ。なやみ。なんぎ。❷かかる。こうむる(被)。あう(遭)。＝離(13209)。「罹災」

注意 『康熙字典』では、网部に所属する。

解字 篆文 会意。罒(网)＋隹＋忄(心)。网は、あみの象形。隹は、とりの象形。網にかかった鳥のさまから、心にかかる、うれえの意味を表す。

【罹禍】わざわいにかかる。災禍にあう。

【罹災】わざわいにかかる。災難に遭う。罹厄。

【罹疾】病気にかかる。罹病。

【罹病】病気にかかる。罹疾。

12 【罽】 17画 9469 ケイ 霽 jì ₂8480 — 5302

字義 ❶毛織物。もうせん。❷うおあみ。魚を取る網。

注意 『康熙字典』では、网部に所属する。

解字 形声。罒(网)＋罽音。

12 【罿】 17画 9470 漢ショウ 呉シュウ 冬 chōng — — 5304

字義 ❶とりあみ。鳥を捕らえる網。特に、車の上に張って鳥を捕らえる網。❷網の総称。

注意 『康熙字典』では、网部に所属する。

解字 形声。罒(网)＋童音。

12 【罾】 17画 9471 ソウ 蒸 zēng ₂8481 — 5303

字義 よつであみ(四手網)。正方形の網の四隅を竹ざおで張った抄網。水底に沈め、ときどき引き上げて魚をとる。また、その網で魚を取ること。

注意 『康熙字典』では、网部に所属する。

解字 形声。罒(网)＋曾音。

13 【羂】 18画 9472 ケン 銑 juàn 7016 E3AE —

字義 ❶わな。あみ(網)。❷からめとる。わなにかけてとる。❸くくる。つなぐ。

注意 『康熙字典』では、网部に所属する。

解字 形声。罒(网)＋絹音。音符の絹は、繯に通じ、からむの意味。からめとるわなの意味を表す。

13 【羃】 18画 9473 ベキ 7018 E3B0 —

冪(790)の俗字。→一六三ページ上。

注意 『康熙字典』では、网部に所属する。

14 【羆】 19画 9474 ヒ 支 pí 7017 E3AF —

字義 ひぐま。しぐま。熊の一種。毛は赤茶色で、力の強い、大きな熊。

注意 『康熙字典』では、网部に所属する。

解字 篆文 会意。罒(网)＋熊。网は、あみ。網で囲んでとる熊。「しぐま」と、よむのは字形による。

14 【羅】 19画 9475 常 ラ ラ 歌 luó 4569 9785 —

筆順 羅

字義 ❶あみ。鳥を捕らえる網。鳥あみ。❷あみする。

㋐網にかけて捕らえる。㋑網にかけて取るように残らずつかまえる。「網羅」 ❸つら-ねる。並べる。また、連なる。用例〔唐、杜甫、贈衛八処士詩〕問答未及已、児女羅酒漿。↓やりとりがまだ終わらないうちに、子どもたちは酒や飲み物を並べ始めた。 ❹うすい絹。あやぎぬ。「綺羅」 ❺かかる。こうむる。出会う。＝罹(9468)。 国国名。羅馬尼亜の略。

名前 つら・ら　難読 羅府・羅馬尼亜・羅馬・羅媽・羅甸

注意 『康熙字典』では、网部に所属する。

解字 篆文  会意。罒(网)＋維。网は、あみの象形。維は、鳥をつなぐの意味。あみ・つらなるの意味を表す。

逆 軽羅・修羅・網羅

【羅衣】うすぎぬの着物。

【羅帷・羅幃】＝羅帳。

【羅宇】国きせるの雁首と吸い口との間をつなぐ竹の管。ラオ。初め安南の北西の老撾(Laos)国から来た黒い斑竹を用いたからという。喇竽。

【羅家】網を張って鳥を捕る猟師。

【羅貫中】元末・明初の小説家。名は本、貫中は字。『三国志演義』の著者。(一三三〇?―一四〇〇?)

【羅漢】仏阿羅漢の略。小乗仏教の修行者の最高の位で、功徳の備わった学者の称号。悟りを開いた修行者。小乗仏教の聖者。梵語 arhatの音訳。

【羅綺】①うすぎぬと、あやぎぬ。美しい着物。②着かざった美女。

【羅裙】うすぎぬのもすそ(スカート)。

【羅縠】うすぎぬと、ちりめん(縮緬)。絽・紗の類いの、薄く美しい着物。

【羅衫】うすぎぬのひとえ。薄物のひとえ。

【羅紗】ポルトガル語 raxa の音訳語。厚くて織り目の細かい毛織物。

【羅襦】うすぎぬのはだぎ。

【羅城】大きい城のそとぐるわ。

【羅針盤】国盤の中央に磁石を設けて方位をはかる器械。羅針儀。

【羅生】つらなり生ずる。

【羅刹】仏梵語 rākṣasa の音訳。足が速く力が強く、人をだまし、人を食うという悪鬼。夜叉とともに毘沙門天の眷属(血筋のつながった一族)とされる。

【羅致】(網で鳥を取るように、人を)招き寄せる。人物を引き抜いて仕えさせること。

【羅帳】うすぎぬのとばり。うすぎぬのカーテン。羅帷。

【羅甸語】ローマ帝国時代に、ローマを中心として行われたラテン民族の言語。今はローマ・カトリック教会の公用語や学術語に用いられている。拉丁語。▼羅甸は、Latinの音訳。

【羅拝(拜)】つらなり並んでおがむ。

【羅布】つらねしく。並べる。羅敷。

【羅浮】山名。広東省増城市の東にある。東晋の葛洪が仙術を修得した所と伝え、また、山の麓は梅の名所として古来名高い。

【羅敷】①つらねしく。並べる。羅布。②戦国時代、趙の邯鄲の美女。姓は秦。趙王の家老、王仁の妻。↓陌上桑(一五〇九ページ下)。

【羅文】㊀①うすぎぬのあやもよう。あみのめの模様。羅紋。②硯の別名。㊁国戸・立て蔀の上につけるかざり。

【羅袂】うすぎぬのたもと。

【羅韈・羅韤】うすぎぬのくつした。薄絹のたび。

【羅馬】Roma の音訳。①昔、イタリアのローマを中心に起こった国の名。②イタリアの首都。

【羅幔】うすぎぬの幕。羅幕。

【羅網・羅罔】①とりあみ。鳥を捕らえる網。②法律。法網。③網をかけて捕らえる。また、網をかけて鳥を捕らえるように、人を捕らえること。

【羅紋】＝羅文㊀①。

【羅弋】とりあみと、いぐるみ。

【羅絡】からめまとう。ぐるぐるからめる。

【羅列】つらなりならぶ。

17【羇】22画 9476　キ　因 jī　7020 E3B2 ―

［覊］11017 俗字

字義 ❶たび(旅)。旅ずまい。旅ぐらし。❷旅人。❸おもがい。馬具の一種。馬の頭部にかける組み紐。＝羈(9477)。

注意 『康熙字典』では、网部に所属する。

解字 形声。罒(网)＋革＋奇音。网は、あみの意味。革は、かわの意味。音符の奇は、綺に通じ、美しいの意味。革製であみのように作られた、馬の頭をおおうかざり、おもがいの意味を表し、転じて、たびの意味をも表す。

【羇客】旅人。旅客。

【羇禽】連れを失った鳥。また、旅先の鳥。

【羇寓】旅の宿。旅先のすまい。

【羇孤】①ひとり旅。②よるべのない旅人。③孤立すること。

【羇思】旅人の物思い。旅路のわびしい思い。

【羇愁】旅のうれい。旅路のわびしさ。旅愁。客愁。

【羇心】旅中の心。旅情。

【羇鳥恋(戀)旧(舊)林】旅にある鳥(一説に、かごの中の鳥)はかつて自由に飛びまわった林を恋しがる。転じて、旅人が故郷を思う、あるいは捕らわれ人がもとの世界を恋しがるたとえ。用例〔東晋、陶潜、帰園田居詩〕羇鳥恋旧林、池魚思故淵。↓旅にある鳥はかつて飛びまわっていた林を恋しがり、池の中の魚は、もと住んでいたふちを恋しがる。

【羇離】故郷をはなれて他国に旅すること。

【羇留】旅に出て宿ること。故郷をはなれて他国に身を寄せること。

【羇旅】同羈旅。①旅行。②旅人。③故郷を離れて、よその土地に身を寄せていること。

【羇旅之臣】他国から来て客扱いを受けながら家臣となっている人。羇旅之臣。〔左伝、荘公二十二〕

19【羈】24画 9477　キ　因 jī　7019 E3B1 ―

［覊］11018 俗字

字義 ❶おもがい。馬具の一種。くつわをかざるため馬の頭からほおにかけてからめる組み紐または皮の装具。❷たづな。馬を御するため馬のくつわに付けた綱。❸女性のまげ。❹つな-ぐ。つなぎとめる。束縛する。拘束する。❺ひきしめる。しめくくる。とりしまる。❻たび(旅)。＝羇(9476)。

注意 『康熙字典』では、网部に所属する。

解字 会意。罒(网)＋革＋馬。网は、あみの意味。馬の頭にかぶせる革製のあみ、おもがいの意味を表す。

【羈鞅】①馬のおもがいと、むながい。②ほだし。きずな。束縛。わずらい。

【羈魂】＝羈思。

【羈思】旅の思い。旅路でのやるせない気持ち。

【羈心】旅のおもい。旅人の心。羇心。

【羈紲・羈絏】①馬のおもがいと、たづな。また、単に、たづな。②つなぎとめる。

【負羈紲】主君のためにたづなを執って従うこと。随行者の謙称。

【羈束】つなぎとめる。また、束縛する。拘束する。

【羈馽・羈縶】おもがいと、ほだし(馬の足をつなぎとめる綱)。用例〔荘子、馬蹄〕連之以羈馽、編レ之以ニ皁桟一。↓首にかける飾りひもや足をつなぐ縄で馬をつなぎとめ、何頭も並べて厩舎に飼う。

【羈鳥恋(戀)ニ旧(舊)林一】＝羇鳥恋ニ旧林一(一一五一ジ下)。

【羈絆】つなぎとめる。また、きずな。束縛。

【羈縻】①馬のおもがいと、牛の鼻づな。②つなぎとめる。③自由に使役する。

【羈留】つなぎとめる。

【羈旅】＝羇旅(一一五一ジ下)。

6画

羊(⺶・⺷・羋) ひつじ ひつじへん

羋は七画。

[⺷] 28482 一 一

〔部首解説〕 羊を意符として、いろいろな種類の羊や、その状態に関する文字ができている。

0 羊 一一五二　1 芈 一一五二　2 羌 一一五二　3 姜 三六九　羍 一一五二
美 一一五二　羑 一一五三　羙 一一五三　羏 一一五三　4 羗 一一五三
羖 一一五三　羔 一一五三　差 四四九　羕 一一五三　养 一一五三
5 羞 一一五三　羜 一一五四　羝 一一五四　羚 一一五四　6 羡 一一五四
翔 一一五九　羢 一一五四　善 二七五　7 解 一三〇〇　羦 一一五四
義 一一五四　群 一一五五　羣 一一五五　羨 一一五六　羪 一一五六
9 羯 一一五六　羹 一一五六　羭 一一五六　養 一五七五　10 羲 一一五六
11 羲 一一五六　12 羴 一一五六　13 羹 一一五六　羶 一一五六　羸 一一五六
14 譱 一二四〇　15 羼 一一五六

0

【羊】

6画 9478 教3 ヨウ ひつじ

ヨウ(ヤウ) 陽 yáng

4551 9772 一 一

筆順 丶 丷 䒑 兰 兰 羊

字義 ❶ひつじ。家畜の一種。緬羊。❷よい。＝祥(8373)。❸さまよう。＝徉(3417)。

名前 よう 難読 羊栖菜(ひじき)・羊蹄(ぎしぎし・しりぶし)

解字 甲骨文 金文 篆文 象形。ひつじの首の形にかたどり、ひつじの意味を表す。羊は画数の少ない基本字であるため、さまざまな意味を表す音符として利用され、羊の意味をも含む形声文字に、養がある。

逆 牛羊・犬羊・亡羊・牧羊

【羊角】①羊のつの。②つむじかぜ。旋風。③棗の別名。

【羊裘】羊の皮で作った衣服。羊の皮衣。

【羊羹】㊀羊肉のあつもの。羊肉のスープ。㊁国和菓子の名。「カン」は唐音。

【羊歯(齒)】①隠花植物の一種。②うらじろの別名。

【羊質虎皮】中身は羊で、外皮は虎と。外見はりっぱだが、実質がそれに一致しないことのたとえ。見かけだおし。〔後漢書、劉焉伝論〕

【羊城】広東省広州市の別名。五羊城。

【羊棗】なつめ。

【羊腸】羊のはらわた。転じて、山道などが曲がりくねっていること。九十九折。

【羊頭狗肉】羊の頭を表の看板に出しながら、実は犬の肉を売る。見せかけだけりっぱで、実際がそれに一致しないことのたとえ。『無門関』に「懸ニ羊頭一売ニ狗肉一」とあるのに基づく。

【羊皮紙】羊の皮など、獣皮で製した筆写の材料。柔軟で強く、水をとおさない。

【以レ羊易レ牛】鐘に血をぬる儀式のとき、殺される牛のあわれなようすを見て羊をかわりに用いた、斉の宣王の故事。小さい物を大きい物の代用にするたとえ。転じて、本質的には変わりがないこと。〔孟子、梁恵王上〕

1

【芈】

8画 9479 漢ビ 呉ミ 紙 miē

一 一 5306

字義 羊が鳴く。また、その声。

解字 象形。羊の口のあたりから呼気が出ている形にかたどり、羊が鳴くの意味を表す。

2

【羌】

8画 9480 漢キョウ(キャウ) 呉コウ(カウ) 陽 qiāng

7021 E3B3 一

【羗】9486 同字

字義 ❶えびす。中国の西部に住んだ異民族の名。❷ああ。発語の助字。また、嘆息の声。

解字 甲骨文 金文 篆文 形声。儿＋羊音。儿は、人の象形。音符の羊は、ひつじの象形。牧羊の民、えびすの意味を表す。

【羌夷】えびす。中国西方の異民族。

【羌笛】異民族の吹く笛。羌族の吹く笛。用例〔唐、王之渙、涼州詞〕羌笛何須怨ニ楊柳一、春光不レ度玉門関。↓羌人の吹く笛よ、どうして折楊柳の曲をうらめしげに吹く必要があろうか(そんな必要はない)。(柳を芽ぶかせる)春の光はここ玉門関まではやって来ない。

3

【姜】

9画 (2380) キョウ 女部。→三六九ジ中。

3

【羍】

9画 9481 漢タツ 呉タチ 曷 dá

一 一 5307

字義 生まれて間もない小羊。また、生後七か月の小羊。

解字 形声。羊＋大音。

3

【美】

9画 9482 教3 ビ うつくしい

漢ビ・呉ミ 紙 měi

4094 94FC 一

筆順 丶 丷 䒑 兰 羊 羊 美 美

字義 ❶うまい。おいしい。❷うつくしい。うるわしい。きれいである。器量がよい。❸よい(善)。りっぱ。すぐれている。「美挙」❹よみする。ほめる。「褒美」❺よくする。うつくしくする。りっぱにする。❻よいとする。うつくしいとする。うつくしいと認める。❼国名。阿美利加または美利堅の略。「美国(アメリカ合衆国)」

名前 あい・うま・うまし・きよし・し・とみ・はし・はる・び・ふみ・み・みつ・よ・よし・よしみ 難読 美瑛・美江寺・美幌・美作・美深・美人局・美袋・美祢・美土里・美東・美濃・美馬・美馬牛・美唄・美々・美並苅安・美保関・美方・美味・美野里・美利堅

解字 甲骨文 篆文 会意。羊＋大。大きくてりっぱな羊の意味から、うまい・うつくしいの意味を表す。

逆 欧美・華美・甘美・賛美・賞美・審美・済美・鮮美・優美

【美悪(惡)】㊀①よいことと、わるいこと。善悪。②美しいことと、みにくいこと。美醜。㊁喜びと、怒り。喜怒。また、愛とにくしみ。愛憎。

【美化】①うるわしい感化。②国美しくする。また、実物以上に美しく表現すること。

【美観(觀)】美しいながめ。うるわしい外観。

【美顔】①美しい顔。美貌。②顔を美しくする。

【美姫(姬)】美しい女性。美女。用例〔史記、項羽本紀〕沛公は宝を貪ニ於財貨一好ニ美姫一。↓(沛公は)宝を貪りとり美人を好んで近づけた。

【美挙(擧)】りっぱな行い。感心な行為。ほめるに足りる、よいくわだて。

【美形】①美しいすがた。美しい顔かたち。美貌。②

国容貌の美しい人。

【美景】ビケイ 美しい景色。よい景色。

【美言】ビゲン ①ためになるよいことば。②美しくかざったことば。うまいことば。

【美辞(辭)】ビジ 美しくかざったことば。「美辞麗句」

【美質】ビシツ よい性質。また、りっぱな生まれつき。

【美珠】ビシュ 美しいたま。美玉。▼珠は、真珠の類い。

【美酒】ビシュ うまい酒。よい酒。用例〔唐、王翰、涼州詞〕葡萄美酒夜光杯、欲レ飲琵琶馬上催。↓葡萄のうまい酒を夜光の玉杯にたたえ、飲もうとすると、せきたてるかのように馬上で琵琶を奏でる者がいる。

【美醜】ビシュウ 国美しいことと、みにくいこと。

【美術】ビジュツ 色や形によって美を表現することを目的とする芸術。絵画・工芸・彫刻・建築など。

【美称(稱)】ビショウ ①美しい呼び方。また、ほめていういい方。②よい評判。

【美丈夫】ビジョウフ 顔だちのりっぱな男性。美男子。

【美色】ビショク ①美しいいろ。②美しい顔だち。また、美しい容姿。③美人。

【美食】ビショク うまいたべもの。また、ぜいたくな食物。

【美人】ビジン ①顔かたちの美しい女性。美女。②美男子。美丈夫。好男子。③君主。④才徳のすぐれた人。賢人。⑤女官の階級名。⑥米国人。米人。→字義❼。⑦月。美しい月。

【美声(聲)】ビセイ ①美しい声。きれいな声。②よい評判。美名。

【美政】ビセイ よい政治。りっぱな政治。善政。

【美△髯】ビゼン りっぱなほおひげ。

【美俗】ビゾク うるわしい風俗。よいならわし。美風。「良風美俗」

【美談】ビダン りっぱな行いの話。感心な話。ほめるに足りる、うるわしい話。美譚ダン。

【美池】ビチ 美しい池。美しいため池。用例〔東晋、陶潜、桃花源記〕有二良田美池桑竹之属一。↓地味の肥えた田畑や美しいため池があり、桑や竹などが植わっている。

【美田】ビデン 地味の肥えた、よい田地。↔薄田(一一四〇ページ下)。用例〔西郷南洲、偶成詩〕一家遺事人知否、不下為二児孫一買中美田上。↓わが一家の子孫に残しておく家訓を人は知っているだろうか、それは、子孫のために良い田地を残すようなことはしないという教えなのだ。

【美徳】ビトク うるわしい徳。りっぱな行い。

【美風】ビフウ うるわしい風俗。よいならわし。美俗。

【美服】ビフク ①美しい着物。りっぱな衣服。②衣服を美しくかざる。

【美貌】ビボウ 美しい顔だち。

【美味】ビミ よい味。また、うまいたべもの。美食。

【美妙】ビミョウ たとえようなく美しいこと。すぐれてうるわしいこと。

【美名】ビメイ ①よい名。美しい名号。②よい評判。

【美目】ビモク 美しい目。用例〔詩経、衛風、碩人〕巧笑倩兮、美目盼兮。↓にっこり笑うとえくぼがすてきで、目がぱっちりとつぶらで美しい。

【美容】ビヨウ ①美しいすがた。②国姿を美しくする。

【美麗】ビレイ 美しい。うるわしい。きれい。

【美△禄】ビロク ①すばらしい賜物。酒の別名。用例〔漢書、食貨志下〕酒者天之美禄。↓酒は天からのすばらしい賜物だ。②てあつい俸給。

【美話】ビワ うるわしいはなし。感心な話。よい話。美談。

3【羑】10画 9483 漢ユウ(イウ) 呉ユ 有 yǒu 28483 — 5309

［羑］9484 俗字

字義 ❶みちびく。いざなう。善に進める。❷道。天の道。

解字 篆文 形声。羊(羊)＋久音。誘の古字で、羊を久しい時間をかけて誘導していくの意味を表す。

【羑里】ユウリ 地名。殷インの紂王チュウオウが、周の文王を幽閉した土地で、今の河南省湯陰県の北。また、殷代の獄舎の名。

3【羑】9画 9484 ユウ 羑(9483)の俗字。→一一五三ページ中。 19027 — 5310

3【⿰羊彡】9画 9485 ヨウ(ヤウ) 陽 yáng — — 5308

字義 良い。うるわしい。

解字 形声。彡＋羊音。

4【羗】10画 9486 キョウ 羌(9480)と同字。→一一五二ページ中。 19028 — 5312

4【羖】10画 9487 コ 麌 gǔ 28486 — 5311

字義 ❶黒いおひつじ。また、黒ひつじ。❷五羖大夫ゴコタイフは、春秋時代、秦シンの穆公ボクコウの宰相百里奚ヒャクリケイをいう。

解字 形声。羊＋殳音。

4【羔】10画 9488 コウ(カウ) 豪 gāo 7022 E3B4 —

字義 ❶こひつじ(小羊)。❷黒ひつじ。

解字 甲骨文 金文 篆文 会意。羊＋灬(火)。ひつじを火の上に置いたさまで、あぶり肉には小羊が適しているところから、小羊の意味を表す。

【羔△裘】コウキュウ 小羊の皮で作った衣服。大夫タイフの礼服。

4【差】10画 (3062) サ 工部。→四四九ページ中。

4【羕】10画 9489 ショウ 承(3996)の俗字。→五七〇ページ下。 28485 — —

4【养】10画 9490 ヨウ 養(13596)の俗字。→一五七五ページ中。 28484 — —

5【羞】11画 9491 常 シュウ 漢シュウ(シウ)・呉シュ 尤 xiū 7023 E3B5 —

筆順 丷 䒑 𦍌 ⺶ 羊 羞

字義 ❶すす-める。すすむ。㋐食事をさし上げる。たてまつる。㋒推薦する。❷おいしい食物。ごちそう。また、煮物。❸は-じる。はづかしむ。は-ずかしめる。はづかしむ。恥をかかせる。また、恥辱。はじ。用例〔史記、廉頗藺相如伝〕吾羞、不レ忍レ為二之下一。↓私は恥ずかしくて、彼の下になどいるのは我慢できない。

解字 甲骨文 篆文 形声。羊＋丑音。音符の丑チュウ＝シュウは、手の象形。いけにえの羊をすすめそなえるの意味を表す。借りて、はじるの意味をも表す。

【羞悪(惡)】シュウオ 自分の不善をはじ、人の不善を憎む。用例〔孟子、公孫丑上〕羞悪之心、義之端也。↓自分の不善をはじ、人の不善を憎む心は、義の萌芽である。

【羞花】シュウカ 花をもはずかしめる。転じて、美人のたとえ。

【羞花閉月】シュウカヘイゲツ 花をもはずかしめ、月をもかくれさせるほどの美貌ビボウ。非常に美しい女性のたとえ。

【羞顔】シュウガン はじらいの表情。はにかんでいる顔。用例〔唐、李白、長干行〕十四為二君婦一、羞顔未二嘗開一。↓十四歳であなたの妻となりましたが、恥じらいの表情もかたく、緊張をといてほほえむこととてありませんでした。

【羞△慙】シュウザン はじる。また、はじ。▼慙も、恥。

【羞渋(澁)】シュウジュウ ①はじ、しぶる。はずかしがって、ぐずぐずする。「羞渋疑阻」②窮乏。欠乏。

【羞辱】シュウジョク はじる。また、はじ。恥辱。羞恥。

【羞△饌】シュウセン ＝羞膳。

【羞膳】 すすめ供えるごちそう。また、ごちそう。羞饌。
【羞△赧】 はじて顔をあからめる。赤面する。羞紅。
【羞恥】 はじ。はじらい。また、はじる。はじらう。羞愧。
【羞面】 はじらいを帯びた顔。
【包レ羞忍レ恥】 はずかしさをじっとしのびこらえる。恥辱にたえる。用例〔唐、杜牧、題ニ烏江亭一詩〕勝敗兵家事不レ期、包レ羞忍レ恥是男児。↓戦いの勝敗は時の運であるから、兵法に通じた名将でも前もって予期できるものではない。（負けたとしても）恥辱に堪えて再起をはかることこそが男らしさなのだ。

5 【羜】 11画 9492 漢チョ 呉ジョ(ヂョ) 語 zhù ₂8487 — 5313
字義 こひつじ。生後五か月の羊の子。
解字 形声。羊＋宁音。

5 【羝】 11画 9493 漢テイ 呉タイ 斉 dī 7024 E3B6 —
字義 おひつじ。雄の羊。牡羊。また、三歳の羊。
解字 篆文 形声。羊＋氐音。音符の氐は、つのつきあうの意味。角つきあう羊、雄羊の意味を表す。

5 【羚】 11画 9494 人 漢レイ 呉リョウ(リャウ) 青 líng 7025 E3B7 —
筆順 丷 䒑 䒑 羊 羊 羊 羚 羚 羚
字義 かもしか。かもしし。ウシ科カモシカ属の哺乳類。高山にすみ、やぎに似て大きく、大きな角がある。難読 羚羊
解字 形声。羊＋令音。音符の令は、ひざまずくの意味。ひざまずくようにして休む、かもしかの意味を表す。

6 【羡】 12画 9495 イ 支 yí — EE74 5314
字義 沙羡は、漢代の県名。今の湖北省内。
参考 〔羨〕(9501)は別字。
解字 形声。羊＋次音。

6 【翔】 12画 (9533) ショウ 羽部。→一一五九ジ上。

6 【羢】 12画 9496 漢ジョウ 呉ニュウ 冬 rōng — — 5315
字義 羊の毛。
解字 形声。羊＋戎音。音符の戎は、異民族の意味。異国から来た羊の毛の意味を表す。

6 【善】 12画 (1607) ゼン 口部。→二七五ジ中。

7 【鮮】 13画 (11076) カイ 角部。→一三〇〇ジ中。

7 【羦】 13画 9497 漢カン(クヮン) 呉ガン(グヮン) 寒 huán — — 5316
字義 角の細い山羊。
解字 形声。羊＋完音。

7 【義】 13画 9498 教5 ギ 寘 yì 2133 8B60 —
筆順 丷 䒑 丷 羊 羊 羊 義 義 義
字義 ❶よい。正しい。道理にかなっている。ものの処置・対応が適切である。態度・行動が礼にかなっている。❷のり。みち。ひとの踏み行うべき正しい道。公正でそうあるべき道理。特に、儒教における五常(仁・義・礼・智・信)の一つ。用例〔孟子、公孫丑上〕惻隠之心、仁之端也、羞悪之心、義之端也。↓あわれみの心は仁の萌芽であり、自分の不善をはじ、人の不善を憎む心は、義の萌芽である。／〔孟子、告子上〕義、人路也。↓義とは、人間の行くべき道である。❸人道・公共のために尽くすこと。また、他人のために誉や利益をはなれて正しい道に従うこと。また、他人のために自己を犠牲にすること。「義倉」「義侠」❹わけ。意味。意義。「疑義」「古義」❺かり(仮)。代用の。人工の。また、名目上の。「義髻」「義父」❻文体の一種。道理にもとづいて説明するもの。
名前 あき・いさ・ぎ・しげ・たけ・ただし・ちか・つとむ・とも・のり・みち・よし・よしのり・より 難読 義太夫・義蘭
参考 現代表記では〔誼〕(11255)の書きかえに用いることがある。「恩誼→恩義」「情誼→情義」
解字 甲骨文 金文 篆文 形声。羊＋我音。音符の我は、ぎざぎざの刃のあるのこぎりの象形。羊をいけにえとして刃物で殺すさまから、厳粛な作法にかなったふるまいの意味を表す。
逆 意義・異義・演義・奥義・恩義・音義・疑義・教義・狭義・原義・公義・広義・講義・古義・語義・質義・主義・情義・信義・仁義・正義・精義・節義・大義・多義・談義・忠義・定義・転義・同義・道義・徳義・不義・本義・名義・要義・理義・律義・礼義
【義△捐】 国慈善または公益のために金品を寄付すること。▼捐は、すてる意。「義捐金」

【義気(氣)】 義理を重んじる心。おとこぎに富んだ意気。
【義旗】 正義のためにあげる旗。また、正義の軍隊。義兵。
【義挙(擧)】 正義のために事を起こすこと。また、その行動。
【義△侠】 正義のために強い者を押さえ、弱い者を助けること。おとこぎ。おとこだて。
【義訓】 ①人の守るべき教え。②文章や文字の意味を説きあかすこと。③国主として『万葉集』に見られる、漢字・漢語の意義によって読む方法。「不許(いな)」など。
【義軍】 正義のために起こす軍隊。義師。
【義兄】 ①約束によって兄ときめた人。②義理の兄。妻(また夫)の兄。姉の夫。
【義兄弟】 ①約束して兄弟となったもの。②義理の兄弟。妻の兄弟。姉妹の夫。
【義故】 恩義を施したゆかりの者。
【義士】 ①正義をかたく守る人。②忠義の厚い人。
【義師】 正義のために起こす軍隊。義軍。
【義塾】 公衆のために作った学校。義学。〔名物六帖〕
【義心】 ①義に勇む心。正義の心。②忠義の心。
【義人】 ①正義をかたく守る人。用例〔史記、伯夷伝〕太公曰、此義人也。扶而去レ之。↓太公は、「これこそ正義の人である」と言って、助けかかえて立ち去らせた。②忠義の心の厚い人。③自分の利害を考えず、公共のためにつくす人。
【義絶】 ①義理のために縁故関係を絶ち切ること。義断。②国君臣・親子・兄弟などの縁を絶ち切ること。
【義戦(戰)】 正義のために起こすたたかい。用例〔孟子、尽心下〕春秋無ニ義戦一。↓春秋時代に正義の戦争はない。
【義△疏】 文章または文字の意味を説きあかしたもの。注釈。
【義倉】 凶作のときの救済用に穀物を貯蔵しておく、地方公共の倉庫。〔隋書、長孫平伝〕
【義賊】 国金持ちから金品を盗んで貧民に分け与える賊。貧民を救うために盗みをする賊。
【義台(臺)】 儀式を行う台。用例〔荘子、馬蹄〕雖レ有ニ義台路寝一、無レ所レ用レ之。↓儀式を行う台とか天子や諸侯が政治を行う正殿などがあったところで、何の役にも立たないものである。
【義胆(膽)】 正義に強い心。義心。
【義帝】 ①人々が尊びいただく天子。②仮の天子。
【義田】 貧乏な人を救うための田地。義荘。

【義堂周信】ギドウシュウシン 国室町時代の禅僧。土佐(高知県)の人。夢窓疎石の弟子。号は空華道人。天授五年(一三七九)、足利義満に招かれ、建仁寺・南禅寺の住持となった。儒学・仏学に造詣が深く、当時の学僧の第一人者と称せられている。著書に『空華集』がある。(一三二五―一三八八)
【義夫】ギフ ①＝義士。②妻の死後、再婚しない男性。
【義風】ギフウ 正義をたっとぶ気風。
【義憤】ギフン 正義の心から発するいきどおり。
【義兵】ギヘイ 正義のために起こす軍隊。また、正義のために立ちあがる兵士。義師。また、義勇兵。
【義方】ギホウ 正しい方向に向かう道の意で、道徳に関する、家庭での教訓をいう。
【義僕】ギボク 国忠義なしもべ。主人思いの下男。忠僕。
【義民】ギミン ①正義の心に厚い民。また、賢者。②国一身を投げ出して多くの人のためにつくした庶民。特に江戸時代の百姓一揆イッキのリーダーで、その犠牲となった者。
【義務】ギム ①人としてしなければならない務め。②法律上、なさなければならない務め。↔権利(七六五ページ・中)。
【義勇】ギユウ ①正義の心から発する勇気。②正義のために勇むこと。③忠義と勇気。
【義勇兵】ギユウヘイ 軍籍がなく、志願してなった兵士。
【義理】ギリ ①正しいすじみち。②人としてふみ行うべき正しい道。③わけ。意味。意義。④国㋐他人に対する自分の面目。交際上、しなければならない道。㋑血のつながりのない親子や兄弟姉妹の間柄。
【義理△之学(學)】ギリのガク 経書の字句の細かな解釈に走らず、聖人の真精神を探求する学問。宋学ソウガクの別名。
【義烈】ギレツ 忠義・正義の心が強くはげしいこと。
【義和団(團)】ギワダン 清シン代、郜生文コウセイブンを中心とした宗教的秘密結社。光緒二十六年(一九〇〇)に、排外を唱えて天津テンシンに兵を挙げ、各国公使館を囲み、義和団事件(北清事変ホクシンジヘン)の因をなした。
【見レ義不レ為(爲)無レ勇△也】ギをみてなさざるはユウなきなり 人としてなすべき正義を見知りながら、なそうとしないのは真の勇気がない意気地イクジなしである。〔論語、為政〕
【後レ義△而先レ利】ギをのちにしてリをさきにす 人としてなすべき道を二の次にして自分の利益を第一に考える。用例〔孟子、梁恵王上〕苟為二後レ義而先一レ利いやしくもギをのちにしてリをさきにするをなさば、不レ奪不レ饜うばわ(は)ずんばあかず。↓かりにも義よりも利を優先したなら、奪いつくすまで満足しないことになる。

7 【群】 13画 9499 教4 グン むれる・むれ・むら 2318 8C51 一

漢クン・呉グン 図 qún

筆順 フ ヨ 尹 君 君' 君羊 群

【羣】 9500 正字

字義 ❶むらがる。むれる。ようなものがたくさん一か所に集まる。㋐同じ用例〔詩経、小雅、無羊〕誰謂爾無レ羊たれかいう(ふ)なんじ(ぢ)にひつじなしと、三百維群サンビャクこれグン。↓誰が王には羊がないなどと言おうか、三百頭もの羊がいるというのに。㋑いっしょになる。うちとけあう。「群而不レ党グンしてトウせず」❷むれ。むら。集まり。また、なかま。組。用例〔唐、劉禹錫、秋風引〕何処秋風至いずれのところよりか シュウフウいたる、蕭蕭送二雁群一ショウショウとしてガングンをおくる。↓どこから吹いてくるのであろうか、この秋風は。さびしい音をたてて、雁の群を吹き送ってくる。❸たくさん。もろもろ。数が多い。「群雄」❹あわせる(合)。集める。用例〔後漢、班固、西都賦〕総二礼官之甲科一レイカンのコウカをすべ、群二百郡之廉孝一ヒャクグンのレンコウをあわ(は)す。↓礼官が甲科で合格させた者、郡国が廉直、孝行で推挙した者を集める。❺やわらぐ。ととのう。

名前 ぐん・とも・むら・むれ・もと

難読 群岡むらおか

解字 金文 篆文 形声。羊+君㊥。音符の君は、昆に通じ、むらがるの意味。むらがるひつじの意味から、むれの意味を表す。

逆 抜群・離群

【群△鴉】グンア 多くのからす。群烏グンウ。
【群飲】グンイン むらがり飲む。大勢集まって酒を飲むこと。
【群英】グンエイ 多くのすぐれた人々。群雄。
【群下】グンカ 多くのしもじもの者。多くの臣下や召し使い。
【群季】グンキ 多くの弟たち。諸弟。▼季は、すえの意。用例〔唐、李白、春夜宴二桃李園一序〕群季俊秀グンキのシュンシュウは、皆為二恵連一みなケイレンたり。↓多くの弟たちの優れた詩の才能は、皆、謝恵連のようだ。
【群起】グンキ むらがりおこる。蜂起ホウキ。
【群議】グンギ 多くの人々の議論。
【群居】グンキョ むらがっている。集まり住む。
【群凶・群△兇】グンキョウ 多くの悪人。悪者ども。
【群△俠】グンキョウ 俠客たち。仁俠ニンキョウを奉ずる人たち。
【群経(經)】グンケイ 多くの儒教の経典。多くの聖人の書。
【群△而不レ党(黨)】グンしてトウせず 多くの人と仲よくするが、党派を組むことがない。孔子が君子の態度を述べた語。用例〔論語、衛霊公〕君子矜而不レ争クンシはおごそかにして、あらそわ(は)ず、群而不レ党グンしてトウせず。↓君子は謹厳であって争わず、多くの人と仲よくするが党派を組むことはない。
【群衆】グンシュウ むらがり集まった、多くの人々。
【群集・群△聚】グンシュウ ①むらがり集まる。②むらがり。集団。③むらがり集まった、多くの人々。群衆。
【群集心理】グンシュウシンリ 国群集することによって人としての理性を失い、付和雷同する、特殊な心理状態。
【群書】グンショ たくさんの書物。群籍。用例〔西晋、左思、詠史詩〕弱冠弄二柔翰一ジャッカンよりジュウカンをロウし、卓犖観二群書一タクラクとしてグンショをみる。↓年若い頃から詩文をあらわし、才気に優れ多くの書物を読んだ。
【群小】グンショウ ①たくさんいる妻妾サイショウ。②多くの小人。多くのつまらぬ人たち。③多くの小さいもの。
【群△翔】グンショウ むらがり飛ぶ。群飛。▼翔は、かける、飛ぶ。
【群青】グンジョウ・グンセイ ①青色の絵の具。天然に産する。②「群青色」の略。あざやかな藍色あいいろ。
【群情】グンジョウ ＝群心。
【群心】グンシン 多くの人々の心。群情。
【群臣】グンシン 多くの臣下。多くの家来。
【群生】グンセイ ㊀①むらがりはえる。②あらゆる生物。用例〔淮南子、主術訓〕群生遂長グンセイスイチョウす。↓生きているものはすべて成長する。③多くの人民。民衆。㊁グンジョウ 仏＝㊀②。
【群籍】グンセキ 多くの書物。群書。群典。
【群盗】グントウ ①多くのぬすびと。②集団をなしている盗賊。
【群動】グンドウ ①群がる動物。多くの生き物。②あらゆる物音。万物の活動。
【群舞】グンブ むらがってまいおどる。また、その踊り。
【群芳】グンポウ ①多くの花。②多くの美人・賢人。
【群牧】グンボク ①多くの諸侯。②多くの地方長官。
【群盲△撫レ象】グンモウゾウをなず 多くの目の見えない人が象のからだをなで、自分のさわった部分を全体と思い、それについて意見をいうこと。凡人には大人物や大事業の全容は理解しがたいたとえ。視力障害を比喩に用いた差別的な表現。〔涅槃経〕
【群有】グンユウ 多くの実在する物。万物。万有。
【群雄】グンユウ 多くの英雄。群英。群豪。「群雄虎争ココソウ」
【群雄割拠(據)】グンユウカッキョ 多くの英雄がめいめい一地方にたてこもって勢いをふるうこと。
【群落】グンラク ①多くの村落。②同じ植物が一か所に群がって生えること。また、その場所。
【群僚・群寮】グンリョウ 多くの役人。百官。百僚。群吏。
【群類】グンルイ 多くのいきもの。あらゆる生物。万物。
【群△黎】グンレイ 多くの人民。万民。百姓。

7 【羣】 13画 9500 グン 群(9499)の正字。→一一五五ページ・上。 7026 E3B8 一

7【羨】13画 9501 常 セン うらや-む・うらや-ましい 3302 9141 ―

㊀㊥セン・㊢ゼン 繁 xiàn ㊁エン 先 繁 yǎn

筆順 丷 䒑 䒑 芏 𦍌 羊 羨 羨 羨 羨

字義 ㊀❶うらやむ。うらやましい。㋐ほしがる。手に入れたがる。用例〔先哲叢談〕孺子原蔵末ㇾ解ㇾ貧為ㇾ何物ㇾ、羨ㇾ人家有ㇾ餈。↓小さな原蔵が、貧乏がどんなものかも分からずに、よその家に餅があるのを羨んで、しきりに餅がほしいとねだってききません。㋑したう(慕)。あこがれる。❷あまり。残り。余る。残る。❸伸びる。また、長い。❹召し寄せる。❺よこしま。曲がった行い。㊁❶伸びる。進む。＝延(3264)。❷はかみち。墓の入り口から地下の棺を安置した所へ通ずる道。

名前 なが・のぶ・よし　難読 羨古丹

参考 〔羡〕(9495)は別字。

解字 篆文 形声。羊＋次㊥。音符の次は、よだれの意味。羊は、ひつじのごちそうの意味。ごちそうを見て、よだれを流す、うらやむの意味を表す。

【羨溢】あまりあふれる。
【羨慕】うらやみしたう。また、したう。
【羨望】国うらやみのぞむ。うらやむ。
【羨門】㊀墓道にたてた門。㊁昔の仙人。名は子高。秦の始皇帝が東海に遊んで探し求めた。
【羨余(餘)】あまり。残り。剰余。

7【羪】13画 9502 ヨウ 養(13596)と同字。→一五七五ジ中。 ― ― 5317

9【羯】15画 9503 ㊥ケツ・㊢ケチ 慣カツ 月 jié 7027 E3B9 ―

字義 ❶去勢したひつじ。羯羊。❷異民族の名。五胡の一つで、匈奴の別種。山西省内に居住した。

解字 篆文 形声。羊＋曷㊥。音符の曷は、割に通じ、たちきるの意味。去勢したひつじの意味を表す。

【羯鼓】異民族のつづみ。台の上に置き、ばちで両面を打ち鳴らす。両杖鼓。

羯鼓演奏

9【羮】15画 9504 コウ 羹(9509)の俗字。→一二五六ジ中。 7030 E3BC ―

9【羭】15画 9505 ユ 虞 遇 yú ₂8488 ― 5318

字義 ❶黒いめすのひつじ。❷美しい。

解字 形声。羊＋兪㊥。

9【養】15画 (13596) ヨウ 食部。→一五七五ジ中。

10【羲】16画 9506 キ 支 xī 慣ギ 7028 E3BA ―

字義 ❶いき。吐き出す息。❷人の姓名。「羲和」❸特に、伏羲(九一ジ上)の略称。また、王羲之(九四三ジ中)の略称。

〔羲〕9507 俗字

解字 形声。丂＋義㊥。

【羲和】①羲氏と和氏。ともに中国の古代伝説中の人で、尭舜時代に暦法をつかさどった。②太陽の御者の名。③太陽。
【羲皇】中国の古代伝説中の皇帝、伏羲(九一ジ上)の尊称。

11【羲】17画 9507 ギ 羲(9506)の俗字。→一二五六ジ中。

12【羴】18画 9508 セン 先 shān ― ― 5319

字義 羊のにおい。

解字 会意。羊を三つ合わせて、羊の群れが発する臭気の意味を表す。

13【羹】19画 9509 ㊥コウ(カウ) ㊢キョウ(キャウ) 唐カン 庚 gēng 7029 E3BB ―

字義 あつもの。肉に野菜をまぜて作った吸い物。スープ。

〔羮〕9504 俗字

解字 篆文 古文 会意。羔＋美。もと、羔＋䰜。羔は、こひつじの意味。䰜は、蒸気のたつかなえの象形。子羊などをスープにしたものの意味を表す。

【羹膾】あつものと、なます(あえもの)。
【羹臛】あつもの。吸い物。肉に野菜をまぜた吸い物。
【懲ㇾ羹吹ㇾ膾】熱いあつもの(スープ)を吸ってやけどをしたのに懲りて、冷たいあえものも息を吹きかけてからたべる。失敗に懲りて用心しすぎることのたとえ。▼「吹ㇾ膾」は、また、「吹ㇾ齏」ともいう。〔楚辞、九章、惜誦〕

13【羶】19画 9510 セン 先 shān 7031 E3BD ―

字義 ❶羊のにおい。❷なまぐさい。

解字 形声。羊＋亶㊥。音符の亶は、羴に通じ、ひつじのにおいの意味。羊を付し、ひつじのにおいの意味を表す。

【羶血】①なまぐさい血。②(肉食する)欧米人の血をいう。
【羶行】人にしたわれる善行。蟻がなまぐさい肉をしたうのにたとえたことば。

13【羸】19画 9511 ルイ 支 léi 7032 E3BE ―

字義 ❶やせる。❷つかれる。やみつかれる。弱る。また、弱める。❸悪い。粗末。おとる。❹やぶる。やぶれる。❺からむ。からまる。まとう。＝纍(9392)。

解字 篆文 形声。羊＋羸㊥。音符の羸は、のびちぢみするかたつむりの象形。ちぢみやせるの意味を表す。

【羸師】つかれ弱った軍隊。
【羸弱】①つかれ弱る。②弱い。
【羸脊・羸瘠】つかれやせる。
【羸然】つかれきったさま。
【羸痩(瘦)】つかれやせる。やせおとろえる。
【羸馬】やせおとろえた馬。疲れきった馬。羸駑。
【羸兵】つかれ弱った兵士。羸卒。

14【譱】20画 (11403) ゼン 言部。→一三四〇ジ上。

15【羼】21画 9512 ㊥サン ㊢セン 諫 潸 chàn ― ― 5320

字義 ❶まじる。もと、羊がまじりあう意。❷まぜる。

解字 篆文 会意。尸＋羴。尸は、からだ。多くの羊がからだをよせてまじりあう意味を表す。

6画

羽(羽・⺙) はね

〔部首解説〕羽を意符として、鳥の羽、羽に特徴のある鳥の名、また、飛ぶの意味を表す文字ができている。

14 翻 一二六一 翱 一二六一 翻 一二六二 翼 一二六二 耀 一二六二 11 翳 一二六一 翻 一二六一 翻 一二六一 翼 一二六二 13 翾 一二六二 翼 一二六二 12 翹 一二六一 翻 一二六二

0【羽】6画 9513 教2 ウ はね
0〖羽〗6画 9514 ウ 廛 遇 yǔ
1709 8948 ― ／ ― EE75 ―

筆順 丁 ㇆ 习 羽 羽 羽

字義 ❶はね。は。鳥や虫のはね。つばさ。❷鳥。鳥類。❸はねのかざし。竿の先端に雉の羽をつけたもので、それを持って舞う。❹はねで作った、釣りの浮き。❺五音(宮・商・角・徴・羽)の一つ。最も澄んだ音。❻たすけ。助けとなるもの。「羽翼」 国わ。鳥を数えるときの助数詞。

名前 は・はね・わね 難読 羽曳野・羽合・羽咋・羽茂・羽咋・羽生・羽生田・羽場・羽立

解字 篆文 象形。鳥の両翼の象形で、はねの意味を表す。

逆 迅羽・毛羽

【羽衣】①はごろも。鳥のはねを編んで作った着物で、天人や仙人が空を飛行するとき着るという。②道士。

【羽化】①昆虫のさなぎが変態し、はねを生じて成虫となること。②鳥のように空中を飛行する仙人になること。③道士の死をいう。天に登ると考えていた。

【羽化登仙】はねがはえて仙人になり天にのぼること。用例〔北宋、蘇軾、前赤壁賦〕飄飄乎如二遺レ世独立一、羽化而登仙。⇩ひらひらと風に乗っているようで、世間の一切を忘れて、ひとり万物の外に立ち、身に羽が生えて仙人となり空中を飛び天にも登るような感じがしてくる。

【羽客】仙人をいう。→羽化②。

【羽騎】近衛の騎兵。羽箭(羽をはいだ矢)を帯びるのでいう。羽林騎。

【羽儀】①鴻という鳥は動きが優美なので、その羽ぶりを儀表(てほん)とすること。②人の模範・師表などの意。〔易経、漸〕③威儀を正し堂々と朝廷に出ること。④(天子の行列の)はねでかざった旗さしもの。⑤儀式。

【羽檄】危急を知らせて兵を集めたりするときに用いるつげぶみ。木の札に書き記し、これに鳥の羽をはさむからいう。羽書。用例〔史記、陳豨伝〕以二羽檄一徴二天下之兵一。⇩羽檄で危急を知らせ全国から兵を集めた。

【羽書】＝羽檄。

【羽觴】さかずきの一種。すずめがはねを広げた形にかたどったもの。羽杯。羽爵。▼觴は、杯。用例〔唐、李白、春夜宴二桃李園一序〕飛二羽觴一而酔レ月。⇩鳥の翼のような形の杯を取り交わして、月をめでながら酔う。

羽觴

【羽声】五音の羽を主とした調子。用例〔史記、刺客伝〕復為二羽声一慷慨。⇩激した音調の羽声で反復して歌い、心を高ぶらせた。

【羽節(節)】はねでかざった使者や将軍などのしるし。節は、天子からたまわる使者・将軍などのしるし。▼

【羽扇】鳥のはねで作ったうちわ。

【羽族】鳥類をいう。羽属。羽類。

【羽舞】舞楽の名。析羽(白羽に他の羽をまぜて作ったかざり)を持って舞うもの。武の舞。↕籥舞(一〇九四ページ上)。

【羽葆】鳥のはねで作り、儀式などに用いる旗や車のおおいにたらしさげるもの。また、それをつけた旗、また、車のおおい。

【羽旄】①雉のはねと、旄牛(からうし)の尾。②はたの一種。雉のはねと旄牛の尾を旗竿の先につけた旗で、王者の車にたてる。

【羽籥】①雉のはねと、笛。②舞いの名。右手に雉のはね、左手に笛を持って舞う。

【羽翼】①鳥のはね。つばさ。②鳥のはねのように左右から助けること。また、その人。たすけ。補佐。

【羽猟(獵)】かり。特に、君主のかり。君主の狩猟にははねをはいだ矢を背負った家臣が随行するからいう。

【羽林】①星の名。天の軍隊をつかさどる星。羽林天軍。②天子の守護にあたる兵。近衛兵。前漢の武帝のときから置かれた。

【羽鱗】鳥と魚。鳥魚。▼鱗は、うろこ。

3【羿】9画 9515 ゲイ 霽 yì
9029 ― 5321

字義 ❶羽を広げ、風に乗って舞い上がる。❷人名。㋐中国古代伝説上の弓術の名人。尭の時代、十個の太陽が並び出て人民が苦しんだとき、その九個を射おとし、また害をなす多くの獣を除いた。㋑夏の時代の有窮国の君主。弓術にすぐれ、夏王の太康を追放してその位をうばったが、横暴のため、臣下の寒浞に殺された。〔論語、憲問〕

解字 篆文 会意。羽＋廾(幵)。幵は、平らにそろうの意味。左右に羽を張って舞い上がる意味を表す。

4【翁】10画 9516 常 オウ
4〖翁〗10画 9517 オウ(ヲウ) 東 wēng
1807 89A5 ―

筆順 ノ 八 公 公 公 翁 翁 翁 翁 翁

字義 ❶鳥のくびすじの羽。❷ちち(父)。❸おきな。男性のとしより。また、老人の尊称。「老翁」「村翁」

名前 お・おい・おき・おきな・とし・ひと

解字 篆文 形声。羽(羽)＋公音。音符の公は、項に通じ、くびの意味。鳥の首の羽の意味を表し、転じて、老人を尊んで言う、おきなの意味を表す。

逆 漁翁・玄翁・酔翁・村翁・田翁・老翁

【翁媼】おきなと、おうな。じいさんと、ばあさん。翁媼。

【翁主】諸王、または諸侯のむすめで、官位のない一般人と結婚したもの。降嫁した皇女を公主という類い。▼翁は、父。父がみずから婚礼の主催者となることからいう。

4【翃】10画 9518 漢コウ(クワウ) 呉オウ(ワウ) 庚 hōng
28490 ― 5323

字義 とぶ。虫が飛ぶ。また、そのさま。

解字 形声。羽＋厷音。

4【翅】10画 9519 標 シ 寘 chì
7034 E3C0 ―

4〖翄〗9520 同字

字義 ❶つばさ。はね。鳥や昆虫の羽。「翅翼」「翅翎」❷翅翅は、とぶさま。❸ただ。ただに。＝啻(1602)。用例〔孟子、告子下〕奚翅食重。⇩どうして、食事が重要だということだけでよいのか(それだけではだめだ)。

解字 篆文 形声。羽＋支音。音符の支は、枝分かれするの意味。枝分かれしているはね、つばさの意味を表す。

4【翄】10画 9520 シ 翅(9519)と同字。→一二五七ページ下。

4【翆】10画 9521 スイ 翠(9537)の俗字。→一二五九ページ中。
7035 E3C1 ―

4【扇】10画 (3989) セン 戸部。→五六九ページ中。

4【翀】10画 9522 漢チュウ(チウ) 呉ジュウ(ヂウ) 東 chōng
― ― 5322

字義 まっすぐに天空高く飛び上がる。
解字 形声。羽＋中㊥。

4【翍】10画 9523 ヨク 翼(9556)と同字。→二六一ページ上。 ₂8489 — —

5【翑】11画 9524 ㊥コウ(カフ) ㊦ギョウ(ゲフ) xiá — — 5324
字義 翼の中の短い羽根。また、生えたての羽根。
解字 形声。羽＋甲㊥。

5【習】11画 9525 教3 シュウ なら-う
5〔習〕11画 9526 ㊥シュウ(シフ) ㊦ジュウ(ジウ) xí 2912 8F4B —

筆順 ㇆ ㇆ ㇋ 羽 羽 羽 習 習 習

字義 ❶なら-う。㋐雛鳥が翼を動かして飛び方をならう。㋑くり返し練習する。用例〔論語、学而〕学而時習之(まなびてときにこれをならう)。↓学問をして、それを機会あるごとに復習し身につける。㋒学ぶ。まねる。「学習」㋓なれる。てなれる。熟練する。また、なれ親しむ。「習熟」❷なら-い。ならわし。「慣習」「風習」❸かさなる。重ねる。積もる。積む。

名前 しげ 難読 習志野

使いわけ なら-う〔習・倣〕
〔習〕くりかえし練習して身につける。また、教わる。「中国語を習う」
〔倣〕まねする。また、そのとおりにする。「前例に倣う」

解字 篆文 会意。羽(羽)＋白。羽は、かさなりあうはねの象形。白は曰の変形で、言うの意味。くりかえし口にして、まなぶ・なれるの意味を表す。習を音符に含む形声文字に、褶などがあり、「かさなる」の意味を共有する。

逆 悪習・因習・演習・温習・慣習・旧習・講習・時習・伝習・風習・予習・練習

【習慣・習貫】ならわし。しきたり。くせ。慣習。

【習気(氣)】㊀習慣。㊁仏習慣によって生ずる気分。しばしば煩悩を起こしたために癖となって残っている習性。

【習合】相異なる教理や主義主張を合わせて、よいものを新しく作り出すこと。

【習作】国練習のために作った、絵画・彫刻などの作品。

【習示】くり返し示す。

【習習】①風のそよそよと吹くさま。②飛び動くさま。③さかんなさま。④行くさま。

【習熟】物事になれて、じゅうぶんその物事ができるようになること。熟達。

【習△誦】ならい読む。くり返しとなえる。習読。

【習性】①習慣と性質。②習慣が身について性質のようになったもの。ならい。

【習静(靜)】心をおちつけ澄まそうと努力すること。座禅の類い。

【習染】身にしみつく。くせになる。また、くせ。ならい。

【習相遠】習慣のいかんによって善ともなり悪ともなって、大きなへだたりを生ずる。用例〔論語、陽貨〕性相近也(せいあいちかきなり)、習相遠也(ならい(ひ)あい(ひ)とお(ほ)きなり)。↓人の生まれつきの性質は似たり寄ったりである。ただ、習慣によって(善にも悪にもなって)、大きな隔たりを生じるのだ。

【習俗】世間のならわし。風俗習慣。

【習得】ならって、よく覚えこむ。習い覚える。◆「修得」もほぼ同意。現代では、「修得」は学校での単位や履修に関する場合にのみ用いている。

【習読(讀)】＝習誦。

【習風】ならわし。世間のしきたり。習慣と風俗。風習。

【習癖】くせ。ならい。

【習与(與)性成】習慣が身について、最後には生まれながらの性質同様になる。習慣は第二の天性。〔書経、太甲上〕

【習練】①ならい、ねる。練習。②物事によくなれる。

5【翌】11画 9527 教6 ヨク
5〔翌〕11画 9528 ㊥ヨク ㊦イキ yì 4566 9782 —

筆順 ㇆ ㇆ ㇋ 羽 羽 羽 翌 翌 翌

字義 あけ(明)。あくるひ。明日。翌日。国ヨク。あ-くる。年・月など時に関する語の上に付けて、「その次の」の意味を表す。「翌年」「翌月」「翌朝」

名前 あき・あきら・あけ・すけ 難読 翌檜

解字 会意。羽(羽)＋立。羽ばたきたつの意味から、あけて次の日・年の意味を表す。翌・翊・翼は、もともと同一語である。

5【翊】11画 9529 ㊥ヨク ㊦イキ yì 7036 E3C2 —

字義 ❶とぶさま。❷たすける。＝翼(9556)。「翊賛」❸あけ(明)。あくる日。＝翌(9527)。「翊日」❹翊翊は、つつしむさま。

解字 甲骨文 篆文 会意。立＋羽。羽を立てて飛びたつの意味を表す。また、転じて、あくるひの意味をも表し、翌(翌)とも書く。甲骨文は、すでに、あくる日の意味を表している。また、翼に通じて、たすけるの意味をも表す。

【翊賛(贊)】たすける。君主の政治をたすける。翼賛。

【翊戴】(君主を)たすけ、(君主として)いただく。翼戴。

5【翏】11画 9530 ㊀㊥リュウ(リウ) ㊦ル liù ㊁リョウ(レウ) liù ₂8491 — 5326

字義 ㊀とぶ。高く飛ぶ。高く飛ぶさま。㊁❶＝㊀。❷遠くから吹いてくる風の音の形容。

解字 金文 篆文 象形。両翼と尾羽とがはばたいて鳥が高く飛ぶ形にかたどり、高く飛ぶの意味を表す。翏を音符に含む形声文字に、勠・寥・摎・樛・膠・繆・謬などがあり、これらの漢字のうち摎・樛・膠・繆・謬などは、「まといつく」の意味を共有している。

5【翎】11画 9531 ㊥レイ ㊦リョウ(リャウ) líng ₁9030 — 5325

字義 ❶はね。鳥の羽。❷清代、功績のある文武官に与えた冠のかざりの羽。

解字 形声。羽＋令㊥。

6【翕】12画 9532 ㊥キュウ(キフ) ㊦コウ(コフ) xī 7037 E3C3 —

字義 ❶起こる。㋐鳥が飛び立つ。㋑多くのものが一斉に起こる。❷さかん。勢いがよい。❸あう。合わせる。また、従う。❹おさまる。おさめる。❺ひく(引)。❻いる。入れる。

解字 篆文 形声。羽＋合㊥。音符の合は、あうの意味。鳥が羽を合わせて飛びたつの意味を表す。

【翕△赫】①盛大なさま。②開いたり閉じたりするさま。

【翕合】集め合わせる。集める。また、集まる。

【翕習】①威勢や名声などのさかんに起こるさま。②風のさかんに吹き来るさま。③勢いよく飛び立つさま。④音楽のゆるやかなさま。⑤なれ親しむ。ぐるになる。

【翕如】多くの楽器の音がいっせいに起こるさま。いっせいに起こってさかんなさま。〔論語、八佾〕

【翕然】①集まり合うさま。一致するさま。②鳥の飛び立つさま。

6【翔】12画 9533 人
6〚翔〛12画 9534
漢ショウ(シャウ)　呉ゾウ(ザウ)　陽 xiáng
7038 E3C4 —

筆順 丶 丷 䒑 羊 羊ノ 翔 翔 翔 翔

字義 ❶かける。とぶ。㋐鳥が空高く飛ぶ。翼を張って飛びめぐる。「飛翔」「回翔」㋑両手を翼のように張って行く。臂を張って足早に行く。「翔趨(ショウスウ)」❷めぐる(旋)。また、ふりかえる。❸さまよう。❹つまびらか。＝詳(11200)。

名前 かけ・かける・しょう

解字 篆文 [篆文] 形声。羽(羽)＋羊音。音符の羊は、揚に通じ、あがるの意味。羽であがる、かけるの意味を表す。

【翔貴】(ショウキ) 物価が上がる。

【翔禽】(ショウキン) 空を飛ぶ鳥。飛鳥。

【翔翱】(ショウコウ) 飛びめぐる。飛びまわる。翱翔。

【翔集】(ショウシュウ) ①飛び集まる。また、群をなして飛ぶ。②かけまわって集める。広く集める。

【翔翔】(ショウショウ) ①うやうやしくつつしみ深いさま。②ゆったりとしたさま。③うれいのないさま。

【翔趨】(ショウスウ) 組んだ腕の両肘を翼のように張って、前かがみに足早に歩く。貴人の前などを通るときの作法。

【翔鳥】(ショウチョウ) 空飛ぶ鳥。飛鳥。また、鳥。

【翔羊・翔佯・翔徉】(ショウヨウ) さまよう。徘徊する。逍遥。

7【翛】13画 9535
㊀漢ショウ(セウ)　蕭 xiāo
㊁漢ユウ(イウ)・呉ユ　有
㊂シュク　屋
19031 — 5327

字義 ㊀❶→翛翛。❷→翛然。㊁㊂→翛然。

解字 形声。羽＋攸音。音符の攸(ユウ＝ショウ)は、のびやかの意味。

【翛翛】(ショウショウ) ①鳥の羽が破れるさま。②草木が青々としげってかげをなしているさま。③雨の音の形容。翛颯(ショウサツ)。

【翛然】㊁(ユウゼン・シュクゼン) 鳥のはやく飛ぶさま。㊀(ショウゼン・ユウゼン) 物事にとらわれず、自由自在なさま。㊀(ショウネン) 人名。唐の僧。俗姓は裴。音楽に通じ、山水画にたくみであった。

8【翣】14画 9536
漢ソウ(サフ)　呉ショウ(セフ)　洽 shà
28492 — 5329

字義 ❶ひつぎかざり。棺にたてる扇形の羽かざり。❷扇形の羽のおおいがさ。❸うちわ。大形のうちわ。また、うちわであおぐ。

解字 篆文 [篆文] 形声。羽＋妾音。音符の妾(ショウ)は、つなぐの意味。羽をつなぎ合わせて作った、ひつぎかざりの意味を表す。

8【翠】14画 9537 人
8〚翠〛14画 9538
スイ　寘 cuì
3173 9089 —

筆順 ㇇ ㇇ 羽 羽 翆 翆 翠 翠 翠 翠

〚翆〛9521 俗字

字義 ❶かわせみ(かはせみ)。水辺に住む鳥の名。雄を翡、雌を翠という。❷みどり。もえぎ。はなだ色。青黄色。用例〔唐、白居易、草詩〕遠芳侵古道、晴翠接荒城(エンポウコドウをおかし、セイスイコウジョウにセッす)。⇩遠くただよう芳香が今たたずむ古道にまで秘かにのび、日の光に輝く木々の緑は崩れた城壁にまで続いている。❸ひたれ。鳥の尾の脂肉(あぶらにく)。

名前 あき・あきら・すい・みどり

解字 篆文 [篆文] 形声。羽(羽)＋卒音。音符の卒は、粋(粋)に通じ、まじりけがないの意味。色にまじりけのない羽の鳥、かわせみの意味を表す。

【翠靄】(スイアイ) みどりのもや。青々としたもや。

【翠幄】(スイアク) かわせみの羽でかざったとばり。翠帷(スイイ)。

【翠帷・翠幃】(スイイ) ＝翠幄(スイアク)。

【翠陰】(スイイン) みどりの葉かげ。青葉のかげ。緑陰。

【翠筠】(スイイン) みどりの竹。青々とした竹。緑竹。

【翠羽】(スイウ) かわせみの羽。

【翠雨】(スイウ) ①青葉に降りかかる雨。②みどりの黒髪にかかる水滴。

【翠雲】(スイウン) みどりの雲。青い雲。碧雲(ヘキウン)。

【翠煙】(スイエン) ①みどりのけむり。②遠くの緑の樹木などにかかっているもや。

【翠花】(スイカ) ①翡翠(ヒスイ)の玉でかざったかんざし。翠釵(スイサイ)。翠鈿(スイデン)。②松の葉。③＝翠華。

【翠華】(スイカ) かわせみの羽でかざった、天子の旗。翠花。用例〔唐、白居易、長恨歌〕翠華揺揺行復止(スイカヨウヨウとして、ゆきてまたとどまり)、西出都門百余里(にしのかたトモンをいずることヒャクヨリ)。⇩かわせみの羽で飾った天子の旗は、何度も止まりながら進み、都の門を西に出ること百里ほどの地にたどりついた。

【翠蛾】(スイガ) みどり色のまゆ。美人のまゆをいう。

【翠鬟】(スイカン) ①みどりのまげ。美人の髪をいう。②青々とした山の形容。

【翠翹】(スイギョウ) かわせみの尾の長い羽。また、それにかたどって作った、女性の髪かざり。用例〔唐、白居易、長恨歌〕花鈿委地無人収(カデンチにすてられて、ひとのおさむるなく)、翠翹金雀玉搔頭(スイギョウキンジャクギョクソウトウ)。⇩花かんざしは地に捨てられたままでとり上げる者もなく、かわせみの羽の髪飾りも、黄金のすずめの形をしたかんざしも、玉のかんざしも、(うち捨てられたままであった)。

【翠玉】(スイギョク) 宝玉の名。翡翠(ヒスイ)。緑柱玉。

【翠禽】(スイキン) みどり色の羽の鳥。かわせみ。翠鳥。

【翠髻】(スイケイ) ①みどりのもとどり。美人の髪をいう。②青々とした山の頂上の形容。

【翠巘】(スイケン) みどりの峰。木々の青々としげった峰。翠峰。

【翠幌】(スイコウ) ①みどり色のとばり。みどり色のカーテン。②翡翠(ヒスイ)の玉でかざった車のほろ。

【翠篁】(スイコウ) 青々としげった竹やぶ。

【翠嶂】(スイショウ) みどりの山の峰。

【翠色】(スイショク) 澄みきったみどり色。蒼色(ソウショク)。碧色(ヘキショク)。

【翠然】(スイゼン) みどりの色をしたさま。青々としている形容。

【翠苔】(スイタイ) みどり色のこけ。緑苔。翠蘚(スイセン)。

【翠黛】(スイタイ) ①みどり色のまゆずみ。②美人のまゆ。また、美人。③みどり色のまゆずみを引いたように見える、遠山のさまをいう。

【翠帳】(スイチョウ) かわせみの羽でかざったとばり。女性の寝室。

【翠鳥】(スイチョウ) 鳥の名。かわせみ。緑色の美しい羽がある。

【翠濤】(スイトウ) ①青々とした波。翠波。②酒の名。③硯(すずり)の名。

【翠髪】(スイハツ) みどりの髪。くろかみ。黒くつやつやした髪。

【翠微】(スイビ) ①うすみどりのもや。②山のみどりの深いひっそりとした中腹あたり。③もえぎ色。

【翠屛】(スイヘイ) ①みどりの屛風(ビョウブ)。②草木がしげったり、苔むしたりしているがけの形容。また、連なり立つ緑の山々の形容。

【翠嵐】(スイラン) ①薄青色の山の気。山にかかる薄青の水蒸気。②樹木の青々としたさま。

【翠巒】(スイラン) みどりの山のみね。

【翠柳】(スイリュウ) みどり色のやなぎ。青々としげったやなぎ。用例〔唐、杜甫、絶句詩〕両箇黄鸝鳴翠柳(リョウコのコウリ、スイリュウになき)、一行白鷺上青天(イッコウのハクロ、セイテンにのぼる)。⇩二羽のうぐいすがみどり色の柳の枝で鳴き、一列に連なるしらさぎが空の高みに上っていく。

【翠簾】(スイレン) みどり色のすだれ。青いすだれ。翠箔(スイハク)。

【翠露】(スイロ) みどり色のつゆ。また、草木の葉の緑が濃くて、したたらんばかりのさま。

【翠楼(樓)】 同青楼。①青くぬった高殿。②女性が歌や舞などを提供して、客をもてなす店。妓楼。

8【翟】14画 9539 漢テキ 呉ジャク(ヂャク) 錫 dí 9032 — 5328

字義 ❶きじ。尾の長いきじ。❷きじの羽。舞楽に用いるもの。❸きじの羽でかざった車・衣服。❹異民族。＝狄(7202)。

解字 金文 篆文 会意。羽＋隹。隹は、とりの意味。羽毛のとさかを持った鳥、きじの意味を表す。翟を音符に含む形声文字は、「おどりあがる」の意味を共有し、濯・曜・躍・擢などがある。

【翟車】 きじの羽でかざった、皇后の乗る車。翟輅。

8【翡】14画 9540 漢ヒ 呉ビ 未 féi 7039 E3C5 —

字義 かわせみ。鳥の名。雄を翡、雌を翠という。

難読 翡翠

解字 形声。羽＋非音。

【翡翠】 ①水辺に住む鳥の名。かわせみ。羽の色が美しい。用例〔唐、白居易、長恨歌〕鴛鴦瓦冷霜華重、翡翠衾寒誰与共 ↓おしどりの形をした瓦はひえて霜がしとどにおり、かわせみの模様が刺繡されたふとんはひえびえとして、いっしょに寝る人もいない。②宝石の名。美しい緑色で、中国の雲南省やミャンマーなどに産する。

9【翫】15画 9541 標 ガン(グワン) 翰 wán 2069 8AE3 —

〔翫〕9542 俗字

字義 ❶もてあそ-ぶ。＝玩(7336)。㋐手にとってあそびたのしむ。おもちゃにする。なぐさみ興ずる。「翫弄」 ㋑なれ、あなどる。なぶる。「翫習」 ㋒めでる。㋓なれしたしむ。❷むさぼる。❸味わう。「翫味」

参考 熟語は〔玩〕(7336)をも見よ。

解字 篆文 形声。習＋元音。音符の元は、圜に通じ、めぐるの意味。習は、なれ親しむの意味。一つのものをめぐって、なれ親しむ、もてあそぶの意味を表す。

【翫閲】 よく見る。十分に味わって見る。何度も読む。

【翫習】 ①なれる。なれあなどる。②楽しみ習う。心ゆくまで習う。

【翫味】 よくあじわう。玩味。「熟読翫味」

【翫弄】 おもちゃにする。玩弄。

9【翫】15画 9542 ガン 翫(9541)の俗字。→一二六〇ページ上。

9【翬】15画 9543 キ 微 huī 9033 — 5332

字義 ❶はやくとぶ。大いに飛ぶ。また、その羽音。❷きじ(雉)。五色の羽の美しい雉。

解字 形声。羽＋軍音。

【翬翬】 鳥のはやく飛ぶ羽音。

【翬飛】 ①五色の羽のきじが飛ぶこと。②宮殿の美しいさま。

9【翨】15画 9544 シ 寘 chì — — 5331

字義 ❶あらとり。猛鳥。また、強い羽根。❷荒い。

解字 形声。羽＋是音。

9【翥】15画 9545 ショ 御 zhù 28493 — 5330

字義 とぶ。飛び上がる。飛び立つ。

解字 形声。羽＋者音。

9【翦】15画 9546 セン 剪(890)の正字。→一七六ページ上。 7040 E3C6 —

9【翩】15画 9547 ヘン 先 piān

〔翩〕9548 俗字

字義 ❶はやくとぶ。かけり飛ぶ。❷ひるがえるさま。ひらひらするさま。用例〔詩経、小雅、角弓〕騂騂角弓、翩其反矣 ↓よく整った角の弓でも、(弦をゆるめれば)ひるがえってそり返ってしまう。

解字 篆文 形声。羽＋扁音。音符の扁は、ひらたいの意味。羽をひらたくして、鳥が身軽に飛ぶの意味を表す。

【翩翾】 わずかに飛ぶさま。

【翩然】 ひるがえるさま。

【翩翻】 一ひるがえり飛ぶさま。二旗などの、ひるがえるさま。

【翩翩】 ①鳥が身軽に飛ぶさま。用例〔唐、白居易、燕詩示劉叟〕梁上有双燕、翩翩雄与雌 ↓梁の上につがいの燕がいて、すいすいと飛ぶ雄と雌。②行き来するさま。③落ちつかないさま。④風流なさま。⑤宮殿のすばらしいさま。⑥得意なさま。⑦筆の勢いの軽妙なさま。⑧衣服が軽やかにひるがえるさま。用例〔唐、白居易、売炭翁詩〕翩翩両騎来是誰、黄衣使者白衫児 ↓衣服をひらめかせて駆けてくる二騎の乗馬、それはだれかといえば、黄色の服を着た宮中からの使者と、白いうわぎの若者。

9【翩】15画 9548 ヘン 翩(9547)の俗字。→一二六〇ページ中。 7041 E3C7 —

10【翰】16画 9549 標 漢カン 呉ガン 翰 寒 hàn 2045 8ACB —

〔翰〕9550 俗字

字義 ❶やまどり。❷はね。鳥の羽。❸飛ぶ。高く飛ぶ。速く飛ぶ。「翰飛」 ❹ふで。ふで毛。昔は鳥の羽毛で筆を作った。「筆翰」 ❺ふみ。てがみ。「書翰」 ❻しろい。また、白い馬。❼みき。はしら。＝幹(3168)。❽はたらき。才能。❾長い。また、長くて強い羽毛。❿ひつぎの飾り。

参考 現代表記では〔簡〕(8883)に書きかえることがある。「書翰→書簡」

解字 篆文 形声。羽＋倝音。音符の倝は、旗ざおの意味。旗ざおのように長い羽のやまどりの意味を表し、羽で作ったふで、転じて、ふみ(文)の意味をも表す。

【翰苑】 ＝翰林院。

【翰音】 ①鳥が高く飛ぶ羽音。転じて、声が大きいだけで内容にとぼしいたとえ。②鶏の別名。

【翰札】 てがみ。書信。書札。翰牘。

【翰如】 はやく走るさま。用例〔易経、賁〕白馬翰如 ↓白馬が速く走っている。

【翰藻】 詩歌文章。詩文。

【翰池】 すみつぼ。墨池。

【翰長】 ①翰林院の長官・先輩をいう。②国内閣書記官長をいう。

【翰飛】 高くとぶ。用例〔詩経、小雅、小宛〕宛彼鳴鳩、翰飛戻天 ↓小さな鳩は鳴きながら、高く飛んで空にのぼる。

【翰墨】 ①筆と、すみ。②文学。③書かれたもの。筆跡。

【翰林】 ①文人・学者の社会。文人の仲間。学者の仲間。詞壇。文苑。②翰林院の略。

【翰林院】 役所の名。文人・学者を集め、天子の詔勅をつかさどった役所。唐の玄宗のときから置かれ、明代には秘書の著作もつかさどり、清代には、侍講・侍読、書物の編纂なども行った。翰苑。

【翰林学(學)士】 官名。翰林院で、天子の詔勅などの文書の作成をつかさどった官。

10【翰】16画 9550 カン 翰(9549)の俗字。→一二六〇ページ下。

10【翺】16画 9551 コウ 翱(9559)の正字。→一二六一ページ下。

10 【翯】 16画 9552 ㊁㊀㊊コク・㊋ゴク 因 hè ㊁㊊カク・㊋ガク 覺 hè 28494 — 5334

字義 ㊀❶鳥の白く、つやのあるさま。❷鳥の羽の清く白いさま。㊁❸水の白く光るさま。❹しろい。

解字 形声。羽＋高㊃。

10 【翮】 16画 9553 ㊀㊊カク・㊋ギャク 陌 hé ㊁㊊レキ・㊋リャク 錫 lì 19034 — 5333

字義 ㊀❶はねのもと。羽のくき。❷羽。つばさ。㊁かなえ。

解字 形声。羽＋鬲㊃。

11 【翳】 17画 9554 標 エイ 霽 斉 yì 7042 E3C8 —

字義 ❶きぬがさ。君主の車の、鳥の羽でかざった日よけ。❷おお-う(おほ-ふ)。かざ-す。おおいさえぎる。上にさしかける。また、おおい。かざし。❸かげ-る。かげになる。薄暗くなる。くもる。また、かげり。曇り。❹かす-む。目がぼうっとする。❺かすみ目。眼球に白い膜がかかって、はっきり見えない病気。❻しりぞける。❼たおれる。❽鳥の名。鳳凰(ホウオウ)の類い。

参考 現代表記では〔影〕(3387)に書きかえることがある。「暗翳→暗影」「陰翳→陰影」

解字 形声。羽＋殹㊃。

【翳翳】(エイエイ) ①日がかげって薄暗いさま。用例〔東晋、陶潜、帰去来辞〕景翳翳以将レ入、撫二孤松一而盤桓(かげはエイエイとしてもってまさにいらんとし、コショウをブしてバンカンす)。↓夕日の光はほの暗くなってゆき、いまにも沈もうとしている。私は一本松をなでながら、立ち去りかねて留まっている。②かくれて知りがたいさま。③おおわれて出られないさま。

【翳然】(エイゼン) 草木がおおい茂って荒れはてたさま。

【翳昧】(エイマイ) かげって暗いこと。

【翳△薈】(エイワイ) 草木がおいしげっているさま。

11 【翲】 17画 9555 ヒョウ(ヘウ) 蕭 piāo 28501 — 5335

字義 ❶とぶ。高く飛ぶ。また、飛ぶさま。❷かすか。

解字 形声。羽＋票㊃。

11 【翼】 17画 9556 常 ヨク つばさ 4567 9783 —

12 〖翼〗 18画 9557 ㊊ヨク ㊋イキ 職 yì

筆順 ㇇ 㺪 羽 羿 翇 翌 翼 翼 翼

〔翄〕 9523 同字

字義 ❶つばさ。鳥の左右の羽。また、虫の羽。❷たす-ける(たすく)。かばう。守る。❸すすめる。❹つつしむ。うやうやしい。❺いただく。受ける。❻均斉がとれて美しい。❼左右に張り出したもの。左右の部隊・鼎(かなえ)の耳・家ののき(軒)・魚のひれなど。❽舟。❾星の名。たすき星。二十八宿の一つ。コップ座。❿あくる日。＝翌(9527)。⓫ほしいままなさま。きままなさま。⓬速いさま。また、身軽なさま。⓭かる(駆)。かり出す。

名前 すけ・たすく・つばさ

解字 篆文  形声。羽(羽)＋異(異)㊃。音符の異は、鬼の頭の面をかぶり両手をあげている人の象形。羽を付し、両翼・つばさの意味を表す。また、わきから両手でたすけるの意味をも表す。また、両翼のように均斉がとれて美しいの意味をも表す。

逆 羽翼・比翼・扶翼

【翼衛(衞)】(ヨクエイ) たすけ守る。用例〔史記、滑稽伝〕斉・趙陪二位於前一、韓・魏翼二衛其後一(セイ・チョウまえ(へ)にバイイし、カン・ギそのあとにヨクエイす)。↓斉と趙の使者は葬儀の前方に参列し、韓と魏の使者は後方に護衛する。

【翼佐】(ヨクサ) たすけること。▼佐も、助ける。

【翼賛(贊)・翼△讃】(ヨクサン) 力をそえてたすける。特に、天子をたすけること。

【翼△爾】(ヨクジ) ①鳥の飛ぶように速いさま。②身軽なさま。

【翼室】(ヨクシツ) 正室の左右にある室。左右のわきべや。

【翼如】(ヨクジョ) 鳥がつばさを張るように、組んだ腕の両肘を張るさま。態度のうやうやしいさま。〔論語、郷党〕

【翼成】(ヨクセイ) たすけてなしとげさせる。助けて成功させる。

【翼然】(ヨクゼン) 鳥がつばさを張ったように、左右に広がるさま。

【翼戴】(ヨクタイ) たすけいただく。君主を助けて上にいただくこと。

【翼蔽】(ヨクヘイ) おおいかばう。かばい助ける。用例〔史記、項羽本紀〕項伯亦抜レ剣起舞、常以レ身翼二蔽沛公一(コウハクもまたケンをぬき、たちてまい(ひ)、つねにみをもってハイコウをヨクヘイす)。↓項伯も同じく剣を抜いて立ちあがって舞い、項荘が沛公に近づくと、親鳥が翼で雛をおおいかくすように、いつも身をもって沛公をかばい守った。

【翼△輔】(ヨクホ) たすける。また、たすけ。補佐。

【翼翼】(ヨクヨク) ①敬いつつしむさま。②ととのったさま。③おごそかなさま。④やわらぐさま。⑤さかんなさま。⑥飛ぶさま。⑦壮健なさま。

【翼卵】(ヨクラン) ①鳥がつばさで卵をおおい温めてひなを返す。②おおい育てる。大切にいたわり育てること。

【翼△亮】(ヨクリョウ) たすける。特に、天子を助けて天下を治めること。▼亮も、助ける意。

12 【翹】 18画 9558 ㊊キョウ(ケウ) ㊋ギョウ(ゲウ) 蕭 qiáo 7043 E3C9 —

字義 ❶鳥の尾の長い羽。❷あ-げる(あぐ)(挙)。あがる。用例〔荘子、馬蹄〕齕レ草飲レ水、翹レ足而陸(くさをくらい(ひ)、みず(づ)をのみ、あしをあげておどる)。↓草を食べ、水を飲み、足を高く掲げて跳ねる。❸さかんなさま。しげるさま。❹つまだてる。「翹足」❺ぬきんでる。才能が衆人にすぐれる。「翹材」❻かける(懸)。心にかける。「翹思」❼女性の頭の羽かざり。

解字 篆文  形声。羽＋堯㊃。音符の堯(ギョウ)は、高いの意味。鳥が長い尾羽をあげるの意味から、一般に、あげるの意味を表す。

【翹企】(ギョウキ) 足をつまだてる。足をつまだてて待つ。熱望する。翹足。

【翹翹】(ギョウギョウ) ①群にぬきんでるさま。高くぬきでるさま。②危ないさま。③遠いさま。④多いさま。

【翹材】(ギョウザイ) すぐれた才能・人材。

【翹思】(ギョウシ) 心にかけて思う。

【翹首】(ギョウシュ) 頭をあげる。首をのばして待ち望む。切に待望すること。鶴首(カクシュ)。翹望。

【翹然】(ギョウゼン) 立ち上がるさま。のびあがるさま。

【翹△楚】(ギョウソ) 衆にすぐれた者。▼楚は、雑木の中で特に高く伸びたもの。

【翹足】(ギョウソク) ＝翹企。

【翹望】(ギョウボウ) 首をのばして待ち望む。翹首。

12 【翺】 18画 9559 慣コウ(カウ) ゴウ(ガウ) 豪 áo 19035 — 5336

〔翱〕 9551 正字

字義 かけ-る。鳥がはばたきして飛ぶ。飛びまわる。

解字 篆文  形声。羽＋皐(皋)㊃。音符の皋(コウ)は、敖(ゴウ)に通じ、大きいの意味。鳥が羽を大きくのびのびと広げて空を飛びまわるの意味を表す。

【翺翺】(コウコウ) 鳥が空高く飛ぶさま。

【翺△翔】(コウショウ) ①(鳥が)飛びまわる。空高く飛ぶ。▼翺は、翼を上下に動かして飛ぶ、翔は、羽を張ったまま動かさずに飛ぶ意。②さまよう。

12 【翻】 18画 9560 常 ホン ひるがえ-る・ひるがえ-す 4361 967C —

12 〖翻〗 18画 9561 ㊊ハン ㊋ホン 元 fān

筆順 ㇒ 㐅 平 釆 番 番 番 翻 翻

〔飜〕 13552 同字

字義 ❶ひるがえ-る(ひるがへる)。ひるがる。㋐鳥が飛ぶ。からだをおどらせて飛ぶ。㋑高くあがってひらひらする。「翩翻(ヘンポン)」㋒ひっくりかえる。裏がえしになる。

反対になる。向きを変える。「翻覆」 ❷ひるがえ-す（ひるがへす） ひるがえす。ひらひらさせる。ひっくりかえす。向きを変えさせる。用例〔北宋、蘇軾、六月二十七日望湖楼酔書詩〕黒雲翻墨未遮山（コクウンすみをひるがえ(へ)して、いまだやまをさえぎらず）、白雨跳珠乱入船（ハクウたまをおどらせて、みだれてふねにいる）。↓黒い雲がまるで墨汁をひっくりかえしたかのように湧き出てきたが、まだ山をすべておおい隠すほどではない。白い雨のつぶが真珠をばらまいたように船の中に飛びこんだ。❸詩に作りかえる。また、ある国のことばを他の国のことばになおす。「翻訳」

難読 翻筋斗（もどり）・翻車魚（まんぼう）

解字 篆文 **形声**。羽（羽）＋番㊐。音符の番は、たねをばらまくの意味。鳥が羽をのびやかにひろげて、ひるがえるの意味を表す。また、反に通じて、くつがえるの意味をも表す。

逆 踏翻・騰翻

【翻案】（ホンアン） ①案（裁判の判定書）をくつがえす。異説をたてて案に反対すること。②国㋐前人の作った仕組みを変えること。㋑詩文の古い作意を変えて作ること。㋒小説や脚本などの、原作の大体のすじを用い、地名・人名などを変えて作り変えること。

【翻意】（ホンイ） 国意志をひるがえす。考えを改める。

【翻刻】（ホンコク） 刊本・写本を底本として、原本どおりに再び出版すること。

【翻然】（ホンゼン） ①ひるがえるさま。②心ががらりと変わるさま。「翻然大悟」

【翻倒】（ホントウ） さかさまになる。ひっくりかえる。

【翻波】（ホンパ） ひるがえる波。さかまく波。翻濤（ホントウ）。翻浪。

【翻覆】（ハンプク・ホンプク） ①ひっくりかえる。裏返しになる。②変わりやすいことや変化の激しいことをいう。用例〔唐、王維、酌酒与裴迪詩〕酌酒与君君自寛（さけをくみてきみにあたう(ふ)、きみみずから(づ)からゆるうせよ）、人情翻覆似波瀾（ニンジョウのホンプクはハランににたり）。↓君、一杯やりたまえ、そしてのんびりすることだ。人情の変わりやすさは、まるで寄せては返す波のようだ。

【翻訳（譯）】（ホンヤク） ある国のことばを他の国のことばになおすこと。

【翻流】（ホンリュウ） しぶきをあげて、勢い激しく流れる。また、その流れ。奔流。

【翻弄】（ホンロウ） 思うままにもてあそぶ。てだまにとる。

12【翼】18画 (9557) ヨク 翼（9556）の旧字体。→一二六一ジベー上。

13【翽】19画 9562 ㊥カイ（クワイ） ㊞ケ 㑒 㓛 huì 一一 5337

字義 羽ばたきの音。羽ばたきの音のさかんな形容。

解字 **形声**。羽＋歳㊐。

13【翾】19画 9563 ケン 㽓 xuān 一一 5338

字義 ❶とぶ。少し飛ぶ。❷こせこせする。こざかしい。

解字 **形声**。羽＋睘㊐。

14【翿】20画 9564 ㊥トウ（タウ） ㊞ドウ（ダウ） 号 豪 dào 一一 5339

字義 かざし。はたぼこ。舞い手が持っておどるもの。

解字 **形声**。羽＋壽㊐。

14【燿】20画 9565 人 4552 9773 一

14〖耀〗20画 9566 ヨウ（エウ） 嘯 yào

筆順 丷 光 光ヨ 光ヨヨ 耀 耀 耀 耀 耀

字義 燿（7026）と同字。❶かがや-く。また、かがやかす。＝曜（4889）。❷かがや-き。ひかり。「栄耀」 ❸あきらか（明）。

名前 あき・あきら・てる・よう

解字 **形声**。光＋翟（翟）㊐。燿（7026）の別体。

【耀映】（ヨウエイ） かがやきはえる。光りかがやくさま。光りかがやく。

【耀耀】（ヨウヨウ） 光りかがやくさま。曜曜。

【耀霊（靈）】（ヨウレイ） 日。太陽。曜霊。

6画 老（耂） おいかんむり おい 耂は四画。 [耂] ₂8502 一一

〔部首解説〕 耂は、老の省略体。老を意符として、老人に関する文字ができている。

0 老 一二六三	2 考 一二六四	3 孝 一二六五	4 耆 一二六五	者 一二六五	
耄 一二六六	5 耇 一二六六	耈 一二六六	者 一二六六	6 耋 一二六六	
耊 一二六六					

0【老】6画 9567 教4 ロウ（ラウ） 晧 lǎo 4723 9856 一

ロウ お-いる・ふ-ける 熟字訓 老舗（しにせ）

筆順 一 十 土 耂 耂 老

字義 ❶としより。老人。七十歳の老人。また、六十歳以上、あるいは五十歳以上をいう。❷お-い。老年。晩年。用例〔論語、述而〕不知老之将至（おいのまさにいたらんとするをしらず）。↓すぐに老いのやって来ることにも気づかずにいる。❸お-いる（おゆ）。ふ-ける（ふく）。㋐としよる。おいぼれる。ふける。㋑古くなる。古くからある。年月がたつ。用例〔唐、白居易、答韋八詩〕春尽緑醅老（はるつきてリョクバイおい）、雨多紅萼稀（あめおおく(ほ)してコウガクまれなり）。↓春も終わり（冬に仕込んだ）どぶろくも熟成して、雨が多くなるにつれ花びらもだいぶ散った。㋒つかれる。つかれさせる。用例〔国語、晋語四〕楚師老矣（ソシおいたり）、必敗（かならずやぶれん）、何故退（なんのゆえ(ゑ)にかしりぞく）。↓楚軍は疲れているので、きっと敗れましょう、なぜ退却するのですか。❹年老いて官をやめる。隠居する。また、隠居した人。用例〔左伝、隠公三〕桓公立（カンコウたちて）、乃老（すなわ(は)ちロウす）。↓桓公が太子となるに及んで、（石碏（セキシャク）は）隠居した。❺ものなれる。経験を積んでたけている。また、その人。用例〔国語、晋語一〕既無老謀（すでにロウボウなくして）、而又無壮事（またソウジなくんば）、何以事君（なにをもってかきみにつかえ(へ)ん）。↓老練な謀略も壮年の筋力もない以上、何によって君主に仕えるのか。❻老人としてうやまう。老人としていたわる。用例〔孟子、梁恵王上〕老吾老以及人之老（わがロウをロウとしてもって、ひとのロウにおよぼす）。↓自分の老いた親をいたわり、（その心を）他人の老いた親にも及ぼす。❼臣下の長。大臣・家老など。❽老人の自称。「拙老」 ❾老人の尊称。「長老」 ❿死ぬことの婉曲な表現。用例〔唐、子蘭、城上吟〕城外無間地（ジョウガイ、カンチなく）、城中人又老（ジョウチュウ、ひとまたロウす）。↓町の外は（墓がびっしり立っていて）空き地がなく、町の中は死んでしまって誰もいない。⓫老子の略称。「老荘」 ⓬つね-に。いつも。ずっと。用例〔唐、杜甫、復愁詩〕年深荒草径（としふかくして、ソウケイあれ）、老恐失柴扉（つねにおそる、サイヒをうしなう(ふ)を）。↓長年の間に雑草が伸びて小道は荒れ果てているだろう、家の扉までをおおってなくしてしまわぬかといつも心配している。

名前 おい・おみ・おゆ・たけ・とし 難読 老海鼠（ほや）・老成（ませ）る・老酒（ラオチュウ）・老頭児（ロートル）・老馬（おんま）・老媼（おんば）・老麺（ラーメン）・老耄（おいぼれ）・老撾（ラオス）

解字 甲骨文 金文 篆文 **象形**。甲骨文は、腰を曲げてつえをつく老人の形にかたどっているのがよくわかる。篆文は、その変形したもの。年寄りの意味を表す。

逆 遺老・家老・敬老・元老・古老・故老・宿老・衰老・大老・長老・仏老・扶老・父老・野老・養老

【老陰】（ロウイン） 陰数の極。六をいう。↕老陽。

【老翁】（ロウオウ） 年老いた男性。おきな。老父。

【老嫗】ロウオウ・ロウウ 年老いた女性。おうな。老女。老婆。老嫗ロウオウ。用例〔唐、杜甫、石壕吏詩〕老嫗力雖レ衰ロウオウちからおとろう（ふ）といえ（へ）ども、請従レ吏夜帰こう（ふ）りにしたがい（ひ）てよるキせん。↓わたくしは、力は衰えておりますが、お願いです。役人（のあなた）といっしょに、夜のうちにおもむかせてください。

【老鶯】ロウオウ ①春が過ぎてからも鳴いているうぐいす。晩鶯。②老練のうぐいす。

【老茄】ロウカ しなびた茄子なす。

【老獪】ロウカイ 世事に長じて、わるがしこいこと。また、そのような人。老猾ロウカツ。

【老学（學）】ロウガク ①年老いてから学問すること。また、老年の学問。②年老いた学者。

【老学（學）究】ロウガッキュウ ①年老いた学者。②長年勉強しながら世の役に立たない俗学者。また、頑固な学者をあざけっていう語。

【老猾】ロウカツ ＝老獪ロウカイ。

【老漢】ロウカン ①年とった男性。老人をいやしんでいう。▼漢は、男性。②男性の自称。

【老鰥】ロウカン 妻に先立たれた独り身の老人。

【老驥伏レ櫪志在二千里一】ロウキレキにふするもこころざしセンリにあり 年老いた駿馬シュンメは使われないでうまやのねだの上にねていても、なお千里をかける志をすてない。転じて、英傑が年老いても大志を持ち続けるたとえ。〔三国魏、武帝、歩出夏門行〕

【老朽】ロウキュウ 年老いて役にたたないこと。また、その人。

【老牛舐レ犢】ロウギュウトクをねぶる 年老いた牛が子牛をなめる。子どもをむやみにかわいがることのたとえ。転じて、親が子を愛することの謙辞。〔後漢書、楊彪伝〕

【老去】ロウキョ 年をとる。年よりになる。▼去は、助字。

【老境】ロウキョウ 年をとった境涯。老人の境遇。

【老狗】ロウク ①年老いた犬。老犬。②人をののしっていう語。

【老軀】ロウク 年老いたからだ。老体。老身。

【老君】ロウクン ①老子の尊称。②老人に対する尊称。③国家来が隠居した大名を呼ぶ称。

【老兄】ロウケイ ①年とった兄。②年長の友に対する敬称。③兄の自称。④同輩に対する敬称。貴兄。

【老健】ロウケン ①年をとってなお身体が健康なこと。②文章などが老練で勢いの強いこと。

【老厳（嚴）】ロウゲン 老子と荘子（三三〇ページ上）。老荘。▼荘が、漢の明帝の諱いみなにあたるので、厳に変えたもの。

【老公】ロウコウ ①老人。また、年老いた貴人。②宦官カンガン。去勢した男性。老公公ともいう。

【老巧】ロウコウ 経験を積んでものなれていること。老練。

【老骨】ロウコツ 年おいた身。老軀ロウク。

【老残（殘）】ロウザン 年より。生きのこり。

【老子】ロウシ ①人名。㋐老耼ロウタンをいう。㋑老萊子ロウライシをいう。㋒周の太史儋タイシタンをいう。孔子の死後百二十九年にして秦シンの献公にまみえた周の太史で、これが老耼であるともいわれる。②書名。二巻。老耼の著と伝えられるが、後人の手に成る部分も少なくないといわれる。上編を「道経」、下編を「徳経」というので、「道徳経」ともいう。道家の経典として尊ばれる。③老人の自称。④父をいう。⑤星の名。

【老師】ロウシ ①年とった先生。老先生。また、単に先生を呼ぶ称。②明ミン代、科挙の試験（官吏登用試験）合格者がその試験官を呼んだ語。③僧に対する尊称。

【老識】ロウシキ 経験を積んだすぐれた見識。円熟した見識。

【老実（實）】ロウジツ ①実直なこと。まじめ。りちぎ。②物事になれて、しかも忠実なこと。

【老若】ロウジャク・ロウニャク 国年よりと若者。老弱。

【老弱】ロウジャク 老人と子供。年よりと若者。

【老弱男女】ロウジャクダンジョ・ロウニャクナンニョ 老いも若きも、男も女も。日本では、老弱を老若と書くのが一般的。

【老手】ロウシュ 老練な手なみ。物なれた腕まえ。

【老寿（壽）】ロウジュ 年老いて命の長いこと。ながいき。長寿。

【老儒】ロウジュ ①学徳の高い老学者。②老いぼれ学者。

【老従（從）レ子】おいてはこにしたがう（ふ） ①三従の一つ。女性は老後は自分の子供につき従ってゆくべきものである。↓三従（一八ページ上）。〔大智度論〕②広く人は老後、子に従うべきであるの意に用いる。

【老宿】ロウシュク ①修行を積んだ僧。高僧。②年老いて経験に富んだ人。

【老熟】ロウジュク 長年経験を積んで、その事に熟練すること。物事になれて熟練していること。老巧。老練。

【老女】ロウジョ 年とった女性。老婆。老婦。

【老小】ロウショウ ①老人と子供。年よりと若者。②晋シンの制度で、老は六十六歳以上、小は十二歳以下。

【老少】ロウショウ 老人と子供。年よりと若者。

【老少不定】ロウショウフジョウ 仏老人も子供も、どちらがいつ死ぬかわからないこと。〔観心略要集〕

【老相】ロウショウ ①年老いた大臣。②呉の地方で、父をいう。③妓女ギジョのなじみの客をいう。

【老将（將）】ロウショウ ①老練な将軍。軍事になれた大将。②年老いた大将。

【老娘】ロウジョウ ①産婆。②女性の自称。③俗に妻をいう。

【老臣】ロウシン ①年老いた家来。②経験を積んで物事に練達している家来。③身分の重い臣。家老。

【老身】ロウシン ①年とったからだ。老体。②老人の自称。

【老人】ロウジン ①年より。②他人に対して自分の父母をいう。③星の名。南極星。

【老衰】ロウスイ 年老いておとろえる。年とって元気がなくなる。

【老生】ロウセイ ①年より。老人。②老人の自称。③演劇で宰相・忠臣・学者などになる役者。

【老成】ロウセイ ①経験を積んで、物事になれていること。また、その人。②おとなびる。また、若くてませていること。

【老先生】ロウセンセイ ①年老いた儒学者。②宋ソウ代、師に対する尊称。③元以後、朝廷の役人の尊称。

【老措大】ロウソダイ としよりの書生。老書生。

【老鼠】ロウソ ①ねずみ。家ねずみ。②こうもりの別名。かわほり。③世なれてずるがしこいことのたとえ。

【老蘇】ロウソ 北宋ホクソウの蘇洵ソジュン（一三四五ページ下）をいう。これに対して、子の軾ショクを大蘇、轍テツを小蘇という。

【老壮（壯）】ロウソウ 老人と若者。老者と壮者。

【老荘（莊）】ロウソウ 老子と荘子（三三〇ページ上）。また、その学説。

【老叟】ロウソウ としより。おきな。老翁。

【老僧（僧）】ロウソウ 年老いた僧。また、その自称。

【老体（體）】ロウタイ ①年とったからだ。②老人に対する敬称。

【老大】ロウダイ 年をとる。老人になる。↕少小（四一九ページ中）。用例〔楽府詩集、長歌行〕少壮不二努力一ショウソウにしてドリョクせずんば、老大徒傷悲ロウダイにしていたずら（づ）らにショウヒせん。↓若くて血気盛んなころに努め励まないと、年をとったころに空しくいたみ悲しむことになる。

【老大家】ロウタイカ 国年齢を重ね経験を積んだ、その道ですぐれた人。

【老台（臺）】ロウダイ 年長者に対する敬称。尊台。貴台。手紙での用語。

【老耼・老聃】ロウタン 周代（春秋あるいは戦国時代）の思想家。姓は李リ、名は耳、耼は字あざな。一説に、字は伯陽、諡おくりなが耼。孔子が礼を学んだといわれるが確かでない。道家の祖で、その著書といわれるものに『老子』二巻がある。

【老稚・老穉・老穉】ロウチ 老人と子供。

【老耋】ロウテツ 年老いること。また、その人。

【老杜】ロウト 盛唐の詩人、杜甫ホト（七三二ページ上）をいう。↕小杜（四一八ページ下）。

老耼（老子）

【老奴】ロウド ①年とった召し使い。②人をあなどり軽んずる語。③自分の謙称。
【老△衲】ロウノウ ①年とった僧。老僧。▼衲は、僧衣。②老僧の自称。
【老農】ロウノウ 経験を積んだ年よりの農夫。
【老馬】ロウバ ①年老いた馬。②年とって役に立たない人。
【老馬△之△智】ロウバのチ 経験を積んで物事によく通じた人の知恵。春秋時代、斉の管仲が山中で道に迷った時、老馬を放ちその後に従って道を得た故事による。老馬識レ途をしる。〔韓非子、説林上〕
【老婆】ロウバ ①年老いた女性。おうな。老女。②夫が妻をいう語。老妻。
【老婆心】ロウバシン ①年老いた女性が世話をやくような、度を越した親切心。老婆心切。〔景徳伝灯録〕②意見や忠告などをするとき、自分の心を謙遜していう語。
【老△悖・老△誖】ロウハイ 年とってぼける。
【老廃(廢)】ロウハイ ①年とって役にたたないこと。②物がふるびて用をなさないこと。
【老輩】ロウハイ 年よりども。▼輩は、複数を表す語。
【老病】ロウビョウ ①年老いて病気にかかる。老いて病気がちになる。用例〔唐、杜甫、旅夜書レ懐詩〕名豈文章著なはあにブンショウもてあらわ(は)れんや、官因二老病一休カンはロウビョウによりてやむ。↓いくら詩や文章を書こうとも、我が名を世に知られることもなく、年老いて病気がちの身であれば、官職もやめてしまったのだ。②老衰から起こる病気。老衰病。③持病。
【老病有二孤舟一】ロウビョウコシュウあり 老いて病気がちの身にあるものは一そうの小舟だけである。〔唐、杜甫、登二岳陽楼一詩〕
【老夫】ロウフ ①年とった男性。②老人の自称。③七十歳で官をやめた大夫の自称。
【老父】ロウフ・ロウホ 年とった父。また、としより。老翁。
【老婦】ロウフ ①年とった女性。老女。用例〔唐、杜甫、石壕吏詩〕老翁踰レ牆走ロウオウかきをこえてはしり、老婦出レ門看ロウフモンをいでてみる。↓やどの主人のじいさんは、土べいを越えてにげ出し、ばあさんは、門から出て役人と応対した。②年とった女性の自称。③かまどの神。人に初めて炊事を教えた神。
【老仏(佛)】ロウブツ ①老子と釈迦シャカ(二四五六ジペ-中)。また、老子の学と仏教の教え。「老仏之徒ロウブツのト」(老子の教えを信奉する者と、仏教を信奉する者)」②仏老僧に対する尊称。
【老物】ロウブツ ①天の歳事(一年の仕事)を助けて老いつかれた万物の神。また、その神を求めてねぎらう祭り。②人をののしることば。③年老いた人をいう。
【老兵】ロウヘイ ①年とった兵士。②老練な兵士。
【老△圃】ロウホ 畑作りによくなれた農夫。老農。
【老舗】ロウホ 幾代も続いた商店。しにせ。
【老△姥】ロウボ 年とった女性。老婆。
【老△彭】ロウホウ 尭帝ギョウテイの臣、彭祖ホウソ(四九七ジペ-下)をいう。一説に、老子といい、また、老子と彭祖のことともいう。〔論語、述而〕
【老△耄】ロウボウ ①老人。②年老いてぼける。
【老僕】ロウボク ①年をとった下男。②老人の自称。
【老△爺】ロウヤ ①年とった男性。おやじ。老翁ロウオウ。②身分の高い人に対する敬称。だんな。
【老陽】ロウヨウ 陽数の極。九をいう。↕老陰。
【老来(來)】ロウライ 年をとる。老人になる。▼来は、助字。
【老△萊子】ロウライシ ①周代の隠者。楚ソの人。親孝行で、年七十になっても親を喜ばせるために、赤ん坊のなきまねなどをしたという。②一説に、老子ともいう。
【老△懶】ロウラン 年老いてものうい。▼懶は、ものうい。
【老吏】ロウリ ①年とった役人。②経験を積んで事務になれている役人。
【老△羸】ロウルイ 年とって、体が弱る。また、その人。▼羸は、つかれ弱ること。
【老練】ロウレン =老熟。
【告レ老】ロウをつぐ 年とって辞職する。告老コクロウ。謝レ老ロウをシャす。
【扶レ老】ロウをたすく 老いた身を支える。用例〔東晋、陶潜、帰去来辞〕策扶レ老以流憩つえ(ゑ)もておいをたすけて、もってリュウケイし、時矯レ首而游観ときにこう(かう)べをあげて、ユウカンす。↓老いたわが身をつえで支えて歩きまわっては、自由に休み、ときおり顔を上げて景色を眺める。

2
【考】
6画 9568 教2 コウ かんが-える
コウ(カウ) 中 kǎo
2545 8D6C 一

筆順 一 + 土 耂 耂 考

字義 ❶かんが-える(かんがふ)。㋐思いはかる。思案する。「長考」「思考」㋑観察して明らかにする。㋒比較検討する。㋓きわめる。調べる。吟味する。また、その結果を示す論文。「考究」「論考」❷うつ。たたく。=攷(4512)。❸なる。成す。❹終わる。終える。❺老いる。長生きする。❻父。亡父。↕妣(2336)。「先考」❼こころみる。試験をする。また、試験。評定。

名前 こう・たか・ただ・ちか・とし・なか・なり・なる・のり・やす・よし

難読 考老母コロンボ

参考 現代表記では〔衡〕(3469)の書きかえに用いることがある。「銓衡→選考」

解字 甲骨文  篆文  形声。耂(老)+丂音。老は、背の曲がった老人の意味。丂ウコも曲がるの意味。長寿の老人の意味を表す。借りて、かんがえるの意味に用いる。

逆 勘考・皇考・参考・思考・寿考・熟考・先考・備考

【考案】コウアン ①考え調べる。考査。②国工夫をこらす。また、工夫。考え。
【考異】コウイ 文字の異同を調べること。
【考引】コウイン 証拠をあげる。証拠として示す。
【考閲】コウエツ 調べる。検閲。
【考科】コウカ 試験。考試。
【考課】コウカ 役人や学生などの成績を調べて、その優劣を定めること。考績。
【考劾】コウガイ 罪をとがめる。不正を追及する。
【考官】コウカン 試験官。試験委員。
【考究】コウキュウ 考えきわめる。深く研究する。研究。
【考拠(據)・考据】コウキョ 古い文書などを調べて証拠をあげること。考証。
【考検(檢)・考験(驗)】コウケン 考え調べる。調べためす。
【考古】コウコ ①古い昔のことを考える。②古代を研究する。
【考古学(學)】コウコガク 遺跡や遺物によって古代人類の生活・文化を研究する学問。
【考功】コウコウ ①なき父親の功業。②役人の功罪を考え調べる。また、それを担当する役人。
【考校】コウコウ ①考え調べる。取り調べる。②試験。考試。
【考降】コウコウ ①のぼりくだり。登降。②父の死をいう。
【考査】コウサ ①考え調べる。②国試験。
【考察】コウサツ 考え調べる。
【考死】コウシ 拷問ゴウモンによって殺されること。
【考試】コウシ ①調べためす。調べる。②学業を試験する。また、その試験。③官吏を登用するための試験。
【考証(證)】コウショウ =考拠・考据。
【考証(證)学(學)】コウショウガク 正確な証拠によって古典を研究する学問。清シン代、宋ソウ・明ミンの性理学に対して起こった学問。
【考△訊】コウジン 調べただす。調べ問う。尋問。
【考正】コウセイ 誤りを考えただすこと。
【考績幽明】コウセキユウメイ 朝廷で役人の成績を調べ、功績の明らかなものを進め、功績のあがらないものを退けること。▼考績は、考課。〔書経、舜典〕
【考定】コウテイ 考えさだめる。よく考えてきめる。
【考訂】コウテイ 書物の誤りを調べただすこと。校訂。

【考槃】隠居の室を作って、思うままに楽しむこと。一説に、槃は楽器で、楽器をうって楽しむこと。『詩経』衛風・考槃に基づく。▼考は成す、槃は楽しみ。

【考妣】死んだ父母をいう。一説に、父母の別称。

【考問】罪を取り調べる。また、むちうって罪状を問いただす。拷問。

【考掠】むちうって罪状を問いただすこと。

【考慮】国考えおもんぱかる。思案する。

3
【孝】
7画 9569 教6 コウ
漢コウ(カウ)・呉キョウ(ケウ) 効 xiào
2507 8D46 —

筆順 一 + 土 耂 耂 孝 孝

字義 ❶よく父母に仕える。孝行。また、その人。用例〔論語、学而〕弟子入則孝、出則弟。↓人の子弟たる者は、家庭内にあっては孝を尽くし、外に出ては年長者に従うものだ。❷よく先祖を祭り、その志を継ぐ。また、その人。❸父母の喪に服する。また、喪服。

名前 あつ・こう・たか・たかし・なり・のり・みち・もと・ゆき・よし

難読 孝子越

注意 『康熙字典』では、子部に所属する。

解字 金文 篆文 会意。子＋老省。老は、としよりの意味。年寄りをささえる子・親につくすの意味を表す。

逆 至孝・慈孝・順孝・節孝・忠孝・篤孝・不孝

【孝経(經)】書名。一巻。儒教の経典の一つ。天子から庶人に至る孝道を説いている。孔子の門人の曽参、またはその門流の著といわれるが成立年代とともに不詳。

【孝敬】父母や祖先に孝を尽くし、うやまうこと。

【孝行】子が親を敬い、よく仕えること。

【孝子】①孝行な子。よく父母や祖先に仕える人。②父母の祭りに子が自ら称する語。③父母の喪中にある人。

【孝慈】①よく親に仕え、子孫をいつくしむ。用例〔老子、十八〕六親不和有孝慈。↓親子・兄弟・夫婦の仲がよくないから、よく親に仕え子孫をいつくしむ徳が目立つのだ。②親や祖先によく仕える子や孫。孝子慈孫。

【孝孫】①よく祖父母や祖先に仕える孫。②祖先を祭る時に自ら称する語。

【孝鳥】からすの別名。からすは孝行(反哺の孝)の鳥といわれる。↓反哺(三三二ジー中)。

【孝弟・孝悌】親に孝行を尽くし、年長者に仕えて従順であること。用例〔論語、学而〕孝弟也者、其為仁之本与。↓親孝行と年長者への敬意とは、仁を行う根本であろうか。

【孝貞】よく父母に仕え、夫に誠をつくすこと。

【孝友】よく父母に仕えることと、兄弟仲良くすること。

【孝養】一 孝行をつくして、よく父母を養うこと。二 国死んだ親などの、後生をとむらうこと。転じて、供養の意にも用いる。

【孝廉】①孝行で心の潔白な人。②官吏の特別任用の一つ。漢代、州から秀才、郡から孝廉の人を挙げて官吏とした。後、宋・明・清に行われた。

4
【耆】
10画 9570 標
一 漢キ・呉ギ 支 qí
二 シ 紙 zhǐ
三 漢シ・呉ジ 寘 shì
7045 E3CB —

字義 一 ❶としより。六十歳の称。また、七十歳以上の称。❷おさ。かしら。❸さす。指図する。❹つよい。❺いたる。致す。❻魚のひれ。＝鰭(14108)。二 いたる。致す。三 たしなむ。好む。＝嗜(1643)。

解字 金文 篆文 形声。耂(老)＋旨音。音符の旨は、詣に通じ、いたるの意味。いたって年老いた人の意味を表す。

【耆艾】としより。老人。▼艾は、五十歳、一説に、七十歳。

【耆旧(舊)】①としよりと昔なじみ。②先輩。

【耆寿(壽)】年老いて徳望の高い人。老徳。

【耆儒】年とった儒者。徳望の高い学者。

【耆宿】徳望の高い老人。耆碩。

【耆碩】＝耆宿。▼碩は、大。

【耆耋】としより。老人。▼耆は六十歳、耋は七十歳または八十歳。

【耆徳】年老いて徳望の高い人。耆寿。

【耆年】としより。老人。

【耆婆】仏梵語 Jivaka の音訳。古代インド頻婆娑羅王の子。深く釈迦に帰依し、腹違いの兄、阿闍世王に勧めて信者とした。また、名医として聞こえた。

【耆欲】①たしなむ。このむ。欲する。②このみ。また、欲望。③好きな物。

4
【者】
8画 9571 教3 シャ もの
熟字訓 猛者
2852 8ED2 —

5
〔者〕
9画 9572 人 シャ 馬 zhě
9036 — —

筆順 一 + 土 耂 耂 者 者 者

字義 助 もの。ところ。もの-は。は。ば。こと。⇩助字・句法解説。

助字・句法解説

❶もの・ところ。人・事柄・事物・場所などを指していう。用例〔論語、里仁〕我未見好仁者、悪不仁者。↓私は、仁を好む人も不仁を憎む人もまだ見たことがない。／〔論語、述而〕択其善者而従之、其不善者而改之。↓他人のよいところは自分に取り入れ、悪いところは我が身を正すのだ。／〔北宋、蘇軾、前赤壁賦〕此非孟徳之困於周郎者乎。↓ここは、孟徳(曹操)が周郎(周瑜)に苦戦した場所ではないか。

❷もの-は。は。

㋐主格。訳…とは。…というのは。主格を特に提示したり語勢を強めたり、他と区別したりするのに用いる。用例〔孟子、梁恵王上〕無恒産而有恒心者、惟士為能。↓生活するためのきまった生業を持っていないで、常に変わらない道義心を持っている、ということは、ただ教養のある士人だけができることです。／〔唐、韓愈、師説〕師者所以伝道受業解惑也。↓師というのは、道理を伝え、学業を伝授し、迷いを解決するためのものである。

㋑理由。訳…の理由は。前に結果や現象を提示し、「者」以下に理由を説明する。用例〔史記、項羽本紀〕故遣将守関者、備他盗出入与非常也。↓わざわざ武将を派遣して函谷関を守らせたのは、他の盗賊の出入りと、非常事態とに備えたためである。

❸ば。仮定。訳もし…であれば。仮定を提示する。用例〔史記、楚世家〕不殺者、為楚国患。↓(伍奢の二人の子を)もし殺さなければ楚国に悩ましい事態を招きましょう。

❹こと。名詞化。訳…すること。動詞(句)や名詞(句)についてそれを名詞化する。数詞が続くことも多い。

用例〔本事詩〕目注者久之。⇩しばらくの間じっと見つめていた。／〔史記、項羽本紀〕挙レ所レ佩玉玦一、以示レ之者三。⇩腰におびている玉玦を挙げて合図することが三度に及んだ。

❺時を示す語にそえ、読まない。「昔者」「今者」など。用例〔韓非子、二柄〕昔者、韓昭侯、酔而寝。⇩昔、韓の昭侯が、酒に酔って横になって休んだ。

❻理由。「所ニ以ノA一スル者ハ、B（Aするゆえ（ゑ）んのものはB）」。訳Aするわけは Bである。AするのはBだからだ。Aという動作・行為の理由を「者」以下に説明する。用例〔史記、廉頗藺相如伝〕吾所ニ以為一レ此者、以下先ニ国家之急一、而後中私讎上也。⇩私がこのようにしているのは、国家の危急を第一とし、個人的な恨みごとなどは二の次にしているからなのだ。

【何者】なん-となれば。⇩何(247)の助字・句法解説。
【不者】しから-ずんば。⇩不(21)の助字・句法解説。

名前 ひさ・ひと
使いわけ もの〔物・者〕⇩物(7138)。
解字 金文 篆文 象形。金文は、台上にしばを集め積んで火をたく形にかたどり、にるの意味を表す。煮の原字。借りて、ものの意味に用いる。者(者)を音符に含む形声文字に、堵・奢・屠・暑・曙・渚・煮・緒・署・褚・覩・諸・賭・赭・都・闍などがあり、これらの漢字は、多く「集める・あかい・にる」などの意味を共有する。

逆 隠者・謁者・縁者・従者・王者・学者・間者・冠者・御者・験者・後者・行者・作者・識者・使者・侍者・信者・仁者・聖者・拙者・前者・壮者・尊者・達者・長者・覇者・亡者・勇者・来者

【者箇】これ。この。這箇。▼者は、這に通じる。
【者流】そのなかま。そのたぐい。「儒家者流」

4【耄】10画 9573 漢ボウ 呉モウ 号 mào 7046 E3CC 一

字義 ❶としより。九十歳の称。八十歳、または七十歳ともいう。❷老いる。年老いて心身が衰える。❸ほう-ける。ぼける。❹みだれる。心や目がくらむ。

解字 篆文 形声。篆文は、耂(老)＋蒿省音。音符の蒿は、眊に通じ、目がくらいの意味。もうろくするの意味を表す。

【耄期】老人。▼期は、百歳。
【耄△耋】年老いてぼける。▼耋は、八十歳。
【耄老】年老いてぼける。老人。
【耄△碌】国年老いて心身が衰える。また、その人。

5【耇】9画 9574 漢コウ 呉ク 有 gǒu 一 一 5340
［耈］9575 同字

字義 ❶老人のくろずんだ顔。年老いてしみのできた顔。❷老いる。長生きする。

解字 金文 篆文 形声。耂(老)＋句音。老は、としよりの意味。音符の句は、クルッと曲がるの意味。腰の曲がった老人の意味を表す。

【耇長】年老いて徳の高い人。老成者。
【耇老】としより。また、年老いて徳の高い人。老成者。

5【耈】11画 9575 コウ 耇(9574)と同字。→一二六六ページ中。 2 8504 一 5341

5【者】9画 (9572) シャ 者(9571)の旧字体。→一二六五ページ中。

6【耋】12画 9576 漢テツ 呉デチ 屑 diē 7047 E3CD 一
［耊］9577 同字

字義 ❶としより。八十歳の称。七十歳、または六十歳ともいう。❷老いる。としをとる。

解字 甲骨文 篆文 形声。耂(老)＋至音。音符の至は、いたるの意味。老いのきわまり、八十歳の老人の意味を表す。

【耋△艾】老人と若者。▼一説に、艾も老人という。
【耋老】としより。老人。

6【耊】10画 9577 テツ 耋(9576)と同字。→一二六六ページ中。 2 8503 一 5342

6画

而 しかして

〔部首解説〕而は、ひげを表し、これをもとにして耏などのひげを意味する文字ができている。また、それ以外でも而の形をもつ文字を含めて、字形分類上、部首に立てられる。

0【而】6画 9578 人 標 漢ジ 呉ニ 支 ér 2809 8EA7 一

筆順 一ㄏ丆丙而而

字義 助しか-して。しこ-うして。しか-るに。しか-も。しか-るを。すなわ-ち。⇩助字・句法解説。❶なんじ。おまえ。用例〔論語、微子〕而与ニ其従一レ辟レ人之士一也、豈若下従ニ辟レ世之士一哉。⇩あなたはあの、つまらない人を避けて立派な人を選んで仕えようとする者に付き従っているよりも、いっそ乱世を避けている者に付き従ってゆくほうがよいだろう。❷ひげ。口ひげ。あごひげ。❸よく(能)。

助字・句法解説

❶しか-して。しこ-うして。順接。訳そうして。訓読では前の語に「テ」「シテ」などの送りがなを添えて、直接には読まない場合が多い。また、順接として読みながら、意味上は逆接でつながっている場合もあるので注意を要する。用例〔論語、学而〕本立而道生。⇩根本がしっかりとできあがると、自然に仁道は生じてくる。／〔北宋、蘇軾、前赤壁賦〕是造物者之無尽蔵也。而吾与レ子之所ニ共適一。⇩これこそ造物者の造った尽きることのないものだ。そして私とあなたとが共に心のままに楽しんでいるものである。／〔荀子、勧学〕青取ニ之於藍一、而青ニ於藍一。⇩青の染料は藍草から取るが、もとの藍草よりも青い。

❷しか-るに。しか-も。しか-るを。逆接。訳そうではあるが。けれども。訓読では、前の語に「ドモ」などの送りがなを添えて直接には読まないことも多い。用例〔東晋、陶潜、飲酒詩〕結レ廬在ニ人境一、而無ニ車馬喧一。⇩粗末な家を人里の中に構えているが、それにもかかわらず訪問客の車馬の騒がしさがない。／〔大学〕心不レ在レ焉、視而不レ見、聴而不レ聞。⇩心がうわの空であれば、物を見ても見わけることができないし、物を聞いても耳には入らない。／〔論語、微子〕而誰以易レ之。⇩それなのに、誰と一緒にこの状態を変えてゆこうとするのか。

❸すなわ-ち。訳…すれば。…すると。前の内容が後の内容に対する仮定条件であることを表し

たり、前後の間に**曲折**のあることを表したりする。用例〔左伝、襄公三十〕子産而死、誰其嗣之。↓子産がもし死んだなら、誰がそのあとを継げよう。／〔礼記、檀弓下〕子之哭也、壹似重有憂者。而曰、然。↓「あなたの激しく泣くさまは、本当に何度もつらい目に会った人のようですね」と言うと、「そうです」と答えた。

【而已・而已矣】のみ。限定・強意。訳…だけである。…にすぎない。

文末に置かれて限定・強意の語気を表す。用例〔孟子、梁恵王上〕言挙斯心、加諸彼而已。↓肉親に対する愛情を推し進めて、世間一般の人に与えてゆく、ということを言っているのである。／〔論語、里仁〕夫子之道、忠恕而已矣。↓先生の説かれる道は、まごころのこもった思いやり、ただそれだけである。

名前　し・しか・なお・ゆき

解字　金文　篆文　**象形**。ひげの象形で、ひげの意味を表す。借りて、接続詞や、なんじの意味にも用いる。而を音符に含む形声文字は、「しなやか・やわらか」の意味を共有し、恧・耐・胹などがある。

【而△已・而△已△矣】のみ　⇨助字・句法解説。

【而下】以下。それから(これから)下。

【而還】それから。その後。爾来。

【而後】これからのち。以後。今後。

【而今而後】今より以後。これから。今後。

【而夫】常人。凡夫。

【而来(來)】それから。以来。用例〔孟子、尽心下〕由孔子而来、至於今、百有余歳。↓孔子から以後現在まで、百余年である。

【而立】三十歳をいう。『論語』為政編に「三十而立」とあるのに基づく。⇨コラム**年齢の別称**(四六六ページ)。

3【耍】9画 9579 漢サ 呉シャ 馬 shuǎ　— — 5343

字義　❶すぐれてすばやい。❷たわむれる。からかう。

解字　不明。もと、こざかしいの意味の傻と同一の言葉であったものが、方言によって意味が変化するにつれて、字体の方も傻の変形である耍となった可能性がある。

3【耏】9画 9580　一 漢ジ・呉ニ 因 ér　二 漢ダイ・呉ナイ 隊 nài　— — 5345

字義　一❶ほおひげ。❷ひげや髪が多い。二ひげそる。刑罰の一つ。ほおひげをそりおとすもの。

解字　篆文　**形声**。彡＋而音。彡は、長い毛の象形。音符の而も、ひげの意味。ほおひげ・獣の毛が多いの意味を表す。

3【耎】9画 9581 漢ゼン 呉ネン 銑 ruǎn　2 8505 — 5344

字義　❶ねもとより末の方が大きい。❷よわい。弱る。❸やわらかい。❹しりぞく。❺うごめく。

解字　篆文　**会意**。而＋大。而は、ひげの象形で、やわらかいの意味。大は、ひとの象形。よわよわしい人の意味を表す。耎の意味と音符とを含む形声文字に、蝡・輭などがある。

【耎△脆】弱い。また、柔弱。▼脆も、弱い。

3【耐】9画 (2721)　タイ　寸部。→四一三ページ下。

3【耑】9画 9582　一タン 寒 duān　二セン 先 zhuān　2 8506 — 5346

字義　一❶初めて生じた物のいただき。❷はし。こぐち。＝端(8658)。二❶あな。❷もっぱら。＝専(2719)。

解字　甲骨文　金文　篆文　**象形**。金文でもわかるように、水分を得て植物が根をはり発芽したさまにかたどる。もののはじめの意味を表す。端の原字。耑を音符に含む形声文字に、喘・惴・揣・湍・瑞・端などがある。

6画　耒(耒)　すきへん・らいすき

〔部首解説〕耒を意符として、農具のすきや、耕作に関する文字ができている。

0 耒 一一六七	耖 一一六八	耜 一一六八	9 耦 一一六八
2 耓 一一六七	耙 一一六八	粗 一一六八	10 耨 一一六八
3 耔 一一六七	耗 一一六八	6 耠 一一六八	11 耬 一一六九
4 耘 一一六七	5 耞 一一六八	7 耡 一一六八	12 耮 一一六九
耕 一一六七	粔 一一六八	8 耤 一一六八	15 耰 一一六九

0【耒】6画 9583　一ライ 隊 lèi　二ルイ 紙 賄 lěi　7048 E3CE —

字義　一❶すき。手に持って田畑をたがやすもので木をまげて造った農具。用例〔韓非子、五蠹〕釈其耒而守株、冀復得兎。↓自分の鋤を放り出して切り株を見守り、もう一度うさぎを手に入れたいと願った。❷すきの柄。刃の部分を耜という。

解字　篆文　**会意**。丰＋木。丰は、左右に多くの歯を持つ刃物の意味。木の柄の先に除草具をとりつけた、すきの意味を表す。

耒耜

【耒△耜】すき。▼耒はすきの柄、耜はすきの刃。

【耒△耨】すきとくわ。また、すきでくさぎる。▼耨は、くわ、また、くさぎる意。

2【耓】8画 9584 漢テイ 呉チョウ(チャウ) 青 tíng　— — 5347

字義　鋤の刃。木製の鋤の刃。

解字　**形声**。耒＋丁音。

3【耔】9画 9585　シ 紙 zǐ　1 9037 — 5348

字義　つちかう(培)。もとをおおう。根に土をかけて育てる。

解字　**形声**。耒＋子音。音符の子は、そだてるの意味。すきで耕して作物を育てるの意味を表す。

4【耘】10画 9586　ウン 文 問 yún　7049 E3CF —

字義　❶くさぎる。田畑の雑草を除きさる。❷つちかう。根もとに土をかける。❸のぞく。とりさる。

解字　**形声**。耒＋云音。音符の云は、めぐり動かすの意味。すきで土を動かし草を除くの意味を表す。

【耘耕】たがやしくさぎる。

【耘△耔】田畑の雑草を取ることと、苗の根もとに土をかけること。用例〔東晋、陶潜、帰去来辞〕懐良辰以孤往、或植杖而耘耔。↓天気の良い日を選んで、一人で行き、時にはつえを地に突き刺しておいて、雑草取りをしたり草の根に土をかけたりする。

【耘△鋤】①雑草を取り、田畑を耕すこと。②国土を平定すること。

4【耕】10画 9587 教5 コウ たがや-す
4［耕］10画 9588 漢コウ(カウ) 呉キョウ(キャウ) 庚 gēng　2544 8D6B —

筆順　一 三 丰 耒 耒 耒 耕 耕 耕

［畊］7623 古字

字義　❶たがや-す。田畑の土をすきかえす。「耕作」❷ならす。たいらにする。❸農事につとめる。つとめはげむ。❹農夫がたがやすように、働いて食を求める。「筆耕」「舌耕」❺すき。手に持ってたがやすき。また、その柄。

名前 おさむ・こう・たがやす・つとむ・やす

解字 篆文 形声。耒＋井(丼)音。音符の丼セイは、幵の変形。幵は、かた・わくの意味。耒は、すきの意味。すきで形を整えて農地をたがやすの意味を表す。

逆 帰耕・親耕・舌耕・農耕・筆耕

【耕耘】コウウン たがやし、くさぎる。耕作する。▼耘は、草をかること。

【耕鑿】コウサク 田畑をたがやして食べ、井戸を掘って水を飲むこと。

【耕作】コウサク たがやして作物を植えつけること。

【耕牛】コウギュウ 耕作に用いる牛。

【耕稼】コウカ たがやして穀物を植えつけること。耕種。

【耕種】コウシュ 田畑をたがやして作物を植えつけること。

【耕穡】コウショク 作物の植えつけと取り入れ。

【耕織】コウショク 田畑をたがやすことと、機はたを織ること。

【耕地】コウチ ①土地をたがやす。②たがやされた田畑。また、耕作すべき土地。

【耕田】コウデン 田畑をたがやす。また、たがやした田畑。

【耕耨】コウドウ たがやし、くさぎる。耕作する。耕耘。

【耕農】コウノウ 田畑を作る仕事。また、農夫。

【耕牧】コウボク 田畑をたがやし、家畜を飼う。農業と牧畜。耕畜。

【耕耒】コウライ ①田畑をたがやすすき。②耕作する。

4 【耖】10画 9589 漢ソウ(サウ) 呉ショウ(セウ) 効 chào ²8507 ― 5349

字義 ❶まぐわの一種。一度すいた土をさらにすきかえして、いっそう細かくするのに用いる。❷一度すいた土をさらにすいて細かくする。

解字 形声。耒＋少音。

4 【耙】10画 9590 ハ 禡 bà, pá 7050 E3D0 ―

字義 まぐわの一種。田畑をからすきで耕したのち、さらに土のかたまりをくだきならすすき。

解字 形声。耒＋巴音。

4 【耗】10画 9591 常 モウ・コウ 4455 96D5 ―

4 『耗』10画 9592 一 コウ(カウ) 号 hào 二 漢ボウ・呉モウ 号 mào 慣モウ

筆順 一 三 丰 丰 耒 耒 耓 耗

【秏】8441 本字

字義 一 ❶へる(減)。へらす。「消耗」❷つきる。けす。なくなる。ついやす。❸むなしい(虚)。❹土地がやせている。地味が悪い。❺悪い。悪くする。❻しらせ。たより。二 くらい(暗)。＝眊(7977)。

参考 消耗ショウコウ・損耗ソンコウをショウモウ・ソンモウと読むのは、誤読による慣用読み。

解字 篆文 形声。耒＋毛音。もと、禾＋毛音。禾は、いねの意味。音符の毛は、けのように細かいの意味。細かな実の稲の意味を表し、転じて、小さくなる・へるの意味を表す。秏の誤字が俗字として用いられ、定着したもの。

逆 消耗・衰耗・損耗

【耗竭】コウケツ へってつきる。なくなる。

【耗減】コウゲン へる。損減。

【耗弱】コウジャク よわる。衰弱する。「心神耗弱」

【耗損】コウソン 使いへらす。また、へる。損耗。

【耗斁】コウト へらしやぶる。悪くする。また、衰え弱る。

【耗費】コウヒ ①ついやす。消費する。②なくなる。使いはたされる。

【耗問】コウモン たより。音信。

【耗乱(亂)】コウラン そこない乱す。また、やぶれ乱れる。

5 【耞】11画 9593 漢カ 呉ケ 麻 jiā ― ― 5351

字義 からざお。脱穀に用いる農具。

解字 形声。耒＋加音。

5 【耟】11画 9594 漢キョ 呉ゴ 語 jù ― ― 5352

字義 鋤すきの先。また、鋤。

解字 形声。耒＋巨音。

5 【耜】11画 9595 漢シ 呉ジ 紙 sì 7051 E3D1 ―

字義 ❶すき。また、すきの刃。先端の土をおこす部分。❷すく。すきを入れる。

解字 形声。耒＋㠯(已)音。音符の㠯イ=シは「すき」の原字。㠯が、もちいるの意味に転じたため、耒を付した。

5 【耝】11画 9596 ショ 御 qù ― ― 5350

字義 ❶耕されて土が起きる。❷民が互いに助け合う。

解字 形声。耒＋且音。

6 【耠】12画 9597 漢コウ(カフ) 呉ゴウ(ガフ) 合 huō ― ― 5353

字義 耕す。

解字 形声。耒＋合音。

7 【耡】13画 9598 漢ソ 呉ジョ 魚 chú 7052 E3D2 ―

字義 ❶殷インの税法。六百三十畝ボを九分し、中央を公田とし、八家がそれぞれ一区画を受け、共同で公田を耕して、公田の収穫を税として納める法。周代の井田法セイデンホウもこれに基づく。❷周代の村里の役所。❸周代の人民がたがいに助け合うしくみ。❹たすける。❺すく。たがやす。

解字 篆文 形声。耒＋助音。音符の助は、たすけるの意味。助けあって公共の田を耕作し、その収穫を税とする中国古代の税制の名を表す。

8 【耤】14画 9599 一 漢セキ・呉ジャク 陌 jí 二 漢シャ・呉ジャ 禡 jiè ²8508 ― 5354

字義 一 ❶天子が民の力を借りて田畑をみずからたがやす。また、その耕作地。耤田。❷かりる(借)。❸とりたて。税。二 しきもの。＝藉(10366)。

解字 形声。耒＋昔音。

9 【耦】15画 9600 漢ゴウ・呉グ 有 ǒu 慣グウ 9038 ― 5355

字義 ❶二人並んで耕すこと。また、その広さ。古代では幅五寸のすきを用いて五寸幅に耕すのを伐といい、二人並んで一尺幅に耕すのを耦といった。用例 (論語、微子)長沮・桀溺チョウソ・ケツデキ、耦而耕グウしてたがやす。↓長沮と桀溺とが、二人並んで耕していた。❷二つ。二人一組の仲間。また、つれあい。❸同類。仲間。また、相手。❹あう。㋐一つになる。合致する。㋑向き合う。㋒並ぶ。㋓つれあう。夫婦になる。❺偶数。

解字 篆文 形声。耒＋禺音。耒は、すきの意味。音符の禺グは、偶に通じ、つれあいの意味。ふたりならんで耕すの意味を表す。

【耦語】グウゴ 向かい合ってひそひそ話すこと。

【耦耕】グウコウ ふたりならんで耕すこと。ふたりがすきをならべて一緒に耕すこと。

【耦数(數)】グウスウ 偶数。丁チョウのかず。

10 【耨】16画 9601 漢ドウ 呉ヌ 宥 nòu 7053 E3D3 ―

『鎒』12817 同字

字義 ❶くさぎる。すきで雑草を刈りとる。❷のぞく。わるいことを除き去る。❸草を削り取る農具。一種の鍬くわ。

解字 形声。耒＋辱音。音符の辱ジョクは、大はまぐりのからを刃物とした草刈り具で、草を刈りしくの意味。辱が、はずかしめるの意味に転じたため、耒を付した。

【耨耕】ドウコウ くさぎりたがやす。田畑の雑草を除き、たがやす。

11【耬】17画 9602 漢ロウ 呉ル 尤 有 lóu, lǒu
字義 ❶種まき器。❷あぜを耕す。国おだまき。
解字 形声。耒+婁音。
2 8509 — 5356

12【耮】18画 9603 ロウ(ラウ) 号 lào
字義 田畑をならす農具。
解字 形声。耒+勞音。
— — 5357

15【耰】21画 9604 漢ユウ(イウ) 呉ウ 尤 yōu
字義 ❶種をまいて土をかぶせる。用例〔論語、微子〕耰而不レ輟(ユウしてやめず)。↓種をまいて土をかぶせて、その手を休めない。❷土ならし。土のかたまりを砕いてならす農具。
解字 形声。耒+憂音。
2 8510 — 5358

6画 耳 みみ・みみへん

〔部首解説〕耳を意符として、耳の働きや状態に関する文字ができている。

0 耳 一一六九
1 耴 一一六九
2 取 二三二
耵 一一六九
3 耷 一一六九
耶 一一六九
4 耺 一一七〇
耹 一一七〇
耿 一一七〇
耾 一一七〇
聀 一一七〇
耽 一一七〇
耼 一一七〇
恥 五三六
耻 一一七〇
5 聄 一一七〇
聃 一一七〇
聊 一一七〇
聆 一一七一
6 聒 一一七一
聠 一一七一
7 聖 一一七一
聘 一一七二
8 聝 一一七二
聚 一一七二
聟 一一七三
聡 一一七三
聞 一一七三
聠 一一七三
聢 一一七三
9 聦 一一七三
聤 一一七三
聨 一一七三
10 聭 一一七四
11 聱 一一七四
聳 一一七四
聲 三二六
聰 一一七三
聴 一一七四
鵈 一六二八
聯 一一七四
12 聵 一一七四
聶 一一七五
職 一一七五
叢 二三五
14 聻 一一七五
聹 一一七五
16 聽 一一七五
聾 一一七五

0【耳】6画 9605 教1 ジ みみ
一 漢ジ・呉ニ 紙 ěr
二 漢ジョウ・呉ニョウ 蒸 rēng
2810 8EA8 —

筆順 一 丅 F F E 耳

字義 一 助のみ。⇩助字・句法解説。❶みみ。㋐顔の両側にあって音声を聞く働きをするもの。五官の一つ。「耳目」㋑つまみ。物の両側についていて耳のような形をしているもの。❷みみにする。聞く。用例〔韓非子、外儲説左上〕我取レ登(われトウをとるに)、既耳而目レ之矣(すでにみみにしてこれをめにす)。↓私は、王登を任用するとき、評判を耳にした後、自分の目で見てそれを確かめた。二かさなる。=仍(173)。→耳孫。国みみ。紙・布などのふち・へり。

助字・句法解説
のみ。限定・強意。訳…だけ。…にすぎない。…なのだ。
類爾・已・而已。
文末に置かれ、限定・強意の語気を表す。「唯/直/徒A耳(ただAのみ)」「独A耳(ひとりAのみ)」の形で用いられることもある。
用例〔史記、項羽本紀〕復聚二其騎一、亡二其両騎一耳(またそのキをあつむるに、そのリョウキをうしなえ(へ)るのみ)。↓再びその騎馬の士を集めたところ、ただ二騎をうしなっただけであった。/〔孟子、梁恵王上〕直不二百歩一耳(ただヒャッポならざるのみ)。↓ただ百歩でないだけである。

名前 さと・み・みみ 難読 耳成山(みみなしやま)・耳朶(みみたぶ)

解字 金文  篆文  象形。金文は、みみの象形。耳を音符に含む形声文字に、咡ジ・峏ジ・餌ジなどがあり、これらの漢字は、「みみ」の意味を共有している。

逆 牛耳・属耳・洗耳・俗耳・里耳

【耳学(學)】ジガク 耳学問。聞き覚えの学問。聞きかじりの学問。
【耳環】ジカン 耳輪。
【耳語】ゴジ 耳に口をよせてささやくこと。耳うち。ひそひそばなし。
【耳耳】ジジ ①さかんなさま。②なよなよとしているさま。③明らかなさま。
【耳順】ジジュン ①みみしたがう。何事を聞いても、すなおに理解できること。『論語』為政編に「六十而耳順(ロクジュウにしてみみしたがう(ふ))」とあるのに基づく。→六十而耳順(一四八ページ下)。②六十歳。⇩コラム年齢の別称(四六六ページ)。
【耳食】ジショク ①聞いただけで物の味を考えること。②他人の説を聞いて、そのまま信用すること。
【耳孫】ジソン・ジョウソン 末の子孫。耳は、かさなる意。また、先祖のことを耳で聞くだけの意ともいう。何代目の子孫かについては三説ある。㋐曽孫(ソウソン)の別名。(自分から四代目)㋑来孫の別名。玄孫の子。(自分から六代目)㋒玄孫の曽孫。(自分から八代目)
【耳△朶】ジダ ①みみたぶ。②みみ。
【耳提面命】ジテイメンメイ 人の耳をひきよせ、面と向かって言い聞かせて、丁寧に教える。
【耳△璫】ジトウ 女性の耳かざり。耳だま。
【耳聞不レ如二目見一】ジブンはモッケンにしかず 耳で聞くのは目で見るのに及ばない。百聞は一見にしかず。〔説苑、政理〕
【耳目】ジモク ①耳と目。②聞くことと見ること。③耳や目となって働くもの。人の手先。④指導者。
【耳目△之官】ジモクのカン ①天子の耳や目となって国家の治安を保護する官。御史大夫(ギョシタイフ)。②耳や目の働き・役目。官職・役目の意。
【耳△聾】ジロウ 耳が聞こえないこと。
【△掩レ耳盗レ鐘】みみをおお(ほ)い(ひ)てかねをぬすむ 音がして人に知られることを恐れ、耳をふさいで鐘を盗むこと。小策を用いて自分をあざむくことのたとえ。〔呂氏春秋、自知〕
【△掩レ耳盗レ鈴】みみをおお(ほ)い(ひ)てすずをぬすむ =掩レ耳盗レ鐘(みみをおお(ほ)い(ひ)てかねをぬすむ)。
【逆レ耳】みみにさからう(ふ) 善言などが心に入りがたいこと。気にさわること。逆耳(ギャクジ)。用例〔史記、留侯世家〕忠言逆レ耳利二於行一(チュウゲンはみみにさからい(ひ)、おこない(ひ)にリあり)。↓まごころからの諫めの言葉はとかく聞きづらいものだが、自分の行いのためには役立つ。
【傾レ耳】みみをかたむく 注意して聞く。側レ耳(みみをそばだつ)。
【洗レ耳】みみをあらう(ふ) =洗耳(センジ)(八三四ページ上)。
【側レ耳】みみをそばだつ 耳をかたむけて聞く。気をつけて聞く。側耳(ソクジ)。

1【耴】7画 9606 チョウ(テフ) 葉 zhé
— — 5359
字義 耳が垂れさがる。
解字 篆文  指事。耳+乚。乚は、耳たぶのたれさがる形。両わきにたれさがる耳の意味を表す。耴を音符に含む形声文字に、輒チョウ・鮿チョウなどがある。

2【取】8画 (1280) シュ 又部。→二三二ページ下。

2【耵】8画 9607 漢テイ 呉チョウ(チャウ) 迥 dǐng
1 9039 — 5360
字義 耵聹(テイネイ)は、耳あか。耳くそ。
解字 形声。耳+丁音。

3【耷】9画 9608 一 トウ(タウ) 合 dā 二 チョウ(テフ)
1 9040 — 5361
字義 一 大きな耳。二 耴(9606)の俗字。
解字 形声。耳+大。

3【耶】9画 9609 人 一 ヤ 麻 yē 二 漢シャ・呉ジャ 麻 xié
4477 96EB —
解字 会意。耳+大。

筆順 一 丅 F F E 耳 耶 耶 耶

字義 ■一 助 や。か。⇨助字・句法解説。❶父を呼ぶことば。＝爺(7097)。❷主人。■二 よこしま。＝邪(12269)。

助字・句法解説

や。か。疑問・反語。訳 …であるか。どうして…だろうか。

類 邪・乎。

文末に置かれ、疑問・反語の語気を表す。

用例〔韓非子、説林上〕温人之周。周不納客。問之曰、客耶。対曰、主人。↓温の人が周に行った。周は旅客を入国させていなかったので、尋ねて言った、「他国からの旅人なのか」。答えて言った、「周の者です」。／〔人虎伝〕生乃与君等為伍耶。↓おれがなんで君たちと仲間でいられようか。

名前 や　難読 耶路撒冷（エルサレム）

解字 会意。耳＋阝(邑)。もと、邪(12269)の俗字。

【耶嬢(孃)】ヤジョウ 父と母。▼耶は爺で父、嬢は母。用例〔唐、杜甫、兵車行〕耶嬢妻子走相送、塵埃不見咸陽橋。↓父母や妻子は、走りながら(出征する兵士を)見送り、土ぼこりがたちこめて、咸陽の橋も見えない。

【耶△蘇教】ヤソキョウ キリスト教。▼耶蘇は、イエス、ポルトガル語 Jesusの音訳。

【耶馬台(臺)】ヤバタイ・ヤマタイ 昔、中国人が日本を呼んだ語。女王の卑弥呼（ヒミコ）が支配していた地で、三国時代、魏（ギ）と交通した。その地は、九州地方とも、大和（やまと）地方ともいわれる。

【耶律△楚材】ヤリツソザイ 元の政治家。契丹（キッタン）の人。字（あざな）は晋卿（シンケイ）、号は湛然居士（タンゼンコジ）・玉泉老人。諡（おくりな）は文正。天文・地理・律暦・医卜（イボク）に精通し、金に仕え、のち元の太祖に仕えた。太宗のとき中書令となり、蒙古（モウコ）の弊風を改め、元王朝の制度文物を定めた。著に『湛然居士集』がある。(一一九〇—一二四四)

4【耺】10画 9610 ウン 図 yún ―― ― ― 5363

字義 ❶耳鳴り。❷鐘鼓の音。国 ショク。職(9646)の俗字。

解字 形声。耳＋云(音)。音符の云（ウン）は、ウンという音を表す。

4【耹】10画 9611 漢 キン 呉 ゴン 侵 qín ―― ― ― 5362

字義 ❶音。❷耹遂（キンスイ）は、古代の地名。

解字 形声。耳＋今(音)。

4【耿】10画 9612 漢 コウ(カウ) 呉 キョウ(キャウ) 梗 gěng ―― 7054 E3D4 ―

字義 ❶耳が大きく、垂れて頰（おお）につく。❷あきらか。❸てる。光る。❹きよい。❺うれえる。❻志操が頑固なさま。

解字 金文 [金文] 篆文 [篆文] 会意。金文は、巨＋火。巨は、大きい の意味。のち、耳に書き誤られた。大きな火の意味から、あきらかの意味を表す。

【耿介】コウカイ ①節操を固く守ること。②徳が光り輝いて偉大なさま。

【耿光】コウコウ ①明らかな光。②徳の盛んな形容。

【耿耿】コウコウ ①心が安らかでないさま。②気にかかることがあって眠れないさま。③光るさま。輝くさま。④小さいさま。また、おとっているさま。⑤光のかすかなさま。用例〔唐、白居易、長恨歌〕遅遅鐘鼓初長夜（チチたるショウコはじめてながきよる）、耿耿星河欲曙天（コウコウたるセイガあけんとほっするテン）。↓(秋の)夜長を迎えたばかりなのに、(時を知らせる)鐘や太鼓の音がゆっくりと聞こえ、かすかに輝く天の川が、夜が明けようとする空にみえる。

4【耾】10画 9613 漢 コウ(クワウ) 呉 オウ(ワウ) 庚 hōng ―― ― ― 5365

字義 ❶ささやく。❷みみなり。❸耳が不自由なこと。❹耾耾（コウコウ）は、大きい声の形容。また、風の音の形容。

解字 形声。耳＋厷(音)。

4【聀】10画 9614 ショク 職(9646)の俗字。→一二七五㌻上。 ―― ― ― 5366

4【耽】10画 9615 人 標 タン 覃 dān ―― 3531 925E ―

筆順 一 丁 F 耳 耳 耴 耽

［躭］11842 俗字

字義 ❶耳が大きく垂れさがっていること。❷このむ。❸たのしむ。❹ふけ-る。度を越して心をそそぐ。また、度を越して楽しむ。「耽溺（タンデキ）」

解字 篆文 [篆文] 形声。耳＋冘(音)。音符の冘（イン）は、しずむの意味。耳が垂れさがるの意味を表す。また、転じて、対象に心が向かい沈む、ふけるの意味をも表す。

【耽愛】タンアイ 度を越して愛する。溺愛（デキアイ）。

【耽悦】タンエツ 物事にふけって喜び楽しむこと。

【耽玩】タンガン ふけり、もてあそぶ。大いに好むこと。

【耽好】タンコウ ふけり好む。大いに好むこと。

【耽思】タンシ 思いにふける。深く思う。

【耽△嗜】タンシ ふけり楽しむ。深くたしなむ。

【耽耽】タンタン ①奥深いさま。②樹木が茂るさま。

【耽溺】タンデキ ふけりおぼれる。よくないことに夢中になって、他のことをかえりみなくなること。

【耽読(讀)】タンドク 国 書物を読みふける。美を求め、美に熱中すること。

【耽美】タンビ 深くあじわう。

【耽味】タンミ 酒色にふけり、おぼれる。

【耽△湎】タンメン・タンベン

【耽楽(樂)】タンラク ふけり楽しむ。

【耽惑】タンワク ふけりまどう。熱中するあまり心がまどう。

4【耼】10画 9616 タン 覃 dān ―― 9041 ― 5364

［聃］9619 俗字

字義 ❶耳たぶが大きく垂れさがっていること。❷周代の国の名。今の湖北省荊門（ケイモン）市。❸老子の字（あざな）。また、その諡（おくりな）ともいう。

解字 篆文 [篆文] 形声。耳＋冄(音)。音符の冄（セン＝タン）は、垂れひげの形象。両耳の耳たぶが大きく垂れさがるの意味を表す。また、耳たぶの大きかった老子の字（あざな）。

4【恥】10画 (3526) チ 心部。→五三六㌻中。

4【耻】10画 9617 チ 恥(3526)の俗字。→五三六㌻中。 ―― 7055 E3D5 ―

5【聄】11画 9618 シン 軫 zhěn ―― ― ― 5367

字義 ❶鬼神に告げる。❷聴く。

解字 形声。耳＋㐱(音)。

5【聃】11画 9619 タン 耼(9616)の俗字。→一二七〇㌻下。 ―― ₂8511 ― ―

5【聊】11画 9620 標 リョウ(レウ) 蕭 liáo ―― 7056 E3D6 ―

字義 ❶耳がなる。耳鳴りがする。❷たよる。たのむ。❸楽しむ。また、かり。かりそめ。しばらく。❹おそれる。❺願う。❻いささ-か。すこし。わずか。用例〔東晋、陶潜、帰去来辞〕聊乗化以帰尽（いささかカにジョウじて、もってつくるにキせん）、楽夫天命復奚疑（かのテンメイをたのしみてまたなにをかうたがわ(は)ん）。↓ともあれ自然の変化にまかせて、(自分の命が)尽きるのを待とう。あの天命というものを楽しみそれに安んじて、その上何を疑うことがあろうか。❼語調をととのえる助字。用例〔唐、韓愈、与孟東野書〕到今年秋、聊復辞去（ことしのあき、いたれば、いささかまたジキョせん）。↓今年の秋になれば、改めて辞去するつもりです。

解字 篆文 [篆文] 形声。耳＋卯(丣)(音)。音符の丣（リュウ）は、とどまるの意味。耳につくの意味から、みみなり・耳にとめてたのしむ・おそれるの意味などを表す。また、転じて、いささかの意味をも表す。

【聊斎(齋)志異】リョウサイシイ 書名。十六巻。清（シン）の蒲松齢談四百四十五編を収めた怪異小説集。

【聊△爾】(リョウジ) ①かりそめ。②ちょっと。すこし。③しばらく。④国不注意。そこつ。失礼。

【聊頼】(リョウライ) 安んじたよること。安心してたよりにする。

【聊浪】(リョウロウ) 気ままにぶらつくこと。

5 【聆】 11画 9621 漢レイ 呉リョウ(リャウ) 青 líng ―― 7057 E3D7 ―

字義 ❶きく(聴)。用例(人虎伝)修聆二其音一(サンそのこえ、(ゑ)をきくに)似二李徴者一(リチョウなるものににたり)。↓袁傪(エンサン)がその声をよく聴いてみたところ、李徴に似ていた。❷さとる。❸よわい。年齢。

解字 篆文 形声。耳＋令音。音符の令は、神意を聴くの意味。耳を付し、聞くの意味を表す。

6 【聒】 12画 9622 漢カツ(クワツ) 呉カチ(クワチ) 曷 guō ―― 7058 E3D8 ―

字義 ❶かまびすーしい(かまびすし)。かしましい。やかましい。また、やかましい声が耳を乱す。❷おろかなさま。

解字 篆文 形声。耳＋舌(昏)音。音符の昏(カツ)は、ほしいままにするの意味。ほしいままに話して、耳にやかましいの意味を表す。

【聒聒】(カツカツ) ①無知なさま。②多言で人の意を乱すこと。③馬がやかましく鳴く声の形容。④虫の名。くつわむし。「聒聒児」

6 【聅】 12画 9623 ヘイ 聅(9633)の俗字。→一二七三ページ下。 ― ― 5368

7 【聖】 13画 9624 教6 セイ 3227 90B9 ―

7 【聖】 13画 9625 漢セイ 呉ショウ(シャウ) 敬 shèng

筆順 一 下 E 耳 耳 耵 耶 聖 聖

【垩】 1959 俗字

字義 ❶ひじり。㋐知徳にすぐれ道理に明るい人。聖人。用例(論語、雍也)何事二於仁一(なんぞジンにことどまらん)。必也聖乎(かならずやセイか)。↓どうして仁にとどまっていようか(仁どころではない)。きっとそれは聖人であろうな。㋑一芸一道の奥義をきわめた人。「詩聖」❷さとい。かしこい。知徳にすぐれている。❸天子の尊称。また、天子に関する事物の上にそえる語。「聖恩」❹清酒の別名。↕賢(11593)。国ひじり。㋐美しい。けがれがない。清らか。尊い。「聖書」「聖火」㋑高徳の僧。大徳。「聖人(ショウニン)」

名前 あき・あきら・きよ・きよし・さと・さとし・さとる・しょう・せい・たから・とし・ひじり・ひと・まさ・よし

解字 金文 篆文 形声。耳＋口＋王(壬)音。口は、いのりのことばの意味。音符の壬(テイ)は、せのびした人の象形。耳をそばだてて神意に耳を傾け、よくきくことのできる人の意味を表す。

逆 賢聖・至聖・詩聖・酒聖・書聖・神聖・斉聖・大聖・列聖

【聖△渥】(セイアク) 天子のめぐみ。▼渥は、うるおすこと。

【聖意】(セイイ) 聖人の心。また、天子の心。

【聖域】(セイイキ) ①聖人の地位。また、聖人の境地。②国神聖な地域。

【聖運】(セイウン) 天子の運。また、天子となる運命。

【聖王】(セイオウ) すぐれた天子。また、天子の尊称。

【聖恩】(セイオン) 天子のめぐみ。皇恩。

【聖化】(セイカ) 天子の教化。天子の徳化。

【聖△駕】(セイガ) 天子の乗り物。車駕。

【聖△誡】(セイカイ) 聖人のいましめ。また、天子のさとし。

【聖△誨】(セイカイ) ①聖人の教え。聖教。②天子の教え。

【聖学(學)】(セイガク) ①聖人の説いた学問。②聖人の道を修める学問。儒教。

【聖鑑】(セイカン) 天子のおめがね。天子のものを見抜く力。

【聖顔】(セイガン) 天子のかお。天顔。

【聖教】(セイキョウ) 聖人の教え。聖訓。(ショウギョウ) 仏仏教。また、その教えを記した書物。経・律・論の三種がある。

【聖業】(セイギョウ) 天子の事業。

【聖君】(セイクン) ①すぐれた天子。徳の高い天子。聖王。②徳の高い人。

【聖訓】(セイクン) ①聖人の教え。聖教。②天子の教え。聖勅。

【聖経(經)】(セイケイ) 聖人の著した書。儒教の経典。

【聖賢】(セイケン) ①聖人と賢人。②清酒と濁酒。

【聖言】(セイゲン) ①聖人のことば。②天子のことば。

【聖功】(セイコウ) ①聖人の仕事。②天子の功績。

【聖皇】(セイコウ) 天子の尊称。聖帝。

【聖作】(セイサク) 天子の作った詩文をいう。聖製。御製。

【聖算】(セイサン) ①天子の年齢。②天子のはかりごと。

【聖△餐】(セイサン) キリストが最後の晩の食事に、パンとぶどう酒をとり、「これわが身体なり、わが血なり」と言ったことに基づき、キリストの象徴として、パンとぶどう酒を人々にわけ与えるキリスト教の儀式。

【聖子神孫】(セイシシンソン) 聖人の子や神の孫。天子の血すじ。歴代の天子。

【聖旨】(セイシ) 天子の考え。天子の命令。

【聖姿】(セイシ) りっぱな姿。また、天子の姿。

【聖思】(セイシ) 天子の考え。聖慮。

【聖嗣】(セイシ) 天子のよつぎ。皇嗣。

【聖日】(セイジツ) ①神聖な太陽。②天子。③キリスト教で、日曜日をいう。安息日。

【聖者】(セイジャ) ①聖人。ひじり。②その宗教で、特にすぐれた信仰者。キリスト教では、偉大な信徒・殉教者をいう。(ショウジャ) 仏さとりを開いた人。↕凡夫(一六八ページ上)。

【聖主】(セイシュ) りっぱな天子。また、天子の尊称。用例(唐、白居易、長恨歌)蜀江水碧蜀山青(ショッコウはみず(づ)みどりにして、ショクザンはあお(を)く)、聖主朝朝暮暮情(セイシュチョウチョウボボのジョウ)。↓蜀の川は碧玉のようにふかみどりの色であり、蜀の山は青々として美しいが、天子は毎朝毎晩悲しい思いをつのらせている。

【聖酒】(セイシュ) 清酒。↕賢酒(一三六三ページ中)。

【聖寿(壽)】(セイジュ) 天子の年齢。

【聖衆】(ショウジュ) 仏声聞(ショウモン)・菩薩(ボサツ)といった、仏の聖者の群れ。

【聖獣(獸)】(セイジュウ) 麒麟(キリン)をいう。

【聖緒】(セイショ) 天子の事業。聖業。

【聖詔】(セイショウ) 天子のみことのり。みことのり。

【聖上】(セイジョウ) 天子の尊称。主上。

【聖心】(セイシン) ①聖人の心。②天子の心。

【聖臣】(セイシン) 才知の最もすぐれた臣下。賢臣。

【聖神】(セイシン) ①知徳の優れて霊妙な働きをすること。②天子。③聖人。

【聖人】(セイジン) ①知徳がすぐれて、事理に通達した人。ひじり。用例(論語、季氏)畏二聖人之言一(セイジンのゲンをおそる)。↓聖人の言葉を畏れる。②尭(ギョウ)・舜(シュン)・禹(ウ)・湯(トウ)・文王・武王・周公・孔子などをいう。③道家で、無為自然の道を体得した人。④唐以後、天子の尊称に用いる。⑤清酒。↕賢人(一三六三ページ下)。(ショウニン) 仏知徳がすぐれて慈悲深い人。また、高徳の僧。

【聖△瑞】(セイズイ) ①聖天子となる、めでたいきざし。また、聖人となる吉兆。②聖天子の代に現れるめでたいしるし。

【聖世】(セイセイ) 聖天子の代をいう。また、現在の天子の代の尊称。昭代。聖代。

【聖制】(セイセイ) ①聖人や天子が定めたおきて。②天子が作った詩文。聖製。御製。

【聖政】(セイセイ) 天子のまつりごと。

【聖製】(セイセイ) 天子が作った詩文。聖作。聖制。御製。

【聖跡】(セイセキ) ①聖人の功績。②聖人の遺跡。また、神聖な遺跡。③天子の功績。

【聖籍】(セイセキ) 聖人が作った書物。聖経。

【聖節(節)】天子の誕生日。聖誕。

【聖善】①すぐれてよいこと。至善。用例〔詩経、邶風、凱風〕母氏聖善、我無令人。↓母はほんとうに立派な方だが、我らの中にはよい人間はいない。②母の徳。転じて、母。

【聖祖】①天子のすぐれた祖先。②清の第四代の天子。康熙帝(四七五ページ下)。

【聖△祚】天子の位。天位。宝祚。▼祚は、位。

【聖像】㊀天子・孔子・道教の神などの像。㊁仏 仏像。

【聖体(體)】天子のからだ。玉体。

【聖代】＝聖世。

【聖沢(澤)】天子のめぐみ。聖恩。

【聖旦】①天子の誕生日。②聖世の元旦をいう。

【聖誕】①天子の誕生日。聖節。②キリストの誕生日。「聖誕祭」は、クリスマス。

【聖断(斷)】天子のおさばき。天子の判断。聖裁。勅裁。

【聖知・聖△智】すぐれた知恵。

【聖衷】天子のこころ。▼衷は、心・まごころ。

【聖鳥】鳳凰の別名。

【聖朝】当代の朝廷の尊称。今の代。

【聖聴(聽)】天子が聞くこと。また、天子の耳。

【聖勅(敕)】天子のみことのり。聖詔。

【聖帝】すぐれた天子。また、天子の尊称。

【聖哲】知徳がすぐれて事理に通達している人。また、聖人と哲人。

【聖典】①聖人が作った法式。②聖人の書いた書物。③国神聖な教典。

【聖図(圖)】天子のはかりごと。

【聖統】①天子の事業。②天子の血すじ。

【聖堂】①孔子を祭った堂。文廟。聖廟。②国キリスト教の教会堂。

【聖徳】①りっぱな徳。高徳。②天子の徳。

【聖徳太子】国用明天皇の第一皇子。厩戸皇子・豊聡耳命ともいう。推古天皇の摂政・皇太子。冠位十二階・憲法十七条を制定した。仏教を信仰し、『三経義疏』を著した。(五七四—六二二)

【聖範】聖人の定めた法則。聖法。

【聖△廟】①孔子を祭った廟。聖堂。②国菅原道真を祭った廟。特に、京都の北野天満宮をいう。

【聖武】①事理に明らかで武勇があること。また、すぐれた武威。②前漢の武帝をいう。

【聖文】①聖人が定めたおきて。②りっぱな文徳。天子の文徳。③前漢の文帝をいう。

【聖母】①聖人の母。②皇帝の生母。③隋の洗夫人。④唐の則天武后。⑤神仙の道を体得した女性の巫。⑥国キリストの母マリア。

【聖△謨】天子のはかりごと。▼謨は、はかりごと。

【聖法】①聖人が定めたおきて。②時の天子が定めた法令。

【聖明】①知徳の非常にすぐれていること。聖人や天子についていう。②天子をいう。聖明なる天子の略語。用例〔唐、韓愈、左遷至藍関示姪孫湘詩〕欲為聖明除弊事、肯将衰朽惜残年。↓聖明な天子のために、国家の悪弊を除こうと思ってしたことであるから、老い朽ちたこの身のために、今さら余生を惜しんだりしようか。③立派に治まっている御代。

【聖門】①聖人の道の入り口。②孔子の門人。孔門。

【聖諭】天子の教え。勅諭。聖訓。

【聖△猷】天子のはかりごと。▼猷は、はかりごと。

【聖覧(覽)】天子がみること。天覧。

【聖慮】天子の考え。

【聖林】①山東省曲阜市にある孔子の墓所の周囲の林。孔林。②国ハリウッドの訳語。アメリカ合衆国のカリフォルニア州にある映画産業の盛んな都市。

【聖霊(靈)】㊀①先聖の神霊。②天子の威光。みいつ。③キリスト教の語。神の一分体。信仰経験に顕示される神。㊁仏使者の魂。精霊。

【聖暦(曆)】①聖天子が治める太平な世。聖天子の代。②天子。③天子の年齢。

7 【聘】 13画 9626 標 漢ヘイ 呉ヒョウ(ヒャウ) 㱏pìn 7059 E3D9 ─

字義 ❶とう(訪)。たずねる。おとずれる。訪問する。❷昔、諸侯が大夫を使者として他の諸侯を訪問させたこと。❸まねく。めす。賢者を招いて用いる。「招聘」❹もとめる(求)。❺めとる。なこうどを立て、贈り物を届けて正式に妻とすること。

解字 篆文 形声。耳＋甹音。音符の甹は、併に通じ、あわせるの意味。礼物をあわせて贈り、相手の意向を聞くために、とう・まねく・もとめるの意味を表す。

【聘金】婚約の結納金。

【聘君】①かくれた賢者で、召されて官吏となったもの。②君主に召されても仕えない人物。

【聘賢】礼を厚くして賢人を招き用いる。

【聘后】①礼をもって迎えた皇后。②きさきを迎える。

【聘使】他国を訪問する使者。

【聘召】礼物を供えて召すこと。聘徴。

【聘請(請)】召し迎えること。招聘すること。

【聘納】妻を迎えること。

【聘幣】①敬意を表すために贈る品物。②礼物。

【聘問】①贈り物を持参して訪問すること。②諸侯が大夫に他諸侯を訪問させること。

【聘用】礼を尽くして人を召し用いること。

【聘礼(禮)】①諸侯が大夫に他国を訪問させる礼。②婚約のしるしに贈る礼物。結納の礼物。

8 【聝】 14画 9627 カク 馘(13670)と同字。→一五八一ページ上。

8 【聚】 14画 9628 標 漢シュウ(シウ) 呉ジュ 㱏jù 7060 E3DA ─

字義 ❶あつまる。㋐寄り合う。集合する。むらがる。「雲聚」㋑一つになる。整いそなわる。㋒重なる。積もる。❷あつめる。㋐合わせる。用例〔史記、項羽本紀〕復聚其騎、亡其両騎耳。↓再びその騎馬の士を集めたところ、ただ二騎をうしなっただけであった。㋑そろえる。整える。㋒貯える。積む。❸あつまり。㋐積み重なり。㋑仲間。寄り合い。㋒貯え。❹人家が集まっている所。村。さと。村落。「聚落」❺ともに。一緒に。

参考 現代表記では〔集〕(13179)に書きかえることがある。「聚落→集落」

解字 篆文 形声。乑＋取音。乑は、多くの人の意味。音符の取は、耳を集めるの意味。あつめるの意味を表す。

【聚会(會)】①寄り集まる。また、集まり。②集める。多人数が集まって評議すること。

【聚議】多人数が集まって評議すること。

【聚散】集まることと散ること。集まったり、散らばったりすること。「離合聚散」

【聚集】集める。また、集まる。

【聚訟】たがいに是非を争ってやかましいこと。

【聚珍版】清代、活字版の別称。乾隆帝が『四庫全書』中の善本の活字版にこの名を与えたのに始まる。活字本。

【聚落】むらざと。聚邑。▼落は、集落。

【聚礼(禮)】回教徒が集会のとき行う礼拝。金曜日に行う。

【聚△斂】①集め収める。②重税を課して、きびしく取…り立てること。用例〔論語、先進〕季氏富二於周公一、而求也為レ之聚斂而附二益之一。↓〔魯の大夫の〕季氏は、王の周公よりも豊かであった。にもかかわらず冉求は、季氏のために重税を課して、きびしく取り立て、季氏の富を増やした。

8 【智】14画 9629 セイ　婿(2466)の俗字。→三七四ページ中。 7061 E3DB —

8 【聡】14画 9630 人 3379 918F —

11 〔聰〕17画 9631 ソウ 東 cōng 7066 E3E0 —

筆順 耳 耳 聡 聡 聡 聡

〔聦〕9635 俗字

字義 ❶さと-い。さとし。㋐耳がよくきこえること。❷きく(聞)。㋑かしこい。理解力・判断力のすぐれていること。❸耳の病気。

名前 あき・あきら・さ・さと・さとし・さとる・そう・と・とき・とし・とみ・のぶ・ふさ

解字 篆文 形声。耳＋悤(恖)音。音符の悤は、總に通じ、あつめるの意味。耳の神経を集中する、耳さといの意味を表す。

【聡睿・聡叡】ソウエイ さとくかしこい。理解力・工夫・判断力にすぐれていること。
【聡穎】ソウエイ 若くてさとい。年若くてさとい。
【聡慧】ソウケイ さとくかしこい。才知のすぐれていること。用例〔杜子春伝〕生二一男一、僅二歳、聡慧無レ敵。↓やがて一人の男の子が生まれたが、わずかに二歳で、その聡明さはかなう者がないほどであった。
【聡警】ソウケイ さとくてすばやい。はしこい。
【聡悟】ソウゴ かしこい。さとい。利口。
【聡察】ソウサツ さとくて物事をよく見抜く。
【聡知・聡智】ソウチ かしこい。さとい。
【聡哲】ソウテツ さとくかしこい。非常にかしこい。
【聡敏】ソウビン さとくかしこい。聡悟。
【聡明】ソウメイ 耳がよくきこえることと、目がよく見えること。転じて、道理に通じていること。さとい。かしこい。

8 【聞】14画 9632 教2 ブン・モン きく・きこえる 4225 95B7 —
一 漢ブン・呉モン 文 wén
二 漢ブン・呉モン 問 wèn

筆順 丨 冂 門 門 門 門 聞 聞

〔耆〕8994 古字

字義 一 ❶きく。㋐(遠くから、あるいは何かを隔てて)耳にする。用例〔史記、高祖本紀〕項羽卒聞二漢軍楚歌一。↓項羽の兵卒たちは漢軍が楚の国の歌をうたうのを耳にした。㋑人の話を耳にする。人づてに知る。用例〔史記、項羽本紀〕聞三沛公已破二咸陽一、項羽大怒。↓沛公がすでに咸陽を破ったと聞いて項羽は激怒した。㋒ききとる。きいて理解する。分かる。用例〔論語、里仁〕朝聞レ道、夕死可矣。↓朝に人が従うべき道を聞いて知ることができれば、夕方に死んでも本望だ。㋓きいてそのことにあずかる。参与する。用例〔論語、学而〕夫子至二於是邦一也、必聞二其政一。↓先生はこの国にいらっしゃると必ず政治の相談をうけた。㋔問う。たずねる。「聞訊」㋕においがする。また、かぐ(嗅)。用例〔韓非子、十過〕聞二酒臭一而還。↓(部屋の中に)酒の匂いがするのを嗅ぎとると引き返した。❷きこえる。㋐音声が耳に入る。遠くから、あるいは何かを隔てて聞こえてくる。用例〔老子、八十〕隣国相望、鶏犬之声相聞。↓隣国とたがいに望めるほど近く、鶏や犬の鳴き声が聞こえ合う。㋑つたわる。ひろがる。❸申し上げる。報告する。㋒評判がたつ。有名になる。用例〔史記、淮陰侯伝〕何聞二信亡一、不レ及二以聞一、自追レ之。↓蕭何は韓信が逃げたと聞いて、そのことを報告せずに、みずから韓信を追いかけた。❹耳にしたこと。消息。「異聞」「奇聞」❺つたえ。伝承。「逸聞」「旧聞」❻聞き得た知識。「見聞」「博聞」
二 きこえ。㋐名声。名誉。「名聞」「令聞」㋑うわさ。評判。「外聞」「風聞」

名前 ひろ・もん

使いわけ きく〔聞・聴〕
〔聞〕「自然に耳に入る・質問する」などの意で、広く一般に用いる。「物音を聞く・道を聞く」
〔聴〕耳を傾けてきく。また、注意してきく。「音楽を聴く」

解字 金文 篆文 形声。耳＋門音。音符の門は、問うの意味。たずねてきくの意味を表す。

逆 逸聞・以聞・異聞・外聞・寡聞・奇聞・旧聞・誤聞・醜聞・上聞・声聞・奏聞・側聞・他聞・多聞・聴聞・著聞・伝聞・風聞・名聞・余聞・流聞・令聞

【聞喜宴】ブンキエン 科挙で、新たに進士となった者のために、礼部の貢院で開かれる宴。
【聞見】ブンケン 聞くことと、みること。また、そのことによって得た知識。みきき。見聞。
【聞香】ブンコウ ①においをかぐ。②においをかぎわける遊び。
【聞識】ブンシキ 聞き知ること。また、見聞と知識。
【聞人】ブンジン 名声が世間に聞こえた人。有名な人。
【聞説】ブンセツ・きくならく 聞くところによれば。聞けば。聞道。
【聞奏】ブンソウ 天子に申し上げる。奏聞。
【聞達】ブンタツ 名声が世に聞こえ、高官に登ること。名誉と出世。用例〔三国蜀、諸葛亮、前出師表〕不レ求二聞達於諸侯一。↓諸侯の間に名声を得て出世しようとは思っておりませんでした。
【聞知】ブンチ 聞き知る。また、耳に聞いて心に知ること。
【聞道】一 きくならく 聞くところによれば。聞けば。聞説。用例〔唐、白居易、長恨歌〕聞道漢家天子使、九華帳裏夢魂驚。↓漢朝の天子の使いであると言うのを聞いて、花の刺繡を施したカーテンの中で、寝ていた死者の魂が目を覚ました。二 ブンドウ ＝聞レ道(一四二六ページ下)。
【聞望】ブンボウ ほまれと人望。名誉と声望。
【聞問】ブンモン ①おとずれる。訪問する。②たより。消息。
【異レ聞】ブンをことにす 聞いていること、また、内容の伝わり方に差異があること。

8 【聠】14画 9633 漢ヘイ 呉ヒョウ(ヒャウ) 青 píng
〔聘〕9623 俗字
字義 耳を閉じる。
解字 形声。耳＋幷音。音符の幷は、合わさるの意味。

8 【聢】14画 9634 国字 7062 E3DC —
字義 しか-と。たし-かに。まちがいなく。
解字 会意。耳＋定。耳に定着するように、「しかと」の意味を表す。

9 【聰】15画 9635 ソウ 聡(9630)の俗字。→一一七三ページ上。 ₂8512 — 5370

9 【聤】15画 9636 漢テイ 呉ジョウ(ヂャウ) 青 tíng — — 5369
字義 みみだれ。
解字 形声。耳＋亭音。

9 【聯】15画 9637 レン 聯(9643)の俗字。→一一七四ページ下。 7063 E3DD —

10
【聭】16画 9638 キ 眞 kuì ― ― 5371

字義 恥じる。
解字 形声。耳＋鬼音。

11
【聱】17画 9639 ゴウ(ガウ) 豪 áo 2 8513 ― 5372

字義 他人の話を聞き入れない。がんこ。
解字 篆文 形声。耳＋敖音。音符の敖ゴウは、気ままにする意味。気ままで人の言葉に耳を傾けないの意味を表す。

【聱牙】ゴウガ ①文章中のことばがむずかしくて、理解しにくいこと。「佶屈キックツ聱牙」 ②他人の話を聞き入れないこと。

11
【聳】17画 9640 標 漢ショウ 呉シュウ 腫 sǒng 7064 E3DE ―

字義 ❶そびえる。そびゆ。そばだつ。また、高い。❷おそれる。おそれて身をちぢめる。❸つつしむ。❹すすめる(勧)。❺ねがう。望む。
解字 篆文 形声。耳＋従音。音符の従は、束に通じ、ひきしめるの意味。聴覚神経をひきしめるの意味から、転じて、おそれつつしむの意味を表す。また、ひきしまった耳のような高い山のさま、そびえるの意味を表す。

【聳勧(勸)】ショウカン すすめはげます。
【聳△懼】ショウク おそれる。身をちぢめておそれる。
【聳△峙】ショウジ そびえたつ。聳立。▼峙も、そびえたつ意。
【聳秀】ショウシュウ そびえひいでる。高くそびえる。
【聳然】ショウゼン ①おそれつつしむさま。②高くそびえるさま。
【聳動】ショウドウ おそれ動く。驚く。また、驚かす。

11
【聲】17画 (2191) セイ 声(2190)の旧字体。→三六〇ページ中。

11
【聰】17画 (9631) ソウ 聡(9630)の旧字体。→一一七三ページ上。

11
【聴】17画 9641 常 チョウ きく 漢テイ 呉チョウ(チャウ) 青 tīng 3616 92AE ―

16
〖聽〗22画 9642 人 漢テイ 呉チョウ(チャウ) 径 tìng 7069 E3E3 ―

筆順 聴

字義 ❶きく。㋐音やことばを耳に入れて理解する。耳を傾ける。用例〔論語、公冶長〕聴二其言一而観二其行一。そのゲンをききてそのおこない(ひ)をみる ↓その人の発言をしっかり聞き、その人の行動で(本当に信じられる人物かを)確かめる。㋑したがう。したがふ。ゆるす。聞き入れる。受け入れる。用例〔史記、淮陰侯伝〕言聴計用。ゲンはきかれケイは、もちい(ゐ)らる故吾得三以至二於此一。ゆえ(ゑ)にわれもって。ここにいたるをう ↓私の発言は聞き入れられ、計略は採用された、だから私はこうしてここまでになれたのだ。㋒よくきいて事の次第や善悪を明らかにする。特に、裁判・訴訟の判決を下す。さばく。用例〔論語、顔淵〕聴レ訟うったえ(へ)をきくは、吾猶レ人也。われなお(ほ)ひとのごときなり ↓うったえを聞いて裁くことは、私も他の人と同じだ。㋓とりさばく。処理する。㋔おさめる。をさむ。統治する。用例〔礼記、大伝〕聖人南面而聴二天下一。セイジンナンメンしてテンカをお(を)さむ ↓天子は玉座に南向きに座り天下を治める。㋕うかがう。きき耳をたてる。偵察する。㋖まつ。待機する。❷耳目。また、人の耳目となって事を探る人。しのび。まわしもの。間者。❸役所。＝庁(3177)。
二 きく。まかせる。まかす。勝手にさせる。なりゆきにまかせる。

名前 あき・あきら・さと・ちょう・とし・より
使いわけ きく〔聞・聴〕⇩聞(9632)。
解字 金文 篆文 形声。耳＋悳＋壬音。悳は、まっすぐな心。音符の壬イは、つきだすの意味。耳をつきだし、まっすぐな心で、よくきくの意味を表す。
逆 謹聴・傾聴・公聴・視聴・清聴・聖聴・天聴・拝聴・傍聴・来聴

【聴△瑩・聴△熒】チョウエイ 疑いまどう。▼瑩は、熒に通じ、まよう意。
【聴覚(覺)】チョウカク 五官の一つ。音を聞きわける働き。
【聴許】チョウキョ 聞きとどける。ゆるす。
【聴決】チョウケツ うったえを聞いてさばく。
【聴言】チョウゲン 世間の評判。うわさ。
【聴獄】チョウゴク うったえを取りさばく。聴訟。
【聴事】チョウジ ①事を聞いて是非曲直をさばくこと。②郡の役所で、政事を聞くところ。
【聴治】チョウジ ①まつりごとを聞く。②聞きおさめる。聞きさばく。③政治。④裁判。
【聴取】チョウシュ ①聞きとる。②耳を傾けて聞く。
【聴受】チョウジュ 聞き入れる。聴納。
【聴衆】チョウシュウ 演説などを聞く人々。聞き手。
【聴従(從)】チョウジュウ 聞きしたがう。命令にしたがう。聴順。
【聴順】チョウジュン ＝聴従。
【聴訟】チョウショウ うったえを聞いてさばく。裁判する。聴断。
【聴断(斷)】チョウダン ＝聴訟。
【聴聞】一チョウブン 聞く。二チョウモン 仏説教を聞く。
【聴命】チョウメイ 命令を聞く。おおせをうけたまわる。
【聴用】チョウヨウ 人の言うことを聞き入れて用いること。

11
【鵈】17画 (14246) とび 鳥部。→一六二八ページ中。

11
【聯】17画 9643 レン 先 lián 4694 97FC ―

〖聨〗9637 俗字

字義 ❶つらなる。つらねる。つらぬ。続く。続ける。合わせて一つにする。❷律詩における一対の句。❸対句を二つに分けて書き、左右の柱に相対してかけるもの。対の柱かけ。対聯。❹役所の事務を連合して助けあうこと。転じて、役所。❺周代の戸口制度の名。㋐十家の称。㋑十人の称。
参考 現代表記では〔連〕(12122)に書きかえる。「聯合→連合」「聯想→連想」。熟語は〔連〕をも見よ。
解字 篆文 会意。もと、耳＋絲。耳は、古代の戦争で、戦勝者が敵の左耳を首のかわりとして切りとりつらねたことから、つらねるの意味を表すに用いる。絲は、つらなる糸の意味。合わせて、つらなるの意味を表す。

【聯句】レンク ①数人が一句ずつ作ってまとめた一編の詩。②律詩の対になる二句。
【聯合】レンゴウ 二つ以上のものが組みあう。連合。
【聯事】レンジ 役所で事務を助け合うこと。
【聯珠】レンジュ 同連珠。①たまを連ねる。②連なったたま。③美しい詩文の形容。④国五目ならべ。
【聯想】レンソウ 一つの考えに伴って、それと関連ある他のことを思い浮かべること。連想。
【聯△翩】レンペン ①続いて絶えないさま。②鳥のつらなって飛ぶさま。
【聯歩】レンポ 連れだって歩く。並び歩く。
【聯立】レンリツ 同連立。①連なりたつ。また、連ねたてる。②連合してたつ。

12
【聵】18画 9644 漢ガイ(グワイ) 呉ゲ 慣カイ(クワイ) 卦 kuì 2 8514 ― 5373

字義 ❶耳の聞こえない人。❷聵聵は、無知のさま。
解字 篆文 形声。耳＋貴音。音符の貴は、潰カイに通じ、つぶれるの意味。つぶれた耳、耳がきこえないの意味を表す。

【聵△眊】カイボウ 耳が不自由で目がくらむ。自分の老衰の謙称。

12【聶】18画 9645 ■㊥ジョウ(デフ) ㊒ニョウ(ネフ) ㊇ nié ■㊥チョウ(テフ) ㊒ジョウ(デフ) ㊇ zhé ㊀ショウ(セフ) 7067 E3E1 —

字義 ■❶ささやく(囁ショウ)。❷とる。持つ。❸ととのえる。❹ちぢむ。しわがよる。■うすく切った肉ぎれ。

解字 篆文 会意。耳を三つ寄せあって、ささやくの意味を表す。

12【職】18画 9646 教5 ショク ■㊥ショク・㊒シキ 職 zhí ■㊥トク・㊒ドク 職 tè 3106 9045 —

筆順 耳 耳 耴 聀 聕 聕 職 職 職

【軄】11858 俗字 【耺】9614 俗字

字義 ■❶つかさどる。つとめとする。❷つかさ。役目。「官職」❸つとめ。任務。❹くらい。官位。❺働き。わざ。いとなみ。仕事。「職人」❻みつぎ物。また、とりたて。税。❼もっぱら。主として。❽しるす(識)。■くい(杙ヨク)。地中に打ち込む木の支柱。＝樴(5802)。国シキ。大宝令で定められた役所の一つ。「中宮職」

名前 つね・もと・よし・より

解字 篆文 形声。耳＋戠音。音符の戠ショクは、識に通じ、他と区別して知るの意味。耳は、さとく聞きわきまえるの意味。微細な所まで、よくわきまえるの意味から転じて、細部にまでゆきわたりわきまえ努めるの意味を表す。

逆 汚職・官職・閑職・劇職・顕職・辞職・失職・住職・述職・殉職・停職・天職・復職・奉職・有職

【職域】ショクイキ 職業の区域。また、各職業の範囲。

【職階】ショッカイ 国職務上の階級。

【職官】ショッカン ①やくめ。官職。②一定の役職を持つ官吏。現任の役人。

【職管】ショッカン ①つかさどる。②やくめ。

【職業】ショクギョウ ①官職上の仕事。②生活のためにする仕事。

【職権(權)】ショッケン 官吏が職務上持っている権限。

【職貢】ショッコウ みつぎもの。

【職司】ショクシ ①やくめ。②役所。

【職事】ショクジ ■①官職上の仕事。用例〔唐、韓愈、与₂孟東野₁書〕因被₂留以₁職事₁、黙黙在₂此(よりてとどめらるるに、ショクジをもってし、モクモクとして、ここにあること)行一年矣(ゆくゆくイチネンならんとす)。↓職務を与えることで引き留めてくれたので、大人しくこの地に滞在して、いよいよ一年になろうとしております。②仕える。③職業。■シキジ 国①蔵人頭くろうどのかみ・五位の蔵人・六位の蔵人の総称。②摂関・大臣・大将などの家や女御ニョウゴの三位サンミ以上に叙せられた家の執事。

【職守】ショクシュ やくめ。つとめ。職分。

【職掌】ショクショウ ①つかさどる。②やくめ。つとめ。

【職人】■ショクジン 牛飼いを業とする人。牧人。▼職は、杙ヨクで、牛を囲うくい。■ショクニン 国大工や左官など、手わざを業とする人。

【職制】ショクセイ 官職上のさだめ。職務分担の制度。

【職責】ショクセキ 国職務上の責任。

【職田】ショクデン・シキデン 隋イズ代以後、職分に応じて支給された田地。職分田。

【職能】ショクノウ 国①仕事を果たす能力。②職業によってそれぞれ異なる固有の機能。③分業によって成り立つ社会を構成する単位機能。「職能代表」

【職分】ショクブン 職務としてなすべき本分。職責。

【職分田】ショクブンデン・シブンデン 職分に応じて支給された土地。職田。

【職方】ショクホウ ①周代の官名。天下の地図をつかさどり、四方からの貢ぎ物を取り扱った。②それぞれ分担の地方をつかさどること。

【職務】ショクム 官職上のつとめ。担当する事務。

【職命】ショクメイ 職務上の命令。

【職僚】ショクリョウ 役人。官人。

12【叢】18画 (1298) ソウ 又部。↓二三五ジペー上。

14【聻】20画 9647 ■㊥ジ(ヂ)・㊒ニ 紙 nǐ ■㊥セキ・㊒シャク 陌 jiàn ₂8515 — —

字義 ■❶物を指さすさま。❷仏仏書で文末の助字。■鬼が死んだ後になるもの。俗に一切のたたりをはらうと称し、この字を書いて門上に貼る。

解字 形声。漸＋耳音。

14【聹】20画 9648 ㊥ネイ ㊒ニョウ(ニャウ) 青 迥 níng 7068 E3E2 —

字義 ❶耳あか。耳くそ。耵聹テイネイ。❷かまびすしい。やかましい。騒がしい。

解字 形声。耳＋寧音。

16【聽】22画 (9642) チョウ 聴(9641)の旧字体。↓一一七四ジペー上。

16【聾】22画 9649 標 ロウ 東 lóng 4724 9857 —

字義 ❶耳がきこえないこと。❷くらい。心が暗い。

解字 金文 篆文 形声。耳＋龍音。音符の龍は、つめこむの意味。耳がつまってはっきりきこえないの意味を表す。

【聾△啞】ロウア 耳がきこえないことと、口のきけないこと。

【聾△喑】ロウイン ①耳がきこえないことと、口のきけないこと。②上の者と下の者との気持ちが互いに通じないたとえ。

【聾△聵】ロウカイ 耳のきこえないこと。▼聵は、生まれながら耳がきこえないこと。

【聾俗】ロウゾク 物事をききわけることのできないような俗人。無知の者。

【聾昧】ロウマイ 暗い。明らかでない。無知または無道なこと。

【聾盲】ロウモウ 耳がきこえないことと、目のみえないこと。

6画 聿 ふでづくり

〔部首解説〕 聿ツイをもとにして筆で書くことに関する文字ができている。聿に竹冠を付した筆(竹部)や、書(曰ひらび部)、畫(画の旧字体。もと田部)などもその例であるが、聿以外の部首に分類されている。ここでは、そのほかで聿の形をもつ文字を集め、主として字形上の分類のために部首に立てられている。

0【聿】6画 9650 ㊥イツ(ヰツ) ㊒イチ(ヰチ) 質 yù 7070 E3E4 —

字義 ❶ふで(筆)。❷ついに。とうとう。❸自ら。❹述べる。❺ともに。したがう。❻これ。ここに。発語の語。❼はやい。❽おさめる(修)。

解字 甲骨文 金文 篆文 象形。甲骨文でわかるように、手で、筆記用具を持つさまにかたどり、ふでの意味を表す。

【聿懐(懷)】イッカイ ①述べて思う。②先王の美徳を修め、人民を安んずること。

【聿修】イッシュウ (祖先の徳などを)述べて明らかにし、これにならって徳をおさめる。一説に、聿は発語の辞で意味がなく、単に、おさめる意。

4 【書】 10画 (4748) ショ 日・曰部。↓六六六ページ下。

4 【肁】 10画 9651 漢チョウ(テウ) 呉ジョウ(デウ) 篠 zhào — — 5374

字義 ❶初めて開く。＝肇(9656)。❷始め。❸謀る。

解字 会意。戸＋聿。戸は、ドアの象形で、戸を開くの意味。聿ツイは、筆を持つ形の象形で、書き始めるの意味。

5 【粛】 11画 9652 常 シュク 2945 8F6C —

7 〖肅〗 13画 9653 漢シュク 呉ソク 屋 sù 7073 E3E7 —

筆順 粛

字義 ❶つつし-む。うやまう。うやうやしい。「自粛」 ❷おごそか。威厳がある。「厳粛」 ❸いましめる。正す。「粛正」 ❹きびしい。きびしくする。❺しずか。清らか。❻さむい。寒さのために縮む。❼ころす。そこなう。❽すみやか。速い。❾すすむ。また、進める。導く。❿礼拝の一種。立ったままで少しからだを曲げて頭を下げ、手をおろす礼。軍中でよろいを着た人のする礼。

名前 かく・かた・かね・きよし・すすむ・すみ・ただ・たり・とし・はや・まさ 難読 粛慎みしはせ

解字 金文 篆文 会意。聿＋淵。聿は、さおを手に持つ形にかたどる。淵は、ふちの意味。ふちでさおさすさまから、おそれつつしむの意味を表す。

逆 厳粛・自粛・整粛・静粛・斉粛

【粛恭】シュクキョウ ①つつしみ深くうやうやしい。②つつしみうやまう。

【粛軍】シュクグン 国軍の規律や不正を正しくする。

【粛啓】シュクケイ うやうやしく申し上げる。手紙の初めに書く語。粛呈。

【粛敬】シュクケイ つつしみうやまう。

【粛殺】シュクサツ 秋のきびしい気候が草木を枯らすこと。

【粛粛】シュクシュク ①つつしむさま。②厳正なさま。③すみやかなさま。④羽ばたきの音の形容。⑤松風の音の形容。⑥静かなさま。⑦深いさま。⑧清いさま。

【粛慎(愼)】シュクシン ①うやうやしくつつむ。②国名。古代に、今の松花江・ウスリー江・黒竜江地域に住んでいたツングース族の国。また、その民族。日本では「みしはせ」と呼んだ。

【粛正】シュクセイ ①つつしみ深く正しい。②きびしく正す。また、いましめ正す。「綱紀粛正」

【粛清】シュクセイ ①取りしまって不正を除く。②不正がなく清らかなこと。③冷たく清らかなさま。④静寂なさま。⑤国組織内の反対派を抹殺すること。

【粛静(靜)】シュクセイ ひきしまって静かなこと。静粛。

【粛整】シュクセイ きちんとして行儀がよいこと。

【粛然】シュクゼン ①つつしむさま。②おそれるさま。また、おそれつつしむさま。③静かなさま。④ぞっとして身のひきしまるような感じを与えるさま。

【粛荘(莊)】シュクソウ おごそかで重々しい。

【粛霜】シュクソウ ①冷たい霜。また、大気がひきしまり霜の降りること。②陰暦九月の別名。③駿馬シュンメの名。

【粛拝(拜)】シュクハイ 立ったまま頭を垂れ、手をおろしてする拝礼。↓字義❿。

【粛白】シュクハク つつしんで申し上げる。手紙の初めや終わりにつける語。

【粛△穆】シュクボク ＝粛雍シュクヨウ。

【粛△雍】シュクヨウ つつしみやわらぐ。つつしみ深くおだやか。

5 【晝】 11画 (4721) チュウ 日・曰部。↓六七二ページ中。

6 【畫】 12画 (862) ガ 田部。↓九七四ページ上。

7 【肄】 13画 9654 一イ 寘 yì 二シ 寘 sì 7071 E3E5 —

字義 一❶なら-う(習)。❷あらためる。調べる。検閲する。❸つかれ。苦労。骨折り。❹ひこばえ。切り株から出た芽。❺あまり。残り。 二❶さらす。罪人を殺し、その死体をさらす。❷ついに。

解字 篆文 形声。もと、矣＋隶音。矣は、疑の左偏と同形で、行きなやむの意味。音符の隶イは、及ぶの意味。一つの目標に及ぼうとして、行きなやみつつ努める、ならうの意味を表す。

【肄業】イギョウ わざを習う。学習する。

【肄習】イシュウ 習う。練習する。実習する。

7 【肆】 13画 9655 シ 寘 sì 7072 E3E6 —

字義 ❶つら-ねる。並べる。敷き広げる。用例〔詩経、大雅、行葦〕肆レ筵設レ席むしろをつらね、せきをも(ま)うく。↓むしろを敷き広げて席を設ける。❷さら-す。死体を市場にさらしてみせしめにする。用例〔論語、憲問〕吾力猶能肆二諸市朝一わがちからなお(ほ)よくこれをシチョウにさらさん。↓私の力であっても彼を誅チュウしその屍しかばねを市中にさらすことはできます。❸みせ。店舗。また、仕事場。作業所。「書肆」「薬肆」「肆廛」❹ほしいまま。ほしいままにする ほしいまま。思う存分。好き勝手に。気分にまかせて。用例〔唐、柳宗元、送二薛存義一序〕民莫四敢肆三其怒与二黜罰一何哉たみあえ(へ)てそのいかりとチュツバツとを、ほしいままにすることなきはなんぞや。↓民衆が思いきって怒りにまかせ、役人を気が済むまで処罰することがないのは、なぜだろうか。／〔左伝、昭公十二〕昔穆王欲下肆二其心一周中行天下上むかしボクオウそのこころをほしいままにしテンカをシュウコウせんとほっす。↓昔、穆王は気ままに天下を巡りたいと思った。❺伸ばす。広める。拡張する。❻ゆる-めるゆるむ。ゆるす。❼つ-くす。きわめる。❽つと-めるつとむ。力を尽くす。大目に見る。努力する。「肆力」❾つい-につひに。とうとう。また、きわめて。❿詩の口調を整える助字。㋐ゆえ-にゆゑに。したがって。結果として。㋑ここ-に。今。⓫大きい。長い。「肆大」⓬あきらか。はっきりしている。⓭ふるごと。古い事例。故事。前例。⓮やどり。宿舎。⓯祭りの名。牛や羊を一体まるごと解体して供える。「肆祀シシ」⓰楽器のひと組。⓱四の字の代用。↓四(1809)の参考。

解字 金文 篆文 形声。金文は又＋希音。音符の希イは、毛の長い獣の象形。毛の長い獣を殺して、毛皮をひらきさらすの意味を表す。転じて、つらねる・みせの意味を表す。また、恣シに通じて、ほしいままの意味をも表す。のち、変形して、肆となった。

【肆意】シイ 意をほしいままにする。思うままにすること。わがまま勝手にふるまうこと。肆志。

【肆△筵】シエン むしろを敷きつらねる。宴席を設けること。

【肆虐】シギャク ほしいままにしいたげる。暴虐。

【肆勤】シキン 力を入れる。大いにつとめる。

【肆行】シコウ ほしいままに行く。また、気ままにふるまう。わがまま。

【肆志】シシ こころざしをほしいままにする。

【肆赦】シシャ (罪人を)ゆるす。

【肆△奢】シシャ ほしいままにおごる。また、おごりをほしいままにする。

【肆縦(縱)】シショウ ほしいまま。わがまま。

【肆然】シゼン ①ほしいままなさま。心のままにふるまうさま。②のんびりしたさま。くつろいださま。

【肆体(體)】シタイ 体をのべる。身体をゆったりとしてくつろぐ。

【肆陳】シチン ならべる。つらねる。

【肆店・肆△廛】シテン みせ。店舗。

【肆暴】シボウ ほしいままにあばれる。

【肆目】モク ①目の力を尽くす。視力を最大限に使う。②自由にながめる。また、見渡す。

【肆△詈】シリ ほしいままにののしる。大いにののしる。

【肆力】シリョク 努力する。力をつくす。尽力。

7【肅】13画 (9653) シュク 粛(9652)の旧字体。→一一六〇ページ上。

8【肇】14画 9656 人 4005 94A3 ―

8［肈］14画 9657 漢チョウ(テウ) 呉ジョウ(デウ) 篠 zhào

筆順 ヨ 戸 戸 所 所 所 肇 肇 肇

［肈］9658字 本 字義 ❶うつ(撃)。❷はじめる。はじむ。はじめ。「肇国」❸はかる(謀)。❹正す。正しい。❺はやい(敏)。❻長い。長くなる。

名前 けい・こと・ただ・ただし・とし・なか・はじむ・はじめ・はつ・ひらく・もと

解字 金文 篆文 会意。金文は、戸＋攴。攴は、うつの意味。戸をうつ、ひらくの意味を表す。のち、ふでの意味の聿を付し、筆で書きはじめるの意味を表す。

【肇基】チョウキ 基礎を作る。土台をすえる。

【肇国(國)】チョウコク 初めて国を建てる。建国。

【肇歳(歳)】チョウサイ 年のはじめ。年始。

【肇秋】チョウシュウ 秋のはじめ。陰暦七月。初秋。孟秋モウシュウ。

【肇造】チョウゾウ はじめて造る。創造。

8【肈】14画 9658 チョウ 肇(9656)の本字。→一一七七ページ上。 ― ― 5375

6画 肉 にく

〔部首解説〕肉が偏になるときは、月の形になり、肉月にくづきとよばれる。もともと肉月の文字は肉部に所属していたが、日月の月と同形なので、検索の便宜上、肉部から分けて月部に合わせ収めた。肉・月(肉月)を意符として、身体各部の名称、その状態などに関する文字ができている。

0【肉】6画 9659 一漢ジク・呉ニク 教2 ニク 二漢ジュウ(ジウ)・呉ニュウ(ニウ) 屋 ròu(rù) 宥 3889 93F7 ―

筆順 丨 冂 内 内 肉 肉

［宍］2612字 俗 字義 一❶しし。み(身)。㋐きりみ。鳥・獣などの切り肉。「酒池肉林」㋑動物のからだの皮下にあって、骨を包む柔らかな部分。「筋肉」㋒果実や野菜などの、皮に包まれた柔らかな部分。み。「果肉」❷にくづく。肉がつく。肉をつける。❸生身のからだ。身体。「肉体」❹じか。器具などを使わないこと。「肉眼」「肉筆」❺こえ。歌の声。二❶穴のあいている貨幣や璧玉ヘキギョクなどの、穴の周囲の部分。❷こえる(肥)。どっしりとする。重厚。国ニク。㋐物の厚みや太さ。㋑血縁の近い関係。「肉親」㋒印肉の略称。

難読 肉刺まめ・のいずみ・肉叢ししむら・肉豆蔻にくずく・ししずく・肉入籠ししりこ

解字 篆文 象形。切ったにくの象形で、にくの意味を表す。

逆 魚肉・苦肉・血肉・骨肉・食肉・皮肉・肥肉

【肉塊】ニクカイ ①にくのかたまり。②からだ。身体。

【肉眼】ニクガン ①人の眼。②めがねなどの力を借りない、生来の視力。③物事の表面だけを見る眼識。凡人の眼。↔心眼(五一六ページ下)。

【肉刑】ニッケイ 体を傷つける刑罰。いれずみ・鼻切り・足切り・去勢など。

【肉△桂】ニッケイ・ニッキ クスノキ科の常緑高木。薬用・香料用となる。

【肉山△脯林】ニクザンホリン にくの山と脯ほじし(ほし肉)の林。肉を山のように積み、脯を林のように並べて、ぜいたくな宴会をすること。夏カの桀王ケツオウの故事による。〔十八史略、夏〕

【肉食】ニクショク・ニクジキ ①動物、特に鳥・獣の肉を食物とすること。↔菜食(一二一七ページ上)。②美食すること。③動物が肉食性であること。「肉食動物」

【肉食者】ニクショクシャ・ニクジキシャ にくのようなおいしい物を食べる人。役人をいう。↔藿食者カクショクシャ(一二四三ページ上)。

【肉身】ニクシン ①からだ。身体。肉体。②＝肉親。

【肉親】ニクシン 国親子・兄弟姉妹など、血すじの続いている間がら。血族。肉縁。

【肉声(聲)】ニクセイ 人の口から直接出る声。糸竹(楽器)の声・電話・ラジオなどの声に対していう。

【肉体(體)】ニクタイ 人間のからだ。なまみのからだ。肉身。↔精神(一〇九〇ページ中)・霊魂(一三三五ページ下)。

【肉△袒】ニクタン はだぬいで、上体を現すこと。降服・謝罪などのときに、思うままに罰せよとの意志を表すこと。

【肉△袒負△荊】ニクタンしてケイをおう(ふ) はだぬぎして、いばらのむちを背負う。これで罰するようにとの謝罪の意を表すこと。〔史記、廉頗藺相如伝〕

【肉弾(彈)】ニクダン 国肉体を弾丸の代わりとして敵陣に突入すること。からだごと敵陣へつっこむこと。また、その肉体。

【肉池】ニクチ 国印肉を入れる器。印肉入れ。

【肉迫】ニクハク せまる。→肉薄。

【肉薄】ニクハク ①敵陣などに身をもって迫ること。▼薄は、迫る意。②核心に迫ること。もう少しで勝てそうなところまで追いつめること。肉迫。◆「肉迫」とも書くが、本来の表記ではない。「薄」から「せまる」の意が受け取りにくくなったために、「薄」と同音で「せまる」意の「迫」を用いたもの。

【肉筆】ニクヒツ 国①本人が直接、筆をとって書いた書画。自筆。②印刷したものに対し、筆で書かれた書画。

【肉欲】ニクヨク 肉体上の欲望。食欲・色欲など。

6【胔】12画 9660 漢シ 呉ジ 寘 zì ― ― 5388

字義 ❶肉のついた鳥獣の残骨。❷くさった肉。

解字 形声。肉＋此音。

6【胾】12画 9661 シ 寘 zì ― ― 5407

字義 きりみ。ししむら。大きく切った肉片。

解字 金文 篆文 形声。肉＋𢦏音。𢦏サイは、たち切るの意味。大きく切った肉片の意味を表す。

8【腐】14画 9662 漢フ・呉ブ 麌 fǔ 常 フ くさる・くされる・くさらす 4169 9585 ―

筆順 亠 广 广 府 府 府 腐 腐

字義 ❶くさる。くされる。くさる。㋐肉などがくずれただれる。いたんでくさくなる。「腐敗」㋑やぶれただれる。朽ちやぶれる。「腐朽」㋒古い。古くなって役に立たない。「腐儒」「陳腐」❷くさらす。ただらせる。くちやぶれさす。悩ませる。「腐心」❸男性を去勢する刑罰。宮刑。「腐刑」

解字 篆文 形声。肉＋府音。音符の府は、くらの意味。倉にしまいこまれた肉、くさるの意味を表す。

逆 陳腐・豆腐

【腐家】フカ 豆腐を売る店。

【腐朽】フキュウ くさる。くちる。くさって役に立たなくなる。
【腐刑】フケイ 男性を去勢する刑罰。宮刑。
【腐査・腐△渣】フサ ①くさったかす。②国豆腐のから。きらず。うのはな。
【腐儒】フジュ 古くさくて役に立たない学者。くだらぬ学者。
【腐臭】フシュウ くさったにおい。
【腐食・腐△蝕】フショク くさって形がくずれる。
【腐心】フシン 心を痛め悩ます。苦心。
【腐△鼠】フソ ①くさったねずみ。②とるにたりないもののたとえ。
【腐敗】フハイ ①くさっていたむ。②精神が堕落すること。
【腐△爛】フラン くさってただれる。腐乱。

10【膂】16画 9663 リョ 膂(5121)と同字。→七〇七ページ・中。 — — 5438

13【臀】19画 9664 デン 臀(5154)と同字。→七一〇ページ・上。 — — 5453

19【臡】25画 9665 漢ダ 呉ナ 歌 ní — — 5464
字義 骨付きのひしお。骨付きの塩漬け肉。たたき。
解字 形声。肉＋難音。

19【臠】25画 9666 レン 銑 寒 luán 7140 E467 —
字義 ❶きりみ。きり肉。こまぎれの肉。また、肉をこまぎれにする。臠肉。❷臠臠は、やせるさま。国みそなわす。ご覧になる。見るの敬語。臠(みる意)の字を誤ったものという。
解字 篆文 形声。肉＋䜌音。音符の䜌は、亂に通じ、みだすの意味。肉を切るの意味を表す。

6画 自 みずから

〔部首解説〕 自は、はな(鼻)を表し、これを意符として、鼻の字や、においを表す臭の字ができている。

0 自 一一七八　1 乢 一一八〇　3 臭 一一八〇　4 臬 一一八〇　臭 一一八〇
6 臯 一一八〇　皐 一一八〇　臲 一一八〇　8 鼻 一六五三　9 臱 一一八〇
10 鯢 一一八〇　11 臲 一六五四

0【自】6画 9667 漢シ・呉ジ 教2 ジ・シ みずか-ら 寘 zì 2811 8EA9 —

筆順 ノ 亻 冂 白 自 自

字義 助より。⇩助字・句法解説。❶みずか-ら。みずから。自分で。用例〔荘子、斉物論〕自喩適志与。みずからたのしみてこころざしにかなえるかな。⇩みずから楽しんで、思いのままである。❷おの-ずから。おのずから。ひとりでに。用例〔東晋、陶潜、飲酒詩〕問君何能爾、心遠地自偏。きみにとう、なんぞよくしかると、こころとおければチおのずからヘンなり。⇩どうしてそのようなことが君にはできるのかと、問われれば、心が遠く俗界を離れているので、住む土地も自然とへんぴな場所になるのだ、と答えよう。❸よ-る。もとづく。また、もとづく所。出所。❹用いる。また、もって。❺始まり。初め。

助字・句法解説

より。
㋐起点。「自A(Aより)」。訳Aから。類由・従。続く語が、場所・時間について起点であることを示す働きをする。
用例〔論語、学而〕有朋自遠方来。とものエンポウよりきたるあり。⇩友達が遠くからやって来てくれる。／〔論語、顔淵〕自古皆有死。いにしえよりみなシあり。⇩昔から、人は誰でも死を免れない。
㋑「自非A(Aにあらざるよりは)」。否定の仮定条件。訳Aでないかぎりは。
用例〔左伝、成公十六〕自非聖人、外寧必有内憂。セイジンにあらざるよりは、そとやすらかなればかならずうちにうれいありあり。⇩聖人でないかぎりは、見かけはやすらかでも、必ず心には憂いをもっているものだ。

名前 おの・これ・さだ・じ・よし・より　難読 自棄・自惚

解字 甲骨文 金文 篆文 象形。はなの象形。転じて、自己・おのれの意味を表し、借りて、助字の、より・からの意味をも表す。自の意味と音符とを含む形声文字に、臬・劓・闑などがある。

逆 出自・刀自・独自

【自愛】ジアイ ①自分で自分の身を大切にする。②自分の利益ばかりを計る。自利。利己。
【自慰】ジイ ①自分で自分をなぐさめる。②国手淫。オナニー。
【自営(營)】ジエイ ①自分の利益をはかる。②自分で事業をいとなむ。自力でくらしを立てる。
【自衛(衞)】ジエイ 自分自身を自分の力で防ぎ守る。
【自家】ジカ ①自分の家。②自分。おのれ。自分自身。
【自家△撞着】ジカドウチャク 自分の言動が前と後とくい違って、つじつまの合わぬこと。▼着は助字、著とも書く。〔禅林類聚、看経門〕
【自我】ジガ ①われ。わたくし。自己。②哲学上、意識者が他の意識者(他人)と対象(外界)とから自己を区別する場合のことば。↕非我(一五四二ページ・下)。
【自画(畫)自賛(贊)】ジガジサン 国①自分の絵に自分で賛を書く。②自分の言動を自分でほめる。てまえ味噌。
【自戒】ジカイ 自分で自分をいましめる。
【自解】ジカイ ①自分の作品を自分で解説する。また、自分でいいわけする。②自分で束縛から逃れる。みずから解脱する。
【自害】ジガイ われとわが身を殺して死ぬ。自殺。自尽。
【自覚(覺)】ジカク ①自分で自分の実力や価値をさとる。②仏自分の迷いを断ち切って、さとりをひらく。③哲学で、外界や他人と区別された自我として自己を意識すること。自己意識。
【自活】ジカツ 自分の力で生活する。
【自棄】ジキ ①自分で自分の身を捨ててかえりみない。やけになる。「自暴自棄」②そのままにしておく。
【自欺】ジキ 自分をあざむく。自分で自分の良心に恥じるような言動をする。
【自虐】ジギャク 自分で自分をいじめつける。
【自給】ジキュウ ①自分の力で生活する。②自分で供給する。
【自給自足】ジキュウジソク 国自分の必要品を自分で生産して、まにあわせる。
【自供】ジキョウ 自分から申し述べる。また、その事がら。
【自強・自△彊】ジキョウ 自分からつとめはげむ。
【自△彊不息】ジキョウやまず 自分からつとめはげんで、一刻も休まないこと。
【自△刎】ジケイ 自分で自分の首をきって死ぬ。自刎。用例〔十八史略、春秋戦国、呉〕子胥告其家人曰、必樹吾墓檟、……。乃自刎。シショそのカジンにつげていわ(は)く、かならずわがはかにカをうえ(ゑ)よ、……と。すなわ(は)ちジケイす。⇩子胥は、死にあたり家族に告げて言った、「私の墓にはかならずひさぎの木を植えてくれ、……」。そして自ら首をはねて死んだ。
【自経(經)】ジケイ 自分で首をくくって死ぬ。自縊。
【自警】ジケイ ①みずからいましめ防ぐ。②国自分たちで身を守る。
【自決】ジケツ ①(ある問題に責任を感じ、その処置として)自殺する。②他人のさしずを受けず、自分で自分のことをきめる。自分で自分の進退をきめる。「民族自決」

【自△慊】ジケン 自分で心に満足する。自分の良心に恥じるところのないこと。

【自遣】ジケン・みず(づ)からやる 自分で自分の心をなぐさめる。自分でうさをはらす。

【自△歉】ジケン 自分にひけめを感じて、心に満足しない。▼歉は、あきたらない。

【自後】ジゴ その後。それから後。

【自業自得】ジゴウジトク 仏自分のなした悪事によって自分の身にその報いを受けること。

【自△惚】うぬぼれ 国自分で自分をすぐれていると思う。

【自今】ジコン いまからのち。以後。今後。

【自裁】ジサイ 自分で自分の命を絶つ。自殺。

【自在】ジザイ ①心のままなこと。思いのまま。「自由自在」②仏心が煩悩の束縛からはなれること。

【自賛(贊)・自△讃】ジサン ①自分で自分をほめる。②自分で自分を推薦する。自薦。

【自恣】ジシ わがまま。きまま。自肆。

【自失】ジシツ われを忘れる。ぼんやりする。気ぬけする。「茫然自失」

【自若】ジジャク どっしり落ち着いて動かないさま。「泰然自若」

【自主】ジシュ 独立して他の保護や干渉を受けぬこと。「自主独立」

【自首】ジシュ 自分から進んで訴え出て自分の罪を申し立てる。

【自修】ジシュウ 自分から学問や徳行をはげみおさめる。

【自△售】みず(づ)からうる 自分で自分を売りこむ。採用されるように自分で運動すること。

【自粛(肅)】ジシュク 自分で自分の言行をつつしむこと。

【自署】ジショ 自分の姓名を自分で書き記す。

【自如】ジジョ ①ふだんと少しも変わらず落ちついているさま。②もとのまま。

【自助】ジジョ 他人をたのまず、自分の力で自分を向上・発展させようと努力すること。

【自序】ジジョ 自分の著書に自分ではしがきを書く。また、その文章。

【自叙(敍)伝(傳)】ジジョデン 自分で書いた自分の伝記。自伝。

【自照】ジショウ 自分自身を観察し反省する。

【自縄(繩)自縛】ジジョウジバク 国自分のなわで自分をしばる意。自分の心がまえや言行のために、身動きがとれなくなってしまうこと。

【自信】ジシン 自分で自分の価値や能力を信じる。自分で自分の正しさを信じて疑わない。

【自刃】ジジン 自分から刃物で命を絶つ。自害。自尽。

【自尽(盡)】ジジン 自分から命を絶つ。自刃。自害。自殺。

【自炊】ジスイ 自分で煮たきをして食事を作る。

【自制】ジセイ 自分で自分の感情や欲望をおさえる。

【自省】ジセイ 自分で反省する。自分で自分の行為の善悪を考えてみる。

【自責】ジセキ 自分で自分をせめとがめる。

【自△撰】ジセン 自分で自分の詩文を選び集めること。

【自薦】ジセン 自分で自分を推薦する。

【自然】一シゼン・ジネン ①本来のままで人工の加わらない状態。②ひとりでに。おのずから。二シゼン ①ものの本性・本質。②天地間の万物。宇宙。③物質界とその諸現象。④国偶然。万一。

【自然主義】シゼンシュギ 国①自然を絶対と考え、すべての現象を自然の所産とみる立場。②自然に即した生活を理想とする主義。③人間生活をありのままに描写しようとする文芸上の主義。

【自然△淘汰】シゼントウタ 国外界の状況に適応する生物は生存し、適応しない生物は死滅する現象。

【自訴】ジソ 自分で自分の罪をうったえ出る。

【自足】ジソク ①自分で自分の必要なものを満たす。「自給自足」②自分で満足する。

【自尊】ジソン ①自分自身をえらいものとして、自分をたっとびあがめる。みずから高ぶる。②自重して、自分自身の品位を落とさないようにする。

【自他】ジタ ①自分と他人。われと人。②仏自力と他力。

【自堕(墮)落】ジダラク 仏身を持ちくずして、しまりのないこと。だらしのないこと。ふしだら。

【自体(體)】ジタイ ①自分のからだ。②国アそれ自身。そのもの。イもともと。元来。

【自大】ジダイ 自分から誇りたかぶる。尊大にかまえる。「夜郎自大」

【自治】ジチ ①自分で自分をおさめる。自分で自分のことを処理する。②自然におさまる。③団体が自分たちの力で利害関係のある公共の事務を処理する。

【自重】ジチョウ ①自分の体を大切にする。自愛。②自分の行いを慎んで軽はずみなことをしない。自分の人格を大切にして、みだりに卑下しない。

【自嘲】ジチョウ 自分で自分をあざける。

【自珍】ジチン 自分の体を大切にする。自愛。

【自適】ジテキ 自分の心のままに楽しむ。「悠悠自適」

【自伝(傳)】ジデン 自分が書いた自分の伝記。自叙伝。

【自得】ジトク ①自分で心にさとる。②自分で満足して得意になる。うぬぼれる。用例〔史記、晏嬰伝〕意気揚揚、甚自得也。↓得意で鼻高々として、たいそううぬぼれていた。③みずから楽しむ。④国自分から報いを招く。「自業自得」

【自任】ジニン ①自分の任務として引き受ける。②自分自身をりっぱなものと思いこむ。

【自認】ジニン 自分でみとめる。

【自白】ジハク 白状する。自分で自分の罪悪を申し述べる。

【自縛】ジバク 自分で自分をしばる。自分の言行にしばられて自由がきかないこと。「自縄自縛」

【自発(發)】ジハツ ①他の力によらず自分で進んですること。②文法用語。自然にそうなることを表す。

【自反】みず(づ)からかえ(へ)りみる みずから反省する。

【自反△而縮△雖千万(萬)人△吾往△矣】みず(づ)からかえ(へ)りみてなお(ほ)くんばセンマンニンといえ(へ)どもわれゆかん 自分自身、反省してやましいところがなければ、たとえ千万人の相手でも、恐れずに立ち向かってゆく。〔孟子、公孫丑上〕

【自反△而不縮△雖褐(褐)寛博△吾不△惴△焉】みず(づ)からかえ(へ)りみてなお(ほ)からずんばカッカンパクといえ(へ)どもわれおそれざらんや 自分自身反省して、正しくないところがあれば、たとえ相手が身分の低い人でも、ひけめを感じずにはおられない。▼褐寛博は、ひろそでの綿入れの意で、身分の低い人の服。〔孟子、公孫丑上〕

【自筆】ジヒツ 自分で書く。また、その書いたもの。自書。

【自負】ジフ みずからたのむ。自分の才能をたのみほこる。

【自△刎】ジフン 自分で自分の首をきって死ぬ。自剄。用例〔史記、項羽本紀〕項王乃曰、……吾為若徳。乃自刎而死。↓項羽は「……私はお前のために(私の首にかけられた賞が得られるよう)恩徳をほどこそう」といい、自ら首をはねて死んでしまった。

【自分】ジブン 国①おのれ。自身。②自称の代名詞。わたし。

【自弁(辨)】ジベン 国自分で費用を負担すること。

【自奉】みず(づ)からホウず 自分の身を養う。

【自暴自棄】ジボウジキ 自分で自分の身を損ないすてる。やけになる。すてばちになる。『孟子』離婁上に「言非礼儀、謂之自暴也、吾身不能居仁由義、謂之自棄也」とあるのに基づく。

【自慢】ジマン 自分で自分のことをほこる。

【自明】ジメイ ①証明をまたず、それ自身で明らかなこと。「自明の理」②自分の直観によって明らかにすること。

【自滅】ジメツ ①自然にほろびる。②自分で自分の身をほろぼす。自分のしわざで身をほろぼす。

【自問自答】(ジモンジトウ) 自分に問い、自分で答える。

【自由】(ジユウ) ①心のまま。思うまま。〔後漢書、閻皇后紀〕 ②他からの束縛・強制・支配を受けないで、自分の意志によって行動できること。 ③国法律の範囲内での思うままの行動。

【自由自在】(ジユウジザイ) 思いのまま。心のまま。〔景徳伝灯録〕

【自由主義】(ジユウシュギ) すべて他の干渉や束縛を受けないで自由であることを主張する考え方。リベラリズム。

【自由放任】(ジユウホウニン) めいめいの考えのままにまかせて干渉しないこと。

【自余(餘)】(ジヨ) そのほか。このほか。爾余(ジヨ)。

【自来(來)】(ジライ) ①物事のよってきたるところ。由来。 ②それ以来。それから後。爾来(ジライ)。 ③かってにやってくる。

【自利】(ジリ) みずから利する。また、自分の利益。

【自力】(ジリキ) 一 ①自分の力。独力。 ②仏自分自身の修行によって、さとりを開こうとすること。↔他力(八〇ページ下)。 二 (ジリョク) ①自分の力。独力。 ②自分で努力する。

【自力更生】(ジリキコウセイ) 自分自身の力で困難な現状をうち破って、より明るい生活をうち立てること。

【自立】(ジリツ) 他の力を借りず、自分の力で身を立てる。自分の力で独立する。ひとりだち。

【自律】(ジリツ) ①自分で自分のわがままや不正をおさえる。 ②国哲学で、理性以外の外的な権威や自然の欲望にしばられないで、自由なこと。

【不二自容一】(みずから(つ)いれず) いたたまれなくなる。

1 【乢】 7画 9668 キョウ(ケウ) 𥫗 jiǎo — — 5466
字義 つつしむ。

3 【臭】 9画 9669 常 シュウ くさ-い・にお-う 2913 8F4C —
一 漢シュウ(シウ) 呉シュ 宥 chòu
二 漢キュウ(キウ) 呉ク 宥 xiù
解字 形声。自+糺省音。音符の糺は、ただすの意味。

4 〖臭〗 10画 9670 人 ₁9056 — —

筆順 ′ ľ 冂 白 自 自 臭 臭 臭

〔臰〕 9674 俗字
字義 一 ❶にお-う(にほ-ふ)。にお-い(にほ-ひ)。鼻のにおいにつついていう。↔香(13671)。「防臭」 ❷くさる。また、くさったにおい。くさ-い(くさ-し)。 ❸悪いうわさ。悪評。悪名。 ❹おもむき。雰囲気。「俗臭」 二 か-ぐ。においをかぐ。＝嗅(1631)。

使いわけ におう〔匂・臭〕⇩匂(1086)。

解字 甲骨文 篆文 会意。自＋大(犬)。自は、はなの象形。犬は、鼻のはたらきのよい犬の意味。においをかぐの意味を表す。臭の意味と音符とを含む形声文字に、嗅(キュウ)・殠(キュウ)・糗(キュウ)・齅(キュウ)などがある。

逆 遺臭・俗臭・銅臭・乳臭・腐臭・和臭
【臭△穢】(シュウアイ・シュウワイ) くさくてきたない。

【臭気(氣)】(シュウキ) くさいにおい。くさみ。

【臭敗】(シュウハイ) くさる。くさりくずれる。腐敗する。

【臭腐】(シュウフ) くさる。腐敗する。

【臭聞】(シュウブン) 悪いうわさ。よくない評判。醜聞。

【臭味】(シュウミ) ①くさみ。悪いにおい。 ②身にしみついたよくない気風。 ③同じくさみの者。悪の仲間。同類。

【臭名】(シュウメイ) 悪いうわさ。よくない評判。

4 【臬】 10画 9671 漢ゲツ 呉ゲチ 屑 niè ₂8557 — 5467
字義 ❶まと。弓のまと。射的。 ❷めあて。標準。 ❸のり。法律。法則。 ❹門内のくい。門内にあって、開いたとびらを固定するくい。＝闑(13024)。 ❺かぎり。限度。
解字 甲骨文 篆文 形声。木＋自音。音符の自(ジ＝ゲツ)は、顔の中心にある、鼻の象形。ねらいの中心をもつ、まとの意味を表す。

4 【臭】 10画 (9670) シュウ 臭(9669)の旧字体。→一二八〇ページ上。

6 【臮】 12画 9672 漢キ 呉ギ 寘 jì
字義 と。ともに。および。＝曁(4861)。
解字 形声。来＋自音。

6 【臯】 12画 9673 コウ 皐(7879)の俗字。→九九四ページ中。

6 【臰】 12画 9674 シュウ 臭(9669)の俗字。→一二八〇ページ上。 — — 5468

8 【鼻】 14画 (14547) ビ 鼻部。→一六五三ページ下。

9 【臱】 15画 9675 漢ベン 呉メン 先 miān — — 5469
字義 見えない。遠く離れて覆われていて、見えない。
解字 会意。自＋宀＋方。自は鼻の象形、宀は左右に分かれるの意味、方はかたわらの意味。鼻柱の両側のふくらみ、見ようとして見えない所、見えないの意味を表す。

10 【臲】 16画 9676 漢ゲツ 呉ゲチ 屑 niè — — 5470
字義 臲卼(ゲツゲツ)は、動揺して不安定なさま。あやういさま。
解字 形声。危＋臬音。

11 【鼾】 17画 (14551) カン 鼻部。→一六五四ページ上。

6画 至 いたる

〔部首解説〕 至を意符として、いたるの意味を表す文字ができている。

0 至 一二八〇
2 到 一八一
3 致 一二八一
4 致 一二八一
6 臸 一二八二
6 䑓 一二八二
7 𦤶 一二八二
8 臺 三四四
10 臻 一二八二
(以上、部首内索引：0 至 一二八〇 2 到 一八一 3 致 一二八一 4 致 一二八一 6 臸 一二八二 / 垤 一二八二 𦤃 一二八二 臺 一二八六 䑓 一二八二 臺 三四四 臻 一二八二)

0 【至】 6画 9677 教6 シ いた-る 2774 8E8A —
シ 寘 zhì

筆順 一 ㄥ 云 至 至 至

字義 ❶いた-る。㋐来る。やってくる。到着する。用例〔史記、項羽本紀〕日夜望二将軍至一(ニチヤショウグンのいたるをのぞむ)。⇩昼も夜も将軍様のご到着をお待ちしておりました。 ㋑(ある範囲・状態・段階に)およぶ。到達する。また、ゆきわたる。用例〔論語、為政〕至二於犬馬一皆能有レ養(ケンバにいたるまでみなよくやしなう(ふ)ことあり)。⇩人は犬や馬でも養っているから、(親を養うのに)尊敬の念がなければどうして(この犬や馬を養っているやり方と)区別できようか(同じになってしまう)。／〔礼記、楽記〕楽至則無レ怨、礼至則不レ争(ガクいたればすなわ(は)ちうらみなく、レイいたればすなわ(は)ちあらそわ(は)ず)。⇩楽が浸透すればうらみはなくなり、礼が浸透すればあらそわなくなる。 ㋒きわまる。最高に達する。用例〔史記、春申君伝〕物至則反(ものいたればすなわ(は)ちかえ(へ)る)。⇩物事は極限に至ると元にもどる。 ❷いた-す。きわめる。つくす。用例〔荀子、不苟〕夫此有レ常、以至二其誠一者也(それこれのつねあるは、そのまことをいたすものなりて)。⇩そもそもそれら(天地や四季)に一定不変の道がそなわっているのは、それらが誠を極めつくした存在だからである。 ❸いた-れる。ゆきとどいている。また、極限に達している。用例〔易経、坤〕至哉坤元(いたれるかな、コンゲン)、万物資生(バンブツとりてショウず)。⇩なんと極めつくしていることか、坤(＝地)の根本たるはたらきは。万物はこの徳をもとにして生じた。❹いた-って。このうえなく。非常に。はなはだ。用例〔戦国策、秦〕商君治レ秦、法令至行。↓商鞅が秦を治めると法令がはなはだ厳密に施行された。❺いた-り。きわみ。きわまり。最高。用例〔史記、礼書〕規矩者、方員之至也。礼者、人道之極也。↓コンパスと定規は四方形と円形の極みであり、礼は人間が踏み行う道の極みである。❻一年中で最も日が長い日と短い日。「夏至」「冬至」

名前 いたる・し・じ・ちか・のり・みち・むね・ゆき・よし

解字 甲骨文  篆文  指事。矢が地面につきささったさまから、いたるの意味を示す。

逆 夏至・冬至・必至

【至△矣尽(盡)△矣】至極に達して、すべてをつくしている。完全である。完備している。用例〔荘子、斉物論〕至矣尽矣、不レ可ニ以加一。↓極限に達してすべてをつくしているので、付け加えることはない。

【至意】①この上なくすぐれた考え。②まごころ。至情。③深い意味。

【至恩】この上なくありがたいめぐみ。この上ない恩恵。

【至楽(樂)】■ 最高の音楽。善美を尽くした音楽。■ この上なく楽しい。また、その事。

【至歓(歡)・至△驩】この上ない喜び。▼驩は、喜び。

【至願】この上ないねがい。切なる願い。

【至急】①非常にいそぐ。大急ぎ。火急。②非常にさし迫っていること。また、最も切実なこと。

【至△竟】つまり。結局。畢竟。

【至極】■ いたりきわまる。きわまる。また、きわまり。この上ないこと。最上。■ 国①きわめて。最も。非常に。②同意する。③もっともである。

【至緊】この上なく大切である。「至緊至要」

【至愚】非常におろか。また、そのような人。おおばか者。

【至賢】この上なくかしこい。また、その人。大賢。

【至言】しごくもっともなことば。最も道理にかなったことば。

【至公】きわめて公平なこと。「至公至平」

【至交】たいへん親密な交際。

【至行】この上なくりっぱな行い。

【至孝】この上なく親孝行なこと。大孝。

【至幸】この上ないしあわせ。最上の幸福。

【至高】国この上なく高い。最高。

【至剛】この上なく強い。非常に強く正しい。→至大至剛。

【至日】冬至と夏至の日。

【至純】この上なく純粋である。少しもまじりけがない。

【至上】この上ない。最上。この上なくすぐれてりっぱなこと(もの)。

【至情】まごころ。

【至心】まごころ。至情。

【至親】この上なく親しい間がら。親子・兄弟などの関係。近親。肉親。

【至人】最高の境地に達した人。道をきわめつくした人。用例〔荀子、天論〕明ニ於天人之分一、則可レ謂ニ至人一矣。↓天と人との別を明らかに知っている人ならば、道を極めた人といえる。

【至仁】この上なくめぐみ深いこと。非常に情け深いこと。

【至性】この上なく善良な性質。

【至聖】この上なく知徳の優れていること。また、そのような人。

【至聖先師】明代に贈られた孔子の尊号。

【至聖文宣王】宋代に贈られた孔子の尊号。

【至誠】この上もないまごころ。用例〔孟子、離婁上〕至誠而不レ動者、未ニ之有一也。↓最高の真心をもってすれば、人が感動しないということはない(必ず感動する)。

【至善】最高の善。善の極致。

【止ニ於至善一】最高最上の善の境地にとどまって、そこから動かない。人間は最高の善に到達し、その状態を維持することを理想とすべきことを教えた語。『大学』の三綱領の一つ。止至善。→三綱領八条目(一六ジ上)。

【至尊】①この上なく尊い。至貴。②天子。また、その位。

【至大至剛】この上なく大きく、この上なく強い。限りなく大きく、どんな力にも屈しないほど強い。用例〔孟子、公孫丑上〕其為レ気也至大至剛。↓浩然の気とは、どんなものにも屈しないくらいに大きく強いものだ。

【至知・至△智】至極の知恵。最上の知恵。また、それを有する人。

【至当(當)】ごくあたりまえなこと。極めて適当なこと。また、正しい道理。

【至道】この上ない道。最高最上の善の道。

【至徳】この上ない徳。最上の徳。

【至難】きわめて困難なこと。非常にむずかしい。

【至宝(寶)】この上なくとうといたから。

【至妙】この上なくすぐれてたくみなこと。

【至要】この上なく大切なこと。きわめて重要なこと。「至緊至要」

【至理】この上なく正しい道理。最上の道理。

【至論】この上なくすぐれた議論。至極もっともな論。

2 【到】 8画 (928) トウ 刂部。→一八一ジ下。

3 【致】 9画 (9679) チ 致(9678)の旧字体。→一一八一ジ下。

4 【致】 10画 9678 常 チ いた-す 3555 9276 一

3 〔致〕 9画 9679 チ 㝉 zhì

筆順 ㄗ 厶 厷 厺 至 至 到 致 致

字義 ❶いた-す。㋐送り届ける。つかわす。やる。用例〔史記、李将軍伝〕得ニ李広一必生致レ之。↓李広を捕らえたら必ず生きたまま護送してくるように。㋑伝える。言いやる。また、しめす。あらわす。用例〔史記、屈原伝〕一篇之中三致レ志焉。↓一編のなかに何度も自身の思いを表明した。㋒与える。授ける。「致命」㋓ゆだねる。まかせる。さしだす。用例〔論語、学而〕事レ君能致ニ其身一。↓君に仕えるにあたって、その身をまかせる。㋔きわめる。つくす。「致知」㋕まねく(招)。さそう(誘)。引き寄せる。また、あつめる。あわせる。用例〔戦国策、燕〕王必欲レ致レ士、先従レ隗始。↓王様がなんとしても賢人を集めたいとお思いならば、まずは私、隗(を厚遇すること)からお始めください。㋖える。手に入れる。用例〔史記、越王句践世家〕居レ家則致ニ千金一、居レ官則至ニ卿相一。↓家におれば千金の富を得、官におれば卿相にまでのぼった。㋗もとにもどす。かえす。用例〔孟子、公孫丑下〕蚳蛙諫ニ於王一而不レ用、致レ為レ臣而去。↓蚳蛙は王を諫めたが用いられなかったため、臣下としての身分を返して(=職を辞して)立ち去った。❷おもむき。㋐ありさま。様子。「風致」㋑きもち。意趣。「意致」「情致」㋒あじわい。風格。「雅致」❸かさねる。重なる。

国いた-す。「する」の謙譲語。つかまつる。

名前 いたす・いたる・おき・ち・とも・のり・むね・ゆき・よし

解字 篆文 形声。もと、夊＋至音。夊は、下向きの足の象形で、ひきかえすの意味。おくりとどけるの意味を表す。常用漢字の致は、夊を攵に書き誤った俗字による。

逆 一致・合致・極致・招致・筆致・風致・誘致

【致詰】チキツ きわめ問う。また、つきとめる。

【致斉(齊)・致斎(齋)】チサイ 祭りの前に行う、三日間のものいみ。

【致仕】チシ 官職を辞する。辞職する。致事。七十歳で辞職する習慣があった。

【致死】チシ 死にいたらせる。

【致事】チジ ＝致仕。

【致知格物】チチカクブツ 『大学』の「致レ知在レ格レ物(チをいたすはものにいたるにあり)」の語から出たことば。その解釈には諸説があるが、代表的なものは次の二説である。㋐南宋ナンソウの朱熹シュキの説。すべて事物にはそれぞれに理があるから、一つ一つの事物についてその理をきわめて行くことによって(格レ物ものにいたる)、やがては自分の天賦の英知をさとりきわめることができる(致レ知チをいたす)と解した。〔南宋、朱熹、大学章句〕 ㋑明ミンの王守仁の説。物とは自分の意思の発動する事物をさし、自分の意思の発動する事物を正しくすることによって(格レ物ものをただす)、自分の生まれながらに有する良知をきわめ明らかにすることができる(致レ知チをいたす)と解した。〔伝習録、中〕

【致△聘】チヘイ 結納を贈る。

【致命】チメイ ①いのちを投げ出す。いのちの限り全力をつくす。②命にかかわる。「致命傷」

【致命傷】チメイショウ ①いのちにかかわる重いきず。②二度と立ちあがれないような、大きな失敗。

【致用】チヨウ ①必要なものを集めて用意すること。②役に立つ。また、役に立てる。

6 【路】 12画 9680 漢カク 呉キャク 陌 gé ―― ―― 5471

字義 至る。

解字 形声。至＋各音。音符の各も、いたるの意味。

6 【銍】 12画 9681 一 漢ジツ・呉ニチ 質 二 シ 寘 zhì ―― ―― 5473

字義 一 至る。やって来る。 二 ❶＝一。 ❷あう。ぴったり合う。

解字 会意。至＋至。

6 【臻】 12画 9682 漢セン 呉ゼン 霰 jiàn ―― ―― 5472

字義 ❶かさねて来る。 ❷かさねて。再び。また、しきりに。しばしば。

解字 形声。至＋存音。

6 【耊】 12画 (9576) テツ 老部。→一二六六ページ中。

7 【臹】 13画 9683 漢シュウ(シウ) 呉シュ 尤 xiū ―― ―― 5474

字義 習う。また、進む。

解字 会意。至＋成。成は、なるの意味。完成に向けて進む、習うの意味を表す。

7 【臺】 13画 9684 ダイ 台(1317)の俗字。→二四四ページ上。 19057 ―― ――

8 【臺】 14画 (1318) ダイ 台(1317)の旧字体。→二四四ページ上。

10 【臻】 16画 9685 シン 真 zhēn 7143 E46A ――

字義 ❶いた-る。㋐来る。やって来る。㋑とどく。およぶ。ゆきわたる。用例(杜子春伝)所レ未レ臻者いまだいたらざるところのものは、愛而已アイのみ。↓できなかったのは愛だけである。㋒集まって来る。よりあつまる。 ❷おおい(衆)。

解字 篆文 形声。至＋秦音。音符の秦シンは、のびしげるの意味。のびてある地点にまで至るの意味を表す。

臼(臼) うす 6画

臼は七画。

〔部首解説〕 臼キュウをもとにして、うす・うすでつくの意味を含む文字ができている。この部首にはまた、臼キョクの字も含まれる。臼をもとにして、両手で持ちあげるの意味を含む文字ができている。

0 【臼】 6画 9686 常 キュウ うす 漢キュウ(キウ)・呉グ 有 jiù 1717 8950 ――

筆順

字義 ❶うす。つきうす。米などをつく道具。「石臼」 ❷うすづく。うすでつく。

難読 臼杵うすき・きね

参考 〔臼〕(9687)は別字で七画。

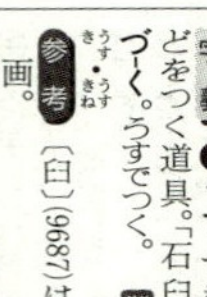

臼①

解字 篆文 象形。古くは地面を、後には木・石をうがって造る、うすの象形で、うすの意味を表す。

【臼科】キュウカ ①うす形の穴。②型。格調。また、一定の型。ありきたりの格調。

【臼歯(齒)】キュウシ おくば。口の奥にあって、物をかみ砕く用をなす歯。生え変わらず、上下三対ずつある。

【臼△杵】キュウショ うすと、きね。杵臼。

【臼砲】キュウホウ 砲身の短い大砲。射角が大きく、弾道が弓なりに曲がる。

【臼磨】キュウマ うす。▼磨は、ひきうす。

0 【臼】 7画 9687 漢キョク 呉コク 沃 jū 28558 ―― ――

字義 ❶左右の手を垂れて指と指とを組み合わせる。 ❷両手で物をささげ持つ。

参考 〔臼〕(9686)は別字で、六画。

解字 篆文 象形。両手を上から伸ばして物を持ちあげる形にかたどり、物を持ちあげるの意味を表す。

2 【臽】 8画 9688 漢カン 呉ゲン 陥 xiàn 28559 ―― 5475

字義 ❶小さな落とし穴。 ❷おちいる。落とし穴に落ち込む。また、落とす。おとしいれる。

解字 金文 篆文 象形。人がおとしあなに落ちた形にかたどり、おとしあな・おちいるの意味を表す。臽(臽)を音符に含む形声文字に、欿カン・輡カン・閻エン・陷(陥)・餡カンなどがある。

2 【兒】 8画 (694) ジ 儿部。→一四三ページ下。

2 【臾】 9画 9689 ユ 虞 yú 7144 E46B ――

〔臾〕 4658 俗字

字義 ❶ひき止める。 ❷須臾シュユは、しばらく。わずかの間。たちまち。

解字 篆文 [篆文] 会意。申(𦥑)＋乙。𦥑は両手で上にひくの意味。乙は草木の曲がった形。物を両手でひきあげる・ひきとめるの意味を表す。

3 【臿】 9画 9690 漢ソウ(サフ) 呉ショウ(セフ) 図 chā ₂8560 ― 5476

字義 ❶うすづく。うすでついて麦などの皮を取り去る。❷すき。土を掘り起こす農具。＝鍤(12766)。❸さす。さしはさむ。

解字 篆文 [篆文] 会意。干＋臼。干は、きねの象形。臼は、うすの象形。うすの中に、きねをさしこむさまから、うすづく・さすの意味を表す。臿(臿)の意味と音符とを含む形声文字に、插(挿)・鍤などがある。

3 【舁】 9画 9691 ヨ 魚 yú 7145 E46C ―

字義 かく。かつぐ。二人が一緒に両手をかけて持ちあげる。

解字 篆文 [篆文] 会意。臼＋廾。臼は上からさしのべた両手、廾は、下からさしあげた両手の象形。ふたりが一緒に両手をかけてもちあげるの意味を表す。舁の意味と音符とを含む形声文字に、輿・譽(誉)・鸒などがある。

4 【舀】 10画 9692 ヨウ(エウ) 篠 yǎo ― ― 5477

字義 ❶くむ(汲)。くみとる。もと、臼から物をくみ出す意。❷つぐ。水などをつぐ。注ぐ。

解字 篆文 [篆文] 会意。爪＋臼。爪は物をつかむ手の象形。臼は、うすの象形。うすの中から物をつかみ出すの意味を表す。舀(舀)を音符に含む形声文字に、慆・掐・滔・稲(稻)・蹈・韜などがあり、これらの漢字は「ぬきとる」の意味を共有している。

5 【舂】 11画 9693 漢ショウ 呉シュウ 冬 chōng 7146 E46D ―

［舂］4751 俗字 ［㫪］4769 俗字

字義 ❶うすづく。臼で穀物をつく。❷太陽が没する。日が入る。❸つく。うつ。＝衝(3462)。

解字 金文 [金文] 篆文 [篆文] 会意。廾＋杵省＋臼。廾は、両手の象形。杵は、きねの意味。臼は、うすの象形。うすづくの意味を表す。

【舂炊】うすでつくことと、炊事すること。

【舂容】落ち着いて、こせこせしないこと。

5 【鼠】 11画 9694 ソ 鼠(14525)の俗字。→一六五三ページ下。

6 【舄】 12画 9695 ㊀漢セキ・呉シャク 陌 xì ㊁漢シャク・呉サク 薬 què ― ― 5478

［舃］9696 俗字

字義 ㊀❶くつ。底を二重に作ったくつ。❷ひがた。＝潟(6693)。❸柱の土台の石。㊁かささぎ。ちょうせんがらす。＝鵲(14279)。

解字 金文 [金文] 古文 [古文] 篆文 [篆文] 象形。かささぎの象形で、かささぎの意味を表す。また、藉に通じ、底を二重にしきかさねたくつの意味をも表す。

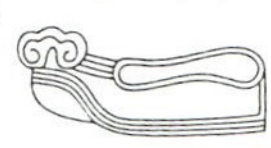
舄①

6 【舃】 12画 9696 セキ 舄(9695)の俗字。→一八三ページ中。 ₂8562 ― ―

6 【與】 13画 (16) ヨ 与(15)の旧字体。→三六ページ下。

6 【舋】 13画 9697 ₂8561 ― ―

字義 學(学)・釁などの漢字の一部分。

7 【舅】 13画 9698 標 漢キュウ(キウ) 呉グ 宥 jiù 7147 E46E ―

字義 ❶おじ。母の兄弟。用例〔北宋、王安石、傷仲永〕従先人還家、於舅家見之。↓今は亡き父に付き従って家に帰り、おじの家で仲永に会った。❷しゅうと。配偶者の父を呼ぶ称。「舅姑」❸妻の兄弟。❹諸侯が姓の違う大夫を呼ぶ称。❺天子が姓の違う諸侯を呼ぶ称。「伯舅」❻姓の違う年長の友人を呼ぶ称。❼古い。

解字 篆文 [篆文] 形声。男＋臼音。音符の臼は、久に通じ、久しい交際のある男性、おじ・しゅうと等の意味を表す。

【舅△姑】しゅうとと、しゅうとめ。夫から妻の父母、妻から夫の父母を呼ぶ称。

【舅子】①母の兄弟の子。母方のいとこ。②妻の兄弟。

【舅氏】①母の兄弟。母方のおじ。舅父。②妻の父。外舅。

【舅弟】母の兄弟の子。母方のいとこ。

【舅父】母の兄弟。母方のおじ。舅氏。

【舅母】母の兄弟の妻。母方のおば。

7 【鼠】 13画 (14525) ソ 鼠部。→一六五三ページ下。

9 【舉】 16画 9699 キョ 挙(3999)と同字。→五七一ページ中。 5810 9DA8 ―

9 【興】 16画 9700 ㊀漢キョウ・呉コウ 蒸 xīng ㊁漢キョウ・呉コウ 径 xìng 教5 コウ・キョウ おこる・おこす 2229 8BBB ―

筆順 ⺊ 亻 𠂉 ⺽ 𦥑 … 興

字義 ㊀❶おこる。たつ。㋐はじまる。新たに生ずる。「勃興」㋑さかんになる。栄える。奮い立つ。立ち上がる。用例〔論語、泰伯〕民興於仁。↓人民が仁によって奮い立つ。❷おこす。㋐始める。発生させる。㋑さかんにする。奮い立たせる。㋒ひきたてる。挙用する。❸おきる。おき上がる。立ち上がる。㊁❶よろこぶ。楽しむ。また、よろこび。楽しみ。「余興」❷『詩経』の六義の一つ。まず自然界のある物事などをたとえにして歌い、その後で、歌おうとする自分の心持ちを歌うもの。

名前 おき・き・きょう・こう・さかり・さかん・さき・とも・ふか・ふさ 難読 興統・興部

参考 現代表記では〔昂〕(4680)・〔亢〕(139)の書きかえに用いることがある。「昂奮→興奮」「亢奮→興奮」

使いわけ おこす・おこる〔興・起〕
〔興〕新たに始める。また、盛んにする。「家を興す・国家が興る」
〔起〕立ち上がる。また、物事を始める。「寝た子を起こす・事件が起こる」

解字 甲骨文 [甲骨文] 篆文 [篆文] 会意。舁＋同。舁は、四つの手で物をあげるの意味。同は、あわせるの意味。力を合わせて物をあげるの意味を表す。甲骨文は舆(こし)を二人が両手で持ちあげている形にかたどる。転じて、心が高なる、よろこぶの意味をも表す。

逆 逸興・感興・再興・作興・詩興・秋興・酒興・春興・振興・酔興・即興・比興・不興・復興・遊興・余興・隆興

【興安△嶺】内モンゴル自治区北東部及び黒竜江省北部にある山脈の総称。

【興会(會)】興味の集まる所。おもしろみ。おもむき。興味。興趣。

【興壊(壞)】おこることと、破れること。さかんになることと、おとろえること。盛衰。

【興感】㊀物事に感じてふるいたつ。㊁おもしろく感ずる。感興。

【興起】コウキ ①ふるいおこる。ふるいたつ。②さかんにおこる。③たちあがる。

【興業】コウギョウ 学業・事業をおこす。

【興行】㊀コウコウ ①おこし行う。さかんに行う。さかんに行われる。②よい行いをはげみ修める。㊁コウギョウ 国芝居・映画などを催し、入場料を取って見物人に見せること。

【興国(國)】コウコク 国の勢いをおこしさかんにする。また、勢いのさかんな国。

【興作】コウサク おこる。また、おこす。

【興趣】キョウシュ おもしろみ。おもむき。興味。

【興△戎】コウジュウ 戦争をおこす。

【興造】コウゾウ ①あらたにつくる。②建造する。建築する。

【興替】コウタイ・コウテイ さかんになったり衰えたりすること。盛衰。興廃。用例〔十八史略、唐、太宗〕以レ古為レ鏡いにしえ(へ)をもってかがみとなさば、可レ見ニ興替一コウタイをみるべし ↓過去の事跡を鏡として参考にすれば、国家の興隆したり衰退したりする原因を知ることができる。

【興敗】コウハイ おこることと、やぶれること。興亡。

【興廃(廢)】コウハイ おこることと、すたれること。さかんになることと、おとろえること。盛衰。興壊。興替。

【興発(發)】コウハツ 倉を開く。米倉を開いて民にほどこす。

【興復】コウフク もとどおりさかんにする。ふたたびさかんにする。復興。

【興奮】コウフン ①物事に感じて心がたかぶる。元気づく。②感情がふるいたかぶる。刺激によって神経がたかぶる。

【興亡】コウボウ おこることと、ほろびること。「治乱興亡」

【興味】キョウミ ①おもしろみ。おもむき。興趣。②ある対象の内容に対して特に注意を払う感情。

【興隆】コウリュウ おこりさかんになる。さかんにおこる。用例〔三国蜀、諸葛亮、前出師表〕此先漢所ニ以興隆一也これセンカンのコウリュウせしゆえ(ゑ)んなり ↓これが前漢が国を興し、盛んになった理由である。

10【輿】17画 (11956) ヨ 車部。→一三九九ページ上。

11【舊】17画 9701 キュウ 旧(4649)の俗字。→六四七ページ上。 7149 E470 —

12【舊】18画 (4650) キュウ 旧(4649)の旧字体。→六四七ページ上。

18【舋】25画 (12448) キン 酉部。→一四五四ページ下。

舌 6画 した・したへん

〔部首解説〕舌ゼツを意符として、なめるなどの舌の動きに関する文字ができている。甘部の甛テン(あまいの意味)もこれをもとにした文字。舍シャの形を持つ文字が便宜上、この部首に分類されることもある。ただし、もと舌部の舍・舖は、新字体では舎の形(舎・舗)に書くため、いずれも人部に編入した。

0 舌 一二〇四　1 乱 四九　2 刮 一二〇四　舍 一二〇四　4 舐 一二〇四
5 舐 一二〇四　甜 九六二　6 舒 一二〇四　7 辞 一四〇一　舔 一二〇五
8 舓 一二〇五　舐 一二〇五　9 舖 一一三　10 舘 一二〇五　12 舙 一二〇五
13 舚 一二〇五

0【舌】6画 9702 教6 ゼツ した 漢セツ・呉ゼチ 慣ゼツ 唐shé 3269 90E3 —

筆順 ノ 二 千 千 舌 舌

字義 ❶した。㋐口の内部に突出した器官で、味覚や発音などの作用を営む。㋑まと(射的)の左右に出た所。㋒楽器などの内部にあって、音を出す道具。㋓したの形をしたもの。❷ことば。ことばづかい。「弁舌」「巧舌」

名前 した

解字 甲骨文  篆文  象形。口から出した「した」の形にかたどり、したの意味を表す。

逆 巻舌・口舌・巧舌・冗舌・長舌・毒舌・筆舌・弁舌

【舌禍】ゼッカ 国①自分の言ったことがもとで受けるわざわい。②他人にそしられて受けるわざわい。

【舌剣(劍)】ゼッケン ①人を傷つけるようなことば。②するどい弁説。

【舌耕】ゼッコウ 講義・演説・講談など、弁舌によって生活の道を立てること。

【舌根】ゼッコン ①したのね。したのねもと。したののどに近いところ。②仏六根の一つ。した。味官。

【舌根未レ乾】ゼッコンいまだかわかず したのねのかわかぬうち。いま言ったばかりで、まだ時間がたたないこと。

【舌人】ゼツジン 通訳をする人。通訳。

【舌△尖】ゼッセン ①したのさき。②口さき。弁舌。

【舌戦(戰)】ゼッセン 議論をたたかわす。言い合い。口論。

【舌頭】ゼットウ ①したのさき。②口さき。弁舌。

【舌△鋒】ゼッポウ ことばのほこさき。するどい弁舌。

【巻レ舌】したをまく 驚いて口がきけないこと。巻舌ケンゼツ。

【△掉レ舌】したをふるう(ふ) =掉舌トウゼツ(六〇一ページ中)。

1【乱】7画 (101) ラン 乙部。→四九ページ中。

2【刮】8画 9703 漢キュウ(キウ) 呉ク 唐jiū — — 5479

字義 舌でなめて取る。

解字 形声。舌+丩㊥。音符の丩キュウは、まつわるの意味。

2【舍】8画 (322) シャ 舎(321)の旧字体。→一〇四ページ中。

4【舐】10画 9704 標 漢シ 呉ジ 唐shì 7151 E472 —

【舐】9705 俗字 【舓】9708 同字

字義 な-める。ねぶ-る。舌のさきでなめる。

解字 形声。舌+氏㊥。音符の氏シは、壬テイに通じ、つきだすの意味。物に舌をつきだす、なめるの意味を表す。

【舐△犢△之愛】シトクのアイ 親牛が子牛をなめ愛するたとえ。転じて、親が子を深く愛するたとえ。また、溺愛デキのあまり、子どもをだめにするたとえ。▼犢は、子牛。〔後漢書、楊彪伝〕

5【舐】11画 9705 シ 舐(9704)の俗字。→一二〇四ページ上。

5【甜】11画 (7582) テン 甘部。→九六二ページ上。 9058 — —

6【舒】12画 9706 ショ 慣ジョ 唐shū 4816 98AE —

字義 ❶の-びる。広がる。また、のばす。❷の-べる。㋐広げる。㋑思いを述べる。=叙(1287)。❸ゆる-やか。㋐遅い。ゆるい。㋑静か。おだやか。❹おごたる。あなどる。❺順序をつける。

解字 篆文  形声。舍+予㊥。舍は、心身を伸びやかにする場所の意味。音符の予は、伸びやかの意味。あわせて、のびる・のべるの意味を表す。

【舒緩】ジョカン ①ゆるやか。ゆったりしている。②ゆるむ。だれる。

【舒△鴈】ジョガン 鳥の名。鵝鳥ガチョウの別名。

【舒巻】ジョケン・ジョカン ①ひろげることと、巻くこと。②時に応じて進退する。③書物を開く。

【舒舒】ジョジョ ゆるやかなさま。ゆっくりと静かなさま。徐徐。

【舒△嘯】ジョショウ ①ゆるやかにうそぶく。静かに口ずさむ。用例〔東晋、陶潜、帰去来辞〕登ニ東皐一以舒嘯トウコウにのぼりて、もってジョショウし臨二清流一而賦レ詩（セイリュウにのぞみてシをフす）。⇩東方の丘にのぼって静かに口ずさんだり、清い流れに向かって詩を作ったりする。②口笛をふく。


【舒情】思いをのべる。抒情。叙情。

【舒遅（遲）】ゆったりと落ちついているさま。

【舒△暢】心がのびのびすること。


7【辞】13画（11987）ジ　辛部。→一四〇一ページ下。

7【誕】13画 9707 テン 〔先〕 tiān　28563 ― ―
字義 誕譂は、ことばの正しくないさま。
解字 形声。舌＋延音。

8【舓】14画 9708 シ　舐(9704)と同字。→一八四ページ下。　― ― 5480

8【舔】14画 9709 テン 〔琰〕 tiǎn　― ― 5481
字義 なめる。ねぶる。
解字 形声。舌＋忝音。

9【舖】15画（636）ホ　舗(635)の旧字体。→一三三ページ下。

10【舘】16画 9710 カン　館(13612)の俗字。→一五七六ページ下。　2060 8ADA ―

12【舙】18画 9711 漢カ（クワ） 呉ゲ 〔禡〕 huà　28564 ― 5482
字義 たばかる。ことばをひるがえす。
解字 会意。舌を三つ合わせて、人をだますの意味を表す。

12【譂】18画 9712 タン 〔寒〕 tān
字義 誕譂は、ことばの正しくないさま。
解字 形声。舌＋單音。

13【舚】19画 9713 テン 〔琰〕〔艶〕 tiàn　― ― 5483
字義 ❶舌の垂れるさま。❷なめる。❸竹の皮。❹蓆（むしろ）。
解字 形声。舌＋詹音。

6画 舛（舛）ます

舛は七画。

〔部首解説〕舛（セン）は、両足を表し、これを意符として舞などの字ができている。これを「ます」と読むのは日本独自の習慣で、本来の意味ではない。もとの字形は六画。新字体では、舛を構成部分とするとき舛（七画）の形に書く。

0 舛 一一八五　6 舜 一一八五　7 舝 一一八五　舝 一一八五　8 舞 一一八五

0【舛】6画 9714 セン 〔銑〕 chuǎn　3304 9143 ―

字義 ❶背をそむけあってねる。❷そむく。たがう。ちがう。❸いりまじる。まじり乱れる。国ます。升(3275)の俗字。

解字 篆文　象形。両足が反対方向を向く形にかたどり、そむくの意味を表す。

【舛△訛】あやまり。まちがい。誤謬。訛舛。

【舛互】①そむきたがう。舛午。②たがいにいりまじる。

【舛午・舛△忤】そむきたがう。違背する。

【舛誤】間違える。また、誤り。

【舛錯】①そむきたがう。そむき乱れる。②いりまじる。

【舛△馳】そむきはせる。思い思いの方向に進む。

【舛△駁】入りまじって正しくない。また、純粋でないさま。

6【舜】13画 9715 人　2956 8F77 ―
6〖舜〗12画 9716 シュン 〔震〕 shùn
筆順
字義 ❶ひるがお。つる草の名。木の名。❷むくげ。もくげ。アオイ科の落葉低木。夏から秋にかけて一重または八重の淡紫色・淡紅色・白色などの花を開く。＝蕣(10277)。❸中国古代伝説上の帝王の名。有虞氏。尭とともに理想的な聖天子とされる。
名前 きよ・しゅん・とし・ひとし・みつ・よし
解字 篆文　形声。篆文は匧＋舛音。匧はまた、匚＋炎。匚は、こばこの象形。炎は淡に通じ、あわいの意味。音符の舛（セン）は、そむくの意味。小箱ほどの大きさで、淡紅色の花がたがいに別の方を向いてさく、ひるがおの意味を表す。ただし、異説が多い。
【舜△禹】中国古代伝説上の聖天子。舜帝と禹王。
【舜華】むくげの花。美人の顔にたとえる。舜英。
【舜典】『書経』の編名。舜が尭帝を助けて善政を行い、その譲りを受けて天子となる事情を述べている。

7【舝】13画 9717 漢カツ 呉ゲチ 〔黠〕 xiá
［舝］9718 俗字
字義 ❶くさび。車の心棒のさきにさして、車輪のぬけるのを防ぐ具。＝轄(11950)。❷くさびする。くさびをして車輪がぬけないようにする。
解字 篆文　形声。舛＋𢆶省音。音符の𢆶（セツ）は、契に通じ、きざむの意味。舛は、左右の足の象形。車軸の両端にきざみこんだくさびの意味を表す。

7【舝】14画 9718 カツ　舝(9717)の俗字。→一一八五ページ中。　― ― 5484

8【舞】15画 9719 常 ブ まう・まい　4181 9591 ―

8〖舞〗14画 9720 漢ブ 呉ム 〔麌〕 wǔ
筆順
字義 ❶まう。㋐音楽や歌に合わせて踊る。「剣舞」㋑こおどりする。喜んでおどり上がる。「乱舞」㋒飛びまわる。かけまわる。めぐる。❷まわす。㋐舞いをさせる。㋑はげます。奮い立たせる。「鼓舞」❸もてあそぶ。思いのままに扱う。❹まい。おどり。舞踊。

名前 まい　難読 舞妓・舞木
解字 甲骨文　金文　篆文　形声。舛＋無音。音符の無（ブ）は、まいの象形。甲骨文は、人が装飾のあるそでをつけて舞うさまにかたどっているのがよくわかる。のち、さらに左右の足の象形の舛を付し、まいの意味を明らかにした。

逆 歌舞・緩舞・群舞・鼓舞・跳舞・慢舞・妙舞・乱舞
【舞△雩】天をまつって雨ごいをする祭り。また、その祭壇。

【舞△筵】①まいの席に敷く敷き物。②まいの席。

【舞楽（樂）】国まいを伴う雅楽。

【舞姫（姬）】まいをまう女性。おどりこ。舞妓。

【舞曲】①舞楽に用いる楽曲。まいのための曲。②音楽を伴うまい。

【舞△衫】まいをまうとき着る衣装。舞衣。▼衫は、ひとえの短い着物。

【舞台（臺）】①まいや芝居などを演ずる台。演技の場所。②舞台での演技。③うでまえをためす場所。

【舞態】まいをまう姿。まいの姿。舞容。

【舞踏・舞△蹈】①まいおどる。②足ぶみして喜びおどる。舞躍。③朝廷での拝礼の一種。手をまわし足をふみならしてする礼。④国西洋風のおどり。ダンス。

【舞筆】事実をまげて書く。曲筆。

【舞文】①法律や文章を勝手に解釈または改作すること。②＝舞筆。③好んで文章を作ること。

【舞文弄法】文をまわしめ、法をもてあそぶ。法律や文

舌部 7▼13画〔辞誕舓舔舖舘舙譂舚〕　舛部 0▼8画〔舛舜舝舝舞〕

章を勝手に解釈または改作し、悪用・乱用すること。舞文巧法ともいう。

【舞△抃】ブベン 喜んで、まいながら手をたたくこと。抃舞。

【舞容】ブヨウ まいをまう姿。まいの姿。

【舞踊】ブヨウ まい。おどり。ダンス。

【舞弄】ブロウ ①文筆・法律などをもてあそぶこと。→舞文・舞文弄法。②人をあなどりもてあそぶこと。

6画 舟 ふね・ふねへん

〔部首解説〕舟を意符として、いろいろな種類の舟や、舟の部品・用具、舟で行くことなどに関する文字ができている。なお、舟が省略されて月(ふなづき)の形になる文字がある。それらは月部に分類される。

0 舟 一一八六	2 舠 一一八六	3 舡 一一八六	舢 一一八六	4 航 一一八六
舩 一一八六	般 一一八六	舨 一一八七	舫 一一八七	舮 一一八七
舮 一一八七	航 一一八七	5 舸 一一八七	舷 一一八七	舺 一一八七
舴 一一八七	舳 一一八七	船 一一八七	舵 一一八七	[illegible] 一一八七
舶 一一八七	舲 一一八八	6 舼 一一八八	艂 一一八八	7 艄 一一八八
艇 一一八八	艀 一一八八	艅 一一八八	[illegible] 一一八八	艆 一一八八
艉 一一八八	8 [illegible] 一一八八	[illegible] 一一八八	艋 一一八八	[illegible] 一一八八
9 艎 一一八八	艏 一一八八	[illegible] 一一八八	艑 一一八八	10 艗 一一八八
艖 一一八八	艙 一一八八	艘 一一八八	11 艚 一一八八	艜 一一八八
[illegible] 一一八八	[illegible] 一一八八	[illegible] 一一八九	12 艟 一一八九	[illegible] 一一八九
艠 一一八九	13 艤 一一八九	艢 一一八九	艨 一一八九	艧 一一八九
14 艧 一一八九	15 艦 一一八九	[illegible] 一一八九	[illegible] 一一八九	16 艫 一一八九
18 艭 一一八九				

0 【舟】 6画 9721 常 シュウ ふね・ふな

漢シュウ(シウ)・呉シュ 因 zhōu

2914 8F4D ―

筆順 ノ ｱ 介 内 角 舟

字義 ❶ふね。名詞などの上に付いて、ふな。水を渡るために用いる乗り物。「舟車」❷うけだらい。昔、祭りの尊(樽ソン)・さかだる)の下においた盤。❸おびる。身につける。❹あたえる。さずける。国ふね。水・湯・酒などを入れる桶おけ。「湯舟」

名前 のり・ふな・ふね　難読 舟子かこ・舟入ふにゅう・舟夫かこ

参考 水を渡るための乗り物という意では、〔舟〕も〔船〕も同じだが、昔、中国の関東(函谷関カンコクカンから東)では舟といい、関西(函谷関から西)では船といった。

使いわけ ふね〔舟・船〕
〔舟〕小型のふね。「丸木舟」
〔船〕大型のふね。「船旅」
なお、大小に関係ない場合は〔船〕を用いる。「船酔い」

解字 甲骨文 金文 篆文

象形。わたしぶねの象形で、ふねの意味を表す。

逆 虚舟・軽舟・刻舟・孤舟・同舟・方舟

【舟艦】シュウカン 戦争用のふね。いくさぶね。

【舟行】シュウコウ ふねに乗って行く。ふねで旅行する。

【舟航】シュウコウ ふねで水を渡って行くこと。

【舟子】シュウシ・ふなこ ふねをこぐ人。船頭。舟人。

【舟師】シュウシ ①ふねに乗って戦う軍隊。海軍。水軍。②船頭。ふなこ。舟人。

【舟車】シュウシャ ①ふねと、くるま。②水陸の交通機関。

【舟△楫・舟△檝】シュウシュウ ①ふねと、かじ。また、ふね。②天子を助ける家来のたとえ。

【舟戦(戰)】シュウセン ふないくさ。敵・味方が互いにふねに乗ってたたかうこと。

【舟中敵国(國)】シュウチュウのテキコク 徳を修めなければ、近しい者でも敵にまわってしまう。魏ギの武侯が舟に乗っていたとき、魏国が自然の要害の地であるのを誇ったのに対して、呉起が、君主が徳を修めなければ、舟に乗っている左右の者も敵にまわるだろうといった故事による。〔史記、呉起伝〕

【舟泊】シュウハク ふなどまり。ふねが停泊すること。舟次。

【舟△筏】シュウバツ ふね。▼筏は、いかだ。

【舟△輿】シュウヨ ふねと、くるま。舟車。用例〔老子、八十〕雖レ有二舟輿一(シュウヨありと、いえ(へ)ども)、無レ所レ乗レ之(これにのるところなし)。→舟や車があっても、乗ることはしない。

【舟△梁】シュウリョウ ①ふねをならべて作った橋。②ふねと橋。

【刻レ舟求レ剣(劍)】ふねにコクしケンをもとむ 時勢の移り変わりを知らない、頑固で融通のきかない者のたとえ。舟から流れの中に剣を落とした者が、ここが剣の落ちた場所だと、ふなべりを刻んでしるしをつけ、あとで落とした剣を探した故事による。〔呂氏春秋、察今〕

2 【舠】 8画 9722 トウ(タウ) 豪 dāo

字義 こぶね。

解字 形声。舟＋刀音。

3 【舡】 9画 9723 一コウ(カウ) 江 xiāng 二漢セン 呉ゼン 先 chuán

2 8565 ― 5485

字義 一ふね(船)。二船(9738)の俗字。

解字 形声。舟＋工音。

3 【舢】 9画 9724 サン 刪 shān

2 8566 ― 5486

字義 舢板サンパンは、港湾や河川で用いる小舟。三板サンパン。

解字 形声。舟＋山音。

4 【航】 10画 9725 教5 コウ

漢コウ(カウ)・呉ゴウ(ガウ) 陽 háng

2550 8D71 ―

筆順 ノ ｱ 介 角 舟 舟 舟 舫 航

字義 ❶ふね。❷ふなばし。船を並べて作った橋。❸わたる。船で水を渡る。今、空中を飛び渡ることにもいう。「航海」「航空」

名前 こう・ふね・わたる

解字 形声。舟＋亢音。音符の亢コウは、行に通じ、行くの意味。ふねで行くの意味を表す。

逆 寄航・欠航・舟航・渡航・難航

【航空】コウクウ 飛行機で空中を飛行すること。

【航行】コウコウ 船で水の上を渡って行く。

【航程】コウテイ 船や航空機で行くみちのり。

【航路】コウロ 船の通るみち。ふなじ。水路。

4 【舩】 10画 9726 セン

7153 E474 ―

船(9738)の俗字。→一一八七ジペー中。

4 【般】 10画 9727 常 ハン

一ハン 寒 bān 二ハン 刪 三ハツ 曷 bō 慣ハン

4044 94CA ―

筆順 ノ ｱ 介 角 舟 舟 舟 般 般 般

字義 一❶めぐる。まわる。また、めぐらす。まわす。❷はこぶ。移す。また、返す。❸ひさしい。❹ぐずぐずして進まない。❺たのしむ。❻大きい。❼たぐい。種類。「百般」二❶しく(布)。分布する。❷わける。分け与える。❸まだら。ぶち。❹いりみだれる。三→般若。

名前 かず・つら

解字 甲骨文 金文 篆文

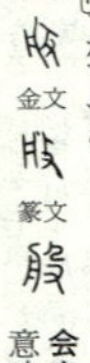

会意。舟＋殳。舟は、ふねの意味。殳ユシは、ある動作が加

わるの意味。ふねを動かすの意味から、はこぶの意味を表す。般を音符に含む形声文字に、搬・瘢ハン・盤・磐バン・鞶ハンなどがあり、これらの漢字は、「おおきい」の意味を共有している。

逆 一般・各般・過般・諸般・万般・百般

【般逸】ハンイツ 楽しみあそぶ。盤逸。般遊。
【般△桓】ハンカン 進まないさま。盤桓。
【般旋】ハンセン うねりめぐる。めぐる。盤旋。般還。
【般若】ハンニャ ①仏梵語ボン prajñāの音訳語。迷いを去って、さとりを開く知恵。②国ア恐ろしい鬼女の面相に作った能面。般若面。イ恐ろしい顔の女性。
【般若心経(經)】ハンニャシンギョウ 仏教の経典の名。「般若波羅蜜多心経ハンニャハラミッタシンギョウ」の略。一巻。唐の玄奘ゲンジョウの訳で、一切皆空の理、色即是空シキソクゼクウを説いている。
【般若湯】ハンニャトウ 僧家で、酒をいう隠語。
【般楽(樂)】ハンラク 大いに遊びたのしむ。

4 【舨】10画 9728 ハン 漢 bǎn　—　—　5487
字義 艫舨ドウハンは、船。

4 【舫】10画 9729 ホウ(ハウ) 漢 fǎng　7154　E475　—
字義 ❶ふね。また、いかだ。❷もやい。もやいぶね。二つ並べてたがいにつなぎ合わせた船。「舫舟」「舫船」
解字 篆文 形声。舟＋方音。音符の方は、並ぶの意味。並べてつないだふねの意味を表す。

4 【舮】10画 9730 ロ　7168　E484　—
艫(9780)の俗字。→二八九ページ中。

4 【舮】10画 9731 ロ　₂8567　—　—
艫(9780)の俗字。→二八九ページ中。

4 【𦨞】10画 9732 国字
字義 かわらかはら。和船の底の木材。また、舟を数える単位。

5 【舸】11画 9733 カ 智 歌 gě　7155　E476　—
字義 ふね。大きな船。大きく速い船。「走舸」
解字 形声。舟＋可音。
【舸艦】カカン 大きな軍艦。巨艦。

5 【舷】11画 9734 常 ゲン 漢ケン・呉ゲン 先 xián　2431　8CBD　—
筆順
字義 ふなばた。ふなべり。船の側面。舷側。
名前 けん・げん
解字 形声。舟＋玄音。音符の玄は、弦に通じ、つるの意味。張られたような反りのある、ふねの側面の意味を表す。
【舷舷相摩】ゲンゲンあい(ひ)マす 国ふなばたと、ふなばたとが互いにすれ合う。敵・味方の船が接近してはげしく戦うさま。

5 【舺】11画 9735 漢コウ(カフ) 呉ギョウ(ゲフ) 洽 xiá　—　—　5490
字義 艀舺ホコウは、船。
解字 形声。舟＋甲音。

5 【舴】11画 9736 漢サク 呉シャク 陌 zé　₂8569　—　5489
字義 舴艋サクモウは、小舟。
解字 形声。舟＋乍音。

5 【舳】11画 9737 一 漢チク・呉ジク(ヂク) 屋 zhú　二 漢チュウ(チウ) 呉ジュ(ヂュ) 宥 zhòu　7156　E477　—
字義 一❶とも。船の後部。船尾。❷かじ。二へさき。みよし。船の前部。船首。
難読 舳先へさき・舳倉へぐら・へくら
解字 形声。舟＋由音。
【舳△艫千里】ジクロセンリ へさきと、ともとがふれ合って、多くの船が千里も長く連なり続くこと。用例〔北宋、蘇軾、前赤壁賦〕舳艫千里ジクロセンリ、旌旗蔽レ空セイキそらをおおう(ほ)う(ふ)。↓多くの船が、へさきとともを触れ合わせながら千里も長く連なり、旗は空を覆い隠すほど並び立っている。
【舳△艫相△銜】ジクロあい(ひ)ふくむ へさきと、ともとがたがいにふれ合う意味で、多くの船が連なり続くさま。

5 【船】11画 9738 教2 センふね・ふな 漢セン・呉ゼン 先 chuán　3305　9144　—
筆順
【舩】9726 俗字
字義 ふね。ふな。昔、中国の関東(函谷関カンコクカンから東)では舟、関西(函谷関から西)では船といった。
名前 ふな・ふね
難読 船渠ドック・船首みよし
使いわけ ふね〔舟・船〕⇩舟(9721)
解字 金文 篆文 形声。舟＋㕣音。音符の㕣エンは、穿センに通じ、うがつの意味。木をうがってつくったふねの意味を表す。また㕣は沿に通じ、川の流れにそって上下するふねの意味を表すともいう。

逆 艦船・客船・難船・泊船・帆船・便船・輪船・楼船
【船艦】センカン ①いくさぶね。軍艦。②商船と軍艦。
【船脚】一センキャク 船底が水中に入る部分。またその程度。喫水。二ふなあし 国船の速力。
【船△渠】センキョ 国船をつくったり、修理したりする所。ドック。
【船橋】センキョウ ①船を並べてつなぎ、その上に板を渡して橋としたもの。うきはし。ふなばし。②船の上甲板の中央部前方にあって、船長が指揮をとる所。ブリッジ。
【船舷】センゲン ふなばた。ふなべり。船の側面。舷側。
【船△檣】センショウ 船のほばしら。
【船倉・船△艙】センソウ・ふなぐら 船の上甲板にあって、貨物を積みこむ所。
【船頭】一セントウ 船の前部。へさき。船首。二センドウ 国①船のかしら。ふなおさ。②船をこぐ人。ふなこ。ふなのり。水夫。
【船舶】センパク ふね。▼舶は、大船。
【船夫】センプ せんどう。ふなこ。水夫。
【船腹】センプク ①船のはら。②船の内部。船で貨物を積むことのできる所。
【船歩】センポ わたし場。船埠センプ。
【船△篷】センボウ ①船のとま。▼篷は、船の上部をおおうのに用いる、菅すげや茅かやで編んだもの。②とまでおおってある船。
【△檥レ船・△艤レ船】ふねをギす ふなでの用意をする。

5 【舵】11画 9739 人 標 漢タ 呉ダ 智 duò　3441　91C7　—
筆順
【柁】5325 同字 【䑨】9740 同字
字義 かじかぢ。船尾にとりつけて船首の方向を定める装置。
解字 形声。舟＋它音。音符の它タは、へびの象形。へびの尾のように自由に動いて方向を定める、ふねのかじの意味を表す。
【舵手】ダシュ・かじこ 船のかじとり。かんどり。操舵手。舵子。

5 【䑨】11画 9740 ダ
舵(9739)と同字。→二八七ページ下。

5 【舶】11画 9741 常 ハク 漢ハク・呉ビャク 陌 bó　3985　9495　—
筆順
字義 おおぶね。海を渡る船。「船舶」

解字 **形声**。舟＋白㊐。

逆 船舶・蛮舶

【舶△賈】ハクコ・ハッコ 外国からやってきた商人。

【舶載】ハクサイ ①船にのせて運ぶ。②＝舶来①。

【舶来(來)】ハクライ 国①船に積んで外国から運んでくる。舶載。②「舶来品」の略。外国からの輸入品。舶貨。

5【舲】11画 9742 漢レイ 呉リョウ(リャウ) 青 líng — $_{2}$8568 — 5488

字義 ❶やかた船。まどのある小舟。❷こぶね。

解字 **形声**。舟＋令㊐。音符の令は櫺ㇾに通じ、れんじの意味。れんじ窓のある、やかたぶねの意味を表す。

6【舼】12画 9743 一 漢キョウ・呉グ qióng 二 漢コウ・呉グ hōng — $_{2}$8570 — —

字義 一こぶね。小さくて底の深い舟。二ふね。

解字 **形声**。舟＋共㊐。

6【艂】12画 9744 漢ホウ(ハウ) 呉ボウ(バウ) 江 páng

字義 ふね。呉の地方の方言。

解字 **形声**。舟＋夆㊐。

7【艄】13画 9745 漢ソウ(サウ) 呉ショウ(セウ) 肴 shāo — — 5492

字義 とも。船尾。

解字 **形声**。舟＋肖㊐。

7【艇】13画 9746 常 テイ 漢テイ・呉ジョウ(ヂャウ) 迥 tǐng — 3690 92F8 —

筆順 丿 ⺆ 介 舟 舟 舟 舡 舡 艇 艇

字義 こぶね。細長い小舟。ボート。短艇。

解字 篆文 **形声**。舟＋廷㊐。音符の廷は、まっすぐ突き出るの意味。先端が突き出て風の抵抗を小さくした、軽快なこぶねの意味を表す。

逆 端艇

【艇子】テイシ せんどう。ふなこ。船夫。

7【艀】13画 9747 漢フ 呉ブ 虞 fú — 7157 E478 —

字義 こぶね。国**はしけ**。本船と波止場はとばとの間を往来して、人や貨物を運ぶ小舟。

解字 **形声**。舟＋孚㊐。音符の孚フは、浮に通じ、うきあがるの意味。軽く浮きやすい、小さなふねの意味を表す。

7【艅】13画 9748 ヨ 魚 yú — $_{2}$8573 — 5493

字義 艅艎ヨコウは、春秋時代、呉王の乗った美しい船。

解字 **形声**。舟＋余㊐。

7【艃】13画 9749 リ 支 lǐ — — 5491

字義 艝艃リキは、船。

解字 **形声**。舟＋里㊐。

7【艆】13画 9750 ロウ(ラウ) 陽 láng — $_{2}$8571 — 5494

字義 ❶ふね。海を行く大船。❷ふなばた。ふなべり。

解字 **形声**。舟＋良㊐。

7【艉】13画 9751 国字 — $_{2}$8572 — —

字義 **とも**。船尾。

8【艝】14画 9752 漢キ 呉ギ 支 qí

字義 艝艃リキは、船。

解字 **形声**。舟＋其㊐。

8【艑】14画 9753 セン 霰 qiàn — $_{2}$8576 — —

字義 軽快な舟。

解字 **形声**。舟＋青㊐。

8【艋】14画 9754 漢モウ(マウ) 呉ミョウ(ミャウ) 梗 měng — $_{2}$8575 — 5501

字義 舴艋サクモウは、小舟。国うきはし。舟をつないだ橋。

解字 **形声**。舟＋孟㊐。

8【艔】14画 9755 国字 — $_{2}$8574 — —

字義 **たぎし**。船尾のかじ。

9【艎】15画 9756 漢コウ(クヮウ) 呉オウ(ワウ) 陽 huáng — — 5502

字義 ❶大船。❷渡し船。❸艅艎ヨコウは、春秋時代、呉王の乗った美しい船。

解字 **形声**。舟＋皇㊐。音符の皇は、大きいの意味。

9【艏】15画 9757 漢シュウ(シウ) 呉シュ 有 shǒu — $_{2}$8577 — 5503

字義 ❶ふね。❷艗艏ゲキシュウは、へさき。

解字 **形声**。舟＋首㊐。

9【艐】15画 9758 ハン 帆(3085)と同字。→四五三ページ下。 — $_{2}$8578 — —

9【艑】15画 9759 漢ヘン 呉ベン 銑 霰 biàn — — 5504

字義 ❶おおぶね。大船。❷平たい舟。

10【艗】16画 9760 漢ゲキ 呉ギャク 錫 yì — $_{2}$8579 — —

解字 **形声**。舟＋扁㊐。

字義 **へさき**。水難よけのかざりに鷁ゲキ(水鳥の一種)を彫りつけた船首。また、その船。

解字 **形声**。舟＋益㊐。

10【艖】16画 9761 漢サ 呉シャ 麻 chā — — 5505

字義 ❶船。また、小舟。❷底の浅い舟。

解字 **形声**。舟＋差㊐。

10【艙】16画 9762 ソウ(サウ) 陽 cāng — 7158 E479 —

字義 ❶ふなぐら。胴の間ま。船の中央部の、貨物を積む所。船艙。❷船などの中央部のしきったへや。船室。

参考 現代表記では〔倉〕(437)に書きかえることがある。「船艙→船倉」

解字 **形声**。舟＋倉㊐。音符の倉は、くらの意味を表す。

【艙間】ソウカン 船の中央部にあるへや。船室。

【艙底】ソウテイ 船底の貨物を入れる所。

10【艘】16画 9763 標 ソウ(サウ) 豪 sāo — 7159 E47A —

字義 ❶**ふね**。また、ふねの総称。❷ふねの数を数えることば。

解字 **形声**。舟＋叟㊐。

11【艚】17画 9764 漢ソウ(サウ) 呉ゾウ(ザウ) 豪 cáo — 7161 E47C —

字義 **ふね**。また、小舟。

解字 **形声**。舟＋曹㊐。音符の曹は、二人が向き合うの意味。二人が向き合って乗るボートの意味を表す。

11【艜】17画 9765 タイ 泰 dài — $_{2}$8581 — 5506

字義 長くて幅の狭い舟。ひらたぶね。

解字 **形声**。舟＋帶㊐。

11【艀】17画 9766 漢ホ 呉ブ 遇 麌 bù

字義 ❶小舟。❷艀艒コウホは、船。

解字 **形声**。舟＋符㊐。

11【艝】17画 9767 国字 — 7160 E47B —

字義 **そり**。雪や氷などの上をすべらせて行く道具。

解字 **会意**。舟＋雪。雪の上のふね、そりの意味を表す。

11【⿰舟奇】17画 9768 国字 ₂8580 — —
字義 藤川船⿰舟奇話（ふじかわぶねのりあいばなし）は、歌舞伎の演目の名。

12【艟】18画 9769 漢ショウ 呉シュウ 慣ドウ 冬 chōng 7162 E47D —
字義 ❶艟舨（ドウハン）は、船。❷艨艟（モウドウ）・艟艫（ドウロ）は、いくさぶね。→艨(9774)。
解字 形声。舟＋童音。音符の童は、衝に通じ、つきあたるの意味。敵につきあたっていくふねの意味を表す。

12【艣】18画 9770 ロ ₂8582 — 5508
艪(9779)と同字。→一二八九㌻中。

12【艠】18画 9771 国字 ₁9059 — 5507
字義 いかだ(筏（バツ）)。材木を何本も並べて結び合わせ、水に浮かせるようにしたもの。
解字 会意。舟＋登。物をのせるふねのようなものという意味を表す。

13【艤】19画 9772 ギ 紙 yǐ 7163 E47E —
字義 ふなよそおい（ふなよそほひ）。ふなもよい。ふなじたく。出船の用意をすること。＝檥(5842)。
解字 形声。舟＋義音。音符の義は、規則にかなっていてよいの意味。ふねが航海してもよいように、したくをするの意味を表す。
【艤△楫】（ギシュウ） 出船の用意を整える。艤舟。艤船。
【艤装(裝)】（ギソウ） 船が整備を整えて、出発の用意をすること。ふなよそおい。

13【艢】19画 9773 ショウ 7164 E480 —
檣(5851)と同字。→七七三㌻中。

13【艨】19画 9774 漢ボウ 呉モウ 東 送 mēng 7165 E481 —
字義 艨艟（モウドウ）は、いくさぶね。細長くて、牛の皮でおおわれた、敵の船を突き破るもの。
解字 形声。舟＋蒙音。

13【艧】19画 9775 ワク — — 5509
艧(9776)の俗字。→一二八九㌻上。

14【艧】20画 9776 ワク 薬 huò
［艧］9775 俗字
字義 船。また、船の名。
解字 形声。舟＋蒦音。

15【艦】21画 9777 常 カン 漢カン・呉ゲン 豏 jiàn 2047 8ACD —
筆順 舟 舟 舟 舟 舟 艦 艦 艦
字義 いくさぶね。兵船。軍艦。昔はふねの周囲に板を張り、矢や石を防ぐように造った。
解字 形声。舟＋監音。音符の監は、檻（カン）に通じ、おりの意味。敵の攻撃を防ぐため、おりのように四面を板で囲んだ、いくさぶねの意味を表す。
逆 旗艦・舟艦・船艦・闘艦・砲艦
【艦橋】（カンキョウ） 軍艦の甲板で将校が指揮するために一段高く作った所。ブリッジ。
【艦船】（カンセン） ①軍艦と商船。②大小の艦艇と、艦艇の活動を助ける種々の船舶との総称。
【艦隊】（カンタイ） 二隻以上の軍艦で編成した海軍の部隊。
【艦艇】（カンテイ） 軍艦・水雷艇などの総称。大小の軍艦。

15【⿰舟墨】21画 9778 漢ボク 呉モク 職 mò ₂8583 — —
字義 こぶね。
解字 形声。舟＋墨音。

15【艪】21画 9779 漢ロ 呉ル 麌 lǔ 7166 E482 —
［艣］9770 同字
字義 かい。舟をこぎ進める道具。＝櫓(5899)。
解字 形声。舟＋魯音。

16【艫】22画 9780 漢ロ 呉ル 虞 lú 7167 E483 —
［舮］9730 俗字 ［⿰舟戶］9731 俗字
字義 ❶へさき。みよし。船の前部。船首。❷とも。船の後部。船尾。❸ふね。
難読 艫作（へなし）
解字 形声。舟＋盧音。

18【艭】24画 9781 ソウ（サウ） 江 shuāng — — 5510
字義 艂艭（ホウソウ）は、船。また、船の名。
解字 形声。舟＋雙音。

6画 艮 うしとら こん

〔部首解説〕 艮（コン）が意符になる文字の例はない。字形分類上、部首に立てられる。

0 艮 一二八九　1 良 一二八九　11 艱 一二九一

0【艮】6画 9782 コン 慣ゴン 願 gèn 2617 8DAF —
［⿱目匕］7954 本字
字義 ❶もとる。さからう。❷止まる。❸なやむ。かたい(難)。むずかしい。❹かたい(堅)。❺易の卦（カ）の名。㋐八卦（カ）の一。☶。山にかたどり、止まって進まないかたち。家族では若い男性、方位では北東にあてる。⇩ コラム 八卦(一四五㌻)。㋑六十四卦（カ）の一つ。䷳ 艮下艮上（ゴンカゴンショウ）。止まって進まないかたち。❻うしとら。丑寅（チュウイン）。㋐北東の方角。㋑午前二時から四時までの間。
解字 篆文 象形。人の目を強調した形にかたどり、もと、目の意味を表したものであろう。「め」の意味には眼の字が用いられるようになり、艮は、もとる・とどまるの意味に用いられるようになった。また、借りて、方角・時間の「うしとら」の意味に用いる。艮を音符に含む形声文字には、很（コン）・墾・懇・恨・根・狠（コン）・痕（コン）・眼・銀・限・齦（コン）・跟（コン）などがあり、これらの漢字は、多く「ふみとどまる」の意味を共有している。

1【良】7画 9783 教4 リョウ よ-い リョウ（リャウ） 陽 liáng 熟字訓 野良（のら） 県名 奈良（なら）県 4641 97C7 —
筆順 丶 ㇉ ㇌ ⺕ 艮 良 良
字義 ❶よ-い（よ-し）。いい。↔悪(3531)。㋐富んでいる。豊か。㋑すぐれている。まさっている。長じている。用例〔詩経、鄭風、大叔于田〕叔善射忌（シュクやよくシャし）、又良御忌（またよくギョす）。⇩叔さんは射撃もうまく、御車もたくみ。㋒めでたい。運がよい。用例〔楚辞、九歌、東皇太一〕吉日兮辰良（キチジツシンもよし）、穆将愉兮上皇（つつしみてまさにジョウコウをたのしましめんとす）。⇩今日のよき日、ときもめでたい、慎んで上天の神を楽しませまつろう。㋓安らか。おだやか。用例〔荀子、非十二子〕士君子之容、其冠進（シクンシの、ヨウ、そのカンはシン）、其衣逢（そのイはホウ）、其容良（そのヨウはリョウなり）。⇩士君子の容貌は、冠は高く、衣はゆったりとしており、容姿はおだやかである。㋔すなお。おとなしい。用例〔礼記、儒行〕温良者（オンリョウは）、仁之本也（ジンのもとなり）。⇩おだやかですなおであることは、仁の根本である。

舟部 11▼18画 〔⿰舟奇 艟 艣 艠 艤 艢 艨 艧 艧 艦 ⿰舟墨 艪 艫 艭〕 艮部 0▼1画 〔艮 良〕

❷よ-く。できる。用例〔左伝、昭公十八〕国幾亡(くにほとんど、ほろびんとす)、我身泯焉(わがみほろびんとす)、弗ㇾ良及ㇾ也(よくおよばざるなり)。↓国はほとんど滅びかけるであろうが、私はその前に死んで、それを見ることができない。

❸まこと-に。実に。用例〔唐、李白、春夜宴ニ桃李園一序〕古人秉ㇾ燭夜遊(コジンショクをとりて、よるあそぶ)、良有ㇾ以也(まことにゆえ(ゑ)あるなり)。↓昔の人がともしびをともして夜まで遊び楽しんだのは、まことにもっともなことだ。

❹やや。少し。しばらくして。用例〔史記、秦始皇本紀〕始皇黙然良久(シコウモクゼンたることややひさし)。↓始皇はしばらくだまっていた。

❺はなは-だ。ずいぶん。とても。用例〔漢書、馮唐伝〕上既聞ニ廉頗・李牧為ㇾ人(ショウすでにレンパ・リボクのひとゝなりをききて)、良説(はなはだよろこぶ)。↓主上は廉頗・李牧の人柄を聞いて大いに喜んだ。

❻まこと。いさお。すぐれた性質。また、すぐれた人や馬。用例〔礼記、坊記〕紂克ㇾ予(チュウわれにかたば)、非ニ朕文考有ㇾ罪(わがブンコウにつみあるにあらず)、惟予小子無ㇾ良(これわれショウシまことなければなり)。↓もし紂が私に勝つならば、それは父君文王に罪があるためではなく、このわたしに明徳がないためである。

❼おっと。むこ。「良人」

名前 あきら・お・かず・かた・さね・すけ・たか・つかさ・つぎ・なおし・なが・ながし・はる・ひこ・ひさ・ふみ・まこと・み・よし・ら・りょう・ろ・ろう 難読 良人(おっと)・良瑠石(らるいし)

使いわけ よい〔良・善〕
〔良〕「他よりすぐれている・好ましい・適当である」などの意で、広く一般に用いる。「気だてが良い」
〔善〕道徳的に正しい。「善い行い」

解字 甲骨文  金文  篆文  象形。穀類の中から特に良いものだけを選びだすための器具の象形。よいものを選ぶさまから、よいの意味を表す。良を音符に含む形声文字に、廊・朗・浪・狼(ロウ)・郎などがあり、これらの漢字には、「よい」の意味を含む朗のほか、「なみ」の意味を共有する浪・廊・狼などがある。

逆 賢良・純良・順良・選良・忠良・不良

【良医(醫)】(リョウイ) 良い医者。名医。〔左伝、定公十三〕

【良△醞】(リョウウン) ①よい酒。美酒。②役所の名。酒造の政令をつかさどる。

【良縁】(リョウエン) ①よい因縁(インネン)。よいゆかり。②よいたより。③国ふさわしい縁組。よい縁組。

【良家】(リョウカ・リョウケ) ①よい家がら。②財産のある家。資産家。用例〔管子、問〕問ニ郷之良家一(キョウのリョウカをとう(ふ))。↓村の資産家に質問する。

【良貨】(リョウカ) ①よい宝。②国質のよい貨幣。↔悪貨(五二七ページ中)。

【良会(會)】(リョウカイ) よいめぐりあい。また、夫婦のちぎり。

【良寛(寬)】(リョウカン) 国江戸後期の禅僧。越後(今の新潟県)の人。俗名は山本栄蔵。号は大愚。諸国を行脚し、帰郷後、国上(くがみ)山の五合庵(ゴゴウアン)に定住した。『草堂詩集』がある。(一七五八—一八三一)

【良貴】(リョウキ) 自然に貴いもの。天賦の徳性をいう。

【良器】(リョウキ) ①よいうつわ。②よい(すぐれた)才能。

【良△裘】(リョウキュウ) ①よい皮ごろも。②先祖のりっぱな事業。

【良金美玉】(リョウキンビギョク) よい金と美しい玉。㋐りっぱな徳や才能のたとえ。㋑すぐれた文章のたとえ。

【良△禽択(擇)ㇾ木】(リョウキンはきをえらぶ) よい鳥は、とまるのによい木をえらぶ。よい臣は君主に仕える場合に、よい君主を選ぶことのたとえ。〔左伝、哀公十一〕

【良△狗】(リョウク) よい犬。転じて、謀臣のたとえ。

【良計】(リョウケイ) よいはかりごと。良策。善計。良図。

【良月】(リョウゲツ) ①よい月。みごとな月。②陰暦十月の別称。満ち足りて(数は十で満ちる)よい月の義からいう。

【良△賈深蔵(藏)若ㇾ虚(虛)】(リョウコはふかくゾウしてむなしきがごとし) 大商人は商品を人目につかない奥にしまっておき、一見何もないようにみせかける。転じて賢者はその能力をかくして、表に表さないことのたとえ。〔史記、老子伝〕

【良工】(リョウコウ) よい職人。腕のすぐれた職人。

【良左】(リョウサ) 君主を補佐するりっぱな臣下。

【良才】(リョウサイ) =良材②。

【良妻】(リョウサイ) よい妻。賢妻。「良妻賢母」

【良材】(リョウザイ) ①よい材木。②すぐれた才能。また、すぐれた才能ある人。

【良算】(リョウサン) よいはかりごと。上策。良計。

【良士】(リョウシ) ①善良な男性。②すぐれた人。賢士。

【良子】(リョウシ) よい子。すぐれた子。

【良史】(リョウシ) ①よい歴史家。②よい歴史書。

【良史△之材】(リョウシのザイ) すぐれた歴史家としての才能。

【良死】(リョウシ) 天寿をまっとうして死ぬこと。よい死によう。

【良識】(リョウシキ) 国よい見識。すぐれた判断力。

【良日】(リョウジツ) ①よい日がら。吉日。良辰(リョウシン)。②おだやかな気持ちのよい日。③陰暦七月七日の別称。

【良実(實)】(リョウジツ) ①よい穀物。②まじめ。律義(リチギ)。善良忠実。

【良守】(リョウシュ) よい太守。また、よい役人。良牧。

【良習】(リョウシュウ) よいならわし。よい習慣。

【良俊】(リョウシュン) 才知のすぐれた人。

【良書】(リョウショ) よい書物。有益な書物。好書。

【良相】(リョウショウ) よい宰相。賢相。良宰。

【良宵】(リョウショウ) よい夜。おだやかに晴れた夜。良夜。

【良将(將)】(リョウショウ) よい将軍。りっぱな大将。

【良心】(リョウシン) ①人の本心。その人の固有の善心。〔孟子、告子上〕②自分の行いについてその善悪の判断を下す心。

【良△辰】(リョウシン) ①めでたい日。吉日。佳辰。②おだやかで気持ちのよい日。用例〔東晋、陶潜、帰去来辞〕懐ニ良辰一以孤往(リョウシンをおもい(ひ)て、もってコオウし)、或植ㇾ杖而耘耔(あるいはつえ(ゑ)をたててウンシす)。↓天気の良い日を選んで、一人で行き、時にはつえを地に突き刺しておいて、雑草取りをしたり草の根に土をかけたりする。

【良△鍼・良△箴】(リョウシン) ①よい(医療用の)針。②よいいましめ。

【良人】(リョウジン) ①おっと。妻が夫を呼ぶ言葉。用例〔唐、李白、子夜呉歌〕何日平ニ胡虜一(いず(づ)れのひかコリョをたいらげて)、良人罷ニ遠征一(リョウジンエンセイをやめん)。↓いつになったら、北方の異民族に勝利して、わが夫は遠征から帰ってくるだろうか。②美しくよい妻。③よい人。善良な人。④良民。⑤漢代の女官の名。

【良知】(リョウチ) ①人が生まれながらに持っている知恵。→良知良能。②よい友。良友。③陽明学で、心の本体。霊妙で明確な心のはたらき。「良知良能」

【良知良能】(リョウチリョウノウ) 生まれつきの知力と才能。用例〔孟子、尽心上〕人之所ニ不ㇾ学而能一者(ひとのまなばずしてよくするところのものは)、其良能也(そのリョウノウなり)。所ニ不ㇾ慮而知一者(おもんばからずしてしるところのものは)、其良知也(そのリョウチなり)。↓人が学習によらずできるものは、生まれつきの才能である。思考によらず知ることのできるものは、生まれつきの知力である。

【致ニ良知一】(リョウチをいたす) 明(ミン)の王陽明の学説で、孟子の良知説に基づく。人が生まれながらに持っている心の本体をじゅうぶんに働かせること。〔伝習録、中〕

【良△儔】(リョウチュウ) よいなかま。良朋(リョウホウ)。

【良田】(リョウデン) 地味の肥えた田畑。美田。用例〔東晋、陶潜、桃花源記〕有ニ良田美池桑竹之属一(リョウデンビチソウチクのゾクあり)。↓地味の肥えた田畑や美しいため池があり、桑や竹などが植わっている。

【良二千石】(リョウニセンセキ) 善良な地方官。漢代、郡の太守の俸給が年に二千石であったのでいう。一石は、十斗。

【良能】(リョウノウ) ①生まれつき持っている能力。→良知良能。

②すぐれた能力を持った人。

【良媒】(リョウバイ) よいなこうど。

【良否】(リョウヒ) よしあし。善悪。可否。

【良匹】(リョウヒツ) よいつれあい。佳耦（カグウ）。好匹。

【良△弼】(リョウヒツ) たすけとなるりっぱな人。良輔（リョウホ）。

【良筆】(リョウヒツ) ①よい筆。②名文家。③りっぱな筆跡。

【良風】(リョウフウ) よいならわし。よい風俗。美風。良俗。

【良平】(リョウヘイ) ①漢の高祖の謀臣、張良（四九二ページ中）と陳平（一五〇五ページ上）のこと。②知略にすぐれている人。

【良兵】(リョウヘイ) ①よい兵器。②よい兵士。精兵。

【良△輔】(リョウホ) よいたすけ。また、その人。良佐。良弼（リョウヒツ）。

【良方】(リョウホウ) ①よい方法。良法。②よい薬の処方。

【良△庖】(リョウホウ) よい料理人。上手な料理人。

【良△朋】(リョウホウ) よい友。良友。

【良民】(リョウミン) ①よい人民。順良な民。②一般の人民。

【良夜】(リョウヤ) ①夜ふけ。深夜。▼良は、深。②月のよい日。ながめのよい夜。佳宵（カショウ）。日本では、特に中秋の名月の夜をいう。

【良薬（藥）苦△於口】(リョウヤクはくちににがし) よく効く薬は苦くて飲みにくい。身のためになる忠言は、聞きにくいものであることのたとえ。用例〔孔子家語、六本〕良薬苦二於口一而利二於病一、忠言逆二於耳一而利二於行一（リョウヤクはくちににがけれども、やまい(ひ)にりあり、チュウゲンはみみにさからえ(へ)ども、おこない(ひ)にりあり）。↓よく効く薬は苦くて飲みにくいが病気を治すのにはよい。忠告の言葉は聞きにくいが自分の行いのためにはなる。

11【艱】17画 9784 漢カン 呉ケン 㓁 jiān 7169 E485 ー

【囏】1802 古字

字義 ❶かた-い（かた。）むずかしい。たやすくない。❷かた-んずる（かた。）かたしとする意で、むずかしくおもう。❸くるしむ。なやむ。❹くるしみ。なやみ。難儀。❺けわしい。❻も。親の喪。

解字 甲骨文 … 金文 … 篆文 … 形声。堇（菫）＋艮（皀）音。堇は、日でりの意味。音符の皀は、とどまって進まないの意味。日でりや、行きなやみで事がうまく進まないの意味を表す。

【艱易】(カンイ) むずかしいことと、たやすいこと。難易。

【艱禍】(カンカ) 難儀とわざわい。困難と災害。

【艱急】(カンキュウ) 苦しく行きづまること。難儀。

【艱苦】(カンク) なやみ苦しむ。艱難辛苦。艱劬（カンク）。

【艱険（險）】(カンケン) ①けわしい所。②なやみと苦しみ。

【艱困】(カンコン) なやみ苦しむ。苦しみ。難儀。

【艱渋（澁）】(カンジュウ) ①詩や文章が理解しにくいこと。②苦しく困難なこと。難渋。③にがいこと。

【艱辛】(カンシン) なやみ。苦しみ。艱苦。艱難辛苦。

【艱阻】(カンソ) 困難。また、なやみ。

【艱難】(カンナン) 苦しみ。なやみ。また、なやむ。用例〔唐、杜甫、登高詩〕艱難苦恨繁霜鬢（カンナンはなはだうらむハンソウのビン）、潦倒新停濁酒杯（ロウトウあらたにとどむダクシュのハイ）↓苦労ばかりの毎日で、鬢の毛が白くなってしまったことも恨めしく、年老いたために、つい最近、好きな濁り酒さえやめてしまった。

【艱難辛苦】(カンナンシンク) なやむことと、苦しむこと。苦労すること。

6画

色 いろ

〔部首解説〕色を意符として、色彩・容色に関する文字ができている。

0 色 一一九一　5 艴 一一九二　13 艶 一一九二　18 艷 一一九三

0【色】6画 9785 教2 ショク・シキ いろ 熟字訓 景色（けしき） 漢ショク・呉シキ 職 sè 3107 9046 ー

筆順 ノ ク 夕 名 名 色

字義 ❶いろ。㋐顔色。表情。用例〔論語、公冶長〕令尹子文、三仕為二令尹一、無二喜色一（レイインシブン、みたびつかえ(へ)てレイインとなれども、キショクなし）。↓楚の令尹であった子文は、三度令尹に任ぜられても、特に喜ぶ表情を見せなかった。㋑いろどり。色彩。用例〔論語、郷党〕色悪不レ食（いろのあしきはくらわ(は)ず）。↓色の悪い物は食べない。㋒おもむき。様子。状勢。用例〔荘子、盗跖〕車馬有二行色一（シャバにコウショクあり）。↓車馬に出かけた気配がある。㋓男女の情欲。用例〔唐、白居易、長恨歌〕漢皇重レ色思二傾国一（カンコウいろをおもんじて、ケイコクをおもう(ふ)）、御宇多年求不レ得（ギョウタネンもとむれどもえず）。↓漢の皇帝は色事を重んじて、国都をかたむけるほどの美人を得たいと思いつつ、御治世の長い間、求めたものの得られなかった。㋔たぐい。種類。用例〔旧唐書、文宗紀下〕罷二諸色選挙一（ショショクのセンキョをやむ）。↓各種の官吏採用試験を中止した。㋕仏形に表れたすべてのもの。形相。「色即是空」❷いろづく。顔色が変わる。㋐けしきばむ。怒りの表情を見せる。むっとする。用例〔左伝、昭公十九〕室於怒、市於色（シツにいかり、いちにいろす）。↓家で怒り、また市場で気色ばむ。㋑勢いづく。生気づく。用例〔西晋、潘岳、関中詩〕重囲克解、危城載色（チョウイよくとけ、キジョウすなわ(は)ちいろあり）。↓包囲が解けると、危うかった城は生気づいた。❸おだやか。おだやかな顔色になる。用例〔詩経、魯頌、泮水〕載色載笑、匪レ怒伊教（すなわ(は)ちいろし、すなわ(は)ちわらう(ふ)、いかるにあらずこれ(を)おしう(ふ)）。↓（魯侯は）おだやかにほほえみ、怒ることなく教え諭す。

国 いろ。㋐恋人。情人。愛人。㋑なさけ。愛情。㋒調子。ひびき。「音色」㋓遊女。

名前 いろ・しこ・つや　難読 色丹（しこたん）・色麻（しかま）

解字 篆文 … 会意。⺈（人）＋巴（卪）。卪は、ひざまずく人の象形。ひざまずく人の上に人があるさまから、男女の情愛の意味を表す。転じて、顔いろ・いろどりの意味を表す。

逆 異色・温色・間色・顔色・喜色・気色・飢色・脚色・漁色・景色・血色・原色・好色・古色・彩色・山色・姿色・失色・愁色・秋色・酒色・出色・春色・潤色・女色・神色・声色・正色・生色・染色・特色・難色・配色・服色・物色・変色・暮色・憂色・愉色・容色・令色・麗色

【色界】(シキカイ) 仏三界（欲界・色界・無色界）の一つ。欲界の上にあって、物質・肉体にとらわれる境界。

【色荒】(ショッコウ) 女性との情事におぼれる。女色に迷う。

【色彩】(シキサイ) ①色どり。色つや。②ようす。

【色情】(シキジョウ) 男女間の情欲。性欲。色欲。

【色心】㊀(シキシン・ショクシン) 仏物質と精神。㊁(いろごころ) 国男女間の情欲。色情。いろけ。

【色身】(シキシン) 仏有色有形の身。肉体。

【色衰愛△弛】(いろおとろえ(へ)アイゆるむ) 容色がおとろえみにくくなって、君の寵愛（チョウアイ）がうすれる。〔韓非子、説難〕

【色然】(ショクゼン) 驚いて顔色を変える形容。

【色素】(シキソ) 物質に特有の色を与える成分。

【色相】(シキソウ) ①仏外に現れて見ることのできる物のすがた。②国色あい。色調。

【色荘（莊）】(ショクソウ) 顔色がおごそかでまじめなこと。

【色即（卽）是空】(シキソクゼクウ) 仏すべて有形の事物は、本来空無である。〔般若心経〕

【色代】(シキダイ・シキタイ) 国①あいさつすること。②おせじをいうこと。③他の品物でそのかわりとすること。④「色代納（シキダイノウ）」の略。鎌倉時代、田租として、米のかわりに、土地の特産物である大豆・小豆・油などを納めたこと。

【色沢（澤）】(ショクタク・シキタク) ①いろつや。光沢。②徳のたとえ。

【色調】(シキチョウ) ①色の調子。②おもむき。

【色聴(聽)】シキチョウ・ショクテイ 裁判官が被告人の顔色によってそのことばの真偽を判断すること。
【色読(讀)】シキドク 文章の意味を文字通り表面的に解釈して、その真意を理解しないこと。文章の文字にこだわってその本当の意味をくみ取らないこと。
【色難】いろかたし 子が常に顔色をやわらげて親に孝行するのはむずかしい。〔論語、為政〕
【色目】㊀ショクモク ①種類と名目。種目。②唐代、家がら・身分をいう。㊁シキモク 元代、西域諸国人の総称。㊂いろめ 国①衣服などの色合いの名目。②流し目に見る。色っぽい目つき。秋波。③そぶり。ようす。
【色容】ショクヨウ 顔つき。顔色。
【色養】ショクヨウ 親の顔色を見、その心を察して孝養をつくすこと。一説に、常に顔色をやわらげて親に孝行をすること。→色難。
【色欲・色△慾】シキヨク 男女間の欲情。性欲。色情。
【色△厲】ショクレイ・いろはげし 顔色がきびしく威厳がある。
【徴二△於色一】いろにあらわ(は)る 喜怒哀楽の情が顔色に出ること。〔孟子、告子下〕

5【艴】11画 9786 ㊀㊥ホツ・㊤ボチ 月 bó ㊁㊥フツ・㊤フチ 物 bó, ②fú 慣ボツ
19060 — 5511

字義 ㊀㊁❶けしきばむ。怒る。むっとする。怒った顔色。❷色をぬること。

解字 篆文 形声。色+弗㊥。音符の弗フツは、沸フツに通じ、わきたつの意味。怒りがわきたって顔色に出るの意味を表す。

【艴然】フツゼン むっとして怒ったようす。

13【艶】19画 9787 常 エン つや
1780 8990 —

18〖艷〗24画 9788 エン [艶] yàn
7170 E486 —

筆順 冂 曲 曲 曲 曲 曹 豊 豊 艶

【豔】11464 正字 【豓】11463 本字

字義 ❶なま-めかしい。あで-やか。つやっぽくうつくしい。ふっくらとして美しい。「妖艶ヨウエン」❷なま-めく。色っぽくなる。❸つや。いろ。色彩。❹したう(慕)。うらやむ。ほしがる。国つや。エン。㋐男女間の情事に関すること。なまめかしい。「艶聞」「艶書」㋑思わせぶり。㋒内にこもった古典的な美しさ。歌の批評用語。

名前 おお・つや・もろ・よし　難読 艶姿あですがた

解字 篆文 形声。もと、豐+盍㊥。盍コウは、おおうの意味。かおかたちがゆたかで、みちたりているの意味から、みめよい・いろつやの意味を表す。のち、豐+色の会意文字となり、省略して常用漢字の形となる。

【艶歌】エンカ なまめかしい歌。艶詩。
【艶姫(姬)】エンキ あでやかな女性。美女。
【艶△妓】エンギ 美しい歌姫。
【艶言】エンゲン つやっぽいことば。艶語。
【艶妻】エンサイ 美しい妻。美妻。
【艶姿】エンシ なまめかしいすがた。艶容。
【艶質】エンシツ あでやかで美しい生まれつき。
【艶書】エンショ 国恋文。いろぶみ。ラブレター。
【艶笑】エンショウ あでやかに笑う。
【艶唱】エンショウ うるわしい声で歌をうたう。また、その声。
【艶色】エンショク なまめかしい顔色。つややかで美しい顔色。
【艶然】エンゼン あでやかに笑うさま。
【艶態】エンタイ なまめかしい姿。
【艶△葩】エンパ あでやかな花。▼葩は、花びら。
【艶美】エンビ あでやかで美しい。
【艶福】エンプク 国異性に愛される幸福。
【艶聞】エンブン 国なまめかしいうわさ。男女間の情事に関するうわさ。
【艶冶】エンヤ なまめかしく美しい。妖冶ヨウヤ。
【艶容】エンヨウ なまめかしい容色。あでやかな姿。
【艶陽】エンヨウ ①はなやかな晩春の時節。②若々しく美しいこと。
【艶△耀】エンヨウ 色美しくかがやく。
【艶麗】エンレイ はなやかで美しい。

18【艷】24画 (9788) エン 艶(9787)の旧字体。→一一九二ぺー上。

6画 艸(艹・艹) くさ くさかんむり

艹は三画。艹は四画。

[艸] 28584 — —
[艹] 28585 — —
[艹] 28586 — —

〔部首解説〕元来、艸ソウが冠になるときには艹と書いて四画であるが、常用漢字・人名用漢字では艹と書いて三画となっているのに加え、表外漢字字体表・JIS漢字も三画である。表外漢字字体表も指摘する通り、従来の明朝体活字は基本的に三画で作られており、漢和辞典の見出し字を除いては、四画の草冠は極めて少ない。そこで、本辞典では、草冠は原則として三画で統一することとした。艸を意符として、草のいろいろな名称・状態、草で作るものなどに関する文字ができている。なお、類似の形に艹があり、便宜上この部に含めた蒦カク・蔑(蔑)ベツなどがこの形となるが、艸とは関係がない。

蓍葽蒿蒯菍葉葝葐葵蒂葏葥葠葺蓾萱蔻葢葷椛莽菩菲菟菷菁菖莿菇萁華萎莉莩莓莬莇荽莝莖荅荷

蔋葰蕢蓋10葦葽萬蔳葩葶葼葄葚葇葸菰葵萼葟萢萊萌菫菪萏萋萎菡菎萓菏菀菈莬莩莊莜莀莇莫莍華

蒔蒴蒨蒦蒕落葯募蒼苑葮葅葰蒁葹葫韮葛营萢菱萠菔萄菼萕萃菆菜菊葛菸莫萏莂莧莛莊莘莕莒莪

蒺蒴蒟蒦蓊葎葯葆葡董葤葬葏葙葉葟葷葜葭9葊葇葎萍菠著菥萑菽菑菌菅於莩莠莆蒁荻莦莒莄莢莞

蒐蒜蓑蒹蒠蒿萸葑葍葛著葱葥葴萩葒葪葜葤葳葇葊葐葭萇菹菘萻崇菫菡菓8菴萊莫莣荼莮莀莎莙莧

蔡薷藁蒋蕗蕷薇蓬蕴薯蔵薊蘚13薆薨蕪董蔬蕈蕠蕬蕑蕓蕚蔤暮蔔蔦蔟蔘蔗蓰蔻蔫蓙蓉蒡蓖蒿蒼蓁蓨

薹薯薩14藋蕿蕻薇蕹薛薔蕘蕿舊蔞蕕蕡蕢蔵蕊蕉蕙蕡薀蕢蔆蓬蓱蔏蔥蔯蔣蓨蔽蓲蓜蓫蓬蓮蓊蓀蓩蓴

藨藪薩薿薖蕹蕢蕆薦蕭蕘蕟薑蕰蕴蔽蕟蕏蕋蕘蕨蕺蕐蕕蓼蔀蔑蓪蔌蔧蔌蓺蔚蓛11蔭蓮蓼蒲蓓蓄蓆蓐

藋藎藺舊蕆蕙辟薄蒼蓟蕡蕣蕨蔨薩蔽蕃蔵蕤蕈蕞蕖蕮12蕉蕠蔴蔑蔞蓷蔎蓯蓿蔡蓨蔯蓛蓂蒱蓴蔵蒨蒸

蕹薺藉薰薈蕾薬蕷薮薪薛蕘薫薙蕠蕾蕵蕩蕝蕁蕣蕎蕳薩蓮蔓蔂蓽蔕蒨蓧蓴蔪蓺蔚蔀蒙墓幕蓎蒩蓐

穮蘿蘗蘰蘖蘖17蘛蘭蘶蘒蘅蘍蘊藍藤藖藕蘈藭

蘺蘸蘠蘹蘦藹蘼蘋藻藷藭藿藟蘼藪藝蘐藐

蘗蘵18蘶蘩蘘蘙蘆蘑蘀蘂蘐蘄藜藩藏藺15薽藨

21蘸虌虉蘭蘚虆蘵藾蘭藓藼蘢藘藨藴藭藁藭蕵

蘦蘼19蘹蘞虀蘧蘢藺藤蘇蕙薑16藹藥藹藷藷藭藋

0 **【艸】** 6画 9789 ソウ(サウ) 皓 cǎo 7171 E487 —

字義 くさ。草の総称。

参考 熟語は「草」(9942)を見よ。

解字 篆文 𠃬𠃬 **象形**。並び生えた草の象形で、くさの意味を表す。

0 **【卝】** 4画 9790 カン 丱(47)の本字。→三八ページ上。

2 **【艾】** 5画 9791 ■一ガイ 泰 ài ■二漢ガイ・呉ゲ 隊 yì 7172 E488 —

【艾】9792 同字

字義 ■一 ❶**よもぎ**。もちぐさ。❷よもぎ色。❸**もぐさ**。よもぎの葉を乾燥して製し、灸(キュウ)に用いるもの。❹としより。五十歳。一説に七十歳という。頭髪がよもぎ色のようにごま塩になるからいう。❺ひさしい(久)。❻へる。過ぎる。年数を経過する。❼年の数。よわい。年齢。❽うつくしい。みめよい。❾やしなう(養)。❿むくいる(報)。⓫つきる。やむ(止)。たえる(絶)。■二 ❶かる(刈)。刈りいれる。また草を刈る。❷かま。草をかる道具。❸**おさめる**(治)。また、おさまる。❹やすらか(安)。

解字 **形声**。艹(艸)+乂(音)。

【艾安】ガイアン 治まって安らかなこと。世の中が平和に治まっていること。

艸部 0▼2画 〔艸卝艾〕

【艾康】治めて世を安んずる。また、世の中が治まって安らかなこと。

【艾蒿】よもぎ。▼蒿も、よもぎ。

【艾耆】五、六十歳の老人をいう。▼艾は頭髪がよもぎ色にごま塩になること、耆は至(詣)で、老境に達する意。

【艾人】よもぎで作った人形で、端午の節句に、門戸の上にかけて毒気をはらうのに用いる。

【艾節(節)】陰暦の五月五日。よもぎを飾ることからいう。端午節。

2 【艾】5画 9792 ガイ 艾(9791)と同字。→一一九三ページ下。 1 9061 — —

2 【艽】5画 9793 漢キュウ(キウ) 呉グ 尤 qiū 2 8588 — 5513
[芁] 9794 同字
字義 ❶国の果て。遠くはなれた辺地。❷しとね。ねどこ。草をしき散らした獣のねどこ。

2 【芁】5画 9794 キュウ 艽(9793)と同字。→一一九四ページ上。 — — 5516
解字 篆文 形声。艹(艸)+九音。音符の九は究に通じ、きわまるの意味。地の果ての意味を表す。

2 【艿】5画 9795 一 漢ジョウ 呉ニョウ 蒸 径 rēng, rèng 二 デイ nǎi 2 8589 — 5514
字義 一❶草の名。❷古い草の中に新しく生えた草。❸古い草を刈り取った後に新しく生えた草。二 芋艿は、おおいも。
解字 形声。艹(艸)+乃音。

2 【艻】5画 9796 漢チョウ(テウ) 呉ジョウ(デウ) 蕭 tiāo — — 5515
字義 葦の穂。
解字 形声。艹(艸)+刀音。

2 【芀】5画 9797 一 ロク 職 lè 二 キョク 職 jí — — 5512
字義 一❶指の間にはさむ。❷蘿芀は、香草の一種。❸牛脂芀は、血どめの薬の名。二 木の名。棗。めはじき。
解字 形声。艹(艸)+力音。

3 【芋】6画 9798 常 いも 一 ウ 遇 yù 二 ウ 虞 yú 1682 88F0 —
筆順 一 十 艹 艹 芏 芋
字義 一 いも。特に、さといもをいう。二 草がさかんにしげるさま。
解字 篆文 形声。艹(艸)+于(亐)音。音符の亐は、誇に通じ、ほこらしげに言うの意味。掘るとその根がほこらしげに言いふらしたくなるほど大きくなっている、いもの意味を表す。 難読 芋幹・芋茎・芋苗・芋毛
【芋魁】いものおや。おやいも。いもがしら。芋頭。
【芋菽】いもと、まめ。
【芋粥】いもがゆ。

3 【芉】6画 9799 カン 寒 gān — — 5520
字義 ❶芉蔗は、さとうきび。甘蔗。❷はとむぎの実。
解字 形声。艹(艸)+干音。

3 【芄】6画 9800 漢カン(クワン) 呉ガン(グワン) 寒 wán — — 5518
字義 ❶芄蘭は、ががいも。山野に自生するつる草で、果実には、綿毛があり、綿の代用とする。❷しきぐさ。草のしとね。
解字 篆文 形声。艹(艸)+丸音。音符の丸は、まるいの意味。果実がまるい草の意味を表す。

3 【芔】9画 9801 キ 卉(1161)の本字。→二二三ページ上。 — — 5524

3 【芑】6画 9802 キ 紙 qǐ — — 5523
字義 ❶もちあわ。穀物の一種。❷ちさ。野菜の名。❸じおう。地黄。草の名。❹くこ(杞)に似た木の名。
解字 形声。艹(艸)+己音。

3 【芎】6画 9803 漢キュウ(キウ) 呉クウ 東 xiōng 1 9062 — 5522
字義 芎藭は、おんなかずら。セリ科の多年草で、香気が高く強壮剤などに用いる。
解字 形声。艹(艸)+弓音。

3 【芝】6画 9804 常 しば シ 支 zhī 熟字訓 芝生 2839 8EC5 —
筆順 一 十 艹 艹 芝 芝
字義 ❶れいし(霊芝)。ひじりたけ。さいわいだけ。昔からめでたいしるしの神草とされる。❷きぬがさ。ひがさ。国 しば。ア道ばたなどに自生する小さな雑草の総称。イ庭園に植え付ける、イネ科の多年草。葉は細長く、先がとがり、根茎がはいひろがる。

名前 しく・しげ・しげる・しば・ふさ 難読 芝田
解字 篆文 形声。艹(艸)+之音。音符の之は、あしの象形。地面などから足を突き出したようにはえる、ひじりたけの意味を表す。日本では、しばの意味に用いる。

逆 紫芝・霊芝
【芝宇】=芝眉。▼宇は、眉宇で、まゆ、唐の房琯が元徳秀(字は芝宇)の眉をほめた故事に基づく。

【芝艾】ひじりたけと、よもぎ。貴いものと、いやしいもののたとえ。貴賤。

【芝草】一 ひじりたけ。さいわいだけ。めでたいしるしの神草。二 国 庭園などに植え付けるしば。また、道ばたなどにはえている小さな雑草。

【芝眉】他の人の顔色の敬称。おかお。尊顔。芝宇。▼眉は、まゆ。「挹二芝眉一(芝眉を挹る)」(面会する)」

【芝罘】山名。山東省煙台市の北の半島部にあり、今は芝罘島という。

【芝蘭】①霊芝と、ふじばかま。ともにかおりの高い草。②善人・君子のたとえ。「芝蘭玉樹」

【芝蘭之化】美しい徳の感化。友人から受けるよい感化をいう。

【芝蘭之室】①香草を入れてあるへや。②良友の居る室。用例〔孔子家語、六本〕与二善人一居、如レ入二芝蘭之室一(善人と居るは、芝蘭の室に入るが如し)。→立派な人と一緒にいるのは、香草のある部屋にいるようなもので、自然に感化されてしまう。

【芝蘭生二於深林一】君子が逆境にあっても節操を高く持するたとえ。〔孔子家語、在厄〕

3 【芓】6画 9805 一 漢シ・呉ジ 寘 zì 二 シ 紙 zǐ 2 8592 — —
[荸] 9930 同字
字義 一 めあさ(雌麻)。また、からむし。イラクサ科の多年草。二 つちかう。
解字 形声。艹(艸)+子音。

3 【芍】6画 9806 一 漢シャク・呉ジャク 薬 sháo 二 漢キョウ(ケウ) 呉ギョウ(ゲウ) 篠 xiào 三 漢テキ・呉チャク 錫 dì
[芍] 9807 俗字
字義 一 芍薬は、草花の名。初夏のころ、牡丹に似た花を開く。二 黒くわい。三 蓮の実。
野菜の名。
解字 篆文 形声。艹(艸)+勺音。音符の勺は、灼などに通じ、あきらかの意味。かがやくような花をつける草、しゃくやくの意味を表す。

3【芍】6画 9807 シャク 芍(9806)の俗字。→一二九四ページ下。 7173 E489 —

3【芊】6画 9808 セン 㐬 qiān ₂8591 — 5521

字義 ❶草がさかんにしげるさま。❷山や谷の青々としたさま。

解字 形声。艹(艸)+千音。

【芊蔚】(センイ・センウツ) 草木がしげるさま。

【芊芊】(センセン) ①草木がさかんにしげるさま。②青いさま。

【芊眠】(センミン) ①光彩のさかんなさま。②草が深くしげっているさま。

【芊綿】(センメン) 草木や山谷の青々として連なっているさま。

3【芖】6画 9809 漢チ 呉ジ(ヂ) 寘 zhì — — 5525

字義 治める。治まる。

3【芇】6画 9810 漢ベン 呉メン 先 銑 miǎn — — 5519

字義 当たる。互いに当たる。

解字 形声。乖省+㒼省音。

3【芃】6画 9811 漢ホウ 呉ブ 東 pēng ₂8590 — 5517

字義 ❶草がさかんにしげるさま。稲や麦などの生長するさま。❷獣の小さなさま。また、尾の長いさま。❸草の名。

解字 篆文 形声。艹(艸)+凡音。音符の凡(ボン＝ホウ)は、風のように自由で、ゆきわたるの意味。草木のはびこるさまを表す。

3【芒】6画 9812 標 漢ボウ(バウ) 呉モウ(マウ) 陽 máng 7174 E48A —

〔〔艹亾〕〕9813 本字

字義 ❶のぎ。穀物の先端の細毛。❷毛。毛さき。❸はり。針さき。❹ほこ。ほこさき。❺ひかり。光の先端。「光芒」❻大きい。広い。はるか。❼暗い。おろか。❽ほろびる。＝亡(137)。❾わすれる。ぼんやりする。❿あわただしい。⓫すすき。草の名。

解字 篆文 形声。艹(艸)+亡音。音符の亡は、萌(ボウ)に通じ、きざしの意味。稲・麦などの先端の細毛、のぎの意味を表す。

【芒鞋】(ボウアイ・ボウカイ) わらじ。わらぐつ。

【芒刺在ㇾ背】(ボウシハイにあり) とげを背負っている。おそれることがあって、心が安らかでないたとえ。〔後漢書、霍光伝〕

【芒種】(ボウシュ) ①のぎのある穀物。稲や麦の類い。②二十四気の一つ。陽暦六月六日ごろ。⇩コラム 気候(二十四気)(八〇三ページ)。

【芒刃】(ボウジン) 刀剣のきっさき。

【芒然】(ボウゼン) ①無心のさま。とらわれるところがないさま。②ぼんやりするさま。③つかれてぼんやりするさま。

【芒芒】(ボウボウ) ①つかれてぼんやりするさま。用例〔孟子、公孫丑上〕芒芒然帰、謂二其人一曰、今日病矣、予助ㇾ苗長矣(ボウボウゼンとして、かえ(へ)り、そのひとにいい(ひ)て、いわ(は)く、きょう(けふ)つかれたり、われなえ(へ)をたすけてチョウぜしむ)。⇩疲れ切った様子で家に帰り、家族に言うには、「今日は疲れた、私は(一日中)苗を引っ張って生長を助けてやったのだ」。②大きいさま。③多いさま。④遠いさま。広遠なさま。⑤広く大きいさま。⑥ぼんやりするさま。⑦目がくらんで(かすんで)はっきり見えないさま。⑧草木がしげっているさま。

【芒昧】(ボウマイ) ぼんやりとして明らかでないさま。ほのぐらく明らかでないさま。▼味は、くらい。

【芒洋】(ボウヨウ) ひろびろとしたさま。

【芒履】(ボウリ) わらぐつ。わらじ。

3【〔艹亾〕】6画 9813 ボウ 芒(9812)の本字。→一一九五ページ上。

4【芛】7画 9814 漢イツ(ヰツ) 呉イチ(ヰチ) 質 wěi — — 5528

字義 花。また、初咲きの花。

解字 形声。艹(艸)+尹音。

4【芺】7画 9815 一 漢オウ(アウ) 呉オウ 晧 号 ǎo 二 ヨウ(エウ) 篠 ₂8603 — 5542

字義 一 草の名。あざみの一種。

解字 形声。艹(艸)+夭音。

4【花】7画 9816 教1 カ はな 漢カ(クワ) 呉ケ 麻 huā 1854 89D4 —

4〖花〗7画 9817

〔苍〕9818 俗字

筆順 一 十 艹 艹 艹 花

字義 ❶はな。㋐草木のはなの総称。㋑特に、牡丹(ボタン)の花の称。また、海棠(カイドウ)の花の称。㋒はなの形をしたもの。「火花」「雪花」「浪花」 ❷はな-さく。はなが開く。用例〔明、何景明、次二韻張郎中九日無ㇾ菊詩一〕九日盃空緑(キュウジツさかずき(づき)むなしくみどりに)、秋城菊未ㇾ花(シュウジョウキクいまだはなさかず)。⇩重陽(チョウヨウ)の節句なのに杯には酒のみがむなしく注がれ、秋を迎えた町に酒に浮かべる菊の花はまだ咲いていない。❸美女。また、妓女(ギジョ)。「嬌花(キョウカ)」❹はなやかな。美しい。また、派手な。「花燭(カショク)」❺模様入りの。様々に入り混じった。「花氈(カセン)」❻あばた。天然痘(テンネントウ)。「天花」❼ついやす。金銭を費やす。また、費用。「花消」❽目がかすむ。ちらちらして目がくらむ。「眼花」 国はな。㋐桜の花。また、梅の花。㋑仏に供えるしきみ。㋒栄えること。㋓みえ。外観。㋔ほまれ。名誉。㋕芸人などに与える祝儀。㋖はなあわせ。

名前 か・はな・はる・もと 難読 花鶏(あとり)・花原市(けばらいち)・花車(きゃしゃ・だし)・花井(けい)・花堂(はなんどう)・花梨(かりん)

参考 熟語は〔華〕(9965)をも見よ。

使いわけ はな〔花・華〕
〔花〕植物のはな。また、うつくしいもののたとえ。「生け花・花の都・両手に花」
〔華〕はなやかなもの。「武士道の華・火事とけんかは江戸の華」

解字 篆文 形声。篆文は、𠌶+亏音。𠌶は、花ぶさの象形。亏(コ＝カ)は、姱(カ)などに通じ、うつくしいの意味。うつくしい、はなの意味を表す。花の字は艹(艸)+化音の形声。六朝時代に俗字として作られた。

逆 煙花・桜花・眼花・香花・国花・雪花・挿花・探花・名花

【花衣】(カイ) 一 ①美しい衣。はでな模様の着物。②宦者(カンジャ)の着用する、はでな衣服。 二(はなごろも) 国①桜襲(さくらがさね)の衣。②花見に着る着物。

【花陰】(カイン・はなかげ) 花の咲いている木かげ。

【花英】(カエイ) はなぶさ。はな。

【花宴】一(カエン) はなやかな酒宴。二(はなのえん) 国花見の酒もり。

【花王】(カオウ) 牡丹(ボタン)の別名。

【花押】(カオウ) 自分の名の下に、認め印の代わりに書くしるし。名の字形をくずして、模様化したもの。書判(かきハン)。花字。

【花火】(カか・はなび) 火薬を調合し、玉にして空中に打ち上げ(または、手に持って)、その美しさを楽しむもの。煙火。花炮(カホウ)。

【花界】(カカイ) ①仏寺。寺。②国花柳界。

【花魁】一(カカイ) ①梅の別名。百花のさきがけの意。②蘭(ラン)の別名。③遊女。特に、美しい遊女。二(おいらん) 国①妹分(いもうとブン)の遊女が先輩の遊女を呼ぶ称。転じて、遊女の称。②地位の高い遊女。太夫(タユウ)。

【花街】(カガイ・はなまち) いろまち。いろざと。くるわ。遊里。花柳。

【花客】(カカク) ①花見の客。②おとくい。顧客。花主。

【花冠】(カカン) ①美しいかんむり。用例〔唐、白居易、長恨歌〕雲鬢半偏新睡覚(ウンビンなかばかたむき、あらたにねむりさめたり)、花冠不ㇾ整下ㇾ堂来(カカンととのえ(へ)ずドウよりくだりきたる)。⇩豊かな鬢の毛は、少し傾きくずれ、たった今ねむりより覚めたばかりのようす、美しいかんむりも整えずに奥の部屋からおりてきた。②花弁の集まり。花びらの一枚ずつを花弁というのに対して、その全体をいう。

【花顔】(カガン・はなのかんばせ) 花のように美しい顔。用例〔唐、白居易、長恨歌〕雲鬢花顔金歩揺、芙蓉帳暖度春宵 ↓雲のように豊かな鬢の毛、花のようなかんばせ、そして歩くと揺れる黄金のかんざし。はすの花のぬいとりがあるとばりのなかは暖かく、春の宵が過ぎてゆく。

【花△卉】(カキ) 花の咲く草。くさばな。

【花期】(カキ) 花の咲く時期。花の咲いている時期。

【花△筐】(カキョウ・はながたみ) 花や若菜などをつみ入れるかご。

【花径(徑)】(カケイ) 花の咲いている小道。

【花月】(カゲツ) ①花と月。②花を照らす月。

【花△瞼】(カケン) 花のように美しい顔。美人の顔。花面。▼瞼は、目の下、ほおの上の部分。

【花言】(カゲン) 実のないことば。うわべばかりのことば。

【花甲】(カコウ) かぞえで六十一歳の称。↓華甲(一三二三ページ中)。

【花紅柳緑】(カコウリュウロク・リュウリョク) 花はくれない、やなぎはみどり。自然のままで少しも人工を加えないたとえで、禅宗の語。柳緑花紅。〔禅林類聚、経教章〕

【花△崗岩】(カコウガン) 火成岩の一種。質が堅く美しくて、建築・土木の用材となる。御影石。

【花△釵】(カサイ) ①はなかんざし。花の形に作ったかんざし。②花樹を接ぎ木するときに用いる、やわらかな枝。

【花際】(カサイ) 花の咲いているそば。花のほとり。

【花子】(カシ) ①女性の顔のかざり。②花の種子。③乞食。

【花枝】(カシ) 花の咲いている小枝。

【花事】(カジ) 春の日に花を見歩くこと。

【花時】(カジ) 一 春の、さまざまな花の咲く時期。花期。花候。二 (はなどき) 国桜の花の咲く時期。

【花娘】(カジョウ) 芸者。娼妓。

【花△燭】(カショク) 同華燭。①美しいろうそく。②婚礼の儀式などの席上の、はなやかなともしび。③結婚の儀式。婚礼。

【花心】一 (カシン) ①花のしべ。②美人の心。二 (はなごころ) 国移りやすい、うわきな心。

【花信】(カシン) 花が咲いたという知らせ。花のたより。花音。

【花信風】(カシンフウ) 花のたよりをもたらす風。花をさそって咲かせる春の風。↓二十四番花信風(五五ページ中)。

【花唇・花△脣】(カシン) ①花びら。②美人のくちびる。

【花△晨】(カシン) 花の咲いた朝。花のあした。花朝。

【花箋・花△牋】(カセン) 花もようのある美しい紙(色紙)。

【花△磚・花△甎】(カセン) 花もようのある美しい敷きがわら。花甃。

【花△氈】(カセン) 花もようのある美しい毛布。花毛氈。

【花台(臺)】(カダイ) ①はなやかに美しいうてな(見晴らし台)。②花のがく。③国花びんをのせる台。

【花中君子】(カチュウのクンシ) 蓮の別名。泥にもそまらずに清らかな花を開くのを、徳の高い君子にたとえていう。〔北宋、周敦頤、愛蓮説〕

【花鳥使】(カチョウシ) 男女の間のなかだちをする人。恋の使者。

【花鳥風月】(カチョウフウゲツ) 国①花と鳥と、風と月。天地自然の美しいけしき。②自然の風物を楽しむこと。風流。

【花朝】(カチョウ) ①花の咲く朝。花晨。②陰暦二月十五日をいう。一説に、二月十二日。⇩コラム 年中行事(四六五ページ)。

【花朝月夕】(カチョウゲッセキ) ①花のあしたと、月の夕べ。春の朝と秋の夜の楽しいひと時。②陰暦二月十五日を花朝、八月十五日を月夕という。

【花底】(カテイ) 花の咲いている下。花のもと。花下。

【花天月地】(カテンゲッチ) 国空には花が咲き、地には月の光がおぼろにさしている。花咲くころの、春の月夜のけしきをいう。

【花△鈿】(カデン) 唐代、女性の前額につけたかざり。一説に、女性の頭髪のかざり。はなかんざし。花釵。用例〔唐、白居易、長恨歌〕花鈿委地無人収、翠翹金雀玉搔頭 ↓花かんざしは地に捨てられたままでとり上げる者もなく、かわせみの羽の髪飾りも、黄金のすずめの形をしたかんざしも、玉のかんざしも(うち捨てられたままであった)。

【花乳】(カニュウ) ①開いたばかりの花。まだつぼみをつけているもの。②茶の別名。

【花馬】(カバ) ぶちうま。さまざまな毛色のまじっている馬。

【花発(發)多風雨】(はなひらいてフウウおおし) 花の咲くころは、とかく風雨が多くて花のさまたげになる。人の世は思うようにならないたとえ。用例〔唐、于武陵、勧酒詩〕花発多風雨、人生足別離 ↓花の咲くころは、とかく風雨が多くて花のさまたげになるように、人の一生には別ればかりが多い。

【花譜】(カフ) 四季の花を、その咲く時期の順序に描いたり、説明したりした書。

【花瓶(甁)】一 (カヘイ・カビン) はないけ。花をさすびん。花器。二 (ケビョウ・ケヒン) 仏仏具の一種。密教で、仏前に供える花をさすびん。

【花片】(カヘン) はなびら。花弁。

【花貌】(カボウ・はなのかんばせ) 花のように美しい顔。花顔。用例〔唐、白居易、長恨歌〕中有一人字玉真、雪膚花貌参差是 ↓仙女の中の一人に、字が玉真という方がいて、雪のように白い肌、花のように美しい顔は、あの人(楊貴妃)によく似ている。

【花△幔】(カマン) ①花のもようのあるとばり。美しいカーテン。②花が咲きそろって、幕をひいたように見えるさまの形容。

【花△鬘】一 (ケマン) 仏仏像の頂や前面にかける装飾品。多く金銅、まれに皮革で作り、花鳥・天女などを透かし彫りしたもの。二 (はなかずら) 国花を糸に貫いて髪かざりにしたもの。

【花容】(カヨウ) 花のような美しいすがた。美人の姿。花態。

【花△洛】(カラク) ①花の都。美しい都のこと。中国で洛陽がたびたび都になったことからいう。②国京都をいう。

【花裏】(カリ) 花の咲いている中。花の中。

【花柳】(カリュウ) ①紅い花と、緑のやなぎ。紅花緑柳。転じて、はなやかで美しいたとえ。②いろざと。くるわ。遊里。花街。花柳界。用例〔唐、李白、流夜郎贈辛判官詩〕昔在長安酔花柳、五侯七貴同杯酒 ↓昔、長安にいて、いろざとに酔った時は、王侯貴族とも杯を酌み交わした。

【踏花】(はなをふむ) 散った花をふむ。用例〔唐、白居易、春中与盧四周諒華陽観同居詩〕背燭共憐深夜月、踏花同惜少年春 ↓ともしびをかえて部屋を暗くし、夜のふけるまでともに深夜の月をめでた。落花を踏みながら、暮れ行こうとする少年の春をともに惜しんだ。

4【苍】7画 9818 カ 花(9816)の俗字。↓一一九五ページ中。 ₂8601 — 5539

4【芽】7画 (9860) ガ 芽(9859)の旧字体。↓一三〇一ページ中。

4【芥】7画 9819 人 標 漢カイ 呉ケ 国 jiè 1909 8A48 —

筆順 一 ⺈ 艹 艹 芥 芥 芥

字義 ❶からしな。野菜の名。❷からし。からしなの実を粉末にした香味料。❸小さい草。❹あくた。ごみ。ちり。❺ちいさい。こまかい。

難読 芥屋・芥原・芥子・芥附

解字 形声。艹(艸)+介音。

【芥子】一 (カイシ) ①からしな。また、からしなの実。粉末にして香辛料とする。②ごくこまかいもの。二 (ケシ) 国草花の名。未熟の実の乳液から阿片をとる。罌粟。

【芥視】(カイシ) ちりやあくたのように見なす。人をさげすむこと。

【芥舟】(カイシュウ) 水上に浮かぶ小さなごみ。舟にたとえていう。

【芥△屑】(カイセツ) ①からし粉。②ごみ。あくた。▼屑も、ごみ。

【芥△蔕】(カイタイ) ①ごくささいなもの。②胸につかえるもの。心のささいなさわり。▼芥はからし粒、蔕は小さいとげ。

4 【苅】 7画 9820 ガイ 2003 8AA1 —
刈(896)の俗字。→一七六ページ・中。

4 【芰】 7画 9821 (漢)キ (呉)ギ 〔寘〕 jì — — 5538
字義 ひし。水草の名。菱(ひし)の一種で、その実の外皮が四角、または三角のものをいう。
解字 形声。艹(艸)+支(音)。
【芰製】(キセイ) ひしの葉で作った着物。隠者の服をいう。

4 【芪】 7画 9822 (漢)キ (呉)ギ 〔支〕 qí — — 5536
字義 ❶草の名。はなすげ。やまし。ちも。❷黄芪(コウキ)は、草の名。やわらぐさ。
解字 形声。艹(艸)+氏(音)。

4 【芨】 7画 9823 (漢)キュウ(キフ) (呉)コウ(コフ) 〔緝〕 jí ₂8594 — 5534
字義 草の名。㋐そくず。スイカズラ科の多年草。㋑とりかぶと。㋒白芨は、しらん(紫蘭)。
解字 形声。艹(艸)+及(音)。

4 【芹】 7画 9824 〔人〕 (漢)キン (呉)ゴン 〔文〕 qín 2260 8BDA —
筆順 一 十 艹 廾 芦 芹 芹
字義 ❶せり。みずせり。水草の名。❷物を人に贈るときの謙辞。「献レ芹(キンをケンず)(粗品を呈上します)」
名前 き・せり・まさ・よし
解字 篆文 [篆文] 形声。艹(艸)+斤(音)。音符の斤は、こまかく刻むの意味。小刻みな葉をもつ、せりの意味を表す。
【芹献(獻)】(キンケン) 物を人に贈るときの謙辞。献芹。
【芹藻】(キンソウ) ①せりと、藻(も)(水中に生ずる草)。神を祭るのに用いる。②徳が薄くて取るに足りないこと。③進士の志願者をいう。

4 【芩】 7画 9825 (漢)キン (呉)ゴン 〔侵〕 qín ¹9066 — 5535
字義 ❶じしばり。キク科の多年草。茎は地上をはう。いわにがな。❷黄芩は、こがねやなぎ。根は薬用となる。
解字 形声。艹(艸)+今(音)。

4 【芸】 7画 9826 〔教〕4 ゲイ 2361 8C7C —
㊀15 〔藝〕 18画 9827 〔人〕 ゲイ 〔霽〕 yì 7326 E559 —

㊁4 〔芸〕 7画 ㊀ウン 〔文〕 yún ㊁ウン 〔問〕 yùn
筆順 一 十 艹 廾 芏 芸 芸
㊀〔埶〕 10214 同字 〔秇〕 8434 古字
字義 ㊀〔藝〕❶わざ。働き。才能。また、芸術。遊芸。「武芸」❷うえる(植)。種をまく。「園芸」「農芸」❸きわまり。果て。限度。❹のり。さだめ。法則。❺まと。弓のまと。

㊁〔芸〕㊀❶香草の名。芸香。くさのこう。ヘンルーダ。書物の虫食いを防ぐのに用いる。❷野菜の名。❸さかんなさま。また、多いさま。❹くさぎる。草を刈る。＝耘(9586)。㊁黄ばむ。木の葉が枯れかけて黄色になること。

難読 芸香(ヘンルーダ)

名前 き・ぎ・すけ・のり・まさ
解字 ㊀〔藝〕形声。芸＋埶(音)。音符の埶(ゲイ)は、藝の原字。くさぎるの意味の芸(ウン)を付した。園芸技術の意味から、一般に、わざの意味を表すようになった。常用漢字では、別字の芸(ウン)と同じ字体を用いる。

㊁〔芸〕 篆文 [篆文] 形声。艹(艸)+云(音)。音符の云(ウン)は、気のめぐりのぼる意味を表す。香気の強い草の意味。

逆 演芸・学芸・技芸・曲芸・工芸・雑芸・手芸・種芸・術芸・多芸・農芸・文芸・民芸・無芸・遊芸
【芸芸】(ウンウン) ①さかんなさま。②物の多いさま。

【芸(藝)△苑】(ゲイエン) ＝芸林。芸園。▼苑は、園。

【芸閣】(ウンカク) 書庫。転じて、書斎。→字義㊁㊀❶。

【芸(藝)△妓】(ゲイギ) うたいめ。芸者。妓女。

【芸黄】(ウンコウ) 黄ばむ。葉が枯れかけて黄ばむこと。

【芸(藝)術】(ゲイジュツ) ①学問と技芸。〔後漢書、安帝紀〕②ト筮(ボクゼイ)の技術。③独特の表現様式によって美を創造し、表現すること。

【芸省】(ウンショウ) 秘書省をいう。芸局ともいう。

【芸(藝)植】(ゲイショク) うえつける。

【芸(藝)祖】(ゲイソ) ①文徳のある祖先。祖先を尊んでいう。文祖。②太祖(天子または諸侯の初代)の通称。

【芸(藝)人】㊀(ゲイジン) 道徳・学芸にすぐれた人。一説に、占いのわざにすぐれた人。㊁(ゲイニン) 〔国〕①芸のたくみな人。芸の多い人。②遊芸を職業とする人。俳優・落語家など。

【芸台(臺)】(ウンダイ) ＝芸閣。

【芸△帙】(ウンチツ) ①虫食いを防ぐために香草を入れた書の覆(おお)い。▼帙は、書物のおおい。②書物。

【芸亭】(ウンテイ) 〔国〕奈良時代末期の宝亀年間(七七〇—七八〇)に、石上宅嗣(いそのかみのやかつぐ)が平城京の付近の旧宅に設けた公開図書館。日本最初の図書館。

【芸(藝)道】(ゲイドウ) 技芸の道。演芸の道。

【芸(藝)能】(ゲイノウ) ①学術と技能。②〔国〕映画・演劇・舞踏・音楽・歌謡などの総称。

【芸(藝)文】(ゲイブン) 学術。学術・技芸。学芸・文章。

【芸(藝)文志】(ゲイモンシ) その時代に存在した、古今の書物の目録。『漢書』をはじめ中国の正史には多くこれを載せる。『経籍志』と呼ばれたこともある。

【芸(藝)文類△聚】(ゲイモンルイジュウ) 書名。百巻。唐の欧陽詢(オウヨウジュン)らが勅命によって編集した類書(百科全書)。天・歳時・地など、四十六の部門に分け、事実を前に述べ、それに関する古今の詩文をあとに記す。

【芸(藝)林】(ゲイリン) ①書物の多く集まっている所。②学者・芸術家の仲間。学芸の社会。芸苑(ゲイエン)。

【遊△於芸(藝)二】(ゲイにあそぶ) 学問・技芸を学んで心情を豊かにする。〔論語、述而〕

4 【芡】 7画 9828 (漢)ケン (呉)ゲン 〔琰〕 qiàn ¹9063 — 5530
字義 草の名。おにばす。みずぶき。スイレン科の水草。
解字 形声。艹(艸)+欠(音)。

4 【芫】 7画 9829 (漢)ゲン (呉)ガン(グヮン) 〔元〕 yuán 7175 E48B —
字義 ふじもどき。さつまふじ。低木の一種。葉は、ぼけに似て、これを煮て水に入れると魚が死ぬという。
解字 形声。艹(艸)+元(音)。

4 【芤】 7画 9830 (漢)コウ (呉)ク 〔尤〕 kōu ¹9065 — 5532
字義 ❶ねぎ。❷硬化した血管。
解字 会意。艹(艸)+孔。

4 【芟】 7画 9831 (漢)サン (呉)セン 〔咸〕 shān 7176 E48C —
字義 ❶かる(刈(ガ))。㋐雑草をかりとる。㋑除く。取り除く。敵・賊・悪者などを除きたいらげる。❷草刈りがま。
解字 篆文 [篆文] 会意。艹(艸)+殳。殳は、つえでうつ形にかたどる。草をかるの意味を表す。
【芟△穢】(サンアイ・サンワイ) 雑草(また、世の中の害悪)をかり除く。
【芟△夷】(サンイ) ①雑草をかりとる。②乱賊を除きたいらげること。③けずりとる。▼夷は、たいらげる意。

【芟刈】サンガイ かりとる。
【芟除】サンジョ・センジョ ①草をかり除く。②敵をうちたいらげる。
【芟△鋤】サンジョ・センジョ ①雑草をかりとり、根をすき去る。②賊をうちたいらげる。
【芟討】サントウ 草をかりとるように、敵をうちたいらげる。
【芟正】サンセイ 悪い所をけずって正しくする。

4【芷】7画 9832 シ 紙 zhǐ　|9068 — 5541
字義 ❶よろいぐさ。水中に生ずる香草の名。❷香草の根。
解字 形声。艹(艸)＋止音。
【芷陽】シヨウ 今の陝西センセイ省西安市の東の県名。漢代、霸陵と改名した。

4【苧】7画 9833 一漢ショ・呉ジョ 語 xù 二漢チョ 呉ジョ(チョ) 語 zhù　2 8593 — 5533
字義 一とち(橡ショウ)。とちのき。また、その実。どんぐり。芧栗ショリツ。二みくり(三稜草)。うきやがら。かわすげ。＝苧(9877)。
解字 形声。艹(艸)＋予音。

4【芿】7画 9834 漢ジョウ 呉ニョウ 径 rèng　|9070 — 5545
字義 ❶草を刈り取った後に新しく生える草。❷刈り取らない古い草。
解字 形声。艹(艸)＋仍音。

4【芯】7画 9835 常 シン　シン 侵 xīn、②xìn　3136 9063 —
筆順 一 十 艹 艹 芯 芯 芯
字義 ❶草の名。ほそい。藺リンの一種。とうしんぐさ。❷物の中央。＝心(3473)。
解字 形声。艹(艸)＋心音。音符の心は、身体の中心にある、こころの意味。物の中心、しんの意味を表す。

4【芻】10画 9836 標 漢スウ 呉シュ 虞 chú　7177 E48D —
〔蒭〕10178 同字
字義 ❶まぐさ。ほし草。❷まぐさかう。まぐさを与えて飼う。❸かりくさ。刈り取ってたばねた草。❹草刈り。また、その人。❺草を食べる動物。牛・羊・馬の類い。❻くさ。わら。まこも。
解字 甲骨文  篆文  象形。手で草を集め、つかんで取る形にかたどり、草をかる・まぐさの意味を表す。芻の意味と音符とを含む形声文字に、犓スウ・皺シュウ・縐シュ・趨スウ・騶シュなどがある。
【芻△豢】スウカン ①草を食べる牛・羊の類いと、穀物を食べる犬・豚の類い。②宗廟ソウビョウを祭るときのいけにえ。↔犠牲(九三五ページ・下)。③ごちそう。
【芻議】スウギ 自分の意見を謙遜ケンソンしていう語。つまらない者の意見の意。
【芻△狗】スウク・スウコウ わらでつくった犬。昔、祭りに用い、祭りがすむと捨てたことから、用があれば用いられ、用がなければ捨てられるものにたとえる。〔老子、五〕
【芻△蕘】スウジョウ ①草刈りと木こり。転じて、身分の低い人をいう。芻樵スウショウ。②自作の詩文を謙遜ケンソンしていう語。
【芻米】スウベイ まぐさと米。牛馬のえさであるまぐさと、人の食べる米。
【芻△秣】スウマツ まぐさ。牛馬の飼料。
【芻霊(靈)】スウレイ 草をたばねてつくった人形。殉死者のかわりにしたもの。

4【芮】7画 9837 漢ゼイ 呉ネイ 霽 ruì　|9067 — 5537
字義 ❶草の芽ばえの小さくやわらかいさま。❷小さいさま。❸綿。また、綿入れ。❹たてひも。楯たてをつなぐひも。❺みずぎわ。川が入りこんだ所。＝汭(6194)。❻国名。周と同姓の国で、今の陝西センセイ省大茘ダイレイ県の南。秦シンに滅ぼされた。(前六四〇)
解字 形声。艹(艸)＋内音。

4【芚】7画 9838 一漢トン・呉ドン 元 tún 二チュン 真 chūn　— — 5527
字義 二❶野菜の名。❷草木がはじめて生ずるさま。一❶おろかなさま。無知なさま。❷厚いさま。
解字 形声。艹(艸)＋屯音。

4【芭】7画 9839 人 標 ハ 慣バ 麻 bā　3946 946D —
筆順 一 十 艹 艹 芑 芑 芭
字義 ❶芭蕉バショウは、バショウ科の多年草。❷香草の名。❸はな(葩ハ・花)。
解字 形声。艹(艸)＋巴音。

4【芘】7画 9840 漢ヒ 呉ビ 支 pí、②bì　— — 5526
字義 ❶草の名。また、木の名。❷覆う。❸芘芣フヒは、草の名。ぜにあおい。
解字 形声。艹(艸)＋比音。

4【芙】7画 9841 人 漢フ 呉ブ 虞 fú　4171 9587 —
筆順 一 十 艹 艹 艹 芋 芙
字義 草花の名。はす(蓮レン)。はちす。
名前 はす・ふ
解字 篆文  形声。艹(艸)＋夫音。
【芙△渠・芙△蕖】フキョ はすの別名。また、特に、はすの花。
【芙△蓉】フヨウ ①はすの花。用例〔唐、白居易、長恨歌〕帰来池苑皆依レ旧かえ(へ)りきたればチエンみなキュウによる、太液芙蓉未央柳タイエキのフヨウビオウのやなぎ ↓帰って来てみれば庭の様子は昔のままであり、太液の池のはすも未央宮の柳も(昔のままである)。②美人の形容。「芙蓉の姿」 ③もくふよう(木芙蓉)。アオイ科の落葉低木。④こぶし。モクレン科の落葉高木。
【芙△蓉園】フヨウエン ①漢代、洛陽ラクヨウの名園。②隋ズイ・唐代、長安の名園。
【芙△蓉剣(劍)】フヨウケン すぐれた剣をいう。
【芙△蓉帳】フヨウチョウ ①はすの花模様のあるとばり。寝床をいう。用例〔唐、白居易、長恨歌〕雲鬢花顔金歩揺ウンピンカガン、キンホヨウ 芙蓉帳暖度二春宵一フヨウのとばりあたたかにして、シュンショウをわたる ↓雲のように豊かな鬢の毛、花のようなかんばせ、そして歩くと揺れる黄金のかんざし。はすの花のぬいとりがあるとばりのなかは暖かく、春の宵よいが過ぎてゆく。②はすの花で染めたとばり。
【芙△蓉峰】フヨウホウ はすの花に似た峰。㋐浙江セッコウ省楽清市の雁蕩ガントウ山。㋑湖南省衡山県の西北にある衡山の峰。㋒江西省婺源ブゲン県の東にある芙蓉嶺フヨウレイ。㋓国富士山の別名。

4【芣】7画 9842 漢フ 呉ブ 尤 fú　|9064 — 5531
字義 ❶花のさかんな(みごとな)さま。❷芣苢フイは、おおばこ。
解字 形声。艹(艸)＋不音。

4【芾】7画 9843 一ヒ 未 fèi 二ハイ 泰 三漢フツ・呉フチ 物 fú　|9069 — 5544
字義 一小さいさま。二❶草木がおおいしげるさま。❷ひざかけ。
解字 形声。艹(艸)＋市音。

4【芴】7画 9844 一漢ブツ・呉モチ 物 wù 二漢コツ・呉コチ 月 hū　2 8602 — 5540
字義 一野菜の名。かぶらの類い。二ほのか。かすか。明らかでない。＝忽(3490)・惚(3761)。

4 【芬】 7画 9845 フン 図 fēn 7178 E48E —

字義 ❶かお-る。かんばしい。草がもえ出て、かんばしい香気がただよう。❷かお-り。㋐よい香気。におい。香。「清芬」 ㋑ほまれ。名声。❸おこる(起)。もりあがる。❹おおい(多)。さかん(盛)。 国 国名。芬蘭の略。 難読 芬蘭

解字 別体(芬) 形声。艹(艸)＋分㊅。音符の分は、分散するの意味。草が生えはじめ、その香気を分散させる、かおりの意味を表す。芬は異体字。

【芬華】①はなやかさ。美しさ。②はなやかにする。美しくする。

【芬郁】かおりの高いさま。においのさかんなさま。

【芬馨】①よいかおり。②りっぱな名声。

【芬香】よいにおい。かんばしくよいかおり。

【芬菲】かんばしいかおり。▼菲も、かんばしいの意。

【芬馥】(花の)かんばしいかおりのさかんなさま。

【芬芬】①におうさま。かおりの高いさま。②乱れるさま。③さかんで美しいさま。

【芬芳】①よいにおい。かんばしいかおり。②りっぱな功績。また、名誉。

【芬烈】①強い香気。また、香気が強い。「芳香芬烈」②りっぱな功績。

4 【芠】 7画 9846 漢ブン 呉モン 文 wén — — 5529

字義 芒芠は、まだ形やきざしの現れない状態。

解字 形声。艹(艸)＋文㊅。

4 【芳】 7画 9847 常 ホウ かんば-しい ホウ(ハウ) 陽 fāng 4307 9646 —

筆順 一 十 廾 廾 芒 芳 芳

字義 ❶かんば-しい。かぐわ-しい。かおる。㋐においがよい。㋑評判がよい。名声が高い。「遺芳」 ❷かお-り。㋐よいにおい。㋑よい評判。ほまれ。名声。❸他人の物事につけて、相手に敬意を表すのに用いる。「芳名」「芳志」 ❹はな。かおりのよい花。❺すぐれた人物・賢者。 国 こう-ばしい。心地よいこげたようなにおいがする。

名前 か・かおる・かんばし・はな・ふさ・ほう・みち・もと・よ・よし 難読 芳賀・芳養

解字 篆文 形声。艹(艸)＋方㊅。音符の方は、左右にひろがるの意味。草花の香がひろがるの意味を表す。

逆 遺芳・遠芳・群芳・残芳・衆芳・流芳

【芳意】①春のおもむき。②他人の意志の敬称。おぼしめし。

【芳園】花の咲きかおっている庭園。芳苑。用例〔唐、李白、春夜宴二桃李園一序〕会二桃李之芳園一。↓桃の花の咲きかおる庭園につどう。

【芳艶(艷)・芳豔】かんばしく美しい。かおりが高く、あでやか。

【芳恩】ご恩。おかげ。めぐみ。他人の恩情の敬称。

【芳簡・芳翰】他人のてがみの敬称。おてがみ。

【芳卉】かんばしい草。かおりのよい草。芳草。

【芳紀】国若い(年ごろの)女性の年齢。妙齢。芳年。芳齢。▼紀は、とし。

【芳契】ありがたいちぎり。

【芳景】花の咲きにおう春のけしき。

【芳馨】よいかおり。かぐわしいにおい。芳香。

【芳香】①よいかおり。かぐわしいにおい。②よろいぐさの別名。白芷。

【芳魂】①花の精。②美人のたましい。

【芳歳】①正月をいう。②わかい年。妙齢。③春の時節。

【芳札】他人の手紙の敬称。芳簡。

【芳山】国奈良県にある吉野山(芳野山とも書いた)の略称。

【芳志】他人の親切なこころざしの敬称。おこころざし。おぼしめし。芳情。

【芳樹】花の咲く木。花の咲きにおっている樹木。用例〔唐、劉廷芝、代下悲二白頭一翁上詩〕公子王孫芳樹下、清歌妙舞落花前。↓貴公子たちと、香りの高い花の咲く木の下で宴を張り、清らかな歌やみごとな舞いで落花のもとで楽しんだ。

【芳春】花の咲きにおう春。

【芳潤】かぐわしく、うるおいのあること。

【芳醇】かおりのよい酒。うまい酒。

【芳書】他人の手紙の敬称。芳簡。

【芳情】＝芳志。

【芳醸(釀)】かおりのよい酒。うまい酒。

【芳心】①美しい心。美人のたましい。②＝芳志。

【芳心寂寞寄二寒枝一】虞美人の美しい心はひなげしの花となって、か細く葉のない茎にひっそりと咲いている。用例〔北宋、曾鞏、虞美人草詩〕芳心寂寞寄二寒枝一、旧曲聞来似レ斂レ眉。↓虞美人の美しい心は花となってひっそりとか細い茎に咲いている。それは愛する項羽の垓下の歌を聞いて眉をひそめて悲しんだ姿そっくりである。

【芳辰】かぐわしい春の時節。芳時。

【芳信】①花の咲いた知らせ。花のおとずれ。花信。②他人の手紙の敬称。芳簡。

【芳鮮】魚や鳥獣などの新しい肉。

【芳草】かおりのよい草花。用例〔唐、崔顥、黄鶴楼詩〕晴川歴歴漢陽樹、芳草萋萋鸚鵡洲。↓晴れた光に照らされた川の水がありありと見え、対岸の漢陽の並木まで手に取るようだ。かなた鸚鵡洲のあたりには、かんばしい春草が盛んに生い茂っている。

【芳叢】花の咲きにおっているくさむら。

【芳樽】①よい酒を入れた酒だる。②よい酒。

【芳躅】前人のりっぱな行跡。

【芳甸】春の野原。

【芳年】＝芳紀。

【芳葩】かんばしい花。かおりの高い花。

【芳菲】花がかぐわしく咲きにおっていること。また、咲きにおう花。

【芳馥】かんばしくにおう。よいにおいのすること。

【芳芬】①かんばしいかおり。②ほまれ。名声。名誉。

【芳墨】国①かおりのよいすみ。②他人の手紙、または筆跡の敬称。

【芳名】①かんばしい名。ほまれ。②他人の名の敬称。

【芳命】他人の命令の敬称。お申しつけ。尊命。

【芳茗】かおりのよい茶。

【芳醴】かおりのよいあまざけ。

【芳烈】①りっぱな功績。②はげしいかおり。

【芳醪】かおりのよいどぶろく。

【流二芳後世一】美名を後世にのこす。〔晋書、桓温伝〕

4 【芼】 7画 9848 一 漢ボウ・呉モウ 号 mào 二 漢ボウ・呉モウ 豪 māo 28604 — 5543

字義 一 ❶草がはびこる。❷ぬく(抜)。とる。選び取る。❸あつもの(羹)にまぜる野菜。❹混ぜ合わせる。 二 ❶野菜。❷くさ(草)。

解字 形声。艹(艸)＋毛㊅。

4【芦】7画 9849 人 1618 88B0 —

16【蘆】19画 9850 標 7335 E562 —

[芦] 9851 俗字

字義 ロ 魚 lú
❶あし。よし。草の名。あしのまだ穂を出さないもの。穂の出たものを葦イという。❷芦菔ロホクは、だいこん(大根)。❸なずなの根。

名前 あし

解字 篆文 形声。艹(艸)+戸(盧)音。音符の盧ロは、旅に通じ、つらなるの意味。つらなり生える草、あしの意味を表す。

【芦笳】ロカ =芦笛。
【芦洲】ロシュウ あしの生えている洲す。
【芦絮】ロジョ あしの花。綿のようであることからいう。
【芦錐】ロスイ あしの芽。その先が錐りのようにとがっているのでいう。
【芦雪】ロセツ 雪のように白いあしの穂。
【芦汀】ロテイ あしのはえているみぎわ。芦渚ロショ。
【芦荻】ロテキ あしと、おぎ。
【芦笛】ロテキ あしの葉で作った笛。胡笳コカ。芦笳ロカ。

4【芦】7画 9851 ロ 芦(9849)の俗字。→一二〇〇ページ上。

4【茐】7画 9852 国字 ₁9071 — 5546

字義 すさ。つた。亀裂キレツを防ぐため壁土にまぜて塗りこめる、刻んだ藁わら。麻や紙なども用いる。

解字 会意。艹(艸)+切。切は、きるの意味。こまかくきり刻んだわら、壁土にまぜる、すさの意味を表す。

5【苡】8画 9853 イ 紙 yǐ 7179 E48F —

字義 草の名。㋐茉苡イは、おおばこ。㋑薏苡ヨクイは、はとむぎ。

解字 形声。艹(艸)+以音。

5【苢】8画 9854 イ ₂8605 — 5551

[苢] 9854 本字

苡(9853)の本字。→一二〇〇ページ上。

5【英】8画 9855 教4 エイ 1749 8970 —

漢エイ・呉ヨウ(ヤウ) 庚 yīng

筆順 一 十 廾 廿 芢 苂 英 英

[偀] 405 俗字

字義 ❶はな。特に、咲いても実のならない花をいう。むだばな。❷はなぶさ。また、はなしべ。❸うつくしい。すぐれている。秀でる。また、すぐれた人物。用例〔淮南子、泰族訓〕智過二万人一者、謂二之英一。↓智が万人より優れている者を英という。❹ほまれ。名誉。❺め(芽)。芽ばえ。❻国名。英吉利イギリスの略。

名前 あきら・あや・え・えい・すぐる・たけし・つね・てる・とし・はな・はなぶさ・ひで・ひでる・ひら・ふさ・ぶさ・よし 難読 英吉利イギリス・英賀保あがほ・英虞あご・英彦山ひこさん・英蘭イングランド・英倫ロンドン・英京ロンドン

参考 現代表記では〔叡〕(1296)・〔穎〕(8536)の書きかえに用いることがある。「叡智→英知」「穎才→英才」

解字 篆文 形声。艹(艸)+央音。音符の央は、景に通じ、高まる光の意味。光りかがやくばかりの花の意味を表す。

逆 育英・花英・華英・含英・群英・秀英・俊英・落英

【英英】エイエイ ①雲などの美しく明らかなさま。②すぐれたさま。
【英偉】エイイ すぐれてえらい。また、その人物。
【英果】エイカ =英断。
【英華】エイカ ①花。②はなやかな光。美しい光。③詩文などのすぐれていること。④ほまれ。名誉。
【英乂】エイガイ すぐれた人物。英士。
【英気(氣)】エイキ すぐれた気性。すぐれた才気。
【英毅】エイキ 才能がすぐれて、意志がつよい。
【英傑】エイケツ すぐれた人物。英雄。豪傑。
【英賢】エイケン すぐれてかしこい。また、その人。俊賢。
【英彦】エイゲン すぐれた男性。ぬきんでた人。
【英悟】エイゴ すぐれてさとい。すぐれてかしこく、さとりの速いこと。
【英豪】エイゴウ すぐれてえらい人。すぐれた人物。
【英魂】エイコン すぐれた人のたましい。死者の霊の敬称。英霊。
【英才】エイサイ すぐれた才能。また、その人物。秀才。穎才エイサイ。
【英材】エイザイ =英才。
【英算】エイサン =英略。
【英士】エイシ すぐれた人物。英乂ガイ。
【英姿】エイシ すぐれたすがた。雄雄しい姿。「英姿颯爽サッソウ」
【英資】エイシ すぐれた生まれつき。英稟エイヒン。
【英主】エイシュ すぐれた君主。
【英俊・英雋】エイシュン 人なみすぐれる。また、その人物。
【英声(聲)】エイセイ すぐれた評判。すぐれたほまれ。英名。
【英聖】エイセイ 生まれつきすぐれて物事の理に明るいこと。また、その人物。明聖。叡聖エイセイ。
【英達】エイタツ すぐれて物事の理に通ずること。英明。
【英断(斷)】エイダン 思いきりよく決める。また、すぐれた決断。英果。
【英知・英智】エイチ すぐれた知恵。叡知エイチ。
【英哲】エイテツ 人なみすぐれる。また、その人物。
【英図(圖)】エイト =英略。
【英発(發)】エイハツ すぐれてかしこい。才気が湧わき出るように外に現れること。
【英抜】エイバツ 人なみすぐれる。また、その人物。
【英稟】エイヒン すぐれた生まれつき。英資。
【英武】エイブ すぐれて勇武なこと。武勇にすぐれていること。
【英風】エイフウ ①すぐれた姿。また、英雄の姿。②すぐれた徳風。すぐれた教化。
【英弁(辯)】エイベン すぐれた弁説。
【英謨】エイボ =英略。
【英髦】エイボウ すぐれた人物。また、すぐれた若者。
【英邁】エイマイ 才知が人より非常にすぐれていること。
【英名】エイメイ すぐれた評判。すぐれたほまれ。英声。
【英明】エイメイ すぐれて物事の理に明らかなこと。すぐれて賢い。英達。
【英雄】エイユウ 才能・武勇の非常にすぐれた人。用例〔唐、杜甫、蜀相詩〕出レ師未レ捷身先死、長使二英雄涙満一レ襟。↓出陣して勝利を得る前に死んでしまい、いつまでも後世の英雄たちに、愛惜の涙を流させた。
【英雄閑日月】エイユウカンジツゲツ 英雄の心の中には、どんな場合にも常にゆとりのあること。
【英誉(譽)】エイヨ すぐれたほまれ。ほまれ。栄誉。
【英略】エイリャク すぐれたはかりごと。英算。英図。英謨エイボ。
【英霊(靈)】エイレイ ①すぐれた霊気。霊妙な気。②すぐれた人のたましい。③国死んだ人(特に戦死者)の霊の敬称。
【英烈】エイレツ すぐれたいさお。立派な功績。

5【苑】8画 9856 人 1781 8991 —

一 漢エン(ヱン) 呉オン(ヲン) 阮 yuàn
二 漢エン(ヱン) 呉オン(ヲン) 願 yuàn
三 漢ウツ・呉ウチ 物 yù

筆順 一 十 廾 廾 芀 苀 苑 苑

字義 一❶まきば。かこいを設けて鳥獣を飼う所。❷その。㋐草木を植えた庭園。㋑宮中の庭園。❸草木がしげるさま。❹物事のあつまる所。特に文筆家・芸術の世界。

「芸苑」かがまる。❺＝㊁❷。❻やむ(病)。かれる(枯)。㊂❶まがる。❷つもる。また、こもる。むすぼれる。とどこおる。

名前 あや・しげ・その

参考 現代表記では[園](1856)に書きかえることがある。「苑地→園地」

解字 篆文 形声。艹(艸)＋夗㊥。音符の夗ヱンは、園に通じ、その の意味。草原の広がる「その」の意味を表す。

【苑結】ウツ 気がふさぐ。心がむすぼれる。

【苑地】チ その。庭園。園地。

【苑池】チ ①庭と池。②庭園の中の池。③庭園。

【苑囿】ユウ ①鳥獣を飼っているその。大きいものを苑、小さいものを囿という。②草木を植えた庭園と動物を飼う所。

5 **【苛】** 8画 9857 常 カ　㊅カ・㊇ガ 歌 kē　1855 89D5 —

筆順 一 十 艹 芒 苎 苎 苛 苛

字義 ❶からい。きびしい。きつい。むごい。「苛酷」❷こまかい。細かくてわずらわしい。❸みだす。❹せめる(責)。しかる。とがめる。❺さいなむ。いじめる。しいたげる。❻かゆい。また、皮膚がひりひりする。「苛性」❼やむ(病)。病気。国いらつく。いらだつ。いらいらする。難読 苛苛いら

解字 金文 篆文 形声。艹(艸)＋可㊥。音符の可は、もと、小さな草の意味を表したが、呵カに通じ、大声でせめる、きびしくするの意味に用いる。

【苛役】エキ きびしい労役。はげしい労役。苦役。

【苛虐】ギャク 重税を取りたてて人民を苦しめること。

【苛求】キュウ きびしく取りたてる。苛斂誅求カレンチュウキュウ。

【苛急】キュウ きびしい。ひどい。

【苛禁】キン きびしい禁止令。

【苛刻】コク きびしくむごい。無慈悲なこと。苛酷。

【苛酷】コク きびしくむごい。

【苛細】サイ くだくだしく、こまかなこと。煩雑。苛砕。

【苛察】サツ きびしく吟味する。こまかく取り調べる。

【苛性】セイ 化学で、動物性に対して強い腐食性があること。「苛性ソーダ」

【苛政猛二於虎一】カセイはとらよりもたけし むごい(無慈悲な)政治が人民を苦しめ害することは、虎の害よりもはなはだしい。〔礼記、檀弓下〕

【苛責】セキ きびしく責める。呵責カシャク。

【苛切】セツ むごたらしい。はなはだきびしい。

【苛評】ヒョウ むごい批評。酷評。

【苛法】ホウ きびしい、また、煩雑な法律。

【苛問】モン きびしく吟味する。

【苛礼(禮)】レイ 煩雑な礼式。

【苛厲】レイ むごく、はげしい。

【苛烈】レツ (戦闘や競争などが)きびしく激しいこと。

【苛斂】レン きびしく租税などを取りたてること。

【苛斂誅求】カレンチュウキュウ きびしく租税などを取りたてること。

5 **【茄】** 8画 9858 人　㊀㊅カ・㊇ケ 麻 jiā　㊁㊅キャ・㊇ギャ 歌 qié　慣カ　1856 89D6 —

筆順 一 十 艹 艻 芀 茄 茄 茄

字義 ㊀❶はすのくき。❷はす。はちす。＝荷(9964)。㊁❶なす。なすび。野菜の名。茄子なす。❷＝㊀❶。

解字 篆文 形声。艹(艸)＋加㊥。

【茄子】シ なす。なすび。

【茄房】ボウ はすの実。一説に、なすをいう。

5 **【芽】** 8画 9859 教4 ガ め
4 **【芽】** 7画 9860 ㊅ガ ㊇ゲ 麻 yá　1874 89E8 —

筆順 一 十 艹 芒 芒 芏 芽 芽

字義 ❶め。草木のめ。❷めぐむ。めばえる。めざす。めが出はじめる。❸はじめ。もと。おこり。「萌芽ホウガ」❹きざす。

名前 め・めい

解字 篆文 形声。艹(艸)＋牙㊥。音符の牙ガは、きばの意味。きばのように突き出た草木の新しいめの意味を表す。

逆 麦芽・露芽

【芽甲】ガコウ 草木のはじめて出した子葉。草木のふたば。

5 **【苷】** 8画 9861 カン 覃 gān　₂8607 — 5558

字義 甘草カンゾウ。あまくさ。マメ科の多年草。

解字 形声。艹(艸)＋甘㊥。

5 **【苣】** 8画 9862 ㊅キョ ㊇ゴ 語 jù
[苣] 9863 俗字

字義 ❶たいまつ。＝炬(6878)。❷野菜の一種。ちさ。ちしゃ。レタス。

解字 甲骨文 篆文 形声。艹(艸)＋巨㊥。音符の巨は、おおきいの意味。あしをたばねて、大きな火として用いるたいまつの意味を表す。

5 **【苣】** 8画 9863 キョ　苣(9862)の俗字。→三〇二ページ中。　7180 E490 —

5 **【苦】** 8画 9864 教3 ク くるしい・くるしむ・くるしめる・にがい・にがる　㊅コ・㊇ク 麌 遇 kǔ　2276 8BEA —

筆順 一 十 艹 艹 芐 芊 苦 苦

字義 ❶にがい。にがみ。五味の一つ。❷にがにがしい。にがにがしく思う。「苦笑」❸にがな(苦菜)。キク科の多年草。山野などに自生し、夏、黄色五弁の花を開き、茎・葉ともに白い汁を出す。食べられるが、にがみがある。苦荼クト。❹くるしい。くるしむ。くるしめる。つらい。なやむ。また、くるしみ。「苦悩」「苦楽」❺はなはだ。ひどい。用例〔唐、杜甫、登高詩〕艱難苦恨繁霜鬢カンナンはなはだうらむハンソウのビン　潦倒新停濁酒杯ロウトウあらたにとどむダクシュのハイ　↓苦労ばかりの毎日で、鬢の毛が白くなってしまったことも恨めしく、年老いたために、つい最近、好きな濁り酒さえやめてしまった。❻あらい。丁寧でない。また、悪い。❼さえる。月の光がさえわたる。用例〔唐、白居易、聞二夜砧一詩〕誰家思婦秋擣レ帛　月苦風凄砧杵悲　↓どこの家の夫を待つ妻であろうか、秋の夜に砧を打っているのは。月は寒々と冴え渡り、風がすさまじく吹く中に、砧の音が悲しく響く。❽仏四諦タイの一つ。貪欲ドンヨクや前世の悪業のために受ける苦しみ。「ク」と読む。国にがる。にがにがしく思う。

難読 苦参くらら・苦汁にがり・苦竹まだけ

解字 篆文 形声。艹(艸)＋古㊥。音符の古は、固に通じ、かたいの意味。かたい草の意味から、にがい菜の意味を表し、さらに転じて、くるしい・はなはだの意味を表す。

逆 寒苦・業苦・刻苦・困苦・死苦・愁苦・辛苦・忍苦・病苦・貧苦・労苦

【苦雨】ウ ながあめ。人を苦しめるからいう。

【苦役】エキ ①骨折り難儀する。②つらい労働。③国刑罰として服させる労働。懲役。徒刑。

【苦海】カイ 仏苦しみの多い世の中。人の世。娑婆シャバ。苦しみの限りないのを海にたとえていう。苦界。

【苦界】㊀クカイ 仏苦しみの多い世の中。人の世。娑婆シャバ。苦海。㊁クガイ 国遊女の境遇。

【苦懐(懷)】カイ 苦しい思い。苦思。

【苦学(學)】クガク ①苦労努力して学ぶ。②国働いて学資を得ながら勉強すること。
【苦渇(渴)】クカツ ひどくのどがかわいて苦しむ。
【苦寒】クカン ①きびしいさむさ。②さむさに苦しむ。
【苦△諫】クカン 苦言をもっていさめること。相手の気にさわるのをかまわずいさめること。一説に、ねんごろにいさめる。
【苦△艱】クカン 苦しみなやむ。また、苦しみ。難儀。
【苦境】クキョウ 国苦しい境遇。苦しい立場。
【苦行】クギョウ ①仏仏法を修行するため、断食(ダンジキ)などの苦しい修行を積むこと。②つらい修行。
【苦吟】クギン 苦心して詩歌を考え作ること。また、その詩歌。
【苦言】クゲン いさめのことば。聞きづらいが、身のためになることば。苦語。
【苦患】クゲン・クカン 仏苦しみなやむ。また、苦しみ。なやみ。
【苦汁】クジュウ 国①にがいしる。②苦しみ。また、苦しい経験。③にがり。■にがり 国食塩が、空気中の湿気を吸い、とけて分解するにがい液。豆腐の製造に用いる。苦塩。
【苦渋(澁)】クジュウ ①にがくしぶい。②苦しみなやむ。③文章などのわかりにくいこと。
【苦笑】クショウ・にがわらい(ひ) 国いやいや笑うこと。にがにがしく思いながら、しいて笑うこと。
【苦情】クジョウ ①根拠のない訴え。②国不平。不満。
【苦心】クシン 心をくだいて、さまざまに考える。苦慮。
【苦心惨(慘)△憺】クシンサンタン 国さまざまに心をくだきいためること。
【苦辛】クシン 苦しむ。また、苦しみ。辛苦。
【苦節(節)】クセツ 苦しみの中でも変えない、堅いみさお。
【苦戦(戰)】クセン 苦しみ戦う。苦しい戦い。難戦。苦闘。
【苦△楚】クソ 苦しくつらいこと。苦しみ。▼楚も、苦しい。
【苦竹】クチク 竹の一種。まだけ。くれたけ。
【苦衷】クチュウ 苦しい心の中。せつなさ。つらさ。
【苦闘(鬭)】クトウ 苦しみ戦う。また、苦しい戦い。
【苦難】クナン 苦しみ。難儀。困難。
【苦肉】クニク 自分のからだを苦しめて敵をはかりあざむくこと。「苦肉の計」「苦肉の策」
【苦熱】クネツ ①きびしいあつさ。②暑さに苦しむ。
【苦悩(惱)】クノウ 苦しみなやむ。また、苦しみ。なやみ。
【苦△悶】クモン 苦しみもだえる。苦しみもがく。
【苦△窳】クユ・コユ 粗悪で、ゆがんでいること。
【苦慮】クリョ 心をくだいて、さまざまに考えること。苦心。
【苦力】■クリョク・クリキ ①力をふりしぼる。②苦心する。ほねおる。ほねおり。また、心配。心労。■クーリー 英語 coolie の音訳語。植民地に出稼ぎしている労働者。また、下級の肉体労働者。
【苦労(勞)】クロウ 心や身を苦しめ、つかうこと。ほねおること。

5 【茎】 8画 9865 常 ケイ くき 2352 8C73 —

7 〖莖〗 10画 9866 漢コウ(カウ) 呉ギョウ(ギャウ) 慣ケイ 庚 jīng 7219 E4B1 —

筆順 一 十 廾 艹 艾 苂 茎 茎

字義 ❶くき。草本植物の主要部分で、根・葉・花を連絡するもの。地上茎と地下茎とがある。❷はしら。また、もと。みき。❸さお(竿(カン))。❹細いものを数えるのに用いることば。❺つか。刀の柄(つか)。また、くきの形をした、器物の柄などをいう。

名前 くき

解字 篆文 𦳝 形声。艹(艸)＋圣(巠)音。音符の巠(ケイ)は、はたおりのたていとの象形で、まっすぐで強いの意味。草のまっすぐで強い部分、くきの意味を表す。

逆 金茎

5 【荀】 8画 9867 漢コウ 呉ク 有 gǒu 7181 E491 —

字義 助いやしくも。かりそめに。かりそめにも。⇩助字・句法解説。❶かりそめにする。いいかげんにする。なおざりにする。㋐一時の間に合わせにする。㋑いいかげんにする。いやしくもする。❷まことに。用例〔大学〕荀日新(まことにひにあらたにして)、日日新(ひびにあらたなり)。⇩まことに日に新しくなり、日に日に新しくなる。❸どうぞ。なにとぞ。❹草の名。

助字・句法解説
いや-しく-も。
㋐順接の仮定条件。訳もしも。仮にも。後の内容を受けて、順接の仮定条件を表す。「いやしくも…ば」と呼応させて訓読することが多い。
用例〔論語、子路〕荀正二其身一矣、於レ従レ政乎何有(いやしくもその身を正しくせば、まつりごとにしたがう(ふ)において、なにかあらん)。⇩もし自分自身を正しく修めることができれば、政治にたずさわるにあたって何の困難があろうか。
㋑かりそめ-に。かりそめ-にも。訳なんとか。かりに。いいかげんに。
述語の前に置かれ、一時しのぎである意味を表す。
用例〔三国蜀、諸葛亮、前出師表〕荀全二性命於乱世一、不レ求二聞達於諸侯一(いやしくもセイメイをランセイにまっと(たも)うせんとし、ブンタツをショコウにもとめず)。⇩乱世においてなんとか生命を全うしようと思うばかりで、諸侯の間に名声を得て出世しようとは思っておりませんでした。

難読 荀且(かりそめ)

解字 篆文 形声。艹(艸)＋句音。もと草の名を表したが、借りて、いやしくもの意味や、まことにの意味などを表す。

【荀安】コウアン 一時の安楽をむさぼる。一時のがれ。
【荀簡】コウカン ①かりそめ。②物事を簡略にする。また、いいかげんにする。
【荀言】コウゲン いいかげんなことば。一時のがれのことをいう。
【荀合】コウゴウ ①みだりに他人の気に合うようにへつらう。②私通する。男女が不義の関係を結ぶ。
【荀且】コウショ かりそめ。一時の間に合わせ。
【荀生】コウセイ かりそめに生きる。いたずらに生き長らえる。
【荀△偸・荀△媮】コウトウ 一時の安楽をむさぼる。
【荀免】コウメン 一時のがれをする。のがれさえすればよいとする。
【荀容】コウヨウ やたらに人の気に入るようにする。荀合。

5 【茁】 8画 9868 漢サツ 呉セチ 黠 zhuó 1 9076 EE76 5562

字義 ❶芽ばえるさま。草が芽を出すさま。❷動物が成長するさま。

解字 篆文 形声。艹(艸)＋出音。音符の出は、でるの意味。草が芽を出すさまを表す。

5 【茌】 8画 9869 漢シ 呉ジ 支 chí 2 8610 — —

字義 ❶草のさま。❷茌平は、県名。山東省内。

解字 形声。艹(艸)＋仕音。

5 【茈】 8画 9870 シ — — 5565

茲(9929)の古字。→一〇八六ジ上。

5 【若】 8画 9871 教6 ジャク・ニャク わか-い・も-しくは 2867 8EE1 —
■漢ジャク・呉ニャク 薬 ruò
■漢ジャ・呉ニャ 馬 rě
熟字訓 若人(わこうど)

筆順 一 十 廾 艹 艹 芓 若 若

字義 ■助も-し。ごと-し。し-く。かくのごと-き。かくのごと-く。かくのごと-くす。も-しくは。⇩助字・句法解説。❶なんじ(なんぢ)。おまえ。同輩、または目下の人に用いる。＝汝(6164)。用例〔史記、項羽本紀〕吾為レ若徳(われなんじ(ぢ)がためにトクせしめん)。⇩私はお前のために最後の恩徳をほどこそう。❷えらぶ。❸したがう(順)。❹草の名。やぶみょうが。「杜若」❸般若は、梵語の音訳で、知恵の意。 ❷ほしくさ。 ⊟❶わかい。弱年。＝弱(3329)。

助字・句法解説

❶もし。順接の仮定条件。訳もし…ならば。類如・儻。後の内容を受けて、順接の仮定条件を表す。「もし…ば」と呼応させて訓読する。
用例〔唐、白居易、王昭君詩〕君王若問二妾顔色一、莫レ道不レ如二宮裏時一。↓君王がもし私の容貌をおたずねになったら、宮廷にいた時ほどではないと言ってくださるな。

❷ごとし。
㋐比況。訳…のようだ。類如。前後のものを比較した結果、同じようなものだとの判断を下していることを表す。
用例〔東晋、陶潜、桃花源記〕山有二小口一、髣髴若レ有レ光。↓山には小さな洞穴があり、(その奥は)ぼんやりとして光がさしているようだ。
㋑「若二A一(Aのごときは)」。訳…の場合は。話題を示す。
用例〔孟子、尽心下〕若二禹・皐陶一、則見而知レ之、若二湯一、則聞而知レ之。↓禹や皐陶の場合は、自分で見て、尭・舜の道を知っているし、湯王の場合は、聞き伝えて尭・舜の道を知っている。

❸しく。比較。
㋐訳同じくらいである。比較して同等であることを表す。
用例〔唐、韓愈、師説〕彼与レ彼年相若也。↓彼と彼とは年齢が同じくらいである。
㋑「(A)不レ若レB二(Aは)Bにしかず)」。訳(Aは)Bに及ばない。後の内容に対して程度が低いことを表す。
用例〔孟子、尽心上〕不レ恥レ不レ若レ人、何若レ人有。↓他人に及ばないことを恥じることがなければ、どうして人に追いつくことができようか。
㋒「(A)莫レ若レB二(Aは)Bにしくはなし)」。訳(Aに)ついては)Bに及ぶものはない。(Aということにおいては、)Bが一番であることを示す。
用例〔十八史略、春秋戦国、趙〕莫レ若二六国従親以擯一レ秦。↓六国が合従同盟して秦をしりぞけるのが一番である。

❹かくのごとき。かくのごとく。かくのごとくす。訳このような。このように。このようにする。前文を受け、「若此」と類似の意味を表す。
用例〔論語、憲問〕君子哉若人。↓君子だなあ、このような人は。／〔荀子、王覇〕出若入若、天下莫レ不二平均一。↓王宮の外も内もこのように各々その仕事に励めば、天下はすべて公平になる。

❺もしくは。選択。訳あるいは。または。
用例〔史記、高祖本紀〕諸将以二万人一、若以二一郡一降者、封二万戸一。↓敵の将軍で、一万の兵を引き連れ、あるいは一郡をあげて投降してきたものは、戸数一万の領地に封じた。

【若何・若為】いかん。⇩何(247)の助字・句法解説。

名前 なお・まさ・よし・より・わか・わく 難読 若干・若狭・若布

使いわけ 〔又は・若しくは〕⇩又(1266)。

解字 甲骨文 金文 篆文

象形。甲骨文は、髪をふりみだし我を忘れて神意をききとる巫女の形にかたどり、神意にしたがうの意味を表す。借りて、なんじ・ごとし・もしの意味に用いる。また、弱に通じて、弱年、わかいの意味にも用いる。若の意味と音符とを含む形声文字に、惹・諾などがある。

逆 自若・超若・般若・老若

【若為(爲)】いかん ＝若何。
【若何】いかん ⇩何(247)の助字・句法解説。
【若干】ジャッカン いくらか。いくばく。
【若箇】ジャッコ ①いくらか。いくばく。若干。②いずれ。いずこ。③だれ。どれ。
【若△而】ジャクジ このような。一説に、凡庸なこと。若如。
【若若】⊟ジャクジャク 盛んな様子。⊟ジャジャ くみひもが垂れさがるさま。一説に、長いさま。
【若曹】ジャクソウ・なんじ(ぢ)がともがら なんじら。おまえたち。若輩。
【若年】ジャクネン 国としわか。年齢の若いこと。また、その人。十五、六歳から二十歳ぐらいまでの人。弱年。
【若輩】⊟ジャクハイ・なんじ(ぢ)がハイ なんじら。おまえたち。⊟ジャクハイ 国①年若い者。わかもの。②経験の浅い者。未熟者。◆「弱輩」が本来の表記。漢語で「若」を「わかい」意に用いることはほとんどない。新聞用語では「若輩」に統一している。
【若木】⊟ジャクボク ①伝説上の木の名。太陽の入る所にはえているという。②日本の別名。扶桑と混同したことからいう。⊟わかぎ 国はえてからまだ年月のたたない木。
【不レ若】しかず 及ばない。⇩助字・句法解説③㋑。

5【苴】8画 9872 ⊟㊈ソ 㐮 zū ⊟㊈ソ・㊅ショ 魚 jū 7183 E493 —

字義 ⊟❶くつの中のしき草。❷くさむら。❸あさ(麻)。実のある麻。❹うきくさ。❺かれくさ。❻つつむ。❼つと(苞)。あしなどを編んで物を包んだもの。❽あらい(粗)。❾わるい。みにくい。❿黒い。⓫菜のつけもの。⊟あらごも。祭りに用いるあらむしろ。

解字 形声。艹(艸)+且㊅。

【苴△杖】ショジョウ 喪中に用いた、黒色の竹のつえ。
【苴△絰】シテツ 昔、喪中に首と腰とにつけた実のある麻で作った帯。

5【苫】8画 9873 標 ⊟セン 塩 shān ⊟セン 艶 shàn 3849 93CF —

字義 ⊟❶とま。かや・すげなどで編んで、家や舟の屋根をおおうのに用いるもの。❷こも。むしろ。喪中に敷いて寝るもの。❸おおう。また、かさ(傘)。⊟とまや。とまでおおった小屋。

難読 苫小牧・苫米地

解字 篆文

形声。艹(艸)+占㊅。音符の占は、枼に通じ、うすく平たいの意味。かやなどを編んで作ったとまの意味を表す。

【苫△廬】センロ そまつな家。とまや。
【寝(寢)レ苫枕レ塊】とまにいねカイをまくらとす こもの上に寝、土くれを枕にする。喪中の礼。

5【苒】8画 9874 ㊈ゼン ㊅ネン 琰 rǎn

［苒］9875 俗字

字義 ❶草がさかんにしげるさま。❷やわらかくよわいさま。❸めぐりすすむ。また、次第にのびるさま。のびのびになるさま。「荏苒」

解字 形声。艹(艸)+冄㊅。音符の冄は、ひげの象形。ひげのように伸びた草のさまを表す。

5【苒】8画 9875 ゼン 7182 E492 —

苒(9874)の俗字。→一二〇三㌻下。

5【苔】8画 9876 人 標 ㊈タイ ㊅ダイ 灰 tái 3461 91DB —

筆順 一 ┼ ㅛ 艾 苎 苔 苔

字義 こけ。隠花植物の一種。用例〔唐、李白、長干行〕苔深不レ能レ掃、落葉秋風早。↓苔はどんどん深くなりますが、払うこともできないまま、落ち葉とともに秋風が早くも吹き始めました。

解字 形声。艹(艸)+台音。
【苔衣】タイイ ㊀こけ。㊁こけごろも。国僧や世捨て人の衣をいう。
【苔茵】タイイン こけのしとね。こけのむしろ。
【苔階】タイカイ こけむしたきざはし。こけの石段。
【苔径(逕)】タイケイ こけのむしたみち。
【苔碣】タイケツ こけむした石碑。苔碑。
【苔砌】タイセイ こけむした石だたみ。
【苔蘚】タイセン こけ。蘚苔。
【苔点(點)】タイテン ①点々と生えているこけ。②明(ミン)代の磁器の名。
【苔碑】タイヒ こけむした石碑。苔碣(タイケツ)。

5 【苧】 8画 9877 漢チョ 呉ジョ(ヂョ) 語 zhù 3587 9297 —

字義 ❶からむし。麻(あさ)の一種。皮の繊維で、布を織り、なわをなう。❷みくりぐさ。うきやがら。国お(を)。麻・苧麻(チョマ)の繊維をつむいで糸としたもの。 難読 苧積(おみ)・苧麻(からむし・まお)

解字 形声。艹(艸)+宁音。

5 【苕】 8画 9878 漢チョウ(テウ) 呉ジョウ(デウ) 蕭 tiáo ı9072 — 5548

字義 ❶野菜の名。えんどう。のえんどう。❷のうぜんかずら。❸葦(あし)の穂。❹高く遠いさま。

解字 篆文 形声。艹(艸)+召音。音符の召は、まねくの意味。人をまねくようなつるの伸びる草、えんどう・のうぜんかずらの意味を表す。

5 【茋】 8画 9879 漢テイ 呉タイ 齊 dī — — 5566

字義 茋苨(テイデイ)は、そばな。キキョウ科の多年草。

5 【苐】 8画 9880 ㊀漢テイ・呉ダイ 齊 tí ㊁漢ダイ・呉ダイ 霽 dì — — 5547

字義 ㊀荑(9949)と同字。㊁第(8706)の俗字。

5 【苨】 8画 9881 呉ナイ 薺 nǐ ₂8606 — 5553

字義 ❶茋苨(テイデイ)は、そばな。キキョウ科の多年草。❷薺苨(セイデイ)は、つりがねそう。また、ききょう。

解字 形声。艹(艸)+尼音。

5 【苶】 8画 9882 漢デツ 屑 niè — — 5557

字義 ❶つかれるさま。❷わすれるさま。

解字 形声。艹(艸)+尒(爾)音。艸は、しおれやすい草の意味か。爾(ジ)は泥(デイ)に通じ、どろの意味。どろのようにつかれるの意味を表す。

5 【苳】 8画 9883 トウ 図 dōng 7184 E494 —

字義 草の名。苣苳(キョトウ)は、冬に生える草。国ふき。キク科の多年草。食用・薬用となる。蕗(ふき)。

解字 篆文 形声。艹(艸)+冬音。音符の冬は、ふゆの意味。冬に生える草の意味を表す。

5 【茇】 8画 9884 漢ハツ・呉バチ 曷 bá 慣バツ ₂8608 — 5563

字義 ❶草の根。❷白い花が咲くのうぜんかずら。❸やどる(宿)。野宿する。

解字 篆文 形声。艹(艸)+犮音。音符の犮(ハツ)は、ぬきとるの意味。草を抜きとり野に宿るの意味や、春に抜きとる草木の根の意味を表す。
【茇舎】バッシャ 野宿すること。
【茇渉】バッショウ 山野をふみわたる。跋渉(バッショウ)。

5 【范】 8画 9885 漢ハン 呉ボン 豏 fàn 7187 E497 —

字義 ❶草の名。❷はち。＝蜂(10604)。❸いがた(鋳型)。鋳造のかた。＝範(8824)。❹のり(則)。かた(型)。規範。＝範(8824)。

解字 形声。艹(艸)+氾音。
【范雎】ハンショ 戦国時代、魏(ギ)の遊説家・政治家。字(あざな)は叔。秦(シン)の昭王に仕え、遠交近攻の策を用いて諸侯を侵略した。▼雎を、睢(スイ)と書くのは誤り。
【范成大】ハンセイダイ 南宋(ナンソウ)の政治家・詩人。字(あざな)は致能、号は石湖。著書に『石湖詩集』などがある。(一一二六—一一九三)
【范祖禹】ハンソウ 北宋(ホクソウ)の歴史家。字(あざな)は夢得(ボウトク)。諡(おくりな)は正献。司馬光の『資治通鑑(シジツガン)』の編修を助けた。著書に『唐鑑』がある。(一〇四一—一〇九八)
【范増(增)】ハンゾウ 秦(シン)末、楚(ソ)の軍略家。項羽に信任されて亜父と称されたが、のちに項羽に疑われて去り、彭城(ホウジョウ)で病死した。(前二七五—前二〇四)
【范仲淹】ハンチュウエン 北宋(ホクソウ)の詩人。字(あざな)は希文、諡(おくりな)は文正。著書に『范文正公集』があり、また、「岳陽楼記」の名文がある。(九八九—一〇五二)
【范甯】ハンネイ 東晋(トウシン)の学者。字(あざな)は武子。孝武帝に仕えて、治績をあげた。著書に『春秋穀梁伝(コクリョウデン)集解』がある。(三三九—四〇一)
【范陽】ハンヨウ 地名。唐代の郡名。治所は薊(ケイ)(今の北京市の西南)。玄宗の時、安禄山(アンロクザン)がここの節度使となり、ついに反乱を起こした。
【范曄】ハンヨウ 南朝宋(ソウ)の歴史家。字(あざな)は蔚宗(ウツソウ)。著書に『後漢書』がある。(三九八—四四五)
【范蠡】ハンレイ 春秋時代、越の功臣。楚(ソ)の人。字(あざな)は少伯。句践(コウセン)を助け、呉王夫差を討って上将軍となったが、のち去って斉(今の山東省)に行き、姓名をかえて鴟夷子皮(シイシヒ)といい、さらに陶(今の山東省定陶県の西北)に行って、陶朱公と自称し、巨万の財をたくわえたという。

5 【苤】 8画 9886 ヒ 図 pí ②piě — — 5552

字義 ❶草木の盛んなさま。❷苤藍(ヒラン)は、植物の名。かぶら。

解字 形声。艹(艸)+不音。

5 【苾】 8画 9887 漢ヒツ 呉ビチ 質 bì ı9074 — 5560

字義 ❶かんばしい。かおる(香)。また、かおり。❷苾芻(ヒッシュ)は、草の名。また、僧侶(ソウリョ)。

解字 篆文 形声。艹(艸)+必音。音符の必は、密に通じ、ひっそりしているの意味。ひっそりとほのかなかおりの意味を表す。
【苾苾】ヒツヒツ かんばしいさま。
【苾芬】ヒツブン ＝苾苾。

5 【苗】 8画 9888 漢ビョウ(ベウ)・呉ミョウ(メウ) 蕭 miáo 常 ビョウ なえ・なわ 熟字訓 早苗(さなえ) 4136 9563 —

筆順 一 十 艹 芇 苗 苗

字義 ❶なえ。なわ。㋐稲のなえ。「苗代(なわしろ)」㋑植物の生えたばかりのもの。❷穀物。主食となる穀物。❸かり(狩)。夏のかり。❹すえの血筋。遠い子孫。→苗胤(ビョウイン)。❺人民。もろもろの民。❻民族の名。→苗族②。

名前 え・たね・なえ・なり・みつ 難読 苗穂(なえぼ)・苗村(なむら)・苗代(なわしろ)・苗田(のうだ)

解字 篆文 会意。艹(艸)+田。田畑にはえた細い草、なえの意味を表す。苗を音符の含む形声文字に、描・猫などがある。
【苗胤】ビョウイン 末の血すじ。遠い子孫。苗裔(ビョウエイ)。後胤。▼胤は、たね。
【苗裔】ビョウエイ ＝苗胤(ビョウイン)。▼裔は、きもののすそ。
【苗字】ミョウジ その家の名。氏(うじ)。姓(かばね)。名字。
【苗而不秀】なえ(へ)にしてひいでず なえが伸びても花が咲かない。年が若くて死ぬことのたとえ。また、学問に志して成就しないことのたとえ。〔論語、子罕〕
【苗族】ビョウゾク ①＝苗胤(ビョウイン)。②中国の雲南・貴州などの地方に居住する民族の名。苗民。ミャオ族。

5【苠】8画 9889 漢ビン 呉ミン 真 mín — — 5550

字義 ❶多いさま。❷現代中国語で、作物の成熟がおそい。

解字 形声。艹(艸)+民音。

5【苻】8画 9890 漢フ 呉ブ 虞 fú 7188 E498 —

字義 ❶草の名。葛(くず)に似て、葉はまるく毛がある。❷さや。草の実のさや。

解字 形声。艹(艸)+付音。

【苻健】フケン 五胡(ゴコ)十六国、前秦(ゼンシン)の初代の帝(高祖)。明帝。在位四年(三五一―三五五)。苻洪の子。長安に都し、租税を軽くし、善政を施した。廟号(ビョウゴウ)は世宗、のちに高祖と改められた。(三一七―三五五)

【苻秦】フシン 五胡(ゴコ)十六国の一つ。三五〇年に苻健が建てた国。前秦ともいう。(三五一―三九四)

5【茀】8画 9891 漢フツ 呉フチ 物 fú 9075 — 5561

字義 ❶草が道をふさいで歩けないこと。❷草がしげる。❸おおう。また、おおい。車のおおい。❹髪かざり。かんざしの類い。❺まえだれ。ひざかけ。❻はらう(払)。❼ひつぎなわ。ひつぎをひくなわ。❽小さい。

解字 形声。艹(艸)+弗音。

5【苹】8画 9892 漢ヘイ 呉ビョウ(ビャウ) 慣ヒョウ(ヒャウ) 庚 píng 7189 E499 —

字義 ❶うきくさ。水草の一種。＝萍(10062)。❷よもぎ。❸あし。また、がま。❹苹苹は、草がしげるさま。❺苹果は、りんご(林檎)。

解字 篆文 形声。艹(艸)+平音。音符の平は、たいらの意味。水面に平たく浮く草の意味を表す。

5【苪】8画 9893 漢ヘイ 呉ヒョウ(ヒャウ) 梗 bǐng — — 5554

字義 ❶明らか。❷草の名。

解字 形声。艹(艸)+丙音。

5【苞】8画 9894 標 ホウ(ハウ) 肴 bāo 7190 E49A —

字義 ❶草の名。あぶらがや。むしろぐさ。❷もと。ねもと。草木の根。❸つつむ。❹つぼみ。❺つと。つつみ。魚肉などをあぶらがやに包んだもの。包んだ品物。また、みやげもの。「家苞(いえづと)」❻むらがる。❼しげる。 難読 苞苴(つと)

解字 篆文 形声。艹(艸)+包音。音符の包は、つつむの意味。物をつつむ草、あぶらがやの意味や、つぼみ・つつみの意味を表す。

【苞裹】ホウカ つつむ。▼裹も、つつむ。

【苞苴】ホウショ ①つつみと、しきもの。贈答品。物を贈るとき、わらに包むのを苞といい、わらを下にしくのを苴という。②賄賂(ワイロ)。まいない。

【苞桑】ホウソウ ①桑の木の根。②根本のかたいこと。

【苞羅】ホウラ 多くのものを包みくるむこと。▼羅は、あみ。

5【茅】8画 9895 人 漢ボウ(バウ) 呉モウ(マウ) 肴 máo 1993 8A9D —

筆順 一 十 艹 艹 艹 艹 茅 茅

字義 ❶かや。ち。ちがや。❷かやを刈る。❸かやぶき。かやでふいた屋根。また、その家。❹うすぐらい。❺つとめる(務)。

名前 あき・かや・ち 難読 茅花(ちばな・つばな)・茅ケ崎(ちがさき)・茅渟鯛(ちぬだい)・茅台酒(マオタイしゅ)・茅蜩(かなかな・ひぐらし)・茅野(ちの)

解字 篆文 形声。艹(艸)+矛音。音符の矛は、ほこの意味。ほこのように突き出た草、かやの意味を表す。

【茅庵】ボウアン かやぶきのいおり。そまつな家。

【茅宇】ボウウ かやぶきの家。あばらや。

【茅簷】ボウエン かやぶきの軒。また、その家。用例〔北宋、王安石、鍾山即事詩〕茅簷相対坐終日(ボウエンあい(ひ)タイして、ざすることシュウジツ)一鳥不鳴山更幽(イッチョウなかず、やまさらにユウなり) ⇒かやぶきの家にて鍾山と向き合いながら一日中座っている。一羽の鳥の鳴き声も聞こえず、山はいっそう静寂を深める。

【茅屋】ボウオク ①かやぶきの家。あばらや。②自分の家の謙称。

【茅軒】ボウケン かやぶきの軒。また、その家。

【茅柴】ボウサイ ①ちがやとしば。②にごり酒。薄い酒。ちがやしばの火は、一時に燃えあがって消えやすいことから、酔いがさめやすい、薄い酒のことにいう。

【茅茨】ボウシ ①かや。▼茨も、かや。②かやで屋根をふくこと。また、かやぶきの家。また、その屋根。

【茅茨不剪】ボウシきらず 屋根をかやでふいたままにして、端を切りそろえないこと。質素な生活をいう。〔韓非子、五蠹〕

【茅舎】ボウシャ ①かやぶきの家。あばらや。②自宅の謙称。

【茅茹】ボウジョ 多くのかやの根がからみ合い引っぱり合っていること。転じて、多くの賢人が朝廷に並び立っていることなどをたとえていう。また、同類の結合の堅いさまをいう。

【茅塞】ボウソク かやが生えて道をふさぐこと。転じて、修養を怠ると欲のために心がおおわれること。〔孟子、尽心下〕

【茅店】ボウテン かやぶきの店。いなかの茶店。

【茅土】ボウド 諸侯を封ずること。昔、天子が諸侯を封ずるとき、その方角の色(東は青、西は白、南は赤、北は黒、中央は黄)の土を、白いかやに包んで与えたことからいう。

【茅門】ボウモン かやぶきの門。また、その門のある家。そまつな家。

【茅牖】ボウユウ ①かやのまど。粗末な窓のたとえ。②貧しい家。

【茅廬】ボウロ ＝茅屋。

5【苺】8画 9896 人 一漢ボウ・呉モ 有 二漢バイ 呉マイ 賄 隊 méi 7185 E495 —

筆順 一 十 艹 艹 苺 苺 苺 苺

字義 一二 いちご。くさいちご。

解字 篆文 形声。艹(艸)+母音。音符の母は、乳ぶさのあるははの意味。ちくびのような形の実のなる、いちごの意味を表す。

5【茆】8画 9897 漢ボウ(バウ) 呉モウ(マウ) 巧 mǎo, ③máo 7191 E49B —

字義 ❶じゅんさい。ぬなわ。水草の一種。❷しげるさま。❸かや。＝茅(9895)。

解字 形声。艹(艸)+卯音。

【茆檐・茆簷】ボウエン かやぶきの軒。また、その家。

【茆屋】ボウオク ①かやぶきの家。そまつな家。②自分の家の謙称。

【茆茨不剪】ボウシきらず ＝茅茨不剪(ボウシきらず)(一二〇五ページ・中)。〔十八史略、五帝、帝尭〕

【茆廬】ボウロ かやぶきの小屋。

【如茆斯抜】ボウのここにぬかるるがごとし 一本のかやを抜くと、何本も一緒に抜けてくるように、多くの賢者が相次いで用いられること。〔北宋、欧陽脩、慶暦聖徳詩〕

5【苯】8画 9898 ホン 阮 běn — — 5556

字義 化学化合物の名。ベンゼン。

解字 形声。艹(艸)+本音。

5【茉】8画 9899 人 漢バツ・呉マチ 慣マツ・マ 曷 mò 7193 E49D —

筆順 一 十 艹 艹 芏 茉 茉 茉

字義 茉莉(マツリ)は、モクセイ科の常緑小低木。ペルシャからインドを経て中国に移入。夏の夕、枝端に香気高い白色五弁の花を開き、中国では茶にいれる。毛輪花(モウリンカ)。まりか。茉莉花。ジャスミン。
名前 ま
解字 形声。艹(艸)+末音。

5【茂】8画 9900 常 モ しげ-る 漢ボウ・呉モ 宥 mào 4448 96CE —
筆順 一 十 艹 艹 芦 茂 茂 茂
字義 ❶しげ-る。草木の枝葉がさかんに生長する。「繁茂」 ❷さかん。また、豊か。多い。 ❸すぐれる。才徳がすぐれる。「茂才」 ❹よい。りっぱな。美しい。 ❺つとめる(勉)。はげむ。
名前 あり・いかし・し・しげ・しげい・しげみ・しげる・たか・とう・とお・とも・とよ・も・もち・もと・ゆた 難読 茂原(もばら)・茂尻(もしり)・茂住(もずみ)・茂木(もぎ・もてぎ)
解字 篆文 形声。艹(艸)+戊音。音符の戊(ボウ)は、冃(ボウ)に通じ、おおうの意味。草が覆いしげるの意味を表す。
逆 俊茂・繁茂
【茂異】(モイ) 才能がすぐれ、他と異なること。また、その人。
【茂勲(勳)】(モクン) りっぱなてがら。すぐれた功績。偉勲。
【茂行】(モコウ) すぐれたおこない。りっぱな行い。
【茂才】(モサイ) 同茂材。①才能のすぐれた人。秀才。②官吏登用試験(科挙)の科目の名。もと、秀才といったが、後漢の光武帝の名を避けて改めた。
【茂材】(モザイ) =茂才。
【茂実(實)】(モジツ) ①しげりみのる。②すぐれた実質・内容。
【茂秀】(モシュウ) すぐれひいでる。また、その人。
【茂盛】(モセイ) さかんなこと。盛茂。
【茂績】(モセキ) りっぱな功績。
【茂△暢】(モチョウ) しげりのびる。発育する。
【茂陵】(モリョウ) 前漢の武帝の陵の名。陝西(センセイ)省興平市の北東にある。

5【苜】8画 9901 漢ボク 呉モク 屋 mù 7192 E49C —
字義 ❶苜蓿(モクシュク)は、牧草の名。うまごやし。 ❷水苜は、水草の名。

5【苚】8画 9902 漢ヨウ 呉ユウ 宋 yòng — — 5549
解字 形声。艹(艸)+目音。
字義 草の名。

5【茒】8画 9903 ヨウ(エウ) 篠 yǎo — — 5555
解字 形声。艹(艸)+用音。
字義 茒茮(ヨウジョウ)は、草の生長するさま。
解字 形声。艹(艸)+幼音。

5【苙】8画 9904 リュウ(リフ) 緝 lì 7194 E49E —
字義 ❶おり(檻(カン))。豚などを飼育するかこい。 ❷よろいぐさ。
解字 形声。艹(艸)+立音。

5【苓】8画 9905 漢レイ 呉リョウ(リャウ) 青 líng 4674 97E8 —
字義 ❶草の名。みみなぐさ。おなもみ。巻耳。苓耳。 ❷香草の名。 ❸薬草の名。かんぞう。 ❹茯苓(ブクリョウ)は、松の根に寄生するきのこの一種。利尿剤に用いる。まつほど。 ❺おちる(落)。おちぶれる。=零(13224)。 ❻車の横木。
解字 形声。艹(艸)+令音。
【苓落】(レイラク) ①草木がしぼみ、おちる。零落。②昔の楽曲の名。

6【苡】9画 9906 イ yǐ 28618 — —
字義 義未詳。国 薏(10161)の俗字。
解字 形声。艹(艸)+衣音。

6【茟】9画 9907 漢イツ(ヰツ) 呉イチ(ヰチ) 質 yù — — 5571
字義 草の名。あかざ。
解字 形声。艹(艸)+聿音。

6【茵】9画 9908 イン 真 yīn 7201 E49F —
[䒡] 10080 同字
字義 ❶しとね。しきもの。車中にしくもの。また、棺にしくしとね。 ❷茵芋(インウ)は、薬草の名。みやましきみ。
解字 篆文 形声。艹(艸)+因音。音符の因は、しとねの原字。因が、よるの意味に用いられるようになり、区別の必要から、艸を付した。
【茵△蓐・茵△褥】(インジョク) しきもの。しとね。
【茵席・茵△蓆】(インセキ) しきもの。しとね。

6【茴】9画 9909 漢カイ(クワイ) 呉ガイ(グワイ) 唐ウイ 灰 huí 7202 E4A0 —
字義 茴香(ウイキョウ)は、セリ科の多年草。香気があり、薬用となる。

解字 形声。艹(艸)+回音。

6【荂】9画 9910 漢カ(クワ) 呉ケ 麻 huā — — 5583
字義 花。=華(9965)。
解字 形声。艹(艸)+夸音。

6【荄】9画 9911 カイ 灰 佳 gāi 28616 — 5585
字義 ❶ね。草の根。 ❷にらの根。また、宿根草の根。
解字 形声。艹(艸)+亥音。

6【茖】9画 9912 漢カク 呉キャク 薬 gé 7203 E4A1 —
字義 茖葱(カクソウ)は、ぎょうじゃにんにく。ユリ科の多年草。深山の樹下に生え、強臭がある。 難読 茖ノ木(ちしゃのき)
解字 形声。艹(艸)+各音。

6【荍】9画 9913 漢キョウ(ケウ) 呉ギョウ(ゲウ) 蕭 qiáo — — 5587
字義 ❶草の名。ぜにあおい。こあおい。 ❷荍麦(キョウバク)は、そば(蕎麦)。
解字 形声。艹(艸)+收音。

6【茤】9画 9914 キン jìn 19084 — 5590
字義 ❶すじ。=筋(8725)。 ❷ほね。
解字 形声。艹(艸)+筋省音。

6【荊】9画 9915 標 漢ケイ 呉キョウ(キャウ) 庚 jīng 2353 8C74 —
[荆] 9916 正字
字義 ❶にんじんぼく。昔、刑罰の策(むち)に用いた低木の一種。 ❷むち(鞭)。しもと。 ❸いばら。うばら。「荊棘(ケイキョク)」 ❹自分の妻に冠する謙称。「荊妻」 ❺国の名。楚(ソ)の別名。 ❻昔の九州の一つ。↓荊州。 難読 荊沢(おどろざわ)
解字 金文 篆文 形声。艹(艸)+刑音。金文は象形で、人を手かせにかけているさまにかたどり、むちうつためのいばらの意味を表す。のち、篆文は、これに艸を冠した。
【荊△軻】(ケイカ) 戦国時代、燕(エン)の刺客。斉の人。慶卿(ケイケイ)または、荊卿(ケイケイ)と称せられた。燕(エン)の太子丹の命令で秦(シン)の始皇帝を暗殺しようとしたが失敗して殺された。丹との易水での別離の際に作った「風蕭蕭兮易水寒(かぜショウショウとして、エキスイさむし)、壮士一去兮不二復還一(ソウシひとたびさって、またかえ(へ)らず)」の詩が有名。(?—前二二七)
【荊△杞】(ケイキ) ①にんじんぼくと枸杞(クコ)。ともに荒れ地にはえる雑木。▼荊は、いばらともいう。用例〔唐、杜甫、兵車行〕君不レ聞漢家山東二百州（きみきかずやカンカサントウの、ニヒャクシュウ）、千村万落生二荊杞一（センソンバンラク ケイキをショウずるを）。↓諸君もご存知であろう、漢の東半分の二百州ではどの村々でも雑草が生い茂っていることを。②悪臣のたとえ。

【荊△棘】（ケイキョク）①いばら。うばら。②障害になるもの。③紛糾した事態のたとえ。④人を傷つけようとするとげとげしい心。悪心。⑤未開の異民族や未開の地のたとえ。

【荊呉】（ケイゴ）呉楚ソゴの地。江南の地方。▼荊は、楚。

【荊妻】（ケイサイ）自分の妻の謙称。いばらのかんざしをした妻、粗衣の妻の意。→荊釵布裙ケイサイフクン。

【荊△柴】（ケイサイ）①いばらと、しば。②いばらやしばで作った門。転じて、あばらや。柴門。茅屋ボウオク。

【荊△釵布△裙】（ケイサイフクン）粗末な服装。いばらのかんざしと木綿のスカート。後漢の梁鴻リョウコウの妻の孟光モウコウが粗末な服装で家計を助けた故事による。〔西晋、皇甫謐、列女伝〕

【荊室】（ケイシツ）①あばらや。②自分の妻の謙称。荊妻。

【荊州】（ケイシュウ）『書経』の禹貢ウコウ編に記される中国古代九州の一つ。今の湖南・湖北両省と四川・貴州・広西・広東カントン各省の一部を含む。荊州は、漢以後も各時代に置かれたが、その範囲や治所には変遷がある。〔書経、禹貢〕

【荊△楚歳時記】（ケイソサイジキ）書名。一巻。南朝梁リョウの宗懍ソウリンの著。元日から除夜にいたるまでの楚ソの地方の年中行事・風俗を述べている。中国の最初の歳時記。

【荊蛮（蠻）】（ケイバン）南方の異民族。

【荊扉】（ケイヒ）いばらのとびら。柴しばの戸。貧しい住居。荊柴ケイサイ。

【荊布】（ケイフ）＝荊釵布裙ケイサイフクン。

【負レ荊】（ケイをおう（ふ））謝罪すること。いばらのむちを背に負って、相手にむち打たれることを望む意。負荊フケイ。用例〔史記、廉頗藺相如伝〕肉袒負レ荊（ニクタンしてケイをおう（ふ））。↓右の片肌をぬいでいばらのむちを背負った。

6 【荆】 9画 9916 ケイ 荊(9915)の正字。→一二〇六ページ下。 | 9073 — 5559

6 【茲】 9画 9917 コ 菰(10095)の本字。→一三二一ページ中。

6 【荒】 9画 9918 常 コウ あら-い・あ-れる・あ-らす | 2551 8D72 —

6 〖荒〗 9画 9919 コウ（クヮウ） 陽 huāng

筆順 一 十 艹 艹 芒 芒 芒 荒 荒

字義 ❶あ-れる（あ-る）。㋐雑草が地をおおう。雑草が生いしげる。㋑あれはてる。すたれる。❷あれた土地。❸不作。飢饉キキン。作物の実らないこと。「荒歳」❹おおう。おおいかぶさる。また、おおい。❺忘れる。無視する。捨ててかえりみない。❻す-さむ。す-さぶ。㋐生活があれる。㋑度を越す。つのる。おぼれる。❼ほろびる。敗れる。また、ほろぼす。❽遠い。遠い果ての地。❾大きい。大いに。大きくする。❿むなしい。うそ。
国❶あら-い（あら-し）。㋐てあらい。乱暴。㋑たけだけしい。勇猛。㋒風雨などがはげしい。㋓おおざっぱ。❷あれ。㋐暴風雨。㋑皮膚のあれ。㋒形勢のひどい変化。❸あ-らす。害を与える。

名前 あら・あらう・あらら・こう・ら　難読 荒屋あばらや・荒海あらかい・荒磯ありそ・荒布あらめ

使いわけ あらい〔粗・荒〕⇩粗(8979)。

解字 篆文 形声。艹(艸)＋㠩(巟)音。音符の巟コウは、大きな川が水のほか何もないの意味。あれはてた草のほかなにもないの意味を表す。

逆 救荒・窮荒・凶荒・酒荒・大荒・天荒・備荒

【荒淫】（コウイン）酒色にすさみおぼれること。

【荒△裔】（コウエイ）遠い果ての土地。遐裔カエイ。辺裔。▼裔は、着物のすそ。

【荒煙・荒△烟】（コウエン）炊事などの煙のさびしいこと。人気のないこと。「荒煙寒草」

【荒△遐】（コウカ）はてしなく遠い。また、遠い果ての土地。荒遠。▼遐は、遠い。

【荒外】（コウガイ）国境外の未開の地。遠い果ての未開の地。

【荒△饉】（コウキン）ききん。不作。凶作。

【荒径（徑）・荒△蹊】（コウケイ）あれはてたこみち。

【荒倹（儉）】（コウケン）凶年で収穫が少ない。凶作。荒歉コウケン。

【荒△忽】（コウコツ）①うっとりとして、ぼんやりするさま。また、気のぬけるさま。②はっきりしないさま。かすかで遠いさま。

【荒歳】（コウサイ）ききんの年。凶作の年。凶年。荒年。

【荒△肆】（コウシ）すさんで行動がきままなこと。身をもちくずすこと。

【荒△陬】（コウスウ）遠い果ての、へんぴな土地。荒辺。▼陬は、すみ。

【荒政】（コウセイ）①ききんのとき、人民を救う政治。②君主が政治をおこたること。

【荒△瘠】（コウセキ）土地があれやせること。

【荒怠】（コウタイ）仕事をほうりだして、なまけおこたること。

【荒台（臺）】（コウダイ）あれはてた物見台。▼台は、見晴らし台。

【荒△耽】（コウタン）酒色などにすさみふけること。荒沈。

【荒誕】（コウタン）おおげさで、よりどころのないこと。荒唐。

【荒塚】（コウチョウ）あれはてた墓。荒冢コウチョウ。荒墳。

【荒土】（コウド）あれはてた土地。雑草のおいしげった土地。

【荒唐】（コウトウ）話にとりとめのないこと。でたらめ。

【荒唐無稽】（コウトウムケイ）話がとりとめなく、より所のないこと。でたらめ。荒唐不稽ともいう。

【荒敗】（コウハイ）①土地があれはてて穀物が育たない。②（生活が）すさみくずれる。

【荒廃（廢）】（コウハイ）①あれはてる。あれすたれる。②自分のなすべきことを捨ててかえりみないこと。

【荒△蕪】（コウブ）あれはてて雑草のおいしげっていること。また、その土地。荒穢コウワイ。

【荒服】（コウフク）昔、中国で都を中心として天下を五つの地域（五服）に分けたときの、都から最も遠くへだたった地域。→五服（六一ページ上）。

【荒亡】（コウボウ）狩猟や酒色などの楽しみにふけって、すさんだ生活をすること。

【荒民】（コウミン）ききんで苦しんでいる民。

【荒△湎】（コウメン・コウベン）＝荒亡。

【荒涼】（コウリョウ）①あれはててものさびしい。②すさまじい。

【荒△寥】（コウリョウ）あれはててものさびしい。荒涼。

【荒△穢】（コウワイ・コウアイ）＝荒蕪コウブ。

【荒惑】（コウワク）心が狂いまどう。

6 【茭】 9画 9920 漢コウ（カウ） 呉キョウ（ケウ） 肴 jiāo | 9079 — 5575

字義 ❶まぐさ。干し草。枯れ草。❷草の名。㋐うまぜり。㋑まこも。❸竹やあしで作ったなわ。❹さお（竿カン）。❺まじわる（交）。また、つぎめ。

解字 形声。艹(艸)＋交音。

【茭△藁】（コウコウ）ほし草と、わら。まぐさ。

【茭△粽】（コウソウ）ちまき。端午の節句に祝って食べる。

6 【荇】 9画 9921 漢コウ（カウ） 呉ギョウ（ギャウ） 梗 xìng | 9082 — 5586

〖莕〗 9976 同字

字義 あさざ。はなじゅんさい。水草の一種。

解字 形声。艹(艸)＋行音。

【荇菜】（コウサイ）水草の名。あさざ。

6 【茳】 9画 9922 コウ（カウ） 江 jiāng | — — 5578

字義 茳蘺コウリは、香草の名。

解字 形声。艹(艸)＋江音。

6 【茩】 9画 9923 漢コウ 呉ク 有 hòu

字義 薢茩カイコウは、㋐草の名。ひし。㋑草の名。えびすぐさ。

解字 形声。艹(艸)＋后音。

6 【莨】 9画 9924 ㊀コン 願 gèn ㊁漢ケン・呉コン 願 jiàn ₂8612 — 5568

字義 ㊀❶毒草の名。鉤吻コウフン。❷とりかぶとの苗。㊁毛莨は、きんぽうげ。うまのあしがた。キンポウゲ科の多年草。

解字 形声。艹(艸)+艮㊥。

6 【茬】 9画 9925 漢サ 呉ジャ 麻 chá — — 5574

字義 切り株。

解字 形声。艹(艸)+在㊥。

6 【茨】 9画 9926 漢シ・呉ジ 支 cí 教4 いばら 1681 88EF —

筆順 一 十 艹 艹 芝 芝 茨 茨 茨

[茨] 9928 俗字

字義 ❶いばら。うばら。とげのある低木類の総称。❷草の名。はまびし。つる草の一種。❸ふく(葺シュウ)。かやの類いで屋根をふく。また、かやぶきの屋根。❹つむ(積)。また、きずく(築)。堤防・とりでなどを作るため、土などを積み重ねる。❺もち(餅イ)。

解字 篆文 形声。艹(艸)+次㊥。音符の次は、斉に通じ、ととのえるの意味。かやなどの草をそろえ整えて屋根をふくの意味を表す。

【茨檐】シエン かやぶきの軒。また、あばらや。

【茨棘】シキョク ①いばら。②草深いいなかのたとえ。

【茨菰】ジコ くわい。オモダカ科の多年草。慈姑ジコ。

6 【茈】 9画 9927 シ 紙 zǐ ₂8609 — 5564

字義 ❶むらさき。山野に自生する多年草で、根は染料として用いる。むらさきそう。❷茈葳イは、なでしこ。一説に、のうぜんかずら。❸草の名。ぜんまい。❹茈菀オンは、キク科の多年草。❺そろわないさま。ふぞろいのさま。

解字 形声。艹(艸)+此㊥。

6 【茨】 9画 9928 シ 茨(9926)の俗字。→一二〇八ぺ上。

6 【茲】 9画 9929 慣ジ シ 支 zī 7204 E4A2 —

[茲] 9870 古字 [玆] 740 俗字

字義 ❶しげる。はびこる。❷ます。ふえる。❸ますます。用例(墨子、非攻上)苟虧レ人愈多、其不仁茲甚、罪益厚。↓他人に損害を与える程度がいよいよ大きいならば、その不仁の程度はいっそう甚だしく、罪もいっそう重い。❹むしろ。わらのしとね。❺ここ(斯シ)。ここに。これ。この。＝此(5991)。用例(唐、李白、送二友人一詩)揮レ手自レ茲去、蕭蕭班馬鳴。↓手をふって、ここから別れ去ろうとすると、別れゆく馬でさえ、さびしい声でいなないている。❻とし(年)。「今茲」❼つとめる。＝孜(4517)。

参考 [玆](7322)は別字であるが、古くから混同して用いる。

解字 甲骨文 篆文 形声。艹(艸)+玆㊥。音符の玆シは、ふたつの糸の意味。草木がふえる、しげるの意味を表す。借りて、ここ・この意味も表す。玆の意味と音符とを含む形声文字に、孳シ・慈・磁・滋などがある。

6 【茡】 9画 9930 ジ 芓(9805)と同字。→一一九四ぺ下。 — — 5572

6 【茱】 9画 9931 漢シュ 呉ジュ 虞 zhū 7205 E4A3 —

字義 茱萸ユは、かわはじかみ。また、ぐみ。陰暦の九月九日(重陽の節句)に高い丘に登って、この実のついている枝を頭にさしはさみ、菊花酒を飲んで邪気を払うという風習があった。

難読 茱萸ぐみ・はじかみ

解字 篆文 形声。艹(艸)+朱㊥。音符の朱は、あかいの意味。赤い果実のなる、かわはじかみの意味を表す。

6 【茺】 9画 9932 慣ジュウ シュウ(シウ) 東 chōng ₁9080 — 5580

字義 茺蔚ジュウウツは、めはじき。シソ科の二年草。

解字 形声。艹(艸)+充㊥。

6 【荀】 9画 9933 慣ジュン シュン 真 xún 7206 E4A4 —

字義 ❶草の名。不詳。❷周代の国名。今の山西省の新絳シンコウ県の西。

解字 形声。艹(艸)+旬㊥。

【荀況】ジュンキョウ ＝荀子①。

【荀子】ジュンシ ①戦国時代の儒学者。名は況。斉に仕え、のち楚ソの春申君に仕えて蘭陵ランリョウ(今の山東省内)の令となった。孔子の学を伝え、礼を重んじたが、孟子の性善説に対し性悪説を主張した。韓非子カンピシや李斯リシの師。荀卿ジュンケイと尊称され、また、前漢の宣帝の諱いみなを避けて孫卿とも称された。(前三一三?―前二三八?) ②書名。二十巻。荀卿の著。

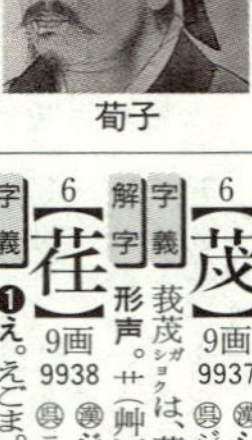

荀子

6 【茹】 9画 9934 漢ジョ 呉ニョ 魚 御 語 rú 7207 E4A5 —

字義 ❶くう。くらう。主に野菜を食べるのにいう。❷かう(飼)。❸な(菜)。野菜。❹いれる(納)。うけいれる。❺やわらかい。❻はかる(慮・度)。❼ひく(引)。ひっぱる。つらなる。❽くさい(臭)。くさる(腐)。国❶ゆでる。ゆだる。❷うだる。暑さで体がぐったりする。

解字 篆文 形声。艹(艸)+如㊥。音符の如は、しなやかの意味。しなやかな菜の意味を表す。

【茹葷】ジョクン にら・にんにくなどの臭い野菜を食べる。

【茹菽】ジョシュク ①野菜と豆。②豆を食う。貧しい生活。

【茹淡】ジョタン あっさりしたものを食べる。粗食する。

6 【茮】 9画 9935 ショウ(セウ) 蕭 jiāo — — 5576

字義 ❶植物の名。なるはじかみ。あさくらざんしょう。❷山椒サンショウの実が群がって房をなすさま。

解字 形声。艹(艸)+尗㊥。

6 【茸】 9画 9936 人標 ㊀漢ジョウ 呉ニュウ 冬 róng ㊁漢ジョウ 呉ニュウ 腫 rǒng 3491 91F9 —

筆順 一 十 艹 艹 芊 芊 茸 茸 茸

字義 ㊀❶しげる。草がしげりみだれるさま。❷みだれる。❸蒲がまの穂。❹刺繡シシュウの糸。❺模様のある竹。まだらだけ。❻ふくろづの。鹿かの新しく生えたつの。㊁❶おろか。いやしい。❷にこげ。細くやわらかな毛。❸つぐ(次)。また、おす(推)。

国 たけ。きのこ。

名前 しげる・たけ

解字 形声。艹(艸)+耳㊥。

【茸茸】ジョウジョウ ①草がさかんにしげっているさま。②人がむらがっているさま。

6 【茷】 9画 9937 漢ショク 呉ジキ 職 shì ₂8617 — 5592

字義 莪茷ガショクは、薬草の名。莪蒁ガジュツ。

解字 形声。艹(艸)+戌㊥。

6 【荏】 9画 9938 漢ジン 呉ニン 寝 rěn 1733 8960 —

字義 ❶え。えごま。シソ科の一年草。実から油をとる。❷荏菽ジンシュクは、大豆。❸やわらか。❹次第に。次第にのびる。

難読 荏原えばら・荏田えだ

解字 形声。艹(艸)＋任音。

【荏弱】 やわらかで弱い。柔軟。怯弱。

【荏苒】 歳月が過ぎゆくさま。荏染。

6 【茜】 9画 9939 人 セン 𥫗 qiàn 1611 88A9 —

筆順 一 十 艹 艹 芇 芇 芇 茜 茜

字義 ❶**あかね**。あかねぐさ。根から赤色の染料をとる。❷あか。あかねいろ。また、あかねぞめ。

名前 あかね

解字 篆文 形声。艹(艸)＋西音。

6 【荃】 9画 9940 ㊀セン 先 quán 9081 — 5584

字義 ㊀❶からしのあえもの。❷香草の一種。かおりぐさ。❸うえ。川などで魚を捕らえるために竹で編んだ道具。＝筌(8736)。㊁漢セツ・呉セチ 屑 ほそぬの。葛などで織った織物。

解字 形声。艹(艸)＋全音。

【荃蹄】 魚を捕らえるやなと、兎を捕らえるわな。ともに物を得れば不用となるもの。また、手段・方便の意。

6 【荐】 9画 9941 漢セン 呉ゼン 𥫗 jiàn 7208 E4A6 —

字義 ❶こも。しきむしろ。＝薦(10335)。❷くさ。雑草。❸ふたたび。かさねて(重)。❹**しきりに**。しばしば。❺あつまる。つもる。会集する。

解字 形声。艹(艸)＋存音。

【荐居】 あつまりすむ。一説に、水草を追って移り住むこと。

【荐仍】 しきりに。また、しきりに重なる。▼仍も、しきりに・重なる。

【荐食】 (蚕が桑を食うように)次第に土地を侵略すること。蚕食。薦食。

6 【草】 9画 9942 教 1 ソウ くさ ソウ(サウ) 皓 cǎo 3380 9190 — 熟字訓 草履

筆順 一 十 艹 艹 芇 芇 苩 苩 草

字義 ❶**くさ**。また、くさはら。❷そまつ。いなかじみている。いやしい。上等でない。「草屋」「草庵」❸はじめ。始める。「草創」❹下書きをする。原稿を作る。「起草」❺書体の一種。→草書。

名前 かや・くさ・くさか・さ・しげ・そう

難読 草鞋・草加・草臥れる・草石蚕

解字 篆文 形声。艹(艸)＋早音。艸と同一語であるが、象形で、くさの意味を表す。その音を示すため、早が付された。艸は、くさの草

逆 起草・結草・細草・詩草・創草・闘草・芳草・本草・幽草

【草鞋】 わらじ。わらぐつ。

【草案】 詩文の下書き。草稿。

【草庵・草菴】 草ぶきのいおり。わら・かやなどで屋根をふいた、小さく粗末な家。

【草衣】 ①草をつづった、粗末な着物。②隠者の衣服。③隠者をいう。

【草屋】 草ぶきの屋根の家。粗末な田舎の家。

【草芥】 ①くさと、あくた。くさや、ごみ。②つまらぬもののたとえ。また、自己の謙称。「草芥凡庸」

【草間】 ①くさむらの中。②草深い土地。いなか。③民間。

【草棘】 ①くさと、いばら。やぶ。②草深い土地。未開の地。

【草行】 ㊀①草原を分けて行く。山野を渡り歩く。「草行露宿」㊁書体の名。草書と行書。

【草稿・草藁】 詩文の下書き。原稿。

【草根木皮】 ①草の根と、木の皮。②漢方医薬をいう。

【草子・草紙】 国①何枚かの紙をとじ合わせて本にしたもの。②書いたままで、まだ整理しない下書き。③かな書きの書物。随筆・日記・歌書など。④江戸時代、かな書きの絵入り小説。草双紙。

【草市】 ㊀いなかのいちば。城外の市場。㊁国①草深い町。いなかの町。②陰暦七月十二日の夜から翌日の朝にかけてたつ、お盆の供え物を売る市。

【草次】 ①あわただしい。いそがしい。造次。②野宿する。草宿。▼次は、宿る意。

【草舎】 ①野宿する。②草ぶきの家。草屋。

【草書】 書体の一種。篆書・隷書をさらに簡略にした書体。草体。⇩コラム 文字・書体の変遷(六三三ページ)。

【草聖】 草書の名人。後漢の張芝・唐の張旭をいう。草賢。

【草窃(竊)】 わずかのものをかすめとる盗賊。こそどろ。草賊。

【草草】 ①あわてるさま。②てみじかなさま。てがるで、ていねいでないさま。③心配するさま。苦労するさま。④国とり急いで書きしるしたことを謝して、手紙の末尾に書きそえることば。

【草創】 ①事を起こし、はじめる。はじめてつくる。②事のはじめ。③詩文の下書きを作ること。起草。

【草賊】 ①おいはぎ。②こぬすびと。草窃。③反乱する民。農民一揆。

【草卒】 あわただしい。倉卒。

【草体(體)】 草書の書体。草書。

【草虫(蟲)】 ①はたおり。きりぎりす。一説に、いなご。②草むらに住む虫。

【草薙】 ㊀世の乱れを治めること。くさをなぎはらう。くさを刈り平らげる。㊁国

【草頭】 くさの葉ずえ。草葉のさき。「草頭の露」

【草堂】 ①草ぶきの家。わらや。草屋。②自分の家を謙遜していう。③小さな寺。庵。

【草服】 くさでつづった、粗末な着物。草衣。

【草茅】 ①くさと、ちがや。くさむら。②民間。在野。

【草本】 ①下書き。草稿。②地上にある部分の質がやわらかで水分の多い植物の総称。草。↕木本(七一三ページ下)。

【草昧】 ①世の開けはじめ。天地が創造されたばかりで、世の中の未開のときをいう。▼草は初め、昧はくらい。②世の秩序が乱れたままで、天下のまだ定まらないときをいう。用例(十八史略、唐、太宗)草昧之初、群雄並起。⇩世が乱れ天下のまだ定まらない初めのころは、多くの英雄が各地に並び起こった。

【草莽】 ①くさむら。②民間。在野。

【草莽之臣】 官に仕えないで民間に在る人。臣下の謙称。在野の臣。

【草野】 ①くさはら。野原。②いなか。③民間。在野。④ひなびていること。いやしいさま。

【草萊】 ①あれはてたくさむら。おい茂った雑草。また、あれはてた土地。②いなか。田野。

【草隷(隸)】 ①草書と隷書。②草書。

【草履】 ㊀わらなどを編んで作ったはきもの。㊁国ぞうり。

【草廬】 ①草ぶきのいおり。②自分の家を謙遜していう。

【草廬三顧】 三国時代、蜀の劉備が自分で三度も諸葛亮の宅を訪れて、その出馬を請うた故事。用例(三国蜀、諸葛亮、前出師表)三顧臣於草廬之中。⇩臣下(私)を草の庵まで三度も訪ねてくださった。

【草露】(ソウロ) ①草葉の上のつゆ。②はかない物事のたとえ。

6【荘】9画 9943 常 ソウ
7〖莊〗10画 9944 入 漢ソウ(サウ) 呉ショウ(シャウ) zhuāng 陽
〔庄〕7694 俗字
3381 9191 ―　7223 E4B5 ―

筆順 一 十 艹 艹 艹 芢 荘 荘 荘

字義 ❶おごそか。重々しい。うやうやしい。「荘重」❷さかん。＝壮(2186)。❸六方に通ずる道。❹いなか。村里。また、いなかの家。＝庄(3180)。❺別宅。しもやしき。「山荘」❻みせ。大きな店。❼荘子の略。「老荘」

名前 さこう・しげ・しょう・そう・たか・たかし・ただし・まさ

解字 金文 篆文 形声。艹(艸)＋壮(壯)音。音符の壮は、さかんの意味。草の生長がさかんであるの意味を表す。

逆 漁荘・山荘・色荘・粛荘・斉荘・端荘・別荘

【荘園】(ソウエン・ショウエン) [一] ①しもやしき。本宅のほかに、郊外などに設けた別宅。別荘。②大土地の所有・経営方式。例えば宋では、地主である荘主が隷属する佃戸(農奴)に耕作させ、収穫の五、六割を租として納めさせた。また、労役にも使役し管理した。荘田。[二](ショウエン) 国昔、貴族・寺社などに与えられた私有地。庄園。荘。

【荘敬】(ソウケイ) おごそかでつつしみぶかい。

【荘語】(ソウゴ) ①大きなことをいう。大言。大言壮語。②まともなことば。まともな議論。正論。

【荘厳(嚴)】 [一](ソウゴン) おごそか。たっとく重々しい。[二](ショウゴン) 国 ㋐かざりなどが美しいこと。㋑高徳をそなえていること。

【荘士】(ソウシ) 行儀作法の正しい人。

【荘子】 [一](ソウシ) 荘周の尊称。[二](ソウジ) 書名。戦国時代、宋の荘周の著。三十三編。そのうち内編の七編だけが荘周の自著、他の外編(十五編)・雑編(十一編)は後人の作といわれる。『老子』とならんで道家思想の代表的著作。別名、南華真経。

【荘周】(ソウシュウ) 戦国時代の思想家。周は名。字は子休。孟子と同時代で、宋の蒙(今の河南省内)の人。老子とならび称される道家思想の代表的人物で、孔子学派の主張に反対した。著書に『荘子』がある。唐代、南華真人の尊号を贈られた。荘子。(前三六九?―?)

【荘周△之夢】(ソウシュウのゆめ) 物も我も元来は一つで、現実はその分化したものであるということのたとえ。荘周は蝴蝶になった夢を見たが、夢が覚めてから、自分が夢で蝴蝶となったのか、蝴蝶である自分が夢で荘周になったのかわからなくなったという故事による。蝴蝶之夢。〔荘子、斉物論〕

【荘重】(ソウチョウ) おごそかで重々しい。

【荘列】(ソウレツ) 荘周と列禦寇。ともに道家の学者。また、その著書の『荘子』と『列子』。

6【⿱艹朶】9画 9945 ダ　2-8621 ― ―
朶(5188)と同字。→七一七ページ下。

6【茎】9画 9946 漢チ 呉ジ(ヂ) 支 chí　― ― 5588
字義 草の名。㋐茎藸は、さねかずら。㋑牛茎は、いのこずち。ふしだか。
解字 形声。艹(艸)＋至音。

6【茶】9画 9947 教2 チャ・サ
漢タ・呉ダ 麻 chá
唐サ
慣チャ
3567 9283 ―

筆順 一 十 艹 艹 艾 苂 荼 茶 茶

字義 ❶ちゃの木。ツバキ科の常緑低木。東南アジアの原産。高さ一メートルぐらい。葉は長めの楕円形で厚く、光沢がある。十月ごろ白い花を開く。❷ちゃの木の若葉をつんで製した飲料品。また、それに湯を注いで出した汁。ちゃの木以外を用いたものについてもいうことがある。「菖蒲茶」❸特に、新茶(新芽をつんで製したもの)をいう。↔茗(9955)。❹少女。唐代の俗語。国チャ。㋐茶の湯。茶道。㋑茶色の略。㋒ひやかすこと。

名前 さ・ちゃ　難読 茶梅(さざんか)

解字 形声。艹(艸)＋余省音。音符の余は、のびるの意味。のびた新芽を摘んで飲料とするもの、ちゃの意味を表す。

逆 喫茶・団茶・点茶・普茶・抹茶・無茶

【茶園】(チャエン) 茶の木を植えてあるはたけ。茶畑。茶圃。

【茶煙・茶△烟】(サエン) 茶をわかすけむり。

【茶△甌】(サオウ) 茶をわかす小さなかま。

【茶菓】(サカ・チャカ) ①茶果。㋐茶と、くだもの。㋑茶うけ。茶を飲むときに、そえて食べるもの。②国茶と菓子。

【茶会(會)】(サカイ・チャカイ) 国①茶道の心得。②風流を解するさっぱりした気性。③いたずら気分。茶目気。

【茶気(氣)】(サキ・チャキ) 国①茶をたてて客をもてなす会。茶宴。

【茶器】(チャキ) お茶の道具。茶道具。茶具。

【茶臼】(サキュウ・チャうす) 茶の葉をひいて抹茶にする臼。

【茶魚】(サギョ) 禅寺などで諸事を知らせるために、たたき鳴らす中空の魚形の鼓。魚板。

【茶巾】(チャキン) 茶わんをぬぐうのに用いるきれ。

【茶経(經)】(サケイ・チャキョウ) 書名。三巻。唐の陸羽の著。茶の起源・製法・道具・たてかたなどについて記したもの。

【茶△滓】(サシ・チャシ) ちゃがら。茶の煎じかす。

【茶△肆】(サシ) ちゃみせ。茶店。茶屋。茶坊。

【茶室】(チャシツ) 茶会に用いるへや。

【茶人】 [一](サジン・チャジン) 茶の葉をつむ人。[二](チャジン) 国①茶の湯のすきな人。茶道に通じた人。②変わった事のすきな人。ものずき。好事家。

【茶△筅】(チャセン) 抹茶をたてるとき、かきまわしてあわを立てるのに用いる竹製の道具。

【茶△托】(チャタク) 客に茶をすすめるとき、茶わんをのせるのに用いる、小形の器具。托子。

【茶亭】(チャテイ) ①茶室。②ちゃみせ。

【茶湯】 [一](サトウ) 茶を煎じた湯。お茶。[二](チャのゆ) 国客を招き、抹茶をたててもてなすこと。

【茶道】(サドウ・チャドウ) 国茶の湯によって精神を修養し、また、人に対する礼法を学ぶ道。

【茶飯】 [一](サハン) ①ひろく飲食すること。②茶と、めし。ありふれたことのたとえ。[二](チャめし) 国①茶の葉の汁でたいた飯。②醤油と酒をまぜてたいた飯。

【茶飯事】(サハンジ) 国①ありふれたこと。普通のこと。→茶飯[一]②。②たやすいこと。日常茶飯事。

【茶番】(チャバン) 国①茶の用意や給仕をする役。②茶番狂言の略。ありふれた物を材料として身ぶり手ぶりでおもしろおかしく演じる劇。茶番にわか。にわか狂言。③見えすいた出来事。

【茶瓶(甁)】 [一](サヘイ) 茶を入れるかめ。[二](チャビン) 国茶を煎じ出すどびん。

【茶坊】(サボウ) ちゃみせ。茶店。茶肆。

【茶房】(サボウ・チャボウ) ①茶をたてるへや。②国喫茶店。

【茶△茗】(サメイ) 茶。新茶(新芽をつんだもの)を茶、番茶(つみ残りのかたい葉で製したもの)を茗という。

【茶寮】(サリョウ・チャリョウ) ①茶の湯を行う小座敷。数奇屋。②国喫茶店。

【茶話】(サワ・チャワ・チャばなし) ①茶を飲みながらする話。茶飲みばなし。②国軽いこっけいみのある話。

【茶△椀・茶△盌・茶△碗】(チャワン) ①茶を飲むわん。②飯などを盛るわん。

6【茽】9画 9948 漢チュウ(チウ) 呉ジュ(ヂュ) 送 zhòng ―― ― 5582

字義 草木が群がり生える。

解字 形声。艹(艸)+仲音。

6【荑】9画 9949 一漢テイ・呉ダイ 斉 tí 二イ 支 yí 1 9083 ― 5589

字義 一❶つばな。茅の生えはじめのもの。❷めばえる。めぐむ。草木に初めて葉が生じるさま。❸め。若芽。❹いぬびえ。稗の一種。❺やなぎの穂。二かる(刈)。草を刈る。

解字 篆文 形声。艹(艸)+夷音。音符の夷は、矢の一種、いぐるみの象形。矢のように伸びる草、つばなの意味や、草が矢のように伸びる、めばえるの意味を表す。

【荑指】①やさしい指。なよやかな指。②女性。

6【荅】9画 9950 トウ(タフ) 合 dá 7209 E4A7 ―

字義 ❶あずき。小豆。❷こたえる。=答(8741)。❸あう。合わせる。❹厚い。❺ますの名。一斗六升入る。

解字 会意。艹(艸)+合。

【荅焉】うっとりとしてわれを忘れるさま。

6【茼】9画 9951 漢トウ 呉ドウ 東 tōng 2 8615 ― 5581

字義 茼蒿は、春菊。

解字 形声。艹(艸)+同音。

6【茷】9画 9952 一漢ハイ・呉バイ 隊 fèi 二漢ハツ・呉ボチ 月 fá 三ハイ 泰 pèi ―― ― 5579

字義 一❶しげる。❷はたあし(旆)。旗の末端。二草の葉がしげる。三しげるさま。また、しげみ。

解字 形声。艹(艸)+伐音。

【茷茷】ととのっているさま。

6【茯】9画 9953 漢フク 呉ブク 屋 fú 7210 E4A8 ―

字義 茯苓は、薬草の名。まつほど。松の根に寄生するきのこの類い。

解字 形声。艹(艸)+伏音。

6【茫】9画 9954 標 漢ボウ(バウ) 呉モウ(マウ) 陽養 máng 7211 E4A9 ―

字義 ❶どこまでも遠く続いているさま。広々としたさま。❷ぼんやりしたさま。つかみどころのないさま。心についても景色についてもいう。❸にわか。あわただしい。

解字 形声。艹(艸)+汒音。音符の汒は、ぼんやりするの意味。艸を付し、草原などがひろくはてしなくぼんやりしているさまを表す。

【茫惚】ぼんやりする。うっとりする。

【茫然】①ぼんやりしたさま。はっきりしないさま。②とりとめのないさま。③遠くはてしないさま。④あきれるさま。呆然。「茫然自失」

【茫漠】①広大でとりとめがないさま。②ぼうっとしてはっきりしないさま。

【茫茫】①広大なさま。ひろびろとしたさま。用例〈楽府詩集、勅勒歌〉天蒼蒼野茫茫、風吹草低見牛羊。↓空は青々と澄み野は広々と果てがない、風が吹いて草原の草がなびくと、牛や羊が姿を現した。②遠いさま。はてしないさま。③あてもなく、つかみどころのないさま。明らかでないさま。用例〈唐、杜甫、贈衛八処士詩〉明日隔山岳、世事両茫茫。↓明日、山を隔てるように遠く離れたなら、お互いの世のいとなみはそれぞれはかり知ることのできないものとなってしまうことであろう。④さかんなさま。⑤目がはっきりしないさま。⑥つかれるさま。つかれていやになるさま。

【茫昧】はっきりしない。ぼんやりしている。

【茫洋】①広くはてしないさま。茫洋。②ぼんやりしたさま。

6【茗】9画 9955 漢メイ 呉ミョウ(ミャウ) 迥 míng 7212 E4AA ―

字義 ❶茶の芽。❷茶。特におそく取った茶をいう。番茶。↔茶(9947)。❸高いさま。

解字 形声。艹(艸)+名音。

【茗飲】①茶を飲む。②茶。

【茗宴・茗讌】茶の湯の会。用例〈近古史談、織篇、稲葉一徹〉設茗讌、延之茶室。↓茗讌を設け、一徹を茶室に案内した。

【茗園】茶ばたけ。茶園。

【茗荷】国みょうが。香気のある、ショウガ科の多年草。

【茗器】茶道具。茶器。

【茗香】茶のかおり。

【茗肆】①茶を売る店。②国かけ茶屋。茶みせ。

【茗粥】茶がゆ。

【茗圃】茶ばたけ。茶園。

6【莾】9画 9956 モウ 7247 E4CD ―

莽(10069)の俗字。→一二二九ページ下。

6【茰】9画 9957 ユ 2 8614 ― 5577

萸(10140)の俗字。→一二三三ページ下。

6【羑】10画 (9483) ユウ

羊部。→一二五三ページ中。

6【茘】9画 9958 漢レイ 呉ライ 霽 lì 7213 E4AB ―

字義 ❶茘挺は、草の名。ねじあやめ。アヤメ科の多年草。馬藺。❷茘枝は、果樹の名。実は竜眼に似る。❸薜茘は、香草の名。まさきのかずら。❹大茘は、㋐昔の西方異民族の国名。㋑陝西省内にある県名。

〔荔〕9959 正字

6【荔】9画 9959 レイ 2 8611 ― 5567

茘(9958)の正字。→一二一一ページ下。

解字 会意。艹(艸)+劦(劦)。

6【茢】9画 9960 漢レツ 呉レチ 屑 liè 1 9078 ― 5573

字義 ❶あしの穂。❷あしの穂で作ったほうき。邪気をはらうのに用いる。

解字 形声。艹(艸)+列(刿)音。

6【荖】9画 9961 ロウ(ラウ) lǎo ―― 5591

字義 草の名。きんま。

解字 形声。艹(艸)+老音。

6【苧】9画 9962 国字 1 9077 EE77 ―

字義 中苧坪は、青森県の地名。苧津・苧原は、姓氏。

7【莚】10画 9963 エン 銑 yǎn 7215 E4AD ―

字義 ❶草の名。不詳。❷のびる。つづく。はびこる。蔓延する。国むしろ。ござ。また、座席。=筵(8748)。

解字 形声。艹(艸)+延音。音符の延は、のびるの意味。草がのび、はびこるの意味を表す。

7【荷】10画 9964 教3 カ に 一漢カ・呉ガ 歌 hé 二漢カ・呉ガ 箇 hè 1857 89D7 ―

筆順 一 ＋ ＋＋ 芢 芢 芢 荷 荷 荷

字義 一❶はす。はちす。多年草で沼地に産する。葉は大きくまるく、柄が長い。六、七月ごろ美しい大形の十六弁花を開く。その実と根茎は食用となる。❷わずらわしい。二❶になう。㋐物を肩の上にのせて持つ。かつぐ。㋑ひきうける。「負荷」㋒身に受ける。いただく。「荷眷」❷に。になう物。持ち運ぶ物。荷物。「出荷」 国❶カ。荷物の数をかぞえることば。❷に。じゃまもの。やっかいもの。

名前 か・もち 難読 荷見・荷前・荷田・荷稲・荷路夫

解字 篆文 形声。艹(艸)＋何㊥。音符の何の甲骨文は、人が物を肩にかつぐ形にかたどり、になうの意味を表す。そのため、荷もになうの意味を表す。艸を付し、はすの意味も表す。

逆 集荷・薄荷・負荷

【荷衣】①はすの葉で編んだ衣服。隠者の着物。②はすの葉。

【荷気(氣)】はすの花のかおり。荷香。

【荷△蕖】はす。はちす。芙蕖。芙蓉。

【荷△眷】めぐみを受ける。

【荷珠】はすの葉の上におくつゆ。荷露。

【荷戴】①になう、いただく。おしいただく。②君主の恩恵・威厳におそれかしこむこと。荷懼。

【荷担(擔)】①になう。かつぐ。▼荷は肩にかつぐ、担は背におう。②国力をそえる。味方する。加担とも書く。◆②の意味として「加担」と表記するのは本来は誤りであるが、現代では一般化している。

【荷負】同負荷。①になう。かつぐ。②国ひきうける。

【荷風】①はすの花の上を吹く風。②快く吹く風。

【荷葉】①はすの葉。②南画で、石のしわを描く筆法。はすの葉の裏面の葉脈の形状に似るからいう。

7【華】10画 9965 常 カ・ケ はな
一㊥カ(クワ)・㊥ケ・ゲ 麻 huā, ①huā 1858 89D8

8〖華〗11画 9966
二㊥カ(クワ)・㊥ケ・ゲ 禡 huà

筆順 一 十 廾 廾 芈 苹 華 華 華

〖蕐〗10265 同字

字義 一❶はな(花)。草木のはなの総称。❷はなさく。はなが咲く。❸はなーやか。美しい。みごと。あでやか。外面だけの美しさをいうこともある。「華言」「豪華」 ❹いろどり。つや。飾り。模様。輝き。「光華」 ❺さかえる。名声が上がる。「栄華」 ❻白い。また、白い粉。おしろい。「亜鉛華」 ❼さく。破る。❽中国の自称、中華の略。中国。「華人」 二❶木の名。かば(樺)。❷山名。→華山。

名前 か・きよ・は・はな・はる・ふさ・よし 難読 華魁・華客・華車・華盛頓・華表・華沙

参考 熟語は〔花〕(9816)をも見よ。

使いわけ はな〔花・華〕⇩花(9816)。

解字 金文 篆文 形声。篆文は、艸＋䔢㊥。音符の䔢は、草木のはなの意味。艸を付し、はなの意味を表す。

逆 栄華・英華・京華・光華・豪華・香華・国華・才華・散華・詞華・昇華・精華・雪華・中華・繁華・浮華・文華・法華

【華△夷】中華と、異民族。中国と外国。

【華陰】①花のかげ。花陰。②華山の北。

【華英】①ひかり。かがやき。②花。美しい花。英華。

【華△婉】はなやか。あでやか。

【華△艶(艷)】はなやかで美しい。

【華屋】①りっぱな宮殿や屋敷。用例〔史記、滑稽伝〕衣以文繡、置之華屋之下(きするにブンシュウをもってし、これをカオクのもとにおく)。(愛馬に)刺繡のある着物を着せ、華麗な家屋の中で飼っていた。②楚の国の宮殿の名。

【華夏】中国人が自国をほこっていうことば。文化の開けた大きい国の意。▼夏は、大。

【華客】おとくい。ひいきにして買ってくれる客。

【華△翰】人の手紙や筆跡の敬称。

【華△綺】はなやかできれい。また、はなやかな飾り。

【華△僑】外国に居住している中国人。南方出身者が多く、東南アジア居住者が最も多い。

【華京】花の都。美しい都。華洛。

【華軒】美しくかざった、貴人の車。

【華言】①うわべばかり美しくて、実のないことば。②中国語。華語。

【華甲】かぞえで、六十一歳。花甲。還暦。▼華の字は、六つの十の字と一の字とからなり、甲は甲子の甲で、歳の意。⇩コラム 年齢の別称(四六六ジ)。

【華厳(嚴)】仏①あらゆる修業を積んでりっぱな功徳を得ること。②「華厳経」の略。釈迦が悟りを開いて最初に説いた経文。③「華厳宗」の略。仏教の一派。華厳経を基礎とした宗旨。

【華彩・華△采】はなやかな色どり。

【華山】山名。五岳の中の西岳。陝西省華陰市の南にあり、秦嶺山脈中の高峰。崋山。標高一九九七メートル。

【華△侈】はなやかにおごっていること。限度を超えたぜいたく。華奢。

【華辞(辭)】はなやかなことば。うわべばかりで実のないことば。美辞。

【華実(實)】①はなと、み。②外観と内容。言と行。

【華△奢】一はなやかにおごっていること。ぜいたく。二キャシャ 国①人の姿のほっそりして上品なこと。美しく弱々しいこと。②物の作りの弱々しいこと。

【華首】しらがあたま。白首。華顛。

【華△胥】＝華胥之国。

【華△胥之国(國)】理想的な太平の国。→華胥之夢。

【華△胥之夢】ひるね。また、よい夢。夢。黄帝が昼寝の夢に、華胥の国に遊んで、太平のさまを見たという故事による。〔列子、黄帝〕

【華勝】婦人の髪飾り。綵(あやぎぬ)を切ってつくる。花勝。

【華飾】美しいかざり。

【華△燭】①はなやかなともしび。②結婚。婚礼。「華燭の典」

【華△簪】①りっぱな冠どめ。▼簪は、冠を頭髪にとめるもので、役人が用いる。②高貴な身分・地位のたとえ。

【華人】中国人。中華の人。

【華△嵩】五岳として名高い華山と嵩山。嵩華。転じて、恩沢などの高大なことのたとえ。

【華清宮】唐の玄宗が建てた温泉宮の名。今の陝西省西安市の驪山のふもとにある。

【華清池】華清宮内にあった温泉。楊貴妃が玄宗に浴を賜った所。用例〔唐、白居易、長恨歌〕春寒賜浴華清池、温泉水滑洗凝脂(はるさむくしてヨクをたまう(ふ)カセイのいけ、オンセンみず(づ)なめらかにしてギョウシをあらう(ふ))。⇩春なお寒く華清の池に浴をたまわると、温泉の湯は固まった脂のような白い肌にするすると注いだ。

【華△箋】①美しい用紙。②人の手紙の敬称。

【華△瞻】文章がはなやかで、意味のゆたかなこと。

【華△饌】りっぱなごちそう。珍饌。

【華族】①尊い家がら。貴族。②国明治憲法下で、公・侯・伯・子・男の爵位を持っていた人と、その家族。

【華△佗】後漢末の名医。魏の曹操の侍医となったが、後に殺された。

【華大】美しく大きい。

【華誕】はなやかで、大げさ。うわべばかりかざっていて、実のないこと。

【華池】①口。②花の咲いている池。

【華△冑】貴族の子孫。▼冑は、血すじ。

【華灯(燈)】はなやかに輝くともし火。

【華道】①美しくすばらしい道。②国生け花によって、人間形成をはかる道。

【華年】（カネン） はなやかな若いころ。少年のころ。

【華髪】（カハツ） しらが。白髪の頭。華首。

【華美】（カビ） ①はなやかで美しい。はでやかなこと。②はででうわべばかりかざること。

【華△靡】（カビ） 美しく、はでなこと。

【華表】（カヒョウ） ①墓の入り口の門。②城郭や役所などの入り口に建てた門。③国神社のとりい。

【華府】（カフ） 国アメリカ合衆国の首都ワシントン。Washingtonの音訳、華盛頓（ワシントン）から出た語。

【華△鬘】（ケマン） 仏仏像の頂や前面にかける装飾品。多く金銅、まれに皮で作り、花鳥・天女などを透かし彫りしたもの。

華鬘

【華名】（カメイ） 良い評判。美名。

【華△腴】（カユ） ①衣食の立派なこと。②貴族。また、高い位。

【華誉（譽）】（カヨ） はなやかな名声。実際よりもよい評判。

【華容】（カヨウ） 花のように美しい顔かたち。美しい姿。美容。

【華△洛】（カラク） 花の都。はなやかに美しい都。洛陽がたびたび都であったことからいう。花洛。華京。

【華麗】（カレイ） はなやかでうるわしい。華美。

---

7 【莪】 10画 9967 ガ 歌 é　7216 E4AE 一

字義 ❶きつねあざみ。つのよもぎ。湿地に自生し、若葉を食用とする。❷莪蒁（ガジュツ）は、薬草の名。根茎は健胃剤になる。

解字 形声。艹(艸)＋我音。

7 【莞】 10画 9968 人 一 漢カン(クワン) 呉ガン(グワン) 寒 guān 二 漢カン(クワン) 呉ゲン 潸 wǎn　2048 8ACE 一

筆順 一 十 艹 艹 芒 芦 莒 莞 莞

字義 一 ❶草の名。いぐさ（ゐぐさ）。まるがま。ふとい。蒲（がま）の一種。むしろを織るのに用いる。❷いぐさで織ったむしろ。二 にっこり笑うさま。

名前 かん

解字 篆文 形声。艹(艸)＋完音。音符の完は、管に通じ、くだの意味。茎が中空になって、くだになっている草、い草の意味を表す。

【莞△爾】（カンジ） にっこり笑うさま。微笑するさま。莞然。用例〔論語、陽貨〕夫子莞爾而笑（フウシカンジとしてわらう（ふ））。↓先生はにっこり笑った。

7 【莧】 10画 9969 一 漢カン・呉ゲン 諫 xiàn 二 漢ケン・呉ゲン 霰 三 漢カン(クワン) 呉ゲン 潸 wǎn　1 9089 一 5617

字義 一 草の名。ひゆ。若葉が食用となる。二 やまごぼう。三 ❶にっこり笑うさま。「莧爾（カンジ）」 ❷喜ぶ。

解字 形声。艹(艸)＋見音。

7 【莟】 10画 9970 漢カン 呉ガン 勘 hàn　7217 E4AF 一

字義 ❶つぼみ（蕾（イラ））。❷はなしべ（花蘂）。国 つぼ-む。つぼみをつける。

解字 形声。艹(艸)＋含音。音符の含は、ふくむの意味。花びらをまだ含みこんでいる、つぼみの意味を表す。

7 【莍】 10画 9971 漢キュウ(キウ) 呉グ 尤 qiú　2 8622 一 5607

字義 外皮に連なる膜で内部がいくつかの室に分かれている実。山椒（サンショウ）などの実。難読 莍崎（いかさき）

解字 形声。艹(艸)＋求音。

7 【莒】 10画 9972 漢キョ 呉コ 語 jǔ　1 9087 一 5608

字義 ❶いも（芋）。❷周代の国名。今の山東省莒県。

解字 形声。艹(艸)＋呂音。

7 【莢】 10画 9973 標 キョウ(ケフ) 葉 jiá　7218 E4B0 一

字義 ❶草の実。❷さや。豆類の実を包む外皮。❸めどぎ（蓍（シ））。昔、占いに用いたキク科の草。❹銭（ぜに）の名。漢の高祖の時に鋳られた。その形が楡（にれ）の実のさやに似ていることからいう。「楡莢銭（ユキョウセン）」 ❺蓂莢（メイキョウ）は、㋐伝説上の草の名。こよみぐさ。㋑楡（にれ）の実のさや。

解字 篆文 形声。艹(艸)＋夾音。音符の夾（キョウ）は、はさむの意味。マメ科植物の、たねをはさんでいる、さやの意味を表す。

7 【莙】 10画 9974 クン 文 jūn　一 一 5612

字義 ❶水草の名。ささも。やなぎも。❷集める。❸莙薘（クンダツ）は、野菜の名。とうぢさ。

解字 形声。艹(艸)＋君音。

7 【莖】 10画 (9866) ケイ　茎(9865)の旧字体。↓一二〇二ジ中。

7 【茣】 10画 9975 ゴ 虞 wú　7220 E4B2 一

字義 草の名。よもぎに似る。国 茣蓙（ゴザ）は、藺草（いぐさ）で編んだ敷物。もと、御座（ゴザ）（貴人の使った敷物）の意で、茣は当て字、蓙は国字。

解字 形声。艹(艸)＋呉音。

7 【莕】 10画 9976 コウ　荇(9921)と同字。↓一二〇七ジ下。　2 8624 一 5610

7 【莄】 10画 9977 漢コウ(カウ) 呉キョウ(キャウ) 梗 gěng　一 一 5605

字義 ❶草の名。❷草の茎。

解字 形声。艹(艸)＋更音。

7 【莎】 10画 9978 一 サ 歌 suō 二 漢サ・呉シャ 麻 shā　7221 E4B3 一

字義 一 ❶はますげ。海辺に自生し、赤茶色の花が咲く。地下茎を薬用にする。❷くろつぐ（桄榔（コウロウ））に似た木。二 莎鶏（サケイ）は、はたおりむし。難読 莎草（かやつりぐさ・くぐ・はますげ）

解字 篆文 形声。艹(艸)＋沙音。音符の沙は、すなの意味。砂地に生える、はますげの意味を表す。

7 【莝】 10画 9979 サ 箇 cuò 慣ザ　2 8626 一 5615

字義 きりわら。細かく切ったわら。馬の飼料にする。

解字 篆文 形声。艹(艸)＋坐音。音符の坐（ザ）は、ひざをおるの意味。わらをきざむの意味を表す。

【莝豆】（ザトウ） きざみわらと豆をまぜたもの。馬の飼料。

7 【茝】 10画 9980 シ 紙 zhǐ　2 8613 一 5569

字義 香草の名。よろいぐさ。＝芷(9832)。

解字 形声。艹(艸)＋𦣞音。

7 【莘】 10画 9981 シン 真 shēn, ③xīn　1 9088 一 5611

字義 ❶長いさま。❷多い。❸細莘は、薬草の一種。みらのねぐさ。ウマノスズクサ科の多年草。三弁の花が咲く。❹中国古代の国名。有莘。㋐夏（カ）の禹王（ウオウ）の後。今の陝西（センセイ）省合陽（ゴウヨウ）県の東南。㋑夏（カ）の禹王の母の生国。今の山東省曹県の北。❺上海市にある地名。莘荘。

解字 形声。艹(艸)＋辛音。

7 【茞】 10画 9982 シン 真 chēn　一 一 5570

字義 草の名。

解字 形声。艹(艸)＋臣音。

7 【莀】 10画 9983 一 シン 真 chēn 二 漢ドウ・呉ノウ 冬 nóng　一 一 5603

字義 一 草の多いさま。二 農(11997)の古字。

解字 形声。艹(艸)+辰音。

7【荽】10画 9984 ㊀イ(ヰ) [紙] wěi ㊁スイ [支] suī ｜9085 — 5601
字義 ㊀あまどころ。ユリ科の多年草。㊁胡荽(コスイ)は、コエンドロ。セリ科の一年草。コリアンダー。
解字 形声。艹(艸)+妥音。

7【莪】10画 9985 漢セイ 呉ジョウ(ジャウ) [庚] chēng ₂8619 EE78 5602
字義 草の名。 難読 莪木(しげき)
解字 形声。艹(艸)+成音。

7【莊】10画 (9944) ソウ 莊(9943)の旧字体。→三一〇ページ上。

7【莦】10画 9986 ㊀漢ソウ(サウ) 呉ショウ(セウ) [肴] shāo ㊁ショウ(セウ) [蕭] xiāo — — 5616
字義 ㊀雑草のさま。㊁❶草の根。❷草の名。
解字 形声。艹(艸)+肖音。

7【莮】10画 9987 漢ダン 呉ナン [覃] nán
字義 萱莮(ダンギ)は、草の名。わすれぐさ。
解字 形声。艹(艸)+男音。

7【莇】10画 9988 ㊀漢チョ・呉ジョ(ヂョ) [御] zhù ㊁漢ショ・呉ジョ [御] zhù 7222 E4B4 —
字義 ㊀くこ。草の名。→枸杞(コク)(七三一ページ中)。㊁殷(イン)・周代の租税法。八家が共同で公田を耕し、その収穫を租税とした。助法。井田の法。国あざみ(薊(ケイ))。姓氏・地名に用いる。
解字 形声。艹(艸)+助音。

7【莜】10画 9989 漢チョウ(テウ) 呉ジョウ(デウ) [嘯] diào — — 5614
字義 ❶田畑の雑草を除去する道具。❷もっこ。土を運ぶのに用いる道具。❸莜子(チョウシ)は、草の名。おおにら。
解字 形声。艹(艸)+攸音。

7【莛】10画 9990 漢テイ 呉ジョウ(ヂャウ) [青] tíng ₂8625 — 5613
字義 ❶くき。草の茎。❷はり(梁(リョウ))。うつばり。
解字 篆文 形声。艹(艸)+廷音。音符の廷は、突き出るの意味。地上に突き出てくるくきの意味を表す。

7【荻】10画 9991 人 標 漢テキ 呉ジャク(ヂャク) [錫] dí 1814 89AC —
筆順 一 艹 … 荻

字義 ❶おぎ(を)。イネ科の多年草。葦(あし)の類い。水辺に自生し、葦より節が短く、花と葉は茅(かや)に似ていて長い。❷よもぎ。くさよもぎ。❸あし笛。
［萵］10241 同字 ［藡］10392 同字 ［蘒］10376 俗字
名前 おぎ
解字 形声。艹(艸)+狄音。
【荻花(テキカ)】おぎの花。
【荻生徂徠(おぎゅう(をぎふ)ソライ)】国江戸中期の儒学者・古文辞学者。名は双松(なべまつ)、字(あざな)は茂卿(モケイ)、号は徂徠・蘐園(ケンエン)。本姓が物部(もののべ)氏なので、中国風に物(ブツ)徂徠とも称した。初め朱子学を学び、後、明(ミン)の李攀竜(リハンリョウ)にならって古文辞学を唱えた。門下に太宰春台・服部南郭などを輩出した。『蘐園随筆』『孫子国字解』『弁道』『論語徴』など多数の著書がある。(一六六六―一七二八)

7【荼】10画 9992 標 ㊀漢ト・呉ズ(ヅ) [虞] tú ㊁漢タ・呉ダ [麻] 7224 E4B6 —
字義 ㊀❶にがな。のげし。けしあざみ。山野・路傍に自生するキク科の多年草。花は春・夏ころに咲き、黄色で菊に似ている。❷おぎ(荻)の穂。❸つばな。ちがやの穂。❹あれくさ。雑草。❺くるしみ。また、害悪。❻しきもの。=藉(10366)。❼ゆるやか。❽茶。特に新茶をいう。㊁=㊀❽。
解字 形声。艹(艸)+余音。
【荼薺(トセイ)】①にがなと、なずな。②悪人と善人。
【荼毒(トドク)】にがなの毒。苦痛・害悪のたとえ。
【荼毗・荼毘(ダビ)】仏梵語(ボンゴ) jhāpeti の音訳。焚焼(フンショウ)の意。火葬のこと。
【荼蓼(トリョウ)】①にがなと、たで。ともに、苦味(にがみ)・辛味(からみ)のある草。②害悪をなすもの。③父母の死をいう。

7【莵】10画 9993 ト 菟(10054)と同字。→一二八ページ中。 7225 E4B7 —
難読 莵原(うばら)・莵田(うだ)・莵道(とどう・うじ)

7【莊】10画 9994 漢ト 呉ヅ [麌] dù — — 5593
字義 莊蘅(トコウ)は、香草の名。かんあおい。
解字 形声。艹(艸)+杜音。

7【荳】10画 9995 トウ [宥] dòu 7226 E4B8 —
字義 =豆(11451)。❶まめ。❷荳蔻(トウコウ)は、びゃくずく(白豆蔻)。草の名。南方に産し、種子は薬用。また、ホルトノキの別名。豆蔻(トウコウ)。

7【莍】10画 9996 漢ジン 呉ニン [軫] rěn
［䓅］9997 俗字
字義 ❶莍冬(ニンドウ)は、すいかずら。薬草の一種。❷陰莍(インニン)は、草の名。そばな。国しのぶ。忍草(しのぶぐさ)。
解字 形声。艹(艸)+忍音。

7【䓅】10画 9997 ニン 莍(9996)の俗字。→一二一四ページ下。 7227 E4B9 —

7【莓】10画 9998 漢バイ 呉マイ [灰] méi 7186 E496 —
字義 ❶いちご。=苺(9896)。❷こけ(苔(タイ))。
解字 形声。艹(艸)+每音。音符の每は、母親の乳くびのような形をした、いちごの意味を表す。
【莓莓(バイバイ・マイマイ)】草や田畑が青々として美しいさま。

7【莩】10画 9999 ㊀フ [虞] fū ㊁漢ヒョウ(ヘウ) 呉ビョウ(ベウ) [篠] piǎo ｜9090 — 5618
字義 ㊀❶草の名。鬼目草。❷あまかわ。葦(あし)の茎の中にある非常に薄い皮。転じて、きわめて薄いもののたとえ。❸めあさ。麻の一種。㊁うえじに。餓死。=殍(6024)。「餓莩」
解字 篆文 形声。艹(艸)+孚音。音符の孚(フ)は、浮に通じ、うくの意味。あしの茎の中の、浮きあがってくるあわのように薄い皮の意味を表す。

7【莂】10画 10000 漢ヘツ 呉ヘチ [屑] biē — — 5604
字義 ❶種をまいて移し植える。❷割り符。❸仏僧侶(ソウリョ)の作った文。
解字 形声。艹(艸)+別音。

7【莆】10画 10001 漢ホ 呉プ [虞] pú ｜9086 — 5606
字義 ❶がま。❷莆田は、隋(ズイ)・唐時代から置かれた県名。福建省内。
解字 形声。艹(艸)+甫音。

7【莫】10画 10002 人 標 ㊀漢ボ・呉モ [遇] mù ㊁漢バク・呉マク [薬] mò 3992 949C —
筆順 一 艹 … 莫

字義 ㊀❶日ぐれ。また、夜。=暮(4847)。❷おそい。おそい時分。❸野草の名。すいば。すかんぽ。㊁❶むなしい。❷ひろい。大きい。=漠(6599)。❸削る。除く。❹したう(慕)。❺つとめる(勉)。❻はかる。計画する。=謨(11353)。❼ひきまく。=幕(3132)。助なし。なかれ。⇩助字・句法解説。

助字・句法解説

❶なし。否定。訳…ない。類無・不。↕有。人や物が存在しないことを表す。また、続く動詞を否定する場合もある。用例〔孟子、離婁下〕君仁莫レ不レ仁(きみジンなればジンならざるなし)。↓君主が仁であれば、仁でない者はなくなる(みんな仁になる)。／〔唐、柳宗元、三戒〕稍出近レ之(ややいでてこれにちかづけば)、慭慭然莫二相知一(ギンギンゼンとしてあいしるなし)。↓少し林から出て近づいたところ、虎は驢馬をうやうやしく思うだけで、何者であるか皆目わからなかった。

❷なかれ。禁止。訳…するな。類勿・毋・無。動詞の前に置かれ、禁止の意味を表す。用例〔唐、王翰、涼州詞〕酔臥二沙場一君莫レ笑(よ(ゑ)い(ひ)てサジョウにふすきみわらう(ふ)ことなかれ)、古来征戦幾人回(コライセイセンいくニンかかえ(へ)る)。↓酔って砂漠に横になるが、君よ、笑ってくれるな、昔から戦争に行って何人が無事で帰ったことか(一人もいない)。

名前 きよし・さだ・しずか・つとむ・とお・とし・なか 難読 莫迦(ばか)・莫臥児(モール)・莫斯科(モスクワ)・莫爾加草(ボルガ)・莫里古斯(モルッカ)

解字 甲骨文  金文  篆文  会意。茻＋日。茻は、草むらの意味。太陽が草原に没したさまから、ひぐれの意味を表したが、借りて、ないの意味に用いる。莫の意味と音符とを含む形声文字に、墓・暮・幕・膜・驀などがある。

【莫哀】(バクアイ) 古代の歌曲名。三国時代、魏(ギ)の曹植(ソウチ)の賦に基づき別離の悲哀をいうのに用いる。

【莫逆友】(バクギャクのとも・バクゲキのとも) たがいにさからうことのない親友。たがいに意気投合した友。〔荘子、大宗師〕

【莫高窟】(バッコウクツ) 甘粛省敦煌(トンコウ)市にある石窟寺院。⇩

コラム シルクロード(二一〇四ジペー)。

【莫春】(ボシュン) 春の終わり。晩春。暮春。〔論語、先進〕

【莫然】(バクゼン) ①ひっそりとしたさま。②だまっているさま。③ぼんやりしたさま。

【莫大】(バクダイ) 非常に大きい。この上なく大きい。

【莫大小】(メリヤス) 国スペイン語 medias、またはポルトガル語 meias の当て字。綿糸などを機械編みした、(大小莫(な)く)伸縮自在の編み物。

【莫莫】(バクバク) ①草木の茂ったさま。②多いさま。③清らかで静かなさま。④ちりほこりの盛んに起こるさま。

【莫府】(バクフ) 将軍の陣営。幕府。

【莫夜】(ボヤ) よる。暮夜。

【莫邪】(バクヤ) 古代の名剣の名。→干将莫邪(四六三ジペー下)。

7【莩】10画 10003 漢ホツ 呉ボチ 月 bí — — 5594
字義 莩薺(ホッセイ)は、植物の名。くろぐわい。
解字 形声。艹(艸)＋孚音。

7【莬】10画 10004 漢ベン 呉メン 銑 miǎn — — 5619
字義 ❶新しく生えた草木。❷草の名。
解字 形声。艹(艸)＋免音。

7【莔】10画 10005 一 漢モウ(マウ) 呉ミョウ(ミャウ) 庚 méng 二 漢ケイ 呉キョウ(キャウ) 迥 qǐng ₂8623 — 5609
字義 一 ❶ははくり。ばいも。あみがさゆり。ユリ科の多年草。❷莔麻は、いちび。アオイ科の一年草。二＝一❷。
解字 形声。艹(艸)＋囧音。

7【莠】10画 10006 漢ユウ(イウ) 呉ユ 有 yǒu 7228 E4BA —
字義 ❶はぐさ。稲に似た雑草。❷善に似てはいるが、実は悪いもののたとえ。
解字 形声。艹(艸)＋秀音。

7【莱】10画 10007 ライ 4573 9789 —
萊(10071)の俗字。→一二二九ジペー下。

7【莉】10画 10008 人 リ 寘 支 lì 7229 E4BB —
筆順 一 十 艹 艹 芏 芊 茉 茉 莉 莉
字義 茉莉(マツリ)は、木の名。ジャスミン。
名前 り
解字 形声。艹(艸)＋利音。

7【莅】10画 10009 リ 寘 lì 7214 E4AC —
［涖］6380 同字 ［蒞］10200 俗字
字義 ❶のぞむ。㋐その場に行く。㋑君臨する。㋒監視する。㋓つかさどる。行う。用例〔唐、柳宗元、捕レ蛇者説〕余将下告二於莅レ事者一、更二若役一、復中若賦上(ヨまさになんじ(ぢ)のエキをあらため、なんじ(ぢ)のフをフクせんとすることにのぞむものにつげ)。↓私は、役人に話してお前の仕事を変更し、租税の納入方法をすぐに以前の形にもどしてやるつもりだ。❷くらい(位)。❸ろく(禄)。俸給。
解字 会意。艹(艸)＋位。草であんだ敷物の席、位置にのぞむの意味を表す。

【莅決】(リケツ) その場に行って判決する。

【莅政】(リセイ) 政にたずさわる。君主が政治をとる。

【莅臨】(リリン) その場に出る。また、つかさどる。行う。

7【莨】10画 10010 一 ロウ(ラウ) 陽 láng 二 ロウ(ラウ) láng 7230 E4BC —
字義 一 ❶ちからぐさ。イネ科の一年草。牛馬の飼料とする一種の草。❷おおあわ(粱(リョウ))。二 莨若(ロウトウ)は、はしりどころ。おめきぐさ。ナス科の多年草。根茎は鎮痛剤になる。国 たばこ(煙草)。
解字 形声。艹(艸)＋良音。

7【莾】10画 10011 国字 ₂8620 — —
字義 莾田(こもだ)は、姓氏。

8【菴】11画 10012 一 アン 覃 ān 二 エン 琰 yǎn 7231 E4BD —
［葊］10078 古字
字義 一 いおり(いほり)。＝庵(3205)。二 菴藹(エンアイ)は、木がしげるさま。
解字 形声。艹(艸)＋奄音。音符の奄(エン)は、おおうの意味。草でおおった質素な小屋の意味を表す。

8【萎】11画 10013 常 イ なえる イ(ヰ) 支 wēi 1664 88DE —
筆順 一 艹 艹 芏 芊 芖 茉 萎 萎 萎
字義 ❶なえる(なゆ)。しぼむ。しおれる(しをる)。しなびる(しなぶ)。❷かれる。❸やむ(病)。なやむ。
解字 篆文  形声。艹(艸)＋委音。音符の委は、なよやかな女性の意味。なよやかな草の意味から、なえるの意味を表す。

【萎縮】(イシュク) なえちぢむ。

【萎靡】(イビ) なえしぼむ。活気がない。

8【菀】11画 10014 一 漢エン(ヱン) 呉オン(ヲン) 阮 wǎn 二 漢ウツ・呉ウチ 物 yù ₁9092 — 5622
字義 一 ＝苑(9856)。❶茈菀(シオン)は、キク科の多年草。淡紫色の小花を多数つける。紫菀(シオン)。❷その。庭園。二 ❶しげる。さかんにしげるさま。＝鬱(13928)・蔚(10209)。❷むすぼれる。積む。積もる。
解字 形声。艹(艸)＋宛音。

8【菸】11画 10015 一 漢ヨ・呉オ 魚 yū 二 エン 先 yān — — 5634
［菸］10016 俗字
字義 一 しおれる。二 たばこ。
解字 形声。艹(艸)＋於音。

8【菸】11画 10016 エン 菸(10015)の俗字。→一一二五ページ下。

8【菓】11画 10017 常 カ カ(クワ) 智 guǒ 1859 89D9 —

筆順 一 艹 艹 节 苩 苴 萆 菓

字義 くだもの。このみ。果実。=果(5230)。国菓子。食事のとき以外に食べる食品。

解字 形声。艹(艸)+果音。音符の果は、くだものの意味。果に多くの意味が生じたため、区別して艸を付し、くだものの意味を表す。

逆 茶菓

【菓子】シカ ①くだもの。水菓子。②国おかし。

8【華】11画 (9966) カ 華(9965)の旧字体。→一二一二ページ上。

8【菏】11画 10018 漢カ 呉ガ 歌 hē 9094 — 5625

字義 ❶菏蔤(カブク)は、草の名。❷川の名。❸菏沢は、地名。山東省内。

解字 形声。艹(艸)+河音。

8【葛】11画 10019 カツ 葛(10086)の俗字。→一二三〇ページ下。

8【菅】11画 10020 人 標 漢カン 呉ケン 刪 jiān 3191 909B —

筆順 一 艹 艹 芇 芇 苧 菅 菅

字義 ❶すげ。すが。茅(かや)の一種。笠(かさ)・蓑(みの)などを作る。❷ふじばかま。あららぎ。キク科の多年草。=蕑(10267)。❸水につけたかや(茅(ボウ))。❹よこしま(姦(カン))。

名前 すが・すげ 難読 菅野(かんの・すがの)

解字 篆文 形声。艹(艸)+官音。音符の官は、管に通じて、くだの意味。茎がくだ状になっている、すげの意味を表す。

【菅家後草】カンケコウソウ 国書名。一巻。菅原道真の漢詩集。太宰府(ダザイフ)に左遷されて以後の作三十八首を収める。九〇三年に成る。

【菅家文草】カンケブンソウ 国書名。十二巻。菅原道真の漢詩文集。前六巻は詩、後六巻は文を収め、九〇〇年に成る。

【菅原道真(眞)】すがわら(は)らのみちざね 国平安前期の学者。宇多(ウダ)天皇の時、右大臣になって、藤原氏の権勢を抑制したが、延喜元年(九〇一)、藤原時平の讒言(ザンゲン)により太宰府(ダザイフ)に左遷され、三年後に没した。著書に『菅家文草』『菅家後草』などがある。(八四五—九〇三)⇨コラム 平安漢詩(一六六六ページ)。

【菅茶山】カンサザン・カンチャザン 国江戸後期の儒学者・漢詩人。名は晋帥(とき)、字(あざな)は礼卿(レイケイ)、茶山は号。備後(ビンゴ)(今の広島県)の人。著書に『黄葉夕陽村舎詩』『菅茶山詩』などがある。(一七四八—一八二七)

【菅得△菴】カントクアン 国江戸初期の儒者。菅原得菴ともいう。名は玄同。播磨(はりま)の人。(一五八一—一六二八)

8【菡】11画 10021 漢カン 呉ガン 感 hàn 9102 — —

字義 菡萏(カンタン)は、蓮(はす)のつぼみ。転じて、美人のたとえ。〔詩経、陳風、沢陂〕

解字 篆文 形声。艹(艸)+函音。音符の函(カン)は、ふくむの意味。ふっくらと物をふくみこんださまの、はすのつぼみの意味を表す。

8【萁】11画 10022 漢キ 呉ギ 支 qí. ②③jī 9104 — 5637

字義 ❶まめがら。豆の実を取り去った茎や枝。「豆萁(トウキ)」❷野菜の名。蕨(わらび)に似ている。❸草の名。荻(おぎ)の一種。昔、箙(えびら)を編む材料とした。

解字 篆文 形声。艹(艸)+其音。音符の其(キ)は、旗に通じ、はたの意味。実を取り去ったさまが、柄のある小旗に似ている、まめがらの意味を表す。

8【萱】11画 10023 ギ 支 yí 7232 E4BE —

字義 萱荽(ギダン)は、わすれぐさ。萱草(ケンソウ)。萱男花(ギダンカ)。=宜(2616)。

難読 萱谷(かやたに)

解字 形声。艹(艸)+宜音。

8【菊】11画 10024 常 キク キク 屋 jú 2138 8B65 —

筆順 一 艹 艹 芍 芍 芍 芶 菊 菊

字義 キク科の多年草。普通、秋に花を開く。

名前 あき・きく・ひ

解字 篆文 形声。艹(艸)+匊音。音符の匊(キク)は、両手ですくいとるの意味。両手ですくいとるとき、そろった指のように花びらが一点に集まって咲く、「きく」の意味を表す。

逆 残菊

【菊花酒】キッカシュ 菊の花と葉とを黍(きび)にまぜてかもし、翌年の陰暦九月九日の菊花の節に、不祥を払うために飲む酒。菊酒。

【菊花節(節)】キッカのセツ 陰暦九月九日の節句。重陽(チョウヨウ)の節。菊節。

【菊月】キクづき・キクゲツ 陰暦九月の別名。菊秋。

【菊判】キクバン 国①もと洋紙の大きさの名。縦九十三センチメートル、横六十三センチメートルのもの。②書籍の大きさの名。①の全紙を十六折りにした大きさのもの。縦二十二センチメートル、横十五センチメートル。

【△采ν菊東△籬下】キクをとるトウリのもと 菊の花を家の東のまがきのあたりで手折る。俗世間をはなれた生活の境地を詠じたもの。

用例〔東晋、陶潜、飲酒詩〕采ν菊東籬下(キクをとるトウリのもと)、悠然見ニ南山一(ユウゼンとしてナンザンをみる)。↓菊の花を、家の東のまがきのあたりにつみながら、ゆったりと南山(廬山(ロザン))をながめる。

8【菌】11画 10025 常 キン 漢キン・呉ギン 軫 jǔn, ②jùn 2261 8BDB —

筆順 一 艹 艹 芇 芮 芮 南 菌 菌 菌

字義 ❶きのこ。たけ。山野の木陰・朽ち木などに生じ、花葉なく、多くは茎とかさだけである。食用になるものと、有毒のものとがある。❷かび。ばいきん(黴菌)。極めて微細な生物で、他の物に寄生して、発酵・腐敗の作用をなし、あるものは病気の原因となる。❸たけのこ。=箘(8775)。❹朝菌は、むくげ。=蕣(10277)。また、かげろう。朝生まれて暮れには死ぬ虫。

解字 篆文 形声。艹(艸)+囷音。音符の囷(キン)は、穀物ぐらの意味。穀物ぐらのような傘のある、きのこの意味を表す。

逆 朝菌・輪菌

【菌△蕈】キンシン きのこ。たけ。▼蕈も、きのこ。

8【菫】11画 10026 人 一漢キン・呉コン 吻 jǐn 二漢キン・呉ギン 震 jìn 7233 E4BF —

筆順 一 艹 艹 芇 苦 苦 荁 革 菫 菫

字義 一❶すみれ。山野に群生し、春、紫紅色の花をつける。❷むくげ。=槿(5740)。❸菫菜(キンサイ)は、野ぜりの別名。二とりかぶと。烏頭(ウズ)。毒草の一種。

名前 すみれ

参考 〔堇〕(2000)は別字。

解字 篆文 形声。艹(艸)+堇音。

8 【菇】11画 10027 漢コ 呉ク 虞 gū ¦9093 EE79 5623

字義 ❶からすうり。❷冬菇(ドンコ)は、冬にとれるしいたけ。

解字 形声。艹(艸)+姑音。

8 【菎】11画 10028 コン 元 kūn 7234 E4C0 —

字義 香草の一種。かおりぐさ。国菎蒻(コンニャク)は、植物の名。また、その根を用いて作った食品の名。蒟蒻(コンニャク)。菎は、蒟(コン)の誤用。

解字 形声。艹(艸)+昆音。

8 【菜】11画 10029 教4 サイ な

8 〖菜〗11画 10030 サイ 隊 cài 2658 8DD8 —

筆順 一 艹 艹 艹 艹 苎 苹 菜

字義 ❶な。あおもの。やさい(野菜)。葉・茎または根を食用にする草の総称。「蔬菜(ソサイ)」❷おかず。副食物。「一汁一菜」❸車輪の矢の、轂(こしき)に入る部分。

名前 な・よし 難読 菜生(なせ)

解字 篆文 形声。艹(艸)+采音。音符の采(サイ)は、とるの意味。採取して食べる草、「な」の意味を表す。

逆 解菜・釈菜

【菜園】(サイエン) 野菜ばたけ。菜圃(サイホ)。菜畝(サイホ)。菜畦(サイケイ)。

【菜△羹】(サイコウ) 野菜の汁。蔬羹(ソコウ)。

【菜根】(サイコン) ①野菜の根。②そまつな食物。

【菜根△譚】(サイコンタン) 書名。二巻。明(ミン)末の儒家、洪応明(字(あざな)は自誠)の著。儒教に老荘・仏教の思想をまじえ、処世上の心得などについて説いたもの。

【菜△茹】(サイジョ) ①野菜。あおもの。▼茹は、食べる。②野菜を食べる。菜食。▼茹も、野菜。

【菜色】(サイショク) ①青菜の色。②栄養が不足して顔色の青く悪いこと。血色の悪いこと。

【菜食】(サイショク) ①野菜類を主に食べること。↕肉食(二七七ページ中)。②粗食の意。

【菜料】(サイリョウ) おかず。副食物。

8 【菑】11画 10031 サイ ¦9101 — 5627

葘(10099)の俗字。→一三二一ページ下。

8 【萗】11画 10032 一漢サク・呉シャク 陌 cè 二シ 寘 ₂8637 — —

字義 一❶とげ。❷はり。❸小さい。 難読 萗染堂(とうせんどう)

解字 形声。艹(艸)+宗(朿省)音。

8 【莿】11画 10033 シ 寘 cì ¦9091 — 5621

字義 ❶のぎ。また、とげ。❷そしる。 難読 莿木(いばらき)・寺莿(てらさし)

解字 形声。艹(艸)+刺音。

8 【菡】11画 10034 ジ

滋(6498)の古字。→八五八ページ下。

8 【菆】11画 10035 シュウ(シウ) 尤 zōu 7235 E4C1 —

字義 ❶あさがら。おがら。麻の皮をはいだ茎。❷しとね。❸むら-がる。草が集まりはえる。❹よい矢。❺しきもの。茎。

解字 篆文 形声。艹(艸)+取音。音符の取は、聚(シュウ)に通じ、あつまるの意味。草がむらがり生えるの意味を表す。また、むらがり生える草、麻の茎の意味をも表す。

8 【菽】11画 10036 シュク 屋 shū

字義 ❶まめ。豆類の総称。❷大豆(ダイズ)。❸豆の葉。また、豆の苗。

解字 形声。艹(艸)+叔音。音符の叔は、尗の部分がもと、えだまめの象形。のち、艸などを付し、えだまめの意味を表す。

【菽水歓(歡)】(シュクスイのカン) 豆や水を飲食するような貧乏をしながらも、親に孝養をつくして、親を喜ばせること。〔礼記、檀弓下〕

【菽△粟】(シュクゾク) 豆類と穀類。人の常食。

【不レ弁(辨)二菽麦(麥)一】(シュクバクをベンぜず) 一目でわかる、豆と麦との区別がつけられないこと。きわめておろかな人のたとえ。〔左伝、成公十八〕

8 【萅】11画 10037 シュン

春(4713)の本字。→六六〇ページ上。

8 【菖】11画 10038 人 ショウ(シャウ) 陽 chāng 3052 8FD2 —

筆順 一 十 艹 艹 艹 芦 苜 菖 菖

字義 しょうぶ(菖蒲)。水辺に生ずる香草。国染め色の一つ。紫のやや青みがかったもの。そうぶ。

名前 あやめ・しょう 難読 菖蒲(あやめ・しょうぶ・そうぶ)

解字 形声。艹(艸)+昌音。

8 【萐】11画 10039 漢ソウ(サフ) 呉ショウ(セフ) 洽 shà — — 5631

字義 棺(ひつぎ)の羽根飾り。

解字 形声。艹(艸)+妾音。

8 【萃】11画 10040 漢スイ 呉ズイ 寘 cuì 7236 E4C2 —

字義 ❶あつ-まる(聚(シュウ))。「抜萃」❷草の集まっているさま。あつ-める(あつむ)。寄りつどう。また、あつまり。❸至る。❹とどまる。❺ふき(款冬)。❻易(エキ)の六十四卦(カ)の一つ。☱☷ 坤下兌上(コンカダショウ)。万物の集まるさま。❼やつれる。=悴(3769)。「蕉萃(ショウスイ)」

参考 現代表記では〔粋〕(8971)に書きかえることがある。「抜萃→抜粋」

解字 金文 篆文 形声。艹(艸)+卒音。音符の卒は、ぎりぎりまでいくの意味。草が草らしさの極限にまで達する、くさむら・あつまりの意味を表す。

【萃然】(スイゼン) 集まるさま。

【抜レ萃】(スイをぬく) =抜萃(バッスイ)②(五八一ページ下)。

8 【萑】11画 10041 一スイ 支 zhuī 二漢カン(クワン) 呉ガン(グワン) 寒 huán ₂8634 — 5641

字義 一❶草の多いさま。❷薬草の名。めはじき。やくも。二❶おぎ。荻(おぎ)のじゅうぶんに成長したもの。若いものを菼(タン)という。❷萑蘭(カンラン)は、涙の流れるさま。

解字 形声。艹(艸)+隹音。

8 【菘】11画 10042 慣スウ シュウ(シウ) 東 sōng 7237 E4C3 —

字義 野菜の名。とうな。葉を食用にし、主としてつけ物にする。また、白菜・すずな。

解字 形声。艹(艸)+松音。

8 【菁】11画 10043 漢セイ 呉ショウ(シャウ) 庚 jīng 7239 E4C5 —

字義 ❶にら(韮)の花。❷はな。また、はなやか。❸かぶら。❹水草。

解字 篆文 形声。艹(艸)+青音。音符の青は、あおいの意味。青々とした草の意味を表す。

【菁華】(セイカ) 物の美しい部分。純粋なところ。精華。

【菁△莪】(セイガ) 人材を教育すること。『詩経』小雅・菁菁者莪(セイセイシャガ)の序に基づく語。

【菁菁】(セイセイ) ①草木の茂るさま。②少ないさま。

8 【萋】11画 10044 漢セイ 呉サイ 斉 qī 7238 E4C4 —

字義 ❶草がさかんにしげるさま。❷つつしみ深いさま。敬い従うさま。

解字 篆文 形声。艹(艸)+妻㊟。音符の妻は、斉(セイ)に通じ、出そろうの意味。草が出そろいしげるの意味を表す。

【萋萋】セイセイ ①草木のさかんにしげるさま。用例（唐、崔顥、黄鶴楼詩）晴川歴歴漢陽樹(セイセンレキレキたり カンヨウのき) 芳草萋萋鸚鵡洲(ホウソウセイセイたり オウムシュウ) ↓晴れた光に照らされた川の水がありありと見え、対岸の漢陽の並木まで手に取るようだ。かなたの鸚鵡洲のあたりには、かんばしい春草が盛んに生い茂っている。②雲行きのさかんなさま。③力をつくすさま。

8 【萕】11画 10045 セイ 薺(10371)の俗字。→一三四三ページ下。 2|8635 — 5642

8 【菥】11画 10046 漢セキ 呉シャク 國xī 2|8631 — —

菥蓂(セキベキ)は、おおなずな。アブラナ科の一年草。

8 【菹】11画 10047 漢ソ 呉ショ 魚 zū 2|8632 — 5635

【葅】10116 同字

字義 ❶つけもの。酢などに生(なま)でつけた菜。「菜菹(サイソ)」 ❷しおから。ししびしお。❸枯れ草。❹芭蕉(バショウ)。

解字 篆文 形声。艹(艸)+沮㊟。音符の沮(ショ)は、酢(サク)に通じ、す(酢)づけの菜の意味を表す。

【菹醢】ソカイ ①塩づけの野菜と肉。②昔の残酷な刑。人を殺して、その肉を塩づけにする刑。

【菹戮】ソリク 人を殺して、その肉をししびしお(塩辛(しおから)の類い)にする刑。

8 【菷】11画 10048 ソウ 箒(8787)と同字。→一〇八四ページ上。 7240 E4C6 —

8 【萏】11画 10049 漢タン 呉ドン 國dàn 2|8633 — 5640

【菡】10420 同字

字義 ❶菡萏(カンタン)は、蓮(はす)のつぼみ。❷はなやか。❸ゆたかでさかんなさま。

解字 篆文 形声。もと、艹(艸)+臽(閻)㊟。音符の閻(エン→タン)は、落ちくぼんだ穴の意味。花べんがくぼみをつくる開花寸前のはすの花の意味を表す。萏は省略形。

8 【菼】11画 10050 タン 國tǎn — — 5636

字義 植物の名。おぎ。特に、芽を出し始めたばかりのものをいう。

8 【著】11画 10051 教6 チョ あらわ-す・いちじる-しい 3588 9298 —

解字 形声。艹(艸)+剡省㊟。

9 【著】12画 10052 人 ━チョ 國zhù ━漢チャク 呉ジャク(ヂャク) 國zhuó 1|9107 — —

筆順 一 艹 艹 艹 芏 芓 芠 著 著

字義 ━❶あらわす。㋐あきらかにする。表に出し示す。めだたせる。世の人に知らせる。㋑書きあらわす。述べ作る。また、その著述。「名著」「共著」 ❷あらわれる。あきらかになる。めだつ。名高くなる。❸いちじるしい。あきらかである。はっきりしている。めだっている。「顕著」 ━＝着(8019)の━。

名前 あき・あきら・つぎ・つぐ

参考 ⇩〔着〕(8019)の参考。字義と熟語は〔着〕をも見よ。

使いわけ あらわれる・あらわす〔現・表・著〕⇩現(7395)。

解字 形声。艹(艸)+者(者)㊟。音符の者は、多くのものを集めるの意味。草の繊維でつくられた衣服をあれこれと集めて身につける、着るの意味を表す。また、多くのものを集めてはっきりした形にあらわすの意味をも表し、竹簡に記すの意味から、艸を竹に変えて、箸とも書く。

逆 衣著・遺著・横著・顕著・高著・執著・祝著・拙著・沈著・土著・漂著・編著・落著・論著

【著作郎】チョサクロウ 朝廷の著作をつかさどる官。三国時代、魏(ギ)の明帝のときはじめて置かれた。

【著述】チョジュツ 著作。

【著積】チョセキ ①いさおをあらわす。てがらをあらわす。②いちじるしいてがら。顕著な功績。

【著聞】チョブン・チョモン あらわれきこえる。世間に知れわたる。

【著名】チョメイ 世間に名があらわれ知られる。名高い。有名。

【著録】チョロク あらわし記す。記録する。また、その記録。

8 【萇】11画 10053 漢チョウ(チャウ) 呉ジョウ(ヂャウ) 國cháng 7241 E4C7 —

字義 ❶萇楚(チョウソ)は、いらくさ。花・実とも桃に似ている。❷鳥萇(ウチョウ)は、インド西北部にあった国の名。ウディヤーナ。❸→萇弘(チョウコウ)。

解字 形声。艹(艸)+長㊟。

【萇弘】チョウコウ 周の敬王の太史。孔子に音楽を教えたという。

8 【菟】11画 10054 ━漢ト・呉ツ 國tù ━漢ト・呉ズ(ツ) 國tú

【莬】9993 同字 【莵】10125 俗字

字義 ━❶菟糸(トシ)は、ねなしかずら。つる草の一種。❷うさぎ。＝兎(698)。 ━於菟(オト)は、虎(とら)。楚(ソ)の地方の方言。

難読 菟原処女(うないおとめ)・菟田野(うたの)・菟道稚郎子(うじのわきいらつこ)

解字 形声。艹(艸)+兔㊟。

【菟裘】トキュウ 春秋時代の魯(ロ)の地名。今の山東省泗水(シスイ)県の北にあり、魯の隠公が隠居しようとした所。転じて、隠居の地。〔左伝、隠公十一〕

8 【菪】11画 10055 漢トウ(タウ) 呉ドウ(ダウ) 國dàng 1|9103 — 5632

字義 ❶草の名。むしろを編む草。❷莨菪(ロウトウ)は、はしりどころ。ナス科の多年草。

解字 形声。艹(艸)+宕㊟。

8 【萄】11画 10056 人 標 漢トウ(タウ) 呉ドウ(ダウ) 國táo 3826 93B8 —

筆順 一 艹 艹 芍 芍 萄 萄 萄 萄

字義 蒲萄(ブドウ)・葡萄(ブドウ)は、果実の一種。

名前 とう・どう

解字 形声。艹(艸)+匋㊟。

8 【菠】11画 10057 ハ 國bō 7242 E4C8 —

字義 菠薐(ハリョウ)は、ほうれんそう。野菜の一種。

難読 菠薐草(ほうれんそう)

解字 形声。艹(艸)+波㊟。

8 【菝】11画 10058 漢ハツ 呉バチ 國bá 2|8630 — 5629

字義 菝葜(ハツカツ)は、さるとりいばら。ユリ科のつる性落葉低木。

解字 形声。艹(艸)+拔㊟。

8 【菲】11画 10059 ━ヒ 國fēi ━漢ヒ・呉ビ 國fěi 7243 E4C9 —

字義 ━❶野菜の名。かぶらの類い。湿地に生じ、根・葉が食用となる。❷うすい(薄)。また、粗末。 ━❶ぞうり。また、服喪のぞうり。❷草で作った衣服。蓑(みの)の類い。❸草の戸。草を編んで作った戸。❹いたむ(悵(チョウ))。悲しむ。 ━❶草が茂る。❷かんばしい(芳)。

解字 篆文 形声。艹(艸)+非㊟。音符の非は、貧に通じ、まずしいの意味。うすいの意味を表す。また、野菜の名を表わす。

【菲儀】ヒギ つまらない贈り物。自分の贈り物の謙称。

【菲才】ヒサイ ①うすい(劣っている)才能。②自分の才能の謙称。

【菲食】粗末な食物。粗食。

【菲奠】粗末な供え物。また、粗末な祭り。

【菲徳】うすい(低い)徳。薄徳。

【菲薄】①うすい。すくない。おとっている。また、そのこと。㋐物の少ないこと。㋑貧しい。貧乏。㋒(才徳が)おとっている。②質素にする。③へりくだる。

【菲菲】①花の咲きほこるさま。②草木のしげるさま。③さかんで美しいさま。④かんばしいさま。かおりのただようさま。⑤ゆらいで定まらないさま。⑥乱雑なさま。

8 【蓖】11画 10060 ㊀ヒ 支 bēi ㊁ヘイ 齊 bì 9105 — 5638

字義 ㊀❶蓖薢は、おにどころ。ヤマイモ科の多年生つる草。❷みの。❸ほそい(細藺)。イグサ科の多年草。㊁おおう。かくす。

解字 形声。艹(艸)+卑音。

8 【菔】11画 10061 ㊀漢ホク・呉ボク 職 fú ㊁漢フク・呉ブク 屋 fú 28629 — 5628

字義 ㊀芦菔は、だいこん(大根)。＝蔔。㊁❶芦菔・萊菔は、だいこん(大根)。＝㊀(10245)。❷剣のさや。

解字 形声。艹(艸)+卑音。

8 【萍】11画 10062 漢ヘイ 呉ビョウ(ビャウ) 慣ヒョウ(ヒャウ) 青 píng 7244 E4CA —

字義 ❶うきくさ。水草の一種。また、ウキクサ科の多年草の総称。水萍。❷よもぎ。＝苹(9892)。

解字 篆文 形声。氵+苹音。音符の苹は、うき草の意味。水草の一種を表す。

【萍寓】うき草のように、さすらい宿ること。

【萍梗】うき草。また、そのようにあちこちさすらうたとえ。

【萍蹤】うき草のあと。あちこちさまよって一定の所に住まないたとえ。萍跡。萍迹。

【萍水相△逢】うき草と水が出会う。旅行中などに偶然に人と知り合いになることのたとえ。〔唐、王勃、滕王閣詩序〕

【萍泊】うき草のように、さまようこと。飄泊。

【萍△蘋】うき草。

8 【苹】11画 10063 漢ヘイ 呉ビョウ(ビャウ) 青 píng — — 5630

字義 ❶草の名。ねじあやめ。❷使役の意味を表す助字。「しむ」と訓読する。❸苹翳は、雨の神。

解字 形声。艹(艸)+幷音。

8 【菩】11画 10064 人 標 ㊀漢ハイ・呉バイ 賄 bèi ㊁漢ホク・呉ボク 職 bèi ㊂漢ホ・呉ブ 虞 pú 慣ボ 4278 95EC —

筆順 一 艹 艹 苹 苹 苹 菩 菩

字義 ㊀❶ほとけぐさ。香草の一種。❷むしろ。しきもの。＝蔀(10251)。㊂梵語などの音訳字として用いる。「菩薩」

名前 かおる・さとる・すけ

解字 形声。艹(艸)+音音。

【菩△薩】①仏梵語 bodhisattva の略音訳。さとりを開いて衆生を救おうとする修業者。仏に近い学徳を身につけている人。②国㋐朝廷から高徳の僧に賜る称号。㋑神道の神をいう。「八幡大菩薩」

【菩提】仏梵語 bodhi の音訳。道・覚・知と訳し、煩悩を断ち切って、正しい知識を得、さとりをひらく意。また、極楽往生をとげること。

【菩提寺】国自分の帰依している寺。一家の墓地がある寺。

【菩提樹】①仏道樹・覚樹の意。クワ科の常緑高木。釈迦がその下で大悟したといわれる樹。②国シナノキ科の落葉高木。

【菩提心】仏仏道を求める心。ほとけ心。

8 【萌】11画 10065 人 4308 9647 —

8 〖萠〗11画 10066 漢モウ(マウ) 呉ミョウ(ミャウ) 慣ホウ(ハウ)・ボウ(バウ) 庚 méng

筆順 一 艹 艹 艹 艹 苜 萌 萌

〔萠〕10067 俗字

字義 ❶め。めばえ。❷たけのこ。❸きざす。めぐむ。もえる。草や木の芽が出る。❹きざす。事が起ころうとしている。始まろうとしている。先だって現れる。❺きざし。おこり。はじめ。❻くさぎる。たがやす。❼たみ(民・氓)。人民。また、農民。

名前 きざし・め・めぐみ・めみ・もえ・もゆ

難読 萌黄・萌葱

解字 甲骨文 篆文 形声。艹(艸)+明(朙)音。音符の朙は、夜があけそめるの意味。草の芽がもえるの意味を表す。

【萌芽】①草木の芽が出ること。芽ぐむ。また、出たばかりの芽。②きざす。起こる。また、きざし。物事のはじめ。

【萌起】芽を出す。きざし起こる。

【萌△蘖】芽ばえと、ひこばえ。また、微小な物のたとえ。〔孟子、告子上〕

【萌生】①草木の芽がもえ出る。②きそい出る。群がり出る。

【萌兆】きざし。

【萌動】①草木が芽をふき始めること。②きざし動く。

【萌隷(隸)】人民や奴隷。氓隷。

8 【萠】11画 10067 人 ホウ 萌(10065)の俗字。→三九ページ中。 7246 E4CC —

8 【菶】11画 10068 ホウ 董 běng — EE7A 5633

字義 菶菶は、㋐草が盛んなさま。㋑実が多いさま。

解字 形声。艹(艸)+奉音。

8 【莽】11画 10069 漢ボウ(バウ) 呉モウ(マウ) 養 mǎng

〔莽〕9956 俗字 〔莾〕10070 俗字

字義 ❶犬が兎を追い出す。❷くさ。雑草。❸くさの深いさま。❹くさむら。やぶ。❺大きい。❻おおう(覆)。雲が覆うさま。❼鹵莽は、あらい。粗略。❽竹の一種。

解字 篆文 形声。犬+茻音。音符の茻は、草深いの意味。犬の身がかくれる草やぶの意味を表す。

【莽△蒼】①青々としたさま。空や草原などの青々と見えるさま。また、その場所。②さびしいさま。

【莽△蕩】草原の広大なさま。莽莽。

【莽莽】①草深いさま。②野原の広々と続くさま。③奥深いさま。莽蕩。

8 【莾】11画 10070 モウ 莽(10069)の俗字。→三九ページ下。 — — 5620

8 【萊】11画 10071 人 標 ライ 灰 隊 lái 19106 — 5639

筆順 一 艹 艹 艹 艹 苹 萊 萊

〔莱〕10007 俗字

字義 ❶あかざ(藜)。❷草がはえて荒れる。また、荒れ地。❸除草する。❹郊外。

名前 しげる

解字 形声。艹(艸)+來音。

【萊朱】殷の湯王の賢臣。一説に、湯王の左相の中虺。

【萊△蕪】ライブ 雑草のしげった荒れ地。

【萊△菔】ライフク・ライホク だいこんの別名。

8 **【菱】** 11画 10072 人 標 リョウ 圏 líng 4109 9548 —

筆順 一 艹 艹 芏 芫 芽 菱

[淩] 10255 同字 字義 **ひし**。水草の名。池沼に自生し、葉はひし形で水面にういている。夏、四弁の白い花をつけ、秋に角状突起のあるひし形の実を結び、実は食用にする。その角の二つあるものを菱、三つまたは四つあるものを芰キという。

名前 ひし 難読 菱垣廻船ひがきかいせん

解字 篆文 形声。艹(艸)＋夌㊥。篆文は、艹(艸)＋淩㊥。音符の淩リョウは、かどだつおかの意味。その実がかどだっている水草、ひしの意味を表す。

【菱花・菱華】リョウカ ①ひしの花。②のうぜんかずら。草花の名。③鏡の別名。菱花リョウカ。

【菱荷】リョウカ ひしと、はす。

【菱歌】リョウカ ひしを取る人が歌う歌。菱唱。

【菱角】リョウカク ひしの実。

【菱△荇】リョウコウ ひしと、あさざ。

【菱△塘】リョウトウ ひしの生えている池のつつみ。

8 **【菉】** 11画 10073 漢リョク 呉ロク 因 lù 28627 — 5624

字義 ❶草の名。こぶなぐさ。イネ科の一年草。茎・葉を黄色の染料とする。「菉竹」❷しるす。＝録(12735)。

解字 形声。艹(艸)＋彔㊥。

8 **【菻】** 11画 10074 リン 寝 lǐn 7250 E4D0 —

字義 ❶草の名。きつねあざみ。蒿よもぎの一種。蘿蒿ラコウ。❷払菻は、国名。東ローマ帝国をいう。

解字 形声。艹(艸)＋林㊥。

8 **【⿱艹枕】** 11画 10075 国字 — — 5643

字義 **くたびれる**くたびる。働いたり歩いたりして疲労すること。

解字 会意。艹(艸)＋枕。草に枕まくらするさまから、くたびれるの意味を表す。

8 **【萢】** 11画 10076 国字

[⿰氵苞] 10077 俗字 字義 **やち**。湿地。谷地やち。後萢うしろやちは、青森県の地名。萢中やじなか・やちなかは、姓氏。

解字 会意。艹(艸)＋泡。湿原で水の泡が浮き、水草がある場所、やち(谷地)の意味を表す。

8 **【⿰氵苞】** 11画 10077 国字 やち 萢(10076)の俗字。→一三一〇ページ上。 7245 E4CB —

9 **【葊】** 12画 10078 アン 菴(10012)の古字。→一三一五ページ下。 28639 — 5650

9 **【葳】** 12画 10079 イ(ヰ) 微 wēi 19111 — 5666

字義 ❶草木のさかんに茂るさま。❷葳蕤イズイは、のうぜんかずら。一説に、なでしこ。

解字 形声。艹(艸)＋威㊥。

【葳△蕤】イズイ ①草木の花の美しいさま。②草木の芽のさま。③乱れるさま。④旗のなびくさま。⑤草の名。えみぐさ。あまどころ。根や茎から澱粉デンプンをとる。

9 **【葦】** 12画 (10148) イ 葦(10147)の旧字体。→一三三五ページ下。

9 **【⿱艹垔】** 12画 10080 イン 茵(9908)と同字。→一三〇六ページ中。

9 **【营】** 12画 10081 エイ 営(2757)の俗字。→四三三ページ中。

9 **【葭】** 12画 10082 漢カ 呉ケ 麻 jiā 7251 E4D1 —

字義 ❶あし(芦ロ)。よし。葦イのまだ穂の出ていないもの。❷あしぶえ。あしで作った笛。＝笳(8696)。❸とおい(遠)。はるか。＝遐(12151)。

解字 篆文 形声。艹(艸)＋叚㊥。音符の叚カは、かりの意味。まだ成長したあし(葦)になっていない、かりのあしの意味を表す。 難読 葭簀よしず

【葭△莩】カフ ①あしの茎の内側にある薄い膜。②軽く薄いもののたとえ。

9 **【萪】** 12画 10083 カ(クワ) 歌 kē 7252 E4D2 —

字義 萪藤カトウは、ふじの一種。 難読 萪内しだない

解字 形声。艹(艸)＋科㊥。

9 **【葢】** 12画 10084 ガイ 蓋(10153)と同字。→一三三六ページ上。 7268 E4E2 —

9 **【萼】** 12画 10085 標 ガク 薬 è 7253 E4D3 —

[蕚] 10266 俗字 字義 **うてな**。はなのうてな。花びらの外側の緑色の部分で、花がつぼみのときに包んで守るもの。

解字 形声。艹(艸)＋咢㊥。音符の咢ガクは、意外な出来事に驚くの意味。そこから思いもかけない色の花弁で出てくる、うてなの意味を表す。

9 **【葛】** 12画 10086 常 カツ くず 漢カツ・呉カチ 曷 gé, ④gě 1975 8A8B —

筆順 一 艹 芇 苩 芦 葛 葛 葛 葛

[葛] 10019 俗字 字義 ❶**くず**。まくず。くずら。くずかずら。山野に自生するつる草の一種。茎の繊維をとって布を織るのに用い、根からはくず粉をつくる。❷くずぬの。あらぬの。葛布。くずの繊維で織った布。＝褐(10917)。❸草木のつる。❹古代の国名。今の河南省にあった。また、姓。国**つづら**。くずのつるで作ったかご。また、広く、衣服などを入れるかごや箱の類い。

名前 かず・かつら・かど・くず・さち・つら・ふじ 難読 葛巻くずまき・葛西かさい・葛城かつらぎ・葛飾かつしか・葛生くずう

解字 篆文 形声。艹(艸)＋曷㊥。音符の曷カツは、高くあげるの意味。木などにからみついて高く伸びていく草、くず・つるの意味を表す。

【葛衣】カツイ 葛布くずぬので作った着物。

【葛△裘】カツキュウ ①夏に着る葛衣と冬に着る皮衣かわごろも。②夏冬。また、一年間。

【葛巾】カツキン 葛布くずぬので作った(隠者の)ずきん。

【葛洪】カツコウ 東晋トウシンの学者。字あざなは稚川。号は抱朴子。神仙の術に通じ、著書に『抱朴子』『神仙伝』などがある。(二八三?—三四三?)

【葛天氏】カッテンシ 中国の古代伝説中の帝王の名。無為にして世の中がよく治まったという。

【葛藤】カットウ ①くずと、ふじ。②仏㋐煩悩ボンノウのたとえ。㋑法門のわずらわしいもつれ。㋒禅の問答。③国もめごと。ごたごた。

【葛△藟】カツルイ ①かずら。②身のわずらいとなる困難のたとえ。

【葛△嶺】カツレイ 山名。浙江セッコウ省杭州コウシュウ市の西湖北岸にあり、葛山ともいう。東晋トウシンの葛洪(号は、抱朴子)が仙丹をねったところと伝えられる。

【葛籠】カツロウ・つづら くずのつるなどで編んだ衣服を入れるかご。今は竹・ひのきなどで作り、紙をはる。

9 **【葜】** 12画 10087 漢カツ 呉ケチ 黠 qià 28645 — —

[⿱艹契] 10088 俗字 字義 菝葜ハッカツは、さるとりいばら。→菝(10058)。

解字 形声。艹(艸)＋契㊥。

9 【葜】 12画 10088 カツ 葜(10087)の俗字。→一三一〇ページ下。 — — 5659

9 【蒄】 12画 10089 カン(クワン) 寒 guān 7255 E4D5 —
字義 草の名。

9 【葵】 12画 10090 人 漢キ 呉ギ 支 kuí 1610 88A8 —
解字 形声。艹(艸)+冠音。
筆順 艹 芀 芀 芀 苂 苂 葵 葵 葵
字義 ❶あおい。観賞用の草花で、種類が多い。❷はかる(度)。＝揆(4298)。国あおい。㋐襲の色の名。表は薄青で、裏は薄紫のもの。㋑紋どころの名。あおいの葉をとりあわせたもの。
名前 あおい・まもる
解字 篆文 形声。艹(艸)+癸音。音符の癸は、太陽で方位をはかる器具の象形。太陽の方向に向かって花がまわる植物、あおいの意味を表す。
【葵藿】①じゅんさいと、まめの葉。貧弱な植物。また、貧しい食物。②あおいの花が日光の方に傾き向かう。君主・長上を尊敬し、忠誠を尽くすたとえ。
【葵丘】春秋時代の地名。㋐宋の地。今の河南省蘭考県の東。斉の桓公が諸侯と会盟した所。㋑斉の地。今の山東省淄博市臨淄の西。
【葵丘之会(會)】周の襄王元年(前六五二)、斉の桓公が覇者となって、諸侯と葵丘に集まり、友好を図り、王室に忠誠を尽くすことを約束しあったこと。〔春秋、僖公九〕
【葵傾】①あおいの花が日光にむかって傾くこと。②君主・長上の徳を仰ぎしたうこと。
【葵心】人を尊敬思慕する心。＝葵傾②。

9 【韮】 12画 10091 標 漢キュウ(キウ) 呉ク 有 jiǔ 3903 9442 —
字義 にら。球根植物の名。
参考 〔韭〕(13413)と同字。解字は〔韭〕を見よ。

9 【葷】 12画 10092 クン 文 hūn 7256 E4D6 —
字義 ❶からい菜。また、くさい菜。にんにく・にら・ねぎなどの類い。❷なまぐさ。なまぐさいもの。肉食。

解字 篆文 形声。艹(艸)+軍音。音符の軍は、薫に通じ、においがたちこめるの意味。くさい菜の意味を表す。

【葷粥・葷鬻】昔、中国北方に住んだ種族の名。匈奴の別名。葷允。

【葷允】＝葷粥・葷鬻。

【葷菜】くさい野菜。ねぎ・にんにくの類い。

【葷酒】なまぐさい野菜(また、肉)と酒。

【不レ許二葷酒入一レ山門上】なまぐさいものと酒は、仏道修行のさまたげとなるので、寺院の中に持ちこむことを許さない。禅寺などで、寺門のそばの戒壇石に刻んである標語。

【葷辛】野菜のくさいものと、からいもの。仏家では食べることを避けた。

【葷羶】くさい野菜と、なまぐさい肉。葷腥。

9 【葪】 12画 10093 ケイ 薊(10318)の俗字。→一三三八ページ下。 — — 5664

9 【萱】 12画 10094 人 標 漢ケン 呉カン(クワン) 元 xuān 1994 8A9E —
筆順 一 艹 艹 芦 芦 苧 菅 菅 萱
〔蕿〕10319 同字 〔藼〕10409 同字 〔蘐〕10410 同字 〔藼〕10411 俗字
字義 わすれぐさ。かんぞう。山野に自生するユリ科の多年草。これを食べれば、うれいを忘れ、あるいは酔ったようになるという。忘憂草。国かや。すすき・ちがや・すげなど、屋根をふくのに用いる草の総称。
名前 かや・ただ・まさ
難読 萱草
解字 形声。艹(艸)+宣音。
【萱草】わすれぐさ。→字義。
【萱堂】①母親のへや。②母親。昔、中国では、母は北堂におり、その庭に(憂いを忘れるようにと)萱草を植えたのでいう。→椿萱(七五七ページ上)。

9 【菰】 12画 10095 標 コ 虞 gū 2454 8CD4 —
〔苽〕9917 本字
字義 まこも。かつみぐさ。沼沢に自生し、高さは一、二メートルに達する水草の一種。実は、菰米・胡菰といって食用にする。国こも。むしろ。＝薦(10335)。
解字 形声。艹(艸)+孤音。
難読 菰野
【菰米】まこもの実。古くは餅を作るのに用いた。

9 【葫】 12画 10096 ㊀コ 虞 hú ㊁漢コ・呉ゴ 虞 hú 7257 E4D7 —
字義 ㊀にんにく。食用・薬用にする多年草。においが強い。㊁❶ふくべ。ひょうたん。「葫芦」❷ゆうがお。「葫瓜」
難読 葫芦
解字 形声。艹(艸)+胡音。
【葫瓜】ゆうがお。つる草の一種。
【葫芦(蘆)】ふくべ。ひょうたん。

9 【葟】 12画 10097 漢コウ(クワウ) 呉オウ(ワウ) 陽 huáng 9109 — —
字義 ❶はな(花)。❷葟葟は、草木が茂るさま。
解字 形声。艹(艸)+皇音。

9 【葒】 12画 10098 漢コウ 呉グ 東 hóng 8642 — 5654
字義 おおけたで。おおたで。タデ科の一年草。馬蓼。
解字 形声。艹(艸)+紅音。

9 【葘】 12画 10099 ㊀シ 支 zī ㊁サイ 灰 zāi — — 5656
〔菑〕10031 俗字
字義 ㊀❶あれた(荒田)。荒地。❷開拓して一年目の田。また、開拓してまだ種まきしない田。❸くさぎる(耘)。たがやす(耕)。ひらく(拓)。荒地を開く。❹雑草を焼く。❺たちがれ。たちぐされ。立ったまま枯れた草木。㊁❶わざわい。❷車輪の輻(や)の端が轂に入るところ。❸かき(垣)。また、垣をめぐらす。❹たてる(立)。樹立する。
解字 篆文 形声。艹(艸)+甾音。音符の甾は、荒れた田地の意味。艸を付し、荒れ田の意味を表す。
【葘害】わざわい。災難。災害。
【葘畬】荒れ地を開く。開拓する。

9 【葸】 12画 10100 シ 紙 xǐ 8649 — 5669
字義 ❶おそれる(恐)。❷つつしむ(慎)。❸すなおなさま。❹喜ばないさま。
解字 形声。艹(艸)+思音。

9 【葹】 12画 10101 シ 支 shī 7265 E4DF —
字義 ❶おなもみ。キク科の一年草。枲耳。葈耳。❷巻施は、草の名。
難読 葹田
解字 形声。艹(艸)+施音。

9 【葈】 12画 10102 シ 紙 xǐ 9108 EE7B 5649
字義 ❶葈耳は、おなもみ。キク科の一年草。❷枲(5310)の俗字。
解字 形声。艹(艸)+枲音。

9 【萩】 12画 10103 人 漢シュウ(シウ) 呉シュ 尤 qiū 3975 948B —

筆順 艹 艹 艹 艹 芢 芢 萩 萩 萩

字義 国 **はぎ**。❶よもぎ。くさよもぎ。かわらよもぎ。❷ひさぎ（楸）。山野に自生し、初秋に紫紅色・白色の花が房状に咲く落葉低木。

名前 はぎ　難読 萩生（はぎゅう）

解字 篆文 形声。艹（艸）＋秋（烁）音。

9【葺】12画 10104　人 標　シュウ（シフ）緝 qì　4188 9598 —

筆順 一 艹 艹 芢 芢 苷 葺 葺 葺

字義 ❶**ふく**。茅（かや）などで屋根をおおう。❷おおう（覆）。❸つくろう。修理する。❹かさねる。また、かさなる。＝緝（9270）。

名前 ふき・ふく

解字 篆文 形声。艹（艸）＋咠音。音符の咠（シュウ）は、寄せ集めるの意味。かやを寄せ集めて屋根をふくの意味を表す。

【葺屋】シュウオク かやぶきの屋根。くさぶきの家。

【葺繕】シュウゼン つくろう。修繕。

9【葇】12画 10105　漢ジュウ（ジウ）　呉ニュウ（ニウ）　尤 róu　— — 5648

字義 草の名。なぎなたこうじゅ。いぬえ。

解字 形声。艹（艸）＋柔音。

9【蒁】12画 10106　一 漢シュツ・呉ジュチ shù　二 漢イツ（ヰツ）・呉イチ（ヰチ）　慣ジュツ　2 8651 — 5672

字義 一 二 草の名。莪蒁（ガジュツ）。ショウガ科の多年草。

解字 形声。艹（艸）＋述音。

9【葙】12画 10107　漢ショウ（シャウ）　呉ソウ（サウ）　陽 xiāng　2 8643 — 5657

字義 青葙は、のげいとう。あまくさ。うまくさ。ヒユ科の一年草。

解字 形声。艹（艸）＋相音。

9【葴】12画 10108　シン 侵 zhēn　— — 5667

字義 ❶植物の名。りゅうきゅうあい（琉球藍）。❷植物の名。ほおずき。

解字 形声。艹（艸）＋咸音。

9【葠】12画 10109　シン 侵 shēn　— — 5660

解字 形声。艹（艸）＋侵音。

字義 人葠（ジンシン）は、薬草の名。朝鮮人参。

9【葚】12画 10110　漢シン　呉ジン　沁 shèn, rèn　2 8644 — 5658

字義 桑（くわ）の実。＝椹（5620）。

解字 形声。艹（艸）＋甚音。

9【葰】12画 10111　一 スイ 支 suī　二 シュン 震 jùn　1 9110 — 5665

字義 一 野菜の名。はじかみ。しょうが。二 ❶大きい。さかん。❷はなしべ。❸＝一。

解字 形声。艹（艸）＋俊音。

9【葏】12画 10112　漢セイ　呉ショウ（シャウ）　庚 jīng　2 8640 — 5652

字義 草の茂るさま。＝菁（10043）。　難読 葏口（むくらぐち）

解字 形声。艹（艸）＋津音。

9【葥】12画 10113　漢セツ　呉セチ　屑 jié　— — 5644

字義 ❶節（ふし）。❷節（8763）の俗字。

解字 形声。艹（艸）＋節省音。音符の節（セツ）は、ふしの意味。

9【葥】12画 10114　一 セン 霰 jiàn　二 漢セン・呉ゼン 先 qián　2 8647 — 5662

字義 一 ❶ながばもみじいちご。バラ科の落葉小低木。きいちごの一種。❷ほうきぐさ。アカザ科の一年草。二 車葥は、おおばこ。

解字 形声。艹（艸）＋前（歬）音。

9【葃】12画 10115　漢ソ　呉ゾ　過 zuò

字義 ❶くわい（水芋）。くろぐわい。水田に栽培され、食用にする。❷しく（藉（シャ））。

解字 形声。艹（艸）＋胙音。

9【葅】12画 10116　ソ　— — 5647

菹（10047）と同字。→一三八八ジ上。

9【葬】12画 10117　常　ソウ（サウ）　漾 zàng　ソウ　ほうむ-る　3382 9192 —

筆順 艹 艹 芦 芦 苑 苑 葬 葬 葬

【塟】10119 俗字

字義 ❶**ほうむる**（ほうむる）。死体を土中にうずめる。「埋葬」❷ほうむり。死体をほうむること。葬式。

解字 篆文 会意。死＋茻＋一。死は、しかばねの意味。茻は草むらの意味。一は、しかばねを置くむしろの意味。草むらの中に死体を置くさまから、ほうむるの意味を表す。国 人の目につかないように物事をかくす。

逆 改葬・仮葬・火葬・合葬・帰葬・殉葬・水葬・喪葬・送葬・大葬・鳥葬・土葬・密葬

【葬祭】ソウサイ 死者のなきがらを葬ることと、死者の霊を祭ること。

【葬送】ソウソウ 死体をほうむるのを見送ること。のべのおくり。送葬。

9【葱】12画 10118　標　ソウ 東 cōng　3912 944B —

【蔥】10236 正字

字義 ❶**ねぎ**。野菜の一種。❷がま（蒲（ホ））。❸あおい（蒼（ソウ））。青色。

解字 篆文（蔥）形声。艹（艸）＋怱（悤）音。音符の悤（ソウ）は、總に通じ、たばの意味。長い葉をたばねたような、ねぎの意味を表す。

【葱花輦】ソウカレン 屋根の上にねぎの花の形をかざりつけた、天子の乗物。

【葱畦】ソウケイ ねぎばたけ。

【葱珩】ソウコウ 腰につける青色のたま。

【葱翠】ソウスイ 青々としたさま。また、みどりいろ。

【葱青】ソウセイ ①草木の青々としたさま。②ねぎの葉。

【葱葱】ソウソウ ①草木の青々としげるさま。②すぐれてよい気配のさま。

【葱碧】ソウヘキ 青々としていること。また、あおい。

【葱嶺】ソウレイ 中央アジアのパミール高原一帯の中国名。

【葱嶺教】ソウレイキョウ 仏教。昔、ヒマラヤ山脈をも葱嶺の一部と考え、その南のふもとに起こった仏教をこう呼んだ。

9【塟】12画 10119　ソウ　— — 2419

葬（10117）の俗字。→一二二二ジ中。

9【葼】12画 10120　ソウ 東 zōng　2 8650 — 5670

字義 しもと。木の細い枝。

解字 形声。艹（艸）＋嵏音。

9【葮】12画 10121　漢タン　呉ダン　翰 duàn　7259 E4D9 —

字義 むくげ（槿）。アオイ科の落葉低木。＝椴（5616）。

解字 形声。艹（艸）＋段音。

9【葤】12画 10122　漢チュウ（チウ）　呉ジュ（ヂュ）　宥 zhòu　— — 5661

字義 ❶草で物を包む。❷草の名。

解字 形声。艹（艸）＋紂音。

9 **【著】** 12画 (10052) チョ
著(10051)の旧字体。→一二二八ページ上。

9 **【蒂】** 12画 10123 テイ 7260 E4DA —
蔕(10239)と同字。→一二三三ページ下。

9 **【葶】** 12画 10124 漢テイ 呉ジョウ(ヂャウ) 青 tíng ₂8648 — 5668
字義 葶藶(テイレキ)は、いぬなずな。アブラナ科の二年草。
解字 形声。艹(艸)+亭(音)。

9 **【菟】** 12画 10125 ト 3749 9370 —
菟(10054)の俗字。→一二二八ページ中。

9 **【董】** 12画 10126 人 トウ 董 dǒng 3801 939F —
筆順 一 艹 艹 苎 苎 菁 菁 菫 董
字義 ❶ただす(正)。監督する。見張る。「董正」「董理」 ❷おさめる。深くかくす。 ❸かたい(固)。堅固。 ❹れんこん。はすのね。 ❺古道具。「骨董」
名前 しげ・しげる・ただ・ただし・ただす・なお・のぶ・まこと・まさ・よし
解字 形声。艹(艸)+重(音)。
【董狐】トウコ 春秋時代、晋の史官。身の後難をも恐れず、真実を歴史に記録したことで有名。→董狐筆。
【董狐筆】トウコのふで 権勢を恐れず、真実を歴史に記録すること。晋の趙穿がその君霊公を殺したとき、正卿の趙盾が趙穿を討たなかったので、史官の董狐が「趙盾その君を弑す」と書いた故事による。〔左伝、宣公二〕→太史簡(三四四ページ中)。
【董正】トウセイ ただす。とりしまる。
【董卓】トウタク 後漢末の政治家。字は仲穎。霊帝の死後、献帝を立てて権力をにぎったが、呂布に殺された。(?―一九二)
【董仲舒】トウチュウジョ 前漢の儒学者。漢の武帝に儒教を国教とすることを進言し、親任されたが、公孫弘にねたまれて退けられ、官をやめて著述に専念した。著書に『春秋繁露』八十二編がある。(前一七六?―前一〇四)
【董督】トウトク とりしまる。
【董理】トウリ ただしおさめる。監督し取りしまる。

9 **【⿱艹昜】** 12画 10127 一 トウ(タウ) 陽 tāng 二 漢トウ(タウ) 呉ドウ(ダウ) 養 dàng ₂8646 — —
字義 一 やまごぼう。ヤマゴボウ科の多年草。 二 儻⿱艹昜(トウトウ)は、しまりがない。
解字 形声。艹(艸)+昜(音)。

9 **【葖】** 12画 10128 漢トツ 呉ドチ 月 tū — — 5655
字義 大根(ダイコン)。
解字 形声。艹(艸)+突(音)。

9 **【葩】** 12画 10129 ハ 麻 pā 7261 E4DB —
字義 ❶はな(華)。花。はなびら。「紅葩」 ❷はなの形の金具。 ❸はなやか。華麗。さかんなさま。 ❹ちる。分散する。
解字 篆文  形声。艹(艸)+皅(音)。音符の皅(ハ)は、平たい白い花びらの意味。艸を付し、はなびらの意味を表す。
【葩卉】ハキ 草花。
【葩経】ハケイ 『詩経』の別名。韓愈の『進学解』に「詩正而葩(詩は正しくして葩なり)」とあるのに基づく。
【葩爪】ハソウ 花形の飾り。車のおおいなどにつける花飾り。

9 **【萯】** 12画 10130 一 漢フ 呉ブ 遇 二 漢ハイ 呉バイ 賄 bèi — — 5645
字義 一 植物の名。からすうり。 二 ❶植物の名。ほとけぐさ。 ❷萯陽(ハイヨウ)は、宮殿の名。
解字 形声。艹(艸)+負(音)。音符の負は、寄りかかるの意味。

9 **【葡】** 12画 10131 人 標 漢ホ 呉ブ 虞 pú 4182 9592 —
筆順 一 艹 艹 芍 芍 苟 荀 葡 葡
字義 葡萄(ブドウ)は、果樹の名。また、その果実。 国 国名。葡萄牙(ポルトガル)の略。
難読 葡萄葛(えびかずら)・葡萄茶(えびちゃ)
解字 形声。艹(艸)+匍(音)。

9 **【葍】** 12画 10132 フク 屋 fú — — 5651
字義 ❶ひるがお。多年生つる草。根は食用にする。 ❷蘿葍(ラフク)・萊葍(ライフク)は、だいこん(大根)。=菔(10245)。
解字 形声。艹(艸)+畐(音)。

9 **【葐】** 12画 10133 一 漢フン 呉ブン 文 fén 二 漢ホン 呉ボン 元 pén
字義 一 かおる。におう。 二 なついちご。とっくりいちご。覆盆子(フクボンシ)。
解字 形声。艹(艸)+盆(音)。

9 **【萹】** 12画 10134 ヘン 先 銑 biǎn ₂8638 — 5646
字義 萹蓄・萹竹は、にわやなぎ。タデ科の一年草。
解字 形声。艹(艸)+扁(音)。

9 **【募】** 12画 (1057) ボ
力部。→一九八ページ下。

9 **【葆】** 12画 10135 漢ホウ 呉ホ・ホウ 晧 bǎo 7262 E4DC —
字義 ❶草木の群がりしげるさま。 ❷もと。根もと。群がりしげる草木の根もと。 ❸野菜。 ❹ひこばえ。切った木の根株から生え出た芽。 ❺羽かざり。車のおおいや旗ざおの先、または、鼓の上につける。 ❻もり役。うば。また、天子の補佐役。=保(390)。 ❼まもる。たもつ(保)。 ❽かくす。つつむ。 ❾むつき。おむつ。うぶぎ。 ❿たから。また、宝とする。 ⓫とりで。=堡(2065)。
解字 形声。艹(艸)+保(音)。
【葆光】ホウコウ ①光をかくす。知徳をつつんで現さないたとえ。②かすかな光。
【葆祠】ホウシ 宝として祭る。
【葆守】ホウシュ たもち守る。今までの通りで押し通す。保守。
【葆真】ホウシン・ホシン その生まれつきの性を保つこと。〔荘子、田子方〕

9 **【葑】** 12画 10136 一 漢ホウ 呉フウ 冬 fēng 二 漢ホウ 呉フウ 宋 fèng ₂8641 — 5653
字義 一 かぶら(蕪菁)。かぶ。 二 菰(まこも)の根・株。
解字 形声。艹(艸)+封(音)。

9 **【葧】** 12画 10137 漢ホツ・呉ボチ 慣ボツ 月 bó — — 5663
字義 ❶草の名。しろよもぎ。 ❷葧臍(ボッセイ)は、草の名。くろぐわい。 ❸盛んなさま。
解字 形声。艹(艸)+勃(音)。

9 **【萬】** 12画 (14) マン
万(13)の旧字体。→二五ページ上。

9 **【葯】** 12画 10138 一 漢ヤク・呉アク 薬 yào 二 アク 覚 yào
[葯] 10139 俗字
字義 二 ❶よろいぐさの葉。また、よろいぐさ(白芷ハクシ)。 ❷蒲(がま)の芽。 ❸おしべの先にある花粉を包むふくろ。 ❹まとう。つつむ。
解字 形声。艹(艸)+約(音)。

9 **【葯】** 12画 10139 ヤク 7264 E4DE —
葯(10138)の俗字。→一二三三ページ下。

9 **【萸】** 12画 10140 ユ 虞 yú 7248 E4CE —
[萸] 9957 俗字
字義 茱萸(シュユ)は、木の名。→茱(9931)。
解字 形声。艹(艸)+臾(音)。

9
【葉】 12画 10141 教3 ヨウ は

熟字訓 紅葉（もみじ）

一 ヨウ（エフ） 漢 yè
二 ショウ（セフ） 漢 shè

4553 9774 ―

筆順 艹 芒 芉 苹 苹 笹 華 葉

字義 一 ❶は。草木のは。「紅葉」 ❷はのように薄く平たいもの。「鉄葉」 ❸かみ（紙）。また、紙の枚数をかぞえることば。まい（枚）。ひら。 ❹すえ（末）。はし。また、わかれ。 ❺世。時代。「中葉」 二 ❶姓。 ❷春秋時代、楚の国の地名。今の河南省葉県の地。

名前 たに・のぶ・は・ば・ふさ・よ・よう

解字 金文 篆文 形声。艹（艸）＋枼音。音符の枼は、金文でわかるように、木の葉の象形。のち、艸を付した。

逆 荷葉・宮葉・紅葉・黄葉・枝葉・双葉・霜葉・竹葉・中葉・鉄葉・病葉・複葉・末葉・万葉

【葉月】 国陰暦八月の別名。

【葉公】 春秋時代、楚の国の政治家。姓名は沈諸梁。字は子高。楚の葉の地を領して、勝手に公の称号を称した。〔論語、述而〕

【葉子戯（戲）】 遊具の一つ。カルタの類い。葉子格。

【葉適】 南宋の政治家・学者。字は正則。号は水心先生。太学正・博士となり、朱熹の学説を弁護した。著書に『水心文集』などがある。（一一五〇―一二二三）

【葉夢得】 宋の政治家・詩人。字は少蘊。号は石林。北宋で翰林学士、南宋で戸部尚書、江東安撫大使を歴任。博学で詞に巧みであった。著書に『石林春秋伝』『石林居士建康集』『石林詞』『石林詩話』などがある。（一〇七七―一一四八）

【歩葉】 落葉の上を踏み歩く。用例（唐、王勃、観内懐仙詩）牽花尋紫澗、歩葉下清渓。↓花の魅力にひかれて神仙の谷を尋ね、落ち葉の上を踏み歩き清らかな谷川を下る。

9
【葽】 12画 10142 ヨウ（エウ） 漢 呉 yāo

― ― 5671

字義 ❶ひめはぎ。山野に自生する多年草。根を薬用にする。遠志。 ❷草のさかんなさま。

解字 形声。艹（艸）＋要音。

9
【落】 12画 10143 教3 ラク おちる・おとす

ラク 漢 luò, lào, là

4578 978E ―

筆順 艹 艹 艹 芀 莎 茨 落 落

字義 ❶おちる。㋐木の葉や花などが枯れおちる。用例（唐、韋応物、秋夜寄丘二十二員外詩）山空松子落、幽人応未眠。↓山には人の気配がなくひっそりとし、松かさの落ちる音が聞こえるだけだ。世捨て人たる君もきっとまだ眠らないでいることだろう。 ㋑上から下へおちる。落下する。用例（唐、孟浩然、夏日南亭懐辛大詩）山光忽西落、池月漸東上。↓山の端に映ずる夕日はみるみるうちに西の彼方に沈み、池の水面に映じる月がしだいに東の空に上ってくる。 ㋒おちいる。おちこむ。用例（東晋、陶潜、帰園田居詩）誤落塵網中、一去十三年。↓間違って、俗世の中におちて、あっという間に十三年が経った。 ㋓抜けおちる。用例（史記、汲黯伝）家貧、賓客益落。↓暮らし向きは貧しく、賓客も日に日に離散していった。 ㋔おちぶれる。衰える。さびしくなる。「零落」 ㋕へる。少なくなる。また、なくなる。用例（唐、孟浩然、与諸子登峴山詩）水落魚梁浅、天寒夢沢深。↓水かさのいちじるしく減った川にやながが浅く露出して見え、空は寒々として雲夢沢が深く広がっている。 ㋖静まる。おさまる。きまりがつく。用例（唐、宋之問、題大庾嶺北駅詩）江静潮初落、林昏瘴不開。↓大江の水は静まりかえって、しおが引きはじめたばかりであり、林の中はこんもりと暗く南方特有の毒熱の気が立ちこめて、晴れることがない。 ㋗死ぬ。命が尽きる。 ㋘手に入る。ころげこむ。用例（唐、杜甫、将適呉楚留別章使君留後兼幕府公侯詩）不意青草湖、扁舟落吾手。↓青草湖の方へゆく舟が、思いもよらず手に入った。 ❷おとす。㋐下へおとす。 ㋑抜かす。のぞく。しりぞける。用例（南朝宋、謝霊運、曇隆法師誄）慨然有擯落栄華、兼済物我之志。↓志高く栄華を捨てて、人と我とを兼ねすくわんとの志を持ったのであった。 ㋒決着をつける。おさめる。 ❸はじめる。また、はじめ。始まり。用例（詩経、周頌、訪落）訪予落止、率時昭考。↓私が政治をどのようにはじめるかを問いはかり、父君の道にしたがう。 ❹建造物が完成したとき、これを祭ること。また、その祭り。用例（左伝、昭公七）楚子成章華之台、願与諸侯落之。↓楚の霊王は章華の台の宮殿を造り、諸侯と一緒に落成式を挙げようと思った。 ❺まがき。竹などを編んで作ったかきね。用例（後漢、張衡、西京賦）揩枳落、突棘藩。↓枳の垣根をこすり、棘の垣根を突き壊す。 ❻村里。さと。「村落」「聚落」 ❼まつわる。まとう。つなぐ。用例（荘子、秋水）落馬首、穿牛鼻。↓馬の首におもがいを付け、牛の鼻に穴をあけて縄を付ける。 ❽できあがった鐘に、いけにえの血を塗ること。

名前 おち・なり 難読 落居・落籍・落霜紅・落部・落葉松・落幾

解字 篆文 形声。艹（艸）＋洛音。音符の洛は、格に通じ、いたるの意味。草木の葉が地上にいたる、おちるの意味を表す。

逆 院落・下落・陥落・及落・群落・黄落・集落・星落・村落・脱落・堕落・段落・墜落・転落・万落・踏落・部落・暴落・没落・揺落・零落

【落胤】 国貴人が正妻以外の女性に産ませた子。おとしご。

【落英】 散りおちた花。また、散りおちる花。落花。

【落英繽紛】 落花が乱れ散るさま。用例（東晋、陶潜、桃花源記）芳草鮮美、落英繽紛。↓香りの良い草が鮮やかで美しく、美しい花が散りしきっている。▼繽紛は、さかんに散り乱れるさま。

【落景・落影】 夕日の光。夕日のかげ。落暉。落照。

【落宴】 座敷びらき。新築落成の祝宴。

【落花】 散って落ちた花。散った花びら。用例（藤井竹外、芳野詩）眉雪老僧時輟帚、落花深処説南朝。↓まゆの白い老僧がほうきを動かす手を止め、散った花が深く積もった所で、南朝の昔を語ってくれた。

【落花流水】 ①散りゆく花と、流れゆく水。行く春のけしき。②人の身のおちぶれることをいう。③国思い思われる男女の関係をいう。

【落花狼藉】 ①落花が散り乱れているさま。②物のいりみだれてちらばっているさま。

【落霞】 ①ゆうやけ。低い所に見えるゆうやけ。②飛んでいる蛾。

【落款】 書画が完成したとき、筆者が自分で書き入れる姓名や押した印。落成款識。

【落雁・落鴈】(ラクガン) ①空から舞いおりるがん。②国干菓子(ひがし)の名。いりこに砂糖をまぜ、ねり固めたもの。

【落暉】(ラッキ) ＝落景(ラクエイ)。

【落句】(ラック) 律詩の第七・八句をいう。結句。

【落慶】(ラッケイ) 神社・仏閣の新築または修理の落成祝い。

【落月】(ラクゲツ) 入りかかった月。西にかたむいた月。

【落伍】(ラクゴ) 国①隊列からぬけおちて、おくれる。仲間からはずれる。②仲間の進歩からおくれる。競争に負ける。

【落語】(ラクゴ) ①結びのことば。話の始末。②国演芸の一つ。滑稽(コッケイ)な話で、最後におちのあるもの。おとしばなし。

【落差】(ラクサ) 国①水を流れくだる上下の高さの差。②高低の差。━(おとしざし) 国刀のこじりを下にさげてさすさし方。

【落索】(ラクサク) ①ものさびしいさま。落莫(ラクバク)。②おちぶれるさま。

【落札】(ラクサツ・おちふだ) 国競争入札で、値札を入れた物件の権利が自分の手にはいること。

【落日】(ラクジツ) 夕日。入り日。西に傾き沈む日。落陽。用例〔唐、李白、送二友人一詩〕浮雲遊子意(フウンユウシのイ)、落日故人情(ラクジツコジンのジョウ)。↓空に浮かぶ雲は、ゆくえ定めぬ旅人(である君)の心であり、沈みゆく夕日は、古くからの友人(である私)の(別れを惜しむ)心である。

【落手】(ラクシュ) ①うけとる。手にいれる。②国碁や将棋などで、しくじった手。

【落首】(ラクシュ) 国皮肉やあざけりの意を含めた、無記名のざれ歌。━(おちくび) 国①切りおとした首。②首を下にかたむけること。

【落書】(ラクショ) 国＝落文。━(ラクショ・ラクがき) 国目的もなく書いたもの。いたずらがき。

【落照】(ラクショウ) ＝落景(ラクエイ)。

【落城】(ラクジョウ) 国①城が敵の手におちること。②もちこたえられなくなって物を人手にわたすこと。③くどかれて承知すること。くどきおとされること。

【落飾】(ラクショク) 髪をそりおとして仏門に入ること。落髪。↕復飾(五二一ページ中)。

【落職】(ラクショク) 職をやめる。罷職(ヒショク)。

【落成】(ラクセイ) 工事ができあがること。▼落は、その祭り。

【落籍】(ラクセキ) ①名簿から名まえをけずり除く。②金を出して芸妓(ゲイギ)などの商売をやめさせ身をひかせること。身うけ。

【落然】(ラクゼン) 落ちぶれたさま。

【落草】(ラクソウ) 下賤(ゲセン)に堕落する。悪者の仲間に入る。また、山賊が山中に住居を定めること。

【落想】(ラクソウ) おもいつき。着想。

【落霜紅】(ラクソウコウ) 木の名。うめもどき。もちのき科の落葉低木。葉は梅に似、五、六月ごろ淡紫色・赤味を帯びた白色の花を開き、秋、小さな実が赤く熟す。梅擬(うめもどき)。

【落第】(ラクダイ) ①科挙に合格しないこと。②国留年。

【落托・落拓】(ラクタク) ①気が大きいさま。気ままなさま。②ものさびしいさま。③おちぶれるさま。

【落胆(膽)】(ラクタン) ①きもをつぶす。おどろく。びっくりする。②国気をおとす。力をおとす。がっかりする。

【落地】(ラクチ) ①世に生まれ出る。誕生する。②地に落ちる。

【落着・落著】(ラクチャク) 物事のきまりがつく。また、きまり。━(おちつき) 国①あわてず、ゆっくりした態度。②物のゆったりとした、すわりぐあい。③人気の静まること。

【落丁】(ラクチョウ) 国書物のページのぬけおちていること。また、その抜けたページ。

【落潮】(ラクチョウ) 引きしお。退潮。

【落梅】(ラクバイ) 落ちた梅。

【落魄】(ラクハク・ラクタク) おちぶれる。

【落莫・落寞】(ラクバク) ものさびしいさま。

【落髪】(ラクハツ) ＝落飾。

【落盤・落磐】(ラクバン) 国鉱山の坑内やトンネルの中などで、天井や壁などの岩石・土砂がくずれおちること。

【落筆】(ラクヒツ) ①筆をとりおとす。筆を手から落とす。②(筆を紙におろして)書きはじめる。また、書画をかく。

【落文】(おとしぶみ) 国あらわに言いにくいことをしたためて、だれのしわざかわからないように、屋内や路上などに落としておく文書。落書(ラクショ)。

【落木】(ラクボク) 葉が散り落ちた木。冬枯れの木。また、落葉。用例〔唐、杜甫、登高詩〕無辺落木蕭蕭下(ムヘンのラクボクはショウショウとしてくだり)、不尽長江滾滾来(フジンのチョウコウはコンコンとしてきたる)。↓どこまでも続く森に落葉はかさかさと散り続け、尽きることを知らぬ長江の流れは、盛んに流れ下っていく。

【落命】(ラクメイ) 国いのちをおとす。死ぬ。なくなる。

【落陽】(ラクヨウ) ＝落日。

【落落】(ラクラク) ①まばらなさま。②ものさびしいさま。③志を得ないさま。④融通がきかず、他と相いれないさま。⑤度量が広くて、物事にこだわらないさま。⑥高く抜きでるさま。━(おちおち) 国おちついて。安心して。

【落涙】(ラクルイ) なみだをおとす。涙を流す。また、おちる涙。

9【葎】12画 10144 漢リツ 呉リチ 質 lǜ 4610 97A8 ━

字義 むぐら。かなむぐら。葛(くず)に似たつるくさ。茎に細いとげがあり、節の周囲に葉が輪生して、小さい白、または、淡緑の花を開く。難読 葎草(かなむぐら)

解字 形声。艹(艸)＋律(音)。

9【萵】12画 10145 漢カ(クワ) 呉ワ 歌 wō 7266 E4E0 ━

字義 萵苣(ワキョ)は、ちしゃ。ちさ。キク科の一年草、また二年草。葉は食用となる。レタス。

解字 形声。艹(艸)＋咼(音)。

9【蒅】12画 10146 国字 9112 ━ 5673

字義 すくも。藍(あい)の葉を発酵(ハッコウ)させて製した染料。

解字 会意。艹(艸)＋染。染料用の草、すくもの意味を表す。

10【葦】13画 10147 人 標 1617 88AF ━

9［葦］12画 10148 ━イ(ヰ) ━イ(ヰ) 尾 未 wěi

筆順

字義 ━❶あし。よし。水辺に生じる多年草。秋の末に穂状の花を開く。あしの穂が出たものを葦、穂の出ないものを芦(ロ)という。❷小さい船のたとえ。「一葦」 ━おる(織)。難読 葦牙(あしかび)・葦簀(よしず)・葦雀(よしきり)・葦切(よしきり)

解字 篆文 形声。艹(艸)＋韋(音)。音符の韋(イ)は、他とちがっているの意味。穂が出て他の草とはちがって飛び抜けて高い、あしの意味を表す。

【葦笥】(イシ) あしを編んで作ったはこ。衣類、食物などを入れる。

【葦車】(イシャ) 周囲をあしで編んだ車。飾りのないそまつな車。

【葦席】(イセキ) あしで編んだむしろ。

【葦巣(巢)】(イソウ) あしにかけた巣。たよるところが確かでないと、自分の身も安全でないたとえ。〔荀子、勧学〕

【葦苕】(イチョウ) あしの穂。一説に、あしのくき。

【葦汀】(イテイ) あしのはえている水ぎわ。

【葦毛】(あしげ) 国馬の毛色の名。白い毛に黒色・濃褐色などのさし毛のあるもの。

【葦籥】(イヤク) あしで作った笛。昔の楽器の一。

10【蒀】13画 10149 ウン 図 yūn ━ ━ 5676

字義 ❶蒀蒀(ウンウン)は、気のさかんなさま。❷草の名。おもと。

解字 形声。艹(艸)＋昷(音)。

10【蓊】13画 10150 オウ(ヲウ) 董 東 wěng 7267 E4E1 ━

字義 ❶しげる。また、草木がさかんにしげるさま。❷黄色を染めるのに用いる草の名。❸とう。薹。花茎。

解字 形声。艹(艸)＋翁㊥。

【蓊藹】①草木のこんもりしげるさま。

【蓊蔚】草木のさかんにしげるさま。蓊蓊。

【蓊鬱】①草木のさかんにしげるさま。②雲や霧などの一面に立ちこめるさま。

【蓊然】①さかんなさま。②集まるさま。

【蓊勃】さかんなさま。

【蓊薈】草木の茂っているさま。

10 【蒀】 13画 10151 オン 冠 ēn ―― 5686

字義 ❶草の名。❷現代中国語で、化学化合物の名。アントラセン。

10 【蒯】 13画 10152 ㊥カイ(クヮイ) ㊥ケ 圭 kuǎi 9114 ― 5682

字義 ❶あぶらがや。菅の一種。茎は、むしろを織ったり、なわを作るのに用いる。❷なわを巻きつける。

解字 形声。艹(艸)＋朋㊥。

【蒯聵】春秋時代、衛の荘公。霊公の子。父の夫人南子を殺そうとして追われたが、後、衛に帰り君(荘公)となった。(?―前四七七)

解字 会意。刂(刀)＋萠。

【蒯緱】あぶらがやのなわで巻いた剣。そまつな剣。▼緱は、剣の柄。

【蒯通】漢楚の興亡のころの遊説者。名は徹。前漢の武帝の名を避けて通という。

10 【蓋】 13画 10153 常 ガイ ふた 1924 8A57 ―

㊀カイ 泰 gài ㊁㊥コウ(カフ)・㊥ゴウ(ガフ) 合 hé 慣ガイ

筆順 艹 艹 艹 芏 芏 苤 苤 蓋 蓋 蓋

【葢】10084 同字 【盖】7934 俗字

字義 ㊀助 ❶けだし。⇩助字・句法解説。❶おおう。おおいかくす。用例〔史記、項羽本紀〕力抜レ山兮気蓋レ世、時不レ利兮騅不レ逝。⬇わが力は動かない山を引き抜くに足り、わが盛んなる気力は世間の人々を圧倒するのに足る。けれども時の運は私になく、愛馬の騅もすすもうとしない。❷ふた。おおい。❸かさ。きぬがさ。㋐雨や日を防ぐかさ。㋑車の上に立てるかさ。用例〔史記、晏嬰伝〕其夫為二相御一、擁二大蓋一、策二駟馬一。⬇その夫は宰相の御者として、車蓋の側に居り、四頭の馬にむちをあてていた。㋒行列に立てて威儀を整えるかさ。❹たっとぶ。❺あう。合わせる。❻のぞむ。欲する。㊁助 ❶なん-ぞ…ざ-る。⇩助字・句法解説。❷とびら。とま。茅などを編んで作ったおおい。

助字・句法解説

❶けだ-し。㋐推量。訳思うに。たぶん。続く内容が、不確実な推量であることを示す。「けだし…ならん」などと呼応させて訓読することもある。用例〔史記、平原君伝〕賓客蓋至者数千人。⬇集まって来た賓客はたぶん数千人あったろう。

㋑発語。訳そもそも。いったい。文頭に置かれる言い始めの言葉。用例〔十八史略、春秋戦国、斉〕蓋孟嘗君嘗以献二昭王一、無二他裘一矣。⬇そもそも孟嘗君は、以前昭王に献上し、他には皮衣を持っていなかった。

❷なん-ぞ…ざ-る。再読文字。反語。訳どうして…しないのか(…すればいいのに)。類盍。「何不」の二字と同音であることから、仮借して用いられる。用例〔礼記、檀弓上〕子蓋レ言二子之志於公一乎。⬇あなたはどうしてあなたの思うことを殿様に申し上げないのか(申し上げればいいのに)。

難読 蓋山・蓋縫

解字 金文 篆文 形声。艹(艸)＋盍(盇)㊥。音符の盍は、おおうの意味。草を編んで作ったおおいの意味を表す。

【蓋棺】棺のふたをする。人の死をいう。

【蓋闕】知らないことは言わないこと。

【蓋将(將)】よくよく考えてみるに、の意。▼将は、発語の助字。用例〔北宋、蘇軾、前赤壁賦〕蓋将自二其変者一而観レ之、則天地曽不レ能二以一瞬一。⬇よくよく考えてみるに、万物は変化するという立場から眺めると、天地も一瞬でも元のままでいることはできない。

【蓋壌(壤)】あめつち。天地。霄壌。

【蓋世】＝蓋レ世(三三ページ中)。

【蓋世之才】一世をおおい圧するほどにすぐれた才気。

【蓋然性】たぶんそうなるだろうと推定される可能性。プロバビリティ。蓋然率。

【蓋蔵(藏)】①貯蔵する。倉庫などにたくわえて保存する。また、その物。②おおいかくす。

【傾レ蓋如レ故】出会った人がたがいに車のかさを寄せて、友人のように話し合うこと。一見して、旧知のように親しくなること。傾蓋之友。〔史記、鄒陽伝〕

10 【蒦】 14画 10154 ㊀ワク 薬 huò ㊁㊥カク(クヮク)・㊥ワク 陌 huò

【䨼】3368 同字 【䨼】3367 俗字 【蒦】10155 俗字

字義 ㊀㊁❶はかる。指で長さをはかる。❷ものさし。

難読 蒦手・蒦本

解字 会意。又＋萑。

10 【蒦】 13画 10155 カク 蒦(10154)の俗字。→一三六六ページ下。 ₂8655 ― 5678

10 【蒹】 13画 10156 ケン 塩 jiān 7269 E4E3 ―

字義 おぎ(荻)。

解字 形声。艹(艸)＋兼㊥。

【蒹葭】水草の名。おぎと、あし。また、ひめよし。

10 【蒿】 13画 10157 コウ(カウ) 豪 hāo 7270 E4E4 ―

字義 ❶よもぎ。くさよもぎ。「蓬蒿」❷むす(蒸)。気が蒸して高く上がるさま。❸つかれる(疲)。また、きえる(消)。＝耗(9591)。❹みだれる(乱)。❺墓地。また、辺地。

解字 甲骨文 金文 篆文 形声。艹(艸)＋高㊥。音符の高は、たかいの意味。たけの高い、よもぎの意味を表す。

【蒿艾】草の名。よもぎぐさ。蓬艾。

【蒿矢】よもぎの茎で作った矢。邪気をはらうといわれている。

【蒿里】①泰山の南にある山の名。人が死ぬと、魂がここに来るという。②墓地。③葬式のときにうたう歌。挽歌。貴人は薤露、下級官吏・庶民は蒿里を歌った。

【蒿廬】草深いいおり。自分の家の謙称。

10 【蒷】 13画 10158 ㊥コウ ㊥ク 送 gòng ₂8657 ― ―

字義 草木の実がすきまなくつくさま。

解字 形声。艹(艸)＋貢㊥。

10【蓇】13画 10159 漢コツ 呉コチ 月 gū — — 5690

字義 ❶蓇蓉(コツヨウ)は、草の名。❷蓇葖(コットツ)は、現代中国語で、花のつぼみ。

解字 形声。艹(艸)+骨音。

10【蒟】13画 10160 漢ク・呉グ 慣コン 麌 遇 jǔ 7271 E4E5 —

字義 ❶ふうとうかずら。きんま。また、その実。＝枸(5300)。❷こんにゃく(蒟蒻)。㋐多年草の一種。球状の地下茎を蒟蒻玉といい、こんにゃくの原料とする。㋑蒟蒻玉から加工した食品。菎蒻(コンニャク)と書くのは誤り。

解字 形声。艹(艸)+竘音。

10【蓑】13画 10161 人 標 ㊀サ 歌 suō ㊁サイ 佳 sāi ㊂漢サイ・呉スイ 灰 suī 4412 96AA —

筆順 蓑

［簑］8835 同字 ［簔］8858 俗字

字義 ㊀❶みの。かや・すげなどで編んだ、雨をふせぐ外衣。❷おおう(覆)。㊁蓑蓑(サイサイ)は、草木の葉がしげるさま。㊂❶草木の葉が枯れしおれるさま。❷花が垂れさがるさま。

解字 形声。艹(艸)+衰音。音符の衰は、「みの」の原字。衰に、おとろえるの意味などがでてきて、区別のため艸を付した。

【蓑衣】(サイ) みの。昔の雨具の一種。

【蓑笠】(サリュウ) みのと、かさ。用例(唐、柳宗元、江雪詩)孤舟蓑笠翁(コシュウサリュウのオウ)、独釣寒江雪(ひとりつるカンコウのゆき)。↓ただ一そうの小舟にみのと笠を着けた老人が、ひとりで寒々とした雪の川で釣り糸を垂れている。

10【蓌】13画 10162 サ 箇 cuò — — 5692

字義 ❶重い武具を身に付けているため、気持ちだけで拝む。❷うずくまる。❸くじく。

解字 形声。艹(艸)+夎音。

10【〔艹＋娑〕】13画 10163 サ 歌 suō

字義 〔艹＋娑〕蔢(サバ)は、㋐草木の茂るさま。㋑草の根。

解字 形声。艹(艸)+娑音。

10【蒴】13画 10164 サク 覚 shuò

［蒴］10165 俗字

字義 蒴藋(サクタク)は、そくず。スイカズラ科の多年草。

解字 形声。艹(艸)+朔音。

10【蒴】13画 10165 サク ı9115 EE7C 5684

蒴(10164)の俗字。→一三三七ページ上。

10【蒜】13画 10166 サン 翰 suàn 4139 9566 —

字義 ❶のびる。ひる。小蒜。❷にんにく。大蒜。多年草の一種。❸のびるの形をした、すだれの止め金。

解字 篆文 形声。艹(艸)+祘音。音符の祘(サン)は雋(セン)に通じ、うまいの意味。うまい草、のびるの意味を表す。

10【蓍】13画 10167 シ 支 shī 7273 E4E7 —

字義 ❶めどはぎ。めどぎぐさ。山野に自生するマメ科の多年草で、その茎を占いに用いた。❷めどぎ。筮竹(ゼイチク)。占いに用いる道具。めどはぎの茎五十本を用いた。後世は、竹製の細い棒を用いる。

解字 篆文 形声。艹(艸)+耆音。音符の耆(キ＝シ)は、としよりの意味。千年も長く生きると伝えられる、めどはぎの意味を表す。

難読 蓍草(のこぎりそう)

【蓍亀(龜)】(シキ) ①占いに用いるめどぎと、かめの甲。②占い。

【蓍蔡】(シサイ) ＝蓍亀。

【蓍草】(シソウ) 占いに用いるめどぎ。筮竹(ゼイチク)。

10【蒒】13画 10168 シ 支 shī — — 5674

字義 草の名。こうぼうむぎ(弘法麦)。はまむぎ。

解字 形声。艹(艸)+師音。

10【蒔】13画 10169 人 ㊀漢シ・呉ジ 寘 shì ㊁漢シ・呉ジ 支 shí 2812 8EAA —

筆順 蒔

字義 ㊀❶う-える。移し植える。植えかえる。❷たてる(立)。㊁蒔蘿(ジラ)は、いのんど。ひめういきょう。国 ま-く。㋐種をまく。㋑粉末を散らして落とす。「蒔絵(まきエ)」

名前 まき

解字 篆文 形声。艹(艸)+時音。音符の時は是に通じ、まっすぐ立つの意味。田に苗をまっすぐにさし植えるの意味を表す。

【蒔絵(繪)】(ジカイ・まきエ) 国 漆工芸の技法の一つ。器物に漆で模様をかき、その上に金銀の粉を散らしてみがいたもの。日本独特の工芸。

10【蒺】13画 10170 漢シツ 呉ジチ 質 jí ı9116 — 5685

字義 蒺藜(シツレイ)は、はまびし。夏、五弁の黄花をつけ、刺(とげ)のある三角または四角の実を結ぶ。強壮剤になる。

解字 形声。艹(艸)+疾音。

10【蒐】13画 10171 人 標 シュウ(シウ) 尤 sōu 2915 8F4E —

筆順 蒐

字義 ❶茅蒐(ボウシュウ)は、あかね(茜(セン))。赤色にそめるのに用い、食べれば人の血をふやすという草。❷かり。狩猟。春(一説には秋)のかり。❸あつ-める。あつむ。「蒐集」❹かくす(隠)。❺かぞえる(数)。しらべる。❻さがす。もとめる。＝捜(4189)。

名前 しゅう・より

参考 現代表記では〔集〕(13179)・〔収〕(1268)に書きかえることがある。「蒐荷→集荷」「蒐集→収集」

解字 会意。艹(艸)+鬼。

【蒐荷】(シュウカ) 市場などに、各地から生産物があつまって来ること。また、その荷。集荷。

【蒐索】(シュウサク) あつめ求める。さがし求める。捜索。

【蒐集・蒐輯】(シュウシュウ) あつめる。収集。

【蒐田・蒐畋】(シュウデン) 狩。また狩をする。▼田も、かり。

【蒐猟(獵)】(シュウリョウ) ①狩。春(一説には秋)の狩。また、狩によって行う兵馬の訓練。②あつめ取る。

10【蓚】13画 10172 ㊀チョウ(テウ) 蕭 tiāo ㊁漢シュウ(シウ) 呉シュ 尤 xiū 7275 E4E9 —

［蓨］10221 正字

字義 ㊀草の名。ぎしぎし。根は薬用。羊蹄(ヨウテイ)。一説に、すいば。すかんぽ。㊁蓚酸は、有機酸の一種。

解字 形声。艹(艸)+修(脩)音。

10【蒓】13画 10173 ジュン — — 5675

蓴(10224)と同字。→一三三三ページ上。

10【蒋】13画 10174 ショウ 3053 8FD3 —

蔣(10226)の簡易慣用字体。→一三三三ページ上。

10【蒸】13画 10175 教6 ジョウ むす・むれる・むらす ショウ 蒸 zhēng 慣ジョウ 3088 8FF6 —

筆順 蒸

字義 ❶む-す。また、む-れる。㋐水が気体になって上る。㋑湿気があって熱い。㋒ふか-す。湯気をあてて物を煮る。❷冬の祭り。❸多い。もろもろ。「蒸民」❹麻がら。おがら。皮をはいだ麻の茎。ともしびに用いた。❺祭りの時に用いる細いたきぎ。❻たいまつ。❼火で乾かした竹。国むーらす。炊き上がったご飯を、中にこもった蒸気でふっくらとさせる。

名前 つぐ・つまき 難読 蒸湯(ふけのゆ)・蒸籠(せいろう)

解字 篆文 形声。艹(艸)＋烝(音)。音符の烝(ジョウ)は、熱気があがってむすの意味。艸は、むすための燃料となる草の意味。おがら・細かなたきぎの意味を表す。借りて烝の意味に通じて用いる。

【蒸鬱】ジョウウツ むしむしして気分の晴れ晴れしないこと。

【蒸△漚】ジョウオウ むれて、ぶつぶつとあわだつ。

【蒸気(氣)】ジョウキ ①ゆげ。水蒸気。液体が蒸発して気体に変じたもの。②国小型の蒸気船。

【蒸湿(濕)】ジョウシツ むしあつくて、じめじめすること。

【蒸庶】ジョウショ ＝蒸民。▼庶も、多い。

【蒸暑】ジョウショ むしあつい。また、むしむしする暑さ。蒸熱。

【蒸蒸】ジョウジョウ ①まじりけのないさま。②進歩向上するさま。③物の盛んにおこるさま。

【蒸騰】ジョウトウ むされて蒸気がたちのぼること。蒸発。

【蒸発(發)】ジョウハツ 液体、または固体がその表面でだんだん気体に変わってゆく現象。

【蒸民】ジョウミン もろもろの人民。たみくさ。庶民。烝民(ジョウミン)。蒸庶。

【蒸△溜】ジョウリュウ 液体を蒸発させ、その蒸気を冷やしてまた液体にして、まじりものを取り去ること。蒸留。

10【蓐】13画 10176 漢ジョク 呉ニク 因 rù 7276 E4EA —

字義 ❶しとね(褥(ジョク))。しきもの。「茵蓐(インジョク)」❷こも。むしろ。しきぐさ。しきわら。❸めばえ。新しい芽が出る。❹草の名。こぶなぐさ。かりやす(菉(リョク))。❺まぶし(蔟(ゾク))。蚕に繭をかけさせる具。

解字 篆文 形声。艹(艸)＋辱(音)。音符の辱は、草をかるの意味。刈った草をしいた、しきぐさの意味を表す。

【蓐月】ジョクゲツ うみづき。臨月。

【蓐食】ジョクショク ①朝早く、寝床の中で食事をすること。②豊富な食事。

【蓐母】ジョクボ 産婆。助産婦。

10【蓁】13画 10177 シン 真 zhēn 7277 E4EB —

字義 ❶草や葉がさかんにしげっているさま。「蓁蓁」❷木が群がり生ずるさま。また、くさむら。しげみ。

解字 篆文 形声。艹(艸)＋秦(音)。音符の秦(シン)は、のびしげるの意味。草木がさかんにのびしげるの意味を表す。

【蓁蓁】シンシン ①草木のさかんにしげるさま。用例〔詩経、周南、桃夭〕桃之夭夭(ももの ヨウヨウたる)、其葉蓁蓁(その は シンシンたり)。↓若々しい桃の木に、たくさんの葉が盛んに茂っている。②多く集まるさま。

【蓁△莽】シンモウ・シンボウ 草木のさかんにしげるさま。

10【蒭】13画 10178 スウ 7258 E4D8 —

芻(9836)と同字。→二九八ページ上。

10【蓆】13画 10179 漢セキ 呉ジャク 陌 xí 7278 E4EC —

字義 ❶大きい。広く大きい。広大。❷たくわえる(儲(チョ))。❸むしろ。敷物。＝席(3109)。

解字 篆文 形声。艹(艸)＋席(音)。音符の席は、しきものの意味。草で作ったむしろの意味を表す。

10【蒨】13画 10180 セン 霰 qiàn — — 5679

［蒨］10234 同字

字義 ❶あかね(茜(セン))。あかねぐさ。赤色染料を取る。❷草のさかんに茂るさま。❸あざやかなさま。

解字 形声。艹(艸)＋倩(音)。

10【蒩】13画 10181 ソ 虞 麌 zū — — 5680

字義 ❶こも。茅(かや)で織った祭りの敷物。❷薬草の名。どくだみ。❸つけもの。

解字 形声。艹(艸)＋租(音)。音符の租は、藉(シャ)に通じ、しきものの意味。

10【蒼】13画 10182 人 ソウ(サウ) 陽 cāng 3383 9193 —

筆順 艹 艾 苁 苓 荅 荅 荅 蒼 蒼

字義 ❶あおーい(青(あをし))。草のような青い色。こい青色。深青色。❷青くしげるさま。❸年老いたさま。白髪のまじっているさま。❹あわただしいさま。また、あわてるさま。「蒼卒」

名前 あお・しげる・ひろ 難読 蒼朮(おけら)・蒼(われも)(こう)

参考 現代表記では〔倉〕(437)に書きかえることがある。「蒼惶→倉皇」

解字 篆文 形声。艹(艸)＋倉(音)。

【蒼鬱】ソウウツ 青々とこんもりしげっているさま。

【蒼海】ソウカイ あおうなばら。蒼冥(ソウメイ)。

【蒼渇】ソウカツ 国色が青く古びて水気のないさま。

【蒼顔】ソウガン 年老いて、おとろえた青黒い顔。

【蒼△穹】ソウキュウ 青空。▼穹は、弓なりに見える空。

【蒼△頡】ソウケツ・ソウキツ ＝倉頡(二一七ページ下)。〔呂氏春秋、君守〕

【蒼古・蒼枯】ソウコ 古びて、さびたおもむきのあること。

【蒼△梧】ソウゴ ①地名。舜帝(シュンテイ)が崩じたとされる所。今の湖南省寧遠県の東南。一名、九疑。②旧郡名。また、県名。今の広西チワン族自治区梧州市。用例〔唐、李白、哭二晁卿衡一詩〕明月不レ帰沈二碧海一(メイゲツかえ(へ)らず、ヘキカイにしず(づ)み)、白雲愁色満二蒼梧一(ハクウンシュウショク、ソウゴにみつ)。↓明月のような君は帰ることなく青い海の底に沈んでしまい、白い雲が悲しみの色をたたえて蒼梧の空を覆っている。

【蒼△庚】ソウコウ うぐいす。倉庚。黄鳥。

【蒼黄】ソウコウ ①青と黄。②青くなったり黄色になったりして、定まらないさま。③あわてるさま。また、あわただしいさま。蒼卒。蒼惶(ソウコウ)。

【蒼△惶】ソウコウ あわてるさま。蒼卒。倉皇。

【蒼△顥】ソウコウ 青空。大空。天。蒼天。

【蒼潤】ソウジュン 青味を帯びてうるおいがあること。

【蒼生】ソウセイ 人民。あおひとぐさ。蒼民。

【蒼△蘚】ソウセン 青々としたこけ。緑蘚。蒼苔(ソウタイ)。

【蒼然】ソウゼン ①青いさま。②日ぐれのうす暗いさま。③古びた色の形容。「古色蒼然」④毛の白いさま。また、つやのなくなった毛。

【蒼△鼠】ソウソ ふるねずみ。年老いたねずみ。

【蒼蒼】ソウソウ ①さかんなさま。②草木などが青くしげるさま。③春の空の色。また、夜明けの空の形容。④天の青々としたさま。また、その天。用例〔楽府詩集、勅勒歌〕天蒼蒼(テンはソウソウ)、野茫茫(のはボウボウ)、風吹草低見二牛羊一(かぜふきくさたれて ギュウヨウあらわ(は)る)。↓空は青々と澄み野は広々と果てがない、風が吹いて草原の草がなびくと、牛や羊が姿を現した。⑤月の青白い色の形容。⑥白くなりかかっている髪の形容。用例〔唐、白居易、売炭翁詩〕満面塵灰煙火色(マンメンのジンカイ、エンカのいろ)、両鬢蒼蒼十指黒(リョウビンソウソウとして、ジッシくろし)。↓顔中ほこりや灰にまみれすすけた色をし、左右の鬢(ビン)の毛はごましおになって、指は十本とも真っ黒だ。

【蒼卒】ソウソツ あわただしい。また、そのさま。倉卒。蒼黄。

【蒼帝】ソウテイ 東方の帝。春をつかさどる。

【蒼天】ソウテン ①青空。大空。蒼空。用例〔詩経、王風、黍離〕悠悠蒼天(ユウユウたるソウテン)、此何人哉(これなにびとぞや)。↓はるかなる青空よ。(かつての都をこのような廃墟にしたのは)誰なのか。②春の空。↔昊天(コウテン)(六五四ページ上)。③天帝。造物主。

【蒼頭】ソウトウ ①青い頭巾で頭を包んだ兵卒。②しもべ。召し使い。

【蒼白】ソウハク 青じろい。青みをおびた白さ。「顔面蒼白」

【蒼△旻】ソウビン ①青空。②秋の空。旻天。

【蒼△蕪】ソウブ 青々としげった草。また、その原野。

【蒼△氓】ソウボウ 人民。万民。蒼生。

【蒼△茫】ソウボウ ①空・海・野原などの青々として広く、果てしのないさま。②薄暗いさま。夕暮れの色のさま。用例〔唐、李白、関山月詩〕明月出₂天山₁、蒼茫雲海間。↓明月が天山からのぼり、夕暮れの雲海の上に浮かんでいる。

【蒼民】ソウミン ＝蒼生。

【蒼冥】ソウメイ 果てしない宇宙。天地。

【蒼△莽】ソウモウ・ソウボウ ①青々として遠いさま。青空の形容。②草木の青々と茂っているさま。

【蒼△蠅】ソウヨウ ①あおばえ。②小人のたとえ。

【蒼△蠅附₂△驥尾₁而致₂千里₁】ソウヨウはキビにフしてセンリをいたす あおばえが駿馬の尾にとまって、遠くまで行く。凡人が賢人のうしろについて、功名をなすたとえ。〔史記、伯夷伝、注〕

【蒼△鷹】ソウヨウ ①鳥の名。白たか。②なさけ知らずの役人のたとえ。鷹があらあらしい鳥なのでいう。

【蒼竜(龍)】ソウリョウ・ソウリュウ ①星座を五つに分けたその一つ。二十八宿中の東の七宿。角・亢・氐・房・心・尾・箕。⇩コラム二十八宿(五五六ページ)。②方位の四神(蒼竜・白虎・朱雀・玄武)の一つ。青竜。③松の老木などの形容。

蒼竜②(漢代画像石)

【蒼老】ソウロウ ①年を経て古びたさま。②年老いたさま。また、白髪まじりの老人。

【蒼浪】ソウロウ 白髪のまじっているさま。

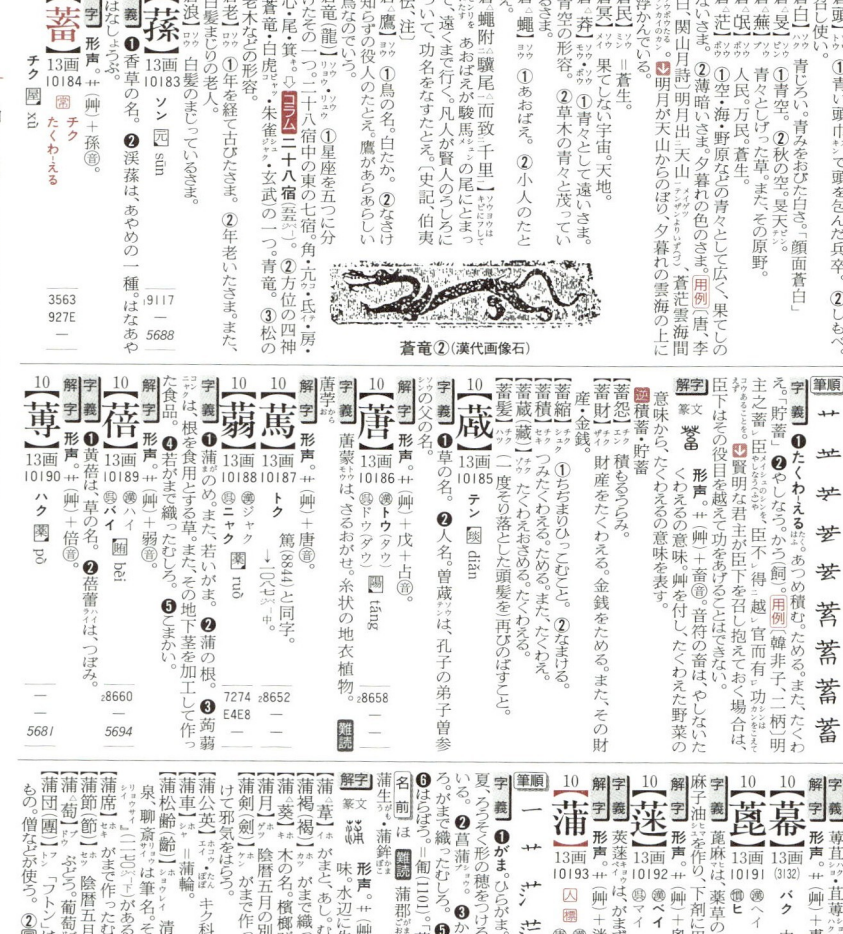

10 【蓀】 13画 10183 ソン 元 sūn　9117 — 5688

字義 ❶香草の名。❷渓蓀は、あやめの一種。はなあやめ。はなしょうぶ。

解字 形声。艹(艸)＋孫音。

10 【蓄】 13画 10184 常 チク たくわ-える　チク 屋 xù　3563 927E —

筆順 艹 … 蓄

字義 ❶たくわ-える。あつめ積む。ためる。また、たくわえ。「貯蓄」❷やしなう。かう(飼)。用例〔韓非子、二柄〕明主之蓄ᵣ臣、臣不ᵣ得₂越ᵣ官而有ᵣ功。↓賢明な君主が臣下を召し抱えておく場合は、臣下はその役目を越えて功をあげることはできない。

解字 篆文 形声。艹(艸)＋畜音。音符の畜は、やしないたくわえるの意味。艸を付し、たくわえた野菜の意味から、たくわえるの意味を表す。

逆 積蓄・貯蓄

【蓄怨】チクエン 積もるうらみ。

【蓄財】チクザイ 財産をたくわえる。金銭をためる。また、その財産・金銭。

【蓄縮】チクシュク ①ちぢまりひっこむこと。②なまける。

【蓄積】チクセキ つみたくわえる。ためる。また、たくわえ。

【蓄蔵(藏)】チクゾウ たくわえおさめる。たくわえる。

【蓄髪】チクハツ (一度そり落とした頭髪を)再びのばすこと。

10 【蒧】 13画 10185 テン 琰 diǎn

字義 ❶草の名。❷人名。曽蒧は、孔子の弟子曽参の父の名。

10 【蓎】 13画 10186 漢トウ(タウ) 呉ドウ(ダウ) 陽 táng　28658 — —

字義 蓎蒙は、さるおがせ。糸状の地衣植物。難読 蓎苧

解字 形声。艹(艸)＋唐音。

10 【蒬】 13画 10187 トク　28652 — —

字義 篤(8844)と同字。→一〇八七ページ中。

10 【蒻】 13画 10188 漢ジャク 呉ニャク 薬 ruò　7274 E4E8 —

字義 ❶蒲のめ。また、若いがま。❷蒲の根。❸蒟蒻は、根を食用とする草。また、その地下茎を加工して作った食品。❹若がまで織ったむしろ。❺こまかい。

解字 形声。艹(艸)＋弱音。

10 【蓓】 13画 10189 漢ハイ 呉バイ 賄 bèi　28660 — 5694

字義 ❶黄蓓は、草の名。❷蓓蕾は、つぼみ。

解字 形声。艹(艸)＋倍音。

10 【蓴】 13画 10190 ハク 薬 pò　— — 5681

字義 蓴苴・苴蓴は、植物の名。みょうが。

解字 形声。艹(艸)＋専音。

10 【幕】 13画 (3132) バク 巾部。→四〇〇ページ中。

10 【蓖】 13画 10191 漢ヘイ・呉ハイ 斉 bì 慣ヒ　7279 E4ED —

字義 蓖麻は、薬草の名。とうごま(唐胡麻)。種子から蓖麻子油を作り、下剤に用いる。

解字 形声。艹(艸)＋毘音。

10 【蒾】 13画 10192 漢ベイ 呉マイ 斉 mí　28656 — 5687

字義 莢蒾は、がまずみ。スイカズラ科の落葉低木。

解字 形声。艹(艸)＋迷音。

10 【蒲】 13画 10193 人 標 漢ホ・呉ブ 唐フ 虞 pú　1987 8A97 —

筆順 一 艹 … 蒲

字義 ❶がま。ひらがま。かば。かま。沼地にはえる多年草。夏、ろうそく形の穂をつける。葉は細長く、むしろを織るのに用いる。❷菖蒲。❸かわやなぎ。柳の一種。❹がまむしろ。がまで織ったむしろ。❺草ぶきのまるい屋根。また、いおり。❻はらばう。＝匍(1101)。「蒲伏」

名前 ほ　難読 蒲郡・蒲原・蒲江・蒲須坂・蒲生・蒲鉾

解字 篆文 形声。艹(艸)＋浦音。音符の浦は、水辺の意味。水辺に生えるがまの意味を表す。

【蒲△葦】ホイ がまと、あし。むしろを織るのに用いる。

【蒲褐(褐)】ホカツ がまで織った敷物と、粗末な毛布。

【蒲△葵】ホキ 木の名。檳榔の別名。葉でうちわを作る。

【蒲月】ホゲツ 陰暦五月の別称。

【蒲剣(劍)】ホケン がまで作った剣。陰暦五月五日に門上にかけて邪気をはらう。

【蒲公英】ホコウエイ・たんぽぽ キク科の多年草。

【蒲車】ホシャ ＝蒲輪。

【蒲松齢(齡)】ホショウレイ 清初の作家。字は留仙、号は柳泉、聊斎は筆名。その著に怪奇小説の『聊斎志異』(二一七〇ページ下)がある。(一六四〇—一七一五)

【蒲席】ホセキ がまで作ったむしろ。

【蒲節(節)】ホセツ 陰暦五月五日の菖蒲の節句。

【蒲△萄】ブドウ ぶどう。葡萄。

【蒲団(團)】フトン 「フトン」は唐音。①がまの葉で作ったしきもの。僧などが使う。②国しとね。布団。

【蒲博】ホハク ばくち。樗蒲と博奕。
【蒲伏・蒲服】ホフク はらばう。はう。
【蒲鞭】ホベン がまのむち。打っても痛くないところから軽い刑罰をいう。
【蒲柳】ホリュウ ①かわやなぎ。蒲楊。②からだの弱いことのたとえ。蒲柳の葉は、早く枯れ落ちるのでいう。「蒲柳の質」
【蒲輪】ホリン 動揺を防ぐため、がまでつつんだ車輪。また、その車。蒲車。「安車蒲輪」
【蒲盧】ホロ ①はちの一種。じがばち。土蜂。②がまと、あし。共に成長が早いところから、政治の行われやすいたとえ。〔中庸〕③腰の細いひさご。

10 【蒲】 13画 10194 漢ホ・呉プ 虞 pú ― ― 5683
字義 樗蒲・摴蒲は、ばくち。采を投げて勝負を決するもの。
解字 形声。艹(艸)＋捕音。

10 【墓】 13画 (2096) ボ 土部。→三八ページ下。

10 【蒡】 13画 10195 ホウ(ハウ) 慣ボウ(バウ) 養 bàng 7280 E4EE ―
字義 牛蒡は、野菜の一種。
解字 形声。艹(艸)＋旁音。

10 【蓬】 13画 10196 ホウ 蓬(10250)の俗字。→一三三ページ中。

10 【夢】 13画 (2233) ム 夕部。→三五ページ上。

10 【蓂】 13画 10197 漢メイ 呉ミョウ(ミャウ) 青 míng 9118 ― 5689
字義 蓂莢は、尭帝のとき生えたというめでたい草。月の一日から十五日までは、毎日一葉を生じ、十六日から晦日までは、毎日一葉ずつ落とし、これによって暦が作られたとされる。こよみぐさ。〔十八史略、五帝、帝尭〕
解字 形声。艹(艸)＋冥音。

10 【蒙】 13画 10198 人 標 漢ボウ 呉モウ 東 méng, ⑨měng 4456 96D6 ―
筆順 艹 芦 苎 莹 蒙 蒙 蒙 蒙
字義 ❶こうむる。受ける。かぶる。❷おおう。おおいかくす。かぶる。着る。❸くらい。おろか(愚)。㋐道理に暗い。幼くて、まだ道理をわきまえない。また、おろか者。「啓蒙」㋑自己の謙称。❹おかす(冒)。乱す。また、乱れる。❺まじる。いりまじる。❻あざむく。だます。❼めを出す。めばえる。❽易の六十四卦の一つ。☵☶坎下艮上。物のかすかであきらかでない象。❾蒙古(モンゴル)の略称。「外蒙」
難読 蒙古
解字 篆文 形声。艹(艸)＋冡音。音符の冡は、頭巾のように頭部が多毛によっておおわれたぶたの意味。艸を付し、おおうの意味を表す。

【蒙闇】モウアン 道理がわからず愚か。
【蒙翳】モウエイ 樹木などがおおいかぶさる。
【蒙倛】モウキ おにやらいをする時に、かぶる面。
【蒙鳩】モウキュウ 鳥の名。みそさざい。
【蒙求】モウギュウ 書名。三巻。唐の李瀚の著。古書の中から古人の逸話を類集し、四字句の韻語を標題として配列して、記憶しやすいようにした初学者向けの教科書。
【蒙古】モウコ ①中国の北部からシベリアの南部にわたる地方の名。モンゴル。内・外・西蒙古の三つに分かれ、外蒙古はモンゴル人民共和国、内蒙古は中国の内モンゴル自治区、西蒙古は新疆ウイグル自治区・甘粛省の一部をなす。②国名。元朝の旧号。
【蒙士】モウシ 無知の人。愚人。
【蒙死】モウシ 死をおかす。死をかえりみないこと。
【蒙師】モウシ 子供の先生。
【蒙戎】モウジュウ 乱れるさま。蒙茸。
【蒙衝】モウショウ いくさ舟。昔の戦艦。艨艟。
【蒙茸】モウジョウ ①草の乱れ生ずるさま。②物の乱れるさま。③乱れにげるさま。
【蒙塵】モウジン ①頭にちりをかぶること。②天子が変事のために都の外に身をのがれること。〔左伝、僖公二十四〕
【蒙叟】モウソウ 荘子の別称。▼蒙は荘子の生地、叟は老先生の意。→荘周(一三一〇ページ上)。
【蒙稚】モウチ おさなご。知恵のまだ発達しない子ども。
【蒙恬】モウテン 秦の武将。始皇帝に仕えて、匈奴を征し、万里の長城を築いた。二世皇帝のとき、趙高らにはかられて自殺した。毛筆を発明したといわれる。(?―前二一〇)
【蒙鈍】モウドン おろかでにぶい。
【蒙被】モウヒ こうむる。うける。
【蒙蔽】モウヘイ ①明智がおおわれてくらいこと。おろか。朦蔽。②くらます。騙る。目をかすめる。
【蒙昧】モウマイ おろかで道理にくらいこと。愚昧。「無知蒙昧」
【蒙密】モウミツ 乱れ茂る。また、そのくさむら。
【蒙蒙】モウモウ ①さかんなさま。②くらいさま。
【蒙幼】モウヨウ おさなくおろか。道理をわきまえない、おさない子。幼童。蒙稚。
【蒙養】モウヨウ ①才知をかくしおろかなふりをして、正しい道を修行すること。②子供を教育すること。
【蒙絡】モウラク 一面にひろがってからみつくこと。
【蒙瓏・蒙蘢・蒙籠】モウロウ 草木の乱れ茂るさま。草木のはびこりおおうさま。また、その場所。
【発(發)レ蒙振レ落】モウをひらきラクをふるう(ふ) 物の上のおおいをとり除き木の葉をふるい落とす。(敵を攻め討つことなどの)非常にたやすいことのたとえ。〔史記、汲黯伝〕

10 【蓉】 13画 10199 人 漢ヨウ 呉ユウ 冬 róng 4554 9775 ―
筆順 艹 芦 芦 茓 荧 荧 蓉 蓉
字義 ❶芙蓉は、蓮の別名。はちす。はすの花。❷木芙蓉は、木の名。ふよう。
名前 はす・よう
解字 篆文 形声。艹(艸)＋容音。

10 【蒞】 13画 10200 リ 莅(10009)の俗字。→一三二五ページ中。 9113 ― 5677

10 【蓮】 13画 10201 人 11 〖蓮〗 14画 10202 レン 先 lián 4701 9840 ―
筆順 艹 廿 芇 苩 苣 菫 蓮 蓮 蓮
字義 ❶はす。はちす。＝荷(9964)。❷はすの実。
名前 はす・れん
解字 篆文 形声。艹(艸)＋連(連)音。音符の連は、つらなるの意味。並んで実のつく、はすの意味を表す。

【蓮花・蓮華】レンゲ・レンガ ①はすの花。連花。仏教で、仏の国・極楽浄土にたとえる。「蓮華世界」②国れんげ草。
【蓮瞼】レンケン 美しい顔。花顔。
【蓮座】レンザ 仏蓮華の形に作った台。仏像の座。
【蓮子】レンシ はすの実。蓮実。
【蓮台(臺)】レンダイ 仏はすのうてな。蓮華の台座。仏像をのせる台。蓮華座。
【蓮府】レンプ 大臣の屋敷。転じて、大臣のこと。南斉の王倹がはすを家に植えたことからいう。「蓮府槐門」
【蓮歩】レンポ 美人がしなやかに歩くさまの形容。〔南史、斉東昏侯紀〕→金蓮歩(一四六三ページ下)。
【蓮峰】レンポウ 国富士山の別名。蓮岳。

10 【蒗】13画 10203 ロウ(ラウ) 漾 làng ₂8654 — —

字義 ❶蒗蕩(ロウトウ)は、運河の名。❷寧蒗彝族(ネイロウイゾク)自治県は、雲南省内。

解字 形声。艹(艸)＋浪㊚。

10 【蓈】13画 10204 ロウ(ラウ) 陽 láng — — 5691

字義 童蓈・董蓈(ロウ)は、草の名。ちからぐさ。いぬあわ。

解字 形声。艹(艸)＋郎㊚。

10 【蓙】13画 10205 国字 7272 E4E6 —

字義 ザ。ござ(茣蓙)。藺草(いぐさ)で編んだ敷き物。

解字 形声。艹(艸)＋座㊚。音符の座は、御座(ゴザ)(貴人の座席の意味)の座の音と意味を表す。

10 【蓜】13画 10206 国字 ₂8653 ED44 5701

字義 蓜島(はいじま)・南蓜(なんばい)は、姓氏。

解字 形声。艹(艸)＋配㊚。

11 【蔭】14画 10207 人 標 ㊀漢イン・呉オン 沁 yìn ㊁漢イン・呉オン 侵 yīn 1694 88FC —

筆順 艹 艹 芦 芦 蔭 蔭 蔭 蔭

[䕃] 10208 俗字 [蔭] 10262 俗字 [蔭] 13152 俗字

字義 ㊀❶かげ。㋐草木がおおって日の当たらない所。こかげ。「緑蔭」㋑日影。日光。ひざし。❷おかげ。㋐たすけ。庇護(ヒゴ)。㋑父祖の遺勲・門閥によって官を得ること。❸おおう。かくす。かばう。たすける。❹しげる(茂)。さかんにしげる。㊁＝㊀❹。

名前 かげ・すけ

解字 篆文 形声。艹(艸)＋陰㊚。音符の陰は、かげの意味。艸を付し、草木のかげの意味を表す。

【蔭藹(アイイン)】樹木がさかんにしげるさま。

【蔭位(インイ)】父祖の功績によって得る位。

【蔭鬱(インウツ)】草木がしげりおおうさま。また、その所。

【蔭映(インエイ)】①おおいてらす。②人や物が密集しているとき、互いのかげや色が他にうつりあうこと。

【蔭官(インカン)】父祖のおかげで得た官。

【蔭子(インシ)】父祖のおかげで官を得た人。蔭生。

【蔭生(インセイ)】＝蔭子。

【蔭庇(インピ)】かばい助ける。

【蔭補(インホ・インポ)】父祖のおかげで官位を受ける。

11 【䕃】14画 10208 イン ₂8661 — —

蔭(10207)の俗字。→一二三一ジベー上。

11 【蔚】14画 10209 ㊀イ(ヰ) 未 wèi ㊁漢ウツ・呉ウチ 物 yù 1722 8955 —

字義 ㊀❶おとこよもぎ。牡蒿(ボコウ)。❷草木がさかんにしげるさま。❸あやのあるさま。模様やいろどりのあるさま。㊁❶草の名。❷＝㊀❷。＝鬱(13928)。

解字 篆文 形声。艹(艸)＋尉㊚。音符の尉は、熱気がこもるの意味。草木のこんもりしげるさまを表す。

【蔚蔚(ウツウツ)】心が晴れないさま。

【蔚起(ウツキ)】盛んにおこる。

【蔚然(ウツゼン)】①しげっているさま。こんもりとしたさま。②さかんなさま。③星が並んでいるさま。

【蔚藍天(ウツランのテン)】青空。一説に、天の名。

11 【蔫】14画 10210 エン 先 yān, niān ₂8673 — 5727

字義 ❶しぼむ。❷古い。❸すえる。食物が腐ってすっぱくなる。国タバコ。

解字 形声。艹(艸)＋焉㊚。

11 【蓲】14画 10211 ㊀ク 虞 xū ㊁漢オウ・呉ウ 尤 ōu — — 5707

字義 ㊀温める。㊁木の名。にれ。とげのあるにれ。

解字 形声。艹(艸)＋區㊚。

11 【蔇】14画 10212 漢キ 呉ケ 未 jì, ②xì

[蔇] 10270 俗字

字義 ❶草の多いさま。❷至る。及ぶ。

解字 形声。艹(艸)＋既㊚。

11 【蔃】14画 10213 漢キョウ(キャウ) 呉ゴウ(ガウ) 陽 qiáng — — 5714

字義 蔃茮(キョウキュウ)は、植物の名。ゆり。

解字 形声。艹(艸)＋強㊚。

11 【蓺】14画 10214 ゲイ ₂8667 — 5710

芸(9826)と同字。→一二九七ジベー中。

11 【蔲】14画 10215 漢コウ 呉ク 宥 kòu ₁9120 — 5709

字義 豆蔲・荳蔲(トウコウ)は、びゃくずく(白豆蔲)。また、ホルトノキの別名。

解字 形声。艹(艸)＋寇㊚。

11 【蔜】14画 10216 ゴウ(ガウ) 豪 号 āo — — 5719

字義 草の名。はこべ。また、たびらこ。ほとけのざ。

解字 形声。艹(艸)＋敖㊚。

11 【蔛】14画 10217 漢コク 呉ゴク 屋 hú ₂8670 — —

字義 石蔛は、草の名。ラン科の多年草。

解字 形声。艹(艸)＋斛㊚。

11 【蔡】14画 10218 サイ 泰 cài 7281 E4EF —

字義 ❶草が乱れ散るさま。また、草むら。❷あくた。ごみ。❸のり(法)。法則。❹おとろえる(衰)。❺へらす(減)。へる。❻かめ(亀)。うらないに用いる大きなかめ。❼周代の国名。今の河南省上蔡県の西南。楚に滅ぼされた。

解字 形声。艹(艸)＋祭㊚。

【蔡琰(サイエン)】後漢末の女流詩人。蔡邕(サイヨウ)のむすめ。字(あざな)は文姫(ブンキ)。「悲憤詩」「胡笳(コカ)十八拍」などの作品がある。

【蔡元定(サイゲンテイ)】南宋(ナンソウ)の学者。字(あざな)は季通。諡(おくりな)は文節。西山先生と号した。朱熹(シュキ)を師と仰いだが、朱熹は老友として敬った。著書に『律呂(リツリョ)新書』『大衍(ダイエン)詳説』などがある。(一一三五—一一九八)

【蔡元培(サイゲンバイ)】中華民国の教育者・学者。字(あざな)は鶴卿(カクケイ)。胡適(コテキ)らの文学革命に参加、民国初代の教育総長・北京大学学長・中央研究院院長を歴任した。著書に『哲学綱要』『中国倫理学史』などがある。(一八六八—一九四〇)

【蔡侯紙(サイコウシ)】紙の別名。後漢の蔡倫(サイリン)が紙を発明したのでいう。

【蔡州(サイシュウ)】州の名。隋(ズイ)代に置かれた。今の河南省汝南(ジョナン)県。昔の蔡国の地。

【蔡邕(サイヨウ)】後漢末の学者。字(あざな)は伯喈(ハクカイ)。文学・天文・音律に通じ、書にもすぐれていた。著書に『独断』『蔡中郎集』などがある。(一三三—一九二)

【蔡倫(サイリン)】後漢の宦官(カンガン)。字(あざな)は敬仲。和帝のとき、中常侍となった。世界で初めて紙を発明したとされる。(?—一二一)

11 【蔪】14画 10219 ㊀漢サン・呉セン 咸 shān ㊁セン 塩 jiān — — 5726

字義 ㊀❶かる(刈)。かり取る。❷麦の穂がのびそろっているさま。「蔪蔪」㊁麦の穂がのびそろっているさま。

解字 形声。艹(艸)＋斬㊚。

11 【蓰】14画 10220 シ 紙 支 xǐ ₂8665 — 5705

字義 ❶五倍。「倍蓰」❷離蓰は、鳥の羽ばたけないさま。

解字 形声。艹(艸)＋徙㊚。

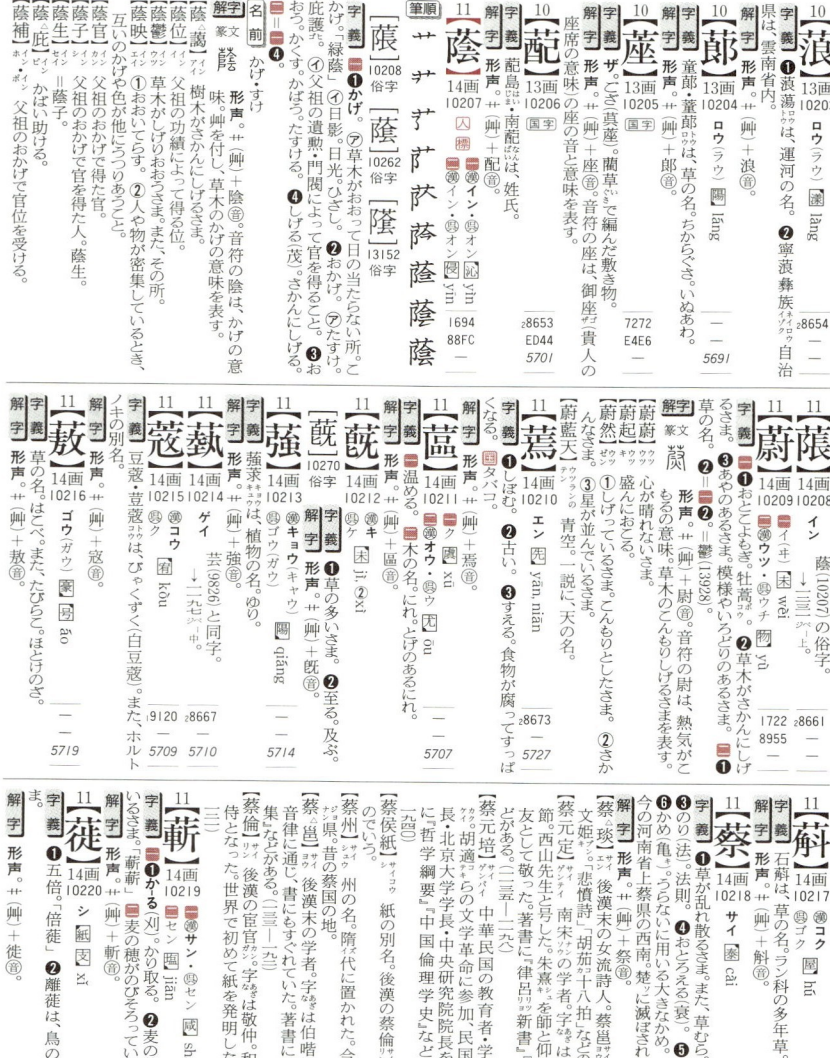

11【蓨】14画 10221 シュウ 脩(10172)の正字。→一三七ジ下。

11【蓻】14画 10222 シュウ(シフ) 緝 zí ― ― 5711
字義 ❶草木の芽が生え始めたさま。❷茅萱の根。また、その芽。
解字 形声。艹(艸)+執音。

11【蓿】14画 10223 漢シュク 呉スク 屋 xù(sù) 7282 E4F0 ―
字義 苜蓿は、うまごやし。
解字 形声。艹(艸)+宿音。

11【蓴】14画 10224 漢シュン 呉ジュン 真 chún 7283 E4F1 ―
【蒓】10173 同字
字義 ❶蓴菜は、ぬなわ。池や沼に自生し、食用になる。❷蒲の穂。 難読 蓴菜
解字 形声。艹(艸)+專音。
【蓴羹鱸膾】ジュンコウロカイ じゅんさいの吸い物と、鱸のなます。晋の張翰が故郷のこの二つの名産を味わおうとして、官をやめて帰郷した故事から、故郷に帰りたいと思うことのたとえ。〔晋書、張翰伝〕

11【蔗】14画 10225 シャ 禡 zhè 慣ショ 7284 E4F2 ―
字義 ❶さとうきび。イネ科の多年草。インド原産。茎はとうもろこしに似て節があり、茎のしぼり汁から砂糖を製する。甘蔗。❷うまい。よい。また、おもしろい。
解字 形声。艹(艸)+庶音。
【蔗境】シャキョウ・ショキョウ 談話・文章、または事件などの面白いところ。佳境。

11【蔣】14画 10226 入 標 一 漢ショウ(シャウ) 呉ソウ(サウ) 陽 jiāng 二 漢ショウ(シャウ) 呉ソウ(サウ) 養 jiǎng 19122 ― 5722
筆順 蔣
【蒋】10174 簡易
字義 一 草の名。まこも(菰)。二 ❶=一。❷はげます。=奨(2298)。❸しきもの。❹周代の国名。春秋時代、楚に滅ぼされた。今の河南省固始県の西北。
解字 形声。艹(艸)+將音。
【蔣介石】ショウカイセキ 中華民国の政治家。浙江省奉化県の人。字は中正。孫文の中国同盟会に参加し、孫文の死後は、国民党の実権をにぎって、南京国民政府の主席となった。太平洋戦争後、中華民国総統となったが、共産党との内戦に敗れて台湾に退いた。(一八八七―一九七五)

11【蕭】14画 10227 ショウ 蕭(10330)の俗字。→一三三九ジ上。 28677 ― ―

11【蓯】14画 10228 一 漢ショウ 呉シュ 冬 東 cōng 二 ソウ 董 sǒng 28664 ― 5704
字義 一 蓯蓉は、きのこの一種。肉蓯蓉。草蓯蓉。二 葑蓯は、かぶ。かぶら。
解字 形声。艹(艸)+從音。

11【蓧】14画 10229 漢チョウ(テウ) 呉ジョウ(デウ) 嘯 diào 28662 ― 5702
字義 あじか。ざるの類い。竹または草木の枝などで作り、穀物を入れる。
解字 形声。艹(艸)+條音。

11【蔘】14画 10230 シン 侵 shēn 7285 E4F3 ―
【蓡】10333 本字
字義 人蔘は、薬草の名。ちょうせんにんじん。人参。=参(1261)。
解字 篆文 形声。艹(艸)+參音。篆文は、艹(艸)+浸音。

11【蔯】14画 10231 漢チン 呉ジン(ヂン) 真 chén 19123 ― 5728
字義 茵蔯は、かわらよもぎ。キク科の多年草。
解字 形声。艹(艸)+陳音。

11【蔧】14画 10232 漢スイ 呉ズイ 霽 huì ― ― 5725
字義 草の名。ほうきぐさ。
解字 形声。艹(艸)+彗音。

11【蔎】14画 10233 漢セツ 呉セチ 屑 shè ― ― 5717
字義 ❶香草。かおりぐさ。❷かんばしい。❸茶の別名。
解字 形声。艹(艸)+設音。

11【蔳】14画 10234 セン 蒨(10180)と同字。→一三二八ジ中。 ― ― 5729

11【蔟】14画 10235 一 ソウ 宥 còu 二 ソク 屋 cù 慣ゾク 7287 E4F5 ―
字義 一 ❶大蔟は音楽の十二律の名。日本の平調に相当する。❷むらがる。あつまる。❸すすむ(進)。二 ❶まぶし。蚕蔟。かいこをとまらせて繭をかけさせるもので、わらで製する。❷=一❷。❸す(巣)。
解字 篆文 形声。艹(艸)+族音。音符の族は、あつまるの意味。草のあつまり生えているの意味を表す。

11【蔥】14画 10236 ソウ 葱(10118)の正字。→一三二三ジ下。 28672 ― 5724

11【蔌】14画 10237 ソク 屋 sù 28669 ― 5716
字義 ❶な(菜)。あおもの。野菜類の総称。また、料理した野菜。❷ちがやの一種。
解字 形声。艹(艸)+敕音。
【蔌蔌】ソクソク ①風がはげしく吹くさま。②物がさがさとひびく音の形容。③やつれたさま。また、貧しいさま。④水が流れるさま。⑤花が落ちるさま。

11【蓷】14画 10238 漢タイ 呉ツイ 灰 tuī ― ― 5708
字義 めはじき。やくも草。薬草の一種。シソ科の二年草。
解字 形声。艹(艸)+推音。

11【蔕】14画 10239 一 漢テイ・呉タイ 霽 dì 二 タイ 卦 chài 7288 E4F6 ―
【蒂】10123 同字
字義 一 ❶へた。果実の蔕。ほぞ。また、花の萼。❷つく(付)。へたで付着する。❸根。根もと。=柢(5333)。「根蔕」 二 とげ。小さなとげ。転じて、わずかなさしさわり。小さな故障。
解字 篆文 形声。艹(艸)+帶音。音符の帶は、おびの意味。果実の茎につくところに帯状につく「へた」の意味を表す。

11【蔦】14画 10240 入 チョウ(テウ) 篠 niǎo 3653 92D3 ―
筆順 蔦
字義 つた。ブドウ科の多年生植物。寄生性のつる草で、山野に自生する。
名前 つた
解字 篆文 形声。艹(艸)+鳥音。
【蔦蘿】チョウラ ①つた。つたかずら。②蔦と女蘿(さるおがせの類い)。
【蔦蘿施二喬松一】チョウラキョウショウにほどこす 兄弟や親戚が親しみあうたとえ。

11【蔋】14画 10241 テキ 荻(9991)と同字。→一三二四ジ上。 ― ― 5718

11【蓪】14画 10242 漢トウ 呉ツウ 東 tōng ²8663 — 5703

字義 あけび。アケビ科のつる性落葉低木。通草。木通。

解字 形声。艹(艸)＋通音。

11【蔢】14画 10243 漢ハ 呉バ 歌 pō — — 5721

字義 蔢蔢は、草木の茂るさま。

解字 形声。艹(艸)＋婆音。

11【蓽】14画 10244 漢ヒツ 呉ヒチ 質 bì ²8668 — 5712

字義 ❶まめ(豆)。❷いばら(荊)。❸まがき。＝篳(8874)。

解字 形声。艹(艸)＋畢音。

【蓽門】いばらで作った門。転じて、貧しい人の家。荊門。柴門。

11【蔔】14画 10245 漢ホク・呉ボク 職 bó 慣フク 7289 E4F7 —

字義 蘿蔔は、だいこん(大根)。＝菔(10061)。

解字 形声。艹(艸)＋匐音。

11【蓱】14画 10246 漢ヘイ 呉ビョウ(ビャウ) 青 píng ²8666 — 5706

字義 ❶うきくさ。水草の一種。＝苹(10062)。❷雨をつかさどる神。雨師。蓱翳。

解字 篆文 形声。艹(艸)＋氵(水)＋幷音。音符の幷は、ならぶの意味。沼などに並んで生える水草の意味を表す。

11【蔑】14画 10247 常 ベツ さげすむ 4246 95CC —

11〖蔑〗15画 10248 漢ベツ 呉メチ 屑 miè

筆順 艹 … 蔑

［蔑］10249 俗字

字義 ❶さげすむ。あなどる。ばかにする。「軽蔑」❷ない(弗)。❸あざむく。❹くらい(暗)。目に光がない。視力がとぼしい。❺小さい。くわしい。❻けずる(削)。❼ほろぼす(滅)。国なみする。ないがしろにする。ないものと考えて無視する。

解字 甲骨文 篆文 形声。伐＋苜(苜)音。伐は、とり除くの意味。音符の苜は、かすかで目に見えない精霊(草木に宿っているとされる魂)の象形。精霊の力でしりぞけて存在を認めない、あなどるの意味を表す。

【蔑棄】あなどり捨てる。

【蔑殺】ほろぼし殺す。

【蔑視】見下げる。ないがしろにする。

【蔑如】①他人をばかにするさま。②ほろびるさま。なくなるさま。

【蔑然】くらいさま。また、区別のはっきりしないさま。

【蔑蒙】①はやいさま。②飛び上がるさま。

11【蔑】14画 10249 ベツ 蔑(10247)の俗字。→一二三ページ上。

11【慕】14画 (3585) ボ 心部。→五三四ページ中。

11【暮】14画 (4847) ボ 日・曰部。→六七九ページ中。

11【蓬】14画 10250 人 標 漢ホウ 呉ボウ 東 pēng 4309 9648 —

筆順 艹 … 蓬

［蓬］10196 俗字

字義 ❶よもぎ。㋐キク科の多年草。山野に群生し白い花をつける。やなぎよもぎ。㋑アカザ科の二年草。枯れた後、強風で原野を転がるという。「転蓬」❷みだれるさま。ゆれ動くさま。また、生い茂るさま。❸助ける。国ほおける。ほつれてみだれる。

名前 しげ 難読 蓬生

解字 篆文 形声。艹(艸)＋逢音。蓬の原字は、丰で、葉のよく茂った、よもぎの象形であったが、丰で書かれる語が多様に意味を派生するにつれて、蓬という字になった。

【蓬瀛】蓬萊と瀛州の二つの仙山。方丈と合わせて海中の三神山という。ともに東海にあり、神仙が住むといわれた所。→蓬萊①。

【蓬艾】よもぎ。

【蓬戸】よもぎで編んだ戸。貧者の家。

【蓬戸甕牖】貧者の住居の形容。▼甕牖は、破れたかめを窓とした家。〔礼記、儒行〕

【蓬壺】仙人が住むという海中の山。形が壺に似ているのでいう。用例〔唐、李白、哭二晁卿衡一詩〕日本晁卿辞二帝都一、征帆一片遶二蓬壺一。↓日本の阿倍仲麻呂は唐の都に別れを告げ、一そうの去りゆく帆船にのって、蓬萊の島をめぐって行った。

【蓬蒿】①よもぎ。また、その草むら。②草深いいなか。③野菜の名。しゅんぎく。

【蓬矢】よもぎで作った矢。邪気を払うという。

【蓬室】よもぎで屋根をふいた家。貧者や隠者の家。

【蓬首】よもぎのように髪の乱れた頭。蓬頭。

【蓬生】よもぎのしげった地。草深い土地。

【蓬生二麻中一不レ扶△而直】曲がったよもぎも、麻のようなまっすぐにのびる草の中にはえると、手を加えなくとも、まっすぐになる。悪人でも善人と交わっているうちに、良くなってくることのたとえ。〔荀子、勧学〕

【蓬窓】よもぎなどが生えたそばの窓。

【蓬島】仙人が住むという海島。蓬萊山。蓬丘。

【蓬髪】よもぎのように乱れた髪。

【蓬飄】よもぎが風にひるがえるように所を定めず放浪すること。蓬転。

【蓬蓬】①さかんなさま。②風が吹き起こるさま。

【蓬茅】草むら。用例〔人虎伝〕我為二異物一蓬茅下、君已乗レ軺気勢豪。↓私は草むらに身を隠すけだものとなり、君はもう使者の馬車に乗る高官となって威風堂々としている。

【蓬勃】①雲が起こるさま。②風が吹き起こるさま。③光の輝くさま。④香気がにおうさま。

【蓬門】よもぎを編んで作った門。転じて、貧家、また、隠者の家。蓬戸。

【蓬萊】①想像上の仙山の名。東海の東にあり、仙人が住んでいたという。蓬丘。蓬壺。〔史記、封禅書〕②くさむら。草やぶ。③香の名。④国松竹梅・鶴亀などを表した新年のかざり。

【蓬萊宮】①想像上の山、蓬萊山にあるとされる宮殿。②唐の高宗が建てた宮殿の名。本来の名は大明宮。用例〔唐、白居易、長恨歌〕昭陽殿裏恩愛絶、蓬萊宮中日月長。↓生前、昭陽殿でいただいためぐみ深い愛は、今は断ち切られてしまい、ここ蓬萊宮では長い月日が過ぎさりました。

【蓬累】よもぎが風に吹かれて飛ぶように、さまよい歩くこと。一説に、頭に物をのせ、両手でささえて行くこと。

【蓬廬】よもぎでふいた、いおり。そまつな家。

11【蔀】14画 10251 漢ホウ 呉ブ 有 bù, pǒu 2835 8EC1 —

字義 ❶しとみ。日光・風雨をさえぎる戸。「半蔀」❷おおい(覆)。また、おおう。❸小さい。❹くらい(暗)。❺昔の暦法の名。一年を三六五日四分の一、十九年を章として七閏月をおき、四章を蔀、二十蔀を紀、三紀を元と言った。〔後漢書、律暦志下〕❻星の名。

解字 形声。艹(艸)＋部音。

11【蔴】14画 10252 マ 麻(14446)の俗字。→一六四三ページ中。 28674 — 5730

11【蔓】14画 10253 人 標 一 漢バン 呉マン 願 wàn 二 漢バン 呉マン 寒 mán 4402 96A0 —

筆順 艹 艹 芇 苜 莒 莒 莒 蔓 蔓

字義 一 ❶つる。また、つる草。❷つるが出る。また、つるを出す。❸のびる(延)。はびこる。広がる。❹乱れる。❺まとう。からむ。二 →蔓菁(マンセイ)。国 つる。㋐鉱脈。㋑すじ。系統。㋒つて。たより。てづる。

名前 なが・のぶ

解字 篆文 形声。艹(艸)+曼音。音符の曼(マン)は、長くのびるの意味。つるが伸びる・つるくさの意味を表す。

【蔓引】(マンイン) たがいに引き連なる。つるのように連なること。
【蔓延・蔓△衍】(マンエン) のび広がる。のびはびこる。
【蔓生】(マンセイ) ①つるになって成長する。②つる草。
【蔓△菁】(マンセイ・かぶら) 野菜の名。かぶ。蕪菁(ブセイ)。
【蔓草】(マンソウ) つる草。はびこっているつる草。
【蔓草寒煙】(マンソウカンエン) はびこっているつる草と、ものさびしいもや。古跡などの荒れはてたさま。
【蔓草猶不レ可レ除】(マンソウすらなお(ほ)のぞくべからず) つる草でさえ、はびこってしまえば除くことはできない。めんどうな物事は初期のうちに処理しなければ、後になってはどうすることもできなくなることのたとえ。〔左伝、隠公元〕
【蔓△纏】(マンテン) ①からみまとう。また、そのもの。つる草など。②束縛するもの。わずらい。
【蔓蔓】(マンマン) ①長く久しいさま。②長い間続いて、日々に茂ってゆくさま。③はびこり広がるさま。④とりとめがなく、はっきりと知り難いさま。
【不レ蔓不レ枝】(マンせずシせず) つるも出さず、枝も分けない。君子が、純一孤高の風格を守って雑念なく、みだりに人の仲間に入らないたとえ。また、文章の簡潔なことにもいう。〔北宋、周敦頤、愛蓮説〕

11【蔤】14画 10254 漢ビツ・呉ミチ 質 mì 慣ミツ 28671 — 5723
字義 ❶はす。蓮根(レンコン)。❷がま(蒲)の根。
解字 形声。艹(艸)+密音。

11【蔆】14画 10255 リョウ 菱(10072)と同字。→一二三〇ページ上。 7249 E4CF —

11【蓼】14画 10256 標 一 リョウ(レウ) 篠 liǎo 二 漢リク・呉ロク 屋 lù 7290 E4F8 —
字義 一❶たで。水辺に生じ、非常に辛味のある草。❷困難のたとえ。❸春秋時代の国名。今の河南省固始県の地。二 草が長く大きいさま。 難読 蓼科(たでしな)
解字 形声。艹(艸)+翏音。
【蓼△莪△之詩】(リクガのシ) 『詩経』小雅の詩編名。孝子が労役に従事して家を留守にしていたため、親の生前に孝養を尽くし得なかった悲しみを歌った詩。
【蓼虫(蟲)不レ知レ苦】(リョウチュウにがきをしらず) たでの味は辛くて苦いが、それを食べている虫は辛く苦いとは思わない。人も好きになると何でも苦にならないということのたとえ。たで食う虫もすきずき。〔鶴林玉露、四虫〕
【蓼蓼】(リクリク) 長く大きいさま。

11【蔂】14画 10257 ルイ 支 léi — — 5713
字義 ふご。もっこ。土などを盛って運ぶ道具。
解字 形声。艹(艸)+累音。

11【蓮】14画 (10202) レン 蓮(10201)の旧字体。→一二三〇ページ下。

11【蔞】14画 10258 漢ロウ 呉ル 尤 lóu 19121 — 5720
字義 ❶よもぎ。白よもぎ。食用にする。「蔞蒿(ロウコウ)」❷草の長く大きなもの。
解字 形声。艹(艸)+婁音。

11【蔶】14画 10259 国字 — — 5731
字義 す。すのこ。=簀(8859)。
解字 簀(サク)の竹冠が草冠に変化した形。簀は、すのこの意味。

11【蔃】14画 10260 国字 19119 — —
字義 蔃谷地(くごやち)は、青森県の地名。蔃井(くもい)は、姓氏。

12【蔿】15画 10261 イ(ヰ) 紙 wěi — — 5732
字義 ❶草の名。ひめはぎ。❷春秋時代、楚(ソ)の地名。
解字 形声。艹(艸)+爲音。

12【蔭】15画 10262 イン 蔭(10207)の俗字。→一二三一ページ上。 28678 — —

12【蕓】15画 10263 ウン 文 yún 28681 EE7D 5738
字義 あぶらな。なたね。蕓薹(ウンダイ)。実から、油を製する。
解字 形声。艹(艸)+雲音。

12【蕰】15画 10264 ウン 蘊(10309)と同字。→一二三八ページ上。

12【蕐】15画 10265 カ 華(9965)と同字。→一二一二ページ上。 — — 5735

12【蕚】15画 10266 ガク 蕚(10085)の俗字。→一二二〇ページ中。 7254 E4D4 —

12【蕑】15画 10267 漢カン 呉ケン 刪 jiān
〔蕑〕10268 俗字
字義 ❶ふじばかま。キク科の多年草。花は薄紫色で香りが高い。秋の七草の一つ。❷はす(蓮(レン))。はちす。
解字 形声。艹(艸)+間音。

12【蕑】15画 10268 カン 蕑(10267)の俗字。→一二三四ページ下。 28680 — 5736

12【蕢】15画 10269 一 漢キ・呉ギ 寘 kuì 二 漢カイ(クヮイ) 呉ケ 卦 kuài 28684 — 5747
字義 一 あじか。もっこ。土を運ぶもの。竹やわらで作る。二 ❶あれる。また、荒れ地。❷つちくれ。土塊。=塊(2077)。
解字 篆文 形声。艹(艸)+貴音。音符の貴は、両手で物をおくる形を表す。草で編んだ、もっこの意味を表す。塊に通じ、かたまりの意味をも表す。
【蕢△桴】(カイフ) 鼓を打つ土製のばち。

12【蕺】15画 10270 キ 蕺(10212)の俗字。→一二三一ページ中。 — — 5715

12【蕖】15画 10271 漢キョ 呉ゴ 魚 qú — — 5739
字義 ❶芙蕖(フキョ)は、はす(蓮(レン))。はちす。❷いも。おやいも。
解字 形声。艹(艸)+渠音。音符の渠(キョ)は、ほりわりの意味。ほりわりの草、はすの意味を表す。

12【蕎】15画 10272 人 標 一 漢キョウ(ケウ) 呉ギョウ(ゲウ) 蕭 qiáo 二 キョウ 蕭 jiāo 2230 8BBC —
筆順 艹 艹 芡 茓 茓 蕎 蕎 蕎
字義 一 そば。→蕎麦。二 たかとうだい。薬草の一種。
解字 形声。艹(艸)+喬音。
【蕎麦(麥)】(キョウバク・そば) タデ科の一年草。その実からそば粉を製する。木麦。花麦。

12【蕀】15画 10273 漢キョク 呉コク 職 jí 7291 E4F9 —

字義 ❶顚蕀(テンキョク)は、くさすぎかずら。ユリ科の多年生つる草。根は強壮・利尿などの薬になる。天門冬。❷蕀苑(キョクエン)は、いとひめはぎ。遠志(オンジ)。

12 【蕙】 15画 10274 漢ケイ 呉エ(ヱ) 霽 huì 19124 EE7E 5740

字義 ❶かおりぐさ(かをりぐさ)。㋐多年草で中国南部に産する。湖南省永州市の零陵から出るものが最も有名であるので零陵香の名がある。㋑香草の名。蘭(ラン)の類いで、香りは蘭よりおとる。蕙蘭。❷美しい。かぐわしい。

解字 形声。艹(艸)+惠音。

【蕙△芷・蕙△茝】(ケイシ) かおり草と、よろい草。ともに、香草の名。

【蕙質】(ケイシツ) 美しい性質。美人の体質。美質。

【蕙若】(ケイジャク) かおり草と、杜若(やぶみょうが)。ともに、香草の名。

【蕙心】(ケイシン) 美人のうるわしい心。「蕙心紈質(ガンシツ)」

【蕙△蘭】(ケイラン) 香草。蘭の一種。単に蕙ともいう。→字義❶㋑。

12 【蕨】 15画 10275 人 標 漢ケツ 呉カチ(クワチ) 月 jué 4747 986E —

筆順 艹 艹 芦 芦 芦 茈 蕨 蕨 蕨

字義 ❶わらび。山野に自生するしだ類の植物で、若芽は巻いて拳(こぶし)のような形をしていて、食用となる。❷迷蕨は、ぜんまい。

名前 わらび

解字 篆文 形声。艹(艸)+厥音。音符の厥(ケツ)は、掘るの意味。土を掘り割って芽を出す、わらびの意味を表す。

【蕨拳】(ケッケン・ケツケン) わらびの若芽。拳(こぶし)の形をしているのでいう。蕨手。

【蕨△薇】(ケツビ) わらびと、のえんどう。

12 【蕞】 15画 10276 漢サイ 呉ザイ 泰 zuì 28682 — 5743

字義 ❶小さいさま。❷あつまるさま。

解字 形声。艹(艸)+最音。

【蕞△爾】(サイジ) 小さいさま。

【蕞△芮】(サイゼイ) ①あつまるさま。②いやしくみにくいさま。

12 【蕣】 15画 10277 シュン 震 shùn 7292 E4FA —

字義 むくげ。きはちす。木槿(モクキン)。国あさがお(あさがほ)。朝顔。

解字 形声。艹(艸)+舜音。

【蕣英】(シュンエイ) むくげの花。蕣華。蕣栄。

12 【蕠】 15画 10278 漢ジョ 呉ニョ 魚 rú — — 5745

字義 蕠藘(ジョロ)・蕠芦(ジョロ)は、あかねぐさ。アカネ科の多年草。

解字 形声。艹(艸)+絮音。

12 【蕉】 15画 10279 人 ショウ(セウ) 蕭 jiāo 3054 8FD4 —

筆順 艹 艹 芢 芢 芢 萑 萑 萑 蕉

字義 ❶きあさ。麻のまださらさないもの。❷芭蕉(バショウ)は、バショウ科の大形の多年草。❸こげる。黒い。＝焦(7063)。❹かる(刈)。❺あくた。雑草。❻たきぎ(薪(シン))。❼おとろえる。やつれる。＝顦(13515)。

名前 しょう

解字 篆文 形声。艹(艸)+焦音。

【蕉衣】(ショウイ) ①ばしょうの葉。②蕉布(ばしょうの繊維で織った布)で作った衣服。

【蕉△萃】(ショウスイ) やつれる。みすぼらしい。また、その人。憔悴。顦顇(ショウスイ)。

【蕉風】(ショウフウ) ①ばしょうに吹く風。②国松尾芭蕉(まつおバショウ)の俳風、またはその門流の称。正風。

【蕉鹿夢】(ショウロクのゆめ) 人生の成功・不成功が、夢のようにはかないことのたとえ。また、あきらめのよいたとえ。昔、鄭(テイ)の人がしかを殺し、ばしょうの葉でかくしておいたが、その場所を忘れてしまい、夢であったかとあきらめた故事による。〔列子、周穆王〕

12 【蕘】 15画 10280 漢ジョウ(ゼウ) 呉ニョウ(ネウ) 蕭 ráo 7293 E4FB —

字義 ❶たきぎ。しば。細いたきぎ。❷燃料用のかり草。❸くさかり。きこり。❹かぶら。野菜の名。

解字 篆文 形声。艹(艸)+堯音。音符の堯(ギョウ)は、撓(ドウ)に通じ、たわめるの意味。たわめた草、しば・たきぎの意味を表す。

12 【蕈】 15画 10281 漢シン 呉ジン 寝 xùn 7301 E540 —

［蕈］ 10283 俗字

字義 ❶きのこ。❷くわたけ。桑(くわ)の木に生ずるきのこの一種。

解字 形声。艹(艸)+覃音。

12 【蕁】 15画 10282 一 漢タン・呉ドン 覃 tán 二 漢シン・呉ジン 侵 qián

字義 一❶草の名。はなすげ。❷ふくろふのり。フノリ科の海草。海蘿(カイラ)。海中に生じ、薬用となる。❸むす(蒸)。二いらくさ。いたいたぐさ。

難読 蕁麻(いらくさ)

解字 形声。艹(艸)+尋音。

【蕁麻△疹】(ジンマシン) 皮膚がかゆくなって、赤い発疹(ハッシン)を生じる病気。

12 【蕈】 15画 10283 ジン 7294 E4FC —

蕈(10281)の俗字。→一三三五ページ中。

12 【蕊】 15画 10284 漢ズイ 呉ヌイ 紙 ruǐ 2841 8EC7 —

［蕋］ 10285 俗字 ［蘂］ 10414 俗字

字義 ❶しべ。花の実を作る器官。花の中心にあるひげ状のもの。おしべと、めしべ。❷草木が群がり生えるさま。❸み。草木の実。❹はな(花)。

解字 形声。艹(艸)+惢音。音符の惢(ズイ)は、甤(ズイ)に通じ、花・実がたくさんたれるの意味。

12 【蕋】 15画 10285 ズイ 7303 E542 —

蕊(10284)の俗字。→一三三五ページ下。

12 【蕤】 15画 10286 漢ズイ 呉スイ 支 ruí 19125 — 5748

字義 ❶草木の花が垂れさがるさま。❷草木の花。❸さがる(下)。たれる。❹つぐ(継)。❺やすらか。❻やわらぐ(柔)。やわらかいさま。❼ひもかざり。冠・旗などの垂れかざり。

解字 篆文 形声。艹(艸)+甤音。音符の甤(ズイ)は、豚の子がたくさん乳首に垂れさがるように、草木の実のたれさがるさま。さらに、艸を付し、垂れさがる花・実の意味を表す。

【蕤賓】(ズイヒン・スイヒン) 音楽の十二律の一つ。陰暦五月に配当するので、五月の別名となる。〔礼記、月令〕

12 【蕝】 15画 10287 漢セツ 呉セチ 屑 jué — — 5742

字義 ❶萱(かや)の束(たば)。朝廷の会合で、位次を示すために立てる。❷示す。

解字 形声。艹(艸)+絕音。

12 【蔬】 15画 10288 一 漢ソ・呉ショ 魚 shū 二 漢ソ・呉ショ 語 shǔ 7286 E4F4 —

字義 一❶な。あおもの。野菜。食用となる草や野菜の総称。❷草の実。❸嘉蔬(カソ)は、稲。❹あらい(粗)。よくつかない。米などをよく精白しない。二こめつぶ(米粒)。

解字 篆文 形声。艹(艸)+疏音。音符の疏(ソ)は、すじが通るの意味。幾筋かの畝に整然と植えた草、食用の野菜の意味を表す。

【蔬果】(ソカ) 野菜と果物。

【蔬菜】あおもの。野菜。

【蔬食】①野菜の食物。②そまつな食物。疏食。粗食。③草や木の実。

【蔬奠】祭りに供えるそまつな物。薄奠。

【蔬飯】①そまつな飯。蔬食。②野菜料理と飯。粗末な食事。

【蔬圃】野菜ばたけ。蔬畦。

【蔬糲】㊀野菜と玄米。また、そまつな玄米の飯。㊁荒い。また、荒く下品な。

12【蔵】15画 10289 教6 ゾウ くら ㊀漢ソウ(サウ) 呉ゾウ(ザウ) 漾 zàng ㊁漢ソウ(サウ) 呉ゾウ(ザウ) 陽 cáng 3402 91A0 —

15〖藏〗18画 10290 人 7322 E555 —

筆順 产 芦 芦 芦 萨 蔵 蔵 蔵

字義 ㊀❶くら。物品をおさめておく所。「土蔵」❷内臓。❸仏仏教の経典。法義をおさめる所の意からいう。「大蔵経」❹チベット。西蔵。㊁❶おさ-める。しまう。しまっておく。たくわえる。用例〔荘子、秋水〕王巾笥而蔵之廟堂之上。↓王はそれを布で包んで箱に入れ、先祖を祀るみたまやの上にしまいこんだ。❷たくわえ。たくわえしまっておく物品。❸かくす。また、かくれる。ひそむ。用例〔論語、述而〕用之則行、舎之則蔵。↓自分を見込んで用いてくれるものがあれば出て行ってできることを行い、見捨てられればじっと隠れている。❹深い。❺草の名。おぎに似た草。❻そこなう。

名前 おさむ・くら・ぞう・ただ・とし・まさ・よし 難読 蔵王

使いわけ くら〔倉・蔵〕⇨倉(437)。

解字 篆文 形声。艹(艸)＋臧(臧)音。音符の臧は倉に通じ、かくしてしまうの意味。のち、艸を付し、かくす・かくしてしまう場所、くらの意味を表す。

逆 家蔵・旧蔵・行蔵・死蔵・私蔵・収蔵・退蔵・地蔵・貯蔵・珍蔵・内蔵・秘蔵・腹蔵

【蔵王】仏「金剛蔵王」の略。怒って悪魔をくだす相をなし、右足をあげ、右手に三鈷を持つ。

【蔵経(經)】仏仏教の経典の総称。大蔵経。一切経。

【蔵垢】①はじを忍ぶ。②大きな心で他人の欠点・邪悪を許して、そ知らぬふりをしていること。

【蔵室】くら。倉庫。また、書籍をしまっておく所。書庫。

【蔵書】書物を集め、たくわえておくこと。また、その書物。所蔵の書物。

【蔵人】国昔の宮中の官名。はじめは秘密の文書をつかさどったが、後には天子のそば近く仕えて、衣食の世話、臣下の奏上の取り次ぎなどの雑事をつかさどった。

【蔵匿】かくす。また、かくれる。

【蔵版】国書物の版木・紙型などを持っていること。また、その版木。蔵板。

【蔵府】①くら。倉庫。②はらわた。臓腑。

12【蕏】15画 10291 漢チョ 呉ジョ(ヂョ) 魚 chú ₂8675 — 5734

字義 茎蕏は、草の名。さねかずら。びなんかずら。また、五味子。チョウセンゴミシ。

解字 形声。艹(艸)＋猪音。 難読 蕏塚

12【蕆】15画 10292 テン 銑 chǎn — — 5733

字義 ❶ただす。整える。片付ける。❷用意ができる。

12【蕩】15画 10293 標 漢トウ(タウ) 呉ドウ(ダウ) 養 dàng 3802 93A0 —

［盪］10441 同字

字義 ❶はらいのぞく。あらいのぞく。すっかりなくす。「掃蕩」❷ながす。注ぐ。❸うごく。動かす。ゆれる。ゆらす。「振蕩」❹きざす。物が現れ動き始める。❺ほしいまま。みだら。しまりがない。「放蕩」❻とろ-ける。❼破れる。こわれる。❽広い。大きい。また、豊か。さかん。「駘蕩」❾平ら。

名前 ひら・ひろ

解字 篆文 形声。艹(艸)＋湯音。音符の湯は、自由にゆれ動く水、「ゆ」の意味。艸を付し、草が自由にゆれ動くの意味から、うごく・ほしいままの意味を表す。

【蕩倚衝冒】ほしいままに寄りかかったり、突き当たったりする。用例〔唐、柳宗元、三戒〕稍近益狎蕩倚衝冒。↓もう少し近づき、いよいよなれてきて、いいように驢馬に寄りかかったり、突き当たったりした。

【蕩佚・蕩逸】①寛大で、ゆるやかなこと。のんびりと自由なこと。②しまりなくほしいまま。放佚。

【蕩産】財産を使い果たす。破産。倒産。

【蕩子】①遠くに出かけて帰らない人。②酒色にふける怠け者。道楽者。放蕩者。

【蕩心】①心をとろかし迷わす。また、迷わされた心。しまりのない心。②放蕩をしたい心。酒色にふけりたい心。

【蕩尽(盡)】使い果たしてなくなる。また、使い果たす。

【蕩析】分散する。離散する。また、裂けて散る。

【蕩然】①あとかたも無くなったさま。②ほしいままなさま。

【蕩駘】①ほしいままにする。ふける。②美しい。とろかすように美しい。

【蕩定】乱を平定する。蕩平。

【蕩滌】洗い清める。

【蕩蕩】①非常に大きいさま。②広く遠いさま。また、広大なさま。③平らでやすらかなさま。④心がゆったりとしているさま。⑤私心がないさま。⑥寛大なさま。⑦法律・制度が乱れたさま。⑧水勢がはげしいさま。

【蕩婦】①歌舞音曲を提供して客をもてなす女性。②品行の悪い女性。

【蕩覆】やぶれ、くつがえる。くつがえす。盪覆。

【蕩揺(搖)】ゆるぎ動く。また、うごかす。動揺。

【蕩漾】ただようさま。ゆらぐさま。浩漾。

12【蕫】15画 10294 漢トウ 呉ツウ 董 dǒng — EE80 5749

字義 ❶鼎蕫は、草の名。あぶらがや。❷蓮根。❸蕫郎は、草の名。ちからぐさ。❹視察する。

解字 形声。艹(艸)＋童音。

12【蕒】15画 10295 漢バイ 呉マイ 蟹 mǎi — — 5737

字義 ❶草の名。やくしそう(薬師草)。❷草の名。けしあざみ。のげし。

解字 形声。艹(艸)＋買音。

12【蕟】15画 10296 漢ハツ 呉ホチ 月 fà — — 5744

字義 草の名。

解字 形声。艹(艸)＋發音。

12【蕃】15画 10297 人 標 漢ハン 呉ホン 慣バン 元 fán, ⑥⑦fān 4057 94D7 —

筆順 艹 艹 艹 苹 菜 蕃 蕃 蕃

字義 ❶しげ-る。草が茂る。草がはびこる。❷ふえる。ふやす。❸多い。さかん。＝繁(9316)。❹赤い。❺変わる。❻まがき。かきね。また、おおい。おおう。＝藩(10396)。❼えびす。未開の異民族。＝蛮(10569)。❽一般に外国人。

名前 しく・しげ・しげり・しげる・ふさ・ます・みつ・もり

難読 蕃椒

参考 現代表記では〔繁〕(9316)・〔蛮〕(10569)に書きかえ

ることがある。「蕃殖→繁殖」「蕃族→蛮族」

解字 金文 篆文 **形声**。艹(艸)+番㊥。音符の番は、ひろがるの意味。草木がはびこるの意味を表す。

【蕃夷】(バンイ) 未開の異民族。蛮夷。番夷。

【蕃衛(衞)】(ハンエイ) ①まもる。また、まもり。②天子をまもることから、諸侯をいう。

【蕃衍】(ハンエン) ①しげり広がる。しげりふえる。②子孫が多くさかんなこと。

【蕃語】(バンゴ) 未開の異民族のことば。また、外国語。蛮語。

【蕃国(國)】一(バンコク) 未開の異民族の国。外国。二(ハンコク) 国皇室の守護となる国。藩国。

【蕃孳・蕃滋】(ハンジ) ふえる。しげりふえる。繁殖。

【蕃社】(バンシャ) 未開の異民族の組織する団体・集落。

【蕃戎】(バンジュウ) 未開の異民族。未開の外国人。外夷(ガイイ)。

【蕃藷】(バンショ) さつまいも。甘藷(カンショ)。

【蕃昌】(ハンショウ) しげり栄える。繁昌(ハンジョウ)。

【蕃殖】(ハンショク) しげりふえる。繁殖。

【蕃神】(バンシン) 外国人の信ずる神や仏。

【蕃人】(バンジン) ①未開の異民族。②外国人。

【蕃息】(ハンソク) しげりふえる。繁殖。

【蕃俗】(バンゾク) 異民族の風俗。

【蕃族】(バンゾク) 未開の民族。蛮族。

【蕃阜】(ハンプ) しげり栄える。多くてさかんなこと。殷阜(インプ)。繁阜。

【蕃屛】(ハンペイ) 同藩屛(ハンペイ)。①かきと、へい。おおい防ぐためのかきね。②王室・皇室などのかきとなり、へいとなっておおい防ぐもの。

【蕃茂】(ハンモ) 草木がさかんにしげりふえる。繁茂。

【蕃籬】(ハンリ) まがき。かきね。藩籬。

12 【蕜】 15画 10298 ヒ 尾 fěi — — 5741

字義 悼(いた)む。悲しむ。

解字 **形声**。艹(艸)+悲㊥。

12 【蕪】 15画 10299 人 標 一 漢ブ・呉ム 虞 wú 二 漢ブ・呉ム 麌 wǔ 4183 9593 —

筆順 艹 艹 芒 芢 芢 荓 蕪 蕪 蕪

字義 一❶**あ-れる**。ある。雑草がおいしげって荒れる。用例〔東晋、陶潜、帰去来辞〕帰去来兮(かえ(へ)りなんいざ)、田園将レ蕪(まさにあれんとす)。↓さあ帰ろう、故郷の田畑は今まさに荒れはてようとしている。❷雑草。❸くさはら。荒れ地。❹のがれる。=逋(12117)。二❶しげる。豊か。❷みだれる(乱)。みだれ。乱雑。

国**かぶら**。**かぶ**。

名前 しげ・しげる・ぶ 難読 蕪菁(かぶら・かぶ)

解字 篆文 **形声**。艹(艸)+無㊥。音符の無は、おおいかくすの意味。草がおおうほどにあれるの意味を表す。

【蕪径(徑)】(ブケイ) あれたこみち。

【蕪荒】(ブコウ) 草が乱れしげる。荒蕪。

【蕪雑(雜)】(ブザツ) ①雑草がごたごたしげる。②物事が乱れて順序がないこと。

【蕪辞(辭)】(ブジ) そまつなことば。また、自分のことばについての謙遜(けんそん)したことば。蕪言。

【蕪菁】(ブセイ) かぶら。かぶ。蔓菁(マンセイ)。

【蕪浅(淺)】(ブセン) 学問や見識が乱雑であさはかなこと。

【蕪然】(ブゼン) 草が荒れしげるさま。

【蕪没】(ブボツ) 雑草がしげっておおいかくす。また、しげった雑草の中におおいかくされる。

【蕪昧】(ブマイ) 荒れて分からなくなる。

【蕪蔓】(ブマン) ①荒れはてて、つる草がしげっているさま。②学問・教養の低いさま。

【蕪穢・蕪濊・蕪薉】(ブワイ) ①土地が荒れて雑草がしげる。②いやしいこと。

12 【蕡】 15画 10300 フン ₂8683 — 5746

蕡(10346)の俗字。→一二四一ジベー上。

12 【蔽】 15画 10301 常 ヘイ 一 漢ヘイ 霽 bì 二 漢ヘツ・呉ヘチ 屑 piē 三 漢フツ・呉フチ 物 fú 4235 95C1 —

筆順 艹 艹 芇 芇 芇 蔽 蔽 蔽

［蔽］ 10302 俗字

字義 一❶**おお-う**。おほ(ふ)。㋐かぶせる。つつむ。㋑かくす。おおいかくす。用例〔文選、古詩十九首、其一〕浮雲蔽二白日一(フウンハクジツを、おお(ほ)い(ひ))、遊子不レ顧レ返(ユウシかえ(へ)るをおもわ(は)ず)。↓浮き雲が太陽をおおい隠すように、あなたの心に何かの迷いが生じたためでしょうか、旅先のあなたは、私のもとに帰ろうともしてくれない。㋒しめくくる。一つにする。用例〔論語、為政〕一言以蔽レ之(イチゲンもってこれをおお(ほ)う(ふ))。↓一言でこれをまとめる。㋓暗くする。❷**おお-い**。おほ(ひ)。おおうもの。また、へだて。かきね。❸定める。きめる。❹暗い。物事の道理に通じない。❺たおれる。たおす。❻小さなさま。草の小さなさま。❼草木のしげるさま。❽ばくちのさいころ。すごろくのさいころ。二❶わける(分)。❷しぼむ。しおれる。❸はらう。払い除く。三❶車のかざり。❷車のおおい。車のカバー。

解字 篆文 **形声**。艹(艸)+敝㊥。音符の敝(ヘイ)は、やぶるの意味。ある物の姿形をやぶってしまうほど草がおおうの意味を表す。

【蔽掩】(ヘイエン) おおいかくす。おおいかくされる。

【蔽晦】(ヘイカイ) ①おおいくらます。②おおわれて物の道理に暗いこと。

【蔽扞】(ヘイカン) おおいふせぐ。おおいまもる。

【蔽護】(ヘイゴ) おおいまもる。おおいかばう。庇護(ヒゴ)。擁護。

【蔽遮】(ヘイシャ) おおいさえぎる。ささえる。くい止める。

【蔽塞】(ヘイソク) おおいふさぐ。人目をさえぎる。蔽壅(ヘイヨウ)。

【蔽芾】一(ヘイヒ) 小さいさま。二(ハイハイ) さかんなさま。三(ヘイフツ) 草木が茂り栄えるさま。

【蔽蒙】(ヘイモウ) おおわれて暗い。おろかで道理に暗いこと。

12 【蔽】 15画 10302 ヘイ 蔽(10301)の俗字。→一二三七ジベー中。

12 【瞢】 16画 (8070) ボウ 目部。→一〇一三ジベー下。

12 【甍】 16画 (7572) ボウ 瓦部。→九六〇ジベー中。

12 【蕕】 15画 10303 漢ユウ(イウ) 呉ユ 尤 yóu 7304 E543 —

字義 ❶かりがねそう。秋、青紫色の花をつけるが悪臭がある。❷悪人。

解字 **形声**。艹(艸)+猶㊥。

【蕕薫】(ユウクン) ①香りのよい草と、悪い草。悪いにおいと良いかおり。②善と悪。また、好悪。

12 【蓏】 15画 10304 ラ 哿 luǒ ₂8659 — 5693

字義 うりの類い。また、草の実。↔果(5230)。

解字 **会意**。艹(艸)+瓜。

12 【蕯】 15画 10305 リュウ 東 ₂8676 — 5750

字義 人名。

参考 一説に、薩(サツ)(10363)の異体字。

解字 **形声**。艹(艸)+隆㊥。

12 【蔾】 15画 10306 漢レイ 呉ライ 斉 lí ₂8679 — —

字義 ❶蒺蔾(シツレイ)は、はまびし。ハマビシ科の一年草。❷蔾芦(レイロ)は、薬草の名。

解字 **形声**。艹(艸)+棃㊥。

艸部 12画 〔蕜蕪蕡蔽蔽瞢甍蕕蓏蕯蔾〕

13 **【薆】** 16画 10307 アイ 隊 ài ₂8690 — 5758

字義 ❶かくれる。かくす。❷おおう(蔽(ヘイ))。❸草木のさかんにしげるさま。❹晻薆(アンアイ)は、香気のさかんなさま。

解字 形声。艹(艸)＋愛音。音符の愛は、まつわるの意味。草にまつわられ、おおわれるの意味を表す。

13 **【薁】** 16画 10308 イク 屋 yù ₂8689 — 5756

字義 ❶えびづる。野ぶどう。❷にわうめ。こうめ。郁李(イクリ)。

解字 形声。艹(艸)＋奥音。

13 **【薀】** 16画 10309 ㊀漢オン 呉オン(ヲン) 元 wēn ㊁ウン 吻 yùn 7305 E544 —

[蕰] 10264 同字

字義 ㊀水草の一種。きんぎょも。まつも。㊁❶つ-む(積)。積みかさなる。＝蘊(10403)。「薀蓄」❷集める。❸さかん。❹たくわえる。❺ゆたか。

解字 篆文 形声。艹(艸)＋温音。音符の温(オン)は、あたたかいの意味。積んだ草がむれてあたたかくなるさまから、つむの意味を表す。

【薀蓄】(ウンチク) 積みたくわえる。蘊蓄(ウンチク)。

13 **【薗】** 16画 10310 人 エン 園(1856)と同字。→二九七ページ下。 1782 8992 —

13 **【薤】** 16画 10311 漢カイ 呉ガイ 卦 xiè 7306 E545 —

字義 おおにら。らっきょう。ねぎに似た草の名。

解字 形声。艹(艸)＋韰省音。

【薤露歌】(カイロのうた) 漢代の送葬の歌。人命のはかないことは、おにらの上の露のようだと歌う。蒿里曲(コウリのキョク)が、多く庶民の送葬の歌であったのに対し、貴人の送葬に用いられた。

13 **【薢】** 16画 10312 ㊀漢カイ・呉ケ 卦 蟹 xiè ㊁カイ 佳 ₁9131 — 5768

字義 ㊀❶薢茩(カイコウ)は、㋐ひし(菱)。㋑＝㊁。❷草薢(ヒカイ)は、おにどころ。ところ。ヤマイモ科のつる性多年草。㊁薢茩(カイコウ)は、えびすぐさ。マメ科の一年草。決明草。

難読 薢屋(ところや)

13 **【舊】** 16画 10313 キュウ 旧(4649)の俗字。→六四七ページ上。 ₂8685 — —

解字 形声。艹(艸)＋解音。

13 **【薑】** 16画 10314 漢キョウ(キャウ) 呉コウ(カウ) 陽 jiāng 7308 E547 —

[艹+彊] 10407 本字

字義 しょうが(しゃうが)。はじかみ。生姜(セイキョウ)。食用・薬用植物の名。

解字 篆文 形声。艹(艸)＋畺音。篆文は、艹(艸)＋彊音。音符の彊(キョウ)は、つよいの意味。から味の強い、しょうがの意味を表す。

【薑桂之性】(キョウケイのセイ) 年老いてますます剛直な人のたとえ。しょうがと肉桂(ニッケイ)とは古くなるほどからくなるのでいう。〔宋史、晏敦復伝〕

13 **【薌】** 16画 10315 ㊀漢キョウ(キャウ) 呉コウ(カウ) 陽 xiāng ㊁漢キョウ(キャウ) 呉コウ(カウ) 養 xiǎng ₁9129 — 5761

字義 ㊀❶穀物のにおい。❷穀物。❸こうばしい。においがよい。❹牛の腸の間にある脂肪。㊁ひびき。風が木を動かす音。＝響(13427)。

解字 形声。艹(艸)＋郷音。

13 **【薫】** 16画 10316 常 クン かお-る 2316 8C4F —

14 〔**薰**〕 17画 10317 人 クン 文 問 xūn ₁9132 EE82 —

筆順 艹 艹 茜 茜 苗 董 董 董 薫

[蘍] 10408 同字

字義 ❶かおりぐさ。香草の名。蘭(ラン)の類い。昔、根をやいて香をたて、葉を身に帯びて、悪気をはらった。❷かお-る(かをる)。におう。よいにおいがする。また、かお-り(かをり)。よいにおい。「余薫」❸くすべる。やく。たく。いぶす。＝熏(7072)。❹香をたきこめる。❺徳の力で善に導く。感化する。「薫化」❻いさお。てがら。＝勲(7077)。❼おだやかなさま。国くゆ-らす。けむりをゆるやかに立ちのぼらせる。

名前 かお・かおる・くに・くる・くん・しげ・たか・ただ・つとむ・にお・のぶ・ひで・ふさ・ほう・まさ・ゆき

参考 現代表記では〔燻〕(7021)の書きかえに用いることがある。「燻製→薫製」

使いわけ かおり・かおる〔香・薫〕⇩香(13671)。

解字 篆文 形声。艹(艸)＋熏(熏)音。音符の熏(クン)は、くすぶるの意味。香気がたちこめる草、香草の意味を表す。

逆 余薫

【薫育】(クンイク) ①人をよい方へ導きそだてること。②匈奴(キョウド)の古い名。獯鬻(クンイク)。

【薫化】(クンカ) 徳の力で人を感化すること。

【薫灼】(クンシャク) ①いぶして焼く。いぶしたり焼いたりする。転じて、苦しめる。②しみこむ。③勢力の盛んなことのたとえ。

【薫染】(クンセン) ①香気が移りしみる。②よい感化を与える。③善に移りそまる。

【薫陶】(クントウ) 火で物をくゆらし、土をこねて陶器を作るように、徳の力で人を感化教育すること。人材を教育する。

【薫風】(クンプウ) おだやかな初夏の風。青葉の香りを吹き送る風。南風。和風。

【薫芳】(クンポウ) かんばしい。

【薫沐】(クンモク) 香を着物にたきこめ、髪を洗って身を清めること。

【薫蕕】(クンユウ) ①かおりのよい草と、悪いにおいの草。②善と悪。善人と悪人のたとえ。「薫蕕不同器(クンユウきをおなじうせず)」

13 **【薊】** 16画 10318 ケイ 霽 jì 7309 E548 —

[葪] 10093 俗字

字義 ❶あざみ。野草の一種。キク科の多年草。大小の二種があり、葉・茎にとげがある。紅紫色の花をつける。❷周代、燕(エン)の都。今の北京市内。

解字 形声。艹(艸)＋魝音。

【薊丘】(ケイキュウ) 地名。北京の徳勝門の西北にあり、昔、尭(ギョウ)の子孫が封ぜられた所という。薊門。

13 **【蕿】** 16画 10319 ケン 萱(10094)と同字。→一三三一ページ中。 ₂8688 — 5755

13 **【薟】** 16画 10320 ㊀レン 琰 塩 liǎn, liàn ㊁漢ケン・呉コン 塩 xiān ₂8693 — 5766

字義 ㊀やぶがらし。びんぼうかずら。ブドウ科の多年生つる草。㊁豨薟(キケン)は、めなもみ。キク科の一年草。

解字 形声。艹(艸)＋僉音。

13 **【薅】** 16画 10321 コウ(カウ) 豪 hāo — — 5757

字義 くさぎ-る。田の草を抜き去る。

解字 篆文 形声。蓐＋好省音。蓐は、草を刈ってしくの意味。音符の好は、このましいの意味。草を刈って好ましい状態になるの意味を表す。

13 **【薨】** 16画 10322 標 ㊀コウ 蒸 hōng ㊁コウ(クワウ) 庚 7310 E549 —

[薨] 10325 正字

字義 ㊀❶しぬ。みまか-る。諸侯が死ぬ。日本では皇族、または三位以上の人に用いた。❷こわれる音の形容。㊁❶多い。❷速い。

解字 篆文 形声。死＋瞢省音。音符の瞢(ボウ＝コウ)は、目がかすんで暗くなるの意味。人の意識がかすんで、やがてなくなるの意味を表す。

【薨去】(コウキョ) 貴人の死のこと。→字義㊀❶。

【薨薨】(コウコウ) ①多いさま。②早いさま。③とどろきひびく音の形容。

13【蕻】16画 10323 漢コウ 呉グ 送 hòng, ④hōng ₂8686 — 5753

字義 ❶草の芯(シン)が長い。❷しげる。❸芽ぶく。❹雪裏蕻は、草の名。からしな。アブラナ科の一、二年草。

解字 形声。艹(艸)＋哄(鬨省)音。

13【薧】16画 10324 コウ(カウ) 晧 kǎo — — 5770

字義 ❶墓地。❷乾く。乾いたもの。

解字 形声。『説文解字(セツモンカイジ)』では、死＋蒿省音。音符の蒿は、よもぎの意味。よもぎなどの雑草が覆う墓地の意味を表す。

13【薨】17画 10325 コウ 薨(10322)の正字。→一二三八ﾍﾟ下。

13【薋】16画 10326 漢シ 呉ジ 支 cí — — 5760

字義 ❶草の多いさま。❷草の名。はまびし。

解字 形声。艹(艸)＋資音。

13【蕺】16画 10327 シュウ(シフ) 緝 jí ₁9128 — 5752

字義 どくだみ。湿地に生ずる薬草。葉は、そばに似ている。難読 蕺草(どくだみ)

解字 形声。艹(艸)＋戢音。

【蕺山】(シュウザン) ①山名。浙江(セッコウ)省紹興(ショウコウ)市の臥竜山の東北。②明(ミン)代の陽明学者の劉宗周(リュウソウシュウ)(一五七八―一六四五)の号。

13【薯】16画 10328 ショ 薯(10368)の俗字。→一二四二ﾍﾟ下。

13【薔】16画 10329 標 一漢ショク・呉シキ 職 sè 二漢ショウ(シャウ) 呉ゾウ(ザウ) 陽 qiáng 7312 E54B —

字義 一みずたで。水辺に生ずる草。水蓼(スイリョウ)。二薔薇(ショウビ)は、ばら。用例(唐、高駢、山亭夏日詩)水精簾動微風起、満架薔薇一院香(スイショウのレンうごきて ビフウおこり、マンカのショウビ イチインかんばし)。↓そよ風が吹いて来て水晶のすだれを動かし、棚いっぱいのバラで庭中が香りに満ちている。難読 薔薇(ばら)

解字 形声。艹(艸)＋嗇音。

13【蕭】16画 10330 標 ショウ(セウ) 蕭 xiāo 7311 E54A —

［䔥］10227 俗字

字義 ❶草の名。よもぎ。かわらよもぎ。キク科の多年草。❷よこしま。ななめ。❸つつしむ(粛)。❹さびしい。ひっそりしたさま。「蕭寂(ショウセキ)」

解字 形声。艹(艸)＋肅音。

【蕭何】(ショウカ) 秦(シン)末漢初、漢の功臣・宰相。沛(ハイ)(今の江蘇(コウソ)省内)の人。諡(おくりな)は文終。漢の高祖を助け天下を統一し、張良・韓信(カンシン)と共に漢の三傑の一人。(?―前一九三)

蕭何

【蕭艾】(ショウガイ) ①よもぎ。雑草。②身分の低い人・小人のたとえ。

【蕭関(關)】(ショウカン) 古関の名。寧夏回族自治区固原市の東南。関中の四関(函谷関(カンコクカン)・武関・散関・蕭関)の一つで、関中より塞北へ向かう交通の要衝であった。用例(唐、岑参、胡笳歌送ニ顔真卿使赴ニ河隴一詩)涼秋八月蕭関道(リョウシュウハチガツ ショウカンのみち)、北風吹断天山草(ホクフウふきたつ テンザンのくさ)。↓秋八月に蕭関の道を行けば、北風が天山山脈の草を吹きちぎるばかりに吹いているのが見えるであろう。

【蕭灑】(ショウサイ・シャ) さっぱりして清らかなさま。

【蕭索】(ショウサク) ①めぐりまとうさま。②ものさびしいさま。用例(唐、白居易、長恨歌)黄埃散漫風蕭索(コウアイサンマン かぜショウサク)、雲桟縈紆登ニ剣閣一(ウンサンエイウ ケンカクにのぼる)。↓黄色い土ぼこりがあたり一面に舞い上がり、風はわびしく吹きすさぶ中、雲までとどく蜀(ショク)の桟道がうねうねと続く道を、剣閣山に登ってゆく。

【蕭殺】(ショウサツ) ものさびしいこと。▼殺は、強意の助字。

【蕭颯】(ショウサツ) 風の音のものさびしいさま。

【蕭瑟】(ショウシツ) ①秋風がものさびしく吹くさま。②ものさびしいさま。

【蕭蕭】(ショウショウ) ①ひまなさま。②ものさびしい様子や音声の形容。主として風雨や馬・落葉など。用例(唐、杜甫、登高詩)無辺落木蕭蕭下(ムヘンのラクボク ショウショウとしてくだり)、不尽長江滾滾来(フジンのチョウコウは コンコンとしてきたる)。↓どこまでも続く森に落葉はかさかさと散り続け、尽きることを知らぬ長江の流れは、盛んに流れ下っていく。③木が揺れ動くさま。④物がたくさんあるさま。

【蕭牆之憂】(ショウショウのうれい(ひ)) 身近に起こる心配ごと。家族のうちわもめや内乱などをいう。▼蕭牆は、君臣の会見所に設けた屏風(ビョウブ)。転じて、うちわ・内部の意。〔論語、季氏〕

【蕭条(條)】(ショウジョウ) ①ものしずかなさま。②ものさびしいさま。③草木が枯れしおれるさま。

【蕭娘】(ショウジョウ) 唐代、女子をいう。

【蕭晨】(ショウシン) ものさびしい秋の朝。

【蕭森】(ショウシン) ①樹木が多いさま。また、枝の長いさま。②ものさびしいさま。③静寂厳粛で身のひきしまるようなさま。用例(唐、杜甫、秋興詩)玉露凋傷楓樹林(ギョクロチョウショウす フウジュのはやし)、巫山巫峡気蕭森(フザンフキョウ キショウシン)。↓玉のような露が下りて、楓樹の林も赤く色づきしおれ始め、ここ巫山・巫峡のあたりは、静寂で厳粛な身のひきしまるような雰囲気に満ちている。

【蕭斉(齊)】(ショウセイ) 蕭道成の建国した南朝の斉をいう。南斉。↕高斉(一五九九ﾍﾟ下)。

【蕭寂】(ショウセキ) さびしくひっそりしているさま。閑寂。

【蕭然】(ショウゼン) ①ものさびしいさま。がらんとしたさま。②さわがしくいそがしいさま。

【蕭疎】(ショウソ) 草木の葉がまばらでさびしいさま。

【蕭統】(ショウトウ) ＝昭明太子(六〇二ﾍﾟ上)。

13【薥】16画 10331 漢ショク 呉ゾク 沃 shǔ — — 5769

字義 蜀葵(ショクキ)は、草の名。たちあおい。

解字 形声。艹(艸)＋蜀音。

13【薪】16画 10332 常 シン たきぎ シン 真 xīn 3137 9064 —

字義 ❶たきぎ。まき。しば。燃料にする木。❷木をきる。たきぎを取る。しばをかる。❸雑草。

筆順

解字 篆文

形声。艹(艸)＋新音。音符の新は、たきぎの原字。新が、あたらしいの意味に用いられるようになり、艸を付して区別した。

逆 伝薪・負薪

【薪採】(シンサイ) ①たきぎと、しば。大きいものを薪、小さいものを採という。薪柴(シンサイ)。②たきぎを採る人。

【薪爨】(シンサン) 炊事をする。▼爨は、かしぐ・飯をたく。

【薪水】(シンスイ) ①たきぎと水。②薪をとり、水を汲(く)むこと。炊事をいう。③俸給。

【薪水之労(勞)】(シンスイのロウ) ①たきぎをとり、水を汲(く)むほねおり。炊事の苦労。②いやしい労働。

【薪草】(シンソウ) たきぎや草。たきぎや枯れ草。

【負レ薪】(たきぎをおう(ふ)) ＝負薪(フシン)(一三五〇ﾍﾟ下)。

【抱レ薪救レ火】(たきぎをいだきてひをすくう(ふ)) たきぎをかかえて火事を消しに行く。災害を除こうとして、かえって身をほろぼし、害を大きくする、おろかな行動のたとえ。〔戦国策、魏〕

13【薓】16画 10333 シン 蓡(10230)の本字。→一二三三ﾍﾟ中。 ₂8691 — 5763

13 **【薛】** 16画 10334 漢セツ 呉セチ 屑 xuē 7313 E54C ―
［薛］ 10415 本字
字義 ❶草の名。よもぎ(蓬)。❷はますげ。海辺に生ずる草の一種。❸周代の国名。今の山東省内。
解字 形声。艹(艸)＋辥(辥)音。
【薛存義】(セツソンギ) 唐の政治家。零陵(今の湖南省永州市)の長官となり、治績をあげた。生没年不明。
【薛△濤】(セットウ) 中唐の女流詩人。字(あざな)は洪度(コウド)(弘度)。良家の出であったが、父と共に蜀(ショク)に流浪して妓女(ギジョ)となった。白居易・元稹(ゲンシン)らと唱和した。(七六八―八三二)
【薛△卞】(セツベン) 昔、よく刀剣を鑑定した薛燭(セツショク)と、宝玉を発見した卞和(ベンカ)の二人。鑑識の才に秀でているたとえ。

13 **【薦】** 16画 10335 常 セン すす-める セン 霰 jiàn 3306 9145 ―
筆順 艹 艹 芦 芦 芦 芦 薦 薦 薦
［荐］ 329 同字
字義 ❶すす-める。㋐さしあげる。たてまつる。そなえる。物品を進呈する。用例〔史記、滑稽伝〕斉以二薑棗一、薦以二木蘭一(とどのう(ふ)るにキョウソウをもってし、すすむるにモクランをもってす)。↓しょうがとなつめで味を調え、モクレンを供える。㋑ある地位におしあげる。えらびあげる。人物を推挙する。「推薦」❷すすめもの。供え物。「嘉薦(カセン)」❸こも。むしろ。しとね。しきもの。「薦席」❹しーく。敷き物にする。❺くさ。細かい草。茂った草。また、獣畜の食う草。まぐさ。❻しきりに。かさねて。たびたび。しばしば。＝荐(9941)。

名前 しげ・のぶ 難読 薦河(こもがする)・薦集(こもずめ)

使いわけ すすめる〔勧・薦・進〕⇨勧(1058)。

解字 甲骨文 金文 篆文 会意。艹(艸)＋廌。廌は牛に似て一本角の獣の意味。廌が食う草の意味を表す。また、饌(セン)に通じて、そなえる・すすめるの意味をも表す。

逆 自薦・推薦
【薦引】(センイン) すすめ引きたてる。

【薦△祼】(センカン) 祭祀(サイシ)の儀式。▼薦は供物をすすめること、祼は鬱鬯(ウッチョウ)の酒を捧げ、終わった後地に注いで神の来降を請うこと。

【薦居】(センキョ) 居所をしばしばかえることをいう。荐居(センキョ)。

【薦挙(擧)】(センキョ) 人材をすすめあげること。推挙する。

【薦羞】(センシュウ) ごちそうをすすめる。また、ごちそう。

【薦紳】(センシン) 官位のある人。身分のある人。搢紳(シンシン)。

【薦席】(センセキ) こも。むしろ。敷き物。薦蓆(センセキ)。薦蓐(センジョク)。

【薦達】(センタツ) 人材を推挙して君主の耳に入れること。

【薦抜】(センバツ) すすめ引きぬく。官に推挙してとりたてる。

【薦聞】(センブン) 人材を推挙して君主に申しあげること。

【薦誉(譽)】(センヨ) ほめすすめる。人材を推挙してほめること。

13 **【薝】** 16画 10336 一セン 塩 二タン 感 zhān ₂8692 ― 5765
字義 一二 薝蔔(センブク・タンブク)は、香りの高い花の名。一説に、くちなし(梔子(シシ))の花。
解字 形声。艹(艸)＋詹音。

13 **【薮】** 16画 10337 ソウ 4489 96F7 ―
藪(10391)の俗字。→一二四三ジペ中。

13 **【薘】** 16画 10338 漢タツ 呉ダチ 曷 tá ― ― 5764
字義 ❶草の名。おおばこ。❷莙薘(クンダツ)は、野菜の名。とうぢさ。
解字 形声。艹(艸)＋達音。

13 **【薙】** 16画 10339 人 標 一漢テイ・呉タイ 霽 tì 二漢チ・呉ジ(ヂ) 紙 zhì 3869 93E3 ―
筆順 艹 芦 芦 芦 荊 荊 荊 荊 薙
字義 一二 ❶なーぐ。刈る。草を横にはらって切る。❷そる。髪の毛をそる。❸のぞく。きり除く。伐除。
難読 薙刀(なぎなた)
解字 篆文 形声。艹(艸)＋雉音。音符の雉(チ)は、きずつけころすの意味。草を除去するの意味を表す。
【薙刀】(テイトウ) なぎなた。長刀。
【薙髪】(テイハツ・チハツ) 髪をそる。剃髪(テイハツ)。

13 **【蕽】** 16画 10340 漢ドウ 呉ノウ 冬 nóng ₂8687 ― 5754
字義 蓬蕽(ホウノウ)は、あし(葦)の花。
解字 形声。艹(艸)＋農音。

13 **【薄】** 16画 10341 常 ハク うす-い・うす-める・うす-まる・うす-らぐ・うす-れる 3986 9496 ―
13 〖薄〗 16画 10342 漢ハク 呉バク 薬 báo, bó
筆順 艹 芦 茫 茫 蒲 蒲 蒲 薄 薄
字義 ❶うすーい。うすし。㋐厚みが少ない。↔厚(1223)。「薄氷」㋑少ない。乏しい。軽い。粗末。やすっぽい。心がこもらない。用例〔韓非子、説難〕厚者為レ戮(あつきものはリクせられ)、薄者見レ疑(うすきものはうたがわ(は)る)。↓ひどい場合には殺され、軽い場合には疑われた。㋒あわい。あっさりしている。「薄命」㋓やせている。地味がやせている。㋔恵まれない。「薄命」❷うすくする。㋐軽んずる。いやしむ。㋑うすーめる(うすむ)。減らす。❸うすーまる。うすーれる(うする)。うすーらぐ。うすくなる。少なくなる。❹せまーる(迫)。近づく。接近する。「薄暮」「肉薄」❺とどまる。また、至る。❻よる(依)。つく。集まる。❼くさむら。草木の群がり生えている所。❽まぶし。蚕に繭を作らせるための、すだれ状の物。蚕の巣。❾竹製の道具。かご・すだれ・やななど。❿いささーか。しばらく。国すすき(芒(ボウ))。おばな。

名前 いたる・うす
参考 現代表記では、厚の対としても、濃の対としても、〔薄〕を用いる。「薄い本・味が薄い」

解字 篆文 形声。艹(艸)＋溥(溥)音。音符の溥は、あまねく広がるの意味。草が広がる草原のさまから、うすいの意味を表す。

逆 希薄・軽薄・刻薄・酷薄・浅薄・肉薄・卑薄・浮薄
【薄荷】(ハッカ) シソ科の多年草。茎・葉に独特の香気があり、薄荷精・薄荷油の原料となる。めぐさ。

【薄学(學)】(ハクガク) 浅い学問。学問の未熟なこと。浅学。

【薄官・薄△宦】(ハッカン) ①官吏の栄達のできないこと。②身分の低い官吏。

【薄寒】(ハッカン) 身にせまるさむさ。身にしみる寒さ。

【薄技】(ハクギ) つまらないわざ。つたないわざ。小技。

【薄給】(ハッキュウ) わずかの給料。薄俸。薄禄。

【薄△遽】(ハッキョ) さし迫って急なこと。迫急。

【薄遇】(ハクグウ) そまつなもてなし。冷淡な待遇。薄待。↔厚遇(三三四ジペ下)。

【薄行】(ハッコウ) ①軽薄な行い。②冷淡な行為。

【薄幸・薄△倖】(ハッコウ) ふしあわせ。不幸。不遇。薄祜(ハッコ)。

【薄志】(ハクシ) 国①弱い意志。いくじのないこと。②わずかな謝礼。心ばかりのお礼。寸志。薄謝。

【薄志弱行】(ハクシジャッコウ) 国意志が弱く実行力にとぼしいこと。

【薄弱】(ハクジャク) ①よわい。かよわい。②国たしかでない。

【薄暑】(ハクショ) すこしのあつさ。初夏のころの暑さ。

【薄情】(ハクジョウ) 人情味のうすいこと。情愛のとぼしいこと。

【薄俗】(ハクゾク) 軽薄な風俗。

【薄田】(ハクデン) 地味のやせた田地。やせた田畑。↔美田(一二五三ジペ上)。

【薄徳】(ハクトク) 人徳のすくないこと。寡徳。

【薄氷】(ハクヒョウ) うすくはった氷。転じて、危険なことのたとえ。

【如レ履二薄氷一】(ハクヒョウをふむがごとし) おそれつつしむことのたとえ。また、

非常に危険なことのたとえ。〔詩経、小雅、小旻〕
【薄夫】ハクフ ①軽薄な人。②人情のうすい人。薄情者。
【薄物細故】ハクブツサイコ 細かな事がら。
【薄暮・薄△莫】ハクボ 夕ぐれ。日ぐれ。▼薄は、迫る。
【薄命】ハクメイ ふしあわせ。運命にめぐまれぬこと。薄幸。
【薄夜】ハクヤ ①夜明けがた。②夕ぐれ。たそがれ。
【薄利】ハクリ 利益の少ないこと。わずかな利益。「薄利多売」
【薄△禄】ハクロク ①少ない俸給。薄俸。②ふしあわせ。薄幸。薄福。▼禄は、幸い。

13【薠】16画 10343 漢ハン 呉ボン 元 fán — — 5767
字義 ❶草の名。はますげに似て、大きい。❷麻布(あさぬの)。
解字 形声。艹(艸)+煩㊌。

13【薇】16画 10344 標 漢ビ 呉ミ 微 wēi 7315 E54E —
〔薇〕10345 俗字
字義 ❶のえんどう(野豌豆)。からすのえんどう。大巣菜。マメ科の二年草。野草の一種。食用になる。❷ふなばらそう。白薇。❸薔薇(ショウビ)は、ばら。❹紫薇は、さるすべり。国ぜんまい。わらびに似た山菜。難読 薇蕨(わらび)・薇田(よもぎだ)
解字 形声。艹(艸)+微㊌。

13【薇】16画 10345 ビ 薇(10344)の俗字。→一二四一ジ上。

13【蕡】16画 10346 漢フン 呉ブン 文 fén
〔蕡〕10300 俗字
字義 ❶あさ(麻)の実。また、麻。❷実るさま。❸草木に実が多いさま。用例〔詩経、周南、桃夭〕桃之夭夭(もものヨウヨウたる)、有レ蕡其実(フンたるそのみあり)。↓若々しい桃の木に、みごとにみのったたくさんの桃の実。❹ゆみづる(弦)。
解字 形声。艹(艸)+賁㊌。

13【薜】16画 10347 一漢ハク・呉ヒャク 陌 bò 二漢ヘキ・呉ヒャク 陌 三漢ヘイ・呉バイ 霽 bì 7316 E54F —
字義 一二❶とうき。薬草の名。やまぜり。セリ科の多年草。❷やまあさ。山中に生える麻。❸かたよる。=僻(634)。三まさきのかずら(まさきのかずら)。かおりかずら。つる草の一種。薜茘(ヘイレイ)。
解字 形声。艹(艸)+辟㊌。
【薜△蘿】ヘイラ ①かずら。つる草の一種。②隠者の衣服。また、住居。

13【薬】16画 10348 教3 ヤク くすり 4484 96F2 —
15〔藥〕18画 10349 人 ヤク 薬 yào 7327 E55A —
筆順
字義 ❶くすり。㋐病気や傷をなおすききめのあるものの総称。㋑化学的効果を生じさせるために作った物。㋒身体を害するもの。どく。「毒薬」❷いやす。くすりを用いて病気や傷をなおす。❸かこい(囲)。囲いをめぐらし出入を禁じた所。❹芍薬(シャクヤク)の略称。
名前 くす・くすし・くすり 難読 薬袋(みない・みなえ)
解字 金文 篆文 形声。艹(艸)+楽(樂)㊌。音符の樂は、了・料・療などに通じ、おさめるの意味。病気をおわらせる草、くすりの意味を表す。
逆 火薬・丸薬・持薬・硝薬・仙薬・毒薬・服薬・麻薬・妙薬
【薬言】ヤクゲン いましめになることば。薬石之言(ヤクセキのゲン)。
【薬研】ヤゲン 国漢方の薬種を粉にする金属製の器具。舟形の中のくぼみに薬種を入れ、軸のある車状のものですり砕くしくみのもの。
【薬剤(劑)】ヤクザイ くすり。調合した薬。「薬剤師」
【薬殺】ヤクサツ 毒薬でころす。毒殺。
【薬師】一ヤクシ 仏如来(ニョライ)の名。「薬師瑠璃光(ヤクシルリコウ)如来」の略。衆生(シュジョウ)の病気をなおし、災害を防いでくれるという仏。二くすし 国医者。
【薬餌】ヤクジ ①くすりになる食物。②薬と滋養物。
【薬酒】ヤクシュ ①くすりを入れた酒。②毒を入れた酒。
【薬種】ヤクシュ くすりの材料。薬材。
【薬浸】ヤクシン 薬草をひたす。薬草を入れる。
【薬石】ヤクセキ ①くすりと、石鍼(いしばり)。②各種の薬と治療法。③身のためになることば。いましめのことば。
【薬石無レ功】ヤクセキコウなし あらゆる薬や治療法を用いてもききめがない。人の病死にいう。〔唐、宣宗、命ニ皇太子即ヒ位冊文〕
【薬湯】一ヤクトウ 煎(セン)じぐすり。二ヤクトウ・くすりゆ 国薬を入れたふろ。
【薬△嚢】ヤクノウ くすりぶくろ。薬袋。用例〔史記、刺客伝〕是時侍医夏無且(ジイカムショ)、以ニ其所レ奉薬嚢一提ニ荊軻一也(このときジイカムショ、そのホウずるところのヤクノウをもって、ケイカになげうつ)。↓この時、侍医の夏無且は、捧げ持っていた薬袋を荊軻に投げつけた。
【薬物】ヤクブツ くすりの原料。また、くすり。薬品。薬剤。
【薬味】ヤクミ ①くすりのあじ。②くすり類。③山椒(サンショウ)・胡椒(コショウ)など、食物に添えて用いる香辛料。
【薬籠】一ヤクロウ くすり箱。薬入れ。二ヤロウ 国三、四重のまるい重ね箱で、薬を入れて持ち歩くもの。
【薬籠中物】ヤクロウチュウのもの くすり箱の中のくすりのように、必要なとき、いつでも自分の役に立つ物・人。また、必要で欠くことのできない物・人。〔旧唐書、元行沖伝〕

13【蕷】16画 10350 ヨ 御 yù 7317 E550 —
字義 薯蕷(ショヨ)は、やまいも。じねんじょう。
解字 形声。艹(艸)+預㊌。

13【藇】16画 10351 一漢ショ・呉ジョ 語 xù 二ヨ 語 yǔ 三ヨ 御 yù 28705 — 5780
字義 一美しい。二諸藇(ショヨ)は、やまいも。
解字 形声。艹(艸)+與㊌。

13【蕹】16画 10352 漢ヨウ 呉ユウ 冬 yōng — — 5751
字義 ❶集まる。❷野菜の名。あさがおな。
解字 形声。艹(艸)+雍㊌。

13【薏】16画 10353 一漢ヨク・呉オク(ヲク) 職 yì 二イ 寘 yì 19130 — 5762
字義 一二❶蓮(はす)の胚芽(ハイガ)。蓮の実の中味。❷薏苡(ヨクイ)は、はとむぎ。イネ科の一年草。
解字 形声。艹(艸)+意(啻)㊌。

13【蕾】16画 10354 人 標 ライ 賄 lěi 7318 E551 —
筆順
字義 つぼみ。花のもう少しで開こうとしているもの。蓓蕾(ハイライ)。珠蕾。国つぼむ。花がつぼみをつける。
名前 つぼみ
解字 形声。艹(艸)+雷㊌。

13【蕗】16画 10355 人 漢ロ 呉ル 遇 lù 4189 9599 —
筆順
字義 ❶ふき。食用植物。苳(ふき)。❷かんぞう(甘草)。
名前 ふき
解字 形声。艹(艸)+路㊌。

13【薐】16画 10356 ロウ 蒸 léng 唐レン 7319 E552 —
字義 菠薐(ハリョウ)は、ほうれんそう。
解字 形声。艹(艸)+稜㊌。

13【臈】16画 10357 標 ロウ(ラフ) 合 là ｜9126 EE81 ―
［臈］5146 同字
字義 臘(5171)と同字。日本語では、「臈たける」「上臈」などにこの字を用いる。

13【薉】16画 10358 漢ワイ 呉エ(ヱ) 隊 huì, wèi ― ― 5759
字義 ❶あれる(荒)。雑草がおいしげる。また、雑草。❷けがれ。きたないこと。=穢(8562)。
解字 篆文 形声。艹(艸)＋歳音。音符の歳は、越に通じ、度を越すの意味。度を越して草が茂る、あれるの意味を表す。

13【薈】16画 10359 漢ワイ 呉エ(ヱ) 泰 huì 7307 E546 ―
字義 ❶しげる(茂)。草木がさかんにしげるさま。❷おおう。❸さえぎる(障)。❹深く暗い。❺雲や霧が起こるさま。
解字 篆文 形声。艹(艸)＋會音。音符の會は、あつまるの意味。草があつまる、草の多くさかんなさまを表す。
【薈蔚】ワイウツ ①草木のさかんにしげるさま。②雲の起こるさま。③うるおう。うるおった空気。

13【薭】16画 10360 国字 ｜9127 ― 5784
字義 ひえ。=稗(8504)。 難読 薭田ひえだ・ひだ・薭生ひう・ひよ
解字 形声。艹(艸)＋稗音。音符の稗は、ひえの意味。

14【雚】18画 (13200) カン 隹部。→一五三八ページ中。

14【薿】17画 10361 ギ 紙 nǐ ― ― 5778
字義 茂る。草木が盛んに茂るさま。
解字 形声。艹(艸)＋疑音。

14【舊】18画 (4650) キュウ 臼部。→一八四ページ上。

14【薫】17画 (10317) クン 薫(10316)の旧字体。→一三三八ページ中。

14【藁】17画 10362 人 標 コウ(カウ) 晧 gǎo 4746 986D ―
筆順 艹 芢 苩 蒿 蒿 蒿 藁 藁
字義 ❶=稿(8527)。㋐わら。㋑したがき。詩文のしたがき。❷かれる(枯)。=槁(5673)。
解字 形声。艹(艸)＋槀音。音符の槀コウは、かれるの意味。枯れた草、わらの意味を表す。

14【薩】17画 10363 人 標 漢サツ 呉サチ 曷 sà 2707 8E46 ―
筆順 艹 芦 茈 荶 薩 薩 薩
［薩］10364 俗字
字義 すくう(済)。梵語ボン sat の音訳字。菩提薩埵ボダイサッタの略。菩薩ボサツは、あまねく衆生シュジョウをすくおうとする仏道修行者。→薩埵。
名前 きよし・さとる・すけ
解字 形声。もと、土＋薛音。薩と書かなければならないものが、のち薩と書くようになった。
【薩埵】サッタ 仏仏のつぎの階級の人。大勇猛心を起こし仏道を求め、慈悲の心で衆生シュジョウをすくう人。菩薩ボサツ。

14【薩】17画 10364 サツ 薩(10363)の俗字。→一二四二ページ中。

14【薾】17画 10365 漢ジ 呉ニ 紙 ěr ― ― 5777
字義 花が盛んに咲いているさま。
解字 形声。艹(艸)＋爾音。音符の爾は、美しく盛んな花の意味。

14【藉】17画 10366 一 漢シャ・呉ジャ 禡 jiè 二 漢セキ・呉ジャク 陌 jí 7320 E553 ―
字義 一 ❶しく。敷物にする。また、敷物。❷かす。また、かりる。❸かこつける。口実にする。「藉口」❹よる(因)。たよる。❺ゆるす(寛)。いたわる。「慰藉」❻かりに。もし。❼=二❷。二 ❶=一❶。❷みだれる。ふみにじる。「狼藉ロウゼキ」❸なわ。ひも。また、つなぐ。❹とりたてる。徴集する。
参考 現代表記では〔謝〕(11344)に書きかえることがある。「慰藉料→慰謝料」
解字 篆文 形声。艹(艸)＋耤音。音符の耤セキは、席に通じ、しきものの意味。艸を付し、祭り用の草で作ったしきものの意味を表す。
【藉口】シャコウ かこつける。口実をもうけて言いわけをする。
【藉藉】セキセキ ①乱れちらばっているさま。②口々に言いはやすさま。③心のうつろなさま。
【藉田】セキデン 天子が祖先の祭りに用いる米を作るために、みずから耕す田。

14【薷】17画 10367 一 漢ジュ・呉ニュ 虞 rú 二 漢ジュウ(ジウ) 呉ニュウ(ニウ) 尤 ｜2 8703 ― 5773
字義 一 きくらげ。二 香薷は、なぎなたこうじゅ。シソ科の一年草。
解字 形声。艹(艸)＋需音。

14【薯】17画 10368 標 漢ショ 呉ジョ 御 shǔ 2982 8F92 ―
［薯］10328 俗字
字義 いも。=藷(10413)。㋐やまのいも。じねんじょ。薯蕷ショヨ。㋑いも類の総称。㋒馬鈴薯。じゃがいも。 難読 薯蕷とろろ・やまいも
解字 形声。艹(艸)＋署音。

14【薽】17画 10369 一 シン 真 zhēn 二 ケン 先 ― ― 5776
字義 一 二 茢薽レッシンは、薬草の名。いのしり。やぶたばこ。
解字 形声。艹(艸)＋甄音。

14【藎】17画 10370 漢シン 呉ジン 震 jìn ｜9134 ― 5783
字義 ❶草の名。かりやす。こぶなぐさ。イネ科の一年草。黄色の染料を採る。❷すすむ。忠愛の心で進む。❸あまり。もえのこり。=燼(7023)。
解字 形声。艹(艸)＋盡音。
【藎臣】ジンシン 忠愛の心のあつい家来。忠臣。

14【薺】17画 10371 漢セイ 呉ザイ 霽 齊 jì 7321 E554 ―
［荠］10045 俗字
字義 ❶なずななずな。❶草の名。はまびし。蒺藜シツレイ。❷ぺんぺん草。春の七草の一つ。アブラナ科の越年草。
解字 形声。艹(艸)＋齊音。

14【藂】17画 10372 漢ソウ 呉ゾウ 東 送 cóng, ②cōng ― ― 5779
字義 ❶若草。❷叢(1298)の俗字。
解字 形声。艹(艸)＋聚音。

14【薹】17画 10373 漢タイ 呉ダイ 灰 tái 7323 E556 ―
字義 ❶野菜の名。なたね。あぶらな。蕓薹ウンダイ。❷草の名。かさすげ。❸とう。野菜類の花茎。
解字 形声。艹(艸)＋臺音。

14【蔯】17画 10374 漢チン 呉ジン(ヂン) 真 chén ｜2 8704 ― 5775
字義 茵蔯インチンは、かわらよもぎ。キク科の多年草。国 蔯(2114)と同字。
解字 形声。艹(艸)＋塵音。

14【藋】17画 10375 一 漢チョウ(テウ) 呉ジョウ(デウ) 嘯 diào 二 漢テキ 呉ジャク(ヂャク) 錫 dí ｜9133 ― 5782
字義 一 草の名。あおあかざ。あかざの一種。灰藋カイチョウ。二

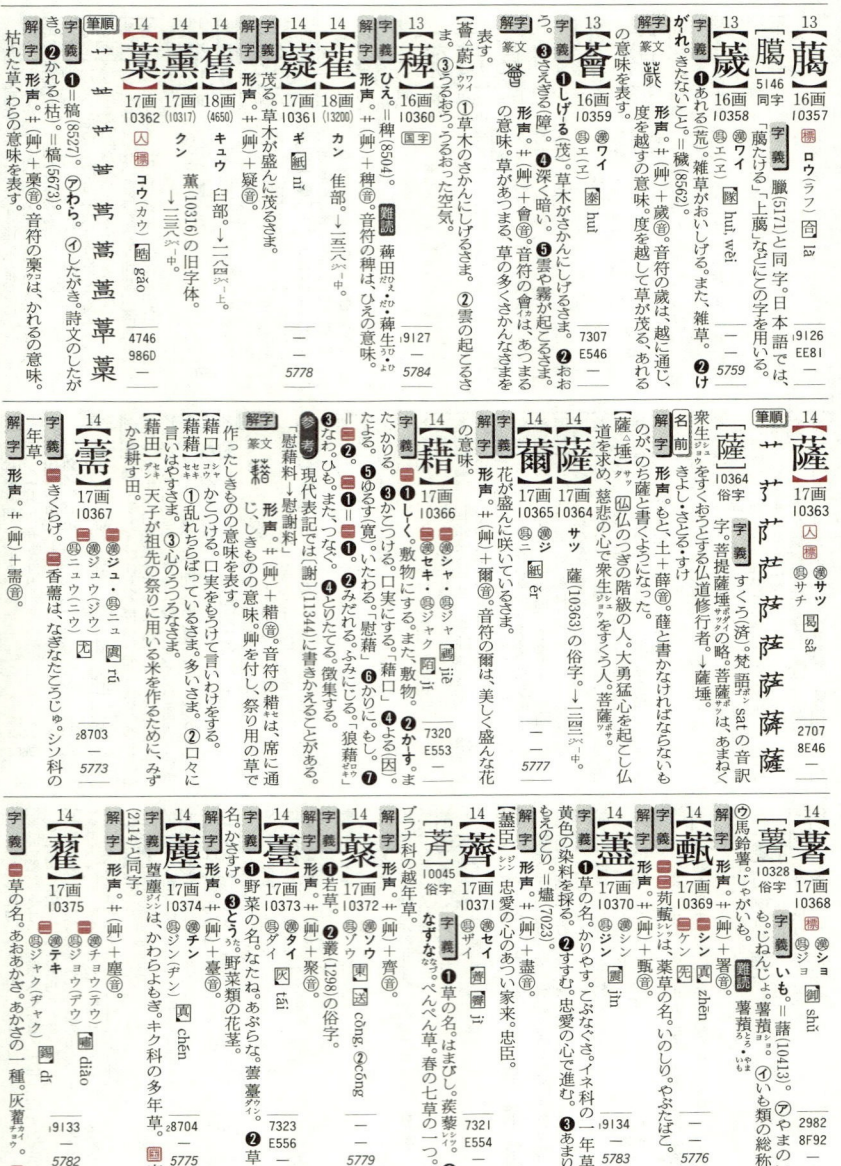

藋粱（リョウ テキ）は、こうりょう（高粱）。コーリャン。

14 【藋】17画 10376 テキ　荻(9991)の俗字。→一二一四ページ上。 2 8702 — —

解字 形声。艹(艸)＋翟音。

14 【薴】17画 10377 漢ノウ(ナウ) 呉ニョウ(ニャウ) 庚 níng — — 5771

字義 ❶草や髪が乱れる。❷薺薴（セイノウ）は、薬草の名。ひめじそ。

解字 形声。艹(艸)＋寧音。

14 【藐】17画 10378 ㊀漢バク・呉マク 覚 mò ㊁漢ビョウ(ベウ) 呉ミョウ(メウ) 篠 miǎo 7324 E557 —

字義 ㊀❶はるか。遠い。❷進む。次第に進む。❸むらさき草。紫の染料を採る草。㊁❶小さい。小さいさま。❷軽んずる。❸美しい。みめよい。❹＝㊀❶。

解字 形声。艹(艸)＋貌(皃)音。

【藐姑射之山】（バクコヤの やま） ㊁（ハコヤの やま） 山名。不老不死の仙人の住んでいるといわれる山。〔荘子、逍遥遊〕 国上皇・法皇の御所。仙洞（セントウ）。

【藐視】（ビョウシ） 軽視する。みさげる。

【藐然】（バクゼン） ①はるかなさま。遠くて及ばぬさま。②孤独なさま。

【藐藐】（バクバク） ①美しいさま。②人の教えが心にはいらないさま。③はるかで遠いさま。④さかんなさま。大きいさま。

14 【薸】17画 10379 漢ヒョウ(ヘウ) 呉ビョウ(ベウ) 蕭 piāo — — 5774

字義 浮き草。大薸は、豚の飼料にする浮き草。

解字 形声。艹(艸)＋漂音。音符の漂は、水にただようの意味。

14 【藊】17画 10380 ヘン 銑 biǎn 2 8706 — 5781

字義 ふじまめ。マメ科の一年草。あじまめ。せんごくまめ。

解字 形声。艹(艸)＋稨音。

14 【薶】17画 10381 マイ　埋(1983)の古字。→三〇九ページ中。 — — 5772

14 【蕛】17画 10382 国字 なぎ　薙(3350)の俗字。→四九三ページ中。 2 8701 — —

14 【蕢】17画 10383 国字 2 8694 — —

字義 蕢父（ぶたん）は、姓氏。

15 【藙】18画 10384 漢ギ 呉ゲ 未 yì 2 8708 — —

字義 おおだら。おにたら。はりぎり。ウコギ科の落葉高木。

解字 形声。艹(艸)＋毅音。

15 【藭】18画 10385 漢キュウ(キウ) 呉グウ 東 qióng 1 9135 — 5791

字義 せんきゅう。セリ科の多年草。芎藭（キュウキュウ）。

解字 形声。艹(艸)＋窮音。

15 【藠】18画 10386 漢キョウ(ケウ) 呉ギョウ(ゲウ) 篠 jiào — — 5788

字義 ❶草の名。❷藠子（キョウシ）は、らっきょう。

解字 形声。艹(艸)＋畠音。

15 【藕】18画 10387 慣グウ 漢ゴウ・呉グ 有 ǒu 7325 E558 —

字義 ❶はすのね。蓮根（レンコン）。❷はす。はちす。

解字 形声。艹(艸)＋耦音。

【藕糸(絲)】（グウシ） ①はすから採る糸。②色の名。

15 【藝】18画 (9827) ゲイ　芸(9826)の旧字体。→一一九七ページ中。

15 【繭】18画 (9355) ケン　糸部。→一一四一ページ上。

15 【藁】18画 10388 コウ　稾(8527)と同字。→一〇五六ページ中。 — — 5792

15 【藷】18画 10389 ショ　藷(10413)の俗字。→一二四五ページ中。

15 【藚】18画 10390 漢ショク 呉ゾク 沃 xù — — 5786

字義 木草の名。おもだか。

解字 形声。艹(艸)＋賣音。

15 【藪】18画 10391 標 ソウ 有 sǒu, ㋐còu 7314 E54D —

［籔］10337 俗字

字義 ❶さわ。㋐ぬま。みずうみ。㋑草木がしげり鳥獣などの多く集まる所。❷やぶ。草木のしげる所。❸物事の集まるところ。淵藪（エンソウ）。❹くま。すみ。曲がって入りこんだ所。隅（グウ）。❺求める。＝捜(4189)。❻草の名。酒をこすに用いる。❼こしき(轂（コク）)の、や(輻)をはめこむ穴。

解字 篆文 形声。艹(艸)＋數音。音符の數（スウ）は、かず多いの意味。鳥獣の多く集まる場所、さわ・やぶの意味を表す。

【藪沢(澤)】（ソウタク） ①草木が群がり茂っているさわ。②物の多く集まっている所。

15 【藏】18画 (10290) ゾウ　蔵(10289)の旧字体。→一二三六ページ上。

15 【蠆】18画 (10737) タイ　虫部。→一二三六ページ下。

15 【藡】18画 10392 テキ　荻(9991)と同字。→一二一四ページ上。 2 8710 — —

15 【藤】18画 10393 常 トウ ふじ 3803 93A1 —

15 ［藤］18画 10394 漢トウ 呉ドウ 蒸 téng

筆順 艹 芹 芹 萨 萨 蔣 蔣 藤 藤

［藤］10421 同字

字義 ❶ふじ（ぢょ）。マメ科の落葉つる草。五、六月ごろ薄紫または白色の花穂をたれる。❷かずら。つる状をなす植物の総称。❸木の名。とう。つる性で茎には節がある。茎の質が強く、椅子（イス）などを作るのに用いる。

名前 かつら・つ・とう・ひさ・ふじ　難読 藤生（ふじゅう）

解字 形声。艹(艸)＋滕(滕)音。音符の滕（トウ）は、上にのぼる意味を表す。つるが上によじのぼる草の意味。

【藤架】（トウカ） 藤棚（ふじだな）。ふじをはわせるようにした棚。

【藤原公任】（ふじ(ぢ)わ(は)らの きんとう(たふ)） 国平安中期の歌人・書家。関白頼忠（よりただ）の子で、詩歌管弦・有職（ユウソク）故実に通じていた。編著書に『和漢朗詠集』などがある。（九六六—一〇四一）

【藤原惺窩】（ふじ(ぢ)わ(は)らの セイカ） 国江戸初期の儒者。名は粛（しゅく）、字（あざな）は斂夫（レンプ）。藤原定家十二世の子孫。はじめ相国寺の僧。後、程朱の学を修め、徳川家康に重んじられ、林羅山（はやしラザン）ら、多くの門人を出して江戸時代儒学の始祖といわれた。（一五六一—一六一九）

【藤原明衡】（ふじ(ぢ)わ(は)らの あきひら） 国平安中期の儒者・漢詩人。大学頭（ダイガクのかみ）・文章博士（モンジョウハカセ）となった。『本朝文粋（ホンチョウモンズイ）』の編者。（九八九—一〇六六）

【藤牀】（トウショウ） ふじのつるで作ったこしかけ・寝台。

【藤井竹外】（ふじ(ぢ)い(ゐ) チクガイ） 国江戸末期の漢詩人。名は啓、字（あざな）は士開。竹外は号。頼山陽に学び、特に七言絶句にすぐれていた。（一八〇七—一八六六）

【藤田東湖】（ふじ(ぢ)た トウコ） 国江戸末期の儒者・勤王家。名は彪（たけし）。水戸藩の藩儒で、彰考館総裁代役となった。「正気歌（セイキのうた）」の作がある。（一八〇六—一八五五）

【藤蘿】（トウラ） ふじかずら。つる草の総称。

15 【藦】18画 10395 漢バ 呉マ 箇 mò 2 8711 — 5789

字義 蘿藦（ラマ）は、ががいも。ガガイモ科の多年性つる草。

解字 形声。艹(艸)＋摩音。

15 **【藩】** 18画 10396 漢ハン・呉ホン 元 fān 常 ハン 4045 94CB ―

筆順 艹 艹 艹 茳 茳 萍 蒤 藩 藩 藩

字義 ❶**まがき**。かきね。かき。❷おおう。まもる。守護する。❸おおい。車のおおい。❹さかい。区域。❺地方をしずめて王室の守りとなる諸侯。また、諸侯の国。→藩屏(ハンペイ)。国江戸時代、大名の領有する土地・組織・構成員などの総称。

解字 篆文 **形声**。艹(艸)+潘音。音符の潘(ハン)は、白い濁りがおおう米のとぎじるの意味。おおって守る、まがきの意味から、君主を守る諸侯の国の意味を表す。

逆 外藩・親藩

【藩垣】(ハンエン) ①かきね。かき。まがき。かこい。②国家・朝廷などの守り。また、その守護に任ずる人。

【藩学(學)】(ハンガク) 国江戸時代、各藩がその藩の子弟を教育するために設けた学校。藩校。

【藩△翰】(ハンカン) ①かきねと、はしら。②一地方をしずめて王室の守りとなるもの。

【藩侯】(ハンコウ) ①藩鎮の節度使。王室の守りとなる諸侯。②国藩主。大名。とのさま。

【藩国(國)】(ハンコク) 王室の守りとなる諸侯の国。

【藩司】(ハンシ) ①南北朝時代、州刺史の異称。諸侯王を州刺史としたことからいう。②明(ミン)・清(シン)代、布政使の異称。藩台。

【藩臣】(ハンシン) ①王室を守護するけらい。諸侯をいう。②国諸侯のけらい。大名の家臣。藩士。

【藩属】(ハンゾク) 服従して藩屏となることをいう。→藩屏③。

【藩鎮(鎭)】(ハンチン) ①地方を守りしずめるためにとどまる軍隊。②王室の守りとなる諸侯。③唐代、節度使の別名。

【藩邸】(ハンテイ) ①諸侯の居城。②国江戸時代、大名が江戸においたやしき。大名やしき。

【藩閥】(ハンバツ) 国明治維新後、勢力のある藩の出身者が政府の重要な地位を占め、他藩の出身者をしめだしたこと。また、その派閥。

【藩△屏】(ハンペイ) ①かきね。かこい。②まもる。おおい守る。守護する。③王室の守りとなる諸侯。

【藩落】(ハンラク) ＝藩垣②。▼落も、かきね。

【藩△籬】(ハンリ) ①＝藩垣。②学問などの入り口。

15 **【藨】** 18画 10397 一ヒョウ(ヘウ) 蕭 biāo 二ホウ 豪 pāo ― ― 5790

15 **【藥】** 18画 (10349) ヤク 薬(10348)の旧字体。→一三四一ジ・中。

字義 一❶いちご。❷葦(あし)の穂。❸耕す。二＝一❶。

解字 形声。艹(艸)+麃音。

15 **【藍】** 18画 10398 ラン 覃 lán 常 ラン あい 4585 9795 ―

筆順 艹 艹 艹 苎 苎 蔀 蔀 藍 藍

字義 ❶あい(ゐ)。草の名。タデ科の一年草。青色の染料を作るのに用いる。❷あい色。❸ぼろ。＝襤(10993)。❹みだす。＝濫(6792)。❺むさぼる。＝婪(2454)。

名前 あい

解字 篆文 **形声**。艹(艸)+監音。

【藍関(關)】(ランカン) 古関の名。陝西(センセイ)省商洛(ショウラク)市の西北にあり、関中平原より南陽盆地への交通の要路。古くは嶢関(ギョウカン)といった。藍田関。用例〔唐、韓愈、左遷至藍関示姪孫湘詩〕雲横秦嶺家何在、雪擁藍関馬不前(くもはシンレイによこたわ(は)り、いえ(へ)いず(づ)くにかある、ゆきはランカンをヨウしてうまますすまず。) ↓雲は秦嶺山脈にたなびき、私の家はどこにあるのだろうか(どこにあるかわからない)。雪は藍関あたりをおおい尽くして、馬も進もうとしない。

【藍玉】(ランギョク) 一藍田から出る美玉の名。二あい(ゐ)だま あいの葉を発酵させて固めた染料。藍靛(ランテン)。藍澱(ランデン)。

【藍△靛】(ランテン) ＝藍玉二。

【藍田】(ランデン) ①県名。陝西(センセイ)省渭河(イカ)平原の南端にあたり、渭河の支流の灞河(ハカ)の上流の地。②山名。陝西省藍田県の東南。美玉の産地で有名。

【藍田生レ玉】(ランデンたまをショウず) 藍田から美玉を出す。名門に賢い子が生まれたことをほめることば。父子をともにほめるときに言う。〔三国志、呉志、諸葛恪伝〕

【藍尾酒】(ランビシュ) 最後に飲む酒。残り物に福があるからいう。▼藍は、むさぼる意。

【藍△碧】(ランペキ) あおあおとしたみどり色。

【藍本】(ランポン) ①絵の下書き。②もとになる本。原典。

【藍△縷】(ランル) ぼろ。やぶれごろも。襤褸(ランル)。

15 **【藟】** 18画 10399 ルイ 紙 lěi ₂8709 ― 5787

字義 ❶草の名。かずら。❷まとう。まつわる。❸酒の名。❹くろきびに香草を合わせてかもし、祖先の霊にそなえる酒。つぼみ。

解字 篆文 **形声**。艹(艸)+畾音。音符の畾(ルイ)は、重なるの意味。つるが上に重なっていく、かずらの意味を表す。

15 **【藜】** 18画 10400 漢レイ 呉ライ 斉 lí 7328 E55B ―

字義 ❶**あかざ**。草の名。❷くろい。＝黎(14460)。

解字 篆文 **形声**。艹(艸)+黎音。音符の黎(レイ)は、きびの意味。きびの穂のような、つぶ状の花をつける、あかざの意味を表す。

【藜△藿】(レイカク) ①あかざの葉と、豆の葉。②粗食。

【藜△棘】(レイキョク) ①あかざと、いばら。②価値のないもの、乱臣賊子(主君を殺す臣と、父を殺す子)のたとえ。

【藜△羹】(レイコウ) ①あかざの葉のあつもの。②粗食。

【藜△杖】(レイジョウ) あかざの茎で造ったつえ。軽いので老人用とされている。日本では中風よけという迷信がある。

15 **【藘】** 18画 10401 漢リョ 呉ロ 魚 lǘ ₂8707 ― 5785

字義 ❶茹藘(ジョロ)は、あかね(茜(セン))。❷藘蕠(ロジョ)は、のうるし。ねあざみ。にいまぐさ。トウダイグサ科の多年草。

16 **【藹】** 19画 10402 一アイ 泰 ǎi 二アイ 賄 7329 E55C ―

解字 形声。艹(艸)+盧音。

字義 一❶多い。さかんである。❷まめまめしい。忠実である。❸うるおうさま。❹おだやかなさま。❺もや。もやのたなびくさま。二草木のしげるさま。

解字 **形声**。艹(艸)+謁音。音符の謁(エツ=アイ)は、さかんにこい求めるの意味。艸を付し、草のさかんにのびるように、さかんの意味を表す。

【藹藹】(アイアイ) ①さかんなさま。②草木のしげるさま。③香気の起こるさま。④力をつくすさま。⑤ほんのりとした月光の形容。⑥賢士の形容。⑦雲のさま。⑧うすぐらいさま。⑨おだやかなさま。「和気藹藹」

【藹△蔚】(アイ・アイウツ) 草木のしげるさま。

【藹然】(アイゼン) ①さかんなさま。②おだやかなさま。③雲の集まるさま。

16 **【蘊】** 19画 10403 一ウン 問 yùn 二ウン 吻 7330 E55D ―

字義 一❶つむ(積)。＝薀(10309)。㋐積みたくわえる。蓄積。㋑おさめる(蔵)。しまう。「蘊蔵」❷つつむ。❸ふさぐ。気がふさぐ。❹おくそこ。奥深い。❺あつい。あたたかい。❻草木がさかんに茂る。❼たきぎ。❽水草の一種。きんぎょも。まつも。二つむ(積)。

解字 形声。艹(艸)＋縕㊥。音符の縕ウンは、むれるの意味。草のむされるような熱気の意味から、つむ・たくわえるの意味を表す。

【蘊奥】ウンオウ・ウンノウ おくそこ。学問などの奥義。深い造詣。
【蘊結】ウンケツ 気がふさぐこと。
【蘊藉】ウンシャ 心が広くて、おだやかなこと。
【蘊藻】ウンソウ みずくさ。
【蘊蓄】ウンチク ①物を積みたくわえる。②国学問などの積みたくわえた深い素養。「蘊蓄を傾ける」

16【藋】19画 10404 ㊀カク(クヮク) 薬 huò ㊁スイ 紙 9137 — 5801
字義 ㊀❶豆の若い葉。❷香草の名。㊁花の散りしくさま。
解字 形声。艹(艸)＋霍㊥。
【藋羹】カクコウ 豆の葉のあつもの。粗末な食物。
【藋食者】カクショクシャ 豆の葉を食う人。粗食する人。人民のこと。↔肉食者(一二七七ジペ-中)。

16【蘄】19画 10405 ㊀㊥キ・㊉ギ 支 qí ㊁㊥キン・㊉ゴン 文 qín 9138 — 5803
字義 ㊀❶せりの一種。とうき(当帰)。やまぜり。山蘄。❷くつわ。馬のくつばみ。❸花に香気があり、根は薬用となる。＝祈(8335)。㊁＝㊀❶。もとめる。祈り求める。＝祈(8335)。
解字 篆文 形声。艹(艸)＋單＋斤㊥。草の名を表すが、祈りに通じ、祈り求めるの意味をも表す。

16【蘬】19画 10406 キ 驥(13808)の古字。→一五九四ジペ-下。 — — 5806
16【蘊】19画 10407 キョウ 薑(10314)の本字。→一二三八ジペ-上。 — — 5806
16【蘍】19画 10408 クン 薰(10316)と同字。→一二三八ジペ-中。 — — 5805
16【蘖】19画 (2591) ゲツ 子部。→三八七ジペ-上。
16【蘐】19画 10409 ケン 萱(10094)と同字。→一二二一ジペ-中。 9140 — 5807
【蘐園学(學)派】ケンエンガクハ 国江戸時代、荻生徂徠の号。徂徠の住んでいたのが日本橋茅場町であったことから、「茅」と同じく「かや」と読む「蘐」を用いた。
16【藼】19画 10410 ケン 萱(10094)と同字。→一二二一ジペ-中。
16【藼】19画 10411 ケン 萱(10094)の俗字。→一二二一ジペ-中。 — — 5794

16【蘅】19画 10412 ㊥コウ(カウ) ㊉ギョウ(ギャウ) 庚 hēng 9139 — 5804
字義 香草の名。かんあおい。杜蘅。

16【藷】19画 10413 標 ㊀ショ 魚 zhū ㊁㊥ショ・㊉ジョ 御 shǔ 2983 8F93 —
解字 形声。艹(艸)＋衡㊥。
［藷］10389 俗字
字義 ㊀さとうきび。藷蔗。㊁❶いも。いも類の総称。特に、さつまいもをいう。＝薯(10368)。「甘藷(さつまいも)」❷藷薁は、やまのいも。
解字 形声。艹(艸)＋諸㊥。じねんじょう。

16【蘂】19画 10414 ズイ 蕊(10284)の俗字。→一二三五ジペ-下。 7302 E541 —
16【薛】19画 10415 セツ 薛(10334)の本字。→一二四〇ジペ-上。

16【蘇】19画 10416 人 標 ㊀ソ 虞 sū ㊁ソ 遇 慣ス 3341 9168 —
筆順 艹 艹 芇 苗 苗 蘇 蘇 蘇 穌 蘇
［蘓］10417 俗字
字義 ㊀❶草の名。紫蘇。また木の名。蘇枋。❷よみがえる。生きかえる。用例(左伝、宣公八)晋人獲二秦諜一、殺二諸絳市一六日而蘇。⇩晋の人が秦の間諜を捕らえ、絳にある市場で殺したが、六日後に生き返った。❸さめる。目ざめる。また、さとる。覚醒する。用例(楚辞、九章、橘頌)蘇世独立。⇩世俗から目覚め独自の道を行く。❹いえる。回復する。❺しばくさ。また、たきぎ。「積蘇」❻草を刈る。❼手に取る。持つ。また、もとめる。ひっぱる。❽鳥の尾。❾古代の国名。夏・殷代に今の河南省済源市西北にあり、後、河南省温県西南に遷都。春秋時代前六五〇年、狄に滅ぼされた。❿江蘇省の略称。㊁むかう。立ち向かう。また、さからう。用例(荀子、議兵)順刃者生、蘇刃者死。⇩兵刃に従って進む者は生かし、兵刃に逆らって立ち向かう者は殺す。
名前 いき・はる 難読 蘇格蘭スコットランド・蘇連ソレン・蘇聯ソレン・蘇士スエズ・蘇丹スーダン
解字 金文 篆文 形声。艹(艸)＋穌㊥。音符の穌ソは、木や魚をとるの意味。艸を付し、草を刈りとるの意味や、しその意味を表す。また、遡ソに通じて、逆もどりする。死から生へと、よみがえるの意味をも表す。

【蘇因高】ソインコウ 小野妹子のこと。遣隋使のとき小妹子といったのを、隋の人が「いもこ」に「因高」の字をあてたという。
【蘇活】ソカツ ＝蘇生。
【蘇州】ソシュウ 江蘇省東南部、太湖の東にある都市。春秋時代の呉の都で、秦代に会稽郡、漢代に蘇州となる。現在は蘇州市。名所・旧跡が多い。
【蘇洵】ソジュン 北宋の文豪。字は明允、号は老泉。唐宋八大家の一人。軾・轍の父。子を大蘇・小蘇というのに対し老蘇と称された。著書に『蘇老泉全集』がある。(一〇〇九―一〇六六)
【蘇軾】ソショク 北宋の文豪。字は子瞻、号は東坡居士、諡は文忠。唐宋八大家の一人。弟の轍を小蘇というのに対し大蘇と称された。著書に『東坡全集』『易書伝』などがある。(一〇三六―一一〇一)⇩コラム 宋代の文学と宋学(三九二ジペ-)。

蘇軾

【蘇秦】ソシン 戦国時代の遊説家。洛陽(今の河南省洛陽市)の人。鬼谷先生に縦横の術を学び、諸国をめぐり合従策を唱え、六国を同盟させその宰相を兼ねたが、後、張儀の連衡策に破られた。(?―前三一七)
【蘇生】ソセイ 国よみがえる。生きかえる。更生。回生。蘇活。
【蘇仙】ソセン ＝蘇軾。
【蘇蘇】ソソ ①おそれてびくびくしているさま。②騒ぎ動いているさま。③気のつくさま。
【蘇息】ソソク いこう。休む。生きかえる。
【蘇台(臺)】ソダイ 春秋時代、呉王闔閭が築いた台(見晴らし台)の名。「姑蘇台」の略。(唐、李白、蘇台覧古詩)
【蘇張】ソチョウ ①蘇秦と張儀。ともに戦国時代の遊説家。→合従(二四七ジペ-下)・連衡(一二四一八ジペ-下)。②初唐の文人の蘇頲と張説。
【蘇轍】ソテツ 北宋の文豪。洵の子、軾の弟。字は子由、号は潁浜・欒城、諡は文定。唐宋八大家の一人。兄を大蘇というのに対し小蘇と称された。著書に『欒城集』『詩伝』『春秋伝』などがある。(一〇三九―一一一二)
【蘇東坡】ソトウバ ＝蘇軾。
【蘇武】ソブ 前漢の忠臣。字は子卿。武帝の時、匈奴に使いして捕らえられたが、十九年間節を守って屈せず、昭帝が和親してから帰国した。(?―前六〇)
【蘇芳・蘇方・蘇枋】スオウ ①印度に産する、マメ科の常緑

艸部 16画 〔藋蘄蘬蘊蘍蘖蘐藼藼蘅藷蘂薛蘇〕

樹。その皮を赤紫色の染料に用いる。②国㋐「蘇芳色」の略。黒みを帯びた赤色。㋑襲(かさね)の色合い。表は薄い赤、裏は濃い赤。

16 【蘓】 19画 10417 ソ 蘇(10416)の俗字。→一三四五ページ中。 7331 E55E —

16 【藻】 19画 10418 常 ソウ(サウ) 晧 zǎo も ソウ 3384 9194 —

筆順 艹 …… 藻

字義 ❶も。水草の総称。また、美しい水草。❷あや。模様。㋐色どり。美しい模様。かざり。㋑詩歌・文章などの修辞的なことば。❸えがく。水草の模様を描く。❹五色に染めた糸。天子の冠のかざり玉を下げるのに用いる。❺玉を載せるための敷物。❻品定めする。

名前 も

解字 篆文 別体 形声。艹(艸)＋澡㊀。音符の澡(ソウ)は、あらうの意味。水中に洗われている「も」の意味を表す。

逆 才藻・詞藻・辞藻・文藻

【藻雅】(ソウガ) 文章にたくみで風流なこと。

【藻絵(繪)】(ソウカイ)・藻△繢(ソウカイ) 彩色。絵もよう。あや模様。

【藻△翰】(ソウカン) ①美しい模様のある羽。②美しい文章。

【藻鑑】(ソウカン) 人物や物品の鑑定。すぐれた鑑識。

【藻△荇】(ソウコウ) 藻と、うき草。

【藻思】(ソウシ) 詩文を作る才能。文才。

【藻飾】(ソウショク) ①からだをかざる。姿・形を整える。②文章の辞句をかざる。美辞麗句を並べる。

【藻井】(ソウセイ) 水草の模様を描いた天井。水草は火を避けるから天井に描く。組み天井。

【藻△蘋】(ソウヒン) ①藻と浮き草。水草。②粗末なおかず。

【藻△厲】(ソウレイ) 立派にみがく。美しく飾りたてる。

【藻麗】(ソウレイ) あや模様があって美しい。

16 【蘀】 19画 10419 タク 薬 tuò ₂8713 — 5802

字義 ❶おちば。枯葉。❷おちる。葉が落ちる。❸あしの葉。

解字 形声。艹(艸)＋擇㊀。

16 【藺】 19画 10420 タン 菼(10049)と同字。→一三一八ページ上。

16 【藤】 19画 10421 トウ 藤(10393)と同字。→一三四三ページ下。

16 【蘢】 19画 10422 はぎ 蘢(10459)の俗字。→一三四八ページ中。 ₁9136 — 5809

16 【蘋】 19画 10423 ㊀㊥ヒン・㊥ビン 真 pín ㊁ヘイ píng 7332 E55F —

字義 ㊀水草の名。でんじそう(田字草)。かたばみも。㊁→蘋果。

解字 篆文 形声。もと、艹(艸)＋賓㊀。音符の賓は、濱(浜)に通じ、水ぎわの意味。水ぎわの草の意味を表す。のち、賓は頻となる。

【蘋果】(ヘイカ) りんご(林檎)。苹果(ヘイカ)。

【蘋菜】(ヒンサイ) 食用となる浮き草。

【蘋藻】(ヒンソウ) ①かたばみもと、も。ともに水草。②婚礼に用いる贈り物。

【蘋△蘩】(ヒンパン) ①浮き草と、しろよもぎ。②神仏に捧げる粗末な供え物。

【蘋風】(ヒンプウ) 浮き草の上を吹く風。

16 【蘑】 19画 10424 マ mó ₂8714 — 5808

字義 蘑菰(マコ)・蘑菇(マコ)は、きのこの一種。ひらたけ。

解字 形声。艹(艸)＋磨㊀。

16 【藾】 19画 10425 ライ 泰 lài 7333 E560 —

字義 ❶草の名。よもぎの一種。❷よる。たよりにする。＝頼(13478)。

解字 形声。艹(艸)＋頼㊀。

16 【蘭】 19画 10426 人 17 〖蘭〗 20画 10427 ラン 寒 lán 4586 9796 —

筆順 艹 …… 蘭

字義 ❶キク科の香草の名。ふじばかま。秋、薄紫の花を開く。秋の七草の一つ。❷ラン科植物の総称。観賞用・香料として栽培される。❸りっぱなもののたとえ。「蘭艾(ランガイ)」❹刀掛け。兵器を掛けるもの。❺さすらう。❻さえぎる。また、檻(おり)。国国名。和蘭(または和蘭陀)(オランダ)の略。「蘭学」

名前 か・らん 難読 蘭越(らんこし)・蘭貢(ラングーン)・蘭留(らんる)

解字 篆文 形声。艹(艸)＋闌(闌)㊀。

【蘭英】(ランエイ) ①らんの花。②美酒の名。

【蘭△艾】(ランガイ) らんと、よもぎ。芳草と雑草。立派な人物と、つまらぬ人物のたとえ。

【蘭薫】(ランクン) らんのよいかおり。また、らんのようにかおる。すぐれた人格や美人のたとえ。

【蘭契】(ランケイ) ＝蘭交。

【蘭△桂】(ランケイ) らんと、かつらの木。立派な人物のたとえ。▼桂は、香木。

【蘭△閨】(ランケイ) ①皇后の寝室。蘭省。②女性の美しい寝室。

【蘭△蕙】(ランケイ) 蘭も蕙もよいかおりの草。立派な人物のたとえ。

【蘭言】(ランゲン) たがいに意気の合ったことば。心の通じ合ったことば。親友のことば。

【蘭交】(ランコウ) 心を許しあった友人のまじわり。その美しさをらんのかおりにたとえていう。蘭契。『易経』繋辞(ケイジ)上に「同心之言其臭如レ蘭(ドウシンのゲンはそのシュウランのごとし)」とあるのに基づく。

【蘭△摧玉折】(ランサイギョクセツ) らんがくだけ、玉が折れる。立派な人物や美人の死にいう。〔世説新語、言語〕

【蘭芝・蘭△芷】(ランシ) 蘭も芝・芷もともによいかおりの草。立派な人物や美人のたとえ。

【蘭室】(ランシツ) らんのかおる部屋。善人や美人のいる室。

【蘭△奢待】(ランジャタイ) 国聖武天皇のとき、中国から渡った名香。奈良の正倉院に伝えられる。天皇によって名づけられ、中に「東大寺」の三文字が含まれる。

【蘭△麝】(ランジャ) らんの香と、麝香鹿(ジャコウじか)の香。名香をいう。

【蘭若】(ランジャク) ㊀蘭と、杜若(トジャク)。ともに香草。㊁(ランニャ) 仏寺院。「阿蘭若(アランニャ)」の略。

【蘭舟】(ランシュウ) 木蘭(モクラン)で作った、美しい舟。

【蘭省】(ランショウ) ①秘書省の別名。「ランセイ」ともよむ。用例〔唐、白居易、廬山草堂夜雨独宿寄二牛二・李七・庾三十二員外一詩〕蘭省花時錦帳下(ランショウのカジ、キンチョウのもと)、廬山夜雨草庵中(ロザンのヤウ、ソウアンのうち)。↓君たちは秘書省で花が咲くとき、錦のカーテンの中にいるだろうが、私は廬山の雨夜に粗末な小屋住まいだ。②皇后の寝室。蘭閨(ランケイ)。

【蘭△槳】(ランショウ・ランのかじ(ぢ)) 木蘭(モクラン)で作った、舟のかい。また、かいの美称。蘭枻(ランエイ)。蘭櫂(ラントウ)。用例〔北宋、蘇軾、前赤壁賦〕桂櫂兮蘭槳(かつらのさお(を)、ランのかじ(ぢ))、撃二空明一兮泝二流光一(クウメイにうちてリュウコウにさかのぼる)。↓美しいさおやかいをあやつって、水に映る月影にさおさして、光り輝く流れをさかのぼる。

【蘭△燭】(ランショク) 香気のある、美しいろうそくの火。

【蘭台(臺)】(ランダイ) ①戦国時代の楚(ソ)の宮殿の名。②漢代の宮中の蔵書所。③官署の名。㋐唐代、秘書省をいう。㋑漢代以後、御史台をいう。

【蘭亭序】(ランテイジョ) 東晋(トウシン)の王羲之(オウギシ)が永和九年(三五三)三月三日の節句に名士四十一人を蘭亭(今の浙江(セッコウ)省紹興市の西南にある)に集めて、曲水の宴を催したときの詩文の序。これを行書で書いた法帖は書の絶品といわれる。蘭亭集序。蘭亭記。

【蘭殿】らんの香る宮殿。皇后の宮殿をいう。

【蘭灯(燈)】美しい灯籠。

【蘭方】近世、オランダから伝来した医術。

【蘭芳】らんのかぐわしい香り。美徳のたとえ。

【蘭房】①＝蘭室。②女性の美しい寝室。

【蘭陵】戦国時代の楚の地。今の山東省蒼山県の西南の蘭陵鎮。

【蘭陵王】舞楽の名。北斉の蘭陵王長恭が面をかぶってやさしい顔を険しく見せかけ、部下をひきいて北周の軍を撃破したさまを写す。羅陵王。陵王。

16【藺】19画 10428 リン 震 lìn　7334 E561 —

字義 ❶い。草の名。いぐさ。灯心草。イグサ科の多年草。❷なげいし。城の上から敵に投げ落とす石。「藺石」

難読 藺牟田

解字 形声。艹(艸)＋閵音。

【藺相如】戦国時代、趙の政治家。恵文王に仕え、和氏之璧(三六〇ページ下)を秦に持参して使命を全うして帰り、また、澠池の会には自国の名誉を保つなど功績が大きい。初め将軍の廉頗(四七八ページ中)にねたまれたが、のちに刎頸之交(一七七ページ中)を結んだ。

16【藶】19画 10429 漢レキ 呉リャク 錫 lì　28712 — 5793

字義 葶藶は、いぬなずな。アブラナ科の二年草。

解字 形声。艹(艸)＋歷音。

16【蘆】19画 (9850) ロ　芦(9849)の旧字体。→一三〇〇ページ上。

16【蘔】19画 10430 漢ロウ(ラウ) 呉ロウ 晧 号 lǎo

字義 ❶干し梅。❷干した果実。

解字 形声。艹(艸)＋橑音。

16【蘢】19画 10431 ロウ 東 lóng　7336 E563 —

字義 ❶草の名。おおけたで。いぬたで。❷草木が深く茂るさま。「蘢茸」

解字 形声。艹(艸)＋龍音。

【蘢茸】草木がしげりあつまっているさま。

17【蘤】20画 10432 一 イ(キ) 紙 二 漢カ(クワ)・呉ケ 麻 huā　28717 — —

字義 一花。また、花が咲く。二花(9816)の古字。

解字 形声。艹(艸)＋白＋爲音。

17【蘛】20画 10433 イク 屋 yù　— — 5812

字義 ❶蒀蘛は、花が開くさま。❷茂る。

解字 形声。艹(艸)＋甚＋育音。

17【蘙】20画 10434 エイ 霽 yì　— — 5811

字義 ❶草の名。❷草木の茂るさま。「蘙薈」

解字 形声。艹(艸)＋翳音。

17【蘡】20画 10435 漢オウ(アウ) 呉ヨウ(ヤウ) 庚 yīng　28716 — 5814

字義 草の名。蘡薁は、えびづる。のぶどう。

解字 形声。艹(艸)＋嬰音。

17【蘧】20画 10436 漢キョ 呉ゴ 魚 qú　28718 — 5815

字義 ❶草の名。なでしこ。かわらなでしこ。蘧麦。❷はす(蓮)。❸蘧蔬は、まこもだけ。まこも(真菰)に生ずる菌。❹蘧廬は、はたごや。旅館。❺ものの形容。「蘧蘧」

解字 形声。艹(艸)＋遽音。

【蘧蘧】①みずからさとるさま。自得。②高いさま。③驚くさま。また、形あるさま。

【蘧蘧然】驚くさま。一説に、形あるさま。用例〔荘子、斉物論〕俄而覚、則蘧蘧然周也(にわかにして覚むれば、すなわち蘧蘧然として周なり)。↓しばらくして目が覚めると、驚くことに自分は荘周であった。

【蘧伯玉】春秋時代、衛の賢大夫。名は瑗。

【蘧廬】はたごや。旅館。

17【蘖】20画 10437 漢ゲツ 呉ゲチ 屑 niè　6117 9F50 —

[櫱] 5903 正字

字義 ❶ひこばえ。木の切り株から新たに出た芽。❷農業用語で、分蘖は、稲・麦などの茎が根元から枝分かれして増えること。

解字 篆文 形声。篆文は、木＋辥音。音符の辥は、刃物でたちきるの意味。切り株から生えるひこばえの意味を表す。蘗は別体。

17【蘠】20画 10438 漢ショウ(シャウ) 呉ゾウ(ザウ) 陽 qiáng　19142 — 5810

字義 ❶かき(垣)。＝牆(7108)。❷蘠蘼は、草の名。ばら。

17【蘘】20画 10439 漢ジョウ(ジャウ) 呉ニョウ(ニャウ) 陽 ráng

解字 形声。艹(艸)＋牆音。

字義 草の名。みょうが(茗荷)。

解字 形声。艹(艸)＋襄音。

難読 蘘荷

17【蘚】20画 10440 セン 銑 xiǎn　7337 E564 —

字義 こけ。陰地や岩に生える隠花植物。蘚苔。

解字 形声。艹(艸)＋鮮音。

【蘚書】岩の上に生えているこけが字のような模様をしていること。

【蘚苔】こけ。

【蘚磴】こけの生えている石段。

17【蘯】20画 10441 トウ　蕩(10293)と同字。→一二三六ページ中。　6628 E1BA —

17【蘗】20画 10442 バク　檗(5859)の俗字。→七七三ページ上。　6102 9F41 —

17【驀】20画 (13780) バク　馬部。→一五九二ページ中。

17【蘩】20画 10443 漢ハン 呉ボン 元 fán　19143 — 5816

字義 ❶草の名。しろよもぎ。❷草の名。ふき。❸浮き草の一種。

難読 蘩蔞

解字 形声。艹(艸)＋繁音。

【蘩蔞】草の名。はこべ。蘩縷。

17【蘭】20画 (10427) ラン　蘭(10426)の旧字体。→一二四六ページ中。

17【蘞】20画 10444 レン 塩 艶 liǎn　28715 — 5813

字義 ❶草の名。やぶがらし。びんぼうかずら。❷つる(蔓)。植物のつる。国えぐい。えごい。㋐味がいがらっぽい。㋑気が強い。冷酷。

解字 形声。艹(艸)＋斂音。

17【蘰】20画 10445 国字　7338 E565 —

字義 かずら(葛)。つる性の植物の総称。

17【[艹+縮]】20画 10446 国字　19141 — —

字義 つづら。つる性の植物。

18【蘶】21画 10447 ギ 未 wèi　— — 5817

字義 ひこばえ。切り株から出る芽。

解字 形声。艹(艸)＋魏音。

18【蘒】21画 10448 漢キョウ(ケウ) 呉ギョウ(ゲウ) 蕭 qiáo　28719 — —

字義 連翹は、モクセイ科の落葉低木。いたちぐさ。いたちはぜ。

19 【蘹】22画 10449 漢カイ(クヮイ) 呉エ(ヱ) 唐ウイ 佳 huái ₂8720 — —
字義 蘹香ウイキョウは、草の名。セリ科の多年草。茴香ウイキョウ。
解字 形声。艹(艸)+懐音。

19 【蘖】22画 (9054) ゲツ 米部。→一〇二二ページ上。

19 【蘸】22画 10450 サン 陥 zhàn ₁9144 — 5818
字義 ひたす。物を水につける。
解字 篆文 会意。艹(艸)+酉+焦。酉は、酒器の象形。焦は、こがすの意味。熱した物を、水を入れたつぼに浸すの意味を表す。艸の意味は不明だが、あるいは蒸気の象形かも知れない。

19 【蘵】22画 10451 漢ショク 呉シキ 職 shí ₂8722 — —
字義 くらら。マメ科の多年草。
解字 形声。艹(艸)+識音。

19 【虀】22画 10452 セイ 齏(14567)と同字。→一六五六ページ上。 ₂8723 — 5822

19 【蘼】22画 10453 漢ビ 呉ミ 支 紙 mí ₂8721 — 5820
字義 ❶蘼蕪ビブは、香草の名。せんきゅう。おんなかずら。芎藭キュウキュウ。江蘺コウリ。❷薔蘼ショウビは、ばら(薔薇)。
解字 形声。艹(艸)+靡音。

19 【蘿】22画 10454 ラ 歌 luó 7339 E566 —
字義 ❶草の名。ひめあざみ。❷女蘿は、さるおがせ。ひかげのかずら。❸まがき。かきね。
難読 蘿蔔だいこん
解字 篆文 形声。艹(艸)+羅音。音符の羅は、つらなるの意味。つらなって生える草の意味を表す。
【蘿衣】ライ こけの一種。さるおがせ。さがりごけ。女蘿。
【蘿径(逕)・蘿逕】ラケイ つたかずらのしげっているこみち。
【蘿蔔・蘿菔】ラフク・ラホク だいこん。大根。
【蘿薜】ラヘイ つたかずら。蘿蔓ラマン。
【蘿蔓】ラマン つたかずら。蘿蔦ラチョウ。

19 【蘺】22画 10455 リ 支 lí — — 5819
字義 ❶香草の名。せんきゅう。❷くさびえ。稗の一種。❸まがき。かきね。
解字 形声。艹(艸)+離音。

19 【蘽】22画 10456 ルイ 紙 支 lěi — — 5821
字義 つる草の総称。
解字 形声。木+藟音。

21 【虆】24画 10457 一ルイ 支 紙 二ラ 歌 léi — — 5824
字義 一❶かずら。つた。❷＝二。二もっこ。土を運ぶかご。「虆梩ラリ」
解字 形声。艹(艸)+纍音。音符の纍ルイは、重なりつながるの意味を表す。

21 【虂】24画 10458 ロ 遇 lù — — 5823
字義 草の名。蘩虂ハンロは、つるむらさき。
解字 形声。艹(艸)+露音。

21 【蘒】24画 10459 国字 ₂8724 EE83 —
[蘒] 10422 俗字
字義 はぎ。姓氏に多く用いる。＝萩(10103)。 難読 蘒原おぎわら・はぎわら
解字 会意。艹(艸)+穐。穐は秋の古字。秋に花を開く草の意味。

6画 虍 とらかんむり・とらがしら

〔部首解説〕虍・虎を意符として、虎に関する文字ができている。

0 虍 一二四八	虒 一二四九	處 一六八	虝 一二五一	8 虡 一二五一	10 虤 一二五二	虩 一二五二
2 虎 一二四八	5 虚 一二五〇	虙 一二五一	虜 一二五一	虢 一二五二	虦 一二五二	
3 虐 一二四九	虗 一二五一	彪 四九七	7 虞 一二五一	9 號 一二五二	盧 一〇〇〇	
4 虔 一二四九	虖 一二五一	虑 一二五一	號 二四一	膚 七〇八	11 虧 一二五二	
虓 一二四九	虘 一二五一	6 虛 一二五〇	虜 一二五一	慮 五三六	12 虧 一二五二	

0 【虍】6画 10460 漢コ 呉ク 虞 hū 7340 E567 —
字義 虎との皮の模様。
解字 篆文 象形。虎の頭部にかたどる。

2 【虎】8画 10461 コ 麌 hǔ 常 コ とら 2455 8CD5 —
筆順 丨 ト 广 卢 卢 虍 虎 虎
字義 ❶とら。ネコ科に属する猛獣。アジアに産する。❷たけだけしい。勇猛・猛悪なことのたとえ。国とら。よっぱらい。
【虝】10474 古字 【乕】85 俗字
名前 こ・たけ・とら 難読 虎魚おこぜ・虎杖いたどり・虎杖浜こじょうはま・虎列刺コレラ・虎落もがり
解字 甲骨文 金文 篆文 象形。甲骨文でよくわかるように、とらの象形で、とらの意味を表す。
【虎威】コイ とらの威勢。強い勢いにいう。
【仮(假)二虎威一】とらのいをかる 弱い者が権力ある者の威勢をかさにきていばることのたとえ。きつねがとらの威勢を借りて他をおどかした故事による。▼仮は、借りる。〔戦国策、楚〕
【虎牙】コガ ①とらのきば。②山がそびえ立つさま。③漢代、将軍の称号の一つ。
【虎関(關)師錬】コカンシレン 国鎌倉・室町時代の禅僧。京都の人。一山一寧に師事。著書に『済北集』『元亨釈書ゲンコウシャクショ』などがある。(一二七八―一三四六)
【虎踞】コキョ ①とらのようにうずくまる。②地勢が雄大なことの形容。③怪石の形容。
【虎渓(溪)三笑】コケイサンショウ 会話に夢中になって、他の一切のことを忘れてしまうこと。晋シンの慧遠エオン法師は廬山ロザンの東林寺にいて安吾アンゴ禁足の誓いを守り、まだ虎渓(東林寺の前にある谷川)を渡ったことがなかった。ある日、陶潜トウセン・陸修静のふたりを見送りに出た際、会話に夢中になって思わず虎渓を渡ってしまい、とらがほえるのを聞いて誓いを破ったことに気がつき、三人は顔を見合わせて大笑いしたという故事による。〔廬山記〕
【虎穴】コケツ ①とらの住む穴。転じて、危険な地の意。②落とし穴。
【不レ入二虎穴一不レ得二虎子一】こけつにいらずんばこしをえず とらの住む穴に入らなければとらの子が得られない。何事でも危険を冒さなければ大きな利は得られないというたとえ。▼虎子は、コジと読まれる場合もある。〔後漢書、班超伝〕
【虎口】ココウ とらの口。転じて、非常に危険な場所や事がらの

たとえ。「脱二虎口一」

【虎子】㊀コシ ①便器。おまる。しびん。②とらの子。③強健な男子をいう。㊁とらのこ 国俗に、たいせつなもののたとえ。

【虎死留レ皮】とらはシしてかわ(は)をとどむ 国とらが死後に美しい皮を残す。人も死んでから名声を残すように心がけねばならぬといういましめ。「豹死留レ皮ヒョウはシしてかわ(は)をとどむ」に同じ。〔十訓抄〕

【虎視】コシ とらが鋭い目であたりを見渡すこと。転じて、雄大な志を抱いて静かに情勢をうかがうこと。

【虎視△眈△眈】コシタンタン とらが獲物をねらってするどい目で見張っていること。転じて、機会をねらっている意。▼眈眈は、恐ろしい目をしたとらが下を見おろしているさま。〔易経、頤〕

【虎△而冠】とらにしてカンす 人の衣冠をつけていても心はとらのように暴悪なものをいう。〔史記、斉悼恵王世家〕

【虎△兕】コジ とらと野牛。人を害する狂暴なものの意。

【虎須・虎△鬚】コシュ ①とらのひげ。虎髯コゼン。転じて、固く張ったひげ。とらひげ。②草の名。さじん。つりがねにんじん。

【虎将(將)】コショウ とらのように勇猛な将軍。

【虎△嘯】コショウ とらがうそぶく。転じて、英雄が志を得て活躍することのたとえ。用例〔唐、李白、経二下邳圯橋一懐二張子房一詩〕子房未二虎嘯一、破レ産不レ為レ家。↓子房はまだ志を得て活躍しないころ、家の財産を使い尽くして、家計を顧みなかった。

【虎臣】コシン ①武勇のすぐれた家来。②主君のおそばにいて、護衛の役に当たる臣。

【虎△髯】コゼン とらのひげ。転じて、固くてぴんと張ったひげ。とらひげ。

【虎△擲竜(龍)△拏】コテキリュウダ とらと竜とがつかみ合い争う意。転じて、両雄がはげしく戦うさま。竜虎相搏あいうつ。

【虎渡レ河】とらカをわたる 行政の成功にいう。後漢の劉昆リュウコンが江陵の太守となったとき、その仁政に感じてとらが河を渡って逃げ去り害を加えなかった故事による。〔後漢書、儒林伝〕

【虎頭】コトウ ①とらの頭。②とらの頭の形をした屋根飾り。③頭の形がとらの頭に似たもの。尊貴の位に上る人相。

【虎拝(拜)】コハイ 臣下が主君に拝謁ハイエツする礼。

【虎斑】コハン・とらふ とらの皮のまだら模様。転じて、駿馬シュンメ。また、俊才をいう。

【虎△豹】コヒョウ ①とらと、ひょう。転じて、狂暴なもののたとえ。②とらや、ひょうのような形をした岩などの形容。

【虎負レ△嵎】とらグウをおう(ふ) とらが山の小高い丘を背にしてかまえること。転じて、英雄が一方に割拠すること。〔孟子、尽心下〕

【虎符】コフ 「銅虎符」の略。銅で作ったとらの形をした符節(わりふ)。

【虎△吻】コフン とらの口。転じて、人をそこない傷つける人相。また、非常に危険な場所のたとえ。

【虎変(變)】コヘン ①とらの皮の模様が変化に富んでいること。②あざやかに目に見えて変化すること。豹変ヒョウヘン。③文章が非常に美しいこと。④学徳が日々に新たになること。〔易経、革〕

【虎変(變)レ△鼠】とらねずみにヘンず 強大な勢力を誇っていたものが急に小さいみすぼらしいものになるとの意。君主もその権力を失うと、臣下から軽んじられることのたとえ。〔唐、李白、遠別離詩〕

【虎△榜】コボウ 「竜虎榜」の略。官吏登用試験に及第した人の姓名を記す札。俊英の士が及第するのをとらにたとえていう。転じて、その試験に及第した人をいう。

【虎△賁】コホン 官名。周代の近衛コノエ兵で、勇力の士が選ばれた。転じて、勇士、勇猛な軍隊。▼賁は、奔で、とらのように走る。

【虎落】コラク 割り竹を連ねて作った敵の侵入を防ぐもの。もがり。竹矢来。一説に、敵の来たことを知るために設けるもので、砂を表に敷きその足跡を見るもの。

【虎△狼】コロウ とらと、おおかみ。転じて貪欲ドンヨク・残忍で、恐るべきもののたとえ。用例〔史記、項羽本紀〕秦王有二虎狼之心一。↓秦王には、虎や狼のように残忍で飽くことを知らぬ貪欲な心がある。

【画(畫)レ虎類レ△狗】とらをえ(ゑ)がきていぬにルイす 素質のない人がすぐれた人のまねをして、かえって軽薄な性質を暴露することのたとえ。〔後漢書、馬援伝〕

【放二虎△於野一】とらをヤにはなつ 国とらをおりから出して野に放つ。異才ある者に自由を与えて、その才を思うままに発揮できる状態におくたとえ。また、猛威ある者に自由を与えて、後日に災いをのこすたとえ。〔頼山陽、日本外史、源氏正記〕

【養レ虎遺レ患】とらをやしない(ひ)てうれい(ひ)をのこす 取り除くべきものをそのままにしておいて、後日そのために災いをうけること。〔史記、項羽本紀〕

【履二虎尾一】コビをふむ とらの尾を踏む。非常な危険を冒すことのたとえ。〔易経、履〕

3【虐】9画 10462 常 ギャク しいたげる 2152 8B73 —

3【虐】9画 10463 漢ギャク 呉ガク 薬 nüè

筆順 丨 ⺊ 𠂇 广 卢 卢 虍 虐 虐

字義 ❶しいたげる。むごくあつかう。つらくあたる。㋐そこなう。いためる。㋑いじめる。「残虐」 ❷むごい。きびしい。苛酷カコク。「暴虐」 ❸わざわい(災)。

解字 篆文 会意。篆文は、虍+𠙴(爪)+人。虍は、とらの意味。爪は、手の象形。とらが人をつかむさまから、むごいの意味を表す。虐の意味と音符とを含む形声文字に、瘧ギャク・謔ギャクなどがある。

逆 残虐・自虐・大虐・暴虐

【虐刑】ギャクケイ・ギャッケイ むごたらしい刑罰。

【虐殺】ギャクサツ むごたらしい方法で殺すこと。

【虐使】ギャクシ むごく人を使う。虐待。虐遇。

【虐政】ギャクセイ むごい政治。人民を苦しめる政治。悪政。苛政。

【虐待】ギャクタイ むごく取り扱う。虐遇。

4【虔】10画 10464 標 漢ケン 呉ゲン 先 qián 7342 E569 —

字義 ❶つつしむ(謹)。おごそかにつつしむ。「恭虔」 ❷ただしいさま。❸かたい(固)。❹ころす(殺)。そこなう。

解字 金文 篆文 会意。虎省+文。

【虔△恪】ケンカク つつしむ。▼恪も、つつしむ。

【虔恭】ケンキョウ つつしみ深くうやうやしい。恭虔。

【虔虔】ケンケン つつしむさま。

【虔粛(肅)】ケンシュク つつしむ。虔謹。

【虔誠】ケンセイ つつしみ深くまことのあること。

【虔△劉】ケンリュウ ころす。殺害する。▼劉も、殺す。

4【虓】10画 10465 漢コウ(カウ) 呉キョウ(ケウ) 肴 xiāo, ④qiāo 28725 — 5826

字義 ❶うそぶく。ほえる。虎がほえる。❷いかる。虎が怒る。❸しし(獅子)。❹たたく。=敲(4558)。

解字 篆文 形声。虎+九音。音符の九は、とらの声の擬声語。とらがほえる意味を表す。

【虓△闞】コウカン ①怒りさけぶさま。②はげしく怒るさま。

【虓将(將)】コウショウ 勇猛な大将。虎将コショウ。

【虓怒】コウド とらが怒りほえること。虓吼コウコウ。転じて、勇猛な勢いのたとえ。

4【虒】10画 10466 ㊀シ 支 sī ㊁漢チ・呉ジ(ヂ) 紙 — — 5825

字義 ㊀❶委虒は、獣の名。虎とらに似て角がある。❷虒祁シキは、春秋時代、晋シンの平公が築いた宮殿の名。㊁趾虒シチは、とどのわないさま。ふぞろいなさま。
解字 形声。虎＋厂㊥。

5【虚】11画 10467 常 キョ・コ 2185 8B95
6【虛】12画 10468 人 漢キョ 呉コ 魚 xū 19146

筆順 ｜ ト 广 卢 卢 虍 虐 虚

〔虗〕10469 同字

字義 ❶むなしい(空)。㋐ない。存在しない。㋑中にものがない。からである。から。「空虚」㋒内容がない。才能・欲望などがない。㋓実がともなわない。㋔少ない。まれである。❷むなしくする。からにする。用例〔老子、三〕聖人之治、虚其心、実其腹、弱其志、強其骨。↓聖人の行う政治は、人民の心を無知無欲にして、腹一杯に食べさせ、人民の意志を弱めて、体を強くさせる。❸弱い。「虚弱」❹うつろ。穴。うろ。❺おか。大きい丘。＝墟(2128)。❻あと。昔の建物などのあと。❼空。天空。❽星座の名。二十八宿の一つ。「虚宿」国❶むなしい。はかない。❷むなしくなる。死ぬ。❸うつけ。ぼんやりしている。

名前 きょ 難読 虚仮・虚蟬・虚栗

参考 〔虡〕(10479)は別字。

解字 金文  篆文 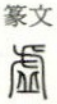 形声。篆文は、北＋虍㊥。北は、丘で、おかの意味。音符の虍は、巨に通じ、大きいの意味。大きなおかの意味を表し、転じて、むなしいの意味をも表す。

逆 空虚・謙虚・静虚・太虚・沖虚

【虚位】(キョイ) ①あいている地位。おるべき人がいない地位。②名前だけあって実権がともなわない地位。

【虚威】(キョイ) からいばり。虚勢。

【虚引】(キョイン) ①心をむなしくして公平に人を受け入れる。②から弓をひく。矢をつがえないで弓をひく。③本題にはいる前にあらかじめそれとなく、後文に合うような語を述べておくこと。伏線。

【虚栄(榮)】(キョエイ) ①実質のともなわない栄誉。②国うわべだけの美をてらうこと。見栄を張ること。

【虚懐(懷)】(キョカイ) ＝虚心②。

【虚喝(喝)】(キョカツ) からおどし。こけおどし。

【虚己】(キョキ) 私心をなくす。心をからにする。

【虚器】(キキ) ①無益・無用の器物。②身分につり合わない道具。③からの器物。④実がなくて名ばかりの事実のたとえ。

【虚偽(僞)】(キョギ) いつわり。うそ。虚妄。

【虚虚実(實)実(實)】(キョキョジツジツ) 国戦いなどの時、相手に対して、計略や手段をつくすこと。秘術をつくすこと。

【虚空】(コクウ・キョクウ) ①空。天空。②人のいないさびしい土地。③むなしいこと。

【虚空蔵(藏)】(コクウゾウ・コクゾウ) 仏菩薩の名。その知恵・慈悲の広大なことが、虚空(天)のようなのでいう。

【虚言】(キョゲン) そらごと。虚語。虚説。

【虚耗】(キョコウ) からになる。また、疲れ弱る。虚労。

【虚幌】(キョコウ) 人のいないへやのカーテン。人けのない寝室のとばり。一説に、月光を透かす薄いカーテン。▼幌は、とばり、たれぬの。用例〔唐、杜甫、月夜詩〕何時倚虚幌、双照涙痕乾。↓いったい、いつになったら、人けのない寝室のとばりに寄り添って、二人で月の光に照らされながら涙のあとを乾かすことができるのであろうか。

【虚搆・虚構】(キョコウ) 事実でないことを事実らしく組み立てること。つくりごと。うそ。フィクション。〔後漢書、范滂伝〕

【虚左】(キョサ) 左の席(上座)をあける。賢者を礼遇するたとえ。

【虚字】(キョジ) ①むだな字。その中にない方がよい字。②漢文で、実字(名詞・形容詞・動詞など)に対して、それ以外の文字をいう。助字。

【虚辞(辭)】(キョジ) ①うそ。そらごと。虚言。②＝虚字②。

【虚室】(キョシツ) ①人の居ない室。②かざりのない室。③何もないがらんとした室。④わだかまりのない心(虚心)のたとえ。

【虚室生白】(キョシツハクをショウず) 人の心が何者にもとらわれず無念無想であれば、真理に達することができる意。▼白は、光。〔荘子、人間世〕
→虚室生白。
【虚実(實)】(キョジツ) ①うそと、まこと。真偽。②あることと、ないこと。むなしいことと、満ちること。③国「虚虚実実」の略。

【虚邪】(キョジャ) ①ゆったりとしていてみやびやか。②いつわりよこしま。虚偽。

【虚弱】(キョジャク) ①体が弱い。②勢力・権力などが弱い。

【虚受】(キョジュ) ①自己の才能では耐えられない、重い官職を受ける。②自分をむなしくして、人の言をきく。

【虚舟】(キョシュウ) ①からの舟。②虚心のたとえ。

【虚徐】(キョジョ) ①姿や態度がゆったりとして上品なこと。②疑い迷う。

【虚条(條)】(キョジョウ) 葉の落ちた枝。

【虚飾】(キョショク) うわべのかざり。みえ。

【虚織】(キョショク) 空機を織る。機を織る音ばかり立て、織物ができあがらないことから虫の鳴き声などをいう。

【虚心】(キョシン) ①心をむなしくする。②わだかまりのない心。また、公平無私な心。虚懐。無心。

【虚心坦懐(懷)】(キョシンタンカイ) わだかまりがなくさっぱりとした心。また、公平無私な心。虚心平意。

【虚声(聲)】(キョセイ) ①こけおどしの声。②実質のともなわない名声。虚名。③こだま。やまびこ。

【虚勢】(キョセイ) 国からいばり。虚威。

【虚静(靜)】(キョセイ) 何も考えないで心を落ち着けていること。「虚静恬淡」

【虚説】(キョセツ) うそ。つくりごと。虚言。虚談。

【虚想】(キョソウ) 実行のできない考え。空想。妄想。

【虚脱】(キョダツ) ①心臓が急に弱って脈が細くなり、身体が冷たくなる症状。②国気力がぬけて元気がなくなること。

【虚誕】(キョタン) いつわり。でたらめ。虚言。

【虚中】(キョチュウ) ①他事を思わないこと。専心。②精気がつきること。③すき腹。空腹。④石の名。鍾乳石の別名。つららいし。

【虚沖】(キョチュウ) 心にわだかまりがなく、おだやかなこと。

【虚佇】(キョチョ) 天子が虚心に賢臣の意見を聞くこと。▼佇は、立つ。

【虚伝(傳)】(キョデン) うその言い伝え。いつわりのうわさ。虚聞。

【虚白】(キョハク) ①むなしい。②純白な心。きれいな心。

【虚発(發)】(キョハツ) ①むだに発する。矢などの当たらないこと。②ただ弦を鳴らすだけで矢を発しないこと。

【虚文】(キョブン) ①実用を離れた無用の文。空文。②うわべのかざり。

【虚無】(キョム) ①むなしく何物もないこと。また、俗界を離れていること。空虚。用例〔唐、白居易、長恨歌〕忽聞海上有仙山、山在虚無縹緲間。↓ふと聞いたことによると、海上に仙人の住む山があり、その山はむなしく、何物もなくはるかに広いところにそびえている。②有無相対を超越した境地。万物の根元・始元としての無。道家思想の根本をなすものの一つ。③虚空。大空。

【虚無僧(僧)】(コムソウ) 仏普化宗の僧で、深編笠をかぶり、帯刀して髪をそらず、尺八を吹き、諸国を行脚する人。

【虚名】(キョメイ) 事実より過ぎた名誉。事実のともなわないほまれ。虚誉。虚声。

【虚妄】(キョモウ) うそ。でたらめ。いつわり。虚偽。

【虚礼(禮)】(キョレイ) 形式だけで、真心のこもらない礼儀。

【虚霊(靈)不昧】キョレイフマイ 心の本体と作用とを説明した語。▼虚霊は、わだかまりがなく霊妙なこと。不昧は、明らかな鏡のように、時に応じて、すべての事物の真の姿を写し出すこと。〔南宋、朱熹、大学章句〕

【虚労(勞)】キョロウ 衰弱疲労すること。虚耗キョコウ。

【虚論】キョロン まことでない議論。内容のない議論。

【△擣レ虚】キョをつく 敵のゆだんしているところを襲う。敵の不意をつく。

【△馮レ虚】キョによる 空中に浮かぶ。大空にのぼる。馮虚ヒョウキョ。用例〔北宋、蘇軾、前赤壁賦〕浩浩乎如三馮レ虚御レ風コウコウとしてキョによりかぜにぎょして、而不レ知二其所一レ止そのとどまるところをしらざるがごとし ↓広々としたところで、空中に浮かび風に乗って、どこでとどまるのか見当もつかないような感じがする。

5【虚】11画 10469 キョ 虚(10467)と同字。→一二五〇ジ上。 |9145 — 5828

5【虖】11画 10470 一 コ 園 hū 二 漢コ・呉ゴ 園 hū 2_8726 — 5827

字義 一❶ほえる。虎がほえる。❷ああ。なげく声。嗚虖ああ。二や。か。疑問または反語の助字。=乎(75)。

解字 金文 篆文 形声。虍+乎㊉。音符の乎コは、よぶの意味。とらがほえるの意味を表す。また、早く金文の時代から烏虖オコと熟して、「ああ」の意味の感動を表す。

5【虘】11画 10471 漢サ 呉ザ 歌 cuó — 5829

字義 虎とらがたけだけしく、従順でない。

解字 形声。虍+且㊉。

5【處】11画 (841) ショ 処(840)の旧字体。→一六八ジ上。

5【䖏】11画 10472 ショ 処(840)の俗字。→一六八ジ上。

5【彪】11画 (3382) ヒョウ 彡部。→四九七ジ中。

5【虙】11画 10473 漢フク 呉ブク 屋 fú — 5830

字義 ❶虎とらのさま。❷→虙犧。❸→虙妃。

解字 会意。虎省+必。

【虙犧(犧)】フッキ =伏羲フッキ(九一ジ上)。中国の伝説上の帝王。

【虙妃】フクヒ・フッピ =宓妃フクヒ・フッピ(三六六ジ下)。伏羲フッキのむすめ。

6【虚】12画 (10468) キョ 虚(10467)の旧字体。→一二五〇ジ上。

6【虝】12画 10474 コ 虎(10461)の古字。→一二四八ジ下。 — 5831

6【虜】12画 (10478) リョ 虜(10477)の旧字体。→一二五一ジ下。

7【虞】13画 10475 常 おそれ 2283 8BF1 —

7〔虞〕13画 10476 グ 園 yú

筆順 一 ト 广 广 庐 虐 虞 虞

字義 ❶おそれ。うれい。心配。❷おそれる おそ。うれえる。用例〔人虎伝〕又何虞三其不二至哉一またなんぞそのいたらざるをおそれんや ↓この上はどうして私がちゃんとやらないなどと心配することがあろうか。❸おもんぱかる。前もって考えておく。また、おもんぱかり。=慮(3602)。❹いましめ。また、備え。❺やすらか。安んずる。❻たのしむ。=娯(2407)。❼あやまる。誤まり。=誤(11227)。❽喪祭の名。埋葬を終わって家に帰り、霊を安んずるために行う祭り。❾昔の官名。山林・沼沢をつかさどる官。❿古代の王朝。舜シュンが尭ギョウから天下をゆずり受けて帝位にあった間の名。有虞氏。⓫人名。㋐帝舜テイシュン。㋑項羽の愛人。用例〔史記、項羽本紀〕有二美人一ビジンあり、名虞なは。↓ここに美人(という位の女官)があり、名を虞といった。

名前 すけ・もち・やす・よし 難読 虞美人草ひなげし

使いわけ おそれ・おそれる〔恐・虞・畏〕⇨恐(3514)。

解字 金文 篆文 形声。虍+呉(吳)㊉。もと、虎とらに似た仁獣の意味を表したが、音符の呉が懼グに通じ、おそれるの意味を表す。

【虞△淵】グエン ①太陽が没すると想像された、伝説の場所。②たそがれ。夕方。黄昏コウコン。

【虞夏】グカ 伝説上の聖天子舜シュン(有虞氏)と、夏カの禹王ウオウ。また、その時代。〔史記、伯夷伝〕

【虞姫(姬)】グキ =虞美人。

【虞師】グシ =虞人。

【虞集】グシュウ 元の学者。字あざなは伯生。号は道園。諡おくりなは文靖ブンセイ。元代四傑の一人。編著に『経世大典』『道園学古録』『道園類稿』などがある。(一二七二—一三四八)

【虞△舜】グシュン 伝説上の聖天子、帝舜(四五五ジ中)。先祖が虞に封ぜられたことからいう。

【虞初】グショ ①前漢の武帝のときの方士。その著書『周説』は、周代の伝説を集めたもので、小説の祖とされている。②小説の意に用いる。

【虞人】グジン 周代の官名。山林・沼沢をつかさどる。

【虞世南】グセイナン 唐初の政治家・書家。字あざなは伯施。諡おくりなは文懿ブンイ。太宗に仕え、弘文館学士・秘書監などを歴任した。王羲之オウギシの書法を伝え、唐初の三大家の一人。著書に『北堂書鈔ホクドウショショウ』がある。(五五八—六三八)

【虞美人】グビジン 秦シン末、楚ソの項羽の愛人。項羽が垓下ガイカで漢軍に取りかこまれ、天運が尽きたとさとって辞世の詩を歌い慨嘆したとき、その詩に和して舞い、自殺したという。(?—前二〇二)〔史記、項羽本紀〕

【虞美人草】グビジンソウ ①草の名。ひなげしの別名。虞美人の墓の上に生えた草に名づけたという伝説がある。②北宋ホクソウの曾鞏ソウキョウの詩の題。

虞美人

7【號】13画 (1311) ゴウ 号(1310)の旧字体。→二四〇ジ下。

7【虜】13画 10477 常 リョ 4626 97B8 —

6〔虜〕12画 10478 人 漢ロ・呉ル 麌 lǔ 慣リョ |9147 — —

筆順 一 ト 广 广 庐 虐 虜 虜

字義 ❶とりこ。いけどり。いけどりにした敵。「捕虜」❷とりこにする。いけどる。❸めしつかい。❹未開の異民族。「胡虜コリョ」❺敵をののしっていうことば。❻うばう。かすめとる。

解字 篆文 形声。力+虍㊉。音符の虍は、グルッと回すの意味を表す擬態語。力づくでグルッととり囲むの意味を表す。

逆 醜虜・敵虜・蛮虜・捕虜

【虜騎】リョキ えびすの騎兵。敵の(野蛮な)騎馬武者。

【虜囚】リョシュウ とりこ。いけどった敵。捕虜。俘囚フシュウ。

【虜醜】リョシュウ 敵をののしることば。▼醜は、多人数を表す。㋐敵のやつばら。㋑蛮族のやつばら。㋒とりこども。

【虜将(將)】リョショウ ①敵の大将。②未開の異民族の大将。

【虜△掠・虜略】リョリャク 人をとりこにし、財物をうばい取ること。

8【虡】14画 10479 漢キョ 呉ゴ 語 jù — 5833

字義 ❶鐘や磬ケイをかける台の柱。❷つくえ(机)。❸鹿かしらの頭、竜のからだをした神獣の名。

参考 〔虚〕(10468)は別字。

解字 形声。もと、畀+丌+虍㊉。

8 **【虓】** 14画 10480 **コウ**(カウ) 㕤 jiāo ―― ―― 5832

字義 虎の声。

解字 **形声**。虎＋交㊥。

9 **【虢】** 15画 10481 **カク**(クヮク) 陌 guó 9148 ―― 5834

字義 ❶周代の国名。㋐西虢は今の陝西省宝鶏市のあたり。後に今の河南省陝県のあたりに移り、南虢と称せられる。㋑東虢は今の河南省滎陽市のあたり。㋒北虢は今の山西省平陸県のあたり。❷虎のつめあと。

解字 金文 篆文 **会意**。虎＋寽。とらが爪をたてて物をつかみとる意味を表す。

【虢国(國)夫人】カクコクフジン 楊貴妃の三番目の姉の封号。

9 **【膚】** 15画 (5131) **フ** 月部。→七〇八ページ上。

9 **【慮】** 15画 (3602) **リョ** 心部。→五三六ページ上。

10 **【虤】** 16画 10482 (漢)**ガン** (呉)ゲン 刪 yán ―― ―― 5836

字義 虎が怒る。また、そのさま。

解字 **会意**。虎＋虎。虎と虎で、怒るの意味を表す。

10 **【虣】** 16画 10483 (漢)**ホウ** (呉)ボウ 号 bào ―― ―― 5835

字義 ❶しいたげる。❷きびしい。あらい(暴)。

解字 篆文 **会意**。虎＋武。とらのようにたけだけしい意味を表す。

10 **【盧】** 16画 (7948) **ロ** 皿部。→一〇〇〇ページ下。

11 **【虧】** 17画 10484 **キ** 支 kuī 7344 E56B ―

［虧］10485 俗字

字義 ❶**か-ける**(欠)。㋐少なくなる。減る。㋑欠け落ちる。こわれる。❷かく。減らす。そこなう。用例〈墨子、非攻上〉以₂虧₁人自利₁也（ひとをかきてみずからりするをもってなり）。↓他人に損害を与えて自分は利益を得たからである。❸かけ。減り。

解字 篆文 **形声**。亏(亐)＋虘㊥。亏は、けずるための刃物の象形。音符の虘は、欠に通じ、かけるの意味。刃物でかく・そこなうの意味を表す。

【虧月】キゲツ 欠けて、まるくない月。↔満月(八六二ページ中)。

【虧△盈】キエイ ①欠けることと、満ちること。②三日月と満月。

【虧食・虧△蝕】キショク 日月が欠ける。日食。また、月食。

【虧賊】キゾク そこなう。危害を加える。

【虧損】キソン ①欠けそんじる。②欠いていためる。害する。

12 **【虧】** 18画 10485 **キ** 虧(10484)の俗字。→一二五二ページ上。

12 **【虩】** 18画 10486 ㊀(漢)ケキ・(呉)キャク 陌 xì ㊁(漢)サク・(呉)シャク 陌 (慣)**ゲキ** ―― ―― 5837

字義 ㊀❶おそれる。また、恐れるさま。❷虫の名。はえとりぐも。㊁❶虎が驚くさま。❷おどろきおそれる。＝愬(3581)。

解字 金文 篆文 **形声**。虎＋㲋㊥。音符の㲋は、すきまの意味を表す。虎がすきまをうかがうことから、ねらわれて恐れるの意味。

虫 6画 むし・むしへん

〔部首解説〕 虫を意符として、昆虫などの小動物のほか、蚌(貝の一種)・蛙・蛇・蛟(竜の一種)など、各種の動物の名称や状態を表す文字ができている。

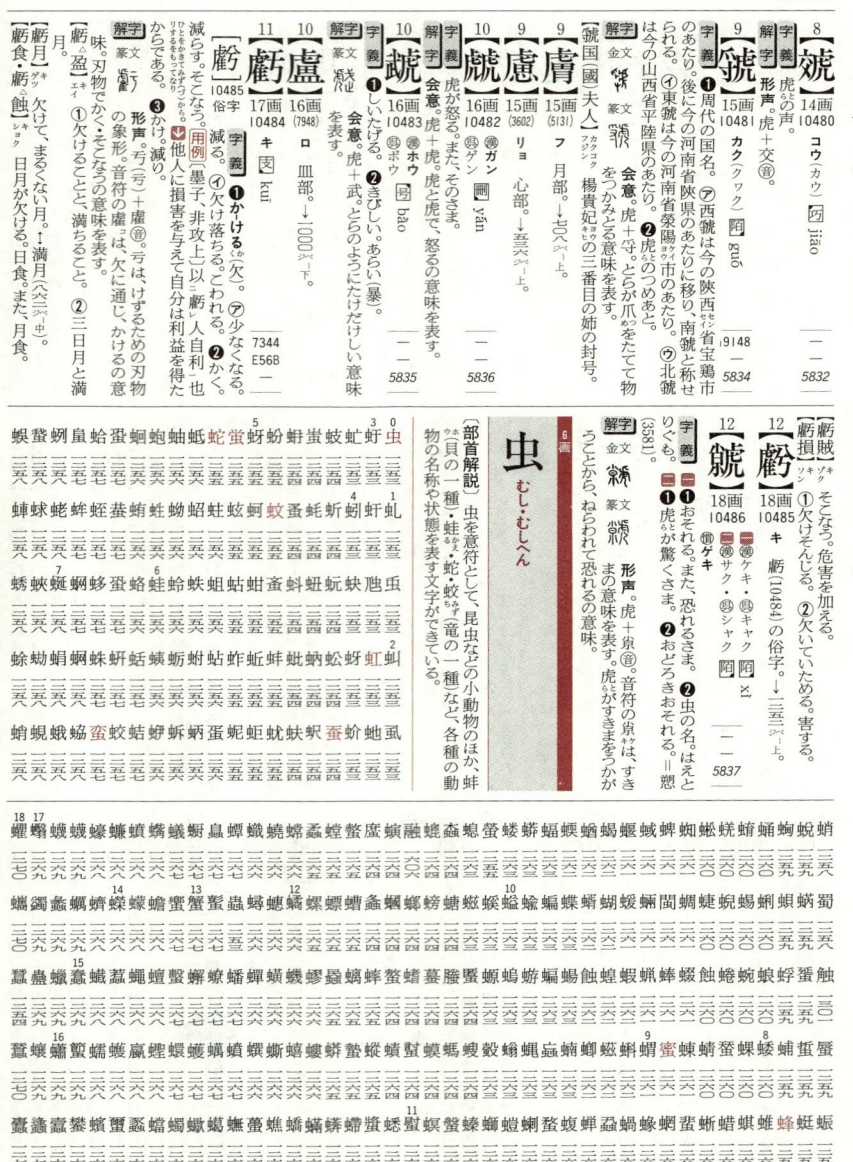

19 蠻 一三五七 20 蠼 一三七〇 钁 一三七〇

0 【虫】6画 10487 教1 チュウ むし 3578 928E —

㊀12 【蟲】18画 10488 漢チュウ（チウ） 呉ジュウ（ヂウ） 東 chóng 7421 E5B3 —

㊁0 【虫】6画 キ 尾 huǐ

筆順 丶 冂 口 中 虫 虫

［虫］10490 俗字

字義 ㊀〔蟲〕❶むし。昆虫類の総称。❷動物の総称。羽虫は、鳥。毛虫は、獣。甲虫は、亀の類い。鱗虫は、魚類、また、うろこのある動物。裸虫は、人類。❸虫虫は、むしあついさま。

㊁〔虫〕まむし（蝮）。毒蛇の名。

名前 む・むし　難読 虫唾

解字 ㊀〔蟲〕篆文 会意。虫＋虫＋虫。虫は、まむしの象形。小さな虫が多く集まるさまから、うじ虫・むしの意味を表す。虫と蟲とは、もとは別字であるが、蟲の省略体として虫を用いる。

㊁〔虫〕甲骨文 金文 篆文 象形。頭が大きくてグロテスクなまむしの形にかたどり、まむしの意味を表す。さらに、一般に、爬虫類の意味も表す。

逆 介虫・夏虫・甲虫・昆虫・毛虫・裸虫

【虫（蟲）魚】①虫と魚。②つまらないこと。考証家のつまらない考証をそしる語。

【虫（蟲）書】①秦の八体書の一つ。虫の形に似た字体。虫篆。②虫の食ったあとが、篆書のように見えるもの。

【虫（蟲）蛆】うじ虫。

【虫（蟲）豸】①足のある虫と足のない虫。虫けら。②人をいやしめていう語。

【虫（蟲）篆】＝虫書。篆書の一体。

【虫（蟲）臂鼠肝】虫のひじと、ねずみのきも。つまらぬもの、無用のもののたとえ。〔荘子、大宗師〕

1 【虬】7画 10489 キュウ 虯(10491)の俗字。→一三五三ページ上。 1 9150 — 5838

1 【虫】7画 10490 チュウ 虫(10487)の俗字。→一三五三ページ上。 1 9149 — —

2 【虯】8画 10491 漢キュウ（キウ） 呉グ 尤 qiú 2 8727 — 5839

［虬］10489 俗字

字義 ❶みずち。竜の子で、二つの角があるという想像上の動物。❷角のない竜。また、竜。虯竜。

解字 篆文 形声。虫＋丩音。音符の丩は、まつわるの意味。虫は、へびの意味。まつわるへび、みずちの意味を表す。

【虯髯】みずちのように曲がっているひげ。

【虯蟠】みずちのように相まつわり、わだかまること。

2 【虱】8画 10492 シツ 蝨(10649)の俗字。→一三六三ページ中。 7345 E56C —

3 【虶】9画 10493 ウ 虞 yú — — 5841

字義 蚨虶は、虫の名。げじげじ。

解字 形声。虫＋于音。

3 【虷】9画 10494 ㊀漢カン・呉ガン 寒 hán ㊁カン 寒 gān 2 8728 — 5842

字義 ㊀ぼうふら（孑孒）。ぼうふり。㊁❶むしばむ。❷おかす（犯）。

解字 形声。虫＋干音。

3 【虺】9画 10495 ㊀キ 尾 huǐ ㊁漢カイ（クワイ） 呉ケ 灰 huī 2 8729 — 5843

字義 ㊀❶まむし（蝮）。毒蛇の名。❷とかげ（蜥蜴）。❸ひばかり。へびの一種。❹小さいへび。㊁→虺隤。

解字 篆文 形声。兀＋虫音。音符の虫は、頭の大きなまむしの象形。兀は、頭をもたげるの意味。頭をもたげて向かってくるまむしの意味を表す。

【虺蛇入夢】まむしやへびを夢に見る。ともに陰性の虫であるところから、女子を生むきざし。

【虺隤】病みつかれるさま。

【虺蜮】まむし。転じて、邪悪な人のたとえ。

3 【虹】9画 10496 常 にじ ㊀漢コウ・呉グ 東 hóng ㊁コウ（カウ） 絳 jiàng ㊂漢コウ（カウ）・呉ゴウ（ガウ） 江 3890 93F8 —

筆順 丶 冂 口 中 虫 虫 虫一 虹 虹

字義 ㊀㊁❶にじ。日光が空中の水蒸気にあたって、光の分散現象を起こし、太陽の反対方向の空に現れる七色のアーチ形のもの。昔は、竜の一種と考え、雄を虹、雌を蜺といった。❷はし（橋）。㊂❶みだす。乱れる。❷つぶれる。

名前 にじ

解字 篆文 形声。虫＋工音。虫は、へびの意味。工は、つらぬくの意味。天空をつらぬくへび、にじの意味を表す。

【虹旗】にじを描いた天子の旗。

【虹橋】①にじ。②にじの形をした橋。

【虹蜺・虹霓】にじ。昔、にじを竜の一種と考え、雄を虹、雌を蜺・霓とした。

【虹桟（棧）】にじのように高い、弓状のかけ橋。

【虹泉】たき。瀑布。

3 【虵】9画 10497 ジャ 蛇(10535)の俗字。→一三五五ページ下。 1 9151 — 5840

3 【虻】9画 10498 標 漢モウ（マウ） 呉ミョウ（ミャウ） 慣ボウ（バウ） 庚 méng 1626 88B8 —

［蝱］10663 同字

字義 ❶あぶ。はえより大きく、人畜の血を吸う。❷草の名。ばいも（貝母）。ははくり。あみがさゆり。❸伝説上の鳥の名。一足一翼一目で、二匹が助け合って飛ぶという。

解字 篆文 形声。䖵＋亡音。音符の亡は、あぶの羽音の擬声語。

4 【蚓】10画 10499 イン 軫 yǐn 7346 E56D —

字義 みみず（蚯蚓）。＝螾(10698)。

解字 篆文 形声。虫＋引音。音符の引は、ひくの意味。身を引いては動く虫、みみずの意味を表す。

4 【蚗】10画 10500 ㊀漢エツ・呉エチ 屑 jué ㊁漢ケツ・呉ケチ 屑 quē

字義 ㊀蛥蚗は、虫の名。みんみんぜみ。㊁蛚蚗は、虫の名。なつぜみ。また、にいにいぜみ。

解字 形声。虫＋夬音。

4 【蚜】10画 10501 漢カ 呉ケ 麻 yá

［蚜］10524 俗字

字義 あぶらむし。草木の若芽の養液を吸う小虫。ありまき。

解字 形声。虫＋牙音。

4 【蚧】10画 10502 カイ 卦 jiè — — 5852

字義 ❶貝の名。❷蛤蚧は、とかげの類い。❸皮膚病の一つ。皮癬。

解字 形声。虫＋介音。

虫部 0▼4画 〔虫虬虫虯虱虶虷虺虹虵虻蚓蚗蚜蚧〕

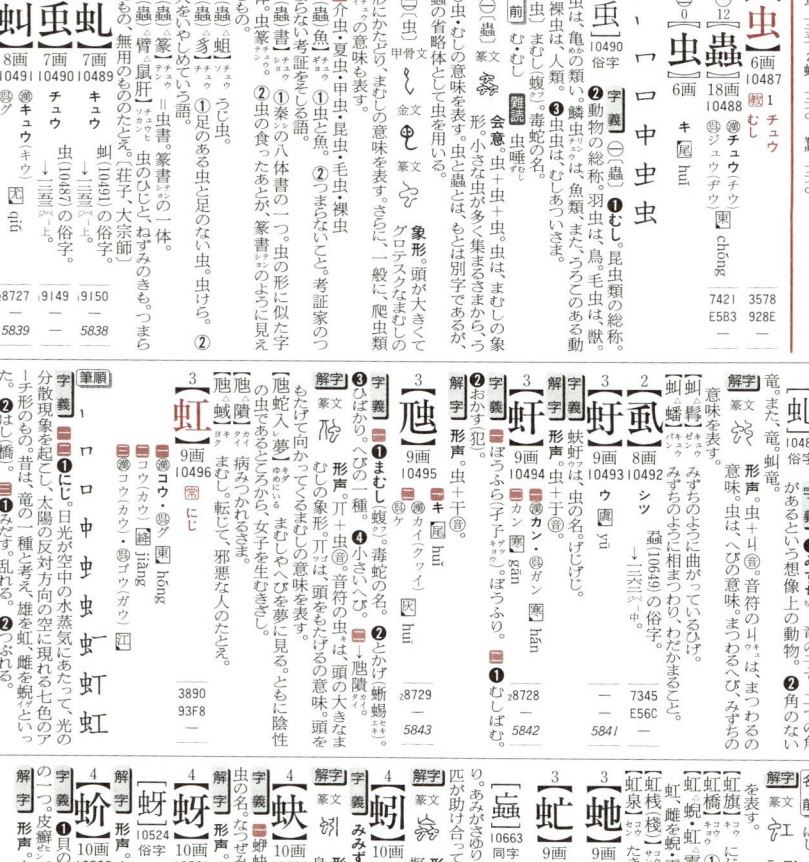

4【蚑】10画 10503 漢キ 呉ギ 支 qí 28733 — 5845
字義 ❶虫がはう。❷長蚑は、虫の名。あしだかぐも。
解字 形声。虫＋支音。
【蚑行】①虫のようにはって行く。②はって行くもの。虫類。また、獣類。

4【蚚】10画 10504 漢キ 呉ゲ 微 qí — — 5848
字義 虫の名。こくぞうむし。
解字 形声。虫＋斤音。

4【蚖】10画 10505 一 漢ゲン 呉ガン(グワン) 元 yuán 二 ガン(グワン) 寒 wǎn — — 5846
字義 一とかげ。また、いもり。二まむし(蝮)。
解字 形声。虫＋元音。

4【蚣】10画 10506 一 漢コウ・呉ク 東 gōng 二 漢ショウ 呉シュウ 冬 zhōng 7347 E56E —
字義 一蜈蚣は、むかで。二蚣蝑は、きりぎりす。
解字 形声。虫＋公音。

4【蚕】10画 10507 教6 サン かいこ 2729 8E5C —

18〖蠶〗24画 10508 漢サン 呉ザン 覃 cán
筆順 ニ チ 天 天 吞 吞 吞 蚕 蚕
【蠺】10794 同字 【蝅】10618 俗字 【蠶】10797 俗字
字義 ❶かいこ。蚕蛾の幼虫。桑の葉を食い、糸をはき出して、まゆを作る。❷かいこを飼う。 難読 蚕桑・蚕豆・蚕簿・蚕簿
解字 甲骨文 篆文 形声。篆文は、䖵＋朁音。音符の朁は、かくれるの意味。糸を吐いて自身をかくし、まゆを作るかいこの意味を表す。

逆 農蚕
【蚕衣】①繭。②蚕を飼うときに着る着物。③絹の衣服。また、絹の衣服を着る。

【蚕家】蚕を飼う家。

【蚕月】養蚕をする月。陰暦の四月(一説に三月)。

【蚕史】『史記』の別称。作者司馬遷が宮刑に処せられ、蚕室に入れられたことから。→蚕室②。

【蚕児(兒)】①かいこ。▼児は、助字。②蚕の孵化したばかりの幼虫。

【蚕室】①蚕を飼うへや。②宮刑に処せられた人が入る牢獄。無風の密室であることからいう。③繭。

【蚕食】①蚕が桑の葉を食うこと。②蚕が桑の葉を食うように、しだいに他国を侵略すること。③自分は働かずに他人のものを食うこと。

【蚕織】蚕を飼い、絹を織ること。女性の仕事。

【蚕績】蚕を飼い糸をつむぐこと。

【蚕桑】桑を植え、蚕を飼うこと。

【蚕△繅】蚕を飼い糸をつむぐこと。

【蚕△叢】①蜀王の伝説的な先祖。②蜀(今の四川省地方)の別名。

【蚕△蔟】蚕に繭を作らせるための器具。まぶし。

【蚕豆】そらまめの別名。五月豆。

4【蚩】10画 10509 シ 支 chī 7348 E56F —
字義 ❶虫の名。❷おろか。❸もとる。❹みだす。また、みだれる。❺あなどる。軽視する。❻わらう(笑)。あざけり笑う。❼みにくい(醜)。
解字 形声。虫＋㞢音。
【蚩蚩】①手厚いさま。②おろかなさま。無知なさま。③乱れるさま。
【蚩笑】あざけり笑う。嗤笑。
【蚩△尤・蚩△蚘】伝説上の人物の名。黄帝時代の豪族といわれ、黄帝と戦い敗死したという。

4【蚝】10画 10510 シ 寘 cì 28735 — —
字義 ❶けむし。いらむし。❷竜蚝は、虫の名。はんみょう。
解字 会意。虫＋毛。

4【蚒】10画 10511 漢ジク(ヂク) 呉ニク 屋 nǜ
字義 蚒蚭は、虫の名。げじげじ。
解字 形声。虫＋丑音。

4【蚋】10画 10512 漢ゼイ 呉ネイ 霽 ruì 7350 E571 —
[蜹] 10596 正字
字義 ❶ぶよ。ぶゆ。ぶと。また、ぶよの幼虫。❷毒蛇。
解字 篆文 形声。篆文は、虫＋芮音。蚋は、省略体。

4【蚇】10画 10513 漢セキ 呉シャク 陌 chǐ 28730 — —
字義 蚇蠖は、しゃくとり虫。
解字 形声。虫＋尺音。

4【蚦】10画 10514 漢ゼン 呉ネン 塩 rǎn — — 5851
字義 にしきへび。大蛇。
解字 篆文 形声。虫＋冄音。音符の冄は、垂れひげの象形。木の枝などから垂れさがっている蛇の意味を表す。

4【蚤】10画 10515 標 一 ソウ(サウ) 晧 zǎo 二 漢ソウ(サウ) 呉ショウ(セウ) 巧 zhǎo 3934 9461 —

字義 一❶のみ。ノミ目の昆虫の総称。❷はやい。はやし。＝早(4657)。❸つとに。早く。用例〔唐、柳宗元、送二薛存義一序〕蚤作而夜思、勤レ力而労レ心。 ↓朝早く起きて、夜遅くまで考えごとをし、力を尽くして仕事をし、心をくだいてものを考える。二つめ。＝爪(7086)。

解字 篆文 形声。虫＋叉音。音符の叉は、爪の古字で、上からおおう手、または、つめの象形。虫で飛びはねるのを上からおさえてつめでつぶす、のみの意味を表す。

【蚤起】朝早く起きる。早起。夙興。

【蚤甲】つめのこう。

【蚤歳】①若い時。弱年。②年の初め。

【蚤知△之士】早く知る人。先見の明のある人。

【蚤△莫】①朝と日ぐれ。▼莫は、暮。②明けくれ。

【蚤夜】同夙夜。①早朝と深夜。②朝は早く起き、夜はおそく寝ること。朝早くから夜おそくまで。

【蚤△夭】若死に。早世。夭折。蚤世。

4【蚪】10画 10516 慣ト 漢トウ・呉ツ 有 dǒu 7349 E570 —
字義 蝌蚪は、おたまじゃくし。
解字 形声。虫＋斗音。音符の斗は、ひしゃくの形をした物の意味を表す。

4【蚍】10画 10517 漢ヒ 呉ビ 支 pí 28732 — 5844
字義 蚍蜉は、大蟻。
解字 形声。虫＋比音。
【蚍△蜉△撼二大樹一】才知・見識のおとっている者が、すぐれている人を、みだりに批評することのたとえ。〔唐、韓愈、調二張籍一詩〕
【蚍△蜉△蟻子△之援】大・小の蟻の助力。転じて、わずかな援兵のたとえ。〔唐、韓愈、張中丞伝後序〕

4【蚨】10画 10518 漢フ 呉ブ 虞 fú 28736 — 5853

字義 ❶青蚨は、中国の南海に生ずる、想像上の虫の名。蟬みせに似ている。その母の血と子の血とを、別々に銭に塗り、一方を手もとに置きながら、一方を消費すれば、すぐまた手もとにもどってくるという。❷銭の別名。
解字 形声。虫＋夫音。

4【蚡】10画 10519 呉ブン 漢フン 図 吻 fén — — 5850
字義 ❶もぐら。もぐらもち。獣の名。野原や田畑に坑道を掘って進み、土中の虫や植物の根を食う。田鼠デンソ。❷声の乱れるさま。❸田蚡デンフンは、前漢、武帝の時の宰相。
解字 形声。虫＋分音。

4【蚊】10画 10520 常 か 熟字訓 蚊帳かや 漢ブン・呉モン 図 文 wén 1867 89E1 —
筆順 丨 口 口 中 虫 虫 虫' 虫' 蚊 蚊
［蟁］10715 正字 ［蚉］10521 同字 字義 か。小さい飛虫で、ぼうふらの成虫。夏、人や動物をさして血を吸う。
名前 か 難読 蚊母樹いすのき
解字 篆文 俗体 形声。篆文は、蚰＋民音。音符の民は、「か」の羽音の擬声語。かの意味を表す。常用漢字の蚊は俗字で、虫＋文音の形声文字。
【蚊脚】ブンキャク ①蚊の足。②細字の形容。
【蚊吟】ブンギン 蚊の鳴き声。蚊の羽音のこと。蚊声。
【蚊睫】ブンショウ 蚊のまつげ。微細なもののたとえ。
【蚊帳】ブンチョウ かや。蚊幮チュウ。蚊幬チュウ。蚊幌コウ。
【蚊虻・蚊蝱】ブンボウ 蚊と、あぶ。小さいもの・つまらないこと・わずかなものなどのたとえ。「蚊虻牛羊を走らす」
【蚊雷】ブンライ 集まり鳴く蚊の大きな声をいう。

4【蚉】10画 10521 ブン 蚊(10520)と同字。→一二五五ページ上。 ₂8731 — —

4【蚌】10画 10522 漢ホウ(ハウ) 呉ボウ(バウ) 講 bàng 7351 E572 —
［蜯］10632 同字 字義 貝の名。㋐どぶがい。からすがいの一種。㋑はまぐり(蛤)。
解字 篆文 形声。虫＋丰音。音符の丰ホウは、逢ホウに通じ、あうの意味。貝がらが合わさる二枚貝の意味を表す。
【蚌珠】ボウシュ どぶがい(または、からすがい)から出る真珠。

4【蚘】10画 10523 ■ 漢ユウ(イウ) 呉ウ 尤 yóu ■ 漢カイ(クワイ) 呉エ(ヱ) 灰 huí ₁9152 — 5847
字義 ■蚩蚘シユウは、人名。→蚩尤・蚩蚘(一三五四ページ中)。■かいちゅう(蛔虫)。腹中に寄生する細長い虫。
解字 形声。虫＋尤音。

5【蚜】11画 10524 カ 蚜(10501)の俗字。→一二五三ページ下。 ₂8734 — 5849

5【蚵】11画 10525 ■漢カ・呉ガ 歌 hē ■カ 箇 kè — — 5858
字義 ■蚵蚾カハは、㋐わらじ虫。㋑ひきがえる。■螪蚵ショウカは、とかげ。
解字 形声。虫＋可音。

5【蚶】11画 10526 カン 覃 hān 7352 E573 —
字義 あかがい。貝の一種。
解字 形声。虫＋甘音。

5【蚯】11画 10527 漢キュウ(キウ) 呉ク 尤 qiū 7353 E574 —
字義 蚯蚓キュウインは、みみず。 難読 蚯蚓みみず
解字 形声。虫＋丘音。

5【蚷】11画 10528 漢キョ 呉ゴ 語 jù — — 5859
字義 商蚷ショウキョは、やすで。おさむし。むかでに似た小さい虫。
解字 形声。虫＋巨音。

5【蛍】11画 10529 常 ケイ ほたる 2354 8C75 —
10［螢］16画 10530 漢ケイ 呉ギョウ(ギャウ) 青 yíng 7405 E5A3 —
筆順 丶 ⺍ ⺍ 𫇦 𫇦 䒑 学 営 蛍 蛍
字義 ほたる。虫の名。夏、水辺に生まれ、腹に発光器があって、夜間は光を放つ。
名前 ほたる
解字 形声。虫＋熒省音。音符の熒ケイは、めぐらすかがり火の意味。かがり火のような光を発する虫、ほたるの意味を表す。常用漢字の蛍は螢の省略形。
【蛍案】ケイアン 苦学すること。晋シンの車胤シャインが蛍の光で読書し苦学した故事による。▼案は、つくえ。→蛍雪之功。
【蛍影】ケイエイ ほたるの光。蛍燭ケイショク。
【蛍火】■ケイカ ほたるの光。■ほたるび 国消え残りの埋火うずみび。
【蛍雪之功】ケイセツのコウ 苦学すること。晋シンの車胤シャインと孫康とが、貧乏で灯油が買えないので、ほたるや雪の光で読書したという故事による。▼功は、成果。〔晋書、車胤伝〕
【蛍窓・蛍窗】ケイソウ 書斎。晋シンの車胤シャインが、ほたるの光によって読書した故事による。「蛍窓雪案」

5【蚿】11画 10531 漢ケン 呉ゲン 先 xián — — 5862
字義 馬蚿は、やすで(蚷キョ)。おさむし。
解字 形声。虫＋玄音。

5【蛄】11画 10532 コ 虞 gū 7354 E575 —
字義 ❶螻蛄ロウコは、おけら。虫の名。❷蟪蛄ケイコは、にいにいぜみ。むぎわらぜみ。なつぜみ。
解字 篆文 形声。虫＋古音。音符の古は、固いの意味。体の固い虫、けら・にいにいぜみの意味を表す。

5【蚱】11画 10533 漢サク 呉シャク 陌 zhà ₂8738 — 5855
字義 蚱蟬サクセンは、くまぜみ。やまぜみ。
解字 形声。虫＋乍音。

5【蚭】11画 10534 漢ジ(ヂ) 呉ニ 支 ní — — 5854
字義 蚰蚭ジクジは、虫の名。げじげじ。
解字 形声。虫＋尼音。

5【蛇】11画 10535 常 ジャ・ダ へび ■漢タ・呉ダ 歌 tuó ■漢シャ・呉ジャ 麻 shé ■イ 支 yí 2856 8ED6 —
筆順 丨 口 中 虫 虫 虫' 虫' 蛇 蛇
［虵］10497 俗字 字義 ■❶へび。くちなわ。ヘビ亜目に分類される爬虫類ハチュウルイの総称。❷委蛇イダは、どじょう。一説に、大鳥。❸星の名。■委蛇イイは、㋐のびのびして安らかなさま。㋑うねり行くさま。㋒行跡の明らかなさま。
解字 別体(它) 形声。虫＋它音。音符の它タは、へびの象形。虫を加え、その意味を明らかにした。
逆 委蛇・異蛇・長蛇・竜蛇
【蛇蛇】イイ 浅薄なさま。一説に、のびのびとやすらかなさま。
【蛇蝎】ダカツ へびと、さそり。転じて、非常に恐ろしいもの・い

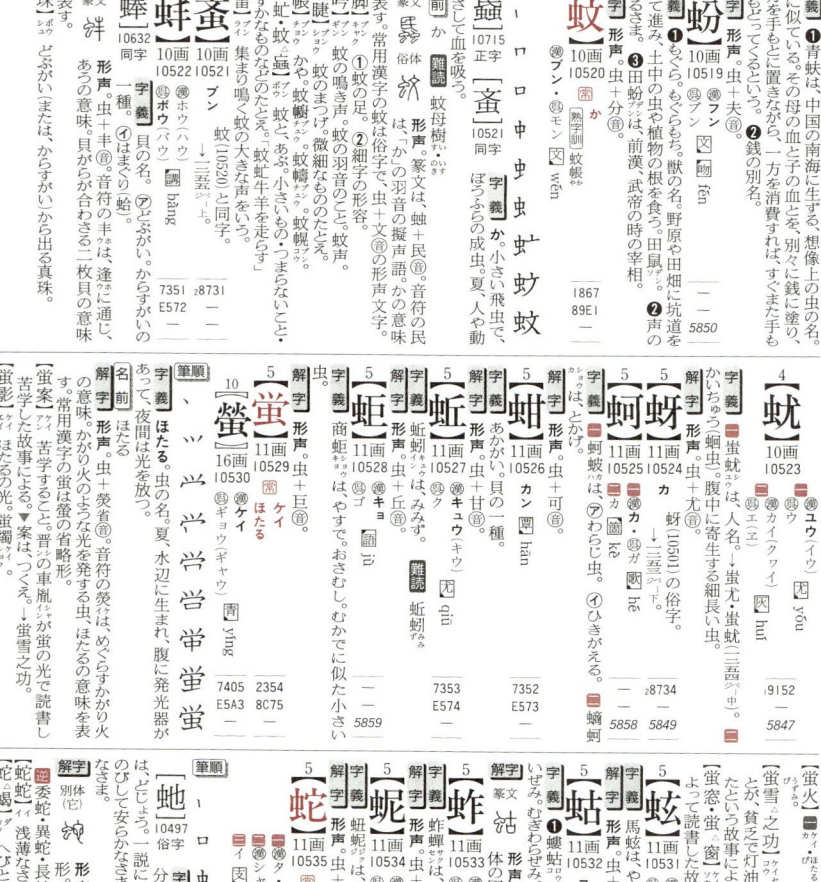

みきらうもののたとえ。
【蛇△虺】キダ へびと、まむし。また、大へびと小へび。転じて、人を害する者のたとえ。
【蛇行】ダコウ ①へびが進むときのように、曲がりくねって進むこと。②両手を地につき、はらばって進むこと。
【蛇△蛻】ダゼイ へびの抜けがら。
【蛇足】ダソク へびの足。無用なもののたとえ。→画蛇添足。
【画(畫)蛇添足】へびをえ(ゑ)がいてあしをそう(ふ) へびを描いて、足を書きたす。へびには足がないので、それを書くことは不要であることから、無用なことをすることのたとえ。〔戦国策、斉〕

5 【蛀】 11画 10536 シュ 遇 zhù — — 5863
字義 ❶木食い虫。樹木を食う虫。❷むしばむ。
解字 形声。虫+主音。

5 【蛆】 11画 10537 ショ 慣ソ 魚 qū ②jū 7355 E576 —
字義 ❶うじ。❷蝍蛆ショクショは、㋐むかで。㋑こおろぎ。
解字 形声。虫+且音。

5 【蛅】 11画 10538 セン 塩 zhān — — 5866
字義 蛅斯センシ・蛅蟖センシは、けむし(毛虫)。
解字 形声。虫+占音。

5 【蛋】 11画 10539 標 漢タン 呉ダン 翰 dàn 3533 9260 —
字義 ❶鳥の卵。❷中国南方の水上に住む異民族。=蜑(10597)。
解字 形声。虫+疋(延)音。音符の延は、誕に通じ、うまれるの意味。虫やへびのうまれてくる、たまごの意味を表す。
【蛋黄】タンコウ 卵の黄身。卵黄。
【蛋白】タンパク ①卵の白身。卵白。②国蛋白質から成っているもの。

5 【蚳】 11画 10540 漢チ 呉ジ(ヂ) 支 chí ₂8739 — 5856
字義 ❶あり(蟻)の卵。❷さそり(蠍カツ)。
解字 篆文  形声。虫+氏音。音符の氏シは、そこ・ひくいの意味。地面よりも低い所にいる虫。あり・さそりの意味を表す。

5 【蛁】 11画 10541 チョウ(テウ) 蕭 diāo ₂8740 — 5864
字義 蛁蟟チョウリョウは、みんみんぜみ。
解字 形声。虫+召音。

5 【蛈】 11画 10542 漢テツ 呉テチ 屑 tiě
字義 蛈蝪テツトウは、つちぐも。

5 【蚹】 11画 10543 漢フ 遇 fù — — 5861
字義 蛇の下腹のうろこ。
解字 形声。虫+付音。

5 【蛃】 11画 10544 漢ヘイ 呉ヒョウ(ヒャウ) 梗 bǐng ₂8741 — 5865
字義 蛃魚は、しみ。衣類や紙などを食う虫。
解字 形声。虫+丙音。

5 【蚰】 11画 10545 漢ユウ(イウ) 呉ユ 尤 yóu 7356 E577 —
字義 蚰蜒ユウエン・蚰衍ユウエンは、げじげじ。節足動物の一種。
難読 蚰蜒げじげじ・なめくじ
解字 形声。虫+由音。

5 【蚴】 11画 10546 漢ユウ(イウ) 呉ヨウ(エウ) 有 yǒu — — 5857
字義 ❶蚴蟉ユウリュウは、うねりくねるさま。竜の行くさま。❷蚴蜕ユウエツは、じがばち。蜂はちの一種。
解字 形声。虫+幼音。

5 【蛉】 11画 10547 標 漢レイ 呉リョウ(リャウ) 青 líng 7357 E578 —
字義 ❶蜻蛉セイレイは、とんぼ。❷螟蛉メイレイは、あおむし。
解字 篆文  形声。虫+令音。音符の令は、冷に通じ、つめたいの意味。透き通って涼しげな羽の、とんぼの意味を表す。

5 【蛎】 11画 10548 レイ 蠣(10778)の俗字。→一三六九ページ上。 1934 8A61 —

5 【蚸】 11画 10549 一漢レキ・呉リャク 錫 lì 二漢セキ・呉シャク 陌 9153 — 5860
字義 一二 蜈蚸ケイレキは、しょうりょうばった。はたはた。バッタ科の昆虫。
解字 形声。虫+斥音。

5 【蚫】 11画 10550 国字 7359 E57A —
字義 あわび(鮑ホウ)。
解字 形声。虫+包音。

5 【蛯】 11画 10551 国字 ₂8737 EE84 —
字義 蛯原にいはらは、姓氏。

6 【蛙】 12画 10552 標 慣ア 漢ワ・呉エ(ヱ) 麻 wā 1931 8A5E —
〔䵷〕14501 同字 〔鼃〕14502 同字 〔鼃〕14503 俗字
字義 ❶かえる(かへる)。かわず。カエル目に分類される動物の総称。❷みだら(淫イン)。下品。→蛙声②。
解字 篆文  形声。虫+圭音。篆文は、黽+圭音。黽は、かえるの象形。音符の圭ケイは、かえるの鳴き声の擬声語。
【蛙為(爲)△鶉】かえる(かへる)うずら(うづら)となる かえるが化して、うずらとなる。万物が転々として変化することのたとえ。〔列子、天瑞〕
【蛙群】アグン かえるの群れ。
【蛙市】アシ かえるが群がり鳴くこと。
【蛙吹】アスイ かえるの鳴き声。
【蛙声(聲)】アセイ ①かえるの鳴く声。蛙吹。蛙鳴。②みだらな音楽。淫声インセイ。
【蛙△黽】アボウ あまがえる。
【蛙鳴△蟬△噪】アメイセンソウ ①かえるの鳴き声と、せみの騒がしい声。②やかましく言い騒ぐこと。③つまらぬことをくだくだ述べている文章。また、つまらぬ議論。

6 【蛦】 12画 10553 イ 支 yí ₂8746 — —
字義 螗蛦トウイは、セミの一種。
解字 形声。虫+夷音。

6 【蛜】 12画 10554 イ 支 yī — — 5872
字義 ❶蛜威イイは、虫の名。わらじむし。おめむし。❷蛜蚗イエツは、虫の名。みんみんぜみ。
解字 形声。虫+伊音。

6 【蛔】 12画 10555 漢カイ(クワイ) 呉ガイ(グワイ) 灰 huí 7360 E57B —
字義 回虫。腹の中に寄生する虫。
参考 現代表記では[回](1813)に書きかえることがある。「蛔虫→回虫」
解字 形声。虫+回音。音符の回は、めぐるの意味。腹の中をめぐりまわる回虫の意味を表す。

6 【蛕】 12画 10556 漢カイ(クワイ) 呉ガイ(グワイ) 灰 huí ₂8743 — 5869
字義 回虫。腹の中に寄生する虫。
解字 形声。虫+有音。

6 【蛒】 12画 10557 漢カク 呉キャク 陌 gé — — 5868

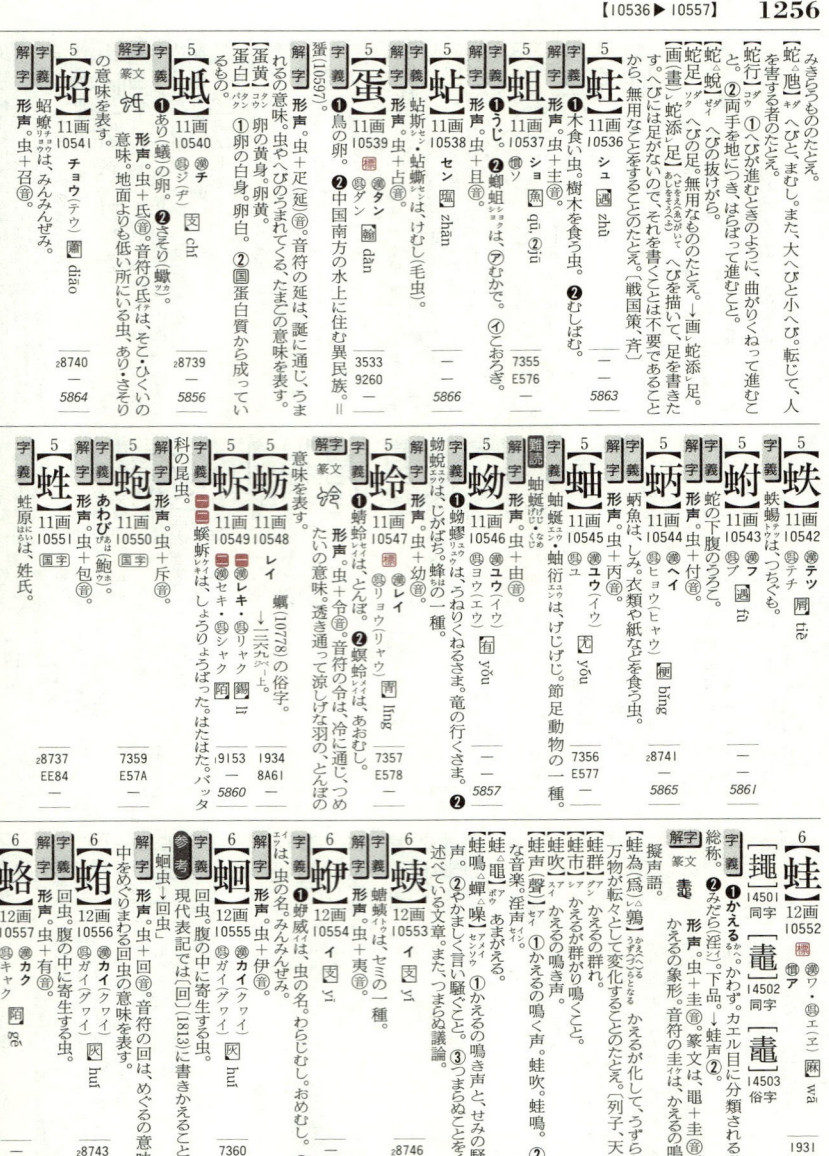

字義 ❶虫の名。すくもむし。❷蛭蛒は、虫の名。げじげじ。❸杜蛒は、虫の名。おけら。❹蜂の一種。
解字 形声。虫＋各(音)。

6【蛞】12画 10558 (漢)カツ(クワツ) (呉)カチ(クワチ) 圀 kuò 7361 E57C —
字義 ❶おたまじゃくし。❷蛞蝓は、なめくじ。なめくじら。❸蛞螻は、けら。おけら。 難読 蛞蝓(なめくじ)
解字 形声。虫＋舌(音)。

6【蛣】12画 10559 (漢)キツ (呉)キチ 質 jié ₂8745 — 5874
字義 ❶せみ(蟬)。❷蛣蟯は、くそむし。
解字 形声。虫＋吉(音)。

6【蛩】12画 10560 [蛩]10562 俗字 ━(漢)キョウ・(呉)グ 冬 qióng ━(漢)キョウ・(呉)グ 腫 gǒng
字義 ━❶こおろぎ(蟋蟀)。＝蛬(10561)。❷せみのぬけがら。❸いなご(蝗)。━げじげじ(蚰蜒)。
解字 篆文 形声。虫＋巩(音)。音符の巩は、包みかかえるの意味を表す。せみのぬけがらのこと。
【蛩蛩】①伝説上の獣の名。北海にすみ、馬に似た獣。②うれえ思うさま。
【蛩声(聲)】こおろぎの鳴く声。蛩鳴。

6【蛬】12画 10561 (漢)キョウ (呉)グ 冬 qióng 7363 E57E —
字義 こおろぎ(蟋蟀)。＝蛩(10560)。
解字 形声。虫＋共(音)。

6【蛩】12画 10562 キョウ 7362 E57D —
蛩(10560)の俗字。→一二五七ページ上。

6【蛢】12画 10563 ケン 先 qiān — — 5877
字義 ❶ほたる(蛍)。❷やすで。虫の名。
解字 形声。虫＋幵(音)。

6【蛟】12画 10564 (漢)コウ(カウ) (呉)キョウ(ケウ) 肴 jiāo 7364 E580 —
字義 みずち。水中に住む想像上の動物。竜の一種。へびに似て、四足があり、大きいものは人をのむという。
解字 篆文 形声。虫＋交(音)。音符の交は、いりまじる・よじれるの意味。からだのよじれている、みずち、または、わにの類いの意味を表す。
【蛟螭】みずち。一説に、水神。
【蛟竜(龍)】①みずちと竜。②竜の一種。うろこのある竜をいう。
【蛟竜(龍)得二雲雨一】みずちや竜が雲雨を得て天に登ること。英雄が機会をとらえて大業を成しとげることをいう。〔三国志、呉志、周瑜伝〕

6【蛤】12画 10565 標 コウ(カフ) 合 gé, ②há 4026 94B8 —
字義 ❶はまぐり。遠浅の海岸の砂中にすむ貝。❷ひきがえる。 難読 蛤良(あいら)
解字 篆文 形声。虫＋合(音)。音符の合は、あうの意味。二枚の貝があわさる、はまぐりの意味を表す。
【蛤柱】はまぐりの貝ばしら。蛤丁。
【蛤蜊】はまぐりとあさり。また、しおふき貝。

6【蛭】12画 10566 標 (漢)シツ (呉)シチ 質 zhì 4140 9567 —
字義 ❶ひる。池・沼や田にすみ、人畜の血を吸う虫。❷ありづか。 難読 蛭子(えびす・ひる)
解字 形声。虫＋至(音)。

6【蛥】12画 10567 (漢)セツ (呉)ゼチ 屑 shé — — 5875
字義 蛥蚗は、虫の名。なつぜみ。また、にいにいぜみ。
解字 形声。虫＋多(音)。

6【蛛】12画 10568 標 (漢)チュ (呉)チュウ(チウ) 慣シュ 虞 zhū 7365 E581 —
字義 蜘蛛は、くも。節足動物の一種。
解字 形声。虫＋朱(音)。

6【蛮】12画 10569 常 バン 4058 94D8 —

19【蠻】25画 10570 (漢)バン (呉)マン 刪 mán 7439 E5C5 —

筆順 亠 ナ 亣 亦 亦 峦 峦 蛮 蛮
字義 ❶南方に住む未開の種族。四夷(東夷・西戎・南蛮・北狄)の一つ。❷文化の開けない民。用例〔史記、刺客伝〕北蕃蛮夷之鄙人、未三嘗見二天子一(北方の未開の地の田舎者で、これまで天子にお目にかかったことがありません。)❸あなどる。かろんずる。❹昔、外国人をいやしんで呼んだ語。

参考 現代表記では〔蕃〕(10297)の書きかえに用いることがある。「蕃族→蛮族」

解字 金文 篆文 形声。虫＋䜌省(音)。音符の䜌は、かわっているの意味。漢民族とは変わった習俗をもつ種族、異民族の意味を表す。常用漢字の蛮は蠻の省略形。

逆 南蛮・野蛮
【蛮夷戎狄】四方の未開の国。古来中国人は自国を中央に位置する文化の開けた大国として中華と称し、四方の未開な諸国を南蛮・東夷・西戎・北狄といった。→字義❶。

【蛮教】異民族の宗教。日本では江戸時代に、キリスト教のことを呼んだ。

【蛮荊】南方の異民族。楚の地をさしていう。▼荊は、楚。

【蛮語】①異民族のことば。②外国語をいやしめていう。③国スペイン・ポルトガル語の旧称。南蛮語。

【蛮行】国野蛮な行為。

【蛮荒】遠い南方の未開の地。▼荒は、荒服で、都から遠く二千里、ないし二千五百里の地。

【蛮骨】国①蛮勇の性質。②バンカラなかっこう。

【蛮触(觸)之争(爭)】かたつむりの角の右にいる蛮氏と、左にいる触氏との争い。とるに足りないことで争うたとえ。〔荘子、則陽〕→蝸角之争(一二六二ページ上)。

【蛮声(聲)】国野蛮な声。どら声。

【蛮族】未開の民族。蕃族。

【蛮奴】①異民族出身の召し使い。②未開の異民族をいやしめていう語。

【蛮舶】外国の舟。

【蛮貊】未開の異民族。▼蛮は南方の、貊は北方の異民族。

【蛮風】①南方の未開の地に吹く風。②未開の地の風俗。転じて、いやしい風俗。粗野な風俗。蛮俗。

【蛮方】未開の国。

【蛮勇】国野蛮な勇気。向こう見ずの元気。

【蛮虜】未開の異民族。

6【蛗】12画 10571 (漢)フウ (呉)ブ 有 fù ₂8744 — 5870
[蝜]10742 俗字
字義 蛗螽は、いなご。
解字 形声。虫＋𠂤(阜省)(音)。

6【蛑】12画 10572 (漢)ボウ (呉)ム 尤 móu ₂8742 — 5867
字義 ❶ねきりむし。苗の根を食う虫。❷かまきり。❸蝤蛑は、がざみ。カニの一種。
解字 形声。虫＋牟(音)。

6【蛧】12画 10573 モウ
蝄(10634)の本字。→一二六一ページ中。

6【蛧】12画 10574 モウ 蝄(10634)の俗字。→一二六一ページ・中。 ― ― 5876

6【蛶】12画 10575 漢レイ 呉ライ 霽 lì
字義 貝の名。おおはまぐりの一種。
解字 形声。虫＋劦(劦)音。 ― ― 5873

6【蛚】12画 10576 漢レツ 呉レチ 屑 liè
字義 蜻蛚(セイレツ)は、虫の名。こおろぎ。
解字 形声。虫＋列音。 ― ― 5871

6【蛯】12画 10577 国字
字義 えび。蝦(えび)。海老。
解字 会意。虫＋老。老は、老人の腰のように曲がる、えびの意味を表す。 7366 E582 ―

7【蜒】13画 10578 エン 先 yán
字義 ❶うねうねと長いさま。❷祝蜒(シュクエン)は、やもり。❸蚰蜒(ユウエン)は、げじげじ。
解字 形声。虫＋延音。虫は、うねり行くへびの象形。音符の延は、のびるの意味。うねうねとのびるの意味を表す。 7367 E583 ―

7【蜎】13画 10579 ━エン(ヱン) 先 yuān ━ケン 先
字義 ━❶ぼうふら。蚊の幼虫。❷たわむ(撓)。屈曲する。
解字 篆文  形声。虫＋肙音。音符の肙(ケン)はぼうふらの意味を表す。のち、虫を付し、意味を明らかにした。 ₂8750 ― 5885

7【蛾】13画 10580 標 ━ガ 歌 é ━ギ 紙 yǐ
【䖸】10581 同字
字義 ━❶蚕の成虫。かいこが。❷毛虫類の成虫。蝶(チョウ)に似た昆虫で、夜間に灯火を求めて活動する。❸眉毛(まゆげ)。蛾の触角に似た美しいまゆ毛。❹三日月。❺にわか。だしぬけ。＝俄(354)。━あり(蟻ぎ)。
解字 篆文  形声。虫＋我音。音符の我は、ぎざぎざの刃のある「おの」の象形。ぎざぎざの触角のある「が」の意味を表す。 1875 89E9 ―

【蛾術】ギジュツ 小さい蟻(あり)が大きい蟻に見習って、たえず土を運んで大きな蟻塚(ありづか)を完成させること。聖賢の教えを習い大成することのたとえ。〔礼記、学記〕

【蛾△翠】ガスイ ①女性のまゆのみどり色。また、そのような緑色。山水のみどりをいう。②美人のまゆ。

【蛾眉】ガビ ①細長く曲がって美しいまゆ。→字義━❸。用例〔唐、李白、怨情詩〕美人巻二珠簾一、深坐顰二蛾眉一 ↓美人が珠の簾を巻き上げ、部屋の奥深くに座り、美しい眉をひそめてもの思いに沈んでいる。②美人。用例〔唐、白居易、長恨歌〕六軍不レ発無二奈何一、宛転蛾眉馬前死 ↓近衛の軍隊は出発しようとせずどうにもならなくなり、すんなりと美しい眉の美人(楊貴妃)は、天子の馬前で死んだのである。③三日月。

【蛾眉山】ガビサン 山の名。＝峨眉山(四三八ページ・下)。

【如二蛾赴一レ火】ガのひにおもむくがごとし 蛾が身を火に投じて死ぬようなものである。自身の滅ぶことも考えずに利欲をむさぼることのたとえ。〔古今事文類聚〕

7【䖸】13画 10581 ガ 蛾(10580)と同字。→一二五八ページ・上。 ₂8747 ― ―

7【蛷】13画 10582 漢キュウ(キウ) 呉グ 尤 qiú
字義 はさみむし。
解字 形声。虫＋求音。

7【蛺】13画 10583 キョウ(ケフ) 葉 jiá
字義 蛺蝶(キョウチョウ)は、㋐ひおどしちょう。㋑蝶類の総称。
解字 篆文  形声。虫＋夾音。音符の夾(キョウ)は、はさむの意味。ものをはさむように羽をとじる、ちょうの意味を表す。 ₁9154 ― 5878

7【蜐】13画 10584 漢キョウ(ケフ) 呉コウ(コフ) 葉 jié
字義 石蜐は、かめのて。岩に付着する貝の一種。
解字 形声。虫＋劫音。 ₂8751 ― 5887

7【蜆】13画 10585 ━漢ケン・呉ゲン 銑 xiǎn ━ケン 銑 xiǎn
字義 ━みの虫。━しじみ。貝の一種。
解字 形声。虫＋見音。 7368 E584 ―

7【蜈】13画 10586 ゴ 虞 wú
字義 蜈蚣(ゴコウ)は、むかで(百足)。節足動物の一種。
難読 蜈蚣(むかで)
解字 形声。虫＋吳音。音符の吳は、舞いくるうさまにかたどる。たくさんの足を舞いくるわせるさまの、むかでの意味を表す。 7369 E585 ―

7【蛼】13画 10587 シャ 麻 chē
字義 蛼螯(シャゴウ)は、貝の名。おおはまぐり。車螯。国❶こおろぎ。❷あしまつい。かまきりなどに寄生する線虫。はりがねむし。 ₁9155 ― 5879

7【蜏】13画 10588 漢ユウ(イウ) 呉ユ 有 yǒu
字義 虫の名。かげろう。
解字 形声。虫＋秀音。 ― ― 5886

7【蜍】13画 10589 漢ショ 呉ジョ 魚 chú
字義 蟾蜍(センジョ)は、ひきがえる。
解字 形声。虫＋余音。 7375 E58B ―

7【蛸】13画 10590 標 ━漢ソウ(サウ) 呉ショウ(セウ) 肴 shāo ━ショウ(セウ) 蕭 xiāo
【蛸】10591 俗字
字義 ━❶蟏蛸(ショウショウ)は、あしたかぐも。蜘蛛(くも)の一種。❷たこ。八本足で吸盤を持つ頭足類の一種。食用になる。━螵蛸(ヒョウショウ)は、㋐かまきりの卵。㋑いか。軟体動物の一種。
解字 形声。虫＋肖音。 3493 91FB ―

7【蛸】13画 10591 ショウ 蛸(10590)の俗字。→一二五八ページ・下。

7【蜀】13画 10592 標 漢ショク 呉ゾク 沃 shǔ
字義 ❶あお虫。毛虫。蝶(チョウ)や蛾(ガ)の幼虫。❷とうまる。鶏の一種。形が大きい。蜀鶏。❸ひとつ。ひとり。❹国名。㋐古代、蜀の地にあった侯国。秦(シン)により滅ぼされ蜀郡が置かれた。㋑三国時代の蜀。→蜀漢。㋒五胡(ゴ)十六国の一つで、後蜀。→成漢(五六〇ページ・下)。㋓五代十国の二国で、前蜀と後蜀。→前蜀(一八三ページ・上)・後蜀(五〇四ページ・下)。❺四川省の別称。
難読 蜀葵(たちあおい)・蜀魂(ほととぎす)・蜀黍(もろこし)
解字 甲骨文  篆文  象形。大きな目を持ち、桑についてむらがり動く不快な虫、あおむしにかたどり、あおむしの意味を表す。蜀(虫)を音符に含む形声文字に、属(屬)・燭(ショク)・独(獨)・蠋(ショク)・触(觸)などがあり、これらの漢字は、「つづく」の意味を共有している。 7370 E586 ―

【蜀漢】ショッカン ①三国の一つ。劉備(リュウビ)が魏(ギ)・呉(ゴ)に対抗して蜀の成都(今の四川省成都市)に都して建てた国。劉備は漢の王室の血統だったので、漢と称した。前・後漢と区別して、蜀漢と呼ぶ。二代四十三年で魏に滅ぼされた。

(二二一—二六三)⇩コラム『三国志』の時代(一七〇ページ)。②秦・漢代の蜀郡(今の四川省の中部地方)と漢中(今の陝西省の南部と湖北省の北西部地方)。

【蜀犬△吠レ日】蜀の地は四面が高い山で、雲霧が多く、太陽を見ることが少ないので、たまたま日が出ると犬が怪しんでほえる。転じて、見識のせまい者が、賢人の言行に対して疑い怪しんで、非難攻撃することのたとえ。〔唐、柳宗元、与二韋中立一論二師道一書〕

【蜀江】蜀の成都の内外を流れている川。水が清らかで、錦をさらすに適しているという。錦江。用例〔唐、白居易、長恨歌〕蜀江水碧蜀山青 聖主朝朝暮暮情 ↓蜀の川は碧玉のようにふかみどりの色であり、蜀の山は青々として美しいが、天子は毎朝毎晩悲しい思いをつのらせている。

【蜀江錦】蜀に産する錦。非常に美しいので珍重される。→蜀江。

【蜀魂】ほととぎすの別名。蜀の望帝の魂が化して、この鳥となったという伝説に基づく。

【蜀山】①蜀の地方の山。②江蘇省宜興市の東南にある山の名。独山。

【蜀志】『三国志』の中、蜀漢の歴史。→三国志(一六ページ上)。

【蜀相】三国時代、蜀の宰相。諸葛亮をいう。〔唐、杜甫、蜀相詩〕

【蜀鳥】ほととぎす。蜀魂。

【蜀都】三国時代、蜀の都。今の四川省成都市。

【蜀道】蜀(今の四川省)に通じる危険な道。転じて多難な人生行路のたとえ。〔唐、李白、蜀道難詩〕

【蜀△魄】=蜀魂。

7 【触】 13画 (11081) ショク 角部。→一三〇一ページ上。

7 【蜃】 13画 10593 標 漢シン 呉ジン 震 軫 shèn 7371 E587 一

字義 ❶おおはまぐり(大蛤)。気を吐いて、楼台(蜃気楼)を現すという。❷みずち(蛟)の一種。赤いたてがみがあり腰部から下部の鱗は逆立っていて、海市(蜃気楼)を現すという。❸たる。祭りに用いる、蜃の絵を描いた漆塗りの樽。

蜃②

解字 篆文 形声。虫+辰音。音符の辰は、十二枚貝の象形。辰が十二支のたつの意味に用いられるようになったので、のち、虫を付した。

【蜃気(氣)楼(樓)】海上や砂漠で、光線の異常屈折のため、遠方の物体が空中に見える現象。古人は、大きな蛤の口から吐き出す気によって現れると想像した。海市。蜃市。蜃楼。

【蜃△蛤】はまぐり。大きいのを蜃、小さいのを蛤という。

【蜃市】=蜃気楼。

7 【蜄】 13画 10594 一 シン 震 shèn 二 シン 軫 zhěn — — 5881

字義 一 ❶動く。❷竜の一種。二 おおはまぐり。=蜃(10593)。

解字 形声。虫+辰音。

7 【蛻】 13画 10595 一 セイ 震 shuì 二 タイ 泰 tuì 慣ゼイ 7372 E588 —

字義 一 二 ❶ぬけがら。もぬけ。❷ぬぐ(脱)。外皮をぬぐ。

解字 篆文 形声。虫+兌音。音符の兌は、ぬけるの意味。虫のぬけがらの意味を現す。

7 【蜹】 13画 10596 ゼイ 蚋(10512)の正字。→一三五四ページ中。 — — 5906

7 【蜑】 13画 10597 漢タン 呉ダン 旱 dàn 7373 E589 —

字義 中国南方の異民族。広東・福建地方に住み、舟を家とし、漁業を営む。蜑人。蜑民。=蛋(10539)。国 あま(海人)。漁夫。

解字 篆文 形声。虫+延音。虫は、異民族の意味。音符の延は、地の果ての意味。地の果ての異民族の意味を表し、日本では、漁夫の意味に用いる。

【蜑戸】①中国南方の異民族。また、その家。②国あまの家。

【蜑丁】①蜑人(中国南方の異民族)の若者。②国あま。海人。漁夫。

7 【蜇】 13画 10598 漢テツ 呉テチ 屑 zhē, ③zhé 28749 — 5883

字義 ❶さす。虫が刺す。❷痛む。❸海蜇は、くらげ。

解字 形声。虫+折音。

7 【蜓】 13画 10599 一 漢テン・呉デン 銑 diàn 二 漢テイ 呉ジョウ(ヂャウ) 青 tíng 28752 — 5888

字義 一 蝘蜓は、やもり。二 蜻蜓は、とんぼ。蜻蛉。

7 【蜔】 13画 10600 漢テン 呉デン 霰 diàn — — 5889

字義 螺蜔は、貝がらの内側を用いた飾り。螺鈿。

解字 形声。虫+甸音。

7 【蛽】 13画 10601 バイ 貝(11516)の俗字。→一三四九ページ中。 19156 — 5880

7 【蜉】 13画 10602 漢フ 呉ブ 尤 fú 7374 E58A —

字義 ❶蚍蜉は、おおあり(大蟻)。❷蜉蝣は、かげろう。朝、生まれて、晩に死ぬという虫。転じて、はかない人生のたとえ。用例〔北宋、蘇軾、前赤壁賦〕寄二蜉蝣於天地一 渺滄海之一粟。↓(私とあなたは)かげろうのようなはかない命をこの悠久の世に一時あずけているのだ。はてしなく広い青海原の中の一粒の粟のような存在である。

解字 篆文 別体 形声。虫+孚音。音符の孚は、浮に通じ、浮くの意味。浮かびただよう虫、かげろうの意味を表す。

7 【蜅】 13画 10603 一 フ 麌 fǔ 二 漢ホ・呉ブ 虞 pù 28748 — 5882

字義 一 ❶かに(蟹)。❷わらじ虫。二 蛤蜅は、貝の名。

解字 形声。虫+甫音。

7 【蜂】 13画 10604 常 ホウ はち ホウ 冬 fēng 4310 9649 —

筆順 口 中 虫 虻 蚁 蚤 蜂 蜂

【蠭】 10791 本字

字義 ❶はち。昆虫の一種。尾部に針を持ち敵を刺す。❷ほこさき。=鋒(12674)。❸むらがる。❹ひく。ひきいる。

解字 篆文(蠭) 形声。虫+夆音。音符の夆は、鋒などに通じ、ほこさきの意味。尾に、ほこさきのような針のある虫、はちの意味を表す。篆文は、䖵+逢音。蜂は、その省略体。

【蜂△窩・蜂△窠】①はちの巣。蜂房。②小屋をいう。

【蜂△衙】蜜蜂が朝夕、時を定めて巣を出入りすること。▼衙は役所で、役人の出勤退庁にたとえていう。

【蜂起】はちのように賊徒などが群がり起こること。蠭起。蜂駭。

【蜂出】はちのように一斉に起こる。群がり出る。

【蜂準長目】はちのように高い鼻すじと細長い目。

英敏で思慮に富む人相をいう。〔史記、秦始皇本紀〕
【蜂屯】はちのように群がり集まること。蜂聚。
【蜂房】はちの巣。蜂窠。蜂巣。
【蜂腰】①はちの腰。転じて、細い腰。細腰。柳腰。②はちの腰は真中が細いから、三人兄弟の真中が劣るのにたとえていう。③梁の沈約のいう詩の欠点の一つ。詩の一句中の第二字と第四字とが同じ平仄になるもの。

7 【蛹】 13画 10605 漢ヨウ 呉ユウ 腫 yǒng 7376 E58C —
字義 さなぎ。幼虫から成虫になる過程で、食物をとらず、脱皮して静止状態にある段階。
解字 篆文 形声。虫＋甬音。音符の甬は、踊に通じ、おどるの意味。尾をくるくるとあげておどるむし、さなぎの意味を表す。

7 【蜊】 13画 10606 リ 支 lí 7377 E58D —
字義 蛤蜊は、しおふき貝。はまぐりの一種。国あさり。浅海の砂泥中に住む二枚貝の一種。浅蜊。
解字 形声。虫＋利音。

7 【蜋】 13画 10607 ロウ 螂(10694)と同字。→一二六四ページ中。 1 9157 — 5884

8 【蜲】 14画 10608 イ(ヰ) 支 wēi — — 5905
字義 蜲蜲は、うねり行くさま。
解字 形声。虫＋委音。音符の委は、なよなよとくねる意味を表す。

8 【蜼】 14画 10609 漢イ(ヰ) 呉ユイ 寘 紙 wèi — — 5908
字義 おなが猿。くも猿。
解字 形声。虫＋隹音。

8 【蜟】 14画 10610 イク 屋 yù 2 8754 — 5892
字義 ❶復蜟は、セミの幼虫。にしどち。❷伏蜟は、セミの抜けがら。
解字 形声。虫＋育音。

8 【蜴】 14画 10611 漢エキ 呉ヤク 陌 yì 7378 E58E —
字義 蜥蜴は、とかげ。また、やもり。爬虫類の一種。
解字 形声。虫＋易音。音符の易は、とかげの象形で、蜴の原字。のちに虫を付した。

8 【蜿】 14画 10612 一 漢エン(ヱン) 呉オン(ヲン) 阮 wǎn 二 ワン 寒 wān 7379 E58F —
字義 一❶竜や蛇がうねり動くさま。❷虎のゆくさま。二竜や蛇の動くさま。

解字 形声。虫＋宛音。音符の宛は、しなやかに曲がるの意味。虫は、へびの象形。蛇や竜などがうねり曲がるさまを表す。

【蜿蜒・蜿蜿】①竜やへびのうねり行くさま。また、そのうねり曲がるさま。②うねり曲がって長く続いているさま。

【蜿蟬】めぐり舞うさま。

【蜿蟺】①虫の名。みみず。蚯蚓。②まがりくねるさま。③わだかまるさま。とぐろを巻くさま。

8 【蜾】 14画 10613 カ(クワ) 哿 guǒ 2 8759 — 5910
字義 蜾蠃は、じがばち(似我蜂)。すがる。蜂の一種。腰部が細長くて、全身は黒色をしている。土蜂。難読 蜾蠃
解字 形声。虫＋果音。

8 【蜞】 14画 10614 漢キ 呉ギ 支 qí — — 5891
字義 動物の名。蛭。
解字 形声。虫＋其音。

8 【蜣】 14画 10615 漢キョウ(キャウ) 呉コウ(カウ) 陽 qiāng 2 8756 — 5894
字義 蜣蜋は、くそ虫。せっちんこがね。
解字 形声。虫＋羌音。

8 【蜺】 14画 10616 ゲイ 斉 ní 2 8758 — 5907
字義 ❶つくつくぼうし。せみの一種。寒蜩。❷にじ(虹)。雌の虹。虹が二つ出るとき、色の鮮やかなものを雄として、虹といい、暗いものを雌とし、蜺といった。「虹蜺」
解字 篆文 形声。虫＋兒音。音符の兒は、こどもの意味。頭が相対的に見て大きく、こどものような形に見える、せみの意味を表す。また、虫は、へびの意味で、にじを天空にかかる、へびと見たて、めすのにじの意味を表す。

8 【蜷】 14画 10617 漢ケン 呉ゲン 先 quán 7380 E590 —
字義 ❶虫がかがまり動くさま。❷連蜷は、長くうねりかがまるさま。❸きくい虫。国にな。田螺に似て、細長く黒い貝。川・みぞなどの淡水にすむ。河貝子。難読 蜷局

8 【蚕】 14画 10618 サン 蚕(10507)の俗字。→一二五四ページ上。 — — 5913
解字 形声。虫＋卷音。音符の卷は、まくの意味。虫が身をまく、かがまるの意味を表す。

8 【蜡】 14画 10619 一 ショ 御 qù 二 漢サ 呉ジャ 禡 zhà, chà 2 8755 — 5893
字義 一うじむし。蠅のうじ。二祭りの名。十二月に多くの神を祭る祭り。殷では嘉平、周では蜡、秦では臘という。
解字 篆文 形声。虫＋昔音。音符の昔は、つみかさなるの意味。うようよと積み重なるようにわく、うじ虫の意味を表す。
【蜡月】陰暦十二月の別名。臘月。
【蜡祭】十二月に神々を合わせまつる祭り。

8 【蜙】 14画 10620 漢ショウ 呉シュウ 冬 sōng 2 8753 — 5890
字義 ❶蜙蝑は、きりぎりす。❷蜈蜙は、むかで。
解字 形声。虫＋松音。

8 【蜨】 14画 10621 一 ショウ(セフ) 葉 diē 二 漢チョウ(テフ) 呉ジョウ(デフ) 葉 diē — — 5901
字義 一蛺蜨は、㋐ひおどしちょう。㋑蝶類の総称。二❶＝一。❷蝶(10656)と同字。
解字 形声。虫＋疌音。

8 【蝕】 14画 10622 ショク 蝕(10652)の俗字。→一二六二ページ下。

8 【蜻】 14画 10623 標 一 漢セイ 呉ジョウ(ジャウ) 敬 二 漢セイ 呉ショウ(シャウ) 青 qīng 7381 E591 —
字義 一むぎわらぜみ。二→蜻蛉。蜻蛉野。難読 蜻蛉・蜻蜓
解字 篆文 形声。虫＋青音。音符の青は、きよらか・すずしいの意味。すずしい声で鳴く虫、こおろぎの意味を表す。
【蜻蜓】＝蜻蛉。
【蜻蜓洲】国大和の国の別称。また広く、日本をいう。神武天皇が大和で国見して「蜻蛉のとなめ(雌雄が尾をくわえ合い、輪になって飛ぶこと)のごとし」と言った故事に基づく。蜻洲。秋津島。〔日本書紀、

神武紀」

【蜻蛉】セイレイ・あきつ・とんぼ 昆虫の名。とんぼ。蜻蜓セイテイ。

8 【蜥】14画 10624 漢セキ 呉シャク 錫 xī 7382 E592 —

字義 蜥蜴セキエキは、とかげ。爬虫類ハチュウルイの一種。

解字 篆文 形声。虫＋析音。音符の析は、易に通じ、とかげの意味。意味を明らかにするため虫を付した。また、析は、さくの意味。尾をさいて逃げる、とかげの意味とも考えられる。

8 【蜘】14画 10625 標 チ 支 zhī 3556 9277 —

字義 蜘蛛チシュは、くも。節足動物の一種。

解字 形声。虫＋知音。

8 【蜩】14画 10626 漢チョウ(テウ) 呉ジョウ(デウ) 蕭 tiáo 7383 E593 —

字義 せみ(蟬セン)。せみの総称。国ひぐらし。せみの一種。

解字 形声。虫＋周音。

【蜩甲】チョウコウ 蟬のぬけがら。蟬脱ゼイ。蟬蛻セン。蜩蛻チョウゼイ。

【蜩蟬】チョウセン せみ。

【蜩螗沸羹】チョウトウフッコウ せみが鳴き、湯が沸き、あつものが煮えたつ。叫ぶ声が非常にさわがしいことの形容。蜩沸チョウフツ。▼蜩螗は、せみ。〔詩経、大雅、蕩〕

8 【蝃】14画 10627 テイ 螮(10712)と同字。→一二六五ページ中。 28761 — 5912

8 【蝀】14画 10628 トウ 東 董 dōng 28760 — 5911

字義 螮蝀テイトウ・蝃蝀テイトウは、にじ(虹)。

解字 形声。虫＋東音。

8 【蜚】14画 10629 一漢ヒ・呉ビ 尾 fěi 二ヒ 微 fēi 7384 E594 —

字義 一❶あぶらむし。❷くびきりばった。二とぶ(飛)。

難読 蜚蠊ごきぶり

参考 現代表記では〔飛〕(1355)に書きかえることがある。「蜚語→飛語」

解字 篆文 形声。虫(蚰)＋非音。音符の非は、羽をひらくの意味。羽を開いて飛ぶ虫の意味を表す。

【蜚禽】ヒキン 飛ぶ鳥。飛禽。飛鳥。蜚鳥。

【蜚語】ヒゴ だれ言うとなく伝わった根拠のないうわさ。飛語。

【蜚鴻】ヒコウ ①虫の名。かつおむし。ぬかか。②良馬の名。

【蜚騰】ヒトウ 飛びあがる。飛揚。

【蜚廉】ヒレン ①風の神。風伯。②よく風を起こす神鳥。③＝飛廉(一五七一ページ上)。

8 【蜱】14画 10630 一漢ヒ・呉ビ 支 pí 二漢ビョウ(ベウ) 呉ミョウ(メウ) 蕭 miáo 28757 — 5904

字義 一二❶蜱蛸ヒショウは、かまきりの卵。おおじがふぐり。❷はまぐり。国だに。

解字 形声。虫(蚰)＋卑音。

8 【閩】14画 10631 漢ビン 呉ミン 真 mǐn 19349 — 7012

字義 ❶古代、今の福建省の地方に住んでいた未開民族。また、閩族の居住した今の福建省の地。❷国名。五代十国の一つで、王審知が今の福建省に建国し、六代三十七年(九〇九—九四五)で南唐に滅ぼされた。

注意 『康熙コウキ字典』では、門部に所属する。

解字 形声。蟲省＋門音。

【閩粤】ビンエツ 閩越。今の福建省。周代の七閩の地で、後に越人がここにいるようになったのでいう。

【閩中】ビンチュウ 閩の地方。今の福建省地方をいう。

8 【蜯】14画 10632 ボウ 蚌(10522)と同字。→一二五五ページ上。 — — 5903

8 【蜜】14画 10633 常 ミツ 漢ビツ・呉ミチ 質 mì 慣ミツ 4410 96A8 —

筆順 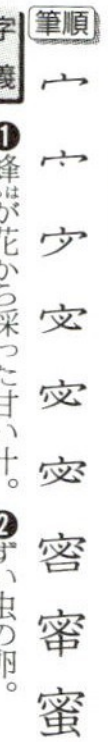

字義 ❶蜂はちが花から採った甘い汁。❷ずい虫の卵。

名前 みつ

解字 篆文 形声。虫(蚰)＋宓音。音符の宓ヒツは、封じこめるの意味。蜂が巣に封じこめた、みつの意味を表す。

【蜜月】ミツゲツ 国 honey-moon の訳語。西洋の風俗で、新婚後一か月間をいう。

【蜜酒】ミツシュ はちみつで造った酒。

【蜜甜】ミツテン あまい。非常に甘い。

【蜜蜂】ミツボウ・みつばち 巣にはちみつをたくわえるはち。

【蜜蠟】ミツロウ みつばちの巣から取った蠟。蠟燭ロウソクなどを作るのに用いる。

8 【蝄】14画 10634 漢ボウ(バウ) 呉モウ(マウ) 養 wǎng

〔蛧〕10573 本字 〔蛧〕10574 俗字

字義 蝄蜽モウリョウは、すだま。山や川、木や石などの精。魍魎モウリョウ。＝魍(13954)。

解字 形声。虫＋罔(网)音。魍(13954)の別体。

8 【蜮】14画 10635 一漢ヨク・呉イキ(ヰキ) 職 yù 二カク(クヮク) 陌 guō — — 5902

字義 一二❶いさご虫。想像上の動物。形は亀かめに似て三足、水中に住み、砂を含んで人にふきかけ、傷つけるという。射工。短狐タンコ。❷まどわす。❸かえる。蝦蟇ガマ。

解字 形声。虫＋或音。

8 【蜽】14画 10636 リョウ(リャウ) 養 liǎng — — 5909

字義 蝄蜽モウリョウは、すだま。魍魎モウリョウ。＝魎(13955)。

解字 形声。虫＋兩音。魎(13955)の別体。

8 【蝋】14画 10637 ロウ 蠟(10784)の簡易慣用字体。→一二六九ページ中。 4725 9858 —

9 【蝟】15画 10638 イ(ヰ) 未 wèi 7386 E596 —

〔猬〕7261 同字

字義 ＝彙(3362)。❶はりねずみ。❷むらがり集まる。

解字 篆文 形声。虫＋胃音。音符の胃は、彙イに通じ、はりねずみの意味。彙が書くのにむずかしいので、別体字の蝟ができた。

【蝟起】イキ はりねずみの毛が立つ。転じて、さまざまの事がらが乱れ起こることのたとえ。

【蝟集】イシュウ はりねずみの毛のように、多く集まるのをいう。

【蝟縮】イシュク はりねずみが敵に会って身をちぢめるように、恐れちぢむこと。

【蝟毛】イモウ はりねずみの毛。転じて、数の多いたとえ。

9 【蝝】15画 10639 エン(ヱン) 先 yuán — — 5916

字義 蝗いなごの子。まだ羽のはえないもの。また、ありの子。

解字 形声。虫＋彖音。

9 【蝘】15画 10640 エン 銑 yǎn 28763 — 5915

字義 ❶蝘蜓エンテイは、やもり。爬虫類ハチュウルイの一種。❷せみの一種。

難読 蝘蜓とかげ・やもり

解字 篆文 形声。虫＋匽音。音符の匽エンは、やすむの意味。壁の間などに身をかくしとまる、やもりの意味を表す。

9 【蝯】15画 10641 漢エン(ヱン) 呉オン(ヲン) 元 yuán — — 5920

字義 動物の名。ながざる。

解字 形声。虫＋爰音。音符の爰は、引くの意味。手が長く伸びるさるの意味を表す。

9 **【蝦】** 15画 10642 人 標 漢カ・呉ゲ 麻 hā, ②xiā 1860 89DA —

筆順 口 中 虫 虫ᄀ 蚆 蚆 蝦 蝦 蝦

字義 ❶がま。ひきがえる。蛙の大きなもの。❷えび。節足動物の一種。＝鰕(14077)。

解字 形声。虫＋叚音。

【蝦夷】一 えぞ・えみし 国昔、北関東・奥羽・北海道にかけて住み言語や風俗を異にして、朝廷の支配に服従しなかった人々。二 えぞ 国北海道の旧称。

【蝦蛄】 節足動物の一種。しゃこ。

【蝦蟆・蝦蟇】 蛙の一種。がまがえる。ひきがえる。

【蝦蟇仙人】 ①三国時代、呉の葛玄をいう。たくみにがまを使った。②がまを使うのが上手な人。

【蝦蟇陵】 地名。長安(今の陝西省西安市)の内城の東南にあった。妓女が多く、また名酒を産する。下馬陵のなまり。〔唐、白居易、琵琶行〕

【将(將)蝦釣鼈】 えびでかめをつる。わずかなもとでで大きな利益を得ること。えびで鯛をつる。

9 **【蝌】** 15画 10643 カ(クヮ) 歌 kē 7388 E598 —

字義 蝌蚪は、おたまじゃくし。蛙の幼生。

解字 形声。虫＋科音。

【蝌蚪文字】 中国の古代文字の一つ。筆・墨がなかったので、漆で竹の札に書いたが、その書体がおたまじゃくしに似ているところからいう。

9 **【蝸】** 15画 10644 標 一 漢カ(クヮ)・呉ケ 麻 wō 二 ラ 歌 luó 7387 E597 —

字義 一 かたつむり。ででむし。蝸牛。二 にし。にな。貝の名。

難読 蝸牛・蝸牛・蝸嬴

解字 篆文 形声。虫＋咼音。音符の咼は、渦に通じ、うずの意味。うずまき状のからのある、かたつむりの意味を表す。

【蝸角之争(爭)】 つまらない争い。かたつむりの角の上で、触氏・蛮氏がそれぞれ国を持っていたが、十五日間も戦い争って死者数万を出したという話による。〔荘子、則陽〕→蛮触之争(三五七ページ下)。

【蝸牛角上之争(爭)】 ＝蝸角之争。▼蝸牛は、かたつむり。

【蝸牛角上争(爭)二何事一】 かたつむりの角のような小さい世の中で何を争っているのか。用例〔唐、白居易、対レ酒詩〕蝸牛角上争二何事一、石火光中寄二此身一 ↓かたつむりの角のような小さい世の中で何を争っているのか、石を打ち合わせて出る火のようなあっという間の人生にこの身を置いているというのに。

【蝸牛盧】 かたつむりのからのように小さい家。自分の家の謙称。蝸舎。

【蝸舎】 ＝蝸牛盧。

9 **【蝎】** 15画 10645 漢カツ 呉ガチ 曷 hé, ②xiē 7389 E599 —

字義 ❶きくい虫。かみきり虫の幼虫。❷さそり。毒虫の名。＝蠍(10751)。

解字 形声。虫＋曷音。

9 **【蝴】** 15画 10646 漢コ 呉ゴ 虞 hú 7390 E59A —

字義 蝴蝶は、ちょう。こん虫の一種。胡蝶。

解字 形声。虫＋胡音。

【蝴蝶装(裝)】 書物の装丁の一つ。紙の表面を内にして縦に二つ折りにし、重ね合わせて、折り目の背に糊をつけ、表紙で外を包むもの。⇩コラム 書籍(六六八ページ)。

【蝴蝶夢】 ＝胡蝶之夢(六九二ページ中)。

9 **【蝗】** 15画 10647 漢コウ(クヮウ) 呉オウ(ワウ) 陽 庚 敬 huáng 7391 E59B —

字義 いなご。いな虫。一説に、ばった。とのさまばった。その大群が飛び行くときは、太陽も見えず、地に下れば、たちまちに青草が食いつくされてしまうという。

解字 篆文 形声。虫＋皇音。音符の皇は、遑に通じ、せわしいの意味。せわしく飛びまわる虫、いなごの意味を表す。

【蝗旱】 いなごと日照りの災害。

9 **【螆】** 15画 10648 シ 支 cí

［蝨］ 10680 俗字

字義 虫の名。けむし。

解字 形声。虫＋茲音。

9 **【蝨】** 15画 10649 漢シツ 呉シチ 質 shī 7392 E59C —

［虱］ 10492 俗字

字義 ❶しらみ。シラミ亜目の昆虫の総称。❷狗蝨は、ごま(胡麻)の別名。

解字 篆文 形声。蚰＋卂音。音符の卂は、す早く切りつけるの意味。人などの皮膚にくいつき血を吸うしらみの意味を表す。

【蝨処(處)二褌中一】 しらみがふんどしの中にいる。転じて、見識がせまくて一時的な安逸をむさぼっていることのたとえ。〔晋書、阮籍伝〕

【貫レ蝨之技】 小さなしらみさえ射ぬく技術。弓術にすぐれたのをいう。〔列子、湯問〕

【捫レ蝨談二当(當)世務一】 人の前で、しらみをつぶしながら時事を論ずる。人前をわきまえない様子。傍若無人の態度をいう。〔晋書、苻堅載記下〕

9 **【蝤】** 15画 10650 一 漢シュウ(シウ) 呉シュ 尤 qiú 二 漢ユウ(イウ)・呉ユ 尤 yóu ₂8764 — 5918

字義 一 蝤蠐は、きくい虫。かみきり虫の幼虫。二 蜉蝤は、かげろう。＝蝣(10667)。

解字 形声。虫＋酋音。

9 **【蝑】** 15画 10651 一 ショ 魚 xū 二 シャ 禡 ₂8762 — —

字義 一 蜙蝑は、きりぎりす。二 塩漬けのカニ。

解字 形声。虫＋胥音。

9 **【蝕】** 15画 10652 標 漢ショク 呉ジキ 職 shí 3110 9049 —

［蝕］ 10622 俗字

字義 ❶むしば-む。おかす(侵)。❷太陽や月が欠けること。「日蝕」「月蝕」。❸破れくさったきず。

参考 現代表記では〔食〕(13553)に書きかえることがある。「皆既蝕→皆既食」「月蝕→月食」「蝕甚→食尽」「浸蝕→浸食」「日蝕→日食」「腐蝕→腐食」

解字 篆文 形声。篆文は、虫＋人＋食音。音符の食は、くうの意味。虫が食うの意味を表す。

【蝕既(既)】 太陽や月がすっかり欠け尽くすのをいう。皆既食(蝕)。

【蝕甚】 日食や月食で、太陽や月が最も多く欠けた瞬間。食甚。

9 **【蝍】** 15画 10653 漢ショク 呉ソク 職 jí — — 5914

字義 ❶蝍蛆は、むかで。節足動物の一種。❷蝍蛉は、とんぼ。❸蝍蝍は、しゃくとり虫。

解字 形声。虫＋即音。

9 **【蝉】** 15画 10654 セン 蟬(10735)の俗字。→二六六ページ下。 3270 90E4 —

9 **【蝡】** 15画 10655 漢ゼン 呉ネン 銑 rǔ(ruǎn) — — 5917

字義 うごめく。虫が動くさま。＝蠕(10775)。

解字 篆文 形声。虫＋耎音。音符の耎は、弾力性があり、やわらかいの意味。虫がうごめくの意味を表す。

【蝡動】（ゼンドウ） ①虫のはい動くさま。②うごめく。蠢動（シュンドウ）。

9 【蝶】 15画 10656 [人] (漢)チョウ（テフ） (呉)ジョウ（デフ） [葉] dié 3619 92B1 —

筆順 虫 虫 虫 虫 蚶 蛆 蜌 蝶

字義 チョウ（テフ）。ちょうちょう。虫の名。

名前 ちょう

解字 形声。虫＋枼(音)。音符の枼（ヨウ）は、うすくひらたいの意味。薄くて平たい羽の虫、ちょうの意味を表す。

【蝶夢】（チョウム） ①自分と他との区別を忘れた境地。昔、荘周が夢の中で蝶になって楽しみ、自分と蝶との区別を忘れた故事による。→胡蝶之夢（コチョウのゆめ）（六九二ページ中）。②夢。

9 【蝪】 15画 10657 トウ（タウ） [陽] tāng 7403 E5A1 —

字義 蛈蝪（テットウ）は、じぐも（地蜘蛛）。つちぐも。ふくろぐも。

解字 形声。虫＋昜(音)。

9 【蝻】 15画 10658 ナン nǎn — — 5923

字義 生まれたてで、まだ飛べないいなご。

解字 形声。虫＋南(音)。

9 【蝮】 15画 10659 フク [屋] fù 7393 E59D —

字義 まむし。毒蛇の一種。背に円形のまだらがある。

難読 蝮壬（たじひ・みぶ）

解字 篆文 形声。虫＋复(复)(音)。音符の复（フク）は、腹に通じ、ふくれた腹の意味。腹のふくれたへび、まむしの意味を表す。

【蝮蛸】（フクイク） せみの抜けがら。

【蝮蠍・蝮蝎】（フッカツ・フクカツ） ①まむしと、さそり。②凶悪な人のたとえ。

【蝮鷙】（フクシ） ①まむしと荒鳥。②残酷な人のたとえ。

【蝮蛇】（フクダ） まむし。

9 【蝠】 15画 10660 フク [屋] fú 7385 E595 —

字義 ❶蝙蝠（ヘンプク）は、こうもり。かわほり。動物の名。❷まむし。毒蛇の名。＝蝮(10659)。

解字 形声。虫＋畐(音)。

9 【蝙】 15画 10661 ヘン [先] biān

字義 蝙蝠（ヘンプク）は、こうもり。かわほり。動物の名。

難読 蝙蝠（かわほり・こうもり）

[蝙] 10662 俗字

解字 篆文 形声。虫＋扁(音)。音符の扁（ヘン）は、うすくてひらたいの意味。翼をひらひらさせて飛ぶ、こうもりの意味を表す。

9 【蝙】 15画 10662 ヘン 7394 E59E —

蝙(10661)の俗字。→一二六三ページ上。

9 【蝱】 15画 10663 ボウ 19158 — 5921

虻(10498)と同字。→一二五三ページ下。

9 【蝥】 15画 10664 [一] (漢)ボウ・(呉)ム [尤] móu [二] (漢)ボウ（バウ） (呉)ミョウ（メウ） [肴] máo 28765 — 5919

字義 [一]❶ねきりむし。稲などの根を食い切る虫。❷蝥弧（ボウコ）は、矛（ほこ）と楯（たて）と星とを描いた旗の名。[二]盤蝥（ハンミョウ）は、毒虫の名。

解字 篆文 形声。虫＋敄(音)。音符の敄（ボウ）は、ほこでうちかかるの意味。ほこのような歯を持つ、ねきり虫・はさみ虫の意味を表す。

【蝥弧】（ボウコ） 旗の名。矛（ほこ）と楯（たて）と星とを描いた旗。

【蝥賊】（ボウゾク） ①苗の根を食う虫と、苗の節を食う虫。②良民に危害を与える悪人のたとえ。

9 【蟒】 15画 10665 ボウ 7429 E5BB —

蟒(10716)の俗字。→一二六五ページ下。

9 【蝓】 15画 10666 ユ [虞] yú 7401 E59F —

字義 蛞蝓（カツユ）は、なめくじ。

解字 形声。虫＋俞(音)。

9 【蝣】 15画 10667 (漢)ユウ（イウ） (呉)ユ [尤] yóu 7402 E5A0 —

字義 蜉蝣（フユウ）は、かげろう。虫の名。

解字 形声。虫＋斿(音)。音符の斿（ユウ）は、ひるがえる旗の意味。空中をただよう虫、かげろうの意味を表す。

9 【蝿】 15画 10668 ヨウ 3972 9488 —

蠅(10764)の俗字。→一二六八ページ中。

9 【蝲】 15画 10669 (漢)ラツ (呉)ラチ [曷] là 28766 — 5922

字義 さそり。ぜんかつ。[国]蝲蛄（ザリガニ）は、ざりがに。

難読 蝲蛄（ざりがに）

解字 形声。虫＋剌(音)。

9 【蝼】 15画 10670 ロウ 28767 — —

螻(10721)の俗字。→一二六六ページ上。

10 【螠】 16画 10671 イ [寘] yì 28774 — 5940

字義 螠女（ジイ）は、みの虫。[国]ゆむし。いむし。海辺の砂中にすむ虫。鯛（たい）などをつる餌（えさ）にする。

解字 形声。虫＋益(音)。音符の益は、縊（イ）に通じ、ひもで首をしめるの意味。一見、首をつったように木からぶらさがる、みのむしの意味を表す。

10 【螐】 16画 10672 (漢)オ（ヲ） (呉)ウ [虞] wū — — 5933

字義 螐蠋（オショク）は、虫の名。いもむし。

解字 形声。虫＋烏(音)。

10 【螉】 16画 10673 オウ（ヲウ） [東] [董] wēng 28771 — 5930

字義 ❶螉蠑（オウショウ）は、牛あぶの幼虫。❷蠮螉（エツオウ）は、じがばち。蜂の一種。

解字 形声。虫＋翁(音)。

10 【螘】 16画 10674 ギ — — 5937

蟻(10752)と同字。→一二六七ページ下。

10 【螢】 16画 (10530) ケイ

蛍(10529)の旧字体。→一二五五ページ中。

10 【螇】 16画 10675 [一] (漢)ケイ・(呉)ゲイ [斉] xī [二] ケイ [斉] qī 19159 — 5928

字義 [一]❶螇鹿（ケイロク）は、にいにいぜみ。蟬（せみ）の一種。❷螇蛆（ケイソ）は、猿類の猛獣。❸螇蚸（ケイレキ）は、しょうりょうばった。[二]じがばち。蜂（はち）の一種。

難読 螇蚸（しょうりょうばった・はたはた・ばった）

解字 形声。虫＋奚(音)。

10 【螈】 16画 10676 (漢)ゲン (呉)ガン（グワン） [元] yuán 19160 — 5929

字義 ❶蠑螈（エイゲン）は、いもり。両棲類（リョウセイルイ）の一種。❷螈蚕（ゲンサン）は、なつご。夏に育てる蚕。

解字 形声。虫＋原(音)。

10 【螜】 16画 10677 (漢)コク (呉)ゴク [屋] hú 28769 — —

字義 虫の名。けら。

解字 形声。虫＋㱿(音)。

10 【螄】 16画 10678 シ [支] shī — — 5925

字義 貝の名。にし。にな。

解字 形声。虫＋師(音)。

10 【螅】 16画 10679 [一] シ [寘] cì [二] (漢)シツ・(呉)シチ [質] xī — — 5926

字義 [一]螆(10648)と同字。[二]蟋(10702)と同字。

10 【螆】 16画 10680 シ — — 5927

螆(10648)の俗字。→一二六二ページ中。

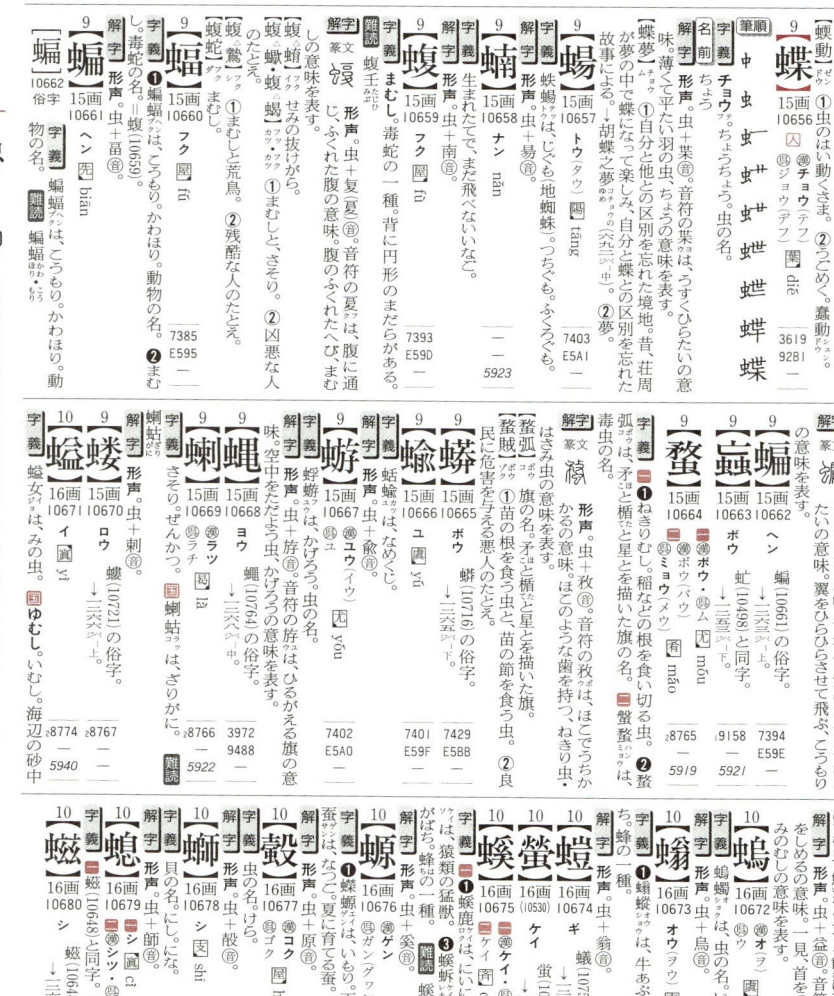

10【蝁】16画 10681 漢ジツ(ヂツ) 呉ニチ 職 質 nì ₂8775 — —

字義 ❶あぶ。❷虫に食われる病気。

解字 形声。虫+匿音。

10【螋】16画 10682 一漢シュウ(シウ)・呉シュ 尤 二漢ス・呉シュ 虞 sōu ₂8772 — 5931

字義 一蛷螋キュウシュウは、はさみむし。二蠼螋クソウは、はさみむし。

解字 形声。虫+叟音。

10【螓】16画 10683 漢シン 呉ジン 真 qín ₂8773 — 5934

字義 なつぜみ。むぎわらぜみ。蟬セミの一種。ひたいが広く四角い。美人のひたいの形容に用いる。「螓首蛾眉シンシュガビ」

解字 形声。虫+秦音。

10【螙】16画 10684 ト 蠹(10795)の古字。→一三七〇ジベー上。 — — 5938

10【螗】16画 10685 漢トウ(タウ) 呉ドウ(ダウ) 陽 táng — — 5936

字義 なつぜみ。蟬セミの一種。背は青緑色で、頭にまだらがある。螗蜩トウチョウ。

解字 形声。虫+唐音。

10【螣】16画 10686 一漢トウ・呉ドウ 蒸 téng 二漢トク・呉ドク 職 tè — — 5941

字義 一❶神蛇の名。雲や霧をおこして身をかくすといわれる。螣蛇トウダ。❷葉食い虫。いなごの一種。

解字 篆文  形声。虫+朕音。音符の朕トウは、上に向かっていくの意味。雲や霧をわきあがらせて遊ぶ、神蛇の意味を表す。

10【螞】16画 10687 漢バ 呉メ 馬 mǎ ②mà — — 5939

字義 ❶螞蟻バギは、虫の名。ありの一種。❷現代中国語で、螞蚱マアチャは、虫の名。ばった。

解字 形声。虫+馬音。

10【螌】16画 10688 一ハン 刪 bān 二漢ハン・呉バン 寒 pán — — 5932

字義 一螌蝥ハンミョウは、毒虫の名。二負螌フハンは、あぶら虫。ごきぶり。

解字 形声。虫+般音。

10【螕】16画 10689 漢ヘイ 呉ハイ 斉 bī — — 5935

字義 虫の名。だに。

解字 形声。虫+毘音。

10【螃】16画 10690 一漢ホウ(ハウ) 呉ボウ(バウ) 陽 páng 二ホウ(ハウ) 養 漾 bǎng — — 5924

字義 一かに(蟹)。二がまがえるの一種。

解字 形声。虫+旁音。

10【蟇】16画 10691 漢バ 標 呉マ 麻 má 7417 E5AF —

字義 がま。ひきがえる。「蝦蟇ガマ」 難読 蟇蛙ひきがえる・蟇目ひきめ

【蟆】10692 俗字

解字 形声。虫+莫音。

10【蟆】16画 10692 マ 蟇(10691)の俗字。→一二六四ジベー中。 7418 E5B0 —

10【螟】16画 10693 漢メイ 呉ミョウ(ミャウ) 青 míng 7406 E5A4 —

字義 ❶ずいむし。くき虫。稲などの茎を食う害虫。❷螟蛉メイレイは、あお虫。くわ虫。蝶チョウや蛾ガなどの幼虫。❸か(蚊ブン)。 難読 螟虫あおむし・ずいむし

解字 篆文  形声。虫+冥音。音符の冥メイは、奥深い所の意味。茎の奥深くにかくれている虫、ずい虫の意味を表す。

【螟蝗メイコウ】ずい虫と、いなご。ともに害虫。

【螟虫(蟲)メイチュウ】ずい虫。苗の芯シンを食う虫。

【螟螣メイトウ・メイトク】ずい虫と葉食い虫。ともに農作物の害虫。転じて、世に害を及ぼす悪者のたとえ。

【螟蜮メイヨク】いなむし。稲虫。稲を害する虫。

【螟蛉メイレイ】①青虫あおむし。②養子。蜾蠃カラ(じがばち)は、青虫の子を養い育てて自分の子とすると思われていたことからいう。

10【融】16画 (13933) ユウ 鬲部。→一四〇六ジベー上。

10【螂】16画 10694 ロウ(ラウ) 陽 láng 7407 E5A5 —

【蜋】10607 同字

字義 螳螂トウロウ・蟷螂トウロウは、かまきり。

解字 形声。虫+郎音。

10【螧】16画 10695 国字 ₂8770 — 5942

字義 ❶えび。螧原えびはらは、姓氏。=蛯(10577)。❷ひれ。螧沢ひれさわは、姓氏。=鰭(14108)。

解字 会意。虫+耆。耆キは、としよりの意味。腰の曲がった年寄りのような虫、えびの意味を表す。また、鰭キの別体として、ひれの意味をも表す。

10【𧏛】16画 10696 国字 ₂8768 — —

字義 𧏛貝きさかいは、あかがい(赤貝)の古名。

10【螱】17画 10697 イ(ヰ) 未 wèi — — 5946

字義 虫の名。しろあり。はあり。

解字 形声。虫+尉(𡰥)音。

11【螾】17画 10698 一イン 真 yín 二イン 軫 yǐn ₂8777 — 5948

字義 一つくつくぼうし。蟬セミの一種。寒蟬カンゼミ。二みみず(蚯蚓キュウイン)。=蚓(10499)。

解字 形声。虫+寅音。

11【蟈】17画 10699 カク(クヮク) 陌 guō — — 5951

字義 ❶螻蟈ロウカクは、かえる。青がえる。❷蟈蟈は、きりぎりす。また、くつわ虫。❸いなごむし。

解字 形声。虫+國音。

11【螯】17画 10700 ゴウ(ガウ) 豪 áo 7408 E5A6 —

字義 ❶蟹かにのはさみ。また、蟹の一種。蟹螯カイゴウ。❷車螯は、貝の名。はまぐりの一種。

解字 形声。虫+敖音。

11【𧒂】17画 10701 一漢サク・呉シャク 陌 zé 二漢セキ・呉シャク 陌 錫 ₂8778 — —

字義 一❶小さくて細い巻き貝。❷虫の名。

解字 形声。虫+責音。

11【蟋】17画 10702 漢シツ 呉シチ 質 xī 7409 E5A7 —

字義 蟋蟀シッシュツは、こおろぎ。古名、きりぎりす。促織ソクショク。

難読 蟋蟀きりぎりす・こおろぎ

参考 日本では古くは、こおろぎをきりぎりすとも呼び、古辞書には「蟋蟀、キリギリス」の訓が見られる。

解字 篆文  形声。虫+悉音。音符の悉シツは、羽をきりならせる音の擬声語。

11【蟅】17画 10703 一漢シャ 禡 zhè 二漢セキ・呉シャク 陌 ₁9164 — —

字義 一❶いなご。❷おめむし。わらじむし。ワラジムシ科の節足動物。

解字 形声。虫+庶音。

11【螽】17画 10704 シュウ(シウ) 東 zhōng 7410 E5A8 —

字義 ❶いなご(蝗コウ)。❷きりぎりす。はたおり虫。 難読

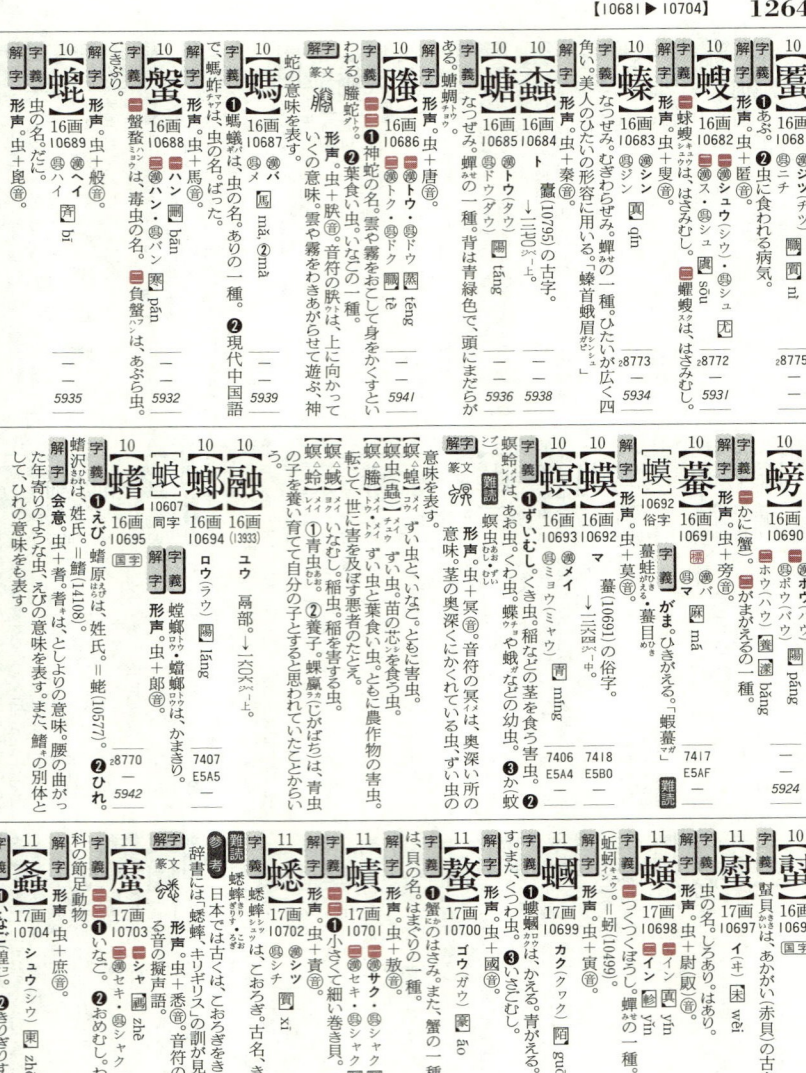

螽斯・螽蟖 はたおり虫が一度に多くの子を生み、それらが和らぎ集まっていること。転じて、夫婦和合して子孫の多いことのたとえ。〔詩経、周南、螽斯〕

解字 形声。蚰＋冬㊅。

【螽△斯△詵△詵】

11【蟀】17画 10705 漢シュツ 呉シュチ 質 shuài 7411 E5A9 —

字義 蟋蟀は、こおろぎ。

解字 篆文 形声。虫＋率㊅。音符の率は、羽をきしらせる音の擬声語。 **難読** 蟀谷

11【⿰虫從】17画 10706 一 漢ショウ・呉シュ 冬 二 漢ソウ・呉ス 東 zōng ₂8776 — —

字義 一 ❶牛あぶの幼虫。蝑蜙。❷じがばち。蜂の一種。

解字 形声。虫＋從㊅。

11【螿】17画 10707 漢ショウ（シャウ） 呉ソウ（サウ） 陽 jiāng — — 5949

字義 寒螿は、虫の名。つくつくぼうし。

解字 形声。虫＋將㊅。

11【螫】17画 10708 漢セキ 呉シャク 陌 shì 7414 E5AC —

字義 さ-す。毒虫がさす。

解字 形声。虫＋赦㊅。

11【螬】17画 10709 漢ソウ（サウ） 呉ゾウ（ザウ） 豪 cáo ₁9161 — 5943

字義 蠐螬は、こがね虫の幼虫。また、てっぽう虫。かみきり虫の幼虫。

解字 形声。虫（蚰）＋曹（曹）㊅。

11【螭】17画 10710 チ 支 chī ₁9162 — 5944

字義 ❶みずち。あまりょう。黄色い竜。また、角のない竜。＝彲（3388）。❷竜の子。また、竜の雌。❸伝説上の猛獣の一種。虎に似て、鱗がある。❹螭魅は、獣の形の山神名。＝魑（13956）。

螭①

解字 篆文 形声。虫＋离㊅。音符の离は、獣の形をした山神の意味を表す。

【螭頭】宮殿の石柱・階段・印章・容器などに彫刻したみずちの頭の形をしたかざり。螭首ともいう。

【螭魅△罔両（兩）】山川の精。悪人どものたとえ。魑魅魍魎。▼螭魅は山中の怪物、罔両は水中の怪物。

11【蟄】17画 10711 漢チュウ（チフ） 呉ジュウ（ヂフ） 慣チツ 緝 zhé 7415 E5AD —

字義 ❶かく-れる（隠）。とじこもる。虫類が土の中にかくれる。❷冬ごもりをしている虫。❸啓蟄は、二十四気の一つ。春分の十五日前。土の中にかくれた虫が動きだす季節。

解字 篆文 形声。虫＋執㊅。音符の執は、とらえるの意味。虫が土中にとらえられる、とじこもるの意味を表す。

【蟄居】①虫などが地中にこもっていること。また、その所。②交際をさけて、家にこもっていること。③国江戸時代に武士に科した刑で、一室にとじこめて謹慎させるもの。閉門より重い。

【蟄蔵（藏）】穴ごもり。地中にこもること。

【蟄蟄】①多いさま。②和らぎ集まるさま。③静かなさま。

【蟄虫（蟲）】地中に冬ごもりする虫。

【蟄伏】①虫が土中に冬ごもりすること。②とじこもる。ひそみかくれる。

【蟄雷】初雷。春雷が初めてとどろき、冬眠の虫の目をさまさせることから。

【蟄竜（龍）】①かくれている竜。②活躍の機会を得ず、かくれて世に出ないでいる英雄。伏竜。

11【螮】17画 10712 漢テイ 呉タイ 霽 dì — — 5945

［蝃］10627 同字

字義 螮蝀は、にじ（虹）。

解字 篆文 形声。虫＋帶㊅。音符の帶は、おびの意味。おび状のへび、にじの意味を表す。

11【螳】17画 10713 漢トウ（タウ） 呉ドウ（ダウ） 陽 táng 7416 E5AE —

字義 螳螂は、かまきり。蟷螂。＝蟷（10761）。 **難読** 螳螂

解字 形声。虫＋堂㊅。

【螳△螂△窺△蟬】せみは、かまきりに気づかずに鳴き、かまきりは、すずめにねらわれていることに気づかずにせみをねらっている。ただ目前の利益だけをむさぼって後の災害を考えないことのたとえ。〔説苑、正諫〕

【螳△螂△之衛（衞）】微弱な兵備のたとえ。〔西晋、左思、魏都賦〕

【螳△螂△之△斧】力の弱い者が身のほどもわきまえずに強敵に打ち向かうたとえ。かまきりが斉の荘公の乗る車に前脚（おの）を振り立てて向かって行った故事による。〔韓詩外伝、八〕

11【螵】17画 10714 漢ヒョウ（ヘウ） 呉ビョウ（ベウ） 蕭 piāo ₁9163 — 5947

字義 螵蛸は、㋐かまきりの卵。おおじかふぐり。㋑いか（烏賊）。

解字 形声。虫＋票㊅。

11【蟁】17画 10715 ブン 蚊（10520）の正字。→一二五五ジ一上。 ₂8779 — 5950

11【蟒】17画 10716 漢ボウ（バウ） 呉モウ（マウ） 養 mǎng

［蟒］10665 俗字 ［蠎］10717 俗字

字義 うわばみ。おろち。大蛇。 **難読** 蟒蛇

解字 形声。虫＋莽㊅。

11【蠎】17画 10717 ボウ 蟒（10716）の俗字。→一二六五ジ一下。 7428 E5BA —

11【蝥】17画 10718 一 漢ボウ（バウ） 呉ミョウ（メウ） 肴 māo 二 漢ボウ・呉ム 尤 — — 5953

字義 一 虫の名。くも。二 虫の名。ねきりむし。

解字 形声。蚰＋矛㊅。

11【螺】17画 10719 人 標 ラ 歌 luó 4570 9786 —

筆順 虫 虫 虫冂 虫冊 螺 螺 螺 螺

字義 ❶にな。にし。螺旋状をした貝。＝蠃（10765）。❷ほら貝。❸かたつむり。❹もとどり。❺ほら貝で作ったさかずき。 **難読** 螺子・螺旋・螺沢・螺良

解字 形声。虫＋累㊅。音符の累は、かさなるの意味。そのからが、らせん状に積み重なった形をしている、になの意味を表す。

【螺△髻】①結髪法の一つ。ほらがいのようにたばねたもとどり。②青々とした遠山をいう。青螺。

【螺旋】①螺の殻の線のようにぐるぐるねじれている筋。②ねじ。

【螺△鈿・螺△甸】おうむ貝・あこや貝などの殻の内側を、花・蝶・人物などの形に切って、いろいろな器物、特に漆器の表面にはめこみかざりとしたもの。真珠色の光沢があって美しい。インドから中国を経て日本に伝わった。

【螺杯】ラハイ おうむ貝で作ったさかずき。
【螺貝】ラバイ ほらがい。
【螺髪】ラホツ 仏仏像の頭髪がちぢれて、螺の殻のようになっているものをいう。

螺髪

11【蟉】17画 10720 漢リュウ(リウ)・呉ル 尤 liú ― ― 5952
一 二リョウ(レウ) 蕭 liáo
字義 一蚴蟉(ユウリュウ)は、竜や蛇などが曲がりうねるさま。二蜩蟉(チョウリョウ)は、竜の首が動くさま。
解字 篆文 形声。虫+翏音。音符の翏(リュウ)は、曲がりつらなる意味を表す。

11【螻】17画 10721 漢ロウ 呉ル 尤 lóu 7419 E5B1 ―
【蝼】10670 俗字
字義 ❶けら。おけら。螻蛄(ロウコ)。虫の名。❷天螻は、こがね虫の幼虫。すくも虫。❸地螻は、みずち(螭チ)。竜の一種。❹螻蟈(ロウカク)は、かえる(蛙ア)。❺くさい。また、悪臭。
解字 篆文 形声。虫+婁音。音符の婁(ロウ)は、とぎれずに続くの意味。田のあぜなどに糸すじのように続く通りあとをつける、おけらの意味を表す。 難読 螻蛄(おけら・けら)
【螻蟻】ロウギ ①けらとあり。用例〔韓非子、喩老〕千丈之堤以二螻蟻之穴一潰(センジョウのつつみもロウギのあなをもってついゆ)↓千丈もある高大で堅固な堤防も、けらやありの小さな穴からくずれる。②つまらないもののたとえ。また、自分に関することを言うときの謙称。「螻蟻之誠(ロウギのセイ)」

11【蟎】17画 10722 国字 ₂8780 ― 5954
字義 だに。人や家畜の血を吸う節足動物。

11【蟐】17画 10723 国字 7412 E5AA ―
字義 もみ。もむ。あかがえるの別名。

12【蟜】18画 10724 漢イツ 呉イチ 質 yù
字義 蟜蟥(イツコウ)は、こがねむし。
解字 形声。虫+矞音。

12【蟣】18画 10725 漢キ 呉ケ 尾 jǐ ₂8784 ― 5962
字義 ❶しらみ。また、しらみの卵。❷ひる。池・田などにすみ、人畜の血を吸う虫。
解字 篆文 形声。虫+幾音。音符の幾は、こまかいの意味。こまかな虫、しらみの意味を表す。

12【蟢】18画 10726 キ 紙 xǐ ― ― 5961
字義 蟢子(キシ)は、虫の名。あしだかぐも。
解字 形声。虫+喜音。

12【蟜】18画 10727 キョウ(ケウ) 篠 jiǎo ― ― 5959
字義 ❶毒虫の名。❷夭蟜(ヨウキョウ)は、㋐竜のわだかまるさま。㋑しきりに伸びるさま。
解字 形声。虫+喬音。

12【蟯】18画 10728 一漢ジョウ(ゼウ) 呉ニョウ(ネウ) 蕭 náo 7420 E5B2 ―
二ギョウ(ゲウ) 蕭
字義 一二ぎょう虫。人の腸に寄生する虫。
解字 篆文 形声。虫+堯音。音符の堯(ギョウ＝ジョウ)は、弱に通じ、しなやかの意味。人の腹に寄生する、しなやかな虫の意味を表す。

12【蟪】18画 10729 漢ケイ 呉エ(ヱ) 霽 huì ₂8787 ― 5964
字義 蟪蛄(ケイコ)は、夏ぜみ。にいにいぜみ。夏の終わりに鳴く小さい蟬(せみ)。 難読 蟪蛄(つくつくぼうし・なつぜみ)
解字 形声。虫+惠音。
【蟪蛄不レ知二春秋一】(ケイコはシュンジュウをしらず) 夏ぜみは、夏の間だけ生存して、春や秋を知らない。転じて、生命のきわめて短いたとえ。また、短命のものは長い年月のあることを知らないという意から、経験の少ない者は知見がせまいことのたとえ。〔荘子、逍遥遊〕

12【蟥】18画 10730 漢コウ(クワウ) 呉オウ(ワウ) 陽 huáng ₂8785 ― ―
字義 蟜蟥(イツコウ)は、こがねむし。
解字 形声。虫+黄音。

12【蟖】18画 10731 シ 支 sī ₁9165 ― 5956
字義 蛅蟖(センシ)は、けむし(毛虫)。
解字 形声。虫+斯音。

12【蟭】18画 10732 ショウ(セウ) 蕭 jiāo ₂8789 ― 5966
字義 蟭螟(ショウメイ)は、虫の名。蚊のまつ毛に住むという小さな虫。
解字 形声。虫+焦音。

12【蟙】18画 10733 漢ショク 呉シキ 職 zhí ― ― 5957
字義 動物の名。蟹(かに)の一種。
解字 形声。虫+戠音。

12【蟳】18画 10734 ジン 侵 xún ― ― 5968
字義 動物の名。がざみ。かざみ。
解字 形声。虫+尋音。

12【蟬】18画 10735 人 標 漢セン 呉ゼン 先 chán ₁9166 ― ―
【蝉】10654 俗字
筆順
字義 ❶せみ。セミ上科の昆虫の総称。❷のびる(伸)。❸つづく。つらねる。❹美しい(嬋セン)。
解字 篆文 形声。虫+單音。音符の單(ゼン)は、はじき弓の象形。羽をふるわせて鳴く虫、せみの意味を表す。
【蟬羽】一センウ せみの羽。蟬翅(センシ)。蟬翼。二せみのは 国 襲(かさね)の色目の一つ。表は濃い紫。裏は青。
【蟬嫣】センエン 連なって絶えないさま。蟬連。
【蟬冠】センカン せみの羽でかざった冠。蟬冕(センベン)。
【蟬吟】センギン せみが鳴くこと。また、その声。蟬語。蟬声。
【蟬娟】センケン ①美しくて、みやびやかなさま。②煙などの立ちのぼる様子。③遠く眺めやる様子。
【蟬紗】センサ せみの羽のように薄い布。
【蟬蛻】センゼイ ①せみが殻をぬぐ。また、せみのぬけがら。蟬衣。蟬殻。②さっぱりと抜け出ること。世俗を超脱すること。解脱。
【蟬噪】センソウ せみがやかましく鳴くこと。転じて、がやがやとやかましいこと。「蛙鳴蟬噪(アメイセンソウ)」
【蟬脱】センダツ ＝蟬蛻(センゼイ)。
【蟬鬢】センビン せみの羽のように、すけて見えるようにくしけずって、整えた髪。美人の髪。
【蟬腹】センプク ①せみの腹。②空腹のたとえ。③けがれなく清らかなさまのたとえ。
【蟬聯】センレン ①せみの声が絶えず続くように、つらなり(絶えないで)続くこと。②漢詩で、前句の終わりの語を受けて、下句を続けていくもの。

12【蟤】18画 10736 セン 先 zhuān ― ― 5963
字義 蜿蟤(エンセン)は、竜や蛇の縮こまるさま。
解字 形声。虫+巽音。

12【蠆】18画 10737 タイ 卦 chài ₁9167 ― 5974
字義 ❶さそり。毒虫で、長い尾のものを蠆といい、短い尾

12【蟫】18画 10738 ㊀㋚タン・㋙ドン 覃 tán ㊁㋚シン・㋙ジン 侵 xín ₂8788 ― 5965
字義 ㊀しみ。衣類や書物の中に生ずる虫。衣魚。㊁蟫蟫(シンシン)は、動くさま。また、つき従うさま。
解字 篆文 形声。虫＋覃㊅。音符の覃(タン)は、深に通じ、ふかいの意味。書籍の中に深くもぐりこむ虫、衣魚(しみ)の意味を表す。

12【蟲】18画 (10488) チュウ 虫(10487)の旧字体。→一三五三ページ上。

12【蟠】18画 10739 ㋚ハン ㋙バン 寒 pán 7422 E5B4 ―

字義 ❶わだかまる。まがる。とぐろをまく。❷つむ。つもる。❸集まる。❹めぐる。まわる。

解字 篆文 形声。虫＋番㊅。音符の番は、一点を中心にひろがるの意味。へびが渦状になる、わだかまるの意味を表す。

【蟠蜿】(ハンエン) ①わだかまるさま。輪のような形に巻いている様子。②竜や蛇の動くさま。

【蟠拠(據)】(バンキョ) わだかまりよる。場所を占めて勢力をもつ。

【蟠踞】(バンキョ) とぐろをまいてうずくまる。転じて、広大な土地を領有して、そこに根城を置くこと。蟠拠。

【蟠屈】(バンクツ) 同盤屈。①わだかまりかがむ。②心がふさぎ、晴れ晴れしないこと。

【蟠結】(バンケツ) わだかまり、心がふさぐ。

【蟠桃】(ハントウ) 三千年に一度開花し、結実するという桃。仙人西王母の所にあるという。長寿を祝うのに用いる語。

12【蟦】18画 10740 ヒ 蟥(10762)の俗字。→一三六八ページ中。 ₂8786 ― ―

12【蟱】18画 10741 ㋚ブ ㋙ム 虞 wǔ ― ― 5967
字義 竃蟱(ブチュ)は、虫の名。くも。
解字 形声。虫＋無㊅。

12【⿱自蚰】18画 10742 フウ 𧒒(10571)の俗字。→一三五七ページ下。 ₂8783 ― ―

12【蟚】18画 10743 ㋚ホウ(ハウ) ㋙ビョウ(ビャウ) 庚 pēng ― ― 5958
字義 蟚蜞(ホウキ)は、動物の名。どろがに。
解字 形声。虫＋彭㊅。

12【蟟】18画 10744 リョウ(レウ) 蕭 liáo ₂8782 ― 5960
字義 ❶蛁蟟(チョウリョウ)は、みんみんぜみ。❷くまぜみ。
解字 形声。虫＋尞㊅。

12【蠇】18画 10745 レイ 蠣(10778)と同字。→一三六九ページ上。 ― EE85 ―

12【⿰虫葛】18画 10746 ロウ 蠟(10784)の俗字。→一三六九ページ中。

12【蟵】18画 10747 国字 ₂8781 ― ―
字義 かや(蚊帳)。

13【蟹】19画 10748 人 標 ㋚カイ ㋙ゲ 蟹 xiè 1910 8A49 ―

【蠏】10749 同字
字義 かに。水陸ともに住む節足動物の一種。

筆順 ⺈ 角 角 角 角 角 解 解 蟹
解字 篆文 形声。虫＋解㊅。音符の解は、ばらばらになるの意味。一対のはさみ、八本の足がすぐばらばらになる虫、かにの意味を表す。

【蟹火】(カイカ) ①かにを取るためにたく、かがり火。②一般に、いさり火。漁火。

【蟹眼】(カイガン) ①かにの目。②湯がわきたつときの小さなあわ。かにの眼に似ているところからいう。↔魚眼(一六一〇ページ下)。

【蟹戸】(カイコ) かにを捕らえる漁夫。また、その家。

【蟹甲】(カイコウ) かにのこうら。蟹殻。

【蟹行】(カイコウ) かにが歩く。また、かにのように横に歩くこと。「蟹行文字(西洋文字)」

【蟹螯】(カイゴウ) かにのはさみ。

【蟹舎】(カイシャ) 漁夫の家。蜑戸(タンコ)。蟹戸。

13【蠏】19画 10749 カイ 蟹(10748)と同字。→一三六七ページ中。 7423 E5B5 ―

13【蠖】19画 10750 カク 蠼(10770)の俗字。→一三六八ページ下。 7431 E5BD ―

13【蠍】19画 10751 ㋚ケツ・㋙ケチ 慣カツ 月 xiē 7424 E5B6 ―
字義 ❶さそり。毒虫で、八足のうち前二足にはさみがあり、尾に毒針があって、刺されると人が死ぬこともある。＝蝎(10645)。→蠆(10737)。❷忌みきらわれるもののたとえ。「蛇蠍」
解字 形声。虫＋歇㊅。音符の歇(ケツ)は、高くかかげるの意味。尾の先をかかげて襲う、さそりの意味を表す。

13【蟻】19画 10752 標 ギ 紙 yǐ 2134 8B61 ―

【螘】10674 同字
字義 ❶あり。アリ科の昆虫の総称。❷くろいろ。黒。玄色。❸浮蟻は、酒に浮いている小さいあわやかす。

解字 形声。虫＋義㊅。音符の義は、ぎざぎざのある刃物の意味。ぎざぎざのある触角をもつ、ありの意味を表す。

【蟻潰】(ギカイ) ①ありの群れが散るように、散り散りに逃げること。②ありにくずしこわされること。

【蟻潰隄】(ありつつみをついやす) ありが、堤防をくずす。転じて、小事をゆるがせにすれば、大きな不幸をまねくことのたとえ。

【蟻観(觀)】(ギカン) ありと見なすこと。他をひどく軽視することのたとえ。蟻視。軽視。

【蟻穴】(ギケツ) ありの穴。小さいが慎むべきもののたとえ。蟻孔。

【蟻視】(ギシ) ＝蟻観。

【蟻酒】(ギシュ) にごり酒。蟻醪(ギロウ)。▼蟻は、浮蟻で、もろみの表面に浮かぶあわ。

【蟻集】(ギシュウ) ありのように多く集まること。蟻屯(ギトン)。蟻合。蟻聚(ギシュウ)。

【蟻垤】(ギテツ) ありづか。ありが作った柱状の巣。蟻冢(ギチョウ)。蟻塔。蟻封。

【蟻動】(ギドウ) 国が乱れて、ありがさわぐように、人民がさわぎたてること。

【蟻附】(ギフ) ありのように群がりつくこと。

【蟻螻】(ギロウ) ありと、おけら。転じて、つまらないもののたとえ。→螻蟻(一三六六ページ上)。

13【蠁】19画 10753 ㋚キョウ(キャウ) ㋙コウ(カウ) 養 漾 xiǎng ₂8790 ― 5972
字義 ❶にしどち。にしゃどっち。捕らえて、西はどちらかと問うと、腰から下を動かして答えるかっこうをするという虫。❷さし。酒や酢などにたかる小虫。難読 蠁子(さし)
解字 篆文 形声。虫＋郷㊅。音符の郷は、むくの意味。人が西はどちらときくと、体を動かして西を向く虫、にしどちの意味を表す。

13【蟿】19画 10754 ㊀ケイ 齊 qì ㊁キ 寘 jì ― ― 5971
字義 ㊀❶蟿螽(ケイシュウ)は、虫の名。しょうりょうばった。❷動物の名。蛙(かえる)の一種。
解字 形声。虫＋毄㊅。

13【蠉】19画 10755 ケン 先 銑 xuān ― ― 5975

字義 ❶虫が這(は)うさま。❷ぼうふら。
解字 形声。虫＋睘㊥。音符の睘は、めぐるの意味。

13【蠋】19画 10756 ㊥ショク 呉ソク 因 zhú
字義 けむし。また、あおむし。蝶(チョウ)類の幼虫。
解字 形声。虫＋蜀㊥。音符の蜀(ショク)は、いもむしの意味。虫を付し、けむし・あおむしの意味を表す。
$_{2}$8792 — 5977

13【蠵】19画 10757 ㊀スイ 因 zuī ㊁シ 因
字義 ㊀㊁蠵蠵(スイケイ・ケイシ)は、動物の名。うみがめ。
解字 形声。虫＋巂㊥。
— — 5955

13【蟾】19画 10758 セン 塩 chán
字義 ❶ひきがえる。蟾蜍(センジョ)。❷月の別名。姮娥(コウガ)が西王母の仙薬を盗み月に逃げ、化してひきがえるになったという伝説による。❸文房具の一種。水さし。水入れ。
解字 形声。虫＋詹㊥。音符の詹(セン)は、「のき」の意味の户を含む。あごが「のき」のように張っている、ひきがえるの意味を表す。
難読 蟾蜍(ひきがえる)
7425 E5B7 —
【蟾宮】センキュウ ①月の別名。月宮。②俗に、科挙の試験に合格した境地をいう。あこがれの世界。「歩二蟾宮一(センキュウにホす)」
【蟾桂】センケイ ひきがえると、かつら。ともに、月の中にあるとの伝説から、転じて、月をいう。→字義❷。
【蟾光】センコウ 月の光。月光。
【蟾蜍】センジョ ①ひきがえる。②月の別名。③すずりの水さし。
【蟾兎】セント 月の別名。ひきがえると、うさぎ。ともに月中に住んでいるとの伝説に基づく。

13【蟺】19画 10759 ㊥セン 呉ゼン 銑 shàn
字義 ❶みみず。蜿蟺(エンセン)。❷うねりくねる。❸じがばち。
解字 形声。虫＋亶㊥。
— — 5970

13【蟶】19画 10760 ㊥テイ 呉チョウ(チャウ) 庚 chēng
字義 まて。まてがい。二枚貝の一種。殻は筒状で、長さは一〇センチメートルぐらい。
解字 形声。虫＋聖㊥。
7426 E5B8 —

13【蟷】19画 10761 トウ(タウ) 陽 dāng
字義 蟷螂(トウロウ)は、かまきり。螳螂(トウロウ)。＝螳(10713)。
解字 形声。虫＋當㊥。
難読 蟷螂(かまきり)
7427 E5B9 —
参考 熟語は〔螳〕(10713)を見よ。

13【蟦】19画 10762 ㊀㊥ヒ・呉ビ 微 未 fèi ㊁ホン 元 bēn
［蟦］10740 俗字
字義 ㊀❶くらげ。❷すくもむし。㊁貝の名。かき。
解字 形声。虫＋賁㊥。

13【蠓】19画 10763 ㊥ボウ 呉モウ 董 東 měng
字義 ぬかか。かつお虫。雨後などに乱れ飛ぶ小虫。
解字 篆文 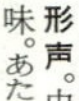 形声。虫＋蒙㊥。音符の蒙(モウ)は、おおうの意味。あたり一面をおおって乱れ飛ぶ虫、ぬかかの意味を表す。
$_{2}$8793 — 5981

13【蠅】19画 10764 標 ヨウ 蒸 yíng
［蝿］10668 俗字
字義 はえ(はへ)。ハエ目イエバエ科や近縁の科の昆虫の総称。
解字 篆文 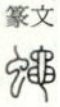 会意。黽＋虫。黽は、腹の大きいかえるの意味。腹の大きいこん虫の意味を表す。
7404 E5A2 —
【蠅営】(蠅營) ヨウエイ はえが飛び回るように、あくせくと小さな利益のために動きまわること。
【蠅集】ヨウシュウ ①はえが集まる。②はえのように群がり集まる。
【蠅蚋】ヨウゼイ はえと、ぬかが。はえと、ぶよ。腐った肉などにとまったり、たべたりする。
【蠅頭】ヨウトウ ①はえの頭。②微小なもののたとえ。小さな利益・文字などにいう。「蠅頭微利」「蠅頭細書」
【蠅払】(拂) ヨウフツ はえをはらう具。はえたたき。

13【蠃】19画 10765 ㊀ラ 歌 luǒ ㊁ラ 哿 luǒ
字義 ㊀にな。にし。螺旋状(ラセンジョウ)のからを持つ貝。＝螺(10719)。㊁❶蜾蠃(カラ)は、じがばち。蜂の一種。❷なめくじ。かたつむり。
解字 篆文  形声。虫＋𦝫㊥。音符の𦝫(ラ)は、なめくじの象形。それに、虫を付した。
$_{2}$8791 — 5973

13【蠡】19画 10766 レイ
蠡(10783)と同字。→一三六九ページ・中。
— — 5969

13【蠊】19画 10767 レン 塩 lián
字義 蜚蠊(ヒレン)は、ごきぶり。あぶらむし。
解字 形声。虫＋廉㊥。
$_{1}$9168 — 5976

14【蠑】20画 10768 ㊥エイ 呉ヨウ(ヤウ) 庚 róng
字義 蠑螈(エイゲン)は、いもり。また、とかげ。
解字 形声。虫＋榮㊥。
難読 蠑螈(いもり)
7430 E5BC —

14【蠚】20画 10769 ㊀カク 薬 hē ㊁㊥ジャク・呉ニャク 薬 ruò
字義 ㊀❶刺す。また、刺す虫。❷痛む。❸虫の刺す毒。㊁虫に刺された痛み。
解字 形声。蚰＋若㊥。
— — 5984

14【蠖】20画 10770 慣カク(クワク) ワク 薬 huò
［蠖］10750 俗字
字義 尺蠖(セキカク)は、しゃくとり虫。
解字 篆文  形声。虫＋蒦㊥。音符の蒦(カク)は、つかみとるの意味。つかむように身を曲げる虫、しゃくとり虫の意味を表す。
【蠖屈】カックツ ①しゃくとり虫が、かがむこと。②人が他日を期して、しばらく身を屈していること。

14【蠒】20画 10771 ケン
繭(9355)の俗字。→一二四一ページ・上。
— — 5980

14【蠔】20画 10772 ㊥コウ(カウ) 呉ゴウ(ガウ) 豪 háo
字義 ❶かき(牡蠣(ボレイ))。❷蠔蛋(ゴウタン)は、海人(あま)。海中に潜り、貝などを採る人。
解字 形声。虫＋豪㊥。
$_{1}$9170 — 5982

14【蠐】20画 10773 ㊥セイ 呉ザイ 斉 qí
字義 ❶蠐螬(セイソウ)は、すくも虫。こがね虫の幼虫。❷蝤蠐(シュウセイ)は、きくい虫。かみきり虫の幼虫。
解字 形声。虫＋齊㊥。
$_{1}$9169 — 5978

14【蠘】20画 10774 ㊥セツ 呉ゼチ 屑 jié
字義 動物の名。蟹(かに)の一種。
解字 形声。虫＋截㊥。
— — 5983

14【蠕】20画 10775 ㊀㊥ゼン・呉ネン 銑 (ruǎn) ㊁㊥ジュ・呉ニュ 虞 rú
字義 ㊀㊁うごく。うごめく。虫が動くさま。＝蝡(10655)。
解字 形声。虫＋需㊥。音符の需は、ひげがゆれるの意味。虫がうごめくの意味を表す。
7432 E5BE —
【蠕蠕】ゼンゼン ①北方異民族の名。今の外モンゴル地方に居住した。柔然。②虫のうごめくさま。
【蠕動】ゼンドウ ①うごめく。虫のはい動くさま。蠢動(シュンドウ)。②かすかに動くさま。③腸が食物を下へ送る運動。

14【蠙】20画 10776 ㊥ヒン 呉ビン 真 軫 pín
— — 5979

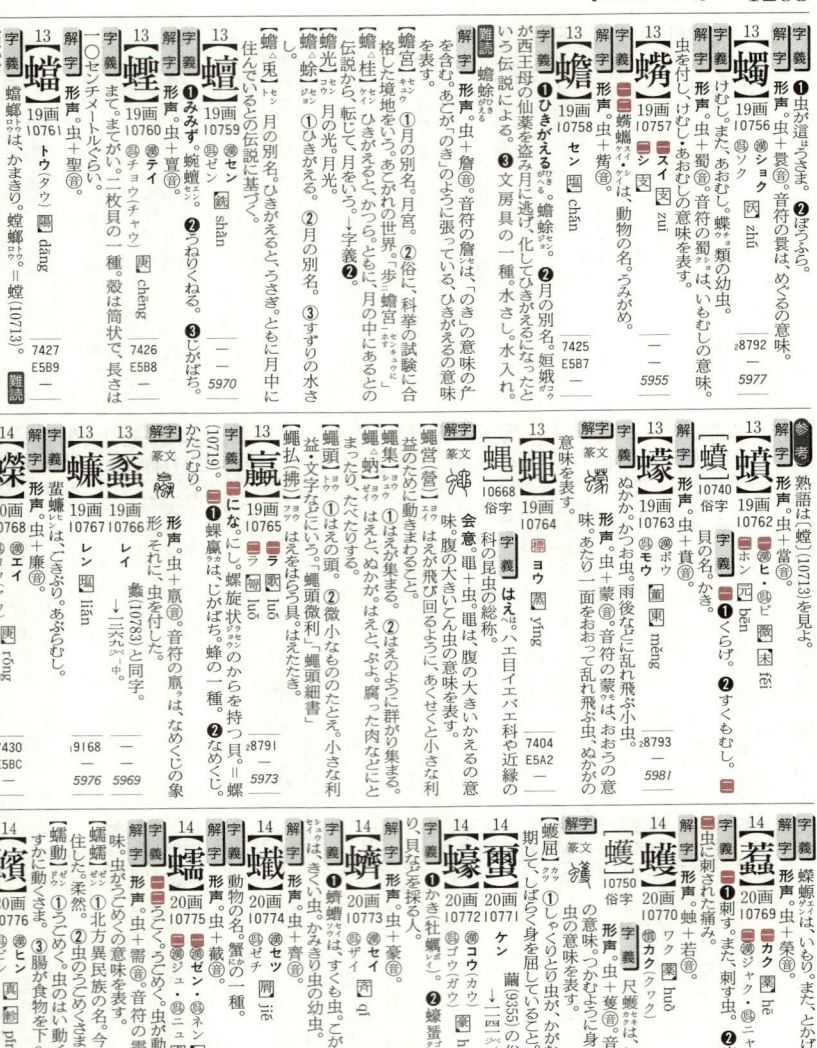

字義 ❶貝の名。どぶがい。ぬまがい。❷どぶがいの殻(から)の中から取れる珠(たま)。
解字 形声。虫＋賓㊥。

14 【蠘】 20画 10777 ベツ
蠛(10782)の俗字。→一二六九ページ上。

— — 5985

14 【蠣】 20画 10778 標 レイ 齊 lì
［蠇］10745 同字 ［蛎］10548 俗字
字義 かき。貝の一種。海中の岩石に付着して生息し、殻は不規則にでこぼこで、肉は灰白色。食用となる。牡蠣(ボレイ・かき)。
7358 E579 —
解字 篆文 形声。虫＋厲㊥。音符の厲(レイ)は、といしの意味。その殻が、といしのようになる、かきの意味を表す。
【蠣黄(レイコウ)】かきの肉を塩漬けにした食品。

15 【蠢】 21画 10779 シュン 軫 chǔn
字義 ❶うごめく。虫の動くさま。❷おろか(愚)。無知で道理をわきまえない。❸少ないさま。
7433 E5BF —
解字 篆文 形声。䖵＋春(萅)㊥。音符の萅(シュン)は、はるの意味。春になって虫がうごめく意味を表す。
【蠢爾(シュンジ)】①小虫のうごめくさま。②無知で道理をわきまえないさま。
【蠢蠢(シュンシュン)】①虫がうごめくさま。②動き乱れるさま。③礼儀のないさま。無作法なさま。
【蠢動(シュンドウ)】①うごめく。②さわぎ動いて乱をなすこと。③非力な人が陰で策動する。

15 【蠞】 21画 10780 漢セツ 呉ゼチ 屑 jié
字義 動物の名。海中に住む蟹(かに)の一種。
解字 形声。虫＋節㊥。
— — 5987

15 【蠜】 21画 10781 漢ハン 呉ボン 元 fán
字義 ❶虫の名。いなごの一種。❷負蠜(フハン)は、虫の名。くびきりばった。❸気蠜(キハン)は、虫の名。へひりむし。
解字 形声。虫＋樊㊥。
— — 5986

15 【蠛】 21画 10782 漢ベツ 呉メチ 屑 miè
［蠘］10777 俗字
字義 蠛蠓(ベツモウ)は、虫の名。ぬかが。かつおむし。
解字 形声。虫＋蔑㊥。

15 【蠡】 21画 10783 一漢レイ・呉ライ 齊 lí 二リ 支 lí 三ラ 歌
［蠭］10766 同字
字義 一❶ひさご。❷むしばむ。虫が木のしんを食う。❸むしばまれて、絶えかかるさま。❹木くい虫。二❶ひさご(瓢(ヒョウ))を半分に割ったもの。❷むしばむ。三❶＝二❶。❷かたつむり。❸にな。ほらがい(螺(ラ))。
7434 E5C0 —
解字 会意。䖵＋彖。
【蠡測(レイソク)】ひさご(一説に、ほら貝)で海水をくんで測ること。転じて、小知で大事を測ることのたとえ。前漢の東方朔(トウボウサク)の「答ニ客難一」に「以レ管闚レ天(カンをもってテンをうかがい(ひ))、以レ蠡測レ海(レイをもってうみをはかる)」とあるのに基づく。

15 【蠟】 21画 10784 人 標 ロウ(ラフ) 合 là
［蜡］10637 簡易 ［蝋］10746 俗字
筆順 虫 虫巛 虫巛 虫巛 蠟 蠟 蠟 蠟 蠟 蠟
字義 ❶みつろう。蜜蜂の巣から取った堅いろう。❷みつろうのような性質のあるもの。❸ろうそく。❹ろうをぬる。❺石の名。蠟石。

9171 — 5988
解字 形声。虫＋巤㊥。音符の巤(ロウ)は、狩りの意味。蜜蜂(ミツばち)が狩りをして集めた、みつろうの意味を表す。

【蠟花(ロウカ)】ろうそくの火を、花にたとえていう。

【蠟丸(ロウガン)】秘密を守り、湿気を防ぐために、丸めた蠟の中に書状を封じこんだもの。

【蠟炬(ロウキョ)】ろうそくの火。また、ろうそく。

【蠟珠(ロウシュ)】①ろうそくの溶け流れて玉となったもの。蠟涙。②さくらんぼの美しいもの。

【蠟書(ロウショ)】＝蠟丸。

【蠟詔(ロウショウ)】蠟の中に封じ込んだ詔。蠟丸の詔勅。

【蠟石(ロウセキ)】火成岩の一種。半透明で、印材とし、石筆などを作る。

【蠟牋(ロウセン)】色紙に版木をあてて、蠟で模様をすり出したもの。中国から輸入された紙で、詩歌などを書くのに用いた。

【蠟燭(ロウソク)】ろうそく。芯(シン)を中にし、その周囲に蠟を塗り固めて灯火とするもの。

【蠟梅(ロウバイ)】から梅。なんきん梅。

【蠟涙(ロウルイ)】溶けて流れ落ちるろうそくの蠟。溶けた蠟を涙にたとえていう。蠟珠。

【如レ嚼レ蠟(ロウをかむがごとし)】蠟をかんだ時の味や感じから、おもしろみのないこと、かすかな苦痛をともなうこと、はかない感じをともなうことなどをたとえていう。

16 【蠨】 22画 10785 ショウ(セウ) 蕭 xiāo
字義 蠨蛸(ショウショウ)は、あしたかぐも。蜘蛛(くも)の一種。
解字 形声。虫＋蕭㊥。
28794 — 5989

16 【蠧】 22画 10786 ト
蠹(10795)と同字。→一二七〇ページ上。
7438 E5C4 —

17 【蠮】 23画 10787 漢エツ 呉エチ 屑 yē
字義 蠮螉(エツオウ)は、じがばち。蜂の一種。
解字 形声。虫＋翳㊥。
28801 — 5991

17 【蠲】 23画 10788 ケン 先 juān
字義 ❶やすで。げじげじ。節足動物の一種。❷清い。いさぎよい。清潔。❸あきらか。明らかにする。❹はらう。払い除く。

28802 — 5993
解字 篆文 会意。蜀＋益。蜀は、あお虫の意味。益は、あふれるの意味。腐った木などにあふれるほどにわく虫、げじげじの意味を表す。

【蠲救(ケンキュウ)】租税を免除して、救い助けること。

【蠲除(ケンジョ)】はぶく。のぞく。除去する。また、免除する。

【蠲税(ケンゼイ)】租税を免除する。蠲租。

【蠲滌(ケンデキ・ケンジョウ)】よごれを洗い去ること。

【蠲免(ケンメン)】租税などを免除すること。蠲除。

17 【蠱】 23画 10789 コ 麌 gǔ
字義 ❶むし。穀物や食器類につく虫。❷まじない。また、それに用いる虫。❸人に害を与えるもの。❹悪い気。❺まどわす。まどう。❻易(エキ)の六十四卦(カ)の一つ。☶☴巽下艮上(ソンカゴンショウ)。乱が極限まで達して、新しいものがおこるかたち。

7435 E5C1 —

解字 甲骨文 篆文 会意。蟲＋皿。皿に盛った食物につく虫の意味を表す。

【蠱疾(コシツ)】心が迷い乱れる病気。

【蠱女(コジョ)】人を惑わす女性。

【蠱毒(コドク)】まじないの虫や毒薬などで人を害すること。

【蠱媚(コビ)】なまめかしく美しい様子。

【蠱惑(コワク)】まどわす。たぶらかす。

17 【蠰】 23画 10790 一ショウ(シャウ) 陽 漾 shuāng 二漢ジョウ(ジャウ) 呉ニョウ(ニャウ) 養 rǎng 三ノウ(ナウ) 陽 nāng
— — 5992

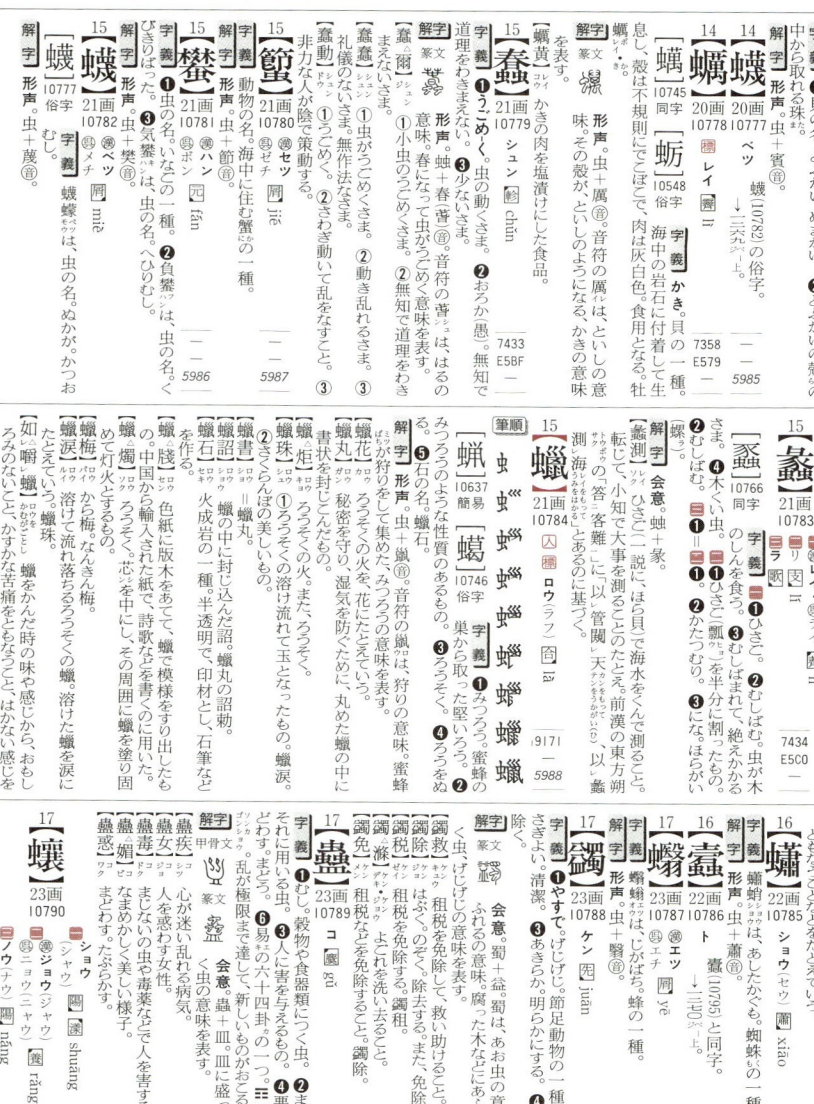

字義 ㊀虫の名。かみきりむしの一種。㊁蠰蛪(ジョウケイ)は、虫の名。はねながいなご。㊂蟷蠰(トウジョウ)は、虫の名。かみきり。
解字 形声。虫＋襄㊥。

17【蠭】23画 10791 ホウ ― ― 5990
蜂(10604)の本字。→一三五九ページ下。

18【蠷】24画 10792 ㊥ク ㊦グ 虞 qú ― ― ―
字義 蠷螋(クソウ)は、はさみむし。

18【蠵】24画 10793 ㊥ケイ ㊦エ(ヱ) 斉 xī ― ― 5994
字義 蠵𧕽(ケイシ・スイケイ)は、動物の名。うみがめ。
解字 形声。虫＋巂㊥。

18【蠶】24画 (10508) サン
蚕(10507)の旧字体。→一三五四ページ上。

18【蠺】24画 10794 サン ― ― 6001
蚕(10507)と同字。→一三五四ページ上。

18【蠹】24画 10795 ㊥ト ㊦ツ 遇 dù 7437 E5C3 ―

［螙］10786 同字 ［蝨］10684 古字
字義 ❶きくいむし。木などのしんを食う虫。❷衣服や書物を食いあらす虫。しみ(衣魚)の類い。❸物事をそこない破るもの。❹そこなう。むしばむ。むしくい。❺むしぼし。

難読 蠹魚(しみ)

解字 篆文 形声。蚰＋橐㊥。音符の橐(タク＝ト)は、ふくろの意味。袋の中に入るように木の中に巣くう虫の意味を表す。

【蠹害】(トガイ) しみ(虫の名)が物を食いあらすこと。転じて、物事をそこない破ること。蠹毒。

【蠹簡】(トカン) ①虫が食った書物。②ふるい書物。

【蠹魚】(トギョ) ①しみ。衣服・書物を食う虫。紙魚。銀魚。②いつも本を読んでいる人。また、本を読んでも活用する才能のない人をあざけっていう語。

【蠹書】(トショ) ①虫が食った書物。蠹簡。②書物の虫干しをする。曝書(バクショ)。

【蠹書虫(蟲)】(トショチュウ) ＝蠹魚。

【蠹△蝕】(トショク) むしばむ。虫が食うこと。

【蠹賊】(トゾク) 物事をそこない害する。また、その人。

19【蠻】25画 (10570) バン
蛮(10569)の旧字体。→一三五七ページ中。

20【蠼】26画 10796 ㊀㊥キャク ㊦カク(クヮク) 薬 jué ㊁ク 虞 qú 28803 ― 6002
字義 はさみむし。
解字 形声。虫＋矍㊥。

20【蠶】26画 10797 サン 7436 E5C2 ―
字義 ㊀❶おおざる(大猿)。❷竜のとぐろをまくさま。㊁蚕(10507)の俗字。→一三五四ページ上。

6画 血 ち

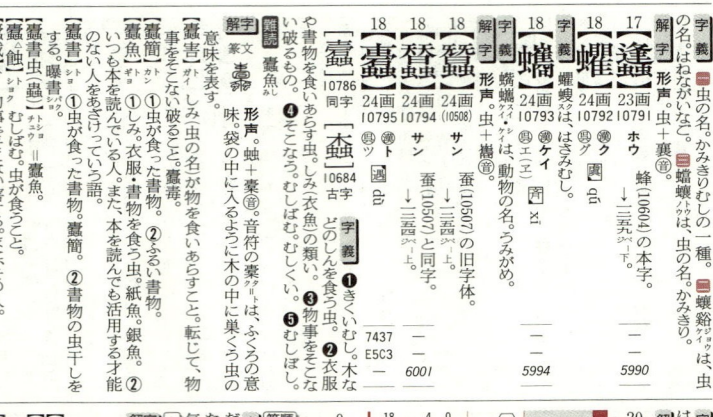

〔部首解説〕 血を意符として、血液に関する文字ができている。

0 血 一三七〇	4 衄 一三七一	衆 一三七一	18 衋 一三七一
2 卹 一三三	衃 一三七一	衇 一三七一	
3 衁 一三七一	5 衅 一三七一	9 衉 一三七一	
衂 一三七一	6 衉 一三七一	14 衊 一三七一	
䘏 一三七一	衈 一三七一	15 衊 一三七一	

0【血】6画 10798 ㊥ケツ・㊦ケチ 屑 xuè 教3 ケツ ち 2376 8C8C ―

筆順 ノ 丫 白 白 血 血
字義 ❶ち。ちしお。血液。❷ちぬる。ちを塗る。❸なみだ。非常な悲しみのときに、にじみ出る涙。❹ちすじ。ちを分けた間柄。「血族」❺強くていきいきしていることにいう。「血気」

名前 ち
解字 甲骨文 篆文 象形。祭りのとき神にすすめる、いけにえの血を皿に盛ったさまにかたどり、「ち」の意味を表す。

逆 泣血・心血・青血・赤血・鮮血・鉄血・吐血・熱血・流血
【血△胤】(ケツイン) ＝血統。▼胤は、血つづき。

【血縁】(ケツエン) 国血のつづく間柄。親子・兄弟などの関係。血統。

【血汚】(ケツオ) 血にけがれる。流した血でよごれること。

【血気(氣)】(ケッキ) ①血液と気息。転じて、生きている動物。②ちのけ。はやりごころ。元気。

【血気(氣)△之勇】(ケッキのユウ) はやり気の勇気。元気にまかせて分別なしに出す勇気。

【血祭】(ケッサイ) ㊀いけにえの血を供えて神を祭ること。㊁(ちまつり) 国①昔、出陣の時、いけにえを殺して軍神を祭ったこと。②敵方の者を殺して気勢をあげること。

【血書】(ケッショ) 血で書くこと。また、血で書いた文書。多くは決意や憤激の情などを示すためにする。

【血色】(ケッショク) ①血の色。②血のような赤色。真っ赤な色。③国顔色。血相。

【血食】(ケッショク) いけにえの血を供えて祖先の霊を祭ること。用例〔史記、陳渉世家〕至レ今血食(いまにいたるまでケッショクす) ↓今に至るまでいけにえの血を供えて祭られている。

【不二血食一】(ケッショクせず) 祖先の祭りがたえる。国がほろび、子孫が絶えること。

【血清】(ケッセイ) 血液を容器に入れた時、凝固した血液の上部に分離してできる淡黄色で透明な液体。免疫抗体や各種の栄養素・老廃物を含む。「血清療法」

【血税】(ケツゼイ) ①身血をささげる。もと、兵役義務のこと。②血の出るような苦しみをして納める税。

【血戦(戰)】(ケッセン) 血まみれになって戦うこと。死にものぐるいの戦い。死戦。

【血族】(ケツゾク) 同じ先祖から出た親類。血つづき。血属。

【血統】(ケットウ) 血つづきの間がら。血筋。血縁。血脈。

【血肉】(ケツニク) ①血と肉。②肉親。血縁。

【血脈】(ケツミャク) ㊀①血液のかよう管。血管。②血筋。血統。㊁(ケチミャク) 仏師から弟子に伝える仏法の伝統。法脈。

【血脈貫通】(ケツミャクカンツウ) ①血管が身体中に通じていること。②文章などが全体として、連関がよくまとまっていること。

【血盟】(ケツメイ) 固くちかう。→歃レ血(ちをすする)。

【血流漂△杵】(ちながれてきねをただよわ(は)す) 戦死者が多く、流血が多量で、きねのような重いものを流すほどであることをいう。一説に、杵は楯(たて)という。〔書経、武成〕

【血涙】(ケツルイ) 血のなみだ。非常に悲しいときや苦しいときに出るなみだ。

【血路】(ケツロ) ①敵の囲みを切り抜けて、やっと逃げ出るみち。②国難関を切り抜ける方法・手段。

【以レ血濯レ血】(ちをもってちをあらう(ふ)) ①残虐なしうちに対して残虐なやり方で報復すること。たがいに残酷な手段を用いて争うこと。〔唐書、回鶻伝上〕②国身内同士で争うこと。血で血を洗う。

【△歃レ血】(ちをすする) 誓いのとき、いけにえを殺してその血を口辺に塗り(一説に互いの血をすすり合い)、たがいに違約しない証拠とする。歃血(ソウケツ)。血盟。

2【卹】8画 (1202) ジュツ
卩部。→一三三ページ上。

3 【衁】9画 10799 コウ(クヮウ) 陽 huāng — — 6003
字義 ❶血。血潮。❷蟹かにの卵巣。
解字 形声。血＋亡音。

3 【衂】9画 10800 ジク 7441 E5C7 —
衄(10802)の俗字。→一二七一ジ上。

3 【䘏】9画 10801 ジュツ ₂8804 — —
恤(3715)の俗字。→五四五ジ上。

4 【衄】10画 10802 一漢ジク・呉ニク 屋 nǜ 二漢ジク(ヂク)・呉ニク 屋 7440 E5C6 —
［衂］10800 俗字
字義 一はなぢ。二❶＝一。❷くじける。やぶれる。敗北する。挫折ざせつする。❸ちぢむ。
解字 篆文 形声。血＋丑音。音符の丑チュウ＝ジクは、手の指にかたく力を入れてひねる形にかたどる。鼻をひねって出る、はなぢの意味を表す。また、ねじれくじけるの意味をも表す。

4 【衃】10画 10803 ハイ 灰 pēi — — 6004
字義 こり血。くされ血。くさってかたまっている血。
解字 篆文 形声。血＋不音。音符の不フ＝ハイは、子房の象形で、ふくれるの意味。血のかたまりふくらんだものの意味を表す。

5 【衅】11画 10804 キン 震 xìn — — 6005
字義 ちぬる。いけにえの血を祭器にぬる。＝釁(12448)。
解字 会意。血＋半。

6 【衉】12画 10805 漢カク 呉キャク 陌 kā — — 6007
［⿰血客］10809 俗字
字義 はく。血を吐く。＝喀(1579)。
解字 形声。血＋各音。

6 【衈】12画 10806 漢ジ 呉ニ 寘 èr — — 6006
字義 ちぬる。血をぬる。血を祭器にぬる。
解字 形声。血＋耳音。音符の耳は、みみの意味。耳の血をささげる祭りの意味を表す。

6 【衆】12画 10807 教6 シュウ・シュ シュウ(シウ) 慣シュ 送 東 zhòng 2916 8F4F —
筆順 ノ 𠂉 血 血 衆 衆 衆 衆 衆

［眾］9444 本字
字義 ❶おおい。おおし。多い。多くの。用例〔老子、三十一〕殺レ人之衆ひとをころすことのおおければ、以二悲哀一泣レ之ヒアイをもってこれになき、戦勝たたかい(ひ)てかてば、以二喪礼一処レ之ソウレイをもってこれにおる。↓戦いで人を殺すことが多ければ、悲しみをもって涙を流し、戦いに勝っても、喪礼をもって処するのである。❷もろびと。㋐多くの人。用例〔論語、衛霊公〕衆悪レ之必察焉シュウこれをにくむも、かならずサッす、衆好レ之必察焉シュウこれをこのむも、かならずサッす。↓多くの人が憎む場合も必ずよく考察する(他人の意見を鵜呑うのみにしない)。㋑多くの民。民衆。また、奴隷。「庶衆」㋒多くの家来。群臣。「衆臣」❸もろもろ。多くのもの。❹ふつうの。なみの。一般の。「衆人」国❶殿上の雑用に従事する下級武士。❷雑用に従事する下級僧。❸複数の人に対する敬称。「皆の衆」
名前 しゅう・とも・ひろ・もり・もろ 難読 衆樹もろき
解字 甲骨文 金文 篆文 会意。甲骨文では、日＋㐺。日は、村落の意味。㐺は多くの人の意味。村落に集まる多くの人の意味を表す。日は金文から目となり、のちにまた、血に変形した。
逆 群衆・下衆・公衆・大衆・聴衆・民衆
【衆寡】シュウカ 多いことと、少ないこと。多人数と小人数。多寡。
【衆寡不レ敵】シュウカテキせず 少数の者は、多数の者にかなわない。〔三国志、魏志、張範伝〕
【衆議】シュウギ 多人数の議論。衆論。
【衆口鑠レ金】シュウコウキンをとかす 多くの人のことばは、かねをもとろかす。人のかげ口やそしりの恐るべきことのたとえ。〔国語、周語下〕▼「鑠レ金」は、人の心を動かすことのたとえ。
【衆庶】シュウショ 多くの人。庶民。万民。億兆。
【衆辱】シュウジョク 多くの人の前ではずかしめられること。
【衆心】シュウシン 多くの人々のこころ。多人数の心。
【衆心成レ城】シュウシンしろをなす 多くの者が心を一つにすれば、城郭のように強固なものになる。〔国語、周語下〕
【衆人】シュウジン ①多くの人。大勢の人。②凡人。あたりまえの人。用例〔史記、刺客伝〕范・中行氏ハン・チュウコウシ、皆衆人遇レ我みなシュウジンもてわれをグウす、我故衆人報レ之われゆえ(ゑ)にシュウジンもてこれにむくゆ。↓范氏・中行氏はどちらも私を並の人間として扱いました。ですから私も並の人間として彼らに応えたのです。
【衆生】一シュウセイ ①すべての生命あるもの。②人以外の動物をさしていう。二シュジョウ 仏すべての生物。また、人類。
【衆生済(濟)度】シュジョウサイド 仏多くの人の迷いをすくい、さとりを得させる。
【衆星】シュウセイ 多くの星。用例〔論語、為政〕為レ政以レ徳まつりごとをなすにトクをもってすれば、譬如下北辰居二其所一、而衆星共上レ之たとえ(へ)ばホクシンのそのところにい(ゐ)て、シュウセイのこれにむかう(ふ)がごとし。↓政治を行うのに道徳によれば、ちょうど北極星が自らの位置にいて、多くの星がそれを中心に正しくめぐるようなものである。
【衆多】シュウタ 数が多い。多数。
【衆知・衆△智】シュウチ 多くの、才知ある人。大勢の知恵。
【衆芳】シュウホウ ①多くのかんばしい花。多くの花。②多くの賢臣・美女などのたとえ。
【衆望】シュウボウ 多くの人から受ける人気・信用。
【衆妙】シュウミョウ 多くのすぐれたもの。宇宙における万物。用例〔老子、一〕玄之又玄ゲンのまたゲン、衆妙之門シュウミョウのモンなり。↓玄の上にも玄で、宇宙における万物の生まれ出る所である。
【衆民】シュウミン 多くの民。庶民。万民。
【衆目】シュウモク 多人数の目。転じて、多人数の観察。
【衆慮】シュウリョ いろいろの考え。多くの考え。

6 【衇】12画 10808 ミャク 脈(5016)の古字。→六九八ジ中。

9 【⿰血客】15画 10809 カク 衉(10805)の俗字。→一二七一ジ上。

14 【衊】20画 10810 ベツ 衊(10811)の俗字。→一二七一ジ下。 ₂8805 — 6008

15 【衊】21画 10811 漢ベツ 呉メチ 屑 miè
［衊］10810 俗字
字義 ❶けがす(汚)。はずかしめる。恥をかかせる。❷きたない血。汚血。
解字 篆文 形声。血＋蔑音。音符の蔑ベツは、しりぞけるの意味。しりぞけるべき、きたない血の意味を表す。

18 【衋】24画 10812 漢キョク 呉コク 職 xì — — 6009
字義 いたむ。いためる。心を痛める。うれえる。
解字 形声。盡省＋奭(奭)音。盡ジンは、つくすの意味。音符の奭キョクは、にらみつけるの意味。悪に対して心底から怒りうれえるの意味を表す。

6画 行 ぎょうがまえ(行構え) ゆきがまえ

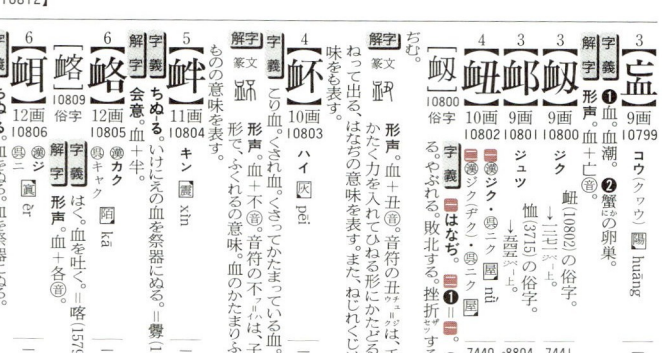

〔部首解説〕行を意符として、道路や街に関する文字ができている。本書では、検索の便宜上から一括してイ(ぎょう

にんべん)の部にまとめた。→彳部の部首解説(四九八ページ)。

0 行 四九八	術 五〇八	7 衙 五一一	10 衛 五一四	18 衢 五一五
3 衍 五〇三	衑 五〇九	衘 五一二	衞 五一四	
衎 五〇三	6 街 五〇九	9 衚 五一四	衡 五一五	
5 衒 五〇八	衖 五一〇	衝 五一四	衠 五一五	
術 五〇八	衕 五一〇	衜 五一四	衟 五一五	

0【行】6画(3390) コウ 彳部。→四九八ページ下。

3【衍】9画(3410) エン 彳部。→五〇三ページ中。

3【衎】9画(3412) カン 彳部。→五〇三ページ中。

5【衒】11画(3425) ゲン 彳部。→五〇八ページ上。

5【術】11画(3427) ジュツ 彳部。→五〇八ページ中。

5【術】11画(3428) ジュツ 彳部。→五〇八ページ中。

5【衑】11画(3436) レイ 彳部。→五〇九ページ中。

6【街】12画(3438) カイ 彳部。→五〇九ページ中。

6【衖】12画(3442) コウ 彳部。→五一〇ページ中。

6【衕】12画(3444) トウ 彳部。→五一〇ページ下。

7【衙】13画(3448) ガ 彳部。→五一一ページ下。

7【衘】13画(3449) カン 彳部。→五一二ページ上。

9【衚】15画(3461) コ 彳部。→五一四ページ上。

9【衝】15画(3462) ショウ 彳部。→五一四ページ中。

9【衜】15画(3465) ドウ 彳部。→五一四ページ下。

10【衛】16画(3466) エイ 彳部。→五一四ページ下。

10【衞】16画(3467) エイ 彳部。→五一四ページ下。

10【衡】16画(3469) コウ 彳部。→五一五ページ中。

10【衠】16画(3470) シュン 彳部。→五一五ページ下。

10【衟】16画(3471) ドウ 彳部。→五一五ページ下。

18【衢】24画(3472) ク 彳部。→五一五ページ下。

衣 ころも 6画

〔部首解説〕 衣が偏になるときは衤の形をとり、衣偏(ころもへん)と呼ぶ。もと、衣と衤とは同じ部首に含まれたが、形・画数とも異なるので、分離して衣部のあとに衤部を設けた。衣・衤を意符として、衣類やその状態、それに関する動作などを表す文字ができている。

0 衣 一二七二	衾 一二七四	袞 一二七五	6 裁 一二七五	裟 一二七六	裛 一二七七	褁 一二七七	褏 一二七八	褻 一二七八	12 囊 一二七八
2 表 一二七三	衮 一二七四	袋 一二七五	装 一二七六	裊 一二七六	裏 一二七七	裴 一二七七	褧 一二七八	11 襄 一二七八	13 襞 一二七八
3 哀 二六一	衺 一二七四	袠 一二七五	裂 一二七六	裵 一二七六	8 裹 一二七七	裵 一二七七	10 褰 一二七八	褻 一二七八	16 襲 一二七八
衷 一二七四	衰 一二七五	袤 一二七五	7 裔 一二七六	裝 一二七六	裳 一二七七	9 褒 一二七七	褺 一二七八	褺 一二七八	嚢 二八八
4 袁 一二七四	5 袈 一二七五	袰 一二七五	裘 一二七六	裒 一二七七	製 一二七七	褎 一二七七	褰 一二七八	褒 一二七七	

0【衣】6画 10813 教4 イ ころも 熟字訓 浴衣(ゆかた)

一 漢イ・呉エ 微 yī
二 漢イ・呉エ 未 yì

1665 88DF 一

筆順 丶 亠 ナ 衣 衣 衣

字義 一 ❶ころも。きぬ。㋐上着。上半身に着るものを衣、腰から下に身につけるものを裳という。↔裳(10840)。㋑きもの。衣服。また、式服。晴れ着。用例(唐、李白、子夜呉歌)長安一片月(チョウアンイッペンのつき)、万戸擣レ衣声(バンコきぬをうつこえ(ゑ))。↓長安の夜空に月ひとつ、あちらこちらの多くの家から聞こえる、きぬたで布を打つ音。㋒けさ。ころも。僧の着る法服。「僧衣」「法衣」❷つつみ(包)。また、覆い。㋐器具などを覆い包むもの。「弓衣」「書衣」㋑体の一部を覆うもの。「面衣」「足衣」㋒動物の羽や果実の皮、また、苔(こけ)など外部を覆うもの。「地衣」

二 ❶き-る。服を着る。用例(荘子、盗跖)不レ耕而食(たがやさずしてくらい)、不レ織而衣(おらずしてきる)。↓畑を耕さずに飯を食らい、布を織らずに着物を着る。❷き-せる(きす)。服を着せる。用例(史記、淮陰侯伝)解レ衣衣レ我(ころもをときて、われにきせ)、推レ食食レ我(ショクをおして、われにくらわ(は)す)。↓(劉邦(リュウホウ)は)ご自分の着物を脱いで私に着せ、ご自分の食事をすすめて私に食べさせてくれた。❸覆う。❹おこなう。身につけ行う。服行。❺よる。＝依(295)。

名前 い・え・き・きぬ・そ・みそ 難読 衣更着(きさらぎ)・衣織(きぬがさ)・衣通姫(そとおりひめ)・衣斐(えび)・衣笠(きぬがさ)

解字 甲骨文 篆文 象形。身体にまつわる衣服のえりもとの象形で、ころもの意味を表す。衣を音符に含む形声文字に依・哀・扆(イ)などがあり、これらの漢字は、「まとう」の意味を共有している。

逆 悪衣・羽衣・更衣・征衣・青衣・単衣・典衣・天衣・白衣・布衣・弊衣・便衣・法衣・毛衣

【衣△纓】(イエイ) ①衣服と冠のひも。②朝廷の役人。公卿(コウケイ)。

【衣架】(イカ) 着物を掛けておく家具。衣桁(イコウ)。

【衣冠】(イカン) ①着物と、かんむり。朝廷に出るときや儀式のときに着用する礼服。装束。用例(史記、刺客伝)太子及賓客知二其事一者(タイシおよびヒンカクの、そのことをしるもの)、皆白衣冠以送レ之(みなハクイカンしてもってこれをおくる)。↓太子とその食客のうちで、その事情を知る者たちは、皆白装束で荊軻(ケイカ)を見送った。②衣冠をつけた人。官吏。③衣冠を着ける資格のある尊い家がら。また、その人。貴人。④国昔、朝廷に参内するときの略服。

【衣冠△之会(會)】(イカンのカイ) 諸侯の平和的な会合。衣裳之会(イショウのカイ)。↔兵車之会(二五一ページ下)。

【衣魚】(イギョ・しみ) ①衣服や書物などにつく虫。紙魚(しみ)。白魚。銀魚。蠹魚(トギョ)。②国書物ばかり読んで、その知識を活用できない人をあざけっていう語。

【衣△衾】(イキン) 衣服と夜着。

【衣錦△之栄(榮)】(イキンのエイ) 錦(にしき)を着て、故郷に帰る名誉。立身出世して故郷に帰ること。衣レ錦之栄(にしきをきるのエイ)。〔北宋、欧陽脩、昼錦堂記〕

【衣工】(イコウ) 着物を作る人。仕立屋。

【衣桁】(イコウ) 衣かけ。衣架。

【衣△篝】(イコウ) 衣服に香をたきこめるとき使うかご。薫籠(クンロウ)。

【衣綵】イサイ 色どりや模様の美しい着物を着ること。

【衣至レ骭】ころもはカンにいたる 衣服が短くて、やっとすねにとどく。質実剛健なさま。▼骭は、脛骨ケイコツ。〔頼山陽、前兵児謡〕

【衣笥】イシ 衣服を入れておく箱。たんす。

【衣繡夜行】イシュウヤコウ ＝衣レ繡夜行（一二四三ページ中）。

【衣裳】イショウ ①上着と下着。▼裳は、腰から下につける衣服。②衣服。着物。衣装。用例〔唐、白居易、売炭翁詩〕売レ炭得レ銭何所レ営、身上衣裳口中食。↓炭を売って銭を得て、どうしようというのかといえば、身に着ける着物と、口に入れるたべものを買うがため。

【衣裳之会(會)】イショウのカイ ＝衣冠之会。

【衣裳之治】イショウのチ しいて法を定めず、徳によって自然に人民を教化すること。

【顚二倒衣裳一】イショウをテントウす ①上着と下着をとりちがえて着る。②朝廷の命を受けてうろたえあわてること。〔詩経、斉風、東方未明〕

【衣食】イショク ①衣服と食物。②着ることと食うこと。くらし。生活。

【衣食足則知二栄(榮)辱一】イショクたればすなわ(は)ちエイジョクをしる 衣食の心配のない生活になって、はじめて、人は自然に身を修め、名誉と不名誉とをわきまえるようになる。衣食足りて礼節を知る。用例〔管子、牧民〕倉廩実則知二礼節一、衣食足則知二栄辱一。↓食料の心配がなくなって、初めて人は礼儀道徳に関心を持つようになり、衣食の心配がなくなって、初めて人は名誉と不名誉とをわきまえるようになる。

【奔二走於衣食一】イショクにホンソウす 生活のために走りまわること。

【衣簪】イシン ①朝廷に出る礼服と簪。官吏の服装。▼簪は、冠を髪にとめるピン。②役人。

【衣装(裝)】一イソウ 衣服と荷物。二イショウ 衣服。着物。衣裳。

【衣帯(帶)】イタイ ①衣服と帯。束帯。装束。②しめている帯。

【衣帯(帶)緩】イタイゆるし 着物の帯がゆるくなる。心配のあまり身がやせ細る意。用例〔文選、古詩十九首、其一〕相去日已遠、衣帯日已緩。↓日一日とあなたは遠ざかり、着物の帯も日増しにゆるくなる（心配のあまり日増しに身がやせ細る）。

【衣着・衣著】イチャク ①着物を着る。②着物。被服。用例〔東晋、陶潜、桃花源記〕往来種作男女衣著、悉如二外人一。↓行き来したり種をまいたり耕したりしている男女の衣服は、みな、外部の人と同じだった。

【衣嚢】イノウ 衣服につけた袋。かくし。

【衣莫レ若レ新、人莫レ若レ故】ころもはあたらしきにしくはなく、ひとはふるきにしくはなし 衣服は新しいにこしたことはなく、人は古いにこしたことはない。衣不レ如レ新、人不レ如レ故。〔晏子春秋、雑上〕

【衣鉢】エハツ・エハチ・イハツ ①仏師から伝えられた仏教の奥義。▼衣は袈裟ケサ、鉢は托鉢タクハツの道具。②師の道を伝えること。また、その道。

【衣鉢閣】イホツカク・イフカク 禅寺で、開山または名僧の遺品・衣鉢イハツを蔵する倉。

【衣鉢閣下】イホツカッカ 僧にあてた手紙の脇付わきづけに用いる語。

【伝(傳)二衣鉢一】イハツをつたう(ふ) ①仏仏教の奥義を伝える。②学問技芸などを弟子に伝えること。

【衣被】イヒ ①衣服。②おおい助ける。恩恵を加える。

【衣不レ曳レ地】イチにひかず 衣服が短いこと。質素なこと。

【衣不レ重レ帛】イハクをかさねず 絹の着物を重ねて着ない。質素なこと。また、倹約のさま。〔尹文子、大道上〕

【衣袂】イベイ ①着物のたもと。そで。②衣服。

【衣紋】一イモン ①衣服。②着物の模様。二エモン 国①着物のえりの胸のところで合わさる部分。②衣服・装束の制度や着方。

【衣領】イリョウ ①着物のえり。②衣服。

【衣糧】イリョウ 衣服と食物。衣食。

【解レ衣推レ食】イをときショクをおす 自分の衣服をぬいで人に着せ、自分の食を譲って人に勧める。人に恩を施すさま。〔史記、淮陰侯伝〕

【若レ不レ勝レ衣】イにたえ(へ)ざるがごとし ①体がやせて弱々しく、衣服の重さにもたえられないようなさま。②おそれつつしむさま。また、謙譲のさま。〔礼記、檀弓下〕

【振二衣千仞岡一】イをセンジンのおか(を)かにふるう(ふ) 俗界から脱して、高遠な境地に立つことの形容。〔西晋、左思、詠史詩〕

【典レ衣】イをテンす ＝典衣テンイ①（一五三ページ中）。

【払(拂)レ衣】イをはらう(ふ) 着物のたもとをはらう。奮然と立ちあがるさま。投袂トウベイ。〔国語、晋語八〕

2 【表】

8画 10814 教3 ヒョウ おもて・あらわ-す・あらわ-れる

ヒョウ(ヘウ) 篠 biǎo

4129 955C 一

筆順 一 十 キ 主 丰 老 耒 表

字義 ❶おもて。㋐うわべ。表面。㋑そと(外)。㋒うえ(上)。❷あらわす。㋐明らかにする。明白にする。㋑明らかにして、人に知らせる。「発表」❸あらわれる。❹きわだつ。特にすぐれてみえる。また、特異な部分。❺かしら。首長。❻たていし。人徳などをほめたたえて、村里・墓前・社寺などに建てた石柱の類い。また、領土などのしるしの石柱。❼しるし。㋐めじるし。㋑旗じるし。❽ひかげばしら。日影を見て時を計る柱。また、懐中時計。❾のり。てほん。「儀表」❿かたち。ようす。また、たちいふるまい。「姿表」⓫うわぎ。上衣。また、上着を着る。⓬文書の名。君主、または役所に、差し出す文書。「出師表スイシのヒョウ」⓭複雑な事がらを分類整理して、一目でわかるようにしたもの。「図表」⓮こずえ(梢)。＝標(5768)。国おもて。㋐おおやけ。公式。正式。「表沙汰おもてザタ」㋑表座敷。㋒畳の表。㋓ところ。もと。「江戸表」「国表」㋔屋外。

名前 あき・あきら・うわ・お・おも・きぬ・こずえ・すず・と・よし

難読 表衣うわぎ・表着うわぎ・表木山ひょうきやま

使いわけ
①あらわれる・あらわす〔現・表・著〕⇩現(7395)。
②おもて〔表・面〕
〔表〕上や外など、目に見えるほうの面。主立った面。また家や建物の外。「表と裏・表で遊ぶ」
〔面〕顔。また、物の表面。「面を上げる・水の面」

解字 篆文 会意。衣＋毛。むかしは毛皮でうわぎを作ったので、おもて着の意味から、おもての意味を表す。

逆 意表・雲表・師表・年表・墓表

【表異】ヒョウイ 特異な点を明らかにする。また、明らかに異なる点。

【表意文字】ヒョウイモジ 発音だけでなく意味もあらわす文字。漢字の類い。意字。↕表音文字。

【表音文字】ヒョウオンモジ 意味に関係なく、音声だけをあらわす文字。かなやローマ字の類い。音字。↕表意文字。

【表外漢字】ヒョウガイカンジ 国常用漢字以外の漢字。「常用漢字表」に含まれていないという意味でいう。

【表記】ヒョウキ 国①文字に書きあらわす。②表面に書きしるす。表書き。

【表具】ヒョウグ 国紙・布などを使って、軸物・ふすま・びょうぶなどを作ること。表装。装潢ソウコウ。

【表経(經)】ヒョウケイ 手本。のり。

【表敬】ヒョウケイ 敬意をあらわす。「表敬訪問」

【表慶】ヒョウケイ 慶祝の意をあらわすこと。

【表決】(ヒョウケツ) 国議案に対して、可否の意見を明らかにする。

【表顕(顯)】(ヒョウケン) ＝表彰。

【表現】(ヒョウゲン) ①あらわす。また、あらわれる。②芸術作家が自分の感動や思想を芸術作品として表すこと。

【表示】(ヒョウジ) ①あらわし示す。②国表に作って示す。↓標示(七六七ジ上)。

【表次】(ヒョウジ) 表を作って順序を立てる。

【表式】(ヒョウシキ) ①手本。規範。②国表示する一定の方式。

【表識】(ヒョウシキ・ヒョウシ) ①目印。②あらわし記す。

【表叔】(ヒョウシュク) 母方の叔父(おじ)。母の弟。

【表出】(ヒョウシュツ) あらわし出す。特に取り出す。

【表章】(ヒョウショウ) ①あらわし明らかにする。②あらわれ。③＝表彰。④上奏文。

【表象】(ヒョウショウ) ①外にあらわれた形。また、しるし。②国㋐哲学で、ある対象を意味する直観的な心の働き。㋑哲学または心理学で、意識中の過去の印象が再生されたもの。

【表彰】(ヒョウショウ) 善行などをほめて、広く世間に知らせること。表顕。表章。

【表情】(ヒョウジョウ) 感情が顔つきや動作にあらわれたもの。

【表装(裝)】(ヒョウソウ) ＝表具。

【表率】(ヒョウソツ) 手本。模範。

【表題】(ヒョウダイ) 国書物や講演などの題目。見出し。↓標題(七六七ジ上)。

【表徴】(ヒョウチョウ) ①外に明らかにあらわし示す。②表面にあらわれているしるし。表象。

【表的】(ヒョウテキ) まと。目あて。標的。

【表△姪】(ヒョウテツ) 母方のいとこの子。

【表白】(ヒョウハク) 一①申しあげる。言上。上申。②発表して明白にする。二(ヒョウビャク) 国神仏へささげる文。

【表微】(ヒョウビ) かすかなものを明らかにあらわす。

【表表】(ヒョウヒョウ) 非常にすぐれていて目につくさま。

【表文】(ヒョウブン) 君主、または役所に差し出す文。

【表明】(ヒョウメイ) 発表して明らかにする。

【表△裡・表裏】(ヒョウリ) ①おもてと、うら。うらおもて。「表裏一体」②外と内。内外。③前と後。

【表△閭】(ヒョウリョ) 表門。▼閭は、里の門。

3【哀】9画 (1436) アイ 口部。↓二六一ジ中。

3【衷】9画 10815 常 チュウ
一 チュウ(チウ) 東 zhōng
二 チュウ(チウ) 送 zhòng
3579 928F —

字義 一❶まこと(誠)。まごころ(忠)。「衷心」「微衷」❷なか。中央。❸あたる。かなう。適当。＝中(45)。❹正しい。善い。❺はだぎ。下着。また、したに着こむ。二ほどよい。かたよらない。＝中(45)。

名前 あつ・ただ・ただし・よし

参考 従来、この字の上部は「亠口丨」と書き、総画数は十画であったが、現在は「一口丨」と書くのが一般的。

解字 篆文 形声。衣＋中音。音符の中は、なかの意味。中の方に着るはだぎの意味を表す。転じて、まごころの意味をも表す。

逆 苦衷・聖衷・折衷・微衷・不衷

【衷懐(懷)】(チュウカイ) まごころ。心の底。衷心。

【衷甲】(チュウコウ) ①衣の下によろいを着こむこと。②国くさりかたびら。鎖をつづって、じゅばんのように作った物。

【衷情】(チュウジョウ) まごころ。心の底。真情。衷心。

【衷心】(チュウシン) まごころ。心の底。真情。衷情。

【誘レ衷】(チュウをいざなう(ふ)) まごころをみちびき出して、善に向かわせること。

4【袁】10画 10816 標 漢エン(ヱン) 呉オン(ヲン) 元 yuán 7447 E5CD —

字義 ❶着物の長いさま。❷地名。隋(ズイ)・唐・宋(ソウ)の州の名。今の江西省宜春市。

解字 篆文 会意。土(止)＋口＋衣省。止は、足あとの象形で、あるくの意味。今、土に変形した。口は、ある玉の象形。衣服の中に玉を入れ、旅だちの安全をいのるさまから、とおざかるの意味を表す。袁の意味と音符とを含む形声文字に轅(エン)・遠などがある。

【袁△凱】(エンガイ) 明(ミン)の詩人。松江(今の上海市)の人。字(あざな)は景文。海叟(カイソウ)と号したが、白燕(ハクエン)の詩で有名になったので袁白燕とも呼ばれた。著書に『海叟集』がある。
【袁△宏道】(エンコウドウ) 明(ミン)の詩人。公安(今の湖北省公安県)の人。字(あざな)は中郎。兄の宗道、弟の中道と共に、三袁と呼ばれた。古文辞派に反対し、自由平明な文体を主張した。著書に『袁中郎全集』がある。(一五六八—一六一〇)
【袁紹】(エンショウ) 後漢末の武将。字(あざな)は本初。霊帝の死後、何進と共に宦官(カンガン)をみな殺しにし、献帝を立てたが、魏(ギ)の曹操(ソウソウ)と戦って敗れた。(？—二〇二)
【袁世△凱】(エンセイガイ) 清(シン)末の軍人・政治家。北洋軍閥を形成し、軍事外交の実権を握った。辛亥(シンガイ)革命の時、革命派と和親し、清王朝を倒して中華民国初代の大総統となった。後に帝位につこうとして失敗し、失意のうちに死んだ。(一八五九—一九一六)
【袁枚】(エンバイ) 清(シン)の詩人。銭塘(セントウ)(今の浙江(セッコウ)省杭州(コウシュウ)市)の人。字(あざな)は子才。号は簡斎。後、随園先生と称せられた。宋詩(ソウシ)を重んじ性霊説を唱えた。著書に『随園詩話』『随園随筆』がある。(一七一六—一七九七)

4【衾】10画 10817 漢キン 呉コン 侵 qīn 7448 E5CE —
[衾] 10818 本字

字義 ❶ふすま。寝るときからだをおおうもの。夜着。ねまき。また、掛けぶとん。用例〔唐、白居易、香炉峰下新卜二山居一草堂初成偶題二東壁一詩〕日高睡足猶慵レ起(ひたかくねむりたりて、なお(ほ)おくるにものうし)、小閣重レ衾不レ怕レ寒(ショウカクにふすまをかさねてカンをおそれず)。↓日は高くあがり、眠りは足りているが、なお起きるのはものうい。ささやかな高殿に布団を重ねて眠っているので、寒さの心配はない。❷きょうかたびら。死体の上にかける衣服。黄色い表、白い裏のものが用いられた。

解字 篆文 形声。衣＋今音。音符の今は、おおうの意味。人の体をすっぽり覆う、ふすまの意味を表す。

【衾△褥】(キンジョク) ふすまと、しとね。かけぶとんと、しきぶとん。

【衾△裯】(キンチュウ) ①ふすま。よぎ。夜具。②ふすまと寝台の帳(とばり)(カーテン)。▼裯は、ひとえのふすま。

4【衾】10画 10818 キン 衾(10817)の本字。↓一二七四ジ下。

4【袞】10画 10819 コン 阮 gǔn
[衮] 10822 俗字

字義 ❶竜の模様のぬいとりをした天子の礼服。袞衣。❷上公(文官の最高位)の礼服。転じて三公。

解字 金文 篆文 会意。衣＋公。公は、おおやけの意味。公式に用いる衣服の意味を表す。

袞衣

【袞衣】(コンイ) 竜の模様をぬいとりした天子の礼服。袞竜衣。袞服。

【袞袞】(コンコン) ①続いて絶えまないさま。②ねんごろに説くさま。

【袞竜(龍)】(コンリョウ) ①天子の礼服。袞竜衣の略。②天子。

【袞竜(龍)衣】(コンリョウイ) 竜の模様をぬいとりした天子の礼服。袞竜の御衣(ギョイ)。袞衣。

【隠(隱)二袞竜(龍)△之袖一】(コンリョウのそでにかくる) 天子の御衣のそでのかげにかくれる。転じて、臣下が天子の権威のかげにかくれて自分かってなふるまいをすること。

4 【衰】 10画 10820 常 スイ おとろ-える
一 スイ 支 shuāi
二 シ 支 cuī
三 漢サイ・呉スイ 灰 cuī
四 サ 歌 suō
3174 908A ―

筆順

字義 一 ❶おとろ-える。おとろふ。㋐よわる(弱)。勢いがなくなる。かすかになる。「盛衰」 ㋑としよる。老人になる。❷おとろえ。おとろえること。また、おとろえたもの。 二 ❶ちがい。＝差(3062)。❷そぐ。へらす。❸くだる(降)。また、くだす。❹へる(減)。また、へらす。 三 喪服の名。＝縗(9301)。 四 みの。＝蓑(10161)。

解字 篆文 象形。草で作った雨具の象形で、「みの」の意味を表す。また、音形上、卒に通じ、字形上も卒と共通する部分があって、おとろえるの意味をも表す。

逆 盛衰・必衰・老衰

【衰萎】スイイ おとろえしぼむこと。
【衰運】スイウン おとろえる運命。衰勢。
【衰朽】スイキュウ おとろえくちる。衰弱すること。老衰。用例〈唐、韓愈、左遷至藍関示姪孫湘詩〉欲下為二聖明一除中弊事上、肯将二衰朽一惜二残年一(聖明のために弊事を除かんと欲す、あえて衰朽をもって残年を惜しまんや)。⇩聖明な天子のために、国家の悪弊を除こうと思ってしたことであるから、老い朽ちたこの身のために、今さら余生を惜しんだりしようか。
【衰軀】スイク やせおとろえたからだ。衰体。
【衰耗】スイコウ・スイモウ おとろえ弱る。
【衰困】スイコン おとろえ苦しむ。また、おとろえ疲れる。
【衰颯】スイサツ おとろえ、しおれる。▼颯も、おとろえる。
【衰残(殘)】スイザン おとろえて弱りはてる。
【衰弱】スイジャク おとろえて弱る。
【衰世】スイセイ ①おとろえた世。②道徳がすたれた世。
【衰征】スイセイ 土地の差によって税を取ること。
【衰勢】スイセイ 国 ①おとろえて行くなりゆき。衰運。②おとろえた勢力。
【衰息】スイソク ①おとろえてやむ。②減ってなくなる。
【衰退】スイタイ ①おとろえ退歩する。②弱って元気がなくなる。
【衰替】スイタイ おとろえすたれる。衰頽(スイタイ)。
【衰態】スイタイ おとろえたありさま。おとろえた状態。
【衰頽】スイタイ おとろえくずれる。おとろえ弱る。
【衰絰】サイテツ 喪服。▼衰は胸部につけ、絰は首と腰につける麻の布で、喪服に着用する。
【衰日】スイニチ 国 陰陽家の語。生まれた年の干支(えと)によって忌みきらう日。子年(ねどし)生まれの人は丑(うし)の日を忌むの類い。
【衰年】スイネン おとろえた年齢。老年。衰齢。
【衰敗】スイハイ おとろえやぶれる。
【衰廃(廢)】スイハイ おとろえすたれる。
【衰憊】スイハイ おとろえつかれる。衰疲。
【衰白】スイハク 体力がおとろえて髪が白くなる。
【衰微】スイビ (国の勢いなどが)おとろえて弱くなる。衰弱。
【衰鬢】スイビン 苦労や老年のために、つやを失った、あるいは、少なくなった鬢の毛。
【衰弊】スイヘイ おとろえやぶれる。衰敗。衰蔽(スイヘイ)。
【衰暮】スイボ 年よること。また、老年。年とってからの時期。
【衰亡】スイボウ おとろえほろびる。衰滅。
【衰邁】スイマイ おとろえる。老いる。衰憊(スイハイ)。
【衰滅】スイメツ おとろえほろびる。衰亡。
【衰門】スイモン おとろえた家。寒門。
【衰容】スイヨウ おとろえ弱ったようす。
【衰乱(亂)】スイラン おとろえみだれる。
【衰老】スイロウ 年とって体力のおとろえること。また、その人。

5 【袈】 11画 10821 人 漢カ 呉ケ 麻 jiā
2322 8C55 ―

筆順

字義 →袈裟。

名前 け・けさ

解字 形声。衣＋加音。

【袈裟】 一 サケ 仏 僧衣。貪(ドン)(むさぼる)・瞋(シン)(いかる)・痴(おろか)の三毒を捨てたしるしとして肩からかけるもの。梵語(ボンゴ) kasāya の音訳。三衣。法衣。忍辱衣(ニンニクエ)。 二 カサ けごろも。毛で作った衣服。毛衣。

5 【衮】 11画 10822 コン
衮(10819)の俗字。→一二七四ページ下。
7449 E5CF ―

5 【袋】 11画 10823 常 タイ ふくろ 熟字訓 足袋(たび) 漢タイ・呉ダイ 隊 dài
3462 91DC ―

筆順

[帒] 3091 同字

字義 ふくろ。布・皮・紙などで作り、物を入れるのに使う。 国 ふくろ。㋐行きづまること。行きづまり。㋑水にかこまれた土地。川の水の落ち合う所。

名前 たい

解字 形声。衣＋代音。

逆 魚袋・風袋・布袋

【袋鼠】タイソ・ふくろねずみ ①子守鼠(こもりねずみ)の別名。②カンガルーの別名。
【袋綴】ふくろとじ(ぢ)・ふくろつづり 国 和漢書のとじ方の一種。紙を一枚ごとに二つに折って重ね、折り目でない方をとじる。

5 【袠】 11画 10824 チツ
帙(3092)と同字。→四五四ページ上。
28814 ― 6030

5 【袤】 11画 10825 一 漢ボウ・呉モ 宥 mào 二 漢ボウ・呉ム 尤
7461 E5DB ―

字義 一 ❶衣の帯から上の名称。❷ながさ(長)。南北の長さ。東西を広という。 二 長い衣服。

解字 篆文 籀文 形声。衣＋矛音。音符の矛(ボウ)は、籀文(チュウブン)の𧝓では、楙であり、おおうの意味。南北にわたって地をおおうの意味から、南北のながさ、ひろがりの意味を表す。

5 【裒】 11画 10826 国字
7462 E5DC ―

字義 ほろ。昔、よろいの上からかぶり矢を防いだ、布製の袋のようなもの。＝幌(3127)。 難読 裒川(いきかわ)・(いやかわ)・裒懸(ほろがけ)

解字 会意。母＋衣。母衣は、ほろの意味。この二字を合わせて一字とした。

6 【裁】 12画 10827 教 6 サイ た-つ・さば-く 漢サイ・呉ザイ 灰 隊 cái
2659 8DD9 ―

筆順

字義 ❶た-つ。㋐たち切る。「断裁」 ㋑たち割る。❷したてる。布をたちきって衣服を仕立てる。❸したて(仕立)。衣服を裁って縫うこと。❹ほどよくする。きりもりする。適当に処置する。適当に判断する。❺さば-く。是非善悪を判断してきめる。また、さばき。決裁。裁判。❻おさえる(抑)。❼へらす(減)。❽かた(型)。ようす。「体裁(テイサイ)」 ❾わずかに。

使いわけ たつ〔断・絶・裁〕⇩断(4600)。

解字 篆文 形声。衣＋𢦏(戈)音。音符の𢦏(サイ)は、また、戈＋才音。戈も才も、災害をたち切る器具の象形。衣類をたち切るの意味を表す。

逆 決裁・自裁・制裁・総裁・体裁・仲裁・勅裁・独裁

【裁可】サイカ 君主が臣下の申し出をよいとして許可すること。裁許。勅裁。

【裁決】とりさばいて、よしあしを決める。裁定。

【裁減】きりへらす。けずりへらす。

【裁成】ほどよくとりはからって、しとげること。

【裁制】①衣服などを仕立てる。②おさえつける。おしとどめる。裁抑。

【裁断(斷)】①是非善悪を取り調べて決める。また、さばき。裁決。②たちきる。③国洋裁で、型にあわせて布を裁つこと。

【裁定】①＝裁決。②文章に手を入れて、誤りや不備を正し、整正なものにすること。

【裁判】①裁判所が法律に基づいて判定をくだすこと。②国理非・曲直を判定すること。

【裁量】とりはからう。きりもりする。

6【装】12画 10828 教6 ソウ・ショウ よそおう 3385 9195
7【裝】13画 10829 人 漢ソウ(サウ) 呉ショウ(シャウ) 陽 zhuāng 7470 E5E4

筆順 装

字義 ❶よそおう。よそう。㋐身じたくする。㋑旅じたくする。「行装」㋒しくむ。整える。㋓かざる。さいくする。また、うわべをかざる。似る。❷よそおい。よそい。㋐身じたく。身なり。「服装」㋑旅じたく。「旅装」㋒衣服。調度。㋓つつみ。荷物。㋔かざり。細工。❸つつむ。たばねる。また、入れる。つめる。❹つける。取りつける。また、しかける。「装置」

参考 現代表記では〔裳〕(10840)の書きかえに用いることがある。「衣裳→衣装」

解字 篆文 形声。衣＋壮(壯)音。音符の壮は、倉に通じ、しまう・かくすの意味。衣服で身をつつむ・よそおうの意味を表す。

逆 衣装・改装・偽装・儀装・擬装・女装・盛装・倒装・表装・変装・舗装・礼装

【装甲】①よろいをつける。戦いの用意をする。②敵弾を防ぐため船・車などの外がわに鉄板を張ること。「装甲車」

【装△潢匠】表具師。経師屋。▼潢は、防虫のため紙を染めること。

【装送】嫁入りの時に持って行く品物。

【装束】①身じたくする。また。身じたく。②着物。衣服。③礼服を着る。盛装する。また、礼服。礼装。④旅じたくする。また。旅じたく。⑤国室内・庭園などをかざること。かざりつけ。

【装置】国しかけ。しくみ。設備。

【装丁・装△釘・装訂・装幀】書物をとじて表紙をつけ製本すること。また、その体裁。書物の意匠。⇩コラム 書籍(一六六八ページ)。

【装塡】①中につめこむこと。②国銃砲に弾丸をこめること。

【装備】国①備品・付属品などをとりつけること。また、そのとりつけられた物品。②身じたくを整えること。また、身じたく。

6【裂】12画 10830 常 レツ さく・さける 漢レツ・呉レチ 屑 liè 4686 97F4

筆順 裂

字義 ❶きれ。着物の裁ち余り。布のきれはし。❷さく。ひきさく。さきやぶる。❸さける。ばらばらになる。また、破れる。くずれる。「分裂」❹刑罰の一種。体を車でひきさく刑。「車裂」

使いわけ さく〔裂・割〕
〔裂〕無理に二つに離す。「紙を裂く・仲を裂く」
〔割〕刃物で切り開く。また、とりわけて他の用に当てる。「魚を割く・紙面を割く」

解字 篆文 形声。衣＋列(𠛱)音。音符の𠛱は、首を切るの意味。衣服を切りさくの意味を表す。

逆 決裂・車裂・爆裂・破裂・滅裂

【裂果】成熟すると皮がさけて種をまき散らす果実。あぶらな・えんどうの類い。

【裂△罅】さけめ。われめ。

【裂△眥】まなじりをさく。怒ってまなじりが裂けるほどに大きく目を開いてにらむこと。▼眥は、まなじり。「怒髪裂眥」

【裂△帛】①きぬをさく。また、その音。澄んではげしい楽音の形容。②ほととぎすの鳴き声の形容。③女性の悲鳴の形容。

【裂膚】皮膚を破る。転じて、寒さのはげしいことの形容。

7【裔】13画 10831 標 エイ 霽 yì 7467 E5E1

字義 ❶すそ(裾)。もすそ。衣のすそ。❷すえ(末)。㋐果て。遠い所。辺境。㋑血つづき。遠い血すじ。子孫。「後裔」「末裔」

解字 金文 篆文 会意。衣＋冏。冏は、台座の前で祈るの意味。台座に衣服を置いて祖先をまつるさまから、遠い子孫の意味や遠いの意味を表す。

【裔裔】①行くさま。②飛び流れるさま。③舞うさま。

【裔孫】遠い子孫。後裔。

【裔△冑】遠い子孫。裔孫。▼冑は、血すじ。

7【裘】13画 10832 漢キュウ(キウ) 呉グ 尤 qiú 7468 E5E2

字義 かわごろも。けごろも。獣類の毛皮で作った衣服。また、かわごろもを着る。用例〔十八史略、春秋戦国、斉〕蓋孟嘗君嘗以献二昭王一、無二他裘一(けだし孟嘗君かつてもって昭王に献じ、他の裘なし)。⇩そもそも孟嘗君は、以前昭王に献上し、他には皮衣を持っていなかった。

解字 篆文 形声。衣＋求音。音符の求は、かわごろもの象形。求が、もとめるの意味に用いられるようになったため、衣を付して区別した。

【裘葛】①皮ごろもと(冬服)と、かたびら(夏服)。②冬と夏。一年の意。

【裘褐(褐)】①皮ごろもと、あらい毛織物で作った着物。②質素な衣服。

7【裟】13画 10833 人 漢サ 呉シャ 麻 shā 2632 8DBE

筆順 裟

字義 袈裟は、僧侶の法衣。僧衣。→袈裟(一二七五ページ中)。

名前 さ

解字 形声。衣＋沙音。音符の沙は、梵語 kaṣāya の sā の音訳を示す。袈裟で僧尼の服の意味を表す。

7【裊】13画 10834 漢ジョウ(デウ) 呉ニョウ(ネウ) 篠 niǎo 9174 — 6037
〔裹〕10853 同字

字義 ❶くみひもを馬の腹に結びつける。❷しなやか。たわむ。＝嫋(2496)。

解字 形声。衣＋鳥省音。音符の鳥は、柔に通じ、やわらかの意味。衣を付し、しなやかの意味を表す。

【裊裊】①ゆらゆら揺れるさま。②しなやかにまといつくさま。③声が続いて絶えないさま。

【裊△娜】しなやかなさま。なよなよとしたさま。

7【襄】13画 10835 ジョウ 襄(10854)の俗字。→一二七八ページ中。 20119

7【裝】13画 (10829) ソウ 装(10828)の旧字体。→一二七六ページ上。

7【裒】13画 10836 ㋕ホウ 呉ブ 尤 póu 2 8819 — 6043

字義 ❶あつめる。集まる。❷おおい(多)。❸とる。減らす。

解字 会意。衣+臼。臼は、両手で物を持ちあげる形にかたどる。両手で集めて着物の中に入れるの意味を表す。一説に、褒の別体字という。

【裒会(會)】①寄せ集める。②租税を多く取りたてること。裒斂。

【裒次】集めて順序だてる。編集する。裒輯。

7【裛】13画 10837 ㊀漢ユウ(イフ) 呉オウ(オフ) 緝 yì ㊁ヨウ(エフ) 葉 2 8823 — 6045

字義 ㊀❶ふみぶくろ。ふみづつみ。書物を入れるふくろ。書帙。また、物を包む布。ふろしき。❷まとう(纏)。❸うるおう。うるおす。=浥(6375)。

解字 篆文 形声。衣+邑音。音符の邑ユウは、あつめるの意味。書籍をまとめ入れるふくろの意味を表す。

7【裏】13画 10838 教6 リ うら リ 紙 lǐ 4602 97A0 —

筆順 裏

字義 ❶うら。㋐衣服のうら。㋑すべて物のうらがわ。内側。背面。↔表(10814)。「裏面」❷うち。㋐なか。内部。用例〔唐、李白、秋浦歌〕不レ知明鏡裏 何処得二秋霜一 ↓澄んだ鏡の中、いったいどこから秋の霜(のような白髪)を得たのであろうか、わからない。㋑心の中。㋒はら。むね。❸おさまる。=理(7408)。❹ところ(処)。「那裏」

名前 うら

解字 金文 篆文 形声。衣+里音。音符の里は、すじの意味。縫い目のすじが見える衣服のうち側、うらの意味を表す。裡は、衣がネに変化したもので、同字。

逆 宮裏・胸裏・鏡裏・禁裏・内裏・脳裏・表裏

【裏言】内々のことば。交渉などがうまくいくように、内々にする口添えのことば。内密の交渉。

8【裹】14画 10839 カ(クワ) 哿 guǒ 7471 E5E5 —

字義 ❶つつむ(包)。たばねる。また、まとう(纏)。用例〔唐、杜甫、兵車行〕去時里正与裹レ頭 帰来頭白還戍レ辺 ↓まえに出征したときには、村長が兵士のために成人を祝って頭をつつんでくれたのであったが、帰ってくると、頭はもう白くなっているのに、またも国境地帯の守備にゆくのである。❷つつみ。袋。❸ふさ。花房。❹草の実。❺宝。財宝。

解字 篆文 形声。衣+果音。音符の果は、くだものの意味。果皮が種子を包むように、つつむの意味を表す。

【裹革】革につつむ。戦死者の遺体を馬の革につつむことから、戦場での死をいう。

【裹屍】死体をつつむ。戦死者の遺体を持ち帰ること。

【裹足】①足をつつむ。②わらじなどをはいて、足ごしらえをすること。③足をとどめる。立ち止まって前へ進まないこと。

【裹頭】①頭を布でつつむこと。②元服をいう。昔、男子が二十歳で頭に冠を加えたこと。③仏僧が俗人にもどること。還俗。

8【裳】14画 10840 人 標 漢ショウ(シャウ) 呉ジョウ(ジャウ) 陽 cháng 3056 8FD6 —

筆順 裳

字義 ❶も。腰から下をおおう衣服。したばかま。スカート。↔衣(10813)。❷昼の衣服。

名前 も 難読 裳階・裳層

参考 現代表記では[装](10828)に書きかえることがある。「衣裳→衣装」

解字 形声。衣+尚音。音符の尚は、長に通じ、ながいの意味。長いそのスカートの意味を表す。

【裳衣】①腰から下をおおう裳と上半身につける衣。②衣服。着物。衣裳。

【裳裳】美しくさかんなさま。

8【製】14画 10841 教5 セイ 霽 zhì 3229 90BB —

筆順 製

字義 ❶たつ(裁)。㋐衣服を仕立てるために布をたつ。仕立てる。㋑たちきる。❷つくる。こしらえる。㋐物をこしらえる。㋑詩文を作る。また、作られた詩文。❸着物。また、雨着。❹つくり。㋐かた。作り方。形式。体裁。㋑なり。姿。ようす。❺衣料を数える語。

名前 のり

解字 篆文 形声。衣+制音。音符の制は、木をそぎ整えるの意味。衣服を裁ちつくるの意味を表す。

逆 作製・聖製・粗製・複製

【製裁】①つくる。②つくりかた。③つくられたもの。作品。

【製作】つくる。物をつくる。→制作(一八一ページ下)。

【製産】物をつくり、産出する。

【製造】①作る。こしらえる。また、そのこと。②原材料や粗製品に手を加えて、精巧な品に仕上げる。

【製版】印刷をするための版を作ること。また、その版面。

【製錬】鉱物から金属を取り出す。

8【褁】12画 10842 漢セキ 呉シャク 陌 2 8827 — 6053

字義 ふくろ(袋)。

8【裴】14画 10843 漢ハイ 呉バイ 灰 péi 7474 E5E8 —

〔裵〕10844 本字

字義 ❶衣服の長いさま。また、ひらひらするさま。「裴裴」❷たちもとおる。ぶらぶら歩く。=徘(3434)。

解字 篆文 形声。衣+非音。音符の非は、左右にひらくの意味。左右にすそが長くひらかれた衣服の意味を表す。

【裴松之】南朝宋の学者。聞喜(今の山西省聞喜県)の人。字は世期。陳寿の『三国志』の注を書いた。『史記』の注釈『集解』の著者裴駰は、その子。(三七二—四五一)

【裴迪】盛唐の詩人。王維と親交があり、共に唱和した『輞川集』がある。

【裴度】唐の政治家。字は中立。諡は文忠。晋国公に封ぜられた。晩年、白居易と交わる。(七六五—八三九)

8【裵】14画 10844 ハイ 裴(10843)の本字。→一二七七ページ下。 9177 EE86 6051

9【褒】15画 10845 常 ホウ ほめる 4311 964A —

11【襃】17画 10846 ホウ 豪 bāo 7481 E5EF —

筆順 褒

字義 ❶ほめる。ほめたたえる。❷おおきい(大)。また、ひろい(広)。❸すその広い衣。ふところの大きい衣。❹国名。夏の禹王が封じた国。姓は姒。有褒ともいう。今の陝西省勉県の東南。

名前 よし

参考 〔褏〕(10848)は別字。

解字 篆文 形声。衣＋保㊥。音符の保は、抱くの意味。物を抱きこめるような大きな着物の意味を表す。また、報に通じて、ほめるの意味をも表す。

【褒衣】ホウイ ①ほうびとして与えられた衣服。②すその広い衣服。

【褒衣博帯（帶）】ホウイハクタイ 儒者の衣服。すその広い衣服と、幅の広い帯の意。大衣広帯。

【褒慰】ホウイ 功績をほめ、苦労をなぐさめること。

【褒顕（顯）】ホウケン ほめて、世の中にあきらかに示す。賞揚。

【褒賛（贊）・褒讃】ホウサン ほめたたえる。

【褒賜】ホウシ ほめて物を与えること。褒錫ホウシャク。褒賚ホウライ。

【褒姒】ホウジ 周の幽王の愛妃。褒の国人が献じた女性。平素笑わなかったが、王が何事もないのに烽火のろしをあげて諸侯を集めて見せると、初めて笑った。後、犬戎ケンジュウに攻められたとき烽火をあげたが、諸侯はしばしばだまされているので、集まらず、幽王は殺され、褒姒は捕虜となったと伝えられる。〔史記、周本紀〕

【褒錫】ホウシャク ＝褒賜。▼錫は、賜。

【褒称（稱）】ホウショウ ほめたたえる。称揚。

【褒章】ホウショウ 特に功労のあった者に与える記章。日本には、紅綬コウジュ・緑綬・藍綬ランジュ・紺綬・黄綬・紫綬の六種がある。

【褒奨（獎）】ホウショウ ほめはげます。

【褒賞】ホウショウ ほめ賞する。ほめる。また、それで与える金品。

【褒成】ホウセイ 孔子の尊称。孔子の教化の成就をほめたたえる意。

【褒妲】ホウダツ 褒姒ホウジと妲己ダッキ(三六六ページ下)。

【褒黜】ホウチュツ よい者をほめ、悪い者をこらしめること。

【褒寵】ホウチョウ ほめいつくしむ。

【褒美】ホウビ ①ほめる。ほめて物を与えること。②国ほめて与える品物。賞品。

【褒貶】ホウヘン ほめることと、けなすこと。用例（西晋、杜預、左伝序）以二一字一為二褒貶一（イチジをもってホウヘンをなす）。ⓥ（春秋は）一字の使い分けで、ほめたりけなしたりを行っている。

【褒揚】ホウヨウ ほめあげる。褒称。称揚。

9【褎】15画 10847 ㊀漢シュウ(シウ) 呉ジュ 宥 xiù ㊁漢ユウ(イウ)・呉ユ 宥 yòu ─ ─ 6056

[褏] 10848 同字

字義 ㊁❶そで(袖)。たもと。❷きかざったさま。❸のびる。また、ぬきんでる。枝葉が成長する。❹すすむ(進)。また、進むさま。＝迪(12056)。❺笑うさま。

解字 会意。衣＋采。

9【褏】15画 10848 ユウ 褎(10847)と同字。→三七八ページ上。 ─ ─ 6057

9【褜】15画 10849 国字 9178 ED41 6063

参考 〔褒〕(10846)は別字。

字義 えな(胞衣)。褜えな・いは、姓氏。

解字 会意。衣＋胞。胞衣ホウイは、えなの意味。この二字を合わせて一字とした。

10【褢】16画 10850 漢カイ(クヮイ) 佳 huái ─ ─ 6069

字義 ❶抱く。包む。❷懐かしむ。思う。

解字 会意。衣＋眔。眔は、目からあふれる涙の象形。涙顔を衣服で隠しながら懐かしむの意味を表す。

10【褧】16画 10851 漢ケイ 呉キョウ(キャウ) 迥 jiǒng 9183 ─ 6066

字義 ひとえ(ひとへ)。単衣。麻、または、ちりめんのひとえ。＝絅(9105)。

解字 形声。衣＋耿㊥。

10【褰】16画 10852 ケン 先 qiān 9184 ─ 6068

字義 ❶はかま。また、ももひき。❷かかげる(かかぐ)。あげる。裾すそを持ちあげる。❸ひらく(開)。❹たたむ。ちぢめる。ひだをつける。

解字 篆文 形声。衣＋寒省㊥。音符の寒は、さむいの意味。衣服のすそをもちあげて寒々しいさまから、かかげるの意味を表す。

10【褭】16画 10853 ジョウ 裊(10834)と同字。→三七六ページ下。

11【襄】17画 10854 漢ショウ(シャウ) 呉ソウ(サウ) 慣ジョウ(ジャウ) 陽 xiāng 7487 E5F5 ─

[襄] 10835 俗字

字義 ❶のぼる(升)。❷あげる。㋐首をあげる。あおぐ。＝仰(216)。㋑声をはりあげる。❸たかい(高)。❹はらう(払)。のぞく(除)。掃除する。❺なす(成)。❻かえる。また、かわる。めぐる。うつる。

解字 金文 篆文 形声。衣＋𤕦㊥。音符の𤕦ジョウは、襄の原字。𤕦の金文は会意文字で、衣省＋土＋攴。衣服に土などのまじない物を入れて邪気を払うの意味を表す。𤕦は、金文の変形で、爻＋工＋吅＋己の会意文字。襄は、𤕦にさらに衣を付したもの。また、上に通じて、のぼるの意味をも表す。

【襄陵】ジョウリョウ 大水が出て丘の上まで水が上がる。

11【褻】17画 10855 漢セツ 呉セチ 屑 xiè 7488 E5F6 ─

字義 ❶ふだんぎ。平服。私服。❷はだぎ。したぎ(下着)。❸なれる(なる)。なれなれしくする。＝媟(2468)。❹あなどる。けがれる。また、よごす。けがす。❻けがらわしい。きたない。国❺け。ふだん。日常。↔晴(4805)。

解字 金文 篆文 形声。衣＋埶㊥。音符の埶は、若木を手にとる形にかたどる。ずっと手にし、着なれた衣服の意味を表す。

【褻衣】セツイ ①ふだんぎ。平常服。②はだぎ。したぎ。

【褻翫】セツガン なれもてあそぶ。また、その品。

【褻器】セッキ おまる。便器。虎子コシ。

【褻裘】セッキュウ ふだん着る皮ごろも。

【褻言】セツゲン なれなれしく下品な(みだらな)ことば。

【褻狎】セッコウ なれ近づくこと。なれて心やすいこと。

【褻臣】セッシン 近しい家来。狎臣コウシン。

【褻瀆】セットク ①なれけがす。けがれる。②あなどり軽んずる。

【褻陋】セツロウ けがらわしい。また、下品な。▼陋は、いやしい。

11【褺】17画 10856 漢チョウ(テフ) 呉ジョウ(デフ) 葉 dié ─ ─ 6073

字義 ❶重ね着。❷褺江チョウコウは、地名。今の四川省内。

解字 形声。衣＋執㊥。

11【襃】17画 (10846) ホウ 褒(10845)の旧字体。→三七七ページ下。

12【嚢】18画 10857 ノウ 囊(1798)の俗字。→二八八ページ上。 3925 9458 ─

13【襞】19画 10858 標 漢ヘキ 呉ヒャク 陌 bì 7494 E5FC ─

字義 ❶ひだ。着物の折り目。❷たたむ。衣服をたたむ。

解字 篆文 形声。衣＋辟㊥。音符の辟ヘキは、劈ヘキに通じ、さくの意味。一見さけたように見える衣服のひだの意味を表す。

【襞積】ヘキセキ 衣服のひだ。▼積も、ひだ。

16【襲】22画 10859 常 シュウ おそう 漢シュウ(シフ)・呉ジュウ(ジフ) 緝 xí 2917 8F50 ─

筆順 亠 音 音 育 龍 龍 襲

字義 ❶おそう(おそふ)。㋐つぐ。うけつぐ。「世襲」㋑うける。㋒およぶ。㋓よる(因)。よりしたがう。㋔不意に攻める。「夜襲」㋕はいる。いる。㋖取る。不意に攻めて奪い取る。❷かさ-ねる(重)。かさ-なる。積みかさねる。積みかさなる。❸かさね。上下そろっている着物。ひとそろいの着物。❹着る。まとう。❺おおう。閉ざす。閉じる。❻あう。かなう。やわらぐ。和合する。

名前 そ・つぎ・つぐ・より

解字 篆文 形声。衣＋龍(䶮)㊚。音符の䶮は、かさねあわせるの意味。衣服のかさね着の意味を表す。

逆 因襲・奇襲・逆襲・強襲・世襲・踏襲・夜襲・来襲

【襲衣】シュウイ 衣服を重ねて着ること。重ね着。
【襲因】シュウイン うけつぐ。これまでの例に従うこと。襲沿。
【襲沿】シュウエン 前例に従いならうこと。襲因。
【襲継(繼)】シュウケイ あとを受けつぐこと。継襲。
【襲撃(擊)】シュウゲキ おそい撃つ。敵を不意に攻撃すること。
【襲殺】シュウサツ 不意におそいかかって殺す。
【襲雑(雜)】シュウザツ ごたごたといりまじる。錯雑。
【襲刺】シュウシ おそってさす。
【襲爵】シュウシャク 先代の爵位をつぐこと。
【襲取】シュウシュ 不意に攻めて奪いとること。
【襲封】シュウホウ 諸侯が先代の領地を受けつぐこと。
【襲名】シュウメイ 国親や師匠の名をつぐこと。
【襲明】シュウメイ 大道を明らかにすること。〔老子、二十七〕
【襲用】シュウヨウ そのまま受けついで用いること。踏襲。
【襲来(來)】シュウライ 急に攻めて(おそいかかって)来ること。

16 【囊】 22画 (1798) ノウ 口部。→二八八ページ上。 ₂8808 — 6019

5画

衤 ころもへん

〔部首解説〕 衣が偏になるときの形。→〔衣〕の部首解説(一二七二ページ)。

2 【初】 7画 (881) ショ 刀部。→一七五ページ上。

3 【衩】 8画 10860 一 漢サイ・呉シャ 卦 二 漢サ・呉シャ 禡 chà ₂8811 — 6020

字義 一 ❶わきわり。衣服の両わきの縫いあわせてないところ。❷ひとえ。ひとえの着物。❸ふだん着。❹もすそ。

解字 形声。ネ(衣)＋叉㊚。

3 【衫】 8画 10861 漢サン 呉セン 咸 shān 7446 E5CC —

字義 ❶ころも。衣服。❷ひとえ(ひとへ)。うすもの。ひとえの短いころも。❸はだぎ。そでなしの下着。

解字 形声。ネ(衣)＋彡㊚。

【衫子】サンシ 女性の服の一種。すその短い服。半衣。

衫②

3 【社】 8画 10862 国字 ₂8809 — —

字義 社衦(かみしも)は、江戸時代の役人の平服。つぎかみしも。

3 【衦】 8画 10863 国字 ₂8810 — —

字義 社衦(かみしも)は、江戸時代の役人の平服。つぎかみしも。

4 【衱】 9画 10864 一 漢キョウ(ケフ) 呉ギョウ(ゲフ) 葉 二 漢キョウ(ケフ) 呉コウ(コフ) 葉 jié — — 6021

字義 一 すそ(裾)。着物のすそ。二 えり。着物のえり。国 しごき。女性の腰帯の一種。衱帯(しごきおび)。

解字 形声。ネ(衣)＋及㊚。

4 【衿】 9画 10865 人 一 漢キン・呉コン 侵 jīn 二 漢キン・呉ゴン 沁 jìn 2262 8BDC —

筆順 、 ラ ネ ネ ネ ネ' 衤人 衤今 衿

字義 一 ❶えり。着物の前えり。＝襟(10977)。❷こおび(小帯)。また、ひも。つけひも。二 ❶むすぶ(結)。❷おびる(帯)。❸したおび。

名前 えり

解字 形声。ネ(衣)＋今㊚。音符の今は、おおうの意味。胸元を覆う、えりの意味を表す。

【衿契】キンケイ 心を許しあった交わり。また、心友。親友。▼衿は、えりから転じて、心・胸。
【衿喉】キンコウ えりと、のどもと。要害の地のたとえ。
【△沾レ衿】(キンをうるお(ほ)す) えりをぬらす。ひどく泣くこと。

4 【袀】 9画 10866 キン 眞 jūn — — 6024

字義 ❶いくさごろも。軍服。戎衣(ジュウイ)。❷くろぎぬ。黒い衣服。❸おなじ(同)。❹まじりけがない。純一。

解字 篆文 形声。ネ(衣)＋匀㊚。音符の匀(キン)は、ひとしいの意味。形や色がひとしく同じ衣服、軍服の意味を表す。

4 【衹】 9画 10867 シ 支 zhī — — 6022

字義 まさに。たまたま。ちょうど。

解字 形声。ネ(衣)＋氏㊚。

4 【衵】 9画 10868 一 漢ジツ(ヂツ)・呉ニチ 質 nì 二 漢ジツ(ヂツ)・呉ニチ 質 7450 E5D0 —

字義 一 ふだんぎ。二 じゅばん。女性のじゅばん。衵服。国 あこめ。㋐女性の下着。㋑男性の装束の下着。

解字 篆文 形声。ネ(衣)＋日㊚。音符の日は、日々の意味。常に着る衣服、ふだん着の意味を表す。

4
【衽】9画 10869 漢ジン 呉ニン 沁 寝 rèn 7451 E5D1 —
［袵］10897 同字

字義 ❶えり（襟）。衣服の襟。「左衽」 ❷おくみ。着物の前えりからすそまでにつける半幅の布。❸たもと。そで。❹ちきり。くさび。釘の代わりに板と板とをつぎ合わせるのに使うもの。中央がせまく、両端が広く、つづみ形をしている。❺しとね。寝床。「衽席」

解字 篆文 形声。ネ（衣）＋壬音。音符の壬は、持続的に抱くの意味。人体を包んで保温する、えり・しとねの意味を表す。

【衽席】ジンセキ ①しきもの。②ねどこ。転じて、寝室。

【斂衽】ジンをおさむ えりをただす。身なりを整えて、つつしみ、またはうやまいの意を表す。

4
【衻】9画 10870 漢ゼン 呉ネン 塩 rán — — 6023

字義 ❶衣服のへり。ふち。❷ふちどる。❸うわ着。嫁入りのときの上着。

解字 形声。ネ（衣）＋冄音。

4
【衲】9画 10871 漢ドウ（ダフ） 呉ノウ（ナフ） 合 nà 7453 E5D3 —

字義 ❶つくろう（繕）。ぬう（縫）。衣服の破れを縫う。❷僧の衣服。つぎはぎして作った衣の意。衲衣。❸仏僧侶。僧の自称。「老衲」

解字 形声。ネ（衣）＋内音。

【衲衣】ノウエ 僧衣。けさ。転じて、僧。また、禅僧。

【衲子】ノウス・ノッス ①僧。また、禅僧。②僧が自分を謙遜していう語。

【衲被】ノウヒ・ドウヒ ①つぎはぎをしたかけぶとん。②古人の文章の語句を集めてつぎはぎして作った文のたとえ。

4
【衯】9画 10872 ■フン 文 fēn ■漢ホン・呉ボン 阮 pěn 28813 — —

字義 ■❶衣の長いさま。❷大きい衣。■衣の長く上品なさま。

解字 形声。ネ（衣）＋分音。

4
【袂】9画 10873 標 漢ベイ 呉メイ 霽 mèi 7454 E5D4 —

字義 たもと。また、そで（袖）。㋑きわ。みぎり。そば。「橋の袂」「山の袂」 国たもと。㋐ふもと。

解字 篆文 形声。ネ（衣）＋夬音。音符の夬は、わかつの意味。衣服から手をくり出すために、わかれるように縫いつけられている「たもと」の意味を表す。

【攘袂】たもとをはらう（ふ） たもとを振りはらって勢いよく立ち上がること。また、勢いよく立ち上がることの形容。

【投袂而起】たもとをはらい（ひ）てたつ たもとを振りはらって奮い起つ。〔左伝、宣公十四〕

【分袂】たもとをわかつ 人と別れること。分袂ブンベイ。訣別ケツベツ。

4
【衹】9画 10874 国字 28812 — —

字義 ふき。ふき返し。和服で、袖口や裾の裏布を表に折り返して縫いつけたところ。

5
【袘】10画 10875 ■イ 支 yí ■イ 寘 yì ■漢タ・呉ダ 歌 19172 — 6025

字義 ■❶みごろ。衣服の胴体の部分。❷衣服の長いさま。❸そで（袖）。着物のそで。■ふち。着物のすそのへり。■すそ（裾）。着物のすそ。ふき。

解字 形声。ネ（衣）＋㐌音。音符の㐌は、施などに通じ、なびくの意味。なびく着物のすその意味を表す。

5
【袪】10画 10876 漢キョ 呉コ 魚 御 qū 19173 — 6032

字義 ❶そで（袖）。また、たもと。❷そでぐち。❸ふところ。❹あげる（挙）。かかげる。着物のそでをかかげる。❺ちらす（散）。開く。❻さる（去）。

解字 篆文 形声。ネ（衣）＋去音。音符の去は、離れるの意味。衣服の中で自由にひらき、上げ下げできる部分、そでの意味を表す。

5
【袨】10画 10877 漢ケン 呉ゲン 霰 xuàn — — 6031

字義 ❶はれ着。きれいな着物。❷黒い衣服。

解字 形声。ネ（衣）＋玄音。

5
【袖】10画 10878 常 シュウ そで 漢シュウ（シウ）・呉ジュ 宥 xiù 3421 91B3 —

筆順 ネ ネ ネ ネ 衤 衵 袖 袖 袖

字義 ❶そで。着物のそで。用例〔史記、刺客伝〕左手把秦王之袖、而右手持匕首揕之 ↓左手で秦王の袖をつかみ、右手であいくちを握って秦王を刺した。❷そでにする。物などをそでの中に入れる。

解字 篆文 形声。ネ（衣）＋由音。音符の由は、あなが深く通じるの意味。人が腕を通す衣服の部分、その意味を表す。篆文は、衣＋采の会意。采は、いなほの意味。衣服の中で穂のようにぶらさがる部分、たもとの意味を表す。

【袖手】シュウシュ ①ふところでをする。手をそでの中に入れる。②何もしないでいること。

【袖手傍観（觀）】シュウシュボウカン ふところでをして見物する。なりゆきにまかせたまま見物していること。拱手傍観キョウシュボウカン。

【袖珍】シュウチン 「袖珍本」の略。そでの中に入れて持ち歩くことができる小形本。▼珍は、宝。

【袖幕】シュウバク 大通りのにぎやかなさま。通行人のそでが幕のように連なる意。

5
【袗】10画 10879 ■シン 軫 震 zhěn ■シン 真 zhēn 7455 E5D5 —
［袮］10881 同字

字義 ■❶黒い衣服。黒衣。❷はれ着。正式の衣服。❸ひとえ（単衣）。❹ぬいとりする。■おなじ（同）。ひとしい。同色の衣服。

解字 形声。ネ（衣）＋㐱音。

【袗衣】シンイ ぬいとりした模様のある着物。一説に、礼服。

【袗絺綌】シンチゲキ あらい葛糸で織ったひとえの着物。▼絺は織り目の細かいもの、綌はあらいもの。〔論語、郷党〕

5
【袒】10画 10880 ■漢タン・呉ダン 旱 tǎn ■漢タン・呉デン 諫 zhàn 7456 E5D6 —

字義 ■❶はだぬぐ。かたぬぐ。着物を脱いで肩を出す。❷昔の礼法の一つ。左肩を脱いで下着を見せることで、吉凶ともに行う。刑を受ける人は右肩を脱ぐ。❸ひとはだぬぐ。人をかばい、援護すること。❹ひらく（開）。とける（解）。＝綻(9227)。■ほころびる。

解字 篆文 形声。ネ（衣）＋旦音。音符の旦は、地平線上に朝日があらわれるさまを示す。衣服の縫い目がほころびて肌があらわれる・着物を脱いで肌があらわれるの意味を表す。

【袒肩】タンケン 片はだを脱ぐ。一方の肩をあらわす。

【袒裼】タンセキ はだぬぐ。▼裼も、はだぬぐの意。

【袒裼裸裎】タンセキラテイ はだぬぎになることと、はだかになること。無礼なふるまい。用例〔孟子、公孫丑上〕袒裼裸裎於我側 ↓私の傍ではだかになる。

【袒跣】タンセン はだをぬぎ、はだしになる。㋐謝罪するときの作法の一つ。㋑身なりに無関心な隠者の服装。

【袒膊】タンパク はだをぬぐ。袒肩。

【袒免】タンブン・タンメン 喪中の服装。▼袒は左の肩を脱ぐこと、免は冠を脱いで髪をくくること。

5
【袮】10画 10881 7457 E5D7 —
袗(10879)と同字。→一二八〇ページ下。

5
【袟】10画 10882 漢チツ 呉ジチ（ヂチ） 質 zhì — — 6029

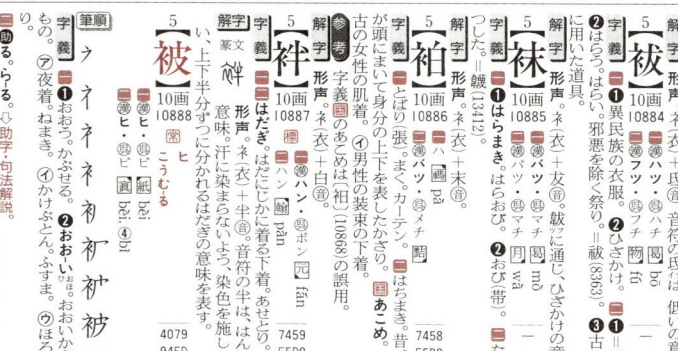

字義 ❶しな。順序。＝秩(8458)。❷書物を包む覆い。＝帙(3092)。❸さやぶくろ。
解字 形声。ネ(衣)＋失音。

5【衹】10画 10883 一漢テイ・呉タイ 斉 dī 二シ 支 — — 6027
字義 一衹裯(テイトウ)は、肌着。襦袢(ジュバン)。二衹裯(シトウ)は、単衣(ひとえ)。
解字 形声。ネ(衣)＋氏音。音符の氏(テイ)は、低いの意味。

5【袚】10画 10884 一漢ハツ・呉ハチ 曷 bō 二漢フツ・呉フチ 物 fú — — 6026
字義 一❶異民族の衣服。❷ひざかけ。二❶＝一❶。❷はらう。はらい。邪悪を除く祭り。＝祓(8363)。❸古代、舞に用いた道具。
解字 形声。ネ(衣)＋犮音。韍(フツ)に通じ、ひざかけの意味。

5【袜】10画 10885 一漢バツ・呉マチ 曷 mò 二漢バツ・呉マチ 月 wà — — 6028
字義 一❶はらまき。はらおび。❷おび(帯)。二たび。くつした。＝韈(13412)。
解字 形声。ネ(衣)＋末音。

5【袙】10画 10886 一ハ 禡 pà 二漢バツ・呉メチ 黠 7458 E5D8 —
字義 一とばり(張)。まく。カーテン。二はちまき。昔、軍人が頭にまいて身分の上下を表したかざり。国あこめ。㋐中古の女性の肌着。㋑男性の装束の下着。
参考 字義国のあこめは〔衵〕(10868)の誤用。
解字 形声。ネ(衣)＋白音。

5【袢】10画 10887 標 一漢ハン・呉ボン 元 fán 二ハン 翰 pàn 7459 E5D9 —
字義 一二はだぎ。はだにじかに着る下着。あせとり。
解字 篆文 形声。ネ(衣)＋半音。音符の半は、はんぶんの意味。汗に染まらないよう、染色を施していない、上下半分ずつに分かれるはだぎの意味を表す。

5【被】10画 10888 常 ヒ こうむる 一漢ヒ・呉ビ 紙 bèi 二漢ヒ・呉ビ 寘 bèi, ④bì 4079 94ED —
筆順 ラ ネ ネ ネ ネ 衤 衤 衤 被 被
字義 一❶おおう。かぶせる。❷おおい。おおいかぶせるもの。㋐夜着。ねまき。㋑かけぶとん。ふすま。㋒ほろ。とばり。
二助る。らる。⇩助字・句法解説。❶おおう。かぶる。かぶせる。用例〔東晋、陶潜、責子詩〕白髪被両鬢(ハクハツリョウビンをおおい)、肌膚不復実(キフまたジツならず)。↓白髪が両方の鬢の毛をおおい、肌はもうたるんでいる。❷こうむる。㋐着る。身につける。用例〔孟子、尽心下〕被袗衣鼓琴(シンイをこうむりことをコす)。↓立派な服を着て琴をひく。㋑背おう。㋒受ける。用例〔史記、項羽本紀〕項王身亦被十余創(コウオウみずからもまたジュウヨソウをこうむる)。↓項王自身も十数か所の刀きずを負った。㋓およぶ。㋔合う。㋕加える。用例〔史記、高祖本紀〕高祖被酒(コウソさけをこうむり)、夜径沢中(よるタクチュウにケイし)、令一人行前(ひとりをしてコウゼンせしむ)。↓高祖はさらに酒を飲み、夜湿地を抜けて進み、部下の一人を先行させた。❸おおい。おおうもの。㋐夜着。ねまき。㋑かぶりもの。着物。❹かつら。かもじ。国かずく(かづく)。おおうように頭にのせる。

助字・句法解説
る。らる。受身。訳…される。類見。
動詞の前に置かれ、受身であることを表す。また、六朝以後の用法には、「被二A一B一(AにBさる)」「被レA二B一(AにBせらる)」の形で、主動者Aをはさんで動詞Bが用いられるものもある。
用例〔唐、杜甫、兵車行〕況復秦兵耐二苦戦一(いわ(は)んやまたシンペイのクセンにたう(ふ)るをや)、被レ駆不レ異二犬与レ鶏(かららるることいぬとにわ(は)とりとにことならず)。↓そのうえに、秦の地方出身の兵士は苦しいいくさにたえるというので、追いたてられることは、まるで犬やにわとりとかわらない。／〔唐、韓愈、与二孟東野一書〕因被レ留以二職事一(よりてとどめらるるにショクジをもってし)、黙黙在レ此(モクモクとしてここにあること)、行一年矣(ゆくゆくイチネンならんとす)。↓職務を与えることで引き留めてくれたので、大人しくこの地に滞在して、いよいよ一年になろうとしております。／〔三国志、魏志、三少帝紀〕吾被二皇太后徴一(われコウタイゴウにチョウせらるるも)、未レ知レ所レ為(いまだなすところをしらず)。↓私は皇太后のお召しを受けたが、まだ何のためなのかわからない。

難読 被衣(かずき・かつぎ)
解字 篆文 形声。ネ(衣)＋皮音。音符の皮は、獣のかわの意味。毛皮のようにおおう夜着の意味を表し、着るの意味も表す。
逆 衣被・光被
【被衣】一(イヒ) きもの(着物)。二(かず(づ)き・かつぎ) 国昔、女性が顔をかくすために頭からかぶった衣服。
【被害】(ヒガイ) 害を受けること。また、その危害・損害。
【被褐(褐)】(ヒカツ) 粗末な衣服を着る。また、その人。隠者。
【被褐(褐)懐(懷)玉】(ヒカツたまをいだく) 表面は粗末な衣服を着ているが、中に玉を抱いている。世俗と同調してはいるが、真実の本性を大切に保ったとえ。〔老子、七十〕
【被疑者】(ヒギシャ) 犯罪の疑いを受けた者で、まだ起訴されていない者。容疑者。
【被堅執鋭】(ヒケンシュウエイ・ケンをこ(か)うむりエイをとる) かたいよろいかぶとを身につけ、鋭利な武器を手に持つ。完全に武装すること。〔戦国策、楚〕
【被告】(ヒコク) 裁判所に訴えられた人。↔原告(二三五ページ中)。
【被酒】(ヒシュ) 酒気を帯びる。酒に酔う。〔史記、高祖本紀〕
【被治者】(ヒチシャ) 治められる者。人民。
【被曝】(ヒバク) 放射能にさらされること。
【被爆】(ヒバク) ①爆撃を受けること。②特に、原水爆の攻撃を受けること。また、その放射能の害を受けること。
【被髪】(ヒハツ) ①髪をふり乱すこと。また、その髪。②髪を結ばず、冠もつけないこと。未開地の風俗。
【被髪纓冠】(ヒハツエイカン) 髪を結わないまま冠をかぶること。非常に急ぐさま。〔孟子、離婁下〕
【被髪左衽】(ヒハツサジン) 髪を結わず、着物を左前に着ること。未開地の風俗。用例〔論語、憲問〕微二管仲一(カンチュウなかりせば)、吾其被髪左衽矣(われそれヒハツサジンせん)。↓もしも管仲がいなかったら、われわれは、髪を結わず着物を左前に着る未開の地の風俗をさせられていたであろう。
【被髪文身】(ヒハツブンシン) 髪を結わず、からだに入れ墨をする。未開地の風俗。〔礼記、王制〕
【被服】(ヒフク) ①きもの(着物)。衣服。②身に受ける。③身につける。④身をもって行う。実行する。
【被覆】(ヒフク・ヒフウ) おおいかぶせる。
【被蒙】(ヒモウ) こうむる。身に受ける。

5【袍】10画 10889 漢ホウ(ハウ) 呉ボウ 豪 páo 7460 E5DA —
字義 ❶わたいれ。ぬのこ。❷ふだん着。❸うわ着。「竜袍」 国ホウ(ハウ)。うえのきぬ。束帯用の上着。位階によって色が異なり、文官の着用するものを縫腋袍(ホウエキのホウ)、武官の着用するものを闕腋袍(ケツエキのホウ)という。
解字 篆文 形声。ネ(衣)＋包音。音符の包は、つ

竜袍

つむの意味。からだを包むころも、わたいれの意味を表す。

【袍△笏】(ホウコツ) 上着としゃく。朝廷に出仕する服装をいう。

6【裀】11画 10890 イン 真 yīn ₂8818 — 6036

字義 みごろ(裑シン)。着物の胴体の部分。

解字 形声。ネ(衣)+因㊥。

【裀△褥】(インジョク) 夜具。布団。しとね。

6【袿】11画 10891 ケイ 斉 guī 7463 E5DD —

字義 ❶うちかけ。女性の礼服の上につける服。裲襠(リョウトウ)。❷すそ。もすそ。着物のうしろのすそ。❸そで(袖シュウ)。国うちぎ。㋐中古の貴婦人の礼服。襲(かさね)の上衣(うわぎ)で、唐衣(からぎぬ)の下に着るもの。㋑男性が直衣(のうし)・狩衣(かりぎぬ)などの下に着た平常服。

解字 形声。ネ(衣)+圭㊥。音符の圭(ケイ)は掛に通じ、ひっかけるの意味。女性の礼服の上にひっかける服、うちかけの意味を表す。

【袿△裳】(ケイショウ) ①女性の着る上着。うちかけ。②もすそ。

6【袺】11画 10892 ㊀漢ケツ・呉ケチ 屑 jié ㊁漢カツ・呉ケチ 黠 — — 6033

字義 ㊀㊁つまどる。着物の褄(つま)や衽(おくみ)をつまんで持つ。

解字 形声。ネ(衣)+吉㊥。

6【袴】11画 10893 人 標 コ 遇 kù 2451 8CD1 —

筆順 

【絝】9145 同字 【褲】10947 俗字

字義 ももひき。ズボン。国はかま。和服の上につけ、腰から下をおおうゆるやかな衣服。

名前 こ

解字 篆文 形声。ネ(衣)+夸㊥。篆文は、糸+夸㊥。音符の夸(コ)は、またぐの意味。ズボン・ももひきの意味を表す。

【袴下】㊀(コカ) ①ももひきの下。②またの下。▼袴は、胯(コ)・股(コ)に通ずる。㊁(こした) 国旧軍隊用語。ズボン下。

【袴△褶】(コシュウ) 馬乗りばかま。騎服。

6【袷】11画 10894 ㊀漢コウ(カフ) 呉キョウ(ケフ) 洽 jiā ㊁漢キョウ(ケフ) 呉コウ(コフ) 葉 jiē 1633 88BF —

【裌】10904 同字

字義 ㊀❶あわせ(あはせ)。裏地のついた着物。↔単(2753)・禪(10972)。❷かさねる(重)。㊁❶えり。着物のえり。❷つぎ(次)。ひかえ。

解字 篆文 形声。ネ(衣)+合㊥。音符の合は、あわせるの意味。裏地があわせついている着物、あわせの意味を表す。

6【袾】11画 10895 ㊀漢チュウ(チウ) 呉チュ 虞 zhū ㊁シュ 虞 ₂8817 — 6035

字義 ㊀❶みごろ。衣服の胴体の部分。❷あかい。赤い着物。=朱(5187)。❸美しい。みめよい。=姝(2390)。

解字 篆文 形声。ネ(衣)+朱㊥。音符の朱は、あかいの意味。赤い着物の意味を表す。

6【袽】11画 10896 漢ジョ(ヂョ) 呉ニョ 魚 rú ₂8816 — 6034

字義 ❶破れた衣。❷破れた布。❸いとくず。国船の浸水を防ぐためのつめもの。また、船の排水口の栓。

解字 形声。ネ(衣)+如㊥。

6【袵】11画 10897 ジン 衽(10869)と同字。→一三八〇ページ上。 7452 E5D2 —

6【袱】11画 10898 漢フク・呉ブク 屋 fú 書ホク 7464 E5DE —

字義 ふくさ。ふろしき。物を包む布。

解字 形声。ネ(衣)+伏㊥。音符の伏は、腹ばうの意味。広げると平面にぴったりつく、ふろしきの意味を表す。

【袱△紗】(フクサ) 国①絹の小さいふろしき。②茶の湯に用いる絹のきれ。

6【袼】11画 10899 ㊀ラク 薬 luò ㊁カク 薬 ₂8815 — —

字義 ㊀緊袼(エイラク)は、子供のよだれかけ。㊁❶衣のわきの縫いめ。❷そで。

解字 形声。ネ(衣)+各㊥。

6【裃】11画 10900 国字 7465 E5DF —

字義 かみしも。昔の礼服。肩衣(かたぎぬ)と袴(はかま)と同じ色に染めた式服。

解字 会意。ネ(衣)+上+下。かみ・しもにわかれた昔の礼服の意味を表す。

6【裄】11画 10901 国字 7466 E5E0 —

字義 ゆき。衣服の背縫いから袖口(そでぐち)までの長さ。

解字 会意。ネ(衣)+行。行は、ゆきの意味。

7【䄉】12画 10902 ガ 歌 é 9176 — —

字義 衣服の華やかな飾り。

解字 形声。ネ(衣)+我㊥。

7【裙】12画 10903 漢クン 呉グン 文 qún 7469 E5E3 —

【帬】3106 同字

字義 ❶も。スカート。↓裙子。❷へり。ふち。❸はだぎ。下着。

解字 形声。ネ(衣)+君㊥。音符の君は群に通じ、むらがるの意味。ひだ(襞)がむらがり集まってきて腰の周囲を囲むように縫い合わせた、もすその意味を表す。

【裙△釵】(クンサイ) ①女性のもすそと、かんざし。②女性のこと。

【裙子】(クンシ) 腰から下をおおう袴(はかま)のようなもので、ひだをつけて作る。女性、または僧が用いる。現在のスカート。

【裙△襦】(クンジュ) はだぎ。じゅばん。

【裙帯(帶)】(クンタイ) 女性のもすそを結ぶひも。また、もすそとおび。

7【裌】12画 10904 コウ 袷(10894)と同字。→一三八二ページ上。 — — 6039

7【裓】12画 10905 ㊀コク 職 gé ㊁カイ 佳 jiē ₂8822 — 6044

字義 ㊀❶すそ。❷仏家で用いる長方形の布。肩にかけ手をぬぐったり、物を盛るのに用いる。㊁いしだたみ。

解字 形声。ネ(衣)+戒㊥。

7【裍】12画 10906 コン 阮 kǔn — — 6040

字義 ❶成る。成す。❷縛る。❸打つ。たたく。

解字 形声。ネ(衣)+困㊥。

7【裋】12画 10907 漢シュ 呉ジュ 麌 遇 shù — — 6038

字義 ❶長いしたぎ。㋐召し使いの着る長い下着。㋑あわせの下着。❷破れごろも。破れた短い衣服。

解字 篆文 形声。ネ(衣)+豆㊥。音符の豆は、たかつきの象形。たかつきは頭の部分が大きく、それが幼児と似ているところから、こどもの意味に用いる。こどもの召し使いの衣服の意味を表す。

【裋褐(褐)】(ジュカツ) ①粗末な衣服。破れた短い衣服。やぶれごろも。②貧しい庶民。

7【裑】12画 10908 シン 真 shēn ₂8821 — 6042

字義 みごろ。衣服の胴体の部分。袖(そで)・襟・衽(おくみ)などを除いた部分。

解字 形声。ネ(衣)+身㊥。

7 【裞】 12画 10909 慣セイ 漢ゼイ 霽 shuì ― ― 6046

字義 死者に贈る衣服。

解字 篆文 形声。衤(衣)+兌音。音符の兌(イタ)は、ぬがせるの意味。今まで着ていた衣類をぬがせて死者に着せる衣服の意味を表す。

7 【裎】 12画 10910 漢テイ 呉チョウ(チャウ) 梗 chěng ı9175 ― 6041

字義 ❶はだか(裸)。また、はだかになる。❷ひとえ(単衣)。えりづまのないひとえの着物。

解字 篆文 形声。衤(衣)+呈音。音符の呈は、突き出るの意味。衣服から体が突き出る、はだぬぎになるの意味を表す。

7 【補】 12画 10911 教6 ホ おぎなう 漢ホ・呉フ 麌 bǔ 4268 95E2 ―

筆順 ⺍ 衤 衤 衤 衦 補 補 補

字義 ❶おぎなう(おぎ・なふ)。㋐つくろう。衣服のほころびを縫う。㋑破損したところを修理する。㋒ます(増)。たす(足)。うめあわせる。「補充」「補欠」㋓助ける。「補助」❷おぎない(おぎなひ)。不足をみたすこと。❸ぬいとり。明(ミン)・清(シン)代に、官服の胸と背とにつけたしるし。また、そのしるしのついた官服。❹官職を授ける。用例〔戦国策、趙〕願令㆑得㆘補㆓黒衣之数㆒、以衛㆗王宮㆖(ねがわ(は)くはコクイのかずにホし、もってオウキュウをまもるをえしめよ)。↓どうか黒衣の兵士の一人に取り立てていただき、王宮の警護に当たらせてやっていただきたく存じます。

名前 さだ・すけ・たすく・ます・みつ

参考 現代表記では〔輔〕(11912)の書きかえに用いる。「輔佐→補佐」「輔導→補導」

解字 篆文 形声。衤(衣)+甫音。音符の甫(ホ)は扶に通じ、手をかしたすけるの意味。衣類のほころびに他の布のたすけをかりて、つくろうの意味から、おぎなうの意味を表す。

逆 候補・修補・増補・転補

【補遺】(ホイ) 書物などのもれたところをおぎない足すこと。また、おぎなったもの。

【補益】(ホエキ) たすけおぎなう。裨益(ヒエキ)。

【補給】(ホキュウ) 不足や損失などをおぎない与えること。

【補強】(ホキョウ) 国欠けたところをおぎなって強くする。

【補欠(缺)・補△闕】(ホケツ) ①欠けたところをおぎなう。②国欠員を補充する。また、その人。

【補語】(ホゴ) 述語を補足する語。

【補佐】(ホサ) 国おぎないたすける。また、その人。輔佐(ホサ)。

【補修】(ホシュウ) 欠けたところをおぎないつくろう。

【補△葺】(ホシュウ) ①家屋・城壁などの破れをつくろうこと。完葺。修葺。②おぎない足す。補輯(ホシュウ)。

【補△輯】(ホシュウ) 書物などの足りないところをおぎない集めること。

【補充】(ホジュウ) おぎないみたす。

【補△苴】(ホショ) おぎないつくろう。

【補助】(ホジョ) おぎないたすける。また、その人。

【補償】(ホショウ) おぎないつぐなう。また、つぐない。

【補繕】(ホゼン) おぎないつくろう。修理。修繕。

【補足】(ホソク) おぎない足す。不足をうめあわせること。

【補則】(ホソク) 国本則をおぎなうために特に作った規則。

【補△陀落】(フダラク) 仏インドの南端にある観世音菩薩(カンゼオンボサツ)の住む霊山で、八角形をしているといわれる。梵語(ボンゴ) potala-kaの音訳。普陀落。

【補注・補△註】(ホチュウ) 注釈の不足をおぎない加えること。また、その注釈。

【補△綴】(ホテイ・ホテツ) ①おぎないつづりあわせる。②古人の句をつづりあわせて詩文を作ること。「ホテツ」は慣用読み。

【補塡】(ホテン) おぎない、うめる。

【補導】(ホドウ) たすけみちびく。輔導(ホドウ)。

【補任】(ホニン・フニン) 官職を授けること。

【補筆】(ホヒツ) 書き足すこと。また、書き足した部分。加筆。

7 【裕】 12画 10912 常 ユウ ユ 遇 yù 慣ユウ 4521 9754 ―

筆順 ⺍ 衤 衤 衤 衤 衤 裕 裕

字義 ❶ゆたか(ゆた・か)。㋐満ち足りている。不足のないさま。「富裕」㋑ゆるやか。のびやか。寛大。広い。㋒やすらか。㋓ゆとり。「余裕」❷ゆたかにする。

名前 しげ・すけ・ひろ・ひろし・ひろむ・まさ・みち・やす・ゆ・ゆう・ゆたか・よし

解字 金文 篆文 形声。衤(衣)+谷音。音符の谷(コク=ユウ)は、容に通じ、多くの物をとり入れるの意味。衣服が多い、ゆたかの意味を表す。

逆 寛裕・富裕・余裕

【裕寛(寬)】(ユウカン) ゆるやかでこせこせしないこと。〔管子、内業〕

【裕福】(ユウフク) 国生活が豊かなこと。金持ち。富裕。

【裕裕】(ユウユウ) 心が広くゆったりとしたさま。

7 【裡】 12画 10913 人 標 リ 紙 lǐ 4603 97A1 ―

筆順 ⺍ 衤 衤 衤 衵 衵 裡 裡

字義 ❶うら。❷うち。

参考 〔裏〕(10838)と同字。もと、「うち側・内部」の意の場合は多く〔裡〕を用いたが、現代では〔裏〕を用いる傾向にある。「成功裏・脳裏」。字義・解字は〔裏〕を見よ。

7 【⿰衤希】 12画 10914 国字 ₂8820 ― ―

字義 かみこ。

8 【裷】 13画 10915 ㊀漢エン(ヱン) 呉オン(ヲン) 元 yuān ㊁コン 阮 gǔn ― ― 6052

字義 ㊀ずきん。はちまき。㊁天子の服。=袞(10819)。

解字 形声。衤(衣)+卷音。音符の卷は、まくの意味。頭にまく布、ずきんの意味を表す。

8 【褂】 13画 10916 漢カイ(クワイ) 呉ケ 卦 guà 7472 E5E6 ―

字義 ❶うちかけ。うわぎ。清(シン)代の礼服の一種。❷ひとえのはだぎ。❸いくさごろもの一種。

解字 形声。衤(衣)+卦音。

8 【褐】 13画 10917 常 カツ 1976 8A8C ―

9 〔褐〕 14画 10918 漢カツ 呉ガチ 曷 hè ı9179 ― ―

筆順 衤 衤 衤 衵 衵 衵 褐 褐 褐

字義 ❶ぬのこ。そまつな着物。あらぬの衣服。身分の低い人が着る衣服。用例〔史記、廉頗藺相如伝〕使㆘其従者衣㆑褐、懐㆓其璧㆒、従㆓径道㆒亡、帰㆗璧于趙㆖(そのジュウシャをしてカツをきて、そのたまをいだき、ケイドウよりにげて、たまをチョウにかえ(へ)さしむ)。↓自分の従者に粗末な着物を着せて、その璧を懐中にし、近道を通って逃げて、璧を趙に持ち帰らせた。❷身分が低く貧しい人。❸麻ごろも。また、毛ごろも。❹色の名。褐色。黄黒色。こげ茶色。国カチ。かち色。濃い紺色。

解字 篆文 形声。衤(衣)+曷(曷)音。音符の曷は葛(カツ)に通じ、くず(マメ科の植物)の意味。くずの繊維で織ったそまつな布の意味を表す。

逆 釈褐・皮褐

【褐衣】(カツイ) 身分の低い人が着る、毛織りの粗末な衣服。

【褐寛(寛)博】カツカンパク ①粗末な衣服。仕立てあがった形が、だぶだぶでしまりがないこと。▼寛博は、寛・博ともに、ひろい意。②褐寛博を着る身分の低い男性。

【褐色】カッショク 色の名。こげ茶色。黄黒色。茶褐色。

【褐夫】カップ あらい毛織の衣服を着ている身分の低い人。〔孟子、公孫丑上〕

【釈(釋)レ褐】カツをとく 身分の低い人の着る衣服を脱ぎすてる。官職につくこと。解レ褐カツをとく。釈褐シャク・セキ・カツ。

8 【裾】 13画 10919 常 すそ 一㊥キョ・㊊コ 魚 jū 二㊥キョ・㊊コ 御 jù 3194 909E ―

筆順 ネ ネ ネ ネ 衤 衤 衤 衤 裾

字義 一❶すそ。着物のすそ。もすそ。❷ふところ。❸えり(襟)。前えり。二❶おごる。たかぶる。＝倨(411)。❷正しい。❸よる。＝拠(4098)。国すそ。㋐もののはし。末端。㋑山のふもと。

解字 篆文 形声。ネ(衣)＋居㊥。音符の居は、すわるの意味。すわるときに地面につく、すその意味を表す。

【裾裾】キョキョ 衣服のりっぱなさま。〔荀子、子道〕

【裾濃】すそご 国着物の裾の方に下るにつれて濃くなるように染めた色。

8 【裣】 13画 10920 キン 襟(10977)と同字。→一二八七ページ上。

8 【裼】 13画 10921 一㊥セキ・㊊シャク 錫 xī 二㊥テイ・㊊タイ 霽 tì 7473 E5E7 ―

字義 一❶はだぬぐ。かたぬぐ。上着をぬぎ肩を出す。❷うでをあらわす。袖そでをまくる。❸ひとえのかわごろも。礼服の一種。二むつき。生まれたばかりの子供に着せる産衣うぶぎ。襁褓キョウホウ。

解字 形声。ネ(衣)＋易㊥。

8 【裬】 13画 10922 一セン 先 jiān 二㊥サン・㊊ザン 寒 ₂8826 ― ―

字義 一二子供の敷き物。

解字 形声。ネ(衣)＋戔㊥。

8 【裧】 13画 10923 セン 塩 chān ― ― 6047

字義 ❶車の垂れぎぬ。❷葬儀の車の覆いのへり。❸ひざかけ。

解字 形声。ネ(衣)＋炎㊥。

8 【裰】 13画 10924 ㊥タツ ㊊タチ 曷 duō ₂8824 ― 6049

字義 つくろう。破れた布をつづる。

解字 形声。ネ(衣)＋叕㊥。

8 【裯】 13画 10925 一トウ(タウ) 豪 dāo 二㊥チュウ(チウ)・㊊ジュウ(ヂウ) 尤 chóu ― ― 6048

字義 一はだ着。あせとりの短いじゅばん。二❶ひとえひとへ夜着。ひとえの夜着。❷とばり。寝床にめぐらすたれぎぬ。

解字 形声。ネ(衣)＋周㊥。

8 【裨】 13画 10926 一ヒ 支 bì 二㊥ヒ・㊊ビ 支 pí 7475 E5E9 ―

字義 一おぎなうおぎなふ。㋐布をつぎたす。㋑益す。㋒助ける。補佐する。二❶たすけ。また、そえ。副将。❷ちいさい(小)。また、いやしい(卑)。

解字 篆文 形声。ネ(衣)＋卑㊥。音符の卑は、俾ヒに通じ、ます・たすけるの意味。衣服につけ加える、おぎなうの意味を表す。

【裨益】ヒエキ ①おぎない増すこと。助け。②ためになる。有益であること。

【裨海】ヒカイ 小さい海。

【裨助】ヒジョ たすける。また、たすけ。

【裨将(將)】ヒショウ 副将。副将軍。〔史記、淮陰侯伝〕

【裨販】ヒハン 小あきんど。小売商。小商人。

【裨補】ヒホ おぎないたすける。

8 【裱】 13画 10927 一ヒョウ(ヘウ) 嘯 二ヒョウ(ヘウ) 篠 biǎo ₂8825 ― 6050

字義 一ひれ(領巾)。女性の肩かけ。二＝褾(10962)。❶そでぐち(袖口)。❷表具する。書・画などを表装すること。

解字 形声。ネ(衣)＋表㊥。

【裱背】ヒョウハイ 表具する。表装する。褾背ヒョウハイ。

8 【裸】 13画 10928 常 ラ はだか ラ 哿 luǒ 4571 9787 ―

筆順 ネ ネ ネ ネ 衤 衤 衤 衤 裸

〔躶〕 11851 同字

字義 ❶はだか。あかはだか。❷はだかにする。はだかになる。国はだか。持ち物・財産などのないこと。「裸一貫」 難読 裸足はだし

解字 篆文 別体 形声。篆文は、衣＋𣎆㊥。音符の𣎆ラは、なめくじ・かたつむりの象形。なめくじのようなはだかの意味を表す。常用漢字の裸は、ネ(衣)＋果㊥の形声文字。

【裸跣】ラセン ①はだかと、はだし。②きわめて貧しいことをいう。

逆 赤裸

【裸袒】ラタン はだか。▼袒は、かたぬぐこと。

【裸虫(蟲)】ラチュウ ①はだかむし。羽・毛・うろこなどのない虫。蝶チョウや蛾ガの幼虫。②人類。③貧乏人。

【裸裎】ラテイ はだか。また、はだかになる。転じて、ひどく無礼なさま。〔孟子、公孫丑上〕

【裸馬】ラバ・はだかうま 鞍くらや手綱たづなをつけてない馬。↔鞍馬アンバ(一五四六ページ下)。

8 【裲】 13画 10929 リョウ(リャウ) 養 liǎng 7476 E5EA ―

字義 裲襠リョウトウは、そでなし。ちゃんちゃんこの類い。国うちかけ。㋐朝廷の儀式に武官が装束の上に着た衣服。㋑上流の女性の礼服の一つ。袿うちき。難読 裲襠うちかけ

解字 形声。ネ(衣)＋兩㊥。音符の兩の字形のような衣類。そでなしのうちかけ(裲襠リョウトウ)の意味を表す。

8 【褄】 13画 10930 国字 7477 E5EB ―

字義 つま。おくみ(衽)の腰から下のへり。

解字 形声。ネ(衣)＋妻㊥。音符の妻つまは、へりの意味の日本語の音を示す。

9 【褘】 14画 10931 一イ(ヰ) 微 二キ 微 huī

〔褘〕 10945 俗字

字義 一❶ひざかけ。❷きじの模様をえがいた王后の祭服。二❶においぶくろ。女性が香料を入れて身につけるもの。＝幃(3119)。❷てぬぐい。

解字 篆文 形声。ネ(衣)＋韋㊥。音符の韋イは、なみはずれるの意味。なみはずれてよい衣服の意味を表す。

褘㊀②

9 【褐】 14画 (10918) カツ 褐(10917)の旧字体。→一二八三ページ下。

9 【褌】 14画 10932 標 コン 元 kūn 7478 E5EC ―

字義 したばかま。したもひき。さるまた。国ふんどし。下帯。まわし。みつ。

解字 形声。ネ(衣)＋軍㊥。音符の軍は、めぐらすの意

味。下の方に巻きつける衣服、さるまたの意味を表す。

【禔】9 14画 10933 ㊀漢シ・呉ジ 紙 shì ㊁漢テイ・呉ダイ 斉 tí —— —— 6054
字義 ㊀㊁衣服が美しく正しいさま。
解字 形声。ネ(衣)＋是㊥。音符の是は、正しいの意味。

【禅】9 14画 10934 タン 禪(10972)の俗字。→一二八七ページ上。 7492 E5FA —

【褖】9 14画 10935 タン 翰 tuàn —— —— 6059
字義 褖衣は、㋐赤い縁どりをした黒い着物。昔、喪服の上に着た。㋑王后の服の名。表が黒で、裏が白い紗で作る。
解字 形声。ネ(衣)＋彖㊥。音符の彖は、ふちをめぐるの意味。赤くふちどった黒衣の意味を表す。

【褍】9 14画 10936 タン 寒 duān —— —— 6055
字義 みごろ。衣服の胴体の部分。
解字 形声。ネ(衣)＋耑㊥。

【褚】9 14画 10937 ㊀チョ 語 zhǔ ㊁シャ 馬 zhě ǀ9182 — 6062
字義 ㊀❶わたいれ。❷おおい。たれぎぬ。ひつぎをおおう布。❸ふくろ(嚢)。❹たくわえる(蓄)。＝貯(11543)。㊁あかい。衣服が赤い。また、赤い服を着る兵卒。
解字 篆文 形声。ネ(衣)＋者㊥。音符の者は、赭に通じ、あかいの意味。赤い衣服を着る兵卒の意味を表す。また、絮に通じ、わたいれの意味をも表す。
【褚遂良】チョスイリョウ 唐の政治家・書家。銭塘(今の浙江省杭州市)の人。字は登善。太宗・高宗に仕え諫議大夫・吏部尚書となった。書は王羲之の流れをくみ、楷書に巧みで太宗に書の指導をした。(五九六―六五八)

【褡】9 14画 10938 トウ(タフ) 合 dā 慣タ
字義 ❶衣が破れる。❷横褡コウトウは、掛け布団。夜着。❸掛褡カトウは、行脚僧が寺に泊まること。
解字 形声。ネ(衣)＋荅㊥。

【褙】9 14画 10939 ハイ 隊 bèi ǀ9181 — 6061
字義 ❶はだぎ(肌着)。じゅばん。❷書画を表装する。
解字 形声。ネ(衣)＋背㊥。

【複】9 14画 10940 教5 フク フク 屋 fù 4203 95A1 —
筆順
字義 ❶かさなる。かさねる。㋐あるものの上に加える。「重複」㋑入りくむ。「複雑」❷ふたたび。また。二つ以上の。「複数」❸あわせ。裏のついた着物。また、綿入れ。
解字 篆文 形声。ネ(衣)＋复(夏)㊥。音符の复は、もとの道をくり返し戻る、重ねるの意味。かさね着・あわせの意味から、一般に、かさねるの意味を表す。
逆 重複
【複衣】フクイ ①あわせ。また、綿入れ。②重ね着。
【複閣】フッカク 二階、三階だての高どの。重閣。
【複合】フクゴウ 二つ以上のものが合わさって一つになること。
【複刻】フッコク 国原本のとおりに版をつくり出版する。また、そうして作られた本。覆刻。→復刻(五二一ページ中)。
【複雑(雜)】フクザツ いりくんでいること。こみいっていること。↔単純(四三三ページ上)・簡単(一〇九〇ページ上)。
【複式】フクシキ 国①二つ以上から成る方式。②貸借の両方を記入する簿記の方式。
【複写(寫)】フクシャ ①一度写したものを、さらに写すこと。②一度に同じものを何枚も写しとること。
【複△襦】フクジュ 綿を入れた短い衣。
【複成】フクセイ かさねて作る。重複してできる。
【複姓】フクセイ 中国で二字以上の姓をいう。諸葛・欧陽・司馬などの類い。
【複製】フクセイ 国著作物・書画などを、その作者以外のものが、似せて作ること。また、そのもの。
【複道】フクドウ ①二階だての廊下。天子は上道、臣下は下道を歩いた。②上下二重につくった道。
【複壁】フクヘキ 二重のかべ。二重にかこんだかべ。
【複本】フクホン 国原本の写し。
【複葉】フクヨウ ①一つの葉の柄に小さい葉が多くある葉。②飛行機の翼が二重になっているもの。↔単葉(四三三ページ上)。
【複△嶺】フクレイ 重なりあった山のいただき。

【褊】9 14画 10941 ヘン 銑 biǎn
[褊] 10942 俗字
字義 せま-い せまし(狭)。㋐衣服が小さい。㋑土地がせまい。㋒物の考え方や見方がせまい。また、気みじか。性急。
解字 篆文 形声。ネ(衣)＋扁㊥。音符の扁は、ひらたくてうすいの意味。薄い衣服の意味から、一般に、せまくてゆとりがないの意味に用いる。
【褊△隘】ヘンアイ せまい。褊狭。▼隘も、狭いこと。
【褊忌】ヘンキ 心がせまく、ねたみ深い。
【褊急】ヘンキュウ 心がせまく気みじか。せっかち。性急。褊促。
【褊狭(狹)】ヘンキョウ せまい。褊隘。
【褊小】ヘンショウ せまくて小さいこと。狭小。
【褊心】ヘンシン ①せまい心。また、知識や思慮の浅い心。②気短な気性。
【褊促】ヘンソク 心がせまく気が短いこと。褊急。
【褊△裨】ヘンピ 国副将。補佐。偏裨の誤用。
【褊△陋】ヘンロウ 学問・見識などのせまいこと。

【褊】9 14画 10942 ヘン 褊(10941)の俗字。→一二八五ページ中。 7479 E5ED —

【褓】9 14画 10943 漢ホウ 呉ホ・ホウ 晧 bǎo 7480 E5EE —
[緥] 9287 正字
字義 むつき。小児に着せるかいまき。うぶぎ。「襁褓キョウホウ」
解字 篆文 形声。ネ(衣)＋保㊥。篆文は、糸＋保㊥。音符の保は、乳児を抱くの意味。乳児に用いるむつきの意味を表す。
【褓△襁】ホウキョウ 幼児の着物と背負いひも。転じて、幼少の意。襁褓。
【褓乳】ホウニュウ 非常に幼いこと。幼少。

【褕】9 14画 10944 ㊀ユ 虞 yú ㊁ヨウ(エウ) 蕭 yú —— —— 6058
字義 ㊀❶うつくしい。着物が美しい。❷襜褕センユは、すその短いひとえもの。❸褕狄ヨウテキ・褕翟ヨウテキは、きじの羽でかざった皇后の衣服。㊁＝㊀❸。
解字 形声。ネ(衣)＋俞㊥。
【褕衣甘食】ユイカンショク 美衣美食すること。〔史記、淮陰侯伝〕

【褘】10 15画 10945 イ 褘(10931)の俗字。→一二八四ページ下。 7482 E5F0 —

【褞】10 15画 10946 ㊀ウン 吻 yùn ㊁オン(ヲン) 元 wēn ǀ9180 — 6060
字義 ㊀❶ころも。衣服。❷うちかけ(袿)。上着。㊁→褞褐オンカツ。 難読 褞袍どてら
解字 形声。ネ(衣)＋昷㊥。音符の昷は、あたたかいの意味。あたたかいころもの意味を表す。
【褞褐(褐)】オンカツ ①どてら。綿入れ。②粗末な綿入れを着た人。身分の低い人。
【褞△袍】ウンポウ・オンボウ どてら。ぬのこ。粗末な衣服。

【褲】10 15画 10947 コ 袴(10893)の俗字。→一二八二ページ上。 ǀ9185 — 6070

10【褠】15画 10948 漢コウ 呉ク 宥 gōu ― ― 6064

字義 ❶単衣(ひとえ)。❷うでぬき。腕を包んで作業をしやすくするもの。

解字 形声。ネ(衣)＋冓音。

10【褨】15画 10949 サ 哿 suǒ ― ― 6067

字義 衣が長い。

解字 形声。ネ(衣)＋差音。

10【褥】15画 10950 標 漢ジョク 呉ノク 沃 rù 7483 E5F1 ―

字義 しとね。敷物。すわるときや、寝るとき下に敷く物。蓐(ジョク)。

解字 形声。ネ(衣)＋辱音。音符の辱は、草を刈り敷くの意味。布のしきもの、しとねの意味を表す。

10【褪】15画 10951 トン 願 tùn, ③④tuì 慣タイ 7484 E5F2 ―

字義 ❶ぬぐ(脱)。衣服をぬぐ。❷おちる。散り落ちる。花がしぼむ。❸あ-せる。さ-める。色がさめる。❹しりぞく(退)。さがる。ひっこむ。

参考 現代表記では〔退〕(12073)に書きかえることがある。「褪色→退色」

解字 形声。ネ(衣)＋退音。音符の退は、しりぞくの意味。衣服の色がしりぞく、あせるの意味を表す。

【褪紅色】(タイコウショク) 国桃色。淡紅色。退紅色。ときいろ。

【褪色】(タイショク) 色がさめること。また、さめた色。退色。

10【褦】15画 10952 漢ダイ 呉ナイ 隊 nài ― ― 6065

字義 褦襶(ダイタイ)は、㋐日笠(ひがさ)。日よけ笠。竹で作り、青絹を張ったもの。㋑暑い日に盛装して人を訪問するものをいう。おろかもの。うかつで事情に通じない人をあざけっていう語。「褦襶子(ダイタイシ)」

解字 形声。ネ(衣)＋能音。

10【褫】15画 10953 一 漢チ・呉ジ(ヂ) 紙 chǐ 二 漢チ・呉ジ(ヂ) 支 7485 E5F3 ―

字義 一❶は-ぐ。また、解く。ぬぐ。着物をぬぐ。❷うばう。うばい取る。二しきもの(敷物)。もうせん。

解字 形声。ネ(衣)＋虒音。

【褫奪】(チダツ) ①官職などを取りあげること。②衣服などをはぎとること。

10【⿰衤挙】15画 10954 国字 たすき 襷(10998)の俗字。→一二八八ページ中。 ₂8828 ― ―

11【襁】16画 10955 漢キョウ(キャウ) 呉コウ(カウ) 養 qiǎng 7486 E5F4 ―

【⿰衤强】10969 同字

字義 ❶せおいおび。小児を背負う帯。❷おう(負)。おんぶする。❸竹かご。子守りかご。＝繦(9325)。「襁褓(キョウホウ)」

難読 襁褓(おしめ・むつき)

解字 形声。ネ(衣)＋強音。

【襁負】(キョウフ) 背負い帯で幼児を背負うこと。繦負(キョウフ)。

【襁抱】(キョウホウ) ①幼児を背負うことと抱くこと。②幼少の時の意。

【襁△褓・繦△緥】(キョウホウ・キョウホ) ①背負い帯と、うぶ着。②小児の時の意。③国むつき。おむつ。おしめ。

11【褷】16画 10956 シ 支 shī ₂8829 ― ―

字義 ❶羽毛の初めて生ずるさま。❷羽毛の衣のさま。

国 褷毛(ふくげ)は、ひなや幼児のうぶげ。

解字 形声。ネ(衣)＋徙音。

11【褶】16画 10957 一 漢チョウ(テフ) 呉ジョウ(デフ) 葉 diē 二 漢シュウ(シフ) 呉ジュウ(ジフ) 緝 xí, ②zhě 慣シュウ(シフ) 7489 E5F7 ―

字義 一❶あわせ。裏のついた着物。❷うわぎ(上着)。二❶乗馬用のはかま。❷ひだ(襞)。また、しわ(皺)。

解字 形声。ネ(衣)＋習音。音符の習は、重ねるの意味。布をかさねあわせて作った着物、あわせの意味を表す。

【褶曲】(シュウキョク) 国地層が地殻の収縮や火山の噴出などによって波状になること。

11【襂】16画 10958 一 シン 侵 shēn 二 漢サン・呉セン 咸 shān ₂8831 ― 6076

字義 一襂纚(シンシ)は、衣や羽毛の垂れるさま。二❶はたあし。長い旗の末端。❷女性のひとえの服。ひとえ。国かたびら。

解字 形声。ネ(衣)＋參音。

11【襀】16画 10959 漢セキ 呉シャク 陌 錫 jì ₁9187 ― 6075

字義 衣のひだ。

解字 形声。ネ(衣)＋責音。

11【⿰衤鳥】16画 10960 チョウ(テウ) 篠 diǎo ₂8830 ― ―

字義 ❶短い衣。❷裊(10834)と同字。

解字 形声。ネ(衣)＋鳥音。

11【褹】16画 10961 ゲイ 霽 yì 慣ネ ₁9186 ― 6072

字義 ぬのこ。短い綿入れの衣で袖(そで)の長いもの。

難読 多褹(たね)

解字 形声。ネ(衣)＋埶音。

11【褾】16画 10962 ヒョウ(ヘウ) 篠 biǎo ― ― 6074

字義 ❶そでぐち。袖(そで)のはし。❷書・画などを表装すること。表具。

解字 形声。ネ(衣)＋票音。

【褾紙】(ヒョウシ) 書物などの表・裏にあてる紙や布、皮。表紙。

【褾背】(ヒョウハイ) 表具する。表装する。裱背(ヒョウハイ)。

11【褵】16画 10963 リ 支 lí ― ― 6071

字義 においぶくろ。女性が香料を入れて身に付けるもの。

解字 形声。ネ(衣)＋离音。

11【褸】16画 10964 一 漢ロウ・呉ル 尤 lǘ 二 ル 麌 7490 E5F8 ―

字義 一❶つづれ。ぼろ。破れてみにくい着物。「襤褸(ランル)」❷衣服が破れる。❸ぬう(縫)。破れをつづる。❹えり(襟)。着物のえり。

解字 篆文 形声。ネ(衣)＋婁音。音符の婁(ロウ)は、つながるの意味。衣服が破れてつながっている、ぼろの意味を表す。

11【襅】16画 10965 国字 ₂8832 ― 6077

字義 ちはや。㋐神に仕える女性がかける、たすきの類い。㋑巫女(みこ)の着る衣服。㋒芝居で用いる衣服で殿中羽織に似たもの。

解字 会意。ネ(衣)＋畢。畢(ヒツ)は、篳(ヒツ)に通じ、雅楽の篳篥(ヒチリキ)を吹く時などに用いる衣服、ちはやの意味を表す。

12【襖】17画 10966 オウ 襖(10976)の俗字。→一二八七ページ上。

12【襇】17画 10967 漢カン 呉ケン 潸 諫 jiǎn ₂8833 ― 6079

〔襉〕10968 俗字

字義 ❶すそのひだ。すその折り目。❷ぼかし模様の服。

解字 形声。ネ(衣)＋間音。

12【襉】17画 10968 カン 襇(10967)の俗字。→一二八六ページ下。

12【⿰衤强】17画 10969 キョウ 襁(10955)と同字。→一二八六ページ中。

【橫】12 17画 10970 漢コウ(クヮウ) 呉オウ(ワウ) 庚 hèng ₂8834
字義 橫褡コウトウは、かけぶとん。よぎ。
解字 形声。ネ(衣)＋黄音。

【襍】12 17画 10971 ザツ 8023 E8B5
雑(13189)と同字。→一三六六ページ下。

【襌】12 17画 10972 タン 寒 dān 7491 E5F9
[禅] 10934 俗字
字義 ❶ひとえ。裏のない着物。かたびら。襌衣。＝単(2753)。↔袷(10894)。❷はだ着。下着。
解字 篆文 形声。ネ(衣)＋單音。音符の單タンは、ひとつの意味。ひとえの衣服の意味を表す。

【襏】12 17画 10973 漢ハツ 呉ハチ 曷 bō 6080
字義 未開の異民族の衣服。また、ひざかけ。
解字 形声。ネ(衣)＋發音。

【襒】12 17画 10974 漢ヘツ 呉ベチ 屑 biē 6081
字義 はらう(払)。衣服でほこりなどを払う。
解字 形声。ネ(衣)＋敝音。

【襆】12 17画 10975 漢ホク 呉ボク 沃 fú 6078
字義 頭巾ズキン。はち巻き。
解字 形声。ネ(衣)＋菐音。

【襖】13 18画 10976 人 標 オウ(アウ) 晧 ǎo 1808 89A6
筆順 ネ … 襖
[襖] 10966 俗字
字義 ❶かわごろも(裘キュウ)。❷うわぎ(上着)。❸大襖子ダイオウシは、金代の女性の衣服。国❶ふすま。からかみ。表裏から紙・布を張った建具。❷あお。ア両わきの開いたうわぎ。イ裏のある狩衣かりぎぬ。ウあわせ。また、綿入れの衣。

襖③

【襟】13 18画 10977 常 キン えり 漢キン・呉コン 侵 jīn 2263 8BDD
筆順 ネ … 襟
[⿰衤金] 10920 同字
字義 ❶えり。着物の前えり。＝衿(10865)。❷むね。胸。心。また、思い。「胸襟」❸建物の南。北を背という。
名前 ひも 難読 襟裳えりも
解字 形声。ネ(衣)＋禁音。
逆 開襟・胸襟
【襟韻】キンイン 胸中の風雅な思い。
【襟懐(懷)】キンカイ 心中の考え。胸のうち。襟抱。
【襟裾】キンキョ ①えりと、すそ。②衣服を着ること。
【襟喉】キンコウ ①えりと、のど。②要害の地のたとえ。
【襟情】キンジョウ おもい。また、感情。こころ。
【襟帯(帶)】キンタイ ①えりと、おび。衣服をいう。②えりと帯のように山や川が取り巻いていること。また、その要害の地。
【襟度】キンド 心のうち。度量。気まえ。
【襟抱】キンポウ 心中の考え。胸のうち。襟懐。
【襟要】キンヨウ ①えりと、こし。▼要は、腰。②要害の地のたとえ。
【正レ襟危△坐】えりをただしてきざす 衣服のえりをきちんとし、正しくすわる。姿勢・態度を改め正すこと。〔史記、日者伝〕
【披レ襟】えりをひらく 同披襟ヒキン。①えりを開く。②心を打ち明ける。

【襛】13 18画 10978 漢ジョウ(ヂョウ) 呉ニュウ 冬 nóng 6084
字義 ❶あつい(厚)。衣服の厚いさま。❷さかん。花の美しくみごとなさま。＝穠(8558)。
解字 篆文 形声。ネ(衣)＋農音。音符の農は、濃いの意。衣服がいくえにも重なる、厚いの意味を表す。

【襡】13 18画 10979 漢ショク 呉ゾク 沃 shǔ 6086
字義 長襦袢ながジュバン。長い下着。また、腰巻き。
解字 形声。ネ(衣)＋蜀音。

【襚】13 18画 10980 漢スイ 呉ズイ 寘 suì 6083
字義 ❶死者に衣服を贈る。また、その衣服。きょうかたびら。❷人に衣服を贈る。また、はなむけの衣服。
解字 篆文 形声。ネ(衣)＋遂音。音符の遂は、隧スイに通じ、墓に通じる通路の意味。墓に入る死者に贈る衣服の意味を表す。

【襜】13 18画 10981 セン 塩 chān 6085
字義 ❶まえかけ。まえだれ。ひざかけ。❷車のとばり。❸整ったさま。衣服の整ったさま。「襜如」❹ゆらぐさま。ゆれ動くさま。
解字 篆文 形声。ネ(衣)＋詹音。音符の詹セは、ひさしの意味。ひさしのように覆う、前だれの意味を表す。
【襜△幌】センコウ たれ幕。
【襜△襦】センジュ はだぎ。あせとり。下着。
【襜如】センジョ 衣服の整ったさま。一説に、衣服がゆれ動くさま。〔論語、郷党〕
【襜襜】センセン ①衣服の整ったさま。②ゆれ動くさま。
【襜△褕】センユ ①ひとえ(単衣)。すその短い単衣。②ひざかけ。

【襗】13 18画 10982 漢タク 呉ダク 薬 duó, zé 6082
字義 下袴したばかま。また、肌着。
解字 形声。ネ(衣)＋睪音。

【襢】13 18画 10983 一漢タン・呉ダン 旱 tǎn 二テン 銑 霰 zhàn ₂8836 6087
字義 一❶はだぬ-ぐ(袒タン)。はだぬいで肩を出す。❷あらわす。露出する。二しろむく。まっしろで模様のない衣服。
解字 形声。ネ(衣)＋亶音。音符の亶タンは、且タンに通じ、あらわれるの意味。衣服を脱ぎ肌をあらわす、はだぬぐの意味を表す。
【襢△裼】タンセキ はだぬいで肩を出すこと。

【襠】13 18画 10984 トウ(タウ) 陽 dāng 7493 E5FB
字義 ❶したばかま。したばかまの両またに当たる部分。褌襠コントウ。❷裲襠リョウトウは、うちかけ。そでなし。国まち。ア衣服の布の不足の部分におぎなう別の布。イ袴はかまの内またの部分。
解字 形声。ネ(衣)＋當音。

【⿰衤零】13 18画 10985 漢レイ 呉リョウ 青 ₂8835
字義 衣のつや。
解字 形声。ネ(衣)＋零音。

【襦】14 19画 10986 標 漢ジュ 呉ニュ 虞 rú 7501 E640
字義 ❶はだぎ。あせとり。❷どうぎ。綿を入れた暖かい短い着物。❸目のこまかいあやぎぬ。目のつんだうすぎぬ。
解字 篆文 形声。ネ(衣)＋需音。音符の需は、しなやか・やわらかの意味。しなやかな感触のはだぎの意味を表す。

【襦△袢】ジュバン・ジバン 国和服の下に着る肌着。ポルトガル語 gibão の当て字。

14 【䙚】 19画 10987 漢ヒ 呉ビ 寘 bì —— 6088
字義 下袴(したばかま)。ふんどし。
解字 形声。衤(衣)+鼻音。音符の鼻は、はなの意味。牛のはなの形に見える、ふんどしの意味を表す。

14 【襪】 19画 10988 ベツ 韤(13412)の俗字。→一五二一ジ上。 7504 E643 —

15 【襭】 20画 10989 漢ケツ 呉ゲチ 屑 xié 7503 E642 —
字義 つまばさむ。着物の褄(つま)を帯にはさんで、そこに物を包みこむ。=擷(4467)。
解字 形声。衤(衣)+頡音。

15 【襫】 20画 10990 漢セキ 呉シャク 陌 shì —— 6089
字義 襏襫(ハッセキ)は、雨着(あまぎ)。
解字 形声。衤(衣)+奭音。

15 【襮】 20画 10991 一ハク 薬 bó 二ホク 沃 —— 6090
字義 一❶ぬいとりしたえり。❷あらわす。また、さらす。❸おもて(表)。二=暴(4858)。
解字 形声。衤(衣)+暴音。

15 【𧞄】 20画 10992 ベツ 韤(13412)と同字。→一五二一ジ上。

15 【襤】 20画 10993 ラン 覃 lǎn 7502 E641 —
[繿] 9391 同字
字義 ❶ぼろ。つづれ。破れた着物。「襤褸(ランル)」 ❷へりをとってない着物。 難読 襤褸(ぼろ)
解字 篆文 形声。衤(衣)+監音。音符の監は、濫に通じ、みだれるの意味。ぼろの意味を表す。

16 【襯】 21画 10994 シン 震 chèn 7505 E644 —
字義 ❶はだぎ。下着。襯衫(シンサン)。❷つく。近づく。 難読 襯衣(シャツ)
解字 形声。衤(衣)+親音。音符の親は、したしむの意味。はだに最もしたしい、はだぎの意味を表す。
【襯衣】シンイ 下着。はだ着。襯衫(シンサン)。

16 【襰】 21画 10995 ライ 泰 lài —— 6091
字義 落ちる。破れる。
解字 形声。衤(衣)+賴音。

17 【襳】 22画 10996 セン 塩 xiān —— 6092
字義 ❶短い襦袢(ジュバン)。また、単衣(ひとえ)の襦袢。❷うちかけの長い帯。
解字 形声。衤(衣)+韱音。

17 【襴】 22画 10997 ラン 寒 lán 7506 E645 —
[襽] 11004 同字
字義 上衣と裳裾(もすそ)とがつながっているひとえもの。
解字 形声。衤(衣)+闌音。

17 【襷】 22画 10998 国字 標 7507 E646 —
[袢] 10954 俗字
字義 たすき。仕事をするときなどに、着物のたもとやそでをたくし上げて、活動しやすくするために用いられるひも。
解字 会意。衤(衣)+擧。擧は、からげるの意味。

18 【襼】 23画 10999 ゲイ 霽 yì —— 6102
字義 袖(そで)。袂(たもと)。
解字 形声。衤(衣)+藝音。

18 【襺】 23画 11000 ケン 銑 jiǎn —— 6094
字義 綿入れ。防寒用の衣服。
解字 形声。衤(衣)+繭音。音符の繭(ケン)は、まゆの意味。

18 【襵】 23画 11001 ショウ(セフ) 葉 zhě, zhé —— 6093
字義 ❶袴(はかま)のひだ。❷古代、儀式に用いた柄の長いうちわ。
解字 形声。衤(衣)+聶音。

18 【襶】 23画 11002 タイ 隊 dài ——
字義 褦襶(ダイタイ)は、㋐日笠。日よけ笠。㋑おろかもの。→褦(10952)。
解字 形声。衤(衣)+戴音。

19 【襻】 24画 11003 ハン 諫 pàn —— 6101
字義 つけひも。かけひも。衣服につけるひも。
解字 形声。衤(衣)+攀音。

20 【襽】 25画 11004 ラン 襴(10997)と同字。→一二八八ジ中。 —— 6103

6画
襾(覀) かなめのかしら にし
[襾] 28837 一一

〔部首解説〕襾を意符として、おおうの意味を含む文字ができているが、例は少ない。新字体では、覀の形になる。

0 襾	一二八八	西	一二八八	3 要	一二九〇
4 覂	一二九〇	5 票	一〇四〇	6 覃	一二九〇
7 賈	一三五七	12 覆	一二九一	13 覈	一二九一
覇	一二九一	覊	一二九二	17 覊	一二九二
19 覉	一二九二				

0 【襾】 6画 11005 一ア 禡 yà 二漢カ・呉ケ 馬 xià 7508 E647 —
字義 一二 上から、または下から覆いかぶせる。
参考 単独の文字としての用例はない。
解字 篆文 象形。器のふたにかたどり、おおうの意味を表す。

0 【西】 6画 11006 漢セイ・呉サイ 斉 xī 教2 セイ・サイ にし 3230 90BC —
筆順 一 ｢ 冂 丙 襾 西
[卤] 1186 古字
字義 ❶にし。にしの方角。↔東(5259)。四季では秋、五行では金、十二支では酉(とり)と、八卦(ハッカ)では兌(ダ)にあたる。❷にし-する。西のほうに向かって行く。❸にしのかた。西の方で。また、西に向かって。❹すむ。鳥が巣に宿る。=棲(5533)・栖(5399)。❺うつる(遷)。❻西洋の略。「西暦」 国国名。西班牙(スペイン)の略。
名前 あき・さい・し・にし 難読 西海枝(さいかち)・西貢(サイゴン)・西淡(せいだん)・西都(さいと)・西伯利亜(シベリア)・西班牙(イスパニア)・西比利亜(シベリア)・西表(いりおもて)・西牟田(にしむた)・西蔵(チベット)
解字 甲骨文 金文 篆文 象形。甲骨文・金文は、酒などをこすための竹かごの形にかたどる。借りて、方位の西の意味に用いる。西を音符に含む形声文字に、栖(セイ)・晒(サイ)・洒(サイ)などがある。
逆 泰西・鎮西・東西
【西安】セイアン 陝西(センセイ)省の省都。旧名は前漢・隋(ズイ)・唐の都であった長安。⇨コラム 長安(一四九三ジ一)。
【西△夷】セイイ ①中国西方の異民族。西戎(セイジュウ)。②西洋人をののしっていう語。
【西域】セイイキ・サイイキ 漢代以後、玉門関(今の甘粛省敦煌(トンコウ)市の西北)以西の地の総称。広くは、中央アジア・インドなどの西方諸外国の総称。中国の西方地域の意。狭くは、新疆ウイグル自治区地方。

【西域都護府】セイイキトゴフ 漢代に西域諸国を統治するために、烏塁城(今の新疆ウイグル自治区輪台のあたり)に置かれた役所。

【西王母】セイオウボ 崑崙山に住み、不死の薬を持っているといわれた、中国伝説上の美しい仙女。漢の武帝に蟠桃(三千年に一度なるという桃の実)を与えたといわれ、また、娘娘信仰(子授けの女神を信仰する)にも関係がある。

【西△瓜】セイカ・スイカ ウリ科の一年生つる草。また、その果実。水瓜。

【西夏】セイカ 国名。北宋時代、党項族が建てた国。首都は興慶(今の寧夏回族自治区銀川市の東南)。漢字を模した複雑な字画の西夏文字を用いた。十代、百九十六年(一〇三二—一二二七)で蒙古に滅ぼされた。

【西海】[一]セイカイ・サイカイ 西方の海。[二]セイカイ 湖の名。青海。ココノール。[三]サイカイ 〔国〕九州地方。

【西学(學)】セイガク ①周代の小学校。②西洋の学問。

【西岳(嶽)】セイガク 五岳の一つ。華山(一二二二ページ中)の別称。

【西漢】セイカン 前漢。長安に都した高祖から平帝までをいう。↔東漢(七三七ページ中)。

【西△魏】セイギ 後魏の末期、宇文泰が北魏の孝武帝を擁立して長安に都した国。(五三五—五五六)

【西向・西郷(鄕)・西△嚮】セイキョウ 西に向かう。西を向く。

【西京】[一]セイケイ ①西周時代の都。鎬京。②漢・唐代の都、長安。③唐の至徳二年(七五七)以後上元二年(七六一)までは、鳳翔府(今の陝西省宝鶏市)。④五代と唐の荘宗以後は、太原。⑤五代の晋・北宋の洛陽。[二]サイキョウ 〔国〕京都をいう。

【西京雑(雜)記】セイケイザッキ・セイキョウザッキ 書名。六巻。東晋の葛洪の編とされる。西京(前漢の都長安)の人々の逸話や制度・風俗などに関する話を集録したもの。原本は漢の劉歆の著ともいうが不詳。

【西△諺】セイゲン 西洋のことわざ。

【西湖】セイコ 浙江省杭州市の西にある湖で、古来、江南の名勝地とされる。湖中には唐の白楽天が築いたという白堤や宋の蘇軾の築いたという蘇堤、湖畔には林和靖の隠居した孤山などがある。

【西国(國)】[一]セイコク 西方の国。[二]サイコク・サイゴク ①〔国〕西方の国。㋐九州地方。㋑近畿以西。②〔仏〕㋐極楽浄土。㋑西国三十三か所を巡礼すること。

【西△崑】セイコン ①西方の崑崙山。古伝説に、玉を産し、帝王が書物を蔵したところという。②日の没する所。③老年・老衰のたとえ。④西崑体の略。

【西△崑体(體)】セイコンタイ 詩体の一つ。晩唐の李商隠の詩にならい、故事を用いて修辞を工夫した宋代初期の詩風。李商隠の作品集『西崑唱酬集』に基づく。

【西山】セイザン ①伯夷・叔斉がかくれた首陽山の別名。その所在は数説あるが、一般に今の山西省永済市の南の雷首山という。②福建省内にある西巌山の略称。宋の真徳秀が学を講じた所。③北京西郊一帯の景勝地。④江西省の南昌山。

【西子】セイシ ＝西施。

【西施】セイシ 春秋時代、越の美女。西子ともいう。越王句践は、会稽敗戦の時、西施を呉王夫差に献じ、その心を惑わし、その隙に復讐したという。

【西施△捧心】セイシホウシン 西施が、病気で胸に手をあててなやむこと。これを見て、当時の女性たちが、みな胸に手をあてて顔をしかめれば美人に見えると考え、争ってまねをしたという。〔荘子、天運〕→効顰(一九四ページ中)。

【西狩】セイシュ ①西方の地に行って狩りをする。用例(春秋、哀公十四)十有四年春、西狩獲レ麟。↓十四年春、西方の地に行って狩りをし麒麟を手に入れた。②天子が都落ちして西方に行くこと。

【西周】セイシュウ 周の武王から幽王までの間(前一〇二〇?—前七七二)で、西の鎬京(今の陝西省西安市)に都があったのでいう。平王の時、都を東の洛邑(今の河南省洛陽市)に移して、東周といったのに対する。

【西△戎】セイジュウ 昔、中国西方の異民族。西夷。

【西序】セイジョ ①夏の時代の小学校。西の郊外にあったのでいう。一説に、大学ともいう。②西側のひさしにあるへや。▼序は、家のひさし。

【西△廂】セイショウ・セイソウ 西側のひさしにあるへや。用例(唐、白居易、長恨歌)金闕西廂叩二玉扃一、転教二小玉報一双成一。↓黄金造りの御殿の西側の部屋へ行って、玉で飾ったかんぬきをたたいて案内をこい、侍女の小玉にさらに双成へと順次とりつがせた。

【西△廂記】セイショウキ・セイソウキ 元の王実甫の著。関漢卿が補作した部分もあるといわれる。中唐の元稹の伝奇小説「会真記」(鶯鶯伝)に基づいた恋物語。元曲の名作。

【西△廠】セイショウ 明の憲宗・武宗時代、宮廷内に設けられた裁判所。

【西△晋(晉)】セイシン 王朝の名。司馬炎(武帝)が建てた国。洛陽に都した。前晋。四代、五十二年。(二六五—三一六)↔東晋(七三七ページ下)。

【西△秦】セイシン 国名。五胡十六国の一つ。鮮卑族の乞伏国仁の建てた国。(三八五—四三一)

【西人】セイジン ①春秋時代、周の都、洛邑の人。宋代には、西夏の人をいった。②西洋人。

【西垂】セイスイ ①西の果て。西陲。②堂上の西のすみ。

【西△陲】セイスイ ①西の国境。西の果て。②〔国〕九州地方。

【西△陬】セイスウ 西の果て。西方のいなか。▼陬は、隅。

【西席】セイセキ 西に面する座席。師の座席をいう。転じて、師。太公望が、東面する周の武王に対し、西に面して座して、黄帝の書を教えたという故事による。

【西漸】セイゼン しだいに西の方に進む(伝わる)こと。

【西蔵(藏)】セイゾウ・チベット インドの北、パミール高原の東に位置する高原地帯。唐代は吐蕃といった。住民の大部分はチベット族でラマ教を信仰する。現在は中国の自治区。省都は拉薩市。

【西内】セイダイ 唐代、太極宮をいう。↔東内(七三七ページ下)・南内(二二五ページ下)。

【西△疇】セイチュウ ①西方の畑。用例(東晋、陶潜、帰去来辞)農人告レ余以二春及一、将レ有レ事二于西疇一。↓隣人の農夫が春の作業のときが来たことを知らせてくれた。いよいよ西の畑で耕作を始めるときだ。②秋の畑。

【西天】セイテン ①西方の空。②中国からインドを指していう。③わが国からヨーロッパを指していう。

【西都】セイト ＝西京。

【西土】セイド ①西方の国。インド。②〔国〕㋐西洋。㋑中国。

【西伯】セイハ・セイハク 西方諸侯の長。周の文王をいう。▼伯は、覇で、はたがしら。

【西班牙】スペイン Spain の音訳。南ヨーロッパ、イベリヤ半島にある国の名。

【西△蕃】セイバン ①西方の異民族。また、その居住地。西域。②チベット族。③西洋人。また、西洋。

【西府】サイフ 〔国〕九州の大宰府の別名。

【西風】セイフウ ①にしかぜ。②秋風。五行説で、秋は西にあたるのでいう。

【西方浄(淨)土】サイホウジョウド 〔仏〕西方十万億土のかなたにあるという極楽世界。阿弥陀仏の極楽浄土。

【西銘】セイメイ 宋の張載が、仁義の根本を説いた文章。書斎の西の窓に掲げておいたのでいう。

【西遊】セイユウ・サイユウ ①西の地方を旅行する。②国西洋に遊学する。
【西遊記】サイユウキ 明ミン代の長編小説。呉承恩の作。全百回。唐の三蔵法師玄奘ゲンジョウが、インドに旅をして中国に経典をもたらした史実に基づき、これを小説化したもの。中国四大奇書の一つ。
【西洋】セイヨウ ①欧米諸国。↔東洋(七三八ページ上)。②西方の大海。
【西来(來)】セイライ 西に進む。▼来は、助字。用例(唐、岑参、磧中作詩)走レ馬西来欲レ到レ天 うまをはしらせてセイライ、てんにいたらんとほっす 辞レ家見二月両回円一 いえ(へ)をジしてよりつきのリョウカイまどかなるをみる。↓馬を走らせて、西に進むと、このまま天にまでも上ってしまいそうだ。わが家に別れを告げてから、もう二回の満月を見た。
【西涼】セイリョウ 国名。五胡ゴ十六国の一つ。漢人李暠リコウの建てた国。初め敦煌トンコウ、後に酒泉(ともに今の甘粛省内)に都した。(四〇〇—四二一)
【西陵】セイリョウ 西陵峡。長江上流の峡谷で、三峡の一つ。湖北省巴東ハトウ県から宜昌ギショウ市に到る、全長一二〇キロメートル。三峡のうちで最も下流にあるもの。
【西遼】セイリョウ 国名。遼リョウが金にほろぼされた後、同族の耶律大石ヤリツタイセキが中央アジアに建てた国。(一一二四—一二一一)
【西暦(曆)】セイレキ キリスト誕生の年を紀元元年とする西洋の暦。西紀。

3【要】9画 11007 教4 ヨウ かなめ・いる 4555 9776 一
3【要】9画 11008 ㊀ヨウ(エウ) 蕭 yāo ㊁ヨウ(エウ) 嘯 yào

筆順 一 丆 丙 襾 西 覀 要 要 要

字義 ㊀❶もとーめる もとむ。ねがう。用例(東晋、陶潜、桃花源記)便要還レ家 すなわ(は)ちようしていえ(へ)にかえ(へ)り、設レ酒殺レ鶏作レ食 さけをもうけとりをころしてショクをつくる ↓するとそのままぜひにと迎えて家につれて帰り、酒を用意し鶏を殺し、食事を作ってもてなしてくれた。❷あつめる。合わせる。❸すべる。しめくくる。❹引きとめる。さえぎる。❺待ち伏せする。むかえる。「要撃」❻おびやかす。❼正す。また、調べる。明らかにする。❽取る。得る。❾結ぶ。約束する。ちかう(誓)。＝約(9073)。❿なす。成就する。＝就(2773)。⓫かがむ。＝夭(2244)。⓬こし。＝腰(5103)。⓭腰にまとう。また、腰帯。㊁❶かなめ。しめくくり。大切なところ。要点。「枢要」❷要約する。要約し簡略にする。また、簡略。要約。❸会計。会計簿。また、証券。❹かならず。きっと。❺す。せんとす。…しようとする。…になろうとする。国い-る。…を必要とする。

名前 かなめ・しの・とし・め・もとむ・やす・よ・よう
使いわけ いる〔入・要〕⇨入(720)
解字 篆文 古文 象形。篆文は、人体の中央部に両手をあてた形にかたどり、こしの意味を表す。古文は、囟＋臼＋女。この古文の変形が要で、常用漢字の要は、それをまた変形させた。古文から女が付されるのは、腰の発達した女性という意味からである。腰は人体のかなめであるところから、転じて、かなめの意味をも表す。
逆 概要・簡要・肝要・久要・紀要・強要・緊要・綱要・重要・需要・枢要・切要・大要・提要・摘要・法要

【要会】ヨウカイ 会計の帳簿。総計。また、計算。▼要は月計、会は歳計。
【要害】ヨウガイ ①地勢がけわしく、敵を防ぐのによい所。味方に要、敵に害の意。②重要な所。急所。
【要義】ヨウギ ①たいせつな意味。②要約した内容。
【要求】ヨウキュウ ①約束する。ちかう。要結。②もとめる。また、しいてもとめる。むりやりもとめる。
【要徼】ヨウキョウ 国境の重要なとりで。
【要緊】ヨウキン 重要なこと。肝要。緊要。
【要具】ヨウグ 国必要な道具。
【要劇】ヨウゲキ 重要でいそがしいこと。また、その地位。
【要撃(擊)】ヨウゲキ 待ちぶせしてうつ。
【要訣】ヨウケツ 重要な奥義。また、それを述べた書物。
【要結】ヨウケツ 約束をする。契約。
【要件】ヨウケン ①重要な事物。②国㋐大事な用事。㋑必要な条件。
【要言】ヨウゲン ①要点をとらえたことば。うまくいいあてたことば。②約束のことば。誓言。
【要塞・要砦】ヨウサイ 要害の地に築いた敵を防ぐとりで。
【要斬】ヨウザン 腰のところを切ること。また、その刑。腰斬ヨウザン。
【要旨・要指】ヨウシ ①重要な趣意。②国だいたいの内容。要約した内容。
【要須】ヨウシュ ㊀必要。必須ヒッス。㊁かならず きっと。
【要囚】ヨウシュウ 囚人をくわしく取り調べて罪をきめること。
【要処(處)】ヨウショ ①大切なところ。大事な場所、または点。②かわや。便所。
【要衝】ヨウショウ ①重要な地点。要所。②防ぎ守るのによい要害の場所。
【要津】ヨウシン ①重要な船着場。②権力のある地位。また、その地位にある人。
【要人】ヨウジン 重要な地位にある人。

【要枢(樞)】ヨウスウ 重要な場所・地位。枢要。
【要誓】ヨウセイ ちかい。約束。誓約。
【要請】ヨウセイ こいもとめる。せがむ。要求。
【要諦】㊀ヨウタイ 仏大切なさとり。㊁ヨウテイ・ヨウタイ 国重要な事柄。
【要地】ヨウチ ①重要な土地。②重要な地位。
【要鎮(鎭)】ヨウチン 重要な守備地点。要害の地にある兵営。
【要途】ヨウト ＝要路。
【要道】ヨウドウ ①重要な道。②重要な事柄や教え。
【要眇】ヨウビョウ 美しいさま。要妙。▼眇は、妙。
【要服】ヨウフク 王畿オウキ(王城の周囲千里四方)から距離千五百里から二千里の地域の称。五服の一つ。→五服①(六一ページ上)。
【要務】ヨウム 重要な務め。
【要盟】ヨウメイ 力で強制的に結んだちかい。
【要目】ヨウモク 重要な事柄。かなめ。
【要扼】ヨウヤク 敵をまちぶせしてくい止めること。
【要約】ヨウヤク ①簡潔にまとめる。また、まとめたもの。要旨。②約束を結ぶ。
【要覧(覽)】ヨウラン 資料などをまとめて、事柄の大要を知らせる文書。
【要略】ヨウリャク ①必要な部分だけをとって、その他を省く。②書物・文章などの大筋をまとめる。また、そのもの。あらまし。
【要領】ヨウリョウ ①腰とえり。②物事の重要な所。こつ。
【要領之罪】ヨウリョウのつみ 腰と首とを切る刑罰。
【要路】ヨウロ ①重要な道筋。②重要な地位。
【要録】ヨウロク 重要な記録。

4【覂】10画 11009 漢ホウ 呉フウ 腫 fěng
字義 ❶くつがえる(覆)。また、くつがえす。❷とぼしい(乏)。少ない。
解字 篆文 形声。襾＋乏㊥。音符の乏は、犯に通じ、みだりがましいの意味。襾は覆の省略体で、くつがえるの意味。秩序が乱れ、くつがえるの意味を表す。

5【票】11画 (8376) ヒョウ 示部。→一〇四〇ページ上。

6【覃】12画 11010 ㊀漢タン・呉ドン 覃 tǎn ㊁エン 琰 yǎn 7509 E648 一
字義 ㊀❶うまい。味がよい。美味。❷のびる。ゆきわたる。＝延(3264)。❸長い。また、大きい。❹深い。❺しずか(静)。❻すわる。おちつく。㊁するどい。鋭利。＝剡(940)。
解字 金文 篆文 会意。もと、鹵＋旱。鹵は、しおの意味。旱は、厚の下部と同形で、あついの意味。塩気があり味が深いの意味を表す。覃は𠖯の省略体。音符の覃を含む形声文字に潭・蟫・譚・鐔などがある。


【覃及】のびゆく。のび広がってゆきわたる。

【覃思】深く思う。静かに思う。深思。

7【覃】13画 (11550) コ 貝部。→一三五七ページ中。

12【覆】18画 11011 常 フク おお-う・くつがえ-す・くつがえ-る 4204 95A2 一

12〔覆〕18画 11012 ㊀フク 国 fù ㊁漢フ・呉フウ 宥 fù 慣フク

筆順 覆

字義 ㊀❶くつがえ-す。㋐うらがえす。用例〔史記、項羽本紀〕樊噲覆二其盾於地一、加二彘肩上一、抜レ剣、切而啗レ之。↓樊噲は持っていた盾を地上にふせて置き、豚の肩の肉をこの上にのせ、剣を抜いて、切りさきながらこれをむさぼり食った。㋑たおす。ひっくりかえす。㋒やぶる(敗)。ほろぼす。㋓こわす。こぼつ。❷くつがえ-る。㋐うらがえる。反転する。「転覆」㋑たおれる。ひっくりかえる。㋒やぶれる。ほろびる。❸かえって。反対に。❹くりかえす。反復する。かさねる。❺しらべる。明らかにする。㊁❶おお-う。㋐かぶせる。つつむ。㋑かばう。また、かくす。㋒待ち伏せる。伏兵をおく。❷おお-い。おおいかぶせるもの。❸伏兵。

難読 覆盆子

解字 篆文 形声。襾(襾)+復(復)音。襾は、ふたの象形。音符の復は、ひっくりかえすの意味。ふたをひっくりかえす、おおうの意味を表す。

逆 傾覆・転覆・反覆・翻覆・被覆

【覆圧(壓)】上からかぶさっておさえつける。

【覆△按・覆案】くり返してよく調べること。

【覆育】①天地が万物をおおい育てること。②父兄の子弟に対する恩恵をいう。

【覆蓋】おおいかぶせる。おおいかくす。

【覆啓】御返事を申し上げる。手紙の返事の最初に書くことば。復啓。

【覆考】繰り返して調べる。覆校。

【覆刻】国出版物をもとの体裁でもう一度出版する。「覆刻版」→復刻(五二一ページ中)。

【覆載】①天が万物をおおうことと、地が万物を載せること。②天地。

【覆試】試験をやりなおす。再試験。

【覆車】①車をひっくりかえす。また、ひっくりかえった車。物事がだめになるたとえ。②鳥を捕える道具。翻車。

【覆車△之戒】前人の失敗を見て、自分のいましめとすること。『晋書』庾純伝に「前車覆後車戒」とあるのに基づく。

【覆手】手をおおう。手をくつがえす。覆レ手。㋐手のひらを下に向ける。㋑簡単なことのたとえ。また、変わりやすいことのたとえ。用例〔唐、杜甫、貧交行〕翻レ手作レ雲覆レ手雨、紛紛軽薄何須レ数。↓手を上に向ければ雲となり、下に向ければ雨となる(ように簡単に心変わりをしてしまう)。そんな多くの軽薄な者どもは物の数ではないのだ。

【覆書】国手紙の返事。返信。返書。

【覆掌】①手のひらを下に向ける。②たやすいことのたとえ。また、変わりやすいことのたとえ。覆手。

【覆審】①繰り返しくわしく調べる。②上訴した事件を上級裁判所で調べなおすこと。

【覆水】㊀水をくつがえす。また、こぼれた水。㊁水面をおおう。

【覆水不レ返レ盆】①一度こぼれた水は、二度と盆にはかえらない。『後漢書』何進伝に「覆水不レ可レ収」とあるのに基づく。②一度別れた夫婦の仲はもとどおりに直らないことのたとえ。③一度終わってしまったことは絶対にもとにはもどらない。時機の二度とえがたいことのたとえ。

【覆宗】祖先をほろぼす。一族をかたむけほろぼす。

【覆奏】繰り返し調べて申し上げる。

【覆巣(巢)無二完卵一】ひっくり返った巣の下には完全な卵はない。転じて、根幹が滅びれば、枝葉もそれに従って滅びるたとえ。覆巣破卵。〔世説新語、言語〕

【覆△餗】餗(かなえの中のもりもの)をくつがえす。転じて、宰相・大臣が、その任にたえないこと。大臣の任を鼎餗といったことからいわれる。

【覆墜】①くつがえり落ちること。②家が滅びること。

【覆溺】舟がひっくりかえっておぼれる。

【覆△轍】車のひっくりかえったあと。転じて、前人の失敗のあと。▼轍は、車のわだち。

【覆△瓿】①かめのふたにする。著述が世に出ず反故になるたとえ。②自分の詩文・著述の謙称。

【覆没】①船がくつがえり沈むこと。②戦いに大敗すること。③家運がかたむきほろびること。

【覆盆】㊀①盆を伏せる。また、伏せた盆。②無実の罪を受けることのたとえ。伏せた盆の中は暗いことからいう。㊁①盆の中の水をくつがえす。②大雨の形容。

【覆滅】ひっくりかえってほろびる。ほろびる。

【覆面】①顔をおおいかくす。②神仏に物を供えるとき、息がかからぬように口や鼻をおおうもの。

【覆輪】国①馬の鞍や刀のつばなどの縁を金銀などでおおいかざったもの。「金覆輪」②茶碗など陶器の縁を包んだ金属製のおおい。

【覆露】おおいめぐむ。▼露は、恩沢。

13【覈】19画 11013 ㊀漢カク・呉ギャク 陌 hé ㊁漢ケツ・呉ゲチ 屑 7510 E649 一

字義 ㊀❶しら-べる。調べたしかめる。おおわれた事実を調べて、明らかにする。❷きびしい(厳)。はげしい。深刻。❸さね(実)。たね(種)。核実。=核(5365)。㊁むかえる(邀)。

解字 篆文 形声。襾+敫音。音符の敫は、あきらかの意味。おおわれているものをあきらかにする、しらべるの意味を表す。

【覈論】調べて批評する。また、きびしく議論する。

13【覇】19画 11014 常 ハ 3938 9465 一

13〔覇〕19画 11015 ㊀漢ハク・呉ヒャク 陌 pò ㊁ハ 禡 bà

〔霸〕13261 正字 〔覇〕11016 俗字 〔覇〕13262 俗字

筆順 覇

字義 ㊀月が初めて光を発する。㊁❶はたがしら。諸侯の長。特に武力によって天下を治める人。覇者。↔王(7324)。❷かしら。一方の長。❸川の名。→覇水。

名前 はる

難読 覇王樹

解字 金文 篆文 形声。月+霏音。音符の霏は、白に通じ、しろいの意味。三日月の白い光の意味を表す。また、伯に通じ、諸侯の長の意味に用いる。

逆 王覇・制覇・争覇

【覇王】①覇者と王者。また、覇道と王道。〔孟子、公孫丑上〕②覇者の敬称。大王。

【覇王△之△輔】覇者・王者の助けとなる人。

【覇気(氣)】①覇者の意気。②他に打ち勝とうとする強い気持ち。かちき。ファイト。③国野心。やま気。

【覇業】諸侯のはたがしらになる事業。武力によって天下を統一する仕事。

【覇権(權)】国①覇者としての権力。勝者の権力。②競技などで優勝することにより得る立場・栄誉。

【覇功】覇者としてたてた功績。

【覇者】①諸侯のはたがしら。→字義㊁❶。↔王者(九四三ジ下)。②国最も力の強い者。制覇した者。

【覇上】覇水(灞水)のほとり。陝西省内。

【覇水】川の名。渭水の支流。灞水。

【覇図(圖)】＝覇略。

【覇道】覇者のみち。仁義を軽んじ、武力を重視するやり方。↔王道(九四四ジ上)。

【覇有】覇者となって領有すること。用例〔史記、項羽本紀〕所レ当者破、所レ撃者服、未ニ嘗敗北一、遂覇ニ有天下一 ↓敵対するものは撃破し、攻撃した相手は征服し、まだ一度も戦いに敗れ逃げたことはなく、かくて天下の覇者となった。

【覇略】覇者のはかりごと。また、覇者になろうとするはかりごと。

13【覇】19画 11016 ハ 覇(11014)の俗字。→一二九一ジ下。 7511 E64A —

17【覊】23画 11017 キ 覊(9476)の俗字。→一二五一ジ中。 ₂8838 — 6104

19【羈】25画 11018 キ 羈(9477)の俗字。→一二五一ジ下。

7画 臣 しん 〔従来は六画。〕

〔部首解説〕臣はもともと見ひらいた目の象形で、これを部首に立て、見る・目などの意味を含む文字ができている。なお、臣は、もと六画に数えたが、いまは七画に数える。

0【臣】7画 11019 教4 シン・ジン 漢シン・呉ジン 真 chén 3135 9062 —

筆順 一 𠃌 𠃌 𠃌 𠃌 臣

字義 ❶けらい。㋐君主に仕える人。「臣下」㋑召し使い。「臣妾」❷家来となる。家来として仕える。また、家来とする。❸家来としての本分を尽くす。用例〔論語、顔淵〕君君臣臣。↓君主は君主らしく君主としての道をつくし、臣下は臣下としての道をつくす。❹たみ。一般の人民。❺家来が君主に対する謙遜の自称。用例〔史記、廉頗藺相如伝〕臣舎人藺相如可レ使。↓私の家来の藺相如なら、使者によろしいでしょう。❻昔、自分を謙遜していうことば。用例〔史記、項羽本紀〕臣与ニ将軍一勠レ力而攻レ秦。↓私は、将軍閣下と力を合わせて秦を攻めました。国おみ。姓の一つ。昔、大臣の職に選び出された貴族階級。大化の改新以後、第六位の姓。

名前 お・おか・おみ・おん・きむ・じ・しげ・しん・たか・ちか・とし・とみ・み・みつ・みる

解字 甲骨文 金文 篆文

象形。甲骨文・金文でよくわかるように、しっかり見ひらいた目の象形で、賢いけらいの意味を表す。臣を音符に含む形声文字に堅・慳・腎・賢などがあり、これらの漢字は、「しっかりしている」の意味を共有している。

逆 遺臣・家臣・逆臣・旧臣・近臣・具臣・君臣・群臣・賢臣・功臣・士臣・侍臣・弐臣・邪臣・人臣・聖臣・争臣・大臣・朝臣・陪臣・幕臣・微臣・文臣・謀臣・乱臣・老臣

【臣子】①人の家来であり、人の子である者。②家来。臣。▼子は、助字。

【臣事】家来として仕える。臣服。

【臣庶】すべての家来。もろもろの臣下。また、臣下と人民。しもじもの者。

【臣妾】家来と、貴人のそばに仕える女性。人に仕える者で、身分の低い男女をいう。僕婢。臣御。

【臣籍】①臣民としての身分。②国明治憲法下で、皇族ではない、臣民としての身分。「臣籍降下」

【臣節(節)】臣下として守るべきみさお。

【臣道】臣下として守るべき道。臣下の本分。

【臣付・臣附】臣下となって、つき従う。臣従。臣属。

【臣服】＝臣事。

【臣僕】家来。召し使い。

【臣民】①君主に臣として仕える民。②君主国の国民。③君主に臣として仕える者と、一般の民衆。

【臣虜】いけどられて家来となる。また、その人。

【臣僚】多くの役人。多くの官吏。

0【臣】7画 11020 ㊀イ 図 yí ㊁アイ 灰 ₂8554 — —

字義 ㊀㊁おとがい。あご。頤(13463)の古字。

解字 象形。あごの形にかたどり、あごの意味を表す。

2【臥】9画 11021 人 標 ガ(グワ) 箇 wò 1873 89E7 —

筆順 一 𠃌 𠃌 𠃌 𠃌 臣 臥 臥

〔卧〕11022 俗字

字義 ❶ふす。㋐ねる。うつむいてねる。また、横になってねる。㋑病床につく。病気になってねる。「病臥」㋒たおれる。横たわる。㋓休む。休息する。㋔かくれ住む。隠遁する。❷ふせる。ふす。㋐横にねかす。㋑やめる。すてる。❸ねむり。いこい。❹ふしど。ねま。寝所。「臥内」

解字 会意。人＋臣。臣は、下の方を向く目の象形。人が目を下の方に向けて、ふしてやすむの意味を表す。

【臥雲】仕官しないで、隠者の生活をする。

【臥起】ねおき。おきふし。起臥。寝ても起きてもいつも。

【臥△蓐・臥△褥】病気で床について寝る。

【臥薪△嘗胆(膽)】まきの上に寝、苦いきもをなめる。かたきを討つため、自分の身を苦しめて志を励ますこと。呉王夫差と越王句践との故事による。『十八史略』春秋戦国、呉に「夫差志レ復レ讎、朝夕臥ニ薪中一……句践反レ国、懸ニ胆於坐臥一」とあるのに基づく。

【臥△榻】ねだい。寝床。

【臥△榻之側】寝床のそばの意から、転じて、自分の領土内をいう。

【臥内】ねやのうち。ふしど。ねま。寝室。

【臥遊】いながらに旅行記や地図などを見て、旅行気分を楽しむこと。

【臥竜(龍)】①寝ている竜。②まだ雲雨を得ないため天に上れず、地にひそみかくれている竜。③まだ志をのばす機会を得ないで、民間にひそみかくれている英雄のたとえ。鳳雛。三国時代、蜀の諸葛亮をたとえた故事による。〔三国志、蜀志、諸葛亮伝〕

2【卧】9画 11022 ガ 臥(11021)の俗字。→一二九二ジ下。 ₂0352 — —

2【臤】9画 11023 漢カン 呉ケン 剛 qiān ₂8555 — 5465

字義 かたい(固)。握り方が固い。

解字 形声。又＋臣音。

8【臧】15画 11024 ソウ(サウ) 陽 zāng 慣ゾウ(ザウ) 7141 E468 —

字義 ❶よ-い(善)。「臧否」 ❷おさめる。かくす。また、かくれる。＝蔵(10289)。❸まいない。賄賂ワイロ。また、まいないを受ける。＝贓(11627)。❹召し使い。奴僕ヌボク。

解字 金文 篆文 形声。臣＋戕音。音符の戕ソウは、長いほこの意味。臣は、けらいの意味。すらりと背の高い家来の意味から、転じて、よいの意味を表す。

【臧獲】ゾウカク 下働きに使われる人。召し使い。奴婢ヌヒ。
【臧匿】ゾウトク かくす。また、かくれる。
【臧否】ゾウヒ ①よしあし。善悪。また、善人と悪人。②善悪を判定する。
【臧庸】ゾウヨウ 清シンの考証学者。武進の人。字あざなは在東・拝経。本名は鏞堂ヨウドウ。阮元ゲンゲンの下で、『十三経注疏ジュウサンギョウチュウソ校勘記』などの編集に参加した。著書に『拝経堂文集』『拝経日記』がある。(一七七一―一八一一)

10【臨】17画 11025 エン 塩(2073)の俗字。→三六六ページ中。 28556 — —

11【臨】18画 11026 教6 リン のぞむ 一リン 侵 lín 二リン 沁 lìn 4655 97D5 —

筆順 一 ㇀ 𠂇 臣 臣 臨 臨 臨 臨

【臨】1566字 俗

字義 一❶のぞ-む。㋐みおろす。上から下を見る。高い所から低い所に対する。㋑身分の高い人が低い人の所へ行く。高貴の人がみずからその場へ出向く。「親臨」 ㋒人が自分の所へ来ることの敬語。「来臨」 ㋓直接その場へ出向く。「臨検」 ㋔むかう。あたる。当面する。用例〔論語、述而〕必也臨レ事而懼、好レ謀而成者也(かならずやことにのぞみておそれ、はかりごとをこのみてなすものなり)。↓必ずや、戦争をするにあたっては慎重にし、十分な計画を立てて戦いに成功する者(と一緒に行動する)だろう。㋕目の前にする。㋖およぶ。その時になる。㋗治める。「君臨」 ㋘出向いて征伐する。❷うつす。見てそのとおりに写す。「臨写」 ❸やぐらぐるま。物見やぐらのついた兵車。❹易エキの六十四卦カの一つ。☷☱ 兌下坤上ダカコンショウ。進み迫るさま。二葬式のとき、棺にとりついて声を挙げて泣く礼。

名前 み　難読 臨終いまわ

使いわけ のぞむ〔望・臨〕⇨望(5042)。

解字 金文 篆文 会意。臥＋品。臥は、監の上部と同形で上からのぞきこむ形にかたどる。品は、多くの物の意味。とりどりの物をのぞきこむ、のぞむの意味を表す。

逆 君臨・光臨・降臨・登臨・来臨

【臨安】リンアン 南宋ナンソウの都。今の浙江セッコウ省杭州コウシュウ市。金の侵略をうけた宋(北宋)は、高宗の建炎元年(一一二七)に汴京ベンケイ(今の開封市)からここに遷都し、以後百五十年間南宋の都となった。
【臨海】リンカイ 海にのぞむ。海に近い。
【臨界】リンカイ さかい。境界。特に、物質がある状態から他の状態へと変化する、その境目。
【臨△瞰】リンカン 高い所から見おろす。▼瞰は、見おろす。
【臨機応(應)変(變)】リンキオウヘン 機に臨み変に応ずる。その場に臨み、情勢の変化に応じて適切な処置をとる。時と場合によって適当に処理する。
【臨御】リンギョ ①天子がその場に来ること。臨幸。②天子の位について天下を治める。登御。
【臨△邛】リンキョウ 秦シン代に置かれた県の名。今の四川省邛崍キョウライ市。前漢の司馬相如が妻の卓文君を知った所。
【臨月】リンゲツ 生み月。出産する予定になっている月。
【臨検(檢)】リンケン その場に行って調べる。
【臨幸】リンコウ 天子がその場に来ること。臨御。
【臨△皐】リンコウ 地名。湖北省黄州市の南、長江の北岸にある。北宋ホクソウの蘇軾ソショクがここに住んだ。その住まいを臨皐館・臨皐亭という。
【臨済(濟)宗】リンザイシュウ 仏 禅宗の一派。唐の臨済義玄を宗祖とする。日本へは、建久二年(一一九一)に僧栄西エイサイ(ヨウサイともいう)が伝えた。
【臨△淄】リンシ 戦国時代、斉の都。今の山東省淄博シハク市の東北。
【臨時】リンジ ①一時の間に合わせ。一時的。②その時になって。その場になって。
【臨終】リンジュウ 死にぎわ。いまわのきわ。
【臨書】リンショ 手本を見て書く。また、手本を見て書いたもの。臨帖リンジョウ。
【臨床】リンショウ ①病人の寝ている所に出向く。②医者が直接病床に行って患者をとりあつかうこと。
【臨照】リンショウ 上から下を照らす。また、上から照らして見る。
【臨席】リンセキ その席にのぞむ。人の出席に対する敬語。
【臨池】リンチ 習字。手習い。後漢の張芝チョウシが池のそばで一心に習字のけいこをし、いつのまにか池の水がまっ黒になったという故事に基づく。〔東晋、王羲之、与レ人書〕
【臨眺】リンチョウ 高い所からのぞみながめる。
【臨△洮】リントウ 秦シン代に置かれた県の名。今の甘粛省岷ミン県。万里の長城の起点。
【臨△摸・臨△摹】リンボ・リンモ 手本を見てそのとおりに写す。手本をひき写しにする。
【臨本】リンポン 習字や図画などの手本。臨帖リンジョウ。

7画 見 みる

〔部首解説〕 見を意符として、見る行為に関する意味を表す文字ができている。

0 見 一二五三	現 九四九	視 一二五五	覎 一二九六	覐 一二九六	10 覬 一二九七	覯 一二九八	覲 一二九八	15 覿 一二九八
3 𧠆 一二九四	視 一二九五	覗 一二九六	7 覡 一二九六	9 親 一二九六	覲 一二九七	覷 一二九八	覼 一二九八	覽 一二九七
覍 一二九四	覓 一二九五	覘 一二九六	覡 一二九六	靦 一五四四	覲 一二九七	12 覵 一二九八	覶 一二九八	17 觀 一二九八
4 覂 一二九四	覔 一二九五	覒 一二九六	覜 一二九六	覩 一二九七	覧 一二九七	覸 一二九八	13 覺 一二九五	18 觀 一二九七
規 一二九四	5 覚 一二九五	6 覛 一二九六	8 靚 一二九六	覦 一二九七	11 観 一二九七	覰 一二九八	14 覼 一二九八	

0【見】7画 11027 教1 ケン み-る・み-える・み-せる 一ケン 漢ケン・呉ゲン 霰 jiàn 二ケン 霰 xiàn 2411 8CA9 —

筆順 丨 冂 月 目 目 貝 見

字義 一❶み-る。㋐目でみる。みとめる。㋑見分ける。弁別する。㋒考える。思う。❷み-える(みゆ)。㋐目にみえる。㋑さとる。わかる。❸みかた。みるところ。考え。思い。「偏見」「意見」

二 助 る。らる。⇨助字・句法解説。❶み-る。まみ-える(まみゆ)。おめにかかる。会う。用例〔史記、項羽本紀〕縦江東父兄憐而王レ我、我何面目見レ之(たとい(ひ)コウトウのフケイ、あわれみてわれをオウとすとも、われなんのメンボクありてこれにまみえん)。↓たとえ江東の父兄たちが私をふびんに思って王としてくれても、私はどのような顔で彼らに会えようか(いや会えない)。❷まみ-えしむ。会わせる。用例〔史記、斉悼王世家〕舎人見レ勃(シャジン ボツをまみえしむ)。↓曹参ソウシンの執事は魏勃ギボツを(曹参に)会わせた。

❸あらわ-れる。＝現(7395)。㋐外に見えてくる。用例〔史記、刺客伝〕図窮而匕首見。↓地図をひろげ終わるとあいくちが現れた。㋑世に出て仕える。

❹あらわ-す。しめ-す。み-せる。㋐見せる。用例〔老子、三〕不レ見レ可レ欲、使二民心不一レ乱。↓為政者が人の欲しがるようなものを見せびらかさなければ、人民の心を乱れさせないで済むだろう。㋑明らかにする。はっきりさせる。

❺今。まのあたり。用例〔歴代名画記〕二竜未レ点レ眼者、見在。↓残りの二頭の竜でひとみを描き入れなかったものは、現在も安楽寺に残っている。

助字・句法解説

る。らる。受身。訳…される。類被。動詞の前に置かれ、受身であることを表す。用例〔史記、管仲伝〕吾嘗三仕三見レ逐二於君一。↓私は以前三たび仕官して、そのつど主君から追い出された。／〔史記、呂不韋伝〕今子兄弟二十余人、子又居レ中、不二甚見一レ幸。↓今あなたには二十数人の兄弟がいて、長男でもなく、それほど愛されてはいない。

名前 あき・あきら・けん・ちか・のり・み 難読 見惚れる・見窄らしい・見田・見能林・見老津

使いわけ

みる〔見・診〕
〔診〕診察する。「脈を診る」
〔見〕前述の〔診〕の意以外で、広く一般に用いる。「顕微鏡で見る・芝居を見る」

解字 甲骨文  金文  篆文  会意。目＋儿。儿は、人の象形。大きな目の人の意味から、ものを明らかにみるの意味を表す。見を音符に含む形声文字に、現・硯・蜆などがある。

逆 意見・引見・謁見・外見・概見・管見・愚見・後見・高見・再見・識見・私見・所見・接見・先見・創見・想見・卓見・達見・定見・拝見・発見・卑見・披見・聞見・偏見・予見・露見

【見解】ケンカイ 意見のたて方。見方。考え方。

【見行可之仕】ケンコウカのつかえ わが道の行われることを知ってから仕えること。〔孟子、万章下〕

【見今】ゲンコン いま。現在。

【見在】ゲンザイ ①目の前にある。現存する。②いま。現在。

【見識】ケンシキ ①見て知っていること。また、知り合い。知人。②経験と知識。③知恵。判断力。また、意見。考え。④国きぐらい。自尊心。

【見性】ケンショウ 仏さとりを開くこと。

【見証(證)】一ケンショウ・ゲンショウ ①明らかなしるし。証拠。②証人。二ケンジョ・ケンゾ 国囲碁・蹴鞠・双六などに立ち会って勝負を見とどけ、それを証すること。

【見説】みるならく 見る。見るところによれば。聞説を「きくならく」と読むのと同例。

【見地】一ケンチ ①見解の及ぶところ。②国観察や論断の立脚地。観点。二ゲンチ 現在所有している土地。

【見知之法】ケンチのホウ 官吏が犯罪を見て知りながらこれを検挙しないときは、その官吏をも同罪にする法。〔史記、平準書〕

【見兵】ゲンペイ 現在いる兵士。見卒。

【見糧】ゲンリョウ 現在そこにある兵糧。手持ちの兵糧。

3 【㝵】10画 11028 トク 得(3433)の古字。→五〇八ページ下。

3 【覍】10画 11029 ベン 弁(3276)と同字。→四八三ページ中。

4 【覐】11画 11030 カク 覚(11036)の古字。→一二九五ページ中。

4 【規】11画 11031 教5 キ キ 図 guī

11031	11030	11029	11028
2112	28839	—	—
8B4B	—	—	—
—	6106	6105	

筆順 

〔䂓〕8120 本字

字義 ❶ぶんまわし。コンパス。円形を描く用具。❷まる・円形。また、まるを描く。❸のり。きまり。おきて。手本。標準。「法規」「定規」❹のっと-る。手本とする。拠りどころとする。❺ただす(正)。いましめる。いさめる。「規正」❻はかる(謀)。はかりごと。用例〔東晋、陶潜、桃花源記〕聞レ之、欣然規レ往。↓その話を聞いて喜んで、そこへ行こうと計画した。❼かぎる。くぎる。❽文体の一つ。過去をいましめる文。

名前 き・ただ・ただし・ただす・ちか・なり・のり・み・もと

解字 篆文  会意。夫＋見。夫は成人の象形。成人が見て、のっとるものの意味を表す。一説に、夫は矢の変形で、矢をまわして見える円形の意味を表すという。

逆 士規・常規・新規・正規・党規・内規

【規戒・規誡・規誨】キカイ ①正しく教える。②教え。

【規画(畫)】キカク はかる。また、はかりごと。規図。規略。

【規格】キカク きまったかた。

【規諫】キカン ①正し、いさめる。②いさめ。いましめ。

【規矩】キク ①コンパスと、さしがね(L字形の物差し)。用例〔荘子、逍遥遊〕其小枝巻曲而不レ中二規矩一。↓その小枝は曲がりくねっていて、コンパスや定規をあてることができません。②きまり。また、てほん。

【規矩準縄(繩)】キクジュンジョウ ①コンパスと、さしがね(L字形の物差し)と、みずもり(水準器)と、すみなわ(直線を引く道具)。〔孟子、離婁上〕②標準、法則。

【規矩方員之至也】キクはホウエンのいたりなり コンパスとさしがね(L字形の物差し)は、方(四角)と員(円)を描くのに最も完全なものであるということ。〔孟子、離婁上〕

【規訓】キクン 正しいおしえ。儀訓。

【規行矩歩】キコウクホ ①歩き方がきまりどおりであること。転じて、品行方正なこと。②古いしきたりを守り続けること。

【規準】キジュン コンパスと、みずもり(水準器)。転じて、法則。規範。また、てほん。→基準(三一〇ページ中)。

【規箴】キシン ①いましめ。いさめ。規戒。規諫。②『世説新語』の編名。

【規正】キセイ 正し直す。匡正。

【規制】キセイ ①定め正す。規則・標準などを定め、それによって正すこと。また、おきて。きまり。②規模。体制。

【規則】キソク 守り従わなければならないきまり。きめ。さだめ。おきて。

【規度】一キタク はかる。二キド のり。てほん。

【規飭】キチョク 正し、いましめる。規切。

【規定・規程】キテイ さだめ。◆現代では、「規定」が一つの条項を指すのに対し、「規程」はその「規定」の集まりを指す。「前条の規定により…」「服務に関する規程」。なお、同音の紛らわしさを避け、「規程」を「規則」に改めることがある。

【規範】キハン 判断や行為を評価する基準。

【規避】キヒ 法を犯しながら、たくみにその罪をのがれること。

【規模】キボ ①コンパスと物の型。転じて、かまえ。しくみ。②てほん。③大きさ。

【規約】キヤク 国規則として定めた約束。協議して定めた規則。◆組織・団体などで、関係者が協議して定めた規則を「規約」と称している。同じような意味に「内規」があるが、用例は少ない。

【規律】キリツ 国①のり。おきて。②一定の秩序。

【規略】キリャク はかりごと。計略。

4 【現】11画 (7395) ゲン 玉部。→九四九ページ上。

4【視】11画 11032 教6 シ 2775 8E8B —

5［視］12画 11033 人 漢シ 呉ジ 寘 紙 shì 19189 — —

筆順 、ラネネ礻初 祖 祖 視 視

［眎］7982 古字

字義 ❶みる。㋐目でみる。特に、気をつけて見る。注意して見る。用例〔史記、李将軍伝〕過ニ居延一視ニ地形一、無レ所レ見レ虜而還。↓居延を経て地形を調べ、どこにも敵を見ることなく戻った。㋑いたわる。世話する。やしなう。用例〔論語、郷党〕疾、君視レ之、東首加ニ朝服一拖レ紳。↓病気の時に主君が見舞いに来ると、東枕にして礼服を寝具の上にかけ、礼装用の帯をその上に引いておく。㋒つかさどる。職務に従事する。用例〔史記、秦本紀〕諸侯皆使ニ其将相来弔祠、視ニ喪事一。↓諸侯はみな将相を派遣して弔辞を述べ、喪事に従事させた。❷ならう。のっとる。規範とする。用例〔書経、太甲中〕懋ニ乃徳一、視ニ乃厥祖一。↓あなたの政治に努め、あなたの祖先を見習え。❸くらべる。なぞらえる。見くらべる。見立てる。用例〔呂氏春秋、仲秋〕量ニ小大一、視ニ長短一、皆中レ度。↓大きさを量り、長さを比べ、基準に合うようにさせる。／〔孟子、万章下〕大夫受レ地視レ伯。↓大夫が土地を授かるには伯に準じる。❹しめす。教える。さす。指さす。用例〔十八史略、春秋戦国、燕〕先生視ニ可者一。↓先生が適任の人材をお示しください。❺いきる。いきながらえる。

名前 し・のり・み

解字 甲骨文 篆文 形声。見＋示(ネ)音。音符の示は、ゆびさすの意味。一点に視線を集中させて見るの意味を表す。

逆 環視・監視・凝視・軽視・検視・疾視・斜視・熟視・正視・注視・直視・透視・無視・黙視

【視界】＝視野。

【視覚(覺)】国物を見る目の感覚。五感の一つ。

【視学(學)】①学事を視察すること。天子は仲春などに国学に行幸し学事を視察した後、釈奠・養老の礼を行った。②地方の学務を監督し、秀才等の試験をつかさどること。③国もと、道・府・県に属し、学事の視察指導に当たった役人。今の指導主事。

【視察】実情を見とどけること。実地におもむいて調べること。

【視△而不レ見】視線はその方に向いていても、心が他にとらわれておれば、その物がよく目にはいらない。用例〔大学〕心不レ在レ焉、視而不レ見。↓心がうわの空であれば、物を見ても見わけることができない。

【視事】事を始める。実際に政務をとり行う。

【視線】物を見るときの目の方向。目の向き。

【視△瞻】見る。物を見る。

【視息】①見ることと、息をすること。②この世に生き永らえること。

【視朝】天子が朝廷に出て政務をとる。

【視聴(聽)】①見ることと聞くこと。②目と耳。③経験。

【視点(點)】物事の判断の基準となる作者の立場。↓観点(二三九ページ上)。

【視野】同視界。①視力のとどく範囲。②国その人の考えや知識の及ぶ広さ。

【視養】いたわりやしなう。

4【覓】11画 11034 漢ベキ 呉ミャク 錫 mì 7512 E64B —

［覔］11035 俗字

字義 ❶もとめる。(求)。さがす。用例〔唐、白居易、長恨歌〕為レ感ニ君王展転思一、遂教ニ方士殷勤覓一。↓(道士は)帝が夜も眠れずに楊貴妃を思っているという御心に感じ、部下の方士に命じて、ねんごろに(楊貴妃の魂のゆくえを)さがし求めさせた。❷横目で見る。ながしめ。＝覛(11042)。

解字 形声。見＋𠂢(𠂢)音。音符の𠂢は、水が分かれながれるの意味。ながしめで見るの意味を表し、転じて、もとめるの意味を表す。

【覓挙(擧)】採用されるために運動する。つてをたよって採用してもらおうとすること。

【覓句】詩人がよい詩を作ろうと苦心して句をさがしもとめること。

【覓得】もとめて得る。また、見つける。

【覓索】たずねもとめる。

4【覔】11画 11035 ベキ 覓(11034)の俗字。↓一二九五ページ中。 19188 — 6107

5【覚】12画 11036 教4 カク おぼ-える・さ-ます・さ-める 1948 8A6F —

13［覺］20画 11037 ━カク 漢コウ(カウ) 呉キョウ(ケウ) 慣カク 覚 jué 効 jiào 7520 E653 —

筆順 、⺍⺌𭕄 …覚 覚

［⿰見爻］11030 古字

字義 ━❶おぼえる。㋐知る。「味覚」㋑気づく。感づく。用例〔史記、項羽本紀〕平明、漢軍乃覚レ之、令ニ騎将灌嬰以ニ五千騎一追レ之。↓夜明け方になって、漢の軍はようやくこれに気づき、騎将の灌嬰に命じ五千騎をひきいて項羽を追わせた。❷さとる。道理を知る。迷いがとける。また、その道理。さとり。また、そのさとりを開いた人。用例〔東晋、陶潜、帰去来辞〕実迷レ塗其未レ遠、覚ニ今是而昨非一。↓ほんとうに進路をあやまったが、まだそれほど深入りしてしまったわけではない。現在の自分が正しいのであって、昨日までの自分がまちがっていたことがはっきりとわかった。❸さとす。さとらせる。教え導く。❹あらわす。明らかにする。また、あらわれる。━❶さめる。さます。目がさめる。目をさます。❷うつつ。現実。国❶おぼえる。記憶する。❷おぼえ。㋐記憶。㋑信任。

名前 あき・あきら・かく・さだ・さと・さとし・さとる・ただ・ただし・よし

解字 篆文 形声。見＋學省音。音符の學は、まなぶの意味。学んではっきり見えるの意味から、さとる・目ざめる・はっきりあらわれるの意味を表す。常用漢字の覚は覺の省略形。

逆 円覚・感覚・幻覚・後覚・才覚・錯覚・視覚・自覚・先覚・知覚・聴覚・発覚・不覚・味覚

【覚王】ほとけ。仏陀。覚皇。

【覚海】仏教の別称。▼海は、その教えの深く広いことのたとえ。

【覚剣(劍)】さとりの力。さとりの力は、剣のように邪執(不正への執着)を破ることができるのでいう。

【覚悟】①さとる。あやまちや迷いからさめる。②国㋐あきらめる。観念する。㋑決心して用意する。㋒記憶する。知っている。

【覚△寤】①眠りからさめる。②さとる。覚悟。

【覚者】①さとりを開いた人。②ほとけ。仏陀。

【覚醒】①目がさめる。また、目をさます。②今までの非をさとる。迷いがさめる。③国中枢神経を興奮させる。

【覚道】カクドウ 仏大覚の道。正覚ショウガクの大道。

【覚羅】カクラ 満州語。㋐村里の名。転じて姓氏となった。㋑清シンの直系子孫を宗室といい、傍系子孫を覚羅といった。

5【視】12画 (11033) シ 視(11032)の旧字体。→一二九五ページ上。

5【覗】12画 11038 [標] シ [因] [寘] sì 3933 9460 —

字義 ❶み-る(視)。❷のぞ-く。うかが-う。ぬすみみる。

解字 形声。見＋司(音)。音符の司は、神意をうかがうの意味。見を付し、うかがう・みる・のぞくの意味を表す。

5【覘】12画 11039 テン [塩] [艶] [琰] chān 7513 E64C —

字義 ❶うかが-う。のぞ-く。ぬすみみる。❷みる(視)。

解字 篆文 形声。見＋占(音)。音符の占は点に通じ、小さな場所の意味。わずかなすき間から相手に気づかれないように見るの意味を表す。

【覘△詗】テンケイ 様子をさぐる。▼詗は、うかがう意。

【覘候】テンコウ ①さぐり見る。②敵の様子を探る。

【覘望】テンボウ うかがいのぞむ。伺望。

5【覕】12画 11040 ㊀(漢)ベツ・(呉)メチ [屑] miè ㊁(漢)ヘツ・(呉)ペチ [屑] piē — — 6108

字義 ㊀❶覆われて、互いに見えない。❷求める。探す。㊁❶ちらりと見る。❷割く。切る。

解字 形声。見＋必(音)。音符の必は、しめつける・とじるの意味。

6【覜】13画 11041 ㊀チョウ(テウ) [嘯] tiào ㊁チョウ(テウ) [篠] — — 6110

字義 ㊀❶みる(見)。❷まみ-える。周代、三年に一度諸侯が集まって天子におめにかかった儀式。㊁ながめる(眺)。遠くを見る。

解字 篆文 形声。見＋兆(音)。音符の兆は、左右に割れるの意味。諸侯の多くが集まり、左右に分かれて天子にお目にかかるの意味を表す。

6【覛】13画 11042 ㊀(漢)ベキ・(呉)ミャク [錫] mì ㊁(漢)バク・(呉)ミャク [陌] mò — — 6109

字義 ㊀❶ながしめに見る。＝眽(8009)。❷よく見る。㊁注意して見る。

解字 篆文 形声。見＋𠂢(音)。音符の𠂢ミャクは、水がながれるの意味。ながし目に見るの意味を表す。

7【覠】14画 11043 キン [真] jūn — — 6112

字義 視る。

解字 形声。見＋君(音)。

7【覡】14画 11044 (漢)ケキ・(呉)ギャク [錫] xí (慣)ゲキ 7514 E64D —

字義 みこ。かんなぎ。神に仕えて吉凶を占う男性。女性のときは巫フという。

解字 篆文 会意。巫＋見。巫は、みこの意味。見は、神意をうかがい見るの意味。男みこの意味を表す。

7【覟】14画 11045 シ [寘] zhì 2 8840 — 6111

字義 みる。詳しく見る。

解字 形声。見＋志(音)。

8【靚】15画 11046 (漢)セイ (呉)ジョウ(ジャウ) [敬] jìng 1 9375 — 7121

字義 ❶め-す(召)。❷よそおう。化粧する。❸しとやか。静か。❹うるわしい。なまめかしい。

解字 篆文 形声。見＋青(音)。音符の青は、請に通じ、まねくの意味。招いてあう、召すの意味を表す。

【靚粧・靚△妝】セイソウ・セイショウ 化粧して美しくかざる。靚装。靚飾。

8【覥】15画 11047 テン [銑] tiǎn — — 6113

字義 顔を赤らめて恥じる。

解字 形声。見＋典(音)。

9【親】16画 11048 [教]2 シン [真] qīn 3138 9065 —

おや・した-しい・した-しむ

筆順 亠 立 立 辛 亲 亲 新 親 親

字義 ❶した-しい。ちか-い。ちか-しい。仲が好い。むつまじい。「親友」❷した-しむ。ちか-づく。仲良くする。なじむ。かわいがる。「懇親」❸みずか-ら。したしく。自分で。特に天子の場合に用いる。「親書」「親政」❹した-しみ。よしみ。親近感。思いやり。❺おや。両親。❻みうち。みより。「親類」「近親」 国おや。㋐もと。「親芋」㋑大きいもの。「親指」㋒ゲームの中心となる人。

名前 いたる・しん・ちか・ちかし・なる・み・みる・もと・よし・よしみ・より 難読 親王みこ・親不知おやしらず・親爺おやじ

解字 金文 篆文 形声。見＋亲(亲)(音)。音符の亲シンは、進に通じ、すすみいたるの意味。すすんで目をかける、したしむの意味を表す。

逆 近親・懇親・従親・内親・肉親・六親・和親

【親衛(衞)】シンエイ 天子の身辺をまもること。また、その人。

【親閲】シンエツ 天子がしたしく検閲すること。

【親王】シンオウ・シンノウ ①領土をもらって、王に封ぜられた皇子をいう。②国皇族の男性の称号。女性のときは内親王という。

【親家】シンカ ①親類。②夫の父母と妻の父母とが互いに呼び合うことば。父親を親家翁、母親を親家母といい、略して親家という。

【親貴】シンキ ①天子に親近せられて高貴の地位にいること。②天子の一門。皇族。

【親旧(舊)】シンキュウ ①親類と昔なじみ。親故。②むかしなじみ。古くからの知人。③昔なじみの人としたしむこと。

【親近】シンキン ①したしみ近づく。したしみ近づける。したしく用いる。用例〔資治通鑑、漢紀〕位二列将一、爵二通侯一、親近〔位を列将(れっしょう)にし、爵を通侯にし、親近せらる〕。↓並みいる将軍と列をともにし、諸侯の位を与えられ、兄弟も側近としてとりたてていただきました。②したしく用いている部下。③みより。親類。④したしい。親密。

【親迎】シンゲイ ①みずからしたしく出迎える。②「親迎礼」の略。

【親迎礼(禮)】シンゲイレイ 結婚の六礼の一つ。むこが自分で嫁の家に行き嫁を迎えて来る儀式。

【親見】シンケン 自分で実際に見る。

【親△眷】シンケン ①みうち。親類。②したしんで目をかけること。

【親権(權)】シンケン 国父母が未成年の自分の子を保護監督し、また、その財産を管理する権利・義務の総称。

【親故】シンコ 親戚シンセキと知人。親戚と故旧(ふるなじみ)。

【親交】シンコウ したしく交わる。また、その交わり。

【親好】シンコウ したしい交情。仲がよい間がら。

【親△狎】シンコウ したしみなれる。

【親耕】シンコウ ①古代、春のはじめに、天子がみずから田を耕した儀式。②自分で耕すこと。

【親裁】シンサイ 天皇・国王が自ら裁決を下すこと。

【親識】シンシキ ①天子の覚えにあずかること。②したしい者。心安い者。

【親△昵】シンジツ したしみむつまじくする。また、その人。

【親△炙】シンシャ・シンセキ その人に近づきしたしく感化を受けること。▼炙は、火であぶる。

【親書】シンショ ①自分で書いた手紙や文章。②天子や宰相がみずから書くこと。また、その手紙。

【親署】シンショ 天子みずからが署名すること。

【親信】シンシン したしみ近づけて信任する。また、その人。

【親親】シンシン ①肉親をしたしみ愛する。また、その父母をしたしむ。②親戚（シンセキ）をいう。

【親仁】（シンジン）㊀仁者にしたしみ近づく。謙称。また、老人のこと。親父（おやじ）。㊁（おやじ（ぢ））国自分の父の

【親征】（シンセイ）天子みずから軍をひきいて敵を討つこと。

【親政】（シンセイ）天子みずからが政治をとること。

【親戚】（シンセキ）①親類。用例〔史記、廉頗藺相如伝〕臣所﹅以去﹅親戚﹅而事﹅君者、徒慕﹅君之高義﹅也（シンのシンセキをさりてきみにつかう（ふ）るゆえ（ゑ）んのものは、ただきみのコウギをしたえ（へ）ばなり）。↓私たちが親戚を離れて殿様にお仕えしている理由は、ただ殿様のごりっぱな徳義をお慕い申しているからです。②父母。③妻と、あによめ。

【親切】（シンセツ）なさけ深い。丁重でゆきとどくこと。

【親善】（シンゼン）したしみ仲よくする。

【親疎・親△疏】（シンソ）したしいものと、うといもの。また、したしいことと、うといこと。

【親族・親属】（シンゾク）血縁や結婚で関係のある人。親類。

【親知】（シンチ）親友。

【親展】（シンテン）①したしく話をする。②手紙などを自分で開封すること。③国手紙などで名あて人自身の開封を求めるときに、封筒に書き記す語。親披（シンピ）。

【親等】（シントウ）国親族間の親疎を区別する等級。親子の間を一親等として数え、以下六親等までの血族を親族とする。

【親藩】（シンパン）①天子と親族関係にある諸侯。②国江戸時代、将軍家と親類であった諸藩の総称。

【親△廟】（シンビョウ）①天子のおたまや。②高祖・曽祖父（ソウソフ）・祖父・父の四廟をいう。

【親父】（シンプ）㊀父。実父。↕継父（一二四ジ上）。㊁（おやじ（ぢ））国＝親仁㊁。

【親兵】（シンペイ）天子の身辺を守る兵。天子みずからひきいる兵。親軍。親衛。

【親母】（シンボ）①うみの親。生母。実母。②妻の母。

【親△朋】（シンボウ）①親友。②親類や友人。

【親△朋無﹅一字﹅】（シンボウイチジなし）親類や友人からは少しのたよりもないこと。用例〔唐、杜甫、登﹅岳陽楼﹅詩〕親朋無﹅一字﹅（シンボウイチジなく）、老病有﹅孤舟﹅（ロウビョウコシュウあり）。↓親類や友人からは全く便りもなく、年をとり病を得た身には一そうの舟があるのみである。

【親睦】（シンボク）したしくむつまじい。また、したしみむつまじくする。

【親臨】（シンリン）天子などがみずからその場にのぞむ。

【親和】（シンワ・シンカ）①したしみやわらぐ。仲よくする。②国化学用語。異質の物質が結合すること。

9【靦】16画（13294）テン　面部。→一五四四ジ中。

9【覩】16画 11049 ト　睹（8052）の古字。→一〇一三ジ下。　7515 E64E —

9【覦】16画 11050 ユ 㕑虞 㕑遇 yú　7516 E64F —

字義 のぞ-む。ねがう。ひそかに願い望む。

解字 篆文 形声。見＋俞音。音符の俞ユは、ぬけでるの意味。身分の範囲をぬけでて不相応にのぞみ見る意を表す。

【覦心】（ユシン）身分不相応のことを願う心。

10【覬】17画 11051 キ 㕑寘 jì　7517 E650 —

字義 ❶のぞ-む。下の者が上のことを望む。❷たれる（垂）。

解字 篆文 形声。見＋豈音。音符の豈キは祈に通じ、幸福を求めるの意味。幸福を求めて見る。ねがう・のぞむの意味を表す。

【覬幸】（キコウ）こいねがう。

【覬△覦】（キユ）下の者が上のことを望み願う。望んではならぬことを望む。非望をいだくこと。

10【覯】17画 11052 漢コウ 呉ク 㕑宥 gòu

字義 ❶あう。であう。思いがけなく出会い見る。❷み-る（見）。「希覯本」❸なる（成）。できる。❹あわせる（合）。また、結婚する。❺る。ら-る。…される。受身を表す。

［覯］11053 俗字

解字 篆文 形声。見＋冓音。音符の冓コウは、組み合わせるの意味。二人の会見が組み合わさる、であうの意味を表す。

10【覲】17画 11053 コウ　覯（11052）の俗字。→一三九七ジ中。　7518 E651 —

10【覧】17画 11054 教6 ラン　4587 9797 —

15〔覽〕22画 11055 人 ラン 㕑感 lǎn　7521 E654 —

筆順 丨 ㇐ 覧

字義 ❶み-る。㋐よく見る。「照覧」㋑ながめる。みわたす。❷ながめ。

名前 かた・ただ・み・みる

解字 篆文 形声。見＋監音。音符の監は、鏡に映して見るの意味。見を付し、みるの意味を表す。

逆 一覧・閲覧・観覧・供覧・高覧・照覧・笑覧・縦覧・上覧・聖覧・天覧・展覧・博覧・便覧・要覧

【覧△揆△之△辰】（ランキのシン）誕生日。覧みて揆はかるの意で、屈原が生まれたとき、父がその時節をよく見て、考えて名をつけたことからいう。〔楚辞、離騒〕

【覧古】（ランコ）昔を思う。古跡をたずねて、当時をしのぶこと。

【覧勝】（ランショウ）すぐれたけしきをながめる。

11【観】18画 11056 教4 カン　2049 8ACF —

18〔觀〕25画 11057 ㊀カン（クワン）㕑翰 guàn ㊁カン（クワン）㕑寒 guān

筆順 観

［覌］11068 俗字

字義 ㊀❶み-る。㋐よく見る。こまかに見る。注意して見る。用例〔論語、為政〕観﹅其所﹅由（そのよるところをみる）。↓その原因を観察する。㋑広く見る。見わたす。はるかに見る。㋒ながめる。見物する。「観梅」「観艦式」❷しめ-す。み-せる（みす）。あらわす。❸ありさま。様子。㋐外見。ながめ。「壮観」「奇観」㋑かたち。態度。姿。❹見方。考え。意識。「人生観」「主観」❺宮門の左右にある高いものみ台。❻見はらし台。高い建物。たかどの。寺。特に、道教の寺。道観。❽易エキの六十四卦カの一つ。☷坤下巽上（コンカソンショウ）。心がすなおで、態度がへり下るかたち。❼㊁❶み-る。㋐＝㊀❶。㋑うらなう。㋒かんがみる。また、かんがえる。❷目。視線。❸あそぶ。遊び。❹かんがえる。思う。研究する。また、思考力。「止観」

名前 あき・しめす・まろ・み・みる

使いわけ カン〔感・観〕⇩感（3560）。

解字 甲骨文 篆文 形声。見＋雚（藋）音。音符の雚は、目の周囲の赤い、こうのとりの象形。こうのとりのように目を大きくひらいてよく見るの意味を表す。

逆 偉観・外観・概観・奇観・客観・宮観・旧観・景観・参観・止観・主観・盛観・静観・壮観・大観・達観・直観・美観・傍観・楽観

【観音寺】（カンオンジ・カンノンジ）国観世音寺（カンゼオンジ）。天智（テンジ）天皇の勅願寺で、大宰府（ダザイフ）政庁の東方約二百メートルの所にあった。

【観感興起】（カンカンコウキ）目に見、心に感じ、感動して奮起すること。

【観△釁】（カンキン）①敵のすきをうかがう。②罪を観察する。

【観△闕△之△誅】（カンケツのチュウ）不正の臣を殺すこと。孔子が少正卯（ショウセイボウ）を観闕（城門の見晴らし台の下）で殺害した故事

による。〔漢書、王尊伝〕

【観光】カンコウ ①他国の文化を観察すること。②ふだん接することの少ない名所などを見物すること。

【観察】カンサツ よく注意して見る。こまかく見る。

【観察使】カンサツシ 唐代の官名。全国を巡回して政治の状態を観察するもの。

【観自在】カンジザイ 仏①迷いがなくて、観ずるところが自由自在なこと。②観世音菩薩(カンゼオンボサツ)のこと。

【観者如△堵】みるものトのごとし 見物人が多く垣のように並んで立っている。〔晋書、衛玠伝〕

【観取】カンシュ 見てとる。見て真相を察知する。

【観象】カンショウ ①天文・気象その他の自然現象を観測すること。②易の占いの結果を見ること。

【観照】カンショウ ①よく見(考え)きわめて事理・真相を明らかにする。②国㋐主観をまじえず平静な心で深く見ること。㋑美を直接的に知覚認識すること。

【観賞】カンショウ 見て楽しむこと。見て賞翫(ショウガン)すること。→鑑賞(一四八九ページ上)。

【観心】カンシン 仏自己の心の本性を明らかに見きわめること。

【観世音】カンゼオン 仏菩薩(ボサツ)の一種。慈悲の化身(ケシン)で、世の人の救いの求めに応じて、千手(センジュ)・如意輪(ニョイリン)・十一面・馬頭などの姿で現れるといわれる。変化しない本来の形を普通、聖(ショウ)観音という。阿弥陀(アミダ)の左に立つ(右は勢至(セイシ))。観音(カンノン)。観自在。

【観相】カンソウ ①人相を見ること。人の顔を見て性質・運命などを判断すること。②国世相についてよんだ連歌(レンガ)、または俳句。

【観測】カンソク 国①自然現象の変化やうつり変わりを注意して見、測定すること。②おしはかること。推量。また、見かた。考えかた。「希望的観測」

【観点(點)】カンテン 物事を考えたり観察したりする立場。見る立場。◆考察や判断の基準になる立場のことを「観点」または「視点」というが、一般に、思想や世界観に力点を置く場合は「観点」、芸術などの創作活動に力点を置く場合は「視点」を用いる。なお物事を見る立場という意味で、「視座」を用いることもある。

【観念】カンネン ①仏真理。または仏体を観察思念すること。②国㋐あきらめ。また、覚悟。決心。㋑心をこめて祈ること。㋒哲学用語。対象を表示する心的形象。

【観風】カンプウ ①人情・風俗を観察する。②様子を見る。

【観兵】カンペイ ①兵威を示す。②国天皇が軍隊を整列させて検閲すること。

【観望】カンボウ ①ながめる。ながめ。②様子をうかがう。

【観△游・観遊】カンユウ 景色などをながめて楽しむこと。また、景色などをながめて歩くこと。また、その場所。

【観覧(覽)】カンラン 見る。ながめる。見物する。

11 【覲】 18画 11058 漢キン 呉ギン 震 jìn, ③jǐn 7519 E652 —

字義 ❶まみ-える。秋に諸侯が天子にお目にかかること。❷みる(見)。あう(会)。引見する。天子が家来に会うこと。❸わずか(僅)。❹たま。宝石。＝瑾(7479)。

解字 篆文 形声。見＋堇㊣。音符の堇(キン)は、勤に通じ、つとめるの意味。秋に諸侯が王にまみえ、職務につとめはげむの意味を表す。

11 【覷】 18画 11059 ショ 御 qù 28841 — 6114

[覰] 11062 俗字

字義 ❶うかが-う。こっそり見る。また、ねらう。❷みる(視)。❸あらい(粗)。

解字 篆文 形声。見＋虘㊣。音符の虘(ショ)は、狙(ソ)に通じ、うかがうの意味。見を付し、うかがうの意味を表す。

【覷歩】ショホ ①見ながら行く。②探偵(タンテイ)のこと。

12 【覸】 19画 11060 漢カン 呉ケン 諫 襉 jiàn

[覵] 11061 俗字

字義 ❶視(み)る。うかがう。❷混ぜる。

解字 形声。見＋閒㊣。

12 【覵】 19画 11061 カン 覸(11060)の俗字。→一二九八ページ中。— — 6116

12 【覰】 19画 11062 ショ 覷(11059)の俗字。→一二九八ページ中。28842 — 6118

12 【覴】 19画 11063 トウ 蒸 dēng — — 6115

字義 長い間見る。じっと見つめる。

解字 形声。見＋登㊣。

12 【覶】 19画 11064 ラ 歌 luō

[覼] 11065 俗字 [覻] 11066 俗字

字義 ❶うれしげに見る。❷くわしい。❸順序。

解字 形声。見＋𤔔㊣。

【覶△縷】ラル くわしく細かい。

12 【覼】 19画 11065 ラ 覶(11064)の俗字。→一二九八ページ中。— — 6117

13 【覺】 20画 (11037) カク 覚(11036)の旧字体。→一二九五ページ中。

14 【覻】 21画 11066 ラ 覶(11064)の俗字。→一二九八ページ中。— — 6119

15 【覿】 22画 11067 漢テキ 呉ジャク(ヂャク) 錫 dí 7522 E655 —

字義 ❶あ-う。まみえる。会見する。❷しめす。見せる。また、あらわす。

解字 形声。見＋賣㊣。

【覿面】テキメン まのあたり。また、まのあたりに見る。「天罰覿面」

15 【覽】 22画 (11055) ラン 覧(11054)の旧字体。→一二九七ページ中。

17 【覌】 24画 11068 カン 観(11056)の俗字。→一二九七ページ下。7523 E656 —

18 【觀】 25画 (11057) カン 観(11056)の旧字体。→一二九七ページ下。

角 つの・つのへん

7画

〔部首解説〕 角を意符として、角製の物(主に、さかずき)や角の状態・動作などを表す文字ができている。

0 角 一二九八　2 觔 一二九九　4 觖 一二九九　斛 六三四　觗 一二九九

觕 九六四　觘 一二九九　5 觝 一二九九　6 解 一二九九　觧 一三〇〇

觡 一三〇〇　觚 一三〇〇　觥 一三〇〇　觜 一三〇〇　触 一三〇一

7 觩 一三〇一　觫 一三〇一　8 觭 一三〇一　9 䚡 一三〇一　觷 一三〇一

10 觳 一三〇一　11 觴 一三〇一　鵤 一六二九　12 觵 一三〇一　觽 一三〇一

觶 一三〇一　13 觸 一三〇一　15 觼 一三〇一　觼 一三〇一　18 觿 一三〇一

0 【角】 7画 11069 教2 カク かど・つの 一カク 覺 jiǎo, jué 一ロク 屋 lù 1949 8A70 —

筆順 ノ ⺈ 𠂊 㑒 角 角 角

字義 一❶つの。牛や羊の頭に堅く突き出たもの。❷かど。さき。とがった部分。「三角形」❸すみ。すみっこ。❹つの笛。つの細工。❺人相の一種。額の中央部がつののように高く出ている人相。❻あげまき。つのがみ。子供の髪の結い方の一つ。髪を左右に分け、つのに似た形に結ぶ。総角(あげまき)。❼さかずき。つの製やつの形の物が多い。また、ますの一種。四升(約〇・七六リットル)入る。❽くらべる。きそう。争う。「角力(すもう)」「角逐」❾五音(宮・商・角・徴(チ)・羽)の一つ。❿星の名。すぼし。乙女座のα・βの二星。⓫役者。俳優。⓬中国の貨幣の単位。一元の十分の一。⓭公文書を数える単位。[二]=用(7597)。→角里先生。国 つの-ぐむ。あし・すすき・まこもなどの芽がつののように出る。

名前 かく・かど・すみ・つぬ・つの・ふさ・み　難読 角筈(つのはず)・角館(かくのだて)・角子(みずら)・角髪(みずら・びんずら)

解字 甲骨文　金文　篆文　象形。中がからになっていて固い、つのの形にかたどり、つの・かどの意味を表す。角を音符に含む形声文字に斛(コク)・桷(カク)・确(カク)などがあり、これらの漢字は、「かどばるつの」の意味を共有している。

逆 牛角・暁角・口角・鼓角・互角・死角・折角・総角・頭角

【角△掎】カクキ ①しかなどの角を取り、足を引いて倒すこと。▼掎は、片方の足を引くこと。②前後から敵を制すること。

【角牛】カクギュウ 牛の角を突き合わさせて、争わせること。闘牛。

【角巾】カクキン かどのある頭巾(ズキン)。昔、隠者のかぶったもの。

【角材】カクザイ ①才能をきそう。②国切り口の四角な材木。

【角声(聲)】カクセイ 軍中で用いるつの笛の音。

【角逐】カクチク ①たがいに争い追いかけること。②競争(走)すること。

【角△觝・角抵】カクテイ たがいに争って、力や技芸をくらべること。後世、すもうをいう。

【角度】カクド ①二直線が交わる角の大きさ。②方面。側面。③観点。視点。

【角髪】カクハツ 昔、小児の髪の結い方。あげまき。→字義[一]❻。

【角里先生】ロクリセンセイ 前漢の隠者。四皓(シコウ)の一人。▼角里は、用里(ロクリ)・禄里(ロクリ)とも書く。

【角力】[一]カクリョク =角レ力(ちからをくらぶ)(一九〇ページ中)。[二]すもう(ふ) 国すもう(相撲)。

【矯レ角殺レ牛】つのをためてうしをころす わずかなきず・欠点を直そうとして、かえって行き過ぎて、その物自体を滅ぼしてしまうこと。〔玄中記〕

2【觔】9画 11070 キン 図 jīn　19190 — 6120

字義 ❶すじ。=筋(8725)。❷重量の単位。=斤(4592)。❸觔斗(キント)は、もんどりうつ。とんぼがえる。筋斗。=筋(8725)。

解字 会意。角+力。

4【觖】11画 11071 [一]漢ケツ・呉ケチ 屑 jué [二]キ 寘 kuì　28843 — 6122

字義 [一]❶かけている(欠)。たりない。↔満(6541)。❷うらむ。❸あばく(抉)。❹のぞむ(望)。こいねがう。

解字 形声。角+夬音。音符の夬(カイ=ケツ)は、欠けるの意味。つのが欠けるの意味を表す。また、転じて、欠けた部分が満たされるように望むの意味も表す。

【觖如】ケツジョ 心に満たないさま。不満足なようす。

【觖望】[一]ケツボウ 不満に思ってうらむこと。怨望(エンボウ)。[二]キボウ こいねがい望む。希望。

4【斛】11画 (4585) コク 斗部。→六三四ページ下。

4【觗】11画 11072 シ 寘 zhì　— — 6123

字義 杯(さかずき)。儀式に用いる角製の杯。

解字 形声。角+氏音。

4【觕】11画 (7153) ソ 牛部。→九二四ページ下。

4【觘】11画 11073 漢ソウ(サウ) 呉ショウ(セウ) 効 肴 chāo　28844 — 6124

字義 つのさじ。角で作ったさじ。国ぬたはだ。鹿(かし)の角の皮に波紋のあるもの。ぬた。

解字 形声。角+少音。

5【觝】12画 11074 [一]漢テイ・呉タイ 薺 dǐ [二]シ 紙　7526 E659 —

字義 [一]❶ふ-れる。さわる。=牴(7145)。❷いたる(至)。[二]うつ。はむかう。=抵(4116)。

参考 現代表記では[抵](4116)に書きかえることがある。「觝触→抵触」

解字 形声。角+氐音。音符の氐(テイ)は、いたるの意味。つのをいたらせる・ふれるの意味を表す。

【觝触(觸)】テイショク 同抵触・牴触(テイショク)。①ふれる。さわる。突く。②矛盾する。

【觝排】テイハイ おしのける。拒絶。排斥。

6【解】13画 11075 教5 カイ・ゲ と-く・と-かす・と-ける　1882 89F0 —

[一]漢カイ・呉ゲ 蟹 jiě
[二]漢カイ・呉ゲ 卦 jiè
[三]漢カイ・呉ゲ 蟹 xiè

筆順 ⺈ ⺆ 角 角 角 解 解 解 解

【觧】11076 俗字

字義 [一]❶と-く。㋐動物などの体を切りさく。解剖。用例〔左伝、宣公四〕宰夫将レ解レ黿(サイフまさにゲンをとかんとす)。↓料理人がスッポンを割いて料理しようとしていた。㋑ばらばらにする。放す。用例〔国語、魯語上〕晋文公解ニ曹地一以分ニ諸侯一(シンのブンコウ ソウのチをときて もってショコウにわかたんとす)。↓晋の文公は曹国の地を分けて諸侯に分配しようとした。㋒ほどく。ほぐす。束縛やしこりを取り除く。用例〔南斉書、王倹伝〕叔父僧虔亡、倹表レ解レ職(シュクフのソウケンうせ、ケン ショクをとかんことをヒョウす)。↓叔父の僧虔が亡くなり、王倹は官職をやめさせてもらうよう上表した。㋓説いて明らかにする。不明の点を分かるようにする。用例〔顔氏家訓、音辞〕高誘解ニ呂覧・淮南一(コウユウ リョラン・エナンをとく)。↓高誘は『呂氏春秋』『淮南子』を解釈した。㋔衣服などを脱ぐ。用例〔戦国策、斉六〕太子乃解レ衣免レ服(タイシすなわち(は)ち ころもをとき ふくをぬぐ)。↓太子はそこで衣服を脱いだ。❷と-ける。さと-る。わかる。放れる。ほぐれる。ゆるむ。用例〔荘子、天地〕大惑者終身不レ解(ダイワクなるものは シュウシンさとらず)。↓大惑の者は、死ぬまで悟れない。❸よ-くす。できる。用例〔唐、李白、月下独酌詩〕月既不レ解レ飲、影徒随ニ我身一(つきはすでに のむをよくせず、かげはいたずら(づ)らに わがみにしたがう(ふ))。↓月はもともと飲むことができないし、影は私のまねをするばかり。❹とおす。通る。達する。用例〔荘子、秋水〕無レ南無レ北、奭然四解(みなみなく きたなく、セキゼン シカイす)。↓南北の隔てなく、四方どこにでも通じている。❺易(エキ)の六十四卦(カ)の一つ。☵☳ 坎下震上(カンカシンショウ)。困難が解消するかたち。❻楽曲または古体詩の一段落。「一解」❼文体の一種。疑いを解消する内容のもの。漢の揚雄の「解嘲(カイトウ)」を祖とする。

[二]❶もうす。上層部に報告する。用例〔南宋、岳飛、奏ニ措ニ置虔賊一状〕復申ニ解朝廷一、伏望ニ聖慈速賜ニ指揮一(またチョウテイにシンカイし、ふしてセイジのすみやかにシキをたまう(ふ)をのぞむ)。↓朝廷にご報告申し上げ、帝の迅速なるご指示を仰ぐ次第です。❷おくる(送)。㋐選抜して送る。科挙の受験者を地方で選抜して中央へ送る。用例〔宋史、選挙志二〕令ニ監司・守臣解送一(カンシ・シュシンをして カイソウせしむ)。↓監司や守臣の地方官に命じて、まだ出仕していない優秀な者を選抜させて都に送らせた。㋑物資や賊などを護送する。

[三]❶ふし(節)。もの同士がつながるところ。❷おこた-る。なまける。=懈(3896)。用例〔史記、留侯世家〕不レ如下因ニ其解一撃上レ之(そのおこたるによりて これをうつにしかず)。↓秦軍の気のゆるみに乗じて攻撃するのがよいでしょう。❸あう。出会う。=邂(12230)。「解逅」❹かに。=蟹(10748)。❺役所。官署。=廨(3250)。

国❶ゲ。下位者から上位者へ渡す公文書。❷ほつ-れる。縫い目などがほどける。❸ゲ-せる。理解できる。

名前 ざ・さと・さとる・とき・ひろ

使いわけ **とける・とかす・とく**〔**解**・**溶**〕
〔**解**〕ばらばらになる。懸案や疑問を解決する。また、束縛を除く。「結び目が解ける・謎を解く・鎖国が解ける」
〔**溶**〕固体が液体になる。液体と同化する。また、一般に「同化する」の意で用いる。「鉄さえ溶ける・砂糖が水に溶ける・新しい職場に溶けこむ」
ただし、雪や氷の場合は〔**解**〕を用いる場合もある。「雪解け」

解字 甲骨文 篆文 **会意**。刀＋牛＋角。刀で牛を裂くさまから、とくの意味を表す。解を音符に含む形声文字に、懈カイ・蟹カイなどがある。

逆 曲解・見解・誤解・支解・枝解・肢解・自解・集解・詳解・精解・俗解・体解・注解・通解・難解・半解・氷解・弁解・崩解・理解・略解・了解・和解

【解△頤】カイイ おとがいを解く。口を大きく開いて笑う。
【解顔】カイガン ＝解ㇾ顔かお(ほ)をとく(一五六三ぺー中)。
【解暁(曉)】カイギョウ さとる。会得する。解悟。
【解巾】カイキン 頭巾を取り去る。転じて、仕官するたとえ。
【解禁】カイキン 禁止していたことをといて扱いを自由にすること。
【解元】カイゲン 郷試(三年に一度、各省で行う官吏登用の予備試験)に首席で及第した人。
【解故・解△詁】カイコ 古い書物のことばを当代のことばで解釈すること。訓詁。
【解雇】カイコ やといを解く。やめさせる。
【解語花】カイゴのはな ことばのわかる花。美人をいう。唐の玄宗皇帝が楊貴妃ヨウキヒを指して言ったことば。〔開元天宝遺事〕
【解菜】カイサイ 精進ショウジンおとしの料理。野菜だけ食べていたものが、肉食など普通の食物を食べること。
【解散】カイサン ①ばらばらになる。分離すること。②集会・結社・法人・議会などが、その組織や資格を失うこと。
【解△弛】カイシ とけてゆるむ。しまりがなくなる。
【解試】カイシ 宋ソウ代、地方で行われた科挙(官吏登用試験)の最初の試験。明ミン・清シン代の郷試にあたる。
【解字】カイジ 字の意味を解釈すること。字形を分析して明らかにすること。
【解釈(釋)】カイシャク ①ときあかす。説明。解説。解義。②とく。消す。また、捨てる。③なだめる。
【解手】カイシュ 離別する。別れる。
【解△綬】カイジュ ＝解ㇾ組ソをとく(二一一六ぺー下)。▼綬は、官印のひも。
【解縦(縱)】カイショウ とき放つ。
【解析】カイセキ ①とき分けて明らかにする。分析。②国数学用語。「解析学」の略。
【解説】カイセツ ①とく。ときあかす。分解して説明する。②事情を説明して、申し開きをする。
【解組】カイソ ①＝解ㇾ組ソをとく(二一一六ぺー下)。②組織を解く。
【解走】カイソウ 防備を解除して、逃げる。
【解装(裝)】カイソウ 旅行の支度をとく。休息すること。
【解惰・解堕(墮)】カイダ おこたる。解怠。
【解体(體)】カイタイ ①一つにまとまっていたものが、ばらばらにはなれること。また、そうさせること。②国＝解剖①。
【解怠】カイタイ おこたる。解惰。
【解題】カイダイ 国①書物の著者・内容・巻数・出版年月などについて説明すること。②文章の標題を解説して、その内容の大綱を示すこと。開題。
【解脱】一カイダツ 首かせなどの刑具を解いて釈放すること。また、獄を破って脱走すること。二ゲダツ 仏迷いからさめてさとりを開くこと。
【解△豸・解△廌】カイチ 神獣の名。鹿に似て、角が一本あり、よく善悪曲直を知るという。その形を漢代の法官の冠や清シン代の法官の服の飾りとした。獬豸カイチ。
【解△紐】カイチュウ ①しばったひもがとけてゆるむ。転じて、権威が衰えて政治が乱れること。②印のひもをとく。官を退く意。②
【解嘲】カイチョウ・カイトウ ①人のあざけりに対して弁解すること。②前漢の揚雄の作った文章の名。→字義一❼。
【解撤】カイテツ 解体し撤去する。
【解毒】ゲドク・カイドク 毒を消す。また、その薬。毒消し。
【解任】カイニン 職務をやめさせること。
【解帆】カイハン まいた帆をほどく。船出をすること。出帆。解船。
【解放】カイホウ ときはなつ。束縛を取り除き、自由にさせる。
【解剖】カイボウ ①動物の体を切り開いて組織を調べる。ふわけ。解体。②物体の筋道を各部分に分けて調べる。
【解明】カイメイ ときあかす。説明。
【解免】カイメン ①まぬかれる。のがれる。②職をやめさせる。
【解△悶】カイモン 心配をはらす。心のもだえを取りさる。また、うさはらし。散悶。消悶。
【解由】一カイユウ 宋ソウ代、官吏が赴任するときの証明となる公文書。二ゲユ 国昔、官吏が任期を終了して事務を引きつぐ時、前任者が後任者から受け取る公文書。
【解△纜】カイラン ＝解ㇾ纜ともづなをとく(一二四五ぺー中)。↔繫纜ケイラン

6
【鮮】13画 11076 7527 E65A 一
カイ 解(11075)の俗字。↓一三九九ぺー中。

6
【觡】13画 11077 漢カク 呉キャク 陌 gé
字義 ❶骨のようにかたいつの。❷えだのある鹿のつの。
解字 形声。角＋各音。

6
【觚】13画 11078 コ 虞 gū 7524 E657 一
字義 ❶さかずき。儀式に用いるさかずき。中国の二升(約〇・三八リットル)を入れる。❷かど。とがったところ。❸しかく(四角)。方形。❹ふだ(札)。昔、文字をしるすのに用いた木のふだ。❺のり(法)。きまり。❻ひとり。＝孤(2580)。

觚①

解字 篆文 形声。角＋瓜音。音符の瓜カは、ひさごの意味。ひさご形の角製のさかずきの意味を表す。
【觚△牘】コトク 昔、文字をしるすのに用いた木の札。転じて、書物。簡策。翰札カンサツ。
【觚不ㇾ觚】コならず 孔子が、当時の觚器が正式の形を失ってかどのないのを嘆いた語。転じて、名ばかりあって実質が伴わないことのたとえ。〔論語、雍也〕
【觚△稜】コリョウ・コロウ 建物の屋根の高くとがり出たかど。
【操ㇾ觚】コをとる ＝操觚ソウコ(六一四ぺー下)。

6
【觥】13画 11079 コウ(クヮウ) 庚 gōng 9191 一 6125
【觵】11091 同字
字義 ❶さかずき。兕牛ジギュウの角で作った七升入りの大きな杯。罰杯に用いるという。また、兕牛の形にかたどった酒器。❷おおきい。

觥①

解字 形声。角＋光音。音符の光は、大きいの意味。つので作った大きいさかずきの意味を表す。
【觥觥】コウコウ 剛直なさま。
【觥△籌】コウチュウ 觥と籌(数をかぞえる棒)。また、勝負を競う時の罰杯の数。

6
【觜】13画 11080 一シ 支 zī 二シ 紙 zuǐ 7525 E658 一
字義 一❶けづの(毛角)。みみずくの頭上にあるけづの。❷かいめん(海綿)。❸二十八宿の一つ。とろき。觜宿。二くちばし。はし。＝嘴(1740)。難読 觜崎はしさき
解字 篆文 形声。角＋此音。音符の此シは、わずかにひらくの意味。角のように固くて、わずかにひらく、くちばしの意味を表す。

【觜距】(シキョ) ①くちばしと、けづめ。②武器をいう。【觜△瞼】(シケン) とがった顔。みにくい顔。また、人をののしる語。觜鼻。

6 【触】13画 11081 常 ショク ふ-れる・さわ-る 3108 9047 —

13 〔觸〕20画 11082 漢ショク 呉ソク 因chù 7529 E65C —

筆順 ⺈ 角 角 角 角 角ヿ 触 触 触 触

字義 ❶ふ-れる。さわ-る。㋐あたる。「接触」「一触即発」 ㋑おかす(犯)。けがす(汚)。❷仏外物に触れて生ずる心の作用。国❶ふ-れる。通達する。布告する。❷ふ-れ。役所などからの通告。達し状。

使いわけ さわる〔障・触〕⇨障(13149)。

解字 金文 篆文 形声。角＋虫(蜀)音。音符の蜀(ショク)は、つづくの意味。つのがつく・ふれるの意味を表す。

逆 感触・接触・抵触

【触官】(ショッカン) 動物の体で、触覚をつかさどる器官。人の皮膚または、かたつむりの触角の類い。
【触忌】(ショッキ)・(キにふる) 相手の気にさわる。きげんをそこねる。
【触激】(ショクゲキ) 水などがはげしく岩にあたる。
【触△迕】(ショクゴ) 直言して相手の気持ちにさからう。
【触罪】(ショクザイ) つみにふれる。罪を犯す。
【触媒】(ショクバイ) 自身は化学反応を受けずに、化学反応の媒体となる物質。
【触発(發)】(ショクハツ) ①物にふれて発する(動く・爆発する)こと。②何かの刺激を与え、気持ちを変えたり、行動を起こさせたりすること。
【触犯】(ショクハン) ふれおかす。
【触冒】(ショクボウ) おかす。罪などを犯すこと。
【触目】(ショクモク) 目につく。目にふれる。また、そのもの。
【触類】(ショクルイ) ①目や耳に感ずるもの。外の事物をいう。②類に従う。
【触△穢】(ショクワイ・ショクエ) ①けがれにふれる。②国けがれ。また、けがれている。喪中・出産・月経などの期間にあること。これらの期間は、神事に関係するのを忌んだ。

7 【觩】14画 11083 漢キュウ(キウ) 呉グ 因qiú — — 6126

字義 ❶つののまがったさま。❷ゆるむさま。❸弓をひきしぼるさま。❹つらねるさま。

解字 形声。角＋求音。

7 【觫】14画 11084 ソク 屋sù ₂8845 — 6127

字義 觳觫(コクソク)は、死を恐れるさま。身をちぢめて恐れるさま。

解字 形声。角＋束音。

8 【觭】15画 11085 一キ 二漢キ・呉ギ 支jī 支qí — — 6128

字義 一かたむ-く。かたよる。二❶片方の足がない人。❷めずらしい。ふしぎ。＝奇(2262)。❸とる(取)。自分のものにする。

解字 篆文 形声。角＋奇音。音符の奇は、傾いて立つ人、きちんと整っていないの意味。左右整っていないつのの意味を表す。

9 【䚡】16画 11086 一サイ 灰 隊sāi 二シ 支 ₂8846 — —

字義 一❶角の芯(シン)。❷角の外皮のなめらかなもの。

解字 形声。角＋思音。

9 【觱】16画 11087 漢ヒツ 呉ヒチ 質bì ₂8847 — 6129

字義 ❶ひちりき。→觱篥(ヒチリキ)。❷→觱発。❸→觱沸。

解字 形声。角＋咸音。

【觱発(發)】(ヒツハツ・ヒッパツ) 風が寒いこと。觱栗(ヒツリツ)。
【觱沸】(ヒツフツ) 泉のわき出るさま。
【觱△篥】(ヒチリキ・ヒツリツ) 楽器の名。もと西域から伝わった、笛に似た楽器。表に七孔、裏に一孔あり、悲しげなするどい音を出す。篳篥(ヒチリキ)。

10 【觳】17画 11088 一漢コク・呉ゴク 屋hú 二カク 覚què ⑥jué ₂8848 — 6130

字義 一❶さかずき。角で作った大きな杯。❷ますの名。中国の三斗、あるいは一斗二升を入れるます。＝斛(4585)。❸やづつ。矢を入れる袋。また、やじり。❹つきる(尽)。なくなる。二❶あぶらいれ。油を入れておくもの。❷うすい(薄)。地味がやせていること。❸うるおいがない。かわいている。❹つましい。倹約。❺あとあし(後足)。うしろあし。❻くらべる。きそう。＝角(11069)。

解字 篆文 形声。角＋殻音。音符の殻(コク)(殼)は、中空の「から」の意味。角製のさかずきの意味を表す。

【觳△觫】(コクソク) 死を恐れるさま。びくびくする。〔孟子、梁恵王上〕
【觳抵】(カクテイ) 力をくらべること。すもう。角抵。

11 【觴】18画 11089 ショウ(シャウ) 陽shāng 7528 E65B —

字義 ❶さかずき。酒杯。さかずきの総称。❷さかずきをさす。人に酒をすすめて飲ませる。

解字 金文 篆文 形声。角＋煬省音。音符の煬(ショウ)は、きずつけるの意味。角に傷をつけ彫刻を施した、さかずきの意味を表す。

【觴詠】(ショウエイ) 酒を飲み詩歌をうたうこと。
【觴酌・觴△勺】(ショウシャク) ①さかずきと、ちょうし。②酒をくみかわすこと。
【觴酒】(ショウシュ) さかずきの酒。杯酒。
【觴杯】(ショウハイ) さかずき。

11 【鵤】18画 (14263) いかるが 鳥部。→一六二九ページ中。

12 【觹】19画 11090 ケイ 觿(11095)と同字。→一三〇一ページ下。 — — 6132

12 【觵】19画 11091 コウ 觥(11079)と同字。→一三〇〇ページ下。

12 【觶】19画 11092 シ 寘zhì ₁9192 — 6131

字義 さかずき。㋐儀式に用いるさかずき。中国の三升または四升を入れるもの。㋑からのさかずき。酒を入れないさかずき。㋒罰として酒を飲ませるためのさかずき。

解字 形声。角＋單音。

觶㋐

13 【觸】20画 (11082) ショク 触(11081)の旧字体。→一三〇一ページ上。

15 【觽】22画 11093 ケイ 觿(11095)と同字。→一三〇一ページ下。 ₂8849 — 6133

15 【觼】22画 11094 漢ケツ 呉ケチ 屑jué

字義 馬の腹帯をつなぐ環。

解字 形声。角＋夐音。

18 【觿】25画 11095 漢ケイ 呉エ(ヱ) 斉xī ₂8850 — 6134

〔觹〕11090 同字 〔觽〕11093 同字

字義 ❶くじり。つのぎり。象牙(ゾウゲ)で作り、先をとがらせて角の形にしたもの。成人が常に腰におびていて、ひもの結び目などを解くのに用いた。❷字の意味を解く解釈の意。

解字 形声。角＋巂音。

觿①(漢代)

7画 **言** ごんべん ことば

〔部首解説〕言を意符として、言葉や、言葉を伴う種々の行為に関する文字ができている。

【言】 0 7画 11096 教2 **ゲン・ゴン** いう・こと

一 漢ゲン・呉ゴン 元 yán

二 ギン 真 yín

2432 8CBE 一

筆順 、 亠 亖 言 言 言 言

字義

一 ❶いう（いふ）。話す。語る。㋐ものをいう。口に出す。用例〔論語、陽貨〕子曰、予欲レ無レ言（子曰（いわ）く、予（われ）言（い）うこと無からんと欲（ほっ）すと）。子貢曰、子如不レ言、則小子何述焉（子貢曰（いわ）く、子如（も）し言わずんば、則（すなわ）ち小子何をか述べんと）。↓先生は仰った、「私はもう何も言うまいと思う」。子貢がいった、「先生がお話しされなければ、我々弟子たちは何を伝えていけばよいのでしょうか」。㋑（…について）述べる。説明する。論ずる。用例〔論語、公冶長〕夫子之言二性与一天道一、不レ可二得而聞一也（夫子の性と天道とを言うは、得て聞くべからざるなり）。↓先生が人の本性と天の道理についてお話しなさるのは聞くことができない。㋒（…であると）言う。主張する。用例〔史記、留侯世家〕学者多言レ無二鬼神一（学者多く鬼神無しと言う）。↓学問をする人は多く鬼神などいないという。㋓告げる。知らせる。用例〔史記、酈生伝〕復入言二沛公一、吾高陽酒徒也、非二儒人一也（また入りて沛公に言え、吾は高陽の酒徒なり、儒人にはあらざるなりと）。↓戻って沛公に伝えよ、わしは高陽の酒飲みで、儒者などではないと。

❷いうこころは。その意味は。→参考①。

❸こと。ことば。言語。用例〔論語、子路〕名不レ正、則言不レ順。言不レ順、則事不レ成（名正しからざれば、則ち言順（したが）わず。言順わざれば、則ち事成らず）。↓物の名が正確でないと、ことばが乱れる。ことばが乱れれば、事は成功しない。／〔論語、尭曰〕不レ知レ言、無二以知一レ人也（言を知らざれば、以て人を知ること無きなり）。↓ことばを知らないと、人についても知ることができない。

❹言論。主張。❺いいつけ。命令。教え。❻誓い。約束。❼はかりごと。謀議。❽もうしぶみ（申文）。上表文。

❾語句。文句。また、字。文字。用例〔論語、為政〕詩三百、一言以蔽レ之、曰思無レ邪（詩三百、一言以て之を蔽（おお）わば、曰（いわ）く思い邪（よこしま）無しと）。↓『詩経』の三百編は、一言でこれをまとめると、（魯頌（ロショウ）の駉（ケイ）にみえる）「思いに邪悪なものがない」（という文句）であろう。／〔史記、老子伝〕老子迺著二書上下篇一、言二道徳之意五千余言一而去（老子すなわち書上下篇を著し、道徳の意を言うこと五千余言にして去る）。↓老子はそこで上下二編の書物を著し、道と徳の意義について五千文字あまりを述べて去っていった。

❿われ（我）。多く『詩経』にみられる用法。用例〔詩経、召南、草虫〕陟二彼南山一、言采二其蕨一（かの南山に陟（のぼ）り、われ其のわらびを采る）。↓あの南の山に登って、私は蕨をとる。

⓫ここに。語調をととのえる助字で多く『詩経』にみられる用法。特に訳さない。用例〔詩経、周南、葛覃〕言告二師氏一、言告言帰（ここに師氏に告げ、ここに告げここに帰（かえ）らん）。↓先生に申し上げ、里帰りをしよう。

二 やわらぎつつしむさま。＝誾（11257）。

名前 あき・あや・こと・とき・とし・とも・のぶ・のり・ゆき

難読 言語道断・言伝（ことづて）

参考 ①漢文訓読において「言ニフ…ト」の形の、…の部分が非常に長い時、下から返って読むかわりに、「言」の字を先に「いうこころは」と読む習慣がある。②現代表記では、言葉でいうの意以外では、仮名書きが一般的。「一斉に言う・日本という国」

解字 甲骨文 金文 篆文 会意。辛＋口。辛は、取手のある刃物の象形。口は、ちかいの文書の意味。もし不信があるときには罪に服することを前提とした、ちかい・つつしんでいうの意味を表す。

逆 遺言・格言・確言・佳言・寡言・過言・雅言・換言・甘言・狂言・極言・謹言・金言・空言・苦言・建言・公言・後言・抗言・高言・語言・私言・至言・失言・祝言・証言・食言・緒言・助言・進言・真言・正言・聖言・隻言・宣言・前言・贈言・俗言・体言・大言・代言・題言・託言・他言・多言・忠言・直言・陳言・微言・美言・不言・文言・片言・放言・方言・暴言・名言・揚言・予言・預言・立言・略言・流言・例言

【言偃】ゲンエン 春秋、呉の人。一説に、魯の人。字は子游。孔子の弟子で、文学に優れていた。武城の宰となった。(前五〇六—？)

【言下】ゲンカ・ゴンカ 一言のもと。いうや否や。ことばが終わるか終わらぬうち。即時。

【言外】ゲンガイ ことばや文章で直接表現した以外のこと。「言外之意」

【言戯(戲)】ゲンギ ことばでたわむれる。からかう。冗談をいう。

【言議】［一］ゲンギ ［二］ゴンギ 言う。論ずる。色々ととりざたする。また、そのことば。［二］仏＝［一］。

【言及】ゲンキュウ 言いおよぶ。話がそのことにおよぶ。

【言言】［一］ゲンゲン ①ひとことひとこと。②高大なさま。③くずれようとしているさま。［二］ギンギン やわらぎつつしむさま。

【言語】ゲンゴ・ゴンゴ・ゲンギョ ①ことば。口でいうことば。②孔門四科(孔子の門人が修得すべき四つの科目。徳行・言語・政事・文学)の一つ。言語応対にすぐれ、外交的辞令にたくみなこと。〔論語、先進〕

【言語道断(斷)】ゴンゴドウダン ①仏ことばで説明できない奥深い道理。②国ことばでのべられないほどひどい。もってのほか。

【言行】ゲンコウ ことばと、おこない。言うことと行うこと。「言行一致」「言行相悖」

【言行君子之枢(樞)機】ゲンコウはクンシのスウキなり 言語と行動とは、学問・修養に志す君子にとって最も重要なものである。▼枢は戸の開閉に使うくるる(回転軸)、機はいしゆみの引金で、ともに重要なもの。〔易経、繫辞上〕

【言行録】ゲンコウロク ある人のいったことばやおこないを記録したもの。

【言志】ゲンシ ①心に思うことを述べること。②詩をいう。

【言志四録】ゲンシシロク 国書名。江戸後期の儒学者佐藤一斎が、学問・修業などについて述べた語録四種の総称。『言志録』『言志後録』『言志晩録』『言志耋録』をいう。

【言次】［一］ゲンジ ことばのついで。話のついで。［二］いいつぎ 国言いつぎ。言い伝え。また、伝言。

【言者不知】いうものはしらず やたらにしゃべる者は実はなにも知らない。→知者不言(一〇七ページ下)。

【言咲】ゲンショウ しゃべったり笑ったりすること。また、にこやかに語ること。

【言責】ゲンセキ ①言論をなすべき責任。諫官(天子の過失をいさめる役)などの任務。②国自分が言ったことばに対する責任。

【言説】ゲンセツ ことばでいう。また、そのことば。

【言泉】ゲンセン ことばの泉。ことばがつぎつぎと出てくることを泉にたとえていう。

【言筌】ゲンセン 末にこだわって目的・本質を忘れるのは愚かなことだというたとえ。▼言は意を伝えるためのもの、筌は魚を捕えるためのもの。ともに目的・本質に対しては末のものを表す。

【言詮】ゲンセン ことばで述べる事がら。また、ことば。▼詮は、物事の道理などを詳しくときあかすこと。

【言足以飾非】ゲンはもってヒをかざるにたる ことばのたくみさは、自分のよくない点をうまく言いくるめることができる。〔史記、殷本紀〕

【言質】ゲンチ 国後日の証拠となることば。ことばのしち。口約束。

【言調】ゲンチョウ ことばのととのっていること。

【言動】ゲンドウ ことばと行動。

【言文一致】ゲンブンイッチ 国話しことばに近い形で文章を書くこと。また、その文体。日本では、従来、文章には文語を用いるのが一般の習慣であったのを、明治初期に、二葉亭四迷などが、文章に口語を用いた。

【言貌】ゲンボウ ことばと顔つき。言面。

【言明】ゲンメイ 国はっきりといいきること。公言。声明。

【言容】ゲンヨウ ①ことばと姿かたち。言語と容貌。②ことばつき。

【言霊(靈)】ことだま 国ことばの持つ不思議な力。上代、ことばに霊妙な力があり、その力によってことば通りの事象がもたらされると信ぜられた。「言霊の幸わう国」

【言路】ゲンロ 君主や政府などに意見を述べるみち。

【言論】ゲンロン ①ことば。議論。②国言語・文章によって、思想を発表し、論ずること。「言論の自由」

【寄言】ゲンをよす いいやる。ことばを贈る。一言いいたい。

【食言】ゲンをはむ・ゲンをショクす ＝食言(一五七二ページ上)。

【訥於言而敏於行】ゲンにトツにしておこないにビンに 口はおもくてなるべくひかえめにして、実行は敏速にする。実行がたいせつで、ことばはすえである。〔論語、里仁〕

【不以言挙(擧)人】ゲンをもってひとをあげず その人の言うことばだけを聞き、その実際を見ずにその人を登用することはしない。よいことを言う者が必ずしも立派な人であるとは限らないこと。

【忘言】ゲンをわする 心にはわかっていても、表現すべき適当なことばが思いつかない。用例(東晋、陶潜、飲酒詩)此中有真意、欲弁已忘言このうちシンイあり、ベンぜんとほっしてすでにゲンをわする。↓此の境涯の中に(自然と人事との一体になった)真実の精神が感じられる。その境地を語ろうと思っても、もはや言葉にはならない。

2【訄】9画 11097 ［一］漢キュウ(キウ)・呉ク 尤 qiú ［二］コウ(カウ) 豪 kāo —— 6135

字義 ［一］迫る。［二］たわむれて言う。ざれごと。

解字 形声。言＋九音。

2【訅】9画 11098 漢キュウ(キウ) 呉グ 尤 qiú —— 6136

字義 ❶迫る。❷安んずる。❸謀る。

解字 形声。言＋九音。

2【計】9画 11099 教2 ケイ はか-る・はか-らう 2355 8C76 —

熟字訓 時計とけい

ケイ 霽 jì

筆順 、 亠 亠 言 言 言 言 計 計

字義 ❶かぞ-える。数をかぞえる。また、その数え方。算法。❷かず(数)。❸総数。しめ。合計。❹会計などの帳簿。❺かんがえる。調べる。❻はか-る。㋐見つもる。くわだてる。㋑相談する。❼はかりごと。計画。用例(月令広義、春令、授時)一年之計在春イチネンのケイははるにあり。↓一年の計画は、年の初めの春に立てるのがよい。❽計量のための機械。「寒暖計」国❶はか-らう。処置する。❷ばか-り。㋐ほど。くらい。だいたいの程度。㋑だけ。そればかり。限定していう。㋒ころ(頃)。㋓事が終わって間がない意。

名前 かず・かずえ・けい・たけ・はかる

難読 計石はかりいし・計束つとか

使いわけ　はかる〔計・測・量・図・謀・諮〕
〔計〕数や時間を数える。また、見通しを立てる。「時間を計る・国の将来を計る」
〔測〕物の長さ・広さ・深さ・度合いなどをはかる。また、おしはかる。「速度を測る・心中を測る」
〔量〕重さや体積などをはかる。また、おしはかる。「体重を量る・真意を量りかねる」
〔図〕いろいろと試みる。また、くわだてる。「便宜を図る・合理化を図る」
〔謀〕悪事を行おうと計画を立てる。「逃亡を謀る」
〔諮〕相談する。「会議に諮る」
ただし、〔計〕〔測〕〔量〕の使いわけには紛らわしい場合が多い。

解字　篆文 計　**会意**。言＋十。十は、数の意味。数を口にする、かぞえるの意味を表す。
逆 会計・下計・活計・奇計・合計・国計・主計・術計・上計・生計・早計・大計・統計・秘計・謀計・妙計・余計・良計・累計

【計課】ケイカ　調べ数える。また、はかり調べる。
【計会(會)】ケイカイ　①数えはかる。計算。会計。②思いはかる。思慮。③相談する。
【計△偕】ケイカイ　会計帳簿を中央に提出すること。漢の武帝の時、毎年郡国の会計吏が帳簿を持参する際に、朝廷にさし出す優秀な者を同道させたことに基づく。転じて、朝廷より召し出される者、さらに科挙で挙人が会試に赴くこと。
▼偕は、倶。
【計画(畫)】ケイカク　くわだてる。もくろみ。はかりごと。
【計議】ケイギ　①相談する。また、相談。②はかりごと。
【計校・計較】ケイコウ　①はかりくらべる。②論争する。③相談する。
【計最】ケイサイ　官吏の成績のあらましの記録。
【計策】ケイサク　はかりごと。計略。
【計上】ケイジョウ　国かぞえあげる。
【計数(數)】ケイスウ　①はかりごと。②数える。
【計籍】ケイセキ　会計簿。計簿。
【計簿】ケイボ　漢代、会計を記入した帳面。会計簿。
【計吏】ケイリ　会計を扱う役人。会計吏。
【計略】ケイリャク　はかりごと。もくろみ。
【計料・計量】ケイリョウ　はかりかぞえる。

2【訆】9画 11100　ケン　㊥ xuān　2 8851 — —
字義　こえ。
解字　**会意**。言＋刂(刀)。かたなのように耳に突きささってくるやかましい声の意味を表す。

2【訇】9画 11101　㊀**コウ**(クヮウ)　㊥ hōng　㊁キン　㊥ jùn　— — 6137
字義　㊀大きな音声の形容。㊁あざむく(欺)。
解字　**形声**。言＋勹(匀)㊟。
【訇隠(隱)】コウイン　波などの音の大きなさま。
【訇△哮】コウコウ　風などの音の大きなさま。

2【訂】9画 11102　常 **テイ**　3691 92F9 —
㊀漢**テイ**・呉ジョウ(ヂャウ)　㊥ dìng
㊁漢**テイ**・呉チョウ(チャウ)　㊥ dìng
筆順　、亠亠言言言言訂訂
字義　㊀❶はかる。公平に評議する。❷おしならす。たいらにする。くらべてひとしくする。㊁❶**ただ-す**。文字・文意などをあらためただす。「修訂」「校訂」❷さだめる(定)。とりきめる。「訂盟」
名前　かず・ただ・ただす
解字　篆文 訂　**形声**。言＋丁㊟。音符の丁は、釘(くぎ)を打ち固定させるの意味。意見の違いや誤りを正して、おちつかせるの意味を表す。
逆 改訂・校訂・考訂・修訂・増訂
【訂△訛・訂△譌】テイカ　誤りを正す。
【訂正】テイセイ　ただしくなおす。誤りを正すこと。◆「訂正」「修正」ともに、「なおす」「改める」意であるが、「訂正」が誤りを直すのに重点があるのに対し、「修正」は、「不十分な点を改める」「全体を整った形にする」といった意味合いが強い。「文字の訂正」「運動方針の修正を提案する」。なお、両者を合した「修訂」という語もある。
【訂盟】テイメイ　約束や、同盟・条約などを結ぶこと。

2【訃】9画 11103　常 **フ**　7530 E65D —
フ　㊥ fù
筆順　、亠亠言言言言訃訃
字義　❶**つ-げる**(告)。人の死んだことを知らせる。また、そのしらせ。「訃告」❷いたる(至)。
解字　**形声**。言＋卜㊟。音符の卜(ボク)は、赴(フ)に通じ、急いで行くの意味。人の急に死んだことの知らせの意味を表す。
【訃音】フイン・フオン　死んだ知らせ。死亡通知。訃報。
【訃報】フホウ　死んだ知らせ。死亡通知。訃音。

3【訑】10画 11104　㊀イ　㊥ yí　㊁タ　㊥ tuó　㊂漢タン・呉ダン　㊥ dàn　2 8852 — 6139
字義　㊀訑訑は、みずから満足して他人のことばを聞き入れないさま。また、満足し誇って得意なさま。㊁いつわる(欺)。あざむく。＝訛(11162)。㊂ほしいまま。＝誕(11277)。
解字　**形声**。言＋也㊟。

3【記】10画 11105　教2 **キ** **しる-す**　2113 8B4C —
キ　㊥ jì
【誋】11298 同字
筆順　、亠亠言言言言記記
字義　❶**しる-す**。㋐書く。書きとめる。㋑おぼえる。心にきざみこむ。用例(人虎伝)吾常記レ之(われつねにこれをしるす)。↓私はいつもこのことをよく覚えている。❷書きつけ。文書。記録。「日記」「戦記」❸経書の注解。❹しるし。記号。❺文体の一つ。事実をありのままに書きしるした文。❻文書をつかさどる役。「書記」「内記」国『古事記』の略。→記紀。
名前　き・しるす・とし・なり・のり・ふさ・ふみ・よし
参考　現代表記では〔徽〕(9324)の書きかえに用いることがある。「徽章→記章」
解字　篆文 記　**形声**。言＋己㊟。音符の己は、糸すじを整える糸巻の象形。言葉を整えて書く、心に整えて覚えるの意味を表す。
逆 旧記・強記・軍記・外記・誤記・札記・雑記・手記・書記・正記・戦記・単記・追記・転記・伝記・登記・日記・筆記・表記・付記・簿記・銘記・連記
【記憶】キオク　①心に覚えて忘れない。ものおぼえ。②心理学で、過去に知覚・経験した事物を以前に経験したものとして忘れない、また、それを思い出す作用。
【記紀】キキ　国『古事記』と『日本書紀』とをあわせてよぶときの略称。
【記載】キサイ　①書きのせる。②書きのせた文。
【記識】キシキ　①おぼえる。記憶する。②しるす。書きつける。
【記事】キジ　事実をありのままに書きしるすこと。また、その文。
【記事本末】キジホンマツ　歴史書の一体。年月の順によらず、一事件ごとにその始末を記述したもの。記(紀)事本末体。↕紀伝体(二〇五㌻中)・編年体(二三四㌻下)。

【記室】キシツ 昔、記録をつかさどった属官。書記・秘書官の類い。
【記述】キジュツ 書きしるす。しるし述べる。
【記△誦】キショウ そらでおぼえる。暗唱する。
【記帳】キチョウ 帳簿に記入する。また、その帳簿。
【記伝（傳）】キデン ①伝記を書きしるした書籍。②国本居宣長の著書『古事記伝』の略。
【記念】キネン ①心にとどめて忘れないこと。②のちの思い出に残しておくこと。また、そのもの。かたみ。◆②の意味では、古くは「記念」「紀念」ともに用いられたが、現代では「記念」が一般的。
【記名】キメイ 自分の姓名を書き記すこと。
【記問△之学（學）】キモンのガク 書や人の説などをただ暗記しているだけで、その真義を会得しておらず、人に質問されると、相手の学力などを考えず、記憶していることを機械的に述べ教えるという学問のやり方。〔礼記、学記〕
【記覧（覽）】キラン ①多くの物事を見聞して記憶すること。②実際を遠ざかった学問の意。
【記録】キロク ①書きしるす。書きつける。また、その文書。②運動競技などの成績。レコード。

3 **【訖】** 10画 11106 漢キツ 呉コチ 物 qì 7531 E65E —

字義 ❶お‐わる（をはる）。終了する。すむ（済）。また、お‐える（をふ）。すます。用例（先哲叢談）言訖泣下（げんおわりてなみだくだる）↓言い終わると、はらはらと涙を流した。❷とめる（止）。また、とまる。❸すでに（既）。❹つい‐に（竟）。とうとう。❺ことごとく。残らず。❻いたる（至）。およぶ。…まで。＝迄（12013）。

解字 篆文 形声。言＋乞（气）音。音符の乞キツは、滑らかに進まないの意味。発言が進まない、とまるの意味を表す。

3 **【訔】** 10画 11107 ギン 眞 yín ₂8853 — 6141

字義 ❶訔訔は、争い弁ずるさま。❷やわらぐ。また、おだやかに論争する。

解字 形声。山＋言音。

3 **【訏】** 10画 11108 一ク 虞 xū 二漢コ・呉ク 麌 — — 6138

字義 一❶いつ‐わる（いつはる）。❷おおきい（大）。「訏訏」❸おおげさにいう。❹ああ。なげく声の形容。❺まこと。二さけぶ（叫）。わめく。大声をあげる。

解字 篆文 形声。言＋于（亐）音。音符の亐ウは、華に通じ、はなやかの意味。はなやかなことば、いつわりの意味を表す。

3 **【訓】** 10画 11109 教4 クン 問 xùn 慣キン 2317 8C50 —

筆順 丶 亠 亠 言 言 言 訁 訓 訓 訓

字義 ❶おし‐える（をしふ）。㋐説き聞かせる。用例（後漢書、陳寔伝）陳寔陰見、乃起自整払、呼命子孫、正色訓之曰、……。↓陳寔はこっそりそれを見つけると、起き上がって自分で身なりを整え、子や孫たちを呼んで、改まった顔つきで説いて教えた、……。㋑教え導く。❷おし‐え（をしへ）。いましめ。「教訓」❸したがう。＝順（13436）。❹とく（解）。よむ。意味がわかるようにする。解釈する。また、その解釈。国クン。よみ。漢字にあてた日本語。国訓。↔音（13418）。「和訓」「訓読」

名前 き・くに・くん・しる・とき・のり・みち **難読** 訓子府（くんねっぷ）

解字 篆文 形声。言＋川音。音符の川センは、かわの意味。川が一定の道すじを流れるように、人が道理に従うように言葉でおしえるの意味を表す。

逆 遺訓・音訓・家訓・義訓・教訓・厳訓・古訓・国訓・師訓・字訓・聖訓・請訓・庭訓・難訓・反訓・傍訓

【訓育】クンイク ①教え育てる。②国児童・生徒の道徳的品位を養う。特に知識を教授する教育に対していう。
【訓化】クンカ 教え導いて善に向かわせること。教化。
【訓戒・訓△誡】クンカイ 教えいましめる。また、教え。いましめ。
【訓△誨】クンカイ 教える。また、教え。
【訓義】クンギ ①字義を解釈する。②国文字のよみ方と意味。
【訓△詁】クンコ 古文の字句の意味を解釈すること。▼訓は熟語または句の意味、詁は字解。また、訓は順で、その語気に順って解釈すること、詁は古言で、古語を現代語に訳すこと。
【訓△詁学（學）】クンコガク 古典の字句の解釈を主とする学問。特に漢・唐・清代にさかんに行われた。
【訓告】クンコク ①いまし教える。いましめる。おしえる。②国官吏の落度をいましめる。
【訓示】クンジ ①教え示す。②上役が部下に対してする、仕事上の注意。
【訓辞（辭）】クンジ 教え導くことば。
【訓釈（釋）】クンシャク 文字や語句の意味を解きあかすこと。
【訓典】クンテン 上古のすぐれた帝王や聖賢の書物。
【訓点（點）】クンテン 国漢文を日本語に訳読するためにつける句読点や返り点・送りがな。⇩コラム 訓点（1330ページ）。
【訓導】クンドウ ①教え導く。②国旧制小学校の教諭。
【訓読（讀）】クンドク 国漢字・漢文を日本語にあてて読むこと。↔音読（1235ページ上）。
【訓△蒙】クンモウ 子供や初学者を教えさとすこと。また、その書。▼蒙は、童蒙（無知な初学者）。
【訓喩・訓諭】クンユ 教えさとす。また、その教え。
【訓令】クンレイ 国上級官庁が下級官庁に対して出す、事務の方針や法令の解釈などを示す命令。
【訓練】クンレン ①教えならす。②指導をくり返して、ある目標に至らせようとする教育の一方法。
【訓話】クンワ 国教えさとす話。教訓になる講話。

3 **【訐】** 10画 11110 一漢ケツ・呉ケチ 月 jié 二漢カイ・呉ケ 霽 jì 7532 E65F —

字義 一❶あば‐く。人の秘密などをあばきたてる。❷そしる。非難する。二はばかることなく言う。直言する。

解字 篆文 形声。言＋干音。音符の干は、けずりとるの意味。人の罪を面とむかってあばくの意味を表す。

3 **【訌】** 10画 11111 漢コウ 呉グ 送 東 hòng 7533 E660 —

字義 ❶ついえる（潰）。内部からくずれる。❷うちわもめ。内部の者がたがいに争うこと。❸みだ‐れる（乱）。もめる。また、みだす。

解字 篆文 形声。言＋工音。音符の工は、攻に通じ、せめるの意味。言葉で争うの意味を表す。

3 **【訊】** 10画 11112 人 標 シン 震 xùn 慣ジン 3154 9075 —

筆順 丶 亠 亠 言 言 言 訁 訊 訊 訊

字義 ❶と‐う（問）。㋐たず‐ねる（たづぬ）。上の者が下の者に問いただす。㋑おとずれる。訪問する。㋒取り調べる。罪を調べる。㋓せめる（責）。とがめる。❷つげる（告）。知らせる。❸いう。述べる。また、そのことば。❹たより。音信。❺うごく。ふるう。

参考 現代表記では〔尋〕（2730）に書きかえることがある。「訊問→尋問」

解字 金文 篆文 形声。言＋卂音。音符の卂シンは、素早く刃物で切りつけるの意味。矢継ぎ早に問いただすの意味を表す。

コラム

訓点

『日本書紀』や『古事記』の記事によれば、応神天皇の十五年、百済(クダラ)の国から王仁(ワニ)が来朝して『論語』十巻と『千字文』一巻をもたらし、また太子菟道稚郎子(うじのわきいらつこ)にもろもろの典籍を教授したといわれる。

しかし、漢文と日本語とでは、発音も全く違うし、主語・述語・補語の語順も異なる。漢籍がわが国に伝来した当初、どのような方法で学ばれたものであるかは明らかでないが、渡来人の発音にならって漢文の語順どおりに直読し、これを翻訳して意味を理解していたことであろう。その後、漢字一字ごとにその意味に相当する日本語の読み、すなわち〈訓（和訓）〉が定まり、さらには漢文そのものを日本語の語順に当てはめ、日本語の文として読む〈訓読〉の方法が発明された。

訓読においては、語順や訓を示すことが必要となる。そのためにつける符号や仮名、すなわちヲコト点（乎古止点）・句読点・返り点・送り仮名などを総称して〈訓点〉という。

ヲコト点

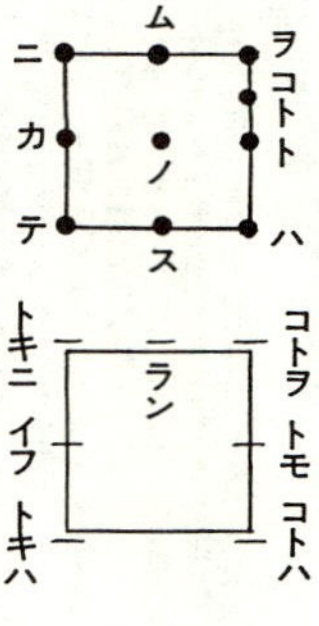

ヲコト点　訓読の方法はすでに奈良時代に成立し、平安時代にかけて整備されたものであるが、当時、漢学を専門として大学で教授した博士家(ハカセケ)の清原(きよはら)家・菅原(すがわら)家・中原家・大江(おおえ)家などは、それぞれ独自の読み方を秘法として伝授するために、漢字の四隅や上下、その他の適当な位置に点や線をつけ、助詞・助動詞など、今日の送り仮名に当たるものを示した。その形式は種々あるが、博士家点の右肩が「ヲ」、その下が「コト」であったことから、これをヲコト点と称している。

ヲコト点は、その後、返り点や送り仮名を添えて読むように改められ、それが時代を追うにつれて簡潔に整備され、今日行われているような形式になった。

返り点　下の字から上の字に返って読む時に用いる符号で、次のようなものがある。

①レ点（かりがね点）　直前の文字に返る場合に用いる。

読レ書。（書ヲ読ム。）

登レ山。（山ニ登ル。）

②一・二点　二字以上を隔てて返る場合に用いる。一・二で足りない場合は、三・四を用いる。

水清無二大魚一。（水清ケレバ大魚無(な)シ。）

欲三東渡二烏江一。（東ノカタ烏江(うこう)ヲ渡ラントス欲(ほっ)ス。）

③上・下点　一・二点をつけた句を中間にはさんで返る場合に用いる。上・下で足りない場合は、中を用いる。

不下以二千里一称上也。（千里ヲ以(もっ)テ称セラレザルナリ。）

不下為二児孫一買中美田上。（児孫ノ為ニ美田ヲ買ハズ。）

④甲・乙点　上・下点をはさんで返る場合には、甲・乙・丙・丁を用いる。さらに甲・乙点をはさんで天・地・人を用いることがある。

君子不乙以下其所三以養レ人者上害甲人。（君子ハ其(そ)ノ人ヲ養フ所以(ゆえん)ノ者ヲ以テ人ヲ害セズ。）

甲・乙点は、一・二点をはさんで四度以上返って読む場合にも用いられる。

必知丁陛下不丙惑二於仏一作二此崇奉一、以祈乙福祥甲也。（必ズ陛下ノ仏ニ惑ヒテ此(こ)ノ崇奉ヲ作(な)シ、以(もっ)テ福祥ヲ祈ラザルヲ知ルナリ。）

⑤一レ点・上レ点　レ点と一・二点または上・下点の併合される場合に用いる。まずレ点で下の一字から上の一字に返り、次に一・二点または上・下点で返って読む。甲レ点もある。

他山之石、可二以攻一レ玉。（他山ノ石、以テ玉ヲ攻(みが)ク可(べ)シ。）

勿下以二悪小一為上レ之。（悪小ナルヲ以テ之(これ)ヲ為(な)スコト勿(な)カレ。）

送り仮名　右の例文で示したように、送り仮名は漢字の右側に片仮名で添える。元来、片仮名は、漢文の訓点を記す文字として工夫されたものである。

【訊△鞫】①きびしく問いただす。②罪人を取り調べる。

【訊検(檢)】＝訊問。

【訊問】①問いただす。たずねる。また、罪人を取り調べる。尋問。②おとずれる。また、手紙をやる。

3 【訒】 10画 11113 漢ジン 呉ニン 震 rèn 19193 EE87 6140

字義 ❶なやむ(難)。言いなやむ。❷しのぶ(忍)。ひかえる。がまんする。用例〔論語、顔淵〕仁者其言也訒。⇩仁の人はその言葉が控えめだ。❸いつくしむ(仁)。

解字 篆文 形声。言＋刃音。音符の刃は、忍に通じ、こらえるの意味。ことばをひかえる、言いなやむの意味を表す。

3 【訕】 10画 11114 漢サン 呉セン 諫 刪 shàn 19194 — 6142

字義 そしる(謗)。非難する。悪口をいう。

解字 形声。言＋山音。

【訕△謗】そしる。非難する。誹謗。

3 【託】 10画 11115 常 タク タク 薬 tuō 3487 91F5 —

筆順 、 亠 言 言 言 訁 訐 託

字義 ❶よる(依)。たのむ。たよる。また、たのみ。用例〔世説新語、徳行〕既以納二其自託一、寧可以レ急相棄一邪。⇩すでに頼みを引き受けたのであれば、どうして危なくなったことを理由に捨て去ることなどできようか。❷ことづける。❸よせる(寄)。身を寄せる。奇寓する。❹ゆだねる(委)。まかせる。「付託」❺かこつける。ことよせる。「仮託」「神託」 国 かこつ。なげいて言う。うらんで言う。

名前 たく・より

解字 篆文 形声。言＋乇音。音符の乇は、屋内などに身を寄せる人の象形。他の事実に寄せつけて言う、かこつの意味や、ゆだねるの意味を表す。

逆 依託・委託・寄託・供託・屈託・結託・受託・嘱託・信託・神託・請託・付託

【託意】心を寄せる。

【託寄】同 寄託。①ゆだねまかせる。また、たのむ。②「託孤寄命」の略。

【託△寓】①かりずまいする。仮の住まい。②他のものにことよせて言う。

【託言】①他のことにかこつけていうこと。口実。②ことづて。伝言。

【託孤寄命】先君の頼みを受けて、幼君をもりたて、国政をとり治めること。〔論語、泰伯〕

【託食】人に頼って生活する。いそうろう。寄食。

【託宣】国 神仏のおつげ。神託。

【託付】①たのむ。人にたのむ。また、たのみ。②ゆだねまかせる。

【託附】権力者などにたよって重んじられるようにする。

【託名】①権力者などに頼って名を上げようとする。託附。②名をかたる。③名声に頼る。

3 【討】 10画 11116 教6 トウ うつ トウ(タウ) 晧 tǎo 3804 93A2 —

筆順 、 亠 言 言 言 言 討 討

字義 ❶うつ。罪を言いたててうつ。攻める。征伐。「追討」❷のぞく(除)。取り去る。❸罪のある者を問いただしこらしめる。❹もとめる(求)。❺たずねる(尋)。調べる。「検討」

使いわけ うつ〔打・討・撃〕⇩打(4032)。

解字 篆文 形声。言＋肘省音。音符の肘は、ひじの意味。口と手で罪人を問いただす、うつの意味を表す。

逆 検討・征討・追討

【討議】意見を出しあって相談すること。

【討究】物事の道理や真理をたずね窮めること。討窮。

【討春】春の景色を尋ねる。尋春。

【討幕】国 徳川幕府をうち倒すこと。↕佐幕(九四ページ中)。

【討伐】兵力で、反抗する者を攻め討つ。征討。

【討飯】食物をこい求める。また、こい求めた食物。

【討捕】敵を討ち捕らえる。

【討論】意見を言いあって正しい道理をたずね窮めること。

4 【謳】 11画 11117 オウ 28854 — —

謳(11356)の俗字。↓一三三五ページ下。

4 【訛】 11画 11118 標 ガ(グワ) 慣カ(クワ) 歌 é 7534 E661 —

〔譌〕11370 正字

字義 ❶いつわる。うそをつく。また、そのいつわり。うそ。❷あやまる。まちがえる。あやまり。❸なまる。なまり。ことばの標準的でない発音。❹あやしげなうわさ。流言。

解字 形声。言＋化音。音符の化は、変わるの意味。言葉の本来の用法から変化して、それる・いつわる・なまるの意味を表す。

【訛音】なまったことば。なまり。

【訛言】①誤った風評。流言。②なまったことば。

【訛誤】誤り。まちがい。誤謬。

【訛△舛】誤る。まちがえる。また、まちがい。

【訛伝(傳)】誤って伝える。また、誤った言い(書き)伝え。

4 【訝】 11画 11119 標 漢ガ・呉ゲ 慣ゲン 禡 yà 7535 E662 —

〔訝〕11143 俗字

字義 ❶むかえる(迎)。出迎える。❷いぶかる。うたがいあやしむ。❸おどろく。

解字 篆文 形声。言＋牙音。音符の牙は、迎に通じ、むかえるの意味。迎えて言葉でねぎらうの意味を表す。また、牙は、つきだすきばの意味。疑いの気持ちをつきだし、言葉で確かめる、いぶかるの意味も表す。

【訝賓】君命によって客を迎えねぎらうこと。

4 【許】 11画 11120 教5 キョ ゆるす 一 漢キョ・呉コ 語 xǔ 二 漢コ・呉ク 麌 hǔ 2186 8B96 —

筆順 亠 言 言 言 言 言 訐 許

字義 一 ❶ゆるす。㋐他人の願いなどを聞き入れる。承諾する。用例〔左伝、隠公元〕亟請二於武公一、公弗レ許。⇩しきりに武公に願い出たが、武公は許さなかった。㋑そのとおりだと認める。同意する。信じる。用例〔三国志、蜀志、諸葛亮伝〕毎自比二於管仲楽毅一、時人莫二之許一也。⇩(諸葛亮は)常に自分を管仲や楽毅になぞらえていたが、当時の人はだれも認めなかった。㋒まかせる。あずける。用例〔史記、刺客伝〕老母在、政身未二敢以許一レ人也。⇩老母が健在なうちは、決して私、聶政の身体を人にゆだねるわけにはまいりません。㋓あてにする。期待する。恃む。用例〔陳書、呉明徹伝〕頗以二英雄一自許。⇩大いに才能・武勇をもって自らを任じていた。㋔女性が婚約する。縁組する。「許嫁」❷仲間になる。❸進む。❹おこす(興)。さかんにする。❺もと。ところ(処)。場所。「何許」❻ばかり。ほど。用例〔漢書、皇甫嵩伝〕赴レ河死者

の も、五万許人ばかりのもの。ほどであった。 ㊦黄河に身を投じて死んだ者は五万人ほどであった。
❼これ。また、このように。かく。「如レ許かくのごとし」 ❽なに。「為レ許なにがために」 ❾周代の国名。今の河南省許昌市の東。
㊁許許コは、多くの人が、働くときに出す掛け声の形容。
名前 もと・ゆき・ゆく 難読 許嫁いいなずけ・許婚いいなずけ・許西部こせべ・許勢こせ・許多あまた・許斐このみ・こひ
解字 金文 篆文 形声。言+午㊥。音符の午は、きねの形をした神体の象形。神に祈ってゆるされるの意味を表す。
逆 何許・勅許・黙許

【許嫁】キョカ・いいなずけ 両親どうしが取り決めた結婚の約束。夫婦約束。また、その婚約の相手。
【許許】ココ かけごえ。一説に、木のけずりくずのさま。
【許行】キョコウ 諸子百家の一つである農家の中心的人物。楚の人。滕の文公に農業の重要性を説いたといわれる。
【許衡】キョコウ 元の儒学者。河内（今の河南省沁陽市）の人。字は仲平。号は魯斎。諡は文正。朱子学者として、劉因とともに元の二大家と称された。『魯斎遺書』七巻がある。(一二〇九―一二八一)
【許△渾】キョコン 晩唐の詩人。丹陽（江蘇省丹陽市）の人。字は仲晦。詩をよくし、著書に『丁卯集』がある。生没年未詳。
【許△劭】キョショウ 後漢、平輿の人。字は子将。毎月一日に、友人と郷里の人物を批評し合った。世にこれを月旦の評といった。→月旦（六八五ページ中）。
【許慎（愼）】キョシン 後漢の文字学者。召陵（今の河南省漯河市）の人。字は叔重。その著書『説文解字』三十巻は、文字学の基本資料の一つ。(三〇?―一二四?)
【許多】キョタ あまた。多くあること。巨多。饒多。
【許諾】キョダク 許す。聞きいれる。うけあう。承知。許容。
【許由】キョユウ 中国古代伝説上の隠者。尭帝が位を譲ろうとしたのをことわり、箕山にかくれ住んだという人。→洗耳（八三四ページ上）。
【許容】キョヨウ うけあう。許す。聞きいれる。承知。

4【訩】11画 11121 ㊥キョウ ㊀クウ 图 xiōng

字義 ❶いいあらそう。がやがやと多くの人が言いたてる。また、あらそい。❷みだれ。わざわい。禍乱。
解字 形声。言+凶㊥。
【訩訩】キョウキョウ やかましくさわぐさま。匈匈キョウキョウ。洶洶キョウキョウ。詾詾キョウキョウ。

4【訢】11画 11122 ㊀㊥キン・㊀コン 文 xīn ㊁㊥ギン・㊀ゴン 寅 yín ㊂キ 因 xī 19201 ― 6145

字義 ㊀よろこぶ（喜）。たのしむ。＝忻（3648）・欣（5948）。㊁むす（蒸）。＝熹（7083）。
㊁訢訢ギンギンは、やわらぎつつしむさま。誾誾ギンギン。
解字 篆文 形声。言+斤㊥。音符の斤は、欣・忻に通じ、よろこぶの意味。言も、はずむ会話の意味。などやかにたのしむの意味を表す。
【訢合】キゴウ ㊀天地の気がやわらぎ、一つになること。㊁キンコウ 喜び集まること。
【訢然】キンゼン 喜ぶさま。欣然。

4【訡】11画 11123 ギン 吟（1355）と同字。→二五〇ページ下。 28855 ― ―

4【訣】11画 11124 人 標 ㊥ケツ ㊀ケチ 屑 jué 2377 8C8D ―

筆順 ㇐ 言 言 言 言 訁 訂 訣 訣
字義 ❶わかれる。わかる。㋐別れのことばを述べる。いとまごいする。用例〔史記、廉頗藺相如伝〕廉頗送至レ境、与レ王訣曰（レンパおくりていたり、おうとわかれていわく）、……。㊦廉頗は、見送って国境のところまで行き、王に別れを告げて言うことには、……。㋑死別する。「永訣」❷秘伝。奥義。「秘訣」❸たつ（絶）。たちきる。
参考 現代表記では〔決〕（6181）に書きかえることがある。「訣別→決別」
解字 篆文 形声。言+夬㊥。音符の夬カイ＝ケは、決に通じ、堤防などがきれるの意味。今まで共に生きていた者が離れ離れに別れるときにかわす言葉の意味から、わかれの意味を表す。
【訣飲】ケツイン 別れの酒を飲む。別れの杯をくむ。
【訣別】ケツベツ ①別れる。別離。決別。②いとまごいする。また、いとまごい。
【訣要】ケツヨウ おくぎ。おくのて。秘術。秘法。要訣。

4【訤】11画 11125 ㊀コウ（カウ） 肴 xiáo ㊁㊥ダ・㊀ナ 麻 nā ― ― 6146

字義 ㊀ほしいまま。言葉につつしみがない。㊁持つ。取る。

4【訯】11画 11126 ㊥サ ㊀セ 馬 sǎ ― ― 6150

解字 形声。言+殳㊥。
字義 しゃべる。無理にしゃべる。国ふるまう。

4【訟】11画 11127 常 ㊥ショウ・㊀ジュウ 宋 图 sòng ショウ 3057 8FD7 ―

解字 会意。言+及。及は、およぶの意味。話がくだらないことにしかおよばないの意味を表す。

筆順 ㇐ 言 言 言 言 訁 訟 訟 訟
字義 ❶うったえる。うったふ。また、うったえ。うったへ。言い争う。法廷などで是非を争う。「訴訟」❷せめる（責）。とがめる。❸易エキの六十四卦カの一つ。☰☵坎下乾上カンカケンショウ。争い、うったえるかたち。❹うたう（頌ショウ）。
解字 金文 篆文 形声。言+公㊥。音符の公は、おおやけの広場の意味。公開の法廷で発言する、うったえるの意味を表す。
逆 獄訟・争訟・訴訟
【訟言】ショウゲン はっきりいう。明言する。公言する。また、そのことば。
【訟獄】ショウゴク うったえる。また、うったえ。
【訟訴】ショウソ うったえる。また、うったえ。訴訟。
【訟庭】ショウテイ うったえをきく役所。しらす。裁判所。法廷。

4【訫】11画 11128 シン 信（373）の古字。→一〇九ページ中。 ― ― 6148

4【訦】11画 11129 ㊥シン ㊀ジン 侵 寝 chēn ― ― 6147

字義 まこと（信）。
解字 形声。言+冘㊥。

4【訠】11画 11130 シン 矧（8116）と同字。→一〇一八ページ上。 ― ― 6144

4【設】11画 11131 教5 ㊥セツ・㊀セチ 屑 shè セツ もうける 3263 90DD ―

筆順 ㇐ 言 言 言 言 訁 訁 訜 設
字義 ❶もうける。まうく。㋐並べる。連ねる。㋑そなえつける。置く。こしらえる。ほどこす。「私設」「施設」❷うたげ。宴会。ごちそう。❸大きい。また、大きくする。❹もし。たとい。たとひ。かりに。仮定のことば。「仮設・設若・設使・設令・設為」などもみな、「もし・たとい」と読む。国しつらえる。しつらふ。整えもうける。飾りもうける。
名前 おき・のぶ 難読 設楽したら・しだら
解字 甲骨文 篆文 会意。言+殳。言は、ことばの意味。殳は棒を手にしてなぐるの意味。腕力や言葉をならべる、もうけるの意味を表す。

逆 仮設・架設・創設

【設険(險)】セッケン 堅固な防備を設ける。

【設使・設若・設令・設為(爲)】もし・たとい(ひ) もし仮に。仮設。

【設色】セッショク いろどる。また、いろどり。

【設題】セツダイ 国問題または題目を設けること。また、その問題・題目。

【設備】セツビ 設ける。備える。用意する。また、備えつけたもの。

4 【訬】 11画 11132 ㊀㊥ソウ(サウ) ㊐ショウ(セウ) 肴 chāo ㊁㊥ビョウ(ベウ) ㊐ミョウ(メウ) 篠 miǎo — — 6149

字義 ㊀❶さわがしい。❷悪賢い。❸素早い。㊁❶高い。❷たおやか。

解字 形声。言＋少㊥。

4 【訥】 11画 11133 ㊥ドツ・㊐ノチ 月 nè(nà) 慣トツ 7536 E663 —

字義 ❶どもる。言いなやむ。＝吶(1377)。❷口が重い。ことばが、たっしゃでない。→訥言敏行。

解字 篆文 形声。言＋内㊥。音符の内は、入るの意味。ことばが口中に入っていて出てこない、口べたの意味を表す。

【訥言】トツゲン ことばのたくみでないこと。口が重いこと。

【訥言敏行】トツゲンビンコウ ことばをつつしみ、実行につとめること。『論語』里仁編に「君子欲$_{下}$訥$_{二}$於言$_{一}$而敏$_{中}$於行$_{上}$(クンシはゲンにトツにしておこない(ひ)にビンならんとほっす)」とあるのに基づく。→君子欲$_{下}$訥$_{二}$於言$_{一}$而敏$_{中}$於行$_{上}$(三云三ページ上)。

【訥口】トッコウ どもる。また、弁舌のにぶいこと。

【訥訥】トツトツ 口の重いさま。口べたなさま。吶吶トツトツ。

【訥弁(辯)】トツベン 国にぶくてまずい弁舌。口べた。

4 【訪】 11画 11134 教6 ホウ おとず-れる・たず-ねる ホウ(ハウ) 漾 fǎng 4312 964B —

筆順 亠 言 言 訪 訪

字義 と-う(とふ)。たず-ねる(たづぬ)。㋐おとず-れる(おとづる)。おとな-う(おとなふ)。とぶら-う(とぶらふ)。人をたずねる。訪問する。「歴訪」㋑たずねとう。相談する。㋒さがす(探)。さがしもとめる。「探訪」

名前 こと・み・みる

使いわけ たずねる〔尋・訪〕⇩尋(2730)。

解字 篆文 形声。言＋方㊥。音符の方は、左右に張り出すの意味。言葉を左右前後に張り出して行く、広くたずねるの意味を表す。

逆 探訪・歴訪

【訪議】ホウギ 問いはかる。相談する。

【訪求】ホウキュウ たずね求める。

【訪古】ホウコ 古い歴史のあとや名所などを探りたずねる。

【訪問】ホウモン ①たずねる。問う。②人をおとずれること。

4 【訳】 11画 11135 教6 ヤク わけ 4485 96F3 —

13 〖譯〗 20画 11136 ㊥エキ ㊐ヤク 陌 yì 7603 E6A1 —

筆順 亠 言 言 訳 訳

字義 ❶わけをとく。解釈する。文の意義を説き明かす。また、その解釈。❷あることばを、他の国のことばや違う時代のことばに直す。また、その文。「英訳」「直訳」 国わけ。㋐意味。意義。㋑ゆえ。いわれ。理由。

名前 つぎ・つぐ

解字 篆文 形声。言＋尺(睪)㊥。音符の睪キエは、つぎつぎにたぐりよせるの意味。一つの国語を他の外国語へとつぎつぎにたぐりよせる、やくすの意味を表す。

逆 意訳・抄訳・直訳・通訳・翻訳

【訳官】ヤクカン・ヤッカン 通訳する役人。通訳官。

【訳語】㊀ヤクゴ 翻訳したことば。㊁おさ(をさ) 国他国の語を自国語に通訳すること。また、その人。通訳。通辞。

【訳使】ヤクシ 通訳担当の使者。

【訳読(讀)】ヤクドク 国①書物を読むことと、意味を解くこと。②外国語で書かれた文を自国語に直して読むこと。

【訳文】ヤクブン ①文を翻訳する。②翻訳した文章。

4 【訞】 11画 11137 ヨウ(エウ) 蕭 yāo — — 6143

字義 ❶わざわい(災)。❷神秘怪奇なことをのべる、あやしげなことば。

解字 形声。言＋夭㊥。音符の夭ヨウは、不思議なみこ(巫女)の象形。不可思議な言葉の意味を表す。

【訞怪】ヨウカイ 怪しいもの。妖怪ヨウカイ。

4 【䚻】 11画 11138 ヨウ(エウ) yāo

字義 楽器の伴奏なしで歌うこと。＝謡(11326)。

解字 会意。肉＋言。

5 【詒】 12画 11139 ㊀イ 支 yí ㊁㊥タイ・㊐ダイ 灰 dài 7540 E667 —

字義 ㊀❶おく-る。人にことば・物を贈る。＝遺(12212)・貽(11536)。❷のこす(遺)。つたえる(伝)。後世にのこす。子孫などに伝える。❸よせる(寄)。託する。㊁❶あざむ-く(欺)。だます。❷おこたるさま。

解字 篆文 形声。言＋台㊥。音符の台イは、よろこぶの意味。人の喜ぶようなことを言って、あざむくの意味を表す。また、台は、おくるの意味。言葉をおくるの意味も表す。

5 【詠】 12画 11140 常 エイ よ-む ㊥エイ・㊐ヨウ(ヤウ) 敬 yǒng 1751 8972 —

〔咏〕 1392 同字

筆順 亠 言 言 訪 詠 詠

字義 ❶うた-う(うたふ)(歌)。声を長く引いて詩や歌をうたう。「朗詠」「吟詠」❷うたう。詩歌。❸詩歌を作ること。「即詠」「近詠」 国❶よ-む。和歌を作る。❷なが-める(ながむ)。うたう。

名前 うた・え・えい・かぬ・かね・なが

使いわけ よむ〔読・詠〕⇩読(11239)。

解字 金文 篆文 形声。言＋永㊥。音符の永は、いつまでもながく続くの意味。口から声を長く引いて、うたうの意味を表す。

逆 遺詠・歌詠・近詠・吟詠・雑詠・即詠・題詠・朗詠

【詠歌】エイカ ①詩歌を作ること。また、その詩や歌。②国巡礼などがうたう仏教和賛(たたえる)の歌。御詠歌。

【詠懐(懷)】エイカイ 思いをうたう。また、その詩歌。詠懐詩。

【詠帰(歸)】エイキ 詩をうたって帰ること。風流を楽しむ意。『論語』先進編に、「風$_{二}$乎舞雩$_{一}$(ブウにフウして)、詠而帰(エイじてかえ(へ)らん)」とあるのに基づく。

【詠吟】エイギン 詩歌などを声高くうたうこと。吟詠。

【詠史】エイシ 歴史上の事実を主題にして詩を作ること。また、その詩歌。詠史詩。

【詠進】エイシン 国詩歌を作って、朝廷・貴人・神仏などに奉ること。

【詠嘆・詠△歎】エイタン ①声を長く引いてうたうこと。②歌いほめる。③感動してほめる。感嘆する。

【詠物】エイブツ 鳥・獣・虫・魚・花・月・草・木などを題として詩歌を作る。また、その詩歌。詠物詩。

5 【詍】 12画 11141 エイ 霽 yì 2 8859 — 6160

字義 多言する。口かずが多い。おしゃべり。「詍詍エイエイ」

解字 形声。言＋世㊥。

言部 4▼5画 〔訬 訥 訪 訳 訞 䚻 詒 詠 詍〕

5 【訶】 12画 11142 標 カ 歌 hē 7537 E664 —

[呵] 1485 同字

字義 ❶しか-る。大声でどなりつける。＝呵(1395)。❷いかる(怒)。おこる。❸せ-める(責)。とがめる。

解字 金文 篆文 形声。言＋可音。音符の可は、大きな声を出すの意味を表す。言を付し、大きな声でしかるの意味を表す。

【訶詰】カキツ しかり、なじる。
【訶止】カシ しかっておしとめる。呵止。
【訶叱】カシツ しかる。しかりつける。
【訶辱】カジョク しかり、はずかしめる。しかって恥をかかせる。

5 【訝】 12画 11143 ガ 訝(11119)の俗字。→一三〇七ページ下。

5 【詎】 12画 11144 漢キョ 呉ゴ 語 jù 9204 — 6161

字義 ❶なん-ぞ(何)。なんすれぞ(何為)。いずくんぞ。あ-に(豈)。どうして。反語を表す副詞。「庸詎」とも連用する。＝巨(1115)・遽(12233)。❷いやしくも(苟)。かりそめにも。❸より(自)。よりは。

解字 形声。言＋巨音。

5 【詓】 12画 11145 漢キョ 呉コ 語 qū — — 6162

字義 呼吸する音の形容。

解字 形声。言＋去音。

5 【詘】 12画 11146 一 漢クツ・呉クチ 物 qū 二 漢チュツ・呉チュチ 質 chù 28860 — 6165

字義 一 ❶かが-む。かがめる。曲がる。曲げる。❷どもる。ことばがつまる。❸なじる。問いつめる。❹したがう。屈服する。また、従える。❺たたむ。巻く。❻おそれる。❼つきる(尽)。❽充詘は、喜びを表しすぎて、態度の節制を失うさま。 二 しりぞ-ける。官位を下げる。＝黜(14471)。

解字 篆文 形声。言＋出(屈)音。音符の屈は、かがむの意味。ことばがつまるの意味を表す。

【詘伸】クッシン のびちぢみ。かがむことと伸びること。屈伸。

5 【詗】 12画 11147 漢ケイ 呉キョウ(キャウ) 敬 迥 xiòng — — 6164

字義 ❶うかが-う。さぐる。偵察する。❷もとめる(求)。❸さとる。はっきりとさとり知る。

解字 形声。言＋冋音。

5 【詃】 12画 11148 ケン 銑 jiǎn — — 6156

字義 ❶いざなう。❷いつわる。

解字 形声。言＋玄音。

5 【詁】 12画 11149 コ 麌 遇 gǔ 7538 E665 —

字義 ❶古い時代のことば。❷とく(解・説)。よむ。古語を現代語で解釈する。「訓詁」

解字 篆文 形声。言＋古音。音符の古は、ふるいの意味。古い言葉の意味を表し、転じて、古語を読み解くの意味も表す。

【詁訓】コクン 古い時代のことばを今のことばで解釈する。

5 【評】 12画 11150 漢コ 呉ク 虞 hū — — 6153

字義 ❶めす(召)。よぶ。よびよせる。❷わめく。さけぶ。

解字 形声。言＋乎音。

5 【詢】 12画 11151 コウ 詬(11188)と同字。→一三一四ページ中。

5 【詐】 12画 11152 常 サ 漢サ・呉シャ 禡 zhà 2630 8DBC —

筆順 亠 亖 言 言 言 訁 訂 許 詐

字義 ❶いつわ-る。㋐あざむ-く。だます。おとしいれる。用例〔論語、陽貨〕古之愚也直、今之愚也詐而已矣。↓昔の愚か者は、まっすぐであったが、今の愚か者は、ごまかすばかりだ。㋑ふりをする。よそおう。用例〔史記、高祖本紀〕将軍紀信乃乗王駕、詐為漢王、誑楚。↓将軍紀信は王の車に乗り、漢王になりすまして、楚をだました。❷いつわ-り。うそ。虚言。用例〔史記、淮陰侯伝〕諸将亡者以十数、公無所追。追信、詐也。↓武将たちの逃亡した者は十をもって数えるほどいたが、あなたは誰のことも追いかけなかったではないか。韓信を追っていたなどというのは、でたらめだ。❸いつわりの。うその。にせの。❹たちまち。＝乍(76)。

解字 金文 篆文 形声。言＋乍音。音符の乍は、作為、つくりごとの意味。作為のある言葉の意味を表す。

逆 巧詐

【詐偽(僞)】サギ いつわり。うそ。→詐欺。
【詐欺】サギ ①いつわる。あざむく。だます。②国事実をいつわって、他人に損害をかけ、不法の利益を得る行為。◆うそをつくのを「詐偽」、人をだますのを「詐欺」というように使い分ける。なお、同音による間違いをさけるため、現代では、「詐偽」を「偽り」と言いかえるようになってきている。
【詐取】サシュ 人の物をだましとること。
【詐術】サジュツ 人をだますはかりごと。詐謀。
【詐称(稱)】サショウ 官位・住所・氏名・職業・年齢などをいつわっていうこと。
【詐誕】サタン うそ。いつわり。でたらめ。虚誕。
【詐騙】サヘン たくらんでいつわりあざむくこと。かたる。
【詐妄】サボウ いつわり。でたらめ。うそ。詐佯。
【詐謀】サボウ いつわりのはかりごと。詐計。
【詐佯・詐詳】サヨウ いつわる。用例〔史記、廉頗藺相如伝〕秦王特以詐詳為予趙城。↓秦王は、ただうそをついて趙に都市を与えるふりをしているだけだ。
【詐力】サリョク いつわりと暴力。詐欺と暴力。

5 【詞】 12画 11153 教6 シ 漢シ・呉ジ 支 cí 熟字訓 祝詞 2776 8E8C —

筆順 丶 亠 亖 言 言 言 訂 訶 詞

字義 ❶ことば。㋐単語。「品詞」㋑文章。言語。❷いう。告げる。説く。❸中国の韻文の一体。中唐のころ起こり、宋代に盛んに行われた。塡詞・詩余・倚声・長短句などともいう。詩とちがって一句の字数が一定しない。

名前 こと・し・じ・なり・のり・ふみ

解字 金文 篆文 形声。言＋司音。音符の司は、神意をうかがい知る祭事をつかさどるの意味。言は、言葉の意味。神意をうかがい知るための言葉の意味を表す。

逆 祝詞・寿詞・賞詞・誓詞・台詞・弔詞

【詞韻】シイン ことばのひびき。ことばや文章の趣。
【詞華】シカ ことばのあや。表現の美しいことば。また、すぐれた詩文。
【詞客】シカク 詩文を作る人。詩人。詩客。
【詞翰】シカン ①詩や文章。②手紙。書翰。
【詞業】シギョウ 詩文を作るわざ。
【詞曲】シキョク 韻文の名。詞と曲(戯曲)。
【詞芸(藝)】シゲイ ①詩文などを作るわざ。②文芸。
【詞彩】シサイ ①ことばのあや。詩文の美。②詩文。
【詞章】シショウ 詩歌や文章。
【詞訟】シショウ うったえごと。訴訟。

【詞場】ジョウ 詩文などを作るところ。また、詩文の作者の集まり。文壇。詩壇。
【詞人】ジン ①詞(韻文の一体)を作るのにすぐれた人。②詩歌や文章を作る人。詞客。
【詞宗】ソウ ＝詞伯。
【詞△綜】ソウ 書名。三十四巻。清シンの朱彝尊シュイソンの編著。宋ソウ・金・元の五百余人の詞を集めたもの。
【詞藻】ソウ ①ことばのあや。②美しいことば。また、すぐれた詩文。詞華。③詩文を作る才能。
【詞致】チ ことばのおもむき。詩歌・文章のおもむき。
【詞△牌】ハイ 詞の各種の種別に対してつけられた名称。詞の題。詞の形式・調べなどは、詞牌によって決定される。
【詞伯】ハク 詩文の大家。詩文にすぐれた人。詞宗。
【詞表】ヒョウ ①ことばのおもて。ことばの上。②ことばに表れるほか。言外。
【詞賦】フ ①文体の名。韻文で、古詩の流れをくむ。②＝辞賦(一四〇二ページ上)。
【詞律】リツ ①ことばや文の調子。格調。②書名。二十巻。清シンの万樹の著。詞を作る規則を並べたもの。
【詞林】リン ①詩文を集めたもの。②詩人や文人の仲間。文壇。③翰林院カンリンインの別称。
【詞話】ワ ①詞調の源流、作家の得失を評論した書をさす。その体裁は、ほぼ詩話と同じ。②宋ソウに始まり明ミン・元代に流行した芸能の一種。編中に詞と話(散文)があるもの。

5 【証】 12画 11154 教5 ショウ 3058 8FD8

㊀12 〔證〕 19画 11155 ショウ 径 zhèng 7590 E69A

㊁5 〔証〕 12画 ㊀漢セイ 呉ショウ(シャウ) 敬 zhèng ㊁ショウ 径

筆順 亠 言 言 訂 訂 訂 証

字義 ㊀〔證〕❶つげる(告)。知らせる。❷あかす。あかしをたてる。ありのままをいう。いつわりのないことを表明する。また、そのための書類・物件・行為など。**あかし**。また、**しるし**。「立証」「確証」❸容態。また、徴候。❹仏さとる。さとり。
㊁〔証〕㊀いさめる(諫カン)。㊁あかし。＝證。

名前 あかし・あきら・しょう・つぐ・み

解字 ㊀〔證〕篆文 證 **形声**。言＋登音。音符の登は、のぼるの意味。言葉を下から上の者にもうしつげるの意味を表す。
㊁〔証〕篆文 証 **形声**。言＋正音。音符の正は、ただすの意味。言葉で正す、いさめるの意味を表す。俗に借りて、證の意味に用いる。

逆 確証・偽証・検証・考証・査証・実証・心証・内証・認証・反証・弁証・傍証・保証・立証・例証・論証

【証(證)引】ショウイン 証拠として引用する。また、そのもの。

【証(證)券】ショウケン ①株券や手形などをいう。②債権を証明する証書。

【証(證)験(驗)】ショウケン ①しるし。証拠。また、徴候。②あかし。また、あかしをたてる。

【証(證)言】ショウゲン 国①ことばによってある事実を証明する。②証人ののべたことば。

【証(證)拠(據)】ショウコ 証明のよりどころ・根拠。

【証(證)左】ショウサ ①事件の当時その近く(左右)にいて、それを見た人の意で、証人をいう。②自分の手もとに置き他日の証拠とする(割り符の)左片の意で、証拠をいう。

【証(證)書】ショウショ 証拠となる書きつけ。証文。

【証(證)跡】ショウセキ 証拠となるあとかた。

【証(證)票】ショウヒョウ 証明のために渡す札。

【証(證)△憑】ショウヒョウ よりどころ。証拠。

【証(證)明】ショウメイ あかしを立てて明らかにする。また、あかし。

【証(證)文】ショウモン 証拠となる書きつけ。証書。

5 【詔】 12画 11156 常 ショウ みことのり ショウ(セウ) 嘯 zhào 3059 8FD9

筆順 丶 亠 言 言 訁 詔 詔

字義 ❶**みことのり**。天子の命令。古くは、広く上から下に告げるの意で、天子の命令の意の場合には命・誥誓コウセイと言った。秦シンの始皇帝の時、命を制、令を詔と改め、以後は天子の命令に限って詔というようになった。用例〔史記、刺客伝〕諸郎中執レ兵皆陳二殿下一、非レ有二詔召一不レ得レ上。(ショロウチュウ へいをとりてみなデンカにチンし、ショウショウあるにあらざれば、のぼるをえず)↓多くの警護の役人たちは武器を持ってみな宮殿の階下に居並び、秦王のお召しがかからなければ昇殿は許されなかった。❷**つげる**。言う。❸みちびく。案内する。❹文体の名。詔勅の文体。❺南詔は、唐代、今の雲南省にあった異民族の国。

名前 しょう・つぐ・のり

解字 篆文 詔 **形声**。言＋召音。音符の召は、まねくの意味。まねきよせて言う。つげる、みことのりの意味を表す。

逆 哀詔・遺詔・応詔・制詔・待詔

【詔獄】ショウゴク 天子の詔によって罪人を取り調べること。また、その獄舎。
【詔冊】ショウサク みことのりを書いた文書。詔書。
【詔旨】ショウシ みことのりの趣旨。勅旨。
【詔書】ショウショ みことのりを書いた文書。詔板。
【詔諭】ショウユ ①みことのりを下してさとすこと。②みことのり。詔勅。
【詔令】ショウレイ ①文体の名。天子の命令。みことのり。詔命。②詔と令。▼詔は天子が、令は皇后・太子が下に告げる文。

⇩コラム 漢文(六六ページ)

5 【診】 12画 11157 常 シン み-る シン 軫 zhěn 3139 9066

筆順 亠 言 言 言 訡 診 診

〔⿰言尒〕 11158 同字

字義 ❶**み-る**。㋐よくみる。㋑病状を調べる。診察。「検診」❷つげる(告)。＝畛(7634)。❸うらなう(占)。夢をうらなう。

名前 み・みる

使いわけ **みる**〔見・診〕⇩見(11027)。

解字 篆文 **形声**。言＋㐱音。音符の㐱シンは、密度が高いの意味。病人の症状をねんごろにたずねみるの意味を表す。

逆 往診・休診・誤診・打診

【診察】シンサツ 病気の原因や症状を見わける。
【診断(斷)】シンダン 国医者が患者をしらべて病気の原因や病状などを判断する。
【診夢】シンム 夢判断をする。占夢。
【診療】シンリョウ 病気を見わけてなおす。診察と治療。

5 【⿰言尒】 12画 11158 シン 診(11157)と同字。→一三一一ページ下。

5 【訷】 12画 11159 シン 真 shēn 9202 EE88 6152

字義 ❶とく(説)。❷伸(265)の俗字。

解字 **形声**。言＋申音。

5 【訴】 12画 11160 常 ソ うった-える ソ 遇 sù 3342 9169

筆順 亠 言 言 訂 訢 訴 訴

字義 ❶**うった-える**(愬ソ)。下の者が上の者にうったえる。㋐つげる(告)。㋑そしる。告げ口をする。㋒さばきをねがう。裁判所・官庁・上の者などに申し立ててさばきを求める。「告訴」㋓不平などをもらして、同情を求める。「哀訴」❷うった-え(うったへ)。

解字 篆文 **形声**。言+斥(㡿)音。音符の㡿ｾｷは、しりぞけるの意味。不当なことをしりぞけるためのことば、うったえの意味を表す。

逆 哀訴・越訴・起訴・控訴・強訴・告訴・愁訴・訟訴・上訴・提訴・敗訴

【訴願】(ソガン) ①うったえ願う。②国行政官庁の処分が不当であると考える人が、上級官庁にうったえること。

【訴権(權)】(ソケン) 国民事訴訟法に基づいて裁判所にうったえ出る権利。

【訴訟】(ソショウ) ①うったえ出る。また、うったえ。②裁判を請求する。民事・刑事・行政などの別がある。

【訴状(狀)】(ソジョウ) うったえ出る文書。訴訟状。

【訴追】(ソツイ) ①検察官が刑事事件について公訴を提起して、これを維持すること。②弾劾(ダンガイ)の申し立てをして裁判官・人事官の罷免を求めること。

【訴人】(ソニン) うったえ出る人。うったえを起こした人。

5【詛】12画 11161 漢ソ 呉ショ 御 zǔ 7539 E666 —

字義 ❶のろ-う(のろふ)。神に祈って、うらみのある人にわざわいをくださせる。呪詛(ジュソ)。❷のろ-い(のろひ)。また、のろいのことば。❸ちかう(誓)。また、ちかい。大事には盟といい、小事には詛という。❹そしる。悪口をいう。

解字 篆文 **形声**。言+且音。音符の且ｿは、そなえ物を載せる台の象形。そなえ物をしてわざわいを下すよう神に祈る、のろう・ちかうの意味を表す。

【詛盟】(ソメイ) ちかう。誓約する。

5【詑】12画 11162 ㊀漢タ・呉ダ 歌 tuó ㊁イ 支 yí 3434 91C0 —

字義 ㊀あざむ-く(欺)。=訑(11104)。㊁詑詑は、うぬぼれるさま。得意になるさま。=訑(11104)。国わ-びる(わぶ)。詫(11208)の誤用。 難読 詑間(たくま)

解字 **形声**。言+它音。

5【訵】12画 11163 チ 支 chī 28856 — 6151

字義 ❶ひそかにうかがい知る。❷知らない。答えることができない。

解字 **形声**。言+四音。

5【註】12画 11164 人 標 漢チュウ(チウ) 呉チュ 遇 zhù 3580 9290 —

筆順 亠 言 言 言 計 計 註 註

字義 ❶とく。ときあかす。字句の意味を明らかにする。❷ときあかし。解釈。本文の傍・下・欄外に書いた解釈。=注(6249)。「頭註」「脚註」❸くどいことば。くだくだしいことば。❹しるす(記)。書きしるす。

名前 あき・とき・のぶ

参考 現代表記では〔注〕(6249)に書きかえる。「註釈→注釈」「註文→注文」。熟語は〔注〕をも見よ。

解字 **形声**。言+主音。音符の主は、注に通じ、そそぐの意味。難解な言葉に、易しい言葉を注いで解くの意味を表す。

【註解】(チュウカイ) =註釈。

【註釈(釋)】(チュウシャク) 本文の意味をときあかすこと。また、その文。注釈。

【註文】(チュウモン) 国①あつらえる。②条件をつける。注文。

5【詝】12画 11165 チョ 語 zhǔ 19205 — 6167

字義 知恵。知識。

解字 **形声**。言+宁音。

5【詆】12画 11166 漢テイ 呉タイ 薺 dǐ 7541 E668 —

字義 ❶そし-る。悪口を言う。❷しかる。とがめる。なじる。❸あざむく。❹はずかしめる。恥をかかせる。

解字 篆文 **形声**。言+氐音。音符の氐ﾃｲは、ひくいの意味。人を低めていう、そしるの意味を表す。

【詆△呵・詆△訶】(テイカ) そしりとがめる。

【詆毀】(テイキ) そしる。くさす。悪くいう。詆訾(テイシ)。

【詆欺】(テイギ) 事実をいつわりまげていうこと。

【詆△訐】(テイケツ) そしりあばく。人の悪口を言い、隠しごとをあばく。

【詆辱】(テイジョク) そしり、はずかしめる。悪口を言って恥をかかせる。

【詆△讕】(テイラン) でたらめをいって自分の欠点をごまかす。

5【詄】12画 11167 漢テツ 呉デチ 屑 diē

字義 ❶わすれる。気にかけない。❷ひろい。ひろびろとしている。

解字 **形声**。言+失音。

5【詀】12画 11168 ㊀漢タン・呉テン 咸 zhān ㊁テン 塩 diān — — 6155

字義 ㊀❶多言する。❷たわむれる(戯)。㊁たくみにいう。

解字 **形声**。言+占音。

5【詜】12画 11169 トウ(タウ) 豪 tāo — — 6166

字義 小児のかたこと。

解字 **形声**。言+叏音。

5【詉】12画 11170 漢ドウ(ダウ) 呉ニョウ(ネウ) 肴 náo — — 6159

字義 かまびすしい。

解字 **形声**。言+奴音。

5【詖】12画 11171 ヒ 寘 支 bì — — 6163

字義 ❶かたよ-る(偏)。かたむく(傾)。=頗(13451)。❷ねじける(佞ﾈｲ)。正しくない。また、ねじけごと。不正。❸さかしい。わるがしこい。❹へつらう。おもねる。❺みだりに罰する。❻事を分けて説明する。

解字 篆文 **形声**。言+皮音。音符の皮は、獣のかわをはぎとるさまにかたどり、わけるの意味。事の正否を論理的に分けて説くの意味を表す。また、皮は波に通じ、なみの意味。表現が波のように揺れ傾く、公正でないの意味を表す。

【詖行】(ヒコウ) ねじけたおこない。不正行為。

【詖辞(辭)】(ヒジ) かたよって正しくないことば。

5【評】12画 11172 教5 ヒョウ

5〖評〗12画 11173 漢ヘイ・呉ビョウ(ビャウ) 慣ヒョウ(ヒャウ) 庚 píng 4130 955D —

筆順 亠 言 言 言 訁 訂 評 評

字義 ❶はか-る。また、あげつらう。是非・善悪を考えて論ずる。品定めする。批評する。価値判断する。❷ただ-す(正)。ただしさだめる。❸文体の名。歴史家などが批評して書いた文章。

名前 さだ・ただ

解字 **形声**。言+平(平)音。音符の平は、たいらの意味。公平に物事をはかって言うの意味を表す。

逆 合評・好評・講評・高評・酷評・世評・定評・批評・品評・風評・論評

【評価(價)】(ヒョウカ) ①品物のねだんをきめる。また、評定した価格。②国㋐善悪・美醜などを評論して、ねうちをきめること。また、評定した価値。㋑児童・生徒の学習成績について判定する。

【評議】集まって相談する。また、その相談。

【評決】はかりさだめる。話し合って決める。評定。

【評定】一 ＝評決。二 国評価し、段階・評語などで示す。「勤務評定」

【評定所】国①鎌倉幕府で、評定衆(政務の評定をつかさどった人)が事務をとった役所。②江戸幕府の最高の裁判所。老中・奉行などが重大事件を合議した所。

【評点(點)】国①批評の言葉。また、批評と点数。②教師が生徒の成績などにつける点数。

【評伝(傳)】国批評を加えてある伝記。

【評判】①批評して判断する。また、批評。判定。②国㋐世間のうわさ。とりざた。㋑名高いこと。名声。

【評林】批評を集めたもの。また、その書。

【評論】是非・善悪などについて批評し論ずる。また、その論文。

5【訣】12画 11174

漢ヨウ(ヤウ) 呉オウ(アウ) 漾 養 yàng

9203 — 6158

字義 ❶さとい。かしこい。❷つげる(告)。❸とう(問)。

解字 形声。言＋央音。

5【詈】12画 11175

リ 寘 lì

7542 E669 —

字義 ❶ののしる(罵)。悪口をいう。はげしく非難する。❷あてこすりをいう。「罵詈雑言」

解字 篆文 会意。言＋罒(网)。网は、あみの象形。悪口を網のように人におしかぶせるの意味を表す。

5【詅】12画 11176

漢レイ 呉リョウ(リャウ) 青 敬 líng

28858 — 6157

字義 ❶うる(売)。❷てらう(衒)。実際の価値以上に人に見せかけること。

解字 形声。言＋令音。

6【詼】13画 11177

カイ(クワイ) 灰 huī

7543 E66A —

字義 たわむれる。おどける。たわむれ。おどけ。「詼諧」

解字 形声。言＋灰音。音符の灰は、はいの意味。なか身のない灰のようなことば、たわむれるの意味を表す。

【詼諧】おどけ。道化。たわむれ。諧謔。

【詼△謔】おどけ。道化。冗談。諧謔。

【詼嘲・詼△啁】たわむれる。おどける。「詼嘲譏刺」

6【詿】13画 11178

漢カイ(クワイ) 呉ケ 卦 guà

— — 6178

字義 ❶あやまる(誤)。❷あざむく。

解字 形声。言＋圭音。

【詿誤】①人をあざむきまどわすこと。②官吏が処分されること。

6【該】13画 11179

常 ガイ

カイ 灰 gāi

慣ガイ

1926 8A59 —

筆順

字義 ❶かねる(兼)。そなえる(備)。かねそなえる。また、そなわる。❷あたる。あてはまる。「当該」❸その。この。問題になっている事物をさす。「該地」❹ちかい(誓)。軍中の約束。❺ことごとく。みな。広く。

名前 かず・かた・かね・かね・みな・もり

解字 篆文 形声。言＋亥音。音符の亥は、改などに通じ、あらたまるの意味。言葉があらたまって行き届く、かねそなわるの意味を表す。

逆 当該

【該△覈】広く調べる。

【該究】広く研究する。広くきわめる。

【該△洽】広く行き渡る。

【該△悉】あまねくつくす。あまねく知りつくす、挙げつくすなどの意。

【該△贍】かねそなわって、じゅうぶんに足りている。

【該通】広く行き渡る。また、広く通ずる。

【該当(當)】ぴったりとあてはまる。

【該博】学問や知識などが広くそなわっていること。

6【詻】13画 11180

一 漢ガク・呉ギャク 陌 è 二 ラク 薬

— — 6176

字義 一❶いいあらそう。❷ことばづかいがはげしい。「詻詻」❸さからう。＝挌(4146)。二 うったえる。

解字 篆文 形声。言＋各音。音符の各は、つきだすの意味。ことばをつきだしあう、言いあらそうの意味を表す。

【詻詻】①命令のきびしいさま。②言い争うさま。直言するさま。

6【詭】13画 11181

キ 紙 guǐ

7544 E66B —

字義 ❶せめる(責)。❷そむく(反)。たがう(違)。もとる。＝乖(86)。❸いつわる。あざむく。たぶらかす。用例(資治通鑑、漢紀)匈奴詭言武死 ↓匈奴は偽って蘇武はもう死んでしまったと告げた。❹あやしむ。また、あやしい。❺ことなる(異)。ひとしくない。

解字 篆文 形声。言＋危音。音符の危は、不安定であるの意味。不安定なことば、いつわりの意味を表す。

【詭異】あやしくふしぎ。

【詭怪】不思議な。あやしい。また、あやしいこと。奇怪。詭異。

【詭遇】①正しい方法によらずに鳥獣を射とめる。②他人の気にいるようにして、世にうけいれられ、富貴になったりすること。

【詭計】いつわりのはかりごと。人をだます計略。詭策。詭謀。

【詭激】言行が過激で、適切でないこと。

【詭詐】いつわる。あざむく。また、いつわり。

【詭策】＝詭計。

【詭辞(辭)】①うそいつわりのことば。詭言。②奇怪な言論。

【詭説】一 いつわりの言説。うそ。詭辞。二 こじつけて説明する。

【詭誕】そらごと。うそ。でたらめ。

【詭道】①人をだます手だて。②近道。捷径。

【詭弁(辯)】①たくみに人を惑わすことば。②こじつけの弁論。道理に合わない弁論。

【詭妄】いつわり。でたらめ。

6【詰】13画 11182

常 キツ つめる・つまる・つむ

漢キツ・呉キチ 質 jié

2145 8B6C —

筆順

字義 ❶なじる。責め問う。問いつめる。問いただす。「難詰」「面詰」❷調べる。取り調べる。❸まがる。また、まげる。❹つめる。つむ。みたす。入れる。また、つまる。朝。国❶つまる。㋐ふさがる。㋑こまる(困)。苦しくなる。㋒ちぢまる。短くなる。㋓終わりになる。❷つめる。㋐ちぢめる。㋑せばめる。㋒ふさぐ。㋓出勤する。当直する。㋔ひきしめる。倹約する。㋕逃げられないようにする。❸つまり。終局。結局。❹つめ。㋐つめること。また、そのもの。栓の類い。㋑きわ(際)。はて。㋒出勤。当直。

解字 篆文 形声。言＋吉㊥。音符の吉は、緊に通じ、ひきしめるの意味。ことばでしめつける、問いつめるの意味を表す。

逆 究詰・難詰・盤詰・面詰

【詰窮】問いつめる。責めつける。

【詰曲】まがりくねること。屈曲。▼詰も、曲。

【詰屈】まがって伸びないこと。

【詰屈△聱牙】むずかしくて読みにくい文章の形容。佶屈聱牙とも書く。

【詰責】せめなじる。罪人などを問いつめる。失敗などを責める。

【詰旦】①朝早く。早朝。②あくる朝。詰朝。

【詰朝】あくるあさ。翌朝。詰旦。

【詰問】なじり問う。責め問う。また、問いつめる。

6 【誆】 13画 11183 ㊀㊥キョウ（キャウ） ㊀㊦ゴウ（グワウ） ㊁㊥キョウ（キャウ） ㊁㊦ゴウ（グワウ） 養 kuāng 漾 ― ― 6181

字義 ㊀あざむ-く。いつわる。人をだます。㊁いつわりのことば。

解字 形声。言＋匡㊥。

6 【詾】 13画 11184 ㊥キョウ ㊦ク 冬 xiōng ― ― 6177

字義 ❶訴える。❷多くの人が言いたてる。❸おどす。

解字 形声。言＋匈㊥。

6 【詡】 13画 11185 ク 麌 xǔ 9206 ― 6168

字義 ❶ほこ-る。大言をはく。ほらをふく。❷おおきい（大）。❸あまねくゆきわたる。❹やわらぐ（和）。❺敏捷で勇ましい。❻はっきりとして、気のきいた言いかた。

解字 篆文 形声。言＋羽㊥。音符の羽は、誇に通じ、ほこるの意味を表す。

【詡詡】①大きいさま。大言するさま。一説に、嫵に通じ、こびへつらうさま。②やわらぎ集まるさま。③羽の音の形容。

6 【詣】 13画 11186 常 ケイ もう-でる ゲイ 霽 yì 2356 8C77 ―

慣ケイ

筆順 亠 亖 言 言 言ノ 言匕 詣 詣

字義 いた-る。㋐つく。到着する。多くは中央や貴人のところに行くことをいう。用例（史記、孝文本紀）張武等六人乗レ伝詣二長安一。張武たち六人は宿駅の伝車に乗って長安に到着した。㋑来る。やって来る。㋒たずねる。目通りする。用例（東晋、陶潜、桃花源記）及二郡下一、詣二太守一。郡の役所が置かれている町に着くと、郡の長官に会いに行った。㋓学問などが深い境地に進む。「造詣」 国もう-でる。参る。神仏にお参りする。また、もうで。「参詣」

名前 いたる・まい・ゆき

解字 篆文 形声。言＋旨㊥。音符の旨は、指に通じ、うまいものに食指をつけるの意味。いたるの意味を表す。

6 【誇】 13画 11187 常 コ ほこ-る ㊥カ（クワ）・㊦ケ 麻 kuā 2456 8CD6 ―

慣コ

筆順 亠 亖 言 言一 言大 誇 誇

字義 ❶ほこ-る。いばる。大言をはいていばる。❷ほこ-り。名誉。また、じまん。❸ふとい。大きい。国ほこ-らか。ほこ-りか。得意そうなさま。

解字 篆文 形声。言＋夸㊥。音符の夸は、華に通じ、はなやかの意味。はなやかに言う、ほこるの意味を表す。

逆 浮誇

【誇△詡】ほこってみせびらかす。誇衒。

【誇△衒】ほこりてらう。見せびらかす。

【誇示】ほこり示す。見せびらかす。

【誇称（稱）】おおげさにいう。

【誇大】①おおげさにいう。②ほこる。いばる。

【誇大妄想】国自分の現在の状況を、非常におおげさに考える妄想。

【誇張】実際よりもおおげさに言うこと。

【誇△耀】ほこり輝かす。見せびらかす。

6 【詬】 13画 11188 ㊥コウ ㊦ク 宥 宥 gòu 7545 E66C ―

［訽］ 11151 同字

字義 ❶はずかし-める。恥をかかせる。また、恥。❷ののしる。❸いかる（怒）。

解字 篆文 形声。言＋后㊥。音符の后は、垢に通じ、あつくたまったあかの意味。ことばでけがす、はずかしめるの意味を表す。

【詬言】ののしり言う。また、ののしりのことば。ののしり。

【詬辱】そしりはずかしめる。また、そしりはずかしめる。恥辱。

【詬恥】はじ。また、そしりはずかしめる。恥辱。

【詬罵】ののしる。また、ののしり。

【詬病】そしりはずかしめる。悪口を言う。また、悪口。

6 【詤】 13画 11189 コウ 謊（11305）の本字。→一三三〇ページ下。

6 【詥】 13画 11190 ㊥コウ（カフ） ㊦ゴウ（ガフ） 合 hé, ②gé ― ― 6169

字義 ❶和らぐ。かなう。❷集まって言う。衆人の言論。

解字 形声。言＋合㊥。音符の合は、あうの意味。

6 【詧】 13画 11191 サツ 察（2693）の古字。→四〇八ページ上。 ― ― 6170

6 【詩】 13画 11192 教3 シ シ 支 shī 2777 8E8D ―

筆順 亠 亖 言 言一 言十 詁 詩 詩 詩

字義 ❶からうた。中国の韻文の一体。四言・五言・七言などの句を連ね、歌うのに適するようにしたもの。漢詩。❷経書の名。五経の一つ。→詩経。国シ。各句が一定の音律に基づいて作られた韻文。字句の数などにきまりのあるものと散文的なものとがある。

名前 うた・し・ゆき

解字 篆文 形声。言＋寺㊥。音符の寺は、之に通じ、ゆくの意味。内面的なものが、言語表現に向かっていったもの、うたの意味を表す。

逆 逸詩・漢詩・狂詩・古詩・史詩・唐詩・律詩

【詩韻】①詩のおもむき。②詩の韻字。③詩のリズム。

【詩翁】詩を作る老人。詩人の美称。

【詩歌】①詩と歌。②国㋐詩。韻文。㋑漢詩と和歌。

【詩客】詩を作る人。詩人。詩家。

【詩格】①詩を作る法則。②詩の風格。詩品。

【詩眼】①詩情をつかむ眼力。詩を理解する力。②詩の巧拙を左右する一字。五言詩句では第三字を、七言詩句では第五字をいう。

【詩経（經）】書名。五経の一つ。中国最古の詩集で、儀式用（小雅・大雅）・祭典用（頌）の歌もあるが、その半分以上は民謡（国風）である。もと、王者が各地の歌謡三千余編を集めさせたが、その中から孔子が三百十一編（うち六編は題名のみ現存）を選んで儒教の経典としたものという。毛詩。

【詩境】①詩のおもむきに富んだ場所。②国詩にえがき出した境地。

【詩興】①詩のおもしろみ。②詩を作りたい気持ち。

【詩吟】国漢詩に節をつけてうたうこと。

【詩語】詩に用いることば。

【詩△窖】詩才に富む人。▼窖は、穴ぐら。

【詩債】他人と約束などして、詩を作らなければならないのに、まだ作らないこと。詩の負債。

【詩材】詩の題材。詩を作る材料。詩料。

【詩史】①史実を詩の形でうたったもの。②詩の変遷を述べた歴史。

【詩社】詩人仲間。詩人の団体。また、定期的に催す詩会。

【詩趣】①詩にうたわれたおもむき。詩のおもしろみ。②国詩に表したいほどのおもむき。

【詩書】『詩経』と『書経』(尚書・四二ジ下)。

【詩抄・詩△鈔】ある書物の中から何編かの詩をぬきだしたもの。

【詩情】うたごころ。心に触れた思いを表したいと思う心持ち。

【詩聖】①古今第一の詩人。②盛唐の詩人、杜甫の別称。↓杜甫(七二ジ上)。

【詩仙】①天才詩人。②詩歌にふけって世の中のことを顧みない人。③盛唐の詩人、李白の別称。↓李白(七三ジ上)。

【詩箋】詩を書くための紙。

【詩宗】①『詩経』の宗家。『詩経』専門の大家。②詩の大家。大詩人。詩伯。

【詩草】①詩の下書き。詩稿。②詩集。

【詩想】①詩を生み出す考え。②詩に表された思想や感情。

【詩体(體)】詩の形式や体裁。

【詩壇】①詩人の仲間。詩人の社会。②作詩の優劣を争う場所。

【詩中有レ画(畫)】詩句の中にまるで絵があるように実景がまざまざと描かれていること。盛唐の王維の詩をほめたことば。〔北宋、蘇軾、題跋、書二摩詰藍田煙雨図一〕

【詩腸】詩を作る心。詩情。詩思。

【詩筒】①詩を入れる竹のつつ。②詩を作る思い。

【詩△嚢】①詩を書いた原稿をいれるふくろ。②詩情。詩想。「詩嚢を肥やす」

【詩伯】すぐれた詩人。詩の大家。詩宗。

【詩品】①詩の品格。詩格。②書名。三巻。南朝梁の鍾嶸の著。漢から梁までの詩人百二十二人の五言詩を、上・中・下の三段階に分けて批評したもの。

【詩賦】詩と賦。ともに韻文。

【詩仏(佛)】盛唐の王維の別称。仏教を信じ、その造詣が深かったのでいう。↓王維(九四三ジ上)。

【詩△篇】①詩。詩の一編。②詩集。③旧約聖書の中にある神をたたえた詩を集めた一編。

【詩魔】①詩をつくる気持ちをおこさせる一種の不思議な力。②野卑でよくない詩想。

【詩余(餘)】詩体の一つ。詞の別名。塡詞。詞曲。↓詞(11153)の字義❸。

【詩律】詩をつくるさいの規則。また、詩の調べ。

【詩礼(禮)△之訓】子が父の教えを受けること。孔子の子の伯魚が孔子から、詩と礼とを学ぶべきわけをきいた故事による。

【詩話】詩の批評や詩人の逸話などを述べた書物。

6 【試】 13画 11193 教4 シ こころ-みる・ため-す シ 寘 shì 2778 8E8E

筆順

字義 ❶こころ-みる。ため-す。❷しらべる。また、探る。❸もちいる。あてる。任命する。❹試験。「入試」「殿試」❺こころみに。

名前 み・もち

解字 篆文 形声。言＋式㊅。音符の式は、きまりの意味。きまりに従って言葉でためす、きまりに従って用いるの意味を表す。

逆 会試・郷試・考試・策試・面試

【試金石】①金・銀の品位を判定するのに使う石。②ものの価値を判定する材料となる物事。

【試△毫】国書きぞめ。試筆。▼毫は、筆のほ。

【試探】試みさぐる。ためしに探してみる。

【試筆】国書きぞめ。年の初めに書く習字。

【試補】国見習中の役人。事務見習。

【試問】ためしに問う。また、ためすために問う。「口頭試問」

【試用】試みに用いる。ためしに使う。

【試練・試錬・試△煉】①試みきたえる。②国㋐信仰や決心の程度を(きびしく)試みためすこと。㋑自分の力をためされているかと思われるような苦難。

6 【訾】 13画 11194 シ 因 zī 28857 — 6154

字義 ❶なまけて職務を果たさない。❷そし-る。人の欠点を非難する。❸おもう(思)。❹はかる。はかり考える。＝咨(1460)。❺もとで。宝。財産。＝貲(11554)。❻きず。病気。欠点。＝疵(7727)。❼なげく。うらむ。また、そのことば。ああ。❽なんぞ(何)。なんすれぞ。疑問・反語の意。❾わるい。❿なやむ。病む。⓫ほしいまま。

解字 篆文 形声。言＋此㊅。音符の此は、疵に通じ、きずの意味。ことばで人をきずつける、そしるの意味を表す。

【訾毀】そしる。非難する。悪口をいう。

【訾訾】①職務をおこたるさま。②他人の欠点を悪くいうさま。

6 【訛】 13画 11195 同字 シ 訾(11194)と同字。↓一三一五ジ下。

6 【誃】 13画 11196 — — 6180

字義 ㊀シ 紙 chǐ ㊁イ 支 yí ㊂㊅タ・㊇ダ 哿 箇 duò

㊀別れる。離れる。㊁門の名。㊂あざむく。

解字 形声。言＋多㊅。

6 【誀】 13画 11197 — — 6179

字義 ㊀㊅ジ・㊇ニ 寘 支 èr ㊁チ 紙 chǐ

㊀誘う。㊁はじ。＝恥(3526)。

解字 形声。言＋耳㊅。

6 【詶】 13画 11198 ㊅シュウ(シウ) ㊇ジュ 尤 chōu — — 6172

字義 ❶のろう。❷むく-いる(報)。＝酬(12390)。❸こたえる。返答する。

解字 篆文 形声。言＋州㊅。音符の州は、酬に通じ、むくいるの意味。言葉でこたえる、むくいるの意味を表す。

6 【詢】 13画 11199 人 シュン 真 xún 慣ジュン 7546 E66D —

筆順

字義 ❶はか-る。と-う(問)。相談する。「諮詢」❷ひとしい(均)。❸まこと。まこと-に。

名前 まこと

解字 篆文 形声。言＋旬㊅。音符の旬は、尋に通じ、たずねるの意味。とう・はかるの意味を表す。また、旬に通じ、ひとしいの意味も表す。

【詢按】ジュンアン たずね調べる。

【詢訪】ジュンボウ たずね問う。問いはかる。

【詢謀】ジュンボウ ①問いはかる。②はかりごとを問う。

6【詳】13画 11200 常 ショウ くわ-しい　3060 8FDA 一

一漢ショウ(シャウ)・呉ゾウ(ザウ) 陽 xiáng
二ヨウ(ヤウ) 陽 yáng

筆順 亠 言 言 言 言 言 詳 詳 詳

字義 一❶くわ-しいくはし。つまび-らか(審)。用例〔近古史談、織篇、稲葉一徹〕一徹一一分解イッテツイチイチ、ブンカイし併説ニ其典一甚詳あわ(は)せてそのテンをとくこと、はなはだつまびらかなり。↓一徹は一語一語について細かに解き明かし、そのいわれまでも非常にくわしく解説した。❷つまび-らかにするつまびらかにす。明らかにする。用例〔人虎伝〕願詳ニ其事一ねがわ(は)くはそのことをつまびらかにせんことを。↓どうかその事情を詳しく話してほしい。❸ことごとく。すべて。❹たいらか。公平。❺よい。めでたい。＝祥(8373)。二いつわる。＝佯(348)。

名前 あき・しょう・つま・みつ・よし

解字 篆文 形声。言＋羊音。音符の羊ヨウ→ゾウは、相に通じ、すがたの意味。物のすがた・さまを言葉にする、つまびらかにするの意味を表す。

逆 不詳・未詳

【詳解】ショウカイ くわしく解釈・解説する。また、その解釈。

【詳覈】ショウカク くわしく調べる。

【詳究】ショウキュウ くわしく探究する。詳細に研究する。詳求。

【詳刑】ショウケイ 刑罰をくわしく考察する。

【詳察】ショウサツ くわしく見る。よく考える。

【詳悉】ショウシツ くわしく見きわめる。知りつくす。

【詳述】ショウジュツ くわしくのべる。

【詳審】ショウシン つまびらかなこと。ゆきとどいていること。

【詳正】ショウセイ 細かな点まで明らかにし、正しくする。また、心をくばって正す。

【詳説】ショウセツ くわしく説く。また、くわしい説明。

【詳平】ショウヘイ 裁判が、明らかで公平なこと。詳当。

【詳報】ショウホウ くわしい知らせ。

【詳密】ショウミツ ①くわしく、こと細かなこと。②思慮がこまやかに行きとどくこと。

【詳覧(覽)】ショウラン くわしく見る。

【詳略】ショウリャク くわしいことと、あらいこと。詳密と粗略。精粗。

【詳録】ショウロク くわしく書きしるす。また、その記録。

【詳論】ショウロン くわしく論ずる。また、その論説。

6【誠】13画 11201 教6 セイ まこと　3231 90BD 一

7【誠】14画 11202 漢セイ 呉ジョウ(ジャウ) 庚 chéng

筆順 亠 言 言 訁 訢 訢 誠 誠 誠

字義 ❶まこと。㋐いつわりでないこと。ほんとう。真実。信実。㋑まごころ。誠意。❷まことに。実に。ほんとうに。❸まこと-にするまことにす。まことなものにする。

名前 あき・あきら・かね・さと・さね・しげ・すみ・せい・たか・たかし・たね・とも・なが・なり・なる・のぶ・のり・まこと・まさ・み・もと・よし

解字 篆文 形声。言＋成(成)音。音符の成は、完成して安定しているの意味。安心できることば、まことの意味を表す。

逆 至誠・赤誠・拙誠・丹誠・忠誠・熱誠

【誠意】セイイ ①まごころ。まことの心。②心をまことにする。心の中にいつわりをもたないようにする。

【誠壱(壹)】セイイツ 純一な真心。真心一筋であること。

【誠愨】セイカク 誠実。誠直。▼愨も、まこと。

【誠歓(歡)誠喜】セイカンセイキ まことによろこびまことによろこぶ まことに喜ばしい。臣下が天子に奉る書に用いることば。

【誠恐】セイキョウ まことにおそれる。おそれかしこまる。

【誠敬】セイケイ ①真心からつつしみうやまう。②程朱学の眼目である存誠(まごころをたもつ)と居敬(常につつしむ)。

【誠惶誠恐】セイコウセイキョウ まことにおそれまことにおそる この上なくおそれかしこまる。臣下が天子に奉る文に用いることば。

【誠懇】セイコン 真心があってねんごろなこと。誠悃セイコン。

【誠実(實)】セイジツ ①真心があっていつわりがなくまじめなこと。②ほんとうに。まことに。

【誠者天之道也】まことはテンのみちなり 誠は天地自然の道理であり、天が人に賦与した本性である。〔中庸〕

【誠切】セイセツ 真心があって親切なこと。忠切。

【誠節(節)】セイセツ まことのみさお。いつわりのない節操。

【誠忠】セイチュウ 国①こころからつくす忠義。②こころをこめた親切。

【誠服】セイフク こころからしたがう。心服。

【誠烈】セイレツ 真心があってみさおがかたいこと。また、その人。

6【説】13画 11203 セツ 説(11236)の俗字。→一三三〇ページ上。

6【詮】13画 11204 常 セン　3307 9146 一

【詮】11207 俗字

セン 先 quán

筆順 亠 言 言 言 訡 詮 詮 詮 詮

字義 ❶そな-わるそなはる。そなえる。❷ものの道理などを詳しく説きあかす。「詮釈」❸つく(就)。❹のり(法)。みち(道)。❺えらぶ(選)。はかる。＝銓(12618)。国セン。㋐しるし。かい。効果。「詮無い」㋑つまり。つまるところ。「詮ずる所」㋒手段。方法。㋓審議。㋔場合。

名前 あき・あきら・さと・さとし・さとる・せん・とし・とも・のり・はる・よし

解字 篆文 形声。言＋全音。音符の全は、そなわるの意味。そなわっている説明の意味を表す。

【詮議】センギ 国①相談して事をきめる。評定。②罪人などをくわしく取り調べること。

【詮衡】センコウ 国人物をくわしく調べて選び出すこと。選考。銓衡センコウの誤用。

【詮索】センサク 国たずねさがす。調べ求める。

【詮釈(釋)】センシャク 説きあかす。また、そのことば。

6【詵】13画 11205 一シン 真 shēn 二セン 霰　9207 一 6171

字義 一❶とう(問)。❷おおい(多)。❸詵詵は、仲よく集まるさま。

解字 篆文 形声。言＋先音。音符の先は、さきをあらそうの意味。多くの人が先をあらそって発声・発言するの意味を表す。

6【詹】13画 11206 一セン 塩 zhān 二漢セン・呉ゼン 豔 shàn　9208 EE89 6174

字義 一❶くどくどという。ことばが多い。「詹詹」❷いたる(至)。❸みる。＝瞻(8094)。二たす(足)。また、たりる。＝贍(11621)。

解字 篆文 会意。户＋八＋言。户は、屋根のむねから、ひさしに流れる線の象形。ひさしの下、音の反響する場所で言うさまから、くどくど言うの意味を表す。八は音響の分散するさまを表す。詹を音符に含む形声文字に、儋タン・憺タン・擔(担)タン・檐エン・澹タン・瞻セン・蟾セン・襜セン・簷エン・譫セン・贍セン などがある。

【詹諸】センショ 蟾諸センショ。月の中にすむというひきがえる。転じて、月をいう。

6【詮】13画 11207 セン 詮(11204)の俗字。→一三一六ページ中。

6【詫】13画 11208 人 標 タ 禡 chà 4745 986C —

筆順 ⺈ 言 言 言 詝 詫 詫 詫

字義 国❶ほこ-る(誇)。❷あざむく。❸おどろきあやしむ。❶かこつ。「託」に通じて用いる。㋐かこつける。㋑なげいて言う。うらんで言う。❷わ-びる。㋐あやまる。謝罪する。㋑「侘・侘」(さびしく暮らすなどの意)に通じて用いる。「侘びる」「詫びる」は誤り。

解字 形声。言＋宅音。

6【誅】13画 11209 標 漢チュウ(チウ) 呉チュ 虞 zhū 7547 E66E —

字義 ❶う-つ(討)。ほろぼす。❷ころ-す(殺)。罪のある者を殺す。一家皆殺しにする。用例〔史記、項羽本紀〕聴二細説一、欲レ誅二有功之人一。↓つまらない者の言うことを聞いて、功績のある者を殺そうとする。❸草木などを切り払う。❷せめる(責)。とがめる。罰する。「筆誅」

解字 篆文 誅 形声。言＋朱音。音符の朱は、殳に通じ、うつの意味。ことばでせめたてるの意味を表す。

【誅夷】チュウイ 討ちたいらげる。
【誅求】チュウキュウ 租税や貨財などをきびしくとりたてること。「苛斂誅求」
【誅殛】チュウキョク 罪をせめて殺す。
【誅殺】チュウサツ 罪をせめて殺す。罪に処して殺す。用例〔史記、項羽本紀〕沛公至レ軍、立誅二殺曹無傷一。↓沛公は自軍に帰り着くと、すぐさま曹無傷を処刑した。
【誅鋤】チュウジョ ①草をすきとり、根だやしにすること。②罪人を殺しつくすこと。
【誅伐】チュウバツ 罪をせめて征伐する、殺す。
【誅罰】チュウバツ 罪をせめて罰する。
【誅戮】チュウリク 罪に処して殺す。

6【誂】13画 11210 一漢チョウ(テウ) 呉ジョウ(デウ) 篠 tiǎo 二チョウ(テウ) 嘯 diào 7548 E66F —

字義 一❶いど-む。さそいかける。＝挑(4167)。❷たわむれる。❸からかう。もてあそぶ。二❶にわかに。たちまち。❷すばやい。かるくてはやい。＝佻(332)。国あつら-える。注文して作らせる。また、その品。あつらえ。

解字 篆文 誂 形声。言＋兆音。音符の兆は、挑に通じ、かきたてるの意味。言葉で相手の心をかきたて、さそう・いどむの意味を表す。

6【詷】13画 11211 一漢トウ・呉ドウ 東 tóng 二漢トウ・呉ドウ 送 dòng — — 6173

字義 一とも(共)。＝同(765)。二❶大げさに言う。❷会う。

解字 形声。言＋同音。

6【詺】13画 11212 漢メイ 呉ミョウ(ミャウ) 敬 míng — — 6175

字義 名付ける。名目を付ける。＝名(1344)。

解字 形声。言＋名音。

6【詄】13画 11213 ユ 詄(11325)の俗字。→一三三一ページ下。

6【誉】13画 11214 常 ヨ ほま-れ 4532 975F —

13【譽】20画 11215 ヨ 御 yù 7605 E6A3 —

筆順 丶 ⺌ ⺍ 兴 兴 举 誉 誉

字義 ❶ほま-れ。よい評判。名誉。↕毀(6061)。「栄誉」「声誉」❷ほ-める。たたえる。❸ただす。❹たのしむ。＝予(112)。

名前 しげ・たか・たかし・のり・ほまる・ほまれ・ほむ・ほん・もと・やす・よ・よし 難読 誉田こんだ・ほんだ

解字 篆文 譽 形声。言＋與音。音符の與は、手を寄せあって物をあげるの意味。言葉で人をもちあげる、ほめるの意味を表す。

逆 栄誉・華誉・賞誉・声誉・名誉

【誉聞】ヨブン 名誉。よい評判。令聞。
【誉望】ヨボウ ①名誉と人望。②ほまれ。よい評判。▼望も、ほまれ。

6【誄】13画 11216 ルイ 紙 lěi 7549 E670 —

字義 ❶文体の一種。しのびごと。しぬびごと。死者の徳行功績をたたえて、その死をいたむことば・文章。誄辞。誄文。また、それを読むこと。❷いのる。神に祈って幸福を求めること。また、そのことば。のりと。

解字 篆文 誄 形声。言＋耒音。音符の耒は、累に通じ、かさねるの意味。死者の生前に残した事績をかさねて列挙してたたえ、とむらうの意味を表す。

6【話】13画 11217 教 2 ワ はな-す・はなし 漢カイ(クヮイ)・呉エ(ヱ) 慣ワ 卦 huà 4735 9862 —

筆順 ⺈ 言 言 言 言 訁 話 話

字義 ❶はなし。㋐会話。談話。㋑ものがたり(物語)。「神話」「実話」❷はな-す。かたる(語)。つげる(告)。用例〔唐、李商隠、夜雨寄レ北詩〕何当下共剪二西窗燭一、却話中巴山夜雨時上。↓いつの日にか共に西向きの窓辺で灯心を切りつつ、ふり返ってこの巴山の夜雨のことを語り合えるのだろうか。❸ことば。よいことば。「話言」国はなし。㋐うわさ。評判。㋑わけ。事情。㋒おとしばなし。落語。

解字 篆文 話 形声。言＋舌(𠯑)音。音符の𠯑は、活に通じて、ほしいままに水が流れ出るの意味。言葉がほしいままに流れ出る、はなすの意味を表す。

逆 逸話・佳話・閑話・訓話・講話・高話・懇話・茶話・情話・詩話・神話・説話・挿話・談話・道話・白話・法話・夜話

【話言】ワゲン よいことば。善言。
【話材】ワザイ はなしのたね。話の材料。
【話次】ワジ はなしの順序。言次。
【話題】ワダイ はなしの題目。談話の主題。はなしのたね。
【話頭】ワトウ はなしの糸口。話のむき。
【話柄】ワヘイ はなしのたね。談柄。話欛。
【話本】ワホン 宋代、講談師が話を語る底本として用いた、口語文で書かれた書物。平話ともいう。

7【誐】14画 11218 ガ 歌 é 28862 — 6184

字義 ❶よい(善)。❷よいことば。❸くちずさむ。

解字 形声。言＋我音。

7【誡】14画 11219 カイ 卦 jiè 7551 E672 —

字義 ❶いまし-める。㋐人の悪い点をことばで注意する。「訓誡」㋑自分の悪いところを反省する。❷いまし-め。教え。「女誡」

参考 現代表記では〔戒〕(3944)に書きかえる。「誡告→戒告」「訓誡→訓戒」。熟語は〔戒〕をも見よ。

解字 篆文 誡 形声。言＋戒音。音符の戒は、いましめるの意味。言葉でいましめるの意味を表す。

【誡誨】カイカイ いましめ教える。
【誡告】カイコク 過失や非行をいましめさとす。戒告。
【誡勅(敕)・誡飭】カイチョク ①いましめつつしませる。注意する。②自分自身をいましめつつしむ。③漢代、天子が刺史・太守をいましめた書。

【誡勉】いましめはげます。

7【誨】14画 11220 カイ(クワイ) 隊 huì 7550 E671 一

字義 おし-える。おし-え。さとし教える。用例〔論語、為政〕誨ニ女知レ之乎。↓お前に知るということを教えてやろう。

参考 現代表記では〔戒〕(3944)に書きかえることがある。「教誨→教戒」

解字 金文 篆文 形声。言＋毎音。音符の毎は、くらいの意味。ものごとの道理に暗い人に言葉でおしえるの意味を表す。

【誨育】教えそだてる。

【誨示】教えしめす。教示。

【誨諭】教えさとす。教誨。

【誨誘】教え導く。

7【誒】14画 11221 一キ 図 xī 二アイ 隊 ē, ēi 一 一 6185

字義 一ああ。嘆息のことば。二❶はい。同意のことば。❷しいて(強)。無理に。❸笑いたのしむ。

解字 形声。言＋矣音。

【誒笑】①しいて笑う。②笑いたのしむ。

【誒△詒】①物事にあきてなまけているさま。②なやみもだえるさま。③気ぬけしているさま。

7【誋】14画 11222 漢キ 呉ギ 寘 jì 一 一 6182

字義 ❶いましめる。❷つげる(告)。❸とどめる。禁ずる。❹まこと(信)。

解字 金文 篆文 形声。言＋忌音。音符の忌は、かしこまるの意味。人にかしこまるようにつげる、いましめるの意味を表す。

7【誆】14画 11223 ギ 誼(11255)の本字。→一三三三ページ中。

7【誑】14画 11224 漢キョウ(キャウ) 呉コウ(カウ) 漾 kuáng 7552 E673 一

字義 たぶらか-す。たら-す。あざむく。たばかる。いつわりのことばで真実をまげて、人をあざむく。まどわす。いつわる。

解字 篆文 形声。言＋狂(狌)音。音符の狌は、くるうの意味。くるった言葉、あざむくの意味を表す。

【誑事】相手をたぶらかすための工作。

【誑誕】ほら。大言。でたらめ。虚誕。荒誕。

【誑惑】あざむき(うそを言って)まどわす。

7【誩】14画 11225 漢ケイ 呉ギョウ(ギャウ) 敬 jìng 一 一 6191

字義 競う。争い言う。

解字 会意。言＋言。言い争う意味を表す。

7【語】14画 11226 教2 ゴ かた-る・かた-らう 一漢ギョ・呉ゴ 語 yǔ 二漢ギョ・呉ゴ 御 yù 2476 8CEA 一

筆順 亠 言 言 言一 訂 訝 語 語

字義 一❶かた-る。かた-らう。㋐話し合う。議論する。用例〔史記、留侯世家〕従ニ復道一望ニ見諸将一往往相与坐ニ沙中一語。↓復道から見渡すと、諸将のようすをながめると、あちらこちらで砂上に座って話し合っていた。

㋑話す。話して聞かせる。受け答えする。一説に、自分から話すのが言、他人に答えるのが語であるという。用例〔論語、郷党〕食不レ語、寝不レ言。↓食べるときには会話せず、寝るときには物を言わない。

㋒あることについて意見や考えを述べる。話題にする。用例〔論語、述而〕子不レ語ニ怪力乱神一。↓先生は怪・力・乱・神の四つについては語らなかった。

㋓鳥や虫が鳴く。さえずる。用例〔唐、韓愈、感レ春詩〕春風吹レ園雑花開、朝日照レ屋百鳥語。↓春の風が庭園に吹きわたり、色々な花が咲いている。朝日が屋根を照らし、鳥たちがさえずる。
❷ことば。㋐はなし(話)。いいつたえ。物語。また、ことば。言語。「鄙語」㋑ことわざ。たとえ。「諺語」「里語」㋒語句。文句。ことばづかい。㋓鳥や虫の鳴き声。「鳥語」「蟬語」
❸『論語』の略。「語孟」
二つ-げる。知らせる。伝える。教える。用例〔史記、項羽本紀〕亡去不義、不レ可レ不レ語。↓(今、沛公に危機が迫っているのに)逃げ去るのは正義にもとる、事情を知らせないわけにはいかない。

国❶かた-らう。㋐話し合う。㋑親しく交わる。㋒さそう。仲間に引き入れる。㋓男女が約束する。❷かた-る。ふしをつけて読む。「義太夫語り」

名前 かた・かたり・こと・つぐ

解字 金文 篆文 形声。言＋吾音。音符の吾ゴは、互に通じ、交互にするの意味。交互に発言する、かたるの意味を表す。

逆 隠語・縁語・雅語・漢語・季語・客語・空語・偶語・敬語・結語・言語・口語・豪語・国語・私語・熟語・主語・術語・述語・畳語・人語・成語・壮語・造語・俗語・伝語・土語・発語・反語・卑語・飛語・標語・仏語・文語・法語・補語・漫語・訳語・類語・和語

【語彙】イゴ 国①ある部門で用いることば全体。単語の意味に用いるのは誤り。②一定の順序で並べたことばの集まり。③字引。辞書。

【語感】そのことばの与える感じ。

【語気(氣)】①ものの言いよう。話しぶり。②ことばのいきおい(調子)。語勢。

【語義】ことばの意味。

【語言】①ことば。言語。②はなし。相談。

【語原・語源】国語の成立した起源。その形や意味。

【語次】①話の順序。②一つの文の中での単語の順序。

【語釈(釋)】国ことばの解釈。

【語助】語助詞。語助字。語勢や意味を助けるために用いられる語(文字)。「愁殺」の「殺」、「行矣」の「矣」などの類い。

【語声(聲)】話し声。

【語勢】ことばのいきおい。語気。

【語族】言語学用語。同じ系統の言語のグループ。「ウラル・アルタイ語族」

【語調】ことばのいきおい。語気。

【語尾】①ことばの終わり。②国文法用語。活用によって変化する部分。活用語尾。

【語弊】ことばの上の欠点。誤解されやすい言い方。語病。

【語法】①語と語のつながり。②仏法を語る。③文をつくるさいの語の用い方の法則。文法。

【語△孟】『論語』と『孟子』の略称。

【語呂・語路】国ことばの調子・続きぐあい。

【語録】儒者や僧の説き示した教えのことばなどを、集め記した書物。

【寄レ語】ことづてをする。伝言する。寄レ言。

7【誤】14画 11227 教6 ゴ あやま-る 2477 8CEB 一
7〘誤〙14画 11228 ゴ 遇 wù

筆順 亠 言 言 言 言ロ 誤 誤 誤 誤

字義 ❶あやま-る。㋐気づかずにしそこなう。まちがう。やりそこなう。「誤認」㋑人をあやまらす。まどわす。❷あやま-

り。まちがい。過失。「過誤」「正誤」

解字 篆文 形声。言＋呉(吳)音。音符の呉は、舞いくるうさまにかたどる。言葉を言いくるわす、あやまるの意味を表す。

逆 過誤・錯誤・脱誤

【誤解】意味をとりちがえる。あやまった理解。また、勘ちがい。

【誤記】あやまってしるす。まちがって書く。また、書きまちがい。

【誤差】①ちがい。差。②数学用語。真の数値と、観測した数値の差。

【誤算】計算をまちがえる。また、計算ちがい。みこみはずれ。

【誤写(寫)】まちがって書きうつすこと。また、写し誤ったもの。

【誤植】国活字をあやまって組むこと。また、植字のあやまり。

【誤診】病気にあやまった診断をくだすこと。

【誤審】まちがった審判。

【誤脱】誤字と脱字。書きあやまりと書きおとし。

【誤伝(傳)】あやまり伝える。また、まちがった言い伝え。

【誤読(讀)】まちがえて読む。

【誤認】見あやまる。また、見あやまり。勘ちがい。

【誤判】まちがった判断・判決。

【誤△謬】まちがい。あやまり。

【誤聞】ききちがえる。また、ききちがい。

【誤報】内容をまちがって知らせる。また、内容のまちがっている知らせ(報道)。

【誤惑】まどわす。また、まどう。

7【誥】14画 11229 コウ(カウ) 号 gào 7553 E674 ―

字義 ❶つげる。㋐上位の者が下位の者へ告げる。㋑人を集めて申し渡す。❷おしえる。さとす。いましめる。また、そのことば。❸宋代以降、一品から五品までの官吏を任命する辞令書。❹文体の名。天子が布告する文。

解字 篆文 形声。言＋告音。音符の告は、つげるの意味。言を付し、特に、上から下へつげるの意味を表す。

【誥命】①誥と命。▼誥は天子が下に告げることば・文、命は天子が命令することば・文。②明・清のころ、朝廷が爵位を与えるときの辞令書。

7【誙】14画 11230 ㊀漢コウ(カウ) 呉キョウ(キャウ) 庚 kēng ㊁漢ケイ・呉ギョウ(ギャウ) 迥 ― ― 6188

字義 ㊀❶誙誙は、死におもむくさま。❷粗い。❸言葉が確かなこと。㊁＝㊀❶。

解字 形声。言＋巠音。

7【誟】14画 11231 漢コウ(カウ) 呉キョウ(ケウ) 肴 xiào ― ― 6189

字義 ❶呼ぶ。叫ぶ。❷誇る。

解字 形声。言＋孝音。

7【誌】14画 11232 教6 シ 寘 zhì 2779 8E8F ―

筆順 亠 言 言 計 計 誌 誌 誌

字義 ❶しるす(記)。㋐書きとめる。記録する。また、その記録。メモ。「日誌」「地誌」㋑おぼえる。記憶する。❷しるし。めじるし。また、めじるしをつける。用例(東晋、陶潜、桃花源記)扶向路、処処誌之。↓元来た道をたどって戻りながら、ところどころに目印を付けた。❸文体の一種。史的な記事文。❹ほくろ。あざ。国「雑誌」の略。「誌上」

名前 し

解字 篆文 形声。言＋志音。音符の志は、心がはたらくの意味。心が動いて言葉に定着しておく、しるすの意味を表す。

逆 地誌・碑誌・墓誌

7【誦】14画 11233 標 漢ショウ 呉ジュ・ジュウ 宋 sòng 7554 E675 ―

字義 ❶となえる。㋐声を出して読む。「読誦」㋑ふしをつけて読む。「吟誦」㋒そらんずる。そらよみする。書物を見ないで読む。「暗誦」㋓いう。はなす。とく(説)。❷ふしをつけて読むことば。また、うた。❸そしる。また、うらむ。❹うったえる(訟)。

参考 現代表記では[唱](1543)に書きかえることがある。「暗誦→暗唱」「吟誦→吟唱」

解字 篆文 形声。言＋甬音。音符の甬は、踊に通じ、おどりあがるの意味。ことばがおどりあがる、となえるの意味を表す。

【誦詠】詩歌をそらんじ歌う。誦詩。

【誦△諫】いましめとなる詩歌をうたって人をいさめる。

【誦経(經)】㊀儒教の経典を読む。㊁ジュキョウ・ズキョウ 仏仏教の経文をとなえる。読経。

【誦言】①口に出して言う。また、公言する。おおやけにいう。②先王のことばなどをとなえる。

【誦詩】①詩を歌う。②節をつけて詩を読む。

【誦習】①書物をそらよみして習う。②歌いながら習う。

【誦説】①読むことと、説きあかすこと。②読んで説きあかす。

【誦読(讀)】①そらんじ読む。そら読みをする。暗唱。②声を出して読む。音読。また、節をつけて読む。

【誦味】読み味わう。熟読玩味。

7【誚】14画 11234 漢ショウ(セウ) 呉ジョウ(ゼウ) 嘯 qiào 7555 E676 ―

字義 せめる(責)。しかる。＝譙(11380)。

解字 形声。言＋肖音。音符の肖は、けずるの意味。身をけずるような言葉、そしりの意味を表す。

【誚譲(讓)】せめとがめる。▼譲も、せめる意。

7【誓】14画 11235 常 セイ ちかう 漢セイ・呉ゼイ 霽 shì 3232 90BE ―

筆順 一 扌 扌 扩 折 折 誓 誓

字義 ❶ちかう。背かないと約束する。ちぎる。また、そのちかい。「宣誓」❷ちかって。必ず。確実に。❸いましめる(戒)。❹つげる(告)。また、命ずる。❺文体の名。王が軍隊や群臣をいましめることば・文。『書経』の甘誓・湯誓(軍隊をいましめる)や秦誓(群臣をいましめる)などの類い。

名前 せい・ちか・ちかう 難読 誓約(うけい)

解字 金文 篆文 形声。言＋折音。音符の折は、あきらかにするの意味。神や人の前で明らかにしたことば、約束の意味を表す。

逆 祈誓・盟誓・約誓

【誓願】①ちかいをたてて願う。②仏仏が衆生を救うという自分の願いが達成されるようにちかう。

【誓言】①ちかいのことば。誓詞。②命令。③ちかいのことばを述べる。ちかう。

【誓△誥】誓と誥。▼誓は天子が臣下をいましめることば・文、誥は天子が臣下に告げることば・文。

【誓詞】ちかいのことば。誓言。

【誓文】ちかいの文。約束のことばを書いたもの。誓紙。誓書。

【誓命】①誓と命。▼誓は天子が臣下をいましめることば・文、命は天子が臣下に命令することば・文。②君主が臣下をいましめ命ずることば・文。

【誓盟】(セイメイ) ちかう。約束する。また、ちかい。約束。誓約。

【誓約】(セイヤク) ちかう。約束する。また、ちかい。約束。

7
【誠】 14画 (11202) セイ
誠(11201)の旧字体。→一三三六ページ中。

7
【説】 14画 11236 教4 セツ・ゼイ とく
3266 90E0 —
一漢セツ・呉セチ 屑 shuō
二漢エツ(エツ)・呉エチ(エチ) 屑 yuè
三セイ 霽 shuì
慣ゼイ

7
〖說〗 14画 11237

〔説〕 11203 俗字

筆順 亠 言 言 言 訁 訁 説 説

字義 一❶とく。㋐解きあかす。解釈する。「説明」「解説」
㋑言う。話す。語る。述べる。告げる。論ずる。用例〔論語、陽貨〕道聴塗説(みちにききて みちにとく)。↓道で聞きかじったことをすぐに道で話す。
㋒さとす。教える。
❷意見。見解。主張。また、解釈。注釈。「論説」 ❸誓いのことば。約束。 ❹文体の一種。物事について、その由来や道理を説きつつ、自身の見解・主張を述べるもの。
二❶よろこぶ。よろこばしい。心の中で楽しむこと。＝悦(3724)。用例〔論語、学而〕学而時習ㇾ之(まなびてときにこれをならう(ふ))、不ニ亦説一乎(またよろこばしからずや)。↓学問をして、それを機会あるごとに復習して身につけるのは、なんと喜ばしいことではないか。
❷したがう。服する。 ❸いこう。やすむ。休息する。
三とく。ときふせる。自分の意見に従わせるため、話をする。用例〔孟子、尽心下〕説ニ大人一則藐ㇾ之(タイジンにとくにはすなわ(は)ちこれをかろんぜよ)。↓地位のある人を説得する場合には、相手をかるくみてかかれ。

名前 あき・えつ・かぬ・かね・こと・せつ・つぐ・とき・とく・のぶ・ひさ

参考 字義三の意味のときは本来「セイ・ゼイ」という音になるが、「説得」「説伏」などの熟語は、今では「セツ」という音で読む。

解字 篆文 形声。言＋兌(兑)音。音符の兌(タイ=セツ)は、むすばれていたものが分解するの意味。ことばで分解する、とくの意味を表す。

逆 演説・憶説・概説・仮説・逆説・旧説・言説・口説・講説・高説・細説・雑説・持説・社説・邪説・小説・諸説・図説・世説・総説・俗説・卓説・珍説・通説・定説・伝説・塗説・風説・弁説・遊説・論説・和説

【説懌】(エツエキ) よろこぶ。▼懌も、よろこぶ意。

【説苑】(ゼイエン) 書名。二十巻。漢の劉向(リュウキョウ)の編。春秋時代から漢初までの伝記・逸話を集めたもの。

【説卦】(セッカ) 『周易』の編名。十翼の一つ。孔子の作といわれる。八卦(ハッカ)について説明したもの。

【説客】(ゼイカク) 諸侯のあいだをめぐり歩き自分の意見を述べ、それを採用するようときすすめる人。遊説(ユウゼイ)する人。

【説教】(セッキョウ) ①とき教える。教えさとす。②宗教の教えを説く。法話。③国(堅苦しい)忠告。

【説経(經)】 一(セッキョウ・セッケイ) 経書を講義すること。二(セッキョウ) 仏教の経典を講義する。また、その人。説経師。

【説書】(セッショ) ①『書経』を講義する。②官名。宋(ソウ)代、天子に経書を進講する役。③はなし家。講談師。

【説道】 一(セツドウ) 道をとく。正道をとく。二(エツドウ) 道を行うことをよろこぶ。三(いう(ふ)ならく) とくところによると。いうところによれば。▼道は、助字。

【説難】(ゼイナン) ①人に意見をのべることのむずかしいこと。遊説(ユウゼイ)の困難なこと。②『韓非子(カンピシ)』の編名。

【説破】(セッパ) ①ときつくす。また、うちあけて言う。②弁舌で相手の意見・主張をくつがえすこと。

【説郛】(セップ) 叢書(ソウショ)の名。百巻。明(ミン)の陶宗儀の編。明代以前の経書・諸史・随筆・伝記など数百種を抄録して編集したもの。

【説伏】(セップク) ときふせる。

【説法】(セッポウ) ①道家がその道の話をする。②仏仏法をとく。

【説文解字】(セツモンカイジ) 書名。十五巻または三十巻。後漢の許慎(キョシン)の著。九千三百五十三字を、五百四十部の部首に分け、各文字の字義・字形の構造などを説明した字書。文字を部首別に分類した最初のもので、この分類法は後世に大きな影響を与えた。中国文字学の基本書の一つ。略して『説文』ともいう。その注釈書としては、清(シン)の段玉裁の『説文解字注』がある。

【説明】(セツメイ) ある事柄の内容・理由などをわかるように述べること。「説明文」

【説諭】 一(セツユ) ときさとす。二(エツユ) よろこびさとる。

【説楽(樂)】 一(エツラク) よろこびたのしむ。悦楽。二(エツガク) 音楽を奏するのをよろこぶ。

【説話】(セツワ) ①はなし。ものがたり。②たのむ。口をきく。

7
【誕】 14画 (11278) タン
誕(11277)の旧字体。→一三三六ページ中。

7
【誗】 14画 11238 漢テン 呉デン 塩 chān
— — 6187

字義 言葉が美しい。

解字 会意。言＋利。利は、よいの意味。

7
【読】 14画 11239 教2 ドク・トク・トウ よむ
3841 93C7 —
一漢トク・呉ドク 屋 dú
二漢トウ・呉ズ(ヅ) 宥 dòu
熟字訓 読経(どきょう)

15
〖讀〗 22画 11240
7606 E6A4 —

筆順 亠 言 言 言 訁 訁 読 読

字義 一❶よむ。書をよむ。文字をよむ。㋐声を出して文章などをよむ。「誦読(ショウドク)」「朗読」 ㋑文章・詩句の意味をよみとる。「解読」 ❷とく(説)。 ❸かたる(語)。 ❹文体の名。読後の感想文の類い。
二文中につける区切りのしるし。読みやすくするもの。「句読点」
国❶よむ。㋐かぞえる。数をかぞえる。㋑みぬく。推理する。㋒歌などを作る。㋓(講釈師などが講談などを)口演する。❷よみ。㋐漢字の訓。㋑推理。また、見ぬくこと。

名前 おと・よし・よみ

難読 読谷(よみたん)

使いわけ よむ〔読・詠〕
「詩歌を作る」の意で〔詠〕を用いる以外は、広く一般に〔読〕を用いる。「一首詠む」「手紙を読む・秒読み・顔色を読む」

解字 篆文 形声。言＋売(賣)音。音符の賣(イク)は、属に通じ、つづくの意味。ことばをつづける、よむの意味を表す。

逆 閲読・音読・句読・訓読・講読・購読・誤読・精読・素読・通読・判読・味読・訳読・乱読・濫読・朗読

【読過】(ドッカ) ①よみとおす。よみおわる。読了。②よみすごす。

【読会(會)】(ドッカイ) 国明治憲法下で、法案をよみあわせて審議すること。一般に、規約の審議にもいう。

【読解】(ドッカイ) 詩や文章をよんで、その意味内容を理解すること。

【読経(經)】 一(ドッケイ) 経書をよむ。二(ドッキョウ・ドキョウ) 仏経文(キョウモン)をよむ。

【読師】 一(トクシ・ドクシ・トクジ) 仏経論講説の法会などに、経題・経文(キョウモン)をよみあげる役僧。二(ドクジ) 国昔、和歌または、作詩の会の席上、懐紙・短冊などを整理して講師に渡す役。

【読書】 一(ドクショ・トクショ) 書物をよむ。学問をする。二(よみかき) 国書をよみ、字を習うこと。

【読書三到】ドクショサントウ 読書に際しては、心・目・口の三つをそれに集中すべきこと。心を集中し、よく見つめ、一所懸命に音読すれば内容がよくわかる。▼到は、致す、能力を極力用いる意。宋代、朱熹の『訓学斎規』に「読書有三到、心到・眼到・口到」とあるのに基づく。

【読書尚友】ドクショショウユウ 書物をよんで昔の賢人を友とすること。〔孟子、万章下〕

【読書人】ドクショジン ①書物を読む人。②知識人。学者。

【読書百遍義自見】ドクショヒャッペンギおのずから(あらわ(る)) 意味の通じない所も、百回もくり返してよめば、自然にわかってくる。〔三国志、魏志、董遇伝、注〕

【読書不求甚解】ドクショジンカイをもとめず 書物をよんで難解な所は、しばらくそのままにして、無理にわかろうとはしない。用例〔東晋、陶潜、五柳先生伝〕好読書、不求甚解。▼書物を好んで読むが、難解な所はしばらくそのままにして、無理にわかろうとはしない。

【読誦】ドクショウ ㊀①書物をよむ。声を出して読書をする。②暗唱する。㊁ドクジュ 仏 声を出して経文をよむ。

【読点(點)】トウテン 文章をよむとき、意味は切れないが、一息いれてよむ場合に、その場所につける符号。「、」↕句点(三元ページ上)。

【読破】ドクハ 全部よみつくす。よみ通す。

【読了】ドクリョウ よみおわる。

7 【認】14画 11241 教6 ニン みと-める 3907 9446 一
【認】14画 11242 ㊀漢ジン・呉ニン 震 rèn ㊁漢ジョウ・呉ニョウ 径

筆順 ユ 言 言 訒 訒 認 認 認 認

字義 ㊀❶みと-める。㋐しる。見つける。㋑見きわめる。見定める。「否認」㋒ゆるす。承知する。「承認」「認可」❷行う。㊁しるす。したためる。書く。国❶したた-める。㋐手紙を書く。㋑食事をする。㋒整える。処理する。❷みとめ。みとめ印の略。日常使う略式の印。
名前 もろ
解字 形声。言+忍㊥。音符の忍は、こらえるの意味。自分の感情などを表面に出さず、相手の発言にこらえる、みとめるの意味を表す。
逆 確認・誤認・自認・承認・是認・追認・否認・黙認・容認
【認可】ニンカ みとめて許可する。ききとどける。認容。
【認識】ニンシキ ㊀①知る。見つけてしる。また、見知っている。②事物をはっきり知り、意味を正しく理解する心理作用。また、その成果。㊁ニンシ しるし。めじるし。
【認証(證)】ニンショウ 国①文書の原本などが正しいという公の証明。②憲法に定められた天皇の国事行為の一つで、内閣または内閣総理大臣の権能に属する行為を天皇がおおやけに証明すること。
【認真(眞)】ニンシン いいかげんにしない。まじめに取り扱う。まじめに行う。
【認知】ニンチ ①みとめる。また、知る。②国父か母が届け出をして、嫡出でない子と法律上の親子関係を作ること。
【認定】ニンテイ 国みとめてきめる。また、正当であるとみとめること。
【認得】ニントク ①知る。また、みとめる。②見知っている。

7 【誖】14画 11243 漢ハイ 呉バイ 隊 bèi ― ― 6186
字義 =悖(3743)。❶みだす。みだれる(乱)。❷もと-る。そむ-く。さからう。❸まどう(惑)。また、おろか。
解字 篆文 形声。言+孛㊥。音符の孛は、非に通じ、そむくの意味。道理に背を向け乱れるの意味を表す。

7 【誣】14画 11244 漢ブ・呉ム 虞 wū 慣フ 7556 E677 ―
字義 ❶し-いる。㋐あざむく(欺)。いつわる(偽)。ごまかす。㋑無いことを有るように言う。㋒罪のない人を罪にあてる。㋓なみする。ないがしろにする。❷おもねる。へつらう。❸そしる。❹みだりにする(妄)。やたらに…する。また、いいかげんに…する。
解字 篆文 形声。言+巫㊥。音符の巫は、莫に通じ、おおいかくすの意味。ことばで真実をおおいかくす、しいるの意味を表す。
【誣引】フイン 罪のない人を無理に罪にひきこむ。
【誣陥(陷)】フカン 罪のない人を無理に罪におとしいれる。
【誣欺】フギ いつわる。あざむく。
【誣言】フゲン ないことをあるように言いふらす。つくりごと。
【誣構】フコウ 無罪の人を無理に有罪のようにつくりあげること。
【誣告】フコク・ブコク ①無実のことをいつわってつげること。②しいて人を罪におとしいれようとして告訴すること。
【誣説】フセツ・ブセツ ①ないことをあるように言う。②いつわりのうわさ。根無しごと。
【誣奏】フソウ・ブソウ ないことをあるようにいつわって奏上する。
【誣服】フフク・ブフク 無罪であるのに、しかたなく刑に服する。
【誣謗】フボウ ないことをあるようにいつわってそしる。
【誣妄・誣罔・誣謾】フモウ いつわる。また、いつわり。ないことをあるように言う。

7 【誧】14画 11245 漢ホ 呉フ 虞 bū 9209 EE8A 6190
字義 ❶おおきい。大げさな言葉。❷助け合う。❸いさめる。❹はかる(謀)。
解字 形声。言+甫㊥。

7 【誘】14画 11246 常 ユウ さそ-う 漢ユウ(イウ)・呉ユ 宥 yòu 4522 9755 一
筆順 ユ 言 言 訁 訐 訴 誘 誘
【唀】1518 同字
字義 ❶さそ-う。いざな-う。㋐呼び出す。引き出す。連れ出す。おびき出す。㋑そそのかす。まどわす。また、勧める。うながす。㋒みちびく。教えみちびく。案内する。❷いざない。さそい。
名前 みち
解字 篆文 別体 形声。もと、羑と書き、羊+ム+久㊥。羊は、ひつじの意味。ムは、小さくとり囲むの意味。音符の久は、長い時間が過ぎるの意味。羊を長い時間かけてとり囲む意味から、人や動物を時間をかけてある場所・状態にさそい導くの意味を表す。常用漢字は別体の誘による。
逆 勧誘
【誘引】ユウイン さそう。いざなう。
【誘掖】ユウエキ 導きたすける。誘益。
【誘拐】ユウカイ 国かどわかす。だまして連れ出すこと。
【誘勧(勸)】ユウカン 導きすすめる。導きはげます。導き教える。
【誘脅】ユウキョウ まどわしおどす。誘惑して脅迫する。
【誘教】ユウキョウ 導き教える。誘誨ユウカイ。
【誘進】ユウシン さそい進める。
【誘致】ユウチ さそい出す。おびき寄せる。
【誘導】ユウドウ さそい導く。案内する。
【誘発(發)】ユウハツ 国さそって起こすこと。ある事が原因となり、他の事が起こること。また、さそわれて起こること。
【誘兵】ユウヘイ わざと負けたふりをして、敵をおびき出す(寄せる)兵士。
【誘慕】ユウボ 心をひかれる。
【誘惑】ユウワク さそいまどわす。悪い方へさそいこむ。相手の本来の意図に反する方向へさそいこむ。

7【誏】14画 11247 ㊀ロウ(ラウ) 㩜 lǎng ㊁ロウ(ラウ) 㵄 làng ―― ― 6183

字義 ㊀❶言葉が明らかなこと。❷＝朗(5018)。㊁❶静かに言う。❷広く言う。❸たわむれる。

解字 形声。言＋良㊉。

7【訛】14画 11248 国字 2_8861 ― 6192

字義 やさ-しい やさし。

解字 会意。言＋花。言葉に花がある、やさしいの意味を表す。

8【諉】15画 11249 イ(ヰ) 㚣 wěi ― ― 6208

字義 ❶わずらわす。❷ことよせる。かこつける。❸ゆだ-ねる ゆだぬ(委)。まかせる。

解字 篆文 形声。言＋委㊉。音符の委は、ゆだねるの意味。他の事に言いのがれの材料をゆだねる、かこつけるの意味を表す。

8【謁】15画 11250 常 エツ 1758 8979 ―

9〖謁〗16画 11251 人 ㊐エツ ㊥オチ 㘣 yè 1_9215 ― ―

筆順 言 訁 謁 謁 謁

字義 ❶なふだ。名刺。用例〔史記、張儀伝〕張儀於レ是之レ趙（チョウギここにおいてチョウにゆき）、上レ謁求レ見ニ蘇秦一（エツをたてまつりてソシンにまみえんことをもとむ）。⇩張儀は趙に赴き、名刺を差し出して蘇秦へ取り次いでくれるように願い出た。❷申す。申し上げる。❸つげる(告)。用例〔韓非子、五蠹〕其父窃レ羊（そのちちひつじをぬすむに）、而謁ニ之吏一（これをりにつぐ）。⇩父親が羊を盗んだところ、そのことを役人に告げた。❹まみ-える まみゆ。身分の高い人に面会する。「拝謁」❺こう(請)。もとめる。❻とりつぎ。「謁者」

名前 つく・ゆき・ゆく

解字 篆文 形声。言＋曷(曷)㊉。音符の曷カツ=エツは、こい求めるの意味。曷が疑問詞に用いられるようになったため言を付した。

逆 刺謁・請謁・朝謁・内謁・拝謁・伏謁・面謁

【謁見】ケンエツ 貴人に面会すること。まみえる。
【謁告】コクエツ 休暇を願い出る。請暇。
【謁刺】シエツ 面会を求めるときに差し出す名札。名刺。
【謁者】シャエツ ①宮中で、賓客の取り次ぎのことをつかさどる役。②四方に使いする官。③謁見を求める人。

8【課】15画 11252 教4 カ カ(クワ) 箇 kè 1861 89DB ―

筆順 言 訁 課 課

字義 ❶こころみる(試)。ためす。❷はか-る(計)。❸官吏の任用試験。また、官吏の勤務評定。「考課」❹わりあてる。わりあてて義務を負わせる。また、わりあて。㋐仕事をわりあてる。また、その仕事。つとめ。「日課」㋑税をわりあてる。また、租税。「賦課」「課税」国役所・会社などの内部組織の区分けの一つ。「総務課」

使いわけ カする〔科・課〕⇩科(8439)。

解字 篆文 形声。言＋果㊉。音符の果は、科に通じ、区分するの意味。計画的に仕事を区分し、わりあて、その結果をはかるの意味を表す。

逆 考課・租課・賦課

【課役】エキカ ①租税と夫役ブヤク。②仕事をわりあてる。また、その仕事。
【課業】ギョウカ 仕事をわりあてる。また、その仕事。
【課口】コウカ 公用に使役される人。課丁。
【課試】シカ 仕事をわりあててためす。また、試験。
【課税】ゼイカ 税金をわりあてる。また、わりあてた税金。
【課題】ダイカ 国①わりあてられた問題。②後日の研究・解答を要求して出された問題。③義務。
【課程】テイカ ①わりあてた仕事の程度。②物品に課する税の程度。③学科のわりふりや授業時間数など。

8【諫】15画 11253 カン 2050 8AD0 ―

諫(11296)の俗字。→一三三〇ページ上。

8【諆】15画 11254 キ 㚣 qī ― ― 6206

字義 ❶あざむく。だます。❷謀る。

解字 形声。言＋其㊉。音符の其は、期待させるの意味。

8【誼】15画 11255 人 ギ 寘 yì 2135 8B62 ―

〔誼〕11223 本字 〔竩〕8650 古字

筆順 言 訁 誼 誼

字義 ❶よしみ。したしみ。「厚誼」❷よい。よろしい。正しい。＝義(9498)。「仁誼」❸すじみち。道理。❹はかる(議)。

名前 こと・よし・よしみ

参考 現代表記では〔義〕(9498)に書きかえることがある。「恩誼→恩義」「情誼→情義」

解字 篆文 形声。言＋宜㊉。音符の宜は、よろしいの意味。人によってよろしいとされる正しい道の意味を表す。

8【諊】15画 11256 ㊐キク ㊥コク 屋 jū ― ― 6209

字義 罪を調べる。

解字 形声。言＋匊㊉。

8【誾】15画 11257 ギン 真 yín 2_8864 EE8B 6204

字義 ❶おだやかに議論する。❷やわらぐさま。うちとけるさま。❸香気の強いさま。

解字 形声。門＋言㊉。

【誾誾】ギンギン ①おだやかに論議する。②香気のさかんなさま。

8【詘】15画 11258 ㊐クツ ㊥クチ 物 qū ― ― 6194

字義 ❶つまる。言葉がつまる。＝詘(11146)。❷まがる。まげる。かが-む。＝詘(11146)・屈(2793)。「詘伸」

解字 形声。言＋屈㊉。音符の屈は、かがむの意味。

8【諐】15画 11259 ケン 1_9210 ― ―

愆(3563)と同字。→五三二ページ中。

8【諕】15画 11260 ㊀㊐コウ(カウ) ㊥ゴウ(ガウ) 豪 hāo ㊁㊐カ・㊥ケ 禡 xià ㊂カク(クワク) 陌 huò ― ― 6213

〔謼〕11408 同字

字義 ㊀叫ぶ。㊁たぶらかす。㊂速やか。

解字 会意。言＋虎。

8【諏】15画 11261 人 標 ㊐シュウ(シウ) ㊥ス・シュ 虞 zōu 3159 907A ―

筆順 言 訁 諏 諏

字義 はか-る(謀)。とう(問)。相談する。たずねる。政事を問う。

名前 す

難読 諏訪すわ

解字 篆文 形声。言＋取㊉。音符の取は、聚シュウに通じ、あつまるの意味。人が集まって相談するの意味を表す。

【諏訪】シュウホウ 問いはかる。
【諏謀】シュウボウ ①問いはかる。②はかりごと。

8【諔】15画 11262 シュク 屋 chù ― ― 6212

字義 いつわる。だます。
解字 形声。言＋叔㊥。
【諔詭】いつわって正しくないこと。また、こっけいなこと。

8
【諄】 15画 11263 人 ㊀シュン 真 zhūn ㊁シュン 震 慣ジュン 7557 E678 —

筆順 、 亠 言 訁 訁 訁 諄 諄 諄

字義 ㊀❶ねんごろに、教えさとす。また、ねんごろ。てあつい。丁寧。❷たすける。㊁❶くどい。くどくどしい。にぶい。❷つつしむ。

名前 あつ・いたる・さね・しげ・じゅん・とも・のぶ・ふさ・まこと 難読 諄諄

解字 篆文 形声。言＋享(臺)㊥。音符の臺は、厚いの意味。厚い心で教えさとすの意味を表す。

【諄諄】①ねんごろに教えるさま。②まごころがあってつつしむさま。③くどくどしたさま。にぶいさま。

8
【諸】 15画 11264 教6 ショ 2984 8F94 —

9
【諸】 16画 11265 人 ショ 魚 zhū 9214 EE8D —

筆順 言 言 訁 訁 訁 諸 諸 諸

字義 助❶これ。これ。は。や。か。⇩助字・句法解説。❶もろもろ。多くの。さまざまの。いろいろの。「諸君」「諸事万端」❷他の語の下に付いて状態を表す語を作る。「焉」「然」と同じ。

助字・句法解説

❶これ。発語。句頭に置かれ、語勢を強める言い始めの言葉。用例〔論語、学而〕其諸異ニ乎人之求ㇾ之与 ⇩それはそう、世間一般の人の求め方とは違っているだろう。

❷これ。次のような形で用いられる。

㋐これ(を)…や。これ(を)…か。疑問・反語。訳これを…するか。どうしてこれを…しようか。「之乎」の二字と発音が近いので、仮借して用いられたもの。一文字でこの二字と同じ働きをする。文末に置かれ、まず「之」の意味を生かして「これ」と読み、最後に読む語に「乎」の意味の「や」「か」を送り仮名として付して、疑問・反語の意味を表す。

用例〔論語、顔淵〕雖ㇾ有ㇾ粟、吾豈得而食ㇾ諸 ⇩たとえ穀物があったとしても、私はどうしてそれを食べることができようか(できない)。/〔論語、憲問〕尭舜其猶病ㇾ諸 ⇩(自己修養に励み万民の暮らしを安定させることは)尭舜でさえ苦労したのだろうね。

㋑これを…に。訳これを…に。「之於」の二字と発音が近いので、仮借して用いられたもの。一文字でこの二字と同じ働きをする。文中に置かれ、まず「之」の意味を生かして「これ」と読み、次に続く語に「於」の意味の「に」を送り仮名として付して訓読する。

用例〔論語、陽貨〕由也聞ニ諸夫子一 ⇩私、由は、これを先生から聞いた。

❸は。訳は。ものは。一つのものを特に取り出して述べる。用例〔礼記、郊特牲〕或諸遠ㇾ人乎 ⇩あるものは人から遠く離れた所か。

❹や。か。詠嘆・呼びかけ。訳よ。文末に用いられ、詠嘆・呼びかけを表す。用例〔詩経、邶風、柏舟〕日居月諸、胡迭而微 ⇩日よ月よ、どうしてかわるがわるに欠けるのか。

名前 つら・もり・もろ 難読 諸葛・諸富

解字 金文 篆文 形声。言＋者(者)㊥。音符の者は、集まって多いの意味を表す。借りて、「これ」の意味を表し、言を付した。

逆 居諸

【諸縁】仏もろもろの因縁のあるもの。いっさいの現象の世界をいう。

【諸夏】中国の諸侯の国。中国本土。▼夏は、大の意で、四方の未開国に対していう。封建時代、中国は一国だけでなかったのでいう。

【諸葛亮】三国時代、蜀の政治家。琅邪(今の山東省内)の人。字は孔明。諡は忠武。劉備に招かれて仕え、曹操を赤壁で破り、成都を平定して蜀の建国に尽くした。劉備の死後、子の禅に仕え、魏を攻めている途中、五丈原(今の陝西省内)で病死した。魏への出征のときに書いた「出師表」が有名である。(一八一―二三四)

諸葛亮

【諸行無常】仏万物は常に変転して、しばらくもそのままにとどまっていない。現世のはかないことをいう。▼諸行は、もろもろの変化するものの意で、万物(万有)をいう。行は、流動・変遷の意。〔伝灯録〕

【諸卿】①多くの卿(大臣・家老)。②諸君。③国多くの公卿・朝臣。

【諸賢】①多くの賢人。群賢。衆賢。②多くの人に対する敬称。諸彦。諸君。

【諸彦】①多くのすぐれた人。▼彦は、男性の美称。②多くの人に対する敬称。みなさん。

【諸公】①多くの公。▼公は、諸侯の最上位。②国諸君。君たち。

【諸侯】多くの大名。封建時代の国君をいう。

【諸子】①多くの子。②目下の人たちに向かって呼びかける人称代名詞。きみたち。③「諸子百家」の略。

【諸子百家】春秋・戦国時代の、多くの学者や学派。また、その著書。儒家を除いていうときもある。〔史記、賈誼伝〕⇩コラム 諸子百家系統図(一三四ページ)。

【諸司】多くの役所。また、多くの役人。百官。

【諸生】①多くの生物。②多くの学生。学生たち。

【諸説】①いろいろの意見。いろいろの学説。②いろいろなうわさ。

【諸天】仏①もろもろの天上界。仏教では、二十八天があるという。②天上界の神仏たち。

【諸般】いろいろ。さまざま。万般。

【諸父】①父方の多くのおじ。父の兄弟。↕諸母②。②天子は同姓の諸侯を諸父といい、諸侯は同姓の大夫を諸父という。

【諸母】①父の正妻でない夫人で、子供のある人。庶母。②多くのおば。父の姉妹。↕諸父①。③雑役の女性たち。〔史記、淮陰侯伝〕

【諸法】仏宇宙間に存在する有形・無形のいっさいの事物。諸行。万有。

【諸法実(實)相】仏宇宙間のいっさいの事物がそのまま真実の姿であること。〔法華経〕

【求ニ諸己一】すべての不幸・過失などの原因を自己の身に反省し求めること。常に反省して自己を責めること。用例〔論語、衛霊公〕君子求ニ諸己一、小人求ニ諸人一 ⇩君子はこれを自分に求め、小人はこれを他人に求める。

【求ニ諸人一】すべての不幸・過失などの原因を人のせいにすること。自分を反省しないで、常に人を責めること

コラム

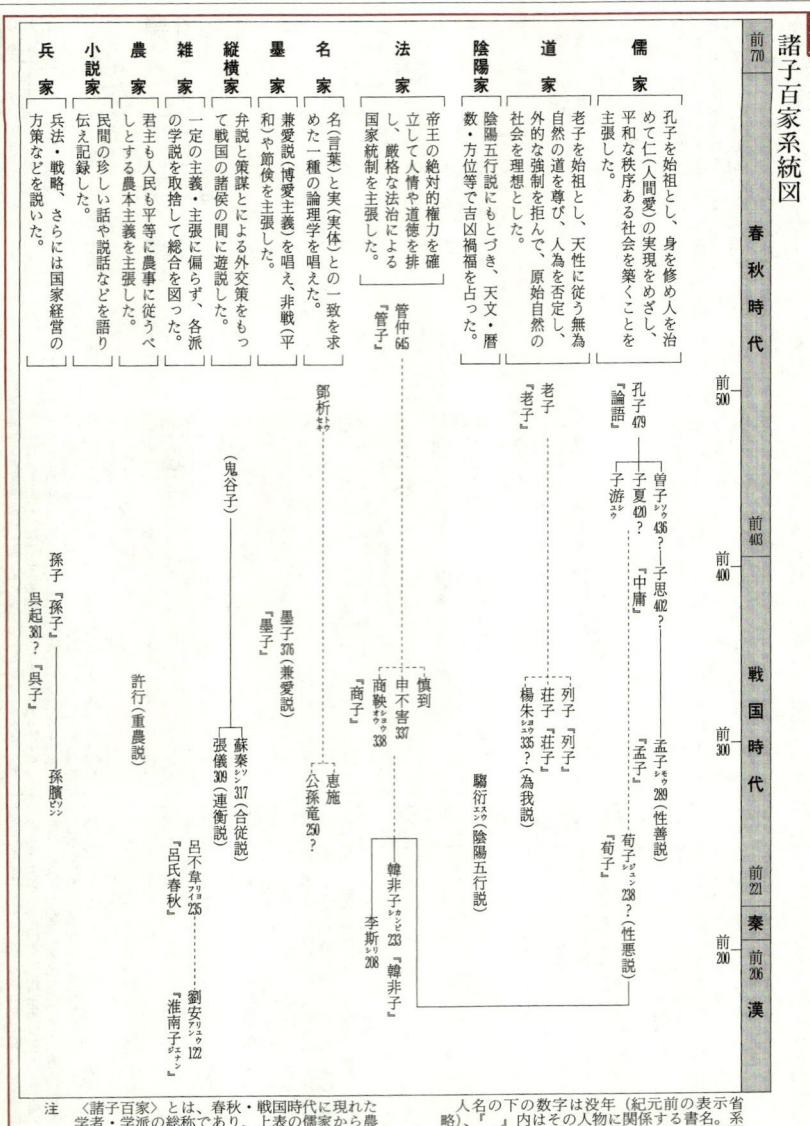

諸子百家系統図

前770 春秋時代 前403 戦国時代 前221 秦 前206 漢

（前500・前400・前300・前200）

学派	主張	人物
儒家	孔子を始祖とし、身を修め人を治めて仁(人間愛)の実現をめざし、平和な秩序ある社会を築くことを主張した。	孔子479『論語』 曾子(ソウシ)436？ 子夏420？ 子游(シユウ) 子思402？『中庸』 孟子(モウシ)289(性善説)『孟子』 荀子(ジュンシ)238？(性悪説)『荀子』
道家	老子を始祖とし、天性に従う無為自然の道を尊び、人為を否定し、外的な強制を拒んで、原始自然の社会を理想とした。	老子『老子』 列子『列子』 荘子『荘子』 楊朱(ヨウシュ)335？(為我説)
陰陽家	陰陽五行説にもとづき、天文・暦数・方位等で吉凶禍福を占った。	騶衍(スウエン)(陰陽五行説)
法家	帝王の絶対的権力を確立して人情や道徳を排し、厳格な法治による国家統制を主張した。	管仲645『管子』 慎到 申不害337 商鞅(ショウオウ)338『商子』 韓非子(カンピシ)233『韓非子』 李斯(リシ)208
名家	名(言葉)と実(実体)との一致を求めた一種の論理学を唱えた。	鄧析(トウセキ) 恵施 公孫竜250？
墨家	兼愛説(博愛主義)を唱え、非戦(平和)や節倹を主張した。	墨子376(兼愛説)『墨子』
縦横家	弁説と策謀とによる外交策をもって戦国の諸侯の間に遊説した。	(鬼谷子) 蘇秦(ソシン)317(合従説) 張儀309(連衡説)
雑家	一定の主義・主張に偏らず、各派の学説を取捨して総合を図った。	呂不韋(リョフイ)235『呂氏春秋』 劉安(リュウアン)122『淮南子(エナンジ)』
農家	君主も人民も平等に農事に従うべしとする農本主義を主張した。	許行(重農説)
小説家	民間の珍しい話や説話などを語り伝え記録した。	
兵家	兵法・戦略、さらには国家経営の方策などを説いた。	孫子『孫子』 呉起381？『呉子』 孫臏(ソンピン)

注　〈諸子百家〉とは、春秋・戦国時代に現れた学者・学派の総称であり、上表の儒家から農家までを〈九流〉、小説家を含めて〈十家〉という。

人名の下の数字は没年（紀元前の表示省略）、『　』内はその人物に関係する書名。系統を示す実線は直接的な影響関係、破線は間接的な影響関係を表す。

と。→求諸己。

【告諸往而知来(來)】 過去のことを話して聞かせると、それをもとして未来のことを察知する。一を聞いて十を知る意。往は過去のこと、来は未来のこと。打てばすぐ響くような反応をして、与えられたものに満足せず、更に高次なものを積極的に求めてゆくさまをいう。孔子が弟子の子貢をほめたことば。〔論語、学而〕

8【詔】15画 11266 ショウ 唱(1543)と同字。→二七〇ジ・中。 — — 6193

8【諗】15画 11267 シン 寝 shěn ₂8865 — 6214

字義 ❶いさめる(諫)。忠告する。❷つげる(告)。❸おもう(思)。＝念(3495)。❹しる(知)。知りつくす。＝審(2700)。

解字 篆文 形声。言＋心＋今音。音符の今は、ふくむの意味。深く心に含んでいて言う、いさめるの意味を表す。

8【誰】15画 11268 常 だれ 漢スイ・呉ズイ 支 shuí, shéi 3515 924E —

筆順 言 … 誰

字義 ❶これ。発語の助字。訓読では読まないこともある。「誰昔」 ❷とう(問)。たずねる。

助 たれ。たれ-か。たれ-ぞ。た-が。⇩助字・句法解説。

助字・句法解説

たれ。たれ-か。たれ-ぞ。た-が。疑問・反語。訳 だれが…か。だれの…か。類 孰。

人物について問う疑問詞。疑問・反語の助詞「や」「か」と呼応させて訓読することが多い。

用例〔唐、劉廷芝、代悲白頭翁詩〕今年花落顔色改、明年花開復誰在。⇩今年、花が散ってしまうと美しい顔の色も変わり、明年、花が咲いた時に昔ながらのすこやかな姿でだれがいるであろうか。／〔論語、述而〕子行三軍、則誰与。⇩もし先生が大軍を指揮する場合には、誰とともになさいますか。

名前 これ 難読 誰方

解字 形声。言＋隹音。

【誰何】 ①たれ。だれ。何もの。姓名の明らかでないものをいう。用例〔荘子、応帝王〕不知其誰何。⇩私が誰なのか分からない。②だれかと、その姓名を問いただすこと。

【誰昔】 むかし。▼誰は、発語の助字。用例〔詩経、陳風、墓門〕知而不已、誰昔然矣。⇩知っていても改めない。ずっと以前からそうなのだ。

【誰知烏之雌雄】 だれがからすの雌雄を見わけることができようか(できない)。似ていて区別しにくいことのたとえ。〔詩経、小雅、正月〕

8【誶】15画 11269 一 スイ 寘 suì 二 漢サイ・呉スイ 隊 suì — — 6201

字義 一 ❶せめる(責)。❷ののしる。「誶罵」 ❸いう(言)。つげる(告)。❹とう(問)。❺いさめる。二 ❶＝一 ❶❷。❸。❷どもるさま。

解字 篆文 形声。言＋卒音。音符の卒は、つきるの意味。ことばがつきるまで、せめたてるの意味を表す。

【誶罵】 ののしる。口ぎたなくけなす。

8【諈】15画 11270 スイ 紙 zhuì — — 6207

字義 諈諉は、わずらわせる。人に手数をかける。任せる。

解字 形声。言＋垂(𠂹)音。

8【請】15画 11271 常 セイ・シン こ-う・う-ける 一 漢セイ・呉ショウ(シャウ) 梗 qǐng 二 漢セイ・呉ジョウ(ジャウ) 庚 qīng 三 唐シン 3233 90BF —

8【請】15画 11272 漢セイ・呉ジョウ(ジャウ) 敬 qìng

筆順 言 … 請

字義 一 ❶こ-う。㋐ねがう。たのむ。求める。用例〔論語、雍也〕冉子為其母請粟。⇩冉求が子華の母親のために扶持米を与えて下さい、と求めた。㋑どうか…してほしい。どうか…させてほしい。▼具体的な動作を表す動詞をつなげて用いる。用例〔史記、廉頗藺相如伝〕城不入、臣請完璧帰趙。⇩都市が手に入らなければ、私が璧をそのまま守り抜いて趙に持ち帰って参りましょう。❷こい。ねがい。要望。❸つげる(告)。申し上げる。用例〔晏子春秋、諫上二〕晏子避席再拝稽首而請曰。⇩晏子は席を離れて二度おじぎをし、稽首の礼をして申し上げた。❹とう(問)。たずねる。うかがう。用例〔国語、呉語〕令董褐請事。⇩董褐にそのわけをたずねさせた。❺めす(召)。招く。招待する。用例〔漢書、霍光伝〕謀令長公主置酒請光。⇩計略をめぐらし長公主に宴会を催させて霍光を招待した。❻めどおりする。お目にかかる。謁見する。用例〔漢書、淮南厲王伝〕乃往請辟陽侯。⇩そこで出かけて行って辟陽侯を訪問した。

二 ❶う-ける(受)。受け取る。用例〔唐語林、補遺〕請俸有至百万者。⇩受領する俸禄が百万銭にまでなる者がいた。❷まこと。実情。本当に。＝情(3767)。用例〔墨子、明鬼下〕若使鬼神請亡、是乃費其所為酒醴粢盛之財耳。⇩(人が死んだ後)もし鬼神は本当に存在しないものとするならば、酒や穀物を供えることは無駄に費用をかけるだけのことになる。

三 秋の季節に諸侯や家臣、外国からの使者などが天子にまみえる儀式。春の季節に行われる同様の儀式を朝という。用例〔史記、呉王濞伝〕使人為秋請。⇩人に秋の謁見の儀式を代行させた。

国 う-ける。㋐代金を出して引きとる。「身請」 ㋑引き受ける。「請負」

名前 もと 難読 請負

使いわけ
①うける〔受・請〕⇩受(1281)。
②こう〔請・乞〕
〔請〕許しを求める場合。「許可を請う・案内を請う」。ただし、「乞」を用いることも多い。
〔乞〕頼みねだる場合。「慈悲を乞う・命乞い」

解字 篆文 形声。言＋青(靑)音。音符の青は、すみきっているの意味。すみきった心で言う、こいねがうの意味を表す。

逆 祈請・起請・強請・懇請・招請・申請・普請・要請

【請益】 一 さらに増すことを望む。さらに有益な教えをこうこと。二 仏 禅宗で、宗師家に尋ねたり、その他の法門の誡めをうけて自己をみがくこと。

【請謁(謁)】 ①貴人に面会をこうこと。②権力のある人に頼みこむこと。請託。

【請暇・請仮(假)】 一 (官吏などが)休暇を願い出ること。二 仏 禅僧が休暇を願い出てよそへ行くこと。

【請願】 こいねがう。たのむ。特に、人民が官にこい願うこと。

【請寄】 私事をたのみこむ。請託。

【請期】 ①婚約成立後に、男性の家から女性の家に結

言部 8画 〔詔 諗 誰 誶 諈 請〕

婚の日取りの相談にゆくこと。婚姻の六礼の一つ。②ある期間をこうこと。
【請求】セイキュウ こいもとめる。要求。
【請訓】セイクン ①清シン代、公使や三品以上の地方官が任地にでかけるとき、天子に拝謁ハイエツして命令を受けること。②外交官が本国政府に訓令を求めること。
【請罪】セイザイ・つみをこう(ふ) ①刑罰を加えるようにこう。②減刑や赦免をこう。
【請室】セイシツ 罪人を入れておく部屋。牢獄ロウゴク。▼請は、清の意で、天子が出御の際、通路の整理をする清室令という官に属する牢獄の名を清室といったことに基づく。
【請謝】セイシャ 礼をのべる。
【請属】セイショク 人に物事を頼む。
【請託・請△托】セイタク 権力のある人に(特別に計らってもらえるように)頼みこむこと。
【請△禱】セイトウ こいいのる。神にいのる。
【請命】セイメイ ①官吏に任ぜられることを願う。②辞職を願う。③いのちごいをする。④他人の命が危ういとき、それに代わろうと願う。⑤命令をこう。指令を願う。
【請問】セイモン たずねる。質問する。
【請来(來)】ショウライ ①たのんで来てもらうこと。②仏仏像や経をこい受けて持ってくること。
【請老】セイロウ 老いて退職を願うこと。告老。

8【諓】15画 11273 漢セン 呉ゼン 銑 jiàn — — 6211

字義 ❶じょうずにしゃべる。また、そのことば。❷よい(善)。❸たわむれしゃべる。❹あさはか。ことばがあさはか。❺へつらう。

解字 篆文 形声。言＋戔音。音符の戔セは、こまかいの意味。こまごまとたくみにものを言うの意味を表す。

8【諍】15画 11274 一 漢ソウ(サウ) 呉ショウ(シャウ) 敬 zhèng 二 漢ソウ(サウ) 呉ショウ(シャウ) 庚 zhēng 7558 E679 —

字義 一❶いさ-める いさむ。いさめ正す。❷とめる。過失を救いとめる。二❶うったえる。❷あらそう(争)。また、いさか-い いさかひ。あらそい。国 あらが-う あらがふ。抵抗する。

解字 篆文 形声。言＋争音。音符の争ソウは、あらそうの意味。言いあらそうの意味を表す。

【諍気(氣)】ソウキ 人と争って勝とうとする気。
【諍訟】ソウショウ うったえ争う。また、うったえ。争訟。
【諍臣】ソウシン 君の不善をいさめ争う臣。争臣。

8【諑】15画 11275 タク 覚 zhuó — — 6210

字義 ❶うったえる。❷悪口を言う。そしる。

解字 形声。言＋豖音。音符の豖チョク(タク)は、たたく時の音を表す擬声語。ことばでたたく、うったえる・そしるの意味を表す。

8【諾】15画 11276 常 ダク 漢ダク・呉ナク 薬 nuò 3490 91F8 —

筆順 亠 言 言 言一 言十 言艹 言芏 言若 諾

字義 ❶こたえる。㋐はい。うん。応答のことば。あまり丁重でなくゆるやかにいうもの。↔唯(1563)。用例〔礼記、玉藻〕父命呼ちちめいじてよぶに、唯而不レ諾イしてダクせず ↓父が命じようとして呼ぶときは、(子は)「はい」とだけいい、応諾の言葉は言わない。㋑よし。よろしい。承知するの意を表す語。❷うべな-う うべなふ。聞き入れる。承知する。また、承知した事柄。用例〔論語、顔淵〕子路無レ宿レ諾シロはダクをとどむることなし ↓子路はいったん承知した事を実行するのに、ぐずぐずしたことがない。国 国名。諾威ノルウェーの略。

名前 つぐ 難読 諾威ノルウェー

解字 金文 篆文 形声。言＋若音。音符の若は、うべなうの意味。ことばでこたえるの意味を表す。

逆 応諾・快諾・許諾・謹諾・受諾・承諾・然諾

【諾唯】ダクイ こたえる。うけがう。承知する。▼諾はゆっくり答え、唯はすぐさま答える声。
【諾諾】ダクダク はいはいと言ってひたすら人の言に従うさま。「唯唯諾諾イイダクダク」
【諾否】ダクヒ 承知することと、しないこと。

8【誕】15画 11277 教6 タン
7【誕】14画 11278 漢タン 呉ダン 旱 dàn 3534 9261 —

筆順 ノ イ 千 壬 言 言ノ 言イ 言千 言壬 言廷 誕 誕

字義 ❶いつわ-る いつはる。だます。むやみに大言をはいてだます。❷いつわり。うそ。でたらめ。「荒誕」❸大きい。大いに。広い。❹正しくない。❺ほしいまま。きまま。「誕放」❻さて。ここに。発語の助字。❼うまれる(生)。「生誕」❽そだてる(育)。

名前 のぶ

解字 金文 篆文 形声。言＋延音。音符の延は、のばすの意味。言葉を事実よりも越えてのばす、いつわるの意味を表す。また、のびるの意味から、うまれそだつの意味をも表す。

逆 虚誕・荒誕・降誕・生誕・放誕

【誕育】タンイク 養い育てる。
【誕欺】タンギ あざむく。いつわる。
【誕△譎】タンケツ いつわり。でたらめ。うそ。誕妄タンボウ。
【誕幻】タンゲン いつわりでとりとめのないこと。
【誕言】タンゲン おおげさなことば。誕語。誕辞。
【誕辞(辭)】タンジ おおげさなことば。誕語。誕言。
【誕日】タンジツ 生まれた日。誕生日。誕辰タンシン。
【誕章】タンショウ 国を治めるための大きな法典。憲法。
【誕縦(縱)】タンショウ きまま。かって。誕放。
【誕生】タンジョウ ①生まれる。生む。②物事がはじめてできあがること。
【誕△辰】タンシン 生まれた日。誕生日。誕日。
【誕敷】タンプ 大いに敷き施す。広める。
【誕放】タンポウ きまま。かって。誕縦タンショウ。
【誕妄】タンボウ・タンモウ いつわり。でたらめ。うそ。誕譎タンケツ。
【誕△謾】タンマン ①むやみに大げさなことを言って誠実味がない。②おごり高ぶる。

8【談】15画 11279 教3 ダン 漢タン・呉ダン 覃 tán 3544 926B —

筆順 亠 言 言 言 言ソ 言火 談 談

字義 ❶かたる(譚タ)。話す。「会談」「雑談」❷はなし。物語。「美談」「冗談」

名前 かた・かたり・かぬ・かね

解字 篆文 形声。言＋炎音。音符の炎は、さかんにもえあがるほどのお意味。さかんにかわされることば、かたりの意味を表す。

逆 歓談・奇談・講談・高談・懇談・座談・示談・冗談・政談・清談・破談・美談・筆談・放談・面談・立談

【談△讌】ダンエン 会合して語り合う。くつろいで話し合う。▼讌は、集まって語りあうこと。
【談諧】ダンカイ ①和やかに話す。また、その話。②冗談まじりに話す。
【談客】ダンカク ①諸国を遊説ゼイする人。②話のうまい人。③話し相手。

【談義】(ダンギ) ①すじみちを話す。②[仏]仏の教えを話すこと。説教。③[国]意見すること。こごと。訓戒。

【談議】(ダンギ) 話し合う。相談する。

【談語】(ダンゴ) ものがたる。また、ものがたり。

【談合】(ダンゴウ) [国]①相談する。話し合う。②入札の価格を事前に話し合って決めること。古くは「ダンコウ」と読んだ。

【談次】(ダンジ) 話のついで。談余。

【談笑・談咲】(ダンショウ) 話したり笑ったりする。うちとけて笑いながら話す。

【談△叢・談△藪】(ダンソウ) 話の内容が広くて尽きないこと。

【談判】(ダンパン) ①事件について相談、または交渉して解決すること。②[国]かけあう。かけあい。交渉。

【談柄】(ダンペイ) ①話をするとき手に持つ払子(ホッス)。②話のたね。

【談弁(辯)】(ダンベン) ものがたる。また、ものがたり。

【談△鋒】(ダンポウ) 言論の勢いのするどいこと。

【談余(餘)】(ダンヨ) ①話のあと。②話のついで。談次。

【談林】(ダンリン) ①僧徒の学校。また、寺。檀林(ダンリン)の当て字。②[国]「談林派」の略。江戸時代、西山宗因を祖とする俳諧(ハイカイ)の一派。

【談論】(ダンロン) 語り論ずる。談話・議論する。[用例]〔韓非子、説難〕諫説談論之士(カンセツダンロンのシは)、不レ可レ不下察二愛憎之主一、而後説上焉(アイゾウのシュをサッして、しかるのちにとかざるべからず)。[訳]君主をいさめたり議論をしたりする家臣は、君主の愛憎をよくわきまえて、その上で話をしなくてはならない。

【談話】(ダンワ) はなす。語る。また、はなし。ものがたり。

8
【調】
15画 11280 [教]3 チョウ しら-べる・ととの-う・ととの-える
[一](漢)チョウ(テウ) (呉)ジョウ(デウ) [蕭] tiáo
[二](漢)チョウ(テウ) (呉)ジョウ(デウ) [嘯] diào
[三](漢)チュウ(チウ)・(呉)チュ [尤] zhōu
3620 92B2 —

8
〖調〗 15画 11281

[筆順] 亠 言 言 訁 訂 訂 訶 訶 調 調

[字義] [一]❶ととの-う(ととの。のふ) ㋐ほどよくなる。㋑そなわる。準備ができる。㋒仲よくなる。やわらぐ。㋓調子が合う。音律にかなう。㋔つりあう。平均する。❷ととの-える(ととの。のふ) ㋐ほどよくする。㋑準備をする。㋒仲よくする。㋓調子を合わせる。音調をとる。㋔ならす(均)。平均をとる。バランスをとる。❸なつく。なつかせる。ならす(馴(ジュン))。❹めぐる。とりまく。❺あざける。からかう。ふざける。＝啁(1555)。❻おしえる。訓練する。→調教。❼ものの形容。→調調。[二]❶えらぶ(選)。❷うつる。官職のうつること。また、うつす。❸とる。とりたてる。徴発。❹はかる(計・量)。❺しら-べる(しら。ぶ) ㋐音楽を奏する。音律を整える。㋑調査する。研究する。とりしらべる。❻しら-べ。音楽の調子。音色。ふし。❼おもむき。様子。「格調」❽みつぎ。布帛(フハク)などを納める税。「租・庸・調」[三]❶あさ(朝)。❷重い。[国]❶ととの-う(ととの。のふ) ㋐きまる。決定する。㋑成立する。また、成功する。❷ととの-える(ととの。のふ) 買いそろえる。こしらえる。❸しら-べる(しら。ぶ) ㋐ただす。吟味する。㋑さがす。

[名前] しげ・ちょう・つき・つぎ・つぐ・なり・のり・みつぎ

[難読] 調川(つきのかわ)

[使いわけ] ととのえる・ととのう〔整・調〕⇩整(4567)。

[解字] 篆文 形声。言＋周(周)(音)。音符の周は、ゆきとどくの意味。言葉に神経がゆきとどく、ととのう・やわらぐの意味を表す。

[逆] 哀調・音調・快調・格調・基調・協調・強調・好調・高調・古調・語調・色調・順調・新調・声調・単調・低調・同調・風調・不調・歩調・乱調・論調

【調印】(チョウイン) [国]確認のために印を押すこと。条約・協定の文書に印を押すこと。

【調役】(チョウエキ) 布帛(フハク)(綿織物と絹織物)のみつぎものと、夫役(ブヤク)(公共事業のための強制的な労働力の徴発)。

【調飢】(チョウキ・チュウキ) 朝の空腹。一説に、非常な空腹。

【調戯(戲)】(チョウギ) あざけりたわむれる。からかう。

【調教】(チョウキョウ) ①教える。教育する。②[国]馬・犬、また、猛獣などを訓練すること。

【調遣】(チョウケン) つかわす。派遣する。

【調護】(チョウゴ) ①めぐり守る。取りまいて守る。②ととのえ治める。

【調貢】(チョウコウ) みつぎもの。また、みつぎものを奉ること。

【調合】(チョウゴウ) ①調和する。②[国]薬などを適当な分量ずつ取り合わせること。調剤。

【調唆】(チョウサ) そそのかす。

【調剤(劑)】(チョウザイ) ①ととのえる。ほどよくする。▼剤も、ととのえる。②味をととのえる。③＝調合②。

【調△馴】(チョウジュン) 鳥獣をならす。

【調笑】(チョウショウ) からかい笑う。また、たわむれ笑う。嘲笑(チョウショウ)。

【調製】(チョウセイ) 作る。物品を作る。注文に応じて物品を作る。

【調整】(チョウセイ) ととのえる。ほどよくする。

【調摂(攝)】(チョウセツ) からだをととのえ養う。摂生。

【調節(節)】(チョウセツ) ほどよくととのえる。

【調達】(チョウタツ) [一]①ととのいのびる。音曲・詩文などがのびのびとして、むりのないこと。②ほどよくととのって十分にその作用を発揮すること。[二](チョウダツ) [国]必要な品物をとりそろえること。調進。

【調調】(チョウチョウ) 木の葉が風にゆれるさまの形容。

【調停】(チョウテイ) 間に立ってなかなおりさせること。仲裁。

【調△鼎】(チョウテイ) ①かなえの飲食物を料理する。②宰相が国家を治めることをいう。

【調度】(チョウド) ①ととのえ定める。②処置する。租税をとりたてる。③指揮してつかわす。④[国]㋐日常使う手まわりの道具・家具など。㋑武家では、特に弓矢をいう。

【調馬】(チョウバ) ①馬を乗りならす。②馬を徴発する。また、徴発された馬。

【調布】(チョウフ) 昔、みつぎものとして朝廷へ納めた布。

【調伏】(チョウフク・チョウブク) ①[仏]㋐身・口・意の三業を調和して悪魔を従わせる。㋑(天台宗・真言宗で)祈禱(キトウ)によって悪魔を従わせる。②[国]人をのろい殺す。

【調味】(チョウミ) 食物の味をほどよくととのえる。

【調理】(チョウリ) ①ととのえおさめる。②治療する。養生する。③訓練する。④[国]料理すること。

【調練】(チョウレン) [国]兵士を訓練すること。調錬。

【調弄】(チョウロウ) ①からかう。なぶる。嘲弄(チョウロウ)。②楽器をかきならす。

【調和】(チョウワ) ①ととのいおさまる。②(音楽の)調子がよくととのう。③(味・政治などが)ほどよくととのう。④争いをやめること。⑤[国]まわりとよい関係を保つ。

8
【諃】
15画 11282 チン [侵] chēn
— — 6205

[字義] よいことば。立派なことば。

[解字] 形声。言＋綝省(音)。

8
【諂】
15画 11283 テン [琰] chǎn
7559 E67A —

[字義] へつら-う(へつ。らふ)。他人の気に入るように心にもないことをいう。おもねる。こびる。

[解字] 篆文 形声。言＋臽(閻)(音)。音符の閻(エ)は、おちいるの意味。自分を必要以上に落として、他人にこびへつらうの意味を表す。

【諂△阿】(テンア) へつらいおもねる。▼阿も、おもねる。

【諂巧】(テンコウ) へつらって、じょうずに人にとりいること。佞巧(ネイコウ)。

【諂笑】(テンショウ) へつらい笑う。おせじ笑いをする。

【諂△佞】(テンネイ) こびへつらう。阿諛(アユ)。諂諛(テンユ)。

【諂△諛】(テンユ) こびへつらう。諂佞(テンネイ)。

8 **【諮】** 15画 11284 漢トウ(タフ) 呉ドウ(ダフ) 㕦 tà ― ― 6203

字義 ❶そしる。ののしる。❷諮諮は、多言のさま。おしゃべりのさま。

解字 篆文 形声。言＋沓音。音符の沓は、水の流れるようによくしゃべるの意味。言を付し、たたみかけて言う・ののしるの意味を表す。

8 **【誹】** 15画 11285 標 ヒ 微 未 fěi 慣ハイ 4080 94EE ―

字義 **そしる**(非)。非難する。また、そしり。

解字 篆文 形声。言＋非音。音符の非は、背をむけるの意味。人がそむきあって、そしるの意味を表す。

【誹諧】ヒカイ 一 おどけながら悪口をいう。二 ハイカイ 国＝俳諧(一一八ページ下)。

【誹毀・誹△譏】ヒキ そしる。悪口をいって他人の名誉をきずつける。誹謗。

【誹議】ヒギ そしる。そしって、かれこれ言うこと。▼議も、そしる、またとやかく言う。

【誹△謗】ヒボウ そしる。悪口をいいたてる。また、そしり。

【誹△謗△之木】ヒボウのき 昔、帝舜が橋の上に木を立てて政治の過失を書かせ、みずから反省したという故事。〔呂氏春秋、自知〕

【誹誉(譽)】ヒヨ そしりと、ほまれ。そしることと、ほめること。毀誉。

8 **【諚】** 15画 11286 ヘン piǎn 7560 E67B ―

字義 義未詳。国ジョウ。おおせ。上のいいつけ。命令。

解字 中国での字義は不明。これをジョウと読むのは、日本独自の用法で、形声。言＋定音。音符の定は、動かすことのできない意味を表す。

8 **【誷】** 15画 11287 漢ボウ(バウ) 呉モウ(マウ) 養 wǎng 28863 ― 6202

字義 **しいる**。事実を曲げていう。＝罔(9431)。「誣誷」

解字 形声。言＋罔音。音符の罔は、とらえるの意味。事実を曲げて言葉で人をとらえる、しいるの意味を表す。

8 **【諛】** 15画 11288 ユ 諛(11325)の俗字。→一三三三ページ下。 7571 E687 ―

8 **【諒】** 15画 11289 人 一リョウ(リャウ) 漾 liàng 二リョウ(リャウ) 陽 liáng 4642 97C8 ―

筆順 、 亠 言 言 訁 訁 諒 諒

字義 一❶まこと。㋐真実。いつわりがないこと。また、そういう人。用例〔論語、季氏〕友直、友諒、友多聞。↓正直な人を友とし、誠実な人を友とし、博識な人を友とするのは、有益だ。㋑小さい徳義。用例〔論語、憲問〕匹夫匹婦之為諒。↓取るに足らない男と女が、小さい義理をはたすこと。㋑小さい義理。❷まことする。信ずる。❸まことに。たしかに。本当に。❹しる(知)。明らかにする。「諒解」❺思いやる。「諒察」二❶よい。＝良(9783)。❷わるい。不吉。❸＝一❶。

名前 あき・あさ・すけ・まこと・まさ・みち・りょう

参考 現代表記では〔了〕(111)に書きかえる。「諒解→了解」「諒承→了承」。熟語は〔了〕をも見よ。

解字 篆文 形声。言＋京音。音符の京は、量に通じ、はかるの意味。相手の心を思いはかる・まことの意味を表す。

【諒陰・諒闇】リョウアン 天子が喪に服するへや。また、その期間。亮闇。

【諒解】リョウカイ 物の道理を納得する。また、理解する。了解。

【諒察】リョウサツ 同了察・亮察。①思いやる。同情する。②推察する。

【諒△恕】リョウジョ 思いやって(同情して)ゆるす。

【諒承】リョウショウ 物の道理をのみこむ。また、事情を承知する。了承。

8 **【論】** 15画 11290 教6 ロン 一ロン 元 願 lùn 二リン 真 lún 慣ロン 4732 985F ―

筆順 言 訁 訡 訡 諭 諭 論 論

字義 一❶あげつらう。㋐物事の善悪・是非について話し合う。また、評価を定める。結論を下す。「討論」「議論」㋑とく。論理だてて述べる。問題を整理して話す。また、道理を説く。用例〔史記、張儀伝〕臣請論其故。↓どうか私にその理由を説明させてください。㋒罪をさばく。判決を下す。用例〔史記、孝文本紀〕今犯法已論。↓もう法を犯した者については罰せられている。❷見解。主張。所説。「正論」「世論」❸はかる。㋐かんがえる。考慮する。また、おしはかる。推量する。用例〔韓非子、五蠹〕論世之事、因為之備。↓世情を考慮してそれに応じた対策をたてる。㋑たずねる。調べる。調査する。用例〔韓非子、外儲説右下〕論宮中有婦人而嫁之。↓宮中にいる女性を調査して嫁にいかせた。❹文体の名。自分の意見を主張し述べる文。❺仏論蔵の略。三蔵(経・論・疏)の一つ。仏の教えについて弟子たちが述べた語。二❶みち。すじみち。また、たぐい(類)。順序。＝倫(465)。❷『論語』の略。→論語。❸えらぶ。＝掄(4283)。

名前 とき・のり 難読 論頓

解字 篆文 形声。言＋侖音。音符の侖は、すじみちをたてるの意味。すじみちをたてて述べるの意味を表す。

逆 異論・概論・各論・極論・空論・愚論・劇論・激論・結論・言論・公論・高論・国論・詳論・緒論・叙論・序論・史論・私論・持論・時論・推論・世論・争論・総論・俗論・卓論・談論・討論・俳論・評論・弁論・本論・無論・名論・余論・立論・理論

【論外】ロンガイ 国①論ずるほどのねうちのないこと。②議論の範囲外。③もってのほか。

【論客】ロンカク・ロンキャク 国議論の好きな人。よく議論する人。

【論議】ロンギ ①議論する。また、議論。②仏法について問答すること。

【論詰】ロンキツ 論じなじる。言いこめる。

【論及】ロンキュウ 国論じおよぶ。議論を関連する他の事にまでおよぼす。

【論究】ロンキュウ 深く論じきわめる。また、十分に論じつくす。

【論拠(據)】ロンキョ 国議論の根拠。議論の成り立つよりどころ。

【論決】ロンケツ 是非を論じて決めること。論定。論判。

【論語】ロンゴ 書名。二十編。四書の一つで、儒家の聖典とされる。孔子が門人や当時の人と応答した語や孔子の行い、また、門人の応答などを記したもの。孔子の死後、門人あるいは門人の弟子たちによって編修されたといわれる。注釈書では、三国時代、魏の何晏の『論語集解』(古注という)、南宋の朱熹の『論語集注』(新注という)などがある。

【論功】ロンコウ てがらの大小を調べること、また、順序づけること。

【論功行賞】ロンコウコウショウ てがらを調べて、それによって順序づけて賞を与えること。用例〔三国志、魏志、明帝紀〕論功行賞、各有差。↓論功行賞を行うときに、一人一人に差がある。
【論衡】ロンコウ 書名。三十巻。後漢の王充の著。論理的合理的な立場から当時の考え方などを評論した思想書。
【論告】ロンコク ①自分の信ずることを述べること。②国法律用語。被告の犯罪の事実、およびそれに対する法の適用について、検事が法廷においてする意見の陳述。
【論策】ロンサク 時事問題について対処の方法を論じた文。議論文。
【論賛(贊)】ロンサン ①功を論じほめること。②歴史書で、ある事がらの記述の後に作者が書く評論。
【論△纂】ロンサン 種々議論して編集すること。また、その書物。
【論旨】ロンシ 議論の主旨。議論の要点。
【論述】ロンジュツ 論じのべる。理論や道理を順序を立てて論じのべること。
【論証(證)】ロンショウ ①議論の根拠。②議論して証明する。
【論陣】ロンジン 議論したり意見を述べたりするときの論の立て方・構成。
【論説】ロンセツ ①論じ説く。事理を論じたり説明したりする。②文体の一種。論説の文。
【論戦(戰)】ロンセン 議論して争う。是非を言い争うこと。論争。
【論争(爭)】ロンソウ 議論して争う。是非を言い争うこと。論戦。
【論壇】ロンダン ①意見を陳述する場所。②論議を戦わせる人々の社会。評論家・批評家などの社会。言論界。
【論著】ロンチョ ①意見を述べ、書をあらわすこと。②学問上の意見を書物にしたもの。
【論調】ロンチョウ 議論の調子。議論・評論のしかたや傾向。
【論敵】ロンテキ 国論争・議論の相手。
【論点(點)】ロンテン 議論の中心点。議論の要点。
【論難】ロンナン 議論して攻撃する。論駁ロンパク。
【論破】ロンパ 議論して相手の説を破ること。言い破ること。
【論△駁・論△駮】ロンパク ①論じ正す。②相手の話に反対して言い争う。論難。▼駮は、反駁。③言うことが粗雑である。▼駁は、雑駁。
【論判】ロンパン ①是非を論じて決めること。論決。論定。②国言いあい。口論。
【論評】ロンピョウ 論じて批評すること。
【論弁(辨)】ロンベン ①論じて区別やすじみちなどを明らかにすること。▼弁(辨)は、わける、区別をはっきりさせる意。②文体の名。論説文。⇩コラム 漢文(八六八ページ)。
【論弁(辯)】ロンベン 論じ説く。意見を述べ説くこと。また、その談論。▼弁(辯)は、述べる・説く。
【論△鋒】ロンポウ 議論のほこさき。また、議論の勢い。
【論△孟】ロンモウ 『論語』と『孟子』。語孟。
【論理】ロンリ 議論のすじみち。また、論証のすじみち。
【論列】ロンレツ 事の是非をならべて論ずること。
【無レ論】ロンなし 言うまでもない。もちろんである。無論ムロン。

9 【諳】 16画 11291 アン 㫪 ān 7562 E67D ―

字義 ❶そらんじる。そらで覚える。暗記する。❷なれる。経験する。❸さとる。心によく知りわける。

解字 篆文 形声。言＋音㊥。音符の音は、暗に通じ、くらいの意味。目をおおって暗くして言う、そらんじるの意味を表す。

【諳記】アンキ そらで覚える。暗記。
【諳識】アンシキ そらで覚える。そらんじ知る。諳知。
【諳△悉】アンシツ そらで覚えつくす。全部そらでおぼえる。
【諳△誦】アンショウ そらで読む。何も見ないで読む。そら読み。暗唱。
【諳知】アンチ そらで覚える。そらんじ知る。
【諳練】アンレン ①よく覚えている。また、ことごとく知っている。②よく慣れている。また、熟達している。諳錬。

9 【謂】 16画 11292 人 標 イ(ヰ) 㫪 wèi 1666 88E0 ―

筆順

字義 ❶いう(言)。㋐告げる。…に話しかける。用例〔論語、雍也〕子謂二子夏一曰、女為二君子儒一、無レ為二小人儒一。⇩孔子は子夏にむかって、「お前は立派な学者となれ、単なる物識りの学者になるな」と告げた。㋑…について語る。評論する。用例〔論語、公冶長〕子謂二南容一、邦有レ道不レ廃、邦無レ道免二於刑戮一。⇩孔子は南容について、国に道理がある時には放っておかれず、国に道理がない時には刑罰殺戮から免れうる人物である、と語った。㋒名付ける。…とよぶ。
❷おもう(思)。…であると考える。…とみなす。「おもえ(へ)らく」と訓読することが多い。用例〔世説新語、自新〕郷里皆謂已死。⇩村の者は皆、もう死んでしまったと思っていた。
❸いい。㋐名称。呼び名。㋑趣旨。意味。用例〔論語、憲問〕書云、高宗諒陰三年不レ言、何謂也。⇩『書経』には、高宗は父の喪に服すこと三年、口もきかなかったとありますが、どのような意味でしょうか。㋒いわれ。理由。わけ。❹つとめる(勤)。❺所謂いわゆるは、世間で言うところの。一般に言っている。❻謂何いかんは、いかが。いかに。

名前 つぐ・つとむ

解字 金文 篆文 形声。言＋胃(胃)㊥。音符の胃イは、囲に通じ、かこむの意味。ある概念をはっきりかこみ区別して言うの意味を表す。

【△勿レ謂今日不レ学(學)有二来(來)日一】いう(ふ)なかれコンニチまなばずともライジツありと 今日勉強しなくとも明日があるなどと言ってはならない。〔南宋、朱熹、勧学文〕

9 【諱】 16画 11293 イ 諱(11328)の正字。→一三三一ページ下。

9 【謁】 16画 (11251) エツ 謁(11250)の旧字体。→一三二二ページ上。

9 【諧】 16画 11294 常 カイ 漢カイ・呉ガイ 㫪 xié 7563 E67E ―

筆順

字義 ❶かなう。合う。調子がよく合う。調和する。また、ととのえる。調子を合わせる。❷やわらぐ。やわらげる。うちとける。やわらげる。「和諧」❸たいらにする。物価を安定させる。❹わきまえる(弁)。❺たわむれ。おどけ。冗談。「俳諧」

解字 篆文 形声。言＋皆㊥。音符の皆は、人々が声をそろえて言うの意味。のち、言を付し、調和するの意味を表す。

【諧△謔】カイギャク 冗談。おどけ。ユーモア。
【諧協】カイキョウ ととのい和する。調和する。
【諧語】カイゴ ①韻をふんだ一連のことば。しゃれの一種。②うちとけて語る。
【諧声(聲)】カイセイ ①漢字の六書リクショの一つ。意味を表す部分(意符)と、音を表す部分(音符)とを組み合わせて作った文字。江・河の偏は意味を、つくりは発音を示す類い。形声。②調和する声。調和した声。
【諧△暢】カイチョウ のびのびとしてやわらぐ。
【諧調】カイチョウ ①やわらぎととのう。②調和のとれた音。こころよい調べ。
【諧比】カイヒ やわらぎしたしむ。親しみなれる。▼比は、親しむ。
【諧和】カイワ ①ととのえやわらげる。②ととのいやわらぐ。楽音がととのって美しいこと。③やわらぐ。おだやかになる。また、その状態にあること。④和合する。

9 【諤】16画 11295 標 ガク 漢 è 7564 E680 —

［諤］11424 同字

字義 正しいことを遠慮なく言う。直言する。「侃諤カンガク」

解字 形声。言＋咢音。音符の咢ガクは、人を驚かすようにやかましく言うの意味。言を付し、直言するの意味を表す。

【諤諤】ガクガク 是非善悪を遠慮なく直言するさま。咢咢ガクガク。愕愕ガクガク。用例〔史記、商君伝〕千人之諾諾センニンのダクダクも、不レ如二一士之諤諤一イッシのガクガクにしかず。↓千人が反対せずに従うのは、一人の士が遠慮なく直言するのには及ばない。

9 【諫】16画 11296 標 漢カン 呉ケン 諫 jiàn 7561 E67C —

［諌］11253 俗字

字義 いさ-める。忠告する。人の過ちを正す。意見する。用例〔史記、廉頗藺相如伝〕舎人相与諫曰シャジンあいともにいさめていわく、……。↓（藺相如の）家来たちはみなで一緒に（主人を）諫めて言うことには、……。

難読 諫早いさはや

解字 金文 篆文 形声。言＋柬音。音符の柬カンは、えらぶの意味。目上の人の言動の善悪をえらび、批評する、いさめるの意味を表す。

【諫院】カンイン 諫官の役所。→諫官。

【諫官】カンカン 天子の過失をいさめる役。諫職。

【諫議大夫】カンギタイフ ①官名。天子の過失をいさめる役。②国参議の中国風の呼び名。

【諫言】カンゲン いさめることば。いさめ。

【諫鼓】カンコ 昔、人民の中で、天子をいさめたいと思う人のために、朝廷の門外に置き、その意を通じさせるために打たせた太鼓。朝鼓。登聞鼓。敢諫の鼓。〔管子、桓公問〕

【諫止】カンシ 悪い事をいさめて、思いとどまらせること。

【諫死】カンシ 君主をいさめるために自殺すること。死をもっていさめる。

【諫書】カンショ 君主をいさめる書状。諫疏カンソ。

【諫職】カンショク 君主をいさめる職務。諫官。

【諫正】カンセイ いさめ正す。

【諫説】カンセツ 他人をいさめたり、自分の見解を説いたりする。

【諫疏】カンソ 諫言を書きしるした上奏文。諫書。

【諫争（諍）・諫諍】カンソウ いさめ争う。

9 【諴】16画 11297 漢カン 呉ゲン 咸 xián 9212 — 6219

字義 ❶やわらぐ。❷まこと。

解字 形声。言＋咸音。

9 【諿】16画 11298 キ 記(11105)と同字。→一三〇四ページ下。 28867 — —

9 【謔】16画 11299 標 漢キャク・呉カク 慣ギャク 謔 xuè 7566 E682 —

字義 たわむ-れる。たわむれ。おどけ。「諧謔カイギャク」

解字 篆文 形声。言＋虐音。音符の虐ギャクは、虎とらが人をなぶり殺すの意味。ことばであれこれともてあそぶ・たわむれるの意味を表す。

【謔謔】ギャクギャク ①さかんではげしいさま。②よろこびたのしむさま。

【謔劇】ギャクゲキ たわむれる。諧謔。

【謔笑】ギャクショウ おどけて（ふざけて）笑う。

【謔浪】ギャクロウ たわむれふざける。

9 【謦】16画 11300 ケイ 啓(1532)と同字。→二六九ページ中。 — — 6217

9 【諠】16画 11301 漢ケン 呉カン(クヮン) 元 xuān 7567 E683 —

字義 ❶わす-れる。＝諼(11302)。「諠草」❷かまびすしい。やかましい。＝喧(1594)。「諠譁ケンカ」❸あきらか。

解字 形声。言＋宣音。音符の宣は、めぐりわたるの意味。言葉をめぐらせる、かまびすしいの意味を表す。

【諠譁】ケンカ ①やかましい。また、やかましく騒ぐ。②国争い。いさかい。同喧嘩。

【諠言】ケンゲン やかましく言う。多言する。

【諠囂】ケンゴウ やかましい。

【諠擾】ケンジョウ さわぎ乱れる。さわぎたてる。喧擾ケンジョウ。

【諠草】ケンソウ 草の名。わすれぐさ。人の心配事を忘れさせるという。諼草ケンソウ。萱草ケンソウ。蘐草ケンソウ。

【諠伝（傳）】ケンデン かしましく伝わる。人々がさかんに言って伝わること。また、さかんに言って伝え広めること。喧伝ケンデン。

【諠呶】ケンドウ・ケンド やかましくさけぶ。喧呶ケンド。

9 【諼】16画 11302 漢ケン 呉カン(クヮン) 元 阮 xuān 28866 — 6222

字義 ❶いつわる（詐）。あざむく。ごまかす。❷わす-れる（諠ケン）。

解字 篆文 形声。言＋爰音。音符の爰エン＝ケンは、ひくの意味。事実・真実から故意に別の方向にひく言葉、いつわりの意味を表す。

【諼草】ケンソウ 草の名。わすれぐさ。諠草ケンソウ。

9 【諺】16画 11303 人 標 ゲン 霰 yàn 2433 8CBF —

［諺］11304 俗字

筆順 言 言 言 訁 訁 諺 諺 諺

字義 ❶ことわざ。昔から言い伝えられていて、簡単にうまくまとまっている文句。教訓や風刺の意を含んだものが多い。❷とむらう（弔）。

名前 こと・たけし・つよし

解字 篆文 形声。言＋彦音。音符の彦ゲンは、化粧するの意味。人生を美しく飾る教訓を含んだことわざの意味を表す。

【諺解】ゲンカイ 国漢文を口語で解釈したもの。俗語での解釈。

【諺言】ゲンゲン ことわざ。諺語。

【諺文】オンモン・オンムン 朝鮮の音標文字。二十八字あり、日本のかなのようなもの。ハングル。

9 【諺】16画 11304 ゲン 諺(11303)の俗字。→一三三〇ページ中。

9 【謊】16画 11305 コウ(クヮウ) 陽 huǎng 28868 — 6231

［詤］11189 本字

字義 ❶ねごと。うわごと。❷うそ。でたらめ。いいかげんなことば。

解字 形声。言＋荒音。音符の荒は、むなしい意味を表す。詤(11189)の俗字。

9 【諢】16画 11306 ゴン 慣コン 願 hùn 7568 E684 —

字義 じょうだん（冗談）。たわむれ。また、じょうだんをいう。また、その人。

解字 形声。言＋軍音。音符の軍は、混に通じ、かきまぜるの意味。言葉をかきまぜて、冗談を言うの意味を表す。

【諢詞小説】コンシショウセツ 俗話体で書いた小説。日本の講談・落語の類い。宋ソウ代の仁宗のころから起こる。一説に、五代に始まるという。

【諢名】コンメイ・あだな 異名。渾名あだな。

9 【諮】16画 11307 常 シ はか-る 2780 8E90 —

『諮』16画 11308 シ 図 zī

筆順 亠 言 言 訁 訁 訁 諮 諮 諮

字義 はか-る。とう（問）。といはかる。上の者が下の者に相談をする。「諮問」

使いわけ はかる〔計・測・量・図・謀・諮〕⇩計(11099)。

解字 形声。言＋咨音。音符の咨シは、はかるの意味。言を付し、はかるの意味を表す。

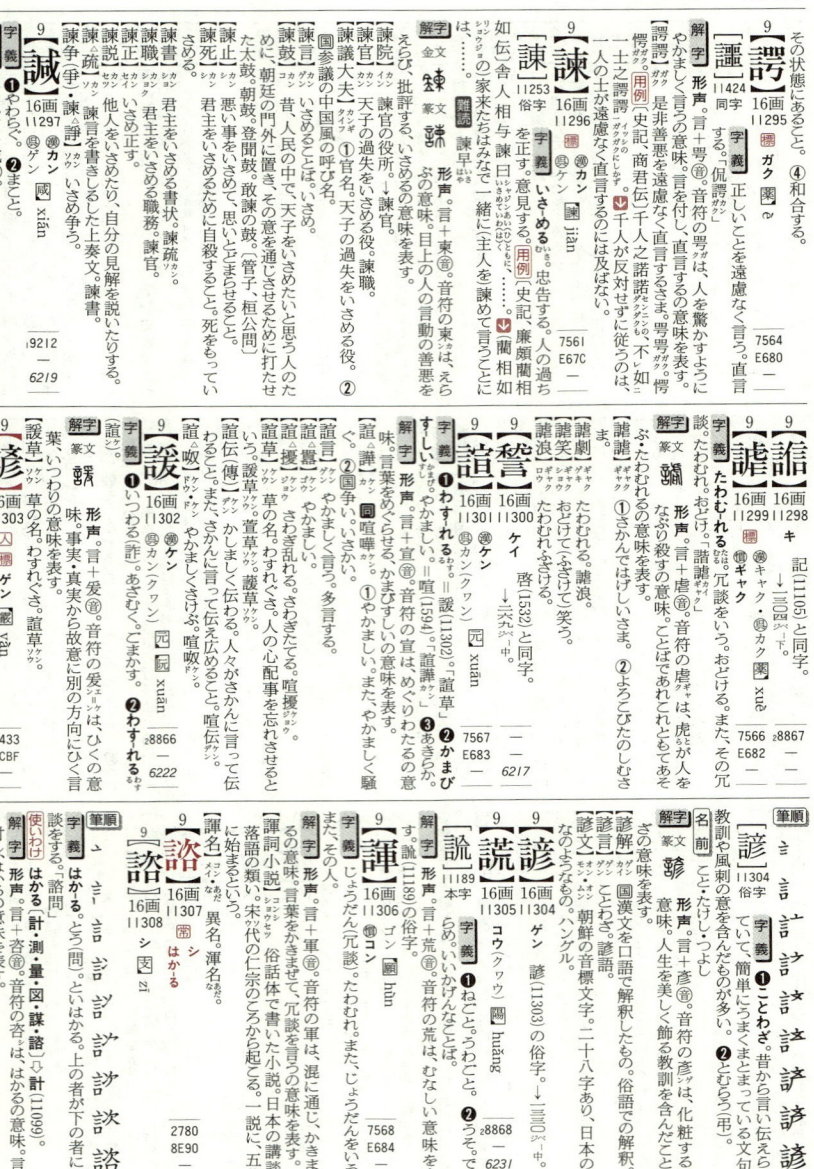

【諮議】①下の者に相談すること。②上からの諮問に応じて、その事がらを評議すること。

【諮諏】たずねる。はかる。諮問。

【諮詢】問う。たずねる。上の者が下の者に相談する。

【諮稟】①たずねる。相談する。▼稟は、申す。②ある人に相談して、その人に命令を受ける。▼稟は、命をうける。

【諮謀】問う。はかる。相談する。諮謨。

【諮問】問う。たずねる。上の者が下の者に相談をする。

9 【諡】16画 11309 漢シ 呉ジ 寘 shì 7575 E68B ―

［謚］11343 正字

字義 ❶おくりな。死者に対して、その生前の行跡によってつける名。人の死後は、呼ぶに諡を用い、実名は諱・忌と称して忌み、呼ばない。「諡号」⇩コラム 姓名の慣習（三六七ページ）。❷おくりな-する おくりなをつける。❸名づける。また、名。よび名。❹しずか（静）。

解字 篆文 形声。篆文は、言＋益音。音符の益は、ますの意味。死後に、その人の行跡によっておくる名の意味を表す。諡は、謚の誤字といわれる。

【諡号（號）】おくりな。死者におくる名。

【諡法】おくりなをつける法。

9 【諟】16画 11310 漢シ 呉ジ 紙 shì 9211 EE8C 6216

字義 ❶おさめる（理）。❷ただす（正）。是正する。❸あきらかにする（諦）。つまびらかにする（審）。❹この（是）。これ。

解字 篆文 形声。言＋是音。音符の是は、ただすの意味。言葉でただす、つまびらかにするの意味を表す。

9 【諰】16画 11311 シ 紙 xǐ ― ― 6218

字義 ❶おそれる。びくびくする。❷おもう。話しながらおもう。❸直言する。

解字 篆文 形声。言＋思音。音符の思は、おもうの意味。語りつつおもうの意味を表す。

9 【諿】16画 11312 一シュウ（シフ） 緝 qī 二ショ 語 xǔ ― ― 6223

字義 一❶和らぐ。❷つまびらかに言う。二はかりごと（謀）。

解字 形声。言＋咠音。

9 【諸】16画 （11265） ショ 諸（11264）の旧字体。→一三三〇ページ上。

9 【諝】16画 11313 ショ 語 魚 xǔ, xū ― ― 6215

9 【諶】16画 11314 漢シン 呉ジン 侵 chén 9213 EE8E 6221

字義 ❶まこと。真実。まごころ。❷まこと-に。たしかに。

解字 金文 篆文 形声。言＋甚音。音符の甚は、沈に通じ、沈潜するの意味。約束の言葉一つに沈潜して、他に心を移さないの意味から、まことの意味を表す。

9 【諜】16画 11315 標 漢チョウ（テフ） 呉ジョウ（デフ） 葉 dié 3621 92B3 ―

字義 ❶まわしもの。まはしもの。しのび。敵状をさぐるもの。間者。スパイ。「間諜」❷うかがう。さぐる。ひそかに敵地に行ってようすをさぐる。❸やすんずる（安）。❹たちいふるまいがあかぬけしているさま。❺ふだ（札）。また、ふだに書く。記録。＝牒（7116）。❻ことばかずの多いさま。＝喋（1611）。「諜諜」

解字 篆文 形声。言＋枼音。音符の枼は、木の葉の意味。言葉を書き記す、木の葉のようにうすい札の意味を表す。また、覘（うかがう）に通じ、スパイの意味にも用いる。

【諜候】まわし者。諜者。

【諜者】まわし者。忍びの者。探偵。間者。スパイ。

【諜知】敵の様子をひそかに探って知る。

【諜諜】ことばの多いさま。べちゃくちゃしゃべるさま。喋喋。

【諜報】敵状を探って知らせる。また、その知らせ。

9 【諦】16画 11316 常 テイ あきら-める 一漢テイ・呉タイ 霽 dì 二漢テイ・呉ダイ 斉 tí 3692 92FA ―

筆順 ﾆ 言 言 言 訁 訁 諦 諦 諦

字義 一❶つまび-らか。明らか。また、つまびらかにする。明らかにする。❷仏まこと。真理。また、それをさとること。国あきら-める。あきらむ。おもいきる。二なく。さけぶ。＝啼（1612）。

名前 あき・あきら

解字 篆文 形声。言＋帝音。音符の帝は、しめくくるの意味。言葉でしめくくり、つまびらかにするの意味を表す。

【諦観（觀）】①つまびらかにみる。よく見る。じっと見守る。諦視。②国あきらめる。思いきる。

【諦号（號）】泣きさけぶ。▼諦は、啼。

【諦思】つまびらかに考える。よく考える。

【諦視】つまびらかに見る。よく見る。見守る。

【諦聴（聽）】つまびらかに聞く。心を傾けて聞く。

【諦念】①物事の本質を悟った心。②国あきらめの気持ち。

9 【諵】16画 11317 漢ダン 呉ナン 覃 nán ― ― 6220

字義 かまびす-しい。かまびすし。やかましい。べちゃくちゃしゃべるさま。＝喃（1615）。「喋喋諵諵」

解字 形声。言＋南音。

9 【諷】16画 11318 標 フウ 送 fěng 7569 E685 ―

字義 ❶そらんじる。そらよみする。また、歌う。「諷詠」❷ほのめかす。遠まわしにいう。はっきり言わず、それとなく他の事によそえていう。あてこする。「諷刺」

参考 現代表記では［風］（13525）に書きかえることがある。「諷刺→風刺」

解字 篆文 形声。言＋風音。音符の風は、かぜの意味。風に乗せて言うの意味から、そらんじる・ほのめかすの意味を表す。

【諷意】①意志・考えをほのめかす。②それとなくあてこすって言った意味。

【諷詠】詩歌をそらで歌う。

【諷諫】ほのめかし、いさめる。それとなくいさめる。用例〔史記、滑稽伝〕長八尺、多弁常以二談笑一諷諫。↓身長は八尺、多弁でいつも談笑するうちに君主を諫めるのであった。

【諷議】とおまわしに相談する。風議。

【諷刺】遠まわしに非難する。あてこする。風刺。

【諷誦】一①詩文などを暗唱する。②よみかた。素読。二仏経文などを声をあげて読むこと。諷経。諷読。

【諷説】暗記していることをそのまま説くこと。覚えていることをそのままうのみにして自分で考えることなく、それをしたり顔で言うこと。

【諷味】暗唱して味わう。諷誦して玩味する。

【諷諭】遠まわしにさとす。風諭。

9 【諞】16画 11319 漢ヘン 呉ベン 銑 先 piǎn

［諞］11320 俗字

字義 ことばたくみにいいまわす。口先でたくみにいう。巧言。＝便（389）。

言部 9画 〔諡 諟 諰 諿 諸 諝 諶 諜 諦 諵 諷 諞〕

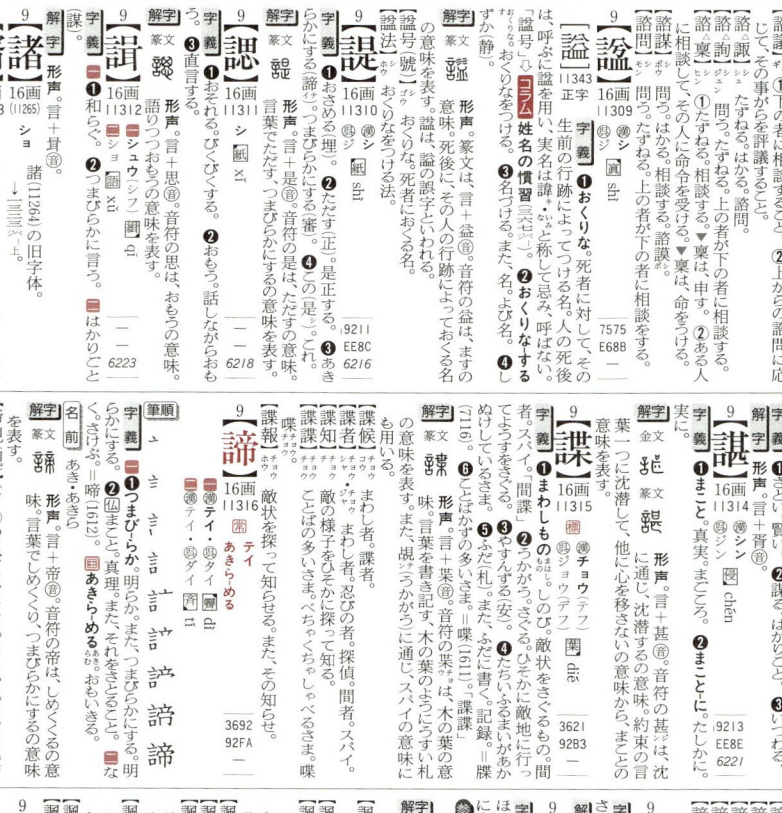

【解字】篆文 諞 形声。言＋扁㊥。音符の扁ヘンは、ひらたいの意味。真実味のない、うすっぺらな言葉の意味を表す。

9【諞】16画 11320 ヘン 諞(11319)の俗字。→一三三一ページ下。 7570 E686 —

9【謀】16画 11321 常 ボウ・ム はか-る 漢ボウ・呉ム 尤 móu 4337 9664 —

筆順 言 … 謀

字義 ❶はか-る。㋐問いはかる。相談する。用例〔列子、湯問〕聚室而謀曰、……。↓家族の者を集めて相談して言うには、……。
㋑思いはかる。考えをめぐらす。用例〔史記、項羽本紀〕唉、豎子不足与謀。↓ああ、小僧め、ともに大事をはかるわけにはいかぬ。／〔十八史略、春秋戦国、呉〕呉王闔閭挙伍員謀国事。↓呉王の闔閭は伍員を抜擢して、国政に当たらせた。
㋒計略をめぐらす。くわだてる。用例〔孟子、梁恵王下〕諸侯将謀救燕。↓諸侯たちは燕を救おうと計略を巡らせた。
㋓たばか-る。計略であざむく。だます。おとしいれる。用例〔左伝、宣公十四〕謀人、人亦謀己。↓他人を陥れようとたくらめば、他人もまた自分を陥れようとたくらむ。
㋔求める。追求する。用例〔論語、衛霊公〕君子謀道不謀食。↓君子は道を追求して努力するものであり、食を求めようとはしない。
❷はかりごと。くわだて。たくらみ。計略。用例〔論語、述而〕必也臨事而懼、好謀而成者也。↓必ずや、戦争をするにあたっては慎重にし、十分な計画を立てて戦いに成功する者(と一緒に行動する)だろう。

名前 こと・のぶ・はかる

使いわけ はかる〔計・測・量・図・謀・諮〕⇩計(11099)。

解字 篆文 謀 形声。言＋某㊥。音符の某は、神木に祈るの意味。むずかしい問題について考える、はかるの意味を表す。

逆 陰謀・隠謀・遠謀・策謀・参謀・主謀・首謀・大謀・知謀・非謀・無謀

【謀画(畫)】ボウカク はかりごと。計略。計画。
【謀議】ボウギ ①相談してはかる。また、相談。②国法律用語。数人が共同で犯罪の計画・実行を相談すること。
【謀計】ボウケイ はかりごと。計略。謀略。
【謀詐】ボウサ いつわりのはかりごと。詐謀。
【謀策】ボウサク はかりごと。計略。
【謀殺】ボウサツ 計画的に人を殺す。あらかじめ相談しておいて人を殺す。
【謀主】ボウシュ 中心となってはかりごとを計画した人。首謀者。
【謀将(將)】ボウショウ はかりごとにすぐれた武将。
【謀臣】ボウシン はかりごとのたくみな家来。また、君主の顧問となって策略をめぐらす臣。
【謀図(圖)】ボウト はかりごと。謀計。
【謀△謨】ボウボ・ボウモ はかりごと。また、はかる。はかりごとをめぐらす。▼謨も、はかる。
【謀反・謀△叛】ムホン・ボウハン ①君主にそむいて兵を起こすこと。②自国にそむいて他国に従うこと。③国㋐ひそかに計って事を挙げること。㋑約束にそむくこと。
【謀略】ボウリャク はかりごと。特に、相手をおとし入れるはかりごと。計略。謀計。
【謀慮】ボウリョ はかり考える。また、はかりごと。

9【謎】16画 11322 メイ 謎(11355)の許容字体。→一三三五ページ下。 4501 9740 —

9【諭】16画 11323 常 ユ さと-す
9〖諭〗16画 11324 ユ 遇 yù

筆順 言 … 諭

字義 ❶さと-す。言い聞かせる。教え導く。はっきりわかるように教える。また、さとし。教え導く事がら・文書。「説諭」「告諭」❷さとる(悟)。よくのみこむ。❸たとえる。また、たとえ。＝喩(1617)。❹広く行きわたる。世に行われる。

名前 さと・さとし・さとす・さとる・つぐ・みち・ゆ・よし

難読 諭鶴羽ゆづるは

解字 篆文 諭 形声。言＋俞(兪)㊥。音符の兪ユは、ぬきとるの意味。不明な点をぬきとることばの意味から、さとすの意味を表す。

逆 教諭・暁諭・訓諭・告諭・聖諭・説諭・勅諭・風諭

【諭暁(曉)】ユギョウ 教えさとす。
【諭告】ユコク ①さとしつげる。②文体の名。上から下につげさとす文。
【諭示】ユシ ①さとししめす。目下のものにさとししめす。②官庁から人民に告げ示す文書。
【諭旨】ユシ ①趣旨をいい聞かせる。②天子のみことのり。
【諭達】ユタツ 官から発する諭示。おふれ。

9【諛】16画 11325 ユ 虞 遇 yú
［諛］11213 俗字 ［諛］11288 俗字

字義 ❶へつら-う へつらふ。おもねる。人の気に入るようにこびる。用例〔唐、韓愈、師説〕位卑則足羞、官盛則近諛。↓(師とすべき人の)官位が低ければ恥ずかしいことだとし、官位が高くてはぶりがよいとこびへつらっているようだとする。❷へつらい。おもねりこびることば。❸よろこびしたがうさま。

解字 篆文 諛 形声。言＋臾㊥。音符の臾ユは、盛りあげるの意味。言葉たくみに人の気を引き、有頂天にさせる、へつらうの意味を表す。

【諛悦】ユエツ こびへつらって喜ばせる。
【諛言】ユゲン こびへつらうことば。おせじ。諛辞。
【諛臣】ユシン へつらいこびるけらい。
【諛△諂】ユテン こびへつらう。
【諛△媚】ユビ へつらいこびる。阿媚アビ。

9【謡】16画 11326 常 ヨウ うたい・うた-う 4556 9777 —
10〖謠〗17画 11327 人 ヨウ(エウ) 蕭 yáo 7579 E68F —

筆順 言 … 謡

字義 ❶うた-う うたふ。楽器に合わせないで、単に節をつけて歌う。❷うた。また、はやりうた。ひなうた。「民謡」「俗謡」❸うわさ。流言。風説。デマ。「謡言」❹そしる。悪口をいう。
国 うたい うたひ。謡曲。

難読 謡歌わざうた・謡口うたぐち・謡坂うとうざか

使いわけ うたう〔歌・謡〕⇩歌(5971)。

解字 形声。言＋䍃(䍃)㊥。音符の䍃ヨウは、本来は䍃ヨウで、うたうの意味。

逆 歌謡・俗謡・童謡

【謡詠】ヨウエイ うたう。うたをうたう。また、うた。
【謡曲】ヨウキョク 国うたい。能に用いる歌曲。
【謡吟】ヨウギン うたう。吟じる。
【謡言】ヨウゲン ①世間のうわさ。評判。②はやりうた。風謡。
【謡俗】ヨウゾク ①世間の風俗。②風俗をうたった歌謡。

10【諱】17画 11328 標 キ 慣イ(ヰ) 未 huì 7565 E681 —
［諱］11293 正字

字義 ❶い-む(忌)。はばかる。㋐いみきらう。きらってさける。㋑おそれつつしんでさける。㋒いみかくす。はばかってかくす。㋓死者の名をはばかって呼ばない。❷いみな。死者の生前の名。実名。生前には名といい、死後には諱という。人が死ぬと諡（おくりな）を呼んで、生前の名を呼ぶのをいむからいう。⇩コラム姓名の慣習（三六七ページ）。

解字 金文 篆文 形声。言＋韋（韋）音。音符の韋（イ）は、はなれるの意味。口にするのをきらって離れるの意味を表す。

【諱忌（キキ）】㊀おそれはばかる。きらってさける。㊁（キイ・キキ）国陰陽道（オンミョウドウ）などで、いみはばかる事がら。

【諱言（キゲン）】①いみはばかって遠慮すべきことば。②他人のいさめのことばを拒む。

【諱避（キヒ）】はばかりさける。

【不ㇾ可ㇾ諱（いむべからず）】死ぬこと。死は人のいみさけることができないものであるからいう。〔戦国策、魏〕

10 【謍】 17画 11329 ㊀漢エイ 呉ヨウ（ヤウ） 庚 yíng ㊁漢オウ（アウ） 呉ヨウ（ヤウ） 庚 yíng 28870 — —

字義 ㊀❶声の小さいさま。❷往来するさま。㊁怒る。

解字 形声。言＋熒（熒省）音。

10 【謌】 17画 11330 カ 7572 E688 —
歌（5971）と同字。→七八〇ページ中。

10 【譁】 17画 11331 カ 7586 E696 —
嘩（1627）の俗字。→二七八ページ上。

10 【謋】 17画 11332 ㊀カク（クヮク） 陌 huò ㊁漢ケキ・呉キャク 陌

【謋】 11358 俗字

字義 ㊀㊁骨と肉とがさけはなれる音の形容。謋然。一説に、すみやかなさま。

解字 会意。言＋舛＋木。舛は、両足が反対方向を向く形にかたどり、そむく・はぐの意味。木がはがれる時の音の形容を表す。

10 【謹】 17画 11333 常 キン つつしむ 2264 8BDE —
11 〖謹〗 18画 11334 人 漢キン 呉コン 吻 jǐn 19216 — —

筆順 ⺊ 言 言 訁 詌 謹 謹 謹

字義 ❶つつしむ。㋐物事をゆるがせにしない。気をひきしめる。用例〔戦国策、趙〕吾与二主一約謹矣（われニシュとヤクすることキンなり）。⇩私は韓・魏の国主とかたく約束をした。㋑うやうやしくかしこまる。おそれうやまう。ひかえめにする。「謹賀」㋒禁止する。❷つつしみ。ひかえめ。❸つつしんで。うやうやしく。

名前 き・きん・すすむ・ちか・なり・のり・もり

使いわけ つつしむ〔謹・慎〕
〔謹〕相手に対しうやうやしい態度をとる。「謹んでお祝い申し上げます」
〔慎〕軽はずみな行動をしない。また、ひかえ目にする。「身を慎む・酒を慎む」

解字 篆文 形声。言＋堇（堇）音。音符の堇（キン）は、ねん土をぬりこめるの意味。言葉をぬりこめてひかえめにする、つつしむの意味を表す。

逆 細謹

【謹賀（キンガ）】国つつしんでお祝いする。恭賀。「謹賀新年」

【謹△恪（キンカク）】つつしみ敬う。恪謹。

【謹△愨（キンカク）】つつしみ深く誠実なこと。謹愿（キンゲン）。

【謹啓（キンケイ）】つつしんで申し上げる。日本では手紙の書き始めにこの語を用いる。拝啓。

【謹言（キンゲン）】①ことばをつつしむ。②つつしんで申し上げる。日本では手紙文の末尾にこの語をつける。謹白。

【謹厳（嚴）（キンゲン）】つつしみ深くおごそかなこと。

【謹厚（キンコウ）】つつしみ深くて人情にあついこと。謹慎重厚。

【謹上（キンジョウ）】つつしんでたてまつる。日本では手紙のあて名にこの語をそえる。

【謹身（キンシン）】身をつつしむ。

【謹慎（愼）（キンシン）】①つつしむ。②まじめで用心深いこと。用例〔三国蜀、諸葛亮、前出師表〕先帝知二臣謹慎一（センテイシンがキンシンなるをしる）。⇩先帝は私がまじめで用心深いことをご存じだった。③国㋐江戸時代、武士に与えた刑罰。戸を閉じて出入させない刑。㋑罪をあやまる意味で、ひきこもっていること。

【謹諾（キンダク）】つつしんで承知する。

【謹聴（聽）（キンチョウ）】つつしんで人の話を聞く。敬聴。

【謹直（キンチョク）】つつしみ深く正直なこと。

【謹勅（敕）・謹△勑・謹△飭（キンチョク）】つつしみ深い。また、つつしみいましめる。▼勅・勑・飭は、つつしむ、また、いましめる。

【謹呈（キンテイ）】①（詩文などを）つつしんで示す（お目にかける）。②物をつつしんでさし上げる。

【謹白（キンパク）】＝謹言。▼白は、申す。

【謹敏（キンビン）】性質はつつしみ深く、動作はすばやい。

【謹密（キンミツ）】①つつしみ深く手ぬかりがない。②大切。重要。

10 【谿】 17画 11335 ㊀漢ケイ・呉ゲイ 薺 xǐ ㊁漢ケイ・呉ゲイ 齊 xī — — 6227

字義 ㊀❶はずかしめる。「謑詬（ケイコウ）」❷はじ（恥）。㊁正しくないさま。

解字 形声。言＋奚音。

【謑△髁（ケイカ）】正しくないさま。また、不安なさま。一説に、恥を忍ぶさま。

【謑△詬（ケイコウ）】ののしりはずかしめる。一説に、怒る。

10 【謙】 17画 11336 常 ケン 2412 8CAA —
10 〖謙〗 17画 11337 ㊀ケン 塩 qiān ㊁ケン 琰 qiàn

筆順 言 訁 訁 訁 謙 謙 謙 謙

字義 ㊀❶へりくだる。ゆずる。自分をおさえて、人にゆずる（人の下につく）。「謙譲」❷うやまう（敬）。❸へらす。かるくする（軽）。❹易（エキ）の六十四卦（カ）の一つ。☷☶艮下坤上。尊い位にあっても位の低いものにゆずるさま。㊁みちたりる。こころよい。満足のさま。＝慊（3830）。用例〔大学〕此之謂二自謙一（これをこれみずからこころよくすという）。⇩このようにすることこそが、わが心を満たすということだ。

名前 あき・かた・かね・けん・しず・たか・のり・ゆずる・よし

解字 篆文 形声。言＋兼（兼）音。音符の兼は、廉に通じ、正しく整うの意味。正しく整った言葉づかいをする、つつしむ・へりくだるの意味を表す。

逆 恭謙

【謙虚（虛）（ケンキョ）】へりくだる。心をむなしくして、高ぶらないこと。

【謙恭（ケンキョウ）】へりくだってつつしむ。謙遜（ケンソン）。丁寧。

【謙倹（儉）（ケンケン）】へりくだって、つつましやかなこと。

【謙謙（ケンケン）】へりくだり敬うさま。

【謙辞（辭）（ケンジ）】へりくだったことば。ひかえ目なことば。

【謙柔（ケンジュウ）】へりくだってやさしい。

【謙△恕（ケンジョ）】へりくだって、他人への思いやりがある。

【謙称（稱）（ケンショウ）】へりくだっていう呼び名。自分を小生などという類い。

【謙譲（讓）（ケンジョウ）】へりくだりゆずる。

【謙損（ケンソン）】へりくだって高ぶらない。退損。

【謙遜（ケンソン）】へりくだりゆずる。謙譲。謙退。

【謙退（ケンタイ）】へりくだってでしゃばらない。謙遜（ケンソン）。

【謙黙（默）（ケンモク）】へりくだってひかえめで、あまりしゃべらないこと。

【謙約（ケンヤク）】ひかえめでつつましやかなこと。謙倹。

【謙抑（ケンヨク）】人にへりくだり、自分をおさえてたかぶらないこと。

謙下。

【謙廉】(ケンレン) ひかえめで行いが清らかである。廉謙。

【謙和】(ケンワ・ケンカ) ひかえめでおだやかなこと。

10 【謇】 17画 11338 ケン 銑 jiǎn　7573 E689 —

字義 ❶どもる。❷むずかしい(難)。❸ああ。発語の語。❹直言するさま。正しく言うさま。「謇謇」

解字 形声。言＋寒省音。

【謇△愕・謇△諤】(ケンガク) 直言する。直言してへつらわないこと。

【謇謇】(ケンケン) ①直言するさま。正言するさま。②ひどく難儀なさま。

10 【源】 17画 11339 漢ゲン 呉ガン(グワン) 願 元 yuán　28871 — 6228

字義 ❶ゆっくり語る。❷絶えないさま。

解字 形声。言＋原音。

10 【講】 17画 11340 教5 コウ　2554 8D75 —

10 〖講〗 17画 11341 一コウ(カウ) 二漢コウ・呉ク 講 jiǎng 宥

筆順 言 言 訁 誁 講 講 講 講

字義 一❶仲直りする。和解する。❷とく(説)。㋐話す。語る。㋑ときあかす。意味を明らかにする。また、その説明。「講義」❸論議する。❹よむ(読)。意味を明らかにしながら読む。「講読」❺はかる。もくろむ。❻しらべる。きわめる。研究する。❼ならう(習)。けいこする。「講習」二仲直りする。和解する。＝一❶。＝媾(2492)。国コウ(カウ)。㋐神仏の信仰者が集まって結ぶ団体。㋑金銭を融通する目的で作る団体。「頼母子講(たのもしコウ)」

名前 つぐ・のり・みち

参考 現代表記では〔媾〕(2492)の書きかえに用いることがある。「媾和→講和」

解字 篆文 形声。言＋冓(冓)音。音符の冓(コウ)は、組み合わせるの意味。発言して心を通じ合わせる、なかなおりをするの意味を表す。

逆 侍講・進講・代講・輪講

【講演】(コウエン) ある題目について大ぜいの前で講義ふうに話をすること。また、その話。

【講△筵】(コウエン) 講義をする席。講席。

【講解】(コウカイ) ①仲直りする。和解する。②書物をとき明かす。解釈。講義。

【講学(學)】(コウガク) 学問を研究し学ぶこと。

【講起】(コウキ) 講義を始める。

【講義】(コウギ) 文章や学説の意味をとき明かす。また、その書。

【講求】(コウキュウ) しらべもとめる。研究する。

【講究】(コウキュウ) しらべきわめる。研究する。

【講経(經)】一(コウケイ) 経書の意義をとき明かす。聖人の書を講義する。二(コウキョウ) 仏僧などが経文(キョウモン)を講義する。

【講座】(コウザ) ①講師のすわる席。②国㋐大学などで講義する担当区分や内容。㋑やや長期にわたって程度の高い学術を講義する講習会の名。㋒講師が講義したものをまとめて、定期的に刊行する出版物の名。

【講師】一(コウシ) ①学問・技芸の講義をする人。②国㋐たのまれて講演などをする人。㋑大学などで、教授・准教授に準じる職務にあたる人。㋒専門学校や塾などで、講座を受け持つ人。二(コウジ) ①仏㋐昔、諸国の国分寺にいて僧尼の事をつかさどり、経典の講義をした僧官。㋑法会のとき高座にのぼって経文の講釈をする僧。②国宮中の御歌会の披講式で、詠歌を読みあげる役。

【講釈(釋)】(コウシャク) ①とき明かす。説明する。②国㋐昔、民衆に対して『太平記』などの軍記物を読み聞かせたこと。後に寄席(よせ)演芸の一つとなった。㋑得意になってべらべらしゃべり聞かせること。

【講習】(コウシュウ) ①学ぶ。習う。▼講も、習う。②国ある一定期間、学問・技芸などを指導すること。

【講△誦】(コウショウ) ①書物を読むこと。②相手に教えるために、音読すること。

【講席】(コウセキ) ①講義の場所。書物を講釈する席。②国詩歌を発表する集まりの席。

【講説】(コウセツ) とき明かす。また、とき明かし。講義。

【講談】(コウダン) ①物事の道理をとき明かして話す。②国武勇伝などをたくみに話して聞かせる演芸。講釈。

【講壇】(コウダン) 国講演・説教などをするときに登る壇。

【講堂】(コウドウ) ①学問を講義するへや。②学校や公会堂などで講演を聞くための広い建物。③仏寺院で講義または説教する場所。

【講道】(コウドウ) ①道をとき明かす。②道についてきわめつくす。道を研究する。

【講読(讀)】(コウドク) ①書物を読む(また、研究し読む)こと。②書物を読み、さらに講義すること。

【講評】(コウヒョウ) 説明して批評すること。

【講法】(コウホウ) 仏仏法をとき明かす。

【講明】(コウメイ) 意義をとき明かす。物事の道理をきわめ明らかにする。

【講論】(コウロン) とき明かし、また、研究し、論ずる。

【講和】(コウワ) 交戦国が仲直りすること。和睦(ワボク)。媾和(コウワ)。

【講話】(コウワ) ①話す。語る。②国講義してとき明かすこと。また、その話。

10 【謅】 17画 11342 一カク 薬 覚 hè 二漢コウ(カウ) 呉キョウ(ケウ) 効 xiào　— — 6229

字義 一よこしま。悪い。また、その人。二叫ぶ。大声で叫ぶ。

10 【謚】 17画 11343 シ　7574 E68A —

解字 形声。言＋高音。　諡(11309)の正字。→一三一二ジペー上。

10 【謝】 17画 11344 教5 シャ あやま-る 漢シャ・呉ジャ 禡 xiè　2853 8ED3 —

筆順 言 訁 訁 訃 謝 謝 謝 謝

字義 ❶あやま-る。わびる。「陳謝」❷礼を述べる。また、その礼金。「感謝」「月謝」❸聞き入れる。ゆるす。❹さる(去)。㋐立ちのく。しりぞく。やめる。㋑おとろえる。しぼむ。死ぬ。「新陳代謝」❺すてる(捨)。退ける。ことわる。「謝絶」❻つげる(告)。話す。❼はじる(恥)。

難読 謝敷(しゃじき)

参考 現代表記では〔藉〕(10366)の書きかえに用いることがある。「慰藉料→慰謝料」

解字 篆文 形声。もと、言＋躲音。音符の躲(シャ)は、放つの意味。ことばを放つ、あいさつをするの意味を表す。また、捨に通じ、すて去るの意味をも表す。謝はもと俗字。

逆 慰謝・辞謝・深謝・寸謝・代謝・多謝・陳謝・拝謝・報謝・鳴謝

【謝安】(シャアン) 東晋(トウシン)の政治家。陽夏(今の河南省周口市)の人。字(あざな)は安石。王羲之(オウギシ)と交わり、行書に巧みであった。会稽(カイケイ)の東山に隠棲(インセイ)していたが、桓温(カンオン)に召され、吏部尚書などに任ぜられ、のち太保となった。(三二〇—三八五)

【謝意】(シャイ) 国①お礼の心。礼意。②おわびする心。謝罪の意志。

【謝恩】(シャオン) 受けた恩に対して感謝する。「謝恩会」

【謝儀】(シャギ) ①お礼。②感謝の意を表す贈り物。

【謝恵(惠)連】(シャケイレン) 南朝宋(ソウ)の詩人。陽夏(今の安徽(アンキ)省合肥市)の人。詩は族兄の謝霊運と並び称せられ、書画にもすぐれていた。(三九七—四三三)

【謝遣】(シャケン) ①礼を言って帰す。②ことわり去らせる。

【謝罪】罪をわびる。あやまる。

【謝辞(辭)】①感謝のことば。②おわびのことば。

【謝小娥】『謝小娥伝』の主人公。→謝小娥伝。

【謝小娥伝(傳)】唐代の伝奇小説。李公佐の作。父と夫を殺された謝小娥が夢に出た父と夫の言葉から敵の名を知り、仇討ちをする物語。

【謝絶】ことわる。

【謝秩】任期が満ちて退職する。定年退職する。用例〔人虎伝〕及謝秩、則退帰間適、不与人通者、近歳余。↓県尉の任期を終えると、官界から身を引き、帰って閑居し、ほぼ一年あまりもの間、人との交際を絶っていた。

【謝朓】南朝斉の詩人。陽夏(今の安徽省合肥市)の人。字は玄暉。宣城の太守となった。五言詩にすぐれ、南北朝期の詩人の第一人者といわれる。著書に『謝宣城集』がある。(四六四―四九九)

【謝表】君恩に対して感謝の意を表す上奏文。

【謝病】病気を理由にことわる。病を理由に辞職する。

【謝枋得】南宋末の忠臣。字は君直。号は畳山。弋陽(今の江西省内)の人。元の兵と戦い、敗れて捕らえられ、絶食して死んだ。『文章軌範』の編者。(一二二六―一二八九)

【謝礼(禮)】①お礼。②感謝の意を表す贈り物。

【謝霊(靈)運】南朝宋の詩人。陽夏(今の安徽省合肥市)の人。康楽侯に封ぜられたので謝康楽ともいう。詩文書画にすぐれ、特に詩は陶淵明と並び称せられた。著書に『謝康楽集』がある。(三八五―四三三)

10【謏】17画 11345 ショウ(セウ) 篠 xiǎo
字義 ❶ちいさい(小)。すくない。❷さそう(誘)。いざなう。また、その声。さあ。いざ。❸善に導く。
解字 形声。言+叟音。

10【謖】17画 11346 漢シュク・呉スク 屋 sù 慣ショク 7576 E68C —
字義 たつ(起)。起きあがる。
解字 形声。言+畟音。
【謖謖】①高くぬきんでたさま。②風の起こるさま。③松風の音の形容。

10【譾】17画 11347 セン 銑 shǎn — — 6225
【譾然】衣服をかき合わせ整えるさま。

字義 惑わす。おだてる。
解字 形声。言+扇音。

10【謅】17画 11348 一 漢ソウ(サウ) 呉ショウ(セウ) 巧 chǎo 二 漢シュウ(シウ) 呉シュ 尤 zhōu 2 8869 — 6224
字義 一❶ふざける。❷声。❸なれあう。二こっそり耳打ちする。
解字 形声。言+芻音。

10【謄】17画 11349 常 トウ 3805 93A3 —
10〔謄〕17画 11350 漢トウ 呉ドウ 蒸 téng
筆順
字義 うつす。書き写す。原本をそのまま書き写す。
解字 篆文 形声。言+朕音。音符の朕は、上にあげるの意味。原本を下におき、その下の文字がすけて、薄い紙の上に浮きあがるようにして書く、うつすの意味を表す。
【謄写(寫)】書き写す。写し取る。
【謄本】①原本から写すこと。また、その写し。写本。②公文書の写し。また、正本などの写し。副本。
【謄録】①写しるす。②書き写すことをつかさどる書記。

10【謟】17画 11351 トウ(タウ) 豪 tāo 2 8872 — 6230
字義 ❶うたがう(疑)。信じない。❷たがう。
解字 形声。言+舀音。

10【謐】17画 11352 漢ビツ・呉ミチ 質 mì 慣ヒツ 7577 E68D —
字義 ❶しずか。ことばが静か。声がしない。「静謐」❷やすらか。❸つまびらか。くわしい。
解字 篆文 形声。言+𥁕音。音符の𥁕は、密に通じ、ひっそりの意味。声もなく静かの意味を表す。
【謐然】安らかで静かなさま。
【謐寧】安らかで静かなこと。謐静。
【謐謐】ひっそりして静かなさま。

10【謨】17画 11353 漢ボ 呉モ 虞 mó 7585 E695 —
字義 ❶はかる。計画する。❷はかりごと。くわだて。大きなはかりごと。「宏謨」❸いつわる(偽)。❹ない(無)。
解字 篆文 形声。言+莫音。音符の莫は、さぐり求めるの意味。物事の結論をさぐり求める、はかるの意味を表す。

10【謗】17画 11354 標 ホウ(ハウ) 慣ボウ(バウ) 漾 陽 bàng 7578 E68E —

字義 ❶そしる。悪口を言う。非難する。❷そしり。

解字 篆文 形声。言+旁音。音符の旁は、妨に通じ、さまたげるの意味。悪意に満ちたことばで他人の言動をさまたげる、そしるの意味を表す。

【謗毀】そしる。また、そしり。▼毀も、そしる。

【謗議】そしる。悪口をいう。また、そしり。

【謗言】そしることば。悪口。謗語。

【謗讒】そしる。また、そしり。▼讒も、そしる。

【謗嗤】そしりあざわらう。

【謗訾】そしる。また、そしり。▼訾も、そしる。

【謗書】①人をそしり責めた手紙。②司馬遷の作った『史記』をいう。漢の政策をそしった書の意。

【謗声(聲)】そしりの声。非難の声。

【謗嘲】そしりあざける。また、そしり。あざけり。

10【謎】17画 11355 常 なぞ 漢ベイ・呉マイ 霽 mí 慣メイ 3870 93E4 —
筆順
〔謎〕11322 許容
字義 なぞ。容易に意味がわからず、人を迷わせることば。なぞなぞ。隠語。「謎語」
国 なぞ。正体の不明なこと。
解字 篆文 形声。言+迷音。音符の迷は、まよわすの意味。人をまよわすようなことば、なぞの意味を表す。
【謎語】人を迷わすようなことば。また、なぞ。隠語。

10【謠】17画 (11327) ヨウ 謡(11326)の旧字体。→一三三三ページ下。

11【謳】18画 11356 標 漢オウ 呉ウ 尤 ōu 7580 E690 —
〔謳〕11117 俗字
字義 ❶うたう。㋐節をつけて歌う。㋑楽器を用いないで歌う。㋒大勢が声をそろえて歌う。㋓くちずさむ。❷うた。「歌謳」
解字 篆文 形声。言+區音。音符の區は、区切るの意味。言葉に区切りをつける、うたうの意味を表す。

【謳詠】(オウエイ) 歌をうたう。

【謳歌】(オウカ) ①大勢が声をそろえて歌う。②仁徳などをほめたたえて歌う。③平和・繁栄などを喜び歌う。

【謳吟】(オウギン) ①＝謳歌②。②歌をうたう。

【謳唱】(オウショウ) 歌をうたう。また、うた。

【謳△頌】(オウショウ) 徳をたたえる歌。

11【譁】18画 11357 カ 嘩(1627)の正字。→二七八ページ上。

11【謋】18画 11358 カク 諜(11332)の俗字。→一三三三ページ上。

11【謹】18画 (11334) キン 謹(11333)の旧字体。→一三三三ページ上。

11【謦】18画 11359 漢ケイ 呉キョウ(キャウ) 迥 qǐng 7582 E692 —

字義 せきばらい。しわぶき。

解字 篆文 形声。言＋殸音。音符の殸ケイは、高い音のする楽器、けいの意味。高い声のするせきばらいの意味を表す。

【謦△欬・謦△咳】(ケイガイ) ①せきばらい。②笑いさざめくことのたとえ。▼軽いのを謦といい、重いのを欬・咳という。

【接二謦△欬一】(ケイガイにセッす) その人のせきばらいの声をきく。転じて、その人にお目にかかる。人に面会をするのを敬っていう。聞二謦欬一(ケイガイをきく)。

11【謼】18画 11360 漢コ 呉ク 虞 hū — — 6235

字義 さけぶ(叫)。よぶ。＝嘑(1666)・呼(1407)。

解字 篆文 形声。言＋虖音。音符の虖コは、呼ぶの意味。大声をあげてさけぶの意味を表す。

11【謷】18画 11361 [謸] 11362 同字 一ゴウ(ガウ) 豪 áo 二ゴウ(ガウ) 号 ào — — 6234

字義 一❶そしる。やかましく悪口をいう。❷やかましく言いたてて人の言をきかない。❸悲しみなげく声の形容。❹大きいさま。高大なさま。ほしいまま。「謷乎ゴウコ」 二❶おごる。＝傲(554)。「謷然」❷志の高いさま。❸たわむれる。

解字 篆文 形声。言＋敖音。音符の敖ゴウは、気ままにするの意味。人のことばに耳をかさず、かってにしゃべりちらすの意味を表す。また、転じて、おろかな人の意味をも表す。

【謷△乎】(ゴウコ) 高大なさま。

【謷謷】(ゴウゴウ) ①人のことばを聞かずに大きなことをいうさま。②悲しい泣き声の止まないさま。③大勢が口をそろえてそしるさま。④大勢が口をそろえてうれえるさま。

【謷醜】(ゴウシュウ) そしる。非難する。

【謷然】(ゴウゼン) おごるさま。いばって人を見くだすさま。

11【謸】18画 11362 ゴウ 謷(11361)と同字。→一三三六ページ上。

11【謭】18画 11363 セン 譾(11419)と同字。→一三四一ページ上。 ₂8873 — 6232

11【謫】18画 11364 [讁] 11420 同字 漢タク 呉チャク 陌 zhé 7583 E693 —

字義 ❶つみする。罪を責めて罰する。❷せめる。とがめる。❸ながす(流)。官職をさげおとして遠方へ流しやる。流刑に処する。「流謫」❹つみ(罪)。とが、とがめ。

解字 篆文 形声。言＋啇(啻)音。音符の啻テキは、摘に通じ、つまみだす・あばくの意味。言葉で罪をあばく、つみするの意味を表す。

【謫居】(タッキョ・タクキョ) 罪せられて遠方に流されていること。また、その住まい。

【謫△徙】(タクシ) 罪によって官位をおとされ、辺境にうつされること。謫遷。

【謫△戍】(タクジュ) 罪を受けて遠い地方の守りにやられること。また、その兵士。

【謫所】(タクショ) 罪によって流されている場所。配所。

【謫仙】(タクセン) 同謫仙人。①天上からこの世に流された仙人。俗世間を離れている人や俗気のない人をほめていうことば。②盛唐の李白リハクや北宋ホクソウの蘇軾ソショクなどをいう。

【謫仙人】(タクセンニン) ＝謫仙。

【謫堕】(タクダ) おちぶれる。

【謫落】(タクラク) 官位をおとして流される。用例〈菅原道真、不レ出レ門詩〉一従二謫落在一柴荊一(ひとたびタクラクせられて、サイケイにありしより)、万死兢兢跼蹐情(バンシキョウキョウキョクセキのジョウ)。↓一たん(九州の太宰府に)配流されて粗末な家にわび住まいをするようになってからは、罪は万死にも相当するほどであるかと思うと、恐れ慎み身の置きどころもない気持ちだ。

11【謬】18画 11365 [謬] 11366 俗字 標 漢ビュウ(ビウ) 呉ミョウ(メウ) 宥 miù 4121 9554 —

字義 ❶あやまる。まちがう。また、あやまり。まちがい。「誤謬」❷たがう。「差謬」❸あざむく。だます。ごまかす。

解字 篆文 形声。言＋翏音。音符の翏リュウは、丩キュウに通じ、まつわるの意味。ことばがもつれる、まちがうの意味を表す。

【謬計】(ビュウケイ) まちがったはかりごと。誤算。謬算。

【謬見】(ビュウケン) まちがった意見。あやまった考え。

【謬言】(ビュウゲン) ①なぞなぞ。隠語。②でたらめなことば。

【謬誤】(ビュウゴ) まちがい。あやまり。錯誤。

【謬錯】(ビュウサク) 誤る。まちがう。また、誤り。まちがい。

【謬算】(ビュウサン) いつわりのはかりごと。また、まちがったはかりごと。謬計。

【謬説】(ビュウセツ) まちがった説。

【謬伝(傳)】(ビュウデン) ①誤り伝える。まちがって伝える。②まちがったうわさ。謬聞。

【謬聞】(ビュウブン) まちがったうわさ。謬伝。

【謬論】(ビュウロン) まちがった議論。

11【謬】18画 11366 ビュウ 謬(11365)の俗字。→一三三六ページ中。

11【謾】18画 11367 [謾] 11368 俗字 一マン 寒 mán 二マン 諫 màn 7584 E694 —

字義 一❶あざむく(欺)。だます。いつわる。たぶらかす。「欺謾」❷そしる。悪口を言う。二❶あなどる(侮)。かろんずる。＝慢(3862)。❷なれる。なれなれしくする。なれけがす。❸おごりたかぶる。❹おこたる(怠)。

解字 篆文 形声。言＋曼音。音符の曼マンは、のばすの意味から、あざむく、あなどるの意味を表す。ことの核心にふれずにことばをひきのばすの意味。

【謾易】(マンイ) あなどる。慢易。

【謾欺】(マンギ) あざむく。だます。

【謾語】(マンゴ) うその話。でたらめ。漫言。妄言。謾誕。

【謾辞(辭)】(マンジ) いつわりの言葉。でたらめ。謾語。

【謾怠】(マンタイ) おこたる。なまける。慢怠。

【謾誕】(マンタン) でたらめ。うそ。

【謾罵】(マンバ) あなどりののしる。人をばかにして口ぎたなくののしる。

【謾侮】(マンブ) あなどる。慢侮。

11【謾】18画 11368 マン 謾(11367)の俗字。→一三三六ページ下。

11【謰】18画 11369 レン 先 銑 lián — — 6233

字義 謰語レンゴは、双声畳韻の語。二字熟語のうち、それぞれの漢字の語頭子音が同じか、語末の韻が同じであるもの。音によって物の状態を形容する言葉。

解字 形声。言＋連音。音符の連は、つらなるの意味。

12【譌】19画 11370 カ 7587 E697 —

訛(11118)の正字。→一三〇七ページ中。

12【譆】19画 11371 キ 図 xī ₁9217 — 6240

字義 ❶ああ。あ。感動のことば。❷あつい(熱)。

解字 篆文 形声。言＋喜音。音符の喜は、感嘆したときの声や熱気を表す擬声語。言を付し、ああの意味や、あついの意味を表す。

12【譏】19画 11372 漢キ 呉ケ 微 jī 7588 E698 —

字義 ❶そし-る。人の欠点をみつけて悪口をいう。また、そしり。非難。「非譏」❷せめる(責)。とがめる。❸いさめる(諫)。❹しらべる(調)。吟味する。調べてはっきりさせる。

用例 〔孟子、梁恵王下〕関市譏而不レ征(カンシキしてセイせず)。↓関所や市場では、調べるが税をかけない。

解字 篆文 形声。言＋幾音。音符の幾は、こまかいの意味。人の欠点をこまかく調べて言う、そしるの意味を表す。

【譏△訶】(キカ) そしり責める。

【譏議】(キギ) そしる。非難する。また、そしり。

【譏嫌】(キゲン) ①そしりきらう。また、そしられきらわれる。②国 ㋐時機。チャンス。㋑様子。㋒感情。気分。また、気分がよいこと。

【譏察】(キサツ) 罪をとがめしらべる。

【譏△讒】(キザン) そしる。非難する。また、そしり。

【譏刺】(キシ) そしる。また、そしり。

【譏△誚】(キショウ) そしり責める。あてこすりをいう。

【譏切】(キセツ) 痛烈にそしる。

【譏弾(彈)】(キダン) そしる。▼弾は、射る・はじく。

【譏摘】(キテキ) 欠点をそしり悪い点をあばく。

【譏排】(キハイ) 非難してしりぞける。

【譏評】(キヒョウ) 欠点をそしり批評する。

【譏△諷】(キフウ) 遠まわしにそしる。また、そしる。

【譏△謗】(キボウ) そしる。非難する。また、そしり。非難。

12【譑】19画 11373 キョウ(ケウ) 篠 嘯 jiǎo ₂8876 — —

字義 ❶多くしゃべる。❷人の罪をあばく。❸利益をむさぼりとる。❹たわむれる。

解字 形声。言＋喬音。

12【譃】19画 11374 ク 虞 xū ₂8874 — 6237

字義 ❶いつわる。うそ。❷虚(10467)の俗字。

解字 形声。言＋虘音。

12【警】19画 11375 教 6 ケイ

13〔警〕20画 11376 漢ケイ 呉キョウ(キャウ) 梗 jǐng 2357 8C78 —

筆順 一 艹 芍 苟 苟 敬 警

字義 ❶いまし-める(いましむ)。㋐さとす。注意を与える。とがめる。㋑取りしまる。用心する。㋒そなえる。守りを固める。「夜警」❷いまし-め。㋐さとし。教訓。㋑そなえ。防備。㋒合図。のろし。❸おどろく。おどろかす。❹おこす(起)。目ざめさせる。❺すばやい。また、かしこい。「警句」

解字 篆文 形声。言＋敬(敬)音。音符の敬は、いましめるの意味。いましめて言うの意味を表す。

逆 奇警・機警・自警・巡警・夜警

【警衛(衞)】(ケイエイ) (急変事が起こらないように)警戒し守る。また、その人。

【警戒・警△誡】(ケイカイ) いましめる。用心する。

【警急】(ケイキュウ) ①急変に備えて用心する。②警戒を要する急な事件。急変。

【警句】(ケイク) 短い中に真理や奇抜でするどい意味を含んだことば。

【警鼓】(ケイコ) ①急変を知らせるつづみ。②天子の外出のときの警衛の楽曲の名。

【警固】(ケイゴ) 非常にそなえて防備をかためる。また、その防備。

【警悟】(ケイゴ) ①さとりが早い。②いましめさとらせる。

【警護】(ケイゴ) ＝警衛。

【警告】(ケイコク) いましめつげる。前もってつげて注意させる。

【警策】(ケイサク) 一 ①馬を走らせるために打つむち。②文章の中にあって全体を引き立たせるような役目をする重要な句。また、人を感動させるようなすぐれた詩文をいう。二(キョウサク) 仏 座禅の時、ねむけなどをさまさせるためむちうつのに用いる細長い板。

【警察】(ケイサツ) ①いましめ調べる。②社会公共の秩序の維持や、安全・幸福を妨害するものを除くため、権力をもって命令し制限を加えるはたらき。また、その組織。

【警△捷】(ケイショウ) すばしこい。心にも身体にもいう。

【警鐘】(ケイショウ) 非常を知らせるための鐘。はやがね。

【警世】(ケイセイ) 世をいましめる。世人に注意を与える。

【警世通言】(ケイセイツウゲン) 書名。明の馮夢竜(フウムリョウ・フウボウリョウ)の編。宋・元以来の四十編の作品を収めた通俗短編小説集。

【警醒】(ケイセイ) ①いましめて目をさまさせる。②迷いを解かせてさとらせること。

【警△柝】(ケイタク) いましめのためにたたく拍子木。

【警勅(敕)・警△飭】(ケイチョク) いましめる。

【警枕】(ケイチン) 人をいましめるため、安眠のできないように作った枕。

【警笛】(ケイテキ) 非常を知らせたり、注意したりするために鳴らす笛。

【警発(發)】(ケイハツ) ①いましめさとらせる。②ずばぬけて賢い。

【警抜】(ケイバツ) ①とびぬけてすぐれていること。②奇抜ですぐれていること。詩文の才などにいう。「造語警抜」

【警備】(ケイビ) 万一の場合に供えて用心する。警戒守備する。また、その人。

【警△蹕】(ケイヒツ) ①天子が出入するとき、先払いが声をかけて、道筋の人々を静める。出るときには警(気をつけ)、入るときには蹕(止まれ)という。転じて、さきばらい。②国 神官が神殿の戸をあけるときに出す「おお」という声。

【警敏】(ケイビン) すばやい。敏警。心にも身体にもいう。

【警報】(ケイホウ) ①非常の場合の知らせ。②前もって用心するようにいましめ知らせる。

【警夜】(ケイヤ) 夜まわりをする。また、よまわり。夜警。

【警△邏】(ケイラ) 非常事が起こらないように見回る。パトロール。また、その人。

【警吏】(ケイリ) 警察の役人。警察官。

【警論】(ケイロン) すぐれて奇抜な意見。

12【譓】19画 11377 漢ケイ 呉エ(ヱ) 霽 huì — EE8F 6243

字義 ❶さとい。㋐知謀にすぐれる。㋑明らかに見分ける。❷従う。

解字 形声。言＋惠音。

12【譎】19画 11378 漢ケツ 呉ケチ 屑 jué 7589 E699 —

字義 ❶いつわ-る(いつはる)。うそをいう。あざむく。だます。❷かわる(変)。変化する。❸普通と異なる。めずらしい。また、怪しい。「怪譎」❹遠まわしに言う。「譎諫(ケッカン)」

解字 篆文 形声。言＋矞音。音符の矞は、ほこらしげに示すの意味。実質以上にほこらしげに言う、いつわるの意味を表す。

【譎怪】(ケッカイ) ①怪しいまでに美しい。めずらしく怪しい。また、そのもの。②怪しい。また、その行為。

【譎△諫】(ケッカン) 遠まわしにいさめる。

【譎△詭】(ケッキ) ①あざむきいつわる。②普通と変わっている。珍しい。

【譎欺】いつわりあざむく。また、いつわり。あざむき。
【譎計】いつわりのはかりごと。人をあざむくてだて。
【譎謀】①あざむきはかる。②人をあざむくたくらみ。

12【識】19画 11379 教5 シキ 2817 8EAF —
一 漢ショク・呉シキ 職 shí
二 シ 寘 zhì
慣シキ

筆順 言 … 識 識 識

字義 一 ❶しる。㋐見分ける。さとる。気がつく。用例〔東晋、陶潜、責子詩〕雍・端年十三、不識六与七。↓息子の雍と端とは十三歳で、六と七とを見分けられない。㋑知り合う。交わる。「相識」 ❷知ること。知っていること。「知識」 ❸考え。考える力。知恵。「見識」 ❹知覚。感覚。 二 ❶しるす。㋐書きつける。㋑おぼえる。❷しるし。めじるし。記号。標識。＝幟(3143)。❸鐘や鼎などに刻んだ文字。「款識」

名前 さと・つね・のり

解字 金文 篆文 形声。言＋戠音。音符の戠は、織の原字で、おるの意味。ことばを縦横に整え織り出して、物事を区別する、知るの意味を表す。

逆 意識・学識・鑑識・眼識・旧識・見識・常識・深識・相識・卓識・多識・知識・認識・博識・標識・面識・黙識・有識・良識

【識見】①物事を識別し観察する能力。②経験と知識。
【識者】物事をよくわきまえている人。見識のある人。
【識達】見識があってよく物事を見通すこと。
【識度】見識と度量。
【識別】見分ける。鑑別。
【識慮】①考えおもんぱかる。②識見と思慮。
【不識不知順帝之則】知らず識らずのうちに、尭帝様の法則にしたがってしまう。〔十八史略、五帝、帝尭〕

12【證】19画 (11155) ショウ 証(11154)の旧字体。→一三二一ページ上。

12【譙】19画 11380 ¹9219 — 6245
一 漢ショウ(セウ)・呉ジョウ(ゼウ) 嘯 qiào
二 漢ショウ(セウ)・呉ジョウ(ゼウ) 蕭 qiāo

字義 一 しかる。せめる。＝誚(11234)。㋐がみがみ小言をいう。㋑とがめる。「譙呵」 ❷いたむ。やぶれる。＝憔(6996)。 二 ❶ものみやぐら。たかどの。「譙門」

解字 形声。言＋焦音。

【譙呵】①せめしかる。用例〔先哲叢談〕妾雖口能譙呵之、〔心中不堪腸為断絶〕↓私は口先では「そんなことを言ってはいけません」と叱ってはいますものの、心の中では、腸もきれんばかりつらい思いをしております。②だれかとがめ問う。誰何する。
【譙吒】せめしかる。せめる。しかる。
【譙譙】鳥の羽が疲労のため破れたさま。
【譙譲(譲)】せめしかる。譙吒。▼譲も、せめる。
【譙門】城門の上に建てた敵状を見るためのたかどの(物見やぐら)。
【譙楼(樓)】＝譙門。

12【譖】19画 11381 7591 E69B —
一 シン 沁 zèn
二 セン 艶 jiàn

字義 一 ❶うったえる。うそを言ってうったえる。❷そしる。事実をまげて悪口をいう。あることないことを言って讒言する。また、そしり。用例〔論語、顔淵〕浸潤之譖、膚受之愬、不行焉、可謂明也已矣。↓心にしみこむような悪口や、肌に切りつけるような非難にも惑わされないのは、賢明であるといえよう。／〔十八史略、春秋戦国、呉〕太宰嚭譖子胥恥謀不用怨望。↓宰相の伯嚭は、子胥は自分の計略が採用されなかったことを不名誉に思い、王を怨んでいます、と(夫差に)中傷した。 二 いつわる。たがう。＝僭(596)。

[譛] 11382 俗字

解字 篆文 形声。言＋朁音。音符の朁は、あとから言うの意味。人の背後からかくれて言う、かげ口を言うの意味を表す。

【譖毀】そしる。また、そしり。
【譖言】そしりのことば。
【譖潤】①水がしみこむように次第にしみこむ。しらずしらずのうちにしみこむこと。浸潤。②日がたつに従って次第にしみこむ(信じさせる)ようなそしり。
【譖訴・譖愬】そしりうったえる。事実をまげてうったえる。▼愬も、うったえるの意。
【譖短】あしざまにいう。そしる。▼短も、そしるの意。

12【譛】19画 11382 7592 E69C — シン 譖(11381)の俗字。→一三三八ページ中。

12【譔】19画 11383 ¹9218 — 6244
一 漢セン・呉ゼン 銑
二 漢セン・呉ゼン 霰 zhuàn

字義 一 ❶えらぶ。＝撰(4411)。❷のべる(述)。本などを書く。＝撰(4411)。「譔述」 ❸教える。 二 ❶ほめる。よくいう。「譔言」 ❷そなわる。具足する。❸つつしむ。❹教える。

解字 篆文 形声。言＋巽(𢁉)音。音符の巽は、そろえ整えるの意味。ことばを整えるの意味を表す。

12【譂】19画 11384 セン 銑 chǎn — — 6236

字義 いつわる。でたらめ。妄言。

解字 形声。言＋單音。

12【譄】19画 11385 ソウ 蒸 zēng — — 6238

字義 言葉を加える。こじつける。

解字 形声。言＋曾音。音符の曾は、重ね加えるの意味。

12【譈】19画 11386 漢タイ・呉ズイ(ヅイ) 隊 duì — — 6241

字義 ❶うらむ。にくむ。また、にくむべきもの。❷ころす(殺)。

解字 形声。言＋敦音。

12【譚】19画 11387 標 漢タン・呉ダン 覃 tán 7593 E69D —

[譚] 11388 正字

字義 ❶はなし。ものがたり。また、かたる。はなす。＝談(11279)。「譚海」 ❷ゆるやか。ゆったりする。❸のびる。およぶ。

解字 形声。言＋覃音。音符の覃は、深く厚いの意味。深みのあるはなしの意味を表す。

【譚海】はなしのうみ。種々の物語を集めたもの。

12【譚】19画 11388 タン 譚(11387)の正字。→一三三八ページ下。

12【譊】19画 11389 漢ドウ(ダウ)・呉ニョウ(ネウ) 肴 nāo

字義 ❶どなる。ののしる。❷言い争う声。❸さわがしい。やかましい。

解字 形声。言＋堯音。

12【譒】19画 11390 ハ 箇 歌 bò — — 6242

字義 ❶広く告げる。＝播(4423)。❷歌う。

解字 形声。言＋番音。音符の番は、広げるの意味。

12【譜】19画 11391 常 フ 4172 9588 —
漢ホ・呉フ 麌 pǔ

筆順 言 … 譜 譜 譜

字義 ❶物事の系統・順序などをたどって書き記した表。系図。「系譜」「棋譜」❷系統を追って記すこと。表をつくること。❸楽譜。音楽の曲節を記したもの。「暗譜」

名前 つぎ・つぐ

解字 篆文 形声。言＋普㊂。音符の普は、しきひろげるの意味。事物の系統などをことばでしきひろげるの意味を表す。

逆 花譜・棋譜・系譜・世譜・年譜

【譜紀】(フキ) 系図の記録。

【譜系】(フケイ) 血縁・学派などのつながりを示したもの。系図。系譜。氏譜。譜第。

【譜図(圖)】(フズ) ＝譜系。

【譜代】(フダイ) 同譜第。国①代々ついできた家の系統。また、それを記したもの。系譜。②代々同じ主家に仕えること。③江戸時代、関が原の戦い以前から徳川氏に仕えてきた家柄。↕外様(とざま)(三三三ジ・上)。「譜代大名」

【譜第】(フダイ) ①系図。譜系。②親類。血族。③国＝譜代。

【譜△諜・譜△牒】(フチョウ) ①事実を順序をたどって書いた記録。②系図。

12 【繺】 19画 11392 一レン 先 霰 二ラン 寒 luán 28875 — —

字義 一❶みだれる。❷つなぐ。❸おさめる。❹ことばが絶えることがない。二❶みだれる。❷おさめる。

解字 会意。言＋絲。ことばがもつれる・乱れるの意味を表す。

13 【譩】 20画 11393 イ 支 微 寘 紙 yì 19220 — —

字義 ❶いかる。❷いたむ(痛)。❸ああ。❹譩譆(キイ)は、人体の経穴の名。

解字 形声。言＋意㊂。

13 【譭】 20画 11394 キ 紙 huǐ — — 6249

字義 そしる。＝毀(6061)。

解字 形声。言＋毀㊂。音符の毀(キ)は、そしるの意味。

13 【議】 20画 11395 教4 ギ ギ 寘 yì 2136 8B63 —

筆順 言 訁 誁 誁 詳 詳 議 議 議

字義 ❶はかる。㋐相談する。「閣議」「合議」㋑思いめぐらす。考える。「不思議」❷いう。あげつらう。とやかく言う。説く。話す。❸いさめる。❹そしる。非難する。「誹議(ギヒ)」❺意見。提案。論説。❻文体の一つ。物事の可否を論定する文。奏議・私議の二つがある。

名前 かた・さだ・のり

解字 篆文 形声。言＋義㊂。音符の義は、あるべき正しい道の意味。正しい道を求めて発言するの意味を表す。

逆 異議・横議・疑議・協議・群議・軍議・決議・建議・公議・抗議・高議・合議・参議・思議・私議・時議・衆議・審議・談議・朝議・党議・討議・発議・評議・物議・謀議・論議

【議案】(ギアン) 会議に提出すべき原案。

【議会(會)】(ギカイ) ①公選された議員によって組織され、選挙民の意志を代表し、問題を議決する合議制の機関。②国国会の俗称。

【議決】(ギケツ) 会議をして事を決定する。相談してきめる。また、その決定。

【議事】(ギジ) ①会議で事を議論すること。また、その事がら。②議会が議案を論議すること。提案から議決に至るまでの称。

【議説】(ギセツ) 理論的に議論する。また、議論。

【議奏】(ギソウ) ①ある事件をその事件に関係ある中央官庁に命じて審議させ、その長官が裁決した結果を天子に奏上させること。②国㋐公卿(ギョウ)に疑問を討議させ、その結果を奏上させたこと。㋑武家時代の公卿の職名。㊙鎌倉時代、朝政の良否を論議して奏上することをつかさどる。㋺江戸時代、天皇のおことばを公卿以下に伝え、それによる審議の結果を奏上することをつかさどる。

【議題】(ギダイ) ①詩文などの題を論議してきめること。②審議すべき問題。議案の題目。

【議定】(ギテイ・ギジョウ) 相談してきめる。討議してきめる。

【議論】(ギロン) 意見を出し合って論ずること。また、その意見。

【議論風生】(ギロンフウセイ・ギロンかぜのごとくショウず) 議論が次々と出ることの形容。談論風発。

13 【警】 20画 (11376) ケイ

警(11375)の旧字体。→一三三七ジ・中。

13 【譞】 20画 11396 ケン 先 xuān 28877 — 6247

字義 さかしい。

解字 形声。言＋睘㊂。

13 【譣】 20画 11397 ケン 琰 xiǎn — — 6248

字義 ❶問う。問いただす。❷さかしい。悪賢い。❸謀る。

13 【護】 20画 11398 教5 ゴ

14 〖護〗 21画 11399 漢コ 呉ゴ 遇 hù 2478 8CEC —

筆順 言 訁 訁 訁 訁 訁 詳 護 護

字義 ❶まもる。㋐助ける。かばう。防ぐ。「保護」㋑統率する。㋒大切にする。❷まもり。㋐防ぎ守ること。守備。㋑助け守ること。守護。国おまもり。護符の略。神仏のお守り札。

名前 ご・さね・まもる・もり　難読 護田鳥(うすべ)・護田鳥(おすめどり)・護麗都留(ごまつる)

解字 篆文 形声。言＋蒦(蒦)㊂。音符の蒦(カク)は、つかむの意味。やさしいことばをかけ、自分の手もとにつかんでおいて、まもるの意味を表す。

逆 愛護・援護・加護・監護・救護・警護・守護・鎮護・都護・弁護・保護・擁護・養護

【護衛(衞)】(ゴエイ) 付きそい守る。また、その人。

【護憲】(ゴケン) 国①憲法を擁護する。②立憲政治を擁護する。

【護持】(ゴジ) ①守り保つ。保護する。②神仏の加護。③神仏にいのること。

【護照】(ゴショウ) 旅行や貨物輸送に関する政府の許可書。

【護身】(ゴシン) 身を守る。身を安全にする。

【護送】(ゴソウ) ①守って送り届ける。②罪人などに付きそって守り送り届けること。

【護短】(ゴタン) ①人の短所にふれないこと。②自分の過失をかばうこと。

【護符】(ゴフ・ゴフウ) 仏神仏の加護の力がこもっているという、病気・災難よけのお守り札。護身符。

【護法】(ゴホウ) ①仏仏の正法を守る。②国法律を擁護する。

【護摩】(ゴマ) 仏梵語(ボンゴ) homa の音訳。仏前に炉を構え、ぬるでの木などで火をたいて、その火で悪業を焼きつくして願いごとを成就させるという、真言秘法の一つ。

【護△謨】(ゴム) 国オランダ語 gom の音訳。ゴムの木の分泌物から製造した弾力性に富む物質。

13 【譲】 20画 11400 常 ジョウ ゆずる 3089 8FF7 —

17 〖讓〗 24画 11401 人 漢ジョウ(ジャウ) 呉ニョウ(ニャウ) 漾 ràng 7610 E6A8 —

筆順 言 訁 訁 訁 訁 誶 譲 譲 譲

字義 ❶ゆずる。㋐自分のものを人に与える。「分譲」「禅譲」㋑へりくだる。「謙譲」「互譲」㋒ことわる。辞退する。❷せめる(責)。なじる。ののしる。用例〔資治通鑑、漢紀〕使者大喜、如二恵語一以譲二単于一。↓漢の使者は大変に喜び、常恵の教えたままに単于を詰問した。❸拝礼の形式。手を平らに挙げて人をおしすすめる意を表す礼。

名前 うや・じょう・せむ・のり・まさ・ゆずり・ゆずる・よし

解字 篆文 形声。言＋襄(襄)音。音符の襄は、衣服にまじないの品をたくさんつめこんで、邪気を払うの意味。ことばで悪い点をせめるの意味を表す。また、たくさんの品をつめこむことを許すことから、ゆずるの意味をも表す。

逆 委譲・移譲・割譲・敬譲・謙譲・互譲・辞譲・小譲・禅譲・礼譲

【譲位】位をゆずる。譲禅。

【譲禅(禪)】天子がその位を人にゆずる。譲位。禅譲。

【譲渡】他人にゆずり渡す。◈法令では無償でゆずり渡す場合に限り「譲与」を用いる。「譲渡」は有償・無償を問わない。

【譲畔】田の境界のあぜをゆずる。聖王が世を治めると、その感化により、耕す者が互いにあぜをゆずり合ったという故事による。

【譲歩】国①道をゆずって人を先に行かせる。②自分の主張をまげて相手の意見に従う。

【譲与(與)】ゆずり与える。→譲渡。

13【譫】20画 11402 セン 塩 zhān 7594 E69E —

字義 ❶たわごと。うわごと。病気などで意識がはっきりしないときなどにいうとりとめもないことば。「譫語」「譫言」❷多言。おしゃべり。難読 譫語

解字 形声。言＋詹音。音符の詹は、くどくど言うの意味。言を付し、ことばが多いの意味を表す。

13【譱】20画 11403 ゼン 善(1607)の古字。→二七五ジ中。 7033 E3BF —

13【譟】20画 11404 ソウ(サウ) 号 zào 7601 E69F —

字義 ❶さわぐ。がやがやさわぐ。また、さわがしい。かまびすしい。＝噪(1744)。❷よろこぶ(喜)。❸なく(鳴)。さけぶ(叫)。❹つづみをうつ。

解字 篆文 形声。言＋喿音。音符の喿は、さわがしいの意味。言を付し、さわがしくするの意味を表す。

13【譬】20画 11405 ヒ 寘 pì 7602 E6A0 —

字義 ❶たとえる。他の似かよった物事を借りて説明する。❷たとえ。❸さとす(諭)。用例〔後漢書、陳寔伝〕寔徐譬レ之曰、視二君状貌一、不レ似二悪人一。↓陳寔はゆっくりと泥棒をさとして言った、「君の様子を見るに、悪人のようではない」。❹さとる。理解する。

解字 篆文 形声。言＋辟音。音符の辟は、わきへ寄るの意味。直接のべずに、わきへそらせて言う、たとえるの意味を表す。

【譬説】説きさとす。説諭。

【譬喩】比喩。たとえ。寓言。また、たとえる。

【譬諭】①たとえさとす。②たとえ。また、たとえ話。

13【譯】20画 (11136) ヤク 訳(11135)の旧字体。→一三〇九ジ中。

13【譽】20画 (11215) ヨ 誉(11214)の旧字体。→一三一七ジ中。

13【譍】20画 11406 漢ヨウ 呉オウ 径 yìng — — 6246

字義 答える。

解字 形声。言＋雁音。

14【譴】21画 11407 ケン 霰 qiǎn 7604 E6A2 —

字義 ❶せめる。とがめる。つみ(罪)。わざわい(災)。また、しかる。怒る。❷せめ。とがめ。

解字 金文 篆文 形声。言＋遣音。音符の遣は、遠くへやるの意味。ことばでせめたて追いやる、とがめるの意味を表す。

【譴呵・譴訶】とがめしかる。

【譴毀】とがめそしる。

【譴告】罪をとがめいましめること。

【譴譲(讓)】せめる。せめしかる。▼譲も、せめる。

【譴辱】せめはずかしめる。

【譴責】①過失をとがめしかること。②国職務上の失策に対して与える懲戒処分の一つ。

【譴黜】とがめいかる。罪をせめて官位をさげること。譴謫。

【譴怒】とがめいかる。せめいかる。

【譴問】とがめ問う。せめたずねる。

14【護】21画 (11399) ゴ 護(11398)の旧字体。→一三三九ジ下。

14【譹】21画 11408 コウ 諕(11260)と同字。→一三二三ジ下。 — — 6252

14【譧】21画 11409 ザン 讒(11430)の俗字。→一三四一ジ下。

14【譅】21画 11410 シュウ(シフ) 緝 sè — — 6239

字義 ❶言葉が多すぎる。❷譅譶は、とめどなくしゃべる。❸しぶる。どもる。

解字 形声。言＋歰音。

14【譸】21画 11411 チュウ(チウ) 尤 zhōu — — 6251

字義 ❶のろう。❷譸張は、㋐あざむく。たぶらかす。㋑ほらをふく。

解字 篆文 形声。言＋壽音。音符の壽は、つらなるの意味。言葉をつぎつぎにつらねて、人をあざむくの意味を表す。

14【譶】21画 11412 ━漢トウ(タフ) 呉ドウ(ドフ) 合 tà ━漢チュウ(チフ) 呉ジュウ(ヂフ) 緝 zhí 2 8878 — 6250

字義 ━早口。早口でしゃべる。━渋譶・譅譶は、しゃべりたてる。

解字 会意。言三つで、早口・おしゃべりの意味を表す。

14【辯】21画 (3279) ベン 弁(3276)の旧字体。→四八三ジ中。

15【譼】22画 11413 カン 監(7944)の古字。→九九九ジ下。 — — 6253

15【譿】22画 11414 漢ケイ 呉エ(ヱ) 霽 huì 2 8879 EE90 —

字義 さとい。かしこい。

解字 形声。言＋慧音。

15【讃】22画 11415 人 標 2730 8E5D —

19【讚】26画 11416 サン 翰 zàn 7613 E6AB —

筆順 言 訁 訁 訁 誁 諎 讃 讃 讃

字義 ❶たたえる。ほめる。ほめたたえる。❷明らかにする。❸たすける(佐)。❹文体の名。ほめたたえる内容の文。「画讃」❺仏仏をほめたたえる歌のことば。

名前 ささ・すけ・とき 難読 讃岐・讃良

参考 現代表記では〔賛〕(11573)に書きかえる。「讃辞→賛辞」「絶讃→絶賛」。熟語は〔賛〕をも見よ。

解字 形声。言＋賛(贊)音。音符の贊は、たたえるの意味。

【讃歌】ほめたたえるうた。賛歌。

【讃辞(辭)】ほめことば。賛辞。

【讃述】ほめあらわす。ほめてのべる。賛述。

【讃嘆・讃歎】㊀感心してほめる。賛嘆。㊁①仏節づけした句をとなえ、仏をたたえること。②国評判。うわさ。

【讃美】ほめたたえる。賛美。▼美も、ほめる意。

15【讖】22画 11417 シン 讖(11431)の俗字。→一三四一ジ下。

15【譒】22画 11418 シン 寝 shěn — — 6257
字義 つまびらか。＝審(2700)。
解字 形声。言＋審音。

15【譾】22画 11419 セン 銑 jiǎn — — 6254
［謭］11363 同字
字義 ❶あさい(浅)。❷あさはか。
解字 形声。言＋翦音。
【譾劣】あさはかでおとっている。

15【譺】22画 11420 タク 謫(11364)と同字。→一三三六ジ中。 ₂8880 — 6255

15【讀】22画 (11240) ドク 読(11239)の旧字体。→一三一〇ジ下。

15【讄】22画 11421 ルイ 紙 lěi — — 6256
字義 祈る。功徳をあげたてて福を求める。＝誄(11216)。
解字 形声。言＋畾音。音符の畾は、重ねるの意味。

16【讆】23画 11422 漢エイ(ヱイ) 呉エ(ヱ) 霽 wèi — — 6260
字義 ❶たわごと。❷いつわる。❸おろか。❹おろかな者をほめる。
解字 形声。言＋衛音。

16【讌】23画 11423 エン 霰 yàn 7607 E6A5 —
［醼］12445 同字
字義 ＝宴(2636)。❶うたげ。さかもり。また、さかもりをする。❷くつろぐ。
解字 形声。言＋燕音。音符の燕は、宴に通じ、くつろぐの意味。くつろいで語りあうの意味を表す。
【讌飲】酒盛りをする。宴飲。
【讌会(會)】人が集まって酒盛りをすること。宴会。
【讌楽(樂)】酒を飲んで楽しむ。宴楽。

16【讍】23画 11424 ガク 諤(11295)と同字。→一三三〇ジ上。 — — 6259

16【讐】23画 11425 標 漢シュウ(シウ) 呉ジュ 尤 chóu 2918 8F51 —

［讎］11426 同字
字義 ❶あだ。かたき。＝仇(169)。用例〔十八史略、春秋戦国、呉〕夫差志レ復レ讐。↓夫差は父の仇討ちをしたいと決意した。❷あだとする。かたきとする。かたきと思う。❸むくいる。㋐しかえしをする。報復する。㋑答える。応答する。㋒つぐなう。代価を支払う。❹ともがら。仲間。＝儔(647)。❺ひとしい(等)。❻うる。売れる。＝售(1542)。❼多い。＝稠(8501)。

名前 ただ・ただし・ただす・ひとし
解字 篆文 形声。言＋雔音。音符の雔は、二羽の鳥が向きあう形。ことばでつらなる、こたえるの意味を表し、転じて、つらなりあうもの、あだの意味をも表す。

【讐怨】うらみ。怨恨。

【讐家】仲の悪い相手。かたき。

【讐仇】かたき。あだ。

【讐校・讐挍】校正すること。二人が向きあい、その一人が原本を読み他の一人が誤りを正すさまが、かたき同士が向きあっているようであることからいう。

【讐視】相手をかたきと考える。

【讐定】書物を校正する。

【讐敵】かたき。あだ。仇敵。

16【讎】23画 11426 シュウ 讐(11425)と同字。→一三四一ジ中。 7608 E6A6 —

16【讋】23画 11427 ショウ(セフ) 葉 zhé ₂8881 — 6258
字義 ❶おそれる。❷ふるえごえ。❸いむ(忌)。❹しゃべりたてる。
解字 篆文 形声。言＋龖省音。音符の龖は、かさねるの意味。鳥が羽を重ねてすくむの意味から、おそれすくみながら言うの意味を表す。
【讋伏・讋服】おそれひれふす。

17【讔】24画 11428 漢イン 呉オン 吻 yǐn ₂8882 — 6261
字義 ❶なぞ。隠語。❷呪いを言う。
解字 形声。言＋隱音。

17【讙】24画 11429 カン 讙(11433)の俗字。→一三四三ジ上。 7612 E6AA —

17【讒】24画 11430 漢サン 呉ザン 咸 陥 chán 7609 E6A7 —

［讒］11409 俗字
字義 ❶そしる。悪口をいう。つげぐち。かげぐち。中傷。❷そこなう。きずつける。❸いつわる。でたらめをいう。❹よこしま(邪)。心がねじける。

解字 篆文 形声。言＋毚音。音符の毚は、人の目をくらますうさぎの意味。ある人物の正しい評価を混乱させるためのことば、そしりの意味を表す。

【讒奸】人を悪く言っておとしいれる悪者。

【讒陥(陷)】人を中傷して罪におとしいれる。

【讒間】悪口を言って人と人との仲をさく。

【讒毀】人を悪く言って傷つける。

【讒譏】あしざまに言ってそしる。

【讒言】他人をおとしいれようとして、事実を曲げ、また、いつわって、あしざまに言うこと。また、そのことば。

【讒口】＝讒言。

【讒巧・讒構】悪口を言って人をおとしいれようとたくらむ。また、そのたくらみ。▼巧はたくらむ、構は組み立てる。

【讒嫉】そしりねたむ。

【讒臣】人の悪口を言い、罪におとしいれようとする臣。

【讒訴】悪く言ってうったえる。また、その訴え。

【讒奏】人の悪口を天子に申し上げる。

【讒賊】人をおとしいれそこなう。よこしま。また、わるもの。よこしまな人。

【讒諂】人の悪口を言ってへつらう。また、その人。

【讒慝】よこしま。また、よこしまな人。悪者。

【讒佞】心が邪悪で口先がうまいこと。また、その人。

【讒夫】ことばたくみに告げ口して人をおとしいれる人。

【讒誣】本来なら無実である事を言い立ててそしる。

【讒謗】そしる。また、そしり。謗讒。誹謗。

【讒諛】ねじけた心を持ちへつらう。また、その人。

17【讓】24画 (11401) ジョウ 譲(11400)の旧字体。→一三三九ジ下。

17【讖】24画 11431 シン 沁 chèn 7611 E6A9 —
［讖］11417 俗字
字義 ❶しるし。未来の吉凶・禍福の前兆。❷未来記。予言集。
解字 篆文 形声。言＋韱音。音符の韱は、ほそい・わずかの意味。わずかなことがらで未来の予言をする、未来記の意味を表す。

【讖緯】シンイ 未来を予言してそれを書きしるしたもの。未来記。漢代に流行した。讖記。讖書。讖文。

【讖記】シンキ ＝讖緯。用例（南宋、陸游、入蜀記）漢末讖記云カンマツのシンキにいう(ふ)、有レ錫天下兵すずあらばテンカへいあり、無レ錫天下清すずなくんばテンカきよからんと。↓漢代末年の予言書は、「錫が出ると世の中に戦がある、錫がなければ世の中は静かである」と言っている。

【讖言】シンゲン 予言。

17【讕】24画 11432 ラン 寒 旱 翰 lán ²8883 ― 6262

字義 ❶しいる(誣)。事実を曲げていう。でたらめを言う。❷こばみかくす。❸言いそこなう。❹あざむく(欺)。いつわる。

解字 金文 篆文 形声。言＋闌音。音符の闌ランは、さえぎるの意味。事実をさえぎって曲げて言うの意味を表す。

18【讙】25画 11433 カン(クヮン) 寒 huān

【讙】11429 俗字

字義 ❶かまびすしい かまびす-し。やかましい。❷やかましく言い争う。❸よろこぶ(喜)。＝歓(5975)。「讙然」＝嚾(1787)。

解字 篆文 形声。言＋雚音。音符の雚カンは、喚に通じ、呼ぶの意味。ことばをかけあって、やかましいの意味を表す。

【讙譁】カンカ かまびすしい。がやがや言い争う。

【讙呼】カンコ ①さわがしく呼びたてる。さわぎわめく。②よろこびさけぶ。歓呼。

19【讚】26画 (11416) サン 讃(11415)の旧字体。→一三四〇ページ下。

20【讞】27画 11434 ゲン 銑 霰 yàn ²8885 ― 6264

字義 ❶さばく。ただす。罪を論議する。❷もうす。申しあげる。❸讞讞は、正しいさま。

解字 形声。言＋獻音。

20【讝】27画 11435 一セン 塩 zhān 二漢ダン・呉ネン 感 ¹9221 ― ―

字義 一二 病人のうわごと。

解字 形声。言＋嚴音。

20【讜】27画 11436 トウ(タウ) 養 dǎng ²8884 ― 6263

字義 正しいことば。よいことば。直言。

解字 篆文 形声。言＋黨音。音符の黨トウは、當トウに通じ、あたるの意味。理にあたることばの意味を表す。

【讜議】トウギ 正しい議論。正論。讜論。

【讜言】トウゲン 正しくよいことば。正言。

【讜獄】トウゴク 正義の士が捕らわれて獄に入れられること。

【讜直】トウチョク 正しいこと。正直セイチョク。

【讜論】トウロン 正しい議論。正論。讜議。

22【讟】29画 11437 漢トク 呉ドク 屋 dú ― ― 6265

字義 ❶痛む。いたみうらむ。❷そしる。そしり。❸憎む。

解字 形声。誩＋賣音。

7画 谷 たに・たにへん

〔部首解説〕谷を意符として、谷やその状態を表す文字ができている。

0谷 一三四二　2卻 一三三　3谸 一三四二　4谺 一三四二　谹 一三四二
欲 七七八　5谺 一三四二　⿰谷甘 一三四二　7谽 一三四二　8谿 一三四二
谾 一三四三　10豁 一三四三　谿 一三四三　⿰谷竜 一三四三　16豅 一三四三

0【谷】7画 11438 一コク 屋 gǔ 二ヨク 沃 yù 三ロク 屋 lù 教2 コク たに 3511 924A ―

筆順 ノ ハ ハ 仌 仌 谷 谷

字義 一❶たに。や。㋐山と山の間の細い流れ。谷川。「渓谷」。㋑山と山の間のくぼみ。㋒くぼち。みぞ。❷みち。径路。通路。❸きわまる きはまる。ゆきづまる。用例（詩経、大雅、桑柔）人亦有レ言ひとまたいうあり、進退維谷シンタイこれきわ(はま)ると。↓世の人々も言っている、進退が窮まった、と。❹やしなう。育てる。二吐谷渾トヨクコンは、西晋末に、鮮卑族のたてた国名。→吐谷渾(二四八ページ中)。三谷蠡ロクリは、匈奴キョウドの藩王の封号。

名前 こく・たに・ひろ・や　難読 谷峨やが・谷地やち・谷田たにだ・やだ・たんだ・谷谷やつ

解字 甲骨文 金文 篆文 形声。𠔁＋口音。音符の口コウ＝ココクは、たにの口の意味。𠔁は左右にせまるたにの象形。たにの意味を表す。

【谷飲】コクイン たにの水をすくって飲む。隠者の生活にいう。

逆 峡谷・空谷・渓谷・幽谷

【谷王】コクオウ 海の別名。百谷の王の意。〔老子、六十六〕

【谷閣】コクカク たににかけた橋。

【谷響(嚮)】コクキョウ 谷間にひびくこだま。

【谷神】コクシン 谷間の奥深く空虚な所にひそむ霊妙な力。老子が、万物を生成する宇宙の本体としての道をたとえたことば。〔老子、六〕

【谷風】コクフウ ①万物を成長させる風。東風。こち。穀風。②たにから山の頂きにふきあげる風。③『詩経』邶風ハイフウの詩編名。また、小雅の詩編名。

【谷量】コクリョウ たにで物をはかる。量の多いことの形容。

2【卻】9画 (1203) キャク 卩部。→一三三ページ上。

3【谸】10画 11439 セン 先 qiān ― ― 6266

字義 ❶山や谷の青いさま。❷道。

解字 形声。谷＋千音。音符の千は、芊に通じ、草の青々と茂るさま。

4【谺】11画 11440 漢カ 呉ケ 麻 xiā

【呀】2843 同字　【岈】2856 俗字　【谺】11442 俗字

字義 谽谺カンカは、谷の深く空虚なさま。国こだま。やまびこ。

解字 形声。谷＋牙音。

4【谹】11画 11441 漢コウ(クヮウ) 呉オウ(ワウ) 庚 hóng ²8886 ― 6267

字義 ❶ふかい。「谹議」❷大声の形容。「谹谹」

解字 形声。谷＋厷音。

【谹議】コウギ 深く論議する。奥深く広い論議。

4【欲】11画 (5959) ヨク 欠部。→七七八ページ下。

5【谺】12画 11442 カ 谺(11440)の俗字。→一三四二ページ下。 7614 E6AC ―

5【⿰谷甘】12画 11443 カン 覃 hān ²8887 ― ―

字義 ⿰谷甘閜カンカは、丘や谷のさま。

解字 形声。谷＋甘音。

7【谽】14画 11444 カン 覃 hān ²8888 ― 6268

字義 谷の深く空虚なさま。「谽谺カンカ」

解字 形声。谷＋含音。

8【谿】15画 11445 ケイ 渓(6407)の俗字。→六四六ページ中。 ²8889 ― ―

8 【谾】 15画 11446 ㊀㊊コウ・㊉クウ 東 hōng ㊁ロウ 東 lóng — — 6269

字義 ㊀谷の空虚なさま。㊁深い谷。長大な谷。

解字 形声。谷＋空㊚。音符の空は、むなしいの意味。谷の空虚なさまを表す。

10 【豁】 17画 11447 ㊊カツ（クヮツ） ㊉カチ（クヮチ） 曷 huò,⑥huō 7615 E6AD —

字義 ❶ひらけ通じた谷。❷ひらける。とおる。㋐土地・景色などがひらける。㋑気持ちがひらける。気持ちがはればれする。❸ひろい。㋐からっとして広い。㋑気持ち・度量が広大である。❹むなしい。うつろ。中空。「空豁」❺深い。❻さける（裂）。

解字 篆文 形声。谷＋害㊚。音符の害は、さくの意味。広く割かれた谷・ひらけるの意味を表す。

【豁△爾】カツジ ＝豁然。

【豁如】カツジョ 心のひろいさま。度量の大きいさま。用例〔史記、高祖本紀〕意豁如也。↓（高祖の）心は広く大きかった。

【豁然】カツゼン ①広々と開けているさま。用例〔東晋、陶潜、桃花源記〕豁然開朗。↓（目の前が）広々と開けてからりとして明るい。②疑いや迷いなどがからっととけひらくさま。

【豁達】カッタツ ①四方がひらけている。②度量が大きい。

10 【谿】 17画 11448 ケイ 渓（6407）と同字。→八四六ﾍﾟｰ中。 7616 E6AE —

10 【豅】 17画 11449 ロウ 豅（11450）の俗字。→一三四三ﾍﾟｰ上。 2 8890 — —

16 【豅】 23画 11450 ㊀ロウ 東 lóng ㊁ロウ 送 lòng 2 8891 — 6270

〔豅〕11449 俗字

字義 ㊀❶大きく長い谷。❷山の深いさま。㊁水流が突きあたって石が回る。

難読 豅谷（ながたに）

解字 形声。谷＋龍㊚。

7画

豆 まめ・まめへん

〔部首解説〕豆を意符として、豆の字の元来の意味、たかつき（脚のある食器）を表す文字と、豆（まめ）やその加工品に関する文字ができている。

0 豆 一三四三	6 豋 一三四四	頭 一五六〇	17 艷 一一九二
3 豈 一三四三	6 登 一三四四	10 豏 一三四五	20 豓 一三四五
豇 一三四三	豊 一三四四	11 豐 一三四五	21 豔 一三四五
4 豉 一三四三	8 豌 一三四四	12 艶 一一九二	
5 壹 三二七	9 豎 一三四四	13 䜴 一三四五	

0 【豆】 7画 11451 ㊊トウ・㊉ズ（ヅ） 宥 dòu 教3 トウ・ズ まめ 熟字訓 小豆（あずき） 3806 93A4 —

筆順 一 一 丆 冖 豆 豆 豆

字義 ❶まめ。穀物の一つ。❷たかつき。食物を盛る木器、また、土器・青銅器。後世、儀式に用いた。❸そなえもの。たかつきに盛った食物。❹春秋時代、量をはかる単位。約〇・七七六リットル。国まめ。㋐とくに、大豆をいう。㋑まめの形をしたもの。㋒皮膚にできる粒状の水ぶくれ。㋓小さいものの形容。「豆本」

難読 豆酘（つつ）

解字 甲骨文 金文 篆文 象形。頭がふくらみ、脚が長い食器、たかつきの形にかたどり、たかつきの意味を表す。豆を音符に含む形声文字に、逗・頭・樹・澍・廚・裋・豎などがある。

逆 蚕豆

【豆芽】トウガ 大豆を水につけて発芽させたもの。もやし。

【豆△萁】トウキ ①まめと、まめがら。②兄弟の仲が悪いことのたとえ。→七歩才（一〇ﾍﾟｰ下）。

【豆△羹】トウコウ ①豆（たかつき）に盛ったあつもの。また、そのようにわずかな量のたとえ。②まめで作ったあつもの。

豆②（春秋時代）

【豆△豉】トウシ まめを原料とした食品。みそ・納豆など。

【豆△滓】トウシ まめかす。大豆から油をしぼったあとのかす。肥料や飼料にする。

【豆△粥】トウシュク・まめがゆ まめのかゆ。豆糜（トウビ）。

【豆人】トウジン まめほどに小さい人。遠方から見た人物の形容。

【豆乳】トウニュウ 豆腐を作る過程で生じる白い液体。

【豆腐】トウフ 水にひたした大豆をひき、その液を煮て、にがりを加えて固めた食品。漢の劉安（リュウアン）が始めたものという。

【豆△籩】トウヘン たかつき。籩豆。▼豆は木製、籩は竹製のたかつきで、ともに食物を盛って神前に供える。

【豆剖△瓜分】トウボウカブン まめやうりを割るように国土を分割すること。豆分。〔晋書、地理志上〕

3 【豈】 10画 11452 ㊀㊊キ・㊉ケ 尾 qǐ ㊁カイ 賄 kǎi 慣ガイ 7617 E6AF —

字義 ㊀助❶あに。⇩助字・句法解説。❶かちどき。凱旋（ガイセン）の時に奏する音楽。❷ねがう。❸やわらぐ（和）。㊁❶かちどき。＝㊀❶。❷たのしむ。＝愷（3825）。

助字・句法解説

あに。文頭・句頭に置かれ、反語・詠嘆・疑問・推測を表す。文末に「乎」「哉」などを伴い、「あに…や」と呼応して訓読することが多い。

㋐反語。訳どうして…か。なんと…ではないか。詠嘆の意味を表すこともある。用例〔論語、微子〕而与三其従二辟レ人之士一也、豈若レ従二辟レ世之士一哉（なんじ（ち）そのひとをさくるのシにしたがわ（は）んよりは、あによをさくるのシにしたがう（ふ）にしかんや）。↓あなたはあの、つまらない人を避けて立派な人を選んで仕えようとする者に付き従っているよりも、いっそ乱世を避けている者に付き従ってゆくほうがよいだろう。／〔孟子、滕文公下〕公孫衍・張儀（コウソンエン・チョウギは）、豈不二誠大丈夫一哉（あにまことのダイジョウフならずや）。↓公孫衍・張儀こそ、真の男ではないか。

㋑疑問・推測。訳…か。…だろうか。相談したり、不確定なことを推測したりする気持ちをもとに問う。用例〔史記、刺客伝〕荊卿豈有レ意哉（ケイケイあにイありや）。↓荊卿（荊軻（ケイカ））、あなたは何かお考えがおありか。

解字 篆文 象形。上の方に飾りのついた太鼓の象形で、戦いに勝ったよろこびの音楽の意味から、転じて、たのしむの意味を表す。借りて、あにの意味にも用いる。

【豈唯形骸有二△聾盲一△哉】あにただにケイガイにのみロウモウあらんや 耳が聞こえなかったり目が見えなかったりするのは、どうしてただ身体的な面だけに限られようか。精神的な意味で耳目が効かないこともあるという意。〔荘子、逍遥遊〕

【豈楽（樂）】ガイガク ㊀かちいくさに奏する音楽。凱楽（ガイガク）。㊁ガイラク やわらぎたのしむ。愷楽（ガイラク）。

【豈弟】ガイテイ やわらぎ楽しむ。愷悌（ガイテイ）。

3 【豇】 10画 11453 コウ（カウ） 江 jiāng 2 8892 — 6271

字義 ささげ。豆の名。豇豆（コウトウ）。

難読 豇豆（ささげ）

解字 形声。豆＋工㊚。

4 【豉】 11画 11454 ㊊シ ㊉ジ 寘 chì(shì) 1 9222 — 6272

字義 ❶味噌ミソ・納豆などをいう。❷豉虫は、みずすまし。水上に浮遊する虫の名。
解字 形声。豆＋支(音)。音符の支は、枝分かれするの意味。発酵して豆と豆とが結びついて枝分かれしたようになった、みそ・納豆の類いの意味を表す。

5【壹】12画 (2189) イツ 士部。→三七ページ中。

5【豋】12画 11455 エン 豌(11459)と同字。→一三四四ページ下。

6【登】13画 11456 トウ 蒸 dēng — — 6273
字義 すやきのたかつき。儀式に用いる。
解字 甲骨文 篆文 会意。廾＋豆＋夕(肉)。廾は、ささげる両手の象形。豆は、たかつきの象形。肉を盛ったたかつきをささげるさまから、礼器としてのたかつきの意味を表す。

6【豊】13画 11457 教5 ホウ ゆたか 4313 964C —
㊀11【豐】18画 11458 漢ホウ 呉フウ 東 fēng 慣ブ 7620 E6B2 —
㊁6【豊】13画 ㊀漢レイ・呉ライ 薺 lǐ ㊁ホウ

筆順 丶 冂 巾 曲 曲 曲 曲 豊 豊 豊

豊㊀④

字義 ㊀〔豐〕❶ゆたか。とよ。㋐穀物がよくみのる。「豊年」㋑多い。富んでいる。たっぷりしている。「豊満」❷ゆたかにする。富ませる。❸大きなたかつき。❹さかずきの台。❺易エキの六十四卦カの一つ。☲☳ 離下震上リカシンショウ。盛大の象かたち。❻周の文王の旧都。陝西センセイ省西安市の西北。豊京。国とよ。他の語の上につけて、ほめたたえる意を表す。「豊葦原とよあしはら」
㊁〔豊〕㊀❶たかつき。❷礼(8323)の古字。㊁豐の俗字。

名前 あつ・お・かた・て・と・とし・とよ・のぼる・ひろ・ひろし・ぶん・ほう・みのる・もり・ゆた・ゆたか・よし 難読 豊栄とよさか・豊科とよしな・豊見城とみぐすく・豊後ぶんご・豊前ぶぜん・豊島てしま・としま

解字 ㊀〔豐〕甲骨文 金文 篆文 形声。豆＋丰丰(音)。豆は、たかつきの意味。音符の丰丰は、丰ホウに通じ、ゆたかにしげるの意味。ゆたかに盛られたたかつきの意味から、ゆたかの意味を表す。常用漢字の豊は俗字による。
㊁〔豊〕甲骨文 金文 篆文 象形。あまざけを盛るためのたかつきの象形で、礼をとり行うときのたかつきの意味を表す。

【豊(豐)偉】ホウイ からだがふとっていて大きいこと。

【豊(豐)頤】ホウイ 肉づきのよいふっくらとしたあご。しもぶくれ。富貴の相。豊下。

【豊(豐)盈】ホウエイ ①ゆたかでみちる。②肉づきのよいこと。豊満。

【豊(豐)衍】ホウエン ゆたかでありあまる。豊溢ホウイツ。豊足。豊融。

【豊(豐)艶(艷)・豊(豐)豔】ホウエン ふっくらとしてあでやか。美人の形容。

【豊(豐)下】ホウカ ＝豊頤ホウイ。

【豊(豐)下之姿】ホウカのすがた あごが肥えふとっているすがた。しもぶくれの容姿。富貴の相。→豊頤ホウイ。

【豊(豐)寡】ホウカ ゆたかなことと、少ないこと。

【豊(豐)干】ブカン 唐の禅僧。浙江セッコウの天台山の国清寺コクショウジにいて、寒山・拾得ジットクと交わった。

【豊(豐)凶】ホウキョウ 豊作と凶作。豊年と凶年。豊荒。用例〔唐、白居易、黒潭竜詩〕豊凶水旱与二疾疫一、郷里皆云竜所レ為。↓豊作と凶作、水害や干害、流行病がおこる。郷里の者たちは皆竜のしわざだと言っている。

【豊(豐)頬】ホウキョウ ふっくらとしたほお。しもぶくれ。

【豊(豐)絜・豊(豐)潔】ホウケツ 供え物などが、ゆたかで清らかなこと。

【豊(豐)功】ホウコウ 大きなてがら。偉勲。「豊功厚利」

【豊(豐)荒】ホウコウ 豊作と凶作。豊凶。

【豊(豐)鎬】ホウコウ 周の文王が都した豊と、武王が都した鎬。ともに今の陝西センセイ省西安市の西。酆鄗ホウコウ。

【豊(豐)殺】ホウサイ ①ゆたかなことと、つづまやかなこと。②ゆたかにしたり削ったりすること。

【豊(豐)歳】ホウサイ 農作物がゆたかにみのった年。豊年。

【豊(豐)熟・豊(豐)孰】ホウジュク 穀物がゆたかにみのる。豊作。豊登。

【豊(豐)潤】ホウジュン ①ゆたかにじゅうぶんうるおう。ゆたかでうるおいがある。②水分が多く含まれていること。

【豊(豐)壌(壤)】ホウジョウ こえている土地。

【豊(豐)穣(穰)】ホウジョウ 穀物がゆたかに実る。豊熟。

【豊(豐)饒】ホウジョウ ゆたかに多い。また、ゆたかに実る。

【豊(豐)殖】ホウショク ゆたかにふえる。また、ゆたかに育つ。

【豊(豐)草】ホウソウ さかんにおいしげっている草。

【豊(豐)登】ホウトウ ゆたかに実る。豊作。▼登は、みのる。

【豊(豐)年】ホウネン 農作物がゆたかにみのった年。豊歳。↕凶年(一七〇ページ上)。

【豊(豐)碑】ホウヒ ①功徳をたたえ記した大きな石碑。②墓穴に棺をおろすとき綱をかける木の柱。

【豊(豐)富】ホウフ ①財物がゆたかでたくさんある。②すべて、物がたくさんあること。

【豊(豐)満(滿)】ホウマン ①物がゆたかでじゅうぶんある。②からだの肉づきが、ふっくらとしていること。

【豊(豐)約】ホウヤク ①ゆたかなことと、つづまやかなこと。豊殺。②貧富、また、盛衰の意。

【豊(豐)腴】ホウユ 土地のよく肥えていること。

【豊(豐)楽(樂)】ホウラク 物がゆたかで、人々がたのしむ。

【豊(豐)麗】ホウレイ ゆたかでうるわしい。

8【豌】15画 11459 ワン 寒 wān 慣エン(ヱン) 7618 E6B0 —
字義 豌豆エンドウは、豆の一種。食用にする。

〔豋〕11455 同字

解字 形声。豆＋宛(音)。

9【豎】16画 11460 漢シュ 呉ジュ 麌 shù 7619 E6B1 —
字義 ❶たつ(立)。立てる。しっかりと立てる。＝竪(8657)。❷たて(縦)。❸こども。わらわ。㋐元服前のこども。㋑こどもの召し使い。小姓こしょう。㋒人をさげすんでいうことば。→豎子。❹いやしい(卑)。下品。❺したやく。こもの。小役人。❻みじかい。小さい。
解字 篆文 形声。臤＋豆(音)。臤は、しっかりするの意味。音符の豆は、たかつきの象形で、立てるの意味を表す。また、たかつきは頭の部分が大きく、それが幼児と似ているところから、こどもの意味に用いる。

【豎宦】ジュカン 宮中に仕える小役人。宦官ガンカンなど。
【豎子】ジュシ ①こども。童子。②人をさげすんでいうことば。こぞう。青二才。用例〔史記、項羽本紀〕豎子不レ足二与謀一。↓小僧め、ともに大事をはかることはできぬ。
【使二豎子成一レ名】ジュシをしてなをなさしむ 青二才に名声をあげさせてしまった。ふだん軽蔑ケイベツしていた者に功名を立てられて残念がることば。〔晋書、阮籍伝〕
【豎儒】ジュジュ ①くだらぬ学者。②おろか者。人をののしって言うことば。
【豎臣】ジュシン 身分の低い役人。小役人。豎吏。

【竪立】ジュリツ まっすぐに立つ。

9 【頭】16画 (13477) トウ 頁部。→一三六〇ページ中。 — 6274

10 【䜺】17画 11461 漢カン 呉ゲン 䜺 陷 xián 28893 —
字義 ❶豆が半ば芽ばえる。❷餅(もち)に入れる豆。
解字 形声。豆＋兼音。

11 【豐】18画 (11458) ホウ 豊(11457)の旧字体。→一三四四ページ上。

12 【艶】19画 (9787) エン 色部。→一一九二ページ上。

13 【豑】20画 11462 漢チツ 呉ジチ(ヂチ) 質 zhì — — 6275
字義 杯(さかずき)をすすめる順序。順序立てる。
解字 会意。豊(豐)＋弟。豊は、高杯(たかつき)に酒を盛るの意味。弟は、順序があるの意味。

17 【艷】24画 (9788) エン 色部。→一一九二ページ中。

20 【豔】27画 11463 エン 艶(9787)の本字。→一一九二ページ上。 — — 6276

21 【豓】28画 11464 エン 艶(9787)の正字。→一一九二ページ上。 28894 — 6277

7画 豕 いのこ・いのこへん

〔部首解説〕豕(し)を意符として、いのしし・ぶた、それに似た動物などに関する文字ができている。

0 豕 一三四五　2 豖 四九四　3 豗 一三四五　4 豛 一三四五　豙 一三四五
豚 一三四五　豘 一三四五　豝 一三四五　5 象 一三四五　象 一三四六
6 豢 一三四六　豦 一三四六　豜 一三四六　豤 一三四六　7 豨 一三四六
豪 一三四六　豩 一三四七　9 豭 一三四七　豬 一三四七　豫 五一
10 豳 一三四七　11 豵 一三四七　12 豶 一三四七　13 豷 一三四七

0 【豕】7画 11465 シ 紙 shǐ 7621 E6B3 —
字義 い(ゐ)。いのこ(ゐのこ)。いのしし。また、ぶた類の総称。
解字 甲骨文 金文 篆文 象形。甲骨文でもわかるように、口のつき出ている、いのししの象形。

【豕喙】シカイ いのこのように長くするどいくちばし。人の貪欲(ドン)なさまをいう。
【豕交獣(獸)畜】シコウジュウチク いのこのように交わり獣のように養う。人を動物扱いする。礼をもって待遇しないこと。〔孟子、尽心上〕
【豕視】シシ ぶたのような目つきをして見ること。人の仁徳のないさまをいう。
【豕心】シシン ぶたのように貪欲(ドンヨク)な心。
【豕突】シトツ いのししのように突きかかる。むこう見ずにまっしぐらに突きこむ。猪突(チョトツ)。豨突(キトツ)。
【豕牢】シロウ ①ぶた小屋。②便所。厠(かわや)。

2 【豖】9画 (3358) タン 彑部。→四九四ページ上。

3 【豗】10画 11466 カイ(クワイ) 灰 huī 28901 — 6278
字義 ❶うつ。うちあう。❷かまびすしい。さわがしい。
解字 形声。豕＋兀音。

4 【豛】11画 11467 漢エキ 呉ヤク 陌 yì — — 6280
字義 ❶いのこ。❷かみつくいのこ。
解字 形声。豕＋役省音。

4 【豙】11画 11468 漢ギ 呉ゲ 未 yì — — 6282
字義 ❶いのこが怒って毛が逆立つ。❷刈り平らげる。
解字 会意。金文は、豕＋辛。辛は、針の象形。針を刺されたいのししが、毛を逆立てて怒るの意味を表す。

4 【豚】11画 11469 常 トン ぶた 漢トン・呉ドン 元 tún 3858 93D8 —
筆順
〔豘〕11470 同字
字義 ❶ぶた。こぶた。いのこ。❷袋入りの土を積んだもの。土俵。❸河豚は、魚の名。ふぐ。
解字 甲骨文 金文 篆文 会意。月(肉)＋豕。豕は、ぶたの象形。肉を付し、肉付きのよいぶたの意味を表す。
逆 鶏豚

【豚犬】トンケン ①ぶたと、いぬ。②おろか者のたとえ。③自分の子をへりくだっていう。豚児。
【豚肩不揜豆】トンケンおお(ほ)わずトウを 非常に倹約なたとえ。春秋時代、斉の国の晏嬰(アンエイ)が祖先を祭ったとき、そなえ物の豚の肩肉が小さくて、豆(たかつき)にみたなかった故事による。〔礼記、礼器〕
【豚児(兒)】トンジ 自分の子をへりくだっていう。

4 【豘】11画 11470 トン 豚(11469)と同字。→一三四五ページ中。 — — 6279

4 【豝】11画 11471 ハ 麻 bā — — 6281
字義 ❶めすのいのこ。一説に、二歳のいのこ。❷大きいいのこ。❸ほじし。ほし肉。
解字 形声。豕＋巴音。

5 【象】12画 11472 教5 ショウ・ゾウ 漢ショウ(シャウ)・呉ゾウ(ザウ) 養 xiàng 3061 8FDB —
筆順
〔象〕11473 俗字
字義 ❶長鼻目ゾウ科の動物。きさ。❷象のきば。象牙(ゾウゲ)。❸かたち。㋐ありさま。ようす。㋑絵すがた。似すがた。㋒しるし。あらわれ。㋓うらかた(占形)。❹かたどる。にせる。なぞらえる。のっとる。たぐえる。用例〔孫子、虚実〕夫兵形象レ水(それへいのかたちはみずにかたどる)↓そもそも用兵のきまりは、水のきまりに似せるのである。❺のり。道理。おきて。法度。❻通訳する。また、通訳する人。❼酒だるの名。「象尊」❽周の武王の作った音楽の名。❾『易経(エキキョウ)』の爻(コウ)、または、卦(カ)の解釈。それぞれ、小象・大象という。
名前 かた・きさ・しょう・たか・のり 難読 象山(きさやま)・象潟(きさかた)
解字 甲骨文 金文 篆文 象形。甲骨文でわかるように、長い鼻のぞうの象形で、ぞうの意味を表す。また、相に通じ、すがたの意味も表す。
逆 印象・易象・気象・犠象・具象・形象・現象・事象・心象・想象・対象・抽象・万象・物象・無象・暦象

【象眼】ゾウガン 国①金属に模様をきざみ、中に金銀などをはめこんだもの。②印刷で、鉛版の中の修正部分を切り抜いて、別の字をはめこむこと。
【象嵌】ゾウガン・ゾウカン 国＝象眼。
【象棋】ショウギ 中国式の将棋。北周の武帝が初めて作ったという。象戯。
【象魏】ショウギ 宮城の門。▼象は法、魏は高で、昔、法律を高い城門に掲示したことからいう。
【象牙】ゾウゲ ぞうのきば。美術工芸品の材料。
【象形】ショウケイ ①ものの形をかたどる。②六書(リクショ)の一つ。象

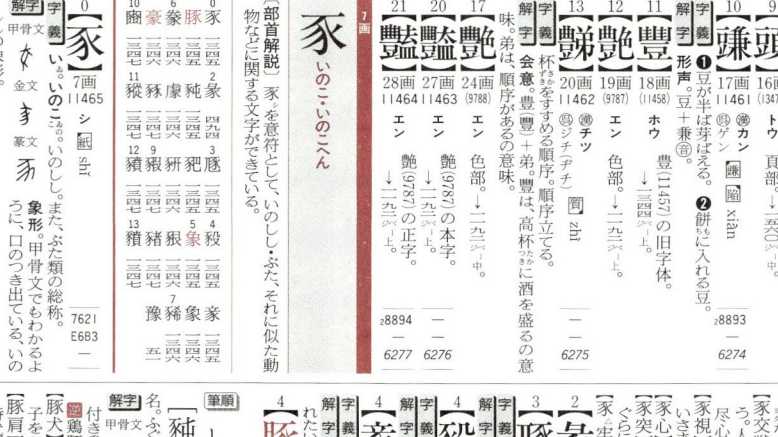

形文字。ものの形にかたどって作った文字。日・月など。⇩

コラム 六書（一四九ページ）。

■象形文字の例

【象山】㊀ショウザン ①山名。江西省貴渓市の西南。南宋の儒学者、陸九淵がここで学を講じた。②南宋の陸九淵の号。㊁ゾウザン・ショウザン 国江戸末期の洋学者、佐久間啓の号。

【象山学(學)派】ショウザンガクハ 南宋の陸九淵の開いた学派。朱子学に対抗し、陽明学の先駆となった。

【象辞(辭)】ショウジ 易の各卦のそれぞれの爻について説明したことば。爻辞。

【象車】㊀ゾウシャ 象にひかせる車。㊁ショウシャ 王者の徳に感じてあらわれるという、山の精の車。山車。

【象胥】ショウショ 周代の官名。通訳官。

【象牀】ゾウショウ 象牙でかざった寝台。

【象人】ショウジン ①ひとにかたどる。人の形に似せる。〔孟子、梁恵王上〕②人にかたどって作った人形。

【象箸】ゾウチョ 象牙で作ったはし。〔韓非子、喩老〕

【象徴】ショウチョウ 国抽象的な精神内容を、具体的な事物によって連想させること。また、そのもの。シンボル。表象。

【象輿】㊀ゾウヨ ＝象車㊀。㊁ショウヨ ＝象車㊁。

5【象】12画 11473 ショウ 象(11472)の俗字。→一三四五ページ・下。

6【豢】13画 11474 漢カン(クヮン) 呉ゲン 諫 huàn 7622 E6B4 ―

字義 ❶やしなう。穀物で家畜をやしなう。❷穀物でやしなわれた家畜。犬・豚など。「芻豢スウカン」❸さそう。利益で人をおびきよせる。

解字 甲骨文 篆文 形声。もと、豕＋𢍏音。音符の𢍏ケンは、圏に通じ、家畜を飼うためのかこいの意味。かこいの中で家畜を養うの意味を表す。

【豢圉】カンギョ 牛や馬を飼う所。

【豢擾】カンジョウ やしない、ならす。飼いならす。

【豢養】カンヨウ やしなう。

6【豦】13画 11475 漢キョ 呉ゴ 魚 jù ― ― 6285

字義 ❶取っ組み合って離れない。❷大きないのこ。❸虎が両足を上げて立ち上がる。❹獣の名。

解字 会意。虎省＋豕。虎といのししの取っ組み合いの意味。

6【豣】13画 11476 ㊀漢ケン 先 jiān ㊁ゲン 霰 yàn ― ― 6283

字義 ㊀いのこ。㋐三歳のいのこ。㋑大きないのこ。㊁のろ。すぐれて力のあるのろ。

解字 形声。豕＋幵音。

6【豤】13画 11477 コン 阮 kěn ― ― 6284

［貇］11499 同字

字義 ❶いのこがかむ。また、そのさま。❷ねんごろ。＝懇(3622)。

解字 形声。豕＋艮(皀)音。

7【豨】14画 11478 漢キ 呉ケ 尾 微 xī 19223 ― 6286

字義 ぶた。いのこ。また、いのしし。

解字 形声。豕＋希音。

【豨突】キトツ いのししのように向こうみずに突き進む。猪突チョトツ。豕突シトツ。

7【豪】14画 11479 漢コウ(カウ)・呉ゴウ(ガウ) 豪 háo 常ゴウ 2575 8D8B ―

筆順

字義 ❶やまあらし。豚に似て、背に荒い毛がある。「豪猪ゴウチョ」❷すぐれる。ひいでる。知識・勢力などが傑出する。また、その人。「豪傑」「文豪」❸つよい。たけだけしい。えらい。また、その人。「豪勇」❹ひきいる。また、その人。おさ。長。❺おとこだて。おとこぎがある人。「豪侠ゴウキョウ」❻かねもち。「富豪」❼おごる。ぜいたく。「豪奢ゴウシャ」❽さかん。非常に。大いに。「豪飲」❾ほそげ。＝毫(6088)。❿すこし。わずか。「豪末」⓫しいて。むりやりに。「豪奪」国豪太剌利・豪斯多拉利オーストラリアの略。もと濠(6763)の字を用いた。

名前 かた・かつ・ごう・たけ・たけし・つよ・つよし・とし・ひで・まさ 難読 豪太剌利オーストラリア・豪斯多拉利オーストラリア・豪猪やまあらし

解字 篆文 形声。篆文は、豕＋高省音。音符の高は、稾コに通じ、かたいわらの意味。わらのように固い毛がある、やまあらしの意味を表す。

逆 剣豪・酒豪・大豪・土豪・文豪

【豪飲】ゴウイン さかんに酒をのむ。痛飲。

【豪雨】ゴウウ はげしいどしゃぶりの雨。「雄風豪雨」

【豪横】ゴウオウ おごりたかぶって、ほしいままなこと。また、強い権勢をたのんでわがままなこと。強横。

【豪家】ゴウカ 富んで勢力のある、さかんな家がら。また、その人。

【豪華】ゴウカ 非常にぜいたくではなやかなこと。

【豪快】ゴウカイ 元気さかんで小事にこだわらない。堂々として気持ちがよい。

【豪芥】ゴウカイ すこし。わずか。細微。

【豪客】ゴウカク ①ぬすびと。②豪遊する人。大尽ダイジン。

【豪猾】ゴウカツ 強く荒っぽくて法を恐れない。また、その者。

【豪気(氣)】ゴウキ 才知があって他人に屈しない気性。さかんな意気。

【豪気不除】ゴウキのぞかず 豪気が抜けない。すぐれてはいるが、君子の度量のない者をいう。

【豪毅】ゴウキ すぐれて強い。気性がすぐれて物事に屈しない。

【豪儀】ゴウギ 国①強情。がんこ。②勢いのはげしいさま。③すばらしいさま。非常によいさま。

【豪挙(擧)】ゴウキョ おとこぎのある(さかんな)ふるまい。

【豪侠】ゴウキョウ すぐれて強く、おとこ気のあること。また、その人。

【豪強・豪彊】ゴウキョウ 勢力がすぐれて強い。また、その人。

【豪桀・豪傑】ゴウケツ 才知・武勇の特にすぐれている人。

【豪健】ゴウケン たけくつよい。すぐれてつよい。

【豪語】ゴウゴ 大きなことをいうこと。えらそうにいう。また、その語。大言壮語。

【豪士】ゴウシ 武勇のすぐれた人。強い武士。

【豪侈】ゴウシ 非常に贅沢ゼイタクなこと。

【豪恣】ゴウシ 勢いがつよくわがままなこと。

【豪奢】ゴウシャ 非常なぜいたく。豪汰ゴウタイ。豪侈ゴウシ。

【豪商】ゴウショウ 財力に富み、広く商売している商人。大商人。豪賈ゴウコ。

【豪盛】ゴウセイ すぐれて(非常に)さかんなこと。

【豪勢】ゴウセイ ①強いいきおい。また、その勢いのある人。②国ぜいたく。

【豪壮(壯)】ゴウソウ ①勢いが非常にさかんなこと。②大きくてりっぱなこと。

【豪爽】気性がつよくさっぱりしていること。

【豪族】①その地方で、すぐれて勢力のある一族。②本家を中心として、その家族・親族と共に奴隷・農奴・小作人をもち、地方での政治的・経済的実力をもつ一族。貴族に対しても用いる。

【豪奪】むりやりに奪いとる。

【豪胆(膽)】きもが大きい。胆力がすわっていて、驚いたり動じたりせず、思いきった行動をとること。

【豪△猪・豪△豬】①やまあらし。②大きないのしし。

【豪△宕】気性が大きく小さな事にこだわらないこと。豪放。

【豪△蕩】①=豪宕。②詩文の表現があらくおおまかなこと。

【豪農】土地を多く持ち、その地方に勢力ある農家。金持ちの農家。

【豪富】たいへんな金持ち。富豪。

【豪分】極めてわずか。細微。豪釐。

【豪放】気性がおおまかで、こまかいことにかかわらないこと。「豪放磊落(磊落も同意)」

【豪△芒】細い毛の先。ごくわずか。豪末。毫芒。

【豪△邁】すぐれてえらい。英邁。

【豪末】細い毛のさき。細小のたとえ。毫末。

【豪毛】細い毛。転じて、きわめて微細なもののたとえ。ほんのわずか。毫毛。用例〔史記、項羽本紀〕豪毛不敢有所近、封閉宮室、還軍覇上、以待大王来。▽(沛公は)ごくわずかなものも決して身に近づけないで、秦の宮室を封じ閉ざし、引き返して覇上に陣取り、大王のおいでになるのを待っていました。

【豪勇】すぐれていさましい。また、その人。

【豪遊】ぜいたくにおごりあそぶ。また、その遊び。

【豪雄】すぐれてえらい人。英雄。豪傑。

【豪吏】勢力のある役人。

【豪△釐】ごくすこし。ほんのわずか。毫釐。

【豪△釐千里】ほんのわずかの誤りが、ついには大きな誤りとなること。用例〔史記、太史公自序〕失之豪釐、差以千里。▽ほんのわずかな違いが、先に行けばものすごく大きな隔たりとなる。

7
【豩】14画 11480
■ヒン 真 bīn
■漢カン(クヮン) 呉ケン 删 huān
28902 ― 6287

字義 ■二匹のいのこ。■❶=■。❷かたくな(頑)。

解字 会意。豕を二つならべて、二匹のいのこの意味を表す。

9
【豭】16画 11481
漢カ 呉ケ 麻 jiā
28903 ― 6288

字義 おすのいのこ。豭豚。

解字 形声。豕+叚音。

9
【豬】16画 11482
チョ 猪(7253)の正字。→九三四ジ中。
7623 E6B5 ―

9
【豫】16画 (113)
ヨ 予(112)の旧字体。→五一ジ下。

10
【豳】17画 11483
■ヒン 真 bīn
■漢ハン・呉ヘン 删 bān
28904 ― 6289

字義 ■昔の国名。周の祖先の公劉がいた地。今の陝西省彬県(邠州)。■まだら。=斒(4579)。

解字 形声。山+豩音。

【豳詩】『詩経』の豳風七月の詩編。この詩は周公の作といわれ、農業に勤労することを述べたもの。豳歌。豳雅。

▼豳は、周の旧国。

11
【豵】18画 11484
漢ソウ 呉ス 東 zōng
― ― 6290

字義 ぶた。㋐生まれて六か月のぶた。㋑一度に三匹生まれたぶた。

解字 形声。豕+從音。

12
【豶】19画 11485
フン 豶(11486)の俗字。→一三四七ジ中。
― ― 6291

13
【豶】20画 11486
漢フン 呉ブン 文 fén

[豮] 11485 俗字

字義 ❶去勢したいのこ。❷除く。

解字 形声。豕+賁音。

7画 豸 むじな・むじなへん

〔部首解説〕豸を意符として、いろいろな種類の獣の名を表す文字ができている。

0
【豸】7画 11487
■漢チ・呉ジ(ヂ) 紙 zhì
■漢タイ・呉ダイ 蟹
7624 E6B6 ―

字義 ■❶ながむし。はいむし。足のない虫類の総称。❷とく(解)。とける。ゆるめる。■解豸・獬豸は、神獣の名。

解字 篆文 象形。獣が背を丸くして獲物に襲いかかろうとするさまを表す。また、解豸という神獣の象形。

【豸冠】司法官のかんむり。獬豸という神獣がよく曲直を判断したということに基づく。

3
【豻】10画 11488
漢カン 呉ガン 翰 hàn
― ― 6292

[犴] 7194 同字 [豤] 11501 同字

字義 ❶いぬ。昔、北方の地にいた野犬の一種。❷ひとや。地方にある牢獄。

解字 形声。豸+干音。

3
【豺】10画 11489
漢サイ 呉ザイ 佳 chái
7625 E6B7 ―

[犲] 7196 同字

字義 やまいぬ。狼の類い。性質は獰猛。

解字 篆文 形声。豸+才音。音符の才は、たち切るの意味。肉を食いちぎるやまいぬの意味を表す。

【豺虎】やまいぬと、とら。転じて、悪者のたとえ。

【豺目】やまいぬの目。恐ろしく鋭い人の目のたとえ。

【豺△狼】やまいぬと、おおかみ。残酷・猛悪・貪欲な人のたとえ。

【豺△狼当(當)路、安問△狐△狸】悪い大臣が権力をふるっているので、地方の小役人の罪などは問題ではない。〔後漢書、張綱伝〕

3
【豹】10画 11490
人 標
漢ホウ(ハウ) 呉ヒョウ(ヘウ) 効 bào
4131 955E ―

筆順 ノ ヾ ⺍ 乎 豸 豸 豹 豹

字義 猛獣の名。虎に似てやや小さく、背に黒く美しい斑点がある。

解字 甲骨文 篆文 会意。豸+勺。豸は、けものの意味。勺は、あきらかの意味。黒くて丸い、はっきりした模様が飛び散っているひょうの意味を表す。

【豹隠(隱)】世をのがれてかくれ住むたとえ。豹は毛を大切にし、雨や霧の時は山中にかくれることに基づくとい

う。〔資暇録〕

【豹騎】強く勇ましい騎兵。

【豹死留ㇾ皮】豹でさえ死んで美しい毛皮を残す。人も死後に名(ほまれ)を残さねばならぬというたとえ。「虎死留ㇾ皮」に同じ。用例〔五代史、王彦章伝〕豹死留ㇾ皮、人死留ㇾ名。↓豹でさえ死んで美しい毛皮をのこすのだから、人は死んで名をとどめるべきである。

【豹頭環眼】豹のような頭にまんまるの目。

【豹変(變)】豹の模様のようにはっきりと、あやまちを改め善に移ること。改善。転じて、態度などが急に変わること(善にも、悪にもいう)。用例〔易経、革〕君子豹変。↓君子は豹の皮衣の黒と黄の模様がはっきりしているように、あやまちを改めて善にうつるものだ。

4【貔】11画 11491 ヒ 貔(11510)と同字。→一三四八ページ下。 7633 E6BF —

5【貂】12画 11492 チョウ(テウ) 蕭 diāo 7626 E6B8 —
［鼦］14532 同字 ［貂］11493 俗字 ［鼦］14533 俗字

字義 てん。イタチ科の獣の名。昔、その尾を冠のかざりに用いた。毛皮は淡黄色で珍重される。

解字 形声。豸＋召音。

【貂裘】貂のかわごろも。身分の高い人の衣服。

【貂寺】宮刑(去勢の刑)を受けて、後宮に仕える人。宦官。▼貂は冠のかざり、寺は侍(はべる)。

【貂蟬】①貂の尾と蟬の羽。高位の人の冠のかざり。②高位高官の人。

5【貂】12画 11493 チョウ 貂(11492)の俗字。→一三四八ページ上。 ₂8905 — —

5【貊】12画 11494 バク 貊(11500)と同字。→一三四八ページ中。 — — —

5【貔】12画 11495 ヒ 支 pí — — 6293

6【貉】13画 11496 一漢カク・呉ガク 薬 hé(hǎo) 二漢バク・呉ミャク 陌 mò 7627 E6B9 —

字義 狸の子。＝狉(7214)。

解字 形声。豸＋不音。

［狢］7218 同字

字義 一むじな。たぬき。二中国北方の異民族の名。＝貊(11500)。

6【貆】13画 11497 漢カン(クワン) 呉ガン(グワン) 寒 huān — — 6294

解字 形声。豸＋各音。

字義 ❶むじなの類い。また、むじなの子。❷まみ。まみだぬき。❸貆豬は、やまあらし。

解字 形声。豸＋亘音。

6【貅】13画 11498 漢キュウ(キウ) 呉ク 尤 xiū 7628 E6BA —

字義 猛獣の名。昔、ならして戦争に用いたという。転じて、勇猛な兵士にたとえる。「貔貅」

解字 形声。豸＋休音。

6【貇】13画 11499 コン 狠(11477)と同字。→一三四六ページ中。 — — 6301

6【貊】13画 11500 漢バク 呉ミャク 陌 mò 7629 E6BB —
［貃］11494 同字

字義 ❶えびす。中国北方の異民族の名。＝貉(11496)。「蛮貊之邦(南方・北方の異民族の国)」❷猛獣の名。熊に似る。❸しずか(静)。

7【貋】14画 11501 ガン 犴(11488)と同字。→一三四七ページ下。 — — 6302

解字 形声。豸＋百音。

7【貌】14画 11502 常 ボウ 一漢ボウ(バウ)・呉モウ(マウ) 効 mào 二漢バク・呉マク 覚 4338 9665 —
［皃］7868 同字 ［皃］735 俗字

筆順

字義 一❶かたち。かお(顔)。かんばせ。用例㋐〔唐、柳宗元、捕ㇾ蛇者説〕言ㇾ之、貌若ㇾ甚慼者ㇾ。↓この話をしながら、その顔つきはたいへん憂えているもののようであった。㋑姿。かたち。姿体。ありさま。形態。㋒外観。うわべ。㋓ふるまい。動作。㋔かざり。つくり。❷つつしみの態度。❸みたまや。廟。❷はるか。遠い。＝邈(12243)。二❶かたどる。形を写す。また、姿にあらわす。

解字 篆文 籀文 象形。もと皃で、頭が空白の人の象形で、外から見た、かたちの意味を表す。貌は、豸＋皃音。豸は、模様のはっきりした豹の意味。かたちの意味を明らかにした。

【貌閲】年齢と容貌とを調べる。

【貌形】すがた。かたち。ありさま。貌状。形貌。

【貌言】うわべをかざった実のないことば。

【貌状(狀)】すがた。かたち。ありさま。貌形。

【以ㇾ貌取ㇾ人】うわべのかおかたちだけで、(学問や徳行を考えずに)人を採用する。〔史記、仲尼弟子伝〕

7【貍】14画 11503 リ 狸(7238)の正字。→九三三ページ上。 7630 E6BC —

8【貎】15画 11504 ゲイ 猊(7244)と同字。→九三三ページ下。 7631 E6BD —

8【貓】15画 11505 ビョウ 猫(7256)の正字。→九三四ページ中。 ₂8906 — 6305

9【貏】16画 11506 漢アツ 呉エチ 黠 yà — — —

字義 貏貐は、獣の名。竜の頭、馬の尾、虎の爪を持つという。

解字 形声。豸＋契音。

9【貒】16画 11507 タン 寒 tuān ₂8907 — 6304

字義 獣の名。まみ。まみだぬき。あなぐま。

解字 形声。豸＋耑音。

9【貐】16画 11508 ユ 麌 yǔ — — 6303

字義 貏貐は、獣の名。

解字 形声。豸＋兪音。

10【貘】17画 11509 漢バク 呉ミャク 陌 mò 7634 E6C0 —
［獏］7284 同字

字義 ❶想像上の動物。歯が強くて、鉄や銅を食い、また、人の夢を食って邪気をはらうという。❷バク科の獣。鼻がやや長く、犀に似る。

解字 金文 篆文 形声。豸＋莫音。音符の莫は、ない、実在しないの意味。想像上の動物の意味を表す。

10【貔】17画 11510 漢ヒ 呉ビ 支 pí 7632 E6BE —
［豼］11491 同字

字義 ❶猛獣の名。豹に似る。昔、ならして戦争に用いたという。❷勇猛な軍隊・兵士のたとえ。

解字 形声。豸＋毘音。

【貔貅】①猛獣の名。昔、ならして戦争に用いた。虎や熊に似る。②勇猛な軍隊・将卒のたとえ。③兵車にたてる、貔貅を描いた旗。

【貔虎】①貔と虎。ともに猛獣の名。②勇猛な軍隊・将卒のたとえ。

11【貙】18画 11511 漢チュウ(チウ) 呉チュ 虞 chū ₂8908 — 6306

字義 獣の名。→貙虎。

解字 金文 篆文 会意。豸＋區。

【貙虎】チュウコ ①虎に似た猛獣の名。昔、ならして戦争に用いた。②勇猛な軍隊・将卒のたとえ。

12 【獠】 19画 11512 ㊥ロウ(ラウ) ㊰ロウ 皓 lǎo ㊁㊥トウ(タウ) ㊰チョウ(テウ) 巧 ㊂リョウ(レウ) 蕭 liáo ₂8909 — —

字義 ㊀㊁中国の西南に住む異民族の名。＝獠(7298)・僚(613)。㊂宵の狩。

解字 形声。豸＋尞㊅。

17 【貛】 24画 11513 カン 貛(11514)の俗字。→一三四九ページ上。 ₂8910 — 6307

18 【貛】 25画 11514 カン(クヮン) 寒 huān

［貛］ 11513 俗字

字義 ❶まみ。まみだぬき。＝貒(11507)。❷おおかみのおす。

解字 形声。豸＋雚㊅。

20 【貜】 27画 11515 ㊥キャク ㊰カク(クヮク) 薬 jué — — 6308

字義 おおざる。よく人をさらい、また、よくふりかえって見るという。＝玃(7318)。

解字 形声。豸＋矍㊅。

7画 貝 かい・かいへん こがい

〔部首解説〕 貝を意符として、金銭・財貨や、それらにかかわる行為・状態などに関する文字ができている。

0 貝	3 貤	4 貨	戝	貧	貺	貼	貿	貲	賃
一三四九	一三五一	一三五一	一三五三	一三五四	一三五六	一三五六	一三五七	一三五八	一三五八
2 貟	員	貫	貪	貶	貰	貳	6 賅	賉	賁
一三四九	二六四	一三五三	一三五三	一三五四	一三五六	四八五	一三五七	一三五八	一三五八
則	貢	賢	貮	5 貽	貹	買	賈	賎	賆
一八三	一三五一	一三五三	一三五四	一三五四	一三五六	一三五六	一三五七	一三五八	一三五九
貞	財	貭	敗	賀	貸	費	賋	賍	賂
一三四九	一三五一	一三五三	六二五	一三五五	一三五六	一三五六	一三五七	一三五八	一三五九
負	貣	責	販	貴	貯	賁	資	賊	賄
一三五〇	一三五一	一三五三	一三五四	一三五五	一三五六	一三五七	一三五七	一三五八	一三五九

7 賏	賔	賜	賨	賣	9 賱	賷	10 購	賻	贁	贊	13 贏	齎	贓
一三五九	一三五九	一三六〇	一三六二	一三一七	一三六三	一三六四	一三六四	一三六四	一三六五	一三六〇	一三六五	一六五五	一三六六
賕	賓	質	賬	賓	賮	賭	賽	11 賾	賿	賦	贏	贔	17 贛
一三五九	一三六二	一三六〇	一三六二	一三六二	一三六三	一三六四	一三六四	一三六四	一三六五	一三六五	一三六六	一三六六	一三六六
賒	8 賣	賙	賝	賦	賗	賃	賸	贄	賵	贈	罌	15 贗	
一三五九	一三五九	一三六〇	一三六二	一三六二	一三六三	一三六四	一三六四	一三六四	一三六五	一三六五	一一四六	一三六六	
賖	賡	賞	賭	賫	賢	賵	賷	贅	12 贇	贉	贍	贒	
一三五九	一三五九	一三六一	一三六二	一三六三	一三六三	一三六四	一三六四	一三六五	一三六五	一三六五	一三六六	一三六六	
賑	賛	賤	賠	賚	賰	賴	賺	贈	贋	贎	14 贐	贖	
一三五九	一三六〇	一三六一	一三六二	一三六三	一三六四	一五六一	一三六四	一三六五	一三六五	一三六五	一三六六	一三六六	

0 【貝】 7画 11516 教1 かい ハイ 泰 bèi 慣バイ 1913 8A4C —

筆順 丨 冂 月 月 目 貝 貝

［䝱］ 10601 俗字

字義 ❶かい(ひか)。㋐水中にすむ、殻を有する軟体動物の総称。㋑ほらがい。㋒かいがら。❷たから。かね。貨幣。昔、きれいな貝がらを貨幣としたのでいう。❸あや(文)。貝のあやに似た模様。❹木の名。貝多羅(バイタラ)の略。インドに産し、その葉に経文を写すので、仏書を貝葉という。梖(バイ)。

名前 かい・たか

難読 貝独楽(べいごま)・貝加爾(バイカル)

解字 甲骨文 金文 篆文 象形。甲骨文でもわかるように子安貝の象形で、かいの意味を表す。

【貝貨】バイカ 貝殻で作った貨幣。〔漢書、食貨志下〕

【貝器】バイキ 貝細工。

【貝錦】バイキン ①かいがらの模様のように美しいにしき。②人を讒言(ザンゲン)する者が、たくみにかざって人の罪過を作りあげるたとえ。

【貝闕】バイケツ 紫色の貝殻でかざった宮殿。河伯(黄河の神様)のいる所という。俗にいう竜宮の類い。

【貝原益軒】かい(ひ)ばらエキケン 国江戸中期の儒学者。筑前(福岡県)の人。名は篤信(あつのぶ)、号は益軒、また損軒。陸象山・王陽明の学を学び、のち朱子学に移った。著書に『慎志録』『養生訓』などがある。(一六三〇—一七一四)

【貝子】バイシ ①元代、雲南で銭の代用とした貝。②清(シン)代の爵位の名。皇室の一族や満州・蒙古(モウコ)の貴族に与えた。貝勒(バイロク)の下、鎮国公の上。③貝の名。こやすがい。

【貝多羅】バイタラ 梵語 pattra(葉の意)の音訳。インドに産する樹木の名。多羅樹。貝多樹。昔、その葉に経文を書き写した。

【貝編】バイヘン 仏教、または仏書をいう。

【貝文】バイモン 仏貝多羅葉(バイタラヨウ)に書いた経文。また、広く経文をいう。

【貝葉】バイヨウ ①貝多羅樹(バイタラジュ)の葉。インドで経文を写すのに用いた。②仏書。経典。貝葉経。

【貝勒】バイロク ①貝がらでかざった馬のくつわ。②「多羅貝勒(タラバイロク)」の略。満州語で、王や諸侯の意。清(シ)代、満州・蒙古(モウコ)出身者の爵位の名。郡王の下、貝子の上。

2 【貟】 9画 11517 イン 員(1482)の俗字。→二六四ページ下。

2 【則】 9画 (936) ソク 刂部。→一八三ページ中。

2 【貞】 9画 11518 常 テイ ㊥テイ・㊰チョウ(チャウ) 慣ジョウ(ヂャウ) 庚 zhēn 3671 92E5 —

筆順 ⺊ ⺊ ⺊ 占 占 貞 貞 貞 貞

字義 ❶うらなう(トぼく)。❷易(エキ)の卦(カ)の内卦。↕悔(3693)。❸ただしい(ただ-し)。心が正しい。また、まこと。❹みさお。㋐固く心を守り節を曲げない。「貞節」㋑女性が夫に対し操を守って変えない。「貞操」

名前 さだ・さだし・ただ・ただし・ただす・つら・てい・みさお

難読 貞光(さだみつ)

解字 甲骨文 金文 篆文 形声。金文は、卜＋鼎㊅。音符の鼎(テイ)は、聴に通じ、よくきくの意味。卜は、うらなうの意味。うらなって問うの意味を表す。また、正に通じ、ただしいの意味をも表す。篆文の貞は、金文の省略体。貞を音符に含む形声文字に、偵・楨(テイ)・禎(テイ)・遉(テイ)などがある。

逆 堅貞・孝貞・清貞・忠貞・童貞・不貞

【貞一】テイイツ 心が正しくてふたごころのないこと。

【貞幹】テイカン 心が正しくて才能のあること。

【貞観(觀)之治】ジョウガンのチ ①唐の太宗(李世民(リセイミン))(在位六二七—六四九)の治世。房玄齢・杜如晦(トジョカイ)等の賢相や魏徴(ギチョウ)・李靖(リセイ)等の名将を用い、天下を太平に治めたので、その年号をとっていう。②国清和天皇(在位八五九―八七七)の時の治世をいう。

【貞観(觀)政要】ジョウガンセイヨウ 書名。十巻。唐の呉兢の著。唐の太宗と群臣との政治に関する議論を、君道・政体などの四十門に分けて集めた帝王経世の書。

【貞潔】テイケツ みさおが正しく行いがきよい。

【貞固】テイコ 正しく誠がある。かたく正道を守る。

【貞士】テイシ みさおの正しい(正義を守る)人。

【貞淑】テイシュク 女性がみさおを正しく守りしとやかなこと。

【貞純】テイジュン 心が正しくまごころがある。

【貞女】テイジョ ①みさおの正しい女性。貞節を守る女性。②一人の夫を守り通す女性。貞婦。

【貞女不更二夫】テイジョはニフをかえ(へ)ず みさおの正しい女性は夫の死後も他の男性を再び夫とすることをしない。用例〔史記、田単伝〕忠臣不事二君、貞女不更二夫。↓忠義な家来は二人の君主に仕えず、貞女は夫の死後も再婚しない。

【貞松】テイショウ 秋冬になっても紅葉したり落葉したりせず、常に緑の色を変えずに保っている松をいう。用例〔唐、劉廷芝、公子行〕願作貞松千歳古、誰論芳槿一朝新。↓どうか常緑の松のようにいつまでも変わらずに(愛情が)続きますように。むくげの花のようにひと朝だけのはかなさなど問題になりません。

【貞臣】テイシン みさおの正しい家来。忠義な家臣。

【貞正】テイセイ 志が堅固で正しい。「清白貞正」

【貞誠】テイセイ 正しくまごころのあること。

【貞静(靜)】テイセイ みさおが正しくしとやかなこと。心が正しくおだやかなこと。

【貞石】テイセキ ①かたい石。②永遠に変わらぬ石の意から、石碑の美称。

【貞節(節)】テイセツ みさおが正しいこと。貞操。

【貞壮(壯)】テイソウ 心が正しくて元気さかんなこと。

【貞操】テイソウ ①女性が性的純潔を保つこと。②広く、節義の正しいこと。

【貞敏】テイビン 心が正しく知恵がさとい。

【貞婦】テイフ ＝貞女。

【貞明】テイメイ 正しく明らかなこと。みさお正しくかしこい。

【貞△亮・貞△諒】テイリョウ 心が正しく、誠実であること。みさおを守り、真心があること。

【貞霊(靈)】テイレイ 貞節なみたま。死後もみさおの正しい人の魂。

【貞烈】テイレツ みさおが正しく、おおしいこと。

【貞廉】テイレン 正しくいさぎよい。「公正貞廉」

2 【負】 9画 11519 漢フ・呉ブ 国 教3 フ まける・まかす・おう 4173 9589

筆順 負

字義 ❶おう。㋐おぶう。背負う。背にになう。用例〔史記、廉頗藺相如伝〕廉頗聞之、肉袒負荊、因賓客至藺相如門謝罪。↓廉頗はこれを耳にすると、右の片肌をぬいでいばらの鞭を背負い、藺相如の食客を介してその門を訪れ、謝罪した。㋑背後に置く。背にする。「負郭」㋒引き受ける。「負債」㋓受ける。こうむる。「負傷」㋔たのむ。よる。たよりにする。用例〔史記、廉頗藺相如伝〕秦貪負其彊、以空言求璧。↓秦の国は貪欲にして、その強大なことをたのみ、口先だけのでたらめを言って璧を求めている。❷おわせる。背負わせる。引き受けさせる。こうむらせる。用例〔史記、廉頗藺相如伝〕寧許以負秦曲。↓(璧を渡すことを)許諾した上で、秦に非を負わせた方がよろしいでしょう。❸そむく。うらぎる。さからう。はなれる。用例〔史記、廉頗藺相如伝〕相如度秦王雖斎決負約不償城。↓相如は、秦王がたとえものいみをしたとしても、きっと約束にそむいて、都市を代償として与えはしないだろうと推測した。❹まける。戦いに負ける。また、劣る。ひけをとる。↕勝(1055)。「勝負」❺老婦人。老婦人を「刀自」というのは、この負を分解して誤用したものといわれる。❻数字でマイナスの数。負数。↕正(5990)。

国 ❶まける。値を引く。安くする。❷まかる。安くすることができる。❸まかす。

名前 え・おい・ひ・ます

解字 篆文 会意。⺈(人)＋貝。貝はかいの意味で、財宝を示す。人が財貨を背後の力とすることから、たよるの意味を表す。また、背にする・せおう・背を向ける・そむく・まけるの意味を表す。

逆 孤負・自負・勝負・抱負

【負荷】フカ ①背におい、肩にになう。②先祖の業を受けつぐ。③自分が引き受けてなすべきつとめ。

【負海】フカイ 四方の未開の地に接する遠国。辺境の国。

【負郭・負△廓】フカク 城郭を背にした土地。城下(町)に近い土地。用例〔史記、蘇秦伝〕使我有洛陽負郭田二頃、吾豈能佩六国相印乎。↓もしも私に洛陽郊外の田が二頃あったならば、六国の宰相の印を腰につけることなどできただろうか(決してできなかった)。

【負気(氣)】フキ ①＝負気(八〇四ページ上)。②重荷。身にすぎた仕事。

【負△笈】フキュウ ＝負笈(一〇七四ページ上)。物を背負って歩行に悩む。

【負△棘】フキョク ＝負荊(一二〇七ページ上)。

【負△荊】フケイ 小児を背負ったり、抱きかかえたりする。

【負剣(劍)】フケン 負は背負う、剣はわきの下に抱きかかえるさま。▼

【負債】フサイ 他人から借りている金銭・物品。借金。借財。

【負△恃】フジ たのみにする。たよる。また、ほこる。

【負傷】フショウ きずをおうこと。けが。

【負薪】フシン ①たきぎを背負うこと。力役に従うこと。負薪。用例〔史記、滑稽伝〕居数年、其子窮困負薪。↓数年を経、息子は貧乏になり、薪を背負って暮らしを立てていた。②身分の低い人。賤者。

【負薪△之憂】フシンのうれい 自分の病気を謙遜していう語。薪をおったつかれが出て病む。また、病気して薪をおえなくなる意。〔礼記、曲礼下〕

【負租】フソ まだ納めないみつぎもの。未納の租税。

【負俗△之累】フゾクのルイ 志が高く世俗にそむくため、世人から悪くいわれるわずらい。〔漢書、武帝紀〕

【負戴】フタイ 荷物を背負ったり、頭にのせたりして運ぶ。労働・苦役をいう。用例〔孟子、梁恵王上〕頒白者不負戴於道路矣。↓白髪まじりの老人が、荷物を背負ったり頭にのせたりして道路を歩くこともない。

【負託】フタク まかせる。責任を持たせてまかせる。↓付託(八二ページ上)。

【負担(擔)・負△檐】フタン ①背におい、肩にかつぐ。②身に引き受ける。

【負版者】フハンシャ 版(人民の戸籍や国の地図・器物などを記した板)を背負う人。国家を象徴する品物を持つ人。用例〔論語、郷党〕式負版者。↓国家を象徴するものを持つ人に、式典の敬礼をする。

【負販】フハン 品物を背負って売りあるく。行商する。

【負養】フヨウ 重い荷物を背負うような労働をして主家に仕える人。身分の低い召し使い。

3 【貤】 10画 11520 ㊀イ 寘 yì ㊁㊂漢シ・呉ジ 寘 ㊂イ 支 yí 2 8911 — 6309

字義 ㊀❶かさねる(重)。順序だててかさねる。❷ます(益)。❸ひく。のばす(延)。㊁うつる(移)。うつす。

解字 形声。貝+也㊥。

3 【員】 10画 (1482) イン 口部。→二六四ジ下。

3 【貢】 10画 11521 常 コウ・ク みつ-ぐ 漢コウ・呉ク 送 gòng 2555 8D76 —

筆順 一 ㇀ 工 𢀖 㓚 贡 贡 貢 貢

字義 ❶みつ-ぐ。ささげる。たてまつる。朝廷に地方の産物を献上する。❷みつ-ぎ。みつぎもの。❸夏カ代の税法の一つ。一人の男が五十畝ボの田地からあがる収穫の十分の一を納める。❹すすめる。人材を推薦する。❺ついえる。やぶれる。

名前 こう・すすむ・つぐ・み・みつ・みつぎ・みつぐ

解字 篆文 形声。貝+工㊥。音符の工は、共に通じ、ささげるの意味。貝は、財貨の意味。財貨をささげる、みつぐの意味を表す。

逆 郷貢・進貢・朝貢・調貢・来貢

【貢院】コウイン 地方から推薦された貢士を、中央でさらに選抜するための科挙(官吏登用試験)試験場。

【貢挙(擧)】コウキョ 地方で選抜したすぐれた人物(貢士)を中央政府に推薦すること。

【貢献(獻)】コウケン ①みつぎものをたてまつる。②人のため、世(社会)のためにつくすこと。

【貢士】コウシ 才能・学問のあるすぐれた人物を地方から中央政府に推挙すること。また、その推挙された人。また、科挙で、会試に合格した人。

【貢使】コウシ みつぎものをたてまつる使者。

【貢試】コウシ 貢士の試験。

【貢職】コウショク みつぎもの。

【貢生】コウセイ 科挙(官吏登用試験)の行われた時代、府・州・県学の学生のうち、選考を経て国子監で学んだ人のこと。副貢・抜貢・優貢・歳貢・恩貢などの名があり、総称して貢生という。

【貢税】コウゼイ みつぎもの。年貢ネングン。税。

【貢賦】コウフ みつぎものと租税。▼貢は下からの献上品、賦は上から割り当てた税。

【貢物】コウブツ みつぎもの。貢御。

3 【財】 10画 11522 教5 ザイ・サイ 漢サイ・呉ザイ 灰 cái 2666 8DE0 —

筆順 丨 ⺆ 冂 月 目 貝 貝 貝一 財 財

字義 ❶たから。金銭や穀物などの価値あるものの総称。❷ふち(扶持)。ふち米。❸たつ。はかる。きりもりする。=裁(10827)。❹はたらき。才能。=才(4029)。❺資材。材料。=材(5206)。❻わずかに。わずか。=纔(9397)。用例〔漢書、李広利伝〕士財有二数千一シわず(づ)かに数千ススウセンあり。↓兵士はわずか数千しかいない。

名前 かね・たか・たから 難読 財田さい・財部たからべ

解字 篆文 形声。貝+才㊥。音符の才は、材に通じ、良質の木材の意味。人にとって価値のある物の意味を表す。

逆 貨財・管財・散財・私財・資財・借財・浄財・殖財・蓄財・余財・理財

【財貨】ザイカ ①たから。かね。値うちのある財産としての金品。用例〔史記、項羽本紀〕貪二於財貨一好二美姫一ザイカをむさぼりビキをこのめり。↓(沛公ハイコウは)宝を貪りとり美人を好んで近づけた。②人間の欲望を満足させる物。

【財源】ザイゲン ①財産のできるもと。②かねの出どころ。

【財産】ザイサン 個人や団体の持っている土地・建物・金品など、経済的価値があるものの総称。資産。身代シンダイ。

【財主】サイシュ 財産の所有者。資本家。また、金満家。資産家。

【財施】ザイセ 仏僧尼や貧困者などに金銭や品物をめぐむこと。三施(財施・法施・無畏施ムイセ)の一つ。法施は法を説き悟らせること、無畏施ムイセは衆生シュジョウを恐れさせないこと。

【財成】ザイセイ きりもりしてつくること。裁成。

【財政】ザイセイ 国①国家や公共団体が、それを運営するために行う、収入・支出等の経済行為。②個人の経済状態。かねまわり。やりくり。

【財△帑】ザイド かねぐら。金蔵。金庫。▼帑は、くら。

【財△帛】ザイハク 貨財と布帛フハク。金銭・物品と織物の類い。

【財閥】ザイバツ 経済界で支配的・独占的な大きな勢力を持つ、同族の一団。

【財布】サイフ 国金銭を入れる袋。かね入れ。財嚢ザイノウ。

【財賦】ザイフ たからとみつぎもの。

【財物】ザイブツ・ザイモツ 金銭と品物。たからもの。

【財宝(寶)】ザイホウ たからもの。金銀珠玉の類い。

【財務】ザイム 国財政上の事務。

【財用】ザイヨウ ①もとで。資財。②資財の用途。

【財欲】ザイヨク 財物を手に入れようとする欲望。

【財利】ザイリ かねもうけ。また、もうけ。

【財力】ザイリョク ①財産のあることによって生ずる勢力。金力。②費用・資金を負担しうる力。

【財賂】ザイロ かねやたから。財貨。

【財賄】ザイワイ 金銭やたからもの。財貨。

3 【貣】 10画 11523 トク tè 1863 89DD —

字義 ❶かりる。また、かり。=貸(11542)。❷もとめる(求)。❸たがう。ちがう。

解字 形声。貝+弋㊥。

4 【貨】 11画 11524 教4 カ

4 【貨】 11画 11525 カ(クワ) 箇 huò

筆順 ノ イ 亻一 化 化 貨 貨 貨 貨 貨

字義 ❶たから(財)。金銭・品物など、すべて価値あるものの総称。❷しな。商品。❸まいなう。たからを贈る。賄賂ワイロをつかう。

名前 たか

解字 篆文 形声。貝+化㊥。音符の化は、かわるの意味。他の物品と相互にかえ合うことのできる財貨、たからの意味を表す。

逆 奇貨・硬貨・行貨・財貨・殖貨・食貨・正貨・銭貨・滞貨・洋貨・良貨

【貨器】カキ 貨財や道具類。金銭や品物。かねめの品物。

【貨財】カザイ 金銭と、たから。貨幣と財物。かねめの物。

【貨△貲】カシ たから。貨財。商品。

【貨殖】カショク ①貨財をふやす。かねもうけ。②商品。物品。

【貨泉・貨銭(錢)】カセン ぜに。新の王莽オウモウが用いた硬貨。

【貨幣】カヘイ 古くは、社会に流通して、売買のなかだち、価格の標準、支払いの道具となる物を総称していい、後世は、法律によって強制通用力を与えられた物をいう。硬貨と紙幣の二種がある。ぜに。かね。⇩コラム 貨幣(一三五三ジ)。用例〔後漢書、光武紀下〕初王莽乱後はじめオウモウのランののち、貨幣雑二用布帛金粟一カヘイはフハクキンゾクをザツヨウす。↓王莽の乱にはじまりその後、貨幣には麻布・絹帛・黄金・穀物などを交えて用いた。

【貨宝(寶)】カホウ たから。

コラム

貨幣

中国最初の貨幣は貝貨(バイカ)で、殷(イン)代に行われた。その後、銅貨が出現し、戦国時代には布銭・刀銭、また貝貨の形態を受けつぐ蟻鼻(ギビ)銭などが諸国で用いられた。秦の始皇帝は天下統一（前二二一）の後、半両銭を鋳て刀銭・布銭などの使用を禁止した。

以下に、歴代の通貨の主なるものを掲げる。宋代には、紙幣（交子）も発行されている。

① 貝貨
(前16～前11世紀)

② 布銭
(戦国、魏)

③ 刀銭
(戦国、斉)

④ 蟻鼻銭
(戦国、楚)

⑤ 半両銭
(秦、始皇帝)

⑥ 五銖銭
(前漢、武帝)

⑦ 貨泉
(新、王莽)

⑧ 開元通宝
(唐、高祖)

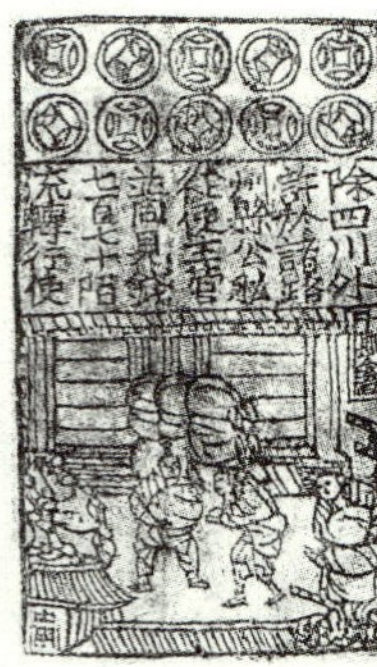

⑨ 交子(北宋)

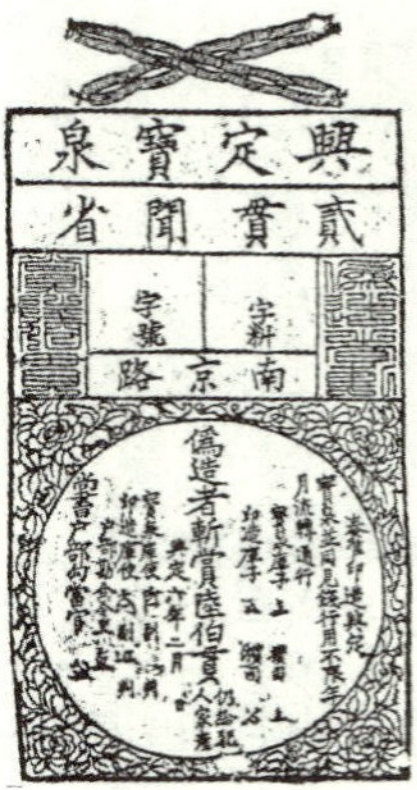

⑩ 交鈔（金、興定宝泉）

⑪ 永楽通宝
(明、成祖)

⑫ 康熙通宝
(清、聖祖)

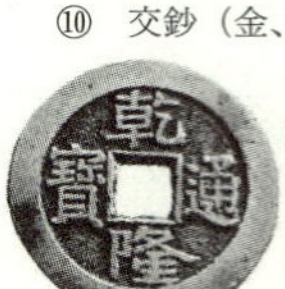

⑬ 乾隆通宝
(清、高宗)

⑭ 光緒元宝
(清、四川銀幣)

【貨物】カモツ・カブツ ①品物。②運送する荷物。

【貨賂】カロ まいない。たからの贈り物。賄賂ワイロ。用例〔世説新語、賢媛〕其中常者皆行二貨賂一そのチュウジョウなるものはみなカロをおこなう。▽容姿が人並みの者はみな絵師に賄賂を贈った。

【貨賄】カワイ たから。貨財。▼貨は金玉、賄は布帛フハク。

【行レ貨】カをおこなう(ふ) 賄賂ワイロを使う。

4 【貫】 11画 11526 常 カン つらぬく 2051 8AD1 —

㊀カン(クヮン) 翰 guàn ㊁カン(クヮン) 諫 ㊂ワン 刪 wān

筆順 ㇄ 口 毋 毌 毌 毌 毌 貫 貫 貫 貫

字義 ㊀❶つらぬく。㋐うがつ。つき通す。「貫通」㋑やりとおす。しとげる。㋒意志や趣旨が初めから終わりまで変わらない。用例〔論語、里仁〕吾道一以貫レ之わがみちはイッもってこれをつらぬく。▽私の道は一つのことで貫かれているのだ。㋓続く。連ねる。重ねる。❷さし。ぜにさし。穴あき銭をつらぬきつなぐひも。❸貨幣一千銭をいう。❹すじ。すじみち。条理。❺こと(事)。用例〔論語、先進〕仍二旧貫一如レ之何キュウカンによらば、これをいかん。▽昔のことに従ったら、どうだろう。㊁ならう(習)。なれる(慣)。㊂ひく。弓をひきしぼる。国❶カン(クヮン)。㋐銭一千文モン。江戸時代は、九百六十文。㋑重量の単位。一千匁もんめ。三・七五キログラム。㋒武士の知行高の単位。十石。約一・八キロリットル。❷ぬき。柱と柱を横に貫く用材。

名前 かん・つら・とうる・とおる・ぬき 難読 貫井ぬくい

解字 篆文 貫 形声。貝+毌音。音符の毌カンは、物を貫き通した形にかたどる。貝は、財貨・ぜにの意味。貫き通したぜにの意味を表す。

逆 一貫・習貫・縦貫・条貫・突貫・本貫・満貫

【貫△盈】カンエイ (罪が)満ちわたる。罪の多いこと。

【貫魚】カンギョ ①魚を貫き通して並べる。また、その魚。②女官の秩序を正すこと。また、正しい秩序の女官。▼魚は、陰で、女性になぞらえる。

【貫行】カンコウ 続けて行う。やり続ける。やりとげる。

【貫日】カンジツ・ひをつらぬく 太陽をつらぬく。用例〔史記、鄒陽伝〕白虹貫レ日ハッコウひをつらぬく。▽白い虹(武器)が太陽(君主)をつらぬく(戦乱や戦争で君主の身に害が及ぶ不吉なきざし)。

【貫主・貫首】㊀カンシュ かしらだった人。㊁カンジュ・カンス ①仏一宗一派の頭領。もと、天台宗の座主ザス(最高の僧職)。比叡山ヒエイザン延暦寺エンリャクジの長をいう。②国蔵人頭くろうどトウの別称。

【貫珠】カンシュ ①たまを連ねる。次第に美正なものに感化してゆくたとえ。②珠数ジュズ。念珠。

【貫籍】カンセキ 本籍地。生まれ故郷。

【貫△穿】カンセン つらぬき通す。広く学問に通じる意。

【貫通】カンツウ ①つきとおる。つきとおす。②物事のすじみちが通っていること。③よく通ずる(わかる)。物事のすじみちがよくわかる。用例〔南宋、朱熹、大学章句〕一旦豁然貫通焉イッタンカツゼンとしてカンツウす。▽いっぺんにからりとして何のさわりもなく通じ、物事の筋道がよくわかった。

【貫徹】カンテツ つらぬきとおす(とおる)。「初志貫徹」

【貫△瀆】カントク なれあなどって、けがす。

【貫流】カンリュウ つらぬいて(通り抜けて)流れる。

【貫△禄】カンロク 国身にそなわる威厳。おもみ。

4 【賢】 11画 11527 ケン 賢(11593)の俗字。→一三六三ジペー上。

4 【質】 11画 11528 シツ 質(11576)の俗字。→一三六〇ジペー中。 7636 E6C2 —

4 【責】 11画 11529 教5 セキ せめる 3253 90D3 —

㊀漢サク・呉シャク 陌 zé ㊁漢サイ・呉シャ 卦 zhài 慣セキ

筆順 一 十 キ 丰 青 青 青 責 責 責 責

字義 ㊀❶せめる。㋐もとめる。義務の履行を求める。㋑そしる。とがめる。しかる。「叱責シッセキ」㋒罪を正す。㋓すすめる。望む。「責善」❷せめ。㋐とがめ。㋑つとめ。義務。「引責」「職責」㊁おいめ。負債。

使いわけ せめる〔攻・責〕⇨攻(4516)。

解字 甲骨文 金文 篆文 形声。もと、貝+朿音。音符の朿シは、とげの象形で、せめるの意味。金品をせめ求めるの意味を表す。

逆 引責・言責・自責・重責・職責・問責

【責過】セキカ せめとがめる。あやまちをせめる。

【責課】セキカ・セッカ みつぎものをきびしく催促する。

【責求】セキキュウ せめたてて追究する。

【責言】セキゲン せめとがめる。また、そのことば。難詰。

【責△詬】セキコウ せめのしる。せめしかる。

【責主】サイシュ 貸し手。債権者。債主。

【責譲(讓)】セキジョウ せめとがめる。しかる。責誚セキショウ。

【責成】セキセイ 命じた仕事がきちんと仕上がるように要求し、できが悪い時にはとがめ叱る。

【責善】セキゼン・ゼンをせむ よい行いをするようにすすめる。用例〔孟子、離婁下〕責レ善朋友之道也ゼンをせむるは、ホウユウのみちなり。▽よい行いをするようにすすめることは、朋友の間の道である。

【責難】セキナン 難しい事をするようにすすめ求める。

【責任】セキニン ①当然ひきうけてやらねばならぬつとめ。②国行為の(悪い)結果に対するせめ。

【責罵】セキバ せめのしる。罵倒。叱責シッセキ。責詬セッコウ。

【責備】セキビ 完全であることを要求する。

【責望】セキボウ もとめ望む。要求する。また、もとめうらむ。要求して思うように報いられないのをうらむこと。

【責務】セキム 国当然はたさなければならぬつとめ。責任と義務。任務。

【責問】セキモン せめとう。とがめる。問責。

【塞レ責】せめをふさぐ 自分の責任をはたす。

4 【戝】 11画 11530 ゾク 賊(11558)の俗字。→一三五八ジペー中。 7635 E6C1 —

参考 一説に、財(11522)の俗字。

4 【貪】 11画 11531 常 ドン むさぼる 7637 E6C3 —

漢タン・呉トン 覃 tān 慣ドン

筆順 ノ 人 𠆢 今 今 含 含 貪 貪 貪 貪

字義 ❶むさぼる。あくことを知らずに物をほしがる。よくばる。用例〔史記、項羽本紀〕沛公居二山東一時、貪二於財貨一、好二美姫一ハイコウサントウにおりしとき、ザイカをむさぼり、ビキをこのめり。▽沛公は、山東にいた時は、宝を貪り取り、美人を好んで近づけたものです。❷よくばり。用例〔史記、管仲伝〕鮑叔不下以レ我為上レ貪ホウシュクわれをもってタンとなさず。▽鮑叔はわたしをよくばりだとは言わなかった。❸さぐる。=探(4255)。

解字 篆文 会意。貝+今。今は、含の一部で、ふくむの意味。金品を含みこむ、むさぼるの意味を表す。また、探に通じ、さぐるの意味を表す。

【貪愛】タンアイ むさぼりこのむ。

【貪位】タンイ その才能にすぎた位に居すわること。

【貪汚】タンオ 欲が深くて心がきたない。

【貪△枉】タンオウ 貪欲で邪悪なこと。また、その者。

【貪△猾】タンカツ 欲が深くわるがしこいこと。また、その者。

【貪虐】タンギャク 欲が深くてむごい。むさぼって残酷。

【貪競】タンキョウ 争ってむさぼること。

【貪見】ドンケン 仏自分の心情にかなう物事に執着することで起こる、種々の間違った考え。

【貪残(殘)】タンザン 欲張りでむごい。貪欲で残酷。
【貪恣】タンシ 欲が深くてわがまま。
【貪着・貪著】タンジャク・トンジャク 仏物事に執着し、むさぼり求めてやまないこと。頓着トンジャク。
【貪色】タンショク 色を好む。美人を好む。
【貪生】タンセイ 生をむさぼる。ひたすら生きながらえようとする。
【貪惜】タンセキ むさぼりおしむ。欲が深くてものおしみする。
【貪溺】タンデキ むさぼりおぼれる。
【貪△叨】タントウ ①むさぼる。欲が深い。▼叨も、むさぼる意。②欲が深く残忍なこと。▼叨は、そこなう意。
【貪△鄙】タンピ 欲が深くて、心がいやしいこと。用例〔史記、滑稽伝〕起而為レ吏、身貪鄙者余レ財、不レ顧ニ恥辱一(たちてリとなるも、みタンピなるものは、ザイをあまし、チジョクをかえり(へり)みず)。↓身を立てて役人になっても、欲張りで卑しい者は財産を蓄え、恥を恥ともしない。
【貪夫】タンプ 欲の深い男性。欲ばり。用例〔史記、伯夷伝〕貪夫徇レ財、烈士徇レ名(タンプはザイにしたがい(ひ)、レッシはなにしたがう(ふ))。↓欲の深い男はひたすら財のために死に、忠義・正義の心の激しい士はただ名のために身命を捨てる。
【貪冒】タンボウ 欲が深く、むさぼる。
【貪暴】タンボウ 欲が深く、あらあらしいこと。貪欲で暴虐。
【貪名】タンメイ 名誉・評判をむさぼる。
【貪欲・貪△慾】タンヨク・ドンヨク いつまでも満足することがなく欲の深いこと。仏教では、十悪の一つに数える。用例〔史記、李斯伝〕貪欲無レ厭(ドンヨクにしてあくことなし)。↓欲が深くていつまでも満ち足りることがない。
【貪△婪・貪△惏】タンラン・ドンラン 非常に欲が深い。
【貪吏】タンリ 欲の深い(賄賂ワイロなどをとる)役人。用例〔史記、滑稽伝〕貪吏安可レ為也(タンリいずくんぞなるべけんや)。↓そんな貪吏にどうしてなることができようか。
【貪利】タンリ 利をむさぼる。あくことなく利益をほしがる。
【貪△吝・貪△悋・貪△遴】タンリン・ドンリン 欲が深くてけちなこと。
【貪戻】タンレイ 欲が深く、人としての道にもとること。
【貪恋】タンレン 物事にひどく心がひかれる。
【貪△狼】タンロウ ①欲深いおおかみ。②欲が深くて心がよこしまなこと。また、その人。▼狼は、道にもとる意。

4 【貳】 11画 11532 ニ 弐(3297)の俗字。→四六五ジペ下。 7641 E6C7 ―

4 【敗】 11画 (4543) ハイ 支部。→六二五ジペ中。

4 【販】 11画 11533 常 ハン 漢ハン・呉ホン 願 fàn 4046 94CC ―

筆順 丨 冂 月 目 貝 貝 貯 販 販

字義 ❶ひさ-ぐ。あきなう。売る。また、行商。「販売」❷あきない。商売。

名前 ひさ

解字 篆文 形声。貝＋反音。音符の反は、かえすの意味。受けとる財貨に相当する財貨を返す、あきなうの意味を表す。

逆市販・私販・負販

【販売(賣)】ハンバイ うる。物を安く買って高く売る。
【販夫】ハンプ 商人。また、行商人。
【販路】ハンロ 国品物を売りさばく方面。売物のはけぐち。

4 【貧】 11画 11534 教5 ヒン・ビン まず-しい 漢ヒン・呉ビン 真 pín 4147 956E ―

筆順 ノ 八 分 分 㕣 㕣 貧 貧 貧

字義 ❶まず-しい。まづし。↔富(2678)。㋐財貨がとぼしい。❷まずしいこと。また、まずしい人。㋑学問・才徳が乏しい。❸すくない。たりない。「貧弱」「貧血」

解字 篆文 形声。貝＋分音。音符の分は、わけるの意味。財貨が分散して少なくなる、まずしい意味を表す。

逆清貧・赤貧

【貧窮】ヒンキュウ・ビングウ まずしくて、生活に苦しむ。貧困。
【貧居】ヒンキョ まずしいすまい。また、まずしいくらし。
【貧苦】ヒンク まずしく、生活に苦しむ。
【貧△窶】ヒンク まずしくみすぼらしい。
【貧交行】ヒンコウコウ 杜甫ホトの作った七言古詩の題。当時の人の友情が、昔の管鮑交(カンポウのまじわ(は)り)にくらべて、軽薄なことをなげいたもの。▼貧交は、貧しい時の交際。
【貧△巷】ヒンコウ まずしい人々の住むちまた。貧民窟ヒンミンクツ。スラム街。
【貧困】ヒンコン ①まずしくて生活が苦しい。貧窮。②国非常に少ないこと。
【貧者△之一灯(燈)】ヒンジャのイットウ まずしい人が、苦しい生活の中から真心をこめて神仏にそなえる一灯。金持ちのささげる万灯(長者の万灯)よりまさるとされる。〔賢愚経〕
【貧弱】ヒンジャク ①まずしくてよわい。また、その人。②国やつれてみすぼらしい。見劣りがする。
【貧△賤】ヒンセン ①貧乏で身分が低い。②自分を卑下していうことば。
【貧△賤△之交不レ可レ忘】ヒンセンのまじわ(は)りはわするべからず まずしく身分が低いときに交際してくれた友人は、いつまでも忘れてはならない。〔後漢書、宋弘伝〕
【貧△賤不レ能レ移】ヒンセンもうつすにあたわ(は)ず 貧賤の苦しい境遇も、道を守る立派な人間の節操を変えることはできない。〔孟子、滕文公下〕
【貧素】ヒンソ まずしくて何もないこと。貧乏。また、貧乏人。
【貧相】ヒンソウ 貧乏人らしい顔かたち。みすぼらしいようす。↔福相(一〇四三ジペ上)。
【貧△餒】ヒンタイ まずしくて、うえていること。貧乏で食べ物がないこと。
【貧到レ骨】ヒンほねにいたる 貧乏が骨にしみる。極貧のたとえ。貧徹レ骨(ヒンほねにテッす)。〔唐、杜甫、又呈ニ呉郎一詩〕
【貧道】ヒンドウ 僧が自分をいう謙称。後、道士も用いた。
【貧富】ヒンプ まずしいことと富むこと。貧乏人と金持ち。
【貧乏】ビンボウ 財産などが少なく、生活が苦しいこと。
【貧△羸】ヒンルイ まずしくて弱っていること。また、その人。
【貧△陋】ヒンロウ まずしくてむさくるしい。

4 【貶】 11画 11535 ヘン 琰 biǎn 7642 E6C8 ―

字義 ❶おと-す。㋐へらす。欠く。㋑しりぞ-ける。しりぞく。下げる。官位を下げる。用例〔唐、韓愈、左遷至ニ藍関一示ニ姪孫湘一詩〕一封朝奏九重天、夕貶ニ潮州一路八千(イップウあしたにソウす、キュウチョウのテン、ゆう(ふ)べにチョウシュウにヘンせらるみちハッセン)。↓一通の上奏文を、朝、九重の御殿においでになる天子に奉ったところ、夕方には、遠く潮州へ左遷されることになった。㋒けな-す。そしる。「褒貶」㋓さげす-む。おとし-める。おとしむ。❷おちる。くだる。

解字 篆文 形声。貝＋乏音。音符の乏は、とぼしい・しりぞけるの意味。財貨が足りない、へるの意味や、そしるの意味を表す。

【貶降】ヘンコウ 官位をおとししりぞける。貶退。
【貶殺】ヘンサイ へらす。そぐ。省減。
【貶△竄】ヘンザン 官位を下げて遠方へ流すこと。貶謫ヘンタク。貶逐。貶流。
【貶斥】ヘンセキ へらす。また、おとす。けなす。
【貶損】ヘンソン 官位を下げて退ける。貶黜ヘンチュツ。
【貶△謫】ヘンタク ＝貶竄ヘンザン。
【貶△黜】ヘンチュツ 官位を下げて退ける。貶退。貶斥ヘンセキ。
【貶流】ヘンリュウ ＝貶竄ヘンザン。配流。

5 【貽】 12画 11536 イ 支 yí 7638 E6C4 ―

字義 ❶おく-る(贈)。用例〔唐、韓愈、師説〕余嘉ニ其能行二古道一、作二師説一以貽レ之。私は彼が伝統的な学問の学び方を実践した態度を喜ばしく思い、「師の説」を作って贈るのである。❷のこ-す（遺）。のこし伝える。

解字 形声。貝＋台㊟。

【貽訓】 父祖が子孫のために残した教訓。遺訓。

【貽△厥】 ①子孫にのこすはかりごと。制度や法則などについていう。貽謀。『詩経』大雅・文王有声に「貽二厥孫謀一、以燕二翼子一」とあるのに基づく。②孫。

【貽謀】 ＝貽厥①。

5 【賀】 12画 11537 漢カ・呉ガ 箇 hè 教4 ガ　1876 89EA —

筆順 フ カ か 加 加 智 賀 賀 賀

字義 ❶いわ-う。よろこぶ。物やことばを贈り祝福する。❷祝意を表する品物やことば。いわい。よろこび。❸ねぎらう。また、ほめる。❹になう。かつぐ。＝荷(9964)。

名前 いわう・か・が・しげ・のり・ひろ・ます・よし・より

難読 賀永・賀田・賀名生・賀陽・賀来

解字 篆文 賀 形声。貝＋加㊟。音符の加は、くわえるの意味。財貨を人に贈り祝うの意味を表す。

逆 恭賀・謹賀・慶賀・参賀・朝賀・年賀・拝賀・来賀

【賀宴】 祝いのさかもり。祝賀の酒宴。

【賀△筵】 祝いのさかもりの席。祝賀の酒宴の席。

【賀客】 お祝いをのべに来る客。

【賀詞】 ＝賀辞。

【賀辞（辭）】 祝いのことば。祝辞。賀詞。

【賀寿（壽）】 長寿を祝う。

【賀△頌】 祝いたたえる。また、そのことば。

【賀正】 正月（新年）を祝う。▼正は、正月。

【賀知章】 盛唐の詩人。永興（今の浙江省内）の人。字は季真。晩年は四明狂客と号した。飲中八仙の一人。（六五九—七四四）

【賀表】 朝廷や国家に祝い事のあるとき、臣下から奉る祝いの文。

5 【貴】 12画 11538 キ 困 guì 教6 キ たっと-い・とうと-い・たっと-ぶ・とうと-ぶ　2114 8B4D —

筆順 丶 ㄇ 口 中 中 冉 冉 冑 貴 貴

【𧶠】 11591 本字

字義 ❶とうと-い。たっと-い。↔賤(11579)。㋐値段が高い。㋑身分や位が高い。用例（唐、韓愈、師説）無レ貴無レ賤、無レ長無レ少、道之所レ存、師之所レ存也。↓身分の上下に関係なく、年齢の多少に関係なく、道理の存在するところには師が存在するのである。㋒大切である。重要である。また、すぐれている。「貴重品」❷とうとくなる。栄える。高くなる。「騰貴」❸とうと-ぶ。たっと-ぶ。重んずる。大切にする。尊敬する。❹尊敬の意を表す接頭語。「貴国」「貴社」

名前 あつ・あて・き・たか・たかし・たけ・とし・むち・よし

難読 貴下・貴女・貴生川・貴男・貴方

使いわけ たっとい・たっとぶ・とうとい・とうとぶ〔尊・貴〕⇩尊(2732)。

解字 篆文 貴 会意。篆文は、臾＋貝。臾は、両手で人に物をおくっているさまを表す。貝は、金品の意味。おくり物の意味から、とうといの意味を表す。常用漢字の貴は、𧶠の省略体。貴を音符に含む形声文字に、櫃・簣・饋などがある。

逆 高貴・親貴・騰貴・富貴・踊貴・隆貴

【貴意】 国他人の気持ちの敬称。御意。おぼしめし。

【貴下】 国同輩や同輩以下の男性に対する敬称。あなた。

【貴家】 ①他人の家の敬称。②＝貴兄。

【貴介】 ①高い地位・身分。「貴介公子（貴公子）」②他人の弟の敬称。「貴介弟」

【貴客】 ①とうとい身分の客。貴賓。②牡丹の別名。〔花譜〕

【貴官】 ①身分の高い人の敬称。②国㋐他人の官職に対する敬称。㋑役人に対する敬称。

【貴△翰】 国＝貴信。

【貴脚踏二△賤地一】 貴い脚でいやしい地をふむ。よくいらっしゃいましたの意。

【貴近】 高位にあって天子に身近に仕える人。

【貴君】 国第二人称の代名詞。あなた。きみ。

【貴兄】 相手の男性に対する敬称。貴家。貴君。

【貴顕（顯）】 身分が高く、世に知られている人。

【貴公】 ①身分の高い人。②第二人称の代名詞。あなた。日本では、古くは、尊長者に対して、後、同年、またはそれ以下のものに対していう。

【貴公子】 身分の高い家がらの若者。きんだち。貴介公子。

【貴幸・貴△倖】 君主からかわいがられる。寵愛されること。また、その人。

【貴国（國）】 相手の国の敬称。おくに。

【貴主】 天子の娘。公主。

【貴種】 ①高貴な家がらの生まれ。②身分の高い氏族。

【貴州】 省名。湖南・四川・雲南・広西の四省に囲まれた高原地帯で、北には長江の支流の烏江が流れ、南には西江（珠江）上流の諸川が流れる。少数民族が多い。古く鬼方・黔・黔中などと称され、いま黔または貴と略称する。省都は貴陽市。

【貴酬】 国返事の手紙に書きそえることば。お返事。

【貴女】 ①女性をとうとぶ。②身分の高い女性。貴婦人。③国女性に対する敬称。あなた。

【貴信】 国人からの手紙の敬称。お手紙。尊書。貴翰。貴書。

【貴神】 とうとい神童。また、人に富貴を与える神。

【貴紳】 身分の高い人。「貴顕紳士」の略。

【貴人】 ①高貴な人。②漢代、皇后につぐ女官の名。

【貴盛】 地位などが高く、盛んなこと。

【貴戚】 ①高貴な人の親類。貴族の親族。②身分の高い皇后の親類。③王と同姓の貴族。

【貴△賤】 ①とうといことと、いやしいこと。身分の高い人と低い人。用例（唐、韋応物、幽居詩）貴賤雖レ異レ等、出レ門皆有レ営。↓身分の高い人と低い人とその等級が異なっても、家の門を出れば、皆働いている。②価の高いことと低いこと。

【貴族】 ①とうとい身分や家がらの人々。②社会の上流にあり、家がらによって、特権を持つ支配階級。↔平民

【貴体（體）違和】 おからだがお悪いそうでの意。▼違和は、身体の陰陽が調和を失うこと。（四六五ジペー上）。

【貴大】 ①身分が高く、財産や勢力の大きいこと。②ほこりたかぶる。尊大。

【貴地】 ①たっとい地位。高い身分。②国相手のいる土地の敬称。御地。

【貴△冑】 とうとい家柄の子孫。華冑。

【貴重】 ①とうとび重んずること。②身分の高いこと。③非常に大切なこと。

【貴殿】 国①他人の家の敬称。②あなた。同輩、またはそれ以上の人に用いる二人称代名詞。

【貴妃】キヒ 南朝の宋ソウに始まり、唐代、恵妃・華妃と共に三夫人と呼ばれた高位の女官。
【貴賓】キヒン 身分の高い客。
【貴△嬪】キヒン 皇后に次ぐ、高位の女官。三国時代、魏ギの文帝が置いた。
【貴門】キモン ①たっとい家がら。権門。②相手の家に対する敬称。あなたのおうち。お宅。
【貴遊・貴△游】キユウ 上流社会。「貴遊子弟」
【貴遊子弟】キユウのシテイ 上流の子弟。また、王公貴族の子弟でまだ仕官しない者。
【貴要】キヨウ 身分が高く重要な地位にいること。また、その人。
【貴覧(覽)】キラン 国人の見ることの敬称。御覧。高覧。
【挟(挾)レ貴】キをさしはさむ 身分の高いことを鼻にかける。用例〔孟子、万章下〕不レ挟レ長チョウをさしはさまず、不レ挟レ貴キをさしはさまず。↓長所を鼻にかけず、身分の高いことを鼻にかけない。
【無レ貴無△レ賤】キとなくセンとなく 貴賤の区別なくだれでも。

5 【貺】 12画 11539 漢キョウ(キャウ) 呉コウ(クワウ) 漾 kuàng ─ ─ 6311
字義 ❶たま-うたまふ。くださる。❷たまもの。くだされもの。
解字 形声。貝＋兄音。

5 【貰】 12画 11540 人 標 セイ 霽 shì 4467 96E1 ─
筆順 一 十 廾 卅 世 貰 貰 貰 貰
字義 ❶かりる。現金をはらわずに物を買い求める。かけ買いをする。❷ゆるす(赦)。用例〔資治通鑑、漢紀〕令下漢貰二陵罪一、全中其老母上カンをしてリョウのつみをゆるし、そのロウボをまっとう(たう)せしむ。↓漢がわたくし李陵リリョウの罪を許し、老母の天寿を全うさせてくれる。❸ゆるめる。国もら-うもらふ。ア物を贈られる。イ助力を受ける。ウうつりこまれる。「貰い泣き」
解字 篆文 形声。貝＋世音。音符の世は、曳エイに通じ、ひきのばすの意味。金銭の支払いをひきのばすの意味を表す。
【貰赦】セイシャ 罪をゆるす。寛赦。
【貰貸】セイタイ かりと、かし。借貸。

5 【貹】 12画 11541 漢セイ 呉ショウ(シャウ) 敬 shèng ─ ─ 6310
字義 ❶宝。❷富む。
解字 形声。貝＋生音。

5 【貸】 12画 11542 教5 タイ か-す 3463 91DD ─
一タイ 隊 dài 二トク 職 tè
筆順 ノ イ 仁 代 代 侤 貸 貸 貸
字義 一❶か-す。返してもらう約束で金品を一時用立てる。❷ゆるい。ゆるやかにする。二❶かりる。❷こう(乞キ)。❸たがう。国か-し。かすこと(物)。
解字 篆文 形声。貝＋代音。音符の代は、とってかわるの意味。財貨の持ち主がかわるの意味から、ほどこす・かすの意味を表す。
逆 賃貸・転貸
【貸施】タイシ ほどこす。
【貸借】タイシャク かすことと、かりること。かしかり。
【貸△贍】タイセン ほどこす。めぐむ。金品を恵み与えて生活の苦を救うこと。
【貸△宥】タイユウ 刑罰などをゆるくする。
【貸与(與)】タイヨ かしあたえる。かす。貸仮。

5 【貯】 12画 11543 教5 チョ チョ 語 zhù 3589 9299 ─
筆順 冂 月 目 貝 貝' 貝' 貝'' 貯 貯
字義 ❶たくわ-えるたくはふ。また、たくわ-えたくはへ。ためる。また、そのためておいたもの。❷たたずむ(佇チョ)。
名前 おさむ・もる
解字 甲骨文 金文 篆文 形声。貝＋宁音。音符の宁チョは、貯の原字で、物をたくわえるための器具の象形。貝を付して、貨幣をたくわえるの意味を表す。
【貯積】チョセキ・チョシ たくわえつむ。蓄積。
【貯蔵(藏)】チョゾウ 国たくわえ、しまっておく。儲蔵チョゾウ。
【貯蓄】チョチク 金銭などをたくわえておくこと。また、たくわえ。

5 【貼】 12画 11544 常 チョウ は-る 3729 935C ─
チョウ(テフ) 葉 tiē 慣テン
筆順 冂 月 目 貝 貝' 貝' 貼 貼 貼
字義 ❶借金のかたに置く。抵当にする。❷おぎなう。不足を補う。❸は-る。はりつける。「貼付」❹つく。アはりつく。ねばりつく。イ近づく。よりつく。接近する。国チョウテフ。薬の包みを数える単位。
名前 なお・よし
使いわけ はる〔張・貼〕⇨張(3336)。
解字 形声。貝＋占音。
【貼黄】チョウコウ ①唐代、詔勅を改めることをいう。詔勅は黄色の紙に書かれ、それを改めるとき、その上にさらに黄紙をはりつけたのでいう。②政府、または君主に奉る文書の末尾に、大要を記してはりつけた黄色の紙。
【貼付・貼附】チョウフ・テンプ はりつけること。

5 【貳】 12画 (3298) ニ 弐(3297)の旧字体。→四〇五ページ下。

5 【買】 12画 11545 教2 バイ か-う 3967 9483 ─
漢バイ・呉マイ 蟹 mǎi
筆順 丶 冂 冂 冂 罒 罒 買 買 買
字義 か-うかふ。あがなう。ア金銭を出して物を求める。↔売(2192)。「不買」「購買」イ求める。あさる。招く。用例〔戦国策、韓〕所謂市レ怨而買レ禍者也いわゆる(ゆる)うらみをうってわざわいをかう(ふ)ものなり ↓いわゆる怨みを売って災いを買うということだ。国か-うかふ。価値・才能を認める。高く評価する。
解字 金文 篆文 会意。罒(网)＋貝。网は、あみの意味。貝は、財貨の意味。あみをかぶせて財貨をとりいれる、かうの意味を表す。
逆 購買
【買官】バイカン 官を買う。金品を贈って官位を求める。
【買山銭(錢)】バイザンセン・やまをかう(ふ)ゼニ 山を買う金。晋シンの僧、支遁トンが出家の身でありながら山林を買うのが好きであったことを竺法深ジクホウジンにとがめられた故事に基づく。
【買収(收)】バイシュウ ①かいとる。②国金品を与えて、味方にひきこむこと。
【買春】一バイシュン 酒をかう。▼春は、酒。二バイシュン・かいシュン 国相手に金銭を与えて性的欲望を満たす行為を行うこと。
【買笑】バイショウ ①遊女を買いたわむれる。②人にわらわれる。
【買△辦】バイベン ①清シン代の中期以後、中国在住の外人商社と中国人との間に立って、前者に従属しながら後者から中間搾取した商人。②自国の利益を忘れて、外国資本の手先となること。また、その人。買弁。
【買名】バイメイ 自分の名声が世にひろまるようにつとめること。

5 【費】 12画 11546 教5 ヒ つい-やす・つい-える 4081 94EF ─
ヒ 未 fèi
筆順 一 ㇇ 弓 弗 弗 曹 費 費 費

字義 ❶ついやす。金銭・品物や時間・労力などを使ってなくす。「浪費」❷ついえる。減る。なくなる。❸ついえ。㋐かかり。ものいり。「費用」㋑むだづかい。「冗費」❹用途が広い。→費而隠。❺春秋時代、魯の国の地名。今の山東省魚台県の西南。

名前 もち

解字 篆文 形声。貝＋弗音。音符の弗は、ふりはらうの意味。財貨を散じ、ふりはらうの意味を表す。

逆 給費・経費・歳費・私費・冗費・乱費・濫費・浪費

【費耗】ヒコウ 使いへらす。また、費用。

【費△而隠(隱)】ヒにしてイン 君子(聖人)の道のはたらきは、広大であるが、その本体はかすかで人の目につかない。用例〔中庸〕君子之道費而隠。↓君子の道のはたらきは広大であるが、(その本体は)かすかで人の目につかない。

【費心】ヒシン 心をつかう。心配する。また、思いわずらう心。

【費途】ヒト 国金品のつかいみち。

【費目】ヒモク 国費用(入用金)を支出する細かい項目。

【費用】ヒヨウ ①物を買ったり、事を行ったりするときに必要な金。いりめ。ついえ。②つかう。ついやす。

【費力】ヒリョク 精力をついやす。また、人力をすりへらす。

5 【賁】 12画 11547 ヒ 7644 E6CA —

貰(11561)の俗字。→一三六八㌻下。

5 【貿】 12画 11548 漢ボウ・呉モ 宥 mào 教5 ボウ 4339 9666 —

筆順 ノ ㇄ 𠂎 卯 留 留 留 貿

字義 ❶かえる。かわる。たがいに物品をとりかえる。「貿易」❷かう(買)。❸あきなう。売り買いする。❹かわる。いれかわる。❺みだれる。乱雑になる。

解字 金文 篆文 形声。貝＋卯音。音符の卯ボウは、貿の原字で、同形のものを左右相称に置いて、同じ価値の物とかえるの意味を表す。卯が、十二支の「う」の意味に用いられるようになり、区別して貝を付した。

【貿易】ボウエキ ①各地の産物を取りかえること。今、外国との物資の取り引きをいう。用例〔史記、貨殖伝〕以物相貿易。↓物資をお互い取りかえる。②いれかわり変化する。

【貿首△之△讐】ボウシュのあだ うらみが深く、相手のくびを得ようとするほどのかたき。〔戦国策、楚〕

【貿貿】ボウボウ 同貿貿焉ボウボウエン・貿貿然。①目の明らかでないさま。目がかすむさま。②道理に明らかでないさま。

【貿貿△焉】ボウボウエン ＝貿貿。

【貿貿然】ボウボウゼン ＝貿貿。

6 【賅】 13画 11549 カイ 灰 gāi — — 6312

字義 ❶そなわる。完備している。❷たりる。たす。

解字 形声。貝＋亥音。

6 【賈】 13画 11550 一漢コ・呉ク 麌 gǔ 二漢カ・呉ケ 禡 jiǎ 7643 E6C9 —

字義 一❶あきなう。品物を売り買いする。商売する。用例〔史記、管仲伝〕吾始困時、嘗与鮑叔賈。↓わたしがもと貧困であった時、鮑叔といっしょに商売をしたことがあった。❷あきない。店をかまえてする商売。❸あきんど。店をかまえた商人。→参考「商賈」❹しなもの。売る品物。❺売る。❻買う。また、買ってくれる人。二あたい(価)。値段。

参考 もともとは、行商人を「商」といい、店を持つ商人を「賈」といった。

解字 篆文 形声。貝＋襾(西)音。音符の襾カは、おおうの意味。財貨をしまっておき、あきなうの意味を表す。

【賈禍】カカ ＝賈害。

【賈△儈】コカイ 口銭(売買のなかだちをした手数料)を取る商人。さいとり。

【賈害】コガイ 自らわざわいをまねく。賈禍。

【賈客】コカク 商人。異民族の商人。

【賈△逵】カキ ①後漢の儒学者。特に『春秋左氏伝』に通じ、『左氏伝解詁サシデンカイコ』の著を残した。(三〇—一〇一) ②三国時代、魏ギの政治家。曹操ソウ・曹丕ヒに仕えて軍功をたて、予州刺史、関内侯となった。(一七四—二二八)

【賈△誼】カギ 前漢、洛陽ラク(今の河南省洛陽市)の文人。詩文がたくみで辞賦にすぐれていた。著書に『新書』などがある。(前二〇一—前一六九)

【賈△衒】コゲン 商人が物を売ること。▼賈は店で売る、衒は出かけて売る。

【賈胡】ココ 西域の商人。

【賈市】コシ ①いちば。市場。②あきない。商売。

【賈△豎】コジュ いやしい商人。商人をののしることば。

【賈人】コジン 商人。用例〔唐、白居易、琵琶行序〕委レ身為二賈人婦一。↓結婚して商人の妻となった。

【賈船】コセン 商船。

【賈島】カトウ 中唐の詩人。范陽ハン(今の河北省内)の人。字は浪仙。一時僧となったが、韓愈ユに認められて還俗ゲンし、進士に合格した。推敲スイコウ(五九六㌻上)の故事で知られる。著書に『長江集』がある。(七七九—八四三)

【賈貿】コボウ あきないをする。

【飾レ賈】カをかざる かけ値をする。

【待レ賈】カをまつ ＝待賈コタイ(五〇五㌻下)。

賈島

6 【賋】 13画 11551 コウ — — 6315

皎(7878)と同字。→九四四㌻上。

6 【資】 13画 11552 教5 シ 2781 8E91 —

6 【資】 13画 11553 シ 支 zī

筆順 冫 冫 汁 次 次 济 资 資 資

字義 ❶たから。財貨。❷もと。㋐もとで。「資金」「資本」㋑よりどころとなるもの。「学資」「資格」「物資」❸たすける。金品を与えて助ける。❹与える。支給する。❺とる(取)。❻よる(依)。たよる。たのむ。❼たち。もちまえ。生まれつき。「資質」「天資」

名前 し・すけ・たか・たすく・ただ・とし・もと・もとい・やす・よし・より

解字 篆文 形声。貝＋次音。音符の次は、とりつくろわない、リラックスした人の象形。特に無理に他から調達することなく、手持ちのもとからある財貨、もとでの意味やもちまえの意味を表す。

逆 英資・軍資・師資・融資

【資△蔭(△廕)】シイン 父祖のてがらのおかげで、子孫が官位を授けられること。

【資益】シエキ たすけふやす。たすけて利益を得させる。

【資援】シエン たすける。また、たすけ。

【資格】シカク ①身分、または地位。②その物事に必要な条件。③天性の資質。

【資給】シキュウ たすけあたえる。供給する。

【資業】シギョウ 資産。財産。用例〔人虎伝〕吾於二人世一、且無二資業一。↓私は人間の世界で、何の財産も残さなかった。

【資源】シゲン ①財貨のもと。財源。②埋蔵されている鉱物・水産物等の総称。

【資材】シザイ ①たから。財産。②うまれつき。③物を作るもとになる材料。

【資財】シザイ ①たから。資産。②うまれつき。資材。

【資産】シサン 財産。しんだい（身代）。

【資始】シシ それをもとにしてなしはじめる。

【資治通鑑】シジツガン 歴史書。二百九十四巻。北宋ホクソウの司馬光の著。元豊七年（一〇八四）に成立。周末の威烈王から五代後周の世宗までの千三百六十二年間を編年体に編述したもの。略して『通鑑』ともいう。

【資治通鑑綱目】シジツガンコウモク 五十九巻。南宋ナンソウの朱熹シュキの著。司馬光の『資治通鑑』の要目を摘録したもの。

【資質】シシツ うまれつき。資性。性質。

【資生】シセイ それをもとにして生ずる。

【資性】シセイ うまれつき。もちまえ。天性。天資。

【資治】シチ・シをたすく 国家を治めるたすけとする。政治のたすけとなる。

【資△儲】シチョ たくわえ。蓄積。

【資△稟】シヒン うまれつき。天性。資性。資質。

【資△斧】シフ 古代、旅行の時にたずさえて、いばらをきりはらうために用いた道具。転じて、ひろく旅費の意味に用いる。▼資は、金。

【資幣】シヘイ 貨幣。

【資幣物】シヘイブツ 贈り物。用例（史記、刺客伝）持二千金之資幣物一、厚遺二秦王寵臣中庶子蒙嘉一（センキンのシヘイブツをジし、あつくシンオウのチョウシンチュウショシモウカにおくる）⇩黄金千金に値する贈り物を持参し、丁重に秦王のお気に入りの家臣で中庶子の蒙嘉に贈った。

【資弁（辯）△捷疾】シベンショウシツ 弁舌が人にすぐれて達者で、行動が機敏であること。

【資望】シボウ 資格と名望。身分・家がらと世間の評判。

【資本】シホン 事業のもとになる金銭や品物。

【資用】シヨウ ①もとでとして用いる。②必要な金銭・物品。

【資料】シリョウ ①もと。原料。②研究・調査のもとになるもの。

【資力】シリョク ①資産の力。財力。②資本。もとで。

【資糧】シリョウ 物資や食料をいう。「資財糧食」の略。

6【貲】13画 11554 シ 支 zī 7639 E6C5 —

字義 ❶あがなう。財貨をだして罪をゆるしてもらう。❷たから。もとで。身代。＝資(11552)。「貲産」「貲財」❸あたい（価）。❹はかる。＝咨(1460)。

解字 形声。貝＋此㊥。

【貲財】シザイ 貲産。たからや、かね。財産。

【貲産】シサン 資産。財産。

6【貤】13画 11555 ジュツ 恤(3715)と同字。→五四五ジ・上。 — — 6314

6【賎】13画 11556 セン 賤(11579)の俗字。→一三六一ジ・中。 3308 9147 —

6【賍】13画 11557 ゾウ 贓(11627)の俗字。→一三六六ジ・中。 7660 E6DA —

6【賊】13画 11558 常 ゾク 3417 91AF —

6『賊』13画 11559 漢ゾク 呉ゾク 職 zéi

筆順 冂 目 貝 貝 貝 貯 賊 賊 賊

【戝】11530 俗字

字義 ❶そこなう。害する。やぶる。用例（墨子、兼愛中）人与レ人相愛、則不二相賊一（ひとひとあい(ひ)あいすれば、すなわ(ち)あいそこな(は)ず）⇩人と人とがお互いに愛し合えば、お互いにきずつけ合わない。❷ころす（殺）。❸しいたげる（虐）。❹ぬすむ。また、ぬすびと。「義賊」❺わるもの。悪人。国家・社会の秩序を乱す人。「山賊」「国賊」❻わるい。また、あやしい。❼あだ。外国から攻め寄せる敵。

解字 金文 篆文 形声。戈＋則㊥。戈は、まさかりの象形。音符の則は、かなえに刻されたちかいの意味。ちかいを破りそこなうの意味を表す。

逆 義賊・逆賊・国賊・残賊・盗賊・馬賊・流賊

【賊△魁】ゾッカイ・ゾクカイ 賊のかしら。賊首。

【賊害】ゾクガイ 人をいためそこなう。傷つける。損害を与える。用例（北宋、欧陽脩、朋党論）及二其見レ利則争レ先、或利尽則交疎、甚者反相賊害一 ⇩利益をみつけては先を争い、あるいは利益がなくなれば交際が疎かになり、かえって互いに邪魔しあう。

【賊虐】ゾクギャク そこない、しいたげる。

【賊軍】ゾクグン 賊の軍隊。朝廷にそむく軍。

【賊塞・賊△砦】ゾクサイ 賊のとりで。賊堡ゾクホウ。賊塁。

【賊殺】ゾクサツ そこない殺す。

【賊子】ゾクシ ①親を害するような不孝の子。用例（孟子、滕文公下）孔子成二春秋一、而乱臣賊子懼（ランシンゾクシおそる）⇩孔子が『春秋』を著して筆誅ヒッチュウを加えたので、不忠な臣下や不孝の子はおそれおののいた。②反逆の徒。謀反人ムホンニン。

【賊情】ゾクジョウ 賊の様子。賊の形勢。

【賊心】ゾクシン 人をそこなおうとする心。謀反ムホンを起こそうとする心。

【賊臣】ゾクシン 不忠の臣。逆臣。

【賊星】ゾクセイ あやしい星。妖星ヨウセイ。また、彗星スイセイ。

【賊徒】ゾクト 賊のなかま。反逆者ども。賊衆。賊党。

【賊党（黨）】ゾクトウ 賊のなかま。賊徒。賊匪ゾクヒ。

【賊盗】ゾクトウ ぬすびと。盗賊。

【賊△匪】ゾクヒ ぬすびと。どろぼう。盗賊。

【賊兵】ゾクヘイ 賊軍の兵。天子にそむく兵士。賊軍。

【賊民】ゾクミン 人に危害を与える民。不仁の民。

【賊塁（壘）】ゾクルイ 賊のとりで。賊塞ゾクサイ。

6【賃】13画 11560 教6 チン 漢ジン（ヂン）・呉ニン 沁 lìn 慣チン 3634 92C0 —

筆順 亻 仁 仟 任 任 賃 賃 賃

字義 ❶やとう。金銭を払って人を使用する。また、やとわれる。❷かりる。使用料を払って借用する。❸給金。やとい人に与える報酬の金銭。賃金。また、代価。損料。

名前 かぬ・とう

解字 金文 篆文 形声。貝＋任㊥。音符の任は、になうの意味。金品を与えて仕事をになわせる、やとうの意味を表す。

逆 駄賃

【賃金】一チンギン ＝賃銀。二チンキン 借り賃。賃銭。◆一の意味では、古くは「賃銀」と表記したが、現代では「賃金」が一般的。

【賃銀】チンギン 労働者が、その労働の報酬として受け取る金銭。また、やとった人に使用者が支払う金銭。↓賃金。

【賃作】チンサク 賃銀を受けて働く。賃傭チンヨウ。

【賃借】チンシャク・チンがり 使用料を払って、他人のものを借用すること。↔賃貸。

【賃書】チンショ 賃銀をとって人のために文字を写すこと。筆耕。

【賃△舂】チンショウ やとわれて米をつくこと。

【賃貸】チンタイ・チンがし 損料をとって、他人に物品を貸すこと。↔賃借。

6【賁】13画 11561 一ヒ 寘 bì 二漢フン・呉ブン 文 fén 三漢フン・呉ブン 吻 fèn 四ホン 元 bēn

【賁】11547 俗字

字義 一❶かざる。かざり。あや。❷まじる。色がまじる。＝斑(4576)。❸易エキの六十四卦カの一つ。☶☲離下艮上リカゴンショウ。剛と柔とがまじり合っているかたち。🈔❶大きい。❷かざる。る。＝憤(3888)。❷わく。わきたつ。🈔❶いかる。いきどお(2269)。❷いさむ。また、勇士。四❶はしる。＝奔

解字 篆文 賁 形声。貝＋卉(音)。音符の卉は、人の足あとの三つ並んだ形にかたどり、さかんに走るの意味。貝がらに模様がさかんに走っているの意味から、かざるの意味を表す。

【賁育】中国古代伝説上の勇士、孟賁・夏育の二人。ともに秦の武王に仕えた大力の士。「賁育之勇」

【賁来(來)】他人が訪ねてくれることの敬称。賁臨。▼賁は、かざり・あやの意で、光り輝くさま、光彩のあるさま。用例(詩経、小雅、白駒)皎皎白駒、賁然来思。↓真っ白な駒が、光り輝くように飾ってやって来た。

【賁臨】他人が訪ねて来ることの敬称。おいで。御光来。賁来。俗に「フンリン」と読む。

6 【賆】13画 11562 漢ヘン 呉ベン 先 piān ― ― 6313

字義 増す。

解字 形声。貝＋并(音)。

6 【賂】13画 11563 常 ロ 遇 lù 4708 9847 ―

筆順 丨 冂 月 目 貝 貝' 貝ク 貝夂 賂 賂

字義 ❶まいなう。㋐金品を贈与する。㋑こっそり金品を贈ってたのみこむ。❷まいない。㋐贈り物。㋑たのむための不正な進物。袖の下。用例(十八史略、春秋戦国、呉)太宰伯嚭受二越賂一、説二夫差一赦レ越。↓宰相の伯嚭は、越からの賄賂を受け取っていたので、夫差に説き勧めて、越王を許させてしまった。❸たから。財貨。

解字 篆文 賂 形声。貝＋各(音)。音符の各は、いたるの意味。財宝をもたらす・おくるの意味を表す。

【賂遺】わいろを贈ること。賄賂。

【賂謝】まいないの金品。賄賂。賄謝。

6 【賄】13画 11564 常 ワイ まかなう 慣ワイ カイ(クワイ) 賄 隊 huì 4737 9864 ―

筆順 冂 月 目 貝 貝' 貝ナ 財 賄 賄

字義 ❶たから。貨財。金玉を貨、布類を賄という。❷まいなう。㋐金品を贈与する。㋑こっそり金品を贈ってたのみこむ。❸まいない。㋐贈り物。㋑たのむための不正な進物。「賄賂」 国まかなう。また、まかない。㋐食事の世話をすること。㋑経費を間にあわせること。㋒食事

金銭を調達すること。

解字 篆文 賄 形声。貝＋有(音)。音符の有は、食事を手にして人にすすめるの意味。財貨を人に贈るの意味を表す。

逆貨賄・財賄・収賄・贈賄

【賄賂】私利をはかって、こっそり提供する不正な金品。また、その金品を提供すること。袖の下。用例(左伝、昭公六)乱獄滋豊、賄賂並行。↓乱れた訴訟がますます多くなり、贈賄が横行する。

7 【賏】14画 11565 漢エイ 呉ヨウ(ヤウ) 敬 庚 yīng ― ― 6316

字義 首飾り。貝の首飾り。＝嬰(2548)。

解字 会意。貝＋貝。貝を連ねた首飾りの意味を表す。

7 【賕】14画 11566 漢キュウ(キウ) 呉グ 尤 qiú 28913 ― 6318

字義 ❶まいなう。不正な依頼をするために金品を贈ることにいう。特に、法を枉げたり、罪をのがれようとして金品を贈ることにいう。❷まいない。賄賂。袖の下。用例(史記、滑稽伝)受レ賕枉レ法。↓賄賂をもらって無理に法をゆがめた。❸(かたを置いて)もとめる。

解字 篆文 賕 形声。貝＋求(音)。音符の求は、もとめるの意味。金品などを贈って不正なことを求める、賄賂の意味を表す。また、抵当を置いて求めるの意味をも表す。

【賕賂】不正な依頼をするため、こっそり贈る金品。賄賂。袖の下。

7 【賖】14画 11567 シャ 麻 shē 28912 ― 6317

【賒】11568 俗字

字義 ❶おぎのる。かけで買う。現金を払わないで代価を借りて物を買う。❷とおい。はるか。❸ゆるやか(緩)。おそい。❹おごる。おごり。＝奢(2294)。

解字 篆文 賖 形声。貝＋余(音)。音符の余は、のびるの意味。現金の支払いがのびる、かけで買うの意味を表す。

7 【賒】14画 11568 シャ 賖(11567)の俗字。→一三五九ページ中。

7 【賑】14画 11569 人 標 🈔シン 🈔シン 軫 震 zhèn 3888 93F6 ―

筆順 冂 月 貝 貝 貝厂 貝F 賍 賑 賑

字義 🈔❶にぎわう。にぎやか。とむ(富)。栄える。活気がある。「殷賑」❷にぎわい。にぎわうこと。🈔にぎわす。㋐とます(富)。豊かにする。㋑ほどこす。めぐむ。国にぎやか。さわがしい様子。さかんな様子。陽気な様子。

名前 とみ・とも

解字 篆文 賑 形声。貝＋辰(音)。音符の辰は、ふるわすの意味。勇気をふるわせ、人を救うための豊かな金品の意味から、にぎわすの意味を表す。

【賑救】にぎわし救う。貧しい人に金品を与えて救う。賑済。賑給。

【賑給】ほどこし与える。にぎわす。恵む。

【賑済(濟)】ほどこし救う。金品をほどこして、被災者や困窮者を救う。

【賑△恤・賑△卹】ほどこしめぐむ。あわれんで救う。用例(人虎伝)時賑二卹之一、無レ使レ殍二死於道途一。↓しかるべき時に施しをして、道ばたで飢え死にさせることのないようにしてやってくれれば、これまた大きな恩徳だ。

【賑△贍】ほどこし足す。金品を与えて不足を補ってやる。

7 【賓】14画 11570 ヒン 賓(11585)の俗字。→一三六三ページ上。

7 【賔】14画 (11586) ヒン 賓(11585)の旧字体。→一三六三ページ上。

8 【賣】15画 11571 イク(ヰク) 屋 yù 28915 ― ―

字義 売り歩く。

参考 〔賣〕(2193)は別字。

解字 会意。貝＋㚅。

8 【賡】15画 11572 漢コウ(カウ) 呉キョウ(キャウ) 庚 gēng 19225 ― 6321

字義 ❶つぐ(続)。つづける。引きつぐ。❷つぐなう(償)。

解字 形声。貝＋庚(音)。貝は、金品の意味。音符の庚は、もちあげるの意味。金品をとりあげて人に贈る、つぐなうの意味を表す。

【賡歌】他人に続いて詩歌を和しうたう。賡唱。

【賡酬】他人と詩歌を贈答する。酬賡。

8
【賛】 15画 11573 教5 サン
12 ［贊］ 19画 11574 サン 翰 zàn

2731 8E5E ―
7653 E6D3 ―

筆順 一 二 チ 夫 扶 扶 替 替 賛 賛

字義 ❶まみえる。お目にかかる。❷たすける。助力する。「協賛」「翼賛」❸みちびく。引く。❹すすめる。出す。❺つげる(告)。とく(説)。❻たたえる。ほめる。「賞賛」「自賛」❼文体の一種。人徳をほめたたえる文。雑賛・哀賛・史賛の三体に分類される。❽絵画などのかたわらに書く文。「画賛」

名前 あきら・さん・じ・すけ・たすく・よし

参考 現代表記では〔讃〕(11415)の書きかえに用いる。「讃辞→賛辞」「絶讃→絶賛」。熟語は〔讃〕をも見よ。

解字 篆文 形声。貝＋扶(兟)音。音符の兟は、すすめるの意味。神に供え物をすすめて、まみえる・つげる・たたえる・たすけるの意味を表す。

逆 画賛・共賛・協賛・自賛・称賛・賞賛・図賛・絶賛・奉賛・翼賛・礼賛・論賛

【賛意】 賛成する気持ち。賛成の意志。
【賛画(畫)】 計画を助けること。
【賛仰】 徳をあおぎたっとぶ。ほめたたえてあおぐ。鑽仰の誤用。
【賛辞(辭)】 ほめことば。賛語。讃辞。
【賛述】 ほめたたえる。讃述。
【賛助】 たすける。わきから力をそえて助ける。賛翼。
【賛称(稱)】 ほめたたえる。称賛。讃称。
【賛唱】 ほめたたえてうたう。また、ほめたたえたうた。
【賛△頌】 文体の名。賞賛の文。⇩コラム漢文(八六八ページ)。
【賛成】 ①同意して成立させる。助けて成しとげる。②国人の意見などをよいと認める。同意する。
【賛嘆・賛△歎】 感心してほめる。讃嘆。
【賛同】 ＝賛成。
【賛拝(拜)】 臣下が君主に謁見するとき、君主の介添えの者が拝礼のきまりを唱えること。
【賛否】 賛成と不賛成。
【賛美】 ほめたたえる。称賛。讃美。
【賛普】 吐蕃の王の号。
【賛揚】 ほめあげる。讃揚。

8
【賜】 15画 11575 常 シ たまわる
シ 寘 cì

2782 8E92 ―

筆順 冂 月 目 貝 貝 貝 賏 賜 賜

字義 ❶たまう。㋐あたえる。目上の人から下の者に与える。くださる。「恩賜」「下賜」㋑ほどこす(施)。めぐむ(恵)。㋒いいつける。命令する。❷たまわる。いただく。ちょうだいする。❸たまもの。いただきもの。めぐみ。「厚賜」❹つきる(尽)。

名前 し・たま・たもう・ます

解字 金文 篆文 形声。貝＋易音。音符の易は、提に通じ、腕をつきだすの意味。目上が目下に金品をおしやって与える、たまうの意味を表す。

逆 恩賜・下賜・賞賜・褒賜

【賜宴】 天子が臣下のために宴会をもよおすこと。また、その宴会。
【賜暇・賜仮(假)】 休暇をたまわる。また、官から許された休み。
【賜金】 お金をたまわる。また、下賜されたお金。
【賜見】 お目どおりを許される。
【賜告】 官吏に休暇をたまわること。
【賜△諡】 諡を天子からたまわる。また、そのおくりな。
【賜杯】 ①臣下にさかずきをたまわる。②国天皇・皇后や皇族から競技の優勝者にたまわる優勝カップ。
【賜物】 物をたまわる。また、たまわった物。たまもの。
【賜予・賜与(與)】 たまわる。また、下され物。
【賜△賚】 たまもの。また、それをたまわること。

8
【質】 15画 11576 教5 シツ・シチ・チ
一 漢シツ・呉シチ 質 zhì
二 チ 寘
三 シ 寘

2833 8EBF ―

［貭］ 11528 俗字

筆順 ノ 𠂊 斤 斤 斦 斦 質 質 質

字義 一 ❶もの。形のあるもの。形体。からだ。「物質」❷なかみ。内容。もと。根本。「本質」「実質」「原形質」❸たち。もちまえ。生まれつき。物のしつ。「性質」「神経質」「硬質」↕形(3370)・量(12460)。❹まこと。真心。事実。❺きじ(生地)。本来の姿。かざりけのないこと。↕文(4573)。用例(論語、雍也)文質彬彬、然後君子。↓外見と実質とがほどよく調和して、初めて君子と言える。❻ただす。㋐是非を明らかにする。㋑疑問を問いただす。❼抵当。人質。また、しちにおく。抵当に入れて借金する。二＝一❼。用例(十八史略、春秋戦国、斉)秦昭王聞其賢、乃先納質於斉以求見。↓秦の昭王は、孟嘗君が賢明であると聞いて、そこでまず、人質を斉に送り、会いたいと申し入れた。三にえ。君主や先生にさしだす礼物。＝贄(11607)。

名前 かた・さだ・すなお・ただ・ただし・み・もと

解字 篆文 会意。所＋貝。所は、割り符の意味か。金銭に相当する財貨、しちの意味を表す。また、信に通じ、まこと・生地の意味をも表す。

逆 委質・気質・言質・才質・材質・資質・実質・性質・素質・体質・特質・美質・文質・変質・本質・麗質

【質義】 意義を質問する。
【質疑】 疑いを問い正す。問疑。「質疑応答」
【質言】 かざりけのないことば。誠実なことば。
【質子】 ひとじち。子をひとじちとする。また、その子。
【質実(實)】 かざりけがなく誠実。「質実剛健」
【質正】 是非を正す。正しいか否かを明らかにする。
【質性】 生まれつき。かざりのない心。性質。資性。
【質責】 せめただす。
【質素】 かざりけがないこと。じみ。
【質直】 かざりけがなくじみで、正直なこと。
【質的】 ①弓のまと。射的。②国質に関係する。内容的。
【質△訥】 かざりけがなくて口が重い。まじめで訥弁。
【質文】 生地のままの質朴さと外形上の文飾。実質内容に重きをおくことを質といい、形式文飾に重きをおくのを文という。『論語』雍也編に「質勝文則野、文勝質則史」とあるのに基づく。
【質木・質朴・質△樸】 誠実でかざりけがない。
【質明】 夜明けごろ。黎明。正旦。
【質料】 形相・形式に対して、それを構成する素材・内容。
【質量】 ①物理学で、物体中に含まれる実質の量。②質と量。性質と分量。

8
【賙】 15画 11577 漢シュウ(シウ) 呉シュ 尤 zhōu

28914 ― 6319

字義 ❶あたえる(給)。ほどこす。❷たす(足)。金品を与えて不足したのを満たしてやる。「賙贍」❸すくう(救)。

解字 形声。貝＋周音。音符の周は、あまねくゆきわたるの意味。金品をゆきわたらせる、ほどこすの意味を表す。

【賙△卹・賙△恤】ほどこしめぐむ。

【賙△贍】ほどこし足す。金品など不足しているものを補い足してやる。

8【賞】15画 11578 教5 ショウ
ショウ(シャウ) 養 shǎng
3062 8FDC 一一

筆順

字義 ❶たまわる。功労のあった人に、ほうびとして財貨を賜る。❷ほ-める ほむ。㋐功績・善行をほめたたえる。「激賞」 ㋑美点をほめ、愛してたのしむ。「鑑賞」「賞味」 ❸たまもの。ほめて与えるもの。ほうび。「授賞」 ❹たっとぶ。=尚(2747)。

名前 たか・たかし・たま・ほむ・よし

解字 金文 篆文 形声。貝+尚音。音符の尚は、当(當)に通じ、あたるの意味。功績に相当する財貨、ほうびの意味やほめるの意味を表す。

逆 恩賞・観賞・鑑賞・刑賞・慶賞・激賞・懸賞・行賞・受賞・嘆賞・褒賞・幽賞

【賞会(會)】寄り合ってめで楽しむ。また、心楽しい会合。

【賞格】ほうびを授ける規定。

【賞鑑・賞△鑒】人物・書画・骨董などを目ききしてめでる。鑑定して賞美する。

【賞玩・賞△翫】①ほめもてあそぶ。めでたのしむ。②国㋐賞味する。㋑尊重する。

【賞給】ほうびとしてたまわること。

【賞勲(勳)】てがら(勲功)のあった人をほめる。賞功。

【賞刑】ほめることと罰すること。善人をほめ悪人を刑罰に処すること。

【賞功】てがらをほめる。

【賞賛(贊)・賞△讃】ほめそやす。ほめたたえる。

【賞詞】(善行などを)ほめることば。賞辞。賛辞。

【賞賜】功労・善行をほめて、金品・官位などを賜う。賞錫。

【賞首】第一等のほうびを受ける人。最高殊勲者。

【賞状(狀)】すぐれた善行・功績などのあった人に与える書状。

【賞心】けしきをめでる風流な心。また、広く心のよろこび楽しむこと。

【賞嘆・賞△歎】感心してほめはやす。

【賞典】①ほめてたまわる金品。賞品。賞金。②賞与についての規定。

【賞田】ほうびとして与えられた田地。勲功の賞としてたまわる土地。

【賞杯・賞△盃】①善行・功労などの賞として与える(金・銀・木などの)杯。②競技などで、入賞者・入賞団体に賞として与える杯・カップ。

【賞△牌】国入賞者・入賞団体に賞として与える記章・メダル。

【賞罰】賞と罰。ほめることと罰すること。

【賞罰△之柄】賞罰を行使する権力。

【賞罰無レ章】賞罰が正しく行われないこと。

【賞美】ほめたたえる。称美。賛美。

【賞△賻】死者の功をほめて物を与える。

【賞味】ほめ味わう。おいしくいただく。

【賞与(與)】①ほうびに物を与える。また、そのもの。②国ボーナス。

【賞誉(譽)】ほめる。

【賞揚】ほめそやす。ほめあげる。称揚。

【賞弄】ほめて楽しむ。

8【賤】15画 11579 標 漢セン 呉ゼン 霰 jiàn
[賎] 11556 俗字
7645 E6CB 一一

字義 ❶いや-しい いやし。↕貴(11538)。㋐やすい。値段が安い。安価。用例〔唐、白居易、売炭翁詩〕可レ憐身上衣正単、心憂二炭賤一願二天寒一。↓気の毒にも、身につけた着物は、まぎれもなくひとえもの一枚、それでいて、じいさんは炭のねだんが安くなることを心配し、かえって寒い日が続くことを願っている。㋑身分が低い。等級が低い。「下賤」 ㋒下品でけがらわしい。㋓自分に関する物事につけて謙譲の意を表す。「賤妾」❷いやしいこと。身分が低い人。用例〔論語、里仁〕貧与レ賤、是人之所レ悪也。↓貧乏と低い身分とは、どんな人でもいやがるものだ。❸いや-しむ。さげすむ。みさげる。また、見捨てる。用例〔史記、滑稽伝〕諸侯聞レ之、皆知二大王賤レ人而貴一レ馬也。↓諸侯がこのことを聞けば、皆大王さまは人を卑しんで馬を貴んでいるということをおわかりになることでしょう。

国しず。㋐いやしいこと。身分が低い人。㋑自分の謙称。わたくしめ。

難読 賤ヶ岳・賤機山

解字 篆文 形声。貝+戔音。音符の戔は、小さい・すくないの意味。金品が少ないの意味から、身分が低いの意味を表す。

【賤易】さげすみあなどる。軽蔑する。賤侮。

【賤役】いやしいつとめ。また、つまらないしもべ。

【賤悪(惡)】いやしみにくむ。

【賤価(價)】①安い値段。安価。廉価。②値段を安くする。

【賤棄】いやしみ捨てる。

【賤技・賤伎】①いやしいわざ。②自分の技芸を謙遜していう。

【賤業】いやしい仕事。いやしい職業。〔漢書、王吉伝〕

【賤△軀】いやしいからだ。自分の謙称。

【賤工】①身分の低い職人。②技術がつたない細工師。

【賤子】自分の謙称。わたくし。

【賤事】①いやしい仕事。つまらぬ俗事。②自分の仕事の謙称。

【賤質】身分の低い生まれつき。〔後漢書、范冉伝〕

【賤儒】いやしい儒者。つまらぬ学者。

【賤△妾】①身分の低い召し使いの女性。〔左伝、宣公三〕②妻が夫に対する自分の謙称。

【賤称】いやしめていうときの呼び名。

【賤丈夫】心のいやしい男性。卑劣な男性。

【賤場師】いやしい植木屋。つまらぬ植木職人。〔孟子、告子上〕

【賤臣】①身分の低い家来。②君主に対し、家来が自分をへりくだっていうことば。

【賤人】身分・地位の低い人。賤者。用例〔史記、廉頗藺相如伝〕相如素賤人。↓相如はもとは卑賤の出の者である。

【賤息】自分の子の謙称。愚息。賤児。用例〔戦国策、趙〕老臣賤息舒祺、最少不肖。↓私めの愚息舒祺は、一番末っ子でばか者でございます。

【賤族】身分の低い家がら。〔宋書、恩倖伝序〕

【賤内】自分の妻の謙称。愚妻。

【賤買】安く買う。「賤買貴売」

【賤微】いやしく地位が低いこと。

【賤貧】いやしくまずしい。貧賤。

【賤△俘】いやしい捕虜。捕虜となった者が自らをさげすんだ呼び方。

【賤侮】さげすみあなどる。軽蔑する。賤易。

【賤民】①いやしい民。身分の低い民。②国最下層の階級に属した、一種の奴隷。

【賤吏】身分の低い役人。

【賤隷】召し使い。下男。

【賤劣】いやしくて、人がらや才能がおとること。

【賤△斂貴出】安く買い込んで高く売る。

【賤△陋】①いやしい。下賤。卑賤。②才能・人格がおとる。

8 【賨】 15画 11580 漢ソウ 呉ゾウ 図cóng — — 6322

字義 ❶みつぎ。南方の異民族からのみつぎもの。布を主とした。❷巴州(今の四川省の東部)の原住民族。
解字 形声。貝+宗音。

8 【賬】 15画 11581 チョウ(チャウ) 漾 zhàng — — 6323

字義 ❶ちょうめん(帳面)。帳簿。帳(3115)の俗字。❷貸借勘定。また、それを記入した帳簿。❸債務。
解字 形声。貝+長音。

8 【賝】 15画 11582 チン 侵 chēn — — 6320

字義 ❶宝。❷宝の色。
解字 形声。貝+罙音。

8 【賭】 15画 11583 ト 賭(11596)の俗字。↓一三六四ページ上。

8 【賠】 15画 11584 常 バイ 漢ハイ・呉バイ 灰 péi 3969 9485 —

筆順 目 貝 貝 貝 貯 貯 賠 賠

字義 つぐなう。補償する。弁償する。
解字 形声。貝+音音。
【賠償】他人・他国に与えた損害をつぐなう。

8 【賣】 15画 (2193) バイ 売(2192)の旧字体。↓三三七ページ上。 4148 956F —

8 【賓】 15画 11585 常 ヒン

7 〔賔〕 14画 11586 人 一ヒン 眞 bīn 二ヒン 御 bìn 9224 — —

筆順 宀 宀 宀 宀 宀 宀 賓 賓

【賔】11570 俗字

字義 一❶まろうど。客。来客。敬いもてなす客。「来賓」「主賓」❷客として泊まる。また、客としてもてなす。❸つらねる。つらなる。並ぶ。❹したがう。つき従う。また、従える。二しりぞける(退)。捨てる。=擯(4463)。

名前 うら・つぐ・つら・まれ・みち

解字 甲骨文 金文 篆文 会意。甲骨文は、宀+人。外部から屋内に足をふみ入れた人、まろうどの意味を表す。また、のちに貝を付し、金品をかけて客としてもてなすの意味を表す。賓を音符に含む形声文字に、儐・嬪・擯・殯・浜(濱)・臏・鬢などがある。

逆 貴賓・迎賓・国賓・主賓・来賓

【賓位】客の座席。客のつくべき位置。

【賓延】客分として引き入れて優遇する。賓待。

【賓△筵】客をもてなす席。

【賓客】①来客。大切な客。用例(論語、公冶長)赤也、束帯立二於朝一、可レ使下与二賓客一言上也。↓公西赤は、礼服を着て朝廷に立ち、他国からきた客人たちと応対させることはできます。②門下の食客。いそうろう(居候)。③官名。太子の侍従をつとめて補導にあたる人。「太子賓客」

【賓館】客人の宿泊所。

【賓△雁】雁のこと。毎年秋に来て春去るからいう。

【賓貢】外国人が来朝してみつぎものを奉る。

【賓師】諸侯から客分として待遇される人。

【賓次】賓客を接待するところ。

【賓辞(辭)】①哲学で、命題の主辞に結びついてそれを叙述することば。「我思う」の「思う」の類い。②言語学で、他動詞の目的となる語。客語。

【賓実(實)】名と実。名称と実質。名が客で、実が主人の意。用例(荘子、逍遥遊)名者実之賓也。↓名称は実質(主)の客で、実質に従属するものである。

【賓主】客と主人。主客。

【賓従(從)】①来て従う。賓服。②多くの賓客。

【賓頭△盧】仏梵語で、不動の意。白頭・長眉の相をそなえた仏。十六羅漢の一つ。日本では、その像をなでて祈ると、病気が治るという。

【賓待】お客としてもてなす。賓接。

【賓賓】①うやうやしくつつしむさま。また、名を好むさま。②しきりに。

【賓服】来て従う。来朝して服従する。

【賓△萌】戦国時代、諸侯の国を往来し、遊説した者。客民。▼萌は、民。

【賓旅】訪問者や旅人。用例(孟子、告子下)敬レ老慈レ幼、無レ忘二賓旅一。↓老人を敬い、幼児を慈しみ、旅人を大切にもてなせ。

【賓僚】賓客として待遇され、機密のはかりごとにあずかる人。幕賓。幕友。

【賓寮】客人の宿泊所。賓館。

【賓礼(禮)】①中国古代、五礼の一つ。客をもてなす儀式。②賓客としてもてなす。

8 【賦】 15画 11587 常 フ 遇 fù 4174 958A —

筆順 目 貝 貝 貝 貝 貝 賦 賦

字義 ❶とりたてる。また、とりたて。とりたてたもの。公の事業のために、役所が人民に割り当てて財物を徴収すること。また、その財物。租税。みつぎもの。用例(唐、柳宗元、送二薛存義之レ任序一)訟者平、賦者均。↓裁判は公正で、税も平等である。❷ぶやく。公の仕事のために、役所が人民・兵士を集めて使役すること。また、その人民・兵士。❸しく。のべ広げる。ゆきわたらせる。❹わける。配る。割り当てる。また、授ける。与える。「天賦」❺韻文の一体。㋐中国古代、詩の六義の一つ。心に感じたことをそのまま歌うもの。㋑漢代にさかんに行われたもの。対句を多用する。「辞賦」㋒単に詩歌の意。❻詩歌を作る。また、詩歌をとなえる。用例(北宋、蘇軾、前赤壁賦)釃レ酒臨レ江、横レ槊賦レ詩。↓(曹操は)酒を酌みながら川を眺めて、矛を横たえて陣中で詩を作った。

名前 ふ・ます

解字 金文 篆文 形声。貝+武音。音符の武は、摹に通じ、さぐりもとめるの意味。財貨を求めてとりたてるの意味を表す。

逆 貢賦・詩賦・辞賦・重賦・征賦・租賦・天賦

【賦詠】詩歌を作ること。また、その詩歌。

【賦役】国税の総称。租税と夫役。賦徭。

【賦課】租税を割り当てて取ること。

【賦詩】詩をつくる。

【賦質】生まれつき。天性。

【賦性】生まれつき。天性。賦命。賦稟。賦質。

【賦税】①人民に割り当てて納めさせる税。②税を割り当てる。賦租。

【賦租】みつぎもの。ねんぐ。賦税。賦用。

【賦△粟】租税として取りたてる穀物。

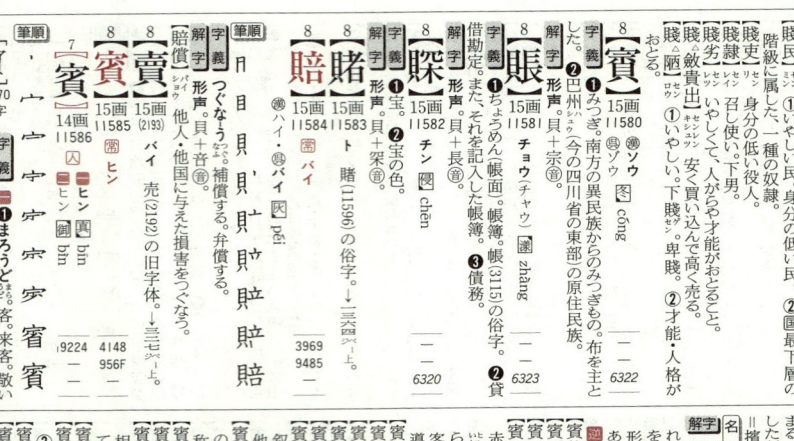

【賦入】ニュウ ねんぐの収入。
【賦納】ノウ 敷き陳のべる。人に言を敷きのべさせる。敷納。▼納は、人を納いれ用いること。
【賦命】メイ うまれつき。天からさずかった性質、また、運命。賦分。
【賦△稟】ヒン 生まれつき。賦性。素質。
【賦与(與)・賦予】ヨ 割り当てて与える。分け与える。
【賦△斂】レン 租税を割りつけて取りたてる。用例〔唐、柳宗元、捕ㇾ蛇者説〕嗚呼、孰知下賦斂之毒、有中甚二是蛇一者上乎ああ、たれかフレンのドク、このへびよりもはなはだしきものあるをしらんや。↓ああ、だれが一体、重税を割り当てて取り立てることの害毒が、この蛇の害毒よりもひどいものであることを、知っているだろうか。

8【賚】15画 11588 ライ 隊 lài 7647 E6CD 一
[⿰貝來] 11589 同字
字義 ❶たまう たまふ。たまわる。あたえる。❷たまもの。くだされたもの。❸くださる。ねぎらう。
解字 篆文 形声。貝＋來音。音符の來ライは、くるの意味。天子から来たもの、たまものの意味を表す。
【賚賜】ライシ たまう。たまもの。賚錫ライセキ。
【賚予・賚与(與)】ライヨ 物をたまう。与える。

8【⿰貝來】15画 11589 ライ 賚(11588)と同字。↓一三六三ページ上。

9【賱】16画 11590 ウン 吻 yǔn 28917 一 一
字義 賱賰ウンシュンは、とみ(富)。
解字 形声。貝＋軍音。

9【⿱臾貝】16画 11591 キ 貴(11538)の本字。↓一三五五ページ上。

9【⿰貝甹】16画 11592 漢ケイ 呉キョウ(キャウ) 庚 xiōng 一 一 6324
字義 宝。財貨。
解字 形声。子＋眴音。音符の眴ケイは、宝の意味。

9【賢】16画 11593 常 ケン かしこい 漢ケン・呉ゲン 先 xián 2413 8CAB 一
筆順 一 厂 ... 臣 臤 ... 賢
【贒】11625 古字 【贤】11527 俗字
字義 ❶かしこい かしこし。さかしい さかし。㋐人物がすぐれている。才知と徳行を兼ねそなえている。また、その人。儒教では、特に、聖人に次ぐものという意味合いを込めて用いる。↔愚(3562)。用例〔三国蜀、諸葛亮、前出師表〕親二賢臣一、遠二小人一、此先漢所三以興隆一也ケンシンにしたしみ、ショウジンをとお(ほ)ざくるは、これセンカンのコウリュウせしゆえ(ゑ)んなり。↓才徳のすぐれた臣下と親しみ、小人物を遠ざける、これこそが前漢が国を興し、盛んになった理由でございます。㋑利口である。頭がよい。❷まさる。㋐すぐれている。用例〔儀礼、郷射礼〕若右勝則曰三右賢二於左一もしみぎ、かたばすなわ(は)ちみぎひだりにまされりという(ふ)。↓(弓射の会で)右が勝った時には、「右が左よりすぐれている」と告げる。㋑おおい。豊富である。用例〔戦国策、趙〕媼之愛二燕后一、賢二於長安君一オウのエンコウをアイすることチョウアンクンにまされり。↓あなた様が燕后をいとおしまれるお気持ちは、長安君(をいとおしむ気持ち)より強い。❸たっとぶ。賢人として尊敬する。「賢ㇾ賢易ㇾ色ケンをケンとしていろにかう(ふ)」❹他人に関する物事につけ敬意を示すことば。同輩・後輩には賢、目上の人間には尊を用いる。「賢察」「賢弟」❺苦労する。骨折る。用例〔詩経、小雅、北山〕大夫不ㇾ均、我従ㇾ事独賢タイフひとしからず、われことにしたがい(ひ)て、ひとりケンなり。↓大夫様は不公平だ、私は労役についてひとりだけ苦労している。❻濁酒どぶろくの別名。清酒は聖(9624)という。国さかしら。利口ぶっていること。
名前 かた・かつ・けん・さか・さかし・さと・さとし・さとる・すぐる・たか・ただ・ただし・とし・のり・まさ・まさる・ます・やす・よし
難読 賢所かしこどころ・賢木さかき
解字 金文 篆文 形声。貝＋臤音。音符の臤ケンは、かたいの意味。しっかりした財貨の意味から、まさる・かしこいの意味を表す。
逆 遺賢・至賢・上賢・諸賢・聖賢・先賢・普賢
【賢英】ケンエイ かしこくすぐれた人。すぐれた人物。
【賢媛】ケンエン かしこい女性。
【賢愚】ケング かしこいこと(人)と、おろかなこと(人)。
【賢兄】ケンケイ ①かしこい兄。②友人などに対していう敬称。大兄。貴兄。
【賢契】ケンケイ 自分より年下の友人に対する敬称。
【賢豪】ケンゴウ かしこくすぐれた人物。
【賢佐】ケンサ かしこい補佐の臣。
【賢才】ケンサイ かしこい才知。また、才知のある人。賢材。
【賢察】ケンサツ 他人の推察に対する敬称。御推察。
【賢士】ケンシ かしこい人物。賢人。
【賢主】ケンシュ 賢明な君主。明主。明君。賢君。
【賢酒】ケンシュ にごり酒の別名。↔聖酒(二一七一ページ下)。
【賢俊・賢△儁】ケンシュン 人よりまさりすぐれる。また、その人。俊賢。
【賢相】ケンショウ かしこい宰相。すぐれた大臣。賢輔ケンポ。
【賢勝】ケンショウ かしこくてすぐれている。また、その人。
【賢臣】ケンシン すぐれた家来。
【賢人】ケンジン ①かしこい人。聖人に次ぐすぐれた人。賢者。②にごり酒の別名。↔聖人(二一七一ページ下)。
【賢聖】ケンセイ ①才能・人格のすぐれた人。②賢人と聖人。
【賢達】ケンタツ かしこくて物事に通じている。
【賢知・賢△智】ケンチ かしこくて知恵がある。また、その人。
【賢弟】ケンテイ ①かしこいおとうと。②自分より年下の友人に対する敬称。
【賢哲】ケンテツ ①才知のすぐれた人。かしこくて、物事に明らかな人。②賢人と哲人。
【賢徳】ケントク かしこくて徳があること。また、賢明な徳。また、その人。
【賢能】ケンノウ ①かしこくて才能がある。また、その人。②人格の高い人と、才能のすぐれている人。
【賢否】ケンピ かしこいこと(人)とかしこくないこと(人)。
【賢不肖】ケンフショウ かしこいこと(人)と愚かなこと(人)。賢愚。賢否。
【賢婦】ケンプ かしこい妻。また、女性としての人格才能がすぐれている人。賢夫人。
【賢△輔】ケンポ かしこい大臣。賢相。
【賢母】ケンボ かしこい母。「良妻賢母」
【賢明】ケンメイ かしこくて道理に明らかなこと。また、その人。
【賢慮】ケンリョ ①かしこい考え。②他人の思慮の敬称。お考え。
【賢良】ケンリョウ かしこくて善良(な人)。
【賢良方正】ケンリョウホウセイ 漢代以後、官吏登用試験の科目の一つ。
【賢路】ケンロ すぐれた人物が立身出世してゆくみち。出世コース。
【賢労(勞)】ケンロウ すぐれた人物と認められたために、かえって公的な仕事に使われ苦労すること。一説に、人一倍多く苦労する。用例〔孟子、万章上〕我独賢労也われひとりケンロウするなり。↓私だけがすぐれた人物と認められたために、かえって公的な仕事に使われ苦労する。
【見ㇾ賢思ㇾ斉(齊)】ケンをみてはひとしからんことをおもう(ふ) 賢人を見ては自分もこの人と同じようになりたいと思う。〔論語、里仁〕
【賢ㇾ賢易ㇾ色】ケンをケンとしていろにかう(ふ) 賢人を尊敬すること、あたかも女色を好むようにする。一説に、自分の平素の顔色を改めつつしんで、賢人を敬う。〔論語、学而〕

9【賰】16画 11594 シュン 彰 chǔn　28916 EE91 6325
字義 賰賰は、とみ（富）。
解字 形声。貝＋春音。

9【賷】16画 11595 ジン　贐（11622）と同字。→一三六六ページ上。

9【賭】16画 11596 常 ト か-ける 漢ト・呉ツ 麌 dǔ　3750 9371 ―
筆順 冂 目 貝 貝一 貝十 貝土 貝尹 貝耂 賭
［賭］11583 俗字
字義 ❶か-ける。かけをする。勝負事に金品を出しあって勝った方が取る。❷か-け。かけごと。ばくち。
難読 賭弓（のりゆみ）
使いわけ かける・かかる〔掛・架・懸・賭・係〕⇩掛（4218）。
解字 篆文 形声。貝＋者音。音符の者は、集めるの意味。金品をつぎこんで、かけをするの意味を表す。
【賭弓】㊀トキュウ 物をかけて弓を射る。かけものの弓。㊁のりゆみ 国平安時代、正月十八日に天皇臨席のもとに左右の近衛府の人々が射術を試みる儀式。
【賭書】トショ 文字のじょうずへたを争うこと。
【賭射】トセキ・トシャ 物をかけて弓を射、勝敗を争うこと。かけ弓。
【賭博】トバク 金品をかけて、勝負を争うこと。ばくち。一六。樗蒲。博弈。賭賽。

9【賲】16画 11597 ホウ 皓 bǎo　― ― 6326
字義 ❶たもつ。保有する。❷物を取り混ぜて売る者。
解字 形声。貝＋保音。

9【賵】16画 11598 漢ホウ・呉フウ 慣ボウ 送 fèng　― ― 6327
字義 おく-る。贈り物。死者をとむらうために車馬・衣服などを贈る。また、その贈り物。
解字 篆文 会意。貝＋冒。貝は、財物の意味。冒は、覆うの意味。死者を覆うために贈られる衣服の意味を表す。

9【賴】16画（13479） ライ　賴（13478）の旧字体。→一五八一ページ上。

10【購】17画 11599 常 コウ　2556 8D77 ―
［購］17画 11600 漢コウ 呉ク 宥 gòu
筆順 目 貝 貝一 貝廾 貝卄 貝冓 購 購 購
字義 ❶あがな-う。㋐賞をかけて求める。用例〔史記、項羽本紀〕吾聞漢購我頭千金邑万戸。⇩聞くところによると、漢ではわが首に千金と一万戸の土地とをかけているとのことである。㋑買う。買い求める。対価を払って手に入れる。「購買」❷やわらぐ。和睦する。＝講（11340）。
解字 篆文 形声。貝＋冓（冓）音。音符の冓は、組み合わせるの意味。その金銭とちょうど組み合わせとなる物を買い取る、あがなうの意味を表す。
【購獲】コウカク 買い入れる。買って手に入れる。購得。
【購求】コウキュウ ①買い求める。②賞金をかけて捜し求める。
【購賞】コウショウ 賞金をかけて求める。
【購得】コウトク 買って手に入れる。
【購読（讀）】コウドク 書籍・新聞などを定期的に買って読む。
【購入】コウニュウ 買い入れる。購買。
【購買】コウバイ 買い入れる。購入。
【購捕】コウホ 賞金をかけて人をとらえる。
【購募】コウボ 賞金をかけてつのる。
【購問】コウモン 賞金をかけて捜し求める。

10【賽】17画 11601 標 サイ 隊 sài　7648 E6CE ―
字義 ❶お礼まつり。むくいまつる。神から福を受けたのに感謝して祭る。「賽銭」❷優劣をくらべる。勝負をきそう。国サイ。さいころ。すごろくなどに用いる小さな立方体の具。采。骰子。
難読 賽子（さいころ）
解字 形声。貝＋塞省音。
【賽河原】さいのかわら 仏死んだ小児が行くと信ぜられている、冥土の三途の川の河原。小児が石を積んで塔を作ると、大鬼が出てきてはくずすという所。〔法華経〕
【賽客】サイカク お礼まいりする人。参拝者。賽者。
【賽△祠】サイシ お礼の祭り。
【賽社】サイシャ 農事が終わってのち、酒食をそなえて田の神に感謝する祭り。秋祭り。鎮守の祭り。
【賽神】サイシン 神にささげるお礼祭り。報祭。
【賽銭（錢）】サイセン 参拝者が神仏に奉る銭。
【賽日】サイニチ 国やぶいり。奉公人が休暇をもらって家に帰る一月と七月の十六日。仏教では、地獄の釜のふたがあく日といい、亡者への苛責をやめるという。

10【賸】17画 11602 ㊀ヨウ 径 ㊁漢ショウ 呉ジョウ 径 shèng　19227 ― 6329
字義 ㊀❶ます。ふえる。❷あまる。また、あまり。余分。＝剰（960）。㊁❸おくる（贈）。❹まま（儘）。また、どうにでもなれ。ままよ。
解字 金文 篆文 形声。貝＋朕音。音符の朕は、上にしあげる、おくるの意味を表す。また、ふえる・あまるの意味をも表す。
【賸語】ショウゴ 余分なことば。むだごと。無用の言。贅言。剰語。
【賸財】ショウザイ 余分の財産。
【賸△馥】ヨウフク・ショウフク あとにただようかおり。余香。残香。

10【賷】17画 11603 セイ　齎（14566）と同字。→一六五五ページ下。　― ― 6328

10【賺】17画 11604 漢タン 呉デン 陥 zuàn, zhuàn　7649 E6CF ―
字義 すか-す。㋐代金を二重どりする。あざむいて高く売りつける。㋑あざむきたぶらかす。
解字 形声。貝＋兼音。

10【賻】17画 11605 漢フ 呉ブ 遇 fù　7650 E6D0 ―
字義 おく-る。おくりもの。喪主を助けるために、金品を贈る。また、その贈り物。
解字 篆文 形声。貝＋専音。音符の専は、扶に通じ、たすけるの意味。喪主を助けるためにおくる金品の意味を表す。
【賻儀】フギ 死者をとむらって、喪主に贈るもの。香典。香奠。
【賻祭】フサイ 物を贈って死者を祭る。
【賻助】フジョ 死者の家に金品を贈って葬儀を助ける。
【賻贈（贈）】フゾウ 死者の家に金品を贈って葬儀を助ける。賻助。
【賻△賵】フボウ 喪主に贈って葬儀を助ける貨財と車馬。

11【賾】18画 11606 漢サク 呉ジャク 陌 zé　19228 ― 6330
字義 おくぶかい。奥深くて、わかりにくい。また、その道理。
解字 形声。臣＋責音。

11【贄】18画 11607 標 シ 寘 zhì　7651 E6D1 ―
字義 にえ。てみやげ。君主・師などに面会するときに贈る礼物。男性は玉・帛ハク・禽鳥キンチョウ、女性は棗ソウ(なつめ)・栗りく・脩シュウ(ほじし)など、小さなものを用いる。＝質(11576)。 難読 贄川にえかわ

解字 形声。貝＋執㊅。音符の執は、とるの意味。手にとってみやげとする礼物の意味を表す。

【贄敬】シケイ 初めて人を訪問するとき、また入門するときの進物。

【贄見】シケン 贈り物を持って師に面会すること。入門する。

【贄幣】シヘイ にえ。礼物。つかいもの。

【委贄】イシ ＝執レ贄シを。

【執レ贄】シをとる 同委レ贄イす ①初めて会うとき、礼物を持って行き敬意を表すこと。②初めて入門するときの束脩ソクシュウ(礼物)。また、束脩の礼を修めて、弟子になること。

11 【贅】 18画 11608 標 セイ 慣ゼイ 齊 zhuì 7652 E6D2 —

字義 ❶質に入れる。また、その質。抵当。❷てなずける。物を与えて従わせる。❸くっつける。つづり合わす。❹いぼ。こぶ。❺いりむこ。❻むだ。また、むだなもの。㋐行いが適切でない。㋑役に立たない。㋒余分なものをつけ加える。費用がかかり過ぎる。「贅言」

解字 篆文 会意。貝＋敖。敖は、気ままに遊びまわるの意味。金品を気ままにあつかうの意味を表す。

【贅言】ゼイゲン よけいなことば。むだ口。徒言。贅語。贅辞。

【贅行】ゼイコウ よけいな行い。むだな行為。〔老子、二十四〕

【贅子】ゼイシ ①昔、借財の保証のために貸し主の所に預けた子供。②いりむこ。養子。

【贅婿(壻)】ゼイセイ ①結婚して妻の家に居候いそうろうすること。②いりむこ。妻の家に迎えられて婿となること。

【贅沢(澤)】ゼイタク 国①むだなおごり。身分不相応なおごり。②費用が多くかかること。

【贅肉】ゼイニク むだな肉。よけいな肉づき。

【贅物】ゼイブツ ①無用のもの。むだなもの。②ぜいたくなもの。

【贅文】ゼイブン 無用の文句。よけいな文章。

【贅弁(辯)】ゼイベン むだ口。無用の弁。

【贅疣・贅肬】ゼイユウ こぶと、いぼ。無用な物のたとえ。

【贅瘤】ゼイリュウ こぶ。よけいなもののたとえ。

11 【贈】 18画 11609 常 ゾウ・ソウ おく-る 3403 91A1 —

12 〔贈〕 19画 11610 人 漢ソウ 呉ゾウ 径 zèng 9229 — —

筆順 目 貝 貝' 貝ᐟ 貝ᐟᐟ 貝曲 貝曽 贈 贈

字義 ❶おく-る。やる。つかわす。㋐金品をおくり与える。「寄贈」㋑詩文・言辞をおくる。㋒死後に官位や称号をおくる。「贈位」「追贈」❷おくりもの。❸ます(増)。物を与えてふやす。

名前 ます

使いわけ おくる〔送・贈〕⇩送(12071)。

解字 篆文 形声。貝＋曾(曾)㊅。音符の曾ソウは、かさね加わるの意味。相手に金品を与えてふやす、おくるの意味を表す。

逆 遺贈・寄贈・追贈

【贈位】ゾウイ 人の死後に位を贈る。また、その位。

【贈遺】ゾウイ 人に物品を贈る。また、その贈り物。

【贈言】ゾウゲン 正しいことばを贈って励ます。

【贈賜】ゾウシ 金品を贈りたまわる。

【贈諡】ゾウシ 死後、別号を贈る。また、死後のおくりな。

【贈序】ゾウジョ 文体の一つ。慶事や別れに臨んで贈る文。送序。⇩ コラム 漢文(八六八ページ)。

【贈呈】ゾウテイ さしあげる。進呈。

【贈答】ゾウトウ 贈ることと答えること。金品・詩歌などのやりとりをすること。

【贈賻】ゾウフ 葬儀を助けるための贈り物。香奠コウデン。

【贈別】ゾウベツ ①人のかどでを見送ること。送別。②＝贈レ別べつにおくる(一七九ページ上)。

【贈与(與)】ゾウヨ 贈り与える。また、その金品。

【贈賄】ゾウワイ ①人に贈り物をする。また、その金品。②国賄賂ワイロを贈る。↕収賄シュウワイ(三三〇ページ中)。

11 【贁】 18画 11611 ハイ 敗(4543)の古字。→六三五ページ中。 — — 6332

11 【贂】 18画 11612 漢ロウ(ラウ) 呉リョウ(レウ) 肴 liǎo — — 6331

字義 銭ぜにの隠語。

解字 形声。貝＋翏㊅。

11 【贃】 18画 11613 漢ワン 呉エン(ヱン) 諫 wàn — — 6333

字義 ❶財貨を支える。❷現代中国語で、すかす。だます。

解字 形声。貝＋患㊅。

12 【贇】 19画 11614 イン(ヰン) 真 yūn 7654 E6D4 —

字義 うつくしい。美しいさま。

解字 会意。貝＋斌。斌は、文武のバランスがとれているの意味。文武と金品がそろっていて美しいの意味を表す。

12 【贋】 19画 11615 標 漢ガン 呉ゲン 諫 yàn 2070 8AE4 —

〔偐〕 474 同字 〔贗〕 11624 正字

字義 にせ。にせもの(偽物)。

解字 形声。貝＋雁㊅。音符の雁は、かりの意味。小さなかりが、大きな鳥の襲撃から身を守るため、より大きな鳥に似せて整然と隊を作って飛ぶさまから、にせものの意味を表す。

【贋作】ガンサク ほんものに似せて作る。また、そのもの。贋造。

【贋札】ガンサツ・にせサツ にせの札。にせの紙幣。

【贋造】ガンゾウ ほんものに似せて造る。また、そのもの。偽造。

【贋鼎】ガンテイ ①にせのかなえ。②広くにせものをいう。

【贋本】ガンポン ①にせものの書画。にせものの本。②にせもの。

12 【贊】 19画 (11574) サン 賛(11573)の旧字体。→一三六〇ページ上。

12 【賦】 19画 11616 ジ 膩(5139)の俗字。→七〇八ページ下。 28918 — —

12 【贈】 19画 (11610) ゾウ 贈(11609)の旧字体。→一三六五ページ上。

12 【贉】 19画 11617 漢タン 呉ドン 感 勘 dǎn, dàn 28919 — 6334

字義 手付け。手付金を払う。あきさす。

解字 形声。貝＋覃㊅。

12 【贎】 19画 11618 一 漢バン・呉マン 願 wàn 二 ライ 泰 三 レイ 霽 lì 28920 — —

字義 一 たから。財貨。

解字 形声。貝＋萬㊅。

13 【贏】 20画 11619 漢エイ 呉ヨウ(ヤウ) 庚 yíng

〔贏〕 11620 俗字

字義 ❶もうける。もうけ。利得。利益。❷あま-る。あまり。のこり。「余贏」❸すぎる。超過する。❹みちる。あふれる(溢イツ)。❺のびる。❻か-つ(勝)。まさる。↕輸(11945)。「輸贏」❼になう。背おう。

解字 金文 篆文 会意。貝＋羸。羸は、かたつむりの象形で、のびるの意味。財貨がのびる、もうける・あまる・のびるの意味を表す。

【贏財】エイザイ あまった財産。余材。贏余。余財。

【贏縮】エイシュク ①進むことと退くこと。進退。②伸びることと縮むこと。

【贏羨】エイセン あふれあまる。▼羨も、あまる。

【贏絀】エイチュツ のびることと、ちぢむこと。屈伸。贏縮。

【贏△儲】エイチョ あまりあるたくわえ。余儲。

【贏得】エイトク ㊀利益として得る。利得。もうけ。㊁あましえたり・かちえたり 詩語として、「結局のところ…だけが得たものとして残る」の意。用例〔唐、杜牧、遣レ懐詩〕十年一覚揚州夢ジュウネンイッカクヨウシュウのゆめ 贏得青楼薄倖名あましえたりセイロウハッコウのな ⤵十年にも及ぶ揚州での夢、結局のところ、軽薄な色男との評判だけが残った。

【贏副】エイフク 必要以外のあまったもの。

【贏輸】エイシュ かちまけ。輸贏。▼輸は、まける。

【贏余（餘）】エイヨ 使い残り。余り。残余。剰余。

【贏利】エイリ もうけ。利益。利得。

【贏糧】エイリョウ 食糧をになう。

13【贏】20画 11620 エイ 贏（11619）の俗字。→一三六五ページ下。 7655 E6D5 —

13【罌】20画（9422） オウ 缶部。→一一四六ページ中。

13【贍】20画 11621 漢セン 呉ゼン 簡shàn 7656 E6D6 —

字義 ❶たす。㋐おぎないみたす。不足をおぎなう。「充贍」㋑財物を与えて助ける。めぐむ。にぎわす。「賑贍シンセン」❷たりる。十分ある。富む。豊か。用例〔孟子、梁恵王上〕此惟救レ死これただしをすくいて、而恐レ不レ贍たらざるをおそる ⤵これでは、死なないようにするのが精一杯で、たえず（食料が）足りないのを心配している。

解字 篆文 形声。貝＋詹音。音符の詹センは、ひさしの意味。財貨を与えて、他人のひさしのようになる、かばいめぐむの意味を表す。

【贍逸】センイツ 豊かですぐれる。

【贍給】センキュウ 恵み与える。足してやる。

【贍済（濟）】センサイ 恵み救う。助けめぐむ。

【贍△恤・贍△卹】センジュツ 施しめぐむ。あわれみ救う。

【贍振・贍△賑】センシン 助け恵む。

【贍足】センソク 足す。充足させる。

【贍富】センプ 物がじゅうぶんで豊かなこと。富んで豊か。

14【贐】21画 11622 漢シン 呉ジン 簡jìn 7657 E6D7 —

〔賮〕11595 同字 字義 ❶おくりもの。また、おくる。❷はなむけ。旅立つ人に贈る金品。餞別センベツ。

解字 形声。貝＋盡音。音符の盡ジンは、進に通じ、すすめるの意味。人に進める財貨、おくりものの意味を表す。

【贐儀】ジンギ 旅立ちの人に贈る金品など。はなむけ。

【贐行】ジンコウ 旅立ちの人にはなむけを贈る。また、そのもの。餞別センベツ。贐餞ジンセン。

【贐送】ジンソウ はなむけ。餞別センベツ。

14【賫】21画（14566） セイ 齊部。→一六六五ページ下。

14【贔】21画 11623 漢ヒ 呉ビ 簡bì 7661 E6DB —

字義 ❶→贔屓㊁。❷いかる。

解字 会意。貝＋貝＋貝。

【贔△屓・贔△屭・贔△屓】㊀ヒキ ①さかんに力を用いる。努める。②大きい亀かめ。㊁ヒイキ 国特にひき立てること。また、その人。

【贔怒】ヒド ①怒る。②水がはげしく流れる。

15【贗】22画 11624 ガン 贋（11615）の正字。→一三六五ページ下。 — — 6336

15【贙】22画 11625 ケン 賢（11593）の古字。→一三六三ページ上。 ⅰ9230 EE93 6335

15【贖】22画 11626 漢ショク 呉ゾク 簡shú 7662 E6DC —

字義 ❶あがなう。㋐物と物とを交換する。㋑金品を出して罪をまぬかれる。❷しち（質）。

解字 金文 篆文 形声。貝＋賣音。音符の賣イクは、相手の目をくらませてうまく買いとるの意味。あがなうの意味を表す。

【贖刑】ショクケイ 金品を出して、刑罰をまぬがれること。

【贖罪】ショクザイ 金品を出して、罪をまぬがれること。贖刑。

15【贓】22画 11627 慣ゾウ ソウ（サウ） 簡zāng 7659 E6D9 —

〔賍〕11557 俗字 字義 ❶かくす（臧）。❷賄賂ワイロを受け取る。❸盗んだ品物。不正手段によって得た物。

解字 形声。貝＋臧音。音符の臧ゾウは、おさめる・かくすの意味。金品を不正にかくすの意味を表す。

【贓汚】ゾウオ わいろを受け取るきたない行為。

【贓罪】ゾウザイ 不正な手段によって財物を取った罪。賄賂ワイロを取った罪。

【贓品】ゾウヒン 賄賂ワイロ・窃盗など、不正手段で得た物品。

【贓物】ゾウブツ 不正な手段で得た物品。贓品。

【贓吏】ゾウリ 不正の財をむさぼる官吏。賄賂ワイロを受け取る役人。贓官。

17【贛】24画 11628 ㊀漢コウ・呉クウ 送gòng ㊁カン 感gàn ㊂トウ（タウ） 絳 ⅰ9231 — 6337

字義 ㊀❶たまわる。たまもの。❷古く、貢に通ずる。子贛は、孔子の門人。子貢。㊁❶江西省の別名。❷川の名。→贛水。㊂おろか。＝戇（3635）。

解字 形声。貝＋竷（贑）音。

【贛水】カンスイ 川の名。江西省を流れ、鄱陽ハヨウ湖に注ぐ。

7画 赤 あか

〔部首解説〕 赤を意符として、赤い色・物、赤くなることなどの意味を表す文字ができている。

0 赤 一三六六	4 赥 一三六七	赦 六二五	5 赧 一三六七	6 赩 一三六七
7 赫 一三六八	9 赮 一三六八	赭 一三六八	赬 一三六八	赯 一三六八

0【赤】7画 11629 教1 セキ・シャク あか・あか-い・あか-らむ・あか-らめる 漢セキ・呉シャク 陌 chì 熟字訓 真っ赤まっか 3254 90D4 —

筆順 一 + 土 ナ 赤 赤 赤

字義 ❶あか。あか-い。あかし。❷ありのまま。まるはだかの。むきだし。何も持たない。何一つ余分のものがない。「赤裸」「赤貧」❸まこと。まごころ。❹共産主義・共産主義者の意。国あか-らむ。あか-らめる。赤らむ。赤くなる。

名前 あか・か・はに・はにゅう・わに 難読 赤魚鯛あこうだい・赤城あかぎ・赤埴あかはに・赤穂あこう・赤生はにゅう・赤豆あずき・赤平あかびら・赤毛布あかゲット・赤目魚めなだ

解字 甲骨文 金文 篆文 会意。大＋火。大は、人の象形。火は、ひの象形。火の光を浴びる人のさまで、あかいの意味を表す。

【赤△鴉】セキア 太陽の別名。太陽の中に三本足のからす（鴉）がいるという伝説に基づく。

【赤衣】セキイ ①赤い衣服。②罪人の着る赤い衣服。また、その罪人。赭衣シャイ。③国昔、五位以上の人の着用した衣服。緋ひの袍ほう。

【赤羽】セキウ ①赤い羽。②太陽。③赤い羽の矢。

【赤△烏】セキウ ①赤いからす。瑞鳥ズイチョウとされる。周の武王が殷インの紂王チュウオウを討とうとして河を渡ったとき、火が流れ、王の屋に至ってからすとなったことによる。②軍隊の旗号の名。行事のとき、前方に立てる。朱雀シュジャク。朱鳥。③太陽。

【赤絵（繪）】（あかエ） 国①陶磁器で赤を主とした上絵（うわエ）つけ。また、その陶磁器。「万暦赤絵」 ②江戸末期から明治にかけて流行した、濃い赤色を主とした色ずりの錦絵。

【赤△霞】（セッカ・セキカ） 夕やけ。

【赤蓋】（セキガイ） 落日。夕日。

【赤脚】（セッキャク・セキキャク） ①すあし。からすね。裸足。 ②女性の召し使い。 ③仙人の名。赤脚大仙。道教の神。

【赤金】 一（セッキン・あかがね） 銅をいう。 二（セッキン） ①純金。 ②赤色を帯びた黄金。

【赤△脛】（セッケイ） はだかのすね。

【赤血】（セッケツ） 赤い血。なまなましい血。鮮血。碧血（ヘキケツ）。

【赤県（縣）】（セキケン） 中国の別名。→赤県神州。

【赤県（縣）神州】（セッケンシンシュウ） 中国の別名。赤県。戦国時代の斉の騶衍（スウエン）の説に基づく。

【赤子】 一（セキシ・あかご） ちのみご。嬰子（エイシ）。 二（セキシ） 国民。庶民。帝王に対して、その支配下にある人民。

【赤子△之心】（セキシのこころ） 赤ん坊のような心。世の罪悪にけがれない清い心。純一でいつわりのない心。〔孟子、離婁下〕

【赤△幟】（セキシ） ①赤い色の旗。 ②漢の旗。漢は火徳（火を象徴とする）で天下を取ったとされたから、赤旗を用いた。

【赤日】（セキジツ） あかあかと燃える太陽。また単に、太陽をいう。

【赤実（實）】（セキジツ） ①赤い果実。 ②いつわりのない真実。

【赤手】（セキシュ） から手。すで。何も手にしていない。空手。徒手。「赤手空拳（クウケン）」

【赤松子】（セキショウシ） 伝説時代の仙人の名。神農の時、雨をつかさどり、後に崑崙（コンロン）山に入って仙人となったという。

【赤△霄】（セキショウ） ①天の赤色の雲気。絳霄（コウショウ）。 ②古剣の名。

【赤縄（繩）】（セキジョウ） ①赤いなわ。赤いひも。 ②唐の韋固（イコ）の出合った異人（不思議な人）がもっていた赤いひも。それで男女の足をつないで夫婦の縁を結ばせるという。転じて、夫婦の縁。〔続幽怪録〕

【赤心】（セキシン） まごころ。誠意。丹心。赤誠。

【推二赤心一置二人腹中一】（セキシンをおしてひとのフクチュウにおく） 自分の真心から推量して、人も真心をもっていると考え、少しも人を疑わぬこと。人を深く信用すること。〔後漢書、光武紀上〕

【赤身】 一（セキシン） まっぱだか。すはだか。からだ一つで、なにもないこと。赤裸。 二（あかみ） 国肉類・木材の赤い部分。

【赤誠】（セキセイ） まごころ。誠意。丹心。赤心。

【赤△舄】（セキセキ） 赤い靴。▼舄は、礼服に用いる二枚重ねの履くつ。

【赤舌日】（シャクゼツニチ） 国陰陽家が、万事が凶であるとしている日。借舌日。赤口日（シャックニチ）。

【赤泉】（セキセン） 泉の名。これを飲めば年をとらないという。

【赤△跣】（セキセン） はだし。素足。徒跣。赤足。

【赤憎（憎）】（セキゾウ） あいにく。生憎。

【赤足】（セキソク） ①赤い足。 ②はだし。素足。

【赤族】（セキゾク） ①一族ことごとく殺される。▼赤は、空。 ②一族の者全部。

【赤地】（セキチ） まるはだかの土地。虫害や日照りなどのため、草木が全くはえないこと。赤土。

【赤△墀】（セキチ） 天子の宮殿の表の階段上の石だたみを敷いた所。赤く塗ってあるからいう。丹墀。▼墀は、石だたみ。

【赤潮】（セキチョウ・あかしお（ほ）） にがしお（苦潮）。海水中の微生物の増殖によって水が赤茶色に変わる現象。

【赤帝】（セキテイ） 五天帝の一つ。南方の神。また、夏をつかさどる神。夏・南の象徴は赤なのでいう。

【赤帝子】（セキテイシ） 前漢の高祖（前二四七—前一九五）をいう。漢は火徳（火を象徴とする）で、色は赤を尊んだことからいう。

【赤土】（セキド） ①草木のはえていない土地。赤地。 ②赤い土。酸化鉄のような物質を含む赤色の土。

【赤道】（セキドウ） ①地軸に直交して、南北両極から九十度の距離にある地表の点を連ねた仮定線。 ②天の赤道。天球の南北極を二等分し、それに直交する仮定線。

【赤銅】 一（セキドウ） あかがね。純銅の色が赤いところからいう。 二（シャクドウ） 国銅に、金二—八%、銀一%を加えた合金。紫銅。烏銅（ウドウ）。

【赤熱】（セキネツ・シャクネツ） 国まっかに熱する。

【赤飯】（セキハン） 国あずきめし。こわめし。

【赤眉・赤△糜】（セキビ） 前漢末の反乱軍の名。王莽（オウモウ）が漢を倒し新を建てた時、琅邪（ロウヤ）の樊崇（ハンシュウ）が起こした反乱軍。莽の軍と混乱するのを恐れ、眉（まゆ）を赤く塗って区別した。後、光武帝に平定された。

【赤△熛怒】（セキヒョウド） 五行（ゴギョウ）の神の一つ。南方をつかさどる。

【赤貧】（セキヒン） ひどい貧乏で、なに一つ持っていないこと。

【赤貧如レ洗】（セキヒンあらう（ふ）がごとし） 洗い清めたように何もない貧乏。〔儒林外史〕

【赤△芾・赤△茀・赤△紱】（セキフツ） 赤色のひざかけ。大夫（タイフ）以上の人が身に着けるもの。

【赤奮若】（セキフンジャク） 丑（うし）の年の別名。

【赤壁】（セキヘキ） 地名。 ㋐湖北省嘉魚（カギョ）県の東北、長江の南岸。後漢末、孫権の将、周瑜（シュウユ）が曹操（ソウソウ）の大軍を撃破した所。 ㋑湖北省黄岡（コウコウ）市城外。北宋（ホクソウ）の蘇軾（ソショク）の遊んだ地。蘇軾は誤って曹操の敗れた地と考え、前・後二編の「赤壁賦」を作った。一名、赤鼻磯（セキビキ）。

【赤壁△之戦】（セキヘキのたたかい（ひ）） 後漢末の建安十三年（二〇八）、孫権・劉備（リュウビ）の連合軍が、赤壁において曹操軍を破った闘い。→赤壁㋐。

【赤壁賦】（セキヘキのフ） 北宋（ホクソウ）の文人蘇軾（ソショク）が赤壁に舟遊して作った賦で、前後二編ある。名文として名高い。→赤壁㋑。

【赤△芒】（セキボウ） 赤くきらきらする光。

【赤本】（あかホン・あかボン） 国①江戸時代、延宝ごろに始まり享保ごろさかんに行われた草双紙（くさゾウシ）の一種。半紙を半分にした大きさで、赤い表紙の絵入り物語本。 ②俗悪低級な本。

【赤面】（セキメン） 赤い顔。また、恥・酒・緊張などで顔を赤くすること。

【赤裸】（セキラ） ＝赤裸裸。

【赤裸裸】（セキララ） 国①まるはだか。赤裸。赤身。 ②あからさま。包みかくしのないこと。いつわりかざりのないこと。

【赤痢】（セキリ） 病気の名。はげしく下痢し、便通に赤い粘液が混じる伝染病。あかはら。

4 【赥】 11画 11630 漢ケキ 呉キャク 錫 xì — — 6338

字義 ❶赤。赤い。 ❷笑う声。

解字 形声。欠＋赤音。

4 【赦】 11画 (4539) シャ 支部。→六三五ページ中。

5 【赧】 12画 11631 漢ダン・呉ネン 慣タン 潸 nǎn 7663 E6DD —

字義 ❶はじる（づ）。あからめる（む）。はじて、顔を赤くする。 ❷おそれる（懼ク）。

解字 篆文  形声。赤＋艮音。音符の艮（デン＝ダン）は、然に通じ、もえるの意味。顔がはずかしくてほてるの意味を表す。

【赧△愧】（タンキ） はじて赤い顔をする。愧赧。羞慙（シュウザン）。

【赧然】（タンゼン） 赤いさま。また、はじて赤面するさま。

【赧赧然】（タンタンゼン） はじて赤面するさま。きまり悪く思うさま。忸怩（ジクジ）。〔孟子、滕文公下〕

6 【赩】 13画 11632 一 漢キョク・呉コク 職 xì 二 漢カク・呉キャク 陌 — — 6339

字義 一 ❶あか。濃い赤。 ❷あかいさま。

解字 篆文  形声。色＋赫省音。音符の赫（カク）は、あかいの意味。あかい色の意味を表す。

7【**赫**】14画 11633 漢カク 呉キャク 陌 hè 1950 8A71 —

字義 ❶**あか-い**(あか-し)。まっかなこと。❷**かがや-く**。❸あきらか。あらわれる(顕)。❹さかん。勢いがさかんなこと。❺いかる。かっとなる。怒るさま。❻ばらばらに裂ける。

解字 甲骨文 篆文 **会意**。赤＋赤。赤は、火の光を浴びる人の象形で、あかいの意味。火がまっかに輝くの意味を表す。

【赫△奕】カクエキ 光り輝くさま。
【赫炎】カクエン まばゆいさま。また、さかんなさま。
【赫赫】カクカク 同赫赫然。①明らかなさま。さかんなさま。現れてさかんなさま。また、威名の輝くさま。②熱気のさかんなさま。また、日照りのさま。
【赫赫然】カクカクゼン ＝赫赫。
【赫戯(戲)・赫△羲・赫△曦】カクギ 光り輝くさま。光明の盛大なさま。
【赫△晅・赫△烜・赫△喧】カクケン 光明の盛大なさま。
【赫△灼】カクシャク ①光り輝くさま。②熱いさま。
【赫△胥氏】カクショシ 中国古代伝説上の帝王の名。炎帝。
【赫然】カクゼン ①怒るさま。②輝くさま。③さかんなさま。④死体の手足がばらばらにはなれたさま。
【赫△蹄・赫△蹏】カクテイ うすく小さな紙。
【赫怒】カクド はげしく怒る。かっと怒る。
【赫△曄】カクヨウ 輝いて明らかなこと。

9【**赮**】16画 11634 漢カ 呉ゲ 麻 xiá — — 6341

字義 ❶**あか**。赤い色。❷朝やけ。夕やけ。

解字 篆文 **形声**。赤＋叚音。音符の叚は、霞カに通じ、朝やけ・夕やけの意味。赤いの意味を表す。

9【**赭**】16画 11635 シャ 馬 zhě 7664 E6DE —

字義 ❶**あかつち**。**そお**(そほ)。色の赤い土で、顔料などに用いた。❷**あか**。赤い色。❸あかつち色。❹はだかにする。草木を切って、はげ山にすること。❺つきる。

解字 篆文 **形声**。赤＋者音。音符の者は、煮の原字で、火をたくの意味。赤は、あかいの意味。合わせて、あかいの意味を表す。

【赭△堊】シャアク ①赤と白。また、その土。②赤土・白土で、すきまをふさいだり、壁をぬったりすること。
【赭衣】シャイ ①赤色の衣服。②罪人の着物。③罪人。赤衣。
【赭汗】シャカン ①衣服が汗などのために赤黄色くなっていること。②赤い汗。名馬は血のように赤い汗を出すという。
【赭顔】シャガン あからがお。赭面。
【赭山】シャザン はげやま。山の草木を切り尽くして、はだかにする。
【赭石】シャセキ ①赤い色の石。②土状をした赤鉄鉱。色は深紅で、絵の具となる。山西省代県に産するものが有名なので、代赭石ともいう。
【赭△鞭】シャベン 赤いむち。昔、神農氏がこのむちで草をむち打ち、毒・味などをしらべたという。〔捜神記、一〕
【赭△鞭家】シャベンカ 本草学者をいう。
【赭面】シャメン ①あからがお。赭顔。②顔を赤くぬる。

9【**赬**】16画 11636 漢テイ 呉チョウ(チャウ) 庚 chēng 2 8921 — 6340
【頳】11637 俗字

字義 **あか**。赤い色。また、あかい。

解字 **形声**。赤＋貞音。

【赬△霞】テイカ あさやけ。また、夕やけ。
【赬尾】テイビ 魚の赤い尾。魚がつかれるとその白い尾が赤くなるというところから、君子が苦労するのにたとえる。用例〔詩経、周南、汝墳〕魴魚赬尾ホウギョテイビ、王室如レ燬オウシツはやくがごとし。⇩疲れると尾が赤くなるという魴魚のように、我々が苦労ばかりしているのは、焼くように厳しい殷イの王室の悪政のせい。

9【**頳**】16画 11637 **テイ** 赬(11636)の俗字。→一三六八ページ中。 2 9227 — 7206

7画 走 そうにょう

〔**部首解説**〕走を意符として、歩く・走る・行くなどの動作に関する文字ができている。

0 走 一三六八	3 起 一三六九	趈 一三七一	趑 一三七一	趣 一三七二	10 趨 一三七二	14 趯 一三七三
赱 三〇一	赸 一三七〇	超 一三七一	趍 一三七一	趡 一三七二	11 趩 一三七三	19 趲 一三七三
1 𧺆 一三六九	4 趆 一三七〇	趁 一三七一	7 趕 一三七一	趠 一三七二	12 趫 一三七三	
2 赳 一三七〇	5 越 一三七〇	趀 一三七一	趙 一三七一	趜 一三七二	趬 一三七三	
赴 一三六九	趄 一三七一	6 趐 一三七一	8 趞 一三七二	9 趦 一三七二	13 趮 一三七三	

0【**走**】7画 11638 ソウ 有 有 zǒu 教2 **ソウ** **はし-る** 熟字訓 師走しわす 3386 9196 —

筆順 一 十 土 キ 丰 卡 走

【𧺆】11639 本字 【赱】1885 俗字

字義 ❶**はし-る**。㋐かける。速足で行く。用例〔韓非子、五蠹〕兎走うさぎはしりて、触レ株折レ頸而死くいぜにふれくびをお(を)りてしす。⇩うさぎが走って株にぶつかりくびを折って死んでしまった。㋑にげる。用例〔孟子、梁恵王上〕棄レ甲曳レ兵而走コウをすてヘイをひきてはしる。⇩よろいを脱ぎ捨て、武器を引きずって逃げました。㋒(急いで)むかう。ゆく。去る。用例〔呂氏春秋、審己〕水出ニ於山一而走ニ於海一みずやまにいでてうみにはしる。⇩水は山から流れだし海へとむかう。❷**はし-らせる**(はし-らす)。㋐馬をはしらせる。㋑速く動かす。「走筆」㋒にげるようにしむける。追い払う。用例〔三国志、蜀志、諸葛亮伝、注〕死諸葛走ニ生仲達一シせるショカツいけるチュウタツをはしらす。⇩死んだ諸葛亮ショカツリョウが、生きている仲達(司馬懿シバイ)を逃げるようにしむけた。❸けもの。用例〔後漢、張衡、西京賦〕上無ニ逸飛一、下無ニ遺走一かみにイッピなく、しもにイソウなし。⇩空には網を逃れた鳥はなく、地には取り逃がした獣はいない。❹召し使い。下僕。使い走り。転じて、自己の謙称。「下走カソウ(身分の低い走り使いの者)」「牛馬走ギュウバソウ(牛馬の世話をする走り使いの者)」

名前 ゆき 難読 走古潭しゃこたん・走部はせべ

解字 金文 篆文 **会意**。篆文は、夭＋止。夭は、はしる人の姿の象形。止はあしの意味。はしるの意味を表す。

逆 却走・競走・飛走・奔走

【走△舸・走△舸】ソウカ 軍船の名。こぎ手が多く、速度の速い舟。早舟。
【走介・走△价】ソウカイ 走り使いをするしもべ。
【走△狗】ソウク ①よく走る猟犬。用例〔史記、越王句践世家〕狡兎死コウトシして、走狗烹ソウクにらる。⇩すばしっこいうさぎが死ぬと、(それを捕らえるのに役立った)よく走る猟犬は(不要になり)煮て食われる。②人の手先として使われる者。③犬を競争させること。
【走△竄】ソウザン にげかくれる。

走舸

【走尸行肉】ソウシコウニク 走る死体と歩く肉。生きながら、なんの役にもたたない人をそしっていう。ごくつぶし。〔安井息軒、三計塾記〕

【走使】ソウシ ①走り使い。人の使いをして、あちこちへ走り歩くこと。また、その人。②自己の謙称。

【走獣（獸）】ソウジュウ 走るけもの。また、けもの類。

【走△趨】ソウスウ・ソウシュ 走りおもむく。また、足ばやに歩く。

【走卒】ソウソツ 走り使いするしもべ。

【走肉】ソウニク 走る肉。生きながら、なんの役にもたたない者をそしっていう。ごくつぶし。→走尸行肉ソウシコウニク。

【走破】ソウハ ①はしる。▼破は、助字。②国走りぬく。走りとおす。

【走馬】ソウバ ①馬を走らせる。②走って行く馬。また、軍馬。③よく走る馬。

【走馬灯（燈）】ソウマトウ・ソウバトウ ①まわりどうろう。〔荊楚歳時記〕②物事が速く変わるたとえ。

【走筆】ソウヒツ ふでを走らせる。すらすらと続けて早く書くこと。

【走路】ソウロ ①にげ道。血路。②国競走の道。コース。

0【赱】6画 (1885) ソウ 土部。→三〇一ページ・中。

1【𧺆】8画 11639 ソウ 走(11638)の本字。→一三六八ページ・中。

2【赳】9画 (11644) キュウ 赳(11643)の旧字体。→一三七〇ページ・上。

2【赴】9画 11640 常 フ おもむ-く 4175 958B —

フ 遇 fù

筆順 一 + 土 キ キ 走 赳 赴

字義 ❶おもむ-く。㋐行く。向かって行く。㋑急いで行く。はせつける。❷つげる。行って告げる。❸死亡の知らせ。＝訃(11103)。

名前 はや・ゆき・ゆく

解字 篆文 形声。走＋卜㊀。音符の卜ボクは、うらないで、ひび割れが瞬時に走るの意味。足ばやに行くの意味を表す。

【赴援】フエン おもむき助ける。行って助ける。赴救。

【赴義】フギ 道義のある行いをする。

【赴告】フコク おもむいて知らせる。特に、死去・災害を知らせること。訃告フコク。訃音フイン。

【赴時】フジ 天候・気候などを常に気にかけ、良い時機を逃がさないようにすること。

【赴△愬】フソ 行ってうったえる。つげうったえる。

【赴難】フナン 難におもむく。国難などを救うために走りおもむくこと。

【赴任】フニン 官吏などが任命された土地におもむく。

【赴報】フホウ 死去の知らせ。訃報。

【赴問】フモン 死去の知らせ。訃音。訃問。

3【起】10画 11641 教3 キ お-きる・お-こる・お-こす 2115 8B4E —

3【起】10画 11642 キ 紙 qǐ

筆順 一 + 土 キ キ 走 起 起 起

字義 ❶お-きる。お-こる。㋐おきあがる。高くもちあがる。立ちのぼる。用例〔三国魏、王粲、雑詩〕風飄揚塵起フウヒョウチリをあげておこり、白日忽已冥ハクジツたちまちすでにくらし。↓急な風がさっとちりを吹き上げ、太陽がたちまちに沈もうとしている。㋑始まる。用例〔礼記、楽記〕凡音之起およそオンのおこるは、由人心生也ジンシンよりショウずるなり。↓すべて音楽のはじまりは、人の心から生まれたものである。㋒生ずる。あらわれる。用例〔荘子、胠篋〕聖人生而大盗起セイジンうまれてダイトウおこる。↓聖人が生まれたため、大盗賊が出てきてしまった。㋓身を立てる。出仕する。用例〔韓非子、顕学〕明主之吏メイシュのりは、宰相必起於州部サイショウはかならずシュウブよりおこり、猛将必発於卒伍モウショウはかならずソツゴよりおこる。↓明主の下の官吏というものは、宰相は必ず地方の下級役人から身を起こすし、猛将は必ず兵卒の隊列の中から現れる。

❷た-つ。㋐たちあがる。用例〔史記、刺客伝〕秦王驚シンオウ、おどろき、自引而起みずからひきてたつ。↓秦王は驚き、身を引いて立ちあがった。㋑まっすぐ立つ。そびえる。用例〔東晋、慧遠、廬山記略〕東南有香炉山トウナンにコウロザンあり、孤峰秀起コホウひいでたつ。↓東南には香炉山があり、突き出た峰がそびえている。㋒出で立つ。出発する。用例〔墨子、公輸〕子墨子聞之シボクシこれをきき、起於斉セイよりたつ。↓墨子はそのことを聞くと、すぐに斉の国を出発した。㋓禽獣が飛び立つ。また、走り出す。用例〔孫子、行軍〕鳥起者伏也とりのおこるはフクなり。↓鳥が急に飛び立つのは伏兵がいるということである。

❸お-こす。㋐立てる。立ち上がらせる。用例〔礼記、月令〕不可以起兵動衆もってヘイをおこしシュウをうごかすべからず。↓兵を起こし民を動かしてはいけない。／〔唐、韋応物、夕次盱眙県詩〕浩浩風起波コウコウとしてかぜなみをおこし、冥冥日没夕メイメイとしてひはゆうべにしずむ。↓川は広々として風が水面を波立たせ、あたりは暗く太陽は夕べに沈みゆく。㋑建てる。作る。用例〔世説新語、豪爽〕晋明帝欲起池台シンのメイテイチダイをおこさんとほっするに、元帝不許ゲンテイゆるさず。↓東晋の明帝が池のほとりに高殿を造営しようとしたが、父の元帝は許さなかった。㋒始める。用例〔韓非子、喩老〕起事於無形ことをムケイにおこして、而要大功於天下タイコウをテンカにもとむ。↓まだ形が見えないうちに事を始め、大きな功績を天下に示そうとする。㋓ひきたてる。挙用する。用例〔論衡、語増〕起白屋之士ハクオクのシをおこし、以璧迎礼之ヘキをもってこれをゲイレイす。↓かやぶきの屋根の家に住む貧士を引き立てようとして、贈り物の璧を持って訪問した。㋔ささえる。たすける。用例〔唐、白居易、長恨歌〕侍児扶起嬌無力ジジたすけおこすにキョウとしてちからなし、始是新承恩沢時はじめてあらたにオンタクをうくるとき。↓腰元たちが抱きかかえあげると、あだっぽくなよなよとして力もないようすである。いまやまさに、天子の御寵愛を受けようとするそのとき。㋕ひらく。さとらせる。用例〔論語、八佾〕起予者商也われをおこすものはショウなり。↓私を啓発してくれるのは卜商ボクショウ（子夏）だ。㋖いやす。よみがえらせる。用例〔呂氏春秋、別類〕我能起死人われよくシジンをおこす。↓私は死んだ人を生き返らせることができる。

名前 おき・おこし・おこす・かず・き・たつ・もと・ゆき

使いわけ おこす・おこる〔興・起〕⇩興(9700)。

解字 篆文 形声。走＋己㊀。音符の己キは、ひざまずくの意味。人が気を入れてひざまずき、たちあがるの意味を表す。

逆 縁起・喚起・屈起・掘起・決起・興起・再起・振起・提起・突起・平起・奮起・発起・隆起

【起因】キイン 物事の始まり。おこり。原因。◆「起因」と「基因」はほぼ同意。現代では、「起因」が一般的。法令など、その違いを明確にしなければならない場合には「基因」を「基づく」と言い換えている。

【起義】キギ ①義によって兵をおこす。正義に従って旗あげする。一揆イッキをおこす。「農民起義」②意味づけをする。

【起△臥】キガ おきふし。起居。また、安否。日常生活。

【起居】キキョ ①たちいふるまい。動静。挙動。②おきふし。暮らし。寝食。起臥キガ。③きげん。安否。

【起居注】キキョチュウ 官職の名。天子の左右にいて、その言行を記録する。

【起居無時】キキョときなし おきふしするのにきまった時間がない。

隠者の自由な生活にいう。〔唐、韓愈、送㆔李愿帰㆓盤谷㆒序〕

【起業】(キギョウ) 国事業を始める。創業。

【起句】(キク) 漢詩の第一句。特に絶句にいう。→起承転結。

【起敬】(キケイ) うやまう心をおこすこと。また、うやまう。

【起結】(キケツ) ①初めと終わり。②詩の起句と結句。→起承転結。

【起源・起原】(キゲン) はじまり。もと。おこり。

【起工】(キコウ) 土木工事を始める。

【起稿】(キコウ) 下書きを作る。起草。

【起座・起△坐】(キザ) 起きあがってすわる。

【起債】(キサイ) ①借金する。②国公債を募集する。

【起算】(キサン) 数え始める。

【起死】(キシ) 死人を生きかえらせること。

【起死回生】(キシカイセイ) ①死にかけた病人の生命をとりもどす。②事業の失敗などで、手のつけようのなかったものをふたたびさかんにする。

【起床・起△牀】(キショウ) 寝床から起きる。

【起承転(轉)結】(キショウテンケツ) 漢詩で、絶句・律詩の構成についていう語。絶句の第一の起句で詩想を起こし、第二の承句でこれを承け、第三の転句で情趣を一転し、第四の結句で全体を結びまとめる。律詩では二句を一組みとして考える。⇩コラム 漢詩(八六六ジ一)。

【起請】 一(キセイ) 立ちあがって請う。 二(キショウ) 国①事を発案して、君主に請い願う。②いつわりのないことを神仏にちかうこと。また、それを書いた文書。起請文。誓文。

【起訴】(キソ) 裁判所に訴えること。

【起草】(キソウ) 案文を作る。文章の下書きをすること。起案。

【起程】(キテイ) 旅行に出かける。発程。発軔。

【起筆】(キヒツ) 書き始める。また、書きはじめ。↕擱筆(六一五ジ一中)。

【起伏】(キフク) ①起きることと、ふすこと。②高くなることと低くなること。③盛んになることと衰えること。

【起用】(キヨウ) ①とりたてる。人を官職にあげ用いる。②休職・免職になった人をふたたび用いる。

【起△聯】(キレン) 律詩の第一・第二両句をいう。首聯。

3 【赳】 10画 11643 入

2 【赳】 9画 11644 漢キュウ(キウ) 呉ク 有 困 jiū 7666 E6E0 ―

筆順 一 十 土 キ キ 走 走 赳 赳

字義 強いさま。たけだけしいさま。勇ましいさま。用例〔詩経、周南、兎罝〕赳赳武夫、公侯干城(キュウキュウたるブフは、コウコウのカンジョウ)。勇ましいもののふは、公の干と城となる。

名前 たけ・たけし・つよ

解字 篆文  形声。走＋丩㊥。

4 【趆】 11画 11645 チ ― ― 6342
遅(12163)と同字。→一四二四ジ一下。

5 【越】 12画 11646 常 エツ こ-す・こ-える 1759 897A ―
一 漢エツ(ヱツ)・呉オチ(ヲチ) 月 yuè
二 漢カツ(クヮツ)・呉ガチ(グヮチ) 曷 huó
慣オツ(ヲツ)

筆順 土 キ キ 走 走 走 赳 越 越

字義 一 ❶こ-える。こ-す。㋐わたる。ふみこえる。とびこえる。㋑追いこす。㋒度をこす。限界をこえる。分を過ぎる。「僭越」㋓去る。遠ざかる。はなれる。❷まわりくどい。うとい。❸失う。❹つまずく。❺と。並列の助字。＝与(15)。❻ここに。発語の語。❼国名。㋐春秋時代の十二列国の一つ。春秋時代末期に呉を滅ぼし(前四七三)、今の江蘇・浙江二省と山東省の一部を領有した。都は会稽(今の浙江省紹興市)。のち句践が琅琊(今の山東省内)に移す。後、楚に滅ぼされた(前三〇六)。「呉越同舟」㋑五代十国の一つ。銭鏐が建てた国で、今の杭州市に都した。五代七十二年。呉越をいう。(九〇七―九七八) ❽浙江省の古名。❾南方の種族の名。「百越」 二 ❶あな。瑟(琴の一種)の下部の穴。❷くる(括)。 国 ❶こし。こしのくに。(今の福井・石川・富山・新潟県) ❷国名。越南の略。

名前 えつ・お・こえ・こし 難読 越河・越喜来・越谷・越生・越川・越知・越智・越路・越日於比亜・越南

使いわけ こえる・こす〔越・超〕
〔越〕ある地点・時をこえて向こう側に行く。「山を越える・年を越す・師匠を越える」
〔超〕一定の分量や基準をこえる。「一万人を超える・一線を超える」
ただし、実際には紛らわしい場合が多い。

解字 金文  篆文  形声。走＋戉㊥。音符の戉は、遠に通じ、とおいの意味。遠方にこすの意味を表す。

逆 隔越・激越・卓越・超越
【越王句践(踐)】(エツオウコウセン) ＝句践(三三九ジ一上)。

【越階】(エッカイ・オッカイ) 順序によらないで、急に上位に進むこと。超階。超遷。

【越騎】(エッキ) ①越国の騎兵。一説に、すぐれた騎兵。②唐代の騎兵の名。勇敢ですぐれた者で組織された。

【越境・越△竟】(エッキョウ) さかいをこえる。国境を越える。

【越△勁】(エッケイ・エッケイ) すぐれて強い。

【越月】(エツゲツ) 月を越す。また、月を重ねること。ふた月にわたること。逾月。

【越権(權)】(エッケン・オッケン) 国自分の権限を越える。僭越。

【越在】(エツザイ) 流浪して遠くの国にいる。

【越次】(エツジ) 順序をこえること。

【越日】(エツジツ) あくる日。明日。翌日。

【越女】(エツジョ) ①越国の美女。特に西施(呉王夫差の愛妃)をいう。②後世は一般に、美女をいう。

【越人】(エツジン) ①越の国の人。②平素親しくない人。

【越絶書】(エツゼツショ) 書名。十五巻。漢の袁康の著。春秋時代の越国の歴史を述べたもの。

【越△俎】(エッソ) 自己の本分を越えて他人の権限を侵す。「越俎之罪」〔荘子、逍遥遊〕

【越訴】(エッソ・オッソ・エッソ・オッソ) 順序を経ないで、直接上官に訴えること。

【越鳥】(エッチョウ) ①南方(越の地方)の鳥。②孔雀の別名。

【越鳥巣(巢)㆓南枝㆒】(エッチョウはナンシにすくう(ふ)) 南の越から来た鳥は、南方にある故国を慕って南の方の枝に巣を構える。転じて、故郷を忘れないたとえ。用例〔文選、古詩十九首、其一〕胡馬依㆓北風㆒、越鳥巣㆓南枝㆒。

⇩北方の異民族の地から来た馬は、北風の吹く方に身を寄せ、南の越から来た鳥は、同じ木でも南側の枝を求めて巣を作る。

【越天楽(樂)】(エテンラク) 国①雅楽の一種。平調の唐楽(唐から渡来した音楽。また、同様式で作った音楽)で、舞がない。平安時代、さかんに行われた。その旋律に歌詞がつけられ、今様としても歌われた。②箏曲の一つ。箏組歌の中の菜蕗組の別名。

【越度】 一(エツド) ①度を越える。出すぎる。②正式の関門・渡し場を通らないで、法を犯して旅をすること。 二(オチド) 国あやまち。落度。過失。失策。

【越南】 一(エツナン) 南方の越の国。 二(ベトナム) 国名。Vietnam。ベトナム社会主義共和国。インドシナ半島東部を領する。首都はハノイ。

【越年】年を越す。超歳。

【越畔之思】自己の職をつつしみ守り、他人の職権を侵すことのないような心がけ。▼畔は、あぜ・さかい。

5 【趄】 12画 11647 慣ソ ショ 魚 jū, ②qiè ₂8922 — 6344
字義 ❶趑趄は、行きなやむ。❷斜めになる。傾く。ゆがむ。
解字 形声。走＋且音。

5 【趈】 12画 11648 漢タン 呉テン 咸 zhān — — 6345
字義 ❶じっとして動かないさま。＝站(8639)。❷馬が急いで行くさま。
解字 形声。走＋占音。

5 【超】 12画 11649 常 チョウ こ-える・こ-す チョウ(テウ) 蕭 chāo 3622 92B4 —
筆順 土 キ キ 走 起 起 超 超 超
字義 ❶おどりあがる。飛びあがる。❷こ-える。こ-す。㋐飛びこえる。ふみこえる。㋑度をこす。分を過ぎる。限界をこえる。「超満員」㋒まさる。すぐれる。ひいでる。「超人」❸遠い。はるか。
名前 おき・き・こえる・たつ・とおる・ゆき
使いわけ こえる・こす〔越・超〕⇩〔越〕(11646)。
解字 篆文 形声。走＋召音。音符の召は、跳に通じ、とびあがるの意味。走を付し、とびこえるの意味を表す。

逆 高超
【超逸・超軼】すぐれぬきんでる。まさる。卓逸。

【超越】①普通の程度をはるかにこえる。②まさる。すぐれる。超逸。③世俗のわずらわしさをぬけだしはなれる。④こえる。飛びこえる。⑤軽快なさま。

【超遠】かけはなれて遠い。はるかに遠い。

【超過】こえ過ぎる。程度をこえる。

【超回】よこしまな行いを超越すること。

【超階】順序をこえて官位がのぼること。超升。超遷。

【超悟】すぐれてさとい。また、世俗を超越して悟りの境地に達する。

【超忽】①はるかに遠いさま。また、とび離れているさま。②気分が高くさわやかなさま。

【超若】にわかなさま。忽然。

【超乗(乘)】①車にとび乗る。②追いこす。

【超人】①普通の人よりはるかにすぐれている人。スーパーマン。②哲学で、善悪を超越し自我の個性を徹底的に発展させて、他の強者を征服する理想的な天才・英雄をいう。ニーチェが主張した。

【超世】①一世にこえすぐれる。世にならぶものがない。②世俗から遠ざかる。脱俗。超俗。

【超絶】①他をこえている。かけはなれる。②他よりはるかにすぐれていること。③人間の常識で考えうる限界をこえて存在すること(もの)。

【超遷】順序をとびこえて上の官位に進む。超階。越階。

【超然】①世俗などにとらわれぬさま。高くこえ出るさま。②失意のさま。

【超俗】世俗から高くぬけでる。脱俗。

【超卓】すぐれて高くぬきんでる。卓越。

【超擢】他人をとびこえて、高い地位にあげ用いる。

【超脱】世俗・時勢とかけはなれる。高脱。高超。

【超弩級】国①「超弩級艦」の略。大口径の砲を多く積み、攻撃力・防御力などの設備がきわめて大がかりな戦艦をいう。▼弩は、イギリスの戦艦ドレッドノート号の当て字。②大きさや力などがずばぬけてすぐれていること。

【超凡】凡人の域をとびぬけていること。超倫。非凡。

【超緬】はるかなること。遥遠。

【超揺(搖)】①不安なさま。②おどりゆらぐ。

【超倫】仲間よりとびぬけてすぐれる。超儔。

5 【趁】 12画 11650 チン 震 chèn 7667 E6E1 —
［趂］11651 同字
字義 ❶ゆきなやむ。❷お-う。追いかける。❸したがう(従)。❹おもむく。❺つけこむ。便乗する。
解字 篆文 形声。走＋㐱音。音符の㐱は、多くのものが集まるの意味。一つの目的に向かって多くのものが集まっていくの意味を表す。

5 【趂】 12画 11651 チン 趁(11650)と同字。→一三七一ページ中。 — — 6343

6 【趐】 13画 11652 漢ケツ 呉ケチ 屑 xuè — — 6347
字義 ❶進む。❷多くの鳥が群がり飛ぶ。
解字 会意。走＋羽。

6 【趑】 13画 11653 シ 支 zī — — 6348
［跢］11754 同字 ［趦］11662 俗字
字義 趑趄は、行きなやむ。たちもとおる。ぐずぐずする。よたよたする。
解字 篆文 形声。走＋次音。音符の次は、くつろぎやどるの意味。くつろいでしまって歩もうとしないの意味を表す。

6 【趍】 13画 11654 スウ 趨(11663)の俗字。→一三七二ページ下。 — — 6346

7 【趕】 14画 11655 カン 旱 gǎn ₂8923 — 6349
字義 ❶おう(追)。❷いそぐ。
解字 形声。走＋旱音。

7 【趙】 14画 11656 標 漢チョウ(テウ) 呉ジョウ(デウ) 篠 zhào 7668 E6E2 —
字義 ❶歩くことのおそいさま。❷こえる(越)。❸小さい。少ない。❹国名。㋐戦国時代、晋の国が三国(韓・魏・趙)に分立した一つ。初め晋陽(今の山西省太原市)に都し、後、邯鄲(今の河北省内)に都した。今の山西省中部・河北省西南部・河南省黄河以北の地。後、秦にほろぼされた。戦国の七雄の一つ。(前四〇三―前二二二) ㋑晋の時、劉淵・石勒が前後して建てた国。それぞれ前趙(三〇四―三二九)・後趙(三一九―三五一)といい、五胡十六国の一つ。↓前趙(一八三ページ上)・後趙(五〇五ページ上)。
解字 形声。走＋肖音。
【趙鞅】春秋時代の晋の政治家。定公の宰相。趙簡子。
【趙匡胤】宋の初代皇帝(在位、九六〇―九七六)。太祖。後周の恭帝の禅譲を受けて即位し、国号を宋と称し、善政を行った。(九二七―九七六)

趙匡胤

【趙恵(惠)文王】戦国時代、趙の王(在位、前二九八―前二六六)。名は何。恵文は諡。廉頗・藺相如・趙奢らを任用して、国威を高めた。
【趙高】秦の宦官。始皇帝の死後、その長子の扶蘇を殺し、二世胡亥を立て、李斯を殺して宰相となった。後、二世を殺し、子嬰を立てたが、子嬰のため一族全部殺された。(?―前二〇七)
【趙充国(國)】前漢の武将・政治家。武帝・宣帝に

仕え、営平侯に封ぜられた。（前一三七—前五三）

【趙勝】＝平原君（四六四ページ中）。戦国時代の趙の貴族。戦国四君の一人。

【趙△宋】宋朝（九六〇—一二七九）をいう。宋は趙氏の王朝なので、南朝の宋（劉宋。四二〇—四七九）と区別していう。

【趙盾】春秋時代、晋の襄公の家老。霊公を殺した趙穿を罰しなかったため、太史の董狐に「趙盾その君を弑す」と記録された。

【趙飛△燕】前漢の成帝の皇后。成陽侯趙臨の娘。美人で身が軽く、舞がじょうずで飛ぶ燕に似ていたので名づけられたという。成帝の死後、庶人の身分にひき降ろされて自殺した。（?—前一）

【趙舞】趙の国のまい。用例〔唐、盧照鄰、長安古意詩〕羅襦宝帯為レ君解、燕歌趙舞為レ君開。↓うす絹の上着も宝石で飾った帯もあなたのためなら解きましょう、燕の歌も趙の舞の宴も、あなたのためなら開きましょう。

【趙△孟】春秋時代の権力者。晋の卿となり権力をふるった。〔孟子、告子上〕

【趙△孟△頫】元の書家・画家・詩人。字は子昂。号は松雪道人。諡は文敏。著書に『尚書注』『松雪斎集』などがある。（一二五四—一三二二）

趙孟頫

【趙翼】清の史学者・詩人。字は耘松（雲崧・雲菘とも書く）。号は甌北。著書に『二十二史劄記』『陔余叢考』『甌北詩話』などがある。（一七二七—一八一四）

【趙△李】漢の成帝の皇后の趙飛燕と、武帝の李夫人。ともに歌舞にすぐれて帝の寵愛を得た。

8【趞】15画 11657 ㊀㊥シャク・㊦サク 藥 què ㊁㊥セキ・㊦シャク 陌 qì ― ― 6350

字義 ㊀足どり軽く歩く。また、行くさま。走るさま。㊁足をそばたてて行く。

解字 形声。走＋昔㊅。

8【趣】15画 11658 常 シュ おもむき ㊀㊥シュウ（シウ）・㊦シュ 遇 qù ㊁㊥ショク・㊦ソク 沃 cù 2881 8EEF ―

筆順 土 キ 走 走 赶 赶 趄 趣

字義 ㊀❶おもむーく。㋐急いで行く。さっさと行く。㋑向かっていく。向かう。❷はしる。＝趨（11663）。❸おもむき。㋐心。心持ち。考え。「意趣」㋑わけ。意味。事情。㋒さま。様子。景色。㋓おもしろみ。あじわい。風情。「野趣」❹仏衆生のおもむく世界。㊁❶うながーす。せかす。❷速い。急ぐ。

名前 とし

解字 金文 篆文 形声。走＋取㊅。音符の取は、速に通じ、はやいの意味。はやく走る・おもむくの意味を表し、転じて、おもむきの意味を表す。

逆 意趣・佳趣・雅趣・奇趣・興趣・景趣・高趣・詩趣・情趣・筆趣・風趣・妙趣・野趣・幽趣

【趣意】＝趣旨。

【趣△駕】急に乗物の用意をさせること。

【趣向】①おもむく。目的を定めて、それに向かう。②こころもち。③国くふう。意匠。おもしろいアイデア。「趣向をこらす」

【趣旨】考え。わけ。おもむき。たいせつなところ。目的やねらい。趣意。旨趣。主意。◆「趣旨」と「主旨」とは同意に使われることが多い。新聞用語などでは「趣旨」に統一されてきている。

【趣舎・趣捨】①取ることと捨てること。②進むことと止まること。趣舎。用例〔史記、伯夷伝〕趣舎有レ時。↓出処進退が時宜にかなっている。

【趣尚】おもむき。好み。

【趣装】急いで旅装を整える。

【趣致】おもむき。風情。あじわい。

【趣味】①おもしろみ。おもむき。②好み。興味をそそられてするもの。興趣。

【趣利】利益のある方にはしる。利を求める。

8【趡】15画 11659 ㊀スイ 紙 cuǐ ㊁㊥イ（ヰ）・㊦ユイ 紙 ㊂ショウ（セウ） 嘯 ― ― 6352

字義 ㊀❶うごく。❷はしる。❸地名。春秋時代の魯の地。今の山東省泗水県・鄒城市。㊁はしるさま。㊂❶＝㊁❷。❷こえる（超）。

解字 形声。走＋隹㊅。

8【趠】15画 11660 ㊀タク 覺 chuō ㊁㊥トウ（タウ）・㊦チョウ（テウ） 効 tiào

字義 ㊀❶遠い。はるか。❷走る。速く走る。❸飛ぶ。おどり上がる。㊁越える。飛び越える。

解字 形声。走＋卓㊅。音符の卓は、高いの意味。

8【趟】15画 11661 ㊀㊥トウ（タウ）・㊦チョウ（チャウ） 庚 zhēng ㊁㊥トウ（タウ）・㊦チョウ（チャウ） 敬 tāng ― ― 6351

字義 ㊀こおどりするさま。㊁ふみ進むさま。

解字 形声。走＋尙㊅。

9【趦】16画 11662 シ 趑（11653）の俗字。→一三七一ページ下。 2 8924 ― 6353

10【趨】17画 11663 標 ㊀㊥シュウ（シウ）・㊦シュ 虞 qū ㊁㊥ショク・㊦ソク 沃 cù 3186 9096 ―

【趍】11654 俗字 慣スウ

字義 ㊀❶はしーる。㋐足ばやに行く。さっさと行く。用例〔孟子、公孫丑上〕其子趨而往視レ之。↓その人の子供が大急ぎで走って行って見てみると、苗はもう枯れてしまっていた。㋑小走りに行く。小股で足ばやに行く。貴人や目上の人の前を通るときの歩き方。用例〔戦国策、趙〕入而徐趨、至而自謝曰、……。↓入るとおもむろに小走りで進みでて、太后の前までくると、謝罪して言った、……。㋒大股に歩く。❷おもむーく。＝趣（11658）。用例〔十八史略、春秋戦国、燕〕於レ是士争趨レ燕。↓これを聞いて、天下の有能な人々は先を争って燕にやってきた。❸つまる。下が短い。㊁❶はやい（速）。急ぐ。❷うながす。せきたてる。

解字 篆文 形声。走＋芻㊅。音符の芻は、草をまとめてにぎるの意味。歩幅をまとめちぢめて走る、小走りに行くの意味を表す。

【趨炎附熱】権勢のある人に従うこと。権力者におもねる。▼炎・熱は、権力者のたとえ。〔宋史、李垂伝〕

【趨下】①走り下る。②下半身の短いこと。

【趨賀】お祝いのために参上する。人の家に行って祝う。

【趨競】われさきにときそい合う。

【趨△闕】朝廷におもむく。

【趨向】方向。おもむき向かう所。また、おもむき向かう。趨嚮。

【趨行】走って行く。走り進む。

【趨参（參）】他人のところにおもむく。訪問。参趨。

【趨時】時機をとらえて、うまくふるまおうとすること。時流に応ずること。

【趨舎・趨捨】①進むことと止まること。進退。②取ることと捨てること。取捨。

【趨△翔・趨詳】スウショウ たちいふるまい。趣翔。

【趨織】ソクショク 虫の名。蟋蟀(こおろぎ)の別名。促織。

【趨勢】スウセイ ①世の中のなりゆき。物事の移り進みゆく勢い。時勢。②権力者におもねる。権力者におもむくの意。

【趨走】スウソウ ①はやく走る。②使い走りする。

【趨△蹌】スウソウ ①巧みに走るさま。②権勢のある家にはたらきかける。俗にいう運動。

【趨数(數)】ソクソク せわしくわずらわしい。落ちつきのないさま。促速。

【趨趨】ソクソク ①歩き方がはやいさま。威厳のないさま。②蟋蟀(こおろぎ)の別名。促織。趨織。

【趨庭】スウテイ 子が父から教育を受けるたとえ。過庭。孔子の子の鯉(り)が、庭先で孔子の前を小走りに通ったとき、詩や礼を勉強せよと教訓された故事による。『論語』季氏編に「嘗独立(かつてひとりたてり)。鯉趨而過レ庭(りはしりてていをすぐ)。曰(いわく)、学レ詩乎(しをまなびたるかと)」とあるのに基づく。

【趨拝(拜)】スウハイ おもむき拝する。小走りに行って拝む。

【趨陪】スウバイ 走ってつきしたがう。

【趨風】スウフウ 風のようにはやく走る。貴人の前をはやく通り過ぎて、敬意を表す。

【趨歩】スウホ 小走りではやく走る。

【趨利】スウリ 利に走る。競って利を図る。

【賜レ不レ趨】はしらざるをたまう(ふ) 朝廷の中を行く時は小足で足ばやに歩くのが礼であるが、それには及ばないという許しを賜ること。功臣に賜る優遇。〔史記、蕭相国世家〕

11 【趩】 18画 11664 漢ヒツ 呉ヒチ 質 bì

字義 さきばらい。「警趩」

解字 形声。走＋畢音。

12 【趫】 19画 11665 漢キョウ(ケウ) 呉ギョウ(ゲウ) 蕭 qiāo — — 6354

字義 ❶すばやい。身が軽い。❷たけし(健)。さかん(壮)。つよくいさましい。勇壮である。❸足をあげる。

解字 篆文 形声。走＋喬音。音符の喬(キョウ)は、高いの意味。木から木へと高い所を身軽に走るの意味から、すばやいの意味を表す。

【趫△悍】キョウカン すばやく、荒々しい。

【趫健】キョウケン (歩行が)すばやい。

【趫才】キョウサイ ①すばやい才能。また、それをもっている人。②軽薄ですばやい少年。小才の利く少年。

【趫△捷】キョウショウ 身軽で足が速い。すばやい。

12 【趬】 19画 11666 キョウ(ケウ) 蕭 嘯 qiāo — — 6355

字義 身軽に行くさま。身が軽い。

解字 形声。走＋堯音。

13 【趮】 20画 11667 ソウ 躁(11813)と同字。→一三八四ページ中。

14 【趯】 21画 11668 ㊀ヤク 薬 yuè ㊁漢テキ・呉チャク 錫 tì 19232 — 6356

字義 ㊀❶おどりあがるさま。「趯然」「趯趯」❷おどろく(驚)。❸筆法の一つ。筆先が上に向かってはねるもの。㊁おどる。おどりあがる。＝躍(11820)。

解字 篆文 形声。走＋翟音。音符の翟(テキ)は、高くぬきんでるの意味。高くぬきんでるように、おどるの意味を表す。

19 【趲】 26画 11669 漢サン 呉ザン 旱 zǎn — — 6357

字義 ❶驚き散る。❷散り走る。❸追い走らせる。❹促す。

解字 形声。走＋贊音。

7画

足(⻊) あし・あしへん

[⻊] 28925 — —

〔部首解説〕 足を意符として、足の各部の名称、足に関する動作・状態などを表す文字ができている。

(0)足 一三七三	跀 一三七四	趺 一三七五	跚 一三七五	跆 一三七五	跛 一三七五	跑 一三七六	趼 一三七六	跴 一三七七	跧 一三七七	(7)跽 一三七八	踈 一三七八	踄 一三七九	踦 一三七九	踌 一三七九
(3)趷 一三七四	跀 一三七四	(5)跇 一三七五	跖 一三七五	跅 一三七五	跦 一三七六	(6)跪 一三七六	跨 一三七六	跱 一三七七	跺 一三七七	踋 一三七八	踈 一三七八	踊 一三七九	踑 一三七九	踧 一三七九
趵 一三七四	趾 一三七四	跏 一三七五	跙 一三七五	跕 一三七五	跋 一三七六	跬 一三七六	跲 一三七六	跡 一三七七	跳 一三七七	跼 一三七八	踌 一三七八	踉 一三七九	踞 一三七九	踤 一三七九
(4)跂 一三七四	趿 一三七五	距 一三七五	跎 一三七五	跌 一三七五	跋 一三七六	跫 一三七六	跤 一三七六	践 一三七七	跰 一三七八	踁 一三七八	踅 一三七八	(8)踠 一三七九	踡 一三七九	踖 一三七九
趹 一三七四	跉 一三七五	跔 一三七五	跪 一三七五	跈 一三七五	跗 一三七六	跫 一三七六	跟 一三七六	跣 一三七七	路 一三七八	踆 一三七八	踕 一三七九	踝 一三七九	踌 一三七九	踐 一三七七

踪 一三八〇	跰 一三八〇	踳 一三八〇	蹀 一三八一	蹁 一三八一	蹉 一三八二	蹎 一三八二	𨅝 一三八二	蹡 一三八三	蹛 一三八三	蹻 一三八三	蹱 一三八三	躇 一三八四	蹩 一三八四	躄 一三八四	(15)躚 一三八五	躐 一三八五	(17)躞 一三八五	躪 一三八五
踔 一三八〇	踣 一三八〇	踵 一三八〇	踸 一三八一	踰 一三八一	蹐 一三八二	蹈 一三八二	蹔 一三八二	蹤 一三八三	蹢 一三八三	蹶 一三八三	蹭 一三八四	蹹 一三八四	蹼 一三八四	躃 一三八四	躓 一三八五	躒 一三八五	躝 一三八五	(20)躩 一三八五
踟 一三八〇	(9)踽 一三八〇	踹 一三八一	蹄 一三八一	踴 一三八一	蹌 一三八二	蹋 一三八二	蹝 一三八二	蹟 一三八三	蹣 一三八三	蹙 一三八三	蹲 一三八四	蹬 一三八四	(13)躁 一三八四	(14)躋 一三八四	躕 一三八五	(16)躛 一三八五	(18)躡 一三八五	
踢 一三八〇	[illegible] 一三八〇	踶 一三八一	(10)蹊 一三八一	蹏 一三八一	踼 一三八二	蹷 一三八二	蹠 一三八二	蹕 一三八三	蹴 一三八三	蹪 一三八三	躉 一三八四	蹥 一三八四	躊 一三八四	躑 一三八四	躘 一三八五	躙 一三八五		
踏 一三八〇	蹂 一三八〇	踱 一三八一	蹈 一三八一	蹇 一三八一	蹍 一三八二	(11)蹞 一三八二	蹜 一三八二	躧 一三八三	(12)蹺 一三八三	蹵 一三八三	蹰 一三八四	蹯 一三八四	躅 一三八四	躍 一三八四	躔 一三八五	躙 一三八五	(19)躦 一三八五	

0 【足】 7画 11670 教1 ソク あし・た-りる・た-る・た-す 熟字訓 足袋(たび) 3413 91AB —

㊀漢ショク・呉ソク 沃 zú
㊁漢シュ・呉ス 遇 jù
慣スウ

筆順 丶 ㄇ 口 𠯁 𠯆 𫝀 足

字義 ㊀❶あし。㋐股(もも)から下の部分。「手足」㋑踝(くるぶし)から下の部分。「跣足(センソク)」㋒動物・昆虫などのあし。「百足之虫(ヒャクソクのむし)(ヤスデ・ムカデ)」㋓器物をささえる部分。「鼎足(テイソク)」㋔もと。ふもと。「山足」❷あゆみ。脚力。また、進みぶり。「高足」「駿足(シュンソク)」「捷足(ショウソク)」❸た-りる。た-る。㋐十分にそなわる。充実している。用例〔管子、牧民〕倉廩実則知二礼節一(ソウリンみつればすなわ(は)ち、レイセツをしり)、衣食足則知二栄辱一(イショクたればすなわ(は)ち、エイジョクをしる)。⇩食料の心配がなくなって、初めて人は礼儀道徳に関心を持つようになり、衣食の心配がなくなって、初めて人は名誉と不名誉とをわきまえるようになる。㋑つりあう。間に合う。用例〔史記、項羽本紀〕料二大王士卒一足三以当二項王一乎(ダイオウのシソツをはかるにもってコウオウにあたるにたるか)。⇩大王様の兵力を考えて、項羽に対抗するのに十分でしょうか。㋒…にあたいする。値打ちがある。用例〔史記、項羽本紀〕剣一人敵、不足学。学万人敵。↓剣術は一人を相手にするだけで、学ぶに値しません。万人を相手にする学問をしたいのです。㋓分に安んずる。満足する。用例〔史記、留侯世家〕臣願封留足矣。↓私は留の土地を頂戴できれば十分でございます。不敢当三万戸。↓三万戸などとはとんでもないことでございます。㋔非常に多い。満ちている。用例〔唐、于武陵、勧酒詩〕花発多風雨、人生足別離。↓花の咲くころは、とかく風雨が多くて花のさまたげになるように、人の一生には別ればかりが多い。❹たす。㋐みたす。用例〔論語、顔淵〕足食足兵。↓食糧を十分にして、軍備を十分にする。㋑なす。完成させる。用例〔左伝、襄公二十五〕言以足志、文以足言。↓ことばによって気持ちを十分にあらわすことができ、文辞によってことばを十分に伝えることができる。❺たれりとする。よしとして許す。❻とまる。とどまる。❼ふむ(踏)。

□二 ❶たす。そえる(添)。ます(増)。用例〔列子、楊朱〕以昼足夜。↓昼に夜を足す(昼も夜も)。❷すぎる。度をこす。「足恭」❸へつらうさま。

国 ❶あし。㋐ぜに。金銭。おあし。㋑舟の水につかる部分。❷ソク。履き物を数えるのに用いる数詞。

名前 あし・たらし・たり・たる・なり・みつ・ゆき 難読 足羽・足寄・足摺岬・足助・足代・足達・足利・足立

> **使いわけ** あし〔足・脚〕
> 〔足〕人間や動物のあし、特にひざやくるぶしから下の部分。また、足の動き。「足首・足止め」
> 〔脚〕ももから下の足全体。物をささえる部分。また、人間・動物以外の動き。「脚が細い・机の脚・雨脚・船脚」

解字 甲骨文  金文  篆文  **指事**。口＋止。口は、人の胴体の象形。止は、あしの象形。胴体の下にあしをつけ、あしの意味を表す。本体にそえるの意味から、たす・みたすの意味をも表す。

逆 逸足・雨足・給足・禁足・具足・下足・高足・自足・充足・手足・人足・洗足・蛇足・長足・発足・不足・補足

【足下】①足のした。②あしもと。用例〔老子、六十四〕千里之行始於足下。↓千里もの遠方への旅も、最初の一歩から始まる。③同輩に対する敬称。昔は主人に対しても用いた。あなた。きみ。用例〔唐、韓愈、与孟東野書〕与足下別久矣。↓あなたとお別れしてから随分になる。④手紙のあて名のわきに書いて敬意を表す語。

【足△枷】国①昔の刑具の一つ。罪人の自由を奪うため足にはめる板。②自由な活動をさまたげるもの。

【足恭・足共】あまりにうやうやし過ぎること。おもねり。

【足心】①足の裏の中心。つちふまず。②みち足りた心。

【足跡・足△迹】①あしあと。また、通り過ぎたあと。②前人の業績。昔の業績。

【足本】欠けた所のない完全な書物。

【足労(勞)】国足を運ぶこと。人をたずねるほねおり。

【如足如手】兄弟の情が厚く、常にはなれられない形容。〔唐、李華、弔古戦場文〕

【濯足】①世俗・時流に従って行動する。一説に、乱世を避けて隠遁する意。用例〔楚辞、漁父〕滄浪之水濁兮、可以濯我足。↓滄浪の流れが濁っている時には、私の足を洗おう。②国㋐世俗のけがれを洗い落とす。㋑これまでの悪い境遇・職業からぬけ出す。

【知足】満足することを知る。分に安んずることを知る。知足。用例〔老子、三十三〕知足者富。↓満足をすることを知るものは、豊かになる。

【△頓足】足をばたばたさせる。頓足。用例〔唐、杜甫、兵車行〕牽衣頓足攔道哭、哭声直上干雲霄。↓(見送る人々は)兵士たちのきものを引っぱり、足をばたばたさせ、道をさえぎって泣きさけぶ。その泣き声は、まっすぐに立ちのぼって、大空をつきささんばかりだ。

3 【趷】 10画 11671 コツ kē ―― ―― 6359

字義 現代中国語で、趷蹬は、ゴツンという物の打ち合う音。また、道路を歩く音。

3 【趵】 10画 11672 ―― ―― 6358

□一 ハク 覚 bō □二 漢ホウ(ハウ) 呉ヒョウ(ヘウ) 効 bào □三 漢シャク・呉サク 薬 zhuó

字義 □一 ❶足で撃つ。蹴る。❷足で地面を蹴る音。□二 おどり上がる。□三 足跡。あと。

解字 形声。足＋勺省音。

4 【跂】 11画 11673 7669 E6E3 ―

□一 漢キ・呉ギ 支 qí □二 キ 紙 qǐ □三 キ 寘 qì

字義 □一 ❶足の指の数が普通より多いこと。❷行く。はう。虫がはい歩く。❸くいちがう。□二 ❶つまだてる。かかとをあげる。❷つまさきだって遠くをながめる。進む。

解字 篆文  形声。足＋支音。音符の支は、えだわかれするの意味。

【跂行】何本もの足をつかって進むもの。虫の類いをいう。

【跂△踵】①つまだてる。かかとをあげる。▼踵は、かかと。②つまだって遠くを見ることから、転じて、待ち望む。切に望む意。

【跂想】待ち望む。期待する。

【跂足】足をつまだてて、望み見る。「翹首跂足」

【跂望】足をつまだてて、遠方を見る。遠方を見ようとするさま。また、待ちこがれるさま。

4 【趹】 11画 11674 ―― ―― 6360

□一 漢ケツ・呉ケチ 屑 jué □二 漢ケイ・呉ケ 霽 guì

字義 □一 ❶馬が地をけってはやく走るさま。❷おもむく。行く。□二 ❶ふむ。❷＝□一❶。

解字 形声。足＋夬音。

4 【跀】 11画 11675 ―― ―― ――

［跀］ 11676 俗字

漢ゲツ 呉ガチ(グヮチ) 月 yuè

字義 ❶あしきる。昔の刑罰の一つ。罪人の足を切る。＝刖(903)。❷ゆがむ。いびつ。

解字 形声。足＋月音。音符の月は、えぐるの意味。あしをきりとる古代の刑罰の意味を表す。

4 【跀】 11画 11676 ―― ―― 6362

ゲツ 跀(11675)の俗字。→一三七四ページ下。

4 【趾】 11画 11677 7670 E6E4 ―

標 シ 紙 zhǐ

字義 ❶あし(足)。また、踝から下の部分。❷あと。あしあと。また、物事のあと。「遺趾」❸おわり(終)。❹もと。ねもと。土台。

解字 形声。足＋止音。音符の止は、あしの象形。趾の原字。止が、とまるの意味に用いられるようになったため区別して足を付した。

4【趿】11画 11678 ソウ(サフ) 㕭 tā
字義 ❶足を伸ばして足指にひっかける。❷靴のかかとを踏んではく。❸足を伸ばす。
解字 形声。足+及㊥。
— — 6361

4【趻】11画 11679 チン 踸(11762)と同字。→一三八一ページ上。
— — 6361

4【趺】11画 11680 フ 虞 fū
字義 ❶あし。㋐足の甲。㋑かかと。❷うてな。㋐物の台。㋑花の萼ガク。❸あぐら。両足を組んですわる。
解字 形声。足+夫㊥。
【趺△坐】ザフ 仏両足の甲を反対側の股ももの上に置いて足を組んですわること。円満安座の意。座禅の時の座り方。また、仏のすわり方。「結跏趺坐ケッカフザ」
7671 E6E5 —

5【跇】12画 11681 エイ 霽 yì
字義 ❶超える。❷渡る。❸跳ぶ。
解字 形声。足+世㊥。
— — 6365

5【跏】12画 11682 標 漢カ 呉ケ 麻 jiā
字義 あぐらをかく。足を組んですわる。「結跏」
解字 形声。足+加㊥。
【跏△趺】フカ 仏両足の甲を反対側の股ももの上に置いて足を組んですわること。一種のあぐら。「結跏趺坐ケッカフザ」
7672 E6E6 —

5【距】12画 11683 常 キョ
5〖距〗12画 11684 漢キョ 呉ゴ 語 jù
2187 8B97 —
筆順 ロ 𠯁 𠯁 𠯁 𧾷 𧿒 距 距 距
字義 ❶へだたる。へだてる。間がはなれる。間をはなす。「距離」❷こばむ。ふせぐ。=拒(4096)。「拒絶」❸いたる(至)。❹さる(去)。❺おどりあがる。飛びこえる。=躍(11820)。❻とまる(止)。とどまる。❼とじる(閉)。❽たがう。くいちがう。❾けづめ。鶏の足の後ろに出ているつめ。
解字 金文 [金文] 篆文 [篆文] 形声。足+巨(巨)㊥。音符の巨は、去・却に通じ、しりぞけるの意味。にわとりのけづめの意味や、へだてるの意味を表す。
逆 鶏距
【距絶】キョゼツ ふせぎたつ。こばむ。拒絶。
【距戦(戰)】キョセン ふせぎ戦う。
【距跳】キョチョウ おどりあがる。
【距離】キョリ へだたり。間隔。

5【跔】12画 11685 ク 虞 jū
字義 ❶かがむ。❷跿跔トクは、素足。はだし。
解字 形声。足+句㊥。
— — 6370

5【跚】12画 11686 サン 寒 shān
字義 蹣跚ハンサンは、よろめき行くさま。行きなやむさま。
解字 形声。足+冊㊥。
7673 E6E7 —

5【跖】12画 11687 漢セキ 呉シャク 陌 zhí
字義 =蹠(11789)。❶足のうら。❷ふむ。❸盗跖は、昔の大盗賊の名。盗蹠トウセキ。
解字 篆文 [篆文] 形声。足+石㊥。音符の石は、いしの意味。足のうらの石にあたる部分の意味を表す。
【跖△蹻】セキキョウ 魯ロの盗跖と楚ソの荘蹻。ともに有名な大盗賊。蹠蹻セキキョウ。
【跖△之△狗△吠△尭(堯)】セキのいぬギョウにほゆ 大盗賊の跖に養われている犬は、大聖人の尭帝ギョウテイにほえつく。人は、自分の仕える主人には善悪を問わず忠をつくすたとえ。転じて、悪にくみして賢者をねたむたとえ。〔戦国策、斉〕
【跖△之徒】セキのト 大盗賊の盗跖の仲間。自分の利益ばかり考える人々をいう。蹠之徒セキのト。〔孟子、尽心上〕
7674 E6E8 —

5【跙】12画 11688 漢ソ 呉ジョ 語 jù
字義 跙跙は、行きなやむさま。たちもとおるさま。
解字 形声。足+且㊥。
2 8928 — 6373

5【跎】12画 11689 漢タ 呉ダ 歌 tuó
〔𧿶〕11690 同字
字義 蹉跎サタは、㋐つまづく。けつまづく。㋑さしさわりが起きて、時機をにがす。㋒生活が思うようにならない。また、失敗する。
解字 形声。足+它㊥。
1 9233 — 6368

5【𧿶】12画 11690 タ 跎(11689)と同字。→一三七五ページ中。

5【跆】12画 11691 漢タイ 呉ダイ 灰 tái
字義 ❶ふむ(踏)。❷蹋跆トウタイは、手をつらねて歌う。❸跆拳道テコンドウは、朝鮮半島の伝統武術。
解字 形声。足+台㊥。
2 8926 — 6364

5【跅】12画 11692 ㊀タク 薬 tuò ㊁漢セキ・呉シャク 陌
字義 ㊀ゆるむ。しまりがない。㊁しりぞける。
解字 形声。足+斥㊥。
【跅△弛】タクシ しまりがなく、ほしいままなこと。だらしがない。
【跅落】タクラク ゆるんでしまりがない。だらしがない。
— — 6363

5【跕】12画 11693 チョウ(テフ) 葉 tiē
字義 ❶ふむ。軽くふむ。はきものをつっかけて歩く。❷ゆっくりと歩く。
解字 形声。足+占㊥。
— — 6371

5【跌】12画 11694 漢テツ 呉デチ 屑 diē
字義 ❶つまずく。㋐つまずきたおれる。「蹉跌サテツ」㋑たがう。あやまる。❷はしる。疾走する。❸すぎる(過)。度をすごす。また、ほしいまま。❹足のうら。
解字 篆文 [篆文] 形声。足+失㊥。音符の失は、それるの意味。足をふみはずす、つまずくの意味を表す。
7675 E6E9 —
【跌墜】テッツイ つまずきたおれる。また、つまずき落ちる。
【跌△宕】テットウ しまりがなく、ほしいまま。▼宕は、度をこす。
【跌倒】テットウ つまずきたおれる。
【跌△蕩】テットウ ①しまりがなく、ほしいまま。「跌蕩放言」②うろたえころぶ。

5【跈】12画 11695 ㊀漢デン・呉ネン 銑 niǎn ㊁漢セン・呉ゼン 銑 jiǎn
字義 ㊀❶ふむ(踏)。また、おう(逐)。❷ただしい(正)。㊁ふむ(履)。ならぶ。また、とどまる(止)。
解字 形声。足+㐱㊥。
2 8927 — 6366

5【跛】12画 11696 ㊀ハ 哿 bǒ ㊁ヒ 寘 bì
字義 ㊀❶片足の不自由なこと。用例〔淮南子、人間訓〕此独以跛之故これひとりハのゆえ(ゆゑ)をもって、父子相保フシあいたもてり(ひ)。↓この一家だけは息子の足が不自由であったがために戦争に行かず、親子共に無事であった。❷足がなえる。㊁よりかかる。片足で立つ。
解字 篆文 [篆文] 形声。足+皮㊥。音符の皮は、波に通じ、なみの意味。足が不自由で歩くとき体が波のように揺れ傾くさまから、足がなえる意味を表す。
7676 E6EA —
【跛△倚】ヒイ ①片足で物によりかかる。②かたよっている。
【跛△蹇】ハケン 片足の不自由なこと。
【跛行】ハコウ ①片足を引いて歩く。②つりあいがとれない。
【跛△鼈千里】ハベツもセンリ 足の不自由なすっぽんも千里の遠い

所に行く。たゆまず勉強すれば、どんな人でも成功するたとえ。〔荀子、脩身〕

5【趺】12画 11697 漢バイ 呉マイ 泰 隊 mèi ―― ― 6367
字義 踏む。踏みつける。
解字 形声。足＋未音。

5【跋】12画 11698 標 漢ハツ・呉バチ 慣バツ・バ 曷 bá 7677 E6EB ―
［跛］11699 俗字
字義 ❶つまずく。よろめく。❷ふむ。ふみにじる。❸もとる。反する。❹こえる。わたる。山野をゆく。「跋渉」❺もと。ねもと。❻文体の名。おくがき。あとがき。書物の終わりにしるす文。↕序(3183)。
解字 篆文 形声。足＋犮音。音符の犮は、とりのけるの意味。足をとられて、つまずくの意味を表し、また、足をぬくの意味から、ふむの意をも表す。また、その著書などの性格の本質をより抜いて末尾に記す文、ばつの意をも表す。

【跋胡】進退に窮すること。老いた狼が、進めば胡(あご下のたれ肉)をふみ、しりぞけば尾につまずく意。『詩経』豳風・狼跋に「狼跋其胡、載疐其尾」とあるのに基づく。

【跋扈】強くてわがままにふるまうこと。また、臣下が権威をほしいままにして人君をおかすこと。横暴。▼扈は、魚を取る水中の竹かごで、大魚はそれをおどり越えて脱し去るのでいう。

【跋扈将(將)軍】①後漢の梁冀のあだな。大将軍となって横暴であったからいう。②暴風の別名。

【跋語】おくがき。書物の終わりに記す文。跋文。

【跋渉】山を越え川を渡る。山野を歩きまわる。また、諸所を歩きまわる。▼山野を行くのを跋といい、河川をわたるのを渉という。用例〔左伝、襄公二十八〕跋渉山川、蒙犯霜露。↓山野を歩きまわり、霜や露をしのいだ。

【跋題】おくがき。書物の終わりに記す文。跋語。

【跋躓】つまずきころぶ。また、つまずく。▼躓は、つまずく、また、ころぶ。

【跋尾】天子の書の終わりに臣下が署名すること。後世は、跋文の意に用いる。

【跋文】おくがき。書物の終わりに記す文。跋語。

【跋剌】①魚がぴちぴちとはねあがるさま。潑剌。②鳥が飛びたつさま。


【跋履】ふみ歩く。へめぐる。あちこち歩きまわる。跋渉。

5【跛】12画 11699 バツ 跋(11698)の俗字。→一三七六ページ上。

5【跗】12画 11700 フ 虞 fū ι9235 ― 6372
字義 ❶足の甲。＝趺(11680)。❷うてな。㋐物の台。㋑花の萼。花のうてな。国くびす。きびす。かかと。
解字 形声。足＋付音。
【跗萼】①花のうてな。②兄弟の親しみをいう。

5【跑】12画 11701 漢ホウ(ハウ) 呉ボウ(バウ) 肴 pāo, ③pǎo ι9234 ― 6369
字義 ❶あがく。足で地をかく。❷ける。❸はしる。
解字 形声。足＋包音。

6【跪】13画 11702 漢キ 呉ギ 紙 guì 7678 E6EC ―

字義 ❶ひざまずく。両ひざを地につけ、腰と股とを伸ばしてすわる。また、ひざまずいてする礼拝。用例〔史記、廉頗藺相如伝〕相如前進缶、因跪請秦王。↓相如はすすみでて、ほとぎをさし出して、ひざまずいて秦王にお願いした。❷あし。蟹のあし。

解字 篆文 形声。足＋危音。音符の危は、ひざまずくの意味。危が、不安定であぶないの意味に用いられるようになったので、足を付して、ひざまずくの意味を表す。

【跪坐】ひざまずいて、すわる。すわる。〔荘子、在宥〕

【跪進】ひざまずいて差しあげる。

【跪拝(拜)】ひざまずいておがむ。丁寧な礼。

【跪伏】ひざまずきふし拝む。

【跪捧】ひざまずいてささげる。

6【跬】13画 11703 キ 紙 kuǐ ₂8929 ― 6377
［蹞］11780 同字
字義 ❶ひとあし。ひと足を前に出すのを跬といい、ふた足を歩という。❷ちかい(近)。❸すこし。わずか。
解字 形声。足＋圭音。
【跬歩】かたあし。ひとあし。
【跬誉(譽)】一時の名誉。わずかのほまれ。

6【跫】13画 11704 漢キョウ 呉グウ 冬 江 qióng
［跫］11705 俗字
字義 あしおと。人の歩く音。「跫音」
難読 跫音
解字 形声。足＋巩音。
【跫然】人の足音のひびくさま。

6【跫】13画 11705 キョウ 跫(11704)の俗字。→一三七六ページ中。 7679 E6ED ―

6【趼】13画 11706 ケン 銑 jiǎn ―― ― 6379
字義 たこ。㋐足にできるたこ。そこまめ。㋑ひび。あかぎれ。
解字 形声。足＋幵音。

6【跨】13画 11707 人 標 漢カ(クヮ)・呉ケ 慣コ 禡 kuà 2457 8CD7 ―

筆順 跨
字義 ❶またぐ。またをひらいてこす。❷またがる。両股の間にはさむようにして乗る。❸また。またぐら。❹よる(拠)。占領する。

解字 篆文 形声。足＋夸音。音符の夸は、弓なりに曲げるの意味。両足を弓なりに曲げる、またぐの意味を表す。

【跨越】またいでこえる。

【跨下】またの下。

【跨鶴】①つるに乗る。②仙人はつるに乗って天にのぼると言われたことから、仙人となる意。

【跨拠(據)】両方を占有してたてこもる。また、占領する。

【跨制】両方にまたがって取りしまる。

【跨年】年末から年の初めにわたる。

【跨有】あわせ領有する。

6【跲】13画 11708 漢コウ(カフ) 呉キョウ(ケフ) 洽 jiá ―― ― 6381
字義 つまずく。㋐つまずきたおれる。㋑失敗する。うまくゆかない。
解字 形声。足＋合音。

6【跤】13画 11709 漢コウ(カウ) 呉キョウ(ケウ) 肴 jiāo ―― ― 6374
字義 ❶足首。❷もんどりうって倒れること。
解字 形声。足＋交音。

6【跟】13画 11710 コン 元 gēn 7680 E6EE ―
字義 ❶くびす。かかと。❷したがう。あとについて行く。随行する。
解字 篆文 形声。足＋艮(皀)音。音符の皀は根に通じ、ねもとの意味。足のねもと、かかとの意味を表す。
【跟従(從)】つきしたがう。また、供の者。従者。

【跟随(随)】 ①つきしたがう。また、従者。②有力者のかげにかくれること。

6 【跴】 13画 11711 サイ cǎi — — 6382

字義 ❶現代中国語で、追跡する。❷現代中国語で、足で踏みつける。

解字 形声。足＋西㊓。

6 【跱】 13画 11712 ㊒ジ(ヂ) ㊉チ 紙 zhì — — 6380

字義 ❶とどまる(止)。❷そなえ。たくわえ。❸おく(置)。❹うずくまる。

解字 形声。足＋寺㊓。音符の寺は、とどまるの意味。

6 【跡】 13画 11713 ㊉セキ・㊒シャク 陌 jì 常 セキ あと 3255 90D5 —

筆順 ロ 早 早 足 跡 跡 跡 跡

字義 ＝迹(12070)。❶あと。㋐あしあと。「人跡」㋑あとかた。物事のあったあと。「古跡」❷あとづける。あとをたずねる。国あと。㋐跡職の略。家の名跡。あとめ。㋑名跡をつぐ人。あととり。家の後継者。

名前 あと・みち

参考 ①現代表記では[蹟](11788)の書きかえに用いる。「遺蹟→遺跡」「史蹟→史跡」。②熟語は[迹](12070)をも見よ。

使いわけ あと〔跡・後・痕〕
〔跡〕かつて何かあったしるしとして残るもの。また、家督・名跡。「戦いの跡・跡目を継ぐ」
〔後〕「前」の対で、うしろの方。また、「先」の対で、ある時から更に時間の経過したのち。「故郷を後にする・後のことは頼む」
〔痕〕消すことのできないあと。また、くっきりと残ったあと。「弾丸の痕・傷痕」
「あと片付け」では、時間的にあとで片付けることに力点があれば〔後〕、残ったあとを片付けることに力点があれば〔跡〕を用いるのが一般的。「火事の跡片付け」

解字 形声。足＋亦㊓。音符の亦は、積み重ねるの意味。積み重ねられた足あとの意味を表す。

逆 遺跡・奇跡・軌跡・旧跡・行跡・形跡・古跡・史跡・事跡・手跡・書跡・人跡・垂跡・聖跡・戦跡・足跡・鳥跡・追跡・筆跡・墨跡・名跡・門跡

【滅跡】 足跡を消す。世間から遠ざかること。

6 【践】 13画 11714 常 セン 3309 9148 —
8 〔踐〕 15画 11715 ㊉セン ㊒ゼン 銑 jiàn 7688 E6F6 —

筆順 ロ 早 早 足 足 践 践 践

字義 ❶ふむ。㋐足でふむ。ふみつける。用例〔荘子、馬蹄〕馬蹄可以践霜雪、毛可以禦風寒。↓馬は、その蹄が、それによって霜や雪をふみつけるのに適しているし、その体毛が、それによって風や寒さを防ぐのに適しているのである。㋑歩く。行く。渡る。「践歴」㋒ふみ行う。「実践」㋓のぼる。位につく。「践祚」㋔従う。先人のとおりに行う。❷並ぶさま。連なる。❸きる。殺す。＝剪(890)。❹はだし。はだしになる。＝跣(11716)。❺あさい。＝浅(6313)。

解字 篆文 形声。足＋戔(戔)㊓。音符の戔は、ずたずたにするの意味。足でふみつけそこなうの意味を表す。また、単に、ふむの意味を表す。

逆 実践

【践位】 位につくこと。即位。
【践極】 天子の位につく。登極。▼極は、天子の位。
【践形】 人の顔かたちに恥じない行動をする。(鳥獣の形をしているならいざ知らず)人間の姿形をしている上は人たるの道を実践すること。践形。用例〔孟子、尽心上〕惟聖人然後可以践形。↓聖人であってこそ、人間の顔かたちに恥じない行いをすることができる(人間の本性に内在している美を外に表現できる)。
【践言】 言ったことを実行すること。
【践行】 ふみ行う。実行すること。履行。
【践修・践△脩】 おさめ行う。きまったとおりに実行する。
【践蹂・践△蹂】 ふみつける。ふみにじる。蹂践。
【践△阼・践△祚】 天子の位につくこと。新天子がおたまやの東階にのぼって祭りをつかさどることからいう。践極。▼阼は東方の階段、祚は天子の位。〔礼記、曲礼下〕
【践土】 地名。今の河南省内。晋の文公が諸侯を会盟させた所。
【践履】 ①ふみ歩く。ふみ行う。転じて、経験の意に用いる。②ふみつける。
【践歴(歷)】 同経歴。①めぐりゆく。②行ってきたあと。

6 【跣】 13画 11716 セン 銑 xiǎn 7681 E6EF —

字義 はだし。すあし。「跣足」

解字 篆文 形声。足＋先㊓。音符の先は、冼(洗)に通じ、はだしを洗うの意味。足を付し、はだしの意味を表す。

【跣行】 はだしで行く。はだしで歩く。
【跣足】 はだし。素足。徒跣。

6 【跧】 13画 11717 セン 先 quán — — 6376

字義 ❶蹴る。❷踏む。❸低い。❹かがむ。曲がる。❺ひざまずく。

解字 形声。足＋全㊓。

【跧荘】 腹ばいになる。

6 【跺】 13画 11718 タ 哿 duò — — 6375

字義 ❶行くさま。❷現代中国語で、地団駄を踏む。非常に悔しがる。

解字 形声。足＋朵㊓。

6 【跳】 13画 11719 一 ㊉チョウ(テウ)・㊒ジョウ(デウ) 蕭 tiào 二 ㊉トウ(タウ)・㊒ドウ(ダウ) 豪 táo 常 チョウ は-ねる・と-ぶ 3623 92B5 —

筆順 ロ 早 早 足 跀 跀 跳 跳

字義 一❶おどる。とぶ。はねる。とびあがる。はねあがる。用例〔列子、湯問〕跳往助之。寒暑易節、始一反焉。↓その子は喜び勇んで山に行って手伝い、暑さ寒さが入れ替わってはじめて家に戻ってきた。❷つまずく。❸おどらす。とばす。「跳身」❹速く走る。二にげる。走り去る。国❶は-ねる。興行などが終わること。❷はね。衣服などにとびちった泥。

使いわけ とぶ〔飛・跳〕⇨飛(13551)

解字 篆文 形声。足＋兆㊓。音符の兆は、うらないのときに現れる亀甲のわれめの象形で、はじけわれるの意味。足を付し、はねあがる・つまずくの意味を表す。

逆 距跳

【跳駆(驅)】 速く馬を走らせる。疾走させる。
【跳身】 からだをはねおどらせること。
【跳然】 とびあがるさま。
【跳舞】 ①おどりまう。②ダンス。
【跳奔】 にげ走る。逃奔。

【跳△沫】チョウマツ しぶき。水煙。
【跳躍】チョウヤク おどりあがる。とびあがる。はねおどる。
【跳△梁】チョウリョウ ①おどりあがって(ほしいままに)はねまわる。用例〔荘子、逍遥遊〕東西跳梁、不レ避ニ高下一(トウザイにチョウリョウし、コウゲをさけず) ↓(たぬきやいたちは)東西、あちらこちらと跳びはね、高い所、低い所、どこへでも行ける。②はびこって、気ままにふるまう。跋扈(バッコ)。
【跳△踉】チョウリョウ ①＝跳梁(チョウリョウ)①。②足が乱れよろめくさま。

6 【跰】 13画 11720 ホウ 跰(11751)の俗字。→一三八〇ページ中。 — — 6378

6 【路】 13画 11721 漢ロ・呉ル 教3 ロ じ 遇 lù 4709 9848 —

筆順 ⼁ ⼝ 𠯁 𧾷 𧿹 跁 路 路 路

字義 ❶みち。じ。㋐人や車が往来する道。用例〔東晋、陶潜、桃花源記〕縁レ渓行、忘ニ路之遠近一(たにによりてゆき、みちのエンキンをわする) ↓谷川に沿って行くうちに、どれほどの距離を来たのかわからなくなってしまった。㋑人がふみ行うべき道。「正路」㋒すじみち。また、条理。「思路」「理路」㋓てだて。方法。手段。用例〔前漢、司馬遷、報ニ任少卿一書〕僕懐欲レ陳ニ之而未レ有レ路(ボクこころにこれをのべんとほっするも、いまだみちあらず) ↓私はそのことを奏上しようとしましたが、その方法がありませんでした。㋔くらい。地位。用例〔孟子、公孫丑上〕夫子当ニ路於斉一(フウシみちにセイにあたらば)、管仲・晏子之功、可ニ復許一乎(カンチュウ・アンシのコウ、またゆるすべきか) ↓先生が斉国でしかるべき地位につきましたならば、管仲や晏子のような功績をまた期待することができましょうか。❷旅。旅する。また、みちすがら。途上。❸大きい。また、正しい。❹つか-れる(つか-る)。疲労する。やぶれる。用例〔孟子、滕文公上〕是率ニ天下一而路也(これテンカをひきい(ゐ)てつかれしむるなり)。↓(もし分業を行わず必要な物は全部自分で作るとしたら)天下の人々すべてをただただ疲れさせるだけである。❺あらわす。表れる。＝裸(10928)。❻車。天子の車。＝輅(11907)。「玉路」「金路」❼行政区画の名。宋(ソウ)代に、唐の「道」を改めて「路」を置いた。ほぼ後世の省にあたる。

名前 じ・のり・みち・ゆく・ろ・ろう 難読 路加(ルカ)・路程(みちのり)

解字 金文 篆文 形声。足＋各音。音符の各は、いたるの意味。人が歩きいたるときの道の意味を表す。

逆 一路・駅路・海路・活路・岐路・径路・経路・血路・航路・行路・語路・順路・針路・水路・正路・前路・走路・当路・販路・遍路・末路・迷路・要路・陸路・理路

【路地】ロジ 国①門の中、または庫の中の通路。②人家と人家との間にあるせまい道。横町(よこチョウ)。
【路次】ロジ ①道すじ。道路。②道中。途中。
【路車】ロシャ ①諸侯の乗る車。②天子の用いる車の総称。路は、大きい。天子を尊ぶ意をもっていう。
【路上】ロジョウ ①道のほとり。道ばた。②道の上。③途中。
【路寝(寢)】ロシン 天子・諸侯が政事をとる正殿。表御殿。用例〔荘子、馬蹄〕雖レ有ニ義台路寝一、無レ所レ用レ之(ギダイロシンありといえども、これをもちい(ゐ)るところなし) ↓儀式を行う台とか天子や諸侯が政治を行う正殿などがあったところで、何の役にも立たないものである。
【路人】ロジン ①道を行く人。行人。②自分と関係のない人。あかの他人。路傍の人。
【路銭(錢)】ロセン 旅にかかる費用。旅費。
【路程】ロテイ 道のり。行程。旅程。
【路頭】ロトウ 道のほとり。道ばた。路傍。また、道路。
【路馬】ロバ 天子・諸侯の馬車をひく馬。
【路費】ロヒ 道中の費用。路銀。旅費。
【路標】ロヒョウ 道しるべ。道の方向・里程などを示すしるべ。道標。
【路不レ拾レ遺】みちにおちたるをひろわ(は)ず 道に落ちている物があっても拾って自分のものとしない。国民が為政者に感化されて正直になったことをいう。また、国法がよく行われていることにもいう。用例〔十八史略、唐、太宗〕路不レ拾レ遺、商旅野宿焉(みちにおちたるをひろわ(は)ず、ショウリョヤシュクす) ↓道に落ちている物があっても、誰も拾って自分のものとせず、行商人も安心して野宿するようになった。
【路傍・路△旁】ロボウ 道ばた。道のほとり。「路傍の人」
【路門】ロモン 天子・諸侯の御殿の一番奥にある門。天子は五門、諸侯は三門あるが、それぞれの最も内部の門。

7 【跽】 14画 11722 漢キ 呉ギ 紙 jì ₂8932 — 6383

字義 ひざまず-く(ひざまづ-く)。ひざをつく。用例〔史記、項羽本紀〕項王按レ剣而跽曰(コウオウケンをアンじてひざまずき(づき)ていわ(は)く)、客何為者(カクなんするものぞ) ↓項羽は剣に手をかけ、片膝(ひざ)をたてて言った、「お前は何者だ」。

解字 甲骨文 篆文 形声。足＋忌音。甲骨文は、止＋己音。己は、ひざまずく形に似た糸巻きの象形。ひざまずくの意味を表す。

7 【踋】 14画 11723 キャク 脚(5021)と同字。→六九八ページ下。 — — 6388

7 【跼】 14画 11724 漢キョク 呉ゴク 沃 jú 7682 E6F0 —

字義 ❶かが-む。せぐくまる。からだを曲げて背をまるくちぢめる。❷片足を挙げる。

解字 形声。足＋局音。音符の局は、背をまげるの意味。足や背をまげる、かがむの意味を表す。

【跼△蹐】キョクセキ 天にせぐくまり、地にぬきあしする。頭が天に触れるのを恐れて、背を曲げてあるき、地がくぼむのを恐れてぬき足で歩くこと。ひどく恐れること。→局レ天蹐レ地(テンにせぐくまりチにぬきあしす)(三四九ページ下)。
【跼足】キョクソク 足をかがめること。しゃがむこと。
【跼△躅】キョクチョク 行きなやむ(たちもとおる)さま。
【跼天△蹐地】キョクテンセキチ ＝局レ天蹐レ地(テンにせぐくまりチにぬきあしす)(三四九ページ下)。跼蹐。
【跼歩】キョクホ せぐくまって歩く。背中をかがめて歩く。

7 【踁】 14画 11725 一 漢ケイ 呉ギョウ(ギャウ) 径 jìng 二 漢コウ(カウ) 呉キョウ(キャウ) 庚 kēng — — 6384

字義 一はぎ。＝脛(5022)。二踁踁は、かたくなさま。

解字 形声。足＋巠音。

7 【踆】 14画 11726 一 シュン 真 qūn 二 ソン 元 ₂8933 — 6387

字義 一❶しりぞ-く(退)。❷とどまる(止)。❸おわる。＝竣(8646)。二うずくまる(うづくまる)。

解字 形声。足＋夋音。

【踆△烏】ソンウ 太陽の中にうずくまっているという、三本足のからす。用例〔淮南子、精神訓〕日中有ニ踆烏一(ニッチュウにソンウあり) ↓太陽には三本足のからすがうずくまっている。

7 【䟽】 14画 11727 ソ 疏(7681)と同字。→九七六ページ下。 ₂8931 — —

7 【踈】 14画 11728 ソ 疏(7681)の俗字。→九七六ページ下。 7683 E6F1 —

7 【踌】 14画 11729 チュウ 躊(11819)の俗字。→一三八四ページ下。 ₂8930 — —

7 【踅】 14画 11730 一 テイ 霽 chì 二 漢セツ・呉ゼチ 屑 xué — — 6386

字義 一片足で行く。二めぐり倒れる。

解字 形声。足＋折音。

7 **【跿】** 14画 11731 漢ト 呉ド 虞 tú 7685 E6F3 —

字義 跿跔(トク)は、素足。はだし。一説に、おどりあがる。片足をあげる。難読 駒跿(こまはね)

解字 形声。足＋徒省音。音符の徒は、はだしの意味。

【跿△跔科頭】(トクカトウ) すあしで、すあたま。勇気ある兵士のたとえ。▼跿跔は、足に何もはかないこと。科頭は、頭に冠やかぶとをつけないこと。また、すあし・すあたまの兵。〔史記、張儀伝〕

7 **【跛】** 14画 11732 一 漢ハク・呉バク 藥 二 漢ホ・呉ブ 遇 bù — — 6385

字義 一 二 足で踏みつける。

解字 形声。足＋歩音。音符の歩は、あるくの意味。

7 **【踊】** 14画 11733 常 ヨウ おど-る・おど-り 漢ヨウ・呉ユウ 腫 yǒng 4557 9778 —

筆順

［踴］11768 同字

字義 ❶おど-る(をどる)。㋐とびあがる。はねまわる。㋑足をあげて舞う。㋒葬式のとき悲しんでおどりあがる、喪礼の一種。❷足きりの刑に処せられた人がはく履き物。❸あがる。のぼる。㋐台にのる。㋑物価があがる。❹あらかじめ。＝予(112)。❺はなはだしい。国 おど-り(をどり)。舞踊。ダンス。

名前 おどり

使いわけ おどる〔踊・躍〕
〔踊〕リズムに合わせておどる。また、あやつられる。「盆踊り・うわさに踊らされる」
〔躍〕勢いよく飛び上がる。また、胸が高鳴る。「躍りかかる・小躍りして喜ぶ」

解字 篆文  形声。足＋甬音。音符の甬(ヨウ)は、用に通じ、もちあげるの意味。足をもちあげておどるの意味を表す。

逆 舞踊

【踊貴】(ヨウキ) ①物価があがる。②足きりの刑に処せられた人のはく履き物の値が高くなる。刑罰の多いのをそしったことば。〔左伝、昭公三〕

【踊塔】(ヨウトウ) 高くそびえたつ塔。

【踊躍】(ヨウヤク) ①おどりあがって喜ぶ。こおどりする。②おどりあがって勢いよく進む。

7 **【踉】** 14画 11734 一 リョウ(リャウ) 陽 liáng 二 ロウ(ラウ) 陽 láng 三 リョウ(リャウ) 漾 liàng 7684 E6F2 —

字義 一 跳踉は、おどる。とびあがる。二 踉蹌(ロウソウ)は、㋐あわてて行くさま。㋑よろめくさま。三 踉蹡(リョウショウ)は、㋐行こうとするさま。㋑静かに行く。ぶらぶら行く。㋒よろめくさま。

解字 形声。足＋良音。

8 **【踠】** 15画 11735 漢エン(ヱン) 呉オン(ヲン) 阮 wǎn 9236 — 6392

字義 かが-む。かがまる。また、かがめる。足をかがめる。国 もが-く。あがく。

解字 形声。足＋宛音。

8 **【踝】** 15画 11736 漢カ(クワ) 呉ゲ 馬 huái(huà) 7686 E6F4 —

字義 ❶くるぶし。❷かかと。くびす。きびす。❸はだし。

難読 踝贏(すがる)

解字 篆文  形声。足＋果音。音符の果は、木の実の意味。足に、くるみの実のようにある、くるぶしの意味を表す。

【踝踝】(カカ) ①かたいさま。②単独のさま。

【踝△跣】(カセン) すあし。はだし。裸足。

8 **【踦】** 15画 11737 一 キ 支 qī 二 イ 紙 yǐ — — 6402

字義 一 ❶一本足。❷片足の不自由なこと。❸かたかた。かたわれ。❹あし(足)。すね。二 よる。もたれかかる。＝倚(403)。

解字 篆文  形声。足＋奇音。音符の奇は、曲がって立つ人の意味。足を付し、片足の不自由な意味を表す。

【踦△嶇】(キク) ①行くさま。②かたむいたさま。けわしいさま。

【踦人】(キジン) 片足の不自由な人。

【踦△閭】(キリョ) 村里の入り口の門によりかかること。母が子の帰りを待つたとえ。倚閭(イリョ)。〔公羊伝、成公二〕

8 **【踑】** 15画 11738 一 漢キ・呉ギ 支 jī 二 漢キ・呉ギ 紙 jì — — 6389

字義 一 ❶足跡。あと。❷足跡をたどる。跡付ける。二 あぐら。また、両足を投げ出して座る。

解字 形声。足＋其音。音符の其は、箕(み)の象形。足を箕の形にして座るの意味を表す。

8 **【踞】** 15画 11739 漢キョ 呉コ 御 jù 7687 E6F5 —

字義 ❶うずくま-る(うづくまる)。㋐ひざをたててすわる。しゃがむ。㋑足を投げ出してすわる。㋒こしかける。㋓すわりこむ。㋔よりかかってすわる。❷おごる。おごりたかぶる。＝倨(411)。「踞敖(キョゴウ)」

解字 篆文 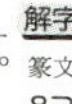 形声。足＋居音。音符の居は、腰をおろしてすわるの意味。足を付し、すわりこむの意味を表す。

【踞傲・踞△敖】(キョゴウ) おごる。おごりたかぶる。倨敖(キョゴウ)。

【踞侍】(キョジ) うずくまって、そばにひかえる。

【踞△蹲】(キョソン) うずくまる。蹲踞。▼蹲も、うずくまる。

8 **【踡】** 15画 11740 漢ケン 呉ゲン 先 quán 28937 — 6393

字義 踡跼(ケンキョク)・踡局は、㋐せぐくまる。かがまって伸びない。㋑心が萎縮するさま。

解字 形声。足＋巻音。音符の巻は、まくの意味。足をまくようにする、かがむの意味を表す。

8 **【𨂊】** 15画 11741 シュウ zhōu 28934 — —

字義 ❶けたおす。❷おす。

難読 𨂊池(はすいけ)

［𨂂］11742 俗字

解字 形声。足＋周音。

8 **【𨂂】** 15画 11742 シュウ 𨂊(11741)の俗字。→一三七九ジ下。

8 **【踧】** 15画 11743 一 シュク 屋 cù 二 漢テキ 呉ジャク(ヂャク) 錫 dí 28939 — 6403

字義 一 ❶平坦(ヘイタン)で歩きやすい。❷ちぢむ(蹙(シュク))。せばまる。また、ちぢめる。二 →踧踧二。

解字 形声。足＋叔音。

【踧踧】一 シュクシュク せまるさま。二 シュクシュク・テキテキ 平坦(ヘイタン)で歩きやすいさま。

【踧△踖】(シュクセキ) ①おそれつつしむさま。つつしみうやまうさま。②ゆっくりしてすすまないさま。

8 **【踤】** 15画 11744 漢シュツ 呉ジュチ 質 zú

字義 ❶ふれる(触)。❷ける。また、ふむ。ふみこむ。❸あつ-まる。

解字 形声。足＋卒音。

8 **【踖】** 15画 11745 一 漢セキ・呉シャク 陌 jí 二 漢シャク・呉サク 薬 què 28936 — 6391

字義 一 ❶ふ-む。㋐ふみこえる。㋑ふみつける。❷つつしむさま。二 ❶しのぐ。❷ける。❸はせる。はしる。

解字 形声。足＋昔音。

8【踐】15画 (11715) セン
践(11714)の旧字体。→一三七〇ページ中。

8【踪】15画 11746 常 ソウ
漢ショウ・呉シュウ 冬 zōng 7709 E748 —

筆順 口 𠯁 𧾷 𧾷 踪 踪 踪

〔蹤〕11787 同字

字義 ❶あと(跡)。㋐あしあと。「踪跡」 ㋑あとかた。物事のあったあと。 ㋒ゆくえ。ありか。「失踪」 ❷あとをつける。

参考 慣用音「ソウ」は〔踪〕にのみ用いられ、同字の〔蹤〕には用いない。

解字 形声。足＋宗(音)。

【踪跡・踪△蹟】(ソウセキ・ショウセキ) ①あと。㋐あしあと。㋑あとかた。物事のあったあと。㋒ゆくえ。ありか。②あとをつけてゆく。

8【踔】15画 11747
一 漢トウ(タウ) 呉チョウ(テウ) 効
二 タク 覚 chuō
₂8935 — 6390

字義 一 ❶ふむ。❷はしる(走)。また、とぶ(跳)。❸こえる(越)。
二 ❶はるか。遠い。❷すぐれる。まさる。ずばぬける。＝卓(1169)。❸片方の足に障害があって歩行が不自由な人。

解字 篆文 踔 形声。足＋卓(音)。音符の卓は、高いの意味。片足で高くとびあがるの意味を表す。

【踔絶】(タクゼツ) はるかに(大いに)すぐれる。卓絶。
【踔然】(タクゼン) 高遠のさま。また、すぐれているさま。
【踔△厲風発(發)】(タクレイフウハツ) 言論がすぐれて勢いよく、風のように口をついてでること。大いに雄弁な形容。〔唐、韓愈、柳子厚墓誌銘〕

8【踟】15画 11748
漢チ 呉ジ(ヂ) 支 chí
7689 E6F7 —

字義 たちもとおる。ゆきつもどりつする。ためらう。

解字 形声。足＋知(音)。

【踟△蹰】(チチュウ・チチュ) ①ためらいしりごみする。あしぶみする。②物のつらなるさま。
【踟△躇】(チチョ) ①ゆきつもどりつする。②機織(はたおり)の梭(ひ)。

8【踢】15画 11749
一 漢テキ・呉チャク 錫 tī
二 シャク 薬
₂8938 — 6394

字義 一 ける。足でける。二 矍踢(カクシャク)は、驚き動くさま。あわてるさま。

解字 形声。足＋易(音)。音符の易は提に通じ、腕をつきだすの意味。足をつきだす・けるの意味を表す。

8【踏】15画 11750 常 トウ ふ-む・ふ-まえる
トウ(タフ) 合 tà
3807 93A5 —

筆順 口 𠯁 𧾷 𧾷 踏 踏 踏

字義 ❶ふむ。＝蹋(11778)。㋐足をあげて地におろす。ふみつける。㋑歩く。ふみすすむ。❷ふみ台。また、はきもの。❸実地にふんでみる。調べる。たしかめる。 国 ❶ふむ。㋐実演する。㋑順次に行う。「手続きを踏む」 ㋒値段をつける。評価する。㋓韻字を用いる。 ❷ふまえる。(ふまふ) ㋐ふみつける。㋑考え合わせる。また、よりどころとする。「経験を踏まえて対処する」

参考 現代表記では〔蹈〕(11777)の書きかえに用いる。「蹈襲→踏襲」「舞蹈→舞踏」。また、〔沓〕(6129)の書きかえに用いることがある。「雑沓→雑踏」

難読 踏鞴(たたら)

逆 高踏・雑踏・舞踏・未踏

解字 形声。足＋沓(音)。もと、蹋(11778)の別体。

【踏歌】(トウカ) ①足で地を踏んで調子を取って歌う。また、その歌。②国昔、宮中で、陰暦正月十五日には宮中の歌の巧みな男性を、十六日には女性を集めて、年始の祝詞を歌舞させた行事。踏歌節会(セチエ)。
【踏月】(トウゲツ) 月かげをふむ。月が照らしている所をふんであるくこと。
【踏査】(トウサ) 国実際にその土地に行って調べること。
【踏襲】(トウシュウ) 国受けつぐ。前人の説や事業などをそのまま受けつぐこと。蹈襲(トウシュウ)。
【踏△牀】(トウショウ) ふみだい。
【踏青】(トウセイ) ①陰暦の正月七日に男女が集まって遊ぶ行事。②春の郊外を歩くこと。青草を踏む意。③陰暦二月二日の踏青節をいう。この日、郊外で青草を踏む行事を行う。④陰暦三月三日の曲水の宴をいう。
【踏△藉】(トウセキ) ふむ。ふみにじる。蹈藉(トウセキ)。
【踏破】(トウハ) ふみ越える。ふみ歩く。歩きとおす。蹈破(トウハ)。▼破は、意味を強める助字。
【踏翻】(トウハン) けとばす。けかえす。蹈翻(トウハン)。
【踏落】(ふみおとし) 国七言絶句、または七言律詩の第一句では韻をふむべきであるが、ふまないこと。

8【跰】15画 11751
一 漢ホウ(ハウ) 呉ヒョウ(ヒャウ) 敬 bèng
二 漢ヘン・呉ベン 先 piān

〔跰〕11720 俗字

字義 一 走って逃げる。二 跰胝(ヘンテイ)は、たこ。まめ。また、ひび。あかぎれ。

解字 形声。足＋幷(音)。

8【踣】15画 11752
漢ホク 呉ボク 職 bó
₁9237 — 6401

字義 ❶たおれる(たふる)。つまずく。また、たおす。❷ほろびる。❸さらす。罪人の死体をさらす。

解字 篆文 踣 形声。足＋咅(音)。音符の咅は、たおれるときのさまを表す擬声語。ぽっくりたおれるの意味を表す。

【踣△頓】(ボクトン) つまずきたおれる。

9【踽】16画 11753
ク 麌 jǔ
₁9238 — 6410

字義 ❶ちりぢりに行くさま。❷ひとりで行くさま。

解字 形声。足＋禹(音)。

【踽踽】(クク) ①ひとりで行くさま。「独行踽踽」 ②親しむもののないさま。「踽踽涼涼」
【踽△僂】(クル) 背骨の曲がる病気にかかった人。また、せぐくまる。傴僂(ウク)。

9【⿰足咨】16画 11754
シ
趑(11653)と同字。→一三七一ページ下。
₂8941 — —

9【蹂】16画 11755
一 漢ジュウ(ジウ) 呉ニュウ(ニウ) 有
二 漢ジュウ・呉ニュウ(ニウ) 尤 róu
7690 E6F8 —

字義 一 ふむ。ふみにじる。「蹂躙(ジュウリン)」 二 いねをふむ。稲のもみを足でふんで、もみがらをとる。

解字 篆文 蹂 形声。足＋柔(音)。音符の柔は、やわらかいの意味。足を使ってやわらかくなるように、ふむの意味を表す。

【蹂践(踐)】(ジュウセン) ふみにじる。
【蹂△躪・蹂△躙・蹂△轔】(ジュウリン) ふみにじる。ふみあらす。

9【踳】16画 11756
一 シュン 軫 chǔn
二 セン 銑 chuǎn
— — 6405

字義 一 ❶そむく。たがう。❷まざる。みだれる。

解字 形声。足＋春(音)。

【踳踳】(シュンシュン) 失意のさま。
【踳△駮】(シュンパク) 物事がごちゃごちゃになって乱れるさま。

9【踵】16画 11757 標
漢ショウ 呉シュウ 腫 zhǒng
7691 E6F9 —

字義 ❶かかと。くびす。きびす。 用例 〔戦国策、趙〕媼之送二燕后一也、持二其踵一為レ之泣、念二悲其遠一也、亦哀レ之矣(オウのエンコをおくるや、そのくびすをジして、これがためになき、そのとお(ほ)きをねがい(ひ)かなしむや、またこれをあわ(は)れめり)。 ↓あなたさまが燕后を見送られた際には、燕后のきびすをつかんで燕后のために泣きになり、燕后が遠くに嫁がれるのを思い悲しんで、やはり痛まれました。❷つ-ぐ(継)。㋐おう。あとを追う。あとをつける。㋑あとをつぐ。受けつぐ。❸ふむ。❹いたる(至)。❺たずねる(尋)。❻ついで。かさねて。

解字 篆文 形声。足＋重㊅。音符の重は、おもいの意味。おもみのかかる、かかとの意味を表す。

【踵践(踐)】ショウセン ふむ。また、ふみにじる。

【踵武】ショウブ あとをつぐ。前人の行った事を継続する。▼武は、あしあと。

【接レ踵】くびすをセッす・きびすをセッす 前の者のかかとに後の者のかかとをつける意で、人や物事が後から後から続いて来る(行く)こと。接踵セッショウ。

【旋レ踵】くびすをめぐらす・きびすをめぐらす 踵かかとの向きを変えて反対にする。体を今までと反対の方向に向ける。もどる。退却する。旋踵センショウ。

9 【踹】 16画 11758 ㊀㊥セン・㊦ゼン 銑 shuàn ㊁タン 翰 duàn ₂8943 ― 6409

字義 ㊀かかと。くびす。きびす。㊁❶(怒って)ふむ。ふみつける。ふみしめる。❷おどらす。

解字 形声。足＋耑㊅。

9 【踷】 16画 11759 タ 馬 zhǎ ― ― 6407

字義 斜めに行くさま。

解字 形声。足＋者㊅。

9 【踱】 16画 11760 ㊥タク ㊦ダク 薬 duó ― ― 6404

字義 ❶はだし。素足。また、はだしで地を踏む。❷行きつ戻りつする。

解字 形声。足＋度㊅。

9 【蹀】 16画 11761 ㊥チョウ(テフ) ㊦ジョウ(デフ) 葉 dié ― ― 6411

字義 ❶ふ-む。ふみつける。❷小またで歩くさま。

解字 形声。足＋枼㊅。

【蹀躞】チョウショウ ①小またで歩くさま。②往来の人通りが多くせわしいさま。③馬が行くさま。④帯につけるかざり。

9 【踸】 16画 11762 チン 寝 chěn ― ― 6408

［跈］11679 同字

字義 踸踔チンタクは、㋐歩き方のしっかりしないさま。㋑一定しないさま。㋒とどこおるさま。

解字 形声。足＋甚㊅。

9 【蹄】 16画 11763 人 標 ㊥テイ ㊦ダイ 斉 tí 3693 92FB ―

筆順

［蹏］11774 同字

字義 ❶ひづめ。馬牛などのつめ。用例〔荘子、馬蹄〕馬は、蹄可三以践二霜雪一、毛可三以禦二風寒一。↓馬は、その蹄ひづめが、それによって霜や雪をふみつけるのに適しているし、その体毛が、それによって風や寒さを防ぐのに適しているのである。❷うさぎを捕らえるわな。

解字 形声。足＋帝㊅。音符の帝は、一つにまとめるの意味。あしゆびが一つにまとまっている、ひづめの意味を表す。

【蹄齧・蹄齧】テイケツ ひづめでけることと、歯でかむこと。

【蹄涔】テイシン ①牛や馬の足あとにたまった水。②わずかなもののたとえ。

【蹄筌】テイセン ①うさぎを捕らえるわなと、魚を取るやな。〔荘子、外物〕②手引き。案内。さとりを得るための道具の意。

9 【踶】 16画 11764 ㊀㊥テイ・㊦ダイ 霽 dì ㊁㊥チ・㊦ジ(ヂ) 紙 zhì ₂8942 ― 6406

字義 ㊀ふ-む。軽くふむ。㊁踶跂チキは、心をくだいてつとめるさま。

解字 形声。足＋是㊅。

【踶死】テイシ ふみころされる。

9 【蹈】 16画 11765 トウ 蹈(11777)の俗字。→一三八二ページ中。 ₂8940 ― ―

9 【蹁】 16画 11766 ㊥ヘン ㊦ベン 先 piān ― ― 6412

字義 よろめ-く。足もとがさだまらないさま。千鳥足。

解字 形声。足＋扁㊅。

【蹁躚】ヘンセン ①めぐりゆくさま。②ひらひらと舞うさま。「羽衣蹁躚」③よろめくさま。

9 【踰】 16画 11767 ㊀ユ 虞 yú ㊁ヨウ(エウ) 蕭 yáo 7692 E6FA ―

字義 ㊀❶こ-える。こゆ。㋐通り過ぎる。㋑渡る。㋒まさる(勝)。㋓進む。のりこえ進む。用例〔論語、為政〕従二心所一レ欲不レ踰レ矩。↓自分の望むままに行動しても、道徳からはずれることがなくなった。❷おどる。とびこえる。㊁はるか。遠い。＝遥(12179)。

解字 篆文 形声。足＋兪㊅。音符の兪ユは、ぬけでるの意味。ある範囲のところからぬけでる、こえるの意味を表す。

【踰越】ユエツ ①のりこえる。②本分をこえる。分にすぎる。のりをこえる。礼法を守らない。▼閑は、法。

【踰閑】ユカン 月をこえる。翌月になる。また、翌月にわたる。

【踰月】ユゲツ 分(度)をこえたぜいたく。

【踰侈】ユシ 身分不相応のぜいたく。

【踰僭】ユセン 年をこえる。翌年になる。また、翌年にわたる。

【踰年】ユネン 月日のすぎていくこと。逾邁ユマイ。

【踰邁】ユマイ

9 【踴】 16画 11768 ヨウ 踊(11733)と同字。→一三七九ページ上。 7693 E6FB ―

10 【蹊】 17画 11769 標 ㊥ケイ ㊦ゲイ 斉 xī 7694 E6FC ―

字義 ❶こみち。細道。また、ちかみち。＝徯(3450)。❷わたる。よこぎる。

解字 形声。足＋奚㊅。音符の奚ケイは、つなぐの意味。ひもをつなげたような、こみちの意味を表す。

【蹊径(徑)】ケイケイ ①こみち。②いとぐち。門径。

【蹊路】ケイロ こみち。小径。

10 【蹇】 17画 11770 ㊥ケン ㊦コン 阮 jiǎn 7701 E740 ―

字義 ❶足の不自由なこと。❷なや-む。苦しむ。❸とまる。とどまる。❹強い。こわい。かたい。❺おごる。たかぶる。従順でない。❻まがる。いりくむ。❼かたくな。正直セイチョクなさま。「蹇諤ケンガク」❽にぶい馬。また、おろかな人。❾つまどる。かかげる。着ている着物のつまを持ちあげる。＝褰(10852)。❿易エキの六十四卦カの一つ。☵☶艮下坎上ゴンカカンショウ。けわしさに行きなやむかたち。

解字 篆文 形声。足＋寒省㊅。音符の寒は、さむくて身をまるくするの意味。足がかがんでうまく歩けない、とどこおるの意味を表す。

【蹇諤・蹇愕】ケンガク 正直セイチョクなさま。直言してはばからないこと。

【蹇吃】ケンキツ ①どもる。ことばが出にくい。②思うようにすまないこと。また、失望すること。

【蹇蹇】ケンケン ①なやみ苦しむさま。②忠義をつくすさま。

【蹇匪躬】ケンケンヒキュウ 臣下が君のために心を苦しめて仕えること。忠義をつくすこと。〔易経、蹇〕

【蹇産】ケンサン ①気がむすぼれること。気分がのびのびとしないこと。②山が屈曲したさま。③高大なさま。

【蹇渋(澁)】ケンジュウ なやみとどこおる。また、思うままにならない。蹇滞。

【蹇滞(滯)】ケンタイ ＝蹇渋。

【蹇剝】ケンハク 時運が不利なこと。行きなやむこと。▼蹇も剝も、易の卦の名。

【蹇歩】片方の足が悪くて、うまく歩けないこと。また、その人。

【蹇劣】にぶくおとる。才能のとぼしいこと。

【蹇連】行きなやむさま。〔易経、蹇〕

10【蹉】17画 11771 サ 歌 cuō 7702 E741 ―
字義 ❶つまずく。㋐物に足をとられてたおれる。㋑しくじる。失敗する。❷すぎる。❸たがう。まちがう。
解字 篆文 形声。足＋差㊥。音符の差は、くいちがうの意味。足の歩みがくいちがう、つまずくの意味を表す。
【蹉△跎・蹉△跎】①つまずく。②時機を失う。③ふしあわせで志を得ない。生活が思うようにならない。また、失敗する。用例〔唐、張九齢、照鏡見白髪詩〕宿昔青雲志、蹉跎白髪年。↓昔、若い時には立身出世の大きな志を抱いていたが、つまずいて思うにまかせぬままに、白髪の年となってしまった。
【蹉△跌】つまずく。失敗する。しくじる。

10【蹐】17画 11772 漢セキ 呉シャク 陌 jí 7704 E743 ―
字義 ぬきあし。さしあし。音を立てないように歩く歩き方。「跼蹐」
解字 篆文 形声。足＋脊㊥。音符の脊は、椎骨が積み重なっている背ぼねの意味。椎骨のように足を一つ一つ積み重ねるの意味から、ぬきあしの意味を表す。

10【蹌】17画 11773 漢ショウ（シャウ） 呉ソウ（サウ） 陽 qiāng 7703 E742 ―
字義 ❶うごく(動)。よろめく。❷まう。舞いおどるさま。❸歩き方のうやうやしいさま。難読 蹌踉
解字 形声。足＋倉㊥。
【蹌蹌】①歩き方のうやうやしいさま。②身のこなしがのびのびしているさま。③舞いおどるさま。
【蹌△踉】よろめくさま。踉蹌。

10【蹏】17画 11774 テイ 蹄(11763)と同字。→一三八一ジ中。 ― ― 6416

10【蹍】17画 11775 テン 銑 zhǎn ― ― 6414
字義 ふむ(踏)。ふみつける。
解字 形声。足＋展㊥。

10【蹎】17画 11776 テン 先 diān ― ― 6415

10【蹈】17画 11777 漢トウ（タウ） 呉ドウ（ダウ） 号 dǎo 7705 E744 ―

[蹈] 11765 俗字
字義 ❶ふむ。㋐足でふみつける。㋑行く。歩く。渡る。㋒行う。㋓守る。従う。㋔足ぶみする。こおどりする。❷うごく(動)。❸いたむ(悼)。

難読 蹈鞴
参考 現代表記では[踏](11750)に書きかえる。「蹈襲→踏襲」「舞蹈→舞踏」。熟語は[踏]をも見よ。

解字 篆文 形声。足＋舀㊥。音符の舀は、ぬきだすの意味。足を上にぬき出すの意味から、足踏みするの意味を表す。

【蹈海】①海に身を投げて死ぬ。高潔な節操をいう。秦に、帝号を奉ろうとした者があるのを聞いて、魯仲連が憤慨して、秦がもし帝となったら自分は東海に身なげして死のう、といった故事による。〔史記、魯仲連伝〕②海を渡ること。危険を冒すたとえ。

【蹈義】正しい道をふみ行う。

【蹈襲】受けつぐ。前人の説や事業などをそのまま受けつぐこと。踏襲。

【蹈△藉】ふむ。ふみにじる。踏藉。

【蹈践(踐)】ふみにじる。

【蹈敵】敵地にふみ入る。

【蹈履】ふみ行う。実行する。

10【蹋】17画 11778 漢トウ（タフ） 呉ドウ（ダフ） 合 tà ― ― 28944 ― 6413
[蹹] 11807 同字 [蹋] 11779 俗字
字義 ❶ふむ。ふみつける。＝踏(11750)。❷ける。→蹋鞠。
解字 篆文 形声。足＋昜㊥。音符の昜は、羽と羽とを重ねておおうの意味。足ぶみをするの意味を表す。
【蹋歌】足で地をふみならして調子を取って歌うこと。また、その歌。踏歌。
【蹋△鞠】けまり。昔、武術の練習のために行い、後世は遊戯の一種となる。蹴鞠。

10【蹋】17画 11779 トウ 蹋(11778)の俗字。→一三八二ジ中。 ― ― 6413

11【蹞】18画 11780 キ 跬(11703)と同字。→一三七六ジ中。 ― ― 6421

11【躯】18画 11781 ク 虞 qū
字義 片足をひきずる。

11【蹔】18画 11782 漢サン 呉ザン 勘 zàn(zhàn) 28945 ― 6417
字義 ❶はやくすすむ。はやく走る。❷しばらく。＝暫(4855)。「蹔時」
解字 形声。足＋斬㊥。

11【蹝】18画 11783 シ 紙 xǐ ― ― 6420
字義 ❶ふむ。足でふむ。❷ぞうり。わらぐつ。「敝蹝(やぶれぞうり)」
解字 形声。足＋徙㊥。

11【蹙】18画 11784 シュク 屋 cù 7706 E745 ―

字義 ❶せまる(迫)。㋐さしせまる。緊迫する。㋑近づく。㋒おう。追いかける。㋓ちぢまる。つまる。せばまる。㋔うながす。催促する。㋕きわまる。苦しむ。用例〔唐、柳宗元、捕蛇者説〕郷隣之生日蹙。↓村人の生活は一日ごとに圧迫される。❷すぼめる。❸しかめる。顔をしかめる。「顰蹙」❹つつしむさま。「蹙然」❺ける(蹴)。また、ふむ。❻いたむ。いたみ。うれえ。＝慼(3854)。

解字 篆文 形声。足＋戚㊥。音符の戚は、いたむの意味。心がいたみ足がちぢんでしまうの意味から、いたむ・さしせまる・すぼめるの意味を表す。

【蹙△頞】鼻すじにしわをよせること。うれえるさま。用例〔孟子、梁恵王下〕疾首蹙頞。↓頭を痛め、鼻筋にしわをよせる。

【蹙蹙】ちぢまるさま。

【蹙△竦】恐れすくむ。恐れて安心できないさま。

【蹙△蹐】ぬきあしさしあしで歩くさま。緊張して注意深く歩くさま。

【蹙然】①つつしむさま。②おちつかないさま。

【蹙眉】①まゆとまゆとの間がせまいこと。②まゆをよせること。顔をしかめること。

11【蹜】18画 11785 漢シュク 呉スク 屋 sù ― ― 6419
字義 ❶小またに歩く。❷ちぢまる。❸→蹜蹜。
解字 形声。足＋宿㊥。音符の宿は、縮に通じ、ちぢまるの意味。足をちぢめて歩くの意味を表す。
【蹜蹜】つまさきをあげて踵で歩くさま。すり足で歩くさま。

11【蹡】18画 11786 ㊀㊉ショウ(シャウ) ㊇ソウ(サウ) 陽 qiāng ㊁㊉ショウ(シャウ) ㊇ソウ(サウ) 漾 qiàng — — 6422

字義 ㊀ゆくさま。㊁❶はしる(走)。❷踉蹡は、㋐よろめくさま。㋑行こうとするさま。㋒ぶらぶら行く。

解字 形声。足＋將㊥。

11【蹤】18画 11787 ショウ 踪(11746)と同字。→一三八〇ページ上。 7707 E746 —

11【蹟】18画 11788 人 標 ㊉セキ ㊇シャク 陌 jì 3256 90D6 —

筆順 蹟

字義 ❶あと。あとかた。物事のあったあと。＝跡(11713)・迹(12070)。「事蹟」❷とどまる。

名前 あと・ただ・より

参考 現代表記では〔跡〕(11713)に書きかえる。「遺蹟→遺跡」「史蹟→史跡」

解字 形声。足＋責㊥。

11【蹠】18画 11789 ㊉セキ ㊇シャク 陌 zhí 7708 E747 —

字義 ❶おどる。おどりあがる。❷ふむ。ふみつける。❸ゆく(行)。❹いたる(至)。❺あし(足)。❻足のうら。＝跖(11687)。❼願い。❽盗蹠は、昔の大盗賊の名。盗跖。＝跖(11687)。

参考 ①「対蹠」をタイショと読むのは、慣用読み。②熟語は〔跖〕(11687)を見よ。

解字 形声。足＋庶㊥。

11【蹮】18画 11790 セン 躚(11822)と同字。→一三八五ページ上。

11【蹛】18画 11791 ㊀タイ 泰 dài ㊁㊉テイ・㊇デイ 霽 zhì — — 6418

字義 ㊀❶ふむ。ふみつける。❷蹛林は、匈奴が八月に多くの木をめぐらして天を祭る所。㊁たくわえ。また、つむ。とどめる。＝滞(6588)。

解字 形声。足＋帯㊥。

11【蹢】18画 11792 ㊀㊉テキ ㊇ジャク(ヂャク) 陌 zhí ㊁㊉テキ・㊇チャク 錫 dí ₂8946 — 6423

字義 ㊀たたずむ。また、たちもとおる。行きつもどりつする。＝躑(11825)。㊁❶ひづめ。馬や牛のつめ。❷なげる(投)。投げ捨てる。

解字 形声。足＋啇(啻)㊥。

【蹢躅】テキチョク ①たちもとおる。ゆきつもどりつする。②つつじ。同躑躅。

11【蹣】18画 11793 ㊀㊉ハン・㊇バン 寒 pān ㊁㊉バン・㊇マン 寒 mán 7710 E749 —

字義 ㊀蹣跚は、足をひきずって行くさま。よろめくさま。㊁こえる。かきをこえる。

難読 蹣跚よろける・よろめく

解字 形声。足＋㒼㊥。

11【蹕】18画 11794 ㊉ヒツ ㊇ヒチ 質 bì 7711 E74A —

[㯰] 571 同字

字義 ❶さきばらい。天子が行幸をするとき、行列の先頭に立って通行人を追い払うこと。❷よりかかる。もたれる。

解字 形声。足＋畢㊥。

【蹕御】ヒツギョ 行幸のさきばらいをする。

【蹕路】ヒツロ ①行幸のさきばらいをする。道すじを清める。②天子の行幸の道すじ。

12【蹺】19画 11795 キョウ(ケウ) 蕭 qiāo — — 6431

字義 ❶あげる(挙)。足を挙げる。また、つまだつ。＝蹻(11796)。❷蹺欹キキョウ・蹺蹊ケイキョウは、あやしい。奇怪。

解字 形声。足＋堯㊥。

12【蹻】19画 11796 ㊀キョウ(ケウ) 蕭 qiāo ㊁㊉キャク・㊇ガク 薬 jué ㊂㊉キョク・㊇コク 沃 jū ₁9240 — 6432

字義 ㊀❶足を高くあげる。また、かかとをあげる。つまだつ。❷おごる。あなどる。❸ものの形容。㊁❶足を高くあげる。❷すこやか(健)。❸わらじ。ぞうり。わらぐつ。❹ものの形容。㊂かんじき。雪などに足が深く埋まらないように、履き物の下につけるもの。

解字 篆文 形声。足＋喬㊥。音符の喬キョウは、高いの意味。足を高くあげてあるくの意味を表す。

【蹻蹻】キョウキョウ・キャクキャク ①強いさま。また、勇武のさま。②すこやかなさま。また、威勢のよいさま。③おごり高ぶるさま。

【蹻捷】キョウショウ 足がはやい。身がるですばやい。

【蹻足】キョウソク 足を高く上げる。背伸びをする。

【可ニ蹻足待一】キョウソクしてまつべし すみやかなことのたとえ。

【蹻騰】キョウトウ 勢いよく走る。走りおどりあがる。

【蹻勇】キョウユウ すばやくて勇ましい。

12【蹶】19画 11797 ㊀㊉ケツ ㊇カチ(クワチ) 月 jué ㊁㊉ケイ・㊇ケ 霽 guì 7712 E74B —

[蹷] 11798 同字

字義 ㊀❶つまずく。つまずきたおれる。また、失敗する。❷たおれる。ひっくりかえる。❸たおす。殺す。また、くじく。❹おどる。はねる。とびあがる。❺ふむ(踏)。すみやか。❸はしる(走)。㊁❶たおれる。❷うごく。また、動かす。感動させる。❹あわてて行くさま。

難読 蹶速はやけ

参考 現代表記では〔決〕(6181)に書きかえることがある。「蹶起→決起」

解字 篆文 形声。足＋厥㊥。音符の厥ケツは、石を掘るの意味。つまずいて石を掘る、たおれるの意味を表す。

【蹶起】ケッキ はねおきる。とびたつ。ふるいたつ。奮起。決起。

【蹶蹶】ケイケイ ①動作がすばやいさま。②おどろくさま。

【蹶失】ケッシツ つまずく。

【蹶然】ケツゼン ①驚くさま。あわてるさま。②すみやかなさま。動作の急激なさま。また、あわただしいさま。

【蹶△躓】ケッチ つまずく。つまずきたおれる。

12【蹷】19画 11798 ケツ 蹶(11797)と同字。→一三八三ページ中。

12【蹴】19画 11799 常 シュウ けーる シュク 屋 cù 慣シュウ(シウ) 2919 8F52 —

筆順 蹴

国 けーる。はねつける。拒絶する。

[蹵] 11800 同字

字義 ❶けーる。けとばす。❷ふむ。ふみつける。❸つつしむさま。また、顔色をかえる。

名前 け・しゅう

解字 篆文 形声。足＋就㊥。音符の就は、つけるの意味。ある物に足を近づけるの意味から、ける・ふむの意味を表す。

【蹴△鞠】シュウキク けまり。まりをけって遊ぶ遊戯。昔は、武術として行い、後世は遊戯の一種となる。

【蹴△爾】シュクジ 足でけとばすさま。足げにするさま。

【蹴然】シュクゼン おそれつつしむさま。おそれて安んじないさま。

12【蹵】19画 11800 シュウ 蹴(11799)と同字。→一三八三ページ下。

12【蹱】19画 11801 ㊀㊉ショウ ㊇シュウ 冬 zhōng ㊁㊉チョウ ㊇チュウ 宋 chòng — — 6429

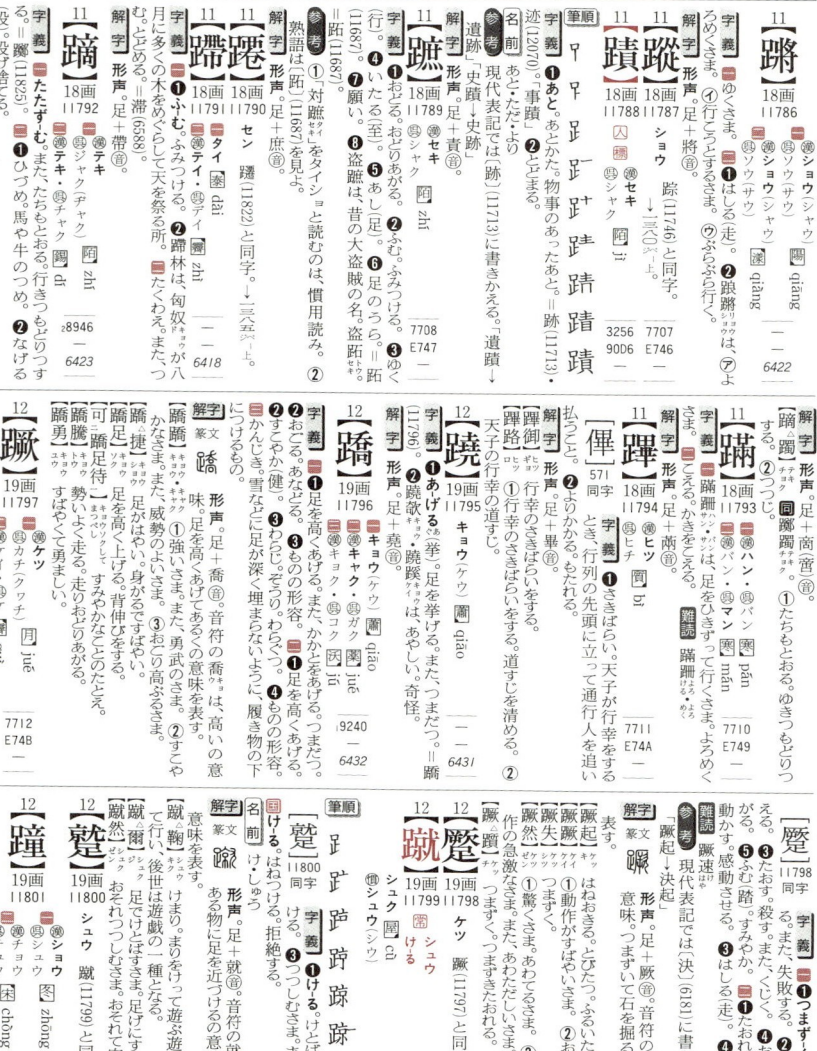

字義 ㊀躘踵は、㋐進めないさま。㋑子どもの歩くさま。㊁躘踵は、進めないさま。
解字 形声。足＋童㊥。

12【蹭】19画 11802 ソウ 径 cèng ₂8948 — 6426
字義 ❶つかれくるしむ。❷蹭蹬は、よろめく。よろよろする。
解字 形声。足＋曾㊥。

12【蹲】19画 11803 ㊀㊥ソン・㊦ゾン 元 dūn ㊁シュン 真 cūn 7713 E74C —
字義 ㊀❶うずくまる。つくばう。しゃがむ。❷あつめる。あつまる。㊁❶まう（舞）。❷きじ。鳥の名。❸＝❷。❹ものの形容。国つくばい。縁側近くの庭に設けてある手水鉢。難読 蹲踞
解字 篆文 形声。足＋尊㊥。音符の尊は、酒だるの意味。酒だるのように、うずくまるの意味を表す。
【蹲夷】うずくまる。しゃがむ。▼夷は、うずくまる。
【蹲踞・蹲居】①うずくまる。しゃがむ。膝を立ててすわる。無作法なすわりかた。②国すもうの仕切りの前の姿勢。ひざを曲げ、上体を起こす。
【蹲蹲】①舞うさま。②行儀正しく歩くさま。
【蹲循】しりごみするさま。あとじさりするさま。逡巡。

12【蹪】19画 11804 ㊥タイ ㊦ズイ（ツイ） 灰 tuí
字義 ❶つまずく。❷倒れる。
解字 形声。足＋貴㊥。

12【蹰】19画 11805 チュウ ₁9239 — 6428
蹰(11824)の俗字。→一三八五ページ上。

12【躇】19画 11806 標 ㊀㊥チョ ㊦ジョ（ヂョ） 魚 chú ㊁チャク 薬 chuò 7716 E74F —
字義 ㊀❶ふむ（踏）。❷躊躇は、㋐ためらう。㋑たちもとおる。行きつもどりつする。㊁こえる（超）。わたる。
解字 形声。足＋著㊥。
【躇階】階段をとばしておりる。あわてて走りおりるさま。

12【蹹】19画 11807 トウ — — 6430
蹋(11778)と同字。→一三八二ページ中。

12【蹬】19画 11808 ㊥トウ ㊦ドウ 径 dèng ₂8947 — 6425
字義 ❶よろめく。つまずく。❷蹭蹬は、よろめく。
解字 形声。足＋登㊥。

12【躉】19画 11809 トン 阮 dǔn — — 6435
字義 零躉は、㋐まとまった数量。㋑まとめて買い入れる。
解字 会意。足＋萬。

12【蹯】19画 11810 ㊥ハン ㊦ボン 元 fán ₂8949 — 6427
字義 ❶獣の足のうら。また、その肉。「熊蹯」❷獣のあしあと。
解字 形声。足＋番㊥。音符の番は、爪が割れている獣のあしあとの意味。足を付し、意味を明らかにした。

12【蹩】19画 11811 ㊥ヘツ・㊦ベチ 屑 biē 慣ベツ — — 6424
字義 ❶ふむ。ふみつける。❷足の不自由なこと。
解字 篆文 形声。足＋敝㊥。音符の敝は、やぶれるの意味。足のバランスがやぶれるの意味を表す。

12【蹼】19画 11812 慣ボク ホク 屋 pǔ 7714 E74D —
字義 みずかき。水鳥などの足指の間にある膜。
解字 形声。足＋業㊥。

13【躁】20画 11813 標 ソウ（サウ） 号 zào 7715 E74E —
［趮］11667 同字
字義 ❶はやい（疾）。❷うごく。❸あわただしい。落ち着きがない。❹さわぐ。さわがしい。❺わるがしこい。また、手荒い。＝譟(11404)。
参考 現代表記では［燥］(7016)に書きかえることがある。「焦躁→焦燥」
解字 形声。足＋喿㊥。音符の喿は、さわがしいの意味。足をばたばたさせて、おちつかないの意味を表す。
【躁急】おちつきがない。また、せっかち。気みじか。
【躁狂】さわぎくるう。
【躁競】心せわしく、人と争う。人と富や権威を争う。
【躁擾】心さわがしく乱れる。いらだちさわぐ。
【躁進】①あわてさわいで進む。いらだって進む。②急に高い地位にあがろうとあせること。
【躁然】さわがしいさま。おちつきがないさま。
【躁佻】かるはずみ。軽浮。
【躁暴】いらだって、あらあらしいこと。

13【躂】20画 11814 ㊥タツ ㊦タチ 曷 tà — — 6433
字義 つまずく。
解字 形声。足＋達㊥。

13【躅】20画 11815 ㊀㊥チョク ㊦ジョク（ヂョク） 沃 zhú ㊁㊥タク ㊦ダク 覚 zhuó 7717 E750 —
字義 ㊀❶躑躅は、㋐行きなやむ。たちもとおる。行きつもどりつする。㋑つつじ。❷ふむ（踏）。㊁あと（跡）。
解字 形声。足＋蜀㊥。

13【躄】20画 11816 ㊥ヘキ ㊦ヒャク 陌 bì 7718 E751 —
［躃］11817 同字
字義 足の不自由な人。
解字 形声。足＋辟㊥。音符の辟は、かたよるの意味。足がかたよる、足の不自由な意味を表す。

13【躃】20画 11817 ヘキ — — 6434
躄(11816)と同字。→一三八四ページ下。

14【躋】21画 11818 ㊥セイ ㊦サイ 斉 霽 jī 7719 E752 —
字義 のぼる（登）。また、のぼらせる。＝隮(13163)。
解字 金文 篆文 形声。足＋齊㊥。音符の齊は、すすみわたるの意味。のぼりすすむの意味を表す。
【躋攀】よじのぼる。

14【躊】21画 11819 標 ㊥チュウ（チウ） ㊦ジュウ（ヂウ） 尤 chóu 7720 E753 —
［跦］11729 俗字
字義 ためらう。たちもとおる。行きつもどりつする。
解字 形声。足＋壽㊥。
【躊躕】①ためらう。②心をいためること。
【躊躇】①ためらう。ぐずぐずする。たちもとおる。用例〔唐、白居易、長恨歌〕天旋地転回竜馭、到此躊躇不能去（天旋り地転じて、竜馭を回らす、ここに到りて躊躇して去ること能はず）。↓天下の情勢が一変し、天子は都へ帰ることとなったが、（楊貴妃の亡くなった）この場所へ来ると、ためらって立ち去ることができない。②ゆっくりしたさま。得意なさま。従容。

14【躍】21画 11820 常 ヤク おどる 4486 96F4 —
14『躍』21画 11821
㊀ヤク 薬 yuè ㊁㊥テキ・㊦チャク 錫 tì
筆順 躍
字義 ㊀❶はやい。速く走る。❷おどる。㋐はねあがる。とびあがる。「跳躍」「欣喜雀躍」㋑胸がわくわくする。❸おどらす。㊁→躍躍㊁。

使いわけ おどる〔踊・躍〕⇨踊(11733)。

解字 篆文 形声。足＋翟(翟)音。音符の翟(テキ)は、きじの意味。きじのように高く速くおどるの意味を表す。

逆 暗躍・一躍・活躍・跳躍・騰躍・飛躍・奮躍・勇躍

【躍起】(ヤッキ) ①おどりたつ。おどりあがる。②国せきこむ。いらだつ。やきもきする。

【躍如】(ヤクジョ) ①おどり立つさま。勢いのよいさま。②生き生きとしているさま。③目の前にありありと現れるさま。

【躍進】(ヤクシン) 国おどり進む。勢いよく進む。

【躍動】(ヤクドウ) 国おどり動く。勢いよく活動する。

【躍躍】 一(ヤクヤク) ①心がおどって、おちつかないさま。②よろこぶさま。二(テキテキ) とびはねるさま。また、犬などの跳ぶようにして速く走るさま。

15 【躚】 22画 11822 セン 先 xiān — — 6439

[蹮] 11790 同字

字義 ❶躚躚は、舞うさま。僊僊(センセン)。❷蹁躚(ヘンセン)は、㋐めぐりゆくさま。㋑舞うさま。㋒よろめくさま。

解字 形声。足＋遷音。

15 【躓】 22画 11823 一チ 寘 zhì 二チ 支 zhī 7721 E754 —

字義 一つまず-く(つまづく)。㋐けつまずく。つまずきころぶ。たおれる。「顚躓(テンチ)」㋑しくじる。失敗する。二あしだこ。まめ。

解字 篆文 形声。足＋質音。跌(テツ)に通じ、つまずくの意味を表す。

【躓顚】(チテン) つまずきたおれる。

【躓踣】(チボク) つまずきたおれる。

15 【躕】 22画 11824 漢チュウ(チウ) 呉ジュ(ヂュ) 慣チュ 虞 chú — — 6438

[蹰] 11805 俗字

字義 踟躕(チチュウ)は、㋐ためらう。ためらって進まない。㋑物の連なるさま。

解字 形声。足＋廚音。

【躕躇】(チュウチョ) ためらう。たちもとおる。躊躇(チュウチョ)。

15 【躑】 22画 11825 漢テキ 呉ジャク(ヂャク) 陌 zhí 7722 E755 —

字義 たちもとおる。行きつもどりつする。立ちどまる。たたずむ。

難読 躑躅(つつじ)

解字 形声。足＋鄭音。

【躑躅】(テキチョク) たちもとおる。また、たたずむ。

【躑躅】(テキチョク) ①足ぶみする。また、じだんだをふむ。②たちもとおる。ゆきつもどりつする。蹢躅(テキチョク)。③つつじ。

15 【躔】 22画 11826 一漢テン・呉デン 先 chán 二漢テン・呉デン 銑 chǎn 7723 E756 —

字義 一❶ふ-む(践)。❷めぐる。めぐって行く。❸やどる。日・月・星が回転して位置を占める。二あと(跡)。あしあと。

解字 形声。足＋廛音。

15 【躐】 22画 11827 リョウ(レフ) 葉 liè — — 6436

字義 ❶ふ-む(践)。前に行く者のあとをふむ。❷こえる(越)。とびこえる。

解字 形声。足＋巤音。音符の巤(リョウ)は、猟に通じ、かりをするの意味。狩りをするとき、鳥獣の動きにつれて無秩序にこえていくように、こえいくの意味を表す。

【躐席】(リョウセキ) 順序によらないで席につくこと。

【躐登】(リョウトウ) 順序をとびこえて昇進すること。

【躐等】(リョウトウ) 順序をふまないで飛びこえて上にゆくこと。躐等(こゆ)。用例〔礼記、学記〕学不躐等也(まなぶことトウをこえざるなり)。学問には順序があり、急に進むべきではない。

15 【躒】 22画 11828 一漢レキ・呉リャク 錫 lì 二ラク 覺 luò — — 6437

字義 一動く。行動する。二逴躒(タクラク)は、超える。卓越する。

解字 形声。足＋樂音。

16 【躛】 23画 11829 一漢エイ(ヱイ) 呉エ(ヱ) 霽 wèi 二漢カイ(クワイ) 呉ケ 卦 wèi — — 6440

字義 一足で踏む。二あやまつ。間違える。

解字 形声。足＋衛音。

16 【躘】 23画 11830 漢リョウ 呉リュ 宋 腫 ₂8950 — —

字義 ❶躘踵(リョウショウ・リョウチョウ)は、進めないさま。❷躘踵(リョウショウ)は、子どもの歩くさま。❸正しく行く。

解字 形声。足＋龍音。

16 【躙】 23画 11831 リン 震 lìn 7724 E757 —

[躪] 11837 同字

字義 ❶ふ-む。ふみにじる。「蹂躙(ジュウリン)」❷車のあと。国にじ-る。ひざで少しずつ動く。

解字 形声。足＋閵音。

17 【躞】 24画 11832 ショウ(セフ) 葉 xiè ₂8951 — 6442

字義 ❶躞蹀(ショウチョウ)は、往来するさま。❷→蹀躞(チョウショウ)(一三八一ページ上)。❸軸物の芯(シン)。

解字 形声。足＋燮音。

17 【躝】 24画 11833 ラン 寒 lán — — 6441

字義 越える。

解字 形声。足＋闌音。

18 【躡】 25画 11834 漢ジョウ(デフ) 呉ニョウ(ネフ) 葉 niè 7726 E759 —

字義 ❶ふ-む。ふみつける。❷はく。はきものをはく。❸いたる(至)。❹追う。従う。あとをつける。

解字 篆文 形声。足＋聶音。音符の聶(ジョウ)は、耳をそろえるの意味。はきものの上に足をそろえる、ふむ・はくの意味を表す。

【躡屩】(ジョウキャク) わらぐつをはく。旅に出ること。

【躡屐】(ジョウゲキ) ①はきもので地をふむ。歩く。②国下駄をはく。

【躡蹀】(ジョウチョウ) 小またで歩くさま。

【躡敵】(ジョウテキ) 敵のあとを追う。

18 【躢】 25画 11835 漢トウ(タフ) 呉ドウ(ダフ) 合 tà — — 6443

字義 踏む。

解字 形声。足＋闒音。

19 【躧】 26画 11836 一シ 紙 xǐ 二リ 支 — — 6444

字義 一❶くつ。㋐舞うときにはくくつ。㋑わらぐつ。ぞうり。❷つっかける。はきものをはく。❸あゆむ(歩)。

解字 形声。足＋麗音。

19 【躪】 26画 11837 リン 躙(11831)と同字。→一三八五ページ中。 7725 E758 —

20 【躩】 27画 11838 漢キャク 呉カク(クワク) 藥 jué — — 6445

字義 ❶足のすすまぬさま。つつしんでそろそろとあるくさま。「躩如」❷あしばやに行く。「躩歩」❸おどる。おどりあがる。

解字 篆文 形声。足＋矍音。音符の矍(キャク)は、おそれつつしむの意味。つつましいあゆみの意味を表す。

【躩如】(カクジョ) 足のすすまぬさま。つつしんでそろそろとあるくさま。

【躩歩】(カクホ) あしばやにあるく。用例〔荘子、山木〕蹇裳躩歩(ショウをかかげてカクホす)。裾をまくりあげてあしばやにあるく。

7画

身 み・みへん

〔部首解説〕身を意符として、身体を意味する文字ができている。

0

【身】 7画 11839 教3 シン み

㊀シン 真 shēn　㊁漢ケン・呉ゲン 先 juān

3140 9067 一

筆順 ノ 亻 冂 冃 自 身 身

字義 ㊀❶み。㋐からだ。「身体」㋑身体の頭をのぞいた部分。↔頭(13477)。用例〔楚辞、九歌、国殤〕帯二長剣一兮挟二秦弓一、首身離兮心不レ懲(チョウケンをおびて シンキュウをさしはさみ、シュシンはなるるとも こころこりず)。⇩長剣を帯び秦の弓を脇にはさみ、頭と胴体とが離れても気持ちは変わらない。㋒しん。みき。なかみ。人や物事の中心の部分。「樹身」「刀身」㋓体積。容積。㋔われ。おのれ。自分。用例〔楚辞、九章、惜誦〕吾誼先レ君而後レ身兮(わがぎきみをさきにして、みをのちにす)、羌衆人之所レ仇(ああシュウジンの あだとするところ)。⇩わたしが正しいと考えるのは、君主を第一として自分を後にすることであったが、ああそれが衆人の恨みとなった。❷みずか-ら(みづから)。自分で。用例〔史記、項羽本紀〕身七十余戦(みずから(づ)シチジュウヨセンす)。⇩自分自身が先頭に立って七十回以上の合戦をした。❸み-ごもる。はら-む(孕ヨウ)。妊娠する。また、その体。用例〔詩経、大雅、大明〕大任有レ身(タイジンはらめるあり)、生二此文王一(このブンオウをうめり)。⇩大任は身ごもり、文王をお生みになった。
㊁→身毒。
国み。㋐肉。「魚の白身」㋑心。まごころ。「身を入れる」㋒容器の、物を入れる方。↔蓋(10153)。

名前 これ・ただ・ちか・のぶ・み・みる・む・もと・よし

難読 身延(みのぶ)・身形(みなり)・身体(からだ)・身動(みじろぎ)

解字 金文 [古字] 篆文 [古字] 象形。人がみごもった形にかたどり、みごもるの意味を表し、転じて、「み」の意味を表す。

逆 化身・献身・現身・護身・捨身・修身・終身・出身・前身・単身・投身・等身・独身・分身・文身・変身・保身・満身・立身・老身

【身火】シンカ 仏身をやく火。人間の欲望をいう。
【身外】シンガイ 自分以外。また、からだの外。
【身幹】シンカン ①からだ。身体。②背骨。③行いの根本。礼をいう。④国せたけ。身のたけ。
【身計】シンケイ わが身のためのはかりごと。
【身後】シンゴ 死んだのち。死後。
【身後計】シンゴのケイ 自分の死後、子孫の困らぬようにする計画。〔南史、建安王休仁伝〕
【身後△之名】シンゴのな 死後の名声。
【身業】シンゴウ 仏自分の行為。善悪ともにいう。三業の一つ。
【身材】シンザイ ①からだ。体軀タイク。体幹。▼材は、幹。②才能。
【身若レ不レ勝レ衣】みころもにたえ(へ)ざるがごとし ①からだがやせて小さく、衣服を着るだけの力がないようである。②恐れつつしむさま。③柔和で謙遜ケンソンなさま。
【身首異レ処(處)】シンシュところをことにす からだとくびとが、別々になる。首をきられて殺されること。身首分離。首足異レ処。
【身首分離】シンシュブンリ ＝身首異レ処。
【身上】㊀シンジョウ ①一身上のこと。身のうえ。②からだの表面。からだ。㊁シンショウ 国資産。財産。㊂シンショウ・シンジョウ 国①生命。一命。②とりえ。ねうち。㊃みのうえ(へ)・シンジョウ 国その人の身に関する事柄、また、境遇。「身上調書」
【身心】シンシン 身と心。心身。
【身世】シンセイ ①この身と、この世。また、わが身一代。②人の一生。また、生命。
【身性】シンセイ 生まれつき。性得。素質。
【身体(體)】シンタイ み。からだ。体軀タイク。
【身体(體)髪膚】シンタイハップ からだと、かみの毛やはだ。からだ全部。用例〔孝経、開宗明義章〕身体髪膚シンタイハップ、受二之父母一(これをフボにうく)、不二敢毀傷一(あえ(へ)てキショウせざるは)、孝之始也(コウのはじめなり)。⇩我々の体はすべて父母からいただいたものであるから、絶対にそこなわないようにするのが孝行の第一歩である。
【身代】㊀シンダイ・みのしろ 国家の資産。財産。㊁みがわ(は)り 国他人の代わりになること。また、その人。㊂みのしろ 国身の代わりの意。人身売買の代金。「身代金みのしろキン」の略。
【身毒】ケンドク・シンドク 中国の古典に見えるインドの古名。梵語ボンゴ Sindhuの音訳。
【身分】シンブン・みブン その人の属する社会上の地位・資格。また、身の上。境遇。〔宋書、王僧達伝〕
【身辺(邊)】シンペン 身のまわり。
【身謀】シンボウ ＝身計。
【身命】シンメイ・シンミョウ いのち。生命。一身。〔漢書、鄭崇伝〕
【傾レ身】みをかたむく わが身にあるかぎりの力をつくす。
【殺レ身成レ仁】みをころしてジンをなす 命を捨てて仁道をなしとげる。一身をすて、世のため人のためにつくす。〔論語、衛霊公〕
【漆レ身△呑レ炭】みにうるししすみをのむ からだにうるしをぬってハンセン病を装い、炭をのんで声を変え、口がきけないように装う。戦国時代、趙チョウの予譲が仇あだを報ずるために苦心したこと。〔戦国策、趙〕
【△贖レ身】みをあがなう(ふ) 金銭を出して刑罰をまぬかれる。
【△挺レ身】みをテイす 同挺身テイシン。▼挺は、ぬき出す。①戦闘や危難などに、人に先んじて赴き行くこと。②にげる時に、すみやかに(全力をあげて)身を引くこと。
【粉レ身】みをこにす はげしく労働する。労苦をいとわず働く。忠勤を励む。用例〔遊仙窟〕粉レ身灰レ骨(みをこにしほねをはい(ひ)にす)。⇩身を砕き、骨を灰にする(ほどはげしく労働する)。
【立レ身】みをたつ わが身をりっぱに完成させる。一人前になる。りっぱな人になる。立身。用例〔孝経、開宗明義章〕立レ身行レ道(みをたてみちをおこない(ひ))、揚二名於後世一(なをコウセイにあぐ)。⇩わが身を完成させ、正しい道をふみ行い、名を後世にまで残す。

3

【躬】 10画 11840 標 漢キュウ(キウ) 呉クウ 東 gōng

7727 E75A 一

【躳】 11846 同字

字義 ❶み。㋐からだ。身体。㋑われ。おのれ。自分。❷みずか-ら(みづから)。自分。自分で。❸みずからする。自分でする。

解字 篆文 [古字] 俗体 [古字] 会意。篆文は呂＋身。呂は、せぼねの象形。身は、はらんだ腹の象形。からだの意味を表す。

【躬化】キュウカ みずから模範を示して人を教化する。
【躬稼】キュウカ みずから穀物を植える。躬耕。
【躬行】キュウコウ みずから行う。自分自身で実際に行う。
【躬耕】キュウコウ みずから(田を)たがやす。
【躬身】キュウシン ①からだ。②みずからする。躬親。③体を曲げる。拝礼を行うことをいう。

3

【射】 10画 (2724) シャ 寸部。→四一三ページ下。

4【躯】11画 11841 ク 軀(11856)の俗字。→一三八七ページ中。 2277 8BEB —

4【躭】11画 11842 タン 耽(9615)の俗字。→一一七〇ページ中。 — — 6446

4【躮】11画 11843 国字 字義 せがれ。自分の子の謙称。自分の分身の意。また、若者を軽蔑(ケイベツ)して言う。 解字 会意。身＋分。 ₂8952 — 6447

5【躰】12画 11844 タイ 体(269)の俗字。→九六ページ中。 7728 E75B —

6【躱】13画 11845 タ 智 duǒ 字義 ❶み(身)。からだ。❷みずから。❸かわ-す(かはす)。さける(避)。身をかわしてさける。 7730 E75D —

［軃］11859 同字

解字 形声。身＋朶音。

7【躳】14画 11846 キュウ 躬(11840)と同字。→一三八六ページ下。 ₂8953 — 6448

7【𨉷】14画 11847 国字 しつけ 躾(11854)と同字。→一三八七ページ中。

7【躵】14画 11848 国字 字義 ❶ねら-う(ねらふ)。❷こら-える(こらふ)。❸しの-ぶ。 解字 会意。身＋忍。 ₂8954 — 6449

8【躺】15画 11849 トウ(タウ) tǎng 字義 伏す。横臥する。 解字 形声。身＋尙音。音符の尙は、長などに通じ、長くなるの意味。

［躺］11850 俗字

8【躺】15画 11850 トウ 躺(11849)の俗字。→一三八七ページ上。 — — 6450

8【躶】15画 11851 ラ 裸(10928)と同字。→一二八四ページ中。 ₂8955 — —

8【躻】15画 11852 国字 字義 うつ-け。うつ-ろ。まぬけ。人をののしる語。 解字 会意。身＋空。中身がから、ばかものの意味を表す。 ₂8956 — 6451

9【躽】16画 11853 エン 銑 願 yǎn 字義 かがむ。伏せる。 解字 形声。身＋匽音。

9【躾】16画 11854 国字 字義 しつけ。礼儀作法などを身につけさせる。 解字 会意。身＋美。身のこなしを美しくするよう仕込むの意味を表す。 7731 E75E —

［𨉷］11847 同字

10【𨊻】17画 11855 ヨウ róng 字義 国近江源氏𨊻講釈(おうみげんじたしかこうしゃく)は、歌舞伎の演目の一つ。 ₁9241 — —

11【軀】18画 11856 標 ク 虞 qū 字義 み(身)。からだ。身体。 ₁9242 — 6452

［躯］11841 俗字

解字 篆文 軀 形声。身＋區音。音符の區(ク)は、区分けするの意味。頭・手・足というように、区分けできる部分から成る身体の意味を表す。

【軀幹】(クカン) ①からだのほねぐみ。からだ。身体。身幹。②胴体。からだの中から、頭部と手足を除いた部分。

【軀命】(クメイ) からだといのち。身命。

11【軁】18画 11857 一漢ロウ・呉ル 尤 lóu 二ル 麌 遇 lǚ 字義 二軁軁(エンロウ・エンル)は、背が曲がった人。 解字 形声。身＋婁音。 — — 6453

12【軄】19画 11858 ショク 職(9646)の俗字。→一一七五ページ上。 — — 6455

12【軃】19画 11859 タ 躱(11845)と同字。→一三八七ページ上。 — — 6454

12【軅】19画 11860 国字 やがて 軈(11864)と同字。→一三八七ページ中。 7732 E75F —

12【𨏍】19画 11861 国字 字義 漫画家白土三平の作品「艶𨏍偲濆(いしみつ)」に使用された。 ₂8957 — —

13【軆】20画 11862 タイ 体(269)の俗字。→九六ページ中。 7729 E75C —

14【軇】21画 11863 漢トウ(タウ) 呉ドウ(ダウ) 号 dào 字義 丈(たけ)が高い。 解字 形声。身＋壽音。 — — 6456

17【軈】24画 11864 国字 字義 やが-て。㋐ほどなく。まもなく。すぐに。㋑そのまま。すなわち。 解字 会意。身＋應。 7733 E760 —

［軅］11860 同字

車 7画 くるま・くるまへん

〔部首解説〕車を意符として、いろいろな種類の車、車の各部の名称、車を動かすことなどに関する文字ができている。

0【車】7画 11865 教1 シャ くるま 熟字訓 山車(だし) 一シャ 麻 chē 二漢キョ・呉コ 魚 (jū) 2854 8ED4 —

筆順 一 丆 一 百 亘 車

字義 ━━ ❶くるま。㋐軸を中心として回転する輪。また、軸を中心に回転するしかけ。「水車」㋑輪の回転で前進させ、人や物を運ぶ道具。用例〔論語、郷党〕升レ車、必正立執レ綏。㊦車に乗るときには、必ずまっすぐ立ってひきなわを持つ。㋒車の輿。また、車の、人が乗る所。❷はぐき(齦)。歯牙の下骨。下あごの骨。国くるま。㋐車の輪のようにまるい形。「車座」㋑明治から昭和の初めころまでは、人力車をいい、現代では自動車をいう。

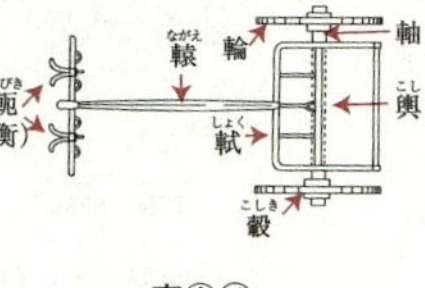

車①㋑

名前 くら・くるま・のり 難読 車前・車前草

解字 甲骨文 金文 篆文 車 象形。くるまの象形で、くるまの意味を表す。

逆 安車・客車・火車・軽車・下車・軒車・香車・舟車・単車・炭車・拍車・副車

【車胤】東晋の人。若い時、貧乏で油を買うことができず、夏、蛍を集めて袋に入れ、その光で勉強したという。〔晋書、車胤伝〕→蛍雪之功(二三五ページ下)。

【車靷】馬に車を引かせるむながい(牛馬の胸からかけ、車をつないだ引き綱)。

【車轅】くるまのながえ。▼轅は、牛・馬をつけるため車の前部につけた棒。

【車駕】①乗り物。▼駕も、乗り物。②特に、天子の乗り物。③出かけている天子。行幸中の天子。

【車蓋】①車の上に立てた大きな傘。②車の上のおおい。

【車客】車の使用を許された食客。

【車轄】車のくさび。車の軸にさして車輪のはずれるのを防ぐもの。

【車軌】①車の両輪の間、また、距離。②車輪。車。③車輪の跡。④車の通る道。

【車騎】車と馬。戦車と馬。また、それに乗った人。

【車騎将(將)軍】武官の職名。征伐をつかさどった。漢の文帝の時に置き、唐の時廃止した。

【車甲】①戦車と甲冑(よろいかぶと)。②戦車と兵士。③軍隊。

【車轂】車のこしき。▼轂は、輻(スポーク)の集まる所。

【車座】国多くの人が円形に向かい合ってすわること。

【車載斗量】車にのせ、一斗ますではかる意で、物の多くあるたとえ。〔三国志、呉志、孫権伝、注〕

【車師】国名。漢代、西域三十六国の一つ。今の新疆ウイグル自治区の吐魯番市・昌吉市・奇台県などの地。古名、姑師。

【車軸】①車の心棒。②降り注ぐ大粒の雨のたとえ。

【流二車軸一】国車軸のような大粒の雨が降るさま。豪雨の形容。降二車軸一。

【車書】車と書物。また、車と文字。

【車乗(乘)】車をいう。

【車塵】車の通った時に立つちり・ほこり。

【車正】古代の官名。車・服の事をつかさどった。

【車重】荷車。

【車轍・車軼】①車輪の跡。車の通った跡のくぼんだ所。わだち。②車輪。また、車。

【車徒】①戦車と歩卒。②天子・貴人などのお供の車や人。

【車同レ軌書同レ文】(天下中の)車は両輪の間隔が同じく、文字は同一種類のものである。天下がよく統一されている状態をいう。同文同軌。〔中庸〕

【車馬】①車と馬。②車馬の往来、客の出入りなどの意。用例〔東晋、陶潜、飲酒詩〕結レ廬在二人境一、而無二車馬喧一。㊦粗末な家を人里の中に構えているが、それにもかかわらず訪問客の車馬の騒がしさがない。③国乗り物。

【車服】①車と衣服。特に、天子が功臣に賜った車服。②官爵。官位。

【車服不レ維】官位のために身を束縛されない。高位高官についていないから、それに縛られて自由を失うことがないという意。〔唐、韓愈、送三李愿帰二盤谷一序〕

【車輻】①車の輻。車輪の外周(リム)から、中央の轂に集まって車輪のささえになる棒状のもの。スポーク。②儀仗兵。車輻に似た形の武器を持つことから。

【車右】古代、兵車には三人が乗ったが、そのうち武器を持って車の右に乗る者をいう。車の中央には御者、左には弓の射手が乗った。天子などの乗るときは、特に勇者を選んで車右とした。転じて、護衛の勇者。驂乗。戎右。

【車輿】くるま。▼輿は、車の人や物を乗せる所。

【車両(兩)・車輛】くるま。

【車裂】罪人をくるまざきにする。また、その刑。二台の車に罪人の手足を片方ずつしばりつけ、牛馬に反対方向へ引かせて引きさくこと。〔戦国策、秦〕

1 【軋】 8画 11866 標 漢アツ 呉エチ 韻 yà, zhā 7734 E761 ―

字義 ❶きしる。きしむ。㋐車輪が摩擦して音をたてる。㋑物が摩擦する。摩擦して音をたてる。㋒勢いを争う。せりあう。❷昔、匈奴(北方の異民族)の刑罰の一つ。車で骨をひき砕くとも、刀で顔面を切るともいう。❸ふみつける。❹ものの形容。

解字 篆文 形声。車+乚(乙)音。音符の乙は、ジグザグするの意味。車輪が滑らかに動かないで、きしむの意味を表す。

【軋軋】①物が群がり生ずるさま。②車の音の形容。③機を織る音の形容。④舟の艪の音の形容。⑤ぎしぎしつかえて進みにくいさま。

【軋轢】国①車がきしること。②すれ合うこと。③仲たがい。不和。反目。また、紛争。争い。

2 【軌】 9画 11867 常 キ 紙 guǐ 2116 8B4F ―

筆順 一 丆 丙 百 亘 車 車丿 軌

【軏】 11868 同字

字義 ❶車の輪と輪との間隔。車の両輪のはば。❷わだち。車の通ったあと。❸車の軸の先端。❹みち。㋐道路。㋑天体が運行する道。「軌道」㋒人のふみ行うべき道。「常軌」㋓のり。手本。規則。法則。❺したがう。より従う。❻内乱。=宄(2595)。

名前 き・のり

解字 篆文 形声。車+九音。音符の九は、曲がって尽きるの意味。車のわだちが、どこまでも曲がりながら伸び、やがて地平線上に尽きるさまから、わだちの意味を表す。

逆 車軌・常軌・同軌・不軌

【軌跡・軌迹】①車の通ったあと。わだち。②前人の行為。前例。③より従うべき法則。手本。④幾何学で、ある一定の条件にかなう点の連続により描かれる線。

【軌則】①のり。手本。法度。②手本として、のっとりならう。

【軌躅】①車のわだちのあと。車輪のあと。②前人の残した手本。先軌。遺範。遺躅。

【軌轍】①=軌跡・軌迹①②。②車。

【軌度】のり。規則。手本。〔史記、秦始皇本紀〕

【軌道】①道に軌したがう。正しい道により従う。②車の通る道。また、車の通った跡の線。わだち。③天体の運行する道。④国レールを敷いた、汽車・電車などの通る道。

【軌範】キハン ①のり。かた(型)。方式。手本。②手本を示す。手本とする。のっとる。③正す。

【軌物】キブツ おきて。法度。

【異ㇾ軌】キをことにす (国や時代によって)車輪の間隔が異なっていること。法律・制度などのたがいに異なっている意。〔隋書、礼楽志〕

【一ㇾ軌】キをイツにす ①車輪の間隔を同一にすること。法律や制度などが同じであること。転じて、天下がよく治まり統一されていること。〔北史、崔鴻伝〕②考え方・やり方が同じであること。

2【軌】9画 11868 キ 9243 — —

軌(11867)と同字。→一三八八ジペ下。

2【軍】9画 11869 教4 グン 2319 8C52 —

慣グン クン 文 jūn

筆順 

【𠣞】1100 本字

字義 ❶いくさ。㋐つわもの。兵士。㋑軍隊。㋒たたかい。戦争。❷たむろする。陣どる。駐屯する。用例(左伝、桓公八)楚子伐ㇾ随(ソシズイをうつ)、軍二於漢淮之間一(カンワイのカンにグンす)。↓楚子は随を伐ち、漢水と淮水の間に軍を止めた。❸軍をひきいる。軍隊を指揮する。攻撃する。用例(左伝、襄公二十六)以ㇾ夜軍ㇾ之(よるをもってこれにグンせば)、楚師必遁(ソシかならずにげん)。↓夜襲をかければ、楚の軍は必ず逃げる。❹陣営。❺軍隊の編成上の名。周代では一万二千五百人を一軍とした。❻宋代の行政区画。州・府・監と共に路の下に属した。

名前 いく・いくさ・いさ・ぐん・すすむ・むら・むれ

解字 金文  篆文  会意。冖(勹)+車。勹は包で、かこむの意味。車は、戦車の意味。戦車で包囲する、いくさの意味を表す。

逆 義軍・孤軍・粛軍・将軍・水軍・賊軍・殿軍・遊軍

【軍営(營)】グンエイ 軍隊の営所。陣営。陣屋。

【軍役】グンエキ ①軍隊に服役すること。兵役。②いくさ。戦争。

【軍学(學)】グンガク 戦争のしかたに関する学問。兵学。兵法。

【軍監】㊀グンカン いくさめつけ。軍事の監察官。監軍。㊁グン・グンカン 国上代、鎮守府や征夷使(セイイシ)の判官。㊂グンカン 国中古、出征軍の副将軍の下の役。

【軍紀】グンキ 国=軍律。

【軍記】グンキ ①軍隊の記号。その部隊の目じるしとして用いるしるし。②国戦争の話を書いた書物。戦記。

【軍△麾】グンキ 軍隊の指揮に用いる旗。毛で作った。

【軍機】グンキ 軍事上の機密。軍事上の重要な事がらで、外部に発表してはならないもの。

【軍議】グンギ 軍事上の評議(相談)。戦評定(いくさヒョウジョウ)。

【軍鶏(鷄)・軍△雞】グンケイ・しゃも 鶏の一種。からだが大きく背が高く、闘鶏に使う。

【軍△伍】グンゴ 兵士の隊伍・隊列。また、軍隊。

【軍功】グンコウ いくさのてがら。戦功。

【軍行】グンコウ ①軍隊の行進。②軍隊の列。隊伍(タイゴ)。

【軍校】グンコウ 将校。部隊長。

【軍国(國)】グンコク ①軍隊と国家。軍事と国政。②国軍事を主要政策とする国。「軍国主義」

【軍使】グンシ ①朝廷から派遣された、軍隊の監督役。②国戦争中に敵軍に使いする人。軍中の使者。

【軍師】グンシ ①軍隊。②官名。主将の下で、軍機をつかさどり、はかりごとをめぐらす人。参謀。③兵法にくわしく戦略にすぐれている人。④国たくみに計略をめぐらす人。策謀家。策士。

【軍資】グンシ ①軍事用の物資・金銭。②国事業遂行に必要な資金。軍資金。

【軍実(實)】グンジツ ①軍用の機械・器具・被服などをいう。②戦利品。ぶんどり品。

【軍需】グンジュ 軍事上の需要。また、その需要物資。

【軍縮】グンシュク 国「軍備縮少」の略。軍備をへらすこと。

【軍書】グンショ ①軍事の記録。また、軍事についての所説などを述べた書籍。兵書。②軍中の文書。軍事上の報告・通信など。③国戦争の話をしるした書籍。軍記。

【軍神】グンシン ①軍をつかさどる神。武運を守る神。武神。②国特にすぐれた武功をたて戦死した人。軍人の手本とするに足る軍人の尊称。

【軍陣】グンジン ①陣営。また、陣形。②戦場。③戦争。

【軍帥】グンスイ 一軍の大将。

【軍声(聲)】グンセイ ①出陣の時、戦運を占うために奏する音楽の音。②軍中に用いる楽器。③軍勢の声。戦闘中に兵士たちのあげる叫び声、ときの声など。

【軍制】グンセイ 軍事に関する制度・規則。

【軍政】グンセイ ①軍事に関する政務。②非常時などに、すべてを軍の力の支配下に置いて行う政治。

【軍勢】㊀グンセイ 軍隊のいきおい。㊁グンゼイ 国①軍隊の人数。②兵士の集団。軍隊。

【軍籍】グンセキ ①軍人の住所氏名などを記載した帳簿。「軍籍簿」の略。②国軍人としての地位・身分。

【軍団(團)】グンダン ①兵士の一隊。兵士の集団。軍隊。②国㋐中古、諸国に置かれた常備軍。㋑旧制で、作戦上、一司令官の下に置かれた数個師団の軍隊の総称。

【軍△帖】グンチョウ・グンジョウ 軍隊内の告示文。軍の布告文。また、徴兵の文書。

【軍馬】グンバ ①兵士と馬。兵馬。②軍用の馬。

【軍配】グンバイ 国①軍陣の配置・進退などの指揮。②さしず。かけひき。③「軍配団扇(グンバイうちわ)」の略。

【軍配団(團)扇】グンバイうちわ 国①昔、一軍の大将が軍隊を指揮するに用いた具。鉄または革で作り、漆をぬり、太陽・月などが描いてある。軍配。軍扇。②相撲(すもう)の行司(ギョウジ)が使う道具。軍配。

【軍閥】グンバツ ①いくさの手がら。▼閥は、功。②自己の養成した軍事勢力を背景に政権に関与し、また、特定地域を占拠してその支配権を握った地方勢力。▼閥は、家がら。転じて、集団・徒党。③国軍部を中心とする政治勢力。

【軍票】グンピョウ 国戦地で、軍隊が物品買い入れのために使う通貨代用の手形。軍用手形。

【軍府】グンプ ①武器を入れておく倉。②一軍の将の居る所。軍中における将軍の執務所。

【軍法】グンポウ ①軍隊の法律。軍の刑法。軍のおきて。軍律。②国軍隊の配置および操縦の方法。戦争の方法。兵法。

【軍△鋒】グンポウ ▼鋒は、ほこさき。①軍の先鋒(さきがけ)。②国軍の威勢。

【軍門】グンモン 軍営の門。陣屋の門。

【軍容】グンヨウ ①いくさよそおい。武装。②軍隊の様子。外からわかる軍隊の規律や士気。また、軍陣配置の形など。

【軍吏】グンリ ①軍隊の指揮官。また、士官。②いくさめつけ。軍隊の監察官。軍監。③軍隊の会計官。

【軍律】グンリツ ①=軍法①。②軍隊の規律・風紀。

【軍略】グンリャク 軍事上の(戦争の)はかりごと。

【軍旅】グンリョ ①軍隊。▼旅は、衆多、また、五百人の単位集団をいう。②戦争。

【軍令】グンレイ 軍事上の法令・命令。

3【軏】10画 11870 ㊀漢ゲツ ㊁呉ガチ(グワチ) 月 yuè — EE96 6457

㊂漢ゴツ・呉ゴチ 月

字義 ㊀㊁小さい車の轅(ながえ)の端に衡(くびき)を付けてとめるくさび。また、轅の端の横木をつりもつところ。→輗(11919)。

3【軒】10画 11871 常 ケン のき 漢ケン・呉コン 元 xuān 2414 8CAC —

解字 形声。車＋亓音。

筆順 一 亍 百 亘 車 軒 軒

字義 ❶のき。ひさし。❷いえ(家)。また、家を数える単位。❸ほそどの。廊下。❹まど。長廊下につけられた窓。❺てすり。おばしま。❻くるま。㋐車を引く轅(ながえ)が曲がって前方が高くあがり、乗る所の両側におおいのある車。昔の中国の大夫(タイフ)以上の貴人の乗る車。㋑広く車をいう。❼便所。かわや。❽あがる(揚・挙)。❾軽くする。❿ものの形容。↓軒軒。

名前 けん・のき

解字 篆文 軒 形声。車＋干音。音符の干は幹に通じ、長く伸びた柱の意味。屋根の端が、建物の外へ長く伸びたのきの意味や、ながえの伸びた車の意味を表す。

逆 高軒・飛軒

【軒楹】(ケンエイ) のきと柱。また、のきの柱。▼楹は、丸く太い柱。

【軒掖】(ケンエキ) 宮中。禁裏。宮掖。

【軒轅】(ケンエン) ①中国古代伝説上の帝王の名。黄帝(一六四四ジー下)。②ながえの高い車。③星の名。

【軒駕】(ケンガ) ①中国古代伝説上の帝王、黄帝(一六四四ジー下)をいう。②天子の乗り物。

【軒豁】(ケンカツ) ひろびろと開けているさま。眺望などの広く開けていること。開朗。

【軒檻】(ケンカン) てすり。おばしま。欄干。

【軒岐】(ケンキ) ①黄帝軒轅氏(ケンエンシ)と岐伯。共に中国古代伝説上の医学の祖。②医学。医術。

【軒渠】(ケンキョ) 高らかに笑うさま。軒然。

【軒軒】(ケンケン) ①舞うさま。②高くあがるさま。③自得のさま。満足してゆったりしているさま。

【軒昂】(ケンコウ) ①高くあがること。②意気のさかんなさま。「意気軒昂」③物事の勢いのさかんなさま。

【軒皇】(ケンコウ) 中国伝説上の帝王、黄帝(一六四四ジー下)をいう。

【軒車】(ケンシャ) ①弓形にそった屋根のある車。身分の高い人の乗り物。②ものみぐるま。物見やぐらのある兵車。

【軒翥】(ケンショ) 高くあがること。高く飛びあがる。

【軒然】(ケンゼン) 声高らかに笑うさま。軒渠(ケンキョ)。

【軒輊】(ケンチ) ①前方の高い車と前方の低い車。②高低・優劣などの意。

【軒特】(ケントク) とくに高くすぐれる。

【軒帆】(ケンパン) 車と舟。舟車。

【軒廡】(ケンブ) のき。ひさし。

【軒冕】(ケンベン) ①大夫(タイフ)以上の人が使う車と冠。②高位高官。また、その人。貴人。

【泥塗軒冕】(ケンベンをデイトにす) 高位高官をどろのように考えて棄てさる。▼塗も、どろ。〔北宋、范仲淹、厳先生祠堂記〕

【軒溜】(ケンリュウ) のきのあまだれ。

3【軔】10画 11872 漢ジン 呉ニン 震 rèn 28959 — 6459

字義 ❶はどめ。とめぎ。車輪の回転を止めるくさび。❷とどめる。進むのを止める。❸かたい。しっかりする。❹おこたる。なまける。❺ひろ。周尺の八尺(約一・七五メートル)。＝仞(193)。

解字 形声。車＋刃音。

【発(發)軔】(ジンをハッす) ①車を出発させる。②出発する。

3【軑】10画 11873 ■一 漢テイ・呉ダイ 霽 dài ■二 漢タイ・呉ダイ 泰 dài 28958 — 6458

字義 ■一 そとかりも。轂(こしき)の端に取り付ける金属の覆い。■二 ❶車の輪。❷＝■一。❸地名。湖北省内。

解字 形声。車＋大音。

4【軎】11画 11874 ゴウ 轟(11973)の俗字。→一四〇〇ジー中。 7736 E763 —

4【斬】11画 (4599) ザン 斤部。→六三六ジー中。

4【転】11画 11875 教3 テン ころがる・ころげる・ころがす・ころぶ 3730 935D —

11〔轉〕18画 11876 人 ■一 テン 銑 zhuǎn ■二 テン 霰 zhuàn 7759 E77A —

筆順 一 亍 百 亘 車 軒 転 転

字義 ■一 ❶ころがる。ころげる。ころぶ。こける。まろぶ。㋐たおれる。ひっくりかえる。㋑ころがりながら進む。❷ころがす。㋐たおす。ひっくりかえす。㋑ものを回転させながら動かす。用例〔詩経、邶風、柏舟〕我心匪レ石、不レ可レ転也(わがこころいしにあらず、ころがすべからざるなり)。↓わが心は(石のように固いが)石ではないから、(石をころがすように)簡単に変えることはできない。❸まわる。または、まわる。あちこちをめぐりまわる。また、旋回する。❹まわって方向を変える。ひるがえる。用例〔前漢、賈誼、過秦論〕将二数百之衆一(スウヒャクのシュウをひきい(ゐ))、転而攻レ秦(テンじてシンをせむ)。↓数百人を率いて、取って返して秦を攻めた。❺うつる。うつす。㋐うごく。移動する。「移転」㋑とどける。伝え運ぶ。「漕転(ソウテン)」㋒官職などがかわる。「転任」㋓かわる。他のものに変化する。用例〔史記、蘇秦伝〕転レ禍為レ福(わざわ(は)い(ひ)をテンじてフクとなし)、因レ敗為レ功(ハイによりてコウをなす)。↓災禍を幸福に変え、失敗を成功に導く。❻うたた。いよいよ。ますます。用例〔唐、李白、春夜宴二桃李園一序〕幽賞未レ已(ユウショウいまだやまず)、高談転清(コウダンうたたきよし)。↓心静かに景色を飽かず眺め、超俗の高尚な話はますます盛んになっていく。❼かえって。かへって。反対に。逆に。用例〔詩経、小雅、谷風〕将安将楽(まさにやすんぜんとし、まさにたのしまんとす)、女転棄レ予(なんじ(ぢ)かえ(へ)ってわれをすつ)。↓(困難な時には助けあったのに)安楽となった今、あなたはかえって私を棄てようとなさる。
■二 ❶めぐる。まわる。または、まわる。軸を中心にぐるぐるまわる。回転する。用例〔楽府詩集、悲歌行〕心思不レ能レ言(シンシいう(ふ)あたわ(は)ず)、腸中車輪転(チョウチュウシャリンのごとくめぐる)。↓心の中を言うことはできない。はらわたは車輪がまわるようだ。❷服やよろいを入れる袋。

名前 うたた・ひろ

難読 転柿(ころがき)・転寝(うたたね)・転(ごろ)ね・転法輪(てんぼうりん)

参考 現代表記では〔顛〕(13507)の書きかえに用いることがある。「七顛八倒→七転八倒」「顛倒→転倒」

解字 金文 轉 篆文 轉 形声。車＋専音。音符の専は、糸をまわす、めぐるの意味を表す。常用漢字の転は省略体による。糸巻にぐるぐるまきつけるの意味。車

逆 暗転・一転・移転・運転・栄転・回転・機転・気転・逆転・好転・退転・展転・動転・反転・変転・輪転・流転

【転移】(テンイ) ①場所を移る。移す。転徙(テンシ)。②医学用語。一臓器の癌腫(ガンシュ)・肉腫などが、他の臓器に移り、新しい癌腫をつくること。

【転運】(テンウン) ①めぐり移る。めぐり行く。②はこぶ。移し運ぶ。③歌や楽器の節まわし。

【転化】(テンカ) 移り変わる。移し変える。変化。

【転訛】(テンカ) 国ことばがなまって変わること。

【転嫁】(テンカ) ①二度の嫁入り。再婚。②自分の過失や責任を他の人になすりつける。「責任転嫁」

【転換】(テンカン) ①移しかえる。②入れかえる。

【転記】(テンキ) 書き写す。一つの帳簿から他の帳簿へと、書き写す。

【転機】(テンキ) ①好転する機会。好転する可能性。②国現在の状態から、他の状態へ変わる機会。かわりめ。

【転義】テンギ ことばの本来の意味から転じて、さらに生じた意味。上下の上を主上の上とするような類い。↔本義(七一四ページ中)。
【転筋】テンキン 手足の筋肉がひきつること。こむらがえり。
【転句】テンク 漢詩の絶句の第三句。詩想を転換させる所。
【転結】テンケツ 漢詩の転句と結句。絶句の第三句と第四句。「起承転結」
【転向】テンコウ ①向きを変える。方向を変える。②政治的立場を変える。③国目的・方針・職業・趣味などを変える。
【転△轂】テンコク 車を動かす。荷物を車で運ぶこと。
【転載】テンサイ ①文章などを写し取って、他のものに載せる。他の著作物に載っている文や図などを別の著作物に載せる。②荷物を一つの車などからほかの車などに、移す。
【転△徙】テンシ ＝転移①。▼徙は、移る意。用例(唐、柳宗元、捕レ蛇者説)号呼而転徙、饑渇而頓踣(号呼して転徙し、饑渇して頓踣す)。わめき叫びながら移住して行ってしまうか、飲まず食わずのためにつまずき倒れてしまう。
【転写(寫)】テンシャ (文章・絵などを)書き写す。写し取る。また、そうして書かれたもの。
【転借】テンシャク ①他人の借りた物を、さらに借りること。また借り。②また貸し。
【転手】テンシュ 一テンシュ ①手をうごかす。また、手をひるがえす。②時のたつのが早いたとえ。また、たやすいことのたとえ。二テンジュ 国琵琶・三味線などの頭(海老尾)に貫いて弦をまきつけておく棒。
【転瞬】テンシュン まばたきする。転じて、短い時間。またたくうち。
【転△燭】テンショク 物事の移り変わりのすみやかなことのたとえ。灯火を次々に移し点ずることからいう。
【転身】テンシン ①からだの向きをかえる。身をかわす。②国㋐今までと異なったものに身を変えること。㋑身分・職業、または主義などを変えること。
【転進】テンシン ①方向を変えて進む。②車輪などがころがり進む。③国(軍隊で)退却の婉曲な表現。
【転籍】テンセキ 籍を他に移すこと。
【転旋】テンセン ①めぐる。まわる。②一まわりするほどの短い間。つかの間。
【転遷】テンセン 移り変わる。
【転△漕】テンソウ 運ぶこと。主として、穀物・兵糧などを運ぶにいう。▼転は車で運ぶこと、漕は舟で運ぶこと。
【転側】テンソク からだの向きを変える。
【転対(對)】テンタイ 多くの官吏が順番に政治上の得失を上申すること。輪対。

【転貸】テンタイ 借りたものを、ほかに貸すこと。また貸し。
【転注】テンチュウ ①(水が)めぐり注ぐ。②漢字の六書の一つ。ある漢字が、意味を転じて他の意味に用いられること。
⇩コラム 六書(一四九ページ)。
【転墜】テンツイ ころげ落ちる。顛墜。
【転転】テンテン ①だんだん。ますます。②いろいろ。さまざま。③次から次へと移り変わる(変化する)さま。
【転倒】テントウ 同顛倒。①さかさまになる。さかさまにする。②あわてまどう。③たおれる。ひっくりかえる。
【転読(讀)】テンドク 仏①経典を読むこと。②大部の経文の要所を抜き読みすること。↔真読(一〇〇八ページ中)。
【転任】テンニン 任務が変わること。他の官職にかわること。また、ほかの土地の勤務にかわること。
【転売(賣)】テンバイ 買ったものを、さらに他にうる。また売り。
【転覆】テンプク 同顛覆。①ひっくり返る。ひっくり返す。②ほろびる。ほろぼす。
【転変(變)】テンペン 移り変わる。
【転補】テンポ ある官職から他の官職につかされること。
【転法輪】テンボウリン 仏法論を転ずる。仏の教えを説いて迷っている衆生を救うこと。〔法華文句〕
【転△蓬】テンポウ ①風に吹かれて、ころがり行く蓬。▼蓬は、強風が吹くと根から抜けてころがり飛ぶアカザ科の植物。②おちぶれて、あちこち流浪するたとえ。
【転迷解悟】テンメイカイゴ 仏迷いを転じて、さとりを開く。
【転用】テンヨウ 本来の用い方でなく、他の方にふりかえて用いる。流用。
【転落】テンラク 同顛落。①ころがり落ちる。②落ちぶれる。堕落する。
【転輪王】テンリンオウ 仏インドの神。四種(金・銀・銅・鉄)の輪宝を持ち、これをまわしてすべてのものを屈服させるという。輪王。〔倶舎論、十二〕
【転漏】テンロウ ①水時計。②わずかな間。

4 【軜】 11画 11877 漢ドウ(ダフ) 呉ノウ(ナフ) 㕯 nà — — 6460
字義 そえ馬のたづな。軾(車前の横木)につなぐ。

4 【軟】 11画 11878 常 ナン やわ-らか・やわ-らかい 漢ゼン・呉ネン 慣ナン 銑 ruǎn 3880 93EE —
解字 形声。車＋内音。

筆順 一 冂 冃 亘 車 軎 軟 軟 軟

[輭] 11942 正字

字義 ❶やわ-らかい(柔)。やわ-らか。㋐堅くない。強くない。しなやか。「柔軟」㋑やさしい。おだやか。柔順。㋒堅苦しくない。❷よわい。かよわい。柔弱。

使いわけ やわらか・やわらかい〔軟・柔〕
〔軟〕力を加え変形できることに力点を置く場合に、多く用いる。「軟らかな御飯・軟らかい土」
〔柔〕力を離すともとに戻る弾力性に力点を置く場合に、多く用いる。「柔らかな身のこなし」
なお、「くだけた」の意では、〔軟〕を用いるのが一般的。「表現が軟らかい・軟らかめの本」
ただし、実際には紛らわしい場合が多い。

解字 形声。正字は、車＋耎音。音符の耎は、やわらかいの意味。やわらかな車の意味から、一般に、やわらかいの意味を表す。常用漢字の軟は俗字による。

【軟化】ナンカ ↔硬化(一〇三五ページ中)。①堅い物がやわらかくなること。②強い主張・態度をやわらげること。また、弱気になること。
【軟脚病】ナンキャクビョウ かっけ。脚気。
【軟禁】ナンキン ゆるやかな監禁。外部との一般的な接触・行動の自由をある程度許している監禁。
【軟語】ナンゴ おだやかでやさしいことば。
【軟骨】ナンコツ ①弾力があってやわらかいほね。②軟弱な男性。やさおとこ。
【軟弱】ナンジャク ①やわらかくて弱い。②弱い。体や意志などの弱いこと。
【軟水】ナンスイ カルシウム・マグネシウムを少ししか含まない水。洗濯などに適する。↔硬水(一〇三五ページ中)。
【軟派】ナンパ 国①穏やかな意見を持ち、強硬な主張をしないグループ。②主として男女関係を題材として扱う文芸上の一派。③もっぱら異性との交際を目的とする不良少年・不良少女。↔硬派(一〇三五ページ下)。
【軟風】ナンプウ やわらかに吹く風。そよかぜ。微風。

4 【軛】 11画 11879 漢アク 呉ヤク 陌 è 7735 E762 —
[軶] 11894 本字
字義 くびき。車の轅の端にあり、牛馬の頸にかける横木。
解字 形声。車＋厄(戹)音。

4 【軤】 11画 11880 ロ 轤(11980)の俗字。→一四〇〇ページ下。

4【軤】11画 11881 ロ 2 8960 ― ―

轤(11980)の俗字。→1800ページ下。

5【軼】12画 11882 ㊀㊥イツ・㊦イチ 圓 yì ㊁㊥テツ・㊦デチ 屑 dié 7737 E764 ―

字義 ㊀❶すぎる(す-ぐ)。㋐追い越す。㋑つき出る。つく(突)。おかす(侵)。㋒すぐれる。まさる。㋓越える。かけはなれる。㋔人目からそれた。人に知られない。「軼事」❷ちる(散)。なくなる。「亡軼」❸あふれる。＝溢(6553)。㊁❶わだち。＝轍(11964)。❷たがいに。かわるがわる。＝迭(12058)。

解字 篆文 軼 形声。車＋失㊥。音符の失は、それるの意味。車と車とが互いにそれるの意味を表す。

【軼材】イツザイ すぐれた才能。また、それを有する人。逸材。

【軼詩】イッシ 選からもれて、『詩経』の中に入れられなかった詩。逸詩。

【軼事】イツジ 世に知られていない事がら。人目からもれている事実。逸事。主に、人の言行にいう。

【軼△蕩】イットウ 世間の常識をはなれた勝手なふるまいをする。

5【軮】12画 11883 オウ(アウ) 養 yǎng ― ― 6462

字義 軮軋(オウアツ)は、㋐車のきしる音。㋑広大なさま。㋒多い。

解字 形声。車＋央㊥。

5【軻】12画 11884 カ 歌 哿 箇 kē 7738 E765 ―

字義 ❶車軸がいたんでいる車。その車のうまく進まないことから、物事の思う通りにならないことをいう。❷人名。㋐孟子(モウシ)(戦国時代の思想家)の名。孟軻。㋑荊軻(ケイカ)は、戦国時代の有名な刺客。

解字 篆文 軻 形声。車＋可㊥。音符の可は、かぎ型に曲がるの意味。車軸をかぎ型につぎ木した車の意味から、人の不遇なさまの意味を表す。

5【軽】12画 11885 教3 ケイ かる-い・かろ-やか 2358 8C79 ―

7〖輕〗14画 11886 ㊀㊥ケイ ㊦キョウ(キャウ) 庚 qīng ㊁㊥ケイ ㊦キョウ(キャウ) 敬 ㊧キン 7743 E76A ―

筆順 一 百 亘 車 車フ 軽 軽 軽 軽

字義 ㊀❶かる-い(かるし)・かろ-し。㋐目方が少ない。少ない。小さい。㋑手がる。簡単。用例〔孟子、梁恵王上〕民之従レ之也軽(たみのこれにしたがう(ふ)やかるし)。↓人民が為政者に従ってくるのも、たやすいのです。㋒かるがるしい。落ち着きがない。「軽薄」㋓身分が低い。「軽輩」㋔値段が安い。㋕能力などがおとる。❷かろ-やか。すばしこい。「軽快」❸かろ-んずる(かろんず)。あなどる。みくびる。❹かるくする。㊁❶かる-い(かるし)。かるがるしい。落ち着きがない。❷かるがるしく。むやみに。かるはずみに。

名前 かる・とし

難読 軽羹(かるかん)・軽衫(かるさん)・軽米(かるまい)

解字 篆文 輕 形声。車＋圣(巠)㊥。音符の巠(ケイ)は、まっすぐで力強いの意味。敵陣に、力強くまっすぐに突進していく車の意味から、かるいの意味を表す。

逆 票軽

【軽△靄】ケイアイ うっすらとしたもや。

【軽易】ケイイ ①かろんじあなどる。②手軽で、たやすい。容易。

【軽陰】ケイイン ①薄ぐもり。②薄い(また、わずかな)かげ。

【軽△盈】ケイエイ かよわく、たおやかな容姿。

【軽鋭】ケイエイ すばしこく強い。また、その兵士。

【軽△燕】ケイエン 身軽に飛びまわるつばめ。

【軽△鷗】ケイオウ 身軽に飛ぶかもめ。

【軽荷】ケイカ 色あざやかで美しいはすの花。

【軽△舸】ケイカ かるくて速い舟。足の速い舟。

【軽△霞】ケイカ ①たなびくかすみ。②薄いかすみ。③空に淡く横たわる夕やけ・朝やけ。

【軽快】ケイカイ ①かろやかで速い。また、すばしこいこと。②国㋐かるくて気持ちのよいこと。㋑病気が少しよくなること。

【軽△猾・軽△黠】ケイカツ 軽薄でわるがしこい。

【軽△悍】ケイカン すばしこくてたけだけしい。また、気が強い。

【軽寒】ケイカン よわい寒さ。また、うすら寒い。

【軽△紈】ケイガン かるい白のねりぎぬ。

【軽騎】ケイキ 軽装した(行動のすばやい)騎兵。

【軽△裘】ケイキュウ かるく暖かな(上等な)皮ごろも。

【軽△裘肥馬】ケイキュウヒバ 上等な皮ごろもと肥えたりっぱな馬。富貴のさまをいう語。用例〔論語、雍也〕乗二肥馬一(ヒバにのり)、衣二軽裘一(ケイキュウをきる)。↓肥えた立派な馬に乗り、上等な皮衣を着る。

【軽挙(擧)】ケイキョ ①かろやかに(空に・高所に)あがる。②仙人になること。また、この世から隠遁(インドン)すること。③軽々しく行動すること。また、その行動。

【軽挙(擧)妄動】ケイキョモウドウ 事の善悪や結果などを考えずに軽々しく行動すること。

【軽裾】ケイキョ かろやかな着物のすそ。

【軽△蹻】ケイキョウ かるくすばやい。

【軽△繋】ケイケイ 罪のかるい囚人。

【軽減】ケイゲン へらしてかるくする。

【軽行】ケイコウ ①速く行くこと。②行いを軽々しくすること。

【軽△忽】ケイコツ・ケイコツ ①そそっかしいこと。②ゆるがせにすること。③あなどること。日本では軽骨ともいう。

【軽視】ケイシ かるくみる。みくびる。あなどる。

【軽疾】ケイシツ ①軽々しく性急なこと。②かろんじにくむ。③速いこと。すばやいこと。④病気をかるくする。また、かるい病気。

【軽車】ケイシャ ①かるくて速く走る車。②戦車。人間が乗って戦う車。荷物を積む大きな車に対していう。

【軽車熟路】ケイシャジュクロ かるく小さい車で慣れた道を行く。物事によく通じていて、まごつかずにたやすくできることのたとえ。

【軽舟】ケイシュウ ①小さい舟。小舟(こぶね・おぶね)。②軽快な舟。かるくて速い舟。用例〔唐、李白、早発二白帝城一詩〕両岸猿声啼不レ住(リョウガンのエンセイ、ないてやまざるに)、軽舟已過万重山(ケイシュウすでにすぐ、バンチョウのやま)。↓両岸で啼く猿の声が耳にこだまするうちに、自分を乗せた軽やかな小舟は、幾重にも重なった山々を通り過ぎてしまった。〔唐、韓愈、送二石処士一序〕

【軽△絮】ケイジョ 雪や柳の花(柳の実についている白毛)のたとえ。かろやかな綿のようなのでいう。

【軽少】ケイショウ 少し。少しばかり。いささか。

【軽△妝】ケイショウ うす化粧。淡妝。

【軽△捷】ケイショウ すばやい。はしっこい。身軽で敏捷。

【軽辱】ケイジョク ①かろんじ、はずかしめる。②恥知らず。

【軽身】ケイシン ①ひとり身。単身。②からだをかるくする。③軽々しいふるまいをする。

【軽迅】ケイジン 身軽ですばやい。かろやかで速い。

【軽△塵】ケイジン かるく舞うちり。細かいちり。用例〔唐、王維、送二元二使一安西一詩〕渭城朝雨浥二軽塵一(イジョウのチョウウ、ケイジンをうるおす)、客舎青青柳色新(カクシャセイセイ、リュウショクあらたなり)。↓渭城に降った朝の雨が軽い土ぼこりをしめらせ、旅館の周囲は青々とした柳の新緑があざやかである。

【軽△賤】ケイセン いやしい。身分の低いこと。

【軽装(裝)】ケイソウ 身軽くしたくする。また、身軽なしたく。

【軽△躁】ケイソウ 落ち着きがなく、そわそわしていること。また、かるはずみなこと。

【軽卒】ケイソツ ①軽装した(身軽ですばしこい)兵士。②国かるはずみ。そそっかしい。◆②の意味での本来の表記は「軽率」。

【軽率】ケイソツ かるはずみ。そそっかしい。軽卒。

【軽諾】ケイダク 軽々しく承諾する。また、やすうけあい。

【軽脱】①すばやく(たやすく)脱する(のがれる)。②かるはずみ。③かろやかで自由自在なこと。

【軽暖・軽△煖】①かるくて暖か。また、その着物。②ほのかに暖かいこと。また、わずかばかりの暖かさ。

【軽△佻・軽△窕】心がうわついていること。また、かるはずみに言動をする性質。「軽佻浮薄」

【軽重】①かるいことと重いこと。②めかた。重さ。③かろんじたり重んじたりする。④かろんずべきことと重んずべきこと。⑤軽車と重車。⑥ぜに。金銭。

【軽重△之権】物価の調節を計ること。〔史記、平準書〕

【軽典】かるいおきて。寛大な法律。

【軽波】さざなみ。微波。

【軽輩】国①身分の低い人々。また、人。②足軽。最下級の武士。

【軽薄】①薄くかるい。②落ち着きがないこと。軽々しいこと。うわべだけ調子がよくて真心のないこと。不実なこと。③値打ちが低いこと。④かろんずる。粗末にあつかう。

【軽薄子】うわべだけ調子がよくて真心のない人物。人情がうすく落ち着きのない人間。軽薄児。

【軽発】軽率に発表する。

【軽帆】速く走る(かるく浮かぶ)帆掛け舟。

【軽肥】「軽裘肥馬」から出た語。①(着物)は上等で、(乗っている馬は)肥えている。②ぜいたく。ぜいたくな身なり・生活。

【軽△僄】①すばしこい。②かるがるしい。

【軽△剽】①＝軽僄。②すばしこくて人を掠めおびやかすこと(人)。馬賊などの類い。

【軽浮】①かるく浮かぶ。②軽々しくて落ち着かない。うわちょうし。かるはずみ。

【軽侮】かろんじあなどる。ばかにする。見さげる。

【軽風】そよそよと吹く風。微風。軽颸。

【軽粉】水銀にミョウバン・塩をまぜて作った化粧粉。いせおしろい。

【軽兵】①身軽で行動の機敏な兵士。②兵士の数が少なく弱い軍隊。微弱な軍隊。

【軽蔑】あなどる。さげすむ。ばかにする。

【軽便】①身軽ですばやい。また、身のこなしのかろやかなこと。▼便は、敏。②国てがるで便利なこと。また、簡単なこと。「軽便鉄道」

【軽妙】軽快でたくみなこと。あっさりとしていて妙味のあること。

【軽△鯈】小さい魚。

【軽容】紗のかるくうすいもの。銀条紗。

【軽△漾】かろやかな波。さざ波。用例〔和漢朗詠集、菅原文時、花〕誰謂花不語、軽漾激兮影動脣 ↓だれが花は語らないといったのか、池にさざ波がたつと花の影がゆれて唇を動かすように見えるではないか。

【軽羅】かるい薄絹。薄絹の衣。

【軽雷】すこし鳴るかみなり。

【軽利】①兵器などが手軽で鋭利なこと。②かるくて便利。③利益をいやしみかろんずる。

【軽慮】軽々しい考え。浅はかな考え。短慮。

【軽慮浅(淺)謀】かるはずみで浅はかな考え。

【軽△輦】かるいてぐるま。

【軽△攏】手でかるく琵琶の弦をおさえること。

5
【軹】
12画 11887 シ 紙 zhǐ　28961 ― 6466

字義 ❶轂の末端の穴。❷じくがしら。車軸の末端。❸句調をととのえる助字。＝只(1314)。❹軹道は、地名。陝西省西安市の北東。秦の子嬰(始皇帝の孫)が沛公にくだった所。

解字 形声。車＋只音。

5
【軸】
12画 11888 常 ジク　漢チク・呉ジク(ヂク) 屋 zhóu(zhú)　2820 8EB2 ―

筆順 一 亘 亘 車 車 軒 軸 軸 軸

字義 ❶しんぼう(心棒)。心木。㋐車の心棒。㋑巻き物などの心棒。㋒回転運動する物の中心。かなめ。また、重要な地位。「枢軸」❸まきもの。また、かけじく。軸物。❹巻き物や掛け物を数える語。国ジク。㋐筆の柄・草の茎・マッチの棒などをいう。㋑俳句・川柳などの巻末にしるす評者の句。

解字 篆文 軸　形声。車＋由音。音符の由は、よるの意味。回転する車のよりどころとなる部分、じくの意味を表す。

逆 機軸・車軸・枢軸・地軸・中軸

5
【軵】
12画 11889 一漢ジョウ・呉ニュウ 腫 rǒng　二漢ジョウ・呉ニュ 冬 róng　三漢フ・呉ブ 遇 fù

字義 一❶おす。車をおしかえす。❷たすける(輔)。二おす。三車の両側に設けて立乗りのときよりかかる横木をうける材。

解字 会意。車＋付。

5
【軫】
12画 11890 シン 軫 zhěn　7739 E766 ―

字義 ❶車の箱を載せる長方形に組んだ四本の木。また、その後部の横木。❷車。❸めぐる。まわる。うごく。❹車が多くさかんなさま。❺もとる(戾)。まがる(曲)。❻いたむ。うれえる。かなしむ。「軫念」❼みち(道)。また、境。区域。❽ことじ。琴の糸をささえるこま。❾星座の名。二十八宿の一つ。みつうち。烏座。「軫宿」「軫星」

解字 金文 軫　篆文 軫　形声。車＋㐱音。音符の㐱は、密集するの意味。車が多いの意味を表す。また、隠に通じ、いたむの意味も表す。

【軫懐(懷)】＝軫念①。

【軫△恤】いたみあわれむ。

【軫軫】物事のさかんなさま。

【軫悼】うれえいたむ。痛み悲しむ。

【軫念】①うれえ思う。悲しむ。心配する。また、その心。②国天子の気持ち。宸念。

【軫憂】いたみうれえる。また、うれえ。悲しみ。

5
【軺】
12画 11891 一漢ヨウ(エウ) 蕭 yáo　二チョウ(テウ) 蕭　19244 ― 6467

字義 一❶小さい車。一頭または二頭の馬に引かせる車。用例〔人虎伝〕我為異物蓬茅下、君已乗軺気勢豪 ↓私は草むらに身を隠すけだものとなり、君はもう使者の馬車に乗る高官となって威風堂々としている。❷ものみ車。展望車。❸ひつぎ車。

解字 形声。車＋召音。

軺①

【軺車】①昔の兵車。②四方を遠くながめるための車。物見の車。③一頭または二頭の馬に引かせる軽い車。
【軺伝(傳)】軽快な宿継の車。▼伝は、伝車。

5
【輩】
12画 11892 ハイ　― ― 6463

輩(11925)の俗字。→一三九六ページ中。

5
【軷】
12画 11893 漢ハツ 呉バチ 曷 bá　― ― 6465

字義 旅行に出発するときに、道祖神を祭ること。また、その祭り。

解字 形声。車＋犮音。音符の犮は、災害を取り除くの意味。

5【軛】12画 11894 ヤク 軛(11879)の本字。→一三九一ページ下。

5【軨】12画 11895 漢レイ 呉リョウ(リャウ) 青 líng ―― 6461
字義 ❶車の箱の三方にとりつけた格子。❷車のくさびの頭につける革。❸れんじ。てすりの間の小木。
解字 篆文 形声。車＋令音。音符の令は、櫺に通じ、格子の意味。車の格子の意味を表す。

6【較】13画 11896 常 カク 1951 8A72 ―
㊀カク 覚 jué
㊁漢コウ(カウ)・呉キョウ(ケウ) 効 jiào
慣カク
筆順 一 亘 亘 車 軒 軒 軒 軫 較
字義 ㊀❶車の箱の左右の板上に曲がって出ている部分。車に立っている時につかまる所。車耳。❷きそう。あらそう。競争する。＝角(11069)。❸あらまし。大略。㊁❶くらべる。＝校(5383)。「比較」❷あきらか。いちじるしい。「較著」❸ほぼ(略)。おおむね。あらまし。「大較」❹やや。すこし。多少。❺ちがい。差。また、数学で、引き算のあまり。
名前 あき・あつ・とお・なお・むね
解字 金文 篆文 形声。篆文は、車＋爻音。音符の爻は、まじわるの意味。車のもたれ木にかの直角に交わる横木の意味を表す。皎・皦に通じ、あきらかの意味を、挍・校に通じて、くらべるの意味を表す。のち、爻が交に変じ、較が用いられる。
逆 比較
【較飲】酒の飲みくらべをする。
【較差】二つのものを比較した上での差。いい・悪い、最高・最低などの差。→格差(七三六ページ下)。
【較然】明らかなさま。はっきりしているさま。
【較著】明らかでいちじるしい。著明。明白。
【較△炳】非常にあきらかなこと。いちじるしい。
【較略】あらまし。大略。大概。
【較量】①くらべる。比較する。②争う。競う。③抵抗する。

6【輄】13画 11897 漢キョウ(キャウ) 呉ゴウ(グワウ) 陽 kuāng ―― 6468
字義 ❶糸くり車。❷車がまっすぐ進まない。
解字 形声。車＋匡(匩)音。

6【輂】13画 11898 漢キョク 呉コク 因 jū ―― 6470
字義 ❶馬に引かせて物を運ぶ大きな車。❷ふご。もっこ。四隅に棒を通し、肩にかついで土などを運ぶ具。
解字 篆文 形声。車＋共音。音符の共は、大きいの意味。大きい車の意味を表す。

6【軱】13画 11899 漢コ 呉ク 虞 gū ―― 6464
字義 大きな骨。
解字 形声。車＋瓜音。

6【載】13画 11900 常 サイ のせる・のる 2660 8DDA ―
㊀漢サイ・呉ザイ 隊 zài
㊁サイ 賄 zǎi
筆順 一 十 土 𡈼 𡈼 車 載 載 載
〔儎〕625 俗字
字義 ㊀助 すなわち。ここに。⇩助字・句法解説。❶のる。㋐車に乗る。㋑のぼる。上になる。用例〔漢書、董仲舒伝〕身寵而載二高位一。⇩その身は恩寵を受けて高位にのぼる。❷のせる。㋐舟や車にのせて運ぶ。「積載」㋑物を上にのせる。用例〔荀子、王制〕水則載レ舟、水則覆レ舟。⇩水は舟を載せもするが、また覆しもする。㋒頭にのせる(戴)。㋓書き記す。「記載」❸荷物。また、他の物の上にのせてあるもの。❹他の物をのせるもの。棚など。また、乗り物。❺もうける(設)。置く。❻なす。行う。仕上げる。❼みちる(満)。❽しる。ものを覚える。❾やすんずる。❿かざる。⓫誓いのことばを記した文書。また、誓いのことば。⓬はじめ。はじめて。また、はじまる。㊁とし(年・歳)。「千載一遇」

助字・句法解説
すなわち。ここに。句頭・句中に用いられ、次の各意味を表す。『詩経』などに多く見られる。

㋐単独で用い、特に訳さないもの。類言。用例〔詩経、豳風、七月〕春日載陽、有二鳴倉庚一。⇩春の日は暖かく、うぐいすが鳴く。

㋑「載チA、載チB」(すなわ(は)ちAし、すなわ(は)ちBす)」。訳 AしながらBする。AしたりBしたり。AでありBである。AであったりBであったり。

二つの動作・行為や二つの状態が、同時的であったり逐次的であったりする意味を表す。

用例〔東晋、陶潜、帰去来辞〕乃瞻二衡宇一、載欣載奔。⇩ようやくにしてわが家の門や屋根を遠く望み見て、喜びながら走り出した。／〔詩経、小雅、四月〕相二彼泉水一、載清載濁。⇩泉の水を見ても、澄んだり濁ったり。

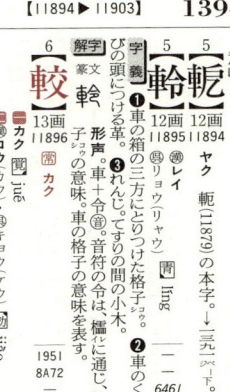

名前 こと・とし・のり・みつ
使いわけ のる・のせる〔乗・載〕⇩乗(88)。

解字 甲骨文 金文 篆文 形声。車＋𢦏(𢦏)音。音符の𢦏は、たち切るの意味。甲骨文は、食＋𢦏音で、特に食事の材料を切り整えて食卓にのせるの意味を表したが、一般に、のせるの意味を表すために、車を付した。

逆 記載・掲載・収載・積載・千載・転載・搭載・登載・船載・満載
【載記】歴史書の担当官が列国の事情を叙述すること。班固に始まる。正史では『晋書』にみられる。

【載△祀】とし。年。歳。▼祀も、年。

【載書】列国が盟約を結んで、そのことばを書き記した文書。盟約書。

【載生△魄】月の初め。哉生魄。

【載籍】書物。書籍。

【載徳】①徳をつむこと。②徳で立派にすること。

【載筆】①筆をたずさえる。筆をたずさえて行く。②記録をつけること。また、文章を作ること。③記録。

6【輀】13画 11901 ジ 輀(11974)と同字。→一四〇〇ページ下。 28963 ― 6469

6【軾】13画 11902 漢ショク 呉シキ 職 shì 7740 E767 ―
字義 ❶車の前部にある横木。車上から車外の人に敬意を表す時は、立ってこの木に両手をかけ、身を前方にかがめる。❷軾に手をかけて礼をする。
解字 篆文 形声。車＋式音。音符の式は、弋に通じ、二本の木を交差させたくいの意味。車の前部に組みこまれている横木の意味を表す。
【△馮レ軾・△憑レ軾・扨(據)レ軾】軾によりかかる。㋐軾に両手をかけて礼をすること。伏レ軾。㋑軾によりかかって立ちあがること。

6【輇】13画 11903 漢セン 呉ゼン 先 quán ―― 6471
字義 ❶車輪の矢のない、一枚板を丸くした車輪。❷ひつぎ車。
解字 形声。車＋全音。

6 【輊】13画 11904 チ 寘 zhì 7741 E768 —

字義 ❶車の前が重くて低くさがっている。❷おもくする。重みをつける。

解字 形声。車+至㊥。

6 【輈】13画 11905 チュウ(チウ) 尤 zhōu 28964 — 6472

字義 ながえ。㋐車の箱の中央の下から出て、先端に横木をとりつけて馬にひかせる棒。㋑くるま。

解字 形声。車+舟㊥。

6 【輌】13画 11906 リョウ 輛(11930)の俗字。→一三九六ページ下。 7750 E771 —

6 【輅】13画 11907 漢ロ 呉ル 遇 lù 7742 E769 —

字義 くるま。㋐大きな車。㋑天子の乗る車。

解字 形声。車+各㊥。

【輅車】ロシャ 大きい車。また、天子の乗る車。

【輅馬】ロバ 大きな車と馬。車馬。また、天子の乗る車。路馬。

6 【𨍋】13画 11908 国字 28962 — —

字義 とこ。床。

7 【輐】14画 11909 漢カン(クワン) 呉ガン(グワン) 旱 翰 wǎn — — 6474

字義 丸い。また、丸くする。

解字 形声。車+完㊥。

7 【輕】14画 (11886) ケイ 軽(11885)の旧字体。→一三九二ページ上。

7 【輒】14画 11910 チョウ(テフ) 葉 zhé 7744 E76B —
【輙】11923 俗字

字義 助すなわ-ち すなはち。⇩助字・句法解説。❶もっぱら。もっぱらにする。❷動かないさま。❸車の左右のもたれる板。車耳。

助字・句法解説

すなわ-ち すなはち。

㋐訳そのたびごとに。常に。前後に示された動作・行為が、くり返されるごとに必ずそれだって起こることを表す。

用例〔東晋、陶潜、五柳先生伝〕造飲輒尽 いたりてのめばすなわ(は)ちつくす。⇩行って飲んでは、そのたびごとに飲みつくした。

㋑訳すぐに。前後の行為・出来事がすぐ引き続いて起こることを表す。

用例〔世説新語、徳行〕華歆・王朗倶乗レ船避レ難 カキン・オウロウともにふねにのりてなんをさく。有二一人一欲二依附一 イチニンありイフせんとほっす。歆輒難レ之 キンすなわ(は)ちこれをなんず。⇩華歆と王朗が一緒に船に乗り、難を避けようとした。すると一人の者が便乗させてほしいと願った。歆は、すぐに拒んだ。

㋒訳たやすく。後に示された動作・行為が容易であることを表す。

用例〔漢書、吾丘寿王伝〕盗賊不二輒伏一レ辜 トウゾクすなわ(は)ちつみにフクせず、免脱者衆 メンダツするものおお(ほ)し。⇩簡単には罪に服さずに逃れている盗賊が多い。

解字 篆文 形声。車+耴㊥。音符の耴チョウは、両わきにある耳の意味。車の左右にあるもたれ木の意味を表す。いつも対になっているところから、借りて、「そのたびにいつも」の意味をも表す。

【輒然】チョウゼン ①直立して動かないさま。②にわかに。たちまちに。忽然。

7 【輓】14画 11911 漢バン 呉マン 阮 願 wǎn 7746 E76D —

字義 ❶ひ-く(引)。ひっぱる。=挽(4205)。㋐車などを引く。㋑人を高い地位に引きあげる。→輓推。㋒死者をいたむ。→輓歌。❷おそい。また、近い。=晩(4813)。「輓近」

解字 篆文 形声。車+免㊥。音符の免は、ぬき出すの意味。車をぬき出す、ひき出すの意味を表す。

【輓歌】バンカ 同挽歌バンカ。①葬式の時、柩ひつぎを載せた車を引きながら歌う歌。②人の死をいたむ詩歌。輓詩バンシ。

【輓近】バンキン ちかごろ。また、ちかごろの世。

【輓推】バンスイ 同挽推バンスイ。①前からひき、うしろからおす。②人を推薦すること。推輓スイバン。

【輓輸】バンユ・バンシュ ①車で運ぶ。②運輸。

7 【輔】14画 11912 人 漢フ・呉ブ 麌 fǔ 慣ホ 4269 95E3 —

筆順 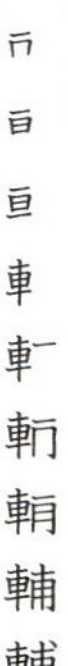

字義 ❶たす-ける たすく。つきそって助ける。また、助けて正しくする。❷たすけ。㋐力ぞえ。助力。用例〔唐、王勃、杜少府之二任蜀州一詩〕城闕輔二三秦一 ジョウケツサンシンをたすく、風煙望二五津一 フウエンゴシンをのぞむ。⇩長安城は三秦の地を従えている。そこから風ともやに隔てられた蜀地ショクチを眺めやる。㋑かいぞえ。副使。㋒大臣。君主の補佐役。㋓下役人。属官。㋔友人。❸車のそえ木。重い荷を積んだ車の車輪につけて補強する木。一説に、荷物が落ちないように車の両側につける板。❹ほお骨。また、あご。うわあご。国すけ。昔、省の第二等の官。卿かみ(長官)の次の官。次官。卿を補佐する官の意。

名前 すけ・たすく・たすけ

参考 現代表記では〔補〕(10911)に書きかえる。ただし、人名は別。「輔佐→補佐」「輔導→補導」。熟語は〔補〕をも見よ。

解字 金文 篆文 形声。車+甫㊥。音符の甫ホは、扶に通じ、力をそえるの意味。車のそえ木の意味から、たすけるの意味を表す。

【輔行】ホコウ ①たすけて事を行う。②副使。正使の補佐。

【輔佐】ホサ たすける。助力する。また、その人。補佐。

【輔車】ホシャ ①車輪を補強するそえ木と車輪。一説に、頬骨ほおぼねと下顎したあごの骨。②たがいにたすけあう二つのものの意。「唇歯輔車」

【輔車相依】ホシャあい(ひ)よる 輔(頬骨ほおぼね)と車(下あごの骨)とはたすけ合っている。両者がたすけ合って安全を保っていること。また、両者が密接な関係を有していること。〔左伝、僖公五〕

【輔相】ホショウ ①力ぞえをする。助力する。②宰相。大臣。

【輔仁】ホジン 仁の徳を養うことをたすけること。友達がたがいにはげましあって修養に精進すること。用例〔論語、顔淵〕君子以レ文会レ友 クンシはブンをもってともをカイし、以レ友輔レ仁 ともをもってジンをたすく。⇩君子は(詩書礼楽といった)文で友人を集め、友人によって仁の修養に精進する。

【輔成】ホセイ たすけて完成させる。

【輔道・輔導】ホドウ たすけみちびく。また、その人。補導。

【輔△弼】ホヒツ ①天子の政治を補佐すること。▼弼も、たすける。②天子の政治を補佐する人。大臣。輔相。

【輔翼・輔△翊】ホヨク たすけまもる。たすける。

7 【輏】14画 11913 ユウ 輶(11947)と同字。→一三九八ページ中。 — — 6473

8 【輢】15画 11914 ㊀イ 紙 yǐ ㊁漢キ・呉ギ 寘 — —

字義 ㊀㊁ ❶車の箱の両わきにつける、もたれかかるための板。また、兵車の両側の兵器をさしはさむ所。❷よる(寄)。よせる。

解字 形声。車+奇㊥。

8 【輠】15画 11915 漢カ(クワ) 呉ワ 哿 guǒ — — 6479

字義 あぶらつぼ。車軸にさす油を入れるつぼ。

解字 形声。車+果㊥。

8【輡】15画 11916 カン 感 勘 kǎn ―― ― 6480
字義 輡軻は、車の行きなやむさま。転じて、志を得ないさま。轗軻。
解字 形声。車＋臽音。音符の臽は、おちこむの意味。車がみぞなどに落ちこんで行きなやむの意味を表す。

8【輨】15画 11917 カン(クワン) 旱 guǎn ―― ― 6484
字義 車の轂の外側の端を覆う鉄。
解字 形声。車＋官音。

8【輝】15画 11918 常 キ かがやく キ 微 huī 2117 8B50 ―
筆順 丨 ⺌ 业 光 光 炉 焊 輝
字義 ＝煇(6943)。❶かがやく。ひかる。てる。❷かがやき。ひかり。「光輝」
名前 あき・あきら・かがやき・き・てる・ひかる
解字 形声。光＋軍音。
逆 映輝・光輝・斜輝・清輝・余輝
【輝映】 かがやきうつる。また、かがやきてらす。
【輝赫】 かがやく。▼赫も、かがやく。
【輝燿】 光りかがやく。

8【輗】15画 11919 ゲイ 斉 ní ₂8965 ― 6476
字義 大きな車の轅と軛とをつなぐくさび。↓軏(11870)。
解字 形声。車＋兒音。
【輗軏】 事物のかなめとなるものをいう。↓字義。用例〔論語、為政〕大車無輗、小車無軏、其何以行之哉。↓大車に輗がなく、小車に軏がないならば、どうやって動かせようか。

8【輥】15画 11920 コン 阮 㒹 gǔn ―― ― 6482
字義 車の轂が丸く整っていること。転じて、車輪の回転の速いさま。車がなめらかに進むさま。
解字 形声。車＋昆音。

8【輜】15画 11921 シ 支 zī 7747 E76E ―
［輺］11937 本字
字義 ❶ほろぐるま。おおいのある車。❷荷車。荷物や兵糧を運ぶほろつきの車。❸車の総称。
解字 篆文 輜 形声。車＋甾(𠚋)音。音符の甾は、たち切るの意味。ほろをかぶせて、載せた荷を外からの視線からさえぎりとめる車、ほろ車の意味を表す。
【輜車】 ①荷車。特に、軍用品を載せる車のこと。②ほろぐるま。
【輜重】 ①旅人の荷物。また、荷物を積んだ車。▼重は、おもい物を載せる車。②軍隊の荷物。武器や食糧の類い。
【輜軿】 四面にとばりのある女性用の車。

8【輖】15画 11922 漢 シュウ(シウ) 呉 シュ 尤 zhōu ―― ― 6475
字義 ❶重い。❷車が重い。❸朝。
解字 形声。車＋周音。

8【輙】15画 11923 チョウ 7745 E76C ―
輒(11910)の俗字。→一三九五ページ上。

8【輟】15画 11924 漢 テツ 呉 テチ 屑 chuò 7748 E76F ―
字義 ❶やめる。やむ。中途でやめる。とどめる。用例〔論語、微子〕耰而不輟。↓種をまいて土をかぶせて、手を休めない。❷つづる。なおす。つくろう。
解字 篆文 輟 形声。車＋叕音。音符の叕は、つづるの意味。小さな部分部分をつなぎあわせてつくった車輪の意味を表す。多くの場合、絶に通じて、中断する、やめるの意味を表す。
【輟耕】 田を耕すのを途中でやめる。
【輟食】 食事を途中でやめる。
【輟帚】 ほうきで掃除している手を休める。
【輟朝】 天子が(大臣の死などをいたんで)廃朝すること。政事を見るのをやめる(休む)こと。

8【輩】15画 11925 常 ハイ ハイ 隊 bèi 3958 9479 ―
筆順 丿 ㇆ ⺕ 彐 非 非 琲 輩 輩
［輩］11892 俗字
字義 ❶ともがら。やから。仲間。むれ(群)。また、その順序。用例〔南宋、陸游、入蜀記〕遊客摩挲太息、僧及童子輩往往竊笑也。↓見物人は石を撫でて嘆息しているのであるが、僧侶や子供らは、しばしば陰で笑っている。❷つらなる。並ぶ。「輩出」❸つらねる。並べる。同じ列に入れる。❹ならび(並)。列。
名前 とも
解字 篆文 輩 形声。車＋非音。音符の非は、配に通じ、ならべるの意味。戦争でならんだ車の意味から、転じて、ともがらの意味を表す。
逆 軽輩・後輩・若輩・弱輩・俗輩・年輩・傍輩・老輩
【輩行】 ①先輩・後輩の順序。②同族中の同世代の年齢による順序。排行。③同じなかま。同輩。
【輩出】 続いて多く出ること。続々と出る。
【輩流】 なかま。同輩。

8【輫】15画 11926 漢 ハイ 呉 バイ 佳 灰 pái ₂8966 ― ―
字義 車の物を載せる部分。車箱。
解字 形声。車＋非音。

8【軿】15画 11927 漢 ヘイ 呉 ビョウ(ビャウ) 青 píng ―― ― 6483
字義 ❶前におおいをかけた車。❷四面におおいのある女性の牛車。
解字 篆文 軿 形声。車＋幷音。音符の幷は、屛に通じ、おおうの意味。前におおいをかけた車の意味を表す。

8【輣】15画 11928 漢 ホウ(ハウ) 呉 ビョウ(ビャウ) 庚 pēng ―― ― 6481
字義 いくさぐるま。兵車。戦車。また、上にやぐらを組んだ戦闘用の車。楼車。
解字 形声。車＋朋音。

8【輞】15画 11929 漢 ボウ(バウ) 呉 モウ(マウ) 養 wǎng ₁9245 ― 6478
字義 車の輪の外周をつつむたが。輮。
解字 形声。車＋罔音。
【輞川】 陝西省藍田県の西南にある谷川の名。唐の王維はここに別荘を設け、二十の勝景を選び、友人の裴迪と唱和して、それぞれ絶句二十首を詠んだ。

8【輛】15画 11930 リョウ(リャウ) 漾 liàng 7749 E770 ―
［輌］11906 俗字
字義 ❶ならぶ。❷車。車輛。❸車の数をかぞえることば。＝両(31)。
参考 現代表記では〔両〕(31)に書きかえる。「車輛→車両」。熟語は〔両〕を見よ。
解字 形声。車＋兩音。音符の兩は、二つの意味。二つの車輪のくるまの意味を表す。

8【輘】15画 11931 ㊀リョウ 蒸 líng ㊁ロウ 蒸 lēng ―― ― 6477
字義 ㊀ふむ。ふみにじる。車が物をふみつぶす。㊁車がとどろきひびく音。

解字 形声。車＋麦㊤。音符の麦(リョク)は、のりこえるの意味。車が物をのり越えていく、ひきつぶすの意味を表す。

【輘△轢】(リョウレキ) ㊀ ふみにじる。また、ふみつけにする。ばかにする。㊁(ロウレキ) すれあう。きしる。また、きしる音の形容。

8 【輬】 15画 11932 リョウ(リャウ) 陽 liáng — — 6485

字義 ねぐるま。身を横たえて休めるようにした車。後には霊柩車(レイキュウシャ)に用いた。

解字 形声。車＋京㊤。

8 【輪】 15画 11933 教4 リン わ リン 真 lún 4656 97D6 —

筆順 亘 車 軡 軨 輪 輪 輪 輪

字義 ❶わ。㋐車のわ。㋑車輪のように丸いもの。また、丸い形。まる。「日輪」 ❷くるま。また、車を数える語。❸まわる。めぐる。「輪転」 ❹かわるがわる。「輪番」 ❺まわり。「輪郭」 ❻たて(縦)。南北をいう。↔広(3175)。❼車のわを作る大工。輪人。❽高大なさま。国リン。㋐花の大きさ。「大輪」 ㋑花を数える語。「梅一輪」

名前 もと・りん・わ

解字 篆文 輪 形声。車＋侖㊤。音符の侖(リン)は、すじみちがたつの意味。車の矢が放射状に秩序だって並んでいる、わの意味を表す。

逆 火輪・金輪・銀輪・月輪・半輪・氷輪・覆輪・法輪

【輪王】(リンオウ・リンノウ) 転輪王の略。→転輪王(一三九一ジ中)。

【輪△鞅】(リンオウ) 車と馬。車馬。▼鞅は、馬のむながい。

【輪禍】(リンカ) 車のために受ける災い。交通事故。

【輪△廻】(リンエ・リンネ) ㊀(リンカイ) ①次から次へとめぐること。②循環する。㊁仏梵語(ボン)samsāra の訳語。衆生(シュジョウ)の霊魂が、地獄・餓鬼・畜生・修羅(シュラ)・人間・天上の六道に、転転と生を受け、永遠に苦しみの世界をめぐること。流転(ルテン)。

【輪郭・輪△廓】(リンカク) ①まわりの線。外囲い。②物事の外部に表れた、おおよその形。

【輪△奐・輪△煥】(リンカン) 建物が壮大で美しいこと。▼奐・煥は、かがやく・あざやか。

【輪△囷・輪菌・輪△箘】(リンキン) ①高大なさま。②まがりくねったさま。

【輪講】(リンコウ) 順番に講義する。

【輪彩】(リンサイ) 太陽をいう。

【輪作】(リンサク) 毎年順番に土地をかえて作物を作ること。

【輪人】(リンジン) 車輪を作る人。車輪の製造工。

【輪船】(リンセン) ①車輪のようなものを推進機として両側につけた船。②汽船。蒸気船。

【輪対(對)】(リンタイ) 多くの官吏が順番に政事の得失を奏上すること。輪班奏対。転対。

【輪台(臺)】(リンダイ) 漢代、西域の地名。今の新疆(シンキョウ)ウイグル自治区輪台県の東南。漢はここに屯田兵(トンデンヘイ)を置いたが、武帝の末年、匈奴(キョウド)に奪われた。その時哀痛して発したみことのりを「輪台の詔」という。

【輪直】(リンチョク) かわるがわる当直する。

【輪△蹄】(リンテイ) 車の輪と馬のひづめ。車馬をいう。

【輪転(轉)】㊀(リンテン) めぐる。まわる。㊁(リンデン) 仏三界六道に生死を重ねること。輪廻(リンエ・リンネ)。

【輪読(讀)】(リンドク) 順番に本を読むこと。一つの本を数人で順番に読み、問題点などを解説すること。

【輪△輿】(リンヨ) 車の製造工。▼輪は車輪を、輿は車のこしを作る人。「梓匠輪輿(シショウリンヨ)」

8 【輦】 15画 11934 レン 銑 niǎn 7751 E772 —

字義 ❶てぐるま。㋐人の引く車。用例〔戦国策、趙〕老婦恃レ輦而行(ロウフレンをたのみてゆく)。↓私も車に頼って行くのだよ。㋑荷車。㋒天子の乗る車。「鳳輦(ホウレン)」 ❷ひく。てぐるまを引く。また、てぐるまに乗る。❸はこぶ(運)。❹になう。かつぐ。

解字 金文  篆文 輦 会意。車＋扶。扶は、手足に力をいれた二人の象形。二人ならんで引く車、てぐるまの意味を表す。

【輦下】(レンカ) 天子の車のもと。転じて、天子のおひざもと。皇居のある所。天子のいる都の中。輦轂下(レンコクのもと)。

【輦閣】(レンカク) 二階造りの廊下。→閣道①(一五〇〇ジ中)。

【輦△轂】(レンコク) 天子の車。転じて、天子のおひざもと。輦轂のもと。輦下。▼轂は、車のこしき。

【輦△轂下】(レンコクのもと) ＝輦下。

【輦車】㊀(レンシャ) 天子の車。㊁(てぐるま) 国屋形に車輪をつけた貴族用の車。

【輦前】(レンゼン) 天子の御車の前。

【輦台(臺)】(レンダイ) 国川を渡るとき、人を載せて運んだ台。

【輦道】(レンドウ) 同輦路。①天子の車の通る道。②車に乗ったまま通ることのできる、宮中の通路。

【輦△輿】(レンヨ) 天子の乗り物。天子の車。

【輦路】(レンロ) ＝輦道。

【輦△輅】(レンロ) 天子の乗り物。天子の車。▼輅も、天子の車。

9 【輵】 16画 11935 漢カツ 呉カチ 曷 gé — — 6489

字義 轇輵(コウカツ)は、㋐矛(ほこ)の形。㋑馳(は)せ駆けるさま。㋒入り混じる。㋓広く深い。

〔轕〕 11961 同字

解字 形声。車＋曷㊤。

9 【輷】 16画 11936 コウ(クワウ) 庚 敬 hōng — — 6491

字義 車のとどろく音。＝轟(11973)。「輷輘(コウリョウ)」「輷輷」

解字 形声。車＋訇㊤。

9 【輜】 16画 11937 シ — — 6492

輜(11921)の本字。→一三九六ジ上。

9 【輯】 16画 11938 人 標 漢シュウ(シフ) 呉ジュウ(ジフ) 緝 jí 2920 8F53 —

筆順 一 亘 亘 車 軒 軒 輯 輯 輯

字義 ❶あつ-める(あつむ)。多くのものを一つに集める。＝集(13179)。「編輯」 ❷あつ-まる。寄り集まる。❸おさめる。とりおさめる。❹なす(成)。こしらえあげる。❺やわらぐ。やわらげる。㋐ことばや顔色がおだやかになる。㋑むつまじくなる。仲よくさせる。

名前 あつむ・むつ・より

参考 現代表記では〔集〕(13179)に書きかえる。「編輯→編集」「特輯→特集」。熟語は〔集〕をも見よ。

解字 篆文 輯 形声。車＋咠㊤。音符の咠(シュウ)は、寄せあつめるの意味。人や物を集めのせる車の意味を表し、おさめる・あつめるの意味を表す。

【輯△佚】(シュウイツ) ちりぢりになったものを集める。「輯佚書」

【輯輯】(シュウシュウ) 風がおだやかに吹くさま。そよそよ。習習。

【輯柔】(シュウジュウ) やわらげやすんずる。

【輯成】(シュウセイ) 材料を集めて一つのものにまとめあげること。集成。

【輯寧】(シュウネイ) やわらげやすんずる。やわらぎやすらかである。

【輯睦】(シュウボク) やわらぎむつまじくする。

【輯△穆】(シュウボク) やわらぎむつまじくする。輯睦(シュウボク)。

【輯録】(シュウロク) 資料を集めて、しるす。収集し、記録したり録音したりする。

9 【輮】 16画 11939 漢ジュウ(ジウ) 呉ニュウ(ニウ) 尤 有 róu, rǒu — — 6487

字義 ❶車のおおわ。車の輪の外周をつつむたが。輞(モウ)。❷たわめる。たわめ曲げる。＝揉(4307)。❸ふ-む。ふみにじる。＝蹂(11755)。「輮轢(ジュウレキ)」

解字 形声。車＋柔㊤。

9【輳】16画 11940 ソウ 宥 còu 7752 E773 —

字義 あつまる。車のや(輻)がこしき(轂)に集まる。転じて、物事が一か所に集まる。＝湊(6517)。「輻輳」

解字 形声。車＋奏音。

9【輴】16画 11941 チュン 真 chūn — — 6488

字義 ❶柩をのせる車。大夫以上の身分の人の霊柩車。❷そり。湿地で用いる乗り物。

解字 形声。車＋盾音。

9【輭】16画 11942 ナン 軟(11878)の正字。→一三九一ページ中。 9246 — 6486

9【輻】16画 11943 フク 屋 fú 7753 E774 —

字義 車のや。こしき(轂)と輪をつらねささえるため、こしきから輪にむかって放射状に組まれた細い棒。

解字 形声。車＋畐音。

【輻射】熱や光が物体から四方に放射する現象。その形を車の輻にたとえた。

【輻△湊・輻△輳】車のや(輻)がこしき(轂)に集まるように、物事が一か所に集まること。▼湊・輳は、集まる。

9【輹】16画 11944 フク 屋 fù 7754 E775 —

字義 とこしばり。車軸の中央にあって輿と車軸とをつなぐもの。

解字 形声。車＋复音。

9【輸】16画 11945 教5 ユ 一シュ 虞 shū 二シュ 遇 shù 4502 9741 —

9〖輸〗16画 11946 慣ユ

筆順 亘 車 車' 軩 軩 輸 輸 輸 輸

字義 一❶いたす。㋐はこぶ。車・船などで物を運ぶ。送る。「運輸」「輸送」㋑うつす。一方の物を他方に移す。「輸血」㋒さしだす。おさめる。「輸租」㋓ささげる。つくす。㋔つげ知らせる。❷やぶる。こわす。また、やぶれる。こわれる。❸まける(負)。また、まけ。↔贏(11619)。「輸贏」❹かえる(変)。改める。＝渝(6544)。 二❶おくる(送)。人に物をおくる。また、贈り物。❷灸をすえるつぼ。灸の点。経穴。

解字 篆文 輸 形声。車＋俞(兪)音。音符の兪は、ぬきとるの意味。ある区域からぬきとって他の区域に車で移すの意味を表す。

逆 運輸

【輸△贏】まけと、かち。勝負。勝敗。雌雄。▼輸はまけ、贏はかち。

【輸攻墨守】公輸盤が攻めて墨翟が守る。攻防共に秘術をつくすたとえ。

【輸実(實)】誠をつくす。

【輸写(寫)】心をじゅうぶんにうち明けて示す。

【輸出】↔輸入。①他の地方へ運び出すこと。②外国に品物を送り出したり、売りこんだりすること。

【輸誠】まごころをつくす。

【輸租】租税をおさめる。

【輸送】運び送る。車や船などで運ぶこと。

【輸△籌】負ける。「輸二一籌一」(六ページ上)の略。▼籌は、計算用の棒。

【輸入】↔輸出。一自分の方へ運び入れること。二外国から品物を買い入れること。

【輸平】平和を打ち破ること。

【輸力】全力をつくす。つとめはげむ。

9【輶】16画 11947 漢ユウ(イウ) 呉ユ 尤 有 宥 yóu 9247 — 6490

9〖輏〗11913 同字

字義 ❶軽い車。狩りなどに用いる軽い車。❷軽い。用例〔詩経、大雅、烝民〕人亦有レ言、徳輶如レ毛、民鮮三克挙二之。↓世の人々が言っている、徳は毛のように軽いのに、これを持ちあげることができる人は少ないと。

解字 形声。車＋酋音。

10【轅】17画 11948 漢エン(ヱン) 呉オン(ヲン) 元 yuán 7755 E776 —

字義 ❶ながえ。大車の両側から前方へ突き出している二本の棒。その先に軛をつけ牛・馬をつなぐ。❷かえる(易)。あらためる。

解字 篆文 轅 形声。車＋袁音。音符の袁は、遠いの意味。車の前方に長くのびた、ながえの意味を表す。

【轅下】車のながえの下。転じて、人の部下。門下。

【轅下駒】車のながえの下のこま。人の束縛を受けて自由にならない者のたとえ。▼駒は、力がまだ弱い二歳の馬。〔史記、魏其武安侯伝〕

【轅駒】車のながえにつながれた馬。官のつとめに拘束されて、自由にならない者のたとえ。

【轅門】①軍門。陣屋。昔、戦陣などで、車を並べて囲いを作り、出入り口はながえを立てて門の形にしたのでいう。用例〔戦国策、趙〕張孟談因朝二智伯一而出、遇二智過轅門之外一。↓張孟談はついでに智伯に謁見して退出したところ、智過に軍門の外でばったり会った。②後世は、役所の外門。

【△攀レ轅伏△轍】(あるいは)車のながえによじ登り、(あるいは)車のわだち(車輪の跡)に身を投げ出す。民衆が地方官の転任を惜しみ、あとを追い、車の周囲を囲んで嘆くさま。〔後漢書、侯覇伝〕

【北レ轅適△楚】車のながえを北に向け、南の楚の国に行こうとする。志と行為の矛盾することのたとえ。〔唐、白居易、立部伎詩〕

10【轀】17画 11949 漢オン 呉オン(ヲン) 元 wēn 28967 — 6493

字義 ❶四周におおいがあり、寝ながら乗れる車。窓があって温度が調節できる。❷轀輬は、ひつぎ車。

解字 篆文 轀 形声。車＋𥁕音。音符の𥁕は、あたたかいの意味。おおいをかけてあたたかくした車の意味を表す。

10【轄】17画 11950 常 カツ 1977 8A8D —

10〖轄〗17画 11951 漢カツ 呉ゲチ 黠 xiá

筆順 亘 車 車' 軎 軎 軎 軎 轄 轄

字義 ❶車の軸と轂とがすれあう音。❷車軸の端にさし入れて轂が抜け落ちないようにするくさび。❸とりしまる。しめくくる。「管轄」

解字 篆文 轄 形声。車＋害音。音符の害は、さまたげるの意味。車が車軸からずれ抜けるのをさまたげるためのくさびの意味を表す。また、それが車軸の先端に付けられ、車輪の機能をしめくくる部分であるところから、しめくくるの意味も表す。

逆 管轄・車轄・所轄・総轄・直轄・投轄・統轄・分轄

【投レ轄】＝投轄(五八〇ページ下)。

10【轂】17画 11952 コク 屋 gǔ 7756 E777 —

字義 ❶こしき。車輪の中央にあり、軸を通して、や(輻)の集まっている所。❷車。車両。❸あつめる。しめくくる。

解字 篆文 轂 形声。車＋㱿音。音符の㱿(殻)は、中空の「から」の意味。車軸を囲むように中空になっている部分、こしきの意味を表す。

【轂下】天子の車のもと。天子のおひざもと。みやこ。輦下。

【轂撃（撃）肩摩】コクゲキケンマ 車のこしきとこしきがぶつかり合い、人の肩と肩とがすれ合う。市街の繁華なさま。用例〔史記、蘇秦伝〕車轂撃くるまはコクゲキし、人肩摩ひとはケンマす。↓車のこしきとこしきがぶつかり合い、人の肩と肩とがすれ合う（ほどに混雑している）。

【轂轂】コクコク ①珠玉が地上に落ちる音の形容。②大波の形容。

10【轃】17画 11953 シン 真 zhēn —— 6501

字義 ❶大きな車の床に敷く竹製の敷き物。❷至る。

解字 形声。車＋秦㊟。

10【輾】17画 11954 ㊀テン 銑 zhǎn ㊁㊥デン・㊤ネン 銑 niǎn ㊂㊥デン・㊤ネン 霰 niǎn 7757 E778 —

字義 ㊀まろ-ぶ。ころがる。めぐる。また、半転する。また、ひく。ころがす。用例〔唐、白居易、売炭翁詩〕夜来城外一尺雪ヤライジョウガイ、イッシャクのゆき、暁駕ニ炭車一輾ニ氷轍一あかつきにタンシャにガしてヒョウテツをひく。↓ゆうべから長安の郊外は一尺もの雪、あけがたに炭の車に牛をつなぎ、こおった道を、ごろごろと荷車をころがして町へいそぐ。㊁ひきつぶす。車輪がものをひきつぶす。㊂すりうす（磨臼）。

輾㊂

解字 形声。車＋展㊟。

【輾転（轉）】テンテン（安らかに眠れないで）ねがえりをうつ。▼輾は半転、転は一回転。用例〔詩経、周南、関雎〕悠哉悠哉ユウなるかな、ユウなるかな、輾転反側テンテンハンソクす。↓思い続け、思い続け、安らかに眠れずねがえりをうつ。

10【轁】17画 11955 トウ —— 6494

轁（13404）の俗字。→一五五〇ページ下。

10【輿】17画 11956 人 標 ㊀ヨ 魚 yú ㊁ヨ 御 yù 4533 9760 —

筆順 ノ 亻 𠂉 𠂋 𠂌 𨊥 𨋩 輿 輿

【轝】11971 同字

字義 ㊀❶こし。車の、人や物を乗せる部分。❷車の総称。用例〔論語、微子〕夫執ㇾ輿者為ㇾ誰かのヨをとるものはたれとなす。↓あそこで車の手綱を持っている人は、だれなのか。❸こしを作る工人。車の製造人。「輪輿」❹乗車をあつかう召し使い。また、しもべ。「輿人」❺かく（舁ヨ）。二人が両手で持ちあげて物を運ぶ。❻おう（負）。になう。かつぐ。❼物をのせささえるもの。転じて、基礎。❽大地。地球。万物をのせることからいう。「坤輿ヨコン」❾おおい（衆）。もろもろ。「輿論」㊁てごし。たごし。両手で持ちあげるこし。

名前 お・こし

解字 甲骨文 篆文 形声。車＋舁ヨ㊟。音符の舁ヨは、二人が両手で物をもちあげるの意味。二人以上でかつぐ車、こしの意味を表す。

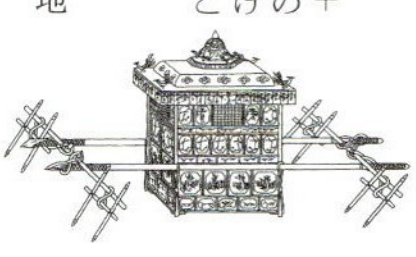
輿㊀①

【輿△駕】ヨガ 天子の乗り物。

【輿師】ヨシ 多くの軍隊。

【輿誌・輿志】ヨシ 地理の書。輿地誌。

【輿車】ヨシャ 小さい車。

【輿△誦】ヨショウ 「輿人之誦ヨジンのショウ」の略。車係りのしもべや民衆（庶民）の歌う歌。また、ことば。輿論。

【輿薪】ヨシン 車につみあげたたきぎ。大きな物のたとえ。

【輿人】ヨジン ①こしを造る職人。また、車を造る職人。②車係りの小役人。また、しもべ。③民衆。庶民。

【輿図（圖）】㊀ヨズ 地図。輿地図。㊁ヨト 天下。世界。

【輿台（臺）】㊀ヨダイ 召し使い。輿隷。㊁こしダイ 国てごしを下に置くとき、それを載せささえる台。

【輿地】ヨチ 大地。地球。→字義㊀❽。

【輿地誌】ヨチシ 地理の書。輿誌。輿地志。

【輿丁】ヨチョウ・ヨテイ ①こしをかつぐ人。かごかき。②車係りのしもべ。

【輿望】ヨボウ 世間の人気。多くの人望。衆望。

【輿△梁】ヨリョウ 車の通行できるような頑丈な橋。

【輿隷（隸）】ヨレイ 召し使い。

【輿△輦】ヨレン 天子の乗る車。輦輿。

【輿論】ヨロン 世間の一般の人の意見。世論。

11【轊】18画 11957 ㊥エイ（ヱイ）㊤エ（ヱ）霽 wèi ₂8968 — —

字義 じくさき。車軸の頭。

解字 形声。車＋彗㊟。

11【轇】18画 11958 ㊥コウ（カウ）㊤キョウ（ケウ）肴 jiāo —— 6502

字義 轇轕コウカツは、㋐矛ほこの形。㋑馳はせ駆けるさま。㋒入り混じる。㋓広く深い。

解字 形声。車＋翏㊟。

11【轉】18画（11876） テン

転（11875）の旧字体。→一三九〇ページ中。

11【轆】18画 11959 ロク 屋 lù 7760 E77B —

字義 ながえしばり。車の轅ながえにまきつけて轅を堅固にし、かざりとするもの。

解字 形声。車＋鹿㊟。

【轆△轤】ロクロ ①車井戸の上につけてつるべをかける滑車。②物をつるしたり引いたりするときに用いる滑車のこと。③国回転して、円形の物を造る器械。

【轆轆】ロクロク 車の走る音の形容。轣轆レキロク。

11【轌】18画 11960 国字 7758 E779 —

字義 そり。雪や氷などの上を、すべるようにした乗り物。

解字 会意。車＋雪。雪上の乗り物、そりの意味を表す。

12【轕】19画 11961 カツ —— 6508

轕（11935）と同字。→一三九七ページ下。

12【轎】19画 11962 ㊥キョウ（ケウ）㊤ギョウ（ゲウ）嘯 嘯 jiào 7761 E77C —

字義 ❶小さい車。❷かご。やまかご。たけごし。竹で編んだこし。

解字 形声。車＋喬㊟。音符の喬キョウは、橋に通じ、はしの意味。前後の人の肩にかつがれて、ちょうど橋のように見える竹かごの意味を表す。

轎②

【轎子】キョウシ 人を乗せるかご。

【轎夫】キョウフ かごかき。轎丁。

12【轏】19画 11963 ㊥サン ㊤ゼン 潸 zhàn —— 6503

字義 ❶竹製の車。❷士の乗る車。❸身を横たえて休める車。

解字 形声。車＋孱㊟。

12【轍】19画 11964 標 ㊥テツ ㊤デチ 屑 zhé 3718 9351 —

字義 ❶わだち。車が通過したあとに残る車輪の跡。❷あと。すでに過ぎ去った事がらの跡。

解字 篆文 形声。車＋徹省㊟。音符の徹は、つきぬくの意味。車の通ったあとに残る、わだちの意味を表す。

【轍環ニ天下一】テンカをめぐる 車で天下をあまねくめぐること。〔唐、韓愈、進学解〕

【轍△迹・轍跡】テッセキ ①車輪の過ぎたあとのくぼみ。②車のわだちと馬の足跡。③物事のあとかた。

【轍△鮒△之急】 さし迫った難儀のこと。車のわだちの跡にたまった水の中にいるふなが、あえいでいるのにたとえる。〔荘子、外物〕
【轍乱旗△靡】 車輪の跡が乱れ、軍旗が倒れる。軍の破れ崩壊するさまをいう。〔左伝、荘公十〕
【踏レ轍】 前人の過ちと同じ過ちをする。
【不レ結レ轍】 行って、帰らないこと。車がもどれば、前についたわだちと後についたわだちが交錯して糸を結んだようになるところからいう。〔管子、小匡〕

12 【轓】 19画 11965 ㊥ハン ㊢ホン 元 阮 fān ―― ―― 6506
字義 ❶車の左右両側を覆うもの。❷車の箱。
解字 形声。車＋番㊇。

12 【轒】 19画 11966 ㊥フン ㊢ブン 文 fēn ―― ―― 6505
字義 ❶車のおおいを支える柱。❷轒轀は、兵車の一種。牛皮のおおいをつけた四輪車で、城を攻めるとき、城壁に近づいて堀を埋めたりするのに用いる。❸轒櫓は、城上に設けて遠方を見るための台。物見台。

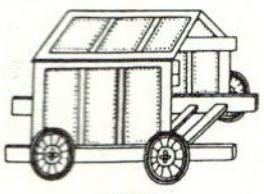
轒轀

解字 形声。車＋賁㊇。

12 【轔】 19画 11967 ㊀リン ㊁リン 真 lín 震 軫 lìn
【轔】 11972 俗字
字義 ㊀❶車のひびき。また、車のきしる音。❷とじきみ。かどぐちのしきり。㊁❶殷轔は、さかんなさま。❷ふむ。ふみにじる。
解字 形声。車＋粦㊇。
【轔轔】 車のとどろく音の形容。車の音のようす。用例〔唐、杜甫、兵車行〕車轔轔、馬蕭蕭、行人弓箭各在レ腰。↓車はがらがらと音をたてて進み、馬はひーんと悲しげに鳴き声をあげてゆく。出征してゆく兵士たちは、弓と矢を、それぞれ腰につけている。
【轔△轢】 ①車でひきにじる。②おさえつけ。ふみにじる。

12 【轑】 19画 11968 ㊀ロウ(ラウ) 晧 lǎo ㊁リョウ(レウ) 篠 liǎo ―― ―― 6504
字義 ㊀❶車の覆いを支える骨組み。❷車輪の矢。㊁燃やす。＝燎(7008)。
解字 形声。車＋尞㊇。

13 【轗】 20画 11969 カン 感 勘 kǎn 7762 E77D ―
字義 轗軻は、車の行きなやむさま。転じて、事が思うようにならないさま。人の不運なこと。
解字 形声。車＋感㊇。

13 【轘】 20画 11970 ㊀㊥カン(クワン) ㊢ゲン 諫 huàn ㊁㊥カン(クワン) ㊢ゲン 刪 huán ₂8969 ― 6509
字義 ㊀❶くるまざき(車裂)にする。二つの車で人を引き裂いて殺す刑罰。㊁❷轘轅は、山名。河南省偃師市の南東にあり、けわしい。漢の霊帝の時、関所を設けた。
解字 篆文 形声。車＋睘(䍺)㊇。音符の睘は、遠に通じ、とおざかるの意味。人体を二つの車にしばりつけ、たがいに反対方向に遠ざからせて裂き殺す刑の意味を表す。

13 【轝】 20画 11971 ヨ ― ― 6510
輿(11956)と同字。→一三九九ページ上。

13 【轔】 20画 11972 リン ₁9248 ― 6507
轔(11967)の俗字。→一四〇〇ページ上。

14 【轟】 21画 11973 人 標 ㊥コウ(クワウ) 庚 敬 hōng ㊣ゴウ(ガウ) 2576 8D8C ―
【軣】 11874 俗字
筆順 一 𠃊 冂 冃 冃 亘 車 車 𨊥 轟
字義 ❶とどろき。車・雷鳴・爆発などの大きな音。❷とどろく。大きな音がなりひびく。ひびきわたる。❸火薬などが爆発する。また、爆発する。❹はなはだしいさま。「轟酔」 国とどろく。㋐名まえが広く知られる。有名になる。㋑胸がどきどきする。鼓動がはげしくなる。
名前 ごう・ごう
解字 篆文 会意。車＋車＋車。多くの車のひびき、とどろきの意味を表す。
【轟轟】 ①車の音のとどろく形容。②水音がはげしく鳴りひびく形容。③やかましい声の形容。
【轟笑】 大声で笑う。哄笑。
【轟酔(酔)】 ひどく酔う。
【轟然】 ①はげしく音の響くさま。②ごろごろと、とどろくさま。
【轟沈】 艦船を砲撃・爆撃・雷撃などによって一瞬のうちに沈めること。
【轟雷】 ①とどろきわたるかみなり。②雷をとどろかす。雷のようにとどろきわたる。

14 【轜】 21画 11974 ㊥ジ ㊢ニ 支 ér 7763 E77E ―
【輀】 11901 同字
字義 ひつぎを載せる車。轜軒。轜車。
解字 形声。車＋需(而)㊇。

14 【〓】 21画 11975 国字 ₁9249 ― ―
字義 いえづと。家に持ち帰るみやげ。

15 【轞】 22画 11976 ㊥カン ㊢ゲン 豏 jiàn ― ― 6511
字義 ❶車のひびく音。「轞轞」❷車の名。→轞車。
解字 形声。車＋監㊇。音符の監は、檻に通じ、おりの意味。猛獣や囚人を送る車の意味を表す。
【轞車】 おりぐるま。周囲に板をはりめぐらした、囚人や猛獣などを載せる車。檻車。

15 【轡】 22画 11977 ヒ 寘 pèi 2305 8C44 ―
字義 ❶たづな。馬のくつわに結びつけ手に持って馬を扱うなわ。用例〔唐詩紀事、賈島〕遂並レ轡論レ詩 ↓(二人は)そのまま手綱を並べて進みながら、詩について論じ合った。❷くつわ。くつばみ。馬の口に含ませる金具。
解字 金文 篆文 会意。絲＋軎。馬に車をひかせる、たづなの意味を表す。

15 【轢】 22画 11978 標 ㊥レキ ㊢リャク 錫 lì 7764 E780 ―
字義 ❶ひく。車でひく。❷ふみにじる。ないがしろにする。❸きしる。㋐すれあう。また、すれあって音をたてる。㋑転じて、人と人とが争う。「軋轢」
解字 篆文 形声。車＋樂㊇。音符の樂は、どんぐりの象形。車でひかれて、つぶつぶになるところから、車でひくの意味を表す。
【轢殺】 車でひきころす。
【轢死】 車にひかれて死ぬ。

16 【轣】 23画 11979 ㊥レキ ㊢リャク 錫 lì 7765 E781 ―
字義 ❶轣轆は、㋐車輪の跡。㋑車のきしる音。㋒鳥の鳴き声。㋓糸くり車。❷ひく。車輪が物をひきつぶす。＝轢(11978)。

16 【轤】 23画 11980 ㊥ロ ㊢ル 虞 lú 7766 E782 ―
解字 形声。車＋盧㊇。

［軲］11880 俗字 ［軲］11881 俗字 字義 →轆轤（一三九九ページ下）。

解字 形声。車＋盧音。

19【轔】26画 11981 リン 震 lìn

字義 踏む。踏みにじる。

解字 形声。車＋藺音。

— — 6512

7画 辛 からい

〔部首解説〕辛を意符として、罪を表す文字、また、味が辛いことを表す文字ができている。

0 辛 一四〇一	1 辛 一四〇一	5 辜 一四〇一	辝 一四〇一	6 辠 一四〇一	
辞 一四〇一	辟 一四〇三	7 辡 一四〇三	辣 一四〇三	辢 一四〇三	
8 辤 一四〇三	9 辥 一四〇三	辦 二〇〇	辨 四八三	11 辨 六三四	
12 辭 一四〇一	13 瓣 一〇七三	14 辯 一三四〇			

0【辛】7画 11982 常 シン からい シン 真 xīn

3141 9068 —

筆順 丶 亠 亣 立 立 辛

［辛］11983 俗字

字義 ❶からい。味がからい。からみ。五味（甘・酸・苦・鹹・辛）の一つ。❷つらい。㋐苦しい。たえがたい。「辛苦」㋑むごい。ひどい。きびしい。㋒いたましい。❸かのと。十干の第八位。五行では金に当てる。❹つみ。大きな罪。国❶からし。辛味を有する一種の野菜。また、その実から取った辛味香料。❷からくも。かろうじて。やっと。

名前 かのと・しん 難読 辛夷・辛皮

解字 甲骨文 篆文 象形。甲骨文でわかるように、入れ墨をするための針の象形で、つらい・つみの意味を表す。辛を音符に含む形声文字に、信・新・櫬・薪・櫬・親などがあり、これらの漢字のうち、親を音符に含む漢字は、「したしむ」の意味を共有している。

逆 苦辛・酸辛

【辛夷】①モクレンの一種で、初春に桃色を帯びた紫の花を開く。②国こぶし。モクレン科の落葉高木。山野に自生し、春の初めに白色の花を開く。

【辛夷塢】辛夷（こぶし）の生えた堤。輞川二十景の一つ。→輞川（一三九六ページ下）。

【辛亥革命】西暦一九一一年（辛亥の年）十月十日に中国で起こった革命。これによって清朝が滅び、それまで続いてきた王朝政治が終わり、中華民国が生まれた。十二月に首府を南京に定め、翌、民国元年に孫文が臨時大総統に就任した。その記念日を双十節という。

【辛艱】苦しみなやむ。また、苦しみ。難儀。

【辛棄疾】南宋の詩人。歴城（山東省内）の人。字は幼安。号は稼軒居士・六十一上人。朱熹と親しく、金に抵抗し、憂国の気概にあふれた詩文・詞を作った。著書に『稼軒長短句』『稼軒詞』がある。（一一四〇—一二〇七）

【辛勤】つらいつとめ（仕事）。苦労してつとめる。苦しい思いをしながら仕事をすること。

【辛苦】①からさと、にがさ。辛味と苦味。②つらく苦しいこと。つらさ。苦しさ。艱難。難儀。「粒粒辛苦」

【辛酸】①からさと、すっぱさ。辛味と酸味。②つらく苦しいこと。はなはだしい苦しみ。難儀。

【辛勝】国かろうじて勝つこと。↔惜敗（五五〇ページ上）。

【辛楚】つらさ。苦しみ。▼楚は、むち。

【辛酉革命説】辛酉に当たる年には革命があるという説。

【辛辣】①味がぴりりとからいこと。②国ひじょうに手きびしいこと。批評などが相手に強いショックを与えること。

【辛労（勞）】なんぎ。苦しみ。苦労。

1【辛】8画 11983 シン 辛（11982）の俗字。→一四〇一ページ上。

28970 — —

5【辜】12画 11984 漢コ 呉ク 虞 gū

7767 E783 —

字義 ❶つみ。重い罪。「無辜」「不辜」❷はりつけ（磔）。また、はりつけにする。❸そむく（背）。「辜負」❹さまたげる。❺ひとりじめにする。「辜権」❻かならず。

解字 篆文 形声。辛＋古音。辛は、入れ墨をするための針の象形。音符の古は固に通じ、固くとざすの意味。罪人に入れ墨をし、固くとじこめるの意味から、つみの意味を表す。

【辜権】権力などによって財貨・利益を独占すること。権は、独占する。

【辜月】陰暦十一月の別名。

【辜負】そむく。相手の意にそむくこと。

5【辝】12画 11985 ジ 辞（11987）の古字。→一四〇一ページ下。

— — 6513

6【辠】13画 11986 ザイ 罪（9452）と同字。→一二四八ページ中。

— — 6514

6【辞】13画 11987 教4 ジ やめる 漢シ 呉ジ 支 cí

2813 8EAB —

12［辭］19画 11988

7770 E786 —

筆順 ノ 二 千 千 舌 舌 舌 辞 辞

［辤］11993 同字 ［辝］11985 古字

字義 ❶ことば。言語。論述。＝詞（11153）。用例〔論語、衛霊公〕辞達而已矣。↓ことばは、相手に自分の意志が通じれば、それで十分である。❷ことわる。㋐いなむ。拒絶する。「固辞」㋑ゆずる。「辞譲」㋒受けない。「辞退」㋓わびる。あやまる。謝罪する。㋔やめる。職を退く。「辞職」❸いとまごいする。別れの挨拶をする。また、去る。立ち去る。「辞去」❹とく（説）。説明する。説き聞かせる。❺つげる（告）。また、訴える。❻せめる（責）。❼韻文体の一種。→辞賦。「漁父辞」

名前 こと

参考 ①「やめる」は現代表記では「辞職する」意のときに「辞める」を用いる以外は、「止める」あるいは仮名書きが一般的。「会社を辞める」「試合を止（や）める・煙草を止（や）める」②⇩〔辤〕（11993）の参考。

解字 金文 篆文 会意。舌（𤔔）＋辛。𤔔は、糸に上下から手をかけて、乱れないように整えるさまにかたどる。辛は、針の象形で、つみの意味。罪人を責める意味を表す。また、詞に通じて、ことばの意味を表す。常用漢字の辞は俗字による。

逆 賀辞・訓辞・謙辞・告辞・固辞・賛辞・謝辞・修辞・助辞・世辞・措辞・題辞・弔辞・通辞・答辞・拝辞・美辞

【辞意】①辞職の意志。②ことばの意味。

【辞気（氣）】ことばつき。言い方。口のききよう。

【辞義】ことばのすじ道。ことばの意義。ことばの使い方や文章の意味。

【辞却】ことわる。辞退する。

【辞給】ことばが自由に出ること。弁舌がたつ。

【辞去】あいさつをして去る。別れを告げて去る。

【辞訣・辞決】①別れのあいさつ。いとまごい。②別れのあいさつをして去る。辞去。用例〔史記、刺客伝〕請辞決矣。↓おいとまいたしましょう。

【辞言】ことば。言辞。

【辞源】書名。陸爾奎らを編者とし、民国四年

車部 19画〔轔〕 辛部 0▼6画〔辛辛辜辝辠辞〕

(一九三五)、上海商務印書館が編集・刊行した中国最初の近代的辞典。民国二十年(一九三一)、方毅ホウキらの編により続編が刊行された。一九七九年から刊行された修訂本では古典語中心のものに改まっている。

【辞旨・辞指】ジシ ことばの趣旨。文辞のおもむき。辞趣。

【辞謝】ジシャ ①辞退する。ことわる。②謝罪する。用例〔史記、廉頗藺相如伝〕秦王恐二其破一レ璧シンオウそのたまをやぶらんことをおそれ、乃辞謝固請すなわち(は)ちジシャしてかたくこう(ふ)。↓秦王は、藺相如リンショウジョが璧をうち砕いては大変だと思って、そこでやむなく無礼をわびてたってたのんだ。

【辞書】ジショ ＝辞典。

【辞章】ジショウ 詩歌や文章。詩文。詞章。

【辞訟】ジショウ うったえ。また、うったえのことば。訴訟。

【辞譲(讓)】ジジョウ 辞退して他にゆずること。遠慮する。用例〔孟子、公孫丑上〕無二辞譲之心一ジジョウのこころなきは、非レ人也ひとにあらざるなり。↓遠慮して譲り合う心のないものは、人間ではない。

【辞色】ジショク ことばと顔色。

【辞職】ジショク つとめをやめる。〔漢書、谷永伝〕

【辞人】ジジン 文辞をつくる人。

【辞世】ジセイ ①この世を去ること。②国死ぬ時に作る詩歌などをいう。

【辞宗】ジソウ 詩文の大家。詞宗。詩宗。文宗。

【辞藻】ジソウ 修飾豊かな詩文。美しい詩文。

【辞退】ジタイ ①謙遜ケンソンしてひきさがる。②ことわって身を引く。辞職する。

【辞致】ジチ ものの言いぶりと態度。

【辞典】ジテン ことばを一定の順序に配列し、その読み・意味・用法などについて説明した本。

【辞吐】ジト ことば。談吐。

【辞任】ジニン 国役目を自分からことわってやめること。辞職。

【辞費】ジヒ むだに言葉が多い。また、実行のともなわない言葉。

【辞賦】ジフ ①文体の名。散文的な韻文。楚辞ソジの流れをくむもの。叙情的なものを辞、叙事的なものを賦という。⇨コラム 漢文(八六八ページ)。②詩文。

【辞服】ジフク ①わびて降伏する。②罪をわびる。恐れ入る。③言いくるめられる。また、言いくるめる。

【辞別】ジベツ ①あいさつして別れる。②いとまごいをする。別れを告げる。別れる。

【辞弁(辯)】ジベン ことば。言論。

【辞命】ジメイ ことば。また、ことばづかい。一国の使者としてのことばづかい。

【辞理】ジリ ことばのすじみち。ことばの条理。

【辞林】ジリン ①詩文の集まる所。また、詩文にすぐれた人の集まる所。文章界。詩壇。文壇。②辞書。辞典。

【辞令】ジレイ ①ことばづかい。応対のことば。②国官職の任免にあたりそのことを書いて本人に渡す正式の文書。

【卑レ辞】ジをひくくす 謙遜ケンソンしてことばを丁寧にする。用例〔史記、魏世家〕卑レ辞厚レ幣ジをひくくしてヘイをあつくす ↓謙遜ケンソンして言葉を丁寧にし、手厚い贈り物をする。

6【辟】13画 11989 一漢ヘキ・呉ヒャク 陌 bì 二漢ヘキ・呉ビャク 陌 pì 三ヒ 寘 7768 E784 一

字義 一①きみ。㋐君主。天子。諸侯。㋑卿ケイ。大臣。長官。㋒主人。㋓夫。②のり。③めす(召)。呼びだす。④あきらかにする。⑤かべ(壁)。二①ひらく(開)。＝闢(13042)。②のぞく(除)。③まことがない。外面をかざって誠実さがない。「便辟」④よこしま(邪)。⑤おきて。刑罰。⑥とおい(遠)。⑦たとえ。また、たとえる。＝譬(11405)。⑧むねうつ。＝擗(4024)。三さける(避)。よける。

解字 金文  篆文  会意。辛＋卩＋口。辛は、針の象形。卩は、うずくまる人の象形。口は、辛で切りつけた傷の象形。人に刑罰をほどこすさまから、つみするの意味を表す。また、刑罰権を持つ、きみの意味をも表す。辟を音符とする形声文字に、僻ヘキ・劈ヘキ・壁ヘキ・擘ヘキ・臂ヒ・璧ヘキ・癖ヘキ・襞ヘキ・譬ヒ・躄ヘキ・避ヒ・闢ヘキなどがある。これらは、「物を切りひらいてわきへ寄せる、かたよる」の意味を共有するものが多い。

【辟易】ヘキエキ (恐れて)さけしりぞく。たじろぐ。しりごみする。▼易は、かえる、所を変える意。用例〔史記、項羽本紀〕赤泉侯セキセンコウ、人馬倶驚ジンバともにおどろき、辟易数里ヘキエキすることスウリなり ↓赤泉侯はもとより馬も驚き、数里も退き避けた。

【辟遠】一ヘキエン 片寄って中央から遠いこと。二ヒエン さけて遠ざかる。

【辟公】ヘキコウ 諸侯をいう。用例〔論語、八佾〕相維辟公たすくるはこれヘキコウ、天子穆穆テンシはボクボクたり ↓助けるのは諸侯、天子はうるわしく穏やかにひかえている。

【辟邪】一ヘキジャ よこしま。二ヘキジャ・ヒジャ ①邪悪(けがれ)をしりぞける。②伝説上の獣の名。邪悪やけがれをしりぞける力を有しているという。

【辟書】ヘキショ 召し文ぶみ。官からの呼び出しの文書。

【辟除】ヘキジョ ①召し出して官職につかせること。②払い除く。払い清める。

【辟小】ヘキショウ 片寄って小さい。土地が中央から遠くて小さい。

【辟説】ヘキセツ 片寄った説。

【辟命】ヘキメイ 君主のおめし。徴辟チョウヘキ。

【辟雍・辟廱】ヘキヨウ 上代、天子が設けていた学校。

【辟陋】ヘキロウ 片寄っていていやしい。㋐議論などの偏頗ヘンパで低劣なこと。㋑土地が中央から遠くて文化の低いこと。また、その土地。㋒かたいなか。

7【辡】14画 11990 漢ヘン 呉ベン 銑 biàn 一 一 6515

字義 うったえる。言いあらそう。＝弁(3276)。

解字 篆文  会意。辛＋辛。辛は、罪人の意味。二人の罪人が互いに言い争うの意味を表す。

7【辣】14画 11991 常 ラツ 漢ラツ・呉ラチ 曷 là 7769 E785 一

筆順 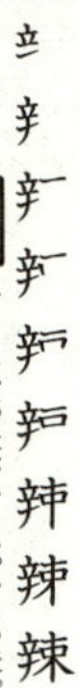

【辢】11992 同字

字義 から-い(からし)。味がからい。からい味。

解字 形声。辛＋束(剌)音。辛は、はりの象形。音符の剌ラツは、束ねたものに刃物を入れるの意味。針や刃物でさすように、からいの意味を表す。

【辣韮】ラッキョウ 野菜の一つ。らっきょう。

【辣腕】ラツワン 国はげしいやり方で、だれはばかることなく、てきぱきと事を処理すること。また、その能力。

7【辢】14画 11992 ラツ 辣(11991)と同字。→一四〇二ページ下。

8【辤】15画 11993 ジ 辞(11987)と同字。→一四〇一ページ下。 2897I 一 6516

参考 〔辤〕は、もと「ことわる」の意味で、〔辭〕(11987)とは別字。のちに混用する。

9【辥】16画 11994 漢セツ 呉セチ 屑 xuē 一 一 6517

字義 ①罪。②死刑。

解字 形声。辛＋𡿺音。音符の𡿺ゲツは、治めるの意味。

9【辦】16画(1073) ベン 力部。→二〇〇ページ上。

9【辨】16画(3277) ベン 弁(3276)の旧字体。→四八三ページ中。

11【辬】18画(4580) ハン 文部。→六三四ページ上。

12【辭】19画(11988) ジ 辞(11987)の旧字体。→一四〇一ページ下。

13【瓣】20画 (3278) ベン 瓜部。→一〇七三ページ上。

14【辯】21画 (3279) ベン 言部。→一三四〇ページ下。

7画 辰 たつ しんのたつ

〔部首解説〕辰は貝殻を表し、昔、それを農具に用いたところから、辰をもとに農耕に関する文字ができている。

0【辰】7画 11995 人 漢シン 呉ジン 真 chén 3504 9243 —

筆順 一 厂 𠂆 尸 尼 辰 辰

字義 ❶たつ。十二支の第五位。㋐方位では東南東。㋑月では陰暦三月。㋒時刻では午前八時。また、それを中心とした二時間。一説に、それ以後の二時間。㋓動物では竜。❷十二支の総称。❸とき。時刻。❹ひ(日)。「佳辰」❺あさ(朝)。早朝。❻日や月のやどり。日や月がその時にある場所。❼日・月・星。また、その総称。❽星の名。㋐大火。今の蠍座の首星アンタレス。和名、なかごぼし。㋑房星。→辰星④。㋒北極星。北辰。

名前 しん・たつ・とき・のぶ・のぶる・よし

解字 甲骨文 金文 篆文 象形。甲骨文でわかるように、二枚貝が「から」から足を出している形にかたどる。蜃の原字。借りて、十二支の第五番目、たつの意味に用いる。辰を音符に含む形声文字に、脣・娠・宸・振・晨・脣・蜃・賑・震などがあり、これらの漢字は、「ふるえる」の意味を共有している。

【辰緯】シンイ 星。星座。星辰。

【辰△駕】シンガ 天子の車。天子を北極星(辰)にたとえていう。

【辰韓】シンカン 古代朝鮮東部の国名。三韓(馬韓・弁韓・辰韓)の一つ。今の慶尚道の地。

【辰極】シンキョク 北極星。

【辰刻】㊀シンコク とき。時刻。㊁たつのコク →字義❶㋒。

【辰△巳】シンシ・たつみ 東南の方角。巽。

【辰砂】シンシャ・シンサ ①水銀と硫黄の化合物。丹砂。朱砂。②国銅によって着色し、その上に無色の上釉をかけて焼いた陶磁器。鮮紅色を呈する。中国名、釉裏紅。

【辰宿】シンシュク ①星の宿る所。星宿。星座。②星。

【辰星】シンセイ ①天体の総称。②ほし。③今の水星をいう。④房星の別名。蠍座の西部にある。和名、そいぼし。⑤国時刻測定の規準となる恒星。天狼星の類い。

【辰良】シンリョウ よい日。吉日。良辰。

3【辱】10画 11996 常 ジョク はずかし-める 漢ジョク・呉ニク 沃 rŭ 3111 904A —

筆順 一 厂 𠂆 尸 尼 辰 辰 辱 辱 辱

字義 ❶はずかし-める。はじをかかせる。用例〈史記、廉頗藺相如伝〉宣言曰、我見二相如一、必辱レ之。↓「私は相如を見かけたら、きっと恥辱を与えてやる」と言いふらした。❷はずかし-め。はじ(恥)。「恥辱」❸かたじけな-い。ありがたい。もったいない。❹かたじけなくする。身分不相応の好意に対していう語。「辱知」「辱臨」❺けがす。けがれる。

解字 篆文 会意。寸+辰。寸は、手の意味。辰は、大はまぐりのからで作られた草かりの道具の意味。草刈り具で草を刈りしくの意味から、転じて、芽ばえをつみとる、はずかしめるの意味を表す。

逆 栄辱・汚辱・屈辱・国辱・雪辱・恥辱・廷辱・忍辱・侮辱・陵辱

【辱交】ジョクコウ・ジョッコウ 知り合い。自分が交際をかたじけなくしている(ありがたくも、交際をいただいている)人の意で、その人をいう謙譲のことば。

【辱知】ジョクチ =辱交。

【辱命】ジョクメイ ①主君の命令をはずかしめる。主君の命令にそむく。②命令または、おおせをかたじけなく受ける。また、ありがたく命をお受けする。また、ありがたい恩命。

【辱友】ジョクユウ 辱知の友人。

【辱臨】ジョクリン おいでをかたじけなくする意。貴人などの来場に対する敬語。賁臨。光来。

6【農】13画 11997 教3 ノウ 漢ドウ・呉ノウ 冬 nóng 3932 945F —

筆順 丶 冂 巾 曲 曲 曲 曲 農 農

字義 ❶たがやす。田・畑を耕作する。❷耕作の仕事。たづくり。はたけしごと。農業。❸耕作する人。農夫。百姓。「豪農」「貧農」❹つとめる。=努(1008)。

名前 あつ・たか・たみ・とき・とよ・なる

解字 甲骨文 金文 篆文 会意。甲骨文は、林+辰。林は、はやしの意味。辰は、二枚貝の象形。石や貝製の農具で、林野をたがやすの意味を表す。のち、晨+図に変型し、さらにのち、曲+辰に変形した。農を音符に含む形声文字に、膿・濃などがあり、これらの漢字は、「ねばる」の意味を共有している。

逆 勧農・帰農・豪農・篤農・老農

【農為(爲)二国(國)本一】ノウはくにのもとたり 農業は国家の根本である。

【農家】ノウカ ①農業で家計を立てている家。②諸子百家の一つ。農業中心の政治論を主張した学派。⇩コラム 諸子百家系統図(一三四ページ)。

【農稼】ノウカ 田畑を耕して作物を植えること。農業。

【農学(學)】ノウガク 農業の生産技術や経済との関係などを研究する学問。

【農芸(藝)】ノウゲイ 農業と園芸。また、農業に関する技芸。

【農隙】ノウゲキ 農事のひま。また、その時。農閑。▼隙は、すき。

【農工】ノウコウ ①農業と工業。②農民と工人。

【農功】ノウコウ 耕作の仕事。農業。農事。

【農郊】ノウコウ ①都市の郊外の田園地帯。町はずれの耕作地域。②たがやした原野。

【農耕】ノウコウ 田畑をたがやすこと。

【農蚕(蠶)】ノウサン 耕作と養蚕。

【農師】ノウシ 中国古代の農政をつかさどる官。

【農事】ノウジ 農業。田畑を耕して収穫をあげる仕事。

【農時】ノウジ 耕作すべき、また、耕作のいそがしい季節・時期。

【農殖・農植】ノウショク ①耕し植える。栽培する。②農耕。農業。

【農△穡】ノウショク 田畑を耕すことと作物を取り入れること。農業。▼穡は、作物の刈り取り。

【農政】ノウセイ 農業に関する行政・政策。

【農績】ノウセキ ①農業と紡績。②農業上の功績。

【農桑】ノウソウ 耕作と養蚕。

【農奴】ノウド ①土地の所有者の所有物として農業に従事させられた奴隷。②中世ヨーロッパで領主から貸与された土地を耕し、領主に地代を納めた階級。

【農兵】ノウヘイ ①平時は農業に従事し、事の起きた時に兵士としての仕事をするもの。②農民で組織された軍隊。

【農畝】ノウホ ①田畑。また、いなか。②農業。

【農牧】ノウボク 農業と牧畜業。

【農務】ノウム ①農業上のしごと。農事。②農政。

辛部 13▼14画〔瓣辯〕 辰部 0▼6画〔辰辱農〕

12【辴】19画 11998 チン 軫 zhěn 28972 — —

字義 笑うさま。大笑いするさま。

解字 形声。單+辰音。

7画 辵（辶・⻌） しんにゅう しんにょう 辶は四画。⻌は三画。

［⻌］28973 — —　［辶］28974 — 6520

〔部首解説〕 之繞（シニョウ）の読みがなまって、しんにゅうとなったもの。辵が漢字の繞（ニョウ）になるときは辶と略し、新字体ではさらに⻌と略す。「表外漢字字体表」では原則として辶の字形をとるが、現に用いられている⻌の字形のものは、一括許容としている。また、平成二十二年改定の「常用漢字表」でも、新たに追加された遡・遜などについて、⻌を許容している。辵を意符として、行くことや遠近などに関する文字ができている。

0【辵】7画 11999 チャク 薬 chuò 19251 — 6519

字義 ❶行きつ止まりつする。❷走る。❸階段の段をとばして降りる。

解字 甲骨文 篆文 会意。行省+止。行は、分かれ道の象形。止は、足、歩くの意味。道を行くの意味を表す。

1【辷】5画 12000 国字 7772 E788 —

字義 すべ-る（滑）。㋐なめらかに進む。㋑静かに退出する。㋒位を降りる。㋓失脚する。㋔ふみはずす。

解字 指事。辶（辵）+一。辵は、道を歩くの意味。平らな一線を加えて、すべるの意味を表す。

2【辸】6画 12001 漢ジョウ 呉ニョウ 蒸 rēng — — 6521

字義 ❶行く。❷及ぶ。

解字 形声。辶（辵）+乃音。

2【辺】5画 12002 教4 ヘン あた-り・べ 4253 95D3 —

15【邊】19画 12003 ヘン 先 biān 7820 E7B2 —

筆順 フ 刀 刀 辺 辺

［邉］12237 俗字　［邊］12244 俗字

字義 ❶ほとり。そば。かたわら。㋐あたり。「近辺」㋑岸。水ぎわ。がけ。用例（唐、韓愈、左遷至二藍関一示二姪孫湘一詩）知汝遠来応レ有レ意（しるなんじ（ぢ）のとお（ほ）く、きたるまさにイあるべし） 好収二我骨一瘴江辺（よしわがほねをお（を）さめよ ショウコウのほとりに） ↓私には分かる。お前がはるばるここまで見送りに来てくれたのは、きっと心に期することがあってのことだ、と。よろしい、それなら私の骨を毒気のたちこめる南方の大川のほとりで拾い収めてくれ。㋒中心からはずれた所。はし。はずれ。かたいなか。「辺邑（ヘンユウ）」㋓国境。「辺境」㋔限り。果て。「辺際」❷となりあう。近接する。❸漢字のへん。漢字の左の部分をなす字形。偏。❹多角形をとりまく線。「底辺」 国 へ。べ。㋐あたり。ほとり。そば。㋑右。

↕奥（2288）。

名前 ほとり　難読 辺川（へがわ）・辺分（おいわけ）・辺方（おいわけ）

解字 金文 篆文 形声。辶（辵）+刀（臱・臱）音。音符の臱は、自+丙+方で、自は、はなの象形。丙は、台の象形。方は、はりつけになった人の象形という。合わせて、邪神の侵入を防ぐため境界に置かれた一種のまじないのさまを表しているという。また、一説に、臱は、鼻の両わきの意味という。辵は、あるくの意味。歩いていって中心からはずれた部分、へりの意味を表す。常用漢字の辺は俗字による。

逆 縁辺・近辺・周辺・水辺・池辺・武辺・無辺・炉辺

【辺域】（ヘンイキ） 国ざかいの地。また、未開の地。

【辺営（營）】（ヘンエイ） 辺境にある兵営。

【辺海】（ヘンカイ） ①国の果てにある海。国境の海岸。②国 近くの海。

【辺界】（ヘンカイ） 国ざかい。また、辺鄙（ヘンピ）な地方。

【辺患】（ヘンカン） 国境におこるうれい。外敵の侵入。

【辺寄】（ヘンキ） 辺境守備の任務。また、その責任。

【辺境・辺△竟・辺△疆】（ヘンキョウ） ①国ざかい。国境。②かたいなか。奥地。

【辺警】（ヘンケイ） ①外敵が国境に侵入したしらせ。②国境の警備。

【辺隙】（ヘンゲキ） ①国境における争いごと。②国境の警備のすき（ゆだん）。

【辺月】（ヘンゲツ） 辺土を照らす月。辺塞（ヘンサイ）の月。

【辺功】（ヘンコウ） 辺地でたてるてがら。外国・異民族を征伐したてがら。

【辺△寇】（ヘンコウ） 外敵・異民族が国境に侵入すること。また、国境を侵略する敵。

【辺沙】（ヘンサ） 辺境の地。▼沙は、砂漠。

【辺塞】①国境にあって異民族を防ぐとりで。②国境。③国境地帯に住んでいる異民族。

【辺際】果て。かぎり。際限。辺涯。

【辺△朔】北方の国境付近の地。

【辺守】辺境のまもり。辺戍。辺防。

【辺△戍】辺境のまもり。国境のまもり。辺防。

【辺秋】辺境の秋。国境地帯の秋景色。

【辺愁】いなか・国境などに旅宿するうれい。

【辺将(將)】国境を守る将軍。辺帥。

【辺城】国境にある城市。辺土の町。用例〔唐、岑参、胡笳歌送二顔真卿使赴一河隴一詩〕辺城夜夜多二愁夢一、向レ月胡笳誰喜レ聞 ↓辺境の町では毎夜さびしい夢をみることであろう。月に向かって吹く胡笳の悲しげな音を、だれが喜んで聞くだろうか。

【辺色】辺境のけしき。

【辺人】辺境の人。国境近くの人。

【辺垂・辺△陲】国ざかい。国の果て。国境。

【辺△陬】遠い果ての地。かたいなか。

【辺声(聲)】①辺境の音楽。②辺境からの便り。

【辺地】①かたいなかの土地。国境の地方。辺土。辺境。②郊外の地。

【辺鎮(鎭)】国境付近の守備隊。

【辺庭】①辺境異民族の朝廷。②辺地。国境地帯。用例〔唐、杜甫、兵車行〕辺庭流血成二海水一、武皇開レ辺意未レ已 ↓戦争が行われている辺境地帯では、血が海の水のように大量に流されているのだが、武帝様の国境を開拓しようというご意志は、まだやもうとしない。

【辺土】①かたいなか。辺地。②国ざかい。国境。

【辺△鄙】①かたいなか。②国土の果て。また、そこに住む人。

【辺風】辺境を吹く風。

【辺幅】①布地の端やへり。②外見。うわべ。

【修二飾辺幅一】見えをはる。また、容儀をととのえかざる。〔後漢書、馬援伝〕

【辺防】国境のまもり。辺守。

【辺△烽】国境地帯で非常事態を知らせるためにあげるのろし。

【辺民】辺境の住民。

【辺△邑】かたいなかの村。国境のほとりにある村。

【辺要】国境の要害の地。

---

2 【込】 5画 12004 国字 常 こ-む・こ-める 2594 8D9E —
2 〔込〕 6画 12005

筆順 ノ 入 入 込 込

字義 ❶こ-める。㋐つめる。入れる。㋑とじこめる。㋒つつむ。ふくめる。「皮肉を込める」㋓集中する。「怒りを込める」❷こ-む。㋐入りこむ。こもる。㋑あつまる。混雑する。㋒細密・精巧である。

使いわけ こむ〔混・込〕⇩混(6414)。 難読 込木

解字 会意。辶(辵)+入。辵は、すすむの意味。入は、はいるの意味。はいりこむの意味を表す国字。

2 【辻】 6画 12006 国字 人 標 3652 92D2 —
〔辻〕 12007 俗字

筆順 一 十 十 汁 汁 辻

字義 つじ。㋐十字路。交差点。㋑みちばた。路傍。

解字 会意。辶(辵)+十。辵は、わかれ道の象形。十は十字路の意味。つじの意味を表す国字。

【辻△褄】国物事の初めと終わり。物事の道理。すじみち。

2 【辻】 5画 12007 国字 つじ 辻(12006)の俗字。→一四〇五ページ中。

3 【迆】 7画 12008 イ 迤(12041)と同字。→一四〇八ページ中。 28977 — 6525

3 【迂】 7画 12009 人 標 ウ 虞 yū 1710 8949 —
〔迂〕 12010 俗字

筆順 一 二 干 于 迂 迂

字義 ❶とおい。㋐まわり遠い。まがりめぐって遠い。用例〔列子、湯問〕面レ山而居、懲二山北之塞、出入之迂一也 ↓山に面して住んでおり、山の北側に閉じこめられたような状態で、南の町へ行くにも遠回りしなければならない不便をかこっていた。㋑うとい。にぶい。世間の実情を知らない。用例〔論語、子路〕有レ是哉、子之迂也 ↓これですよ、先生が世間の実情を知らないというのは。❷遠い道。まわり遠い道。❸まげる(曲)。曲がる。㋐ねじけさせる。ねじける。㋑くじく。おさえる。❹うそ。うそをつく。❺あやまり。まちがい。❻ひろい。大きい。❼やや。いくらか。「迂久」

名前 とお・ひろ・ゆき

解字 金文 篆文 形声。辶(辵)+于音。音符の于は、弓なりに曲がるの意味。まわり道をするの意味を表す。

【迂遠】①実地の役に立たない。世事にうとい。②道路のまがりくねって遠いこと。

【迂回】まわり道をする。遠回りする。

【迂△闊】①まわり遠い。実地の役に立たない。②国うっかり。不注意。

【迂久】しばらく時がたつこと。

【迂曲】まがりくねる。遠回りする。紆曲。

【迂愚】世間の事情に暗くて、おろかなこと。

【迂言】まわりどおく、世情に通じないことば。

【迂儒】世事にうといつまらぬ学者。腐儒。

【迂生】①世事にうとい者。他人に対する自分の謙称。

【迂△叟】①世事にうとい老人。②中唐の白楽天の自称。③北宋の司馬光(温公)の自称。

【迂誕】①言うことがまわり遠くて大きいこと。▼誕は、大。②言うことがでたらめなこと。

【迂直△之計】まわりくどいやり方でかえって直接的な効果をあげるはかりごと。〔孫子、軍争〕

【迂鈍】世事にうとくてのろい。

【迂腐】おろかで物の役に立たないこと。

【迂余(餘)曲折】同紆余曲折。①道が曲がりくねっていること。②事情がこみ入っていて、幾度も変化する。

【迂路】まわりみち。迂途。迂道。

3 【迂】 6画 12010 ウ 迂(12009)の俗字。→一四〇五ページ中。
3 【过】 7画 12011 カ 過(12149)の俗字。→一四三三ページ上。
3 【迁】 7画 12012 カン 寒 gān — — 6523

字義 ❶求める。すすめる。❷さえぎる。

解字 形声。辶(辵)+干音。音符の干は、突き進んでおかすの意味。

3 【迄】 7画 12013 人 標 漢キツ 呉コチ 物 qì 4388 9698 —
〔迄〕 12014 俗字

筆順 ノ 𠂉 乞 乞 迄 迄

字義 ❶いた-る(至)。およぶ。❷つい-に。国まで。

名前 いたる
解字 形声。辶(辵)＋乞(气)音。

3 【迄】 6画 12014 キツ 迄(12013)の俗字。→一四〇五ページ下。 2968 8F84 —

3 【巡】 6画 12015 常 ジュン めぐる 熟字訓 お巡りさん 漢シュン 呉ジュン 真 xún

3 〖廵〗 7画 12016

筆順 く 巛 巛 㐅巛 巡

〔廵〕3261 俗字

字義 ❶めぐる。㋐まわり歩く。㋑みまわる。巡察。巡視。❷やすんずる。なでる。❸しりぞく。あとじさる。

注意 巡は、『康熙字典』では、巛部に所属する。

解字 篆文 形声。辶(辵)＋巛(川)音。音符の川は、かわの意味。川のように一定の道すじに従って行く、めぐるの意味を表す。

逆 歴巡

【巡按】(ジュンアン) 地方をまわって役人の勤めぶりや民情などを調べる。巡視。巡検。

【巡回・巡廻】(ジュンカイ) ①めぐり歩く。②順々にまわる。

【巡警】(ジュンケイ) ①見まわって警戒する。②巡査。

【巡検(檢)】(ジュンケン) 回って調べる。見回る。巡按。

【巡功】(ジュンコウ) ①土木工事を見てまわる。②天子が諸侯の国をめぐって、その功績をしらべること。

【巡幸】(ジュンコウ) 天子が地方をめぐり歩くこと。

【巡査】(ジュンサ) ①回って調べる。見回る。②警察官。③警察官の階級の一つ。巡査部長の下。

【巡察】(ジュンサツ) 方々を見まわって事情を調べること。

【巡錫】(ジュンシャク) 仏僧が各地をめぐって教えを広めること。▼錫は、僧の杖。

【巡狩・巡守】(ジュンシュ) 天子が諸国を視察して歩く。用例〔書経、舜典〕東巡守、至于岱宗(ヒガシにジュンシュして、タイソウにいたる)。↓東方に行幸して、泰山に至った。

【巡撫】(ジュンブ) ①諸国をめぐって人心を安んずること。②官名。明代には各省におき、清代には総督の下に位して、省の民治・兵制をつかさどった。

【巡遊】(ジュンユウ) 各地をめぐること。周遊。

【巡邏】(ジュンラ) ①見回る。②警戒のため歩く人。見回り。

【巡礼(禮)】(ジュンレイ) ①あちこちめぐって拝礼する。②国諸国の神社・仏閣などをめぐって参拝すること。また、その人。順礼。遍礼。


【巡歴(歷)】(ジュンレキ) 各地を回って歩くこと。

3 【迅】 6画 12017 常 ジン 一シン 震 xùn 二シュン 震 xùn 3155 9076 —

3 〖迅〗 7画 12018 慣ジン

筆順 ㇈ 卂 卂 卂 訊 迅

字義 一二❶はやい(速)。すみやか。「獅子奮迅(シシフンジン)」❷力強い狼(おおかみ)。

名前 とき・とし・はや

解字 篆文 形声。辶(辵)＋卂音。音符の卂は、はやいの意味。辵を付し、はやくすすむの意味から、はやいの意味を表す。

逆 軽迅・奮迅

【迅羽】(ジンウ) 鷹(たか)の別名。

【迅雨】(ジンウ) はげしく降る雨。

【迅晷】(ジンキ) 月日の移るのがはやいこと。▼晷は、ひかげ。

【迅急】(ジンキュウ) 速く流れる。

【迅撃(擊)】(ジンゲキ) すみやかにうつ。急撃。

【迅商】(ジンショウ) はやく吹く秋風。▼商は、秋。

【迅速】(ジンソク) 非常にはやいこと。すみやか。迅急。

【迅電不及瞑目】(ジンデンめをメイするにおよばず) いなびかりが速くて、目をふさぐひまがない。事が急でふせぐひまがないたとえ。〔六韜、竜韜、軍勢〕

【迅馬】(ジンバ) 速く走る馬。

【迅雷】(ジンライ) はげしいかみなり。疾雷。「疾風迅雷」

【迅瀬(瀨)】(ジンライ) はやせ。急湍(キュウタン)。

3 【迁】 7画 12019 セン 遷(12222)の俗字。→一四三五ページ上。 2 8976 — 6524

3 【达】 7画 12020 タツ 達(12161)の俗字。→一四三四ページ上。 — — 6522

3 【辿】 7画 12021 人 標 テン 先 chān 3509 9248 —

筆順 ｜ 山 山 氵山 辶山 辿

〔辿〕12022 俗字

字義 ゆっくりあるく。国 たどる。㋐道をたずねたずねして行く。㋑さぐり求める。㋒すじ道を追い求めて考える。㋓迷い思う。

解字 会意。辶(辵)＋山。

3 【辿】 6画 12022 テン 辿(12021)の俗字。→一四〇六ページ中。

3 【辺】 6画 12023 国字 字義 辺田(はさだ)は、姓氏。 2 8975 — —

4 【运】 8画 12024 ウン 吻 yǔn — — 6529

字義 走るさま。

解字 形声。辶(辵)＋云音。

4 【迋】 8画 12025 一オウ(ワウ) 漾 wàng 二漢キョウ(キャウ) 呉コウ(クワウ) 養 漾 guàng — — 6527

字義 一ゆく(行)。二❶あざむく。たぶらかす。❷おそれる(恐)。

解字 形声。辶(辵)＋王音。

【迋迋】(キョウキョウ) おそれるさま。

4 【迓】 8画 12026 漢ガ 呉ゲ 禡 yà

〔迓〕12045 俗字

字義 むかえる(迎)。出迎える。＝訝(11119)。

解字 形声。辶(辵)＋牙音。音符の牙は、迎(ゴ)に通じ、むかえるの意味。

4 【还】 8画 12027 カン 還(12231)の俗字。→一四三六ページ上。

4 【近】 7画 12028 教2 キン ちかい 一漢キン・呉ゴン 吻 jìn 二漢キン・呉ゴン 問 jìn 2265 8BDF —

4 〖近〗 8画 12029 慣コン

筆順 ノ 厂 斤 斤 沂 近

字義 一❶ちかい。両者の間が近い。↕遠(12185)。㋐ほど近い。へだたりが少ない。時間的・距離的に近い。用例〔唐、李商隠、登楽遊原詩〕夕陽無限好、只是近黄昏(セキヨウかぎりなくよし、ただこれコウコンにちかし)。↓夕日の輝きは限りなくすばらしい。だがたそがれ時へと近づいてゆくのだった。㋑てぢかである。身近でわかりやすい。用例〔孟子、尽心下〕言近而指遠者、善言也(ゲンちかくしてむねとおき(ほ)ものは、ゼンゲンなり)。↓ことばはわかりやすく意味が深いのが、善言である。㋒にる(似)。にている。用例〔論語、陽貨〕性相近也、習相遠也(セイあい(ひ)ちかきなり、ならい(ひ)あい(ひ)とおき(ほ)なり)。↓人の生まれつきの性質は似たり寄ったりである。ただ、習慣によって(善にも悪にもなって)、大きな隔たりを生じるのだ。㋓ちかごろ。このごろ。用例〔唐、韓愈、与陳給事書〕献近所レ為復志賦已下十首一イカジツシュをケンず。➡このごろ作った復志の賦など以下十首をお送りします。

❷ちかい人。㋐身内。用例〔唐、韓愈、送二何堅一序〕何於レ韓カのカンに、同姓為レ近ドウセイにして。➡何氏は韓氏に対して、もともと同姓で身内の関係である。㋑親しみなじむ人。㋒自分自身。用例〔淮南子、原道訓〕大道坦坦タイドウはタンタンとして、去レ身不レ遠、求二之近一者、往而復反。➡大道は平らかで身近なものである。これを我が身に求める者は、離れてもまたかえってくるものである。

❸ちかい所。てぢか。かたわら。「側近」

❹あさい。あさはか。用例〔新唐書、高駢伝〕言語俚近ゲンゴリキンなり。➡言葉は通俗である。

❺ほとんど。おそらく。用例〔三国志、魏志、華佗伝〕此近レ難レ済これすくい(ひ)がたきにちかし。➡これはほとんど救えない。

二ちか-づく。ちか-づける。㋐近くに寄る。近くに寄せる。せまる。㋑親しむ。可愛がる。寵愛する。用例〔呂氏春秋、情欲〕巧佞之近コウネイこれちかづけ、端直之遠タンチョクこれとお(ほ)ざく。➡言葉巧みでへつらう者を寵愛し、正直な人をうとんじる。

名前 きん・ちか・もと　難読 近江おうみ・きっこう

解字 篆文 形声。辶(辵)＋斤㊥。音符の斤は、物を小さくするための刃物の意味。距離・時間を小さくする、ちかづくの意味を表す。

逆 遠近・親近・側近・卑近・附近

【近因】キンイン 近い原因。直接の原因。↔遠因(一四二九ページ中)。

【近詠】キンエイ 近ごろ作った詩歌・俳句。

【近衛(衞)】キンエイ 一 天子のそば近くにいて警衛する。二 コンエ・コノエ 国「近衛府」の略。六衛府ロクエフの一つ。昔、皇宮の警衛、行幸の護衛を受け持った役所。

【近悦遠来(來)】キンエツエンライ 近い人々がよろこび、遠い人々も徳をしたい集まる。徳がうるおいおよぶさま。『論語』子路編に「近者悦ちかきものよろこび、遠者来とお(ほ)きものきたる」とあるのに基づく。

【近懐(懷)】キンカイ 近ごろの感想・心境。

【近刊】キンカン ①近いうちに刊行されること。②最近出版されたこと。

【近患】キンカン 目前のわずらい。近憂。

【近畿】キンキ ①都に近い土地。②国京都に近い地方。

【近況】キンキョウ ちかごろのようす。

【近業】キンギョウ 作品・事業などの、近ごろできたもの。

【近近】キンキン 国ちかぢか。近いうちに。ちかく。

【近古】キンコ ①年代がそれほどたたないむかし。近い昔。②歴史上の区分。中古と近世の間。

【近古史談】キンコシダン 国書名。四巻。大槻磐渓おおつきバンケイの著。織田・豊臣とよとみ・徳川時代の名君・武将などの逸話を漢文で書いたもの。

【近攻】キンコウ (遠い国と同盟を結んで)近くの国を攻める。「遠交近攻」〔史記、范雎伝〕

【近幸】キンコウ そばにおいてかわいがる。また、その臣。

【近郊】キンコウ ①都から五十里までの地。〔周礼、地官、載師〕②都会に近い土地。↔遠郊(一四二九ページ中)。

【近郷(鄉)】キンゴウ 国都会に近いいなか。「近郷近在」

【近思録】キンシロク 書名。十四巻。南宋ナンソウの儒学者朱熹シュキ・呂祖謙リョソケンの共著。一一七六年刊。北宋ホクソウの代表的儒学者である周濂渓シュウレンケイ・程明道・程伊川テイイセン・張横渠チョウオウキョの著書や語録の中から、修身・斉家など日常に関係の深いもの六百二十二条を選んだ、初学者の入門書。

【近似】キンジ よくにる。まぎらわしいほど似ている。「近似値」

【近侍】キンジ 君主や長上のそば近くに仕える。また、その人。

【近者】キンシャ ①ちかごろ。②近い所にいる人。〔論語、子路〕

【近△什】キンジュウ 近ごろ作った詩。近作。

【近習】キンジュウ・キンジュ 主君のそば近くに仕える人。〔礼記、月令〕

【近状(狀)】キンジョウ 近ごろのようす。近況。

【近情】キンジョウ ①親しさ。情愛。②実情に近い。③国近ごろのようす。近状。

【近臣】キンシン 主君のそば近くにつかえる臣下。

【近信】キンシン ①近ごろのたより。②近づけ信ずる。そばに置き信用する。

【近親】キンシン みより。みうち。近戚キンセキ。近姻。

【近世】キンセイ ①近い世。②歴史上では、中世と近代との間。

【近切】キンセツ ぴったりとあてはまる。身近で適切なこと。

【近接】キンセツ ①ちかづく。近づける。②隣りあっている。

【近属(屬)】キンゾク 近いみうち。近親。近族。

【近体(體)】キンタイ ①現代風。②漢詩で、古詩と区別して、五言・七言の絶句・律詩・排律をいう。句数・押韻オウイン・平仄ヒョウソクなどに細かい規則がある。唐代に完成した。近体詩。今体詩。⇩コラム 漢詩(八六六ページ)。

【近代】キンダイ ①近い時代。②歴史上の時代区分の一つ。日本では明治維新以降、中国ではアヘン戦争以降、ヨーロッパではルネサンス・宗教改革以降をさす。

【近迫】キンパク ①ちかよる。せまる。②親しく交わる。

【近辺(邊)】キンペン ちかい所。近所。

【近密】キンミツ 君主のそば近く仕える親密な地位。

【近憂】キンユウ さしせまった心配。目前の憂い。用例〔論語、衛霊公〕人無二遠慮一ひととお(ほ)きおもんぱかりなければ、必有二近憂一かならずちかきうれい(ひ)あり。➡人は、遠い将来を見通さないと、さしせまった心配事が起きるものだ。

【近来(來)】キンライ 近ごろ。このごろ。近時。

【近隣】キンリン 近いところにいること。となり近所。「近隣諸国」

4【迎】7画 12030 常 ゲイ むか-える 2362 8C7D ―
4【迎】8画 12031 一㊥ゲイ・㊉ギョウ(ギャウ) 庚 yíng 二㊥ゲイ・㊉ギョウ(ギャウ) 敬 yìng 慣ゴウ(ガウ)

筆順

字義 一❶むか-える。㋐待ちうける。㋑他人の心をおしはかって、それに従う。「迎合」㋒前もってかぞえる。推算する。「迎日」㋓出むかえて会う。「歓迎」㋔もてなす。接待する。❷むかえ。出むかえ。二むか-える。まだ来ないものを、むかえに行って連れて来る。花嫁を迎えに行って連れて来る。また、でむかえ。

難読 迎春おうばい・こぶし・迎達いたて・迎田こうだ

解字 篆文 形声。辶(辵)＋卬㊥。音符の卬は、仰の原字で、あおぐの意味。道に出てむかえるの意味を表す。

逆 郊迎・親迎・送迎・奉迎・来迎

【迎△阿】ゲイア 人の心を推し量ってへつらう。▼阿は、おもねる。

【迎意】ゲイイ 人の心をさぐって気に入るようにする。

【迎引】ゲイイン 客をむかえてもてなす。迎接。

【迎謁(謁)】ゲイエツ おでむかえをしてお目にかかる。

【迎合】ゲイゴウ ①人の気に合うようにつとめる。ごきげんをとる。おもねりへつらう。②前もって期日をきめて会合する。

【迎歳】ゲイサイ 新年を迎える。迎春。迎年。

【迎春】ゲイシュン ①春をむかえる。新年を迎える。〔礼記、月令〕②樹木の名。㋐黄梅オウバイ。中国の北部で春早く花を開く。迎春花。㋑こぶしの別名。

【迎接】ゲイセツ 客をむかえてもてなす。迎引。

【迎賓】ゲイヒン 客をむかえる。

4【迕】8画 12032 ゴ 遇 麌 wǔ ₂8982 ― 6532

字義 ❶あう。であう。遭遇。❷さか-らう。たがう。そむく。「乖迕ガイゴ」❸まじる。入りみだれる。「錯迕」❹ふれる(触)。

解字 形声。辶(辵)＋午㊥。音符の午は、かわるがわるになるの意味。人の行き来が入り乱れる・あうの意味を表す。

4 【迒】 8画 12033 一 漢コウ(カウ) 呉ゴウ(ガウ) 陽 háng 二 漢コウ(カウ) 呉ゴウ(ガウ) 江 xiáng — — 6530

字義 一 ❶あと。足跡。獣の足跡。❷道。長い道。二 わだち。

解字 形声。辶(辵)+亢音。音符の亢は、アーチ型の象形。アーチ型の足跡の意味を表す。

4 【这】 8画 12034 シャ 這(12091)の俗字。→一四一三ページ下。 — — —

4 【迊】 8画 12035 ソウ 匝(1124)と同字。→二〇七ページ中。 2 8979 — 6526

4 【迍】 8画 12036 チュン 真 zhūn 2 8980 — 6528

字義 たちもとおる。行きなやむ。＝屯(2827)。

解字 形声。辶(辵)+屯音。音符の屯トンは、頓トンなどに通じ、つまずくの意味。行くに行けず、たちもとおるの意味を表す。

【迍邅】チュンテン ゆきなやんで進まぬさま。屯邅チュンテン。

4 【返】 7画 12037 教3 ヘン かえ-す・かえ-る 4254 95D4 —

4 『返』 8画 12038 漢ハン・呉ホン 阮 fǎn 慣ヘン

筆順 一 厂 反 反 返 返 返

字義 ❶かえ-る(かへ-る)。もと来た道を帰る。㋐ひき帰す。もどる。「往返」㋑帰りつく。❷かえ-す(かへ-す)。㋐もとへもどす。㋑改める。❸たび(度)。ひと渡りすること。度数を表す語。国❶かえ-す(かへ-す)。㋐借りたものをもどす。㋑応答する。返事する。❷かえし。㋐返事。㋑もどす品。㋒返し文。返し歌。❸かえ-る(かへ-る)。反対になる。❹かえ-り(かへ-り)。㋐帰途。㋑漢文の返り点。

名前 のぶ 難読 返分おいわけ

使いわけ かえる・かえす〔帰・返〕⇩帰(3104)。

解字 篆文 形声。辶(辵)+反音。音符の反は、かえすの意味。もと来た道をひきかえすの意味を表す。

逆 顧返

【返還】ヘンカン 一度手にはいったものをかえす。かえす。返済。

【返簡】ヘンカン 返事の手紙。返書。返信。返章。

【返却】ヘンキャク 国かえす。もどす。借りたものを返す。

【返景】ヘンケイ・ヘンエイ 夕日の光。ゆうひかげ。返照。反景。用例〔唐、王維、鹿柴詩〕返景入二深林一ヘンケイシンリンにいり、復照二青苔上一またセイタイのうえ(へ)をてらす。↓夕日の光が深い林の中に差し込んで、さらに緑のこけの上を照らしている。

【返顧】ヘンコ ふりかえりみる。反顧。

【返魂香】ハンゴンコウ・ヘンゴンコウ 香料の名。これをたけば、死んだ人の霊魂を呼びもどせるという。反魂香。

【返章】ヘンショウ 返事の手紙。返簡。返書。

【返照】ヘンショウ ①光が照りかえす。②夕ばえ。返景。

【返点(點)】かえ(へ)りテン 国漢文を訓読するときに漢字の左下につける記号で、下の字から上の字へかえって読むことをあらわす。⇩コラム 訓点(一三〇六ページ)。

【返付】ヘンプ かえしわたす。もどす。還付。

【返報】ヘンポウ ①しかえし。むくい。②国返事。返答。

【返命】ヘンメイ 命令を受けたことの結果を報告すること。復命。

【返礼(禮)】ヘンレイ 国①受けた礼にむくいるお礼。②贈られた品に対し、お礼として贈る品。

【返戻】ヘンレイ 国かえすこと。もどすこと。

【返路】ヘンロ かえりみち。帰途。帰路。

4 【迚】 8画 12039 国字 7773 E789 —

字義 ❶とて-も。㋐とうてい。どうしても。㋑非常に。❷…とて。㋐…といって。さりながら。㋑…と思って。㋒…として。

解字 会意。辶(辵)+中。途中まではともかく、しまいまではとても行きつけないの意味から、「とても」と読ませる。

4 【𨑕】 8画 12040 国字 2 8978 EE97 —

字義 𨑕町そりまちは、長野県の地名。

5 【迤】 9画 12041 イ 紙 yǐ 1 9252 — 6535

[迆] 12008 同字

字義 ❶ななめに行く。❷ななめにする。❸ななめに連なり続くさま。

解字 篆文 形声。辶(辵)+㐌(也)音。音符の也ヤは、くねるの意味。くねって行く、ななめに行くの意味を表す。

【迤迤】イイ 連なり続くさま。長々と続くさま。

【迤邐】イリ ①連なり続くさま。②あっちに行ったり、こっちに行ったりしながら、ななめに行くさま。

5 【迱】 9画 12042 一 漢タ・呉ダ 歌 tuó 二 イ 支 yí 2 8984 — 6538

字義 一 逶迱イイは、斜めにゆくさま。二 委迱イイは、ゆったりと落ち着くさま。委蛇イイ。

解字 形声。辶(辵)+它音。

5 【迦】 9画 12043 人 標 漢カ 呉ケ 麻 jiā 1864 89DE —

筆順 フ カ カ 加 加 加 迦 迦 迦

[迦] 12044 俗字

字義 梵語ボンゴのカの音を表す字。「釈迦シャカ」「迦陵頻伽カリョウビンガ」

名前 か・け

解字 形声。辶(辵)+加音。

【迦葉】カショウ 仏釈迦の十人のすぐれた弟子の一人。梵語ボンゴ Mahākāśyapa の音訳である「摩訶迦葉波マカカショウハ」の略。釈迦の死後、仏教界の長老となった。

【迦比羅・迦毘羅・迦毗羅】カビラ 仏昔、北インドの釈迦一族の国。また、その首都。釈迦の誕生地。今のネパールのタライ地方。

【迦藍】ガラン 仏てら。僧舎。伽藍ガラン。

【迦陵頻伽】カリョウビンガ 仏梵語 kalaviṅka の音訳。極楽にいるという想像上の鳥の名。女性の顔に似ていて、声が最も美しいとされている。好声鳥。美音鳥。〔正法念経〕

5 【迦】 8画 12044 カ 迦(12043)の俗字。→一四〇八ページ下。

5 【迓】 9画 12045 ガ 迓(12026)の俗字。→一四〇六ページ下。 2 8981 — 6531

5 【迥】 9画 12046 漢ケイ 呉ギョウ(ギャウ) 迥 jiǒng 7774 E78A —

[逈] 12068 俗字

字義 はる-か(遥ヨウ)。遠い。

解字 篆文 形声。辶(辵)+冋音。音符の冋ケイは、はるか遠い野外の意味。辵を付し、道程のはるか遠いの意味を表す。

【迥遠】ケイエン はるかに遠い。

【迥迥】ケイケイ はるかなさま。遠いさま。

【迥然】ケイゼン はるかなさま。遠いさま。

【迥抜】ケイバツ 高くぬきんでる。

【迥遼】ケイリョウ はるかに遠い。寥遠リョウエン。迥遠。

5 【迮】 9画 12047 一 漢サク・呉シャク 陌 zé 二 サク 薬 zuò 1 9254 — 6537

字義 一 ❶たつ。おこる。＝作(254)。❷せまる。❸たちまち。にわか。＝乍(76)。

解字 形声。辶(辵)+乍音。

5 【迹】 9画 12048 ジ 邇(12240)の俗字。→一四二七ページ上。

5【迩】8画 12049 ジ　邇(12240)の俗字。→一四三七ページ上。
3886 93F4 —

5【述】8画 12050 教5 ジュツ のべる　漢シュツ・呉ジュチ 慣ジュツ 質 shù
5〔述〕9画 12051
2950 8F71 —

筆順 一 十 才 木 朮 朮 沭 述

字義 ❶したがう。❷の-べる。のぶ。㋐かたる(語)。いう。「陳述」㋑受けついで明らかにする。「祖述」㋒思うところを文章に表ししるす。㋓ときあかす。説明する。❸のべたもの。記録。言説。❹文体の名。人の言行を記した文。

名前 あきら・とも・のぶ・のぶる・のり

解字 金文 篆文 形声。辶(辵)+朮(朮)音。音符の朮は、もちきびの穂の象形。もちきびの穂の実が整然と並び続くさまから、先人の言行を受け継ぐの意味を表す。

逆 記述・供述・紹述・詳述・叙述・祖述・著述・陳述・編述・略述・論述

【述懐(懷)】ジュッカイ　自分の思いをのべる。言志。
【述語】ジュツゴ　国文の成分の一つ。主語についてその動作・状態・性質などを説明する語。↔主語(四〇ページ下)。
【述作】ジュッサク　①先人の言説をのべ伝えることと、新しい説をはじめてつくること。用例〔論語、述而〕述而不レ作、信而好レ古。↓(古いことに基づいて)述べて創作はせず、その古いことを正しいと信じて愛好している。②本などを出す。著述。
【述職】ジュッショク　昔、中国で諸侯が天子に拝謁して、自分の職務について報告すること。
【述製】ジュッセイ　詩文をつくる。
【述奏】ジュッソウ　天子に申し上げる。

5【迠】9画 12052 ショウ 薬 chè
2 8983 — 6533
字義 ❶ゆく(行)。❷飛ぶさま。国まで。迄(12013)の誤字。
解字 形声。辶(辵)+占音。

5【迣】9画 12053 セイ 霽 chì, ③zhì
— — 6534
字義 ❶さえぎる。また、先払いする。❷渡る。❸越える。
解字 形声。辶(辵)+世音。

5【迨】9画 12054 漢タイ 呉ダイ 賄 dài
1 9253 — 6536
字義 ❶およぶ。いたる(至)。また、まで。❷ねがう(願)。
解字 形声。辶(辵)+台音。

5【迢】9画 12055 漢チョウ(テウ) 呉ジョウ(デウ) 蕭 tiáo
7775 E78B —
字義 はるか。遠い。
解字 篆文 形声。辶(辵)+召音。音符の召は、超に通じ、こえるの意味。ある線をとびこえて、とおい・たかいの意味を表す。

【迢迢】チョウチョウ　①高いさま。②はるかなさま。遠いさま。用例〔文選、古詩十九首、其十〕迢迢牽牛星、皎皎河漢女。↓天の川を隔ててはるかかなたの彦星と、明るく輝く織女星。③うらみなどがながく絶えないさま。④夜のふけてゆくさま。
【迢遰(遞)】チョウテイ　①はるかに遠い。②高いさま。
【迢遥(遙)】チョウヨウ　遠くはるかなこと。

5【迪】8画 12056 人 漢テキ 呉ジャク(ヂャク) 錫 dí
5〔迪〕9画 12057
7776 E78C —

筆順 丨 口 巾 由 由 由 油 迪

〔廸〕3267 俗字

字義 ❶みち。㋐道路。㋑道徳。❷みちびく。教え導く。「啓迪」❸すすむ(進)。❹よる(由)。❺いたる(至)。❻ふむ(踏)。

名前 すすむ・ただ・ただし・ただす・ひら・ふみ・みち

解字 篆文 形声。辶(辵)+由音。音符の由は、経ていくの意味。人が通っていくみちの意味を表す。

5【迭】8画 12058 常 テツ　漢テツ 呉デチ 屑 dié
5〔迭〕9画 12059
3719 9352 —

筆順 ノ 𠂉 𠂊 牛 失 失 迭 迭

字義 ❶か-わる。かはる。かえる。「更迭」❷かわるがわる。たがいに。❸通りすぎる(過)。❹犯す。❺にげる。

解字 篆文 形声。辶(辵)+失音。音符の失は、それるの意味。一定の道からそれていく、かわるの意味を表す。

逆 更迭

【迭起】テッキ　かわるがわるおこる。迭興。
【迭次】テツジ　しばしば。たびたび。ときどき。
【迭代】テツダイ　①つぎつぎと入れかわる。②かわるがわる世を受けつぐ。

5【迯】9画 12060 トウ　逃(12078)の俗字。→一四二三ページ下。
7777 E78D —

5【迫】8画 12061 常 ハク せまる　漢ハク 呉ヒャク 陌 pò
5〔迫〕9画 12062
3987 9497 —

筆順 ノ 亻 亻 白 白 白 泊 迫

〔廹〕3268 同字

字義 せま-る。㋐ちかづく。「近迫」㋑せばまる。せまくなる。ちぢまる。㋒さしせまる。せっぱつまる。また、ゆきづまる。「切迫」「緊迫」「窮迫」㋓おしつける。強制する。また、おどしつける。おびやかす。「圧迫」「脅迫」国❶せり。舞台の一部を切り抜き、上下させるようにした装置。役者や大道具のせり出しなどに用いる。❷さこ。谷。山のはざま。

名前 せり・とお　難読 迫間・迫水・迫川・迫田

解字 篆文 形声。辶(辵)+白音。音符の白は、薄に通じ、うすくぴったりつくの意味。せまるの意味を表す。

逆 圧迫・急迫・窮迫・強迫・脅迫・緊迫・切迫・促迫

【迫害】ハクガイ　しいたげる。力でおさえいじめる。
【迫急】ハッキュウ・ハクキュウ　きびしくせまる。急迫。
【迫遽】ハッキョ・ハクキョ　あわてる。あわてふためく。
【迫劫】ハッキョウ・ハクキョウ　せまりおびやかす。迫恐。
【迫脅】ハッキョウ・ハクキョウ　①せまりおどす。②土地がせまい。③押し合う。
【迫近】ハクキン　せまり近づく。
【迫撃(擊)】ハクゲキ　近づいて撃つ。肉迫して攻撃する。
【迫蹙・迫蹵】ハクシュク　せまり苦しめる。圧迫する。
【迫切】ハクセツ　さしせまる。切迫。
【迫促】ハクソク　せまる。ちぢまる。促迫。逼迫。
【迫力】ハクリョク　国ひしひしとせまってくる力。緊迫感。

6【迻】10画 12063 イ 支 yí
2 8986 — 6541
字義 うつる。うつす。＝移(8471)。
解字 形声。辶(辵)+多音。

6【迴】10画 12064 カイ　廻(3269)と同字。→四八二ページ上。
7779 E78F —

6【适】10画 12065 漢カツ(クワツ) 呉カチ(クワチ) 曷 kuò
2 8987 — 6543

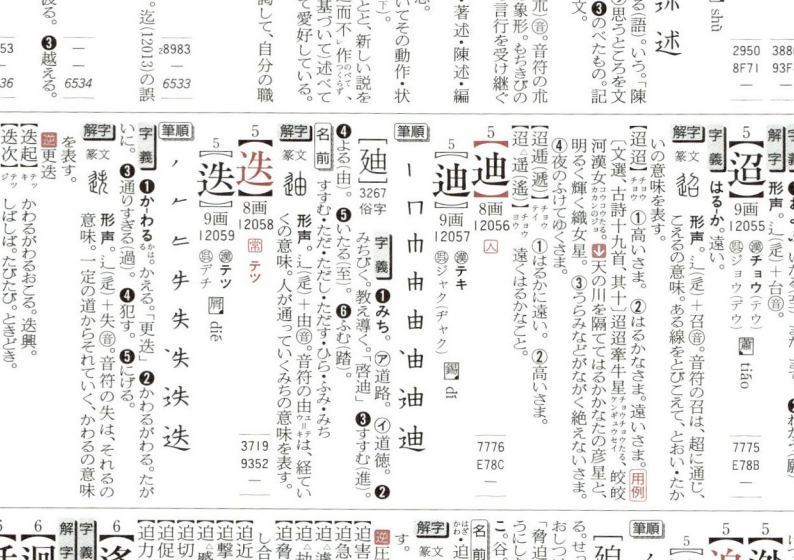

字義 ❶はや-い。すみやか。❷人名。南宮适は、魯の人。孔子の弟子。南宮括とも書く。
解字 形声。辶(辵)＋舌(昏)音。

6 【逆】 9画 12066 教 5 ギャク さか・さか-らう
6 〖逆〗 10画 12067 漢ゲキ 呉ギャク 陌 nì
2153 8B74 ―

筆順 丶 丷 䒑 屰 屰 屰 逆 逆

字義 ❶さか-らう。↕順(13436)。㋐そむく。もとる。用例〔礼記、祭儀〕父母有レ過、諫而不レ逆。↓父母に過ちあれば、諫めはするがそむきはしない。／〔史記、廉頗藺相如伝〕以二一璧之故一、逆二彊秦之驩一、不可。↓たった一つの璧のために、強国秦の友誼を損ねることは、よろしくありません。
㋑たがう。物の道理にそむく。
❷むか-える。㋐出迎える。待ちうける。用例〔左伝、隠公四〕衛人逆二公子晋于邢一。↓衛の人は公子晋を邢から迎え入れた。
㋑むかえうつ。迎撃する。用例〔資治通鑑、漢紀〕将レ兵与レ備幷レ力逆レ操。↓兵士を率い劉備と協力して曹操を迎撃させた。

㋒受ける。受け入れる。いただく。用例〔史記、蘇秦伝〕以二有レ尽之地一而逆二無レ已之求一。↓限りある領土をもって限りない要求を受ける。

㋓はかる。予想する。用例〔論語、憲問〕不レ逆レ詐、不レ億レ不レ信。↓だまされないかとあらかじめ考えず、信用されないかと心配もしない。
❸あらかじ-め。まえもって。用例〔後漢書、班超伝〕逆遣二吏田慮先往降一レ之。↓まえもって役人の田慮を先に行かせ降伏させようとした。
❹こば-む。しりぞける。用例〔三国魏、曹植、当下欲レ游二南山一行上〕五岳雖二高大一、不レ逆二垢与一レ塵。↓五岳は高くそびえて大量の土砂を持ちながら、垢や塵がさらにつくのを拒んだりしない。
❺よこしま(邪)。つみ(罪)。謀反。悪人。反逆者。用例〔後漢書、蘇竟伝〕主二退レ悪攘一レ逆。↓悪人をしりぞけ罪をなくすことをつかさどる。
❻さか-さま。順序・方向・位置などが反対であること。用例〔孟子、滕文公下〕当二堯之時一、水逆行、氾二濫於中国一。↓堯の時には、(河川が下流で塞がって)水が逆流し、至る所で水があふれひろがった。

国さか。さかさ。さかさま。「逆木」
名前 さか 難読 逆上せる・逆茂木
解字 甲骨文 金文 篆文 形声。辶(辵)＋屰音。音符の屰は、人のさかさまの形にかたどる。さからうの意味を表す。また、迎に通じ、むかえるの意味をも表す。

逆 悪逆・順逆・大逆・背逆・反逆・目逆

【逆意】(ギャクイ) ①人の心持ちにさからう。反抗する。②謀反の心。反心。逆心。

【逆△溢】(ギャクイツ) 川などがさかさまに流れあふれる。

【逆縁】(ギャクエン) ↕順縁(一五五四ページ下)。仏①親が子より生きながらえ、老人が若者より長生きして、その弔いをするようなめぐり合わせ。②悪事がきっかけとなって仏道に入ること。③縁のない者が何かのついでに死者を弔うこと。④あらかじめ死後のために仏に縁を結んでおくこと。

【逆回】(ギャッカイ) さかさまに回る。

【逆境】(ギャッキョウ) 思うようにならない境遇。不幸なめぐりあわせ。〔宋史、羅点伝〕↕順境(一五五四ページ下)。

【逆計】(ギャッケイ) ①そむくはかりごと。謀反の計画。②予測する。

【逆行】(ギャッコウ) ①さかさまに行く。反対に行く。〔孟子、滕文公下〕②道理にもとった行い。↕順行(一五五四ページ下)。

【逆詐】(ゲキサ) 他人があざむいていないのに、信じないであざむくであろうと疑うこと。〔論語、憲問〕

【逆罪】(ギャクザイ) 反逆の罪。

【逆施】(ギャクシ・ゲキシ) さかさまに行う。道理が普通と反対になる。

【逆耳】(ギャクジ) ＝逆レ耳(一一六九ページ下)。

【逆事】(ギャクジ) 道理にさからった良くないこと。

【逆取順守】(ギャクシュジュンシュ) 天下を取る時には道にそむいた方法を用い、天下を守る時は道に従う。

【逆△豎】(ギャクジュ) 道にさからう悪人。人をさげすみののしっていう。豎は、小僧。

【逆襲】(ギャクシュウ) 国攻撃されていたものや負けていたものが、急に攻勢に転じ、相手を攻撃すること。

【逆順】(ギャクジュン) ①さからうことと、したがうこと。②逆境と順境。③逆の順序。

【逆上】(ギャクジョウ) 国のぼせること。のぼせあがること。

【逆心】(ギャクシン) 謀反の心。そむく心。

【逆臣】(ギャクシン) 君にそむくけらい。謀反人。

【逆政】(ギャクセイ) 悪い政治。道理にそむいた政治。

【逆接】(ギャクセツ) ①むかえうつこと。②文の前後が順当に接続しないで、反対の意味となって接続すること。「視而不レ見」「而」の類い。↕順接(一五五六ページ上)。

【逆説】(ギャクセツ) 一 ①主義や意見の反対の議論。異論。②矛盾しているようで、よく考えると矛盾していない説。「急がば回れ」の類い。

【逆賊】(ギャクゾク) 君にそむく悪者。謀反人。

【逆転(轉)】(ギャクテン) 形勢や方向が今までと反対になること。また、上下がさかさまになること。

【逆徒】(ギャクト) 謀反人。悪者ども。

【逆△睹・逆△覩】(ギャクト・ゲキト) 前もって見通しをつける。

【逆徳】(ギャクトク) 道理にそむいた行い。〔史記、越王句践世家〕

【逆風】(ギャクフウ) 向かい風。↕順風(一五五六ページ上)。

【逆謀】(ギャクボウ) 謀反のはかりごと。

【逆名】(ギャクメイ) 一 反逆者であるという名。二(ギャクミョウ) 仏生前につけておく死後の戒名。

【逆命】(ギャクメイ) ①命令を受ける。②命令にさからう。

【逆用】(ギャクヨウ) 国ある目的で行っていることを、それとは反対の目的に利用すること。

【逆流】(ギャクリュウ) 一 ①流れをさかのぼる。②水がさかさまに流れる。また、その流れ。二(ギャクル) 仏生死の流れにさからい、さとりの道に向かい進むこと。

【逆旅】(ゲキリョ) ①やどや。旅館。▼逆は迎、旅人を迎える意。用例〔唐、李白、春夜宴二桃李園一序〕天地者万物之逆旅、光陰者百代之過客。↓天地というものは万物の宿屋のようなものであり、月日というものは永遠の旅人のようなものである。②国とどまること。滞在。

【逆虜】(ギャクリョ) 道にさからう悪人。人をののしって言う。逆豎。▼虜は、下僕(しもべ)、また、蛮人。

【逆△鱗】(ゲキリン) 天子の怒り。鱗は、うろこ。竜のあごの下に、さかさに生えたうろこが一枚あり、それにさわると、竜は怒ってその人を殺すという伝説によって、竜を天子にたとえていう。天子や目上の人の怒りにあうことを、「逆鱗に触れる」などという。〔韓非子、説難〕

【逆浪】(ギャクロウ・ゲキロウ・さかなみ) さかまく波。

6 【迵】 10画 12068 ケイ
9255 ― 6545
迥(12046)の俗字。→一四〇八ページ下。

6 【逅】 10画 12069 漢コウ 呉グ 宥 hòu
7780 E790 ―

字義 邂逅は、㋐出会う。ふとめぐり会う。㋑うちとけるさま。
解字 篆文 形声。辶(辵)＋后音。音符の后は、遘に通じ、あうの意味。

6【迹】10画 12070 ㊥セキ・㊢シャク 陌 jì ㊝ジャク 7781 E791 一

字義 ❶あと。=跡(11713)。㋐あしあと。「足迹」㋑あゆみ。ゆきき。「人迹」㋒おこない。行為。「行迹」㋓いさお。事業。功績。また、ほまれ。名声。「治迹」「名迹」㋔かつて建物・事件などのあった所。「旧迹」「遺迹」㋕すべて、行為のあった後に残されたしるし。あとかた。「事迹」「痕迹」「筆迹」 ❷あとづける。㋐事実によって考える。㋑追いかけたずねる。㋒継ぎ守る。

解字 金文 篆文 形声。辶(辵)+亦㊥。音符の亦は、つみ重ねるの意味。積み重ねられた足あとの意味を表す。

【遠レ迹】あとをとお(ほ)ざく 遠くへ逃げる。

【匿レ迹】あとをかくす 足跡をかくす。かくれて世に出ないこと。滅レ迹あとをメッす。

【不レ践(踐)レ迹】あとをふまず 前人のおこないに従わないで、自分の考えのままにおこなう。〔論語、先進〕

【欲レ滅レ迹△而走二雪中一】あとをメッせんとほっしてセッチュウをはしる 足跡を消そうとして、雪の中を走る。おこないがその目的と反対であることのたとえ。〔淮南子、説山訓〕

6【送】9画 12071 教3 ソウ おく-る 3387 9197 一

6〖送〗10画 12072 ソウ 送 sòng

筆順 丶 ソ 㐅 丷 关 关 关 送 送 送

字義 ❶おく-る。㋐おくりやる。おくり届ける。「送付」㋑人の行く後を見送る。↔迎(12030)。㋒物を人に与える。やる。 ❷おくり。㋐おくり物。はなむけ。㋑見おくり。 国 おく-る。㋐暮らす。㋑送りがなをつける。

使いわけ おくる〔送・贈〕
「心をこめて与える」「金品や称号などを与える」の意で〔贈〕を用いる以外は、広く一般に〔送〕を用いる。「花束を贈る・勲章を贈る」「見送る・送り状」

解字 篆文 会意。辶(辵)+关(灷)。灷は、両手で物をおしあげる形にかたどる。物をささげるようにしておくるの意味を表す。

逆 押送・護送・葬送・逓送・拝送・目送・輸送

【送宴】ソウエン 送別の宴会。

【送仮(假)名】おくりがな 国①漢文を訓読するとき、漢字の右下に、その字の活用語尾、または助詞などを書きそえる片かな。捨てがな。⇩コラム 訓点(一三〇六ページ)。②漢字の読み方を明らかにし、誤読のないようにするために、漢字の下につけるかな。

【送還】ソウカン 送り返す。送却。

【送迎】ソウゲイ 行く人を送り、来る人を迎える。また、送り迎え。

【送終】ソウシュウ 死者を葬送する。

【送葬】ソウソウ のべおくり。死者を墓・火葬場に送って行くこと。

【送△竈】ソウソウ 陰暦十二月二十三日、かまどの神を祭る行事。⇩コラム 年中行事(四六五ページ)。

【送達】ソウタツ 物を送りとどける。送致。

【送別】ソウベツ 旅や他所に行く人を見送ること。

6【退】9画 12073 教6 タイ しりぞ-く・しりぞ-ける 3464 91DE 一

6〖退〗10画 12074 一 ㊥タイ・㊢ツイ 隊 tuì 二 トン 願 熟字訓 立ち退く

筆順 ㇇ ㇌ 彐 艮 艮 艮 艮 退 退 退

字義 一 ❶しりぞ-く。の-く。㋐しさ-る。すさ-る。後へさがる。あとじさる。「後退」㋑帰る。もどる。また、ど-く。さがる。まかりでる。「退出」㋒ひく。身を引く。やめる。権利・官職などを辞する。「辞退」「退職」㋓へる。「減退」㋔おとろえる。「衰退」㋕しりごみする。ひっこむ。消極的になる。用例 ⇩ 冉求〔論語、先進〕求也退、故進レ之(ゆえ(ゑ)にこれをすすめたり)。は、消極的で遠慮がちであるから、これを押し進めてやったのだ。 ❷しりぞ-ける。の-ける。ど-ける。㋐とおざける。㋑おいはらう。「撃退」㋒さげる。おとす。官位などをおとす。 二 あせる。色がさめる。=褪(10951)。

名前 たい・のき

参考 現代表記では〔頽〕(13473)・〔褪〕(10951)の書きかえに用いることがある。「衰頽→衰退」「頽勢→退勢」「頽廃→退廃」「褪色→退色」

解字 篆文 会意。篆文は、彳+日+夂。彳は、道の象形。日は、食の省形で、たべもの・食事の意味。夂は、足あとの下向きになった形にかたどり、しりぞくの意味。むかし役人が役所からしりぞいて家に帰り、食事をするさまから、しりぞくの意味を表す。後や復の字形と似た部分があるが、彳は、のちに辶(辵)となった。

逆 引退・隠退・撃退・謙退・減退・辞退・進退・脱退・撤退・敗退・勇退

【退院】タイイン ①僧が居住していた寺院をたちのくこと。②国入院患者が病院を引きあげること。

【退隠(隱)】タイイン ①しりぞきかくれる。世間との交際をたつ。②つとめをやめて、自由の身となる。

【退△嬰】タイエイ あとへひく。ひきこみがちなこと。消極的なこと。↔進取(一四三〇ページ下)。

【退化】タイカ ①進歩していたものが、それ以前の状態にもどること。②生物のある器官または組織が、おとろえたりなくなったりすること。↔進化(一四三〇ページ下)。

【退間】タイカン 官をやめ世俗をはなれて静かに生活する。退職間居。

【退却】タイキャク 戦争やスポーツで、負けてあとへひきしりぞく。

【退屈】タイクツ ①しりぞくこと。②物事にあきる。③国ひまで困ること。

【退紅】タイコウ 薄いさめた感じの紅色。うす桃色。褪紅。

【退散】タイサン たちのき去る。逃げ去る。

【退治】タイジ 敵や害を与えるものをうちほろぼす。

【退出】タイシュツ まかる。ひきさがって帰る。

【退譲(讓)】タイジョウ へり下って他人に譲る。

【退色】タイショク 色がさめる。色あせる。また、その色。褪色。

【退食】タイショク 朝廷から家に帰って食事をする。官吏が家に帰ること。一説に、膳を減らすこと。〔詩経、召南、羔羊〕

【退勢】タイセイ おとろえくずれた勢い。衰勢。頽勢。

【退蔵(藏)】タイゾウ ①しりぞきかくれる。用例〔易経、繫辞上〕退二蔵于密一。⇩(易の理を知って)幽深の境地にしりぞき、静かに隠れて動かない。②物品をかくして、しまっておく。

【退朝】タイチョウ 朝廷から退出する。

【退廷】タイテイ 朝廷や法廷などから退出する。

【退転(轉)】タイテン ①仏仏道修行している人が、中途で志がくじけて転落すること。↔不退転(三〇ページ上)。②おちぶれて他に移ること。③移り変わって悪くなること。

【退任】タイニン 役目をやめる。

【退敗】タイハイ 戦いにやぶれてしりぞく。敗退。

【退廃(廢)】タイハイ 勢いがおとろえてすたれること。頽廃。

【退避】タイヒ ①しりぞいて危険をさける。②引退する。◈「退避」も「待避」も危険を避けて一時どくこと。ただ、退くか、待つか、使い分けに紛らわしい場合が多く、現代では、鉄道関係に「待避」を用いる以外、ほとんど「退避」を用いる。「待避線」「退避命令」

【退歩】タイホ ①あともどりする。②以前の状態より悪くなる。↔進歩(一四三一ページ上)。

【退老】官をやめて隠居する。

6【迺】10画 12075 漢ダイ 呉ナイ 賄 nǎi 7782 E792

［廼］3271 俗字

字義 ＝乃(63)。❶すなわち。❷なんじ。おまえ。❸はじめて。国の。＝乃(63)。

6【追】9画 12076 教3 ツイ おう 一漢ツイ 支 寘 zhuī 二漢タイ・呉ツイ 灰 duī 3641 92C7

6［追］10画 12077

解字 形声。西＋辶(乃)音。

筆順 ′ 亻 户 户 𠂤 𠂤 追 追 追

字義 一❶おう。㋐おいかける。おいまわす。「追跡」㋑おいはらう。おいのける。㋒あとをしたう。また、過去にさかのぼる。「追随」「追懐」㋓おくる。見送る。㋔たずね求める。「追究」㋕おいつく。およぶ。用例〔論語、微子〕来者猶可レ追。↓これからやってくることはまだ間に合う。㋖救う。おぎなう。❷おって(追っ手)。二❶みがく。玉を磨く。❷つり鐘のかけひも、また、竜頭。

難読 追而・追儺・追波・追浜・追風・追良瀬

解字 甲骨文  金文  篆文 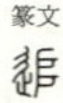 会意。辶(辵)＋𠂤音。𠂤は神にそなえる肉の象形。肉をそなえて祭り、祖先をしたうの意味を表す。

逆 急追

【追遠】①祖先を思いしのぶ。祖先の祭りを丁寧に行う。用例〔論語、学而〕慎レ終追レ遠。↓親を手厚く葬り、祖先の祭りを丁寧に行う。②昔のことを思う。

【追王】死後に王の称号を贈ること。

【追憶】過ぎ去ったことを思いしのぶ。追想。

【追悔】あとで悔いること。

【追懐(懷)】過去のことを思い出してなつかしむ。

【追感】過去のことを思って、心に感ずる。

【追記】あとから書きしるす。また、その文。追録。

【追及】追いつく。また、追いつめる。「責任を追及する」→追求。

【追求】①追いかけてさがす。②どこまでも追いかけて求める。「利潤の追求」◆「追及・追求・追究」はともに、追いかける、追いつめる意であるが、「追及」は逃げるものを追いつめる、「追求・追究」はほしい物を手に入れようと追いかけもとめる意である。一般に、その追いかける物が、利益や快楽である場合は「追求」、真実や本質のように、未知のものである場合は「追究」と使い分ける。

【追究】事実の不明なもの、不正なものをどこまでもたずねきわめる。おしきわめる。「真理の追究」→追求。

【追撃(擊)】逃げていく敵を追いかけてうつ。

【追孝】死んだ父母の霊によく仕え、とむらって、死後の孝養をつくすこと。

【追号(號)】王者などが、死者に後から称号をつける。また、その称号。

【追諡】死後に贈る名。おくりな。

【追従(從)】一後につきしたがって行く。追随。二国人にこびへつらうこと。おもねり。

【追叙(敍)】①昔がたりをする。②国死後、官位を贈る。

【追称(稱)】死後、その人の善行をほめたたえる。

【追頌】死後、その人の善行をほめたたえる。

【追蹤】①あとを追いかける。②旧事をたずねる。③昔のことを思い出す。

【追躡】あとをつけて追いかける。追跡。

【追伸・追申】国手紙などで、あとからつけ加える文章の初めに書くことば。◆「追申」が本来の用字であるが、現代日本ではほとんど「追伸」が用いられている。

【追随(隨)】①あとについてゆく。追従。②恋いしたう。

【追惜】死後、その人をおしむ。

【追跡・追迹】あとをつけて追いかける。

【追善】仏①死者の冥福を祈って、その善事・善徳を慕い追想すること。②死者の命日などにおこなう供養のための仏事。

【追訴】最初に訴えたことに追加してうったえること。

【追想】過ぎ去った事がらを思い出すこと。

【追贈(贈)】①死後に官位などを贈る。↕追貶。②子孫からその父祖に尊称を贈る。

【追尊】死者の子である人の身分に応じて、その亡父または亡祖に対して尊号を贈ること。

【追琢】金属や玉石をみがく。

【追逐】①にげるのを追う。②たがいにきそいあう。③連れだって酒などを飲む。

【追弔】死後、大分たってからその人をとむらう。

【追徴】追加や不足額のとりたて。

【追討】一おいかけて攻めうつ。おいうち。二国人をさし向けて討ちとること。

【追悼】死者のことを思っていたみ悲しむ。

【追儺】国おにやらい。悪鬼を追い払う儀式。儺は、疫病を追いはらう意。大みそかに行い、節分の豆まきは、そのなごり。

【追認】過去にさかのぼって事実を認めること。

【追攀】助け合う。▼攀は、縁故をたどること。

【追美】死者をあとからほめる。追称。

【追福】仏＝追善。

【追貶】死後、生前の位階を取り上げる。↕追贈。

【追捕】一追いかけて捕らえる。二国①悪人を追いかけて捕らえること。②土地や財産などを取り上げる。

【追慕】死者または遠く去った人を恋いしたう。

【追放】①追いはらう。放逐。②国㋐武家時代の刑罰の一つ。罪人を一定区域外に追い払うこと。㋑ある種の職業や一定の区域などから追い出すこと。㋒公職から、不適当な人物を退かせること。パージ。

【追和】古人の詩に対して、後世の人が和すること。

6【逃】9画 12078 常 トウ にげる・にがす・のがす・のがれる 漢トウ(タウ)・呉ドウ(ダウ) 慣チョウ(テウ) 豪 táo 3808 93A6

6［逃］10画 12079

筆順 ノ ﾉ 扌 兆 兆 兆 洮 逃 逃

［迯］12060 俗字

字義 ❶のがれる。にげる。㋐走り去っていなくなる。「遁逃」㋑さける(避)。つかまらないようにさけ去る。㋒去る。身をひいてたち去る。去りかくれる。㋓まぬかれる。危険・責任などをまぬかれる。用例〔人虎伝〕偶因二狂疾一成二殊類一災患相仍不レ可レ逃。↓思いがけず気がふれたことでけだものになりはて、重なり合う災難は逃れるすべもなかった。❷のがす。にがす。❸まじろぐ。ひとみが動く。

解字 篆文  形声。辶(辵)＋兆音。音符の兆は、うらないのときに現れるわれめの象形で、はじきわかれるの意味を表す。すすむの意味の辵を付し、わかれ去る、にげるの意味を表す。

【逃隠(隱)】にげてかくれる。姿をかくす。

【逃散】一一斉ににげ去る。ばらばらににげる。二国農民一揆で、農民が集団で他領に移転すること。

【逃竄】にげかくれる。

【逃世】世をのがれる。隠居して世間と交わらないこと。

【逃禅(禪)】浮世をのがれて禅に入る。僧の生活をする。一説に、禅をのがれること。また、酒を飲んで仏戒にそむくこと。〔唐、杜甫、飲中八仙歌〕

【逃匿】(トウトク) にげかくれる。〔孟子、滕文公上〕
【逃難】(トウナン) 難をさける。災害からのがれる。避難。
【逃亡】(トウボウ) にげうせる。にげて姿をかくすこと。
【逃奔】(トウホン) のがれ走る。逃走。
【逃名】(トウメイ) 名誉をさけて求めない。

6 【迵】 10画 12080 漢トウ 呉ドウ 送 東 dòng ₂8985 — 6539
字義 ❶とおる(通)。達する。❷すぎる(過)。
解字 形声。辶(辵)+同音。

6 【迸】 10画 12081 ホウ 迸(12142)の俗字。→一四三一ジ中。 7794 E79E —

6 【逄】 10画 12082 漢ホウ(ハウ) 呉ボウ(バウ) 江 páng
字義 ❶ふさぐ。❷会う。
解字 形声。辶(辵)+夆(夆)音。

[逄] 12120 俗字

6 【迷】 9画 12083 教5 メイ まよう 熟字訓 迷子(まいご) 4434 96C0 —

[迷] 10画 12084 漢ベイ・呉マイ 慣メイ 斉 mí

筆順 、 ソ 丷 半 米 米 氺 迷 迷

字義 ❶まよう。㋐道をまよう。わき道にさまよう。㋑まどう。良い悪いの判断がつかない。決断がつかない。「昏迷(コンメイ)」㋒ぼんやりする。「低迷」❷まよわす。人の心をくるわす。❸まよい。国メイ。すじが通らない。「名(メイ)」をもじって、「名文」に対して「迷文」のように用いる。

名前 めい 難読 迷子(まいご・まよいご)

解字 篆文 形声。辶(辵)+米音。音符の米は、多くのものの意味。道が多すぎて、まようの意味を表す。

逆 頑迷・混迷・低迷
【迷界】(メイカイ) 仏迷いの世界。すなわち、この世。浮世。

【迷宮】(メイキュウ) ①中にはいると出口がわからなくなるように造った建造物。②国事件が複雑で容易に判断・解決などができないこと。

【迷執】(メイシュウ) 仏迷った執念。迷った心で物事にこだわること。

【迷信】(メイシン) ①科学的根拠のないことを信ずること。②健全でない宗教を信じること。

【迷津】(メイシン) ①わたし場の所在をふみまよう。②方向に迷う。③仏衆生(シュジョウ)が迷い苦しむ三界六道(サンガイリクドウ)をいう。三界は、欲界・色界・無色界。六道は、地獄・餓鬼・畜生・修羅(シュラ)・人間・天上。

【迷途】(メイト) 一道に迷う。処生の道に迷う。二(メイズ(ヅ)) 仏迷いの世界。

【迷夢】(メイム) 心のまよい。夢のようなとりとめもない考え。

【迷妄】(メイモウ) 心のまよい。心がまどいくらむ。

【迷△罔】(メイモウ) ①まよわしくらます。②心がみだれてくらむ。

【迷離】(メイリ) ぼんやりすること。模糊(モコ)。

【迷路】(メイロ) 方角や出口がわかりにくく迷いやすい道。

【迷惑】(メイワク) ①道に迷う。②心がまよいまどう。③国やっかいなめにあって困る。

6 【逌】 10画 12085 漢ユウ(イウ) 呉ウ 宥 yòu — — 6540
字義 行く。
解字 形声。辶(辵)+有音。

6 【迾】 10画 12086 漢レツ 呉レチ 屑 liè — — 6542
字義 ❶さえぎる(さへぎる)。とどめる。❷はらう。道すじを払い清める。
解字 篆文 形声。辶(辵)+列(列)音。音符の列(レツ)は、束(レン)に通じ、とじこめるの意味。道をふさぎとじこめるの意味から、さえぎるの意味を表す。
【迾卒】(レッソツ) 天子の通る道を清める兵卒。

7 【逘】 11画 12087 一漢ギ・呉ゲ 尾 yǐ 二漢シ・呉ジ 紙 sì — — 6547
字義 一進む。二待つ。
解字 形声。辶(辵)+矣音。

7 【逑】 11画 12088 漢キュウ(キウ) 呉グ 尤 qiú 7783 E793 —
字義 ❶つれあい(つれあひ)。たぐい。夫、また、妻。配偶者。「好逑」❷あう(合)。たぐう。❸あつめる。あつまる。＝鳩(14186)。
解字 篆文 形声。辶(辵)+求音。音符の求は、分散していたものが一点に集まるの意味。辵は、すすむの意味。一つの所にあつまるの意味を表す。また、もとめあう相手、つれあいの意味を表す。

7 【逛】 11画 12089 一漢キョウ(キャウ) 呉コウ(クワウ) 養 guàng 二漢キョウ(キャウ) 呉コウ(クワウ) 漾 kuàng — — 6548
字義 一❶走る。走るさま。❷遊ぶ。ぶらぶら歩く。二あざむく。
解字 形声。辶(辵)+狂音。

7 【逕】 11画 12090 ケイ 径(3401)と同字。→五〇三ジ上。 7784 E794 —

7 【這】 11画 12091 人 標 一漢ゲン・呉ゴン 願 yàn 二シャ 馬 zhè, zhèi 3971 9487 —

筆順 ニ 亖 言 言 言 言 訁 這 這

[这] 12034 俗字
[這] 12092 俗字

字義 一むかえる(迎)。二これ。この。国はう(はふ)。㋐はらばう。㋑虫がはって歩く。㋒蔓(つる)などがまつわりつたって行く。

名前 これ・ちか 難読 這這(ほうほう)・這田(ほうだ)・這柏槙(はいびゃくしん)

解字 形声。辶(辵)+言音。

【這箇・這個】(シャコ) これ。この。這般。

【這般】(シャハン) ①この。これら。這箇。②このたび。今回。

【這△麼】(シャマ) このように。こんなに。

【這裏】(シャリ) ①このうち。②このあたり。這辺。

7 【這】 10画 12092 シャ 這(12091)の俗字。→一四一三ジ下。

7 【逎】 11画 12093 シュウ 遒(12157)と同字。→一四三三ジ下。 7805 E7A3 —

7 【逡】 11画 12094 一シュン 真 qūn 二シュン 震 xùn 7785 E795 —
字義 一しりごみする。あとじさる。「逡巡」二はやい。＝迅(12017)。
解字 篆文 形声。辶(辵)+夋音。音符の夋(シュン)は、蹲に通じ、うずくまるの意味。進まずにうずくまってしまうの意味から、しりごみするの意味を表す。
【逡巡・逡△遁・逡循】(シュンジュン) ①しりごみする。ぐずぐずする。ためらって決行しないこと。「遅疑逡巡」②小さな数の名。一〇のマイナス一四乗。⇩ コラム 数を表すことば(六三八ジ)。

7 【逍】 11画 12095 標 ショウ(セウ) 蕭 xiāo 7786 E796 —
字義 さまよう。ぶらつく。「逍遥(ショウヨウ)」
解字 形声。辶(辵)+肖音。
【逍△遥(遙)】(ショウヨウ) ①気ままに歩く。さまよう。ぶらつく。②のんびりと気ままに楽しむ。用例〔荘子、逍遥遊〕彷徨乎無レ為二其側一、逍遥乎寝二臥其下一(ホウコウコとしてその(かたわ(は)らになすなく、ショウヨウコとしてそのしたにシンガす)。⇩その木のそばでぶらぶらと憩い、その木のかげで気ままに寝そべる。
【逍△遥(遙)遊】(ショウヨウユウ) 『荘子』の編名。気ままにして物にこだわらず、ゆったりとして楽しみ自適する意味。

7 【逝】 10画 12096 常 セイ ゆ-く・い-く 3234 90C0 —

7 【逝】 11画 12097 漢セイ 呉ゼイ 㫖 shì

筆順 一 寸 扌 扩 折 折 逝 逝 逝

字義 ❶ゆ-く。㋐行く。進む。用例〔史記、項羽本紀〕騅不レ逝兮可二奈何一、虞兮虞兮奈レ若何。↓騅の走り進むことのできないのはどうしたらよいか(どうしようもない)。虞姫よ虞姫よ、最愛のそなたをいかにしようか(もはや私の力ではどうすることもできない)。㋑去る。過ぎ去る。㋒死ぬ。「長逝」 ❷およぶ。 ❸すみやか。速い。

使いわけ いく・ゆく〔行・逝〕⇩行(3390)。

解字 篆文 形声。辶(辵)+折(斦)音。音符の斦は、ばらばらに離れるの意味。目の前から離れていくの意味を表す。

逆 永逝・遠逝・長逝

【逝去】 死ぬ。なくなる。長逝。

【逝者】 過ぎ去ってふたたびもどらないもの。

【逝者如レ斯夫】 過ぎゆくものはまさにこのようであるなあ。川の水の絶え間なく流れるさまを見て時の過ぎ行くのを嘆じた孔子の語。用例〔論語、子罕〕逝者如レ斯夫、不レ舎二昼夜一。↓過ぎ去ってゆくものはこの(川の水の)ようなものだなあ、昼も夜もとどまることがない。

【逝水】 流れ去る川の水。ふたたび帰らないもののたとえ。

【逝川】 ＝逝水。

7 【造】 10画 12098 教5 ソウ つく-る

7 【造】 11画 12099 ㊀漢ソウ(サウ)・呉ゾウ(ザウ) 皓 zào ㊁ソウ(サウ) 号 zào(cào) 3404 91A2

筆順 ノ 𠂉 牛 生 牛 告 告 浩 造

字義 ㊀❶つく-る。なす。㋐こしらえる。「製造」 ㋑建てる。「築造」 ㋒する。行う。また、営む。 ❷はじめ(始)。始める。はじめて。 ❸あう(遭)。 ❹とき。時代。時世。「末造」 ㊁❶いた-る。＝就(2773)。㋐行く。㋑来る。 ❷な-る。できあがる。成就する。 ❸つげる(告)。 ❹にわか。あわただしい。あわてふためく。 国みやつこ。昔、朝廷に仕えた文武百官の称。また、後世の国守。「国造」

名前 いたる・ぞう・なり・みち・みやつこ 難読 造酒

使いわけ つくる〔作・造・創〕⇩作(254)。

解字 金文 篆文 会意。金文は、宀＋舟＋告。宀は、家屋の意味。舟は、盤の省略形で、大きな皿のごちそうの意味。告は、つげるの意味。屋内に供物を持ち込んでいのるの意味から、いたす・いたるの意味を表す。また、物がある目的点にまで形をとるにいたるの意味から、つくるの意味を表す。のち、事態がなるの意味に関するところから、辶(辵)＋告となる。

逆 営造・改造・偽造・構造・醸造・創造・鋳造・模造

【造意】 ①犯罪の首謀者。②新しくくふうをこらす。考案。

【造営(營)】 家屋などを営みつくること。営造。

【造化】 ①天地間にある万物を造り育てた神。造物者。造物主。用例〔淮南子、精神訓〕偉哉造化者。↓偉大だな、造物主は。②天地。宇宙。自然。③自然の道理。天地間の万物を支配している法則。

【造形・造型】 ある観念から、形あるものを作ること。

【造詣】 ①学問や技芸などに深く通ずること。〔孟子、離婁下〕②他人の家にたずねてゆく。▼造は、いたる意。

【造語】 ①うそを言う。造言。②国ことばを新しくつくる。また、そのことば。

【造作】 ㊀①物をつくること。②国建物の内部の装飾・建具など、取り付け物の類い。㊁国てま。てかず。やっかい。

【造士】 ①学問ができあがった人。②人物を養成する。

【造次△顚△沛】 とっさの場合や今にも危ないという時。▼造次は、あわただしい、わずかの間。顚沛は、つまずきたおれる時。用例〔論語、里仁〕造次必於レ是、顚沛必於レ是。↓(君子は、)あわただしいときでも必ず仁に基づき、つまずいて倒れそうなときでも必ず仁に基づく。

【造修】 きちんとつくってととのえる。

【造請】 行ってお目にかかる。ごきげんうかがいに行く。往候。

【造端】 物事の始め。発端。発始。

【造反】 体制や組織の内部から、そのあり方を批判して反抗すること。

【造父】 ①周の穆王の御者。穆王に千里の馬盗驪・驊騮・緑耳を献じて愛され、王に従って西方に旅し、西王母に会って帰り、のち趙城を賜り、趙を姓としたと伝えられる。②星の名。

【造物】 ＝造物者。

【造物者】 天地間の万物をつくった神。また、「道」をいう。造物主。〔列子、周穆王〕

【造兵】 ①戦乱を起こす。②兵器をつくる。

【造幣】 貨幣をつくる。〔史記、平準書〕

【造訪】 訪問する。おとずれる。

【造△謗】 そしる。悪口をいう。

【造昧】 世のまだ開けない時。世のはじまり。草昧。

【造立】 つくり立てる。

7 【速】 10画 12100 教3 ソク はや-い・はや-める・はや-まる・すみ-やか

7 【速】 11画 12101 ソク 屋 sù 3414 91AC

筆順 一 𠂊 𠂎 申 束 束 涑 速

字義 ❶はや-い。すみ-やか。↔遅(12163)。 ❷すみ-やかに。はやく。すみやかにする。はやくする。いそぐ。はや-める。 ❸まねく(招)。めす(召)。よぶ(呼)。 ❹つつしむ。

名前 さく・ちか・つぎ・とう・はや・はやし・はやみ・めす

難読 速星

参考 「すみやか」⇩〔直〕(7957)の参考。

使いわけ はやい・はやめる・はやまる〔早・速〕⇩早(4657)。

解字 金文 篆文 形声。辶(辵)＋束音。音符の束は、たばねるの意味。道を行くのに時間をたばねちぢめるようにする、はやいの意味を表す。

逆 急速・早速・神速・迅速・拙速

【速決】 すみやかにきめる。その場で結論を出す。速断。〔晋書、陸機伝〕

【速疾】 はやい。

【速射】 弾丸などをつづけざまにうつこと。

【速成】 急速に事をなしとげる。早く仕上げる。「速成栽培」〔左伝、襄公十七〕

【速達】 すみやかに達する。

【速断(斷)】 早く決定する。また、早まった判断。

7 【逐】 10画 12102 常 チク

7 【逐】 11画 12103 漢チク 呉ジク(ヂク) 屋 zhú 3564 9280

筆順 一 𠂇 丆 豕 豕 豕 涿 逐 逐

字義 ❶お-う(追)。㋐追いはらう。しりぞける。用例〔史記、管仲伝〕吾嘗三仕三見レ逐二於君一。↓私は以前三たび仕官して、そのつど主君から追い出された。㋑追いかける。したがう。後についてゆく。用例〔史記、刺客伝〕荊軻逐二秦王一。↓荊軻は秦王を追いかけた。㋒追い求める。追求する。 ❷きそう。あらそう。「角逐」

❸はしる（走）。❹物を一つ一つ順を追ってするのにいう語。一つごとに。「逐一」「逐条」

解字 甲骨文 金文 篆文 会意。甲骨文は、豖＋止。止は、足の象形、のち、辵となる。豖は、いのししの象形。いのししを追う足のさまから、おうの意味を表す。

逆 角逐・駆逐・追逐・放逐

【逐一】チク・イツ・チク・イチ ひとつひとつ。余すところなく順をおって。逐次。

【逐客】チクカク 追放された人。流された人。逐臣。

【逐次】チクジ 順を追ってつぎつぎに。しだいに。

【逐日】チクジツ ①毎日。日ごとに。②太陽を追いかける。〔列子、湯問〕③馬がはやく行くことのたとえ。

【逐勝】チクショウ かちに乗って進む。乗勝。

【逐条（條）】チクジョウ ①一条ごとに。一条ずつ順に。②一枝ごとに。▼条は、木の枝。

【逐臣】チクシン 追放された家来。左遷された役人。

【逐進】チクシン きそい進む。競進。争進。

【逐斥】チクセキ 追いしりぞける。追いはらう。

【逐逐】チクチク ①物を追求してやまないさま。まじめなさま。②わずらわしいさま。③二頭の馬が並び走るさま。④すみやかなさま。

【逐電】チクデン 一 チクデン 雷を追う意で、速度の非常にはやいこと。二 チク・テン 国にげうせる。にげて、行く先をくらます。

【逐捕】チクホ あとを追って捕らえる。逐得。

【逐北】チクホク にげるのを追う。▼北は、にげる。

【逐末】チクマツ 商業の利益を求めること。商売。古くは農を本とし、商売を末としたことから。

【逐涼】チクリョウ 涼を追う。すずむこと。納涼。

【逐鹿】チクロク 同 逐レ鹿 ①鹿を追う。②鹿を帝位にたとえて、帝位を争う意。政権を争う。「中原逐レ鹿」〔史記、淮陰侯伝〕

7【通】10画 12104 教 2 ツウ・ツ とおる・とおす・かよう 3644 92CA 一

7【〔通〕】11画 12105 漢トウ 呉ツ・ツウ 東 tōng

筆順 ㇇ マ ア 乃 甬 甬 甬 涌 通 通

字義 ❶とおる。とおす。㋐つきぬける。つらぬく。「貫通」㋑とどく。達する。㋒つながる。つなぐ。障害を除き、とどこおりなく行き来できるようにする。「開通」㋓ゆく。経路にしたがって行く。通行・通過する。㋔あまねくいきわたらせる。㋕物事がとどこおりなくすすむ。順調に流れる。用例〔荘子、襄王〕古之得レ道者、窮亦楽、通亦楽。⇩昔の真理を体得した者は、困窮した時も楽しみ、順調な時も楽しむ。㋖すじがつながる。意味が分かる。論が立つ。用例〔論衡、本性〕文理不レ通。⇩文意が通らない。❷かよう。㋐往来する。㋑交際する。親しむ。㋒男女が交わる。また、不義の関係を結ぶ。「私通」「内通」❸物事の深奥に達している。用例〔史記、賈誼伝〕通二諸子百家之書一。⇩諸子百家の書に精通している。❹つたえる。伝達する。報告する。陳述する。また、取り次ぐ。❺共用の。共有の。また、一般的な。ありふれている。❻普遍的な。あらゆるものにあてはまる。「通徳」❼すべて。まるごと。ずっと。「通国」「通夕」「通日」❽高い地位に達する。出世する。❾手紙や書類を数える語。「一通」

国 ❶ツウ。その方面に詳しいこと。また、その人。❷とおり。㋐街中の比較的おおきな道。街路。「上町通り」㋑ごとし。「右の通り」㋒きこえ。評判。受け。㋓信用。❸かよい。㋐行き来すること。㋑（住み込みでなく）自宅から勤めに出ること。㋒通帳・通帳のこと。金銭や物品の受け渡しのための帳面。掛売帳。㋓酒席の給仕。❹かよう。定期的に行き来する。❺ツウじ。大小便の排出。

名前 つ・とう・とうり・とうる・とおる・とし・なお・のぶ・ひらく・みち・みつ・やす・ゆき 難読 通津・通草

参考 「文部省用字用語例」では、「ようだ・ように」の意に用いる形式名詞的な「とおり」は仮名書きを適当としている。「次のとおりである・従来どおり・通知どおり実施した」「銀座通り・風の通りがよい」

解字 金文 篆文 形声。辶（辵）＋甬㊥。音符の甬は、筒に通じ、つつの意味。つつのように中空で障害物がなく、よくとおるの意味を表す。

逆 貫通・交通・私通・精通・疎通・内通・不通・融通

【通韻】ツウイン ①音声のように響く。②作詩上、似ている韻の漢字を相互に通用させること。③国五十音中の同列の韻がたがいに通じて変化すること。きさき・きさいの類い。

【通謁（謁）】ツウエツ 名刺を通じて面会を求める。通刺。

【通家】ツウカ ①父祖の代から親しくしている家。②縁組した家。姻戚。

【通貨】ツウカ 世間に通用する貨幣。

【通過】ツウカ ①とおり過ぎる。②許可される。また、会議などで議案が可決される。

【通雅】ツウガ ①物事の理に通じて正しい。②書名。五十二巻。明の方以智の編。名物・訓詁・音韻などについて考証したもの。

【通解】ツウカイ 全般にわたってひととおり解き明かす。また、その書。

【通款】ツウカン ＝通レ款（七七九ページ中）。

【通関（關）】ツウカン ①関をひらいて交通を便利にする。②犯罪人と通じ合い、その事件に関係をもつこと。③犯罪者の逮捕に出向く役人に支給する関門の通行券。④貨物の輸出入に際し、正規の手続きをとって税関を通過することをいう。

【通観（觀）】ツウカン 国全部にわたって目を通す。

【通鑑】ツガン 書名。『資治通鑑』（一三五八ページ上）の略。

【通鑑綱目】ツガンコウモク 書名。『資治通鑑綱目』（一三五八ページ上）の略。

【通義】ツウギ ①世間にどこでも通用する道理。また、解釈。②人のふみ行うべき正しい道。通誼。

【通窮】ツウキュウ 順調なことと、ゆきづまること。しあわせと、ふしあわせ。

【通暁（曉）】ツウギョウ ①物事によく通じ理解している。くわしく知っている。②あけがたまでおきている。夜どおし。

【通衢】ツウク 四方に通ずる大通り。にぎやかな場所。

【通計】ツウケイ そうかんじょう。全体をまとめた計算。

【通経（經）致用】ツウケイチヨウ 経書に精通して、それを世務に活用すること。

【通好】ツウコウ 仲よくする。

【通行】ツウコウ ①道を通ってゆく。②一般に通じて行われる。「通行本」

【通考】ツウコウ ①古今の書を内容的に分類して叙述したもの。元の馬端臨の『文献通考』が有名。②『文献通考』の略。

【通侯】ツウコウ 秦・漢時代、諸侯をいう。

【通溝】ツウコウ ほりわり。水の流れるみぞ。

【通告】ツウコク 国①つげしらせる。通知。通報。②公文書の一つ。布告の類い。

【通国（國）】ツウコク 国中の人すべて。挙国。〔孟子、離婁下〕

【通才】ツウサイ ＝通材。

【通材】ツウザイ 物事の理に通じて、才能のある人。

【通算】ツウサン 全体を通してかぞえる。通計。

【通史】ツウシ 歴史記述法の一つ。全時代・全領域にわたって総合的に書いた歴史。『史記』がその祖。

【通刺】ツウシ ＝通レ刺（一八一ページ中）。

【通事】ツウジ ①両国のつきあいやゆききのこと。②取り次ぐ。また、その役。③通訳官。通弁。
【通辞(辭)】ツウジ 通訳。通詞。
【通儒】ツウジュ 博学で万事に通じた学者。
【通習】ツウシュウ ①全部を一通り習う。②よく会得している こと。▼習は、なれる・習熟する。
【通書】ツウショ ①音信を通ずる。②書名。一巻。北宋の周敦頤の著。もと『易通』という。同じ周敦頤の著書『太極図説』の宇宙・万物についての考えを、さらに発展、応用した書。
【通宵】ツウショウ よもすがら。夜どおし。通夕。通昔。
【通称(稱)】ツウショウ ①とおり名。世間に普通にとなえる名。俗称。②一般に通用する呼び方。
【通商】ツウショウ 外国と交通して貿易を営むこと。
【通情】ツウジョウ ＝通ㇾ情(五四九ページ下)。
【通人】ツウジン ①物事をよく知っている人。博覧多識の人。学者。②国㋐世間のようすや人情にくわしく、世の中の事になれている人。↔野人(二四五八ページ中)。㋑花柳界に出入りして、その事情に明るい人。粋人。
【通性】ツウセイ 一般のものが共通してもっている性質。通有性。共通性。
【通夕】ツウセキ 一晩中。夜どおし。通昔。通宵。
【通籍】ツウセキ ①宮門の出入を許された人の姓名や年齢などを書いたかけ札。②仕官する。
【通説】ツウセツ ①世間一般に認められている考え。②道理に通じ、造詣の深い説。③＝通解。
【通喪】ツウソウ 貴賤上下すべてに通じて行われる喪礼。
【通則】ツウソク すべてに通じて用いられる法則。
【通俗】ツウゾク ①だれにでもわかるやさしいこと。②ありふれたこと。世間なみ。一般的なこと。
【通体(體)】ツウタイ ①合して一体となる。②全体に通ずる例。③全身。④通用の字体。正体でも俗体でもなく、長い間慣用して来た字体。
【通達】ツウタツ ①ゆきわたる。物事を明らかに心得ている。②国官庁などの上から下への知らせ。通知。通告。
【通脱】ツウダツ むとんちゃくで小さな事にかかわらない。
【通旦】ツウタン 翌朝まで。夜あかし。徹夜。▼旦は、夜明け。
【通知】ツウチ ①知らせる。知らせ。②じゅうぶんに知る。
【通△牒】ツウチョウ 書面でつげ知らせる。また、その文書。おもに公文書についていう。「最後通牒」
【通徹】ツウテツ 明らかにさとる。洞徹。
【通天】ツウテン ①天に通じる。②「通天冠」の略。天子が輿の中でかぶる冠。③「通天台」の略。漢の武帝が築いた宮殿。④「通天犀」の略。犀の角。
【通典】㊀ツウテン 古今に通ずる法則。㊁ツテン・ツウテン 書名。二百巻。唐の杜佑の著。上代から唐の天宝年間に至るまでの制度を八部門に分けて記したもの。
【通都】ツウト 道が四方八方に通じ、交通の発達した都会。
【通徳】ツウトク 世のすべての人の守るべき徳。用例〔史記、平津侯伝〕智仁勇、此三者天下之通徳。
▼智と仁と勇とは、天下の誰もが従うべき道徳である。
【通読(讀)】ツウドク 初めから終わりまでひととおり通して読む。↔精読(一〇九九ページ下)。
【通念】ツウネン 国社会一般で、普通となっている考え。
【通判】ツウハン 官名。州の政治を監督する官。宋の太祖が節度使の勢力をおさえるために設けたもの。
【通敏】ツウビン 物事をよく心得ていること。
【通弊】ツウヘイ 一般にひろく見られる悪い点。
【通変】ツウヘン ①変化の理に通じる。②漢の京房の易説をいう。③『文心雕竜』の編名。
【通弁(辯)】ツウベン 通訳をして会話のなかだちをすること。また、その人。通訳。通事。
【通宝(寶)】ツウホウ 世間に通用する貨幣。通貨。
【通報】ツウホウ つげ知らせる。知らせ。通知。
【通△榜】ツウボウ 唐代の科挙(官吏登用試験)で、試験の成績によらず、履歴によって推薦で及第させる制度。
【通謀】ツウボウ はかりごとをしめしあわせる。ぐるになってたくらむ。
【通問】ツウモン ①おとずれる。②たよりをして安否をきく。
【通夜】㊀ツウヤ よどおし。夜もすがら。徹夜。㊁ツヤ 仏①仏堂にこもって夜どおし祈願すること。②死者をとむらうためにそのそばにいて夜を明かすこと。
【通訳(譯)】ツウヤク たがいに異なる言語を、相手の言語に直して会話の仲立ちをすること。通弁。
【通有】ツウユウ 全部のものが、ほとんど共通してもっていること。↔特有(九二四ページ上)。
【通用】ツウヨウ ①一般に通じて用いられる。②国㋐常に往来出入する意。「通用門」㋑使用に有効と認められること。「通用期間」
【通覧(覽)】ツウラン ひととおり見る。全体に目を通す。
【通理】ツウリ ①物事の理によく通じていること。②世間一般に通ずる道理。通義。③すべてを統合しておさめる。
【通例】ツウレイ ①世間のしきたり。一般のならわし。②普通に。一般に。③一般の規則。多くの場合にあてはまる規則。
【通論】ツウロン ①ある事についての一般的な意見。概論の類い。②すべてに通ずる正しい議論。

7【遞】10画 12106 常 テイ
10〘遞〙14画 12107 漢テイ 呉ダイ dì
3694 92FC ― 7810 E7A8 ―

筆順 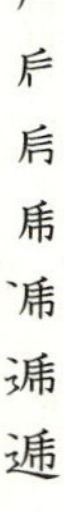

字義 ❶かわるがわる。たがいに。❷かわる。いれかわる。❸つたえる(伝)。つぎつぎと伝え送る。❹しゅくば(宿場)。宿駅。伝駅。❺宿場にいる車馬。❻めぐる。囲む。

解字 篆文  形声。辶(辵)＋虒(虒)音。音符の虒は、易にに通じ、かわるの意味。かわりながらすすむの意味を表す。

逆 駅逓・伝逓・郵逓

【逓減】テイゲン だんだん少なくする。↔逓増。
【逓興】テイコウ かわるがわるおこる。↔逓廃。
【逓次】テイジ 順番に。順次に。
【逓進】テイシン かわるがわる進む。
【逓送】テイソウ ①順々に取り次ぎ送る。伝送。②宿駅から宿駅へと送る。
【逓増(增)】テイゾウ だんだん多くする。↔逓減。
【逓代】テイダイ 互いにかわる。かわるがわる。
【逓伝(傳)】テイデン ①順次に伝え送る。②宿つぎで伝え送る。③宿つぎの人馬。
【逓廃(廢)】テイハイ かわるがわるすたれる。↔逓興。

7【逞】11画 12108 人 標
7〘逞〙11画 12109 漢テイ 呉チョウ(チャウ) 梗 chěng
7787 E797 ―

筆順 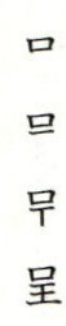

字義 ❶たくましい。㋐こころよい。楽しい。㋑強い。勇ましい。❷たくましくする。㋐こころよくする。強くする。㋑ほしいままにする。思う存分にする。㋒つくす(尽)。きわめる(極)。❸とく(解)。ゆるやかにする。❹速い。すばしこい。

名前 たくま・てい・とし・ゆき・ゆた・よし

解字 金文  篆文  形声。辶(辵)＋呈(呈)音。音符の呈は、むきだしにするの意味。自分の意志をむきだしに物事をすすめるの意味から、たくましいの意味を表す。

【逞憾】テイカン うらみを思う存分はらす。

【逞欲】(テイヨク) 欲望をほしいままにする。

7【逖】 11画 12110 漢テキ 呉チャク 錫 tì 7788 E798 —

[逷] 12141 古字

字義 ❶とおい(遠)。はるか。❷遠ざける。遠ざかる。❸逖逖(テキテキ)は、利益を追い求めるさま。

解字 形声。辶(辵)+狄音。

7【途】 10画 12111 常 ト 3751 9372 —

7〖途〗 11画 12112 漢ト 呉ズ(ヅ) 虞 tú

筆順 ノ 𠆢 亼 仐 余 余 斜 涂 途 途

字義 みち。こみち。みちすじ。「帰途」「前途」

名前 とお・みち・もち

参考 現代表記では〔杜〕(5219)の書きかえに用いることがある。「杜絶→途絶」

解字 篆文 形声。辶(辵)+余音。音符の余は、伸びるの意味。どこまでも伸びている、みちの意味を表す。

逆 一途・官途・使途・首途・征途・前途・壮途・中途・長途・当途・別途・迷途・目途・用途

【途次】(トジ) みちすがら。道のついで。途中。

【途上】(トジョウ) ①道のほとり。路上。②道の途中。③物事の進行中をいう。「発展途上」

【途絶】(トゼツ) 国ふさがってとだえる。杜絶(トゼツ)。

【途端】(トタン) 国ちょうどそのときすぐ。はずみ。ひょうし。

【途中】(トチュウ) ①道のりの中ほど。目的地までの中間。②物事の目的をやりとげるまでの間。

【途△轍】(トテツ) すじみち。道理。途方。「途轍も無い」は、度をはずれていること、とんでもないこと。

【途方】(トホウ) 国①てだて。手段。方法。②すじみち。

7【透】 10画 12113 常 トウ すーく・すーかす・すーける 3809 93A7 —

7〖透〗 11画 12114 漢トウ 呉ツ 宥 tòu

筆順 ノ 二 千 禾 禾 秀 秀 诱 透

字義 ❶すーく。すきとおる。すーける。また、すーかす。「透明」❷とおーる(とほ-る)。とおーす(とほ-す)。「浸透」❸もる(漏)。もれる。

名前 す・すく・と・とう・とうる・とおる・ゆき

難読 透垣(すいがい)・透綾(すきや)

解字 篆文 形声。辶(辵)+秀音。音符の秀は、長く伸びるの意味。長く伸びすすむ、つきぬける・とおるの意味を表す。

逆 浸透

【透映】(トウエイ) すきとおってうつる。

【透視】(トウシ) 国①物をすかして見る。②かくれて見えないものを、感覚をかりずに感じとり見ぬくこと。

【透写(寫)】(トウシャ) 物をすかしてうつす。すきうつし。

【透出】(トウシュツ) 突き破る。突破する。

【透徹】(トウテツ) ①すきとおる。②徹底する。③あきらか。明白。

【透明】(トウメイ) 国すきとおる。くもりなく明らかなこと。

【透漏】(トウロウ) 人目をぬすんでにげる。

7【逗】 11画 12115 人 標 漢トウ 呉ズ(ヅ) 宥 dòu 3164 9080 —

筆順 一 𠃌 亘 亘 豆 豆 逗 逗 逗

[逗] 12116 俗字

字義 ❶とどーまる。とどめる。「逗留」❷なげる(投)。

名前 すみ

難読 逗子(ずし)

解字 篆文 形声。辶(辵)+豆音。辵(チャク)は、歩行に関する意味を表す。音符の豆は、たかつきの象形で、安定して置かれるの意味。とどまって動かないの意味を表す。

【逗△橈・逗△撓】(トウドウ) 敵を見ておそれてしりごみする。▼逗は、とどまる、橈・撓はかがまる意。

【逗留・逗△遛】(トウリュウ) 一か所に長くとどまる。滞在する。

7【逗】 10画 12116 トウ 逗(12115)の俗字。→一四一七ページ中。

7【逋】 11画 12117 漢ホ 呉フ 虞 bū 7789 E799 —

字義 ❶のがーれる(のが-る)。にげる。かくれる。「逋客」❷とどこおる。㋐期限が過ぎても納めるべきものを納めない。㋑とどまる。とどまって動かない。❸期限が過ぎても、納入または返済しないもの。滞納の税など。❹捕らえる。つなぐ。＝捕(4206)。

解字 篆文 形声。辶(辵)+甫音。音符の甫(ホ)は、匍(ホ)に通じ、はらばうの意味。はらばいになって、こっそり逃げるの意味を表す。

【逋客】(ホカク) 世をさけている人。隠者。

【逋欠】(ホケン) 納税の義務をのがれること。税を滞納すること。逋租。▼欠は、未納の税。

【逋△竄】(ホザン) のがれかくれる。逃竄。

【逋遷】(ホセン) 亡命して他国にうつる。

【逋惰】(ホダ) 納税などをのがれおこたる。

【逋徒】(ホト) 国からにげだしたもの。亡命した人。罪をのがれること。また、その人。

【逋逃】(ホトウ) のがれる。にげのがれる。

【逋△遁】(ホトン) ①にげ去る。②税金を納めずににげる。

【逋亡】(ホボウ)

【逋慢】(ホマン) 命令を受けながらぐずぐずしてなまける。法を守らないこと。

【逋民】(ホミン) 納税をさけて、逃亡する民。

7【逢】 11画 12118 人 標 漢ホウ 呉ブ 冬 féng 1609 88A7 —

筆順 ノ ク 夂 夅 夆 夆 逢 逢 逢

[逢] 12119 俗字

字義 ❶あーう(あ-ふ)。であう。偶然であう。「遭逢」❷むかえる。㋐出迎える。㋑人の心に合うようにする。おもねる。❸大きい。ゆったりしている。＝豊(11457)。

名前 あい

難読 逢曳(あいびき)・逢妻(あいづま)・逢坂(おうさか)・逢隈(おおくま)

解字 甲骨文 篆文 形声。辶(辵)+夆音。音符の夆(ホウ)は、逢の原字で、あうの意味。道を行ってであうの意味を表す。

【逢衣】(ホウイ) 儒者がきる衣服。逢掖之衣(ホウエキのイ)。

【逢△掖之衣】(ホウエキのイ) 儒者のきる衣服。わきした(袖(シュウ))の大きい衣。逢衣。▼掖は、腋(わき)。〔礼記、儒行〕

【逢会(會)】(ホウカイ) 出会う。

【逢遇】(ホウグウ) 会う。出会う。

【逢迎】(ホウゲイ) ①人をでむかえてもてなす。〔史記、項羽本紀〕②人の気に入るようにつとめる。へつらう。迎合。〔孟子、告子下、注〕

【逢原】(ホウゲン) 水源にあう。根本に達する意。▼原は、源。

【逢着・逢著】(ホウチャク) 出会う。行きつく。▼着・著は、助字。

【逢逢】(ホウホウ) ①声が和する形容。②鼓をうつ音の形容。③雲や、もやの起こるさま。

【逢△蒙】(ホウモウ) 夏(カ)の時代の人。射術を羿(ゲイ)に学んだが、天下中で自分にまさるのは羿のみと思い、羿を殺したと伝えられる。逢門。〔孟子、離婁下〕

7【逢】 10画 12119 ホウ 逢(12118)の俗字。→一四一七ページ下。

7【逢】 11画 12120 ホウ 逄(12082)の俗字。→一四一三ページ上。 — — 6544

7【逌】 11画 12121 漢ユウ(イウ) 呉ユ 尤 yōu 2 8988 — 6546

字義 ❶のびやか。気分のゆったりするさま。くつろぐ。❷笑うさま。❸ところ。＝攸(4518)。

解字 金文 篆文 形声。辶(辵)＋卣(音)。辵は、もと安定のよい皿の象形であったものの変形。音符の卣ユウは、酒器としてのひさごの象形。酒気のただようさまから、気分ののびやかなさまを表す。

【逌△爾】ユウジ 顔色をやわらげて笑うさま。莞爾カンジ。

【逌然】ユウゼン ①ゆったりしたさま。②＝逌爾ユウジ。

7 【連】 10画 12122 教4 レン つら-なる・つら-ねる・つ-れる 4702 9841 一

7 〖連〗 11画 12123 レン 因 lián

筆順 一 𠃍 冂 冃 亘 車 連 連

字義 ❶つら-なる。㋐つづく。ひき続く。用例〔唐、杜甫、春望詩〕烽火連三月、家書抵万金 ↓のろしの火は春の三か月の間、うち上げ続けられていて（戦乱はおさまるようすもないので）、家族からの便りは、一万金に相当するほど（貴重なもの）に思われる。㋑つながる。接する。用例〔唐、韓愈、八月十五夜贈張功曹詩〕洞庭連天九疑高、蛟竜出没猩鼯号 ↓洞庭の湖水は天へとつながり九疑山は高くそびえ、水には蛟竜が出没し山にはさるやむささびが叫び鳴く。㋒およぶ。関係する。用例〔史記、呂不韋伝〕事連不韋 ↓事柄は呂不韋にも及んでいた。❷つら-ねる。一列につなげる。つなぎ合わせる。一列につらぬく。用例〔孟子、離婁上〕善戦者服上刑、連諸侯者次之 ↓戦争が上手な者は、最も重い刑に服させ、諸侯を連合して野心を遂げようとする者はその次に重い刑に服させる。❸つ-れる。ひきつれる。「連行」❹つ-れ。㋐とも。みちづれ。仲間。㋑みうち。縁つづき。用例〔史記、南越伝〕及蒼梧秦王有連 ↓蒼梧国の秦王と姻戚関係にあった。❺周代の制で、十国をひとまとめにした一区域の称。❻てぐるま。引き車。❼祭器の名。❽しき-りに。ひきつづいて。用例〔漢書、高帝紀下〕上従晋陽連戦、乗勝逐北 ↓主上は晋陽から出陣して続けざまに戦にのぞみ、勝ちに乗じて逃げる敵を追った。／〔先哲叢談〕孺子原蔵未解貧為何物、羨人家有餈、連求不已 ↓小さな原蔵が、貧乏がどんなものかも分からずに、よその家に餅があるのを羨んで、しきりに餅がほしいとねだってきません。

国 ❶つる-む。一緒に行動する。❷むらじ。昔の八姓の一つ。❸レン。洋紙を数える単位。

名前 つぎ・つら・まさ・むらじ・やす・れん 難読 連枷からざお

参考 現代表記では〔聯〕(9643)の書きかえに用いる。「聯合→連合」「聯想→連想」

解字 篆文 会意。辶(辵)＋車。車は、人が並んで引く車、輦レンの省略形。人が並んで車を引いて道を行くさまから、つらなるの意味を表す。連(連)の意味と音符とを含む形声文字に、漣レン・縺レン・蓮レン・鏈レンなどがある。

逆 関連・定連・流連

【連姻】レンイン 結婚によって親類になる。連婚。

【連陰】レンイン ①毎日くもる。②毎日雨が降る。③木のかげがつらなる。

【連雲勢】レンウンのいきおい(ひ) 高大で雲にまでつらなるようなようす。

【連延】レンエン つらなりつづく。

【連歌】レンガ 国 二人以上の人が和歌の上の句と下の句を次次に詠み連ねていくもの。

【連関(關)】レンカン 同 聯関レンカン。①かかわる。かかわりあう。②ひとつひとつの感覚・知覚・行為などが結び合わされて、新しい性質を持った全体となるもの。

【連環】レンカン いくつもの環わがたがいにつらなって解けないもの。くさり。〔荘子、天下〕

【連記】レンキ つらねしるす。並べて書く。

【連句】レンク ①二人以上で、たがいに一句ずつ作り、それをつらねて一編の詩とするもの。聯句レンク。②国 発句ホックで始まり揚句あげくで終わる形式を持つ俳諧ハイカイで、三十六句・五十句・百句などの種類があり、数人でたがいに句をよみつづける。その作り方にはこまかなきまりがある。

【連係・連△繫】レンケイ つながり。つらねつなぐ。◆密接な関係を持つことを「連係・連繫」、連絡し協力し合うことを「連携」と区別するが、実際には紛らわしい例も多い。協力するということに重点が置かれている場合には「連携」を用いると考えるのがよい。「部下との連携を密にする」

【連携】レンケイ 連絡し協力し合う。連絡し一緒に行う。→連係・連繫。

【連△娟】レンケン ①眉まゆがまがって細いさま。美人の形容。②かよわいさま。

【連△亙】レンコウ 長く続く。つらなりわたる。

【連行】レンコウ ①つらなって行く。②つれてゆく。

【連衡】レンコウ 戦国時代、張儀が六国それぞれを秦シンと同盟させた策。六国の形勢が東西（横）につらなっていたのでいう。連横。▼衡は、横。〔荀子、賦〕↔合従ガッショウ（三四七ページ下）。

【連合】レンゴウ 一 つらなりあう。二つ以上のものが組み合うこと。聯合レンゴウ。二 つれあい(ひ) 国 夫婦がたがいに他の一方をいう語。

【連鎖】レンサ ①両方を結びつらねているくさり。②くさりのようにつながる。

【連座・連△坐】レンザ まきぞえ。他人の犯した罪のまきぞえを食って処罰されること。

【連作】レンサク 国 ①一定の場所に毎年同じ作物をつくること。↔輪作（一三九七ページ上）。②ひとりの人が、ある題や物事についてよんだ一連の歌や俳句。③数人の作家が各部分を受け持って一編にまとめた作品。

【連山】レンザン ①太古の易エキの名。夏カの時代にあったといわれる。三易の一つ。②つらなり続いている山。

【連珠】レンジュ 同 聯珠レンジュ。①文体の名。後漢の章帝のとき、班固らが作った。珠を貫くひものように情理をつくすものをいう。②つらねた玉。③国 五目並べ。

【連署】レンショ 同じ文書に二人以上の人が姓名を並べ書いて、責任を明らかにすること。

【連城璧】レンジョウのヘキ 名玉の名。周代、楚ソの卞和ベンカの見つけた宝玉で、後、戦国時代、趙チョウの恵文王が持っていて、秦シンの昭王が十五城と交換しようとしたのでこの名がある。〔史記、廉頗藺相如伝〕→卞和（三一九ページ上）。

【連△繞】レンジョウ つらなりめぐる。

【連帥】レンスイ 周代に十国の諸侯の上に立って、一地方を支配した長官。

【連△翠】レンスイ 樹木などのつらなった緑色。

【連声(聲)】 一 レンセイ 他の声につれて声を出すこと(人)。二 レンジョウ 国 前の音節の最後の子音が、あとの音節の初めの母音と合して、別な音節となること。「あんおん（安穏）」が「あんのん」、「いんえん（因縁）」が「いんねん」となるような類い。

【連接】レンセツ つながり続く。つらね続ける。

【連銭(錢)】レンセン ①馬の毛色。銭をつらねたようなまだら模様がある馬。②馬のかざり。③鳥の名。鶺鴒セキレイの別名。

【連然】レンゼン さめざめと涙を流すさま。

【連想】レンソウ あることを考え、それによって関連のある他のことを考え起こす。聯想レンソウ。

【連帯(帶)】レンタイ ①つらなり続く。②国 ふたり以上の人が同一内容の事に共同の責任を負うこと。「連帯保証人」

【連△綴】レンテイ つらなり続く。つらね続ける。

【連△纏】レンテン つきまとう。また、つらなり続く。

【連弩】レンド 一度に多くの矢石を射ることができる石弓。
【連筒】レントウ かけい（筧）。水を引くとい。
【連年】レンネン 毎年。幾年も続いて。
【連△陌】レンパク ①つらなっている道。②つらなり続いている家並み。
【連発(發)】レンパツ ①しきりに起こる。②つづけざまに発砲する。また、連続して弓をいる。
【連判】レンパン・レンバン ①同じ官にある人が名をつらねて、文書の裁決をする。②数人の人が連名で、約束を固くするために印を押すこと。
【連△袂】レンペイ ①たもとをつらねる。二人以上の人がともに行動すること。②姉妹の婿。
【連璧】レンペキ ①一対の玉。〔荘子、列禦寇〕②才のすぐれた二人の友。双璧。〔晋書、夏侯湛伝〕
【連△翩】レンペン ①ひるがえって来るさま。②続いて絶えないさま。
【連邦】レンポウ 数国が連合してつくった一国。聯邦レンポウ。
【連抱】レンポウ 両手でかかえる。また、その程度の大きさ。樹木の大きさなどにいう。
【連△甍】レンボウ つらなり続いている屋根がわら。家が多く立ち並ぶのをいう。
【連名】レンメイ ＝連署。
【連盟】レンメイ 共同の目標を達成するために、同じ行動をとることをちかうこと。また、その組織体。聯盟レンメイ。
【連綿・連△緜】レンメン 長く続くさま。▼綿・緜も、続く。
【連夜】レンヤ ①毎晩。連宵。②一晩中。
【連絡】レンラク ①つながる。関係する。聯絡レンラク。②通報する。
【連理】レンリ 「連理の枝・連理の契ちぎり」の略。
【連理枝】レンリのえだ ①根を別にする木の木目もくがつらなって一つとなったもの。②夫婦または男女の愛情深い契り。連理の契り。用例〔唐、白居易、長恨歌〕在レ天願作ニ比翼鳥一（テンにありてはねがわ(は)くはヒヨクのとりとなり）、在レ地願為ニ連理枝一（チにありてはねがわ(は)くはレンリのえだとならん）↓大空では翼をならべて飛ぶ鳥になりたい、地上では枝と枝とがつながりあった二本の木となりたい。
【連累】レンルイ 犯罪のかかりあい。巻きぞえ。また、犯罪者の仲間。
【連類】レンルイ 同じ類のものをつらねる。また、仲間・同類。
【連連】レンレン ①つらなるさま。②おもむろなさま。
【連和】レンワ・レンカ 二つ以上の独立したものが連合すること。連合して和睦わぼくする。

7【浴】11画 12124 国字 7790 E79A —

字義 さこ（迫）。小さな谷。浴さこ・せは、岡山県内の地名。
解字 会意。谷＋迫省。迫は、せまるの意味。山と山がせまる谷のせばまったところの意味を表す。

8【逶】12画 12125 イ(ヰ) 因 wēi 7791 E79B —

字義 ❶曲がる。❷ものの形容。→逶迤。
解字 篆文 形声。辶(辵)＋委㊟。音符の委は、なよやかに曲がる意味を表す。ななめに曲がって行く意味。
【逶△迤・逶△迆・逶△池・逶移・逶蛇】イイ ①斜めに行くさま。②曲がりくねって連なり続くさま。③公正のさま。
【逶△迂】ウイ 斜めに曲がる。▼迂は、曲がる。
【逶△邃】イスイ うねり曲がって奥深いさま。
【逶遅(遲)】イチ ながく遠いさま。
【逶麗】イリ・イレイ 歩行のゆるやかなさま。

8【逳】12画 12126 イク 屋 yù — — 6555

字義 ❶めぐる。❷行く。❸歩く。
解字 形声。辶(辵)＋育㊟。

8【逸】11画 12127 常 イツ 1679 88ED —

8【逸】12画 12128 人 漢イツ 呉イチ 質 yì 9257 — —

筆順 ク ク 名 名 名 争 免 逸 逸

【逸】12129 俗字

字義 ❶はしる。㋐にげる。にげさる。また、にがす。「奔逸」㋑それる。そる。わき道にはなれて行く。また、そらす。❷なくなる。見失う。「散逸」❸かくれる。世間からかくれる。また、官につくことを避け世をかくれた高潔な人。隠君子。「逸民」❹はやい。「逸足」❺すぎる。衆にこたえる。すぐれる。ぬきんでる。「秀逸」❻楽しむ。よろこぶ。安んずる。＝佚(245)。「安逸」❼あやまる(誤)。あやまち。❽みだら。＝泆(6222)。「淫逸イン」❾ゆるす。放つ。はなしてやる。❿ほしいまま。気まま。「放逸」⓫ゆるやか。「蕩逸トウ」 国❶はやる。興奮する。❷はぐれる。はぐる。離ればなれになる。
名前 いち・いつ・すぐる・とし・はつ・はや・まさ・やす 難読 逸見へんみ・逸勢はやなり
参考 現代表記では〔佚〕(245)の書きかえに用いることがある。「安佚→安逸」
解字 金文 篆文 会意。辶(辵)＋免(兔)。免は、うさぎの象形。うさぎが逃げるの意味から、はしる・それるの意味を表す。また、転じて、ほしいままにするの意味をも表す。
逆 安逸・隠逸・高逸・散逸・秀逸・俊逸・卓逸・超逸・放逸・亡逸・遊逸

【逸異】イツイ すぐれて異なる。
【逸隠(隱)】イツイン 世の中をさけかくれる。また、その人。
【逸韻】イツイン 風雅なこと。みやびやかなこと。
【逸居】イッキョ なまけて気楽にくらす。〔孟子、滕文公上〕
【逸興】イッキョウ・イッキョウ 世俗を離れた風流の趣。
【逸口】イッコウ 失言。▼逸は、過失。
【逸才】イッサイ 同逸材。①すぐれた才能。②人よりすぐれた才能のある人。
【逸材】イツザイ ＝逸才。
【逸散】イッサン ①にげちる。のがれ去る。②ちりぢりになる。③国わき見もせずに走るさま。一目散。
【逸史】イッシ 史実で正史に書き漏らされているもの。また、それを記録した歴史書。
【逸詩】イッシ ①もと『詩経』と同時代によまれた古詩で、今の『詩経』にもれているもの。②世に伝わらない詩。
【逸事】イツジ 世の中に知られていない事実。軼事イツジ。
【逸出】イッシュツ ①すぐれてぬきんでる。②にげ去る。
【逸書】イッショ ①漢初、伏生の伝えた二十九編以外の『古文尚書』十六編をいう。②もとはあったが、今の『書経』に見えないもの。③散逸した書物。
【逸声(聲)】イッセイ みだらな音楽。
【逸△迹】イッセキ ①すぐれた事跡。②隠遁トンすること。
【逸足】イッソク ①足が速い。②すぐれた才能。また、その人。逸材。③速くかける馬。
【逸脱】イツダツ 国一定のきまり・わくからそれはずれる。
【逸徳】イツトク ①誤った行い。②すぐれた徳。
【逸品】イッピン 書画などの特にすぐれた等級。また、その品。
【逸物】イツブツ・イチモツ 国人・馬・犬・鷹などの群を抜いてすぐれているもの。
【逸文】イツブン ①すぐれた文。名文。②散らばって世に伝わらない文字や文章。③世に知られない文章。
【逸聞】イツブン あまり世に知られていないめずらしい話。逸話。
【逸民】イツミン 世をさけてかくれている人。隠者。〔論語、微子〕
【逸遊・逸△游】イツユウ 気ままに遊ぶ。
【逸予(豫)】イツヨ 遊びたのしむ。逸楽。▼予は、楽。
【逸楽(樂)】イツラク 遊びたのしむ。
【逸話】イツワ 国あまり人に知られていない話。その人の隠れた一面を知らせる話。エピソード。逸聞。

【以レ逸待レ労(勞)】(イツをもってロウをまつ) 安楽な境地にいて、遠くから来て疲れた敵軍を待ち受ける。〔孫子、軍争〕

8【逸】11画 12129 イツ 逸(12127)の俗字。→一四一九ページ中。 — EE98 —

8【逭】12画 12130 漢カン(クワン) 呉ガン(グワン) 翰 huàn 19256 — 6554

字義 のがれる。にげる。用例〔書経、太甲中〕自作孽不レ可レ逭(みずからなせる、わざわいはのがるべからず)。↓自分の不徳が招いた災いは、のがれることができない。

解字 篆文  形声。辶(辵)＋官音。音符の官は、遠に通じ、とおざかるの意味。にげとおざかるの意味を表す。

8【逵】12画 12131 漢キ 呉ギ 支 kuí 7792 E79C —

字義 おおじ。大通り。ア九つの方角に通ずる道。九達の道。イ車九台を並べることができる道。

解字 会意。辶(辵)＋坴。坴は、つらなり生えるきのこの意味。いくすじにも連なって生えているきのこのように、九つの方角に通ずる道の意味を表す。

【逵路】(キロ) 四方八方に通ずる道。城内の大通り。

8【逴】12画 12132 サク 薬 cuò — — 6552

字義 ❶交じる。＝錯(12701)。❷乱れる。❸背く。

解字 形声。辶(辵)＋昔音。音符の昔は、積み重なるの意味。

8【週】11画 12133 教2 シュウ 2921 8F54 —

8【週】12画 12134 漢シュウ(シウ) 呉シュ 尤 zhōu

筆順 丿 冂 円 円 円 周 周 凋 週

字義 めぐる。まわる(廻)。国シュウ。七日間をひとめぐりとする日時の単位。

使いわけ シュウ〔週・周〕
〔週〕週間。「週休・週末」
〔周〕ある期間、ある空間をひとまわりして元にもどる。「十周年・一周・周期」

解字 形声。辶(辵)＋周(周)音。音符の周は、あまねく行きわたる意味。ぐるりとまわる意味を表す。

【週期】(シュウキ) ひとまわりする時期。周期。

【週△匝】(シュウソウ) 取り囲む。ぐるりと取り囲む。

【週番】(シュウバン) 一週間毎に交代して勤務する。また、その人。

8【進】11画 12135 教3 シン すす-む・すす-める 3142 9069 —

8【進】12画 12136 シン 慣ジン 震 jìn

筆順 ノ イ 亻' 亻' 仹 隹 隹 進 進

字義 ❶すす-む。↔退(12073)。ア前へ出る。「前進」イのぼる。階級があがる。「昇進」ウ出て仕える。役人となる。用例〔楚辞、離騒〕既干レ進而務レ入兮(すでにすすむをもとめていれられんことをつとむれば)、又何芳之能祇(またなんのホウをかこれよくつつしまん)。↓役人となるために、今さらなんでかぐわしい美点など必要だろう。エよくなる。「進歩」「進化」オやる気になる。身を入れる。はげむ。用例〔礼記、楽記〕礼減而進(レイはゲンじて、すすみ)、以レ進為レ文(すすむをもってブンとなす)。↓礼は少ないかわりによくはげみ、よくはげむことを美善とする。カこ-える。まさる。すぐれる。用例〔荘子、養生主〕臣之所レ好者道也(シンのこのむところはみちなり)。進二乎技一矣(ギをこえたり)。↓私が好むのは道です。それは技よりもすぐれたものです。❷すす-める。ア前へだす。おし出す。イささげる。たてまつる。用例〔史記、張儀伝〕貧無二因以進一(ヒンにしてよりてもってすすむるなし)。↓(張儀は)貧しく、仕官するにもその手立てとする進物もない。ウおしあげる。推挙する。階級をあげる。用例〔史記、管仲伝〕鮑叔遂進二管仲一(ホウシュクつい(ひ)にカンチュウをすすむ)。↓鮑叔はすかさず管仲を推薦した。❸おくりもの。礼物。「進物」❹つ-きる。つ-くす。＝尽(2784)。用例〔列子、天瑞〕天地終乎(テンチはお(を)わ(は)らんか)。与レ我偕終(われとともにお(を)わ(は)る)。終進乎(お(を)わ(は)りつきんか)。不レ知也(しらざるなり)。↓天地に終わりはあるだろうか。我々人間と同じく終わりがある。終わると消滅してしまうのか。それはわからない。国シン-ぜる。…してさしあげる。「教えて進ぜよう」

名前 しん・す・すす・すすみ・のぶ・みち・ゆき・すすむ 難読 進来(すずき)

使いわけ すすめる〔勧・薦・進〕⇨勧(1058)。

解字 金文  篆文  会意。辶(辵)＋隹。隹は、とりの象形。鳥の飛んでいくさまから、すすむの意味を表す。

逆 栄進・詠進・改進・勧進・寄進・急進・後進・仕進・昇進・推進・精進・先進・漸進・増進・促進・注進・逓進・転進・特進・並進・猛進・躍進・累進

【進運】(シンウン) 進歩の機運。向上発展する傾向。

【進化】(シンカ) ①物事が良い方へ変わって行く。進歩変化。②生物が、形態・機能の変化を重ねて、より環境に適した状態になること。↔退化(一四一一ページ下)。

【進学(學)】(シンガク) ①学問をしてわが身を益する。〔礼記、学記〕②国上級の学校にすすむ。

【進御】(シンギョ) ①君主のそばにすすみはべる。また、君主の寝所にはべる。②君主にさしあげる。

【進境】(シンキョウ) 進歩上達の状態。進歩して到達した境地。

【進言】(シンゲン) 意見を申し上げる。また、その意見。

【進貢】(シンコウ) みつぎ物を奉る。

【進講】(シンコウ) 君主の前で講義する。

【進士】(シンシ・シンジ) ①周代に、諸侯が推薦した秀才(造士)の中から、特にすぐれた人で司馬の役に任命された人。②科挙(官吏登用試験)の科目の名。③科挙に応ずるもの。挙進士。④科挙に合格した人。⑤すぐれた人物を推挙すること。⑥国大宝令の制で、式部省の一定の試験の合格者。後の文章生(モンジョウショウ)。

【進止】(シンシ) ①すすむことと、とどまること。②たちいふるまい。挙動。挙止。③さしず。命令。④国思うように支配すること。

【取二進止一】(シンシをとる) 朝廷の指揮を仰ぐ。進むも退くも、ただ命令のままにするの意。唐以後の上奏文の結びに用いられたことば。奉二進止一(シンシをたてまつる)。＝取二進止一(シンシをとる)。

【奉二進止一】(シンシをたてまつる) ＝取二進止一(シンシをとる)。

【進仕】(シンシ) 君主に仕える。役人になる。

【進取】(シンシュ) 自分からすすんで物事をする。〔論語、子路〕↔保守(一一三ページ中)・退嬰(タイエイ)(一四一一ページ下)。

【進修】(シンシュウ) 進んで学徳をおさめる。

【進上】(シンジョウ) さしあげる。たてまつる。進呈。

【進△趨】(シンスウ) ①こばしりに走りすすむ。②すすみ仕える。

【進寸退尺】(シンスンタイシャク) 一寸進んで一尺しりぞく。得るところが少なく、失うところが多いたとえ。『老子』六十九章に「不二敢進一レ寸而退レ尺(あえ(へ)てスンをすすめずしてシャクをしりぞく)」とあるのに基づく。

【進奏】(シンソウ) 天子に申し上げる。上奏。

【進退】(シンタイ) ①すすむことと、しりぞくこと。「進退両難」②たちいふるまい。起居動作。③人をひきあげて用いることと、おとすこと。④出て仕えることと、退いて民間にいること。「出処進退」⑤かけひき。⑥国動かす。処置する。

【進退谷】進むことも退くこともできず、困りきってしまうこと。▼谷は、窮まるの意。〔詩経、大雅、桑柔〕

【進達】①すすめて出世させる。②書類などを上の官庁へとりつぐ。

【進△暢】すすみのびる。物がしだいに発達する。

【進捗】国仕事などが進みはかどる。＝進陟②。

【進△陟】①官位などをすすめのぼらせる。②国仕事がはかどる。進行。進捗。

【進呈】さしあげる。たてまつる。進上。

【進展】物事が進み広がる。進歩発展する。

【進歩】①足をすすめる。前に出る。②ひとあしふみだす。③物事がよい方にすすむ。〔朱子全書、学〕↔退歩（一四二二ページ下）。

【進奉】献上する。また、献上品。

8 **【逮】** 11画 12137 常 タイ
8 **〖逮〗** 12画 12138 一漢タイ・呉ダイ 隊 dài, dǎi 二漢テイ・呉ダイ 霽 dì　3465 91DF 一

筆順 ⺊ ⺕ ⺕ 聿 聿 隶 隶 逮 逮

字義 一❶およぶ（及）。後から追いつく。とどく。❷おう（追）。❸とらえる。追いかけて捕らえる。「逮捕」❹おくる。護送する。二およぶ。＝一❶。

解字 篆文 形声。辶（辵）＋隶㊔。音符の隶は、およぶの意味。辵を付し、およぶの意味を明らかにした。

逆 津逮
【逮△鞫】捕らえて調べる。
【逮△繫】捕らえて牢獄に入れる。一説に、囚人を護送する。
【逮捕】めしとる。罪人などをつかまえる。
【逮夜】①夜になる。②仏命日の前夜。

8 **【逴】** 12画 12139 一タク 覚 chuō 二チャク 薬　— — 6556

字義 一❶とおい（遠）。はるか。❷こえる（越）。とび越える。また、すぐれる。

解字 篆文 形声。辶（辵）＋卓㊔。音符の卓は、高くおどりあがるの意味。とびこえて行くの意味を表す。

【逴行】遠い所へ行く。

【逴逴】はるかに遠いさま。

【逴△犖・逴△躒】①のりこえる。②すぐれている。

8 **【達】** 12画 12140 タツ　達（12161）の俗字。→一四二四ページ上。　7793 E79D 一

8 **【逿】** 12画 12141 テキ　逖（12110）の古字。→一四一七ページ上。　28989 — 6557

参考 旁の易を昜と混同した俗字。唐代の書によくみられ、JIS漢字にも採られている。

8 **【逬】** 12画 12142 漢ホウ（ハウ）呉ヒョウ（ヒャウ）敬 bèng　— — 6553
〔迸〕12081 俗字

字義 ❶ほとばしる。勢いよくわき出る。勢いよくとび散る。❷はしる。にげる。のがれる。❸しりぞける。追いはらう。

解字 篆文 形声。辶（辵）＋幷㊔。音符の幷は、ならぶの意味。並んで一斉に走るの意味を表す。

【逬散】飛びちる。ほとばしりちる。

【逬△竄】はしりのがれる。

【逬△沫】ほとばしる水のあわ。

【逬落】ほとばしり落ちる。飛び散る。

8 **【逩】** 12画 12143 ホン　逩（12175）の俗字。→一四二七ページ中。　— — 6550

8 **【逨】** 12画 12144 一ライ 灰 lái 二ライ 隊 lài　— — 6549

字義 一❶来る。＝来（5221）。❷就く。二❶＝一❷。

解字 形声。辶（辵）＋來㊔。音符の來は、くるの意味。

8 **【逯】** 12画 12145 漢リョク 呉ロク 沃 lù　— — 6551

字義 ❶生き方がつつしみ深い。❷気ままに歩く。❸逯逯は、㋐数が多いさま。㋑平凡なさま。

解字 形声。辶（辵）＋彔㊔。

9 **【遏】** 13画 12146 漢アツ 呉アチ 曷 è　7801 E79F 一

字義 ❶とどめる。とめる。やめる。やむ。停止する。❷さえぎる。❸たつ（絶）。㋐さしとめる。㋑断ち切る。殺しほろぼす。

解字 篆文 形声。辶（辵）＋曷㊔。音符の曷は、割に通じ、切断するの意味。すすむのをとどめるの意味を表す。

【遏雲】空行く雲もとどめる（ほどのすぐれた音曲）。歌声・楽音のすぐれたのをほめていう。〔列子、湯問〕
【遏絶】①たちきる。種族を残らずほろぼす。②さえぎりとどめる。③たやす。
【遏密】鳴り物をやめて静かにする。▼密は、静。

9 **【違】** 13画 （12184） イ　違（12183）の旧字体。→一四三八ページ下。

9 **【運】** 12画 12147 教3 ウン はこぶ
9 **〖運〗** 13画 12148 ウン 問 yùn　1731 895E 一

筆順 ⼍ ⼍ 冃 冐 冒 冝 軍 運 運

字義 ❶はこぶ。㋐うつす。うごかす。物を持ち、または積んで他所に移動する。用例〔列子、湯問〕叩レ石墾レ壌、箕畚運ニ於渤海之尾一。↓石を叩き割り、土を掘り起こし、みやもっこを使って渤海の端まで土石を運んだ。㋑推し進める。❷めぐる。まわる。あるものを中心にそのまわりをぐるりとまわる。また、移り変わる。「運行」❸めぐり。㋐天体のめぐり。㋑めぐりあわせ。さだめ。「命運」「盛運」㋒時。おり。機会。「時運」❹めぐらす。㋐まわす。まわし動かす。「運動」㋑働かせ用いる。駆使する。用例〔史記、高祖本紀〕運ニ籌策帷帳之中一、決ニ勝於千里之外一、吾不レ如ニ子房一。↓はかりごとを陣幕の中でめぐらし、はるかかなたの地での勝利を決めるという点において、私は子房におよばない。㋒もてあそぶ。用例〔孟子、公孫丑上〕治ニ天下一、可レ運ニ之掌上一。↓（思いやりの政治を行えば、）天下を治めていくことは、手のひらの上で物を転がすようなやさしいことだ。

名前 うん・かず・はこぶ・やす・ゆき　難読 運否天賦

解字 篆文 形声。辶（辵）＋軍㊔。音符の軍は、戦車をめぐらすの意味。めぐりあるくの意味を表す。

逆 悪運・海運・機運・気運・幸運・皇運・時運・進運・水運・衰運・盛運・聖運・天運・悲運・武運・文運・命運

【運河】水利・灌漑・舟航などのため、陸地を人工で切り開いて作った水路。

【運会（會）】世のめぐりあわせ。

【運気（氣）】めぐりあわせ。運命。一説に、自然現象で人の運命を判断すること。

【運△鈞】回転する轆轤板。運均。

【運行】①めぐり行く。天体が軌道上をめぐる。用例〔易経、繫辞上〕日月運行、一寒一暑。↓太陽と月とがめぐりゆき、寒くなったり暑くなったりする。②
【運掌】国交通機関が決まった道筋を動く。掌（手のひら）の中で動かす（もてあそぶ）。い

たってたやすいことのたとえ。『孟子』公孫丑上編に「可レ運二之掌上一」とあるのに基づく。↓字義❹㋒。

【運踵】くびすをめぐらす。物事のたやすいたとえ。

【運上】国①公用物を政府に納めること。②江戸時代、商工業者に課した税金。

【運勢】めぐりあわせ。運命。運。

【運祚】①天子の運。②天からうけたしあわせ。

【運漕】船で物をはこぶ。

【運籌】はかりごとをめぐらす。〔史記、高祖本紀〕

【運転(轉)】①めぐる。〔荘子、天運〕②まわる。機械が動く。③やりくり。運用。④国車などを操縦する。

【運動】①めぐりうごく。はたらく。めぐらしうごかす。②国㋐保健の目的で体をうごかす。体操・散歩など。㋑ある目的を達成するために、人々にはたらきかけること。㋒物体がその位置をかえること。

【運搬】物をはこぶ。運送。

【運筆】筆づかい。また、筆をうごかして文字をかく。

【運甓】晋の陶侃が体力をつけるため、毎朝、甓を百枚ずつ運んだ故事。〔晋書、陶侃伝〕

【運命】めぐりあわせ。人生において(自分の意志や知力とは無関係に)であう吉凶禍福。運。運勢。

【運命論】人生におけるすべての事は生前からきまっていて、人の力ではどうすることもできないという説。宿命論。〔三国魏、李康、運命論〕

【運輸】おくりはこぶ。車・馬・船などで物をはこぶ。

【運用】働かせ用いる。活用。

9【過】12画 12149 教5 カ すーぎる・すーごす・あやまーつ・あやまーち 1865 89DF 一 二
一カ(クワ) 歌 guō
二カ(クワ) 箇 guò

9〔過〕13画 12150

〔过〕12011 俗字

筆順 丨 ㄇ 冂 冋 冎 咼 咼 過

字義 一❶すーぎる。すぐ。㋐通る。「通過」㋑渡る。㋒ゆきすぎる。度をこえる。「過度」❷すーごす。くらす。❸よぎーる。㋐いたる(至)。㋑立ち寄る。おとずれる。㋒まみえる。お目にかかる。二❶すーぎる。すぐ。㋐ゆきすぎる。㋑まさる。すぐれる。㋒余る。また、多い。㋓はなはだしい。また、かけはなれる。❷あやまーる。あやまーつ。㋐間違える。「過則勿レ憚レ改」㋑当たらない。正しくない。❸あやまーり。あやまーち。間違い。失敗。「不レ弐レ過」❹せめる(責)。とがめる。

解字 篆文 形声。辶(辵)+咼音。音符の咼は、越に通じ、遠方にすぎゆくの意味、度をこすの意味を表す。道を行くの意味に関する語であるから、辵を付した。

逆 一過・看過・経過・口過・罪過・前過・大過・超過・通過・督過・黙過

【過悪(惡)】あやまち。欠点。

【過雨】ひとしきり降る雨。通り雨。むらさめ。

【過客】旅人。用例〔唐、李白、春夜宴二桃李園一序〕天地者万物之逆旅、光陰者百代之過客。↓天地というものは万物の宿屋のようなものであり、月日というものは永遠の旅人のようなものである。

【過患】あやまち。わざわい。

【過観(觀)】立ち寄って見る。

【過雁】空をすぎ行くかり。渡って行くかり。

【過咎】あやまち。とがめ。

【過頃】さきごろ。過般。

【過激】あまりにはげしいこと。非常にはげしいこと。

【過言】①言いすぎ。②言いそこない。失言。

【過去】①すぎさった昔。②仏生まれない前の世。前世。現在・未来とともに三世という。〔捜神記、一〕

【過去帳】仏寺で檀家の死者の俗名・法名や死亡年月日を記した帳簿。鬼籍。鬼簿。

【過午】ひるすぎ。午後。▼午は、正午。

【過誤】あやまち。まちがい。

【過差】①あやまち。過失。②おごり。ぜいたく。

【過而不レ改是謂レ過矣】あやまちを犯しても改めない、その(改めない)ことこそ、真のあやまちである。あやまちは、改めれば、あやまちという必要はないとの意。〔論語、衛霊公〕

【過失】あやまち。不注意のため起こるしくじり。

【過日】先日。前日。

【過小】小さすぎる。↔過大。

【過少】少なすぎる。↔過多。

【過称(稱)】ほめすぎる。過分に称賛すること。過誉。

【過剰(剩)】余分のあること。ありあまること。あまり。残り。「過剰人口」

【過信】国信用しすぎること。

【過則勿レ憚レ改】過失を犯したときは、ためらわずにすぐ改めよ。用例〔論語、学而〕主二忠信一、無レ友二不レ如レ己者一。過則勿レ憚レ改。↓忠と信とをむねとし、自分よりすぐれていない者を友とするな、過ちがあれば、改めることをためらうな。

【過多】多すぎる。↔過少。

【過怠】国①あやまち。おこたり。てぬかり。②あやまった行為に対してその償いにするもの。

【過大】大きすぎる。↔過小。

【過庭之訓】父の教えをいう。孔子の子の鯉(字は伯魚)が庭を通りすぎたとき、詩・礼を学ぶべきことを孔子から教えられた故事による。庭訓。〔論語、季氏〕

【過程】国物事が移り進んでいく筋道。プロセス。

【過渡】①渡し場。②川を渡る。③国古い状態から新しい状態へと移り変わる途中。「過渡期」

【過当(當)】①あたりまえではないこと。つりあいがとれないこと。適正な限度を超えること。②戦争で味方よりも敵が多く死傷すること。

【過半】半分以上。なかばを越す。「過半数」

【過般】さきほど。このほど。先般。

【過謬】あやまち。しくじり。

【過敏】神経などが、ひどく鋭いこと。

【過不及】すぎることと及ばないこと。程度を過ぎることと達しないこと。

【過不足】すぎることと足りないこと。余ることと足りないこと。

【過分】分にすぎる。分に不相応なこと。

【過猶レ不レ及】物事は中道をこえればかえって及ばないのと同じである。中庸の尊ぶべきことをいう。用例〔論語、先進〕子貢問、師与レ商也孰賢。子曰、師也過、商也不レ及。曰、然則師愈与。子曰、過猶レ不レ及。↓先生はおっしゃった、「師(子張)は過ぎており商(子夏)は及ばない」。(子貢が)尋ねた、「それでは師の方がまさっているのですか」。先生が答えた、「行きすぎは及ばないのと同じである」。

【過料】国法律を犯した人が罪の償いに出す金。罰金。→科料(一〇四八ページ上)。

【過労(勞)】①心配しすぎる。②働きすぎて心身をそこなう。

【不レ弐(貳)レ過】一度犯したあやまちを二度とくり返さない。用例〔論語、雍也〕好レ学、不レ遷レ怒、不レ弐レ過。↓学問好きで、やつあたりせず、同じ過ちを二度とくり返さない。

【文レ過】あやまちを改めないで、表面をとりつくろい、たくみに言いわけをする。〔論語、子張〕

9
【遐】
13画 12151 漢カ 呉ゲ 麻 xiá
7802 E7A0 —

字義 ❶とおーい。とおし。はるーか。❷とおざかる。遠ざける。❸ながい。「遐齢」❹なんぞ。いずくんぞ。＝何(247)。

解字 篆文 形声。辶(辵)＋叚音。音符の叚カは、現実との間にへだたりがある、かりの意味。辵を付し、道のりにへだたりがある、はるかの意味を表す。

【遐異】(カイ) 世俗とはるかに異なっていること。

【遐域】(カイキ) 遠くはなれている土地。

【遐観(觀)】(カカン) はるかにながめる。遠く見渡す。

【遐△睎】(カキ) 遠くながめる。

【遐棄】(カキ) ①遠ざけて見捨てる。転じて、その人が死んで生者をあとに残すこと。②職務をはなれ捨てる。

【遐挙(擧)】(カキョ) ①遠くあがる。名前などがはるかに知れわたる。②遠く行く。③高遠な行動。

【遐荒】(カコウ) はるか遠くはなれた未開の異民族の地。

【遐△爾・遐△邇】(カジ) 遠い所と近い所。遠近。

【遐寿(壽)】(カジュ) 長生き。長命。

【遐△陬】(カシュウ・カスウ) 遠い田舎。

【遐想】(カソウ) ①遠くはなれた人を思う。②世俗をはなれた考えを起こす。③遠大な考え。

【遐登】(カトウ) ①はるかに登る。②人が死ぬこと。

【遐年】(カネン) 長生き。長命。長寿。

【遐福】(カフク) 大きなさいわい。

【遐齢(齡)】(カレイ) ながいき。長寿。遐年。

9
【遌】
13画 12152 ガク
— — 6561

遻(12215)と同字。→一四三四ジ・中。

9
【遇】
12画 12153 常 グウ
2288 8BF6 —

9
〔遇〕
13画 12154 グ 慣グウ 遇 yù

筆順 丨 ⼌ 日 日 昌 禺 禺 禺 遇

字義 ❶あーう。あふ。㋐であう。思いがけずであう。出くわす。用例〔人虎伝〕吾遇二故人一、則無レ所二自匿一也。↓私は旧友の君に出会ったのだから、自分から隠しだてすることはない。／〔史記、陳渉世家〕公等遇レ雨、皆已失レ期。↓諸君は雨に出くわし、もうすっかり期限に遅れてしまった。㋑気が合う。投合する。用例〔孟子、公孫丑下〕千里而見レ王、不レ遇故去。↓千里の道をやってきて王にお会いし、意見が合わないために去る。㋒合致する。用例〔韓非子、難二〕遇二於法一則行、不レ遇二於法一則止。↓法にかなえば行い、法にかなわなければやめる。㋓時世にあう。出世する。また、願いがかなう。用例〔荀子、宥坐〕夫遇不遇者時也。↓時世に合うか合わないかは巡り合わせの問題である。㋔当たる。向かう。敵対する。❷あつかう。もてなす。また、あつかい。もてなし。用例〔史記、淮陰侯伝〕漢王遇レ我甚厚。↓漢王は私を大変厚く処遇してくれた。❸たまたま。おりよく。ふと。思いがけなく。＝偶(477)。「遇然」❹おり。しお。機会。「千載一遇」

名前 あい・あう・はる

解字 金文 篆文 形声。辶(辵)＋禺音。音符の禺グは、さるに似たなまけもの類の象形で、意志も目的もなく、なんとなくするの意味。思いがけなくであうの意味を表す。

逆 会遇・奇遇・境遇・厚遇・際遇・殊遇・遭遇・待遇・知遇・不遇・優遇・冷遇・礼遇

【遇合】(グウゴウ) 出あう。特に、明君やよい運にめぐりあうことをいう。

【遇待】(グウタイ) もてなす。待遇。

【遇知】(グウチ) 明君に遭遇して実力を認められる。

【遇否】(グウヒ) 時勢にめぐり合うことと、合わないこと。運不運。

9
【遃】
13画 12155 一ゲン 阮 銑 yǎn 二ガン 翰 àn
₂8991 — 6559

字義 一ゆく(行)。二あそぶ(遊)。

解字 形声。辶(辵)＋彥音。

9
【遑】
13画 12156 漢コウ(クワウ) 呉オウ(ワウ) 陽 huáng
7803 E7A1 —

字義 ❶いとま。ひま(暇)。❷いそぐ。あわてる。また、あわただしい。いそがしい。

解字 篆文 形声。辶(辵)＋皇音。音符の皇は、大きく盛んの意味。盛んに歩く、あわてるの意味を表す。

【遑急】(コウキュウ) あわて急ぐ。また、あわただしい。

【遑△遽】(コウキョ) ひどくあわてる。また、あわただしい。

【遑遑】(コウコウ) 心がおち着かず、うろうろするさま。いそがしいさま。用例〔東晋、陶潜、帰去来辞〕曷不レ委二心任一去留一、胡為乎遑遑欲二何之一。↓どうして心を自然にゆだねて運命に身を任せないのか。なぜ心おちつかず、うろうろとして、いったいどこに行こうとするのか。

【遑寧】(コウネイ) ひまがあって安らかなこと。遑安。

9
【遒】
13画 12157 漢シュウ(シウ) 呉ジュ 尤 qiú
7804 E7A2 —

〔迺〕
12093 同字

字義 ❶せまる。近づく。❷かたい。堅固である。❸すぐれる。りっぱである。力強い。❹あつまる。あつめる。また、収まる。収める。❺おわる。おえる。また、つきる。

解字 形声。辶(辵)＋酋音。もと、迺の別体。

【遒逸】(シュウイツ) 文章が力強くすぐれている。

【遒△勁】(シュウケイ) 書・画・文章などの力強いこと。

【遒麗】(シュウレイ) 書・画・文章などの筆づかいが力強くてうるわしいこと。

9
【遂】
12画 12158 常 スイ とーげる
3175 908B —

9
〔遂〕
13画 12159 漢スイ 呉ズイ 寘 suì

筆順 丷 䒑 䒑 豸 豸 豕 遂 遂

字義 ❶すすーむ。みちすじをたどってすいすいと進む。用例〔易経、大壮〕羝羊触レ藩、不レ能レ退不レ能レ遂。↓牡羊が垣根に角をひっかけて、後退も前進もできない。❷とーげる。とぐ。㋐とおす(通)。通る。㋑とどく。達する。㋒なしとげる。完成する。また、成就する。うまくいく。用例〔老子、九〕功遂身退、天之道。↓功績を成し遂げたときにみずからその地位を退くのが、天の法則である。㋓順調に育つ。用例〔礼記、楽記〕気衰、則生物不レ遂。↓気が衰えると生物も成長しない。㋔終わる。尽きる。きわめる。❸したがう(順)。❹かなう(称)。❺ひさしい。また、おそい。＝久(68)。❻つーいに。つひに。㋐こうして。そのまま。すぐに。▼物事が流れに沿って展開することを示す。「たやすく」という語感を含むことがある。用例〔史記、高祖本紀〕抜レ剣撃斬レ蛇、蛇遂分為レ両。↓剣を抜いて蛇に切りつけると、蛇はたちまち真っ二つになった。㋑はては。かくて。その結果。▼物事が流れに従って推移した最終結果を示す。用例〔史記、伯夷伝〕遂餓二死於首陽山一。↓かくてそのまま首陽山で飢え死にした。㋒とうとう。最後まで。▼事態が最後まで続くことを示す。多く否定文で用いられ、意外・予想外である語気を含む。用例〔史記、高祖本紀〕及二高祖貴一、遂不レ知二老父処（ついのところをしらず）。↓高祖は（老人の予言通りに）高貴の身となったが、とうとうその老人の居所は分からずじまいであった。❼みち。通路。❽みぞ。周代、田の間の溝。❾周代の行政区画の名。王城から百里以上、二百里以内の土地。周代の一里は約四五〇メートル。

国おお-せる。動詞の下に添えて、すっかりなしとげる意を表す。

名前 かつ・つく・とげる・なり・なる・みち・もろ・やす・ゆき・より

解字 金文 篆文 形声。辶（辵）＋㒸（㒸）音。音符の㒸は、したがうの意味。一定の道すじに従って事が運び、なしとげるの意味を表す。

逆 完遂・既遂・未遂

【遂究】物事をおしきわめる。

【遂古】過ぎ去った大昔。上古。上代。〔楚辞、天問〕

【遂行】事をなしとげる。やりとおす。

【遂字】よくそだつ。すくすく成長する。

【遂事】すんでしまった事。してしまった事。用例〔論語、八佾〕遂事不レ諫（遂事は諫めず）。↓済んでしまった事はいさめない。

【遂初】初めの志をとげる。隠退する、官職を辞することをいう。

9 【遄】13画 12160 漢セン 呉ゼン 甲 chuán 28992 — 6560

字義 ❶しばしば。絶えず行き来する。❷すみ-やか。はやい。また、すみやかに。

解字 篆文 形声。辶（辵）＋耑音。音符の耑は、端に通じ、まっすぐの意味。寄り道しないでまっすぐに行くの意味から、はやいの意味を表す。

9 【達】12画 12161 教4 タツ 熟字訓 友達（ともだち） 3503 9242 —

9 〖達〗13画 12162 漢タツ 呉ダチ 甲 dá

［达］12020 俗字 ［逹］12140 俗字

筆順 一 十 土 𡈼 𡉀 坴 幸 達 達

字義 ❶とお-る。とほる。通じる。道が通じる。「四通八達」㋐いたる。とどく。行きつく。「到達」㋒つらぬく。行き渡る。㋓さとる。物事に通じている。「達人」㋔あらわれる。世に知られている。「顕達」㋕栄える。立身出世する。「栄達」❷とおす。㋐通じさせる。㋑届ける。送り届ける。「配達」㋒なしとげる。成就する。㋓すすめる。推挙する。「進達」❸ほしいまま。わがまま。「放達」
国❶たち。だち。ども。人の複数を示すのに用いる接尾語。ら。ども。「友達」「学生達」❷タッ-し。官庁などからの申し渡しの文書。通達。

名前 いたる・かつ・さと・さとし・さとる・しげ・すすむ・ただ・たつ・たて・と・とう・とうる・とお・とおる・のぶ・ひろ・みち・よし

難読 達迷斯（テームズ）

解字 甲骨文 金文 篆文 形声。篆文は、辶（辵）＋羍音。音符の羍は、のびやかにはねまわる小羊の意味。のびやかにすすむの意味。

逆 栄達・英達・下達・窮達・賢達・顕達・高達・四達・執達・熟達・上達・進達・先達・送達・調達・通達・伝達・発達・敏達・聞達・明達・利達・練達

【達意】自分の考えが人によくわかるように述べつくされていること。「達意の文」

【達官】君主によって直接任命される官吏。高位高官。

【達観（觀）】①全体を見通す。〔書経、召誥〕②環境にとらわれず、喜怒哀楽を超越すること。

【達見】物事の道理をよく見抜いた考え。↓卓見（三一四ページ下）。

【達言】①道理に通じたことば。②どこでも通用することば。

【達士】見識が高く道理に通じた人。〔論語、顔淵〕

【達識】広く物事の道理に通じた見識。達見。

【達者】①広く物事の道理に通じた人。〔後漢、仲長統、楽志論〕②国㋐健康。㋑自由自在。

【達人】①広く道理に通じた人。達士。②国学問・技芸など、その道にすぐれた人。

【達成】なしとげる。

【達尊】だれもが尊敬する事がら。爵位・年齢・学徳の三つ。〔孟子、公孫丑下〕

【達道】天下古今に通じて行われるべき道。五倫（父子の親、君臣の義、夫婦の別、長幼の序、朋友の信）・五典（父の義、母の慈、兄の友、弟の恭、子の孝）の道。

【達徳】天下古今の人が常にふみ行うべき徳。知・仁・勇の三つ。〔中庸〕

【達筆】国①文字や文章をたくみに書くこと。能筆。②勢いよく書くこと。

【達文】一すぐれた文章。筋がよく通っている文章。二（たっしぶみ）国官庁などから出される命令書や通知書。

【達磨・達摩】①中国の南北朝時代の禅僧。刹帝利。インドから渡り、禅宗の始祖となった。少林寺で面壁九年の修業をし、達摩大師と諡された。（？―五二八？）②達磨が座禅をしている形をしたおもちゃ・置物。③梵語の音訳で、一切万法の意。

【達頼（賴）喇△嘛△】チベットの喇嘛教の教主。禅定菩薩の化身として絶対的に信仰され、活仏と称される。▼達頼はモンゴル語で大海、喇嘛はチベット語で勝者の意。

【達練】十分に知って慣れていること。熟達。練達。

9 【遅】12画 12163 常 チ おく-れる・おく-らす・おそ-い 3557 9278 —

12 〖遲〗16画 12164 一漢チ・呉ジ（ヂ） 因 chí 二漢チ・呉ジ（ヂ） 寘 zhì 7815 E7AD —

［迡］11645 同字 ［遟］12196 古字

筆順 フ コ 尸 尸 尸 居 屖 遅 遅

字義 一❶おく-れる。おくる。おそくなる。時期を失う。また、おく-らす。「遅刻」❷おそ-い。おそし。↔速（12100）。㋐ゆっくり行く。㋑ゆるやか（緩）。おもむろ。㋒のろい。仕事などがなかなか進まない。㋓頭脳の働きがにぶい。「遅鈍」㋔久しい。❸おこたる。なまける。❹やすむ。いこう。休息する。二❶まつ（待）。❷おもう（思）。❸ねがう。のぞむ。

名前 なが・はる・ひさ・まつ

使いわけ おくれる〔遅・後〕
「気おくれする」の意で〔後〕を用いる以外は、広く一般に〔遅〕を用いる。「少しも後れた様子を見せない」「会合に遅れる・進行が遅れる」

解字 金文 篆文 会意。辶（辵）＋犀。犀は、あるくのがおそい動物の「さい」の意味。おそいの意味を表す。常用漢字の遅は俗字による。

逆 依遅・陵遅

【遅延】おくれ長びく。おそくなる。

【遅回・遅△廻】ぶらぶらさまよう。徘徊。

【遅緩】①のろい。②ゆったりしてこせこせしない。

【遅疑】ぐずぐずしていてきまらない。疑い迷ってためらうこと。「遅疑逡巡」

【遅参（參）】国きまった時刻におくれて行くこと。

【遅日】春の日。春は日が長く、暮れるのがおそいのでいう。用例〔唐、杜甫、絶句詩〕遅日江山麗（遅日江山麗しく）、春風花草香（春風花草香ばし）。↓のどかな春の日ざしの中で、川も山も美しく、春風に吹かれて花も草もよい香りを放っている。

【遅速】遅いことと速いこと。用例〔和漢朗詠集、慶滋保胤、早春〕東岸西岸之柳（東岸西岸の柳）、遅速不レ同（遅速同じからず）。

↓東の岸と西の岸では、生えている柳の芽ぶきの時期も違っている(東が早い)。

【遅滞(滯)】チタイ ぐずぐずしてひまどる。おそくなる。

【遅遅】チチ ①気がすすまないさま。用例〔唐、白居易、長恨歌〕遅遅鐘鼓初長夜、耿耿星河欲曙天。↓(秋の)夜長を迎えたばかりなのに、(時を知らせる)鐘や太鼓の音がゆっくりと聞こえ、かすかに輝く天の川が、夜が明けようとする空にみえる。②ゆっくりしてこせこせしないさま。③日が長いさま。のどかなさま。用例〔詩経、小雅、出車〕春日遅遅、卉木萋萋。↓春の日差しは長くのどかに感じられ、草木はおい茂る。④物事が進まないさま。はかどらないさま。⑤ゆっくり進むさま。徐行のさま。

【遅鈍】チドン のろくてにぶい。のろま。鈍重で愚か。

【遅暮】チボ ①だんだん年を取る。暮年。〔顔氏家訓、勉学〕②ゆっくりしていておそいこと。

【遅明】チメイ 夜明け。夜がまだ全部明けはなれないとき。遅旦。

【遅留】チリュウ とどまる。

9 【遉】13画 12165 漢テイ 呉チョウ(チャウ) 敬 zhēn 7806 E7A4 —

字義 うかが-う。さぐる。=偵(500)。国さす-が。さすがに。㋐そうはいうものの。㋑本分にたがわず。いかにも。

解字 形声。辶(辵)+貞音。音符の貞は、うらなって問うの意味。めぐり歩いてさぐりうかがうの意味を表す。

9 【逿】13画 12166 — — 6558

一 漢トウ(タウ) 呉ドウ(ダウ) 漾 dàng

二 漢トウ(タウ) 呉ドウ(ダウ) 陽 tāng

字義 一 ❶すぎる(過)。❷たおれる。くずれる。❸動かす。ゆり動かす。二 つく(突)。

解字 形声。辶(辵)+昜音。

9 【道】12画 12167 教2 ドウ・トウ みち 3827 93B9 —

9 〔道〕13画 12168

一 漢トウ(タウ)・呉ドウ(ダウ) 晧 dào

二 漢トウ(タウ)・呉ドウ(ダウ) 号 dǎo

筆順 丷 䒑 䒑 首 首 首 道 道

〔道〕1748 同字 〔衟〕3465 古字 〔衜〕3471 古字

字義 一 ❶みち。㋐通りみち。道路。㋑すじ。条理。正しいすじみち。また、人が守り行うべき正しい道理。儒家の教えとして説く、仁義・徳行。用例〔論語、微子〕天下有道、丘不与易也。↓もし世の中に正しい道が行われているのなら、私は世間の人たちと一緒に世の中を変えてゆこう、ということなどしないのだ。㋒道家で説く、宇宙・万物の根源。用例〔老子、四十八〕為学日益、為道日損。↓学問を修めてゆけば、世俗的な知識は一日ごとに増えてゆくし、反対に、無為自然の道を修めてゆけば、世俗的な知識は一日ごとに減ってゆく。㋓方法。手段。用例〔孟子、離婁上〕得天下有道、得其民、斯得天下矣。↓天下を手に入れるには方法がある、人民の心をつかめば、必ず天下は手に入る。㋔主義・主張。学説。用例〔孟子、滕文公上〕従許子之道、則市賈不弐、国中無偽。↓もし許子の学説に従えば、市場の物価に掛け値がなく、国中の人々にいつわりがなくなる。㋕学問。技芸。「芸道」「茶道」

❷みち-する。㋐通る。通ずる。用例〔史記、項羽本紀〕従酈山下、道芷陽間行。↓酈山の麓をかすめて芷陽を通る裏道を行く。㋑行く。道に従って行く。また、経由する。

❸道の神。道祖神。また、その祭り。用例〔礼記、曽子問〕道而出。↓道祖神の祭りをしてのち出発する。

❹道教。黄帝・老子の教えに基づいて神仙・養生などを説く教え。また、それを修める道士をいう。❺僧侶。❻唐・明・清などの時代の行政上の区画。唐代は州県を統べ、清では省の下の区分。

二 ❶い-う。かたる(語)。とく(説)。用例〔東晋、陶潜、桃花源記〕不足為外人道也。↓外部の人にお話しになるまでもないことですよ。/〔文選、古詩十九首、其一〕棄捐勿復道、努力加餐飯。↓私はあなたに捨てられようとも、これ以上、二度と何も言いますまい。どうか、つとめて食事をじゅうぶんにとって、おからだをたいせつにしてください。

❷みちび-く。てびきする。=導(2735)。用例〔論語、為政〕道之以政。↓人民を導くのに政令法律によって行う。

❸みちびき。案内。

❹おさめる(治)。用例〔論語、学而〕道千乗之国、敬事而信、節用而愛人、使民以時。↓諸侯の国(大国)を治めるには、仕事を慎重にして信義を守り、経費を節約して人民を愛し、人民を使って労働に従事させるにあたっては、農繁期をさけて適当な時節を選ぶ。

❺よる(由)。より従う。❻より(従)。動作の起点を示す助字。

国 ドウ。もと、地域区分の名。東海道・山陽道など八道あった。今、北海道の略称。「道庁」

名前 おさむ・おさめ・じ・ち・つな・つね・どう・なおし・ね・のり・まさ・みち・みつ・ゆき・より・わたる

難読 道成寺・道祖・道祖王・道祖神・道祖木・道程・道木・道理・道理山

解字 金文 篆文 形声。金文は、行+首音。音符の首は、くびの意味。異民族の首を埋めて清められた、みちの意味を表す。

逆 悪道・王道・海道・街道・外道・閣道・家道・華道・間道・軌道・鬼道・求道・芸道・権道・公道・坑道・黄道・古道・故道・茶道・参道・桟道・士道・市道・師道・至道・邪道・柔道・唱道・小道・常道・食道・神道・臣道・人道・水道・赤道・世道・善道・祖道・大道・達道・中道・天道・伝道・同道・入道・覇道・非道・複道・仏道・父道・武道・報道・魔道・無道・明道・有道・糧道

【道院】ドウイン 道士のいる所。道教の寺。

【道化】ドウカ 一 道の感化。道によって善に感化すること。二 ドウケ 国おかしいことをして人を笑わせる(人)。道化師。

【道家】ドウカ 諸子百家の一つ。老子・荘子らの説を奉ずる学派。老荘学派。黄帝・老子を祖とした、列子・荘子・関尹子らの説で、天性に従い、自然を尊び、無為にして外物におかされないことを主旨とする。中国固有の民族思想にもとづくものが多く、これから道教が生じた。〔漢書、芸文志〕⇨コラム 諸子百家系統図(一三三四ページ)。

【道学(學)】ドウガク ①道徳を説く学問。儒教の学問をいう。②道家の学問。③宋代の程子・朱子らの唱えた理気の学。性理学。宋学。

【道学(學)先生】ドウガクセンセイ ①道学を主として修めた学者。②道徳にこだわって融通がきかず、世事にうとい学者や人をあざけっていう語。

【道観(觀)】ドウカン 道教の寺。道院。

【道義】ドウギ 人のふみ行うべき道。道理。道誼。用例〔北宋、欧陽脩、朋党論〕所守者道義、所行者忠信、所惜者名節。↓彼らが守るものは物事の道理や正義であり、実践するものは忠信であり、大切にするものは名誉と節義である。

【道義心】ドウギシン 道義を重んじる心。道徳心。
【道教】ドウキョウ 中国で成立した宗教の名。黄帝・老子・荘子らを祖とし、無為自然を主旨とする老荘哲学に、陰陽五行・神仙の説・仏教などをとり入れ、不老長生を求める宗教の一つ。後漢の時代に宗教の体をなし、晋代に天師道といい、後に道教というようになり、中国の民間習俗に大きな影響を与えた。
【道具】ドウグ ①仏僧の用いる器具。②国うつわ。器物。仕事をするためのこまごまとした器具の類い。
【道在レ邇求ニ諸遠ニ】みちはちかきにありこれをとお(ほ)きにもとむ 人の道は自分の身辺について反省し考えるべきであるのに、人はかえって遠い所に求めようとしている。だから道は自分から遠く離れて求めがたいものになってくる。〔孟子、離婁上〕
【道山】ドウザン 仙人の住む山をいう。
【帰ニ道山ニ】ドウザンにかえ(へ)る 道家で、人の死ぬことをいう。転じて、一般に人の死をいう。〔世説新語補、排調下〕
【道士】ドウシ ①道教によって長生不死の術などを身につけた人。方士。用例〔唐、白居易、長恨歌〕臨邛道士鴻都客リンキョウのドウシコウトのカク、能以ニ精神ー致ニ魂魄ーよくセイシンをもってコンパクをいたす。↓蜀の臨邛出身の道士で長安に滞在している人が、(卓越した)精神力で死者の魂を招き寄せることができるとのこと。②道義を身につけた人。道徳のある人。③仏仏道を修行する人。僧。
【道師】■ドウシ 道徳の師。人の行うべき道について指導する人。■みちのシ 国奈良時代、天武天皇のときにさだめられた八種の姓かばねの中の第五位で、技芸をつかさどったもの。
【道次】■ドウジ 道筋。途次。■みちすがら 国みちみち。途中。
【道者】ドウシャ ①道徳にすぐれた人。②道教を修めた人。道士。③仏仏道を修行する人。④国うちつれて神社・仏寺にお参りする人。
【道釈(釋)】ドウシャク 道教と仏教。
【道術】ドウジュツ ①道教の道士や仙人が行う術。仙術。②道徳と学問。
【道場】ドウジョウ ①仏道修行をする所。寺。②国㋐武芸を教えたり練習したりする所。㋑修養や訓練のために団体生活をする所。
【道心】ドウシン ①物事の是非を判断して正義につく心。道徳の観念。②仏仏道を求める心。菩提心ボダイシン。㋑あわれみ。慈悲の心。③国㋐十五歳で仏門にはいった人。青道心。
【道人】ドウジン ①道を身につけた人。有道の人。②神仙の道を得た人。仙人。③道教を修めた人。④俗世間をのがれた人。⑤仏仏門にはいった人。僧。
【道△雖レ△邇不レ行不レ至】みちちかしといえ(へ)どもゆかざればいたらず 近い道も行かなければ到達しない。実行を重視する教え。〔荀子、修身〕
【道説】ドウセツ ものをいう。話す。▼道も、いう意。
【道祖神】ドウソジン 国旅の途中の悪魔を防ぎ旅人を守る神。さいの神。
【道俗】ドウゾク 僧侶ソウリョと俗人。
【道聴(聽)塗説】ドウチョウトセツ・みちにききみちにとく 道で聞きかじったことを、すぐ知ったふりをして他人に話すこと。受け売り。〔論語、陽貨〕
【道程】ドウテイ 道のり。道里。
【道途・道塗】ドウト みち。道路。
【道統】ドウトウ 中国の上古から後代へ儒教の道を伝えた聖賢の系統。宋ソウの儒者が初めて称したもの。
【道徳】ドウトク ①人のふみ行うべき正しい道。道理。道義。〔易経、説卦〕②老子の説いた道と徳。
【道徳経(經)】ドウトクキョウ 書名。『老子』(二一六三ジ-中)の別名。
【道念】ドウネン ①道義心。良心。②仏の道を修める心。
【道破】ドウハ いいつくす。いってのける。▼破は、強意の助字。
【道標】ドウヒョウ 国道案内のために方向や里程などを木や石にしるしたもの。道しるべ。
【道不レ拾レ遺】みちにおちたるをひろわ(は)ず 道に落ちている物があっても、拾って自分のものとしない。国民が為政者に感化されて正直になったことをいう。また、国法がよく行われていることをいう。〔韓非子、外儲説左上〕
【道服】ドウフク ①道士の着る服。②袈裟ケサの別名。僧衣。③国平安時代の貴族が、外出のとき着た、ちりよけの上衣。
【道辺(邊)】ドウヘン 道ばた。
【道傍・道△旁】ドウボウ 道ばた。道辺。用例〔唐、杜甫、兵車行〕道旁過者問ニ行人ードウボウのすぐるもの、コウジンにとえ(へ)ば、行人但云点行頻コウジンただいう(ふ)テンコウしきりなりと。↓道ばたを通りかかったものが、出征兵士に問いかけると、兵士はただこたえる「徴兵がしきりなのです」と。
【道楽(樂)】■ドウラク 国①ものずき。自分の職業以外のものにふけりたのしむ。②よくない遊び。酒色などにふけること。③趣味。■みちガク 国天子の行幸や大葬のとき、その道すがら音楽を奏すること。また、その音楽。
【道里】ドウリ ①道や村ざと。②みちのり。道程。用例〔史記、廉頗藺相如伝〕王行オウのコウ、度ニ道里ードウリをはかるに、会遇之礼畢カイグウのレイお(を)わ(は)りてかえ(へ)るまで、不レ過ニ三十日ーサンジュウニチをすぎざらん。↓王様のお出ましについて、行程をはかってみますと、会談の儀式がすんでお帰りになるまで、三十日をこすことはないでしょう。
【道理】ドウリ ①物事のそうでなければならないわけ。筋道。物の理くつ。②人のふみ行うべき正しい道。道義。
【道路以レ目】ドウロめをもってす みな恐れて公然と非難はしないが、道路でたがいに目で不満の意を通じ合うのをいう。道路側レ目ドウロめをそばだつ。〔国語、周語上〕
【道話】ドウワ ①道徳についての話。②国心学者の説く訓話。
【休レ道】いう(ふ)をやめよ いうな。勿レ道なかれいう(ふ)。休道キュウドウ。▼道は、いう。用例〔広瀬淡窓、桂林荘雑詠示ニ諸生ー詩〕休レ道他郷多ニ苦辛ーいう(ふ)をやめよタキョウ、クシンおお(ほ)しと、同袍有レ友自相親ドウホウともありおのずつ(づ)からあい(ひ)したしむ。↓言ってはいけない、異郷にあって勉学するのはつらいなどということを。ここには、同じ綿入れを貸し合って着る親しい学友がいて、はげましあっているではないか。
【聞レ道】みちをきく 道理を聞き知ること。用例〔論語、里仁〕朝聞レ道あしたにみちをきかば、夕死可矣ゆう(ふ)べにシすともカなり。↓朝に人が従うべき道を聞いて知ることができれば、夕方に死んでも本望だ。
【無レ道】みちなし ①世の中に道徳が行われていない。②方法がない。

9
【遁】
13画 12169 人 標
■漢トン 呉ドン 願 阮 dùn
■シュン 真 qūn
3859 93D9 一

筆順 ノ 厂 𠂆 斤 盾 盾 遁 遁

〔遁〕12170 俗字

字義 ■=遯(12211)。❶のがれる。㋐にげる。用例〔唐、柳宗元、三戒〕虎大駭遠遁とらおお(ほ)いにおどろき、とお(ほ)くのがれ、以為レ且レ噬レ己也もってまさにおのれをかまんとすとなすなり。↓虎はたいそう驚き、遠くへ逃げ、あれは今にも自分にかみつこうとしたのだと思った。㋑かくれる(隠)。「隠遁」㋒さける(避)。❷あざむく。そむく。■あとじさりする。しりごみする。=逡(12094)。

解字 篆文  形声。辶(辵)+盾音。音符の盾は、他から身をおおいかくすための「たて」の意味。かくれてのがれるの意味を表す。

【遁逸・遁△佚】トンイツ 世をのがれて安らかにくらす。遯逸トンイツ。
【遁隠(隱)】トンイン にげかくれる。のがれかくれる。遯隠トンイン。
【遁甲】トンコウ 人目をくらまし、わが身をかくして、凶事からのがれる術。忍術の類い。
【遁△竄】トンザン のがれる。にげかくれる。遯竄トンザン。
【遁辞(辭)】トンジ 言いのがれ。にげ口上。〔孟子、公孫丑上〕
【遁巡】シュンジュン しりごみする。あとじさる。逡巡シュンジュン。

【遁心】トンシン 法をのがれようとする。そむく心。遯心トンシン。
【遁世】トンセイ 同遯世トンセイ。①世をのがれてかくれ住む。隠居。②出家して仏門にはいる。③国僧が名利を求めず修行すること。
【遁走】トンソウ にげ出す。のがれはしる。逃亡。
【遁逃】トントウ のがれる。にげる。
【遁北】トンボク・トンホク にげ走る。逃北。遁去。遁亡。▼北も、にげる。

9【遁】12画 12170 トン 遁(12169)の俗字。→一四二六ジー下。

9【逼】13画 12171 標 漢ヒョク・呉ヒキ 職 bī 慣ヒツ 4115 954E —
【逼】12172 俗字
字義 せま-る(迫)。㋐近づく。㋑せばまる。せまくなる。ちぢまる。㋒さしせまる。ゆきづまる。㋓しいる。おしつける。強制する。㋔おどしつける。おびやかす。脅迫する。用例〔杜子春伝〕左右竦レ剣而前サユウケンをそばだててすすみ、逼ニ問姓名一セイメイをせまりてとう(ふ)。↓側近たちは剣をかざして進み、迫って(杜子春トシシュンに)姓名を問うた。
解字 篆文 形声。辶(辵)+畐音。音符の畐ヒョクは、迫と同義で、せまるの意味を表す。
【逼塞】ヒッソク ①せばまりふさがる。②国㋐おちぶれて世間へ出られないこと。㋑江戸時代、武士に加えた刑罰の一つ。門を閉じて白昼の出入を禁じた。→閉門②(一四九六ジー中)。
【逼奪】ヒョクダツ・ヒツダツ ①おどかして取る。②君主に迫ってその位をうばう。
【逼迫】ヒッパク・ヒョクハク ①さしせまる。切迫。②国金まわりが行きづまる。

9【逼】12画 12172 ヒツ 逼(12171)の俗字。→一四二七ジー上。

9【遍】12画 12173 常 ヘン 4255 95D5 —
9【遍】13画 12174 ヘン 霰 biàn
筆順 ㇇ ヨ 戸 戸 肩 肩 扁 遍 遍
字義 ❶あまね-し。また、あまね-く。始めから終わりまで。広く、すべてにわたって。すみずみまで。=徧(3446)。「普遍」❷回数を示す助数詞。「一遍」
解字 形声。辶(辵)+扁音。音符の扁ヘンは、ひらたくうすいの意味。ひらたくうすくゆきわたるの意味を表す。
逆 普遍
【遍在】ヘンザイ 広くすみずみまで行き渡って存在する。
【遍照】ヘンショウ ❶あまねくてらす。偏照ヘンショウ。❷ヘンジョウ 仏仏の光明があまねく世界をてらすこと。
【遍照金剛】ヘンジョウコンゴウ ①大日如来の名。その光明があまねく世界をてらして、そのうえ金剛のように不壊フエであることからいう。②空海のこと。弘法大師コウボウダイシを拝するとき、南無大師遍照金剛ととなえる。
【遍身】ヘンシン 全身。からだじゅう。偏身ヘンシン。
【遍布】ヘンプ あまねくしく。あまねくゆきわたる。偏布ヘンプ。
【遍満(滿)】ヘンマン すみずみまでいっぱいになる。遍満。偏満ヘンマン。
【遍歴(歷)】ヘンレキ 広く各地をめぐり歩く。遊歴。偏歴ヘンレキ。
【遍路】ヘンロ 国祈願のため、道中、食をこいながら四国八十八か所の霊場(弘法大師コウボウダイシ修行の遺跡)をめぐること。また、その人。巡礼。

9【逩】13画 12175 ホン 願 bēn
【逩】12143 俗字
字義 走る。
解字 形声。辶(辵)+奔音。

9【逾】13画 12176 ユ 虞 yú 7807 E7A5 —
字義 ❶こ-える(越)。こす。=踰(11767)。㋐こえ進む。こえ渡る。㋑すぎる。まさる。❷ます(益)。❸いよいよ。ますます。用例〔唐、杜甫、絶句詩〕江碧鳥逾白コウみどりにしてとりいよいよしろく、山青花欲レ然やまあおくしてはなもえんとほっす。↓川の水は紺碧コンペキで、(それに対比して)鳥はいよいよ白く、山は浅みどりで花は燃えたつばかりに真っ赤である。❹遠い。はるか。
難読 逾越節すぎこし
解字 篆文 形声。辶(辵)+兪音。音符の兪ユは、ぬけだすの意味。ある範囲からぬけでる、こえるの意味を表す。
【逾月】ユゲツ 月をこえる。翌月に入る。
【逾邁】ユマイ こえ進む。日月が過ぎ去る。

9【遊】12画 12177 教3 ユウ・ユ あそ-ぶ
9【遊】13画 12178 漢ユウ(イウ) 呉ユ 尤 yóu 4523 9756 —
筆順 ュ 方 方 ガ 扩 扩 斿 斿 遊
字義 ❶あそ-ぶ。㋐ぶらぶらする。きままに歩きまわる。「遊歩」㋑すきなことをして楽しむ。「佚遊イツユウ」「遊戯」㋒遠出をする。旅をする。諸方をめぐる。見物してまわる。用例〔漢書、項籍伝〕秦始皇帝東遊ニ会稽一シンシコウテイひがしのかたカイケイにあそび、渡ニ浙江一セッコウをわたる。↓秦の始皇帝が東方の会稽に巡幸し、浙江を渡った。㋓あちこちをめぐって説く。説きまわる。用例〔漢書、儒林伝〕七十子之徒散遊ニ諸侯一シチジッシのトサンじてショコウにあそぶ。↓(孔子がなくなると)七十人の弟子たちは各々分かれて諸侯に遊説した。㋔家を離れて他郷に行く。修学や仕官などのため他国へ行く。「遊子」「遊学」「宦遊カンユウ」㋕一定の職をもたず、ぶらぶらする。ひまでいる。「遊民」㋖交わる。つきあう。「交遊」❷ただよう。さまよう。「遊魂」❸あそ-び。❹ともだち。友人。朋友ホウユウ。「知遊」「朋遊」❺おとこだて。「遊侠」❻=游(6548)。㋐泳ぐ。「遊泳」㋑浮かぶ。「浮遊」
国❶あそ-ばす。おこなう・するなどの敬語。❷あそ-び。すさび。㋐奏楽の古語。音楽が遊びのおもなものであったのでいう。㋑酒色の楽しみ。
名前 とも・なが・ゆ・ゆき 難読 遊佐ゆさ・ゆざ
参考 熟語は〔游〕(6548)をも見よ。
解字 形声。辶(辵)+斿音。
逆 逸遊・宴遊・観遊・旧遊・交遊・豪遊・周遊・出遊・巡遊・清遊・浮遊・漫遊・歴遊
【遊逸・遊佚】ユウイツ 遊び楽しむ。游逸ユウイツ。
【遊泳】ユウエイ ①水泳。およぐ。游泳ユウエイ。②比喩ヒユ的に、その境遇にしたがって世を渡ることをいう。処世。
【遊宴・遊燕・遊讌】ユウエン 遊び楽しむ。また、酒盛り。宴会。游宴ユウエン。
【遊客】ユウカク ①旅行者。旅客。用例〔南宋、陸游、入蜀記〕遊客摩挲太息ユウカクマサしてタイソクするも、僧及童子輩ソウおよびドウジのともがら、往往窃笑也オウオウにひそかにわらう(ふ)なり。↓見物人は石を撫でて嘆息しているのであるが、僧侶や子供らは、しばしば陰で笑っている。②あそび歩く人。③国遊郭で遊ぶ人。
【遊郭・遊廓】ユウカク 歌や舞などを売ることで客を楽しませた女性たちが多く集まっていた、一定の区域。
【遊学(學)】ユウガク 他国に行って学問する。游学ユウガク。
【遊宦】ユウカン 他国に行って役人になる。游宦ユウカン。
【遊観(觀)】ユウカン 同游観ユウカン。①歩きまわって見物する。遊覧。②あそぶために建てられた御殿。
【遊侠】ユウキョウ おとこだて。侠客。游侠ユウキョウ。
【遊興】ユウキョウ ①おもしろくあそぶ。②国花柳界にあそぶ。
【遊君】ユウクン 国歌や舞などを売ることで客を楽しませた女性。
【遊軍】ユウグン ①後方にあって必要に応じて味方をたすけ、敵を攻撃する軍隊。遊兵。②国一定の部署につかず、控えている人。
【遊芸(藝)】ユウゲイ ①六芸を学ぶ。→游芸ユウゲイ(八〇三ジー中)。②国人を楽しませる芸ごと。舞踊・講談・浪曲・流行歌・琴・三味線シャミセン・笛などの芸能。

【遊△屐】ユウゲキ ①はきもの。▼遊は、出歩く意。②歩きまわる。人を訪問してまわる。

【遊撃(撃)】ユウゲキ ①戦列の外にいて、適宜味方を助けて敵を撃つこと。游撃。②国野球の「遊撃手」の略。

【遊行】ユウコウ 同遊行。㊀ユウコウ 歩きまわる。㊁ユギョウ 仏僧が諸国をめぐり歩く。行脚。

【遊幸】ユウコウ 天子の外出。行幸。游幸。

【遊魂】ユウコン 肉体から離れて宙にさまよう魂。游魂。用例〔唐、杜甫、哀二江頭一詩〕明眸皓歯今何在、血汚遊魂帰不レ得。⇩あの明るいひとみと白い歯の美人は、いったいどこにいるのか。血でけがされた人のさまよう魂は、帰ってきて落ちつくことができずにいる。

【遊山】㊀ユウザン・ユウサン・ユサン 山遊びをする。游山。㊁ユサン 国気ばらしに外出する。行楽。「物見遊山」

【遊子】ユウシ 家を離れて他郷にある人。たびびと。游子。用例〔唐、李白、送二友人一詩〕浮雲遊子意、落日故人情。⇩空に浮かぶ雲は、ゆくえ定めぬ旅人(である君)の心であり、沈みゆく夕日は、古くからの友人(である私)の(別れを惜しむ)心である。

【遊糸(絲)】ユウシ 春などに野原に立ち上る気。陽炎。野馬。游糸。

【遊字】あそびジ 国漢文訓読の場合に、読まれないので無用のように思われる字。置き字。助字の焉、兮などの類い。

【遊事】ユウジ 故郷を離れた土地で仕える。遊仕。

【遊手】ユウシュ 手を遊ばせる。なすこともなくあそびくらすこと。また、その人。

【遊女】ユウジョ 同游女。①出歩いている女性。②歌や舞などを売ることで客を楽しませた女性。

【遊渉】ユウショウ あちらこちらあそび歩く。

【遊人】㊀ユウジン 同游人。①遊び楽しむ人。旅行者。②侠客。㊁あそびニン 国①決まった職がなく、ぶらぶらしている人。②酒色・ばくちなどにふける人。道楽者。

【遊△萃】ユウスイ あそび集まる。▼萃は、あつまる。

【遊星】ユウセイ 太陽の周囲を運行する星。惑星。↕恒星(五四四ページ中)。

【遊説】ユウゼイ 諸侯をめぐり訪ねて、自己の説を主張すること。中国の戦国時代に行われ、蘇秦・張儀などとくに名高い。游説。転じて、自分の意見や政党の主義・主張を説いてまわる。用例〔史記、張儀伝〕嘻、子毋二読レ書遊説一、安得二此辱一乎。⇩ああ、あなたがお勉強なさったり遊説なさったりしなければ、こんな辱めにはあわなかったでしょうに。

【遊仙窟】ユウセンクツ 書名。唐の張鷟(字は文成)の作といわれる伝奇小説。文成が黄河の源に使いに行く途中神仙の住む所に迷いこみ、二人の仙女に会って歓待されたことを述べたもの。四六騈儷文を用い、俗語もまじえている。中国では早く散逸し、日本には奈良時代に伝わって、『万葉集』以後の文学に影響を与えた。

【遊惰】ユウダ あそびおこたる。游惰。

【遊談】ユウダン 同游談。①=遊説。②口からでまかせを言う。③むだ話。④自由に話す。

【遊△蕩】ユウトウ だらしなくあそぶ。道楽にふける。游蕩。

【遊 必 有レ方】あそぶにはかならずホウあり =游必有レ方(八六三ページ下)。

【遊牧】ユウボク 定住しないで、水や牧草を追って移住し、羊や牛などの牧養をすること。游牧。「遊牧の民」

【遊民】ユウミン 一定の職業をもたずあそんでくらしている人。浮浪人。游民。

【遊目】ユウモク 見まわす。思うままに見まわす。游目。

【遊冶】ユウヤ 遊びにふけり、容姿を飾る。游冶。

【遊冶郎】ユウヤロウ 酒色にふける男性。游冶郎。

【遊予(豫)】ユウヨ 同游予。①帝王の遊び・楽しみ。②あそび楽しむ。

【遊△弋】ユウヨク 同游弋。①いぐるみ(矢にひものついたもの)で鳥を捕らえること。②軍艦が海上を往き来して警戒すること。

【遊里】ユウリ =遊郭・遊廓。

【遊離】ユウリ ①はなれる。分離する。②単体が化合しないで存在すること。また、化合物から分離すること。

【遊猟(獵)】ユウリョウ 狩りをする。また、狩猟。游猟。

【遊歴(歷)】ユウレキ 広く各地をめぐり歩く。遍歴。游歴。

9【遥】12画 12179 人 | 4558 9779 —

10〖遙〗14画 12180 人 ヨウ(エウ) 蕭 yáo | 8403 EAA1 —

筆順 ノ ㇐ ㇒ 乊 乎 𢀖 䍃 遥 遥

字義 ❶はる-か。遠い。距離的・時間的に隔たっている。また、はるかに。用例〔唐、杜甫、月夜詩〕遥憐小児女、未レ解レ憶二長安一。⇩私が遠く思いやるのは、幼いむすこやむすめたちの、まだ、長安の父の身の上を気づかうことさえできない幼い身であること。❷長い。❸さまよう。そぞろ歩く。「逍遥」

名前 すみ・とお・のぶ・のり・はる・はるか・みち

解字 篆文 形声。辶(辵)+䍃(䍃)音。音符の䍃は、ゆれるの意味。ゆらゆらと歩く、そぞろあるきするの意味を表す。

【遥△曳】ヨウエイ ①たなびく。②長くたれる。

【遥役】ヨウエキ はるかに遠い地方に出て従事する兵役・労役。

【遥△矚】ヨウショク 遠くからながめること。

【遥昔】ヨウセキ ①遠いむかし。②長い夜。

【遥然】ヨウゼン はるかなさま。

【遥天】ヨウテン はるかに遠い空。遥空。

【遥湯・遥△蕩】ヨウトウ 心が定まらないこと。

【遥拝(拜)】ヨウハイ はるかに遠くからおがむ。

【遥△碧】ヨウヘキ はるかな青空。

【遥遥】ヨウヨウ ①はるかに遠く離れるさま。はるばる。②心の不安なさま。

9【遖】13画 12181 国字 | 7808 E7A6 —

字義 あっぱれ。賛美・驚嘆のときに発することば。

解字 会意。辶(辵)+南。

9【迚】12画 12182 国字 | 28990 — —

字義 しめ。しめなわ(注連縄)。

10【違】13画 12183 常 イ ちが-う・ちが-える | 1667 88E1 —

9〖違〗13画 12184 イ(ヰ) 微 wéi

筆順 ノ ク 五 吾 㐬 㐬 韋 韋 違

字義 ❶ちが-う。くいちがう。一致しない。「相違」❷たが-う。さからう。そむく。もとる。ちが-える。「違法」❸さ-る(去)。㋐はなれる。遠ざかる。㋑立ち去る。にげる。さける(避)。❹よこしま(邪)。道理にそむいたこと。「非違」❺あやまち。過失。「違失」❻さまよう。徘徊する。

解字 金文 篆文 形声。辶(辵)+韋(韋)音。音符の韋は、そむくの意味。そむき離れるの意味を表す。

逆 依違・相違・非違

【違憲】イケン ①国家のおきてにそむく。違法。②国(法律・命令・国務に関する行為・手続きなどが)憲法の規定にそむくこと。↕合憲(二四七ページ中)。

【違言】イゲン ①さからうことば。②道理にそむいたことば。

【違△忤・違△迕・違△啎】イゴ さからう。▼忤も、さからう意。

【違算】イサン 国①計算ちがい。勘定ちがい。②計画のたてそこない。見こみちがい。

【違旨】(イシ) 目上の人の意にそむく。

【違失】(イシツ) あやまち。しくじり。過失。

【違心】(イシン) ①よこしまで、道にたがう心。②ふたごころ。

【違背】(イハイ) (約束・命令などに)たがいそむく。違反。違戻。

【違反】(イハン・イヘン) 法律・規定・約束などにそむく。

【違犯】(イハン・イボン) たがいおかす。法にそむく。

【違法】(イホウ) 規則や法律にそむく。

【違約】(イヤク) 約束にそむく。〔史記、項羽本紀、索隠述賛〕違反。

【違戻】(イレイ) (法律・約束・命令などに)そむく。たがいもとる。

【違例】(イレイ) ①これまでのしきたりにたがう。②国貴人の病気をいう。御不例。

【違和】(イワ・イカイ) 身体の調和を失って気分がすぐれない。病気になる。また、今までと違いすぎてしっくりこない。「違和感」

10【遠】13画 12185 教2 エン・オン とお-い 1783 8993

10〔遠〕14画 12186 ㊀漢エン(ヱン)・呉オン(ヲン) 阮 yuǎn ㊁漢エン(ヱン)・呉オン(ヲン) 願 yuàn

筆順 一 + 土 吉 声 声 声 袁 遠

字義 ㊀❶とお-い(とほ-し)。↔近(12028)。㋐はるか。距離が長い。用例〔易経、繋辞下〕近取諸身、遠取諸物、於是始作八卦。↓近くは身体を取り入れ、遠くは万象を取り入れ、こうして初めて八卦をつくった。

㋑久しい。時間がへだたる。用例〔詩経、大雅、蕩〕殷鑑不遠、在夏后之世。↓殷の国に対する戒めは遠くにあるのではない。(暴君桀によって滅んだ、すぐ前代の)夏の時代にある。

㋒長期にわたる。また、範囲のひろい。「遠大」「遠慮」

㋓性質・内容に隔たりがある。用例〔論語、陽貨〕性相近也、習相遠也。↓人の生まれつきの性質は似たり寄ったりである。ただ、習慣によって(善にも悪にもなって)、大きな隔たりを生じるのだ。

㋔うとい。親密でない。「疎遠」㋕まわりどおい。「迂遠」

㋖奥深い。「深遠」㋗きわまりがない。はてがない。また、広い。

❷遠い所。また、遠い人。❸先祖。「追遠」

㊁❶とお-ざける(とほ-ざく)。㋐はなれさせる。へだてをつくる。また、おいはらう。用例〔論語、雍也〕敬鬼神而遠之。↓神霊は敬いながらも遠ざける。

㋑うとんずる。親しくしない。疎遠にする。用例〔三国蜀、諸葛亮、前出師表〕親賢臣、遠小人、此先漢所以興隆也。↓才徳のすぐれた臣下と親しみ、小人物を遠ざける、これこそが前漢が国を興し、盛んになった理由でございます。

㋒とお-ざかる(とほ-ざかる)。遠のく。避ける。用例〔論語、顔淵〕舜有天下、選於衆、挙皐陶、不仁者遠矣。↓舜が天下を取ったとき、大勢の中から選び皐陶を引きたてたので、仁でない者は、自ら遠ざかった。

❷たがう(違)。

名前 と・とう・とうし・とお 難読 遠賀川(おんががわ)・遠刈田(とおがった)・遠近(おちこち)・遠軽(えんがる)・遠江(とおとうみ・とおつおうみ)・遠志(ひめはぎ)・遠浅(とおあさ)

解字 金文  篆文  形声。辶(辵)+袁㊫。音符の袁は、とおざかるの意味。行くの意味の辵を付し、遠く行くの意味を表す。

逆 永遠・久遠・敬遠・高遠・深遠・絶遠・疎遠・追遠・幽遠

【遠因】(エンイン) 遠い原因。間接の原因。↔近因(一四〇七ページ上)。

【遠裔】(エンエイ) ①遠い後世の子孫。遠冑。②遠い果てにある異民族の国。

【遠影】(エンエイ) 遠くに見えるすがた。▼影は、形・姿。用例〔唐、李白、黄鶴楼送孟浩然之広陵詩〕孤帆遠影碧空尽、唯見長江天際流。↓友を乗せた船の帆が遠く碧空のかなたに消え、あとにはただ長江が天の果てへと流れて行くのが見えるばかりである。

【遠隔】(エンカク) 遠くへだてる。懸隔。

【遠観(観)】(エンカン) ①遠く望み見る。②深遠な見解。

【遠忌】(エンキ・オンキ) 仏三年忌以上、五十年忌・百年忌などの年忌をいう。真宗で「エンキ」、他宗で「オンキ」という。

【遠紀】(エンキ) はるかにへだたっている年(世)。

【遠近】(エンキン) 遠いと近い。遠い所と近い所。あちらこちら。

【遠業】(エンギョウ) 遠大な事業。

【遠計】(エンケイ) 遠い将来のはかりごと。

【遠見】(エンケン) ㊀遠い将来まで見通す。㊁(とおみ) 国①遠方から見る。②高い所から敵のようすをさぐり見る。

【遠交近攻】(エンコウキンコウ) 遠国と親しんで、近国を攻め、近国が降服すれば、こんどはだんだん遠国に攻めおよんで行く策。戦国時代、秦の范雎がたてた策略。〔史記、范雎伝〕

【遠行】(エンコウ) 遠方へ出かける。とおで。

【遠郊】(エンコウ) 都から遠ざかったいなか。↔近郊(一四〇七ページ中)。

【遠山眉】(エンザンのまゆ) 遠い山のように青くほっそりしたまゆげ。美人の眉のたとえ。

【遠竄】(エンザン) ①遠方の地に流される。島流しになる。また、島流しにする。遠流。②遠方へにげかくれる。

【遠旨】(エンシ) 深い意味。

【遠志】(エンシ) ㊀遠大なこころざし。㊁(オンジ・エンジ) 草の名。ひめはぎ。

【遠識】(エンシキ) 遠い将来までも見とおす見識。

【遠戍】(エンジュ) 遠方の国境をまもる。また、その軍隊。

【遠戎】(エンジュウ) 遠くの異民族。

【遠人】(エンジン) ㊀①遠国の人。遠い所にいる人。用例〔三国魏、曹植、雑詩〕翹思慕遠人、願欲託遺音。↓遠くにいる人を思いやり、せめて(雁に)ことづてを託そうと思った。②人をとおざける。人里からはなれる。用例〔東晋、陶潜、帰園田居詩〕曖曖遠人村、依依墟里煙。↓遠い村里がぼんやりかすんで見え、炊事の煙がゆらゆらと立ちのぼっている。㊁(とおびと) 国古代の人。

【遠水近火】(エンスイキンカ) 遠方にある水では、すぐそばの火は消せない。遠いものは急場の用にたたないことのたとえ。用例〔韓非子、説林上〕遠水不救近火也。↓遠い所にある水では近くに起こった火事を消すのに間に合わない。

【遠陲】(エンスイ) 遠い国境の地。

【遠征】(エンセイ) ①遠く行く。遠行。▼征は、行く。②遠方に征伐に行く。遠く出かけて行って敵を討つ。用例〔唐、李白、子夜呉歌〕何日平胡虜、良人罷遠征。↓いつになったら、北方の異民族に勝利して、わが夫は遠征から帰ってくるだろうか。

【遠逝】(エンセイ) ①遠くへ立ち去る。②死ぬ。長逝。

【遠大】(エンダイ) 志や計画が大きく遠い将来に及んでいること。

【遠謫】(エンタク) 罪を得て遠方に流される。遠流。

【遠冑】(エンチュウ) 遠い子孫。

【遠籌】(エンチュウ) 遠い将来までのはかりごと。

【遠島】(エントウ) ①遠く離れた島。②国江戸時代の刑罰の一つ。遠い島に島流しにした刑罰。島流し。

【遠碧】(エンペキ) 遠い山の緑色。

【遠芳】(エンポウ) 遠くからただよってくる芳香。用例〔唐、白居易、草詩〕遠芳侵古道、晴翠接荒城。↓遠くただよう芳香が今たたずむ古道にまで秘かにのび、日の光に輝く木々の緑は崩れた城壁にまで続いている。

【遠謀】(エンボウ) 遠大なはかりごと。「遠謀深慮」

【遠由】(エンユウ) ①古いいわれ。②とおい原因。遠因。

【遠略】(エンリャク) ①奥深いはかりごと。遠謀。②遠方の土地を攻め取る計画。

【遠流】㊀エンリュウ ①＝遠竄ザン。②遠方の川。㊁オンル 国昔の刑罰の一つ。流罪の最も重いもの。佐渡・土佐・隠岐などの遠隔の地に流した。

【遠慮】エンリョ ①遠い将来まで見通した深い考え。遠謀深慮。用例〔論語、衛霊公〕人無二遠慮一、必有二近憂一（ひととおきおもんぱかりなければ、かならずちかきうれいあり）。↓人は、遠い将来を見通さないと、さしせまった心配事が起きるものだ。②国㋐人に対して控えめにする。㋑江戸時代、武士・僧に行った刑罰。門をとざし、出入りをひかえさせた。

【行レ遠必自レ邇】（とおきにゆくにはかならずちかきよりす）遠方に行くには必ず近い所から始める。何事も手近な所からやるべきだということ。〔中庸〕

【柔レ遠能レ邇】（とおきをやわらげちかきをよくす）遠方の者をなつけて近くの者をよく親しませる。〔書経、舜典〕

10【遣】13画 12187 常 ケン つか-う・つか-わす 2415 8CAD —

〖遣〗14画 12188 ケン 銑 qiǎn

筆順 口 中 虫 串 冉 胄 胄 遣 遣

字義 助しむ。⇨助字・句法解説。❶や-る。㋐にがす。はなしてやる。用例〔北宋、欧陽脩、売油翁〕康粛笑而遣レ之（こうしゅくわらいてこれをやる）。↓康粛は、笑って油売りの老人を立ち去らせた。㋑つか-わす。行かせる。さしむける。「派遣」㋒去る。追う。追いはらう。㋓はらす。うさなどを晴らす。はらい除く。「消遣」㋔おくる。送り届ける。用例〔史記、刺客伝〕装為遣二荊卿一（そうしてためにけいけいをつかわす）。↓あいくちの外装をととのえ、荊卿に送り届けた。❷つかい。使者。❸おくりもの。たまわりもの。国❶つか-う。使用する。「小遣い」❷つか-わす。与える。してやる。「ほうびを遣わす」「聞いて遣わす」

助字・句法解説 しむ。使役。「遣二A一B一（AをしてBせしむ）」。訳AにBさせる。類令・教・使・俾。本来の意味を強く残しているので、「遣二A一B一（AをつかわしてBせしむ）」と訓読することもある。用例〔東晋、陶潜、桃花源記〕太守即遣二人随二其往一、尋二向所一レ誌（たいしゅすなわちひとをしてそのゆくにしたがい、さきにしるししところをたずねしむ）。↓長官はすぐに人をつかわして漁師が行くのについて行かせ、以前に付けた目印を捜させた。

難読 遣戸やりど

使いわけ つかう〔使・遣〕⇨使(316)。

解字 甲骨文 金文 篆文 形声。辶(辵)＋𠳋㊥。音符の𠳋ケンは、両手でたばねた肉を手にする形にかたどり、肉を保存食として軍隊が遠征につく意味を表す。辵を付し、つかわすの意味を表す。

逆 差遣・派遣・分遣

【遣懐(懷)】ケンカイ 心中の思いを述べて晴らす。

【遣帰(歸)】ケンキ かえしてやる。かえす。

【遣情】ケンジョウ 気晴らしをする。

【遣△隋使】ケンズイシ 国推古天皇の十五年(六〇七)、日本が隋に派遣した使者。

【遣唐使】ケントウシ 国奈良・平安時代、日本が唐に派遣した使者。

【遣憤】ケンプン いきどおりの心を晴らす。

【遣△悶】ケンモン うさを晴らす。

10【遘】14画 12189 漢コウ 呉ク 宥 gòu

【遘】12190 俗字

字義 ❶あ-う。出会う。＝逅(12069)。❷かまえる。＝構(5671)。

解字 甲骨文 篆文 形声。辶(辵)＋冓㊥。音符の冓コウは、組み合わせるの意味。人が道で行き会う、であうの意味を表す。

10【遘】14画 12190 コウ 遘(12189)の俗字。→一四三〇ページ中。 7809 E7A7 —

10【遡】14画 12191 常 ソ さかのぼ-る 3344 916B —

〖遡〗14画 12192 ソ 遇 sù

筆順 ソ 䒑 屰 屰 屰 朔 朔 遡 遡

【遡】12193 許容 【𣿭】6516 本字 【泝】6244 同字 【溯】6585 同字 【溯】6586 俗字

字義 ❶さかのぼ-る。㋐水の流れに逆らってのぼる。㋑物事の根本や過去の時代にさかのぼる。❷むかう(向)。❸くだる。水の流れに従ってくだる。

解字 篆文 形声。辶(辵)＋朔㊥。音符の朔サク＝ソは、さからうの意味。水の流れにさからってのぼるの意味を表す。

【遡洄】ソカイ 流れに逆らって川をのぼる。↔遡遊。

【遡及】ソキュウ 過去にさかのぼる。過去にさかのぼり効力を及ぼす。

【遡源】ソゲン ①水源にさかのぼる。②学問などの源を窮める。

【遡行】ソコウ 水流に逆らって行く。

【遡航】ソコウ 水流に逆らって舟を進める。

【遡波】ソハ 逆流する波。

【遡遊】ソユウ 水流に従って下る。↔遡洄ソカイ。

10【遡】13画 12193 ソ 遡(12191)の許容字体。→一四三〇ページ中。

10【遜】14画 12194 常 ソン 願 xùn 3429 91BB —

〖遜〗12195 許容

筆順 了 孑 孑 孖 孫 孫 孫 遜 遜

字義 ❶のがれる。にげ去る。❷ゆず-る。自分をあとまわしにして他人をすすめる。❸へりくだ-る。卑下する。「謙遜」❹したがう(順)。❺おとる。およばない。「遜色」

名前 やす・ゆずる

解字 篆文 形声。辶(辵)＋孫㊥。音符の孫は、遁トンに通じ、のがれるの意味。のがれる・ゆずるの意味を表す。

【遜位】ソンイ 帝位や官位をゆずる。

【遜志】ソンシ 気持ちをおさえてへりくだる。また、へりくだった気持ち。

【遜辞(辭)】ソンジ にげ口上。にげことば。遁辞トンジ。

【遜譲(讓)】ソンジョウ へりくだる。謙譲。

【遜色】ソンショク 他人におとるようす。見おとり。

【遜弟】ソンテイ すなおで目上の人に従うこと。

10【遜】13画 12195 ソン 遜(12194)の許容字体。→一四三〇ページ下。

10【遲】14画 12196 チ 遅(12163)の古字。→一四二四ページ下。

10【遞】14画 (12107) テイ 逓(12106)の旧字体。→一四一六ページ下。

10【遝】14画 12197 漢トウ(タフ) 呉ドウ(ダフ) 合 tà ²8993 — 6563

字義 ❶いりまじる。重なりあう。こみあう。❷およぶ。追いつく。

解字 甲骨文 篆文 形声。辶(辵)＋眔㊥。音符の眔トウは、沓に通じ、かさなるの意味。道を行く人たちが、かさなる・いりまじるの意味を表す。

10 【遢】 14画 12198 トウ(タフ) 㕣 tà ― ― 6564

字義 ❶穏やかに行くさま。 ❷急いで行くさま。

解字 形声。辶(辵)+𦐇音。

10 【遙】 14画 (12180) ヨウ ― ― ―

遥(12179)の旧字体。 →一四二八ページ中。

10 【遛】 14画 12199 漢リュウ(リウ) 呉ル 宥 liù ― ― 6562

［迴］ 12225 本字

字義 とど-まる。進まない。＝留(7642)。「逗遛(トウリュウ)」

解字 形声。辶(辵)+留音。音符の留は、とどまるの意味。とまって進まないの意味を表す。

11 【遦】 15画 12200 カン(クワン) 諫 guàn ― ― 6565

字義 ❶行く。 ❷慣れる。習う。

解字 形声。辶(辵)+貫音。音符の貫は、つらぬくの意味。

11 【遨】 15画 12201 ゴウ(ガウ) 豪 áo 7811 E7A9 ―

字義 あそ-ぶ(遊)。気ままに遊び楽しむ。

解字 形声。辶(辵)+敖音。音符の敖(ゴウ)は、きままにするの意味。気ままに遊びまわるの意味を表す。

【遨嬉】(ゴウキ) あそび楽しむ。

【遨放】(ゴウホウ) ほしいままに遊ぶ。

【遨遊・遨游】(ゴウユウ) ①あそぶ。きままにあそぶ。 ②往き来する。行き来して間を取りもつ。

11 【遮】 14画 12202 常 シャ さえぎ-る

11 〖遮〗 15画 12203 シャ 麻 zhē 2855 8ED5 ―

筆順 亠 广 庀 庐 庐 庶 庶 庶 遮

字義 ❶さえぎ-る(さへぎる)。 ㋐とどめる。くいとめる。 ㋑断ちきる。「遮断」 ㋒待ちうける。待ちぶせる。 ㋓おおってへだてる。「遮蔽(シャヘイ)」 ❷この。これ。＝這(12091)。

解字 篆文 [篆文] 形声。辶(辵)+庶音。音符の庶は、多くのものが集まるの意味。道を行くとき多くのものがいて、進むのをさえぎるの意味を表す。

【遮翳】(シャエイ) おおいさえぎって暗くする。

【遮莫】(さもあらばあれ) ＝遮莫(さもあらばあれ)。

【遮撃(擊)】(シャゲキ) 待ち伏せしてうつ。要撃。

【遮絶】(シャゼツ) さえぎる。間を断つ。遮断。

【遮断(斷)】(シャダン) さえぎる。間を断つ。遮絶。「交通遮断」

【遮二無二】(シャニムニ) 国あとさきを考えずに、むちゃくちゃに。むやみに。やたらに。

【遮莫】(さもあらばあれ・さばれ) この上はどうであろうとも、ままよ。それならばそうしておこう。唐代以後の俗語。

【遮蔽】(シャヘイ) ①おおいかくす。 ②防ぎ守る。

【遮迾】(シャレツ) 天子の行幸などのとき、士卒が天子のまわりを囲み守って、行列をつくるのをいう。

11 【遧】 15画 12204 ショウ(シャウ) 陽 zhāng ― EE99 6566

字義 ❶週遧(シュウショウ)は、避ける。遠回りする。 ❷明らか。＝章(8643)。

解字 形声。辶(辵)+章音。

11 【遷】 15画 (12223) セン ― ― ―

遷(12222)の旧字体。 →一四三五ページ上。

11 【遭】 14画 12205 常 ソウ あ-う

11 〖遭〗 15画 12206 ソウ(サウ) 豪 zāo 3388 9198 ―

筆順 一 冂 冃 曲 曲 曲 曹 曹 遭

字義 ❶あ-う(あふ)。であう。めぐりあう。 用例〔史記、管仲伝〕知二我不一レ遭レ時也(われのときにあわ(は)ざるをしればなり)。 ⇩私がよい時機にめぐりあっていないことを知っていたからである。 ❷めぐる(巡)。まわりをかこむ。また、めぐり行く。 ❸たび(度)。度数を表す語。回。次。 ❹らる。せらる。受身を表す助字。

使いわけ あう〔会・遭・合〕⇨会(209)。

解字 篆文 [篆文] 形声。辶(辵)+曹(䡨)音。音符の䡨(ソウ)は、二つが相対するの意味。路上で二人があうの意味を表す。

【遭会(會)】(ソウカイ) 出会う。

【遭遇】(ソウグウ) (思いがけず)めぐり会う。

【遭値】(ソウチ) 会う。出会う。▼値も、あう。

【遭難】(ソウナン) 災難にであう。危難にあう。

【遭逢】(ソウホウ) ①めぐりあう。でくわす。 ②賢臣が名君に出あい、意志が通じ合って信任される。

11 【遫】 15画 12207 ソク 屋 sù ― ― 6567

字義 ❶すみやか(速)。はやい。 ❷ちぢむ。 ❸かわる(変)。変化する。 ❹こまかい。

解字 形声。辶(辵)+敕音。速の籀文(チュウブン)。

11 【遰】 15画 12208 ㊀漢テイ・呉ダイ 霽 dì ㊁セイ 霽 shì ― ― 6568

字義 ㊀❶さる(去)。 ❷ゆく(往)。 ❸はるか。 ㊁❶さや。刀のさや。 ❷ゆく。＝逝(12096)。

解字 形声。辶(辵)+帶音。

11 【適】 14画 12209 教5 テキ

11 〖適〗 15画 12210 ㊀漢セキ・呉シャク 陌 shì ㊁漢テキ・呉チャク 錫 dí ㊂漢タク・呉チャク 陌 zhé ㊃漢テキ・呉チャク 錫 zì 慣テキ 3712 934B ―

筆順 亠 ㅗ 产 产 产 产 产 商 商 商 適

字義 ㊀❶ゆ-く(往)。 ㋐おもむく。いたる。 用例〔論語、子路〕子適レ衛(シエイにゆく)。 ⇩先生は衛の国に行った。 ㋑行ってたよりとする。より従う。 用例〔詩経、魏風、碩鼠〕逝将去レ女(ゆきてまさになんじ(ぢ)をさり)、適二彼楽土一(かのラクドにゆかん)。 ⇩さあお前のもとを逃げだして、あの楽しい地により従おう。 ㋒とつぐ。嫁にゆく。 用例〔楽府詩集、焦仲卿妻〕貧賤有二此女一(ヒンセンこのむすめあり)、始適還二家門一(はじめてゆきてカモンにかえ(へ)れり)。 ⇩貧乏なわたしたちにはこの娘がおりますが、やっととついだと思ったらまた家に戻ってきました。 ❷かな-う(かなふ)。 ㋐よい。よろしい。 用例〔荀子、法行〕瑕適並見(カテキならびにあらわ(は)るるは)、情也(ジョウなり)。 ⇩欠点と美点とがともに表れるのは、情の徳である。 ㋑合う。うまくあてはまる。 用例〔東晋、陶潜、帰二園田居一詩〕少無二適レ俗韻一(わかくしてゾクにテキするインなく)、性本愛二丘山一(セイもとキュウザンをアイす)。 ⇩若いころから世俗とうまくやっていく風はなく、生来丘や山といった自然を好む性格であった。 ㋒つり合う。ととのう。ほどよい。 用例〔漢書、黄覇伝〕馬不レ適レ士(うまシにかなわ(は)ず)。 ⇩馬の数が騎士の数に合わなかった。 ㋓心のどかに楽しむ。 用例〔唐、李商隠、登二楽遊原一詩〕向レ晩意不レ適(くれにむかい(ひ)て、こころかなわ(は)ず)、駆レ車登二古原一(くるまをかりて、コゲンにのぼる)。 ⇩夕暮れが近づくにつれて心がはれず、馬車を走らせて歴史の古い楽遊原に登った。 ㋔思いどおりになる。また、心の向くままにする。 用例〔荘子、斉物論〕自喩適レ志与(みず(づ)からたのしみてこころざしにかなえ(へ)るかな)。 ⇩みずから楽しんで、思いのままであるなあ。 ❸したが-う(したがふ)。あわせる。 用例〔楽府詩集、焦仲卿妻〕処分適二兄意一(ショブンケイのイにしたがう(ふ)のみ)、那得二自任専一(なんぞみず(づ)からニンじてもっぱらにするをえん)。 ⇩身のふり方はお兄さんにしたがうばかり、どうして自分勝手

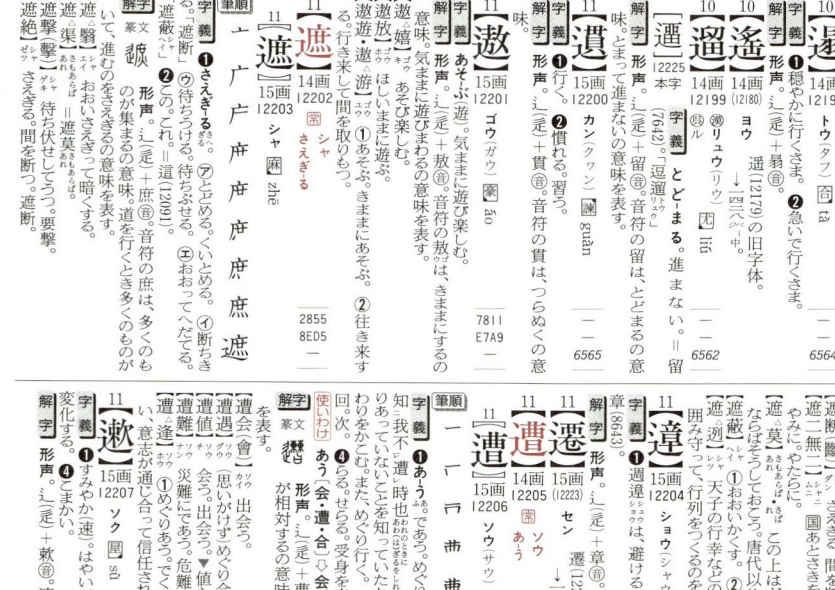

❹あう。出会う。
❺まさ-に。㋐まさしく。ちょうど。用例（左伝、昭公十七）我高祖少皞摯之立也、鳳鳥適至。↓我が始祖少皞摯が即位すると、鳳凰がちょうど飛来した。㋑いましがた。たったいま。用例（杜子春伝）道士適去、旌旗・戈甲、千乗・万騎、偏満二崖谷一、呵叱之声、震二動天地一。↓道士が立ち去るのと同じくして、旗をたなびかせ、武器を持ち、よろいをつけた兵士、そして数知れぬ車馬や騎馬武者が谷間いっぱいにあふれ、叫び声が天地をふるわせた。
❻たまたま。偶然。用例（唐、王維、送二綦毋潜落第還一レ郷詩）吾謀適不レ用、勿レ謂二知音稀一。↓私の計画が偶然採用されなかったからといって、真の知己はめったにいないと言わないでくれ。
❼もし。たと-い。かりに。用例（韓非子、内儲説下）王適有レ言、必亟聴二従王言一。↓もし王の言いつけがあれば、必ずすぐそれに従いなさい。
❽ただ。ただに。わずかに。＝啻(1602)。用例（孟子、告子下）飲食之人無レ有レ失也、則口腹豈適為二尺寸之膚一哉。↓飲み食いばかりを考えている人も精神を修養することを忘れなければ、口や腹の養いでもどうして単に一寸一尺程度の皮膚を養うためだけのものとなろうか。
二❶よつぎ。あとつぎ。正妻の生んだ子。＝嫡(2517)。❷正妻。本妻。正夫人。「適妻」
❸あるじ。主人。用例（詩経、衛風、伯兮）豈無二膏沐一、誰適為レ容。↓髪につける油や髪を洗うとぎ汁がないわけではないが、誰を主人として身支度をととのえよう。
❹あだ。かたき。また、匹敵する。＝敵(4563)。用例（史記、李斯伝）群臣百官皆畔不レ適。↓秦の家臣たちはすべて秦にそむいて(沛公に)抵抗しなかった。
❺もっぱ-ら。主として。もっぱ-らにする。専念する。用例（韓非子、心度）賢君之治レ国也、適二於不レ乱之術一。↓すぐれた君主が国を統治するときは、国が乱れないようにする方法を第一にする。
❻適適は、はっきりしたさま。＝的(7869)。
三せめる(責)。とがめる。また、責め。とが。過失。＝讁(11364)。用例（漢書、食貨志下）故吏皆適令下伐二棘上林一、作中昆明池上。↓もとの役人はみな処罰されて、上林苑でいばらを刈らされ、昆明池を作らされた。
四適適は、恐れおののいて我を失うさま。＝愓(3776)。

名前 あつ・あり・かなお・かのう・まさ・ゆき・ゆく・より

解字 金文 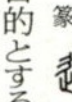 篆文  形声。辶(辵)＋啇(啻)音。音符の啇は、中心の一点に寄るの意味。ある事柄が、目的とする一点に寄って行く、かなうの意味を表す。

逆 快適・間適・閑適・自適・清適

【適意】 心にかなう。思うとおりになる。
【適飲】 ほどよくのむ。
【適応(應)】 国①ふさわしい。あてはまる。②生物が環境に適合するまでの過程。また、その現象。
【適格】 国必要な資格を備えていること。
【適確】 国事実と一致し、間違いがない。正しくたしか。→的確(九九三ページ上)。
【適帰(歸)】 従いたよる。身を落ち着ける。用例（史記、伯夷伝）我安適帰矣。↓私はどこに安心して落ち着けばよいのか(どこにも落ち着けない)。
【適宜】 ①ほどよいこと。②国思いのまま。随意。
【適合】 あてはまる。あたる。適応。
【適妻】 本妻。嫡妻。
【適材適所】 ある仕事に適した才能のある人をその人にふさわしい地位に置くこと。
【適子】 長男。嫡子。
【適嗣】 正しいあととり。正妻の生んだ子。多くは、長子。嫡嗣。
【適室】 ①本妻。適妻。②表座敷。
【適者生存】 国外界の状態に適合する生物は生存繁栄し、そうでないものは自然に絶滅すること。
【適△戍】 罪があって遠地の守備にやられること。また、その守備兵。
【適従(從)】 従いたよる。適帰。
【適人】 一かたき。敵人。二＝適レ人(七三ページ下)。
【適正】 国よくあてはまり、正しいこと。
【適性】 ①性質にかなう。②国ある物事に適した性質。
【適切】 国よくあてはまる。ぴったりする。
【適然】 ①たまたま。ちょうど。②つね。あたりまえ。
【適卒】 罪があって辺境の守りにあてられた兵卒。
【適孫】 嫡子のあととり。嫡孫。
【適中】 ①ほどよい。②国正しくあたる。→的中(九九三ページ上)。
【適当(當)】 かなう。うまくあてはまる。
【適任】 国その仕事によくあてはまる。また、その才能にふさわしい任務。
【適△莫】 可と不可。また、適は、ある事に心を向け熱中すること、莫は、その反対に嫌って心を向けないこと。また、適は積極、莫は消極。〔論語、里仁〕
【適否】 国適するか、適しないか。適当と不適当。
【適法】 国法律や規制にかなう。↔違法(一四三九ページ上)。
【適役】 国その人に適している役目。はまり役。
【適用】 よくあてはめて使う。
【適量】 国ほどよい分量。
【適例】 国よくあてはまる実例。的例。
【適齢(齡)】 国決められた、また、ほどよい年齢にあたる。また、その年齢。「適齢期」

11 【遯】 15画 12211 漢トン 呉ドン 願 阮 dùn 7812 E7AA —

字義 ＝遁(12169)。❶のが-れる。にげる。「隠遯」❷しりぞく(退)。さける(避)。❸あざむく。❹易の六十四卦の一つ。䷠艮下乾上。君子は身を退けて名望を得、小人は正を守って利益を得るかたち。

参考 熟語は〔遁〕(12169)を見よ。

解字 篆文  形声。辶(辵)＋豚音。音符の豚は、盾に通じ、他から身をかくしおおうためのたての意味。たてのかげに身をひく、のがれるの意味を表す。

12 【遺】 15画 12212 教6 イ・ユイ 1668 88E2 —

12 〔遺〕 16画 12213 一 漢イ(ヰ)・呉ユイ 支 yí 二 漢イ(ヰ)・呉ユイ 寘 wèi

筆順 

字義 一❶うしな-う。なくす。落とす。用例（呂氏春秋、貴公）荊人有二遺レ弓者一、而不二肯索一。↓楚の国のある者が弓をなくしたが、それを探そうとしなかった。❷わす-れる。記憶・意識からはずれてなくなる。また、ないものとする。おろそかにする。用例（詩経、小雅、谷風）棄レ予如レ遺。↓私をほったらかしにしてまるで忘れてしまったかのよう。❸す-てる。ほうる。放棄する。用例（漢書、賈誼伝）商君遺二礼義一、棄二仁恩一。↓(法治主義を標榜した)商鞅は礼儀・仁恩を遺棄した。❹のこ-す。のこ-る。㋐とどめる。そのままにする。用例（史記、項羽本紀）養レ虎自遺レ患。↓虎の世話をして自ら患難をのこす。

㋑もらす。落とす。ぬかる。用例〔後漢、班固、典引〕不レ遺ニ微細一(ビサイを のこさず)。↓微細な点まで残さない。㋒あまる。あます。❺なくしもの。遺失物。「不レ拾レ遺(おちたるを ひろわ(は)ず)」❻とり落としたもの。漏れ。ぬかり。「補遺」「拾遺」❼あとに残された人・もの・こと。「遺民」「遺跡」「遺風」❽小便・大便をもらす。失禁する。また、いばり。小便。

〔二〕❶おくる。㋐贈り物をする。また、贈り物。用例〔史記、秦本紀〕君試遺ニ其女楽一(きみこころみに そのジョガクをおくり)、以奪ニ其志一(もって その こころざしを うばえ(へ))。↓試しに歌妓を贈り、奴ゃを骨抜きにしてやりましょう。㋑送る。与える。㋒見送る。❷くわわる(加)。くわえる。

名前 おく・ます

解字 形声。辶(辵)+貴(賷)音。音符の賷キ=イは、おくり物の意味。辵を付し、贈りとどけるの意味を表す。また、他人に贈ってしまって自分の手元にない、うしなう・すてる・わすれるの意味をも表す。

逆 欠遺・拾遺・補遺

【遺愛】イアイ ①古人の仁愛の遺風があること。②先祖が愛した品で子孫に伝わったもの。③金品などを与えるのをおしむ。

【遺愛寺】イアイジ 今の江西省九江市の香炉峰の北にある寺。用例〔唐、白居易、香炉峰下新卜ニ山居一草堂初成偶題ニ東壁一詩〕遺愛寺鐘欹レ枕聴(イアイジのかねは まくらをそばだてて きき)、香炉峰雪撥レ簾看(コウロホウのゆきは すだれをかかげてみる)。↓遺愛寺でつく鐘の音は、ねたまま枕をかたむけてきき、香炉峰に積もる雪は、すだれをはねあげて眺める。

【遺△佚・遺逸】イイツ ①世間から見捨てられる。②君に見捨てられて用いられない。

【遺音】イイン ①余韻。②悲しい声。③古人が後世に残した音調。④ことづて。伝言。用例〔三国魏、曹植、雑詩〕翹思慕ニ遠人一(ギョウシして エンジンをしたい(ひ))、願欲レ託ニ遺音一(ねがわ(は)くは イインをタクセんと ほっす)。↓遠くにいる人を思いやり、せめて(雁に)ことづてを託そうと思った。

【遺韻】イイン 古人の遺風。

【遺詠】イエイ 古人がよみ残した詩歌。

【遺影】イエイ 故人の写真や肖像画。

【遺化】イカ その人の死後までも残っている人徳。

【遺戒・遺△誡】イカイ・ユイカイ 古人のいましめ。後世の人のために残されたいましめ。

【遺骸】イガイ なきがら。死骸。

【遺憾】イカン ①心残りがすること。残念。②気の毒。

【遺棄】イキ わすれ捨てる。置きわすれる。すてる。委棄。

【遺却】イキャク わすれる。忘却。

【遺教】イキョウ 前人の残したおしえ。遺訓。

【遺響(嚮)】イキョウ 後に残された、感慨のこもっているひびき。余韻。

【遺業】イギョウ 前人の残した事業や業績。遺緒。

【遺訓】イクン 前人の残した教え。遺戒。

【遺勲(勳)】イクン 死後に残した手がら。

【遺計】イケイ 手落ち。失策。遺算。

【遺経】イケイ 聖人や賢人の残した経籍。

【遺△孽】イゲツ ①父の死後に残された子。わすれがたみ。②広く、子孫をいう。

【遺賢】イケン 人に知られないすぐれた人。主君に用いられないで民間にいる賢人。用例〔書経、大禹謨〕野無ニ遺賢一(やにイケンなし)。↓(すぐれた人物はすべて君主に登用され)民間に残された賢人はいない。

【遺言】イゲン 〔一〕ゲン 前人の残したことば。聖賢の遺訓。用例〔荀子、勧学〕不レ聞ニ先王之遺言一(センオウのイゲンを きかざれば)、不レ知ニ学問之大一(ガクモンの ダイなるをしらず)。↓古代の聖王の残したことばを聞いて学ぶことがなかったら、学問が重大であることがわからない。〔二〕ユイ・ゴン 人が死ぬときに言い残すことば。法律用語では、「イゴン」という。

【遺孤】イコ 残された子。父母などに死なれた子。孤児。

【遺行】イコウ まちがった行い。失行。多くの人からすてられるの意。

【遺構】イコウ ①先帝の残したはかりごと。②荒れて残っている建物。

【遺稿・遺△藁】イコウ 故人が書き残した詩や文章の下書き。

【遺恨】イコン ①後に残るうらみ。忘れられないくやしさ。残恨。②=遺憾。

【遺魂】イコン あとに残された霊魂。

【遺策】イサク ①手落ち。てぬかり。失計。遺計。②前人の残したはかりごと。③散亡した書物。

【遺産】イサン ①死者が残した財産。②先人が残した業績。「文化遺産」

【遺算】イサン 手おち。失策。遺計。

【遺士】イシ 世に用いられず民間にかくれうずもれている人。

【遺子】イシ ①父の死後に生まれた子。②父母に死なれた子。忘れ形見。遺児。③捨て子。

【遺矢】イシ 大小便をもらす。▼矢は、屎シ(くそ)。

【遺△址・遺△阯】イシ 昔あった建物などの跡。遺跡。

【遺志】イシ 死んだ人が生前成しとげようとして果たさなかったこころざし。故人の意向。

【遺児(兒)】イジ ①父母に死なれた子。遺子。②捨て子。

【遺事】イジ ①故人の死後まで残した事がら。とりのこされた事業。②するはずでまだしない事業。③忘れられている事。

【遺失】イシツ ①わすれる。遺逸。②あやまち。欠点。③忘れたり落としたりしてなくす。

【遺珠】イシュ 拾い残された珠玉。転じて、世に知られていない、すぐれた人物や詩文をいう。

【遺臭】イシュウ 悪名を世に残す。↔遺芳。

【遺書】イショ ①書き置き。死後へ書き残した手紙。②前人が持っていた書物。③前人の書き残した書物。遺著。④前人の遺著を後人が刊行したもの。⑤ばらばらになりどこかへいってしまった書物。⑥人に手紙を送る。

【遺詔】イショウ 天子がなくなるときに言い残したみことのり。天子の遺言。

【遺△蹤】イショウ 残っている昔の物事のあと。あとかた。

【遺嘱(囑)】イショク 死後のことをたのみおくこと。また、そのたのみ。遺属。遺託。

【遺臣】イシン ①先代からの古い家来。旧臣。②ほろんだ国のあとに残された家来。

【遺世】イセイ 世間の事を一切捨てて顧みぬこと。▼遺は、棄。

【遺制】イセイ ①昔から残っている制度。②古人が残した制作。

【遺精】イセイ 睡眠中に無意識に精液をもらすこと。

【遺跡・遺△迹・遺△蹟】イセキ 残っている昔のあと。

【遺像】イゾウ 残っている故人の姿。

【遺贈(贈)】イゾウ 国遺言ゴンで財産を人におくる。

【遺俗】イゾク ①今日まで残っている風俗。古くからの風俗習慣。②世俗に捨てられる。③世俗を捨てる。世俗と違うやり方をする。

【遺存】イソン 残りながらえる。後に残る。また、その物。遺物。

【遺体(體)】イタイ ①死体。なきがら。②父母が残し置いたからだ。わが身。忘れ形見。用例〔礼記、祭義〕身也者(みなる ものは)、父母之遺体也(フボの イタイなり)。↓人の身体は、父母の忘れ形見である。

【遺沢(澤)】イタク めぐみを残す。また、後に残っているめぐみ。余沢。

【遺託】イタク 死後の事をたのむ。また、そのたのみ。

【遺脱】イダツ ①ぬける。もれる。②もれ。おち。遺漏。

【遺著】イチョ 前人の書き残した書物。後世に残された書物。

【遺直】イチョク 昔の心の正しい人のおもかげ。また、そのおもかげのある人。
【遺堵】イト 残っている土塀。
【遺徳】イトク 前人の残した徳。また、死後に残るめぐみ。用例〔三国蜀、諸葛亮、前出師表〕光二先帝遺徳一(センテイのイトクをおおい(ほ)いにす) ↓先帝が今に残された徳を大いに輝かせる。
【遺尿・遺溺】イニョウ・イジョウ 小便をもらす。寝小便。
【遺髪】イハツ 国死んだ人の形見の頭髪。
【遺表】イヒョウ 大臣などが死ぬときに君主に書きつけを奉ること。また、その書きつけ。
【遺風】イフウ ①昔のおもかげ。残された名誉。余風。②昔からある風習。③速い風。疾風。④速く走る馬。名馬。
【遺腹】イフク 生前、胎内にあり、父の死後に生まれた子。
【遺物】イブツ ①物をわすれる。また、忘れ物。おとし物。遺失物。②国㋐死者の残したもの。かたみ。㋑古い時代の物で、今に残っているもの。
【遺文】イブン ①死者が生前に書きのこした文章。②伝え残っている昔の文章や文書。
【遺秉】イヘイ ①とりのこした稲たば。②秉(武器の柄)をすてる。兵器を捨てる。▼秉は、ひとにぎりの稲たば。③前人がその著述の中に書きもらした事がら。
【遺弊】イヘイ 古くから残っている弊害。旧弊。
【遺編】イヘン 前人の残しておいた著述。
【遺芳】イホウ ①後世に残る名誉。↔遺臭。②=遺墨。
【遺法】イホウ ①先人の残したきまり。②昔からのやりかた。
【遺忘】イボウ わすれる。忘却。
【遺墨】イボク 死後に残っている書画。故人の筆跡。遺芳。
【遺民】イミン ①生き残っている人民。②ほろんだ国の人民で、新しい朝廷に仕えない人。亡国の民。
【遺命】イメイ ①死に臨んで遺言を残して言いつける。遺言の命令。②国天皇が皇室に対して残す遺言。
【遺落】イラク ①うち捨てる。なげやりにする。②ぬけ落ちる。脱落。
【遺留】イリュウ 残りとどまる。また、残しとどめる。
【遺類】イルイ 生き残っている仲間。余党。生き残り。
【遺黎】イレイ 生き残っている人民。亡国の民。遺民。
【遺烈】イレツ 前人の残した功績。▼烈は、りっぱな事業。
【遺老】イロウ ①生き残りの老人。②先帝に仕えた旧臣。③亡国の旧臣。
【遺漏】イロウ 落としもらす。ぬけ落ちる。遺脱。
【拾レ遺補レ闕】(おちたるをひろい(ひ)ケツをおぎなう(ふ)) 捨てられているものを拾い集め、欠けているものを補修する。君主を助けてそのあやまりや欠点を正し補う意。〔前漢、司馬遷、報二任少卿一書〕
【如レ拾レ遺】(おちたるをひろう(ふ)がごとし) 地に落ちているものを拾うように、物事をするのに非常にたやすいこと。〔漢書、梅福伝〕
【不レ拾レ遺】(おちたるをひろわ(は)ず) 道路に落ちている物さえ拾わない。㋐世の中が平和で、民の心が善良であること。用例〔史記、循吏伝〕門不二夜関一(モンはよるとざさず)、道不レ拾レ遺(みちにおちたるをひろわ(は)ず) ↓(治安がよいために)門を夜になっても閉めず、道に落ちているものも拾われてなくなることがない。㋑法令がきびしく、民の刑罰を恐れることのはなはだしいこと。〔史記、田敬仲完世家〕

12 【遹】16画 12214 漢イツ(ヰツ) 呉イチ(ヰチ) 質 yù ― ― 6570

字義 ❶かたよる。正しくない。よこしま。❷のべる(述)。❸ここに。発語の助字。

解字 形声。辶(辵)+矞音。

12 【逷】16画 12215 ■ガク 薬 è ■ゴ 遇 wù
12 〔遻〕12152 同字

字義 ■あう。出会う。また、不意に会って驚く。■=迕(12032)。❶あう。出会う。❷さからう。たがう。

解字 篆文 形声。辶(辵)+咢音。音符の咢(ガク)は、おどろくの意味。不意の出来事にでくわして、おどろくの意味を表す。

12 【遵】15画 12216 常 ジュン 2969 8F85 ―
12 〔遵〕16画 12217 シュン 真 zūn 慣ジュン

筆順 䒑 兯 产 酋 酋 酋 尊 尊 遵

字義 ❶したがう(したがふ)。㋐道理や法則にしたがう。のっとる。「遵守」「遵奉」 ㋑よる。よりそって行く。❷ひきいる(率)。

名前 ちか・つぎ・のぶ・ゆき・より

参考 「遵」を「順」に書きかえるのは、公式の用字ではないが一般に行われている。「遵守→順守」「遵法→順法」

解字 篆文 形声。辶(辵)+尊(尊)音。音符の尊は、馴に通じ、したがうの意味。したがっていくの意味を表す。

【遵依】ジュンイ そのとおりに従う。遵由。
【遵行】ジュンコウ ①従い行う。その通りに行う。②国武家時代に上意を受けて守護から下した命令。その公文書を遵行状という。
【遵守】ジュンシュ 従い守る。遵奉。
【遵奉】ジュンポウ 従い守る。よく守る。遵守。
【遵法】ジュンポウ 法律・規則に従う。「遵法精神」
【遵由】ジュンユウ より従う。たよりにして従う。
【遵養】ジュンヨウ 道に従って志を養う。〔詩経、周頌、酌〕

12 【遶】16画 12218 漢ジョウ(ゼウ) 呉ニョウ(ネウ) 篠 rào 7813 E7AB ―

字義 めぐる。めぐらす。とりまく。囲む。=繞(9359)。用例〔唐、李白、送二友人一詩〕青山横二北郭一(セイザンホッカクによこたわ(は)り)、白水遶二東城一(ハクスイトウジョウをめぐる) ↓青々とした山が町の北に横たわっていて、白く輝く川は町の東をとりまくように流れている。

解字 形声。辶(辵)+堯音。

12 【邃】16画 12219 スイ 邃(12241)と同字。→一四四七ページ上。 z9001 ― ―

12 【選】15画 12220 教4 セン えらぶ 3310 9149 ―
12 〔選〕16画 12221 ■セン 銑 xuǎn ■セン 霰 xuàn ■サン 旱 suàn

筆順 ㇕ 巳 巳巳 … 選

字義 ■❶えらぶ。える。よる。すぐる。よりわける。よりすぐる。数多い中からえりぬく。「選出」「選任」❷つかわす。おくる。❸よわい。びくびくする。■❶えらぶ(銓)。人材をえらんで官職につける。❷選ばれた人。すぐれた人。❸ととのう。そろう。また、ととのえる。■かぞえる。=算(8781)。

名前 かず・のぶ・よし・より

参考 現代表記では「銓」(12618)の書きかえに用いることがある。「銓衡→選考」

解字 篆文 形声。辶(辵)+巽(巺)音。音符の巺(ソン)は、二人が、並んでステップする舞の象形。ステップの整った舞のさまから、ととのえる・えらぶの意味を表す。

【選科】センカ 国①全体の学習科目の中から特にえらんで学習する科目。選択科目。②一部の学科だけをえらんで学習する課程。
逆 公選・互選・人選・精選・民選・文選
【選挙(擧)】センキョ ①多くの中から適当な人をえらぶ。②官吏を試験してえらび挙げる。科挙。③投票で議員など代表者をえらび出す。
【選考】センコウ 人物・才能などをはかり調べる。銓衡(センコウ)。
【選差】センサ 朝廷からえらびつかわされる。
【選次】センジ えらび出して順序に並べる。

【選集】(センシュウ) ①えらびあつめる。②古人の詩文をえらんで編集したもの。撰集(センシュウ)。↔総集(二二八ページ中)。③国平安時代、『文選(モンゼン)』と『白氏文集』との併称。

【選△懦】(センダ) おとなしく意志が弱い。

【選択(擇)】(センタク) えらび出す。いいものをえらぶ。

【選△擢】(センタク) えらびぬく。

【選任】(センニン) えらんで官職などの任につける。

【選抜】(センバツ) えりぬく。「選抜試験」

【選兵】(センペイ) よりぬいた兵卒。

【選用】(センヨウ) えらんで任用する。

【選良】(センリョウ) ①よい人物をえらびぬく。また、その人。②国代議士の美称。

【選練】(センレン) じゅうぶんにえらびぬく。簡練。

12【遷】15画 12222 常 セン
11〖遷〗15画 12223 セン 囲 qiān
3311 914A 一

筆順 一 覀 覀 覀 覀 覀 覀 遷 遷

［迁］12019 俗字

字義 ❶うつ-る(移)。㋐のぼる。高い所に上がる。㋑場所をかえて、よそに行く。うごく。移動する。㋒かわる。あらたまる。「変遷」㋓官職・地位などがかわる。㋔しりぞく。にげ去る。はなれる。❷うつ-す。㋐動かす。場所をかえる。㋑とりかえる。交易する。㋒かえる。あらためる。㋓しりぞける。おとす。官職・地位などをさげる。「左遷」㋔おいやる。遠方に追放する。

解字 篆文 形声。辶(辵)＋䙴(音)。音符の䙴(セン)は、二人が両手で死体の頭部をかかえうつすの意味。辵を付し、一般に、うつすの意味を表す。

逆 左遷・転遷・変遷・累遷

【遷移】(センイ) 移る。移す。移転。遷徙(センシ)。

【遷易】(センエキ) 移り変わる。

【遷延】(センエン) ①しりぞく。あとにさがる。②ぐずぐずする。③のびのびになる。長びく。延引。

【遷△鶯】(センオウ) うぐいすが低い谷間から高木に移ること。転じて、官位がのぼること。栄転。〔詩経、小雅、伐木〕

【遷化】 一(センカ) ①移り変わる。②移って善に化する。③人が死ぬこと。二(センゲ) 仏高僧が死ぬこと。

【遷改】(センカイ) 移り変わる。

【遷客】(センカク・センキャク) 罰せられて遠方へ流された人。官位をおとされて遠地にやられた人。

【遷御】(センギョ) 国①天子が居所を変え移すこと。遷幸。②神体をよそへ移す。

【遷△喬】(センキョウ) ＝遷鶯(センオウ)。

【遷固】(センコ) 『史記』の著者司馬遷と、『漢書』の著者班固の併称。

【遷幸】(センコウ) 天子が皇居以外の場所に移る。

【遷座】(センザ) 国神または天子が居所を他へ移す。遷宮。遷幸。

【遷△徙】(センシ) ①移り変わる。②移す。移転する。

【遷次】(センジ) ①宿舎を移す。②官職を進める。③居を移す。④季節が変わる。

【遷就】(センシュウ) 何とか理屈にあうようにする。あれこれとこじつける。つじつまを合わせる。

【遷△逡】(センシュン) 進まないさま。

【遷逝】(センセイ) ①移りゆく。移り変わって行く。推移する。②死ぬ。

【遷善】(センゼン) 悪を改めて善に移る。遷ㇾ善(ゼンにうつる)。用例〔孟子、尽心上〕民日遷ㇾ善(たみひにゼンにうつる)。↓人民が日ごとに悪を改めて善に移る。

【遷△謫・遷△讁】(センタク) 罪して遠方へ流しやる。

【遷逐】(センチク) おいやる。追放する。

【遷転(轉)】(センテン) 移る。また、移す。移転。

【遷都】(セント) 都を他所へ移しかえる。

【遷怒】(センド) いかりを他に移す。やつあたり。↓不ㇾ遷ㇾ怒(いかりをうつさず)(五三四ページ上)。

【遷△祔】(センプ) 殯(もがり)を遷(うつ)して先祖の墓に合わせ葬る。

【遷虜】(センリョ) 戦勝者に捕らえられて他へ移り住まわせられた人。強制的な移住民。

12【暹】16画 (4869) セン 日・曰部。→六八一ページ中。

12【遲】16画 (12164) チ 遅(12163)の旧字体。→一四二四ページ下。

12【邁】16画 12224 標 漢バイ 呉マイ 卦 mài
7818 E7B0 一

字義 ❶ゆ-く。㋐遠く行く。㋑にげる。立ち去る。㋒どんどん進んで行く。「邁進」❷すぎる。㋐分に過ぎる。分を越える。㋑人に過ぎる。人よりすぐれる。まさる。「英邁」「俊邁」㋒歳月が経過する。❸つとめる。はげむ。努力する。❹ものの形容。→邁邁。

解字 金文 篆文 形声。辶(辵)＋萬(音)。音符の萬(マン＝マイ)は、さそりの象形。さそりの尾のように遠くに伸びてゆくの意味を表す。

【邁往】(マイオウ) 勇みたって行く。勇往。

【邁進】(マイシン) 国勇んですすみ行く。勇進。「勇往邁進」

【邁邁】(マイマイ) よろこばないさま。一説に、顧みないさま。

12【邇】16画 12225 リュウ 遛(12199)の本字。→一四三一ページ上。

12【遼】15画 12226 人
12〖遼〗16画 12227 リョウ(レウ) 蕭 liáo
4643 97C9 一

筆順 一 大 大 夾 夯 荅 尞 尞 遼

字義 ❶はる-か。遠い。空間的・時間的にへだたっている。「前途遼遠」❷ゆるめる。ゆるくする。❸川の名。遼河。❹王朝の名。契丹(キッタン)の耶律阿保機(ヤリツアボキ)が建国し、後、金にほろぼされた。(九一六―一一二五)❺国名。→西遼(一二九〇ページ上)。

名前 とお・はる・はるか・りょう

解字 篆文 形声。辶(辵)＋尞(音)。音符の尞(リョウ)は、かがり火の象形。昔、かがり火をたいて、はるか遠い天を祭ったところから、転じて、はるか・とおいの意味を表す。

【遼遠】(リョウエン) はるかに遠い。悠遠。

【遼隔】(リョウカク) はるかにへだたる。遼絶。

【遼△廓】(リョウカク) 遠く広々としている。遼落。遼闊(リョウカツ)。

【遼史】(リョウシ) 書名。百十六巻。元の順帝のとき、托克托(トクト)(脱脱)らが勅命によって編集した遼の正史。二十四史の一つ。

【遼△豕】(リョウシ) →遼東豕(リョウトウのいのこ)。

【遼絶】(リョウゼツ) はるかにへだたる。遼隔。

【遼東】(リョウトウ) 秦(シン)代に置かれた郡の名。今の遼寧省東南部、遼河以東の地。

【遼東△豕】(リョウトウのいのこ) 世間を知らないで自分だけをえらく思うことのたとえ。ひとりよがり。遼東の人が、白頭の豕(ぶた)を珍しいと思い、これを献じようと河東に行ったところが、河東の豕はことごとく白頭であったので恥じて帰った故事による。〔後漢書、朱浮伝〕

【遼陽】(リョウヨウ) 地名。遼寧省瀋陽(シンヨウ)市の西南、太子河の南岸にある都市。

【遼落】(リョウラク) 遠く広々としている。遼廓(リョウカク)。▼落は、大。

【遼遼】(リョウリョウ) ①遠くはなれているさま。はるかに遠いさま。②寂しいさま。

12【遴】16画 12228 一リン 二リン 震 lìn
［遴］12239 俗字

字義 一❶むさぼる。物惜しみする。＝吝(1391)。❷なやむ。ゆきなやむ。また、かたんずる。むずかしいとする。㊁えらぶ。よりわける。

解字 篆文 形声。辶(辵)＋粦㊥。音符の粦リンは、履に通じ、ふむの意味。一点にふみとどまって、ゆきなやむの意味を表す。

12【遻】16画 12229 国字 ₂8994 — —

字義 おもう(思)。

13【邂】17画 12230 ㊥カイ ㊧ゲ 卦 蟹 佳 xiè 7816 E7AE —

字義 邂逅カイコウは、㋐会う。めぐり会う。出会う。㋑うちとけるさま。

解字 形声。辶(辵)＋解㊥。

13【還】16画 12231 常 カン 2052 8AD2 —

13〔還〕17画 12232 ㊀㊥カン(クヮン) ㊧ゲン 刪 huán, ③④hái ㊁㊥セン・㊧ゼン 先 xuán

筆順 冂 罒 罒 罒 睘 睘 睘 睘 還

「还」12027 俗字

字義 ㊀❶かえる(帰)。㋐もといた場所にもどる。帰途につく。また、しりぞく。引き返す。用例〔東晋、陶潜、飲酒詩〕山気日夕佳サンキニッセキによく、飛鳥相与還ヒチョウあいともにかえ(へ)る。↓山のたたずまいは夕暮れにすばらしく、飛ぶ鳥は、つれだって(山のねぐらに)帰ってゆく。

㋑本来の状態へもどる。復帰する。回復する。用例〔漢書、史丹伝〕吾病浸加わがやまいようやくくわわり、恐不レ能二自還一おそらくはみずから(づ)からかえ(へ)るあたわ(は)ざらん。↓わしの病はますます進行しており、おそらくこのまま回復することはないだろう。

㋒ふりむく。かえりみる。用例〔漢書、項籍伝〕羽還叱レ之うかえ(へ)りてこれをシッす。↓項羽はふり返ってどなりつけた。

❷かえす。㋐もとの状態へもどす。用例〔新唐書、呉少誠伝〕帝遂赦二少誠一、尽還二其官爵一テイつい(ひ)にショウセイをゆるし、ことごとくそのカンシャクをかえ(へ)す。↓皇帝はそのまま呉少誠をゆるし、その官爵をそっくりもとにもどした。

㋑取り戻す。挽回する。用例〔南朝宋、鮑照、代二君子有一レ所レ思詩〕年貌不レ可レ還ネンボウはかえ(へ)すべからず、身意会二盈歇一シンイはエイケツにカイす。↓年齢や容貌は取り戻すことはできないし、人の心にも満ち欠けがある。

㋒もとの持ち主にかえす。また、つぐなう。報いる。用例〔南朝梁、江淹、恨賦〕裂レ帛繫レ書きぬをさきショをかけ、誓レ還二漢恩一カンオンをかえ(へ)さんことをちかう(ふ)。↓絹を裂いて書をしたため、漢の恩義に報いることを誓った。

㋓納める。用例〔唐、杜甫、歳晏行〕況聞処処鬻二男女一いわ(は)んやきくショショダンジョをひさぎ、割レ慈忍レ愛還二租庸一ジをさきアイをしのびてソヨウをかえ(へ)すと。↓まして到るところで息子や娘を売り、慈愛の情を裂きこらえて税金を納めていると聞いている。

❸かえって。反対に。逆に。用例〔三国志、魏志、公孫淵伝、注〕尽レ忠竭レ節チュウをつくしセツをつくし、還被二患禍一かえ(へ)ってカンカをこうむる。↓忠節を尽くして反対にわざわいを被る。

❹また。ふたたび。もう一度。さらに。用例〔明、高啓、尋二胡隠君一詩〕渡レ水復渡レ水みずをわたりまたみずをわたり、看レ花還看レ花はなをみまたはなをみる。↓次々に川を渡り、そちらこちらの花を見る。

❺めぐる。かこむ。とりまく。＝環(7507)。

㊁❶めぐる。めぐらす。回転する。＝旋(4626)。❷すばやい。また、すみやか。❸すぐに。

解字 金文 篆文 形声。辶(辵)＋睘㊥。音符の睘カンは、めぐるの意味。ひとめぐりして元のところにもどる、かえるの意味を表す。

逆 往還・帰還・償還・召還・招還・生還・送還・奪還・返還・奉還

【還忌】カンキ かえりみはばかる。おそれる。顧忌コキ。

【還帰(歸)】カンキ 帰る。帰還。

【還期】カンキ 帰る時期。

【還御】カンギョ 国①天皇や太皇太后・皇太后・皇后が外出先から帰ること。②将軍や公卿クギョウが帰ること。

【還啓】カンケイ 国皇后・皇太子などが外出先から帰ること。

【還元】カンゲン ①もとへ戻す。また、もとに戻る。②酸化物からその成分の酸素をうばうこと。↔酸化(一四五三ジ・上)。

【還幸】カンコウ 天子が外出先から皇居に帰ること。還御。

【還魂】カンコン ①死者がよみがえる。②科挙の試験に一度落第したものを、再試の上、合格させること。また、それによって合格した者。還魂秀才。

【還△踵】センショウ かかとをめぐらす。極めて速やかなたとえ。旋踵センショウ。▼還は、旋。

【還俗】ゲンゾク 僧や尼が俗人に戻ること。

【還丹】カンタン 道家の行った一種の錬金術で、不老不死の仙薬の煉丹レンタンが循環変化することをいう。

【還付・還附】カンプ 国かえす。戻す。

【還暦(曆)】カンレキ 国数え年六十一歳のこと。生まれた年の干支えとにふたたびかえること。ほんけがえり。⇩コラム年齢の別称(一四六六ジ)。

13【遽】17画 12233 標 ㊥キョ ㊧ゴ 御 jù 7817 E7AF —

字義 ❶にわか。にわかに。㋐すみやか。急に。すばやく。用例〔呂氏春秋、察今〕遽刻二其舟一曰、是吾剣之所二従墜一にわ(は)かにそのふねにきざみていわ(は)く、これわがケンのよりておちしところなりと。↓男は急いで舟に刻みを入れ印をつけて言った、「ここが私の剣の落ちたところだ」。㋑あわただしい。あわただしく。❷あわてる。うろたえる。❸はやうち。はや馬。駅伝の馬。伝馬。❹おそれる。おそれおののく。❺きそう(競)。❻何遽は、なんぞ。反語を表す。＝詎(11144)。

解字 金文 篆文 形声。辶(辵)＋豦㊥。音符の豦キョは、獣のはげしいとっくみあいの意味。たけだけしく走る・にわかの意味を表す。

【遽疾】キョシツ さし迫る。遽急。

【遽色】キョショク あわてた表情。

【遽人】キョジン ①宿場の労働者。②命令を伝える使者。

【遽然】キョゼン ①恐れおののくさま。②あわてるさま。③にわかなさま。

【遽卒】キョソツ にわか。急な。あわただしい。

13【邅】17画 12234 テン 先 zhān ₂9002 — 6571

字義 ❶ゆきなやむ。たちもとおる。❷めぐる。めぐり行く。めぐらす。

解字 形声。辶(辵)＋亶㊥。

【邅回・邅△廻】テンカイ ①めぐり行く。うねり行く。②行きなやむ。

13【避】16画 12235 常 ヒ さける 4082 94F0 —

13〔避〕17画 12236 ㊥ヒ ㊧ビ 寘 bì

筆順 コ 尸 尸 居 居 辟 辟 辟 避

字義 さける。㋐まわり道してよける。ひきかえしてよける。「回避」㋑よける。よけ遠ざかる。「避暑」「避難」㋒退く。たちのく。㋓のがれる。にげかくれる。かくれひそむ。「逃避」㋔はばかる。遠慮する。

解字 篆文 形声。辶(辵)＋辟㊥。音符の辟ヘキは、わきへ寄るの意味。わきへ進む、さけるの意味を表す。

逆 回避・忌避・退避

【避寒】ヒカン 寒さをさけるため暖かい地方に行く。↔避暑。

【避△諱】ヒキ ①忌みさける。避忌。②諱いみなをさける。主君や父などの生前の名を、言ったり書いたりするのをさけること。その場合は、同義や同音の字を使用して置きかえたり(世→代)、その文字の筆画を欠いたり(丘→丘)した。〔漢書、

劉向伝〕

【避暑】暑さをさけるため涼しい山地・海辺などに転地すること。↔避寒。

【避匿】さけかくれる。

【避難】災難をさけて他の場所に移る。

13【邉】17画 12237 ヘン 辺(12002)の俗字。→一四〇四ジペ・中。 7821 E7B3 —

13【邀】17画 12238 ヨウ(エウ) 蕭 yāo 7819 E7B1 —

字義 ❶むかえる。むかう。㋐待ちうける。㋑招く。用例〔唐、李白、月下独酌詩〕挙ㇾ杯邀ニ明月一、対ㇾ影成ニ三人一。↓杯を高く掲げて、明るい月をお招きし、我が影と向きあって三人となる。／〔唐、孟浩然、過ニ故人荘一詩〕故人具ニ鶏黍一、邀ㇾ我至ニ田家一。↓古くからの友人が、鶏と黍のご馳走を用意して、私をこの田舎の家に招待してくれた。❷もとめる(求)。❸あう(遇)。であう。

解字 形声。辶(辵)+敫音。音符の敫は、たたくの意味。むかえうつの意味を表す。

【邀撃(擊)】迎えうつ。待ち受けてうつ。

【邀要】待ちうける。

13【遴】17画 12239 リン 遴(12228)の俗字。→一四三五ジペ・下。 — — 6569

14【邇】18画 12240 標 漢ジ 呉ニ 紙 ěr 7778 E78E —

〔迩〕12048 俗字 〔迩〕12049 俗字

字義 ❶ちかい(近)。❷ちかづく。近くに寄る。近づける。

解字 篆文 形声。辶(辵)+爾音。音符の爾は、尼に通じ、親しみ近づくの意味。辵を付し、ちかいの意味を表す。

【邇言】卑近で通俗な、わかりやすいことば。

【邇来(來)】①近来。近ごろ。②その後。その時以来。爾来。

【在ㇾ邇求ㇾ遠】人の道は自分の身に求めるべきもので、近い所にある。だが、人はかえってこれを外に求める。〔孟子、離婁上〕

14【邃】18画 12241 スイ 寘 suì

〔邃〕12219 同字 〔邃〕12242 俗字

字義 おくぶかい。㋐深く遠い。「邃遠」㋑学問や道理が奥深い。

解字 篆文 形声。穴+遂音。音符の遂は、すすむの意味。穴の奥へすすむの意味から、ふかいの意味を表す。

【邃宇】大きく奥深い家。

【邃遠】奥深く遠い。奥深くかすか。

【邃古】おおむかし。太古。遂古。

【邃密】①奥深くて静か。②奥深く、しかも詳細である。

14【邃】18画 12242 スイ 邃(12241)の俗字。→一四三七ジペ・上。 6768 E284 —

14【邈】18画 12243 漢バク 呉マク 覚 miǎo 19258 — 6572

字義 ❶はるか。とおい(遠)。遠く離れているさま。❷あなどる。軽んずる。❸もだえる。うれえる。

解字 篆文 形声。もと、辶(辵)+貇音。音符の貇は、渺に通じ、はるかの意味。辵を付し、遠く離れているの意味を表す。

【邈焉】①はるかに遠いさま。②遠くて関係のないさま。

【邈遐】遠くはるかなこと。

【邈志】遠大な志。

【邈邈】①遠いさま。②もだえうれえるさま。

14【邉】18画 12244 ヘン 辺(12002)の俗字。→一四〇四ジペ・中。

15【邊】19画 (12003) ヘン 辺(12002)の旧字体。→一四〇四ジペ・中。

15【邋】19画 12245 二 リョウ(レフ) 葉 liè 二 ロウ(ラフ) 合 lā, lá — — 6573

字義 二❶くじく。❷乗り越えて行く。❸邋遢は、旗の揺れ動くさま。二邋遢は、いい加減な。だらしがない。

解字 形声。辶(辵)+巤音。

15【邌】19画 12246 一 漢レイ・呉ライ 斉 lí 二 漢チ・呉ジ(ヂ) 支 chí 29003 — 6574

字義 一❶おもむろ(徐)。ねり歩く。❷小さいさま。二おそい。遅(12163)の古字。

解字 形声。辶(辵)+黎音。

18【遥】22画 12247 漢ユウ(イウ) 呉ユ 尤 yōu — — 6575

字義 ❶急いで行く。❷連れだって行く。

解字 形声。辶(辵)+繇音。

19【邏】23画 12248 ラ 箇 luō(luò) 7822 E7B4 —

字義 ❶めぐる。㋐みまわる。巡視する。「巡邏」㋑とりまく。山に霞などがめぐる。❷みまわり。みまわる人。「邏卒」❸ふもと。山のすそ。

解字 篆文 形声。辶(辵)+羅音。音符の羅は、あみをはりめぐらすの意味。みまわるの意味を表す。

【邏騎】見張りをする騎兵。候騎。

【邏卒】みまわりの兵卒。

【邏吏】巡察の役人。

19【邐】23画 12249 リ 紙 lǐ 29004 — 6576

字義 つらなる(連)。つづく。連なり行くさま。

解字 金文 篆文 形声。辶(辵)+麗音。音符の麗は、つらなるの意味。辵を付し、つづく・つらなるの意味を表す。

【邐迤・邐△迆】①曲がりくねってつらなるさま。用例〔唐、白居易、長恨歌〕攬ㇾ衣推ㇾ枕起徘徊、珠箔銀屏邐迤開。↓手に上衣をとり、枕をおしのけ、たちあがったが、(あまり突然のことなので驚いて)へやの中をあるきまわる。(やがて)いくつか重なる玉のすだれや銀のびょうぶが、次々に開かれた。②小さく連なるさま。

【邐△倚】①道路などが曲がりくねって続くさま。②道が長く遠いさま。

7画

邑(阝) おおざと(阝)

阝は三画。

[阝] 29005 — 7036

〔部首解説〕阝は、邑が傍になるときの形。邑(阝)を意符として、人の住む地域・地名を表す文字ができている。

0 邑 一四三八
3 邘 一四三八
邗 一四三八
邛 一四三八
邙 一四三八
邕 一四三八
4 邧 一四三八
[illegible] 一四三八
邢 一四三八
邪 一四三八
[illegible] 一四三八
邨 一四三八
那 一四三八
邠 一四三八
邦 一四三九
邦 一四三九
邡 一四三九
5 邯 一四三九
邱 一四三九
邪 一四三九
邵 一四四〇
邰 一四四〇
邸 一四四〇
邶 一四四〇
邳 一四四〇
邲 一四四〇
郍 一四四〇
6 郁 一四四〇
郉 一四四〇
挹 一四四〇
邽 一四四〇
郄 一四四〇
郊 一四四〇
郈 一四四〇
郃 一四四一
郅 一四四一
郇 一四四一
郲 一四四一
耶 一一六九
郎 一四四一
7 郢 一四四一
郝 一四四一
郡 一四四一
郤 一四四一
郜 一四四二
郟 一四四二
郕 一四四二
郗 一四四二
郥 一四四二
郛 一四四二
郙 一四四二
郘 一四四二
郎 一四四一
郒 一四四二
郚 一四四二

辵部 13▼19画〔邉邀遴邇邃邃邈邉邊邋邌遥邏邐〕 邑部

0 【邑】 7画 12250 人 漢ユウ(イフ) 呉オウ(オフ) 緝 yì 4524 9757 —

筆順 丶 口 口 马 呂 邑

字義 ❶むら(村)。さと(里)。用例〔東晋、陶潜、桃花源記〕先世避₂秦時乱₁、率₂妻子邑人₁、来₂此絶境₁、不₂復出₁焉。↓私の先祖は、秦の時代の戦乱を避け、妻子や村人をひきつれて、この世間から隔絶した土地にやって来て、それから二度と外へ出ませんでした。❷みやこ。❸知行所。㋐諸侯・大夫の領地。用例〔史記、項羽本紀〕吾聞₃漢購₂我頭千金邑万戸₁。↓聞くところによると、漢ではわが首に千金と一万戸の土地とをかけているとのことである。❹うれえる。＝悒(3747)。❺㋑皇太后・皇后・公主の領地。ものの形容。→邑邑。

名前 くに・さと・さとし・すみ・むら 難読 邑久・邑知・邑智・邑楽

解字 甲骨文 篆文 会意。口+卩。卩は、すわりくつろぐ人の象形の変形したもの。口は特定の場所を示す。人がむらがりくつろぎ住む所、むらの意味を表す。邑を音符に含む形声文字に、悒・挹・裛などがある。

【邑居】キョ さとのすまい。むらざと。邑里。
【邑宰】サイ 村長。また、県令。
【邑入】ニュウ 領地から入る租税。
【邑邑】ユウ ①微弱なさま。②うれえるさま。③多くの村。村の続くさま。
【邑落】ラク むらざと。村落。邑里。
【邑里】リ むらざと。
【邑憐】レン うれえおしむ。

3 【邘】 6画 12251 ウ 虞 yú — — 6579

字義 地名。周の武王がその子を封じた所。今の河南省内。

解字 形声。阝(邑)+于(亏)音。

3 【邗】 6画 12252 一 漢カン・呉ガン 寒 hán 二 カン 寒 kān 19260 — 6578

字義 一 古代の国名。江蘇省内。二 越の国の別名。

解字 形声。阝(邑)+干音。

3 【邛】 6画 12253 漢キョウ 呉グ 冬 qióng 19262 — 6581

〔卭〕1189 俗字

字義 ❶おか。❷つかれる(疲)。やむ(病)。❸川の名。四川省邛崍市の南を流れ、青衣江に注ぐ。

解字 形声。阝(邑)+工音。

3 【邙】 6画 12254 漢ボウ(バウ) 呉モウ(マウ) 陽 máng 19261 — 6580

字義 山の名。→邙山。

解字 形声。阝(邑)+亡音。

【邙山】ザン 山の名。河南省洛陽市の北にある。一名、北邙山。皇帝・貴人の墓が多い。

3 【邕】 10画 12255 一 漢ヨウ・呉ユウ 冬 yōng 二 漢ヨウ・呉オウ 腫 19259 — 6577

字義 一 ❶四方を水がめぐった土地。❷やわらぐ。二 ふさぐ。＝壅(2161)。

解字 金文 篆文 会意。巛+邑。巛は、みずの意味。邑は、人の居住する所の意味。水にとりかこまれた住居の意味から、やわらぐの意味を表す。邕を音符に含む形声文字に、壅・廱・擁・臃・饔・癰・雝・饔などがある。

【邕穆】ボク やわらぐ。
【邕邕】ヨウ ゆったりとしたさま。

4 【邨】 7画 12256 ウン 郾(12329)と同字。→一四四六ページ上。 29007 — —

4 【邚】 7画 12257 エイ 郢(12291)と同字。→一四四一ページ中。

4 【邢】 7画 12258 一 漢ケイ 呉ギョウ(ギャウ) 青 xíng 二 漢コウ(カウ) 呉キョウ(キャウ) 梗 gěng 19263 — 6584

〔郉〕12279 本字

字義 一 国名。周公の子の封ぜられた国。今の河北省邢台市。二 地名。殷の祖乙の都した所。今の河南省温県の東。一説に、山西省河津市。

解字 形声。阝(邑)+开音。

4 【邪】 7画 (12270) ジャ 邪(12269)の旧字体。→一四三九ページ中。

4 【邥】 7画 12259 シン 寝 shěn — — 6585

字義 邥垂は、春秋時代の地名。今の河南省内。

解字 形声。阝(邑)+冘音。

4 【邨】 7画 12260 ソン 村(5215)の古字。→七三〇ページ中。 7823 E7B5 —

4 【那】 7画 12261 常 ナ 3865 93DF —

4 〔那〕 7画 12262 一 漢ダ・呉ナ 歌 nuó 二 漢ダ・呉ナ 哿 nǎ, ②nà

筆順 フ ヲ ヲ 刃 刃 那 那

字義 一 ❶おおい。＝多(2227)。❷うつくしい。❸なんぞ。いかん。いかんぞ。疑問・反語の助字。❹おいて(於)。二 ❶なに。疑問の助字。❷あれ。あの。

名前 とも・な・ふゆ・やす 難読 那珂湊・那波里

解字 篆文 会意。阝(邑)+冄(冉)。もと地名を表したが、借りて、なんぞの意味などを表す。

【那何】いかん ⇩何(247)の助字・句法解説。
【那波活所】ナワカッショ 国江戸初期の儒学者。播磨(今の兵庫県)の人。名は觚、字は道円、活所は号。藤原惺窩に学び、程朱学を修め、紀州藩儒となった。著書に『活所遺稿』『白氏文集校』などがある。(一五九五—一六四八)
【那辺(邊)】ナヘン いずこ。どこ。
【那由他】ナユタ 大数の一つ。一〇の七二乗。⇩コラム 数を表すことば(六三八ページ)。
【那落】ナラク 同奈落。①仏地獄のこと。「那落迦」の略。②国㋐どん底。㋑舞台や花道の下の地下室。

4 【邠】 7画 12263 ヒン 真 bīn — — 6582

字義 ❶国名。周の祖先の公劉の建てた国。今の陝西省内。＝豳(11483)。❷いろどり・あやのはなやかなさま(份)。

解字 形声。阝(邑)+分音。

4 【邦】 7画 12264 常 ホウ
ホウ(ハウ) 江 bāng
4314 964D —

筆順 一 三 三 丰 丰 邦 邦

字義 ❶くに(国)。㋐大国。↕国地。㋑広く、国をいう。㋒諸侯の領地。㋓みやこ。城郭で囲まれた地域。㋔天下。❷くにする。封ずる。＝封(2722)。国他の語の上について「わが国の」という意味を表す。「邦貨」「邦楽」

名前 くに・ほう

参考 ⇩〔国〕(1837)の参考。

解字 甲骨文 金文 篆文

形声。阝(邑)＋丰音。音符の丰は、封に通じ、盛り土して長く築いた境界の意味。境界のきめられた領地、くにの意味を表す。

逆 異邦・家邦・危邦・旧邦・万邦・盟邦・友邦・連邦

【邦域】①国ざかい。国境。②国の領地の範囲。

【邦媛】国のすぐれた美女。『詩経』鄘風・君子偕老に、「展如之人兮、邦之媛也」とあるのに基づく。

【邦家】くに。国家。わが国。

【邦畿】都に近い土地。畿内。「邦畿千里」

【邦禁】国の禁令。国禁。

【邦君】国の君。天子。また、諸侯。

【邦彦】国のすぐれた人物。『詩経』鄭風・羔裘に、「彼其之子、邦之彦兮」とあるのに基づく。

【邦人】①その国の人。②国境を守る人。封人。③国わが国の人。日本人。

【邦土】くに。国土。また。領土。

【邦伯】①諸国の長。大名。方伯。②刺史。州の長官。

4 【邦】 7画 12265 ホウ 邦(12264)と同字。→一四三九ページ上。

4 【邡】 7画 12266 ホウ(ハウ) 陽 fāng
₂9006 — 6583

字義 ❶汁邡・什邡は、県名。四川省内。❷はかる(謀)。相談する。

解字 形声。阝(邑)＋方音。

5 【邯】 8画 12267 一 漢カン・呉ガン 寒 hán 二 漢カン・呉ガン 感 hàn
7824 E7B6 —

字義 一 ❶邯鄲は地名。→邯鄲。❷川の名。青海省化隆回族自治県を流れる。二 邯淡は、豊かでさかん。

解字 形声。阝(邑)＋甘音。
【邯鄲】地名。春秋時代、衛の地。戦国時代には趙に属した。今の河北省邯鄲市。
【邯鄲之歩】本分を忘れてむやみに他人のまねをすると、両方ともだめになるというたとえ。ある男が邯鄲に行き、その歩き方をまねたが、十分できないうちに帰ったので、もとの歩き方さえ忘れたという故事による。〔荘子、秋水〕
【邯鄲之夢】人間の盛衰のはかなさのたとえ。盧生という男が、邯鄲の町で道士の枕を借りて寝ているうちに、一生を栄華のうちにくらした夢をみたという故事による。邯鄲之枕。一炊之夢。〔枕中記〕

5 【邱】 8画 12268 標 漢キュウ(キウ) 呉ク 尤 qiū
7825 E7B7 —

字義 おか。

参考 ⇩〔丘〕(23)の参考。字義・解字・熟語も、〔丘〕を見よ。

5 【邪】 8画 12269 常 ジャ
4 【邪】 7画 12270
熟字訓 風邪
一 漢シャ・呉ジャ 麻 xié 二 ヤ 麻 yé 三 ヨ 魚 yú
2857 8ED7 —

筆順 一 匚 于 牙 牙 邪 邪

字義 一 ❶よこしま。㋐正しくない。かたよる。↕正(5990)。用例〔論語、為政〕詩三百、一言以蔽レ之、曰思無レ邪。⇩『詩経』の三百編は、一言でこれをまとめると、「思いに邪悪なものがない」(という文句)であろう。(魯頌の駉にみえる)「思いにいつわる。また、その人。「姦邪」㋒私心。私欲。悪心。㋑心がねじけている。あざむく。また、いつわり。❷いつわる。❸かぜ(風邪)。二 助 や。か。⇩助字・句法解説。三 あまり。＝余(289)。

助字・句法解説
や。か。疑問・反語。訳…であるか。どうして…だろうか。

類 与・乎・也・耶。

文末に置かれ、疑問・反語の語気を表す。

用例〔唐、韓愈、雑説〕其真無レ馬邪、其真不レ知レ馬也。⇩いったいほんとうに名馬はいないのか、それともほんとうに名馬を見ぬくことができないのか。／〔世説新語、徳行〕既以納二其自託一、寧可下以二急相棄一邪。⇩すでに頼みを引き受けたのであれば、どうして危なくなったことを理由に捨て去ることなどできようか。

解字 篆文
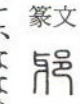
形声。阝(邑)＋牙(牙)音。本来は地名の琅邪を表す文字。のち、衺の字の代わりに用いて、ななめ・正しくないの意味を表す。また、借りて、疑問の「や・か」の意味を表す。

逆 湿邪

【邪穢】よこしまと、けがれ。

【邪悪(惡)】よこしまで悪いこと。

【邪淫】仏十戒の一つ。不正な男女関係を結ぶこと。

【邪枉】よこしまでまがっている。邪曲。

【邪猾】よこしまで悪がしこい。

【邪鬼】悪い神。悪魔。

【邪教】よこしまな教え。正しくない宗教。人をまどわす宗教。邪宗。↕正宗(七八四ページ中)。

【邪曲】よこしまでまがっている。邪枉。

【邪径(徑)】まがった小道。正しくない心・行いのたとえ。

【邪計】よこしまなはかりごと。悪だくみ。

【邪見】①仏因果の道理を無視する、まちがった考え。②国無慈悲にあらあらしくとりあつかう。邪険。邪慳。

【邪険(險)・邪慳】よこしまで意地がわるい。無慈悲でむごい。

【邪許・邪呼】多人数が力を合わせて重いものを動かすときのかけ声。きやり。

【邪侈】不正で、ぜいたくする。用例〔孟子、梁恵王上〕苟無二恒心一、放辟邪侈、無レ不レ為已。⇩もしも一定不変の道徳心がなかったならば、勝手気ままにふるまい、どんな悪いことでもしてしまう。

【邪宗】よこしまな宗教。邪教。邪法。

【邪臣】よこしまな家来。姦臣。

【邪推】見当ちがいの疑い。わざと悪く考える。

【邪説】正しくない説。異端。〔孟子、滕文公下〕

【邪道】よこしまな道。正しくない方法。〔荀子、儒効〕

【邪佞】心がねじけていてへつらう。また、その人。

【邪念】よこしまな考え。不正な心。

【邪薄】よこしまで軽薄。

【邪媚】心がねじけていて人にへつらう。

【邪辟・邪僻】よこしま。

【邪法】①正しくない道。悪法。②＝邪宗。

【邪馬台(臺)国(國)】中国で日本を呼んだ語。「やまと」の音訳とされる。〔後漢書、東夷、倭国伝〕

【邪魔】①仏邪法を説き仏法を妨げる悪魔。②国人の妨げになること。

【邪揄】からかう。ひやかす。なぶる。

邑部 4▼5画 〔邦 邦 邡 邯 邱 邪〕

【邪欲】ジャヨク よこしまな欲望。

5 **【邵】** 8画 12271 漢ショウ(セウ)・呉ジョウ(ゼウ) 嘯 shào 7826 E7B8 —

字義 春秋時代、晋シンの地名。今の河南省内。

解字 形声。阝(邑)+召音。

【邵長蘅】ショウチョウコウ 清シンの詩人。字あざなは子湘シショウ。号は青門山人。著書に『青門集』がある。(一六三七—一七〇四)

【邵雍】ショウヨウ 北宋ホクソウの学者。字あざなは尭夫ギョウフ。諡おくりなは康節。易エキに精通し、著書に『先天図』『観物篇カンブツヘン』などがある。その学派を百源学派という。(一〇一一—一〇七七)

5 **【邰】** 8画 12272 タイ 灰 tái 2 9008 — 6586

字義 国名。周の先祖の后稷コウショクの封ぜられた地。今の陝西センセイ省武功県の西南。

解字 形声。阝(邑)+台音。

5 **【邸】** 8画 12273 常 テイ 漢テイ・呉タイ 薺 dǐ 3701 9340 —

筆順 ノ ㇾ 𠂉 氏 氏 氐 邸

字義 ❶やしき。㋐邸宅。大きなやしき。㋑都に上ったときの諸侯の宿舎。❷やどや。旅館。また、やどる。❸いたる(至)。かえる(帰)。❹ふれる。＝抵(4116)。

名前 いえ・もと

解字 篆文 形声。阝(邑)+氐音。音符の氐は、あてるの意味。諸侯が都にのぼったとき宿泊にあてる場所、やしきの意味を表す。

逆 外邸・官邸・藩邸

【邸閣】テイカク ①やしき。②倉庫。米ぐら。③商店。

【邸舎】テイシャ ①やしき。②みせ。③やどや。

5 **【邶】** 8画 12274 漢ハイ 呉バイ 隊 bèi 2 9009 — 6590

字義 国名。周の武王が殷インをほろぼし、その領地を邶・鄘ヨウ・衛に三分した、その一つ。今の河南省湯陰県の東南。

解字 形声。阝(邑)+北音。

【邶風】ハイフウ 『詩経』の編名。十九編を収めている。

5 **【邳】** 8画 12275 漢ヒ 呉ビ 支 pī 1 9264 — 6588

字義 ❶国名。殷インの湯王の家来仲虺チュウキの封ぜられた地。今の山東省滕州トウシュウ市の南。❷地名。江蘇コウソ省邳州市。❸大きい。おおいに。＝丕(27)。❹おか(丘)。

解字 形声。阝(邑)+丕音。

5 **【邲】** 8画 12276 一漢ヒツ・呉ビチ 質 bì 二ヒ 寘 — — 6587

字義 一春秋時代、鄭テイの地名。今の河南省鄭州市の東。二みめよい。美しいさま。

解字 形声。阝(邑)+必音。

5 **【邴】** 8画 12277 漢ヘイ 呉ヒョウ(ヒャウ) 梗 敬 bǐng — — 6589

字義 ❶春秋時代、鄭テイの地名。今の山東省費県の東南。❷邴邴は、㋐喜ぶさま。㋑明らかなさま。

解字 形声。阝(邑)+丙音。

6 **【郁】** 9画 12278 人 イク 屋 yù 1674 88E8 —

筆順 ノ ナ 才 有 有 有 有 郁 郁

字義 ❶かぐわしい かぐはし。香気のさかんなさま。「馥郁フクイク」❷さかん。文化の高いこと。❸あたたかい。❹あや。あや模様の美しいさま。❺地名。

名前 あや・いく・か・かおる・くに・たかし・ふみ・ぶみ・ゆう

難読 郁子むべ・べう

解字 篆文 形声。阝(邑)+有音。もと地名を表す。借りて、香気のさかんなさまを表す擬態語として用いる。

【郁郁】イクイク ①文物のさかんなさま。文化の高いさま。用例〔論語、八佾〕郁郁乎文哉イクイクコとしてブンなるかな。↓(周の文化は)香り高く美しいなあ。②かんばしいさま。「郁郁青青」③奥深いさま。

【郁△馥】イクフク かおりの高いさま。馥郁。

【郁△氛】イクフン かぐわしい気。香気。

【郁文】イクブン 文物のさかんなさま。文化の高いさま。→郁郁①。

【郁烈】イクレツ かおりの強いこと。

6 **【郉】** 9画 12279 ケイ 邢(12258)の本字。→一四三八ジペー中。

6 **【挹】** 13画 12280 ケイ 邽(12281)と同字。→一四四〇ジペー中。 — — 6592

6 **【邽】** 9画 12281 漢ケイ 呉ケ 斉 guī — — 6591

〔挹〕12280 同字

字義 県名。下邽カケイは、今の陝西センセイ省内。上邽ジョウケイは、今の甘粛省内。

解字 形声。阝(邑)+圭音。

6 **【郄】** 9画 12282 ゲキ 郤(12294)の俗字。→一四四一ジペー下。 1 9266 — 6601

6 **【郊】** 9画 12283 常 コウ 漢コウ(カウ)・呉キョウ(ケウ) 肴 jiāo 2557 8D78 —

筆順 丶 亠 六 ㇀ 交 交 郊 郊

字義 ❶みやこはずれ。都の郊外。周代では都城から五十里(約二十キロメートル)以内を近郊、百里以内を遠郊とした。❷国境。また、果ての地。❸のら。田野。❹いなか。用例〔詩経、魏風、碩鼠〕逝将去レ女ゆきてまさになんじ(ぢ)をさり、適ニ彼楽郊一かのラクコウにゆかん。↓さあお前のもとを逃げだして、あの楽しい田舎に出かけよう。❺天地を祭る祭りの名。天子が冬至トウジには南郊で天を、夏至ゲシには北郊で地を祭った。❻地方官。❼春秋時代の晋シンの地。今の山西省永済市の境。

名前 おか・ころ・さと・ひろ

解字 篆文 形声。阝(邑)+交音。音符の交は、烄コウに通じ、組んだ木に火をつけて天を祭る火まつりの意味。郊外の烄のまつりを行う場所、都の周辺地方、郊外の意味を表す。

逆 遠郊・近郊

【郊△墟】コウキョ 野や丘。いなかをいう。

【郊迎】コウゲイ 郊外まで出て迎える。他国からの客に対する敬意。↕郊送。

【郊原】コウゲン 郊外の野原。野原。郊野。平原。

【郊△柴】コウサイ 郊外でしばをたいて天を祭る。字義❺の儀式のひとつ。

【郊祭】コウサイ ＝郊祀。

【郊△祀】コウシ 天子が郊外で天地を祭る祭り。→字義❺。

【郊社】コウシャ 天地の祭り。▼冬至に南郊で天を祭るのを郊、夏至ゲシに北郊で地を祭るのを社という。

【郊△墅】コウショ いなかにある別宅。

【郊送】コウソウ 郊外まで出て送る。↕郊迎。

【郊△禘】コウテイ 天子が南郊の丘で天を祭ること。天帝を主神とし、始祖を配して祭る。

【郊保】コウホ 郊外の小さな城。▼保は、小城。

【郊里】コウリ 郊外のむらざと。

【郊△燎】コウリョウ 野原でたき火して天を祭る礼。

【郊労(勞)】コウロウ まちはずれまで出て客を迎えねぎらう。

6 **【郈】** 9画 12284 漢コウ 呉グ 宥 候 hòu 2 9011 — 6604

字義 地名。春秋時代の魯ロの叔孫氏の領地。今の山東省東平県の東南。

解字 形声。阝(邑)+后音。

6 【郃】 9画 12285 ㊀ 漢コウ(カフ) 呉ゴウ(ゴフ) 合 hé ㊁ 漢コウ(カフ) 呉ギョウ(ゲフ) 洽 xiá 2 9010 — 6594

字義 ㊀ ❶郃陽は、地名。陝西省内。❷川の名。陝西省内を流れる川。㊁あう。あわせる。

解字 形声。阝(邑)＋合音。

6 【郅】 9画 12286 漢シツ 呉シチ 質 zhì 1 9267 — 6602

字義 ❶いたる。＝至(9677)。❷おおきい。さかん。

解字 形声。阝(邑)＋至音。

【郅治】よくおさまること。「郅治之世」

6 【郇】 9画 12287 シュン 真 xún 1 9268 — 6603

字義 国名。周の文王の子の封ぜられた地。春秋時代に晋にほろぼされた。今の山西省臨猗県。

解字 形声。阝(邑)＋旬音。

【郇△厨】唐の郇公(韋陟)。郇国公に封ぜられたの食事はごちそうが多かったところから、美食をいう。転じて、奇書を多く蔵することにもいう。〔世説新語補、汰侈〕

6 【邾】 9画 12288 漢チュウ(チウ) 呉チュ 虞 zhū 1 9265 — 6593

字義 ❶国名。周の武王が顓頊の子孫を封じた所。邾婁ともいう。後に鄒と改めた。今の山東省内。❷県名。今の湖北省黄岡市。

6 【耶】 9画 (9609) ヤ 耳部。→一〇六九ページ下。

解字 形声。阝(邑)＋朱音。

6 【郎】 9画 12289 常 ロウ 4726 9859 —

7 〔郞〕 10画 12290 人 ロウ(ラウ) 陽 láng 1 9271 EE9A —

筆順 丶 ㇋ ㇌ 良 良 郎 郎 郎

〔郒〕 12303 同字

字義 ❶おとこ。㋐男性の美称。㋑わかもの。㋒むすこ。他人の子を呼ぶ語。㋓ちち。子が父を呼ぶ語。㋔だんな。主人。召し使いが主人を呼ぶ語。㋕おっと。妻が夫を呼ぶ語。用例〔唐、李白、長干行〕郎騎二竹馬一来、遶レ牀弄二青梅一 ↓あなたは竹馬にまたがってやってきて、井戸の上部の囲いをめぐって青い梅の実をもてあそんでいました。❷官名。秦の時は宿衛、漢の時は侍従、唐の時は大臣の次官、明・清時代には下級官吏をいった。❸春秋時代、魯の地名。今の山東省曲阜市の近郊と魚台県の東北の二か所ある。❹女性。

名前 いらつこ・お・ろ・ろう 難読 郎子・郎女・郎姫

解字 篆文 形声。阝(邑)＋良音。邑は、むらの意味。もと、地名を表したが、借りて、よい男の意味を表す。

逆 外郎・女郎・新郎

【郎官】＝郎中。

【郎君】①若だんな。若さま。②貴公子。③妻が夫を呼ぶ称。④一般の人に対する敬称。あなた。

【郎子】㊀ 他人の子を呼ぶ敬称。令息。㊁ 国若い男性を親しんでいう語。いらつぎみ。↔郎女㊁。

【郎署】①官吏の宿衛する役所。②尚書郎。

【郎女】㊀ 若い女性をいう。㊁ 国若い女性を親しんでいう語。↔郎子㊁。

【郎将】①中郎将。秦・漢の時代に宿衛をつかさどる官。②郎や将。将軍たち。③官名。宋代、諸府の兵を統べる官。④星座の名。

【郎世寧】イタリアの耶蘇会士、カスティリオーネの中国名。康熙五十四年(一七一五)に清に至り、乾隆帝の寵を得た。絵をよくし、布教のかたわら、中国画法に油絵・水彩画の手法を応用した。(一六八八―一七六六)

【郎中】官名。唐以後は各部の長官。秦・漢では宮中の宿直の役。用例〔史記、刺客伝〕諸郎中執レ兵皆陳二殿下一、非レ有二詔召一、不レ得レ上 ↓多くの警護の役人たちは武器を持ってみな宮殿の階下に居並び、秦王のお召しがかからなければ昇殿は許されなかった。

【郎中令】官名。秦代に設ける。九卿の一つ。宮殿の門戸をつかさどる長官。

【郎当(當)】①疲れるさま。「潦倒」の転音。②衣服がだぶだぶでからだに合わないさま。③だらしのないこと。④大きい鎖。琅鐺。

【郎等・郎党(黨)】国武家のけらい。家臣。「一族郎党」

7 【郢】 10画 12291 漢エイ 呉ヨウ(ヤウ) 梗 yǐng 7827 E7B9 —

〔郉〕 12257 同字

字義 地名。春秋・戦国時代の楚の都。今の湖北省江陵県の西北。

解字 形声。阝(邑)＋呈音。

【郢曲】楚の人の歌。転じて、いやしい音楽。俗曲。郢声。

【郢書△燕説】郢の人の書いた言葉を燕の人が誤解して説明し、燕国を治めた故事から、道理に合わないことをこじつけるたとえ。〔韓非子、外儲説左上〕

7 【郝】 10画 12292 ㊀ カク 薬 hǎo ㊁ 漢セキ・呉シャク 陌 shì 1 9270 — 6610

字義 ㊀村名。今の陝西省内。㊁郝郝は、たがやす。

解字 形声。阝(邑)＋赤音。

7 【郡】 10画 12293 教 4 グン 漢クン・呉グン 問 jùn 2320 8C53 —

筆順 ㇇ ㇋ 尹 尹 君 君 君 郡 郡

字義 ❶こおり。周代以後の地方行政区画の名。周代は県の下、戦国時代以後は県の上。❷つかさ。郡の役所。国グン。地方行政区画の一つ。都道府県の下。

名前 くに・ぐん・さと・とも・もと・より 難読 郡家・郡山・郡上・郡領

解字 篆文 形声。阝(邑)＋君音。音符の君は、群に通じ、むれの意味。邑は、むらの意味。村の一群、行政単位の一つを表す。

逆 州郡

【郡下】①郡の支配に属する土地。②郡の役所のある所。用例〔東晋、陶潜、桃花源記〕及二郡下一、詣二太守一、説如レ此。↓郡の役所が置かれている町に着くと、郡の長官に会いに行き、かくかくしかじかでございますと、申し出た。

【郡県(縣)制度】諸侯を廃し中央政府から官吏を地方へ派遣して天下を統治する制度。秦代に始まる。↔封建制度(四一三ページ上)。

【郡国(國)制度】郡県と封建の両制度を併用した制度。漢代に始まる。天下を郡と国に分け、郡は天子に属し、国は諸侯に与えた。郡を王国、国を侯国という。

【郡斎(齋)】①郡守の居所。②国江戸時代の代官役所。

【郡主】唐代では太子の娘、明・清代では親王の娘の称。

【郡守】郡の長官。秦代に始まる官。郡の行政をつかさどる。後、太守と改める。

7 【郤】 10画 12294 漢ケキ・呉キャク 慣ゲキ 陌 xì 7828 E7BA —

〔郄〕12282 俗字 字義 ❶村名。春秋時代、晋の大夫叔虎の領地。今の山西省内。❷すきま。すき。㋐なかたがい。＝隙(13139)。用例(史記、項羽本紀)今者有二小人之言一、令三将軍与二臣有一レ郤。↓今つまらぬ者の口出しがあり、将軍と私とをなかたがいさせようとしています。㋑骨と骨のつながるところ。

7 【郜】10画 12295 ❶コウ(カウ) 号 gào ❷コク 因 gào 2 9013 — 6609
解字 形声。阝(邑)＋告㊥。
字義 ❶❶国名。周の文王の子の封ぜられた国。今の山東省成武県の東南。❷春秋時代、宋の地名。今の山東省武城県の東南にあった北郜城とその南の南郜城。

7 【郟】10画 12296 漢コウ(カフ) 呉キョウ(ケフ) 洽 jiá 2 9014 — 6611
解字 形声。阝(邑)＋夾㊥。
字義 春秋時代、鄭の県名。今の河南省郟県。
【郟室】門の両わきにある部屋。
【郟鄏】周の旧都。今の河南省洛陽市の西。

7 【郕】10画 12297 漢セイ 呉ジョウ(ジャウ) 庚 chéng — — 6605
字義 ❶地名。㋐春秋時代、魯の孟氏の領地。今の山東省寧陽県の東北。㋑春秋時代、鄭の地。今の河南省武陟県の西南。❷国名。周の武王が弟の叔武を封じた地。今の山東省寧陽県の東北。
解字 形声。阝(邑)＋成㊥。

7 【郗】10画 12298 チ 因 xīchī 19269 — 6606
字義 周代の地名。今の河南省泌陽県の地。
解字 形声。阝(邑)＋希㊥。

7 【郥】10画 12299 ハイ 泰 bèi — — 6612
字義 地名。
解字 形声。阝(邑)＋貝㊥。

7 【郛】10画 12300 フ 虞 fú 7830 E7BC —
字義 くるわ。城の外囲い。城郭。
解字 篆文 形声。阝(邑)＋孚㊥。音符の孚フは、乳児を抱きかかえる意味。城内を抱きかかえるように設けられた外囲い、くるわの意味を表す。
【郛郭】①城外の大きなくるわ。②防ぎ保つことのたとえ。

7 【郙】10画 12301 フ 麌 fǔ — — 6608
字義 宿駅の名。今の河南省内。
解字 形声。阝(邑)＋甫㊥。

7 【郘】10画 12302 漢リョ 呉ロ 語 lǚ — — 6607
字義 ❶地名。今の山西省内。❷宿駅の名。
解字 形声。阝(邑)＋呂㊥。

7 【郞】10画 (12290) ロウ 郎(12289)の旧字体。→一四四一ページ上。

7 【⿰良邑】14画 12303 ロウ 郎(12289)と同字。→一四四一ページ上。

7 【⿰邑阝】10画 12304 国字 2 9012 — —
字義 むら。

8 【郭】11画 12305 常 カク 漢カク(クヮク) 薬 guō 1952 8A73 —
筆順 亠 亣 古 亨 享 享 享 郭 郭 郭
字義 ❶くるわ。都市のまわりを囲む壁。城郭。外城。❷かこい。一般に、物のそとまわり。❸銭などのふち。国くるわ。遊里。花柳界。
名前 さと・ひろ 難読 郭公(ほととぎす)
参考 現代表記では[廓](3232)の書きかえに用いる。「廓大→郭大」「輪廓→輪郭」
解字 甲骨文 金文 篆文 形声。阝(邑)＋享(𩫏)㊥。音符の𩫏カクは、あずまや(亭)を対置させた、城郭の象形。邑を付し、城郭、都市のそとまわりを囲む塁壁の意味を表す。甲骨文の変形が𩫏で、そのまた変形が、享である。
逆 一郭・外郭・胸郭・山郭・城郭・水郭・負郭・遊郭・輪郭
【郭隗】戦国時代、燕の政治家。昭王が賢者を招こうとしたとき、「まず隗より始めよ」と言って自分を推薦し、楽毅・騶衍らを招いた。→従レ隗始(三五〇ページ上)。
【郭外】くるわの外。かこいの外。郊外。用例(唐、孟浩然、過二故人荘一詩)緑樹村辺合、青山郭外斜。↓緑の木々が村の周りを囲み、青い山々が村の壁の向こうに斜めにつらなっている。
【郭巨】後漢の孝子。二十四孝の一人。貧しさから、老母が自分の食を減らし、三歳になる彼の子に与えるのを見て、老母をあわれみその子を土に埋めようとしたところ、土中から黄金が出たという。
【郭公】①ホトトギス科の鳥。ふふどり。「かっこう」と鳴く声によって名づける。②でく。人形。傀儡。③国ほととぎす。杜鵑。不如帰。
【郭子儀】唐の武将。粛宗の時、安史の乱を平定し、汾陽王となった。(六九七―七八一)
【郭象】西晋の学者。字は子玄。老荘の学を好み、『荘子』の注を書いた。(?―三一二)
【郭大】大きくする。また大きくなる。廓大。
【郭橐駝】植木職人。郭という植木屋の背中が橐駝(らくだ)に似ていたからいう。〔唐、柳宗元、種樹郭橐駝伝〕
【郭璞】西晋の詩人・学者。字は景純。著書に『楚辞注』『山海経注』などがある。(二七六―三二四)
【郭沫若】中華人民共和国の文学者・歴史学者・政治家。四川省楽山県の人。名は開貞。沫若は字。著書に『中国古代社会研究』『甲骨文字研究』などがある。(一八九二―一九七八)
【郭門】城郭の門。町はずれの門。町の入り口の門。

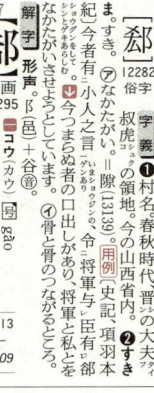

8 【⿰其阝】11画 12306 ❶キ ❷サン shān 2 9015 — —
字義 ❶人名に用いられる。❷義未詳。
解字 形声。阝(邑)＋其㊥。

8 【郷】11画 12307 教6 キョウ・ゴウ 2231 8BBD —

10 〔鄉〕13画 12308 ❶漢キョウ(キャウ) 呉コウ(カウ) 陽 xiāng ❷漢キョウ(キャウ) 呉コウ(カウ) 養 xiǎng ❸漢キョウ(キャウ) 呉コウ(カウ) 漾 xiàng 慣ゴウ(ガウ)
筆順 乡 乡 乡 纟 纟 绍 组 组 郷 郷 郷
〔鄕〕12331 俗字 字義 ❶❶さと。㋐行政区画の名。周代では一万二千五百戸ある地。㋑むらざと(村里)。いなか。邑里。用例(唐、柳宗元、捕レ蛇者説)自二吾氏三世居一レ是郷、積二於今一六十歳矣。↓私の家が三代前からこの地に住みついてから、現在まで六十年になります。❷ふるさと。故郷。郷里。㋒くに。国。㋓ところ。「無何有之郷」❷❶うける。

=饗(13656)・享(146)。❷ひびく。ひびき。=響(13427)。㊂❶むかう。また、むき・方向。=向(1336)・嚮(1771)。❷さき。さきに。さきの。=嚮(1771)。㊀国❶奈良時代から平安時代初期に行われた行政区画の一つ。❷都市の近郊。

名前 あき・あきら・さと・のり

参考 〔卿〕(1208)は別字。

解字 甲骨文 篆文 象形。甲骨文は、卿と同形で、ごちそうをまん中にして二人が向きあうさまにかたどり、むかうの意味を表す。また、畺に通じ、しきられた耕地、さとの意味をも表す。

逆 異郷・家郷・旧郷・近郷・故郷・在郷・水郷・酔郷・仙郷・他郷・帝郷・望郷

【郷飲酒】キョウインシュ 周代、郷学で三年の業を終えた人の中の優等生を君主に推薦したが、そのとき郷の大夫が主人となって開く送別の宴。

【郷園】キョウエン ふるさと。故郷。

【郷音】キョウオン ふるさとのことばづかい。国なまり。

【郷学(學)】キョウガク 村の学校。郷黌。郷校。

【郷貫】キョウカン ①生まれ故郷の戸籍。本籍。②故郷。

【郷関(關)】キョウカン ふるさと。郷里。用例〔唐、崔顥、黄鶴楼詩〕日暮郷関何処是、煙波江上使人愁 ↓夕暮れどき、わが故郷はいったいどこだろうか(と見渡してみると)、ただもやにかすむ長江の水面一帯が、人を憂いにとじこめる。

【郷曲】キョウキョク かたいなか。▼曲は、かたよった所。

【郷原・郷△愿】キョウゲン 誠がなくて世わたりがうまく、村では有徳者のように思われている偽善者。用例〔論語、陽貨〕郷原徳之賊也 ↓世渡りのうまい偽善者は、徳をそこなうものである。

【郷校】キョウコウ 村の学校。郷学。

【郷貢】キョウコウ 唐代の科挙(官吏登用試験)で、州県の長官の推薦を受け試験に応じる人。

【郷国(國)】キョウコク ふるさと。くにもと。

【郷試】キョウシ 科挙(官吏登用試験)の制度で、三年に一度、各省で行う試験。合格者を挙人という。

【郷射】キョウシャ 周代の制度。士の能力をためすための射術の儀式。

【郷愁】キョウシュウ ふるさとを遠くはなれて、しみじみとふるさとを懐かしむ気持ち。

【郷心】キョウシン 故郷を思う心。望郷の思い。

【郷紳】キョウシン 地方に居住する紳士。主として退官した官吏で郷里に帰って、勢力がある人。宋代以後に現れた。

【郷人】キョウジン ①さとびと。故郷の人。②俗人。いなかもの。

【郷井】キョウセイ 郷里。▼井は、市井。

【郷党(黨)】キョウトウ ①むらざと。周代に、五百戸を党、一万二千五百戸を郷といった。②同郷の人。用例〔孟子、公孫丑上〕非所以要誉於郷党朋友也 ↓名誉を村人や友人に求めようとするものでもない。③『論語』の編名。

【郷導】キョウドウ 軍の行軍などの案内をする。また、その人。

【郷背】キョウハイ・コウハイ ①向かうことと背を向けること。②味方することと敵になること。向背。

【郷△邑】キョウユウ むらざと。部落。

【郷里】キョウリ ①むらざと。ひとざと。また、その人々。村人。②ふるさと。③昔、夫婦が呼び合う時のことば。

【郷隣】キョウリン ①となりきんじょ。②同じ故郷の人。

8 【郗】11画 12309 ㊀漢ジャク 呉ニャク 㝡 ruò ㊁チャク 㝡 (2 9018 — 6621)

字義 ㊀㊁周代の地名。河南省内。

解字 形声。阝(邑)+若音。

8 【郰】11画 12310 漢シュウ(シウ) 呉シュ 㝡 zōu (— — 6617)

字義 春秋時代、魯の地名。孔子の出生地。今の山東省曲阜市の東南。=郰(12358)・陬(13102)。

解字 形声。阝(邑)+取音。

8 【郪】11画 12311 漢セイ 呉サイ 㝡 qī

字義 新郪は、県名。今の安徽省内。

解字 形声。阝(邑)+妻音。

8 【郯】11画 12312 漢タン 呉ダン 㝡 tán (1 9272 — 6616)

字義 春秋時代の国名。帝少昊の子孫の封ぜられた国。今の山東省郯城県の西南。

解字 形声。阝(邑)+炎音。

8 【郴】11画 12313 チン 㝡 chēn (1 9273 — 6618)

字義 県名。今の湖南省桂陽県の東。項羽が、みずから擁立した義帝を移住させ、殺した所。

解字 会意。阝(邑)+林。

8 【都】11画 12314 教3 ト・ツ みやこ (3752 9373 —)

9 〔都〕12画 12315 人 漢ト 呉ツ 㝡 dū, ⑤dōu (1 9274 EE9B —)

筆順 一 + 土 耂 者 者 者 都 都

字義 ❶みやこ。㋐天子の宮城のある地。「京都」 ㋑諸侯の居城のある地。㋒先君の宗廟(みたまや)のある地。㋓周代の行政上の区域の名。❷みやこする。都を定める。❸おる(居)。いる。❹あつまる(聚)。あつめる。❺すべる(統)。また、すべて。みな。用例〔人虎伝〕吾今日尚悟一日都酔、則君過此、吾既不省 ↓私は今はまだ心がはっきりしているけれども、ある日心がすっかり麻痺してしまったならば、君がここを通った時、私は君のことがわからないだろう。❻みやびやか。うつくしい。❼ああ。感嘆の声。

名前 いち・くに・さと・つ・づ・と・とし・ひろ・みや・みやこ

難読 都賀・都介野・都住・都城・都築・都逸・都農・都木・都野津・都留・都児格

解字 金文 篆文 形声。阝(邑)+者(者)音。音符の者は、台上にしばを集め重ねた形にかたどり、集まるの意味。多くの人の集まるみやこの意味を表す。

逆 京都・故都・遷都・僧都・大都・天都

【都尉】トイ 漢代の官名。軍事をつかさどる高級将校。後、武官の称号となる。

【都雅】トガ みやびやか。優美。風雅。

【都会(會)】トカイ みやこ。人の多い街。にぎやかな町。都市。

【都畿】トキ みやこ。

【都護】トゴ ①軍隊を用いて辺地を治める官名。漢代に始まる。②国按察使の中国風の呼び名。

【都講】トコウ ①門生のかしら。塾頭。②講師。先生。③軍事の講習。

【都察院】トサツイン 明代の官名。官吏の非行を責め各省を監督する役。

【都市】トシ =都会。

【都試】トシ すべての役人の成績を調べること。

【都人士】トジンシ みやこびと。都会の住人。

【都△塵】トジン 都会のごみごみとしたさわがしさ。都会のわずらわしさ。

【都水】トスイ 官名。秦・漢代に都水長・都水丞が置かれ、治水をつかさどった。晋では都水台、隋・唐では都水監が置かれ、以降も類似の部署が設けられている。

【都統】トトウ ①すべおさめる。②官名。軍事をつかさどる地方司令官。

【都督】トトク ①すべひきいること。②官名。一地方の軍事をつかさどる役。唐代は、節度使となり、民政もつかさどった。③国大宰帥(ダザイのソチ)の中国風の呼び名。

【都△鄙】(トヒ) ①まちと、いなか。みやこといなか。②みやびやかなことと、ひなびていること。

【都府】(フト) ①みやこ。②唐代の節度使。

【都府楼(樓)】(トフロウ) ①節度使の居城。②国大宰府(ダザイフ)の大門の高楼。▼都府は、都督府の略。

【都門】(トモン) ①みやこの門。②みやこ。

【都△兪△吁△咈】(トユクフツ) 四字ともに「ああ」とよみ、上二字は賛成、下二字は反対の意。尭(ギョウ)が家臣と政治を話しあった時に用いた語。転じて、君臣が討論することをいう。

【都△邑】(トユウ) ①みやこ。また、都会。②みやこと、いなか。都鄙(トヒ)。

【都良香】(みやこのよしか) 国平安前期の漢詩人・漢学者。文章博士(モンジョウハカセ)。『文徳(モントク)実録』の編者の一人。著書に『都氏文集』がある。(八三四—八七九)

8 【郫】 11画 12316 漢ヒ 呉ビ 因 pí ₂9019 — 6615

字義 ❶春秋時代、晋(シン)の地名。今の河南省済源市の西。❷今の四川(シセン)省成都市の西北。その地に産する竹で酒を醸(かも)し、郫筒という。

解字 形声。阝(邑)+卑音。

8 【部】 11画 12317 教3 ブ 4184 9594 —

一 漢ホ・呉ブ 麌 bù
二 漢ホウ・呉ブ 有 pǒu

熟字訓 部屋(へや)

筆順 

［郶］12318 同字

字義 一 ❶すべる。統括する。❷わける。区分する。❸くみ。㋐組みわけ。軍隊などの組みわけ。㋑同類のものにわけたもの。部類。部門。こわけ。㋒区分された地域。また、箇所。❹地方行政区画の通称。❺つかさ。㋐役所。「文部」㋑取り締まり。総督。❻むれ。集落。村。村里。二 小さなおか。国べ。上代、ある職能によって朝廷に仕えた集団。「語部(かたりべ)」

名前 きつ・とも・ぶ・もと 難読 部曲(かきべ)・部将(たむろのおさ)

解字 篆文  形声。阝(邑)+音音。もと地名を表す。音符の音(ハイ)は、剖に通じ、わけるの意味を表す。

逆 一部・幹部・主部・大部

【部曲】(ブキョク) ①くみ。②軍隊の部わけ。軍隊の構成。

【部△伍】(ブゴ) 部隊。

【部首】(ブシュ) 漢字を字形上から分類したとき、その構成の基本となる字形。「イ・雨・攵」など、約二百余ある。⇩

コラム 部首と画数(一四四五ページ)。

【部署】(ブショ) 役割を定める。また、その役目。

【部将(將)】(ブショウ) 一部隊のかしら。軍隊の将校。

【部族】(ブゾク) ①部落の種族。②一定の地域に住み、共通の言語・宗教・慣習規定をもち、しかもある程度政治的に統一され共同体的意識を持つ人々の集団。種族と混用されることがある。

【部属(屬)】(ブゾク) ①部局を分けて配属すること。②部下として従うもの。手下。

【部分】(ブブン) ①軍隊の行列の秩序。②分類。部わけ。全体を小さく区分したときの一つ一つ。

【部落】(ブラク) ①むらざと。人家の集まっている所。②種族の集まり。③国「被差別部落」を差別していう語。

【部類】(ブルイ) 種類別に区分したもの。

【部△婁】(ホウロウ) 小さい丘。

【部△勒】(ブロク) 役割を定めて配置すること。

8 【郶】 15画 12318 ブ ₂9016 — 6614

部(12317)と同字。→一四四四ページ上。

8 【郵】 11画 12319 教6 ユウ 4525 9758 —

漢ユウ(イウ)・呉ウ 尤 yóu

筆順 

字義 ❶しゅくば。継ぎ場。宿駅。駅。㋐文書・命令などを運ぶ人馬の中継ぎ場。㋑旅人の宿泊場。❷しゅくつぎ。宿次。駅から駅へ人馬で行う伝達。早馬。ひきゃく。❸畑の中の小屋。耕作を監督するための小屋。❹あやまち。罪。とが。❺すぐれる。はなはだしい。＝尤(2764)。

解字 篆文  会意。阝(邑)+垂(埀)。埀は、地の果ての意味。辺境の地に設けられた文書を伝達するための宿場の意味を表す。

逆 置郵・亭郵・督郵

【郵館】(ユウカン) しゅくばにある旅館。郵亭。客舎。

【郵置】(ユウチ) しゅくば。＝字義❶。

【郵亭】(ユウテイ) ①しゅくば。②しゅくばの旅館。郵館。

【郵逓(遞)】(ユウテイ) ＝字義❶❷。

【郵吏】(ユウリ) しゅくばの下級役人。

8 【郲】 11画 12320 ライ 灰 賄 lái ₂9017 — —

字義 春秋時代、鄭(テイ)の地名。河南省内。

解字 形声。阝(邑)+來音。

9 【鄅】 12画 12321 ウ 麌 yǔ — — 6623

字義 周代の国名。今の山東省内。

解字 形声。阝(邑)+禹音。

9 【鄆】 12画 12322 ウン 問 yùn ₂9023 — 6624

字義 春秋時代、魯(ロ)の村名。今の山東省内。

解字 形声。阝(邑)+軍音。

9 【郾】 12画 12323 漢エン 呉オン 願 阮 yǎn ₂9020 — 6619

字義 漢代の県名。隋(ズイ)代、郾城県に改めた。今の河南省漯河(ワイガ)市の地。南宋(ナンソウ)の岳飛が金の軍を破った「郾城の戦い」で名高い。

解字 形声。阝(邑)+匽音。

9 【鄂】 12画 12324 ガク 薬 è 7831 E7BD —

字義 ❶殷代(インダイ)の国名。今の河南省泌陽(ヒツヨウ)県の西北。❷地名。㋐春秋時代の楚(ソ)の旧都。今の湖北省鄂州市。㋑春秋時代の晋(シン)の地。今の山西省郷寧県の南。❸果て。かぎり。さかい。❹おどろく。＝愕(3790)。❺外に表れるさま。❻直言する。

解字 形声。阝(邑)+咢音。

【鄂鄂】(ガクガク) ①きびしく弁ずるさま。②＝字義❹❺。③さわがしいさま。

9 【鄈】 12画 12325 漢キ 呉ギ 支 kuí — — 6625

字義 地名。今の山西省内。

解字 形声。阝(邑)+癸音。

9 【鄄】 12画 12326 ケン 霰 juàn ₂9022 — 6622

字義 地名。春秋時代、衛の領地。山東省内。

解字 形声。阝(邑)+垔(𡋯)音。

9 【鄃】 12画 12327 一 シュ 虞 shū 二 ユ 麌

字義 一二 漢代と隋(ズイ)代に設けられた県。今の山東省平原県。

解字 形声。邑+兪音。

9 【都】 12画 (12315) ト

都(12314)の旧字体。→一四四三ページ中。

9 【郿】 12画 12328 漢ビ 呉ミ 支 寘 méi ₂9021 — 6620

字義 ❶周の地名。今の陝西(センセイ)省眉県の東北。❷春秋

コラム

部首と画数

部首　漢字は表意文字であるため、見ただけで発音を知ることはできない。そこで、漢和辞典では、漢字を配列するのに一般に部首による方法が行われている。この「部首法」は、後漢の許慎が作った『説文解字』という辞書（紀元一世紀ごろ成立）に始まるとされている。

　多くの漢字は形声文字であり（⇩コラム六書〔四九ページ〕）、意味を表す「意符」と呼ばれる部分と、音を表す「音符」と呼ばれる部分とを持っている。そこで『説文解字』では、九千三百五十三字の漢字を、意符に従って分類し、結果として五百四十の部門が立てられることになった。これが部首の始まりである。この時点では部首とは、いわば意味分類の手段であった。

　しかし、部首があまり多いと、検索の際に不便なことから、その後、多くの部首が統廃合されていった。一方、「丨」(たてぼう)や「丶」(てん)など、意符ではないが検索には便利なものが部首として採用されていくこともあった。そして、清代に至って『康熙字典』（一七一六年成立）では、部首の数は二百十四になった。このように、時代が下るにつれて部首の意味分類の手段としての性格は薄められ、検索の手段としての性格の方が重要視されるように変化してきたわけである。

　現在日本で刊行されている漢和辞典の多くは、この『康熙字典』の部首を元にし、さらに検索の便などを考えていくつかの部首を新設したり統廃合して、独自に部首を設定している。本辞典では、たとえば「⺍」部を新設したり、「月」部といわゆる「肉月」部（「肉」部に所属する文字で字形の一部が「月」の形になるもの）を統合したり、また、「氵」を「水」部から分離したことなどが、その例である。また、いくつかの漢字については、『康熙字典』の部首ではなく、より検索しやすい部首に所属させることも行われている。

部首の種類と名称　部首は、それが漢字のどの位置にあるかによって、次の七種類に大別される。ただし、この分類に含まれない部首もある。

①偏（へん）（漢字の左側の部分を占める）
〈例〉土（つちへん）地・域など
　女（おんなへん）姉・妹など
　山（やまへん）峡・峰など

②旁（つくり）（漢字の右側の部分を占める）
〈例〉力（ちから）功・助など
　卩（ふしづくり）印・即など
　頁（おおがい）頭・類など

③冠（かんむり）（漢字の上部に位置する。「かしら」ともいう）
〈例〉冖（わかんむり）冗・冠など
　宀（うかんむり）宇・宙など
　雨（あめかんむり）雪・雲など

④脚（あし）（漢字の下部につく）
〈例〉儿（にんにょう）元・兄など
　灬（れんが）熱・烈など
　皿（さら）盆・盟など

⑤垂（たれ）（漢字の上部から左方へおおう）
〈例〉厂（がんだれ）厚・原など
　广（まだれ）床・店など
　疒（やまいだれ）疲・病など

⑥構（かまえ）（漢字の外側を囲む）
〈例〉門（もんがまえ）開・閉など
　囗（くにがまえ）囲・国など
　匚（はこがまえ）医・匠など

⑦繞（にょう）（漢字の左方から下部をとりまく）
〈例〉辶（しんにょう）迎・道など
　廴（えんにょう）建・延など
　走（そうにょう）起・越など

　ただし、「～へん」「～にょう」などという名前が付いている部首でも、すべてが常にその位置にあるわけではない。偏として挙げた部首が冠や脚などになるという場合も多い。

　なお、それぞれの部首についての詳細は、各部首冒頭の部首解説を参照のこと。

画数　漢和辞典を使う際に、部首と並んで重要なのが、画数である。画数の数え方は、一筆で続けて書く形を一画と数えるのが基本である。「与」や「及」のように折れ曲がった形をもつ文字でも、その部分は一画と数える。

　しかし、ものによっては、何画で数えるか判断が難しい場合も生じてくる。たとえば、「比」の第二筆めや、「衣」の第四筆めなどは、書籍などで一般的に使われている明朝体活字（この辞典の親見出しもこの活字の一種）では二画のように見えるが、筆写するときはレのように続けるので一画である。また、「糸」は明朝体活字では、八画のように見えるが、六画で筆写するのが普通なので、六画で数える。「離」などの「内」という形の第三筆目は、明朝体活字でみる限り折れ曲がって一筆で筆写するようにみえるが、一般的には縦と横とを分けて筆写し、五画で数えるのが普通である。

　ただし、何画で筆写するかに揺れが生じる場合もある。たとえば「止」や「足」の形が偏になって、たとえば「此」や「路」のようになる場合、その左下の部分は、古くはレの形で筆写されたが、現在では二画に分けて筆写することも多い。この辞典では、後者の立場をとっているが、中には前者の立場をとる辞典もある。

　また、字源的には同じ要素でも、文字によって画数の数え方が異なるものも存在する。「収」の字の偏と「糾」の字の旁とは同じ形であり、字源的にも同一である。しかし、「収」の場合は二画に、「糾」の場合は三画に数える。この差は、「当用漢字字体表」の字体の差によるものである。

　このように、明朝体活字と筆写の字形の違いや、筆写の中での字形の違いなどが影響するので、画数については、十分な注意が必要である。

　なお、本辞典では、常用漢字と人名漢字については「筆順」の欄において、比較的筆写体に近い教科書体と呼ばれる活字を用いて字形を示しているので、画数を数える際には、これを参考にされたい。

時代、魯の地名。今の山東省東平県の境。

解字 形声。阝(邑)＋眉音。

10【鄖】13画 12329 ウン 図 yún 9277 — 6629

[䢵] 12256 字同

字義 ❶国名。春秋時代、楚にほろぼされた。今の湖北省安陸市。❷春秋時代、県の地名。今の江蘇省如皋市の東。

解字 形声。阝(邑)＋員音。

10【鄔】13画 12330 漢オ(ヲ) 呉ウ 慶 虞 wū 9275 — 6628

字義 ❶春秋時代、晋の地名。今の山西省介休市の東北。❷春秋時代、鄭の地名。今の河南省偃師市の西南。

解字 形声。阝(邑)＋烏音。

10【鄕】13画 (12308) キョウ 鄉(12307)の旧字体。→一四四三ページ下。

10【鄉】13画 12331 キョウ 鄉(12307)の俗字。→一四四三ページ下。 9276 EE9C —

10【鄗】13画 12332 ㊀漢コウ(カウ) 呉ゴウ(ガウ) 晧 hào ㊁漢コウ(カウ) 呉キョウ(ケウ) 肴 qiāo — — 6630

字義 ㊀❶春秋時代、晋の地名。今の河北省柏郷県の北。❷周の武王の都。今の陝西省西安市の西南。＝鎬(12799)。❸春秋時代、斉の地名。今の山東省蒙陰県の北西。㊁山の名。今の河南省滎陽市の北西。

解字 形声。阝(邑)＋高音。

10【鄏】13画 12333 漢ジョク 呉ノク 因 rù — —

字義 郟鄏は、周の旧都。今の河南省洛陽市の西。

解字 形声。阝(邑)＋辱音。

10【鄒】13画 12334 慣スウ 漢シュウ(シウ)・呉シュ 尤 zōu 7832 E7BE —

字義 国名。昔の邾の国。戦国時代に鄒と改めた。今の山東省鄒城市の東南。

解字 形声。阝(邑)＋芻音。

【鄒馬】スウバ 漢の鄒陽と司馬相如。ともに文人として有名。

【鄒魯】スウロ 鄒は孟子の、魯は孔子の生国。孔子と孟子をいう。儒教を鄒魯の学と呼ぶ。

10【鄐】13画 12335 チク 屋 chù — — 6627

字義 地名。春秋時代、晋の村。

解字 形声。阝(邑)＋畜音。

10【鄚】13画 12336 漢バク 呉マク 薬 mào, mò — — 6632

字義 地名。今の河北省内。

解字 形声。阝(邑)＋莫音。

10【鄍】13画 12337 漢メイ 呉ミョウ(ミャウ) 青 míng — — 6626

字義 地名。春秋時代、虞の村。今の山西省内。

解字 形声。阝(邑)＋冥音。

11【鄢】14画 12338 エン 囲 yān 9278 — 6637

字義 ❶地名。春秋時代の楚の都。今の湖北省宜城市の西南。❷国名。春秋時代、鄭に滅ぼされた。今の河南省鄢陵県。

解字 形声。阝(邑)＋焉音。

【鄢陵】エンリョウ 地名。晋の厲公が楚を破った所。

11【鄡】14画 12339 キョウ(ケウ) 蕭 qiāo — — 6636

字義 地名。今の河北省内。

解字 形声。阝(邑)＋鳥(梟)音。

11【鄞】14画 12340 ギン 真 yín 9026 — 6634

字義 春秋時代、越の地名。今の浙江省寧波市。

解字 形声。阝(邑)＋菫音。

11【鄠】14画 12341 漢コ 呉ゴ 慶 hù — — 6635

字義 漢代の県名。今の陝西省戸(鄠)県の北。

解字 形声。阝(邑)＋雩音。

11【鄣】14画 12342 ㊀漢ショウ(シャウ) 陽 zhāng ㊁呉ショウ(シャウ) 漾 zhàng 9279 — 6638

字義 ㊀国名。春秋時代、斉にほろぼされた。今の山東省東平県。㊁❶ふさぐ。さえぎりふさぐ。＝障(13149)。❷とりで。とりでの上に築いた城。

解字 形声。阝(邑)＋章音。

11【鄙】14画 12343 標 ヒ 紙 bǐ 7833 E7BF —

字義 ❶ひな。田舎。郊外。城外の田野の地。「辺鄙」❷いやしい。㋐いなびている。みやびやかでない。「野鄙」㋑心がせまい。㋒家がらが低い。㋓品性が低い。下品である。㋔かたくな。頑固。㋕とるに足らない。つまらない。㋖おろかである。意識が低い。㋗自分のことについての謙称。「鄙見」「鄙言」❸いやしめる。見さげる。また、いやしいとする。はずかしいと思う。用例〔杜子春伝〕昔、賈大夫之妻、鄙二其夫一(そのおっとをいやしみて)、纔不レ笑(わずかもわらわず)。↓昔、賈の国の大夫の妻は、その醜い夫を嫌って軽蔑し、少しも笑わなかった。❹周代の行政区画の名。五百戸の村。❺周代、王の子弟と公卿・大夫の封地。国ひな-びる。いかにもいなからしい感じがする。

参考 現代表記では〔卑〕(1173)に書きかえることがある。「野鄙→野卑」

解字 甲骨文 金文 篆文 形声。阝(邑)＋啚音。音符の啚は、村のこめぐらの象形。遠隔地にある村、いなかの意味を表す。転じて、いやしいの意味をも表す。

【鄙穢】ヒアイ・ヒワイ 下品なこと。

【鄙近】ヒキン いやしくあさはか。鄙俚浅近(ヒリセンキン)。

【鄙見】ヒケン ①つまらない意見。②自分の意見の謙称。

【鄙言】ヒゲン ①いやしいことば。②自分のことばの謙称。

【鄙諺】ヒゲン 世間で言われていることわざ。

【鄙語】ヒゴ 世俗の言葉。鄙言。

【鄙詐】ヒサ 心がいやしくいつわりが多い。

【鄙事】ヒジ いやしいこと。つまらぬ仕事。とるに足りない事。用例〔論語、子罕〕吾少也賤(われわかきとき、センなり)、故多二能鄙事一(ゆえ(ゑ)にヒジにタノウなり)。↓私は若いころ貧しかったから、そのためにいろいろとつまらないことに多くの才能を持つことになっただけなのだ。

【鄙儒】ヒジュ 見識の低い学者。俗儒。

【鄙人】ヒジン ①礼儀を知らない人。洗練されてない人。また、身分の低い人。用例〔史記、刺客伝〕北蕃蛮夷之鄙人(ホクバンバンイの、ヒジン)、未三嘗見二天子一(いまだかつてテンシにまみえず)。↓(この者は)北方の未開の地の田舎者で、これまで天子にお目にかかったことがありません。②自己の謙称。

【鄙浅(淺)】ヒセン いやしくあさはか。

【鄙賤】ヒセン いやしい。また、身分が低い。用例〔史記、廉頗藺相如伝〕鄙賤之人(ヒセンのひと)、不レ知二将軍寛之至一レ此也(ショウグンのカンなることのここにいたるをしらざるなり)。↓卑賤な私には、将軍のお心の広さがこれほどまでであられるとは存じませんでした。

【鄙俗】ヒゾク ①いやしく下品なこと。②いやしい習俗。

【鄙倍】ヒバイ 心がいやしく道理にそむくこと。▼倍は、背。

【鄙薄】ヒハク ①いやしくあさはか。②いやしみ、ばかにする。

【鄙夫】ヒフ ①おろかでいやしい人。②自己の謙称。

【鄙野】ヒヤ ①いなか。鄙俚(ヒリ)。②いやしい。あかぬけしない。

【鄙俚】ヒリ 風俗・言語などがいやしいこと。下品。

【鄙吝】リン 心がいやしい。また、けち。
【鄙劣】レツ いやしく、劣っている。卑劣。
【鄙老】ロウ 老人の謙遜の自称。愚老。老生。
【鄙陋】ロウ いやしく、きたない。下品。鄙野。
【鄙猥】ワイ いやしくみだらなこと。

11 【鄜】14画 12344 フ 虞 fū 2 9025 — 6633
字義 州名。今の陝西省富(鄜)県。
解字 形声。阝(邑)+鹿音。

11 【鄘】14画 12345 呉ユウ 漢ヨウ 冬 yōng 2 9024 — 6631
字義 ❶南方の民族の国名。楚にほろぼされた。今の湖北省竹山県の西南。❷周代の国名。武王が殷から奪った地。今の河南省新郷県の西北。❸かき。城の垣。城壁。=墉(2125)。
解字 金文 篆文 形声。阝(邑)+庸音。音符の庸は、墉に通じ、土べい・かきの意味を表す。

12 【鄩】15画 12346 漢シン 呉ジン 侵 xín — — 6640
字義 春秋時代、周の地名。河南省内。
解字 形声。阝(邑)+尋音。

12 【鄯】15画 12347 漢セン 呉ゼン 霰 銑 shàn 1 9281 — 6642
字義 鄯善は、国名。→鄯善。
解字 形声。阝(邑)+善音。
【鄯善】ゼン 西域地方の国名。楼蘭ともいう。今の新疆ウイグル自治区内。

12 【鄲】15画 12348 タン 寒 dān 7834 E7C0 —
字義 邯鄲は、趙の都。→邯鄲(一四三九ページ・中)。
解字 形声。阝(邑)+單音。

12 【鄭】15画 12349 人 標 漢テイ 呉ジョウ(ヂャウ) 敬 zhèng 3702 9341 —
筆順 ハ 亾 台 酋 酋 奠 鄭 鄭
[鄭] 12350 俗字
字義 ❶周代の国名。宣王の弟が封ぜられて建てた国。今の陝西省華県の北西。後に周室の東遷に伴い、今の河南省新鄭市に移った。❷隋末の国名。王世充の建てた国。唐にほろぼされた。今の河南省内。❸かさなる。ていねい。
名前 くに

参考 現代表記では[丁](7)に書きかえることがある。「鄭重→丁重」
解字 形声。阝(邑)+奠音。
【鄭衛(衛)之音】テイエイのオン 鄭・衛は春秋時代の国の名。ともに音楽がみだらであったところから、みだらな音楽のことをいう。鄭声。〔呂氏春秋、本生〕
【鄭玄】テイゲン・ジョウゲン 後漢の儒学者。字は康成。生涯仕官せず、著述に励み、漢代儒学の集大成を行い、後世の経典解釈の基礎をなした。『周礼』『儀礼』『礼記』『論語』などの注をはじめ、著書が多い。(一二七—二〇〇)
【鄭成功】テイセイコウ 明末清初の武将。鄭芝竜(一六〇四—一六六一)と日本人田川氏の間に生まれ、厦門・台湾に拠って明の復興をはかり、国姓爺と称された。台湾からオランダの勢力を除き、その開発に努めた。(一六二四—一六六二)
【鄭声(聲)】テイセイ 鄭の国の音楽。みだらな音楽。用例〔論語、衛霊公〕鄭声淫なり。↓鄭の国の音楽はみだらだ。
【鄭重】テイチョウ ①しばしば。②しんせつ。ていねい。丁重。

12 【鄭】15画 12350 テイ 鄭(12349)の俗字。→一四四七ページ・上。

12 【鄧】15画 12351 標 漢トウ 呉ドウ 径 dèng 1 9280 EE9D 6639
字義 ❶国名。春秋時代、楚にほろぼされた。今の河南省鄧州市。❷地名。㋐春秋時代の魯の地。今の山東省内。㋑春秋時代の蔡の地。今の河南省内。㋒戦国時代の魏の地。今の河南省内。❸木の名。だいだい。=橙(5816)。
解字 形声。阝(邑)+登音。
【鄧析】トウセキ 春秋時代、鄭の大夫。諸子百家の一の名家の祖。『鄧析子』はその著と伝えられる。(前五四五—前五〇一)

12 【鄱】15画 12352 漢ハ 呉バ 歌 pó 1 9282 — 6643
字義 →鄱陽。
解字 形声。阝(邑)+番音。
【鄱陽】ハヨウ 漢代の県名。今の江西省波陽県。鄱陽湖の東岸。
【鄱陽湖】ハヨウコ 湖の名。江西省の北境にある、中国最大の淡水湖。古くは彭湖・彭蠡沢・彭沢ともいい、隋以後、鄱陽湖と呼ばれた。中国五大湖の一つ。

鄱陽湖

12 【鄮】15画 12353 漢ボウ 呉モ 宥 mào — — 6641
字義 ❶漢代の県名。今の浙江省寧波市の東。故城の南に鄮山がある。❷山名。
解字 形声。阝(邑)+貿音。

12 【鄰】15画 12354 リン 隣(13159)の正字。→一五三三ページ・中。 7835 E7C1 —

13 【鄶】16画 12355 漢カイ(クヮイ) 呉ケ 泰 kuài — — 6645
字義 国名。周代の初め、祝融の子孫が封ぜられた国。鄭にほろぼされた。今の河南省新密市の東南。
解字 形声。阝(邑)+會音。

13 【鄴】16画 12356 漢ギョウ(ゲフ) 呉ゴウ(ゴフ) 葉 yè 1 9283 — 6644
字義 春秋時代、斉の地名。三国時代、魏の都。曹操・曹丕・曹植を中心として文学がさかえた。今の河北省臨漳県の西南。
解字 形声。阝(邑)+業音。
【鄴架】ギョウカ 書物の多いこと。鄴は唐の李泌の父李承休(鄴侯であった)のこと。架は本棚。李氏の蔵書が多かったことからいう。また、他人の蔵書・本棚のこともいう。

13 【酆】16画 12357 ホウ 酆(12363)の俗字。→一四四八ページ・上。 2 9027 — 6646

14 【鄹】17画 12358 一 漢シュウ(シウ) 呉シュ 尤 zōu 二 漢シュ・呉ジュ 慣スウ 遇 jù 2 9028 — 6647
字義 一❶国名。=鄒(12334)。❷春秋時代、魯の地名。孔子の生地。今の山東省曲阜市の東南。=郰(12310)・陬(13102)。二集まる。また、村。=聚(9628)。

15 【鄺】18画 12359 コウ(クヮウ) 養 陽 kuàng 2 9029 — 6648
字義 姓。
解字 形声。阝(邑)+廣音。

15 【酂】18画 12360 サン 酇(12364)の俗字。→一四四八ページ・上。 — — 6649

15 【鄽】18画 12361 テン 廛(3244)と同字。→四七九ページ・下。 1 9284 — 6650

17 【酃】20画 12362 漢レイ 呉リョウ(リャウ) 青 líng — — 6651

字義 ❶県名。漢代の県名。今の湖南省衡陽市の東。❷美酒。酃湖(今の湖南省内)の水で造った美酒。「酃渌(レイロク)」
解字 形声。阝(邑)+霝㊀。

18 【酆】21画 12363 漢ホウ 呉フウ 東 fēng ²9030 ― ―
【鄷】12357 俗字
字義 ❶地名。周の文王が都をおいた所。今の陝西(センセイ)省西安市。❷川の名。→酆水。
解字 形声。阝(邑)+豐㊀。
【酆水】ホウスイ 川の名。陝西(センセイ)省の秦嶺(シンレイ)山中に発し、北流し、西安を経て渭水(イスイ)に入る。

19 【酇】22画 12364 サン 旱 翰 zàn ²9031 ― 6652
【鄼】12360 俗字
字義 ❶周代の行政区画の一つ。百家の村。❷地名。漢代、蕭何(ショウカ)が封ぜられた所。今の河南省永城市の西。
解字 形声。阝(邑)+贊㊀。

19 【酈】22画 12365 ㊀リ 支 lì ㊁漢レキ・呉リャク 錫 lì ¹9285 ― 6653
字義 ㊀春秋時代、魯(ロ)の地名。今の山東省内。㊁漢代の県名。今の河南省南陽市の西北。
解字 形声。阝(邑)+麗㊀。
【酈食其】レキイキ 前漢の論客。沛公(ハイコウ)に仕え斉の七十余城を降伏させたが、後、斉の人に殺された。(?―前二〇三)

7画 酉 ひよみのとり さけのとり

〔部首解説〕ひよみは暦(こよみ)、また、十二支のとりの意味で、鳥と区別していう。酉(ユウ)は元来は酒のつぼの象形。酉を意符として、酒類やその他の発酵させて造る食品、酒に関する文字ができている。

0 酉 一四四八	2 酋 一四四八	酋 一四四八	酊 一四四八	3 酏 一四四八
酌 一四四八	酒 一四四八	酎 一四四九	配 一四四九	4 酓 一四五〇
酗 一四五〇	酙 一四五〇	酔 一四五〇	酖 一四五〇	酘 一四五〇
酚 一四五〇	酛 一四五〇	5 酣 一四五〇	酤 一四五〇	酢 一四五一
酥 一四五一	酡 一四五一	6 酬 一四五一	酧 一四五一	酩 一四五一
酭 一四五一	酪 一四五一	7 酳 一四五一	酵 一四五一	酷 一四五一
酸 一四五二	酻 一四五二	酲 一四五二	酴 一四五二	酺 一四五二
酹 一四五二	8 醃 一四五二	醋 一四五二	醆 一四五二	醇 一四五二
醉 一四五二	醊 一四五二	醅 一四五二	醂 一四五二	醁 一四五二
9 醎 一四五二	醐 一四五二	醟 一四五三	醕 一四五三	醑 一四五三
醒 一四五三	醍 一四五三	醓 一四五三	醗 一四五三	10 醞 一四五三
醘 一四五三	醢 一四五三	醡 一四五三	醜 一六〇八	醤 一四五三
11 醫 七九六	醦 一四五三	醬 一四五三	醨 一四五三	醪 一四五三
12 醯 一四五三	醮 一四五三	醰 一四五四	醱 一四五四	醭 一四五四
13 醳 一四五四	醵 一四五四	醶 一四五四	醸 一四五四	醲 一四五四
醴 一四五四	14 醺 一四五四	醻 一四五四	16 醼 一四五四	17 釀 一四五四
醾 一四五四	醹 一四五四	18 釁 一四五四	釂 一四五五	19 釃 一四五五
醿 一四五五	20 釅 一四五五			

0 【酉】7画 12366 入 漢ユウ(イウ) 呉ユ 有 yǒu 3851 93D1 ―
【丣】34 古字
筆順 一 丅 冂 丙 两 西 酉
字義 ❶とり。十二支の第十位。方位は西、時刻は午後五時から午後七時までの間、または午後六時、季節は仲秋八月にあてる。❷酒。また、酒つぼ。
名前 とり・なが・みのる・ゆう 難読 酉水(すがい)
解字 甲骨文 金文 篆文 象形。酒器の象形で、さけの意味を表す。酒の原字。借りて、十二支の第十位に用いる。酉を音符に含む形声文字に、酒・醜などがある。

2 【酋】9画 12367 標 漢シュウ(シウ) 呉ジュ 尤 qiú 2922 8F55 ―
【酋】12368 俗字
字義 ❶ふるい酒。よく熟した酒。❷熟する。うむ。❸おわる。おえる。❹すぐれる。まさる。❺おさ(長)。かしら。=豪(11479)。「酋長」❻酒の醸造をつかさどる官。
解字 甲骨文 篆文 象形。酒器の中の酒が芳香を放って口からあふれる形にかたどり、ふるざけの意味を表す。また、醸造をつかさどる官吏の意味を表し、転じて、かしら・おさの意味をも表す。
【酋豪】シュウゴウ 未開の部族のかしら。酋長。
【酋長】シュウチョウ ①未開の部族のかしら。酋豪。酋渠(シュウキョ)。②盗賊などのかしら。どろぼうの親分。

2 【酋】9画 12368 シュウ 酋(12367)の俗字。→一四四八ページ中。 7836 E7C2 ―

2 【酊】9画 12369 漢テイ 呉チョウ(チャウ) 迥 dǐng
【仃】175 同字
字義 よう(酔)。ひどく酔う。「酩酊(メイテイ)」
解字 形声。酉+丁㊀。

3 【酏】10画 12370 ㊀イ 支 yí ㊁イ 紙 yǐ ― ― 6654
字義 ㊀㊁❶さけ。㋐きびざけ。きびで造った酒。㋑米で造った酒。㋒すんだ酒。㋓あま酒。❷うすがゆ。おもゆ。
解字 形声。酉+也㊀。

3 【酌】10画 12371 常 シャク くむ 2864 8EDE ―
3 〔酌〕10画 12372 シャク 薬 zhuó
筆順 一 丅 冂 两 西 酉 酌 酌
字義 ❶くむ。㋐酒をつぐ。杯をさす。㋑くみとる。えりわけてとる。㋒おしはかる。人の心をくみとる。「斟酌(シンシャク)」「参酌」❷さけ。❸さかもり。❹さかずき。国 シャク。酌婦(酒のしゃくをする女性)の略。
参考 「くむ」の場合、現代表記では、酒に関する場合は「酌」、それ以外は仮名書きが一般的。「酒を酌み交わす・井戸水をくむ」
解字 篆文 形声。酉+勺㊀。音符の勺(シャク)は、ひしゃくの意味。酉は、さけつぼの象形。酒をくむの意味を表す。
逆 参酌・浅酌・対酌・独酌・媒酌・満酌
【酌飲】シャクイン ひとすくいの水。わずかな飲み物。
【酌量】シャクリョウ 酒または米などを計算する。転じて、事情をくみとって手かげんすること。斟酌(シンシャク)。

3 【酒】10画 12373 教3 シュ さけ・さか 熟字訓 お神酒(みき) 漢シュウ(シウ)・呉シュ 有 jiǔ 2882 8EF0 ―
筆順 丶 氵 汀 沂 洒 酒 酒
字義 ❶さけ。名詞などの上に付いて、さか。❷さかもり。
名前 さか・さけ・み 難読 酒匂(さかわ)・酒々井(しすい)・酒精(アルコール)・酒代(さかて)・酒殿(さかど)
解字 甲骨文 金文 篆文 形声。氵(水)+酉㊀。音符の酉(ユウ)は、さけつぼの象形。甲骨文、金文は、この、さけつぼの象形であったが、のち、水を付し、さけの意味を表す。
逆 飲酒・甘酒・賢酒・祭酒・醸酒・清酒・濁酒・置酒・斗酒・杯酒・麦酒・美酒・薬酒・緑酒

【酒△暈】さけを飲み顔がほんのり赤くなること。

【酒宴・酒△讌】さかもり。

【酒△甕】さけを入れるかめ。酒缸。

【酒家】①さかや。酒屋。酒戸。用例〔唐、杜牧、清明詩〕借問酒家何処有、牧童遥指杏花村 ↓お尋ねしますが、居酒屋はどのあたりでしょうか。牧童ははるかかなたのあんずの咲く村を指さすのであった。②さけ飲み。

【酒客】①さけの好きな人。②酒造りのたくみな人。

【酒△榷】政府がさけの専売でとる税金。

【酒渇(渴)】さけをのんでのどがかわく。用例〔本事詩〕尋レ春独行、酒渇求レ飲 ↓春景色をさぐって一人そぞろあるきをしているものですが、酔いざめで、のどがかわくので、水をいただきたいのです。

【酒気(氣)】①さけのにおい。②さけを飲んで勢いよくなること。さけを飲んだ気分。

【酒旗】酒屋の看板に立てる旗。酒旆。用例〔唐、杜牧、江南春詩〕千里鶯啼緑映レ紅、水村山郭酒旗風 ↓広々とした江南地方には、うぐいすが鳴き、柳の緑が桃の紅に照りはえ、水辺の村里、山辺の村里には、居酒屋の目印の旗が風になびいている。

【酒興】①さけを飲んだおもしろみ。②さけの上のなぐさみ。酒宴の座興。

【酒軍】さけのみ仲間。

【酒戸】①さけを飲む分量。多く飲むのを大戸(上戸)、少ないのを小戸(下戸)という。②酒屋。酒肆。

【酒△肴・酒△殽】さけとさかな。さけと料理。

【酒荒】さけにおぼれて心がすさむ。

【酒豪】国大ざけのみ。大酒家。

【酒国(國)】さけを飲んで元気になり、あたかも別天地にいるような気持ちになること。

【酒困】さけに酔って心が乱れる。酒乱。

【酒債】酒代のかり。酒逋。

【酒△巵】さかずき。酒杯。酒盞。▼巵は、大杯。

【酒食】さけと食物。

【酒△肆】さかや。酒戸。酒舗。

【酒失】さけのうえでの過失。

【酒所】さけに少しようこと。ほろ酔い。微醺。

【酒△漿】さけと飲み物。用例〔唐、杜甫、贈ニ衛八処士一詩〕問答未レ及レ已、児女羅ニ酒漿一 ↓やりとりがまだ終わらないうちに、子どもたちは酒や飲み物を並べ始めた。


【酒色】①さけと女色。②さけの酔いが顔色に表れること。③さけの色。

【酒人】①官名。造酒をつかさどる。②さけのみ。

【酒数(數)】酒杯のかず。さけを飲む量。酒戸。

【酒聖】①澄んださけ。清酒。②さけのみ。上戸。

【酒仙】大酒のみで世の中のことを気にしない人。李白は酒仙といわれた。〔唐、杜甫、飲中八仙歌〕

【酒泉】①春秋時代、周の領地。今の陝西省澄城県という。②漢代の郡名。今の甘粛省酒泉市。郡内に泉があり、その水はさけのようであったという。③多量のさけ。

【酒△饌】さけと食物。酒食。

【酒△樽・酒尊】さかだる。

【酒池肉林】さけは池のごとく、肉は林のごとく、たくさんあること。豪遊をきわめるたとえ。〔史記、殷本紀〕

【酒敵】酒飲み友達。酒友。

【酒天△之美△禄】さけは天からのすばらしいたまものである。さけをほめていうことば。〔漢書、食貨志下〕

【酒徒】さけのみ仲間。

【酒杯・酒△盃】さかずき。

【酒△旆】酒屋の看板の旗。酒旗。

【酒伴】飲酒の相手。飲み友達。

【酒百薬(藥)△之長】さけにまさる薬はない。さけをほめた語。〔漢書、食貨志下〕

【酒癖】①さけを飲むくせ。②さけを飲むと出るくせ。

【酒保】①酒屋のやとい人。②さけを作る、また、売る人。③国旧日本軍の兵営や艦船内で、飲食物や日用品などを扱った売店。

【酒舗】酒屋。酒戸。酒肆。

【酒母】①酒屋のばあさん。②さけのもと。こうじ。

【酒無レ量不レ及レ乱(亂)】さけを飲むには、分量をさだめてはいないが、酔って乱暴するようなことはしない。〔論語、郷党〕

【酒友】さけのみ相手。のみ友だち。

【酒乱(亂)】国さけに酔ってあばれる癖のあること。

【酒令】酒席で行う遊戯などについての規則。これにそむいた人は罰杯を飲む。

【酒△醴】普通のさけとあまざけ。

【酒楼(樓)】料理屋。お茶屋。

【酒△醪】清酒と、にごりざけ。

【△釃レ酒】＝釃酒(一四五六㌻上)。

【属(屬)レ酒】人にさけをすすめること。

3
【酎】
10画 12374
常 チュウ
漢チュウ(チウ)・呉ジュウ(ヂウ) 宥 zhòu
3581 9291 —

筆順 一 丆 㔾 西 酉 酉一 酎 酎

字義 ❶酒。濃い酒。三度重ねてかもした酒。❷かもす(醸)。国チュウ。焼酎。いもなどから作ったアルコール分の多い蒸留酒。

解字 篆文  形声。酉＋寸(肘)音。音符の肘は、ひじの意味。三度も重ねて手を加えかもした、よい酒の意味を表す。

3
【配】
10画 12375
教3 ハイ くば-る
ハイ 隊 pèi
3959 947A —

筆順 一 丆 㔾 西 酉 酉 酉コ 配

字義 ❶くば-る。わりあてる。わける。「配布」「配置」❷つれあい。夫婦。「配偶」❸そわせる。夫婦にする。また、つれそう。❹ならぶ。並べる。匹敵する。❺したがえる。とりしまる。「配下」「支配」❻ながす。島流しにする。「配流」

名前 あつ・とも

解字 金文  篆文  会意。酉＋己。金文でわかるように、己は、人の象形の変形。人が酒つぼを並べるさまから、ならべるの意味を表す。

逆 軍配・気配・交配・高配・差配・支配・集配・匹配

【配下】国支配下にあること。また、その人。部下。手下。

【配享】ほかの神を合わせ祭ること。

【配偶・配△耦】①つれあい。夫婦。②つれそわせる。めあわす。

【配合】①つりあい。とりあわせ。②めあわす。夫婦にする。また、つれあい。

【配剤(劑)】①薬を調合する。②程よく組み合わせる。

【配所】島流しになった地。

【配色】いろのとりあわせ。いろどり。

【配膳】国料理を盛りつけた膳をならべる。

【配属(屬)】人をそれぞれの部署に割り当てて所属させること。

【配置】国適当な位置にくばり置く。また、その位置。

【配天】①徳が天とならびたつほど大きいこと。②天を祭るとき、祖先を合わせ祭ること。

【配当(當)】①割りあてる。②国出資者に利益をくばり分ける。また、その金額。わけまえ。

【配備】(ハイビ) 国手くばりして用意をする。前もって人・道具を適当な所に置いて備えること。

【配布】(ハイフ) くばる。くばってゆきわたらせる。◈もと、配り先が一般の場合は「配布」、特定の場合は「配付」とする違いがあったが、現代では、「配布」に統一されつつある。

【配慮】(ハイリョ) 国心をくばること。心づかい。心配。

【配流】(ハイル・ハイリュウ) 島流しにすること。配謫(ハイタク)。流罪(ルザイ)。

【配列】(ハイレツ) 国順序だててならべ連ねること。排列。◈古くは「配列」と「排列」とに意味上の違いによる使い分けがあったが、現在では「配列」に統一されている。

4 【畲】 11画 12376 ㊀エン 琰 yǎn ㊁㊥イン・㊐オン 寝 yǐn — — 6655

字義 ㊀❶酒の味が苦い。❷木の名。やまぐわ。㊁飲(13563)の古字。

解字 形声。酉＋今㊥。音符の今は、含に通じ、含むの意味。

4 【酗】 11画 12377 ク 遇 xù ₂9032 — 6656

字義 酒に酔って乱れる。酒乱。また、飲酒にふける。

解字 形声。酉＋凶㊥。音符の凶は、わるいの意味。悪い酒、酔いくるうの意味を表す。

4 【酙】 11画 12378 シン ₂9033 — 6657

斟(4588)と同字。→六三五㌻・中。

4 【酔】 11画 12379 常 スイ よ-う 3176 908C —

8 〔醉〕 15画 12380 人 スイ 寘 zuì 7845 E7CB —

筆順 一 冂 西 西 酉 酉丿 酉九 酉九 酔

〔醉〕 12400 俗字

字義 ❶よ-う(ふ・よ)。㋐酒によう。「微酔」㋑心をうばわれる。ふける。「心酔」㋒薬物のため感覚を失う。「麻酔」❷よ-わす(よはす)。❸よ-い(ゑひ)。酒酔い。

解字 篆文  形声。酉＋卆(卒)㊥。音符の卒は、まったしの意味。酒の量をまっとうする、ようの意味を表す。

逆 心酔・長酔・沈酔・泥酔・陶酔・麻酔・乱酔

【酔暈】(スイウン) 酒によって目がくらむ。

【酔翁】(スイオウ) ①酒によった老人。②欧陽脩(オウヨウシュウ)の号。

【酔客】(スイカク・スイキャク) 酒によった人。

【酔眼】(スイガン) 酒によった時のとろんとした目。「酔眼朦朧(モウロウ)」

【酔狂】(スイキョウ) ①酒によって心が乱れる。②国ものずき。好事家(コウズカ)。酔興。

【酔郷(郷)】(スイキョウ) よった気分を一種の別天地にたとえたことば。酒によった時の快感。

【酔興】(スイキョウ) ①酒によった楽しい気分。②国ものずき。酔狂。

【酔吟】(スイギン) 酒によって歌う。酔歌。

【酔吟先生】(スイギンセンセイ) ①中唐の白居易の号。②また、晩唐の詩人、皮日休(ヒジツキュウ)の号。

【酔殺】(スイサツ) じゅうぶんによわせる。よいつぶす。▼殺は、強意の助字。

【酔如泥】(よい(ひ)てデイのごとし) 大いによったさま。ぐでんぐでん。▼泥は、南海に生ずるという骨のない虫の意からとも、泥のようにぐにゃぐにゃになるからともいう。〔唐、李白、襄陽歌〕

【酔生夢死】(スイセイムシ) 酒によったような、夢を見ているような気持ちで一生をおわること。何もせず、むなしく一生を送ること。〔北宋、程頤、明道先生行状〕

【酔態】(スイタイ) 酒によっているすがた。よっぱらったようす。酔容。

【酔吐】(スイド) よってくだをまく。

【酔罵】(スイバ) 酒によった勢いでののしる。

【酔飽】(スイホウ) 酒によい、たらふく食べる。

【酔竜(龍)】(スイリュウ) よって道にねころぶ人。特に後漢の蔡邕(サイヨウ)をいう。

【悪(惡)酔而強酒】(よい(ひ)をにくみてさけをしう(ふ)) ようことをいやがりながら、無理に酒を飲む。意志と反対の行動をとること。〔孟子、離婁上〕

4 【酖】 11画 12381 ㊀タン 覃 dān ㊁㊥チン・㊐ジン(ヂン) 沁 zhèn 7837 E7C3 —

字義 ㊀ふけ-る。酒にひたる。㊁❶毒を持つという鳥の名。＝鴆(14201)。❷毒酒。→酖毒。

解字 篆文  形声。酉＋冘㊥。音符の冘(シン)は、しずむの意味。身心ともに酒びたりになる、ふけるの意味を表す。

【酖酖】(タンタン) 酒を飲んで楽しむさま。

【酖毒】(チンドク) ①鴆(チン)という毒鳥の羽でかきまわした酒。鴆酒。飲めば死ぬという。②害毒。

4 【酘】 11画 12382 ㊥トウ 宥 dòu ㊐ズ(ヅ) 7838 E7C4 —

字義 酒を二度発酵させること。また、その酒。

4 【酚】 11画 12383 フン fēn — — 6658

解字 形声。酉＋殳㊥。

字義 化学化合物の名。フェノール。

解字 形声。酉＋分㊥。

4 【酛】 11画 12384 国字 ₁9286 — 6659

字義 もと。さけのもと。酒をかもす原料。酒母。

解字 会意。酉＋元。酉は酒の意。元と合わせて、さけのもとの意味を表す。

5 【酣】 12画 12385 ㊥カン 覃 hān ㊐ガン 7839 E7C5 —

字義 ❶たけなわ(たけなは)。㋐さかもりの最中。用例〔史記、廉頗藺相如伝〕秦王飲酒酣曰(シンオウさけをのみたけなわ(は)にしていわ(は)く)、……。㋑物事のまっさかり。さかり。❷たのしむ。酒を飲んで楽しむ。

↓ 秦王は酒宴がたけなわになると言った、……。

解字 篆文  形声。酉＋甘㊥。音符の甘は、味を楽しむの意味。酒を楽しむの意味を表す。

【酣飲】(カンイン) さかんに飲む。

【酣宴】(カンエン) さかんな酒もり。

【酣歌】(カンカ) 酒を飲んで楽しみ歌う。

【酣臥】(カンガ) ぐっすりねむる。酣眠。

【酣酣】(カンカン) ①花のまっさかりのさま。②酒を飲み心がのびのびするさま。

【酣豢】(カンカン) ぜいたくに暮らすこと。▼酣は酒を飲んで楽しむこと、豢は養。

【酣謔】(カンギャク) 酒に酔ってふざける。

【酣呼】(カンコ) 酒に酔い、大声で呼ぶ。

【酣紅爛紫】(カンコウランシ) 今をさかりと赤や紫にそまっている、秋の木の葉の形容。

【酣春】(カンシュン) 春のまっさかり。春たけなわ。

【酣賞】(カンショウ) 景色などを心ゆくまでながめる。

【酣縦(縱)】(カンショウ) 酒にうかれてだらしのないこと。

【酣觴】(カンショウ) さかんに酒を飲む。▼觴は、さかずき。

【酣酔(醉)】(カンスイ) ひどく酒に酔う。べろべろに酔う。泥酔。

【酣戦(戰)】(カンセン) さかんに戦うこと。戦いのまっ最中。

【酣中客】(カンチュウのカク) 富貴におぼれている人。

【酣暢】(カンチョウ) 酒を飲んでのんびりした気分になる。

【酣適】(カンテキ) 酒に酔って気持ちよくなること。

【酣放】(カンポウ) ①酒を飲んでしまりがない。酣縦。②文章が自由自在のさま。

【酣眠】(カンミン) ぐっすりねむる。熟睡。酣臥(カンガ)。

5 【酤】 12画 12386 ㊀コ 虞 gū ㊁コ 遇 gù ₂9035 — 6661

字義 ㊀❶ひとよざけ。一夜で熟する酒。❷か-う(かふ)。酒を買う。酒を売る。

解字 篆文 酤　一❶＝一❶。❷うる。酒を売る。形声。酉＋古㊥。音符の古は、賈(コ)に通じ、酒を買うの意味を表す。また、古は糊に通じ、のりの意味。のり状になっただけで、発酵がまだ充分でない酒、ひと夜酒の意味を表す。

【酤△権】(コカク) 政府が酒を専売して利益を独占すること。

5 【酢】 12画 12387 ㊥ サク す 3161 907C —

一ソ 遇 cù 二㊀サク・㊁ザク 薬 zuò 慣サク

筆順 一 ㄇ 襾 西 酉 酉' 酢 酢 酢

［醋］12406 同字

字義 一❶す。酸味のある調味料。❷すい。すっぱい。二むくいる。❶客が主人に酒をすすめる。返杯する。↔酬(12390)。「酬酢」❷こたえる。応対する。❸むくい祭る。お礼の祭り。

名前 す　難読 酢漿(かたばみ)

解字 金文 酢　篆文 酢　篆文(醋) 醋　形声。酉＋乍㊥。音符の乍(サク)は、組に通じ、積み重ねるの意味。客が主人に返杯するの意味を表す。また、乍はつくるの意味。酒をさらに作って「す」にする、すの意味を表す。

【酢酸】(サクサン) 木材からとる、無色で刺激臭のある液体。分子式CH_3COOH。醋酸(サクサン)。

【酢△漿】(ソショウ) 草の一種。かたばみ。

5 【酥】 12画 12388 ソ 虞 sū 7840 E7C6 —

字義 ❶牛や羊の乳を精製した飲料。乳酸飲料の類い。❷酒の別名。❸清くなめらかなもののたとえ。

解字 形声。酉＋蘇省㊥。音符の蘇(ソ)は、梵語(ボンゴ) sudhāの su の音訳。酒のように発酵させたものであるところから、酉を付した。

【酥灯(燈)】(ソトウ) ①酥油(ちちの油)のあかり。②仏前の灯火。

【酥酪】(ソラク) 牛や羊の乳で作った加工品。

5 【酡】 12画 12389 一㊀タ・㊁ダ 歌 tuó 二㊀タ・㊁ダ 哿 ₂9034 — 6660

字義 一あからむ。酔って顔が赤くなる。二酔いはじめる。

解字 形声。酉＋它㊥。

6 【酬】 13画 12390 ㊥ シュウ ㊀シュウ(シウ)・㊁ジュ 尤 chóu 2923 8F56 —

筆順 ㄇ 襾 西 酉 酉 酊 酬 酬 酬 酬

［醻］12444 同字 ［酧］12391 俗字

字義 ❶むくいる(むくゆ)。㋐主人が客に酒をすすめ返す。↔酢(12387)。㋑こたえる。返事する。「貴酬」㋒金品などを贈って謝意を表す。謝礼する。「報酬」❷むくい。

名前 あつ

解字 篆文 醻　別体 酬　形声。篆文は、酉＋壽(𠷎)㊥。音符の𠷎(シュウ)は、つらなるの意味。主客が互いに杯のやりとりをつらねるの意味から、むくいるの意味を表す。常用漢字の酬は、別体による。

逆 応酬・貴酬・献酬・報酬

【酬応(應)】(シュウオウ) ①応答する。②杯を返す。返杯。

【酬酢】(シュウサク) ①宴席で、主人と客がたがいに酒をすすめ合う。②応対する。

【酬唱】(シュウショウ) 詩歌を作ってたがいにやりとりすること。

【酬対(對)】(シュウタイ) こたえる。応答する。酬答。

【酬答】(シュウトウ) こたえる。応酬。

【酬労(勞)】(シュウロウ) ①ほねおりに報いる。②報酬。

【酬和】(シュウワ) 詩文などを作って応答すること。

6 【酧】 13画 12391 シュウ 酬(12390)の俗字。→一四五一ページ上。 — — 6662

6 【酩】 13画 12392 ㊀メイ ㊁ミョウ(ミャウ) 迥 mǐng 7841 E7C7 —

字義 よう(ふ)・(よ)(酔)。ひどく酔う。

解字 篆文 酩　形声。酉＋名㊥。音符の名は、冥(メイ)に通じ、目がくらむの意味。目がくらむほどに酒に酔うの意味を表す。

【酩△酊】(メイテイ) ひどく酒に酔うこと。

6 【酭】 13画 12393 ㊀ユウ(イウ) ㊁ユ 宥 yòu — — 6663

字義 報いる。すすめる。酒をすすめて報いる。

解字 形声。酉＋有㊥。

6 【酪】 13画 12394 ㊥ ラク ラク 薬 lào(luò) 4579 978F —

筆順 一 ㄇ 襾 西 酉 酉' 酉ク 酪 酪 酪

字義 ❶ちちしる。牛・羊・馬などの乳から造った飲料。また、バターの類い。❷果汁から造った飲料。

解字 篆文 酪　形声。酉＋各㊥。音符の各は、いたるの意味。外来の発酵乳の意味を表す。

逆 乾酪・牛酪・乳酪

【酪農】(ラクノウ) 牛・羊などの乳をとったり、それを原料としてバター・チーズなどの乳製品を製造加工したりする農業。

7 【酳】 14画 12395 イン 震 yìn 7842 E7C8 —

字義 ❶すすぐ。酒で口をすすぐ。❷尸(かたしろ)に余りの酒を献ずる。❸あまり。のこり。

解字 形声。酉＋胤省㊥。音符の胤(イン)は、つぐの意味。酒を口の中にそそぎこむ、すすぐの意味を表す。

7 【酵】 14画 12396 ㊥ コウ ㊀コウ(カウ)・㊁キョウ(ケウ) 効 jiào 2558 8D79 —

筆順 西 酉 酉一 酉十 酉土 酉耂 酵 酵

字義 ❶酒のもと。こうじ。「酵母」❷酒ができるときに、あわだつ。「発酵」❸酒かす。

解字 形声。酉＋孝㊥。

逆 発酵

7 【酷】 14画 12397 ㊥ コク 2583 8D93 —

7 『酷』 14画 12398 コク 沃 kù

筆順 ㄇ 襾 西 酉 酉' 酉𠂉 酉牛 酉生 酷 酷

字義 ❶ひどい(ひどし)。きびしい。㋐むごい(むごし)。残忍である。無慈悲である。「残酷」「酷虐」㋑はなはだしい。「酷暑」❷㋐酒の度が強い。㋑香りが強い。❸つよい。うらみ。いたみ。痛恨。

名前 あつ

解字 篆文 酷　形声。酉＋告(𠮐)㊥。音符の告は、祖霊などにささげるために、むごくも犠牲になった牛の意味。酉を付し、酒のアルコール度がひどいの意味を表す。一般に、きびしい・むごいの意味を表す。

逆 惨酷・残酷・冷酷

【酷虐】(コクギャク) ひどくいじめる。むごくあつかう。

【酷似】(コクジ) よく似ている。

【酷暑】(コクショ) きびしいあつさ。酷熱。

【酷薄】(コクハク) きわめて不人情なこと。冷血。

【酷評】(コクヒョウ) きびしい批評。

【酷法】(コクホウ) きびしい法律。苛法(カホウ)。

【酷吏】(コクリ) 無慈悲な役人。法律をきびしく適用する役人。

7【酸】14画 12399 サン 㶊 suān 教5 サン す-い 2732 8E5F —

筆順 一 冂 西 酉 酉 酉 酸 酸

字義 ❶す。すっぱい味の液体。❷す-い。すっぱい。五味の一つ。「酸味」❸つらい。苦しい。「辛酸」❹いたむ。悲しむ。いたましい。「悲酸」❺しぶる。なめらかに進まない。国化学元素の名。酸素。「酸化」 難読 酸漿(ほおずき)・酸模(すかんぽ)

解字 篆文 形声。酉＋夋(音)。

【酸化】サンカ ある物質が酸素と化合すること。↕還元(一四三六ジペー中)。

逆 辛酸・悲酸

【酸寒】サンカン まずしいこと。貧乏。

【酸漿】サンショウ 植物の名。ほおずき。または、かたばみ。鬼灯。

【酸辛】サンシン ①すっぱさと、からさ。②つらさ。せつなさ。苦しさ。辛酸。

【酸呻】サンシン 悲しみうめく。

【酸楚】サンソ 悲しみ痛む。苦痛。

【酸愴】サンソウ いたみ悲しむ。

【酸鼻】サンビ 鼻に痛みを感じ涙を催すこと。転じて、悲しみいたむこと。また、むごたらしいさま。「寒心酸鼻」

7【酔】14画 12400 スイ 醉(12379)の俗字。→一四五〇ジペー上。 — — 6667

7【醒】14画 12401 漢テイ 呉ジョウ(ヂャウ) 庚 chěng 7843 E7C9 —

字義 ❶二日酔い。悪酔い。❷あきる(飽)。十分になる。

解字 篆文 形声。酉＋呈(音)。音符の呈は、突き出るの意味。酒気がのどを突き出る、二日酔いの意味を表す。

7【酴】14画 12402 漢ト 呉ズ(ツ) 虞 tú ₂9036 — 6664

字義 ❶酒のもと。こうじ。❷にごり酒。どぶろく。

解字 形声。酉＋余(音)。

【酴醾】トビ ①重ねてかもして造った酒。②植物の名。ときんいばら。バラ科の落葉低木。

【酴醿】トビ ＝酴醾(トビ)①。

7【酺】14画 12403 漢ホ 呉ブ 虞 遇 pú — — 6666

字義 ❶さかもり。うたげ。国に慶事があるとき、天子から飲食をいただき宴会を開くこと。❷災害をもたらす神。

解字 篆文 形声。酉＋甫(音)。音符の甫(ホ)は、一面にしきひろげるの意味。酒を多くの人にふるまう、さかもりの意味を表す。

7【酹】14画 12404 ライ 隊 泰 lèi ₂9037 — 6665

字義 そそ-ぐ。酒を地にそそいで神を祭る。

解字 篆文 形声。酉＋寽(音)。音符の寽(ラツ＝イラ)は、手にとるの意味。酒を手にとって、そそぐの意味を表す。

8【醃】15画 12405 エン 塩 yān ₁9287 — 6669

字義 しおづけ。㋐野菜の塩づけ。つけな。㋑魚の塩づけ。

解字 形声。酉＋奄(音)。音符の奄(エン)は、おおうの意味。塩や酒かすでおおって、菜や魚をつけたものの意味を表す。

8【醋】15画 12406 サク 酢(12387)と同字。→一四五一ジペー上。 7844 E7CA —

8【醆】15画 12407 漢サン 呉セン 潸 zhǎn — — 6671

字義 ❶さかずき(杯)。夏(カ)時代の呼び名。＝盞(7941)。❷少し澄んだにごり酒。

解字 形声。酉＋戔(音)。

8【醇】15画 12408 人 漢シュン 呉ジュン 真 chún 2970 8F86 —

筆順 冂 西 酉 酉 酉 酉 醇 醇

［醕］12416 同字

字義 ❶味の濃い酒。こくのある酒。「芳醇」❷もっぱら(専)。❸まじりけがない。❹あつ-い(厚)。人情味があつい。誠実さがある。

名前 あつ・あつし・じゅん

解字 篆文 形声。酉＋享(𩫖)(音)。音符の𩫖(トン＝ジュン)は、厚味があるの意味。こくのある酒の意味を表す。

【醇化】ジュンカ ①てあつい教化。また、てあつく教化する。②国雑多な要素を取り去って純粋にすること。純化。

【醇雅】ジュンガ 誠実でみやびやか。

【醇乎】ジュンコ まじりけのないさま。

【醇厚】ジュンコウ 人情に厚く風俗が純朴であること。

【醇酒】ジュンシュ 濃くてよい酒。まじりけのない酒。

【醇儒】ジュンジュ 純正な学者。儒教に忠実な学者。

【醇醇】ジュンジュン てあついさま。淳淳(ジュンジュン)。

【醇醲】ジュンジョウ ①濃い酒。②人民の風俗が純朴でつつしみ深いこと。

【醇正】ジュンセイ 純粋で正しい。純正。

【醇白】ジュンパク ①まじりけがない。②まっ白。

【醇美】ジュンビ 純粋で美しい。純美。

【醇朴・醇樸】ジュンボク 人情が厚く、外面を飾らない。淳朴(ジュンボク)。

【醇醨】ジュンリ 濃い酒と薄い酒。転じて、人の天性・人情や風俗などの厚いのと薄いのとにたとえる。

【醇醴】ジュンレイ ①濃い酒と甘酒。②濃い甘酒。

【醇醪】ジュンロウ よい酒。転じて、徳の高い人のたとえ。

8【醉】15画 (12380) スイ 酔(12379)の旧字体。→一四五〇ジペー上。

8【醊】15画 12409 一 漢テツ・呉テチ 屑 chuò 二 テイ 霽 zhuì — — 6672

字義 一二 神の座を連ね、地に酒を注いで祭る。

解字 形声。酉＋叕(音)。音符の叕(テツ)は、連ねるの意味。

8【醅】15画 12410 一 ハイ 灰 pēi 二 漢フウ・呉フ 尤 pēi 慣バイ ₂9038 — 6670

字義 一二 ❶どぶろく。もろみざけ。にごりざけ。❷十分に酔う。

解字 篆文 形声。酉＋音(音)。音符の音(ハイ)は、ふくれるの意味。発酵中の酒、どぶろくの意味を表す。

8【醂】15画 12411 ラン 感 lǎn 慣リン 7846 E7CC —

字義 ❶桃の塩づけ。❷さわ-す(さはす)。あわ-す(あはす)。渋柿の渋をぬく。また、その柿。たるがき。国みりん(味醂)。

解字 形声。酉＋林(音)。音符の林は、立に通じ、長時間立ちつづけるの意味。長時間にわたって柿を酒の中にひたして、さわすの意味を表す。

8【醁】15画 12412 漢リョク 呉ロク 沃 lù — — 6668

字義 よい酒。うまざけ。美酒。「美醁」

解字 形声。酉＋彔(音)。音符の彔(ロク)は、緑に澄んだ水の意味。酒を付し、うまざけの意味を表す。

9【醎】16画 12413 カン 鹹(14392)の俗字。→一六三七ジペー下。 ₂9039 — 6673

9【醐】16画 12414 人 標 漢コ 呉ゴ 虞 hú 2479 8CED —

筆順 冂 西 酉 酉 酉 酤 酤 醐 醐

字義 醍醐(ダイゴ)は、ヨーグルトの類い。→醍醐(一四五三ジペー上)。

名前 こ・ご

解字 篆文 形声。酉＋胡音。音符の胡は、糊に通じ、のりの意味。牛乳などで造ったのり状のヨーグルトの意味を表す。

9 【醔】 16画 12415 漢シュウ(シウ) 呉ジュ 尤 qiū — — 6676
字義 ふるざけ。年を越してよく熟した酒。また、酒の醸造をつかさどる官。
解字 形声。酉＋秋音。

9 【醕】 16画 12416 ジュン 醇(12408)と同字。→一四五三ページ中。 — — 6677

9 【醑】 16画 12417 ショ 語 xǔ — — 6674
字義 うまざけ。美酒。また、こした酒。
解字 形声。酉＋胥音。音符の胥は、うまい酢づけの肉の意味。うまい酒の意味を表す。

9 【醒】 16画 12418 常 セイ 漢セイ・呉ショウ(シャウ) 青 迥 径 xǐng 3235 90C1 —

筆順 一 冂 西 酉 酊 酑 酙 醒 醒 醒

字義 さ-める。さ-ます。㋐酔いがさめる。用例〔唐、李白、将進酒詩〕鐘鼓饌玉何足レ貴、但願二長酔一不レ願レ醒 ↓食前の音楽も山海の珍味も、どうして貴ぶに足りようか。(わたしは)ただいつまでも酔っていることを願って、さめることを願わないだけ。㋑目がさめる。㋒さとる。迷いがはれる。「覚醒」 難読 醒ヶ井

解字 篆文 形声。酉＋星音。音符の星は、すみきったほしの意味。酒の酔いがさめて気分がすっきりするの意味を表す。

【醒悟】セイゴ さとる。
【醒寤】セイゴ 眠りからさめる。

9 【醍】 16画 12419 人 標 一 漢テイ・呉タイ 薺 tǐ 二 漢テイ・呉ダイ 斉 tí 3473 91E7 —

筆順 一 冂 西 酉 酊 酑 酙 醒 醍 醍

字義 一 ❶すんだ酒。❷酒の赤い色。また、赤い酒。 二 ↓醍醐。

解字 形声。酉＋是音。

【醍醐】ダイゴ ①牛などの乳を精製して作った、ヨーグルトの類い。②すんだ酒。清酒。③すぐれた人物のたとえ。〔唐書、穆寧伝〕④仏仏教の最高の教理にたとえる。
【醍醐味】ダイゴミ ①醍醐のうまい味。転じて、最高の美味をいう。②国物事の本当のおもしろさ。「読書の醍醐味」

9 【醓】 16画 12420 タン 感 tǎn — — 6675
字義 しおから。ひしお。肉などをきざみ塩につけたもの。
解字 形声。酉＋皿＋冘音。

9 【醗】 16画 12421 ハツ 醱(12434)の俗字。→一四五四ページ上。 4016 94AE —

10 【醞】 17画 12422 ウン 問 吻 yùn 9288 — 6679
字義 ❶かも-す。発酵させる。❷あえる。ととのえる。調和する。❸心が広く包容力がある。おだやか。
解字 篆文 形声。酉＋昷音。音符の昷は、あたたかいの意味。温度があがって発酵がすすむ、かもすの意味を表す。

【醞藉】ウンシャ おくゆかしくおだやか。
【醞醸(醸)】ウンジョウ ①酒をかもす。醸造。②いろいろ手をまわして人を罪に落とし入れる。③物事をほどよく調和させる。④人格などを養成すること。

10 【醢】 17画 12423 カイ 賄 hǎi 7847 E7CD —
字義 ❶しおから。ししびしお。肉をきざんで塩や酒などにつけたもの。❷ししびしおにする。人を殺して塩づけにする刑。古代の刑罰の一つ。
解字 篆文 形声。酉＋㐬音。音符の㐬は、小さなかめの意味。肉をかめに入れ、酒・塩などでつけこんだ、しおからの意味を表す。

10 【醘】 17画 12424 コウ(カフ) 合 kē — — 6678
字義 酒樽。また、杯。
解字 形声。酉＋盍音。

10 【醡】 17画 12425 漢サ 呉シャ 禡 zhà — — 6680
字義 ❶しぼる。酒をしぼってかすを取り除く。❷酒をしぼる道具。
解字 形声。酉＋窄音。音符の窄は、搾に通じ、しぼるの意味。

10 【醜】 17画 (13949) シュウ 鬼部。→一六〇八ページ下。

10 【醤】 17画 12426 ショウ 醬(12428)の簡易慣用字体。→一四五三ページ下。 3063 8FDD —

11 【醫】 18画 (1129) イ 医(1128)の旧字体。→二〇八ページ上。

11 【醦】 18画 12427 漢サン 呉セン 豏 chěn — — 6681
字義 酢。また、すい。すっぱい。
解字 形声。酉＋參音。

11 【醬】 18画 12428 人 標 漢ショウ(シャウ) 呉ソウ(サウ) 漾 jiàng 9289 — 6683

筆順 丨 丬 丬 爿 爿 将 將 將 醬

【醤】 12426 簡易

字義 ❶しおから。ししびしお。醢。肉に塩・こうじを混ぜ、酒につけた食品。❷ひしお。麦・米・豆などを発酵させ塩をまぜた食品。みその類い。

国 ↓醤油。

名前 しょう・そう 難読 醤蝦

解字 篆文 形声。篆文は、肉＋酉＋爿音。音符の爿は、調理台の象形。酉は、さけ・こうじの意味。肉を細かく刻み塩・酒・こうじなどにつけた料理、ひしおの意味を表す。一説に、音符の將は、ひきたてるの意味。料理の味をひきたてる、ひしおの意味を表すという。

【醤油】ショウユ 煮た大豆に、煎った大麦と塩を混ぜて発酵させたものを、しぼって作る調味料。

11 【醨】 18画 12429 リ 支 lí 2 9040 — 6682
字義 うすざけ。味のうすい酒。
解字 形声。酉＋离音。

11 【醪】 18画 12430 ロウ(ラウ) 豪 láo 7850 E7D0 —
字義 にごりざけ。もろみ。どぶろく。
解字 篆文 形声。酉＋翏音。音符の翏は、まつわりねばるの意味。酒のかすが一緒に溶けている、どろっとしたどぶろくの意味を表す。

12 【醯】 19画 12431 ケイ 斉 xī 7849 E7CF —
字義 す(酢)。また、すざけ。かゆに酒をまぜて発酵させたもの。
解字 篆文 会意。䧹省＋酒省＋皿。䧹は、かゆの意味。かゆに酒をまぜて作ったもの、「す」の意味を表す。

【醯鶏(鷄)】ケイケイ 酒つぼなどにわく小虫。かつおむし。
【醯醤】ケイショウ ①すづけのしおから。②すと、みそ。

12 【醮】 19画 12432 ショウ(セウ) 嘯 jiào 2 9041 — 6685
字義 ❶杯を受け酒を飲みほして、返杯しないこと。昔、冠婚の礼に行った。❷とつぐ。嫁入りする。「再醮」❸まつる。

㋐酒を供えて神を祭る。㋑道士が祭壇を設けて神を祭る。❹つきる(尽)。また、つくす。酒をのみつくす。

12【醰】19画 12433 タン 覃 勘 感 tán ― ― 6686
解字 形声。酉＋焦音。
字義 ❶うまい。酒の味がよい。❷よい。美しい。

12【醱】19画 12434 標 漢ハツ 呉ハチ 曷 pō ₁9290 ― 6687
字義 酒を重ねてかもす。発酵させる。
解字 形声。酉＋癹音。音符の發ハツは、ひらくの意味。酵素がひらきひろがりいく、かもすの意味を表す。
〔醗〕12421 俗字
参考 現代表記では〔発〕(7860)に書きかえることがある。「醱酵→発酵」

12【醭】19画 12435 ホク 屋 bú, pū ― ― 6684
字義 ❶酒や酢に生ずる白いかび。❷白いかびの総称。
解字 形声。酉＋菐音。

13【醳】20画 12436 一 漢エキ・呉ヤク 陌 yì 二 漢セキ・呉シャク 陌 shì ₂9042 ― 6689
字義 一 ❶さけ。㋐濃い酒。㋑にがい酒。㋒古い酒。㋓としこし酒。冬かもして春にできあがる酒。❷ねぎらう。酒食をふるまう。二 とく。ゆるす。＝釈(12454)。
解字 形声。酉＋睪音。音符の睪エキは、つぎつぎにたぐり寄せるの意味。ねばって、こい酒の意味を表す。

13【醵】20画 12437 漢キョ 呉ゴ 御 魚 jù 7851 E7D1 ―
字義 ❶さかもり。宴会。❷金銭を出し合って飲食する。また、その金銭。❸金銭を出し合う。また、金銭をつのる。
解字 篆文 形声。酉＋豦音。音符の豦キョは、獣のもつれあいの意味。二人以上で金銭を出しあって酒をのむの意味を表す。
【醵金】キョキン 金銭を集めて飲食すること。後、単に金銭をつのること。募金。
【醵出】キョシュツ 金銭を出しあう。

13【醶】20画 12438 一 ゲン 豔 yàn 二 漢サン・呉セン 陷 yàn ₂9043 ― 6690
字義 一二 す(酢)。釅(12452)と同字。国 えぐい。いがらっぽい。
解字 形声。酉＋僉音。

13【醸】20画 12439 常 ジョウ かも-す 3090 8FF8 ―
17〔釀〕24画 12440 人 漢ジョウ(ヂャウ) 呉ニョウ(ニャウ) 漾 niàng 7854 E7D4 ―
筆順 酉 酉 酉 酉 酉 醸 醸 醸 醸
字義 ❶かも-す。酒を造る。醸造。❷酒。❸切ってまぜる。
解字 篆文 形声。酉＋襄(襄)音。音符の襄ジョウは、中に物をつめるの意味。酒つぼに原料をつめこんで酒をかもすの意味を表す。
逆 芳醸
【醸酒】ジョウシュ 酒をかもす。また、かもした酒。
【醸成】ジョウセイ ①酒などをかもし造る。②機運や事件などを次第に造り出すこと。
【醸造】ジョウゾウ 酒・しょうゆなどをかもしつくる。

13【醲】20画 12441 漢ジョウ(ヂョウ) 呉ニュウ 冬 nóng ― ― 6688
字義 ❶濃い酒。「醇醲ジュンジョウ」❷こ-い。あつい。＝濃(6745)。
解字 篆文 形声。酉＋農音。音符の農は、濃に通じ、こいの意味。こい酒の意味を表す。
【醲△郁】ジョウイク ①濃厚な味。②文章などの妙味。
【沈コ浸醲△郁二】ジョウイクにチンシンす 書中の妙所を十分に味わうこと。〔唐、韓愈、進学解〕

13【醴】20画 12442 漢レイ 呉ライ 薺 lǐ 7852 E7D2 ―
字義 ❶さけ。㋐あまざけ。㋑澄んだ酒。❷あまい。うまい。「醴泉」
解字 甲骨文 金文 篆文 形声。酉＋豊音。音符の豊レイは、醴の原字で、たかつきにそなえられた甘酒の象形。のち、酉が付せられた。
【醴△漿】レイショウ あまざけ。醴酒。
【醴泉】レイセン ①甘味のある泉。用例〔荘子、秋水〕非二梧桐一不レ止ゴドウにあらざれば、とまらず、非二練実一不レ食レンジツにあらざれば、くらわ(は)ず、非二醴泉一不レ飲レイセンにあらざれば、のまず。↓梧桐の木でなければ止まらず、竹の実でなければ食べず、また、清らかでうまい泉の水でなければ飲まない。②口中の液。
【醴酪】レイラク あまざけと乳製の飲料。

14【醺】21画 12443 クン 文 xūn 7853 E7D3 ―
字義 ❶よ-う・よ(酔)ふ。ほろよい。すこし酔う。また、酔わす。「微醺」❷におう。酒くさい。❸そまる(染)。次第にそまる。また、そめる。
解字 篆文 形声。酉＋熏音。音符の熏クンは、蒸すの意味。酒気がたちこめるさまから、よう・酒くさいの意味を表す。
【醺醺】クンクン 酒に酔ってにこにこしているさま。

14【醻】21画 12444 シュウ 酬(12390)と同字。→一四二一ページ上。 ― ― 6691

16【醼】23画 12445 エン 讌(11423)と同字。→一三四一ページ上。 ₁9291 ― 6692

17【釀】24画 (12440) ジョウ 醸(12439)の旧字体。→一四五四ページ中。

17【醾】24画 12446 漢ビ 呉ミ 支 mí ― ― 6694
字義 酴醾トビは、㋐重ねてかもして造った酒。㋑植物の名。ときんいばら。

17【醽】24画 12447 漢レイ 呉リョウ(リャウ) 青 líng ― ― 6693
字義 ❶よい酒。美酒。❷酒をこす。
解字 形声。酉＋霝音。
【醽△醁】レイリョク よい酒。美酒。

18【釁】25画 12448 キン 震 xìn 7855 E7D5 ―
字義 ❶ちぬ-る。いけにえの血を器にぬって神を祭る。また、その祭り。＝衅(10804)。❷ひま。㋐すき。すき間。㋑争いのいとぐち。また、争い。仲たがい。❸きず。❹あやまち。過失。㋐物のこわれたところ。さけめ。ひび。㋑欠点。あら。❺罪。罪過。とがめ。❻きざし。前ぶれ。❼うごく。ふるい動く。❽香料を体にぬる。❾すすなどをぬって黒くする。
解字 篆文 会意。爨省＋酉＋分。爨は、かしぐの意味。かまどの祭りに、酒を供え、血をそそいで清める、ちぬるの意味を表す。
【釁隙】キンゲキ 不和。なかたがい。〔後漢書、袁術伝〕
【釁鼓】キンコ 昔、戦争のとき、いけにえを殺して神を祭り、その血を太鼓に塗ったこと。また、人を殺して、その血を太鼓に塗ること。〔左伝、定公四〕
【釁鐘】キンショウ かねに血ぬる。新しく鐘を作ったとき、いけにえを殺してその血をぬった。〔孟子、梁恵王上〕
【釁端】キンタン 争いのはじまり。けんかのいとぐち。「啓二釁端一キンタンをひらく(戦端を開く)」

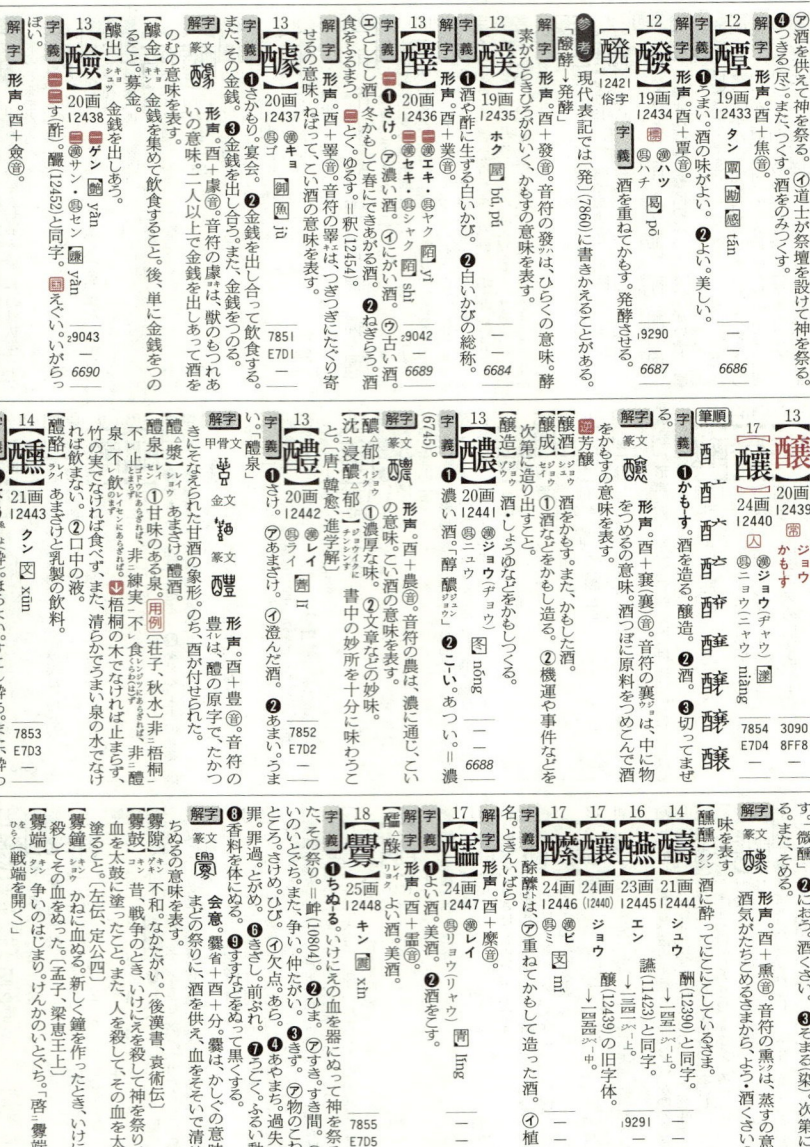

18 【醻】 25画 12449 ショウ(セウ) 嘯 jiào 一 一 6701

字義 のみほ-す。飲みつくす。

解字 篆文 [篆文] 形声。酉＋爵音。音符の爵は、さかずきの意味。さかずきの酒を飲みほすの意味を表す。

19 【釃】 26画 12450 ㊀シ 紙 shi, shāi ㊁シ 支 shi, shāi ㊂リ 支 lí ₂9044 一 6702

字義 ㊀❶した-む。㋐酒をこす。㋑酒をくむ。❷分ける。㊁うすい酒。かす酒。＝醨(12429)。

解字 篆文 [篆文] 形声。酉＋麗音。音符の麗は、きれいに並べるの意味。酒をこすの意味を表す。

【釃酒】シシュ 同醨酒(さけをしたむ)。①酒をこす。②酒をくむ。用例〔北宋、蘇軾、前赤壁賦〕釃レ酒臨レ江(さけをしたみて、こうにのぞみ)、横レ槊賦レ詩(ほこをよこたえて、しをふす)。↓(曹操は)酒を酌みながら川を眺めて、矛を横たえて陣中で詩を作った。

19 【醾】 26画 12451 漢ビ 呉ミ 支 mí ₂9045 一 一

字義 酴醾は、重ねてかもして造った酒。また、にごりざけ。

解字 形声。酉＋靡音。

20 【釅】 27画 12452 漢ゲン 呉ゴン 豔 yàn 一 一 6703

字義 ❶す(酢)。❷さけ(酒)。❸こい(濃)。㋐酒・酢や茶などの味が濃い。㋑色が濃い。

解字 形声。酉＋嚴音。

釆 7画 のごめ・のごめへん

〔部首解説〕ノに米と書くのでいう。釆を意符として、分けるの意味を含む文字ができている。

0 釆 一四五三 1 采 七三四 4 釈 一四五三 5 番 九七四 釉 一四五五 13 釋 一四五五

0 【釆】 7画 12453 漢ハン 呉ベン 諫 biàn 4048 94CE 一

字義 分ける。また、分かれる。

解字 金文 [金文] 篆文 [篆文] 象形。獣の爪の割れているさまにかたどる。

1 【采】 8画 (5240) サイ 木部。→七三四ページ下。

4 【釈】 11画 12454 常 シャク ㊀漢セキ・呉シャク 陌 shì ㊁漢エキ・呉ヤク 陌 yì 2865 8EDF 一

13 〖釋〗 20画 12455 7857 E7D7 一

筆順

字義 ㊀❶と-く(解)。㋐ときほぐす。もつれをほぐす。㋑おさめる。さばく。処理する。㋒ときあかす。「解釈」「注釈」㋓言いわけをする。「釈明」㋔ゆる-す。許して自由にする。用例〔十八史略、春秋戦国、斉〕姫為言得レ釈(きためにいいてゆるさるるをえたり)。↓夫人が孟嘗君のために(昭王に)とりなしたので、釈放された。㋕はずす。ぬぐ。㋖のぞく(除)。のぞき去る。用例〔杜子春伝〕観二其射一レ雉、尚釈二其憾一(そのきじをいるをみて、なお(ほ)そのうらみをとけり)。↓かれが雉を射るのを見て、始めてわだかまりを解いた。❷と-ける。とく。㋐もつれなどがとける。明らかになる。㋑消えてなくなる。「氷釈」㋒自由になる。うちとける。❸とかす。うすくする。「希釈」❹す-てる。すつ。手ばなす。捨て去る。＝捨(4237)。用例〔韓非子、五蠹〕釈二其耒一而守レ株、冀二復得一レ兎(そのすきをすてて、かぶをまもり、またうさぎをえんことをこいねがう)。↓自分の鋤を放り出して切り株を見守り、もう一度うさぎを手に入れたいと願った。❺おく。そのままに残して置く。❻はなつ。㋐追いはらう。放逐する。㋑矢をはなつ。射る。❼とぐ。米をとぐ。❽ひたす。うるおす。❾釈迦の略称。釈氏。また、その教え。仏教。釈教。❿仏門に入った人。また、仏の戒を授けられた人。㊁よろこぶ。＝悦(3724)。

名前 とき・とく 難読 釈迦如来(にくめ・にくるべ)

解字 篆文 [篆文] 形声。篆文は、釆＋睪音。釆は、ばらばらに分解するの意味。音符の睪は、斁に通じ、固まりを分解するの意味。あわせて、分解するの意味を表す。常用漢字の釈は釆＋尺音の形声文字。

逆会釈・解釈・訓釈・講釈・語釈・注釈・氷釈・保釈

【釈迦】シャカ 「釈迦牟尼」Śākyamuni」の略。仏教の開祖。世界四聖の一人。仏陀。古代インド摩伽陀国のストダナ王(浄飯王)と摩耶夫人との間に生まれた皇子。皇太子の時の名は悉達多。(前五六五?—前四八六?)

【釈褐(褐)】シャク・セキカツ ＝釈レ褐(かつをとく)(一三八四ページ上)。

【釈義】シャクギ ①意義をときあかす。②仏教の意義。

【釈教】シャッキョウ 釈迦の教え。仏教。

【釈言】シャクゲン いいわけをする。いいわけ。

【釈甲】シャクコウ ①よろいをぬぐ。②戦争をやめる。

【釈采・釈菜】セキサイ 牛・羊などのいけにえを供えないで、野菜類で祭る略式の祭をいう。釈奠の祭りを軽くしたもの。〔礼記、月令〕

【釈子】シャクシ 釈迦の弟子。仏弟子。仏徒。

【釈氏】シャクシ ①仏家。仏門。僧。②釈迦。また、その教え。

【釈氏要覧(覽)】シャクシヨウラン 書名。三巻。北宋の道誠の著。初学者のために仏教の名目・故事などを説明したもの。

【釈諡】シャクシ 法号。戒名。

【釈然】シャクゼン ①よろこぶさま。②心がうちとけるさま。③物のとけ消えるさま。

【釈尊】シャクソン ＝釈迦。

【釈典】シャクテン 仏教の教典。仏典。

【釈奠】セキテン・シャクテン 牛・羊のいけにえや、その他の供え物を、供えて祭る祭。▼釈も奠も、供え物を置く意。〔礼記、文王世子〕

【釈放】シャクホウ とき放す。罪人などを許して自由の身にする。放免。〔三国志、呉志、呂蒙伝〕

【釈名】シャクミョウ 書名。後漢末の劉熙の著といわれる。故実や事物について、音の類似した字によって意義を解釈した書物。

【釈明】シャクメイ 誤解などを解くために事情をくわしく説明すること。申し開き。

【釈文】シャクブン 篆書・草書・行書などで書かれた文字を、通常用いている文字になおすこと。

【釈老】シャクロウ 釈迦と老子。また、仏家と道家。

5 【番】 12画 (7660) バン 田部。→九七四ページ中。

5 【釉】 12画 12456 人 標 漢ユウ(イウ) 呉ユ 宥 yòu 7856 E7D6 一

筆順

字義 ❶うわぐすり。陶磁器の表面に塗って美しくする薬。釉薬。❷つや。ひかり。

名前 つや・てる 難読 釉薬(うわぐすり)

解字 形声。釆＋由音。釆は、采の変形で、いろどりの意味。音符の由は、油に通じ、あぶらの意味。素焼の陶磁器の上にかけて、油を流したような、つやを出す、うわぐすりの意味を表す。

13 【釋】 20画 (12455) シャク 釈(12454)の旧字体。→一四五五ページ中。

7画

里 さと・さとへん

〔部首解説〕里を意符として、郊外の意味を含む文字ができている。重・量など、単に字形上からこの部首に含まれるものもある。

0里 一四五六 2重 一四五六 4野 一四五七 5量 一四五九 11釐 一四五九

0

【里】 7画 12457 教2 リ さと

リ 紙 lǐ

4604 97A2 一

筆順 丨 冂 日 日 甲 甲 里

字義 ❶さと。むらざと(村里)。いなか。❷やしき。すまい。❸周代の行政区画。二十五戸をいう。❹おーる。いる。その場にいる。住む。用例〔論語、里仁〕里レ仁為レ美。↓仁に従って行動するのが人として美しい。／〔後漢、張衡、西京賦〕秦里二其朔一、寔為二咸陽一。↓秦はその北に都をかまえ、そこを咸陽とした。❺道のりの単位。㋐周代は三百歩(四〇五メートル)。㋑現在の中国では五〇〇メートル。❻うれーえる。かなしむ。また、うれい。用例〔詩経、大雅、雲漢〕瞻卬昊天一、云如レ何里一。↓天を仰ぎ見るに、どこまでわたしたちを苦しめようとするのか。国❶さと。㋐嫁・婿などの実家。㋑子の養育を頼む家。❷リ。㋐大宝令で定められた地域区分の一つ。戸数五十の地。㋑面積の単位。一里は約三十五ヘクタール。㋒道の長さ。一里は三十六町(三九二七メートル)。

名前 さと・さとし・のり・り 難読 里斯本リスボン・里須盆リスボン・里味陂リパブール・里昂リヨン

参考 現代表記では〔俚〕(396)の書きかえに用いることがある。「俚謡→里謡」

解字 金文 [金文] 篆文 [篆文] 会意。田＋土。田は、整理された生産地の象形。土は、土地神をまつるほこらの象形。田地・土地神のほこらのある、さとの意味を表す。里を音符に含む形声文字は、「整ったすじ」の意味を共有し、俚リ・狸リ・理・裏・鯉リなどがある。

逆 海里・旧里・郷里・公里・郊里・故里・三里・千里・道里・万里・北里・遊里・隣里

【里尹】リイン 古代、地方の下級官吏。村長。里正。▼尹は、つかさ。

【里魁】リカイ 一つの里の長。後漢の郷官の制では、百家を一里とし、里魁はそれをつかさどった。

【里閈】リカン ＝里門。

【里居】リキョ ①役人をやめていなかに住むこと。②隣りあって住む。家を連ねて住む。

【里諺】リゲン 民間のことわざ。里語。鄙諺ヒゲン。

【里語】リゴ 里人のことば。世俗のことわざ。

【里巷】リコウ ①村里。②村里と市街。▼巷は、ちまた。

【里耳】リジ 俗人の耳。俗耳。俚耳リジ。用例〔荘子、天地〕大声不レ入二於里耳一。↓すばらしい音楽は俗人の耳に受け入れられない。

【里社】リシャ その土地の神を祭るやしろ。鎮守の社。

【里塾】リジュク 村の学校。村塾。

【里胥】リショ 村役人。▼胥は、下級の役人。

【里仁】リジン ①仁の美風の行われている村里。一説に、仁にいる、仁の立場をとる意。〔論語、里仁〕②『論語』の編名。

【里正】リセイ 村長。里尹リイン。里長。▼正は、長。用例〔唐、杜甫、兵車行〕去時里正与裹レ頭、帰来頭白還戍レ辺。↓まえに出征したときには、村長が兵士のために成人を祝って頭をつつんでくれたのであったが、帰ってくると、頭はもう白くなっているのに、またもや国境地帯の守備にゆくのである。

【里俗】リゾク 村里のならわし。いなかの風俗。

【里長】リチョウ ＝里正。

【里程】リテイ 道のり。道程。路程。

【里門】リモン 同里閈リカン。①さとの入口の門。里閭リリョ。②村の入口。また、郷里。

【里謡(謠)】リヨウ その地方の民衆の間に伝えられて来た歌。民謡。俚謡リヨウ。

【里落】リラク 村里。村落。邑里ユウリ。

【里閭】リリョ ①村里の入口にある門。里門。▼閭は、門。②村里。用例〔文選、古詩十九首、其十四〕思レ還二故里閭一、欲レ帰道無レ因。↓いたたまれない気持ちで、故郷への思いがつのり、帰ろうと思うのだが、よるべき道がない。

2

【重】 9画 12458 教3 ジュウ・チョウ え・おもーい・かさーねる・かさーなる

熟字訓 十重二十重とえはたえ

2937 8F64 一

一 漢チョウ・呉ジュウ(ヂウ) 宋 腫 zhòng
二 漢チョウ・呉ジュウ(ヂウ) 冬 chóng

筆順 一 二 千 千 台 台 盲 重 重

字義 一 ❶おもーい。㋐大きくて目方がある。↕軽(11885)。㋑(程度が)はなはだしい。厚い。深い。また、ひどい。「重恩」「重病」「重罪」㋒大切である。価値がある。大きな位置を占める。用例〔孟子、告子下〕礼与レ食孰重。↓礼と食ではどちらが大切か。㋓容易でない。大変な力を要する。用例〔論語、泰伯〕任重而道遠。↓背に負っている荷は重く、それを運ぶ道は遠い。㋔たっとい。たかい。身分の高い。また、得難い。「重客」「貴重」㋕おもおもしい。落ち着いている。おごそか。用例〔論語、学而〕君子不レ重則不レ威。↓君子はおごそかでないと威厳がない。㋖味などが濃い。「重酒(濃厚な酒)」❷おもーさ。おもーみ。また、おもいもの。「重量」「軽重」❸荷物。衣食などの物質。「輜重」❹おもーんずる。㋐たっとぶ。大切にする。用例〔荘子、刻意〕衆人重レ利、廉士重レ名。↓大衆は利益を重んじ、清廉の士は名誉を重んずる。㋑惜しむ。手放したがらない。用例〔漢書、陳平伝〕至三於行レ功賞二爵邑一、重レ之。士亦以レ此不レ附。↓(項羽は礼儀正しく思いやりがあるが)功績に対し爵位や領地を与えるとなると、物惜しみをします。そのために人がなつかないのです。❺はばかーる。かたーんず。恐れる。用例〔史記、蘇秦伝〕秦欲レ攻レ魏、重レ楚。↓秦が魏を攻めようとした際、楚を警戒した。

二 ❶かさーなる。かさーねる。物の上にさらに物がのる。繰り返す。用例〔史記、呉太伯世家〕越王句践食不レ重レ味、衣不レ重レ采。↓越王句践は、食事は一汁一菜、衣服はただひと色(という質素な生活)です。❷かさーねて。㋐さらに。用例〔文選、古詩十九首、其一〕行行重行行、与レ君生別離。↓どんどん、どんどん、あなたは遠い旅路を続けて行ってしまうばかり。私はあなたと悲しい生き別れの身。㋑あらためて。新しく。用例〔東晋、陶潜、雑詩〕盛年不二重来一、一日難二再晨一。↓若い時は二度とは来ず、一日に朝は二度はやって来ない。❸かさなり。層。

国❶え。かさなったものを数える単位。「八重」 ❷かさね。㋐かさねたもの。㋑中古、袍の下にかさねた衣服。下襲。㋒上着と下着のそろったもの。

名前 あつ・あつし・いかし・え・おもし・かさぬ・かず・かたし・しげ・しげし・しげる・じゅう・のぶ・ふさ 難読 重石

解字 金文  篆文  形声。壬＋東音。意符の壬は、人がつったっている形。音符の東(転音)チョウは、袋に入れた荷物の意を表す。原義は、人が荷物を負うて立っている意。引いて、おもい意に用いる。

逆 貴重・九重・軽重・厳重・自重・慎重・荘重・尊重・珍重・丁重・鈍重・偏重

【重圧(壓)】強くおしつける。また、そのもの。

【重囲(圍)】幾重にも取り囲む。また、その囲み。

【重△闈】①幾重にもかさなった門。②奥深い御殿。

【重△裀】かさねたふとん・しきもの。

【重陰】①濃い陰気。②地の中。③深いかげ。

【重科】おもい罪。重罪。▼科は、つみ・とが。

【重華】文徳をかさねてかがやかす。中国の伝説で、尭帝の徳を舜帝がついだことをいう。

【重客】身分のたかい客。大切なお客。

【重患】おもい病気。重病。また、その人。

【重△巌(巖)】つみかさなった岩石。

【重器】①国のたいせつな宝物。重宝。②おもい役目。また、たいせつな人物。

【重刑】①おもい刑罰。②刑罰をおもくする。

【重慶】地名。四川省の東南、長江と嘉陵江の合流点にある都市。唐代は渝州といった。中央政府直轄市。

【重険(險)・重△嶮】非常にけわしい。要害の地。「重険之固」

【重△譴】おもいとがめ。大きな罪。

【重言】①同じ意味のことばをかさねる。②重々しいことば。③古人の名をかりて自分のことばにおもみを加えること。

【重光】①りっぱな君主が次々と出ること。②十干の辛の別名。

【重厚】重々しくおちついている。

【重婚】①かさねて結婚する。再婚。②すでに婚姻関係を結んでいる両家の間で、かさねて縁組みすること。重縁。③配偶者のある人が、さらに他の人と結婚すること。二重結婚。

【重囚】おもい罪の囚人。

【重修】①かさねて編修する。②かさねて修理する・修繕する。

【重襲】①かさなる。かさねる。②器具などを幾重にもつつんでたいせつに保存すること。

【重症】おもい病気。重病。重態。

【重傷】一 おもい傷。ひどいけが。二 負傷者をさらに傷つける。重創。

【重畳(疊)】①幾重にもかさなる。②国この上もない満足。

【重心】物のおもさの中心となる一点。物体の各部に働く重力の合力が通過する。

【重臣】国家におもんぜられる臣。おもい地位にある家来。

【重身】①身おも。はらむ。妊娠。②たいせつなからだ。

【重慎(愼)】深くつつしむ。軽々しくない。

【重責】①おもい責任。②強く責める。

【重△祚・重△阼】退位した天子が再び位につく。

【重箱読(讀)】国漢字の熟語の読み方。重箱のように上の字を音で下の字を訓で読む読み方。↕湯桶読(六一ページ上)。

【重体(體)】病気がおもい。重症。重態。

【重重】一 ①かさなるさま。層々。②深く思うさま。③露が落ちる音のさま。はらはら。二 国かさねがさね。いくえにも。くれぐれも。

【重鎮(鎭)】①おもいおさえ。②一方のおさえとなる人。一方のかしら。柱石。また、その社会でおもきをなしている人。

【重訂】かさねて文書をなおす。再訂。

【重聴(聽)】耳が遠くて何度も聞き返す。

【重点(點)】①たいせつなところ。②てこで物を動かすとき、物体の重さのかかる所。

【重△沓】かさなりあう。

【重瞳】ひとみが二つあること。偉人の相という。

【重任】一 大事な役目。重要な任務。二 国任期が終わった後、ふたたびその役に任じられる。

【重農】農業をおもんずる。農業主体の政策を主張する。諸子百家の一つである農家が唱道した。

【重犯】①おもい犯罪。②国犯罪をかさねること。

【重賦】おもい税金。

【重複】同じ事物が、二つ、または、二度以上かさなる。また、かさねる。

【重△聘】てあつい礼をつくして招く。

【重幣】①てあつい贈り物。②贈り物を多くする。

【重宝(寶)】一 たいせつな宝。二 国便利なもの。よく利用できる。珍重する。

【重名】①名声。高い評判。②名誉をおもんずる。

【重明】①日や月の光。②君臣ともに正しい位に並び立つこと。③ひとみが二つあること。重瞳。

【重門撃△柝】幾重にも門を設け、拍子木を打って警戒すること。

【重訳(譯)】ことばを二重に翻訳すること。

【重用】国おもく用いる。たいせつな地位につける。

【重要】たいせつ。だいじ。

【重陽】①陰暦九月九日。菊の節句。陽の数である九が重なる日であるからいう。この日には、登高といって、近くの小高い丘や山に登り、茱萸(かわはじかみ)の実を頭にさして邪気をはらう習慣があった。⇩コラム 年中行事(四六五ページ)。②天。九重の天。

【重△巒】幾重にもかさなっている山々。

【重賂】おもいまいない。また、手厚く賄賂をおくる。

【重△禄】①高い俸給。高給。大禄。②たくさんの扶持を与える。③天子の印鑑。玉璽。宝璽。また、大臣。

4
【野】
11画 12459 教2 ヤ の 熟字訓 野良
一 ヤ 馬 yě 二 漢ショ・呉ジョ 語 shù
4478 96EC 一

筆順 

[埜] 2032 古字 [壄] 2145 古字 [[illegible]] 1984 俗字 [㙒] 2068 俗字

字義 一 ❶の。㋐のはら。原野。㋑町はずれ。郊外。「郊野」 ㋒いなか。さと。㋓民間。↕朝(5069)。「在野」 ㋔はたけ。田野。㋕周代、王城から二百里以上、三百里以内の地域をいう。(一里は四〇五メートル) ㋖王城以外の地にある公卿・大夫の領地。❷かざりけがない。ありのまま。むきだし。いなかびた。「野趣」 ❸あらい。デリケートなところがない。用例(論語、雍也)質勝レ文則野 ⇩実質が外見よりまさっていれば、粗野となる。❹うとい。文化がおくれている。人知の開けないこと。「野蛮」 ❺従わない。なれ親しまない。❻区分したその一つ。「分野」 二 いなかや。別荘。＝墅(2110)。

名前 とお・なお・ぬ・の・ひろ 難読 野花南・野寒布・野蚕・野蒜・野市・野洲・野津原・野馳・野点・野付・野辺地・野母崎・野木瓜・野面・野羊・野葡・野老

解字 甲骨文 金文 篆文 古文 形声。里＋予㊥。音符の予は、広くてのびやかの意味。広くてのびやかな里、の・郊外の意味を表す。甲骨文・金文は、林＋土の会意。

逆 下野・在野・山野・四野・視野・草野・粗野・朝野・田野・分野

【野靄】ヤアイ 野原にたちこめるもや。

【野嫗】ヤウ いなかの年老いた女性。↕野翁。

【野営(營)】ヤエイ ①野山に泊まる。露営。②国軍隊が野山に陣を張ること。また、その陣営。

【野翁】ヤオウ ＝野老。↕野嫗。

【野火】ヤカ ①野山の草を焼く火。用例〔唐、白居易、草詩〕野火焼不レ尽、春風吹又生。↓野山の草を焼く火で焼かれるが、根絶やしにはならず、春風が吹くとまたたくましく生えてくる。②鬼火。

【野客】ヤカク ①山野の人。官に仕えない人。②ばらの別名。

【野鶴】ヤカク ①野山に住む鶴。②官に仕えず、世をさけかくれている人のたとえ。「閑雲野鶴」

【野鶴在二鶏(鷄)群一】ヤカクケイグンにあり 多くの人の中でひとりだけ特にすぐれていることのたとえ。〔晋書、嵇紹伝〕

【野干】ヤカン 狐の類い。また、狐の別名。

【野鬼】ヤキ まつられていない死者の霊魂。

【野禽】ヤキン 野山にすむ鳥。野鳥。

【野虞】ヤグ 周代の官名。田と山林を守る役人。

【野径(徑)・野逕】ヤケイ 野原のこみち。用例〔唐、杜甫、春夜喜レ雨詩〕野径雲倶黒、江船火独明。↓野の小道は雲に包まれて黒々と沈み込んでいて、長江を上下する船のいさり火だけが明るく見える。

【野畦】ヤケイ 野のあぜ道。野中の道。野径。

【野鶏(鷄)】ヤケイ 雉の別名。

【野諺】ヤゲン いなかのことわざ。里諺。

【野狐禅(禪)】ヤコゼン 仏禅を修業して、まださとることができないのに、さとっているようによそおう人をあざける語。

【野語】ヤゴ いなかのことば。野言。

【野合】ヤゴウ ①正式の婚礼によらないで結婚すること。できあい。なれあい。一説に、年齢のひどくちがうものの結婚。用例〔史記、孔子世家〕野合而生二孔子一。↓正式の婚礼をしないまま、孔子を生んだ。②野戦。③音楽を野外で合奏すること。

【野哭】ヤコク 正式の礼を備えないで哭すること。▼哭は、人の死を悲しんで泣く礼。

【野史】ヤシ 民間の人の書いた歴史。稗史。野乗。↕正史(七八四ジ上)。

【野次】ヤジ ①野宿する。▼次は、宿る。②国ア弥次。非難やからかいのことばを出すこと。また、そのことば。イ野次馬。

【野趣】ヤシュ ①自然美のおもしろみ。②いなかびたおもむき。素朴な味わい。

【野戍】ヤジュ 原野のとりで。辺境守備のとりで。

【野宿】ヤシュク・のジュク 屋外にねて夜をすごす。

【野処(處)】ヤショ 家を建てないで野原に住むこと。

【野乗(乘)】ヤジョウ ＝野史。

【野情】ヤジョウ いなかびたおもむき・心情。素朴なおもむき。野趣。

【野色】ヤショク 野原の景色。原野の雰囲気。野趣。

【野心】ヤシン ①なれ親しまない心。豺狼の子のように、人に養われても山野を思ってなれ従わず、かえってその人を害しようとする心。「狼子野心」②田園生活を楽しむ心。③国ア身分にふさわしくない望み。野望。イ謀反をたくらむ心。

【野人】ヤジン ①いなかに住んでいる人。②ありのままでうわべをかざらぬ人。〔論語、先進〕③民間の人。官に仕えぬ一般の人。庶人。在野。④未開の人。野蛮人。⑤エチケットを知らぬ人。世間一般の常識のない人。↕通人(一四一六ジ上)。

【野人無二暦(曆)日一】ヤジンレキジツなし いなかに住んで世事に無関係な人は、こよみの必要がない。〔南宋、陸游、鳥啼詩〕

【野水】ヤスイ 野原の中の流れ。

【野翠】ヤスイ 野べの緑色。野緑。

【野生】ヤセイ ①野山に自然のままに生育すること。また、その動植物。②男性が自分を謙遜していう語。小生。

【野性】ヤセイ ①自然のままのあらけずりの性質。いなか者のたち。②本能むきだしのいやしい性質。③静かないなかの自然美を愛する心。

【野戦(戰)】ヤセン ①野外で戦う。平地での戦い。②攻城戦・要塞戦以外の、陸地での戦い。

【野叟】ヤソウ いなかおやじ。野老。野翁。

【野僧(僧)】ヤソウ ①いなかの僧。②僧侶が自分を謙遜していう語。拙僧。

【野態】ヤタイ いなかびたさま。ひなびたかたち。野姿。

【野中兼山】のなかケンザン 国江戸前期の儒学者。名は止。字は良継。兼山は号。土佐(今の高知県)の人。土佐藩の家老。朱子学を谷時中に学び、殖産興業に努めた。著書に『兼山遺草』などがある。(一六一五―一六六三)

【野猪・野豬】ヤチョ いのしし。

【野店】ヤテン いなかのみせ。野原の茶店。

【野渡】ヤト 野中の渡し場。用例〔唐、韋応物、滁州西澗詩〕春潮帯レ雨晩来急、野渡無レ人舟自横。↓春の川の流れは雨をおびて、夕暮れ時から急になった。野中の渡し場には人かげもなく、舟だけが横たわっている。

【野党(黨)】ヤトウ 国現在内閣を組織している政党の反対党。↕与党(二七ジ中)。

【野童】ヤドウ いなかの子供。里のわらべ。

【野衲】ヤノウ・ヤドウ ＝野僧。

【野馬】ヤバ ①馬の一種で、小さい馬。②かげろう(陽炎)。

【野蛮(蠻)】ヤバン ①人知が開けず、文化のおくれていること。②礼儀作法をわきまえないこと。無作法。

【野卑・野鄙】ヤヒ 国いやしい。げびている。粗野で下品。

【野夫】ヤフ いなかもの。野人。

【野服】ヤフク ①いなかふうの衣服。質素な衣服。②官位のない人の着る衣服。

【野分】のわき・のわけ 国秋のはじめごろ吹く強い風。台風。

【野暮】やぼ 国①世情に通じないこと。さばけていないこと。②礼儀作法などを知らないこと。

【野芳】ヤホウ 野べに咲きにおう花。野花。

【野舫】ヤボウ 野の川に浮かんだ小舟。

【野望】ヤボウ ①遠く野づらをながめやる。②国大それた望み。

【野民】ヤミン 農業を主とする人民。

【野無二遺賢一】ヤにイケンなし 賢者がすべて任用されて、民間に、かくれた人物の残っていないこと。〔書経、大禹謨〕

【野無二青草一】ヤにセイソウなし 野原に青い草がない。饑饉のひどいたとえ。〔左伝、僖公二十六〕

【野羊】ヤヨウ 山羊の別名。

【野老】ヤロウ ①いなかの老人。また、老人が自分を謙遜していう語。野翁。用例〔唐、杜甫、哀二江頭一詩〕少陵野老呑レ声哭、春日潜行曲江曲。↓少陵の田舎おやじである私は声をしのんで泣き、この春の日に人目を避けて、ひとりひそかに曲江の流れの湾曲したあたりを歩いてゆく。②ところ。ヤマイモ科の多年生つる草。

【野陋】ヤロウ いやしい。下品。野鄙。

5【量】12画 12460 ㊀リョウ(リャウ) 陽 liáng ㊁リョウ(リャウ) 漾 liàng 教4 リョウ はか-る 4644 97CA 一

筆順 量

字義 ㊀はか-る。㋐物の重さ・容積・長さ・広さ・多少などをはかる。㋑見積もる。見はからう。㋒おしはかる。「推量」㋓思う。思案する。「思量」㊁❶ます。はかり。物の容積をはかる器具。❷かさ。ますめ。容積。「分量」❸かず(数)。「数量」❹ちから。物事を担当する才能。「度量」「器量」❺かぎり(限)。ほど。「分量」

名前 かず・さと・とも・はかり・はかる・りょう

参考 現代表記では〔倆〕(463)の書きかえに用いることがある。「技倆→技量」

使いわけ はかる〔計・測・量・図・謀・諮〕⇩計(11099)。

解字 金文 [金文] 篆文 [篆文] 象形。金文でよくわかるように、穀物を入れる袋の上に、じょうごをつけた形にかたどり、はかるの意味を表す。

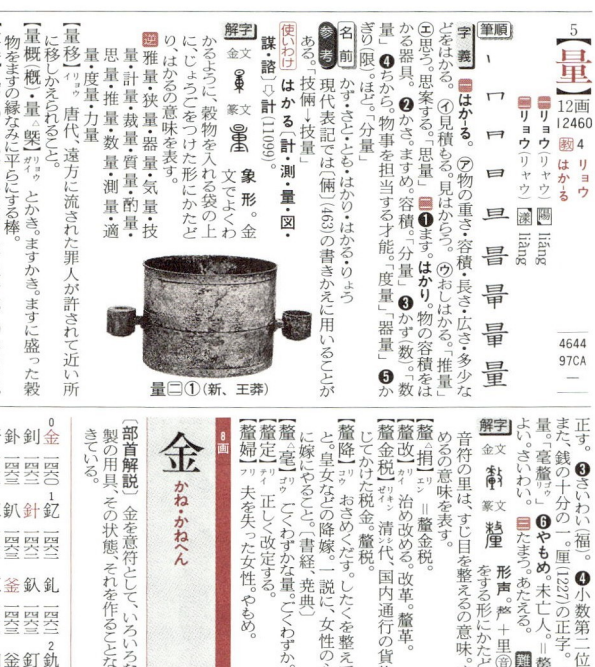

量㊁①(新、王莽)

逆 雅量・計量・狭量・器量・気量・技量・計量・裁量・質量・酌量・思量・推量・数量・測量・適量・度量・力量

【量移】リョウイ 唐代、遠方に流された罪人が許されて近い所に移しかえられること。

【量概(概)・量△槩】リョウガイ とかき。ますかき。ますに盛った穀物をますの縁なみに平らにする棒。

【量器】リョウキ ①ます。物の容積をはかる道具。②はたらき。役に立つ才能。器量。

【量決】リョウケツ はかりさだめる。事情をよく推量して決定する。

【量検(検)】リョウケン はかりしらべる。

【量度】リョウタク ①はかりと、ものさし。②はかる。▼量は容積を、度は長さをはかること。

【量知】リョウチ おしはかって知る。推量して知る。

【量入】リョウニュウ・いるをはかる 収入を計算する。

11【釐】18画 12461 ㊀リ 支 lí ㊁キ 支 xī ㊂ライ 泰 lài 7858 E7D8 一

字義 ㊀❶おさ-める(治)。❷あらためる(改)。あらためて正す。❸さいわい(福)。❹小数第二位で、分の十分の一。また、銭の十分の一。厘(1227)の正字。❺きわめて小さい数量。「毫釐」❻やもめ。未亡人。=嫠(2523)。「釐婦」㊁たまう。あたえる。㊂さいわい。

難読 釐等具(れいてんぐ・れてぐ)

解字 金文 [金文] 篆文 [篆文] 形声。𠩺+里㊅。𠩺は、穀物の収穫をする形にかたどり、おさめるの意味。音符の里は、すじ目を整えるの意味。すじみちをたてておさめるの意味を表す。

【釐△捐】リエン =釐金税。

【釐改】リカイ 治め改める。改革。釐革。

【釐金税】リキンゼイ 清シン代、国内通行の貨物に対し、価格に応じてかけた税金。釐税。

【釐降】リコウ おさめくだす。したくを整えて臣下に嫁にやること。皇女などの降嫁。一説に、女性の心を承知させて臣下に嫁にやること。〔書経、尭典〕

【釐△毫】リゴウ ごくわずかな量。ごくわずか。

【釐定】リテイ 正しく改定する。

【釐婦】リフ 夫を失った女性。やもめ。

金 8画 かね・かねへん

〔部首解説〕 金を意符として、いろいろな種類の金属、金属製の用具、その状態、それを作ることなどに関する文字ができている。

0

【金】

8画 12462 (教)1 キン・コン かね・かな

一(漢)キン・(呉)コン (侵)jīn
二(漢)キン・(呉)ゴン (寝)jìn

2266 8BE0 一

筆順 ノ 𠆢 亼 亼 全 仐 余 金

字義 一❶かね。名詞などの前に付いて、かな。㋐金属。金・銅・鉄などの鉱物の総称。㋑あかがね。銅。㋒くろがね。鉄。㋓ぜに。おあし。通貨。「金銭」❷こがね。くがね。金属元素。貴金属の一種。黄色の光を放ち、貨幣・装飾品などの材料とされる。また、こがねいろ。「金波」❸かなもの。金属で作った器物。❹五行ゴギョウの一つ。第四位。方位では西、季節では秋、五音では商、五星では太白（金星）、干支えとでは庚辛コウシンにあてる。❺貨幣の単位。漢代は黄金一斤、近代では銀一両をいう。❻かたい。また、堅固なもののたとえ。「金城湯池」❼よい。美しい。たっとい。また、美しいもの、貴重な物事のたとえ。「金殿玉楼」「金科玉条」❽金属で作った楽器。また、その音。八音の一つ。❾刑罰の道具。また、武器。❿王朝の名。女真族の完顔氏の建てた国。今の中国東北部・内モンゴル・華北を領有した。後、モンゴル・南宋ナンソウに滅ぼされた。十世、百二十年。（一一一五―一二三四）二❶つぐむ（噤キン）。❷どもる。口を閉じてものを言わない。国❶かね。曲尺かねジャクの略。❷キン。将棋で、金将の略。

名前 か・かな・かね・きん 難読 金花虫はむし・金海鼠きんこ・金亀子こがねむし・金亀虫こがねむし・金巾かなきん・金光こん・金剛石ダイヤモンド・金糸雀カナリヤ・金雀花えにしだ・金雀枝えにしだ・金雀児えにしだ・金手かねて・金成かんなり・金米糖こんぺいとう・金浦こうら・金鳳花きんぽうげ・金田カナダ・金門ゴールデンゲート

解字 金文  篆文 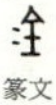 形声。土＋ソ＋今㊥。音符の今は、含に通じ、ふくむの意味。土の中の左右に書かれるソは、金属が土中にある形にかたどる。土中に含まれる金属の意味を表す。

逆 黄金・砕金・砂金・償金・千金・断金・賃金・鈍金・白金・万金・錬金

【金▵鴉・金▵鵶】キンア ＝金烏キンウ。

【金印】キンイン 昔、中国の諸王・諸侯の持った金製の印。

【金印紫▵綬】キンインシジュ ①金の印と紫の印綬。印綬は印のかざりのひもで、金印とともに高位の人が用いた。②貴人。高官。

【金員】キンイン 国金銭の数。転じて、金銭。

【金▵烏】キンウ 太陽の別名。太陽の中に三本足のからすがすむという伝説からいう。

【金▵鉞】キンエツ 黄金製の大まさかり。大将軍のしるしとして用いる。

【金▵甌無欠（缺）】キンオウムケツ ①すこしも欠けた所のない黄金のかめ。②物事の完全なこと。特に外国の侵略をうけたことのない独立堅固な国家にいう。〔南史、朱异伝〕

【金屋】キンオク 黄金でかざった家。りっぱな家屋。金殿。用例〔唐、白居易、長恨歌〕金屋粧成嬌侍レ夜キンオクよそおい(ほひ)なりてキョウとしてよるにジし、玉楼宴罷酔和レ春ギョクロウエンやみてよいははるにワす。↓りっぱな御殿で、化粧を終えると、あでやかな姿で夜のお仕えをし、美しい高殿で宴会が終わると、酔って春の雰囲気にとけこんでしまう。

【金科玉条（條）】キンカギョクジョウ ①金玉のような立派な条文。たいせつな規則や貴重な法律・規定をいう。▼科も条も、箇条。〔前漢、揚雄、劇秦美新〕②国その人がいちばん貴重なものとして守っている事がら。

【金華】キンカ りっぱではなやかなもの。建物などにいう。

【金▵霞】キンカ 金色のかすみ・もや。美しいかすみ・もや。

【金革】キンカク ①金属製の武器と、よろいかぶと。兵器をいう。②戦争。

【金閣】キンカク 黄金でかざった高殿。また、美しい高殿。

【金漢】キンカン 天あまの川。銀河。

【金環】キンカン 黄金製の輪。金の指輪・腕輪の類い。

【金環食・金環▵蝕】キンカンショク 日食の一つ。太陽の中央が月におおわれ、その周囲だけ輪の形になって見える日食。

【金丸】キンガン ①月の別名。②黄金の弾丸はじき。③黄色で小さい果実をいう。

【金気（氣）】キンキ ①五行の金の気。②秋の気。秋の気配。

【金▵匱・金▵櫃】キンキ 宮中の文書などを入れる、金属または黄金製の箱。

【金宮】キンキュウ ①仙人のいる所。②帝王の宮殿。また、美しい宮殿。

【金魚】キンギョ ①ふなの変種。いろどり美しい小魚。②昔、中国で位のあるものにつけさせた、黄金製の魚のかざりのある袋。金魚袋。魚袋。

【金鏡】キンキョウ ①黄金でかざった鏡。②月の別名。③りっぱな道徳のたとえ。

【金玉】キンギョク ①こがねと、たま。黄金と珠玉。②貴重なものとして大切にする。

【金玉君子】キンギョクのクンシ 節操の堅い、徳の高い人。

【金玉声（聲）】キンギョクのこえ（こゑ） すぐれた詩歌・文章・音楽の形容。他人の作品に敬意をはらう語。

【金玉満（滿）堂】キンギョクマンドウ ①金や玉などの宝物が家に満ち

ている。〔老子、九〕②才能や学問のすぐれているたとえ。

【金句】キンク ①いましめとなる尊いことば。格言。金言。②美しい句。たくみなことば。

【金屈△巵】キンクツシ・キンクッシ 曲がったとってのついた黄金製のさかずき。用例〔唐、于武陵、勧レ酒詩〕勧レ君金屈巵、満酌不レ須レ辞 ⇩君に黄金の杯を差し上げよう、なみなみとついだこの酒を、遠慮しないでくれたまえ。

【金茎(莖)】キンケイ 露をうける盤(承露盤)をささえる銅柱。

【金△闉】キンケイ ①美しい寝室。②金馬門の別名。

【金△闕】キンケツ ①道教で天帝のいる宮殿。黄金闕。②天子の宮殿。禁闕。宮城。③黄金でかざった門。また、黄金造りの美しい御殿。用例〔唐、白居易、長恨歌〕金闕西廂叩二玉扃一、転教三小玉報二双成一 ⇩黄金造りの御殿の西側の部屋へ行って、玉で飾ったかんぬきをたたいて案内をこい、侍女の小玉にさらに双成へと順次とりつがせた。

【金言】キンゲン ①いましめとなる尊いことば。格言。金句。②堅く誓ったことば。③仏仏の不滅の法話。

【金△壺】キンコ ①水どけい。②金または金属製のつぼ。

【金鼓】キンコ 金(鐘や銅鑼)と鼓(太鼓)。戦場で号令の伝達に用い、進むには鼓、退くには金を合図とした。転じて、金属製の楽器をいう。

【金△吾】キンゴ ①官名。「執金吾」の略。漢代の天子の護衛兵。②国衛門府の中国風の呼び名。

【金口】キンコウ ①よい(りっぱな)ことば。②口をつぐむ。▼金は、噤に通ずる。③天子のことば。④他人のことばの敬称。⑤金属で造った、器物の口。コング 仏仏の口。黄金色の口という意。転じて、仏の教え。

【金口木舌】キンコウボクゼツ ①木製の振り子のある鈴。②木鐸。古代中国で官吏が人民に法律命令を示すときに鳴らしたもの。③言論で社会を指導する人。教育者。

【金甲】キンコウ 黄金作りのよろい。

【金剛】コンゴウ ①「金剛石」「金剛砂」の略。②非常に堅くてどんなものにもこわされないこと(もの)。

【金剛砂】コンゴウシャ ざくろ石を粉末にした赤黒色をした砂。エメリー。金剛石に次ぐ堅さで、金属・ガラスなどをみがくのに用いる。

【金剛心】コンゴウシン 仏①金剛のように堅固な菩薩の心。②堅い精神・信仰心。

【金剛石】コンゴウセキ 宝石の一種。ダイヤモンド。

【金剛童子】コンゴウドウジ 仏真言宗で祭る護法の神。憤怒の相を示した童形の神。

【金剛不壊(壞)】コンゴウフエ 仏金剛石のように堅くてこわれないこと。

【金剛夜△叉】コンゴウヤシャ 仏五大明王の一つ。北方を守護し、悪魔を降伏させる。

【金剛力】コンゴウリキ 強大な力。金剛力士のような大力。

【金剛力士】コンゴウリキシ 仏仏法を守護する二神。山門両わきの仁王。金剛神。

【金谷】キンコク 地名。今の河南省洛陽市の東北。晋の石崇の別荘、金谷園があった。

【金谷酒数(數)】キンコクのシュスウ 晋の石崇が金谷の別荘で宴会を開き、詩の作れない客には罰として酒三杯を飲ませたという故事から、罰杯の数の意。用例〔唐、李白、春夜宴二桃李園一序〕如詩不レ成、罰依二金谷酒数一 ⇩もし詩ができあがらなかったら、金谷園の故事にならって罰として三杯の酒を飲ませることにしよう。

【金骨】キンコツ ①金と骨。堅固なもののたとえ。②仙人のようなようす。脱俗したおもむきのある外見。仙骨。

【金△釵】キンサイ・キンサ 黄金製のかんざし。用例〔唐、白居易、長恨歌〕唯将二旧物一表二深情一、鈿合金釵寄将去 ⇩せめては思い出の品によって私の深い気持ちを表したいので、螺鈿の箱と金のかんざしをお持ちください。

【金策】キンサク ①黄金製のふだ。仙人などが文字を書くのに用いる。②黄金製のつえ。③国金銭を調達するくふう。金のくめん。

【金錯】キンサク 黄金の模様や文字を銅器の表面などに象眼したりぬったりしたもの。

【金錯刀】キンサクトウ ①新の王莽の造った銭の名。刀の形で、文字が彫ってあったのでいう。②漢代の、黄金でかざった天子や諸侯の刀。

【金子】キンシ 金のたま。黄金色の小さな果実をいう。キンス 金銭。▼子は、助字。

【金史】キンシ 書名。百三十五巻。金代の歴史を記した書。二十四史の一つ。元の順宗の勅命により、托克托(脱脱)等が編集した。

【金枝玉葉】キンシギョクヨウ ①天子の一門。皇族。樹木にたとえていう。②美しい雲のたとえ。

【金紫】キンシ ＝金印紫綬。

【金△鵄】キンシ 国神武天皇の長髄彦征伐のとき、弓の先に止まり、その光で敵をこらしめたという金色のとび。

【金字】キンジ・コンジ ①金や石に刻んだ文字。②金文字。金泥で書いた文字。③天子の文字。④貴重な文字・文章。

【金字塔】キンジトウ ①エジプトのピラミッド。形が金の字に似ているからいう。②国長く後世に伝わるようなすぐれた著作や事業。

【金爵】キンシャク ①黄金の、すずめの形のさかずき。②屋上にかざる銅の鳳。③＝金雀。

【金△雀】キンジャク 黄金のすずめをかざりにしたかんざし。用例〔唐、白居易、長恨歌〕花鈿委レ地無二人収一、翠翹金雀玉搔頭 ⇩花かんざしは地に捨てられたままでとり上げる者もなく、かわせみの羽の髪飾りも、黄金のすずめの形をしたかんざしも、玉のかんざしも(うち捨てられたままであった)。

【金章】キンショウ ①黄金の印章。②銅の印章。

【金城】キンジョウ ①堅固な城。また、堅固なたとえ。②城の本丸。牙城。

【金城鉄(鐵)壁】キンジョウテッペキ 金鉄で作ったような堅固な城。

【金城湯池】キンジョウトウチ 守りの堅い城。▼湯池は、熱湯の池(城のまわりのほり)。

【金人】キンジン ①金属で造った人の像。銅像。②仏像。金色にぬるところからいう。

【金声(聲)玉振】キンセイギョクシン 知と徳の十分に備わること。また、初めと終わりをまっとうすること。金は、鐘。玉は、磬という楽器。まず鐘を鳴らし、終わりに磬を打って音楽のひとくぎりとしたのでいう。〔孟子、万章下〕

【金星】キンセイ 星の名。太陽系中の第二惑星。地球に近くてよく光る。明けの明星。宵の明星。太白星。

【金聖△歎】キンセイタン 明末清初の文芸評論家。名は采。字は若采。明滅亡後に名を人瑞と改めた。聖歎は号。『水滸伝』『西廂記』などの批評で名高い。(一六〇八─一六六一)

【金石】キンセキ ①金と石。金属と岩石。鉱物。②堅いもの・変わらないもののたとえ。③石碑や鐘鼎(つりがねとかなえ)など。銘文などを彫る金や石。④兵器。⑤楽器。特に、金や石で造った打楽器。⑥不老長生の薬。

【金石学(學)】キンセキガク・キンセキのガク ①金石文を研究する学問。②鉱物学の旧称。

【金石交】キンセキのまじわ(は)り 金石のように堅くて変わらない交際。〔史記、淮陰侯伝〕

【金石索】キンセキサク 書名。清の馮雲鵬の編。中国古代から元代までの金属器や石碑に刻まれた図を集め、その銘文などを考証した書。

【金石文】キンセキブン 金属器や石碑などに刻まれた古代中国の文字。金文と石文。⇩コラム **文字・書体の変遷**(六三

金部 0画 〔金〕

ジー)。

【金仙】キンセン ①神仙。②仏の別称。

【金創・金△瘡】キンソウ かたなきず。きりきず。

【金粟】キンゾク ①金銭と穀物。②桂かつらの別名。③菊の花の形容。

【金△樽・金△罇・金尊】キンソン 黄金のさかだる。さかだるの美称。用例〔唐、李白、将進酒詩〕人生得レ意須レ尽レ歓ジンセイイをえばすべからくよろこびをつくすべし、莫レ使二金樽空対一レ月キンソンをしてむなしくつきにタイせしむることなかれ。 人の一生で思いのままにふるまえる時には、ぜひとも歓楽をつくすべきだ。黄金作りの酒だるを、ただむだに、月とさし向かいにさせておいてはならない。

【金△柝】キンタク 戦争のとき使うどらと拍子木ヒョウシぎ。

【金△鐸】キンタク 昔、武事についての命令を伝えるのに用いた大鈴。↕木鐸ボクタク(七二三ジー下)。

【金諾】キンダク かたい約束。確かな承諾。

【金丹】キンタン 道士が金を練って作ったという不老長寿の妙薬。

【金泥】キンデイ・コンデイ 金粉をにかわで溶いたもの。書画をかくのに用いる。

【金的】キンテキ 国①四センチメートル四方ぐらいの金色の板の中央に直径一センチメートルほどの円を描いた、弓の的。②あこがれの目標。最大の望み。

【金鉄(鐵)】キンテツ ①黄金と鉄。②金属。③鉄。くろがね。④鉄製の刑具。手かせの類い。⑤堅固な物事のたとえ。

【金天】キンテン 秋の空。秋天。秋は、五行ゴギョウの金にあたる。

【金△鈿】キンデン 黄金で作ったかんざしと、青貝ずり(螺鈿ラデン)の香入れの箱。「鈿合金釵デンゴウキンサイ」の略。用例〔唐、白居易、長恨歌〕但令三心似二金鈿堅一ただこころをしてキンデンのかたきににしめば、天上人間会相見テンジョウジンカンかならずあい(ひ)みん。 私たちの心を、この黄金や螺鈿のように堅固に保ってさえいたら、天上において、あるいはまた人間世界において、きっとお会いできる日がありましょう。

【金殿】キンデン 黄金でかざったりっぱな御殿。金屋。

【金殿玉楼(樓)】キンデンギョクロウ 黄金や玉でかざったりっぱな御殿。

【金斗】キント ①ひのし。②酒をくむ黄金のひしゃく。③鉄の一斗枡ます。④とんぼがえり。宙返り。筋斗。

【金刀】キントウ ①漢代の貨幣の名。形が刀に似ている。②黄金製の小刀。また、はさみの類い。③金属製の刀。

【金堂】一キンドウ 黄金でかざったりっぱなお堂。二コンドウ 仏寺の本堂。寺の本尊を安置する建物。

【金波】キンパ ①月の光。月影。②月の光がうつって金色に見える波。

【金馬門】キンバモン 漢代、未央宮ビオウキュウにあった門の名。金閨キンケイ。

【金杯・金△盃】キンパイ 黄金製のさかずき。

【金△牌】キンパイ ①黄金製のふだ。②国金メダル。

【金△帛】キンパク 黄金と絹。

【金△箔】キンパク 紙のように薄くうちのばした黄金。

【金覆輪】キンプクリン・キンプクリン 国金または金色の金属をかぶせた覆輪(器物の縁を覆い飾ったもの)。

【金文】キンブン ①金文字キンモジ。金泥で書いた文字。②＝金石文。鐘鼎文ショウテイブン。⇩コラム 文字・書体の変遷(六三二ジー)。

【金△屏】キンペイ 金でかざった屏風ビョウブ。金屏風。

【金瓶(甁)梅】キンペイバイ 明ミン代の長編口語小説。全百回。明の笑笑生(山東の人という)の著とあるが不詳。万暦年間(十七世紀前半)に成り、当時の不正や好色の生活を写実的に書いたもの。四大奇書の一つ。

【金幣】キンペイ 黄金の貨幣。金貨。

【金歩揺(搖)】キンホヨウ・キンポヨウ 黄金で作ったかんざし。▼歩揺は、歩くとゆれるかんざし。用例〔唐、白居易、長恨歌〕雲鬢花顔金歩揺ウンピンカガン、キンホヨウ、芙蓉帳暖度二春宵一フヨウのとばりあたたかにシュンショウをわたる。 雲のように豊かな鬢の毛、花のようなかんばせ、そして歩くと揺れる黄金のかんざし。はすの花のぬいとりがあるとばりのなかは暖かく、春の宵よいが過ぎてゆく。

【金△舗・金△鋪】キンポ 門の扉に設けた環わをつなぐ金具。花弁・獣・竜などの形にかたどる。

【金△鳳△釵】キンポウサイ おおとりの形の黄金のかんざし。

【金△籥】キンヤク ①黄金でかざった笛。②舌の別名。

【金△蘭】キンラン 非常に親しい交わりのたとえ。金のように固く、蘭ランのようにかんばしい交友というところからいう。「金蘭之契キンランのちぎり」「金蘭之交キンランのまじわ(は)り」

【金△襴】キンラン 国織物の名。錦にしきの類いで、繻子シュスの地に平金糸を織り、絹糸で模様を表したもの。「金襴緞子ドンス」

【金△鑾】キンラン ①翰林カンリン学士をいう。↓金鑾殿。②黄金の鈴。③白居易の長女の名。

【金△鑾殿】キンランデン ①唐代の宮殿の名。②翰林院カンリンインの美称。唐の粛宗以後、金鑾殿の西に置いたのでいう。↓翰林②(二一六〇ジー下)。

【金竜(龍)】キンリュウ 国①江戸時代、浅草の待乳まっち山の別名。②東京都台東区にある浅草寺センソウジの山号。

【金陵】キンリョウ 地名。今の江蘇コウソ省南京市の古名。六朝リクチョウ時代、東晋トウシン・宋ソウ・斉・梁リョウ・陳の都となった。建康・建業とも呼ばれた。⇩コラム 南京(三一六ジー)。

【金輪】一キンリン 黄金のかざりをつけた車輪。美しい車。二コンリン 仏①世界の地層は下から、風輪・水輪・金輪と分けられ、金輪が大地であるという。②金輪王(金輪聖王)の略。

【金輪王】コンリンオウ 仏「金輪聖王」の略。四輪王の一つ。四州を統治する帝王。

【金輪際】コンリンザイ ①仏大地の金輪と水輪の接する所で、大地の最下底。②国ア物事の限度。底の底までどこまでも。イ断じて。

【金△縷】キンル 金色の糸。黄金でかざった糸。

【金△蓮】キンレン ①黄金で造ったはすの花。②女性の美しい小さい足。纏足テンソクの美称。③水草の名。

【金△蓮歩】キンレンポ 美人のしなやかな歩み。南斉の東昏侯トウコンコウが、お気に入りの潘妃ハンピの歩く道に黄金製のはすの花をおいてその上を歩かせた故事による。〔南史、斉東昏侯紀〕

【△攫レ金者不レ見レ人】キンをつかむものはひとをみず 欲のためには何事もかえりみないことのたとえ。〔列子、説符〕

【断レ金】キンをたつ ＝断金(六三七ジー上)。

1 【釔】 9画 12463 イツ yǐ ― ― 6705

字義 現代中国語で、化学元素の名。イットリウム。

解字 形声。金＋乙音。

1 【釓】 9画 12464 一キュウ(キウ) qiū 二ガ gá ― ― 6704

字義 一釚(12465)と同字。二現代中国語で、化学元素の名。ガドリニウム。

2 【釚】 10画 12465 漢キュウ(キウ) 呉グ 囚 qiū 29046 EE9E 6708

字義 ❶いしゆみ(弩ド)のはじき(弾はじく仕掛け)。❷のみ(鏨サク)。

解字 形声。金＋九音。

2 【釛】 10画 12466 漢コク 呉ゴク 職 bā 7862 E7DC ―

字義 こがね。金。

解字 形声。金＋劾省音。

2 【釗】 10画 12467 ショウ(セウ) 蕭 zhāo 19292 EE9F 6706

字義 ❶けずーるけずる。❷あきらか(昭)。あらわれる。❸つとめる(勉)。つとめはげむ。

解字 形声。金＋リ(刀)音。刃物でけずるの意味を表す。

2 【針】 10画 12468 教6 シン はり シン 侵 zhēn 3143 906A ―

筆順 ノ 𠆢 ⺈ 牟 牟 余 金 金 金 針

字義 はり。㋐ぬい針。㋑医療用の針。㋒針のように先のとがったもの。「針葉樹」㋓とげ。

名前 じん・はり　難読 針魚(さより)・針孔(みぞ・めど)

参考 ①字義㋑の熟語は〔鍼〕(12765)をも見よ。②現代表記では〔鍼〕(12765)の書きかえに用いることがある。「鍼術→針術」

解字 形声。金＋十㊟。十は針の原字。

逆 指針・磁針

【針△灸】シンキュウ ＝鍼灸(シンキュウ)〔一四〇ジ下〕。

【針術】シンジュツ 医療用の針を用いて病気を治療する方法。鍼術。

【針女】シンジョ 衣類をぬう女性。

【針小棒大】シンショウボウダイ 国 針ほどの小さいことを棒ほどに大きくいうこと。おおげさに言うことのたとえ。

【針線】シンセン ぬい針とぬい糸。転じて、ぬいもの。裁縫。

【針葉樹】シンヨウジュ 葉が針のように細長い種類の樹木。松・杉の類い。

【針路】シンロ ①磁石の針の示す方向。船や飛行機の進む道。②むき。方向。また、進むべき道。

2 【釞】10画 12469 チュウ(チフ) 緝 zhí — EEA0 6709

字義 ❶鋤(すき)。鉄製の農具。❷鋭い。

解字 会意。金＋入。土中に入れこむ鋤(すき)の意味を表す。

2 【釘】10画 12470 人 標 ㊀漢テイ 呉チョウ(チャウ) 青 dīng ㊁漢テイ 呉チョウ(チャウ) 径 dìng 3703 9342 —

筆順 ノ 𠆢 ⺈ 牟 牟 余 金 金 釘 釘

字義 ㊀くぎ。「金釘」㊁❶こがね(黄金)。❷くぎ打つ。くぎを打ちつける。「装釘」

参考 現代表記では〔丁〕(7)に書きかえることがある。「装釘→装丁」

解字 篆文 形声。金＋丁㊟。音符の丁は、釘(くぎ)の象形。のち、金を加えて「くぎ」の意味を表す。

2 【釖】10画 12471 トウ 刀(868)と同字。→一七三ジ中。 7859 E7D9 —

2 【釙】10画 12472 ハク 覚 pò, ②pō — — 6707

字義 ❶あらがね。掘り出したままの鉱石。❷現代中国語で、化学元素の名。ポロニウム。

解字 形声。金＋卜㊟。

2 【釟】10画 12473 漢ハツ 呉ヘチ 黠 bā 7860 E7DA —

字義 ふく。金属を溶かして物を作る。

解字 形声。金＋八㊟。

2 【釜】10画 12474 常 かま 漢フ・呉ブ 麌 fǔ 1988 8A98 —

筆順 ノ ハ ク 父 䒑 斧 斧 斧 釜 釜

【釡】12475 同字　【鬴】13934 同字

字義 ❶かま。煮たきに使う金属製の台所用具。❷量の単位。六斗四升。六十四掬(キク)(一掬は周代の一升で約〇・二リットル)。また、ます。六斗四升の量器。

解字 金文 篆文 別体 形声。金＋父㊟。もと、鬴の別体。

【釜△鬵】フジン かまと、大がま。

【釜△甑】フソウ かまと、こしき。共に炊事用具。

【釜△竈】フソウ かまと、かまど。

【釜中魚】フチュウのうお(を) かまの中で今にも煮られようとしている魚。死が目の前にせまっている境遇にあるたとえ。釜魚。

【釜中生レ魚】フチュウうお(を)をショウず 非常に貧しいたとえ。貧しくて飯をたかないので釜の中に魚がわいたという後漢の范冉(ハンゼン)の故事による。〔後漢書、范冉伝〕

【釜△庾】フユ ①わずかの量。②少しのもみ米。▼釜は六斗四升、庾は十六斗。→字義❷。

【破レ釜沈レ船】かまをやぶりふねをしずむ 炊事用の釜をこわし、渡河に使った船を沈める。決死の覚悟で戦うこと。〔史記、項羽本紀〕

2 【釡】10画 12475 フ 釜(12474)と同字。→一四六三ジ中。 7861 E7DB —

3 【釪】11画 12476 ㊀漢ウ 虞 yú ㊁漢カ(クワ)・呉ゲ 麻 huā — — 6713

字義 ㊀両刃(もろは)の鋤(すき)。㊁❶錞釪(ジュンウ)は、楽器の名。鼓に和して奏する。❷鉢釪(ハツウ)は、はち。仏家の食器。

解字 形声。金＋于(亐)㊟。

3 【釬】11画 12477 ㊀漢カン・呉ガン 翰 hàn ㊁カン 寒 29049 — 6714

【銲】12639 同字

字義 ㊀❶こて。こてあて。両腕をおおうよろいの付属品。❷ゆごて。弓の両端の弦をかけるもの。❸はんだ。錫(すず)と鉛の合金で金属と金属を接着するのに使うもの。㊁❶うつわ。かなもの(金物)。❷きびしい。せわしい。また、急ぐ。

解字 篆文 形声。金＋干㊟。音符の干は、防ぐの意味。ひじを敵の攻撃から守る防具。こての意味を表す。

3 【釼】11画 12478 ケン 剣(945)の俗字。→一八四ジ下。 7863 E7DD —

参考 〔剣(劍)〕の俗字として、日本で多く姓氏に用いられる。

3 【釭】11画 12479 ㊀漢コウ(カウ) 江 gāng ㊁漢コウ・呉クウ 東 gōng 19302 EEA1 6715

字義 ㊀❶かりも。かも。車のこしきの中にあって、すりへるのを防ぐ中空の鉄管。❷ひともし。行灯(アンドン)などの油ざら。また、ともしび。㊁❶よこぎ。渡し木。＝横(5727)。❷やじり。矢の根。

解字 形声。金＋工㊟。

3 【釦】11画 12480 漢コウ 呉ク 有 宥 kòu 4353 9674 —

字義 ❶金銀などで器物の口やへりなどをかざる。また、玉をちりばめかざる。❷わめく。さわぐ。国ボタン。当て字。

解字 篆文 形声。金＋口㊟。音符の口は、くちの意味。金属製の器物の口飾りの意味を表す。

3 【釵】11画 12481 ㊀漢サイ・呉サイ 佳 chāi ㊁漢サ・呉シャ 麻 7864 E7DE —

字義 ㊀かんざし。二本足のかみかざり。「金釵」

解字 篆文 形声。金＋叉㊟。音符の叉(サ)は、ふたまたの意味。ふたまたのかんざしの意味を表す。

【釵股】サイコ かんざしのまた。

3 【釤】11画 12482 漢サン 呉セン 陥 shàn 19294 EEA3 6710

字義 ❶おおがま。大きな鎌(かま)。❷大きなかんな。❸するどい(鋭)。「釤利」

解字 形声。金＋彡㊟。

3 【釲】11画 12483 漢シ 呉ジ 紙 sì

字義 ❶あらかね。❷金。

3 【釰】11画 12484 ㊀漢ジツ・呉ニチ 質 rì ㊁ケン 陥 jiàn — — 6718

字義 ㊀鈍い。㊁剣(945)と同字。

解字 形声。金＋刃㊟。

3 【釶】11画 12485 漢シャ 呉ジャ 麻 shī 7865 E7DF —

字義 ほこ。短いほこ。＝鉈(12552)。
解字 形声。金＋也㊟。

3 【釹】11画 12486 ジョ(ヂョ) nǚ ― ― 6721
字義 現代中国語で、化学元素の名。ネオジウム。
解字 形声。金＋女㊟。

3 【釥】11画 12487 ショウ(セウ) 簾 qiǎo 19301 EEA4 6711
字義 ❶質の良い金属。❷よい(好)。❸きよい(浄)。❹するどい。
解字 形声。金＋小㊟。

3 【釮】11画 12488 漢セイ 呉サイ 斉 qí 29050 EEA2 6716
字義 するどい。
解字 形声。金＋才㊟。

3 【釧】11画 12489 人 標 セン 霰 chuàn 2292 8BFA ―
筆順 ノ 𠆢 亼 今 全 金 金 釗 釧 釧
字義 うでわ。昔は、男女ともにかざりとしてつけた。国くしろ。ひじまき。たまき(手巻)。昔、腕にまいた輪形の装飾具。
名前 たまき 難読 釧路くしろ
解字 篆文 形声。金＋川㊟。音符の川は、めぐるの意味。腕などにめぐらす金属の輪の意味を表す。

3 【釣】11画 12490 常 チョウ つ-る 3664 92DE ―
3 〖釣〗11画 12491 チョウ(テウ) 嘯 diào
筆順 ノ 𠆢 亼 今 全 金 金 釗 釣 釣
字義 ❶つ-る。㋐つり針で魚をつる。㋑求める。㋒さそい出す。おびき出す。❷つ-り。魚つり。❸つり針。また、つり糸。国❶つ-り。つり銭。❷つ-る。上の物にかけてたれさげる。また、ひっかけて上にあげる。
名前 つり・つる 難読 釣瓶つるべ
解字 篆文 形声。金＋勺㊟。音符の勺シャクは、物をすくいあげたひしゃくの象形で、すくいあげるの意味。魚をつりあげる金属製の、つりばりの意味を表す。
逆 漁釣・垂釣
【釣舸】チョウカ つり舟。
【釣竿】チョウカン つりざお。
【釣戸】一 チョウコ 魚つりを職業とする人。二 つりど 国あげるとき、上へつりあげる戸。
【釣鉤】チョウコウ つり針。
【釣詩鉤】チョウシコウ 酒の別名。詩情をひきだすかぎの意。
【釣車】チョウシャ つりざおの糸巻き。
【釣叟】チョウソウ 魚をつる老人。釣翁チョウオウ。釣父。
【釣台(臺)】一 チョウダイ ①つりをする小高い所。②昔の人がつりをしたと伝えられる遺跡。㋐周の太公望の河北省南皮県の西。㋑荘子の河南省范ハン県の濮城ボクジョウ。㋒漢の韓信カンシンの江蘇コウソ省淮安ワイアン市の北。㋓漢の厳光の浙江セッコウ省桐廬トウロ県。二 つりダイ 国物品を載せてかついで運ぶ道具。
【釣艇】チョウテイ 釣り舟。▼艇は、小舟。
【釣篷】チョウホウ つり舟のとま。▼篷は、菅すげまたは茅かやなどで編んだ舟をおおうもの。
【釣名】チョウメイ・なをつる しいて名誉を求めようとすること。名を売ろうとすること。虚名を博する。

3 【釱】11画 12492 漢テイ 呉ダイ 霽 泰 dì 19303 ― 6719
字義 あしかせ。昔の刑罰の道具。足の自由をうばう鎖など。また、あしかせをする。
解字 形声。金＋大㊟。

3 【釷】11画 12493 ト tǔ ― ― 6720
字義 現代中国語で、化学元素の名。トリウム。
解字 形声。金＋土㊟。

3 【釩】11画 12494 一 漢ハン・呉ホン 願 fàn 二 ハン fán ― ― 6712
字義 一❶払う。❷杯さかずき。二現代中国語で、化学元素の名。バナジウム。国釻(12496)と同字。
解字 形声。金＋凡㊟。

3 【釯】11画 12495 ボウ 鋩(12628)の俗字。→一四七三ページ上。 ― ― 6717

3 【釻】11画 12496 国字 19293 ― 6722
字義 つく。㋐弓の弭ゆはず。弓の両端にある、弦つるをかけるところ。また、そこに付ける金属製あるいは角製の器具。一説に、つがえた矢がはずれないように、弓の握りの上に打ち付けた折釘おれくぎ状の金具。㋑担い棒の両端の縄をかける部分の突起物。

3 【釞】11画 12497 国字 29048 ― ―
解字 釚(12465)の変化した形。釚は、弩ド(弓の一種)の弦をかけて矢をはじく部分の装置。

3 【𨥁】11画 12498 国字 29047 ― ―
字義 もじきり。丁字型の柄のついたねじ込み錐きり。

4 【鈗】12画 12499 イン 軫 yǔn 29054 ― ―
字義 侍臣の持つ兵器。
解字 形声。金＋允㊟。

4 【鈝】12画 12500 イン 侵 yín ― ― 6739
字義 ❶鉄のきね。❷仏経典中の呪文ジュモンに用いられる。
解字 会意。金＋杵省。杵は、きねの意味。

4 【鈆】12画 12501 エン 鉛(12536)の俗字。→一四六六ページ中。 ― EEA5 6728

4 【鈥】12画 12502 カ(クヮ) huǒ ― ― 6742
字義 現代中国語で、化学元素の名。ホルミウム。
解字 形声。金＋火㊟。

4 【鈣】12画 12503 カイ gài ― ― 6740
字義 現代中国語で、化学元素の名。カルシウム。
解字 形声。金＋丐㊟。

4 【鈘】12画 12504 ギ 紙 jǐ ― ― 6737
字義 口が大きく、三本足の釜かま。また、米をとぐ器。
解字 形声。金＋支㊟。音符の支は、ささえの足の意味。

4 【欽】12画 (5964) キン 欠部。→七七九ページ下。

4 【鈞】12画 12505 キン 真 jūn 7866 E7E0 ―
字義 ❶目方の単位。三十斤。周代の一鈞は七・六八キログラム。❷おもり。目方を計るおもり。❸ひとしい(均)。ひとしくする。❹音調。❺ろくろ。円形の陶器を作る台。木製の円盤で下に軸があり、回転する。❻万物の造化の神である天。造物主。「大鈞」「洪鈞」❼尊敬の意を表す接頭語。日本語の御にあたる。❽政権。また、政治。
解字 金文 篆文 形声。金＋匀㊟。音符の匀キンは、ひとしいの意味。均質な金属の意味から、おもり・めかたの単位などの意味を表す。
【鈞衡】キンコウ ①人材をはかり選ぶ。銓衡センコウ。②首相・大臣をいう。鈞は均、衡は平で、大臣は政治の公平をはかるべきものであるからいう。また、公平な政治。

【鈞石】おもり。▼鈞は三十斤、石は四鈞。

【鈞天】①九天の一つ。天の中央で、天帝の都と考えた所。▼鈞は、平均する所で、中央を意味する。②①で奏する音楽。鈞天広楽。

【鈞天広(廣)楽(樂)】天上の音楽。また、きわめて美妙な音楽。鈞天楽。

【鈞陶】①ろくろを回して陶器を作ること。②人物を養成すること。

【△秉レ鈞】政権をとる。また、天下の政治を行う。

4 【釿】 12画 12506 ㊀㊎キン・㊊コン 文 jīn ㊁㊎ギン・㊊ゴン 真 | 7867 E7E1 —

字義 ㊀❶たちきる。おので切る。❷まさかり。また、ちょうな・かんなの類い。㊁器具のへり。また、器物の表面のでこぼこのうち、へこんだ部分。

解字 形声。金＋斤音。音符の斤は、こまかく刻むちょうなの象形。金を付し、ちょうなの意味を表す。

4 【鈌】 12画 12507 ㊎ケツ ㊊ケチ 屑 jué, ②③quē | — — 6732

字義 ❶刺す。❷欠く。欠ける。＝欠(5942)。❸列鈌は、㋐いなずま。㋑高い空。

解字 形声。金＋夬音。

4 【鈅】 12画 12508 ㊎ゲツ ㊊ガチ(グヮチ) 月 yuè

字義 武器の一種。

解字 形声。金＋月音。

4 【鈅】 12509 俗字

4 【鈅】 12画 12509 ゲツ 鈅(12508)の俗字。→一四六五ページ上。 | — — 6727

4 【鈐】 12画 12510 ㊎ケン ㊊ゲン 塩 qián | 19305 EEA6 6733

字義 ❶すき。からすき。農具の一種。❷くさび。車輪のとめがね。❸かぎ。じょう。「鈐鍵」❹しるし。印。また、印をおす。

解字 形声。金＋今音。

【鈐印】①印。また、わりいん。②印をおす。

【鈐鍵】①じょうまえ。かぎ。②主要な点。

【鈐制】①車にくさびをさして自由にとりあつかう。②自由に制御したり、支配したりすること。

【鈐△韜】武術・兵法をいう。

4 【鈎】 12画 12511 コウ 鉤(12544)の俗字。→一四六七ページ中。 | 1935 8A62 —

4 【鈜】 12画 12512 ㊎コウ(クヮウ) ㊊オウ(ワウ) 庚 hóng | — — 6738

字義 鐘の音。また、そのさま。

解字 形声。金＋厷音。

4 【鈤】 12画 12513 ジツ rì | — — 6741

字義 ❶現代中国語で、化学元素の名。ゲルマニウムの旧訳。❷現代中国語で、化学元素の名。ラジウムの旧訳。

解字 形声。金＋日音。

4 【鈔】 12画 12514 標 ㊎ソウ(サウ) ㊊ショウ(セウ) 肴 効 chāo | 7868 E7E2 —

字義 ❶とる(取)。かすめ取る。はさみ取る。＝抄(4064)。❷うつす(写)。写しとる。ぬき書きする。また、写し。ぬき書き。＝抄(4064)。❸さつ(札)。紙幣。また、政府が発行する証書・切手類。

解字 篆文 形声。金＋少音。音符の少は、すこしの意味。少しだけ刃物でかすめとるの意味を表す。

【鈔引】①宋代の紙幣。②ぬき書きする。また、ぬき書き。

【鈔写(寫)】書物などを写しとる。また、その写しとったもの。

【鈔本】同抄本。①ぬき書きした書物・書類。②国筆写した書物。写本。

【鈔略・鈔△掠】かすめとる。

4 【鈊】 12画 12515 ㊀シン 侵 xīn ㊁シン 沁 qìn | 29052 EEA7 6731

字義 ㊀金属の名。㊁するどい。

解字 形声。金＋心音。

4 【鈓】 12画 12516 ㊀㊎ジン・㊊ニン 侵 rén ㊁㊎ジン・㊊ニン 寝 rěn | — — 6735

字義 ㊀❶ぬれる。❷かがまる。❸弱い。㊁鍖鈓は、声のゆっくりしているさま。

解字 形声。金＋壬音。

4 【鈒】 12画 12517 ソウ(サフ) 合 sà | — — 6734

字義 ❶柄が短い矛。❷ちりばめる。象眼。

解字 形声。金＋及音。

4 【鈦】 12画 12518 タイ tài | — — 6743

字義 現代中国語で、化学元素の名。チタン。

解字 形声。金＋太音。

4 【鈬】 12画 12519 タク 鐸(12905)の俗字。→一四八八ページ上。 | 7869 E7E3 —

4 【鈕】 12画 12520 ㊀㊎ジュウ(ヂウ) ㊊ニュウ(ニウ) 有 niǔ ㊁㊎チュウ(チウ) ㊊チュ 有 chǒu | 7870 E7E4 —

字義 ㊀❶つまみ。印や器物に、手でつまめるようにつけたとって。印鈕。❷ボタン。㊁手かせ。

解字 篆文 形声。金＋丑音。音符の丑は、手指でひねるの意味。手指に力を入れてつまむ、印などのつまみの意味を表す。

4 【鈄】 12画 12521 ㊎トウ ㊊ズ(ヅ) 有 dǒu | — — 6726

字義 酒器の名。 難読 鈄屋

解字 形声。金＋斗音。

4 【鈉】 12画 12522 ㊀㊎ドウ(ダフ) ㊊ノウ(ナフ) 合 nà ㊁㊎ゼイ・㊊ネイ 霽 ruì | — — 6730

字義 ㊀❶鉄を打って鍛える。❷現代中国語で、化学元素の名。ナトリウム。㊁ほぞ。

解字 形声。金＋内音。

4 【鈍】 12画 12523 常 ドン にぶ-い・にぶ-る ㊎トン・㊊ドン 願 dùn | 3863 93DD —

筆順 丿 亼 牟 金 釒 釒 鈍

字義 ❶にぶ-い。にぶ。↔鋭(12635)。㋐なまくら。切れ味が悪い。「鈍刀」㋑のろ-い。のろ。おろか。才知の働きがのろい。のろま。「愚鈍」「遅鈍」❷にぶ-る。なま-る。にぶくなる。また、にぶらす。❸かたくな。がんこ。「頑鈍」 難読 鈍色・鈍色

解字 篆文 形声。金＋屯音。音符の屯は、頓に通じ、つまずくの意味。つまずくように、切れ味の悪い金属の意味から、にぶいの意味を表す。

逆 頑鈍・愚鈍・痴鈍・遅鈍・利鈍

【鈍化】にぶくなる。活発でなくなること。

【鈍感】感じ方のにぶいこと。才知の働きがのろいこと。↔敏感(六二四ページ上)。

【鈍漢】おろかな男性。才知の働きがのろい男性。▼漢は、男。

【鈍器】①切れ味のよくない刃物。鈍兵。②国人をたたくための、刃のついていない棒状の器具。

【鈍金】鋭利でない刃物。

【鈍根】①仏仏道修行のできない人。②にぶくておろかな性質。鈍質。↔利根(一七九ページ下)。

【鈍才】才知のにぶいこと(人)。反応がにぶい。機敏でない。

【鈍重】才知の働きがのろい人。愚鈍な人。

【鈍物】

【鈍兵】①兵士の士気がにぶること。②にぶくて弱い兵士。③鋭利でない武器。鈍器。

【鈍△敝・鈍弊】なまくらになる。だめになる。

【鈍利】にぶいことと、するどいこと。にぶいものと、するどいもの。

4 【鈀】12画 12524 ハ 麻 bā, ②pā, ③bǎ — — 6724
字義 ❶いくさぐるま。戦争に使う皮張りの車。兵車。また、ものみぐるま。敵状をさぐる物見車。候車。❷まぐわ。五つの歯があって、土をならしたり、ごみを除いたりする農具。＝耙(9590)。❸化学元素の名。パラジウム。
解字 形声。金＋巴㊥。

4 【鈑】12画 12525 ハン 潸 bǎn 慣バン 7871 E7E5 —
字義 いたがね。金属の延べ板。国 鈑金は、ブリキなどの金属の板を加工すること。また、その職業。難読 鈑戸
解字 形声。金＋反㊥。音符の反は、板に通じ、いたの意味。いたがねの意味を表す。

4 【鈇】12画 12526 ㊀フ 虞 fū ㊁フ 麌 fǔ 9304 — 6729
字義 ㊀❶おの。まさかり。大きなおの。↔斧(4596)。❷まぐさきり。まぐさを切る刃物。

解字 篆文 鈇 形声。金＋夫㊥。音符の夫は、斧に通じ、おのの意味。金を付し、おのの意味を表す。

【鈇△鉞】おのと、まさかり。ともに刑罰の道具。

【賜二鈇△鉞一】①(天子から)鈇鉞をいただく。②諸侯、または将軍が、生殺の権を与えられること。

【鈇質・鈇△鑕】おのと、人を斬るときの台。刑罰の道具。また、その刑罰。

4 【鈖】12画 12527 フン 文 fēn 29053 — 6736
字義 玉の名。
解字 形声。金＋分㊥。

4 【鈲】12画 12528 漢ヘキ 呉ヒャク 錫 pī — — 6723
字義 ❶さく(裂)。たつ(裁)。また、切る。けずる。❷やぶる(破)。やぶれる。国 かながき(金搔)。くしろ。農具の名。
解字 篆文 鈲 形声。金＋爪(𠂢)㊥。音符の𠂢は、水のながれがわかれるの意味。𠂢は爪に変形した。刃物で離すの意味を表す。

4 【鈁】12画 12529 漢ホウ(ハウ) 呉ボウ(バウ) 陽 fāng 29051 — 6725
字義 ❶四角い酒つぼ。❷かなえの類い。❸かね(鐘)。❹化学元素の名。フランシウム。
解字 形声。金＋方㊥。

4 【鈩】12画 12530 ロ 鑪(12938)の俗字。→一四八九ページ下。

4 【鈩】12画 12531 ロ 鑪(12938)の俗字。→一四八九ページ下。 7947 E86E —

4 【鈨】12画 12532 国字 — — 6744
字義 はばき。はばきがね。刀などのつばの上下にはめて刀身の抜けないようにする金具。鎺。
解字 会意。金＋元。元は、鍔元の意味。鍔元で刀身を固定する、はばきの意味を表す。

5 【鈳】13画 12533 ㊀ア 歌 kē ㊁カ kē 29056 — 6748
字義 ㊀鈳鎼は、小さい釜。㊁化学元素の名。ニオビウムの旧訳。現在は、鈮と訳す。
解字 形声。金＋可㊥。

5 【鈶】13画 12534 イ yǐ — — 6777
字義 現代中国語で、化学元素の名。イリニウム。
解字 形声。金＋以㊥。

5 【鉞】13画 12535 漢エツ(ヱツ) 呉オチ(ヲチ) 月 yuè 7872 E7E6 —
字義 まさかり。おおきなおの。征討のとき、天子が将軍にさずけるおの。「鈇鉞」
解字 篆文 鉞 形声。金＋戉㊥。音符の戉は、まさかりの意味。

鉞

5 【鉛】13画 12536 常 エン なまり エン 先 qiān 1784 8994 —
筆順 ノ 𠆢 𠂉 今 ⺼ 金 金 鈆 鈆 鉛 鉛
【鈆】12501 俗字
字義 ❶なまり。金属の一種。金属元素の名。灰白色で柔らかく、火に溶けやすい。❷おしろい。なまりからとった顔料。難読 鉛山
解字 篆文 鉛 形声。金＋㕣㊥。音符の㕣は、穿に通じ、うがつの意味。やわらかくてうがちやすい金属、なまりの意味を表す。
逆 黒鉛・丹鉛
【鉛華】①おしろい。②化粧したはなやかな顔。
【鉛△槧】鉛は、文字を書いたり、ぬって消したりする胡粉。槧は、昔、紙の代用にした木の札。転じて、筆紙、または、文筆。
【鉛△黛】①おしろいと、まゆずみ。②化粧。
【鉛刀】①なまくら刀。②無用の物のたとえ。
【鉛刀一割】①鉛刀でも物がたちきれる意から、自分の微力を謙遜していう語。②二度と役に立たないたとえ。③けがの功名。
【鉛鈍】鉛刀のように才知のにぶいこと。
【鉛白】おしろい。
【鉛版】組みあげた活字を紙型にとり、鉛・すず・アンチモンの合金を溶かしこんで造った印刷版。ステロタイプ。
【鉛粉】①おしろい。鉛華。②ごふん。書画をかくのに使う白い顔料。

5 【鉅】13画 12537 漢キョ 呉ゴ 語 jù 7874 E7E8 —
字義 ❶かたい。非常にかたい。また、かたい鉄。❷おおきい。＝巨(1115)。❸たっとい。偉大な。尊貴な人につける敬称。「鉅卿」❹かぎ。また、つり針。❺なんぞ。いずくんぞ。疑問・反語の意を表す。＝詎(11144)。❻にわか。にわかに。＝遽(12233)。

解字 篆文 鉅 形声。金＋巨㊥。音符の巨は、大きいの意味。大きな金属、かたいの意味を表す。

【鉅偉】すぐれて大きいこと。

【鉅橋】殷の紂王の米倉の名。周の武王が紂王をほろぼしたとき、その倉の穀物を人民にほどこしたという。

【鉅△卿】①尊い身分の人。また、りっぱな人。②人を尊んでいう二人称の代名詞。

【鉅公】①＝鉅卿。②その道にすぐれている人。また、すぐれていて名高い人。③天子をいう。

【鉅儒】すぐれた学者。碩儒。

【鉅万(萬)】非常に多いこと。巨万。

【鉅鹿】地名。戦国時代の趙の都市。秦末に項羽が秦の軍を破った所。今の河北省巨鹿県。

5 【鈺】13画 12538 漢ギョク 呉ゴク 沃 yù 19308 EEA8 6753
字義 ❶宝。❷硬い金属。
解字 形声。金＋玉㊥。

5【鉗】13画 12539 ㊀㊉ケン・㊇ゲン 塩 qián ㊁ガン 覃 ān 標 ㊃カン 7873 E7E7 —

字義 ㊀＝箝(8773)。❶くびかせ。㋐罪人の首にはめて自由を奪う刑具。㋑猛獣をつなぐための金輪。❷はさむ。また、かなばさみ。物をはさみとる鉄製の道具。❸つぐむ。口をとじる。❹ふさぐ。おさえつける。㊁やいば(刃)。

解字 篆文 形声。金＋甘㊥。音符の甘は、口に物をはさむさまを示す。罪人の首をはさむ、くびかせの意味を表す。

【鉗忌】ケンキ 鉗(かなばさみ)ではさみとるように、勢力をたのんで他人をおさえつけ害すること。

【鉗口】カンコウ 口をとじて物をいわないこと。箝口(カンコウ)。

【鉗△梏】ケンコク ①首かせと手かせ。②刑罰。また、束縛すること。

【鉗子】㊀ケンシ ①首かせをはめられた罪人。鉗徒。鉗奴。②くぎぬき。また、けぬき。㊁カンシ 国医師が手術に使う、はさみ状の、物をはさむ器具。

【鉗制】ケンセイ 力で他人をおさえつけ、自由にさせないこと。箝制(ケンセイ)。

【鉗徒】ケント 首かせをはめられた罪人。鉗子。鉗奴。

5【鉉】13画 12540 ㊀㊉ケン・㊇ゲン 銑 xuàn ㊁㊉ケン・㊇ゲン 先 7875 E7E9 —

字義 ㊀つる。鼎(かなえ)などのつる。とって。㊁ゆみづる。弓のつる。＝弦(3314)。

解字 篆文 形声。金＋玄㊥。音符の玄は、弦に通じ、つるの意味。かなえ(鼎)に耳のようについているつるの意味を表す。

【鉉席】ゲンセキ 鉉台。三公の地位。また、三公。鼎(かなえ)の三足を三公にたとえる。

5【鈷】13画 12541 コ 虞 gū 2458 8CD8 —

字義 ❶鈷鉧(コボ)は、㋐ひのし(熨斗)。㋑湖南省永州市の潭(ちょう)の名。その形がひのしに似ているのでいう。❷仏インドの護身用の兵器。のち、煩悩(ボンノウ)を打破する仏具の一つ。「三鈷」❸化学元素の名。コバルト。

鈷②

解字 形声。金＋古㊥。

5【鉱】13画 12542 教5 コウ 2559 8D7A —

15【鑛】23画 12543 コウ(クヮウ) 梗 kuàng(gǒng) 7942 E869 —

筆順 ノ 𠆢 亼 全 金 金 金亠 金广 鉱 鉱

字義 ❶あらがね。鉱石。＝礦(8308)。❷鉱山。「金鉱」

名前 かね・こう

参考 現在表記では〔礦〕(8308)の書きかえに用いる。「炭礦→炭鉱」「礦石→鉱石」

解字 形声。金＋広(廣)㊥。

逆 炭鉱

【鉱床】コウショウ 鉱石をふくんでいる一帯の地域。

【鉱石】コウセキ 有用な金属を含む岩石。礦石(コウセキ)。

【鉱泉】コウセン 鉱物質をふくむいずみ。温泉と冷泉とがある。

【鉱脈】コウミャク 鉱石が地中に連なりうまっている所。

5【鉤】13画 12544 ㊀㊉コウ・㊇ク 尤 gōu ㊁㊉コウ・㊇ク 宥 gòu 標 7876 E7EA —

［鈎］12511 俗字

字義 ㊀❶かぎ。㋐先のまがった、物をかけるのに用いる器具の総称。㋑帯留(おびどめ)。バンドの金具。㋒つり針。❷かま(鎌)。また、えだぼこ。かぎのてに刃のついているほこ。❸ぶんまわし。コンパス。❹かける。ひっかける。㋐かぎでひっかける。㋑ひきよせる。❺いたす。㋐ひきだす。さぐり出す。かくれた事実を明るみに出す。㋑さそい出す。おびきよせる。❻まがる。かがむ。また、まげる。かがめる。＝句(1307)。❼めぐる。まつわる。❽とどまる。とどめる。＝拘(4101)。❾動く。動かす。㊁かぎばしご。かけはしご。

解字 篆文 形声。金＋句㊥。音符の句は、曲がったかぎの象形。金属製のかぎの意味を表す。

【鉤援】コウエン 城を攻めるとき使うはしご。かぎばしご。

【鉤距】コウキョ ①鉤(かぎ)で引き出す意で、人の心情や内情をたくみにさぐり出すこと。▼距は、致で、引きよせること。②人をひっかけてたくみにその心情や内情をさぐり出し、その人の進退を困らせること。距(つり針の先端の逆方向にとがっている部分)のあるつり針は、のみこみやすいが、吐き出すことがむずかしいことに基づく。

【鉤曲】コウキョク ①つり針のように曲がること。②心の曲がっているたとえ。

【鉤△矩】コウク コンパスと、さしがね(曲尺)。転じて、法則。規矩。

【鉤玄】コウゲン 深い意味や道理をひき出し、さとること。

【鉤校】コウコウ さがしだして調べること。

【鉤索】コウサク ①さがし求めてひき出すこと。②金属のかぎ。鉄鉤索。

【鉤止】コウシ おさえとめる。抑留。

【鉤縄(繩)】コウジョウ コンパスと、すみなわ(直線を引く道具)。

【鉤△摭】コウセキ ひき出す。とりあげてよく調べること。

【鉤△梯】コウテイ ①かぎばしご。②高いかけはし。雲梯。

【鉤党(黨)】コウトウ たがいにひきあって仲間や党派を作ること。また、その仲間。

【鉤用】コウヨウ とりあげて用いる。

【鉤連】コウレン ひきつらなる。つらなり続く。

【窃(竊)レ鉤者△誅】コウをぬすむものはチュウせらる 帯留(おびどめ)を盗むものは殺される(が国をぬすむ者は大名となる)。小盗はかえって厳罰に処される意。〔荘子、胠篋〕

5【鉀】13画 12545 ㊉コウ(カフ) ㊇キョウ(ケフ) 洽 jiǎ 9310 EEA9 6756

字義 ❶よろい。＝甲(7602)。❷化学元素の名。カリウム。

解字 形声。金＋甲㊥。

5【鈼】13画 12546 ㊉サク ㊇ザク 薬 zuó 9309 EEAA 6754

字義 ❶かま(釜ッ)。❷こしき。米などを蒸す道具。

解字 形声。金＋乍㊥。

5【鉃】13画 12547 ㊀㊉シ・㊇ジ 紙 shǐ ㊁ソク 屋 zú 9311 — 6758

字義 ㊀やじり。㊁するどい。国鉄(12565)の俗字。

解字 形声。金＋矢㊥。

5【鉂】13画 12548 シ 紙 shǐ 29057 — 6757

字義 ❶かなわ。金属性の輪。❷さす(刺)。

解字 形声。金＋史㊥。

5【鈶】13画 12549 ㊀㊉シ・㊇ジ 紙 sì ㊁㊉シ・㊇ジ 支 cí ㊂タイ tāi — — 6750

字義 ㊀❶矛(ほこ)。❷鋤(すき)の先。㊁柄(え)。㊂現代中国語で、化学元素の名。タリウムの旧訳。

解字 形声。金＋台㊥。音符の台(イ)は、鋤(すき)の意味。

5【鈰】13画 12550 ㊉シ ㊇ジ 紙 shì — — 6747

字義 ❶剣の名。❷現代中国語で、化学元素の名。セリウム。

解字 形声。金＋市㊥。

5【鉰】13画 12551 シ sī — — 6778

字義 現代中国語で、化学元素の名。スカンジウム。

解字 形声。金＋司㊥。

5【鉈】13画 12552 一漢シャ・呉ジャ 麻 shī 二タ tā 7877 E7EB —
［鉇］12553 同字
字義 一ほこ(矛ボウ)。短い矛。二化学元素の一つ。タリウム。国なた。薪たきぎなどを割るのに使う刃物。
解字 形声。金+它音。

5【鉇】13画 12553 シャ 鉈(12552)と同字。→一四六八ジベー上。 2 9058 — 6760

5【鉥】13画 12554 漢シュツ 呉ジュチ 質 shù 2 9066 — 6772
字義 ❶はり。長い針。❷みちびく。
解字 形声。金+朮音。

5【鉊】13画 12555 ショウ(セウ) 蕭 zhāo 2 9059 — 6761
字義 かま(鎌)。大きな鎌。
解字 形声。金+召音。

5【鉩】13画 12556 ジョウ 鑈(12918)の俗字。→一四八〇ジベー下。 — — 6775

5【鉮】13画 12557 シン shēn ②shēn — — 6776
字義 ❶現代中国語で、化学化合物の名。アーソニウム。❷現代中国で、化学元素の名。砒素ヒソの旧訳。
解字 形声。金+申音。

5【鉦】13画 12558 標 漢セイ 呉ショウ(シャウ) 庚 zhēng 3064 8FDE —
字義 ❶かね。どら。軍隊で用いる楽器の一種。❷鐘の中央の部分。❸ふせがね。たたきがね。伏せておいてたたきならす仏具。

鉦①

解字 金文 篆文 形声。金+正音。音符の正は、鐘やどらの音の擬声語。金属製のかねの意味を表す。
【鉦鼓】一ショウ・コ ショウ・ゴ セイ・コ どらと鼓。▼鉦は休戦・退却の合図に、鼓は進軍の合図に用いる。二ショウ・コ セイ・コ 兵事・軍事をいう。国ショウ・ゴ 雅楽や念仏に用いる楽器。皿さらに似たかねで、つるしてたたく。

5【鉎】13画 12559 漢セイ 呉ショウ(シャウ) 青 庚 shēng 2 9060 EEAB 6763
字義 さび。鉄さび。
解字 形声。金+生音。

5【鉐】13画 12560 漢セキ 呉ジャク 陌 shí 7881 E7EF —
字義 鍮鉐チュウセキは、しんちゅう(真鍮)。
解字 形声。金+石音。

5【鉏】13画 12561 一漢ソ・呉ジョ 魚 chú 二漢ソ・呉ジョ 語 jǔ 慣ショ 1 9312 — 6764
字義 一=鋤(12653)。❶すき。くわ。たがやしたり除草したりするのに用いる農具。❷すく。たがやす。二 鉏鋙ゴは、くいちがう。また、くいちがい。
解字 篆文 形声。金+且音。音符の且ショは、積み重ねるの意味。土を積み重ねるように耕す、すきの意味を表す。
【鉏耘】ジョウン・ソウン ①すきでくさぎる。鋤耘ジョウン。②悪人を除くこと。誅除チュウジョ。

5【鉙】13画 12562 タイ 蟹 zhǎi 2 9063 EEAC 6767
字義 こがね。金。 難読 鉙原かんばら
解字 会意。金+只。

5【鉨】13画 12563 漢デイ 呉ナイ 薺 nǐ ②nī 2 9068 — 6774
［鈮］12564 同字
字義 ❶糸巻きの柄え。❷化学元素の名。ニオビウム。
解字 形声。金+尔音。

5【鈮】13画 12564 デイ 鉨(12563)と同字。→一四六八ジベー中。 — — 6745

5【鉄】13画 12565 教3 テツ 一漢テツ・呉テチ 屑 tiě 3720 9353 —
13［鐵］21画 12566 二漢テツ・呉デチ 屑 diē 7936 E863 —
筆順 ノ 𠆢 亼 今 全 金 金 釒 鉄 鉄
［銕］12622 古字 ［鐡］12889 俗字
字義 一❶くろがね。金属元素の一つ。また、てつ色。❷武器。刃物。「寸鉄」❸かね。かなもの(金物)。❹他の語の上につけて、堅い・強い・正しいなどの意を表す。「鉄則」二はがね。
名前 かね・きみ・てつ・てつし・とし・まがね 難読 鉄山かなやま・鉄師かねち・鉄床かなとこ・鉄蕉そてつ・鉄漿おはぐろ・鉄刀木たがやさん・鉄木真テムジン・鉄葉ぶりき
解字 篆文 古文 形声。もと、金+𢧜音。音符の𢧜テツは、大きなほこの意味。大きなほこの材料となるくろがねの意味を表す。常用漢字の鉄は古字の銕が俗に用いられたもの。

逆 金鉄・鋼鉄・砂鉄・寸鉄
【鉄案】テツアン ①鉄製のつくえ。②しっかりとした意見。
【鉄衣】テツイ ①よろい。鉄甲。②鉄のさび。
【鉄火】テツカ ①やきがね。鉄を火で焼いたもの。②刀剣と鉄砲。③弾丸発射の火。銃火。④国㋐気性ショウが強悪無残なこと。気性のはげしいこと。㋑侠気キョウのあること。㋒すし屋で、まぐろの赤身をいう。
【鉄鑊】テッカク 足のない、鉄の大きなかなえ。
【鉄騎】テッキ 武装した(精鋭の)騎兵・軍馬。用例(唐、白居易、琵琶行)銀瓶乍破水漿迸ギンペイたちまちやぶれてスイショウほとばしり、鉄騎突出刀鎗鳴テッキトッシュツしてトウソウなる ↓(琵琶ビワの演奏は、)銀のかめがパッと割れて水が噴き出すように聞こえ、武装した騎馬兵が突然とび出てきて刀や槍やりが鳴るように聞こえた。
【鉄血】テッケツ 国①鉄と血。武器や弾丸と兵士の血。②武器・弾丸と兵士。転じて、軍備。兵力。③強い意志とさかんな情熱。
【鉄拳】テッケン 国堅いにぎりこぶし。げんこつ。
【鉄甲】テッコウ ①鉄製のよろい。②国鉄製のかぶと。
【鉄索】テッサク 鉄製の綱。鉄のくさり。
【鉄楯・鉄盾】テツジュン 鉄製のたて。
【鉄漿】テッショウ 国かね。おはぐろ。歯を黒くそめるのに使った液体。上代、上流の女性が用いていたが、平安時代後期には公家クゲなど男性も用いた。江戸時代には、既婚の女性がすべて行った。
【鉄心石腸】テッシンセキチョウ 意志の強いことのたとえ。鉄石のように堅固な精神。鉄石心腸。
【鉄石】テッセキ ①鉄と石。②鉄をふくむ鉱石。③心が鉄石のようである。意志が堅くて変わらないたとえ。鉄心石腸。
【鉄石心】テッセキシン 鉄石のように堅く変わらない心。
【鉄石心腸】テッセキシンチョウ =鉄心石腸。
【鉄窓】テッソウ ①鉄格子ゴウシの窓。②ろうや。獄窓。
【鉄則】テッソク 動かすことのできない規則。
【鉄中錚錚】テッチュウのソウソウ ①多くの鉄の中で、よい音のするもの。②凡人の中で少しすぐれたもののたとえ。〔後漢書、劉盆子伝〕
【鉄椎】テッツイ 鉄製のつち。ハンマー。鉄槌テッツイ・鉄鎚テッツイ。
【鉄蹄】テッテイ ①馬のひづめにうちつける鉄。かなぐつ。蹄鉄。②強いひづめ。名馬のひづめ。また、名馬の足。
【鉄搭】テットウ 鉄のくまで(熊手)。武器の一種。▼搭は、ひっかける。
【鉄馬】テツバ ①武装した馬。②風鈴の別名。
【鉄鉢】テッパツ・テッパチ ①鉄製の僧の食器。②国かぶとの下にかぶるはち。

【鉄壁】テッペキ ①鉄製の城壁。堅固な城。②非常に堅固なことのたとえ。

【鉄面】テツメン ①鉄製の面。鉄の仮面。②公平剛直で、権勢をおそれない人をほめていう語。③あつかましいこと。鉄面皮。恥知らず。

【鉄葉】テツヨウ ①うすい鉄片。②国ブリキ板。

【鉄驪】テツリ 毛が青黒色の馬。黒こま。

【鉄連銭(銭)】テツレンセン 黒い銭形のまだらのある馬。

【鉄牢】テツロウ ①鉄製のろうや。②堅固なかこい。

5 【鉆】13画 12567 一 漢テン 塩 chān 二 漢ケン 呉ゲン 塩 qián — — 6759

字義 一 はさみ。二 ❶挟み持つ。❷蝶番ちょうがい。❸首かせ。

解字 形声。金＋占音。

5 【鈿】13画 12568 一 漢テン・呉デン 先 tián 二 漢テン・呉デン 霰 diàn 7879 E7ED —

字義 一 ❶かんざし。造花のかんざし。「花鈿」❷黄金のかざり。女性がひたいのかざりに用いた。❸貝かざり。青貝摺あおがいずり(器物などに青貝をはめこんだもの)。また、青貝細工。

解字 篆文 鈿 形声。金＋田音。音符の田は、区切られた耕地の意味。金や青貝などで模様をはめこみ区切るかざりの意味を表す。

【鈿瓔】デンエイ 青貝細工の首かざり。

【鈿合・鈿盒】デンゴウ 青貝細工または青貝摺りの香箱。用例 〔唐、白居易、長恨歌〕唯将旧物表深情ただキュウブツをもってシンジョウをあらわし、鈿合金釵寄将去デンゴウキンサイよせもちさらしむ ↓せめては思い出の品によって私の深い気持ちを表したいので、螺鈿デンラの箱と金のかんざしをお持ちください。

【鈿針】デンシン 黄金のかんざし。

【鈿頭】デントウ 黄金の飾り。また、青貝細工の飾り。

【鈿螺】デンラ 青貝細工。また、青貝摺り。螺鈿。

5 【鉖】13画 12569 漢トウ 呉ドウ 冬 tóng 2 9062 — —

字義 つりばり。

解字 形声。金＋冬音。

5 【鈯】13画 12570 漢トツ 呉ドチ 月 tū — — 6746

字義 ❶鈍い。❷小さい刃物。❸掘る。

解字 形声。金＋出音。

5 【鉑】13画 12571 漢ハク 呉バク 薬 bó 2 9061 EEAD 6765

字義 ❶ハク(箔)。金箔。❷化学元素の名。プラチナ。白金。

解字 形声。金＋白音。

5 【鉢】13画 12572 常 ハチ・ハツ 漢ハツ・呉ハチ 曷 bō 4013 94AB —

筆順 ノ 亼 今 全 金 金一 針 鉢 鉢

[盋] 7921 同字 [⿱夲皿] 7930 同字 [缽] 9412 俗字

字義 ❶深く大きい皿。❷仏僧侶りょの食器。梵語ぼん pātra の音訳。「衣鉢」国ハチ。㋐めしびつ。㋑植木鉢。また、鉢植えの木。盆栽。㋒頭のはち。頭蓋骨ずがいこつ。㋓兜かぶとの頭をおおう部分。

名前 ほ

解字 形声。金＋犮音。犮が誤って本となる。

逆 衣鉢・鉄鉢・乳鉢

5 【鈸】13画 12573 漢ハツ 呉バチ 曷 bó 1 9306 — 6751

字義 ❶すず(鈴)。❷銅鈸は、楽器の名。銅製皿型のもので、真中にひもをつけ、両手に一つずつ持って、あわせてならすもの。

5 【鉡】13画 12574 漢ハン 呉バン 旱 bǎn 2 9065 — 6771

字義 すきくわ。

解字 形声。金＋半音。

5 【鈹】13画 12575 ヒ 支 pī ④pí 1 9307 EEAE 6752

字義 ❶大きな針。❷つるぎ(剣)。もろはの小剣。❸ひらく(披)。❹化学元素の名。ベリリウム。軽合金に利用する。

解字 篆文 鈹 形声。金＋皮音。音符の皮は、破に通じ、やぶるの意味。おできをやぶるのに用いる大きな針の意味を表す。

5 【鉍】13画 12576 ヒ 質 bì — — 6762

字義 ❶矛ほこの柄え。❷現代中国語で、化学元素の名。ビスマス。

解字 形声。金＋必音。

5 【鉜】13画 12577 漢フウ 呉ブ 尤 fū — — 6768

字義 鉜鏂フウオウは、㋐鏡函かがみばこの飾り。㋑大きな釘くぎ。国ふさぐ。

解字 形声。金＋付音。

5 【鉘】13画 12578 漢フツ 呉フチ 物 fú — — 6766

字義 飾る。

解字 形声。金＋弗音。

5 【鈵】13画 12579 漢ヘイ 呉ヒョウ(ヒャウ) 敬 梗 bǐng — — 6749

字義 固い。

解字 形声。金＋丙音。

5 【鉧】13画 12580 漢ボ 呉モ 麌 mǔ 2 9067 EEAF 6773

字義 鈷鉧コボは、ひのし(熨斗)。国けら。粗製の鉄。

解字 形声。金＋母音。

5 【鉋】13画 12581 漢ホウ(ハウ) 呉ボウ(バウ) 効 肴 bào 7880 E7EE —

字義 かんな。木の面をたいらにけずる大工道具。

解字 形声。金＋包音。音符の包は、つつむの意味。刃をつつみこんだ、かんなの意味を表す。

5 【鈾】13画 12582 一 チュウ(チウ) 尤 zhòu 二 ユウ(イウ) 尤 yóu — — 6755

字義 一 宙(2623)の古字。二 現代中国語で、化学元素の名。ウラン。

5 【鉠】13画 12583 漢ヨウ(ヤウ) 呉オウ(アウ) 陽 yāng 2 9064 — 6770

字義 鈴の音。

解字 形声。金＋央音。

5 【鉚】13画 12584 漢リュウ(リウ) 呉ル 有 liǔ 7886 E7F4 —

[⿱丣金] 12585 俗字

字義 質のよい金属。

解字 形声。金＋卯(丣)音。

5 【⿱卯金】13画 12585 リュウ 2 9055 — —

鉚(12584)と同字。→一四六九ページ下。

5 【鉝】13画 12586 リュウ(リフ) 緝 lì — — 6769

字義 蘇鉝ソリュウは、昔、東南アジアで作られた食器。

解字 形声。金＋立音。

5 【鈴】13画 12587 常 レイ・リン すず 漢レイ・呉リョウ(リャウ) 唐リン 青 líng 4675 97E9 —

筆順 人 亼 今 㑹 金 金 鈴 鈴 鈴 鈴

字義 ❶すず。下部に裂け目のある空洞の球に小さな玉を入れ、振って音を出す楽器。❷鈴の鳴る音の形容。❸車の左右のおおい。国リン。㋐呼びりん。ベル。㋑鉢の形をした小形の仏具。

名前 かね・すず・りん・れい　難読 鈴鹿(すずか)

解字 金文 篆文 形声。金＋令音。音符の令は、冷に通じ、すずしいの意味。すずしい音のする、すずの意味を表す。

逆 駅鈴・振鈴・風鈴

【鈴閣】(レイカク) 軍の大将がいるところ。

【鈴語】(レイゴ) 風鈴の音。鈴声。

【鈴△鐸】(レイタク) すず。宮殿・楼閣などの軒のかどにかける。▼鈴は小さいすず、鐸は大きいすず。

【鈴鈴】(レイレイ) すずまたは物の鳴る音の形容。

5 **【鉦】** 13画 12588 国字

字義 むね。刀の背の部分。みね。

解字 会意。金＋丘。丘は、おかの意味。刀のみねの意味を表す。

6 **【銨】** 14画 12589 アン ǎn ― ― 6807

字義 ❶現代中国語で、化学化合物の名。アンモニウム。❷現代中国語で、化学元素の名。アンチモン。

解字 形声。金＋安音。

6 **【鉹】** 14画 12590 一シ 紙 chǐ 二イ 支 chǐ ― ― 6783

字義 一❶こしき。米などを蒸して炊く器。❷小刀。

解字 形声。金＋多音。

6 **【銥】** 14画 12591 イ yī ― ― 6805

字義 現代中国語で、化学元素の名。イリジウム。

解字 形声。金＋衣音。

6 **【銉】** 14画 12592 漢イツ 呉イチ 質 yù 29074 ― 6789

字義 はり(針)。

解字 形声。金＋聿音。

6 **【銳】** 14画 12593 エイ 鋭(12635)の俗字。→一四七三ページ中。

6 **【銙】** 14画 12594 漢カ(クヮ) 呉ケ 馬 kuǎ 29077 ― 6801

字義 帯の飾り金具。

解字 形声。金＋夸音。

6 **【鉻】** 14画 12595 一ラク 薬 luò 二漢カク・呉キャク 陌 gè ― ― 6784

字義 一剃る。髪を剃る。二❶鍵(かぎ)。❷＝一。❸化学元素の名。クロム。

解字 形声。金＋各音。

6 **【銜】** 14画 12596 漢カン・呉ゲン 慣ガン 咸 xián 7882 E7F0 ―
［啣］1754 同字 ［啣］1582 俗字 ［衘］3449 俗字

字義 ❶くつわ(轡)。くつばみ。馬の口にくわえさせて馬をあつかう具。「銜勒(カンロク)」❷ふくむ。㋐くわえる。口の中にくわえる。「銜枚(バイをふくむ)」㋑うけたまわる。㋒心に留める。ねにもつ。「銜怨(うらみをふくむ)」❸くらい(位)。官吏の位。待遇。

解字 篆文 会意。行＋金。馬を行かせるために馬の口にはさむ、くつわの意味を表す。

【銜△橛之変(變)】(カンケツのヘン) 馬があばれてくつわをはずすような変事(事故)。

【銜枚】(カンバイ) 同銜枚(バイをふくむ)。①口に枚(箸のような木)をくわえる。兵や馬にくわえさせて声をたてないようにする。夜の進軍に用いる。〔六韜、必出〕②口を閉じて語らない。

【銜尾相随(隨)】(カンビあい(ひ)したがう(ふ)) 牛馬などが連なり続いて行くこと。▼銜尾は、前のものの尾を後のものが口でくわえることで、前後のものが密接している意、一説に、銜は馬のくつわで、銜尾は後の馬のくつわと前の馬の尾であるという。〔漢書、匈奴伝〕

【銜△勒】(ガンロク) くつわ。くつばみ。▼勒も、くつわ。

6 **【鋏】** 14画 12597 キョウ 鋏(12643)の俗字。→一四七三ページ下。 29069 ― ―

6 **【銎】** 14画 12598 漢キョウ 呉ク 冬 qiōng

字義 ❶斧(おの)や戈(ほこ)の柄(え)を差し込む穴。❷恐れる。❸銎銎は、物を打つ音の形容。

［銎］12599 俗字

解字 形声。金＋巩音。

6 **【銎】** 14画 12599 キョウ 銎(12598)の俗字。→一四七〇ページ中。 ― ― 6792

6 **【銀】** 14画 12600 ギン 真 yín 教3 ギン 2268 8BE2 ―

筆順 今 金 金 釒 釕 鈤 鉀 鉀 銀

字義 ❶しろがね。金属元素の一つ。白色の光沢ある貴金属。「白銀」❷銀のようなつやのある白い色。銀色。❸銀の貨幣。「銀貨」❹ぜに。「路銀」「賃銀」❺かぎり。境。はて。❻印。銀印。

名前 かね・ぎん・しろがね

解字 篆文 形声。金＋艮(𥃩)音。音符の𥃩(コン)は、ふみとどまるの意味。黄金にならず、しろがねにふみとどまる金属、しろがねの意味を表す。

逆 賃銀・丁銀・白銀

【銀花】(ギンカ) ①ともしびの形容。②雪の形容。

【銀河】(ギンガ) ①天(あま)の川の別名。天漢。天河。銀漢。②道家で目をいう。

【銀河落二九天一】(ギンガキュウテンよりおつ) 天の川が、天上から落ちて来る。滝が高い所から流れ落ちる形容。▼九天は、天の最高所、非常に高い天。用例〔唐、李白、望二廬山瀑布一詩〕飛流直下三千尺(ヒリュウチョッカサンゼンジャク)、疑是銀河落二九天一(うたがうらくはこれギンガのキュウテンよりおつるかと)。↓飛ぶような流れが勢いよく真下に落ちること三千尺、天の川が九重の天の高きから落ちてきたかのよう。

【銀△杏】(ギンキョウ・ギンナン) 木の名。いちょう。また、その実。公孫樹。鴨脚(オウキャク)。「ギンナン」は「ギンアン」の転音。「アン」は唐音。

【銀甲】(ギンコウ) ①銀製のよろい。②琵琶(ビワ)などの楽器をひくときに爪(つめ)にかぶせるもの。

【銀黄】(ギンコウ) ①銀と黄金。金銀。②白色と黄色。③銀印と金印。ともに高官が身につける。

【銀△觥】(ギンコウ) 銀製のさかずき。銀杯。

【銀△鉤】(ギンコウ) ①銀のかぎ。銀製のかけがね。②銀のすだれかけ。③銀製の帯留(おびどめ)。④上手な筆跡の形容。⑤新月の形容。

【銀△釵】(ギンサイ) 銀製のかんざし。

【銀山】(ギンザン) ①銀を産する鉱山。銀坑。②高くわき立つ白い波の形容。③仙人のいる山。

【銀子】(ギンス) ①銀貨。▼子は、助字。②金銭。

【銀青】(ギンセイ) 銀の印鑑と青い綬(ジュ)。秦(シン)・漢代の光禄大夫(コウロクタイフ)が身におびたもの。

【銀△蟾】(ギンセン) 月の別名。▼蟾は、月の中にいると言い伝えられるひきがえる。

【銀台(臺)】(ギンダイ) ①宮門の名。②官名。宋(ソウ)代に上奏文や書類をあつかった役人。③仙人のいる所。④美しく高い建物。玉のうてな。

【銀竹】(ギンチク) 大雨の形容。

【銀△兎】(ギント) 月の別名。月の中にうさぎがいるという中国の伝説からいう。▼兎は、うさぎ。

【銀波】月光に輝く美しい銀色の波。「金波銀波」

【銀牌】①銀製のふだ。②銀のメダル。

【銀髪】国銀白色の頭髪。しらが。白髪。

【銀盤】①月の別名。②銀製のたらい。銀のはち。銀のさら。③国平らな氷や雪の表面の美称。

【銀屛】銀をちりばめた屛風。用例〔唐、白居易、長恨歌〕攬衣推枕起徘徊、珠箔銀屛邐迤開。↓手に上衣をとり、枕をおしのけ、たちあがったが、(あまり突然のことなので驚いて)へやの中をあるきまわる。(やがて)いくつか重なる玉のすだれや銀のびょうぶが、次々に開かれた。

【銀瓶(甁)】①酒などを入れる銀製のかめ。用例〔唐、白居易、琵琶行〕銀瓶乍破水漿迸、鉄騎突出刀鎗鳴。↓(琵琶の演奏は、)銀のかめがパッと割れて水が噴き出すように聞こえ、武装した騎馬兵が突然とび出てきて刀や槍が鳴るように聞こえた。②水をくむ美しいつるべ。

【銀篦】銀のくし。

【銀輪】①銀の車輪。美しい車。②月の別名。③国自転車の美称。

【銀鱗】銀色に光るうろこ。また、魚。

【銀露】月光をうつして美しく輝く露。また、白く光る露。白露。

6【鉶】14画 12601 漢ケイ 呉ギョウ(ギャウ) 青 xíng — — 6780
字義 ❶あつものを盛る鼎。三足・両耳のついた祭器。❷あつもの。野菜と肉とを煮た吸い物。
解字 形声。金＋刑音。
=鈃(12602)。

6【鈃】14画 12602 ㊀漢ケイ 呉ギョウ(ギャウ) 青 xíng ㊁ケン 先 jiān — — 6793
字義 ㊀❶さけいれ。酒つぼ。鍾に似て首の長い容器。❷あつものなべ。=鉶(12601)。㊁宋鈃は、人名。〔荀子、非十二子〕
解字 形声。金＋幵音。

鈃㊀②

6【銈】14画 12603 ケイ 斉 jì $_{1}$9314 ED43 6788
字義 金属製の圭。圭は、下が四角、上がとがった玉。
解字 形声。金＋圭音。

6【鉸】14画 12604 ㊀漢コウ(カウ) 呉キョウ(ケウ) 巧 肴 jiǎo ㊁漢コウ(カウ) 呉キョウ(ケウ) 効 jiào $_{1}$9313 EEB2 6782
字義 ㊀はさみ。また、はさんで切る。㊁❶はさみ。❷かざる。かねでかざる。また、かざり。
解字 形声。金＋交音。音符の交は、まじえるの意味。二枚の刃を交差させて物を切るはさみの意味を表す。

6【鉿】14画 12605 コウ(カフ) 合 gē, ②hā $_{2}$9073 — 6787
字義 ❶めぐらす。❷のべがね(延金)。いたがね(板金)。❸化学元素の名。ハフニウム。
解字 形声。金＋合音。

6【銗】14画 12606 漢コウ 呉グ・ゴウ 尤 hòu, ②xiàng $_{2}$9076 — 6794
字義 ❶くびかせ。❷投書箱。
解字 形声。金＋后音。

6【銧】14画 12607 コウ(クヮウ) guāng $_{2}$9079 EEB0 6806
字義 化学元素の名。ラジウム。
解字 形声。金＋光音。

6【鉷】14画 12608 漢コウ 呉グ 東 hōng — EEB1 6781
字義 弩の矢を発射するはじき。
解字 形声。金＋共音。

6【〓】14画 12609 サ 麻 chā $_{2}$9078 — 6802
字義 魚を入れる容器。
解字 形声。金＋巾＋屮音。

6【銖】14画 12610 漢シュ 呉ジュ 虞 zhū 7883 E7F1 —

字義 ❶重さの単位。一両の二十四分の一。周代の一銖は約〇・六グラム。❷わずかなもの。また、わずか。軽少。❸にぶい(鈍)。国❶江戸時代の貨幣の単位。一分の四分の一。一朱。❷小数の名。一割の十分の一。一分。一歩。

解字 形声。金＋朱音。

【銖積寸累】わずかなものが(わずかずつ)積みかさなる。▼銖も寸も、わずかなもの、また、わずか、累はかさなる。

【銖鈍】にぶい。

【銖分】こまかに知っている。

【銖両(兩)】①少しの目方。②わずかのもの。


6【銃】14画 12611 常 ジュウ シュウ(シウ) 送 chòng 慣ジュウ(ジウ) 2938 8F65 —

筆順
字義 ❶斧の柄をさしこむあな。❷つつ。じゅう。鉄砲。

名前 かね
解字 形声。金＋充音。

【銃架】鉄砲をたてかけておく台。

【銃眼】小銃をうつために城壁などにあけた穴。

【銃剣(劍)】①鉄砲と剣。②銃の先につける短い剣。

【銃後】戦場に行かずに、後に残っている人。

【銃創】鉄砲きず。銃弾でうたれたきず。

6【銊】14画 12612 漢シュツ 呉シュチ 質 xù — — 6790
字義 のこぎりをひく音。
解字 形声。金＋戌音。

6【鉽】14画 12613 漢ショク 呉シキ 職 shì $_{2}$9072 — 6786
字義 かなえ(鼎)。
解字 形声。金＋式音。

6【銫】14画 12614 ショク sè $_{2}$9080 — 6808
字義 化学元素の名。セシウム。国かんな。鉋(12581)の俗字。
解字 形声。金＋色音。

6【銭】14画 12615 教6 セン ぜに 3312 914B —
8【錢】16画 12616 ㊀漢セン・呉ゼン 先 qián ㊁セン 銑 jiǎn 7902 E841 —
筆順
字義 ㊀❶ぜに。かね。貨幣の通称。❷すき。農具の一種。❸酒のさかな。酒肴。❹重さの単位。一両の十分の一。周代の一銭は約十六グラム。㊁=㊀❷。国セン。貨幣の単位。㋐江戸時代、文に同じ。千銭が一貫。㋑現代、円の百分の一。
難読 銭函・銭司・銭緡
解字 篆文 形声。金＋戔(戔)音。音符の戔は、薄く切るの意味。金属製のうすい刃のすきの意味を表す。また、転じて、ぜにの意味を表す。
逆 悪銭・口銭・紙銭・鋳銭・連銭・路銭

金部 6画 〔鉶鈃銈鉸鉿銗銧鉷〓銖銃銊鉽銫銭〕

【銭貨】(センカ) ぜに。貨幣。▼貨も、ぜに。
【銭貫】(センカン) ①ぜにの穴に通すひも。ぜにさし。②ぜに。
【銭起】(センキ) 中唐の詩人。呉興(今の浙江省内)の人。字は仲文。大暦十才子の一人。著書に『銭考功集』がある。(七三一―?)
【銭大△昕】(センタイキン) 清の学者。字は暁徴。号は竹汀、または、十駕斎。著書に『二十二史考異』『十駕斎養新録』『三統術衍』などがある。(一七二八―一八〇四)
【銭刀】(セントウ) ぜに。貨幣。銭貨。▼刀は、貨。
【銭△塘江】(セントウコウ) 川の名。浙江省を流れる浙江の最下流で、杭州市から杭州湾に至るあたりをいう。
【銭布】(センプ) ぜに。貨幣。銭貨。銭幣。▼布は、紙幣。
【銭幣】(センペイ) 金銭。貨幣。用例〔北宋、王安石、傷仲永〕邑人奇レ之、稍稍賓二客其父一、或以二銭幣一乞レ之(ユウジン これをキとし、やややうやくその ちちをヒンカクとし、あるい(ひ)はセンペイを もってこれにこう(ふ))。↓村人たちは驚き、しだいに父親を賓客としてもてなすようになり、時には金銭を与えて仲永の詩を欲しがった。
【銭癖】(センペキ) ぜにをほしがるくせ。けち。

6【銑】14画 12617 人 セン 銑 xiǎn 3313 914C —

筆順 (銑の筆順)

字義 つやのある金属。また、金属の光沢。国ずく。ずくてつ。なべがね。鋳物に使う鉄。堅くて折れやすい。銑鉄。

名前 さね・せん

解字 篆文 形声。金+先音。音符の先は、洗に通じ、あらうの意味。あらわれたように光沢のある金属の意味を表す。

6【銓】14画 12618 セン 匣 quán 7884 E7F2 —

字義 ❶はか-る。㋐目方をはかる。㋑人物をはかり調べる。❷はかり。目方をはかる器具。❸えら-ぶ。人物を選んで官職などにつける。❹順序をつける。

参考 現代表記では〔選〕(12220)に書きかえることがある。「銓衡→選考」

解字 篆文 形声。金+全音。音符の全は、算に通じ、かぞえるの意味。めかたをはかるための金属製の道具、はかりの意味を表す。

【銓考】(センコウ) 人物・才能などをはかり考える。選考。
【銓校】(センコウ) はかりくらべる。
【銓衡】(センコウ) ①はかり。▼銓は分銅、衡ははかりのさお。②人物・才能をはかり調べる。選考。銓考。「詮衡」は誤用。
【銓次】(センジ) ①調べて順序をつける。②順序。
【銓叙(敍)】(センジョ) 才能をはかり、その優劣によって官位を与えること。
【銓選】(センセン) 才能・技量を調べて、適当な官職を与えること。

6【銛】14画 12619 セン 塩 xiān 7885 E7F3 —

字義 ❶もり。投げつけて魚をとる道具。❷すき。農具の一種。❸するどい(鋭)。

解字 篆文 会意。金+舌。舌の形の先端を持つ、すき・もり等の金属の器具の意味を表す。

【銛鋭】(センエイ) するどい。鋭利。
【銛利】(センリ) するどくて切れ味がよいこと。鋭利。

6【銍】14画 12620 漢チツ 呉チチ 質 zhì 29075 — 6791

字義 ❶かま。稲・麦などを刈りとる短いかま。❷かる(刈)。刈り取る。❸いなほ。稲の穂。

解字 形声。金+至音。

6【銚】14画 12621 標 一ヨウ(エウ) 蕭 yáo 二漢チョウ(テウ) 呉ジョウ(デウ) 嘯 diào 三チョウ(テウ) 蕭 tiáo 3624 92B6 —

〔鑃〕12919 同字

字義 一 二なべ。とってのついたなべ。飲食物をあたためる器。三❶すき。大きなすき。農具の一種。❷ほこ。長い矛。武器の一種。

難読 銚釐(ちろり)

解字 篆文 形声。金+兆音。音符の兆は、うらないのときに現れる割れ目の象形。田畑に割れ目をつけるための農具、すきの意味を表す。また、兆は跳に通じ、はねあがるの意味。水をはねあがらせ沸騰させる器の意味を表す。

【銚子】(チョウシ) 国①酒を入れて杯につぐ、長い柄の容器。②液体をつぐ口のあるなべ。③酒のとっくり。かんどっくり。④千葉県東端の地名。

6【銕】14画 12622 テツ 鉄(12565)の古字。→一四六八ページ中。 7878 E7EC —

6【⿰金虫】14画 12623 一漢トウ・呉ドウ 冬 tóng 二漢タク・呉ダク — — 6779

字義 一大きな鋤。二鐲(12906)の俗字。

解字 形声。金+虫音。

6【銅】14画 12624 教5 ドウ 漢トウ・呉ドウ 東 tóng 3828 93BA —

筆順 (銅の筆順)

字義 ❶あかがね(赤金)。金属元素の一つ。赤色の光沢のある金属。また、あかがね色。銅に似た赤色。赤銅色。❷あかがねで造った器物や貨幣。銅貨。銅器。

名前 かね

解字 金文 篆文 形声。金+同音。音符の同は、つつの象形。つつを造るための金属、あかがねの意味を表す。

逆 青銅・赤銅

【銅虎符】(ドウコフ) とらの形に造った銅のわりふ。
【銅△壺】(ドウコ) ①銅製の水時計。漏刻。②国長火鉢などの中に置いて湯をわかす銅のつぼ。
【銅△雀台(臺)】(ドウジャクダイ) 銅爵台。三国時代、魏の曹操が築いた展望台。鄴城(今の河北省臨漳県の西南)の西北隅にあり、屋上に銅製の鳳凰が置かれていた。
【銅臭】(ドウシュウ) ①銅銭のにおい。②金銭をほしがること。また、その人。金にいやしい人。③金銭で官位についた人をいやしめていう語。
【銅匠】(ドウショウ) 銅器を作る職人。銅工。
【銅△鉦】(ドウショウ) ①銅鑼。②太陽の形容。
【銅青】(ドウセイ) 銅が酸化してできたさび。緑青。
【銅△鐸】(ドウタク) 国青銅製の古代の器具。つりがねの形をしたもので、祭器または楽器であったといわれる。
【銅△牌】(ドウハイ) ①銅製のふだ。②銅メダル。
【銅盤】(ドウバン) ①銅製のたらい。②銅製の楽器。どらの類い。③銅製の燭台。
【銅墨】(ドウボク) 銅印と墨綬(黒色のおびひも)。県令の佩びるもの。
【銅△鑼】(ドウラ・ドラ) 銅製の盆形の打楽器。

6【鉼】14画 12625 ヘイ 鉼(12726)の俗字。→一四七九ページ上。 29071 — 6785

6【銤】14画 12626 ベイ mǐ — — 6804

字義 ❶現代中国語で、化学元素の名。オスミウムの旧訳。❷現代中国語で、化学元素の名。アメリシウム。

解字 形声。金+米音。

6【鉾】14画 12627 標 漢ボウ 呉ム 尤 móu 4340 9667 —

字義 ほこ(矛)。また、刀のきっさき。ほこさき。

解字 形声。金+牟音。音符の牟は、矛に通じ、ほこの意味。金属製のほこの意味を表す。

6【鋩】14画 12628 漢ボウ(バウ) 呉モウ(マウ) 陽 máng
[釯] 12495 俗字 [鋩] 12629 俗字
字義 きっさき。刀やほこのきっさき。
解字 形声。金＋芒音。音符の芒は、草の端の意味。草の先端が細くなっているように鋭い、きっさきの意味を表す。

6【鋩】14画 12629 ボウ 鋩(12628)の俗字。→一四七三㌻上。 7890 E7F8 —

6【銘】14画 12630 常 メイ 漢メイ・呉ミョウ(ミャウ) 青 míng 4435 96C1 —
筆順 亼 全 余 金 金 釒 釸 鈔 銘
字義 ❶しる-す(記)。㋐書きつける。きざみこむ。㋑おぼえこむ。心にきざみこんで忘れない。「肝銘」❷金や石に刻みこんだ文。「銘文」❸死者の姓名・官位などをしるした葬式の旗。「銘旗」❹文体の名。墓碑などに刻んで、その人の功徳をたたえ、後世に残す文。「墓誌銘」❺いましめのことば。「座右銘」国メイ。㋐器物に刻み、または、記した製作者の名。㋑特別に精製した上等な。すぐれた。上等な。「銘酒」
名前 あき・かた・な
解字 金文 篆文 形声。金＋名音。音符の名は、なの意味。金属に名を刻みつけるの意味を表す。
逆 感銘・肝銘・鐘銘・碑銘
【銘戒】メイカイ 心に深く刻み、いましめる。いましめのことば。
【銘肝】メイカン・きもにメイず きもに刻みこむ。深く心に留めて忘れないこと。
【銘肌△鏤骨】メイキルコツ はだに刻みこみ、骨にちりばめる。深く心に覚えこんで忘れぬこと。〔顔氏家訓、序致〕
【銘記】メイキ ①金石に刻まれた文章。銘文。②国忘れないように深く心に刻みこむ。
【銘旗】メイキ 死者の官位・姓名などを書いた葬式のときの旗。銘旌メイセイ。
【銘刻】メイコク ①金石に文字をほりつけること。また、その文字。②心に深く刻みこむこと。
【銘心】メイシン・こころにメイず よくよく心にとどめる。「銘心鏤骨ルコツ」
【銘△誄】メイルイ 死者の功徳を書いた文章。

6【銠】14画 12631 ロウ(ラウ) lǎo — — 6803
字義 現代中国語で、化学元素の名。ロジウム。
解字 形声。金＋老音。

6【〓】14画 12632 国字 — — 6809
字義 かすがい(かすがひ)。㋐戸締まりのかけがね。㋑材木を接合させるために使うコの字形の釘くぎ。㋒二つの物の合わせ目をつなぎとめるもの。鎹かすがい。

6【〓】14画 12633 国字 2 9070 — —
字義 ❶くまで。❷なた。 難読 〓いかり

7【鋆】15画 12634 イン(ヰン) 真 yún 2 9086 — 6823
字義 こがね。金。
解字 形声。金＋均音。

7【鋭】15画 12635 常 エイ するどい 1752 8973 —
7〔銳〕15画 12636 エイ 霽 ruì
筆順 亼 全 余 金 金 釒 釸 鋭 鋭
[鋭] 12593 俗字
字義 ❶するど-い(するどし)。↔鈍(12523)。㋐刃物などがするどい。「鋭利」㋑先が細くとがっている。㋒軍隊などがすぐれて強い。「精鋭」㋓さとい。かしこい。頭脳の働きがはやい。「鋭敏」❷きっさき。ほこさき。❸するどい刃物。武器。また、強い軍隊。強い兵士。❹いらだつ。落ち着きがない。
名前 えい・さとき・とき・とし
解字 篆文 形声。金＋兌(兊)音。音符の兌タイ=エイは、むすぼれたものが分解する意味。ものを分解する金属の意味から、するどいの意味を表す。
逆 気鋭・新鋭・精鋭
【鋭意】エイイ 心を集中すること。一心になること。また、一心に。一所懸命に。
【鋭気(氣)】エイキ するどい気性。
【鋭師】エイシ するどく強い軍隊。
【鋭敏】エイビン ①するどく、さとい。かしこい。すばやい。②感受性の非常にするどいこと。
【鋭兵】エイヘイ ①するどい武器。②強い兵士。
【鋭△鋒】エイホウ するどいほこ先。
【鋭利】エイリ するどくて、よく切れる。

7【鋨】15画 12637 一ガ é 二漢テツ・呉テチ 屑 tiě — — 6844
字義 一現代中国語で、化学元素の名。オスミウム。二鉄(12565)の俗字。国やすり。
解字 形声。金＋我音。

7【銽】15画 12638 漢カツ(クヮツ) 呉ケチ 曷 guā — — 6816
字義 断つ。断ち切る。
解字 形声。金＋昏音。

7【銲】15画 12639 カン 釬(12477)と同字。→一四六三㌻中。 2 9083 — 6810

7【鋎】15画 12640 カン(クヮン) 潸 hàn 2 9087 — 6829
字義 やいば(刃)。
解字 形声。金＋完音。

7【鋡】15画 12641 漢カン 呉ゴン 覃 hán — — 6840
字義 容れる。盛る。
解字 形声。金＋含音。

7【銶】15画 12642 漢キュウ(キウ) 呉グ 尤 qiú — — 6811
字義 ❶鑿のみ。大工道具の一種。❷斧おの。
解字 形声。金＋求音。

7【鋏】15画 12643 標 キョウ(ケフ) 葉 jiá 7887 E7F5 —
[鋏] 12597 俗字
字義 ❶かなばし。熱した金属をはさむ器具。❷つるぎ(剣)。かたな(刀)。❸つるぎのみ。刀身。❹つか。刀のつか。❺はさみ。物をはさんで切る道具。また、はさ-む。
解字 篆文 形声。金＋夾音。音符の夾キョウは、はさむの意味。かじ屋で熱した金属をきたえるときにはさむ道具、かなばさみの意味を表す。

7【鋗】15画 12644 ケン 先 xuān, ③juān 2 9089 EEB4 6833
字義 ❶こばち。小さな鉢。❷なべ。脚のないなべ。また、脚のないかなえ。❸きよめる。掃除する。また、掃除する人。
解字 形声。金＋肙音。

7【鋧】15画 12645 漢ケン 呉ゲン 銑 xiàn 2 9092 EEB3 6843
字義 銑鋧センケンは、小さい鑿のみ。また、小さい矛ほこ。
解字 形声。金＋見音。

7【鋙】15画 12646 一漢ギョ・呉ゴ 語 yǔ 二漢ギョ・呉ゴ 魚 yú 2 9090 EEB5 6835
字義 一くいちがう。「鉏鋙ソゴ」二すき。農具の一種。
解字 形声。金＋吾音。

7【鋘】15画 12647 ㊀㋕カ(クヮ)・㋔ゲ 麻 huā ㊁ゴ 虞 wú — — 6834

字義 ㊀鋤(き)す。農具の一種。㊁鋙鋘(ゴコン)は、山の名。また、剣の名。鋙鋙(ゴコン)。

解字 形声。金+吳㊥。

7【鋐】15画 12648 ㋕コウ(クヮウ) ㋔ギョウ(ギャウ) 庚 hóng 2 9088 EEB6 6830

字義 器物の名。

解字 形声。金+宏㊥。

7【銼】15画 12649 ㋕サ ㋔ザ 歌 cuò — — 6815

字義 ❶かま。口の大きな釜(かま)。❷くじく(挫(ザ))。また、くじける。

解字 篆文 形声。金+坐㊥。音符の坐(ザ)は、ひざをおってすわるの意味。背の低いかま(釜)の意味を表す。

7【鋜】15画 12650 ㋕サク ㋔ザク 覺 zhuó, ②chuò — — 6836

字義 ❶足かせ。❷鋤(き)す。農具の一種。

解字 形声。金+足㊥。

7【鋕】15画 12651 シ 寘 zhì — EEB8 6832

字義 刻む。記す。

解字 形声。金+志㊥。音符の志は、しるすの意味。

7【銹】15画 12652 ㋕シュウ(シウ) ㋔シュ 宥 xiù 7888 E7F6 —

［鏥］12844 同字 ［鏽］12902 同字

字義 さび。また、さ-びる(ぶき)。

解字 形声。金+秀㊥。

7【鋤】15画 12653 標 ㋕ソ ㋔ジョ 魚 chú 2991 8F9B —

字義 ❶すき。柄の長い、身体を折りまげずにたがやしたり除草したりする農具。❷す-く。田をたがやす。❸のぞく(除)。ほろぼす。殺す。「誅鋤(チュウジョ)」

解字 形声。金+助㊥。音符の助は、たすけるの意味。苗の生長を助ける器具、すきの意味を表す。

【鋤蹶断断(斷)】(ジョケツザンダン) ねだやしにする。根絶する。▼蹶は、ぬきとる、斬も断も切る。

【鋤除】(ジョジョ) ①雑草をすきのぞく。②悪人をたやす。

【鋤犂】(ジョレイ・ジョリ) ①すき。▼犂は、犁とも書き、からすき。

用例〔唐、杜甫、兵車行〕縦有(たとい)健婦把(ひ)鋤犂(のジョリをとる)(ケンプありとも)、禾生(カはロウホにショウじて)隴畝(トウザイなし)無東西 ⇩たとえすきを手に耕作に励む健気な婦人があったとしても、穀物は畑に生えても列をなさず無秩序なありさま。②すきで耕すこと。

7【銷】15画 12654 ショウ(セウ) 蕭 xiāo 7889 E7F7 —

字義 ❶と-かす。金属をとかす。また、と-ける(とく)。❷け-す。消える。用例〔唐、李白、将進酒詩〕五花馬(ゴカのうま)、千金裘(センキンのかわごろも)、呼児将出換美酒(ジをよびもちいだして、ビシュにかえ(へ)しめ)、与爾同銷万古愁(なんじ(ち)とともにけさん(ん)バンコのうれえ(へ)を)。⇩美しい毛なみの名馬、極めて高価な皮ごろも、小僧を呼んで、持ち出して美酒にかえさせ、おまえさんたちといっしょに、永遠の愁いを消してしまおう。❸つきる(尽)。つくす。「意気銷沈」❹ちらす。散る。❺ほろぼす。ほろびる。また、おとろえる。そこなう。❻ちいさい。また、ちいさくなる。

参考 現代表記では〔消〕(6348)に書きかえる。「銷夏→消夏」「銷沈→消沈」。熟語は〔消〕をも見よ。

解字 篆文 形声。金+肖㊥。音符の肖は、ちいさくなるの意味。金属がとけるの意味を表す。

【銷夏】(ショウカ) 夏のあつさをしのぐ。あつさしのぎ。銷暑。消夏。

【銷金】(ショウキン) ①とかしたかね。②かねをとかす。③黄金をまき散らすこと。また、金箔(パクキン)をちらして物をかざること。④金銭を湯水のようにつかうこと。浪費。

【銷耗】(ショウコウ・ショウモウ) つかいへらす。消耗。

【銷刻】(ショウコク) はぎとりへらす。そこなう。銷磨。

【銷魂】(ショウコン) 非常な悲しみや驚きで魂が消えたような気持ちになること。

【銷失】(ショウシツ) きえうせる。銷落。消失。

【銷鑠】(ショウシャク) かねをとかすこと。

【銷沈】(ショウチン) おとろえる。元気がなくなる。気が沈む。消沈。「意気銷沈」

7【銿】15画 12655 ㊀㋕ショウ ㋔シュウ 冬 zhōng ㊁㋕ヨウ・㋔ユウ 冬 yōng 2 9084 — 6817

字義 ㊀つりがね。㊁つりがね。大きなつりがね。

解字 形声。金+甬㊥。

7【鋟】15画 12656 ㊀セン 鹽 qiān ㊁シン 寢 qǐn — — 6838

字義 ㊀きざ-む。ほりつける。きざみきずつける。㊁きざむ。また、版木にほりつける。

解字 形声。金+侵省㊥。音符の侵(シン)は、しだいにおかすの意味。金属にほりつけるの意味を表す。

【鋟梓】(シンシ) 版木にほる。印刷する。上梓。鋟板。▼梓は、版木に適した、あずさの木。

7【鋠】15画 12657 ㋕シン ㋔ジン 震 shèn 1 9319 EEB9 6839

字義 丸い鉄。

解字 形声。金+辰㊥。

7【鋅】15画 12658 ㊀シ 紙 zǐ ㊁シン xīn — — 6822

字義 ㊀堅い。㊁現代中国語で、化学元素の名。亜鉛。

解字 形声。金+辛㊥。

7【鋮】15画 12659 セイ chéng — — 6846

字義 人名。

解字 形声。金+成㊥。

7【鋋】15画 12660 ㊀㋕セン・㋔ゼン 先 chán ㊁エン 先 yán 1 9316 — 6826

字義 ㊀㊁❶てぼこ。小さい矛(ほこ)。鉄の柄(え)のある短いほこ。❷さす(刺)。ほこでさす。

解字 篆文 形声。金+延㊥。音符の延は、のばすの意味。金属をうすくのばした刃物の意味を表す。

7【鋿】15画 12661 ㋕ソウ(サウ) ㋔ゾウ(ザウ) 養 zàng — — 6813

字義 鈴の音。

解字 形声。金+壯㊥。

7【鋳】15画 12662 常 チュウ い-る 3582 9292 —

14［鑄］22画 12663 人 ㊀シュ 遇 zhù ㊁㋕シュウ(シウ) ㋔シュ 宥 慣チュウ(チウ) 7941 E868 —

筆順 ノ 𠆢 𠂉 金 金 金 鋳 鋳 鋳 鋳

字義 ㊀㊁❶い-る。㋐金属をとかして型に流しこみ器物を作る。㋑人を感化・養成する。❷さび。

名前 い 難読 鋳物(いもの)

解字 金文 篆文 形声。金+寿(壽)㊥。音符の壽(ジュ)は、つらねるの意味。金属をとかして意図する形につらねる、いるの意味を表す。金文は会意で、鬲+火+皿。火を加えて金属をとかし、いがたに流しこんで器物を造るさまを表し、いるの意味を表す。

逆 陶鋳

【鋳型】(チュウケイ・いがた) 国鋳物を作るために、溶かした金属を流しこむ型。

【鋳銭(錢)】(チュウセン) ぜにを鋳ること。

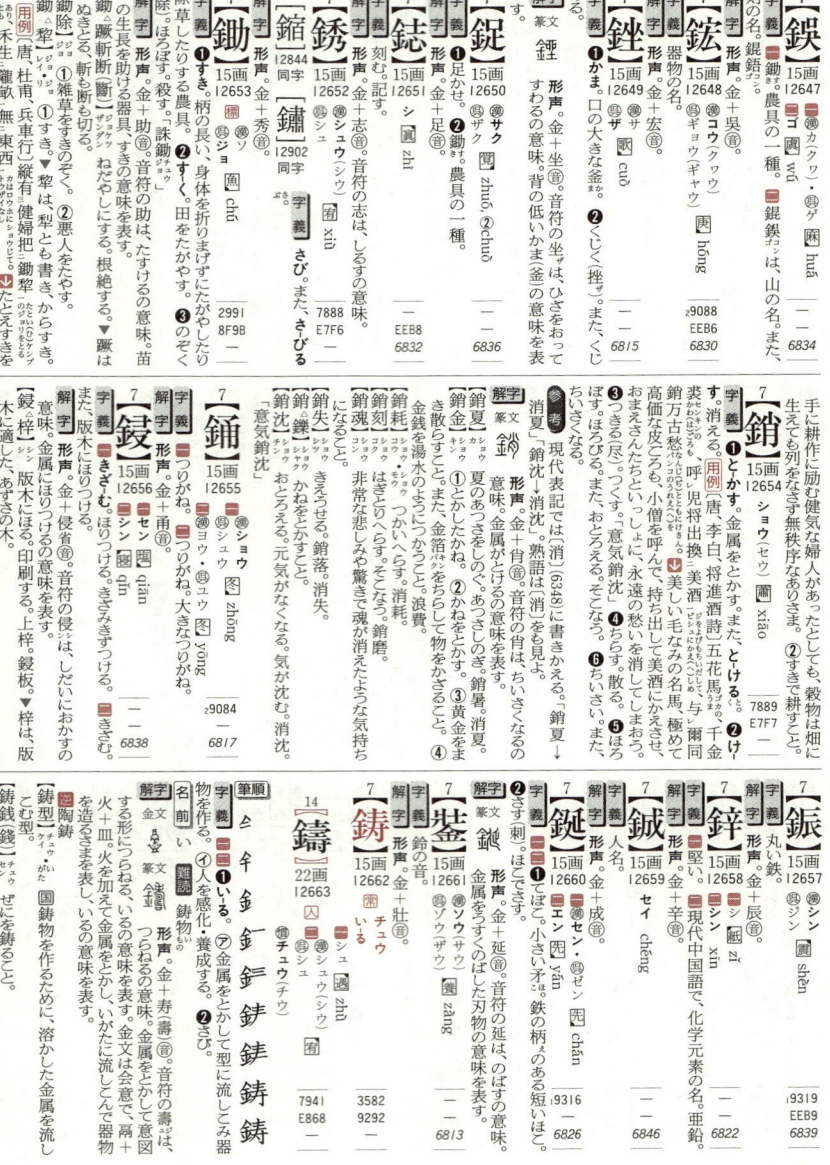

【鋳造】金属をとかし、鋳型に流して器具を作ること。

7 【鈋】 15画 12664 ㊀(漢)チョウ(テフ) [葉] zhé ㊁(漢)ジョウ(デフ) (呉)ニョウ(ネフ) [葉] niè ―― ―― 6812

字義 ㊀かなばさみ。焼けた鉄をはさむ鋏。㊁毛抜き。

解字 形声。金＋耴(音)。音符の耴は、両脇に垂れるの意味。

7 【鋌】 15画 12665 (漢)テイ (呉)ジョウ(ヂャウ) [迥] dìng, ③④tǐng 19317 ― 6827

字義 ❶あらがね。じがね。銅鉄の鉱石。❷のべがね。いたがね。❸むなしい。つきる(尽)。❹はやく走る形容。

解字 篆文 形声。金＋廷(音)。音符の廷は、まっすぐ突き出すの意味。まっすぐ突き出た金属、あらがねの意味を表す。

7 【銻】 15画 12666 (漢)テイ (呉)ダイ [斉] tí, ②tì ―― ―― 6814

字義 ❶鏑銻は、雲母に似た美玉の一種。❷現代中国語で、化学元素の名。アンチモン。

解字 形声。金＋弟(音)。

7 【鋓】 15画 12667 テン [塩] chān 19318 EEBA 6831

字義 するどい。

解字 会意。金＋利。利は、するどいの意味。

7 【鋀】 15画 12668 ㊀(漢)トウ・(呉)ズ(ヅ) [有] dǒu ㊁(漢)トウ・(呉)ツ [尤] tōu ㊂トウ tù 29085 ― 6818

字義 ㊀金属性の酒器の名。㊁自然銅のすぐれたもの。㊂化学元素の名。トリウムの旧訳。現在は、釷と訳す。

解字 形声。金＋豆(音)。

7 【鋥】 15画 12669 (漢)トウ(タウ) (呉)ジョウ(ヂャウ) [敬] zèng 29091 ― 6842

字義 みがく。とぐ。

解字 形声。金＋呈(音)。

7 【鋇】 15画 12670 ハイ [泰] bèi ―― ―― 6824

字義 ❶あらがね。じがね。銅・鉄の鉱石。❷矛。❸現代中国語で、化学元素の名。バリウム。

解字 形声。金＋貝(音)。

7 【鋂】 15画 12671 (漢)バイ (呉)マイ [灰] méi 19315 ― 6820

字義 大きな環一つと小さな環二つとからなる鎖。子母環。

解字 形声。金＋毎(音)。

7 【鋬】 15画 12672 ハン [諫] pàn ―― ―― 6845

字義 つる。さげ持つための、器物の手。

解字 形声。金＋扳(音)。音符の扳は、引き上げるの意味。

7 【鋪】 15画 12673 ホ 舗(635)の正字。→一三一三ページ下。 4263 95DD ―

7 【鋒】 15画 12674 [人] [標] (漢)ホウ (呉)フウ [冬] fēng 4315 964E ―

筆順 ノ ㇵ 𠆢 金 釒 鉩 鋒 鋒 鋒

字義 ❶ほこさき。きっさき。❷さきて。軍隊のいちばん先の隊。前軍。「先鋒」❸物のするどい先。「筆鋒」❹するどい。勢いがするどい。さかん。❺つるぎ(剣)。また、ほこ。

解字 篆文 形声。金＋夆(音)。音符の夆は、峰に通じ、みねの意味。ほこさきの意味を表す。

【鋒△戈】ほこ。矛戟。

【鋒起】急に勢いよく起こる。

【鋒刃】①やいば。刀やほこのやいば。②鋭いやいば。

【鋒△鏑】①ほこさきと矢じり。刀と矢。②武器。また、戦争。

【鋒△芒・鋒△鋩】①刀のきっ先。②するどい議論や気性のたとえ。③わずか。いささか。

【鋒利】①するどい。鋭利。②論調などがするどいことのたとえ。

【争（爭）レ鋒】ほこ先をまじえて敵と争い戦うこと。

7 【鋍】 15画 12675 (漢)ホツ (呉)ボチ [月] bó ―― ―― 6828

字義 ❶釜から噴きこぼれる。❷化学元素の名。ベリリウム。

解字 形声。金＋孛(音)。

7 【鋣】 15画 12676 ヤ [麻] yē

［鎁］12728 俗字 ［鋣］12783 同字

字義 鏌鋣は、春秋時代、呉の名剣の名。

解字 形声。金＋邪(音)。

7 【鋈】 15画 12677 (慣)ヨク オク [沃] wù ―― ―― 6825

字義 ❶しろがね。白金。❷めっき。いかけ。鍍金。また、めっきする。

解字 形声。金＋沃(音)。

7 【鋰】 15画 12678 リ lǐ ―― ―― 6847

字義 現代中国語で、化学元素の名。リチウム。

解字 形声。金＋里(音)。

7 【鋁】 15画 12679 (漢)リョ (呉)ロ [御] lǜ, ②lǚ ―― ―― 6819

字義 ❶やすり。❷現代中国語で、化学元素の名。アルミニウム。

解字 形声。金＋呂(音)。

7 【鋝】 15画 12680 (漢)レツ (呉)レチ [屑] lüè ―― ―― 6837

字義 重さの単位。周代で、約〇・三グラム。また、約八〇グラム。

解字 形声。金＋寽(音)。

7 【鋃】 15画 12681 ロウ(ラウ) [陽] láng ―― ―― 6821

字義 ❶鋃鐺は、くさり(鎖)。罪人をつなぐ鉄のくさり。刑具の一種。❷化学元素の名。ランタン。

解字 形声。金＋良(音)。

7 【錺】 15画 12682 [国字] 7905 E844 ―

字義 かざり。金属製の装飾細工。錺師・錺職は、その職人。

解字 会意。金＋芳。

7 【鍔】 15画 12683 [国字] 29082 ― ―

字義 なた。

7 【錵】 15画 12684 [国字] 7906 E845 ―

字義 にえ。刀の刃にあらわれる雲形の模様。

解字 会意。金＋花。

7 【鋲】 15画 12685 [国字] 4138 9565 ―

字義 ビョウ。物をとめるのに使う、頭部が大きい釘。

解字 形声。金＋兵(音)。

7 【鋧】 15画 12686 [国字] 29081 ― ―

字義 鋧口・かま口は、姓氏。

8 【錏】 16画 12687 ㊀ア [麻] yā ㊁ア [禡] yà 7891 E7F9 ―

字義 ㊀しころ。かぶとの左右とうしろに垂らして首すじを覆うもの。㊁かたい鉄をやわらかにする。

解字 形声。金+亞音。

8【鈪】16画 12688 アッ gā ― ― 6871

字義 現代中国語で、化学元素の名。ガドリニウム。

解字 形声。金+軋音。

8【錆】16画 12689 イク 屋 yù 9324 EEBB 6864

字義 鍋錆(イクオ)は、鍋(なべ)。国 錆男(いくお)・錆子(いくこ)などと人名に用いる。

解字 形声。金+育音。

8【鍈】16画 12690 漢エイ 呉ヨウ(ヤウ) 庚 yīng 9325 ED42 6873

字義 鈴の音。

解字 形声。金+英音。

8【鋺】16画 12691 一 漢エン(ヱン) 呉オン(ヲン) 阮 yuǎn 二 漢エン(ヱン) 呉オン(ヲン) 元 yuān 7892 E7FA ―

字義 一 はかりの皿。 二 すきの頭にある曲がった鉄。 国 かなまり。金属製のわん。

解字 形声。金+宛音。

8【錧】16画 12692 カン(クワン) 旱 翰 guǎn 29110 ― 6865

字義 ❶くさび。車のくさび。❷すき。農具の一種。国 たたら。大きなふいご。

解字 形声。金+官音。

【錧轄】(カンカツ) ①車のくさび。②物ごとのかなめ。

8【錡】16画 12693 一 ギ 紙 yǐ 二 漢キ・呉ギ 支 qí 19323 EEBC 6862

字義 一 ❶のこぎり。❷のみ。穴をあけるのに用いる工具。❸かま(釜(フ))。三本足のかま。❹ゆみかけ。弩(ド)・弓(ゆみ)を掛けておく物。❺かたむく(攲(キ))。また、そばだつ。二 ❶=一 ❷。❷かま(釜)。

解字 篆文 形声。金+奇音。音符の奇は、かたむくの意味。ななめの切りこみの刃がある、のこぎりの意味を表す。

8【錤】16画 12694 漢キ 呉ギ 支 jī ― ― 6863

字義 鎡錤(ジキ)は、鋤(すき)。農具の一種。鎡其(ジキ)。

解字 形声。金+其音。

8【鋸】16画 12695 人 標 漢キョ 呉コ 御 jù 2188 8B98 ―

筆順 ノ 𠆢 金 釕 鈩 鋸 鋸 鋸 鋸

字義 ❶のこぎり。木を引き切る工具。❷刑罰の道具。足を引き切るのに使ったのこぎり。また、その刑。刖刑(ゲッケイ)。❸ひく。のこぎりで引き切る。

解字 形声。金+居音。 難読 鋸南(きょなん)

【鋸牙】(キョガ) 同鋸歯。①のこぎりの歯。②のこぎりのようにするどい歯。

【鋸歯】(キョシ) =鋸牙。

【鋸匠】(キョショウ) こびき。材木をのこぎりで切る職人。

【鋸屑】(キョセツ) ①おがくず。のこぎりくず。②ことばや文章が、すらすらとよどみなく出るたとえ。

8【錦】16画 12696 常 キン にしき 寝 jǐn 2251 8BD1 ―

筆順 ノ 𠆢 金 釒 釣 鉑 鉑 錦 錦

字義 ❶にしき。あやおり。五色の糸で美しい模様を織り出した織物。「文錦」「紅錦」❷美しい。にしきのように美しいことのたとえ。また、美しくほめたたえるときのことば。「錦心」

名前 かね・きん・にしき 難読 錦葵(ぜにあおい)・錦織(にしごり)

解字 篆文 形声。帛+金音。音符の金は、金属の意味。金・銀・銅など五色の金属があるように、五色の糸で美しく織りだした、にしきの意味を表す。

【錦衣玉食】(キンイギョクショク) ①美しい着物と上等の食物。②ぜいたくな生活。

【錦絵(繪)】(キンカイ) 一 にしきのあやぎぬ。美しい衣服。二 (にしきエ) 国浮世絵(うきよえ)の色刷りにした版画の総称。江戸時代、鈴木春信(はるのぶ)が始めたとされる。

【錦官城】(キンカンジョウ) 四川省成都市の旧称。この地の産物であるにしきを管理する役所を置いたのでいう。錦城。錦里。

用例 (唐、杜甫、春夜喜レ雨詩)暁看紅湿処(あかつきにみるこうしつのところ)、花重錦官城(はなはおもしきんかんじょうに)。↓明け方にしっとりとぬれた紅色を見た。あれは錦官城の花がぬれて、重たく垂れ下がった姿であろう。

【錦旗】(キンキ) ①錦幡(キンバン)・錦旆(キンパイ)。にしきの旗。②国にしきの御旗。皇室の旗じるし。赤地のにしきに日月を描いた。

【錦綺】(キンキ) にしきとあや織。美しい絹織物。

【錦江】(キンコウ) 川の名。四川省成都市内を流れる川。府河・流江・走馬河ともいう。古代、にしきをさらしたのでその名がある。

【錦字】(キンジ) ①にしきに織りこんだ文字。妻が夫をしたっておくる手紙。前秦(ゼンシン)の竇滔(トウトウ)の妻が遠い任地の夫をしたって、にしきに長詩を織り出して送った故事による。②すぐれて美しい詩句。

【錦瑟】(キンシツ) にしきの装飾を施した大型の琴。▼瑟は、二十五絃・五十絃の琴。

【錦繍・錦綉】(キンシュウ) ①にしきと、ぬいとりのある織物。また、それらで作った着物や幔幕(マンマク)など。②美しいもののたとえ。

【錦繍腸】(キンシュウのはらわた) 詩や文章がたくみで、美しい表現が、すらすらと口に出ること。錦心繍口。

【錦上添レ花】(キンジョウはなをそう(ふ)) (にしきの上に花を置くように)美しい上に、さらに美しさを加える。〔北宋、王安石、即事詩〕

【錦心繍口】(キンシンシュウコウ) 美しい思想と美しいことば。文才のすぐれた人をほめていう語。

【錦水】(キンスイ) =錦江。

【錦地】(キンチ) ①美しい土地。②他人の住所の敬称。貴地。

【錦帳】(キンチョウ) にしきのとばり。にしきの幕。

【錦殿】(キンデン) にしきでかざった御殿。りっぱな御殿。

【錦嚢】(キンノウ) ①にしきで作った袋。②詩の原稿を入れる袋。詩作が成るとにしきの袋に入れたという、唐の李賀(リガ)の故事による。③他人の詩や詩集をほめることば。

【錦帆】(キンパン) ①にしきの帆。美しい船。②他人の船旅を問うとき使うことば。他人の船旅に対する美称。

【錦楓】(キンプウ) にしきのようなかえで。紅葉したかえで。

【錦袍】(キンポウ) にしきの陣羽織。にしきの上着。

【錦鱗】(キンリン) 美しい魚。▼鱗は、うろこ。

【衣レ錦還レ郷(鄕)】(にしきをきてキョウにかえ(へ)る) 立身出世してはれがましく故郷に帰る。〔南史、柳慶遠伝〕

【衣レ錦之栄(榮)】(にしきをきるのエイ) =衣錦之栄(イキンのエイ)(三七三ジ・下)。

【衣レ錦尚レ絅】(にしきをきてケイをくわ(は)う(ふ)) りっぱな着物の上に、薄いひとえをはおる。君子は美徳があっても、みせびらかさないことのたとえ。〔詩経、衛風、碩人〕

【衣レ錦昼(晝)行】(にしきをきてひるゆく) 立身出世して、故郷に帰る。〔三国志、魏志、張既伝〕↔衣レ錦夜行。

【衣レ錦夜行】(にしきをきてよるゆく) 立派な着物を着て暗夜を行く。出世しても故郷に帰らなければ、そのかいがないたとえ。(二四三ジ・中)→衣レ繡夜行(シュウをきてよるゆく)。

8【錈】16画 12697 漢ケン 呉カン(クワン) 阮 juǎn ― ― 6853

字義 曲がる。金属が曲がる。

解字 形声。金+卷音。

8【錮】16画 12698 常 コ 7894 E7FC —
漢コ・呉ク 遇 gù
筆順
字義 ❶ふさ-ぐ。㋐いかける。銅・鉄を溶かして、すきまをふさぐ。㋑はばむ。さえぎる。㋒つなぐ。とじこめる。「禁錮」❷もっぱらにする。ひとりじめにする。❸ながわずらい。長い病気。＝痼(7758)。❹かたい。＝固(1836)。
解字 篆文 形声。金＋固㊟。音符の固は、かたいの意味。金属を一度溶かして穴を固くふさぐの意味を表す。
【錮疾】コシツ 長い病気。持病。

8【鋼】16画 12699 教6 コウ はがね 2561 8D7C —
㊀コウ(カウ) 陽 gāng ㊁コウ(カウ) 漾 gàng
筆順
字義 ㊀はがね。ねりがね。きたえて強くした鉄。鋼鉄。㊁かたい(堅)。
名前 かた・かね・こう・てつ
解字 形声。金＋岡㊟。音符の岡コウは、強に通じ、つよいの意味。つよい金属、はがねの意味を表す。
逆 錬鋼
【鋼玉】コウギョク 酸化アルミニウムから成る六方柱形の鉱物。赤いものをルビー、青いものをサファイアという。金剛石について堅い。
【鋼鉄(鐵)】コウテツ はがね。少量の炭素を含む鉄。

8【錕】16画 12700 ㊀コン 元 kūn ㊁コン 阮 gǔn 29107 — 6857
字義 ㊀錕鋙コンゴは、㋐あかがね。赤色の鉄。㋑山の名。昆吾コンゴ。西方の異民族の国にあり、そこで造った刀は非常に鋭利で、玉を断ち切ることもできたという。「錕鋙之剣コンゴのケン」㋒名刀。宝剣。㊁かりも。車のこしきの穴にはめた鉄の管。
解字 形声。金＋昆㊟。

8【錯】16画 12701 常 サク 2688 8DF6 —
㊀サク 薬 cuò ㊁ソ 遇 cù
筆順
字義 ㊀❶ま-じる。まぜる。まじわる。「交錯」❷あやま-る(誤)。まちがえる。「錯誤」❸みだれる(乱)。みだす。❹そむく。たがう。❺みがく(磨)。する。すりみがく。❻たがいに。かわるがわる。❼といし。あらと。❽めっきする。黄金を上にぬりかざる。また、いろどる。色彩・模様をつける。㊁❶お-く。＝措(4245)。㋐すえる。すえ置く。用例〔論語、為政〕挙レ直錯二諸枉一なおき(ほ)きをあげてこれをまがれるにおく ↓正しい人を引き上げて、その人を正しくない人の上に置く。㋑ほどこす。行う。㋒やめる。すてる。すておく。㋓とどめる。停止する。❷やすんずる。おちつく。❸す(醋ソ)。
解字 篆文 形声。金＋昔(㸿)㊟。音符の㸿セキは、つみかさねるの意味。金属をぬり重ねて、めっきするの意味を表す。転じて、いろいろな金属がまじるの意味を表し、また、たがう・おくの意味をも表す。
逆 介錯・挙錯・交錯・盤錯
【錯覚(覺)】サッカク ①あるものを見聞きしたとき、誤って知覚すること。②国勘違い。思い違い。
【錯△愕】サクガク あわておどろく。うろたえる。
【錯簡】サクカン・サッカン 本の中の文字・文章・ページなどが入れちがっていること。
【錯誤】サクゴ あやまり。まちがい。
【錯行】サクコウ ①かわるがわる(次々に)入れかわって運行する。②運行の順序を間違える。
【錯雑(雜)】サクザツ いりまじる。混雑。乱雑。
【錯辞(辭)】ソジ ことばをおく。詩や文章の字句を選んではめること。措辞。
【錯節(節)】サクセツ ①入りくんだ、木のふし。②入りくんで解決の困難なこと。「盤根錯節」
【錯△綜】サクソウ ①(複雑に)いりまじる。②いろいろに組み合わせる。
【錯大】ソダイ 貧乏書生。措大と同じで、貧しい学生・学者を軽蔑ケイベツした言い方。用例〔杜子春伝〕錯大慢レ余乃如レ是ソダイよをあなどること すなわ(は)ちかくのごとし ↓貧乏書生め。わしをこんなふうにしくじらせおって。
【錯陳】サクチン まじわり並ぶ。また、まじえ並べる。
【錯刀】サクトウ 漢の王莽オウモウ時代の貨幣の名。刀に似た形をし、金泥でかざった。

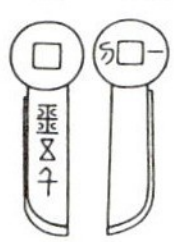
錯刀

【錯△繆・錯△謬】サクビュウ あやまる。まちがえる。また、あやまり。
【錯落】サクラク ①散りしく。②入りまじる。
【錯乱(亂)】サクラン ①乱れる。②感情や思考が入り乱れて統一を失う。

8【錙】16画 12702 シ 支 zī 7901 E840 —
【錙】12757 本字
字義 ❶重さの単位。六銖ロクシュのおもさ。一説に六両、または八両。一銖は一両の二十四分の一。周代の一両は約一六グラム。❷わずか。きわめて小さいこと。細かいこと。少量。「錙銖シシュ」
解字 形声。金＋甾(㽗)㊟。
【錙△銖】シシュ わずか。きわめて小さいこと。

8【錫】16画 12703 人標 2866 8EE0 —
㊀漢セキ 呉シャク 錫 xī(xí) ㊁シ 寘 cì
筆順
字義 ㊀❶すず。金属元素の一つ。銀白色で、鉛に似ているがやや堅い。❷たまわる。たまもの。❸道士や僧の使うつえの一種。「錫杖シャクジョウ」㊁たまう。あたえる。＝賜(11575)。
名前 あとう・すず・たもう・ます・やす
解字 形声。金＋易㊟。
【錫△杖】シャクジョウ 道士や僧などの用いるつえ。頭を錫すず、中を木、下を角つのなどで作る。杖頭に多くの鐶カンをかけ、杖を突くと鳴るようにしたもの。
【錫人】シャクジン・セキジン すずで造った人形。昔、死人とともに埋葬したもの。

錫杖

8【錞】16画 12704 ㊀漢シュン 呉ジュン 真 chún ㊁漢タイ 呉ズイ(ツイ) 隊 賄 duì 29109 EEBF 6860
字義 ㊀楽器の一種。鼓に和して鳴らす、釣り鐘に似た楽器。錞于ジュンウ。㊁いしづき。ほこの柄の下端の金具をかぶせた所。
解字 形声。金＋享㊟。

錞㊀

8【鋿】16画 12705 漢ショウ(シャウ) 呉ジョウ(ジャウ) 陽 cháng 9320 EEC0 6850
【鏛】12929 同字
字義 ❶みがく。❷車の大きな輪。
解字 形声。金＋尚㊟。

8【錩】16画 12706 ショウ(シャウ) 陽 chāng 29111 — 6866
字義 金具。
解字 形声。金＋昌㊟。

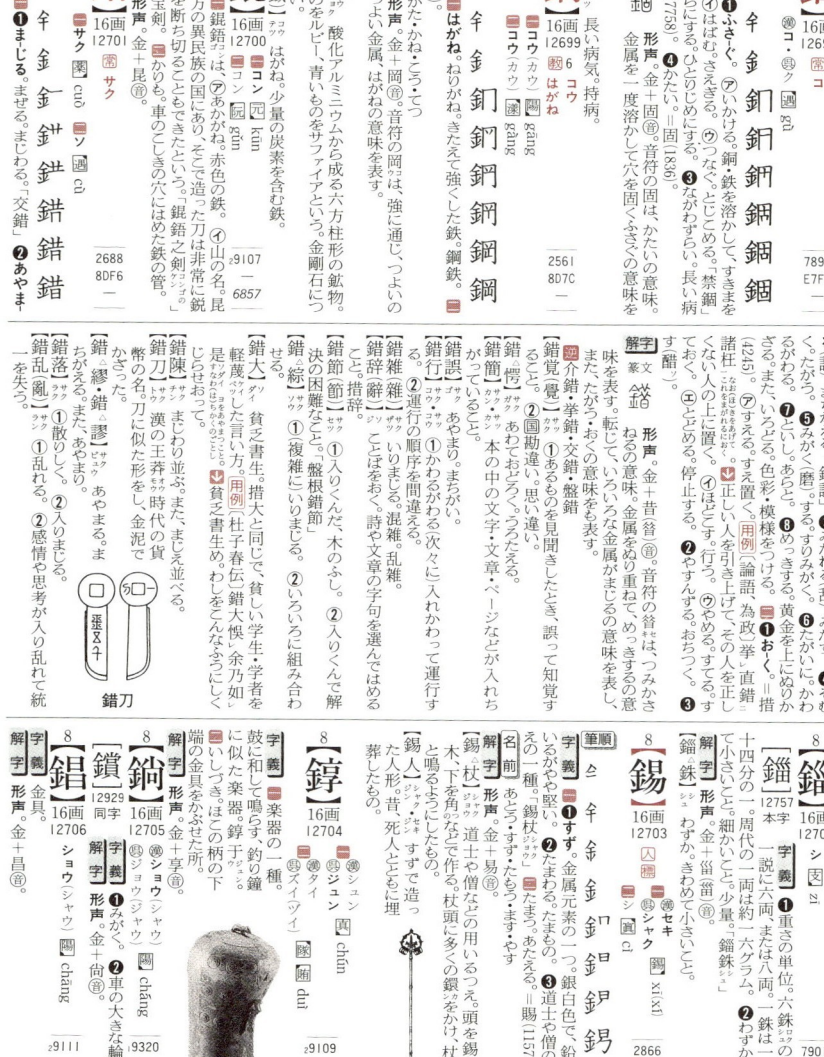

8 **【錠】** 16画 12707 常 ジョウ
㊀㊥テイ・㊇チョウ(チャウ) 径 dìng
㊁㊥テイ・㊇**ジョウ**(ヂャウ) 径 dìng
3091 8FF9 —

筆順 亼 今 金 釒 … 錠

字義 ㊀❶たかつき。煮た物を神に供えるのに使う、脚のある祭器。❷なべ。㊁❶たかつき。❷すず(錫(シャク))。❸こつぶ。つぶがね。通貨の一つ。銀を一定の形に鋳たもの。「銀錠」 国**ジョウ**(ヂャウ)。㋐じょうまえ。錠前。戸じまりに使う金具。㋑うすく平たい形の薬。錠剤。また、それを数える単位。

名前 じょう・てい

解字 篆文 形声。金＋定㊥。

8 **【錜】** 16画 12708 ㊥**ジョウ**(デフ)・㊇ニョウ(ネフ) 葉 niè
— — 6858

字義 ❶小さなかんざし。❷小さい釘(くぎ)。

解字 形声。金＋念㊥。

8 **【錐】** 16画 12709 人 標 スイ 囡 zhuī
3177 908D —

筆順 亼 今 金 釒 … 錐

字義 ❶きり。小さい穴をあけるのに用いる道具。❷きりのようにするどいもの。㋐はり(鍼)。㋑小さい矢。一説に、金鏃箭羽(キンゾクセンウ)(矢じりを金属で作り、矢がらに羽をつけた矢)。❸め(芽)。

解字 篆文 形声。金＋隹㊥。音符の隹(スイ)は、出に通じ、でるの意味。先が鋭くてつき出るきりの意味を表す。

【錐指】(スイシ) きりで大地を刺すこと。転じて、見識のせまいたとえ。用₂錐指₁地(きりをもってチをさす)。

【錐処(處)△囊中₁】(きりノウチュウにおる(をり)) 袋の中にきりがあれば、その先が突き出ることから、すぐれた人は、必ずその才能をあらわす機会があるということのたとえ。〔史記、平原君伝〕

【錐刀△之末】(スイトウのすえ(すゑ)) とがった小さい刀の先。転じて、わずかな利益。また、小さな物事。〔左伝、昭公六〕

【引₂錐刺₁股】(きりをひきてももにさす) 戦国時代の蘇秦(ソシン)が学問にはげみ、きりをももに刺してねむけを防いだ故事。錐股(スイコ)。〔戦国策、秦〕

【用₂錐指₁地】(きりをもってチをさす) きりを大地に刺して、その深さをはかる。見識のせまいたとえ。錐指。〔荘子、秋水〕

8 **【錘】** 16画 12710 人
㊀㊥ツイ・㊇ズイ(ヅイ) 囡 chuí
㊁スイ 寘
慣**スイ**
3178 908E —

筆順 亼 今 金 釒 … 錘

字義 ㊀❶重さの単位。八銖(ハッシュ)、また、六銖の重さ。周代の一銖は約〇・六七グラム。❷**おもり**。分銅(フンドウ)。❸つるす。㊁火を吹きつけて金属をきたえる器。国**つむ**。㋐糸巻きなどの心棒。㋑糸をつむぐ機械の付属品。紡錘。

解字 篆文 形声。金＋垂(𠂹)㊥。音符の𠂹(スイ)は、たれるの意味。さおばかりにたれさがる、おもりの意味を表す。

8 **【鋷】** 16画 12711 スイ 寘 zuì
₂9102 — —

字義 きり(錐)。

難読 鋷橋(けぬきばし)

解字 形声。金＋取㊥。

8 **【錆】** 16画 12712 人 標
㊥ショウ(シャウ) 陽 qiāng
㊇ソウ(サウ)
慣**セイ**
2712 8E4B —

筆順 𠆢 午 金 釒 … 錆

［錆］12713 俗字

字義 くわしい(精)。よく精練されている。国**さび**。金属の表面にできた酸化物。

解字 形声。金＋青㊥。音符の青は、すみきっているの意味。よく精練された金属の意味を表す。国字としては、緑青(ロクショウ)のついた銅、さびの意味を表す。

8 **【錆】** 16画 12713 セイ 錆(12712)の俗字。→一四七八ページ中。

8 **【錢】** 16画 (12616) セン 銭(12615)の旧字体。→一四七一ページ下。

8 **【錚】** 16画 12714 ㊥**ソウ**(サウ)・㊇ショウ(シャウ) 庚 zhēng
7903 E842 —

字義 ❶金属の音の形容。❷かね(鐘)。どら。

解字 篆文 形声。金＋争㊥。音符の争(ソウ)は、金属の触れあう音の擬声語。

【錚然】(ソウゼン) 金石などのぶつかりあう音の形容。

【錚錚】(ソウソウ) ①金鉄の音、また、それに似た音の形容。②すぐれた人物の形容。③玉のひびきの形容。④秋風の音の形容。⑤琴や琵琶(ビワ)の澄んだ音の形容。

8 **【錝】** 16画 12715 ソウ 宋 東 zōng
₂9108 EEC1 6859

字義 金色の毛。

解字 形声。金＋宗㊥。

8 **【鍩】** 16画 12716 ダク nuò
— — 6886

字義 現代中国語で、化学元素の名。ノーベリウム。

解字 形声。金＋若㊥。

8 **【錟】** 16画 12717
㊀㊥**タン**・㊇ダン 覃 tán
㊁セン 塩 xiān
₁9322 — 6861

字義 ㊀長い矛(ほこ)。㊁❶するどい。鋭利。❷すき。農具の一種。

解字 形声。金＋炎㊥。

8 **【鋹】** 16画 12718 チョウ(チャウ) 養 chǎng
₂9103 ED49 6848

字義 するどい(鋭)。

解字 形声。金＋長㊥。

8 **【錣】** 16画 12719
㊀㊥**テツ**・㊇テチ 屑 chuò
㊁テイ 霽 zhuì
7904 E843 —

字義 ㊀さんぎ(算木)。かずとり。数を数える道具。㊁❶はり(針)。❷馬のむちの先につける鉄の針。国**しころ**。かぶとの左右と、うしろに垂れて首すじをおおうもの。

解字 形声。金＋叕㊥。

8 **【錪】** 16画 12720 テン 銑 阮 tiǎn
— — 6867

字義 ❶釜(かま)。小さな釜。❷おもり。はかりのおもり。

解字 形声。金＋典㊥。

8 **【錔】** 16画 12721 トウ(タフ) 合 tà
— — 6856

字義 金属で物の表面を包む。また、その金属。かぶせがね。きせがね。国指貫き。

解字 形声。金＋沓㊥。

8 **【錍】** 16画 12722
㊀ヒ 囡 bēi
㊁㊥ヘイ・㊇ハイ 斉 pī
₂9106 — 6854

字義 ㊀❶おの(斧(フ))。❷すき(鋤(ジョ))。また、すきの刃。㊁❶やじり。❷＝㊀❶。❸豆の葉。

解字 形声。金＋卑㊥。

8 **【錶】** 16画 12723 ヒョウ(ヘウ) biǎo
— — 6870

字義 現代中国語で、時計。国かすがい。

解字 形声。金＋表㊥。

8 **【錨】** 16画 12724 ㊥**ビョウ**(ベウ)・㊇ミョウ(メウ) 肅 māo
4137 9564 —

字義 **いかり**。船をとめておくために水中に沈めるおもり。

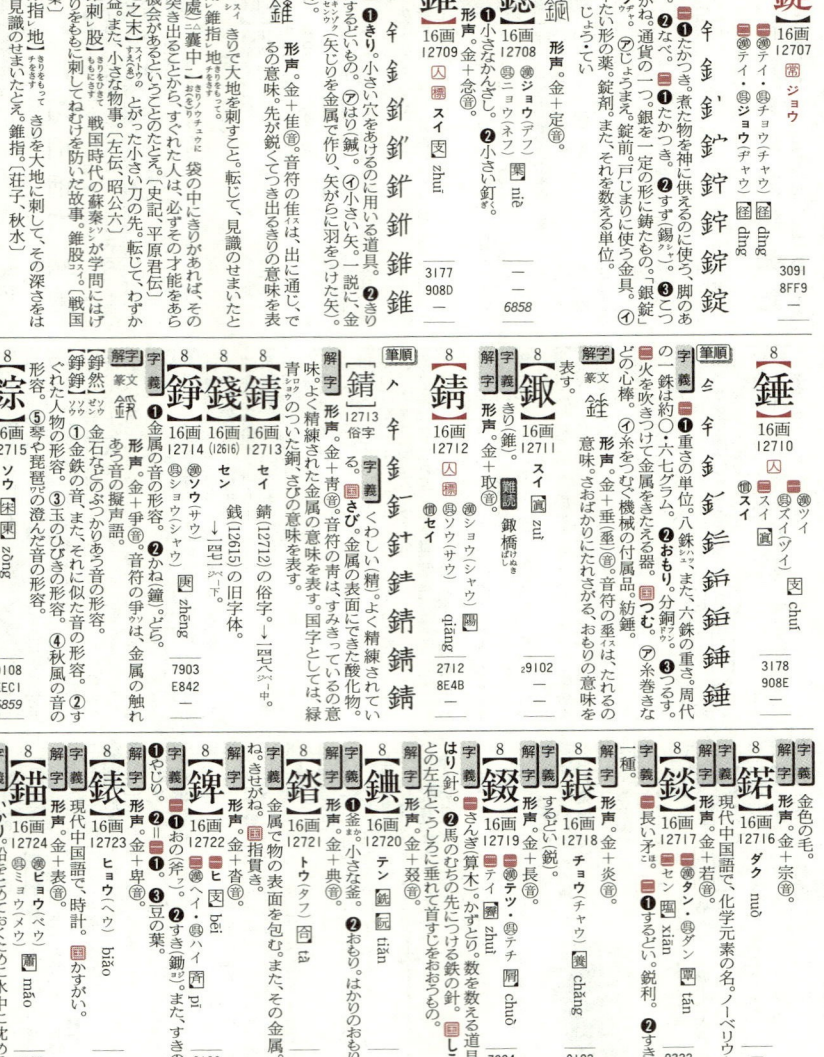

「投錨」

解字 形声。金＋苗㊌。

8【鉼】16画 12725 フ (2)9094 — —
斧(4596)と同字。→六三六ページ上。

8【鉼】16画 12726 漢ヘイ 呉ヒョウ(ヒャウ) 梗 bǐng
［鉼］12625 俗字
字義 のべがね(延金)。いたがね(板金)。
解字 形声。金＋幷㊌。

8【錳】16画 12727 モウ(マウ) měng — — 6868
字義 現代中国語で、化学元素の名。マンガン。
解字 形声。金＋孟㊌。

8【鋣】16画 12728 ヤ — — 6841
鋣(12676)の俗字。→一四七五ページ中。

8【錑】16画 12729 一ライ 隊 lèi 二ライ 灰 (2)9093 — 6855
字義 一かんな。木を平らにけずる工具。二きり。国❶もじ(もぢ)。もじり(もぢり)。きりの柄の端に丁字形のとってをつけて、ねじりまわすようにしたもの。❷ねじり(ねぢり)。ねじ(ねぢ)。
解字 形声。金＋戾㊌。

8【錝】16画 12730 リョウ(リャウ) liàng 7893 E7FB —
字義 打楽器の一種。難読 小錝(こがい)
解字 形声。金＋京㊌。

8【錂】16画 12731 リョウ 蒸 líng (2)9105 EEC2 6852
字義 金属の名。
解字 形声。金＋夌㊌。

8【錀】16画 12732 一リン 真 lún 二フン 文 fēn — — 6851
字義 一金属の名。二うさぎあみの金具。
解字 形声。金＋侖㊌。

8【錬】16画 12733 常 レン 4703 9842 —
9［鍊］17画 12734 人 レン 霰 liàn (1)9327 — —
筆順 …錬
字義 ❶ねる。㋐金属をねりきたえる。「精錬」㋑薬をねり合わせる。「錬丹」㋒人の心や文章などをねりあげる。「磨錬」㋓物事を理想的状態にする。「修錬」❷ねりあげた金属。ねりがね。錬金。❸役人が罪をでっちあげて人を罪におとしいれること。
名前 れん
解字 篆文 形声。金＋柬(柬)㊌。音符の柬(カン＝レン)は、練(練)に通じ、ねるの意味。金属をとかしてねりきたえるの意味を表す。
逆 修錬・試錬・精錬・製錬・鍛錬

【錬金】(レンキン) ①精錬した黄金。②不老不死の薬を作るために金をねる。③金以外の金属で金を作ろうとしたこと。
【錬鋼】(レンコウ) ねりきたえたはがね。
【錬成】(レンセイ) ①ねりきたえて、りっぱにする。②強く鋭いことのたとえ。
【錬丹】(レンタン) 道教の術で、不老不死の薬(金丹)をねること。また、その薬。丹薬。錬薬。煉丹(レンタン)。〔晋書、葛洪伝〕
【錬磨】(レンマ) ねりみがく。

8【録】16画 12735 教4 ロク 4731 985E —
8［錄］16画 12736 人 一漢リョク・呉ロク 沃 lù 二ロク 屋 lù 三漢リョ・呉ロ 御 lǜ 慣ロク (1)9321 — —
筆順 …録
字義 一❶しるす(記)。㋐書きしるす。「記録」㋑心にしるす。記憶する。❷書きつけ。書きしるしたもの。㋐書きぬき。うつし。「抄録」㋑品物や書物などの名を書きならべたもの。「目録」❸うつす(写)。書きうつす。❹すべる(統)。㋐とりまとめる。しめくくる。㋑とりしまる。検束する。❺あらわす。明らかにする。❻歴史。「実録」二→録録。三しらべる。しらべ考える。
名前 とし・ふみ・よし・ろく
解字 篆文 形声。金＋录(彔)㊌。音符の彔(ロク)は、水をくみあげるの意味。重要なことをくみあげて、金属にしるすの意味を表す。
逆 記録・語録・採録・雑録・実録・収録・抄録・叙録・著録・図録・筆録・付録・目録・要録

【録事】(ロクジ) ①事件を記録し、善悪を調べただす官職。②国㋐旧陸海軍の軍法会議の属官。㋑宮中の御歌所の属官。
【録奏】(ロクソウ) 書面にしるして申し上げる。
【録△牒】(ロクチョウ) 姓名を書きしるした帳簿。名簿。
【録用】(ロクヨウ) とりあげる。採用する。
【録録】(ロクロク) 人物などが平凡なさま。自主的でなく、常に人のあとに従うさま。役に立たないさま。無能なさま。碌碌(ロクロク)。

8【錴】16画 12737 ロク lù — — 6869
字義 現代中国語で、化学元素の名。ロジウム。
解字 形声。金＋坴㊌。

8【錻】16画 12738 国字 7907 E846 —
字義 ブリキ(錻力)。錫(すず)をめっきしたうすい鉄板。オランダ語blikの音訳。
解字 形声。金＋武㊌。ブリキのブを音符の武が表す。

8【錵】16画 12739 国字 (2)9101 — —
字義 「ただし」などと読んで、人名に用いられる。

9【鍋】17画 12740 常 なべ カ(クヮ) 歌 guō 3873 93E7 —
筆順 …鍋
字義 ❶なべ。炊事道具のなべ・かまの類い。❷かりも。車のこしきの穴にさしこむ金具。難読 鍋原(なべら)
解字 形声。金＋咼㊌。

9【鍜】17画 12741 漢カ 呉ゲ 麻 xiá 7908 E847 —
字義 錏鍜(アカ)は、しころ。兜(かぶと)の鉢の後方や左右に垂れて首すじをおおい守る具。難読 鍜冶(かじ)・鍜屋(かじや)・鍜谷(かじたに)
参考 〔鍛〕(12770)と混同されるが、別字。
解字 形声。金＋叚㊌。

9【鍇】17画 12742 カイ 蟹 kǎi (2)9114 — 6872
字義 ❶くろがね。鉄。❷質のよい鉄。精製した鉄。❸かたい。❹白い鉄。
解字 形声。金＋皆㊌。

9【鍔】17画 12743 ガク 薬 è 3655 92D5 —
字義 ❶は(刃)。刀の刃。❷きっさき。剣のきっさき。❸みね。剣のみね。❹きし。がけ。また、はし。きわ。国つば。刀の柄と刃との間にはめて手を保護する金具。
解字 形声。金＋咢㊌。

9【鍰】17画 12744 漢カン(クヮン) 呉ゲン 刪 諫 huán (1)9331 EEC3 6890
字義 ❶重さの単位。六両。周代の一両は約十六グラム。❷かね。貨幣。また、その単位。金六両。❸わ(環)。
解字 形声。金＋爰㊌。

9【顉】17画 (13484) ガン　頁部。→一五六一ページ中。

9【鍕】17画 12745 クン 図 jūn　―　―　6878
字義 鍕鋛(クンチ)は、千手観音が手に持つ瓶(かめ)。
解字 形声。金＋軍音。

9【鍥】17画 12746 漢ケツ 呉ケチ 屑 qiè　19329　―　―
［鍥］12747 俗字
字義 ❶かま。草などを刈るかま。❷きざむ。ほりつける。❸たつ(断)。たちきる。❹むごい。
解字 篆文 形声。金＋契音。音符の契は、きざむの意味。草などを切りきざむかまの意味を表す。

9【鍥】17画 12747 ケツ　鍥(12746)の俗字。→一四八〇ページ上。　―　―　6884

9【鍵】17画 12748 常 ケン かぎ　漢ケン・呉ゲン 先 銑 jiàn　2416　8CAE　―
筆順 金 金 金 金 鍵 鍵 鍵 鍵 鍵
字義 ❶かぎ。錠前にさしこむ金具。❷鼎(かなえ)のみみ。鼎を持ちあげる部分。❸くさび。車のくさび。国❶かぎ。㋐錠前。㋑手がかり。❷ケン。ピアノやオルガンなどの指でたたく部分。キー。「鍵盤」
名前 かぎ
解字 篆文 形声。金＋建音。音符の建は、のびやかにたつの意味。雄の生殖器のようにたつ金具、かぎの意味を表す。
【鍵関(關)】(ケンカン) ①かぎと、かんぬき。②門や戸のしまり。戸じまり。
【鍵△鑰】(ケンヤク) じょうまえ。かぎ。

9【鋻】17画 12749 ケン 先 霰 jiān, jiàn　29104　EEBD　6849
字義 ❶は(刃)。❷はがね。❸かたい。つよい。❹にらぐ。焼きを入れる。
解字 形声。金＋臤音。

9【鍠】17画 12750 漢コウ(クワウ) 呉オウ(ワウ) 陽 庚 huáng　7909　E848　―
字義 ❶かねの音。「鍠鍠」❷まさかり。おの。
解字 形声。金＋皇音。

9【鍭】17画 12751 漢コウ 呉グ 尤 宥 hóu　―　―　6888
字義 ❶や(矢)。㋐鏃(やじり)と羽とをつけた矢。㋑弩(いしゆみ)に使う矢。❷やじり。
解字 篆文 形声。金＋侯音。音符の侯は、まとをうかがって矢を放つ形にかたどる。金属製のやじりをつけた矢の意味を表す。

9【鍧】17画 12752 コウ(クワウ) 庚 hōng　―　―　6885
字義 鏗鍧(コウコウ)は、鐘や鼓の音。鐘鼓の音の混じり合うさま。
解字 形声。金＋訇音。音符の訇(コウ)は、大きな音の擬声語。

9【鍞】17画 12753 漢コウ(カウ) 呉キョウ(キャウ) 庚 kēng　―　―　6882
字義 鍞鏘(コウソウ)は、金石などの鳴る音。
解字 会意。金＋貞(鼎省)。音符の鼎は、かなえの意味。

9【鍘】17画 12754 漢サツ 呉ゼチ 黠 zhá　―　―　6880
字義 押し切り。
解字 会意。金＋則。

9【鏒】17画 12755 サン　鏒(12842)と同字。→一四八四ページ下。

9【鏒】17画 12756 サン　鏒(12842)の俗字。→一四八四ページ下。　29112　―　―

9【鐂】17画 12757 シ　鎦(12702)の本字。→一四七七ページ下。　―　―　6903

9【鍶】17画 12758 ㊀漢ショウ・呉シュウ 冬 sōng ㊁シ 支 sī　―　―　6894
字義 ㊀鉄製の器具。㊁❶現代中国語で、化学元素の名。セリウムの旧訳。❷現代中国語で、化学元素の名。ストロンチウム。
解字 形声。金＋思音。

9【鎡】17画 12759 シ 支 zī 慣ジ　29121　―　―
［鍿］12760 俗字
字義 鎡基(ジキ)・鎡錤(ジキ)は、農具。すき。くわ。
解字 形声。金＋茲音。

9【鍿】17画 12760 ジ　鎡(12759)の俗字。→一四八〇ページ中。　―　―　6917

9【鍬】17画 12761 人 標 ショウ(セウ) 慣シュウ(シウ) 蕭 qiāo　2313　8C4C　―
筆順 ㇒ 𠂉 金 金 金 鍬 鍬 鍬 鍬
［鍫］12762 同字
字義 くわ。すき。農具の一種。
解字 形声。金＋秋音。

9【鍫】17画 12762 シュウ　鍬(12761)と同字。→一四八〇ページ中。　29118　―　―

9【鍒】17画 12763 漢ジュウ(ジウ) 呉ニュウ(ニウ) 尤 róu　―　―　6877
字義 なまがね。よく鍛えていない、やわらかい鉄。
解字 形声。金＋柔音。音符の柔は、やわらかいの意味。

9【鍾】17画 12764 標 漢ショウ 呉シュ 冬 zhōng　3065　8FDF　―
字義 ❶あつめる。あつまる。❷かさねる。ます(増)。❸あたる(当)。❹あたえる。さずける。❺さかつぼ。酒を入れる壺(つぼ)。一説に、さかずき。❻容量の単位。一鍾は、約五一・二リットル。❼かね。つりがね。＝鐘(12879)。❽ちち(父)。また、しゅうと。としより。＝翁(9516)。

鍾⑤(漢代)

解字 金文 篆文 形声。金＋重音。音符の重は、おもいの意味。金属製の重いさかずきの意味を表す。また、かさなってくる・あつまるの意味をも表す。
【鍾愛】(ショウアイ) 非常にかわいがること。
【鍾王】(ショウオウ) 魏(ギ)の鍾繇(ショウヨウ)と晋(シン)の王羲之(オウギシ)。ともに書家として有名。
【鍾△馗】(ショウキ) 疫病神(ヤクビョウがみ)を追い払う神。唐の玄宗皇帝が夢みたものを呉道子が描いたのにはじまるという。
【鍾子期】(ショウシキ) 春秋時代、楚(ソ)の人。伯牙(ハクガ)の琴をきいて、よく理解したという。〔列子、湯問〕→知音(一〇一七ページ中)。
【鍾△繇】(ショウヨウ) 三国時代、魏(ギ)の文帝に仕えた書家。草書をよくした。(一五一―二三〇)

9【鍼】17画 12765 標 シン 侵 zhēn　7910　E849　―
字義 ❶はり(針)。㋐縫い針。㋑医療用の針。❷さす。針をさす。❸いましめ。＝箴(8812)。
参考 現代表記では〔針〕(12468)に書きかえることがある。「鍼術→針術」
解字 篆文 形声。金＋咸音。音符の咸(カン＝シン)は、すっかりとじるの意味。とじるためのぬい針の意味を表す。
【鍼△艾】(シンガイ) ①はりと、もぐさ。②いましめ。教訓。箴戒(シンカイ)。▼艾は、灸に用いるもぐさ。
【鍼△灸】(シンキュウ) はりと、きゅう。針灸。

【鍼術】シンジュツ 医療用の針を用いて病気を治療する方法。針術。
【鍼石】シンセキ ①医療用の石の針。②いましめ。教訓。
【鍼線】シンセン 針と糸。
【鍼△砭】シンヘン・シンペン ①金属の針と石の針。▼砭は、医療用の石針。②いましめ。教訓。
【鍼薬（藥）】シンヤク ①針と薬。②病気の治療。

9【鍤】17画 12766 漢ソウ（サフ） 呉ショウ（セフ） 洽 chā ｜9328 — 6883
字義 ❶すき。農具の一種。❷はり。まち針。布を張り広げるのに用いる針。
解字 篆文 鍤 形声。金＋臿音。音符の臿ソウは、さすの意味。こみ耕すすきの意味を表す。布にさしこむ金属製のはりの意味や、土にさし

9【鍐】17画 12767 漢ソウ 呉スウ 東 zōng — — 6875
字義 馬の首飾り。
解字 形声。金＋嵏音。

9【鏓】17画 12768 ソウ 鏓（12850）の俗字。→一四八五ジ上。 — — 6889

9【鍺】17画 12769 タ 哿 duǒ, ②zhě — — 6901
字義 ❶車軸の巻きがね。轂こしきの中の管の覆い。❷現代中国語で、化学元素の名。ゲルマニウム。
解字 形声。金＋者音。

9【鍛】17画 12770 常 タン きた-える タン 翰 duàn 3535 9262 —
熟字訓 鍛冶かじ

筆順 鍛

［煅］6953 同字

字義 ❶きた-える。きたふ。㋐金属の質をよくするために、うちたたく。㋑ねる。物事を理想的状態にまで高める。㋒役人が人の罪をつくりあげること。❷やぶる（破）。槌つちでうちやぶる。❸といし。
名前 かじ・かたし・かぬち・きたえ 難読 鍛師かぬち・鍛冶かぬち
参考 〔鍜〕（12741）は別字。
解字 篆文 鍛 形声。金＋段音。音符の段は、徹底して加工を重ねるの意味。金属にやきをいれてきたえるの意味を表す。

【鍛冶】タンヤ・かじ（ぢ） 金属をきたえて、器物を造ること。また、その人。鍛工。
【鍛錬・鍛練】タンレン ①金属をきたえねる。②詩や文章などの字句をねること。③学問や芸術をまなび、はげむ。④からだや意志をきたえる。⑤むごい役人が無理に人を罪におとすこと。「鍛錬之吏タンレンのリ」

9【鍴】17画 12771 タン 寒 duān — — 6893
字義 ❶錐きり。❷古代の容器の名。
解字 形声。金＋耑音。

9【鍉】17画 12772 漢チ 呉ジ（ヂ） 支 chí
字義 鍕鍉クンチは、千手観音が手に持つ瓶かめ。
解字 形声。金＋持音。

9【鍮】17画 12773 漢トウ・呉ツ 尤 tōu 慣チュウ（チウ） 7911 E84A —
字義 しんちゅう（真鍮）。銅と亜鉛の合金。また、自然銅のすぐれたもの。
解字 形声。金＋兪音。

9【鍖】17画 12774 チン 侵 zhēn 7912 E84B —
字義 あてぎ。＝椹（5620）。㋐木を断ち切る台。㋑罪人を乗せて切る台。
解字 形声。金＋甚音。

9【鎚】17画 12775 ツイ 鎚（12815）の俗字。→一四八三ジ中。

9【鍉】17画 12776 ㊀漢テイ・呉タイ 斉 dī ㊁漢シ・呉ジ 支 chí, ③shì ㊂漢テキ・呉チャク 錫 dí ｜9326 — 6874
字義 ㊀血をすする器。ちかいをたてるとき使う。㊁❶かぎ（鍵）。❷さじ（匙シ）。❸化学元素の名。ツリウム。㊂やじり（鏑キテ）。
解字 形声。金＋是音。音符の是は、柄ののびたさじの意味。金属製のさじの意味を表す。

9【鍗】17画 12777 漢テイ 呉ダイ 斉 tí ₂9116 EEC4 6879
字義 ❶金属の名。❷容器の名。釜かまの類い。
解字 形声。金＋帝音。

9【鍍】17画 12778 漢ト 呉ド 遇 虞 dù 3753 9374 —
字義 めっき。金銀などを溶かし、物の表面に流しつけてかざること。また、そのかざり。国くさり（鎖）。難読 鍍金めっき
解字 形声。金＋度音。音符の度は、わたすの意味。薄い金・銀などを他の金属にかぶせわたす、めっきの意味を表す。
【鍍金】トキン 金めっき。

9【鎂】17画 12779 ビ mĕi — — 6906
字義 現代中国語で、化学元素の名。マグネシウム。
解字 形声。金＋美音。

9【鍑】17画 12780 ㊀漢フウ・呉フ 宥 fù ㊁フク 屋 ₂9115 — 6876
字義 ㊀㊁かま（釜フ）。口の大きい釜。国さがり。つり下げて物を煮る口の大きな釜。
解字 形声。金＋复（夏）音。

9【鍽】17画 12781 ヘン 先 銑 biān — — 6902
字義 かね。金属。
解字 形声。金＋扁音。

9【鍪】17画 12782 漢ボウ 呉ム 尤 móu ｜9330 — 6887
字義 ❶かま。なべ。炊事用具の一つ。❷かぶと。❸かんむりの鉢。かんむりの頭のはまるところ。
解字 篆文 鍪 形声。金＋敄音。音符の敄ボウは、冃ボウに通じ、おおうの意味。頭をおおう、かぶとの意味を表す。

鍪②

9【鄊】17画 12783 ヤ 鄊（12676）と同字。→一四七五ジ中。 — — 6905

9【鍚】17画 12784 ヨウ（ヤウ） 陽 yáng ₂9117 — 6881
字義 ❶おもがい。馬の額にあてるかざりの金具。❷たてかざり。盾のうしろの金かざり。
解字 形声。金＋昜音。

9【鍱】17画 12785 ヨウ（エフ） 葉 yè ₂9119 — 6891
字義 いたがね（板金）。のべがね（延金）。
解字 形声。金＋枼音。

9【鍊】17画 （12734） レン 鍊（12733）の旧字体。→一四七九ジ上。

9【鏤】17画 12786 ロウ 鏤（12864）の俗字。→一四八五ジ下。

9 【鍩】17画 12787 国字 ₂9113 — —

字義 「はる」などと読んで、人名に用いられる。

10 【鎰】18画 12788 漢イツ 呉イチ 質 yì 7913 E84C — —

字義 金貨の重さの単位。二十両(周代の一両は約十六グラム)。一説に二十四両。国かぎ。㋐錠前を開く鍵かぎ。㋑なべ・かまの類いをかける自在鉤ジザイかぎ。

解字 形声。金＋益音。

10 【鎣】18画 12789 漢エイ 呉ヨウ 径 yíng 9333 — 6918

字義 ❶金属を磨いて光沢を出す。研磨器。❷飾る。

解字 形声。金＋熒省音。

10 【鎢】18画 12790 漢オ(ヲ) 呉ウ 虞 wū

字義 ❶鎢錥イクは、なべ(鍋)。❷化学元素の名。タングステンの訳。

10 【鏵】18画 12791 カ ₂9128 — —

鏵(12833)の俗字。→一四八四ジペー上。

10 【鎵】18画 12792 カ jiā — — 6924

字義 現代中国語で、化学元素の名。ガリウム。

解字 形声。金＋家音。

10 【鎶】18画 12793 カ gē — — 6925

字義 現代中国語で、化学元素の名。ニオビウムの旧訳。

解字 形声。金＋哥音。

10 【鎧】18画 12794 人 標 漢カイ 慣ガイ 賄 隊 kǎi 1927 8A5A —

筆順 𠆢 牟 金 釒 鉳 鎧 鎧 鎧 鎧

字義 ❶よろいよろ。金属製のよろい。❷よろう。よろいを着る。

解字 形声。金＋豈音。

【鎧甲】ガイコウ よろい。▼鎧は金属製、甲は革製。

【鎧袖一触(觸)】ガイシュウイッショク ①よろいのそでがちょっと触れること。②弱い敵に一撃を加えること。弱敵をたやすくうちまかすこと。

鎧①

【鎧仗】ガイジョウ よろいと武器。▼仗は、武器の総称。

【鎧冑】ガイチュウ よろいと、かぶと。甲冑カッチュウ。

【鎧馬】ガイバ 武装した馬。鉄馬。

10 【鎋】18画 12795 漢カツ 呉ゲチ 黠 xiá 〔鎋〕12796 俗字 ₂9125 — —

字義 ❶くさび。車の輪を軸にとめる金具。❷物事のしめくくり。

解字 形声。金＋害音。音符の害ガイ・カツは、割に通じ、わるの意味。すき間にわりこませる金具、くさびの意味を表す。

10 【鎋】18画 12796 カツ — — 6909

鎋(12795)の俗字。→一四八二ジペー中。

10 【鑒】18画 12797 カン ₂9120 — 6892

鑑(12922)と同字。→一四八八ジペー下。

10 【鏸】18画 12798 ケイ ₂9123 — —

鏸(12873)の俗字。→一四八四ジペー上。

10 【鎬】18画 12799 漢コウ(カウ) 呉ゴウ(ガウ) 皓 hào 7914 E84D —

字義 ❶なべ。炊事用のなべ。❷地名。→鎬京。国しのぎ。刀身の両側に通っている高いすじ。「鎬を削る(はげしく切り合う)」

解字 形声。金＋高音。

【鎬飲】コウイン 周の都の鎬京コウケイで、武王・周公が宴会を開いたことをいう。〔詩経、小雅、魚藻〕

【鎬京】コウケイ 地名。周の武王の都。陝西セン省西安市の西南。

【鎬鎬】コウコウ 光りかがやくさま。明らかなさま。

10 【鎤】18画 12800 コウ(クヮウ) 養 huǎng — EEC5 6919

字義 鐘の音。

解字 形声。金＋晃音。

10 【鎖】18画 12801 常 サ くさり 2631 8DBD —

10 〖鎖〗18画 12802 サ 哿 suǒ 〔鏁〕12839 同字 〔鎻〕12803 俗字

筆順 𠆢 牟 金 釒 釒 鈔 鈔 銷 鎖 鎖

字義 ❶くさり。❷かぎ。錠前ジョウまえ。❸とじる。また、とざす。さす。「閉鎖」❹つなぐ。つないだもの。「連鎖」❺罪人の首にはめる鉄製のくさり。❻チェーン。イギリスの距離の単位chainの訳。一チェーンは、約二〇・一メートル。

解字 篆文 形声。金＋𧴪(貨)音。音符の𧴪サは、こまかいの意味。こまかい金具、じょう・くさりの意味を表す。

逆 封鎖・閉鎖・連鎖

【鎖△鎧】サガイ くさりを連ねて作ったよろい。くさりかたびら。

【鎖港】サコウ 港の口に障害物があって船がはいれぬこと。また、港をとざして、外国と通商・貿易を許さぬこと。

【鎖国(國)】サコク 国国をとざす。外国との貿易・交通・外交を絶つこと。↔開国(一四九六ジペー下)。

【鎖愁】サシュウ うれいをとざす。

【鎖△鑰】サヤク ①錠前ジョウまえと、かぎ。門や戸のしまり。②出入の要所。たいせつな場所。

10 【鎻】18画 12803 サ ₂9124 — 6907

鎖(12801)の俗字。→一四八二ジペー中。

10 【鎈】18画 12804 一 サ 哿 suǒ 二 漢サ・呉シャ 麻 chā

字義 一金の光。二銭。国ぜにさし。銭の穴にさし通して束ねるひも。

解字 形声。金＋差音。

10 【鎍】18画 12805 一 サク 薬 suǒ 二 漢サク・呉シャク 陌 sè — — 6910

字義 一❶針金。❷現代中国語で、時計のゼンマイ。二かなぐし。鉄の串くし。

解字 形声。金＋索音。

10 【鎀】18画 12806 漢シュウ(シウ) 呉シュ 尤 xiū — — 6904

字義 あらがね。じがね。銅・鉄の鉱石。

解字 形声。金＋修音。

10 【鎨】18画 12807 シュン 軫 sǔn — — 6921

字義 金がきざし生ずる。

解字 形声。金＋隼音。

10 【鏘】18画 12808 ショウ ₂9122 — —

鏘(12848)の俗字。→一四八五ジペー上。

10 【鎸】18画 12809 セン

鐫(12881)の俗字。→一四八六ジペー下。

10 【鎗】18画 12810 一 漢ソウ(サウ) 呉ショウ(シャウ) 庚 chēng 二 漢ショウ(シャウ) 呉ソウ(サウ) 陽 qiāng 3389 9199 —

字義 一❶かなえの一種。三本足のなべ・かまの類い。❷酒を入れる器。❸玉のひびきの形容。二❶やり。＝槍(5698)。❷銃。鉄砲。❸鐘などの音の形容。＝鏘(12848)。

解字 形声。金＋倉音。

10【鎪】18画 12811 ソウ 因 sōu

字義 えーる(彫)。きざむ(刻)。彫刻する。

解字 形声。金＋叟音。

10【鎴】18画 12812 ソク xī — — 6923

字義 現代中国語で、化学元素の名。ストロンチウムの旧訳。

10【鎮】18画 12813 常 チン しずめる・しずまる 3635 92C1 —

10【鎭】18画 12814 人 ㊀チン 震 zhèn ㊁漢テン・呉デン 先 tián 7915 E84E —

筆順 金 釒 鈩 鈩 鎮 鎮 鎮 鎮

字義 ㊀❶しずめる。㋐やすめる。安んずる。なで安んずる。乱れているものを穏やかにする。また、痛みや興奮をやわらげる。「鎮撫チンプ」㋑おす。おさえつける。㋒止める。とどめる。❷しずまる。❸おさえ。㋐おもし。「文鎮」㋑中心的な存在。「重鎮」❹じんや(陣屋)。兵営。❺まち。商業などのさかんな大きな町。❻常に。長く。㊁❶ふさぐ。また、ふさがる。＝塡(2089)。❷うずめる。埋まる。

名前 おさむ・しげ・しず・しずむ・しずめ・しん・たね・つね・なか・まさ・まもる・やす・やすし

使いわけ しずめる・しずまる〔静・鎮・沈〕⇩静(13283)。

解字 篆文 鎭 形声。金＋真(眞)音。音符の眞は、つめこむの意味。いっぱいにつめこまれた金属、おもしの意味を表す。

逆 重鎮・書鎮・藩鎮・辺鎮・要鎮

【鎮圧(壓)】チンアツ ①しずめ抑える。反乱や暴動を抑える。②押しつぶされる。鎮厭ヨウ。③積みかさなる。

【鎮遏】チンアツ しずめ、とどめる。鎮止。

【鎮安】チンアン ①しずめ安んずる。②しずまり安らかになる。

【鎮慰】チンイ しずめ安んずる。

【鎮火】チンカ 国火事が消える。また、火事を消ししずめる。

【鎮禦】チンギョ 民をしずめ、敵を防ぐこと。

【鎮圭】チンケイ 天子の手に持つ宝玉。会稽カイケイ山や霍山カクザンなど四方の山のさまを彫ったもので、四方を安定する意をしめす。

鎮圭

【鎮護】チンゴ 国しずめ守る。乱をしずめ、国を守ること。

【鎮魂】チンコン 国たましずめ。たましいをおちつけ静めること。「鎮魂祭」

【鎮座・鎮坐】チンザ 国①神霊がそこに静まりとどまる。②すわっていること。物がそこにあること。

【鎮止】チンシ しずめとどめる。しずめる。

【鎮紙】チンシ 文鎮。書鎮。

【鎮日】チンジツ ①一日中。また、長い日。②ふだん。平日。

【鎮守】㊀チンシュ しずめ守る。軍隊を駐留させて守る。鎮戍チンジュ。㊁チンジュ 国①土地の守護神。鎮守さま。②寺院の守り神。

【鎮守府】チンジュフ 国①平安時代、東北地方の蝦夷えぞをしずめるために陸奥むつの国に置かれた役所。②旧海軍で所属海軍区を総轄した機関。

【鎮西】㊀チンセイ・チンサイ 新疆シンキョウウイグル自治区の東部の巴里坤哈薩克バリクンハザク自治県の旧名。㊁チンゼイ 国九州の古い名。

【鎮静(靜)】チンセイ しずめる。また、しずまる。◈「沈静」も同意。一般に、「静かにさせる(他動詞)」には「鎮静」、「静かになる(自動詞)」には「沈静」を用いる。「鎮静剤」「物価が沈静する」

【鎮台(臺)】チンダイ ①一地方を守る軍隊。またその長。将官。②国明治初期の陸軍部隊の単位。師団の旧称。

【鎮定】チンテイ しずめ定める。暴動などをしずめて人々を安定させる。平定。

【鎮討】チントウ 賊を討ってしずめること。

【鎮撫】チンブ しずめやすんずる。鎮安。▼撫は、なでる。

【鎮服】チンプク しずめ従える。

【鎮厭】チンヨウ 押しつぶす。また、押しつぶされる。鎮圧。

10【鎚】18画 12815 標 ㊀漢ツイ 呉ズイ(ヅイ) 支 chuí ㊁漢タイ 呉ツイ 灰 duī 3642 92C8 —

［鎚］12775 俗字

字義 ㊀❶つち。かなづち。❷うつ(打)。❸おもり(錘スイ)。はかりのおもり。㊁❶きたえる(鍛)。❷みがく(磨)。

解字 形声。金＋追音。音符の追は、椎ツイに通じ、つちの意味。金づちの意味を表す。

10【鎕】18画 12816 漢トウ(タウ) 呉ドウ(ダウ) 陽 táng — — 6913

字義 鎕銻トウテイは、雲母に似た美玉の一種。

解字 形声。金＋唐音。

10【鎒】18画 12817 ドウ 耨(9601)と同字。→一一六八ジ下。 — — 6912

10【鎛】18画 12818 ハク 薬 bó [1]9332 — 6915

字義 ❶鐘を掛ける横木。また、そのかざり。❷かね(鐘)。つきがね。大きな鐘で、底辺が平面になっているもの。❸すき。また、くわ。ともに農具。❹金の酒だる。

解字 形声。金＋尃音。

鎛②(周代)

10【鏌】18画 12819 漢バク 呉マク 薬 mò — — 6936

字義 鏌邪バクヤは、春秋時代、呉の刀工、干将カンショウの妻の名。また、その夫婦が作った名剣の名。莫邪・鏌鋣とも書く。

解字 形声。金＋莫音。

10【鏋】18画 12820 バン 鏝(12908)と同字。→一四八〇ジ中。 — — 6922

10【鎞】18画 12821 漢ヘイ 呉ハイ 斉 bì [2]9127 — 6916

字義 ❶くし(櫛シツ)。❷へら。かねべら。金属製のへら。

解字 形声。金＋𣬉音。

10【鎊】18画 12822 ㊀ホウ(ハウ) 陽 pāng ㊁ポンド bàng — — 6908

字義 ㊀削る。㊁ポンド。イギリスの貨幣の単位。

解字 形声。金＋旁音。

10【鎔】18画 12823 ヨウ 熔(6974)の正字。→七〇〇ジ下。 7916 E84F —

参考 現代表記では[溶](6607)に書きかえる。「鎔解→溶解」「鎔鉱炉→溶鉱炉」

10【鎏】18画 12824 漢リュウ(リウ) 呉ル 尤 liú [2]9126 — 6911

字義 ❶美しい金。純金。❷帝王の冠の前に垂れた飾り玉。

解字 形声。金＋流音。

10【鎦】18画 12825 リュウ 鐂(12895)の俗字。→一四七〇ジ下。 — — 6920

10【鎘】18画 12826 ㊀漢レキ・呉リャク 錫 lì ㊁カク gé — — 6914

字義 ㊀鼎かなえの一種。㊁現代中国語で、化学元素の名。カドミウム。

解字 形声。金＋鬲音。

10【鎌】18画 12827 常 かま 1989 8A99 —

10【鎌】18画 12828 レン 塩 lián

筆順 金 金' 金'' 鉡 鉡 鉡 鎌 鎌 鎌

［鐮］12913 同字

字義 かま。刈り取りに使う農具。

名前 かた・かね・かま

解字 篆文 鐮 形声。金＋兼(兼)音。音符の兼は、稲などを集め、手にするの意味。稲などを手ににぎり集めて刈るためのかまの意味を表す。

【鎌倉五山】かまくらゴザン 国鎌倉における禅宗の五大寺、建長・円覚・寿福・浄智・浄妙をいう。

【鎌府】レンプ 国鎌倉の雅名。幕府があったのでいう。

【鎌利】レンリ かまのようにするどいこと。

7917 E850 —

10【鎹】18画 12829 国字

字義 かすがい(かすがひ)。二つの材木を接合させるために用いる二本足のくぎ。

解字 会意。金＋送。

9334 — 6926

10【鎺】18画 12830 国字

字義 はばき。刀などの鍔の上下にはめて刀身の抜けないように鍔元を固める金具。

解字 会意。金＋祖。

7918 E851 —

11【鏖】19画 12831 オウ(アウ) 豪 āo

字義 ❶みなごろし。皆殺しにする。「鏖殺」 ❷なべ。銅製のはち。 ❸かまびすしい。さわがしい。

解字 形声。金＋鹿(麀)音。

【鏖殺】オウサツ 皆殺しにする。

【鏖戦(戰)】オウセン 全力をつくして戦う。また、はげしい戦い。皆殺しにするまで戦う。

11【鏂】19画 12832 漢オウ(ヲウ) 呉ウ 尤 ōu

字義 ❶鏂銗(オウコウ)は、㋐門扉の金具。㋑しころ。 ❷鈁鏂(フウオウ)は、㋐鏡ばこの飾り。㋑大きな釘。

解字 形声。金＋區音。

11【鏵】19画 12833 漢カ(クワ) 呉ゲ 麻 huā

［鐸］12791 俗字

字義 すき。農具の一種。国めぬき。

解字 形声。金＋華音。

11【鏆】19画 12834 カン(クワン) 翰 guàn

字義 ❶うがつ。❷腕輪。

解字 形声。金＋貫音。

9335 EEC6 6931

11【鑵】19画 12835 カン

缶(9406)の俗字。→二四三ページ下。

29130 — —

11【鏡】19画 12836 漢ケイ・呉キョウ(キャウ) 敬 jìng

教4 キョウ かがみ 熟字訓 眼鏡(めがね)

2232 8BBE —

筆順 金 金' 金'' 鉝 鉝 鉝 鉝 鏡 鏡

字義 ❶かがみ。㋐反射を利用して顔や姿をうつすもの。昔は金属で作り、後世は玉石を使い、現在は一般にガラスを使っている。㋑てほん。模範。㋒みち。道徳。㋓月・池のたとえ。㋔明らかなたとえ。また、静かに澄んでいるたとえ。 ❷かんがみる(鑑)。かがみとする。手本とする。 ❸てる(照)。てらす。 ❹めがね。レンズ。「眼鏡」

名前 あき・あきら・かがみ・かね・きょう・けい・とし・み

難読 鏡島(かがしま)

解字 篆文 鏡 形声。金＋竟音。音符の竟(キョウ)は、景に通じ、ひかりの意味。姿を映しだす銅製のかがみの意味を表す。

逆 玉鏡・金鏡・心鏡・人鏡・水鏡・破鏡・飛鏡・明鏡

【鏡花水月】キョウカスイゲツ 鏡に映った花と、水に映った月。ともに、詩歌などのことばにあらわせないほどのすぐれたおもむきにたとえる。〔詩家直説〕

【鏡戒・鏡△誡】キョウカイ ①明らかないましめ。②他と照らし合わせていましめること。

【鏡鑑・鏡△鑒】キョウカン ①鏡。②手本。模範。③かんがみる。手本とする。

【鏡考】キョウコウ 他と照らし合わせて考えること。

【鏡△匣】キョウコウ かがみばこ。鏡を入れておく箱。

【鏡心】キョウシン ①鏡の中心。②球面鏡の反射面の中央点。

【鏡水】キョウスイ 鏡のように澄んで静かな水。

【鏡台(臺)】キョウダイ 鏡を立てる台。

【鏡天】キョウテン 鏡のように澄んだ天。

【鏡殿】キョウデン 鏡で壁を作った御殿。

【鏡餅】一キョウヘイ 麦や米の粉で作った、鏡の形をしたもち。二かがみもち 国丸く中高に作ったもち。神に供えたり、正月の飾りにするもち。おそなえ。

【鏡銘】キョウメイ 鏡の銘。鏡の裏面にきざんだ文字・文章。

【鏡裏】キョウリ 鏡の中。鏡のうち。鏡中。

【鏡△奩】キョウレン 鏡箱。▼奩は、はこ。

11【鏹】19画 12837 漢キョウ(キャウ) 呉コウ(カウ) 養 qiǎng

字義 ぜにさし。銭の穴に通して銭を束ねる細いひも。また、その銭。

解字 形声。金＋強音。

— — 6946

11【鏊】19画 12838 ゴウ(ガウ) 号 ào

字義 平鍋(ひらなべ)。餅を焼くのに使う、円く平らな鍋。

解字 形声。金＋敖音。

— — 6934

11【鏁】19画 12839 サ

鎖(12801)と同字。→一四八二ページ中。

29132 — 6928

11【鏙】19画 12840 漢サイ 呉スイ 灰 賄 cuī

字義 鏙錯(サイサク)は、入り混じるさま。

解字 形声。金＋崔音。

— — 6939

11【鎩】19画 12841 一漢サイ 卦 shā 二漢サツ・呉セチ 黠 shā

字義 一❶つばのある剣。❷ほこ。㋐もろは(両刃)のほこ。㋑長いほこ。❸くじく。また、そこなう(残)。❹化学元素の名。サマリウム。

解字 形声。金＋殺音。

— — 6927

11【鏟】19画 12842 漢サン 呉セン 潸 諫 chǎn

［鏟］12755 俗字 ［鏟］12756 俗字

字義 ❶ならし。ちょうなの類い。木・金・石を平らにする工具。また、シャベル、スコップの類い。❷けずる。けずってたいらにする。また、いたがね。ひらがね。

解字 形声。金＋產音。

9337 — 6942

11【鏨】19画 12843 漢サン 呉ザン 勘 感 zàn

字義 ❶たがね。石や金属に字などを刻む小さなのみ。❷える(ゑる)。ほる。彫りつける。

解字 篆文 鏨 形声。金＋斬音。音符の斬(ザン)は、切るの意味。金石に切りつけるための、のみの意味を表す。

7920 E853 —

11【鏥】19画 12844 シュウ

銹(12652)と同字。→一四七四ページ上。

7921 E854 —

11【鏅】19画 12845 一漢シュウ(シウ) 呉シュ 尤 xiū 二漢シュウ(シウ) 呉シュ 宥 xiù

字義 一鏅鉏(シュウショ)は、あらがね。じがね。二鍛える。

— — 6930

解字 形声。金＋脩音。

11【鏉】19画 12846 一漢シュウ(シウ) 呉シュ 宥 shòu — — 6933
字義 一❶鋭い。❷鉄さび。二漢ソウ・呉ス 尤 sōu 彫る。刻む。
解字 形声。金＋欶音。

11【鏦】19画 12847 一漢ショウ・呉シュウ 冬 cōng 二ソウ(サウ) 江 cōng — — 6944
字義 一❶ほこ。小さいほこ。❷さす(刺)。つく(突)。つきさす。❸鏦鏦・鏦錚ソウは金属の鳴る音の形容。
解字 形声。金＋從音。

11【鏘】19画 12848 漢ショウ(シャウ) 呉ソウ(サウ) 陽 qiāng 7922 E855 —
［鎗］12808 俗字
字義 ❶金属や玉などの鳴る美しい音の形容。鏘然。＝瑲(7468)。❷→鏘鏘。
解字 形声。金＋將音。音符の將ショウは、金属などの鳴る音の擬声語。
【鏘金】ソウキン 音をたてて鳴る金属。
【鏘然】ソウゼン 金属や玉のふれあう音の形容。また、水の音がさらさらと美しく聞こえる形容。
【鏘鏘】ソウソウ ①高いさま。②さかんなさま。③たゆみなく進むさま。④姿・様子ののんびりしているさま。⑤金属や玉などの音、また、鳳凰ホウオウの声の形容。

11【鏇】19画 12849 漢セン 呉ゼン 霰 xuàn 2 9133 — 6932
字義 ろくろ(轆轤)。軸を回転させて木を削る道具。
解字 形声。金＋旋音。

11【鏓】19画 12850 漢ソウ 呉スウ 東 cōng — — 6938
［鍯］12768 俗字
字義 ❶鎗鏓ソウソウは、鐘の音の形容。❷うがつ。大きな鑿のみで木に穴をあける。
解字 形声。金＋悤音。

11【鏃】19画 12851 ソク 屋 zú 慣ゾク 7923 E856 —
字義 ❶やじり。矢のさき。❷するどい(鋭)。❸あたらしいさま。鏃鏃は、あたらしく目立つさま。
解字 篆文 形声。金＋族音。音符の族は、あつまるの意味。鋭い刃の部分があつまってとがった矢じりの意味を表す。

11【鏄】19画 12852 漢タン 呉ダン 寒 tuán — — 6929
字義 鉄のかたまり。
解字 形声。金＋專音。

11【鏑】19画 12853 漢テキ 呉チャク 錫 dí 3713 934C —
字義 ❶かぶらや。鏑矢。射ると音を出して飛ぶ矢。先に蕪かぶの球根に似た中空の球をつけ、その先に、雁股かりまたをつけるからいう。鳴鏑。❷やじり。矢の先端の、物につきささる部分。
難読 鏑矢かぶらや
解字 篆文 形声。金＋啇音。音符の啇テキは、いくの意味。敵にむかって飛んでいく、やじり・かぶらやの意味を表す。

11【鏜】19画 12854 トウ(タウ) 陽 tāng 2 9134 — 6940
字義 ❶鐘や太鼓の音の形容。「鏜鏜」❷くしで刺す。
解字 篆文 形声。金＋堂音。音符の堂は、鐘や太鼓の音の擬声語。
【鏜鞳】トウトウ ①鐘鼓の大きな音の形容。鞺鞳トウトウ。②鐘・鼓・大波・滝などがたてる大きな音の形容。

11【鏢】19画 12855 ヒョウ(ヘウ) 蕭 biāo 2 9135 — 6943
字義 ❶こじり。刀の鞘さやの下端に付ける飾りの金具。❷きっさき。刀剣の先端。
解字 形声。金＋票音。

11【鏝】19画 12856 マン 寒 翰 màn
［鏝］12858 俗字 ［〓］12910 俗字
字義 ❶こて。壁をぬる道具。❷刃のないほこ。
解字 篆文 形声。金＋曼音。音符の曼マンは、のばすの意味。壁土をながくのばすための鉄製のこての意味を表す。

11【鏋】19画 12857 マン 旱 mǎn — — 6935
字義 ❶こがね。黄金。❷現代中国語で、化学元素の名。アメリシウムの旧訳。
解字 形声。金＋㒼音。

11【鏝】19画 12858 マン 7924 E857 —
鏝(12856)の俗字。→一四八五ペ・中。

11【〓】19画 12859 漢ボウ(バウ) 呉モウ(マウ) 養 mǎng 1 9336 EEC7 6941
字義 ❶鈷〓コモウは、ひのし。❷鈳〓アモウは、小さい釜かま。
解字 形声。金＋莽音。

11【鏞】19画 12860 漢ヨウ 呉ユウ 冬 yōng — — 6937
字義 ❶おおがね。大きな鐘。❷西方の音楽。
解字 篆文 形声。金＋庸音。音符の庸は、もちあげるの意味。もちあげてつるす大きな鐘の意味を表す。原字は甬ヨウ。

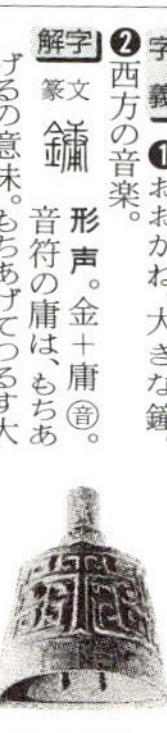
鏞①(殷代)

11【鏍】19画 12861 ラ 歌 luó
字義 釜かま。小さい釜。鍋なべ。
解字 形声。金＋累音。

11【鏐】19画 12862 一漢リュウ(リウ) 呉ル 尤 宥 liú 二リョウ(レウ) 蕭 liáo 7925 E858 —
字義 一❶いしゆみ(弩ド)のへり。❷美しいこがね。純金。二しろがね。美しい銀。純銀。＝鐐(12896)。
解字 形声。金＋翏音。

11【鏈】19画 12863 レン 先 lián, ③④liàn 7926 E859 —
字義 ❶銅の一種。❷鉛のあらがね。精錬しない鉛。❸くさり(鎖)。❹距離の単位ケーブル(十分の一浬カイ、約一八五メートル)の訳語。
解字 篆文 形声。金＋連音。音符の連は、つらなるの意味。長くつらなる「くさり」の意味を表す。

11【鏤】19画 12864 漢ロウ 呉ル 宥 lòu 7927 E85A —
［鎪］12786 俗字
字義 ❶える。ほる。きざむ。彫りつける。❷ちりばめる。ちりばむ。える。㋐ほる。きざむ。㋑ほって金・玉などをはめ込む。❸はがね。鋼鉄。❹かざる。金属でかざる。また、そのかざり。❺きりひらく。また、うがち通す。❻かま(釜)。
解字 篆文 形声。金＋婁音。音符の婁ロウは、加工した上にも加工するの意味。ちりばめるための金属、はがねの意味や、ちりばめるの意味を表す。
【鏤句】ルク・ロウク たくみに句を作ること。また、その句。
【鏤刻】ルコク・ロウコク ①彫りきざみつける。②文章の辞句をかざること。
【鏤骨】ルコツ・ロウコツ 骨にきざみこむこと。よく覚えていて忘れないことをいう。鏤レ骨ほねにきざむ。用例〔顔氏家訓、序致〕銘レ肌鏤レ骨はだにメイし、ほねにきざむ。↓肌に記し骨に刻む。
【鏤身】ルシン・ロウシン いれずみ。肌に彫りものをすること。また、その彫りもの。文身。鏤膚。
【鏤氷】ルヒョウ・ロウヒョウ 氷にきざみつけること。無益な労力を費やすことをいう。「画レ脂鏤レ氷（あぶらにえがき こおりにきざむ）」

11【鏧】19画 12865 ㊀ロウ 図 lóng ㊁㊃トウ・㊄ドウ 図 dōng 29136 — 6945
字義 ㊀太鼓の音の形容。
解字 会意。金＋殸。殸は、玉石で作った打楽器の象形。音のさまの意味を表す。

11【鏓】19画 12866 国字 29129 — —
字義 ひ。鉱脈。

11【鏱】19画 12867 国字 29131 — —
字義 「あきら」「ショウ」などと読んで、人名で用いられる。

12【鐚】20画 12868 ア 麻 yā 7928 E85B —
字義 しころ（錏ア）。首すじを保護する、かぶとのたれ。国 びた。質の悪いぜに。悪銭。「鐚一文（びたイチモン）」
解字 形声。金＋惡音。

12【鐗】20画 12869 ㊃カン ㊄ケン 諫 jiǎn
字義 ❶車軸のまきがね。車軸の、釭（かりも）の中の管をおおう鉄。❷ほこ（矛）の一種。
【鐗】12870 俗字
解字 形声。金＋閒音。四つの稜（かど）のあるもの。

12【鐧】20画 12870 カン 29140 — 6962
鐗（12869）の俗字。→一四八六ページ上。

12【鐖】20画 12871 ㊃キ ㊄ケ 微 jī 29139 — 6961
字義 ❶かかり。釣り針の先にあって、魚がはずれないようにする逆突起。❷連鐖は、ばね。❸かま（鎌）。大きな鎌。
解字 形声。金＋幾音。

12【鐈】20画 12872 ㊃キョウ（ケウ）㊄ギョウ（ゲウ）蕭 qiáo — — 6955
字義 ❶鍋（なべ）。足の長い鍋。❷釜（かま）。
解字 形声。金＋喬音。音符の喬は、高く上がるの意味。足の長い鍋の意味を表す。

12【鏸】20画 12873 ㊀㊃ケイ・㊄エ（ヱ）霽 huì ㊁㊃セイ・㊄ゼイ 霽 suì ㊂エイ 霽 ruì — EEC8 6948
字義 ㊀臣の持つ矛（ほこ）。㊁鋭い。㊂大きな鼎（かなえ）。㊃侍
【鏸】12798 俗字
解字 形声。金＋惠音。

12【鐍】20画 12874 ㊀㊃ケツ・㊄ケチ 屑 jué ㊁㊃イツ（ヰツ）㊄イチ（ヰチ）質 — — 6957
字義 ㊀❶おびどめ。とめがね。❷かけがね。じょう。かぎ。❸かなめ。枢要のたとえ。㊁きり。穴をあける工具。
解字 形声。金＋矞音。

12【鏗】20画 12875 ㊃コウ（カウ）㊄キョウ（キャウ）庚 kēng 7919 E852 —
字義 ❶金石の鳴る音の形容。また、琴の音の形容。❷うつ（撃）。また、つく（撞ドウ）。「鏗レ鐘（かねをつく）」
解字 会意。金＋堅。
【鏗鏗】コウコウ ①金石・琴などの音の形容。②ことばがはっきりしているさま。
【鏗爾】コウジ ①金石・琴などの音の形容。鏗鏘（コウソウ）。②琴などの楽器を下に置くときの音の形容。
【鏗鏘】コウソウ 金石・琴などの音の形容。

12【鐄】20画 12876 ㊃コウ（クワウ）㊄オウ（ワウ）陽 huáng 19338 — 6954
字義 ❶鐘の音。❷大きな鐘。❸大きな鎌。
解字 形声。金＋黃音。

12【鐕】20画 12877 ㊀サン 覃 zān ㊁シン 侵 zān
字義 ㊀㊁❶釘（くぎ）。❷縫う。❸磨く。
【鐟】12917 俗字
解字 形声。金＋朁（簪）。音符の朁（セン）は、もぐるの意味。先端からもぐっていく釘・針の意味を表す。

12【鐁】20画 12878 シ 支 sī — — 6952
字義 かんな。やりがんな。
解字 形声。金＋斯音。音符の斯は、割くの意味。

12【鐘】20画 12879 常 ショウ かね ㊃ショウ・㊄シュ 冬 zhōng 3066 8FE0 —
筆順 鐘
字義 ❶かね。つりがね。楽器の一つ。❷時のかね。時をつげるかね。「点鐘」「晩鐘」❸時計。鳴って時を知らせる時計を自鳴鐘といい、略して鐘という。
名前 あつ・かね・しょう

鐘①（周代）

解字 金文 篆文 形声。金＋童音。音符の童は、重に通じ、おもいの意味。おもい金属の意味から転じて、つりがねの意味を表す。
逆 暁鐘・警鐘・半鐘・晩鐘・編鐘・鳴鐘・竜鐘
【鐘磬】ショウケイ かねと、磬（ケイ）（玉や石で、への字の形に作った板）。ともに打楽器。
【鐘鼓】ショウコ ①かねと、つづみ。②時を知らせるかねや太鼓の音。③楽器。音楽。用例（唐、李白、将進酒詩）鐘鼓饌玉何足レ貴 但願ニ長酔一不レ願レ醒（ショウコセンギョク なんぞたっとぶにたらん、ただチョウスイするをねがい（ひ）て、さむるをねがわ（は）ず）↓食前の音楽も山海の珍味も、どうして貴ぶに足りようか。（わたしは）ただいつまでも酔っていることを願って、さめることを願わないだけ。
【鐘声（聲）】ショウセイ かねの音。
【鐘鼎】ショウテイ ①つりがねと、かなえ。ともに銅器で、先祖のみたまやに蔵する神聖な器物。②→鐘鼎玉帛。
【鐘鼎玉帛】ショウテイギョクハク 豪華な宴。▼鐘は食前の音楽、鼎は山海の珍味、玉と帛（きぬ）は酒盛りのあとの引出物（ひきでもの）。
【鐘鼎文】ショウテイブン 古銅器のかねや鼎（かなえ）に刻んだ古代文字。金文。⇩コラム 文字・書体の変遷（六三ページ）。
【鐘板】ショウバン 禅寺で時刻や食事の合図として打ち鳴らす板。半鐘の下にかけるのでいう。
【鐘銘】ショウメイ つりがねに刻んだ文。
【鐘鳴鼎食】ショウメイテイショク 富貴の人の生活をいう。▼鐘鳴は音楽を奏すること、鼎食はごちそうを食べること。
【鐘鳴漏尽（盡）】ショウなりロウつく ①時を知らせるかねが鳴り、水時計の水が尽きる。一日が終わり、夜がふけること。②老いて余命いくばくもないたとえ。
【鐘楼（樓）】ショウロウ かねつき堂。
【鐘漏】ショウロウ 時を知らせるかねの音。「鐘漏深し」は、夜のふけたこと。用例（唐、白居易、八月十五日夜禁中独直対レ月憶ニ元九一詩）渚宮東面煙波冷 浴殿西頭鐘漏深（ショキュウのトウメン エンパひややかに、ヨクデンのセイトウ ショウロウふかし）↓渚宮の東側には、もやの立ちこめる水面が冷たく光っていて、浴室のある宮殿の西側には、時を知らせる鐘の音が夜ふけの静けさの中に聞こえてくる。

12【鐎】20画 12880 ショウ（セウ）蕭 jiāo — — 6958
字義 鐎斗（ショウト）は、三本足で、柄のついた銅の鍋（なべ）。
解字 形声。金＋焦音。音符の焦は、こがすの意味。

12【鐫】20画 12881 セン 先 juān 7935 E862 —

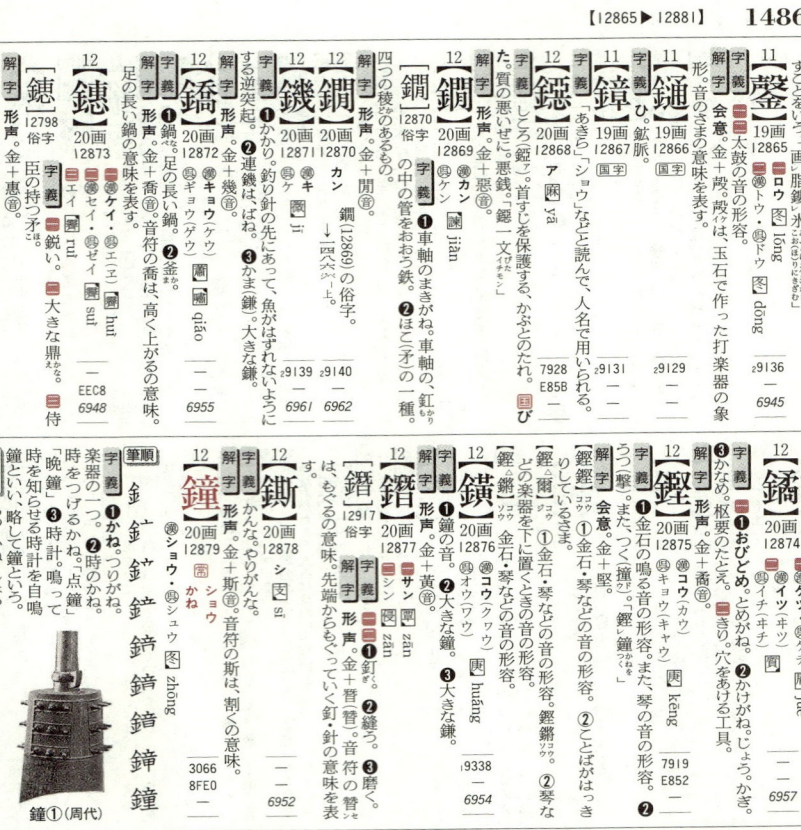

す。❸しりぞける。ひきさげる。官位をさげる。❹のみ。また、きり。ともに木材に穴をあける工具。

【鎸】12809 俗字 字義 ❶ほ-る。え-る。うが-つ。彫りつける。穴をほる。❷教える。いましめる。さとす。❸しりぞける。ひきさげる。官位をさげる。❹のみ。また、きり。ともに木材に穴をあける工具。

解字 篆文 形声。金＋雋㊥。音符の雋は、穿に通じ、うがつの意味。穴をうがつための金属製の工具、のみの意味を表す。

【鐫刻】センコク 金石にほりつける。彫刻する。
【鐫琢】△センタク 刻みみがく。転じて、字句をねること。推敲。
【鐫黜】△センチュツ 官位をさげること。
【鐫喩】センユ 教えさとす。いましめさとす。さとす。
【鐫鏤】△センル・センロウ ほりつける。模様などを刻むこと。

12 【鐉】20画 12882 ㊀セン 㐊 quān ㊁テン 㐊
字義 ㊀門戸の回転軸をはめ込むための半球状の金具。
解字 形声。金＋巽㊥。
29137 — 6956

12 【鐏】20画 12883 ㊥ソン ㊦ゾン 㐊 zūn
字義 いしづき。矛・槍などの柄の下端にはめた円錐形の金具。
解字 形声。金＋尊㊥。
29138 — 6959

12 【鐓】20画 12884 ㊀㊥タイ ㊦ズイ(ヅイ) 㐊 duì ㊁㊥タイ・㊦ツイ 㐊 duì
字義 ㊀いしづき。矛・槍などの柄の下端にはめた平底の金具。㊁❶たれる。たれさがる。❷つち。大きなつち。
解字 形声。金＋敦㊥。
7930 E85D —

12 【鐔】20画 12885 ㊥タン ㊦ダン 㐊 tán
［鐔］12886 俗字
字義 ❶つば。刀剣の刀身と柄との境にはめて手を保護する金具。また、つかがしら。刀剣の柄のとっさき。❷小さい剣。
解字 篆文 形声。声＋覃㊥。音符の覃は、深いの意味。刀身に深くはめこむ、つばの意味を表す。

12 【鐔】20画 12886 タン 鐔(12885)の俗字。→一四八七ページ上。
7929 E85C —

12 【鐯】20画 12887 チャク 㐊 zhuó
字義 鋤。大きな鋤。農具の一種。
解字 形声。金＋著㊥。
— — 6965

12 【鐟】20画 12888 テイ
字義 現代中国語で、化学元素の名。チタンの旧訳。
解字 形声。金＋替㊥。
— — 6963

12 【鐵】20画 12889 テツ 鉄(12565)の俗字。→一四六八ページ中。
7937 E864 —

12 【鐙】20画 12890 ㊀トウ 㐊 dēng ㊁トウ 㐊 dèng
字義 ㊀❶たかつき。祭器の一種。❷油ざら。火をともし皿。❸ともしび。灯火。㊁❶たかつき。❷あぶみ。馬の鞍の両側につるす馬具で、騎手が足を掛けるもの。
解字 篆文 形声。金＋登㊥。音符の登は、物を供えるためのたかつきの意味。金属製のたかつきの意味を表す。また、登はのぼるの意味。乗馬のときに足を掛けてのぼる、あぶみの意味も表す。
3810 93A8 —

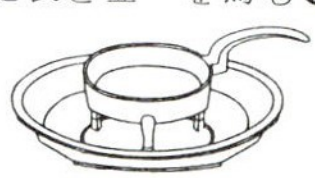
鐙㊁②

12 【鐃】20画 12891 ㊀㊥ドウ(ダウ) ㊦ニョウ(ネウ) 㐊 náo ㊁㊥ドウ(ダウ) ㊦ニョウ(ネウ) 㐊 nào
字義 ㊀❶どら(銅羅)。じんがね。陣中で用いる小さいどら。❷さわがしい。やかましい。㊁＝撓(4421)。❶みだす。❷たわめる。
解字 篆文 形声。金＋堯㊥。音符の堯は、高いの意味。青銅製の高い音のする打楽器、どらの意味を表す。
【鐃歌】ドウカ ①鐘を打ち鳴らして歌う歌。②軍楽。楽府の一つ。じんがねに合わせて歌う軍中の鼓吹曲。漢代には鐃歌十八曲がある。
【鐃鈸】△ニョウハチ 仏仏教で法会に用いる銅製の楽器。皿形で両手に一面ずつ持ってたがいに打ち合せて音を発する。もと、異民族の楽器。
7931 E85E —

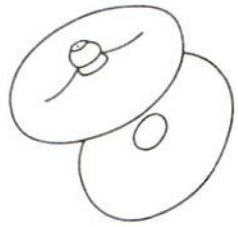
鐃鈸

12 【鏺】20画 12892 ㊥ハツ ㊦ハチ 㐊 pō
字義 ❶かま。草を刈るもろは(両刃)の鎌。❷しずめる。乱をおさめる。
解字 篆文 形声。金＋發㊥。音符の發は、ひきはなつの意味。両刃のかまで草を刈りはなつの意味を表す。
— — 6949

12 【鐇】20画 12893 ㊥ハン ㊦ボン 㐊 fán
字義 ❶たつぎ。刃の幅の広い斧。手斧の類い。❷削りとる。削って除き去る。❸化学元素の名。バナジウム。Vanadium(記号 V)の旧訳。いま、钒と訳す。
難読 鐇泊・鐇阿寿
解字 形声。金＋番㊥。
【鐇钁】△ハンカク 手斧と大鍬。また、それを用いて物を除き去ること。〔後漢書、杜篤伝〕
7932 E85F —

12 【鏷】20画 12894 ㊥ホク ㊦ボク 㐊 pú
字義 ❶あらがね。精錬する前の銅や鉄。❷現代中国語で、化学元素の名。プロトアクチニウム。
解字 形声。金＋菐㊥。
— — 6947

12 【鎦】20画 12895 ㊀㊥リュウ(リウ)・㊦ル 㐊 liú ㊁㊥リュウ(リウ)・㊦ル 㐊 liù
［鎦］12825 俗字
字義 ㊀❶こしき。米などを炊く器。❷釜。㊁殺す。
解字 形声。金＋畱㊥。音符の畱は、劉に通じ、殺すの意味。
— — 6953

12 【鐐】20画 12896 ㊀リョウ(レウ) 㐊 liáo ㊁リョウ(レウ) 㐊 liào
字義 ㊀❶しろがね。美しい銀。また、美しい金。❷あしかせ。罪人の足につける鉄のくさり。刑具。
解字 形声。金＋尞㊥。
7933 E860 —

12 【鏻】20画 12897 リン 㐊 lín
［鏻］12912 俗字
字義 つよい。すこやかなさま。
解字 形声。金＋粦㊥。

13 【鐿】21画 12898 イ yì
字義 現代中国語で、化学元素の名。イッテルビウム。
解字 形声。金＋意㊥。
— — 6971

13 【鑊】21画 12899 カク 鑊(12915)の俗字。→一四八八ページ中。
19341 — 6976

13 【鐶】21画 12900 ㊥カン(クヮン) ㊦ゲン 㐊 huán
字義 わ。㋐かなわ。金属の丸い輪。㋑耳輪。㋒首輪。㋓指輪。
解字 形声。金＋睘㊥。音符の睘は、めぐらせた、「わ」の意味。
7934 E861 —

鐶㋑

13 【鐻】 21画 12901 ㊀(漢)キョ・(呉)ゴ 語 jù ㊁(漢)キョ・(呉)コ 御 ㊂(漢)キョ・(呉)ゴ 魚 2 9144 — 6970

字義 ㊀かねかけ。鐘鼓をつりさげる道具。㊁金銀製の器具。食器・耳輪など。㊂木製の楽器の名。

解字 形声。金＋豦音。

13 【鏽】 21画 12902 シュウ 銹(12652)と同字。→一四七四ページ上。 1 9339 — 6951

13 【鐱】 21画 12903 ㊀セン 塩 qiān ㊁(漢)ケン・(呉)ゲン 艶 jiàn — EEC9 6966

字義 ㊀鋤(すき)。農具の一種。㊁こがね。黄金。

解字 形声。金＋僉音。

13 【鐺】 21画 12904 ㊀トウ(タウ) 陽 dāng ㊁(漢)ソウ(サウ)・(呉)ショウ(シャウ) 庚 chēng 7938 E865 —

字義 ㊀❶鋃鐺(ロウトウ)は、くさり。❷つづみの音の形容。㊁脚のある釜(かま)。三本脚の鼎(かなえ)。＝鎗(12810)。国こじり(鐺)。刀の鞘(さや)の下端の金具。

解字 形声。金＋當音。

13 【鐸】 21画 12905 標 (漢)タク・(呉)ダク 薬 duó 3488 91F6 —

【鈬】 12519 俗字

字義 ❶おおすず。大きな鈴。昔、命令を発するときに鳴らして大衆をいましめたもの。文事には木鐸(ボクタク)、武事には金鐸を用いた。❷ふうりん(風鈴)。軒につるす鈴。また、鈴。

鐸①(殷代)

解字 金文 篆文 形声。金＋睪音。音符の睪(キエ)は、次々に手繰り寄せるの意味。音階を手繰り寄せるために次々に大小形を変え並べた鈴の意味を表す。

【鐸鈴】(タクレイ) すず。軒などにさげるすず。鈴鐸。

13 【鐲】 21画 12906 (漢)タク・(呉)ダク 覚 zhuó 2 9142 — 6967

字義 ❶かね。ふりがね。行軍のとき、太鼓の音を調節するために鳴らす楽器。❷うでわ。女性が腕にはめるかざり。

解字 形声。金＋蜀音。

13 【鐽】 21画 12907 タツ dá — — 6972

字義 現代中国語で、化学元素の名。タンタルの旧訳。

解字 形声。金＋達音。

13 【鐵】 21画 (12566) テツ 鉄(12565)の旧字体。→一四六八ページ中。

13 【鑁】 21画 12908 (漢)バン・(呉)モン 鎌 wàn 7939 E866 —

【鋄】 12820 同字

字義 ❶馬の首飾り。❷メッキ(鍍金)。

【鑁阿寺】(バンナジ) 国栃木県足利(あしかが)市にある真言宗大日派の寺。足利学校に隣接する。一一九六年、足利義兼(法号、鑁阿)の創建。足利氏が帰依した。▼鑁阿は、梵語(ボンゴ)で、大日如来をいう。

13 【鐴】 21画 12909 ㊀(漢)ヘキ・(呉)ヒャク 陌 錫 bì ㊁(漢)ヘイ・(呉)バイ 霽 bèi 2 9143 — 6969

字義 ㊀からすきのみみ。へら。㊁みがく。とぐ。

解字 形声。金＋辟音。

13 【鐋】 21画 12910 マン 鏝(12856)の俗字。→一四八五ページ中。

13 【鐳】 21画 12911 ライ 灰 léi 1 9340 — 6968

字義 ❶かめ。大型のつぼ。❷化学元素の名。ラジウム。

解字 形声。金＋雷音。

13 【鏻】 21画 12912 リン 鏻(12897)の俗字。→一四八七ページ下。 2 9141 — 6950

13 【鐮】 21画 12913 レン 鎌(12827)と同字。→一四八三ページ下。 — — 6964

13 【鑓】 21画 12914 国字 やり 鑓(12921)の俗字。→一四八八ページ下。

14 【鑊】 22画 12915 (漢)カク(クワク)・(呉)ワク 薬 huò

【鑊】 12899 俗字

字義 ❶かま(釜)。また、足のない大きなかなえ(鼎)。❷刑具の一つ。罪人を煮殺すのに使うかま。

解字 甲骨文 篆文 形声。甲骨文は、鬲＋隻音。鬲は、かなえの意味。のち、金に変形。音符の隻(セキ)は、鳥をつかまえるの意味。のち蒦に変形。つかまえた獲物を煮るかなえの意味を表す。

【鑊湯】(カクトウ) かまにいれて煮殺す刑。鑊烹(カクホウ)。

14 【鑅】 22画 12916 (漢)コウ(クワウ)・(呉)オウ(ワウ) 庚 hōng 2 9145 EECA 6974

字義 鐘の音。

解字 形声。金＋榮音。

14 【鐟】 22画 12917 サン 鐕(12877)の俗字。→一四八六ページ中。 — — 6960

14 【鑈】 22画 12918 ㊀(漢)ジョウ(デフ)・(呉)ニョウ(ネフ) 葉 niè ㊁(漢)デイ・(呉)ナイ 薺 nǐ — EECB 6975

【鉨】 12556 俗字

字義 ㊀❶正しい。堅い。❷かなばさみ。㊁❶糸巻き。❷車を止めるために車輪にあてがう木。

解字 形声。金＋爾音。

14 【鑄】 22画 (12663) チュウ 鋳(12662)の旧字体。→一四七四ページ下。

14 【鑃】 22画 12919 チョウ 銚(12621)と同字。→一四七三ページ中。 — — 6973

14 【鑌】 22画 12920 ヒン 真 bīn — — 6977

字義 はがね。鋼鉄。

解字 形声。金＋賓音。

14 【鑓】 22画 12921 国字 標 4490 96F8 —

【鑓】 12914 俗字 【鑓】 12934 俗字

字義 やり(鎗(ソウ)・槍(ソウ))。難読 鑓見内(やりみない)・鑓水(やりみず)。

解字 形声。金＋遣音。音符の遣は、やるの意味。この音で、長い刃のやりの意味を表す。

15 【鑑】 23画 12922 常 カン かんが-みる (漢)カン・(呉)ケン 陥 鑑 jiàn 2053 8AD3 —

筆順

【鍳】 12797 同字 【鑒】 12923 同字

字義 ❶かがみ。㋐金属製のかがみ。＝鏡(12836)。㋑手本。模範。㋒いましめ。教訓。「殷鑑(インカン)」❷かんが-みる。㋐鏡にうつしてみる。㋑前例にてらして考える。㋒手本としてみる。❸みる。みきわめる。見分ける。❹みわけ。めきき。見識。判断。❺てる。照らす。また、明らか。❻はち(鉢)。大きな平鉢。

名前 あき・あきら・かた・かね・かん・しげ・のり・み・みる

解字 金文 篆文 形声。金＋監音。音符の監は、鏡に映してみるの意味。金を付し、銅製のかがみの意味を表す。

逆 清鑑・聖鑑・通鑑・年鑑・武鑑・宝鑑

【鑑戒】(カンカイ) いましめ。また、いましめとする。

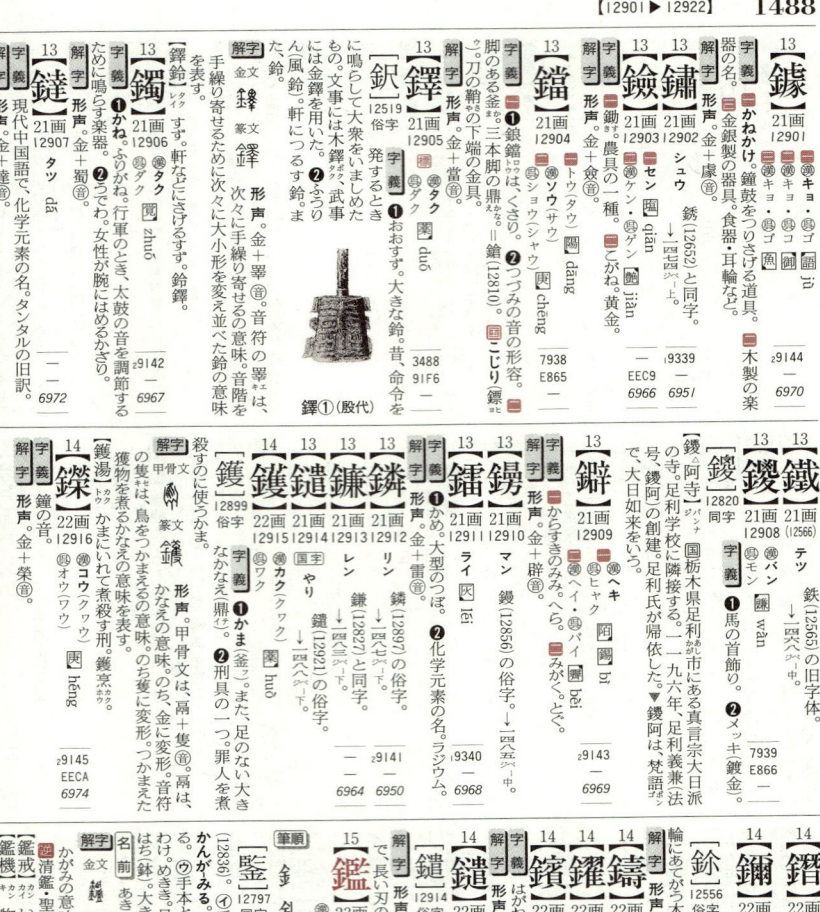

【鑑機】(カンキ) 物事の機微を見分ける。物事の奥底にかくれた

かすかな動きを見分けること。

【鑑古】カンコ ①昔の事跡に照らして考えること。②古物を鑑定すること。

【鑑裁】カンサイ 善悪などを見分けるはたらき。

【鑑識】カンシキ ①善悪・真偽・優劣などを見分けること。また、その力。②国犯罪科学における鑑定。筆跡・指紋・血液などの真否を見分ける。

【鑑賞】カンショウ ①見定める。鑑定する。②芸術作品などの価値を見きわめ、味わうこと。③国見て味わい楽しむこと。◆「鑑賞」と「観賞」とは一般に、見る対象によって使い分けている。芸術作品については「鑑賞」、自然物については「観賞」を用いる。

【鑑真(眞)】ガンジン 唐の帰化僧。揚州(今の江蘇ソコウ省揚州市)の人。幾度か苦難を経た後、七五三年、失明の身で来朝、唐招提寺トウショウダイジを建立、布教に努めた。日本律宗の祖。(六八八―七六三)

【鑑定】カンテイ ①善悪・真偽・優劣などを見定めること。主として、美術品についていう。②国裁判所の命令により、専門家が、ある事実に対する判断を、陳述・報告すること。

【鑑別】カンベツ よく調べて分類すること。

15【鑒】23画 12923 カン 鑑(12922)と同字。→一四八八ジ下。 7940 E867 —

15【鐕】23画 12924 ケイ 斉 齊 jì 7940 — — 6979
字義 堅い。
解字 形声。金+稽音。

15【鑛】23画 (12543) コウ 鉱(12542)の旧字体。→一四六七ジ上。

15【鑡】23画 12925 サク 覺 chuò — — 6982
字義 ❶大判。❷人名。
解字 形声。金+齪省音。

15【鑚】23画 12926 サン 鑽(12948)の俗字。→一四九〇ジ上。 7952 E873 —

15【鑕】23画 12927 漢シツ 呉シチ 質 zhì — — 6978
字義 ❶かなとこ。かなしき。鍛冶屋かじやが金属をのせて打つ鉄の台。❷刑具の一つ。おのの刃を上に向けてすえつけてある処刑台。
解字 形声。金+質音。

15【鑠】23画 12928 シャク 薬 shuò 7943 E86A —
字義 ❶とかす。金属などをとかす。＝爍(7029)。❷けす。また、きえる。とけてなくなる。❸やく(焼)。❹かがやく。ひかる。❺よい。美しい。また、さかん。❻矍鑠カクシャクは、年老いて元気なさま。
解字 形声。金+樂音。

【鑠金】シャクキン・シャッキン ①美しい金。一説に熱せられてとけた金。②金を溶かすこと。

【鑠鑠】シャクシャク 光り輝くさま。

15【鑜】23画 12929 ショウ 鍬(12705)と同字。→一四七七ジ下。 — — 6980

15【鑟】23画 12930 漢トク 呉ドク 屋 dú — — 6981
字義 印ばこ。
解字 形声。金+賣音。音符の賣トクは、匵トクに通じ、はこの意味。

15【鑣】23画 12931 ヒョウ(ヘウ) 蕭 biāo 19342 — 6983
字義 ❶くつわ。馬のくつばみの両端につける鉄の輪。また、くつばみ。❷鑣鑣は、さかんなさま。
解字 形声。金+麃音。

15【鑢】23画 12932 漢リョ 呉ロ 御 lǜ 7944 E86B —
字義 ❶やすり。金属・骨・角などをみがく道具。❷する。みがく。やすりをかける。「磨鑢」
解字 形声。金+慮音。

15【鑞】23画 12933 ロウ(ラフ) 合 là 7945 E86C —
字義 すず(錫セキ)。白鑞は鉛と錫すずとの合金。
解字 形声。金+巤音。

15【鑓】23画 12934 国字 やり 鑓(12921)の俗字。→一四八八ジ下。 29147 — —

15【鑈】23画 12935 国字 29146 — —
字義 高鑈たかひは、山形県の地名。

16【鑫】24画 12936 ㊀漢キン・呉コン 侵 xīn ㊁クン xùn 19343 — 6985
字義 ㊀❶金が増える。❷人名または屋号に用いる。㊁はち(鉢)。わん(碗)。
解字 会意。金を三つ合わせて、金が増えるの意味を表す。

16【鑮】24画 12937 ハク 薬 bó — — 6987

16【鑪】24画 12938 漢ロ 呉ル 虞 lú 7946 E86D —
[鈩] 12530 俗字 [鈩] 12531 俗字
字義 ❶いろり。また、ひばち。手あぶり。＝炉(6874)。❷こうろ(香炉)。香をたく器。❸さかみせ(酒店)。酒場。❹おおがめ。大きな瓶かめ。❺ふいご。ふいごう。
解字 金文 篆文 形声。金+盧音。音符の盧ロは、めし入れの器の意味。その器に似た金属製の火入れの意味を表す。

【鑪△橐】ロタク ふいご。火を起こす道具。

【鑪炭】ロタン いろりの火。炉火。

16【鑨】24画 12939 漢ロウ 呉ル 東 lōng — — 6984
字義 器物の名。
解字 形声。金+龍音。

17【鑵】25画 12940 カン 缶(9406)の俗字。→一二四五ジ下。 7949 E870 —

17【鑱】25画 12941 漢サン 呉ゼン 咸 chán 19344 — 6989
字義 ❶するどい(鋭)。❷はり。いし針。治療に用いる石の針。❸きり。また、のみ。ともに木に穴をあける工具。❹すき。農具の一つ。また、すきの刃。❺うがつ。また、さす(刺)。
解字 篆文 形声。金+毚音。音符の毚サンは、もぐりこむの意味。刃物がもぐりこむ、するどい、きり・のみの意味を表す。

17【鑲】25画 12942 漢ジョウ(ジャウ) 呉ニョウ(ニャウ) 陽 ráng, ②xiāng 19345 — 6990
字義 ❶いがた(鋳型)の中味。流しこんだ金属が固まったもの。❷はめこむ。ちりばめる。また、欠けたところを補う。
解字 篆文 形声。金+襄音。音符の襄ジョウは、中に物をつめこむの意味。いがたに流しこんだ中身の意味を表す。

17【鑯】25画 12943 セン 塩 jiān 29149 — 6988
字義 ❶鉄製の器。先の鋭くとがった鉄具。❷きざむ。❸するどい。
解字 形声。金+韱音。

17【鑰】25画 12944 ヤク 薬 yào, yuè 7948 E86F —
字義 ❶かぎ。じょう(錠)。❷とじる。戸じまりする。❸はいる。❹かなめ。物事のたいせつな所。枢要。❺さとり(悟)。
解字 形声。金＋侖㊌。音符の侖は、ひきしめるの意味。とじまりをするかぎの意味を表す。
【鑰匣】ヤクコウ かぎばこ。かぎを入れる箱。

17【鑭】25画 12945 ラン 翰 lǎn, ③lán 29148 — 6986
字義 ❶金の光るさま。❷金の色。❸化学元素の名。ランタン。
解字 形声。金＋闌㊌。

18【鑵】26画 12946 カン 缶(9406)と同字。→二四五ページ下。

18【鑷】26画 12947 漢ジョウ(デフ) 呉ニョウ(ネフ) 葉 niè 7950 E871 —
字義 ❶けぬき。毛髪をぬきとる道具。❷ぬく。毛をぬきとる。❸髪かざり。かんざし。
解字 形声。金＋聶㊌。音符の聶は、耳を寄せるの意味。はさみの耳の形をした、にぎりの部分を寄せて、はさみとる、ぬくの意味を表す。

19【鑽】27画 12948 〔鑚〕12926 俗字 ㊀サン 寒 zuān ㊁サン 翰 zuàn 7951 E872 —
字義 ㊀❶きり。穴をあける道具。❷きる。㋐きりで穴をあける。うがつ。㋑きりもみして火を得る。㋒刑罰として、ひざがしらを切る。また、その刑罰。❸深く研究する。「研鑽」❹くいいる。術策や手づるなどで人にとりいる。❺ほこ先。また、矢じり。❻やく。うらないのために亀甲などを焼く。❼あつめる。また、集まる。
解字 篆文 鑽 形声。金＋贊㊌。音符の贊は、穿に通じ、うがつの意味。うがつための工具、のみ・きりの意味を表す。
【鑽火】サンカ・ひをきる 木や石などをきりもみして火をおこすこと。鑽燧。
【鑽研(硏)】サンケン 切り、みがくこと。転じて、研究すること。研鑽。
【鑽仰】サンコウ・サンギョウ 学徳などを仰ぎ慕うこと。孔子の弟子の顔淵が、孔子の偉大さをほめたたえて「仰レ之弥高(これをあおげばいよいよたかく)、鑽レ之弥堅(これをきればいよいよかたし)」と言った故事に基づく。〔論語、子罕〕
【鑽△笮・鑽△鑿】サンサク ①刑罰の名。あし切りと、入れ墨。②掘りうがつ。③深く研究する。
【鑽△灼】サンシャク ①うらないのために亀の甲に穴をうがって焼くこと。▼鑽はうがつ、灼は焼く、また、二字とも焼く意。
【鑽△燧】サンスイ・スイをきる 木や石などをきりもみして火をおこすこと。②研究すること。▼燧は、火打ち石などをいう。

19【鑼】27画 12949 ラ 歌 luó 7953 E874 —
字義 どら。銅鑼。盆のような形の銅製の楽器。軍陣中で用い、また、洗面用具にも転用した。
解字 形声。金＋羅㊌。

19【鑾】27画 12950 ラン 寒 luán 7954 E875 —
字義 ❶すず(鈴)。天子の馬、または、馬車につける鈴。鸞鳥の和らいだ鳴き声にかたどったもの。❷天子の車。また、天子。
解字 金文 篆文 鑾 形声。金＋䜌㊌。音符の䜌は、鈴の音を表す擬声語。金属製のすずの意味を表す。
【鑾△駕】ランガ 天子の車。天子の馬車。鑾輿。
【鑾△輿】ランヨ 天子の車。

20【钁】28画 12951 漢キャク 呉カク(クワク) 薬 jué 7955 E876 —
字義 くわ。荒地を耕す大きなくわ。また、大きなすき。
解字 篆文 钁 形声。金＋矍㊌。音符の矍は、つかみとるの意味。土をつかみとるような大きなくわの意味を表す。

钁

20【鑿】28画 12952 ㊀漢サク・呉ザク 薬 záo ㊁サク 薬 zuò ㊂漢ソウ(サウ) 呉ゾウ(ザウ) 号 zào 7956 E877 —
字義 ㊀❶うがつ。㋐穴をほる。穴をあける。用例〔荘子、応帝王〕嘗試鑿レ之(こころみにこれをうがたん)。↓ためしに、穴をあけてやろう。㋑きる。うがって切る。また、きりひらく。㋒深くさぐる。穿鑿する。㋓憶測をたくましくする。❷はじめる。改めてはじめる。❸のみ。木に穴をあける道具。❹いれずみ。❺こころ(心)。思い。❻→鑿鑿。㊁❶米をついて白くする。しらげる。❷あざやかなさま。㊂あな(孔)。また、あなぐら。国うがつ。人情の機微にふれる。人情の機微をたくみに言い表す。
参考 現代表記では〔削〕(932)に書きかえることがある。「開鑿→開削」「掘鑿→掘削」
解字 篆文 鑿 形声。金＋糳㊌。音符の糳は、のみの意味。金属製ののみの意味を表す。
【鑿△溉】サクガイ みぞを掘って田に水を注ぐこと。
【鑿空】サククウ・サックウ ①きり開いて新しい道路を作ること。②あてずっぽう。また、でたらめ。根拠がないこと。空論。
【鑿掘】サククツ・サックツ うがちほる。地面に穴を掘る。
【鑿鑿】サクサク ①あざやかなさま。②議論などの正確なさま。
【鑿落】サクラク 酒器。さかずきの類い。

20【钃】28画 12953 ラン lán — — 6991
字義 現代中国語で、化学元素の名。ランタンの旧訳。
解字 形声。金＋蘭㊌。

21【钄】29画 12954 漢チョク 呉トク 因 zhú — — 6992
字義 ❶鍬。大きな鍬。農具の一種。❷切る。
解字 形声。金＋屬㊌。

8画

長(镸) ながい
镸は七画。

〔部首解説〕長を意符として、長いの意味を含む文字ができているが、例は少ない。なお、長は長い髪の人の象形であるが、この字はもっぱら長短の長の意味に用いられ、髪の意味では、これも長い髪の象形である彡を付した髟が意符として用いられる。

0長 一四九〇 镸 一四九四 3镹 一四九四 6肆 二七六 14镾 一四九四

0【長】8画 12955 教2 チョウ なが-い 3625 92B7 —
㊀漢チョウ(チャウ)・呉ジョウ(ヂャウ) 陽 cháng
㊁チョウ(チャウ) 養 zhǎng
㊂漢チョウ(チャウ)・呉ジョウ(ヂャウ) 漾 zhàng

筆順 丨 ㇗ 𠃋 F E 長 長 長

〔兏〕697 同字 〔镸〕12956 古字

字義 ㊀❶なが-い。↔短(8122)。㋐時間がながい。久しい。「長久」㋑距離がながい。遠い。用例〔文選、古詩十九首、其一〕道路阻且長(ドウロけわ(は)しく、かつながし)、会面安可レ知(カイメンいずくんぞしるべけんや)。↓あなたが行く道は、けわしい上にはるかに遠い。再び会うことができるかどうか、どうしてわかりましょう。㋒物のながさがながい。深い。㋓奥行きがながい。深い。㋔大きい。

また、多い。㋕さかんである。㋖背たけがながい。❷ながく。とこしえに。永久に。用例〔唐、杜甫、石壕吏詩〕存者且偸生、死者長已矣 ↓生きているものは、まあまあともかくも、しばらくはかりそめのいのちをむさぼれますが、死んでしまった者は、もうどうにもなりません。❸ながくする。ひきのばす。また、ながくなる。のびる。❹たけ。せたけ。身長。用例〔史記、晏嬰伝〕晏子長不満六尺、身相斉国、名顕諸侯 ↓晏子は身長六尺にもたりない人ではありますが、その身は斉の国の宰相として、その名は諸侯の間に知れわたっています。

㈡❶としかさ。年うえ。㋐兄。姉。㋑年長者。また、おとな。成人。用例〔唐、韓愈、師説〕無貴無賤、無長無少、道之所存、師之所存也 ↓身分の上下に関係なく、年齢の多少に関係なく、道理の存在するところには師が存在するのである。❷めうえ。地位・身分が上の人。❸おさ。かしら。㋐長男。総領。㋑首領。首長。㋒君主。領主。諸侯。㋓長官。㋔多くのなかで最もすぐれたもの。「百薬之長」❹たける。㋐生いたつ。生長する。また、育てる。用例〔孟子、公孫丑上〕今日病矣、予助苗長矣 ↓今日は疲れた、私は(一日中)苗を引っ張って生長を助けてやったのだ。㋑おとなになる。成人する。㋒老いる。老年になる。㋓年上である。㋔すぐれる。まさる。また、さかんになる。「長所」㋕ます(増)。多くなる。❺たっとぶ。また、たっとい。

㈢❶ながさ。たけ。❷余り。余分。また、むだ。「冗長」

名前 いへ・おさ・たけ・たけし・たつ・ちょう・つかさ・つね・なが・ながし・のぶ・ひさ・ひさし・まさ・まさる・ます・みち

難読 長押・長閑・長脇差・長庚・長髄彦・長船・長田・長都・長刀・長柄・長万部・長門

参考 現代表記では〔暢〕(4845)の書きかえに用いることがある。「伸暢→伸長」

使いわけ ながい〔長・永〕
〔永〕永遠、または永遠に近い時間。「永い眠り」
〔長〕前述の〔永〕の意以外で、広く一般に用いる。「長い秋の夜・長い川」

解字 甲骨文 金文 篆文

象形。甲骨文でもよくわかるように、長髪の人の象形で、ながいの意味を表す。長の意味と音符とを含む形声文字に、帳・張・悵・脹・漲・粻などがある。

逆 駅長・火長・管長・君長・師長・社長・首長・寿長・消長・上長・冗長・助長・伸長・成長・生長・増長・亭長・悠長・霊長

【長安】地名。今の陝西省西安市。前漢・隋・唐などの都のあった所。唐代には人口百万以上の大都市であった。洛陽を東都・東京というのに対して、西京という。⇩コラム 長安(一四九三ページ)。

【長安一片月】長安の秋の夜空に一つの月がかかっている。用例〔唐、李白、子夜呉歌〕長安一片月、万戸擣衣声 ↓長安の夜空に月ひとつ、あちらこちらの多くの家から聞こえる、きぬたで布を打つ音。

【長安日辺(邊)】遠隔の地をいう。晋の元帝とその子(後の明帝)とが、長安と太陽と、どちらが遠いかと問答した故事に基づく語。→日近長安遠(六四六ページ上)。

【長囲(圍)】①ながいかこみ。ながく囲んだ堤防。②戦いのために作る、ながいかこい。③国長期間、敵を包囲すること。

【長△纓】冠のながいひも。

【長煙】ながくたなびく煙。また、もや。

【長煙一空】もやが広い空に細長くたなびいていること。用例〔北宋、范仲淹、岳陽楼記〕長煙一空、皓月千里。↓もやが広い空に細長くたなびき、明るい月の光が遠くまで照り渡っている。

【長△筵】①ながいむしろ。②りっぱな宴席をいう。

【長遠】ながく遠い。空間にも時間にもいう。

【長夏】①昼のながい夏の日。用例〔唐、杜甫、江村詩〕清江一曲抱村流、長夏江村事事幽。↓清らかな川が大きく一曲がりして、村を抱きかかえるようにして流れ、日の長い夏、川ぞいのこの村はなにもかもひっそりと静かである。②陰暦六月のこと。日のながい夏をいう。

【長歌】①声をながくひいてゆるやかに歌う。②ながい詩。句数の多い詩。③国五音七音の句を三回以上くり返し、最後に七音の句をそえた形式の歌。普通、これに「反歌」を一首または数首そえる。ながうた。

【長河】①ながい川。どこまでも流れて行く川。②天の川。

【長△駕】乗り物に乗り遠くまで行くこと。または、遠くまで治め従えること。

【長△喙】①ながいくちばし。②無用のことをしゃべること。

【長干】地名。六朝時代、建康(今の南京市)の南を流れる秦淮河に臨んだ船着き場の小さな町。

【長干行】①楽府の題名。②詩編の名。盛唐の崔顥・李白にそれぞれ作がある。③李白の「長干行」の内容に基づいて、幼い者同士の結婚をいう。

【長間】①ながいひま。また、ながくひまなこと。②のどか。のんびりしたさま。また、おだやかなさま。

【長閑】㈠=長間①。㈡国=長間②。

【長△跪】からだを伸ばし、ひざまずいてする敬礼。

【長技】すぐれた技能。

【長久】ながく久しい。永久。『老子』七章に「天長、地久」とあるのに基づく。

【長△鋏】ながいつかの剣。一説に、刀身のながい刀。

【長△鋏帰(歸)来(來)△乎】地位について不平を言うたとえ。戦国時代、斉の孟嘗君の食客、馮驩が、待遇の悪いのに不満を抱き愛刀に向かって「長鋏帰来乎(わたしの長剣よ、帰ろうか)」と歌った故事による。〔史記、孟嘗君伝〕

【長吟】声をながくして詩を口ずさむ。

【長句】①字数の多い詩句。②七言古詩のこと。

【長△吁】深く嘆息する。長嘆息。長息。

【長駆(驅)・長△駈】馬などを遠く走らせる。または、遠くまで馬に乗って敵を追いかける。

【長△軀】背の高いからだ。

【長△衢】ながく続く道。また、町並み。

【長君】①成年の主君。↕幼君(一九一ページ下)。②年長の公子。③他人の長兄をいう。

【長兄】①いちばん上の兄。②年長者に対する敬語。大兄。

【長計】①永遠のはかりごと。②すぐれたはかりごと。良策。

【長慶集】書名。唐の長慶年間(八二一―八二四)に編集された書。㋐中唐の白居易の詩文集。『白氏長慶集』(元稹の編)の略。『白氏文集』ともいう。㋑中唐の元稹(七七九―八三一)の詩文集。『元氏長慶集』の略。

コラム

長安

　長安（今の陝西省西安市）には、多くの王朝が前後して都を置いた。西周の豊京・鎬京、秦の咸陽はその近辺であるが、前漢・新・前趙・前秦・後秦・西魏・北周・隋・唐などはそれぞれ長安を首都とし、後漢・三国魏・五代後唐は長安を副都とした。

　漢の長安城は隋唐の長安城より西北に位置し、長楽宮・未央宮などの宮殿があった。武帝の時代には城外に建章宮や上林苑が築かれた。また、武帝は張騫らを中央アジア方面に派遣し、交易路を確立した。いわゆるシルクロードはこの時代に始まり、長安はその東の起点となったのである。

　南北朝分裂時代を統一した隋は、漢の長安城の南東に大興城を築いた。唐の長安城はそれを継承し拡大したもので、宮城（太極殿・東宮・掖庭宮）・皇城（官庁街）・外郭城（市街区）で構成され、全体が城壁で囲まれていた。城壁の長さは、東西が約九・七キロ、南北が約八・六キロで、高さは約五・三メートルだったといわれる。城内は百を越える〈坊〉によって区画され、皇城の朱雀門から外郭城の明徳門までは道幅一五〇メートルの朱雀街（天街ともいう）が南北に走り、この幹線道路を境界にして、東を万年県、西を長安県に分けて治められた。市民の台所として東市・西市があった。平康坊の東北部は北里と呼ばれ、妓館が軒を連ねる歓楽街であり、また行楽地としては城の東南部に楽遊原や曲江池・芙蓉園などがあった。慈恩寺・青竜寺・薦福寺などの大寺院の門前や境内では、弄丸・舞剣など軽業の見世物が行われ、俗講など舞台演芸の場もあって、大衆に娯楽を提供していた。

　長安城の人口は最盛期には百万を超えたといわれ、日本からの留学生のみならず、シルクロードを通じて西域各国の人々が多く往来した。とりわけ西方諸国・民族との交流は活発で、焼餅・胡餅などの食物、ぶどう酒・竜膏酒などの酒類をはじめ多くの物産が長安にもたらされ、また、景教（ネストリウス派のキリスト教）・祆教（ゾロアスター教）・マニ教なども入ってきた。李白の「少年行」の詩に見られるように、長安の酒楼では胡姫（ペルシャ女性）が客をもてなし、また白居易の「胡旋女」の詩に見られるように、西域の舞姫が民族舞踊を演じていた。唐の長安はまさに国際都市だったのであり、その繁栄の姿は初唐の盧照鄰の「長安古意」や駱賓王の「帝京篇」などの詩にも描かれている。

　こうした長安の繁栄も、安禄山・史思明の大乱以後しだいにかげりを見せはじめ、唐末・五代の戦乱を経て北宋が開封に都を置いた後は停滞状況が続いたが、西北地区の重要軍事拠点としての地位は不変であった。現在の西安の城壁は、唐代皇城の城壁を基礎にして、明代初年に修築されたものである。

［主な遺跡］

　大雁塔　西安市の南四キロの慈恩寺の境内にあり、正式には慈恩寺塔という。慈恩寺は唐の高宗（李治）が亡き母の冥福を祈るために建てた。塔は玄奘がインドから持ち帰った仏典を保存するために、高宗の助力により建設したものである。長安の街と秦嶺山脈が遠望できるこの塔には、唐の皇帝が群臣とともに上って詩宴を開いたのみならず、高名な詩人たちも詩の題材とした長安の名所であった。

　西安碑林　西安市三学街、もとの文廟（孔子廟、現在は陝西省博物館）の一角にあり、北宋の元祐二年（一〇八七）、唐の玄宗の「石台孝経」や開成年間に刻された「十三経」の碑を保護するために建てられ、後世の収集も加わって規模が拡大され、碑林（石碑の林）と呼ばれるようになった。現在、漢代から清代に至る二千三百余の碑碣が収蔵され、七つの大型陳列室や回廊に一千余の碑石を展示する。百十四石の「開成石経」のほか、歴代名書家の手跡の刻石が多く集められている。

　華清池　西安の東二五キロ、臨潼県城の南にある驪山（海抜八〇〇メートル）の西北麓に位置する温泉。玄宗は楊貴妃をともない、毎冬をここで過ごした。白居易の「長恨歌」に「春寒くして浴を賜ふ華清の池、温泉水滑らかにして凝脂を洗ふ」とうたわれている。安禄山の反乱の中を蜀の成都に落ちのびる途中、楊貴妃は馬嵬駅で斬られ、華清宮も兵火に焼かれた。現在の建物は清代に建てられたもの。

華清池

　秦始皇帝陵　西安の東三七キロ、臨潼県の東にあり、陵丘の底部の南北は五一五メートル、東西は四八五メートル、高さは約五五メートル。前二四六年、十三歳で秦王となった嬴政はただちに陵墓の建造を始め、その死に至るまで三十七年にわたって地下宮殿を造り続けたのである。一九七四年、陵墓の東一・五キロのところに三つの陶俑坑が発見された。これが有名な兵馬俑である。一号坑は東西二三〇メートル、南北六二メートル、深さ五メートルで、約六千体の兵士、兵馬の俑が迫真の形相をもって配列されている。

兵馬俑

【長△頸△烏△喙】チョウケイウカイ ながい首と、とがった口。忍耐強いから苦労はともにできるが、欲が深く疑いぶかいから安楽をともにできないという性質を表している人相。越王句践を范蠡が評したことば。〔史記、越王句践世家〕

【長鯨】チョウゲイ ①大きなくじら。②欲の深い大悪人。③酒豪をいう。唐の杜甫の「飲中八仙歌」に基づく。

【長工】チョウコウ 常雇いの人夫。

【長公主】チョウコウシュ 天子の姉妹。または、公主（天子の娘）の尊称。

【長広（廣）舌】チョウコウゼツ 非常な雄弁。また、長々としゃべりたてること。広長舌。

【長江】チョウコウ 川の名。中国第一の大河。源をチベット高原の東北部に発し、雲南・四川の省境を東北流し、三峡の険を経て、湖北省を横断し、江西・安徽・江蘇省を流れ、東海（東シナ海）に注ぐ。古くはただ江と呼び、大江ともいった。揚子江という名は、もと今の南京のはるか下流のあたりの名であったのを、近世、外国人が誤って全体の名としたもの。全長五、八〇〇キロ、流域面積一八〇万平方キロに及ぶ。

【長△庚】チョウコウ ①よいの明星。②ほうき星の一種。兵乱のきざしといわれる。

【長△姣】チョウコウ 背が高く美しい。また、その人。

【長虹】チョウコウ ①ながいにじ。②ながい橋のたとえ。

【長恨】チョウコン ながく忘れられないうらみ。また、せつない恋心。

【長恨歌】チョウゴンカ・チョウコンカ 中唐の白居易の作。玄宗皇帝と楊貴妃との恋愛を歌った詩。七言百二十句。

【長沙】チョウサ 地名。今の湖南省の省都。洞庭湖の東南、湘江の右岸にある。周辺に戦国時代・漢代の遺跡が多い。

【長斎（齋）】チョウサイ ながく物忌みをする。ながい間、精進して、肉食・飲酒などをしないこと。

【長△嗟】チョウサ ながくためいきしてなげく。長嘆。

【長策】チョウサク ①ながいむち。長鞭。②よいはかりごと。長計。

【長子】チョウシ いちばん上の男子、または女子。

【長史】チョウシ 官名。㋐漢代では相国、または三公の下役。㋑後世は、刺史の副官。

【長史司馬】チョウシシバ 唐代の官名。刺史の下に一人ずつ置かれた。

【長至】チョウシ 夏至または冬至。

【長日】チョウジツ ①昼のながい日。夏の日。↕短日（一〇一八ページ下）。②冬至。この後、日がながくなるからいう。

【長者】チョウジャ 一 ①背の高い人。②目上の人。また、年老いた人。③徳の高い人。有徳の人。用例〔史記、項羽本紀〕吾知二公長者一。⬇自分はそなたが有徳の人であるということを知っている。④身分の高い人。権勢のある人。⑤目上や年長の人に対する敬称。あなたさま。用例〔唐、杜甫、兵車行〕長者雖レ有レ問、役夫敢申レ恨。⬇年上のあなたのおたずねであっても、兵士である私たちは、思いきって恨みを言うことなどできましょうか（とてもできない）。二 チョウジャ 国 ①金持ち。富豪。②国 ㋐氏の上。氏族の長。㋑宿場の女主人。㋒東寺の長官。

【長者万（萬）灯（燈）、貧者一灯（燈）】チョウジャのマントウ、ヒンジャのイットウ 真心がこもっていれば、わずかの寄進でも金持ちの多大の寄進以上に神仏の感応があるということ。形式よりも精神内容が大事であるとの教え。〔阿闍世王受決経〕

【長主】チョウシュ ①才徳のすぐれた君主。②天子の姉妹。長公主。また、姑の姉妹の大長公主の略称。

【長寿（壽）】チョウジュ ながいき。長命。

【長秋】チョウシュウ ①官名。漢代に置かれ、皇后の宮殿をつかさどる。中長秋。②後漢の宮殿の名。明徳馬皇后が住んでいた。秋宮。③漢代、洛陽の宮殿の門の名。

【長袖】チョウシュウ ①ながいそで。②ながいそでの着物を着ている人。身分の高い人や舞姫などをいう。日本では特に武士に対して僧・公家などをいう。

【長袖善舞、多銭（錢）善△賈】チョウシュウよくまい（ひ）、タセンよくかう（ふ） ながいそでの着物を着た人は上手に舞うことができ、金持ちは何でも買うことができる。資力のある人は何事をするにも便利だというたとえ。〔韓非子、五蠹〕

【長所】チョウショ すぐれているところ。美点。長処。↕短所（一〇一八ページ下）。

【長庶】チョウショ 側室の生んだ長子。↕長嫡。

【長△殤】チョウショウ わかじに。十六歳から十九歳までの死についていう。↕下殤（二二ページ下）・中殤（三七ページ上）。

【長△嘯】チョウショウ 口をつぼめて息をながく吐くこと。声をながくのばすようにして詩を吟ずること。用例〔人虎伝〕此夕渓山対二明月一、不レ成二長嘯一但成レ嘷。⬇今宵、山谷の中で明月に向かい、声を長く引いて歌うこともできずにただむなしく咆哮するばかりだ。

【長上】チョウジョウ ①年上の人。また、目上の人。②上官。

【長城】チョウジョウ ①ながく連なっている城。②万里の長城。↓万里長城（三六ページ中）。

【長信宮】チョウシンキュウ 漢の宮殿の名。太后の居所。成帝の寵愛を失った班婕妤が身を引いた所として有名。

【長紳】チョウシン ながい大帯。▼紳は、貴人がつける、幅の広い帯。

【長進】チョウシン 学業が進歩すること。

【長酔（醉）】チョウスイ ながく酔い。いつまでも酔うこと。

【長生】チョウセイ ながいきをする。ながいき。長命。

【長生久視】チョウセイキュウシ ながいきすること。▼久視は、永久に見る意。〔老子、五十九〕

【長生殿】チョウセイデン ①驪山（陝西省西安市の東郊にある）の華清宮の中の御殿。唐の玄宗が建てた。②国 天子の宮殿。〔和漢朗詠集、慶滋保胤、天子万年〕

【長成】チョウセイ 成人する。成長。

【長征】チョウセイ ①遠くへ（征伐に）行く。遠出。②一九三四年、中国共産党が江西省瑞金を出発し、貴州・雲南を経て陝西省の延安に達した大行軍。

【長星】チョウセイ ほうき星の一種。兵乱のきざしといわれる。

【長逝】チョウセイ ①遠くへ行く。②あの世へ行って永久に帰らぬ意。死をいう。殞逝。

【長△嘶】チョウセイ 声をながく引いていななくこと。

【長舌】チョウゼツ おしゃべり。多弁。

【長△沮】チョウソ 春秋時代、楚の隠者。〔論語、微子〕

【長△嫂】チョウソウ 長兄の妻。また、兄の第一夫人。

【長足】チョウソク 国 ①ながいあし。②おおまた、おおあし。③速力の速いこと。「長足の進歩」

【長息】チョウソク ながいためいきをつく。長吁。

【長孫無忌】チョウソンムキ 唐初の功臣。洛陽の人。字は輔機。唐の太宗と若いころから親しく、その挙兵に参加し、趙国公に封ぜられた。高宗を擁立補佐したが、則天武后を皇后に立てることに反対し、流罪になり殺された。『隋書』の編集に従事した。著書に『唐律疏義』がある。（？—六五九）

【長蛇】チョウダ ①大蛇。ながいへび。②残忍で悪い者にたとえる。③国 目ざす敵などをいう。用例〔頼山陽、題二不識庵撃二機山一図上詩〕遺恨十年磨二一剣一、流星光底逸二長蛇一。⬇（謙信が）恨みに思うのは、十年剣を磨いて準備したものを、振り上げた名刀の下、一瞬のうちに大きな獲物（である信玄）を取り逃したことだ。

【長太息】チョウタイソク 深く嘆息する。また、大きな、ため息。

【長大】チョウダイ ①背たけ高く体が大きい。②すぐれている。

【長短】チョウタン ①ながいことと短いこと。②長所と短所。

【長短句】チョウタンク 長句と短句とを交えて作った詩。長短詩。

長部 0画〔長〕

【長短説】チョウタンセツ 時と場合で、ながく説いたり、短く説いたりすること。戦国時代の策士の弁舌の一つ。

【長嘆・長△歎】チョウタン ながくため息をつく。はなはだしくなげくこと。長嘆息。

【長△歎息】チョウタンソク ながいため息をつく。用例〔唐、劉廷芝、代下悲二白頭一翁上詩〕洛陽女児惜二顔色一 行逢二落花一長歎息 ↓洛陽の町の娘たちは、自分の容色の移ろいゆくのを惜しむ。散りゆく花の下を歩いては、明日はわが身と深いため息をつくのであった。

【長△汀】チョウテイ ながく続いているみぎわ。「長汀曲浦」

【長弟】チョウテイ ①あとさき。先後。②長上によく仕え、年少者をいつくしむこと。また、年少者をいつくしむこと。長悌チョウテイ。③国いちばん上の弟。

【長亭】チョウテイ 十里ごとに置かれた宿場。↔短亭(一〇一八ページ下)。

【長△悌】チョウテイ 目上の人によく従い、目下の人をよくいたわること。

【長程】チョウテイ ながい道のり。長途。

【長嫡】チョウテキ・チョウチャク 本妻の生んだ長子。↔長庶。

【長天】チョウテン 広い空。おおぞら。

【長図(圖)】チョウト ①ながい間、計画する。②永遠のはかりごと。また、すぐれたはかりごと。

【長途・長塗】チョウト ①ながい道。遠い道。②長旅。

【長年】チョウネン ①ながいき。長寿。②老人。③年長者。④長い年月。

【長年三老】チョウネンサンロウ 船頭。

【長髪賊】チョウハツゾク 清代、太平天国王と称した洪秀全の徒党。清の辮髪(髪を編むこと)の風俗に従わず、髪をボサボサにしていたのでこの呼び名を使う。

【長府】チョウフ 財貨をしまっておく蔵の名。

【長婦】チョウフ ①兄嫁。②身長の高い嫁。

【長風】チョウフウ ①遠くから吹いて来る風。また、遠くまで吹いて行く風。広い野原や海の上を吹いて来る、また吹いて行く雄大な風。②長風のような雄大なおもむき。また、勢い。

【乗(乘)二長風一破二万(萬)里浪一】チョウフウにジョウじてバンリのなみをやぶる 遠くまで吹いて行く大風に乗じて、はてしない大海の向こうまで行く。大業を成就することのたとえ。〔南史、宗愨伝〕

【長物】チョウブツ ①余分な物。②無用な物。③ぜいたく品。④人に贈る品物を呼ぶ謙称。粗品。

【長兵】チョウヘイ ①槍などのながい兵器。②弓矢のような飛び道具。↔短兵(一〇一八ページ下)。

【長別離】チョウベツリ ①永遠の別れ。死に別れ。②長期間の別れ。

【長△鞭不レ及二馬腹一】チョウベンもバフクにおよばず ながいむちでも馬の腹まではとどかない。勢力が強くても、なお及ばないことがあるというたとえ。〔左伝、宣公十五〕

【長眠】チョウミン 永遠の眠り。永眠。死。また、死者をいう。

【長命】チョウメイ 命のながいこと。ながいき。↔短命(一〇一八ページ下)。

【長目飛耳】チョウモクヒジ ①遠い所やかくれている物事をも知り得る能力をいう。②見聞の広いこと。また、何でもわかっていること。書物をいう。

【長門】チョウモン ①漢の宮殿の名。長門宮。②賦の名。前漢の司馬相如の作。武帝の陳皇后が天子の愛を失って長門宮にいるとき、命をうけて、皇后の悲しみを述べたもの。これによって、武帝は再び皇后を愛したという。

【長夜】チョウヤ ①ながい夜。②墓の中。また、埋葬。③一晩中。夜もすがら。④→長夜之飲チョウヤのイン。

【長夜△之飲】チョウヤのイン 夜が明けても、なお続いて窓や戸をしめ、あかりをつけてさかもりを開くこと。殷の紂王の故事による。〔韓非子、説林上〕

【長△揖】チョウユウ 人に対する略式の敬礼。手をこまぬいてやや上にあげ、次に下におろす礼。

【長雄】チョウユウ 一地方の首長。支配者。

【長幼】チョウヨウ おとなと子供。年上と年下。

【長幼有レ序】チョウヨウジョあり 年長者と年少者との間に順序(秩序)がある。年長者と年少者との間には、道徳上、当然守るべき秩序がある。〔孟子、滕文公上〕

【長楽(樂)】チョウラク ①永遠の楽しみ。また、ながく楽しむ。また、楽しみをながくする。また、楽しみを増す。②長安にあった宮殿の名。長楽宮。

【長吏】チョウリ ①地位の高い役人。②仏天台宗・真言宗で寺務を統率する人。

【長利】チョウリ ①長期間にわたる利益。また、大きな利益。②永久に利益を得る。

【長律】チョウリツ ①ながい音律。②漢詩の排律、または七言律詩のこと。

【長慮】チョウリョ 遠い将来のことまで考える。熟慮する。また、遠い先きまでの計画。長計。

【長△鬣】チョウリョウ ながいひげ。

【長暦(曆)】チョウレキ 暦法によって過去を推算して作った暦。万年暦。「春秋長暦」

【長老】チョウロウ ①年をとった人。②学徳ある人。③仏禅宗で、高僧や住持。④国仲間・集団などの中で最も年上の人、または、年上で重んぜられている人。

【以レ長補レ短】チョウをもってタンをおぎなう(ふ) 他人の長所をとって自分の短所を補う。

【絶レ長補レ短】チョウをたちてタンをおぎなう(ふ) ながい所を切り取って短い所に加える。地形などを整えるにいう。〔孟子、滕文公上〕

【争(爭)レ長】チョウをあらそう(ふ) ①席の順序や事を行う先後を争う。②優劣を争う。同争長ソウチョウ。

【長レ長】チョウをチョウとす 年長者(また、尊者)を年長者(また、尊者)として尊び、これに従うこと。

【不レ挟(挾)レ長】チョウをさしはさまず 自分の長所を鼻にかけない。また、自分の年長であることを鼻にかけない。〔孟子、万章下〕

0【镸】7画 12956 チョウ 長(12955)の古字。→一四九〇ページ下。 29150 — 6993

3【镹】10画 12957 漢キュウ(キウ) 呉ク 拼 jiǔ 字義 ながい(長)。ひさしい(久)。解字 形声。長＋久音。 29151 — 6994

6【肆】13画 (9655) シ 聿部。→一一七六ページ中。

14【镾】21画 12958 ビ 弥(3321)の本字。→四八九ページ中。 — — 7001

8画

門 もんがまえ

〔部首解説〕門を意符として、いろいろな門、門に付属するものに関する文字ができている。また、鬥トウ(たたかいがまえ)部の文字が、俗に門で書かれることも多い。なお、問・悶モン・聞などの文字はそれぞれ口・心・耳が意符、門が音符なので、その意符によって部首分類される。

闍 一五〇三　閭 一五〇三　闌 一五〇三　閽 一五〇三　10 闈 一五〇三
闓 一五〇三　闕 一五〇四　闋 一五〇四　闔 一五〇四　闖 一五〇四
闐 一五〇四　闘 一五〇四　闞 一五〇五　11 關 一五〇〇　闕 一五〇五
鬮 一五〇五　闞 一五〇五　闞 一五〇五　12 闠 一五〇五　闞 一五〇五
闟 一五〇五　闡 一五〇五　13 闤 一五〇五　闤 一五〇五
闢 一五〇五　19 鬮 一五〇五

0【門】8画 12959 教2 モン かど
モン 元 mén
4471 96E5 一

筆順 丨 ｢ ｢ 𠁣 門 門 門 門

字義 ❶かど。㋐家の外囲いに設けた出入り口。㋑かど口。かどのあたり。門前。㋒いえ(家)。㋓家がら。家筋。㋔身内。一族。❷教育を受ける所。塾・道場など。❸同じ先生に教えを受けた仲間。また、同じ所属。❹ものの生まれ出る所。用例〔老子、一〕玄之又玄ゲンのまたゲン、衆妙之門シュウミョウのモンなり。↓玄の上にも玄で、宇宙における万物の生まれ出る所である。❺物事が必ず通らなければならない重要な所。❻物事の分類上の大別。「部門」❼門を守る。また、門を攻める。国モン。大砲を数える語。

名前 かど・かな・と・ひろ・もん・ゆき　難読 門司もじ・もんじ・門真かどま・かまど・門沢橋かどさわばし・門叶かどかな・門土里留モントリオール

解字 甲骨文　金文　篆文　象形。甲骨文でもわかるように、左右両びらきになる戸の象形で、もんの意味を表す。門を音符に含む形声文字に、問・悶モン・捫モンなどがあり、これらの漢字は、「とう」の意味を共有している。

逆 一門・郭門・家門・寒門・関門・鬼門・及門・禁門・軍門・権門・黄門・獄門・山門・寺門・陣門・水門・聖門・専門・禅門・宗門・総門・大門・天門・同門・洞門・都門・入門・破門・仏門・武門・閉門・砲門・名門・竜門・楼門

【門院】モンイン 国天皇の生母や内親王に対する尊称。女院ニョウイン。
【門下】モンカ ①門の下。門のあたり。②家。また、屋敷のうち。③家のうち・屋敷のうちに居る、家族以外の人。使用人・食客・門人など。④弟子。門人。門弟。門下生。
【門下省】モンカショウ 晋シン代に始まり元代に廃止された役所の名。中書省・尚書省とならんで国政の中心的な機関。
【門外漢】モンガイカン その物事に関係しない人。専門家でない人。しろうと。▼漢は、男性。
【門外可レ設二△雀羅一】モンガイジャクラをもうく(まうく)べし 訪問する人もなく、門前のさびしいありさま。〔人が通らないから〕門外に雀羅ジャクラ(すずめを捕らえる網)を張っておくことができる意。門前雀羅。〔史記、汲鄭伝賛〕
【門業】モンギョウ 家に代々伝わる職業。
【門径(徑)・門△逕】モンケイ ①門に入るこみち。また、門前のこみち。②手がかり。入門。
【門△眷】モンケン みうち。親族。
【門限】モンゲン ①門のしきい。②国門を閉じる一定の時間。刻限。
【門戸】モンコ ①かどぐち。家の出入り口。②外部との交通・交渉上の要点。③家。④家がら。⑤仲間。⑥国㋐門の戸。㋑芸術の流儀を伝える家。
【門戸開放】モンコカイホウ 国①かどぐちをあけはなす。②出入や就職などの制限を除くこと。③経済的市場、その他に関する機会均等などを意味する外交用語。
【成二門戸一】モンコをなす 自身で一家を成り立たせる。家を起こす。一派をなす。〔梁書、王茂伝〕
【張二門戸一】モンコをはる ①住居を壮大にして見えをはる。勢力をはる。②学芸などで一家をなす。
【門功】モンコウ ①祖先の功績。②父祖の功によって官位を得ることをいう。
【門子】モンシ ①門番。②卿大夫ケイタイフの嫡子。③門人。
【門刺】モンシ 名刺。名ふだ。
【門塾】モンジュク ①門の両わきにある堂。昔はここで勉強を教えた。②家塾。
【門△牆】モンショウ ①門と、かきね。②師の門。学問などの入口のたとえ。
【門上△楣】モンジョウのビ ①門の上のはり。②一家の名誉を輝かせる人。玉のこしに乗った女性などをいう。
【門人】モンジン ①弟子。門下生。②門を守る人。門番。③いそうろう。食客。
【門生】モンセイ 門人。弟子。門下生。
【門籍】モンセキ ①宮殿への出入を許された人の身分・住所・氏名を記入して宮門に掲示する札。②門地。家がら。
【門跡】モンゼキ ①仏一門一派の教えを師弟伝授によって受けついだ僧。②国㋐法親王が住職としてその法系を持続する寺院。㋑本願寺法主ホッスの俗称。
【門前△雀羅】モンゼンジャクラ ＝門外可レ設二雀羅一。〔唐、白居易、寓意詩〕
【門前成レ市】モンゼンいちをなす 門前が市場のようである。人が多く集まり来るのをいう。門庭若レ市モンテイいちのごとし。
【門△祚】モンソ 一家のさいわい。
【門△闥】モンタツ 宮中の大小の門。
【門地】モンチ 家がら。門閥地位。
【門徒】モント ①門人。生徒。②仏の道を信仰する人。③門を守る人。門番。④仏浄土真宗の信者。
【門閥】モンバツ 家がら。
【門表】モンピョウ ①家の名誉。②国門札。表札。
【門標】モンピョウ 国表札。かどふだ。
【門風】モンプウ 家風。
【門望】モンボウ 家がらと人望。
【門流】モンリュウ 国一門から分かれた流派。また、門閥と流派。門派。
【門△閭】モンリョ 村里の入り口の門。また、門と閭。▼門は家の門、閭は村里の入口の門。
【門隷(隸)】モンレイ 門を守る人。門番。
【門△聯】モンレン 門の両側にかける対句を書いた札。対聯タイレンの一つ。
【門楼(樓)】モンロウ 門の上の楼。城門の楼閣。
【△倚レ門望】モンによりてのぞむ ＝倚門望イモンのボウ(二一四ページ下)。
【開レ門△而△揖レ盗】モンをひらきてトウにユウす 門を開いて盗人に挨拶アイサツをする。自分から災いを招くようなことをするたとえ。
【掃レ門】モンをはく 初めての人に面会を求めること。戦国時代、魏勃ギボツが斉(漢の王国)の宰相に会う手づるを得るために、朝早く宰相の門のあたりを掃き、ついに宰相の家に雇用された故事に基づく。〔史記、斉悼恵王世家〕

1【閂】9画 12960 漢サン 呉セン 慣 shuān
7957 E878 一

字義 かんぬき。門を閉じておくための横木。

解字 指事。門に横の一線を加え、かんぬきの意味を表す。

2【閄】10画 12961 漢コク 呉ワク huò
一 一 7002

字義 物陰から急に飛び出して人を驚かせるときに発する声。

解字 会意。門＋人。人が門から急に飛び出してワッと言う声の擬音語。

2【閃】10画 12962 人 標 セン 鋏 艶 shǎn
3314 914D 一

筆順 丨 ｢ ｢ 𠁣 門 門 門 閃

字義 ❶ひらめ-く。瞬間的にきらめく。ちらちらする。みえがくれする。❷身をかわす。さける。❸いなずま。

名前 さき・ひかる・みつ

門部 0▼2画 〔門 閂 閄 閃〕

【解字】篆文 会意。門＋人。門の中を人がちらっと過ぎるのを見るさまから、ひらめくの意味を表す。

【閃影】エイ ひらめく影。

【閃光】コウ ぴかぴかひらめく光。瞬間的にぴかっと光る光。

【閃△爍・閃△鑠】シャク ぴかぴかと光り輝く。

【閃閃】セン 動いてひらめくさま。きらきら。

【閃電】デン ①ひらめくいなずま。②きわめて速いこと。

3 【閆】11画 12963 エン 閻(13004)と同字。→一五〇三ページ中。 29152

3 【閈】11画 12964 漢カン 呉ガン 翰 hàn 7003

字義 ❶村里の門。❷さと。村里。❸かきね(垣根)。❹とじる(閉)。

解字 金文 篆文 形声。門＋干音。音符の干は、ふせぐの意味。敵の侵入を防ぐための門の意味を表す。

3 【閉】11画 12965 教6 漢ヘイ・呉ハイ 霽 bì ヘイ とじる・とざす・しめる・しまる 4236 95C2

筆順

【閇】12966 俗字

字義 ❶とじる。しまる。また、とざす。しめる。たてる。↔開(12968)。㋐門がしまる。また、門をしめる。㋑開いているものがしまる。また、とじこめる。「幽閉」㋒ふさがる。また、ふさぐ。㋓おさまる。また、おさめる。かくす。「密閉」㋔断ちきれる。断ちきる。㋕守る。㋖やめる。おえる。❷錠前の鍵をさしこむ筒。❸ゆだめ。弓のまがりを正す道具。❹立秋。また、立冬。

使いわけ しまる・しめる〔締・閉・絞〕⇨締(9279)

解字 金文 篆文 会意。門＋才。才は、木材の意味。門を木のかんぬきでとじたさまから、とじるの意味を表す。

逆 封閉・幽閉

【閉居】ヘイキョ 家にとじこもる。籠居ロウキョ。蟄居チッキョ。

【閉戸先生】ヘイコセンセイ 家にとじこもって読書にふける人。漢の孫敬をいう。「孫敬閉戸」

【閉口】ヘイコウ ①口をきかない。沈黙。②国答弁ができない。こまる。屈服する。

【閉鎖】ヘイサ ①とざす。とじる。②国機能を停止する。

【閉蔵(藏)】ヘイゾウ ①知られないようにとじかくす。②物をしまいこむ。③冬の三か月をいう。

【閉息】ヘイソク 息を殺す。

【閉塞】ヘイソク とじふさぐ。

【閉△蟄】ヘイチツ 冬になって虫類が土の中にこもること。冬ごもり。↔啓蟄(二六九ページ下)。

【閉門】ヘイモン ①門をとざす。②国江戸時代、武士に科せられた刑罰。門をとじて家にこもり、家人や来客の出入りをとめた。蟄居チッキョより軽く、逼塞ヒッソクより重い。

3 【閇】11画 12966 ヘイ 閉(12965)の俗字。→一四九六ページ上。 7958 E879

3 【問】11画 (1562) モン 口部。→二一七ページ下。

3 【閊】11画 12967 国字 つかえる 7959 E87A

字義 つかえる。また、つかえ。物事がとどこおり通じないこと。

解字 会意。門＋山。門内に山があって、つかえるの意味を表す。

4 【開】12画 12968 教3 カイ 灰 kāi カイ ひらく・ひらける・あく・あける 1911 8A4A

筆順

字義 ひらく。↔閉(12965)。㋐あく。あける。閉じているものがあく。閉じているものをあける。㋑広がる。広げる。㋒ほころび咲く。「開花」㋓とおる。とおす。通ずる。㋔分かれる。はなれる。㋕新たに始まる。新しく始める。㋖のびのびする。のびさせる。用例(唐、李白、長干行)十四為㆓君婦㆒、羞顔未㆓嘗開㆒(十四歳であなたの妻となりましたが、恥じらいの表情もかたく、緊張をといてほほえむこととてありませんでした)。㋗土地をきりひらく。「開墾」㋘言う。述べる。㋙とく。解説する。㋚ときはなす。許す。国❶ひらける。㋐人情・世情に通じている。㋑発展する。❷ひらき。㋐解散すること。「お開き」㋑へだたり。差。❸はだける。衣服の前をひろげる。

名前 さき・さく・さと・はる・はるき・ひら・ひらかす・ひらき・ひらく 難読 開聞かいもん・開力比カリ

使いわけ あく・あける〔空・開・明〕⇨空(8571)。

解字 金文 篆文 会意。門＋开(幵)。幵は、両手の象形。門に両手をかけてひらくの意味を表す。

逆 公開・散開・打開・展開・半開・未開

【開化】カイカ 文化が進んで、世の中がひらけること。「文明開化」

【開△喙】カイカイ 口ばしをあける。口出しをする。

【開△豁】カイカツ ①心が広く、ゆたかなこと。度量が広い。豁達カッタツ。開朗。②ながめが広くひらけている。

【開巻】カイカン ①ひらくことと巻くこと。巻舒カンジョ。②書物をひらいて読む。③書物の、あけた最初の所。巻首。

【開眼】国カイガン 眼をひらく。国カイゲン 仏仏道の真理をさとる。また、仏像落成の時に行う式。開光。転じて、新しい調度品などを初めて使用することをいう。

【開顔】カイガン 顔の表情をのびのびさせること。顔色をやわらげること。また、にこにこすること。笑みを浮かべる。

【開基】カイキ ①もといをひらくこと。また、その人。②仏寺を新たに建てること。また、その人。開山。開祖。

【開暁(曉)】カイギョウ さとす。また、さとる。

【開襟・開△衿】カイキン ①えりをひらく。②心をうちあける。胸襟をひらく。

【開欠(缺)】カイケツ 官吏が職を去ること。退職。

【開元】カイゲン ①もといをひらく。また、国をひらく。肇基チョウキ。開国。②唐の玄宗の年号(七一三—七四一)。平和な政治が行われた。

【開悟・開△寤】カイゴ さとる。また、さとす。

【開△闔】カイコウ あけることと閉じること。開閉。また、単にひらくこと。

【開国(國)】カイコク ①国を初めて建てること。建国。また、国家創業の功臣に与える称号。②国外国との公的な交際をはじめること。↔鎖国(一四八二ページ下)。

【開墾】カイコン 荒地をきりひらく。

【開済(濟)】カイサイ 物事を始めて、それを成就すること。開物済務。▼開は始める、済は成しとげる。用例(唐、杜甫、蜀相詩)三顧頻繁天下計、両朝開済老臣心(サンコヒンパンなり テンカのケイ、リョウチョウカイサイす ロウシンのこころ)↓劉備リュウビは三顧の礼をとってしきりに諸葛亮ショカツリョウのもとを訪れ、天下統一の計画を尋ねた。(諸葛亮も)その恩義に報い、先主後主の二代にわたり忠誠を尽くして仕えた。

【開削・開△鑿】カイサク 山野をきりひらいて道路・運河などを通すこと。

【開山】カイサン ①仏山をきりひらいて寺を立てるのをいう。転じて、一宗派を創立した人。開基。②国ある物事の創始者。元祖。

【開士】カイシ 仏菩薩ボサツの別名。正しい道をひらいて衆生シュジョウの迷いをひらき導く人。

【開秋】カイシュウ 秋の初め。新秋。初秋。↔開春。

【開春】カイシュン 春の初め。新春。↔開秋。

【開成】①人々の知識を開発して世の中の事業を成しとげる。②唐の文宗の年号（八三六―八四〇）。

【開△霽】雨が降りやんで、からりと晴れわたること。開晴。

【開析】①きりひらく。②迷いを解きひらく。③開封する。

【開説】説きあかす。解説。説明。

【開祖】①〔仏〕宗門をひらいた人。②初めてその事業を起こした人。始祖。

【開拓】①荒地をひらくこと。②新しい分野をひらくこと。

【開帳】〔仏〕とびらをひらいて仏像を拝ませること。開龕。啓龕。

【開張】①大きくあけひろげる。開展。②ひろがる。③市をひらいて交易すること。④開店。開業。

【開陳】意見を述べること。陳述。

【開展】①のびのびひろがる。大きくなる。また、進歩発展する。②ながめがひらける。

【開幕】㊀幕府をひらく。㊁〔国〕①舞台のまくをあげること。②物事を始めること。

【開発（發）】①手紙の封を切ること。②知識をひらき導くこと。啓発。③のべひろげる。④土地をきりひらく。開拓。⑤〔国〕実用化する。「新製品の開発」

【開板・開版】書籍を出版すること。特に、木版印刷の本にいう。

【開△闢】世界のひらけはじめ。▼闢も、ひらく。

【開封】㊀①手紙の封をひらくこと。②〔国〕ひらき封の手紙。㊁地名。河南省の開封市。汴京・汴梁。戦国時代、魏の都となり、大梁と呼ばれ、後に五代の後梁・後晋・後漢・後周及び北宋・金の都となる。

【開放】①ゆるしはなす。はなちやる。②あけはなす。あけひろげる。③束縛・禁制を解いて自由にさせること。

【開明】①人知がひらけ、文化が発展すること。②ひらき明らかにする。

【開落】咲いた花や、散った花。また、咲くことと散ること。[用例]〔和漢朗詠集、慶滋保胤、早春〕南枝北枝之梅、開落已異。↓南側の枝と北側の枝とでは、同じ梅でも花が咲いたり散ったりする時期も違っている（南が早い）。

【開朗】①ひろびろとして明るいこと。[用例]〔東晋、陶潜、桃花源記〕豁然開朗。↓〔目の前が〕広々と開けてからりとして明るい。②賢明なこと。

4 【間】12画 12969 [教]2 カン・ケン あいだ・ま

4 〔閒〕12画 12970

〔閑〕12972 俗字

㊀㊥カン・㊦ケン 〔画〕jiān
㊁㊥カン・㊦ケン 〔諫〕jiàn
㊂㊥カン 〔画〕xián

2054
8AD4
一

[筆順] ｜ ｢ ｢｢ 門 門 門 間 間 間

[字義] ㊀❶あいだ。㋐ま。ふたつの物にはさまれた空間。また、場所。ところ。あたり。[用例]〔易経、序卦〕盈二天地之間一者唯万物。↓すべて天地の間に盈ち満つるもの、それこそが万物である。㋑ま。ふたつの事柄にはさまれた時間。㋒ころ（頃）。ころおい。時期。[用例]〔孟子、離婁下〕七八月之間、旱則苗槁。↓七八月のころ、日照りであれば苗がかれてしまう。／〔史記、項羽本紀〕沛公已去、間至二軍中一。……。↓沛公がもはや立ち去り、張良は宴席にもどり、自分の陣営に到着するころをみはからって、張良入謝曰……。間レ至二軍中一、張良入謝曰……言うことには、……。㋓うち。ある範囲・範疇のなか。また、関係。「君臣之間」
❷このごろ。近頃。[用例]〔漢書、叙伝上〕帝間顔色痩黒。↓帝は最近お顔が痩せ血色も悪い。
❸しばらく。しばし。やがて。暫時。❹ま。柱と柱の間。転じて、へや。
㊁❶あいだ。㋐すきま。すき。[用例]〔史記、晏嬰伝〕其御之妻、従二門間一而闚二其夫一。↓晏嬰の御者の妻は、門のすきまから夫のようすをうかがっていた。㋑へだたり。距離。また、ちがい。差異。[用例]〔荘子、天地〕桀・跖与二曽・史一行義有レ間矣。然其失レ性均也。↓桀王や盗跖と曽参・史鰌とではその行動の道義という点で大変な隔たりがある。しかし人間の本性を失っているという点では同じなのである。㋒仲たがい。不和。[用例]〔左伝、昭公十三〕諸侯有レ間矣、不レ可二以不一レ示レ衆。↓（晋国は）諸侯と不仲であるから、多勢を前に威勢を示さなくてはならない。
❷ひま。機会。折。❸まま。間をおいて。時々。時に。[用例]〔南宋、文天祥、指南録後序〕予在二患難中一、間以レ詩記レ所レ遭。↓私は患難の中で、折に触れ遭遇した事柄を詩に記した。
❹へだてる。㋐一定の時間・空間を置く。[用例]〔徐霞客遊記〕峭壑陰レ森、楓松相間。↓切り立ったがけは森を覆い、楓樹と松とが所々に生えている。㋑離す。遠ざける。[用例]〔史記、屈原伝〕竭レ忠尽レ智以事二其君一、讒人間レ之。↓（屈原は）忠心・知力を尽くして君に仕えようとしたが、言葉巧みに人を陥れる讒夫によって関係を引き裂かれてしまった。
❺ひそかに。こっそりと。ひと目にふれずに。[用例]〔史記、廉頗藺相如伝〕令二人持レ璧帰、間至レ趙矣。↓人に璧を持たせ、ひそかに趙に帰らせた。
❻わきにそれた。正当でない。「間道」
❼うかがう。㋐すきをねらう。間隙に乗じる。[用例]〔国語、魯語下〕斉人間二晋之禍一。↓斉は晋の災いに乗じた。㋑スパイする。
❽ひそかに敵情を探る人。スパイ。「間者」
❾まじわる。まじえる。混ざる。入り込む。[用例]〔唐、杜甫、贈二衛八処士一詩〕夜雨剪二春韮一、新炊間二黄粱一。↓夜、雨が降る中、春のにらを刈り入れ、たきたてのご飯には、黄色いおあわが混じっている。
❿疑いをさしはさむ。また、そしる。悪口を言う。[用例]〔論語、先進〕人不レ間二於其父母昆弟之言一。↓誰もその父母兄弟の発言に疑いを持つ者はいない。
⓫あずかる。関与する。関係する。[用例]〔左伝、荘公十〕肉食者謀レ之、又何間焉。↓肉を口にするような身分の者が対策を立てているのだから、でしゃばることがあろうか。

⓬かわる。交代する。入れ替わる。また、交互に。[用例]〔書経、益稷〕笙鏞以間。↓笙と大きな鐘とをかわるがわる演奏する。

⓭はぶく。まびく。簡単にする。

⓮いえる。病気がやや回復する。病状が好転する。[用例]〔論語、子罕〕病間曰、久矣哉、由之行レ詐也。↓（孔子の病状が思わしくないとき、子路は門人を家臣にしたてて仕えさせていたが）病状が和らぐと、「ずいぶん長いことだ、子路のでたらめをおこなったのも」と（孔子は）おっしゃった。

㊂＝閑（12971）。❶ひま。てすき。また、仕事がなくぶらぶらしている。「間暇」❷広く大きい。また、ゆとりがある。❸いこう。休息する。くつろぐ。また、静か。「間居」❹重要でない。どうでもよい。また、はぶく。なおざりにする。「等間」

国❶あいだ。あひ。㋐関係。仲。㋑…ゆえに。…から。「…候間」❷ま。その場の具合。ばつ。「間が悪い」❸ケン。㋐建物の柱と柱の間を数える語。㋑長さの単位。六尺。約一・八メートル。

名前 ちか・はし・ま 難読 間人(たいざ・はしひと)・間藤(まとう)・間部(まなべ)

解字 金文  篆文  会意。門＋日(月)。門がとじても、月光がもれるさまから、すきまの意味を表す。常用漢字は月を日に変えた間による。閒(間)を音符に含む形声文字に僩(カン)・澗(カン)・癇(カン)・簡などがある。

逆 行間・瞬間・人間・世間・草間・俗間・中間・等間・仲間・反間・病間・坊間・無間・腰間・離間

【間一髪】(カンイッパツ) 国＝間不レ容レ髪(カンハツをいれず)。

【間逸】(カンイツ) 静かで安らかなこと。閑逸。

【間雲孤鶴】(カンウンコカク) 同閑雲野鶴。①静かな雲と一羽の鶴。②世俗にわずらわされずに思いのままに悠々とふるまう境地。

【間花】(カンカ) ①もの静かに咲いた花。しとやかな花。②あそびめ(妓女(ギジョ))。

【間暇】(カンカ) ①ひま。用例〔唐、白居易、長恨歌〕承レ歓侍レ宴無二間暇一(カンをうけエンに、ジしてカンカなく)、春従二春遊一夜専レ夜(はるははるのあそびにしたがい(ひ)よるはよるをもっぱらにす)。↓天子の気持ちを察して気に入られるようにふるまい、宴席にはべって天子のおそばにつききり、春は春の遊びのおともをし、夜は天子の夜を独り占めにする。②国が治まって平和なこと。③態度がおちついて静かなこと。

【間雅】(カンガ) しとやかでみやびなこと。閑雅。

【間懐(懷)】(カンカイ) やすらかに落ちついた心境。

【間隔】(カンカク) へだたる。また、へだたり。空間にも時間にもいう。用例〔東晋、陶潜、桃花源記〕遂与二外人一間隔(ついに(ひ)にガイジンとカンカクせり)。↓そのまま外部の人と交渉がなくなってしまった。

【間間】一(カンカン) こせこせと物に区別をつけたがるさま。一説に、じろじろ人を見るさま。二(まま) 国おりおり。おりふし。

【間関(關)】(カンカン) ①道路がけわしくて行きなやむさま。②たびたび困難なめにあうこと。③あちこちとうつるさま。④鳥がなごやかにさえずるさま。用例〔唐、白居易、琵琶行〕間関鶯語花底滑(カンカンたるオウゴ、カテイになめらかに)、幽咽泉流氷下難(ユウエツせるセンリュウ、ヒョウカになやめり)。↓(琵琶(ビワ)の演奏は、)のどかなうぐいすの声が花の下でなめらかにさえずるように聞こえ、むせぶがごとき泉が氷の下でうまく流れないでいるようにも聞こえる。⑤車のきしむ音の形容。

【間却・間△卻】(カンキャク) 捨てて問題にしない。無視する。

【間居】(カンキョ) ①仕事がなくひまでいる。用例〔大学〕小人間居為二不善一(ショウジンカンキョしてフゼンをなす)。↓徳のない品性のいやしい人がすることもなくて一人でいると、よくないことをしがちである。②静かなすまい。また、静かにのんびりと暮らしていること。閑居。

【間吟】(カンギン) 静かに詩歌を口ずさむこと。閑吟。

【間隙】(カンゲキ) すきま。ひま。

【間△歇】(カンケツ) 国一定の時間をへだてて起こったりやんだりすること。「間歇泉」

【間月】(カンゲツ) ①農事のひまな月。↔忙月(五三九ページ下)。②ひと月おき。

【間語】(カンゴ) しんみりと語る。静かにものがたる。

【間行】(カンコウ) こっそりかくれて行く。しのびあるき。微行。また、間道を通って行く。用例〔史記、項羽本紀〕従二酈山下一道二芷陽一間行(リザンのもとより、シヨウにみちしてカンコウす)。↓酈山の麓をかすめて芷陽を通る裏道を行く。

【間候】(カンコウ) 間者(スパイ)になって敵の様子を探ること。また、その人。

【間△曠】(カンコウ) ①のんびりしている。気ままで悠長である。②広くて静かである。

【間歳】(カンサイ) 一年おき。隔年。また、一年おいて。

【間使】(カンシ) しのびの使者。間者。スパイ。

【間視】(カンシ) こっそり敵情を探り見る。

【間△廁】(カンシ) いりまじること。▼廁も、まじるの意味。

【間事】(カンジ) ①緊急でない事がら。ひまつぶしにする、つまらない事がら。②余計なむだな事がら。③秘密の事がら。

【間日】(カンジツ) ①一日おき。②ひまな日。

【間者】一(カンシャ) このごろ。二(カンジャ) まわしもの。スパイ。

【間寂】(カンジャク・カンセキ) もの静かなこと。さびしくひっそりしていること。閑寂。

【間色】(カンショク) 原色の配合によってできる中間色。

【間人】(カンジン) ①敵の動静を探る人。まわしもの。スパイ。間者。間使。②ひまな人。閑人。

【間静(靜)】(カンセイ) 静かなこと。閑静。

【間然】(カンゼン) 欠点を指摘して非難すること。

【間阻】(カンソ) あいだをへだてる。(他人の)仲をさく。

【間断(斷)】(カンダン) たえま。また、あいだがとぎれること。

【間△諜】(カンチョウ) まわしもの。スパイ。間者。用例〔世説新語、容止〕既畢(すでにお(を)わ(は)り)、令二間諜問一曰(カンチョウをしてとわ(は)しめていわ(は)く)、……。↓会見が終わった後、まわし者をやってたずねさせたことには、……。

【間庭】(カンテイ) 静かな庭。ひっそりと静まりかえっている庭。

【間適】(カンテキ) 心静かに楽しむこと。閑適。用例〔人虎伝〕及二謝秩一(シャチツにおよべば)、則退帰間適(すなわ(は)ちしりぞきかえ(へ)りてカンテキし)、不二与レ人通一者(ひととツウぜざること)、近二歳余一(サイヨにちかし)。↓県尉の任期を終えると、官界から身を引き、帰って閑居し、ほぼ一年あまりもの間、人との交際を絶っていた。

【間道】(カンドウ) ぬけ道。ちか道。

【間不レ容レ息】(カンソクをいれず) ＝間不レ容レ髪(カンハツをいれず)。

【間不レ容レ髪】(カンハツをいれず) 一本のかみの毛を入れるすきもない。事態の切迫したさま。間一髪。

【間歩】(カンポ) ①しのびあるき。②ゆったりと歩く。閑歩。

【間房】(カンボウ) ①静かな室。②空家。あきや。

【間遊】(カンユウ) のんびり遊ぶ。遊び暮らす。遊びまわる。

【間麗】(カンレイ) しとやかで美しいさま。

【間話】(カンワ) ①むだばなし。閑話。②かげ口。

【間話休題】(カンワキュウダイ) さて。それはさておき。むだ話はやめての意。閑話休題。

【行レ間】(カンをおこなう(ふ)) 種々の手段を用いて、仲違いをさせること。

【承レ間】(カンをうく) ひまな折を見はからう。

4 【閑】 12画 12971 常 カン 漢カン・呉ゲン xián 2055 8AD5 一

筆順 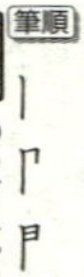

字義 ❶のどか。のんびりしている。また、しずか(静)。用例〔菅茶山、冬夜読レ書詩〕閑収二乱帙一思二疑義一(しずかにランチツをおさめてギギをおもう(ふ))、一穂青灯万古心(イッスイのセイトウ、バンコのこころ)。↓取り散らかした書物を心静かに片づけながら、(今読んだ本の)疑問の箇所を考えていると、一本の稲穂のような青白いともし火が、昔の聖賢の心を明るく照らし出してくれるような感じがする。❷ひま(暇)。いとま。＝間(12969)。「閑職」❸むだ。役に立たない。「閑話」❹しきり。門の中央にさしわたすしきり。また、馬小屋のしきり。❺ふせぐ(防)。ふせぎまもる。また、ふさぐ。❻のり(法)。規則。法則。❼ならう。なれる。習熟する。❽正しい。また、大きい。❾うるわしい。美しい。みやびやか。「閑冶(カンヤ)」❿→閑閑。

名前 しず・のり・もり・やす・より 難読 閑谷(しずたに)

参考 熟語は〔間〕(12969)をも見よ。

解字 金文  篆文  会意。門＋木。門の間に木を置き、他からの侵入を防ぐ、しきりの意味を表す。

逆 安閑・少閑・消閑・森閑・清閑・静閑・長閑・等閑・幽閑・有閑・余閑

【閑雲野鶴】(カンウンヤカク) ＝間雲孤鶴(一四九八ページ上)。

【閑暇】カンカ ①ひまなこと。また、ひまな時。間暇。②静かにおちついていて、ゆったりしているさま。
【閑雅】カンガ ①しとやかで、みやびやか。②国その土地がしずかで、みやびやかな趣のあること。
【閑閑】カンカン ①車のゆれ動くさま。②ゆったりと、のびやかなさま。③広くおおらかなさま。④静かにおちついているさま。
【閑却・閑卻】カンキャク なおざりにする。すてておく。
【閑居】カンキョ ①ひまでいる。間居。②心静かにくらす。③静かな住居。
【閑吟】カンギン 静かに詩や歌を口ずさむこと。間吟。
【閑坐】カンザ 心静かにすわる。
【閑散】カンサン ①ひまで用事がないこと。②国㋐静かで人の少ないこと。㋑市場が不振で取引が少ない状態にあること。
【閑寂】カンジャク もの静かなこと。寂しくひっそりしていること。
【閑習】カンシュウ なれる。なれてよく心得ること。熟練。
【閑愁】カンシュウ ①かすかな気がかり。②そぞろにわきあがる愁い。
【閑処(處)】カンショ ①ひまなところ。ひっそりした場所。閑境。②静かにしている。のんびりしている。閑居。
【閑舒】カンジョ 静かでのびのびする。ゆったりとする。寛舒。閑暢。〔三国魏、嵆康、琴賦〕
【閑敞】カンショウ 静かで高く、見はらしのよいところ。
【閑情】カンジョウ もの静かなこころ。
【閑職】カンショク ひまな役。散官。閑官。
【閑人】カンジン・ひまジン ひまな人。閑客。
【閑靖】カンセイ 安らかで静かなこと。
【閑静(靜)】カンセイ 静かなこと。ひっそりとしていること。また、無欲の様子。間静。
【閑素】カンソ もの静かでかざり気のないこと。
【閑達】カンタツ 物事になれて通ずること。また、なれる。習熟する。熟達。
【閑談】カンダン もの静かに話す。
【閑地】カンチ ①あき地。②ひまな地位。
【閑適】カンテキ 静かに楽しくくらすこと。間適。
【閑冶】カンヤ みやびやかで美しい(なまめかしい)。
【閑和】カンワ 静かでやわらいださま。
【閑話】カンワ ①むだばなし。間話。②静かに話す。閑談。
【閑話休題】カンワキュウダイ それはさておき。さて。発語の辞。むだばなしはやめにしての意。間話休題。

4 【閒】 12画 12972 カン 間(12969)の俗字。→一四九七ページ中。 | — | EECC | — |

4 【閎】 12画 12973 漢コウ(クヮウ) 呉オウ(ワウ) 庚 hōng | 19346 | — | 7006 |
字義 ❶もん。❷大きい。㋐普通の門。㋑村の小道に設けた門。㋒天の門。❸ひろげる。広くする。❹むなしい。なにもなく広々している。
解字 篆文 形声。門+厷音。音符の厷コウは、ひろがるの意味。そこから里中がひらける門の意味を表す。
【閎廓】コウカク 広い。からりとして広い。
【閎閎】コウコウ ①大声の形容。②深みがあって美しいさま。
【閎達】コウタツ こせこせしないで、広く通じていること。
【閎誕】コウタン 大きなことを言って、とりとめがないこと。
【閎中肆外】コウチュウシガイ 文章を作るのに、内容が広く豊かで筆づかいが自由で変化に富むこと。〔唐、韓愈、進学解〕

4 【閌】 12画 12974 コウ(カウ) 漾 陽 kàng | 29153 | — | 7004 |
字義 ❶閌閬コウロウは、高い門。❷たかい(高)。さかん(盛)。
解字 形声。門+亢音。

4 【閏】 12画 12975 人 標 漢ジュン 呉ニン 震 rùn | 1728 | 895B | — |
筆順 丨 ㇀ 𠃌 門 門 閂 閏 閏
【閠】12981 同字
字義 ❶うるう。うるう。余分の月日。一年の一か月は、平均二十九日あまりに過ぎないから、毎年十数日の余りが生ずる。そこで三年に一度、五年に二度、十九年に七度の割合に閏月を置いて一年を十三か月とする。㋐太陰暦の月・日が平年より多いこと。㋑太陽暦では、厳密な一年は、三六五・二四二二日であるから、平年を三百六十五日とし、四年ごとに二月を二十九日として、三百六十六日にし、調節する。❷正統でない位。閏位。「正閏」
名前 うる・じゅん
解字 篆文 会意。門+王。王は、実は玉で、財貨の意味。門内に財貨があふれて、家がうるおうの意味から、うるおう月日、うるうの意味を表す。

4 【閔】 12画 12976 一 漢ビン・呉ミン 軫 mǐn 二 漢ビン・呉ミン 真 mín | 7960 | E87B | — |
字義 一 ❶みまう。とむらう。不幸のあった家を見舞う。❷いたむ。あわれむ。=愍(3569)・憫(3886)。❸うれえる。うれう。心配する。用例〔孟子、公孫丑上〕宋人有下閔二其苗之不一レ長而揠レ之者上(ソウひとにそのなえ(へ)のチョウぜざるをうれえ(へ)てこれをぬくものあり)↓宋の人で自分の苗が生長しないことを心配して引っぱってやった人がいた。❹やむ(病)。なやむ。❺努力する。二 秋の空。=旻(4693)。
解字 篆文 形声。門+文音。音符の文は愍ビンに通じ、あわれむの意味。不幸な者を弔問し、あわれむ・いたむの意味を表す。
【閔凶】ビンキョウ 父母に死別する不幸。
【閔子騫】ビンシケン 孔子の弟子。春秋時代、魯ロの人。名は損。子騫は字あざな。孔子より十五歳年少。親孝行であった。(前五三六―前四八七)
【閔傷】ビンショウ あわれみいたむ。
【閔然】ビンゼン あわれみ心配するさま。
【閔閔】ビンビン ①うれえるさま。②深遠なさま。
【閔勉】ビンベン つとめはげむ。すすむ。

4 【閍】 12画 12977 一 漢ホウ(ハウ) 呉ヒョウ(ヒャウ) 庚 bēng 二 漢ホウ(ハウ) 呉ボウ(バウ) 陽 fāng | 29154 | — | 7005 |
字義 一 二 ❶宮中の門。❷村里の小路の門。
難読 閍大坂うつおおさか
解字 形声。門+方音。

4 【悶】 12画 (3553) モン 心部。→五三九ページ中。

4 【閖】 12画 12978 ロウ lào | 7961 | E87C | — |
字義 義未詳。国閖上ゆりあげ・閖前ゆりまえは、宮城県の地名。

5 【閜】 13画 12979 漢カ 呉ケ 馬 xià
字義 ❶大きく開く。大きく裂ける。❷大きい。❸大きな杯。
解字 形声。門+可音。

5 【閘】 13画 12980 一 漢オウ(アフ) 呉ヨウ(エフ) 洽 yā 二 コウ(カフ) 洽 zhá | 7962 | E87D | — |
字義 一 門をあけたてする。また、そのきしむ音の形容。二 ❶とじる。とざす。門をとじる。❷ひのくち(樋の口)。水門。
解字 篆文 形声。門+甲音。音符の甲は、おおうの意味。水をおおいとじこめる門の意味を表す。

5 【閠】 13画 12981 ジュン 閏(12975)と同字。→一四九九ページ中。 | 7964 | E880 | — |

5 【閙】 13画 12982 ドウ 鬧(13918)の俗字。→一六〇四ページ下。 | 7963 | E87E | — |

5 【閟】 13画 12983 ヒ 寘 bì | 19347 | — | 7009 |
字義 ❶とじる。とざす。㋐とじこめる。㋑終わる。おしまいにする。㋒かくす。かくしてあらわさない。❷おく深い。暗い。かすか。❸かみ(神)。❹つつしむ。

解字 篆文 形声。門＋必㊜。音符の必は閉に通じ、門をとざすの意味。とじる・ふさぐの意味を表す。

【閟宮】ヒキュウ ①おたまや。霊廟。②『詩経』魯頌ロショウの詩編名。

5【閞】13画 12984 漢ヘン 呉ベン 中 biàn — — 7008

字義 門柱の上のますがた。

解字 形声。門＋弁㊜。音符の弁は、かんむりの意味。

5【閝】13画 12985 漢レイ 呉リョウ(リャウ) 中 líng — — 7007

字義 きりまど。門の上の、明かり取りの窓。

解字 形声。門＋令㊜。

6【閡】14画 12986 ガイ 中 hé — — 7010

字義 ❶とじる(とづ)。外から戸をしめる。とざす。❷とどまる。また、とどこおる。さしつかえる。❸さまたげる。

解字 篆文 形声。門＋亥㊜。音符の亥ガイは、堅くなるの意味。門を堅く閉ざすの意味を表す。

6【閣】14画 12987 教6 カク 閣 gé 1953 8A74 —

筆順 丨 ㄱ 𠃌 門 門 門 閁 閣 閣

字義 ❶建物。㋐たかどの(高殿)。二階造りのやかた。「楼閣」㋑ごてん(御殿)。宮殿。「殿閣」❷かけはし。山の崖がけふちの岩かどなどをくりぬいて渡した道。桟道サンドウ。「閣道」❸二階造りの廊下。複道。また、地上高く渡した廊下。「閣道」❹開いた扉をとめるくい。また、閉じた扉をとめるくい。かんぬき。❺たな。㋐食物をのせるたな。㋑物をしまっておくたな。❻役所。官庁。「秘閣」❼おく。手をはなして下に置く。また、止める。＝擱(4452)。「閣筆」国内閣の略。「閣議」「組閣」

名前 たか・ただ・のり・はる

解字 篆文 形声。門＋各㊜。音符の各は、外部につきだすの意味。門の所に突き出ている、とびらをとめる「くい」の意味を表す。

逆 金閣・高閣・小閣・層閣・組閣・台閣・殿閣・倒閣・内閣・飛閣・仏閣・楼閣

【閣下】カッカ ①たかどのの下。②高い地位にある人を呼ぶ言葉。また、名や地位の下につける敬称。

【閣閣】カクカク ①まっすぐなさま。②かえるの鳴く声の形容。

【閣道】カクドウ ①二階造りの廊下。また、地上高く架した廊下。複道。②高い山の崖がけの岩かどなどに木材などを渡し、たなのように張り出して作った道。桟道サンドウ。③星の名。北斗七星の柄に当たる部分をいう。

【閣筆】カクヒツ 筆をおく。書くことをやめる。擱筆カクヒツ。

【閣老】カクロウ ①唐代、中書舎人、また、給事中をいう。②唐代、宰相をいう。

6【関】14画 12988 教4 カン せき・かか-わる 2056 8AD6 —

11【關】19画 12989 一 漢カン(クヮン) 呉ケン 中 guān 二 漢ワン・呉エン(ヱン) 中 wān 7980 E890 —

筆順 丨 ㄱ 𠃌 門 門 門 門 閂 関 関

字義 一❶せき。関所。国境や国内の要所に設けて、通行人や貨物の出入を取り締まる所。「函谷関カンコク」❷とざす。とじる。閉める。ふさぐ(塞ソク)。用例(東晋、陶潜、帰去来辞)園日渉以成レ趣、門雖レ設而常関(園は日に渉りて以て趣を成し、門は設くと雖も常に関とざせり) ↓庭は毎日歩きまわると趣を増し、門は作ってはあるけれども、いつも閉じたままである。❸かかわる。あずかる。かかわりあずかる。関係する。「関与」❹かんぬき。門戸をとざす横木。❺からくり。しくみ。しかけ。「機関」❻人体の要所。また、しめくくりのところ。要所。❼→関関。二ひく。弓を引く。＝彎(3354)。

名前 せき・でき・とおる・み・もり

解字 金文 篆文 形声。門＋关(笄)㊜。音符の笄ケンは、会に通じ、あうの意味。門をあわせとじるの意味を表す。

逆 間関・機関・郷関・玄関・税関・通関・難関・連関

【関尹】カンイン 関門を守る役人。また、その長。関令。

【関羽】カンウ 三国時代、蜀ショクの武将。字あざなは雲長。また、長生。諡おくりなは壮繆ソウビュウ。蜀の劉備リュウビに仕え大いに活躍したが、呉の孫権の部下に殺された。後に武神として関帝廟にまつられた。(?―二一九)

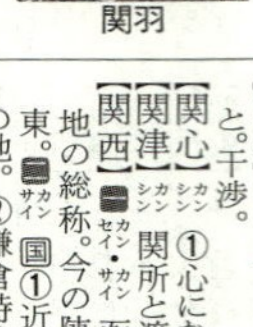
関羽

【関河】カンガ ①函谷カンコク・蒲津ホシンなどの関所と黄河。また、けわしい山と川。要害の地。②昔の秦シンの地(今の陝西セイ省の地)をいう。四方が山に囲まれ、函谷関・武関などがあり、また東に黄河が流れているからいう。③山河。㋐国境の山河。㋑他郷の山河。④旅先たび。また、旅路たびじ。故郷を遠く離れた旅路。

【関隔】カンカク へだたり。間隔。また、さまたげ。

【関関】カンカン 鳥がなごやかに鳴く声の形容。

【関鍵】カンケン ①かんぬきと、かぎ。また、戸じまり。②物事の重要な所。枢要。秘訣ケツ。

【関左】カンサ ＝関東①。↔関右。

【関塞】カンサイ 国境にある関所と、とりで。

【関山】カンザン ①関所と山々。また、関所のある山々。②郷里の四境をめぐる山。転じて、ふるさと。用例(唐、杜甫、登二岳陽楼一詩)戎馬関山北、憑レ軒涕泗流(戎馬ジュウバ関山カンザンの北きた、軒ケンに憑よりて涕泗テイシ流ながる) ↓わがふるさと、関所のある山々の北では、今も戦争が行われている。楼のてすりに寄りかかりながら、涙がとめどもなく流れてやまない。

関塞

【関山月】カンザンゲツ 楽府ガフ題の一つ。前漢の横吹曲オウスイキョクの名。離別を悲しみいたむ内容の楽曲。この楽曲に合わせて作った「関山月」と称する詩が多い。

【関市】カンシ ①関所と市場。②国境の関所で、異民族と交易する市場。

【関市之征】カンシのセイ 関所の通行税と市場の営業税。

【関所】カンショ 国①昔、交通上の要所や国境などに設け、通行人の取り調べを行った所。②難関。

【関雎】カンショ ①鳥の名。巣の中に二室あって、雌雄が別居しているといわれる。②『詩経』周南の詩編名。周の文王と后妃との夫婦和合の徳を詠じた詩。

【関雎之化】カンショのカ 夫婦が和合して、家庭がよくおさまることのたとえ。

【関渉】カンショウ 手出し口出しをすること。その事に関係すること。干渉。

【関心】カンシン ①心にかかる。②心を入れる。

【関津】カンシン 関所と渡し場。交通の要所。

【関西】一カンセイ・カンサイ 函谷関カンコク(または潼関ドウ)よりも西の地の総称。今の陝西セイ・甘粛の二省の地。関右。↔関東。二カンサイ 国①近江おうみ(今の滋賀県)の逢坂おうさかの関以西の地。②鎌倉時代以降は、鈴鹿すず・不破ふわ・愛発あらちの三関以西の諸国。③箱根の関以西の地。④現在では、京阪地方一帯の総称。

【関知】カンチ あずかり知る。そのことに関して知ること。

【関中】カンチュウ 地名。今の陝西セイ省の地をいう。東に函谷関の中央に位置するからいう。秦の旧地。

【関東】(カントウ) ①函谷関(カンコク)(または潼関(ドウカン))より東の地の総称。関左。↕関西。②国㋐近江(おうみ)(今の滋賀県)の逢坂(おうさか)の関以東の地。㋑鎌倉時代以降は、鈴鹿(すずか)・不破(ふわ)・愛発(あらち)の三関以東の諸国。㋒箱根の関以東の地。㋓現在では、漠然と、東京地方をいう。また、地理区分でいう関東地方の略。㋔鎌倉幕府の別称。㋕江戸幕府の別称。

【関内】(カンナイ・カンダイ) 関所のうちで、函谷関(カンコク)以西の地。今の陝西(センセイ)省の地。関中。

【関内侯】(カンダイコウ) 秦(シン)・漢の封爵(ホウシャク)の一つ。この爵号をたまわった人は、名は侯でも領地は与えられず、都に居住した。

【関白】(カンパク) ■一 国政について天子に奏上する前に然(しか)るべき重臣に申しあげること。国政の重要事項について、天子が然るべき重臣に意見を求めること。▼関は関与する意と申す意とを含み、白は申す・言うの意。一説に、関は、通ずる・通す意。■二(カンパク・カンバク) 国①昔、天皇を補佐し、政務を執行した重職。摂政(セッショウ)からなるのを例とし、太政大臣(ダイジョウダイジン・ダジョウダイジン)の上に位した。一の人。②威力・権力の強い人。「亭主関白」

【関防印】(カンボウイン) ①公文書の偽造を防ぐためにおす割り印。②書画などの右肩におす長方形の印。引首印。

【関門】(カンモン) ①境界や関所の門。②門をとざす。③国そこを通るために種々の困難を伴う所。

【関右】(カンユウ) ＝関西■一。↕関左。

【関与(與)】(カンヨ) 事にあずかる。関係する。

【関竜(龍)△逢】(カンリョウホウ) 古代、夏(カ)の桀王(ケツオウ)の賢臣。王の飲酒をいさめて殺された。

【関連・関△聯】(カンレン) かかわりあう。関係してつらなる。

6【閨】14画 12990 標 ケイ 斉 guī 7965 E881 —

字義 ❶こもん(小門)。㋐独立した小門。㋑宮中の小門。㋒村里の道に設けた門。❷ねや。女性の居間・寝室。❸居間。家の奥深くにある居間。❹女性。婦人。「閨秀」❺男女の情事。閨房。

解字 篆文 形声。門＋圭音。音符の圭(ケ)は、上がとがり、下が方形の玉の意味。圭の形をしている門、宮中の小さな門の意味を表す。

【閨怨】(ケイエン) 妻が夫と別れているうらみ、悲しみ。

【閨△閤】(ケイコウ) ①女性の居間。閨房。②宮中の奥御殿。

【閨秀】(ケイシュウ) 学問・才能のすぐれた女性。才媛(サイエン)。

【閨中】(ケイチュウ) 女性の部屋。用例(唐、杜甫、月夜詩)今夜鄜州月(コンヤフシュウのつき)、閨中只独看(ケイチュウただひとりみるらん)。↓今夜鄜州の月を、婦人の部屋の中で、妻はただひたすら見つめていることであろう。

【閨閥】(ケイバツ) 国妻の姻戚関係にある勢力を中心に結んだなかま。妻党。

【閨範】(ケイハン) 女性の守るべき手本・教え。

【閨房】(ケイボウ) ①女性のへや。②国ねや。寝室。

【閨門】(ケイモン) ①へやの入り口の戸。また、へやの内。家庭。②城内の小さな門。③国家庭内での行儀作法。

6【閤】14画 12991 人 標 コウ(カフ) 合 gé 2562 8D7D —

筆順

字義 ❶くぐりど。大門のかたわらにある小門。❷宮中の小門。❸女性のへや。また、単にへや。❹宮殿。ごてん。❺役所。官庁。❻ものの形容。→閤閤。

解字 篆文 形声。門＋合音。音符の合は、あわせふくむの意味。大きな門の一部として含まれている、くぐり戸の意味を表す。

【閤下】(コウカ) ①高殿の下。②貴人の尊称。閣下。

【閤閤】(コウコウ) かえるの鳴き声の形容。閤閤。

6【閧】14画 12992 漢コウ(カウ) 呉ゴウ(ガウ) 絳 hòng 7966 E882 —

字義 ❶ちまた。村里の中のみち。❷とき。ときの声。＝鬨(13919)。

解字 形声。門＋共音。音符の共は、巷に通じ、村なかの道の意味。門から入る村なかの道の意味を表す。

6【閦】14画 12993 漢シュク 呉スク 屋 chù 19348 — 7011

字義 ❶おおい(衆)。門内に人が多い。❷仏阿閦(アシュク)は、仏の名。

解字 形声。門＋众音。

6【〓】14画 12994 シン 震 shèn 29155 — —

字義 ❶なめらかでないさま。❷門の番をする。

難読 〓崎(きどざき)

解字 形声。門＋侁省音。

6【閥】14画 12995 常 バツ 漢ハツ・呉バチ 月 fá 4022 94B4 —

筆順

字義 ❶てがら。いさお。功績。❷門の左に建てる柱。↕閲(12996)。❸家がら。家格。門地。「門閥」❹しきみ。門のしきい。国バツ。出身や利害などを同じくする人の党派。派閥。「学閥」

解字 篆文 形声。門＋伐音。音符の伐は、敵をうつ、てがらの意味。てがらのある家の門に建てた柱の意味を表し、転じて、てがらのある家がらの意味を表す。

逆 学閥・軍閥・財閥・派閥・藩閥・門閥

【閥閲】(バツエツ) ①功績と経歴。②功績のある家がら。③門の左右の柱。▼左の柱を閥、右の柱を閲という。

6【閩】14画 (10631) ビン 虫部。→一三六一ページ中。

6【聞】14画 (9632) ブン 耳部。→一一七三ページ上。

7【閲】15画 12996 常 エツ 1760 897B —

7【閱】15画 12997 漢エツ(ヱツ) 呉エチ(ヱチ) 屑 yuè

筆順

字義 ❶けみ-する。けみす。㋐よく見る。しらべ見る。「検閲」㋑経過する。「閲歴」❷えらぶ。ぬきとる。「簡閲」❸文書を比較して調査研究する。「校閲」❹てがら。功績。❺唐・宋(ソウ)以後、爵位(シャクイ)のある家の門の右に建てる柱。↕閥(12995)。❻すべる(統)。また、集める。❼いれる(容)。

名前 あき・かど・み

解字 篆文 形声。門＋兌(兊)音。音符の兌(タ)は脱に通じ、ぬがせるの意味。門の中で、一々ぬがせてかぞえあらためるの意味を表す。

逆 簡閲・検閲・校閲・考閲・査閲・親閲・披閲

【閲月】(エツゲツ) 月をすごす。一箇月たつ。

【閲実(實)】(エツジツ) 実情を一つ一つとり調べること。

【閲書】(エツショ) 書物を読むこと。勉強する。閲レ書(ショをけみす)。用例(先哲叢談)仁斎隠レ几閲レ書(ジンサイキによりて、ショをけみし)、一言不レ為ニ之答一(イチゴンもこれがこたえ(へ)をなさず)。↓仁斎は机によりかかって書物を読んでいたが、一言も言葉を発しなかった。

【閲読(讀)】(エツドク) 書物を読むこと。閲書。

【閲覧(覽)】(エツラン) ①調べみる。②書物を読むこと。閲読。

【閲歴(歷)】(エツレキ) ①過ぎ去る。②過ぎ去った事跡。履歴。

7 【闇】 15画 (11257) ギン 言部。→一三三三ページ下。

7 【閴】 15画 12998 ゲキ 闃(13015)と同字。→一五〇三ページ中。 29157 ― 7015

7 【閫】 15画 12999 コン 阮 願 kǔn 29156 ― 7013

字義 ❶しきい。しきみ。門のしきい。❷門ぐい。門の中央にあって、両扉をとめる杙。❸女性の居る室。また、女性。❹宮中の小さな門。また、宮中。

解字 形声。門＋困㊜。音符の困は、とじこめるの意味。人を門内にとじこめる、しきみの意味を表す。

【閫奥】コンオウ 奥深いところ。奥義。

【閫外】コンガイ ①しきいの外。境界の外。②宮城・都城の外。③国境外に出征する軍。

【閫寄】コンキ 軍を治める全権。将軍の任。

【閫則】コンソク 女性の守るべき徳。婦道。婦徳。閫徳。

【閫徳】コントク 女性の守るべき徳。婦道。婦徳。

【閫内】コンナイ しきいの内。転じて、国内。

7 【閭】 15画 13000 漢リョ 呉ロ 魚 lǘ 7967 E883 ―

字義 ❶村里の入り口の門。周代の制度で、二十五家を里とし、里の入り口には必ず門があった。その門を閭といった。また、単に、門。❷むら。周代の制度で、二十五家の称。また、単に村里。まち。❸あつまる。また、集まり。

解字 金文 篆文 形声。門＋呂㊜。音符の呂は、つらなるの意味。つらなる門、村里の門の意味を表す。

【閭△閻】リョエン ①村里の入り口の門と村里の中の門。村里の門。②村里。③村里に住む人。村民。庶民。特に、その貧しい人。

【閭△伍】リョゴ 村びと。村民。また、庶民。▼伍は、五人組集団の意。

【閭△巷】リョコウ 村里の道。村里。また、民間。用例〔唐、耿湋、秋日詩〕返照入二閭巷一、憂来誰共語 ↓夕日が村里にさしこんでいる。その光景を目にすると憂いがわきおこってくるが、この憂いをだれと語ろうか、語りあう人もいない。

【閭左】リョサ 秦代、税を免じて里門の左側に住まわせた貧しい人民。貧民。〔史記、陳渉世家〕

【閭△娵・閭須・閭△姝】リョシュ 古代の美女の名。

【閭井】リョセイ 村里。また、まち。

【閭里】リョリ 村里。閭巷。

【△倚レ閭】リョによる 村里の門によりかかる。母が子の帰宅を待つことのたとえ。〔戦国策、斉〕→倚門望（一二四ページ下）。

7 【閬】 15画 13001 ロウ（ラウ） 漾 陽 làng 19350 ― 7014

字義 ❶たかい。門が高い。また、高い門。❷明らかで大きい。❸むなしい。何もなくて広々している。

解字 形声。門＋良㊜。

【閬△苑】ロウエン 仙人のいる所。

【閬宮】ロウキュウ 仙人の住む宮殿。

【閬風△瑶（瑤）池】ロウフウヨウチ 閬風苑と瑶池。ともに崑崙山にあり、仙人のいる所という。

8 【閼】 16画 13002 ㊀漢アツ・呉アチ 曷 è ㊁エン 先 yān 慣ア 7968 E884 ―

字義 ㊀❶さえぎる。❷ふさぐ。また、ふさがる。❸とどめる。また、とどまる。❹すだれ。門戸のちりよけ。㊁閼氏は、匈奴の王、単于の正妻の称。「アッシ」とも読む。

解字 会意。門＋於。

【閼△伽】アカ ①仏ア梵語 argha の音訳。仏に供える水。イ水や供物を盛る器。②船底にたまった水。

8 【閾】 16画 13003 標 漢ヨク 呉イキ（ヰキ） 職 yù 7971 E887 ―

字義 ❶しきい。しきみ。門のしきい。❷くぎる。内外をしきる。

解字 篆文 形声。門＋或㊜。音符の或は、域に通じ、境のある区域の意味。家の内外の境となる、しきいの意味を表す。

8 【閻】 16画 13004 標 ㊀エン 塩 yán ㊁エン 艶 yàn 7969 E885 ―

［閆］ 12963 同字

字義 ㊀❶村里の門。❷ちまた（巷）。㊁村里のこみち。㊂うるわしい。容貌の美しいこと。

解字 篆文 形声。門＋臽㊜。音符の臽は、おちこむの意味。くずれかけた門の意味から、むら里の門の意味を表す。

【閻浮】エンブ 仏梵語 Jambū の音訳。①「閻浮樹」の略。②「閻浮州（洲）・閻浮提・閻浮界」の略。③「閻浮檀金」の略。

【閻浮界】エンブカイ 仏人間界をいう。→閻浮提。

【閻浮樹】エンブジュ 仏木の名。閻浮提の大森林の中にあるという非常にたけの高い木。

【閻浮州・閻浮△洲】エンブシュウ 仏＝閻浮提。

【閻浮提】エンブダイ 仏梵語 Jambū-dvīpa の音訳。①須弥山の南方にある地方（国）。②インド。③中国・日本などをも含めていう。④人間界・現世をいう。

【閻浮△檀金】エンブダンゴン 仏梵語 Jambu-nada-suvarṇa の音訳。閻浮樹のある大森林の中を流れる川に産する砂金。赤黄色で、紫炎の気を帯びているという。

【閻魔】エンマ ①仏梵語 Yama-rāja の音訳「閻魔羅闍」の略（rāja は、王・大王の意）。人の生前の罪を判定して罰を加えるという地獄の王。②国アむごい心の人。イくぎぬき。閻魔王がうそつきの人の舌をくぎぬきでぬくとの伝説に基づく。

【閻羅】エンラ ＝閻魔。

8 【閹】 16画 13005 エン 塩 琰 yān 7970 E886 ―

［奄刂］ 941 同字

字義 ❶門番。❷宮刑に処せられた男性。罰として去勢された男性。宦官。去勢されて宮廷の奥向きに仕えている人。❸召し使い。しもべ。

解字 篆文 形声。門＋奄㊜。音符の奄は、おおうの意味。宮中の門をおおったり、あけたりする門番の意味を表す。

【閹△尹】エンイン 宦官のかしら。

【閹官】エンカン 宦官。閹宦。閹人。

【閹寺】エンジ ▼寺は、侍。①宦官。②召し使い。→字義❸。

【閹然】エンゼン ①深く秘しかくしているさま。②本性・本心などを隠して人にこびるさま。

8 【閽】 16画 13006 コン 元 hūn 19352 ― 7018

字義 ❶門番。❷宮門。❸宦官。宮刑（去勢する刑）に処せられて宮中に仕える人。❹足切りの刑に処せられた人。

解字 形声。門＋昏㊜。

【閽寺・閽侍】コンジ 内廷に奉仕する宦官。もと宮刑に処された人（去勢された人）を門番に用いたことからいう。閽者。閽人。▼寺は、侍。

8 【閶】 16画 13007 ㊀ショウ（シャウ） 陽 chāng ㊁トウ（タウ） 陽 tāng 19351 ― 7016

字義 ㊀❶門。天上界の門。❷大きい。また、さかん。㊁鼓の音。

解字 篆文 形声。門＋昌㊜。音符の昌は、日の光の意味。日の光への門、天上界の門の意味を表す。

【閶闔】ショウコウ ④さかんなさま。①天上界の門。②宮門。③西の風。秋風。

8 【閔】16画 13008 漢ビン 呉ミン 真 mín ―― ―― 7017
字義 地名。今の河南省内。
解字 形声。門+旻音。

8 【閺】16画 13009 一漢ブン・呉モン 文 wén 二漢ビン・呉ミン 真 ―― ―― 7019
字義 一二目を伏せて見る。

9 【闇】17画 13010 常 やみ 一漢アン・呉オン 勘 àn 二漢アン・呉オン 覃 ān 1639 88C5 ――
筆順 丨 ｢ 門 門 門 閂 閏 闇 闇 闇
字義 一❶とじる。門を閉じる。❷くらーい(くら・し)。＝暗(4820)。㋐明らかでない。光がない。㋑おろか。用例〔荀子、天論〕上闇而政険かみアンにして、セイケンなれば、則是雖レ無二一至者一すなわ(は)ち これイチのいたるものなしと、いえ(へ)ども無レ益也エキなきなり。↓君主が暗愚で、政治が安定を欠いていると、異変が一つも起こらなくても、何の利益もない。㋒隠れて現れない。人目につかない。❸夜。夕ぐれ。また、やみ。❹暗くする。また、おおう。二喪に服する時にこもる、いおり。「諒闇リョウアン」国やみ。㋐月の出ない夜。㋑不正な。ひそかな。「闇取り引き」
参考 現代表記では〔暗〕(4820)に書きかえることがある。「闇黒→暗黒」「闇夜→暗夜」。熟語は〔暗〕をも見よ。
解字 篆文 形声。門+音音。音符の音は暗に通じ、くらいの意味。門をとじてくらくするの意味を表す。

【闇愚】アング おろか。道理にくらく、おろかなこと。暗愚。
【闇香】アンコウ ほのぐらい所で、どこからともなくただよってくるかおり。暗香。
【闇黒】アンコク 同暗黒。①まっくら。くらやみ。②国世の中の文化や道徳がおとろえていること。
【闇弱】アンジャク 愚かで弱い。愚かで臆病オクビョウ。
【闇昧】アンマイ ①くらい。くらい所。また、人が見ていない所。②道理にくらくおろかなこと。
【闇夜】アンヤ くらい夜。やみ夜。暗夜。

9 【闈】17画 13011 イ(ヰ) 微 wéi
【闈】13021 俗字
字義 ❶宮中の小門。宮中の通路の小門。❷くぐり。大門のわきの小門。通用門。❸后妃の居る奥御殿。❹奥のへや。㋐婦人の居室。㋑両親の居室。❺官吏登用試験を行う所。貢院。
解字 形声。門+韋音。

9 【闉】17画 13012 イン 真 yīn
【闉】13013 俗字
字義 ❶城(町)の外郭そとぐるわの門。外城の門。上に闍ト(物見台)がある。❷ふさーぐ(塞ソク)。また、ふさがる。
解字 篆文 形声。門+垔音。音符の垔インは、ふさがるの意味。
【闉闍】イント ①外城の二階建の門。また、城門。②城内のまち。

9 【闉】17画 13013 イン 闉(13012)の俗字。→一五〇三ジペー中。 ―― ―― 7022

9 【闊】17画 13014 標 漢カツ(クヮツ) 呉カチ(クヮチ) 曷 kuò 7972 E888 ――
【濶】6761 俗字 【潤】6815 俗字
字義 ❶とおる。通ずる。❷ひろーい(ひろ・し)。㋐面積が大きい。用例〔唐、杜甫、旅夜書レ懐詩〕星垂二平野一闊ほしはヘイヤにたれてひろく、月湧二大江一流つきはタイコウにわきてながる。↓星は平野に垂れ下がるように夜空にまたたき、平野はどこまでも広がり、月光は長江からわき出るように水面にきらめき、長江は流れてゆく。㋑心が広い。度量が広く大きい。「快闊」❸うとい。㋐まわり遠い。また、間が広くあいている。㋑久しく会わない。「久闊」❹ゆるい。ゆるやか。また、ゆるくする。
解字 篆文 形声。門+活音。音符の活は、水がほしいままに流れ出るの意味。往来自由の門のさまから、とおる・ひろいの意味を表す。
【闊達】カッタツ 心が広く、小事にあくせくしないこと。
【闊歩】カッポ ①大またに歩く。②自由に行動すること。
【闊葉樹】カツヨウジュ 広葉樹の旧称。↔針葉樹(一四六三ジペー上)。

9 【闃】17画 13015 漢ケキ・呉キャク 錫 qù 慣ゲキ 7974 E88A ――
【閴】12998 同字
字義 しずーか(しづ・か)。人けがなくて、ひっそりしていること。
解字 形声。門+狊音。

9 【闋】17画 13016 漢ケツ 呉ケチ 屑 què 19353 ―― 7023
字義 ❶とじる。事が終わって門をとじる。❷やーむ。終わる。㋐おしまいになる。㋑音楽の一曲が終わる。用例〔史記、項羽本紀〕歌数闋うたう(ふ)ことスウケツ、美人和レ之ビジンこれにワす。↓数回くり返して歌い、虞グ美人もこれにあわせて詩をつくった。❸むなしい(空)。
解字 形声。門+癸音。

9 【闍】17画 13017 標 一漢ト・呉ツ 虞 dū 二漢シャ・呉ジャ 麻 shé 7975 E88B ――
字義 一❶城(町)の外郭そとぐるわの門の上の物見台。❷城の外郭よりも内側のまち。❸仏闍梨ジャリは、阿闍梨(正行・軌範の意)の略。高僧の敬称。難読 闍婆ジャワ
解字 篆文 形声。門+者音。音符の者は、積み重ねるの意味。土をつき固めて積みあげた、ものみだいの意味を表す。

9 【闆】17画 13018 漢ハン 呉ヘン 潸 pǎn, ②bǎn ―― ―― 7020
字義 ❶覗のぞく。門の中から覗く。❷老闆ロウハンは、商店の主人。
解字 形声。門+品音。

9 【闌】17画 13019 ラン 寒 lán 7976 E88C ――
字義 ❶たけなわ(たけなは)。さかりの時。まっさかり。また、さかりを少し過ぎたところ。❷たーける(た・く)。さかりになる。❸てすり。闌干ランカン。❹さえぎる。また、防ぐ。❺つきる。終わる。すがれる。❻みだりに。勝手に。❼ものの形容。→闌干。
解字 金文 篆文 形声。門+柬音。音符の柬は、袋に物をとじこめるさまにかたどる。門でさえぎりとじこめるの意味を表す。また欄に通じ、たけなわの意味をも表す。
【闌干】ランカン ①てすり。欄干。用例〔夏目漱石、題二自画一詩〕唐詩読罷倚二闌干一トウシをよみやめて、ランカンによれば、午院沈沈緑意寒チンチンとしてリョクイさむし。↓唐詩を読むのをやめて、手すりによりかかると、昼の中庭はひっそりと静まりかえっていて、草木の緑のたたずまいは寒々と見える。②涙がとめどなく流れるさま。③まぶた。目のふち。④いりみだれるさま。⑤星の光があざやかにきらめくさま。
【闌珊】ランサン ①おとろえるさま。②散り乱れるさま。
【闌入】ランニュウ みだりに入る。許可なしに入る。

9 【[門+屋]】17画 13020 国字 ₂9158 ―― ――
字義 野[門+屋]のかずきは、広島県内の古い地名。

10 【闈】18画 13021 イ 闈(13011)の俗字。→一五〇三ジペー上。 ₂9159 ―― 7021

10 【闓】18画 13022 カイ 賄 kǎi ₁9355 ―― 7027
字義 ❶ひらーく。㋐門を開く。㋑はじめる。起こす。❷

門部 8▼10画 〔閔閺闇闈闉闉闊闃闋闍闆闌[門+屋]闈闓〕

たのしむ。心ののびのびと楽しむ。＝凱(851)。

解字 篆文 形声。門＋豈㊤。音符の豈は開に通じ、ひらくの意味を表す。

10 【闕】 18画 13023 漢ケツ 呉カチ(クヮチ) 円 ①què, ③〜⑥quē 7977 E88D ―

闕①

字義 ❶宮城門外の左右両側に設けた二つの台。その上に楼観(ものみ)を載せて造り、中央がくりぬかれて通路になっている。昔、法令をその上に掲げた。「宮闕」「城闕」 ❷宮城。天子の居所。 ❸か-く(欠)。㋐取り去る。除く。㋑へらす。㋒きずつける。こわす。㋓そなえない。おこたる。おろそかにする。 ❹か-ける。㋐少なくなる。へる。㋑欠けている。 ❺欠けている所。また、すきま。間隙。 ❻あやまち(過)。おちど。

解字 篆文 形声。門＋欮㊤。音符の欮は、大きな口をあけるの意味。中央に大きな口のあいている城門の意味を表す。

【闕▵掖】ケツエキ 御所。宮中。▼掖は、正門の左右の小門。

【闕下】ケッカ ①天子の宮門のもと。②天子。朝廷。

【闕画(畫)】ケッカク 字画(文字の線や点)を省くこと。昔、天子や貴人の名と同一の文字を用いるとき、はばかってその字画の一部を省いて書いた。例えば、孔子の名の丘を、省いて丘と書くなど。欠画。欠筆。

【闕官】ケッカン 国現任者の欠けている官。

【闕疑】ケツギ 真偽のはっきりしない疑問の点は省いて残しておく。用例〔論語、為政〕多聞闕レ疑(おおく(ほ)くききてうたがわ(は)しきをかく)。↓たくさん聞いて、真偽のはっきりしない疑問の点は省いて残しておく。

【闕字】ケツジ 同欠字。①文章中に天子または貴人の名を書くとき、敬意を表すため、そのすぐ上を一、二字あけて書くのをいう。②文章中の脱字。

【闕失】ケッシツ あやまち。過失。欠点。

【闕如】ケツジョ 同欠如。①欠けて不完全なさま。②はぶく。とりのける。▼如は、助字。

【闕廷】ケッテイ 宮中。御所。闕掖。

【闕庭】ケッテイ 宮中の庭。転じて、宮中。宮廷。

【闕文】ケツブン 脱落している文章。欠文。

【闕本】ケッポン 巻数が不足している書物。端本(はホン)。欠本。↕完本(三九一ジベー中)。

【闕里】ケツリ 地名。孔子の住んでいた所。山東省曲阜(フキョク)市の城内にある。闕党。

【闕漏】ケツロウ 欠けている点。足りない所。また、手落ち。

10 【闑】 18画 13024 漢ゲツ 呉ゲチ 屑 niè ― ― 7025

字義 二枚の扉を閉じ合わせて固定するために立てた短い柱。また、門の両端の柱と柱との間に立てた二本の短い柱。

解字 篆文 形声。門＋臬㊤。音符の臬(ゲツ)は、中央にある木の意味。門の中央に立てる短い柱の意味を表す。

10 【闔】 18画 13025 漢コウ(カフ) 呉ゴウ(ガフ) 合 hé 7978 E88E ―

字義 ❶とびら。門のとびら。木のとびら。 ❷と-じる(とず)。とざす。㋐門戸などを閉じる。㋑とじこめる。しまいおさめる。 ❸すべる(統)。すべあわせる。一つにまとめる。また、すべて。みんな。残らず。 ❹あう(合)。あたる。 ❺なん-ぞ…ざ-る。再読文字。どうして…しないのか。何不(カ)の二字を一字としたもの。⇩盍(7929)の助字・句法解説①。

解字 篆文 形声。門＋盍(盇)㊤。音符の盍(コウ)は、おおうの意味。内部をおおいかくすとびらの意味を表す。

【闔境】コウキョウ 国境内全体。全国。

【闔藩】コウハン 国藩(江戸時代、大名の領地)中の者すべて。

【闔門】コウモン ①門をしめる。閉門。②一門残らず。一家全部。

【闔▵邑】コウユウ 村じゅう。全村。

【闔▵閭】コウリョ 春秋時代、呉の王。闔廬とも書く。名は光。呉の王僚を殺して即位し、伍子胥(ゴシショ)を用いて楚(ソ)を破ったが、後、越王句践(コウセン)と戦い、負傷して死んだ。夫差の父。(?―前四九六)

【闔▵廬】コウロ 一家屋。二＝闔閭。

10 【闖】 18画 13026 チン 沁 chèn, ④chuǎng 7979 E88F ―

字義 ❶馬が門を出るさま。❷頭を出すさま。❸うかが-う(うかがふ)。のぞき見る。ねらう。❹不意に突入する。

解字 会意。門＋馬。

【闖入】チンニュウ ①うかがってはいる。②不意にあばれこむ。

10 【闐】 18画 13027 漢テン 呉デン 先 tián 19354 ― 7024

字義 ❶み-ちる(みつ)。いっぱいになる。また、満たす。❷さかんなさま。また、音のさかんなさま。

解字 篆文 形声。門＋眞㊤。音符の眞(シン)は、いっぱいにつまるの意味。門内に人がいっぱいみちるの意味を表す。

【闐闐】テンテン ①さかんなさま。②群がり行くさま。③太鼓や車馬などの音のさかんなさま。

10 【鬪】 18画 13028 常 トウ たたか-う 漢トウ 呉ツ 宥 dòu 3814 93AC ―

門10 【鬭】 20画 13029 8212 E9AA ―

【鬭】13923 正字 【鬦】13917 俗字 【鬬】13924 俗字

筆順 門 門 門 門 門 鬥 鬪 鬪 鬪 鬪

字義 ❶たたか-う(たたかふ)。㋐切り合う。撃ち合う。「格闘」㋑戦争する。「戦闘」㋒勝敗・優劣をあらそう。用例〔史記、廉頗藺相如伝〕今、両虎共闘(リョウコともにたたかわ(は)ば)、其勢不二倶生一(そのいきお(ほ)いともにはいきざらん)。↓いまかりに二頭の虎ともいうべき私たちがお互いに争ったならば、そのなりゆきは、両存することはできなくなるだろう。 ❷たたかわせる。「闘牛」 ❸たたか-い(たたかひ)。いくさ。あらそい。 ❹あう(遇)。であう。また、集まる。

参考 俗に、斗(4582)で代用することがある。「戦斗」 難読 闘草(くさあわせ)

使いわけ たたかう〔戦・闘〕⇩戦(3957)。

解字 篆文 形声。門(鬥)＋尌(斲)㊤。音符の斲(タク＝トウ)は、けずるの意味。鬥は、人がたたかう形にかたどる。あらそいたたかうの意味を表す。

逆 暗闘・格闘・苦闘・健闘・死闘・私闘・戦闘・争闘・奮闘・乱闘

【闘花】トウカ 花合わせ。唐の天宝の時、長安の子女が春に行った遊戯。花を頭にさして、その珍奇なものの多い方を勝ちとする。

【闘角】トウカク ①多くの屋根のかどが四方から集まっていること。②破風つくりの屋根のかど。

【闘艦】トウカン いくさぶね。闘船。

【闘牛】トウギュウ 牛をたたかわせる遊戯。牛のつのつき。

【闘鶏(鷄)】トウケイ にわとりをたたかわせて勝敗を争う遊戯。また、その鶏。

【闘魂】トウコン たたかおうとする意気ごみ。ファイト。

【闘士】トウシ ①戦闘をする人。②国闘志のある人。

【闘志】トウシ たたかおうとする意志。闘魂。

【闘▵而鋳(鑄)レ兵】たたかい(ひ)てヘイをいる たたかいが始まってから兵器を鋳造する。時期を失すること。泥棒を見て縄をなう。

【闘草】トウソウ 陰暦五月五日に行われる女子の遊戯。草を採ってくらべ合う。草合わせ。

【闘茶】トウチャ 茶を飲んでその産地を当てたり、その品質の優劣を競ったりする遊戯。

10【闒】18画 13030 (漢)トウ(タフ) (呉)ドウ(ダフ) [合] tà ― ― 7026

字義 ❶楼上に設けた戸口。また、門楼上の建物。❷むら(村)。さと(里)。❸いやしい。おとる。心が下劣である。

解字 形声。門＋𦐇(音)。

【闒△茸(トウジョウ)】▼茸は、草の乱れているさま。①身分が低いこと。また、その人。②心が下劣なこと。また、その人。③おろか(愚)。また、その人。

11【關】19画 (12989) カン 関(12988)の旧字体。→一五〇〇ページ中。

11【闚】19画 13031 キ [支] kuī 9357 ― 7029

字義 ❶うかが-う(うかがふ)。ちょっと見る。ぬすみ見する。用例〔史記、晏嬰伝〕其御之妻、従二門間一而闚二其夫一(そのぎょのつま、もんかんよりしてそのおっとをうかがう)。↓晏嬰(アンエイ)の御者の妻は、門のすきまから夫のようすをうかがっていた。❷しめす。ちらつかせる。㋐物を示してさそう。㋑見せつける。

解字 篆文  形声。門＋規(音)。音符の規は、はかるの意味。門のすきまからのぞいてみてはかる、うかがうの意味を表す。

【闚△覦(キユ)】願望する。身分不相応な望みをいだくこと。

11【[illegible]】19画 13032 キュウ 鬮(13925)の俗字。→一六〇五ページ上。 9356 ― ―

11【闙】19画 13033 ケイ [齊] qǐ ― ― 7028

字義 門を開く。＝啓(1532)。

解字 形声。門＋啟(音)。音符の啟(ケイ)は、戸を手で開くの意味。

11【闝】19画 13034 ヒョウ(ヘウ) [蕭] piáo ― ― 7030

字義 倡妓(ショウギ)に溺れる。

解字 会意。門＋敗。

12【闠】20画 13035 (漢)カイ(クワイ) (呉)ガイ(グワイ) [隊] huì ― ― 7033

字義 ❶町の周囲にある門。❷闤闠(カンカイ)は、㋐町。市街。㋑道。市内の道。

解字 形声。門＋貴(音)。

12【闞】20画 13036 ㊀カン [勘] kàn ㊁(漢)カン・(呉)ケン [豏] hǎn 9358 ― 7031

字義 ㊀のぞむ(望)。㋐門によりそって、帰りを待ち望む。㋑みる(視)。㊁❶虎(とら)の声の形容。❷口を大きく開き、大声をあげて怒る形容。

解字 篆文  形声。門＋敢(音)。音符の敢は、監に通じ、みるの意味。門によりかかって外出した人の帰りを見るの意味を表す。

12【闟】20画 13037 ㊀(漢)キュウ(キフ) (呉)コウ(コフ) [緝] xī ㊁(漢)トウ(タフ) (呉)ドウ(ダフ) [合] tà ― ― 7032

字義 ㊀枝刃のある小さなほこ。㊁闟然は、物の落ちる音の形容。

解字 形声。門＋翕(音)。

12【闡】20画 13038 セン [銑] [兗] chǎn 7981 E891 ―

字義 ❶ひら-く。㋐あける。㋑広める。広げる。❷ひろい。広々としている。❸あき-らか。明らかにする。また、明らかなもの。❹大きくする。また、大きい。

解字 篆文  形声。門＋單(音)。音符の單は、はじくの意味。視界をさえぎっていた門をはじき開いてあらわにするの意味を表す。

【闡究(センキュウ)】物事をきわめてあきらかにする。

【闡明(センメイ)】明らかになる。また、明らかにする。また、明らか。

【闡幽(センユウ)】かくれたものをひらきあばいて、明らかにすること。

【闡揚(センヨウ)】あらわしあげる。世の中に明らかにあらわすこと。

13【闤】21画 13039 (漢)カン(クワン) (呉)ゲン [刪] huán ― ― 7034

字義 ❶まちをとりまく門。また、まちの門。❷まち。市街。

解字 篆文  形声。門＋睘(音)。音符の睘(カン)は、めぐるの意味。町をめぐる門の意味を表す。

13【闦】21画 13040 ゴン wěn ― ― 7035

字義 義未詳。

13【闥】21画 13041 (漢)タツ (呉)タチ [曷] tà 7982 E892 ―

字義 ❶もん(門)。㋐門の総称。㋑宮中の門。宮中の小門。❷門のうち。門とへいの間。❸ついじ。門外から見られないように門内にたてる小さい垣。❹速い形容。

解字 形声。門＋達(音)。

13【闢】21画 13042 (漢)ヘキ (呉)ビャク [陌] pì 7983 E893 ―

字義 ❶ひら-く。㋐あける。閉じているものをあける。また、あく。㋑ひろげる。土地を切り開く。また、広がる。ひらける。㋒わける。また、わかれる。㋓はじめる。また、はじまる。❷のぞく。しりぞける。❸さける(裂)。

解字 金文  篆文  形声。門＋辟(音)。音符の辟(ヘキ)は、わきへ寄るの意味。とびらを門の両わきへ寄らせて、ひらくの意味を表す。

19【[illegible]】27画 13043 ラン [寒] lán 29160 ― ―

字義 みだり。みだりに入る。

解字 形声。門＋䜌(音)。

8画 阜(阝) こざとへん(阝)

阝は三画。

[阝] 29005 ― 7036

〔部首解説〕阝は、阜が偏になるときの形。阜(阝)を意符として、丘や丘状に盛り土したもの、丘に関連する地形やその状態を表す文字ができている。

0 阜 一五〇六	2 阞 一五〇六	3 阢 一五〇六	阡 一五〇六	阤 一五〇六
4 阨 一五〇六	阴 一五〇六	阴 一五〇六	阦 一五〇六	阸 一五〇六
阮 一五〇六	阬 一五〇六	阯 一五〇六	阱 一五〇六	阪 一五〇六
防 一五〇七	阳 一五〇七	阦 一五〇七	5 阿 一五〇七	陒 一五〇八
阽 一五〇八	阹 一五〇八	阻 一五〇八	阼 一五〇八	陀 一五〇八
陁 一五〇八	阺 一五〇八	阷 一五〇八	陂 一五〇八	附 一五〇九
阰 一五〇九	6 陔 一五〇九	陊 一五〇九	限 一五〇九	降 一五一〇
陏 一五〇九	陌 一五〇九	陋 一五〇九	7 院 一五一〇	陥 一五一〇
陝 一五一〇	陘 一五一〇	降 一五一〇	陖 一五一一	除 一五一一
[illegible] 一五一一	陗 一五一一	陣 一五一一	陜 一五一二	陟 一五一二
陡 一五一二	陦 一五一二	陛 一五一二	8 陰 一五一二	陷 一五一〇
険 一五一四	陲 一五一四	陬 一五一四	陮 一五一四	陳 一五一四
陶 一五一五	陪 一五一五	陴 一五一五	陸 一五一五	隆 一五一六
陵 一五一六	陎 一五一七	9 隂 一五一七	陻 一五一七	隁 一五一七
階 一五一七	陿 一五一七	隅 一五一七	陧 一五一七	隍 一五一七
陼 一五一七	陾 一五一七	随 一五一七	隋 一五一八	隊 一五一八
隄 一五一八	隃 一五一八	陽 一五一八	隆 一五一六	隈 一五一九
10 隘 一五一九	隕 一五一九	隖 一五三〇	隗 一五三〇	隑 一五三〇
隔 一五三〇	隙 一五三〇	隌 一五三〇	11 隠 一五三〇	隅 一五三一
[illegible] 一五三一	隙 一五三一	隟 一五三一	隞 一五三一	際 一五三一
障 一五三一	隝 一五三一	隚 一五三一	12 隆 一五三一	隫 一五三一
隥 一五三三	隣 一五三二	13 隩 一五三三	[illegible] 一五三三	險 一五二四
隧 一五三三	隨 一五一七	隦 一五三三	隣 一五三三	14 隱 一五三〇
隰 一五三三	隲 一五三三	隮 一五三三	隯 一五三三	15 隳 一五三三
16 隴 一五三三				

門部 10▼19画 〔闒關闚[illegible]闙闝闠闞闟闡闤闦闥闢[illegible]〕 阜部

0 【阜】 8画 13044 ㊥フ・㊇ブ 有 fù 教4 フ 4176 958C —

筆順 ノ 𠂉 𠂈 户 白 阜 阜

字義 ❶おか（をか）。大きな丘。❷大きい。また、大きくなる。❸さかん（盛）。また、さかんにする。❹多い。豊か。豊かにする。❺肥えふとる。

名前 あつ・お・おか・たか・とおる・な

解字 甲骨文 篆文 象形。甲骨文でもわかるように、段のついた土山の形にかたどり、おかの意味を表す。転じて、大きい・ゆたか・さかんの意味をも表す。

【阜財】フザイ 財産をふやす。また、豊かな財産。

【阜螽】フシュウ いなご（蝗コウ）。〔詩経、召南、草虫〕

【阜成】フセイ りっぱにしあげる。大成する。

【阜△垤】フテツ こだかいおか。▼垤も、おか。

2 【阞】 5画 13045 ロク 職 lè — — 7037

字義 ❶地脈。土地のすじ。山脈の尾根。❷はした。あまり。数のあまり。

解字 篆文 形声。阝（𠀀）＋力㊥。音符の力は、理に通じ、すじの意味。土地のすじ、地脈山脈の尾根の意味を表す。

3 【阢】 6画 13046 ㊀㊥ゴツ・㊇ゴチ 月 wù ㊁ガイ（グヮイ） 灰 wéi — — 7038

字義 ㊀土を頂いた石山。㊁高い。

解字 形声。阝（𠀀）＋兀㊥。

3 【阡】 6画 13047 セン 先 qiān 7984 E894 —

字義 ❶みち。㋐あぜみち。耕作地の間を南北に通る小道。一説に、東西に通る小道。↕陌（13079）。㋑一般に、道路。みち。㋒はかみち（墓道）。❷さかん。草木のさかんな形容。❸＝千（1155）。→千の参考。

解字 篆文 形声。阝（𠀀）＋千㊥。音符の千は、多いの意味。耕作地の中を南北に通じる多くの小道の意味を表す。

【阡阡】センセン 草木がこんもりしげっているさま。芊芊センセン。

【阡△陌】センパク みち。特に、耕作地の間のあぜ道。東西に走るものを陌、南北を阡という。一説に、その逆という。転じて、耕作地。用例〔東晋、陶潜、桃花源記〕阡陌交通センパクコウツウし、鶏犬相聞ケイケンあい（ひ）きこゆ。↓あぜ道が八方へ通じ、にわとりや犬の鳴き声が聞こえてくる。

【阡表】センピョウ 墓道に建てる石碑。▼阡は、墓道。

3 【阤】 6画 13048 ㊀㊥チ・㊇ジ（ヂ） 紙 zhì ㊁㊥タ・㊇ダ 歌 tuó ㊂イ 紙 yǐ — — 7039

字義 ㊀❶さか（坂）。❷がけ。がけぎわ（崖際ガイサイ）。❸くずれる（崩）。くずれ落ちる。❹ななめ。㊁陂阤ハタは、ななめの形容。㊂ななめになっているさまの形容。

解字 篆文 形声。阝（𠀀）＋也㊥。音符の也ャは、うねうねとのびるの意味。うねうねと続くさかの意味を表す。

4 【阨】 7画 13049 〔阸〕13063 同字 ㊀㊥アイ・㊇エ 卦 ài ㊁㊥アク・㊇ヤク 陌 è 7985 E895 —

字義 ㊀＝隘（13132）。❶せまい（せま-し）。せまくけわしい。❷けわしい所。要害の地。㊁❶ふさがる（塞ソク）。へだてる。❷くるしむ。また、苦しみ。なんぎ。＝厄（1214）。

難読 阨入多エジプト

解字 形声。阝（𠀀）＋厄㊥。音符の厄ャクは、せまいの意味。𠀀は、おかの意味。おかとおかとが迫っていて、せまくるしいの意味を表す。

【阨窮】ヤクキュウ・ヤッキュウ 運が悪くて行きつまること。また、苦しむ。厄窮。

【阨狭（狹）】アイキョウ 地形がせまくふさがっている。

【阨困】ヤクコン 苦しむ。また、苦しみ。窮困。困阨。

【阨塞】アイサイ・アイソク ①けわしくふさがる。②堅固なとりで。要害の地。

【阨△僻】アイヘキ （道が）せまくかたよっていること。

【阨路】アイロ せまい道。

4 【阴】 7画 13050 イン 陰（13098）の俗字。→一五三三ページ中。

4 【阴】 7画 13051 イン 陰（13098）の俗字。→一五三三ページ中。 ₂9164 — —

4 【阸】 7画 13052 イン 陰（13098）の俗字。→一五三三ページ中。 — — 7040

4 【阹】 7画 13053 ク 嘔（13144）の俗字。→一五三二ページ上。 ₂9161 — —

4 【阮】 7画 13054 ㊥ゲン ㊇ガン（グヮン） 阮 ruǎn 7986 E896 —

字義 ❶周代の国名。今の甘粛省涇川ケイセン県の東南。❷月琴。楽器の名。琵琶の形に似て、四弦・十二柱がある。

解字 形声。阝（𠀀）＋元㊥。

【阮△瑀】ゲンウ 三国時代、魏ギの詩人。尉氏ウッシ（今の河南省内）の人。字あざなは元瑜ゲンユ。建安の七子の一人。（?—二一二）

【阮△咸】ゲンカン ①魏ギ・晋シンの詩人・音楽家。字あざなは仲容。阮籍のおい。竹林七賢の一人。②楽器の名。月琴の類い。晋シンの阮咸が作ったからという。

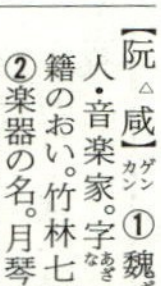
阮咸②

【阮籍】ゲンセキ 三国時代、魏ギの詩人。字あざなは嗣宗シソウ。老荘の学を好み、詩にたくみで、酒・琴を愛し、世俗的なものをきらった。詠懐詩八十余首がある。竹林七賢（一〇七三ページ下）の一人。（二一〇—二六三）→白眼②（九八九ページ中）・青眼①（一五四〇ページ中）。⇩コラム 六朝の文学（一五〇ページ）。

4 【阬】 7画 13055 ㊀㊥コウ（カウ） ㊇キョウ（キャウ） 庚 kēng ㊁コウ（カウ） 陽 gāng ₂9162 — 7042

字義 ㊀❶門の高いさま。❷あな。地にほったあな。＝坑（1898）。❸あなにする（あなにす）。あなに生き埋めにして殺す。❹谷。❺みぞ（溝）。ほり（堀）。池。㊁大きいおか。

解字 篆文 形声。阝（𠀀）＋亢㊥。音符の亢コウは、アーチ形に高いの意味。丘にトンネル式に掘った穴の意味を表す。

【阬陥（陷）】コウカン あな。また、おとしあな。

【阬殺】コウサツ 穴に生き埋めにして殺す。

【阬儒】コウジュ 儒者を穴に生き埋めにして殺す。秦シンの始皇帝が行った儒教弾圧の政治。転じて、学問・思想を圧迫すること。〔史記、秦始皇本紀〕→焚書坑儒（八九七ページ中）。

【阬△穽・阬△阱】コウセイ あな。また、おとしあな。陥穽。

4 【阯】 7画 13056 シ 紙 zhǐ 7987 E897 —

字義 ❶もと（基）。＝址（1900）。㋐もとい（もとゐ）。基礎。土台。㋑ふもと。山すそ。❷地点。所在地。＝址（1900）。「遺阯」 国あと。遺跡。＝址（1900）。「城阯」 ❸なかす（中洲）。川の中の小さな陸地。＝沚（6190）。

解字 篆文 形声。阝（𠀀）＋止㊥。𠀀は、おかの意味。音符の止は、足の意味。おかの基底部、ふもとの意味を表す。

4 【阱】 7画 13057 セイ 穽（8576）と同字。→一〇六三ページ上。 — — 7043

4 【阪】 7画 13058 教4 ハン ㊀㊥ハン・㊇ホン 阮 bǎn ㊁㊥ハン・㊇バン 潸 bǎn 府名 大阪おおさか府 2669 8DE3 —

筆順 フ 了 阝 阝 阝 阪 阪

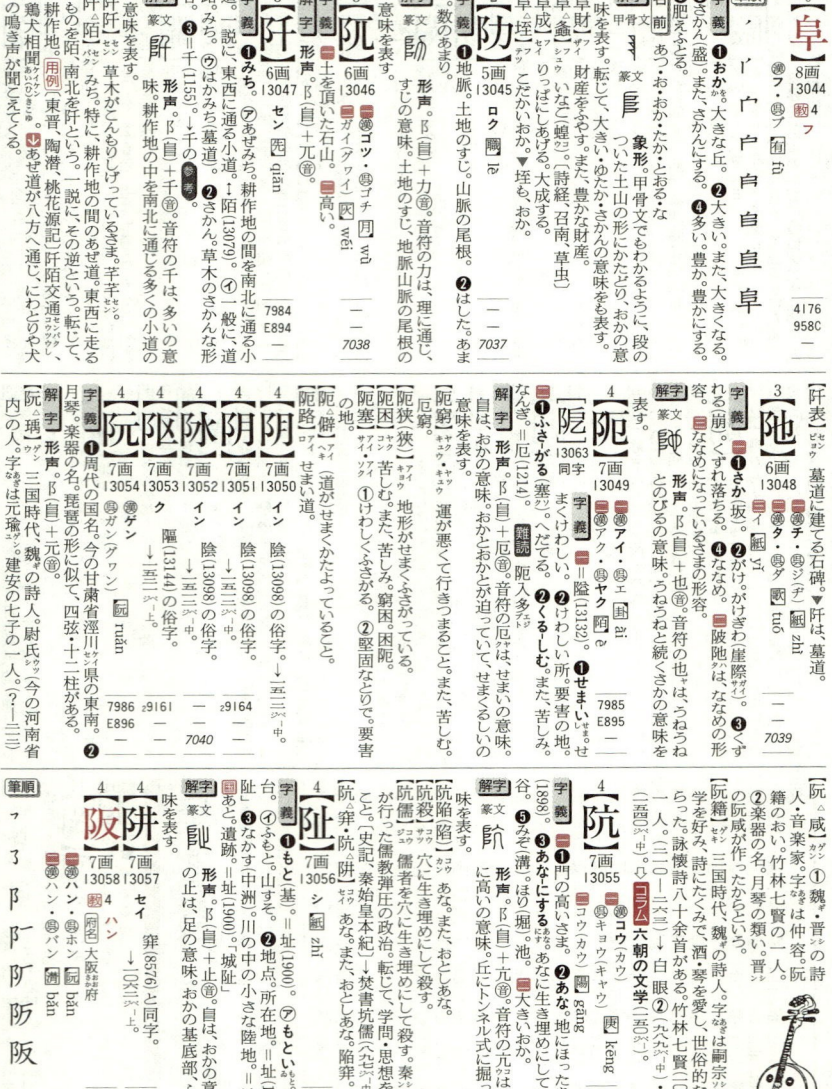

字義 ㊀❶さか(坂)。傾斜している土地。❷つつみ(堤)。どて。❸山のわき。❹高いおか。❺けわしい。❻かたむく。また、ななめ。❼そむく。＝反(1272)。㊁さか(坂)。また、つつみ。

解字 篆文 䦾 形声。阝(𨸏)＋反㊥。音符の反は、そりかえるの意味。そりかえるような「さか」の意味を表す。

【阪泉】地名。河北省涿鹿県の東南。黄帝と炎帝とが戦った所という。

【阪田】石などのある耕作地。石の多い荒れ地。

4 【防】 7画 13059 教5 ボウ ふせ-ぐ ㊥ホウ(ハウ)・㊯ボウ(バウ) 陽 fáng 4341 9668 —

筆順 ㇇ 了 阝 阝' 阝亠 防 防

字義 ❶ふせ-ぐ。㋐せきとめる。さえぎりとめる。㋑そなえる。準備を整えて来させないようにする。また、そなえ。準備。㋒守る。守りふせぐ。また、守り。㋓おおう。おおいふせぐ。❷つつみ。「堤防」 ❸ならぶ(並)。❹へや。室。

名前 ふせ 難読 防夫・防府・防予

解字 篆文 䧛 形声。阝(𨸏)＋方㊥。音符の方は、張りだすの意味。張りだしたおか、つつみの意味や、つつみでふせぐの意味を表す。

逆 海防・辺防

【防遏】ふせぎとめること。防止。

【防衛(衞)】ふせぎ守る。防守。

【防疫】伝染病の発生・侵入を防止すること。

【防閑】ふせぐ。ふさぐ。また、とめる。邪魔する。▼閑も、ふせぐ。

【防御・防禦】ふせぐ。

【防御使・防禦使】官名。唐代、重要な地域に置いて軍事を担当し、刺史が兼任した。

【防口】人がかれこれ言うのをふせぐこと。人民が政治を批判するのを止める。

【防塞】㊀ふせぎとめる。㊁とりでをまもる。

【防秋】北方の外敵、夷狄をふせぐこと。夷狄は秋季に入ると勢力がさかんとなって中国に侵入するからいう。

【防人】国古代、九州地方の要地を警備するために、主として東国からつかわされた兵士。

【防戦(戰)】敵の攻撃をふせぎ戦う。

【防諜】国敵の間諜(スパイ)をふせぐこと。

【防犯】国犯罪をふせぐこと。

【防備】警戒して備えをかためること。

【防微】①わずかの事にも注意して未然にふせぐ。②天子が微行(地位を隠して忍び歩くこと)をしないようにいさめる。

【防風】①風をふせぐ。「防風林」 ②草の名。はまぼうふう。せり科の多年草。海浜に自生し、夏、白色の小花をつける。若菜は香気があって、食用となり、根は感冒薬に用いる。③周代の国名。浙江省徳清県の地。また、その民族。

【防塁(壘)】敵の侵入をふせぐためのとりで。

4 【阳】 7画 13060 ヨウ 陽(13130)と同字。→一五一八ページ下。 2 9163 — 7044

4 【队】 7画 13061 ヨウ 陽(13130)の俗字。→一五一八ページ下。 — — 7041

5 【阿】 8画 13062 人 ㊀ア ㊁ア 歌 ē ā 1604 88A2 —

筆順 ㇇ 了 阝 阝ㄒ 阝ㄒ 阿 阿 阿

字義 ㊀❶おも-ねる。へつらう。自分の気持ちを曲げて人の気に入るようにする。❷くま。丘陵や河川の湾曲した部分。❸おか。大きい丘。❹屋根の棟。また、のき(簷)。ひさし。「四阿」 ❺よる。よりかかる。㊁人を親しみ呼ぶときに、親族呼称や姓・名などの上につける接頭語。「阿母」 国❶お。女性や子供の名前の上につける愛称。「阿千」 ❷国名。阿弗利加の略。

名前 あ・くま・ひさ 難読 阿久比・阿国・阿新丸・阿仁合・阿漕・阿多福・阿知須・阿武隈・阿弗利加・阿分・阿媽港・阿蘭陀・阿爾及利亜・阿西亜尼亜・阿富汗斯坦

解字 金文 𨸏可 篆文 阿 形声。阝(𨸏)＋可㊥。音符の可は、かぎ型に曲がるの意味。おかの曲がったところ、くまの意味を表す。

【阿姨】①おばを親しんでいう。母の姉妹。②妻の姉妹。

【阿意】他人の考えにつき従う。媚びる。

【阿吽・阿吘】①仏梵語 a-hūṃ(梵語の字母で、最初がaアー口を開いて出す音、最後がhūṃウンー口を閉じて出す音)の音訳。②万物の初めと終わり。③気息の出入。吐く息と吸う息。④狛犬や寺の山門の仁王様の口のようす。一は口を開き、一は口を閉じる。

【阿翁】①祖父。②しゅうと。妻が夫の父をいう。③父。

【阿閣】四つのひさしのあるりっぱな家。

【阿監】官女をとりしまる女官。用例〔唐、白居易、長恨歌〕梨園弟子白髪新、椒房阿監青娥老。かつての梨園の教習生たちは、このごろめっきりしらがになり、皇后のへやのとりしまりをした女官の美貌も老けこんでしまった。

【阿丘】一方だけ高い丘。

【阿嬌】①漢の武帝の陳皇后の未婚時代の名。②美しいむすめ。また、むすめ。女の子。

【阿曲】おもねる。へつらう。

【阿姑】女性が夫の母をいう。しゅうとめ。

【阿公】①夫の父。②祖父。

【阿衡】殷代、宰相をいう。一説に、殷の賢臣伊尹の号ともいい、転じて広く、宰相の意。▼阿はよりたのむ、衡は公平の意。

【阿含】仏梵語 āgama の音訳。釈迦の説いた小乗の教え。

【阿闍梨】仏①梵語 ācārya の音訳「阿闍梨耶」の略。弟子の行為を正し、その模範となるべき高僧の意。②天台・真言宗での僧の学位の一つ。

【阿修羅】仏①梵語 asura の音訳。悪魔神の名。はじめは善神であったが、のちに悪神とされ、ねたみ深く、闘争好きという。修羅ともいう。②「阿修羅道」の略。六道の一つで、争いの絶えない世界。

【阿戎】①いとこ(従弟)。②他人の子。

【阿従(從)】おもねり従う。迎合する。

【阿女】むすめ。

【阿誰】だれ。だれか。何誰。

【阿世】世におもねる。世俗にこびへつらう。「曲学阿世」

【阿僧(僧)祇】①仏梵語の音訳。数えきれない。無量。②大数の一つ。一〇の六四乗。⇩コラム 数を表すことば(六三八ページ)。

【阿爹】父をいう。お父さん。阿爺。

【阿那】①たおやか。しなやか。②茂ってさかんなさま。

【阿呆】おろか。ばか。たわけ。

【阿直岐】百済から渡来した学者。阿知吉師。応神天皇の十五年(三八四)百済王の使者として来朝。

【阿堵】①これ。この。このもの。晋代の俗語。②＝阿堵物。③眼をいう。

【阿堵物】銭の別名。阿堵は、「この」の意。晋の王衍が、妻のよくばりなのを憎み、銭という語を口にせず、銭を阿堵物(このもの)と言った故事に基づく。〔世説新語、規箴〕

【阿党(黨)】おもねり、私心をもって一方に有利なあつかいをすること。付党。

【阿難】㊀ 仏釈迦の弟子。Ānanda 阿難陀の略。釈迦の従兄弟で、釈迦の侍者として二十余年を過ごし、経典の選集に当たった。㊁ 美しく盛んなさま。阿那。

【阿△耨多羅三△藐三△菩提】仏梵語 anuttarā samyak-sambodhih の音訳。無上正遍知・無上正等覚と訳し、仏の最上の知恵・悟りをいう。

【阿婆】①年老いた婦人の称。②自分をさしていう語。▼婆は、僕の音が転化したもの。

【阿倍仲麻△呂】国安倍仲麻呂とも書く。奈良時代の遣唐留学生。七一七年、吉備真備らと唐に渡り、玄宗に仕え、秘書省の長官となった。七五三年、帰国しようとしたが海難で果たせず、七十二歳で客死した。中国名は、晁衡(または、朝衡)。(六九八—七七〇)

【阿△媚】こびへつらう。阿諂。阿諛。

【阿鼻】仏梵語 avīci の音訳「阿鼻至」の略。八大地獄の一つ。地獄の中でも最も底の方にあり、最も苦しい所。無間地獄のこと。

【阿鼻叫喚】仏阿鼻地獄におちいって叫びわめくこと。転じて、非常な悲惨におちいって、叫んで救いを求めるさま。

【阿父】父・おじを親しんで呼ぶ語。

【阿付】おせじを使って、自分に利益のある人につくこと。

【阿片】麻酔薬の一種。未熟のけしの果汁を乾燥させて作った粉末。

【阿保】①守り育てる。保育する。また、その人。②近臣をいう。

【阿母】母・乳母を親しんでいう語。

【阿△媽】㊀ 母の呼称。㊁ 女中や乳母をいう。

【阿房宮】秦の始皇帝が、前二一二年、今の陝西省西安市の西北に築いた大きな宮殿。項羽が焼きはらったときに三か月間、火が消えなかったという。

【阿傍】仏地獄の獄卒。頭と足は牛、手は人の形をしており、力が強くて山をも抜くという。牛頭阿傍。

【阿弥(彌)△陀】仏梵語 Amitābha(無量)の音訳。阿弥陀仏(無量寿仏)は、西方浄土に居る慈悲深い如来。真宗・浄土宗の本尊。

【阿△蒙】子供。▼阿は愛称、蒙は道理のよくわからないことで、幼稚な者の意。

【阿△爺】父をいう。お父さん。

【阿△諛】おもねりへつらう。また、おべっか。ごますり。

【阿羅漢】仏梵語 arhat の音訳。仏教修行者で煩悩を断ち切って、小乗のさとりをひらいた者をいう。羅漢ともいう。
【阿△蘭】Olanda の音訳「阿蘭陀」の略記。ヨーロッパの国名。首都はアムステルダム。和蘭とも書く。

5 【阨】 8画 13063 アイ 阸(13049)と同字。→一五〇六ページ中。 — — 7046

5 【阽】 8画 13064 ㊀エン 㬎 yán ㊁テン 豔 diàn — — 7050

字義 ㊀❶壁がくずれかかる。❷のぞむ。㋐死にかかる。㋑危険に臨む。❸あやうい。また、あやうくする。㊁あやうい。落ちかかる。

解字 篆文 形声。阝(阜)+占音。音符の占は点に通じ、しずくがぽたぽた落ちるの意味。壁が風化してぼろぼろとくずれかかるの意味を表す。

5 【阹】 8画 13065 漢キョ 呉コ 魚 qū — — 7047

字義 おり。囲い。山や谷を利用した牛馬の囲い。

解字 形声。阝(阜)+去音。

5 【阻】 8画 13066 漢ソ・呉ショ 語 zǔ 常 ソ はば-む 3343 916A —

筆順 ㇇ 阝 阝 阝 阝 阝 阻

字義 ❶けわ-しい。また、けわしい所。用例(文選、古詩十九首、其一)道路阻且長 道路阻(けは)しく且つ長し。会面安可知 会面安(いず)くんぞ知るべけんや。↓あなたが行く道は、けわしい上にはるかに遠い。再び会うことができるかどうか、どうしてわかりましょう。❷へだてる。また、へだたる。「阻隔」❸はば-む。とめる。＝沮(6243)。「阻止」❹しきり。へだて。また、さまたげ。❺よる(依)。たよる(頼)。たのむ(恃)。❻うたがう。あやしむ。❼なやむ。心配する。苦しむ。

参考 現代表記では〔沮〕(6243)の書きかえに用いる。「沮止→阻止」「沮喪→阻喪」。また、〔岨〕(2872)の書きかえに用いることがある。「嶮岨→険阻」

解字 篆文 形声。阝(阜)+且音。音符の且は、積み重なるの意味。積み重なるおかのさまから、けわしい・へだてるの意味を表す。

逆 険阻・難阻
【阻害】さまたげ害する。じゃまをする。妨害。
【阻△礙】へだてさえぎる。また、じゃま。
【阻隔】遠くへだてる。また、遠くへだたる。

【阻△艱】道がけわしくて困難なこと。また、その所。険阻。

【阻険(險)】けわしいこと。また、その所。険阻。

【阻止】さまたげとどめる。くいとめる。沮止。

【阻絶】①はばみさえぎる。また、はばまれさえぎられる。②けわしい。険阻。また、その所。

【阻喪】気おちする。意気がくじけよわる。沮喪。

【阻難】けわしく難儀なこと。また、その所。

5 【阼】 8画 13067 漢ソ 呉ゾ 遇 zuò ₂9166 — 7049

字義 ❶堂の東のきざはし。主人が客に対して登る東方の階段。客は西側の階段から登る。❷天子の位。天子が即位して祭礼を行うときに、東方の階段から登ったからいう。＝祚(8359)。「践阼」

解字 篆文 形声。阝(阜)+乍音。音符の乍は、つくるの意味。意をこらして作ったきざはしの意味を表す。

【阼階】主人の登る階段。→字義❶。

5 【陀】 8画 13068 人標 ㊀漢タ・呉ダ 歌 tuó ㊁漢チ・呉ジ(ヂ) 支 3443 91C9 —

筆順 ㇇ 阝 阝 阝 阝 阝 陀

字義 ㊀❶ななめ。平らでない。また、けわしい(険)。❷くずれる。また、おちる。㊁がけ。がけぎわ(崖際)。＝阤(13048)。

解字 形声。阝(阜)+它音。

【陀羅尼】仏梵語 dhāraṇī の音訳。①悪を防ぐためのすべての徳を備え持つこと。総持の意。②密教のまじない。呪文。

5 【陁】 8画 13069 ㊀漢タ・呉ダ 歌 tuó ㊁イ 紙 yǐ ₂9167 — 7051

字義 ㊀❶陂陁は、ななめ。けわしい。❷くずれる。また、がけ。㊁ひき続き絶えない。難読 阿陁

解字 形声。阝(阜)+㐌音。

5 【阺】 8画 13070 ㊀漢テイ・呉タイ 薺 dǐ ㊁漢チ・呉ジ(ヂ) 支 dǐ — — 7048

字義 ㊀㊁さか。また、おか(丘)。

解字 形声。阝(阜)+氐音。

5 【阷】 8画 13071 漢テイ 呉チョウ(チャウ) 庚 chēng — — 7045

字義 ❶丘の名。❷飲む。

解字 形声。阝(阜)+正音。

5 【陂】 8画 13072 ㊀漢ヒ・呉ビ 支 bēi ㊁ハ 歌 pō 7988 E898 —

字義 一 ❶さか(坂)。山坂。❷つつみ。堤防。どて。❸きし(岸)。また、ほとり。そば。❹ふさぐ。せきとめる。❺かたよる。かたむく。公正でない。また、ななめ。二 ❶さか(坂)。＝坡(1932)。❷かたよる。公正でない。＝頗(13451)。

解字 篆文 形声。阝(𠂤)＋皮㊥。音符の皮は波に通じ、なみの意味。なみうちぎわの堤の意味や、なみうつおかのさまから、さかの意味を表す。

【陂曲】ヒキョク かたよってよこしまなこと。正しくないこと。

【陂△陀】ハダ 土地などの、平らでなく、高低のあるさま。坡陀。

【陂沢(澤)】ヒタク 沼。ため池。

【陂池】ヒチ ①つつみ(堤)と、いけ(池)。②ため池。

5 【附】 8画 13073 漢フ・呉ブ 遇 fù 常 フ 4177 958D —

筆順

字義 ❶つ-く。㋐くっつく。接着する。㋑たよる。㋒従う。心を寄せる。親しむ。「親附」㋓近づく。また、寄り集まる。❷つ-ける。㋐くっつける。接着させる。㋑よせる。託する。㋒従える。㋓増す。増し加える。

名前 ちか・つく・ます・より・よる 難読 附馬牛つくもうし

参考 熟語は〔付〕(201)をも見よ。

使いわけ フ〔附・付〕 もと〔附〕は「つく」、〔付〕は「与える」と使いわけたが、「附着・附録」「付与・交付」、現代表記では、いずれも〔付〕を用いるのが一般的。ただし、官庁用語・法令用語では、「附属・附則・寄附」のように〔附〕を用いている。

解字 篆文 形声。阝(𠂤)＋付㊥。音符の付は、封に通じ、土もりをした小山の意味。また、付に通じて用いられる。

逆 下附・還附・寄附・帰附・臣附・比附

【附益】フエキ つけ加える。必要以上に増し加えること。

【附会(會)】フカイ ①ばらばらなものを一つに集める。②こじつける。付会。「牽強ケンキョウ附会」

【附近】フキン ①したがい近づく。②あたり近所。近辺。付近。

【附子】ブシ・ブス 草の名。とりかぶと。キンポウゲ科の多年草。また、その根を乾かした毒薬。烏頭ウズ。

【附則】フソク あとにつけたした規則。付則。

【附属(屬)】フゾク ①つきしたがう。また、そのこと。従属。②上級の機関・本体の下にあること。付属。「附属学校」

【附庸】フヨウ 大諸侯の支配下にある小国。

【附△婁】フロウ 小さいおか。

【附和雷同】フワライドウ 国自分に定まった考えがなく、わけもなく他人の説に賛成すること。付和雷同。

5 【阡】 8画 13074 国字 29165 — —

字義 なる。平らな場所。山などを削って平らにした場所。

6 【陔】 9画 13075 カイ 慣ガイ 灰 gāi — — 7053

字義 ❶きざはし(階)のあたり。階段付近。❷かさなり(重)。また、かさね。❸楽曲の名。宴会の終わりに奏した。陔夏。

解字 形声。阝(𠂤)＋亥㊥。

6 【陒】 9画 13076 キ 紙 guǐ — — 7052

字義 ❶破れる。❷けわしい。

解字 形声。阝(𠂤)＋危㊥。

6 【限】 9画 13077 漢カン・呉ゲン 潸 xiàn 教5 ゲン かぎ-る 2434 8CC0 —

筆順

字義 ❶かぎ-る。くぎる。境界をつける。しきる。❷かぎ-り。くぎり。きり。㋐へだて。他をへだてるもの。㋑境界。しきり。㋒程度。範囲。㋓規定。きまり。また、制限。㋔はて。きわみ。「極限」「無限」❸かなめ(要)。身体のかなめになる所。

解字 金文 篆文 形声。阝(𠂤)＋艮(𥃩)㊥。音符の𥃩コンは、ある範囲内にとどまるの意味。𠂤は、おかの意味。おかなどで、ある範囲をかぎるの意味を表す。

逆 局限・極限・権限・刻限・際限・日限・分限・無限・門限

【限界】ゲンカイ ①さかい。しきり。②かぎり。果て。それより先はないというぎりぎりの所。

【限外】ゲンガイ 国とりきめた範囲の外に出ること。制限外。

【限局】ゲンキョク 場所をかぎる。転じて、かぎる。くぎる。

【限制】ゲンセイ かぎり。制限。また、さかい。境界。

【限定】ゲンテイ 範囲・事業などを、ある範囲を超えないよう制限を加えること。

【限度】ゲンド ほど。かぎり。かぎられた一定の範囲。

6 【降】 9画 (13087) コウ 降(13086)の旧字体。→一五一〇ページ・下。

6 【陏】 9画 13078 漢タ 呉ダ 哿 duò 7990 E89A —

字義 果陏カダは、うりの類いの実(蓏ラ)。

6 【陌】 9画 13079 漢バク・呉ミャク 慣ハク 陌 mò 7989 E899 —

字義 ❶みち。㋐あぜみち。耕作地の間の東西に通ずる道。一説に、南北に通ずる道。↔阡(13047)。㋑広く、道路をいう。❷まち。市街。❸はちまき。＝帕(3096)。❹数の名。＝百(7864)。→百の参考。

解字 形声。阝(𠂤)＋百㊥。音符の百は、数のひゃくの意味から数の多いことを表す。耕作地の間に通ずる多くのみちの意味を表す。

【陌上】ハクジョウ ①あぜ道のほとり。畑をいう。②道の上。路上。

【陌上桑】ハクジョウソウ 古楽府ガフの作品名。趙チョウの王仁の妻で美人の羅敷ラフが陌上(道のかたわら)で桑を摘んでいるのを見た趙王が、恋心を起こし言い寄ったが、羅敷は承知しなかったという内容の歌。艶歌。羅敷行・日出東南隅行ともいう。

【陌△阡】ハクセン 耕地の間に縦横に通ずる道。あぜ道。阡陌センパク。

【陌頭】ハクトウ ①みちばた。②はちまき。

6 【陋】 9画 13080 漢ロウ 呉ル 宥 lòu 7991 E89B —

字義 ❶せま-い。㋐場所がせまい。せま苦しい。みすぼらしい。㋑心・知識がせまい。❷ひく-い。㋐みじかい。身長が短い。㋑ちいさい。❸いや-しい。㋐身分・地位が低い。用例〔杜子春伝〕吾陋不レ及レ賈(われロウにしてカにおよばざれども)、而文芸非ニ徒射レ雉也(ブンゲイはただにきじをいるのみにあらざるなり)。▽わしは賈の大夫ほどの身分ではないが、学問においてはただ雉を射るような程度のものではない。㋑いなかびる。品が悪い。㋒粗末である。粗悪である。㋓みにくい。いやらしい。用例〔世説新語、容止〕自以形陋不レ足レ雄ニ遠国一(みず(づ)からおもえ(へ)らく かたちロウにしてエンゴクにユウたるにたらずと)。▽自分は姿がみすぼらしいから、遠国匈奴キョウドを姿で圧倒することができないと思った。

解字 篆文 形声。阝(𠂤)＋丙(㔷)㊥。音符の㔷ロウは、せまいの意味。山間のせまい所の意味を表す。

【陋宇】ロウウ ①せまくきたない家。②自分の家の謙称。

【陋屋】ロウオク ①せまくむさくるしい家。陋屋。陋室。陋宅。②自分の家の謙称。

【陋見】ロウケン ①いやしく、せまい考え。②自分の意見を謙遜ケンソンしていうことば。

【陋△巷】(ロウコウ) せまくきたない町。貧民街。路地裏。用例 論語、雍也「一簞食(イッタンのシ)、一瓢飲(イッピョウのイン)、在二陋巷一(ロウコウにあり)」→竹の器一盛りの飯と、ひさごの器一杯の飲み物とで満足して、みすぼらしい路地裏に住んでいる。

【陋識】(ロウシキ) いやしい見識。浅い知恵。陋見。浅識。

【陋室】(ロウシツ) ＝陋宇。

【陋質】(ロウシツ) いやしい性質。いやしい天性。

【陋儒】(ロウジュ) 見識のせまい学者。

【陋習】(ロウシュウ) いやしい習慣。悪い習慣。

【陋小】(ロウショウ) みにくく小さい。

【陋身】(ロウシン) いやしいからだ。自分の謙称。

【陋浅(淺)】(ロウセン) 心がいやしく、あさはかなこと。見聞が狭く、思慮のあさはかなこと。

【陋△賤】(ロウセン) いやしい。身分が低い。賤陋。卑賤。

【陋俗】(ロウゾク) いやしいならわし。野卑な風俗。陋風。

【陋態】(ロウタイ) みぐるしい様子。醜態。

【陋宅】(ロウタク) ＝陋宇。

【陋短】(ロウタン) 身のたけが低いこと。

【陋薄】(ロウハク) いやしく粗末なこと。みすぼらしい。

【陋風】(ロウフウ) ＝陋俗。

【陋劣】(ロウレツ) ①いやしい。卑劣。②みにくい。

7【院】10画 13081 教3 イン
一 漢エン(ヱン) 慣イン(ヰン) 韻 yuàn
二 漢カン(クヮン)・呉ガン(グヮン) 翰 yuàn
1701 8940 一

筆順 ㇇ 阝 阝' 阝宀 阝宀 院 院

字義 一 ❶かきね。かこい。建物の周囲にめぐらした垣。❷垣をめぐらした宮殿。また、大きな邸宅。❸役所。「翰林院(カンリンイン)」❹建物。多くの人の集まる建物。㋐工場。㋑学校。㋒寺院。僧や道士の住む所。㋓役者・芸妓のいる所。❺その。にわ。庭園。国イン。上皇・法皇の御所。転じて、上皇・法皇の尊称。

解字 篆文 形声。阝(阜)＋完㊥。音符の完(カン)は、垣(エン)に通じ、家の周囲の土塀の意味。阜は、盛り土の意味。堅固なかきの意味を表す。

逆 寺院・書院・上院・禅院・僧院・退院・別院・満院

【院参(參)】(インザン) 国 上皇・法皇の御所に参上すること。

【院主】(インジュ) 仏 寺院のあるじ。住持。

【院政】(インセイ) 国 上皇・法皇の行う政治。

【院宣】(インゼン) 国 上皇・法皇の勅書。院の宣旨(センジ)。

【院体(體)】(インタイ) ①詩文の一体。もと翰林院(カンリンイン)の文体をいい、後には宮中の学官の用いる文体をいう。官僚式。②書体の一種。役所風のおもしろ味のない書風。③画法の一種。翰林図画院の画風。宋代、山水画では李唐・劉松年・馬遠・夏珪らの様式が主流となり、花鳥画では黄筌・徐熙らの様式が主流であった。明・清代は主として、文人画的な花鳥画に対し、宋以来の伝統的な花鳥画様式を称した。

【院本】(インポン) 金・元時代に行われた演劇。また、その脚本。行院(俳優の居所)で用いた本の意。

【院落】(インラク) かきねで囲んだやしき。また、やしき内の中庭。用例〔北宋、蘇軾、春夜詩〕歌管楼台声細細、鞦韆院落夜沈沈 →歌や管弦の音がひびきわたっていた高殿も、今ではかすかな音がきこえるばかりである。中庭にぶらんこが揺れ、夜は静かにふけてゆく。

7【陥】10画 13082 常 カン おちいる・おとしいれる 2057 8AD7 一
8【陷】11画 13083 人 漢カン 呉ゲン 陥 xiàn 7992 E89C 一

筆順 ㇇ 阝 阝' 阝⺈ 陥 陥 陥 陥

字義 ❶おちいる。おちる。㋐おちこむ。陥没する。㋑おぼれる。水におぼれる。㋒邪道にはまりおぼれる。㋓よくない状態・境遇になる。誤まる。罰をうける。㋔攻め落とされる。❷おとしいれる。㋐おとしこむ。㋑計略・困苦や刑罰などにはめこむ。㋒攻め落とす。❸とおす。つらぬく。突き通す。用例 韓非子、難一「吾盾之堅、莫二能陥一也」→私の盾の堅固なことといったら、これを突き通すことができるものはないほどだ。❹おとしあな。❺かける(欠)。また、すくない。「欠陥」 難読 陥穽(おとしあな)

解字 篆文 形声。阝(阜)＋臽㊥。音符の臽(カン)は、おちこむの意味。おかがおちこむの意味を表す。

逆 欠陥

【陥△穽・陥△阱】(カンセイ) ①おとしあな。②人をだましおとし入れる計略。

【陥溺】(カンデキ) ①あなに落ち水におぼれること。②しいたげ苦しめる。③悪政・貧乏などに苦しむこと。④酒色などにふけって心がすさむこと。

【陥没】(カンボツ) おちいる。おちこむ。また、おとしいれる。

【陥落】(カンラク) 国 おちいる。おちる。㋐落ちくぼむ。㋑(城などが)攻め落とされる。㋒くどきおとされること。

7【陜】10画 13084 漢コウ(カフ) 呉ギョウ(ゲフ) 慣キョウ(ケフ) 洽 xiá 7993 E89D 一
【陿】13117 同字

字義 ❶せまい。＝狭(7220)。❷やまあい。やまかい。山と山との間。＝峡(2890)。

参考【陝】(13093)は別字。

解字 篆文 形声。阝(阜)＋夾㊥。音符の夾(キョウ)は、はさむの意味。山と山との間にはさまれた、せまい所の意味を表す。

7【陘】10画 13085 漢ケイ 呉ギョウ(ギャウ) 青 xíng 9359 一 7056

字義 ❶たに(谷)。山なみのきれめ。❷さか(坂)。❸かまどのわきの、なべ・かま類を載せる所。

解字 篆文 形声。阝(阜)＋巠㊥。音符の巠(ケイ)は、まっすぐで強いの意味。山脈の中で、まっすぐに力強くたちきれている所の意味を表す。

7【降】10画 13086 教6 コウ お-りる・お-ろす・ふ-る 2563 8D7E 一
6【降】9画 13087
一 漢コウ(カウ) 呉ゴウ(ガウ) 絳 jiàng
二 漢コウ(カウ) 呉ゴウ(ガウ) 江 xiáng

筆順 ㇇ 阝 阝⺈ 阝夂 降 降 降 降
【夅】2203 古字 【夅】2204 俗字

字義 一 ❶くだ-る。お-りる。㋐高い所から低い所へおりる。㋑さがる。身分・地位や程度などがさがる。㋒その場にのぞむ。㋓時が移る。のち。㋔へりくだる。㋕身分の高い女性が低い男性と結婚する。❷くだ-す。お-ろす。㋐高い所から低い所へさげおろす。㋑授ける。たまわる(賜)。㋒しりぞける。身分・地位や程度などをさげくだす。㋓あなどる。㋔身分の高い女性を低い男性と結婚させる。❸ふ-る。雨などがふる。また、ふらす。二 ❶くだ-る。㋐負けて敵に従う。用例〔資治通鑑、漢紀〕陵降二匈奴一、不二敢求一レ武 →李陵(リリョウ)は匈奴(キョウド)に降伏したが、強いて蘇武(ソブ)に会おうとはしなかった。㋑落ちつく。心が落ちつく。❷くだす。敵をやぶり従える。❸おちる。高い所からおちる。また、鳥が死ぬ。

名前 り

使いわけ おりる・おろす〔降・下・卸〕
〔降〕乗り物から出る。また、低いところへおろす。「電車から降りる・棚から荷物を降ろす」

〔下〕上から下へ移動する。「幕が下りる」〔卸〕(「おろす」のみ)問屋で小売店におろす。「卸し値」ただし、「山を降りる／下りる」のように、〔降〕と〔下〕の使いわけには紛らわしい場合が多い。

解字 甲骨文 金文 篆文 **形声**。阝(𠂤)+夅㊥。音符の夅(コウ)は、下向きの足二歩で、くだるの意味。段をくだるの意味を表す。『説文解字』では、くだるの意味に降を、降服の意味に夅をあてているが、甲骨文・金文はすべて降と書く。

逆 以降・下降・減降・左降・升降・昇降・投降

【降下】(コウカ) ①降参する。用例〔史記、高祖本紀〕陛下使₂人攻₁城略₁地、所₂降下₁者因以予₁之。↓陛下は人に都市や敵地を攻略させ、降伏させると功績にもとづいて領土を与えた。②おりる。③低くなる。④国命令などが上からくだること。「大命降下」

【降嫁】(コウカ) 国皇族が臣下の家に嫁入りすること。

【降格】(コウカク) ①天からくだり至ること。また、天がくだし至らせる。▼格は、至る。②格下げする。

【降監・降鑑】(コウカン) 天神が下界を見ること。

【降首】(コウシュ) 降伏する。▼首も、従う意。

【降人】(コウジン) ①降参した人。②卑下して、人につき従うこと。

【降誕】(コウタン) 貴人・聖人が生まれるにいう。

【降△黜】(コウチュツ) 官位を下げたり、はぎとったりする。また、しりぞける。

【降△陟】(コウチョク) のぼることと、くだること。

【降伏】(コウフク) 一 降参する。敵に負けて屈服する。◆「降服」も同意。新聞用語では「降伏」に統一。二(ゴウブク) ①仏悪魔などをおさえつける。②国先方の自信を砕いて心服させる。

【降服】(コウフク) ①盛装を避けて、平服を着る。②上着を脱いで謝罪する。③敵に負けて屈服する。降参する。↓降伏。

【降兵】(コウヘイ) 戦争に負けて降服した兵。

【降北】(コウホク) 戦争に負けてにげること。また、降伏と敗北。降参と逃亡。用例〔韓非子、五蠹〕仲尼賞而魯民易₂降北₁。↓仲尼が孝行息子を称賛したことで、魯の民は降伏することや逃亡することを簡単に考えるようになった。

【降魔】(ゴウマ) 仏悪魔を降伏(ゴウブク)すること。

【降臨】(コウリン) ①天から下界にくだりのぞむこと。②貴人がその場所に来る。来臨。

---

7 **【陖】** 10画 13088 シュン 震 jùn ―― ―― 7054

字義 ❶そばだつ。切り立って高い。❷厳しい。❸高い。

解字 **形声**。阝(𠂤)+夋㊥。峻(シュン)に通じ、けわしいの意味。

7 **【除】** 10画 13089 教6 ジョ・ジ のぞく 2992 8F9C ―

一 漢チョ・呉ジョ(ヂョ) 魚 chú

二 ヨ 魚 shū

慣ジ(ヂ)

筆順 ㇷ 了 阝 阝ノ 阾 阾 除 除 除 除

字義 一 ❶のぞく。㋐よける。のける。とりさる。とりのける。「排除」 ㋑はき清める。はらう。「掃除」 ㋒病気をなおす。また、なおる。㋓許す。免ずる。「免除」 ㋔服喪の期間が終わる。❷きざはし。宮殿の階段。❸にわ。はらい清めた祭壇。❹官職をさずける。新しい官職につける。❺わる。割り算をする。↔乗(88)。❻おおみそか。二 陰暦四月の別名。

名前 きよ・さる・のき

解字 篆文 **形声**。阝(𠂤)+余㊥。音符の余は、伸びるの意味。𠂤は、段のある高地・階段の意味。宮殿にのびる階段の意味を表す。また、余は、除草具の象形であり、のぞくの意味をも表す。

逆 駆除・控除・歳除・削除・乗除・掃除・排除

【除外】(ジョガイ) 国とりのぞいて範囲の外に置くこと。

【除官】(ジョカン) 官に任ずる。任官。

【除去】(ジョキョ) のぞきさる。とりのける。削除。

【除月】一(ジョゲツ) 陰暦十二月の別名。臘月(ロウゲツ)。二(ヨゲツ) 陰暦四月の別名。

【除残(殘)】(ジョザン) ①わざわいをする者を除き去る。②すすはき。新年を迎えるため、すすを払うこと。

【除試】(ジョシ) 試験的に官吏に任用されること。

【除日】(ジョジツ) おおみそか。歳除。

【除授】(ジョジュ) 官位を授けること。除任。

【除書】(ジョショ) 任官の辞令。

【除夕】(ジョセキ) おおみそかの夜。除夜。

【除籍】(ジョセキ) ①官吏の籍を除くこと。②戸籍中からその身分をとり除くこと。

【除喪】(ジョソウ) 喪服をぬぐこと。除服。転じて、忌み明け。

【除隊】(ジョタイ) 兵士が役務を終えて隊を去ること。

【除道】(ジョドウ) 道路を修理し通れるようにする。道ぶしん。

【除拝(拜)】(ジョハイ) 官位を授けること。除任。

【除服】(ジョフク) 喪服をぬぐこと。除喪。

【除法】(ジョホウ) 割り算。

【除名】(ジョメイ) 名を除く。不都合な行為をとった人をその仲間からはずす。

【除免】(ジョメン) 役をやめさせること。除名と免官。

【除目】一(ジョモク) 官に任ずる詔書。二(ジモク) 国昔、大臣以外の諸官職を任命する儀式。

【除夜】(ジョヤ) ①節分の前夜。また、おおみそかの夜。除夕。⇩ コラム 年中行事(四六五ページ)。②冬至(トウジ)の前夜。

7 **【陞】** 10画 13090 ショウ 蒸 shēng 7994 E89E ―

字義 ❶のぼる。また、のぼす。=昇(4688)。㋐高い所へのぼる。また、高所へのぼせる。㋑官位がのぼる。また、官位をのぼせる。❷すすむ(進)。また、進める。

参考 現代表記では〔昇〕(4688)に書きかえる。「陞叙→昇叙」「陞任→昇任」。熟語は〔昇〕をも見よ。

解字 **形声**。阝(𠂤)+土+升㊥。音符の升は、のぼるの意味。土のおかをのぼるの意味を表す。

【陞降】(ショウコウ) のぼることと、くだること。昇降。また、のぼすことと、くだすこと。

【陞叙(敍)】(ショウジョ) 官位をのぼせ進めること。陞任。昇叙。

【陞進】(ショウシン) 官位がのぼりすすむ。昇進。

【陞任】(ショウニン) 官位をのぼせ進めること。昇任。

7 **【陗】** 10画 13091 ショウ(セウ) 嘯 qiào ―― ―― 7055

字義 ❶そばだつ。山が高くけわしい。❷厳しい。

解字 **形声**。阝(𠂤)+肖㊥。音符の肖(ショウ)は、小さく削り取るの意味。

7 **【陣】** 10画 13092 常 ジン 3156 9077 ―

漢チン・呉ジン(ヂン) 震 zhèn

筆順 ㇷ 了 阝 阝一 阝冖 陌 陌 陌 陣 陣

字義 ❶じんだて。軍隊の配置。❷じんや。軍隊の集まっている所。❸じんどる。陣地をかまえる。❹ならび。つら。軍隊・鳥などの行列。❺いくさ。戦い。また、戦場。❻ひとしきり。また、にわか。「一陣」「陣雨」 ❼言論・文章で意見を戦わせるかまえ。「論陣」「筆陣」 ❽ものの形容。→陣陣。

名前 つら・のぶ・ぶる

解字 **形声**。もと敶につくる。敶は、攴(攵)+陳㊥。音符の陳は、また、阝(阜)+木+申㊥。音符の申は、のびるの意

阜部 7画 〔陖 除 陞 陗 陣〕

味。まっすぐのびた隊列の意味を表す。のち、攴が省略され、木＋申が、車に変形し、陣の字形となった。

逆 軍陣・堅陣・行陣・出陣・戦陣・筆陣・布陣・方陣・本陣・論陣

【陣雲】①かさなり起こって、兵陣のように見える雲。②戦場の空にあらわれる不吉な雲。

【陣営(營)】軍隊が集まり、待機している所。兵営。

【陣△伍】陣中の隊列。

【陣行】①兵士の列。隊列。②空飛ぶ雁などの列。

【陣△哨】陣営のみはりをするもの。

【陣陣】とぎれとぎれに続くさま。

【陣地】軍隊を配備した土地。陣どった所。

【陣痛】国出産の前に妊婦の腹がしくしくといたむいたみ。また、物事ができ上るまでの苦労・困難にたとえる。

【陣刀】戦争に用いる刀。

【陣頭】①軍陣のまっさき。陣列の先頭。さきて。「陣頭指揮」②国禁中の衛士の詰め所の前。

【陣亡】うちじに。戦没。

【陣没・陣△歿】うちじにする。戦死する。陣亡。

【陣門】軍門。陣屋の門。

【陣容】国①陣立て。軍隊の配置。②一般に、人員配置。

7 【陜】 10画 13093 標 セン 廣 shǎn 8001 E89F 一

字義 ❶県名。今の河南省陝県。❷陝西省の略称。↓陝西。

参考 〔陝〕(13084)は別字。

解字 形声。阝(𨸏)＋夾㊥。

【陝西】省名。渭河平原を中心とする、昔の秦の本拠地で、省都の西安市は、長安と称して周王朝以来、漢・唐としばしば国都となった。

7 【陟】 10画 13094 チョク 職 zhì 8002 E8A0 一

［徏］3422 同字

字義 ❶のぼ-る。また、のぼす。↕降(13086)。㋐高い所へのぼる。高所へのぼす。㋑高い位につく。高位につかせる。❷すすむ(進)。また、すすめる。官位がすすむ。官位をすすめる。❸かさなる。また、かさなった丘。

解字 甲骨文 篆文 会意。阝(𨸏)＋歩。𨸏は、段になっている高地の象形。歩は、上向きの足二歩の象形で、のぼるの意味。おかをのぼるの意味を表す。

【陟△岵】『詩経』魏風の詩編名。孝子が山に登って、郷里の肉親をしたう心情を述べている。

【陟降】①のぼることと、くだること。上下。昇降。②天にのぼったり、人間界に下ったりすること。③日時計のかげの長短をいう。

【陟罰】賞賛して官位をあげてやることと、官位を下げて罰すること。

【陟方】天子が巡守に出かけること。一説に天子の死をいう。

7 【陡】 10画 13095 漢トウ 呉ツ 有 dǒu 2-9168 一 7057

字義 ❶けわしい(険)。高くそびえ立っている。❷にわか。たちまち。

解字 会意。阝(𨸏)＋走。

7 【陦】 10画 13096 トウ 8003 E8A1 一

島(2909)と同字。→四二九ページ上。

7 【陛】 10画 13097 教6 ヘイ 漢ヘイ・呉バイ 薺 bì 4237 95C3 一

筆順 ㇷ 了 阝 阝ト 阝比 阝比 陛 陛

字義 ❶きざはし。㋐高い所にのぼる階段。㋑天子の宮殿にのぼる階段。用例〔史記、刺客伝〕至レ陛、秦舞陽色変振恐。↓階段のところまで進むと、秦舞陽は顔色が変わり、おびえて震えはじめた。❷階段のわきにひかえる。

名前 きざ・のぼる・のり・はし・より

解字 篆文 形声。阝(𨸏)＋坒㊥。音符の坒は、土地が並び連なるの意味。𨸏は、きざはしの意味。並び連なるきざはしの意味を表す。

逆 雲陛・階陛

【陛衛(衞)】天子の御座所のきざはしのもとを護衛する兵士。

【陛下】①階段の下。②天子の尊称。秦から始まる。臣下が天子に奏上するときは、階段の下にいる護衛兵に告げることからいう。

【陛△戟】警護兵が戟を持って、天子の御殿の階段の下に立つこと。また、その兵。

【陛見】(階段の下から)天子に会うこと。陛対。

8 【陰】 11画 13098 常 イン かげ・かげ-る 一 漢イン・呉オン 侵 yīn 二 漢アン・呉オン 覃 ān 1702 8941 一

［侌］297 古字 ［阴］13050 俗字 ［阥］13051 俗字 ［陎］13052 俗字 ［隂］13113 俗字

筆順 ㇷ 了 阝 阝𠆢 阝今 阝会 陰 陰 陰

字義 一 ❶かげ。↕陽(13130)。㋐ひかげ。日のあたらないところ。㋑物におおわれている所。「樹陰」㋒山の北側。また、川の南岸。用例〔列子、湯問〕自レ此、冀之南、漢之陰、無二隴断一焉。↓それ以後、冀州の南から、漢水の南にかけては、高い切り立った所がなくなったのである。❷おおう(蔽)。また、おおい。❸くも-る。かげ-る。用例〔唐、杜甫、秋興詩〕江間波浪兼レ天湧、塞上風雲接レ地陰。↓長江の川波は、天を包むほどに高くわき立ち、とりでのあたりの風をはらんだ雲は、地面に届くほどに低くたれ込めていて暗い。❹移って行く日かげ。転じて、時間。「光陰」❺暗い。❻しめる。また、しめり。❼ひそ-かに。ひそか。用例〔史記、張儀伝〕子為レ我陰奉レ之。↓そなたは私のためにこっそりとこれらのものを張儀に奉るようにせよ。❽男女の生殖器。特に、女性についていう。❾易の用語。積極的・能動的なものを象徴する陽に対して、消極的・受動的なもの(地・水・女・静・柔・内・夜・月・雨・寒・秋・冬など)をいう。↕陽(13130)。
二 ❶だまる(黙)。つぐむ。口をきかない。❷喪に服するための小さな建物。「諒陰」

名前 いん・かげ　難読 陰嚢

使いわけ かげ〔影・陰〕⇩影(3387)。

解字 金文 篆文 形声。金文は、阝(𨸏)＋今㊥。音符の今は、含に通じ、ふくむの意味。雲が太陽を覆い含みこむの意味から、くもり・かげの意味を表す。のち、篆文は、云を付し、雲につつまれるの意味を明らかにした。

逆 花陰・光陰・樹陰・秋陰・春陰・寸陰・夕陰・惜陰・碑陰・分陰・夜陰・涼陰・緑陰

【陰△蔚】樹木が茂ってうす暗い。また、茂った木かげ。

【陰陰】①あまねくおおう。②静かなさま。③木が茂って暗いさま。④空がくもって暗いさま。⑤陰気なさま。

【陰羽】鶴の羽。また、鶴の別名。

【陰雨】ウイン ①空がくもって雨が降る。②雨が降ること。また、降る雨。雨天。雨ふり。③連日降り続く、じめじめした雨。
【陰鬱】インウツ ①水蒸気が多くて、うっとうしいこと。②空がくもって、むしむしすること。③国心が陰気ではればれしないさま。
【陰雲】インウン あまぐも。雨を降らせるような雲。
【陰映】インエイ ほのかに明るく見えること。
【陰景・陰影】インエイ・インエイ うすぐらいかげ。また、かげ。
【陰△曀】インエイ ①空がくもって暗いこと。②乱世。
【陰△翳】インエイ ①かげる。くもる。また、かげを落とす。②うすぐらい影。
【陰化】インカ ①婦人の徳。②湿気などの陰気が、次第に物を変化させることをいう。
【陰火】インカ ①おにび。暗夜、海上に遠くから見える理由のわからない火。②硫黄(イオウ)の別名。
【陰△霞】インカ かげりを帯びた夕焼け雲。
【陰寒】インカン ①空がくもって寒いこと。②寒さ。きびしい寒さ。
【陰△澗】インカン 日かげの谷川。
【陰気(氣)】インキ ①陰の気。↕陽気(一五一九ページ上)。㋐万物を生成する精気の一つ。→陰陽[一]。㋑万物を正し、また、殺す働きをする気。②国㋐はればれしないこと。㋑気のふさぐこと。気が沈んで浮きたたぬこと。うっとうしいこと。↕陽気(一五一九ページ上)。
【陰鬼】インキ ①死者のたましい。②もののけ。おばけ。
【陰教】インキョウ 女性の教育。女訓。陰訓。
【陰極】インキョク ①陰が極まる。陰気の至極。②電極のうち、電位が低い側。
【陰訓】インクン 婦人の教え。女教。陰教。
【陰茎(莖)】インケイ ①山の北側にはえた木のみき。②男子の生殖器。男根。人勢。
【陰血】インケツ 血液をいう。
【陰月】インゲツ 陰暦四月の別名。
【陰険(險)】インケン うわべは柔和で、内心の険悪なこと。
【陰△爻】インコウ 易の卦を構成する二つの爻のうち、陰を表すもので、╍と記す。↕陽爻(一五一九ページ中)。
【陰行】インコウ ①人に知られない行い。かげの行い。②かくれた善行。③ひそかに行う。
【陰魂】インコン 死者の魂。霊魂。
【陰惨(慘)】インサン・インザン ①陰気でみじめなこと。②国むごたらしい。

【陰山】インザン 山脈の名。内モンゴル自治区中部を東西に千二百キロにわたり連なる海抜千五百〜二千メートルの山脈。北はゴビ砂漠、南は黄河が流れ、古来、北方異民族と漢民族との戦場となった。
【陰事】インジ ①秘密の事がら。かくしごと。秘事。密事。②きさきや女官が君主の夜のお召しにあずかること。③女性のなすべき事。家庭のしごと。
【陰湿(濕)】インシツ ①日かげでしめっていること。②国性格が陰気なこと。
【陰△騭】インシツ ①天がひそかに人類の行為を見て禍福を下すこと。②天がひそかに人民を安んじ定めること。
【陰柔】インジュウ うわべは柔順で、腹が黒いこと。
【陰助】インジョ ひそかに助ける。また、人知れないたすけ。
【陰△岑】インシン 奥深いさま。
【陰森】インシン ①木が茂ってうす暗いこと。②うす暗くものさびしいさま。
【陰性】インセイ ↕陽性(一五一九ページ中)。①暗い・消極的な性質。②医学用語。ある検査に対して反応のないこと。
【陰晴】インセイ くもりと、はれ。
【陰精】インセイ 陰気の精。月・冬などをいう。
【陰雪】インセツ 空がくもって雪が降ること。
【陰△霰】インセン 空がくもってあられが降る。
【陰宗】インソウ 月の別名。
【陰賊】インゾク ①心がねじけていて、残忍なこと。②ねじけて残忍な心。また、その人。
【陰地】インチ ①日のあたらない土地。日かげの地。②門閥。
【陰中】[一]インチュウ 秋。陰の気は旧暦五月に始まり十月まで続くことから。[二]ひそかにあつ ひそかに人をおとしいれて危害を加えること。
【陰虫(蟲)】インチュウ ①秋に鳴く虫。②がまがえる。
【陰沈】インチン ①心がくらくなってしずむ。②くらく沈鬱なこと。
【陰△兎】イント 月の別名。月の中に、兎(うさぎ)がいるという伝説による。
【陰道】インドウ ↕陽道(一五一九ページ中)。①陰の道。臣・子・母・妻としてとるべき道。②喪事や戦争。③月の軌道。④女性の生殖力。⑤山の北側の道。
【陰徳】イントク ①人に知られない善行。②地の徳。地が万物を育てる徳。③女性の徳。婦徳。
【陰△慝】イントク 万物を害する陰気。また、かくれた悪事。▼慝は、内にあって外に現れない悪事。
【陰△囊】インノウ ふぐり。きんたま。

【陰部】インブ ①かくれた部分。②男女の外部生殖器。かくしどころ。恥部。
【陰府】インプ 冥土(メイド)。よみじ。冥府。
【陰符】インプ ①書名。古代の兵法書。陰符経。②病気の護符。まじない札。魔よけの札。
【陰風】インプウ ①冬の風。北風。②陰気で殺伐な風。曇天、または夜空を吹く陰鬱(インウツ)な感じの風。
【陰伏】インプク ①かくしておくことがら。②ひそみかくれる。
【陰文】インブン・インモン 印章または鐘・鼎(かな え)などに、彫りくぼめた文字。一説に、上古の中国では、印を紙におさないで泥や蠟(ロウ)の上におしたので、浮彫りにした文字は反対にくぼんであらわれたことから、印章の浮彫りにした文字を陰文ともいう。↕陽文(一五一九ページ中)。
【陰蔽】インペイ かくしおおう。見えないようにする。
【陰房】インボウ ①夜深く薄暗いへや。②牢獄(ロウゴク)。
【陰謀】インボウ 秘密のたくらみ。陰計。
【陰密】インミツ 心に深くかくして表面に出さないこと。
【陰諭】インユ ひそかにさとす。それとなくさとす。
【陰陽】[一]インヨウ 陰と陽。天地間にあって万物を構成する二気。また、日月・暖寒・男女等、性質のあい対立するものをいう。転じて、電気・数学などの+(プラス)・−(マイナス)。[二]オンヨウ・オンミョウ 国「陰陽師・陰陽道」の略。
【陰陽家】インヨウカ・オンヨウカ 諸子百家の一つ。天文・暦数・方位などで吉凶禍福をうらなう学派。⇩コラム諸子百家系統図(一三三四ページ)。
【陰陽五行】インヨウゴギョウ 陰陽は、天地間にあって万物を造り出す二気の名。五行は、天地間に循環流行して万物を生ずる五つの物質で、木・火・土・金・水をいう。
【陰陽師】オンヨウジ・オンミョウジ 国古代、陰陽寮(オンヨウのつかさ)に属し、天文・暦数のことをつかさどった職員。
【陰陽道】オンヨウドウ・オンミョウドウ 国陰陽五行の理に基づく、天文・暦数・卜筮(ボクゼイ)(うらない)などに関する学問。
【陰陵】インリョウ 地名。今の安徽(アンキ)省定遠県の北西。楚(ソ)の項羽が垓下(ガイカ)の戦いで敗走中に、道に迷った所。
【陰礼(禮)】インレイ ①婦人のふみ行うべき礼。②男女の婚姻の礼。
【陰暦(曆)】インレキ 「太陰暦」の略。新月から次の新月までの時間に基づいて一か月を二十九日、あるいは三十日とし、十二か月を一年とする暦。また、広く太陰太陽暦のことをいう。↕陽暦(一五一九ページ下)。

8
【陥】11画 (13083) カン 陷(13082)の旧字体。→一五一〇ページ中。

8【険】11画 13099 教5 ケン けわしい 2417 8CAF

13〔險〕16画 13100 人 ケン 琰 xiǎn 8010 E8A8

〔礆〕8293 同字

筆順 ㇇ 阝 阝 阾 阾 険 険 険

字義 ❶けわ-しい。㋐傾斜が急で高い。危険の多い地形のさま。㋑土地が平らでない。❷けわしい所。守りの固い地。要害の地。用例〔列子、湯問〕吾与レ汝畢レ力平レ険、指ニ通予南一、達ニ于漢陰一。↓私とお前たちとで力の限りを尽くして山の険しい部分を平らにし、予州の南まで道を通じさせ、漢水の南まで道をとどかせたい。❸あやうい。あぶない。「危険」❹よこしま。不正。はらぐろい。「陰険」❺むずかしい。苦しい。

名前 たか・のり

参考 現代表記では〔嶮〕(3025)の書きかえに用いることがある。「嶮岨→険阻」

解字 篆文 形声。阝(阜)+僉(僉)音。音符の僉ケンは、検に通じ、きびしくしめあげるの意味。人にきびしい緊張を与える山、けわしいの意味を表す。

逆 陰険・危険・阻険・探険・屯険・天険・冒険・保険

【険隘】けわしくせまい。また、その所。

【険悪(惡)】①地勢・天候・人の心などがけわしく悪い。②国形勢がおもわしくない。

【険夷】けわしいことと平らかなこと。険阻と平坦。

【険易】①けわしい土地と平らな土地。②悪と善。③危険と安全。④世の乱れと平和。

【険狭(狹)】①道がけわしく、せまいこと。②陰険で心がせまいこと。

【険釁】苦しみや災い。苦難災禍。不幸。▼険はけわしい、釁はくいちがうこと。

【険塞】㊀けわしいとりで。㊁けわしく四方がふさがっていること。用例〔西晋、陸機、弁当論下〕東負ニ滄海一、西阻ニ険塞一。↓東は大海を背にし、西は険しい山岳により隔てられている。

【険峻】(山などが)高くてけわしい。

【険絶】この上なくけわしい。

【険阻・険岨】①けわしい。けわしく人を近づけない。嶮岨。②人がたやすく歩けない所。③世の中の苦しみ。

【険相】国すごみある顔つき。おそろしい人相。

【険難】①けわしい。また、けわしい土地。②世の中のけわしさ。困難。

【険阨・険隘】①地勢がけわしい。また、その所。②世の中がけわしく困難の多いこと。

【険要】けわしくて要害の地。攻めるに難く守るに強い地。

【険塁(壘)】要害堅固なとりで。

8【陲】11画 13101 漢スイ 呉ズイ 支 chuí 8004 E8A2

字義 ❶あやうい。危険。❷ほとり。周辺。また、さかい。国境。用例〔唐、王維、送別詩〕君言不レ得レ意、帰ニ臥南山陲一。↓君は言う、(人生が)思うようにならないので、南山のあたりに隠棲するのだ、と。

解字 金文 篆文 形声。阝(阜)+垂(𠂹)音。音符の垂は、たれさがるの意味。地の果てのたれさがった危険な所の意味を表す。

8【陬】11画 13102 ㊀ソウ 尤 zōu ㊁シュウ(シウ) 尤 慣スウ 8005 E8A3

字義 ㊀❶すみ(隅)。かたすみ。❷くま(曲)。湾曲して入りくんだ所。❸陰暦、正月の別名。陬月。孟陬。㊁❶すみ。＝㊀❶。❷地名。春秋時代の魯の地名。孔子の生地。＝郰(12310)・鄹(12358)。→陬邑

解字 形声。阝(阜)+取音。

【陬月】陰暦正月の別名。

【陬僻】かたいなか。陬遠。

【陬邑】①かたいなか。辺境。②地名。春秋時代、魯の村里。今の山東省曲阜市の東南。孔子の生地。

8【隹】11画 13103 漢タイ 呉ズイ(ツイ) 賄 duì 7058

字義 隹隗は、高く険しいさま。

解字 形声。阝(阜)+隹音。

8【陳】11画 13104 常 チン ㊀漢チン・呉ジン(ヂン) 真 chén ㊁漢チン・呉ジン(ヂン) 震 zhèn 3636 92C2

筆順 ㇇ 阝 阝 阿 陌 陌 陣 陳

字義 ㊀❶つら-ねる。ならべる。また、つら-なる。陳列。用例〔老子、八十〕雖レ有ニ甲兵一、無レ所レ陳レ之。↓武器があっても、それを並べて戦争することはしない。❷ならび。列。❸はる(張)。ならべる。❹の-べる(述)。とく(説)。用例〔韓非子、二柄〕不レ得ニ陳レ言而不レ当。↓意見を述べたらその通りに実行しないことは許されない。❺ふるい(古)。ひさしい(久)。「新陳代謝」❻周代の国名。舜の子孫を封じた所。今の河南省開封市以東、安徽省亳州市以北。❼王朝の名。南北朝時代、南朝の一つ。陳覇先が建国、建康(今の南京市)に都したが、五代三十三年で隋にほろぼされた。(五五七―五八九) ㊁❶チン-ずる。㋐言いわけする。㋑いつわりをいう。作りごとをいう。❷ひ-ねる。㋐年をとって古くなる。㋑大人びる。ませる。

名前 かた・つら・のぶ・のぶる・のり・ひさ・むね・よし

難読 陳外郎・陳者

解字 金文 篆文 会意。阝(阜)+東。東は、袋を棒に結んだ形にかたどる。それをのべひろげるの意味を表す。自が付いているのは、もと地名を表すのに用いられたからである。また、古くなるまでならべて置くの意味をも表す。

逆 開陳・具陳・出陳・布陳・敷陳

【陳玄】墨の別名。古くて黒いからいう。

【陳言】①古くさいことば。陳腐の言。②ことばを述べる。

【陳蔡之厄】孔子が陳・蔡の国境あたりで、陳と蔡との大夫の手下に囲まれて、食糧が欠乏して苦しんだ災難。〔史記、孔子世家〕

【陳思王】＝曹植(六七一ページ下)。

【陳謝】①わびを言う。わびる。あやまる。②礼を述べる。

【陳寿(壽)】西晋の歴史家。安漢(今の四川省内)の人。字は承祚。『三国志』の編者。(二三三―二九七)

【陳述】もうし述べる。

【陳書】書名。三十六巻。唐の姚思廉の著。南朝陳の歴史を記した書。二十四史の一つ。

【陳勝呉広(廣)】陳勝も呉広も秦末の革命家。陳勝は、字は渉。前二〇九年秦の暴政に苦しむ民衆を率いて反乱を起こし、劉邦・項羽ら群雄挙兵の導火線となった。物事の先がけのたとえに用いる。陳呉。(ともに?―前二〇八)→呉広(三五三ページ上)。

【陳状(狀)】実状を述べる。実際の様子を述べる。

【陳情】①実情を言い述べる。心をうちあけて述べる。②国当局に実状を述べ、対策を講ずるよう願うこと。

【陳子昂】初唐の詩人。字は伯玉。射洪(今の四川省内)の人。盛唐詩の先がけをなした。(六五六―六九五)

【陳迹・陳跡・陳蹟】古いあと。昔のあと。古跡。また、先例。

【陳訴】(チンソ) 事情を述べてうったえること。

【陳陳】(チンチン) ①積み重なるさま。②古びたさま。③久しいさま。

【陳△套】(チントウ) 国古い。古めかしい。陳腐。

【陳皮】(チンピ) みかんの皮を干したもの。薬剤。

【陳腐】(チンプ) 古くてくさっていること。転じて、ふるくさい。だれもが知っていてめずらしくないこと。

【陳平】(チンペイ) 前漢の政治家。初め楚(ソ)の項羽に仕えたが、後に漢の高祖に仕えて都尉となり、呂太后(リョタイコウ)の没後、周勃(シュウボツ)と力を合わせて呂氏一族の反乱を討ち、文帝の丞相(ジョウショウ)となった。(?―前一七八)

【陳弁(辯)】(チンベン) 理由を述べて弁解すること。

【陳△琳】(チンリン) 三国時代、魏(ギ)の詩人。広陵(今の江蘇(コウソ)省内)の人。字(あざな)は孔璋(コウショウ)。建安七子の一人。(?―二一七)

【陳列】(チンレツ) ならべつらねる。ならべる。

8 【陶】 11画 13105 常 トウ 3811 93A9 —
一 漢トウ(タウ)・呉ドウ(ダウ) 豪 táo
二 ヨウ(エウ) 蕭 yáo
筆順 阝 阝 阝 阝 阝 陶 陶 陶
字義 一 ❶すえ(すゑ)。せともの。やきもの。陶器。❷せとものを作る。❸せとものを作るように事を行う。㋐変化させる。㋑教え導く。教化する。「薫陶」㋒やしなう(養)。❹よろこぶ。また、のびる(暢(チョウ))。❺かたくな。がんこ。❻うれえる(憂)。「鬱陶(ウットウ)」❼→陶陶一。 二 ❶やわらぎ楽しむ形容。❷人名。皐陶(コウヨウ)は、上古の舜帝(シュンテイ)の臣。❸→陶陶二。
名前 すえ・ただ・とう・のぶ・よし 難読 陶山(すやま)・陶浪(すなみ)
解字 金文 篆文 形声。阝(𨸏)＋匋(音)。𨸏は、階段の意味。音符の匋(トウ)は、やきものを焼くの意味。階段のあるかま場で、やきものを焼くの意味を表す。
逆 薫陶
【陶△猗】(トウイ) ①春秋時代の大金持ちの陶朱公と猗頓(イトン)。②富豪・金持ちをいう。
【陶鬱】(トウウツ) (心が)晴ればれしない。うっとうしい。
【陶△淵明】(トウエンメイ) ＝陶潜。
【陶化】(トウカ) 人を善に導き感化すること。また、育成する。
【陶均・陶△鈞】(トウキン) ①陶器を製するに用いる旋盤。ろくろ。②物のめぐるたとえ。③王者が天下をよく治めることのたとえ。
【陶△甄】(トウケン) ①やきもの師が陶器を作ること。②王者・絶対者が天下を治めるたとえ。
【陶工】(トウコウ) やきものを作る人。陶人。陶者。
【陶朱公】(トウシュコウ) 春秋時代、越王句践(コウセン)の臣、范蠡(ハンレイ)(二三〇四ページ・下)の変名。〔史記、貨殖伝〕
【陶酔(醉)】(トウスイ) ①気持ちよく酔うこと。②心ゆくばかりひたり楽しむこと。うっとりすること。
【陶潜(潛)】(トウセン) 東晋(トウシン)の詩人。潯陽(ジンヨウ)(今の江西省九江市)の人。名は潜。字(あざな)は淵明(エンメイ)。五柳先生と自称し、世に靖節(セイセツ)先生といわれる。彭沢(ホウタク)(今の江西省内)の県令になったが、八十余日で官吏生活をきらい「帰去来辞(キキョライのジ)」を作って帰郷した。酒を愛し自然を楽しみ、琴を友として田園生活を賛美する詩を作り、後世の文学に大きな影響を与えた。著書に『陶淵明集』がある。(三六五―四二七) ⇨コラム 六朝の文学(二五〇ページ)。

陶潜

【陶然】(トウゼン) 心持ちよく酒などに酔うさま。うっとりするさま。

【陶鋳(鑄)】(トウチュウ) ①陶工がせとものを作り、鍛工が金属を鋳て器を作ること。②人・物を作りあげること。

【陶唐氏】(トウトウシ) 帝尭(四五五ページ・中)の姓氏。

【陶陶】 一(トウトウ) ①馬を走らせるさま。②水勢のさかんなさま。滔滔(トウトウ)。 二(ヨウヨウ) ①和らぎ楽しむさま。②長いさま。③陽気のさかんなさま。④ともに従い行くさま。

【陶冶】(トウヤ) ①せとものを焼くことと金属を鋳ること。②人材を養成すること。③善政をほどこし、民の生活を平和に安定させること。

【陶窯】(トウヨウ) 陶器を焼くかま。

8 【陪】 11画 13106 常 バイ 3970 9486 —
漢ハイ・呉バイ 灰 péi
筆順 阝 阝 阝 阝 阝 陪 陪 陪
字義 ❶かさねる。また、かさなる。❷ます。加える。また、助ける。助け。❸したがう(従)。つきそう。お供をする。また、つきそい。とも(伴)。❹家来。また家来の家来(家来の家来)。❺つぐなう(償)。償って還す。

名前 すけ・ます 難読 陪堂(ほいと・ほいとう)

解字 篆文 形声。阝(𨸏)＋咅(音)。音符の咅(ホウ→ハイ)は、倍に通じ、ばいになるの意味。二重の丘の意味から、かさなることを表す。

【陪位】(バイイ) ＝陪席。用例〔史記、滑稽伝〕斉・趙陪二位於前一(セイ・チョウ、まえにバイイし)、韓・魏翼二衛其後一(カン・ギ、そのあとにヨクエイす)。↓斉と趙の使者は葬儀の前方に参列し、韓と魏の使者は後方に護衛する。

【陪観(觀)】(バイカン) 貴人のお供をして一緒に見物する。

【陪侍】(バイジ) 君主のかたわらにはべる。

【陪従(從)】 一(バイジュウ) 貴人につき従う。また、つきそい。 二(ベイジュウ) 国昇殿を許されない楽人。地下(ジゲ)の楽人。

【陪乗(乘)】(バイジョウ) 君主の車に同乗すること。貴人のおともをしてその車にそい乗りすること。驂乗(サンジョウ)。

【陪臣】(バイシン) またけらい。家来の家来。諸侯の家来が、天子に対する自称。

【陪審】(バイシン) 民間から人を選出して訴訟の審判に参与させること。

【陪席】(バイセキ) 目上の人と同席すること。

【陪都】(バイト) 国都以外に別に設けたみやこ。周の洛陽(ラクヨウ)(今の河南省洛陽市)、明(ミン)の金陵(今の江蘇(コウソ)省南京市)、清(シン)の奉天(今の遼寧(リョウネイ)省瀋陽(シンヨウ)市)、第二次世界大戦中の重慶(今の重慶市)の類い。

【陪陵】(バイリョウ) 天子の墓のそばにほうむった有功者や王室の親族の墓。

8 【陴】 11画 13107 漢ヒ 呉ビ 支 pí — — 7059
字義 ひめがき。城壁の上に設けた土べいで、穴をあけて外をうかがうようにしたもの。
解字 甲骨文 篆文 形声。阝(𨸏)＋卑(音)。音符の卑は、ひくいの意味。ひくいおか、ひめがきの意味を表す。

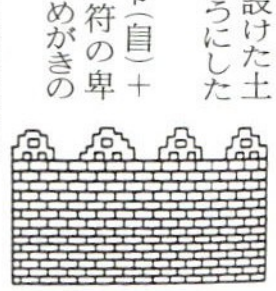
陴

【陴△隍】(ヒコウ) 城壁の上のひめがきと、城のほり。
【陴△堞】(ヒチョウ) 城壁の上のひめがき。

8 【陸】 11画 13108 教4 リク 4606 97A4 —
漢リク・呉ロク 屋 lù, ⑤liù
筆順 阝 阝 阝 阝 阝 陸 陸 陸
字義 ❶高く平らな土地。くが。↔海(6283)。❷おか(丘)。大きな丘。❸みち。陸路。❹とびはねる(跳)。おどる。用例〔荘子、馬蹄〕齕レ草飲レ水(くさをくらいみずをのみ)、翹レ足而陸(あしをあげておどる)。↓草を食べ、水を飲み、足を高く揚げて跳ねる。❺＝六(729)。→六の参考。国ロク。㋐水平。㋑まっすぐである。きちんとしている。㋒まともである。十分である。
名前 あつ・あつし・くが・たかし・ひとし・みち・む・むつ・りく・

ろく

解字 金文 篆文 形声。阝(𨸏)＋坴㊱。音符の坴は、つらなるきのこの意味を表す。連なり生えるきのこのような、高地・おかの意味を表す。

難読 陸奥(みちのく・むつ)・陸田(くがた)・陸稲(おかぼ)

【陸王学(學)】リクオウのガク 南宋の陸九淵(象山)と明の王守仁(陽明)との学説。

【陸九△淵】リクキュウエン 南宋の儒学者。字は子静。号は象山。金谿(今の江西省内)の人。心即理説(心に思うことが、そのまま天理であるということ)を説き、朱熹と対立した。明の王陽明の学説はこれを受け継ぐ。(一一三九―一一九二)

【陸行】リクコウ・リッコウ 陸路を行く。

【陸舟】リクシュウ らくだの別名。

【陸象山】リクショウザン ＝陸九淵。▼象山は、号。

【陸続(續)】リクゾク 続いて絶えないさま。

【陸地】リクチ 地球上の海におおわれていない部分。

【陸沈】リクチン ①陸にしずむの意で、俗人と一緒に住み、表面は俗人と変わらぬ生活をしている隠者をいう。②昔を知って今を知らず、時代おくれで世俗に従わないこと。③乱れほろびること。

【陸徳明】リクトクメイ 唐初の学者。呉(今の江蘇省内)の人。名は元朗。徳明は字。陳・隋に歴仕し、唐の高祖の時、国子博士に任じられた。著書に『経典釈文』がある。(五五〇?―六三〇)

【陸軟風】リクナンプウ 夜間、陸から海に向かって静かに吹く風。陸風。↔海軟風(八三〇ページ下)。

【陸△游】リクユウ 南宋の詩人。字は、務観。号は放翁。山陰(今の浙江省内)の人。南宋最大の詩人。著書に『剣南詩稿』『渭南文集』『入蜀記』などがある。(一一二五―一二一〇) ⇨ コラム 宋代の文学と宋学(三九二ページ)。

【陸離】リクリ ①豊かに美しいさま。②長さがふぞろいのさま。参差。③光の入り乱れるさま。「光彩陸離」④美しい玉。⑤分散する。

【陸△梁】リクリョウ 乱れ走るさま。あばれおどるさま。

【陸路】リクロ ①みち。道路。②陸上の道。↔海路(八三一ページ上)。

【陸陸】ロクロク 平凡なさま。

8 【隆】11画 13109 常 リュウ 4620 97B2

9 〖隆〗12画 13110 リュウ(リウ) 東 lóng 19361 EECD

筆順 ㇇ 了 阝 阝 阝 阝 降 降 隆

字義 ❶たか-い(たかし)。また、たかくする。高める。❷たっとい(貴)。また、たっとぶ。❸さか-ん。また、さかんになる。栄える。「興隆」❹おおい。多くする。また、長い。長くする。

名前 お・おき・しげ・たか・たかし・とき・なが・もり・ゆたか・りゅう・る

難読 隆来(つぶらい)

解字 篆文 形声。生＋降㊱。音符の降(コウ＝リュウ)は、もりあがるさまを表す擬態語。ゆたかに大きくなるの意味を表す。

逆 汚隆・興隆

【隆愛】リュウアイ てあついいつくしみ。

【隆運】リュウウン 栄えていく運命。盛運。

【隆恩】リュウオン 大きい(さかんな)めぐみ。大恩。洪恩。

【隆寒】リュウカン きびしい寒さ。厳寒。

【隆顔】リュウガン 天子の顔。天顔。竜顔。

【隆起】リュウキ 高くもちあがる。

【隆貴】リュウキ 身分が非常に高い。尊貴。また、その人。

【隆古】リュウコ さかんであった古代。

【隆興】リュウコウ さかんに興る。物事のさかんになること。

【隆準】リュウジュン 高い鼻ばしら。鼻すじが高いこと。一説に、「リュウセツ」と読んで、うず高いほお骨の意とする。

【隆△昌】リュウショウ 大いに栄える。また、そのこと。

【隆盛】リュウセイ 大いに栄える。また、そのこと。隆昌。

【隆然】リュウゼン むっくりと高いさま。

【隆替】リュウタイ 栄えることと、おとろえること。盛衰。

【隆中】リュウチュウ 地名。諸葛亮が、三国時代、蜀の劉備に仕える以前に、かくれ住んでいた地。今の湖北省襄樊市襄陽の西。劉備がここに三度も訪問して、自分を補佐してくれるようにとたのんだ。→三顧(一五ページ中)。

【隆冬】リュウトウ 厳寒の季節。まふゆ。

【隆隆】リュウリュウ ①雷の音の形容。②大きなさま。③勢いのさかんなさま。

【隆礼(禮)】リュウレイ ①てあついもてなし。②礼をさかんにする。③礼をたっとぶ。

8 【陵】11画 13111 常 リョウ みささぎ 4645 97CB

リョウ 蒸 líng

筆順 ㇇ 了 阝 阝 阝 阝 阝 陵 陵

字義 ❶おか(丘)。大きな土の山。また、山頂。「丘陵」「山陵」❷みささぎ。みはか。天子の墓。「陵園」❸しの-ぐ。＝凌(821)。㋐のぼる。また、こえる。のりこえる。用例〔後漢、張衡、西京賦〕陵二重巘一、猟二昆駼一(チョウケンをしのぎ、コントをリョウす)。↓険しい峰々を越え昆駼(馬に似た動物)を狩る。㋑おしのける。また、せめる。侵す。「陵虐」㋒あなどる。軽んずる。用例〔左伝、昭公元〕無レ礼而好レ陵レ人、怙二富而卑一其上一(レイなくしてひとをしのぐをこのみ、とみをたのみてそのかみをいやしむ)。↓無礼で人を侮蔑することを好み、富をたのみに上位者を軽蔑する。❹ゆる-む。おとろえる。衰退する。用例〔後漢書、儒林伝論〕君道秕僻、朝綱日陵(クンドウヒヘキし、チョウコウひにゆるむ)。↓君主の政治は悪くなり、朝廷の統治は日毎に衰えた。❺きび-しい(きびし)。厳密な。用例〔荀子、致士〕凡節奏欲レ陵、而生民欲レ寛(およそセッソウにはリョウならんことをほっし、セイミンにはカンならんことをほっす)。↓すべて規則は厳密であるのがよく、民を教え養うには寛容であるのがよい。❻せまる。❼みが-く。と-ぐ。刃物を研磨する。

名前 おか・たか

難読 陵霄花(のうぜんかずら)

解字 甲骨文 金文 篆文 形声。阝(𨸏)＋夌(夌)㊱。音符の夌(リョウ)は、高い地をこえるの意味。越えていかなければならない、おかの意味を表す。甲骨文は、𨸏(おか)＋先(足をあげる人)＋夂(あしあと)で、人がおかにのぼるの意味を表す。

逆 園陵・丘陵・古陵・山陵・陪陵

【陵△夷】リョウイ ①丘陵が次第に低く平らになること。②物事が次第におとろえすたれること。

【陵威】リョウイ たいへん強力な威光。

【陵域】リョウイキ 天子のみささぎの地域内。天子の墓地。

【陵雨】リョウウ はげしい雨。暴雨。

【陵雲】リョウウン 雲をしのぐ。天にのぼる。

【陵雲△之志】リョウウンのこころざし ①高い地位にのぼろうとする志。②俗世間を超越して、世外に遊ぼうとする志。

【陵園】リョウエン みささぎ。天子の墓。

【陵△駕】リョウガ 他人をしのぎ越える。凌駕。

【陵虐】リョウギャク おかしいたげる。用例〔後漢書、袁術伝〕董卓無道、陵二虐王室一(トウタクムドウにして、オウシツをリョウギャクす)。↓董卓は非道で、王室をおかしいたげている。

【陵丘】リョウキュウ 大きいおか。丘陵。

【陵谷△之変(變)】リョウコクのヘン 高い丘が深い谷に変わり、深い谷が高い丘となる。世の中のうつり変わりのひどいことのたとえ。『詩経』小雅・十月之交の「高岸為レ谷、深谷為レ陵(コウガンコクとなり、シンコクリョウとなる)」に基づく語。桑滄之変(ソウソウのヘン)。

【陵△肆】リョウシ 人をあなどり、かって気ままなこと。

【陵辱】リョウジョク あなどりはずかしめる。凌辱。

【陵寝(寢)】リョウシン みささぎ。天子の墓。

【陵斥】リョウセキ しりぞける。

【陵替】リョウタイ・リョウテイ ①下の者が上の者をしのいで、上の者の権威がすたれること。②物事がおとろえすたれること。

【陵遅(遲)】(リョウチ) 物事がしだいにおとろえすたれること。

【陵△陂】(リョウヒ) 丘と、堤防。

【陵△廟】(リョウビョウ) 天子のおたまや。天子の霊廟(レイビョウ)。

【陵侮】(リョウブ) あなどりかろんずる。

【陵墓】(リョウボ) 天子または諸侯の墓所。みささぎ。

【陵冒】(リョウボウ) しのぎ切りぬける。

【陵暴】(リョウボウ) 人をしのぎ乱暴する。

【陵△邑】(リョウユウ) 漢代、陵墓を守るために置いたむら。

【陵陸】(リョウリク) ①おかと平地。②川や谷に対して陸をいう。

【陵△轢】(リョウレキ) おかしふみにじる。▼轢は、ひいて殺すこと。

8【陎】11画 13112 国字 | 2-9169 — —

字義 さえ。谷間の平地。

9【陰】12画 13113 イン | 2-9170 — 7065

陰(13098)の俗字。→一五二三ページ中。

9【陻】12画 13114 イン | — — 7060

堙(1943)と同字。→三〇七ページ上。

9【隁】12画 13115 エン | — — 7064

堰(2039)と同字。→三一三ページ中。

9【階】12画 13116 教3 カイ | カイ 匯 jiē | 1912 8A4B —

【堦】2042 同字

筆順 ⻖ ⻖ 阝 阝 阝 阝 阶 階 階

字義 ❶きざはし。堂に登る階段。❷はしごをかける。また、はしご。❸しな。等級。地位・官職などの順位・順序。❹たより。よりどころ。因縁(インネン)。❺みち(道)。みちすじ。物事の段階。❻みちびく。また、みちびき。てびき。❼高層建築のかさなりを数える語。「二階」

名前 とも・はし・より 難読 階見(しなみ)・階子(はしご)・階上(はしかみ)

解字 篆文 [篆文] 形声。阝(𨸏)+皆㊥。音符の皆は、ならぶの意味。ならんだ段々の意味を表す。

逆 位階・加階・玉階・職階・石階・段階

【階級】(カイキュウ) ①階段。②官位や物事の順位・順序。③主として経済上の利害を同じくする一群。「無産階級」

【階次】(カイジ) 等級の順序。

【階序】(カイジョ) きざはし。階段。

【階除】(カイジョ) きざはし。階段。

【階前】(カイゼン) 階段の前。きざはしの前。用例〔伝、南宋、朱熹、偶成詩〕未レ覚池塘春草夢(いまださめずチトウシュンソウのゆめ)、階前梧葉已秋声(カイゼンのゴヨウすでにシュウセイ)。↓池の堤の春の若草の中で見た夢の覚めやらぬうちに、階段あたりのあおぎりの葉には、早くも秋風が訪れている。

【階層(層)】(カイソウ) ①建物の階のかさなり。②社会を構成するものの層。

【階庭】(カイテイ) ①きざはしの前の庭。②貴家。尊宅。

【階△梯】(カイテイ) ①だんだん。はしご。②いとぐち。③てびき。

【階陛】(カイヘイ) 宮殿の階段。

9【陿】12画 13117 キョウ | — — 7063

陜(13084)と同字。→一五二〇ページ下。

9【隅】12画 13118 常 グウ すみ | グ 虞 yú 慣グウ | 2289 8BF7 —

筆順 ⻖ ⻖ 阝 阝 阝 阝 隅 隅 隅 隅

字義 ❶すみ。㋐かたすみ。「一隅」㋑かど(角)。とがって突出した部分。㋒くま(隈(ワイ))。湾曲して入りくんだ所。❷かたわら。❸きし(岸)。がけ。❹かた。方角。❺品行方正のたとえ。「廉隅」

名前 すみ・ふさ

解字 篆文 [篆文] 形声。阝(𨸏)+禺㊥。音符の禺(グ)は、愚に通じ、にぶい・はっきりしないの意味。おかのはっきり見えないすみの意味を表す。

逆 海隅・山隅・城隅・天隅

【隅奥】(グウオウ) へやのすみ。

【隅曲】(グウキョク) すみ。かど。また、かたよる。隅角。

【隅△坐】(グウザ) (謙譲して)かたすみにすわる。

【隅反】(グウハン) 四すみのある物の一すみを知らされて、他の三すみを類推すること。

【隅目】(グウモク) 猛獣が目をつりあげて恐ろしく怒ったさま。

【隅隈】(グウワイ) すみとくま。物のすみと湾曲したところ。

9【隉】12画 13119 漢ゲツ 呉ゲチ 屑 niè | — — 7068

字義 ❶あやうい(危)。あぶない。また、わるい。❷のり(法)。=臬(9671)。

解字 形声。阝(𨸏)+臬㊥。

9【隍】12画 13120 漢コウ(クヮウ) 呉オウ(ワウ) 陽 huáng | 8006 E8A4 —

字義 ❶城のからぼり。↔池(6168)。❷むなしい(空)。うつろ。

解字 形声。阝(𨸏)+皇㊥。

9【陼】12画 13121 ㊀ショ 語 zhǔ ㊁漢ト・呉ツ 麌 dǔ | — — 7061

字義 ㊀❶洲(す)。中洲。❷なぎさ。=渚(6425)。㊁垣(かき)。=堵(2060)。

解字 形声。阝(𨸏)+者㊥。音符の者は、集まるの意味。

9【陾】12画 13122 漢ジョウ 呉ニョウ 蒸 réng | — — 7062

字義 ❶垣を築く音。❷多いさま。

解字 形声。阝(𨸏)+耎㊥。

9【随】12画 13123 常 ズイ | 3179 908F —

13『隨』16画 13124 漢スイ 呉ズイ 支 suí | 7814 E7AC —

筆順 ⻖ ⻖ 阝 阝 阝 陏 陏 陏 随 随

字義 ❶したがう(したがふ)。㋐つき従う。よりそう。用例〔戦国策、楚〕子随二我後一観(しわがあとにしたがいてみよ)。↓あなたは私の後からついてきて見るがよい。／〔唐、杜甫、春夜喜レ雨詩〕随レ風潜入レ夜(かぜにしたがいてひそかによるにいり)、潤レ物細無レ声(ものをうるおしてこまやかにこえなし)。↓風とともに、静かに夜まで降り続け、音も立てずに万物を潤している。㋑つづく。また、追う。㋒きき入れる。㋓言いなりになる。用例〔韓非子、外儲説左上〕水随二方円之器一(みずはホウエンのうつわにしたがう)。↓水は入れ物の形(方は四角、円は丸い)に順応してその形をどのようなものにも変える(人が交友や環境によってよくも悪くも変化するたとえ)。❷したがって。たびごとに。❸下役。属官。また、おとも。つきそい。❹易(エキ)の六十四卦(カ)の一つ。☳☱震下兌上(シンカダショウ)。物と自分とが相従うかたち。

国 まにまに。なりゆきにまかせて。ままに。

名前 あや・みち・ゆき・より 難読 随分(なぶさ)

解字 篆文 [篆文] 形声。辵+隋㊥。音符の隋(ズイ)は、くずれおちるの意味。緊張がくずれたままに行くの意味から、ままになる・したがうの意味を表す。常用漢字の随は隨の省略形。

逆 追随・不随

【随意】(ズイイ) ①それはそうであろうと。ままよ。さもあらばあれ。②心のまま。気ままに。自由に。

【随一】(ズイイチ) 国①多くのものの中の第一位。②さきがけ。

【随員】(ズイイン) つき従う人。ともの人。従者。随行員。

【随園】(ズイエン) 清(シン)の袁枚(エンバイ)の別荘の名。

【随園詩話】(ズイエンシワ) 書名。十六巻。補遺十巻。清(シン)の袁枚(エンバイ)の著。詩についての論評を随筆風に述べた書。

【随和】(ズイカ) ㊀ 同 隋和(ズイカ)。①随侯(ズイコウ)の珠(たま)(随侯之珠)と卞和(三九㌻上)の璧。ともに至宝。②すぐれた才徳のたとえ。㊁ズイワ わけもなく他の意見に同調すること。

【随感】ズイカン 思うまま。感ずるままに。

【随喜】ズイキ 仏①他人の善行を見て、これに同感し喜びの心を生ずること。②寺院に参拝すること。また、僧が仏事に参加すること。③喜んで仏道に帰依すること。心からありがたく感じること。

【随行】ズイコウ ①目上の人の後について行くこと。お供をする。②行いに従う。その行いによる。

【随侯△之珠】ズイコウのたま 戦国時代の随侯が、きずついた大蛇を治療してやった礼として、大蛇が随侯におくったという高価な珠。▼随は、隋とも書く。〔淮南子、説山訓〕

【随△坐】ズイザ 他人の罪にまきぞえになること。連坐。

【随時】ズイジ ①その時どきに。そのおりそのおりに。②その時その場合に従う。

【随手】ズイシュ ①手を動かすと、すぐに。あとからすぐに。転じて、たちどころに。随レ手。②手あたりしだい。

【随従(從)】ズイジュウ つき従う。つき従って行く。ともをする。

【随処(處)】ズイショ どこでも。いたるところ。随所。

【随身】㊀ズイシン ①身につけておく。身に所有する。②旅行に携行する用具。㊁ズイジン 国①昔、摂政・関白などが外出する際に、朝廷の命令で警護に従った武官。②従者。③つき従うこと。④携帯すること。

【随想】ズイソウ 国思ったり、感じたりしたまま。また、それを書きしるした文章。

【随伴】ズイハン ①お伴としてつき従って行くこと。②国ある事がらにともなって起こること。

【随筆】ズイヒツ ①筆にまかせて。②筆にまかせて見聞・体験・感想などを書いた文章。漫筆。

【随風】ズイフウ ①風がつぎつぎと吹くこと。▼随は、相継ぐ。②風に従う。大勢に順応する。

【随分】ズイブン ①分に従う。分相応。②当然そうである。もちろん。③国㋐かなり。相当。㋑たいへん。非常に。

【随歩】ズイホ あるくにしたがう。足の向くままにあるくこと。

9【隋】12画 13125 標 ㊀タ 簡 duò ㊁漢スイ・呉ズイ 因 suí 7101 E440 ―

字義 ㊀❶祭りの肉の余り。❷おちる。=堕(2052)。❸おこたる(怠)。=惰(3808)。㊁王朝の名。文帝楊堅が南北朝を統一して建国したが、三代三十八年で唐にほろぼされた。都は長安(今の西安市)。(五八一―六一八)

解字 篆文 形声。月(肉)+隓省音。音符の隓は、くずれ落ちた城壁の意味。こまかくさいてしなやかになった肉の意味を表す。

【隋△苑】ズイエン 隋の煬帝の造った庭園。江都(今の江蘇省揚州市)の西北にあった。上林苑。西苑。

【隋和】ズイカ =随和(一五一七㌻下)。

【隋書】ズイショ 書名。八十五巻。唐の魏徴らが太宗の勅を奉じて編集した隋代の正史。二十四史の一つ。

【隋△隄】ズイテイ 隋の煬帝が築いた運河のつつみ。

【隋△煬帝】ズイのヨウダイ =煬帝(八九九㌻下)。

9【隊】12画 13126 教4 タイ ㊀漢タイ・呉ズイ(ヅイ) 隊 duì ㊁漢ツイ・呉ズイ(ヅイ) 寘 zhuì ㊂漢スイ・呉ズイ 寘 suì 3466 91E0 ―

9〖隊〗12画 13127

筆順 ㇷ 阝 … 隊 隊 隊

字義 ㊀❶くみ(組)。ぶわけ。むれ(群)。統一された集合体。「隊商」「楽隊」❷中国古代の兵制。兵百人、また、二百人をいう。㊁おちる。また、おとす。=墜(2135)。用例〔荀子、天論〕夫星之隊、木之鳴、是天地之変、陰陽之化、物之罕至者也。↓そもそも流れ星が落ちたり、木が鳴ったりするのは、天地陰陽の変化なのであって、稀に起こる現象だ。㊂❶=㊀❶。❷みち。㋐谷あいのけわしい道。=隧(13157)。㋑はかみち。

解字 甲骨文 金文 篆文 会意。甲骨文は、自+人の倒形。自は階段の象形。階段から人がさかさまに落ちるさまから、おちるの意味を表す。借りて、屯に通じ、むれの意味にも用いる。篆文は形声で、阝(自)+㒸音。音符の㒸は、おちるの意味。

逆 艦隊・除隊・本隊

【隊△伍】タイゴ 兵士の隊列。

【隊商】タイショウ 国らくだなどに乗り、隊を組んで、草原・砂漠を越え、遠く行商する商人の団体。キャラバン。

【隊率】タイソツ 軍の部隊の統率者。部隊長。隊帥。

【隊列】タイレツ 国兵士などの並び。つらなり。

9【隄】12画 13128 漢テイ 呉タイ 斉 dī ı9360 ― 7067

字義 つつみ。どて。大きな土手。=堤(2058)。

解字 篆文 形声。阝(自)+是音。音符の是は、まっすぐの意味。まっすぐにのびている、つつみの意味を表す。

【隄障】テイショウ ①つつみ。堤防。②防ぎ寄る。

【隄△塘】テイトウ つつみ。どて。

【隄防】テイボウ ①つつみ。堤障。堤防。②ふせぐ。防止する。

9【隃】12画 13129 ㊀ユ 虞 yú ㊁ヨウ(エウ) 蕭 yáo ― ― 7066

字義 ㊀こえる(越)。=踰(11767)。㊁はるか(遥)。とおい。

解字 形声。阝(自)+兪音。

9【陽】12画 13130 教3 ヨウ ヨウ(ヤウ) 陽 yáng 4559 977A ―

〔阳〕13060 俗字 〔阦〕13061 俗字

筆順 ㇷ ㇿ 阝 … 陽 陽

字義 ❶ひなた。日の当たる所。特に、山の南側。また、川の北岸。「岐陽(岐山の南)」「渭陽(渭水の北)」❷ひ(日)。太陽。また、日光。日差し。用例〔詩経、小雅、湛露〕湛湛露斯、匪レ陽不レ晞。↓草木を濡らす朝露は、日の光でないと乾かない。❸あたたか。用例〔詩経、豳風、七月〕春日載陽、有レ鳴倉庚。↓春の日差しが暖かくなると、うぐいすが鳴きはじめる。❹あきらか。はっきりしている。用例〔詩経、豳風、七月〕我朱孔陽、為二公子裳一。↓私の(染めた糸の)朱色はことにあざやか、あのお方の裳にしよう。❺そと(外)。表面。おもてに出ている。「陽文」「陽溝」❻いつわる(偽)。上辺だけ見せかける。ふりをする。=佯(348)。用例〔漢書、高帝紀上〕陽尊二懐王一為二義帝一、実不レ用二其命一。↓表向きは懐王を尊んで義帝としたが、実際にはその命令を無視した。❼易の用語。天・明・男・父・剛・奇数など積極的・能動的なものの象徴。陽と陰(地・暗・女・子・柔・偶数など消極的・受動的性質をもつもの)とによって宇宙・万物は生成すると考えられていた。↔陰(13098)。用例〔易経、繋辞上〕一陰一陽之謂レ道。↓陰と陽との消長を道というのである。❽生きている。生者の。また、(あの世に対する)この世の。用例〔荘子、斉物論〕近レ死之心、莫レ使二復陽一也。↓死に近づいた精神は、もうよみがえらせることはできない。❾男性の生殖器。↔陰(13098)。

名前 あき・あきら・お・おき・きよ・きよし・たか・てる・なか・はる・ひ・ひさ・や・よう

解字 甲骨文 金文 篆文 形声。阝(自)+昜音。音符の昜は、日があがるの意味。自は、おかの意味。おかの日のあたる側、ひなたの意味を表す。

逆 陰陽・残陽・斜陽・秋陽・春陽・初陽・夕陽・太陽・朝陽・重陽・落陽

【陽炎・陽△焰】ヨウエン・かげろう(ふ) 暖かい春の日に地面からゆれのぼる気。野馬。

【陽夏】ヨウカ なつ。陽気がさかんなのでいう。

【陽関(關)】ヨウカン 今の甘粛省敦煌市の西南にあった関所の名。敦煌西北の玉門関とともに、西域に行くとき通過する関所で、玉門関の南に当たるので陽関といった。用例(唐、王維、送元二使安西詩)勧レ君更尽一杯酒、西出二陽関一無二故人一 さあ君、もう一杯の酒を飲みほしたまえ。西に進んで陽関を出ると、もう古くからの友人はいなくなるのだ。

陽関の烽台跡

【陽関(關)曲】ヨウカンキョク ①盛唐の王維の「送元二使安西」の詩の別名。その第四句に「西出陽関無故人」とあるのに基づく。②王維の詩が送別の歌として広く愛唱されたことから、一般に「送別の歌」の意となる。

【陽関(關)三畳(疊)】ヨウカンサンジョウ ①盛唐の王維の「陽関曲」が送別の情をうたいあげて、人々を感動させたので(→陽関曲)、後、送別の曲とし、第四句(結句)を反復して歌うのをいう。一説に第二句(承句)以下三句を再唱するのをいう。②「送別の歌」の意。→陽関曲②。

【陽気(氣)】ヨウキ ①陽の気。万物を発生・活動させる気。↔陰気(一五一三ページ上)。②春の気。③国㋐はればれしいこと。また、元気にふるまうこと。↔陰気(一五一三ページ上)。㋑気候。

【陽気(氣)発(發)処(處)金石△亦透】ヨウキのハッするところキンセキもまたとおる 陽気が発生・活動すれば金石をも貫く。精神が集中すれば、どんな困難なことをもやりとげられるということのたとえ。用例(朱子語類、学二)陽気発処金石亦透、精神一到何事不レ成 陽気が発生し活動すれば、金石をも貫く。精神を集中して事に当たれば、どんな事でも成し遂げられないことがあろうか(なんでも成し遂げられる)。

【陽九】ヨウキュウ わざわい。災禍。陽のわざわい五と陰のわざわい四、合わせて九とする。陰陽家が数理から割り出していう。

【陽狂】ヨウキョウ 精神に異常をきたしたふりをする。▼陽は、いつわる。

【陽驚】ヨウキョウ・ヨウケイ いつわりおどろく。おどろいたふりをする。

【陽景】ヨウケイ 太陽の光。

【陽月】ヨウゲツ 陰暦十月の別名。

【陽言】ヨウゲン いつわって言いふらす。

【陽虎】ヨウコ 春秋時代、魯の人。字は貨。初め季平子に仕えていたが、反乱を起こして敗れ、斉・晋などをめぐった。

【陽爻】ヨウコウ 易の卦を構成する爻の一つ。━で表す。↔陰爻(一五一三ページ上)。

【陽光】ヨウコウ ①日の光。②太陽。

【陽△朔】ヨウサク 陰暦十月一日。十月朔。⇨コラム 年中行事(四六五ページ)。

【陽死】ヨウシ 死んだまねをする。

【陽春】ヨウシュン ①あたたかな春の時節。用例(唐、李白、春夜宴二桃李園一序)陽春召レ我以二煙景一 暖かな春が、かすみたなびく春景色で、私を呼び招いている。②楽曲の名。

【陽遂・陽△燧】ヨウスイ 太陽から火を取る鏡。

【陽性】ヨウセイ ↔陰性(一五一三ページ中)。①陽気で積極的な性質。②医学用語。ある検査に対して反応がはっきりあらわれること。

【陽尊】ヨウソン うわべだけとうとぶ。

【陽沢(澤)】ヨウタク 天子の恩徳をいう。

【陽鳥】ヨウチョウ ①渡り鳥。鴻雁などの類い。②鶴の別名。

【陽道】ヨウドウ ↔陰道(一五一三ページ中)。①陽の道。男性・君主・父・夫として取らなければならない生活態度。②太陽の軌道。③男性の生殖力。④山の南側の道。

【陽徳】ヨウトク ①陽気。万物を生長させる気。②太陽。

【陽文】ヨウブン・ヨウモン ①印章または鐘・鼎などに、浮き彫りに刻んだ文字。一説に、古代中国では、印を紙におさないで泥や蠟の上におしたので、彫りくぼめた文字は反対に突起してあらわれたことから、印章の彫りくぼめた文字を陽文ともいう。↔陰文(一五一三ページ下)。②美女の名。

【陽報】ヨウホウ あらわなむくい。現実となってあらわれた報い。

【陽眠】ヨウミン 寝たふりをする。また、たぬきねいり。

【陽明学(學)】ヨウメイガク 明の王陽明が唱えた学説。王学・陸王学ともいう。当時の朱子学に対抗して、「心即理(心に思うことがそのまま天理である)」「致良知(生まれつきの知力を十分働かせる)」「知行合一(知識と行為は同一体のものである)」を強調した学説。

【陽陽】ヨウヨウ ①あや模様の美しいさま。②得意のさま。

【陽暦(曆)】ヨウレキ 太陽暦の略。↔陰暦(一五一三ページ下)。

【陽和】ヨウワ のどかな春の気候。

9 【隆】12画 (13110) リュウ 隆(13109)の旧字体。→一五一六ページ上。

9 【隈】12画 13131 人 標 ワイ 因 隊 wēi 2308 8C47 ━

筆順 了 阝 阝冂 阝冂 阝田 阝田 隈 隈

字義 ❶くま。㋐水が岸に曲がり入っている所。㋑山の入りくんだすみ。❷また(股)。またぐら。❸がけ。きし(岸)。❹ふち(淵)。水が深く魚の集まる所。❺かげ。おおわれた所。

難読 隈之城(くまのじょう)・隈笹(くまざさ)

解字 篆文 形声。阝(阜)+畏音。音符の畏イは屈に通じ、かがむの意味。山や水などのまがった所の意味を表す。

【隈曲】ワイキョク すみ。くま。

【隈△澳】ワイイク 入りくんだ水ぎわ。

10 【隘】13画 13132 ━ 漢アイ 呉エ 卦 ài ━ 漢アク 呉ヤク 陌 è 8007 E8A5 ━

字義 ━ ❶せまい。㋐土地・場所がせまく小さい。㋑人がら・気持ちがせまく小さい。包容力がない。❷けわしい。また、けわしい所。要害の地。━ へだてる。とどめる。さまたげ止める。

解字 篆文 形声。阝(阜)+益音。音符の益は、戹ヤクに通じ、せまくるしいの意味。せまい土地の意味を表す。

【隘△巷】アイコウ せまくきたない町。狭巷。

【隘△湫】アイシュウ 土地・家屋などの狭くてしめりけが多いこと。

【隘路】アイロ ①山あいのせまい道。②国事をなすときに、その成功を妨げる原因。困難な点。

【隘△陋】アイロウ せまくてきたない。

10 【隕】13画 13133 標 イン(ヰン) 軫 yǔn 8008 E8A6 ━

字義 おちる。㋐高い所から下へ落ちる。また、おとす。また、高所から下へ落とす。㋑くずれ落ちる。また、落とす。㋒なくなる。死ぬ。また、失う。なくす。㋓ふる(降)。また、ふらす。

解字 篆文 形声。阝(自)+員音。音符の員は、張りがなくなって丸くなるの意味。おかがもろくなってくずれ落ちるの意味を表す。

【隕越】インエツ ①ころがり落ちる。②願いの切なること。

【隕穫】インカク 意のままにならないで苦しむさま。
【隕△泗】インシ なみだを流す。隕涕テイ。
【隕首】インシュ 死ぬこと。
【隕星】インセイ 流星が地上に落ちたもの。隕石。
【隕石】インセキ 流星が地上に落ちたもの。隕星。
【隕絶】インゼツ 地に落ちたえる。国運や人命などが滅び絶える。
【隕喪】インソウ ①死ぬこと。②失う。
【隕△擇】インタク おちる。草木が枯れおちること。▼隕は墜、擇は落。
【隕隊・隕墜】インツイ おちる。また、おとす。
【隕△涕】インテイ なみだをおとすこと。落涙。
【隕命】インメイ 命をおとす。死ぬ。
【隕零】インレイ ①落ちる。草木の枯れること。②死ぬ。

10 【隖】 13画 13134 オ 塢(2075)と同字。→三六ページ下。 — — 7070

10 【隗】 13画 13135 慣カイ(クワイ) ガイ(グワイ) 䞅 灰 wěi, kuí 8009 E8A7 —

字義 ❶けわしい。また、たかい。❷郭隗カクカイは、人名。戦国時代の燕エンの人。→従レ隗始カイよりはじめよ。

解字 篆文 形声。阝(𨸏)+鬼㊥。音符の鬼は、異常の意味。異常なおか、けわしいの意味を表す。

【従(從)レ隗始】カイよりはじめよ 賢者を招くには、まず私から優遇されよの意。戦国時代の燕エンの昭王が天下の賢者を招こうとしたとき、郭隗カクカイが言ったことば。転じて、言いだした人からまず自分で始めよの意。用例〔戦国策、燕〕今王誠欲レ致レ士いまオウまことにシをいたさんとほっせば、先従レ隗始まず(づ)カイよりはじめよ。↓もし王が本当に賢人を集めたいとお思いならば、まずは私、隗(を厚遇することから)からお始めください。

10 【隑】 13画 13136 漢カイ 呉ガイ 隊 āi, ②gài — — 7069

字義 ❶長い。❷はしご。

解字 形声。阝(𨸏)+豈㊥。

10 【隔】 13画 13137 常 カク へだ-てる・へだ-たる 漢カク 呉キャク 陌 gé 1954 8A75 —

10 〖隔〗 13画 13138

筆順 ㇇ 阝 阝 阝 阝 隔 隔 隔 隔

字義 ❶へだ-てる。㋐ふさぐ。ふさぎへだてる。㋑間に物を置いてしきる。わける。㋒さえぎる。㋓ひきはなす。遠ざける。また、うとんずる。「遠隔」❷へだ-たる。❸へだ-たり。しきり。また、ちがい。「間隔」

解字 篆文 形声。阝(𨸏)+鬲(鬲)㊥。音符の鬲は、脚が高くて地上からへだたるかなえの象形。はしごの象形の𨸏を付し、へだてるの意味を表す。

逆 遠隔・間隔・懸隔・県隔・疎隔・阻隔

【隔意】カクイ 国心がうちとけないこと。また、うちとけない心。隔心。
【隔越】カクエツ 遠くへだたる。隔絶。
【隔靴△搔△痒】カッカソウヨウ 靴をへだてて、かゆい所をかく。はがゆいこと。もの足りないこと。〔景徳伝灯録〕
【隔月】カクゲツ ①なか一月おいて。②国一月おき。
【隔日】カクジツ ①なか一日おいて。②国一日おき。
【隔世】カクセイ ①時代をへだてる。また、へだたった時代。②世代をへだてること。「隔世遺伝」
【隔絶】カクゼツ 遠くへだてる。遠くかけはなれる。
【隔年】カクネン ①なか一年おいて。②国一年おき。
【隔壁】カクヘキ ①壁をへだてる。②となりの家。
【隔離】カクリ はなし遠ざける。他のものと接触させないようにする。

10 【隙】 13画 13139 常 ゲキ すき 漢ケキ・呉キャク 慣ゲキ 陌 xì 2368 8C84 —

筆順 ㇇ 阝 阝 阝 阝 阝 阝 隙 隙

〖隟〗 13146 古字 〖隙〗 13145 俗字

字義 ❶ひま。すき。すきま。㋐物の間のすいた所。すきま。㋑てすき。仕事がなくて手のすいている時。㋒使用しないであそんでいること。㋓仲たがい。あらそい。不和。「争隙」㋔乗ずべき機会。ゆだん。❷つづく。接する。境を接する。

解字 篆文 形声。阝(𨸏)+㡭㊥。音符の㡭ケキは、かべのすきまの意味。𨸏を付し、すきまの意味を表す。

【隙駒】ゲキク 月日の過ぎ去ることがはやいことのたとえ。▼郤ゲキは、隙に同じ。『荘子』知北遊に「人生二天地之間一ひとのテンチのカンにいくる、若二白駒之過レ郤ハックのゲキをすぐるがごとし」とあるのに基づく。↓白駒過レ隙ハックゲキをすぐ(九八九ページ下)。
【有レ隙】ゲキあり 仲たがいをすること。

10 【隝】 13画 13140 ロウ 隴(13166)の俗字。→一五三三ページ下。 29171 — —

11 【隠】 14画 13141 常 イン かく-す・かく-れる 一漢イン・呉オン 吻 yǐn 1703 8942 —

14 〖隱〗 17画 13142 二漢イン・呉オン 問 yìn 8012 E8AA —

筆順 ㇇ 阝 阝 阝 阝 阝 隠 隠 隠 隠

〔乚〕 92 古字

字義 一❶かく-す。㋐おおいかくす。しまいこむ。㋑秘密にする。うちうちにする。用例〔論語、子路〕父為レ子隠ちちはこのためにかくす。↓父は自分の子供の罪悪をかばう。㋒いむ(忌)。いみかくす。人に知られないようにする。❷かく-れる。㋐おおわれる。㋑世の中や人の目からのがれる。所在をくらます。世をすてる。また、その人。用例〔世説新語、排調〕孫子荊年少時ソンシケイとしわかきとき、欲レ隠かくれんとほっす。↓孫子荊が若いころ、世を捨てて隠棲しようと思った。㋒ものかげにかくれる。身をひそめる。㋓去る。いなくなる。❸ひそか。また、かすか。❹おく深い。また、おく深い物事の理。❺かくれた所。人目にたたない場所。❻いたむ。㋐心配する。㋑悲しむ。あわれむ。❼おもおもしい。落ちついている。❽さかん(盛)。=殷(6051)。二よる(凭)。よりかかる。用例〔先哲叢談〕仁斎隠レ几閲レ書ジンサイキによりて、ショをけみし、一言不レ為二之答一イチゴンもこれがこたえ(へ)をなさず。↓仁斎は机によりかかって書物を読んでいたが、一言も言葉を発しなかった。

名前 やす・より 難読 隠岐おき・隠口こもりく

解字 篆文 形声。阝(𨸏)+㥯(㥯)㊥。音符の㥯インは、㸒インに通じ、まといかくすの意味。かくされた地点の意味を表す。また、慇インに通じ、いたむの意味も表す。

逆 索隠・市隠・招隠・退隠・逃隠

【隠△藹】インアイ 木のさかんにしげるさま。
【隠逸】インイツ 世の中からかくれのがれる。また、その人。
【隠逸花】インイツカ 菊の花の別名。用例〔北宋、周敦頤、愛蓮説〕菊キク、花之隠逸者也はなのインイツなるものなり。↓菊は花の中の隠者である。
【隠隠】インイン ①さかんなさま。また、多いさま。②心配するさま。③水の流れがはげしく岩をかむ声の形容。④重い車や雷の音の形容。また、大きな声のさま。⑤かすかで、はっきりしないさま。⑥うっとりとしているさま。
【隠括・隠△栝】インカツ ゆがみ・曲がりを正すこと。また、その器具。
【隠居】インキョ ①世事を捨て、かくれて世に出ないこと。②国家督をゆずって、戸主を退くこと。また、その住宅。
【隠君】インクン ①おろかな君。②世をのがれてかくれている人。隠士。隠君子。
【隠顕(顯)】インケン ①かくれることと、あらわれること。②うちと、そと。内外。③見えたりかくれたりする。
【隠元】インゲン ①江戸前期の僧。明ミンの人。名は隆琦リュウキ。隠元は字あざな。承応三年(一六五四)日本に帰化し、黄檗宗オウバクシュウを開いた。（一五九二―一六七三）②国いんげん豆。隠元が日本に移植したものという。

【隠語】①特定の範囲内に通用する、特定の意味をかくし持った語。②なぞ（謎）。謎語。③ひそかに語る。

【隠者】世をさけてかくれている人。

【隠恤】いたみあわれむ。

【隠棲・隠栖】かくれ住む。また、かくれが。

【隠然】①はっきりと表面には現れないが、どことなく軽視できない勢力のあるさま。②おもみのあるさま。

【隠退】世の中から身をひくこと。

【隠匿】かくす。また、かくれる。

【隠遁】世の中をのがれること。

【隠忍】つらいことを耐えしのんで、表面に表さないこと。「隠忍自重」

【隠微】①かすかで現れないこと。②奥深く知りがたいこと。

【隠閔・隠憫】いたみあわれむ。

【隠蔽】かくしおおう。

【隠謀】かくれてする悪だくみ。内密のはかりごと。

【隠密】かくす。＝オンミツ 国江戸時代の探偵。

【隠滅】国かくしてすっかりなくすること。また、かくれてあとかたもなくなること。湮滅。堙滅。「証拠隠滅」

【隠約】①はっきりわからない。②ひそみかくれる。③苦しむ。なんぎする。④ことばは簡単で、意味の奥深いこと。

【隠喩】国比喩法の一つ。「美人のはだ」を「雪のはだ」と表現する類い。↔直喩（一〇〇四ページ上）。

【隠憂】①いたみうれえる。②人知れぬなやみ。

【隠淪】①世の中から姿を消す。▼淪は、沈む。②隠者。③仙人。

【莫見乎隠】 隠れていることほど現れやすいものはない。平素人に知られないようなところでこそ慎重にせねばならぬという教え。用例〔中庸〕莫見乎隠、莫顕乎微。↓隠れていることほど現れやすいものはなく、人の気づかないようなところほど世の中にわかってしまうものはない。

11【⿰阝焉】14画 13143 一漢エン・呉オン 𩖃 yǎn 二エン 先 yān

字義 一せき。つつみ。どて（土手）。＝堰（2039）。二地名。隁陵は、今の河南省鄢陵県の西北。＝鄢（12338）。

解字 形声。阝（阜）＋焉音。

11【⿰阝區】14画 13144 一ク 虞 qū 二漢オウ・呉ウ 尤

［⿰阝区］13053 俗字

字義 深く低いさま。一そばだつ。傾く。二⿰阝區斎は、

難読 ⿰阝區芦田

解字 形声。阝（自）＋區音。

11【隙】14画 13145 ゲキ 隙（13139）の俗字。→一五三〇ページ中。

11【隟】14画 13146 ゲキ 隙（13139）の古字。→一五三〇ページ中。 — — 7073

11【隞】14画 13147 ゴウ（ガウ） 豪 āo

字義 地名。殷代の一時期、都がおかれた。今の河南省滎陽市の北東にある敖山の南。

解字 形声。阝（自）＋敖音。

11【際】14画 13148 教5 サイ きわ 漢セイ・呉サイ 霽 jì 2661 8DDB —

筆順 阝 阝 阝 阝 阝 阝 阝 際

字義 ❶きわ。㋐あたり。ほとり。「水際」㋑ほど。身分のほど。けじめ。分限。「分際」㋒かぎり。はて。きわみ。「際限」㋓さかい。㋔かた。方角。㋕とき。おり。時期。機会。時代。❷あい。㋐二つの物事の交わる所。あわさりめ。㋑つきあい。まじわり。「交際」❸まじわる（交）。また、出会う。❹いたる（至）。

名前 あい・きわ 難読 際物

解字 篆文 際 形声。阝（自）＋祭音。音符の祭は叉に通じ、指の間に物をはさみまじえるの意味。おかとおかとがいりくむさかい目、天と地とのまじわるはての意味を表す。

逆 雲際・涯際・空際・交際・実際・水際・天際・分際・辺際

【際可】礼をもって待遇する。

【際可之仕】君主から礼をもって待遇されてする仕官。〔孟子、万章下〕

【際会（會）】①出会う。二者が偶然に出会うこと。際遇。②婚礼に関してする会合。見合いなど。

【際涯】①果て。②きし。

【際遇】出会う。二者が偶然に出会うこと。際会。

【際限】果て。きわみ。かぎり。

11【障】14画 13149 教6 ショウ さわる ショウ（シャウ） 漾 zhàng 慣ソウ（サウ） 3067 8FE1 —

筆順 ㇇ 阝 阝 阝 阝 陪 陪 障 障

字義 ❶へだてる。❷さわる。さしつかえる。❸ふさぐ（塞）。また、ふせぐ（防）。❹さえぎる。はばむ。❺ふせぎ。ふせぎ守るもの。㋐つつみ。土手。㋑とりで。まもり。要塞。㋒かき（垣）。かきね。㋓ついたて。幕。❻さわり。じゃま。さしつかえ。

参考 現代表記では〔牆〕（7108）の書きかえに用いることがある。「牆壁→障壁」

難読 障泥

使いわけ さわる〔障・触〕
〔障〕さしつかえる。また、さしさわり。「耳障り・健康に障る」
〔触〕ふれる。「手で触る・触らぬ神にたたりなし」

解字 篆文 障 形声。阝（自）＋章音。音符の章は倉に通じ、かくしおおうの意味。おかでかくしへだてるの意味を表す。

逆 罪障・万障・保障

【障害】国①さまたげ。また、その物。障礙。②心身の機能が正常に働かないこと。

【障碍・障礙】さまたげ。また、その物。障害。

【障扞】ささえふせぐ。ふせぎ守ること。

【障子】国建具の名。仕切りにたてる襖・衝立の類い。今の障子は、昔、明かり障子といった。

【障塞】一さえぎりふせぐ。二とりで。

【障蔽】さえぎりおおう。また、おおい。

【障壁】国①かこいやしきりの壁。②さまたげ。じゃま。同牆壁。

11【隝】14画 13150 一トウ（タウ） 晧 dǎo 二チョウ（テウ） 篠 19362 EECF 7072

字義 一二しま（島）。四面を水に囲まれた小さな陸地。

解字 形声。阝（自）＋鳥音。

11【隚】14画 13151 漢トウ（タウ） 呉ドウ（ダウ） 陽 tāng 29172 — 7071

字義 いしずえ。建物の基礎。

解字 形声。阝（自）＋堂音。

12【⿰阝蔭】15画 13152 イン 蔭（10207）の俗字。→一三三一ページ上。 29173 — —

12【隤】15画 13153 漢タイ 呉ズイ（ヅイ） 灰 tuí 19363 — 7074

字義 ❶くずす。また、くずれる。くずれ落ちる。

❷おちる。また、落とす。❸やむ(病)。なやむ。また、つかれる。「虺隤」❹すなお。また、やすらか。やわらか。❺のこす、また、忘れる。

解字 篆文 形声。阝(自)＋貴㊥。貴はつぶれるの意味。おかがつぶれる、くずれるの意味を表す。

12【隥】15画 13154 トウ 径 dēng　19364 — 7075

字義 さか(坂)。けわしいさか。

解字 篆文 形声。阝(自)＋登㊥。自は、おかの意味。音符の登は、のぼるの意味。のぼるさかの意味を表す。

12【隣】15画 (13160) リン　隣(13159)の旧字体。→一五二三ページ中。

13【隩】16画 13155 ㊀オウ(アウ) 号 ào ㊁イク 屋 yù　29175 — 7077

字義 ㊀❶くま(隈)。水が陸に入りこんだ所など。❷おさめる(蔵)。また、かくす。❸ふかい(深)。❹すみ。部屋の南西のすみ。㊁くま。＝㊀❶。

解字 篆文 形声。阝(自)＋奥㊥。音符の奥は、おくの意味。陸地の奥まで入りこんだ所、くまの意味を表す。

13【隵】16画 13156 ギ　巇(3023)と同字。→四四四ページ下。　29174 — —

13【險】16画 (13100) ケン　険(13099)の旧字体。→一五一四ページ上。

13【隧】16画 13157 標 ㊀漢スイ・呉ズイ 寘 suì ㊁ツイ 寘 zhuì　8011 E8A9 —

字義 ㊀❶みち。㋐通路。㋑はかみち。棺を運ぶために平地からななめに墓の中へ掘り下げた通路。㋒かくれみち。わきみち。㋓山みち。㋔市中のみち。㋕トンネル。隧道。❷郊外。郊外の地。❸まわる。めぐる。❹おくぶかい。＝邃(12241)。㊁おちる。また、おとす。難読 隧道(トンネル)

解字 形声。阝(自)＋遂㊥。音符の遂は、みちすじの意味。丘に通じる道、はかみち・トンネルの意味を表す。

【隧道】㊀ズイドウ 棺を運ぶために、平地から斜めに墓の中へ掘り下げた道。㊁ズイドウ 国地下の通路。トンネル。

13【隨】16画 (13124) ズイ　随(13123)の旧字体。→一五一七ページ下。

13【隦】16画 13158 漢ヘイ 呉ハイ 齊 pí　— — 7076

字義 隦堄は、ひめがき。城壁の上の低い垣。

解字 形声。阝(自)＋辟㊥。

13【隣】16画 13159 常 リン となーる・となり　4657 97D7 —

12［隣］15画 13160 リン 真 lín

［鄰］12354 正字　［厸］1257 古字

筆順 阝 阝' 阝' 阝米 隊 隊 隊 隊 隣 隣 隣

字義 ❶となり。㋐たがいに接しあっている家屋・土地・国など。㋑つれ。とも。親しいなかま。❷となーる。となる。境を接する。❸むら(村)。さと(里)。❹周代の行政区画の名。五戸を隣、五隣を里という。

名前 さと・ただ・ちか・となり・なが

解字 篆文 形声。阝(邑)＋粦(粦)㊥。音符の粦は、黎に通じ、庶民の意味。庶民が形づくる、となりの意味を表す。

逆 郷隣・近隣・四隣・善隣・比隣

【隣曲】リンキョク となり近所。また、その人々。隣近。
【隣交】リンコウ となり近所の交際。
【隣好】リンコウ となり近所とのよしみ。
【隣国(國)】リンコク となりの国。隣邦。
【隣舎】リンシャ となりの家。隣家。
【隣接】リンセツ 土地を接すること。となりあう。
【隣笛】リンテキ 隣人の吹く笛。転じて、死を悲しみ、昔を追憶すること。晋の向秀が嵇康・呂安の死後、その旧居を通り、その隣人の吹く笛を聞いて、昔日の遊宴を追思した故事による。〔西晋、向秀、思旧賦序〕
【隣敵】リンテキ 隣接している敵国。
【隣比】リンピ のきならび。近所。
【隣保】リンポ となり近所の家。またその人々。
【隣睦】リンボク となりあってむつむ。近づきしたしむ。
【隣△佑】リンユウ となり近所の人。隣人。隣保。
【隣里】リンリ 周代の制度で、五戸を隣、五隣を里という。転じて、となり近所。近村。
【隣里郷(鄉)党(黨)】リンリキョウトウ となり近所や村里。
【隣隣】リンリン ①多くの車のとどろき、きしる音の形容。轔轔。②つらなりつづくさま。つきしたがうさま。

14【隱】17画 (13142) イン　隠(13141)の旧字体。→一五三〇ページ中。

14【隰】17画 13161 漢シュウ(シフ) 呉ジュウ(ジフ) 慣シツ 緝 xí　8014 E8AC —

字義 ❶低くてしめりけのある土地。さわ(沢)。❷新しく開墾した土地。

解字 篆文 形声。阝(自)＋㬎㊥。音符の㬎は、溼の省略体で、しめるの意味。おかの下のしめった所、さわの意味を表す。

14【隲】17画 13162 シツ　騭(13774)の俗字。→一五九一ページ下。　8013 E8AB —

14【隮】17画 13163 漢セイ 呉サイ 霽 jì　— — 7078

字義 ❶のぼーる(登)。また、のぼらせる。＝躋(11818)。❷にじ(虹)。

解字 形声。阝(自)＋齊㊥。音符の齊は、すすみわたるの意味。おかをすすむ、のぼるの意味を表す。

14【隯】17画 13164 トウ　島(2909)と同字。→四三九ページ上。　29176 EED0 7079

15【隳】18画 13165 キ 支 huī　29177 — 7080

字義 ❶やぶーる。くずす。また、くずれる。やぶれる。❷すたる(廃)。すたれる。❸あぶない(危)。

解字 『広韻』では、墮(2053)の俗字とする。

【隳惰】ダキ なまけおこたる。
【隳突】キトツ ①つきあたり、やぶる。②あばれまわる。用例〔唐、柳宗元、捕蛇者説〕悍吏之来二吾郷一、叫二囂乎東西一、隳二突乎南北一。(カンリのわがキョウにきたるや、トウザイにキョウゴウし、ナンボクにキトツす) ↓荒々しい役人が私の村にやって来ると、あちこちにわめき立て、当たり散らして暴れ回ります。
【隳敗】キハイ こわれる。やぶれる。

16【隴】19画 13166 漢リョウ・呉リュウ 慣ロウ 腫 lǒng　8015 E8AD —

［⻖竜］13140 俗字

字義 ❶おか(丘)。＝壟(2180)。❷うね。畑のうね。転じて、畑。＝壟(2180)。❸甘粛省の別名。

解字 篆文 形声。阝(自)＋龍㊥。音符の龍は、うねって長いへびの意味。竜のようにうねっているおかの意味を表す。

【隴客】ロウカク 鸚鵡のこと。隴西地方に産することからいう。
【隴山】ロウザン 陝西省隴県にある山の名。
【隴上】ロウジョウ ①隴山のうえ。また、そのほとり。隴頭。②丘のうえ。また、そのほとり。③うね(はたけ)のうえ。また、そのほとり。
【隴水】ロウスイ 隴山のふもとを流れる川。
【隴西】ロウセイ ①郡名。秦代に置かれた。治所は狄道(今の甘粛省臨洮県の南)。②県名。隋代に置かれた。今の甘粛省隴西県。

【隴断(斷)】ロウダン 同 壟断ロウダン。①地の高くきりたっている所。用例〔列子、湯問〕自レ此これより、冀之南キのみなみ、漢之陰カンのみなみに、無二隴断一焉ロウダンなし。↓それ以後、冀州の南から、漢水の南にかけては、高い切り立った所がなくなったのである。②利益をひとり占めにすること。

【隴頭】ロウトウ 隴山のほとり。

【隴畝】ロウホ 同 壟畝ロウホ。①うねと、あぜ。田畑。用例〔唐、杜甫、兵車行〕縦有二健婦把一鋤犂一たとい(ひ)ケンプの、ジョリをとるありとも、禾生二隴畝一無二東西一カはロウホにショウじて、トウザイなし。↓たとえすきを手に耕作に励む健気な婦人があったとしても、穀物は畑に生えても列をなさず無秩序なありさま。②田舎いなか。③民間。

【得レ隴望レ△蜀】ロウをえてショクをのぞむ 欲が深くて、満足することを知らないことのたとえ。後漢の光武帝が隴の地方を平定し、勝ちに乗じて、蜀の都を攻め取ろうとした故事による。望蜀。〔後漢書、岑彭伝〕

隶 たい・れいのつくり 8画

〔部首解説〕隶を意符として、つかまえて従わせる奴隷の隷の字などができている。

0 隶 一五三三	8 隷 一五三三	9 隸 一五三三	16 隸 一五三九

0【隶】8画 13167 8016 E8AE —

一 漢タイ・呉ダイ 隊 dài 二 漢イ 寘 dài

字義 一❶及ぶ。追い付く。❷与える。二もと(本)。

解字 金文 篆文 会意。又＋尾省。手で尾をつかまえるさまから、及ぶの意味を表す。

8【隷】16画 13168 常 レイ 4676 97EA —

9〔隸〕17画 13169 漢レイ 呉ライ 霽 lì 8017 E8AF —

筆順 一 十 士 𡈼 𡉀 𡉄 隷 隷 隷

字義 ❶つく(付)。つきしたがう(属)。「隷属」❷けらい。また、奴隷ドレイ。用例〔北宋、王安石、傷二仲永一〕金谿民方仲永キンケイのたみ、ホウチュウエイ、世隷耕レイコウすよよ。↓金谿の民の方仲永は、代々小作農であった。❸罪人。❹ならう(習)。❺書体の名。隷書。

解字 篆文 古文 会意。隶＋柰。隶は、とらえるの意味。柰は、古文では祟であるが、その意味はわからない。罪人や異民族をとらえて、しもべとする・したがわせるの意味を表す。

逆 草隷・直隷・奴隷

【隷役】レイエキ 召し使い。下僕。

【隷△圉】レイギョ 召し使い。下僕。隷御。

【隷御】レイギョ 召し使い。下僕。

【隷古】レイコ 隷書と古文(科斗文字)。また、古文を隷書体に書き改めたもの。

【隷書】レイショ 漢字書体の一つ。篆書テンショを簡略化したもので、今の楷書カイショに近いもの。秦シンの始皇帝のとき、程邈テイバクが始めたという。⇩コラム 文字・書体の変遷(六三二ページ)。

【隷属(屬)】レイゾク つき従う。また、その人。けらい。隷従。

9【隸】17画 (13169) レイ 隷(13168)の旧字体。→一五三三ページ上。

16【隸】24画 (13272) タイ 雨部。→一五三九ページ中。

隹 ふるとり 8画

〔部首解説〕元来は小鳥の象形文字で、舊キュウ(新字体は旧。ふるいの意味)の字に用いられているので「ふるとり」といい、鳥と区別する。隹イスを意符として、鳥に関する文字ができている。

0 隹 一五三三	3 雀 一五三四	集 一五三四	睢 一五三六	雌 一五三七	雖 一五三七	10 雚 一五三八	雛 一五三八	11 雝 一五三九	15 讎 一三四一
2 隺 一五三三	售 二七〇	雋 一五三五	雃 一五三六	翟 一一六〇	雕 一五三七	瞿 一〇一四	雙 二三〇	難 一五三八	17 糶 一一〇二
隼 一五三三	4 雅 一五三五	雄 一五三五	碓 一五三六	雒 一五三七	9 雚 一五三八	雞 一五三八	難 一五三八	離 一五三九	20 雧 一五三〇
隻 一五三三	雁 一五三四	5 雅 一五三五	雍 一五三六	7 嶲 一五三七	雖 一五三八	巂 一五三八	雝 一五三九	12 耀 一一六二	
雋 一五三三	雇 一五三四	雊 一五三六	6 雑 一五三六	8 雞 一五三七	臒 一五三八	雜 一五三六	臒 一五三九	14 糴 一一〇三	

0【隹】8画 13170 8018 E8B0 —

一 スイ 支 zhuī 二 漢サイ・呉スイ 灰 cuī

字義 一❶とり。尾の短い鳥の総称。❷ふふどり。きじばと。

二 山の高大なさま。＝崔(2935)。

解字 甲骨文 金文 篆文 象形。甲骨文でよくわかるように、尾の短いずんぐりした小鳥の象形で、小鳥の意味を表す。

2【隺】10画 13171 ₂9178 — 7081

一 漢コク・呉ゴク 沃 hú 二 カク 薬 hè

〔寉〕2658 俗字

字義 一❶あがる。鳥が高く飛ぶ。❷たかい。二つる。＝鶴(14315)。

2【隼】10画 13172 人 シュン 軫 sǔn 慣ジュン 4027 94B9 —

解字 会意。冂＋隹。

筆順 ノ 亻 亻' 亻⺊ 亻⺊⺊ 隹 隹 隼 隼

字義 ❶はやぶさ。ワシタカ科の、敏速で勇猛な鳥。❷勇猛な鳥の総称。

名前 とし・はや・はやし・はやと・はやぶさ 難読 隼人はやと

解字 別体(𨾊) 指事。隹の足の下に一を加え、人が腕にとまらせてたか狩りに使う鳥のさまを示し、はやぶさの意味を示す。

2【隻】10画 13173 常 セキ 漢セキ・呉シャク 陌 zhī 3241 90C7 —

筆順 ノ 亻 亻' 亻⺊ 亻⺊⺊ 隹 隹 隻 隻

字義 ❶とり一羽。❷かたわれ。対ツイをなすもののかた一方。❸ひとつ。ひとり。↕双(1270)。❹船・車などを数える語。また、生物を数える語。

解字 甲骨文 金文 篆文 会意。又＋隹。又は、手の象形。一羽の鳥をつかまえるさまから、ひとつの意味を表す。

【隻影】セキエイ ひとつの影。孤影。片影。

【隻眼】セキガン 片方の目しか見えないこと。転じて、独特の見識。一かどの見識。「一隻眼」

【隻句】セキク・セック 一つの文句。ちょっとしたことば。

【隻言】セキゲン ちょっとしたことば。片言。隻句。隻語。

【隻△堠】セッコウ 五里ごとに、道の片側に土を盛り上げ、道のりを表したつか。

【隻紙断(斷)絹】セキシダンケン 文字を書きしるしたほんのわずかな紙や絹布。断簡零墨。

【隻手】セキシュ かたて。転じて、独力の意。隻腕。

2【雋】10画 13174 セン ₂9179 — —

雋(13180)と同字。→一五三五ページ上。

3
【雀】 11画 13175
人 標 漢シャク 呉サク 慣ジャク 闋 què, qiāo 3193 909D —

筆順 丿 小 少 尐 尐 尐 雀 雀 雀

字義 ❶すずめ。小鳥の名。❷すずめいろ。赤黒色。茶褐色。❸さかずき。＝爵(7091)。

名前 す・すずめ・わか 難読 雀部(ささいべ)

解字 甲骨文 篆文 会意。隹＋小。小さい鳥、すずめの意味を表す。

【雀△釵】(ジャクサイ) すずめの形をした女性のかんざし。

【雀斑】(ジャクハン) 顔面に現れる茶色の斑点。そばかす。

【雀躍】(ジャクヤク) すずめが飛ぶように、小おどりして喜ぶさま。非常に喜ぶさま。「欣喜雀躍(キンキジャクヤク)」

【雀羅】(ジャクラ) すずめをとるあみ。▼羅は、かすみあみ。「門前雀羅」

3
【售】 11画 (1542)
シュウ 口部。→二七〇ページ中。

4
【雅】 12画 (13183)
ガ 雅(13182)の旧字体。→一五三五ページ下。

4
【雁】 12画 13176
人 標 漢ガン 呉ゲン 諫 yàn 2071 8AE5 —

筆順 一 厂 𠂆 𠂆 𠂆 𠂆 雁 雁 雁

［鴈］ 14185 同字

字義 かり。かりがね。秋に来て、春に去る渡り鳥。ゆえに、候鳥ともいう。＝鴈(14196)。

難読 雁擬(がんもどき)・雁来紅(かまつか・けいとう・はげいとう)

解字 篆文 形声。隹＋人＋厂音。音符の厂(ガン)は、かりの並び飛ぶ形にかたどる。その行列が礼儀正しく、また、人が贈物として用いるところから、人を付す。

【雁引】(ガンイン) かりの行列。

【雁影】(ガンエイ) 飛んで行くかりのかげ。また、その姿。

【雁戸】(ガンコ) ところ定めず移動する家。また流浪する民。渡り鳥の雁のように移り住むからいう。

【雁行】(ガンコウ) ①かりが飛んで行く。また、かりの行列。②かりの列のような形に、斜めに並んで行くこと。また、抜きつ抜かれつすること。

【雁山】(ガンザン) ＝雁門山。

【雁歯(齒)】(ガンシ) 材木などが一本ずつ(一つずつ)くい違って並んでいるさまが、かりの行列や人間の歯並びのように見えるさまをいう。

【雁字】(ガンジ) かりの並び飛ぶさまを文字にたとえていう。

【雁序】(ガンジョ) ①飛ぶかりの正しい順序。また、かりの列。②兄弟のたとえ。

【雁信】(ガンシン) ＝雁帛(ガンパク)。

【雁陣】(ガンジン) かりが列をなして飛ぶのを、軍陣にたとえていう。

【雁柱】(ガンチュウ) ことじ(琴柱)。ことじがななめに並んでいるのが、かりの飛ぶのに似ているからいう。

【雁塔】(ガントウ) かりの供養のために建てた塔。長安(今の陝西(セイ)省西安市)の慈恩寺のものが有名。

【雁塔題㆑名】(ガントウになをダイす) 進士に及第すること。唐代、科挙合格者の名を慈恩寺の雁塔に記したことから。↓雁塔。

【雁△帛】(ガンパク) てがみ。漢の蘇武(ソブ)が、匈奴(キョウド)の地から絹に書いた手紙をかりの足に結びつけて、天子に送ったという故事による。〔漢書、蘇武伝〕

【雁門山】(ガンモンザン) 山西省代県の西北にある山。山上に雁門関があり、北の大同方面と南の太原方面とをつなぐ要衝の地。雁山。

【雁来(來)紅】(ガンライコウ・はげいとう) 草の名。葉鶏頭。

4
【雇】 12画 13177
常 コ やと-う 2459 8CD9 —

4
［雇］ 12画 13178
漢コ 呉ク 遇 gù

筆順 ㇀ 二 戸 戸 戸 戸 雇 雇 雇

［僱］ 589 俗字

字義 ❶やと-う。賃金をはらってやとう。＝賈(11550)。❷むくいる。価を支払う。❸ふなしろうずら。鳩(はと)の一種。国やと-い。官庁・会社などで、本官・本職の職務を助けるためにやとわれた職員。雇員。

解字 甲骨文 篆文 形声。隹＋戸音。音符の戸は、入り口の意味。季節ごとにその色が変わって、季節の入り口を示す鳥、ふなしろうずらの意味を表す。また、賈(コ)に通じ、賃金を払ってやとうの意味を表す。

逆解 雇

【雇役】(コエキ) ①やとって使役する。②夫役(ブヤク)(公用の労役)を課された人民が、規定の金銭を納めて、代理の人を使うこと。

【雇用】(コヨウ) 人をやとう。「雇用契約」

【雇△傭】(コヨウ) 人をやとう。

4
【集】 12画 13179
教3 シュウ あつ-まる・あつ-める・つど-う 漢シュウ(シフ)・呉ジュウ(ジフ) 慣シッ 緝 jí 2924 8F57 —

筆順 ノ イ 亻 什 件 佳 隹 隼 集 集

［雧］ 13210 本字 ［亼］ 592 同字

字義 ❶あつ-まる。つど-う。たか-る。㋐鳥が木の上にむらがりあつまる。用例〔詩経、周南、葛覃〕黄鳥于飛、集㆓于灌木㆒(コウチョウここにとび、カンボクに一つどう(ふ))。↓高麗(コウライ)うぐいすが飛んで、群がり生える木に集まる。㋑よりあう。ひと所にあつまる。↔散(4548)。用例〔東晋、王羲之、蘭亭序〕群賢畢至、少長咸集(グンケンことごとくいたり、ショウチョウみなつどう(ふ))。↓賢者達はみなやってきたし、若者も年長者もみな集まった。㋒とど-まる。ひと所にいて動かない。用例〔論語、郷党〕翔而後集(かけりてのちにとどまる)。↓飛びまわった後にひと所にとどまる。❷あつ-める。まとめる。「収集」❸あつ-まり。つどい。また、宴会。❹詩文などをあつめたもの。「詩集」❺書籍分類のひとつ。四部(経・史・子・集)のうち、総集や別集など詩文をまとめたもの。「集部」❻郷村にたつ市場(いち)。転じて、市のたつまち。「集虚(市場)」❼とりで。❽やす-んずる。安定する。やわらぐ。また、むつむ。仲よくする。＝輯(11938)・緝(9270)。用例〔漢書、荊燕呉伝賛〕天下未㆑集(テンカいまだやすんぜず)。↓天下はまだ安定していない。❾な-る。成功する。成就する。＝就(2773)。用例〔書経、武成〕大統未㆑集(ダイトウいまだならず)。↓大統一はまだ完成していない。❿ととのう。また、ひとしい。国すだ-く。虫などがあつまって鳴く。

名前 あい・い・しゅう・ため・ち・ちか・つどい 難読 集藍(あいさい)

参考 現代表記では〔輯〕(11938)の書きかえに用いる。「編輯→編集」「特輯→特集」。また、〔蒐〕(10171)・〔聚〕(9628)の書きかえに用いることがある。「蒐荷→集荷」「聚落→集落」

解字 甲骨文 金文 篆文 会意。隹＋木。鳥が木にあつまりとまるさまから、あつまるの意味を表す。篆文は雧で、木＋雥音。音符の雥(ソウ＝シュウ)は、とりが集まるの意味。

逆 雨集・外集・家集・凝集・群集・結集・収集・招集・選集・総集・徴集・文集・別集・編集

【集韻】(シュウイン) 書名。十巻。北宋(ホクソウ)の丁度(テイタク)らが勅命を受けて編集した韻書。陳彭年(チンホウネン)らの『広韻』を増補改訂したもの。宝元二年(一〇六七)に完成。収録字数五万三千五百余字。

【集英】(シュウエイ) すぐれたものをあつめる。また、そのあつめたもの。

【集荷】(シュウカ) 国各地の農水産物を、市場・河岸(かし)などにあつめること。また、その荷物。蒐荷シュウカ。

【集解】シッカイ・シュウカイ 何人かの解釈をあつめること。また、その書物。『論語集解』の類い。

【集義】シュウギ あつまりつもった善行・正義。また、道義を積み重ねること。

【集議】シュウギ あつまって相談する。会議。

【集結】シュウケツ 国一か所にあつめる（また、あつまる）こと。

【集権（權）】シュウケン 政治などの権力を一か所にあつめること。「中央集権」

【集散】シュウサン あつまることと散ること。「離合集散」

【集字】シュウジ ①文章を書くなどの目的で、先人の碑帖ヒジョウ中の字をあつめること。②詩賦を作るなどの目的で、先人の詩賦中に使用されている文字をあつめること。「集字詩」

【集成】シュウセイ ＝集大成。

【集大成】シュウタイセイ・あつめてタイセイす 多くのすぐれたものをあつめて、一つの完全なものに作りあげる。また、そうして作りあげたもの。集成。〔孟子、万章下〕

【集団（團）】シュウダン 国あつまり。団体。

【集注・集△註】シッチュウ・シュウチュウ 諸家の注釈をあつめて作った注釈（書）。集解。『四書集注』の類い。

【集配】シュウハイ あつめることと配ること。

【集部】シュウブ 漢籍の分類上、詩文の書の総称。丁部。

【集約】シュウヤク 国要点をとらえてまとめること。要約。

【集落】シュウラク 国人家の多くあつまっている所。聚落シュウラク。

4【雋】12画 13180 ㊀漢セン・呉ゼン 銑 juàn ㊁シン 震 jùn 慣シュン 8020 E8B2 —

【隽】13174 同字

字義 ㊀❶こえる（肥）。❷肥えた肉。㊁すぐれる。＝俊(370)。

解字 篆文 会意。隹＋弓。隹は、小鳥の意味。弓で射落としたくなるほど美味な鳥、すぐれている・こえるの意味を表す。

【雋異】シュンイ 多くの人よりも才知がすぐれている。

【雋哲】シュンテツ すぐれてかしこい。また、その人。

【雋茂】シュンモ （才学などが）すぐれる・長ずる・発達する。また、すぐれている。

【雋良】シュンリョウ すぐれてりっぱなこと。また、その人。

4【雄】12画 13181 常 ユウ お・おす 漢ユウ（イウ）・呉オウ 東 xióng 4526 9759 —

筆順 一 ナ 厷 雄 雄

【雄】13187 俗字

字義 ❶おす。お。生物の雄性の総称。↔雌(13191)。❷かつ（勝）。また、かち。↔雌(13191)。用例〔史記、項羽本紀〕挑二戦決一雌雄一（をいどみてシユウをケッせん）↓戦いを挑み勝敗を決したい。❸まさる。すぐれる。また、すぐれた人。英雄。頭目。❹おおしい。いさましい（勇）。強い。また、おおしさ。強さ。❺さかん。さかんなさま。

名前 あき・お・かず・かた・かつ・たか・たけ・たけし・のり・まさ・ゆ・ゆう・ゆき・よし 難読 雄勝おがち・おがつ・雄信内おのっぷない・雄踏ゆうとう・雄武おうむ・雄和ゆうわ

解字 篆文 形声。隹＋厷㊥。音符の厷コウ＝ユウは、ひろがる・ひろいの意味。翼の広い鳥、おす鳥の意味を表す。

逆 英雄・群雄・豪雄・雌雄・俊雄・両雄

【雄偉】ユウイ すぐれて大きい。雄壮で偉大である。

【雄快】ユウカイ 勇ましくて気持ちがよい。

【雄△悍】ユウカン 強くたけだけしい。

【雄気（氣）】ユウキ 勇ましい気力。さかんな気性。

【雄△毅】ユウキ 勇ましくて強い。また、つよい。

【雄強】ユウキョウ 同雄勁ユウケイ。①おおしく強い。②筆勢の強いこと。「字勢雄強」

【雄△勁】ユウケイ ＝雄強。

【雄傑・雄△桀】ユウケツ 才知勇力のすぐれた人物。雄豪。

【雄健】ユウケン ①すぐれて力が強いこと。②おおしく力強いさま。③詩文書画などのすぐれて、力強いさま。

【雄紅】ユウコウ ぼたん（牡丹）の別名。

【雄△渾】ユウコン 詩文などが力強く、よどみのないさま。気力があって円熟しているさま。

【雄才】ユウサイ すぐれた才能。

【雄志】ユウシ おおしい心。男らしくりっぱな意志。

【雄姿】ユウシ 勇ましい姿。

【雄視】ユウシ 威張って他を見下すこと。

【雄雌】ユウシ ①おすとめす。②優劣。勝敗。雌雄。

【雄俊】ユウシュン すぐれた才力。また、それを有する人。英俊。

【雄将（將）】ユウショウ すぐれて強い大将。勇将。猛将。

【雄勝】ユウショウ ①土地のすぐれてよい所。②すぐれている。まさっている。

【雄心】ユウシン おおしい心。まけじだましい。

【雄壮（壯）】ユウソウ 男らしくさかんなこと。勇ましい。健壮。

【雄大】ユウダイ 規模が大きくてすばらしい。「雄大豪壮」

【雄断（斷）】ユウダン 思いきりのよい決断。勇断。

【雄長】ユウチョウ ①かしら。おさ。首領。②すぐれて強いこと。

【雄図（圖）】ユウト 雄大な計画。

【雄抜】ユウバツ 雄大で群をぬいていること。

【雄飛】ユウヒ ①おおしくふるいたつ。②思うぞんぶんに活躍する。↔雌伏（一三七ページ下）。

【雄武】ユウブ ①男らしく勇ましい。雄強壮武。②唐の安禄山ロクザンの自称。

【雄風】ユウフウ ①すずしく快い風。雄大で快い風。↔雌風（一三七ページ下）。②さかんないきおい。威風。

【雄文】ユウブン 気力のすぐれた文章。

【雄編・雄△篇】ユウヘン 構想の雄大な詩文。大作。

【雄弁（辯）】ユウベン ①弁舌のすぐれていること。②力のこもったよどみのない弁論。

【雄△邁】ユウマイ 気性がすぐれて強いこと。

【雄略】ユウリャク 雄大な計画。雄図。

【雄烈】ユウレツ 気性などがおおしくはげしい。雄武俊烈。

【知レ雄守レ雌】ユウをしりシをまもる 強く男らしい積極さを知っていながら、柔弱の道を執とり守って勝とうとしない。〔老子、二十八〕

5【雅】13画 13182 常 ガ 1877 89EB —

4【雅】12画 13183 ㊀ア 麻 yā ㊁漢ガ・呉ゲ 馬 yǎ

筆順 一 ㇗ 牙 牙 雅 雅

字義 ㊀鳥の名。みやまがらす。はしぶとがらす。㊁❶みやび。また、みやび-やか。しとやかでけだかい。上品優美である。↔俗(379)。「優雅」❷あでやか。なまめいて美しい。❸ただしい（正）。よい。❹もと。もとより。＝素(9087)・故(4521)。❺つね（常）。つねに。❻『詩経』の六義リクギの一つ。厳正な詩という意。天下のまつりごとをうたったもので、天子・諸侯の宴会に用いる。正雅・変雅の別があり、さらに大雅・小雅にわける。❼正しい音楽。

名前 か・ただ・ただし・つね・なり・のり・ひとし・まさ・まさし・まさり・まさる・みやび・もと・よし 難読 雅典ネアテ・雅楽頭うたのかみ

解字 篆文 形声。隹＋牙㊥。音符の牙ガは、からすの鳴き声を表す擬声語。からすの意味を表す。また、みやびな夏祭りの意味の夏に通じ、みやびやかの意味を表す。

逆 温雅・寛雅・間雅・閑雅・高雅・古雅・清雅・典雅・博雅・風雅・文雅・優雅

【雅意】ガイ ①平生の志。②風雅な心。③上品な（また、風流な）おもむき。④他人の志の敬称。

【雅韻】ガイン ①上品な音楽のしらべ。②風流なおもむき。雅致。
【雅歌】ガカ ①儀礼にかなっている正しい格調の歌。②みやびやかな歌。高尚な歌。
【雅会(會)】ガカイ 風流な集まり。詩文などを作る風雅なつどい。
【雅懐(懷)】ガカイ 風雅な心情。風流な心。雅思。用例（唐、李白、春夜宴ニ桃李園一序）不レ有ニ佳作一（カサクあらずんば）、何伸ニ雅懐一（なんぞガカイをのべん）。㊟よい詩文ができなければ、どうやってこの風雅な胸のうちを述べ表すことができようか（できない）。
【雅客】ガカク ①風流人。雅人。②水仙の別名。
【雅楽(樂)】ガガク ①正しい格調の音楽。↔俗楽（一二ページ上）。②国平安時代、宮廷を中心に行われた音楽で、日本固有の古楽と、中国・朝鮮から伝来した舞楽の総称。
【雅鑑】ガカン 御覧（ゴラン）。転じて、御覧に入れる意。お目にかける意の敬語。自作の書画などを人に贈るときに用いる語。清鑑。
【雅曲】ガキョク ＝雅楽。
【雅兄】ガケイ 友人を尊敬していう語。仁兄。学兄。
【雅健】ガケン みやびやかで、しっかりしている。文章が上品で、勢いのあること。
【雅言】ガゲン ①平素、口に出していることば。日常語。②正しいことば。また、標準語。③優雅なことば。↔俗言（一二ページ上）。
【雅故】ガコ ①正しい意味。▼故は、訓詁（クンコ）の詁に同じ。②ふるなじみ。旧友。③つねづね。平素。
【雅語】ガゴ ＝雅言。
【雅号(號)】ガゴウ ①他人の号を尊敬していう。②国文人・画家・書家などが、本名以外につける風雅な名。
【雅才】ガサイ 立派な才能。
【雅士】ガシ 正しくて上品な人物。
【雅志】ガシ ①平素からの志。素志。②風流な心。
【雅趣】ガシュ 風流なおもむき。雅致。
【雅△馴】ガジュン 文章の字句の正しく穏当なこと。
【雅△醇】ガジュン 上品でまじりけがない。
【雅尚】ガショウ ①みやびやか。上品。風雅高尚。②平素からたっとぶ。▼雅は、もとより、また、つねにの意。
【雅称(稱)】ガショウ 風流な呼び方・呼称。
【雅△頌】ガショウ 『詩経』のなかの雅と頌との詩。▼雅は正楽の歌、頌は祖先の功徳をほめたたえる歌。→六義①（一四八ページ中）。
【雅人】ガジン ①風流な人。②おくゆかしい人。
【雅人深致】ガジンのシンチ 高尚な心を持った人の深遠なおもむき。
【雅正】ガセイ 上品で正しい。
【雅素】ガソ ①平素。平常。②平素の交際。
【雅俗】ガゾク 優雅と卑俗。上品と下品。
【雅淡・雅△澹】ガタン みやびやかで、しかも飾りけのないこと。また、おくゆかしく、さっぱりとしていること。
【雅致】ガチ みやびやかなおもむき。雅趣。
【雅美】ガビ みやびやかで美しい。
【雅文】ガブン ①みやびやかなこと。▼文は、あや・かざり。②国平安時代のかな文と、それにならって作られた文をいう。優雅な文章の意。
【雅望】ガボウ ①すぐれた、清らかな人望。清望。②立派な風貌。用例（世説新語、容止）魏王雅望非レ常（ギオウはガボウ。つねにあらず）。㊟魏王は普通ではない立派な風貌をお持ちです。
【雅友】ガユウ 風流な友。
【雅遊】ガユウ ①常に人と交際するのを好むこと。②風流な遊び。詩文・書画・音楽などの遊び。
【雅量】ガリョウ 心の正しく広いこと。正しく寛大なこと。
【雅麗】ガレイ みやびやかでうるわしい。
【雅論】ガロン ①正しい議論。②風雅な弁論。

5【雊】13画 13184 漢コウ 呉ク 宥 gòu 一 一 7082
字義 なく(鳴)。雉（きじ）が鳴く。
解字 篆文 形声。隹＋句音。音符の句は、曲がるの意味。おすのきじが雷などに驚き、首を曲げて鳴くの意味を表す。

5【雎】13画 13185 漢ソ 呉ショ 魚 jū 8019 E8B1 一
［鴡］14215 同字
字義 みさご。雎鳩（ショキュウ）。鳶（とび）に似て大きな鳥。水辺に住み、魚を捕らえて食べる。雌雄の別が正しいので、夫婦の仲良く礼儀正しいのにたとえる。
難読 雎鳩（みさご）
参考 ［雎］(8023)は別字。
解字 形声。隹＋且音。

5【雉】13画 13186 標 漢チ 呉ジ(ヂ) 紙 寘 zhì 8021 E8B3 一
字義 ❶きじ。きぎす。❷城壁の大きさの名。高さ一丈（周代の一丈は、二・二五メートル）、長さ三丈の称。三堵（サント）。❸かき（垣）。❹なぐ。なぎはらう。＝薙（10339）。❺たいらげる。
難読 雉子（きぎす・きじ）
解字 甲骨文 篆文 形声。隹＋矢音。音符の矢は、甲骨文では夷で、いぐるみの象形。いぐるみで鳥をとるさまから、きずつけころすの意味を表したが、そのようにしてとる鳥、きじの意味を表す。
【雉△堞】チチョウ 城のひめがき（たけの低いかき）。
【雉△兎】チト きじと、うさぎ。また、それを捕らえる人。猟師。

5【雄】13画 13187 ユウ 雄（13181）の俗字。→一五三五ページ上。 ₂9180 一 一

5【雍】13画 13188 一 漢ヨウ・呉オウ 冬 yōng 二 漢ヨウ・呉オウ 腫 yǒng 三 漢ヨウ・呉オウ 宋 yòng 8022 E8B4 一
字義 一❶やわらぐ（やはらぐ）。むつみあう。＝雝（13206）。❷いだく。たもつ。＝擁（4448）。❸あつめる。❹まなびや。学校。＝廱（3259）。「辟雍（ヘキヨウ）」❺楽曲の名。天子が宗廟（ソウビョウ）の供物をとりさげる時に奏する。また、天子の膳部（ゼンブ）をとりさげる時に奏する。二ふさぐ。おおう。＝壅（2161）。三古代の九州の一つ。今の陝西（センセイ）・甘粛（カンシュク）二省から青海省へかけての地域。
解字 形声。もと、隹＋邕音。音符の邕（ヨウ）は、水にかこまれた住居の意味から、やわらぐの意味を表す。→雝（13206）。
【雍△熙】ヨウキ やわらぎ楽しむ。
【雍樹】ヨウジュ 小児をいだくこと。（史記、夏侯嬰伝）
【雍睦】ヨウボク やわらぎしたしむ。雍穆（ヨウボク）。
【雍容】ヨウヨウ やわらぎやすらぐ。また、温和な顔つき。
【雍雍】ヨウヨウ やわらいださま。音楽ののびのびとして、おだやかなさま。
【雍和】ヨウワ やわらぐ。また、おだやかでむつまじい。

6【雑】14画 13189 教5 ザツ・ゾウ 熟字訓 雑魚（ざこ） 2708 8E47 一
10【雜】18画 13190 入 漢ソウ(サフ) 呉ゾウ(ザフ) 合 zá 慣ザツ 8024 E8B6 一
［襍］10971 同字
筆順 ノ 九 九 卆 杂 杂 杂 杂 雑
字義 ❶まじる。まざる。まじわる。まじる。また、まぜる（まず）。↔純（9084）。㋐いろいろの色がまじりあう。㋑いりくむ。いり乱れる。用例（荘子、至楽）雑ニ乎芒芴之間一（ボウコツのカンにまじり）、変而有レ気（ヘンじてキあり）。㊟天地が混沌の状態においてまじりあい、変化が生じて気が生まれた。㋒純粋でない。まだらである。ぶち。❷あう（合）。あわせる。❸あつまる（集）。❹あらい。「粗雑」❺こまかい。くだくだしい。「煩雑」❻とも。ともに。みな。用例（列子、湯問）雑然相許（みなしかりとしてあい(ひ)ゆるす）。㊟家族一同もっともだということで賛成した。❼いやしい。低俗な。

名前 かず・とも・より 難読 雑賀(さいか)・雑魚(ざこ)・雑魚寝(ざこね)・雑古(ざっき)・雑喉(ざこ)・雑砕(チャプスイ)・雑餉隅(ざっしょのくま)

解字 篆文  形声。もと、衣＋集㊀。音符の集は、あつまるの意味。衣服の色彩などの多種なあつまり。まじりの意味を表す。常用漢字の雑は雜の俗字。

逆 混雑・錯雑・粗雑・繁雑・煩雑・複雑・乱雑

【雑詠】(ザツエイ) (主題をきめずに)いろいろの事物を詠じた詩歌。雑吟。

【雑役】(ザツエキ) こまごました仕事。また、その仕事に従事する人。

【雑家】(ザッカ) 諸子百家の一つ。いろいろな学説を取捨選択して組織した学派。⇩コラム 諸子百家系統図(一三二四㌻)。

【雑貨】(ザッカ) ①いろいろな貨物や商品。百貨。②日用品。こまもの。荒物。

【雑学(學)】(ザツガク) いろいろな方面にわたる、秩序だっていない学問。

【雑記】(ザッキ) ①思いつくままにさまざまなことを記録すること。また、その記録。雑録。②文体の名。さまざまの記録文。

【雑技・雑伎】(ザツギ) ①さまざまな技術。②つまらない技芸。⇩コラム 漢文(八六八㌻)。

【雑戯(戲)】(ザツギ) いろいろな遊び。曲芸・軽業(かるわざ)・相撲など。また、すごろく・ばくちなどもいう。③＝雑戯。

【雑議】(ザツギ) いろいろと相談する。

【雑居】(ザッキョ) ①いりまじっている。②いりまじって住む。

【雑魚】(ザツギョ・ザコ) 国さまざまな種類の小魚。転じて、あまり価値のないもの。

【雑業】(ザツギョウ) 一定しない、または主要でないさまざまな職業。

【雑具】(ザツグ) いろいろな器具。

【雑芸(藝)】(ザツゲイ) いろいろな芸ごと。

【雑劇】(ザツゲキ) 劇の一種。宋(ソウ)代の滑稽風刺劇(コッケイフウシゲキ)に始まり、元代の歌劇に発展して完成した。

【雑言】(ザツゲン) 一 よもやまばなし。雑談。二(ゾウゴン) 国あくたれぐち。悪口。「悪口雑言」

【雑言詩】(ザツゲンシ) 詩の一体。一句の字数が一定していないもの。

【雑△坐】(ザツザ) 入りまじってすわる。

【雑砕(碎)】(ザッサイ・ザッサイ) わずらわしくこまかい。くだくだしい。

【雑作】(ザッサク) 一 いろいろな仕事をする。二(ゾウサク) 国家屋内部の取り付けもの。造作。三(ゾウサ) 国もてなし。めんどう。

【雑錯・雑△厝】(ザッサク) いりまじる。入り乱れる。錯雑。

【雑△纂】(ザッサン) いろいろなものを集めて編集する。また、その書物。

【雑史】(ザッシ) 史書の一体。正史・編年・紀事本末などの体に属さない通史、または、一家の私記。また、民間に伝わる、体裁のよく整っていない歴史書。

【雑△廁】(ザッシ) いりまじる。混淆(コンコウ)。

【雑詩】(ザッシ) 興のおもむくままに作った、型にとらわれない詩。また、題目のわからない古人の詩。

【雑誌】(ザッシ) ①雑多な事柄を書き載せた書物。②国日をきめて号を追って発行する冊子。定期的に発行する小冊子。

【雑事】(ザツジ) いろいろの事。種々雑多なことがら。とりとめのない小事。

【雑樹】(ザツジュ) いろいろな種類の木。雑木。

【雑襲】(ザッシュウ) ①いり乱れておそって来る。②いりみだれかさなる。

【雑△糅・雑△揉・雑△蹂】(ザツジュウ) いりまじる。乱れまじる。

【雑処(處)】(ザッショ) いりまじっていること。雑居。

【雑△擾】(ザツジョウ) 秩序なく乱れる。

【雑色】(ザッショク) 一 ①いろいろいりまじった色。②奴隷(ドレイ)。二(ゾウシキ) 国昔、蔵人所(くろうどどころ)に属して、雑役をつとめた人。

【雑説】(ザッセツ) ①雑多なことを説いた論説。②折にふれ、物に感じて得たさまざまな感想を書き記したもの。

【雑然】(ザツゼン) いろいろ入りまじるさま。

【雑俗】(ザツゾク) 雑然とした風俗。

【雑踏・雑△沓】(ザットウ) 多くの人がこみあうこと。また、ひとごみ。雑閙(ザットウ)・雑遝(ザットウ)。

【雑△嚢】(ザツノウ) 国いろいろなこまごましたものを入れる袋。

【雑△佩・雑△珮】(ザッパイ) 腰にかざるいろいろな宝石。歩くとふれあって、音がする。

【雑△駁】(ザッパク) ①雑多で、まとまっていない。②そまつ。

【雑文】(ザツブン) ①いろいろな文体・内容の文章。②気楽に書いた文。また、自分の書いた文の謙称。

【雑務】(ザツム) 細かい雑多な仕事。雑役。

【雑用】(ザツヨウ) ①まじえ用いる。②こまごました雑多な用事。

【雑乱(亂)】(ザツラン) いりまじり乱れる。乱雑。

【雑流】(ザツリュウ) ①工業・商業などの類い。職人や商人などの仲間。②下級の役人。

【雑累】(ザツルイ) まじりかさなる。

【雑類】(ザツルイ) とるにたらない人間。

【雑録】(ザツロク) いろいろのものをとり集めて記録する。また、その記録された書物。

6 【雌】 14画 13191 常 シ め・めす 2783 8E93 ―

シ 支 cí(cì)

筆順 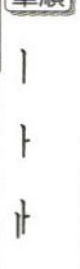

字義 ❶めす。め。生物の雌性の総称。↔雄(13181)。❷まける(敗)。また、まけ。↔雄(13181)。❸よわい(弱)。また、めめしい。

解字 篆文 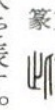 形声。隹＋此㊀。音符の此(シ)は、わずかにひらくの意味。生殖器がわずかにひらいた、めすの意味を表す。

逆 雄雌

【雌黄】(シオウ・シコウ) 硫黄(イオウ)と砒素(ヒソ)との混合物。薬用・顔料とする。字の誤りをなおすとき使用したことから、詩文を改めることを「加二雌黄一(シコウをくわ(は)う(ふ))」という。

【雌風】(シフウ) 湿っていて不愉快な風。↔雄風(一五三五㌻下)。

【雌伏】(シフク) ①鳥の雌が雄に従い伏する。↔雄飛(一五三五㌻下)。②(将来雄飛することを期して)人の下に屈伏する。用例〔後漢書、趙典伝〕大丈夫当二雄飛一(ダイジョウフまさにユウヒすべし)、安能雌伏(いずくんぞよく(ん)シフクせんや)。⇩立派な男子たるものは大きな理想を持って奮い立つべきだ、どうして人の下に屈伏して甘んじているのか(甘んじてはいけない)。

【雌雄】(シユウ) ①めすと、おす。②弱いものと強いもの。転じて、勝敗。用例〔史記、項羽本紀〕挑レ戦決二雌雄一(たたかい(ひ)をいどみてシユウをケッせん)。⇩戦いを挑み勝敗を決したい。

6 【翟】 14画 (9539) テキ 羽部。↓二一六〇㌻上。

6 【雒】 14画 13192 ラク 㘘 luò 19365 ― 7083

字義 ❶鳥の名。みみずく。❷馬の毛色の名。全体が黄を帯びた灰白色で、たてがみだけが白い馬。❸川の名。陝西(センセイ)省に源を発し、河南省を流れて黄河に入る。洛水(ラクスイ)。＝洛(6326)。❹地名。雒陽。洛陽。＝洛(6326)。❺まとう(絡(まとう))。❻やき印。また、やき印をおす。＝烙(6904)。

7 【巂】 15画 13193 ケイ 巂(13202)と同字。↓一五三八㌻中。 ― ― 7084

8 【雞】 16画 13194 ケイ 鶏(14271)の俗字。↓一六二九㌻下。 29181 ― ―

8 【錐】 16画 13195 スイ 雖(13198)の俗字。↓一五三八㌻上。

8 【雕】 16画 13196 チョウ(テウ) 蕭 diāo 8026 E8B8 ―

解字 形声。隹＋各㊀。

字義 ❶わし。鳥の名。＝鵰(14283)。❷きざむ。ほる。える。ちりばめる。＝彫(3380)。❸しぼむ。なえる。いたむ。＝凋(818)。

解字 形声。隹＋周㊥。

【雕肝】チョウカン 心にしみこませる。肝に銘ずる。

【雕悍】チョウカン わしのように荒々しく強い。

【雕朽】チョウキュウ 腐った木に彫刻する。無益・徒労の物事のたとえ。用例〈論語、公冶長〉朽木不レ可レ雕也 ↓腐った材木に彫刻することはできない。

【雕鐫】チョウセン 彫りきざむ。

【雕飾】チョウショク 彫刻をしてかざる。

【雕題】チョウダイ ①ひたいに刺青いれずみをすること。南方種族の風俗。②書物の上欄に施す解釈。頭注。

【雕琢】チョウタク ①玉を刻みみがく。彫琢。②工夫をこらして詩文などを作ること。

【雕虫】チョウチュウ ①細かい細工をほどこすこと。②詩文を作るのに字句をかざること。③また、小細工のたとえ。

【雕虫篆刻】チョウチュウテンコク 虫の形や篆書を彫刻するように、文章の字句をこまかくかざること。

【雕文刻鏤】チョウブンコクル ①模様を彫刻し金銀をちりばめること。②文章の字句を美しくかざること。

【雕竜】チョウリュウ・チョウリョウ 竜の模様を刻むように文章をたくみにかざること。一説に、無用の努力のたとえ。

【雕輅】チョウロ 皇后の車。

9 【雚】17画 13197 カン 雚(13200)の俗字。→一五二八ジ中。 ②9183 — —

9 【雖】17画 13198 スイ 支 suī 標 7413 E5AB —

［雖］13195 俗字

字義 助 いえども。ただ。これ。助字・句法解説。❶とかげに似た小動物。❷もし。ごとし。＝若(9871)。

助字・句法解説

❶いえども ⑦逆接の仮定条件。訳たとえAであっても。「雖A」（Aといえ〈へ〉ども）。後の内容を受けて、逆接の仮定条件を表す。用例〈論語、子路〉其身不レ正、雖レ令不レ従 ↓為政者自身が正しくなかったならば、たとえ命令したとしても民に従われることはない。

④逆接の確定条件。訳Aであるけれども。後の内容を受けて、逆接の確定条件を表す。用例〈東晋、陶潜、帰去来辞〉園日渉以成レ趣、門雖レ設而常関 ↓庭は毎日歩きまわると趣を増し、門は作ってはあるけれども、いつも閉じたままである。

⑨訳Aでさえ。極端で特殊だと思われるものを挙げ、「それでさえ…なのだから」という表現を通して「他のものはみな…だ」と一般化する考えを推測させる。用例〈史記、呂后本紀〉雖ニ呉中子弟一、皆已憚レ籍矣 ↓（血気盛んな）呉の若者たちでさえ、皆項羽に一目置くようになっていた。

❷ただ。範囲。訳ただ。類惟・唯。動作や状況がある範囲に限られることを表す。用例〈詩経、大雅、抑〉女雖湛楽従、弗レ念ニ厥紹一 ↓お前はただ楽しみにふけってばかりいるが、親を継ぐことを思わないのか。

❸これ。類惟。句頭に置かれ、語調を整える助字。特に訳さない。用例〈左伝、文公十七〉雖敝邑之事レ君、何以不レ免 ↓わが鄭国が晋の君にお仕えしてきておりますのに、どうしてお許しをいただけないのでしょうか。

解字 金文 篆文 形声。虫＋唯㊥。音符の唯は、堆イタに通じ、大きいの意味。大きなとかげの意味を表す。借りて、いえどもの意味に用いる。

9 【雘】17画 13199 ワク 雘(13207)の俗字。→一五二九ジ下。 ②9182 — 7085

10 【雚】18画 13200 一 カン(クワン) 漢カン(クワン) 呉ガン(グワン) 寒 guān 二 翰 guàn — — 7086

［萑］13197 俗字

字義 一こうのとり。こうづる。水鳥の名。＝鸛(14386)。二❶ががいも。つる草の名。芄蘭ガンラン。❷おぎ。まるがま。水辺の草の名。

解字 甲骨文 篆文 象形。甲骨文でよくわかるように、二つの冠毛と両眼とが強調された水鳥の象形で、こうのとりの意味を表す。

10 【瞿】18画 (8088) ク 目部。→一〇一四ジ中。

10 【雞】18画 13201 ケイ 鶏(14271)と同字。→一六二九ジ下。 ①9366 — 7088

10 【雟】18画 13202 一 漢ケイ・呉エ(ヱ) 斉 xī 二 スイ 紙 suǐ — — 7089

［巂］13193 同字

字義 一❶鳥の名。⑦子雟シケイは、ほととぎす。④雟周シュウは、つばめ。❷ひとまわり。車輪のひとまわり。二越雟エッスイは、漢の郡名。今の四川省西南部の地。

解字 形声。隹＋屮＋冏㊥。

10 【雜】18画 (13190) ザツ 雑(13189)の旧字体。→一五二六ジ下。

10 【雛】18画 13203 人 漢スウ 呉ジュ 虞 chú 3187 9097 —

筆順 ノ ク 勹 句 匊 芻 芻' 雛' 雛

字義 ❶ひな。ひよこ。❷おさなご。幼少でまだ一人前にならない者。「鳳雛ホウスウ」 国ひな。ひいな。ひな人形。

難読 雛罌ひなげし・雛罌粟ひなげし

名前 ひな

解字 篆文 形声。隹＋芻㊥。音符の芻スウは、走に通じ、こばしりするの意味。こばしりするとり、ひなの意味を表す。

【雛禽】スウキン ひなどり。

【雛孫】スウソン 幼い孫。

【雛鳳】スウホウ おおとりのひな。転じて、将来、有望な少年のたとえ。鳳雛。

10 【雙】18画 (1271) ソウ 双(1270)の旧字体。→一三〇ジ中。

10 【難】18画 13204 教6 ナン かた-い・むずか-しい 一 漢ダン・呉ナン 寒 nán 二 漢ダン・呉ナン 翰 nàn 三 漢ダ・呉ナ 歌 nuó 3881 93EF —

11 〔難〕19画 13205 人 ①9367 — —

筆順 一 艹 艹 芑 茣 莫 莫 歎 歎 難

字義 一❶かた-い。むずか-しい。むつか-しい。…しにくい。すらすらと運ばない。うまくいかない。↔易(4672)。用例〈論語、為政〉子夏問レ孝。子曰、色難 ↓子夏が孝について質問した。先生は、顔つきをやわらげるのが難しいと答えた。／〈論語、子路〉君子易レ事而難レ説也 ↓君子には仕えやすいが喜ばせにくい。

❷むずかしいこと。用例〈論語、雍也〉仁者先レ難而後レ獲 ↓仁の人は難しい事をまず実行して利益は後まわしにする。

❸かたしとする。かたんずる。むずかしいと思う。用例〈書経、皐陶謨〉惟帝其難レ之 ↓帝尭ギョウであってもむずかしいとされた。

❹かたくする。むずかしくする。困らせる。用例〔荀子、富国〕苛関市之征、以難其事。↓関所や市場の税をきびしくして流通を困難にする。
二 ❶わざわい。わずらい。苦しみ。憂い。用例〔論語、季氏〕忿思難。↓怒りがこみあげてきたときにはその後のわざわいを考える。
❷あだ。かたき。用例〔史記、張儀伝〕楚嘗与秦構難、戦於漢中。↓かつて楚は秦と敵対関係にあり、漢中の地に戦った。
❸いくさ。戦乱。用例〔韓非子、五蠹〕堅甲厲兵以備難。↓堅い鎧と鋭い刃をそろえて戦に備える。
❹おそれる(恐)。はばかる。いみきらう。つつしむ。用例〔戦国策、中山〕司馬喜三相中山、陰簡難之。↓司馬喜は三度にわたって中山国の宰相となり、陰簡はこれを嫌った。
❺はばむ。こばむ(拒)。用例〔世説新語、徳行〕歆輒難之。↓華歆は、すぐにそれを拒んだ。
❻なじる(詰)。責め問う。せめる(責)。とがめる。用例〔世説新語、言語〕足下相難、依拠者何因。↓あなたは非難されますが、その根拠はなんでしょうか。
❼なやます。苦しめる。用例〔左伝、哀公十二〕藩其君舎以難之。↓呉は衛君の宿舎に垣をめぐらして困らせている。
三 ❶おにやらい。十二月に鬼疫を追い払う儀式。追儺。＝儺(673)。
❷葉の茂るさま。用例〔詩経、小雅、隰桑〕隰桑有阿、其葉有難。↓湿地にある桑、その葉は盛んに茂っている。
国 ❶欠点。❷非難。悪口。

難読 難波

使いわけ かたい〔硬・堅・固・難〕⇩硬(8183)。

解字 金文  篆文  会意。堇(堇)＋隹。堇は、火などのわざわいにあって祈るみこの象形。隹は、とりの象形。わざわいにでくわして鳥をそなえて祈るさまから、かたい・わざわいの意味を表す。

逆 患難・危難・急難・救難・苦難・険難・後難・困難・災難・至難・受難・殉難・水難・説難・遭難・多難・屯難・避難・非難・無難・厄難・論難

【難易】 むずかしいことと、やさしいこと。また、むずかしさ。
【難解】 ①わかりにくい。②難がとける。いくさがやむ。
【難関(闗)】 ①通りぬけるのにむずかしい門や関所。②きりぬけるのにむずかしい事態。
【難疑】 欠点を非難し、疑問の点をたずねきわめる。
【難儀】 国①なやみ。くるしみ。②むずかしいこと。③わずらわしいこと。面倒。迷惑。④まずしいこと。困窮。
【難詰】 欠点を非難して問いつめること。なじる。
【難局】 国きりぬけにくい出来事。困難な時局。
【難訓】 国漢字の訓がむずかしく、読みにくいもの。また、その読み方。
【難件】 処理のむずかしい事柄・事件。
【難行】 一 たやすくはかどらない物事。二 仏身心を苦しめて、仏道を修行すること。難行苦行。「難行道(自力本願の宗教。禅宗など)」↔易行道(六五三ページ上)。
【難攻不落】 国①要害堅固で攻めるのがむずかしく、なかなか落ちない。②承知しないこと。
【難航】 ①暴風雨などが原因で、飛行機・船などの航行が困難なこと。また、その航行。②物事が順調でないこと。
【難治】 ①治めにくい。②病気がなおりにくい。
【難渋(澁)】 国①すらすらと進まない。②こまること。なやむこと。③まずしいこと。貧困。
【難所】 通行しにくい所。危険な所。
【難色】 むずかしい・困った・いやだという顔つき・様子。
【難船】 船が風雨や暗礁のために、こわれたり、くつがえったりする。また、その船。
【難阻】 けわしくて、通りにくいこと。また、その場所。
【難題】 ①処理のむずかしい問題。②国無理な言いがかり。「無理難題」
【難聴(聽)】 ①聴力が低下している状態。②ラジオなどの放送がよく聞こえないこと。
【難読(讀)】 文字の読み方のむずかしいこと。また、その語。
【難物】 扱いにくいもの。手にあまるしろもの。
【難民】 ①困窮している人民。②災難にあった人民。③避難民。
【構難】 事をむずかしくする。たがいに非難し合う。また、兵乱をおこす。

10【雝】 18画 13206 一 漢ヨウ・呉オウ 二 漢ヨウ・呉オウ 图 yōng 腫 29184 — 7087

字義 一 ❶やわらぐ(和)。やわらぐさま。＝雍(13188)。❷雝雝は、やわらぎ楽しむさま。❸雝渠は、せきれい。二 ふさぐ(塞)。ふさがる。おおう。おおわれる。＝壅(2161)。

解字 甲骨文  篆文  形声。隹＋邕音。音符の邕は、水をめぐらした住居の意味。池をめぐらす宮殿に来る鳥、せきれいの意味を表す。借りて、やわらぐの意味を表す。

10【臒】 18画 13207 ワク 薬 huò
〔雘〕 13199 俗字

字義 辰砂。水銀と硫黄とが化合した深紅の鉱石。丹土のよいもの。

解字 形声。丹＋蒦音。

11【雔】 19画 13208 漢アン 呉オン 覃 ān 29185 — —

字義 ふなしうずら。

解字 形声。隹＋酓音。

11【難】 19画 (13205) ナン 難(13204)の旧字体。→一五二八ページ下。

11【離】 19画 13209 常 リ はなれる・はなす 一 リ 支 lí 二 チ 支 chī 三 漢レイ・呉ライ 霽 lì 4605 97A3 —

筆順 亠 ナ 㐅 凶 离 离 离 離 離

字義 一 ❶はなす。㋐さく(割)。たつ(絶)。わける。ひきはなす。㋑開く。㋒捨てる。❷はなれる。㋐別れる。「別離」㋑遠ざかる。去る。㋒たがう(違)。そむく。「背離」㋓さける(避)。㋔失う。❸つく(著)。❹かかる。㋐ひっかかる。㋑あう(遇)。遭遇する。㋒こうむる。身に受ける。＝罹(9468)。❺ならぶ。ふたり並ぶ。また、ふたつ。そろい。対。❻つらなる(陳)。つらねる。❼へる(歴)。わたる。❽あたる。応ずる。❾うれい。心配。❿まがき。垣根。⓫やまなし。梨。⓬あきらか。⓭あみ(網)。＝羅(9475)。⓮易の卦の名。㋐八卦の一つ。☲。物では火に、方位では南に配する。⇩コラム 八卦(一四五ページ)。㋑六十四卦の一つ。䷝離下離上。順を守れば、物事がみな成るかたち。⓯ものの形容。→離離。二 みずち。水にすみ、蛇に似た動物。＝螭(10710)。三 ❶ならぶ。＝儷(675)。❷つく(著)。

名前 あき・あきら・つら

使いわけ はなれる・はなす〔離・放〕
〔離〕くっついていたものを分ける。また、隔たりができる。「切り離す・都会を離れる」
〔放〕束縛をなくし、自由にする。「放れ馬・解き放す」

解字 篆文 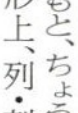 形声。隹＋离音。もと、ちょうせんうぐいすの意味を表したが、音形上、列・刺に通じ、切れ目を入れて、はなすの意味を表す。

逆 隔離・久離・距離・出離・定離・支離・別離・遊離・乱離・陸離・流離

【離宴】エン 別れの酒盛り。送別の宴。離筵エン。
【離縁】エン 夫婦・養子等の関係を断つこと。
【離歌】カ 別れの歌。離曲。
【離会(會)】カイ ①別れることと会うこと。離合。②二国の君主が会うこと。
【離隔】カク はなれへだたる。また、はなしへだてる。
【離△闊】カツ たがいにはなれて長い間たよりのないこと。
【離間】カン 人の仲をさくこと。たくらんで仲たがいさせる。
【離△跂】キ ①腕まくりするさま。②つま先だつこと。世俗を超越し、高く身を持するさま。③争うこと。
【離宮】キュウ 天子の別邸。
【離居】キョ 別れ別れに住む。別居。
【離曲】キョク 別離の曲。
【離群】グン ①仲間をぬけはなれる。②仲間からとびぬけてすぐれること。
【離△垢】コウ・ク ①仏煩悩ボンノウからはなれる。欲望・愚痴など世俗のけがれから自己を解放する。②仏道を修業する人をいう。
【離合】ゴウ はなれることと合うこと。「離合集散」
【離恨】コン 別れのつらさ。離別のうらみ。離愁。
【離散】サン 散り散りになる。
【離思】シ 別れの悲しい思い。はなればなれでいる思い。
【離朱】シュ ＝離婁ロウ①。
【離愁】シュウ 人と別れる悲しみ。離恨。
【離心】シン はなれてそむく心。叛心ハンシン。異心。
【離人】ジン ①別れて行く人。旅人。②夫に別れて留守を守る妻。
【離析】セキ はなれ別れる。ばらばらになる。
【離絶】ゼツ はなれる。
【離騒(騷)】ソウ 『楚辞ソジ』の編名。楚ソの屈原が、忠誠をつくして宮廷に仕えたが、悪臣のねたみの告げ口にあって王に信任されなかったので、その失意を述べたもの。▼離は罹リ、騒は憂で、うれいにあうの意。
【離俗】ゾク 俗世間からはなれる。俗事に関係しないこと。
【離亭】テイ ①別れの酒宴をする座敷。②国はなれ座敷。
【離背】ハイ はなれそむく。離反。
【離反・離△叛】ハン はなれそむく。
【離披】ヒ ①花が十分に開ききること。②ちらばる。
【離別】ベツ ①人と別れる。別離。②国離婚する。
【離憂】ユウ ①心配ごとに出会う。②別れの悲しみ・つらさ。
【離離】リ ①稲の穂、または果実などが、よくみのってたれ下がっているさま。②雲が長く続くさま。③草木の繁茂しているさま。用例（唐、白居易、草詩）離離原上草リリたりゲンジョウのくさ、一歳一枯栄イッサイひとたびコエイす。↓盛んに生い茂る野辺の草、一年のうちにひとたび枯れてはまた茂る。④心がはなれて親しまないさま。
【離△婁】ロウ ①古代の伝説上の人物。百歩離れても、毛の先が見えたというほど、視力の良い人。離朱ともいう。②模様などが鮮明なさま。③『孟子モウシ』の編名。

12【燿】20画 (9565) ヨウ 羽部。→一〇六三ジ中。
14【糴】22画 (9055) テキ 米部。→一〇二ジ上。
15【讎】23画 (11426) シュウ 言部。→一三四一ジ中。
17【糶】25画 (9056) チョウ 米部。→一〇二ジ中。
20【雧】28画 13210 シュウ 集(13179)の本字。→一五二四ジ中。

8画

雨（⻗） あめ・あめかんむり

〔部首解説〕雨を意符として、雪・雹・雷など気象現象に関する文字ができている。

0 雨 一五三〇	3 雩 一五三一	雪 一五三一	雫 一五三一	4 雲 一五三一
雱 一五三三	雯 一五三三	雰 一五三三	5 電 一五三三	雹 一五三三
雺 一五三四	雷 一五三四	零 一五三四	6 需 一五三四	7 霄 一五三四
震 一五三四	[illegible] 一五三五	霆 一五三五	霅 一五三五	霈 一五三五
霉 一五三五	霂 一五三五	霊 一五三五	8 霙 一五三六	霍 一五三六
霓 一五三六	霔 一五三六	霎 一五三六	霑 一五三六	霏 一五三七
霖 一五三七	9 霞 一五三七	霜 一五三七	霚 一五三七	霝 一五三七
[illegible] 一五三七	10 霣 一五三八	霢 一五三八	[illegible] 一五三八	霤 一五三八
[illegible] 一五三八	11 霨 一五三八	霪 一五三八	霯 一五三八	霧 一五三八
12 霱 一五三八	霰 一五三八	霳 一五三八	13 霸 一五三八	霸 一五三八
霹 一五三八	霻 一五三八	霶 一五三八	露 一五三八	14 霽 一五三九
霾 一五三九	15 靁 一五三九	16 靄 一五三九	靃 一五三九	靆 一五三九
靈 一五三五	靂 一五三九	靇 一五三九	17 靉 一五三九	18 靊 一五三九
19 [illegible] 一五三九	靎 一五三九	21 靏 一五三九		

0【雨】8画 13211 教1 ウ あめ・あま
熟字訓 五月雨さみだれ・時雨しぐれ・梅雨つゆ
1711 894A

一 ウ 麌 yǔ 二 ウ 遇 yù

筆順 一 ㄏ 冂 币 雨 雨 雨 雨

字義 一 ❶あめ。名詞などの上に付いて、あま。雲から降ってくる水滴。❷友人。「旧雨」 二 ❶あめ-ふる。あめがふる。❷ふる(降)。㋐雪やあられがふる。㋑空中から物が落ちる。❸うるおす。

名前 う・さめ・ふる

難読 雨晴あまはらし

解字 甲骨文 篆文 象形。天の雲から水滴がしたたり落ちる形にかたどり、あめの意味を表す。

逆 陰雨・雲雨・煙雨・寒雨・甘雨・喜雨・祈雨・急雨・峡雨・苦雨・好雨・江雨・豪雨・穀雨・細雨・慈雨・時雨・滋雨・十雨・積雨・弾雨・梅雨・白雨・飛雨・猛雨・涼雨・緑雨

【雨意】イウ あめの降りそうな様子。雨もよう。
【雨下】カウ ①あめが降る。②あめが降るように絶え間なく降り注ぐこと。
【雨花】カウ ①雨中に咲いている花。②あめのように散る花。③雪の別名。
【雨花菜】ウカサイ ほうれん草。
【雨過】カウ あめがはれる。「雨過天青」
【雨奇晴好】ウキセイコウ 晴れていても降っていてもながめのよいこと。晴好雨奇。
【雨脚】一 ウキャク ＝雨足一。二 あまあし 国＝雨足二。
【雨泣】キュウ ＝雨涙。▼泣は、なみだ。
【雨径(逕)】ケイ あめの降る小道。
【雨傾レ盆】あめボンをかたむく どしゃぶりの形容。〔北宋、蘇軾、次ニ韻江晦叔一詩〕
【雨月】ゲツ 国①雨夜の月。②あめのために名月の見られぬこと。③陰暦五月の別名。
【雨矢】シウ あめの降りそそぐように多く飛来する矢。
【雨師】シウ あめの神。
【雨集】シュウ ①あめの降るように多く集まること。②雨水がたまること。
【雨如二車軸一】あめシャジクのごとし 大雨の形容。雨足を車軸のような太さであるとたとえていったもの。〔長阿含経〕
【雨水】スイ ①二十四気の一つ。陽暦二月十九日ごろ。⇩コラム 気候(二十四気)(八〇三ジ)。②あめ。あまみず。③汗。
【雨雪】セツ あめと雪。

【雨足】㊀ソク あまあし。線状に見える雨。㊁あめたる あめがじゅうぶんに(たくさん)降る。㊂あまあし 国降雨が(たとえば西方から東方に)通過する速度。「雨足が速い」
【雨滴】テキ ①あまだれ。あめのしずく。②あめがしたたり落ちる。
【雨天】テン あめの降る空。また、あめの降る日。
【雨飛】ヒ ①あめが風に吹かれて乱れ飛ぶこと。②雨雲が飛び去って晴れること。③あめのように降る。
【雨不レ破レ塊】あめつちくれをやぶらず あめが静かに降って土くれさえもこわさない。世の中が平和であることのたとえ。〔塩鉄論、水旱〕
【雨△沐】モク ①あめが降りそそいでぬらす。②あめで髪を洗う。あめを冒して苦労すること。沐雨。
【雨△笠】㊀リュウ あめにぬれた笠か。㊁あまがさ 国あめの日に使う笠。
【雨△笠煙△蓑】ウリュウエンサ あめにぬれた笠かさと蓑みの。雨中にいる漁師などの様子にいう。▼煙は、もや。
【雨涙】ルイ あめのようにとめどもなく流れるなみだ。
【雨露】ロ ①あめと露。②雨露のように広くほどこしめぐむ意。転じて、大きな恩恵をいう。「雨露の恩」
【雨△潦】ロウ 雨降りの水たまり。
【△沐レ雨△櫛レ風】あめにかみあらい(ひ)かぜにくしけずる 風雨にさらされて苦労すること。禹うが洪水を治めるのに苦労した故事による。〔荘子、天下〕

3 【雩】11画 13212 ㊀ウ 虞 yú ㊁ウ 遇 yù 9368 — 7090

字義 ㊀①あまごいの祭り。ひでりの時、降雨を祈る祭り。雩祭。②あまごいの祭りをする。㊁にじ(虹コウ)。

解字 甲骨文 金文 篆文 形声。雨+亏㊉。音符の亏ウは、華に通じ、はなやかの意味。はなやかな舞で神を驚かせ、雨をこい求める祭りの意味を表す。

3 【雪】11画 13213 教2 セツ ゆき 3267 90E1 —
熟字訓 雪崩なだれ・吹雪ふぶき

3 【雪】11画 13214 漢セツ 呉セチ 屑 xuě

筆順 一 ⼀ 冖 币 雨 雪 雪 雪

【䨮】13256 本字

字義 ❶ゆき。雲の中の水蒸気が凝結し、白い結晶となって降ってくるもの。❷ゆき-ふる。雪が降る。❸すす-ぐ。そそ-ぐ。㋐洗い清める。㋑ぬぐう(拭ショク)。ぬぐい清める。㋒のぞく(除)。用例〔十八史略、春秋戦国、燕〕誠得ニ賢士一まことにケンシをえて、与共レ国くにをともにし、以雪ニ先王之恥一もってセンオウのはじ(ち)をすすがんことは、孤之願也コのねがい(ひ)なり。↓ぜひとも天下の賢人を得て、国事をともに謀り国力を充実させて、亡き父王の恥をすすぎたいものだ、それが余の願いである。❹白いさまのたとえ。「雪膚」❺きよい。高潔。

名前 きよ・きよみ・きよむ・せつ・そそぐ・ゆき 難読 雪花菜うのはな・おから・きらず・雪踏せった・雪特尼シドニー

解字 甲骨文 篆文 形声。篆文は、雨+彗㊉。音符の彗スイ=セイは、はきよめるの意味。雨で洗い清める、そそぐの意味を表す。また、毳セイ=ゼイに通じ、ほそくこまかいの意味、こまかく軽いゆきの意味を表す。甲骨文は羽毛のような雪片の象形。

逆 雨雪・回雪・細雪・小雪・吹雪・霜雪・大雪・氷雪・暮雪

【雪案】アン 雪あかりの机。苦学することのたとえ。晋シンの孫康が貧しくて、灯油が手に入らず、雪あかりで読書した故事による。▼案は、机。「雪案蛍窓」〔晋書、孫康伝〕
【雪衣】イ ゆきのように白い衣。多く鳥の羽毛についていう。
【雪意】イ 雪もよう。雪気。
【雪隠(隱)】セツイン・セッチン かわや。便所。
【雪△冤】エン 無実の罪をすすぎ清める。
【雪花・雪華】カ ①ゆきを花にたとえていう。②ゆきのように白い花。
【雪花菜】セッカサイ 豆腐のから。うのはな。
【雪客】カク ①鷺さぎの別名。②ゆきの降る時の来客。
【雪肌】キ ゆきのように白く清らかなはだ。雪膚。「氷膚雪肌」
【雪渓(溪)】ケイ ゆきにおおわれた谷。
【雪月花】セツゲッカ ゆきと月と花。四季の代表的な自然美。
【雪△姑】コ せきれいの別名。
【雪骨】コツ ①ゆきのように白く清い骨。鶴つるや梅などにいう。②崇高な風骨。
【雪山】㊀セツザン ①ゆきの積もった山。②一年中、ゆきの消えない山。③高く打ち寄せる白い波をたとえていう。④山名。㋐四川省康定県の大雪山脈の主峰、大雪山。㋑甘粛省酒泉市の南の祁連キレン山。㋒四川省松潘ショウハン県の南の岷山ビンザン。㋓雲南省麗江市の西北の雪嶺セツレイの主峰。㊁セッセン 仏「大雪山」の略称。インド北境の山。釈迦シャカが前世において、ここで修業したという。後世、ヒマラヤ山脈をいう。
【雪△氅】ショウ ゆきのように白い羽毛のころも。
【雪辱】ジョク 前に負けた相手を破り、負けた恥をそそぐこと。
【雪線】セン 国高山でゆきのため一年中地面の露出しない地点を連ねた境界線。
【雪然】ゼン ゆきの降るように、白さぎの飛び下りる形容。
【雪村友梅】セッソンユウバイ 国鎌倉・室町時代の禅僧。越後えちご(今の新潟県)の人。号は幻空。一山一寧に師事し、儒学も学んだ。詩をよくし、著書に『雪村録』『語録』『岷峨ビンガ集』などがある。(一二九〇―一三四六)
【雪駄】タ 国裏に皮を張ったぞうり。
【雪中君子】セッチュウのクンシ 梅の別名。雪中高士。
【雪中松△柏】セッチュウのショウハク 松や柏ハク(常緑樹の一種)はゆきの中でもその色を変えないところから、みさおの堅いことをたとえていう。
【雪泥△鴻爪】セツデイのコウソウ ゆきどけの泥に、鴻おおとりのつけたつめ跡。人生のはかなく跡形の残らぬことのたとえ。
【雪洞】㊀セットウ 風炉フロ(茶の湯に用いる炉)のおおい。㊁ぼんぼり 国室内照明具の名。
【雪白】パク ①ゆきのように白い。②行いの潔白なことのたとえ。
【雪髪】パツ しらが。白髪。
【雪膚】プ ゆきのはだ。ゆきのように白いはだ。
【雪豊(豐)年△之兆】ゆきはホウネンのチョウ 冬に大雪が降るのは、豊作のきざしである。〔南朝宋、謝恵連、雪賦〕
【雪△嶺】レイ ①ゆきの積もっている山。②→雪山㊀④㋓。
【雨レ雪】ゆきふる ゆきが降る。用例〔楽府詩集、上邪〕冬雷震震ふゆにいかずち(づち)シンシンとして、夏雨レ雪なつにゆきふる。↓冬には雷がゴロゴロと鳴りひびき、夏には雪が降る。
【映レ雪読(讀)レ書】ゆきにエイじてショをよむ =雪案。

3 【雫】11画 13215 人 標 漢ダ 呉ナ 馬 nǎ 2822 8EB4 —

筆順 一 冖 币 雨 雫 雫

字義 義未詳。国しずく(しづく)。水のしたたり。

名前 しずく

解字 国字としては、会意。雨+下。雨が下へと落ちる、しずくの意味を表す。

4 【雲】12画 13216 教2 ウン くも ウン 文 yún 1732 895F —

筆順 一 冖 币 雨 雪 雲 雲

字義 ❶くも。水蒸気が凝結した水滴・氷晶のかたまりが空に浮かんでいるもの。用例〔孟子、梁恵王上〕天油然作レ雲、沛然下レ雨。↓空に雲が湧きおこり、ざあざあと雨が降る。／〔説文解字〕雲山川之気也。↓雲は、山や川が発する気から生じるものである。❷しめりけ。湿気。❸雲のような。㋐さかんなさまの形容。また、多いさまの形容。「雲集」㋑高いさまの形容。また、遠いさまの形容。「雲桟」「雲樹」㋒すぐれているさまの形容。「青雲之士」㋓美しいさまの形容。「雲鬢」

名前 うん・くも・も・ゆき・ゆく 難読 雲谷・雲脂・雲雀・雲珠・雲出・雲呑・雲母

解字 篆文 雲 形声。雨＋云㊟。音符の云は、雲の回転するさまにかたどる。くもの意味を表す。

逆 暗雲・陰雲・寒雲・慶雲・景雲・香雲・黄雲・孤雲・彩雲・紫雲・祥雲・陣雲・晴雲・青雲・戦雲・層雲・停雲・風雲・浮雲・片雲・暮雲・密雲・乱雲

【雲雨】①くもと雨。②めぐみ。恩。③巫山の神女の伝説から、男女の交情を「雲雨の情」という。→巫山之夢(四九ページ上)。

【雲翳】①くものかげ。雲影。②くものように、おおう。

【雲液】①酒の別名。②雲母の別名。

【雲煙・雲烟】①くもと煙。②くもとかすみ。③筆勢の力強いさま。

【雲烟過眼】くもや煙が目の前をまたたくうちに過ぎ去るように、物事に深く心を留めないこと。〔北宋、蘇軾、王君宝絵堂記〕

【雲華】①美しい色のくも。②雲母の別称。③茶の別名。

【雲霞】①くもと、夕焼けや朝焼け。②国多くのものがむらがり集まるさま。

【雲臥】くもの中にねる。くものかかった高山にねる。世をのがれて山中などにかくれること。

【雲海】①くもと海。②くもにおおわれた海。③高山の頂上から見てくもが海のように見える景色。

【雲外】くものかなた。雲表。

【雲客】①くもの中の人。仙人。②国くものうえびと。殿上人。五位以上の人、及び六位の蔵人。

【雲間鶴】くものあいだをかけるつる。すぐれた人物のたとえ。

【雲漢】天の川。銀漢。用例〔唐、李白、月下独酌詩〕永結ニ無情遊一、相期邈雲漢。↓永久に(月や影と)人間の情を離れた楽しみを共にし、はるかな天の川で会うことを約束しよう。

【雲翰】他人の手紙に対する敬称。雲箋。

【雲鬟】①美しいまげ。女性の豊かな髪をくもにたとえた語。用例〔唐、杜甫、月夜詩〕香霧雲鬟湿、清輝玉臂寒。↓かぐわしい夜霧に妻の美しいまげはしっとりぬれて、清らかな月の光に妻の美しい腕は冷たく光っていることだろう。②遠くに見える山のさま。

【雲気(氣)】①くものように空中に現れる気。②くも。

【雲脚】①くもの動いて行く速度。くもあし。②低くたれ下がっているくも。

【雲錦裳】仙人などが着る美しい着物。

【雲衢】くもの往来する道。天空をいう。▼衢は、四方に通ずる道。

【雲髻】高く結んだ女性の美しい髪。

【雲霓・雲蜺】くもと、にじ。また、にじ。

【雲行】㊀①くもが空を行く。②天子の恩が広くゆきわたること。㊁国事のなりゆき。

【雲岡・雲崗】地名。山西省大同市にある丘陵。北魏時代の石窟寺院で有名。

【雲合霧集】くもや霧のように集まる。一時に多く集まるようす。用例〔史記、淮陰侯伝〕天下之士雲合霧集。↓天下の士が雲や霧のように集まって来た。

【雲根】①くもの生ずるもと。㋐くもは山から生ずるというところから、山の頂上をいう。㋑くもは岩石の間から生ずるというところから、石をいう。②くもをいう。

【雲彩】くものいろどり。また、いろどられたくも。

【雲際】くものあるあたり。高い山の峰など。

【雲桟(棧)】高くて、くものかかっている、または、くもにとどくかと思われるようなかけはし。用例〔唐、白居易、長恨歌〕黄埃散漫風蕭索、雲桟縈紆登ニ剣閣一。↓黄色い土ぼこりがあたり一面に舞い上がり、風はわびしく吹きすさぶ中、雲までとどく蜀の桟道がうねうねと続く道を、剣閣山に登ってゆく。

【雲散鳥没】くもか鳥のように消えうせること。雲消霧散。

【雲散霧消】＝雲消霧散。

【雲車】①やぐらなどのついた高い車。攻城に用いる。②くもの模様を描いた車。③仙人の乗る車。仙人は、くもを車とするのでいう。くもの車。

【雲雀】㊀鳳。㊁国小鳥の名。告天子。

【雲樹】くもにとどくほど高い木。

【雲岫】くものわく峰。くものかかっている峰。▼岫は、峰。

【雲集霧散】多くのものがくものように集まり、霧のように散ること。〔後漢、班固、西都賦〕

【雲聚】①くものように多く集まること。雲集。②くものように、ふわふわと集まること。

【雲従(從)レ竜(龍)】竜がうなればくもがわき起こる。気質を同じくする者はたがいに引きあうこと。すぐれた君主が出ると、すぐれた臣下が出てこれを助けることのたとえ。用例〔史記、伯夷伝〕雲従レ竜風従レ虎。↓竜がうなれば雲がわき起こり、虎が吼えれば風が吹き起こる。

【雲消霧散】くもか霧のように消えうせる。あとかたもなく消えうせること。雲散霧消。

【雲翔】①分かれ散る。②くものかけ回るように、あちらにもこちらにも起こる。

【雲霄】①空。大空。▼霄は、空。②高い位のたとえ。青雲。

【干ニ雲霄一】大空にこだまする。用例〔唐、杜甫、兵車行〕牽レ衣頓レ足攔レ道哭、哭声直上干ニ雲霄一。↓(見送る人々は)兵士たちのきものを引っぱり、足をばたばたさせ、道をさえぎって泣きさけぶ。その泣き声は、まっすぐに立ちのぼって、大空をつきささんばかりだ。

【雲蒸竜(龍)変(變)】くものごとくわきおこり、竜のごとく変幻自在に活動する意で、英雄や豪傑が機会を得て世にあらわれ、活躍することのたとえ。〔史記、彭越伝賛〕

【雲壌(壤)】①くもと大地。天地。▼壌は、土の意。②＝雲泥。

【雲擾】くもが乱れるように世の中が大いに乱れること。▼擾は、みだれる意。

【雲心月性】無欲で、利益を求める心のないこと。

【雲水】①くもと水。②くもや水のように一か所にとどまらず方々を歩きまわるところから、行脚僧をいう。

【雲水飛動】山水画が非常にたくみに書かれていること。

【雲井】㊀はるか東方にあり、くもがわき出ると考えられた井戸。㊁国雲居の当て字。㋐くものあるところ。空。㋑くも。㋒宮中。皇居。㋓みやこ。

【雲棲】世俗をのがれてくものたなびく所に住むこと。隠居すること。

【雲箋】美しい手紙。他人の手紙の敬称。雲翰。

【雲孫】①自分から八代後の孫。子・孫・曽孫・玄

孫・来孫・昆孫・仍孫・雲孫の順。②子孫。

【雲丹】海産動物の名。

【雲梯】①くもにとどくかと思われるほどの高いはしご。攻城に用いる。②くものはしご。仙人などがくもに乗って空にのぼって行くことからいう。③高位に登る足場となることから、官吏登用試験に及第することを「躡₂雲梯₁」という。

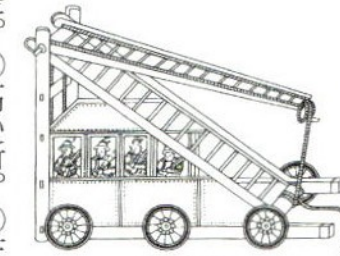
雲梯①

【雲泥】くもと泥。二つの事物の非常にかけはなれてちがっていることのたとえ。「雲泥の差」

【雲天】①くものたなびいている空。②高い所。③天子のいる所。

【雲濤】①はるか天空のはてに見える波。②くもを波にたとえていう。

【雲屯】くものように集まる。

【雲版】①寺などで用いる合図用の楽器。青銅の板に雲の形を鋳付けたもの。②色紙・短冊などを入れる壁懸け用の額。

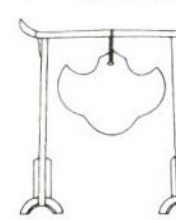
雲版

【雲表】くものかなた。くもの上。雲外。

【雲標】くもの柱。高い空にあるくもをいう。

【雲鬢】美しいびん髪。ふさふさとした美しい髪。▼鬢は、耳ぎわの髪の毛。用例〔唐、白居易、長恨歌〕雲鬢花顔金歩揺、芙蓉帳暖度₂春宵₁。↓雲のように豊かな鬢の毛、花のようなかんばせ、そして歩くと揺れる黄金のかんざし。はすの花のぬいとりがあるとばりのなかは暖かく、春の宵が過ぎてゆく。

【雲物】①太陽のまわりの雲気の色。②けしき。

【雲陛】高い階段。宮中の階段のこと。

【雲母】鉱物の一種。硅酸塩。六角板状の結晶で、薄くはがれやすい。色は白・黒の二種がある。

【雲峰】①くもがかかっている高いみね。②夏空にくもがたちこめて、山のみねのように見えるもの。入道雲。

【雲房】くものたちこめる高い家。道士・僧などの居室。

【雲夢】春秋・戦国時代の湖沼地帯の名。単に雲あるいは夢ともいう。今の湖北省・湖南省のあたりから、長江北岸の地一帯といわれるが、諸説がある。

【雲無₂心以出₁岫】くもは自然のままに峰からわき出る。物事にこだわらず、のんびりとしたさまのたとえ。用例〔東晋、陶潜、帰去来辞〕雲無₂心以出₁岫、鳥倦₂飛而知₁還。↓雲は自然のままに山のほら穴からわき出ており、鳥は飛ぶのにあきては、ねぐらに帰って行くのを知っている。

【雲耶山耶呉耶越】向こうに見えるのはくもだろうか、山だろうか、それとも呉の国(中国南方の古名)だろうか、越の国(中国南方の古名)だろうか。天草洋から実際には見えない中国大陸を望見した、スケールの大きな詩句。用例〔頼山陽、泊₂天草洋₁詩〕雲耶山耶呉耶越、水天髣髴青一髪。↓向こうに見えるのは雲だろうか、山だろうか、それとも呉の国だろうか、越の国だろうか。海と空とが接するあたりに、一筋の髪の毛を引いたように、ぼんやりと陸地が横たわって見える。

【雲遊】①くもの中で遊ぶこと。②くものように自由に遊ぶこと。③諸国を放浪すること。④くもが大空を動くこと。

【雲和】①琴の材を出す山の名。②琴。

4 【雰】12画 13217 常 フン　フン 図 fēn　4223 95B5 —

筆順 一 … 雰

字義 ＝氛(6112)。❶気。事に先だって現れて吉凶を示す気。❷きり(霧)。❸雰雰は、雨や雪の盛んに乱れ降るさま。また、霜のおりるさま。

参考 熟語は〔氛〕(6112)をも見よ。

解字 別体(氛)　形声。雨＋分音。

【雰囲(圍)気(氣)】国①地球を取り巻く空気。大気。②その場の気分。ムード。

4 【雯】12画 13218 漢ブン 呉モン 図 wén　9369 — 7091

字義 雲の美しいあや模様。

解字 形声。雨＋文音。音符の文は、あやの意味。雲の美しい模様の意味を表す。

4 【雱】12画 13219 ホウ(ハウ) 陽 pāng　— — 7092

字義 ❶雪がさかんに降るさま。❷ふりそそぐ。

解字 形声。雨＋方音。

5 【電】13画 13220 教2 デン　漢テン・呉デン 霰 diàn　3737 9364 —

筆順 一 … 電

字義 ❶いなずま。いなびかり。空気中の放電によって生じる光。❷いなずまのようにすばやいさまの形容。「電撃」❸みる(見)。手紙に用いる敬語。「電覧」国デン。❶「電気」の略。❷「電車・電信・電報・電話」などの略。

名前 あきら・ひかり

解字 金文　篆文　形声。雨＋申(𦥔)音。音符の𦥔は、金文でもわかるように、いなびかりの象形。雨を付し、いなずまの意味を表す。

逆 紫電・逐電・飛電・雷電・流電

【電影】①いなびかり。②映画。

【電気(氣)】①物体に電気現象を起こさせる原因。陰・陽の二種がある。②electricity の訳語。㋐電荷(電気量)どうしが力を及ぼしあって起こる現象、およびその現象の実体。㋑電灯。

【電撃(擊)】①いなずまのように急にはげしく撃つこと。②電気にうたれること。また、そのときに感じる衝撃。③国世人の意表に出るすばやい行動。

【電激】いなずまのようにはげしくおこる。

【電光石火】いなびかりと、石を打ち合わせた時に出る光。非常に速いさまのたとえ。また、きわめてはかない物のたとえ。『五灯会元』保福従展禅師に「如₂撃₁石火₁、似₂閃₁電光₁」とあるのに基づく。

【電光朝露】いなずまと朝の露。きわめてはかない物のたとえ。

【電掣】いなずまがひらめく。また、そのように速く動く。

【電閃】いなずまがひらめく。また、そのように速くひらめくこと。

【電掃】いなずまのように速く掃きかたづける。賊などの平定に用いる。

【電鞭】いなずまのひらめくこと。

【電泡】いなずまと、あわ。消えやすい物のたとえ。電沫。

【電滅】いなずまのようにたちまちほろびる。また、ほろぼす。

5 【雹】13画 13221 漢ハク 呉バク 覚 báo　8027 E8B9 —

字義 ひょう。氷雨。あられの大きなもの。

解字 甲骨文　篆文　形声。雨＋包音。音符の包は、つつむの意味。雨を包みこんだ形の、ひょうの意味を表す。

【雹霰】あられ。ひょう。

5【雺】13画 13222 ム
霧(13257)の古字。→一五三八ページ上。

5【雷】13画 13223 ライ 灰 léi 常 ライ かみなり
筆順 一 ⼆ 干 干 雷 雷 雷 雷 雷
［靁］13269 本字
字義 ❶かみなり。いかずち。空気中の放電によって、光とともに生じる激しい音。❷かみなりのような。㋐大声の形容。㋑はげしいさまの形容。「迅雷」㋒はやいさまの形容。㋓威厳のあるさまの形容。
名前 あずま・いかずち・らい 難読 雷神山（なりかみやま）
解字 金文 篆文 形声。もと、雨＋畾㊍。音符の畾は、重なるの意味。いなずまが直線を重ねたように走るさまから、かみなりの意味を表す。
逆 疾雷・迅雷・万雷・蚊雷
【雷火】（ライカ） かみなりによって起こる火事。
【雷鼓】（ライコ） ①かみなりのとどろく音。②太鼓の一種。八面の太鼓。③鼓を打つ。
【雷公】（ライコウ） かみなりさま。いかずちの神。雷神。
【雷車】（ライシャ） ①雷神の乗る車。転じて、かみなり。②大きな音響をたててきしっている車をいう。
【雷神】（ライシン・ライジン） かみなり。いかずちの神。雷公。
【雷震】（ライシン） ①かみなりの音のひびきわたること。②かみなりのように大きな音をたてること。
【雷沢（澤）】（ライタク） 沼沢の名。今の山東省荷沢市のあたり。また、山西省永済市の南。昔、舜帝（シュンテイ）が漁をした所といわれる。

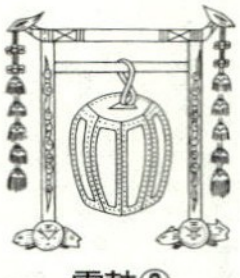
雷鼓②

【雷霆】（ライテイ） かみなり。また、かみなりのひびき。▼霆も、かみなり、また、かみなりの音。

【雷電】（ライデン） かみなりと、いなずま。また、それが起こること。

【雷同】（ライドウ） 自分の考えを持たず、他人の意見にすぐ同意してしまうこと。「付和雷同」〔礼記、曲礼上〕

【雷動】（ライドウ） かみなりの鳴りわたるように、はげしくどよめきさわぐこと。

【雷斧】（ライフ） ①石で作ったおの。石器時代の遺物である石斧。②石などが巧みに、または、はげしく打ち割られる形容。③雷神のおの。また、あやしい石の形容。

【雷奔】（ライホン） かみなりのようにはげしく走る。

【雷名】（ライメイ） 国①世間に広く知れわたっている名声。②他人の姓名に対する敬語。御高名。

【雷鳴】（ライメイ） ①かみなりがなる。また、その音。②大きい声。

【雷文】（ライモン・ライブン） いなずまのように屈折した線の模様。雷紋。

雷文

5【零】13画 13224 漢レイ・呉リョウ（リャウ） 青 líng 常 レイ
筆順 ⼆ 干 雨 雨 雵 雵 零 零 零
字義 ❶静かに降る雨。こぬか雨。零雨。❷おちる。こぼれる。㋐雨が降る。㋑露が下りる。㋒草が枯れおちる。㋓おちぶれる。❸こぼす。あまる。あまり。はした。❹ゼロ（0）。

難読 零余子（ぬかご・むかご）・零落（おちぶれる）

解字 篆文 形声。雨＋令㊍。音符の令は、神意を聴くの意味。神意にかなって雨がおもむろに降る・おちるの意味を表す。

逆 漂零
【零雨】（レイウ） 静かに降る雨。こさめ。小雨。微雨。

【零砕（碎）】（レイサイ） ①落ちくだける。②はした。こぼれ落ちたもの。③細かでわずらわしいこと。

【零細】（レイサイ） 国①非常にこまかい。②きわめてわずか。おちぶれてちりぢりになる。

【零散】（レイサン） おちぶれてちりぢりになる。

【零星】（レイセイ） ①星の名。天田星ともいい、農業をつかさどる星とされた。②物の数のすくないこと。すこし。まばら。わずか。

【零替】（レイタイ） おちぶれる。零落する。

【零凋】（レイチョウ） 花がしぼみ落ちること。凋零。

【零丁】（レイテイ） ①おちぶれて孤独なさま。②失意のさま。③まいごを捜すため紙に名を書き竹ざおに付けて立てるもの。

【零丁洋】（レイテイヨウ） 海洋の名。広東（カントン）省中山市の南、珠江の河口のあたり。〔南宋、文天祥、過二零丁洋一詩〕

【零売（賣）】（レイバイ） 少しずつ物を売る。↔零買。

【零買】（レイバイ） 少しずつ買う。↔零売。

【零墨】（レイボク） 国（書いたものが）わずかに残ったきれはし。「断簡零墨」

【零余（餘）】（レイヨ） 少しばかりのあまり。はした。

【零余（餘）子】（レイヨシ） 自然薯（ジネンジョ）のつるにできるたま芽。ぬかご。山いもの子。

【零落】（レイラク） ①草木が枯れ落ちること。②おちぶれること。

【零乱（亂）】（レイラン） ゆらゆらと乱れ動く。用例（唐、李白、月下独酌詩）我歌月徘徊（われうたえ（へ）ば、つきハイカイし）、我舞影零乱（われまえ（へ）ば、かげレイランす）

↓私が歌うと月も合せて空中をさまよい、私が踊ると影もゆらゆらと揺れる。

【零涙】（レイルイ） なみだを落とす。また、落ちるなみだ。

【零露】（レイロ） したたり落ちる露。

6【需】14画 13225 漢シュ（シウ）・呉ス 虞 xū 慣ジュ 常 ジュ
筆順 ⼆ 干 雨 雨 雨 雫 雫 需 需
字義 ❶もとめる。また、もとめ。❷まつ（待）。❸ためらう。また、うかがう。❹易（エキ）の六十四卦（カ）の一つ。☵☰ 乾下坎上（ケンカカンショウ）。時を待って行えば成功するかたち。
名前 まち・みつ・もと・もとむ・もとめ
解字 篆文 会意。雨＋而。而は、ひげを生やした、みこの意味。雨ごいをするみこのさまから、待ち求めるの意味を表す。需を音符に含む形声文字に儒・嬬（ユジ）・孺（ユジ）・懦（ユジ）・臑（ユジ）・濡（ユジ）・襦（ユジ）などがある。
逆 軍需・必需
【需給】（ジュキュウ） 国需要と供給。
【需要】（ジュヨウ） 国①もとめ。入り用。②経済用語で、市場にあらわれる買い取りの希望。↔供給（一〇三ページ中）。◈「需用」は、電気・ガス・水道関係などの入り用の意で、別語。

7【霄】15画 13226 ショウ（セウ） 蕭 xiāo
字義 ❶みぞれ。雨まじりの雪。❷太陽の周囲に現れる雲気。❸そら。天。❹雲。❺夜。よい。＝宵（2648）。❻きえる（消）。つきる（尽）。
解字 篆文 形声。雨＋肖㊍。音符の肖は、梢（ショウ）に通じ、こずえの意味。高いこずえの方からの雨、みぞれの意味を表し、高いそらの意味をも表す。
【霄漢】（ショウカン） 大空。蒼穹（ソウキュウ）。
【霄峙】（ショウジ） 空高くそびえ立つ。
【霄壌（壤）】（ショウジョウ） ①天と地。②天地のように大いに隔たりのあることのたとえ。大差のあること。雲泥。

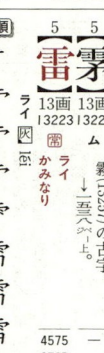

7【震】15画 13227 シン 震 zhèn 常 シン ふる-う・ふる-える
筆順 ⼆ 干 雨 雨 雫 雫 霅 震 震

字義 ❶ふる-える。また、ふる-う。㋐はためく。鳴りひびく。㋑動く。動かす。㋒おどろく。おどろかす。㋓おそれる。おののく。ふるえる。㋔はばたく。㋕聞こえ渡る。威権がゆきわたる。❷かみなり。はげしい雷。❸地震。❹おどる。たかぶる。❺いきおい。威権。威光。❻易(エキ)の卦(カ)の名。㋐八卦の一つ。☳。雷・東・長男・木・土などを表す。⇩ コラム 八卦(一四五ページ)。㋑六十四卦の一つ。䷲震下震上(シンカシンショウ)。万物の発動するかたち。国 シン。宸(シン)に通じ用いて、天子に関する事物に冠する。「震怒」

名前 おと・しん・なり・なる・のぶ　難読 震岳(ゆるぎだけ)

使いわけ ふるう〔奮・振・震〕⇩奮(2305)。

解字 篆文 形声。雨＋辰音。音符の辰(シン)は、ふるえるくちびるの意味。雷雨が人を驚かせふるえさせるさまから、ふるえるの意味を表す。

逆 耐震・余震・雷震

【震恚】シンイ　大いにいかる。震怒。▼恚は、いかる。
【震駭】シンガイ　おどろきふるえる。おどろきおそれる。
【震撼】シンカン　ふるい動く。また、ふるい動かす。
【震悸】シンキ　ふるえおそれる。震恐。
【震恐】シンキョウ　ふるえおそれる。震怖。震惶(シンコウ)。震慄(シンリツ)。
【震驚】シンキョウ　ふるえおどろく。また、おどろかす。おどす。
【震懼】シンク　ふるえおののく。非常におそれる。
【震眩】シンゲン　おどろいて目がくらむこと。
【震災】シンサイ　地震によって起こる災害。
【震粛(肅)】シンシュク　おそれおののいて、身をつつしむこと。
【震悚・震竦】シンショウ　ふるえあがっておそれる。
【震震】シンシン　①雷の鳴りひびくさま。用例〔楽府詩集、上邪〕冬雷震震(ふゆにいかずちシンシンとして)、夏雨雪(なつにゆきふる)。↓冬には雷がゴロゴロと鳴りひびき、夏には雪が降る。②光り輝くさま。③さかんなさま。
【震怛・震呾】シンダツ・シンタン　ふるえおどろく。また、ふるえおどろかす。
【震旦】シンタン　昔、インドで中国を呼んだことば。
【震霆】シンテイ　鳴りひびくかみなり。雷鳴。▼霆は、かみなり。
【震天駭地】シンテンガイチ　天をふるわせ地をおどろかす。勢いや音のはげしく大きなさまの形容。震天動地。
【震怒】シンド　大いにいかる。特に天子の怒りをいう。
【震悼】シントウ　身をふるわせていたみ悲しむ。
【震蕩・震盪】シントウ　ふるえ動く。「脳震蕩」
【震動】シンドウ　①ふるえ動く。小刻みにゆれ動く。また、ふるえ動かす。②おどろき恐れる。
【震怖】シンプ　ふるえおそれる。震恐。
【震服】シンプク　おそれて従う。
【震揺(搖)】シンヨウ　ふるえ動く。また、ふるい動かす。
【震栗・震慄】シンリツ　ふるえおそれる。おそれおののく。震恐。

7【霃】15画 13228 漢 チン 呉 ジン(ヂン) 侵 chēn ― ― 7101

字義 長い間くもる。雨が長く続く。

解字 形声。雨＋沈音。音符の沈は、久しいの意味。

7【霆】15画 13229 漢 テイ 呉 ジョウ(ヂャウ) 青 tíng 8029 E8BB ―

字義 ❶雷の音。特にそのはげしいとどろき。❷いなずま(ない)。＝電(13220)。❸ふるう。はためく。

解字 篆文 形声。雨＋廷音。音符の廷は、まっすぐ突き出るの意味。突き出てくるようなかみなり・いなずまの意味を表す。

【霆駭】テイガイ　①いなずまに打たれたようにおどろく。②いなずまのように速く行くさま。
【霆撃(擊)】テイゲキ　いなずまのようにはげしく一気に撃つこと。
【霆奮】テイフン　いなずまのように、はげしくふるい立つ。

7【霅】15画 13230 一 漢 トウ(タフ) 呉 ジョウ(デフ) 洽 zhá 二 ソウ(サフ) 合 sà ― ― 7102

字義 一 ❶霅霅(トウトウ)は、㋐いなびかりのひらめくさま。㋑雨の降るさま。❷かまびすしい。衆人の声。二 霅霅(ソウソウ)は、雨の降るさま。

解字 篆文 形声。雨＋譶省音。音符の譶(トウ)は、やかましいの意味。雨は、かみなりの意味。

7【霈】15画 13231 ハイ 泰 pèi 8030 E8BC ―

字義 ❶おおあめ(大雨)。❷雨のさかんに降るさま。❸雨雪の多いさま。❹うるおう。うるおい。恩沢。

解字 形声。雨＋沛音。音符の沛(ハイ)は、広い幅で水が豊かに流れるの意味。雨を付し、雨のさかんに降るさまを表す。

7【霉】15画 13232 漢 バイ 呉 マイ 灰 méi ― ― 7103

字義 ❶霉雨(バイウ)は、つゆ。梅雨。❷かび。❸しめり。しみ。

解字 形声。雨＋毎音。音符の毎は、梅に通じ、つゆの意味。

7【霂】15画 13233 漢 ボク 呉 モク 屋 mù ― ― 7094

字義 霢霂(バクボク)は、小雨。

解字 形声。雨＋沐音。

7【霊】15画 13234 常 レイ・リョウ たま 4678 97EC ―

16【靈】24画 13235 漢 レイ 呉 リョウ(リャウ) 青 líng 8045 E8CB ―

筆順 一 〒 雨 雫 雫 雫 霊 霊

[靇]13253 同字 [霛]13248 古字 [灵]2256 俗字 [灵]6861 俗字

字義 ❶たま。たましい(たましひ)。特に、死者のたましい。❷心。精神。また、まこと。まごころ。❸いのち。命数。❹神。❺神秘的な力。また、不思議な。❻よい(善)。また、すぐれている。❼さいわい。幸福。❽いつくしみ。慈愛。❾あきらか。❿みこ(巫)。かんなぎ。

名前 たま・よし・れい　難読 霊山(よしやま)・霊田(たまだ)

解字 金文 篆文 別体 形声。篆文は王＋霝音。音符の霝(レイ)は、祈りの言葉を並べて雨ごいするの意味。別体の靈は、玉の部分が巫で、みこの意味。玉を供えたりして雨ごいをする「みこ」のさまから、神の心・たましい・みこ等の意味を表す。常用漢字の霊は靈の省略体。

逆 悪霊・威霊・英霊・言霊・死霊・心霊・神霊・生霊・精霊・聖霊・地霊・亡霊・幽霊

【霊位】レイイ　死者の魂の宿るところ。位牌(イハイ)。
【霊異】レイイ・リョウイ　すぐれて不思議なこと。人知ではかり知れぬこと。神異。霊妙。
【霊域】レイイキ　神仏を祭る神聖な区域。神域。
【霊雨】レイウ　よい雨。慈雨。
【霊液】レイエキ　①露の別名。②水銀の別名。
【霊応(應)】レイオウ　神仏の現す不思議な感応。
【霊怪】レイカイ　不思議で、あやしい。また、そのもの。
【霊感】レイカン　①神仏の不思議な感応。②国㋐神仏が乗りうつったような感じ。㋑人間の霊の微妙な作用による感応。インスピレーション。
【霊鑑】レイカン　①すぐれた鑑識。②天のみるところ。天の照覧。
【霊気(氣)】一 レイキ　霊妙で不思議な気。また、なんともいえない不思議な心持ち。二 リョウゲ　国もののけ。
【霊亀(龜)】レイキ　①不思議なかめ。神亀。②かめの一種。
【霊柩】レイキュウ　死体を納めたひつぎ。
【霊験(驗)】レイケン・レイゲン　神仏の不思議な働きのしるし。
【霊光】レイコウ　霊妙な(めぐみの)光。天子の恩沢にたとえる。
【霊骨】レイコツ　非凡な骨相。
【霊魂】レイコン　たましい。肉体から独立して存在すると考えられる精神。↔肉体(一一七七ページ中)。
【霊座・霊坐】レイザ　死者の魂を静める所。

【霊祭】レイサイ 死者の魂を祭ること。たままつり。
【霊△犀】レイサイ 霊妙なさい。さいの角は中心に穴があって貫通しているところから、相手と気持ちが通じあうことのたとえ。用例〔唐、李商隠、無題詩〕身無二彩鳳双飛翼一 心有二霊犀一点通一。↓身には、雌雄の鳳凰が並んで飛ぶ彩り美しい翼は備わっていないが、心には、霊妙なさい（の穴）があって、（相手の心と）一筋の通じ合うものがあった。
【霊刹】レイサツ 霊妙な寺。すぐれた寺をいう。
【霊山】㊀レイザン 霊妙な山。神社や寺のある尊い山。㊁リョウゼン 霊鷲山の略称。
【霊芝】レイシ きのこの一種。ひじりだけ。まんねんだけ。
【霊△輀・霊△轜】レイジ ひつぎぐるま。霊柩車。
【霊△鷲山】リョウジュセン 仏山名。インド摩訶陀国、王舎城の北東にあり、山頂が鷲に似ていることから名づけられた。釈迦はこの山で「法華経」を説いた。鷲山。
【霊秀】レイシュウ すぐれてひいでる。神秀。
【霊△脩】レイシュウ 神のようにさきのさきまで明らかに見通せること。転じて、名君をいう。霊修。▼脩は、遠い意。
【霊獣（獸）】レイジュウ 神獣。麒麟の類い。
【霊沼】レイショウ ①周の文王の離宮にあった沼。②広くりっぱな池や沼。
【霊△牀】レイショウ ①死者を仮に乗せておく寝台。②死者をとむらうために設けた場所。
【霊辰】レイシン ①よい時。②めでたいよい日。正月七日。
【霊△瑞】レイズイ 霊妙でめでたいしるし。
【霊性】レイセイ 生まれながらのかしこさ。天賦の聡明。
【霊跡・霊△迹・霊△蹟】レイセキ ①神仏に関係のある古跡。②奇跡のあった所。
【霊泉】レイセン 霊妙な泉。不思議なききめのある泉。温泉の美称。神泉。
【霊△祚】レイソ すばらしい幸い。
【霊草】レイソウ めでたいよい草。また、不死の薬草。神草。
【霊代】レイダイ 死者の魂のしるしとして祭るもの。みたましろ。
【霊台（臺）】レイダイ ①魂のある所。心。②周の文王の建てた物見台。③天文台。
【霊宅】レイタク 道家で、かお。眉・目・口がある所であることから。
【霊沢（澤）】レイタク 天の恩恵。よいうるおい。徳政のたとえ。
【霊壇】レイダン ①神を祭る庭。②雨の降るようにと祈る壇。
【霊地】レイチ 神々しい土地。神仏を祭ってある土地。
【霊長】レイチョウ ①霊妙な力を持ったうちで、第一番のもの。人間をいう。「万物の霊長」②幸運が長く続くこと。

【霊△寵】レイチョウ 神仏などの尊いめぐみ。
【霊媒】レイバイ 国神仏や死者の魂と意思を通じさせるなかだち。
【霊匹】レイヒツ 神霊の夫婦。牽牛・織女二星の夫妻。
【霊△廟】レイビョウ ①霊殿。先祖などの魂を祭ってある所。みたまや。②卒塔婆の別名。
【霊△巫】レイフ みこ。かんなぎ。
【霊府】レイフ ①魂のある所。心。②五帝の一つ。蒼帝。
【霊符】レイフ 不思議なしるしのある神仏のお札。護符。
【霊武】レイブ ①人間わざと思えないすぐれた武勇。②地名。今の寧夏回族自治区霊武市の南西。安禄山の乱の時、粛宗が亡命して即位した所。
【霊物】レイブツ ①ふしぎでめでたいしるしのもの。②鬼神。
【霊△芬】レイフン たいへんよいかおり。
【霊保】レイホ みこ。かんなぎ。神巫。
【霊宝（寶）】レイホウ すぐれてよい宝物。▼霊は、善。
【霊峰】レイホウ 神聖な山。神社や寺のある山。
【霊木】レイボク ①不思議な力を持つ、すぐれた木。②神霊のしるしとする木。神木。
【霊妙】レイミョウ 不思議ではかり知れない。
【霊薬（藥）】レイヤク 不思議なききめのある薬。神薬。
【霊△囿】レイユウ 周の文王の造った動物園。
【霊△輿】レイヨ 柩を乗せた輿。霊柩車。
【霊曜】レイヨウ ①天。また、天地。②＝霊耀。
【霊△耀】レイヨウ ①不思議な光。②太陽と月。

8 【霙】16画 13236 　漢エイ 呉ヨウ（ヤウ） 庚 yīng 　8036 E8C2 —

字義 ❶みぞれ。雨まじりの雪（霄）。❷雪。また、あられ（霰）。

解字 形声。雨＋英音。音符の英は、はなの意味。花のような雪、みぞれの意味を表す。

8 【霍】16画 13237 　カク（クヮク） 薬 huò 　8025 E8B7 —

字義 ❶あわただしく飛ぶ鳥の羽音。＝靃（13271）。❷すみやか。はやい。また、にわか。❸山名。衡山の別名。❹周代の国名。今の山西省内。国つる。鶴（14315）の俗字。

難読 霍公鳥

解字 会意。雨＋隹（雔）。靃の省略体。雨が降ってきて、鳥があわただしく飛ぶ、すみやかの意味を表す。

【霍霍】カクカク 刀の刃のひらめくさま。また、声の速いさま。早口。
【霍去病】カクキョヘイ 前漢の武将。武帝の皇后衛氏と大将軍衛青の甥。武帝に仕えて匈奴を討伐したが、二十四歳で病死した。（前一四〇—前一一七）
【霍然】カクゼン ①すみやかなさま。②大きいさま。
【霍乱（亂）】カクラン 夏の暑さにあてられてコレラのように急に下痢したりする病気。

8 【霓】16画 13238 　ゲイ 斉 霽 ní 　8031 E8BD —

字義 ❶にじ。昔は、竜の一種と考え、雄（鮮明なもの）を虹、雌（薄い光のもの）を霓といった。❷きわ（際）。

解字 篆文  形声。雨＋兒音。音符の兒は、こどもの意味。雨の子、にじの意味を表す。

【霓衣】ゲイイ にじのころも。仙人の着物。
【霓△裳】ゲイショウ ①にじのように美しいスカート。②曲の名。
【霓△裳羽衣曲】ゲイショウウイのキョク 唐の玄宗皇帝が作ったといわれる、天女を歌った舞曲。一説に、西域伝来のものという。用例〔唐、白居易、長恨歌〕漁陽鼙鼓動レ地来、驚破霓裳羽衣曲。↓漁陽から攻め太鼓が地をゆさぶってやって来て、霓裳羽衣の曲を演奏していた人々を大いに驚かした。
【霓△旌】ゲイセイ にじのように美しい旗。羽毛で作った五色の旗。天子の旗。

8 【霔】16画 13239 　シュ 遇 zhù 　29186 — —

字義 ❶ながあめ。❷ほどよい時に降る雨。

解字 形声。雨＋注音。

8 【霎】16画 13240 　㊀漢ソウ（サフ） 呉ショウ（セフ） 洽 shà ㊁ショウ（セフ） 葉 　8032 E8BE —

字義 ㊀❶こさめ。きりさめ。❷雨の音。❸しばし。短い時間。

解字 形声。雨＋妾音。

8 【霑】16画 13241 　テン 塩 zhān 　8033 E8BF —

字義 ❶うるおう。うるおす。＝沾（6254）。㋐しめる。しめらす。㋑ぬれる。ぬらす。用例〔資治通鑑、漢紀〕泣下霑レ衿、与二武決去一。↓涙で衿を濡らすほど泣いて、蘇武と別れた。㋒恩恵をこうむる。恩恵をほどこす。❷ひたる。ひたす。

解字 篆文  形声。雨＋沾音。音符の沾は、うるおうの意味。雨が点々と落ちてきてうるおうの意味を表す。

【霑汚】テンオ よごれる。また、よごれ。

【霑汗】(テンカン) にじみ出たあせ。

【霑△濡】(テンジュ) ①ぬれる。②恩沢に浴する。

【霑潤】(テンジュン) うるおう。また、うるおす。

【霑酔(醉)】(テンスイ) ひどく酒に酔うこと。泥酔。

【霑被】(テンピ) ①ぬれる。また、ぬらす。②めぐみを受ける。また、めぐみをほどこす。

8 【霏】 16画 13242 ヒ 微 fēi　8034 E8C0 ―

字義 ❶雨や雪が入り乱れてはげしく降るさま。❷雲の飛ぶさま。❸煙の立ちのぼるさま。❹ひるがえる。❺→霏霏。

解字 篆文 形声。雨＋非㊍。音符の非は、わかれ開くの意味。雪などが乱れ舞って降るさまを表す。

【霏霏】(ヒヒ) ①雨や雪のしきりに降るさま。②細かなものの飛び散るさま。③談話の長続きするさま。④霜や露のたくさんおりているさま。⑤雲の起こるさま。⑥草のしげるさま。⑦いなずまのひらめくさま。⑧集まるさま。⑨涙の流れるさま。

【霏微】(ヒビ) 雨や雪の細かに降るさま。

8 【霖】 16画 13243 リン 侵 lín　8035 E8C1 ―

字義 **ながあめ**。三日以上降り続く雨。霖雨。

解字 甲骨文 篆文 形声。雨＋林㊍。音符の林は立に通じ、ある位置に長時間たつの意味。雨が三日以上もの長時間にわたっていすわる、ながあめの意味を表す。

【霖△霪】(リンイン) ながあめが降り続く。また、ながあめ。

【霖霖】(リンリン) 雨が長く降り続いてやまないさま。

【霖△瀝】(リンレキ) ながあめが降り続く。また、ながあめ。▼瀝は、したたり。

【霖△潦】(リンロウ) ながあめで濁流がみなぎること。

9 【霞】 17画 13244 人 漢カ 呉ゲ 麻 xiá　1866 89E0 ―

筆順

字義 ❶**かすみ**。㋐あさやけ。ゆうやけ。太陽の出没する時、雲などが日光を受けて赤く見えるもの。㋑煙霧。❷にじ(虹)。❸なまめかしい。❹はるか。遠い。＝遐(12151)。

国 ❶**かすみ**。特に春のころ、細かな水滴が空中に漂うため空がぼんやりする現象。❷**かす-む**。㋐かすみが立ちこめる。㋑目に支障があって、はっきり見えない。㋒遠方のものが、ぼんやりしている。❸かすみあみ。鳥の通路に張ってこれを捕らえる網。

名前 かすみ

解字 篆文 形声。雨＋叚㊍。音符の叚は、かりの意味。雨にまでならない水蒸気の意味を表す。

【霞光】(カコウ) 朝やけ、夕やけの輝き。

【霞彩】(カサイ) 朝やけ、夕やけの美しい色どり。

【霞△觴】(カショウ) 雲気のみちたさかずき。仙人の飲むさかずき。また、美しいさかずき。

【霞洞】(カドウ) ①仙人のいる所。②国上皇の御所。仙洞(セントウ)。かすみのほら。

【霞△帔】(カヒ) ①明(ミン)代の女性の礼服に付けるかざり。②道士の服。③美しいスカート。

9 【霜】 17画 13245 常 ソウ しも 漢ショウ(シャウ)・呉ソウ(サウ) 陽 shuāng　3390 919A ―

筆順

字義 ❶**しも**。空気中の水蒸気が氷点下に冷却されて、地面や地上の物体にふれてできる白い結晶。❷白いものや清くとぎすまされたもののたとえ。㋐髪などの白いたとえ。「霜髪」㋑するどいもののたとえ。㋒冷たいもののたとえ。㋓法などのきびしいことのたとえ。「霜烈」㋔いさぎよいことのたとえ。❸白い粉末。

名前 しも

解字 篆文 形声。雨＋相㊍。音符の相は喪に通じ、うしなうの意味。万物を枯らし見失わせる、しもの意味を表す。

逆 厳霜・秋霜・星霜・氷霜・風霜

【霜威】(ソウイ) ①しもが降りて寒さがきびしいこと。②きびしい威光のたとえ。

【霜△戈】(ソウカ) しものように白く光るするどいほこ。

【霜花・霜華】(ソウカ) しも。白い美しさを花にたとえていう。しもの結晶。

【霜△禽】(ソウキン) しも枯れどきの鳥。しもにあたった鳥。

【霜月】(ソウゲツ) ①しものおりる夜に出ている月。②陰暦七月の別名。相月。㊁しもつき 国陰暦十一月の別名。

【霜剣(劍)】(ソウケン) するどい剣。

【霜降】(ソウコウ) ①しもが降ること。②二十四気の一つ。陽暦の十月二十三日ごろ。⇩コラム 気候(二十四気)(八〇三ページ)。㊁しもふり 国①しもがかかったように白いまだらのある布。②脂肪の白いかたまりが点々とある牛肉。

【霜鐘】(ソウショウ) 冬の明け方のかねの音。

【霜信】(ソウシン) 雁(ガン)の別名。しもが降りるころになるとそれを知らせるたよりのように飛んで来るからいう。

【霜△晨】(ソウシン) しものおりた朝。

【霜刃】(ソウジン) しものように白くするどいやいば。氷のやいば。霜刀。

【霜雪】(ソウセツ) ①しもと雪。②心が潔白できびしいたとえ。

【霜操】(ソウソウ) しものようにきびしいみさお。霜雪の操。

【霜△砧】(ソウチン) しもの降る夜にひびくきぬた。

【霜△蹄】(ソウテイ) ①駿馬(シュンメ)のひづめ。②駿馬。

【霜天】(ソウテン) しもがおりた冬の夜空。

【霜髪】(ソウハツ) しらが。白髪。

【霜眉】(ソウビ) しものように白いまゆ。老人のまゆ。

【霜△鬢】(ソウビン) しものように白いびんの毛。用例〔唐、高適、除夜作詩〕故郷今夜思₂千里₁、霜鬢明朝又一年(コキョウはコンヤセンリをおもわ(は)ん、ソウビンミョウチョウまたイチネン)。⇩故郷の家族たちは、遠く離れた自分を思い出してくれているだろう、長い旅の間に鬢の毛はいつか霜のように白くなり、明日の朝はまた一つ年をとるのだ。

【霜風】(ソウフウ) しもの気を帯びた風。つめたい北風。

【霜△楓】(ソウフウ) しものため葉の赤くなった楓樹(フウジュ)。

【霜△蓬】(ソウホウ) しもにあたったよもぎ。白髪のたとえ。

【霜△鋒】(ソウホウ) しものようにするどいほこさき。

【霜毛】(ソウモウ) しものように白い毛。しらが。

【霜葉】(ソウヨウ) しものために黄や赤に変わった木の葉。紅葉。用例〔唐、杜牧、山行詩〕停ₗ車坐愛楓林晩(くるまをとどめてそぞろにあいすフウリンのくれ)、霜葉紅₂於二月花₁(ソウヨウはニガツのはなよりもくれない(ゐ)なり)。⇩馬車をとめて、何とはなしに、楓樹の林の夕暮れをめでる。霜によって赤く色づいた木の葉は、春の花よりも、なおくれない色にさえている。

【霜烈】(ソウレツ) しものようにはげしい。法などの非常にきびしいこと。

【履ₗ霜堅氷至】(しもをふみてケンピョウいたる) しもをふむ季節を経て堅く氷のはる季節が来る。災害は小さな状態からだんだん大きくなってくるということのたとえ。〔易経、乾〕

9 【霚】 17画 13246 ム　― ― 7104

霧(13257)の本字。→一五三八ページ上。

9 【霝】 17画 13247 漢レイ 呉リョウ(リャウ) 青 líng　― ― 7106

字義 ❶雨が降る。❷落ちる。❸良い。❹から(空)。

解字 会意。雨＋皿。皿は、雨滴のしたたるさま。または、雨乞いのまじないの言葉の意味。

9 【霸】 17画 13248 レイ　― ― 7105

霊(13234)の古字。→一五三五ページ中。

10 【霣】 18画 13249 イン(ヰン) 軫 yǔn ₂9187 — 7109
字義 ❶かみなり。いかずち。❷すてる。捨てて用いない。❸お-ちる。また、落とす。＝隕(13133)。

10 【霢】 18画 13250 漢バク 呉ミャク 陌 mài — — 7108
解字 形声。雨＋員音。
［霡］13251 同字
字義 ❶霢霂(バクボク)は、こさめ。❷汗の流れるさま。

10 【霡】 18画 13251 バク 霢(13250)と同字。→一五三八ページ上。 — — 7107
解字 形声。雨＋脈音。

10 【霤】 18画 13252 漢リュウ(リウ) 呉ル 宥 liù 8037 E8C3 —
字義 ❶あまだれ。また、水のしたたり。❷のき(軒)。❸雨だれうけ。
解字 篆文 形声。雨＋留(畱)音。音符の畱(リュウ)は流に通じ、ながれるの意味。屋根から流れおちる雨だれの意味を表す。

10 【霝】 18画 13253 レイ 霊(13234)と同字。→一五三五ページ中。 ₂9188 — —

11 【霨】 19画 13254 イ(ヰ) 未 wèi — — 7110
字義 雲のわき起こるさま。
解字 形声。雨＋尉音。

11 【霪】 19画 13255 イン 侵 yín 8038 E8C4 —
字義 ながあめ。十日以上続く雨。霪雨。
解字 形声。雨＋淫音。

11 【霫】 19画 13256 セツ 雪(13213)の本字。→一五三一ページ上。

11 【霧】 19画 13257 常 ム きり 漢ブ・呉ム 遇 wù 4424 96B6 —
筆順 霧
［霚］13246 本字 ［雺］13222 古字
字義 ❶きり。地表や水面近くで水蒸気が凝結し、煙のようにたちこめるもの。❷きりのようなもののたとえ。㋐軽く細かいたとえ。㋑集まるたとえ。㋒散るたとえ。「雲散霧消」㋓うるおうたとえ。㋔暗いたとえ。黒いたとえ。

名前 きり
解字 篆文 形声。雨＋務音。音符の務は冃(ボウ)に通じ、おおうの意味。天地の間にたちこめおおう、きりの意味を表す。篆文は霚。

逆 香霧・噴霧
【霧会(會)】(ムカイ) きりのように多くあつまる。霧集。

【霧鬟】(ムカン) 黒く美しい髪の形容。▼鬟は、わげ・もとどり。

【霧縠】(ムコク) 軽く美しい薄絹。仙人・美女などのスカート。

【霧散】(ムサン) きりのようにはかなく消えて散ってゆくこと。霧消。

【霧袖】(ムシュウ) 薄絹のそで。

【霧集】(ムシュウ) きりのように多く集まる。集合。

【霧消】(ムショウ) きりの消えるように、はかなく消えること。霧散。「雲散霧消」

【霧瘴】(ムショウ) きりのようになってただよう毒気。

【霧塞】(ムソク) きりがたちこめて暗いこと。

【霧鬢】(ムビン) 黒く美しい鬢の毛。

【霧杳】(ムヨウ) きりがたちこめ見わけにくいこと。

【霧露】(ムロ) ①きりと露。②病気。きりや露にさらされてかかる意。

12 【霱】 20画 13258 漢イツ(ヰツ) 呉イチ(ヰチ) 質 yù — — 7111
字義 ❶めでたい雲。❷三色の雲。
解字 形声。雨＋矞音。

12 【霰】 20画 13259 標 セン 慣サン 霰 xiàn 8039 E8C5 —
字義 ❶あられ。水蒸気が白い氷の粒となって降るもの。❷あられ。餅(もち)を干して細かに切った食物。
解字 篆文 形声。雨＋散(㪔)音。音符の㪔(サン)は、ばらばらになるの意味。ばらばらに分離した形で落ちてくる雨、あられの意味を表す。
【霰散】(サンサン) あられのように飛び散ること。
【霰雪】(サンセツ) あられや雪。また、あられまじりの雪。

12 【霳】 20画 13260 リュウ(リウ) 東 lóng ₁9370 EED1 7112
字義 豐霳(ホウリュウ)は、雷神。豊隆。
解字 形声。雨＋隆音。

13 【霸】 21画 13261 ハ 覇(11014)の正字。→一二九一ページ下。
13 【覇】 21画 13262 ハ 覇(11014)の俗字。→一二九一ページ下。 5917 9E50 —

13 【霹】 21画 13263 漢ヘキ 呉ヒャク 錫 pī 8040 E8C6 —
字義 ❶かみなりの神。雷神。❷雷が落ちる。
難読 霹靂神(はたたかみ)・霹靂(はたたがみ)
解字 形声。雨＋辟音。
【霹△靂】(ヘキレキ) 急にはげしく鳴りひびく雷。「青天の霹靂」

13 【霻】 21画 13264 ホウ 豐(13276)の俗字。→一五三九ページ下。 ₁9371 EED2 —

13 【霶】 21画 13265 ホウ(ハウ) 陽 pāng ₂9189 — —
字義 ❶水の流れるさま。滂(6603)と同字。❷雪の降るさま。雱(13219)と同字。

13 【露】 21画 13266 常 ロ・ロウ つゆ 漢ロ・呉ル 遇 lù, lòu 慣ロウ 4710 9849 —
筆順 露
字義 ❶つゆ。水蒸気が冷たい物体の表面で水滴となったもの。「夜露」「草露」❷あらわ-れる。あらわ-す。あら-わにする。もれる。「暴露」「発露」❸うるおす。❹さらす。また、㋐しめらす。ぬらす。㋑めぐむ。恩恵をほどこす。❺やぶれる(敗)。❻つかれる。つかれてやせて骨ばかりになる。はかないことのたとえ。また、ささいなことのたとえ。「朝露」「露命」

国 ❶つゆ。わずか。少し。少しも。❷国名。露西亜(ロシア)の略。

名前 あき・あきら・つゆ・ろ
難読 露西亜(ロシア)

解字 篆文 形声。雨＋路音。音符の路は落に通じ、おちるの意味。落ちてきた雨つゆの意味を表す。また、落ちてきて姿をあらわすの意味をも表す。

逆 雨露・寒露・甘露・玉露・草露・朝露・滴露・吐露・白露・暴露・発露・繁露・披露・流露・零露
【露営(營)】(ロエイ) 野外の陣営。野営。また、野宿。

【露華】(ロカ) ①つゆの光。光っているつゆ。②漢代の宮殿の名。

【露芽】(ロガ) 茶の別名。

【露△臥】(ロガ) 野外に宿ること。野宿。

【露見・露顕】(ロケン) ①かくれたことが現れる。ばれる。②あらわす。

【露骨】(ロコツ) ①骨をさらす。戦死して骨を戦場にさらす。②ありのまま。むきだし。ぶっつけ。

【露座・露△坐】(ロザ) 屋外にすわる。風雨にさらされてすわる。

【露次】(ロジ) 野外に宿ること。野宿。露宿。▼次は、やどる。

【露地】(ロジ) ①おおうもののない、むき出しの土地。②地面。

地上。③国㋐門内、または庭園内の通路。㋑茶室の入り口。露路。㋒市内の建物の間のせまい通路。

【露車】おおいのない車。

【露珠】つゆ。つゆを玉にたとえていう。

【露宿】屋外にやどること。野宿。露臥。

【露出】①あらわれでる。②あらわしだす。むきだしにする。③国写真撮影のとき、シャッターを開いて乾板・フィルムに感光させること。

【露△牀】帳のない寝台。用例〔史記、滑稽伝〕衣以二文繡一、置二之華屋之下一、席以二露牀一、啗以二棗脯一。↓(愛馬に刺繡のある着物を着せ、華麗な家屋の中で飼い、帳のない寝台を敷き、なつめと干し肉を食べさせていた。

【露井】屋根のない井戸。

【露台(臺)】①屋根のない高台・たかどの。②張り出し縁。バルコニー。

【露胆(膽)】かくしきれない真情。▼胆は、本心。

【露呈】現す。また、現れる。

【露天】①つゆの降りる空。②国野外。屋外。

【露電】つゆといなずま。人生のはかないことのたとえ。

【露頭】①かぶりものを付けず、頭をむき出しにすること。②国岩石などの層の地表に現れ出た部分。

【露盤】①承露盤(五七一ジ中)の略。漢の武帝が建章宮に甘露をうけるために建てた銅盤。②仏相輪塔の最下部にある四角の盤。

【露命】国つゆのようにはかない命。

14【霽】22画 13267 漢セイ 呉サイ 霽 jì 8041 E8C7 —

字義 はれる。㋐雨・雪がやむ。雲・霧がなくなる。「晩霽」㋑くもりがない。さえわたる。㋒心がさっぱりする。気が晴れる。

解字 篆文 形声。雨＋齊音。音符の齊(斉)は、済に通じ、わたるの意味。雨が天空をわたりきる、雨あがりの意味を表す。

【霽月】雨のあとのはれわたった空の月。

14【霾】22画 13268 漢バイ 呉マイ 佳 mái 8042 E8C8 —

字義 つちふる。つちぐもり。大風が土砂を空に巻き上げて降らせ暗くなること。

解字 甲骨文 篆文 形声。雨＋貍音。音符の貍は、うずめるの意味。大風がまきあげて降らす土ぼこりが、あたりをうずめる、つちふるの意味を表す。

15【靁】23画 13269 ライ 雷(13223)の本字。→一五三四ジ上。 29190 — 7113

16【靄】24画 13270 標 アイ 泰 賄 ǎi 8043 E8C9 —

字義 ❶もや。立ちこめた気。❷雲のたなびくさま。また、雲の集まるさま。❸→靄靄。

解字 形声。雨＋謁音。

【靄靄】①もやのかかるさま。②雲のたなびくさま。また、雲の集まるさま。③なごやかな気分に満ちているさま。「和気靄靄」

【靄然】①かすみがたなびくさま。②なごやかさのみなぎるさま。

16【靃】24画 13271 一カク(クヮク) 薬 huò 二スイ 紙 suǐ — EED3 7114

字義 一あわただしく飛ぶ鳥の羽音。＝霍(13237)。二❶靃靃は、細かいさま。❷靃靡は、草などが風になびくさま。

解字 甲骨文 篆文 会意。雨＋雔。→霍(13237)。

16【靆】24画 13272 漢タイ 呉ダイ 隊 dài 8044 E8CA —

字義 →靉靆(一五三九ジ中)。

解字 形声。雲＋逮音。

16【靈】24画 (13235) レイ 霊(13234)の旧字体。→一五三五ジ中。

16【靂】24画 13273 漢レキ 呉リャク 錫 lì 8046 E8CC —

字義 霹靂は、急にはげしく鳴る雷。

解字 形声。雨＋歴音。

16【龗】24画 13274 ロウ 東 lóng 29191 — —

字義 霳霳は、かみなりの音。

解字 形声。雨＋龍音。

17【靉】25画 13275 アイ 隊 ài 8047 E8CD —

字義 ❶→靉靉。❷→靉靆。

解字 形声。雲＋愛音。音符の愛は、まつわりつくの意味。雲がまつわりつくさまを表す。

【靉靉】①雲のさかんなさま。②樹木の密生しているさま。

【靉△靆】①雲のたなびくさま。また、雲のさかんなさま。②雲が日をおおってうす暗くなっているさま。③めがねの別名。

18【靊】26画 13276 漢ホウ 呉フウ 東 fēng — — 7115

字義 靊䨴は、雷神。

解字 形声。雨＋豐音。

〔豊〕13264 俗字

19【䨮】27画 13277 国字 つる 鸖(13279)と同字。→一五三九ジ下。 19373 — 7116

19【鶴】27画 13278 国字 つる 鸖(13279)と同字。→一五三九ジ下。 19372 EED4 —

21【鸖】29画 13279 国字 〔䨮〕13277 同字 〔鶴〕13278 同字 19374 EED5 7117

字義 つる(鶴)。姓氏に用いる。

解字 鶴(14315)の異体字の鶴が、さらに変化してできた形。

8画

青(青) あお

〔部首解説〕青(青)を意符とする文字の例は少ない。主として字形上の分類のために部首に立てられる。

0 青 一五三九　5 靖 一五四一　靖 一〇六九　6 静 一五四一　艶 一五四三
靘 一五四三　7 靚 一三九六　8 靜 一五四一　靛 一五四三

0【青】8画 13280 教1 セイ・ショウ あお・あお-い 熟字訓 真っ青 3236 90C2 —

0〔靑〕8画 13281 漢セイ 呉ショウ(シャウ) 青 qīng — EED6 —

筆順 一 十 キ 主 丰 青 青 青

字義 ❶あお。あお色。また、あお-い。五行説では、東・春の色にあてる。❷わかい。「青年」❸竹の皮。転じて、文字をしるす竹の札。「青史」❹古代、九州の一つ。今の山東省北部から遼寧省東部にかけての地。国あお。㋐馬の俗称。また、黒い馬。また、白い馬。㋑未熟の意。「青侍」

名前 あお・お・きよ・せい・はる　難読 青海・青魚・青襲・青女子・青島・青梅・青崩・青木・青麻・青様山

解字 金文 篆文 形声。月(丹)＋主(生)音。音符の生は、あおい草がはえるの意味。丹は、井げたの中の染料の意味。あおい草色の染料の意味から、あおいの意味を表す。靑(青)を音符に含む形声文字は、「青くすみきる」の意味を共有し、靜(静)・淸(清)・精(精)・凊・請(請)・晴(晴)・錆・情(情)などがある。

逆 汗青・群青・紺青・刺青・丹青・踏青・緑青

【青蛙】①あまがえる。②神の名。

【青鞋・青鞖】わらじ。わら製のはきものの一つ。

【青靄】あおいもや。高い空に漂うもや。

【青衣】①あおい色の衣。天子の春の衣。②身分の低い人の着る服。③こしもと。召し使いの女性。

【青一髪】海上はるかにあおい山が一本の髪のようにかすかに見えるさま。青山一髪。用例〔頼山陽、泊天草洋詩〕雲耶山耶呉耶越、水天髣髴青一髪。↓向こうに見えるのは雲だろうか、山だろうか、それとも呉の国だろうか、越の国だろうか。海と空とが接するあたりに、一筋の髪の毛を引いたように、ぼんやりと陸地が横たわって見える。

【青雨】青葉に降る雨。つゆどきの雨。

【青雲】①晴天にただよう白雲。転じて、晴天の空。②高い地位。官位・学徳に関していう。③俗世間を離れた世界をいう。

【青雲之士】①徳の高い人。②高い位にのぼった人。③世をさけている人。

【青雲之志】①学徳を修めて聖賢の地位に至ろうとする志。また、立身出世しようとする志。用例〔唐、張九齢、照鏡見白髪詩〕宿昔青雲志、蹉跎白髪年。↓昔、若い時には立身出世の大きな志を抱いていたが、つまずいて思うにまかせぬままに、白髪の年となってしまった。②名利を捨て俗世間をのがれてくらそうとする志。

【青娥】若い美人。▼娥は、美女、また、美しいみめかたち。用例〔唐、白居易、長恨歌〕梨園弟子白髪新、椒房阿監青娥老。↓かつての梨園の教習生たちは、このごろめっきりしらがになり、皇后のへやのとりしまりをした女官の美貌も老けこんでしまった。

【青蛾】①あおく美しいまゆ。▼蛾は、蛾の触角のような美しい眉。②美人。

【青海】①青々とした海。②湖の名。青海省北東部にあるココノール湖。中国最大の塩水湖。用例〔唐、杜甫、兵車行〕君不見青海頭、古来白骨無人収。↓諸君よ、ごらんなさい。青海のあたりでは、昔から白骨が拾う人もなく野ざらしにされているのを。③省の名。中国の西部にあり、省都は西寧市。

【青海波】国①舞楽の曲名。②青海波の舞曲に用いる衣服の波形の染模様。

【青翰】①舟の名。鳥の形を刻み、青色に塗る。②鳥の名。鵜鶘の別名。ペリカン。

【青簡】あおい竹の札。書籍のこと。→青史。

【青眼】①親しい人に対する目つき。晋の阮籍が自分の好きな人は青眼で迎え、きらいな人は白眼で迎えた故事による。↔白眼(九八九ページ中)。〔晋書、阮籍伝〕②気心のあう友人。③国剣道の型の一つ。刀の先を相手の目に向ける構え。

【青旗】①あおい旗。②酒屋のしるしの旗。青旆。

【青穹】青空。蒼穹。▼穹は、空。

【青宮】皇太子の別名。皇太子の宮殿は皇居の東方にあり、五行説では青色を東にあてるのでいう。東宮。春宮。

【青牛】①黒毛の牛。②土で作った牛。青土牛。③仙人の乗る牛。④老子が乗ったという牛。⑤千年の木の精をいう。

【青衿・青襟】①えりのあおい学生服。②学生。

【青熒】あおく光る、玉・灯火・月・池の水などの光。

【青血】新しい血。なまち。鮮血。

【青玄】大空。蒼玄。

【青皇】春をつかさどる神。五行説では、青は春の色。東帝。青帝。

【青黄】①青と黄。美しい色どり。②春のあおい葉と秋の黄色のもみじ。四季の楽しみのこと。③剣の色。

【青瑣】漢代の王宮の門。とびらに鎖の模様をすかし彫りにしあおくぬってある。

【青衫】①あおいひとえの着物。身分の低い役人が着た。用例〔唐、白居易、琵琶行〕就中泣下誰最多、江州司馬青衫湿。↓中でも最も多く涙を流したのは誰であったか、(それはほかならぬ私で、)江州の司馬(私)の青い上衣は、涙でしっとりとぬれるのであった。②書生。若者。

【青山】①青々と木の茂っている山。用例〔唐、李白、送友人詩〕青山横北郭、白水遶東城。↓青々とした山が町の北に横たわっていて、白く輝く川は町の東をとりまくように流れている。②墓地。用例〔釈月性、将東遊題壁詩〕埋骨豈惟墳墓地、人間到処有青山。↓骨を埋めるのはどうして先祖代々の墓地に限ろうか。世の中には、どこに行っても自分の骨を埋めるのにふさわしい場所があるではないか。

【青山一髪】海上はるかにあおい山が一本の髪のようにかすかに見えるさま。青一髪。用例〔北宋、蘇軾、澄邁駅通潮閣詩〕杳杳天低鶻没処、青山一髪是中原。↓はるかかなた、天が垂れて海に接するあたりにはやぶさの姿が消え、ほんのひとすじ連なる山こそわが故郷、中原の地。

【青山可埋骨】男子、どこの墓地にでも自分の骨を埋めることができる。必ずしも故郷で死ななくてもよいということ。▼青山は、墓地。〔北宋、蘇軾、予以事繫御史台獄…遺子由詩〕

【青史】歴史のこと。紙のなかった時代、竹の青皮を火であぶり、その上に書いたことからいう。汗青。殺青。

【青糸(絲)】①あおい糸。「青糸白馬」②柳などの細く青々とした枝。③黒髪をたとえていう。用例〔唐、李白、将進酒詩〕君不見高堂明鏡悲白髪、朝如青糸暮成雪。↓ごらんなさい。高くりっぱな家で、澄んだ鏡にうつして、わが白髪を悲しんでいるその姿を。朝には黒い糸のような髪であっても、夕べには、雪のようになってしまうのだ。

【青瓷】＝青磁。

【青紫】高位高官のこと。漢代、公侯は紫、九卿は青の印綬を帯びたからいう。

【青詞】道教の祭祀に用いる文体及びその文章。青藤紙という青紙に朱筆で記すためにこのようにいう。

【青磁】磁器の一つ。薄い緑色、または薄いあい色のうわ薬をかけた焼き物。中国では六朝時代に始まり、平安時代に日本に伝わった。

【青雀】①あおいすずめ。②建物の名。漢の武帝の愛人の巨霊があおいすずめに化して飛び去ったので建てたという。③水鳥の名。鷁。鷺に似て大きく、羽は青白色。④鷁の形を船首に描くことから、舟をいう。

【青出於藍而青於藍】あおい染料はあいという草からとるが、そのあいよりもあおい。弟子が師よりもすぐれることのたとえ。出藍。『荀子』勧学編にある言葉に基づく。→氷水為之而寒於水(八〇七ページ下)。

【青春】①春。五行説では春の色は青。②青年。若者。また、若いこと。若い時代。

【青細】①あおい絹。②書物の覆い。帙。

【青霄】あおぞら。青玄。青穹。

【青条】あおい枝。

【青翠】あおみどり。青々としたみどり色。

【青青】①草木のしげっているさま。②青々としたさま。③髪のつやつやして黒いさま。

【青銭（錢）】一 ①青銅の銭。②はすの葉をいう。二 国寛永通宝四文銭の俗称。明和四年（一七六六）から発行された。当時の一文銭にくらべて青白く見えたことからいう。

【青氈】①あおい色の毛氈。②家宝。晋の王献之の家に盗人が入り、書斎の青氈まで盗み取ろうとしたとき、献之が、これは家に伝わる宝であるといったのでにげ去った故事による。〔晋書、王献之伝〕

【青葱】①あおいねぎ。②青々としているさま。

【青蒼】①青々とした色。②天をいう。

【青苔】一 青色のこけ。蒼苔。二 国海草の名。

【青苔黄葉】あおいこけと黄色の木の葉。山家のよい景色をいう。用例〔唐、劉長卿、酬李穆見寄詩〕欲払柴門迎遠客、青苔黄葉満貧家。↓柴門を掃除して遠来の客を迎えようとすると、青い苔と黄色い木の葉が、貧しい家のまわりに満ちあふれている。

【青黛】①あおいまゆずみ。②まゆずみのような色。紺青色。③国俳優などが、月代をあおくするのに使う顔料。

【青潭】青々と澄みきった深いふち。

【青鳥】①あおい鳥。②仙女の使いとしてあおい鳥が来たという故事から、使者・手紙のこと。〔山海経、大荒西経〕

【青塚・青冢】①王昭君（九四四ページ上）の墓。今の内モンゴル自治区フフホト市の南にある。②あおい草のはえている小さい丘。

【青亭】とんぼ。やんま。蜻蛉。蜻蜓。

【青帝】五天帝の一つ。春をつかさどる神。五行説では青色を春にあてるからいう。青皇。

【青天】①青空。蒼天。碧空。②潔白な人のたとえ。

【青天白日】あおい空と輝く太陽。①よく晴れわたった真昼。快晴の状態をいう。〔唐、韓愈、与崔羣書〕②うしろぐらい所がないことのたとえ。③国無実の罪のもの が、疑いが晴れて無罪となったこと。

【青天白日旗】中華民国の国旗。「青天白日満地紅旗」

【青天霹靂】①晴れた空から急に聞こえる雷。〔南宋、陸游、四日夜鶏未鳴起作詩〕②筆勢が躍動するさま。また、突発事件。

【青甸】東の郊外。五行で青を東方に配する。

【青童】仙人に召し使われている子供。仙童。

【青銅】①銅と錫の合金。青黒色で鋳物に適する。②青銭をいう。③鏡をいう。

【青年】▼青は春の色で、若いの意。①年の若い時期。②年の若い人。

【青嚢】①印鑑を入れる袋。②薬ぶくろ。③晋の郭璞が、郭公という人からあおい袋に入れた天文・卜筮・五行関係の書物をもらった故事から、天文・卜筮・五行関係の書物をいう。

【青馬】①毛のあおい馬。②毛の黒い馬。③毛の白い馬。④国「白馬節会（昔一月七日に白馬を天覧に供する儀式）」の略称。

【青旆】①あおい旗。②酒屋の看板の旗。

【青白眼】親しみと憎しみの目つき。→青眼①。

【青苗銭】唐の代宗の時、国費不足から、本来の徴収時期前に税を徴収したこと。稲がまだあおい時であったことからいう。

【青苗法】宋代、王安石の設けた法律。苗のあおいころ民に金を貸し、収穫時に元利を返させる法。

【青蚨】①虫の名。かげろう。青蚨。②銭。銅銭。穴あき銭。かげろうの母子の血を二つの銭に塗っておくと、その片方を使っても残った一方をしたって飛び帰って来るという説話に基づく。〔捜神記、十三〕

【青蕪】あおくしげった草。また、草のあおくしげった所。

【青蒲】①あおい蒲で作った天子の敷き物。一説に、青色で地面を区切って、天子と皇后以外の者は立ち入れないようにした場所。②あおい蒲。

【青袍】①あおい色の衣。②官吏の衣服。③身分の低い者のきる服。

【青冥】①あおい空。蒼冥。②昔の名剣の名。

【青盲】目があいていながら見えぬこと。

【青門】あおく塗った門。長安城の東門、覇城門の別名。

【青陽】①春。陽春。②天子の初春の御殿。東堂。

【青蠅】あおばえ。転じて、つげ口などをする、心のせまい人のたとえ。〔三国魏、丁儀、厲志賦〕

【青蠅染白】あおばえが白いものをよごす。小人が君子を中傷すること。青蠅点素。〔三国魏、丁儀、厲志賦〕

【青螺】①あおい色のにし貝。②あおい山の形容。

【青蘿】あおいつた。

【青嵐】①青々とした山の気。②青葉を吹く風。夏の風。

【青竜（龍）】①あおい竜。②四神の一つ。東方をつかさどる。③蝦蛄の別称。

【青竜（龍）刀】柄に青竜のかざりのある、なぎなたのようにしなった刀。

【青林】①青々とした林。②天子の御苑。

【青蓮】①あおい色のはす。②郷の名。今の四川省内。李白の出生地。③李白の号。

【青廬】婚礼のとき、新婦が一時入るひかえの小屋。あおい幕が張ってある。

【青楼（樓）】①あおくぬったたかどの。②身分の高い人の家。③高貴な女性の住む美しいたかどの。④遊女のいる所。妓楼。

【縈青繚白】あおい山に囲まれ白い水がめぐり流れる。山と川とに囲まれた景色。縈青繚白。〔唐、柳宗元、始得西山宴游記〕

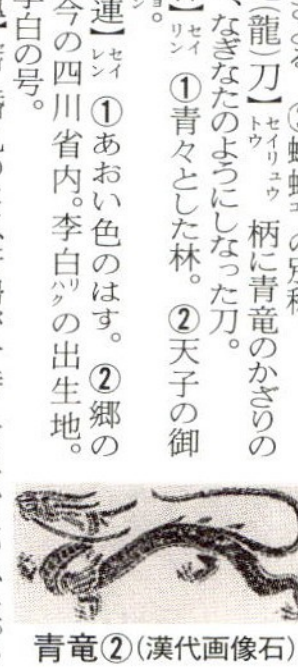
青竜②（漢代画像石）

5【䴵】13画 13282 シン 真 zhēn 2 9192 EED7 7118
字義 ただしい（正）。真正で邪悪に染まらない。

5【靖】13画 (8651) セイ 立部。→一〇六九ページ下。

6【静】14画 13283 教4 セイ・ジョウ しず・しず-か・しず-まる・しず-める 3237 90C3 —

8【靜】16画 13284 人 漢セイ 呉ジョウ（ジャウ） 梗 jìng 8048 E8CE —
解字 会意。靑＋正。青は、日の出るころの清新の意味。
筆順 一 十 ± 青 青' 靜 靜 靜 静
字義 ❶しず-か。しず-まる。↔動（1048）。㋐動かない。止まっている。「静止」㋑音がしない。黙っている。「静寂」㋒やすらか。おだやか。「安静」㋓無欲のままじっとしている。〔老子、五十七〕❷ただしい（正）。しとやか。操が堅くしとやか。「静女」❸きよい（清）。すむ（澄）。❹したがう（従）。

❺しず-める。「鎮静」 国しず。名詞などの前に付いて、おちついていることを示す。「静心（しずごころ）」

名前 きよ・しず・しずか・せい・ちか・つぐ・ひで・やす・やすし・よし 難読 静戸（しずり）・静寂（しじま）・静内（しずない）

> 使いわけ しずめる・しずまる〔静・鎮・沈〕
> 〔静〕自然にゆっくりとしずめる。「気を静める・寝静まる」
> 〔鎮〕強い力によってしずめる。「内乱を鎮める・痛みを鎮める」
> 〔沈〕（「しずめる」のみ）水中にしずめる。下のものにめりこませる。また、望ましくない状況や境遇に身を置く。「船を沈める・ソファーに体を沈める・苦境に身を沈める」

解字 金文 篆文 形声。争（爭）＋青（靑）音。争は、あらそうの意味。音符の青は、すみきるの意味。争いがすみきる、しずまるの意味を表す。

逆 間静・虚静・粛静・沈静・鎮静・貞静・動静・平静・冷静

【静影】（セイエイ） ①しずかなかげ。 ②水底にうつっている月のかげ。

【静△淵】（セイエン） ①しずかな深いふち。 ②心がしずかで考え深いことのたとえ。

【静隠（隱）】（セイオン） 国おだやかなこと。太平無事なこと。

【静△嘉】（セイカ） ①安らかでよい。 ②清らかで美しい。

【静閑・静間】（セイカン） ものしずかなこと。閑静。

【静観（觀）】（セイカン） 心しずかに物事を観察する。しずかに見守る。

【静虚（虛）】（セイキョ） 心しずかで、こだわるところがないこと。

【静好】（セイコウ） しずかでなごやか。また、夫婦仲がよいこと。

【静座・静△坐】（セイザ） 心をおちつけ、姿勢を正してしずかにすわる。端座。

【静舎】（セイシャ・ジョウシャ・ジョウジャ） 寺をいう。精舎（ショウジャ）。

【静寂】（セイジャク） しずかでものさびしい。ひっそりとしていること。

【静修】（セイシュウ） 心をおちつかせて学問をおさめること。

【静淑】（セイシュク） ものしずかでしとやかなこと。また、善良なこと。

【静粛（肅）】（セイシュク） しずかにつつしむ。しずかでつつしみ深い。

【静女】（セイジョ） みさおが堅くしとやかな女性。

【静△邃】（セイスイ） しずかで奥深い。景色や人がらにいう。

【静△躁】（セイソウ） しずかなことと、さわがしいこと。

【静泰】（セイタイ） しずかでやすらかなこと。静安。

【静寧】（セイネイ） しずかで安らかなこと。

【静△謐】（セイヒツ） ①しずか。 ②世の中が安らかに治まっていること。

【静脈】（ジョウミャク） 心臓に戻る血液を運ぶ血管。↕動脈（一九七ジペ－上）。

【静養】（セイヨウ） 心身をしずかにして病気を治す。

【静和】（セイワ） 心しずかでおだやかなこと。

6 【艶】 14画 13285 漢セイ 呉ショウ（シャウ） 径 qìng ― ― 7120

字義 青味を帯びた黒。

解字 形声。色＋青音。

6 【靗】 14画 13286 漢テイ 呉チョウ（チャウ） 敬 chēng 2 9193 ― 7119

字義 ❶うかがう。のぞく。 ❷まっすぐ見る。

解字 会意。青＋光。

7 【靚】 15画 （11046） セイ 見部。→一二九六ジペ－中。

8 【靜】 16画 （13284） セイ 静（13283）の旧字体。→一五四一ジペ－下。

8 【靛】 16画 13287 漢テン 呉デン 霰 diàn 2 9194 ― 7122

字義 あい（藍（ラン））。また、あいで染める。あいぞめ。

解字 形声。青＋定音。

8画 非 あらず

〔部首解説〕 非を意符として、そむく・わかれるの意味を含む文字ができている。

0 非 一五四二 4 斐 六三三 6 翡 一一六〇 蜚 一二六一 7 靠 一五四三
輩 一三九六 11 靡 一五四三

0 【非】 8画 13288 教5 ヒ 一ヒ 微 fēi 二ヒ 尾 fěi 4083 94F1 ―

筆順 丿 丿 ヲ ヲ 非 非 非 非

字義 一 ❶助 あら-ず。あら-ずんば。⇩助字・句法解説。 ❷そし-る。責める。とがめる。 用例 ❶〔史記、李斯伝〕非レ世而悪レ利（よをそしりて、りをにくむ）。 ⇩世の中を非難し、利を追うことをにくんできた。 ❸あやまち。あやまり。欠点。「前非」 ❹わるい。正しくない。↕是（4717）。 ❺うらむ（恨）。 ❻いな（否）。そうではない。 用例 〔史記、伯夷伝〕由レ之観レ之（これによりて、これをみれば）、怨邪非邪（うらみたるか、ひか）。 ⇩以上のことから考えると、怨んでいたのか、いなかったのか。 ❼否定・反対の意を表す接頭語。「非常」 二そし-る。＝誹（11285）。

> 助字・句法解説
> ❶あら-ず。否定。 訳…でない。 類 匪。
> 主として名詞の前に置かれ、その名詞に対する否定的な判断を表す。動詞や形容詞を否定することもある。
> 用例 〔東晋、陶潜、帰去来辞〕富貴非二吾願一（フウキはわがねがい（ひ）にあらず）、帝郷不レ可レ期（テイキョウはきすべからず）。 ⇩富や高い地位は私の願いではなく、仙人の住む世界など、思いも寄らないことだ。
> ❷あら-ずんば。否定の仮定条件。 訳…なしでは。…でなければ。
> 後の内容を受けて、否定の仮定条件を表す。後の内容を先に読み、返って訓読する。
> 用例 〔孟子、尽心上〕民非二水火一不二生活一（たみスイカにあらずんばセイカツせず）。 ⇩人民は水火がなければ生きてゆけない。

解字 金文 篆文 象形。たがいに背をむけて左右にひらく形にかたどり、そむくの意味を表す。転じて、否定の「あらず」の意味に用いる。非の意味と音符とを含む形声文字に俳・匪（ヒ）・悲・悱（ヒ）・扉・排・斐（ヒ）・腓（ヒ）・棐（ヒ）・榧（ヒ）・緋（ヒ）・篚（ヒ）・菲（ヒ）・裴（ハイ）・誹（ヒ）・輩・霏（ヒ）・靡（ビ）・騑（ヒ）などがある。

逆 昨非・是非・前非・理非

【非意】（ヒイ） 思いがけないこと。だしぬけ。不意。

【非違】（ヒイ） 法にそむく。違法。

【非我】（ヒガ） ①仏我の存在を否定すること。 ②国哲学用語。自我以外のすべてのもの。自我の対象となるもの。↕自我（一一七八ジペ－下）。

【非毀】（ヒキ） そしる。けなす。

【非義】（ヒギ） 正義にそむくこと。

【非議】（ヒギ） そしり論ずる。そしって、とやかくいう。

【非業】 一（ヒギョウ） しなくてもよい仕事。 二（ヒゴウ） 仏正当の報いでないこと。前世の因縁（インネン）によらず、現世の災難によって死ぬこと。非命。「非業の最期」

【非△訐】（ヒケツ） 悪事をそしりあばく。

【非行】（ヒコウ） 国悪い行い。不正行為。

【非才】（ヒサイ） ①才能がない。菲才（ヒサイ）。 ②自分の謙称。「浅学非才」

【非次】（ヒジ） 順序どおりでない。不次。

【非時】(ヒジ) ①時を得てないこと。正しい時でないこと。②仏㋐食事をしてはいけない時。日中から翌朝の午前四時まで。㋑非食(ヒジキ)の別名。午後の食事。㋒会葬者に出す食事。

【非笑】(ヒショウ) そしりわらう。よくないこととして笑う。

【非常】(ヒジョウ) ①普通でない。いつもとちがっている。異常。また、そのこと。②はなはだすぐれている。非凡。③ひととおりでない。はなはだしい。④さしせまった。緊急。⑤仏無常。

【非常時】(ヒジョウジ) 普通の時ではない。一身上、また、国家などの重大危機。

【非常手段】(ヒジョウシュダン) 緊急・異常のときに取る特別な処置・方法。

【非情】(ヒジョウ) 国喜怒哀楽の感情がないこと。また、そのもの。木石の類い。↕有情(六八六ページ下)。

【非食】(ヒショク) 一 よくない食べもの。二(ヒジキ) 仏「非時食(ヒジジキ)」の略。午後の食事。非時。

【非職】(ヒショク) ①その職でないこと。②官吏として、地位はそのままで、実際の職務を免ぜられていること。非役。

【非心】(ヒシン) ただしくない心。

【非人】一(ヒジン) ①死人のようになった人。②身体に障害のある人。③自然のままで、人為によらないこと。④ならず者。二(ヒニン) ①仏人間でないもの。夜叉(ヤシャ)・悪鬼など。②貧窮者。③罪人。④世捨て人。法師。

【非人情】(ヒニンジョウ) 国①思いやりがない。薄情。②世間的人情のわずらわしさを超越すること。

【非斥】(ヒセキ) そしりしりぞける。非難排斥。

【非俗】(ヒゾク) ①俗人でないこと。②出家した人。僧。

【非族】(ヒゾク) 同族でない者。縁もゆかりもない者。

【非道】(ヒドウ) ①＝非理。②人情にそむく。残酷。

【非難】(ヒナン) 国①欠点などをなじる。②そしる。けなす。批難。

【非番】(ヒバン) 当番でないこと。また、その人。

【非非】(ヒヒ) 非を非とする。悪いことは悪いことと言い切る。

【非分】(ヒブン) 国①分を越える。出過ぎる。僭越(センエツ)。②道理に合わない。不合理。

【非法】(ヒホウ) 法律にそむく。不法。

【非望】(ヒボウ) ①身分不相応の希望。高のぞみ。②予期しない。思いがけない。③希望しない。所望(ショモウ)しない。

【非謀】(ヒボウ) ①悪いはかりごと。非計。②悪事をたくらむ。

【非△謗】(ヒボウ) そしる。悪くいう。誹謗。

【非凡】(ヒボン) なみなみでない。抜群。また、その人。↕平凡(四六五ページ上)。

【非命】(ヒメイ) ①天命を全うしないこと。おもに、思いがけない災難で死ぬこと。非業。②天命を否定する。

【非理】(ヒリ) 道理にそむく。非道。

【非力】(ヒリキ) 力が弱い。また、実力がない。

【非類】(ヒルイ) ①同類でない。同族でない。②行いの正しくない人。③国人類でないもの。鳥や獣。

【非礼(禮)】(ヒレイ) 礼儀にそむく。無礼。失礼。

【非礼(禮)△之礼(禮)】(ヒレイのレイ) 礼にかなっているようで、実際は礼にそむいている礼。〔孟子、離婁下〕

4 【斐】 12画 (4577) ヒ 文部。→六三三ページ下。

6 【翡】 14画 (9540) ヒ 羽部。→一一六〇ページ上。

6 【蜚】 14画 (10629) ヒ 虫部。→一二六一ページ上。

7 【靠】 15画 13289 コウ(カウ) 号 kào 8049 E8CF —
字義 ❶たがう(違(タガ)ふ)。❷よる(倚(イ))。もたれる(もたる)。
解字 形声。非＋告音。

7 【輩】 15画 (11925) ハイ 車部。→一三九六ページ中。

11 【靡】 19画 13290 標 一漢ビ・呉ミ 紙 mǐ 二漢ビ・呉ミ 支 mí 三漢バ・呉マ 歌 mó 慣ヒ 8351 EA72 —
字義 一❶なびく。㋐伏したおれる。用例〔史記、廉頗藺相如伝〕相如張レ目叱レ之(これをシッす)(ショウジョめをはりて)。左右皆靡(サユウみなび)く。↓相如が目をむいて叱りつけた。側近の者は皆気圧され、草木が風になびくようにして倒れた。㋑従う。服従する。㋒順応する。❷わずらわす。❸美しい。うるわしい。はなやか。❹こまかい。小さい。❺きし(岸)。ほとり。❻おごる。また、おごり。＝侈(317)。「奢靡(シャビ)」❼ない(無)。否定の助字。二❶ちる(散)。ちらす。❷つきる(尽)。つくす。へる。❸ただれる。ただれさせる。三する(擦)。こする。みがく。＝摩(4020)。

解字 篆文  形声。麻＋非音。音符の非は、分離するの意味。麻は、水にひたした麻の意味。繊維をとりだすために水にひたした麻の表皮が力なくなびくさまから、なびく・つぶれるの意味を表す。

【靡衣△媮食】(ビイトウショク) 美しい着物を着、一時的な食物をむさぼる。遠い将来のことを考えないこと。

【靡然】(ビゼン) 草木が風になびくように、なびき従うさま。

【靡草】(ビソウ) ①枝葉のこまかな草。②風が草をなびかせること。徳の広くゆきわたることのたとえ。

【靡靡】(ビビ) ①なびき従うさま。②声などの細く美しいさま。③ゆっくり進むさま。④たがいによりかかるさま。⑤なくなるさま。つきるさま。

【靡△之楽】(ビビのガク) 亡国の音楽の名。

【靡△敝・靡弊】(ビヘイ) つかれ弱る。おとろえる。

【靡△曼・靡△嫚】(ビマン) ①きめが細かく、柔かい肌。転じて、美人。②美しいいろどりのあるさま。③詩文の美しいさま。

【靡△爛】(ビラン) ぼろぼろにただれる。また、ただれさせる。糜爛(ビラン)。

【靡麗】(ビレイ) はなやかで美しい。華美。

9画 面 めん おもて

〔部首解説〕 面を意符として、顔面に関する文字ができている。

0 面 一五四三　面 一五四四　5 靤 一五四四　7 靦 一五四四　12 靧 一五四四
14 靨 一五四四

0 【面】 9画 13291 教3 メン おも・おもて・つら 熟字訓 真面目(まじめ) メン 霰 miàn 4444 96CA —
筆順 
〔靣〕 13292 俗字
字義 ❶おも。おもて。つら。㋐かお。顔面。「対面」㋑前。前面。↕背(4967)。「表面」㋒むき。方向。「方面」㋓めん。仮面。㋔うわべ。外側。❷あう(会)。顔をあわせる。面会する。❸むかう。顔を向ける。「南面」❹そむく。後ろを向く。また、顔をそむける。❺平面。幾何学で、面積があって厚さのないもの。国メン。㋐剣道のけいこで頭をおおう道具。㋑平たい物の名にそえることば。また、平たいものを数えることば。「書面」
名前 おも・つら・み・も　難読 面映(おもはゆい)・面河(おもご)・面繋(おもがい)・面図(ずお)・面皰(にきび)
使いわけ おもて〔表・面〕⇨表(10814)。
解字 篆文  指事。篆文は面に作る。人の頭部の象形(𦣻)に、顔の輪郭を示す口を付し、人のかおの意味を示す。面の意味と音符とを含む形声文字に、偭(メン)・湎(メン)・緬(メン)などがある。
逆 一面・会面・外面・額面・仮面・鬼面・局面・紙面・人面・赤面・側面・素面・体面・対面・他面・鉄面・当面・

背面・半面・覆面・文面・満面

【面衣】メンイ 外出するときに顔をおおう布。ベール。

【面引】メンイン 多くの人の前で人の過ちをいさめる。「面引廷争」

【面謁(謁)】メンエツ おめみえ。貴人に会うこと。拝謁。

【面会(會)】メンカイ 人と会う。対面する。面接。

【面戒】メンカイ 面と向かっていましめる。

【面欺】メンギ 人の目の前でだます。

【面詰】メンキツ ＝面責。

【面具】メング めん。仮面。

【面結】メンケツ ①目の前で約束を結ぶ。②うわべだけの交際。

【面△晤】メンゴ 人に会うこと。▼晤は、あう意。

【面語】メンゴ 会って話をすること。面談。

【面交】メンコウ うわべだけの交際。

【面子】メンシ・メンツ ①体面。面目。信用。②顔。容貌。③面積。④表面。うわべ。

【面刺】メンシ 面と向かってそしる。面責。面詰。

【面試】メンシ じかに会ってためす。

【面識】メンシキ 国おたがいに顔を知っている。顔見知り。

【面質】メンシツ 面と向かって問いただす。

【面謝】メンシャ 面会して直接罪をわびる。

【面従(從)】メンジュウ 人の面前では、こびへつらう。

【面従(從)後言】メンジュウコウゲン 当人の目の前では服従をするように見せかけ、いない所では悪口をいうこと。〔書経、益稷〕

【面従(從)腹背】メンジュウフクハイ 表面では服従しているようだが、内心は反抗していること。

【面称(稱)】メンショウ 面と向かってほめる。面誉。

【面△牆】メンショウ かきに向かう。先の見えないことのたとえ。また、見聞のせまいこと。

【面責】メンセキ 国面と向かって責めとがめる。面刺。

【面折】メンセツ 面と向かって人の過失・欠点をいさめる。

【面折廷争(爭)】メンセツテイソウ 天子の面前で政治上のことなどについて争いいさめること。▼廷は、朝廷。〔史記、呂后本紀〕

【面訴】メンソ 面会して訴える。

【面争(爭)】メンソウ 面と向かってまちがいをいさめる。面折。

【面争(爭)廷論】メンソウテイロン ＝面折廷争。

【面奏】メンソウ 天子に会って申し上げる。

【面相】メンソウ 国かおつき。人相。

【面談】メンダン 直接その人に会って話をする。面語。

【面倒】メンドウ 国①むずかしい。手がかかる。②他人に対する世話・たすけ。

【面罵】メンバ 面と向かってののしる。

【面白】メンパク 一顔が白い。二おもしろい 国楽しい。心がひかれる。また、そのこと。

【面縛】メンバク 顔を前に向けさせて、両手をうしろ手にしばること。また一説に、偭縛の反対で、両手を前にしばること。▼面は、偭メンで、そむく意。

【面皮】メンピ ①顔の皮。つらのかわ。②顔。

【剝二面皮一】メンピをはぐ つらのかわをはぐ。厚顔無恥な人をはずかしめること。

【面壁】メンペキ ①かべに向かう。②かべに向かって座禅する。達磨ダルマ大師は九年間の面壁をしたという。③気にかけないことのたとえ。④のんびりとくらすことのたとえ。

【面△冪】メンベキ 死者の顔を紙・布などでおおうこと。また、そのもの。

【面△皰】メンポウ にきび。顔のふきでもの。皮膚病の一種。

【面△謾】メンマン 面と向かって人をだます。

【面命】メンメイ 面と向かって言いつける。また、直接教える。

【面面】メンメン ①各方面。②国めいめい。おのおの。

【面目】メンモク・メンボク ①顔。また、顔つき。容貌。②様子。姿。③人に合わせる顔。世間に対する顔。面子メンツ。

【面諭】メンユ 直接会って教えをさとす。

【面△諛】メンユ 面と向かってこびへつらう。

【面友】メンユウ 顔を知っているだけで、心から親しまない友。うわべだけの友。面交。面朋メンポウ。

【面誉(譽)】メンヨ 面と向かってほめる。面称。

【面妖】メンヨウ 国ふしぎなこと。奇妙なこと。あやしいこと。

【唾レ面】メンにつばきす (人の)顔につばをかける。ひどく人を侮辱すること。

【皮レ面】メンをかわ(は)はぐ 顔の皮をはぎ取る。無恥な人をはずかしめること。剝二面皮一メンピをはぐ。

0 【靣】 8画 13292 メン 面(13291)の俗字。→一五四三ページ下。 — — 7123

5 【靤】 14画 13293 ホウ 皰(7904)と同字。→九九六ページ上。 8050 E8D0 —

7 【靦】 16画 13294 テン 銑 tiǎn 8051 E8D1 —

字義 ❶あつかましいさま。ずうずうしいさま。❷はじるさま。用例〔人虎伝〕直以二行負一神祇一、一旦化為二異獣一、有レ靦二於人一。↓ただ天地の神に背く行いをしたがために、ある日にわかに獣と化してしまったので、人に顔を合わせるのが恥ずかしい。

解字 篆文 会意。面＋見。面と向かって見るさまから、あつかましいの意味を表す。

【靦汗】テンカン はずかしがって顔に汗を流すこと。

【靦顔】テンガン ①はじる顔。②あつかましい顔つき。

【靦△愧】テンキ はじる。はじて顔を赤くする。

【靦然】テンゼン あつかましい様子。はじ知らずのさま。

12 【靧】 21画 13295 カイ(クヮイ) 隊 huì — — 7124

字義 顔を洗う。洗面。「靧面」

解字 形声。面＋潰省音。

14 【靨】 23画 13296 一ヨウ(エフ) 葉 yè 二エン 琰 yǎn 8052 E8D2 —

字義 一えくぼ。笑うとき頰にできるくぼみ。「靨輔」 二❶ほお。❷ほくろ。

解字 篆文 形声。面＋厭音。音符の厭は、おしつぶすの意味。ほおの一部がおしつぶされたようになっている、えくぼの意味を表す。

【靨笑】ヨウショウ えくぼをつくって笑う。

9画

革 かわへん かくのかわ

〔部首解説〕皮(けがわ)・韋(なめしがわ)と区別して、革を「つくりがわ」とも呼ぶ。革を意符として、いろいろな種類の革製品を表す文字ができている。

0
【革】
9画 13297 一 漢カク・呉キャク 陌 gé 二 漢キョク・呉コク 職 jí 教6 カク かわ
1955 8A76 —

筆順 一 十 廾 廾 廾 芇 苷 茾 革

字義 一 ❶かわ。毛をぬき去った獣皮。❷かわ製の楽器・武具。鼓・太鼓・楯・かぶと・よろいなど。❸あらた-まる。あらた-める。「改革」「革命」。旧を改めるかたち。❹易の六十四卦の一つ。☱☲離下兌上。二 あらたまる。さしせまる。病気が重くなる。危篤になる。

名前 かく・かわ・また

使いわけ かわ〔革・皮〕⇨皮(7902)。

解字 金文 篆文 象形。金文は、頭から尾までをはいだ獣のかわの象形で、かわの意味を表す。また、改に通じ、あらためるの意味も表す。

逆 沿革・改革・皮革・兵革・変革

【革易】カクエキ あらためかえる。変易。改易。
【革車】カクシャ かわでおおった、戦争用の車。兵車。
【革新】カクシン 国古い制度・風習・組織・方法などをあらためて、新しくすること。
【革正】カクセイ 改めて正しくする。改正。
【革△嚢】カクノウ かわで作った袋。皮袋。
【革弊】カクヘイ 弊害を改める。
【革命】カクメイ ①天命が改まって、王朝が交替すること。〔易経、革〕②暦法の語で、辛酉(かのとのとり)の年の称。甲子(きのえね)(革令)・戊午(つちのえうま)(革運)と合わせて三革といい、これらの年には変乱が多いというので、改元などが行われた。③国被支配階級が支配階級から政治権力を奪って国家・社会組織を急激に変えること。
【革面】カクメン ①表面を改めただけで、内面は変わらないこと。うわべだけ服従する。②かわで作った面。
【革履】カクリ かわぐつ。
【革路・革△輅】カクロ かわでおおった、戦争用の車。

2
【靪】
11画 13298 漢テイ 呉チョウ(チャウ) 青 迥 dīng
₂9201 — 7125

字義 おぎなう(補)。靴の底をぬいつづる。国たちはめ。昔、身分の低い人の用いた牛の皮を張った履き物。 難読 屩靪(たちはめ)

解字 形声。革＋丁音。

2
【勒】
11画 13299 標 ロク 職 lè, ⑦lēi
8053 E8D3 —

字義 ❶くつわ。くつばみ。馬の口にかませ、たづなをつけて馬を扱う鉄製の道具。❷おもがい。馬の頭の上からくつわにかける革のひも。❸おさえる(抑)。おさえとどめる。❹おさめる。統率する。❺きざむ(刻)。ほる(彫)。「勒銘」❻書法で、横の一筆をいう。永字八法の一つ。❼しばる。しめる。

勒②

難読 勒犬(テー)

注意 『康熙字典』では、力部に所属する。

解字 金文 篆文 形声。革＋力音。音符の力は、ちからの意味。力を入れて馬の動きを抑えることのできる革、おもがいの意味を表す。

【勒住】ロクジュウ おさえとどめる。おしとどめる。
【勒石】ロクセキ 石に文字を刻む。刻石。
【勒停】ロクテイ 官職をやめさせる。
【勒兵】ロクヘイ・ヘイをロクす 兵の隊伍を編成して指揮する。軍隊を統御する。勒卒。
【勒銘】ロクメイ・メイをロクす 銘文を金属や石にほりつける。また、そのほりつけた銘文。刻銘。

3
【靫】
12画 13300 一 漢サイ・呉シャ 佳 chāi 二 漢サ・呉シャ 麻 chā
8054 E8D4 —

字義 一 うつぼ。ゆぎ。矢入れ。箭靫(センサイ)。 難読 靫(ゆき)

靫

解字 形声。革＋叉音。

【靫負】ゆげい(ひ) 国近衛(コノエ)・兵衛(ヒョウエ)・衛門府(エモンフ)などの武官の総称。ゆぎを負って宮城を守った人。「ゆぎおい」の転。

3
【靭】
12画 13301 標 漢ジン 呉ニン 震 rèn
8055 E8D5 —
［靱］13302 正字 ［靭］13379 同字 ［靭］13303 俗字 ［靭］13380 俗字

字義 しな-やか。やわらかで強い。国うつぼ。ゆぎ。＝靫(13300)。 難読 靭負(ゆきえ)・靭連(ゆけひ)(ほかる)

解字 形声。革＋刃音。音符の刃は、忍に通じ、しなやかで強いの意味。

【靭帯(帶)】ジンタイ 関節の両方の骨をつなぐ弾力のある筋。
【靭皮】ジンピ 植物の外皮の下にあるやわらかい皮。

3
【靱】
12画 13302 ジン
靭(13301)の正字。→一五四五ページ中。

3
【靭】
12画 13303 ジン
3157 9078 —
靭(13301)の俗字。→一五四五ページ中。

3
【靮】
12画 13304 漢テキ 呉チャク 錫 dí
₁9376 — 7126

字義 おもがい。たづな。馬を制御するための革製のつな。

解字 形声。革＋勺音。

4
【靷】
13画 13305 イン 軫 震 yǐn
— — 7129

字義 ひきづな。牛馬の胸につけ、その端を車軸につないで、車を引かせる革ひも。

解字 篆文 形声。革＋引音。音符の引は、ひくの意味。牛馬に車を引かせるための革製のひも、むながいの意味を表す。

4
【靴】
13画 13306 常 カ くつ
2304 8C43 —

4
〖靴〗13画 13307 カ(クヮ) 歌 xuē
［韡］13359 本字 ［韡］13354 俗字

筆順 一 廾 廿 苷 苢 革 靬 靴 靴

字義 くつ。かわぐつ。

解字 篆文 形声。革＋化(化)音。篆文は、革＋華音。

4
【靳】
13画 13308 漢キン 呉コン 問 jìn
₁9377 — 7127

字義 ❶むながい。馬の胸にあてて、そえ馬の首との接触を防ぐもの。❷はずかしめる。はずかしめ。❸うらむ(恨)。

解字 形声。革＋斤音。

【靳辱】キンジョク はずかしめる。また、はずかしめ。

4
【靸】
13画 13309 ソウ(サフ) 合 sǎ
— — 7130

字義 ❶くつ。子供のくつ。また、ぞうり。❷軽くあがるさま。❸はやく走るさま。

解字 形声。革＋及音。

4
【靹】
13画 13310 漢ドウ(ダフ) 呉ノウ(ナフ) nà
8056 E8D6 —

字義 やわらかい土。国「とも」と読んで、人名などに用いられる。

参考 日本では、〔鞆〕(13323)と混用されることが多いが、別字。

4
【靶】
13画 13311 ハ 禡 bà
— — 7128

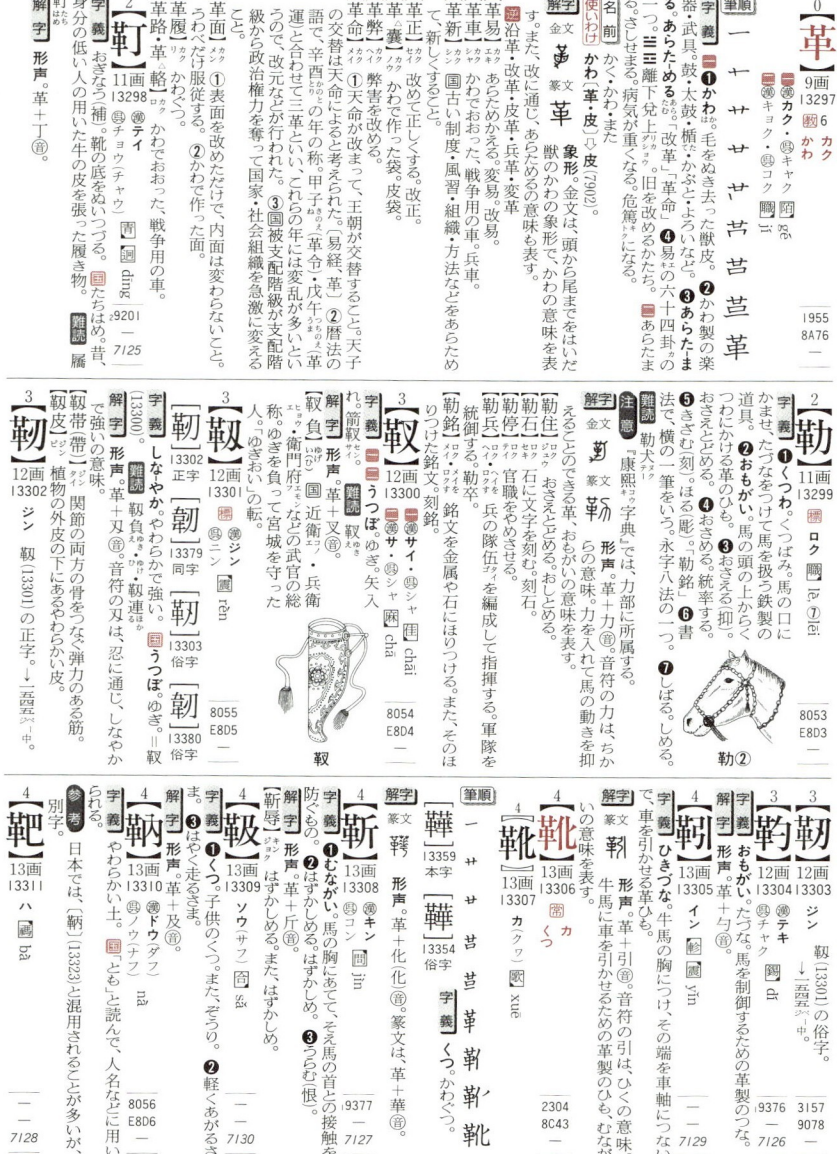

字義 ❶たづな。車に乗るときにつかまるつな。❷にぎり。つか(杷ハ)。とって。また、刀剣のつか。

解字 篆文 形声。革＋巴音。音符の巴ハは、把に通じ、とるの意味。手にとる革のたづなの意味を表す。

5【鞅】14画 13312 漢ヨウ(ヤウ) 呉オウ(アウ) 陽 養 yāng 8057 E8D7 —

字義 ❶むながい。馬の胸からくらぼねにかけるひも。❷馬の腹帯。❸うらむ。また、そのさま。＝怏(3665)。❹になう(荷)。

解字 篆文 形声。革＋央音。音符の央は、首かせをした人の象形。牛馬の首にあてた革ひも、むながいの意味を表す。

【鞅鞅】オウオウ 楽しまないさま。心に満足せず不平に思うさま。怏怏オウオウ。

【鞅掌】オウショウ ①いそがしく働いてひまがないこと。▼鞅はになうこと、掌はささげること。②自分自身満足しているさま。③物事の多いさま。

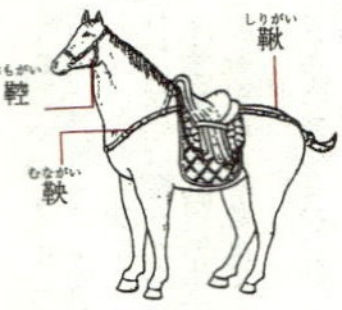

鞅①

5【靿】14画 13313 漢オウ(アウ) 呉ヨウ(エウ) 効 yào — — 7133

字義 ❶長靴や編み上げ靴などの胴の部分。❷曲がる。

解字 形声。革＋幼音。

5【靻】14画 13314 ソ 麌 zǔ — — 7131

字義 おもがい。くつわを固定するためのひも。

解字 形声。革＋且音。

5【靼】14画 13315 一漢タツ・呉タチ 曷 dá 二タン 旱 8058 E8D8 —

字義 一❶なめしがわ(鞣ジュ)。柔革。❷韃靼ダッタンは、古代の蒙古コモウ系の一部族。→韃(13367)。

解字 篆文 形声。革＋旦音。音符の旦タンは、たいらかの意味。毛皮の毛を取り脂肪を除いて平たくした、なめしがわの意味を表す。

5【鞊】14画 13316 チョウ(テフ) 葉 tiē

字義 ❶鞍くらの飾り。❷鞊䩞チョウショウは、はだつけ。馬の脇わきのあぶみに当たる所に垂らして覆うもの。

解字 形声。革＋占音。

5【鞀】14画 13317 トウ 鼗(14519)と同字。→一六五三ページ上。 — — 7134

5【靽】14画 13318 ハン 翰 bàn — — 7132

字義 きずな(きづな)。ほだし。牛馬をつなぐための綱。＝絆(9126)。

解字 形声。革＋半音。音符の半は、攀ハンに通じ、ひきつなぐの意味。牛馬の足をつなぐ革ひもの意味を表す。

5【鞁】14画 13319 漢ヒ 呉ビ 寘 bèi 8059 E8D9 —

字義 ❶車を引く馬につける飾り。また、鞍くらのおおい。❷ひきづな。また、たづな(手綱)。❸はらおび(腹帯)。 難読 鞁筒どうつづみ

解字 篆文 形声。革＋皮音。音符の皮は、被に通じ、おおいかけるの意味。革製の馬具の意味を表す。

5【鞄】14画 13320 人 標 一ハク 覺 二漢ホウ(ハウ) 呉ボウ(バウ) 肴 páo 1983 8A93 —

筆順 艹 苜 革 革 靮 鞄 鞄

字義 一かわつくり。かわをなめす職人。二国かばん。

【鞄】13321 俗字

解字 形声。革＋包音。

5【鞄】14画 13321 ホウ 鞄(13320)の俗字。→一五四六ページ中。

5【靺】14画 13322 漢バツ・呉マチ 曷 mò 慣マツ 8060 E8DA —

字義 ❶靺鞨マッカツは、中国北東方にいた異民族の名。ツングース族。❷たび。くつした。

解字 形声。革＋末音。

5【鞆】14画 13323 国字 8061 E8DB —

字義 とも。ほむだ。弓を射るとき、左臂ひじにつけるまるいあてがわ。

解字 会意。革＋丙。丙の字形に似た、革製の「とも」の意味を表す。

6【鞋】15画 13324 標 漢カイ・呉ゲ 慣アイ 佳 xié 8062 E8DC —

【鞵】13353 同字

字義 くつ(靴)。わらじ(草鞋)。

解字 形声。革＋圭音。

【鞋底】アイテイ くつの底。転じて、足もと。

【鞋韈】アイベツ くつと、くつ下。

6【鞍】15画 13325 人 標 アン 寒 ān 1640 88C6 —

筆順 艹 苜 革 革 鞍 鞍 鞍

【鞌】13326 同字

字義 くら。牛馬の背につけて、物を載せ、また、人が乗るための具。

解字 篆文 形声。革＋安音。音符の安は、やすんじるの意味。馬などの背に置いて、乗る人を安定させる革製の馬具、くらの意味を表す。

【鞍上無レ人鞍下無レ馬】アンジョウひとなくアンカうまなし 馬術のたくみな人が馬を御するさまの形容。

【鞍韉】アンセン くらと、くらの下に敷く下ぐら。

【鞍馬】アンバ ①くらを置いている馬。↔裸馬(一二八四ページ下)。②馬にくらをつける。③国馬の背の形をした体操用具。また、それを用いた競技。

【鞍轡】アンピ 馬のくらと、たづな。

6【鞌】15画 13326 アン 鞍(13325)と同字。→一五四六ページ下。

6【鞏】15画 13327 漢キョウ 呉ク 腫 gǒng

【鞏】13328 俗字

字義 ❶つかねる(束)。たばねる。なめしがわで堅くくくる。❷かたい(かたし)。堅固。❸おそれる。こわがる。

参考 現代表記では[強](3333)に書きかえることがある。「鞏固→強固」

解字 金文 篆文 形声。革＋巩音。音符の巩キョウは、工具をつつしみ深くしっかりと持つさまにかたどる。なめしがわでかたくくくるの意味を表す。

【鞏鞏】キョウキョウ 物事にこだわるさま。

【鞏固】キョウコ 確かでかたい。しっかりして動かない。強固。

6【鞏】15画 13328 キョウ 鞏(13327)の俗字。→一五四六ページ下。 8063 E8DD —

6【鞉】15画 13329 トウ 鼗(14519)と同字。→一六五三ページ上。 — — 7135

6【鞐】15画 13330 国字 8064 E8DE —

字義 こはぜ(小鉤)。書物の帙チツ・足袋たびなどの合わせ目につける、爪つめ状のとめかぎ。角・真鍮シンチュウなどでつくる。

6【鞑】15画 13331 国字 2 9202 — —

解字 会意。革＋上＋下。上と下とを革ひもでとじる「こはぜ」の意味を表す。

字義 ぬめかわ。牛皮をタンニンでなめして、柔らかくしたもの。

7【鞙】16画 13332 ㊀㊥ケン・㊤ゲン 霰 xuàn ㊁ケン 先 juān — — 7139

字義 ㊀❶佩玉(腰につけたおび玉)のゆれるさま。❷大きな車のくびきを縛るかわ。❸しりがい。馬の尻にかけるひも。㊁❶馬の尾。❷くつわ。

解字 形声。革+肙㊥。

7【鞕】16画 13333 ㊥ゴウ(ガウ) ㊤ギョウ(ギャウ) 敬 yìng 19378 — 7136

字義 かたい(堅)。=硬(8183)。

解字 形声。革+更㊥。

7【鞖】16画 13334 ㊥サイ ㊤スイ 灰 suī 29204 — 7137

字義 しおで。馬の鞍の前輪と後輪の左右につけ、むながい・しりがいを留めるひも。

解字 会意。革+妥。妥は、やすらかの意味。

7【鞘】16画 13335 人 標 ㊀㊥ソウ(サウ) ㊤ショウ(セウ) 肴 shāo ㊁ショウ(セウ) 嘯 qiào 3068 8FE2 —

筆順 艹 艹 苎 苎 革 革ˈ 革卜 鞘 鞘

[鞘] 13336 俗字

字義 ㊀❶しおで。馬の鞍の前輪と後輪の左右につけ、むながい・しりがいを留めるひも。❷むちさき。馬の鞭の先端。㊁さや。刀剣のさや。↔身(11839)。

名前 さや

解字 形声。革+肖㊥。

7【鞘】16画 13336 ショウ 鞘(13335)の俗字。→一五四七ページ上。

7【鞗】16画 13337 ㊥チョウ(テウ) ㊤ジョウ(デウ) 蕭 tiāo — — 7138

字義 たづな。革のたづな。

解字 形声。革+攸㊥。

7【鞞】16画 13338 国字 29203 — —

字義 しころ。かぶとの左右と後ろに垂らして首筋をおおうもの。

8【鞟】17画 13339 カク 鞹(13360)の俗字。→一五四八ページ中。 — — 7142

8【鞠】17画 13340 人 キク 屋 jū 2139 8B66 —

筆順 艹 苎 革 革ˊ 靮 鞫 鞫 鞠 鞠

字義 ❶まり。けまり。=毬(6089)。❷きわまる(窮)。まがる。身を屈する。つつしむ。❸ただす。責めただす。しらべる。❹かがむ。身をかがめる。❺はらばう。❻やしなう。そだてる。=育(4921)。❼おさない(稚)。若い。❽つげる。=告(1366)。❾みちる(盈)。❿高いさま。⓫菊。草花の名。

名前 つぐ・ます・まり・みつ

解字 篆文 鞠 形声。革+匊㊥。音符の匊は、両手ですくうの意味。両手ですくうほどの球形の、革で作られたまりの意味を表す。

【鞠△按】罪をきわめ調べること。取り調べる。吟味。

【鞠域】けまりの遊びをする場所。

【鞠育】養い育てる。養育。〔詩経、小雅、蓼莪〕

【鞠戯(戲)】けまりの遊び。

【鞠△躬】①身をかがめて敬いつつしむこと。②気をつかい、ほねをおること。

【鞠△躬如】身をかがめて敬いつつしむさま。おそれつつしむさま。用例〔論語、郷党〕入二公門一、鞠躬如也。↓宮城の御門を入るときは、おそれつつしむ態度である。

【鞠△躬尽(盡)△瘁】身心を労して、国事に尽力すること。〔三国蜀、諸葛亮、後出師表〕

【鞠獄】罪をさばいて、刑に処すること。断獄。

【鞠子】おさなご。稚子。

【鞠△恧】はにかみ、はじる。▼鞠は身をかがめる、恧ははじる。

【鞠△訊】罪人を取り調べる。ぎんみ。

【鞠断(斷)】取り調べて罪を決めること。

【鞠問】罪をたずね調べること。吟味する。訊問。

【鞠養】養い育てる。鞠育。

8【鞚】17画 13341 ㊥コウ ㊤クウ 送 kòng 29205 — 7140

字義 おもがい。馬の頭からくつわに掛けるひも。

解字 形声。革+空㊥。

8【鞜】17画 13342 トウ(タフ) 合 tà 8065 E8DF —

字義 くつ(靴)。かわぐつ。

解字 形声。革+沓㊥。

8【鞞】17画 13343 ㊀㊥ヘイ ㊤ヒョウ(ヒャウ) 迥 bǐng ㊁㊥ヘイ・㊤バイ 斉 pí 29206 — 7141

字義 ㊀さや。刀のさや。㊁つづみ。騎兵が馬上で鳴らすつづみ。

解字 形声。革+卑㊥。

【鞞鼓】馬上で打つ攻め鼓。鼙鼓。

【鞞△琫】刀の鞘のかざり。

9【鞨】18画 13344 ㊥カツ ㊤ガチ 曷 hé 8066 E8E0 —

字義 ❶かわぐつ(革靴)。❷靺鞨は、中国北東方にいた異民族の名。ツングース族。

解字 形声。革+曷㊥。

9【鞫】18画 13345 キク 屋 jū 7581 E691 —

字義 ❶せめただす。罪を問いただす。=鞠(13340)。❷きわめる(究)。また、きわまる。

解字 会意。革+勹+言。革は、かわのむちの意味。勹は、人の象形。とらえられた人を、革のむちや言葉で罪をせめただすの意味を表す。

【鞫獄】罪を取り調べること。

【鞫△訊】罪を取り調べること。鞫獄。

【鞫断(斷)】罪を取り調べて裁断を下すこと。

9【鞬】18画 13346 ㊥ケン ㊤コン 元 jiān — — 7144

字義 ❶ゆみぶくろ。やづつ。馬上につけて、弓矢を入れる道具。❷まり。鞬子。

解字 篆文 鞬 形声。革+建㊥。音符の建は、のびやかにたつ筆の意味。弓矢を折らないようにおさめる道具、やづつの意味を表す。

【鞬△櫜】矢ぶくろと、弓ぶくろ。▼櫜は、また、よろいぶくろ。

9【鞦】18画 13347 ㊥シュウ(シウ) ㊤シュ 尤 qiū 8067 E8E1 —

字義 しりがい。牛馬の尾に掛ける組みひも。 難読 鞦韆(ふらここ・ぶらんこ・ゆさわり)

解字 形声。革+秋㊥。

【鞦△韆】ぶらんこ。秋千。用例〔北宋、蘇軾、春夜詩〕歌管楼台声細細、鞦韆院落夜沈沈。↓歌や管弦の音がひびきわたっていた高殿も、今ではかすかな音がきこえるばかりである。中庭にぶらんこが揺れ、夜は静かにふけてゆく。

9【鞣】18画 13348 ㊥ジュウ(ジウ) ㊤ニュウ(ニウ) 尤 宥 róu 8068 E8E2 —

字義 ❶なめしがわ。柔らかいかわ。また、かわいたかわ。また、なめ-す。❷やわらかい。
解字 篆文 形声。革＋柔音。音符の柔は、やわらかいの意味。動物の皮をやわらかくする、なめすの意味を表す。

9【鞢】18画 13349 ショウ(セフ) 関 xiè ₂9207 ― 7143
字義 鞊鞢は、はだつけ。馬の脇のあぶみに当たる所に垂らして覆うもの。国わがけ。弓を射るときの手袋。
解字 形声。革＋枼音。

9【鞮】18画 13350 漢テイ 呉タイ 斉 dī ₁9379 ― 7145
字義 ❶かわぐつ(革靴)。❷通訳する。また、その人。
解字 形声。革＋是音。
【鞮△鍪】かぶと。
【鞮訳(譯)】通訳する。また、その人。

9【鞳】18画 13351 トウ(タフ) 合 tà 8069 E8E3 ―
字義 ❶兵器。❷鞺鞳は、鐘や鼓の音の形容。
解字 形声。革＋荅音。

9【鞭】18画 13352 人 標 ヘン 慣ベン 先 biān 4260 95DA ―
筆順 廿 芇 革 靳 靳 鞆 鞭 鞭
字義 ❶むち。人や馬をうつむち。❷むちう-つ。㋐馬を打つ。㋑罪として人を打つ。㋒はげます。❸昔の刑罰の一つ。
解字 篆文 形声。革＋便音。音符の便は、都合がよいの意味。牛馬にむちうって人の都合のよいように動かす、革のむちの意味を表す。
【鞭撃(擊)】むち打つ。
【鞭策・鞭△筴】①むち。▼策・筴も、むち。用例〔荘子、馬蹄〕前有二橛飾之患一、而後有二鞭筴之威一。↓馬の身の前には、くつわや飾りひもというわずらわしいものがあり、身の後にはむちによるおどしがある。②むち打ちはげます。③刑罰。
【鞭△尸】＝鞭レ尸(四三六ページ上)。
【鞭△杖】むち。また、むち打つ。
【鞭△捶・鞭△箠】①むち。また、むち打つ。▼捶・箠も、むち。②刑罰。
【鞭声(聲)】むちをふる音。
【鞭△撾】むち。また、むち打つ。
【鞭△駘】駑馬(歩みのおそい馬)にむち打ってふるいはげますこと。才能がとぼしいながらも勉励努力する意。
【鞭△撻】①むち打って牛馬を駆使すること。②激励すること。
【鞭△笞】むちうつ。また、いましめること。
【鞭△辟近裏】①むちでうながしはげます。▼鞭辟は、むちで前方の人を追い払って道を開くこと、近裏は、背面に迫ること。②努力勉励して深奥に迫ること。また、文章のきびしいものを評していう。
【鞭△扑】むち。▼鞭は役人を罰するむち、扑は学生を罰するむち。
【△雖二鞭△之長一不レ及二馬腹一】むちは長くても、馬の腹までは届かない。強大な力があっても、なおおよばない所があることのたとえ。一説に、勢力があっても、みだりに用いないことのたとえ。〔左伝、宣公十五〕

10【鞵】19画 13353 アイ 鞋(13324)と同字。→一五四六ページ中。 ― ― 7148

10【鞾】19画 13354 カ 靴(13306)の俗字。→一五四五ページ下。 ₂9210 ― 7154

10【鞲】19画 13355 コウ 韝(13402)と同字。→一五五〇ページ下。 ₂9209 ― 7147

10【鞱】19画 13356 トウ(タウ) 韜(13404)と同字。→一五五〇ページ下。 ₂9208 ― 7146

10【鞶】19画 13357 漢ハン 呉バン 寒 pán ― ― 7149
字義 ❶おおおび。革製の大幅の帯。盤帯。❷馬の腹帯。❸小さい革袋。
解字 篆文 形声。革＋般音。音符の般は、大きいの意味。大きい革製の帯の意味を表す。

10【鞴】19画 13358 一 漢フク・呉ブク 屋 fú 二 漢ヒ・呉ビ 寘 bèi 8070 E8E4 ―
字義 一❶かわぶくろ。❷鞴靫は、矢入れ。うつぼ。二❶車前の横木のおおい。❷ふいごう。
解字 形声。革＋莆音。

11【鞾】20画 13359 カ 靴(13306)の本字。→一五四五ページ下。 ― ― ―

11【鞹】20画 13360 カク(クワク) 薬 kuò ― ― 7151
〔鞟〕13339 俗字
字義 ❶つくりがわ。毛を取り去ったかわ。❷きがわ。なまがわ。毛を抜き取らないで張ったかわ。
解字 形声。革＋郭音。

11【鞺】20画 13361 トウ(タウ) 陽 tāng ₁9380 ― 7152
字義 つづみの音。
解字 形声。革＋堂音。音符の堂は、太鼓の音の擬声語。

11【韠】20画 13362 一 漢ヒツ・呉ヒチ 質 bì 二 漢ヘイ 呉ヒョウ(ヒャウ) 迥 bǐng ― ― 7150
字義 一❶ひざかけ。❷車のしばりなわ。二刀のさや。
解字 形声。革＋畢音。

12【鞼】21画 13363 一 漢キ・呉ギ 寘 guì 二 カイ(クワイ) 灰 guì ― ― 7153
字義 一❶ぬいとりをしたなめしがわ。繡革。❷たづな。❸くじく(挫)。また、くじける。挫折する。
解字 形声。革＋貴音。

12【鞿】21画 13364 漢キ 呉ケ 微 jī ― ― 7155
字義 ❶くつわ。くつばみ。馬銜。❷おもがい。❸きずな。馬をつないでおく綱。❹とりしまる(検)。束縛する。
解字 形声。革＋幾音。音符の幾は近に通じ、近づけるの意味。馬を御者に近づけておく革製のきずな、くつわの意味を表す。
【鞿△羈】①きずな。馬をつないでおく綱。②心のむすぼれること。

13【韁】22画 13365 漢キョウ(キャウ) 呉コウ(カウ) 陽 jiāng ₁9381 ― 7156
字義 ❶きずな。たずな。馬をつないでおく綱。❷束縛する。束縛される。
解字 形声。革＋畺音。
【韁鎖】①たづなと、くさり。②他の束縛を受けること。

13【韄】22画 13366 ゴ 韄(13369)の俗字。→一五四九ページ上。 ― ― 7157

13【韃】22画 13367 漢タツ・呉タチ 慣ダツ 曷 dá 8071 E8E5 ―
字義 韃靼は、古代の蒙古系の一部族。タタール(Tatar)の音訳。はじめは一部族の名であったが、後には蒙古族全体の呼び名となった。
解字 形声。革＋達音。

14【韅】23画 13368 ケン 銑 xiǎn ― ― 7158
字義 車をひく牛馬の背につける革ひも。
解字 形声。革＋㬎音。

革部 9▼14画〔鞢鞮鞳鞭鞵鞾鞲鞱鞶鞴鞾鞹鞺韠鞼鞿韁韄韃韅〕

14【韄】23画 13369 漢コ 呉ゴ 遇 hù 字義 ❶刀の下げ緒。刀のかざり糸。❷刀のつか革。❸つかねる。革でしばる。

［韄］13366 俗字 解字 形声。革＋蒦音。

14【韈】23画 13370 ベツ 韈(13412)の俗字。→一五五一ページ上。 8073 E8E7 —

15【韆】24画 13371 セン 先 qiān 字義 鞦韆シュウセンは、ぶらんこ。 解字 形声。革＋遷音。

［韆］13372 俗字

15【韆】24画 13372 セン 韆(13371)の俗字。→一五四九ページ上。 8072 E8E6 —

15【韇】24画 13373 漢トク 呉ドク 屋 dú 字義 ❶やづつ。やなぐい。矢を入れる具。❷めどぎ筒。めどぎ(筮竹ゼイチク)を入れる筒。 解字 形声。革＋賣音。 — — 7159

15【韈】24画 13374 ベツ 韈(13412)と同字。→一五五一ページ上。

16【韉】25画 13375 セン 先 jiān 字義 したぐら。馬具の一種。 解字 形声。革＋薦音。 19382 — 7160

20【韊】29画 13376 漢ラン 呉レン 刪 lán 字義 えびら。やづつ。大きな弓矢を入れる筒。 解字 形声。革＋蘭音。 — — 7161

韋(韋) なめしがわ 9画

韋は十画。

〔部首解説〕 皮(けがわ)・革(つくりがわ)と区別して、韋イを「なめしがわ」と呼ぶ。韋を意符として、いろいろな種類の革製品を表す文字ができている。なお、「常用漢字表」・「表外漢字字体表」・JIS漢字では韋の下の部分を㐄と書く韋の字体を用い、画数は十画となる。

0【韋】9画 13377 イ 韋(13378)の正字。→一五四九ページ中。

0【韋】10画 13378 標 イ(ヰ) 微 wéi 字義 ❶かわ。なめしがわ。なめし。がは ❷そむく(背)。たがう(違)。❸かこい。＝囲(1819)。 8074 E8E8 —

［韋］13377 正字

解字 甲骨文 金文 篆文

会意。舛＋口。舛は、ステップの方向が違う足の象形。口は、場所を示す。ある場所から、別方向に歩むさまから、そむくの意味を表す。また、借りて、なめし皮の意味も表す。韋(韋)を音符に含む形声文字のうち、「群を抜いてすぐれる」の意味を持つものに、偉・葦イ・禕イ・違・煒イ・瑋イ・韡イなどがあり、「かこむ」の意味を持つものに、圍(囲)・幃イ・緯などがある。

【韋応(應)物】イオウブツ 中唐の詩人。蘇州ソシュウ(今の江蘇コウソ省内)の刺史(長官)となったので、蘇州と号した。著書に『韋蘇州集』がある。好んで田園の風物をうたい、王維・孟浩然モウコウネン・柳宗元とともに「王・孟・韋・柳」と呼ばれる。(七三七?—七九一?)

【韋革】イカク ①なめしがわと、つくりがわ。②なめしがわ。

【韋弦△之△佩】イゲンのハイ なめしがわの装身具と弦の装身具。韋は、なめしがわで柔らかく、弦は、弓づるで強くきびしい。性格の強い人は韋を身につけ、弱い人は弦を身につけて、それぞれの個性を変えようとすること。自己修養の訓戒とすること。〔韓非子、観行〕

【韋△綺布被】イコフヒ なめしがわのはかまに、布の着物。倹約質素な様子。

【韋柔】イジュウ なめしがわのように柔らかい。軟弱で人にさからわないこと。

【韋昭】イショウ 三国時代、呉の学者。字あざなは弘嗣コウシ。著書に『孝経』『論語』『国語』の注がある。(二〇四?—二七三?)

【韋荘(莊)】イソウ 晩唐の詩人。京兆ケイチョウ(今の陝西センセイ省内)の人。字あざなは端己。著書に『浣花カンカ集』『蜀程記ショクテイキ』などがある。(八三六—九一〇)

【韋駄天】イダテン ①仏仏法を守護し、悪魔を駆除する神。剣を持ち武装しており、魔王が仏舎利を盗んでにげたとき、追いかけて取り返したという神。②国速く駆ける者をいう。

【韋帯(帶)】イタイ なめしがわの帯。貧者の用いるもの。

【韋布】イフ 「韋帯布衣」の略。なめしがわの帯と布の衣。庶民の衣服。

【韋編三絶】イヘンサンゼツ・イヘンみたびたつ 読書に熱心なことのたとえ。孔子が易エキを愛読して、なめしがわのとじ糸(竹簡をとじる糸)が何度も切れたという故事による。〔史記、孔子世家〕

3【韌】12画 13379 ジン 韌(13301)と同字。→一五四五ページ中。

3【韌】13画 13380 ジン 韌(13301)の俗字。→一五四五ページ中。 29211 — 7162

5【韎】14画 13381 ━漢バイ・呉マイ 卦 mèi ━漢バツ・呉マチ 曷 mò 字義 ━❶東方異民族の音楽の名。❷あかねぞめの革。茜草あかねソウで薄くそめたなめしがわ。

［韎］13382 俗字

5【韎】15画 13382 バツ 韎(13381)の俗字。→一五四九ページ下。 — — 7164

解字 形声。韋＋末音。

5【韍】14画 13383 漢フツ 呉フチ 物 fú 字義 ❶ひざかけ。なめしがわの前だれ。昔、祭服に用いた。＝市(3080)。❷くみひも。印章の組紐くみひも。

［韍］13384 俗字

解字 金文 篆文

形声。韋＋犮音。音符の犮ハツは、祓フツに通じ、はらいきよめるの意味。ごみなどを払うことのできる革製のひざかけの意味を表す。金文は、ひざかけの象形。

5【韍】15画 13384 フツ 韍(13383)の俗字。→一五四九ページ下。 — — 7163

6【韑】15画 13385 イ(ヰ) 尾 wěi 字義 ひかり(光)。 解字 形声。光＋韋音。

［韑］13386 俗字

6【韑】16画 13386 イ 韑(13385)の俗字。→一五四九ページ下。 29212 — 7166

6【韐】15画 13387 コウ(カフ) 合 gé 字義 韎韐バッコウは、㋐あかね草で薄く染めた、なめしがわのひざかけ。古代の兵服。㋑革製の幅の広い帯。 解字 形声。韋＋合音。

［韐］13388 俗字

6【韐】16画 13388 コウ
韐(13387)の俗字。→一五四九ページ下。
— — 7165

8【韓】18画 13389 常 カン 漢カン 呉ガン 寒 hán
2058 8AD8 —
8［韓］17画 13390

筆順 + 古 卓 卓' 卓' 韓 韓 韓 韓 韓

字義 ❶いげた。井戸の上に井の字形に組んだ木の囲い。❷戦国時代の国名。魏ギ・趙チョウとともに晋シンから分立して、今の河南・山西両省の一部を領土としたが、後に秦シンのためにほろぼされた。戦国七雄の一つ。(前四〇三—前二三〇) ❸もと朝鮮半島南部の三韓(馬韓・辰韓シン・弁韓)の地。一八九七年、李リ王朝が国号を大韓帝国と改めた。現在は大韓民国の国名。

難読 韓紅からくれない

解字 金文 篆文 形声。篆文は、韋(韋)+倝音。韋は、とりかこむの意味。

【韓△偓】カンアク 晩唐の詩人。字あざなは致尭チギョウ。その艶麗な詩風は香奩体コウレンタイと称された。著書に『香奩集』がある。(八四四—九二三)

【韓海△蘇潮】カンカイソチョウ 韓愈カンユの文は広々として海のようであり、蘇軾ソショクの文は波瀾ハランがあって潮のようだとの意。〔丹鉛総録、詩話類〕

【韓△琦】カンキ 北宋ホクソウの政治家。字あざなは稚圭チケイ。英宗の時、魏国公ギコクコウに封ぜられた。(一〇〇八—一〇七五)

【韓詩】カンシ 前漢の韓嬰カンエイの伝承した『詩経』をいう。斉詩・魯ロ詩と並んで三家詩といわれる。

【韓詩外伝(傳)】カンシガイデン 書名。十巻。前漢の韓嬰カンエイの著。『詩経』の注釈書の一種。

【韓信】カンシン 秦シ末漢初の武将。淮陰ワイイン(今の江蘇コウソ省内)の人。若い時、淮陰の少年にまたの下をくぐらされる侮辱を受けたが、よく忍耐した。はじめは楚ソの項羽に仕え、のちには漢の高祖に仕えて張良・蕭何ショウカとともに三傑と称された。(?—前一九六)

韓信

【韓非】カンピ 戦国時代の思想家。韓の王族の出身で、秦シンの李斯リシとともに荀子ジュンシに学んで法家の代表的学者となった。のち、始皇帝に認められたが、李斯の反感にあって自殺させられた。(?—前二三三)

【韓非子】カンピシ 書名。二十巻。戦国時代の韓非の著とされるが、正しくは、韓非の著作を中心として、その一派の論著を五十五編にまとめたもの。旧称は『韓子』であったが、宋ソウ以後、韓愈カンユと区別して、『韓非子』と改められた。絶対権力による法治主義を説き、法家思想の代表的著作。

【韓△愈】カンユ 中唐の詩人・文章家。字あざなは退之タイシ。号は昌黎ショウレイ。柳宗元とともに、当時流行の美文を排撃して、古文復興のために力を尽くした。唐宋八大家のひとりで、著書に『昌黎先生集』がある。(七六八—八二四)

韓愈

【韓柳】カンリュウ 唐の韓愈カンユ・柳宗元の並称。ともに文章家として名高い。「韓柳李杜リト(李杜は、李白と杜甫トホ)」

【△馳二韓△盧一逐二△蹇△兎一】カンロをはせてケントをおう(ふ) 韓盧(戦国時代、韓の国に産した名犬)をかけさせて足の悪いうさぎを追わせる。容易に目的を達することのたとえ。〔戦国策、秦〕

8【韔】17画 13391 チョウ(チャウ) 漾 chàng

字義 ゆみぶくろ。また、弓袋に弓を入れる。

解字 篆文 形声。韋+長音。韋は、なめしがわの意味。音符の長は、ながいの意味。革製の長いゆみぶくろの意味を表す。

［韔］13392 俗字

8【韔】18画 13392 チョウ
韔(13391)の俗字。→一五五〇ページ中。
₂9213 — 7167

9【韙】18画 13393 イ(キ) 尾 wěi

字義 よ-い(善)。ただ-しい(正)。

解字 形声。是+韋音。

［韙］13394 俗字

9【韙】19画 13394 イ
韙(13393)の俗字。→一五五〇ページ中。
₂9215 — 7170

9【韗】18画 13395 ウン 問 yùn

字義 ❶くつ(靴)。革靴。❷かわをなめし鼓をはる職人。

解字 形声。韋+軍音。

［韗］13396 俗字

9【韗】19画 13396 ウン
韗(13395)の俗字。→一五五〇ページ中。
— — 7168

9【韘】18画 13397 ショウ
弽(3341)と同字。→四九三ページ下。

9【韘】19画 13398 ショウ
弽(3341)の俗字。→四九三ページ下。
₂9214 — 7169

10【韡】20画 13399 イ
韡(13408)の俗字。→一五五一ページ上。
₂9216 — 7175

10【韞】19画 13400 一 漢オン・呉オン(ヲン) 阮 wēn 二 ウン 吻 yùn

字義 一 かきいろ(柿色)。赤と黄の中間色。また、赤色。 二 ❶つつ-む。❷おさめる(蔵)。かくす。❸くしげ。はこ。また、はこに入れる。

［韞］13401 俗字

解字 形声。韋+昷音。韋イは、かこむの意味。音符の昷オンは、あたためるの意味。物を囲んであたためておく、おさめるの意味を表す。

【韞価(價)】ウンカ ねうちをつつみかくす。才徳がありながら世人に知らせないことのたとえ。

【韞△匵・韞△櫝】ウントク 箱の中にしまっておく。才徳がありながらそれを世人に知らせないことのたとえ。〔論語、子罕〕

10【韞】20画 13401 ウン
韞(13400)の俗字。→一五五〇ページ下。
₁9383 — 7172

10【韝】19画 13402 コウ 漢コウ 呉ク 宥 gōu

［韝］13355 同字 ［韝］13403 俗字

字義 ❶ゆごて(弓籠手)。弓を射るとき、左腕をおおう革製の用具。たまき。射韝シャコウ。❷たかたぬき。鷹狩たかがりの鷹をとまらせるための、腕をおおう革製の用具。

解字 形声。韋+冓音。

10【韝】20画 13403 コウ
韝(13402)の俗字。→一五五〇ページ下。
— — 7171

10【韜】19画 13404 トウ(タウ) 豪 tāo

［韜］13356 同字 ［韜］1955 俗字 ［韜］13405 俗字

字義 ❶つるぎぶくろ。剣を入れておく袋。❷ゆみぶくろ。弓をおさめる袋。❸つつ-む。おさめる(蔵)。また、かくす。❹『六韜リクトウ』は、兵法の奥義を書いた書物。

解字 篆文 形声。韋+舀音。音符の舀トウは、物をぬきとるの意味。弓や剣をそこから抜き出すふくろ、ゆぶくろ・つるぎぶくろの意味を表す。

【韜△晦】トウカイ ①才知・学問などをつつみくらまして外に現さないこと。韜蔵。②雲・雨などのために薄暗いさま。

【韜弓】トウキュウ ①ゆみ袋。②弓を袋に入れて用いないこと。

【韜△鈐】トウケン ①弓袋と矛の柄。②兵法。

【韜光】トウコウ ①光をかくして外に現さないこと。②才徳をかくして外に現さないこと。

【韜蔵(藏)】トウゾウ つつみかくす。才徳をくらましかくすこと。

【韜略】① 『六韜』と『三略』との略。共に兵法の書。② 一般に、兵法の書。兵法。

10【韜】20画 13405 トウ 韜(13404)の俗字。→一五五〇ページ下。 8075 E8E9 —

10【韛】19画 13406 漢ハイ 呉バイ 卦 bài
[韛] 13407 俗字
字義 ふいごう。かわで作った袋状の簡単な送風器。
解字 形声。韋＋葡(葡)音。音符の葡は、えびらを身につけるの意味。革で作った、えびらのような、ふいごうの意味を表す。

10【韛】20画 13407 ハイ 韛(13406)の俗字。→一五五一ページ上。 19384 — 7174

11【韡】20画 13408 イ(ヰ) 尾 wěi
[韡] 13399 俗字
字義 さかん。花の美しいさま。明らかなさま。
解字 篆文 形声。華＋韋音。音符の韋は、なみはずれるの意味。花がはなやかでなみはずれて美しいの意味を表す。
【韡韡】さかんで明らかなさま。美しく輝くさま。
【韡△曄・韡△燁】光り輝くさま。

11【韠】20画 13409 漢ヒツ 呉ヒチ 質 bì
[韠] 13410 俗字
字義 ひざかけ。前だれ。なめし革製の前だれ。また、昔、朝服に用いたひざかけ。
解字 形声。韋＋畢音。

11【韠】21画 13410 ヒツ 韠(13409)の俗字。→一五五一ページ上。 — — 7173

14【韤】24画 13411 ベツ 韤(13412)の俗字。→一五五一ページ上。 — — 7176

15【韤】24画 13412 漢バツ・呉マチ 月 wà 慣ベツ
[韈] 10992 同字 [韈] 13374 同字 [襪] 10988 俗字 [韈] 13370 俗字 [韤] 13411 俗字
字義 たび。くつした。＝袜(10885)。
解字 篆文 形声。韋＋蔑音。音符の蔑は、さげすむの意味。人体の最もさげすまれる部分に用いる、かわたび・くつしたの意味を表す。
【韤線】自身の才能のとぼしいことの謙称。たびの糸は、ほどいても短いことからいう。▼線は、糸。「韤線の才」

韭 にら 9画

〔部首解説〕 韭を意符として、にらなどの野菜やそれを使った料理に関する文字ができている。

0【韭】9画 13413 漢キュウ(キウ) 呉ク 有 jiǔ 8076 E8EA —
字義 にら。球根植物の名。葉は細長く、群生して、秋に小さい白色の花をつける。葉は食用となる。
解字 篆文 象形。地上に群がりはえそろっている「にら」の象形で、にらの意味を表す。草冠を付した韮は、同字。

3【韮】12画 (10091) キュウ 艸部。→一三三一ページ上。

6【韯】15画 13414 セン 韱(13415)の俗字。→一五五一ページ中。 — — 7177

8【韱】17画 13415 セン 塩 xiān 29217 — 7178
[韯] 13414 俗字
字義 ❶やまにら。山野に自生するにら。❷ほそい。＝纖(9333)。
解字 篆文 形声。韭＋𢦏音。音符の𢦏は、みじん切りにするの意味。かぼそくて、みじんぎりしたような山にらの意味を表す。

10【韲】19画 13416 セイ 齏(14567)と同字。→一六五六ページ上。

10【韲】19画 13417 セイ 齏(14567)と同字。→一六五六ページ上。 8078 E8EC —

音 おと 9画

〔部首解説〕 音を意符として、音響に関する文字ができている。

0【音】9画 13418 教1 漢イン 呉オン 侵 yīn おん・いん おと・ね 1827 89B9 —
0［音］9画 13419
筆順 丶 亠 亠 立 立 产 音 音 音
字義 ❶おと。ね。こえ(声)。聴覚に感ずるひびきの総称。用例〔人虎伝〕惨聆二其音一、似二李徴者一(サンそのこえをきくに、リチョウなるものににたり)。袁傪がその声をよく聴いてみたところ、李徴に似ていた。❷ふし。調子。また、ねいろ。❸うた。音楽。❹ことば。言語。❺おとずれ。たより。「無音」 国オン。中国での音をもとに、日本でつけた漢字の音。↔訓(11109)。
名前 お・おと・と・なり・ね 難読 音威子府・音更・音太・音戸
解字 金文 篆文 指事。篆文の言(䇂)の口の部分に一点を加えた形で、おとの意味を表す。音を音符に含む形声文字のうち「おと」の意味を共有するものに、喑・歆・瘖などがあり、「くらい」の意味を共有するものに、暗・諳・闇・黯などがある。
逆 哀音・遺音・漢音・凶音・玉音・恵音・好音・呉音・字音・声音・促音・知音・潮音・唐音・同音・南音・福音・無音・余音・和音
【音韻】① 漢字の音(子音)と韻。また、漢字の音のひびき。② おと。ねいろ。音色。
【音義】文字の発音と意味。字音と字義。音訓。
【音響(響)】① 音とひびき。② おと。③ ひびき。
【音曲】一 ① 楽音と楽曲。② 楽曲。音楽。二 国 琴・三味線などに合わせてうたう俗曲。
【音訓】① 文字の発音と意味。② 音によって字の意味を解釈すること。音の近い字は意味も多く同じで、後漢の劉熙の著した『釈名』はこの方法による辞書である。天＝顚、政＝正の類い。③ 国 漢字の音と、その漢字の意味にあてた日本語の読み。正の「音」はセイ、「訓」はタダシイの類い。
【音耗】音信。音沙汰。連絡。
【音字】① 反切の上下二字の中で、下字を韻字というのに対して、上字を音字という。② 国 表音文字。日本の仮名・西洋のアルファベットの類い。音標文字。

【音書】おとずれ。たより。消息。信書。

【音信】おとずれ。たより。通信。手紙。

【音節(節)】①音または音楽の調子。②国言語学で、単語を構成する一つのまとまった音声の単位。日本語の五十音・濁音はいずれも一音節である。シラブル。

【音調】音の調子。また、音楽のふし。

【音程】国二つの楽音の高さのへだたり。

【音吐】ものいう声。詩歌を吟じたり、文章を朗読したりする声。「音吐朗朗」

【音頭】国①雅楽の合奏で、管弦の第一奏者。②多人数でうたうとき、調子をそろえるために、ひとりでまず発声すること。③多人数で踊るためにつくられた歌。

【音読(讀)】①漢字の字音。②国㋐漢字を字音で読むこと。↕訓読(一三〇五ページ下)。㋑声を出して読むこと。↕黙読(一六四七ページ中)。

【音博士】国平安時代の大学教官の名。漢字の音を教授した。

【音標文字】国＝音字②。

【音便】国発音の便宜によって、原音とはちがった発音をするものをいう。イ・ウ・促・撥の四つの音便がある。「咲きて→咲いて」の類い。

【音問】①おとずれたずねる。②おとずれ。③たより。音信。

【音容】①声と姿。用例〔唐、白居易、長恨歌〕含レ情凝レ睇謝二君王一 一別音容両渺茫 ↓思いをこめ、ひとみを凝らして天子にお礼を申しあげ言った、「お別れして以来、お声もお姿もともにはるかに遠い世界のものとなりました」。②音調。

【音律】①音楽の調子。音の調子。②音楽。

4【韵】13画 13420 イン 韻(13426)と同字。→一五五三ページ下。 8081 E8EF —

4【韴】13画 13421 漢ソウ(サフ) 呉ゾウ(ザフ) 合 zá 9385 — 7179
字義 とぎれごえ。国韴霊は、上古の神剣の名。
解字 形声。音＋帀音。

5【韶】14画 13422 漢ショウ(セウ) 呉ジョウ(ゼウ) 蕭 sháo 8080 E8EE —

字義 ❶中国伝説時代の天子舜が作ったといわれる音楽。韶舞。❷つぐ(継)。❸うつくしい(美)。

解字 篆文 形声。音＋召音。音符の召は、まねくの意味。神を招く音楽の意味を表す。

【韶音】舜帝の作ったと伝えられる音楽。

【韶華】①はなやかな春の景色。また、春の光。②青年時代。青春。

【韶景】はなやかな春の景色。また、春の光。

【韶光】はなやかな春の景色。また、春の光。

【韶舞】舜帝の作ったと伝える韶という舞楽。

5【韷】14画 13423 漢ラク 呉リャク 陌 lè — — 7180
字義 やかましい。
解字 会意。音＋出。音が飛び出す、やかましいの意味を表す。

7【韸】16画 13424 漢ホウ 呉ブ 東 pēng — — 7181
字義 ❶鼓の音。❷和らぐ。
解字 形声。音＋夆音。

8【韺】17画 13425 漢エイ 呉ヨウ(ヤウ) 庚 yīng — — 7182
字義 五韺は、帝嚳(四五五ページ中)の音楽の名。
解字 形声。音＋英音。

10【韻】19画 13426 常 イン 1704 8943 —
一ウン 問 yùn
二イン(ヰン) 震 yùn

筆順 亠 立 音 音 韶 韻 韻 韻 韻

コラム

韻目

字音は、中国の音韻学で、「声母」と「韻母」とに分析される。「声母」は、語頭の子音をいい、それに続く部分(母音のみ、あるいは母音＋韻尾〔-n,-ngや-p,-t,-kなど〕)を「韻母」という。また、字音には四種の音調(声調)があり、これを「四声」という。たとえば「点」の現代中国語音 diǎn でいうと、その声母は d、韻母は iǎn、四声は韻母の上の記号ˇで表されている。

中国の韻文においては、これらのうち、四声と韻母が共通する文字を各句末に置くことにより、各句の響きがそろい、美しいとされた。これを脚韻を踏む(押韻する)という。そこで、韻文を作る人々の間では、それぞれの字がどのような四声と韻母を持っているかに注目が集まることになった。

「韻目」とは、この四声と韻母の種類を表すものである。隋代の『切韻』では百九十三の韻目が、宋代の『広韻』などの韻書では二百六の韻目が立てられていたが、後に統合されて百六となった。この百六の韻の分類を、〈平水韻〉という。韻目は、各韻母を代表する文字(韻字)によって表される。中古の漢語では、四声を平声・上声・去声・入声(さらに上・下に分ける)・上声・去声・入声に分類する(⇩コラム漢詩(八六六ページ))の「平仄」に分類されるので、百六の韻目もそれに従って分類される。その一覧は、表のとおりである。

百六詩韻韻目表

平仄	平		仄		
四声	上平	下平	上声	去声	入声
百六韻	東一	先一	董一	送一	屋一
	冬二	蕭二	腫二	宋二	沃二
	江三	肴三	講三	絳三	覚三
	支四	豪四	紙四	寘四	質四
	微五	歌五	尾五	未五	物五
	魚六	麻六	語六	御六	月六
	虞七	陽七	麌七	遇七	曷七
	斉八	庚八	薺八	霽八	黠八
	佳九	青九	蟹九	泰九	屑九
	灰一〇	蒸一〇	賄一〇	卦一〇	薬一〇
	真一一	尤一一	軫一一	隊一一	陌一一
	文一二	侵一二	吻一二	震一二	錫一二
	元一三	覃一三	阮一三	問一三	職一三
	寒一四	塩一四	旱一四	願一四	緝一四
	刪一五	咸一五	潸一五	翰一五	合一五
			銑一六	諫一六	葉一六
			篠一七	霰一七	洽一七
			巧一八	嘯一八	
			晧一九	効一九	
			哿二〇	号二〇	
			馬二一	箇二一	
			養二二	禡二二	
			梗二三	漾二三	
			迥二四	敬二四	
			有二五	径二五	
			寝二六	宥二六	
			感二七	沁二七	
			琰二八	勘二八	
			豏二九	艶二九	
				陥三〇	

〔韵〕13420 同字

たは母音と子音)の音調。また、その調和。❸漢字を韻によって分類したもの。隋ズイ・唐代は二百六、元・明ミン以後は百六に区分する。❹おもむき。様子。気風。「風韻」❺風雅。風流。❻このみ。趣向。

字義 〓〓 ❶ひびき。ねいろ。調子。字音のうち、初めの子音に続く部分(母音、ま類い。「韻文」❷詩賦・歌曲の

名前 おと　難読 韻塞いんふたぎ

解字 篆文 韻 形声。音＋員㊥。音符の員は、丸いの意味。まろやかな音、ひびきの意味を表す。

逆 押韻・音韻・換韻・気韻・琴韻・高韻・詩韻・次韻・松韻・畳韻・神韻・清韻・泉韻・探韻・通韻・風韻・幽韻・余韻・和韻

【韻学(學)】インガク 音韻を研究する学問。

【韻脚】インキャク 詩や賦の句末に用いる韻字。

【韻鏡】インキョウ 書名。文字をそれぞれの字音に従って図表上に配列した音韻学の書。唐末五代のころの作とされるが、著者は不明。

【韻士】インシ 風流な人。雅士。

【韻字】インジ 詩や韻文で、脚韻に用いる文字。

【韻事】インジ 風流の遊び。詩歌・書画などの遊び。

【韻書】インショ 漢字を韻で分類整理した字書。『広韻』など。

【韻△籤】インセン 韻字を記した小さな札。この札を箱に入れ、おみくじを引くように振り出し、各自が得た韻字で詩を作る。

【韻致】インチ 風流なおもむき。風韻。

【韻△紐】インチュウ 中国の音韻学で、字音を構成する原素をいう。

【韻文】インブン ①一定の韻字を句末に用いて、調子を整えた文章。詩・賦など。②国詩の形式をそなえた文。↔散文(六三七ページ中)。

【韻母】インボ 中国の音韻学で、漢語の一音節を、頭の子音(声母)と、それに続く部分とに二分したとき、後者を韻、または韻母という。⇩コラム 韻目(一五五三ページ)。

【韻目】インモク 漢字を韻によって分類した、その項目。⇩コラム 韻目(一五五三ページ)。

【探レ韻】インをさぐる ①詩を作るとき、韻字をさがすこと。探韻タンイン。②多人数が集まって詩を作るとき、韻字を一つずつ書いた札をくじ引きして、それぞれが得た韻字で詩を作ること。↓韻籤セン。

11 【響】20画 13427 常 キョウ ひびく

13 〔響〕22画 13428

漢キョウ(キャウ) 呉コウ(カウ) 養 xiǎng

2233 8BBF 一二

筆順 響

〔响〕1452 俗字　〔響〕13429 俗字

字義 ❶ひびき。㋐こえ(声)。「音響」㋑さしひびき。「影響」㋒きこえ。評判。❷ひびく。㋐どよめく。音声がひびく。㋑影響する。㋒こたえ(答)。応答。㋓評判になる。❸たより。音信。

名前 おと・きょう

解字 篆文 響 形声。音＋郷㊥。音符の郷は、むきあうの意味。むきあう音、ひびきの意味を表す。

逆 遺響・影響・音響・声響・絶響・反響・悲響

【響応(應)】キョウオウ ひびきが声につれて起こるように、人の言動に応じて、すぐに行動を起こすこと。

【響震・響振】キョウシン ①ひびきふるう。②わめきさわぐ。おどろきさわぐ。

【響△箭】キョウセン 鳴りひびく矢。かぶら矢。嚆矢コウシ。

13 【響】22画 13429 人 キョウ

響(13427)の俗字。→一五五三ページ上。

19386 一一

13 【響】22画 (13428) キョウ

響(13427)の旧字体。→一五五三ページ上。

9画

頁 おおがい

〔部首解説〕 貝と区別していう。また、頁ケツの字形を一ノ貝と分解して「いちのかい」とも呼ぶ。頁を意符として、頭や顔に関する名称、その状態などを表す文字ができている。

0 【頁】9画 13430 人 標

〓 漢ケツ・呉ゲチ 屑 xié
〓 ヨウ(エフ) 葉 yè
慣 コウ

4239 95C5 一

筆順 一 丆 丆 百 百 百 頁 頁 頁

字義 〓 ❶かしら。こうべ。頭。❷くびすじ。うなじ。〓 ページ。書物の紙面で、その片面。また、それを数える語。＝葉(10141)。「頁数」

解字 金文 頁 篆文 頁 象形。人の頭部を強調した形にかたどり、かしらの意味を表す。篆文は頁であったが、頁に変形した。

【頁岩】ケツガン 水成岩の一種。灰色または黒色を呈する。

2 【頄】11画 13431

〓 漢キュウ(キウ) 呉グ 尤 qiú
〓 漢キ・呉ギ 支 kuí

29218 一一

字義 〓〓 ほおぼね。

2 【頃】11画 13432 常 ころ

〓 漢ケイ・呉キョウ(キャウ) 梗 qǐng
〓 漢ケイ・呉キョウ(キャウ) 庚 qīng
〓 キ 紙 kuǐ

2602 8DA0 一

解字 形声。頁＋九㊥。

筆順 ノ ヒ ヒ ヒ ヒ ヒ 頃 頃 頃 頃

字義 〓 ❶ころ。㋐このごろ。ちかごろ。近来。㋑時分。「若かりし頃」❷しばらく。わずかの時間。「食頃」❸面積の単位。一頃は百畝ボ(周代の一畝は約一・八二アール)。

用例(十八史略、春秋戦国、趙)使三我有二洛陽負郭田二頃一、豈能佩二六国相印一乎われをしてラクヨウフカク、一のデンニケイあらしめば、あによくリッコクのショウインをおびんや。

↓もしも私に洛陽郊外の一等地に田が二頃あったならば、六国の宰相を兼ねる地位など得ることができただろうか(決してできなかった)。

〓 かたむく。また、かたむける。＝傾(551)。〓 かたあし。片足をあげること。また、半歩の歩幅。半歩。＝跬(11703)。

名前 き・きょう・けい　難読 頃者このごろ

音部 11▼13画 〔響響響〕 頁部 0▼2画 〔頁頄頃〕

解字 篆文 会意。匕＋頁。匕は、かたむく人の象形。かしらをかたむけるの意味を表す。一般に、かたむくの意味を表す。借りて、ころの意味をも表す。

【頃筐】(ケイキョウ) かごの一種。上縁の一方が高く、一方が低いかご。

【頃刻】(ケイコク) わずかの時間。しばらく。

【頃日】(ケイジツ) このごろ。ちかごろ。頃者。頃月。

【頃者】(ケイシャ) ちかごろ。頃日。▼者は、助字。

【頃田】(ケイデン) 一頃の田。百畝の土地。→字義 一 ❸。

【頃歩】(キホ) 半歩(日本でいう一歩)。跬歩。

【頃来(來)】(ケイライ) ちかごろ。このごろ。

2
【頂】 11画 13433 ㊥テイ・㊇チョウ(チャウ) 迥 dǐng　教6 チョウ　いただ-く・いただき　3626 92B8

筆順 一 丁 丁 丌 顶 頂 頂 頂

字義 ❶いただき。㋐頭の最上部。㋑かしら。こうべ。頭。㋒物の最上部。「山頂」 ❷いただ-く。㋐頭や物の上にのせる。㋑大切にする、うやまいあつかうなどの意。❸冠の上につけた金銀珠玉などのかざり。転じて、冠を数えるときの単位。国いただ-く。もらう・食べる・買い受けるなどの謙譲語。

名前 かみ　難読 頂吉(がくめよし)・頂辺(てっぺん)

解字 篆文 形声。頁＋丁音。頁は、人の頭部の意味。音符の丁は、頭のある釘の意味。いただきの意味を表す。

逆 骨頂・絶頂・天頂・摩頂

【頂光】(チョウコウ) 仏仏の頭上から発する光。後光。円光。

【頂上】(チョウジョウ) ①いただき。てっぺん。②この上ないこと。最上。③名を書き足す。④上に奉る。

【頂戴】(チョウダイ) ①頭にいただく。おしいただく。②清代に官吏の帽子のいただきに珠玉金石をつけてその等級を区別したしるし。③国もらい受けることの敬語。拝受。

【頂門一針】(チョウモンのイッシン) 頭のいただきに刺した一本の針。人の急所をおさえる、きびしいいましめのたとえ。頂門鍼。頂門金椎。▼針は、鍼とも書く。

【頂門金椎】(チョウモンキンツイ) 頭上を打つ鉄のつち。目ざめさせる、きびしいいましめのたとえ。頂門一針。

【頂礼(禮)】(チョウライ) 仏インド古代の最敬礼の形式。長者の前にひれ伏して、頭を地につけ、その人の足もとで拝む。

3
【頇】 12画 13434 一 ㊥カン・㊇ガン 翰 àn 二 ガン 寒 hān　— 7183

3
【項】 12画 13435 ㊥コウ(カウ)・㊇ゴウ(ガウ) 講 xiàng　常 コウ　2564 8D80

字義 一 ❶顔の大きいさま。❷頭に髪のないさま。二 ❶＝一 ❷。❷冠が後ろに傾く。

解字 形声。頁＋干音。

筆順 一 T 工 项 項 項 項 項

字義 ❶うなじ。くびすじ。くびの後ろの部分。❷くび(頸)。❸冠の後ろ。❹おおきい(大)。❺ことがら。「事項」 ❻分類の条目。法令では、款の下、目の上。「項目」 ❼法律などの箇条。「条項」 ❽数学用語。数式で組み立ての要素となる数。「同類項」

名前 うじ

解字 篆文 形声。頁＋工音。音符の工は、後に通じ、うしろの意味。首のうしろ、うなじの意味を表す。

逆 事項・条項

項羽

【項羽】(コウウ) 秦末の武将。名は籍。羽は字。戦国楚の将軍の家に生まれた。秦討伐の兵を挙げ、秦王子嬰を殺した後、沛公(後の漢の高祖)と天下を争ったが垓下の戦いで敗れ、烏江(いまの安徽省内)で自殺した。鴻門の会・垓下の歌などで知られる。(前二三二―前二〇二) ⇩ コラム 漢楚の興亡(一五五五ページ)。

【項王】(コウオウ) ＝項羽。

【項縮】(コウシュク) くびがちぢまる。恥じるさま。

【項籍】(コウセキ) ＝項羽。

【項荘(莊)】(コウソウ) 秦末の豪傑。項羽のいとこ。鴻門の会の際、剣舞によって沛公(後の漢の高祖)を討とうとして失敗した。

【項背相望】(コウハイあい(ひ)のぞむ) 前後の人がたがいにうなじと背なかを見合う。人の往来のひんぱんなたとえ。

【項伯】(コウハク) 秦末漢初の武将。項羽のおじ。名は纏。伯は字。楚の将軍であったが、鴻門の会の際、沛公(後の漢の高祖)をかばい、のち漢に仕えて射陽侯に封ぜられ、劉氏の姓を賜った。(?―前一九二)

【項目】(コウモク) 小さい箇条。小分類。

【項領】(コウリョウ) ①大きなくび。②くび。また、うなじ。くびの後ろの部分。③要害の地のたとえ。

3
【順】 12画 13436 ㊥シュン・㊇ジュン 震 shùn　教4 ジュン　2971 8F87

筆順 丿 丿丨 川 川 川丆 川丆 順 順 順

字義 ❶したが-う。↔逆(12066)。㋐よる。より従ってさからわない。用例(論語、為政)六十而耳順(ロクジュウにしてみみしたがう(ふ))。六十歳になると何を聞いても素直に受け入れられた。㋑そう。物によりそう。㋒ならう。まねる。㋓あとにつき従う。㋔帰服する。「帰順」 ❷すなお。おとなしい。「柔順」 ❸やわらぐ。「和順」 ❹安んずる。また、よろこぶ。❺うける(承)。うけつぐ。❻物事の次第。順序。❼かわいがる。愛する。❽おしえる。＝訓(11109)。❾正しい。また、よい。「順否」

名前 あや・あり・おさ・おさむ・かず・しげ・したがう・じゅん・す・すなお・とし・なお・のぶ・のり・はじめ・まさ・みち・みつ・むね・もと・やす・ゆき・よし・より

参考 〔遵〕を〔順〕に書きかえるのは、正式の用字ではないが一般に行われている。「遵守→順守」「遵法→順法」

解字 篆文 形声。頁＋川音。音符の川は、かわの意味。川の流れるように事態の流れるにまかせる顔になる、したがうの意味を表す。

逆 温順・帰順・逆順・恭順・敬順・耳順・従順・柔順・筆順・不順

【順延】(ジュンエン) 一日ずつ後へのばすこと。「雨天順延」

【順縁】(ジュンエン) ①仏順当な事によって仏縁を結ぶこと。↔逆縁(一四一〇ページ中)。②国㋐老人から順に死ぬこと。↔逆縁(一四一〇ページ中)。㋑当然そうなるはずの理由があること。

【順応(應)】(ジュンオウ・ジュンノウ) 外部の情況によって自分の行動を自由に変えること。適応。

【順気(氣)】(ジュンキ) ①正しい気。なごやかな気。②順当な気候。③気候に順応する。④気性に従う。

【順義】(ジュンギ) 正しい道理に従う。

【順逆】(ジュンギャク) 道理に従うことと、そむくこと。正と邪。

【順境】(ジュンキョウ) すべてがつごうよくいく好運な場合。得意の境遇。↔逆境(一四一〇ページ中)。

【順行】(ジュンコウ) ①順を追って行く。順序を追って進んで行く。↔逆行(一四一〇ページ中)。②従順な行い。③天文学で、地球から見て、見かけの上で天体が西から東にまわる運動。

【順孝】(ジュンコウ) 祖父母・父母の命に従って孝道をつくすこと。孝順。

【順次】(ジュンジ) ①順番。順序。②じゅんに。順々。逐次。

【順時】(ジュンジ) その時その時の事情や運勢などに従う。

コラム

漢楚の興亡

項羽と劉邦

秦の始皇帝によって統一された天下も、前二一〇年、始皇帝が没すると、諸国で反乱が起きた。その中から頭角を現してきたのが、項羽と劉邦である。

項羽は、秦によって滅ぼされた楚の国の将軍の末裔であった。若いころ、始皇帝の巡幸を見て、「あいつに取って代わってやる」と豪語したという。秦末の反乱が起こると、項羽は叔父の項梁とともに会稽（今の浙江省紹興市）に兵を挙げた。

劉邦は沛（今の江蘇省内）の無頼の徒であったが、生まれつき帝王としての風格を備えていたという。やはり若いころ始皇帝を遠望する機会があったが、そのとき、「男たる者、こうなるべきだなあ」と嘆息したという。

前二〇八年、項梁は、楚地方の軍を糾合するため、老将范増の意見に従って、楚の懐王の孫を探し出して、懐王として擁立し、諸軍の盟主として推戴した。懐王は、「最初に秦を攻め破り関中の地に入った者を、その地の王とする」と約束し、大いに諸将を鼓舞した。沛の地に兵を挙げた沛公（劉邦）もこの傘下に加わることになる。

秦の滅亡

業半ばにして項梁が秦に討たれた後、項羽は黄河の北のルートをとって都の咸陽をめざして進撃し、途中苦戦していた趙王を救援して秦軍を大破し、函谷関に向かった。

一方、沛公は黄河の南岸に沿って、敵の抵抗の少ないルートをとり、南の武関を破って関中に入り咸陽を陥れた（一七三一ページ地図参照）。在位わずか四十六日の秦王子嬰は、何の抵抗もせず沛公に降り、ここに秦は三代十五年にして滅亡した（前二〇六）。沛公は子嬰を許して処刑せず、王宮の府庫も略奪せずに、「関中に王たるべき自分は、秦の厳しい法を除去し、法は三章のみとする」と布告したので、民心は大いに沛公に集まった。

項羽が函谷関に着いたとき、沛公はすでに部下を遣わし、函谷関を封鎖していた。項羽はこれに激怒し、直ちに関をうち破り、沛公の軍を撃破すべく鴻門（今の陝西省内）に軍を進めた。沛公はすぐさま自ら項羽のもとへ謝罪に訪れ、部下の樊噲や張良の働きもあり事なきを得た（鴻門の会）。しかし、この後、項羽と劉邦の天下を争う戦いが五年にわたってくりひろげられることになる。

項羽の最期

咸陽に入った項羽は、子嬰を殺して王宮の金銀財宝を略奪し、宮殿に火を放って焼き払った。入関する途中では、秦の降伏した兵士二十万人を生き埋めにしたこともあって、関中の人々は失望し、項羽を恨んだ。

この後、項羽は彭城（今の江蘇省徐州市）を都として西楚の覇王と称し、思うままに諸侯の封建を行った。しかし、この論功行賞は、先の懐王の公約を守らず、劉邦を、巴・蜀・漢中の王（漢王）としたのをはじめ、自分勝手な不公平きわまるものであった。

そのため、各地で項羽に対する反乱が起こった。漢王として僻遠の地に追いやられた劉邦は、部下の韓信の計によって諸将を手分けし、前二〇七年、散関を陥れ、ついに関中の地を領有した。翌年、項羽は義帝（懐王）を部下に誅殺させたが、このことは、逆賊としての項羽を討つ名目を漢王に与えることとなった。

漢王は、部下の蕭何を関中にとどめて治めさせ、自らは軍を率いて関東に出撃し、韓信を大将軍として項羽の同盟軍と戦わせた。漢王はしばしば項羽の軍に敗れたが、そのたびに蕭何が関中から軍糧と兵員を補充した。一方、漢王は項羽の配下の武将を味方に引き入れたり、陳平の策を用いて項羽と范増の仲を裂かせたりした。また別動隊に楚軍の背後を襲わせてその軍糧を焼いた。このため、項羽は漢軍を圧倒することができなくなり、前二〇二年、漢王の提議した「天下を二分し、鴻溝（今の河南省開封市近くを流れる川。今の賈魯河）をもって境とし、東は楚領、西は漢領とする」和議を結んだ。

和議が成立して項羽は兵を率いて東に帰り始めた。漢王も西に帰ろうとしたが、張良と陳平の「楚の兵が疲れ、食も尽きたこの機を逸してはならない」との諫めによって、諸侯の兵とともに、項羽の軍を背後から急襲したのである。この時、漢軍は三十万の兵を率いる韓信が主力となり、漢王の率いる軍がこれに続き、十万を数える項羽の軍と垓下で決戦した。この一戦に敗れた項羽は、垓下に籠城することになった。その夜、四面の敵軍がみな楚の歌を歌うのを聞いた項羽は、もはや民心が自分を離れたことを悟った。かろうじて囲みを脱した項羽は、烏江のほとりまでたどりつくと、渡し船を提供しようという亭長の申し出を断って、自害して果てる。こうして天下はことごとく漢の下に帰し、劉邦は天子となって漢王朝を創始したのである。

項羽と劉邦の争いは、「漢楚の興亡」の物語として、その後、中国のみならず日本においても、さまざまな物語の素材となっている。

烏江

【順守】①道理に従いそれをまもる。従いまもる。遵守。①正しいならび。一定の規準に合致する並び方。秩序。②順番。次第。

【順序】①正しいならび。一定の規準に合致する並び方。秩序。②順番。次第。

【順正】道理に従って正しい。

【順接】上下の文が順当に接続すること。「だから」「ので」の類い。↔逆接(一四二〇ジ-中)。

【順治】世の中が平和に治まること。

【順中△之逆】幸いの中の不幸。順境の中の不幸。

【順調】物事が順序正しくととのい運ぶこと。すらすら調子よく進むこと。

【順適】①順調にゆくこと。②道理に従うこと。

【順天】①天道に従う。②明の府名。今の北京市。

【順当(當)】道理に従って適当なこと。期待どおりであること。当然。常道。

【順徳】①すなおでおだやかな徳。②徳に従う。

【順風】①船の進行方向に向かって吹く風。追手。↔逆風(一四二〇ジ-下)。②風の向きに従う。

【順服】従いなつく。服従する。帰服。

【順奉】従いうける。従い守る。遵奉。

【順法】法律や規則に従うこと。遵法。

【順民】①自分の本分に安んじて道に従う人民。天命の自然に従う人民。忠実な人民。②民の心に従う。

【順流】■ ①さからわずにながれる。②水の流れに従う。■ 仏生死の流れのままに従って、涅槃(迷いのない境地)への道に逆うこと。迷いに迷うこと。

【順良】目上の人の命令に従っておとなしい。すなお。温順。

【順礼(禮)】①礼儀に従う。②国諸国をめぐって神仏を礼拝すること。また、その人。巡礼。

【順路】①順序よく進んで行ける道筋。②順序。③正しい道理に従う。

3
【須】12画 13437 常 ス
漢シュウ(シウ)・呉ス・シュ 虞 xū
3160 907B 一

筆順 ノ 彡 彡 須 須 須 須 須

字義 助すべかーらく…べーし。⇩助字・句法解説。❶まーつ。待ちうける。用例〔韓非子、外儲説左上〕呉起須故人而食。⇩呉起は、友人の到着を待って食事した。❷もちーいる・もち。必要とする。助けとする。用例〔唐、王之渙、涼州詞〕羌笛何須怨楊柳。⇩羌人の吹く笛よ、どうして折楊柳の曲をうらめしげに吹く必要があろうか(そんな必要はない)。(柳を芽ぶかせる)春の光はここ玉門関まではやって来ない。❸ねがう。のぞむ。求める。また、求め。用例〔三国志、蜀志、諸葛亮伝〕斂以時服、不須器物。⇩なきがらを墓に葬る際の服装は普段着のままで、副葬品を願わなかった。❹ひげ。あごひげ。＝鬚(13909)。❺とどまる(止)。❻しばらく。しばらくして。「須臾」

助字・句法解説
すべかーらく…べーし。再読文字。必要。訳ぜひ…する必要がある。…することが大切である。用例〔唐、李白、将進酒詩〕人生得意須尽歓、莫使金樽空対月。⇩人の一生で思いのままにふるまえる時には、ぜひとも歓楽をつくすべきだ。黄金作りの酒だるを、ただむだに、月とさし向かいにさせておいてはならない。

名前 す・まつ・もち・もとむ 難読 須軽谷・須受武良

解字 金文  篆文  象形。金文は、顔面にひげのある人の形にかたどり、ひげの意味を表す。また、需に通じ、まちもとめるの意味をも表す。須は、彡＋頁の会意。

【須△髯】あごひげと、ほおひげ。鬚髯。

【須待】まつ。

【須達】仏仏の在世時の舎衛国の長者。祇園精舎を建立して仏に奉った。慈悲心に富み、多くの財を捨てて身寄りのない者に与えた。

【須髪】あごひげと髪。用例〔資治通鑑、漢紀〕始以彊壮出、及還須髪尽白。⇩昔、三、四十歳で出陣し、戻ってきたときにはあごひげも髪も真っ白であった。

【須眉】あごひげとまゆ。鬚眉。

【須弥(彌)山】仏須弥は梵語 Sumeru の音訳で、妙高の意。太陽がこの山の陰に入れば夜となり、現れると昼となるという、海中にある大山。蘇迷盧。修迷楼。

【須弥(彌)壇】仏寺院などで本尊を安置する壇。須弥山にかたどったもの。須弥座。

【須△臾】①しばらく。少しの間。暫時。寸刻。用例〔唐、白居易、燕詩示劉叟〕須臾十来往、猶恐巣中飢。⇩ほんのわずかな時間に十回も巣に戻るほど頻繁に往来してもさらに、巣に待つ子らが腹を空かせているかと心配している。／〔史記、項羽本紀〕坐須臾、沛公起如廁、因招樊噲出。⇩座ることしばらくして、沛公は座を立ち便所に行き、そのついでに樊噲を手まねきして外へ出てしまった。②仏一昼夜の三十分の一の時間。③小さな数の名。一〇のマイナス一五乗。⇩コラム数を表すことば(六二八ジ-)。

【須要】■ 最も必要なこと。たいせつなこと。■ すべからく…ぜひとも…しなければならない。

【不△須】…するに及ばない。「不須辞(辞退するに及ばない)」

4
【頑】13画 13438 常 ガン
漢ガン(グワン)・呉ゲン 刪 wán
2072 8AE6 一

筆順 ニ テ 元 元 頑 頑 頑 頑 頑

字義 ❶かたくーな。かたいじ。融通がきかない。❷にぶい。❸むさぼる(貪ド)。欲深い。❹わるい。凶悪。㋐物の先がまるくて鋭くない。㋑おろか(愚)。

解字 篆文  形声。頁＋元音。音符の元は、圜に通じ、めぐるの意味。考えがある一つの事だけをめぐってこだわる。かたくなの意味を表す。

【頑強】①国かたくなで屈せず強いこと。手ごわいこと。②身体がじょうぶなこと。

【頑健】身体がすぐれてじょうぶなこと。

【頑固】かたくな。心がねじけていて、他のことを認めようとしないこと。また、事理を解しないこと。

【頑鈍】①才知がにぶくてかたくななこと。②無恥。はじしらず。③刀のなまくらなこと。また、その刀。

【頑夫】かたくなで欲ばりな男性。用例〔孟子、万章下〕聞伯夷之風者、頑夫廉。⇩伯夷の(清廉な)おこないを聞いた者は、かたくなで欲ばりな男もつつましくなった。

【頑昧】かたくなで道理にくらいこと。

【頑民】①かたくなでおろかな民。②為政者の命に反抗する人民。

【頑迷】国かたくなで道理をわきまえないこと。

【頑冥】国かたくなで道理にくらいこと。「頑冥固陋」

【頑△魯】かたくなでおろか。頑闇。頑愚。

【頑△陋】かたくなで心がいやしいこと。

4【頍】13画 13439 キ 紙 kuǐ ₂9219 — 7186

字義 ❶あおむく。頭をあげる。❷後頭部の髪をつつむきれ。

解字 形声。頁＋支㊅。

4【頎】13画 13440 ㊀漢キ・呉ゲ 微 qí ㊁漢キン・呉コン 問 ㊂コン 阮 kěn ₂9220 — 7187

字義 ㊀❶背が高くりっぱなさま。❷頭のかたちがよいさま。㊁❶ねんごろ。また、ねんごろなさま。❷いたみなげくさま。❸ちいさい（小）。

解字 篆文 形声。頁＋斤㊅。音符の斤は、柄の長い手おのの象形。手おののように伸びた先端に頭部があるといった、背たけの高いさまを表す。

4【頊】13画 13441 ㊀漢キョク・呉コク 沃 xū ㊁漢ギョク・呉ゴク 沃 ₁9387 — 7184

字義 ㊀❶つつしむさま。❷頊頊は、自失のさま。❸顓頊は、上古の帝王の名。㊁人の後頭部。

解字 形声。頁＋王（玉）㊅。

4【頏】13画 13442 ㊀漢コウ（カウ）・呉ゴウ（ガウ） 陽 háng ㊁コウ（カウ） 養 8082 E8F0 —

字義 ㊀❶とびおりる。鳥が下方に向かってとぶ。❷くび（頸）。のど。＝吭(1364)。㊁のど（咽）。＝吭(1364)。

解字 形声。頁＋亢㊅。音符の亢は、のどぼとけの意味。頁は、人の頭部の意味。のどの意味を表す。

4【頌】13画 13443 人 ㊀漢ショウ・呉ジュ 宋 sòng ㊁漢ヨウ・呉ユウ 冬 róng 8083 E8F1 —

筆順 ハ 公 公 公 公 頌 頌 頌 頌

字義 ㊀❶ほ-める。ほめたてて述べる。❷『詩経』の六義の一つ。宗廟における楽歌で、神徳を形容・賛美したもの。❸文体の一つ。君主などの功績や人格の偉大さをほめたたえたもの。❹占いのことば。繇。❺仏梵語gāthāの音訳。偈。仏徳や教理を賛美する詩。「ジュ」と読む。㊁❶さま。かたち。容貌。❷ゆるやか。また、ゆとり。❸おおやけ（公）。

名前 うた・おと・つぐ・のぶ・よし・よむ

解字 金文 篆文 形声。頁＋公㊅。頁は、あたまの意味。音符の公は、祭りの広場の意味。あたまに装いをこらして広場で祭りの舞をするさまから、ほめたたえるの意味を表す。

【頌歌】①ほめてうたう。また、その歌。謳歌。②神仏をたたえた歌。

【頌賛（贊）・頌讃】人の功績や徳をほめたたえること。また、その文。

【頌詞】ほめることば。

【頌辞（辭）】ほめことば。美辞。賛辞。

【頌春】新春をたたえ祝う。年賀のあいさつの言葉。

【頌声（聲）】▼声は、ことば・歌・音楽などをいう。①功績・人格をほめたたえる声。②平和な時世をたたえる歌や声。

【頌徳碑】ある人の功績・人格をほめたたえる文章をほりきざんだ記念碑。

【頌美】ほめる。称美。称頌。

4【頓】13画 13444 常 トン ㊀漢トン・呉ドン 願 dùn ㊁漢トツ・呉トチ 月 dú 3860 93DA —

筆順 一 口 屯 屯 屯 屯 頓 頓 頓

字義 ㊀❶ぬかず-く。頭を下げて地につける。❷つまずく。たおれる。❸くるしむ。また、苦しめる。❹やぶれる。こわれる。㋐失敗する。❺容儀をくずす。❻つかれる。❼とめる（止）。とどめる。とまる。やどる。❽ととのえる。❾すてる。やめる。❿たび。一回。また、一回の食事。⓫とみに。にわかに。急に。用例〔近古史談、織篇、稲葉一徹〕今乃知下其有二文学一如上レ此、猜疑之心頓消矣。↓今そなたがこれほどに学問があることを知り、そなたを疑っていた気持ちは急に消え失せた。㊁にぶい。＝鈍(12523)。㊂人名。↓冒頓(六六四ページ・中)。

名前 はや　難読 頓宮（はやみ・はや）

解字 篆文 形声。頁＋屯㊅。音符の屯は、集まるの意味。頭を地面に打ちつけるまで下げる礼で、下げてきた勢いが地面で一時中断されて、力が集中するところから、ぬかずくの意味を表し、つまずくの意味も表す。

【頓狂】国だしぬけに調子はずれな言動をすること。

【頓宮】仮の御所。行在所。行宮。

【頓悟】仏ただちにさとりを開くこと。修行の段階をへずに悟りに至ること。↔漸悟(八七五ページ・中)。

【頓挫】①勢いが急にくじけおとろえること。②文章の調子が急に変わってゆるやかになること。③国計画や事業などが中途で急にだめになること。

【頓死】国にわかに死ぬ。急死。

【頓舎】とまりやどる。軍隊が陣を取るのをいう。

【頓首】①頭を地面まで下げる敬礼。頓顙。②手紙などの末尾に書く、敬意を表すことば。

【頓悴・頓顇・頓頹】苦しむ。また、苦しめる。

【頓顙】＝頓首①。

【頓足】＝頓レ足(一三七四ページ・中)。

【頓知・頓智】国その場に応じて働く知恵。機知。頓才。

【頓着・頓著】㊀仏物をむさぼってやまないこと。貪着の誤用。㊁国気にかけること。留意。掛念。懸念。

【頓服】①薬などを一度に飲むこと。②国一日に何度と分けて飲まず、急病などの時に一回に飲む薬。

【頓弊】破れすたれる。廃頓。荒頓。

【頓踣】つまずきたおれる。用例〔唐、柳宗元、捕レ蛇者説〕号呼而転徙、餓渇而頓踣。↓わめき叫びながら移住して行ってしまうか、飲まず食わずのためにつまずき倒れてしまう。

4【頒】13画 13445 常 ハン ㊀ハン 刪 bān ㊁漢フン・呉ブン 文 fén 4050 94D0 —

筆順 ハ 分 分 分 分 頒 頒 頒 頒

字義 ㊀❶わ-ける。わかつ。㋐わけあたえる。上から下にたまわる。㋑わかちしく。法令など広く行き渡らせる。㋒区分する。❷まだら（斑）。「頒白」❸びん（鬢）。びんずら。❹大きな頭。また、そのさま。❺おおいさま。㊁❶大きな頭のさま。❷おおいさま（衆）。

解字 篆文 形声。頁＋分㊅。音符の分は、墳に通じ、土をもりあげた墓の意味。墓のように大きな頭の意味を表す。また、分は、わかれるの意味で、白黒に分かれた頭髪、しらがあたまの意味を表し、単に、わかつの意味にも用いられる。

【頒行】広く一般に広めること。発布。

【頒賜】お上から物を分け与えること。分賜。頒賚。

【頒白】しらがまじりの頭髪。ごましお。また、その人。用例〔孟子、梁恵王上〕頒白者不レ負二戴於道路一矣。↓白髪まじりの老人が、荷物を背負ったり頭にのせたりして道路の上を運ぶこともない。

【頒布】① 法律・命令などを公にし、広く知らせること。公布。② 国 広く分けくばること。配布。

4【煩】13画 (6957) ハン 火部。→八九一ジ中。

4【預】13画 13446 教6 ヨ あず‐ける・あず‐かる 御 yù 4534 9761 —

筆順 マ ヌ 予 予 預 預 預 預 預

字義 ❶あらかじーめ。まえもって。前から。また、あらかじめしておく。用例（唐、李白、長干行）早晩下三巴 預将書報家（早晩三巴を下らば、預め書を将て家に報ぜよ）↓おそかれ早かれあなたは三巴の地を下られることでしょう。あらかじめ手紙で家に知らせてください。❷あずーかる。㋐人や物をあずかる。保管する。引き受ける。㋑かかわる。関与する。❸あずーける。金品などを託する。❹やすんずる。また、楽しむ。国 あずーかる。受ける。こうむる。

名前 さき・ふさ・まさ・やす・よし

解字 篆文 形声。頁＋予㊥。音符の予は、伸びやかの意味。顔が伸びやかになる、やすんずるの意味を表す。転じて、ゆとりをもって、あらかじめするの意味を表す。

逆 参預・不預

【預言】① あらかじめいう。未来のことを前もっていう。予言。② 国 ユダヤ教・キリスト教・イスラム教などで、神霊に打たれたと自覚したものが、神託を述べることば。

【預度】前もっておしはかる。予測する。預料。

【預備】事が起こらない前に、前もって用意すること。予備。

5【頚】14画 13447 ケイ 頸(13470)の俗字。→一五五九ジ下。 2359 8C7A —

5【頙】14画 13448 漢サク 呉シャク 陌 chè — — 7185

字義 正しい。

解字 形声。正＋責省㊥。

5【䪼】14画 13449 一 漢セツ・呉セチ 屑 zhuō 二 漢シュツ・呉シュチ 質 2 9223 — —

字義 一 ほおぼね。つらぼね。二 頭のとがったさま。

解字 形声。頁＋出㊥。

5【頔】14画 13450 漢テキ 呉ジャク(ヂャク) 錫 dí 2 9221 — 7188

字義 よい(好)。うつくしい。

解字 形声。頁＋由㊥。

5【頗】14画 13451 人 標 一 ハ 歌 pō 二 ハ 哿 pǒ 3192 909C —

筆順 ノ 厂 广 皮 皮 皮 頗 頗 頗

字義 一 ❶かたむく(傾)。❷かたよる。㋐片方へ寄る。㋑公平でない。「偏頗」❸よこしま(邪)。二 すこぶーる。㋐すこし。やや。㋑かなり。やや多く。㋒おびただしく。はなはだ。

解字 篆文 形声。頁＋皮㊥。音符の皮は、波に通じ、なみのように揺れ傾くの意味。頭がゆれ傾くさまから、かたよるの意味を表す。

【頗側】かたよる。偏側。

【頗偏】同 偏頗。① かたよる。② 不公平。

【頗牧】① 戦国時代、趙の名将、廉頗と李牧をいう。② 広く、名将の意。

5【頖】14画 13452 ハン 翰 pàn 2 9222 — 7189

字義 頖宮は、諸侯の学校。

解字 形声。頁＋半㊥。

5【領】14画 13453 教5 リョウ 漢レイ・呉リョウ(リャウ) 梗 lǐng 4646 97CC —

筆順 ノ 𠆢 今 今 令 令 領 領 領

字義 ❶くび(頸)。❷うなじ。くびすじ。首の後ろの部分。❸えり。衣服の首にふれる部分。❹そろい。かさね。衣類を数える語。一領は、一そろい・一かさね。❺おさめる(治・理)。❻すべる(統)。すべひきいる。また、取りしまる。「統領」❼うける(受)。「受領」❽さとる。心に理解する。「領解」❾大事なところ。要点。「要領」❿もちまえ。才能・技量など。「本領」⓫かしら。おさ。「首領」⓬ずきん。頭にかぶる布。⓭みね(峰)。＝嶺(3031)。国 リョウーす。㋐自分のものとする。㋑とりつく。乗り移る。

名前 おさ・むね 難読 領巾

解字 篆文 形声。頁＋令㊥。音符の令は、うなじをたれて神意を聴くの意味。頁は、かしらの意味。うなじの意味を表す。

逆 衣領・引領・押領・横領・管領・綱領・宰領・主領・首領・受領・所領・占領・総領・統領・頭領・拝領・本領・要領

【領域】① 所有する地域。領地の範囲。② 一国の主権の及ぶ全区域。③ 国 学問・研究などで関係者が関心を持っている部門。

【領会(會)】さとる。わかる。領解。

【領海】一国の主権の下にあると認められている海面。

【領解】① さとる。のみこむ。了解。② 唐代、郷試(各地方で行う進士の予備試験)に合格すること。

【領巾】ひれ。昔、女性の首に掛けて装飾としたきれ。ネッカチーフ。

【領悟】さとる。また、さとり。

【領事】① 事を引き受けて処理すること。② 本国政府の命により、条約国に駐在して通商・交通の視察・保護をしたり、在留民の取り締まりなどをする官吏。

【領主】① 領土の持ち主。② 国 ㋐荘園の所有者。㋑大名。

【領受】うけ取る。受領。

【領袖】① えりと、そで。② 人の上に立ってその代表となるような人。人のかしらに立つ人。首領。

【領承】承知する。承諾。

【領諾】承知する。了承する。

【領地】① 所有する土地。所属地。② 国 ㋐江戸時代の大名の所有地。㋑＝領土。

【領土】① 領有している土地。領地。② その国の主権の下にある土地と、沿岸の近海の一定の区域。

【領得】① 物事をのみこむこと。さとる。② 取って自分のものにすること。取得。

【領分】国 ① 所有している地域・土地。② 勢力範囲。

【領有】自分のものとして持つ。自分の所領。

【引領】くびを長くのばす。待ち望むさま。引領。〔孟子、梁恵王下〕

6【頞】15画 13454 一 漢アツ・呉アチ 曷 è 二 アン 翰 àn 1 9388 — 7191

字義 一 はなばしら。鼻すじ。二 人名。

解字 篆文 形声。頁＋安㊥。音符の安は、やすんじるの意味。顔のまん中に安定している、はなばしらの意味を表す。

6【潁】15画 (6140) エイ 水部。→八〇九ジ下。

6【頦】15画 13455 漢カイ 呉ガイ 灰 hāi — — 7194

字義 ❶おとがい。あご。❷ほお。❸醜い。

解字 形声。頁＋亥㊥。

6【頟】15画 13456 漢ガク 呉ギャク 陌 é

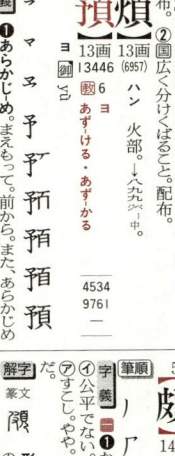

字義 ❶ひたい。=額(13489)。❷→頟頟。

解字 篆文 形声。頁+各音。音符の各は、格(カク)に通じ、つきだすの意味。人体の頭部のつき出た部分、ひたいの意味を表す。

【頟頟】(ガクガク) 悪事をし続けてやむことがないさま。

6 【頜】15画 13457 ㊀漢カン・呉ガン 感 hàn ㊁コウ(カフ) 合 hé ㊂ガン 感 — — 7190

字義 ㊀あご。おとがい(おとがひ)。㊁うなずく。=頷(13467)。

解字 篆文 形声。頁+合音。音符の合は、あうの意味。上下の二つがあわさって物をかむのに用いる器官、あごの意味を表す。

6 【頠】15画 13458 ㊀ガイ(グワイ) 賄 wěi ㊁ギ 紙 — — 7192

字義 ㊀❶しとやか。静か。また、頭をゆっくり動かすさま。❷頭。

解字 形声。頁+危音。

6 【頬】15画 13459 キョウ 頰(13469)の俗字。→一五五九ページ下。 4343 966A —

6 【頡】15画 13460 ㊀漢ケツ 呉ゲチ 屑 xié, ④jié ㊁漢カツ・呉ケチ 黠 jiá 慣キツ 8086 E8F4 —

字義 ㊀❶まっすぐな首すじ。❷とび上がる。❸大きい。❹倉頡・蒼頡(ソウケツ・ソウキツ)は、古代の人名。→倉頡(一一七ページ下)。㊁❶のぞく(除)。へらす。❷かすめる。盗む。

解字 金文 篆文 形声。頁+吉音。音符の吉は、ひきしめるの意味。鳥が首すじの筋肉をひきしめて、飛びあがるの意味を表す。

【頡△頏】(ケッコウ・キッコウ) ①鳥が飛び上がり、飛び降りる。②勢力がはりあって優劣のないこと。③首筋が強いこと。④人に屈しないこと。

【頡滑】(ケツコツ) ①いり乱れる。錯乱する。②まがりくねるさま。一説に、言いくるめる。詭弁(キベン)を弄(ロウ)する。

6 【⿰至頁】15画 13461 シ 紙 chǐ ₂9224 — —

字義 ❶顔が大きい。❷顔が黒い。

解字 形声。頁+至音。

6 【頫】15画 13462 ㊀フ 麌 fǔ ㊁チョウ(テウ) 嘯 tiào ₁9389 — 7201

字義 ㊀うつむく。頭をたれる。=俯(456)。㊁❶うつむいて聞きいる。❷みる。まみえる。天子にお目にかかる。

解字 形声。頁+兆音。

7 【頤】16画 13463 イ 支 yí 8085 E8F3 —

［頥］13480 俗字

字義 ❶あご。㋐両頰(ほお)の下部から下あごまでをいう。㋑おとがい(おとがひ)。下あご。❷やしなう(養)。「頤養」❸ごちそうする。❹あごをしゃくる。あごで指図する。❺語調を助ける助字。❻易(エキ)の六十四卦(カ)の一つ。☶☳震下艮上(シンカゴンショウ)。物をかんで、人を養うかたち。

解字 金文 篆文 会意。𦣝+頁音。𦣝は、『説文(セツモン)解字』では、あごの象形とするが、金文では授乳のできる大きな二つの乳の象形と考えられる。乳にもっていく頭のさまから、やしなう・あごの意味を表す。

【頤愛】(イアイ) やしないいつくしむ。

【頤使】(イシ) あごで指図する。人を自由に使う。頤指。

【頤指】(イシ) あごで指図する。人を自由に使う。頤使。

【頤養】(イヨウ) やしなう。はぐくむ。養成。

【頤和園】(イワエン) 北京市の北西郊外にある庭園。清(シン)の乾隆時代の旧跡を光緒十四年(一八八八)改修したもの。万寿山・昆明湖などで名高い。⇩コラム 北京(三〇四ページ)。

7 【頵】16画 13464 イン(ヰン) 真 yūn — — 7207

字義 頭が大きいさま。

解字 形声。頁+君音。音符の君は、大きいの意味。

7 【穎】16画 (8536) エイ 禾部。→一〇五七ページ上。

7 【頴】16画 13465 エイ 穎(8536)の簡易慣用字体。→一〇五七ページ上。 1748 896F —

7 【頮】16画 13466 カイ(クワイ) 隊 huì — — 7202

字義 顔を洗う。

解字 会意。頁+廾+水。廾は、両手でささげるの意味。両手で水をすくいあげて顔を洗うの意味を表す。

7 【頷】16画 13467 標 ㊀漢カン・呉ガン 感 hàn ㊁ガン 感 hàn 8087 E8F5 —

字義 ㊀❶あご。おとがい(おとがひ)。下あご。❷顔が黄色い。食物不足で顔色が悪い。㊁うなずく(うなづく)。頭を軽く下げて、承知の意を示す。

解字 金文 篆文 形声。頁+含音。音符の含は、ふくらむの意味。物を口に含むときにたいせつなはたらきをする、あごの意味を表す。

【頷首】(ガンシュ) うなずく。うなずいて承知の意味を表す。点頭。

【頷△聯】(ガンレン) 律詩の第三・第四句に当たる両句をいう。第二聯。

7 【頯】16画 13468 ㊀漢キュウ(キウ)・呉グ 尤 qiú ㊁漢キ・呉ギ 支 kuí — — 7203

字義 ㊀❶ほおぼね。❷小さい頭。❸素朴なさま。❹高く現れて美しいさま。

解字 形声。頁+弅音。

7 【頰】16画 13469 常 ほお キョウ(ケフ) 葉 jiá ₁9390 — 7204

［頬］13459 俗字

筆順 一 厂 夾 夾 夾 夾頁 頰 頰 頰

字義 ❶ほお(ほほ)。顔の両側。❷かお。顔つき。

名前 つら・ほ・ほお・ほほ

解字 篆文 形声。頁+夾音。音符の夾(キョウ)は、はさむの意味。顔面を両側からはさむさまになる部分、ほおの意味を表す。

【頰適】(キョウテキ) 顔色をやわらげて気持ちよさそうなこと。

【頰△輔】(キョウホ) ほお。

7 【頸】16画 13470 標 漢ケイ 呉キョウ(キャウ) 梗 jǐng 8084 E8F2 —

［頚］13447 俗字

字義 ❶くび。のどくび。首の前の部分。❷物の中央のくびれている部分。難読 頸城(くびき)

解字 篆文 形声。頁+巠音。音符の巠(ケイ)は、まっすぐで強いの意味。頭につらなる、まっすぐで強い部分、くびの意味を表す。

【頸血】(ケイケツ) くびから流れる血。用例〔史記、廉頗藺相如伝〕得下以二頸血一濺中大王上矣(ケイケツをもってダイオウにそそぐことをえん)。⇩(私の)この首から流れる血を大王様に注ぎかけさせていただきましょう。

【頸領】(ケイリョウ) くび。くびすじ。

【頸△聯】(ケイレン) 律詩の第五・第六句に当たる両句をいう。第三聯。

【延レ頸鶴望】(くびをのばしてカクボウす) 鶴(つる)のようにくびを長くのばして、待ちのぞむ。鶴首して待つ。鶴首。〔三国志、蜀志、張飛伝〕

【係レ頸以レ組】(くびにかくるにソをもってす) 冠や髪につける組みひもをくびにかける。くびをくくって殺してくれと降伏の意を示す。〔史記、高祖本紀〕

7 【頣】16画 13471 シン 軫 shēn ₂9225 — 7193

字義 まゆをあげて人を見る。
解字 形声。頁＋臣㊄。

7 【頾】 16画 13472 ㊇ゼン ㊉ネン 㕟 rǎn

字義 ほおひげ。＝髯(13866)。
解字 形声。須＋冄㊄。

7 【頽】 16画 13473 標 ㊇タイ ㊉ズイ(ヅイ) 㕟 tuí 8088 E8F6 —
[頹] 13474 正字 [頺] 13475 俗字

字義 ❶くずれる(くづる)。くずおれる(くづほる)。㋐落ちる。くずれ落ちる。㋑たおれる。㋒かたむく。㋓おとろえる。「衰頽」❷くずす。❸したがう。なびき従う。❹いだく(懐)。心にいだく。また、思いに沈む。❺はやて。疾風。暴風。

参考 現代表記では〔退〕(12073)に書きかえることがある。「衰頽→衰退」「頽勢→退勢」「頽廃→退廃」

解字 会意。頁＋禿。禿は、頭がはげるの意味。頭がはげるの意味から転じて、くずれるの意味を表す。

【頽運】タイウン おとろえた運命。衰運。頽勢。
【頽岸】タイガン くずれかかった岸。
【頽△乎】タイコ ①なびき従うさま。従順なさま。②酒に酔いくずれるさま。頽然。
【頽△弛】タイシ くずれゆるむ。また、おとろえる。
【頽思】タイシ 思いに沈む。沈思。
【頽勢】タイセイ 国くずれかかったいきおい。おとろえかかった運命。衰勢。退勢。頽運。
【頽然】タイゼン ①酒に酔って体がくずれたおれるさま。②柔順なさま。③力のないさま。老衰のさま。④物のくずれるさま。
【頽堕(墮)委△靡】タイダイビ 体や気力などが次第にくずれ衰えること。
【頽墜】タイツイ くずれ落ちる。崩墜。
【頽替】タイテイ・タイタイ くずれすたれる。衰頽。頽廃。
【頽唐】タイトウ くずれ落ちる。
【頽波】タイハ ①くずれかかる波。②物事が衰えてゆくたとえ。
【頽敗・頽廃(廢)】タイハイ くずれすたれる。やぶれすたれる。不健全。デカダン。廃頽。退廃。
【頽風】タイフウ ①荒い風。はやて。暴風。②頽廃した風俗。
【頽△敝・頽弊】タイヘイ くずれ破れる。
【頽陽】タイヨウ 夕日。入り日。落日。夕陽。
【頽齢(齡)】タイレイ 老いおとろえる年齢。老年。
【頽漏】タイロウ くずれて雨がもる。

7 【頹】 16画 13474 タイ 頽(13473)の正字。→一五六〇ページ上。

7 【頺】 16画 13475 タイ 頽(13473)の俗字。→一五六〇ページ上。

7 【頲】 16画 13476 ㊇テイ ㊉チョウ(チャウ) 迥 tǐng ₂9226 — 7205

字義 ❶まっすぐ。ただしい(正)。❷細くてまっすぐな頭。
解字 形声。頁＋廷㊄。

7 【頭】 16画 13477 教2 トウ・ズ・ト あたま・かしら ㊇トウ・㊉ズ(ヅ) 㕟 tóu 3812 93AA —
㊍チュウ・ジュウ(ヂュウ)
㊞ト

筆順 一 丆 丆 百 豆 豆 頭 頭 頭

字義 ❶あたま。かしら。㋐こうべ(かうべ)。からだの上部で、くびから上。↔身(11839)。用例〔唐、李白、静夜思詩〕挙レ頭望二山月一(こ(か)うべをあげて、サンゲツをのぞみ)、低レ頭思二故郷一(こ(か)うべをたれて、コキョウをおもう(ふ))。↓頭をもたげて山にかかった月を眺め、故郷で見た月を思い出してうなだれてしまう。㋑髪の毛。頭髪。㋒物の先端。いただき。「竿頭(カントウ)」㋓はじめ。「年頭」㋔知恵。頭脳。㋕かしらに立つ人。長。首領。❷ほとり。あたり。用例〔唐、白居易、八月十五日夜禁中独直対レ月憶二元九一詩〕渚宮東面煙波冷(ショキュウのトウメン、エンパひややかに)、浴殿西頭鐘漏深(ヨクデンのセイトウ、ショウロウふかし)。↓渚宮の東側には、もやの立ちこめる水面が冷たく光っていて、浴室のある宮殿の西側には、時を知らせる鐘の音が夜ふけの静けさの中に聞こえてくる。❸物を数える語。㋐昔、人を数えるのに用いた。㋑動物を数える語。㋒食膳(ショクゼン)を数える語。❹名詞にそえて語勢を助ける助字。「舌頭」国❶かみ。㋐律令制(リツリョウセイ)における寮の長官。㋑蔵人頭(くろうどのかみ)の略称。「トウ」ともいう。❷かしら。職人などの親方。

名前 あき・あきら・かみ・さき・ず・とう　難読 頭垢(ふけ)・頭椎(くぶつち)・かぶつち)

解字 篆文 頭 形声。頁＋豆㊄。頁は、かしらの意味。音符の豆は、頭の部分の大きいたかつきの象形。あたま・かしらの意味を表す。

逆 音頭・回頭・街頭・巻頭・岸頭・牛頭・橋頭・巨頭・鶏頭・原頭・口頭・江頭・地頭・社頭・塾頭・出頭・城頭・心頭・人頭・陣頭・舌頭・船頭・低頭・店頭・点頭・年頭・念頭・馬頭・筆頭・冒頭・没頭・毛頭・竜頭・路頭・露頭・湾頭

【頭会(會)△箕△斂】トウカイキレン 人の頭かずを数えて税を取り立てる。税を多く取り立てるたとえ。

【頭角】トウカク ①頭の先。②はし(端)。はじめ。

【見二頭角一】トウカクをあらわ(は)す 他の人にぬきん出てすぐれていると知られていること。

【頭寒足熱】ズカンソクネツ 国(寝るときに)頭を冷やし、足を温めること。健康法の一つ。

【頭巾】一ズキン 布で作ったかぶりもの。帽子の類い。二トキン 国修験者(シュゲンジャ)(山伏)が用いた小さなずきん。兜巾(トキン)。

【頭首】トウシュ ①あたま。かしら。②人の上に立つ者。長。

【頭緒】トウショ ①物事のいとぐち。はし。端緒。②心のいろいろな思い。意緒。③条理。

【頭足異レ処(處)】トウソクところをことにす 首を切られて頭と足がはなればなれになること。首足異レ処。〔史記、淮陰侯伝〕

【頭△陀】ズダ 仏梵語(ボンゴ) dhūta の音訳。抖擻(トソウ)と意訳し、煩悩(ボンノウ)を払い去る意。僧が托鉢(タクハツ)して修行すること。また、その僧。

【頭△陀袋】ズダぶくろ 国①頭陀の修行をする僧が、物を入れるために首にかける袋。②だぶだぶした袋。

【頭注・頭△註】トウチュウ 国書物の上欄に書き加えてある解釈・説明・批判など。↔脚注(六九九ページ上)。

【頭童歯(齒)△豁】トウドウシカツ 頭がはげ、歯がぬけてまばらになること。老人になること。〔唐、韓愈、進学解〕

【頭髪上指】トウハツジョウシ 頭の髪が逆立つ。はげしく怒ったさま。用例〔史記、項羽本紀〕頭髪上指(トウハツジョウシし)、目眥尽裂(モクシことごとくさく)。↓髪の毛が逆立ち、まなじりが裂けるほどに目を見開いた。

【頭風】トウフウ 頭がいたむこと。頭痛。

【頭△蓬】トウホウ よもぎのように乱れた頭髪をいう。

【頭目】トウモク ①頭と目。②元代、軍中の将官をいう。③かしら。親分。

【頭領】トウリョウ 多くの人のかしら。おさ。

【頭△盧・頭△顱】トウロ 頭。されこうべ。

【以レ頭△搶レ地】トウをもってチをつく ①地面に頭をつけてあわれみをこうさま。〔前漢、司馬遷、報二任少卿一書〕②怒るさま。

【改レ頭換レ面】トウをあらためメンをかう(ふ) 表面だけを変えること。〔唐、寒山、詩〕

【懸レ頭刺レ股】トウをかけももをさす 勉強中に睡気をさますため、頭を綱で梁(はり)につるした楚(ソ)の孫敬と、錐(きり)を股にさした秦(シン)の蘇秦(ソシン)の故事。〔戦国策、秦〕

【垂レ頭塞レ耳】トウをたれみみをふさぐ こびへつらうさま。〔後漢書、殤帝紀〕

【蔵(藏)レ頭露レ尾】あたまをかくしておを(を)あらわ(は)す 頭かくして尻(しり)かくさず。

〔紅楼夢、三十四回〕

7 【頻】16画 (13488) ヒン
頻(13487)の旧字体。→一五六一ジ・中。
4574 978A —

7 【頼】16画 13478 常 ライ たの-む・たの-もしい・たよ-る
貝9 【賴】16画 13479 人 ライ 泰 lài
9226 EE92 —

筆順 一 𠃍 亓 由 申 束 束 軒 軺 頼

字義 ❶よ-る。たよ-る。たの-む。たのみにする。あてにする。「依頼」「信頼」 ❷たよ-り。たのみ。 ❸える(得)。取る。利益を得る。また、利益。 ❹よい(善)。 ❺さいわい(幸)。おかげで。都合よく。 国❶たの-む。㋐請い願う。㋑まかせる。 ❷たの-もしい たのもし。頼りになる。

名前 たのむ・のり・よ・よし・より 難読 頼母子講たのもしこう

解字 篆文 形声。もと、貝＋剌音。音符の剌ラツは、束カンに通じ、袋に物をとじこめるの意味。金品を袋にとじこんで、もうけるの意味を表す。常用漢字の頼は、賴の部分を頁に変形させたもの。

逆 信頼・無頼

【頼杏坪】ライキョウヘイ 国江戸後期の儒学者。安芸あき(今の広島県)の人。頼山陽のおじ。名は惟柔イジュウ。字あざなは季立・千祺センキ。号は杏坪・春草堂。広島藩儒。著書に『春草堂詩鈔シショウ』『杏坪文集』などがある。(一七五六―一八三四)

【頼山陽】ライサンヨウ 国江戸後期の漢学者・歴史家。名は襄のぼる。字なは子成。通称は久太郎。号は山陽・三十六峰外史。安芸あき(今の広島県)の人。詩文書画にすぐれ、著書に『日本外史』『日本政記』『山陽詩鈔シショウ』などがある。(一七八〇―一八三二)

8 【頤】17画 13480 イ
頤(13463)の俗字。→一五五九ジ・中。
29228 — 7208

8 【⿰皐頁】17画 13481 イ 支 yǐ
— — 7212

字義 おとがい。あご。

解字 形声。皐＋頤省音。音符の頤イは、おとがいの意味。

8 【顆】17画 13482 標 カ(クヮ) 哿 kē, ②kě
8089 E8F7 —

字義 ❶つぶ(粒)。まるい形をしたもの。顆粒。また、それを数える語。「一顆」 ❷土のかたまり。

解字 篆文 形声。頁＋果音。音符の果は、木の実の意味。頁は、まるいあたまの意味。木の実のようなまるい小さなつぶの意味を表す。

8 【顄】17画 13483 漢カン 呉ガン 感 覃 hàn
— — 7210

字義 あご。おとがい。下あご。＝頷(13467)。

解字 形声。頁＋函音。音符の函カンは、ふくむの意味。食物をふくむ下あごの意味を表す。

8 【顉】17画 13484 ㊀ガン 感 hàn ㊁漢キン・呉コン 侵 qīn

字義 ㊀うなずく。頭をたれる。＝頷(13467)。 ㊁❶しゃくれたあご。 ❷しゃくるように揺り動かす。

解字 形声。頁＋金音。

8 【⿰其頁】17画 13485 キ 支 qī

字義 みにくい(醜)。方相氏ホウショウシ・ホウソウシ(神に扮フンして疫病を追い払うことをつかさどる役人)のかぶった仮面がみにくかったことから。＝魌(13951)。

解字 形声。頁＋其音。

【⿰其頁頭】キトウ 追儺ツイナの式にかぶる鬼の面。魌頭キトウ。

8 【顇】17画 13486 漢スイ 呉ズイ 寘 cuì
29229 — 7211

字義 ❶やつ-れる。やせる。「顦顇ショウスイ」 ❷うれえる。 ❸まじりけがない。

解字 篆文 形声。頁＋卒音。音符の卒は、つきるの意味。限度に達しつきるまで、頭を悩ます・やつれるの意味を表す。

7 【頻】17画 13487 常 ヒン
4149 9570 —

7 【頻】16画 13488 漢ヒン 呉ビン 真 pín, ②bīn
9391 — —

筆順 丨 ⺊ 止 步 步 歩 歩 頻 頻 頻

字義 ❶しき-りに。たびたび。しょっちゅう。用例(唐、杜甫、兵車行)道傍過者問二行人一、行人但云点行頻 ドウボウのすぐるもの、コウジンにとえば、コウジンただいう、テンコウしきりなりと ↓道ばたを通りかかったものが、出征兵士に問いかけると、兵士はただこたえる「徴兵がしきりなので」と。 ❷みぎわ。水辺。きし(岸)。 ❸さしせまる。 ❹ならぶ(並)。 ❺したしむ。＝比(6079)。 ❻ひそめる。しかめる。顔をしかめる。＝顰(13519)。 ❼はなすじ。

名前 かず・しげ・つら・はや

解字 会意。もと、渉＋頁。

【頻伽】ビンガ 仏迦陵頻伽カリョウビンガの略。極楽に住み、つねに妙音で鳴くという鳥。

【頻行】ヒンコウ ならんでゆく。並行。

【頻△蹙・頻△顣】ヒンシュク 顔をしかめること。

【頻数(數)】ヒンサク・ヒンスウ しばしば。たびたび。しきりに。

【頻度】ヒンド 国あることがくりかえして起こる度数。

【頻年】ヒンネン 毎年毎年。連年。頻歳。

【頻発(發)】ヒンパツ しばしば起こる。

【頻煩】ヒンパン ①しばしば。たびたび。 ②わずらわしい。

【頻繁】ヒンパン ①しばしば。たびたび。 ②いそがしい。 ③しきりに勧めること。用例(唐、杜甫、蜀相詩)三顧頻繁天下計 サンコヒンパンなり テンカのケイ ↓(劉備リュウビは)三顧の礼をとってしきりに(諸葛亮ショカツリョウのもとを)訪れ、天下統一の計画を尋ねた。両朝開済老臣心 リョウチョウカイサイす ロウシンのこころ (諸葛亮も)その恩義に報い、先主後主の二代にわたり忠誠を尽くして仕えた。

【頻頻】ヒンピン しきりに。たび重なるさま。

9 【額】18画 13489 教5 ガク ひたい 漢ガク・呉ギャク 陌 é
1959 8A7A —

筆順 丶 宀 宀 安 安 客 客 額 額

字義 ❶ひたい ひたひ。ぬか。 ❷たか。数量。「定額」 ❸紙や板などに、文字などを書いて、門や軒などの上部に掲げておくもの。「扁額ヘンガク」

名前 ぬか 難読 額戸こうと・額田ぬかだ

解字 形声。頁＋客音。音符の客は、格カクに通じ、つきだすの意味。人体の頭部のつき出た部分、ひたいの意味を表す。

逆 価額・題額・勅額・点額・猫額

【額黄】ガクコウ・ガッコウ ひたいにぬった黄色の顔料。中国六朝時代、女性の化粧ケショウの一つ。

【額面】ガクメン 国①額。扁額ヘンガク。 ②公債・株券などに表記してある金額。 ③表面にあらわれた意味。

【△鳩ㇾ額】ひたい(ひ)をあつむ 数人が顔を寄せて相談する。鳩首キュウシュ。

9 【顎】18画 13490 常 ガク あご ガク 薬 è
1960 8A7B —

筆順 丶 ㇆ 口 吅 㗊 咢 咢 顎 顎

字義 おごそか。おごそかにつつしむ。国あご。あぎと。

解字 形声。頁＋咢音。

9 【顑】18画 13491 カン 感 kǎn
— — 7213

字義 顑頷カンカンは、飢えて顔が黄色くなる。

解字 形声。頁＋咸音。

9
【顔】 18画 13492 教2 ガン かお 熟字訓 笑顔(えがお)

9
〖顏〗 18画 13493 漢ガン 呉ゲン 簡 yán

2073 8AE7 —
8090 E8F8 —

筆順 亠 亣 立 产 产 彦 彦 顏 顔 顔

字義 ❶**かお**。かんばせ。㋐ひたい(額)。ぬか。㋑かおつき。かおいろ。かおだち。㋒体裁。面目。❷いろどり。彩色。「顔料」 ❸あらわれる(見)。

解字 篆文 形声。頁＋彦(彥)㊥。音符の彦は、鉱物性の顔料の意味。化粧を施す部分、かおの意味や、いろどりの意味を表す。

逆 温顔・解顔・開顔・花顔・汗顔・玉顔・厚顔・抗顔・紅顔・朱顔・聖顔・尊顔・天顔・童顔・拝顔・破顔・美顔・容顔・竜顔

【顔延△之】 南朝宋の詩人。字は延年。臨沂(今の山東省臨沂市)の人。詩文にひいで、謝霊運と並んで顔謝と称せられた。(三八四—四五六)

【顔△淵】 ＝顔回。

【顔回】 春秋時代、魯の人。孔門十哲の一人。字は子淵。顔淵とも呼ばれる。孔子の門弟中、最もすぐれ、特に徳行にすぐれていたが、孔子より先に死んだ。亜聖と称せられた。(前五二一—前四八一?)

【顔元】 清初の儒学者。字は渾然。号は習斎。陽明学を学び実践を重んじた。(一六三五—一七〇四)

【顔厚】 ①つらの皮の厚いこと。はじしらず。厚顔。顔甲。②はじ入ることの謙遜のことば。

【顔△巷】 孔子の弟子の顔回が住んでいた町の意で、学者などが清貧に甘んじて住んでいる非常にむさくるしい所をいう。孔子が顔回を評したことばによる。〔論語、雍也〕

【顔△之推】 北斉の学者。字は介。隋の太子に召されて学士となった。著に『顔氏家訓』がある。(五三一—五九〇?)

【顔△之徒】 道徳を修めて顔回のようになろうと願う仲間。

【顔氏家訓】 書名。二巻。北斉の顔之推の著。隋の仁寿年間(六〇一—六〇四)に成立。道徳・学問・教養・処世の法などについて述べ、子孫をいましめた教訓の書。

【顔師古】 唐初の学者。字は籀。『漢書』の注釈を書いた。(五八一—六四五)

【顔常山舌】 顔真卿の弟で常山の太守であった顔杲卿が安禄山と戦い、敗れて捕らえられ、安禄山をののしったために舌を切られた故事。〔唐書、顔杲卿伝〕

【顔色】 ①かおいろ。面色。かおつき。容貌。容姿。ようす。用例〔唐、劉廷芝、代下悲二白頭一翁上詩〕洛陽女児惜二顔色一 ↓洛陽の町の娘たちは、自分の容色の移ろいゆくのを惜しむ。行逢二落花一長歎息 散りゆく花の下を歩いては、明日はわが身と深いため息をつくのであった。②きげん。③色。色彩。④絵の具。

【犯二顔色一】 ＝犯レ顔。

【顔真(眞)△卿】 唐の政治家・書家。臨沂(今の山東省臨沂市)の人。字は清臣。諡は文忠。玄宗・粛宗・代宗・徳宗の四代に仕えて重用されたが、反将李希烈に殺された。その書は、長く後世の範とされている。顔魯公とも称された。(七〇八—七八四)

【顔貌】 かおかたち。おももち。面貌。

【顔容】 かおかたち。おももち。顔貌。

【顔料】 ①化粧などの材料。べに・おしろいなどの類い。②絵の具。③着色・染料などの材料。④塗料。

【解レ顔】 喜び笑う。相好をくずす。解顔。

【承レ顔】 同承顔。①人に面会することの謙辞。②人のかおいろを見る。そうして相手の気に入るようにすること。

【犯レ顔】 相手のきげんをそこなう。また、そうしてもなお直言する。おもてをおかす。犯顔。

9
【顒】 18画 13494 漢ギョウ 呉グ 图 yóng

9392 — 7214

字義 ❶大きなあたま。また、大きいさま。❷つつしむ。また、おごそか。

解字 篆文 形声。頁＋禺㊥。音符の禺は、大きな頭のさるの象形。大きな頭の意味を表す。

【顒顒】 ①温和でつつしみぶかいさま。②思いしたうさま。③波の高いさま。

9
【顕】 18画 13495 常 ケン

14
〖顯〗 23画 13496 ㊀ ケン 簡 xiǎn

2418 8CB0 —
8093 E8FB —

筆順 丨 冂 日 日 旦 显 显 顕 顕

字義 ❶きらびやかな頭のかざり。❷**あき-らか**。㋐あざやか。鮮明。㋑いちじるしい。著名。❸**あらわ-れる**。↕隠(13141)。㋐はっきりする。おもてむきになる。きわだつ。用例〔史記、管仲伝〕知下我不レ羞二小節一、而恥中功名不上レ顕二于天下一也 ↓わたしが小さい節義などを気にかけず、功名が天下にあらわれないことを恥じる者であると知っていたからである。㋑栄える。「顕達」 ❹**あらわ-す**。明らかにする。㋐おおやけに。おもてむきに。㋑はっきりと。❺**あら-わに**。あきらかに。❻そと。おもて。❼みる(見)。注視する。❽高貴なもの、神聖なものにそえる接頭語。「顕職」

名前 あき・あきら・けん・たか・てる

解字 金文 篆文 形声。金文は、㬎＋見㊥。㬎は、太陽のもとでの糸の意味。日中、糸を見るの意味から、はっきりしているの意味を表す。見は、のち、頁に変形して、顯となった。常用漢字の顕は、それを省略した形。

逆 隠顕・貴顕

【顕位】 尊い位。高位。

【顕栄(榮)】 身分が高くなり、さかえること。

【顕△赫】 明らかにあらわれる。さかんに輝く。

【顕学(學)】 有名な学問。また、有名な学者。

【顕官・顕△宦】 地位の高い官職。また、高い地位の官吏。高官。

【顕△諫】 あからさまに(正面から)いさめる。

【顕教】 仏釈迦が具体的に説き示した教え。禅宗・浄土宗など。↕密教(四四一ページ中)。

【顕顕】 あきらかなさま。明々白々。

【顕現】 はっきりとあらわれること。

【顕考】 ①高祖の敬称。②亡父の敬称。

【顕在】 国かたちに現れて存在すること。↕潜在(八八〇ページ上)。

【顕示】 はっきり示す。明示。

【顕正】 仏正しい仏の教えを明らかに示すこと。「破邪顕正」

【顕彰・顕章】 (かくれた)功績・善行などを明らかにし、表彰する。

【顕職】 地位の高い職。また、その職にいる官吏。顕官。

【顕達】 身分が高くなりさかえる。高位に登る。

【顕著】 いちじるしい。めだって明らか。

【顕△妣】 亡母の敬称。

【顕微】 ①あらわれていることと、かすかなこと。②微小な物事を明らかにする。「顕微鏡」

【顕微無間】 あらわれていること(現象)とかすかなこと(本体)との間には、区別はない。〔北宋、程頤、易伝序〕

【顕報】 あきらかな(さかんな)むくい。陽報。

【顕密】①機密に参与する、高位の職。②仏顕教と密教。真言宗で、すべての宗教を顕教と密教に分け、真言宗を密教、その他を顕教という。

【顕黙(默)】あきらかなことと、くらいこと。世に出ることと隠遁すること。

【顕要】地位や職務の高くて重要なこと。また、その位や職。また、その位や職にいる人。

【顕揚】あらわしあげる。高くあらわす。善行をたたえて世に明らかにする。

9【顋】18画 13497 サイ 腮(5086)の正字。→七〇四ページ中。 8091 E8F9 —
難読 顋門(ひよめき)

9【䫆】18画 13498 シ 髭(13885)と同字。→一六〇三ページ上。 — — 7209

9【顓】18画 13499 セン 囲 zhuān 19393 — 7215
字義 ❶うやうやしい。つつしむさま。❷よい(善)。❸おろか(愚)。❹もっぱら。＝専(2719)。❺小さいさま。また、丸いさま。❻→顓頊。

解字 形声。頁＋耑音。

【顓頊】中国古代伝説上の帝王の名。黄帝の孫。高陽(今の河南省内)に都したので高陽氏と号した。

【顓制】ほしいままに事を行うこと。専制。専断。

【顓顓】①小さなさま。②おろかなさま。一説に、まるいさま。

【顓民】良民をいう。

【顓門】ある書物・学問・技術を専ら修め、他のことに余りかかわらないこと。専門。

9【題】18画 13500 教3 ダイ 漢テイ・呉ダイ 斉 tí 3474 91E8 —
筆順 冂 日 日 旦 早 昰 是 題 題
字義 ❶詩文や書物などの表題。❷問題。「課題」❸ひたい(額)。❹さき(先)。かしら(頭)。物のはし。❺しるす(識)。㋐書き記す。書きつける。㋑印をつけて目だつようにする。表す。❻しるし。標識。❼しなさだめ。品評。❽文体の名。本文を要約して巻頭に書きしるす文。「題跋」
名前 みつ
解字 篆文 形声。頁＋是音。音符の是は、つきでるの意味。顔の中でつき出ている部分、ひたいの意味を表し、転じて、物のめじるしの意味を表す。

逆 解題・改題・課題・季題・議題・休題・句題・主題・即題・探題・勅題・難題・標題・封題・命題・例題・話題
【題詠】国題を設けて詩歌を作ること。

【題画(畫)】山水・人物などの絵に、それにちなんだ詩や文を記すこと。画賛。

【題額】①がく。文字などを書き記した額。②かけがく(扁額)に書き記すこと。

【題言】国はしがき。書物などの巻頭のことば。

【題材】国文芸作品の主題となる材料。

【題字】書物の初めや石碑の上部などに記した文字。

【題辞(辭)】書物の初めに記したことば。全体の主旨を述べるもので、序跋とほぼ同じ。

【題簽】国書物の題名を書いて表紙にはる紙や布。

【題湊】椁の外側に木で作る囲い。用例〔史記、滑稽伝〕以二彫玉一為レ棺、文梓為レ椁、楩楓予章為二題湊一。↓玉をちりばめて内棺を作り、彩り美しい梓の木で外棺を作り、楩や楓や予章といった香木で棺の外囲いを作る。

【題跋】①書籍・書画などの題辞と跋文。②書物の最後に書き記す跋文。

【題品】しなさだめ。品評。

【題壁】壁面に詩文を書き記す。

【題名】①漢文の文体の一つ。名勝・仏閣などに年月・同行の人の名などを記すもの。②人目につくところに名を記す。③詩文・書物などの名。④題目の名。文章の主意をまとめて、初めに記したもの。⑤科挙(官吏登用試験)に合格した人の名簿。

【題目】①品定め。品評。②見出し。表題。③詩文の題。④名前。名称。⑤試験などの問題。⑥仏日蓮宗で南無妙法蓮華経の七字のよび名。


9【類】18画 13501 教4 ルイ たぐい 4664 97DE —

10〔類〕19画 13502 人 ルイ 寘 lèi 19404 — —

筆順 丷 半 米 米 类 类 類 類
字義 ❶たぐい。㋐同族。同種。仲間。同等のもの。「種類」㋑物事の比較。善悪の区別。ちがい。用例〔孟子、告子上〕此之謂レ不レ知レ類也。↓これを物事の比較を知らないという。❷たぐう。たぐえる。くらべる。「比類」❸にる(似)。また、似かよった先例。ためし。「類例」❹かたどる(象)。かたち。形象。また、姿。様子。❺のり(法)。一定の法。❻よい(善)。❼みな。すべて。❽おおむね。大概。

名前 とも・なし・のり・よし
解字 篆文 会意。犬＋米＋頁。頁は、あたまの意味。米も、似通うつぶの意味。犬も、その顔に区別を認めにくいところから、似る・二つ以上の同質のものを重ねそろえる、くらべるの意味を表す。

逆 異類・殊類・人類・生類・等類・同類・比類・品類・部類・無類
【類縁】①一族。親類。やから。②形状・性質などに似かよった関係があって、その間に縁故のあること。

【類句】①詩歌・文章などのたがいに似た句。また、それを集めたもの。②国同種類の和歌・俳句。

【類型】①同じ型。類似した型。②ありふれた型。よくある型。

【類語】国①似た意味のことば。②詩歌や文章の中の同種の語をとりだして五十音順に並べ、調べるのに便利にした本。

【類次】分類して順序をつける。

【類似】似ている。似かよう。

【類集】＝類聚。

【類従(從)】＝類聚。

【類聚】種類に従って集める。また、その書物。「芸文類聚」

【類聚名義抄】国書名。著者未詳。平安朝末期にできた漢和辞書。漢字を偏・旁によって分類し、百二十の部首を立て、各文字にその字形・字音・和訓を注している。

【類書】①種々の書物の中から、それぞれの事項に従って分類編集して、調べるのに便利にした書物。一種の百科事典。②国同類の書。似かよった書物。

【類焼(燒)】国近所の火事が燃え移って焼ける。類火。

【類推】異なるものの中から、たがいに似かよった点をもとにしておしはかる。類比推理。

【類別】種類ごとに分ける。分類。種別。

【類編】分類して編集する。また、その書物。

【類例】①似かよった例証。②国類似の先例。

【以レ類△聚】同類のもの、共通点のあるものどうしが、それぞれたがいによりあつまる。〔易経、繫辞上〕

【絶レ類離レ倫】仲間の人たちより非常にすぐれていること。〔唐、韓愈、進学解〕

【不レ知レ類】物事の軽重をわきまえない。

【無ㇾ類】貴賤・貧富の差別がない。用例〔論語、衛霊公〕有ㇾ教無ㇾ類。↓教育による差はあるが、種類による差はない（誰でもが教育によって立派になれる）。

10 **【願】** 19画 13503 教4 ガン ねが-う 漢ゲン・呉ガン（グヮン） 画 yuàn 2074 8AE8 —

筆順 一 厂 尸 丙 盾 原 原 原 願 願

字義 ❶ねが-う。㋐のぞむ。求める。希望する。用例〔孟子、公孫丑上〕吾未ㇾ能ㇾ有ㇾ行焉、乃所ㇾ願、則学二孔子一也。↓私はまだよく行うことはできずにいるが、それでも願うところは、やはり孔子に学ぶということである。㋑いのる。「祈願」 ㋒したう。敬慕する。用例〔荀子、王制〕名声日聞、天下願。↓名声が日に日に高まり、天下の人々が慕った。㋓うらやむ。㋔たのむ。こう。「請願」 ㋕思う。❷ねが-い。ねがい。のぞみ。願望。「宿願」「初願」 ❸ねが-わくは。なにとぞ…させてください。どうか…してください。用例〔史記、廉頗藺相如伝〕王必無ㇾ人、臣願奉ㇾ璧往使。↓王様、もしどうしても適当な人物がいないのであれば、私が璧を奉って出向き使者となりたく存じます。❹つねに。いつも。用例〔詩経、邶風、二子乗舟〕願言思ㇾ子、中心養養。↓いつもあなた方のことが気がかりで、心の中はざわざわしています。

国 ガン。神仏に祈ること。「願をかける」

解字 篆文 形声。頁＋原音。音符の原は、愿に通じ、つつしむ・きまじめの意味。きまじめな頭のさまから、かたくなに一事をねがうの意味を表す。

逆 哀願・祈願・結願・懇願・志願・至願・宿願・心願・誓願・請願・素願・訴願・大願・嘆願・勅願・念願・悲願・伏願・発願・本願・満願

【願糸（絲）】ガンシ 七夕の日、裁縫などが上手になるようにと織女星に祈るため、竹ざおの先にかける糸。

【願望】ガンボウ・ガンモウ ①ねがいのぞむ。②ねがいごと。

【願力】ガンリキ ①神仏に対する祈りの力。②仏阿弥陀如来の誓願の力。

10 **【顗】** 19画 13504 漢ギ 呉ゲ 尾 yǐ 9401 EED8 7217

字義 ❶うやうやしい。おごそかなさま。❷やすらか。また、しずか（静）。

解字 形声。頁＋豈音。

10 **【顖】** 19画 13505 シン 囟（1816）の古字。→二九二ページ下。 9394 — 7216

10 **【顙】** 19画 13506 ソウ（サウ） 養 sǎng 9402 — 7218

字義 ❶ひたい（額）。❷あたま（頭）。いただき。❸ほお（頬）。❹ぬかずく。おじぎをする。額を地につけて礼をする。

解字 形声。頁＋桑音。

10 **【顛】** 19画 13507 人 標 テン 先 diān 9403 — 7219

〔顚〕13508 俗字

筆順 匕 片 旨 旨 眞 眞 眞 顛 顛

字義 ❶いただき。一番高い所。㋐頭のいただき。㋑山のいただき。「山顛」 ㋒さき（先）。すえ（末）。❷ひたい（額）。❸もと。根本。❹さかさ。また、さかさまにする。❺たおれる（倒）。また、たおす。「顛倒」 ❻あわてる。うろたえる。「顛沛」 ❼まよう（迷）。❽常軌を逸する。❾→顛顛。

参考 現代表記では〔転〕（11875）に書きかえることがある。「七顛八倒→七転八倒」「顛倒→転倒」「顛覆→転覆」

解字 篆文 形声。頁＋眞音。音符の眞は、天に通じ、いただきの意味。頁は、かしらの意味。あたまのいただきの意味を表す。また、跌に通じて、つまずきたおれるの意味をも表す。

【顛隕】テンイン ころがり落ちる。顛落。

【顛越】テンエツ ころがり落ちる。顛隕。

【顛狂】テンキョウ ①精神に異常をきたす。②動作の落ち着かないたとえ。

【顛僵】テンキョウ ①くつがえり倒れる。②くつがえし倒す。

【顛蹶】テンケツ ①つまずき倒れる。②失敗する。

【顛実（實）】テンジツ 気力が体内に充実する。

【顛墜】テンツイ ①くつがえり落ちる。顛落。②失敗してほろびる。

【顛跌】テンテツ ①つまずき倒れる。②事が思うようにならず失敗すること。③危難にあって苦しむこと。

【顛顛】テンテン ①うれいに沈んでのびのびしないさま。②車馬のいかめしいさま。③専一なさま。④おろかなさま。

【顛倒】テントウ 同転倒。①さかさまになる。また、さかさまにする。②たおれる。また、たおす。③うろたえる。平静を失う。

【顛頓】テントン くつがえり倒れる。

【顛沛】テンパイ ①つまずき倒れる。用例〔論語、里仁〕造次必於ㇾ是、顛沛必於ㇾ是。↓〔君子は〕あわただしいときでも必ず仁に基づき、つまずいて倒れそうなときでも必ず仁に基づく。②うろたえる。③くじける。挫折する。④危急存亡の場合。⑤とっさの場合。短い時間。

【顛狽】テンバイ たおれうろたえる。

【顛覆】テンプク 同転覆。①くつがえる。また、くつがえす。②うちこわす。ほろぼす。また、こわれほろびる。

【顛踣】テンボク ころぶ。たおれる。

【顛末】テンマツ 始まりと終わり。一部始終。事のいきさつ。

【顛毛】テンモウ 頭のいただきの毛。頭髪。頂髪。

【顛落】テンラク くつがえり落ちる。ころげ落ちる。転落。

【顛連】テンレン 非常に困難な目にあう。難渋する。騒乱に苦しむ。

10 **【顚】** 19画 13508 テン 顛（13507）の俗字。→一五六四ページ中。 3731 935E —

10 **【類】** 19画 （13502） ルイ 類（13501）の旧字体。→一五六三ページ中。

11 **【顣】** 20画 13509 シュク 屋 cù — — 7221

字義 顣頞は、鼻筋をしかめる。

解字 形声。頁＋戚音。音符の戚は、ちぢめるの意味。

11 **【顖】** 20画 13510 シン 囟（1816）と同字。→二九二ページ下。

11 **【顢】** 20画 13511 漢バン 呉マン 寒 mān — — 7220

字義 顢頇は、顔の大きなさま。ぼうっとしているさま。

解字 形声。頁＋㒼音。

12 **【顧】** 21画 13512 常 コ かえり-みる 2460 8CDA —

12 〔顧〕 21画 13513 漢コ 呉ク 遇 gù

筆順 ㇉ ㇉ 戸 戸 戸 戸 雇 雇 顧

字義 ❶かえり-みる。かへりみる。㋐ふりむいてみる。㋑みまわす。あたりをぐるぐる見まわす。㋒反省する。㋓心にかける。心配する。㋔いつくしむ。かわいがる。「眷顧」 ㋕たずねる。おとずれる。「三顧之礼」 ❷みる。みつめる。また、観察する。❸おもう（思）。用例〔文選、古詩十九首、其一〕浮雲蔽二白日一、遊子不ㇾ顧ㇾ返。↓浮き雲が太陽をおおい隠すように、あなたの心に何かの迷いが生じたためでしょうか、旅先のあなたは、私のもとに帰ろうともしてくれない。❹かえりみ。なさけ。「恩顧」❺かえる。もどる。「顧友」❻めぐる（旋）。❼かえって。反対に。❽ゆえに。それゆえ。❾ただ（但）。用例〔史記、廉頗藺相如伝〕顧吾念レ之、彊秦之所㆕以不㆔敢加㆓兵於趙㆒者、徒以㆓吾両人在㆒也 ⇩ただ私の考えでは、あの強国の秦が進んで趙に戦いをしかけようとしない理由は、ただ私たち二人がいるからなのだ。

名前 み

使いわけ かえりみる〔顧・省〕
〔顧〕後方や過去をふりかえる。「過去を顧みる」
〔省〕反省する。「自らを省みる」
なお、「気にしない」の意では、〔顧〕を用いる。「家庭を顧みない」

解字 篆文 形声。頁＋雇㊟。音符の雇は、古に通じ、ふるいの意味。頭を過ぎ去った方・後方に向けて見るの意味を表す。

逆 愛顧・恩顧・回顧・懐顧・指顧

【顧哀】いつくしみあわれむ。

【顧影】①自分の影をかえりみる。②自分の才能をほこる。

【顧炎武】明末清初の学者。江蘇省崑山の人。字は寧人。号は、亭林。魯王に仕え、後、清朝に召されたが、二朝に仕えるべきではないという母の遺命を守って応じなかった。博学多才、経書に通じ、考証学の祖といわれる。『日知録』など多数の著書がある。〔一六一三—一六八二〕

【顧懐（懐）】したう。心を寄せる。

【顧△愷△之】東晋の画家。字は長康。博学多才で、人物画にもすぐれ、虎頭将軍となったので、顧虎頭とも称された。「女史箴図」「洛神賦図巻」が現存する。〔三四五?—四〇六〕

【顧客】・とくい客。おとくい。

【顧忌】遠慮する。はばかる。

【顧遇】手あつくもてなす。優遇。厚遇。

【顧指】かえりみて指さす。指顧。

【顧視】ふりかえってみる。顧瞻。

【顧△而言レ他】答えることができなかったり、答える価値がないと思ったりしたとき、相手が言っている問題に答えず、相手から顔をそむけて他の事で言いまぎらす。〔孟子、梁恵王下〕

【顧△恤・顧△衈】あわれみをかける。

【顧惜・顧△藉】おしむ。顧藉。

【顧託】①君主が臨終のとき、左右の臣下に後の事をたのむこと。②たのむ。また、たのみ。

【顧△兎】月中の兎。転じて、月。

【顧念】①思う。考える。②心にとめて考える。心配する。

【顧反】①かえって。反対に。②かえる。もどる。

【顧返】かえる。一説に、ふり返る。かえりみる。

【顧△盻・顧△眄】ふりかえり見る。

【顧△眄】①ふりかえって見る。②見まわす。自分の勢いを他に示すさま。

【顧歩】左右をふりかえりながら歩くこと。

【顧望】①ふりかえって見渡す。あたりを見まわす。②見まわして形勢をうかがう。③ためらう。④気がねする。遠慮する。

【顧命】①天子が死に臨んで後事をたのむこと。②かえりみて命ずる。③生命をかえりみる。④いつくしみの深い命令。⑤『書経』の編名。

【顧問】①相談する。もと天子が臣下をかえりみてその意見を聞くこと。②気にかける。③国相談役。

【顧野王】南朝梁・陳の学者。字は希馮。著書に『玉篇』などがある。〔五一九—五八一〕

【顧慮】心配する。気づかう。気にかける。

【顧恋（戀）】思いしたう。恋いしたう。

12【顥】21画 13514 ㊥コウ（カウ）㊒ゴウ（ガウ） 皓 hào ¹9405 EED9 7222
字義 ❶髪の白いさま。❷天にただよう広大な気。❸おおきい。
解字 篆文 会意。頁＋景。景は、あきらかで白いの意味。頭髪の白いさまを表す。
【顥△穹】大空。蒼空。顥蒼。
【顥顥】①光るさま。②白いさま。③元気の広大なさま。

12【顦】21画 13515 ㊥ショウ（セウ）㊒ジョウ（ゼウ） 蕭 qiáo ²9230 — 7223
字義 ❶やつ-れる。やせる。❷うれえる。
解字 形声。頁＋焦㊟。
【顦△顇】①やせおとろえたさま。「顔色顦顇」②うれえるさま。憔悴。

13【顪】22画 13516 ㊥カイ（クワイ）㊒ケ 隊 huì — — 7224
字義 ❶ほお。❷あごひげ。
解字 形声。頁＋歳㊟。

13【顫】22画 13517 セン 霰 chàn, zhàn 8092 E8FA —
字義 ❶ふる-える。ふるう。手足や物がふるえる。❷おどろく（驚）。
解字 篆文 形声。頁＋亶㊟。音符の亶は、戦に通じ、ふるえるの意味。かしらがふるえるさまから、一般に、ふるえるの意味を表す。
【顫動】①ふるえる。ふるえわなく。②ふるい動かす。

14【顯】23画 (13496) ケン 顕（13495）の旧字体。→一五六二ページ中。

14【顬】23画 13518 ㊥ジュ ㊒ニュ 虞 rú ¹9406 — 7225
字義 顳顬は、こめかみ。また、こめかみが動く。
解字 形声。頁＋需㊟。

15【顰】24画 13519 ㊥ヒン ㊒ビン 真 pín 8094 E8FC —
字義 しか-める。ひそ-める。顔をしかめる。眉をひそめる。
解字 篆文 形声。もと、卑＋頻㊟。音符の頻は、しわがよるの意味。卑は、小さいの意味。小さなしわがよるの意味から、顔をしかめるの意味を表す。
【顰△蹙】まゆをしかめる。不快な表情。うれえて楽しまないさま。顰顣。嚬蹙。
【効（效）レ顰】＝効顰（一九四ページ中）。

16【顱】25画 13520 ㊥ロ ㊒ル 虞 lú 8101 E940 —
【髗】13853 同字
字義 どくろ（髑髏）。頭の骨。頭蓋骨。
解字 篆文 形声。頁＋盧㊟。音符の盧は、めし入れの意味。めし入れに似た頭の骨の意味を表す。

17【顴】26画 13521 カン 顴（13523）の俗字。→一五六五ページ下。 8102 E941 —

17【顲】26画 13522 ヤク 籥（8957）と同字。→一〇九四ページ中。 — — 7767

18【顴】27画 13523 ㊥ケン・㊒ゲン ㊀カン（クワン） 先 quán
【顴】13521 俗字
字義 ほおぼね（頰骨）。
解字 形声。頁＋雚㊟。

18
【顳】 27画 13524 ㊥ジョウ(ゼフ) ㊦ニョウ(ネフ) ㊐ショウ(セフ) 🅗 niè 8103 E942 一

字義 **こめかみ**。物をかむとき動く、目のわきの部分。また、その骨。 難読 顳顬(こめかみ)

解字 **形声**。頁＋聶㊊。音符の聶(ジョウ)は、ささやくの意味。人がささやく頭の部分、こめかみの意味を表す。

9画 風 かぜ かぜかまえ

〔部首解説〕 風を意符として、いろいろな風の名称や、風を形容する文字ができている。

0 風 一五六六	颭 一五六八	7 颵 一五六九	10 颼 一五六九	飀 一五六九	飉 一五七〇
3 嵐 四四二	颱 一五六八	8 颶 一五六九	颿 一五九一	飂 一五六九	13 飋 一五七〇
颪 一五六八	颰 一五六八	颹 一五六九	颾 一五六九	12 飆 一五七〇	18 飌 一五七〇
4 颫 一五六八	颮 一五六九	9 颸 一五六九	颻 一五六九	飇 一五七〇	
5 颯 一五六八	6 颳 一五六九	颺 一五六九	11 飄 一五六九	飈 一五七〇	

0
【風】 9画 13525 教2 フウ・フ かぜ・かざ 熟字訓 風邪(かぜ) 一フウ 🅗 fēng 二フウ 送 fēng 慣フ 4187 9597 一

筆順 ノ 几 凡 凡 凬 凬 風 風 風

[凬] 846 古字 [凮] 848 古字 [𩙪] 13550 古字

字義 一 ❶**かぜ**。空気の動き。名詞などの上に付いて、**かざ**。❷ふく(吹)。風がふく。❸すずむ。風にふかれる。風にあたる。 用例 〔論語、先進〕浴二乎沂一、風二乎舞雩一、詠而帰(沂に浴し、舞雩に風し、詠じて帰らん)。↓沂水のほとりでゆあみし、舞雩の雨乞いの壇に上って風に涼み、歌いながら帰ってくる。❹さかりがつく。さかりがついて、おすがめすをおいかける。❺はやい(速)。風のように速い。❻おしえ。みちびき。教化。「風教」❼ならわし。しきたり。慣習。「風習」❽きだて。気質。また、おもむき。態度。❾いきおい。ようす。ふり。「威風」❿『詩経』の六義の一つ。地方の民謡。⓫うた。歌謡。また、歌う。⓬すがた。「風貌」⓭けしき(景色)。風景。⓮病気の名。㋐かぜ(風邪)。㋑中風。手足やからだの一部が自由にならない病気。㋒精神障害。㋓おこり。マラリアに似た熱病。㋔ハンセン病。大風。二ほのめかす。あてこする。それとなく人を教える。＝諷(11318)。

名前 かざ・かぜ・ふう 難読 風雅(みやび)・風合瀬(かそせ)・風子(ふっこ)・風信子(ヒヤシンス)

参考 現代表記では〔諷〕(11318)の書きかえに用いることがある。「諷刺→風刺」

解字 甲骨文 [甲骨文] 篆文 [篆文] **形声**。虫＋凡㊊。音符の凡(ボン＝フウ)は、風をはらむ帆の象形。甲骨文は、凡と同形で帆の象形によって、かぜの意味を表した。篆文の虫は、風雲に乗るたつの意味。この虫を付して、かぜの意味を表す。

逆 暗風・威風・遺風・陰風・英風・回風・下風・家風・逆風・狂風・矯風・驚風・薫風・恵風・景風・好風・国風・谷風・古風・細風・疾風・士風・師風・春風・順風・松風・人風・仁風・正風・清風・旋風・台風・大風・中風・同風・徳風・南風・破風・蛮風・悲風・微風・美風・扶風・弊風・民風・余風・涼風・良風・緑風・烈風・和風

【風韻】 ①すぐれた様子。みやびやかなおもむき。風雅高尚な趣。②かぜの音。風声。

【風雲】 一 ①かぜと雲。②自然をいう。「風雲を友とす」③高位のたとえ。④竜が雲にのり、虎がかぜを従えているように、英雄豪傑が明君や時変に際会し、頭角をあらわすような気運。また、世の中の乱れのたとえ。⑤勢い・才能などの盛んなさま。⑥物事にとらわれることなく、自由自在なさまのたとえ。二 国かぜの吹き起ころうとする前兆の雲。

【風雲月露】 世間の人になんのためにもならない、花鳥風月ばかりを詠じた詩文をいう。

【風雲児(兒)】 国事変などの機会をつかみ、活躍して世に出る人。

【風△烟・風煙】 ①かぜと、もや(かすみ)。②かぜになびくかすみ。

【風△偃】 ①かぜがなびく。また、かぜのようにふしなびく。②かぜが草木をなびかせる。転じて、感化がゆきわたること。

【風△鳶】 紙鳶(たこ)。いかのぼり。風箏(フウソウ)。

【風△簷・風△檐】 かぜのよく吹きかよう、のきば。

【風化】 ①上に立つ者が下の者を感化すること。また、その感化。②物が空気中で空気の作用をうけて変化すること。③国新鮮な記憶が年月とともに薄れること。

【風花】 一 ①かぜに散る花。②かぜの起こるのに先だち、霧が充満すること。まだら模様の雲。二(かざはな・かざばな) 国①かぜが吹き始めようとする時に舞ってくる雪。また、晴れた時に、かぜにのって飛んでくる雪。②かざぼろしの別名。熱でる発疹(ホッシン)。

【風華】 ①風采と才華。②外見の美しいこと。風采。

【風雅】 ①『詩経』の国風と大雅・小雅。国風は地方の民謡、大・小雅は天子・諸侯の宴会の音楽。②詩歌文章。また、その道。③風流。みやびやかなこと。④国俳諧(ハイカイ)。

【風懐(懷)】 風流な胸の中。みやびやかな心。

【風概(槪)】 ①気高い人品。②みさお。節操。③おもむき。ようす。④風采と気概。

【風角】 ①昔の占いの一つ。四方のかぜをうかがって吉凶を占う。②角笛の声。

【風格】 ①人がら。人品。ひん。②よい人がら。気高い人品。③詩文・芸術品などのおもむき。

【風漢】 考えや行動が常軌を逸している人。▼漢は、男の意。

【風鑑】 ①人を見ぬく力。見識。②占いの術。姿や顔立ちで、人の性質を見分ける。

【風岸】 ①かどばって親しみにくい様子。②かぜの吹く川岸。

【風眼】 淋菌によっておこる急性の眼病。

【風気(氣)】 ①かぜ。また、空気。②気候。③風俗。風習。気風。民風。④すぐれた精神。⑤上品な人がら。⑥風中風。ちゅうき。⑦かぜ。風邪。

【風紀】 ①風俗習慣についての規律。日常生活上のきまり。②国男女間の交際の規律。

【風軌】 ①良い人柄。きちんとした人品。立派な風格。②教化のあと。風教。

【風起】 かぜのように急に起こり立つ。

【風義】 徳をもって民を教化するための模範となる行い。風誼。

【風儀】 ①美しいみめかたち。美貌。②様子。姿。容姿。身のこなし。用例〔人虎伝〕想二望風儀一、心目俱断(風儀を想望して、心目俱に断ゆ)。↓君の立派な姿を一目見たいと思い慕っても、眼前にありありと思い浮かぶことは絶えていた。③風俗習慣。④国行儀作法。

【風魚△之災】 ①颶風鰐魚(グフウガクギョ)(海上の暴風と、わに)によってこうむるわざわい。②海賊・外敵などによってこうむる災難。

【風教】 ①人民を感化して教え導くこと。また、その感化教導。教化。②風俗と教化。

【風琴】①琴の一種。②風鈴。③オルガン。④［国］「手風琴」の略。アコーディオン。

【風景】①かぜと光。②景色。ながめ。③人品。姿。

【風穴】［一］かぜが吹き出す穴。［二］［国］風通しをよくするため、壁や窓などにあけた穴。

【風月】①かぜと月。清風と明月。自然の景色、夜景の美しさなど。また、その風流なおもむき。②詩歌。また、詩歌を作ること。また、その才能。③恋愛。

【風憲】風紀を取りしまる規則・役人。

【風光】①景色。ながめ。風景。「風光明媚」②様子。人がら。人品。③おもかげ。

【風候】①気候。時候。②かざみ。かぜの方向を見定める道具。③かぜの具合。風模様。

【風告】それとなく遠まわしに告げること。諷告。

【風骨】①からだの外見と骨組み。からだのようす。体格。風采。②すぐれた骨相・品格。③詩文の中心となる風（情緒）と骨（理念）。〔文心雕竜、風骨〕

【風沙・風砂】大風が砂をまきあげること。また、その砂。

【風△采】人のようす。姿。人品。風姿。風貌。

【風△餐雨△臥】かぜの中で食事をし、雨にうたれて寝る。風雨にさらされて野宿すること。風餐露宿。

【風△餐露宿】＝風餐雨臥。

【風示】それとなく示すこと。諷示。

【風旨】風采と考え。

【風刺】遠まわしにそしること。あてこすり。諷刺。

【風姿】すがたかたち。様子。身なり。風容。

【風指】①考え。おもむき。▼指は、旨。②遠まわしにさとすこと。諷指。

【風師】かぜの神。風伯。

【風疾】①精神に障害のある人。②風邪。③中風。風患。

【風△櫛雨△沐】かぜでくしけずり、雨で髪を洗うこと。苦労をしのんで奔走すること。幾多の困難を重ねること。櫛風沐雨。

【風日】かぜと日光。

【風邪】かぜ。かぜひき。感冒。

【風趣】①おもむき。風致。②風雅なおもむき。

【風樹△之嘆】父母が死んで、孝養をつくそうと思ってもかなわぬなげき。用例〔韓詩外伝、九〕樹欲レ静而風不レ止、子欲レ養而親不レ待也。⬇木が静かになろうとしても、風がやまず（木をゆり動かし）、子が親に孝行をしたいときには親はもうこの世にいない。

【風習】ならわし。風俗習慣。

【風従】かぜに靡く草のように従う。従順の意。

【風尚】①人がらの気高いさま。高いみさお。②人々の好み。好尚。

【風△蕭△蕭△兮易水寒】易水のほとりではかぜがものさびしく吹き、川の流れも冷たい。燕の太子丹が秦の始皇帝暗殺のために旅立つ荊軻を国境の易水のほとりに送ったとき、荊軻が歌ったという詩句。悲壮な心境を、ものさびしく吹くかぜと寒々と流れる易水とに寄せたもの。用例〔史記、刺客伝〕風蕭蕭兮易水寒、壮士一去兮不二復還一。⬇易水のほとりでは風がものさびしく吹き、川の流れも冷たい。血気さかんな男は、今回去ってしまうと二度と帰ってこないだろう。

【風情】［一］①おもむき。ありさま。様子。②風雅な心。③風雅な心。④男女の恋愛の心情。おもむき・あじわい。［二］［国］接尾語。他をいやしめたり、自分を謙遜したりすることば。

【風色】①けしき。ながめ。②かぜのようす。また、天候。③態度と顔色。また、顔色。

【風△燭】①風前のともしび。人生のはかなさのたとえ。②危険な状態にあることのたとえ。

【風信】かぜのおとずれ。季節季節に吹くかぜ。また、その方向をいう。

【風神】［一］①人品。風格。②おもむき。風趣。気韻。③かぜの神。風伯。［二］［国］①かぜの神。②風邪を流行させる神。

【風人】①詩人。②精神に障害のある人。瘋人。

【風△塵】①かぜと、ちり。また、かぜに吹き起こるちり。②兵乱。③人の世。浮世。俗世界。④俗事。わずらわしい事がら。俗塵。⑤役所勤め。官途。⑥地方官。⑦旅行中の苦労。⑧悪いうわさ。「風塵の言」の略。⑨［国］非常に軽いもののたとえ。

【風水】①かぜと水。また、かぜと雨。②陰陽家が、山川・水流の状態を見て宅地・墓地などを占い定める術。

【風生】①かぜが起こる。②はげしく速やかで、当たることのできない形容。

【風声（聲）】①土地・風俗によって定めた教化の法。また、その教え。②＝風教①。③かぜの音。④かぜのたより。⑤評判。

【風声（聲）鶴△唳】かぜの音と鶴の鳴き声。転じて、わずかな物音。また、少しの物音にもこわがって驚くこと。

【風政】徳化と善政。

【風△迹】教化のあと。

【風節（節）】風骨と気節。気節。気概。

【風説】［国］うわさ。風評。風聞。

【風△箏】①紙鳶。風鳶。②風鈴。

【風操】①気高いみさお。②人がらの気高いさま。

【風霜】①かぜと霜。②年月。星霜。③困難・苦難のたとえ。④おごそかできびしいさま（こと）の形容。

【風騒（騷）】①『詩経』の国風と『楚辞』の離騒。②詩歌など風流な事がらをいう。

【風俗】①社会のならわし。風習。②その土地に行われる詩歌。国風。③身なり。服装。④［国］㋐様式。㋑世間の道義。社会倫理。

【風俗通義】書名。十巻。漢の応劭の著。略して「風俗通」ともいう。礼制や世俗の誤った習慣について論じた書。

【風帯（帶）】①かぜに吹かれてなびく帯。舞人の帯のさま。②［国］㋐几帳の上からたれる帯状の細長いきれ。㋑掛け軸の上の方からたれる二本の細長いきれ、または紙。

【風袋】［国］①はかりで物を量る時の、その品物の容器・うわづつみ・袋など。②うわべ。みかけ。外観。

【風態】おもむき。情緒。

【風△鐸】軒端につるす鈴。風鈴。

【風致】①人の様子。人がら。姿。②おもむき。美しいおもむき。風趣。

【風竹】かぜに揺れる竹。また、その音。

【風中灯（燈）】人生のはかなさのたとえ。風燭。

【風潮】①かぜと潮。また、風向きと潮のさま。②暴風。台風。③世の中の傾向。時勢のなりゆき。

【風調】①様子。おもむき。風韻。②詩歌などの調子。③ならわし。しきたり。

【風体（體）】すがた。身なり。様子。表現のスタイル。

【風△顚】常軌を逸した行動をとること。また、その人。

【風土】土地の気候・地形・地味などのありさま。土地の状態。土地がら。

【風土記】［国］①奈良時代、元明天皇の時奉らせた一種の地理書。諸国の地名・伝説などを集めたもので、現在、常陸・播磨・出雲・豊後・肥前の五風土記が残っている。②江戸時代に各地の風土について記述した書。

【風度】①風格のある様子。すぐれたおもむき。気高い人品。②かぜが吹きわたる。

【風灯(燈)】フウトウ ＝風燭フウショク。

【風△濤】フウトウ ①かぜと大波。風浪。風波。②世間・人生の困難をいう。

【風動】フウドウ ①かぜがはげしく吹く。②かぜが草木を動かすように、民を動かす。感化する。

【風波】フウハ ①かぜと波。②動揺しておだやかでないもののたとえ。「風波の民」③もめごと・争いなど。④浮世のわずらいをいう。

【風馬】フウバ ①神が乗ると伝えられる馬。神駕シンガ。②勝手きままに走る馬。

【風馬牛】フウバギュウ・フウするバギュウ 無関係なことのたとえ。→風馬牛不ㇾ相及。

【風馬牛不㆓相及㆒】フウするバギュウもあい(ひ)およばず ①慕い合う雌雄の牛馬が、互いに求めても会えないほど遠く離れていること。〔左伝、僖公四〕②遠くはなれていること・無関係なことのたとえ。

【風△旆】フウハイ かぜにひるがえるはた。

【風媒花】フウバイカ かぜの媒介で受粉する花。松や杉の類い。

【風伯】フウハク ①かぜの神。風師。②鳥の名。とび(鳶)の別名。

【風△雹】フウハク かぜに飛ぶひょう。時の経過の早いことのたとえ。

【風発(發)】フウハツ ①かぜが起こる。②かぜの起こるようにいきおいのはげしい(また、さかんな)こと。

【風帆】フウハン ①草がかぜにふくらんだ、船の帆。また、その船。かぜを受けてふくらんだ、船の帆。また、その船。

【風△靡】フウビ ①草がかぜになびくように服従する。また、なびき従わせる。②かぜが吹く。

【風表】フウヒョウ 外見。風貌フウボウ。

【風評】フウヒョウ 国うわさ。評判。風説。

【風標】フウヒョウ ①おもむき。ようす。ありさま。風采フウサイ。②標識。表示。

【風△飈】フウヒョウ つむじかぜ。旋風。

【風不ㇾ鳴ㇾ条(條)】かぜえだをならさず 世の太平なさまのたとえ。〔論衡、是応〕

【風物】フウブツ ①けしき。ながめ。景物。②国季節季節の物。「風物詩」

【風聞】フウブン ①かぜのたよりに聞く。うわさに聞く。②うわさ。風評。風説。

【風△丰】フウボウ すがたかたち。風貌フウボウ。

【風望】フウボウ ①よい風評と人望。名声と人望。②風采フウサイ。りっぱな風采。

【風貌】フウボウ すがた。かたち。風采容貌フウサイヨウボウ。

【風木△之悲】フウボクのかなしみ ＝風樹之嘆。

【風味】フウミ ①奥ゆかしいおもむき・性格。②上品なよい味。また、そのもの。

【風喩・風諭】フウユ 遠まわしにさとすこと。

【風葉】フウヨウ かぜに吹かれる草木の葉。かぜに吹き散らされる木の葉。

【風謡(謠)】フウヨウ はやりうた。俗謡。

【風来(來)】フウライ ①かぜが吹いてくること。②国㋐かぜに吹かれたようにどこからともなく来ること。㋑住所が定まらず、さまよい歩く。「風来坊」

【風雷】フウライ ①かぜと雷。暴風と迅雷ジンライ。②甚だ大きい音の形容。③甚だ恐るべきもののたとえ。④勢いの盛んな形容。

【風△籟】フウライ かぜの音。風声。風韻。

【風流】フウリュウ ①なごり。遺風。流風。特に、美風のなごり。②みやびやかなこと。高尚なおもむき。また、そのおもむきのあること。風雅。③態度。様子。④品格。人がら。⑤自由奔放なこと。⑥色好み。⑦国㋐意匠をこらして美しくかざること。㋑はやしもの。歌舞。

【風流雲散】フウリュウウンサン ①かぜが雲を吹き散らす。ちりぢりになって跡かたなく消滅すること。②人々がちりぢりになる形容。

【風流三昧】フウリュウザンマイ 詩歌文芸など(風流なこと)に熱中すること。

【風力】フウリョク ①かぜの強さ。風勢。②様子と骨組み。風采骨力。③人を感化する力。

【風林】フウリン かぜにそよぐ林。

【風林火山】フウリンカザン 国日本の戦国時代の武将、武田信玄が軍旗に用いた語。『孫子』軍事の「疾如ㇾ風ときことかぜのごとく、徐如ㇾ林しずか(づ)かなることはやしのごとく、侵掠如ㇾ火シンリャクすることひのごとく、不ㇾ動如ㇾ山うごかざることやまのごとし」の略語。

【風鈴】フウリン のきばにつるす鈴。風鐸フウタク。

【風△厲】フウレイ ①かぜがはげしい。②教えはげます。勉励。

【風烈】フウレツ かぜがはげしく吹く。

【風炉(爐)】フウロ・フロ 国茶の湯で、湯を沸かす道具。

【風露】フウロ 風と霧。

【御ㇾ風】かぜにギョす かぜに乗る。用例〔荘子、逍遥遊〕夫列子御ㇾ風而行かのレッシは、かぜにギョしてゆく。⇩あの列子は、風に乗って旅した。

【信ㇾ風】かぜにまかす ①かぜに吹かれてその方向に行くこと。②かぜにたよること。

3【嵐】12画 (2969) ラン 山部。→四三ページ中。

3【颪】12画 13526 国字 字義 おろし。山の上から吹きおろす風。解字 会意。風＋下。吹き下ろす風の意味を表す。 8104 E943 —

4【颫】13画 13527 漢フ 呉ブ 虞 fú 字義 ❶おおかぜ(大風)。❷颫颻フヨウは、つむじかぜ。旋風。扶揺フヨウ。解字 形声。風＋夫音。 2 9231 — 7226

5【颯】14画 13528 人 ソウ(サフ) 合 sà 慣サツ 筆順 ㇀ ㇗ 亠 立 竌 竨 颯 颯 颯 字義 ❶風の吹く音。❷はやて。疾風。❸おとろえる。❹みだれる(乱)。名前 そう 解字 形声。風＋立音。 8105 E944 —

【颯颯】サツサツ 同颯爾サツジ・颯然。①風のさっと吹くさま。また、その音の形容。②雨の降るさま。また、その音の形容。

【颯△爾】サツジ ＝颯颯。

【颯然】サツゼン ＝颯颯。

【颯爽】サッソウ ①姿などが勇ましく、きりっとしているさま。②きびきびして気持ちがよいさま。

【颯△沓】サットウ ①重なりあうさま。②多くさかんなさま。

5【颭】14画 13529 セン 琰 zhǎn 字義 ❶なみだつ。風に吹かれて波が立つ。❷そよぐ。動く。また、そよがせる。風が物を動かす。解字 形声。風＋占音。 2 9232 — 7227

5【颱】14画 13530 タイ tái 字義 台風。夏から秋にかけて、南方から襲来する暴風雨。春から夏にかけてのものは颶グという。参考 現代表記では〔台〕(1317)に書きかえることがある。「颱風→台風」 解字 形声。風＋台音。 8106 E945 —

5【颰】14画 13531 一 漢ハツ・呉ホチ 月 bá 二 漢フツ・呉フチ 物 fú 字義 一 ❶はやて。疾風。❷颰颰は、風の速いさま。二 そよかぜ。また、はやて。 2 9233 — 7229

解字 形声。風＋犮音。

5【颰】14画 13532 ㊀ヒョウ(ヘウ) 蕭 biāo ㊁漢ホウ(ハウ) 呉ボウ(バウ) 肴 páo — — 7228

字義 ㊀つむじかぜ。＝飆(13545)。㊁あらし。はやて。暴風。

解字 形声。風＋包音。

6【𩗗】15画 13533 国字 29234 — —

字義 ならい(ならひ)。本州の太平洋岸で、冬に吹く強い風。

7【颴】16画 13534 漢セン 呉ゼン 先 xuán — — 7230

字義 風が回る。つむじかぜ。

解字 形声。風＋旋省音。音符の旋は、めぐるの意味。

8【颶】17画 13535 漢ク 呉グ 遇 jù 8107 E946 —

字義 つむじかぜ。暴風。春から夏にかけて、南方から襲来する暴風雨。颶風。夏から秋にかけてのものを颱(イタ)という。

解字 形声。風＋具音。

【颶気】キグ ＝颶風。

【颶風】グフウ ①大きなつむじかぜ。颶母。②熱帯地方に発生する暴風の総称。台風。

8【颷】17画 13536 ヒョウ 飆(13545)の俗字。→一五七〇ジ上。 29235 — 7231

9【颸】18画 13537 シ 支 sī 29236 — 7232

字義 ❶すずかぜ。すずしい風。❷はやい(疾)。また、はやて。疾風。

解字 形声。風＋思音。

【颸颸】シシ 風がさっと吹くさま。颸然。

9【颺】18画 13538 ヨウ(ヤウ) 陽 漾 yáng 19407 — 7233

字義 ❶あ-げる。また、あ-がる。㋐風が物を吹きあげる。風が吹きあがる。用例〔東晋、陶潜、帰去来辞〕舟揺揺以軽颺(ふねはヨウヨウとしてもってかるくあがり)、風飄飄而吹レ衣(かぜはヒョウヒョウとしてころもをふく)。↓舟はゆらゆらとゆれ動いて、軽く風にあおられて進み、風はひらひらとわが衣を吹いている。㋑おこる。おこす。㋒声をはりあげる。㋓鳥などが飛びあがる。㋔ほめあげる。❷あらわす。また、あらわれる。ひきたつ。

解字 篆文 形声。風＋昜音。音符の昜(ヨウ)は、あがるの意味。風に吹きあげられるの意味を表す。

【颺言】ヨウゲン ①声をはりあげていう。揚言。②おおげさにいう。③公然といいふらす。

【颺颺】ヨウヨウ ①風に吹き上げられるさま。②ひるがえるさま。風にゆれ動くさま。

10【颼】19画 13539 シュウ(シウ) 尤 sōu 29238 — —

字義 ❶颼颼は、㋐風の音の形容。㋑雨の音の形容。㋒寒気の形容。❷そよかぜ。

解字 形声。風＋叟音。

10【颿】19画 (13766) ハン 馬部。→一五九一ジ中。

10【䬘】19画 13540 ヨウ(エウ) 蕭 yáo 29237 — 7234

【颻】13541 同字

字義 ❶ふきあがる風。❷風にゆらぐさま。䬘䬘。

解字 形声。風＋䍃音。音符の䍃(ヨウ)は、ゆれるの意味。風にゆれるの意味を表す。

10【颻】19画 13541 ヨウ 䬘(13540)と同字。→一五六九ジ中。

11【飄】20画 13542 ヒョウ(ヘウ) 蕭 piāo 8108 E947 —

【飃】13543 同字

字義 ❶つむじかぜ。旋風。❷方向の一定しない風。❸はやて。疾風。❹風が吹く。また、風が吹くさま。❺ひるがえ-る。ひるがえす。また、ひるがえす。❻ただよう。さまよう。＝漂(6652)。用例〔唐、白居易、長恨歌〕驪宮高処入二青雲一(リキュウたかきところセイウンにいり)、仙楽風飄処処聞(センガクかぜにひるがえりてショショにきこゆ)。↓驪山の離宮の高いところは、はるか雲の中に入りこみ、この世のものとも思えない楽の音が、風のまにまにそこここから聞きとれる。❼おちる(落)。❽はやい。また、はやくする。

解字 篆文 形声。風＋票(䙴)音。音符の䙴(ヒョウ)は、火の粉が舞いあがるの意味。舞いあがる風、つむじ風の意味を表す。

【飄逸】ヒョウイツ ①俗事にこだわらず、気の向くままにふるまうこと。②才気のすぐれたさま。

【飄瓦】ヒョウガ 屋根から偶然落ちてくるかわら。天災のこと。

【飄客】ヒョウカク 遊びうかれる男性。嫖客(ヒョウカク)。

【飄寓】ヒョウグウ ＝飄泊。

【飄忽】ヒョウコツ ①たちまち。忽然。②風の速いさま。

【飄疾】ヒョウシツ はやいこと。すみやか。

【飄旋】ヒョウセン ひるがえりめぐる。ひるがえりながらまわる。

【飄然】ヒョウゼン ①ひるがえるさま。ひらひらするさま。②ぶらりと来たり、去ったりするさま。③居所の定まらぬさま。④利欲の心を全く捨てるさま。

【飄墜】ヒョウツイ ひるがえり落ちる。飄零。

【飄転】【飄轉】ヒョウテン 風に吹かれてころがり飛ぶ。

【飄蕩】ヒョウトウ ①さすらう。流浪。また、さすらいの運命。用例〔唐、杜甫、羌村詩〕世乱遭二飄蕩一(よみだれてヒョウトウにあい(ひ))、生還偶然遂(セイカングウゼンにとげたり)。↓世が乱れているので、私はさすらいの運命を送って来たのだが、偶然にも生きて帰ってきたのだ。②おちぶれる。③ゆれ動く。

【飄泊】ヒョウハク 故郷をはなれてさまよいあるくこと。さすらい。流浪(ルロウ)。漂泊。飄寓(ヒョウグウ)。

【飄泛】ヒョウハン ひらひらと浮かぶ。また、さすらいゆくこと。

【飄飄】ヒョウヒョウ ①風の吹くさま。②風に吹かれてひるがえるさま。用例〔北宋、蘇軾、前赤壁賦〕飄飄乎如二遺レ世独立羽化而登仙一(ヒョウヒョウコとしてよをわすれてドクリツしウカしてトウセンするがごとし)。↓ひらひらと風に乗っているようで、世間の一切を忘れて、ひとり万物の外に立ち、身に羽が生えて仙人となり空中を飛び天にも登るような感じがしてくる。③さまようさま。行く先などが定まらないさま。用例〔唐、杜甫、旅夜書レ懐詩〕飄飄何所レ似(ヒョウヒョウとしてなんのにたるところぞ)、天地一沙鷗(テンチイチサオウ)。↓風に吹かれるがままにさすらいさまよいゆくわが身は、何に似ているというべきか。この広い天地の間にねぐら定めぬ、砂浜の一羽のかもめだろうか。④世間ばなれしていて、つかまえどころのないさま。

【飄眇】ヒョウビョウ 声が長くて清らかなさま。

【飄風不レ終レ朝】ヒョウフウチョウをおえ(へ)ず つむじ風は朝の間中、吹き続けることはできない。不自然なもの、無理するものは長く続かぬことのたとえ。〔老子、二十三〕

【飄蓬】ヒョウホウ 風にひるがえりながら飛んで行く蓬(アカザ科の二年草)。流浪する者のたとえ。

【飄揚】ヒョウヨウ ひるがえりあがる。風に吹かれて空中に舞う。

【飄揺(搖)・飄䬘】ヒョウヨウ ①ひるがえり動く。②動揺して定まらないさま。

【飄颺】ヒョウヨウ ＝飄揚。

【飄零】ヒョウレイ ①木の葉がひらひらと落ちること。飄墜。②おちぶれること。零落。落魄(ラクハク)。

11【飃】20画 13543 ヒョウ 飄(13542)と同字。→一五六九ジ中。 8109 E948 —

11【飂】20画 13544 ㊀漢リュウ(リウ) 呉ル 尤 liú ㊁リョウ(レウ) 蕭 liáo 29240 — 7236

字義 ㊀❶高い所を吹く風。❷西風。㊁飂戾(リョウレイ)は、風の音の形容。

解字 形声。風＋翏音。

【飂飂】リュウリュウ・リョウリョウ 風の吹くさま。
【飂戾】リュウレイ ①風の音の形容。②水の速く流れるさま。

12【飆】21画 13545 ヒョウ(ヘウ) 蕭 biāo ［飇］13536俗字 ［颷］13546俗字 ［飊］13547俗字 8110 E949 —
字義 つむじかぜ。旋風。また、疾風。＝颮(13532)。
解字 篆文 形声。風＋猋音。音符の猋は、犬が群れ走るの意味。また、票に通じ、まいあがるの意味。舞いあがる風、つむじ風の意味を表す。
【飆△塵】ヒョウジン 風に吹き飛ばされるちり。飛塵。

12【颷】21画 13546 ヒョウ 飆(13545)の俗字。→一五七〇ページ上。 29241 — —

12【飊】21画 13547 ヒョウ 飆(13545)の俗字。→一五七〇ページ上。 19408 — 7238

12【飀】21画 13548 漢リュウ(リウ) 呉ル 尤 liú — — 7237
字義 ❶高い所を吹く風。❷颼飀は、風の音の形容。❸飀飀は、風のそよそよ吹くさま。
解字 形声。風＋留音。

13【飋】22画 13549 漢シツ 呉シチ 質 sè 29242 — —
字義 ❶あきかぜ。❷清く涼しいさま。
解字 形声。風＋瑟音。

18【飌】27画 13550 フウ 風(13525)の古字。→一五六六ページ上。 — — 7239

9画 飛 とぶ

〔部首解説〕飛を意符として、飛ぶことを表す文字ができている。

0 飛 一五七〇 12 飜 一五七一

0【飛】9画 13551 ヒ 微 fēi 教4 ヒ とぶ・とばす 4084 94F2 —

筆順 

字義 ❶とぶ。とばす。㋐空をとぶ。空にあがる。㋑はねまわる。はねあがる。㋒ちらばる。とび散る。「飛散」㋓こえる(超)。㋔ひるがえる(翻)。㋕はやく行く。走る。㋖伝わる。世間に伝わり広まる。❷はやい。とぶように速い。❸たかい(高)。「飛閣」 国とぶ。順序を経ないで進む。

名前 たか・ひ 難読 飛鼯・飛蝗・飛驒・飛沫・飛礫

参考 現代表記では〔蜚〕(10629)の書きかえに用いることがある。「蜚語→飛語」

使いわけ とぶ〔飛・跳〕
〔飛〕空中を移動する。英語の fly に相当する。「渡り鳥が飛ぶ」
〔跳〕足を使ってとびあがる。英語の jump に相当する。「鶏は飛べないが跳ぶことはできる」
なお、派生的用法では、広く〔飛〕を用いる。「一二ページ飛ばす・うわさが飛ぶ・音が飛ぶ」

解字 篆文 象形。鳥が羽をうち振ってとぶさまにかたどり、とぶの意味を表す。

逆 雨飛・高飛・突飛・奮飛・雄飛・竜飛

【飛宇】ウヒ 家の高い軒。飛軒。飛簷。
【飛雨】ウヒ 風に吹き飛ばされて降る雨。
【飛△燕】ヒエン ①飛んでいるつばめ。「飛燕の速業」②前漢の成帝の趙皇后の号。体が軽く、舞う姿が燕のようだったと伝えられる。
【飛△燕外伝(傳)】ヒエンガイデン 書名。小説。一巻。後漢の伶玄の作といわれるが、不詳。前漢の成帝の皇后、趙飛燕とその妹の合徳(昭儀)とが天子の愛を争う物語。
【飛△簷・飛△簷】ヒエン 家の高い軒。飛宇。
【飛△舸】ヒカ 速く走る舟。飛舟。
【飛禍】ヒカ 思いがけない災難。奇禍。横禍。
【飛客】ヒカク 仙人をいう。
【飛閣】ヒカク ①高い建物。飛楼。②高いかけ橋。
【飛鏡】ヒキョウ 月をいう。空高くかかる鏡の意。用例〔唐、李白、把レ酒問レ月詩〕皎如三飛鏡臨二丹闕一、緑煙滅尽清輝発 ↓月は白く輝いて、空を飛ぶ鏡が朱塗りの門にさしかかったようであり、夕靄もすっかりはれて月の光がさえわたる。
【飛△檄】ヒゲキ ①急ぎの檄文。羽檄。▼檄は、回状・回文。②＝飛レ檄(七七二ページ中)。
【飛軒】ヒケン 家の高い軒。飛宇。
【飛言】ヒゲン うわさ。根拠のない説。流言。飛語。蜚語。
【飛語】ヒゴ うわさ。根拠のない説。また、それを送ること。
【飛札】ヒサツ 急ぎの手紙。飛言。
【飛桟(棧)】ヒサン 高くけわしいかけ橋。
【飛耳長目】ヒジチョウモク ①遠方のことを見聞きすることができる耳や目。②物事を観察することが鋭敏なこと。
【飛△錫】ヒシャク 仏僧が各地を巡り歩くこと。行脚。▼錫は、錫杖(僧が用いるつえ)。↔掛錫(五九六ページ下)。
【飛舟】ヒシュウ 速く走る舟。はや舟。軽舸。飛舸。
【飛書】ヒショ ①急ぎの手紙。また、それをやること。飛札。②書いた人のわからぬ手紙。無名の投書。
【飛将(將)】ヒショウ すぐれた大将。名将。漢の李広が匈奴に呼ばれたのに始まる。
【飛章】ヒショウ 手紙を急いで送る。また、急ぎの手紙。
【飛△翔】ヒショウ 空を飛びかけること。蜚翔。
【飛仙】ヒセン 空を飛ぶ仙人。また、仙人のこと。
【飛泉】ヒセン ①たき(滝)。瀑布。②ふき出る泉。噴泉。
【飛走】ヒソウ ①飛び走る。②鳥獣。▼飛は飛ぶ鳥、走は走る獣。
【飛△湍】ヒタン 水の勢いよく流れる瀬。はやせ。急湍。
【飛鳥】㊀ヒチョウ 空を飛ぶ鳥。用例〔東晋、陶潜、飲酒詩〕山気日夕佳、飛鳥相与還 ↓山のたたずまいは夕暮れにすばらしく、飛ぶ鳥は、つれだって(山のねぐらに)帰ってゆく。㊁あすか 国奈良盆地南部の地名。この地に都がおかれた五九二年から七一〇年までを飛鳥時代という。
【飛鳥尽(盡)良弓蔵(藏)】ヒチョウつきてリョウキュウおさめらる 捕獲すべき鳥が捕らえつくされると、よい弓はしまわれる。敵が滅びると、戦功のあった謀臣は殺される、というたとえ。また、用がある時はさかんに使われて、用がなくなると捨てられることのたとえ。高鳥尽良弓蔵。〔論衡、骨相〕
【飛伝(傳)】ヒデン 急使を乗せて走る馬。はや馬。星伝。
【飛電】ヒデン ①いなびかり。②至急の電報。
【飛棟】ヒトウ 高い屋根のむな木。高棟。
【飛騰】ヒトウ とび上がる。舞い上がる。飛揚。
【飛白】㊀ヒハク 書体の名。かすり書きにする書法。㊁かすり 国かすり模様。また、その染め物。絣。
【飛△瀑】ヒバク ＝飛泉。
【飛文】ヒブン ①根拠のないことを記した文書。②すぐれた文章。
【飛報】ヒホウ 急ぎの知らせ。急報。
【飛△蓬】ヒホウ ①枯れて風にひるがえって飛んで行く蓬(アカザ

飛白㊀

科の二年草）。②乱れた頭髪をたとえていう。③動揺して定まらないさまのたとえ。④旅人、または、旅にある境遇をたとえていう。

【飛沫】ヒマツ しぶき。飛び散る水のはね。

【飛躍】ヒヤク ①高く飛び上がること。②国㋐勢いよく活躍すること。㋑急速に進歩すること。㋒正しい順序・段階を経ないこと。一足飛び。「論理の飛躍」

【飛揚・飛颺】ヒヨウ ①飛び上がる。舞い上がる。飛騰ヒトウ。②ひるがえり飛ぶ。③高くひるがえる。④乱れること。落ちつかぬこと。⑤自由自在なこと。気ままにふるまうこと。

【飛流】ヒリュウ ①飛ぶように流れる。②速い流れ。また、滝。

【飛流直下三千尺】ヒリュウチョッカサンゼンジャク 勢いよく落ちる流れはまっすぐに三千尺もある。用例〔唐、李白、望廬山瀑布詩〕飛流直下三千尺ヒリュウチョッカサンゼンジャク、疑是銀河落九天うたがうらくはこれギンガのキュウテンよりおつるかと。↓飛ぶような流れが勢いよく真下に落ちること三千尺、天の川が九重の天の高きから落ちてきたかのよう。

【飛竜（龍）】ヒリョウ・ヒリュウ ①空を飛ぶ竜。②良馬をいう。

【飛竜（龍）在天】ヒリョウテンにあり 聖人が天子の位にあることのたとえ。〔易経、乾〕

【飛竜（龍）乗（乘）雲】ヒリョウくもにのる 竜が雲に乗って天に上る。英雄が時に乗じて勢いを得るたとえ。〔韓非子、難勢〕

【飛輪】ヒリン 太陽の別名。

【飛廉】ヒレン ①殷インの紂王チュウオウの佞臣ネイシン（悪い家来）の名。②風の神。③神禽シンキン（不思議な鳥）の名。④長い毛と翼のある怪犬の名。蜚廉ヒレン。

【飛楼（樓）】ヒロウ ①敵の城を見おろせるように作られた、高い車。楼車。②高い二階建ての家。たかどの。高楼。飛閣。③気象の関係で、空中に現れるたかどの。蜃気楼シンキロウ。

12【飜】21画 13552 人 ホン 7044 E3CA 一

翻（9560）と同字。→一二六一ジー下。

9画

食（𩙿・飠）

しょく しょくへん（𩙿・飠） 飠は八画。

［𩙿］ $_{2}$9244 ［飠］ $_{2}$9243

〔部首解説〕飠は、筆写体による。「表外漢字字体表」では、原則として𩙿の字形をとるが、現に用いられている飠の字形については、一括許容としている。また、平成二十二年改定の「常用漢字表」でも、新たに追加された餌・餅について、飠を許容している。食を意符として、いろいろな種類の食物や、飲食する行為に関する文字ができている。

0 食 一五七一	飠 一五七二	2 飢 一五七二	飡 一五七二	飣 一五七二
3 飦 一五七二	飧 一五七二	飥 一五七二	4 飲 一五七三	飪 一五七三
飱 一五七三	飭 一五七三	飩 一五七三	飯 一五七三	飰 一五七三
飫 一五七三	飫 一五七四	5 飴 一五七四	飴 一五七四	飼 一五七四
飳 一五七四	飾 一五七四	飶 一五七四	飽 一五七四	6 餃 一五七四
飬 一五七四	餌 一五七四	餌 一五七四	餉 一五七四	蝕 一二六二
飷 一五七五	餞 一五七五	餂 一五七五	餇 一五七五	餅 一五七五
餅 一五七五	養 一五七五	7 餓 一五七五	餐 一五七六	餕 一五七六
餝 一五七六	餗 一五七六	餒 一五七六	餖 一五七六	餔 一五七六
餑 一五七六	餘 一五七六	餈 一五七六	8 餡 一五七六	餧 一五七六
餜 一五七六	館 一五七六	餚 一五七七	餛 一五七七	饒 一五七七
餞 一五七七	餤 一五七七	餦 一五七七	餟 一五七七	餴 一五七七
餅 一五七五	餢 一五七七	9 餲 一五七七	餵 一五七七	餫 一五七七
饂 一五七七	餬 一五七七	餱 一五七七	[illegible] 一五七七	餮 一五七七
餳 一五七七	餠 一五七七	10 餼 一五七七	餽 一五七七	饁 一五七八
餻 一五七八	餹 一五七八	餡 一五七八	餺 一五七八	餾 一五七八
饇 一五七八	11 饗 一五七八	饉 一五七八	饈 一五七八	饆 一五七八
饅 一五七八	饇 一五七八	12 饐 一五七八	饋 一五七八	饑 一五七八
饎 一五七九	饒 一五七九	饌 一五七九	饍 一五七九	饋 一五七九
13 饗 一五七九	饗 一五七九	饘 一五七九	饔 一五七九	饙 一五七九
饛 一五七九	饔 一五七九	14 饜 一五七九	饢 一五八〇	17 饞 一五八〇
饟 一五八〇	19 饠 一五八〇			

0【食】9画 13553 教 2 3109 9048 一

一 ショク・ジキ く-う・く-らう・た-べる

0〔食〕9画 13554 一 漢ショク・呉ジキ 職 shí 二 漢シ・呉ジ 寘 sì 三 イ 寘 yì

〔飠〕13555 本字

筆順 ノ 人 亼 今 今 𩙿 食 食 食

字義 一 ❶く-う。く-らう。た-べる。は-む。㋐かんで飲みこむ。食事をする。㋑飲む。用例〔漢書、于定国伝〕定国食酒至数石不乱テイコクさけをくらいていたるもみだれず。↓定国は酒を多く飲み数石に及んでも乱れることがなかった。
❷めし。たべもの。また、めしを食うこと。食事。用例〔論語、述而〕発憤忘食いきどおりをハッしてショクをわする。↓（勉強していて理解できないことがあると）発憤して食事を忘れる。
❸は-む。㋐扶持フチを受ける。扶持。用例〔史記、循吏伝〕使食禄者不得与下民争利ロクをはむものをしてカミンとリをあらそう（ふ）をえざらしむ。↓俸禄を得ている役人が民衆と利益を争うことができないようにした。㋑頼りとして生活する。生活のよりどころとする。用例〔国語、晋語四〕士食田シはデンに、庶人食力ショジンはちからにはむ。↓士は公田によって生活し、庶民は自分の力で食料を得る。
❹うける。受け入れる。また、用いる。用例〔易経、訟〕食旧徳キュウトクにはむ。↓旧来の食禄ショクロクを受け入れる。
❺いつわる。発言したことを実行しない。用例〔左伝、僖公十五〕我食吾言、背天地也われわがゲンをはむは、テンチにそむくなり。↓私が自分の言葉を実行しなければ、天と地とに背くことになる。
❻かける（欠）。日月が欠ける。＝蝕（10652）。「日食」 ❼まつる。祭られる。

二 ❶く-らわす。他人に食べさせる。用例〔論語、微子〕止子路宿、殺鶏為黍而食之シロをとどめてシュクせしめ、にわ（は）とりをころしきびをつくりてこれをくらわ（は）しむ。↓子路を自分の家に泊まらせ、鶏を殺してあつものを作り、きび飯を炊いてもてなした。
❷やしな-う。食べさせる。育てる。かう（飼）。用例〔唐、韓愈、雑説〕食馬者、不知其能千里而食也うまをやしなう（ふ）ものは、そのノウのセンリなるをしりてやしなわ（は）ざるなり。↓馬を飼っている人は、その馬が一日に千里も走れることを承知して養っているのではない。
❸うかが-う。うたが-う。❹めし。食糧。

三 人名。酈食其レキイキは、漢の高祖に仕えた論客。

名前 あき・あきら・うけ・くら・け・みけ 難読 食満まけ

参考 現代表記では「蝕」（10652）の書きかえに用いることがある。「皆既蝕→皆既食」「月蝕→月食」「蝕甚→食甚」「侵蝕→侵食」「日蝕→日食」「腐蝕→腐食」

解字 甲骨文  金文  篆文  象形。甲骨文でよくわかるように、食器に食物を盛り、それにふたをした形にかたどり、たべもの・くうの意味を表す。

逆 悪食・衣食・火食・寒食・甘食・寄食・血食・月食・菜食・蚕食・酒食・冗食・侵食・寝食・節食・鮮食・大食・断食・徒食・肉食・日食・馬食・飯食・伴食・美食・服食・腐食・偏食・暴食・粒食

【食案】ショクアン 食事をする机。飯台。

【食咽】ショクエツ 物を食べてむせぶ。せきこむ。

【食貨】ショッカ 穀物と財貨。民生をささえる根本となるもの。転じて、経済。

【食貨志】ショッカシ 正史の分類の一項目。経済のことを記したもの。

【食客】ショッカク ①客分としてかかえた家来。用例〔十八史略、春秋戦国、斉〕食客数千人ショッカクスウセンニン、名声聞於諸侯メイセイショコウにきこゆ。↓食客が数千人いて、その名声は天下に知れわたっていた。②飲食店に料理を食べに来る客。③国他人の家に寄食する人。いそうろう。

【食気(氣)】㊀ショッキ ①気を食う。鬼神が供物を食べること。②空気を吸う。道家の養生法の一つ。今の深呼吸の類い。㊁シキ 穀物を食べようという気持ち。㊂けくい(ひ) 国食欲。

【食牛△之気(氣)】ショクギュウのキ 牛をも食べるほどの大きな気性。幼少から大志のあることをいう。呑牛之気ドンギュウのキ。

【食頃】ショッケイ・ショクケイ 食事するぐらいのわずかな時間。用例〈十八史略、春秋戦国、斉〉出食頃いでてショクケイにして、追者果至おう(ふ)ものはたしていたるも、而不レ及およばず。↓出発してからほんの食事をするほどの短時間の後に、追っ手がはたして函谷関に到着したが、もう間に合わなかった。

【食言】ショクゲン 自分の前に言ったことばを食べてしまう意で、それにそむき、それを実行しないこと。うそをつくこと。食レ言ゲンをはむ・ゲンをショクす。

【食指動】ショクシうごく ①人さし指がひとりでに動く。鄭テイの公子宋ソウが自分の人さし指の動くのを見て、ごちそうを得る前兆だと言った故事による。〈左伝、宣公四〉②ある物事に対して、ほしいという気持ちの起きることをいう。

【食時】ショクジ ①物を食べる時。②少しの間。

【食餌】ショクジ ①食いもの。かて。②餌えさを食う。

【食傷】ショクショウ 国①食あたり。食中毒。②食べあきること。③何度も同じようなことに接してあきること。

【食色】ショクショク 飲食と女色。食欲と性欲。〈孟子、告子上〉

【食甚】ショクジン 日食や月食で、太陽や月の欠けかたが最も大きくなった状態。蝕甚ショクジン。

【食前方丈】ショクゼンホウジョウ ごちそうを自分の前に一丈四方も並べること。ぜいたくな食事のこと。

【食田】ショクデン ①田地からの収入でくらすこと。②知行所。領地。

【食道】ショクドウ ①食糧を運ぶ道。糧道。②食事の作法。③のどから胃に通じる食物の通るくだ。

【食肉】ショクニク ①鳥獣の肉を食べること。②肉を食べることのできる人。位の高い人。③国食用の肉。

【食不レ重レ肉】ショクはニクをかさねず 一食に二品の肉を食べない。質素な生活をいう。用例〈史記、晏嬰伝〉食不レ重レ肉ショクはニクをかさねず、妾不レ衣レ帛ショウはきぬをきず。↓食事は一食に二品の肉を食べず、側室はぜいたくな絹の衣服を着なかった。

【食不レ二レ味】ショクあじ(ぢ)わい(はひ)をふたつにせず 一食におかずを二品つけない。質素倹約な生活をいう。〈左伝、哀公元〉→食不レ重レ肉。

【食封】㊀ショクホウ 地行所。領地。食邑ショクユウ。㊁ジキフ 国古代、てがら位のある家来にたまわった俸給。

【食俸】ショクホウ ①くいぶち。食禄ショクロク。②俸禄ホウロクで生活する。また、月給取り。サラリーマン。

【食△邑】ショクユウ 土地の租税によって生活する意から、〈天子からもらった〉領地をいう。邑をはむ。

【食料】ショクリョウ ①食物。②食費。◆一般に、主食以外の、肉・野菜・調味料などを「食料」、穀類などの主食や必要な分として準備された食物を「食糧」と表記する。「食料品店」「食糧危機・三日分の食糧」

【食糧】ショクリョウ 食物。かて。→食料。

【食△禄】ショクロク ＝食俸。

【以レ食為(爲)レ天】ショクをもってテンとなす 〈人民は〉食糧をもっとも大切なもの〈生活をささえる根本〉と考える。〈史記、酈生伝〉

【甘レ食】ショクをあましとす・うましとす どんな食物でも、うまいとして食べる。甘食カンショク。用例〈唐、柳宗元、捕レ蛇者説〉退而甘二食其土之有一しりぞきてそのドのユウをあましとす、以尽二吾歯一もってわがはをつくす。↓家にもどると、土地の産物をうまいといって食べ、そして天寿を全うしていくのです。

0 【飠】 10画 13555 ショク 食(13553)の本字。→一五七一ジ中。

2 【飢】 10画 13556 常 キ うえる 2118 8B51 一

2 〔飢〕 11画 13557 キ 支 jī

筆順 ノ 𠆢 今 今 今 𩙿 食 飠 飢

字義 ❶うえる(う)。かつえる(かつう)。㋐腹がへってひもじくなる。「凍飢」㋑ひどくほしがる。「飢渇」❷うえ(う)。うえること。また、その状態。❸食物がとぼしい。❹穀物が実らない。飢饉キキン。凶作。

参考 現代表記では〔饑〕(13650)の書きかえに用いることがある。「饑餓→飢餓」

解字 篆文 形声。食＋几音。音符の几キは、稽ケイに通じ、とどまるの意味。食物が底をつく、うえるの意味を表す。

逆 調飢

【飢餓】キガ うえること。饑餓キガ。▼餓は、うえのひどいこと。

【飢渇(渴)】キカツ ①腹がへり、のどがかわくこと。②ひどくほしがること。

【飢寒】キカン うえとこごえる。また、うえと寒さ。

【飢△饉】キキン 農作物の実りが悪く、食物が不足すること。

【飢歳】キサイ 凶作の年。凶歳。

【飢者易レ為(爲)レ食】うえ(ゑ)たるものはショクをなしやすし うえた者は何でも喜んで食べる。困っている人は少しのめぐみにも感激することのたとえ。〈孟子、公孫丑上〉

【飢者甘レ食】うえ(ゑ)たるものはショクをあましとす 腹のすいている人は、どんな食物でもうまいと感じる。飢渇が人の是非善悪の判断をくるわせるたとえ。用例〈孟子、尽心上〉飢者甘レ食うえ(ゑ)たるものはショクをあましとし、渇者甘レ飲かっしたるものはインをあましとす。↓おなかのすいている人は、どんな食物でもうまいと感じ、のどの乾いている人は、どんな飲み物でも、うまいと感じる。

【飢色】キショク うえている顔色。また、うえている様子。

【飢凍】キトウ うえとこごえる。

【飢不レ択(擇)レ食】うえ(ゑ)てはショクをえらばず ＝飢者易レ為レ食。

2 【飡】 11画 13558 ソン 飧(13561)の俗字。→一五七三ジ下。 2 9245 一 7240

2 【飣】 11画 13559 漢テイ 呉チョウ(チャウ) 径 dìng 2 9246 一 7241

字義 ❶たくわえる。食物をたくわえる。❷そなえる。食物をそなえる。❸もる。食物を食器に盛る。

解字 形声。食＋丁音。音符の丁は、くぎづけにするの意味。食物をくぎづけにしておく、たくわえるの意味を表す。

【飣△餖】テイトウ ①食物を食べきれぬほど並べること。②文を作るときに意味のないことばを並べるたとえ。餖飣。

3 【飦】 12画 13560 ㊀漢ケン・呉コン 元 zhān ㊁セン 先 zhān ㊂カン 寒 gān 一 一 7243

字義 ㊀㊁かゆ。㊂ほしいい(乾飯)。ほしたごはん。

解字 形声。食＋干音。

【飦△粥】センシュク かゆ。▼飦は濃いかゆ、粥はうすいかゆ。

3 【飧】 12画 13561 ソン 元 sūn 〔湌〕6519 同字 〔飡〕13558 俗字 〔飱〕13566 俗字 1 9409 一 7244

字義 ❶めし(飯)。また、ばんめし。夕食。↔饔(13662)。❷簡単な食事。❸ちゃづけ(茶漬)。❹煮た食物。❺食事をすすめる。

解字 篆文 会意。夕＋食。夕方とる食事、ばんめしの意味を表す。

【飧△饔】ソンヨウ めし(飯)。食事。朝夕の食事。

3 【飥】 12画 13562 タク 薬 tuō 2 9247 一 7242

字義 もち(餅ヘイ)。 難読 餺飥ほうとう

解字 形声。食＋乇音。

4【飲】12画 13563 教3 イン のむ
4［飮］13画 13564

㊀漢イン・呉オン 寝 yǐn　1691 88F9 —
㊁漢イン・呉オン 沁 yìn　6127 9F5A —

筆順 ノ 今 今 𩙿 𩙿 飠 飲 飲

字義 ㊀❶のむ。㋐水や酒などを口から腹へ入れる。㋑こらえる。こらえて表に出さない。用例〔南朝梁、江淹、恨賦〕自古皆有ㇾ死、莫ㇾ不ㇾ飲ㇾ恨而吞ㇾ声。↓古来、死は免れることのできないものであり、恨みをこらえて声をださないようにして泣かない者はいない（みなそのように泣く）。❷のみもの。用例〔論語、雍也〕一簞食、一瓢飲。❸かくす。かくれる。❹宴会。さかもり。また、宴会をする。「飲宴」㊁のむ。のませる。難読 飲詰（づめ）

参考「のむ」は、現代表記では、液体をのむ場合に〔飲〕を用いる以外は、仮名書きが一般的。「酒を飲む・卵をまるのみする・声をのむ・煙草をのむ」

解字 甲骨文 金文 篆文 形声。もと歓で、酉＋欠＋今音。音符の今は、含に通じ、ふくむの意味。口に酒を含むの意味から、のむの意味を表す。のち飠を食とし飲となる。

逆 宴飲・群飲・鯨飲・豪飲・帳飲・痛飲・暴飲

【飲宴】インエン さかもりをする。また、さかもり。▼燕・讌も、宴。
【飲河満（滿）腹】インカマンプク もぐらもちは黄河の水を飲んでも腹いっぱい飲めば満足する。人はおのおの自分に相応したところで満足すべきだということのたとえ。〔荘子、逍遥遊〕
【飲器】インキ ①酒を飲む道具。さかずきの類い。②しびん。おまる。便器。
【飲泣】インキュウ 涙を飲む。▼泣は、なみだ。①涙が流れて口に入る。大いに泣くさま。②声を出さずに泣くこと。忍び泣き。
【飲恨】インコン ＝飲ㇾ恨（五四四ページ下）。
【飲至策勲（勳）】インシサククン 戦いから帰って宗廟に参り、酒を飲み、その功績を策（竹のふだ）に書きしるすこと。
【飲酒】インシュ ①酒を飲むこと。仏教語では、「オンジュ」という。②晋の陶潜（淵明）の詩題。
【飲如㆔長鯨吸㆓百川㆒】 酒の飲みっぷりは、大きな鯨が多くの川の水を吸うようである。非常に多量の酒を飲む様子。鯨飲。〔唐、杜甫、飲中八仙歌〕
【飲章】インショウ 作者の名を表さない書。匿名の文書。▼飲は、隠の意味。
【飲餞】インセン 旅に出るときのさかもり。送別の酒宴。
【飲膳】インゼン 飲んだり食べたりする。また、飲食物。
【飲啄】インタク ①鳥が水を飲み、えさをついばむこと。②人が飲食すること。人が生活すること。
【飲徒】イント 酒飲み友達。飲み仲間。酒徒。

4【飪】13画 13565
［餁］13589 同字

漢ジン 呉ニン 寝 沁 rèn　29248 — 7245

字義 ❶にる（煮）。よく煮る。❷よく煮た食物。

解字 篆文 形声。食＋壬音。音符の壬は、長時間にわたって丹念にするの意味。丹念になされた調理の意味を表す。

4【飧】13画 13566 ソン

29250 — —

飧（13561）の俗字。→一五七二ページ下。

4【飭】13画 13567 チョク 職 chì

5012 99AA —

字義 ❶つつしむ（謹）。❷ただす（正）。また、正しい。❸ととのえる（整）。ととのえそなえる。❹いましめる。おしえる。「戒飭」❺おさめる（治）。また、治まる。❻つとめる（勤）。

解字 篆文 形声。人＋力＋食音。音符の食は、直に通じ、まっすぐの意味。努力して正しくするの意味を表す。

【飭躬】チョクキュウ 自分の身をいましめ、つつしむこと。
【飭正】チョクセイ ①きちんとととのえ正す。②つつしんでいて正しい。

4【飩】13画 13568

㊀漢トン・呉ドン 元 tún　㊁チュン 震　8111 E94A —

字義 ㊀餛飩（コントン）は、小麦粉をねりのばした皮に肉あんを包んでゆでた食品。ワンタン。また、もち（餅）。㊁濃い味。国 饂飩（ウドン）は、うどん。

解字 形声。食＋屯音。音符の屯は、ものが集まりいりまじって、見分けがつかないの意味。集まりいりまじっている食物の意味を表す。

4【飯】12画 13569 教4 ハン めし
4［飯］13画 13570

4051 94D1 —
漢ハン 呉ボン 願 fàn　— EEDA —

筆順 ノ 今 今 𩙿 飠 飣 飯 飯

［飰］13571 同字

字義 ❶めし。いい。いいけ。（食）。❷くう。くらう。用例〔論語、述而〕飯㆓疏食㆒飲ㇾ水。↓粗末な食事をとり、水を飲む。❸たべさせる。養う。用例〔史記、淮陰侯伝〕見㆓信飢㆒飯ㇾ信。↓（ひとりの小母さんが）韓信が飢えているのを見て飯を食べさせた。

名前 いい　難読 飯羽間（ばま）・飯室（むろ）・飯縄（づな）・飯井（いい）・飯盛（もり）・飯浦（うら）・飯豊（いいで）

解字 篆文 形声。食＋反音。音符の反は、かえるの意味。穀類を煮えかえらせて作った、めしの意味を表す。

逆 喫飯・強飯・茶飯・赤飯・噴飯

【飯盂】ハンウ めしを盛る容器。おはち。
【飯顆】ハンカ めしつぶ。飯粒。
【飯牛】ハンギュウ ①牛を飼う。②能力のある者がつまらない仕事に従うことのたとえ。
【飯磬】ハンケイ 寺で食事を知らせるためにならす磬（石の楽器）。
【飯食】ハンショク・ハンシ ①めし。②めしを食う。
【飯匙】ハンシ めしを盛るさじ。しゃもじ。
【飯単（單）】ハンタン ①食事のとき、前にかけるきれ。ナプキン。②俗語で、料理の献立表をいう。
【飯店】ハンテン ①旅館。ホテル。②料理屋。飲食店。
【飯筒】ハントウ ちまき。
【飯嚢】ハンノウ めしぶくろ。むだに世を送っている人をあざけることば。
【飯粒】ハンリュウ めしつぶ。
【把ㇾ飯叫ㇾ饑】 飯を持っていながら、ひもじさをうったえる。言うことと行うことが矛盾していることのたとえ。臨ㇾ河叫ㇾ渇。〔通俗編、飲食〕

4【飰】13画 13571 ハン

29249 — —

飯（13569）と同字。→一五七三ページ中。

4【飫】13画 13572
［飫］13573 俗字

標 漢ヨ 呉オ 御 yù　8112 E94B —

字義 ❶あきる（飽）。食べあきる。❷宴会。さかもり。❸日常の食物。難読 飫厭・飫肥

解字 篆文 形声。食＋夭（芺）音。音符の芺は、若くて精力的の意味。精力的に食う、さかもり・あきるの意味を表す。

【飫宴・飫讌】ヨエン さかもり。
【飫賜】ヨシ あきるほど酒食をたまわること。
【飫聞】ヨブン （ある物事について）聞きあきるほど聞いている。たびたび聞いている。▼聞は、自然と耳にはいって来ること。

4 【飫】12画 13573 ヨ 飫(13572)の俗字。→一五七三ページ下。

5 【飴】14画 13574 標 一 漢イ 因 yí 二 漢シ・呉ジ 寘 sì 1627 88B9 —

【飴】13575 俗字

字義 一 ❶あめ。もち米と、麦のもやしで作った甘い菓子。❷甘味。甘い。また、おいしい食物。 二 ❶かて。食糧。❷食べさせる。養う。

解字 金文 篆文 形声。食＋台音。音符の台は、やわらかの意味。やわらかな食品、あめの意味を表す。

【得飴以養老得飴以開閉】あめをえてもってロウをやしない(ひ)あめをえてもってヘイをひらく (仁者は)あめを手に入れると老人に与えて喜ばせ、(悪人は)あめを手に入れると(物を盗むため)じょうまえをあけるのに使う。同じものでも使う人によってその用い方が違うというたとえ。〔呂氏春秋、異用〕

5 【飴】13画 13575 イ 飴(13574)の俗字。→一五七四ページ上。

5 【飼】13画 13576 教5 シ か-う 漢シ 呉ジ 寘 sì 2784 8E94 —

【飼】14画 13577 — EEDB —

筆順

字義 か-う。やしなう。動物を養い育てる。人についていう場合もある。

解字 形声。食＋司音。音符の司は、つかさどるの意味。動物の食物をつかさどる、やしなうの意味を表す。

【飼育】シイク 飼い育てる。

【飼料】シリョウ えさ。飼っている動物に与えるえさ。

5 【飳】14画 13578 一 漢シュ 麌 zhǔ 二 漢トウ・呉ツ 有 tǒu ²9251 — 7246

字義 一 こなもち。二 餢飳ホウトウは、もちの一種。

解字 形声。食＋主音。

5 【飾】13画 13579 常 ショク かざ-る 一 漢ショク・呉シキ 職 shì 二 漢チョク・呉チキ 職 chì 3094 8FFC —

【飾】14画 13580

筆順

【餝】13602 同字

字義 一 ❶かざ-る。㋐美しく見えるようにする。手を加えてよくする。㋑よそおう(装)。化粧する。身なりをととのえる。㋒外観だけをよいように見せかける。❷かざ-り。また、よそおい。❸おおう(蔽イ)。二 ととのえる。また、いましめる。＝飭(13567)。

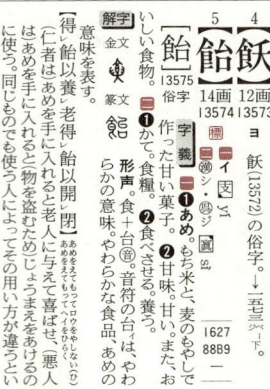

名前 あき・あきら・よし 難読 飾磨しかま

解字 篆文 形声。巾＋人＋食音。巾は、ぬのの意味。人がぬのやはけで、下地の部分に次第にくいこんでいくようにかざりつぶしていくの意味を表す。

逆 華飾・虚飾・修飾・首飾・潤飾・藻飾・彫飾・服飾・粉飾・文飾・容飾・落飾・麗飾

【飾偽(僞)】ショクギ いつわって表面をかざる。

【飾言】ショクゲン いつわりかざったことば。飾説。飾辞。

【飾詐】ショクサ かざりいつわる。うわべをつくろう。

【飾繕】ショクゼン かざりつくろう。

【飾△智】ショクチ 才知があるようにみせかける。弄巧ロウコウ。

【飾非】ショクヒ 悪事・欠点などをもっともらしくつくろいかざる。

5 【飶】14画 13581 漢ヒツ 呉ビチ 質 bì — — 7247

字義 ❶こうばしい。❷かおり。食物の香り。

解字 篆文 形声。食＋必音。音符の必は、密に通じ、ひっそりの意味。ひっそりとほのかな食物のかおりの意味を表す。

5 【飽】13画 13582 常 ホウ あ-きる・あ-かす ホウ(ハウ) 巧 bǎo 4316 964F —

【飽】14画 13583

筆順

字義 ❶あ-きる。㋐腹いっぱい食べる。また、満腹する。用例(唐、韓愈、雑説)是馬也、雖有千里之能、食不飽、力不足、才美不外見 このうまや、センリのノウありといえども、しょくあかざれば、ちからたらず、サイビそとにあらわれず ↓この馬は、千里を走れる能力を持っていても、食糧が不十分だから、本来の力も出しきれないし、天分のよさも外に現せない。㋑十分にある。満ち足りる。❷あ-かす。あかせる。あきさせる。満足させる。❸あくまで。心ゆくまで。

名前 あき・あきら・あく 難読 飽気あっけ

解字 篆文 形声。食＋包音。音符の包は、つつむの意味。食物を食べてふくれるの意味。

逆 温飽・酔飽

【飽食△煖衣】ホウショクダンイ 腹いっぱい食べ、暖かい着物を着ていること。何不自由なく暮らすこと。〔孟子、滕文公上〕

【飽暖・飽△煖】ホウダン 飽食煖衣の略。

【飽徳】ホウトク 恩徳を十分に受ける。

【飽満(滿)】ホウマン ①腹いっぱい食べる。②たくさんある。充満する。③あき足りる。満ち足りる。

【飽△飫】ホウヨ 腹いっぱい食べる。

【飽和】ホウワ ①十分にあって不足がないこと。②気体または液体中に、他物が極限の量に至るまでとけている状態。③国最大限度まで何かによって満たされている状態。

6 【餃】15画 13584 漢コウ(カウ) 呉キョウ(ケウ) 効 jiǎo 8113 E94C —

字義 ❶あめ(飴イ)。❷→餃子。

解字 形声。食＋交音。 難読 餃子ギョーザ・チャオズ

【餃子】ギョーザ 肉や野菜などで作った具を、小麦粉の薄い皮で包んだ食品。中国ではゆでて食べるのが一般的。

6 【餈】15画 13585 漢シ 呉ジ 支 cí ²9252 — 7250

【糍】9017 俗字 【餈】13629 俗字

字義 もち(餅へ)。また、だんご。もち米からできた食品。

解字 篆文 形声。食＋次音。音符の次は斉に通じ、ととのえるの意味。ととのえた食品、もちの意味を表す。

6 【餌】15画 13586 常 ジ えさ・え 漢ジ・呉ニ 紙 ěr 1734 8961 —

筆順

【餌】13587 許容

字義 ❶え。えさ。㋐動物の飼料。㋑魚をつるえさ。㋒人をおびきよせるために与えるもの。❷くらう。食らう。また、食われる。❸くわす。えさを与える。利益で人をおびきよせる。❹利益。不正な利益。❺喜ばせる。❻ねりもち。こながき。

解字 篆文 形声。食＋耳音。音符の耳は、みみの意味。みみたぶのように柔らかみのある食品、だんごの意味を表す。篆文は、鬻＋耳音。鬻は、かまから湯気のたつさまにかたどる。

【餌口】ジコウ 糊口ココウ。口に食物を入れる。食事をすること。転じて生計をたてること。

【餌食】えジキ 国①えさとして与える食べ物。②欲望の犠牲になるもの。

【餌△啖】ジタン えさを与える。利益で人をつること。

6 【餌】14画 13587 ジ 餌(13586)の許容字体。→一五七四ページ下。 8114 E94D —

6 【餉】15画 13588 ショウ(シャウ) 漾 xiǎng

［饟］13666 同字 **字義** ❶**かれい**。かれいい。旅人や田野に働く人などの携帯食糧。弁当。❷めし。食糧。❸兵糧。転じて、軍用金。❹おくる。㋐運んで行く。㋑贈与する。❺食事するぐらいの短い時間。

解字 篆文 **形声**。食＋向㊥。音符の向は、むかうの意味。相手に食をおくるの意味を表す。

【餉遺】おくりもの。また、食物を贈る。

【餉△饋・餉△餽】①食糧。また、食糧を送る。②兵糧。

【餉給】食糧や兵糧を送りとどける。食糧を補給する。

6【蝕】15画 (10652) **ショク** 虫部。→一二六二ページ下。

6【餁】15画 13589 **ジン** 飪(13565)と同字。→一五七三ページ中。 — — —

6【餞】14画 13590 **セン** 餞(13617)の俗字。→一五七七ページ上。 2 9253 — —

6【餂】15画 13591 **テン** ㊥ tiǎn — — 7248

字義 さぐり取る。つり出す。

解字 **形声**。食＋甜省㊥。

6【餇】15画 13592 ㊥**トウ** ㊥ドウ ㊥ tóng — — 7249

字義 食べ物。

解字 **形声**。食＋同㊥。

6【餅】15画 13593 常 **ヘイ** **もち** 4463 96DD —

8［餠］17画 13594 ㊥**ヘイ** ㊥ヒョウ(ヒャウ) ㊥ bǐng 8122 E955 —

筆順 餅

［餅］13595 許容

字義 **もち**。小麦粉をこねて円くのばし、焼き、または蒸した食品。国**もち**。もち米、その他の穀物を蒸してついた食物。

解字 篆文 **形声**。食＋幷(并)㊥。音符の幷は、あわせるの意味。穀粉をこねあわせて、蒸して作る食品、もちの意味を表す。

【餅金】もちのような丸い形の金塊。

【餅師】もちや。もちを売る人。

【餅餌】もち。また、だんご。

6【餅】14画 13595 **ヘイ** 餅(13593)の許容字体。→一五七五ページ上。

6【養】15画 13596 教4 **ヨウ** **やしな-う** 4560 977B —

6［養］15画 13597 **ヨウ**(ヤウ) ㊥ yǎng

筆順 養

［羪］9502 同字 ［养］9490 俗字

字義 ❶**やしな-う**。㋐育てる。はぐくむ。「養育」㋑かう(飼)。㋒扶養する。㋓教える。教育する。「教養」㋔おさめる。治療する。㋕おとろえないように、また、さかんになるように力をつくす。「養生」❷**やしな-い**。やしなうこと。やしなうもの。「栄養」❸まかなう。また、まかない。炊事。❹しもべ。召し使い。特に、炊事係の召し使い。❺かゆい。❻憂える。

名前 おさ・かい・きよ・すけ・のぶ・まもる・やす・よう・よし

難読 養父・養母田

解字 金文 篆文 **形声**。食＋羊㊥。音符の羊は、ひつじの意味。ひつじを食器に盛る・そなえるの意味から、やしなうの意味を表す。

逆 営養・栄養・畜養・休養・帰養・供養・教養・孝養・修養・滋養・静養・扶養・奉養・牧養・保養・療養

【養△痾】病気を治療する。養病。

【養育・養△毓】やしない育てる。

【養花雨】花曇りのころに降る雨。

【養花天】花曇りの空。

【養△晦】①愚かな主君を討ち取る。一説に、愚かな主君を増長させる。②人目につかないようにして暮らし、自らの徳をやしなうこと。

【養活】やしなう。やしないたすける。

【養気(氣)】①生物をやしない育てる気。②道家で気力をやしなうこと。錬気。③浩然の気をやしなう。

【養形】からだをやしなう。健康に注意すること。

【養虎】虎を飼っておく。後日のわざわいとなる敵をのばなしにしておくことのたとえ。〔史記、項羽本紀〕

【養護】やしない、世話をする。養育保護。

【養志】①(自分の)志をやしなう。精神の修養をすること。②親につかえて、親の心を楽しませること。

【養視】やしなって注意深く見守る。世話をする。

【養寿(壽)】寿命をやしなう。長生きするよう気をつけること。

【養生】①生命をやしなう。健康に注意すること。②身体を丈夫にするようにすること。②親が生きているうちに孝養をつくす。

【養殖】国(魚・貝などを)人工的にやしないふやす。

【養心】心をりっぱにやしなう。修養を積んで善心を育てる。

【養真(眞)】生まれつきの性格を育てること。持って生まれた真心をやしなうこと。

【養成】やしない育てる。しこむ。育成。

【養性】①性格をりっぱなものに育てること。養心。〔孟子、尽心上〕②性格を生まれたままの自然の状態にしておくこと。自然の道によってやしなうこと。

【養拙】生まれつきの素朴さをやしなう。

【養徳】りっぱな人格となるよう努力する。

【養病】病気を治療する。養痾。

【養望】名望を得ようと努力すること。

【養目】目を楽しませる。

【養由基】春秋時代、楚の射術の名人。楚の大夫で、百歩はなれた所から柳の葉を射て百発百中であったといわれる。▼由は、游とも書く。

【養養】うれえて、おちつかないさま。

【養廉】清く正しい心をやしない保つ。

【養老】①老人をいたわって安楽に過ごさせること。②長生きする。

【養和】①仲良くさせるよう努力すること。②おだやかな性格になるよう教えること。③背をよせかける道具。

7【餓】15画 13598 常 **ガ** 1878 89EC —

7［餓］16画 13599 **ガ** ㊥ è

筆順 餓

字義 ❶**う-える**(飢)。**かつ-える**。ひどくうえる。❷**う-え**。❸うえさせる。

解字 篆文 **形声**。食＋我㊥。音符の我は、ぎざぎざの刃のあるおのの象形。食べ物がなくなってやせ、骨のぎざぎざがあらわれる、うえるの意味を表す。

逆 飢餓・凍餓

【餓鬼】①仏餓鬼道に落ちた亡者。②国子供をいやしめていうことば。

【餓鬼道】仏六道の一つ。この世で仏教の教えにそむいた者が、その報いとして落ちてゆき、いつも飢餓の苦しみを受ける所という。

【餓虎】①飢えたとら。②残虐・貪欲な人のたとえ。

【餓△莩・餓△殍】(ガヒョウ) 飢え死にした人。ゆきだおれ。

【餓△羸】(ガルイ) 飢えつかれる。

【餓△狼】(ガロウ) ①飢えたおおかみ。②残虐・貪欲(ドンヨク)な人のたとえ。

7 【餐】 16画 13600 標 ■サン 寒 cān ■ソン 元 sūn 2733 8E60 —

字義 ■❶のむ(飲)。また、くう(食)。❷たべもの。また、間食。❸ほめる。❹きく(聴)。■夕食。＝飧(13561)。

解字 篆文 形声。食＋奴音。音符の奴は、骨を手にする形にかたどる。骨を抜き取った食物の意味を表す。

【餐△霞】(サンカ) かすみを食べる。道家の修練の術。

【餐食】(サンショク) 食べる。食う。

【餐飯】(サンパン) めしを食う。また、めし。食事。

【加ニ餐飯一】(サンパンをくわ(は)う(ふ)) 食事を充分とって体を大切にすること。用例〔文選、古詩十九首、其一〕棄捐勿ニ復道一、努力加ニ餐飯一(キエンせらるるもまたいう(ふ)ことなからん、ドリョクしてサンパンをくわ(は)えよ)。↓私はあなたに捨てられようとも、これ以上、二度と何も言いますまい。どうか、つとめて食事をじゅうぶんにとって、おからだをたいせつにしてください。

【加レ餐】(サンをくわ(は)えよ) ■ ごちそうを食べる。加餐(カサン)。■ 手紙の末尾などに用いて、相手の健康を祈ることば。

7 【餕】 16画 13601 シュン 震 jùn — — 7252

字義 食べのこし。くいさし。また、余りものを食べる。

解字 形声。食＋夋音。

7 【餝】 16画 13602 ショク 8119 E952 —

飾(13579)と同字。→一五七四ジ-上。

7 【餗】 16画 13603 ソク 屋 sù 2 9256 — 7254

字義 ❶食物。また、鼎(かなえ)に盛った食物。❷かゆ(粥)。

解字 形声。食＋束音。

7 【餒】 16画 13604 漢ダイ 呉ナイ 賄 něi 8115 E94E —

字義 ❶うえる(飢)。また、うえさせる。❷うえ。用例〔人虎伝〕時正餒迫(ときにまさにうえ(ゑ)せまり)、徘徊数四(ハイカイすること、サクシ)、不レ能ニ自禁一(みず(づ)からキンずることあたわ(は)ず)、遂取而食(ついにとりてくらう(ふ))。↓その時、私はちょうど空腹にさいなまれていたので、何度もあたりを行ったり来たりしたすえ、自分をおさえきれないで、そのまま(婦人を)取って食ってしまった。❸くさる。魚や肉が腐敗する。

参考 〔餧〕(13610)と混同して用いられる。

7 【餖】 16画 13605 漢トウ 呉ズ(ヅ) 宥 dòu 2 9255 — 7253

字義 つらねる。食物を並べる。

解字 形声。食＋豆音。

解字 形声。食＋妥音。

【餒棄】(ダイキ) 飢えて身投げすること。

【餒虎】(ダイコ) 飢えたとら。危険なもののたとえ。

【餒士】(ダイシ) 飢えた人。貧しい生活をしている有能な人。

7 【餔】 16画 13606 ■漢ホ・呉フ 虞 bū ■漢ホ・呉ブ 遇 bù 8116 E94F —

字義 ■❶めし。㋐食事。㋑夕食。❷くらう。㋐たべる(哺)。㋑かむ。❸食べさせる。養う。❹夕ぐれ。＝晡(4780)。■こなもち。

解字 形声。食＋甫音。

【餔時】(ホジ) 日ぐれ時。夕方。今の午後四時ごろ。

【餔△啜】(ホセツ) ①くらいすする。②むだに食禄(ショクロク)をむさぼること。給料泥棒。

7 【餑】 16画 13607 漢ホツ・呉ボチ 慣ボツ 月 bō — — 7251

字義 ❶うどん粉をこねて蒸した食物。餑餑。❷ゆばな。茶を入れると上に浮くあわ。厚いのを餑、薄いのを沫(マツ)という。❸長い。

解字 形声。食＋孛音。

7 【餘】 16画(290) 13608 ヨ 余(289)の旧字体。→九九ジ-上。

7 【飬】 16画 13609 国字 2 9254 — —

字義 あさ-る。食べ物を探し求める。

8 【餡】 17画 13609 漢カン・呉ゲン 唐アン 勘 xiàn 8118 E951 —

字義 あんこ。もちの中にいれるもの。多く肉類を用いる。国アン。㋐煮たあずき・いんげん・いもなどをすりつぶして砂糖をまぜたもの。㋑くずだまり。くず粉に酒やしょうゆを加えて作った調味料。

参考 〔餡〕(13638)は別字。

解字 形声。食＋臽音。音符の臽(カン)は、あなにおちいるの意味。パンやもちの中に落としこんで満たす、あんの意味を表す。

8 【餧】 17画 13610 ■イ(ヰ) 寘 wèi ■漢ダイ・呉ナイ 賄 něi — EEDC 7261

〔餵〕13624 同字

字義 ■❶かう(飼)。養う。食べさせる。❷めし(飯)。たべもの。■うえる(飢)。また、うえ。

参考 字義■の意味のとき、〔餒〕(13604)と混用する。

解字 篆文 形声。食＋委音。音符の委は、すなおに従うの意味。食事を与えて人に従うように、飼いならすの意味を表す。

8 【餜】 17画 13611 カ(クワ) 哿 guǒ 2 9260 — 7257

字義 ❶もち(餅(ヘイ))。❷小麦粉をこねて細長くして油で揚げた食品。

解字 形声。食＋果音。

8 【館】 16画 13612 教3 カン やかた 2059 8AD9 —

8 〖館〗 17画 13613 カン(クワン) 翰 旱 guǎn — EEDD —

筆順 今 食 食 飣 飣 館 館 館

〔舘〕 9710 俗字

字義 ❶たち。たて。やかた。㋐宿屋。旅館。かりのやどり。一時身を寄せている家。㋑役所・学校・劇場・貴人の家などの大きな建物。❷やどる。泊まる。また、やどす。泊める。国❶やかた。㋐かりの宿所。寓居(グウキョ)。㋑貴人の宿所。また、その邸宅。㋒貴人をいう。㋓牛車(ギッシャ)・船などの屋根。❷たち。たて。㋐貴人・官吏などの宿泊する官舎。㋑貴人の宿所。また、その邸宅。㋒小規模の城塁。小城。「衣川の館(たて)」

名前 たて

解字 篆文 形声。食＋官音。音符の官は、軍官が長期間にわたって滞在する場所の意味。長期滞在者に食事を供する場所、宿泊所・やかたの意味を表す。

逆 公館・高館・第館・賓館・別館・旅館

【館△娃宮】(カンアイキュウ) 宮殿の名。呉王夫差が美人西施のために建てた。江蘇(コウソ)省の霊巌(レイガン)山上にあった。

【館宇】(カンウ) やかた。建物。館舎。

【館駅(驛)】(カンエキ) 宿場。駅舎。

【館閣】(カンカク) 宋(ソウ)の官署、昭文館・史館・集賢院の三館と、秘閣・竜図閣・天章閣などの併称。みな経籍図書を蔵し、学問にすぐれた人をその役人にした。経籍図書を蔵した所。なお、後世もこの制度に準じた。

【館舎】(カンシャ) やかた。建物。館宇。

【△捐ニ館舎一】(カンシャをすつ) 住んだやかたを捨てる。貴人の死をいう。

【館職】(カンショク) ①宋(ソウ)の朝廷の、館閣の職。②国修史局の編集官。

【館人】カンジン やかたを守り、客の世話をする人。
【館第】カンテイ やしき。

8 【餚】17画 13614 コウ 肴(4928)と同字。→六九〇ページ中。 ₂9258 — 7255

8 【餛】17画 13615 漢コン 呉ゴン 元 hún ₂9259 — 7256
字義 餛飩コントンは、㋐もち(餅イ)。㋑ワンタン。
解字 形声。食＋昆音。

8 【饒】16画 13616 ジョウ 饒(13652)の俗字。→一五七九ページ上。 ₂9257 — —

8 【餞】17画 13617 漢セン 呉ゼン 霰 銑 jiàn 8120 E953 —
[餞]13590 俗字
字義 ❶はなむけ。㋐旅立つ人を送る酒宴。送別会。㋑旅立つ人への贈りもの。餞別。❷はなむけする。酒宴を開いて旅立つ人を見送る。❸一般に、送るの意。❹すすめる。飲食をすすめる。
解字 篆文 形声。食＋戔音。音符の戔センは、踐センに通じ、旅の一歩をふみだすの意味。人の旅立ちに先だち、道祖神を祭り、うたげして送るときの食物、はなむけの意味を表す。
【餞△筵】センエン 送別の酒盛り。餞宴。
【餞春】センシュン 春の去るのを送る。また、それを惜しんで酒盛りをすること。
【餞送】センソウ 旅立つ人を見送る。送別。
【餞別】センベツ 別れの宴をもつ。また、そのときに贈る金品。

8 【餤】17画 13618 一 漢タン・呉ダン 覃 tán 二 漢タン・呉ダン 勘 dàn 8121 E954 —
字義 一❶すすむ(進)。ます(増)。❷すすめる。食物を人にすすめる。二 くう(食)。くらう。＝啖(1549)。
解字 形声。食＋炎音。

8 【餦】17画 13619 チョウ(チャウ) 陽 zhāng — — 7260
字義 ❶飴あめ。❷餅もち。
解字 形声。食＋長音。

8 【餟】17画 13620 一 漢テイ 霽 zhuì 二 漢テツ・呉テチ 屑 chuò — — 7258
字義 一❶まつる(祭)。多くの神々の座所を並べつらねて一度に祭る。❷おくる。野に出て働いている人や遠方にある人などに食物をはこびおくる。
解字 篆文 形声。食＋叕音。音符の叕テツは、つづくの意味。多くの神々を並べつらね食物をそなえて祭るの意味を表す。

8 【餴】17画 13621 フン 餴(13632)の俗字。→一五七七ページ下。 — — 7266

8 【餠】17画 (13594) ヘイ 餅(13594)の旧字体。→一五七五ページ上。 — — —

8 【餢】17画 13622 漢ホウ 呉ブ 有 bù — — 7259
字義 餢飳ホウトウは、小麦粉を発酵させて作った餅もち。ほうとう。

9 【餲】18画 13623 アイ 卦 ài ₂9263 — 7264
字義 す-える(ゆす)。飯がくさって味がかわる。
解字 形声。食＋曷音。

9 【餵】18画 13624 イ 餧(13610)と同字。→一五七六ページ中。 — — 7267

9 【餫】18画 13625 一 漢ウン 問 yùn 二 漢コン・呉ゴン 元 hún — — 7262
字義 一 おくる。野に出て働いている人や遠方にある人などに食物を運びおくる。二 ＝餛(13615)。餫飩コントンは、㋐もち(餅イ)。㋑ワンタン。
解字 形声。食＋軍音。

9 【饂】18画 13626 ウン 饂(13641)の俗字。→一五七八ページ上。

9 【餬】18画 13627 漢コ 呉ゴ 虞 hú 8123 E956 —
字義 ❶寄食する。いそうろうになってくらす。❷かゆ。また、かゆを食べて生活をする。貧しくくらす。❸くう。食べる。
解字 篆文 形声。食＋胡音。音符の胡コは、ぼんやりしているの意味。米の粒が溶けてはっきり見えないかゆの意味を表す。また、かゆしか与えられないいそうろうとなるの意味も表す。
【餬口】ココウ ①かゆを食べて生活する。貧しくくらす。「餬口を凌しのぐ」②いそうろうとなる。人に寄食する。
【餬△饘】コセン かゆ。▼饘は、濃いかゆ。

9 【餱】18画 13628 漢コウ 呉グ 尤 hóu ₂9262 — 7263
[糇]9016 同字
字義 ❶ほしいい(糒ほしいい)。かれいい。乾燥させた飯。❷かて(糧)。食料。
解字 形声。食＋侯音。
【餱糧】コウリョウ ほしいい。また、食料。

9 【𩜄】18画 13629 シ 餈(13585)の俗字。→一五七四ページ下。 ₂9261 — —

9 【餮】18画 13630 一 漢テツ・呉テチ 屑 tiè 二 漢テン・呉デン 銑 8124 E957 —
字義 一 むさぼり食べる。
解字 形声。食＋殄音。
【饕△餮】トウテツ 食物をむさぼることと、財貨をむさぼること。欲の深いこと。

9 【餳】18画 13631 一 漢セイ 呉ジョウ(ジャウ) 庚 xíng 二 漢トウ(タウ) 呉ドウ(ダウ) 陽 táng ₂9264 — 7265
字義 一 あめ(飴イ)。みずあめ。二 ＝糖(9034)。㋐あめ。㋑砂糖。
解字 形声。食＋昜音。

9 【餴】18画 13632 フン 文 fēn
[饙]13660 同字 [餴]13621 俗字 [饙]13655 俗字
字義 むす(蒸)。米を一度炊いて、さらに水をそそいでむす。また、そのめし。
解字 金文 篆文 形声。食＋奔音。音符の奔ホンは、さかんに走るの意味。さかんに蒸気をふき出して、むすの意味を表す。

10 【餼】19画 13633 漢キ 呉ケ 未 xì ₂9267 — 7271
字義 ❶おくる(贈)。食物・いけにえなどをおくる。❷おくりもの。食物・いけにえなどの贈り物。❸ふち(扶持)。知行。❹なまもの。まだ生きているいけにえ。米・いけにえ・まぐさなどの生なまをいう。↔饔(13662)。
解字 形声。食＋氣音。原字は氣。氣キが、わきあがる雲の意味に用いられるようになったので、改めて食を付し、餼の字となった。生きている米、もみの意味を表したが、それが贈り物として用いられたところから、おくりものの意味を表す。
【餼△牽】キケン 生きているいけにえ。牛・羊・豚をさす。▼牽は、引いていゆく意。
【餼羊】キヨウ いけにえの羊。
【餼△廩】キリン 肉類と扶持米フチマイ。また、扶持米をいう。

10 【餽】19画 13634 漢キ 呉ギ 寘 kuì 8125 E958 —
字義 ❶おくる。食物・金銭などを贈る。また、贈り物。＝饋(13649)。❷不作。凶作。
解字 篆文 形声。食＋鬼音。音符の鬼は、死者のたましいの意味。死者をまつるための食物の意味を表す。

【餽貽】イキ おくる。食物や物品をおくること。餽貽。▼貽も、おくる。

【餽遺】イキ 食物や物品をおくること。餽貽イキ。▼遺も、おくる。

【餽餉・餽饟】キショウ 食物をおくる。また、贈り物。用例〔史記、高祖本紀〕鎮二国家一撫二百姓一、給二餽饟一不レ絶二糧道一、吾不レ如二蕭何一（国家を鎮め百姓を撫し、餽饟に給して糧道を絶たざるは、吾蕭何に如かず）。↓国家を安定させ、民草をかわいがり、軍糧を補給し、その輸送路を維持するという点においては、私は蕭何にかなわない。

10【饁】19画 13635 ㊀ヨウ(エフ) 葉 yè ㊁漢コウ(カフ) 呉ゴウ(ガフ) 洽 ₂9269 — 7273

字義 ㊀㊁❶おくる。田畑で働く人に食物を運び送る。❷かれいい（かれいひ）。田畑で働く人の食べる弁当。

解字 篆文 形声。食＋盍音。音符の盍コウは、匣コウに通じて、こばこの意味。はこにつめた食事、弁当の意味を表す。

10【餻】19画 13636 コウ 糕(9028)と同字。→一一〇〇ジ下。 ₂9266 — 7270

10【餹】19画 13637 漢トウ(タウ) 呉ドウ(ダウ) 陽 táng — — 7268

字義 あめ（飴イ）。堅いあめ。＝糖(9034)。

解字 形声。食＋唐音。

10【饀】19画 13638 トウ(タウ) 豪 tāo, ②tāo ₂9268 — 7272

字義 ❶こなもち（粉餅）。❷むさぼる。

解字 形声。食＋舀音。

10【餺】19画 13639 ハク 薬 bó ₂9265 — 7269

字義 餺飥ハクタクは、小麦粉をこねて団子にし、汁で煮たもの。水団スイトンの類い。ほうとう。難読 餺飥ほうとう

解字 形声。食＋専音。

10【餾】19画 13640 漢リュウ(リウ) 呉ル 宥 liù 8126 E959 —

字義 むす（蒸）。米などをむす。また、むれる。

解字 形声。食＋留(畱)音。音符の畱リュウは、流に通じ、ながれるの意味。蒸気が流れて飯がむれるの意味を表す。

10【饂】19画 13641 国字 8127 E95A —

【䭀】13626 俗字

字義 ウン。饂飩ウドン・ウントンは、小麦粉から作った、めん類の一種。うどん。難読 饂飩うどん・わんたん

解字 形声。食＋昷音。もと餛飩コントンの江南方言、ウントンのなまったもの。

11【饗】20画 13642 キョウ 饗(13656)の俗字。→一五七九ジ中。

11【饉】20画 13643 標 漢キン 呉ギン 震 jǐn 8128 E95B —

字義 うえる。野菜や穀物のできの悪いこと。凶作。飢饉。特に野菜についていう。→饑(13650)。

解字 金文 篆文 形声。食＋堇音。音符の堇キンは、僅キンに通じ、わずか・うえるの意味を表す。

11【饈】20画 13644 漢シュウ(シウ) 呉シュ 尤 xiū — — 7276

字義 ❶進める。供える。❷おいしい食べ物。珍味。

解字 形声。食＋羞音。

11【饆】20画 13645 漢ヒツ 呉ヒチ 質 bì ₂9270 — 7274

字義 饆饠ヒツラは、こなもち（粉餅）。だんご（団子）。ひちら。

解字 形声。食＋畢音。

11【饅】20画 13646 標 漢バン 呉マン 寒 mán 8129 E95C —

字義 まんじゅう。→饅頭マンジュウ・マントウ。国ぬた。魚肉・野菜などを酢味噌ミソであえた料理。

解字 形声。食＋曼音。音符の曼マンは、のばすの意味。小麦粉を発酵させのばした、まんじゅうの意味を表す。

【饅頭】マンジュウ・マントウ 菓子の一種。小麦粉に酒などを加えてこね、餡アンを包み蒸した食物。蜀ショクの諸葛亮ショカツリョウが濾水ロスイを渡ったとき、人頭を神に供える悪習のあるのを見て、もちに人頭を描いて供えさせたのが起こりであるという。

11【饇】20画 13647 ㊀漢ヨ・呉オ 御 yù ㊁漢オウ・呉ウ 宥 yù — — 7275

字義 ㊀㊁❶飽きる。❷くつろいで食べる。

解字 形声。食＋區音。

12【饐】21画 13648 ㊀イ 寘 yì ㊁漢エツ・呉エチ 屑 yē 8130 E95D —

字義 ㊀すーえる（ゆす）。食物がくさる。㊁むせーぶ。むせる。食物がのどにつかえてむせる。＝噎(1685)。

解字 篆文 形声。食＋壹音。音符の壹イツは、つぼを密閉する形にかたどる。食物が発酵して「すえる」の意味を表す。

12【饋】21画 13649 漢キ 呉ギ 寘 kuì 8131 E95E —

字義 ❶おくーる（贈）。㋐田畑で働く人や旅人に食物をおくる。㋑金品などをおくる。❷おくりもの。❸すすめる。食物をすすめる。❹めし。食事。

解字 篆文 形声。食＋貴(賫)音。音符の賫キは、金品をおくるの意味。贈る食物の意味を表す。

【饋遺】イキ 金品を贈る。贈り物をする。贈り物。用例〔人虎伝〕徼在二呉楚一、且二歳余一、所レ獲饋遺甚多（徼ちょう呉楚ごそに在りて、且まさに歳余ならんとし、獲る所の饋遺はなはだ多し）。↓李徼リチョウが呉楚の地に滞在して一年あまりになろうとするころ、手にした餞別センベツはおびただしいものになっていた。

【饋運】キウン 食糧を運ぶこと。餽運キウン。

【饋歳】キサイ 年末の贈り物をする。お歳暮セイボ。

【饋餉】キショウ 食物を贈る。また、その食物。食糧。

【饋食】キショク・キシ ①昔の祭りの礼の一つ。煮た食物を供えること。②食物を贈る。また、その食物。食糧。③食事。

【饋薦】キセン いけにえや穀物をささげすすめること。

【饋饌】キセン 目上の人にすすめるごちそう。

【饋奠】キテン 物を供えて神を祭ること。また、その供え物。

【饋糧】キリョウ 食糧を送る。兵糧ヒョウロウを運搬する。

【饋路】キロ 食糧を運ぶ通りみち。

12【饑】21画 13650 漢キ 呉ケ 微 jī 8132 E95F —

字義 ❶うーえる（うう）。また、うーえ（ゑう）。ひもじい。かつえる。＝飢(13556)。❷穀物が実らないこと。饑饉キキン。穀物の凶作を饑、野菜の凶作を饉という。

参考 現代表記では、〔飢〕(13556)に書きかえることがある。「饑餓→飢餓」

解字 篆文 形声。食＋幾音。音符の幾は、かすかの意味。食物がかすかにしかない、うえるの意味を表す。

【饑餓】キガ 飢える。また、飢餓。饑餒キダイ。

【饑渇(渇)】キカツ 飢えかわく。また、飢えとかわき。飢渇。用例〔唐、柳宗元、捕レ蛇者説〕号呼而転徙、饑渇而頓踣（号呼して転徙テンシし、饑渇して頓踣トンボクす）。↓わめき叫びながら移住して行ってしまうか、飲まず食わずのためにつまずき倒れてしまう。

【饑寒】キカン 飢えこごえる。また、飢えと寒さ。

【饑饉】キキン 作物の実らぬこと。凶年。

【饑歳】キサイ 穀物の不作の年。凶年。

【饑色】キショク ひもじいようす。飢えた顔色。

【饑餒】キダイ 飢える。飢餓。饑餓。

【饑溺】キデキ 食に飢えることと水におぼれること。民のひどい苦しみのたとえ。

【饑凍】キトウ 飢えこごえる。また、飢えと寒さ。饑寒。

【饑弊】キヘイ 飢えてつかれる。

12【饎】21画 13651 ₂9272 ― 7278

字義 ㊀シ 寘 chì ❶酒と、さかな。酒と食物。❷にる(煮)。かしぐ(炊)。また、煮た食物。㊁キ 因 xī ❸きび。また、ごちそう。

解字 甲骨文 篆文 形声。食+喜㊀。音符の喜は、物を煮たきする時に吹き出す湯気・火気の音を表す擬声語。食を付し、煮た食物の意味を表す。

【饎饌】キセン・シセン 酒食をいう。ごちそう。

12【饒】21画 13652 標 ㊥ジョウ(ゼウ) ㊰ニョウ(ネウ) 嘯 ráo 8133 E960 ―

【饒】13616 俗字

字義 ❶ゆたか(豊)。㋐多い。十分にある。余るほどに多い。「豊饒」「饒侈ジョウシ」㋑ゆるやか。また、やすらか。❷土地が肥えている。「肥饒」❸ゆたかにする。ます(増)。❹ゆるす。見のがす。寛大にする。❺たのしむ。あそぶ。❻あまり(余)。また、とみ(富)。

難読 饒速命にぎはやのみこと

解字 篆文 形声。食+堯㊀。音符の堯ギョウ=ジョウは、高くすぐれるの意味。食物がゆたかの意味を表す。

【饒益】㊀ジョウエキ ㊁ニョウヤク 仏=㊀。 金銭や物品を多く与える(供給する)こと。

【饒衍】ジョウエン 多い。豊かであり余る。また、余り。▼衍は、豊か・余り。

【饒給】ジョウキュウ ①豊かに供給する。②十分にまかなう。十分に足りること。

【饒侈】ジョウシ ①あり余るほどにあること。②=饒奢。

【饒奢】ジョウシャ おごってぜいたくすること。饒侈ジョウシ。

【饒舌】ジョウゼツ よくしゃべること。おしゃべり。

【饒贍】ジョウセン 豊か。十分に足りる。饒優。

【饒足】ジョウソク 十分に足りる。

【饒窯】ジョウヨウ 江西省景徳鎮で作られる陶器。景徳鎮は、もと饒州に属したことからいう。

【饒沃】ジョウヨク 土地が肥えていること。

12【饌】21画 13653 ㊥セン ㊰ゼン 霰 zhuàn 8134 E961 ―

【籑】13664 本字

字義 ❶そなえる(供)。食物をそなえる。また、そなえもの。❷たべる。食う。また、めし。食物。

解字 形声。食+巽㊀。音符の巽ソン=センは、とりそろえるの意味。整えそろった食物のさまから、そなえものの意味を表す。

【饌饋】センキ 膳立ぜんだてした食物をすすめる。また、食物。

【饌玉】センギョク とりそろえた、りっぱなごちそう。用例(唐、李白、将進酒詩)鐘鼓饌玉何足レ貴、但願ニ長酔一不レ願レ醒(ショウコセンギョク なんぞたっとぶにたらん、ただねがわくはチョウスイしてさむるをねがわず) ↓食前の音楽も山海の珍味も、どうして貴ぶに足りようか。(わたしは)ただいつまでも酔っていることを願って、さめることを願わないだけ。

12【饍】21画 13654 ゼン 膳(5141)と同字。→一〇八八ページ下。 ₂9271 ― 7277

12【饋】21画 13655 フン 餴(13632)の俗字。→一五七七ページ下。 ― ― 7281

13【饗】22画 13656 人 標 ㊥キョウ(キャウ) ㊰コウ(カウ) 養 xiǎng 2234 8BC0 ―

筆順 饗

【饗】13657 同字 【饗】13642 俗字

字義 ❶あえ。村人が集まって飲食すること。酒食を供してねぎらうこと。さかもり。宴会。❷もてなす。ねぎらう。酒食でねぎらう。また、その酒食。「饗応」❸すすめる。そなえる(供)。また、供え物。❹飲む。また、食べる。❺うける。うけ入れる。もてなしに応ずる。用例(戦国策、趙)且暮当ニ抜而饗一其利(たんぼまさにぬきてそのりをうくべし) ↓今日明日にも陥落させて、その利益を受けようというのだ。❻当たる。❼祭る。神をあわせ祭る。

名前 きょう・こう 難読 饗庭あえば

参考 現代表記では[供](308)に書きかえることがある。「饗応→供応」

解字 甲骨文 篆文 形声。食+郷㊀。音符の郷キョウは、食物を間に、二人がむきあう形にかたどる。さかもり、もてなしの意味を表す。

【饗宴・饗筵】キョウエン もてなしの酒盛り。

【饗応(應)】キョウオウ・キョウヨウ 国①酒食をふるまってもてなすこと。②相手に調子を合わせること。供応。

【饗告】キョウコク 祖先の霊などに供え物をし、告げること。

【饗膳】キョウゼン 国ごちそうの膳部。会食の膳。

【饗報】キョウホウ ①ごちそうして、その恩徳に報いること。②神に供え物をし、そのめぐみに報いること。

【饗礼(禮)】キョウレイ 賓客をもてなす礼式。

13【饗】22画 13657 キョウ 饗(13656)と同字。→一五七九ページ中。

13【饘】22画 13658 セン 先 銑 zhān ₁9410 ― 7280

字義 かゆ。濃いかゆ。↔粥(8988)。

解字 形声。食+亶㊀。

【饘粥】センシュク かゆ。濃いかゆと、薄いかゆ。饘酏センイ。

13【饕】22画 13659 トウ(タウ) 豪 tāo 8135 E962 ―

字義 ❶むさぼる(貪)。=叨(1320)。㋐飲食をむさぼる。㋑財貨をむさぼる。❷想像上の悪獣の名。転じて、悪人。

解字 篆文 会意。食+號㊀。號は、さけぶの意味。大声をあげながらたべる、むさぼるの意味を表す。

饕餮③

【饕餮】トウテツ ①金銭をむさぼることと、飲食をむさぼること。欲の深いこと。饕餮トウテツ。②未開の異民族の名。③想像上の悪獣の名。古代、青銅器の模様に用いた。④悪人をいう。

【饕戾】トウレイ むさぼって、人の道にもとること。また、その人。

13【饙】22画 13660 フン 餴(13632)と同字。→一五七七ページ下。 ― ― 7282

13【饛】22画 13661 ㊥ボウ ㊰モウ 東 méng

字義 食物を食器に盛り上げたさま。やまもり。

解字 篆文 形声。食+蒙㊀。音符の蒙モウは、おおうの意味。食物が食器をおおうようにあるさまを表す。

13【饔】22画 13662 ㊥ヨウ ㊰オウ 冬 yōng ― ― 7279

字義 ❶にもの。煮た食物。煮た肉。❷あさめし。朝食。↔飧(13561)。❸殺したいけにえ。↔餼(13633)。

解字 金文 篆文 形声。食+雍(雝)㊀。音符の雝ヨウは、やわらぐの意味。熱をとおしてやわらかくした食物の意味を表す。

【饔餼】ヨウキ 殺したいけにえと生きたままのいけにえ。

【饔人】ヨウジン 古代の官名。料理をつかさどる。雍人ヨウジン。

【饔膳】ヨウゼン 食膳。膳部。食事。

【饔飧】ヨウソン ①朝食と夕食。②めし。食事。

14【饜】23画 13663 エン 豔 琰 yàn ₂9273 ― 7283

字義 あきる(飽)。㋐食べあきる。㋑あきたりる。満ち足りる。

解字 形声。食+厭㊀。音符の厭エンは、あきるの意味。食を付し、たべあきるの意味を表す。

【饜足】エンソク あきたりる。腹いっぱい飲み食いすること。飽食。

【饜飫】エンヨ 食物にあきたりる。転じて、文意などを十分に味わうこと。厭飫エンヨ。飽食。

14【饕】23画 13664 セン 饌(13653)の本字。→一五七九ページ上。 — — 7284

17【饞】26画 13665 漢サン 呉ゼン 慣 chán — — 7284

字義 むさぼる(貪ドン)。食物や利益をむさぼる。

解字 形声。食＋毚音。

【饞△嗜】サンシ むさぼる。ほしがる。

【饞△涎】サンゼン よだれ。食べたいと思って流すよだれ。

【饞△吻】サンプン 飢えて食物をほしがる口。

17【饟】26画 13666 ショウ 餉(13588)と同字。→一五七四ページ下。 ₂9274 — 7285

19【饠】28画 13667 ラ 歌 luó ₂9275 — 7286

字義 食べ物の名。もち(餅ヘイ)。こなもち(粉餅)。

解字 形声。食＋羅音。

9画

首 くび

〔部首解説〕 首を意符として、頭部に関する文字ができている。

0 首 一五八〇 2 馗 一五八一 8 馘 一五八一

0【首】9画 13668 教2 シュ くび 2883 8EF1 —

一 漢シュウ(シウ)・呉シュ 有 shǒu

二 漢シュウ(シウ)・呉シュ 宥 shòu

筆順 丶 丷 䒑 䒒 产 首 首 首 首

字義 一 ❶くび。㋐あたま(頭)。こうべ。用例〔唐、高適、燕歌行〕少婦城南欲レ断レ腸、征人薊北空回レ首。↓若妻は街の南で大変悲しみ、出征した夫は薊北の地にあって故郷をかえりみる。㋑頭と胴の間。「鶴首」❷くびをきる。用例〔新唐書、劉総伝〕或首二於都市一、或身為二逐客一。↓ある者は街の市場で斬首され、ある者は国をおわれる身となった。❸はじ-め。㋐物事のはじめ。最初。はじまり。用例〔老子、三十八〕夫礼者忠信之薄而乱之首。↓そもそも礼などというものは忠実さや信頼が薄くなったから起こったもので、世の乱れのはじまりである。㋑第一。「首位」㋒先。前。前部。「船首」❹おさ。かしら。きみ(君)。「首領」「元首」❺かみ。頭髪。用例〔詩経、衛風、伯兮〕自二伯之東一、首如二飛蓬一。↓あの人が東に行ってから、わたしの髪は転がりゆくよもぎのように乱れている。❻かなめ(要)。物事の重要な点。用例〔書経、秦誓〕予誓告二汝群言之首一。↓わたしはお前たちに多くのことばの中でも最も重要なものを誓って告げよう。❼つか。刀のつか。用例〔礼記、曲礼上〕進レ剣者左レ首。↓剣を贈るにはつかを相手の左側にする。❽もとづく(本)。よりどころとする。用例〔礼記、曽子問〕今之祭者不レ首二其義一。↓現在の庶子の行う祭礼は正しい礼に基づいていない。❾はじめる(始)。はじめに提唱する。用例〔漢書、律暦志上〕北平侯張蒼首二律暦事一。↓北平侯張蒼が律暦のことをはじめて定めた。❿あらわす(表)。明示する。用例〔礼記、間伝〕斬衰何以服レ苴、苴悪貌也。所下以首二其内一而見中諸外上也。↓喪服の斬衰はなぜ麻布を用いるのか、麻布はみにくいものである。それは内面を表してそれを外に示すためである。⓫方位を表す語。向き。側。「東首」⓬詩歌を数える語。「古詩十九首」

二 ❶もう-す(申)。つ-げる(告)。罪を白状する。用例〔三国志、魏志、武帝紀〕亡民有二詣レ門首者一。↓逃亡の民の中に軍門に出頭して自首する者がいた。❷したが-う(従)。罪に服する。降伏する。用例〔漢書、梁孝王劉武伝〕不レ首二主令一。↓首謀者としての罪に服そうとしない。❸む-かう(向)。頭をむける。「首丘」

国 ❶おびと。上古の姓かばねの名。❷くび。免職。❸しるし。敵のくび。

名前 おびと・おぶと・かみ・さき・はじめ・もと・しるし・首肯・首途

難読 首級

解字 金文

篆文

象形。目と髪とを強調して、頭の形にかたどりくびの意味を表す。

逆 回首・貫首・丘首・矯首・挙首・元首・絞首・自首・頭首・白首・馬首・部首・落首

【首悪(惡)】シュアク 悪人のかしら。元兇ゲンキョウ。

【首△魁】シュカイ ①さきがけ。先駆者。②かしら。親分。多く悪者のかしらにいう。

【首巻】シュカン 一 ①書物の初めの巻。第一巻。②第一巻の前の総論的な一巻。巻首。二 くびまき。国えりまき。

【首丘】シュキュウ ①きつねが死ぬときに、もと住んでいた丘の方に首をむけて死ぬこと。用例〔楚辞、九章、哀郢〕鳥飛返二故郷一兮、狐死必首レ丘。↓鳥は飛んで故郷に帰り、狐は死ぬとき古巣の丘へ頭を向ける。②もとを忘れないこと、故郷を思うことのたとえ。

【首級】シュキュウ 討ち取った首。昔、秦シンの法では、敵の首一つ討ち取れば位一級を進めるきまりがあったのに基づく。

【首功】シュコウ ①戦場で敵の首をとったてがら。②第一等のてがら。

【首甲】シュコウ ①かぶと。②かしら。第一。

【首肯】シュコウ うなずく。同意する。

【首座】一 シュザ 第一の座席。二 シュソ 仏僧の職名。また、座禅などのとき、上座にすわる僧。三 くびのザ 国首を切られる人のすわる座。

【首歳】シュサイ 年の初め。正月。

【首罪】シュザイ ①犯罪中、最も重い罪。②罪を自白する。③犯罪の発起人。主犯。

【首時】シュジ 春・夏・秋・冬の初め。四季の最初。

【首実(實)】シュジツ 事実を白状する。ありのままを述べる。

【首相】シュショウ ①大臣の中の首席の人。〔宋史、曽公亮伝〕②国内閣総理大臣をいう。

【首唱】シュショウ ①一番先に唱え出す。言い始める。また、その人。首唱者。②一座の中で最初に詩ができること。

【首章】シュショウ 文章や書物のはじめの章。第一章。

【首飾】一 シュショク 頭のかざり。かんざしの類い。用例〔人虎伝〕今其首飾、猶在二巌石之下一也。↓今もその人の髪飾りが、大きな岩のもとにまだ残っている。二 くびかざり 国首にかけるかざり。ネックレス。

【首席】シュセキ 一番の上位。一番の席次。首班。

【首選】シュセン 科挙(官吏登用試験)に第一位で合格すること。

【首善】シュゼン 教化のはじめ。天下の手本となること。用例〔史記、儒林伝賛〕教化之行也、建二首善一、自二京師一始。↓教化を行うときは、最初に手本となるところとして、国都から始める。

【首善△之地】シュゼンのチ 都のこと。→首善。

【首△鼠両(兩)端】シュソリョウタン どちらともつかず、ぐずぐずしていること。ひよりみ。洞ほらが峠。ねずみは疑い深く、穴から首を出したり引っこめたりするところからのたとえ。一説に、首鼠

は進退するという意味といい、また躊躇（チュウ）の音の変化したものともいう。〔史記、武安侯伝〕

【首足異処(處)】（シュソクところをことにす） 首と足とが別々にされる。腰切りにされること。頭足異処（トウソクところをことにす）。〔十八史略、春秋戦国、魯〕

【首△陀羅】（シュダラ） 仏梵語（ボンゴ）śūdraの音訳。インドの四姓の一つ。農奴（ノウド）など最下級の階級。首陀。

【首長】（シュチョウ） ①かしら。上に立って支配する人。首領。②国地方自治体の長。

【首途・首塗】（シュト） 初めて旅へ出ること。かどで。▼塗も、途（ち）の意。

【首脳(腦)】（シュノウ） 国おもだった者。中心。「首脳部」

【首班】（シュハン） 一番の上位。一番の席次。首席。

【首尾】（シュビ） ①頭と尾。②初めと終わり。③初めから終わりまで。「首尾一貫」④国㋐事がらのなりゆき。てんまつ。㋑ぐあい。また、つごう。

【首府】（シュフ） 国の君主のいる所。また、国の中央政府のある所。首都。

【首伏】（シュフク） 自首して出て罪に服する。首服。

【首服】（シュフク） ①＝首伏。②首かざり。③元服。

【首謀】（シュボウ） 主となって事を起こす。また、その人。張本人。

【首陽山】（シュヨウザン） 山名。周代、伯夷（ハクイ）・叔斉の兄弟が、義を守って餓死したといわれる山。今の山西省永済市の南。

【首虜】（シュリョ） 討ち取った首と、とりこ。首級と捕虜。

【首領】（シュリョウ） ①首。あたま。②かしらとなって人を従える者。

【畏首畏尾】（シュをおそれビをおそる） おそれない所のない意で、はなはだしくおそれること。〔左伝、文公十七〕

【△掻首】（こ(か)うべをかく） あたまをかく。㋐不安のさま。掻首（ソウシュ）。㋑国はずかしがるさま。

【△俛首△帖耳】（こ(か)うべをふせみみをたる） 頭を伏せ、耳をたれる。人にこびへつらうこと。俛首帖耳（フシュチョウジ）。

2 【馗】 11画 13669 漢キ 呉ギ 支 kuí 8136 E963 —

字義 ❶ほおの骨。❷九方に通ずる道。❸かくれる(隠)。❹鍾馗（ショウキ）は、厄病を払う神の名。

解字 篆文 形声。首(道)＋九音。音符の九は、ここのつの意味。九方に達する道の意味を表す。

8 【馘】 17画 13670 一漢カク(クヮク) 陌 guó 二漢ケキ・呉キャク 錫 xù 8137 E964 —

9627 同字 【聝】

字義 一❶きる。耳を切る。敵を殺し、左の耳を切り、討ち取った首の数の心覚えとした。また、切った敵の耳。❷くびきる。首を切る。また、切った首。解雇する。二おもて(面)。かお。国くびきる。官や職を免ずる。

解字 甲骨文 篆文 別体 形声。首＋或音。音符の或（ワク）は、区切るの意味。敵を殺して左の耳を切り、うち取った首の数の心覚えとし、区切りとしたところから、耳を切る・首を切るの意味を表す。聝の別体。

【馘耳】（カクジ） 耳を切る。また、切り取った耳。

【馘首】（カクシュ） ①首を切る。②国官や職をやめさせる。くびにする。解雇。

9画 香 かおり

〔部首解説〕 香を意符として、香りに関する文字ができている。

0 香 一五八一 5 馛 一五八二 馝 一五八二 7 馞 一五八二 馟 一五八二 8 馣 一五八二 9 馥 一五八二 10 馦 一五八二 11 馨 一五八二

0 【香】 9画 13671 教4 コウ・キョウ か・かおり・かおる 漢キョウ(キャウ)・呉コウ(カウ) 陽 xiāng 2565 8D81 —

筆順 一 二 千 禾 禾 禾 香 香 香

字義 ❶か。かおり（かをり）。におい。よいにおい。↔臭(9669)。❷かおる（かをる）。かぐわしい（かぐはし）。かんばしい（かんばし）。こうばしい（かうばし）。よいにおいがする。「香水」❸たきもの。香料。「線香」国❶コウ。㋐香合（こうあわせ）。香道。㋑香色。黄ばんだ薄赤い色。㋒味噌（ミソ）の別名。㋓薬味の別名。❷キョウ。将棋のこまの一つ。香車（キョウシャ）。

名前 か・かが・かおり・かおる・こう・たか・よし 難読 香我見（かがみ）・香橘（くねんぼ）・香魚（あゆ）・香具山（かぐやま）・香香地（かかじ）・香芝（かしば）・香春（かわら）・香草（かぐさ）・香椎（かしい）・香登（かがと）・香橙（くねんぼ）・香美（かがみ）・香良洲（からす）

使いわけ かおり・かおる〔香・薫〕
〔香〕鼻で感じるにおいについて、広く用いる。「梅の香り」
〔薫〕風が運ぶにおいや、漂う雰囲気について用いる。「風薫る五月・文化の薫り」

解字 篆文 会意。篆文は、黍＋甘。黍は、きびの意味。甘は、うまいの意味。きびなどから生ずる甘いかおりの意味を表す。常用漢字の香は省略体による。

逆 暗香・残香・焼香・清香・線香・沈香・聞香・芳香・抹香・幽香・余香

【香案】（コウアン） 香炉を載せる机。香机。

【香雲】（コウウン） ①かんばしい雲。花のむらがり咲いた様子。花がすみのさま。②女性の髪の形容。③仏香の煙が雲のように見えること。

【香煙】（コウエン） ①かんばしい煙。②仏仏に供える香の煙。

【香火】（コウカ） ①香をたく火。②香をたいて誓う。③仏仏前に供える香をたく火。また、その香。

【香火院】（コウカイン） 仏その家の先祖代々の位牌（イハイ）を祭り、葬式・供養などを営む寺。菩提寺（ボダイジ）。香華院（コウゲイン）。

【香火情】（コウカのジョウ） ちかいの心。昔、誓約の時に香をたいたからいう。

【香界】（コウカイ） 寺のこと。香阜（コウフ）。

【香閨】（コウケイ） ①かぐわしいかどの。女性の寝室をいう。香閣（コウカク）。②寺院の建物をいう。

【香気(氣)】（コウキ） かおり。よいにおい。

【香魚】（コウギョ） 鮎（あゆ）の別名。

【香具】（コウグ） ①たきものの材料。白檀（ビャクダン）・沈香（ジンコウ）など。②たきものに用いる道具。

【香具師】 一（コウグシ） 国香具を作ったり売ったりする人。二（やし） 国縁日などに、見せ物興行をしたり、商品を売ったりする人。てきや。

【香花・香華】（コウゲ） 仏仏に供える香と花。

【香花院・香華院】（コウゲイン） 仏＝香火院。

【香径(徑)・香△逕】（コウケイ） ①香草のはえているこみち。②呉の西施が香草を採ったというこみち。

【香光荘(莊)厳(嚴)】（コウコウショウゴン） 仏一心に仏を念ずると、自然にその人の心に仏が現れること。〔楞厳経〕

【香港】（ホンコン） 広東（カントン）省南部の都市。アヘン戦争後、道光二十二年(一八四二)の南京条約でイギリスに割譲された。一九九七年、中国に返還され、香港特別行政区となった。

【香合】 一（コウゴウ） 香料を入れる箱。香盒（コウゴウ）。二（コウあわ(は)せ） 国いろいろの香をたき、そのにおいをかぎわけたり、かおりの優劣を争ったりする遊び。

【香魂】（コウコン） ①花の精。②美人の魂。用例〔北宋、曽鞏、虞美人草詩〕香魂夜逐ニ剣光一飛（コウコンよるケンコウをおいてとび）、青血化為ニ原上草一（セイケツカしてゲンジョウのくさとなる）。↓かぐわしい魂は剣の光とともに飛び去り(自殺して)、その血は姿を変えて野原の草となったのだ。

【香山居士】コウザンコジ 白居易の別号。香山は、今の河南省洛陽市の竜門山の東の山。白居易は晩年この付近に住んだ。

【香餌】コウジ ①かんばしいえさ。②人をおびきよせるために提供する利益。

【香餌△之下必有二死魚一】コウジのもとかならずシギョあり 魚はかんばしいえさに釣られて死ぬ。利に誘われて身をほろぼすたとえ。〔三略、上略〕

【香車】㊀コウシャ ①美しい車。②女性の車。㊁キョウシャ 国将棋のこまの一つ。

【香積寺】コウシャクジ 長安（今の陝西省西安市）の南東、終南山のふもとにある寺。

【香臭】コウシュウ ①におい。かおり。②よいにおいと、悪いにおい。香気と臭気。

【香△塵】コウジン よいにおいのちり。落花のこと。

【香水】コウスイ ①よいにおいのする水。②化粧品の一つ。香料をアルコールに溶かしたもの。③仏花などを入れて仏に供える水。

【香刹】コウセツ 寺。寺院。

【香雪】コウセツ ①かおりのある雪。白い花のこと。②茶の花の別名。

【香煎】コウセン 麦や穀類をいって粉にしたもの。麦こがしの類い。

【香象】コウゾウ 仏①香気を帯びた青い象。深い海でも歩いて渡るという、想像上の動物。②菩薩の名。

【香袋】コウタイ 香料を入れた袋。においぶくろ。

【香台（臺）】コウダイ ①香炉を載せる台。②仏殿の別称。

【香塚】コウチョウ 美人の墓。

【香典・香△奠】コウデン 仏死者の霊前に供えるもの。主として金銭。香料。

【香木】コウボク においのよい木。たきものに用いる。

【香夢】コウム 花の下などでみる夢。

【香霧】コウム かぐわしいきり。花園や女性の部屋にたちこめるきりをいう。用例〔唐、杜甫、月夜詩〕香霧雲鬟湿うるおい（ほ）、清輝玉臂寒からん ↓かぐわしい夜霧に妻の美しいまげはしっとりぬれて、清らかな月の光に妻の美しい腕は冷たく光っていることだろう。

【香料】コウリョウ ①たきものの材料。②＝香典。

【香△奩・香△匳】コウレン ①＝香合㊁。②女性の化粧道具を入れる箱。

【香△奩体（體）】コウレンタイ 詩の一体。美人をなまめかしく歌うもの。唐の韓偓から始まる。

【香△輦】コウレン 天子の車。「香輦登仙（天子の死をいう）」

【香炉（爐）】コウロ ①香をたくのに用いる器。②香炉峰の略。

香炉

【香炉（爐）峰】コウロホウ 山の名。廬山の北にある峰。香炉の形に似ているので名づけられた。江西省九江市の南西。用例〔唐、白居易、香炉峰下新卜二山居一草堂初成偶題二東壁一詩〕遺愛寺鐘欹レ枕聴イアイジのかねはまくらをそばだててきき、香炉峰雪撥レ簾看コウロホウのゆきはすだれをかかげてみる ↓遺愛寺でつく鐘の音は、ねたまま枕をかたむけてきき、香炉峰に積もる雪は、すだれをはねあげて眺める。

【聞レ香】コウをきく ①においをかぎわける。②香合をする。においをかぎ分ける遊びをする。

5【馛】14画 13672 漢ハツ 呉バチ 曷 bó — — 7287
字義 かんばしい。
解字 形声。香＋犮音。

5【馝】14画 13673 漢ヒツ 呉ビチ 質 bì — — 7288
字義 かんばしい。よいにおいがする。
解字 形声。香＋必音。

7【馞】16画 13674 漢ト 呉ズ（ツ） 虞 tú — — 7289
字義 かんばしい。
解字 会意。香＋孚。孚フは浮に通じ、うきあがるの意味。

7【馟】16画 13675 漢ホツ 呉ホチ 月 bó 19411 EEDE —
字義 かんばしい。また、濃いかおり。
解字 形声。香＋孛音。

8【馣】17画 13676 漢アン 呉オン 覃 ān 29276 — —
字義 馣馣は、かんばしい。
解字 形声。香＋奄音。

9【馥】18画 13677 漢フク 呉ブク 屋 fù 8138 E965 —
字義 ❶かおり。かをり。❷かおる。かをる。㋐よいにおい。香気。㋑よい評判。よい影響。❸かんばしい。こうばしい。香気の高いさま。
解字 篆文 形声。香＋复（夏）音。音符の夏フクは、また、亯＋夂。亯は、ふっくらと豊かなかおりの意味を表す。

【馥△郁】フクイク かおりの高いさま。香気のたちこめるさま。

【馥気（氣）】フッキ・フクキ よいにおい。香気。

10【馦】19画 13678 ケン 塩 xiān 29277 — 7290
字義 ❶こう（香）。香料。❷かおり。香気。❸かんばしい。
解字 形声。香＋兼音。

11【馨】20画 13679 人 ㊀漢ケイ 呉キョウ（キャウ） 青 xīn ㊁漢ケイ 呉キョウ（キャウ） 敬 xìn 1930 8A5D —
筆順 声 殸 馨
字義 ㊀❶かおる。かをる。㋐かぐわしい。かぐはし。よいにおいを発する。香気がたちこめる。香り高い。㋑よい影響や、よい評判が広まる。❷かおり。かをり。㋐よいにおい。㋑よい影響。よい評判。㊁語勢を助ける助字。晋以後に用いられた。「寧馨児（このような子）」
名前 か・かおり・かおる・きよ・けい・よし
解字 篆文 形声。香＋殸音。音符の殸ケイは、高い音を出す楽器、磬ケイの象形。磬の音が遠くまで達するように、かおりが遠くにまで及ぶの意味を表す。

【馨逸】ケイイツ 香気が普通と変わってすぐれていること。

【馨香】ケイコウ ①かおり。よいにおい。香気。②よい感化・教化。

10画
馬 うま・うまへん

〔部首解説〕馬を意符として、いろいろな種類の馬や馬に似た動物の名称、馬の状態、馬を扱うことなどに関する文字ができている。

0

【馬】

10画 13680 教2 バ うま・ま

漢バ・呉マ・メ 馬 mǎ 熟字訓 伝馬船てんません

3947 946E 一

筆順

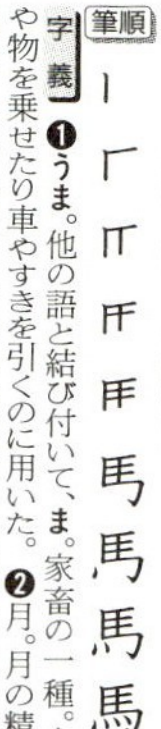

字義 ❶うま。他の語と結び付いて、ま。家畜の一種。人や物を乗せたり車やすきを引くのに用いた。❷月。月の精。❸かずとり。すごろくなどの勝負で、勝った数をかぞえるしるし。「籌馬チュウバ」 ❹ののしる。ののしるときのたとえ。❺わるい。悪いもののたとえ。国❶うま。㋐遊興代を払わない客に同行してとりたてる人。つけ馬。㋑普通のものより大きいものにつける接頭語。「馬ぜり」 ❷国名。馬来マラヤの略。

名前 うま・たけし・ば・ま・むま 難読 馬下まおろし・馬銜はみ・馬穴ばけつ・馬克マーク・馬克斯マルクス・馬克思マルクス・馬歯莧すべりひゆ・馬耳塞マルセイユ・馬酔木あしび・あせび・馬刀貝まてがい・馬尼刺マニラ・馬尾藻ほんだわら・馬来マレー・馬来西亜マレーシア・馬来田まくた・馬陸やすで・馬蓼あかのまんま・いぬたで・馬鈴薯じゃがいも・馬路まじ・馬籠まごめ・馬込まごめ・馬徳里マドリード・馬刺加マラッカ・馬羅哥モロッコ

解字 甲骨文 金文 篆文

象形。馬の形にかたどり、うまの意味を表す。

逆 海馬・騎馬・弓馬・軍馬・下馬・犬馬・司馬・車馬・征馬・駄馬・調馬・天馬・伝馬・匹馬・兵馬・奔馬・野馬・竜馬・老馬・羅馬・路馬

【馬駅(驛)】バエキ 宿場。駅伝。馬つぎ。

【馬援】バエン 後漢の武将・政治家。茂陵(今の陝西省内)の人。字は文淵。光武帝に仕えて、伏波将軍となり、交阯を攻めて功をたてた。(前一四―四九)

【馬遠】バエン 南宋の画家。字は遥父、号は欽山。夏珪と共に南宋院体画の代表的作家。室町時代の日本の画壇に大きな影響を与えた。馬麟はその子。

【馬王堆漢墓】マオウタイカンボ 前漢前期の墓。湖南省長沙市東方四キロメートルの馬王堆にある。一九七二～七四年に発掘された。

【馬嵬】バカイ 地名。唐の玄宗の愛妃、楊貴妃が殺された所。今の陝西省興平市の西。用例(唐、白居易、長恨歌)馬嵬坡下泥土中、不レ見二玉顔一空死処(馬嵬の坂道の泥の中、楊貴妃の美しい顔も見えず、ただ殺された場所が空しく目にうつるのみ。)

【馬革裹屍】バカクしかばねをつつむ 馬の皮で死体を包む。戦死すること。〔後漢書、馬援伝〕

【馬銜】バカン・バガン 馬のくつわ。馬勒。

【馬韓】バカン 古代朝鮮東部の国名。三韓(馬韓・弁韓・辰韓)の一つ。

【馬脚】バキャク ①馬の足。②うわべを飾っていたものの隠れた本性。地金。化けの皮。→露二馬脚一。国うまのあし 国芝居などで馬の足をつとめる役者。端役をつとめる役者をあざけることば。

【露二馬脚一】バキャクをあらわ(は)す 真相をあらわす。

【馬圉】バギョ ①うまや。馬屋。②うまかい。馬のせわをする人。圉人。

【馬建忠】バケンチュウ 清末の言語学者。字は眉叔。フランスに学び、西洋的な漢文法書『馬氏文通』十巻を著した。(?―一八九九)

【馬喰】ばくろう(ふ) 国馬の良否を見分ける人。また、馬の病気をなおす人。また、馬の売買をする人。博労。「伯楽」のなまり。

【馬士】バシ 馬方。うまかい。

【馬史】バシ 前漢の司馬遷の著した歴史書の『史記』の別称。

【馬市】バシ 金・帛・茶などと、蒙古地方の馬を交易すること。また、その市場。国うまいち 国馬を売買する市場。

【馬矢】バシ 馬のくそ。まぐそ。馬糞。馬勃。馬通。

【馬歯(齒)】バシ ＝馬齢②。▼歯は、年齢。

【馬耳東風】バジトウフウ 人のことばを少しも心にとめず聞き流すこと。馬の耳に念仏。盛唐の李白の「答二王十二寒夜独酌有レ懐詩」に「世人聞レ此皆掉レ頭、有レ如二東風射二馬耳一(世人これをききみなかしらをふるい(ひ)、トウフウのバジをいるがごときあり)」とあるのに基づく。

【馬手】めて 右手。馬の手綱を持つ手の意。↕弓手ゆんで(四八六ジペー中)。

【馬首】バシュ ①馬のくび。馬頭。②馬の向かう方向。

【馬鞦】バシュウ 馬のしりがい。馬の尻にかけるひも。

【馬上得二天下一】バジョウにテンカをう 軍人が馬にまたがり戦場を駆け回って天下をとる。〔史記、陸賈伝〕

【馬乗(乘)】バジョウ 四頭の馬。国うまのり 国①馬にのること(人)。②乗馬のたくみな人。③またがること。

【馬場】バジョウ 馬を飼うところ。牧場。国ばば 国乗馬のけいこをする場所。馬埒。

【馬食】バショク ①馬のように、四つんばいになって食器に口をつけて食べること。②馬の食物。③国馬のように大食すること。「牛飲馬食」

【馬謖】バショク 三国時代、蜀の武将。字は幼常。馬良の弟。祁山の戦いで諸葛亮の命令に反して大敗し、処刑された。(一九〇―二二八)→泣斬二馬謖一(ないてバショクをきる)(八三ジペー中)。

【馬捶・馬箠】バスイ 馬を打つむち。馬策。

【馬酔(醉)木】バスイボク・あせび・あしび ツツジ科の常緑低木。葉に毒素があって、牛馬が食べると酔うところからいう。

【馬声(聲)】バセイ ①馬のいななき。②馬の蹄の音。

【馬遷】バセン 前漢の歴史家、司馬遷をいう。

【馬前】バゼン 君主、または貴人のそば。戦場などにいう。用例(唐、白居易、長恨歌)六軍不レ発無二奈何一宛転蛾眉馬前死(リクグンハッせず、いかんともするなく、エンテンたるガビ、バゼンにシす)。近衛の軍隊は出発しようとせずどうにもならなくなり、すんなりと美しい眉の美人(楊貴妃)は、天子の馬前で死んだのである。

【馬賊】バゾク 清代末期、中国の東北地方で馬に乗り集団を作って横行した盗賊。

【馬端臨】バタンリン 元の学者。字は貴与。著書に『文献通考』がある。(一二五四?―一三二三)

【馬致遠】バチエン 元の劇作家。号は東籬。関漢卿・鄭光祖・白樸とともに元曲の四大家と称せられた。著書に『漢宮秋』『黄粱夢』などがある。(一二五一?―一三二一?)

【馬超】バチョウ 三国時代、蜀の武将。茂陵(今の陝西省内)の人。字は孟起。諡は威。蜀の劉備に仕えて驃騎将軍となった。(一七六―一二二)

【馬通】バツウ 馬のくそ。馬矢。

【馬丁】バテイ ①馬の口取り。べっとう。②馬子。馬方。

【馬蹄】バテイ ①馬のひづめ。②人の乗っている馬。

【馬△蹄銀】バテイギン 清代の銀貨。馬蹄形で、目方によって価格をきめる。
【馬△絛】バトウ 馬の腹帯。▼絛は、くみひも。
【馬頭】一バトウ ①馬のあたま。馬首。②馬の上。③舟着き場。はとば。埠頭。二メズ 仏地獄の獄卒で人身馬首の鬼。三うまのかみ 国馬寮の長官。
【馬頭観(觀)音】バトウカンノン・バトウカンオン 仏観音の一つ。普通、三面で八臂(腕が八本)。宝冠の上に馬頭をいただき、怒りの相をなし、いっさいの悪魔・煩悩を払い伏させる徳を表す。馬頭観世音。
【馬△鐙】バトウ 馬のあぶみ。
【馬班】バハン ①前漢の司馬遷と後漢の班固。ともにすぐれた歴史家で、『史記』と『漢書』の著者。②後漢の馬援と班超。ともに出征して大功を立てた。
【馬匹】バヒツ 馬のこと。一匹二匹と数えるからいう。
【馬△鞭】バベン 馬にうつむち。馬箠。
【馬勃】バボツ ①きのこの一種。ほこりたけ。②馬のくそ。馬矢。
【馬鳴】一バメイ 馬のいななき。二メミョウ 仏古代インドの高僧。本名はアシュバゴーシャ。北インドのサーケータ、今のアウドの人。バラモン教から仏教に転じ、二世紀ごろ、初期大乗仏教の大学者として活躍した。
【馬融】バユウ 後漢の儒学者。茂陵(今の陝西省内)の人。字は季長。『論語』『詩経』『易経』『書経』『三礼』『老子』『淮南子』などの注を書き、『忠経』『春秋三伝異同説』などを著した。鄭玄の師。(七九—一六六)
【馬△埒】バラチ・バレツ 乗馬のけいこをする所。馬場。
【馬力】一バリキ ①動力の単位。七五キログラムの重量を一秒間に一メートル動かす力。②荷馬車。③強い体力。二バリョク 馬の力。
【馬良】バリョウ 三国時代、蜀の劉備に仕えた功臣。宜城(今の湖北省内)の人。字は季常。兄弟五人みな有名であったが、中でも馬良は最もすぐれ、眉に白毛があって、白眉と称された。(一八七—二二三)→白眉(九九一ページ上)。
【馬陵】バリョウ 地名。戦国時代、魏の将、龐涓が敗死した所。今の河北省大名県の南東。
【馬△鬣封】バリョウホウ 馬鬣(馬のたてがみ)のように薄く長形に土を盛った墓。
【馬齢(齡)】バレイ 国①馬の年齢。②自分の年齢を謙遜していうことば。馬歯。
【馬△櫪】バレキ ①うまやのねだ。②馬のかいばおけ。
【馬路】バロ 大通り。大きな道路。
【馬鹿】一バロク ①秦の趙高が鹿を二世皇帝に献じ、馬であると言ってがんばりとおした故事。〔史記、秦始皇本紀〕②うまと、しか。③鹿の俗称。二バか 国梵語moha(莫迦・痴(おろか)の意)の音訳からの転とも、趙高の故事から出たともいう。①おろかなこと(人)。②無益なこと。つまらぬこと。③「馬鹿貝」の略。
【帰(歸)二馬△于華山△之陽一】うまをカザンのみなみにかえ(へ)す 戦争がすんで平和がおとずれたたとえ。周の武王が殷を滅ぼして、軍馬を華山の南に放ち帰し、ふたたび戦いを起こさぬ意を示した故事による。〔書経、武成〕
【△叩レ馬】うまをひかう(ふ) 馬の手綱を引き止める。

2 【馭】 12画 13681 漢ギョ 呉ゴ 国yù 8139 E966 —

字義 ❶あやつる。馬をあやつる。馬を扱う。御する。用例〔唐、白居易、長恨歌〕排レ風馭レ気奔如レ電 升レ天入レ地求レ之徧。↓風をきっておしひらくようにしながら、大気に乗って、いなずまのように(つっぱしり)、天に昇り、地にもぐって、くまなくさがし求めた。❷馬を扱う人。ぎょしゃ。❸のりもの。騎乗。車駕。❹すべる(統)。おさめる。人をうまく使いこなす。

参考 現代表記では〔御〕(3440)に書きかえる。「馭者→御者」「制馭→制御」。熟語は〔御〕をも見よ。

解字 会意。馬＋又。馬を手であつかう、あやつるの意味を表す。

【馭極】ギョキョク 天子の即位。▼馭は御で、おさめる、極は皇位。
【馭者】ギョシャ 馬をあつかう人。御者。

2 【馮】 12画 13682 一漢ヒョウ・呉ビョウ 国píng 二漢ホウ・呉ブウ 国fēng 三漢フン・呉ブン 㘈 慣フウ 8140 E967 —

字義 一❶馬が速く走る。❷しのぐ。おかす。あなどる(侮)。❸よる(依)。よりかかる。＝凭(847)。❹たのむ。たのみとする。＝憑(3615)。❺川を徒歩で渡る。かち渡る。「馮河」❻さしはさむ。❼むさぼる(貪)。❽たすける(輔)。❾大いに。さかんに。❿さかんなさま。⓫→馮馮。二❶＝一❶。❷姓。三いきどおる。＝憤(3888)。

解字 篆文  形声。馬＋冫(仌)音。音符の仌は、氷の象形で、氷がひび割れるの意味。馬が、氷のひび割れのように速く走るの意味を表す。

【馮△夷】ヒョウイ・フウイ ①水の神。㋐川の神。河伯。氷夷。㋑雨の神。②陰陽をつかさどる天神。
【馮異】フウイ 後漢の武将。字は公孫。光武帝に仕え、戦功を立てた。節侯と諡された。読書を好み、『春秋左氏伝』や『孫子』の兵法に通じた。(?—三四)
【馮河】ヒョウガ ①徒歩で黄河を渡ること。②無謀な勇気。向こう見ずのたとえ。用例〔論語、述而〕暴虎馮河、死而無レ悔者、吾不レ与也。↓血気の勇にはやって無謀な行動をして、死んでも後悔しないような人間とは、私は一緒に行動しない。
【馮△煖・馮△驩】フウケン・フウカン 戦国時代の政治家。斉の孟嘗君(三八四ページ下)に仕えて、内政・外交に大きな功績を立てた。
【馮気(氣)】フンキ いきどおる気。胸がふさがって晴れ晴れしない気持ち。
【馮虚(虛)】ヒョウキョ ＝馮レ虚(一二五一ページ上)。
【馮相】ヒョウソウ 周代の官名。天文をつかさどる。馮相氏。
【馮怒】ヒョウド 大いに怒る。激怒。赫怒。
【馮道】フウドウ 五代、後唐の政治家。景城(今の河北省内)の人。字は可道。宰相の位にあること二十余年。田敏らに校定させた『九経』は儒教経典出版の初めで、「五代監本」と称される。(八八二—九五四)
【馮馮】ヒョウヒョウ ①堅い物をたたく音の形容。②さかんに満ちるさま。③多いさま。④馬の速いさま。
【馮夢竜(龍)】フウムリョウ・フウボウリョウ 明の文学者。号は、墨憨斎。『古今小説』『警世通言』『醒世恒言』などを編集した。(一五七四—一六四六)
【馮友△蘭】フウユウラン 中華人民共和国の哲学史家。河南省唐河県の人。字は芝生。著書に『中国哲学史』などがある。(一八九四—一九九〇)
【馮△翊】ヒョウヨク・フウヨク ①後漢の郡名。陝西省大茘県。②隋・唐の県名。陝西省大茘県。③左京職の唐名。
【馮陵】ヒョウリョウ しのぎおかす。勢いをたのんで侵し迫る。侵陵。

3 【馯】 13画 13683 カン 駻(13732)と同字。→一五八九ページ上。 — —

3 【馵】 13画 13684 シュ 国zhù — — 7294

字義 ❶左の後足が白い馬。❷ほだす。馬の足をつなぐ。

3 【馴】 13画 13685 人 標 漢シュン 呉ジュン 国xún 3875 93E9 —

解字 篆文 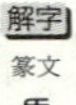 指事。もと、馬の足に二線を引き、足の白い馬の意味を表す。

筆順 丨 𠃊 𠃎 馬 馬 馬 馬 馴

【字義】❶なーれる。㋐馬が人になれる。また、動物が人になれる。㋑すなおに従う。いうことをきくようになる。したがう。経験を積んで楽にできるようになる。❷なーらす。なれさせる。いうことをきくようにさせる。❸よい。正しい。❹したがう(従)。❺適応する。

【名前】しゅん・じゅん 【難読】馴染(なじみ)

【解字】篆文 形声。馬＋川㊀。音符の川は、かわの意味。川が一定の道すじに従って流れるように、馬が人の意志に従う、なれるの意味を表す。

【馴化】ジュンカ 環境に適応して変わってゆくこと。順化。

【馴行】ジュンコウ よいおこない。善行。

【馴狎】ジュンコウ なれる。なれ親しむ。

【馴擾】ジュンジョウ なれる。また、ならす。柔順なこと。▼擾も、なれる。

【馴致】ジュンチ ①だんだんになれさせる。②だんだんにそうさせる。自然にそうなってくる。

【馴伏】ジュンプク なれしたがう。馴服。

【馴養】ジュンヨウ 動物を飼いならす。ならし養う。

【馴鹿】ジュンロク 一 なれた鹿。二 となかい 国鹿の一種。北方の寒地に産し、雌雄ともに大きな手のひらのような角がある。

3 【馱】13画 13686 ダ 駄(13697)の正字。→一五八六ページ上。 — — 7292

3 【馲】13画 13687 タク 漢 tuō — — 7293

【驝】13804 同字

【字義】馲駝・馲駞(タクダ)は、らくだ。

【解字】形声。馬＋乇㊀。

3 【馳】13画 13688 人 標 漢チ 呉ジ(ヂ) 囡 chí 3558 9279 —

【筆順】

【字義】❶は-せる。㋐車馬を速く走らせる。【用例】(十八史略、春秋戦国、斉)即馳去(すなわちはせさる)、変二姓名一(セイメイをへんじて)、夜半至二函谷関一(カンコクカンにいたる)。▽ただちに馬を走らせ逃げ去り、姓名を変えて、夜中に函谷関に到着した。㋑速く走る。㋒向ける。遠くへ及ぼす。行かせる。❷ほどこす(施)。

【名前】とし・はや・はやし

【解字】篆文 形声。馬＋也㊀。音符の也ャは、うねらすの意味。馬が背をうねらせて速く走るの意味を表す。

【馳駆(驅)】チク ①走り回ること。奔走。②馬や馬車を走らせる。

【馳檄】チゲキ 急使を用いて、ふれぶみ(檄文)を送る。また、そのふれぶみ。

【馳車】チシャ ①走る車。②車を走らせる。

【馳驟】チシュウ ①馬に乗って駆け回ること。②速足で走ること。

【馳説】チゼイ 諸国をまわって自らの主張を説明する。遊説。

【馳走】チソウ ①駆け走る。また、馬を走らせる。【用例】(史記、項羽本紀)直夜潰レ囲(ただちによるかこみをつい(ひ)やし)、南出馳走(みなみにいでてチソウす)。▽すぐさま夜をついて漢軍の囲みをうち破り、南方へ出て馬を走らせた。②国㋐人をもてなす。㋑もてなしの飲食物。ごちそう。

【馳逐】チチク ①馬を走らせ追いかける。②競馬。

【馳騁】チテイ ①走る。駆ける。②馬を走らせる。③物を支配すること。④狩りをする。狩猟。

【馳伝(傳)】チデン 駅伝の馬車。

【馳道】チドウ 天子や貴人の通る道。輦道(レンドウ)。

【馳突】チトツ はげしい勢いでつき進む。突進。

【馳騖】チブ 馬を走らせる。▼騖も、はせる。

【馳弁(辯)】チベン ことばたくみに言う。

【馳名】チメイ(なをはす) 名声をあげる。誉れをあげる。

【馳猟(獵)】チリョウ 馬を走らせて狩りをする。

3 【馰】13画 13689 漢テキ 呉チャク 錫 dí — — 7291

【字義】❶額の白い馬。❷すぐれた馬。

【解字】形声。馬＋勺㊀。

4 【駅】14画 13690 教3 エキ 1756 8977 —

13 【驛】23画 13691 漢エキ 呉ヤク 陌 yì 8167 E983 —

【筆順】

【字義】❶つぎうま。宿場ごとに用意して、旅人の用に応ずる馬。はや馬。❷うまや。旅人の宿泊地。馬継ぎ場。ふなつき。宿場。つぎやど。「宿駅」❸つづく。往来が絶えないさま。＝繹(9368)。「駱駅(ラクエキ)」 国エキ。汽車・電車などの発着する所。停車場。

【難読】駅家(うまや)・駅使(はゆまづかい)・駅馬(はゆま)

【解字】篆文 形声。馬＋尺(睪)㊀。音符の睪エキは、つぎつぎにたぐり寄せるの意味。馬をつぎからつぎへとたぐるようにして乗り継ぐために用意された所、宿場の意味を表す。

【逆】館駅・宿駅・亭駅・伝駅

【駅駅】エキエキ ①苗の生ずるさま。②さかんなさま。

【駅騎】エキキ 宿場の馬。はやつぎ馬。駅伝。

【駅使】エキシ 宿駅から諸方へ書信・品物などを送り届ける使い。公文書などを伝達する人。飛脚の類い。

【駅舎】エキシャ ①宿場のはたごや。②国停車場の建物。

【駅丞】エキジョウ 明ミン・清シン代の官名。宿場役人。

【駅站】エキタン ＝駅亭。▼站は、足だまり。

【駅長】エキチョウ ①宿駅の長。②国停車場の長。

【駅亭】エキテイ 宿場。駅站(エキタン)。郵亭。▼亭は、停で、人や物をとめる所。

【駅逓(遞)】エキテイ ①宿駅。宿場。②次から次へ送り届けること。

【駅程】エキテイ 宿駅から宿駅への道のり。

【駅伝(傳)】エキデン ①宿場の馬。はやつぎの馬。②宿場から宿場へ人や物などを送り届けること。③国道路を使って行う、長距離のリレー競走。駅伝競走。

【駅馬】エキバ 宿場を行き来する馬車。

【駅夫】エキフ ①宿場の労働者。②国停車場で、貨物の運搬などをする職員。駅手の旧名。

【駅吏】エキリ 宿場の役人。

【駅鈴】エキレイ(エキのすず) 国昔、朝廷の使いが諸国に行くとき、朝廷からもらった鈴。この鈴を振りならして駅馬を徴発した。

【駅路】エキロ 宿場を通っている道。街道。駅道。

4 【駆】14画 13692 常 ク かける・かる 2278 8BEC —

11 【驅】21画 13693 ク 虞 qū 8160 E97B —

【筆順】

【敺】4560 古字 【駈】13705 俗字

【字義】❶か-る。㋐馬を速く走らせる。また、速く走る。㋑追う。追いはらう。「駆逐」㋒迫る。強いる。駆り立てる。【用例】(唐、杜甫、兵車行)況復秦兵耐二苦戦一(いわ(は)んやまたシンペイのクセンにたう(ふ)るを)、被レ駆不レ異二犬与一レ鶏(かららるることいぬとにわ(は)とりとにことならず)。▽そのうえに、秦の地方出身の兵士は苦しいいくさにたえるというので、追いたてられることは、まるで犬やにわとりとかわらない。❷か-ける。＝❶㋐。❸軍隊の列。

【解字】甲骨文 篆文 形声。馬＋区(區)㊀。音符の區クは、毆ォに通じて、うつの意味。馬にむちうって、かるの意味を表す。

【逆】疾駆・先駆・前駆・長駆

【駆役】クエキ 人を追いたてて使う。駆使。

【駆遣】クケン ひまを出す。追い出す。

【駆使】クシ ①人を追いたてて使う。駆役。②人に追い使われる。③国人・牛馬・機械などを自由自在に使う。

【駆除】①追い払う。②除き去る。払い除く。

【駆儺】年末や節分に鬼を追い払う儀式。おにやらい。追儺。

【駆馳】①馬をかけ走らせる。馳駆。②人に使われてかけ回る。人のために奔走して努力する。用例〔三国蜀、諸葛亮、前出師表〕許二先帝一以二駆馳一。↓私は先帝のためにその手足となって力を尽くすことをお引き受けした。

【駆逐】追い払う。追いたてる。除くこと。

【駆騁】馬を走らせる。

【駆略・駆掠】追い立ててうばい取る。

4 【駃】 14画 13694 一㊥ケツ・㊤ケチ 㕦 jué 二㊥カイ(クワイ)・㊤ケ 㘳 kuài ₂9281 — 7305

字義 一❶駃騠は、速く走る馬。生後七日で母馬より速く走るという。また、らばの一種。❷はやい。＝快(3645)。二❶馬が速く走る。❷はしる。

4 【馹】 14画 13695 ㊥ジツ ㊤ニチ 質 rì ₂9278 — 7301

解字 形声。馬＋日㊥。

字義 つぎうま。はやうま。てんま(伝馬)。宿場ごとに備えておいて、急ぎの旅客のために走らせる馬。駅馬。逓馬。

4 【馺】 14画 13696 ソウ(サフ) 合 sà — — 7302

解字 形声。馬＋日㊥。

字義 ❶おいつく。馬を走らせておいつく。❷はやい(速)。❸かける。馬が走る。また、馬車や騎馬の速いさま。

解字 篆文 形声。馬＋及㊥。音符の及は、およぶの意味。

4 【駄】 14画 13697 常 ダ ㊥タ・㊤ダ 歌 箇 tuó, ③④duò 3444 91CA —

筆順 ｌ ┌ ┌┌ 馬 馬 馬 馬 駄 駄

【駄】 13686 正字

字義 ❶のせる。つむ(積)。牛馬などの背に荷物を負わせる。❷にうま。荷物を運ぶ馬。❸に(荷)。くらに。馬の背などにのせた品物。❹馬に積んだ荷物を数えることば。国ダ。㋐はきもの。「下駄」「足駄」㋑荷役に使うだけで、乗馬に適さない馬を指すところから、転じて、そまつなもの・むだなものの意味をそえる接頭語。「駄犬」「駄句」「駄洒落」

難読 駄科

解字 篆文 形声。馬＋太(大)㊥。音符の大は、俗に担に通じ、になうの意味。馬にになわせるの意味を表す。

逆 雪駄

【駄作】国つまらない作品。

【駄駄】国幼児が、あまえてわがままをいうこと。むずかる。「駄駄をこねる」

【駄賃】国①駄馬で送る荷物の運賃。②使い走りや手伝いの子供などに与えるお金や菓子など。

【駄馬】①荷物を背負って運ぶ馬。にうま。②国下等な馬。つまらない馬。↔駿馬(一五八九ページ上)。

【駄弁(辯)】国むだなおしゃべり。むだ口。

4 【馽】 14画 13698 チュウ(チフ) 緝 zhí ₂9279 — 7303

字義 ほだし。きずな。馬の足をつなぎとめる綱。また、ほだす(縶)。ほだしをつける。馬の足をつなぎとめる。「羈馽」

解字 篆文 象形。馬の足をひもで結んだ形にかたどり、馬の足をつなぎとめるの意味を表す。

4 【駁】 14画 13699 標 ハク 慣バク 覚 bó 3993 949D —

字義 ❶まだらうま。ぶちうま。毛色が純一でない馬。❷まだら。ぶち。また、まだらになる。❸まじる(雑)。入りまじる。❹あやまる(誤)。まちがう。❺せめただす。他人の説などを非難攻撃する。＝駮(13726)。❻かたよる(偏)。

解字 甲骨文 篆文 会意。馬＋爻。爻は、まじわるの意味。馬の毛色のまだらなさまを表す。また、暴に通じ、あばれ馬の意味から、せめただすの意味も表す。

【駁議】他人の意見を非難攻撃する。駁論。

【駁撃(擊)】他人の意見などの欠点をせめとがめる。

【駁雑(雜)】入りまじって純粋でない。雑駁。

【駁正】せめただす。是非を判別して悪い所を正す。

【駁論】他人の意見を非難攻撃する。駁議。

4 【馼】 14画 13700 ㊥ブン ㊤モン 文 wén 8141 E968 —

字義 たてがみが赤く、体は白くてあや模様のある馬。周の成王の時、犬戎がこれを献上したとも、文王が紂王に献上したとも言われる。

解字 形声。馬＋文㊥。

4 【馿】 14画 13701 ロ 驢(13806)の俗字。→一五九四ページ下。 ₂9280 — 7304

5 【駚】 15画 13702 ㊥ヨウ(ヤウ) ㊤オウ(アウ) 養 yǎng — — 7310

字義 駚𩢍は、獣が跳ねて自分で自分を打ちつけるさま。

解字 形声。馬＋央㊥。

5 【駕】 15画 13703 人 標 ㊥カ・㊤ケ 慣ガ 禡 jià 1879 89ED —

筆順 フ カ か 加 加 架 架 駕 駕

字義 ❶車に牛馬をつける。用例〔唐、白居易、売炭翁詩〕夜来城外一尺雪、暁駕二炭車一輾二氷轍一。↓ゆうべから長安の郊外は一尺もの雪、あけがたに炭の車に牛をつなぎ、こおった道を、ごろごろと荷車をころがして町へいそぐ。❷のる(乗)。馬・馬車などに乗る。また、牛馬・馬車などを扱う。転じて、役人になる。用例〔東晋、陶潜、帰去来辞〕世与レ我而相遺、復駕言兮焉求。↓世の人々も私を忘れ、私も世の人々を忘れてしまおう、再び馬車に乗る(役人の)身となって、そこで何を求めようというのか(何もない)。❸使いこなす。あやつる。❹乗り物。また、天子の乗り物。転じて、天子。「駕前」❺うま(馬)。車の軛につけた馬。❻つたえる(伝)。❼くわわる。＝加(994)。❽しのぐ(凌)。越える。❾軍隊を出動させる。

名前 のり・ゆき

難読 駕籠

解字 篆文 形声。馬＋加㊥。音符の加は、くわえるの意味。車を馬に加える・つけるの意味を表す。

【駕御・駕馭】①馬を自由に使いこなす。②人を思いのままに使う。

【駕幸】天子の行幸。

【駕士】天子の車を引く人。

【駕前】天子の車の前。巡幸中の天子の前。

5 【駒】 15画 13704 常 こま ク 虞 jū 2280 8BEE —

筆順 ｌ ┌ ┌┌ 馬 馬 馬 駒 駒 駒

字義 ❶こま。㋐若い元気な馬。㋑二歳の馬。㋒五尺以上で六尺未満の小馬。六尺以上は馬という。周代の一尺は二二・五センチメートル。❷わかもの。こども。国こま。㋐馬の総称。㋑将棋のこま。㋒三味線などの弦楽器の糸をささえるこま。

名前 こま

解字 金文 篆文 形声。馬+句音。音符の句は、クルッと曲がるの意味。クルクルはねまわる子馬、こまの意味を表す。

【駒影】エイ あっという間に過ぎゆくひかげ(日影)。駒光。

【駒隙】ゲキ 年月の過ぎやすく、人生のはかないこと。ひまゆくこま。『史記』留侯世家に「人生一世間、如白駒過隙」とあるのに基づく。

5【駈】15画 13705 人 ク 2279 8BED —
駆(13692)の俗字。→一五八五ジペ・下。
難読 駈引かけひき

5【駉】15画 13706 呉キョウ(キャウ) 漢ケイ 青 jiōng 29282 — 7306
字義 ❶まきば。馬の牧場。❷馬のたくましいさま。「駉駉」
解字 篆文 形声。馬+冋音。音符の冋ケイは、遠い野外の意味。野外の馬の牧場の意味を表す。

5【駟】15画 13707 シ 寘 sì 8142 E969 —
字義 ❶四頭立ての馬車の馬。また、四頭立ての速い馬車。駟車。古代の馬車は四頭立てが多く、外側の二頭を驂サン、また騑ヒといい、内側の二頭を服という。❷四匹の竜。❸四人が一緒に一台の車に乗る。

駟①

解字 金文 篆文 形声。馬+四音。音符の四は、よっつの意味。四頭だての馬の意味を表す。

【駟過隙】シゲキをすぐ 四頭立ての馬車が戸のすき間の向こうを駆け過ぎること。月日があっという間に過ぎさることのたとえ。駒隙クゲキ。白駒過隙ハックゲキをすぐ。用例〔礼記、三年問〕三年之喪、二十五月而畢、若駟之過隙。サンネンのソウは、ニジュウゴゲツにしておわる。シのゲキをすぐるがごとし ↓三年の喪が、二十五か月で終わる。あたかも駟が戸の隙を駆け抜けるように速いのだ。

【駟馬】シバ 一台の車につける四頭の馬。また、そのひく馬車。貴人の乗るもの。用例〔史記、晏嬰伝〕其夫為相御、擁大蓋、策駟馬。そのおっと、ショウのギョとなり、タイガイをヨウし、シバにむちうつ ↓その夫は宰相の御者として、車蓋の側に居り、四頭の馬にむちをあてていた。

【駟不及舌】シもしたにおよばず 一度しゃべったことばは、四頭立ての馬車で急いで追いかけても取りかえしがつかない。ことばには気をつけなければいけないというたとえ。〔論語、顔淵〕

5【駛】15画 13708 シ 紙 shǐ 8143 E96A —
字義 ❶はせる。馬を速く走らせる。また、速く走る。❷はやい(疾)。
解字 形声。馬+史音。

【駛雨】ウ にわか雨。夕立ち。急雨。驟雨シュウウ。

【駛河】カ 速く流れる川。急流。

【駛足】ソク 足のはやい人。はやあし。

5【駔】15画 13709 一 ソウ(サウ) 養 zǎng 二 漢ソ・呉ゾ 麌 zǔ 29283 — 7308
字義 一❶勢いのよい馬。良馬。駿馬シュンメ。❷大きい。また、あらい(粗)。❸すあい(牙儈ガカイ)。馬の仲買人。ばくろう。二❶くみひも。=組(9119)。❷なかがい(仲買)。
解字 篆文 形声。馬+且音。音符の且ソは、徂ソに通じ、ゆくの意味。どんどん歩みを重ねゆく勢いのよい馬の意味を表す。

5【駝】15画 13710 呉ダ 漢タ 歌 tuó 8144 E96B —
字義 ❶らくだ(駱駝)。❷だちょう(駝鳥)。❸背の曲がる病気。らくだに似ているからいう。❹のせる。つむ。家畜に荷物を負わせる。❺父母を呼ぶときにそえる敬称。
【駞】13711 同字
解字 形声。馬+它音。音符の它タは、同類でないものの意味。異類の馬、らくだの意味を表す。

【駝馬】バ らくだ。駱駝ラクダ。

【駝背】ハイ ①らくだの背。②背の曲がる病気。

5【駞】15画 13711 ダ
駝(13710)と同字。→一五八七ジペ・中。

5【駘】15画 13712 一 漢タイ・呉ダイ 灰 tái 二 漢タイ・呉ダイ 賄 dài 8145 E96C —
字義 一❶にぶい馬。のろい馬。❷にぶい。のろい。❸はずれる。馬のくつわがはずれる。また、はずす。❹ふむ。❺→駘蕩 二❶つかれる(疲)。❷=一❷。❸=一❺。
解字 篆文 形声。馬+台音。音符の台は、農具のすきの象形で大地をやわらかにするの意味。馬のくつわをやわらげる、はずすの意味を表す。

【駘蕩】タイトウ ①広く大きいさま。②春ののどかなさま。用例〔南朝斉、謝朓、直中書省詩〕朋情以鬱陶、春物方駘蕩。ホウジョウはもってウットウたり、シュンブツはまさにタイトウたり ↓故郷の友を思うと憂鬱になるが、眼前の春の景色は今まさにのどかである。③とりとめなく、まとまりのないさま。

5【駐】15画 13713 常 チュウ 3583 9293 —
5〔駐〕15画 13714 漢チュウ(チウ) 呉チュ 遇 zhù
筆順 丨 Γ 𠃌 馬 馬 馬 駐 駐 駐
字義 ❶とどまる。とまる。㋐馬が立ちどまる。㋑停止する。㋒一定の地に滞在する。やどる。「駐在」❷とどめる。とめる。馬車などをとめる。用例〔人虎伝〕願且駐車。ねがわくはしばらくくるまをとどめよ ↓どうかここはひとつ車をお停めください。
解字 篆文 形声。馬+主音。音符の主は、とどまるの意味。馬が立ちどまるの意味を表す。
逆 常駐

【駐顔】ガン 壮年の顔色をとどめていつまでも老衰しない。

【駐在】ザイ ①一つの場所にとどまっていること。②官吏が任地にとどまっている。③国㋐「駐在所」の略。巡査が担当の区域内に駐在し事務をとる所。㋑駐在所の巡査。

【駐紮・駐札・駐劄】サツ 外交官が任地に滞在して事務を処理すること。

【駐錫】シャク 僧が一時ある地に滞在すること。錫杖シャクジョウをとどめる意。

【駐屯】トン 軍隊が一か所にとどまっていること。

【駐蹕】ヒツ 天子が行幸の途中で、一時その地にとどまること。蹕ヒツは、さきばらいをとどめる意。駐駕。駐輦チュウレン。駐鑾チュウラン。

【駐留】リュウ 一か所にとどまる。また、とどめる。

【駐輦】レン =駐蹕チュウヒツ。

5【駑】15画 13715 呉ヌ 漢ド 虞 nú 8146 E96D —
字義 ❶にぶい馬。のろい馬。↔駿(13734)。❷にぶい(鈍)。㋐馬がのろい。㋑人の才能のおとっていること。おろか。用例〔史記、廉頗藺相如伝〕相如雖駑、独畏廉将軍哉。ショウジョはドなりといえども、ひとりレンショウグンをおそれんや ↓私、藺相如は、おろか者ではございますが、どうして廉頗将軍を恐れることがありましょうか(まったくございません)。
解字 形声。馬+奴音。

【駑鉛】ドエン のろいうまと、なまりの刀。おろかな才能のたとえ。

【駑下】ドカ ①才能がにぶく、人におとること。②自分を謙遜していうことば。

【駑怯】ドキョウ おろかで臆病である。用例〔資治通鑑、漢紀〕陵雖駑怯、令漢貴陵罪、全其老母、使得奮大辱之積志、庶幾乎曹柯之盟。↓わたくし李陵は、愚かで臆病ではございますが、漢が私の罪を許し、老母の天寿を全うさせてくれたならば、大きな恥辱をすすごうという長年の志を奮い立たせて、かつて曹沫が柯の会盟でみせたような活躍をしてみせる気にもなったでしょう。

【駑駿】①駑馬と駿馬。駑驥。②賢人と愚人。

【駑駘】＝駑馬。

【策駑駘】のろい馬にむちをあてて、無理に走らせようとする。㋐おろか者にむりじいすること。㋑自分自身をはげまして大いに努力することを謙遜していうことば。

【駑鈍】おろかでにぶい。鈍才。用例〔三国蜀、諸葛亮、前出師表〕竭駑鈍。↓おろかでにぶいわが才能の限りを尽くす。

【駑馬】同駑駘。①のろい馬。にぶくて役に立たない馬。②才能の低い人のたとえ。鈍才。

【駑馬十駕】才能のない者も努力すれば、才能ある者に追いつけるたとえ。▼十駕は、馬に車をつけて十日走らせること。『荀子』勧学編に「騏驥一躍不レ能二十歩一、駑馬十駕則亦及レ之矣」とあるのに基づく。

【駑劣】才能がにぶく、人に劣ること。駑鈍。愚劣。

5【駓】15画 13716 ヒ 支 pī ―|―|7307

字義 ❶しらかげ（白鹿毛）。つきげ。黄と白の毛が交じっている馬。桃花馬。❷走るさま。

解字 形声。馬＋丕音。

5【駜】15画 13717 漢ヒツ 呉ビチ 質 bì ―|―|7311

字義 ❶馬が食物に満ちたりていること。❷馬が肥えてたくましいさま。

解字 形声。馬＋必音。

5【駙】15画 13718 漢フ 呉ブ 遇 fù ₂9284|―|7309

字義 ❶そえうま。副馬。副車（予備の車）の馬。❷近い。近づく。❸速い。❹そえぎ。車の箱の外に立てたそえ木。＝輔（11912）。

解字 篆文  形声。馬＋付音。音符の付は、よりそうの意味。馬を付しそえうまの意味を表す。

【駙馬】①天子の副車（予備の車）につける馬。②官名。「駙馬都尉」の略。天子の副馬をつかさどる官。漢の武帝が置いた。③公主（天子の娘）の夫。魏晋以後、天子または王の娘の婿は必ずこの官についたのでいう。

6【駰】16画 13719 イン 真 yīn ₂9287|―|7317

字義 どろあしげの馬。浅黒い毛に白毛の交じっている馬。みずあお。

解字 形声。馬＋因音。

6【駭】16画 13720 漢カイ 呉ガイ 蟹 hài 8147|E96E|―

字義 ❶おどろく（驚）。おどろかす。用例〔唐、柳宗元、捕蛇者説〕譁然而駭者、雖二鶏狗一不レ得レ寧焉。↓がやがやと騒ぎ立てて驚き恐れ、鶏や犬のたぐいまで、安らかにしている暇はありません。❷みだれる。乱れ。❸うごく。動かす。❹ちる。散らす。

解字 形声。馬＋亥音。

【駭愕】おどろきあわてる。また、おどろき。

【駭汗】おどろいて冷や汗をかくこと。

【駭遽】おどろきあわてる。

【駭懼】おどろき恐れる。駭惶。

【駭惶】おどろき恐れる。駭懼。

【駭擾】おどろきさわぐ。

【駭絶】ひどくびっくりする。気絶せんばかりに驚く。

【駭嘆・駭歎】おどろきなげく。また、おどろいて感心する。

【駭惋】おどろきなげく。おどろいて残念がる。

6【駫】16画 13721 漢ケイ 呉キョウ（キャウ） 青 jiōng ―|―|7315

字義 馬が肥えてたくましい。

解字 形声。馬＋光音。音符の光は、かがやくの意味。

6【駬】16画 13722 漢ジ 呉ニ 紙 ěr ―|―|7316

字義 騄駬は、周の穆王の馬の名。騄耳。

解字 形声。馬＋耳音。

6【駲】16画 13723 シュウ（シウ） 8150|E971|―

字義 けつじろ。尻の白い馬。

解字 形声。馬＋州音。音符の州は、白州（しりの白い馬）の意味を表す。

6【駪】16画 13724 シン 真 shēn ―|―|7314

字義 ❶馬の多いさま。❷多くの馬が速く走るさま。

解字 篆文 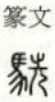 形声。馬＋先音。音符の先は、さきんずるの意味。多くの馬が先を争って進むの意味を表す。

6【駧】16画 13725 漢トウ 呉ドウ 送 dòng ―|―|7313

字義 ❶馬が速く走る。❷動く。動かす。

解字 形声。馬＋同音。音符の同は、洞に通じ、貫くの意味。

6【駮】16画 13726 ハク 慣バク 覚 bó 8148|E96F|―

字義 ❶猛獣の名。形は馬に似て、虎・豹を食うという。❷木の名。まゆみ。❸＝駁（13699）。㋐まじる（雑）。㋑まだら。まだら馬。㋒せめただす。他人の説を非難攻撃する。

解字 会意。馬＋交。

【駮議】他人の議論や意見を非難攻撃する。駁議。

【駮正】批判してただす。駁正。

6【駢】16画 13727 ヘン 8156|E977|―

駢（13753）の俗字。→一五九〇ページ下。

6【駱】16画 13728 ラク 薬 luò 8149|E970|―

字義 ❶かわらげ。たてがみや尾が黒く、体は白い馬。❷駱駝は、偶蹄類の獣の名。砂漠地帯に住み、背にこぶがある。❸つづく。＝絡（9166）。「駱駅」❹はしるさま。❺種族の名。百越の一つ。

解字 金文  篆文  形声。馬＋各音。音符の各は、いたるの意味。外来の馬、らくだの意味を表す。

【駱駅（驛）】往来が続いて絶えないさま。駱繹。

【駱賓王】初唐の詩人。義烏（今の浙江省内）の人。王勃・楊炯・盧照鄰と共に、初唐の四傑の一人。著書に『駱賓王文集』がある。（六三八?―?）

6【駻】16画 13729 国字 ₂9286|―|―

字義 駻川原は、秋田県の地名。

7【駴】17画 13730 漢カイ 呉ガイ 蟹 xiè ―|―|7318

字義 ❶うつ。雷のとどろくように鼓を打ち鳴らす。❷おどろく。おどろかす。＝駭（13720）。❸あらためる。民衆の視聴をおどろかして改めさせる。いましめる。

解字 形声。馬＋戒音。音符の戒は、駭に通じ、おどろくの意味を表す。

7【騃】17画 13731 一ガイ 蟹 ái 二漢シ・呉ジ 紙 sì ₁9413|―|7324

字義 一おろか（愚）。「愚騃」 二馬が勇ましく進む。

解字 形声。馬＋矣音。

【駃孺】おろかな子供。駃子。

7【駻】17画 13732 ㊥カン ㊒ガン 翰 hàn 8151 E972 —
［馯］13683 同字
字義 ❶あらうま。「駻馬」 ❷高さ六尺の馬。周代の一尺は、約二二・五センチ。
解字 篆文 形声。馬＋旱㊐。音符の旱は、あらけずりの意味。あらけずりの馬の意味を表す。
【駻突】あら馬。あばれ馬。駻馬。
【駻馬】あら馬。あばれ馬。悍馬。駻突。

7【䮂】17画 13733 ケン 先 霰 xuān — — 7321
字義 くろみどりの馬。青黒色の馬。
解字 形声。馬＋肙㊐。

7【駿】17画 13734 人 シュン 震 jùn 2957 8F78 —

筆順 丨 厂 𠂆 馬 馬 駿 駿 駿 駿
字義 ❶すぐれた馬。足の速い馬。↔駑(13715)。❷すぐれる(俊)。また、すぐれた人。❸おおきい(大)。ながい(長)。❹はやい(速)。❺けわしい。きびしい。＝峻(2907)。

名前 しゅん・たかし・とし・はや・はやお・はやし 難読 駿河・駿府
参考 現代表記では〔俊〕(370)に書きかえることがある。「駿才→俊才」

解字 篆文 形声。馬＋夋㊐。音符の夋は、出に通じ、でるの意味。ぬきんでた馬の意味を表す。

【駿逸】①すぐれて速い。また、勢いがさかんなこと。②すぐれた才能。俊逸。

【駿驥】すぐれてよい馬。良驥。

【駿骨】①駿馬のほね。また、駿馬。燕の郭隗が死馬の骨を買った故事による。②賢人。

【駿才】すぐれた才知。また、才知のすぐれた人。俊才。

【駿足】①足の速いすぐれた馬。駿馬。②すぐれた才能のある人。俊才。③国足の速いこと。

【駿足思二長阪一】すぐれた馬はけわしい長い坂を越えたいと思う。すぐれた人物が、困難にあって、その才能を実地にためそうとするたとえ。〔南朝斉、陸厥、奉二答内兄希叔一詩〕

【駿速】すばやい。非常にはやい。

【駿台(臺)雑(雜)話】国書名。五巻。江戸時代の儒者、室鳩巣の著。道義・学問を勧めた随筆集。

【駿馬】すぐれてよい馬。俊足。↔駄馬（一五八六ジ中）。用例〔淮南子、人間訓〕居数月、其馬将二胡駿馬一而帰。数か月経ったのちに、その逃げた馬が、胡の地の名馬をひきつれて帰ってきた。

【駿命】大いなる天命。天帝の下した大きな命令。

【駿良】①すぐれてよい馬。②すぐれた人物。

7【駸】17画 13735 シン 侵 qīn 8152 E973 —
字義 駸駸は、㋐馬が速く走るさま。㋑物事が速く進行するさま。㋒時がすみやかに過ぎゆくさま。
解字 篆文 形声。馬＋侵省㊐。音符の侵は、おかすの意味。馬がおかし進むの意味を表す。

7【騂】17画 13736 ㊥セイ ㊒ショウ(シャウ) 庚 xīng 9412 — 7323
字義 ❶あかうま。赤黄色の馬。❷あかうし。赤色のいけにえ(犠牲)の牛。❸あかい。赤色。
解字 形声。もと、馬＋觲省㊐。
【騂剛】①赤色のかたい土質。②いけにえの赤色の牛。

7【駾】17画 13737 タイ 泰 tuì — — 7322
字義 ❶馬のつき進むさま。❷つく(突)。つっぱしる。
解字 篆文 形声。馬＋兌㊐。音符の兌は、ぬける意味。馬が危険な場面からすばやくぬけ出るの意味を表す。

7【騁】17画 13738 ㊥テイ ㊒チョウ(チャウ) 梗 chěng 8153 E974 —
字義 ❶は-せる。㋐馬を走らせる。まっしぐらにはしる。㋑のべる。のばす。「騁懐」 ㋒ほしいままにする。きままにする。「騁望」 ❷きわまる(極)。❸たいらか。＝坪(1937)。
解字 形声。馬＋甹㊐。
【騁懐(懷)】思いをはせる。心に思っていることを十分に述べる。
【騁馳】はやく走る。
【騁望】思うままにながめる。

7【駼】17画 13739 ㊥ト ㊒ズ(ヅ) 虞 tú ₂9289 — —
字義 騊駼は、青毛の馬。また、北海の良馬の名。
解字 形声。馬＋余㊐。

7【駹】17画 13740 ㊥ボウ(バウ) ㊒モウ(マウ) 江 máng ₂9288 — 7320
字義 ❶顔とひたいとが白い馬。一説に、黒白のまだら馬。また一説に、青い馬。❷まだら。ぶち。

7【駵】17画 13741 リュウ — — 7319
解字 形声。馬＋丣㊐。
騮(13781)の本字。→一五九三ジ中。

8【騎】18画 13742 常 キ 2119 8B52 —
㊀㊥キ・㊒ギ 支 qí
㊁㊥キ・㊒ギ 寘 jì
［騎］13761 俗字
筆順 丨 厂 𠂆 馬 馬 馬 駄 駘 騎 騎
字義 ㊀の-る。馬にのる。またがる。用例〔唐詩紀事、賈島〕騎レ驢賦レ詩得二僧推月下門之句一。↓驢馬にまたがって詩を作り、「僧は推す月下の門」という句を思いついた。㊁❶のりうま。乗馬。❷馬に乗った兵士。騎兵。用例〔史記、項羽本紀〕令二四面騎馳下一、期二山東為二三処一。↓四面に向かって騎士を馳せ下らせて、山の東に三か所に分かれて集まる事を約束しよう。❸兵士の乗っている馬の数をかぞえる語。
名前 き・のり
解字 篆文 形声。馬＋奇㊐。音符の奇は、かぎ形に曲がるの意味。両足を曲げ、馬にまたがるの意味を表す。
逆 羽騎・軽騎・候騎・甲騎・車騎・精騎・斥騎・単騎・鉄騎・突騎・歩騎
【騎御・騎馭】馬をあつかう。馬をあやつる。
【騎虎之勢】物事の中止しにくいさま。虎に乗って走れば、非常な勢いなので途中でおりることはできない意。乗りかかった舟。用例〔隋書、独孤皇后伝〕騎虎之勢、必不レ得レ下。↓虎に乗った者は、途中で虎からおりることができない。
【騎士】①馬に乗っている兵士。騎馬の兵士。②中世ヨーロッパの支配階級の一つ。ナイト。
【騎射】①馬に乗る技術と、弓を射る技術。②馬に乗って弓を射る。③国江戸時代、流鏑馬(馬に乗って弓を射る行事)の称。
【騎従(從)】馬に乗って従ってゆく。また、その人。
【騎将(將)】騎兵の大将。騎馬隊を指揮する将軍。
【騎牆】①牆の上にのる。②間にあるかきにまたがる。どちらにでも降りることができることから、意見の定まらないことのたとえ。
【騎乗(乘)】馬に乗る。また、馬に乗ることと、車に乗ること。

【騎卒】キソツ 馬に乗って戦う兵士。騎兵。
【騎置】キチ 宿場ごとに置かれた馬。公文書の輸送や官吏の往来に利用された。伝馬。駅馬。
【騎都尉】キトイ 武官の名。前漢の武帝が置き、宮中警護の騎馬兵を取りしまった。後、歴代この官を置いた。
【騎馬】キバ ①馬に乗る。乗馬。②人の乗る馬。
【騎兵】キヘイ 馬に乗って戦う兵士。

8 【騏】 18画 13743 漢キ 呉ギ 囡qí 8154 E975 —

字義 ❶くろみどりの馬。青黒色の馬。❷くろみどり。青黒色。❸すぐれた馬。駿馬シュンメ。
解字 形声。馬＋其音。
【騏驥】キキ すぐれた馬。一日に千里を行くという名馬。駿馬シュンメ。
【騏驥一躍不レ能二十歩一】キキもイチヤクしてジッポするあたわず すぐれた馬もひと飛びで十歩を行くことはできない。学問は、どんなに賢い人でも、順序を追って学ばねばならないというたとえ。〔荀子、勧学〕
【騏驎・騏麟】キリン ①一日に千里を走るという名馬。②中国古代の想像上の動物。→麒麟キリン（一六三九ジ・中）。
【騏驎之衰也駑馬先レ之】キリンのおとろうや ドバもこれにさきだつ 一日に千里を走るといわれた名馬も、老衰してはつまらぬ馬にも負ける。英雄も老いては凡人に劣るたとえ。〔戦国策、斉〕

8 【験】 18画 13744 教4 ケン・ゲン 2419 8CB1 —
13 〔驗〕 23画 13745 人 漢ゲン 慣ケン 囡yàn 8168 E984 —

字義 ❶しるし。㋐あかし。証拠。㋑ききめ。効能。㋒きざし。兆候。㋓報い。応報。❷ためす。調べる。試みる。❸ためし。こころみ。「試験」「実験」 国ゲン。㋐仏道修行や祈禱キトウの効果。また、祈禱の力がすぐれていること。㋑えんぎ。㋒反応。
名前 けん・とし
解字 篆文 形声。馬＋僉（㑒）音。もと、馬の名を表す。音符の僉ケンは、多くの人が同一の真実を発言するの意味。檢に通じ、取り調べるの意味を表す。馬を付するのは、もと、馬の名を表したからである。
逆 経験・効験・考験・実験・体験・符験・霊験
【験効（效）】ケンコウ ききめがある。ききめ。効験。
【験左】ケンサ しるし。証拠。左験。証左。
【験者】ゲンジャ・ゲンザ 国秘法を用いてお祈りをし、不思議なしるしをあらわす行者ギョウジャ。修験道シュゲンドウの行者。修験者。
【験証（證）】ケンショウ しるし。証拠。験左。
【験方】ゲンガタ 加持祈禱カジキトウのような、現世の利益を願う方面。「験方の行い」
【験問】ケンモン 調べたずねる。問いただして調べる。験訊ケンジン。

8 【騐】 18画 13746 ケン 験(13744)の俗字。→一五九〇ジ・上。 — — 7328

8 【騅】 18画 13747 スイ 囡zhuī 8155 E976 —

字義 ❶あしげ。あしげの馬。白い毛に黒色・濃い褐色などの毛の交じった馬。ねずみ色の毛をした馬。❷楚ソの項羽の乗った名馬。用例〔史記、項羽本紀〕駿馬シュンメあり、名は騅スイ。常騎レ之つねにこれにのる。↓駿馬があり、名を騅といった。（項羽はいつもこれに乗っていた。）
解字 形声。馬＋隹音。
【騅不レ逝】スイゆかず 楚ソの項羽が、愛馬の騅も進もうとしないと、なげいた詩句。万策つきたという意。用例〔史記、項羽本紀〕力抜レ山兮気蓋レ世ちからはやまをぬき きはよをおおう、時不レ利兮騅不レ逝ときりあらず スイゆかず。↓わが力は山を引き抜くに足り、わが盛んなる気力は世間の人々を圧倒するのに足る。けれども時の運は私になく、愛馬の騅もすすもうとしない。

8 【騒】 18画 13748 常 ソウ さわぐ 3391 919B —
10 〔騷〕 20画 13749 人 一ソウ（サウ） 二ソウ（サウ） 漢sāo 呉sǎo 8159 E97A —

字義 一❶さわぐ。さわがす。❷さわがしい。「騒音」「物騒」❸動く。動かす。❹かく。馬の背などをかく。＝掻(4354)。❺うれえる。うれえ。「離騒」❻片方の足に障害があって歩行が不自由な人。❼なまぐさい。❽中国の韻文の一体。戦国時代、楚ソの屈原の「離騒」に始まる、悲憤の気に満ちた韻文。騒体。転じて、詩賦、または、詩賦などを作る多感な詩人。「騒人」 二はらう。＝掃(4246)。 国ぞめく。うかれさわぐ。
解字 篆文 形声。馬＋蚤音。音符の蚤ソウは、とびはねる「のみ」の意味。とびはねる馬の意味から、さわぐの意味を表す。また、愁に通じ、うれえの意味も表す。
逆 風騒・物騒・紛騒・離騒
【騒客】ソウカク ＝騒人。
【騒擾】ソウジョウ さわぎ乱れる。さわいで秩序を乱す。
【騒人】ソウジン ①「離騒」の作者屈原や、その門弟宋玉ソウギョク等の流派の詩人。②詩人。詩客。騒客。
【騒人墨客】ソウジンボッカク 詩を作ったり、書画をかいたりする風雅な人。
【騒屑】ソウセツ 風のすずしく吹くさま。
【騒然】ソウゼン 乱れてさわがしいさま。「物情騒然」
【騒騒】ソウソウ ①風が強く吹くさま。②急ぐさま。あわただしい。匆匆ソウソウ。
【騒体（體）】ソウタイ 屈原の「離騒」にならって作った韻文。各句の末尾にみな「兮ケイ」の字を用いる。
【騒動】ソウドウ ①乱れさわぐこと。騒乱。②心がさわぎ動く。心が落ち着かないこと。不安。
【騒乱（亂）】ソウラン さわぎ乱れる。さわぎが起きて世の中の秩序が乱れること。

8 【騌】 18画 13750 ソウ 騣(13763)の俗字。→一五九一ジ・中。 — — 7327

8 【騊】 18画 13751 漢トウ（タウ） 呉ドウ（ダウ） 囡táo 2-9290 — —

字義 騊駼トウトは、青毛の馬。また、北海の良馬の名。
解字 形声。馬＋匋音。

8 【騑】 18画 13752 ヒ 囡fēi 2-9291 — 7329

字義 ❶そえうま。四頭だての馬のうち、中側の二頭を服といい、外側の二頭を騑、または驂サンという。❷三歳の馬。❸→騑騑。
解字 篆文 形声。馬＋非音。音符の非は、配に通じ、ならびそうの意味。そえうまの意味を表す。
【騑驂】ヒサン そえうま。四頭立ての馬の中、左右の外側の二頭。→字義❶。
【騑騑】ヒヒ ①馬が進み行き止まらないさま。②疲れるさま。

8 【騈】 18画 13753 漢ヘン 呉ベン 囡pián
〔駢〕 13727 俗字

字義 ❶ならぶ。ならべる。㋐二頭の馬を並べて車につける。㋑連なる。連ねる。また、重なる。重ねる。㋒続く。続ける。㋓合わさる。合わせる。❷組む。仲間をつくる。また、組。仲間。❸むだなもの。手足にできる、たこ・まめの類い。
解字 篆文 形声。馬＋幷音。音符の幷ヘイ/ヘンは、ならぶの意味。二頭の馬を並べて車につけるの意味を表す。
【騈脅】ヘンキョウ 肋骨ロッコツがならんで一枚板のようにみえるもの。このような肋骨を持つ人は、力持ちであるとされた。〔左伝、僖公二十三〕 ①肩をならべる。人が多くてこみあうようす。②多い形容。

【駢四儷六】四字句と六字句との対句を用いたはなやかな文章。駢儷文→駢文。

【駢死】首をならべて死ぬ。用例〔唐、韓愈、雑説〕駢死於槽櫪之間(ソウレキのカンにヘンシす) ↓(せっかくの名馬も)馬小屋の中で、なみの馬といっしょに首を並べて死んでゆく。

【駢植】ならび立つ。

【駢比】ならびつらなる。多くならぶ。駢列。駢羅。

【駢文】文体の名。四字・六字の対句を用い、音調を重んじ、故事を多く引用し、達意より形式を重視した美文調の漢文。六朝時代に流行した。四六文。駢儷文。⇩コラム 漢文(八六八ページ)。

【駢拇】足の親指と第二指とが生まれながらにくっついていて一本の指のようになっているもの。〔荘子、駢拇〕

【駢羅】ならびつらなる。

【駢儷体(體)】=駢文。

8【騋】18画 13754 ライ 因 隊 lái ― ― 7326

字義 高さ七尺(周尺で、約一五七センチ)以上の馬。

解字 形声。馬+來音。

8【騄】18画 13755 漢リョク 呉ロク 因 lù ― ― 7325

字義 騄耳・騄餌は、周の穆王が天下を周遊したときに乗ったという八頭の駿馬の一頭。

解字 形声。馬+彔音。

9【騢】19画 13756 漢カ 呉ゲ 麻 xiá ― ― 7333

字義 つきげの馬。赤と白とがまじった毛色の馬。

解字 形声。馬+叚音。

9【騧】19画 13757 漢カ(クワ) 呉ケ 麻 guā ― ― 7336

字義 ❶口先の黒い黄馬。❷浅黄色の馬。❸かたつむり。=蝸(10644)。

解字 形声。馬+咼音。

9【騞】19画 13758 カク(クワク) 陌 huō

［騞］13759 俗字

字義 ❶行き進んで止まらないこと。はやく走り過ぎるさま。❷牛を料理する音。刀で物を断ちさく音。

解字 形声。馬+砉音。音符の砉は、刃物で骨を解きさく音の擬声語。

【騞然】①刃物で牛を解きさく音。刀で物を断ちさく音の形容。〔荘子、養生主〕②はやく過ぎ去るさま。

9【騞】19画 13759 カク 騞(13758)の俗字。→一五九一ページ上。 ― ― 7331

9【騤】19画 13760 漢キ 呉ギ 支 kuí 1 9414 ― 7335

字義 ❶馬が威儀を正して進むさま。❷努力しつづけるさま。

解字 形声。馬+癸音。

9【騎】19画 13761 キ 騎(13742)の俗字。→一五八九ページ下。

9【騚】19画 13762 漢セン 呉ゼン 先 qián 2 9293 ― ―

字義 蹄の白い馬。 難読 騚原

解字 形声。馬+前音。

9【騣】19画 13763 ソウ 東 zōng ― ― 7334

［騌］13750 俗字

字義 ❶たてがみ。馬のたてがみ。❷金駿は、馬につける冠。

解字 形声。馬+夋音。

9【騨】19画 13764 ダ 驒(13795)の俗字。→一五九四ページ上。 3445 91CB ―

9【騠】19画 13765 漢テイ 呉ダイ 斉 tí 2 9294 ― 7332

字義 ❶駃騠は、らばの一種。また、速く走る馬。❷騠茲は、漢の侯国の名。山東省内。

解字 形声。馬+是音。

9【颿】19画 13766 漢ハン 呉ボン 咸 陥 fān 2 9239 ― 7235

字義 ❶はしる。馬が速く走る。❷ほ。=帆(3085)。

解字 篆文 形声。馬+風音。音符の風は、かぜの意味。かぜのように速く走るの意味を表す。

9【騖】19画 13767 漢ブ 呉ム 遇 wù 2 9292 ― 7330

字義 ❶は-せる。はしる。縦横にかけまわる。思いのままに走り回る。❷つとめる。=敄(4527)。

解字 篆文 形声。馬+敄音。音符の敄は、つとめるの意味。馬が力のかぎり走るの意味を表す。

【騖置】宿駅に備えてあるはや馬。駅馬。

【騖馳】速く走らせる。

9【騙】19画 13768 標ヘン 霰 piàn 8157 E978 ―

［騗］13769 俗字

字義 ❶馬にとびのる。❷かた-る。だます。たばかる。だましとる。

解字 形声。馬+扁音。

9【騗】19画 13769 ヘン 騙(13768)の俗字。→一五九一ページ下。

10【驊】20画 13770 カ 驊(13782)の俗字。→一五九二ページ中。 1 9418 ― 7346

10【騱】20画 13771 漢ケイ 呉ゲイ 斉 xí 2 9301 ― ―

字義 ❶驒騱は、野馬の一種。❷前足の白い馬。

解字 形声。馬+奚音。

10【騫】20画 13772 一ケン 先 qiān 二ケン 銑 jiǎn 8158 E979 ―

字義 一❶かける。損じる。❷あやまる。間違える。また、あやまち。とが。❸とる。抜き取る。❹かかげる。=褰(10852)。❺とぶ。また、軽々しい。❻頭をあげるさま。❼おそれる(恐)。❽馬の腹の病気。二のろい馬。駑馬。

解字 篆文 形声。馬+寒省音。音符の寒は、さむさで身がちぢむの意味。馬の一種の病気の意味を表す。

【騫衣】すそをもちあげる。

【騫汚】そこないけがす。はずかしめけがす。

【騫騫】①軽々しいさま。②飛ぶさま。

10【騵】20画 13773 漢ゲン 呉ガン(グワン) 元 yuán ― ― 7340

字義 腹の白いかげ(鹿毛)馬。たてがみが黒く、赤毛で腹の白い馬。

解字 形声。馬+原音。

10【騭】20画 13774 一漢シツ・呉シチ 質 zhì 二漢チョク・呉チキ 職 zhì 1 9415 ― 7337

［隲］13162 俗字

字義 一❶おすうま(雄馬)。❷馬をつかう。馬を御する。❸のぼる。=陟(13094)。❹定める。きめる。❺なす(成)。

解字 形声。馬+陟音。

10【騶】20画 13775 慣スウ シュウ(シウ) 尤 zōu 2 9302 ― 7341

字義 ❶うまかい。御者。車・馬のことをつかさどる役。❷馬に乗る人。うまのり。騎士。❸乗馬用の馬。騎乗。騎馬。❹天子の園。御苑。❺や(矢)。よい矢。❻はしる。小走りに走る。=趨(11663)。

解字 篆文 形声。馬＋芻音。音符の芻シュは、まぐさの意味。馬にまぐさを与える人、うまかいの意味。

【騶△衍】スウエン 戦国時代、斉の思想家。諸子百家の一である陰陽家の中心的人物。社会の動きを陰陽五行説に基づいて説いた。(前三〇五－前二四〇)

【騶牙】スウガ ＝騶虞①。

【騶虞】スウグ ①聖人の徳に感じて現れるという霊獣。②昔の楽章の名。③天子の御苑ギョエンをつかさどる役名。④『詩経』召南の詩編名。

【騶△吾】スウゴ ＝騶虞①。

【騶従(從)】スウジュウ 貴人の従者。供奉グブ。騶僕。騶人。

【騶唱】スウショウ 従者が道路の先払いをすること。

【騶人】スウジン 貴人の従者。貴人の外出の供をする騎馬の従者。騶従。

10 【騸】 20画 13776 セン 霰 shàn ｜9417 ― 7342

字義 ❶馬を去勢する。❷つぎ木をする。つぎ木。

解字 形声。馬＋扇音。

10 【騷】 20画 (13749) ソウ 騒(13748)の旧字体。→一五九〇ページ中。

10 【騰】 20画 13777 常 トウ 3813 93AB ―

10 〔騰〕 20画 13778 漢トウ 呉ドウ 蒸 téng

筆順 月 月' 胖 胖 胖 滕 騰 騰

字義 ❶あ-がる。のぼ-る。また、あ-げる。のぼ-せる。㋐上昇する。用例〔歴代名画記〕須臾雷電破レ壁、両竜乗レ雲騰去上レ天シュユにしてライデンかべをやぶり、リョウリュウくもにのりトウキョしてテンにのぼる。↓たちまち雷がおこって壁を突き破り、二頭の竜は、雲に乗って高く飛び上がり、天に昇っていってしまった。㋑物価が高くなる。❷のる(乗)。❸おどる。おどり上がってこえる。❹走る。はせる。❺つぎ馬。はや馬。宿場で乗りかえるために用意した馬。❻すぎる(過)。通り過ぎる。❼わき出る。ふき出す。❽おくる(送)。嫁につき従う。

名前 かり・のぶ・のぼる

解字 篆文 形声。馬＋朕音。音符の朕トウは、上に向かっておしあげるの意味。馬がおどりあがるの意味から、一般に、あがるの意味を表す。

逆 高騰・升騰・上騰・飛騰・沸騰・暴騰・奔騰・竜騰

【騰越】トウエツ おどりあがる。おどり越える。

【騰貴】トウキ 物価が高くなる。騰躍。

【騰極】トウキョク 帝位に登る。天子になる。登極。

【騰空】トウクウ 大空に上って行く。

【騰△捷】トウショウ 軽快に飛んで行くこと。

【騰△驤】トウジョウ おどり越える。とび越える。

【騰践(踐)】トウセン しかばねの上などを踏み越えて行く。

【騰翻】トウハン 高く飛んで、ひるがえる。

【騰躍】トウヤク ①おどりあがる。はねあがる。②物価が急に高くなる。

10 【騳】 20画 13779 漢トク 呉ドク 屋 dú ― ― 7339

字義 ❶馬が走る。❷馬が並んで走る音。

解字 会意。馬を二つ合わせて、馬が並んで走るの意味、また、そのさまを表す。

10 【驀】 20画 13780 漢バク 呉ミャク 陌 mò 8162 E97D ―

字義 ❶のる。馬にのる。❷たちまち。にわかに。❸まっしぐら。いっさんに。ま一文字に。「驀進」❹こえる。のりこえる。超越する。

解字 篆文 形声。馬＋莫音。音符の莫バクは、おおいかくすの意味。馬におおいかぶさるようにしてのるの意味を表す。

難読 驀地まっしぐら

【驀進】バクシン (向こう見ずに)まっしぐらに進む。

【驀地】バクチ まっしぐらに。いっさんに。たちまちに。勢いはげしく進むさま。驀然。▼地は、助字。

10 【騮】 20画 13781 漢リュウ(リウ) 呉ル 尤 liú ｜9416 ― 7338

〔駵〕 13741 本字 〔驑〕 13798 同字

字義 ❶かげ(鹿毛)。黒いたてがみのあか馬。❷驊騮カリュウは、馬の名。→驊(13782)。

解字 篆文 形声。馬＋留音。篆文は馬＋丣音。

【騮馬】リュウバ 栗毛くりげの馬。たてがみと尾は赤茶色で、地色は黒茶色の馬。

11 【驊】 21画 13782 漢カ(クワ) 呉ゲ 麻 huá

〔驊〕 13770 俗字

字義 驊騮カリュウ・驊騮カリュウは、名馬の名。周の穆王ボクオウが天下を周遊したときに乗ったという八頭の駿馬シュンメの一頭。

解字 形声。馬＋華音。

11 【驅】 21画 (13693) ク 駆(13692)の旧字体。→一五八五ページ下。

11 【驁】 21画 13783 ゴウ(ガウ) 号 豪 ào ― ― 7344

〔驐〕 13784 同字

字義 ❶駿馬シュンメの名。❷おご-る。たかぶる。柔順でない。＝傲(554)。❸あなどる。軽んずる。

解字 篆文 形声。馬＋敖音。音符の敖ゴウは、きままでおごるの意味。

【驁放】ゴウホウ おごってきままなこと。驁蹇ゴウケン。

11 【驐】 21画 13784 ゴウ 驁(13783)と同字。→一五九二ページ下。

11 【驂】 21画 13785 サン 覃 cān 8161 E97C ―

字義 ❶車に三頭の馬をつける。三頭だての馬車を用意する。また、三頭だての馬車。❷そえうまそえうま。四頭だての馬車の外側の二頭。一説に、左外側の副馬。右外側は騑ヒ。❸そえのり(陪乗バイジョウ)。貴人の護衛として同車する。また、その護衛。❹うま。乗用の馬の総称。

解字 篆文 形声。馬＋參音。音符の參サンは、まじわるの意味。主体となる馬にそえ加わった馬、そえうまの意味を表す。

【驂御・驂△馭】サンギョ ①御者。②侍従。

【驂乗(乘)】サンジョウ そえのり。護衛として貴人の車に同乗すること(人)。貴人は左、御者は中央、そえのりは右に乗る。陪乗バイジョウ。車右。参乗。

11 【驄】 21画 13786 ソウ 東 cōng ₂9303 ― 7345

字義 あしげ。あおうま。青と白の毛のまじった馬。「驄馬」

解字 形声。馬＋悤音。

11 【騺】 21画 13787 チ 寘 zhì ― ― 7343

〔騺〕 13788 俗字

字義 ❶馬が行きなやむさま。❷たり。馬の足のかがまる病気。

解字 形声。馬＋執音。

11 【騺】 21画 13788 チ 騺(13787)の俗字。→一五九二ページ下。

11 【驃】 21画 13789 漢ヒョウ(ヘウ) 呉ビョウ(ベウ) 嘯 ①piào, ①biāo 8163 E97E ―

字義 ❶しらかげ(白鹿毛)。白毛のまじる茶色い馬。❷馬が速く走るさま。❸強い。勇ましい。

解字 篆文 形声。馬＋票(㶾)音。音符の㶾ヒョウは、火の粉が飛び散るの意味。白いまだらが飛びちった馬、しらかげの意味を表す。

【驃騎(ヒョウキ)】①将軍の名称。前漢の武帝の時、初めて驃騎将軍を置き、後漢の時代、驃騎大将軍を置いた。三公に次ぐ高官。票騎。②前漢の霍去病(カクキョヘイ)(武帝の時、驃騎将軍となる)をいう。

11 【騾】 21画 13790 ラ 歌 luó 8164 E980 ─

［贏］13802 本字

字義 らば。驢馬(ロバ)の牡(おす)と牝馬(めうま)との混血種。からだは小さいが、力が強く、力役にたえる。騾馬。

解字 篆文 形声。馬＋累(音)。篆文は、馬＋羸(音)。

12 【驚】 22画 13791 常 キョウ おどろ-く・おどろ-かす 2235 8BC1 ─

13 ［驚］ 23画 13792 漢ケイ 呉キョウ(キャウ) 庚 jīng

筆順 一 艹 芍 苟 茍 敬 擎 警 驚

字義 ❶おどろ-く。㋐馬がおびえさわぐ。用例〔唐、杜甫、戯贈友詩〕馬驚折左臂、骨折面如墨(うまおどろきて、ひだりのひじを(を)おる、ほねお(を)れておもてすみのごとし)。➡馬が驚いて王は左のひじを折り、骨は折れ顔は泥にまみれて墨のようになった。㋑びっくりする。おおさわぎする。用例〔史記、淮陰侯伝〕至拝大将、乃韓信也、一軍皆驚(タイショウをハイするにいたり、すなわ(は)ち、カンシンなり。イチグンみなおどろく)。➡大将を任命する段になってみると、なんとそれは韓信であった。軍中の全ての者が驚いた。㋒いぶかる。奇妙に思う。用例〔荘子、達生〕梓慶削木為鐻、鐻成、見者驚猶鬼神(シケイきをけずり(づ)りて、キョをつくる。キョなる、みるものおどろきて、キシンのごとしとす)。➡梓慶は木を削って楽器をかける道具を作り、それが出来上がると、見た人々は神業のようだと不思議がった。㋓わきかえる。わきおこる。用例〔唐、呉筠、舟中夜行詩〕莫弁洲渚状、但聞風波驚(シュウショのジョウを、ベンずるなし、ただフウハのおどろくをきくのみ)。➡暗くてなぎさの様子はわからない、ただ風と波の逆巻く音が聞こえるばかり。❷おどろ-かす。㋐びっくりさせる。おそれさせる。用例〔史記、張釈之伝〕此人親驚吾馬(このひとみずからわがうまをおどろかせり)。➡あいつは自分で私の馬を驚かしたのだ。㋑わきおこす。用例〔唐、孟郊、長安早春詩〕旭日朱楼光、東風不驚塵(キョクジツシュロウひかり、トウフウちりをおどろかさず)。➡のぼる朝日に美しい楼閣は輝き、東から吹く風は土ぼこりを立てないほど穏やかだ。❸速い。おどろくほど迅速に動く。用例〔東晋、陶潜、飲酒詩〕一生復能幾、倏如流電驚(イッショウまた、よくいくばくぞ、すみやかなることリュウデンのおどろくが)ごとし。➡一生がどれほどの時間か、稲妻が走るようなほんの一瞬の出来事なのだ。❹小児病の一つ。→驚風②。

名前 とし

解字 篆文 形声。馬＋敬(敬)(音)。音符の敬は、つつしむの意味。馬が身をひきしめおどろくの意味を表す。

逆 喫驚・震驚

【驚異(キョウイ)】①おどろき、あやしむ。②国おどろくような不思議な、また、すばらしいこと。

【驚△駭(キョウガイ)】おどろく。また、おどろき。

【驚△愕(キョウガク)】おどろきおそれる。おどろきあわてる。

【驚△悸(キョウキ)】おどろきおそれて、おののく。

【驚喜(キョウキ)】おどろき喜ぶ。非常に喜ぶ。

【驚△懼(キョウク)】おどろきおそれる。

【驚呼(キョウコ)】びっくりしておどろき、あっと声をあげる。用例〔唐、杜甫、贈衛八処士詩〕訪旧半為鬼、驚呼熱中腸(キュウをとえ(へ)ば、なかばはキとなり、キョウコすればチュウチョウネッす)。➡旧知を訪ねると半分ほどは既に世を去り、驚いて声を上げると、体の中が熱くなってくる。

【驚悟(キョウゴ)】①おどろいて目をさます。②さとい。

【驚△惶(キョウコウ)】おどろきおそれる。驚怖。

【驚△鴻(キョウコウ)】①おどろいて飛び立つ白鳥、また、おおとり。②神女の体の軽くしなやかな形容。③美人。

【驚号(號)(キョウゴウ)】おどろきさけぶ。

【驚砂・驚沙(キョウサ)】風に吹かれて飛ぶ砂。

【驚殺(キョウサツ)】非常におどろく。▼殺は、強意の助字。

【驚△擾(キョウジョウ)】おどろきみだれる。

【驚心動△魄(キョウシンドウハク)】非常に心をおどろかし、たましいを動かす。きものつぶれるほどおどろく。驚魂動魄。

【驚△譟(キョウソウ)】おどろきさわぐ。▼譟は、噪。

【驚△湍(キョウタン)・(ケイタン)】流れの速くはげしい川の瀬。

【驚嘆・驚△歎(キョウタン)】①はなはだしく感心する。②おどろきなげく。

【驚△霆(キョウテイ)】はげしいかみなり。驚雷。

【驚天動地(キョウテンドウチ)】天をおどろかし、地を動かす。世人をあっといわせること。用例〔唐、白居易、李白墓詩〕可憐荒隴窮泉骨、曾有驚天動地文(あわ(は)れむべしコウロウキュウセンのほね、かつてキョウテンドウチのブンあり)。➡ああ、この荒れた墓の中で骨となった人物が、かつて世人をあっといわせる名詩をつくったのだ。

【驚倒(キョウトウ)】非常におどろく。

【驚△濤(キョウトウ)】大きい荒波。荒れ狂う波。驚瀾(キョウラン)。

【驚動(キョウドウ)】①おどろかす。びっくりさせる。②おどろきさわぐ。

【驚波(キョウハ)】あらなみ。荒れ狂う波。

【驚破(キョウハ)】漢おどろかす。▼破は、強意の助字。用例〔唐、白居易、長恨歌〕漁陽鼙鼓動地来、驚破霓裳羽衣曲(ギョヨウのヘイコチをうごかしてきたり、ゲイショウウイのキョクをキョウハす)。➡漁陽から攻め太鼓が地をゆさぶってやって来て、霓裳羽衣の曲を演奏していた人々を大いに驚かした。漢わ(は)す 国それ。さては。物事におどろいて発することば。

【驚△怕(キョウハク)】おどろきおそれる。驚懼(キョウク)。驚怖。

【驚△飆(キョウヒョウ)】はげしく吹き起こる風。

【驚怖(キョウフ)】おどろきおそれる。

【驚風(キョウフウ)】①荒い風。はげしい風。②小児病の名。脳膜炎の類い。

【驚雷・驚△靁(キョウライ)】はげしいかみなり。

【驚△瀾(キョウラン)】大きい荒波。荒れ狂う波。狂瀾。

【驚△惋(キョウワン)】おどろきなげく。

12 【驕】 22画 13793 キョウ(ケウ) 蕭 jiāo 8165 E981 ─

字義 ❶高さ六尺(周尺で、約一三五センチメートル)の馬。また、野生の馬。野馬。❷おご-る。たかぶる。いばる。用例〔論語、学而〕富而無驕何如(とみておごることなきはいかん)。➡富んでいても威張らないというのはいかがでしょう。❸ほしいまま。きまま。❹あざむく。だます。❺つよい。元気がよい。元気のよいさま。

解字 篆文 形声。馬＋喬(音)。音符の喬(キョウ)は、高いの意味。高さ六尺の馬の意味を表す。転じて、人に従わない、たけの高い馬の意味から、おごるの意味を表す。

【驕易(キョウイ)】おごりたかぶって人をあなどる。

【驕△佚(キョウイツ)】おごって遊びなまける。驕逸。

【驕△溢(キョウイツ)】おごって分に過ぎたことをする。

【驕△盈(キョウエイ)】心おごって贅沢にふけること。

【驕横(キョウオウ)】おごってわがままなこと。驕蹇(キョウケン)。驕恣(キョウシ)。

【驕△悍(キョウカン)】心おごって荒々しいこと。

【驕気(氣)(キョウキ)】おごりたかぶる心。

【驕据(キョウキョ)】おごりたかぶる。

【驕△矜(キョウキョウ)】たかぶり誇ること。

【驕驕(キョウキョウ)】草などがはびこって勢いのよいさま。

【驕△蹇(キョウケン)】おごりたかぶる。

【驕△夸・驕誇(キョウコ)】おごりたかぶる。

【驕傲・驕△敖・驕△慠(キョウゴウ)】おごりたかぶる。驕易。驕慢。

【驕△侈(キョウシ)】おごりたかぶって、ぜいたくなこと。

【驕恣(キョウシ)】おごってわがままなこと。心がおごってほしいまま。驕肆（キョウシ）。
【驕児（兒）】（キョウジ） わがままな子。だだっ子。驕子。
【驕△奢】（キョウシャ） 心がおごって、ぜいたくをすること。
【驕色】（キョウショク） おごりたかぶったようす。
【驕惰】（キョウダ） おごっておこたる。おごりなまける。驕怠。
【驕怠】（キョウタイ） おごっておこたる。おごりなまける。
【驕泰】（キョウタイ） おごりたかぶること。用例〔大学〕驕泰以失レ之（キョウタイもってこれをうしなう(ふ)）。↓おごりたかぶっては多くの人々の心を失ってしまうことになる。
【驕暴】（キョウボウ） おごりたかぶって、荒々しくする。
【驕慢・驕△嫚】（キョウマン） おごりたかぶって人をあなどる。驕易。
【驕陽】（キョウヨウ） 夏のはげしい太陽。夏の日光。
【驕楽（樂）】（キョウラク） おごりたかぶってわがままかってに遊び楽しむこと。用例〔論語、季氏〕楽ニ驕楽一（キョウラクをたのしむ）。↓おごりたかぶってわがまま勝手に遊ぶことを楽しむ。
【驕虜】（キョウリョ） おごりたかぶる未開の異民族。

12【驍】22画 13794 人 キョウ（ケウ） 慣ギョウ（ゲウ） 蕭 xiāo 8166 E982 —

筆順 馬 馬一 馬十 駐 驊 驊 驊 驍

字義 ❶よいうま。良馬。❷つよい（強）。たけだけしい。勇ましい。勇健。

名前 いさ・すぐる・たけ・たけし・とし

解字 篆文 〔篆文〕 形声。馬＋堯音。音符の堯（ギョウ）は、高いの意味。たけ高く、よい馬の意味を表す。

【驍果】（ギョウカ） 強くて思いきりがよい。勇ましくて決断力がある。
【驍△悍】（ギョウカン） 勇ましくてあらあらしい。気があらく強い。たけく強い。驍武。驍強。
【驍△毅】（ギョウキ） 強くて意志が強い。
【驍騎】（ギョウキ） ①強い騎兵。②官名。将軍の名称。
【驍将（將）】（ギョウショウ） 強い大将。勇将。
【驍騰】（ギョウトウ） ①良馬をいう。②勇ましく強い。
【驍名】（ギョウメイ） 強いという評判。勇武の聞こえ。
【驍勇】（ギョウユウ） 強く勇ましい。また、その人。勇猛。
【驍雄】（ギョウユウ） 勇ましく強いこと。また、その人。

12【驒】22画 13795 標 ㊀漢タ・呉ダ 歌 tuó ㊁漢タン・呉ダン 寒 ㊂テン 先 diān 19420 — —

［驒］13764 俗字

字義 ㊀㊁㊂❶まだらうま。連銭葦毛（あしげ）。虎葦毛（とらあしげ）。虎のようなまだら模様のある青黒色の馬。❷たてがみの黒い白馬。❸つかれてあえぐ。馬がつかれてあえぐさま。＝嘽（1716）。「驒驒」

12【驔】22画 13796 ㊀漢テン・呉デン 艶 琰 diàn ㊁漢タン・呉ダン 覃 — — 7351

字義 ㊀❶くろくりげ。黒茶色で、たてがみと尾に赤毛の混じった馬。㊁❷すねの毛の長く白い馬。

解字 形声。馬＋覃音。

【驒△騱】（テンケイ） 野生の馬。

解字 形声。馬＋單音。

12【驋】22画 13797 漢ハツ 呉ハチ 曷 bō — — 7347

字義 ❶馬が走るさま。❷馬がおこる。❸馬があたまを振る。

解字 形声。馬＋發音。

12【驑】22画 13798 リュウ 騮（13781）と同字。→一五九二ページ中。 — — 7350

12【驎】22画 13799 リン 震 真 翰 lín 19419 EEDF 7349

字義 ❶くちびるの黒い白馬。❷まだらうま。

解字 形声。馬＋粦音。

13【驛】23画（13691） エキ 駅（13690）の旧字体。→一五八五ページ中。

13【驚】23画（13792） キョウ 驚（13791）の旧字体。→一五九三ページ上。

13【驗】23画（13745） ケン 験（13744）の旧字体。→一五九〇ページ上。

13【驌】23画 13800 漢シュク 呉スク 屋 sù 29304 — 7348

字義 驌驦（シュクソウ）は、昔の良馬の名。

解字 形声。馬＋肅音。

13【驖】23画 13801 漢テツ 呉テチ 屑 tiě — — 7352

字義 くろくりげ。黒茶色で、たてがみと尾に赤毛の混じった馬。

13【驘】23画 13802 ラ 騾（13790）の本字。→一五九三ページ上。 29305 — —

解字 形声。もと、馬＋羸音。

14【驟】24画 13803 漢シュウ（シウ） 呉ジュ 宥 zhòu 8169 E985 —

字義 ❶はしる。馬が速く走る。用例〔荘子、馬蹄〕飢レ之渇レ之、馳レ之驟レ之、整レ之斉レ之（これをうえ(ゑ)しめ、これをかわかし、これをはせ、これをはしらせ、これをととのえ(へ)、これをひとしくす）。↓馬を空腹にさせたり喉を渇かせたり、駆けまわらせたり急に勢いをつけて飛びださせたり、きちんと整列させたりする。❷速い。すみやか。❸にわか（にわかには）。急に。❹しばしば。たびたび。

解字 篆文 〔篆文〕 形声。馬＋聚音。音符の聚（シュウ）は、速に通じ、はやいの意味。馬が速く走るの意味を表す。

【驟雨】（シュウウ） にわか雨。夕立。白雨。用例〔老子、二十三〕驟雨不レ終レ日（シュウウはひをおえ(へ)ず）。↓夕立は一日中は続かない。
【驟至】（シュウシ） ①何度もやってくる。②突然やってくる。

14【驤】24画 13804 タク 馲（13687）と同字。→一五八五ページ上。 — — 7353

16【驥】26画 13805 キ 驥（13808）の俗字。→一五九四ページ下。 8171 E987 —

16【驢】26画 13806 漢リョ 呉ロ 魚 lǘ 8170 E986 —

［馿］13701 俗字

字義 ろば。うさぎうま。馬より小さく、耳が長い。用例〔唐詩紀事、賈島〕騎レ驢賦レ詩、得ニ僧推月下門之句一（ロにのりてシをフし、ソウはおすゲッカのモンのクをえたり）。↓驢馬にまたがって詩を作り、「僧は推す月下の門」という句を思いついた。

解字 形声。馬＋盧音。

【驢坑】（ロコウ） 安徽（アンキ）省歙（キュウ）県にある、硯石（すずりいし）の名産地。
【驢馬】（ロバ） ①うさぎ馬。ろば。②ろばと馬。
【驢鳴犬△吠】（ロメイケンバイ） ろばが鳴き、犬がほえる。聞くに足りないもの、つまらない文章のたとえ。〔世説新語、軽詆〕

17【驩】27画 13807 カン 驩（13811）の俗字。→一五九五ページ上。 8173 E989 —

17【驥】27画 13808 キ 寘 jì

［䮂］10406 古字 ［驥］13805 俗字

字義 ❶すぐれた馬。一日に千里を走るという良馬。駿馬（シュンメ）。❷才能のすぐれた人物のたとえ。俊才。

解字 篆文 〔篆文〕 形声。馬＋冀音。音符の冀（キ）は、北方の異民族の意味。北方に産する良馬の意味を表す。

【驥足】（キソク） 駿馬（シュンメ）の足。すぐれた才能のある人のたとえ。
【驥尾】（キビ） 駿馬（シュンメ）の尾。転じて、すぐれた人物のあと。↓附ニ驥尾一。
【附ニ驥尾一】（キビにフす） （青蠅（あおばえ）が）良馬の尾につかまって遠い所に行く意。後輩が先輩のおかげをうけること。また、すぐれた人のおかげをうけることをいう。用例〔史記、伯夷伝〕顔淵雖ニ篤学一、附ニ驥尾一而行益顕（ガンエンはトクガクなりといえ(へ)ども、キビにフしておこない(ひ)ますますあらわ(は)る）。↓顔淵はもともと学問好きだが、孔子のおかげでその徳行がますます世に知られるようになった。
【驥服ニ塩（鹽）車一】（キ エンシャにフクす） 名馬が塩をつんだ車をひく意。賢者がいやしい地位にいることのたとえ。〔戦国策、楚〕

17【驤】27画 13809 漢ショウ(シャウ) 呉ソウ(サウ) 慣ジョウ(ジャウ) 陽 xiāng 8172 E988 —

字義 ❶あ-がる(挙)。あげる。馬が走るとき、首を上げる。❷馬の首が、上がったり下がったりする。❸おどる(躍)。おどりあがる。「竜驤虎視(リュウジョウコシ)」❹走る。❺右の後足が白い馬。

解字 篆文 形声。馬＋襄音。音符の襄(ジョウ)は、払いのける意味。馬が首を払いのけるように、ふりあげるの意味を表す。

17【驦】27画 13810 漢ソウ(サウ) 呉ショウ(シャウ) 陽 shuāng

字義 驌驦(シュクソウ)は、昔の良馬の名。

解字 形声。馬＋霜音。

18【驩】28画 13811 カン(クワン) 寒 huān

[驩] 13807 俗字

字義 ❶馬の仲良く楽しむさま。❷よろこぶ。また、よろこび。＝歓(5975)。用例〔史記、廉頗藺相如伝〕卒相与驩、為刎頸之交(ついにあいともによろこびて、フンケイのまじわりをなせり)。訳 結局、二人は互いに親しみ合って、刎頸の交わりを結んだのであった。／〔史記、廉頗藺相如伝〕以一璧之故、逆彊秦之驩(イッペキのゆえをもって、キョウシンのカンにさからう)。訳 たった一つの璧のために、強国秦の友誼(ユウギ)を損ねる。

参考 現代表記では〔歓〕(5975)に書きかえることがある。「交驩→交歓」

解字 篆文 形声。馬＋雚音。もと、馬の名を表したが、歓に通じて、用いられる。

【驩△欣】カンキン よろこぶ。よろこび。歓欣。驩喜。▼欣も、よろこぶ意。

【驩虞如】カングジョ よろこび楽しむさま。歓娯。▼虞は娯、如は助字。用例〔孟子、尽心上〕霸者之民、驩虞如也(ハシャのたみは、カングジョたり)。訳 霸者の支配下にいる人民は、喜び楽しんでいる。

【驩心】カンシン よろこぶ心。うれしく思う心。歓心。

【驩然】カンゼン よろこんで、うち解けるさま。歓然。

【驩△兜】カントウ 中国古代の尭帝(ギョウテイ)時代の人。共工(キョウコウ)とともに悪行あり、舜帝(シュンテイ)によって崇山(今の湖南省内)に流された。

19【驪】29画 13812 一リ 支 lí 二漢レイ・呉ライ 斉 lí 8175 E98B —

字義 一二❶くろうま。純黒色の馬。❷くろい(黒)。くろ。❸ならべる(並)。そろえる。❹二頭だての馬車。

解字 形声。馬＋麗音。

【驪姫(姫)】リキ 周代の驪戎(リジュウ)の娘で、晋(シン)の献公の妃となり、太子の申生を謀殺した。

【驪宮】リキュウ 驪山の華清宮をいう。唐の玄宗が、楊貴妃(ヨウキヒ)と歓楽をつくした宮殿。驪山宮。用例〔唐、白居易、長恨歌〕驪宮高処入青雲、仙楽風飄処処聞(リキュウたかきところ、セイウンにいり、センガクかぜにひるがえって、ショショにきこゆ)。訳 驪山の離宮の高いところは、はるか雲の中に入りこみ、この世のものとも思えない楽の音が、風のまにまにそこここから聞きとれる。

【驪駒】リク ①くろこま。黒馬。②送別のときにうたう歌。驪歌。

【驪山】リザン 陝西(センセイ)省西安市にある山。秦(シン)の始皇帝の陵がある。また、ふもとには温泉があり、唐の玄宗は華清宮を造った。→驪宮。

【驪珠】リシュ ＝驪竜之珠。

【驪馬】リバ ①くろうま。②(二頭立ての馬車の)二頭の馬。

【驪竜(龍)△之珠】リリョウのたま 黒竜のあごの下にあるたま。命がけで求めなければ得られない貴重なもののたとえ。〔荘子、列禦寇〕

【探驪竜(龍)】リリョウをさぐる 驪竜之珠を探るように、危険を冒して大きな利益を得ること。〔世説新語、文学〕

20【驫】30画 13813 一漢ヒュウ(ヒウ)・呉ヒュ 尤 二ヒョウ(ヘウ) 蕭 biāo 8174 E98A —

字義 一二❶多くの馬。❷馬のむらがり走るさま。

難読 驫(とどろ)・驫木(とどろき)

解字 金文 篆文 会意。三つの馬で、馬の多くむらがるさまを表す。

24【驫木】34画 13814 一シン 真 shēn 二漢シュウ(シフ) 呉ジュウ(ジフ) 緝 jí 29306 — —

字義 一❶多くて盛んなさま。❷馬の群がりゆくさま。二❶木の盛んなさま。❷＝一❶。

解字 会意。木＋驫。

骨 ほね・ほねへん 10画

〔部首解説〕骨を意符として、体の各部の骨の名称、骨で作ったものなどを表す文字ができている。

0【骨】10画 13815 漢コツ・呉コチ 月 gǔ 教6 コツ ほね 2592 8D9C —

筆順

字義 ❶ほね。㋐動物の体内にあって、からだをささえ、内臓を保護しているもの。㋑骨ぐみ。からだつき。「骨相」㋒死者の骨。火葬にした人骨。おこつ。「遺骨」㋓からだ。「老骨」「病骨」㋔物事の中心となって、それをささえるもの。芯(シン)。要点。「骨子」❷ひとがら。なり。ふり。「気骨」❸するどい。とがる。書体のするどく力強いこと。国❶コツ。㋐調子。要領。また、急所。㋑天分。❷ほね。㋐めんどう。てかず。苦労。「骨が折れる」㋑気概。意地。「骨のある男」

名前 ほね 難読 骨牌(カルタ)

解字 篆文 会意。冎＋月(肉)。冎は、ほねの形象。肉体の核となっている、ほねの意味を表す。

逆 換骨・奇骨・気骨・筋骨・硬骨・心骨・仙骨・戦骨・軟骨・納骨・万骨・風骨・武骨・無骨・竜骨・老骨・露骨

【骨骸】コツガイ ①ほね。②死体。

【骨格・骨△骼】コッカク 骨ぐみ。からだの骨の組み立て。

【骨△鯁之臣】コッコウのシン 剛直で、君主のいやがるのもはばからず強くいさめる家来。剛直直諫の臣。〔史記、呉太伯世家〕▼鯁は、魚の骨で、つきささる意を示す。

【骨子】コッシ ①ほね。②かなめ。要点。

【骨身】一コッシン 仏舎利(シャリ)の訳語。仏陀(ブッダ)または聖者の遺骨。仏舎利。二ほねみ 国①からだ全部。全身。②肉体の苦労。「骨身惜しまず」

【骨髄(髓)】コツズイ ①骨のしん。②心の底。③要点。主眼。

【骨相】コッソウ ①人間のからだの骨ぐみ。特に、頭や顔の骨ぐみ。②骨ぐみの上に現れた人の運命・性格。

【骨炭】コッタン 動物の骨を蒸し焼きにした炭。漂白・脱臭・肥料などに用いる。

【骨張・骨頂】コッチョウ 国この上もない。第一。多く、悪い意味で用いる。「骨張(ほねば)る」の音読。骨頂は当て字。「ほねばる」と読めば、かどばる、また、意地を張ることの意味。

【骨△董】(コットウ) ①つまらぬごたごたしたもの。②希少価値やいわれのある、古道具や古美術品類。古い書画・刀剣・陶器など。
【骨騰肉飛】(ほねおどりニクとぶ) 心身の躍動する形容。㋐勇士の勇んで進むさま。〔呉越春秋、闔閭内伝〕㋑美人などを見たときの衝動。〔隋書、地理志中〕
【骨肉】(コツニク) ①骨と肉。肉体。②親子・兄弟などのような近い親族。みうち。骨と肉とがはなれられないように、強い結びつきのもの。肉親。
【骨肉△之親】(コツニクのシン) ①＝骨肉②。②肉親間の親愛の情。骨肉之愛。骨肉之情。
【骨肉相食】(コツニクあいはむ) 親子兄弟がたがいに争い、殺し合う。
【骨△牌】(コッパイ) ①骨で作った札。ゲームの道具。②国かるた。
【骨法】(コッポウ) ①骨ぐみ。骨格。②筆力。また、絵の制作・鑑賞の主眼となるものの一つ。③国礼儀作法。
【骨立】(コツリツ・コツリュウ) やせおとろえて骨と皮ばかりになること。
【骨力】(コツリョク) 書画などの筆勢・筆力。骨法。
【刻レ骨】(ほねにきざむ) 骨にきざみつける。深くしっかりと心に記憶する。刻骨(コッコツ)。
【炊レ骨易レ子】(ほねをかしぎこをかう(ふ)) 食糧がなくなり、死体の骨をたき、わが子は食うに忍びないから、たがいに子をとりかえて食べる。戦国時代、趙(チョウ)の国にあった故事。〔史記、平原君伝〕
【埋レ骨不レ埋レ名】(ほねをうず(づ)めなをうず(づ)めず) その身は死んでも名は後世に伝わること。〔唐、白居易、題ニ故元少尹集後一詩〕
【鏤レ骨】(ほねにきざむ) ＝鏤骨(ルコツ)(一四八五ページ下)。

3【骪】13画 13816 [骫] 13817 俗字 イ(ヰ) 紙 wěi —— — 7354
字義 ❶骨が曲がる。また、曲がる。曲げる。❷あつまる。❸すておく。なげやりにする。
解字 篆文 会意。骨＋凡。凡は、骨の曲がった人の象形。骨を付し、骨がまがるの意味を表す。

3【骫】13画 13817 イ 骪(13816)の俗字。→一五九六ページ上。

3【骬】13画 13818 ウ 虞 yú —— — 7355
字義 髃骬(カッウ)は、胸骨。
解字 形声。骨＋于音。

3【骭】13画 13819 カン 翰 gàn 8176 E98C —
字義 ❶すねの骨。❷はぎ。すね。むこうずね。❸あばら。

解字 篆文 形声。骨＋干音。音符の干は、みきの意味。みきのような骨、すねの意味を表す。

3【骮】13画 13820 漢ヨク 呉イキ 職 yì —— — 7356
字義 ❶鎖骨の上にあるくぼみ。欠盆。❷こぼね。小さい骨。
解字 形声。骨＋弋音。

4【骯】14画 13821 コウ(カウ) 養 kǎng ₂9307 — 7357
字義 骯髒(コウソウ)は、㋐体が太る。㋑正直を好むためかえって志を得ないさま。
解字 形声。骨＋亢音。

4【骰】14画 13822 漢トウ 呉ズ(ツ) 尤 tóu 8177 E98D —
字義 すごろくのさい。さいころ。骰子(トウシ)(子は助字)。
難読 骰子(いきさい・ころ)
解字 形声。骨＋殳音。音符の殳(シュ)は、なげうつの意味。なげうつ骨製のすごろくのさいの意味を表す。

5【⿰骨可】15画 13823 カ 歌 kē ₂9308 — —
字義 ひざぼね。かわら。
解字 形声。骨＋可音。

5【骷】15画 13824 漢コ 呉ク 虞 kū ₂9309 — —
字義 ❶ひざぼね。❷されぼね。死者の骨。
解字 形声。骨＋古音。

5【骵】15画 13825 タイ 体(269)の俗字。→九六ページ中。 — — 7360

5【骶】15画 13826 漢テイ 呉タイ 薺 霽 dǐ ₁9421 — 7361
字義 ❶しり。また、尻(しり)の骨。「尾骶骨(ビテイコツ)」❷せ(背)。
解字 形声。骨＋氏音。

5【骲】15画 13827 漢ホウ(ハウ) 呉ボウ(バウ) 効 bào —— — 7358
字義 ❶骨製のやじり。❷打つ。手でたたく。
解字 形声。骨＋包音。

6【骻】16画 13828 漢カ(クワ) 呉ケ 禡 kuà —— — 7363
字義 ❶またぐら。❷腰骨。
解字 形声。骨＋夸音。

6【骸】16画 13829 常 ガイ 1928 8A5B —
漢カイ・呉ガイ 佳 hái
筆順 冂 冎 冎 冎 骨 骨 骨 骸 骸
字義 ❶ほね。㋐死人の骨。朽ちた骨。㋑すねの骨。❷なきがら。むくろ。死体。また、からだ。手・足・首・胴。
解字 篆文 形声。骨＋亥音。音符の亥(ガイ)は、核に通じ、果実の中心の堅い部分の意味。肉体の中心の堅い部分、ほねの意味を表す。
【骸△骼】(ガイカク) ①からだ。②死体。かばね。
【骸筋】(ガイキン) ①骨と筋。②からだ。
【骸△軀】(ガイク) からだ。骸骼(ガイカク)。
【骸骨】(ガイコツ) ①からだの骨。②肉が落ちて骨だけになった死体。しかばね。③からだ。
【乞ニ骸骨一】(ガイコツをこう(ふ)) 主君にさしあげた自分のからだを返してほしいと乞い求める。辞職を願い出ること。辞職願いの許されることを「賜ニ骸骨一(ガイコツをたまう(ふ))」という。▼乞は、請とも書く。用例〔晏子春秋、重而異者〕願乞ニ骸骨一(ねがわ(は)くはガイコツをこわ(は)ん)。↓どうか辞職させてください。

6【骼】16画 13830 漢カク 呉キャク 陌 gé 8178 E98E —
字義 ほね。㋐骨の通称。骨ぐみ。「骨骼」㋑鳥や獣の骨。㋒ももの骨。㋓朽ちた骨。されぼね。
参考 現代表記では〔格〕(5364)に書きかえることがある。「骨骼→骨格」
解字 篆文 形声。骨＋各音。音符の各は、格に通じ、木の枝がつきでるの意味。木の枝のようにつき出た、白骨の意味を表す。

6【䯒】16画 13831 漢コウ(カウ) 呉ギョウ(ギャウ) 庚 hēng ₂9310 — —
字義 ❶牛の背骨。❷すねの上端。
解字 形声。骨＋行音。

6【骹】16画 13832 漢コウ(カウ) 呉キョウ(ケウ) 肴 qiāo ₂9311 — 7362
字義 ❶はぎ。すね。また、足首。❷ほね。また、ひざぼね。
解字 形声。骨＋交音。

6【骴】16画 13833 漢シ 呉ジ 支 寘 cī —— — 7359
字義 ❶鳥獣の残骨。❷肉の付いた死者の骨。
解字 形声。骨＋此音。

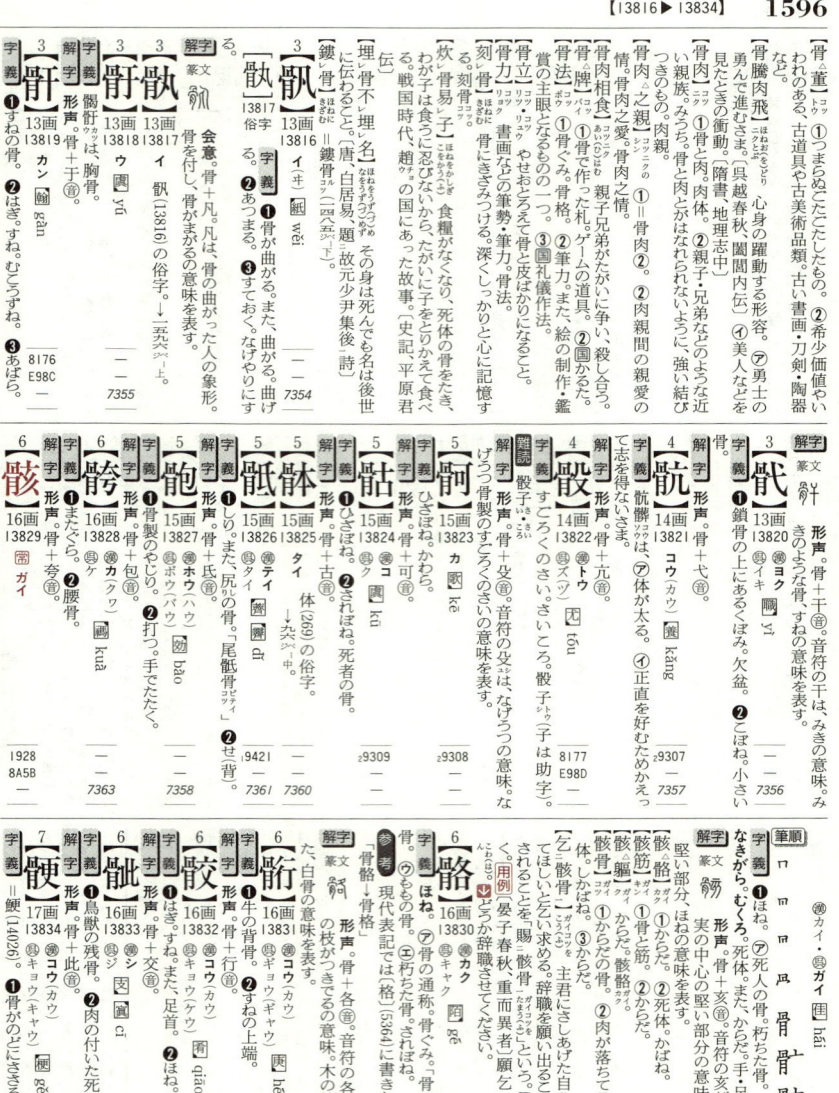

7【骾】17画 13834 漢コウ(カウ) 呉キョウ(キャウ) 梗 gěng —— — 7364
字義 ＝鯁(14026)。❶骨がのどにささる。❷かどだつ。ほ

ねっぽい。意志が強く自己を曲げない。「骨鯁」

解字 篆文 形声。骨＋更（叓）音。音符の叓は、かたいの意味。ほねっぽく固いの意味を表す。

【骾△訐】コウケツ 直言して遠慮なく人の悪をあばきたてる。また、そのことば。正直で強いこと。

8 【髁】 18画 13835 一 カ（クヮ） 歌 箇 kē 二 漢カ（クヮ）・呉ケ 馬 kuà ｜9422 — 7366

字義 一 ❶ももの骨。❷しりの骨。❸ひざの骨。❹正しくないさま。「謑髁」 二 腰の骨。

解字 形声。骨＋果音。

8 【髀】 18画 13836 一 ヒ 紙 二 漢ヘイ・呉ベイ 薺 bì 8179 E98F —

字義 一 ❶もも（股）。「髀肉」 ❷ももの骨。 用例 〔淮南子、人間訓〕其子好レ騎、堕而折二其髀一（その子騎をこのみ、おちてその髀を折る）。↓その息子は馬に乗ることを好み、馬から落ちてももの骨を折ってしまった。❸ふくらはぎ。すねの後ろの肉のふくらんだところ。

解字 篆文 形声。骨＋卑音。音符の卑は、ひくいの意味。骨格の中でも低い方にある、ももの骨の意味を表す。

【髀肉△之嘆】ヒニクのタン 実力を発揮する機会がないのを嘆くたとえ。三国時代、蜀の劉備が、久しく馬に乗らなかったため、内ももの肉が肥えてしまったことを嘆いた故事による。〔三国志、蜀志、先主伝、注〕

【拍レ髀・△搏レ髀】ひをうつ ①ももをたたく。喜び勇むさま。〔後漢書、張奐伝〕②拍子をとるさま。

【△拊レ髀】ひをうつ ＝拊髀（五八八ページ上）。

8 【骿】 18画 13837 漢ヘン 呉ベン 先 piān — — 7365

字義 ❶一枚あばら。肋骨がつながって一枚の骨のようになっているもの。「骿脅」「骿骨」 ❷ひび。あかぎれ。＝胼（5080）。

解字 篆文 形声。骨＋幷音。音符の幷は、ならぶの意味。ならびつながっている、あばらぼねの意味を表す。

9 【髃】 19画 13838 漢カツ 呉ガチ 曷 hé ₂9312 — —

字義 髃骬は、胸骨。

解字 形声。骨＋曷音。

9 【髃】 19画 13839 一 グ 虞 二 漢ゴウ・呉グ 有 yú ｜9423 — 7367

字義 一 二 肩の前面。かたさき。また、その骨。

9 【髄】 19画 13840 常 ズイ 〖髓〗 23画 13841 慣ズイ スイ 紙 suǐ 3181 9091 — 8182 E992 —

筆順 冂 冂 冎 骨 骨ノ 骨ナ 骨有 髄 髄

［髓］5151 同字 ［髄］13842 同字

字義 ❶骨のしんにある柔らかな組織。骨髄。❷植物の茎の中心の柔らかな部分。❸物事の本質。中心点。「精髄」

名前 すね・なか

解字 篆文 形声。骨＋辶（隓）音。音符の隓は、緊張がゆるんで、くずれるの意味。動物の骨の中心にあるやわらかなもの、ズイの意味を表す。

逆 骨髄・心髄・真髄・神髄・精髄・脳髄

【髄脳（腦）】ズイノウ ①のうみそ。脳髄。②主要な部分。たいせつな所。③国歌の法則・奥義などを述べた書物。

9 【髄】 19画 13842 ズイ 髄（13840）と同字。→一五九七ページ中。 ₂9313 — 7368

10 【髆】 20画 13843 ハク 薬 bó

字義 ❶肩の骨。かいがら骨。肩胛骨。＝膊（5118）。❷かた（肩）。

解字 篆文 形声。骨＋尃音。音符の尃は、うすくひろがるの意味。骨の中で最も平らにひろがる部分、かたぼねの意味を表す。

10 【髈】 20画 13844 漢ホウ（ハウ） 呉ボウ（バウ） 陽 pāng — — 7369

字義 ❶もも。❷わき肉。❸わき。肩。

解字 形声。骨＋旁音。

11 【髎】 21画 13845 一 リョウ（レウ） 蕭 嘯 liāo 二 漢ロウ（ラウ） 呉リョウ（レウ） 肴 ｜9424 — 7370

字義 一 二 穴のあいた腰骨。一説に、その腰骨の穴。

解字 形声。骨＋翏音。

11 【髏】 21画 13846 漢ロウ・呉ル 尤 lóu 慣ロ 8180 E990 —

字義 髑髏は、されこうべ。→髑（13849）。

解字 篆文 形声。骨＋婁音。音符の婁は、とぎれることなくつづくの意味。骨だけがつながっている、されこうべの意味を表す。

12 【髐】 22画 13847 漢コウ（カウ） 呉キョウ（ケウ） 肴 xiāo ₂9314 — 7371

字義 ❶髐然は、白骨が風雨にさらされているさま。「髑髏髐然」❷かぶら矢。

解字 形声。骨＋堯音。

12 【髒】 22画 13848 一 ソウ（サウ） 養 zǎng 二 ソウ（サウ） 漾 zàng ₂9315 — 7372

字義 一 骯髒は、㋐体が太る。㋑正直を好むためかえって志を得ないさま。 二 ❶抗髒は、様子をうかがって立っているさま。❷きたない。

解字 形声。骨＋葬音。

13 【髓】 23画 (13841) ズイ 髄（13840）の旧字体。→一五九七ページ中。

13 【體】 23画 (270) タイ 体（269）の旧字体。→九六ページ中。

13 【髑】 23画 13849 漢トク 呉ドク 屋 dú 8181 E991 —

字義 髑髏は、されこうべ。しゃれこうべ。風雨にさらされて白くなった頭骨。 難読 髑髏（されこうべ・しゃれこうべ）

解字 形声。骨＋蜀音。

14 【髖】 24画 13850 カン 髖（13852）の俗字。→一五九七ページ下。 ｜9425 — 7374

14 【髕】 24画 13851 ヒン 臏（5165）と同字。→七一〇ページ下。 ₂9316 — 7373

15 【髖】 25画 13852 一 カン（クヮン） 寒 kuān 二 コン 元

［髖］13850 俗字

字義 一 ❶こしぼね。ももの上の骨。❷両ももの間。 二 からだ。また、しり。

解字 篆文 形声。骨＋寛音。音符の寛は、ひろいの意味。ひろい骨、こしぼねの意味を表す。

16 【髗】 26画 13853 ロ 顱（13520）と同字。→一五六五ページ下。 — — 7375

10画 高 たかい

〔部首解説〕 高の省略体、𠆢を意符として、亭などの建物を表す文字ができている。ただし、亭・亮・亳は、部首としては亠（なべぶた）に分類されている。

0
【高】

10画 13854 教2 一 コウ(カウ) 豪 gāo 二 コウ(カウ) 号 gào　コウ たか-い・たか・たか-まる・たか-める　2566 8D82 一

〔髙〕13855 俗字

筆順 丶 亠 亠 亠 亠 亠 高 高 高 高

字義 一 ❶たか-い(たか。し) ↔低(275)・卑(1173)。㋐位置がたかい。上にある。「高原」㋑たけがたかい。「高楼」㋒身分・年齢・価格・素質・人がらなどが上位にある。用例〔史記、項羽本紀〕労苦而功高如レ此(ロウクはなはだしくしてコウたかきことかくのごとし)。↓このように大いに骨を折って高い功績をあげた。㋓けだかい。俗界を超越している。また、そのような人。「孤高」㋔名だかい。世間に聞こえる。あらわれる。「高名」㋕盛大である。さかんになる。❷たかくなる。たか-まる。位置・たけ・身分・年齢・価格・素質・評判等が上になる。また、たか-める(たかむ)。❸たか-いとする(たかしとす)。㋐尊ぶ。敬う。㋑たか-ぶる。いばる。「高言」❹敬意を表すことば。「高説」「高配」 二 たか-さ。高低の度合い。「標高」 国 たか。㋐分量。程度。「金高」「収穫高」㋑物価のあがること。

名前 あきら・うえ・かぎり・こう・すけ・たか・たかい・たかし・たけ・ほど 難読 高円(たかまど)・高遠(たかとお)・高加索(コーカサス)・高架索(コーカサス)・高科(たかしな)・高階(たかしな)・高嘴(たかはし)・高槻(たかつき)・高御座(たかみくら)・高御産巣日神(たかみむすびのかみ)・高原(たかはる)・高向(たかむこ)・高皇産霊神(たかみむすびのかみ)・高砂(たかさご)・高市(たけち)・高城(たかじょう)・高坏(たかつき)・高天原(たかまがはら)・高任(たかとう)・高擶(たかだま)・高天(たかま)・高来(たかき)・高梁(たかはし)・高粱(コーリャン)・高麗(こま・こうらい)・高輪(たかなわ)・高畠(たかはた)

参考 現代表記では〔昂〕(4680)の書きかえに用いることがある。「昂騰→高騰」「昂揚→高揚」

解字 甲骨文 金文 篆文 象形。金文でよくわかるように、高大な門の上の高い楼の形にかたどり、たかいの意味を表す。

逆 孤高・至高・秋高・崇高・清高・登高・標高

【高圧(壓)】コウアツ ①たかいところからおさえつける。②国㋐力で無理におさえつける。㋑たかい圧力・電圧。

【高医(醫)】コウイ すぐれた医者。名医。

【高逸】コウイツ たかくすぐれている。俗世間を超越している。

【高韻】コウイン けだかいおもむき。上品な様子。高趣。

【高詠】コウエイ ①たからかに歌う。高唱。②他人の詩歌の敬称。

【高宴】コウエン さかんなさかもり。また、盛大な酒宴を開くこと。

【高遠】コウエン ①たかくて遠い。②志が高尚なこと。

【高屋】コウオク ①たかい屋根。また、立派な家。②他人の家の敬称。

【高屋建△瓴】コウオクケンレイ たかい屋根の上から水をこぼす。勢いの強いたとえ。▼瓴は水がめ、建はくつがえす。〔史記、高祖本紀〕

【高恩】コウオン 大きなめぐみ。大恩。

【高価(價)】コウカ ①たかい値段。②よい評判。声価。

【高科】コウカ ①たかいところ。②科挙(官吏登用試験)に最高位で合格すること。高第。高弟。

【高華】コウカ 地位・家がらなどがすぐれてりっぱなこと。

【高△廈】コウカ たかく大きな家。▼廈は、大きな家。

【高歌】コウカ 声たからかに歌う。

【高牙大△纛】コウガダイトウ たかい牙旗(象牙(ゾウゲ)のかざりを付けた旗)と牛の尾でかざりを付けた大きなさしもの。高位の人のしるし。

【高△臥】コウガ 世俗をはなれてくらす。高眠。

【高雅】コウガ けだかく、みやびやか。上品で優雅。

【高会(會)】コウカイ 盛大な会合。盛会。また、盛大な会合をすること。用例〔史記、項羽本紀〕日置酒高会(ひにチシュしてコウカイす)。↓毎日、酒を用意して盛大な会合を行った。

【高△晦】コウカイ たかくかまえて自分の才能を表さぬこと。けだかい行動をとり、俗世間からのがれてくらすこと。

【高懐(懷)】コウカイ けだかい思い。高尚な心。

【高閣】コウカク ①たかどの。高楼。②壁につるすたかい棚(たな)。

【束二高閣一】コウカクにつかぬ たばねてたかい棚(たな)の上に置く。久しい間、使用しないこと。〔晋書、庾翼伝〕

【高館】コウカン ①たかいやかた。立派なやかた。②他人の家の敬称。

【高観(觀)】コウカン ①たかどの。高楼。②大きな道教の寺。③たかい所から眺める。

【高岸深谷】コウガンシンコク たかい岸がくずれて谷となり、深い谷がうずまって丘となる。地形のひどく移り変わること。世の中の移り変わるたとえ。〔詩経、小雅、十月之交〕

【高奇】コウキ けだかくすぐれている。また、その人。

【高軌】コウキ 高尚な道。また、すぐれた先輩の足跡。

【高貴】コウキ ①身分がたかく尊い。また、その人。②値段がたかい。

【高義】コウギ たかくりっぱな徳義。また、他の人の徳義の敬称。用例〔史記、廉頗藺相如伝〕臣所下以去二親戚一而事上君者(シンのシンセキをさりてきみにつかうる(ふ)ゆえ(ゑ)んのものは)、徒慕二君之高義一也(ただきみのコウギをしたえ(へ)ばなり)。↓私たちが親戚を離れて殿様にお仕えしている理由は、ただ殿様のごりっぱな徳義をお慕い申しているからです。

【高△誼】コウギ ①＝高義。②厚いよしみ。御厚情。他人のなさけの敬称。

【高議】コウギ ①高尚な議論。②さかんに議論すること。

【高△穹】コウキュウ たかく弓形になっている意で、空のこと。大空。

【高挙(擧)】コウキョ ①たかく飛び上がる。②俗世間をのがれること。俗世間をのがれ、独りよがりになる。高踏。用例〔楚辞、漁父〕何故深思高挙(なんのゆえにふかくおもい(ひ)たかくあがりて)、自令レ放為(みずか(づ)らはなたれしむるをなす)。↓深刻に悩み高潔にふるまって、みずから放逐されるようなことになったのはどうしてか。③高位にのぼること。

【高△拱】コウキョウ 両手をたかくこまぬく。なにもしないさま。

【高教】コウキョウ 尊い教え。たかくすぐれた教え。また、他人の教えの敬称。高訓。高論。

【高吟】コウギン 声たからかに詩歌を吟ずる。「放歌高吟」

【高句麗・高句△驪】コウクリ 国名。古代朝鮮の北方に興った国の名。紀元前三十七年、ツングース族扶余人朱蒙(シュモウ)が建国。後に平壌(ヘイジョウ)に都したが、唐と新羅(シラギ)の連合軍にほろぼされた。(前三七—六六八)

【高△矩】コウク りっぱな手本。高尚な規範。

【高△衢】コウク ①りっぱな道。大道。②大空の道。天空の道。

【高訓】コウクン ＝高教。

【高家】コウケ 国①身分のたかい家がら。②江戸時代、幕府の儀礼・礼法などをつかさどった家がら。

【高下】コウゲ ①たかいことと低いこと。高低。②尊いことといやしいこと。③すぐれていることとおとっていること。優劣。

【高下在レ心】コウゲこころにあり ①たかくするのも低くするのも、自分の心次第である。心がけのいかんによって事の成否のきまること。〔左伝、宣公十五〕②賞罰を自分の思うままにすること。

【高△勁】コウケイ けだかくて強い。また、堂々としていて強そうに見えること。

【高啓】コウケイ 明(ミン)の詩人。字(あざな)は季迪(キテキ)。号は青邱子(セイキュウシ)。博学でその詩は雄健。太祖の怒りにふれ、腰斬(ヨウザン)の刑に処せられた。詩風が杜甫(トホ)に似ているので、小杜甫といわれる。(一三三六—一三七四)

【高潔・高△絜】コウケツ けだかくいさぎよい。人格がたかく清い。高尚で潔白。

【高見】コウケン ①すぐれた考え。②他人の考えの敬称。

【高軒】コウケン ①たかいのき。たかいてすり。②りっぱな車。他人の車の敬称。▼軒は、前方のたかくなった車。
【高賢】コウケン 徳がたかく賢明なこと。また、その人。
【高△巘】コウケン たかいほおぼね。ほおぼねが出ていること。
【高言】コウゲン ①高尚なことば。②実力に相応しないことを言う。おごりたかぶったことば。大言壮語。
【高言不㆑止㆓衆人△之心㆒】コウゲンはシュウジンのこころにとどまらず 高尚なことばは、一般の人には分からない。▼止は、上に作るものもある。〔荘子、天地〕
【高原】コウゲン ①まわりの土地よりたかい平らな土地。②山のふもとに続く広い原。
【高戸】コウコ ①経済的にめぐまれた人民。富民。②酒をよく飲む人。上戸。③たかい建物。
【高古】コウコ けだかく、古風でみやびやかなこと。高潔古雅。
【高仰】コウコウ・コウギョウ ①あおぎ尊ぶさま。②たかくあおぎ見る。③おごりたかぶる。
【高后】コウコウ ①殷の湯王。②漢の高祖の皇后。呂后をいう。③皇后の尊称。
【高行】コウコウ 高尚な行い。すぐれた行い。
【高抗・高△亢】コウコウ 心をけだかくして、人に屈服しない。
【高△曠】コウコウ ①けだかい心。②たかくて広い。
【高才】コウサイ すぐれたはたらきのあること。また、その人。たかい才能のあること。また、その人。高材。
【高△柴】コウサイ 春秋時代、衛の人。孔子の門人。字は子羔という。親の影をふむことがなく、親の喪には泣血三年に及んだという。
【高斎(齋)】コウサイ ①たかい官邸。高大な郡守の官舎。②高大な書斎。③唐の杜甫が晩年に夔州(今の重慶市奉節県)でくらした居室の名。
【高△灑】コウサイ 俗気がなくさっぱりしている。
【高材疾足】コウザイシッソク すぐれた才能のある人。〔史記、淮陰侯伝〕
【高策】コウサク すぐれたはかりごと。高謨。高猷。
【高札】コウサツ・たかふだ 国①江戸時代、幕府が法令などを公衆に知らせるために掲げた立て札。②入札のとき、一番高い値段を書いた札。③他人の手紙の敬称。
【高察】コウサツ 他人の推察の敬称。おさっし。
【高山景行】コウザンケイコウ たかい山と大きな道。高山は人が仰ぎ、大道は人が行くところから、万人に尊敬されるものをたとえる。〔詩経、小雅、車舝〕
【高山△之△巓無㆓美木㆒】コウザンのいただきにはビボクなし たかい山の上にはよい木がない。たかい位にいる者は人にそしられ、よい評判を立てられにくいたとえ。〔説苑、談叢〕
【高山流水】コウザンリュウスイ 音楽の霊妙なさまのこと。また、「知己」「知音」の意にも用いる。昔、伯牙の琴を鍾子期が深く鑑賞理解し、伯牙が高山を思って琴を弾ずると鍾子期は高山のごとしと評し、流水を思えば流水のごとしと評した、という故事による。〔列子、湯問〕→知音(一〇一七ページ中)。
【高士】コウシ ①人格高潔の人。高尚な人。②官に仕えない、すぐれた人物。
【高旨】コウシ ①りっぱな心。②他人の意見の敬称。
【高志】コウシ ①りっぱなこころざし。大志。②他人の志の敬称。③志をたかくすること。
【高△訾・高△貲】コウシ 財貨の多い人。かねもち。
【高自標置】たかくみずからヒョウチす みずからたかくかまえて人に下らない。尊大ぶる。〔晋書、劉惔伝〕
【高識】コウシキ たかい見識。すぐれた見識。
【高車△駟馬】コウシャシバ おおいがたかく、立って乗れる車と、四頭立ての馬車。高貴な人の乗り物。〔北宋、欧陽脩、昼錦堂記〕
【高△榭】コウシャ たかいうてな。たかくてりっぱな建物。高台。
【高爵】コウシャク ①たかい爵位。たかい身分。②国爵位をたかくする。
【高手】一 コウシュ わざがすぐれている人。名人。二 たかて 国ひじから肩まで。「高手小手に縛る」
【高趣】コウシュ けだかいおもむき。上品な様子。高致。高韻。
【高寿(壽)】コウジュ 年齢の多いこと。ながいき。高齢。高年。
【高樹】コウジュ たかい樹木。高木。たかい地位にある人のたとえ。
【高△岫】コウシュウ たかい山のみね。
【高秋】コウシュウ 秋のたけなわ。また、空がたかく晴れわたる秋。
【高△峻】コウシュン ①たかくけわしい。②けだかいこと。はかり知れないたかい見識のこと。
【高所】コウショ ①たかい場所。②たかい見地。たかい立場。「大所高所」
【高尚】コウショウ ①けだかい。上品。高貴。用例(東晋、陶潜、桃花源記)南陽劉子驥、高尚士也。↓南陽の劉子驥は、高潔な人物であった。②程度がたかいこと。
【高△昌故城】コウショウコジョウ 六世紀初期に建てられた高昌国の都の跡。現在の新疆ウイグル自治区内。⇩コラム シルクロード(一一〇四ページ)。
【高商】コウショウ 秋のこと。▼商は、五音の一つで秋に配する。
【高唱】コウショウ ①声たかくとなえる。声たかくうたう。②高尚なうた。
【高△舂】コウショウ 午後四時ごろ。夕方。
【高△敞】コウショウ 土地がたかく広くて見はらしがよい。
【高△翔】コウショウ 空たかく飛びかける。高飛。
【高情】コウジョウ ①けだかい心。②他人の自分にかけてくれたなさけの敬称。芳情。
【高△岑】コウシン たかいみね。
【高寝(寢)】コウシン 初めて諸侯に封ぜられた君主のおたまや。始祖の霊を祭った廟。
【高人】コウジン ①＝高士。②地位のたかい人。
【高△邃】コウスイ けだかく奥深い。
【高世】コウセイ ①その世に名高い。一世にすぐれている。②たかく世俗を超越している。
【高斉(齊)】コウセイ 北斉(五五〇―五七七)の別称。高洋の建国した、北朝の斉をいう。↔蕭斉(一三九ページ下)。
【高青邱】コウセイキュウ ＝高啓。▼青邱は、号。
【高△棲・高△栖】コウセイ 俗世間をのがれ静かにくらすこと。
【高準】コウセツ・コウジュン たかい鼻ばしら。鼻すじのたかいこと。
【高節(節)】コウセツ ①けだかいみさお。たかい節操。②みさおをたかくする。高風。
【高説】コウセツ ①りっぱな意見。すぐれた論説。②他人の意見の敬称。
【高遷】コウセン 身分がよくなる。位が上がる。
【高漸離】コウゼンリ 戦国時代の刺客。燕(今の河北省一帯の地)の人。荊軻と同じように秦の始皇帝を暗殺しようとして失敗したが、筑(琴に似た楽器)がたくみなためにゆるされた。のち、始皇を討とうとして成らず、殺された。
【高祖】コウソ ①祖父の祖父。高祖父。②遠い先祖。③王朝の最初の天子。漢と唐の高祖が有名。④仏一宗一派の開祖。
【高爽】コウソウ たかく、さわやかなこと。
【高僧(僧)】コウソウ 徳のたかい僧。名僧。善智識。
【高僧(僧)伝(傳)】コウソウデン 書名。十三巻・序録一巻。南朝、梁の恵皎の著。五一九年成立。後漢から梁までの高僧四百五十余人の伝記。続高僧伝(唐の道宣の著)・宋高僧伝(宋の賛寧の著)・明高僧伝(明の如惺の著)とあわせて、四朝高僧伝という。
【高層(層)】コウソウ ①たかく重なる。②たかく重なっているものの上の方。「高層雲」
【高燥】コウソウ 土地がたかく乾燥していること。
【高足】一 コウソク ①すぐれた馬。駿馬。②すぐれた弟子。高弟。③国㋐舞で足をたかく上げること。㋑田楽の芸の一つ。一足。■たかあし 国①たけうま。②足のたかい膳。③すねの長いこと。④芝居で特にたかくした二重舞台の床。

【高大】コウダイ ①たかく大きい。すぐれている。②おごりたかぶる。思いあがる。

【高台(臺)】コウダイ ■コウダイ ①=高樹。用例〔三国魏、曹植、雑詩〕高台多二悲風一、朝日照二北林一。↓高台には悲しい風が吹きよせて、朝日は北の林を照らすだけ。②都のこと。③頭の別称。④国茶碗や鉢などの底につけた、円筒状の低い脚部。■たかダイ 国周囲より高く平らな土地。

【高第】コウダイ ①=高科②。②役人の勤務の優良なもの。

【高躅】コウタク・コウチョク ①りっぱな行為。▼躅は、足あと。②他人の来訪の敬称。

【高卓】コウタク たかくすぐれる。ぬきんでてすぐれる。

【高達】コウタツ ①才能に富み、物事の理に通じていること。②世俗を超越し、気持ちをたかく持つ。③たかくとどく。

【高談】コウダン ①高尚な話。俗界を離れた高尚な話。用例〔唐、李白、春夜宴二桃李園一序〕幽賞未レ已、高談転清。↓心静かに景色を飽かず眺め、超俗の高尚な話はますます盛んになっていく。②他人の話の敬称。③あたりかまわず、声高に話をすること。「高談雄弁」

【高直】コウチ たかい値段。値段がたかい。▼直は、値。

【高致】コウチ ①けだかいおもむき。上品なようす。高趣。②最高の到達点。到達し得る最高の所。

【高胄】コウチュウ 尊い家のよつぎ。名家の子孫。

【高著】コウチョ ①たかくあらわれる。②りっぱな著述。他人の著書の敬称。

【高鳥尽(盡)良弓蔵(藏)】コウチョウつきてリョウキュウお(を)さめらる 空たかく飛ぶ鳥がつきると、良い弓はしまいこまれる。敵国が滅びると戦功のあった謀臣は殺される、というたとえ。また、用のあるときは使われ、用がすむと捨てられるたとえ。用例〔史記、淮陰侯伝〕狡兎死良狗烹、高鳥尽良弓蔵。↓すばしこいうさぎが死ぬと、(それを捕らえるのに役だった)猟犬は不要になり煮て食われ、空高く飛ぶ鳥がつきると、(それを捕らえるのに役立った)弓はしまいこまれる。

【高超】コウチョウ たかくすぐれて、俗世間からぬき出ている。

【高調】コウチョウ ①たかいしらべ。②国㋐自分の意見や主義を力説する。㋑思想・感情などが最も強まる。高潮。

【高枕】コウチン =高レ枕(七三七ジ上)。

【高弟】コウテイ ①すぐれた弟子。②=高科②。

【高適】コウテキ・コウセキ 盛唐の詩人。蓨(今の河北省景県)の人。字は達夫。諫議大夫となる。詩は五十のときから作り始めたが、辺塞を歌う詩にすぐれたものが多い。著書に『高常侍集』がある。(七〇〇?―七六五)

【高天】コウテン たかい空。よく澄んだ空。

【高斗】コウト 空たかく輝いている北斗七星。

【高踏・高蹈】コウトウ ①遠くに行く。②世俗を超越する。脱俗。③たかく足びょうしをとる。

【高踏的】コウトウテキ ①世俗を超越するさま。俗物を見下だすさま。②形式を重んじ、貴族的な趣味を尊ぶさま。

【高騰】コウトウ ①たかくあがる。昂騰。②国物価が上がる。

【高堂】コウドウ ①たかくりっぱな家。用例〔唐、李白、将進酒詩〕君不レ見高堂明鏡悲二白髪一、朝如二青糸一暮成レ雪。↓ごらんなさい。高くりっぱな家で、澄んだ鏡にうつして、わが白髪を悲しんでいるその姿を。朝には黒い糸のような髪であっても、夕べには、雪のようになってしまうのだ。②他人の家の敬称。③父母。

【高徳】コウトク ①徳がたかい。また、その人。②学徳のすぐれている僧。大徳。

【高年】コウネン としより。高寿。

【高配】コウハイ 国①相手の配慮に対する敬称。②たかい配当金・配当率。

【高禖】コウバイ 子を授けるという神の名。〔礼記、月令〕

【高庇】コウヒ ①たかい木や家などの陰。②他人から受けた恩恵の敬称。

【高批】コウヒ 他人の批評の敬称。

【高卑】コウヒ ①たかいことと、低いこと。②尊いことと、いやしいこと。

【高飛】■コウヒ ①空たかく飛びかける。高翔。②逃走する。■たかとび 国犯人などが遠い地方へにげること。

【高評】コウヒョウ 国①他人の批評の敬称。高批。②よい評判。好評。

【高旻】コウビン たかい空。たかい秋空。九旻。

【高風】コウフウ ①すぐれてたかいみさお。高節。②りっぱな風格。すぐれた人がら。③けだかい風采。④たかい所を吹く風。

【高文】コウブン ①見識のたかい文章。大論文。②他人の文章の敬称。③国もと、「高等文官試験」の略称。

【高駢】コウベン 晩唐の詩人・政治家。字は千里。僖宗の時、黄巣の賊を討ち天子に信任されたが、後、うとんぜられ、殺された。(?―八八七)

【高歩】コウホ 世俗からかけはなれて歩く。

【高謨】コウボ すぐれたはかりごと。高猷。高策。

【高抱】コウホウ けだかい心。▼抱は、心。

【高望】コウボウ ①たかい所からながめる。②たかいのぞみ。また、希望をたかくする。③たかい人望。すごい人気。

【高邁】コウマイ たかくすぐれている。衆にすぐれている。

【高慢】コウマン 思いあがって人をあなどる。いばる。

【高妙】コウミョウ ①たかくすぐれること。②すぐれてたくみなこと。

【高眠】コウミン 世俗を離れて暮らす。高臥。

【高名】■コウメイ・コウミョウ ①よい評判。盛名。②=高明④。③国相手の名前の敬称。■コウミョウ 国戦場で手柄を立てること。また、名をあげる。

【高明】コウメイ ①たかく明らか。②天のこと。③位がたかく勢力の強い人。④たかく明るい邸宅。金持ちの家。⑤たかどの。また、高台。⑥見識がたかく知恵があきらかなこと。⑦人に対する敬称。あなた。

【高冥】コウメイ ①たかくて奥深い。②空。天。

【高莽】コウモウ たかくしげった草。

【高門】コウモン ①たかい門。②門をたかくする。③金持ちの家。④高祖のこと。⑤漢代の宮殿の名。

【高諭】コウユ =高教。

【高揚】コウヨウ たかくあがる。たかくあげる。昂揚。

【高陽酒徒】コウヨウのシュト 酒飲み。飲酒家。酈食其が漢の高祖に自分のことを言ったことば。▼高陽は、地名。今の河南省杞県。〔史記、酈生伝〕

【高覧(覽)】コウラン 国他人の見ることに対する敬称。

【高欄】コウラン ①たかいらんかん。たかいてすり。②牛車の前後の口の下に張り渡した、しきりの板。③国いすの両横に渡した棒状のひじかけ。

【高力士】コウリキシ 唐の宦官。玄宗の時、信任されたが、後、流された。唐代、宦官がはびこるようになったのは、この人からである。(六八四―七六二)

【高亮】コウリョウ 声などがたかくて明らかなこと。

【高粱】コウリョウ・コーリャン もろこし。たかきび。

【高厲】コウレイ ①たかく渡る。たかく登る。②気性のけだかくきびしいこと。

【高嶺】コウレイ・たかね たかいみね。たかい山の頂。

【高齢(齡)】コウレイ としより。高寿。高年。

【高麗】■コウレイ すぐれて美しい。非常に美しい。■コウライ・こま ①朝鮮の王朝の名。王建が新羅をほろぼして建てた。三十四代で、明の初め、李成桂に滅ぼされた。(九一八―一三九二) ②=高句麗。③朝鮮の別称。

【高麗犬】こまいぬ 国石や木を刻んで作った、獅子に似た、一対の獣の像。魔よけのために神社の社殿の前などに置かれる。狛犬(こまいぬ)。

【高朗】コウロウ けだかくほがらか。

【高廊】コウロウ たかい所にある渡り廊下。また、立派な渡り廊下。

【高楼(樓)】コウロウ たかどの。たかくてりっぱな家。高榭コウシャ。用例〔唐、杜甫、登楼詩〕花近二高楼一傷二客心一(はなはコウロウにちかくしてカクシンをいたましむ)、万方多難此登臨(バンポウタナンここにトウリンす)。↓花は高殿の間近で咲き満ちているが、それがかえって旅人の私の心を悲しませる。国中が戦乱に苦しむ中、この高殿に登って下方を眺めているからだ。

【高△禄】コウロク たかい俸禄。たかい給料。

【高論】コウロン ①高尚な議論。すぐれた議論。②他人の議論の敬称。

【高話】コウワ ＝高談①②。

【登レ高】たかきにのぼる ＝登高トウコウ(九八八ページ中)。

【登レ高自レ卑】たかきにのぼるはひくきよりす たかい所に登るには、必ず低い所から始める。物事には順序のあるというたとえ。〔中庸〕

0【髙】11画 13855 コウ 高(13854)の俗字。→一五九八ページ上。 ― EEE0 ―

3【鄗】13画 (12332) コウ 邑部。→一四四六ページ上。

4【敲】14画 (4558) コウ 支部。→六二九ページ上。

4【膏】14画 (5111) コウ 月部。→七〇六ページ中。

5【稾】15画 (8528) コウ 禾部。→一〇五六ページ中。

5【髛】15画 13856 コウ(カウ) 豪 kāo ― ― 7376

字義 明らか。

解字 形声。高+尻音。

8【髜】18画 13857 キョウ(ケウ) 篠 qiǎo 2 9318 EEE1 7377

字義 たかい(高)。

解字 形声。昇+高音。

12【髝】22画 13858 漢ロウ(ラウ) 呉ロウ 号 豪 láo

字義 髝髞(ロウソウ)は、ア急ぐ。急なさま。イ高いさま。

13【髞】23画 13859 一 ソウ(サウ) 号 sào 二 漢ソウ(サウ) 呉ゾウ(ザウ) 豪 8184 E994 ―

字義 一 髝髞(ロウソウ)は、急ぐ。急なさま。二 髝髞は、高いさま。

解字 形声。高+喿音。

髟 10画 かみがしら・かみかんむり

〔部首解説〕 髟(ヒョウ)を意符として、髪やひげ、その状態を表す文字ができている。

0 髟 一六〇一	髤 一六〇一	髣 一六〇二	髮 一六〇二	髬 一六〇二	髭 一六〇三	鬀 一六〇三	鬃 一六〇三	鬉 一六〇三	11 鬖 一六〇三	鬊 一六〇四	15 鬣 一六〇四
2 髠 一六〇一	髥 一六〇一	髦 一六〇二	髲 一六〇二	6 髻 一六〇二	髵 一六〇三	鬂 一六〇三	鬄 一六〇三	鬐 一六〇三	鬘 一六〇三	鬛 一六〇四	
3 髡 一六〇一	髨 一六〇一	5 髯 一六〇二	髶 一六〇二	髹 一六〇二	7 髽 一六〇三	鬅 一六〇三	鬁 一六〇三	鬍 一六〇三	12 鬜 一六〇四	13 鬠 一六〇四	
髢 一六〇一	髪 一六〇一	髩 一六〇二	髴 一六〇二	髷 一六〇二	髿 一六〇三	8 鬈 一六〇三	9 鬋 一六〇三	10 鬒 一六〇三	鬝 一六〇四	鬟 一六〇四	
4 ⿱髟介 一六〇一	髯 一六〇二	髱 一六〇二	髫 一六〇二	髾 一六〇三	鬄 一六〇三	鬆 一六〇三	鬌 一六〇三	鬓 一六〇三	鬚 一六〇四	14 鬢 一六〇四	

0【髟】10画 13860 ヒョウ(ヘウ) 蕭 biāo 8185 E995 ―

字義 ❶髪の長く垂れ下がるさま。❷黒髪と白髪が入りまじる。❸たてがみ。

解字 篆文 会意。長+彡。長は、ながいの意味。彡は、長く流れる髪の象形。髪の長く垂れさがるさまを表す。

2【髠】12画 13861 コン 髡(13862)の俗字。→一六〇一ページ中。 2 9319 ― 7378

3【髡】13画 13862 コン 元 kūn ［髠］13861 俗字

字義 ❶そ-る。髪をそる。❷かみそりの刑。髪をそり落とす刑罰。❸かみそりの刑罰を受けた人。また、坊主あたま。❹きる。木の枝をきりはらう。また、枝をきりはらった木。

解字 篆文 形声。髟+兀音。音符の兀は、はげるの意味。髪をそりおとして、まるぼうずにするの意味を表す。

【髡△鉗】コンケン 昔の刑罰の一つ。髪をそり、首かせをはめる。また、その刑に処せられた罪人。

【髡者】コンシャ 髪そりの刑に処せられた罪人。

3【髢】13画 13863 漢テイ 呉ダイ 霽 dí 8186 E996 ―

字義 かもじ。入れ髪。少ない髪にそえ足す髪。＝鬄(13896)。

解字 篆文 形声。髟+也音。音符の也ャは、ひさげの意味。ひさげの注ぎ口から、水を流すようにたれた、かもじの意味を表す。

4【⿱髟介】14画 13864 漢カイ 呉ケ 卦 jiè

字義 ❶ゆいあげてかんざしを添えた髪。❷たばねた髪をおおう布。❸かつら。

解字 形声。髟+介音。

4【髤】14画 13865 漢キュウ(キウ) 呉ク 尤 xiū ［髹］13882 同字 ― ― 7379

字義 ❶赤黒いうるし(漆)。黒みがかった赤い色のうるし。❷うるしをぬる。「髤漆」

解字 篆文 形声。髟+木(休)音。篆文は会意で、髟+桼。桼ツシは、うるしの意味。

【髤器】キュウキ ぬり物。漆器。

4【髥】14画 13866 漢ゼン 呉ネン 塩 艶 rǎn ［髯］13873 俗字 ［⿱髟冉］13874 俗字 2 9320 ― 7380

字義 ❶ひげ。ほおのひげ。❷ひげの多い人。

解字 形声。髟+冄音。音符の冄ゼンは、ひげの象形。

【髯△鬚】ゼンシュ ①ほおひげと、あごひげ。②羊を髯鬚主簿ゼンシュシュボ(髯主簿ともいう)ということから、転じて、主簿(記録や文書をつかさどる役)の職をいう。

【髯△蘇】ゼンソ 宋ソウの蘇軾ソショクのこと。ひげが濃かったのでいう。

【髯奴】一ゼンド ①ひげ。②ひげづらのやっこ。アひげの多い人をののしっていう。イ男性の召し使い。下僕。ウ欧米人をさげすんでいう。二ひげやっこ 国武家の下僕で、ほおひげをはやした人。また、作りひげを付けた人。

【髯虜】ゼンリョ ひげづらの外人。欧米人をさげすんでいう言葉。

4【髧】14画 13867 漢タン 呉ダン 感 dǎn ― ― 7381

字義 髪の垂れ下がっているさま。

解字 形声。髟+冘音。

4【髪】14画 13868 常 ハツ かみ 4017 94AF ―

熟字訓 白髪しらが

5【髮】15画 13869 人 漢ハツ・呉ホチ 慣ホツ 月 fà 8191 E99B —

筆順 丨 厂 F E 長 髟 髟 髮 髮

字義 ❶かみ。頭の毛。「白髮」「理髮」 ❷草木。地上の毛と見なしたことから。 ❸長さの単位。一寸の百分の一。

名前 かみ 難読 髮剃(こうぞり)

解字 金文 篆文 形声。髟＋犮（犮）音。音符の犮（ハツ）は、とり除くの意味。長く伸びると、はさみでとり除かなければならない、かみの毛の意味を表す。

逆 握髮・遺髮・角髮・銀髮・結髮・黒髮・散髮・雪髮・総髮・束髮・怒髮・被髮・落髮

【髮引二千鈞一】一すじのかみの毛で千斤の重さを引く。かみの各部分が均等で弱い所がなければ、千斤の重さのものを引いても切れないという、名家の論理。また、きわめて危険なたとえ。また、不可能なことのたとえ。〔唐、韓愈、与二孟尚書一書〕

【髮衝レ冠】かみの毛がさかだち、かんむりをつき上げる。はげしく怒った様子。用例〔唐、駱賓王、易水送別詩〕此地別二燕丹一、壮士髮衝レ冠。↓この地こそ、荊軻が燕の太子丹と別れたところだ。壮士荊軻の髮は、悲憤慷慨のあまり逆立って、冠をつき上げんばかりであった。

【髮短心長】年をとってかみは薄くなっても、その知恵は深い。『左伝』昭公三年に「彼其髮短而心甚長」とあるのに基づく。

【髮匪】清の洪秀全を首領とする長髮賊をいう。髮逆。

【髮膚】かみの毛とはだ。転じて、からだ。用例〔孝経、開宗明義章〕身体髮膚、受二之父母一。↓我々の体はすべて父母からいただいたものである。

【簡レ髮而櫛】かみの毛を一本ずつ選んでくしけずる。とるにたらないことにこだわるたとえ。〔荘子、庚桑楚〕

【截レ髮易レ酒】自分のかみを切って酒ととりかえ客をもてなす。晋の陶侃の母の故事による。〔晋書、陶侃伝〕

【剪レ髮易レ書】元の陳祐の母が、家が貧しくて書物を買うことができないため、自分のかみの毛を切って書物を買い、子に読ませた故事。〔元史、陳祐伝〕

【濯二髮雲漢一】頭髮を天の川で洗う。仕官して身を立てるたとえ。〔晋書、皇甫謐伝〕

【擢レ髮贖レ罪】かみの毛をぬいて罪をあがなう。罪が多くてあがないきれないたとえ。〔史記、范雎伝〕

4【髩】14画 13870 ビン 鬢（13914）の俗字。→一六〇四ページ中。 ₂9321 — 7382

4【髣】14画 13871 ホウ（ハウ） 養 fǎng 8187 E997 —

字義 にる（似）。また、かすか。＝仿（242）。

解字 形声。髟＋方音。

【髣髴】①よく似ているさま。そっくり。②ぼんやり見えるさま。かすかなさま。ほのか。彷彿。仿仏。用例〔東晋、陶潜、桃花源記〕山有二小口一、髣髴若レ有レ光。↓山には小さな洞穴があり、（その奥は）ぼんやりとして光がさしているようだ。

4【髦】14画 13872 一 漢ボウ・呉モウ 豪 máo 二 漢ボウ・呉ム 尤 máo 8188 E998 —

字義 一 ❶たれがみ。＝髳（13880）。㋐子どものまえがみ。眉のあたりまで下げた髮形。㋑子どもの時の心を忘れぬ意味をこめてつける。親に仕えるとき、子どもの時の心を忘れぬ意味をこめてつける。❷ながげ。髮の太く長いもの。❸たてがみ。❹すぐれる。また、すぐれた人。二 西方の異民族の名。＝髳（13880）。

解字 篆文 形声。髟＋毛音。髟は、かみがそろっているの意味。毛を付し、長いかみの意味を表す。

【髦士】すぐれた人物。髦秀。髦俊。髦彦。

【髦髫】さげ髮の子供。

5【髯】15画 13873 ゼン 髯（13866）の俗字。→一六〇一ページ下。

5【髯】15画 13874 ゼン 髯（13866）の俗字。→一六〇一ページ下。 8189 E999 —

5【髫】15画 13875 漢チョウ（テウ） 呉ジョウ（デウ） 蕭 tiáo 8190 E99A —

字義 ❶うない。たれがみ。うなじのあたりまでたれさがっている幼児の髮。❷おさない。子供。幼児。 難読 髫髮（うない）

解字 形声。髟＋召音。

【髫歳】垂れ髮をした幼い年ごろ。髫齔。

【髫齔（齓）】＝髫歳。▼齔は、年のこと。

【髫児（兒）】垂れ髮の子供。わらべ。幼児。

【髫齔】垂れ髮をして、歯のぬけかわるころ。七、八歳の子供。幼児。

【髫髮】①幼児の垂れ髮。②幼児。

5【髮】15画 （13869） ハツ 髮（13868）の旧字体。→一六〇一ページ下。

5【髲】15画 13876 漢ヒ 呉ビ 寘 bì — — 7384

字義 かもじ。髮の毛を美しく見せたり、少ないのをおぎなったりするためにそえるもの。そえがみ。かつら。

解字 篆文 形声。髟＋皮音。音符の皮は、かわの意味。皮のように髮の表面にそえる、かもじの意味を表す。

5【髬】15画 13877 ヒ 支 pī — — 7383

字義 髬髵・髬髬は、猛獣がたてがみを振るうさま。

解字 形声。髟＋丕音。

5【髴】15画 13878 漢フツ 呉フチ 物 fú 8192 E99C —

字義 にかよう。さも似たり。似かよって区別がつかない。また、かすか。ほのか。＝彿（3407）。→髣髴（一六〇二ページ中）。

解字 篆文 形声。髟＋弗音。音符の弗は、はっきり見えないさまを表す擬態語。髟は、かみの意味。髮のようにはっきりしないの意味を表す。

5【髱】15画 13879 漢ホウ（ハウ） 呉ボウ（バウ） 效 bào 8193 E99D —

字義 ひげが多いさま。ひげもじゃ。国 たぼ。㋐女性の結髮で後方にはり出している部分。たぼがみ。たぶ。㋑女性のこと。

5【髳】15画 13880 漢ボウ 呉モウ 豪 máo — — 7385

解字 形声。髟＋包音。

字義 ❶たれがみ。子供のまえがみ。また、それに似せて作った髮飾り。＝髦（13872）。❷西方の異民族の名。今の四川省南部から雲南省北部にかけての地に住んでいた。

解字 篆文 形声。髟＋矛音。音符の矛は、冃に通じ、おおうの意味。ひたいをおおう、たれがみの意味を表す。

6【髺】16画 13881 漢カツ（クヮツ） 呉カチ（クヮチ） 曷 kuò — — 7388

字義 ❶髮を束ねる。❷形がゆるんできちんとしていない。

解字 形声。髟＋舌（𠯑）音。音符の𠯑は、会に通じ、合わせるの意味。

6【髹】16画 13882 キュウ 髤（13865）と同字。→一六〇一ページ下。 ₁9426 — 7387

6【髷】16画 13883 標 漢キョク 呉コク 沃 qū 8194 E99E —

字義 ❶まげ。わげ。頭髪をまげて束ねたもの。❷ちぢれがみ。国まげ。丸髷(まるまげ)の略称。
解字 形声。髟＋曲音。音符の曲は、まげる意味を表す。

6【髺】16画 13884 標 一ケイ 斉 jì 二漢キツ・呉キチ 質 jié　8201 E99F —
字義 一もとどり。たぶさ。髪を頭上で束ねたもの。二かもじ。国みずら(みづら)。びんずら。上代の男性の髪の結い方。髪を左右にわけ、輪にして結んで耳の前に垂れたもの。
解字 篆文 形声。髟＋吉音。音符の吉は、しっかりくくるの意味。髪を頭上でくくるの意味を表す。
【髺華(うず)】国上代、冠や髪にさしてかざりとした、花木の枝葉や造花。後には金銀などで作った。かざし。かんざし。
【髺子(ケイシ)】もとどり。▼子は、接尾語。

6【髭】16画 13885 標 シ 支 zī 〔須〕13498 同字　4106 9545 —
字義 ひげ。くちひげ。口の上のひげ。うわひげ。
解字 篆文 形声。髟＋此音。篆文は須＋此音。須は、ひげの意味。音符の此(シ)は、觜(シ)に通じ、くちばしの意味。くちの上のひげの意味を表す。
【髭△鬚(シシュ)】口ひげとあごひげ。また、単に、ひげのこと。

6【髵】16画 13886 漢ジ 呉ニ 支 ér　— — 7386
字義 ❶あごひげ。❷毛の多いさま。❸髵髵(ジジ)は、猛獣がたてがみを振るうさま。
解字 形声。髟＋而音。音符の而は、ひげの象形。

7【髽】17画 13887 漢サ 呉シャ 麻 zhuā　— — 7389
字義 女性が喪中に髪を結うこと。また、その髪。
解字 形声。髟＋坐音。

7【髿】17画 13888 サ 歌 suō　— — 7390
字義 鬖髿(サンサ)は、髪の垂れるさま。また、髪の美しいさま。また、髪の乱れるさま。
解字 形声。髟＋沙音。

7【髾】17画 13889 漢ソウ(サウ) 呉ショウ(セウ) 肴 効 shāo　— — 7391
字義 ❶もとどり。たぶさ。髺(ケイ)。❷旗のはしに垂れている羽毛。❸衣のかざり。
解字 形声。髟＋肖音。

7【鬀】17画 13890 漢テイ 呉タイ 霽 tì
字義 ❶髪を剃(そ)る。＝剃(937)。❷かもじ。付け毛。
解字 形声。髟＋弟音。音符の弟は、次第にするの意味。注意深く少しずつ髪を剃るの意味を表す。

7【鬂】17画 13891 ビン　9427 — 7393
鬢(13914)の俗字。→一六〇四ページ中。

7【鬁】17画 13892 リ lì　— — 7392
字義 鬎鬁(ラツリ)は、髪が抜けるできもの。
解字 形声。髟＋利音。

8【鬈】18画 13893 漢ケン 呉ゲン 先 quán　9428 — 7403
字義 ❶うるわしい。㋐髪が美しい。㋑人が美しい。❷ふりわけ髪を結う。まげがみを結う。また、その髪。鬈首。❸髪がちぢれている。
解字 篆文 形声。髟＋卷音。音符の卷は、まくの意味。髪を二つに分けた上でまく、ふりわけがみの意味を表す。

8【鬆】18画 13894 一漢ショウ・呉シュウ 冬 sōng 二ソウ 冬　8202 E9A0 —
字義 一❶髪の乱れているさま。❷あらい(粗)。ゆるい。しまりがない。二国す。大根・牛蒡(ゴボウ)などの芯(シン)にこまかく通っている穴。
解字 形声。髟＋松音。

8【鬃】18画 13895 漢ソウ 呉ゾウ 冬 zōng　29322 — 7394
字義 ❶高く結い上げた髪。また、そのさま。❷馬のたてがみ。＝騣(13763)。
解字 形声。髟＋宗音。

8【鬄】18画 13896 一漢テイ・呉タイ 霽 dì 二漢テキ・呉チャク 錫 三漢セキ・呉シャク 陌 dí　— — 7401
字義 一❶そる。＝剃(937)。❷とく(解)。切り割く。＝剔(952)。三かもじ。入れ髪。かつら。＝髢(13863)。
解字 形声。髟＋易音。

8【鬅】18画 13897 漢ホウ 呉ボウ 蒸 pēng　— — 7402
字義 鬅鬙(ホウソウ)は、㋐髪が乱れる。㋑ものの乱れるさま。
解字 形声。髟＋朋音。音符の朋は、崩に通じ、ばらばらになるの意味。

9【鬍】19画 13898 漢コ 呉ゴ 虞 hú　— — 7407
字義 ひげ。あごひげ。鬍子。
解字 形声。髟＋胡音。

9【鬋】19画 13899 一セン 先 銑 jiān 二セン 霰 jiǎn　— — 7405
字義 一女性の鬢(ビン)の垂れ下がっているさま。㋐ひげや髪をそる。㋑草木を切る。❷垂れさがった鬢。二❶きる(切)。
解字 篆文 形声。髟＋前音。音符の前は、剪(セン)に通じ、きるの意味。切りそろえた女性の髪のさまを表す。

9【鬉】19画 13900 ソウ 東 zōng　— — 7404
字義 ❶髪が乱れる。❷馬のたてがみ。
解字 形声。髟＋㚇音。

9【鬌】19画 13901 漢タ 呉ダ 哿 箇 duǒ　29323 — 7406
字義 ❶髪の毛が落ちる。❷すずしろ。幼児の髪のそり残し。
解字 形声。髟＋育音。

9【鬎】19画 13902 漢ラツ 呉ラチ là　— — 7408
字義 鬎鬁(ラツリ)は、髪の抜けるできもの。
解字 形声。髟＋剌音。

10【鬐】20画 13903 漢キ 呉ギ 支 qí　29324 — 7409
字義 ❶馬のたてがみ。❷魚のせびれ。❸毛がだんだん抜け落ちること。❹にじ(虹)の曲がっている形容。
解字 形声。髟＋耆音。

10【鬒】20画 13904 シン 軫 震 zhěn　29325 — 7410
字義 ❶髪の毛が多いこと。❷髪の毛が黒くつやのあるさま。「鬒髪」❸つよい(強)。
解字 形声。髟＋眞音。音符の眞(シン)は、いっぱいにつまるの意味。髪の毛が多くて黒いの意味を表す。

11【鬖】21画 13905 サン 覃 sān　29326 — 7411
字義 ❶髪の乱れるさま。❷毛の長く垂れ下がったさま。
解字 形声。髟＋參音。音符の參(サン)は、いり乱れるの意味。髪が豊かに乱れ垂れるの意味を表す。
【鬖鬖(サンサン)】髪の乱れ垂れるさま。また、そのように物が乱れ垂れるさま。

11【鬘】21画 13906 標 マン 删 mán　8203 E9A1 —

髟部 6▼11画 〔髺髭髵髽髿髾鬀鬂鬁鬈鬆鬃鬄鬅鬍鬋鬉鬌鬎鬐鬒鬖鬘〕

字義 ❶ころも。❷かずら。髪かざり。花かんざし。蔓草などを髪のかざりとしたもの。❸美しい髪。国かずら。かつら。㋐かもじ。そえがみ。入れ髪。㋑他人の髪で種々の髪形を作り、役者などが頭にかぶるもの。
解字 形声。髟＋曼㊥。
【鬘華】 茉梨花（ジャスミン）の別名。インド原産。モクセイ科の常緑小低木。かおりの高い白色五弁の花を開く。髪のかざりとし、また、中国では花を茶葉に混ぜて飲用とする。毛輪花。

12【鬜】22画 13907 ㊊カン ㊇ケン 圕 qiān ₂9327 — 7414
［鬝］13908 俗字
字義 ❶鬢が薄くなる。❷頭のはげ。
解字 形声。髟＋閒㊥。

12【鬝】22画 13908 カン 鬜(13907)の俗字。→一六〇四ページ上。

12【鬚】22画 13909 標 ㊊シュウ(シウ) ㊇ス・シュ 圜 xū 8204 E9A2 —
字義 ❶ひげ。㋐あごひげ。㋑動物の口ひげ。「虎鬚」㋒ひげの形をしたもの。❷ふさ。
参考 もと〔須〕と書いた。
解字 形声。髟＋須㊥。音符の須は、ひげの意味。
【鬚髯】 あごひげとほおひげ。須髯。
【鬚髪】 あごひげと髪の毛。
【鬚眉】 ①ひげとまゆ。②男性のこと。男性の美は、ひげとまゆにあるからいう。
【鬚面】 ひげの多い顔。ひげづら。鬚貌。
【鬚目】 ひげと目つき。
【染レ鬚】 白いひげを黒く染める。〔漢書、王莽伝下〕
【払(拂)レ鬚】 ひげのちりを払う。権力者にこびへつらうたとえ。払二鬚塵一。〔宋史、寇準伝〕

12【鬙】22画 13910 ソウ 圜 sēng — — 7412
字義 髶鬙は、㋐髪が乱れる。㋑ものの乱れるさま。
解字 形声。髟＋曾㊥。

12【鬛】22画 13911 リョウ 鬣(13915)の俗字。→一六〇四ページ中。 — — 7413

13【鬠】23画 13912 ㊀㊊カツ(クワツ) ㊇ガチ(グワチ) 曷 kuò ㊁㊊カイ(クワイ) ㊇ケ 泰 kuài ₁9429 — 7415
字義 ㊀髪をたばねる。㊁こうがい。髪をかきあげる、骨製の細長い具。国もとゆい。もとい。髻を結ぶひも。

解字 形声。髟＋會㊥。音符の會は、あわせるの意味。ひもで髪をあわせたばねるの意味を表す。

13【鬟】23画 13913 ㊊カン(クワン) ㊇ゲン 圜 huán 8205 E9A3 —
字義 ❶みずら。わげ。髪をたばねて輪にしたもの。❷女性の召し使い。「小鬟」❸山の様子。山の色あい。
解字 篆文 形声。髟＋睘㊥。音符の睘は、めぐらすの意味。髪をめぐらし輪にした、わげの意味。

14【鬢】24画 13914 標 ㊊ヒン 慣ビン 震 bìn 8206 E9A4 —
［髩］13870 俗字 ［鬂］13891 俗字
字義 びんずら。耳ぎわの髪の毛。用例〔唐、杜甫、登高詩〕艱難苦恨繁霜鬢 潦倒新停濁酒杯 ↓苦労ばかりの毎日で、鬢の毛が白くなってしまったことも恨めしく、年老いたために、つい最近、好きな濁り酒さえやめてしまった。
解字 篆文 形声。髟＋賓㊥。音符の賓は、浜に通じ、水ぎわの意味。両頰ぎわの毛、びんの毛の意味を表す。
【鬢鴉】 からすの羽のように黒く美しいびんの毛。
【鬢脚】 びんの毛のたれ下がった所。
【鬢糸(絲)】 白くて乱れたびんの毛。老人の白髪をいう。
【鬢糸(絲)茶煙之感】 年をとって茶を楽しむ淡泊閑静な生活をしながら、青春の日をしのぶこと。唐の杜牧の「題二禅院一詩」に「今日鬢糸禅榻畔、茶煙軽颺落花風」とあるのに基づく。
【鬢雪】 びんの毛の白いこと。年をとったさま。鬢霜。
【鬢霜】 びんにおく霜。びんの毛の白いこと。
【鬢髪】 ①びんの髪。びんの毛。②びんの毛と、髪の毛。頭髪。
【鬢畔】 びんの毛のはえぎわ。
【鬢斑】 びんの毛が、しらがまじりになること。
【鬢毛】 耳ぎわの髪の毛。鬢髪。

15【鬣】25画 13915 リョウ(レフ) 葉 liè 8207 E9A5 —
［鬛］13911 俗字
字義 ❶あごひげ。❷髪の毛。❸たてがみ。馬のたてがみ。❹魚のひれ。魚のあごわきの小びれ。❺鳥の頭の毛。❻ほうき（箒）。❼まつば（松葉）。
解字 篆文 形声。髟＋巤㊥。音符の巤は、たてがみの象形で、鬣の原字。のち、髟を付した。

門 10画 たたかいがまえ

〔部首解説〕 門を意符として、戦う・争うの意味を含む文字ができている。門部の文字は俗に門（もんがまえ）に書かれる。常用漢字で闘の新字体が闘になったのもそれによる。

0【門】10画 13916 ㊊トウ ㊇ツ 宥 dòu 8208 E9A6 —
字義 たたかう。争う。
解字 甲骨文 篆文 象形。二人が手に物を持って向き合い争う形にかたどる。

4【鬦】14画 13917 トウ 闘(13028)の俗字。→一五〇四ページ下。 — — 7416

5【鬧】15画 13918 ㊊ドウ(ダウ) ㊇ニョウ(ネウ) 効 nào 8209 E9A7 —
［閙］12982 俗字
字義 ❶さわぐ。さわがしい。❷みだれる。❸しげくさかんなこと。にぎやか。❹争い。いかり。
解字 篆文 会意。門＋市。門は、あらそうの意味。市は、多くの人が集まるの意味。
【鬧歌】 やかましく歌う。また、その歌。
【鬧市】 さわがしい市場。にぎやかな市場。
【鬧熱】 こみあってさわがしいこと。

6【鬨】16画 13919 ㊊コウ ㊇グ 送 hòng 8210 E9A8 —
字義 ❶たたかう。❷とき。ときの声。合戦で、士気を鼓舞するために兵士たちが一斉にあげる声。また、ときの声をあげる。❸さわぐ。さわがしい。
解字 篆文 形声。門＋共㊥。音符の共は、大きいの意味。門は、二人が手をつきだしてたたかうの意味。たたかう・ときの声の意味を表す。

8【鬩】18画 13920 ㊊ケキ・㊇キャク 慣ゲキ 錫 xì 8211 E9A9 —
字義 ❶せめぐ。言い争う。うらみ争う。❷しずかなさま。ひっそりしたさま。＝鬩(13015)。

解字 篆文  形声。門＋兒㊌。音符の兒ゲイ＝ゲキは、撃に通じ、うつ意味。うらみあらそうの意味を表す。

【鬩△牆】ゲキショウ 牆かきにせめぐ。同じかきの中の者同士が争う。うちわもめ。兄弟げんか。『詩経』小雅・常棣ジョウテイに「兄弟鬩二于牆一かきにせめぐも、外禦二其務一そとそのあなどりをふせぐ」とあるのに基づく。

10 【鬪】20画 (13029) トウ 鬪(13028)の旧字体。→一五〇四ページ・下。

11 【鬮】21画 13921 キュウ 鬮(13925)の俗字。→一六〇五ページ・上。 9430 — —

難読 江鬮えぐち・加鬮かくち・鬮目沢くずめざわ

12 【鬫】22画 13922 漢カン 呉ケン 豏 陥 hǎn 9328 — 7417

字義 ❶さけぶ。ほえる。猛獣の怒りほえる声。❷たけだけしい。

解字 形声。門＋敢㊌。門は、たたかうの意味。音符の敢は、獣のいかりほえる声の擬声語。

15 【鬬】25画 13923 トウ 鬪(13028)の正字。→一五〇四ページ・下。 — — 7418

15 【鬭】25画 13924 トウ 鬪(13028)の俗字。→一五〇四ページ・下。 9431 — —

16 【鬮】26画 13925 漢キュウ(キウ) 呉ク 尤 有 jiū 8213 E9AB —

［鬮］13032 俗字 ［鬮］13921 俗字

字義 ❶たたかいとる。❷手でとる。❸くじ。おみくじ。吉凶を占うもの。

解字 形声。門＋龜㊌。

10画 鬯 ちょう においざけ

〔部首解説〕 鬯チョウを意符として、におい酒に関わる文字ができている。

0 鬯 一六〇五 11 鬰 一六〇五 19 鬱 一六〇五

0 【鬯】10画 13926 チョウ(チャウ) 漾 chàng 8214 E9AC —

字義 ❶香草の一種。鬱金香ウッコン。鬱金草。鬱鬯。❷においざけ(香酒)。黒きびと鬱金香とを混ぜてかもした酒。祭りに用いる。❸のびる。＝暢(4845)。❹弓ぶくろ。＝韔(13391)。

解字 甲骨文  篆文  会意。米＋凵＋匕。米は、穀物の粒の象形。凵は、かめなどの容器の象形。匕は、さじの象形。黒きびなどでかもした、においざけの意味を表す。

【鬯△浹】チョウショウ のびて一面に行き渡ること。

【鬯人】チョウジン 鬯酒を神に供えることをつかさどる官。

【鬯茂】チョウモ のびしげる。暢茂チョウモ。

11 【鬰】21画 13927 シャク 爵(7091)の古字。→九一五ページ・下。

19 【鬱】29画 13928 常 ウツ 漢ウツ・呉ウチ 物 yù 6121 9F54 —

［欝］5934 俗字 ［欝］5937 俗字 ［欝］5939 俗字

筆順 

字義 ❶しげる。こんもりしげる。また、こんもりしげるさま。「鬱蒼ウッソウ」 ❷さかんなさま。❸むす(蒸)。むれる。熱気がこもる。また、その熱気や雲気。❹むすぼれる(むすぼる)。ふさがる。ふさぐ。気がはればれしない。「憂鬱」 ㋐いきどおる。恨む。㋑むっとする。腐敗したにおい。㋒とどこおる。「鬱血」 ❺くさい。❻香草。鬱金香ウッコン。❼にわうめ。ゆすらうめに似た果樹。

解字 金文  篆文  形声。林＋鬱省㊌。音符の鬱ウツは、においの草の意味。林は、二本の柱の意味。金文は、柱と柱の間で、香草をからうすでついている形にかたどるが、その柱のなごり。たちこめる香気がこもる・むすぼれるの意味を表す。

【鬱△伊】ウツイ 心がふさいでのびのびしないさま。

【鬱△郁】ウツイク かおりよいさま。

【鬱△紆】ウツウ ①＝鬱悒・鬱邑ウツユウ。②山道の曲がりくねったさま。

【鬱鬱】ウツウツ ①気のふさがるさま。不平満々のさま。用例〔人虎伝〕嘗鬱鬱不レ楽つねにウツウツとしてたのしまず 訳いつも不満で面白くなかった。②樹木のこんもりとしげっているさま。用例〔文選、古詩十九首、其二〕青青河畔草セイセイたるカハンのくさ、鬱鬱園中柳ウツウツたるエンチュウのやなぎ 訳緑美しい川岸の草、こんもり茂った園中の柳。③気がさかんにのぼるさま。また、もののさかんなさま。

【鬱△怏】ウツオウ 気がふさいで晴れ晴れしない。

【鬱△泱】ウツオウ ①雲の起こるさま。②広大なさま。

【鬱△懊・鬱△燠】ウツオウ むし暑い。

【鬱屈】ウックツ ①心がふさぐ。②地勢などが曲がりくねっているさま。③おさえられて屈すること。中にこもりかがまること。

【鬱血】ウッケツ 充血する。血がとどこおる。

【鬱結】ウッケツ ①気がふさいでむしゃくしゃする。②こぶのようにふくれあがっているさま。

【鬱△乎】ウッコ ①草木のこんもりとしげるさま。用例〔北宋、蘇軾、前赤壁賦〕山川相繆サンセンあい(ひ)まとい(ひ)、鬱乎蒼蒼ウッコとしてソウソウたり 訳(武昌ブショウを見渡すと)山と川とがからみ合うように重なって、こんもりと青黒くみえる。②物事のさかんなさま。

【鬱金】一ウッコン ＝鬱金香ウッコンコウ。二ウコン ①みょうがに似た多年草。その地下茎を粉末にして黄色の染料を採る。②うこん色。あざやかで濃い黄色。

【鬱金香】ウッコンコウ ①香草の名。祭りに用いる酒をかもすのに用いる。②鬱金香を加えてかもした酒。用例〔唐、李白、客中行〕蘭陵美酒鬱金香ランリョウのビシュ ウッコンコウ、玉椀盛来琥珀光ギョクワンもりきたるコハクのひかり 訳蘭陵の美酒、(その名は)鬱金香。玉杯に(酒を)なみなみと注げば、琥珀の光(を放つ)。③チューリップ。

【鬱生】ウッセイ こんもりとしげる。

【鬱積】ウッセキ 積もりふさがる。不平が心に積もる。鬱塞ウッソク。

【鬱然】ウツゼン ①草木のしげるさま。②物事のさかんなさま。③気のふさがるさま。

【鬱△葱】ウッソウ ①こんもりとしげるさま。鬱蒼ウッソウ。②気のさかんなさま。天地に気のみちるさま。

【鬱△蒼】ウッソウ ①夕ぐれどきの薄暗いさま。②＝鬱葱ウッソウ①。

【鬱塞】ウッソク 気がむすぼれてふさがる。鬱積ウッセキ。

【鬱△鬯】ウッチョウ 祭りに用いる酒をかもすときに使う香草の名。鬱金香ウッコンコウ。また、その酒。

【鬱怒】ウツド ＝鬱憤。

【鬱陶】ウットウ ①気がふさいでのびないさま。②天気がむし暑いこと。③国曇って晴れ晴れしないさま。さっぱりしないさま。

【鬱憤】ウップン 気がふさいでとけない怒り。がまんできない怒り。

【鬱勃】ウツボツ ①気のさかんなさま。さかんにわき起こるさま。②草木のこんもりとしげるさま。③やる気がわき起こるさま。④意気のあがるさま。思いが胸にふさがるさま。

【鬱密】ウツミツ ふさがりこもって開かない。

【鬱茂】ウツモ 草木がこんもりとしげること。

【鬱△悶】ウツモン 気がふさいでもだえる。

【鬱△悒・鬱△邑】ウツユウ 心がふさいでうれえるさま。鬱紆ウツウ。

【鬱抑】ウツヨク ふさぎ込む。気がふさぐ。

【鬱律】ウツリツ ①煙のたちのぼるさま。②深くけわしいさま。③字体の曲がりくねったさま。④小さい声。

【鬱林】ウツリン しげった林。

10画

鬲 れき・れきのかなえ

〔部首解説〕 鬲を意符として、釜や、釜で煮ることなどに関する文字ができている。

0 鬲 一六〇六　鬲 一六〇六　5 𤮍 一六〇六　6 翮 一二六一　鬳 一六〇六
融 一六〇六　7 鬴 一六〇六　8 鬵 一六〇六　9 鬷 一六〇六　11 鬹 一六〇六
鬺 一六〇六　12 鬻 一六〇六

0 【鬲】 10画 13929 ［鬲］13930 本字 ［𤮍］13931 同字 　㊀㊥レキ・㊤リャク 錫 lì　㊁㊥カク・㊤キャク 陌 gé　8215 E9AD ―

字義 ㊀❶かなえ(鼎)の一種。鼎の三本の足の中が空洞のもの。これで湯をわかし、上に甑(こしき)を置いて、米・粟などを蒸す。葬式に用いる土がま。❷かま。㊁❶へだてる。へだたる。＝隔(13137)。❷むせかえる。❸とって。つまみ。

鬲㊀①

解字 金文 篆文 象形。三本の足のあるかなえの象形で、かなえの意味を表す。金文では、そのさまがよくわかる。

【鬲如】カクジョ 高くへだたり立つさま。

0 【鬲】 10画 13930 レキ 鬲(13929)の本字。→一六〇六ページ上。

5 【𤮍】 15画 13931 レキ 鬲(13929)と同字。→一六〇六ページ上。

6 【翮】 16画 (9553) カク 羽部。→一二六一ページ上。

6 【鬳】 16画 13932 ㊀㊥ケン 願 yàn　㊁㊥ゲン・㊤ゴン 願　2 9329 ― 7419
㊤カン(クヮン)

字義 ㊀㊁かなえの一種。こしき。

解字 形声。鬲＋虍(虔省)㊥。

6 【融】 16画 13933 常 ユウ　ユウ(イウ) 東 róng　4527 975A ―

筆順 融

字義 ❶とける。とかす。固体が液体になる。鎔。「融点」❷とおる。通ずる。❸やわらぐ(和)。❹あきらか(明)。❺ほがらか(朗)。❻つづく(続)。

名前 あき・あきら・すけ・とう・とおる・とお・とおる・なが・なが・し・みち・ゆう・よし

注意 『康熙字典』では、虫部に所属する。

解字 篆文 形声。鬲＋蟲省㊥。鬲は、かなえの象形。音符の蟲は、むしの意味。かなえから虫がはい出すように蒸気が立ちのぼるさまから、とおる・とけるの意味を表す。

逆 円融・祝融

【融化】ユウカ ①とけて形を変えること。②とけ合って一つになること。

【融会(會)】ユウカイ ①＝融合。②よく了解する。

【融解】ユウカイ ①とける。また、とかす。融釈。②固体が熱によって液体となる現象。

【融合】ユウゴウ ①とかして一つにする。②とけ合って一つになる。融和。

【融資】ユウシ 国銀行など金融機関が、資金の融通をすること。

【融釈(釋)】ユウシャク ①解ける。また、解く。融解。②疑いがさっぱりと解けること。

【融通】ユウズウ・ユウズウ ①とどこおりなく通ずる。②国㋐金銭・物品などを流通すること。㋑臨機応変に事を処理すること。

【融通無△礙】ユウズウムゲ とどこおりなく通じて、さまたげのないこと。考え方や生き方が何物にもとらわれず自由であること。

【融然】ユウゼン 気分がのびやかなさま。

【融風】ユウフウ 北東の風。艮の風。立春のころ吹く風。

【融融】ユウユウ ①やわらぎ楽しむさま。用例〔左伝、隠公元〕其楽也融融。その楽しみや、融融たり。⇩やわらぎ楽しんでいる。②のどかなさま。用例〔唐、杜牧、阿房宮賦〕歌台暖響、春光融融。歌台の暖響は、春光融融たり。⇩たかどのからは暖かな響きの音楽が聞こえ、のどかな春の景色を思わせる。

【融朗】ユウロウ 透き通って明らかなさま。

【融和】ユウワ ①とけ合って一つになる。融合。②むつまじくやわらぐ。仲よくする。

7 【鬴】 17画 13934 フ　釜(12474)と同字。→一四六三ページ中。　― ― 7420

8 【鬵】 18画 13935 ㊀㊥セン・㊤ゼン 塩　㊁㊥シン・㊤ジン 侵 xín　― ― 7421

字義 ㊀❶大がま。大釜。❷かなえの一種。上が大きく下がすぼまって、こしきに似たもの。❸こしき(甑)。米などを蒸したりたいたりする器。㊁❹速い。

鬵②

解字 篆文 形声。鬲＋兓㊥。音符の兓は、かくれるの意味。下が小さく上が大きくて、下がかくれるような形のかま、こしきの意味を表す。

9 【鬷】 19画 13936 ソウ 東 zōng　― ― 7422

字義 ❶かま(釜)の類い。❷すべる。集めあわせる。さそいあわせる。また、あつまる。❸麻の糸。

解字 形声。鬲＋㚇㊥。

【鬷仮(假)・鬷△嘏】ソウカ ①おおぜいの人が集まり、仲よくして争いのないこと。②音楽を奏して祖先の霊を感動させること。

11 【鬹】 21画 13937 ㊀キ 支 guī　㊁㊥ケイ・㊤エ(ヱ) 斉 xié　― ― 7423

字義 ㊀取っ手と口のある三足の釜。㊁釜。大鍋。

解字 形声。鬲＋規㊥。

11 【鬺】 21画 13938 ショウ(シャウ) 陽 shāng　― ― 7424

字義 にる。犠牲を煮る。

解字 形声。鬲＋煬省㊥。音符の煬は、あぶるの意味。かなえでにるの意味を表す。

【鬺△烹】ショウホウ いけにえを煮て神に供える。

12 【鬻】 22画 13939 シュク　粥(8988)の本字。→一〇九七ページ上。　6888 E2F6 ―

10画

鬼 おに・きにょう〔鬼〕

〔部首解説〕 鬼を意符として、霊魂や超自然的なもの、その働きなどに関する文字ができている。

0 鬼 一六〇七　3 彪 一六〇七　4 魁 一六〇七　魂 一六〇八　鬼 一六〇八
5 魃 一六〇八　魄 一六〇八　魃 一六〇八　魅 一六〇八　7 醜 一六〇八
魈 一六〇九　8 魌 一六〇九　魏 一六〇九　魑 一六〇九　魍 一六〇九
魎 一六〇九　11 魑 一六〇九　魔 一六〇九　12 魖 一六一〇　魑 一六一〇
14 魘 一六一〇　魗 一六一〇

0

【鬼】

10画 13940 常 キ おに

キ 尾 guǐ

2120 8B53 —

筆順 ノ 丿 白 由 甶 鬼 鬼 鬼

字義 ❶おに。㋐死者の魂。幽霊。亡霊。用例〔唐、杜甫、贈衛八処士詩〕訪旧半為鬼、驚呼熱中腸。↓旧知を訪ねると半分ほどは既に世を去り、驚いて声を上げると、体の中が熱くなってくる。㋑ひとがみ。神として祭られた霊魂。「鬼神」 ㋒不思議な力があると信ぜられるもの。「鬼工」 ㋓人に害を与えるもの。もののけ。ばけもの。「悪鬼」 ㋔仏地獄にいて亡者を扱う者。❷遠い。❸星座の名。二十八宿の一つ。国おに。㋐想像上の生物。人の形をして角があり、裸で虎の皮のふんどしをしている。㋑勇猛なものの形容。「鬼将軍」 ㋒残忍な者の形容。「鬼婆」 ㋓大きくいかめしいものの形容。「鬼百合」

名前 おに・き・さと 難読 鬼首・鬼石・鬼怒川・鬼灯・鬼無・鬼無里

解字 甲骨文  金文  篆文  象形。グロテスクな頭部を持つ人の象形で、死者のたましいの意味を表す。鬼の意味と音符とを含む形声文字に、傀・塊・媿・嵬・巍・愧・瑰・魂・隗・餽・魁・魏などがある。

逆 悪鬼・暗鬼・陰鬼・疫鬼・怪鬼・餓鬼・旧鬼・債鬼・邪鬼・新鬼・人鬼・打鬼・幽鬼

【鬼蜮】鬼と蜮。蜮は、短弧。水中にひそみ砂をふくんでいて、水にうつる人影に砂を噴きつけるとその人は病気になるという。共に姿を見せないで人をそこなうことから、陰険な人にたとえる。〔詩経、小雅、何人斯〕

【鬼雨】死者の涙のように悲しく降る雨。また、大雨。

【鬼火】㊀暗い夜、湿地などに自然に青く燃える怪火。きつねび。燐火。㊁国死者を送り出すとき、その家の前でたく火。門火。

【鬼気(氣)】ものすごいけはい。気味わるくぞっとする感じ。

【鬼瞼】＝鬼面。▼瞼は、ほお(頰)。

【鬼瞼嚇人】虚勢を張って人をおどすたとえ。鬼面嚇人。

【鬼工】鬼神の細工。人間わざと思えぬほどすぐれたできばえ。神作。鬼斧。

【鬼谷子】①戦国時代、縦横家の祖といわれる王詡のこと。鬼谷(今の河南省登封市の南東)に住んでいたので鬼谷先生という。蘇秦・張儀の師といわれている。②書名。一巻。鬼谷子の著。後人の偽作といわれる。縦横説を述べ、時勢に適応すべきことを説いている。

【鬼哭】①幽霊が泣く。また、その泣き声。②鬼神さえ泣く。

【鬼哭啾啾】幽霊が小声で悲しそうに泣く。ものすごいけはいの襲ってくるさま。

【鬼才】人間わざと思えないすぐれた才能。また、その人。

【鬼子】㊀人をののしる語。㊁国①親に似ない子。②鬼に似たみにくい子。③歯がはえて生まれた子。

【鬼子母神】仏インドの女神の名。千人の子の母。はじめ他人の子を捕らえて食う悪い神であったが、釈尊に最愛の末子をかくされて、さとされ、ついに子育ての神となる。

【鬼市】①夜、灯火なしで物を売買する所。〔唐書、西域伝〕②怪物が集まって貿易する所。

【鬼手】国囲碁や将棋で、相手がびっくりするような奇抜な手。

【鬼手仏(佛)心】国外科医が手術するとき、大胆残酷そうにメスを入れるが、それは、なんとか助けてやりたいというなさけ心からであるということ。

【鬼出電入】出没の予測できないたとえ。神出鬼没。▼鬼出は、あとかたのないこと。電入は、迅速なこと。〔淮南子、原道訓〕

【鬼神】①死者の霊魂。祖先の霊。用例〔論語、先進〕季路問事鬼神。↓季路(子路)が死者の霊魂に仕えることについてたずねた。②天地創造の神。神。用例〔中庸〕鬼神之為徳、其盛矣乎。↓鬼神の働きというものは、まことに盛大であることよ。③目に見えぬ恐ろしい神霊。人に害を与えるばけもの。おにがみ。あらぶる神。④国おに。日本語では「キジン」と読むことが多い。

【鬼神避之】決意をもって思いきってやれば、鬼神でさえもこれを避けて邪魔だてしない。用例〔史記、李斯伝〕断而敢行、鬼神避之。↓決意をもって思い切って行えば、鬼神さえもこれを避けて邪魔だてしない。

【泣鬼神】行為やことばが至誠壮烈で、深く人々を感動させるさま。用例〔唐、杜甫、寄李十二白二十韻詩〕筆落驚風雨、詩成泣鬼神。↓筆を紙の上に落とせば風雨が急に起こる(ような勢いで文章ができ)、詩ができあがれば霊や神も感動し泣かせるほどすばらしい。

【鬼薪】秦・漢代の刑罰の一つ。宗廟に供えるたきぎを切り出させる労役。

【鬼籍】死者の名や死亡年月日などを書きしるしてある帳面。鬼録。過去帳。「鬼籍に入る(死ぬこと)」

【鬼胎】①鬼から生まれた子。②心中のひそかなおそれ。心配。→懐鬼胎。

【懐(懷)鬼胎】鬼の子をみごもるのをおそれ危ぶむという意味から転じて、ひそかにおそれをいだくことをいう。〔水滸伝、五回〕

【鬼畜】国①鬼と畜生。②残忍な行いをする者。

【鬼道】①鬼神の道。↕人道(七三ページ上)。②鬼神の通路。③怪しい術。魔法。④仏六道の一つ「餓鬼道」の略。→餓鬼道(一五七五ページ下)。

【鬼伯】冥土の鬼のかしら。しにがみ。用例〔楽府詩集、蒿里〕鬼伯一何相催促、人命不得少踟躕。↓死神はなんとせきたてることよ。人の命が尽きるのはわずかも待ってはもらえない。

【鬼物】㊀ばけもの。変化。妖怪。鬼魅。㊁国おにもの。能楽で、鬼・鬼神をしくんだもの。鬼畜物。五番能。

【鬼魅】ばけもの。変化。妖怪。

【鬼面】①鬼の面。②おそろしい顔。おそろしい見せかけ。「鬼面嚇人」

【鬼門】①艮(北東)の方面。伝説で、鬼の出入りする所として、いみきらう。②東海にあるといわれる、鬼の集合場所。③遠くけわしい土地。④国いやなことや人。にがて。

【鬼門関(關)】辺境の気候風土の悪い所にある関所。広西チワン族自治区北流市の西などにあり、付近はマラリヤなどの病気が多く生還者がほとんど無かったので、この名がある。

【鬼燐】＝鬼火㊀。

【鬼録・鬼籙】＝鬼籍。

【鬼話】①ばけものの話。怪談。②うその話。でたらめの話。詭話の誤り。

3

【魅】

13画 13941 漢ビ 呉ミ 眞 měi

2 9330 — 7425

字義 すだま。年功を積んだ化け物。＝魅(13948)。

解字 形声。鬼＋彡音。彡は、鬼の毛の象形。

4

【魁】

14画 13942 人 カイ(クワイ) 灰 kuí

1901 8A40 —

筆順 ノ 丿 白 由 甶 鬼 鬼 鬼 魁

鬼部 0▼4画 〔鬼 彪 魁〕

【字義】❶さきがけ。まっさき。第一。❷かしら。㋐おさ。首領。「首魁」㋑科挙(官吏登用試験)の各科の首位合格者。❸大きい。大きいもの。また、堂々としている。すぐれる。すぐれたもの。❹安らかなさま。❺ほこる。❻おさめる(蔵)。❼小さい丘。❽はまぐり。❾ひしゃく。羹をくむひしゃく。❿北斗七星のひしゃくの頭の形をなす四星。第一星から第四星まで。また、北斗七星の第一星。⓫根。㋐ねもと。根本。㋑おやいも。いもの根。
【名前】いさお・いさむ・さき・つとむ・やす
【解字】篆文 形声。斗＋鬼㊥。音符の鬼は、なみはずれているの意味。大きなひしゃくの意味を表す。
【魁偉】カイイ からだが大きくりっぱなこと。魁梧カイゴ。
【魁岸】カイガン すぐれて大きくたくましい。▼岸は、岸のようにかどばってたくましい。
【魁奇】カイキ すぐれていて、普通の人と違うこと。魁殊カイシュ。
【魁傑】カイケツ ①からだがたくましくてすぐれている。②すぐれた人物。③かしら。頭目。
【魁△梧】カイゴ からだが大きくりっぱなこと。魁偉。
【魁甲】カイコウ 科挙(官吏登用試験)に第一の成績を得ること。またその人。状元。
【魁士】カイシ すぐれた男性。
【魁首】カイシュ ①かしら。頭目。また特に、悪者のかしら。首魁。②明代、科挙(官吏登用試験)の科目である五経の、それぞれの経で首位をとった人。
【魁帥】カイスイ かしら。頭目。
【魁然】カイゼン ①すぐれて大きなさま。②安らかなさま。③ひとりぼっちで動かないさま。
【魁壮(壯)】カイソウ 顔だちが大きくてりっぱなこと。
【魁頭】カイトウ 何もかぶらないあたま。すあたま。
【魁塁(壘)】カイルイ ①すぐれてたくましい。からだが大きくてりっぱ。「魁塁之士カイルイのシ」②うながしせまること。

4 【魂】14画 13943 常 コン たましい ㊥コン・㊐ゴン 元 hún 2618 8DB0 —

【筆順】ニ 云 … 魂 魂

【字義】❶たましい。たま。㋐人の精神。神をつかさどるもの。肉体をつかさどる魄ハクに対していう。生きているときはこの二つが宿っているが、死ねば離れるという。㋑霊魂。↕肉体(二七〇ページ・中)。❷こころ。思い。

【名前】たま・みたま・もと 【難読】魂消たまげる
【解字】篆文 形声。鬼＋云㊥。鬼は、死者のたましいの意味。音符の云ウン＝コンは、めぐるの意味。休まずにめぐるたましいの意味を表す。

逆 英魂・香魂・孤魂・残魂・招魂・消魂・心魂・人魂・精魂・断魂・忠魂・鎮魂・闘魂・入魂・亡魂・夢魂・幽魂・遊魂・霊魂
【魂気(氣)】コンキ たましい。霊魂。

【魂魂】コンコン ①多いさま。②さかんに光り輝くさま。

【魂△銷】コンショウ たましいが消える。びっくりする。たまげる。

【魂胆(膽)】コンタン ①たましい。心。②国㋐たくらみ。意図。㋑いりくんだ事情。わけ。

【魂△魄】コンパク たましい。→字義❶。用例(唐、白居易、長恨歌)悠悠生死別経レ年ユウユウたるセイシ わかれてとしをへたり、魂魄不ニ曾来入一レ夢コンパクかつてきたりてゆめにもいらず。↓生きている者と死んだ者は遥かに別れ、楊貴妃ヨウキヒの魂はその後は天子の夢の中にも出てこない。

【魂△魄結△兮天△沉△沉】コンパクむすんでテンケツケツたり 死者のたましいがむすぼれ、天はむなしくさびしい。人は死ぬと、魂魄がはなれるのに、非業の死のためにそれがかなわぬこと。〔唐、李華、弔ニ古戦場一文〕

【魂飛△魄散】コンとびハクサンず 非常におどろいたさま。思考力を失うさま。心もそぞろになること。魂銷魄散コンきえハクサンず。

【断(斷)レ魂】たましい(ひ)をたつ 非常に悲しいさま。断魂ダンコン。断腸ダンチョウ。用例(唐、杜牧、清明詩)清明時節雨紛紛セイメイのジセツ あめフンプン、路上行人欲レ断レ魂ロジョウのコウジン たましい(ひ)をたたんとほっす。↓清明の時節とあって、雨がしきりに降り続いている。道行く旅人(私)の魂は消え入りそうだ。

4 【䰟】14画 13944 コン 魂(13943)と同字。→一六〇八ページ・上。

5 【䰠】15画 13945 シン 神(8353)と同字。→一〇三七ページ・上。 2 9331 — —

5 【魄】15画 13946 一 ㊥ハク・㊐ヒャク 陌 pò 二 ㊥ハク・㊐バク 薬 bó 8216 E9AE —

【字義】一 ❶たましい。たましひ。肉体をつかさどるもの。↕魂(13943)。❷こころ。思い。❸からだ。かたち。❹すきま。❺明らか。❻月。月の光。また、月の輪郭の光の無い部分。「死魄」
二 ❶かす。＝粕(8983)。❷旁魄ボウハクは、満ちふさがっているさま。❸落魄は、おちぶれたさま。❹→魄然。
【解字】篆文 形声。鬼＋白㊥。鬼は、たましいの意味。音符の白は、空白で何もないの意味。精神活動の空白をもたらすたましいの意味を表し、また、中身を落とした輪郭・かたちの意味をも表す。それがなくなると肉体の形だけになってしまい、精神活動の空白をもたらすたましいの意味を表し、また、中身を落とした輪郭・かたちの意味をも表す。

【魄然】ハクゼン ①安らかに落ち着いた声の形容。②物の裂けるようなはげしい音の形容。③物事のゆきづまる形容。

5 【魃】15画 13947 慣バツ ㊥ハツ・㊐バチ 曷 bá 8217 E9AF —

【字義】❶ひでりの神。❷ひでり。「旱魃カンバツ」
【解字】篆文 形声。鬼＋犮㊥。音符の犮ハツは、とり除くの意味。地上の生物をとりのける神、ひでりの神の意味を表す。

5 【魅】15画 13948 常 ミ ㊥ビ・㊐ミ 寘 mèi 4405 96A3 —

【筆順】… 鬼 鬼 魅 魅

【字義】❶もののけ。ばけもの。すだま。❷みいる。取りつきまどわす。心をひきつける。魂をうばう。
【名前】み
【解字】形声。鬼＋未㊥。音符の未は、微に通じ、はっきりしないの意味。はっきり見ることのできないもののけの意味を表す。
逆 鬼魅・魔魅
【魅了】ミリョウ 国人の心を完全に引きつけ迷わせる。
【魅力】ミリョク 国人の心を引きつける不思議な力。
【魅惑】ミワク 国人の心を引きつけ迷わせる。

7 【醜】17画 13949 常 シュウ みにくい ㊥シュウ(シウ)・㊐シュ 有 chǒu 2925 8F58 —

【筆順】冂 西 酉 … 醜 醜

【字義】❶みにくい。㋐見苦しい。けがらわしい。㋑みめわるい。容貌ヨウボウがわるい。❷わるい。また、悪者。❸にくむ。きらう。❹はじる。恥ずかしく思う。また、恥をかかせる。❺はじ。はずかしめ。❻くらべる。たぐえる。❼たぐい。仲間。また、ならぶ。等しい。❽もろもろ。多人数。
【名前】むね 【難読】醜女しこめ・醜男ぶおとこ
【注意】『康熙コウキ字典』では、酉部に所属する。
【解字】篆文 形声。鬼＋酉㊥。鬼は異様な面をかぶった人の象形。音符の酉ユウ＝シュウは、酒に通じ、さけの意味。異様な面をつけ、酒を注いで神に仕える人のさまから、みにくいの意味を表す。
逆 美醜・虜醜
【醜悪(惡)】シュウアク みにくい。みぐるしい。
【醜△夷】シュウイ ①多くの仲間。②みにくい外国人。敵国人をいやしんでいう。

【醜怪】みにくくて無気味なこと。

【醜行】みにくい、また、恥ずべき行為。

【醜声(聲)】みにくい評判。醜聞。

【醜態】みぐるしいありさま。

【醜△詆】はずかしめ、そしる。悪口を言う。

【醜聞】国みにくい評判。みだらなうわさ。スキャンダル。

【醜名】一みにくい評判。汚名。二しこな 国力士の呼び名。四股名。

【醜虜】①みにくい外国人。敵国人をいやしんでいう。②たくさんの捕虜。

【醜類】①悪人の仲間。②仲間。ともがら。③似ている点を比べる。▼醜は、比べる。

【醜△陋】①顔がみにくくいやしい。②心掛けがいやしくけがらわしい。

【醜△穢】みにくくてけがらわしい。

7 【魈】17画 13950 ショウ(セウ) 蕭 xiāo ―― 7426

字義 すだま。ばけもの。山の精。子供の姿をした、一本足の怪物で、よく人をだますという。

解字 形声。鬼+肖音。

8 【魌】18画 13951 キ 支 qī ―― 7428

字義 ❶みにくい(醜)。❷魌頭は、追儺(おにやらい)にかぶる鬼の面。

解字 形声。鬼+其音。

8 【魏】18画 13952 標 ギ 未 wèi 8218 E9B0 ―

字義 ❶たかい(高)。高く大きい。=巍(3040)。❷できる。なしうる。❸宮城の門の両側に設ける高い台。「魏闕」❹国名。㋐戦国時代、今の河南省北部・山西省南西部を領した。戦国の七雄の一つで、恵王の時、大梁(今の河南省開封市)に都を移し、のち、秦に滅ぼされた。(前四〇三—前二二五) ㋑三国時代、曹丕の建てた国。今の河南・河北・山東・山西・甘粛などの地を領有し、呉・蜀と鼎立した。(二二〇—二六五)⇩コラム『三国志』の時代(一七ページ)。㋒晋の時、拓跋珪の建てた国。後魏。北魏。のち東魏・西魏に分かれた。→後魏(五〇四ページ中)。㋓隋末に李密の建てた国。

解字 形声。鬼+委音。巍(3040)と同一語で別体字。国名などに用いられるようになり、区別のため、山を省略した。

【魏魏】高大なさま。巍巍。
【魏△闕】①高大な門。宮城の正門の両側に設けた高い台の所に設けた門で、その下をくぐって通行できるようにし、上に法令を掛けて民に示した。②朝廷。
【魏源】清の学者。邵陽(今の湖南省内)の人。字は默深。経学・故実・地理学に通じた。著書に『詩古微』『書古微』『公羊微』『海国図志』などがある。(一七九四—一八五七)
【魏志】『三国志』のうち、魏の国の歴史を記した部分。→三国志(一六ページ上)。
【魏書】書名。百十四巻。北斉の魏収が勅命によって編集した北魏の歴史。二十四史の一つ。『北魏書』ともいう。
【魏忠賢】明の宦官。熹宗に信任され権勢を振るったが、悪事が発覚して、捕らえられ、自殺した。(一五六八—一六二七)
【魏徴】唐初の政治家。字は玄成。諡は、文貞。よく太宗をいさめ、上書二百以上におよんだ。鄭国公に封ぜられた。著書に『群書治要』がある。(五八〇—六四三)
【魏都】魏の国の首都。㋐戦国時代、魏の都は、はじめ安邑(今の山西省夏県の北西)、後に大梁(今の河南省開封市)。㋑三国時代、魏の都は、洛陽(今の河南省洛陽市)。
【魏武帝】=曹操(六七一ページ中)。
【魏文帝】=曹丕(六七一ページ下)。

8 【魋】18画 13953 一 漢タイ・呉ズイ(ヅイ) 灰 tuí 二 漢ツイ 呉ズイ(ヅイ) 支 chuí 29332 ― 7427

字義 一 ❶しゃぐま。赤熊。❷一種の神獣。❸桓魋は、春秋時代、宋の大夫。孔子を殺そうとした。二 さいづちまげ。→魋結。

解字 形声。鬼+隹音。

【魋結】髪形の一つ。さいづち形(前と後とが突き出て木槌のようになっている)のまげ。魋髻。

8 【魍】18画 13954 漢ボウ(バウ) 呉モウ(マウ) 養 wǎng 8219 E9B1 ―

字義 魍魎は、すだま。=蝄(10634)。→魍魎。

参考 日本語のこだま・やまびこは、もと木の精・山の精の意味で、魍魎と同義だったが、その声の意味から、今では山谷などにおける反響の意味に転じて使う。

解字 形声。鬼+罔音。音符の罔は、おおわれて見えない意味を表す。

【魍魅】水中の怪物。

【魍△魎】①すだま。ばけもの。山水・木石の精気から出る怪物。三歳ぐらいの幼児に似て、色は赤黒く、耳が長く目が赤くて、人の声をまねて人をだますといわれる。「魑魅魍魎」②影の外側に見える薄いかげ。罔両。〔淮南子、覧冥訓〕③わるもの。

8 【魎】18画 13955 リョウ(リャウ) 養 liǎng 8220 E9B2 ―

字義 魍魎は、すだま。=蜽(10636)。→魍魎(一六〇九ページ中)。

解字 形声。鬼+兩音。魍魎は、朦朧などの語と同様、かすんではっきりしないさまを表す擬態語。山川に住むという想像上の怪物の意味を表す。

11 【魑】21画 13956 チ 支 chī 8221 E9B3 ―

字義 ❶おに(鬼)。❷すだま。ばけもの。もののけ。山の精。=螭(10710)。「魑魅」 難読 魑魅

解字 形声。鬼+离音。

【魑魅】山林の気から生ずる怪物。人面獣身、よく人をだますという。

【魑魅△魍△魎】いろいろのばけもの。山中の怪物と水中の怪物。山川の精。〔後漢、張衡、西京賦〕

11 【魔】21画 13957 常 マ 4366 9682 ―

11 〖魔〗21画 13958 漢バ 呉マ 歌 mó

筆順 亠 广 广 庐 庥 磨 魔 魔

字義 ❶おに(鬼)。人をまどわす悪い鬼。「悪魔」❷一事に熱中して本性を失うこと。❸人をまどわす不思議な術。「魔法」❹仏梵語 māra(魔羅)の略。修道のさまたげをする悪い鬼。

解字 篆文  形声。鬼+麻(麻)音。音符の麻は、梵語 māra の音訳を表す。人を迷わせるおにの意味から、鬼を付した。

逆 悪魔・降魔・邪魔・睡魔・天魔・病魔・伏魔・夢魔

【魔王】仏善事のさまたげをする悪鬼のかしら。悪魔の大王。

【魔界】仏悪魔の住んでいる所。

【魔窟】①悪魔のすみか。②不正の者の集まっている所。

【魔軍】仏①悪魔の軍兵。②仏道修行のさまたげをする悪魔の群れ。

【魔術】国①人をまどわす不思議な術。②手品の類

い。奇術。

【魔女】マジョ 魔力をもつ女性。魔法使いの女性。

【魔性】マショウ 人を迷わせだますような性質。悪魔のような性質。

【魔障】マショウ 仏仏道修行のさまたげとなるもの。

【魔道】マドウ ①仏ア仏の教えのさまたげとなる悪い道。イ悪魔の世界。魔界。②芸術などがまちがった道におちいること。邪道。

【魔魅】ミマ ばけもの。妖怪ヨウカイ。

【魔力】マリョク 魔術の力。また、人を迷わす不思議な力。

12 【魖】 22画 13959 漢キョ 呉コ 魚 xū — — 7430

字義 ❶貧乏神。❷流行病の神。❸夔魖キキョは、山水木石の怪物。

解字 形声。鬼＋虛音。音符の虛は、むなしいの意味。

12 【魕】 22画 13960 漢キ 呉ゲ 微 尾 qí — — 7429

字義 ❶鬼神を祭って福を求める風習。❷南方の鬼神。

解字 形声。鬼＋幾音。音符の幾は、祈り求める意味。

14 【魘】 24画 13961 一エン 二ヨウ(エフ) 琰 yǎn 葉 8222 E9B4 —

字義 一二おそ-われる(おそはる)。うな-される(うなさる)。おそろしい夢を見て、眠りながらおびえうめく。「夢魘」

解字 篆文  形声。鬼＋猒音。音符の猒エンは、おしつぶすの意味。鬼は死者の魂の意味。えたいの知れない物におしつぶされる、うなされるの意味を表す。

14 【魗】 24画 13962 一 漢シュウ(シウ) 呉シュ 有 chǒu 二 漢シュウ(シウ) 呉ジュ 尤 chōu — — 7431

字義 一❶にくむ(悪)。また、にくむべきもの。＝醜(13949)。二❷捨てる。

解字 形声。鬼＋壽音。

11画 魚 うお・うおへん さかなへん・ぎょへん

〔部首解説〕魚を意符として、いろいろな魚類の名称や、魚を加工したものなどを表す文字ができている。

0 【魚】 11画 13963 教2 ギョ うお・さかな 漢ギョ・呉ゴ 魚 yú 熟字訓 雑魚ざこ 2191 8B9B —

筆順 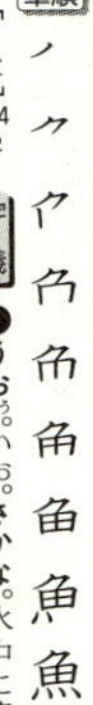

【𩵋】 13964 俗字

字義 ❶うお(うを)。いお。さかな。水中にすむ動物の総称。❷おびもの。唐代、官吏が袋に入れて腰につけた、身分証明のための魚形の割り符。→魚袋。❸すなど-る。魚をとる。また、すなどり。＝漁(6623)。❹両目のところの毛が白い馬。❺海獣の一種。その皮で弓矢の袋などを作る。

名前 いお・うお・お・な

難読 魚貫おにき・魚膠にべ・魚叉やす・魚子なな・魚井まない・魚返おがえり・魚梁瀬やなせ・魚籠びく

解字 甲骨文  金文  篆文  象形。うおの象形で、うおの意味を表す。

逆 衣魚・金魚・江魚・香魚・紙魚・鮮魚・池魚・稚魚・虫魚・人魚・年魚・木魚

【魚塩(鹽)】ギョエン ①さかなと塩。また、海産物の総称。②さかなや塩をとる人、また、売る人。

【魚塩(鹽)△之中】ギョエンのうち さかなをとり、塩を作ることを職業としている仲間。〔孟子、告子下〕

【魚△鰕・魚△蝦】ギョカ さかなとえび。転じて、魚類。魚介。用例(北宋、蘇軾、前赤壁賦)漁二樵於江渚之上一ギョショウし、コウショのほとりに 侶二魚鰕一而友二麋鹿一ギョカをともとし、ビロクをともとす ↓(私とあなたは)長江の水際のあたりで漁師や木こりのような生活をし、魚とえびを友達としとなかいや鹿を相手にする。

【魚介】ギョカイ 魚類と貝類。海産動物の総称。

【魚潰】ギョカイ さかながくさりくずれる。集まっていたさかなが乱れ散る。転じて、敗戦の軍勢が乱れ走るさま。「魚潰鳥散」

【魚△膾】ギョカイ さかなのなます。

【魚△醢】ギョカイ さかなの塩辛しおから。

【魚△蟹】ギョカイ さかなとかに。転じて、魚類。魚介。

【魚客】ギョカク 戦国時代、斉の孟嘗君モウショウクン(三八四ページ下)の食客中、魚肉の料理で待遇される食客。〔戦国策、斉〕

【魚貫】ギョカン ①さかなをくしで刺したように、連なって進むこと。

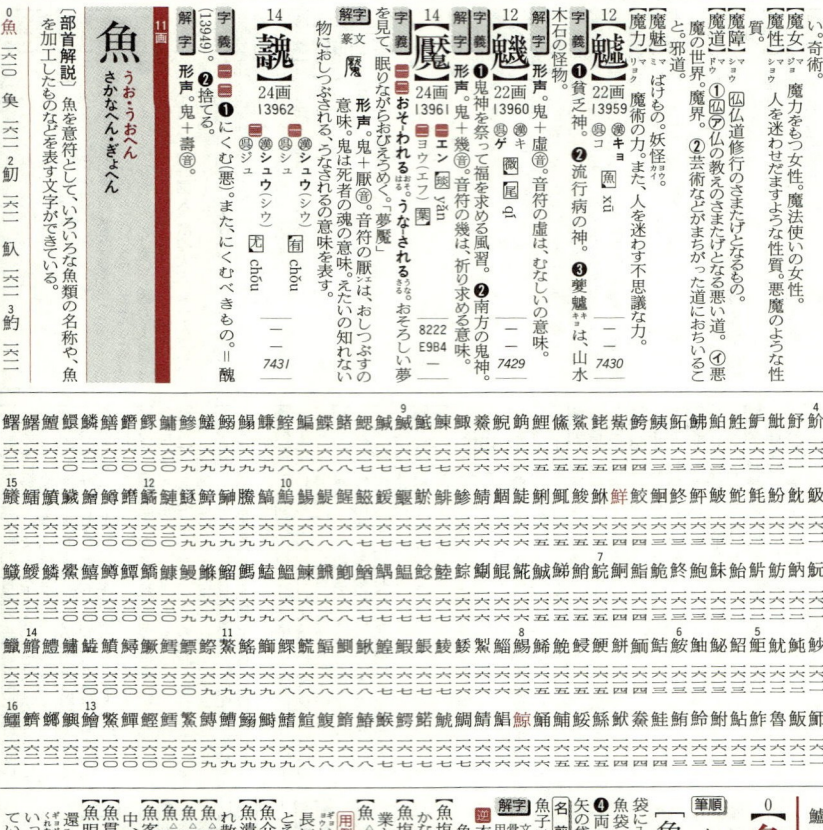

【魚眼】ギョガン ①さかなの目。用例(唐、王維、送三秘書晁監還二日本国一詩)鼇身映レ天黒ゴウシンテンにエイじてくろく、魚眼射レ波紅ギョガンなみをいてくれないならん。↓大きな海亀が、青々とした空を背にしていっそう黒く見える。大魚の紅の眼が、波を射るように輝いていることであろう。②玉のにせもの。本物によく似てまぎ

らわしいたとえ。魚目。③湯が沸騰してあわだつさま。小さなあわを蟹眼、大きなものを魚眼という。

【魚△雁】ギョガン ①さかなと雁。②手紙。また、通信すること。さかなは鯉をさし、鯉と雁とは共に手紙を運んだ故事があるところからいう。

【魚軒】ギョケン 諸侯の夫人が乗る、魚(海獣の名)の皮でかざった車。

【魚玄機】ギョゲンキ 晩唐の女流詩人。長安(今の西安市)の人。字は幼微・蕙蘭。道士となったが、後に侍女を殺して処刑された。著書に『唐女郎魚玄機詩』がある。〔八四四?—八七一?〕

【魚戸】ギョコ 漁師の家。漁家。

【魚虎】ギョコ ①河豚の類い。はりせんぼん。②かわせみ(翡翠)の別名。

【魚鼓】ギョコ もくぎょ(木魚)。仏具の一つ。

【魚獄】ギョゴク いけす。さかなを生かしておく所。

【魚山】ギョザン [仏]経文の偈頌(仏徳をたたえる文句)にふしをつけてよむ歌。梵歌。

【魚△肆】ギョシ さかなや。▼肆は、店。

【魚児(兒)】ギョジ さかなの子。魚子。魚苗。

【魚須】ギョシュ ①さめのひげ。昔、大夫の持つ笏は竹で作り、さめのひげでかざった。②さめのひげで作った旗ざお。

【魚水】ギョスイ 水魚。さかなと水。転じて、たがいにはなれられない関係。密接な交友などをたとえる。水魚之交。魚水契。

【魚△蔬】ギョソ さかなと野菜。

【魚帯(帶)・魚袋】ギョタイ ①唐代、官吏が宮中に出入りするとき、身分証明のための魚形のわりふを入れて、腰につけた、金銀のかざりのある袋状のおびもの。宋代は身分別の袋だけを用いた。魚帯。②[国]中古以後、束帯のとき、右腰にさげた装飾品。

【魚拓】ギョタク [国]さかなの表面に墨を塗り、和紙をその上に置いて、さかなの形をうつしとること。また、その写したもの。魚の拓本。

【魚腸】ギョチョウ ①さかなのはらわた。②呉の闔閭が王僚を殺した宝剣の名。

【魚肉】ギョニク ①さかなの肉。②さかなと獣の肉。転じて、他人の思いのままに切り殺されたり、軽んじられたりするもののたとえ。[用例]〔史記、項羽本紀〕如今、人方為二刀俎一、我為二魚肉一。↓今、彼らは包丁とまな板であり、われわれは魚肉のような立場である。

【魚尾】ギョビ ①さかなのしっぽ。②唐本・和本などの、中央のはしら(版心)についている魚の尾の形をした黒いしるし。⇩[コラム]書籍(六六八ページ)。

【魚符】ギョフ 魚形の割り符。→魚袋。

【魚服】ギョフク えびら。さかなの皮で作った、矢を入れる筒。

【魚△鼈】ギョベツ さかなとすっぽん。転じて、魚類をいう。

【魚網】ギョモウ さかなをとる網。漁網。

【魚網△鴻離】ギョモウコウリ 望みのものが得られず、かえって望んでいなかったものが得られることのたとえ。さかなをとろうとして、水鳥が網にかかる意。▼離は、かかる。〔詩経、邶風、新台〕

【魚目】ギョモク ㊀①さかなの目。②にせもの。似て非なるもの。珠玉に似てはいるが本物でない意。魚眼。③駿馬の名。㊁うお(を)のめ [国]足の指や底などにできる、皮膚の角質層の厚くなった、豆粒大のもの。

【魚目△燕石】ギョモクエンセキ にせもの。さかなの目と燕山の石は共に玉に似てはいるが本物でないこと。

【魚目混珠】ギョモクコンシュ さかなの目玉と珠玉とが入りまじる。本物と偽物とがいりまじってまぎらわしいたとえ。

【魚紋】ギョモン さかなが列をなしておよぐ円い模様。

【魚楽(樂)】ギョラク さかなの楽しみ。さかながおよいで楽しんでいること。

【魚△爛土崩】ギョランドホウ さかなが内部からくさり、積んだ土が下からくずれる。国家が崩壊するたとえ。

【魚△籃】ギョラン さかなを入れる竹のかご。びく。

【魚麗】ギョリ ①陣形の一つ。さかなが群れをなして進むように、丸く細長い隊形。②さかなが、やななどにかかる。

【魚竜(龍)】ギョリョウ・ギョリュウ ①さかなと竜。②身をさかなに変えたり竜に変えたりする、変幻の術。

【魚△梁】ギョリョウ やな。水をせきとめ、川のさかなをとる仕掛け。

【魚△鱗】ギョリン ①さかなのうろこ。②さかなのうろこのように重なるように並ぶこと。雲・家・さざなみ・瓦などの形容。③魚類。④陣形の一つ。

【魚△鱗鶴翼】ギョリンカクヨク さかなのうろこを並べ、鶴の羽を張ったような陣形。

【魚△魯】ギョロ 字形の類似による文字の誤り。→魯魚之謬(一六二三ページ中)。

【葬二魚腹一】ギョフクにほうむらる 水におぼれ死ぬこと。水死すること。〔楚辞、漁父〕

【得レ魚忘レ△筌】うおをえてせんをわする さかなをとってしまえばさかなとりの道具はいらない。本望を達すると、それに役だったものを忘れてしまうたとえ。また、恩恵を受けて報いないたとえ。▼筌は、魚をとる道具。〔荘子、外物〕

0 【𩵋】10画 13964
ギョ 魚(13963)の俗字。→一六一〇ページ下。
— — 7432

2 【魛】13画 13965
トウ(タウ) 豪 dāo
[字義] えつ。刀の形をした魚。鮆魚。[国]たちうお。
[解字] 形声。魚＋刀音。音符の刀は、その形を表す。
— — 7432

2 【魞】13画 13966 国字
[字義] えり。水中に細竹を袋状に並べて魚を捕らえる仕掛け。
[解字] 会意。魚＋入。魚が入るの意味を表す。
9432 — 7433

3 【魡】14画 13967
㊀漢テキ・呉チャク 錫 dì ㊁チョウ(テウ) 嘯 diào
[字義] ㊀❶魚の名。❷魚を網にかける。㊁釣る。＝釣(12490)。
[解字] 形声。魚＋勺音。
— — 7434

4 【魪】15画 13968
カイ 卦 jiè
[字義] 魚の名。かれい。
[解字] 形声。魚＋介音。
— — 7439

4 【魥】15画 13969
㊀ゴウ(ガフ) 合 è ㊁漢キョウ(ケフ)・呉コウ(コフ) 葉 qiè
[字義] ㊀魚の名。㊁ひもの(干物)。[国]こち。
[解字] 形声。魚＋及音。
29334 — 7436

4 【魭】15画 13970
㊀漢ゲン・呉ガン(グワン) 元 yuán ㊁ガン(グワン) 旱 wǎn
[字義] ㊀おおうみがめ。＝黿(14498)。㊁魭断は、人がらが円満でかどのないさま。
[解字] 形声。魚＋元音。
— — 7442

4 【魦】15画 13971
漢サ・呉シャ 麻 禡 shā
[字義] 鯊(14028)と同字。[国]いさざ。淡水魚の一種。琵琶湖に産する。
9434 — 7437

4 【魳】15画 13972
シ 支 shī
[字義] 毒魚の名。＝鰤(14112)。[国]かます。海魚の一種。
[解字] 形声。魚＋市音。市は、師の省略形。鰤の別体。
29337 — 7444

4 【魣】15画 13973
ショ 鱮(14162)と同字。→一六三一ページ上。
29333 — 7435

4【魫】15画 13974 ㊀㊥シン [寝] shěn ㊁㊥チン ㊉ジン(ヂン) [侵] chén ²9335 — 7440

字義 ㊀❶魚の子。❷魚の頭の骨。枕骨(チンコツ)。❸玉魫蘭(ギョクチンラン)は、ラン科の多年草。

解字 形声。魚＋冘㊥。

4【魶】15画 13975 ㊥ドウ(ダフ) ㊉ノウ(ナフ) [合] nà ²9338 — —

字義 さんしょううお。国くじら。 難読 魶子(なこ)

解字 形声。魚＋内㊥。

4【魨】15画 13976 ㊥トン ㊉ドン [元] tún — — 7438

字義 河魨(カトン)は、ふぐ。河豚。

解字 形声。魚＋屯㊥。

4【魬】15画 13977 ㊥ハン ㊉バン [潸] bǎn ²9336 — 7441

字義 かれい(鰈)。比目魚。国はまち。鰤(ぶり)の幼魚。

解字 形声。魚＋反㊥。

4【魮】15画 13978 ㊥ヒ ㊉ビ [支] pí — — 7443

字義 魚の名。首は鳥に似て、翼を持ち、玉を産むという、伝説の魚。国かじか。

解字 形声。魚＋比㊥。

4【魵】15画 13979 ㊀㊥フン・㊉ブン [文] fén ㊁㊥フン [問] fèn ¹9436 EEE2 7445

字義 ㊀えび。鰕(カ)。㊁小さい魚。

解字 篆文 形声。魚＋分㊥。音符の分は、わかれるの意味。頭胸部・腹部などが、はっきり分かれた形の魚、えびの意味を表す。

4【魴】15画 13980 ㊥ホウ(ハウ) ㊉ボウ(バウ) [陽] fáng 8223 E9B5 —

字義 おしきうお(をしきうを)。淡水魚の一種。頭がとがって平たく、うろこは細かい。色は青白いが、子を生むとき、疲れて尾が赤くなるという。「魴魚」 国かがみだい。たい(鯛)の一種。かがみうお。 難読 魴鮄(ほうぼう)

解字 形声。魚＋方㊥。

【魴魚赬尾】(ホウギョテイビ) おしきうおの白い尾が、子を生む時、疲れて赤くなる。人民の労苦がひどいことのたとえ。〔詩経、周南、汝墳〕

4【魷】15画 13981 ユウ(イウ) yóu ²9339 — 7446

字義 いか。烏賊(ウゾク)。

解字 形声。魚＋尤㊥。

4【魯】15画 13982 入 標 ㊥ロ ㊉ル [麌] lǔ 4705 9844 —

筆順 ク 𠂊 甶 角 角 魚 魯 魯

字義 ❶おろか。にぶい(鈍)。才知の働きが悪い。「魯鈍」❷春秋時代の国の名。周の武王の弟の周公旦(シュウコウタン)が領地として与えられた国。旦の子伯禽(ハクキン)から三十四代、八百六十八年続いた。今の山東省南西部。都は、今の山東省曲阜(キョクフ)市。孔子の生まれた国。国魯西亜(ロシア)は、Russia の音訳。露西亜。中国では、俄羅斯。 難読 魯西亜(ロシア)

解字 甲骨文 篆文 形声。曰(白)＋魚㊥。音符の魚(ギョ)は、鹵(ロ)に通じ、役立たずのおろかものの意味を表す。

【魯魚之謬】(ロギョのあやまり) 文字の写し誤り。魯と魚の字形が似ていて、間違いやすいところからいう。亥豕之謬(ガイシのあやまり)。焉烏之誤(エンウのあやまり)。

【魯縞】(ロコウ) 魯の国に産する、薄くてしまの細かい白絹。

【魯酒薄而邯鄲囲】(ロシュうすくしてカンタンかこまる) 思わぬ災難を受けるたとえ。戦国時代、魯が楚(ソ)に酒を贈ったとき、その酒が薄かったので、楚は怒って魯を討ったが、その虚に乗じて魏(ギ)が魯の味方である趙(チョウ)の都の邯鄲を包囲したという故事による。〔荘子、胠篋〕

【魯粛(肅)】(ロシュク) 三国時代、呉の武将。字(あざな)は子敬。呉の孫権に仕え、周瑜(シュウユ)を助けて魏(ギ)の曹操(ソウソウ)の軍を赤壁に破った。後に横江将軍となった。(一七二―二一七)

【魯迅】(ロジン・ルーシュン) 中華民国の作家。周樹人の筆名。字(あざな)は予(豫)才。浙江(セッコウ)省紹興の人。「狂人日記」「阿Q正伝」などの小説や『中国小説史略』などの著書がある。(一八八一―一九三六)

【魯叟】(ロソウ) 孔子をいう。▼魯は孔子の生まれた国、叟は長老の称。

【魯仲連】(ロチュウレン) 戦国時代、斉の高士。趙(チョウ)・魏(ギ)の王に勧めて、秦(シン)を帝とすることに反対した。高節の士とされている。魯連。

【魯鈍】(ロドン) おろかでにぶい。愚鈍。

【魯般雲梯】(ロハンのウンテイ) 魯般は、周代、魯の国の有名な指し物師。魯班とも書く。雲梯は、雲にとどくかと思われるほどの長いはしご。楚王(ソオウ)の命で魯般が雲梯を作って、敵城を攻めたという故事。〔墨子、公輸〕

【魯陽之戈】(ロヨウのほこ) 勢威のさかんなことをいう。戦国時代、楚(ソ)の魯陽公が、ほこで沈む太陽を招き返した故事による。〔淮南子、覧冥訓〕

【魯連】(ロレン) ＝魯仲連。

【魯論】(ロロン) ①漢代、『論語』に斉論(斉国に伝わったもの)・魯論・古論(孔子の家の壁中から出たもの)の三種のテキストがあって、そのうち魯国に伝わったものを魯論という。現在の『論語』はこの系統に属する。②『論語』の別名。

4【魲】15画 13983 ロ ¹9435 EEE3 —

鱸(14179)の俗字。→一六三一ページ下。

4【魹】15画 13984 国字 ¹9433 — 7448

字義 とど。アシカ科の海棲(カイセイ)哺乳類。北太平洋に生息する。胡獱(コヒン)。

解字 会意。魚＋毛。毛の生えた魚の意味から海獣、とどの意味を表す。

4【魸】15画 13985 国字 — — 7447

字義 なまず(なまづ)。淡水魚の一種。鯰(なまず)。

解字 会意。魚＋片。片は、平たく薄いものの意味。頭が大きく平らな魚、なまずの意味を表す。

5【鮔】16画 13986 キョ [御] jù — — 7461

字義 魚の名。一説に、ごり。鰍(かじか)の別名。

解字 形声。魚＋巨㊥。

5【鮓】16画 13987 ㊀㊥サ・㊉シャ [馬] zhǎ ㊁㊥サ・㊉ジャ [禡] zhà 8224 E9B6 —

字義 ㊀すし。なれずし。塩や米飯でつけた魚。㊁くらげ(水母)。国すし(鮨・寿司)。酢を加えた飯と、魚肉とを合わせたもの。

解字 形声。魚＋酢省㊥。音符の酢は、「す」の意味を表す。

5【鮏】16画 13988 ㊥セイ ㊉ショウ(シャウ) [青] xīng ¹9439 EEE4 7459

【鯹】14090 同字

字義 なまぐさい。国さけ(鮭)。 難読 鮏川(すけがわ)

解字 篆文 形声。魚＋生㊥。音符の生は、なまの意味。なまの魚のにおい、なまぐさいの意味を表す。

5【鮀】16画 13989 ㊥タ ㊉ダ [歌] tuó — — 7450

字義 ❶魚の名。なまず。❷魚の名。はぜ。すなふき。

解字 形声。魚＋它㊥。

5【鮐】16画 13990 タイ [灰] tái — — 7460

字義 ❶ふぐ。海魚の一種。腹が白く、背には、まだらの模様がある。河豚(カトン)。❷としより。老人。
解字 形声。魚＋台(音)。
【鮐稚(タイチ)】老人と少年。老弱。
【鮐背(タイハイ)】老人。老人になると、背中にふぐのようなしみを生じるのでいう。台背。

5【鮉】16画 13991 チョウ　鯛(14062)と同字。→一六一七ページ上。　— — 7455

5【鮎】16画 13992 [人] (漢)デン (呉)ネン [塩] nián　1630 88BC —
筆順 ク ク 各 各 备 魚 魚 魚丨 魚⺊ 鮎
字義 なまず。淡水魚の一種。頭は平たく大きく、からだは丸くて長く、口辺に長いひげがある。鯰(なまず)。国 あゆ。淡水魚の一種。年魚。香魚。
解字 形声。魚＋占(音)。
名前 あゆ　難読 鮎魚女(あいなめ)・鮎食(あいくい)・鮎並(あいなめ)

5【鮊】16画 13993 一 (漢)ハク・(呉)ビャク [陌] bó 二 (漢)ハ・(呉)バ [禡] bà　9438 — 7456
字義 一 にごい。鯉(こい)の一種。二 海魚の名。国 海魚の名。㋐しらうお(白魚)。㋑がんぎえい。　難読 鮊子(いかなご)・鮊岳(かしべだけ)
解字 形声。魚＋白(音)。

5【鮍】16画 13994 ヒ [支] pí　— — 7458
字義 魚の名。国 魚の名。かわはぎ。はまち。かわぎす。
解字 形声。魚＋皮(音)。

5【鮇】16画 13995 (漢)ビ (呉)ミ [未] wèi　— — 7454
字義 いわな(岩魚)。淡水魚の名。嘉魚。
解字 形声。魚＋未(音)。

5【鮅】16画 13996 (漢)ヒツ (呉)ヒチ [質] bì　— — 7452
字義 ❶魚の名。ます。❷魚の名。おしきうお。
解字 形声。魚＋必(音)。

5【鮒】16画 13997 [標] (漢)フ (呉)ブ [遇] fù　4211 95A9 —
字義 ❶ふな。淡水魚の一種。❷がま(蟇)。❸人名。孔鮒は、秦(シン)代の人。孔子九世の孫。『孔叢子(クソウシ)』はその著といわれる。
解字 形声。魚＋付(音)。

5【鮄】16画 13998 (漢)フツ (呉)ブチ [物] fú　9437 — 7451
字義 海魚の名。国 ❶魴鮄(ほうぼう)は、ホウボウ科の海魚。❷さば(鯖(セイ))。　難読 鮄川(いながわ)
解字 形声。魚＋弗(音)。

5【鮃】16画 13999 (漢)ヘイ (呉)ビョウ(ビャウ) [庚] píng　8225 E9B7 —
字義 ひらめ。海魚の一種。体形は薄く平たい楕円形(ダエンケイ)で、下がわは白く、上がわは灰黒の保護色で、両眼がついている。
解字 形声。魚＋平(音)。音符の平は、たいらの意味。目のある方を上に向けて平らに横たわる、ひらめの意味を表す。
参考 ⇩鰈(14094)の参考。

5【鮑】16画 14000 (漢)ホウ(ハウ) (呉)ボウ(バウ) [巧] bào　8226 E9B8 —
字義 ❶しおうお。魚をひらいて、塩漬けにしたもの。ひもの。ひらきうお。❷あわび(鰒)。貝の一種。
解字 形声。魚＋包(音)。
【鮑魚(ホウギョ)】①しおうお。塩漬けにした魚や、ひもの。②あわび。
【鮑魚之肆(ホウギョのシ)】ひものを売る店。転じて、つまらぬ人間などの集まっている所のたとえ。
【鮑肆(ホウシ)】＝鮑魚之肆(ホウギョのシ)。
【鮑叔牙(ホウシュクガ)】春秋時代、斉の桓公(カンコウ)の臣。桓公の敵臣であった親友の管仲を、その才を惜しんで桓公に推薦した。管仲との交際は「管鮑の交わり」として有名。鮑叔は、略称。→管鮑交(一〇八二ページ下)。
【鮑照(ホウショウ)】南朝宋(ソウ)の詩人。字(あざな)は明遠。臨海王の前軍参軍となったので、鮑参軍ともいわれる。詩は、謝霊運とならび称せられた。著書に『鮑参軍集』がある。(四〇五—四六六)

5【鮋】16画 14001 (漢)ユウ(イウ) (呉)ユ [尤] yóu　— — 7457
字義 ❶魚の名。はや。はえ。❷魚の名。四川省にいるという、木にすむ魚。
解字 形声。魚＋由(音)。

5【魿】16画 14002 (漢)レイ (呉)リョウ(リャウ) [青] [庚] líng　— — 7449
字義 足がなくて、うねりはう虫魚。鰻(うなぎ)・蛇などの類い。
解字 形声。魚＋令(音)。

5【鮖】16画 14003 国字　8227 E9B9 —
字義 ❶かじか。淡水魚の一種。＝鰍(14087)。❷鮖谷(かじかだに)は、新潟県岩船郡の地名。
解字 会意。魚＋石。

5【鮗】16画 14004 国字　[鮗] 14005 俗字
字義 このしろ(鰶(セイ)・鯯(セイ))。海魚の一種。形はあじに似て平たく、体長は三十センチメートルぐらい。
解字 会意。魚＋冬。

5【鮗】16画 14005 国字 このしろ　鮗(14004)の俗字。→一六一三ページ下。　8228 E9BA —

6【鮟】17画 14006 アン [翰] àn, ②ān　8229 E9BB —
字義 ❶なまず。＝鯰(14071)・鮎(13992)。❷鮟鱇(アンコウ)は、海魚の一種。大きな口の上に釣糸をたれたようなひげを持つ、琵琶(ビワ)に似た形の魚。琵琶魚。
解字 形声。魚＋安(音)。

6【鮪】17画 14007 一 イ(ヰ) [紙] wěi 二 (漢)ユウ(イウ)・(呉)ウ [有]　4378 968E —
字義 一二 ちょうざめの一種。国 まぐろ。しび。海産の大魚。食用。
解字 篆文　形声。魚＋有(音)。音符の有は、侑(ユウ)に通じ、食事をすすめるの意味。祖先を祭るときにすすめ供える魚の意味を表す。

6【鮧】17画 14008 一 イ [支] yí 二 (漢)テイ・(呉)ダイ [斉] tí　9441 — 7466
字義 一 ❶鱁鮧(チクイ)は、魚の名。また、しおから。❷鯸鮧(コウイ)は、ふぐ。二 おおなまず。　難読 鱁鮧(うるか)
解字 形声。魚＋夷(音)。

6【鮰】17画 14009 (漢)カイ(クヮイ) (呉)ガイ(グヮイ) [灰] huí　— — 7469
字義 魚の名。大きな川に住み、小さい蛇に似るが鱗(うろこ)がない。国 魚の名。もだま。
解字 形声。魚＋回(音)。

6【鮠】17画 14010 ガイ(グヮイ) [灰] wéi　8230 E9BC —
字義 こなまず。鯰(なまず)の一種。国 はや。はえ。うぐい・おいかわなどの淡水魚の通称。
解字 形声。魚＋危(音)。

6【鮚】17画 14011 (漢)キツ (呉)ギチ [質] jié　— — 7462
字義 貝の名。どぶがい。また、はまぐり。
解字 形声。魚＋吉(音)。

6【鮭】17画 14012 標 一漢ケイ・呉ケ 斉 guī 二漢カイ・呉ゲ 佳 xié 2690 8DF8 — —

字義 一ふぐ(河豚)。海魚の一種。肉は白くて美味であるが、内臓に猛毒がある。二さかな。調理した魚菜などの総称。惣菜ソウザイ。国さけ。しゃけ。鱒ますに似、鱗うろこは細かく、海にすむが、秋、川をさかのぼって卵を生む。肉は淡紅色で脂肪が多い。

解字 形声。魚＋圭音。

6【鮬】17画 14013 一漢ホ・呉ブ 遇 二漢コ・呉ク 虞 kū ₂9341 — 7468

字義 一鯆鮬コイッは、たなご。コイ科の淡水魚。二すずき(鱸)の幼魚の東京付近での称。国せいご。

解字 形声。魚＋夸音。

6【鮫】17画 14014 標 漢コウ(カウ) 呉キョウ(ケウ) 肴 jiāo 2713 8E4C — —

字義 ❶さめ。長大な海魚。尾鰭おびれがするどく、人を傷つける。鰭ひれと肉とは食用とし、皮は乾燥して物をみがく材料とし、また、刀のつかなどを巻くのに用いる。別名、ふか(鱶)。鯊魚サギョ。❷みずち。想像上の動物。蛇に似て四脚を持ち、毒気を吐いて人を害するという。＝蛟(10564)。

解字 篆文 形声。魚＋交音。音符の交は、まじえるの意味。上下のきばを交え、むきだす魚、さめの意味を表す。

【鮫鰐淵】コウガクのふち さめや、わにの住むふち。凶悪な賊のすみかにたとえる。
【鮫函】コウカン さめの皮のよろい。
【鮫綃】コウショウ 南海に住む人魚が織るという薄絹。それで着物を作ると、水に入れても濡れないという。竜紗リョウサ。
【鮫人】コウジン 南海にいるという人魚。海中の妖怪ヨウカイ。水中で機を織り、泣けば真珠の涙をこぼすという。蛟人コウジン。

6【鮨】17画 14015 標 一漢キ・呉ギ 支 qí 二漢シ 支 8231 E9BD — —

字義 一二うおびしお。魚のしおから。魚醬ギョショウ。国すし(鮓すし・寿司すし)。酢を加えた飯と、魚肉とを合わせたもの。

解字 篆文 形声。魚＋旨音。音符の旨は、うまいの意味。魚のうまいもの、魚のしおからの意味を表す。

6【鮞】17画 14016 一二漢ジ・呉ニ 支 ér ₁9440 — 7464

字義 一二はららご。はらご。魚の卵。

解字 形声。魚＋而音。

6【鮝】17画 14017 ショウ — — 7463

鱶(14175)の俗字。→一六三二ページ下。

6【鮆】17画 14018 セイ — — 7453

鱭(14173)と同字。→一六三二ページ下。

6【鮮】17画 14019 常 セン あざ-やか 一漢セン 先 xiān 二漢セン 銑 xiǎn 3315 914E —

筆順 ク 各 各 角 魚 魚 魚 鮮 鮮

字義 一❶なまの魚。「鮮魚」「小鮮」 ❷なまの肉。鳥獣の新鮮な肉。用例〔後漢、班固、西都賦〕割鮮野食センをさきヤショクす。↓獲物をさばいて野外で食べる。❸魚のなます。❹あたらしい。いきいきしている。「新鮮」 ❺あざやか。明らか。「鮮明」 ❻いさぎよい。汚れがない。❼よい(善)。また、美しい。みめよい。❽はなやか。あでやか。
二❶すくない。すくなし。とぼしい。まれである。めったにない。用例〔論語、学而〕巧言令色コウゲンレイショク、鮮矣仁すくなしジン。↓口がうまく、顔色をやわらげて人にこびへつらう人で、仁徳のある人はめったにいない。❷つきる(尽)。❸わかじに。年若くして死ぬこと。用例〔左伝、昭公五〕葬鮮者自西門センジャをほうむるにはセイモンよりす。↓若くして死んだ者を葬る際には西門から出す。❹たてまつる。＝献(7182)。❺大きな山から離れているところにある小山。はなれ山。

名前 あき・あきら・き・きよ・さと・まれ・よし

解字 金文 篆文 会意。魚＋羊。新鮮さを尊ぶ魚や羊をあげて、あざやかの意味を表す。また、尠センに通じて、すくないの意味をも表す。

逆 小鮮・新鮮・生鮮・芳鮮

【鮮衣】センイ あざやかな衣服。美服。鮮服。
【鮮花】センカ 美しい、生き生きとした花。咲き始めたばかりの花。
【鮮華】センカ あざやかで、はなやかなこと。目もさめるようにはなやか。
【鮮膾】センカイ 新しいなます。新鮮ななます。
【鮮暉】センキ あざやかな光。▼暉は、光。
【鮮魚】センギョ 新しい魚。生きのよい新鮮な魚。
【鮮血】センケツ ①なまなましい血。新しい血。生き血。②まっかな色の形容。
【鮮潔】センケツ 新しく清らかなこと。鮮浄。
【鮮妍】センケン ＝鮮好。
【鮮好】センコウ あざやかで美しい。目もさめるほどに美しい。鮮妍。
【鮮肴】センコウ 新鮮な魚。また、新鮮な料理。
【鮮紅】センコウ あざやかな赤色。まっか。
【鮮殺】センサツ 新鮮ないけにえ。
【鮮少】センショウ 少ない。わずか。僅少キンショウ。些少サショウ。尠少センショウ。
【鮮食】センショク ①新鮮な鳥獣の肉。②新鮮な肉を食べること。③食物を少なくすること。
【鮮飾】センショク あざやかなかざり。また、着かざること。
【鮮粧・鮮妝】センショウ・センソウ 美しい装い。目もさめるような装い。
【鮮腆】センテン えらそうにする。尊大な態度をとる。
【鮮白】センパク まっ白。あざやかな白さ。純白。
【鮮肥】センピ 新しくて、よい肉。新鮮な肥肉。
【鮮卑】センピ 蒙古モウコ民族の一種。戦国時代、興安嶺コウアンレイの東におこり、後漢の末にさかんとなり、三国時代、慕容・宇文・拓跋の三氏があらわれ、拓跋氏は国を建てて魏ギ(北魏)と称した。後、漢民族に同化した。
【鮮美】センビ あざやかで美しい。目がさめるように美しい。用例〔東晋、陶潜、桃花源記〕芳草鮮美センビ、落英繽紛ラクエイヒンプンたり。↓香りの良い草が鮮やかで美しく、美しい花が散りしきっている。
【鮮媚】センビ ①筆力があざやかで、美しいこと。②けしきがあざやかで、おだやかに美しいこと。
【鮮民】センミン 孤独で貧しい人民。ひとり者の貧しい人。
【鮮明】センメイ ①美しくはっきりしていること。②はっきりしていて、まぎらわしくない。態度などにいう。「旗幟シキ鮮明」
【鮮耀】センヨウ あざやかに輝く。
【鮮麗】センレイ 目がさめるように美しいこと。

6【鮦】17画 14020 一漢トウ・呉ドウ 東 tóng 二漢チョウ 呉ジュ(ヂュ) 腫 ₂9340 — 7465

字義 一二うなぎ。

解字 形声。魚＋同音。

6【鮩】17画 14021 漢ヘイ 呉ビョウ(ビャウ) 迥 bìng — — 7467

字義 魚の名。にごい。国動物の名。あみ。えびの一種。

解字 形声。魚＋并音。

6【鮲】17画 14022 国字 ₂9345 — 7471

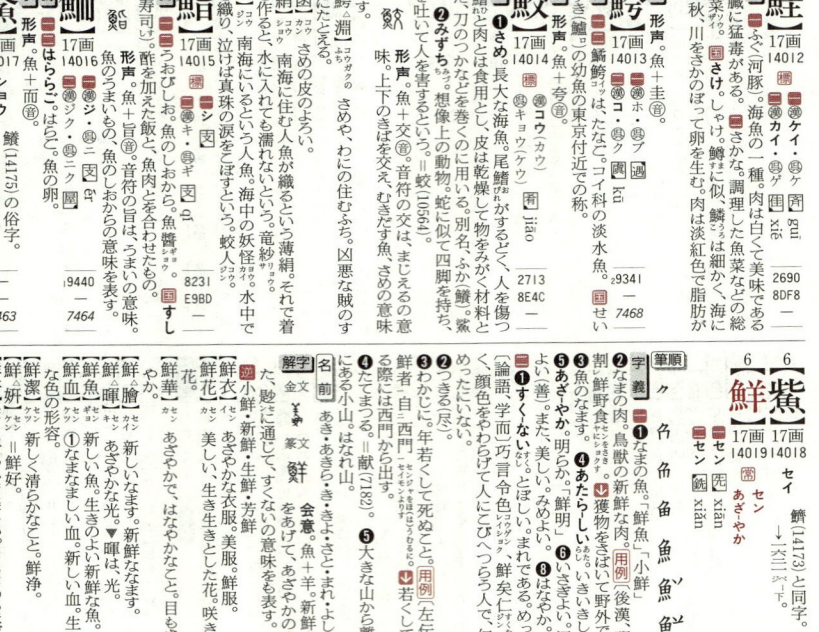

字義 ❶まて(蟶テイ)。まてがい。竹を縦割りにしたような形の二枚貝。浅海の砂や泥の中に住み、食用。❷こち(鯒)。砂地に住み、上下に平たく、頭の大きな魚。食用になる。牛尾

魚。

解字 会意。魚＋伏。伏は、砂地に平たくつく意味を表す。こちの意味。

6 【鮱】 17画 14023 国字 ₂9342 EEE5 7470

字義 ぼら。おおぼら。鯔の十分に成長したもの。

解字 会意。魚＋老。老は、成長するの意味。成長魚のぼらの意味を表す。

6 【鮴】 17画 14024 国字 8232 E9BE —

字義 ❶めばる。海魚の一種。❷ごり。淡水魚カジカの別称。

解字 会意。魚＋休。

7 【鯇】 18画 14025 漢カン(クヮン) 呉ゲン 潸 huàn ₂9348 — 7479

字義 あめのうお。あめ。淡水魚の一種。湖水に住む。

解字 形声。魚＋完音。

7 【鯁】 18画 14026 漢コウ(カウ) 呉キョウ(キャウ) 梗 敬 gěng ₁9442 — 7478

字義 ❶魚のほね。❷魚の骨がのどにささる。❸わざわい。わずらい。＝梗(5444)。❹かたい(硬)。正しい。正直。まっすぐで、人にへつらわない。＝骾(13834)。

参考 現代表記では〔硬〕(8183)に書きかえることがある。「鯁骨→硬骨」

解字 篆文 形声。魚＋更(叓)音。音符の叓は、かたいの意味。魚のかたい骨の意味を表す。

【鯁諤】(コウガク) 遠慮せず、思うとおり議論する。

【鯁毅】(コウキ) 強く正しい。剛直で正しいこと。

【鯁言】(コウゲン) ①正しい言論。讜言。②遠慮せずにはっきり正しくいう。また、そのことば。直言。

【鯁骨】(コウコツ) 気性が強く正しいこと。また、その人。硬骨。硬骨漢。

【鯁正】(コウセイ) 強く正しい。強く正直で人に屈しない。鯁直。

【鯁切】(コウセツ) 強く正しく、誠実なこと。

【鯁直】(コウチョク) 強く正しい。強く正直で人に屈しない。鯁正。

【鯁論】(コウロン) 強く正しい議論。正論。讜論。

7 【鯀】 18画 14027 コン 阮 gǔn 8233 E9BF —

字義 ❶大きい魚。大魚。❷人名。中国古代の夏の禹王の父。黄河の治水に失敗して、舜帝によって羽山に流され、そこで死んだ。

解字 会意。魚＋系。

7 【鯊】 18画 14028 漢サ 呉シャ 麻 禡 shā 8234 E9C0 —

[鯋] 14029 同字

字義 ❶はぜ。すなふき。河口付近や湾内の砂泥上に住む小魚。沙魚。蝦虎魚。❷さめ(鮫)。ふか。

解字 形声。魚＋沙音。

7 【鯋】 18画 14029 サ 鯊(14028)と同字。→一六一五㌻中。 — EEE6 7474

7 【鮹】 18画 14030 漢ソウ(サウ) 呉ショウ(セウ) 肴 shāo 8235 E9C1 —

字義 魚の名。馬の鞭に似て、尾が二つに分かれている。国たこ。章魚。八本足で吸盤を持つ頭足類の一種。食用になる。＝蛸(10590)。

解字 形声。魚＋肖音。

7 【鮼】 18画 14031 シン 侵 qīn — — 7475

字義 魚の名。国いるか。

解字 形声。魚＋㑴音。

7 【鯘】 18画 14032 ダイ 鮾(14061)と同字。→一六一六㌻下。 ₂9347 — 7476

7 【鯈】 18画 14033 ㊀漢チョウ(テウ) 呉ジョウ(デウ) 蕭 tiáo ㊁漢チュウ(チウ) 呉ジュウ(ヂウ) 尤 chōu — — 7480

字義 ㊀はや。はえ。淡水魚の一種。＝鰷(14126)。㊁はらご。はららご。魚の卵。

解字 形声。魚＋攸音。

7 【鮿】 18画 14034 チョウ(テフ) 葉 zhé — — 7477

字義 ❶干し魚。塩に漬けないで乾かした魚。❷婢鮿は、魚の名。たなご。

解字 形声。魚＋耴音。

7 【鮷】 18画 14035 漢テイ 呉ダイ 斉 霽 tí — — 7472

字義 魚の名。おおなまず。

解字 形声。魚＋弟音。

7 【鮸】 18画 14036 漢ベン 呉メン 銑 miǎn ₂9346 — 7473

字義 にべ。いしもち。海魚の一種。鳴く魚として有名。うきぶくろから、にかわをとる。黄花魚。

解字 形声。魚＋免音。

7 【鯆】 18画 14037 漢ホ 呉フ 虞 pū 8236 E9C2 —

字義 すなめり。イルカ科の海獣。中国では長江の河口付近に多く見られ、よく江をさかのぼる。江豚。 難読 鯆越(いるかごえ)

解字 形声。魚＋甫音。

7 【鯉】 18画 14038 人 リ 紙 lǐ 2481 8CEF —

筆順 ⺈ 各 角 魚 魚' 鯉 鯉 鯉

字義 ❶こい。淡水魚の一種。中国原産で、色は緋・黒・黄の三種がある。食用、または観賞用。❷てがみ(手紙)。〔古楽府、飲馬長城窟行〕より。書札。「鯉素」❸人名。孔子の子。字は伯魚。五十歳で、孔子より先に死んだといわれる。

名前 こい・り

解字 篆文 形声。魚＋里音。音符の里は、すじの意味。うろこのすじ目がはっきり見える、こいの意味を表す。

【鯉魚】(リギョ) ①こい。→字義❶。②手紙。→鯉素。

【鯉魚風】(リギョフウ) 陰暦九月の風。秋風。

【鯉書】(リショ) ＝鯉素。

【鯉素】(リソ) 「鯉魚尺素」の略。手紙。鯉の腹中から白絹に書かれた手紙が出たという故事による。双魚。双鯉。〔文選、古楽府、飲馬長城窟行〕

【鯉庭】(リテイ) 子が父の教えを受ける所。家庭教育(庭訓)の場。孔子がその子の鯉を庭でさとした故事による。〔論語、季氏〕→庭訓(四七五㌻上)。

【鯉濃】(こいこく) 国鯉を輪切りにして濃い味噌汁で煮た料理。

7 【鯏】 18画 14039 国字 8237 E9C3 —

字義 ❶あさり。浅海の泥砂中に住む二枚貝の一種。＝蜊(10606)。❷うぐい。淡水魚の一種。

解字 形声。もと、虫＋利音。日本で、魚＋利音に変形。

7 【鯎】 18画 14040 国字 ₁9443 — 7481

字義 うぐい。コイ目の魚。淡水または海水にすみ、生殖期の腹部に赤い縦線を生ずる。特に大きなものを、「まるた」という。

解字 形声。魚＋成。

7 【鯑】 18画 14041 国字 8238 E9C4 —

解字 会意。魚＋希。

字義 かずのこ。鰊（にしん）のはらごを乾燥、または、塩づけにした食品。
解字 会意。魚＋晞省。晞は、かわかすの意味。鰊（にしん）のはらごをかわかした食品、かずのこの意味を表す。

7【鯒】18画 14042 国字 8239 E9C5 —
［𩸕］14043 同字
字義 こち。海魚の一種。頭が大きく、からだは平たく細い。背中は灰色で、とげがある。南日本の砂底に住む。鮲（こち）。
解字 会意。魚＋甬。

7【𩸕】18画 14043 国字 こち ₂9343 — —
鯒(14042)と同字。→一六一六ページ上。

7【鯐】18画 14044 国字 — — 7482
字義 すばしり(州走)。ぼらの幼魚。八、九センチメートル以下のぼらの子。
解字 会意。魚＋走。

7【𩸽】18画 14045 国字 ₂9344 — —
字義 ほっけ。海魚の一種。北日本に産する。体長約四十センチメートル、灰色で薄茶色の斑文（ハンモン）がある。
解字 会意。魚＋花。

8【鯣】19画 14046 漢エキ 呉ヤク 陌 yì 8240 E9C6 —
字義 うなぎ。国するめ。いかを開いて干した食品。
解字 形声。魚＋易音。

8【鯨】19画 14047 常 ゲイ くじら 漢ケイ・呉ギョウ(ギャウ) 庚 jīng(qíng), ②qíng 慣ゲイ 2363 8C7E —
筆順 ⺈ 各 各 角 角 魚 魚 魚 鯨 鯨
字義 ❶くじら（くぢら）。㋐クジラ目の海獣の総称。大洋、特に南・北極海に多く住み、種類が多い。鯨魚。「捕鯨」 ㋑雄くじら。↔鯢(14048)。❷あげる。かかげる。＝擎(4022)。国 鯨尺（くじらジャク）の略。鯨差（くじらざし）。
名前 くじら 難読 鯨波（いさなとき）・鯨伏（いさふし）
解字 形声。魚＋京音。音符の京は、高い岡の意味。おかのように大きい魚、くじらの意味を表す。
逆 長鯨
【鯨飲】（ゲイイン） くじらが水を飲むように大いに酒を飲むこと。「鯨飲馬食」
【鯨音】（ゲイオン） 寺の鐘の音。つり鐘のひびき。
【鯨魚】（ゲイギョ） ①くじら。②木魚。仏具の一つ。
【鯨△鯢】（ゲイゲイ） ①雌雄のくじら。▼鯨は雄、鯢は雌。②雌雄共に小魚を食うので、悪人のかしらにたとえる。③くじらのえじきになるように、殺されるもの。
【鯨△吼】（ゲイコウ） ①くじらがほえる。また、その声。②＝鯨音。
【鯨△鬚】（ゲイシュ） くじらのひげ。柔軟で工芸品の材料になる。
【鯨△呑】（ゲイドン） ①くじらがのみこむように、大きな口で一口にのむ。②強い者が弱い者を併合するたとえ。
【鯨波】（ゲイハ） ①大波（おおなみ）。鯨濤（ゲイトウ）。②くじらが波をあげて大声を発すること。転じて、鬨（とき）の声。

8【鯢】19画 14048 ゲイ 斉 ní 8241 E9C7 —
字義 ❶さんしょううお。谷川に住む両生類。いもりに似ている。山椒魚（サンショウうお）。❷めくじら(雌鯨（シゲイ）)。雌のくじら。↔鯨(14047)。❸こざかな(小魚)。❹鯢歯は、老人の歯。転じて、老人。
解字 篆文 形声。魚＋兒音。音符の兒（ジ＝ゲイ）は、こどもの意味。子供が木のぼりをして遊ぶように、木にのぼる魚の意味を表す。

8【鯝】19画 14049 漢コ 呉ク 遇 gù ₂9351 — 7485
字義 ❶魚のはらわた。❷黄鯝は、わたか。コイ科の淡水魚。
解字 形声。魚＋固音。

8【鯤】19画 14050 コン 元 kūn 8242 E9C8 —
字義 ❶はららご。魚の卵。魚の子。❷北海にすむという、想像上の大魚の名。鵬（ホウ）と共にこの上なく大きなことにたとえる。用例〔荘子、逍遥遊〕北冥有レ魚（ホクメイにうお(を)あり）、其名為レ鯤（そのなをコンとなす）。↓北方の大海に魚がいる、その名を鯤といった。
解字 形声。魚＋昆音。
【鯤△鵬】（コンホウ・コンボウ） 荘子がこの上なく大きなもののたとえとした、想像上の大魚と大鳥。〔荘子、逍遥遊〕

8【鯔】19画 14051 シ 支 zī 8243 E9C9 —
字義 ❶ぼら。なよし。川や海にすみ、卵巣はからすみになる。❷いな。ぼらの子。国鯔背（いなせ）は、粋（いき）で、威勢のよいこと。いさみはだ。おとこぎ。侠気（キョウキ）。 難読 鯔背（いなせ）
解字 形声。魚＋甾音。

8【鯧】19画 14052 ショウ(シャウ) 陽 chāng ₂9352 — 7488
字義 まながつお（まながつを）。鰹（かつお）の一種。鯧鯸（ショウコウ）。
解字 形声。魚＋昌音。

8【鯗】19画 14053 ショウ — — 7483
鱨(14175)と同字。→一六三二ページ下。

8【鯖】19画 14054 標 ━漢セイ 呉ショウ(シャウ) 庚 zhēng ━漢セイ 呉ショウ(シャウ) 青 qīng 2710 8E49 —
［鯖］14057 俗字
字義 ━よせなべ。魚類・肉類などを混ぜて煮た料理。━にしん。青魚。国さば。 難読 鯖江（さばえ）
解字 形声。魚＋青音。食用になる。海魚の一種。

8【鯯】19画 14055 セイ 霽 zhì ₂9355 — 7491
［䱩］14056 同字
字義 このしろ。海魚の一種。＝鰶(14127)。国さっぱ。海魚の一種。拶双魚（さっぱ）。酢漬けを、ままかり(飯借)という。
解字 形声。魚＋制音。

8【䱩】19画 14056 セイ 鯯(14055)と同字。→一六一六ページ下。

8【鯖】19画 14057 セイ 鯖(14054)の俗字。→一六一六ページ下。

8【鯫】19画 14058 ━漢ソウ・呉ゾウ 尤 zōu ━漢シュウ(シウ) 呉シュ 虞 ₂9354 — 7490
字義 ━❶みごい。にごい。白魚。鯉（にごい）の一種。❷ざこ。小ざかな。転じて、つまらぬもの。━❶いやしい。小さい。小人。つまらぬもの。❷自己の謙称。
解字 形声。魚＋取音。
【鯫生】（ソウセイ・シュセイ） ①つまらない人。小人。②自己の謙称。

8【鯵】19画 14059 ソウ 1619 88B1 —
鰺(14129)と同字。→一六一九ページ下。

8【鯮】19画 14060 ソウ 東 宋 zōng ₂9356 — —
字義 いしもち。ニベ科の海水魚。しろぐち。国あゆ。
解字 形声。魚＋宗音。

8【鯘】19画 14061 漢ダイ 呉ナイ 賄 něi ₂9350 — 7484
［鮾］14032 同字
字義 あざる。魚が腐る。
解字 会意。魚＋委音。委は、なえるの意味。

8 【鯛】19画 14062 人 3468 91E2 —

8 〖鯛〗19画 14063 チョウ(テウ) 蕭 diāo

筆順 鯛鯛鯛鯛鯛鯛鯛鯛

〔鮉〕13991 同字

字義 ❶魚の骨の端がやわらかい。❷たい(鯛)。スズキ目タイ類の海魚の総称。近海に住み、まだい・くろだい・はなだいなど種類が多い。

名前 たい

解字 篆文 鯛 形声。魚＋周(周)(音)。

8 【鯟】19画 14064 トウ 東 dōng — — 7486

字義 魚の名。鯉(こい)に似た魚。国 鰊(14101)の俗字。

解字 形声。魚＋東(音)。

8 【鯡】19画 14065 ㊀ヒ 未 fèi ㊁ヒ 微 fēi 8244 E9CA —

字義 ㊀はらご。はららご。魚の卵。㊁魚の一種。鮒(ふな)に似る。国 にしん(鰊)。海魚の一種。→鰊(14101)。

解字 形声。魚＋非(音)。

8 【鯥】19画 14066 (漢)リク (呉)ロク 屋 lù 19444 — 7487

字義 牛身蛇尾で翼があるという怪魚の名。国 むつ。海魚の一種。

解字 形声。魚＋坴(音)。

8 【鯪】19画 14067 リョウ 蒸 líng ₂9353 — 7489

字義 せんざんこう。穿山甲。哺乳類の獣。

解字 形声。魚＋夌(音)。

8 【鯱】19画 14068 国字 8247 E9CD —

字義 ❶しゃち。㋐伊勢の海にすむといわれる想像上の海獣。背にとげがあり、尾はそりまがり、鯨をさえ殺すといわれる。㋑海獣の名。いるかに似る。❷しゃちほこ。しゃち(=❶㋐)の形を模して、屋根の両端につけるかざり。

参考 鯱を「コ」と音読みすることがある。「金鯱(コキン)(名古屋城の、金のしゃちほこ)」

解字 会意。魚＋虎。虎のような頭の魚、しゃちの意を表す。

8 【鯳】19画 14069 国字 ₂9349 — 7492

字義 すけとうだら(介党鱈(すけとうだら))。タラ科の海魚。別名、すけそうだら(助宗鱈)・メンタイ(明太)。

解字 会意。魚＋底。深海にすむので、底を当てる。

8 【鯲】19画 14070 国字 8246 E9CC —

字義 どじょう(泥鰌)。淡水魚の一種。

解字 会意。魚＋於。

8 【鯰】19画 14071 国字 8248 E9CE —

字義 なまず(鮎(なまず))。淡水魚の一種。「ネン」と音読みすることがある。

解字 形声。魚＋念(音)。

8 【⿰魚長】19画 14072 国字 ₂9357 — —

字義 ❶はも。ハモ科の海魚。❷かます。カマス科の海魚。

難読 ⿰魚長網代(きびなごあじろ)

8 【鰙】19画 14073 国字 ₂9364 — 7512

字義 わかさぎ。公魚。淡水、あるいは淡水と海水の混じった湖などで産する。体長約十五センチメートル。食用。

解字 形声。魚＋若(音)。音符の若(わか)は、わかさぎの「わか」の音を表す。

9 【鰄】20画 14074 イ(ヰ) 微 wēi 8258 E9D8 —

字義 魚の名。国 かいらぎ(梅花皮)。㋐東南アジア産の鮫(さめ)の皮。刀剣の鞘(さや)や束(つか)の装飾に用いる。鮫皮(さめがわ)。㋑茶道で、井戸茶碗(チャワン)の特徴の一つ。表面が、鮫皮に似たもの。

難読 鰄淵(かいらげぶち)

解字 形声。魚＋威(音)。

9 【鰋】20画 14075 (漢)エン (呉)オン 阮 yǎn — — 7507

字義 なまず(鮎(なまず))。鯰(なまず)。

解字 形声。魚＋匽(音)。

9 【鰛】20画 14076 オン 8260 E9DA —

鰮(14106)と同字。→一六一八ページ下。

9 【鰕】20画 14077 (漢)カ (呉)ゲ 麻 xiā 8249 E9CF —

字義 ❶えび(海老)。=蝦(10642)。❷さんしょううお。鯢(ゲイ)。❸雌のくじら。鯢(ゲイ)。魚(ギョ)。

解字 形声。魚＋叚(音)。

9 【鰐】20画 14078 標 ガク 薬 è 4744 986B —

字義 わに。爬虫類(ハチュウルイ)の両棲(リョウセイ)動物。鰐魚。

〔鱷〕14178 同字

解字 形声。魚＋咢(音)。

9 【鰔】20画 14079 ㊀(漢)カン・(呉)コン 感 gǎn ㊁(漢)カン・(呉)ゲン 咸 jiān 8250 E9D0 —

字義 ㊀ぎぎ。淡水魚の一種。黄頰魚(コウキョウギョ)。㊁魚の名。かれいの一種。

難読 鰔川(うぐいがわ)

解字 形声。魚＋咸(音)。

9 【鰀】20画 14080 (漢)カン(クヮン) (呉)ガン(グヮン) 旱 huàn 19447 EEE7 7505

字義 あめのうお。サケ科の淡水魚。

難読 鰀目(えのめ・よのめ)

解字 形声。魚＋爰(音)。

9 【鰅】20画 14081 ㊀グ 虞 yú ㊁(漢)ギョウ・(呉)グウ 冬 8251 E9D1 —

字義 ㊀❶ぎぎ。全長二十五センチメートルに達する淡水魚。背びれと胸びれの刺(とげ)に毒がある。胸びれでギイギイと音を出すのでこの名がある。❷いさごむし。トビゲラ類の幼虫の俗称。魚釣りの餌(え)に用いる。

解字 形声。魚＋禺(音)。

【鰅△鱅】(ギョウヨウ) ①いさごむしの類い。②魚の名。ぎぎ。

9 【鰉】20画 14082 (漢)コウ(クヮウ) (呉)オウ(ワウ) 陽 huáng 8251 E9D1 —

字義 大魚の一種。こい(鯉)ともいい、ちょうざめの一種ともいう。国 ひがい(ひがい)。琵琶(ビワ)湖産のはぜに似た淡水魚。明治天皇が好んだので皇魚の意から、この字を用いた。

解字 形声。魚＋皇(音)。

9 【鯸】20画 14083 (漢)コウ (呉)グ 尤 hóu 19445 — 7494

字義 ❶ふぐ。河豚(カトン)。❷鯧鯸(ショウコウ)は、まながつお。

解字 形声。魚＋侯(音)。

9 【鰓】20画 14084 標 ㊀サイ 灰 sāi ㊁シ 紙 xǐ 8252 E9D2 —

字義 ㊀えら。あぎと。魚類などの水生動物の呼吸器。㊁鰓鰓(シシ)は、おそれるさま。

解字 形声。魚＋思(音)。

9 【鰦】20画 14085 シ 支 zī — — 7518

字義 魚の名。はえ。はや。

解字 形声。魚＋茲(音)。

9 【鰌】20画 14086 (漢)シュウ(シウ) (呉)シュ 尤 qiū 8253 E9D3 —

字義 ❶どじょう(どじょう・どぜう)。淡水魚の一種。うなぎに似て、泥にもぐるが、形は小さい。食用になる。❷海鰌は、くじらの一種。せみくじら。また、兵船の名。形がくじらに似ているのでいう。❸ふむ。しのぐ。＝遒(12157)。
解字 篆文 形声。魚＋酋㊥。音符の酋は、どじょうの鳴き声の擬声語。

9 【鰍】 20画 14087 漢シュウ(シウ) 呉シュ 尤 qiū 1966 8A82 —
字義 どじょう。＝鰌(14086)。国❶いなだ。ぶりの小さいもの。❷かじか。谷川にすむ小魚。杜父魚。難読 鰍沢
解字 形声。魚＋秋㊥。音符の秋は、チュウとなくどじょうの声の擬声語。

9 【鰆】 20画 14088 シュン 真 chūn 8254 E9D4 —
字義 海魚の一種。国さわら。鯖に似た海魚。馬鮫魚。
解字 形声。魚＋春㊥。

9 【鰌】 20画 14089 ショ 魚 zhū 2 9358 — 7502
字義 ❶おおふぐ。❷がま。
解字 形声。魚＋者㊥。

9 【鯹】 20画 14090 セイ — — 7501
鮏(13988)と同字。→一六三三ページ下。

9 【鯽】 20画 14091 一漢セキ・呉シャク 陌 jì 二漢ソク・呉ゾク 職 zéi 1 9446 — 7503
字義 一ふな(鮒)。淡水魚の一種。二❶いか。＝鰂(14092)。「烏鯽」❷海鯽は、海たなご。
解字 形声。魚＋即㊥。

9 【鰂】 20画 14092 漢ソク 呉ゾク 職 zéi(zé) — — 7506
字義 烏鰂は、軟体動物の名。いか。
解字 形声。魚＋則㊥。

9 【鰖】 20画 14093 一漢タ・呉ダ 哿 tuǒ 二漢イ(ヰ)・呉ユイ 紙 wěi 2 9362 — 7510
字義 一二❶卵からかえったばかりの魚の子。❷蟹の子。国たかべ。タカベ科の海魚。
解字 形声。本字は魚＋隋㊥。鰖は、その俗体。

9 【鰈】 20画 14094 漢チョウ(テフ) 呉ジョウ(デフ) 葉 diē 8255 E9D5 —
字義 かれい。ひらめに似た海魚。美味。比目魚。板魚。
参考 一般に、鰈は目が右側に、鮃は左側にあって、俗に「左ひらめの右かれい」というが、古くは両者の区別は明確でなく、中国ではこの類いを比目魚と総称する。
解字 篆文 形声。魚＋枼㊥。音符の枼は、薄くひらたいの意味。ひらたい魚、かれいの意味を表す。
【鰈域】チョウイキ 朝鮮の別名。朝鮮の東海で鰈(かれい)がとれるのでいう。〔漢書、郊祀志上〕

9 【鯷】 20画 14095 漢テイ 呉ダイ 斉 tí 2 9360 — 7493
字義 なまず。おおなまず。その皮で冠を作る。国ひしこ。いわし(鰯)に似て小さい魚。ひしこいわし。
解字 形声。魚＋是㊥。

9 【鯡】 20画 14096 ヒ 微 fēi 2 9361 — —
字義 ❶魚の名。❷とびうお。難読 鯡越崎
解字 形声。魚＋飛㊥。

9 【鰏】 20画 14097 漢ヒョク 呉ヒキ 職 bī — — 7508
字義 魚の名。
解字 形声。魚＋畐㊥。

9 【鰒】 20画 14098 漢フク 呉ブク 屋 fù 8256 E9D6 —
字義 ❶あわび。貝の一種。❷とこぶし。あわびに似た、小貝。ながれこ。国ふぐ(河豚)。字音を借り用いたもの。
解字 形声。魚＋复(复)㊥。
【鰒魚】フクギョ あわび。俗に鮑魚とも書く。

9 【鯿】 20画 14099 ヘン 先 biān — — 7504
字義 魚の名。おしきうお。
解字 形声。魚＋扁㊥。

9 【鰑】 20画 14100 ヨウ(ヤウ) 陽 yáng — — 7509
字義 魚の名。うなぎ。国するめ。
解字 形声。魚＋昜㊥。

9 【鰊】 20画 14101 標 レン 霰 liàn 8257 E9D7 —
字義 小魚の一種。国にしん。イワシ科の海魚。いわしを大きくしたような形で、そのはららご(卵)はかずのことして食用にされる。かど。青魚。鯡。
参考 中国では〔鯖〕(14054)がにしんを表す。
解字 形声。魚＋柬㊥。

9 【鯳】 20画 14102 国字 2 9359 — —
字義 あら。スズキ科の海水魚。

9 【鰚】 20画 14103 国字 2 9365 — 7513
字義 はらか。鯇の別名。海魚の一種。一説に、鱒の別名。腹赤。
解字 会意。魚＋宣。

9 【鰘】 20画 14104 国字 2 9363 — 7511
字義 むろあじ。全長約三〇センチメートルの海魚。まあじより丸みを帯び細長い。食用とし、干物として賞味される。あかぜ。難読 鰘碆・むろばえ
解字 形声。魚＋室㊥。音符の室は、むろあじのむろの読みを表す。日本的形声文字。

10 【鰞】 21画 14105 漢オ(ヲ) 呉ウ 虞 wū — — 7515
字義 鰞鰂は、軟体動物の名。いか。
解字 形声。魚＋烏㊥。

10 【鰛】 21画 14106 漢オン 呉オン(ヲン) 元 wēn 8259 E9D9 —
字義 いわし(鰯)。海魚の一種。
解字 形声。魚＋𥁕㊥。

〔鰮〕 14076 同字

10 【鰥】 21画 14107 漢カン(クワン) 呉ケン 刪 guān 8261 E9DB —
字義 ❶大魚の一種。❷やもお。おとこやもめ。成人して妻のない男性。また、年老いて妻のない男性。「鰥夫」❸やむ(病)。なやむ。❹鰥鰥は、目がさえて眠られぬさま。難読 鰥夫・やもめ
解字 金文 篆文 形声。魚＋眔㊥。音符の眔は、目から涙が落ちる形にかたどる。魚の目のように目のうるんでいる、やもおの意味を表す。
【鰥寡】カンカ 年老いて妻のない男性と、夫のない女性。
【鰥寡孤独(獨)】カンカコドク 年老いて妻のない男性と、年老いて夫のない女性と、親のない子と、独り者。よるべない人々をいう。用例〔孟子、梁恵王下〕老而無レ妻曰レ鰥、老而無レ夫曰レ寡、老而無レ子曰レ独、幼而無レ父曰レ孤(老いて妻無きを鰥と曰い、老いて夫無きを寡と曰い、老いて子無きを独と曰い、幼にして父無きを孤と曰う)。↓老いて妻がない人を鰥といい、老いて夫がない人を寡といい、幼くして父がない子を孤といい、老いて子のない人を独という。
【鰥居】カンキョ 年をとって妻がなく、ひとりぐらしをすること。また、その人。鰥処。
【鰥△惸】カンケイ ひとりもの。▼惸は、兄弟がないこと。
【鰥処(處)】カンショ ＝鰥居。
【鰥夫】カンプ 成人して、また、年老いて妻のない男性。

【鰥△鰲（カンリ）】＝鰥寡。

10【鰭】21画 14108 漢キ 呉ギ 支 qí　4141 9568 —
字義 ひれ。魚のひれ。はた。「背鰭（せびれ）」 国 小鰭（こはだ）は、鰶（このしろ）の中くらいの大きさのもの。
解字 形声。魚＋耆音。

10【鰜】21画 14109 ケン 塩 艶 jiān　— — 7514
字義 ❶魚の名。にしん。おおにしん。❷魚の名。かれい。ひらめ。
解字 形声。魚＋兼音。

10【鰝】21画 14110 一 漢コウ（カウ） 呉ゴウ（ガウ） 皓 hào 二 カク 薬　₂9366 — —
字義 一 おおえび。大きい鰕（えび）。
解字 形声。魚＋高音。

10【鰪】21画 14111 一 コウ（カフ） 合 gě 二 オウ（アフ） 合 è　₂9370 — 7522
字義 一 二 まながつお。マナガツオ科の海魚。
解字 形声。魚＋盍音。

10【鰤】21画 14112 シ 支 shī　8262 E9DC —
字義 毒魚の名。食べると死ぬという。＝鰤(13972)。 国 ❶ぶり。全長一メートルほどの海魚。成長するにつれて呼び名の変わる出世魚で、東京地方では、若い順にわかし・いなだ・わらさ・ぶりと、大阪地方では、つばす・はまち・めじろ・ぶりと呼ぶ。❷かます。海魚の一種。＝鰤(13972)。
解字 形声。魚＋師音。

10【鰣】21画 14113 漢シ 呉ジ 支 shí　₁9448 — 7517
字義 ひら。ひらこ。ひらこのしろ。ニシン科の海魚。 国 はす。はそ。コイ科の淡水魚。
解字 形声。魚＋時音。

10【鰨】21画 14114 一 漢チョウ（テフ） 呉ジョウ（デフ） 葉 diē 二 トウ（タフ） 合 tǎ, tà　— — 7520
字義 一 魚の名。かれい。二 両生類の名。山椒魚（さんしょううお）。
解字 形声。魚＋𦐇音。

10【鰧】21画 14115 漢トウ 呉ドウ 蒸 téng　₂9368 — 7519
字義 おこぜ。海魚の一種。頭が大きく、形はみにくいが美味。虎魚（とらうお）。

10【鰢】21画 14116 漢バ 呉メ 馬 mǎ　₂9367 — 7516
字義 うみえび。海のえび。 国 つくら。ぼらの幼魚。また、とど。ぼらの成魚。
解字 形声。魚＋馬音。

10【鰩】21画 14117 ヨウ（エウ） 蕭 yáo　₂9369 — 7521
字義 ❶文鰩（ぶんよう）は、とびうお。海魚の一種。左右の鰭（ひれ）が鳥の翼のように発達し、水面を離れて飛ぶことがある。飛魚。❷えい（ひえ）。海魚の一種。からだは平たく四角で、尾は細長い。あかえい。
解字 形声。魚＋䍃音。

10【鰯】21画 14118 国字 人 標　1683 88F1 —
筆順 ⺈ 𠂊 ⺈ 角 魚 魚 鰯 鰯 鰯
【鰯】14119 俗字
字義 いわし。ニシン科の海魚。稚魚は体が透明で、しらすと呼ぶ。重要な食用魚で、肥料にも用いる。＝鰮(14106)。
解字 形声。魚＋弱音。音符の弱（じゃく）は、いわしの読みを表す。

10【鰯】21画 14119 国字 いわし　鰯(14118)の俗字。→一六一九ページ中。

10【鰰】21画 14120 国字　8264 E9DE —
字義 はたはた。海魚の一種。うろこがなく、背は黄白色。食用。
解字 会意。魚＋神。神は、はたはたとどろく雷（神鳴り）の意味。雷のある季節に漁獲する魚、はたはたの意味を表す。

10【鰡】21画 14121 国字　8263 E9DD —
字義 ぼら（鯔（し））。→鯔(14051)。
解字 会意。魚＋留。

11【鰲】22画 14122 ゴウ　鼇(14505)の俗字。→一六五〇ページ上。　8266 E9E0 —

11【鰽】22画 14123 漢シュウ（シウ） 呉ジュ 尤 qiū　— — 7527
字義 ❶魚の名。ひら。❷魚の名。えつ。
解字 会意。魚＋曹。

11【鱃】22画 14124 漢シュウ（シウ） 呉シュ 尤 qiū　— — 7529
字義 ❶魚の名。鯉（こい）に似て、頭が大きい魚。❷魚の名。どじょう。
解字 形声。魚＋羞音。

11【鱆】22画 14125 ショウ（シャウ） zhāng　8267 E9E1 —
字義 たこ。章魚。
解字 形声。魚＋章音。

11【鰷】22画 14126 漢チョウ（テウ） 呉ジョウ（デウ） 蕭 tiáo　₂9374 — 7526
字義 はえ。はや。淡水魚の一種。白鰷。鯈（じょう）。
解字 形声。魚＋條音。

11【鰶】22画 14127 漢セイ 呉サイ 霽 jì　₂9373 — 7525
字義 このしろ。海魚の一種。小さいものを江鰶魚（こはだ）という。＝鰤(14055)。
参考 「このしろ」を表す漢字として、日本では〔鮗〕(14004)を用いる。
解字 形声。魚＋祭音。

11【鱄】22画 14128 一 セン 先 銑 zhuān 二 漢タン・呉ダン 寒 tuān　— — 7530
字義 一 魚の名。洞庭湖に住む魚。二 魚の名。鮒（ふな）に似て豚のように鳴くという伝説上の魚。
解字 形声。魚＋専音。

11【鰺】22画 14129 標 ソウ（サウ） sāo　8245 E9CB —
【鯵】14059 同字
字義 なまぐさい。 国 あじ（ぢあ）。海魚の一種。食用になる。まあじ・むろあじ・青あじなど種類が多い。竹筴（ちくきょう）。
解字 形声。もと鱢で、魚＋喿音。喿が変形して、參となった字。

11【鱁】22画 14130 漢チク 呉ジク（ヂク） 屋 zhú　₁9449 — 7528
字義 ❶さめ（鮫）の一種。❷鱁鮧（ちくい）は、魚の名。また、しおから。
難読 鱁鮧（うるか）
解字 形声。魚＋逐音。

11【鰻】22画 14131 標 漢バン 呉マン 寒 願 mán　1723 8956 —
字義 うなぎ。ウナギ科の魚。体は円筒状で細長い。淡水魚であるが、深海で卵を産むとされる。美味で栄養価が高い。古称、むなぎ。

解字 篆文 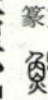 形声。魚＋曼音。音符の曼ﾏﾝは、長くのびるの意味。長い魚、うなぎの意味を表す。

11【鰾】22画 14132 漢ヒョウ(ヘウ) 呉ビョウ(ベウ) 篠 biào 8268 E9E2 —
字義 ❶うきぶくろ。うおのふえ。魚の腹中にあるうき袋で、これを伸縮して浮沈する。❷鰾膠ﾋｮｳｺｳは、にべにかわ。鮸ﾍﾞﾆのうき袋で作ったにかわ。粘着力が強い。難読 鰾膠ﾆﾍﾞ
解字 形声。魚＋票音。音符の票は、うきあがるの意味。魚のうき袋の意味を表す。

11【鰵】22画 14133 漢ビン 呉ミン 軫 mǐn — — 7524
字義 ❶魚の名。❷魚の名。いしもち。
解字 形声。魚＋敏音。

11【鱅】22画 14134 一 漢ヨウ 呉ユウ 冬 yōng(yǒng) 二 漢ショウ・呉ジュウ 冬 2 9375 — 7531
字義 一❶このしろ。❷怪魚の名。国ちちかぶり。いさざの別名。琵琶ﾋﾞﾜ湖特産の淡水魚。
解字 形声。魚＋庸音。

11【鰱】22画 14135 レン 先 lián 2 9372 — 7523
字義 たなご(鱮ｼﾖ)。淡水魚の一種。ふなに似た小魚。にがぶな。
解字 形声。魚＋連音。

11【鱇】22画 14136 国字 8265 E9DF —
字義 コウ。鮟鱇ｱﾝｺｳは、海魚の一種。→鮟(14006)。
参考 国字であるが、中国でも用い、kāngと発音される。
解字 形声。魚＋康音。

11【鱈】22画 14137 国字
【鱈】14138 俗字
字義 たら。海魚の一種。北の海でとれ、食用になる。大口魚。
参考 国字であるが、中国でも用い、xuěと発音される。
解字 会意。魚＋雪。雪の季節にとれる、「たら」の意味。

11【鱈】22画 14138 国字 たら 鱈(14137)の俗字。→一六二〇ﾍﾟｰ上。 3513 924C —

11【鰥】22画 14139 国字 2 9371 — —
字義 寡鰥ｶﾝは、愛知県の地名。

12【鱊】23画 14140 漢イツ(ヰツ) 呉イチ(ヰチ) 質 yù 2 9379 — 7533
字義 小魚の名。国いさざ。しろうお(素魚)の別名。
解字 形声。魚＋矞音。

12【鱎】23画 14141 キョウ(ケウ) 篠 jiǎo — — 7534
字義 魚の名。みごい。
解字 形声。魚＋喬音。

12【鱖】23画 14142 漢ケイ 呉ケ 霽 guì — — 7539
【鱥】14159 同字
字義 淡水魚の一種。口が大きく、うろこが小さく、黒い斑点ﾊﾝﾃﾝがある川魚。あさじ。水豚。「鱖魚」「鱖豚」。国さけ(鮭)。
解字 形声。魚＋厥音。

12【鰹】23画 14143 標 ケン 先 jiān 1979 8A8F —
字義 うなぎの一種。おおうなぎ。国かつお(かつを)。海魚の一種。食用になる。また、鰹節ﾌﾞｼを作る。松魚ｼｮｳｷﾞｮ。
解字 形声。魚＋堅音。

12【䲋】23画 14144 一 シン 侵 cēn 二 漢シン・呉ジン 侵
【䲋】14145 俗字
字義 一二❶魚の名。❷つけうお。
解字 形声。魚＋朁音。

12【䲋】23画 14145 シン 䲋(14144)の俗字。→一六二〇ﾍﾟｰ中。 2 9380 — —

12【鱏】23画 14146 漢シン 呉ジン 侵 xún 1 9450 — 7535
字義 ❶かじき。海魚の一種。長大で、上あごが剣状につきでている。かじきまぐろ。❷えい(えひ)。痺鱏ｼﾋﾞﾚｴｲ(ｴﾋ)。海魚の一種。背面は茶色、腹面は白色。発電器官を有し、発電する。
解字 形声。魚＋覃音。

12【鱘】23画 14147 漢シン 呉ジン 侵 xún 2 9382 — 7540
字義 ちょうざめ。チョウザメ科の魚。蝶鮫。
解字 形声。魚＋尋音。

12【鱓】23画 14148 一 漢セン・呉ゼン 銑 shàn 二 漢タ・呉ダ 歌 tuó 1 9452 — 7537
【鱔】14149 俗字
字義 一たうなぎ。淡水魚の名。形はうなぎに似、黄褐色。食用にする。黄鱓ｺｳｾﾞﾝ。二わにの一種。＝鼉(14506)。国❶ごまめ。たづくり。ことのばら。すぼしにした、ひしこいわし。❷うつぼ。海魚の名。
解字 形声。魚＋單音。

12【鱔】23画 14149 ゼン 鱓(14148)の俗字。→一六二〇ﾍﾟｰ中。 2 9381 — 7538

12【鱒】23画 14150 人 標 漢ソン 呉ゾン 阮 zūn(zǔn) 4380 9690 —
筆順 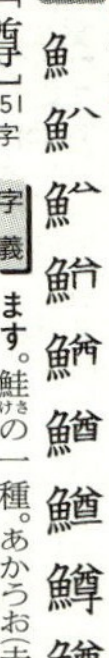
【鱒】14151 俗字
字義 ます。鮭ｹｲの一種。あかうお(赤目魚)。夏、川をさかのぼって産卵する。鮭ｹｲよりやや小さく、肉は赤い。
解字 形声。魚＋尊音。

12【鱒】23画 14151 ソン 鱒(14150)の俗字。→一六二〇ﾍﾟｰ下。

12【鱝】23画 14152 フン 鱝(14164)の俗字。→一六二一ﾍﾟｰ上。 2 9384 — 7542

12【鱉】23画 14153 ベツ 鼈(14507)と同字。→一六五〇ﾍﾟｰ上。 2 9378 — 7532

12【鱗】23画 (14166) リン 鱗(14165)の旧字体。→一六二一ﾍﾟｰ上。

12【鱛】23画 14154 国字 2 9383 — 7541
字義 えそ。海魚の一種。かますに似て平たく、かまぼこの材料になる。
解字 形声。魚＋曾音。音符の曾は、「えそ」の「そ」の音を表す。日本的形声文字。

12【鱚】23画 14155 国字 8269 E9E3 —
字義 きす。海魚の一種。南日本沿岸の砂底に産する。
解字 形声。魚＋喜音。音符の喜は、「きす」のきの音を表す。日本的形声文字。

12【𩺊】23画 14156 国字 2 9377 — —
字義 まぐろ。

13【鱠】24画 14157 カイ 膾(5148)と同字。→七〇九ﾍﾟｰ中。 8270 E9E4 —

13【鱞】24画 14158 カン(クヮン) 删 guān — — 7543
字義 ❶魚の名。❷やもお。男やもめ。妻のいない男。＝鰥(14107)。国やまめ。
解字 形声。魚＋睘音。

13【鱥】24画 14159 ケイ 鱖(14142)と同字。→一六二〇ﾍﾟｰ中。 1 9454 — —

13【鱟】24画 14160 漢コウ 呉グ 宥 hòu 2 9385 — 7544
字義 ❶かぶとがに。❷虹ｼﾞﾆの俗称。

解字 形声。魚＋𦥯音。

13【鱐】24画 14161 漢シュク 呉スク 屋 sù
字義 ❶干し魚。❷魚の名。国しゃちほこ。＝鯱(14068)。
解字 形声。魚＋肅音。
|9451 — 7536

13【鱮】24画 14162 漢ショ 呉ジョ 語 xù
［魣］13973 同字
字義 たなご。淡水魚の一種。ふなに似た小魚。にがぶな。鰱レン。
解字 形声。魚＋與音。
2 9390 — 7551

13【鱣】24画 14163 一テン 先 zhān 二漢セン・呉ゼン 銑 shàn
字義 一❶鯉ここの一種。❷ちょうざめの一種。二たうなぎ。＝鱓(14148)。
解字 形声。魚＋亶音。
|9453 — 7545

【鱣△鮪】テンイ かじきと、しび。まぐろの類い。▼鮪しびは、まぐろの成魚。
【鱣序】センジョ ＝鱣堂。▼序は、学校。
【鱣堂】センドウ 講堂。教室。学校。こうのとりが三匹の鱣へびうみをくわえて講堂に集まったという故事による。鱣序。〔後漢書、楊震伝〕

13【鱝】24画 14164 漢フン 呉ブン 吻 fèn
［鱝］14152 俗字
字義 魚の名。㋐毒魚の一種。㋑えい。ひえ。
解字 形声。魚＋賁音。

13【鱗】24画 14165 人 標 リン 真 lín
12［鱗］23画 14166
4658 97D8 —

筆順 魚 魚丷 魚半 魚米 魚粦 … 鱗

字義 ❶うろこ。うろくず。魚のうろこ。「細鱗」❷さかな。魚類の総称。また、うろこのある動物の総称。❸こけ(苔イタ)。❹つづく(続)。ならぶ(並)。かさなる(重)。❺→鱗鱗。

名前 りん

解字 篆文  形声。魚＋粦音。音符の粦リンは、おに火の意味。おに火のようにほの光る、うろこの意味を表す。

【鱗羽】リンウ 魚類と鳥類。
【鱗雲】リンウン・うろこぐも うろこ状の雲。
【鱗介】リンカイ 魚類と貝類。
【鱗甲】リンコウ ①うろこと、こうら。②魚類と貝類。魚介。③うろこ状の堅いこうら。④心の中にかどがあること。心のとげ。⑤国鎧よろいの小札こざね。鉄、または皮の小さい板で、それをうろこのように重ね、糸でとおして鎧を作る。
【鱗△鴻】リンコウ 手紙。雁魚。▼鱗は魚で鯉素リソ、鴻は雁ガンで雁帛ガンパク、共に手紙の意。
【鱗次】リンジ うろこのように連なり並ぶこと。鱗比。
【鱗集】リンシュウ うろこのように多く連なり集まること。群れ集まるたとえ。鱗萃リンスイ。
【鱗△萃・鱗△崒】リンスイ ＝鱗集。▼萃・崒は、あつまるの意味。
【鱗接】リンセツ うろこのように連なり並ぶこと。鱗比。
【鱗虫(蟲)】リンチュウ うろこのある動物。主に魚類をいう。鱗物。
【鱗比】リンピ うろこのように連なり並ぶこと。鱗次。鱗接。
【鱗布】リンプ うろこのようにびっしり敷き並ぶ。
【鱗文】リンブン 魚や竜のうろこのような模様。
【鱗毛】リンモウ ①魚類と獣類。②鳥・獣・虫・魚のこと。
【鱗翼】リンヨク ①竜のうろこと、鳳凰ホウオウのつばさ。②人の助力、特に身分が高い人や勢力家の助力をいう。「攀ニ鱗翼一リンヨクによず(じ)」「奮ニ鱗翼一リンヨクをふるう(ふ)」
【鱗羅】リンラ ＝鱗比。▼羅は、連なる。
【鱗△淪】リンリン うろこのようなさざ波。
【鱗鱗】リンリン ①つき従う様子。隣隣。②うろこのような水の波紋の形容。③うろこのように、あでやかで美しいさま。

13【鱧】24画 14167 漢レイ 呉ライ 薺 lǐ
字義 ❶おおなまず。なまずの一種。❷やつめうなぎ。烏魚ウギョ。七星魚。国はも。海魚の一種。うなぎに似て、背びれが尾に連なる。
解字 形声。魚＋豊音。
8271 E9E5 —

13【鱜】24画 14168 国字
字義 キョウ キャウ。→鱫(14171)。
解字 形声。魚＋郷音。
2 9376 — 7548

13【鱰】24画 14169 国字
［鱪］14174 同字
字義 しいら。海魚の名。外洋魚で、体長一メートルにも達する。夏、美味。
解字 会意。魚＋暑。暑い夏に美味となる、しいらの意味を表す。
2 9387 — 7547

13【鱩】24画 14170 国字
字義 はたはた。かみなりうお。海魚の一種。北日本の深海におり、雷鳴の多い季節に産卵のため沿岸に群がり寄る。＝鰰(14120)。
参考 「はた」は「はためく(鳴り響く、とどろく)」の「はた」で、雷鳴のするとき多くとれることからいう。
解字 会意。魚＋雷。
2 9386 — 7546

13【鱫】24画 14171 国字
字義 アイ。❶むつ。海魚の一種。❷鱫鱜アイキョウは、㋐鮎あゆの年を経たもの。㋑子持ち鮎の塩漬け。
解字 形声。魚＋愛音。
2 9388 — 7549

14【鱨】25画 14172 漢ショウ(シャウ) 呉ジョウ(ジャウ) 陽 cháng
字義 ぎぎ。なまずに似た、谷川に住む魚。黄頰魚コウキョウギョ。
解字 形声。魚＋嘗音。
— — 7550

14【鱭】25画 14173 漢セイ 呉ザイ 霽 jì
［鮆］14018 同字
字義 えつ。海魚の一種。銀白色で、尾部が細長い。日本では、有明海に産する。斉魚。
解字 形声。魚＋齊音。
2 9389 — —

14【鱪】25画 14174 国字 しいら 鱰(14169)と同字。→一六二一ページ中。
解字 形声。魚＋署音。
2 9391 — 7552

15【鱶】26画 14175 漢ショウ(シャウ) 呉ソウ(サウ) 養 xiǎng
［鯗］14053 同字 ［鮝］14017 俗字
字義 ひもの。干した魚。国ふか。さめ(鮫コウ)の別名。
解字 形声。魚＋養音。
8272 E9E6 —

15【鱵】26画 14176 シン 侵 zhēn
字義 さより。海魚の一種。細長く丸いからだで、下顎したあごは突出してくちばしのように見える。針魚。
解字 形声。魚＋箴音。
2 9393 — 7554

15【鱲】26画 14177 リョウ(レフ) 葉 liè
字義 魚の名。国からすみ。ぼら・さわらなどのはららご(腹の子)を乾燥させた食品。難読 鱲子からすみ
解字 形声。魚＋巤音。
2 9392 — 7553

16【鱷】27画 14178 ガク 鰐(14078)と同字。→一六一七ページ中。
|9455 — 7555

16【鱸】27画 14179 漢ロ 呉ル 虞 lú
8273 E9E7 —

【魳】13983 俗字 字義 魚の一種。はぜに似て、はぜよりやや大きい淡水魚。口が大きく、鱗は細かい。松江(江蘇省呉淞江)のものには鰓が四つあり、特に美味とされる。国すずき。せいご・ふっこの成魚。

解字 形声。魚+盧音。

19【鱺】30画 14180 一 漢レイ・呉ライ 斉 薺 lí 2 9394 — — 【鱺魚・鱠】鱸のなます。鱸膾。

字義 一 おおなまず。大鯰。国するめ。

解字 形声。魚+麗音。

22【鱻】33画 14181 一 セン 先 xiān 二 セン 銑 xiǎn — — 7556

字義 一 新しい。また、生魚。=鮮(14019)。二 少ない。

解字 会意。魚+魚+魚。

鳥 とり・とりへん 11画

〔部首解説〕 鳥を意符として、いろいろな鳥類の名称などを表す文字ができている。

0【鳥】11画 14182 チョウ(テウ) 教2 県名 鳥取県 篠 niǎo チョウ とり 3627 92B9 —

筆順 丿 ľ 广 户 户 自 鳥 鳥 鳥 鳥

字義 ❶とり。両翼二足を持つ動物の総称。❷星の名。朱鳥。朱雀。❸昔の官名。

名前 ちょう・とり 難読 鳥屋・鳥見・鳥栖・鳥渡・鳥遊・鳥遊里・鳥楽

解字 甲骨文  金文  篆文  象形。とりの象形で、とりの意味を表す。

逆 乙鳥・寒鳥・玄鳥・候鳥・孝鳥・夕鳥・度鳥・飛鳥

【鳥夷】チョウイ よく鳥を捕らえる北方の異民族。

【鳥歌】チョウカ ①鳥が鳴く。また、鳥の声。②楽曲の名。唐の則天武后の作った楽曲。

【鳥喙】チョウカイ ①鳥のくちばし。②星宿の名。柳宿。

【鳥革翬飛】チョウカクキヒ 鳥がつばさを張り、きじがとぶ。宮室の美しくりっぱな形容。▼革は翼、翬は雉。〔詩経、小雅、斯干〕

【鳥瞰図(圖)】チョウカンズ 上空から見おろしたように描いた地図、または風景で、立体感のあるもの。俯瞰図。

【鳥語】チョウゴ ①鳥の鳴き声。鳥声。②異民族の言語。鳥のさえずりのように意味がわからないという意。鴃舌。

【鳥竄】チョウザン 鳥が飛び散るように、ばらばらになって逃げかくれる。

【鳥之将(將)死其鳴也哀】とりのまさにシせんとするやそのなくやかなし 死にかかっている鳥の鳴き声は悲しみに満ちている。死に臨んだ人のことばは真情から発して善言が多いことをいうための前提の語。用例〔論語、泰伯〕鳥之将死其鳴也哀、人之将死其言也善。↓鳥が死にかかっているときには、その鳴き声は悲しいほどに美しく、人の死ぬ直前の言葉は真実である。

【鳥子紙】とりのこがみ 国雁皮と楮との液に三椏をまぜてすいた、上質の和紙。色が鳥の子色(卵の殻の色)であるからいう。

【鳥觜・鳥嘴】チョウシ ①鳥のくちばし。②茶の別称。

【鳥雀】チョウジャク 鳥と、すずめ。また、すずめなどの小鳥。用例〔唐、韋応物、幽居詩〕青山忽已曙、鳥雀繞舎鳴。↓青々とした山があっという間に明るくなり、小鳥が家の周りで鳴いている。

【鳥獣(獸)】チョウジュウ 鳥や獣。とりとけだもの。禽獣。用例〔論語、微子〕鳥獣不可与同群也。↓鳥や獣とは、一緒の群れで暮らすわけにはいかない。

【鳥宿池辺(邊)樹、僧敲月下門】とりはやどるチヘンのき、ソウはたたくゲッカのモン 鳥は池のほとりの木に宿り、僧は月の下で門のとびらをひっそりとたたいている。推敲の故事となった詩句。〔唐、賈島、題李凝幽居詩〕→推敲(五九九ジ上)。

【鳥性】チョウセイ 野の鳥の本性。鳥の心。

【鳥跡・鳥迹】チョウセキ ①鳥の足跡。②文字。蒼頡が鳥の足跡を見て文字を思いついたという故事による。

【鳥葬】チョウソウ 死者を野原にすてて、鳥のついばむにまかせる、とむらいのしかた。

【鳥篆】チョウテン ①篆文のこと。鳥の足跡に似ているからいう。②鳥の足跡。篆文に似ているからいう。

【鳥道】チョウドウ 鳥だけ通う道の意で、けわしい山道。鳥路。

【鳥媒】チョウバイ ①おとり。他の鳥を捕らえるため、誘いにつないでおく鳥。②鳥が花粉などを媒介すること。「鳥媒花」

【鳥目】一チョウモク 国昔の銭。中央に穴があり、その形が鳥の目に似ているところからの名称。二とりめ 国ビタミンAの欠乏のため、鳥のように夜になると物がよく見えなくなる眼病。夜盲症。

【鳥羅】チョウラ 鳥を捕らえる網。かすみ網。▼羅は、あみ。
【鳥路】チョウロ ①鳥の飛ぶ道。②一直線の道すじ。③険しい坂道。鳥道。
【鳥弄・鳥△哢】チョウロウ 鳥がさえずる。また、鳥のさえずり。

0 【烏】 10画 (7052) オ 灬部。→九〇六ジ下。

1 【鳦】 12画 14183 漢イツ 呉イチ 質 yǐ 2 9401 — —
字義 つばめ(燕)。つばくろ。玄鳥。乙鳥。
【乾】 14184 俗字
解字 形声。鳥＋乙音。音符の乙は、つばめのジグザグに飛ぶ形にかたどる。鳥を付し、つばめの意味を表す。

1 【鳦】 12画 14184 イツ 鳦(14183)の俗字。→一六二三ジ上。 — — 7557

2 【鳫】 13画 14185 ガン 雁(13176)と同字。→一五二四ジ上。 8279 E9ED —

2 【鳩】 13画 14186 人 漢キュウ(キウ) 呉ク 尤 jiū 4023 94B5 —
筆順 丿 九 九 九 九 九 鳩 鳩 鳩
字義 ❶はと。ハト科の鳥の総称。❷あつ-める。あつ-まる。＝糾(9066)。「鳩合」❸やすんずる(安)。
名前 はと・やす 難読 鳩酸草(かたばみ)・鳩尾(みぞおち)
解字 篆文 形声。鳥＋九音。音符の九は、はとの鳴き声の擬声語。
【鳩居】キュウキョ かりずまい。また、女性が夫の家に入って一家をなすたとえ。はとは自分で巣を作らず、かささぎの巣に居るからいう。〔詩経、召南、鵲巣〕
【鳩合】キュウゴウ あつめる。また、あつまる。糾合。鳩集。鳩聚。
【鳩首】キュウシュ 国首を集める。ひたいを集めて相談する。
【鳩集・鳩△聚】キュウシュウ 寄せ集める。
【鳩△杖】キュウジョウ はとのかざりのある老人のつえ。はとづえ。はとは飲食するときにむせないということから、老人がむせないで長生きするのを祝ってかざったもの。
【鳩巣(巢)】キュウソウ はとの巣。転じて、粗末なすみか。はとは巣を作ることがへたであるところからいう。
【鳩△槃△荼】クハンダ 仏悪神の名。人の血を吸うといわれ、頭は馬、からだは人。転じて、みにくい女性のたとえ。
【鳩尾】キュウビ 一キュウビ・みず(ず)おち 胸と腹との間のくぼんだところ。みぞおち。一キュウビ 国鎧の付属品の一つ。左の肩紐の上をおおう鳩尾形の鉄板。
【鳩摩羅△什】クマラジュウ 西域亀茲国の僧。五胡後秦の時代、長安で、三十五部二百九十四巻の仏典を訳した。(三四四—四一三)

2 【鳧】 13画 14187 漢フ 呉ブ 虞 fú 8274 E9E8 —
【凫】 849 俗字
字義 ❶かも。ガンカモ科の渡り鳥。のがも。❷舒鳧は、あひる。❸山の名。山東省鄒州市の南西。国けり。㋐しぎに似た水鳥。㋑過去の助動詞の「けり」にあてて用いる。㋒謡曲などに「けり」で終わるものが多いことから、転じて、決着。きまり。かた。「鳧がつく」
解字 金文 篆文 会意。鳥＋几。几は、のびる足の象形。水かきのある鳥の意味を表す。
【鳧影】フエイ かもの飛ぶ姿。
【鳧△鷖】フエイ かもと、かもめ。
【鳧翁】フオウ ①雄がも。②かもの首の毛。▼翁は、首の上の毛。
【鳧△鷗】フオウ かもと、かもめ。
【鳧△雁】フガン かもと、かり。
【鳧△脛△雖レ短、続(續)レ△之則憂】フケイはみじかしといえ(へ)ども、これをつがばすなわ(は)ち うれえ(へ)ん かもの足が短いからといって、これをつぎたしてやれば、かえって迷惑する。物にはそれぞれ自然の特性があり、他からむやみに手を加えるべきでないたとえ。用例〔荘子、駢拇〕鳧脛雖レ短、続レ之則憂、鶴脛雖レ長、断レ之則悲。↓かもの足が短いからといって、これをつぎたしてやれば、かえって迷惑するし、つるの足が長いからといって、切って短くしたなら、かえって悲しむだろう。
【鳧舟】フシュウ かもの形をした舟。鳧船。鳧舫。
【鳧船】フセン ＝鳧舟。
【鳧藻】フソウ 水鳥が水藻にたわむれることから、喜びさわぐの意味。
【鳧△舫】フボウ ＝鳧舟。

2 【鳰】 13画 14188 国字 8276 E9EA —
字義 ❶にお。かいつぶり。かもに似た小さな水鳥。❷鳰海・鳰湖は、琵琶湖の別名。
解字 会意。鳥＋入。水中に入るのが得意な鳥、におの意味を表す。

3 【鳶】 14画 14189 人 標 エン(ヱン) 先 yuān 3848 93CE —
筆順 一 弋 弋 弋 芇 鳶 鳶 鳶 鳶
字義 ❶とび(鴟)。とんび。ワシタカ科の猛鳥。❷とび色。とびの羽に似た茶色。❸風鳶は、たこ。いかのぼり。国❶とび。㋐鳶口の略。棒の先に鉄製のかぎをつけた消火用具。㋑鳶職・鳶者の略。㋐消防夫。㋑土木工事に携わる労働者。❷とんび。㋐男子の和服用の外套。二重まわし。㋑通りがかりに盗みを働く人。難読 鳶尾(いちはつ)・(こやすぐさ)
解字 会意。鳥＋弋。弋は、矢のあとに長いひもをつけた、いぐるみの意味。
【鳶肩】エンケン いかり肩。肩がとびのようにあがり、いかっているのをいう。
【鳶飛魚躍】エンピギョヤク・とびとびうお(を)おどる ①魚鳥がおのおの楽しんでいるさま。また、君子の徳化のよく及んでいるさま。『詩経』大雅・旱麓に「鳶飛戻レ天、魚躍二于淵一」とあるのに基づく。②この世はすべて一貫して「道」の作用がはたらき、鳥・魚が飛び踊るのも自然に従って動くものであるという意。〔中庸〕
【鳶尾】エンビ いちはつ。アヤメ科の多年草。四月ごろ、紫色の大きな花を開く。

3 【鳲】 14画 14190 シ 支 shī 2 9402 — 7558
字義 鳲鳩は、ふふどり。つつどり。よぶこどり。むぎうらし。全身黒く、腹は淡黄色、胸に白黒の斑文がある。
解字 形声。鳥＋尸音。

3 【嶌】 14画 (2999) トウ 山部。→四四四ジ上。

3 【鳳】 14画 14191 人 漢ホウ 呉ブウ 送 fèng 4317 9650 —
筆順 丿 几 凡 凡 凤 凤 凤 鳳 鳳
字義 ❶おおとり。鳳凰。聖人が世に出れば、それに応じて現れるというめでたいしるしの鳥。雄を鳳、雌を凰という。「瑞鳳」❷天子・宮中に関する語の上につけて用いる。「鳳詔」
名前 たか 難読 鳳至(ふげし)・鳳蝶(あげはちょう)・鳳梨(パイナップル)
解字 甲骨文 篆文 形声。鳥＋凡音。音符の凡は、風をはらむ「ほ」の象形。風にはばたく、おおとりの意味を表す。
【鳳△掖】ホウエキ 太子の宮庭。蘭掖。
【鳳△苑】ホウエン 宮中の花園。

【鳳凰・鳳皇】想像上の鳥。聖王が世に出ると現れるといういうめでたいしるしの鳥。雄を鳳、雌を凰という。

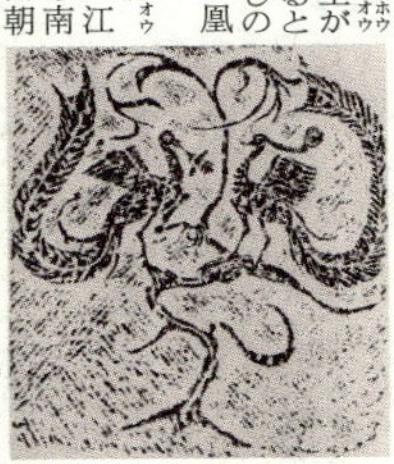
鳳凰（漢代画像石）

【鳳凰台（臺）】㋐今の江蘇省南京市の南西隅にあった。南朝宋の時、五色で、孔雀のような形の美しい鳴き声の鳥が群舞したので、時の人は鳳凰と呼びここに台を築いたという。用例〔唐、李白、登二金陵鳳凰台一詩〕鳳凰台上鳳凰遊、鳳去台空江自流。↓昔、鳳凰台には鳳凰が飛んできて遊んだというが、今は飛び去り台だけが残り、その下を昔と変わらず長江が流れている。㋑今の甘粛省成県の南にある鳳凰山。〔唐、杜甫、鳳凰台詩〕

【鳳駕】①天子の乗り物。②仙人の乗る車。

【鳳冠】①鳳凰の頭の上に突き出ている羽毛。②皇太后・皇妃などの冠。

【鳳管】笙の笛をいう。鳳笙。

【鳳挙（擧）】①臣下が天子の命を受けて、遠くへ出発することを、鳳凰の飛び立つのにたとえていう。②高くあがり、遠くへ行くこと。また、遠方に引退する。③雄飛する。

【鳳闕】①宮城の門。その上に銅製の鳳凰を飾りつけてあるからいう。鳳門。②宮城。

【鳳史】春秋時代の簫の名手、簫史をいう。妻の弄玉と鳳台に住んだことに基づく。↓鳳台・簫史（一〇九一ページ中）。

【鳳字】①隠語。「鳳」を分解すると「凡鳥」となることから、平凡な人をあざけることば。②鳳凰の雌。▼字は、雌。

【鳳児（兒）】鳳凰の子。非常に優秀な子。鳳雛。

【鳳車】＝鳳輦。

【鳳詔】みことのり。天子の詔書。

【鳳城】宮城。また、帝都。特に、長安の都。

【鳳雛】①鳳凰のひな。②将来、大人物となる素質を備えた英敏な若者のたとえ。麒麟児。鳳児。「伏竜鳳雛」〔三国志、蜀志、諸葛亮伝、注〕

【鳳声（聲）】①鳳凰の鳴き声。②人の伝言・手紙に対する敬称。鶴声。

【鳳舃】鳳凰の刺繡のある女性の靴。▼舃は、くつ。

【鳳仙花】ツリフネソウ科の一年草。夏、赤・白・紫などの花を開き、実は熟すると、果皮が破れて種をはじきだす。花汁で爪をそめる。つまくれない。つまべに。

【鳳台（臺）】春秋時代、秦の穆公が、その娘、弄玉の名手の簫史にめあわせて、ここに住まわせた。簫を吹けば、鳳凰がその屋根にとまるほどで、後、両人とも鳳に乗って昇天したという。今の陝西省宝鶏市の南東。

【鳳池】①宮中にある池の名。「鳳凰池」の略。中書省が、そのそばにあることから、中書省、また、宰相をいう。②禁中をいう。宮中。③琴の底にある穴。上にあるものを竜池、下にあるものを鳳池という。

【鳳鳥】＝鳳凰。用例〔論語、子罕〕鳳鳥不レ至。↓鳳凰は飛んでこない。

【鳳舞】鳳凰が舞い遊ぶ。天下泰平の象徴。

【鳳毛】鳳凰の毛。①子が父に劣らぬ素質を持っていることのたとえ。②すぐれた容姿のたとえ。③すぐれた文才のたとえ。

【鳳翼】①鳳凰のつばさ。②りっぱな人や物のたとえ。③草の名。射干の別名。ひおうぎ。

【鳳輦】①天子の乗る車。屋根の上に黄金の鳳凰の飾りのある乗り物。②仙人の乗る車。

【鳳楼（樓）】①りっぱなたかどの。宮中のたかどのをいう。②美女の住むたかどの。簫史の故事に基づく。↓鳳台。

3
【鳴】
14画 14192 教2 漢メイ・呉ミョウ（ミャウ） 英 míng
メイ なく・なる・ならす
4436 96C2 一

筆順 ｜ 口 口' 口' 口自 咱 鳴 鳴

字義 ❶なく。鳥獣が声を出す。また、なきごえ。用例〔唐、李白、送二友人一詩〕揮レ手自レ茲去、蕭蕭班馬鳴。↓手をふって、ここから別れ去ろうとすると、別れゆく馬でさえ、さびしい声でいないている。

❷なる。㋐物が音を発する。用例〔唐、孟浩然、夜帰二鹿門山一歌〕山寺鐘鳴昼已昏、漁梁渡頭争レ渡喧。↓山寺の鐘の音がひびき昼の陽ざしがかげる頃、漁梁の渡し場は先を争って渡る人々の声でにぎやかだった。㋑きこえわたる。ひびく。名声が世にひろがる。用例〔南宋、王十朋、杜院殿墓誌〕杜陵先生以レ詩鳴二于唐一。↓杜陵先生（杜甫）は詩によって唐代に名を馳せた。

❸ならす。㋐楽器などをならす。用例〔論語、先進〕小子鳴レ鼓而攻レ之可也。↓お前たちは太鼓をうちならして彼を攻めたててよろしい。㋑おどろかす。用例〔説苑、立節〕今越甲至、其鳴二吾君一也。↓いま越の軍隊が到着して、我が君を驚かしました。

名前 なき・なり・なる

難読 鳴海・鳴鏑矢・鳴門

使いわけ なく〔泣・鳴〕⇩泣（6229）。

解字 甲骨文 金文 篆文 会意。鳥＋口。おんどりが、ときをつげるの意味を表す。

逆 哀鳴・共鳴・鶏鳴・悲鳴・雷鳴

【鳴鴉】なくからす。

【鳴嚶】鳥が仲よく声を合わせてなく。嚶鳴。

【鳴珂】珂（貴人の乗る馬のくつわにつける玉や貝で作ったかざり）をならす。また、その珂。

【鳴禽】なく鳥。さえずる鳥。

【鳴雁】なくかりがね。がん。

【鳴琴】①琴をかなでる。また、なる琴。弾琴。②瀑布（滝）などの音の形容。

【鳴鶏（鷄）吠狗烟火万（萬）里】鶏や犬のなき声が聞こえて、かまどの火が万里の遠くまで続く。泰平の世の形容。〔史記、律書〕

【鳴弦】①なる弓弦。また、弓弦をならす。②国弦うち。物の怪を払うために弓弦をならすこと。

【鳴絃】琴をならす。また、琴。

【鳴吼】なきほえる。

【鳴号（號）】泣き叫ぶ。号泣。

【鳴糸（絲）】琴のこと。

【鳴謝】深く感謝する。心からお礼をいう。

【鳴鐘】①鐘の音。②時刻を知らせる鐘。

【鳴条（條）】①風になる枝。②地名。殷の湯王が、夏の桀王を破った所。今の山西省運城市安邑鎮の北。

【鳴箭】かぶらや。矢の先端にかぶらの形の筒が付いていて、射るとかぶらに風を受けて音を立てる。鳴鏑。

【鳴鐸】風鈴。

【鳴笛】笛を吹く。また、笛。

【鳴鏑】なりかぶら。鳴箭。

【鳴動】国山岳などがなり動く。

【鳴△吠】メイハイ ①鶏がなき、犬がほえる。平和な村里の様子。用例(東晋、陶潜、桃花源詩)荒路曖交通コウロアイとしてコウツウし、鶏犬互鳴吠ケイケンたがいにメイハイす。↓草におおわれた小径が通っているのがぼんやりと見え、鶏が鳴き、犬がほえている。②つまらない技能のたとえ。→鶏鳴狗盗ケイメイクトウ(一六三〇ページ中)。③反乱のたとえ。

【鳴△鑾】メイラン 天子の車につける鈴。また、天子が車で出かけること。天子の車。

【鳴和】メイワ すず(鈴)。

4【鴉】15画 14193 標 ア 麻 yā 8277 E9EB —

〔鵶〕14194 同字 〔鵶〕14265 同字 〔鴉〕14204 俗字

字義 ❶からす。カラス科の鳥の総称。一説に、はしぶとがらす。❷黒い色のたとえ。「鴉鬟アカン」

解字 形声。鳥+牙音。音符の牙は、からすの鳴き声の擬声語。ガアと鳴くからすの意味を表す。

【鴉△軋】アアツ 轆轤ロクロや船の櫓ロなどのすれ合う音。また、門戸を開閉する音。

【鴉△鬟】アカン ①あげまき。また、それを結う年ごろの少年・少女。②婢女ヒジョ。召し使いの女性。

【鴉△舅】アキュウ ①はぜの木。実から蠟ロウを作る。鴉柏アハク。鴉臼アキュウ。②鳥の名。からすより小さいが、強い。

【鴉黄】アコウ 額ひたいの上にぬる黄色いおしろい。用例(唐、盧照鄰、長安古意詩)片片行雲著蟬鬢ヘンペンたるコウウン、センビンにつき、纖纖初月上鴉黄センセンたるショゲツ、アコウにのぼる。↓きれぎれな雲が蟬せみの羽のように薄くみごとな鬢の毛に続き、細い三日月のような眉が額に塗った鴉黄にのぼるようだ。

【鴉△鬢】アビン 女性の鬢の毛のまっ黒なのをいう。

【鴉△鵲】アジャク からすと、かささぎ。烏鵲ウジャク。

【鴉片】アヘン けしの実から作る麻酔性の薬品。阿片アヘン。

【鴉△鷺】アロ からすと、さぎ。転じて、黒と白。烏鷺ウロ。

4【鵶】15画 14194 ア 鴉(14193)と同字。→一六二五ページ上。 ²9405 — —

4【鴎】15画 14195 オウ 鷗(14334)の簡易慣用字体。→一六三四ページ中。 1810 89A8 —

4【鴈】15画 14196 漢ガン 呉ゲン 諫 yàn 8278 E9EC —

字義 ❶あひる。❷かり。=雁(13176)。❸にせ。=贋(11615)。

解字 形声。鳥+人+厂音。

4【鳹】15画 14197 漢キン 呉ゴン 侵 qín — — 7560

字義 ❶鳥の名。くちばしの曲がった鳥。❷ついばむ。国鳥の名。しめ。ひめ。

解字 形声。鳥+今音。

4【鴃】15画 14198 一漢ケキ・呉キャク 錫 二漢ケツ・呉ケチ 屑 jué 慣ゲキ 8280 E9EE —

字義 一もず(百舌)。伯労。=鶪(14251)。

参考 〔鴂〕(14199)は別字だが、混用される。

解字 形声。鳥+夬音。

【鴃舌】ゲキゼツ もずの鳴き声。転じて、やかましくて意味の通じない異民族のことばのたとえ。鳥語。用例(孟子、滕文公上)南蛮鴃舌之人ナンバンゲキゼツのひと。↓南方の外国に住んでいる、もずの鳴き声のような(耳障りな声の)人。

4【鴂】15画 14199 一漢ケツ・呉ケチ 屑 二漢ケイ・呉ケ 霽 jué ²9404 — 7562

字義 一❶鸋鴂ネイケツは、みそさざい。❷もず。=鴃(14198)。二鷤鴂テイケイは、ほととぎす。

参考 〔鴃〕(14198)は別字だが、混用される。

解字 形声。鳥+夬音。

4【鳷】15画 14200 シ 支 zhī — — 7559

字義 はしたか。はいたか。猛禽類モウキンルイの一種。

解字 形声。鳥+支音。

【鳷△鵲】シジャク ①鳥の名。るりかけす。一説に、はいたか。大きな鳥で、人語を解し、国が太平の時、群れ飛ぶという。②前漢の武帝の築いた宮殿の名。甘泉苑カンセンエンの中にある。

4【鴆】15画 14201 漢チン 呉ジン(ヂン) 沁 zhèn 8281 E9EF —

字義 ❶鳥の名。その羽を浸した酒は、人を殺す猛毒があるという。❷鴆チンの羽を浸した酒。鴆酒。=酖(12381)。❸鴆酒で人を毒殺する。❹あぶら虫を食う鳥。

解字 篆文  形声。鳥+冘音。音符の冘イン→チンは、しずめるの意味。人を水中に沈めるように息の根をとめてしまう鳥、毒鳥の名を表す。

【鴆殺】チンサツ 毒酒で人を殺す。酖殺チンサツ。

【鴆酒】チンシュ 鴆チンの羽を浸した毒酒。

【鴆毒】チンドク ①鴆チンの羽を酒に浸して作った毒。②毒の激しいもののたとえ。③毒酒で人を殺す。鴆殺。

4【鴇】15画 14202 ホウ 晧 bǎo 3830 93BC —

字義 ❶のがん。雁ガンの一種。雁に似て、大きい。❷くろあしげの馬。❸やりて。多くは、年老いた倡婦ショウフ・妓女ギジョ。遊女屋で、遊女を取り締まり世話する年輩の女性。国とき。㋐トキ科の鳥。鷺さぎに似た鳥で、背は灰色、羽の裏は淡紅色。野生のときは、中国にわずかに生息している。㋑ときいろ。ときの羽の裏の色。淡紅色。鴾・鵇、また朱鷺・桃花鳥とも書く。

解字 篆文  形声。鳥+𠤏音。音符の𠤏ホウは、十が一つにならぶの意味。ならんで飛ぶ、のがんの意味を表す。

【鴇羽△之△嗟】ホウウのサ 人民が兵役にかり出されて、父母を養うことができない嘆き。(詩経、唐風、鴇羽)

4【鴋】15画 14203 漢ホウ(ハウ) 呉ボウ(バウ) 陽 fāng ²9403 — 7561

字義 みぞごい。溝五位。サギ科の鳥。おすめどり(護田鳥)。

難読 鴋沢ばんざわ

解字 形声。鳥+方音。

5【鴉】16画 14204 ア 鴉(14193)の俗字。→一六二五ページ上。

5【鴪】16画 14205 漢イツ(ヰツ) 呉イチ(ヰチ) 質 yù 8282 E9F0 —

字義 鳥の速く飛ぶさま。はやいさま。

解字 形声。鳥+穴音。

5【鴛】16画 14206 漢エン(ヱン) 呉オン(ヲン) 元 yuān 1785 8995 —

字義 おしどり。水鳥の一種。形はかもに似て小さい。雄を鴛、雌を鴦オウという。雌雄むつまじくて離れないので、夫婦仲のむつまじいことにたとえる。

解字 篆文  形声。鳥+夗音。音符の夗エンは、しなやかに曲がるの意味。しなやかな曲線を持つ、おしどりの意味を表す。

難読 鴛鴦おし・おしどり・鴛泊おしどまり

【鴛△鴦】エンオウ おしどり。→字義。

【鴛△鴦瓦】エンオウのかわら 対ツイになっている瓦かわら。一説に、おしどりの形をした瓦。鴛瓦エンガ。用例(唐、白居易、長恨歌)鴛鴦瓦冷霜華重エンオウのかわらひややかにして、ソウカおもく、翡翠衾寒誰与共ヒスイのふすまさむくして、たれとともにせん。↓おしどりの形をした瓦はひえて霜がしとどにおり、かわせみの模様が刺繡されたふとんはひえびえとして、いっしょに寝る人もいない。

【鴛△鴦△衾】エンオウのふすま ①夫婦がいっしょに寝る夜具。鴛衾エンキン。②おしどり模様の夜具。

【鴛△鴦偶】エンオウのグウ おしどりのつがい。仲むつまじい夫婦のたとえ。

【鴛行】 朝廷に並ぶ文官の行列。
【鴛被】 夫婦がいっしょに寝る夜具。鴛衾。
【鴛侶】 ①役人なかま。②つれあい。配偶。
【鴛△鷺】 ①おしどりと、さぎ。②朝廷に居並ぶ官吏。

5 【鴨】 16画 14207 人 標 漢オウ(アフ) 呉ヨウ(エフ) 洽 yā ｜1991 8A9B ―

筆順 ｜ 冂 日 甲 甲' 甲' 甲' 鴨 鴨 鴨

［䳢］ 14210 同字

字義 ❶かも。あひる。水鳥の一種。人家で飼う水鳥の一種。「家鴨」 ❷水鳥の総称。

国かもる。弱い相手を負かし、利益を得る。かもにする。

名前 かも・まさ 難読 鴨跖草・鴨脚草・鴨脚樹・鴨生

解字 篆文 形声。鳥＋甲音。音符の甲は、あひるの鳴き声を表す擬声語。鳥を付し、あひるの意味を表す。

【鴨脚】 木の名。公孫樹。葉の形が、かもの足に似ているところからいう。「イチョウ」は唐音。
【鴨黄】 かものひなどり。毛が黄色だからいう。
【鴨頭】 あひるの頭。転じて、緑色をいう。水の緑色をかもの首の毛の色にたとえていう。用例〔唐、李白、襄陽歌〕遥看漢水鴨頭緑、恰似葡萄初醗醅 ↓はるかかなたに鴨の頭のような緑色の漢水がみえ、まるで葡萄が発酵するときの色のようだ。
【鴨緑江】 川の名。吉林省南東の長白山脈の白頭山に源を発し、朝鮮と中国との国境を西流して黄海に注ぐ川。全長七百九十五キロメートル。

5 【鴦】 16画 14208 漢ヨウ(ヤウ) 呉オウ(アウ) 陽 yāng ｜8283 E9F1 ―

字義 おしどりの雌。↕鴛(14206)。

解字 形声。鳥＋央音。

5 【鴬】 16画 14209 オウ 鶯(14313)の俗字。→一六三三ページ下。 ｜1809 89A7 ―

5 【䳢】 16画 14210 オウ 鴨(14207)と同字。→一六二六ページ上。

5 【鴞】 16画 14211 ヨウ(エウ) 慣キョウ(ケウ) 蕭 xiāo ｜9457 ― 7568

字義 鴟鴞は、㋐ふくろう。夜出て他の鳥などを食う凶悪な鳥とされる。転じて、凶悪な人のたとえ。㋑みそさざい。鷦鷯。

解字 形声。鳥＋号音。

【鴞音】 凶悪な人のことば。
【鴞△炙】 ふくろうの肉を焼いたもの。最も美味とされる。また、ぜいたくな食物のたとえ。

5 【鴝】 16画 14212 漢ク 呉グ 虞 qú ｜9456 ― 7567

［鸜］ 14387 同字

字義 鴝鵒は、はっかちょう(八哥鳥)。体はむくどりより少し大きく、黒色。よく人のことばをまねるので、飼い鳥とされる。別名、はっちょう。

解字 形声。鳥＋句音。

5 【鴣】 16画 14213 漢コ 呉ク 虞 gū ｜8285 E9F3 ―

字義 鷓鴣は、キジ科の鳥の名。

解字 形声。鳥＋古音。

5 【鴟】 16画 14214 シ 支 chī ｜8286 E9F4 ―

字義 ❶とび(鳶)。とんび。＝鵄(14231)。❷ふくろう。また、みみずく。❸→鴟鴞。❹酒器。❺軽視する。

難読 鴟尾・鴟尾

解字 篆文 籀文 形声。鳥＋氐音。音符の氐は、つぶれた目の象形。日中は目が見えない、ふくろうの意味を表す。

【鴟△夷】 ①馬の皮で作った袋。酒を入れるのに用いる。用例〔十八史略、春秋戦国、呉〕夫差取₂其尸₁、盛以₂鴟夷₁、投₂之江₁。↓夫差は子胥の遺体を取って、馬の皮で作った袋の中につめこみ、長江に投げこんだ。②范蠡(一三〇四ページ下)が、越を去った後称した変名。鴟夷子皮。
【鴟△鵂】 みみずく。フクロウ科の鳥のうち、頭側に猫の耳に似た長い羽毛のあるもの。
【鴟△梟】 ふくろう。夜出て他の鳥などを食うことから、凶悪な人のたとえ。鴟鴞。
【鴟△鴞】 ①＝鴟梟。②みそさざい。
【鴟顧】 道家の養生法で、体を動かさないで、首だけ曲げて後ろを見る。
【鴟張】 ふくろうが羽を張ったように、勢いが強くわがままなこと。
【鴟尾】 ㊀ かわらぶき屋根の大棟の両端につけたかざり。くつがた。しゃちほこ。㊁ 国昔、牛車の後ろに突き出た二本のかざりの棒。

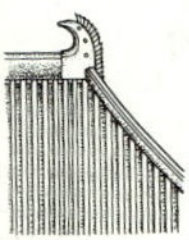

鴟尾㊀

【鴟目虎△吻】 ふくろうの目つきと、とらの口つき。残忍な人相のたとえ。〔漢書、王莽伝中〕

5 【鴡】 16画 14215 ショ 雎(13185)と同字。→一五三六ページ中。

5 【鴕】 16画 14216 漢タ 呉ダ 歌 tuó ｜8288 E9F6 ―

字義 だちょう。ダチョウ科の鳥。アフリカ・アラビアの砂漠にすむ最大の鳥。走るのは速いが、飛べない。鴕鳥。

参考 今は一般に〔駝〕(13710)の字を用いる。

解字 形声。鳥＋它音。音符の它は、同類でないものの意味。原産が他国の鳥、だちょうの意味を表す。

5 【鴑】 16画 14217 漢ド 呉ヌ 虞 ｜29406 ― 7563

字義 鳥の名。 難読 尾鴑・鴑沼

解字 形声。鳥＋奴音。

5 【鴘】 16画 14218 ㊀ヘン 銑 biǎn ㊁漢ヘン・呉ホン 阮 ｜29408 ― 7565

字義 ㊀㊁わかたか。たかかえり。二歳の鷹。 難読 鴘田

解字 形声。鳥＋弁音。

5 【䳇】 16画 14219 ム 鵡(14291)と同字。→一六三一ページ下。

5 【鴗】 16画 14220 リュウ(リフ) 緝 lì ｜29407 ― 7564

字義 かわせみ。ひすい。カワセミ科の鳥。国そにどり。かわせみの古称。「そにどりの」は、青の枕詞。

解字 形声。鳥＋立音。

5 【鴒】 16画 14221 漢レイ 呉リョウ(リャウ) 青 líng ｜8289 E9F7 ―

字義 鶺鴒は、セキレイ科の小鳥。

解字 形声。鳥＋令音。

5 【鴫】 16画 14222 国字 ｜2818 8EB0 ―

字義 しぎ。水辺にすみ、魚や小虫を食べる。くちばしが長くて、くいなに似た鳥。 難読 鴫山

解字 会意。鳥＋田。田や沢に来る鳥、しぎの意味を表す。

6 【鴳】 17画 14223 漢アン 呉エン 諫 yàn ｜― ― 7572

字義 ふなしうずら。鴳雀。＝鷃(14312)。

解字 形声。鳥＋安音。

6 【䳑】 17画 14224 一 イク(ヰク) 屋 二 漢ユウ(イウ) 呉ウ 有 yǒu ₂9413 — —

字義 一 ❶しらきじ。 二 あじがも。ともえがも。カモ科の鳥。

6 【鴰】 17画 14225 漢カツ(クヮツ) 呉カチ(クヮチ) 曷 guā — — 7570

解字 形声。鳥＋有音。

字義 ❶鳥の名。まなづる。 ❷鳥の名。九尾の鳥。

解字 形声。鳥＋舌(𠯑)音。

6 【鵂】 17画 14226 漢キュウ(キウ) 呉ク 尤 xiū ₂9414 — 7578

字義 みみずく。フクロウ科の鳥。頭部に猫の耳に似た長い毛のある鳥。鴟鵂。鵂鳥。

解字 形声。鳥＋休音。音符の休は、やすむの意味。日中は樹上に休み、夜に活動する、みみずくの意味を表す。

6 【鴻】 17画 14227 人 漢コウ 呉グウ 東 hōng 2567 8D83 —

筆順 氵 氵 江 江 沪 沪 鸿 鴻 鴻

字義 ❶おおとり。大きなはくちょう。 ❷ひしくい。首と背が灰色で、羽は黒く、腹が白い水鳥。大雁。「鴻雁」 ❸大きい。＝洪(6293)。また、さかん。「鴻業」 ❹強い。 ❺ひとしい。ひとしくする。

名前 こう・とき・ひろ・ひろし 難読 鴻巣

解字 篆文 形声。氵(水)＋鳥＋工音。音符の工は、大きいの意味。大きいみずとり、おおとりの意味を表す。

【鴻恩】 大きなめぐみ。大恩。洪恩。

【鴻△雁】 ①秋に来る渡り鳥の名。かり。大を鴻、小を雁という。一説に、大きいかり。用例(唐、王勃、蜀中九日詩)人情已厭南中苦 鴻雁那従二北地一来 ↓私はもう南の土地に嫌気がさしているのに、雁よ、どうして北からこちらへと飛んでくるのか。 ②『詩経』小雅の詩編名。周の宣王の徳をほめた詩で、離散した民を救い安定させたことを述べている。転じて、さすらいの民の苦しさをいう。

【鴻基】 大きな事業の基礎。帝王の事業にいう。

【鴻業】 大きな事業。主に、帝王の大業をいう。鴻緒。

【鴻荒】 大むかし。太古。

【鴻溝】 ①運河の名。今の河南省滎陽市の北で黄河の水を引き、淮陽県の南東で潁河と結ぶ。劉邦(後の漢の高祖)と楚の項羽が、天下を二分したときの境界。今の賈魯河。〔史記、項羽本紀〕 ②大きなへだたりの意。

【鴻号(號)】 大きな名。天子の名をいう。

【鴻△鵠】 おおとりや、くぐいなどの大鳥。

【鴻△鵠△之志】 英雄や大人物の心のたとえ。偉大なこころざし。用例(史記、陳渉世家)燕雀安知二鴻鵠之志一哉 ↓つばめやすずめのような小人物に、どうしておおとりのような大人物の志がわかろうか(わかるまい)。

【鴻△鵠将(將)レ至】 先生から物を教わりながら、鳥を射ることを考える。心がうわのそらで、物事に専念しないたとえ。〔孟子、告子上〕

【鴻儒】 大学者。大儒。「鴻儒碩学」

【鴻緒】 王者が国家を統治する大業。鴻業。また、大きな血すじ。帝王の系統。大統。

【鴻水】 おおみず。洪水。

【鴻漸】 ①おおとりが下から次第に上空に舞いのぼって行くこと。 ②位階が次第に昇進してゆくたとえ。鴻序。

【鴻爪】 北地のかりが、ふたたび帰って来たときの目標に、雪やどろに、つめあとを残しても、たちまち消えてあとかたもなくなってしまうこと。転じて、人の世の変化して頼みがたいことのたとえ。「雪泥鴻爪」

【鴻藻】 大文章。りっぱな文章。

【鴻大】 大きい。巨大。洪水。

【鴻図(圖)】 ①王者の大きなはかりごと。丕図。 ②大きい領土。

【鴻都】 漢代宮殿の門の名。その内に学校を置き、書物を蔵した。

【鴻都客】 鴻都門内に客となっていた者(道士)。一説に、鴻都は仙都と同じで、仙人の都から、この世に来た客ともいう。用例(唐、白居易、長恨歌)臨邛道士鴻都客 能以二精神一致二魂魄一 ↓蜀の臨邛出身の道士で長安に滞在している人が、(卓越した)精神力で死者の魂を招き寄せることができるとのこと。

【鴻博】 学識豊かなこと。博学多識。

【鴻範】 ①大きな規模。 ②『書経』の周書の編名「洪範」のこと。

【鴻飛】 ①おおとりが飛ぶ。 ②世俗から超然として高く離れている意。

【鴻筆】 大文章を書くこと。また、すぐれた文章。椽大之筆。洪筆。

【鴻名】 大きな名誉。また、大きな名。

【鴻毛】 おおとりの羽毛。物のきわめて軽いたとえ。用例〔前漢、司馬遷、報二任少卿一書〕死或重二於泰山一 或軽二於鴻毛一。↓命を捨てるには、泰山よりも重い(かのように大切に惜しまねばならぬ)場合と、おおとりの羽毛よりも軽い(かのようにいさぎよく捨てねばならぬ)場合がある。

【鴻△蒙】 ①天地自然の元気。一説に、海上の気。 ②広大なさま。天地のまだ分かれない状態。鴻濛。

【鴻△濛】 ①＝鴻蒙①。 ②東方の野。日の出る所という。〔淮南子、俶真訓〕 ③＝鴻蒙②。

【鴻門】 地名。今の陝西省西安市。昔、劉邦(漢の高祖)と楚の項羽とが会見した所。今、項王営という。「鴻門之会」

【鴻門玉斗】 鴻門で漢の高祖と楚の項羽が会見したとき、ひそかに逃げ去った高祖が項羽の臣の范増に玉のひしゃく一対を贈り物にしたが、范増は剣をぬいてこれをつきくだき、高祖をとり逃がしたことを残念がった故事。用例(北宋、曾鞏、虞美人草詩)鴻門玉斗紛如レ雪 十万降兵夜流レ血 ↓鴻門の会で沛公から贈られた玉のひしゃくは、范増によって雪のようにこなごなにくだかれてしまった。項羽は秦軍を夜襲し、秦の降伏した兵十万人は皆殺しにされた。

【鴻△猷】 大きい道。大きなはかりごと。

【鴻烈】 ①大きなてがら。大功。偉功。 ②『淮南子』の別名。

【鴻△臚館】 国平安時代に、京都・太宰府・難波に設けられて、外国の来賓を接待した所。用例(和漢朗詠集、大江朝綱、餞別)後会期遥 霑二纓於鴻臚之暁涙一 ↓後日、再び会うのははるか先であり、鴻臚館の夜明けの別れに冠のひもを涙でぬらすことだ。

【鴻△臚寺】 唐代の役所の名。外国に関する事務・朝貢(属国がみつぎ物を献上すること)・来聘(外国の使者が来ること)などを処理する。

6 【鵁】 17画 14228 漢コウ(カウ) 呉キョウ(ケウ) 肴 jiāo 8290 E9F8 —

字義 鵁鶄は、ごいさぎ。鷺の一種。足が長く、頭に冠毛がある。

6 【鵆】 17画 14229 漢コウ(カウ) 呉ギョウ(ギャウ) 庚 hēng — — 7573

解字 篆文 形声。鳥＋交音。音符の交は、すねをまじえる形にかたどる。すねの高い、さぎの意味。

字義 すずめ。国ちどり(千鳥)。海浜に群がりすむ小鳥。＝鵆(14244)。
解字 形声。鳥＋行音。

6【鴿】17画 14230 コウ(カフ) 㕣 gē　8291 E9F9 —
字義 いえばと。鳩(はと)の一種。どばと。
解字 形声。鳥＋合音。

6【鵄】17画 14231 シ 囡 chī　8287 E9F5 —
字義 とび(鳶)。とんび。＝鴟(14214)。「金鵄」
解字 形声。鳥＋至音。

6【鴜】17画 14232 漢シ 呉ジ 囡 cí　29410 — —
［䳱］14234 同字
字義 ❶鸃鴜(シンシ)は、水鳥の名。かわせみに似て、黒色。❷雌(13191)と同字。
解字 形声。鳥＋此音。

6【鴲】17画 14233 一シ 囡 zhī 二シ 寘 zhì　29412 — 7571
字義 一❶しめ。しとど。アトリ科の鳥。❷毛の生えていないひな。二❶すずめの声。❷しめ。❸すずめのひな。
解字 形声。鳥＋旨音。

6【䳱】17画 14234 シ　— — 7566
鴜(14232)と同字。→一六二八ページ上。

6【鴯】17画 14235 漢ジ 呉ニ 囡 ér　— — 7569
字義 ❶鷾鴯(イジ)は、鳥の名。つばめ。❷現代中国語で、鴯鶓(ジビョウ)は、鳥の名。エミュー。ダチョウの一種。
解字 形声。鳥＋而音。

6【鴧】17画 14236 漢シュウ 呉シュ 東 sōng　29411 — —
字義 爵鴧(シャクシュウ)は、えっさい。つみ。タカ科の小形の鳥。
解字 形声。鳥＋戎音。

6【鴽】17画 14237 漢ジョ 呉ニョ 魚 rú　— — 7577
字義 鳥の名。ふなしうずら。
解字 形声。鳥＋如音。

6【鵃】17画 14238 一漢チュウ(チウ) 呉チュ 尤 zhōu 二ショウ(セウ) 嘯 zhào　19458 — 7579
字義 一二鶻鵃(コッチュウ)は、いかるが。アトリ科の鳥。
難読 鵃岳(びしゃごだけ)・鵃沢(みさござわ)
解字 形声。鳥＋舟音。

6【鴺】17画 14239 漢テイ 呉ダイ 斉 tí　— — 7574
字義 鴺胡(テイコ)は、鳥の名。ペリカン。
解字 形声。鳥＋夷音。

6【鴾】17画 14240 漢ボウ 呉ム 尤 móu　8292 E9FA —
字義 鴾母(ボウボ)は、ふなしうずら。かやぐき。国とき。鴾(とき)。鴇(とき)。
難読 鴾毛(つきげ)
解字 形声。鳥＋牟音。

6【鵅】17画 14241 一ラク 薬 luò 二漢カク・呉キャク 陌 gé　— — 7576
字義 一鳥の名。水鳥。二鵅鵅(カクカク)は、鳥の名。みみずく。
解字 形声。鳥＋各音。

6【鴷】17画 14242 漢レツ 呉レチ 屑 liè　— — —
字義 きつつき。啄木鳥(タクボクチョウ)。
解字 形声。鳥＋列音。

6【鴼】17画 14243 ロ　— — 7575
鷺(14373)と同字。→一六三六ページ中。

6【鵆】17画 14244 国字　8293 E9FB —
字義 ちどり(千鳥)。
解字 会意。鳥＋行。

6【鵇】17画 14245 国字　19459 — 7580
字義 とき。＝鴇(14202)。㋐鷺(さぎ)に似た鳥で、背は灰色で、羽の裏は淡紅色。㋑ときいろ。ときの羽の裏の色。
解字 形声。もと、鳥＋牟音。牟が日本で変形して、年となった字。

6【鵈】17画 14246 国字　8294 E9FC —
字義 とび(鳶)。
解字 会意。鳶省＋職省。鳶職(とびショク)の二字の一部分を合わせて、とびのものの意味を表す。

6【𪁊】17画 14247 国字　29409 — —
字義 𪁊張(うそはり)は、福島県の地名。

7【鵝】18画 14248 ガ 歌 é　8301 EA40 —
［鵞］14249 同字
字義 ❶がちょう。ガンカモ科の水鳥。雁(ガン)・かりに似て大きく、羽毛は白く、口ばしは大きくて黄色を帯びている。尾羽は短く、飛べない。鵝鳥(ガチョウ)。❷軍隊の陣立ての名。
解字 篆文  形声。鳥＋我音。音符の我は、がちょうの鳴き声の擬声語。

【鵝眼】(ガガン) 穴のあいている銭(ぜに)。穴銭。
【鵝湖】(ガコ) 山名。江西省鉛山県の北。宋(ソウ)代に鵝湖寺があり、朱熹(シュキ)と陸九淵(リクキュウエン)兄弟とがここで学問上の論争をした。後に、文宗書院が建てられた。「鵝湖之会(ガコのカイ)」
【鵝口△瘡】(ガコウソウ) 乳児の口の中がただれる病気。
【鵝黄】(ガコウ) がちょうの雛(ひな)の羽毛が、黄色で美しいところから、黄色で美しいもののたとえ。柳・酒・菊の色などの形容。
【鵝掌】(ガショウ) がちょうの水かき。足の水かきの肉が美味として珍重される。
【鵝△鶩】(ガボク) がちょうと、あひる。
【鵝毛】(ガモウ) ①がちょうの羽毛。用例〔唐、白居易、酬ニ令公雪中見レ贈訝下不レ与ニ夢得一同相訪上詩〕雪似ニ鵝毛一飛散乱(ゆきはガモウににて、とんでサンランす)、人披ニ鶴氅一立徘徊(ひとはカクショウをきて、たちてハイカイす)。Ⓥ雪は、がちょうの羽毛のように、風に吹かれて散乱している。人々は、着物に雪が積もり、鶴の羽ごろもを着たようになって歩きまわっている。②白くて軽いもののたとえ。雪・柳絮(リュウジョ)など。→①。③軽少の意。
【換レ鵝】(ガにかう(ふ)) 書物を請い求めること。晋(シン)の王羲之(オウギシ)ががちょうを愛し、その書とがちょうとを交換した故事による。換鵝(カンガ)。籠レ鵝去(ガをかごにしてさる)。〔晋書、王羲之伝〕

7【鵞】18画 14249 ガ　8302 EA41 —
鵝(14248)と同字。→一六二八ページ中。

7【鵟】18画 14250 漢キョウ(キャウ) 呉ゴウ(グワウ) 陽 kuáng　29416 — 7584
字義 よたか。ふくろうの一種。国のすり。くそとび。鷹(たか)の一種。
解字 形声。鳥＋狂音。

7【鵙】18画 14251 漢ケキ・呉キャク 錫 jú 慣ゲキ　8306 EA45 —
［鶪］14299 正字
字義 もず(百舌)。伯労。鳥の一種。
解字 篆文  形声。鳥＋貝(狊)音。音符の狊(ケキ)は、その鳴き声の擬声語。鵙は鶪の変形。

7【鵑】18画 14252 ケン 先 juān　8304 EA43 —
字義 ❶杜鵑(トケン)は、ほととぎす。鵯(ひよどり)よりやや大きく、からだはやせて尾が長い。背は淡黄色。腹は白色に黒いすじがある。口は大きくて、内が赤く、晩春にすさまじい声で鳴く。不如帰。❷杜鵑(トケン)・杜鵑花(トケンカ)は、やまつつじ。さつき。山野に

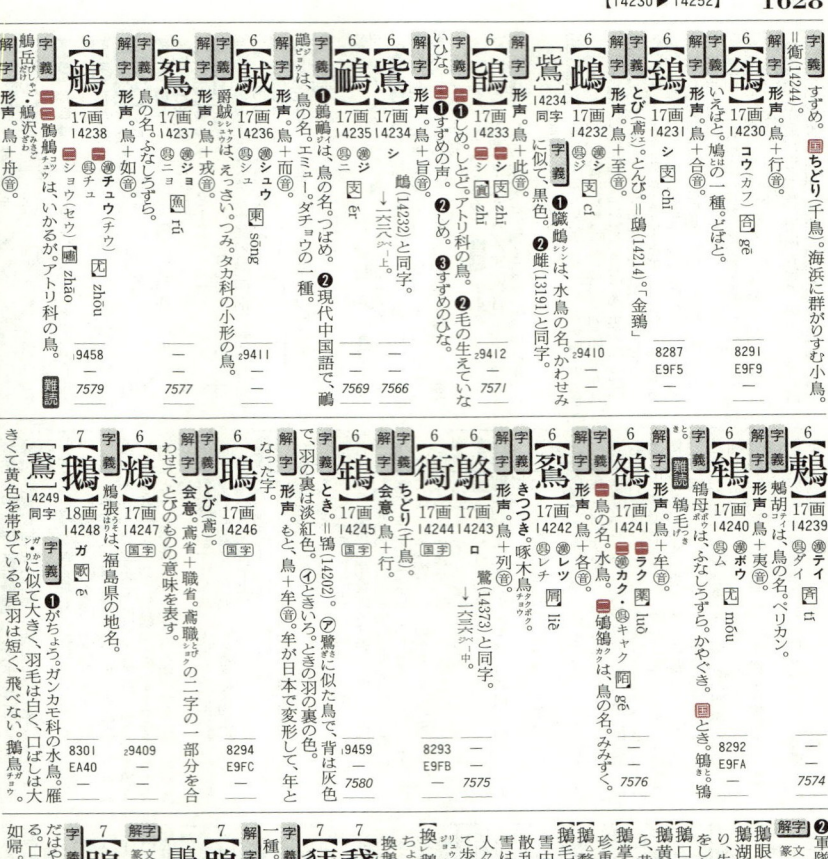

自生し、初夏のころ五弁の花を開く。

解字 形声。鳥+冒音。

7【鵊】18画 14253 漢コウ(カフ) 呉キョウ(ケフ) 洽 jiá

字義 ❶ほととぎす。❷鶡鵊は、催明鳥。夜が明けるのを知らせる鳥。

解字 形声。鳥+夾音。

2 9415 — 7581

7【鵠】18画 14254 標 一 漢コク・呉ゴク 沃 hú 二 コク 沃 gǔ 三 漢コウ(カウ) 呉ゴウ(ガウ) 皓 hào

字義 一 ❶くぐい。白鳥。こうのとり。雁より大きく、羽毛は白く、非常に高い所を飛ぶ水鳥。❷白い。二 ❶まと。弓のまとの黒ぼし。「正鵠」❷正しい。あきらか。三 大きい。=浩(6341)。また、白い。 難読 鵠沼

解字 形声。鳥+告音。

【鵠企】白鳥のように首を長くしてつま立って望むこと。鵠立。鵠望。▼企は、つまだつ。

【鵠志】高遠なこころざし。大人物のこころざし。鴻鵠之志。

【鵠的】弓のまと。

【鵠髪】しらが。白髪。鶴髪。

【鵠望】=鵠企。

【刻レ鵠不レ成尚類レ鶩】白鳥を彫刻してできそこなっても、あひるには似る。立派な人を学べば、それに及ばずとも、それに近い人間にはなれるというたとえ。〔後漢書、馬援伝〕

2584 8D94 —

7【鵔】18画 14255 シュン 震 jùn

字義 鵔鸃は、きんけいちょう(錦鶏鳥)。にしきどり。

解字 形声。鳥+夋音。

— — 7583

7【鵢】18画 14256 シン 真 shēn

字義 鳥の名。 難読 鵢崎

解字 形声。鳥+身音。

2 9417 — 7586

7【䳭】18画 14257 一 漢セキ・呉シャク 陌 jí 二 漢ショク・呉ソク 職

字義 一二 䳭鴒は、せきれい(鶺鴒)。国 眉茶䳭は、ヒタキ科の鳥。

解字 形声。鳥+即音。

2 9418 — —

7【鵜】18画 14258 人 標 漢テイ 呉ダイ 斉 tí

筆順 ソ ㄓ 弓 弟 弟 弟 鵜 鵜

字義 がらんちょう(伽藍鳥)。ペリカン。水鳥の一種。がちょうに似て大きく、羽毛は灰白色。口ばしが長く、あごの下に大きな袋がある。「鵜飼」 国 う。ペリカン目の水鳥。巧みに水にくぐって魚をとる。「鵜飼」 難読 鵜住居・鵜苫

解字 形声。鳥+弟音。

【鵜呑】国①うが魚を飲むように、かまずに飲みこむこと。まるのみ。②物事をじゅうぶん理解せず、そのまま受け入れること。③原案などをそのまま採用すること。

【鵜目鷹目】国うが魚を、たかが小鳥を鋭い目つきで探すように、熱心に物をさがし求めるさま。

1713 894C —

7【鵐】18画 14259 漢ブ 呉ム 虞 wú

字義 しとど。ほおじろ。また、その類いの鳥の総称。巫鳥。

解字 形声。鳥+巫音。

8305 EA44 —

7【鵓】18画 14260 漢ホツ・呉ボチ 月 bó 慣ボツ

字義 鵓鴣・鵓鴿は、いえばと。鳩の一種。

解字 形声。鳥+孛音。

— — 7582

7【鵒】18画 14261 ヨク 沃 yù

字義 鸜鵒は、はっかちょう。→鸜(14212)。

解字 形声。鳥+谷音。

1 9460 — —

7【鵣】18画 14262 ライ 泰 lài

字義 鳥の名。国 おしどり。 難読 鵣川

解字 形声。鳥+頼省音。

1 9461 — 7585

7【鵤】18画 14263 国字

字義 いかるが。いかる。アトリ科の鳥。まめまわし。斑鳩。

参考 この字は中国の辞書に記載がなく、従来、国字とされる。ただし、わが国の『倭名類聚抄』では、現存しない漢籍(崔禹『食経』)を引いてこの字を掲げ、字音「カク」と示している。

解字 会意。鳥+嘴省。嘴は、くちばしの意味。黄色のくちばしが目立つ鳥、いかるがの意味を表す。

8303 EA42 —

7【鵥】18画 14264 国字

字義 かけす。スズメ目カラス科の鳥。鳩に似て、やや小さく、羽毛はまだらで、羽は紫黒色、毛冠がある。強暴な性質で、小鳥を捕食する。かしどり。

解字 会意。鳥+判。

— — 7587

8【鵶】19画 14265 ア

鴉(14193)と同字。→一六二五ページ上。

2 9423 — 7592

8【鵪】19画 14266 一 漢アン・呉オン 覃 ān 二 漢オウ(アフ) 呉ヨウ(エフ) 洽 yā

字義 一 鳥の名。ふなしうずら。二 鳥の名。あひる。

解字 形声。鳥+奄音。

— — 7589

8【鵷】19画 14267 漢エン(ヱン) 呉オン(ヲン) 元 yuān

字義 鳳凰の一種。鵷雛。

解字 形声。鳥+宛音。

【鵷行】朝廷に居ならぶ身分高い官吏の行列のたとえ。鵷雛は姿がのどかで、みやびやかであることからいう。鵷班。

【鵷雛】鳥の名。鳳凰の一種。用例〔荘子、秋水〕南方有レ鳥、其名為二鵷雛一。↓南方の地に鵷雛という名の鳥がいる。

【鵷鸞】鵷雛と、鸞鳳。ともに鳳凰の類い。転じて、朝廷に居ならぶ百官のたとえ。

【鵷鷺】鵷雛と、さぎ。その姿が、のどかで、みやびやかであることから、百官が朝廷に居ならぶさまにたとえる。

2 9424 — 7593

8【鶾】19画 14268 漢カン 呉ガン 翰 hàn

字義 ❶にわとりの肥えて鳴き声の長いもの。❷きんけいちょう。 難読 鶾巣

解字 形声。鳥+倝省音。

2 9421 — —

8【鶀】19画 14269 一 キ 支 qí 二 漢ギ・呉ギ 支 qí

字義 一 ❶鵋鶀は、みみずく。❷鶀老は、くちばしのまがった鳥の名。また、あほうどり。二 鵋鶀は、鳥の名。また、小さい雁。

解字 形声。鳥+其音。

— — —

8【鶋】19画 14270 漢キョ 呉コ 魚 jū

字義 鵯鶋は、鳥の名。はしぶとがらす。みやまがらす。

解字 形声。鳥+居音。

8【鶏】19画 14271 常 ケイ にわとり

2360 8C7B —

10【鷄】21画 14272 人 ケイ 斉 jī

8317 EA50 —

筆順 ノ ⺤ 爫 奚 奚 奚 奚 鶏 鶏

【雞】13201 同字 【雞】13194 俗字

字義 にわとり。くたかけ。家禽の一種。 難読 鶏冠・鶏冠井・鶏冠木・鶏魚

解字 甲骨文 篆文 籀文 形声。鳥＋奚(奚)音。音符の奚はつなぐの意味。家畜としてつなぎとめておく鳥、にわとりの意味を表す。雞の籀文。

逆 軍鶏・水鶏・闘鶏・野鶏

【鶏冠】①にわとりのとさか。②けいとう。草花の一種。③にわとりの羽毛でかざった冠。

【鶏距】にわとりのけづめ。

【鶏△狗】にわとりと犬。用例〔唐、柳宗元、捕レ蛇者説〕譁然而駭者、雖二鶏狗一不レ得レ寧焉。↓がやがやと騒ぎ立てて驚き恐れ、鶏や犬のたぐいまで、安らかにしている暇はありません。

【鶏群一△鶴】多くの平凡な人の中で、きわだってすぐれているものにたとえる。鶏群孤鶴。

【鶏犬相聞】鶏の声や犬の声が聞こえる。㋐国土がせまくて、村里が隣り合っているさま。老子が理想とした、小国寡民の姿を述べた語。『老子』八十に「隣国相望、鶏犬之声相聞」とあるのに基づく。㋑平和な村里ののどかなようす。用例〔東晋、陶潜、桃花源記〕阡陌交通、鶏犬相聞。↓あぜ道が八方へ通じ、にわとりや犬の鳴き声が聞こえてくる。

【鶏口】にわとりの口。弱小の団体のかしらにたとえる。

【為(爲)二鶏口一無レ為(爲)二牛後一】たとい小さなものであるとしても、そのかしら(鶏口)になる方がよく、大きなものであるとしても、その下(牛後)についてはならない。〔史記、蘇秦伝〕

【鶏子】①にわとりの子。ひな。②たまご。鶏卵。

【鶏△塒】にわとりのねぐら。鶏棲。

【鶏△黍】にわとりを殺してあつもの(汁物)を作り、きびの飯をたく。人を接待すること。客を心からもてなすこと。『論語』微子編に「止二子路一宿、殺レ鶏為レ黍而食レ之」とあるのに基づく。

【鶏△晨】にわとりが夜明けをつげる。夜明け。

【鶏声(聲)】＝鶏鳴。

【鶏△棲】①にわとりのねぐら。鶏栖。②木の名。さいかち。

【鶏△棲△鳳△凰食】鶏のすむねぐらに、鳳凰(天下太平のときにしか現れないという想像上の鳥)がすんで、鶏と一緒に食事する。りっぱな人物が、つまらない人物とともに居ることのたとえ。〔南宋、文天祥、正気歌〕

【鶏窓】読書室。書斎。

【鶏頭】①おにはすの実。②国草花の一種。茎は赤青色、にわとりのとさかに似た花を夏から初秋にかけてつける。鶏頭花。鶏冠花。

【鶏豚】にわとりと、ぶた。

【鶏皮鶴髪】老人をいう。老人の皮膚のしわ、髪の白いのをたとえていう。▼鶴は、つる。

【鶏△鶩】にわとりと、あひる。平凡な人のたとえ。

【鶏鳴】①にわとりの鳴き声。②夜明け。早朝。鶏晨。

【鶏鳴△狗盗】つまらぬ技能のある者のたとえ。戦国時代、斉の孟嘗君が、狗のものまねをする食客(いそうろう)に物を盗ませ、にわとりの鳴きまねをする食客によって、函谷関からのがれ帰った故事による。〔史記、孟嘗君伝〕

【鶏鳴△狗△吠】にわとりや、犬の鳴き声。〔孟子、公孫丑上〕

【鶏鳴△之助】君主が賢婦の内助を受けているのをいう。〔詩経、斉風、鶏鳴〕

【鶏盲】とりめ。夜盲症。

【鶏林】もと新羅の国の別名。のちに、朝鮮全体の称。「鶏林八道」

【鶏△肋】①にわとりのあばら骨。食べるほどの肉はないが、捨てるには惜しいことから、転じて、価値は少ないが、捨てがたいもののたとえ。〔後漢書、楊修伝〕②にわとりのあばら骨のように体が弱く小さいこと。

【割レ鶏△焉用二牛刀一】小さなにわとりを料理するのにどうして牛を解体する大きな包丁が必要であろうか。小さな事をなすには、大人物や大きな手段の必要はないというたとえ。用例〔論語、陽貨〕子之二武城一、聞二弦歌之声一。夫子莞爾而笑曰、割レ鶏焉用二牛刀一。↓先生が武城の町に行ったところ、正しい音楽の音色が聞こえてきた。先生はにっこり笑っておっしゃった、「鶏を料理するのにどうして牛刀を用いるのか(そんな必要はない)」。

8【鶂】19画 14273 一 漢ゲキ・呉ギャク 錫 yì 二 ゲイ 斉 — — 7603

【鶃】14274 同字

字義 一二 ❶さぎ(鷺)に似た水鳥。❷鶂鶂は、がちょうの鳴く声。

解字 形声。鳥＋兒音。

8【鶃】19画 14274 ゲキ 鶂(14273)と同字。→一六三〇ジ中。 2 9422 — —

8【鵳】19画 14275 ケン 先 jiān

字義 鶙鵳は、はやぶさ。

解字 形声。鳥＋肩音。

8【鵼】19画 14276 漢コウ 呉クウ 東 kōng 1 9463 — 7601

字義 怪鳥の名。国ぬえ(鵺)。㋐とらつぐみ。鳩に似て、背面は黄赤色、腹面は黄白色で、一面に三日月形の黒い点がある。夜出て幼児のような鳴き声をたて、その声を聞くと病気になるという。㋑首は猿、からだは虎、尾は蛇に似た、想像上の怪物。㋒正体のはっきりしないもののたとえ。

解字 形声。鳥＋空音。

8【鶊】19画 14277 漢コウ(カウ) 呉キョウ(キャウ) 庚 gēng 1 9464 — 7606

字義 鶬鶊は、ちょうせんうぐいす。

解字 形声。鳥＋庚音。

8【鵾】19画 14278 コン 元 kūn 2 9425 — 7602

字義 とうまる。大きな鶏。鵾鶏。＝鶤(14301)。

解字 形声。鳥＋昆音。

【鵾弦・鵾△絃】琴のつるいと。もの悲しい琴の音をとうまるの鳴き声の悲しげなのにたとえていう。

8【鵲】19画 14279 漢シャク・呉サク 慣ジャク 薬 què 8307 EA46 —

字義 かささぎ。ちょうせんがらす。烏に似て尾が長く、背は黒く、肩羽と腹部は白い。 難読 鵲豆

解字 形声。鳥＋昔音。

【鵲音】喜びの消息。よいたより。

【鵲起】機会をとらえて行動すること。時流に乗じて奮起すること。

【鵲喜】かささぎが鳴きさわぐと、喜びが生ずるという俗説から、よい事の起こる前兆をいう。

【鵲橋】一かささぎの橋。七夕の夜、織女が鵲に乗って、天の川を渡るという伝説から生じたことば。二国宮中を天上になぞらえて、その階段をいう。

【鵲語】かささぎの声。喜び事の前兆とする。鵲声。

【鵲△噪】かささぎがさわぐ。よい事の前兆。鵲喜。

8【鶉】19画 14280 漢シュン 呉ジュン 真 chún 8308 EA47 —

字義 ❶うずら。野鳥の一種。大きさは鶏のひなに似て、頭は小さく、尾は短い。背は茶褐色で、腹部は赤く、灰色のまだらがある。❷→鶉衣。❸星宿の名。❹美しい。

解字 金文 篆文 形声。鳥＋享(䭯)音。音符の䭯は、厚いの意味。頭が小さく尾が短く、ずんぐりした鳥、うずらの意味を表す。

【鶉衣】ジュンイ つぎはぎした破れごろも。うずらの尾のように、短くきれてみすぼらしい着物。鶉服。

【鶉火】ジュンカ 十二星宿の一つ。南方には井・鬼・柳・星・張・翼・軫の七宿があり、これを朱鳥七宿と呼んでいるが、その首部を鶉首、中部を鶉火、末部を鶉尾という。鶉火は、柳宿から星・張の宿にわたる部分で、昔、周の分野にあたる。

【鶉居】ジュンキョ ①うずらのように、住居の不定なこと。また、住居に無頓着なこと。〔荘子、天地〕②十二星宿の一つ。井宿から柳宿に至る間をいう。秦の分野にあたるので、関中(今の陝西省地方)をいう。→鶉火。

【鶉首】ジュンシュ 十二星宿の一つ。南方の井宿から鬼宿・柳宿にわたる部分で、秦の分野にあたる。→鶉火。

【鶉尾】ジュンビ 十二星宿の一つ。南方の張宿から翼宿・軫宿にわたる部分で、昔、楚の分野にあたる。→鶉火。

【鶉服】ジュンプク やぶれごろも。鶉衣。

【鶉野】ジュンヤ 鶉首の分野。唐の都、長安の地を、十二星宿の分野にあてていう呼び名。長安は昔の秦の地にあり、鶉首が秦の分野であるからいう。→鶉首・鶉火。

8【雛】19画 14281 スイ 図 zhuī — — 7594

字義 ❶こばと(小鳩)。じゅずかけばと。はとの一種。❷うずら。

解字 篆文 形声。鳥＋隹音。音符の隹は、ずんぐりした鳥の意味。ずんぐりした形のこばとの意味を表す。

8【鶄】19画 14282 (漢)セイ (呉)ショウ(シャウ) 庚 jīng 29426 — 7604

字義 ごいさぎ(五位鷺)。サギ科の鳥。

解字 形声。鳥＋青音。

8【鵰】19画 14283 チョウ(テウ) 蕭 diāo 19462 EEE8 7591

字義 わし。くまたか。猛鳥の一種。全身の羽毛は暗褐色で、口ばしは強大でかぎがたに曲がり、犬や羊をも捕らえて食う。＝雕(13196)。

解字 形声。鳥＋周音。

【鵰△鶚】チョウガク ①猛鳥の名。わし。くまたか。②人の才力の強く雄々しいたとえ。

8【鶇】19画 14284 トウ 東 dōng 8309 EA48 —

字義 つぐみ。形はもずに似て、全身は紫灰色、腹部は黄白色で紫黄色のまだらがある小鳥。山中の穴などにすむ。

参考 〔鶫〕(14311)は〔鶇〕を変形した国字。

解字 形声。鳥＋東音。

8【鵫】19画 14285 (漢)トウ(タウ) (呉)チョウ・テウ 効 zhào 二 (漢)タク・(呉)ダク 覚 29420 EEE9 7590

字義 二 しろきじ。 難読 鵫巣(とうのす)

解字 形声。鳥＋卓音。

8【鵯】19画 14286 一 ヒ 支 bēi 二 (漢)ヒツ・(呉)ビチ 質 8311 EA4A —

字義 二 鵯鶋(ヒッキョ)は、はしぶとがらす。みやまがらす。国 ひよどり。ひよ。ひえどり。つぐみに似て、尾が長く、足が細く、背は青味を帯びた灰色で、胸腹部には黒いまだらがある。

解字 形声。鳥＋卑音。

8【鶓】19画 14287 (漢)ビョウ(ベウ) (呉)ミョウ(メウ) 蕭 miáo — — 7610

字義 ❶鳥の名。❷現代中国語で、鴯鶓(ジビョウ)は、鳥の名。エミュー。ダチョウの一種。

解字 形声。鳥＋苗音。

8【鵩】19画 14288 (漢)フク (呉)ブク 屋 fú 29419 — 7588

字義 みみずく。ふくろう。不吉な鳥とされる。「鵩鳥」

解字 形声。鳥＋服音。

8【鵬】19画 14289 人 4318 9651 —

8〔鵬〕19画 14290 (漢)ホウ (呉)ボウ 蒸 péng

筆順 丿 刀 月 用 朋 朋 朋 鵬 鵬 鵬

字義 おおとり。想像上の大鳥の名。用例〔荘子、逍遥遊〕化而為レ鳥、其名為レ鵬(カして とりとなり、その なを ホウと なす)。↓変化して鳥となり、その名を鵬といった。

鵬

名前 とも・ゆき

解字 形声。鳥＋朋音。音符の朋は、もと、おおとりの象形。鳥を付し、おおとりの意味を表す。

【鵬雲】ホウウン おおとりのつばさのように大きな雲。大きくむらがる雲。

【鵬挙(擧)】ホウキョ おおとりのように遠く高く飛びあがる。

【鵬△鯤】ホウコン 想像上の大鳥と大魚。転じて、非常に大きい事物、または英雄のたとえ。〔荘子、逍遥遊〕

【鵬際】ホウサイ おおとりの飛びかける空。遠くはるかな果て。

【鵬△雛】ホウスウ おおとりのひな。転じて、やがては大人物となる年少の者をいう。

【鵬程】ホウテイ おおとりの飛んで行くみちのり。遠い道程のたとえ。「鵬程万里」

【鵬図(圖)】ホウト おおとりが北から南へ、一挙に飛んで行こうとする大きなはかりごと。転じて、大きな事業・壮志にたとえる。〔荘子、逍遥遊〕→図南(三九四ページ上)。

【鵬翼】ホウヨク ①おおとりのつばさ。転じて、大事業をなす計画。②国飛行機。また、飛行機のつばさ。

8【鵡】19画 14291 標 (漢)ブ (呉)ム 麌 wǔ 4425 96B7 —

〔䳇〕14219 同字 (14383)。

字義 鸚鵡(オウム)は、鳥の一種。→鸚

解字 形声。鳥＋武音。

8【鵺】19画 14292 ヤ 禡 yè 8312 EA4B —

字義 白鵺(ハクヤ)は、雉(きじ)に似た鳥。国 ぬえ(鵼(コウ))。

解字 形声。鳥＋夜音。

8【鶆】19画 14293 ライ 灰 lái — — 7605

字義 鶆鳩(ライキュウ)は、鳥の名。たか。

解字 形声。鳥＋來音。

8【鶍】19画 14294 国字 29427 — 7607

字義 いすか。アトリ科の小鳥。雀(すずめ)よりやや大きく、嘴(くちばし)は曲がって、上下くいちがう。交喙(いすか)。「鶍(いすか)の嘴(はし)(物事がくいちがって思うようにならぬたとえ)」

解字 もと、鶪で、形声。鳥＋昊音。日本で書き誤ったもの。

8【鶎】19画 14295 国字 — — 7608

字義 きくいただき。スズメ目の小鳥。めじろほどに小さく、背は緑色、腹は灰色で、雄の頭上は菊花をのせたように見える。

解字 会意。鳥＋宗。宗は、たっといの意味。尊い菊の紋をいただいている、きくいただきの意味を表す。

9【鶕】20画 14296 漢アン 呉オン 覃 ān ― ― 7611
字義 鳥の名。ふなしうずら。
解字 形声。鳥＋音音。

9【鶚】20画 14297 ガク 薬 è 8313 EA4C ―
字義 みさご。猛鳥の名。たかの一種。水辺にすみ、魚を捕らえて食う。鴡鳩。
解字 形声。鳥＋咢音。
【鶚視】ガクシ みさごのようにするどい目つきで見る。
【鶚書】ガクショ 人を推薦する書。鶚表。
【鶚薦】ガクセン すぐれた人物として推薦すること。→鷙鳥累レ百不レ如二一鶚一（一六〇六ページ上）。

9【鶡】20画 14298 漢カツ 呉ガチ 曷 hé 2 9429 ― 7615
字義 やまどり。雉に似た野鳥。全身、茶褐色で、尾が長い。性質は、好戦的、死んでも退かないと信ぜられ、武人は、その勇気にあやかり、隠者は、勇退の意として、その羽毛を冠のかざりとした。「鶡鶏」
解字 篆文 形声。鳥＋曷音。音符の曷は、褐に通じ、茶褐色の意味。
【鶡冠子】カッカンシ 書名。三巻、十九編。作者・成立年代ともに不明。道家の説に基づきながら、法家や兵家の思想もまじえて説く。

9【鶪】20画 14299 ゲキ ― ― 7616
鵙(14251)の正字。→一六二八ページ下。

9【鶘】20画 14300 漢コ 呉ゴ 虞 hú ― ― 7614
字義 鵜鶘は、鳥の名。ペリカン。
解字 形声。鳥＋胡音。

9【鶤】20画 14301 コン 元 kūn 8314 EA4D ―
字義 鳥の一種。鶤鶏。㋐とうまる。大きな鶏。＝鵾(14278)。㋑鶴に似た大きな鳥。㋒鳳凰の別名。
解字 形声。鳥＋軍音。

9【鶿】20画 14302 漢シ 呉ジ 支 cí ― ― 7623
［鶿］14303 俗字 ［鷀］14304 俗字 ［鷀］14305 同字
字義 鸕鶿は、う(鵜)。しまつどり。
解字 形声。鳥＋茲音。

9【鶿】20画 14303 ジ 2 9430 ― ―
鶿(14302)の俗字。→一六三二ページ上。

9【鷀】20画 14304 ジ 1 9466 ― ―
鶿(14302)の俗字。→一六三二ページ上。

9【鷀】20画 14305 ジ ― ― ―
鶿(14302)と同字。→一六三二ページ上。

9【鶖】20画 14306 漢シュウ(シウ) 呉シュ 尤 qiū 1 9465 ― 7612
字義 う。しまつどり。水鳥の名。青黄色で鶴に似て足が長い。中国南方の湖水にすみ、魚を常食とする貪欲な鳥とされる。扶老・禿秋ともいう。
解字 形声。鳥＋秋音。

9【鶒】20画 14307 チョク 職 chì ― ― 7609
字義 鸂鶒は、鳥の名。おしどり。
解字 形声。鳥＋勅音。

9【鶙】20画 14308 漢テイ 呉ダイ 斉 tí 2 9428 ― ―
字義 鶙鶘は、はやぶさ。
解字 形声。鳥＋帝音。

9【鶗】20画 14309 ㊀漢テイ・呉ダイ 斉 tí ㊁漢シ・呉ジ 支 chí ― ― 7613
字義 ㊀鶗鴂は、鳥の名。ほととぎす。また、みそさざい。㊁鶗鶘は、鳥の名。たか。
解字 形声。鳥＋是音。

9【鶩】20画 14310 ㊀漢ボク・呉モク 屋 mù ㊁漢ブ・呉ム 遇 wù 8315 EA4E ―
字義 ㊀あひる。家畜に飼いならした、まがも(真鴨)の変種。㊁❶あひる。❷はやい。速く走る。＝騖(13767)。
解字 形声。鳥＋敄音。
【鶩舲】ボクレイ 小舟をいう。水鳥を描いてかざりとしたところからいう。鶩櫂。▼舲は、こぶね。
【鶩列】ボクレツ あひるのように並ぶこと。また、朝廷の百官の列。

9【鶫】20画 14311 国字 8310 EA49 ―
字義 つぐみ。→鶇(14284)。
解字 鶇(14284)の字の変形。

10【鶠】21画 14312 漢アン 呉エン 諫 yàn 2 9434 ― 7624
字義 ふなしうずら。めうずら。鶉の一種。羽にまだらがなく、腹が白い。＝鴳(14223)。国鳥の名。かやくき。かやくぐり。
解字 形声。鳥＋晏音。
【鶠雀】アンジャク ふなしうずらと、すずめ。共に小鳥の名。転じて、小人物がべちゃくちゃしゃべるたとえ。

10【鶯】21画 14313 標 漢オウ(アウ) 呉ヨウ(ヤウ) 庚 yīng 8284 E9F2 ―
［鸎］14374 同字 ［鴬］14209 俗字
字義 ❶鳥の羽の美しいさま。❷からうぐいす。ちょうせんうぐいす。形は、日本のうぐいすよりも大きく、からだは黄色で、羽と尾は黄と黒がまじっている。初春にはじめて鳴き、声は美しい。黄鸝・倉庚・商倉・鸝鶹・博黍・春鳥・報春鳥など、さまざまの別名がある。用例（唐、杜牧、江南春詩）千里鶯啼緑映レ紅、水村山郭酒旗風（千里鶯啼いて緑紅に映ず、水村山郭酒旗の風）。↓広々とした江南地方には、うぐいすが鳴き、柳の緑が桃の紅に照りはえ、水辺の村里、山辺の村里には、居酒屋の目印の旗が風になびいている。国うぐいす。ひ。形はめじろに似て、背は緑褐色、腹は灰色で、早春きれいな声で鳴く。はるつげどり。
解字 形声。鳥＋熒省音。 難読 鶯巣
【鶯衣】オウイ うぐいすの羽毛。
【鶯燕】オウエン ①うぐいすと、つばめ。共に春の鳥。②芸妓。「鶯燕地（花柳の巷）」
【鶯鶯】オウオウ ①うぐいす。②唐の崔氏のむすめの名。美人で名高い。「会真記」「西廂記」などのヒロイン。
【鶯花】オウカ ①うぐいすと花。春のけしきをいう。②妓女の群れのたとえ。
【鶯歌】オウカ うぐいすのさえずる声。鶯韻。鶯吟。鶯語。
【鶯語】オウゴ うぐいすがさえずる。うぐいすの鳴き声。また、美しい歌声のたとえ。用例（唐、白居易、琵琶行）間関鶯語花底滑（間関たる鶯語、花底に滑らかに）、幽咽泉流氷下難（幽咽せる泉流、氷下に難めり）。↓（琵琶の演奏は、）のどかなうぐいすの声が花の下でなめらかにさえずるように聞こえ、むせぶがごとき泉が氷の下でうまく流れないでいるようにも聞こえる。
【鶯簧】オウコウ うぐいすの声を笛の音になぞらえていう。▼簧は、ふえ。
【鶯谷】オウコク うぐいすのすんでいる深い谷。転じて、まだ世に出ず不遇の地位にいるたとえ。
【鶯雛】オウスウ うぐいすのひな。鶯児。
【鶯遷】オウセン うぐいすが深い谷から出て高い木に移る。進士の試験に合格すること。また、人の官位の昇進や転居のときに、祝う言葉として用いる語。
【鶯囀】オウテン うぐいすがさえずる。鶯弄。

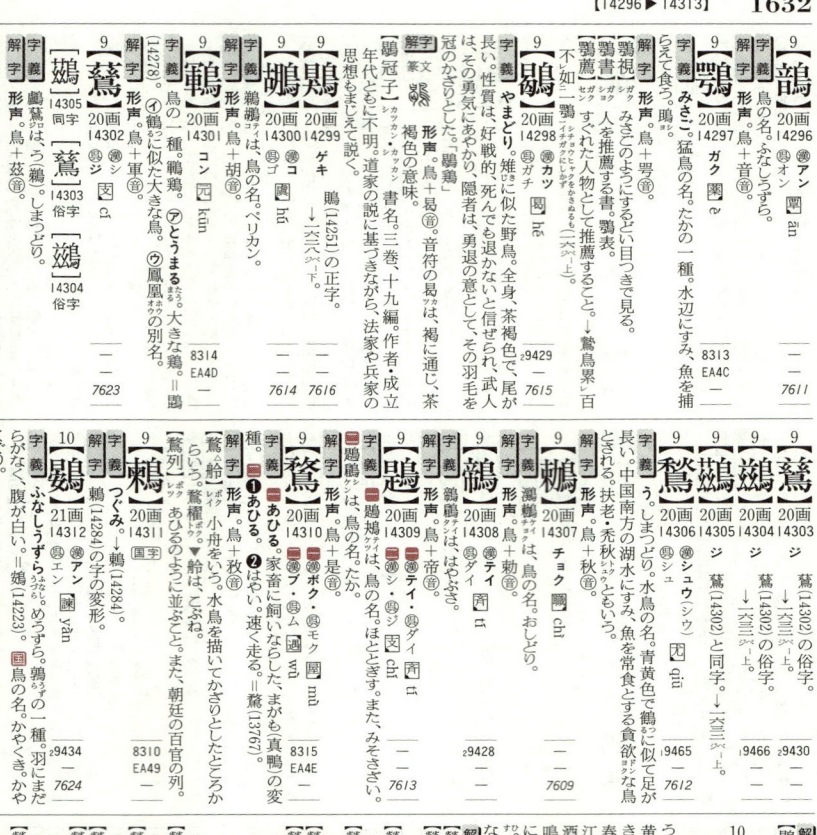

10 【鷁】 21画 14314 オウ(ヲウ) 東 wēng 8316 EA4F —

字義 ひたき。小型の林鳥で、種類が多い。

解字 形声。鳥＋翁音。

10 【鶴】 21画 14315 常 つる 漢カク・呉ガク 薬 hè 3665 92DF —

筆順 ⺈ ⺈ 𠂉 ... 寉 鶴

【鸖】14381 同字 【鶮】14335 俗字

字義 ❶つる。首・足・くちばし、ともに長く、全身が白く羽先が黒い。水中の魚を捕らえて食い、鳴き声は気高く、千年の長生きをするといわれる。❷白い色の形容。「鶴髪」❸すき(鋤)の頭部。形がつるに似ているからという。❹陣立ての一つ。左右の翼を張る陣列。「鶴翼」

名前 かく・ず・たず・つ・つる・づる 難読 鶴羽(つるわ)・鶴来(つるぎ)

解字 篆文 形声。鳥＋寉音。音符の寉は、高くいたるの意味。その声や飛び方が高くて天にまでも至る鳥、つるの意味を表す。

【鶴駕】(カクガ) ①皇太子の乗り物。②仙人の乗り物。

【鶴鶴】(カクカク) 肥えて光沢のあるさま。また、羽毛の白いさま。用例〔孟子、梁恵王上〕白鳥鶴鶴(ハクチョウカクカクたり)。↓白鳥は肥えて羽毛は白い。

【鶴企】(カクキ・カッキ) つるのように首をのばし、足をつまだてること。また、そうして待っていること。鵠企(コッキ)。

【鶴脛雖長、断(斷)之則悲】(カクケイながしといえ(へ)ども、これをたたばすなわ(は)ちかなしまん) つるの足が長いからといって、切って短くしたなら、つるは悲しむだろう。物にはそれぞれ自然に備わった特性があり、他からむやみに手を加えてはならないというたとえ。用例〔荘子、駢拇〕鳧脛雖短、続之則憂(フケイはみじかしといえ(へ)ども、これをつがばすなわ(は)ちうれえ(へ))、鶴脛雖長、断之則悲(カクケイながしといえ(へ)ども、これをたたばすなわ(は)ちかなしまん)。↓かもの足が短いからといって、これをつぎたしてやれば、かえって迷惑するし、つるの足が長いからといって、切って短くしたなら、かえって悲しむだろう。

【鶴頸】(カクケイ) ①つるのくび。②長いくび。また、長い首の人。③花瓶(カビン)・徳利などの細長いくび。

【鶴軒】(カクケン) ①つるが大夫(タイフ)の車に乗っていること。②さいわいに禄位(ロクイ)を得たことをいう謙辞。▼軒は、大夫の車。

【鶴膝】(カクシツ) ①矛の一種。②作詩上の八病(ハチヘイ)の一つ。第一句の第五字と第三句の第五字とに同声音の字を用いるのをいう。

【鶴首】(カクシュ) 一 ①白髪頭(しらがあたま)。②国人や便りの来るのを首を長くして待つこと。二 (つるくび) 国花瓶(カビン)・徳利などの細い首。

【鶴寿(壽)千歳】(カクジュセンザイ) つるの寿命は千年。長寿を祝うことば。用例〔淮南子、説林訓〕鶴寿千歳(カクジュセンザイ)、以極其游(もってそのユウをきわ(は)む)。↓つるは千年を寿命として、その遊びを終わらせる。

【鶴氅】(カクショウ) つるの羽で織った衣。羽衣。転じて、雪をかぶった衣にたとえる。用例〔唐、白居易、酬令公雪中見贈訝不与夢得同相訪詩〕雪似鵝毛飛散乱(ゆきはガモウににてとんでサンランす)、人披鶴氅立徘徊(ひとはカクショウをきてたちてハイカイす)。↓雪は、がちょうの羽毛のように、風に吹かれて散乱している。人々は、着物に雪が積もり、鶴の羽ごろもを着たようになって歩きまわっている。

【鶴痩(瘦)】(カクソウ) つるのようにやせる。

【鶴汀】(カクテイ) つるの遊ぶ水辺。静かな水辺。

【鶴媒】(カクバイ) おとりのつる。野鶴(のづる)を誘いよせるに用いる、飼いならしたつる。

【鶴髪】(カクハツ) つるの羽のような白い髪。白髪。用例〔唐、劉廷芝、代悲白頭翁詩〕宛転蛾眉能幾時(エンテンたるガビ、よくいくときぞ)、須臾鶴髪乱如糸(シュユにしてカクハツ、みだれていとのごとし)。↓すらりとした美しい眉の美人も、いつまでそのままでいられようか。たちまちにして白髪が糸のように乱れたおばあさんになってしまうだろう。

【鶴歩】(カクホ) つるのようにゆっくりした歩み。

【鶴望】(カクボウ) 首を長くして望むこと。鶴企。鵠望(コクボウ)。鵠企(コッキ)。

【鶴鳴】(カクメイ) ①つるが鳴く。また、つるの鳴き声。②『詩経』小雅の詩編名。その詩句から、賢人が用いられず、野にあることのたとえ。→鶴鳴九皐声聞于天。

【鶴鳴九皐声(聲)聞于天】(つるキュウコウになきて、こえ(ゑ)テンにきこゆ) つるは、人に知られぬ沢で鳴いても、その声は遠く天にまで達する。転じて、君子は世俗に深くかくれていても、その偉大さが知れわたるたとえ。〔詩経、小雅、鶴鳴〕

【鶴鳴之士】(カクメイのシ) 用いられないで民間にある賢人。

【鶴翼】(カクヨク) ①つるのつばさ。②つるが翼を張ったように、中央から左右に長く張った形。「鶴翼之陣(カクヨクのジン)」

【鶴立】(カクリツ) ①つるが立つ。②つるのように長く、気高く立っていること。③つるのように首を長くして、待ち望むこと。

【鶴林】(カクリン) ①寺。寺院。②沙羅双樹(サラソウジュ)の林の別名。釈迦(シャカ)入滅の時、沙羅双樹がすべて白く変わり、その状態が白いつるのようになったのでいう。

【鶴唳】(カクレイ) ①つるが鳴く。また、つるの鳴き声。②つるの鳴き声が高くするどいことから、転じて、身のひきしまるような文章やことばをいう。

【鶴翎】(カクレイ) つるの羽。

10 【鷄】 21画 (14272) ケイ 鶏(14271)の旧字体。→一六三九ジー下。

10 【鷁】 21画 14316 漢ゲキ 呉ギャク 錫 yì 8318 EA51 —

字義 ❶水鳥の一種。鷺(さぎ)に似て大きく、羽は蒼白色(ソウハクショク)。風波によくたえて飛ぶ。❷水難よけのために船首に鷁を彫りつけた船。「竜頭鷁首」

解字 形声。鳥＋益音。

【鷁首】(ゲキシュ・ゲキス) ①鷁の頭。②鷁の形を船首に刻み、または描いた船。「竜頭鷁首」

10 【鷊】 21画 14317 漢ゲキ 呉ギャク 錫 yì — — 7627

字義 ❶鳥の名。水鳥。❷鳥の名。七面鳥。❸草の名。

解字 形声。鳥＋鬲音。

10 【鶱】 21画 14318 漢ケン 呉コン 元 xiān — — 7619

字義 とぶ。とびあがる。鳥の飛ぶさま。

解字 形声。鳥＋寒省音。

10 【鶼】 21画 14319 一 ケン 塩 jiān 二 漢カン・呉ケン 咸 qiān 19468 — 7622

字義 一 鶼鶼は、比翼鳥の別名。二 ついばむ。

解字 形声。鳥＋兼音。

10 【鷇】 21画 14320 漢コウ 呉ク 宥 宼 kòu 29435 — 7625

字義 ひな。ひよこ。

解字 篆文 形声。鳥＋㱿音。音符の㱿(カク)は、殻に同じく、からの意味。からから出たばかりの鳥、ひなの意味を表す。

【鷇音】(コウオン・コウイン) ひな鳥の鳴き声。人の言葉の是非がはっきりしないことのたとえ。〔荘子、斉物論〕

【鷇食】(コウショク) 子鳥が母鳥の養いを受けるように、他から恩恵を受けること。〔荘子、天地〕

10 【鶮】 21画 14321 一 漢コク・呉ゴク 沃 hú 二 カク 薬 hè — — 7618

字義 一 地名。戦国時代の韓(カン)の町。二 鳥の名。つる。＝鶴(14315)。

解字 形声。鳥＋高音。

10 【鶻】 21画 14322 一 漢コツ・呉コチ 月 gǔ 二 漢コツ・呉ゴチ 月 hú 8319 EA52 —

字義 一 いかる。あさなきどり。二 ❶はやぶさ。くまたか。❷回鶻(カイコツ)は、北方の異民族の名。ウイグル。

解字 形声。鳥＋骨音。
【鶻突】あいまいにしておくこと。はっきりしないままにごまかしておくこと。糊塗の転音。
【鶻△圇・鶻△淪】明らかでないさま。渾沌。

10【鶸】21画 14323 漢ジャク 呉ニャク 薬 ruò 8320 EA53 —
字義 とうまる。鶏の一種。しゃもよりは大きく、猛鳥。国ひわ。小鳥の一種。すずめに似ていて、羽毛は青黄色、よくさえずる。
解字 形声。鳥＋弱音。

10【鶽】21画 14324 シュン 軫 sǔn ₂9433 — —
字義 鳥の名。㋐じゅずかけばと（数珠掛鳩）。また、はやぶさ。㋑わし。
解字 形声。鳥＋隼音。

10【鶵】21画 14325 漢スウ 呉ジュ 虞 chú ₂9431 — 7620
字義 ❶ひな（雛）。❷鵷鶵は、鳳凰の一種。
解字 形声。鳥＋芻音。

10【鶺】21画 14326 漢セキ 呉シャク 錫 陌 jí 8321 EA54 —
字義 鶺鴒は、㋐水辺にすむ小鳥の一種。形は燕に似て、尾が長く、それを上下に動かす性質がある。いしたたき。いもせどり。㋑よく二羽がつれだつことから、転じて、兄弟のたとえ。
解字 形声。鳥＋脊音。

10【鶬】21画 14327 一ソウ（サウ）陽 cāng 二漢ショウ（シャウ）呉ソウ（サウ）陽 qiāng ₁9467 — 7617
字義 一❶まなづる。鶴に似て、全身あおい色、または、灰色で、両ほお（頰）が、べに色の鳥。鶬鴰。鶬鶴。鶬鶏。❷九頭九尾の鳥。鶬鴰。❸鶬鸚・鶬鶊は、ちょうせんうぐいす。二❶金属のかざりの形容。❷おきて。方式。節度。❸鶬鶬は、声のやわらぐさま。
解字 篆文 形声。鳥＋倉音。音符の倉は、蒼に通じて、あおいの意味。あおい色をした、まなづるの意味を表す。

10【鷉】21画 14328 一漢テイ・呉タイ 斉 tí 二シ 支 ₂9436 — 7626
字義 一鸊鷉は、かいつぶり。におどり。カイツブリ科の鳥。
解字 形声。鳥＋虒音。

10【鷆】21画 14329 漢テン 呉デン 先 tián 8322 EA55 —
[鷏] 14330 俗字
字義 よたか。蚊吸鳥。蚊母鳥。
解字 形声。鳥＋眞音。

10【鷏】21画 14330 テン 鷆(14329)の俗字。→一六三四ジ中。 8323 EA56 —

10【鷂】21画 14331 一ヨウ（エウ）嘯 yào 二ヨウ（エウ）蕭 yáo 8324 EA57 —
字義 一はしたか。はいたか。めたか。鷹よりも小さく、背は黒く、腹に赤白または黄黒のぶちがある。二いろきじ。五色の雉。
解字 形声。鳥＋䍃音。

10【鶹】21画 14332 漢リュウ（リウ）呉ル 尤 liú ₂9432 — 7621
字義 ❶鶹離は、鳥の名。一説に、ふくろう。❷みみずく。国鵂鶹は、ふくろうの古名。
解字 形声。鳥＋留（畱）音。

11【鷖】22画 14333 一エイ 斉 yī 二エイ 霽 yì ₂9437 — 7630
字義 一❶かもめ。❷鳳凰の別名。二青黒い色。
解字 形声。鳥＋殹音。

11【鷗】22画 14334 人 標 漢オウ 呉ウ 尤 ōu ₁9469 — 7631
[鴎] 14195 簡易
筆順 一 口 口口 品 區 區' 區阝 鷗 鷗
字義 かもめ。全身、灰白色で、海上に飛び、魚を捕らえて食う。
解字 篆文 形声。鳥＋區音。音符の區は、区分けするの意味。全身が灰白色で、きわだった鳥、かもめの意味を表す。
【鷗△洲】かもめのいる洲。▼洲は、川のなかす。
【鷗△渚】かもめのいる水ぎわ。鷗汀。
【鷗△汀】かもめのいる水ぎわ。鷗渚。
【鷗盟】①隠居してかもめを友とする。②俗世間に無縁のまじわり。風流な交際。

11【鸖】22画 14335 カク 鶴(14315)の俗字。→一六三三ジ上。 — EEEA —

11【鷠】22画 14336 漢ギョ 呉ゴ 魚 yú ₂9440 — 7635
字義 鳥の名。 難読 鷠森
解字 形声。鳥＋魚音。

11【鷔】22画 14337 一漢ゴウ（ガウ）・呉ゴウ 豪 áo 二漢ゴウ（ガウ）・呉ゴウ 号 ào — — 7628
字義 一鳥の名。その飛び集まる国は滅びるといわれる凶鳥。二❶魚の名。とびうお。❷鷔夏は、楽曲の名。
解字 形声。鳥＋敖音。

11【鷟】22画 14338 漢サク 呉ザク 覚 zhuó ₂9439 — 7634
字義 鸑鷟は、紫色の神鳥。鳳凰の一種。また、鴨に似た水鳥。
解字 形声。鳥＋族音。

11【鷙】22画 14339 シ 寘 zhì 8325 EA58 —
字義 ❶あらどり。わし・たかなど、猛鳥の総称。猛禽。❷うつ（撃）。❸あらあらしい。たけだけしい。❹疑う。
解字 篆文 形声。鳥＋執音。音符の執は、とらえるの意味。他の生物をとらえる鳥の意味を表す。
【鷙△悍】強くて荒々しい。
【鷙強・鷙△彊】たけだけしく強い。
【鷙虫（蟲）】猛鳥と猛獣。▼虫は、鳥獣をいう。
【鷙鳥】①たけだけしい鳥。猛鳥。②つばめの別名。
【鷙鳥累レ百不レ如二一△鶚一】無能の者が百人集まっても、一人の有能な士には及ばないというたとえ。〔漢書、鄒陽伝〕→鶚薦（一六三二ジ上）。
【鷙勇】荒くて強い。猛勇。悍勇。

11【鷓】22画 14340 シャ 禡 zhè 8326 EA59 —
字義 鷓鴣は、キジ科の鳥。大きさは鶉ぐらいで、褐色、胸に白いまだらがある。やまうずら。用例〔唐、李白、越中懐古詩〕宮女如レ花満二春殿一、只今惟有二鷓鴣飛一。↓宮女が花のように春の宮殿に満ちていたが、今ではただ鷓鴣があたりをさびしく飛んでいるだけである。
解字 形声。鳥＋庶音。 難読 鷓鴣菜

11【鷞】22画 14341 一漢ショウ（シャウ）呉ソウ（サウ）陽 shuāng 二漢ショウ（シャウ）呉ソウ（サウ）養 shuǎng — — 7633
字義 一鷫鷞は、鳥の名。西方の神鳥。また、雁に似て、首が長く、緑色の鳥。二鷞鳩は、鳥の名。たか。
解字 形声。鳥＋爽音。

11【鷘】22画 14342 漢チョク 呉チキ 職 chì

字義 鸂鶒ケイチョクは、鳥の名。むらさきおしどり。
解字 形声。鳥+敕音。

11 【鷕】22画 14343 ■ヨウ(エウ) 篠 yǎo ■漢イ(ヰ)・呉ユイ 紙 wěi ― ― 7629
字義 鳴く。雌の雉きじが鳴く。また、その声の形容。
解字 形声。鳥+唯音。

11 【鷚】22画 14344 ■漢リュウ(リウ) 宥 尤 liù ■漢ボウ・呉ム 尤 29438 ― 7632
字義 ひばり。雲雀。告天子。天雀。
解字 形声。鳥+翏音。

12 【鷧】23画 14345 ■イ 寘 yì ■エイ 霽 19471 ― 7637
字義 う(鵜)。うのとり。
解字 形声。鳥+壹音。

12 【鷸】23画 14346 漢イツ(ヰツ) 呉イチ(ヰチ) 質 yù 8327 EA5A ―
字義 ❶しぎ。水鳥の一種。形は水鶏くいなに似て、堅く長いくちばしと足とをもつ。背は灰色で、小さい白点があり、胸・腹は白い。常に田・沢にすみ、虫・魚を捕らえて食う。❷かわせみ。くちばしは長大、羽色は青色で美しい。雨の降るのを予知するといい、天文係の役人など、その羽で冠をかざった。「鷸冠」❸速く飛ぶさま。
解字 形声。鳥+矞音。
【鷸△蚌△之争(爭)】イツボウのあらそい(ひ) =漁父之利(八七四ページ上)。両者が争ううちに、第三者にその利益を横取りされるたとえ。〔戦国策、燕〕

12 【鷣】23画 14347 ■イン 侵 yín ■ヨウ(エウ) 嘯 【鷣】14348 俗字
字義 はしたか。はいたか。ワシタカ科の鳥。

12 【鷣】23画 14348 イン 鷣(14347)の俗字。→一六三五ページ上。 29441 ― ―
解字 会意。鳥+覃。

12 【鷰】23画 14349 エン 燕(7082)と同字。→九四一ページ上。 ― ― 7641

12 【鷳】23画 14350 漢カン 呉ゲン 刪 xián 29442 ― 7643 【鷴】14351 同字 【鷴】14352 俗字
字義 ❶雉きじの一種。羽毛は白くて黒点があり、尾が長い。くちばしとつめは赤い。長江以南に多い。白鷳ハッカン。❷とび。
解字 形声。鳥+閑音。

12 【鷴】23画 14351 カン 鷳(14350)と同字。→一六三五ページ上。

12 【鷴】23画 14352 カン 鷳(14350)の俗字。→一六三五ページ上。 ― ― 7642

12 【鷮】23画 14353 キョウ(ケウ) 蕭 jiāo ― ― 7640
字義 やまどり。おおやまどり。おながきじ。雉じの一種。尾が長く、走りながらよく鳴く。
解字 形声。鳥+喬音。

12 【鷥】23画 14354 シ 支 sī ― ― 7636
字義 鳥の名。しらさぎ。
解字 形声。鳥+絲音。音符の絲は、糸の意味。頭に白い糸のような毛がある鳥の意味を表す。

12 【鷲】23画 14355 人 標 漢シュウ(シウ) 呉ジュ 宥 jiù 4741 9868 ―
筆順 亠 亩 京 京 京一 就 就 就 就 鷲
字義 わし。全身黒く、猛鳥の代表的なもの。
名前 しゅう・わし 難読 鷲羽わしう・鷲見すみ・鷲敷わじき
解字 形声。鳥+就音。
【鷲山】ジュセン 仏霊鷲山リョウジュセンの略。インド摩訶陀マカダ国、王舎城の北東にあり、山頂が鷲に似ているから名づけた。釈迦シャカはこの山で「法華経ホケキョウ」を説いた。
【鷲△嶺】ジュレイ・ジュリョウ 仏=鷲山。

12 【鷦】23画 14356 ショウ(セウ) 蕭 jiāo 8328 EA5B ―
字義 ❶鷦鷯ショウリョウは、さざき。みそさざい。たくみどり。大きさは雀すずめぐらいで、草むらの間をすばやく飛びかける。巣の作り方が巧み。巧雀コウジャク・女匠・襪雀ベツジャク・桃虫・黄雀ともいう。❷鷦鵬ショウホウは、南方の神鳥。鳳凰ホウオウの類い。
解字 形声。鳥+焦音。
【鷦△鷯巣(巢)二於深林一不レ過二一枝一】ショウリョウはシンリンにすくう(ふ)も イッシにすぎず みそさざいは林に巣を作るが、巣に必要な枝は一本にすぎない。人はおのおのその分に安んずべきであるというたとえ。〔荘子、逍遥遊〕

12 【鷤】23画 14357 漢テイ 呉ダイ 斉 tí
字義 ❶鷤鴂テイケイは、ほととぎす。❷ふふどり。

12 【鷭】23画 14358 漢ハン・呉ボン 慣バン 元 fán 8329 EA5C ―
字義 鷭鵬ハンは、鳥の名。国バン。クイナ科の水鳥。沼の草むらや水田にすみ、たくみにおよいで、人の笑い声に似た声で鳴く。
解字 形声。鳥+番音。

12 【鷩】23画 14359 漢ヘツ 呉ヘチ 屑 biē ― ― 7638
字義 きんけいちょう。にしきどり。やまどりに似た野鳥。首は緑、腹は赤、黄色の冠がある。金鶏・錦鶏キンケイ・赤雉セキチともいう。
解字 篆文  形声。鳥+敝音。音符の敝へいは、やぶれるの意味。一つの色でなく、緑・赤・黄などが美しくまじる、きんけいちょうの意味を表す。

12 【鷯】23画 14360 リョウ(レウ) 蕭 嘯 liáo 8330 EA5D ―
字義 ❶鷦鷯ショウリョウは、みそさざい。さざき。茶褐色の小鳥。❷刀鷯は、よしきり。よしわらすずめ。ミソサザイ科の小鳥。
解字 形声。鳥+尞音。

12 【䳑】23画 14361 国字 19470 ― ―
字義 とり(鳥)。

13 【鷾】24画 14362 イ 寘 yì ― ― 7644
字義 鷾鴯イジは、つばめ。
解字 形声。鳥+意音。

13 【鷽】24画 14363 漢カク 呉ガク 覚 xué 8331 EA5E ―
字義 ❶おなが。山鵲サンジャク。かささぎに似て、色が黒く、まだらが美しい。くちばし・足が赤い。❷鷽鳩ガクキュウ・カクキュウは、こばと。小さい鳩はと。国うそ。うそどり。小鳥の一種。雀すずめよりやや小さく、くちばしは短く、黒い。頭・尾は深黒、首は深紅、体は赤味を帯びた灰色。悲しげな声で鳴く。
解字 形声。鳥+學省音。
【鷽△鳩】ガクキュウ・カクキュウ ①こばと。小さなはと。じゅずかけばと。②小人物のたとえ。
【鷽△鳩笑レ鵬】ガクキュウ ホウをわらう(ふ) 小さいはとが、おおとりの九万里も高く上って遠く飛ぶのを笑う。小人がかえって大人物の行為がわからないたとえ。〔荘子、逍遥遊〕

13 【鸃】24画 14364 ギ 支 yí
字義 鵔鸃シュンギは、鳥の名。きんけいちょう。
解字 形声。鳥+義音。

13【鸂】24画 14365 ケイ 斉 xī(qī) $_2$9445 — 7646
字義 鸂鷘は、鳥の名。むらさきおしどり。
解字 形声。鳥＋溪㊍。

13【鷫】24画 14366 (漢)シュク (呉)スク 屋 sù — — 7639
字義 鷫鷞は、㋐西方の神鳥。鳳凰の類い。㋑鳥の名。雁に似て、首が長く、羽毛は緑色。皮で裘を作る。
解字 形声。鳥＋肅㊍。

13【鸇】24画 14367 セン 先 zhān $_1$9472 — 7647
字義 はやぶさ。さしば。猛鳥の一種。とびの類い。「鷹鸇」
解字 形声。鳥＋亶㊍。

13【鸊】24画 14368 (漢)ヘキ (呉)ビャク 錫 pì $_2$9444 — 7645
〔鷿〕14369 同字
字義 鸊鷉・鸊鶙・鸊鵜は、かいつぶり。にお(鳰)。鴨に似て小さく、水辺にすんで、葦などで水上に巣を作る。
解字 形声。鳥＋辟㊍。

13【鷿】24画 14369 ヘキ 鸊(14368)と同字。→一六三六ページ上。 — —

13【鸒】24画 14370 ヨ 御 魚 yù — — 7651
字義 はしぶとがらす。からすの一種。
解字 篆文 形声。鳥＋與㊍。音符の與は、ともにするの意味。むれをつくる鳥、はしぶとがらすの意味を表す。

13【鷹】24画 14371 人 (漢)ヨウ (呉)オウ 蒸 yīng 3475 91E9 —
筆順 一 广 … 鷹
字義 たか。猛鳥の代表的なもの。征鳥・題肩・蒼鳥・撃征ともいう。
名前 たか・まさ・よう
解字 金文 篆文 形声。鳥＋雁㊍。音符の雁は、胸のところにたか狩りのたかをあてるの意味。鳥を付し、たか狩りのためのたかの意味を表す。
【鷹眼】たかの目。また、するどい目のたとえ。
【鷹撃(擊)】①たかが羽ばたきする。②民を治めるのにきびしいことのたとえ。
【鷹犬】①たかと犬。ともに猟に用いるもの。②手先に使って、自分に反するものを排撃させる者のたとえ。悪事の手先。③使役するに足る才能のある者のたとえ。
【鷹視】たかのようなするどい目つき。
【鷹觜】①たかのくちばし。②茶の別名。
【鷹隼】①たかと、はやぶさ。ともに猛鳥。②筆力の力強いことのたとえ。
【鷹鸇】①たかと、はやぶさ。ともに猛鳥。②他を害する強い力のある者のたとえ。
【鷹鸇志】たかや、はやぶさが小鳥をとるように、たけだけしい意志。
【鷹爪】①たかのつめ。②茶の芽の別名。また、上等のお茶の名。
【鷹風】秋風をいう。
【鷹揚】㊀①たかが空に飛びあがるように、ゆったりと力強くて武勇を示すこと。②強い兵士。③文学などで一世に名をなすこと。㊁国こせこせしないこと。欲ばり争わないこと。恬淡。「大様」のなまり。

13【⿱雨鴒】24画 14372 (漢)レイ (呉)リョウ(リャウ) 青 líng $_2$9443 — —
字義 ❶鳥の名。❷鶺の別名。❸鶺鴒の別名。❹鴒(14221)の俗字。
解字 形声。鳥＋零㊍。

13【鷺】24画 14373 人 標 (漢)ロ (呉)ル 遇 lù 2677 8DEB —
筆順 ロ … 路 鷺
〔鹭〕14243 同字
字義 さぎ。全身が白く、水辺にすんで魚類を捕らえて食う水鳥。雪客・白鳥・雪鷺・糸禽・春鋤ともいう。
解字 篆文 形声。鳥＋路㊍。音符の路は、露に通じ、白いの意味。全身が白い、さぎの意味を表す。
【鷺羽】しらさぎのはね。また、それで作った舞のかざし。
【鷺鷥】さぎ。しらさぎ。
【鷺洲】白鷺洲の略。江蘇省南京市外の南西、長江にあった中州。
【鷺序】朝廷における役人の席順。さぎの飛ぶのに順序があることからいう。
【鷺汀】さぎの立つなぎさ。さぎのいる水辺。

14【鸎】25画 14374 オウ 鶯(14313)と同字。→一六三三ページ下。 — — 7648

14【鸑】25画 14375 ガク 覚 yuè — — 7650
字義 鸑鷟は、㋐神鳥で、鳳凰の一種。㋑水鳥の名。鴨に似る。
解字 形声。鳥＋獄㊍。

14【鸍】25画 14376 ㊀シ 支 shī ㊁(漢)ビ・(呉)ミ 支 mí $_2$9446 — —
字義 ㊀たかべ。こがも。カモ科の鳥。
解字 形声。鳥＋爾㊍。

14【鸐】25画 14377 ㊀(漢)テキ (呉)ジャク(ヂャク) 錫 dí ㊁(漢)タク・(呉)ダク 覚 zhuó — — 7649
字義 ㊀㊁やまどり。尾長鳥。雉に似て、雌雄で毛色が異なり、雄は全身紅黄・紅黒のまだらがあり、雌は黒色微赤で、尾が短い。山野にすむ。「鸐雉」
解字 形声。鳥＋翟㊍。音符の翟は、きじの意味。

14【鸋】25画 14378 (漢)ネイ (呉)ニョウ(ニャウ) 青 níng
字義 ❶うずらの子。❷鸋鴂は、みそさざい。

15【⿰箴鳥】26画 14379 シン 侵 zhēn
字義 ⿰箴鳥鷀は、水鳥の名。かわせみに似て、黒色。
解字 形声。鳥＋箴㊍。

15【鸓】26画 14380 ルイ 紙 支 lěi
字義 ❶むささび。ももんが。こうもりに似て、とびほどの大きさ。夜間に飛行する。「鸓鼠」❷かささぎに似た伝説上の鳥。二足四頭。
解字 形声。鳥＋畾㊍。

16【鸖】27画 14381 カク 鶴(14315)と同字。→一六三三ページ上。 — — 7653

16【鸕】27画 14382 (漢)ロ (呉)ル 虞 lú $_1$9473 — 7652
字義 鸕鷀は、う。しまつどり。かもに似て黒く、のどは白い。水をくぐって魚を捕らえることがたくみである。
難読 鸕鷀草葺不合尊
解字 形声。鳥＋盧㊍。

17【鸚】28画 14383 標 (漢)オウ(アウ) (呉)ヨウ(ヤウ) (唐)イン 庚 yīng 8332 EA5F —
字義 ❶鸚鵡は、熱帯地方に産する鳥。人語をまねる。能言鳥。鸚鴟。鸚母。❷鸚螺は、おうむ貝。鸚鵡貝

毛の美しい鳥。人語をまねる。❸鸚哥は、インコ。インド地方に産する羽
…まき貝。

【解字】形声。鳥＋嬰㊀。

【鸚猩】おうむと、しょうじょう。ともに人語をまねる動物。

【鸚舌】おうむの舌。ことばたくみによくしゃべること。

【鸚鵡洲】今の湖北省武漢市の南西を流れる長江にあった中州。用例〔唐、崔顥、黄鶴楼詩〕晴川歴歴漢陽樹、芳草萋萋鸚鵡洲。↓晴れた光に照らされた川の水がありありと見え、対岸の漢陽の並木まで手に取るようだ。かなた鸚鵡洲のあたりには、かんばしい春草が盛んに生い茂っている。

【鸚鵡石】①うすい黄緑色を帯びた孔雀石の一種。②国㋐物音を反響する石。㋑役者のせりふをぬき書きした本。

【鸚鵡杯】①おうむ貝の殻で作られた酒杯。用例〔唐、盧照鄰、長安古意詩〕漢代金吾千騎来、翡翠屠蘇鸚鵡杯。↓漢代の近衛兵が千騎もやってきて(酒宴を開き)、テーブルに並ぶのは翡翠の杯にはいった屠蘇と鸚鵡貝の杯。②おうむ貝。形が杯に似ることから。

17 【鸛】28画 14384 カン 8333 EA60 —
鸛(14386)の俗字。→一六三七ページ上。

17 【鴿】28画 14385 ヤク 㶒 yuè ₂9447 EEEB *7654*
【字義】ひばり。雲雀。
【解字】形声。鳥＋龠㊀。

18 【鸛】29画 14386 カン(クワン) 㶒翰 㶒寒 guàn
【字義】こうのとり。こうづる。鶴に似ている。全身灰白色で、羽の一部とくちばしは黒色。

［鸛］14384 俗字

【解字】形声。鳥＋雚㊀。音符の雚は、こうのとりの象形で、鸛の原字。

【鸛鵲】かささぎ。鸛雀。

【鸛鵲楼(樓)】山西省永済市蒲州鎮にかつてあった三層の楼の名。南東に中条山、眼下に黄河の流れを見る名勝。鸛雀楼とも書く。その名は、この楼にかささぎが巣をかけたことに由来する。〔唐、王之渙、登二鸛鵲楼一詩〕

18 【鸐】29画 14387 ク ₂9448 — *7655*
鴝(14212)と同字。→一六二六ページ中。

19 【鸞】30画 14388 標 ラン 㶒寒 luán 8334 EA61 —
【字義】❶鳳凰の一種。形は鶏に似て、羽毛は赤色を主として五色がまじり、声は音楽的で美しいという。❷天子の乗る車につけた鈴。鸞鈴。また、その鈴をつけた天子の車。❸天子のものに冠する語。「鸞殿」

【解字】篆文 形声。鳥＋䜌㊀。音符の䜌は、鑾に通じ、鈴の音を表す擬声語で、天子の車につける鈴の意味。鳥を付し、天下太平のときに現れる神鳥の意味を表す。

【鸞掖】＝鸞台。

【鸞駕】天子の乗り物。

【鸞翮】鸞鳥の翼。達人をたとえていう。

【鸞旗】天子の車にたてる旗。鸞の形をした鈴をかけてかざった旗。馬が動けば鈴が鳴って、歩調を合わす。

鸞旗

【鸞鏡】鸞鳥を背面に刻んだ鏡。鸞鳥は夫婦仲がよい鳥で、はなればなれになった時、鏡に映った自分の姿を相手と思い、慕って鳴きながら死んだ故事による。

【鸞車】舜帝の乗った車。また、天子の車。

【鸞翔鳳集】すぐれた才能の人物が多く集まっているたとえ。

【鸞台(臺)】①旅行の途中にたちよった地。②唐代、門下省の別名。鸞掖。

【鸞殿】天子の御殿。

【鸞刀】鸞鳥の形の鈴をつけた刀。昔、いけにえを裂くのに用いたもの。

【鸞鳳】①神鳥の名。②すぐれた士や有徳の君子のたとえ。③同志の友のたとえ。④仲のよい夫婦のたとえ。

【鸞輿】天子の乗り物。鸞駕。

【鸞路・鸞輅】天子の車。鸞車。▼路・輅は、天子の車。

【鸞鷺】貴人・顕官のりっぱな姿のたとえ。

【鸞和】天子の車につける金の鈴。

19 【鸝】30画 14389 リ 㶒支 lí ₂9449 — *7656*
【字義】黄鸝は、ちょうせんうぐいす。つぐみほどの大きさで、全身黄色。朝鮮・台湾に多く、飼い鳥とされる。黄鶯・倉庚。
【解字】形声。鳥＋麗㊀。

11画 **鹵** しお ろ

〔部首解説〕 鹵を意符として、しお・塩分に関する文字ができている。

0 【鹵】11画 14390 ㊥ロ ㊤ル 㶒麌 lǔ 8335 EA62 —
【字義】❶しおつち。塩分を含んだ土地。「鹵田」❷しお。岩塩。天然の塩。❸やせち。あれち。作物などの育たない土地。不毛の地。❹おろそか。かろがろしい。かりそめ。❺おろか(愚)。❻うばう(奪)。かすめる(掠)。「鹵獲」❼たて。矢をふせぐための道具。「鹵簿」

【解字】金文 篆文 象形。袋に包んだ岩塩の象形で、しお・しおを含んだ西方の荒地の意味を表す。

【鹵獲】敵の軍用品などをうばい取る。また、そうしてうばい取った品物。

【鹵田】塩分を含む、やせ地。

【鹵鈍】おろか。愚鈍。

【鹵簿】天子の行列。▼鹵は行幸のとき先導に用いる大盾、簿は行列の順序をしるす帳簿。

【鹵莽】①粗末。おろそか。②塩分を含んだ土地と草の多い野原。③はっきりしない様子。

【鹵掠】かすめ取る。うばい取る。

8 【鹸】19画 14391 ケン 2420 8CB2 —
鹼(14395)の簡易慣用字体。→一六三八ページ上。

9 【鹹】20画 14392 ㊥カン ㊤ゲン 㶒咸 xián 8336 EA63 —
［醎］12413 俗字
【字義】❶しおからい。しおからし。にがい(苦)。❷しおけ。塩気。塩分。

【解字】篆文 形声。鹵＋咸㊀。音符の咸は、大声を出しつくすの意味。強い塩からさの意味を表す。

【鹹苦】塩からく、苦い。

【鹹湖】塩分をふくんだ湖。鹹水湖。

【鹹水】塩水。海水。

【鹹泉】塩分をふくんだ泉。

【鹻地】塩分をふくんだ土。あれ地。鹹土。
【鹹△鹵】塩分をふくんだ土地。あれ地。

10【鹻】21画 14393 呉ケン 漢カン 簡jiǎn 2 9450 ― 7658
字義 しおけ(塩気)。
解字 形声。鹵＋兼(音)。

10【鹺】21画 14394 呉ザ 漢サ 歐cuó ― ― 7657
字義 ❶しおけ(塩気)。濃い塩気。❷しお。
解字 形声。鹵＋差(音)。

13【鹼】24画 14395 一漢カン・呉ゲン 簡jiǎn 標 二セン 国 慣ケン 1 9474 ― 7659
【鹸】14391 簡易 【碱】8219 俗字
字義 一しおけ(塩気)。地質の中に含まれている塩分。二❶しおみず(塩水)。❷あく。灰を水にとかしてこしたうわずみ。❸石鹼(セッケン)。
解字 篆文 形声。鹵＋僉(音)。鹵は、袋に入れた塩の象形。音符の僉は、険に通じ、けわしいの意味。舌に刺激の強いしおの意味を表す。

14【鹽】25画 (2074) エン 塩(2073)の旧字体。→三六ページ中。

11画 鹿 しか

〔部首解説〕鹿(ロク)を意符として、鹿(しか)の種類や鹿に似た動物の名称などを表す文字ができている。

0【鹿】11画 14396 教4 しか・か ロク 園lù 2815 8EAD ―
筆順 丶 亠 广 户 户 声 声 唐 鹿

【鹿】3198 俗字
字義 ❶しか。か。かせぎ。動物の名。森林にすみ、おとなしい性質で、走るのが速い。雄には角がある。❷帝王の位のたとえ。「逐鹿」❸こめぐら。四角いこめぐら。丸いのは囷(キン)という。❹ふもと。＝麓(14415)。国しし。しか・いのししなどの総称。
名前 か・しか・しし 難読 鹿屋(かのや)・鹿家(しかか)・鹿角(かづの)・鹿角菜(つのまた)・鹿西(ろくせい)・鹿子生(かこお)・鹿沼(かぬま)・鹿折(ししおり)・鹿渡(かど)・鹿尾菜(ひじき)・鹿又(かのまた)・鹿特担(ロッテルダム)
解字 甲骨文 篆文 象形。甲骨文でわかるように角のある雄しかの象形で、しかの意味を表す。

【鹿△苑】一ロクエン しかを放し飼いにしている園。二ロクオン 仏「鹿野苑(ロクヤオン)」の略。釈迦(シャカ)が初めて説法した所。多くのしかがいた所なのでいう。
【鹿角】ロッカク ①しかの角。②さかもぎ。木や竹を組み合わせて敵を防ぐもの。鹿柴(ロクサイ)。
【鹿△柴】ロクサイ ①しかを飼う園のさく。②さかもぎ。竹や木を組み立てて敵の侵入を防ぐもの。③盛唐の詩人、王維の別荘中の名勝。輞川(モウセン)二十景の一つ。しかを飼っていたのでいう。〔唐、王維、鹿柴詩〕
【鹿△砦・鹿△寨】ロクサイ さかもぎ。＝鹿柴(ロクサイ)②。
【鹿△幘】ロクサク しかの皮で作った頭巾(ズキン)。隠士がかぶった。
【鹿死₂誰手₁】しかたがてにしする 天下の形勢が乱れて勝負がまだきまらない。天下は誰のものになるだろうかということのたとえ。〔晋書、石勒載記下〕
【鹿死不₂択(擇)₁音】しかしするにおんをえらばず しかはふだんやさしい声で鳴くが、死の迫ったときは声をかまわず、耳ざわりな声で鳴く。転じて、危急の迫ったとき節度を失うたとえ。〔左伝、文公十七〕
【鹿△豕】ロクシ しかと、いのこ。
【鹿車】ロクシャ 一頭のしかを入れるほどの小さい車。
【鹿△茸】ロクジョウ しかの若づの。しかのふくろづの。まだ皮をかぶったままの新しいしかのつの。漢方薬に用いる。
【鹿台(臺)】ロクダイ 殷(イン)の紂王(チュウオウ)が財宝をたくわえた倉の名。
【鹿△苹之歓(歡)】ロクヘイのカン しかが仲よく鳴きかわし、野のよもぎ(苹)を楽しげにたべていること。転じて、賢人の集まった楽しい宴会のたとえ。〔詩経、小雅、鹿鳴〕
【鹿△麑】ロクベイ しかと、かのこ。▼麑は、しかの子。
【鹿鳴】ロクメイ 『詩経』小雅の詩編名。群臣や賓客をもてなすときの宴会の詩。
【鹿鳴館】ロクメイカン 国明治十六年(一八八三)、華族や外国人の社交クラブとして東京麹町(こうじまち)山下町(今の千代田区内幸(うちさいわい)町)に建設された建物。当時、西洋風俗模倣の中心となった。
【鹿鳴△之宴】ロクメイのエン 唐代、官吏登用試験に及第して都に行く人をおくる送別の宴。『詩経』の鹿鳴の詩を歌うのでいう。
【鹿毛】一ロクモウ しかの毛。二かげ 国しかの毛のような色の馬。
【鹿門山】ロクモンザン 湖北省襄樊(ジョウハン)市の南東にある山。後漢の末、龐徳公(ホウトクコウ)が妻子と共に薬を採りに入った。また、盛唐の詩人、孟浩然(モウコウネン)もこの山に隠居した。
【鹿△盧】ロクロ ①物をひいたり、つるし上げたりするのに用いる滑車。②鹿盧形の玉飾りのある剣。③棗(なつめ)の一種。
【鹿鹿】ロクロク 平凡なさま。碌碌(ロクロク)。
【謂₂鹿為(爲)₁馬】しかをいい(ひ)てうまとなす 無理じいをするたとえ。秦の趙高(チョウコウ)が鹿を馬と言い張った故事による。以₂鹿為₁馬(しかをもってうまとなす)。指₂鹿為₁馬(しかをゆびさしてうまとなす)。〔史記、秦始皇本紀〕
【逐₂鹿₁】しかをおう(ふ) ＝逐鹿(チクロク)(一四二五ページ上)。
【逐₂鹿者不₂見₁山】しかをおう(ふ)ものはやまをみず 利欲を得ることに熱中するものは道理を忘れるのたとえ。〔虚堂録〕
【逐₂鹿者不₂顧₁兎】しかをおう(ふ)ものはうさぎをかえり(へり)みず 大利に志すものは小利を問題にしないことのたとえ。〔淮南子、説林訓〕

2【麂】13画 14397 キ 簡jǐ ― ― 7661
字義 鹿(しか)の一種。のろ(麞(ショウ)・麕(キン))に似て大きく、その眼は菱形(ひしがた)をなす。おおのろ。
解字 形声。鹿＋几(音)。

2【麁】13画 14398 ソ 麤(14422)の俗字。→一六四〇ページ下。 8338 EA65 ―

2【麀】13画 14399 呉ウ 漢ユウ(イウ) 囚yōu 2 9452 ― 7660
字義 めじか。雌のしか。↔麌(14408)。
解字 篆文 会意。鹿＋牝省。牝は、めすの意味。めじかの意味を表す。
【麀△牡】ユウボウ めじかと、おじか。
【△聚₂麀₁】ユウをともにす 父子のしかが一匹のめじかを共有する。親子夫婦の別なく、乱れることのたとえ。麀聚(ユウシュウ)。〔礼記、曲礼上〕

4【麄】15画 14400 ソ 麤(14422)の俗字。→一六四〇ページ下。 ― ― 7663

4【麃】15画 14401 一漢ホウ(ハウ) 呉ボウ(バウ) 簡páo 二ヒョウ(ヘウ) 簡biāo ― ― 7662
【麅】14405 同字
字義 一❶おおじか(大鹿)。なれじか。❷くさぎる。草をのぞきとる。❸麃麃は、㋐たけく勇ましいさま。用例〔詩経、鄭風、清人〕清人在レ消、駟介麃麃。↓清の町の男が消の町に来て、武装した四頭だて馬車がとても強そう。㋑さかんなさま。用例〔漢書、劉向伝〕雨雪麃麃。↓雨や雪がさかんに降る。

解字 篆文 形声。鹿＋票省音。音符の票ヒョウ＝ホウは、票の原字で、火の粉が飛ぶの意味。飛ぶように速い鹿の意味を表す。

4【麗】15画 14402 レイ 麗(14414)の俗字。→一六三九ページ下。

5【麇】16画 14403 〔麕〕14411同字 〔麏〕14407同字 ㊀キン 真 jūn ㊁漢クン・呉グン 文 qún — — 7665
字義 ㊀のろ。くじか。鹿に似ているが、小さくて角が短い。性質がおとなしい。㊁むらがる(群)。寄り集まる。＝群(9499)。

解字 形声。鹿＋禾(囷)音。

5【麈】16画 14404 シュ 麌 zhǔ 8339 EA66 —
字義 ❶おおじか(大鹿)。となかいの類いで体の大きいもの。尾は払子を作るのに用いる。❷払子。「麈尾」

解字 形声。鹿＋主音。

【麈尾】払子。麈(大鹿)の尾はよく塵をさけるといい、また、鹿が麈の尾が転ずるのを見てそれに従いゆくという伝説により、禅僧などがその尾で払子を作り、談話のときなどに手に持ってふるう。

5【麅】16画 14405 ホウ 麃(14401)と同字。→一六三八ページ下。 ₂9453 — 7664

6【麋】17画 14406 漢ビ 呉ミ 支 mí 8340 EA67 —
字義 ❶となかい。なれじか(馴鹿)。おおじか。❷くだける。❸ただれる。❹ほとり。みぎわ(水際)。＝湄(6533)。❺香草の名。おんなかずら。用例〔詩経、小雅、巧言〕彼何人斯、居二河之麋一。↓あの人は何者だ、河の岸辺に暮している。

解字 形声。鹿＋米音。

【麋沸】さわぎ乱れる。

【麋鹿】①となかいと、しか。②野卑なこと。いなかびて品がないこと。「麋鹿之姿」「麋鹿臣」

【友二麋鹿一】となかいや、しかなどを友達とする。山林にかくれ住むことの形容。用例〔北宋、蘇軾、前赤壁賦〕漁二樵於江渚之上一、侶二魚鰕一而友二麋鹿一。↓(私とあなたは)長江の水際のあたりで漁師や木こりのような生活をし、魚とえびを友達としとなかいや鹿を相手にする。

7【麏】18画 14407 キン 麇(14403)と同字。→一六三九ページ上。 — — 7667

7【麌】18画 14408 ㊀グ 麌 yǔ ㊁ゴ 虞 8341 EA68 —
字義 ㊀❶おじか。雄のしか。↔麀(14399)。❷おのろ。雄のくじか。くじかは、シカ科の獣で、しかより小さく短い牙があり、角がない。❸麌麌は、むらがり集まるさま。

解字 形声。鹿＋吳音。

7【麎】18画 14409 漢シン 呉ジン 真 chén — — 7666
字義 動物の名。なれじかの雌。

解字 形声。鹿＋辰音。

8【鏖】19画 (12831) オウ 金部。→一四八四ページ上。

8【麒】19画 14410 人 漢キ 呉ギ 支 qí 8342 EA69 —
筆順 广 户 庐 鹿 鹿 鹿 麒 麒 麒 麒
字義 麒麟は、想像上の動物の名。→麒麟。
名前 あき・あきら
解字 形声。鹿＋其音。

【麒麟】①中国の想像上の動物。体は鹿に似て、尾は牛に、蹄は馬に似る。五色に輝く毛があって、聖人が世に現れると出現するという。雄を麒、雌を麟という。騏驎。②聖人・英才。③国アフリカ産の獣。偶蹄類の動物で、首・足ともに長い。ジラフ。

【麒麟閣】前漢の武帝が麒麟をえた時に築いたたかどのをいい、宣帝の時、漢の功臣十一人の像をかかげた。麒閣。麟閣。

【麒麟児(兒)】才知のすぐれたかしこい子供。

【麒麟老而劣二駑馬一】若いときはすぐれていても、老年になると用をなさないことのたとえ。▼駑馬は、歩みののろい馬。〔戦国策、燕〕

麒

麟

8【麕】19画 14411 キン 麇(14403)と同字。→一六三九ページ上。 8343 EA6A —

8【麖】19画 14412 漢ケイ 呉キョウ(キャウ) 庚 jīng — — 7668
字義 動物の名。おおじか。
解字 形声。鹿＋京音。音符の京は、大きいの意味。

8【麑】19画 14413 ゲイ 斉 ní 8344 EA6B —
字義 ❶かのこ。しかの子。こじか。❷しし。ライオン。＝猊(7244)。

解字 甲骨文 篆文 形声。鹿＋兒音。音符の兒ジ＝ゲイは、こどもの意味。しかの子の意味を表す。

【麑裘】こじかの皮で作った、白いかわごろも。用例〔論語、郷党〕素衣麑裘。↓白色の衣服には、こじかの皮で作った白い皮衣。

【麑鹿】こじか。鹿の子。昔、卿大夫が贈り物として用いた。

8【麗】19画 14414 常 レイ うるわしい ㊀漢レイ・呉ライ 霽 lì ㊁リ 支 lí 4679 97ED —
筆順 一 厂 丽 丽 丽 严 严 严 麗 麗
〔麗〕14402俗字
字義 ㊀❶うるわしい。みめよい。㋐美しい。用例〔世説新語、賢媛〕王昭君姿容甚麗、志不二苟求一。↓王昭君は容姿が大変に美しく、帝の寵愛を得ようなどという気持ちは少しもなかった。㋑はなやか。きらびやか。「華麗」❷つらなる。並ぶ。連なって行く。❸対。そろい。❹つく。つける。つなぐ。かかる。かける。❺かず。数。❻屋根の棟。㊁❶ほどこす(施)。❷はなれる(離)。❸魚麗は、陣立ての名。❹麗譙は、高い建物。❺高句麗は、国名。国うらら。うらうらか。うらら。㋐空が明るく晴れて、のどかだ。㋑声が朗らかで明るい。

名前 あきら・かず・つぐ・つら・よし・より・ら・れ・れい

解字 金文 篆文 籀文 象形。金文は、美しいつのが出そろった、しかの形にかたどり、うるわしい・つらなるの意味を表す。

逆 佳麗・華麗・雅麗・魚麗・秀麗・鮮麗・壮麗・端麗・典麗・美麗・豊麗・妙麗・優麗・流麗

【麗艶】美しくなまめかしい。艶麗。

【麗佳】うるわしく、美しい。

【麗華】美しくはなやか。

【麗雅】美しくみやびやか。美しくて上品。

【麗△嫻・麗閑】美しくしとやかなこと。

【麗句】美しい句。佳句。「美辞麗句」

【麗△娟】①美しい。②漢の武帝が愛した宮女の名。

【麗姿】美しいすがた。麗容。

【麗質】①美しい容貌や性質。用例〔唐、白居易、長恨歌〕天生麗質難二自棄一、一朝選在二君王側一。↓生まれつきのうるわしい姿かたちは、そのままうちすててておかれるものでなく、ある日、選ばれて天子のおそばにはべることになった。②美人をいう。

【麗日】うららかな日。のどかな日。

【麗△姝】美人。美女。

【麗△譙】①美しいたかどの。②敵のようすなどを眺めるためのたかどの。門上のものみやぐら。

【麗色】①美しい色・景色。②美しい顔色。

【麗飾】①はなやかにかざる。②美しいかざり。

【麗人】美しい人。佳人。

【麗藻】うるわしくすぐれた詩文。

【麗沢（澤）】連なる二つの沢がたがいにうるおし合う。友人同士ではげまし助け合って学問や徳を修めるのに努力すること。「麗沢講習」〔易経、兌〕

【麗皮】雌雄一対の鹿の皮。昔、婚約のしるしや元服の祝儀として用いた。儷皮。

【麗妃】唐代、宮中の女官の名。貴妃・恵妃の下。

【麗△靡】①美しくはでなこと。②長く連なるさま。

【麗筆】①美しい文字。②美しい詩文。

【麗服】美しい衣服。華服。

【麗文】美しい文章。

【麗容】美しい姿。みめよい姿。麗姿。美容。

8【麓】19画 14415 常 ロク ふもと
ロク 屋 lù
4728 985B —

筆順 一 十 木 林 埜 埜 䒶 麓 麓 麓

字義 ❶ふもと。やまのすそ。「山麓」❷林。大きな林。❸やまもり。山林のことをつかさどる役人。

解字 甲骨文 金文 篆文 形声。林＋鹿㊥。音符の鹿は、絡に通じ、長く連なるの意味。山すそに長く連なる林野、ふもとの意味。

9【麘】20画 14416 漢キョウ（キャウ） 呉コウ（カウ） 陽 xiāng
— — 7669

字義 麝麘は、㋐動物の名。じゃこうじか。㋑その雄の腹部から取れる香料の名。麝香。

解字 形声。鹿＋香㊥。音符の香は、香料の意味。

9【麛】20画 14417 漢ベイ 呉マイ 斉 mí
²9454 — 7670

字義 ❶かのこ。鹿の子。❷ひろく、獣の子をいう。

解字 形声。鹿＋弭㊥。

10【麝】21画 14418 漢シャ 呉ジャ 禡 shè
8345 EA6C —

字義 じゃこうじか（麝香鹿）。シカ科の動物で、鹿よりも小さく、角がない。その腹部から香料の麝香がとれる。

解字 篆文 形声。鹿＋射（躲）㊥。音符の躲は、はなつの意味。においを放つしかの意味を表す。

【麝香】麝の雄の腹部にある鶏卵大の香嚢からとった香料。薬用としても使われる。麝薫。麝芬。

【麝香鹿】麝の類い。中央アジアの産。すばやくて、雌雄とも角がある。雄の腹部に麝香嚢がある。

【麝墨】香りのよい墨。麝煤。

11【麞】22画 14419 ショウ（シャウ） 陽 zhāng
¹9475 — 7671
［獐］7289 同字

字義 のろ。くじか。シカ科の動物で、鹿より小さく、角がない。

解字 形声。鹿＋章㊥。

12【麟】23画 (14421) リン
麟(14420)の旧字体。→一六四〇ページ中。

13【麟】24画 14420 人
4659 97D9 —

12〔麟〕23画 14421 リン 真 lín

筆順 户 鹿 鹿 鹿 鹿 麟 麟 麟 麟

字義 ❶→麒麟（一六三九ページ中）。❷おおじか。おすの大鹿。❸光りかがやくさま。＝燐(7018)。

名前 りん

解字 甲骨文 篆文 形声。鹿＋粦㊥。

【麟角】①きりんのつの。②非常にめずらしいことのたとえ。「麟角鳳觜」

【麟閣】麒麟閣（一六三九ページ中）の略。

【麟経（經）】魯の歴史を記した書で、孔子が著したとされる『春秋』（六六〇ページ中）の別名。『春秋』の最後は哀公十四年（前四八一）春、「西狩獲レ麟」の句で終わるのでいう。麟史。

【麟史】＝麟経。

【麟△趾】きりんの足。転じて、りっぱな王子たちをいう。『詩経』周南・麟之趾の「麟之趾、振振公子、于嗟麟兮」の詩句に基づく。

【麟△趾之化】りっぱな王子たちがたくさんいて、王室の栄える基をなす、皇后の徳化。もと周の文王の皇妃の徳化をたたえて麟之趾の詩を作ったからいう。

【麟孫】他人の子孫の美称。

【麟台（臺）】①麒麟閣（一六三九ページ中）をいう。②秘書省をいう。唐の則天武后が秘書省を改めて称した。

【麟筆】①史官の筆。史筆。孔子の『春秋』を『麟経』というのに基づく。②史官。

【麟△鳳】麒麟と鳳凰。聖賢の人をたとえていう。

【麟△鳳亀（龜）竜（龍）】①麒麟・鳳凰・亀・竜。四種の霊妙な徳のある動物。四霊。〔礼記、礼運〕②めずらしいもの・聖賢の人のたとえ。

【麟麟】あきらかに光りかがやくさま。▼麟は、燐。

22【麤】33画 14422 ソ 虞 cū
¹9476 — 7672
［麁］14398 俗字 ［麄］14400 俗字

字義 ❶あら-い（粗）。㋐きめがあらい。また、きめのあらい布。㋑粗末。雑。㋒あらあらしい。はげしい。❷はなれる。遠ざかる。❸ほぼ。大体。あらまし。❹大きい。❺玄米。くろごめ。

解字 甲骨文 篆文 会意。鹿＋鹿＋鹿。しかの群は羊のように密集しないところから、遠くはなれる、あらいの意味を表す。

【麤悪（惡）】あらくて悪い。粗末なこと。粗悪。

【麤豪】あらあらしく強い。

【麤茶】粗製の茶。

【麤才】あらい才能。綿密でない才能。また、その人。

【麤細】あらいことと、細かいこと。

【麤枝大葉】あらく大きな枝と葉。文章上の細かい規則にこだわらないで自由に筆をふるった文章のたとえ。

【麤食】粗末な食事。粗飯。疏食。

【麤粗・麤麤】あらいさま。おおまかなさま。

【麤疎・麤△疏】①あらい。粗末。粗雑。②そそっかしい。疎漏。

【麤中】心が粗暴なこと。用例〔戦国策、趙〕夫智伯之為ₗ人かのチハクの、ひととなりや 格は、中身が粗暴で親愛の情に乏しい。麤中而少ₗ親ソチュウにして、したしみすくなし。⬇あの智伯の性

【麤飯】ソハン 粗末なめし。粗食。粗飯。麤食ソシ。
【麤△笨】ソホン あらっぽく粗末。がさつ。
【麤略】ソリャク そそっかしい。おろそか。粗略。疎略。
【麤△糲】ソレイ 白くついていない米。玄米。
【自ₗ麤入ₗ細】ソよりサイにいる あらけずりなところから精細な点にはいってゆく。文章を作るに当たって、初めは規則などにとらわれないで書き、熟達するにつれて精細に進んでゆくべきことをいう。〔文章軌範、放胆文〕

11画 麥(麦)

むぎ・むぎへん〔麥〕(麦偏)
ばくにょう〔麦〕(麦繞)
麦は七画。

〔部首解説〕この部首の文字は、麦偏・麦繞のいずれにも書かれる。麥を意符として、麦の種類や麦で作るものに関する文字ができている。

0 麦 一六四一
4 麨 一六四一
麨 一六四一
麩 一六四一
麩 一六四一
麸 一六四一
麫 一六四一
麪 一六四一
5 麮 一六四一
麬 一六四一
麭 一六四一
麭 一六四一
6 麯 一六四一
麯 一六四一
麰 一六四一
7 麳 一六四一
8 麴 一六四一
麹 一六四三
麳 一六四三
9 麺 一六四三
麵 一六四三

0【麦】7画 14423 教2 バク むぎ 3994 949E —
0〔麥〕11画 14424 漢バク 呉ミャク 陌 mài 8346 EA6D —

筆順 一 十 キ 圭 声 麦 麦

字義 **むぎ**。五穀の一つ。イネ科に属し食用とする。種類が多く、大麦・小麦・裸麦などがある。

名前 つぎ・むぎ 難読 麦酒ビール・麦門冬やますげ

解字 甲骨文 金文 篆文 **会意**。來＋夂。來は、のぎのついたむぎの象形。夂は、根が地中深くくだるの意味。秋にまきつけ冬をこすために根が深くくだる「むぎ」の意味を表す。

【麦雨】バクウ むぎの実るころに降る雨。
【麦芽】バクガ ①むぎの芽。②むぎもやし。飴あめの原料。
【麦△稈】バッカン・バクカン むぎわら。
【麦気(氣)】バクキ むぎの穂の上を吹き渡る風のかおり。また、むぎののびる陰暦四月ごろの気候。
【麦酒】バクシュ ①むぎで造った酒。②国洋酒の一種。ビール。
【麦舟】バクシュウ ①むぎを運ぶ舟。②北宋ホクソウの范仲淹ハンチュウエンの子が、石曼卿セキマンケイの喪にむぎをおくった故事から、物を贈って他人の喪を助けること。
【麦秀】バクシュウ ①むぎがのびる。②麦秀之歌バクシュウのうたをいう。
【麦秀△之歌】バクシュウのうた ①殷インの王族箕子キシが、殷の滅亡後殷の都が廃墟ハイキョとなっているのを見て作った歌。〔史記、宋微子世家〕②故国の滅亡をなげくこと。
【麦秋】バクシュウ 陰暦四月の別名。ほとんどの穀物は、秋に熟するが、むぎだけが初夏に熟するからいう。
【麦麺(麵)】バクメン 麦粉で作った麺類メンルイ。
【麦門冬】バクモントウ ユリ科の多年草。りゅうのひげ。古名、やますげ。根を薬用とする。
【麦浪】バクロウ 青々とした麦畑が、風で波のようにゆらぐさま。
【麦△隴・麦△壟】バクロウ 麦畑。また、麦畑のうね。
【流ₗ麦】むぎをながす 後漢の高鳳コウホウが読書にふけっていて、庭にほしていたむぎが豪雨でながされるのを知らないでいた故事。〔後漢書、高鳳伝〕

4【麨】15画 14425 ショウ(セウ) 篠 chǎo 2 9455 — 7673
〔麨〕14426 同字

字義 むぎこがし。はったい。香煎コウセン。

4【麨】15画 14426 ショウ 麨(14425)と同字。→一六四一ページ中。

解字 **形声**。麥＋少音。

4【麩】15画 14427 フ 虞 fū
〔麩〕14428 俗字 〔麸〕14429 俗字 〔麬〕14433 俗字

字義 **ふすま**。むぎかす。小麦から麦粉を取った残りのかす。国フ。小麦粉を原料にして造った食品。煮ると柔らかくなって消化・吸収がよい。

解字 篆文 **形声**。麥＋夫音。音符の夫は、膚に通じ、かわの意味。小麦から麦粉をぬきとった皮、ふすまの意味を表す。

4【麩】15画 14428 フ 麩(14427)の俗字。→一六四一ページ中。 8347 EA6E —
4【麸】11画 14429 フ 麩(14427)の俗字。→一六四一ページ中。 8348 EA6F —
4【麪】15画 14430 メン 麵(14443)の正字。→一六四三ページ上。

難読 麪麭パン

4【麫】15画 14431 メン 麵(14443)の俗字。→一六四三ページ上。 8349 EA70 —
5【麮】16画 14432 漢キョ 呉コ 御 qù — — 7675

字義 むぎがゆ。麦で作ったかゆ。

解字 **形声**。麥＋去音。

5【麬】16画 14433 フ 麩(14427)の俗字。→一六四一ページ中。 1 9477 — 7674
5【麭】16画 14434 ホウ(ハウ) 効 pào
〔麭〕14435 俗字

字義 こなもち。だんご。

解字 **形声**。麥＋包音。

5【麭】16画 14435 ホウ 麭(14434)の俗字。→一六四一ページ下。 8350 EA71 —
6【麯】17画 14436 キク 麴(14440)と同字。→一六四一ページ下。
6【麯】17画 14437 キク 麴(14440)の俗字。→一六四一ページ下。 1 9478 — 7676
6【麰】17画 14438 漢ボウ 呉ム 尤 móu — — 7677

字義 ❶**おおむぎ**おおむぎ(大麦)。❷こうじ。

解字 **形声**。麥＋牟音。

〔麰麦(麥)〕ボウバク おおむぎ。

7【麳】14画 14439 ライ 麳(14442)の俗字。→一六四三ページ上。 2 9456 — —
8【麴】19画 14440 標 キク 屋 qū 1 9479 — 7679
〔麹〕14441 簡易 〔麯〕14436 同字 〔麯〕14437 俗字

字義 ❶**こうじ**かうぢ。酒やしょうゆを造るのに用いる。米や麦を蒸して暖かい室むろでこうじ菌を繁殖させたもの。糀こうじ。❷さけ(酒)。

解字 **形声**。麥＋匊音。音符の匊キクは、毱キクに通じ、けまりの意味。蒸した麦などに、こうじ菌が繁殖して、けまりのような形になったもの、こうじの意味を表す。

【麴院】キクイン 酒を造る所。酒屋。酒坊。
【麴君】キククン・キックン 酒。
【麴△糵・麴△糱・麴△蘖・麴△糵】キクゲツ ①こうじ。②酒。
【麴室】キクシツ こうじをねかす室むろ。こうじむろ。
【麴車】キクシャ こうじを積んだ車。用例〔唐、杜甫、飲中八仙歌〕汝陽三斗始朝ₗ天ジョヨウはサントにして、はじめてテンにチョウし、道逢ₗ麴車ₗ口流ₗ涎みちにキクシャにあい(ひ)て、くちによだれをながす。⬇汝陽王の李璡リシは、三斗の酒を飲

んでからやっと朝廷に参内し、途中でこうじを積んだ車に出会うと、口からよだれを流した。

【麴塵】キクジン ①こうじのかび。②こうじのかびのような色。青に黄色を加えた色。山鳩色。

【麴塵糸（絲）】キクジンのいと 若芽をつけた柳の枝をいう。

8 【麴】15画 14441 キク 麹(14440)の簡易慣用字体。→一六四一ページ下。 2577 8D8D —

8 【麳】19画 14442 ㊀ライ 灰 lái ㊁漢リョク・呉リキ 職 字義 ㊀❶こむぎ。❷むぎ。㊁麳牟 — — 7678

［麳］14439 俗字 は、むぎ。

解字 形声。麥＋來㊥。

9 【麺】16画 14443 常 メン 4445 96CB —

9 〖麵〗20画 14444 漢ベン 呉メン 霰 miàn

［麪］14430 正字 ［麪］14431 俗字 ［麵］14445 俗字

筆順 主 麦 麦 麪 麺 麺 麺

字義 ❶むぎこ（麦粉）。小麦粉。メリケン粉。❷小麦粉から作った食品。うどん・そばの類い。

解字 篆文 形声。麦（麥）＋面㊥。篆文は、麥＋丏㊥。音符の丏は、綿に通じ、つながるの意味。練って糸状に連なるむぎこの意味を表す。 難読 麺麭

【麺杖】メンジョウ めん類を打つ時、こねた粉をうってのばすのに用いる棒。麺棒。

【麺麭・麺包】メンポウ パン。

9 【麵】20画 14445 メン 麺(14443)の俗字。→一六四二ページ上。 19480 — 7680

11画 麻（麻） あさ

〔部首解説〕 麻を意符として、あさに関する文字ができている。なお、麼・麾は、それぞれ幺・毛が意符ではあるが、字形分類上、便宜的にここに収められる。

0 【麻】11画 14446 常 マ あさ 4367 9683 —

0 〖麻〗11画 14447 漢バ 呉マ・メ 麻 má

筆順 亠 广 广 庁 庍 庥 府 麻

［蔴］10252 俗字

字義 ❶あさ。お。大麻。高さ二、三メートルに達するクワ科の植物で、その皮の繊維をとって糸や綱を作ったり布を織ったりする。実は食用にしたり鳥の飼料にしたりする。インド産のものには麻酔性物質を含むものがあり、これで麻薬をつくることがある。❷あさいと。あさぬの。❸あさのおび。喪服の一つ。喪服を着たとき、首と腰に巻く麻の帯。❹ごま（胡麻）。実から油をとる。❺みことのり（詔）。唐代、勅命を書くのに麻ですいた紙を用いたのによる。❻しびれる。＝痲（7769）。

名前 あさ・お・ぬさ・ま 難読 麻笥・麻殖・麻植・麻績・麻布・麻生・麻疹・麻植塚

解字 金文 篆文 会意。金文は、厂＋林。厂は、きりたった岸の象形でさけるの意味。林は、あさの表皮をはぎとる形にかたどり、あさの意味を表す。篆文は麻で、常用漢字の麻はその変形。麻の意味と音符とを含む形声文字に、摩・磨などがある。

逆 黄麻・乱麻

【麻衣】マイ ①麻で作った白い衣。②白い麻の喪服。

【麻幹】おがら 国皮をはいだあとの麻の茎。

【麻姑】マコ ①仙女の名。→麻姑搔痒。②山の名。㋐安徽省宣州市の東。㋑江西省南城県の南西。

【麻姑搔痒】マコソウヨウ 麻姑は仙女。その爪が鳥の爪のように長かったので、蔡経がそれを見て、背中がかゆいときに、麻姑にかかせたらどんなにかよいだろうと思ったという伝説。転じて、意のままになることのたとえ。〔神仙伝、七〕

【麻沙】マサ 地名。福建省建陽県麻沙鎮。南宋から元にかけ出版業者が集まり、土地に産する榕樹を用いてさかんに版木を作り、書籍を出版した。その書を麻沙本という。粗悪でまちがいのあるものが多かった。

【麻枲】マシ 麻をいう。▼枲も、麻。

【麻雀】㊀マジャク すずめ。㊁マージャン 遊戯の名。

【麻菽】マシュク 麻と豆。穀物の意。

【麻疹】マシン 伝染性感染症の一種。はじめ風邪のような症状で、口中に小さな白斑が現れた後、赤い発疹が全身に広がる。はしか。痲疹。

【麻酔（醉）】マスイ 薬物や寒さのために、一時的に知覚が痲痺して何も感じなくなること。痲酔。

【麻中之蓬】マチュウのよもぎ 麻の中に生えた蓬は、自然にまっすぐに育つ。麻はまっすぐな草、蓬は曲がりがちな草。環境によって悪いものも正しい方向に直すことができることのたとえ。用例〔荀子、勧学〕蓬生二麻中一、不レ扶自直。↓よもぎは麻の中に生えると、つっかい棒をしなくても、自然と真っ直ぐ育つ。

【麻苧・麻紵】マチョ 麻と、からむし。ともに草の名で、その繊維で布を作る。また、麻・からむしで織った着物。

【麻頭】マトウ 麻の切れ端。あさくず。

【麻痺・麻痹】マヒ しびれる。また、しびれ。痲痺。

【麻沸】マフツ 乱れた麻のように、また、わきたった湯のように、天下が混乱すること。

【麻冕】マベン 麻布でつくった冠。

【麻薬（藥）】マヤク 麻酔剤。しびれ薬。モルヒネ、コカインなど。

【麻油】ユマ・ユウ ①麻の実の油。②胡麻油。

【麻縷糸（絲）枲】マルシジョ つむがない麻と、つむいだ麻と、生糸と、あらわた。〔孟子、滕文公上〕

3 【麼】14画 14448 漢バ 呉マ 唐モ 歌 mó, ㊁ma, me 5487 9BF5 —

［麽］14449 俗字

字義 ❶こまかい（細）。かすか。小さい。微細。❷助字。㋐文末について疑問を表す。か。や。㋑接尾語。「什麼（なに・どんな）」「恁麼（こんな・どんな）」

解字 形声。幺＋麻㊥。

3 【麽】14画 14449 マ 麼(14448)の俗字。→一六四二ページ下。 29457 — —

4 【麾】15画 14450 キ 支 微 huī 6164 9F80 —

字義 ❶さしずばた。合図の旗。さいはい（采配）。軍中で指図をしたり、目印に立てたりする旗。❷さしずする。❸さしまねく。手で合図してよぶ。❹こころよい。

麾①

解字 篆文 形声。毛（手）＋麻（靡）㊥。音符の靡は、なびくの意味。手に持ってなびかせ指図する旗の意味を表す。

【麾鉞】キエツ さしずばたとまさかり。ともに大将が用いるもの。

【麾下】キカ ①はたもと。大将のひざもと。大将の陣所。②将軍直属の兵士。用例〔史記、項羽本紀〕麾下壮士騎従者八百余人。↓部下の壮士で騎して従う者は八百余人であった。③将軍。また、武官の美称。

【麾呼】コキ さしまねき呼ぶ。
【麾幟】キシ ①さしずばたとのぼり。②指揮する旗。
【麾旌】キセイ さしずばた。指揮する旗。麾節。
【麾扇】キセン 軍配うちわ。昔、将軍が軍を指揮するときに使用した。軍扇。
【麾幢】キドウ ＝麾旌キセイ。▼幢も、はた。

4【摩】15画 (4020) マ 手部。→五七四㌻上。
6【糜】17画 (9043) ビ 米部。→一一〇一㌻中。
6【縻】17画 (9338) ビ 糸部。→一一三九㌻下。
7【麿】18画 14451 国字 人 4391 969B —
7〖麿〗18画 14452

筆順 亠 广 庐 庐 麻 麻 麿 麿

字義 まろ。㋐われ。おのれ。自称の代名詞。㋑人名の下にそえる接尾語。「人麿」「清麿」
名前 まろ 難読 麿井うす
解字 麻マと呂ロの音を合わせて表すために作られた国字。

8【靡】19画 (13290) ビ 非部。→一五四三㌻中。
10【魔】21画 (13957) マ 鬼部。→一六〇九㌻下。

12画 黄(黃) きいろ

黄は十一画。

〔部首解説〕黄を意符として、黄色を表す文字ができている。

0 黄 一六四三 4 黈 一六四五 5 黊 一六四五 6 黋 一六四五 13 黌 一六四五

0【黄】11画 14453 教2 コウ・オウ き・こ 熟字訓 硫黄いおう 1811 89A9 —
0〖黃〗12画 14454 人 漢コウ(クヮウ) 呉オウ(ワウ) 陽 huáng 9481 — —

筆順 一 艹 丑 芈 芈 苗 苗 黄

字義 ❶き。きいろ。五色(青・黄・赤・白・黒)の一つ。中央・日光・土・中和・君王の服などの色とする。❷きばむ。黄色になる。黄ばみ落ちる。用例〔礼記、月令〕草木黄落ソウモクコウラクす。↓草木が黄ばみ落ちる。❸こども。唐代の戸籍で、三歳以下の子ども。「黄口」❹黄色の馬。❺きん(金)。こがね。黄金。❻黄紙。唐代、詔を書いた黄色の紙。❼雌黄シオウ。硫黄イオウと砒素ヒソとの混合物。薬用・顔料となる。文字をぬり消すのに用いる。「朱黄」❽黄色の宝石。黄玉。❾穀類。❿なか。中央。⓫黄帝。軒轅氏ケンエンシの称。

名前 かつみ・こう・き 難読 黄牛あめうし・黄金こがね・黄槿はまぼう・黄蜀葵とろろあおい・黄泉よみ・黄鳥うぐいす・黄道眉ほおじろ・黄波戸きわど・黄粉きなこ・黄麻そ・黄葉もみじ・黄楊つげ・黄鸝うぐいす・黄櫨はじ・はぜ

解字 甲骨文 金文 篆文 象形。大は、人の象形。口は、腰に帯びた玉の象形。腰に帯びた玉の色から、きいろの意味を表す。黄は、『説文解字セツモンカイジ』は、田＋炗音の形声で、田は、地面の意味。炗は、光の古字。合わせて、土地の色、きいろの意味を表すという。黄を音符に含む形声文字に、横・廣(広)・璜などがある。

逆 額黄・銀黄・玄黄・雌黄

【黄埃】コウアイ 黄色い土ぼこり。用例〔唐、白居易、長恨歌〕黄埃散漫風蕭索コウアイサンマンかぜショウサク、雲桟縈紆登剣閣ウンサンエイウケンカクにのぼる。↓黄色い土ぼこりがあたり一面に舞い上がり、風はわびしく吹きすさぶ中、雲までとどく蜀ショクの桟道がうねうねと続く道を、剣閣山に登ってゆく。
【黄衣】コウイ 黄色の服。道士や僧の服。また、宦官カンガンの服。用例〔唐、白居易、売炭翁詩〕翩翩両騎来是誰ヘンペンたるリョウキきたるはこれたれぞ、黄衣使者白衫児コウイのシシャハクサンのジ。↓衣服をひらめかせて駆けてくる二騎の乗馬、それはだれかといえば、黄色の服を着た宮中からの使者と、白いうわぎの若者。
【黄緯】コウイ 天球上の一点から天球の中心に引いた直線が黄道面となす角。黄道から天体に至る角距離。
【黄雲】コウウン ①黄色い雲。㋐めでたいしるしの雲。瑞雲ズイウン。㋑ほこりなどのため黄色く見える雲。②稲や麦などが熟したときの形容。
【黄鉞】コウエツ 黄金でかざったまさかり。天子が自ら征伐するとき用いる。
【黄鴨】コウオウ おしどりの別名。鴛鴦エンオウ。
【黄鶯】コウオウ うぐいすの一種。ちょうせんうぐいす。黄鸝コウリ。
【黄屋】コウオク ①天子の車のきぬがさ。裏に黄色の繒ソウ(かとりぎぬ)を用いたのでいう。②天子の敬称。
【黄花・黄華】コウカ ①黄色いはな。②菊の別名。③菜の花の別名。
【黄河】コウガ 長江につぐ中国第二の大河。河ともいう。青海省に発し、甘粛・陝西センセイ・山西の各省間を経過して河北・山東省を貫流し渤海ボッカイに注ぐ。全長五、四六四キロ、流域面積七五万平方キロに及ぶ。用例〔唐、李白、将進酒詩〕君不レ見黄河之水天上来きみみずやコウガのみずテンジョウよりきたるを、奔流到レ海不二復回一ホンリュウうみにいたりてまたかえらず。↓ごらんなさい、黄河の水が大空から流れ下るのを、勢いよく海に流れ込んで、二度と元には戻らないのだ。
【黄海】コウカイ 中国の東方、朝鮮の西の海。水が黄色にごっているので、名づけられたという。
【黄蓋】コウガイ ①黄色いかさ。②三国時代、呉の武将。字あざなは公覆。孫権に従って赤壁の戦いで火攻め策を計画し、魏ギの曹操ソウソウの軍を大破した。
【黄鶴】コウカク 黄色いつる。仙人が乗るという。用例〔唐、崔顥、黄鶴楼詩〕黄鶴一去不二復返一コウカクひとたびさりてまたかえらず、白雲千載空悠悠ハクウンセンザイむなしくユウユウ。↓伝説の黄鶴は飛び去って二度とは戻らず、白雲は千年の間、空しく悠々と流れている。
【黄鶴楼(樓)】コウカクロウ 楼の名。湖北省武漢市武昌ブショウの西の蛇山に長江を臨むようにあった。蜀ショクの費文禕ヒブンイが仙人になって黄鶴に乗り、この楼でやすんだので名づけられたといい、また、酒家の辛氏の故事に基づくともいう。一九八五年六月、高さ五一・四メートルの五層の鉄筋コンクリート構造の新黄鶴楼が再建された。用例〔唐、李白、黄鶴楼送三孟浩然之二広陵一詩〕故人西辞二黄鶴楼一コジンにしのかたコウカクロウをジし、煙花三月下二揚州一エンカサンガツヨウシュウにくだる。↓わが友は西の黄鶴楼に別れを告げ、かすみがたなびき花が咲く三月に揚州に下る。／〔唐、崔顥、黄鶴楼詩〕昔人已乗二白雲一去セキジンすでにハクウンにジョウじてさり、此地空余黄鶴楼このチむなしくあますコウカクロウ。↓昔、仙人が白雲に乗って飛び去ってから、この地には、あるじのいない黄鶴楼のみがさびしく残っている。

黄鶴楼

【黄冠】コウカン ①草で作ったかんむり。野人のかぶるもの。②道士のかぶるかんむり。転じて、道士をいう。
【黄巻】コウカン 書物。古代の書物は黄檗(オウバク・きはだ)で染めた、黄色の紙を用いて紙魚(しみ)を防いだのでいう。
【黄△綺】コウキ 商山の四皓(シコウ)のうち、夏黄公と綺里季(キリキ)の二人。→四皓(三八九ページ下)。
【黄△壚】コウキョ あの世。冥土(メイド)。黄泉。
【黄巾】コウキン 後漢の霊帝のとき乱を起こした賊軍で、鉅鹿(キョロク)(今の河北省内)の張角がその頭(かしら)であった。みな頭に黄色のきれをつけていたのでいう。黄巾賊。
【黄軒】コウケン 「黄帝軒轅氏(ケンエンシ)」の略称。→黄帝。
【黄口】コウコウ ①黄色い口さき。鳥の雛(ひな)をいう。用例(唐、白居易、燕詩示㆓劉叟㆒)青虫不㆑易㆑捕、黄口無㆓飽期㆒。↓青虫は捕まえにくく、雛鳥は満足する時がない。②子供。小児。③経験の少ない未熟な人。黄吻(コウフン)。
【黄公】コウコウ ①酒屋。晋(シン)の王戎(オウジュウ)の故事に基づく。黄公家(コウコウのいえ)。黄公酒舎。黄公酒壚(シュロ)。②＝黄鳥。
【黄公望】コウコウボウ 元の画家。字(あざな)は子久。号は一峰・大痴山人・井西道人。山水画にたくみで、元末の四大家(ほかに王蒙(オウモウ)・倪瓚(ゲイサン)・呉鎮)の一人。(一二六九—一三五四)。
【黄△耇】コウコウ 老人。▼黄は老年になると白髪が黄色がかってくるのをいい、耇は老人のしみをいう。
【黄△鵠】コウコク ①大鳥の名。黄色を帯びた白鳥。②山名。湖北省武漢市武昌(ブショウ)の西の蛇山。黄鶴(コウカク)山。
【黄△昏】コウコン・たそがれ ①夕ぐれ。夕方。用例(唐、李商隠、登㆓楽遊原㆒詩)夕陽無㆑限好、只是近㆓黄昏㆒。↓夕日の輝きは限りなくすばらしい。だがたそがれ時へと近づいてゆくのだった。②草の名。つくばね草。
【黄金】オウゴン・こがね ①こがね。金。純金。②かね。金銭。③銅。④柳の一種。黄金柳(こがねやなぎ)。こがねばな。
【黄金台(臺)】オウゴンダイ 台の名。河北省易県の南東。燕(エン)の昭王が千金をもって天下の賢士を招いた所。
【黄冊】コウサツ 人口調査の帳簿。▼黄は、みどりご、人口は出産によって増えるのでいう。
【黄△衫】コウサン 黄色いひとえの、短い着物。富貴の家の青少年などが着た。
【黄散】コウサン 黄門侍郎と散騎常侍。晋(シン)以後、ともに尚書の事をつかさどるため併称された。
【黄沙・黄砂】コウシャ・コウサ ①黄色い砂。②砂漠の地。
【黄△雀】コウジャク ①すずめの一種。くちばしと脚(あし)が黄色味を帯びているもの。にゅうないすずめ。②幼いすずめで、口の黄色いもの。
【黄△綬】コウジュ 黄色いしるしのひも。丞(ジョウ)・尉(イ)などの官の称。
【黄△綬褒(褎)章】オウジュホウショウ 国長い間、業務に精励した功労者に与えられる褒章。
【黄熟】コウジュク ①穀物や果実などが黄ばんで熟する。みのり色づく。②香の名。
【黄遵憲】コウジュンケン 清(シン)末の外交官・詩人。嘉応(カオウ)(広東(カントン)省内)の人。字(あざな)は公度(コウタク)。日本に駐在したことがあり、著書に『日本雑事詩』『人境盧詩草(ジンキョウロシソウ)』『日本国志』などがある。(一八四八—一九〇五)
【黄鐘】[一]コウショウ・オウショウ ①音律の名。十二律の一つ。六律六呂(リクリョ)の基本の音。②陰暦十一月の別名。①の音律を陰暦十一月に配するのでいう。[二]オウシキ・オウジキ 国日本の十二律の一つ。壱越(イチコツ)より七律高い音。
【黄△塵】コウジン ①黄色の土煙。「黄塵万丈」②戦塵のこと。③世間の雑事。
【黄石公】コウセキコウ 秦(シン)の隠士。前漢の張良(四九二ページ中)に履(くつ)を拾わせ兵書を与えたといわれる人。〔史記、留侯世家〕
【黄雪】コウセツ ①もくせいの花の形容。②黄色の雪。
【黄泉】コウセン ①地下の泉。用例(孟子、滕文公下)蚓上食㆓槁壌㆒、下飲㆓黄泉㆒。↓みみずは地上では土を食い、地下では泉の水を飲んでいる。②死者の行く所。よみじ。あの世。来世。用例(唐、白居易、長恨歌)上窮㆓碧落㆒下黄泉、両処茫茫皆不㆑見。↓上は大空のはてまで、また下は黄泉の国までくまなく探したが、どちらも広々として求める人は見あたらない。
【黄泉客】コウセンのキャク 黄泉におもむく旅人。死者のこと。
【黄宗△羲】コウソウギ 明(ミン)末清(シン)初の学者。余姚(ヨヨウ)(今の浙江(セッコウ)省内)の人。字(あざな)は太沖。号は梨洲(リシュウ)。南雷先生と呼ばれた。経書を研究し、歴史に事実を求める実学を唱えた。清代学術の先駆者。著書に『宋元学案(ソウゲンガクアン)』『明儒(ミンジュ)学案』などがある。(一六一〇—一六九五)
【黄草】コウソウ ①よもぎ。もぐさ。②かいな。かりやす草。黄色の染料に用いる。
【黄巣(巢)△之乱(亂)】コウソウのラン 唐末の賊、黄巣(?—八八四)が乾符二年(八七五)から中和四年(八八四)まで、中国全土にわたり起こした反乱。唐朝支配に決定的打撃を与えた。
【黄△驄】コウソウ 薄赤い毛色の馬。
【黄鳥】コウチョウ ①ちょうせんうぐいす。こうらいうぐいす。うぐいすに似て、やや大きい。黄鸝(コウリ)。〔詩経、邶風、凱風〕②うぐいすの別名。
【黄帝】コウテイ 中国古代伝説上の帝王の名。軒轅(ケンエン)の丘に生まれたので、軒轅氏ともいう。老荘学派・道教の始祖と称せられ、暦算・音楽・文字・医薬などをはじめ、多くの文物制度を定め、在位百年にして崩じたという。
【黄帝素問】コウテイソモン 書名。二十四巻。黄帝とその臣の名医、岐伯(ギハク)との問答を記した医学書。実は秦(シン)・漢の人の作であるが、医書の最古のものとされる。素問。
【黄庭堅】コウテイケン 北宋(ホクソウ)の詩人・書家。字(あざな)は魯直(ロチョク)。号は山谷。蘇軾(ソショク)の門人。蘇軾とならんで蘇黄と称された。著書に『山谷集』『山谷詞』などがある。(一〇四五—一一〇五)
【黄泥】コウデイ ①どろ。黄色いどろ。②坂の名。「黄泥之長坂(コウデイのチョウハン)」
【黄土】[一]コウド ①黄色の地。大地。土地。②墓。よみじ。③中国北部、山西省一帯の黄色の土。[二]オウド ①黄色のねん土。②赤土から造る赤黄色の絵具。
【黄堂】コウドウ ①太守(知事)のいる所。②太守。
【黄童】コウドウ 子供。わらべ。
【黄道】コウドウ・オウドウ ①地球から見て、太陽が運行するように見えるところの軌道。太陽が運行する道。②天子の行く道。
【黄道吉日】コウドウキチニチ 国陰陽家(オンヨウカ)で、万事によいとする日。日がらのよい日。吉日。
【黄農】コウノウ 黄帝(軒轅氏(ケンエンシ))と炎帝(神農氏)。ともに中国古代伝説上の皇帝。
【黄梅】[一]コウバイ 梅の実が熟して色づいたもの。[二]オウバイ 国植物の名。モクセイ科に属する。迎春花。
【黄梅雨】コウバイのあめ 梅の実が黄色になるころに降る雨。つゆ。さみだれ。梅雨。
【黄白】コウハク ①黄色と白色で、ともに正色。②こがねと、しろがね。金銭をいう。③道家で、丹薬から金銀を造る術。
【黄△檗】オウバク 植物の名。きはだ。落葉樹で大木になる。俗に黄柏(コウハク)と称する。薬用・染料にする。▼檗は、蘗とも書く。
【黄△檗宗】オウバクシュウ 仏日本禅宗三派の一つ。明(ミン)の僧、隠元が、江戸時代の初め後光明天皇の時帰化して、宇治に黄檗山万福寺を建ててこの宗を広めたのに始まる。
【黄髪】コウハツ 老人の黄色に変じた髪。転じて、老人。
【黄髪垂△髫】コウハツスイチョウ 老人と子供。▼垂髫は、子どものおさげ髪。用例(東晋、陶潜、桃花源記)黄髪垂髫(コウハツスイチョウ)、並怡然自楽。↓老人も子供も、みなのんびりとして楽しそうである。
【黄扉】コウヒ ①黄色のとびら。②宰相のこと。黄閣。③唐代、給事中をいう。
【黄△吻】コウフン ＝黄口。

【黄△袍】コウホウ ①黄色の上衣。隋以後、天子の常服に用い、一般には着用させなかった。②＝黄鳥。

【黄△榜】コウボウ 勅命を書いた札。昔、詔は黄色の紙に書いたのでいう。

【黄麻】コウマ・オウマ ①みことのり。唐代に、詔を黄麻紙（黄はだで染めた、麻を主体として漉いた紙）に書いたのでいう。②一年草の名。多く北地に産する。

【黄門】コウモン ①宮門のこと。宮城の小門は黄色に塗るのでいう。②宮門内の役所。③散騎の官の別名。④宦官の別名。⑤妻をめとっても終身子のない人。⑥国中納言の別名。「水戸黄門」

【黄△楡】コウユ 秋になって黄葉したにれのき。

【黄△柚】コウユウ 黄色に熟した柚子。

【黄葉】コウヨウ 黄ばんだ葉。枯れて黄色くなった葉。

【黄△楊】コウヨウ 常緑樹の名。つげ。材質は堅く黄味を帯びていて、印材にしたり櫛を造ったりする。

【黄落】コウラク・きばみおつ 草木の葉が黄色くなって枯れおちる。用例〔前漢、武帝、秋風辞〕秋風起兮白雲飛、草木黄落兮雁南帰。↓秋風が吹き始め白雲が流れてゆき、草木の葉は黄色くなって枯れ落ち、雁は南へ帰ってゆく。

【黄△鸝】コウリ ちょうせんうぐいす。こうらいうぐいす。うぐいすに似て、やや大きい。黄鳥。用例〔唐、杜甫、絶句詩〕両箇黄鸝鳴二翠柳一、一行白鷺上二青天一。↓二羽のうぐいすがみどり色の柳の枝で鳴き、一列に連なるしらさぎが空の高みに上っていく。

【黄△粱】コウリョウ 粟の一種。おおあわ。上等のあわ。用例〔唐、杜甫、贈二衛八処士一詩〕夜雨剪二春韭一、新炊間二黄粱一。↓夜、雨が降る中、春のにらを刈り入れ、たきたてのご飯には、黄色いおおあわが混じっている。

【黄△粱一炊夢】コウリョウイッスイのゆめ 富貴や高名を得ても、それが短くはかないものであることのたとえ。盧生という男が邯鄲の旅宿で、おおあわをかしぐほどの短い時間に、都へ上り立身出世をする夢を見た故事による。邯鄲の枕・邯鄲の夢・一炊の夢などともいう。〔枕中記〕

【黄△芦（蘆）】コウロ 黄色に枯れたあし。

【黄△櫨】コウロ 樹木の名。はじ。はぜ。

【黄老】コウロウ 黄帝と老子。また、その唱えた学説。無為自然の思想を主張して、儒家に反対した。儒家が尭舜を理想としたので、道家では、それより古い黄帝を理想とし、老子と合わせて黄老という。

【黄△潦】コウロウ にごった、たまり水。

4 【黆】 16画 14455 コウ（クヮウ） 陽 guāng ――― 7681

字義 勇ましいさま。

解字 形声。尢＋黄音。

5 【黈】 17画 14456 漢トウ 呉ツ 有 tǒu ――― 7682

字義 ❶きいろ。❷のべる。くりひろげる。

解字 形声。黄＋主音。

【黈△纊】トウコウ 耳あて。黄色の綿をまるめ、冠の両側にたらして耳の穴をふさぐ。王者が不急不用の言を聞かない戒め。

6 【黋】 18画 14457 コウ（クヮウ） 養 kuǎng ――― 7683

字義 明るい。広々として明るいさま。

解字 形声。黄＋光音。

13 【黌】 25画 14458 漢コウ（クヮウ） 呉オウ（ワウ） 庚 hóng 8352 EA73 ―

字義 まなびや（学舎）。学校。

解字 形声。學省＋黄音。音符の黄は、廣（広）に通じ、ひろいの意味。広いまなびやの意味を表す。

【黌宇】コウウ まなびや。学校。黌室。黌堂。▼宇は、屋。

【黌校】コウコウ まなびや。学校。黌宇。

【黌門客】コウモンのキャク 読書人。教養ある人。

黍 きび 12画

〔部首解説〕 黍を意符として、もちきびに粘りがあることから、粘る・粘るものを表す文字ができている。

0 黍 一六四五　3 黎 一六四五　5 黏 一六四五　11 黐 一六四六

0 【黍】 12画 14459 ショ 語 shǔ 2148 8B6F ―

字義 ❶きび。もちきび。五穀の一つ。イネ科の一年草で、実はあわより少し大きく食用にする。❷度量衡の基本単位。昔、きびの粒が大小なく均一なのでこれを標準にして最小の単位をきめ、一黍の直径を一分、二千四百黍の容量を一合、百黍の重量を一銖とした。

難読 黍魚子

解字 甲骨文 篆文 会意。もと、禾＋水。禾は、いねなど穀物の象形。水は液体の一つ、酒の意味。酒の材料に適した、きびの意味を表す。『説文解字』では、禾＋雨省音。

【黍△禾】ショカ きび。禾黍。

【黍△糕】ショコウ きびだんご。

【黍△稷】ショショク もちきびと、うるちきび。

【黍稲（稻）】ショトウ きびと、いね。

【黍離】ショリ 『詩経』王風の詩編名。東周の大夫が、西周の王宮の跡がきび畑となって荒れ果てているのを見て、嘆いて作った詩。

【黍離麦（麥）秀△之嘆】ショリバクシュウのタン 国家がほろんで、宮殿の跡がきびや麦の畑となったのを見て発するなげき。

【黍累】ショルイ きわめて少ない量をいう。▼黍はきび一粒、十黍を累という。

3 【黎】 15画 14460 人 二 漢レイ・呉ライ 斉 lí 二 リ 支 8353 EA74 ―

筆順 ニ 千 禾 秒 秒 秒 黎 黎 黎

字義 ❶おおい。たくさん。もろもろ。❷ととのう。❸くろ（黒）。黒い。また、黒い土。❹ころ（頃）。ころおい。❺昔の国の名。山西省長治県の南西の地。❻少数民族の名。海南省に住む。＝俚（396）。

名前 たみ・れい

解字 篆文 形声。黍＋利省音。音符の利は、隣に通じ、となりあうの意味。となりあうきびの意味から、おおいの意味を表す。また、犂に通じ、ほのくらい光・黒い・夜明けがたの意味をも表す。

【黎献（獻）】レイケン 黎民の中の賢者。人民の中の賢者。

【黎元】レイゲン 多くの民。衆民。人民。黎民。黎首。黔首。▼黎は衆、元は善。一説に、黎は黒、元は首で、冠をつけない黒髪のままの頭の者の意という。

【黎黒】レイコク くろい。色がくろいこと。

【黎庶】レイショ ＝黎元。

【黎民】レイミン ①＝黎元。用例〔孟子、梁恵王上〕黎民不レ飢不レ寒。↓庶民が飢えることも凍えることもない。②若者。

【黎明】レイメイ 夜明けがた。夜明け。黎旦。▼黎は、ころおい。一説に、黎は、空の暗いことで、明と暗とがまじわるころ、すなわち夜明け前という。

【黎老】レイロウ・リロウ 老人。老人の皮膚が黒ずんでいるのでいう。

5 【黏】 17画 14461 ネン 8354 EA75 ―

粘（8981）の正字。→一〇九六ページ下。

11【黐】23画 14462 チ 図 chī 8355 EA76 —

字義 ❶もち。とりもち。鳥などを捕らえるための粘り気のあるもの。❷ねばる。

解字 形声。黍＋离音。

12画 黑(黒) くろ

黒は十一画。

〔部首解説〕黒(黒)を意符として、黒い色や黒いものを表す文字ができている。

0 黒 一六四六　3 墨 三三〇　4 黔 一六四六　黕 一六四七　默 一六四七
5 黛 一六四七　黜 一六四七　點 一六四七　黝 一六四七　黖 一六四七
6 黟 一六四七　黠 一六四八　7 儵 一六四八　8 黤 一六四八　黥 一六四八
黨 一四三　黧 一六四八　9 黯 一六四八　黭 一六四八　黬 一六四八
黮 一六四八　10 黰 一六四八　黱 一六四八　11 黲 一六四八　黴 一六四八
13 黵 一六四八　14 黶 一六四八　15 黷 一六四九　16 黸 一六四九

0【黒】11画 14463 教2 コク くろ・くろい 2585 8D95 —

0〔黑〕12画 14464 人 コク 職 hēi(hè) 19482 EEEC —

筆順 丶 冂 冃 甲 甲 里 里 黒 黒

字義 ❶くろ。黒色。五色(青・黄・赤・白・黒)の一つ。↔白(7863)。❷くろ-い(くろ)。㋐色が黒い。「黒雲」㋑暗い。また、おろか。「暗黒」㋒悪い。正しくない。腹ぐろい。❸くろ-む。㋐黒色になる。㋑暗くなる。日がくれる。❹くらむ。目がくらむ。❺夜。やみ。❻北方。北の方角。❼羊。また、ぶた。❽黍(きび)。煎ったきび。

名前 くろ　難読 黒衣(くろこ)・黒死病(ペスト)・黒酒(くろき)

解字 金文 篆文 象形。上部のけむり出しに「すす」がつまり、下部で炎があがる形にかたどり、黒色の意味を表す。黒を音符に含む形声文字に、墨(墨)・默(黙)などがあり、これらの漢字は、「くろ」の意味を共有している。

逆 暗黒・漆黒

【黒衣】[一]コクイ ①黒い色の着物。②王宮を守る衛士の称。黒衣を着ることから。用例(戦国策、趙)願令得補黒衣之数、以衛王宮。(ねがわくはコクイのかずにおぎなうをえしめ、もってオウキュウをまもらしめよ) ↓どうか黒衣の兵士の一人に取り立てていただき、王宮の警護に当たらせてやっていただきたく存じます。[二]コクエ 仏墨ぞめの衣。僧衣。

【黒衣宰相】コクイサイショウ 南朝宋の僧、慧琳(エリン)のあだな。僧の身で、政治に関係したのでいう。

【黒雨】コクウ 黒雲から降る雨。どしゃぶりの雨。豪雨。

【黒鉛】コクエン 灰黒色のつやのあるやわらかい鉱物。炭素からなり、鉛筆のしん、電気工業などに用いる。石墨。

【黒子】[一]コクシ・ほくろ ほくろ。皮膚にできる黒い小さな斑点(ハンテン)。[二]コクシ 非常に小さいものや、せまい土地のたとえ。「弾丸黒子の地」[三]くろこ 国芝居の舞台で後見のきる黒い着物。また、その後見役。黒具(くろグ)。

【黒死病】コクシビョウ 伝染性感染症の一種。皮膚が黒変して多くは死ぬ。ペスト。

【黒痣】コクシ ①ほくろ。②せまい土地。

【黒漆】コクシツ 黒色のうるし。くろうるし。また、それをぬること。それをぬった物。

【黒心】コクシン ①嫉妬心(シットシン)。ねたみごころ。②きたない心。わるい心。邪心。悪心。

【黒人】[一]コクジン 皮膚の色の黒い人。黒色人種。[二]くろうと 国芸ごとにすぐれている人。また、それを職業とする人。玄人(くろうと)。↔素人(しろうと)(二二〇ページ上)。

【黒水】コクスイ ①黒竜江の別名。②『書経』の禹貢編などに記されている昔の川の名。

【黒鼠】[一]コクソ・くろねずみ 黒い色のねずみ。黒みがかったねずみ。[二]くろねずみ 国主人の家の金品を盗んだり、陰で主人の家に不利益なことをする奉公人。

【黒潭】コクタン 黒々と水をたたえたふち。長安(今の西安市)の南、終南山のふもとにある炭谷湫(タンコクシュウ)をさすという。古来、雨ごいの場所であった。用例(唐、白居易、黒潭竜詩)黒潭水深色如墨。伝有神竜人不識。(コクタンみずふかくしていろすみのごとし、つたうシンリュウありとひとしらず) ↓黒々と水をたたえた淵は深くて、その色は墨のようだ。この淵には神竜がいるとの言い伝えだが、誰も見たことはない。

【黒檀】コクタン カキノキ科の常緑高木。東インド・マレーなどに産し、材質は黒色で堅く、上等な家具などを造るのに用いる。

【黒貂】コクチョウ 黒いてん。▼貂は、イタチ科の獣の名。「黒貂之裘(コクチョウのキュウ)(黒い貂の毛皮で作ったオーバー)」

【黒帝】コクテイ 五行説で、北方の神の名。

【黒甜】コクテン 昼寝。午睡。北方の方言。

【黒頭】コクトウ 髪の毛の黒々としたあたま。年若く元気な人にいう。↔白頭(九九〇ページ下)。

【黒頭公】コクトウコウ ①年若くして三公(もっとも尊い三つの官位)の位に登ったものをいう。②筆の別名。

【黒髪】[一]コクハツ くろかみ。黒くつやのある髪。[二]くろかみ 国①小唄の名。②「黒髪の」は、「みだる(みだれる)」の枕詞(まくらことば)。

【黒白】コクビャク ①黒と白。②是非・善悪・正邪・清濁などのたとえ。③仏善悪の二業。

【黒風】コクフウ 荒い風。砂塵(サジン)を吹き上げる風。暴風。「黒風白雨(ハクウ)(暴風とにわか雨。暴風雨)」

【黒米】コクベイ 精白してない米。玄米。

【黒曜石】コクヨウセキ 灰色または黒色の火山岩。つやがあって、装飾用・印材・硯(すずり)などに用いる。

【黒竜(龍)江】コクリュウコウ ①中国の東北地方とロシアのシベリヤとの境を東流して、間宮海峡に注ぐ大河。その支流に松花江とウスリー江とがある。ロシア名はアムール。②省名。中国の東北地方三省の最北部に位置し、黒竜江を隔ててロシアと国を接する。省都は、哈爾浜(ハルビン)市。

【黒浪】コクロウ 黒い波。荒波をいう。

3【墨】14画 (2122) ボク 土部。→三三〇ページ下。

4【黔】16画 14465 [一]漢ケン・呉ゲン 塩 qián 8356 EA77 — [二]漢キン・呉ゴン 侵

字義 [一]❶くろ-い(くろし)(黒)。❷くろ-む。くろくなる。すすける。❸あさぐろ(浅黒)。黄黒色。❹貴州省の別称。[二]＝[一]❶。❷＝[一]❸。

解字 篆文 形声。黒＋今音。音符の今は、覆うの意味。野外で働き、日焼けのために黒い色に覆われた人たちの意味から、くろむの意味を表す。

【黔愚】ケング 人民。黔は、頭髪の黒いこと。一説に、首をおおう黒い布。民は、黒くおろかなものであるからいう。

【黔首】ケンシュ 秦代、人民をいう。黔は、頭髪の黒いこと。一説に、首をおおう黒布。後に、人民の通称となった。周代には民を黎民という。用例(史記、秦始皇本紀)更名民曰黔首。(あらためてたみをなづけてケンシュという) ↓(始皇帝は)民という呼称を改めて黔首と名付けた。

【黔庶】ケンショ ＝黔首。

【黔突】ケントツ 黒ずんだ煙突。

【黔黎】ケンレイ 庶民をいう。人民。黔首黎民。

【黔驢之技】ケンロのわざ 自分の腕前が拙劣なのを知らないで恥をかくたとえ。また、技能の拙劣なたとえ。黔州には驢馬(ロバ)がいなかったため、ある人が驢馬を連れて行って放すと、虎(とら)は自分より大きいので恐れた。驢馬が虎をけったところ、虎

は、驢馬がそれ以外に能のないことを知って食い殺してしまったという故事による。〔唐、柳宗元、三戒〕

【黔婁】(ケンロウ) 春秋時代、斉の隠者。

4 【黕】 16画 14466 ㊀㊁ ㊀漢タン・呉トン 感 dǎn ㊁チン 寝 — — 7684

字義 ㊀❶あか。けがれ。しみ。きたなくて黒い。❷黒いさま。

4 【黙】 15画 14467 常 モク だまる 4459 96D9 —

解字 篆文 形声。黑＋尤音。音符の尤(イ)は、しずむの意味。液体中に沈んだ黒いかすの意味を表す。

4 〔默〕 16画 14468 人 漢ボク 呉モク 職 mò 6452 E0D2 —

筆順 冂 日 甲 里 里 默 默 默 黙

字義 ❶だまる。もだす。語らない。口をきかない。「黙秘」「沈黙」 ❷しずか。ひっそりしている。音がしない。世に表れない。❸ない(無)。❹かすか。くらい。 国 だんまり。歌舞伎で、登場人物がせりふを入れず、暗闇の中でさぐり合い、立ちまわりをするしぐさ。 難読 黙加(メッカ)

解字 篆文 形声。犬＋黒(黑)音。音符の黒は、くろい・ものの動きがないの意味。犬がおしだまって人についていくさまから、だまるの意味を表す。

逆 暗黙・寡黙・簡黙・恭黙・沈黙

【黙過】(モッカ) 知らないふりをして、そのままにしてしまう。

【黙許】(モッキョ・モクキョ) 公には許さないが、知らないふりをして許す。みのがし。めこぼし。

【黙吟】(モクギン) だまって詩歌をよむ。

【黙契】(モッケイ・モクケイ) 話さなくても意志が通じ合う。いわず語らずのうちに互いに了解しあう。

【黙考】(モッコウ) だまって考える。黙思。黙慮。「沈思黙考」

【黙稿】(モッコウ) 胸中にできあがった詩文などの草案。腹稿。

【黙座・黙坐】(モクザ) 無言ですわっている。

【黙殺】(モクサツ) 国 黙ったまま相手にしない。他人の言行に対して、何も言わず無視すること。

【黙示】(モクシ・モクジ) 国 ①口に出さず無言の中に気持ちを表示する。それとなく知らせる。②キリスト教で神が人の心に真理を示すこと。

【黙思口吟】(モクシコウギン) だまって考えこみ、小声で口ずさむ。

【黙視】(モクシ) だまって見ていること。

【黙識】(モクシ・モクシキ) ①他人が言おうとしていることを、ただちに心に悟る。他人の真意を無言で理解する。②無言で心の中に記憶しておく。

【黙誦】(モクショウ) ①暗唱すること。②黙読すること。

【黙省】(モクセイ) だまってもの静かに反省する。

【黙然】(モクゼン・モクネン) 物を言わずにじっとしているさま。黙爾(モクジ)。

【黙想】(モクソウ) だまって思う。黙念。黙考。

【黙諾】(モクダク) 国＝黙許。

【黙禱】(モクトウ) (死者をいたみ)心の中で祈る。目をつぶり黙って祈る。

【黙読(讀)】(モクドク) 声を出さずに読むこと。↔音読(一五五二ページ上)。

【黙認】(モクニン) 国＝黙許。

【黙黙】(モクモク) ①口を閉じてものを言わないさま。黙然。②むなしく何もないさま。③不満なさま。④ひっそりして人声のないさま。

【黙礼(禮)】(モクレイ) 国 だまっておじぎをする。無言で敬礼する。

5 【黛】 16画 14469 人 3467 91E1 —

5 〔黱〕 17画 14470 漢タイ 呉ダイ 隊 dài

筆順 亻 代 代 代 代 黛 黛 黛

〔黱〕 14485 本字

字義 ❶まゆずみ。まゆがき。眉(まゆ)を濃くしたりするため用いる青黒色の墨。「粉黛」 ❷かきまゆ。ひきまゆ。まゆずみで描いた眉(まゆ)。❸女性のまゆ。❹濃い青色。青黒色。山や樹の青黒い色の形容。「翠黛(スイタイ)」

解字 形声。黒(黑)＋代音。音符の代は、とってかわるの意味。人の眉にとってかわる黒いすみの意味を表す。

【黛鬟】(タイカン) 女性の黒々とつやのある髪。

【黛黒】(タイコク) まゆずみ。黛墨。

【黛痕】(タイコン) 青黒いまゆずみのあと。

【黛樹】(タイジュ) 遠く青黒く見える樹を、まゆずみにたとえていう。

【黛色】(タイショク) まゆずみのような色。遠山の形容。

【黛青】(タイセイ) まゆずみのように濃く青い色。

【黛眉】(タイビ) まゆずみで描いたまゆ。

【黛墨】(タイボク) まゆずみ。黛黒。

【黛面】(タイメン) まゆずみをつけた顔。

【黛螺】(タイラ) ①画家の用いる、青緑色の絵の具。②女性のまゆずみと螺髻(ラケイ)(たにしの貝殻のような髪形)。

【黛緑】(タイリョク) まゆずみの色が青い。美人の形容。

5 【黜】 17画 14471 漢チュツ 呉チュチ 質 chù 8357 EA78 —

字義 しりぞける。しりぞく。㋐おとす。官位を下げる。㋑追い出す。罷免する。㋒へらす(減)。そこなう。㋓やめる。のぞく(除)。廃止する。なくす。

解字 篆文 形声。黑＋出音。音符の出は、だすの意味。黑は刑としての入れ墨の意味。罰して追いだす、しりぞけるの意味を表す。

【黜遠】(チュツエン) しりぞける。遠ざける。

【黜棄】(チュツキ) しりぞけ捨てる。

【黜遣】(チュツケン) 追放する。

【黜升】(チュツショウ) 無能な人をしりぞけることと、人材を進め用いること。黜陟(チュッチョク)。

【黜斥】(チュッセキ) しりぞける。しりぞけて用いない。

【黜責】(チュッセキ) しりぞけせめる。

【黜陟】(チュッチョク・チュツチョク) 功の無い人をしりぞけ、功のある人を用いる。

【黜剝】(チュツハク) 官位をうばって、しりぞける。

【黜罰】(チュツバツ) 免職にして罰する。

【黜否】(チュッピ) 無能な人をやめさせてしりぞける。

【黜放】(チュツホウ) 追放する。

【黜免】(チュツメン) 官職をやめさせてしりぞける。

5 【點】 17画 (7050) テン 点(7049)の旧字体。→九〇六ページ上。

5 【黝】 17画 14472 漢ユウ(イウ) 呉ユ 有 yǒu 8359 EA7A —

字義 ❶あおぐろ(あをぐろ)。青みがかった黒色。❷くろい(くろし)(黒)。また、くろずむ。❸くろつち。また、地(ジ)を黒くぬる。

解字 篆文 形声。黑＋幼音。音符の幼は、幽に通じ、光がかすかの意味。うすく、青みがかった黒の意味を表す。

【黝藹】(ユウアイ) 樹木がさかんにしげるさま。

【黝堊】(ユウアク) ①地面を平らにならして黒土をしき、牆壁(ショウヘキ)(かき)を白くぬりかざること。一説に、黒塗りの柱と白い壁。②青黒く塗ること。

【黝堊丹漆】(ユウアクタンシツ) ①青・白・赤・黒色をいう。②青黒く塗ることと、赤く塗ること。

【黝賁】(ユウホン) 北宮黝(ホッキュウユウ)と孟賁(モウホン)。ともに戦国時代の勇者。

【黝黝】(ユウユウ) 薄黒いさま。樹木がしげって暗いさま。

5 【黖】 17画 14473 国字 ₂9458 — —

字義 くろい。くろ。

6 【黟】 18画 14474 ㊀エイ 霽 yì ㊁イ 因 yī ₂9459 — 7685

字義 ㊀黒檀(コクタン)。烏文木(ウブンボク)。㊁❶＝㊀。❷黒い。

解字 形声。黑＋多音。

6【黠】18画 14475 漢カツ 呉ゲチ 黠 xiá 8360 EA7B ―

字義 ❶さとい。さかしい。❷わるがしこい。ずるい。また、わるがしこい者。❸かたくて黒色のもの。

解字 篆文 形声。黑＋吉音。音符の吉は、堅に通じ、かたいの意味。くろくてかたいの意味を表す。また、吉は賢に通じ、わるがしこいの意味をも表す。

【黠猾】カツカイ わるがしこい。ずるい。狡猾コウカイ。
【黠慧】カツケイ わるがしこい。こざかしい。
【黠鼠】カツソ ねずみ。ねずみの性質はわるがしこいのでいう。
【黠智】カツチ わるがしこい知恵。悪知恵。
【黠虜】カツリョ わるがしこい野蛮人。外敵をののしっていう語。

7【儵】19画 14476 シュク 屋 shū 1446 ― 1866

字義 ❶青黒い色。❷はやい。また、たちまち。＝倐(7179)。❸南海の帝。→儵忽シュクコツ②。

注意 『康熙字典』では、人部に所属する。

解字 形声。黑＋攸音。

【儵忽】シュクコツ ①たちまち。にわかに。②二神の名。儵は、南海の帝。忽は、北海の帝。用例〔荘子、応帝王〕南海之帝為レ儵ナンカイのテイをシュクとなし、北海之帝為レ忽ホッカイのテイをコツとなす ↓南海の帝を儵といい、北海の帝を忽という。

8【黤】20画 14477 アン ― ― 7686

黭(14481)と同字。→一六四八ジペー中。

8【黥】20画 14478 漢ケイ 呉ギョウ(ギャウ) 慣ゲイ 庚 qíng 8361 EA7C ―

字義 いれずみ。罪人の顔に墨を入れる刑罰。

解字 篆文 形声。黑＋京音。音符の京は、畺キョウに通じ、区切りの線を入れるの意味。罪人に墨を入れて区別する刑、いれずみの意味を表す。

【黥劓】ゲイギ いれずみすることと、はなきること。ともに昔の刑罰の名。
【黥首】ゲイシュ ①額ひたいに入れ墨をする刑罰。②入れ墨をした額。
【黥徒】ゲイト 入れ墨の罰をうけた罪人。
【黥布】ゲイフ 秦シン末漢初の武将、英布の別名。罪により入れ墨の刑を受けたのでいう。初め楚ソの項羽に仕えたが、後に漢の高祖に仕えて淮南王ワイナンオウとなり、やがて謀反の罪で殺された。(?―前一九五)
【黥面】ゲイメン 顔に入れ墨をする。また、入れ墨をした顔。

8【黨】20画 (713) トウ 党(712)の旧字体。→一四三ジペー上。

8【黧】20画 14479 ㊀漢レイ・呉ライ 斉 ㊁リ 支 lí ₂9460 ― 7687

字義 ㊀❶くろ-い(黒)。❷きぐろ。黄色をおびた黒。❸まだら。ぶち。

解字 形声。黑＋㔸音。

【黧黄】レイコウ・リコウ こうらいうぐいすの別名。黄鳥。黄鸝コウリ。
【黧黒】レイコク・リコク 黄色をおびた黒色。やつれた顔の形容。
【黧老】リロウ 老人。皮膚が黒ずむのでいう。

9【黯】21画 14480 ㊀漢アン・呉エン 豏 ǎn ㊁アン 覃 ān 8363 EA7E ―

字義 ㊀❶くろ-い。非常に黒い。まっくろ。❷痛む。心を痛める。心を痛めるあまり、顔色が悪くなる。㊁くら-い。奥深くてあらわれないこと。

解字 篆文 形声。黑＋音音。音符の音は、暗に通じ、くらいの意味。くらい・くろいの意味を表す。

【黯靄】アンアイ 暗くたちこめた、もや。
【黯黯】アンアン 黒いさま。暗いさま。また、心の晴れないさま。
【黯黒】アンコク 暗い。また、黒い。
【黯惨(慘)】アンサン うす暗くものがなしい。「天地黯惨」
【黯然】アンゼン ①暗いさま。また、黒いさま。②顔色ガンショクを失うさま。圧倒されるさま。③気がはれないさま。
【黯淡】アンタン うす暗い。
【黯湛】アンタン うす暗くて深い。暗く奥深い。
【黯澹】アンタン うす暗くて深い。暗く奥深い。
【黯黮】アンタン ①曇って明らかでないさま。②がっかりするさま。

9【黭】21画 14481 アン 感 yǎn ― ― 7689

［黤］14477 同字

字義 ❶くろい。果実がくさって黒いさま。❷くらい。明らかでない。❸にわか。事が急におこるさま。卒然。俄然ガゼン。

解字 篆文 形声。黑＋弇音。音符の弇エンは、奄エンに通じ、おおうの意味。黒がおおう、まっくろの意味を表す。

9【黬】21画 14482 ㊀漢カン・呉ケン 咸 jiān ㊁漢ガン・呉ゲン 咸 yǎn ― ― 7688

字義 ㊀なべずみ。釜かまの底の黒ずみ。㊁黒色。また、なべずみ。

解字 形声。黑＋咸音。

9【黮】21画 14483 ㊀漢タン・呉ダン 感 tǎn, dǎn ㊁タン 勘 tàn ㊂漢シン・呉ジン 寝 shèn ₂9461 ― 7690

字義 ㊀❶まっくろ。桑の実が黒い。❷ひそか。こっそり。㊁くら-い。明らかでない。㊂桑の実(葚ジン)。

解字 篆文 形声。黑＋甚音。音符の甚は、はなはだしいの意味。はなはだ黒いの意味を表す。

【黮闇】タンアン くらい。暗いさま。くらやみ。
【黮黮】タンタン 雲などの暗いさま。

10【黰】22画 14484 シン 軫 zhěn ― ― 7691

字義 ❶くろかみ。つやつやして美しい黒髪。❷くろいさま。

解字 形声。黑＋眞音。音符の眞シは、いっぱいにつまるの意味。髪が濃くて黒いの意味を表す。

10【黱】22画 14485 タイ ― ― 7692

黛(14469)の本字。→一六四七ジペー中。

11【黲】23画 14486 サン 感 cǎn ― ― 7693

字義 ❶薄い青黒色。腐りかけの物の色。❷暗い太陽の色。

解字 形声。黑＋參音。

11【黴】23画 14487 ㊀漢バイ・呉マイ 隊 ㊁漢ビ・呉ミ 支 méi 8364 EA80 ―

字義 ㊀❶かび。菌類のうち、菌糸からなり、胞子によって増殖するもの。「青黴あおかび」❷かびが生える。❸すすける。顔があかでよごれる。❹かさ。性病の一種。梅毒。「黴毒」㊁❶かび。❷かび-る。かびが生えてくさる。

解字 篆文 形声。黑＋微省音。音符の微は、かすかの意味。毛のようにかすかな黒いかびの意味を表す。

【黴雨】バイウ つゆ。梅雨。
【黴菌】バイキン 有機物を腐らせたり、人体に病気を起こさせたりする微生物。バクテリア。雑菌。
【黴黒】バイコク あかがついて黒いさま。すすける。

13【黵】25画 14488 ㊀タン 感 dǎn ㊁セン 琰 zhǎn ― ― 7694

字義 ㊀❶けがれる。❷いれずみ。❸黒く彩る。❹黒い。

解字 形声。黑＋詹音。

14【黶】26画 14489 ㊀エン 琰 yǎn ㊁漢アン・呉エン 豏 yǎn 8365 EA81 ―

字義 ㊀❶ほくろ。皮膚にある小さな黒色のはん点。黒子。「黶子」❷黒い。㊀くろあざ。黒いあざ。

解字 篆文 形声。黒＋厭㊉。音符の厭エンは、おしつぶすの意味。黒くおしつぶされた皮膚、ほくろの意味を表す。

15【黷】27画 14490 漢トク 呉ドク 屋 dú 8366 EA82 ―

字義 ❶けがれる。よごれる。㋐きたなくなる。あかなどがつく。㋑名誉をそこなわれる。❷けがす。よごす。㋐きたなくする。あかなどをつける。㋑名誉を傷つける。はずかしめる。

解字 篆文 形声。黒＋賣㊉。音符の賣トクは、人の目をくらませ迷わせて売るの意味。人の目をくらませあなどる、けがすの意味を表す。

【黷職】トクショク 役人や議員などがその地位を利用して不正なことをすること。瀆職トクショク。汚職。

【黷武】トクブ みだりに戦争をして武徳を汚すこと。理由のない戦いをする。

16【黸】28画 14491 漢ロ 呉ル 虞 lú ― ― 7701

字義 黒い。非常に黒い。

解字 形声。黒＋盧㊉。

12画 黹 ち ぬいとり

〔部首解説〕黹チを意符として、ぬいとりを表す文字ができている。

0 黹 一六四九 5 黻 一六四九 7 黼 一六四九

0【黹】12画 14492 チ 紙 zhǐ 8367 EA83 ―

字義 ❶ぬいとりする。刺繡シシュウする。❷刺繡シシュウ。ぬいとり。❸ぬいとりした衣服。刺繡をした布。

解字 甲骨文 金文 篆文 象形。布地に模様を縫いとった形にかたどり、ししゅうの意味を表す。

5【黻】17画 14493 漢フツ 呉フチ 物 fú 8368 EA84 ―

字義 ❶ひざかけ。ひざおおい。なめし革を用いてつくった、ひざをおおうもの。❷ぬいとり。弓の字を二つ背なか合わせにした形の古代の礼服の模様。青糸と黒糸で刺繡シシュウする。

解字 篆文 会意。黹＋犮。黹はぬいとりのあるふさ飾りの意味。犮は、祓に通じ、はらいきよめるの意味。青と黒の糸のぬいとりのある礼服の意味を表す。

【黻衣】フツイ 古代の礼服。青と黒の色糸で、弓（一説に、己）の字を二つせなか合わせにした形の刺繡シシュウ模様のあるもの。

【黻冕】フツベン 祭礼に用いる、ひざかけと、冠。

7【黼】19画 14494 フ 慣ホ 麌 fǔ 8369 EA85 ―

字義 ❶ぬいとり。半黒半白の斧おのの形をしたぬいとり、昔、礼服にほどこしたもの。❷ぬいとりをした衣服。

解字 篆文 形声。黹＋甫㊉。音符の甫フは、斧に通じ、おのの意味。おのの模様をぬいとりした礼服の意味を表す。

【黼扆・黼依】イホ ①黒と白とで斧おのの形を描いた赤い絹地の屛風ビョウブ。天子が諸侯の拝謁をうけるときに、後ろに立てるもの。②天子をさす。

【黼座】ホザ・フザ 天子の席。天子の居所。

【黼黻】ホフツ・フフツ ①昔の天子の礼服のぬいとりの模様。②美しい文章のたとえ。③天子をたすける。

13画 黽 もう あおがえる

〔部首解説〕黽ボウを意符として、かえるや亀かめなど、水辺に住む動物を表す文字ができている。

0 黽 一六四九 黾 一六四九 1 𪓕 一六四九 4 黿 一六四九 5 鼂 一六四九 鼂 一六四九 6 𪓿 一六四九 鼃 一六四九 鼃 一六四九 鼄 一六四九 8 竈 一〇六六 11 鼇 一六五〇 12 鼉 一六五〇 鼈 一六五〇 鼈 一六五〇

0【黽】13画 14495 ㊀漢モウ(マウ) 呉ミョウ(ミャウ) 梗 měng ㊁漢ビン 呉ミン 軫 mǐn ㊂漢ベン・呉メン 銑 miǎn 8370 EA86 ―

【𪓕】14497 本字 【黾】14496 俗字

字義 ㊀あおがえる。あおがえるの大きいもの。食用になる。㊁つとめる。勉強する。㊂→黽池。

解字 篆文 象形。あおがえるの象形で、あおがえるの意味を表す。

【黽池】ベンチ・メンチ 地名。今の河南省澠池メンチ県。戦国時代に趙王チョウオウが藺相如リンショウジョとともに、秦シンの昭王と会見した所。澠池。

【黽勉】ビンベン つとめはげむ。用例〔詩経、小雅、十月之交〕黽勉従レ事ことにしたがい、不二敢告一レ労あえてろうをつげず。↓王朝の仕事につとめはげみ、悩みもあえて告げはしない。

0【黾】8画 14496 ベン 黽(14495)の俗字。→一六四九ジペー中。

1【𪓕】14画 14497 ベン 黽(14495)の本字。→一六四九ジペー中。

4【黿】17画 14498 漢ゲン 呉ガン(グヮン) 元 yuán 2-9462 ― 7702

字義 ❶おおすっぽん。大型のすっぽん。❷いもり。また、とかげ。＝蚖(10505)。

解字 篆文 形声。黽＋元㊉。黽は、かえるの象形。音符の元は、かしらの意味。頭の大きいかめ・いもりの意味を表す。

【黿鼉】ゲンダ おおすっぽんと、わに。

【黿鼎】ゲンテイ おおすっぽんを煮たかなえ。飲食のような小さな事で乱を起こすことのたとえに用いる。〔中庸〕

【黿鳴鼈応】ゲンメイベツオウ 君臣がたがいに応じあうたとえ。おおすっぽんが鳴くと、これに応じてすっぽんが鳴く意。

5【鼂】18画 14499 漢チョウ(テウ) 呉ジョウ(デウ) 蕭 cháo, ②zhāo

【鼂】14500 俗字

字義 ❶うみがめ。❷あさ。あした。＝朝(5069)・晁(4757)。

解字 篆文 会意。旦＋黽。旦は、その頭の象形。黽は、うみがめの意味。

【鼂錯】チョウソ 前漢の政治家。法家の学に通じた。景帝のとき諸侯の勢力を抑制しようとしてその領地を削ったため、呉楚ゴソ七国の乱が起こり、殺された。晁錯とも書く。（?―前一五四）

5【鼂】18画 14500 チョウ 鼂(14499)の俗字。→一六四九ジペー下。 2-9463 ― 7703

6【𪓿】19画 14501 ア 蛙(10552)と同字。→一三五六ジペー下。 2-9464 ― ―

6【鼃】19画 14502 ア 蛙(10552)と同字。→一三五六ジペー下。

6【鼃】19画 14503 ア 蛙(10552)の俗字。→一三五六ジペー下。 2-9465 ― 7704

6【鼄】19画 14504 漢チュウ(チウ) 呉チュ 虞 zhū

字義 黿蝥は、虫の名。くも。
解字 形声。黽＋朱㊟。

8 【黿】 21画 (8629) ソウ 穴部。→一〇六六ジ中。

11 【鼇】 24画 14505 ゴウ（ガウ） 豪 áo ［鰲］ 14122 俗字 8371 EA87 一

字義 ❶おおすっぽん。❷おおうみがめ。想像上の大きなかめ。海中にすみ、背に三つの仙山を背負っているという。

解字 篆文 形声。黽＋敖㊟。音符の敖は、大きいの意味。

【鼇山】①大きな海がめが背にのせているという海中の仙山。仙人が住むという。②だし（祭礼の時、引っぱる飾り車）。鼇山にかたどって作る。山車。

【鼇身】おおうみがめ。また、おおうみがめの体。用例〔唐、王維、送₂秘書晁監還₁₂日本国₁詩〕鼇身映₂天黒₁、魚眼射₂波紅₁ ↓大きな海亀が、青々とした空を背にしていっそう黒く見える。大魚の紅の眼が、波を射るように輝いていることであろう。

【鼇足】おおうみがめの足。中国古代の伝説で、女媧氏（帝王の名）がおおうみがめの足を切って天をささえる柱としたという。〔補史記、三皇本紀〕

【鼇頭】①おおうみがめの頭。②官吏登用試験に一位で及第した人。状元。③国書物の上欄に書き入れた注解。頭注。

【鼇峰】鼇山の峰。神仙の住む所にたとえて翰林院をいう。

12 【鼉】 25画 14506 漢タ 呉ダ 歌 tuó 一一7705

字義 鰐の一種。体長二メートル余り。安徽省南部の沼沢地に生息する。

解字 金文 篆文 形声。黽＋單㊟。音符の單は、迤に通じて、くねっていくの意味。身をくねらせてすすむ、わにの意味を表す。

【鼉鼓】①鼉（わにの一種）の皮を張った太鼓。②太鼓のような鼉の鳴き声。

12 【鼈】 25画 14507 漢ヘツ・呉ヘチ 屑 biē 慣ベツ ［鱉］ 14153 同字 ［鼊］ 14624 同字 ［鼈］ 14508 俗字

字義 ❶すっぽん。みのがめ。どろがめ。淡水にすむかめの一種。❷わらび。わらびの芽を出したさまが、すっぽんの足に似ているのでいう。

解字 形声。黽＋敝㊟。

【鼈△裙】①かめ類の甲のまわりにある肉。すっぽんのこうら。

【鼈甲】①かめ類の背の殻。すっぽんのこうら。昔、薬用とした。②国玳瑁（うみがめの一種）のこうらを煮つめて作ったもの。くし・めがねのふちなど、装飾材料に用いる。

12 【鼊】 25画 14508 ベツ 8372 EA88 一

鼈（14507）の俗字。→一六五〇ジ上。

13画 鼎 かなえ

〔部首解説〕 鼎を意符として、いろいろな種類のかなえや、かなえの一部分を指す文字ができている。

0鼎 一六五〇 鼏 一六五一 2鼐 一六五一 鼑 一六五一 鼒 一六五一 3鼏 一六五一

0 【鼎】 13画 14509 人 標 漢テイ 呉チョウ（チャウ） 迥 dǐng 3704 9343 一

筆順 冂 目 眀 鼎 鼎 鼎 鼎 鼎

［鼑］ 4778 同字 ［鼒］ 14512 古字 ［鼏］ 14510 俗字

字義 ❶かなえ。かなえ。㋐三本足で二つの手のある底の深い器。物を煮るのに用い、また、宗廟におく宝器とされている。形に大小あり、普通は金属製。石製のものもまれにある。殷代以来、祭器として用いられ、紋様・銘文などが刻まれて多くは精巧で美しい。また、罪人を煮殺す刑具としても用いられた。㋑夏の禹王が九牧（九州の長官）の金（青銅）を集めて作った九つの鼎。これを王位伝承の宝器として後代に伝えてから、転じて、王位・帝業の意に用いる。「九鼎」「鼎運」 ㋒鼎の三足を三公になぞらえて、大臣の位をいう。「鼎位」 ㋓三つのものが向かいあう形のたとえ。「鼎立」 ❷とうとい（貴）。❸まさに。また、まさに…んとす。再読文字。また、あたる。＝当（2745）。「鼎₂来」 ❹易の六十四卦の一つ。☲☴ 巽下離上。物をあらためるかたち。❺→鼎鼎。

鼎①㋐

名前 あたる・かなえ・かね・ゆたか・よし

解字 甲骨文 金文 篆文 象形。甲骨文・金文でよくわかるように、かなえの象形で、かなえの意味を表す。

【鼎位】大臣・宰相の位。また、大臣・宰相。

【鼎△彝】かなえと彝。▼彝は、五穀を盛る祭器で、常に宗廟に備えておき、功績ある者の事跡をこれに刻んだ。

【鼎運】帝王の運命。皇運。聖運。

【鼎革】革命。易で、鼎卦は新を取り、革卦は古を去る意なのでいう。

【鼎△鑊】大きなかなえ。▼鑊は、大きくて足のないかなえ。昔、肉を煮るのに用い、後に人を煮殺すのに用いた。

【鼎業】帝王が国土を治める大業。王業。

【鼎△鉉】①かなえのとって。②かなえ。③大臣・宰相の地位。また、大臣・宰相に接し仕える官位。

【鼎湖】地名。河南省霊宝市の南の荊山のふもと。中国古代の伝説で、黄帝が銅でかなえを鋳、竜に乗って天に昇ったという。〔史記、封禅書〕

【鼎△坐】かなえの三本の足のような位置に、三人が向かい合ってすわること。

【鼎士】かなえを持ちあげるほど力のある勇士。

【鼎△峙・鼎△跱】＝鼎立。

【鼎鐘】かなえと、つりがね。共に宗廟に備える器。昔、人の功績をほりつけたもの。

【鼎食】①かなえに盛った、豊かでおいしい貴族の食物。また、それを食べる。②豊かな生活をすること。

【鼎臣】大臣。

【鼎新】古い物事をあらためること。革新。

【鼎盛】まっさかり。ちょうどさかりであること。▼鼎は、まさにの意。

【鼎△俎】①かなえと、まないた。共に料理に用いる。②かなえで煮、まないたでさく。料理をすること。

【鼎△祚】帝王の位。

【鼎足】①かなえの足。②かなえに三本の足があるように、三人が力を合わせて助け合うことのたとえ。主として三公の場合にいう。③三公の位。④三方に割拠して相対立するたとえ。鼎立。

【鼎族】大きくさかんな家がら。大家。巨室。

【鼎談】国三人で話し合う。また、その話。

【鼎鼎】①ゆるやかで身体に締まりがないさま。②年月が早く過ぎ去る形容。③盛大なさま。

【鼎沸】①かなえの湯がわき立つように、群衆などがさわぎ立つこと。②天下が乱れるたとえ。

【鼎分】テイブン 三分すること。かなえは三本の足があるので鼎を三の義に用いる。

【鼎△輔】テイホ 三公をいう。大臣。

【鼎味】テイミ ①料理の味。料理。②天下の政治。

【鼎銘】テイメイ かなえに彫った銘文。

【鼎立】テイリツ 三つのものがかなえの三本足のように並び立つ。三方に対立する。「三国鼎立」

【鼎呂】テイリョ 九鼎大呂のこと。非常に重く尊いもののたとえ。九鼎は、夏カの禹王ウオウが九州の青銅を集めて鋳た九個（一個ともいう）の夏・殷イン・周三代相伝の宝器。大呂は、周の宗廟ソウビョウ（みたまや）の大鐘。〔史記、平原君伝〕

【定レ鼎】テイをさだむ 都を定めること。周の成王が九鼎を郟鄏コウジョク（今の河南省洛陽ラクヨウ市の西）に置いて都と定めたことからいう。〔左伝、宣公三〕

【問レ鼎】かなえ(へ)をとう(ふ) ＝問二鼎軽重一かなえ(へ)のケイチョウをとう(ふ)。

【問二鼎軽(輕)重一】かなえ(へ)のケイチョウをとう(ふ) 他人の実力を疑い、軽視するたとえ。楚王ソオウが周に行き、天子の証として伝わる九鼎の重さを（天下を奪う野心があったので、かなえを運ぶ時のため）聞いた故事による。問鼎テイモン。問レ鼎かなえ(へ)をとう(ふ)。〔左伝、宣公三〕

0 【〓】11画 14510 テイ 鼎(14509)の俗字。→一六五〇ページ・中。

2 【鼐】15画 14511 ㊥ダイ ㊥ナイ 隊 nài 9483 — 7707

字義 おおがなえ。大きいかなえ。一説に、小さなかなえ。

解字 篆文 形声。鼎＋乃㊥。音符の乃ダイは、胎児の象形。小さなかなえの意味を表す。また、身ごもったようにふくれたかなえの意味から、大きいかなえの意味も表す。

2 【鼑】15画 14512 テイ 鼎(14509)の古字。→一六五〇ページ・中。 — — 7708

2 【鼏】15画 14513 ㊥ベキ ㊥ミャク 錫 mì — — 7706

字義 ❶かなえ(鼎テイ)のおおい。かなえのふた。❷おおい。覆いの布。ふきん。

解字 篆文 形声。鼎＋冖㊥。音符の冖ベキは、覆いの意味。かなえの覆いの意味を表す。

3 【鼒】16画 14514 ㊀シ 支 zī ㊁㊥サイ・㊥ザイ 灰 — — 7709

字義 ㊀㊁かなえ。口のすぼまった、小さなかなえ。

解字 形声。鼎＋才㊥。

13画 **鼓** つづみ

〔部首解説〕 鼓を意符として、いろいろな種類のつづみ・太鼓や、その音を表す文字ができている。

0 鼓 一六五一　鼔 一六五二　5 鼕 一六五二　鼖 一六五二　6 鼗 一六五二
8 鼛 一六五二　鼙 一六五二　鼚 一六五二　鼞 一六五二　12 鼜 一六五二

0 【鼓】13画 14515 常 コ つづみ ㊥コ 麌 gǔ 2461 8CDB —

筆順 一 十 士 吉 吉 壴 壴 壴 鼓

【皷】7908 俗字

字義 ❶つづみ。太鼓。楽器の一つ。木または土の胴の両面に革を張り、打ち鳴らすもの。用例〔論語、先進〕小子鳴レ鼓而攻レ之可也ショウシつづみをならしてこれをせめてカなり。↓お前たちは太鼓をうちならして彼を攻めたててよろしい。❷つづみ-うつ。＝鼓(14516)。❸うつ(打)。たたく。また、鳴らす。かなでる。用例〔呂氏春秋、本味〕伯牙鼓レ琴ハクガことをコし、鍾子期聴レ之ショウシキこれをきく。↓伯牙は琴の演奏の名人で、鍾子期はその琴の音をよく聞き分けた。❹ふるいおこす。励ます。また、あおる。扇動する。「鼓吹」「鼓舞」❺容量の単位。十斗。一説に、十二斛コク。また、重量の単位。四百八十斤。

鼓①

参考 従来、〔鼓〕はつづみ（名詞）、〔皷〕(14516)はつづみうつ（動詞）と区別して用いられていたが、古くは区別がなく、また、現在も混用する。本書では鼓の熟語はすべて鼓の項におさめた。

解字 甲骨文 金文 篆文 会意。壴＋支（中＋又）。壴は、つづみ・たいこの象形。支は、手にばちを持ってうつさま。つづみ・たいこの意味を表す。

逆 旗鼓・魚鼓・金鼓・警鼓・五鼓・三鼓・鐘鼓・大鼓・天鼓・二鼓・雷鼓・楼鼓・漏鼓

【鼓△枻】コエイ ＝鼓レ枻エイをこす（七三〇ページ・下）。

【鼓下】コカ 陣中で人を殺す所。将軍の陣営では旗をたてて鼓を置き、その下で人を処刑した。

【鼓角】コカク ①軍隊で用いる太鼓と、つの笛。②つの笛を鳴らす。

【鼓楽(樂)】コガク ①楽器をならす。音楽を奏する。②音楽。音楽隊。

【鼓弓】コキュウ 国弦楽器の一種。胡弓コキュウ。

【鼓△篋】コキョウ 太鼓を打って学生を集め、篋はこを開いて書物を出す。学習を始めること。就学すること。〔礼記、楽記〕

【鼓行】ココウ 太鼓を鳴らして進んで行く。堂々と進軍すること。用例〔史記、淮陰侯伝〕鼓行出二井陘口一ココウしてセイケイコウよりいず(づ)。↓太鼓を打ち鳴らしながら前進して井陘の入り口から討って出た。

【鼓掌】コショウ てのひらを打つ。撃掌。

【鼓鐘】コショウ ①鐘をうつ。②太鼓と鐘。③『詩経』小雅の編名。

【鼓吹】コスイ ①軍楽を奏する官。後漢からはじまる。②太鼓や笛の類い。また、それを鳴らすこと。③勢いをつける。はげます。④自分の意見を主張する。吹聴フイチョウする。

【鼓△鉦】コセイ・コショウ 太鼓とどら。軍隊で用いる。

【鼓舌】コゼツ・したをこす 舌を鳴らしてしゃべる。弁舌をふるう。

【鼓△譟・鼓△噪】コソウ 太鼓を鳴らしてときの声をあげる。はやしたてる。

【鼓△柝】コタク ①太鼓とひょうし木。②ひょうし木を打ち鳴らす。

【鼓△鐸】コタク 太鼓と、大きな鈴。軍隊で用いる。

【鼓笛】コテキ 太鼓と笛。簫鼓ショウコ。

【鼓怒】コド ①はげしく怒る。②水が音をたててさかまくさま。

【鼓刀】コトウ・とうをこす 包丁をふるう。包丁を使う。家畜を殺し、料理をすること。

【鼓△棹】コトウ ＝鼓レ枻エイをこす（七三〇ページ・下）。

【鼓△纛】コトウ 軍隊で用いる太鼓と将軍の営舎に立てる大旗。

【鼓動】コドウ ①太鼓のひびき。②心臓の打つひびき。③ふるい動く。

【鼓△橈】コドウ 動かしたわめる。

【鼓△桴】コフ 太鼓のばち。

【鼓舞】コブ ①太鼓を鳴らして舞う。「弦歌鼓舞」②元気づける。ふるいはげます。鼓励。

【鼓腹】コフク ①腹つづみを打つ。食に満ち足りているさま。また、天下太平のさま。②腹を打って拍子をとる。③太鼓の胴。

【鼓腹撃(擊)壌(壤)】コフクゲキジョウ 腹つづみを打ち、足で地面を踏みならして拍子をとる。平和で安楽な生活を喜んでいるさま。用例〔十八史略、五帝、帝尭〕有二老人一(ロウジンあり)、含レ哺鼓レ腹(ホをふくみはらをつづみうち)、撃レ壌而歌曰(つちをうちてうたい(ひ)ていわ(は)く)、……。↓ある老人が、口に食物を含み腹つづみを打ち、足で地面を踏みならして拍子をとって歌った、……。

【鼓△鼙・鼓△鞞】(コヘイ) ①攻め太鼓。②軍事。戦争。

【鼓盆】(コボン) 妻の死。荘子が妻を失ったとき、盆(すやきのはち)をたたいて歌った故事に基づく。〔荘子、至楽〕

【鼓励(勵)】(コレイ) はげまし奮起させる。鼓舞。

【鼓楼(樓)】(コロウ) ①太鼓を打ち鳴らして、時刻を知らせる高殿。②盗賊を警戒するために、太鼓を置いた高殿。

【鼓惑】(コワク) おだて惑わす。

【聞レ鼓△而△已不レ聞レ金△矣】(コをきくのみキンをきかず) 進むことを知って退くことを知らない。必死の覚悟で突撃すること。昔の戦いは、進むときは太鼓を鳴らし、退くときには金(鐘や銅鑼(ラド))を鳴らした。〔左伝、哀公十一〕

0【鼔】13画 14516 漢コ 呉ク 麌 gǔ ― ― 7710

字義 つづみうつ。＝鼓(14515)の字義❷❸❹。

参考 〔鼓〕(14515)と混用する。熟語はすべて〔鼓〕におさめた。

解字 篆文 会意。壴＋攴。攴は、うつ意味。

5【鼕】18画 14517 漢トウ 呉ドウ 冬 東 dōng(tōng) 8374 EA8A ―

字義 太鼓の音。

解字 形声。鼓＋冬音。音符の冬は、太鼓の音の擬声語。

【鼕鼕】(トウトウ) ①太鼓の音の形容。②香(か)のかおるさま。

5【鼖】18画 14518 漢フン 呉ブン 文 fén ― ― 7711

字義 じんだいこ。軍陣に用いた、長さ八尺の大太鼓。「鼖鼓」

参考 古くは、〔賁〕(フン)(11561)とも書く。

解字 形声。鼓＋卉音。音符の卉は、盛んにおこるの意味。おおつづみの意味を表す。

6【鼗】19画 14519 漢トウ(タウ) 呉ドウ(ダウ) 豪 táo ₂9466 ― 7712

［鞀］13317 同字 ［鞉］13329 同字

字義 ふりつづみ。小球を二つさげた、柄のついたつづみ。柄を持って振ると、さがっている小球がつづみを打ち鳴らすしくみ。鼗鼓。

解字 篆文 別体 鞀 別体 鞉 形声。鼓＋兆音。音符の兆は、とびはねるの意味。つづみに小球を二つさげ、柄を持って振ると、その小球のとびはねる、ふりつづみの意味を表す。

鼗

8【鼛】21画 14520 コウ(カウ) 豪 gāo

［鼜］14521 俗字

字義 おおつづみ(おほつづみ)。長さ一丈二尺の大きな太鼓。

解字 形声。鼓＋咎音。

8【鼜】21画 14521 コウ ― ― 7715

鼛(14520)の俗字。→一六五二ページ中。

8【鼞】21画 14522 チョウ(チャウ) 陽 chāng ― ― 7714

字義 太鼓の音。また、動くさま。

解字 形声。鼓＋長音。

8【鼙】21画 14523 漢ヘイ 呉バイ 斉 pí ₂9467 ― 7713

字義 ❶こつづみ。小さい太鼓。❷せめつづみ。うまのりつづみ。騎兵が馬の上で鳴らす太鼓。「鼙鼓」

解字 篆文 形声。鼓＋卑音。音符の卑は、程度がひくいの意味。一般のものより小さな、携帯用の太鼓の意味を表す。

【鼙鼓】(ヘイコ) せめだいこ。騎兵が馬の上で鳴らす太鼓。用例〔唐、白居易、長恨歌〕漁陽鼙鼓動レ地来(ギョヨウのヘイコチをうごかしてきたり)、驚破霓裳羽衣曲(ゲイショウウイのキョクをキョウハす)。↓漁陽から攻め太鼓が地をゆさぶってやって来て、霓裳羽衣の曲を演奏していた人々を大いに驚かした。

12【鼟】25画 14524 トウ 蒸 tēng ― ― 7716

字義 つづみの音。

解字 形声。鼓＋登音。

13画

鼠 ねずみ

〔部首解説〕 鼠(ソ)を意符として、いろいろな種類のねずみや、ねずみに似た動物の名称を表す文字ができている。

0【鼠】13画 14525 標 ショ 慣ソ 語 shǔ 3345 916C ―

［鼡］2752 俗字 ［鼡］9694 俗字

字義 ❶ねずみ。㋐齧歯目(ゲッシモク)ネズミ科の哺乳(ホニュウ)動物。ね。㋑こっそりと悪いことをする者のたとえ。❷うれえる(憂)。気がふさぐ。国ねず。ねずみ色。うすずみ色。

解字 篆文 象形。歯をむきだし、尾の長いねずみの形にかたどり、ねずみの意味を表す。

【鼠疫】(ソエキ) 黒死病。ペスト。ねずみに寄生する蚤(のみ)から伝染するので名づける。

【鼠肝虫(蟲)△臂】(ソカンチュウヒ) ねずみのきもと虫のひじ。とるにたらないもののたとえ。また、絶無のもののたとえ。〔荘子、大宗師〕

【鼠△蹊部】(ソケイブ) もものつけねの部分。

【鼠△竄】(ソザン) ねずみのようにこそこそ逃げる。鼠遁(ソトン)。

【鼠矢】(ソシ) ねずみのくそ。鼠糞(ソフン)。

【鼠思】(ソシ) うれえ思う。くよくよする。用例〔詩経、小雅、雨無正〕鼠思泣血(ソシキュウケツす)、無二言不一レ疾(いい(ひ)てにくまれざるなし)。↓ひそかに憂え思って血の涙を流す。何を言っても憎まれる。

【鼠△鬚筆】(ソシュヒツ) ねずみのひげで作った筆。書聖といわれる晋(シン)の王羲之(オウギシ)が初めて作ったといい、書家が珍重する。

【鼠窃(竊)△狗盗】(ソセツクトウ) こそどろ。ねずみやいぬのようにこそこそとものを盗む意。〔史記、叔孫通伝〕

【鼠賊】(ソゾク) こそどろ。窃盗。鼠盗(ソトウ)。

【鼠盗】(ソトウ) ねずみのようにこそこそ人のものを盗む人。こそどろ。鼠賊。

【鼠△遁】(ソトン) ねずみのようにこそこそ逃げる。鼠竄(ソザン)。

【鼠輩】(ソハイ) ①たくさんのねずみ。②とるにたらないものども。小人ども。人をののしる語。鼠子。

【鼠△璞】(ソハク) ねずみの干物。無用なもののたとえ。

【鼠△憑レ社貴】(ねずみシャによりてたっとし) 社(やしろ)に巣くうねずみは、これをいぶり出して捕らえようとしても社の焼けるのがこわいのでそのままにしておく。主君の威光をかさにきる小人のたとえ。〔南朝梁、沈約、恩倖伝論〕

【鼠伏】(ソフク) ねずみのように伏しかくれる。

【鼠朴・鼠△樸】(ソボク・ソハク) ＝鼠璞(ソハク)。

【鼠目】(ソモク) ねずみの目。欲深い目つきをいう。

【投レ鼠忌レ器】(ねずみにトウずるにきをいむ) ねずみにものを投げつけて殺そうとしても、そのそばの器物をこわすことを恐れる。主君の近くにいる悪い家来を除こうとして、その災いが主君におよぶことをおそれるたとえ。〔漢書、賈誼伝〕

4 【鼢】17画 14526 漢フン 呉ブン 吻 文 fén — — 7717
字義 もぐら。もぐらもち。「鼢鼠(フンソ)」
解字 篆文 形声。鼠+分音。音符の分は、わけるの意味。前足で土をかき分けて進む、もぐらの意味を表す。

5 【鼩】18画 14527 漢ク 呉グ 虞 qú
字義 動物の名。はつかねずみの類い。
解字 形声。鼠+句音。

5 【竄】18画 (8624) ザン 穴部。→一〇六六ページ中。

5 【鼪】18画 14528 漢セイ 呉ショウ(シャウ) 敬 庚 shēng
〔鼪〕14529 俗字
字義 ❶いたち(鼬ユ)。❷むささび(鼯ゴ)。
解字 形声。鼠+生音。音符の生は、星に通じ、すみきったほしの意味。夜行性のため夜間に目が星のように光る、ねずみに似た動物、むささびの意味を表す。

5 【鼪】18画 14529 セイ 鼪(14528)の俗字。→一六五三ページ上。 — — 7719

5 【鼫】18画 14530 漢セキ 呉ジャク 陌 shí
〔鼫〕14531 俗字
字義 ❶むささび。＝鼯(14536)。❷おかずき。りすの一種。形はねずみに似、頭はうさぎのようで、全体が青黄色。好んで田におり、豆などを食う害獣。碩鼠(セキソ)。❸虫の名。けら。おけら。螻蛄(ロウコ)。
解字 形声。鼠+石音。

5 【鼫】18画 14531 セキ 鼫(14530)の俗字。→一六五三ページ上。 — — 7720

5 【鼦】18画 14532 チョウ 貂(11492)と同字。→一三四八ページ上。

5 【鼦】18画 14533 チョウ 貂(11492)の俗字。→一三四八ページ上。 — — 7718

5 【鼬】18画 14534 漢ユウ(イウ) 呉ユ 宥 yòu
〔鼬〕14535 俗字
字義 いたち。イタチ科の哺乳(ホニュウ)動物。鼠(ねずみ)に似てやや大きく、赤茶色をし、害敵にあうと悪臭を放つ。鼪(セイ)。 難読 鼬鼠(いたち)
解字 篆文 形声。鼠+由音。音符の由は、深い穴の意味。深い穴にすむ、いたちの意味を表す。

5 【鼬】18画 14535 ユウ 鼬(14534)の俗字。→一六五三ページ上。 8376 EA8C —

7 【鼯】20画 14536 ゴ 虞 wú
〔鼯〕14537 俗字
字義 むささび。ももんが。齧歯目(ゲッシモク)リス科の哺乳(ホニュウ)動物。りすに似てやや大きく、昼はかくれ、夜間活動する。鼯鼠(ゴソ)。 難読 鼯鼠(むささび・ももんが)
解字 形声。鼠+吾音。音符の吾(ゴ)は、五に通じ、篆文の五の字のように足を広げて飛ぶ、むささびの意味を表す。
【鼯△嘯】(ゴショウ) むささびが鳴く。
【鼯△鼠△之技】(ゴソのギ) むささびのわざの意。わざは多いが一つも役に立つもののないたとえ。鼯鼠五技。〔荀子、勧学〕
【鼯△鼬】(ゴユウ) むささびと、いたち。

7 【鼯】20画 14537 ゴ 鼯(14536)の俗字。→一六五三ページ中。 29468 — 7721

8 【鼱】21画 14538 漢セイ 呉ショウ(シャウ) 庚 jīng — — 7722
字義 鼱鼩(セイク)・鼩鼱(クセイ)は、動物の名。地ねずみ。はつかねずみの類い。
解字 形声。鼠+青音。

9 【鼴】22画 14539 漢エン 呉オン 阮 yǎn
〔鼹〕14542 同字 〔鼴〕14540 俗字 〔鼹〕14543 俗字
字義 ❶もぐら。もぐらもち。偃鼠(エンソ)。土竜(もぐら)。❷水牛に似た一種の獣。
解字 形声。鼠+匽音。音符の匽(エン)は、かくれふすの意味を表す。

9 【鼴】22画 14540 エン 鼴(14539)の俗字。→一六五三ページ中。 — — 7724

9 【鼲】22画 14541 漢コン 呉ゴン 元 hún — — 7723
字義 動物の名。おじぎねずみ。
解字 形声。鼠+軍音。

10 【鼹】23画 14542 エン 鼴(14539)と同字。→一六五三ページ中。

10 【鼹】23画 14543 エン 鼴(14539)の俗字。 19484 — 7726

10 【鼷】23画 14544 漢ケイ 呉ゲイ 斉 xī(xí)
〔鼷〕14545 俗字
字義 はつかねずみ。あまくちねずみ。
解字 篆文 形声。鼠+奚音。音符の奚(ケイ)は、ねずみの鳴き声の擬声語。

10 【鼷】23画 14545 ケイ 鼷(14544)の俗字。→一六五三ページ中。 29469 — 7725

15 【鼺】28画 14546 ルイ 支 léi 29470 — 7727
字義 むささび。
解字 形声。鼠+畾音。

14画 鼻(鼻) はな

〔部首解説〕鼻を意符として、鼻の状態や寝息などに関する文字ができている。

0 【鼻】14画 14547 教3 ビ はな 4101 9540 —

0 〔鼻〕14画 14548 漢ヒ 呉ビ 寘 bí

筆順 ′ 白 自 鳥 畠 畠 畠 鼻

字義 ❶はな。動物の臭覚と呼吸をつかさどる器官。❷獣の鼻に、なわなどを通す。❸あな。❹つまみ。とって。「鼻鈕(ビチュウ)」❺はじめ。人間のできはじめるときは、鼻から形がきまるという伝説による。「鼻祖」❻下働きに使われる人。召し使い。

名前 はな

解字 甲骨文 金文 篆文 形声。自+畀音。甲骨文・金文は自で、はなの象形。のちに、音符の畀(ヒ)が付いた。音符の畀は、蒸気を通過させるための、こしきの中敷きのすだれの意味。空気を通すはなの意味を表す。

逆 酸鼻・突鼻

【鼻液】(ビエキ) はなじる。鼻汁。鼻洟(ビイ)・鼻涕(ビテイ)。鼻涕(ビテイ)。
【鼻△鼾】(ビカン) いびき。

わ。牛のはなにとおす輪。
【鼻子】㊀ビシ ①はな。②はじめて生まれた子。㊁はなご 国はなわ。牛のはなにとおす輪。
【鼻哂】ビシン はなで笑う。せせら笑う。
【鼻準】ビセツ はなばしら。はなすじ。鼻柱。
【鼻祖】ビソ 第一の先祖。元祖。→字義❺。
【鼻息】㊀ビソク・はないき ①はないき。呼吸。②他人のきげん。他人の意向。㊁はないき 国意気ごみ。
【仰二鼻息一】ビソクをあおぐ 他人のきげんをうかがいあおぐ。他人のきげんをうかがいびくびくすること。〔後漢書、袁紹伝〕
【鼻端出レ火】ビタンひをいだす ＝鼻頭出レ火。
【鼻柱】ビチュウ はなばしら。はなすじ。鼻茎。鼻準ビセツ。鼻梁ビリョウ。
【鼻鈕】ビチュウ とって。つまみ。
【鼻涕】ビテイ はなじる。鼻液。
【鼻頭出レ火】ビトウひをいだす はなの先から火を出す。勢いの非常にさかんな形容。〔南史、曹景宗伝〕
【鼻梁】ビリョウ はなばしら。はなすじ。鼻柱。

2 【鼽】16画 14549 ㊥キュウ(キウ) ㊒グ 尤 qiú ₂9471 ― 7729
字義 ❶鼻がつまる。かぜをひいて鼻がふさがる。❷鼻みずが出る。❸ほおの骨。
解字 篆文 形声。鼻＋九㊥。音符の九は、曲がっておしつめられるの意味。かぜをひいて鼻がつまるの意味を表す。
【鼽欬】キュウガイ 鼻がつまって、せきが出る。
【鼽窒】キュウチツ 鼻がふさがってつまる。
【鼽嚏】キュウテイ 鼻がつまり、くしゃみする。

2 【劓】16画 14550 ギョウ(ゲウ) 嘯 yào ― ― 7728
字義 かぎ鼻。あおむき鼻。

3 【鼾】17画 14551 ㊥カン ㊒ガン 翰 寒 hān 8377 EA8D ―
字義 いびき。ねいき。
解字 篆文 形声。鼻＋干㊥。音符の干は、けずるの意味。鼻を削るような音のいびきの意味を表す。
【鼾睡】カンスイ いびきをかいて眠る。
【鼾声】(聲)カンセイ いびきの声。いびき。「鼾声如レ雷カンセイらいのごとし」
【鼾息】カンソク いびき。鼻鼾。
【鼾雷】カンライ かみなりのように大きないびき。

3 【鼿】17画 14552 ㊀㊥ゴツ・㊒ゴチ 月 wù ㊁カイ(クワイ) 灰 huī ― ― 7730
字義 ㊀❶あおむき鼻。❷獣が鼻で物を動かす。㊁いのこが土を掘る。
解字 形声。鼻＋兀㊥。音符の兀ゴツは、高いの意味。

4 【䶊】18画 14553 ㊥ジク(ヂク) ㊒ニク 屋 nǜ
字義 はなぢ。鼻血。＝衄(10802)。
解字 形声。鼻＋丑㊥。

5 【齁】19画 14554 ㊥コウ ㊒ク 尤 hōu ₂9472 ― 7731
字義 はないき。いびき。
解字 形声。鼻＋句㊥。音符の句は、いびきの音を表す擬声語。
【齁齁】コウコウ いびきの音の形容。ぐうぐう。
【齁睡】コウスイ いびきをかいて眠る。鼾睡カンスイ。

9 【齃】23画 14555 ㊀㊥カツ・㊒カチ 曷 hé ㊁㊥アツ・㊒アチ 曷 è ― ― 7732
字義 ㊀いびき。㊁鼻柱。
解字 形声。鼻＋曷㊥。

9 【齄】23画 14556 サ 齇(14559)と同字。→一六五四ページ・中。 ― ― 7733

10 【齆】24画 14557 オウ(ヲウ) 送 wèng ₂9474 ― 7735
字義 はなづまり。
解字 形声。鼻＋邕㊥。

10 【齅】24画 14558 キュウ 嗅(1631)の本字。→二七八ページ・中。 ₂9473 ― 7734

11 【齇】25画 14559 ㊥サ ㊒シャ 麻 zhā ― ― 7736
【齄】14556 同字
字義 赤い鼻。あかばな。
解字 形声。鼻＋虘㊥。

14画 齊(斉) せい
斉は八画。

〔部首解説〕 齊セイを意符とする文字の例は少ない。この部首に所属する齎セイ・齋サイ・齍シ・齏セイ・齏セイはそれぞれ示・火・衣・貝・韭キュウ(にら)が意符であるが、字形の分類上、便宜的にここに収められている。

0 【斉】8画 14560 常 セイ ㊀㊥セイ・㊒ザイ 斉 qí 3238 90C4 ―
0 【齊】14画 14561 人 ㊁㊥サイ 佳 zhāi ㊂シ 支 zī 8378 EA8E ―

筆順 丶 亠 ナ 文 产 产 斉 斉

【亝】135 古字 【斊】4575 俗字

字義 ㊀❶ひとしい ひとし。そろっている。きちんとしている。同じである。「均斉」❷ひとしくする ひとし。ととのう ととのふ。そろう。ととのえる ととのふ。そろえる。きちんとする。合わせる。同じにする。用例(論語、為政)斉レ之以レ刑これをととのうるにけいをもってす ↓人民を統一してゆくのに刑罰によって行う。❸ひとしく。みな。そろって。❹ただしい。かたよらない。❺なか。中央。また、うず。水のうず。❻へそ。ほぞ。＝臍(5164)。❼つつしむ。おごそか。❽限る。限り。制限。❾つとめる。おこたらない。❿国名。周の武王の臣、太公望呂尚リョショウが封ぜられた国。今の山東省の地を領し、臨淄リンシ(今の山東省淄博シハク市の北東)に都した。戦国時代の初め、二十九代、七百二十七年(前一一二三―前三八六)で、その臣の田氏に国をうばわれた。田氏のうばった国を田斉といい、後に秦シンにほろぼされた(前二二一)。⓫王朝の名。㋐南朝の一つ。南斉。蕭道成ショウドウセイが宋ソウの譲りを受けて建てたもの。建康(今の南京市)に都した。七代二十四年(四七九―五〇二)で、梁リョウにほろぼされた。㋑北朝の一つ。北斉。高洋が東魏トウギの譲りを受けて建てたもの。六代二十八年(五五〇―五七七)で北周にほろぼされた。㊁❶ものいみ。＝斎(14562)。❷＝㊀❼。㊂もすそ。衣のすそ。

名前 いつ・いつき・きよ・さい・せい・ただ・ただし・とき・とし・なお・なり・ひとし・まさ・むね・よし 難読 斉斉哈爾チチハル・斉墩果えごのき・斉墩樹えごのき

解字 甲骨文 篆文 象形。甲骨文でわかるように、穀物の穂がのびて、はえそろっているさまにかたどり、そろう・ととのうの意味を表す。齊を音符に含む形声文字に、儕セイ・劑(剤)・擠セイ・臍セイ・濟(済)・隮セイ・霽セイ・齋(斎)などがあり、これらの漢字は、「そろう」の意味を共有している。

逆 一斉・均斉・整斉

【斉一・斉壱(壹)】セイイツ ひとしい。一つにそろう。等しくする。等しくなる。
【斉家】セイカ ＝斉レ家いえをととのう(四〇〇ページ・中)。
【斉戒】サイカイ ものいみする。斎戒。
【斉諧】セイカイ 古書の名。昔、斉の国に行われた怪異談を集めたものという。一説に、人名。〔荘子、逍遥遊〕

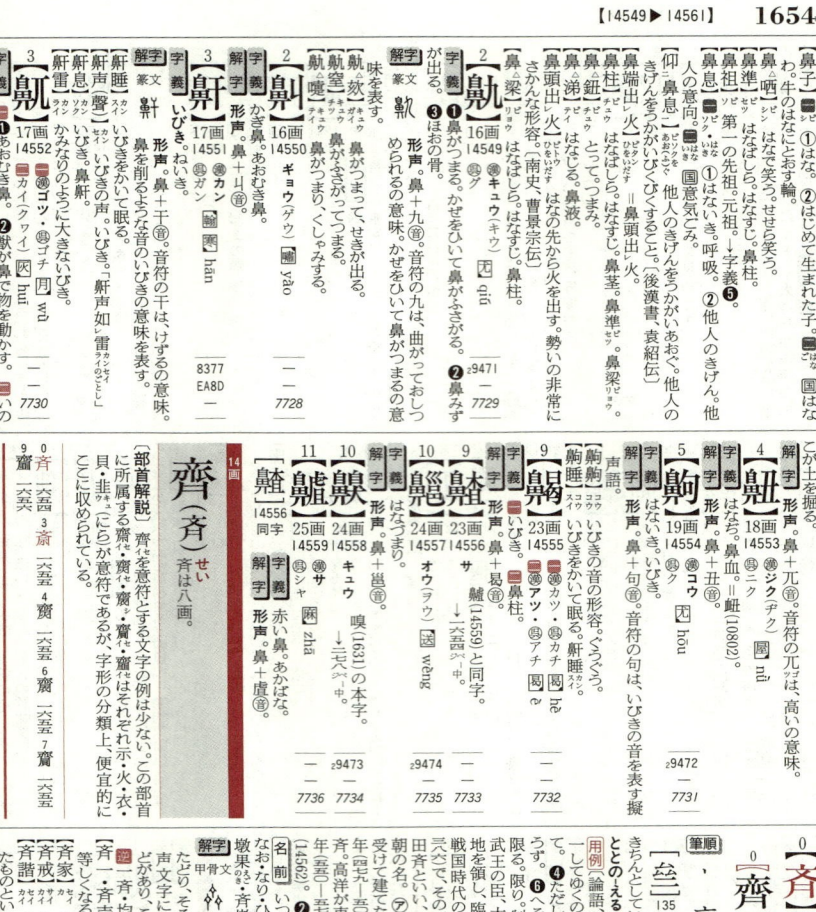

【斉△桓公】セイのカンコウ　春秋時代の斉国の君主。在位四十三年。名は小白。一時、国外に逃げたが、帰国して位を継ぎ、管仲を用いて富国強兵を図り、覇者(諸侯の旗頭)となった。晋の文公と並んで斉桓晋文と称される。(?—前六四三)

【斉△桓△晋(晉)文】セイカンシンブン　斉の桓公と、晋の文公。ともに春秋時代の五覇(旗頭となった五人の諸侯)に数えられ、最も勢力が大きかった。用例〔孟子、梁恵王上〕斉桓・晋文之事、可レ得レ聞乎。↓斉の桓公と、晋の文公の事跡を聞くことができるだろうか。

【斉給】セイキュウ　①才知がはやくまわる。すばやく反応する。②弁説にたくみ。③等分に供給する。

【斉均】セイキン　等しくそろえる。平均にする。均斉。

【斉敬】セイケイ　心身を清めつつしむ。つつしみうやまう。

【斉衰】シサイ　喪中の服。麻で作り、裳のすそを縫い合わせたもの。斬衰に次いで重いもの。

【斉宿】サイシュク　ものいみして一夜を過ごす。斎宿。

【斉粛(肅)】セイシュク　おごそかに(ととのえ)つつしむ。うやうやしくする。

【斉如】セイジョ　おごそかにつつしむさま。うやうやしいさま。

【斉唱】セイショウ　おおぜいが声をそろえてうたう。

【斉斉】セイセイ　①うやうやしくつつしむさま。②そろい整っているさま。

【斉聖】セイセイ　つつしみ深くかしこい。正しくて物事の道理によく通ずること。

【斉整】セイセイ　ととのっている。きちんとしている。整斉。

【斉宣王】セイのセンオウ・セイのセンノウ　戦国時代の斉国の君主。名は辟疆。孫子を用い、また、多くの遊説の士を集めた。(?—前三〇一)

【斉△疏】シソ　＝斉衰。▼疏は、あらい布の意。

【斉荘(莊)】セイソウ　おごそかなこと。容儀をととのえつつしむこと。

【斉東野人△之語】セイトウヤジンのゴ　斉の国の東部の田舎者のことばの意で、おろかで信ずるに足りないことばのたとえ。斉東野語。〔孟子、万章上〕

【斉眉△之礼(禮)】セイビのレイ　食事の膳を眉の高さまでささげてそなえる作法。妻が夫につつしんでつかえること。後漢の梁鴻の妻がよく夫につかえた故事による。斉眉之案(案は食膳)。〔後漢書、梁鴻伝〕

【斉民】セイミン　①一般の人民。庶民。②人民を平等にする。

【斉民要術】セイミンヨウジュツ　書名。十巻。北魏の賈思勰の著。穀物・野菜・果物などの栽培や家畜の飼育法などを述べた中国最古の農業の書。

【斉明】セイメイ　一サイメイ　ものいみして心身を清めること。二セイメイ　正しく明らかなこと。

【斉△栗・斉慄】セイリツ・サイリツ　つつしみおそれる。

【斉△魯】セイロ　春秋時代の二国の名。斉と魯。今の山東省の地。ここに儒教が初めて起こった。

【斉論】セイロン　漢代に伝えられた『論語』のテキスト三種類(古論・魯論・斉論)のうち斉の国に伝わったもの。魯論(今の論語はこの系統に属する)より問王・知道の二編が多かったが、後に滅んだ。

3 【斎】 11画 14562 常 サイ　2656 8DD6 —

3 〖齋〗 17画 14563 一サイ 俚 zhāi 二シ 支 zī　6723 E256 —

［斋］ 4574 俗字

筆順　亠 ナ 文 产 斉 斉 斎 斎

字義　一❶ものいみ。い-み。神仏を祭るとき、飲食や行いをつつしんでけがれを去り、心身を清めること。また、ものいみする。「斎戒沐浴」❷へや。㋐書物を読んだり、ものを書いたりするへや。「書斎」㋑くつろぐへや。居間。❸仏とき。㋐僧の食事。正午以前にとる食事。㋑寺で法会などのとき出す食事。精進料理。二喪服の名。裳のすそを縫い合わせたもの。＝斉(14560)。国❶いつき。㋐斎女の略。心身を清めて神につかえる少女。㋑斎王の略。昔、伊勢神宮や賀茂神社につかえた未婚の内親王、また女王。いつきのみや。❷いつ-く。いわ-う。㋐心身のけがれを清め去って神につかえる。㋑大切につかえる。

名前　いつ・いつき・いわい・きよ・さい・ただ・とき・ひとし・よし

難読　斎垣・斎串・斎宮・斎児・斎部

解字　金文  篆文 　形声。示＋斉(斉)音。音符の斉は、ととのえるの意味。心身を清めととのえて神につかえる、ものいみするの意味を表す。

逆　潔斎・高斎・山斎・書斎・心斎

【斎院】一サイイン　祭りの前日に祭りに奉仕する人たちがものいみする所。二サイイン・いつきのイン　国賀茂神社に奉仕した未婚の内親王または女王をいう。斎王。また、そのいる所。いつきのみや。

【斎王】サイオウ・いつきのみこ　国昔、天皇の即位のとき伊勢神宮と賀茂神社に奉仕した、未婚の内親王、または女王。

【斎戒】サイカイ　ものいみする。神を祭るときや神仏に祈ったりするとき、飲食や行動をつつしみ、けがれに触れぬようにすること。用例〔孟子、離婁下〕斎戒沐浴、則可三以祀二上帝一。↓ものいみをし、身を清めれば、上帝を祀ることができる。

【斎宮】一サイキュウ　天子の大廟(祖先のみたまや)の祭りにものいみする御殿。二サイグウ・いつきのみや　国天皇の即位ごとに、伊勢神宮に奉仕した未婚の内親王、または女王。斎王。また、そのいる所。

【斎潔】サイケツ　ものいみして心身を清める。潔斎。

【斎日】サイジツ　ものいみをする日。精進日。

【斎舎】サイシャ　①ものいみするための建物。②読書室。書斎。

【斎宿】サイシュク　ものいみして一夜を過ごす。

【斎場】サイジョウ　①神を祭るために、はらい清めた庭。斎庭。②国葬式の式場。

【斎壇】サイダン　①天を祭る場所。②神仏を祭る場所。

【斎藤拙堂】サイトウセツドウ　国江戸末期の儒学者。名は正謙。拙堂は号。伊勢(今の三重県)の津の藩士。藩の督学(教育の関係の管理者)となった。(一七九七—一八六五)

【斎非時】ときヒジ　仏午前の食事(斎)と午後の食事(非時)。

4 【齌】 18画 14564 一漢セイ・呉ザイ 霽 jì　二漢セイ・呉サイ 齊 qí

字義　一❶夕飯をかしぐことがはやい。❷物をかしぐ釜。❸齌怒は、はげしくいかる。

解字　形声。火＋齊音。

6 【⿱齊衣】 20画 14565 シ 支 zī

字義　❶ぬう。また、ぬい。❷もすそ。裳(スカート)のすそ。❸喪服の名。＝斎(14562)。

解字　形声。衣＋齊音。

7 【齎】 21画 14566 一漢セイ・呉サイ 斉 jì　二シ 支 zī　7658 E6D8 —

［賫］ 11603 同字

字義　一❶もたら-す。㋐持って来る。持って行く。送付する。用例〔人虎伝〕君自二南回一、為齎二書訪二吾妻子一。↓君が南方からもどったら、私のために手紙を送って妻子の様子を問うてやってくれ。㋑与える。贈る。供える。すすめる。はなむけする。❷もちもの。道中必要な金品。❸水のうずまくさま。二❶もたら-す。❷ああ。嘆く声。❸たから。もちもの。金品。＝資(11552)。

解字　篆文 　形声。貝＋齊音。音符の齊は、進に通じ、すすめるの意味。財貨をすすめる、もたらすの意味を表す。

【齎△咨】(シシ) ああ。嘆息の声。また、なげく。

【齎送】(セイソウ) 🈩 持って行ってやる。🈔(シソウ) 葬式のときに死者とともに埋める品物。資送。

【齎用】(シヨウ) 日常用いるお金や品物。

9 【齏】 23画 14567 漢セイ 呉サイ 𪜈 jī　8077 E8EB ―
［虀］ 10452 同字 ［韲］ 13416 同字 ［齏］ 13417 同字

字義 ❶あえもの。野菜を細かに刻み、みそや醬油、酢などであえた食物。また、漬け物。❷くだく(砕)。❸あ-える(あふ)。まぜる(和)。

解字 篆文 別体 形声。韭＋齊㊥。音符の齊(セイ)は、ととのえそろえるの意味。韭は、にらの象形。野菜をこまかくきざみ、みそ・ごま・酢などでととのえた、なますの意味を表す。韲の別体。

【齏塩(鹽)】(セイエン) ①野菜料理。②そまつな食品。

【齏粉】(セイフン) ①こなみじんになる。②身を粉(こ)にして働く。粉骨砕身。

15画 齒(歯) は・はへん 歯は十二画。

〔部首解説〕 齒(歯)を意符として、歯の種類や状態。かむことなどに関する文字ができている。

0 齒 一六五六 ／ 1 齓 一六五六 ／ 2 齔 一六五六 ／ 3 嚙 二八六 ／ 齕 一六五六
4 齖 一六五七 ／ 齘 一六五七 ／ 齗 一六五七 ／ 5 齖 一六五七 ／ 齞 一六五七
齚 一六五七 ／ 齣 一六五七 ／ 齟 一六五七 ／ 齟 一六五七 ／ 齝 一六五七
齠 一六五七 ／ 齡 一六五七 ／ 6 齨 一六五七 ／ 齧 一六五七 ／ 齧 一六五七
齩 一六五七 ／ 齦 一六五七 ／ 7 齬 一六五七 ／ 齬 一六五八 ／ 齪 一六五八
8 齮 一六五八 ／ 齯 一六五八 ／ 齰 一六五八 ／ 齱 一六五八 ／ 齗 一六五八
9 齷 一六五八 ／ 齵 一六五八 ／ 齶 一六五八 ／ 齲 一六五八 ／ 齳 一六五八
10 齺 一六五八 ／ 13 齼 一六五八 ／ 20 齾 一六五八

0 【歯】 12画 14568 教3 シ は　2785 8E95 ―
0 〖齒〗 15画 14569 シ 紙 chǐ　8379 EA8F ―

筆順 丨 ⺊ 卜 止 止 歩 歩 歯 歯 歯

字義 ❶は。㋐口中の食物をかみくだくもの。また、獣の牙(きば)の類い。「明眸皓歯(メイボウコウシ)」㋑歯の形をしたもの。また、歯に似た働きをするもの。「鋸歯(キョシ)」「歯車」❷よわい(よはひ)。年齢。年。用例〔唐、柳宗元、捕蛇者説〕退而甘食其土之有(しりぞきてそのどの、ユウをカンショクし)、以尽吾歯(もってわがはをつくす)。↓家にもどると、土地の産物をうまいといって食べ、そして天寿を全うしていくのです。❸よわい-する(よはひす)。㋐年齢順に並ぶ。㋑つらなる。並ぶ。❹数。また、かぞえる。馬の歯を見て、その年齢を数える。❺さいころ。❻たぐい。同類。仲間。❼しるす(記)。記録する。❽当たる。ふれる(触)。

名前 かた・とし・は　難読 歯舞(はぼまい)

解字 甲骨文 篆文 形声。齒＋止㊥。甲骨文は、「は」の象形。齒はその変形。音符の止は、とどめるの意味。食物をくわえとどめる上下の歯の意味を表す。

逆 尚歯・切歯・乳歯・年歯・没歯・羊歯

【歯牙】(シガ) ①歯。②歯ときば。③口はし。論議の対象。

【置二歯牙一】(シガにおく) とりあげて問題とする。挂二歯牙一(シガにかく)。〔史記、叔孫通伝〕

【歯△齘】(シカイ) 上下の歯のふれあたるところ。歯のかみ合う所。

【歯危】(シキ) 歯がぐらつくこと。

【歯△齦】(シギン) はぐき。歯の根部を包んでいる粘膜層。はじし。

【歯茎(莖)】(シケイ・はぐき) 国歯の根部を包んでいる粘膜層。歯齦(シギン)。

【歯△齯】(シゲイ) みずは。老人の歯が抜け落ちてそのあとにできる小さい歯。

【歯決】(シケツ) 歯で物をかみ切る。

【歯剣(劍)】(シケン) 剣にふれる。自殺すること。また、斬(き)り殺されること。

【歯算】(シサン) とし。年齢。

【歯歯】(シシ) 多くの石がかどを現して並んでいるさま。

【歯次】(シジ) ①年齢順に並ぶ。②歯なみのように並ぶ。

【歯宿】(シシュク) 年をとること。としより。▼宿は、大の意。

【歯序】(シジョ) 年齢の順序。排行。

【歯△杖】(シジョウ) 天子から七十歳の老人に与えられるつえ。王杖。

【歯槽】(シソウ) 国歯の根のはまっている上下のあごのあな。

【歯△朶】(シダ) 国①うらじろ。植物の一つ。②しだ類の植物の総称。わらび・ぜんまい・うらじろなど。

【歯長】(シチョウ) としより。長老。

【歯徳】(シトク) ①年齢と徳行。②年長で徳の高い人。

【歯弊舌存】(はやぶれしたソンす) 堅い歯が早くいたみこわれるのに対して、柔らかな舌はいつまでも残っている意で、剛強なものが先に滅び、柔弱なものがいつまでも無事であることのたとえ。『老子』の教え。歯堕舌存(はおちてしたソンす)。歯亡舌存(はほろんでしたソンす)。〔顔氏家訓、勉学〕

【歯冷】(シレイ) ①際限なく笑うこと。笑いがやまないと歯が冷たくなるからいう。②冷たくあつかう。冷遇する。

【歯列】(シレツ) ①歯なみ。②歯なみのように並ぶこと。

【歯録】(シロク) 集めしるす。書きおさめる。

【不レ歯】(シせず・よわ(は)い(ひ)せず) ①戸籍に載せない。昔、年齢順に戸籍に記入したからいう。②年齢順に席に着くとき、その人の当然いるべき席に、遠慮して着かないこと。不歯(フシ)。③同列に扱わないこと。問題としないこと。用例〔唐、韓愈、師説〕巫医楽師百工之人(フイガクシヒャクコウのひとは)、君子不レ歯(クンシよわ(は)い(ひ)せず)。↓巫や医者・音楽師・もろもろの技術者といった人々を、知識階級の人々は問題にしない。

【没レ歯】(シをボッす・よわ(は)い(ひ)をボッす) 命が終わる。死ぬ。→没歯(ボッシ)①(八二二ページ上)。用例〔論語、憲問〕没レ歯無二怨言一(よわ(は)い(ひ)をボッするまでエンゲンなし)。↓生涯、恨み言を言わなかった。

1 【齓】 16画 14570 シン　29475 ― 7737
齔(14571)と同字。→一六五六ページ下。

2 【齔】 17画 14571 シン 震 chèn　8380 EA90 ―
［齓］ 14570 同字

字義 ❶七、八歳のころぬけかわる歯。また、七、八歳のころ歯のぬけかわること。用例〔列子、湯問〕隣人京城氏之孀妻有二遺男一(リンジンケイジョウシのソウサイに、イダンあり)、始齔(はじめてシンす)。↓隣家の京城氏の未亡人には亡夫の残した男の子がいて、はじめて歯が生え替わる年ごろであった。❷歯のぬけかわるころ。いとけないころ。幼時。幼年。

解字 篆文 会意。齒＋匕(七)。匕は、化に通じ、かわるの意味。歯がぬけかわるの意味を表す。

【齔△髫】(シンチョウ) 幼児。七、八歳の子供。齔童。▼齔はみそっぱ、髫は垂れ下がった髪、ともに幼児の形容。

【齔童】(シンドウ) 歯のぬけかわる年ごろの子供。七、八歳の子供。

3 【嚙】 18画 (1763) ゲツ 口部。→二八六ページ中。

3 【齕】 18画 14572 漢コツ 呉ゴチ 月 hé　29476 ― 7738

字義 か-む。かじる。くらう。用例〔荘子、馬蹄〕齕レ草飲レ水(くさをくらい(ひ)、みず(づ)をのみ)、翹レ足而陸(あしをあげておど(を)どる)。↓草を食べ、水を飲み、足を高く掲げて跳ねる。

解字 篆文 形声。齒＋乞(气)㊥。音符の乞(キツ)は、乙に通じ、ジグザグするの意味。上下の歯をかみ合わせるの意味を表す。

【齕△齧】(コツゲツ) かむ。齕噬(コツゼイ)。

【齕△咋】(コツサク・コッサク) かむ。かんで食う。

【齕△啖】(コツタン・コッタン) かんで食う。

【齕△呑】(コツドン) かまないでのみこむ。

4 【齖】 19画 14573 〔一〕漢ガ・呉ゲ 麻 yá 〔二〕漢ガ・呉ゲ 禡 yà ― ― ―
［齖］ 14576 俗字
字義 〔一〕❶齖齵(ガグウ)は、歯並びが美しくない。❷謷齖(ゴウガ)は、人の言葉を聞きいれない。〔二〕齰齖(サクガ)は、歯のかみ合わせが悪い。
解字 形声。齒＋牙音。

4 【齘】 19画 14574 漢カイ 呉ガイ 卦 xiè 2 9477 ― 7741
字義 ❶歯ぎしりする。はがみする。歯をかみ合わせて音をたてる。また、怒るさま。歯ぎしりして怒る。❷ふぞろい。くいちがう。物のつぎ合わせがしっくりゆかないこと。
解字 形声。齒＋介音。

4 【齗】 19画 14575 ギン 文 yín 1 9485 ― 7740
字義 ❶はぐき。＝齦(14590)。❷→齗齗。
解字 篆文 形声。齒＋斤音。音符の斤は、こまかく刻むの意味。歯の根もとを包む、小刻みな形をした肉、歯ぐきの意味を表す。
【齗齗】(ギンギン) ①論争するさま。②怒りねたむさま。

5 【齖】 20画 14576 ガ ― ― 7739
齖(14573)の俗字。→一六五七ページ上。

5 【齞】 20画 14577 ゲン 銑 𪗇 yǎn ― ― 7744
字義 ❶口を開いて歯を現すこと。❷齞唇(ゲンシン)は、話をするとき、歯がまる出しになること。
解字 会意。齒＋只。

5 【齚】 20画 14578 サク ― ― 7742
齰(14596)と同字。→一六五八ページ上。

5 【齣】 20画 14579 セキ chū 8381 EA91 ―
字義 国こま。フィルムの一こま。きり。くぎり。くさり。戯曲の一段落。伝奇小説などの一回。
解字 会意。齒＋句。

5 【齟】 20画 14580 標 漢ソ 呉ジョ 語 jǔ 8382 EA92 ―
［齟］ 14581 俗字
字義 ❶かむ。❷上下の歯がくいちがうこと。「齟齬(ソゴ)」
解字 形声。齒＋且音。音符の且(ショ)は、そなえ物を載せる台の象形。歯の上に物を載せて、かむの意味を表す。
【齟△齬】(ソゴ) ①上下の歯がくいちがって合わないこと。②物事のくいちがうこと。

5 【齟】 17画 14581 ソ 2 9478 ― ―
齟(14580)の俗字。→一六五七ページ上。

5 【齝】 20画 14582 チ 支 chī 2 9479 ― 7743
字義 反芻(ハンスウ)する。食べたものを再び口に戻してかむ。
解字 形声。齒＋台音。

5 【齠】 20画 14583 漢チョウ(テウ) 呉ジョウ(デウ) 蕭 tiáo 8383 EA93 ―
字義 ❶みそっぱ。ぬけかわる前の歯。乳歯。また、歯がぬけかわる。❷歯のぬけかわる年ごろ。幼年。幼時。

解字 形声。齒＋召音。

【齠歳】(チョウサイ) ＝齠年。

【齠△齔】(チョウシン) 歯のぬけかわる年ごろの子供。また、そのぬけかわる歯。

【齠△耋】(チョウテツ) 子供と老人。▼耋は、七、八十歳の老人。

【齠年】(チョウネン) 歯のぬけかわる年ごろ。七、八歳ごろ。また、その子供。齠歳。

【齠容】(チョウヨウ) おさない姿。また、幼児のような若々しい美しさ。

5 【齢】 17画 14584 常 レイ 4680 97EE ―
5 ［齡］ 20画 14585 漢レイ 呉リョウ(リャウ) 青 líng 8384 EA94 ―
筆順 ‐ ト 止 歩 歩 歯 歯 齢
字義 ❶よわい(よはひ)。とし。年歯。「年齢」❷よい(善)。
名前 とし・なか・よ
解字 篆文 形声。歯(齒)＋令音。音符の令は、𥳽(レイ)などに通じ、等間隔に整然と並ぶの意味。齒は、人の「は」の象形で、人の年齢とともに生え、また抜け落ちる。等間隔に刻まれるとしの意味を表す。常用漢字の齢は省略体による。
逆 月齢・高齢・適齢・馬齢・妙齢

6 【齨】 21画 14586 漢キュウ(キウ) 呉グ 有 jiù ― ― 7745
字義 ❶うすば。すりへって臼(うす)のようにくぼんだ老人の歯。❷八歳の馬。
解字 形声。齒＋臼音。音符の臼は、うすの意味。

6 【齧】 21画 14587 漢ゲツ・呉ゲチ 慣ケツ 屑 niè 8386 EA96 ―
［囓］ 1805 同字 ［嚙］ 1804 俗字 ［齧］ 14588 俗字
字義 ❶かむ。㋐くいつく。かみつく。用例〈唐、柳宗元、捕蛇者説〉触草木、尽死(ソウモクにふれなば、ことごとくシし)、以齧人(もってひとをかまば)、無禦之者(これをふせぐものなし)。⇩草木に触れるとすっかり枯れてしまうし、人間に嚙みつくと、もう死を免れることはできない。㋑かじる。くいやぶる。㋒歯をくいしばる。はがみする。㋓くい入る。くいこむ。浸食する。❷かける(欠)。
解字 篆文 形声。齒＋丯音。音符の丯(ケツ)は、きざむの意味。歯できざむ、かじるの意味を表す。
【齧膝】(ケッシツ) 良馬の名。転じて、良馬。
【齧△噬】(ケツゼイ) かむ。
【齧△臂】(ケッピ・ひじ(ぢ)をかむ) ①うでをかむ。②ちかい。強い決心。戦国時代、呉起が故郷を出る時、自分の臂をかんで母に成功を誓った故事による。〔史記、呉起伝〕▼臂は、肘(ひじ)(腕の関節部)から手首までの称。

6 【齧】 18画 14588 ゲツ 2 9480 ― ―
齧(14587)の俗字。→一六五七ページ下。

6 【齩】 21画 14589 〔一〕漢ゴウ(ガウ) 呉ギョウ(ゲウ) 巧 yǎo 〔二〕漢コウ(カウ) 呉ギョウ(ゲウ) 巧 2 9481 ― 7746
字義 〔一〕かむ。かじる。＝咬(1455)。〔二〕かむ。
解字 篆文 形声。齒＋交音。音符の交は、まじえるの意味。歯と歯とをまじえる、かむの意味を表す。

6 【齦】 21画 14590 〔一〕コン 阮 kěn 〔二〕漢ギン・呉ゴン 文 yín 8385 EA95 ―
字義 〔一〕❶かむ。物をかむ。❷わらう(笑)。たわむれ笑うさま。〔二〕❶はぐき。歯齦。＝齗(14575)。
解字 篆文 形声。齒＋艮(皀)音。音符の皀(コン)は、かぎるの意味。歯のあとをつけてかむの意味を表す。また皀は、根に通じ、ねの意味。歯の根もと、はぐきの意味をも表す。

7 【齬】 22画 14591 標 漢ギョ 呉ゴ 語 yǔ 8387 EA97 ―
［齬］ 14592 俗字
字義 くいちがう。歯があわない。「齟齬(ソゴ)」
解字 篆文 形声。齒＋吾音。音符の吾(ゴ)は、交互になるの意味。歯がたがいちがいになる、くいちがうの意味を表す。

7【齬】19画 14592 ゴ 齬(14591)の俗字。→一六五七ページ下。 2 9482 ― ―

7【齪】22画 14593 一 サク 覚 chuò 二 漢ショク・呉ソク 沃 三 漢シュク・呉スク 屋 慣セク 8388 EA98 ―

字義 一 ❶歯のふれ合う音。❷齷齪(アクサク・アクセク)は、歯並びのつまっているさま。また、小さな事にこだわるさま。こせつくさま。用例〔史記、貨殖伝〕其民齷齪(そのたみアクセクたり)。↓その民はこせついていた。二 歯がそろうこと。歯並びがよい。三 齪齪(シュクシュク)は、うやうやしくつつしむさま。

8【齮】23画 14594 一 ギ 紙 yǐ 二 キ 紙 ― ― 7748

字義 一 かむ。かじる。

解字 篆文 形声。歯+奇音。音符の奇は、かたむくの意味。歯と歯をかたむかせるようにして、かむの意味を表す。

解字 形声。歯+足音。

8【齯】23画 14595 一 ゲイ 斉 ní 二 漢ジ・呉ニ 支 ― ― 7749

字義 一 二 →齯歯。

解字 篆文 形声。歯+兒音。音符の兒(ジ=ゲイ)は、子供の意味。細かくて子供の歯のような、老人の歯の意味を表す。

【齯歯(齒)】ゲイシ ①全部抜けた後に生える、老人の歯。小児の歯に似ていて、長寿の相とされる。②九十歳の老人。

8【齰】23画 14596 漢サク 呉ジャク 陌 zé 2 9484 ― 7750

［齚］14578 同字

字義 かむ(齧ケツ)。

解字 形声。歯+昔音。

8【齱】23画 14597 一 漢シュウ(シウ) 呉シュ 尤 zōu 二 サク 覚 chuò ― ― 7751

字義 一 ❶歯が群がり生える。❷齱齵(シュウゴウ)は、歯並びが悪い。二 齷齱(アクサク)・握齱(アクサク)は、こせつくさま。=齪(14593)。

解字 形声。歯+取音。

8【齭】23画 14598 漢ソ 呉ショ 語 chǔ 2 9483 ― 7747

字義 ❶歯が痛む。❷いる。すっぱい物を食べて歯が浮く。

解字 形声。歯+所音。

9【齷】24画 14599 アク 覚 wò 8389 EA99 ―

字義 齷齪(アクサク・アクセク)は、歯並びのつまっているさま。また、小さな事にこだわるさま。こせつくさま。

解字 形声。歯+屋音。

9【齲】24画 14600 ク 麌 qǔ 慣ウ 8390 EA9A ―

字義 ❶むしば。朽ち欠けた歯。齲歯。❷歯が痛む。❸やえば。

解字 形声。歯+禹音。音符の禹(ウ)は、むしの意味。むしばの意味を表す。

9【齶】24画 14601 ガク 薬 è 8391 EA9B ―

［腭］5083 同字

字義 はぐき。歯齦(シギン)。

解字 形声。歯+咢音。

9【齵】24画 14602 一 漢ゴウ・呉グ 尤 ōu 二 グ 虞 yú 2 9485 ― 7753

字義 一 歯なみが正しくない。二 ❶やえば。❷=一。

解字 形声。歯+禺音。

9【齳】24画 14603 グン 吻 yǔn ― ― 7752

字義 歯がない。㋐生まれてまだ歯が生えない。㋑老人になって、歯がぬけ落ちるさま。

解字 篆文 形声。歯+軍音。音符の軍は、毀(キ)に通じ、くずれおちるの意味。歯がぬけおちるの意味を表す。

10【齺】25画 14604 一 漢シュウ(シウ) 呉シュ 尤 zōu 二 漢サク・呉ザク 覚 ― ― 7754

字義 一 ❶かむ。❷歯が折れる。二 ❶かむ。❷上下の歯がふれあうさま。

解字 形声。歯+芻音。

13【齽】28画 14605 漢キン 呉ゴン 沁 jìn ― ― 7755

字義 ❶まがりば。内側に曲がった歯。❷黙る。

解字 形声。歯+禁音。

20【齾】35画 14606 漢ガツ 呉ゲチ 黠 yà

字義 ❶かけば。みそば。また、歯が欠ける。❷器物がかける。

解字 形声。歯+獻音。

16画

龍(竜) りゅう たつ

竜は十画。

〔部首解説〕 龍(竜)を意符として、竜に関する文字ができている。

0 竜	一六五八	龍	一六六〇	3 龏	一六六〇
龐	四八〇	龒	三二四	4 龕	一六六一
龔	一六六一	5 龖	一六六一	6 龕	一六六一
龔	一六六一	襲	一三七八	聾	一一七五
7 讋	一三四一	16 龖	一六六一	17 龗	一六六一

0【竜】10画 14607 常 リュウ たつ 4621 97B3 ―

0［龍］16画 14608 人 一 漢リョウ 呉リュウ(リウ) 冬 lóng 二 漢リョウ 呉リュウ(リウ) 腫 lǒng 三 漢ボウ(バウ) 呉モウ(マウ) 江 máng 慣ロウ

筆順 丶 亠 立 产 音 音 音 竜

［龔］14613 古字 ［龍］14609 俗字

字義 一 ❶たつ。㋐想像上の動物。四霊の一つ。巨大なへびの形をしており、全身うろこにおおわれ、角と鋭いつめを持ち、よく雲を呼び雨を降らせるといわれる。㋑王者のたとえ。また、王者に関する事物の上につける語。「竜顔」「竜駕(リュウガ)」㋒豪傑。すぐれた人物・すぐれた物事のたとえ。「竜文」「伏竜」㋓高さ八尺以上の馬。❷大きい。❸めぐみ。いつくしみ。❹やわらぐ。おだやか。❺山脈がうねっているさま。❻星の名。木星。❼→竜鍾(リョウショウ)・竜盤。二 おか。丘陵。=隴(13166)。三 まだら。黒白のぶち。=尨(2770)。

名前 かみ・きみ・しげみ・たつ・とうる・とお・とおる・めぐむ・りゅう・りょう 難読 竜蝨(げんごろう)・竜飛崎(たっぴざき)

竜一①㋐(南北朝時代画像石)

解字 甲骨文 金文 篆文 象形。金文は、頭部に辛のかざりをつけたへびの形にかたどり、りゅうの意味を表す。龍は、その変形であり、常用漢字の竜は、省略体による。龍を音符とする形声文字に、壠・瓏・礱・朧などがあり、これらの漢字は、「りゅう」の意味を共有している。

逆 潜竜・飛竜

【竜衣】リョウイ・リュウイ 天子の衣服をいう。

【竜淵】リョウエン・リュウエン ①竜のすむふち。②昔の名剣の名。

【竜王】一 リョウオウ・リュウオウ 竜神。水の神。海の神。二 リュウオウ 国 将棋で、飛車の成ったもの。

【竜舸】リョウカ・リュウカ ①天子の乗る大きな船。竜舟。②竜を描いた船。

【竜駕】リョウガ・リュウガ ①竜に乗ること。②天子の車。竜車。竜馭。竜輿。

【竜眼】リョウガン・リュウガン ①ムクロジ科の常緑高木。南中国原産。果実は球形で、竜眼肉という。②天子の目。

【竜頷】リョウガン・リュウガン 竜のあご。

【探二竜頷一】リョウガンをさぐる・リュウガンをさぐる 竜のあごの下にある玉を手に入れようとする。大きな利益を得ようとして非常な危険を冒すたとえ。〔荘子、列禦寇〕

【竜顔】リョウガン・リュウガン ①人の骨相で、竜のように眉の骨の丸く高い顔立ち。天子の相といわれる。用例〔史記、高祖本紀〕隆準而竜顔。↓（高祖は）鼻筋は高々と通り、眉の骨は竜のように丸く高かった。②天子の顔。

【竜龕】リョウガン・リュウガン 仏像を入れる厨子。

【竜忌】リョウキ・リュウキ ①火をたくことを忌む日。②鬼神の日として、忌む日。

【竜旂・竜旗】リョウキ・リュウキ 天子の旗。上り竜・下り竜の、二竜の模様を描いたもの。

【竜虬】リョウキュウ・リュウキュウ 竜とみずち。

【竜馭】リョウギョ・リュウギョ ①竜が車を走らせること。②天子の車。竜車。竜駕。用例〔唐、白居易、長恨歌〕天旋地転回二竜馭一、到レ此躊躇不レ能レ去。↓天下の情勢が一変し、天子は都へ帰ることとなったが、（楊貴妃の亡くなった）この場所へ来ると、ためらって立ち去ることができない。

【竜駒】リョウク・リュウク ①すぐれた馬。駿馬。②天才少年。素質の非常にすぐれた少年。「竜駒鳳雛」

【竜宮】リョウグウ・リュウグウ ①竜王の住んでいるという、海中の御殿。竜宮城。②寺のこと。

【竜虎】リョウコ・リュウコ ①竜ととら。②天子の気。天子となるしるしの雲気。竜虎の気。用例〔史記、項羽本紀〕皆為二竜虎一、成二五采一。此天子気也。↓（そこに立ち上る雲気は）いつも竜虎の形となり五色の美しい模様となっている。これはまさに天子の気である。③すぐれた文章。名文。④人物のすぐれていること。また、すぐれた人物。「竜虎之姿」⑤力にまさりおとりがなくて、たがいに対立し合う英雄・豪傑。⑥筆勢の雄健なこと。

【竜虎之争（爭）】リョウコのあらそい（ひ）・リュウコのあらそい（ひ） いずれおとらぬ英雄・豪傑が勝敗を争うたとえ。

【竜虎相搏】リョウコあい（ひ）うつ・リュウコあい（ひ）うつ 竜ととらがたたかう意で、両雄が相争うたとえ。

【竜光】リョウコウ・リュウコウ ①君子の徳のこと。▼竜は、いつくしみ、寵。②人の風采の敬称。③名刀の光。▼竜は、竜泉という古代の名剣。

【竜行虎歩】リョウコウコホ・リュウコウコホ 竜やとらのように歩く。威厳のある歩き方のたとえ。〔宋書、武帝紀〕

【竜骨】リョウコツ・リュウコツ ①竜の骨。太古の獣の骨。②＝竜骨車。③船底のへさきからともまで貫く材。キール。

【竜骨車】リョウコツシャ・リュウコツシャ 農具。高地へ水を押し上げる水車。

【竜袞】リョウコン・リュウコン ①天子の着物。竜の模様を描いたもの。②昔の大臣の着物。

【竜犀】リョウサイ・リュウサイ ①中央の高い額。②天子の顔。竜顔。

【竜塞】リョウサイ・リュウサイ 辺地のとりで。北方の辺地にある城塞。

【竜子】リョウシ・リュウシ ①たつ。りゅう。②たつの子。りゅうの子。③駿馬の名。④蜥蜴の別名。

【竜姿】リョウシ・リュウシ ①天子の姿。②けだかい姿。③駿馬の形容。

【竜車】リョウシャ・リュウシャ ①天子の車。②仙人の乗る車。

【竜種】リョウシュ・リュウシュ ①すぐれた馬。竜駒。竜駿。②帝王の子孫。③賢い子。④竹の別名。

【竜鬚】リョウシュ・リュウシュ ①竜のひげ。②りっぱなひげ。③草の名。りゅうのひげ。ユリ科の多年草。席をつくる。④茶の名。

【竜樹】リョウジュ・リュウジュ 梵語。Nāgārjuna（ナーガールジュナ）の漢訳名。印度の大乗仏教学者。南インドのバラモンの家に生まれ、各地を旅行して大乗・小乗の仏教学説に通暁し、般若の空観を大乗の根本思想とした。著書に『中論』がある。（一五〇？―二五〇？）

【竜舟】リョウシュウ・リュウシュウ ①大船のこと。②竜を描いた舟。③天子の乗る舟。へさきに竜首の彫刻がしてある。④端午の節句に競争する舟。

【竜湫】リョウシュウ・リュウシュウ たき。瀑布。

【竜駿】リョウシュン・リュウシュン すぐれた馬。駿馬。竜種。

【竜準】リョウジュン・リュウジュン 高い鼻。一説に、「リュウセツ」と読んで、うず高いほお骨の意とする。隆準。▼準は、鼻梁。

【竜女】リョウジョ・リュウジョ ①竜宮にいる竜王のむすめ。おとひめ。②賢い女性。

【竜章】リョウショウ・リュウショウ ①竜の模様。竜のかたち。②竜を描いた旗。③竜を描いた着物。④すぐれた容姿。「竜章鳳姿」

【竜鍾】リョウショウ・リュウショウ ①年老いてやつれたさま。②涙の流れるさま。用例〔唐、岑参、逢二入レ京使一詩〕故園東望路漫漫、双袖竜鍾涙不レ乾。↓故郷長安を東のかたにながめやると、道ははるばると続いている。わが衣の両袖は涙でしとどに濡れて乾く間もない。

【竜城】リョウジョウ・リュウジョウ ①匈奴の首領たちが会合して天を祭る所。②匈奴の地。朔北の地。③行きなやむさま。④強健な様子。

【竜城飛将（將）】リョウジョウのヒショウ 前漢の武将、李広のこと。李広は弓にすぐれ、勇敢であったので匈奴は恐れて飛将軍と号した。

【竜攘虎搏】リュウジョウコハク ＝竜虎相搏。

【竜驤虎視】リョウジョウコシ・リュウジョウコシ 竜のように登り、とらのように見る。天下をのんでかかる意気。また、堂々としたさま。〔三国志、蜀志、諸葛亮伝〕

【竜驤麟振】リョウジョウリンシン 竜が天に登り、麒麟が速く走るときのように、威勢のすぐれてさかんなさま。一説に、麒麟は仁徳のある獣で、麟振は仁徳のさかんなこと。竜驤と合わせて、恩威（恩恵と威光）の兼ね備わる意という。用例〔晋書、段灼伝〕竜驤麟振、前無二堅敵一。↓竜が天に登り麒麟が駆けるように威勢がさかんで、その前に強い敵はいない。

【竜神】リュウジン・リョウジン 水の神。河海の神。わだつみ。竜王。漁夫に信仰される。

【竜瑞】リョウズイ 竜が天からくだる吉兆。

【竜雛】リョウスウ たけのこの別名。竜孫。

【竜性】リョウセイ・リュウセイ 立派な生まれつき。

【竜泉窯】リョウセンヨウ・リュウセンヨウ 北宋以来、浙江省竜泉市にあった陶窯。中国最大の青磁の産地として知られ、南宋時代にはさかんに海外にも輸出した。元以後は作風が低下した。

【竜戦（戰）虎争（爭）】リョウセンコソウ・リュウセンコソウ 竜やとらのように激

しく戦うこと。〔後漢、班固、答二賓戯一論〕

【竜△髯】(リョウゼン・リュウゼン) ①竜の口ひげ。②天子のひげ。③松の形容。

【竜孫】(リョウソン・リュウソン) ①たけのこの別名。竜雛(リョウスウ)。②竹の一種。③すぐれた馬。駿馬(シュンメ)。竜種。

【竜蛇】(リョウダ・リュウダ) ①竜とへび。②非常にすぐれた人のたとえ。③草書の筆勢の形容。④才能を持ちながらも世をさけてかくれている人。⑤水の流れるさま。⑥ほこなどの兵器をいう。⑦仏聖人と凡人。竜を聖者に、へびを凡人にたとえる。

【竜堆】(リョウタイ・リュウタイ) ①天山南路にある砂漠の名。②湖南省岳陽市の南の砂堤。金沙洲(キンサシュウ)ともいう。

【竜△擡頭】(リュウタイトウ) 陰暦二月二日。春遊の行事があった。⇩コラム 年中行事(四六六ページ)。

【竜胆(膽)】(リュウタン・リンドウ) リンドウ科の多年草。りんどう。

【竜△潭】(リョウタン) 深い淵(ふち)。深い滝つぼ。

【竜断(斷)】(リョウダン) ＝壟断(ロウダン)(三三四ページ下)。

【竜池】(リョウチ・リュウチ) ①琴の底にあるあな。上の方にある穴を竜池、下の方の穴を鳳池(ホウチ)という。②唐の玄宗の太子時代の邸宅(長安の隆慶坊にあった)にあった池の名。たびたび雲竜の吉祥があらわれたという。

【竜庭】(リョウテイ・リュウテイ) ①匈奴(キョウド)の王庭。匈奴が天を祭る所。②すぐれた顔だち。

【竜図(圖)】(リョウト・リュウト) ①昔の伝説で、神竜が黄河から背負って出たという易(エキ)の図。→河図洛書(カトラクショ)(八三三ページ下)。②天子のたてたはかりごと。また、すぐれた計画。

【竜灯(燈)】(リョウトウ・リュウトウ) ①竜を描いた灯火。②国海中の燐光(リンコウ)が灯火のように連なって現れるもの。③国神社にささげる神灯。

【竜頭】㊀(リュウトウ・リョウトウ) ①竜の頭。②科挙(官吏登用試験)の第一位の及第者。③竜の彫刻をほどこした器物。④旗のさお先のかざりの一種。⑤竜頭のかたちの彫刻のある船。㊁(リュウズ) 国腕時計のねじをまくところ。

【竜頭△鷁首】(リュウトウゲキシュ・リョウトウゲキシュ) 天子の乗船。竜舸(リョウカ)。竜と鷁という大鳥とを彫刻した船。一説に、二隻で一対をなし、一隻は竜を一隻は鷁を彫刻してあるという。用例〔淮南子、本経訓〕竜頭鷁首(リュウトウゲキシュ)、浮吹以娯(フスイしてもってたのしむ)。天子の乗船を浮かべて、音楽を奏でてたのしむ。

【竜頭蛇尾】(リョウトウダビ・リュウトウダビ) 仏竜のような頭と、へびのような尾。初めは盛んで、終わりがおとろえることのたとえ。〔碧巌録〕

【竜△韜】(リョウトウ・リュウトウ) ①太公望の著したという兵法の書『六韜(リクトウ)』の第三編の名。②兵法、また、兵法の書。

【竜騰】(リョウトウ・リュウトウ) ①竜が天に登る。転じて、勢いのさかんなこと。②英雄の興るたとえ。③筆勢の力強いたとえ。④談論風発の形容。

【竜徳】(リョウトク・リュウトク) すぐれた徳。天子の徳。

【竜馬】(リョウバ・リュウメ・リュウバ・リョウメ) ①昔、伏羲(フッキ)のとき、黄河から易(エキ)に関する図を背負って出たという神馬。②すぐれた馬。駿馬(シュンメ)。竜種。③年老いても壮健な人のたとえ。

【竜媒】(リョウバイ・リュウバイ) ①駿馬(シュンメ)。竜種。②もぐらもち。

【竜盤・竜△蟠】(リョウバン・リュウバン) ①竜がわだかまりひそむ。竜がとぐろを巻いている。②英雄・豪傑が志を得ないで世にかくれているたとえ。③地形が重なり曲がってけわしいたとえ。④樹木の枝がわだかまり曲がった形容。⑤草書の筆勢の形容。

【竜盤虎△踞・竜△蟠虎△踞】(リョウバンコキョ・リュウバンコキョ) 竜がわだかまりとらがうずくまる。㋐地勢のけわしいさま。㋑英雄が一方にたてこもって勢力をふるうさま。

【竜△蟠△鳳逸△之士】(リョウバンホウイツのシ・リュウバンホウイツのシ) 竜がひそみわだかまり、鳳凰(ホウオウ)が姿を見せないように、素質がありながら、まだ、その才能を発揮できずにいる人。〔唐、李白、与二韓荊州一書〕

【竜飛】(リョウヒ・リュウヒ) ①竜の飛ぶこと。②天子が位につくこと。③英雄が機会に恵まれて立ち上がるたとえ。

【竜尾】(リョウビ・リュウビ) ①竜の尾。②草の名。びんぼうづる。③星の名。二十八宿の一つ。木星。④竜尾硯(リョウビケン)。竜尾山(今の江西省婺源(ブゲン)県にある山)から出るすずり石。良質で有名。⑤宮城内の、宮門に通ずる道で、両側を塀で囲む。竜尾道。

【竜標】(リョウヒョウ・リュウヒョウ) 盛唐の詩人、王昌齢(オウショウレイ)をいう。左遷されて竜標の尉となったのに基づく。竜標は、今の湖南省洪江市。

【竜文】(リョウブン・リュウモン・リュウブン) ①竜の模様。②筆力の雄健なさま。③将来有望な子ども。神童。④よい馬。駿馬(シュンメ)。

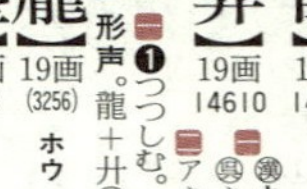
竜文①

【竜△袍】(リョウホウ・リュウホウ) 天子の衣服。竜の模様を描いたうわぎ。

【竜△鳳】(リョウホウ・リュウホウ) ①竜と鳳凰(ホウオウ)。②すぐれた人物のたとえ。③りっぱな顔だち。すぐれた人相。

【竜△鳳△之姿】(リョウホウのすがた) 衆にすぐれた顔かたち。貴人の相。天子となるべき人相。〔唐書、太宗紀〕

【竜門】(リョウモン・リュウモン) ①人望の高い人のたとえ。→登竜門(トウリュウモン)(九八八ページ下)。②山峡の名。山西省河津市と陝西(センセイ)省韓城(カンジョウ)市の間にあり、昔、禹(ウ)が切り開いて黄河の水を流したといわれる所。激流で有名。『史記』の著者、司馬遷の生地。一名、河津。③科挙(官吏登用試験)の試験場の正門をいう。

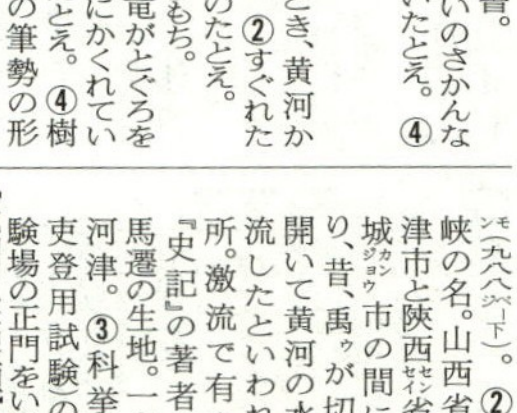
竜門

【竜門点(點)額】(リョウモンテンガク・リュウモンテンガク) 魚は竜門を登れば竜となれるが、登れないと額(ひたい)を打ちつける。進士の試験に落第して帰ることのたとえ。

【竜門扶風】(リョウモンフフウ) 司馬遷の『史記』と班固(ハンコ)の『漢書(カンジョ)』。▼竜門は司馬遷の、扶風(今の陝西(センセイ)省内)は、班固の生地。

【登二竜門一】(リョウモンにのぼる・リュウモンにのぼる) ＝登竜門(トウリュウモン)(九八八ページ下)。

【竜△輿】(リョウヨ・リュウヨ) 天子の乗りもの。竜駕(リョウガ)。

【竜△鱗】(リョウリン・リュウリン) ①竜のうろこ。②天子・英雄の威光のたとえ。③上から下へ順次にならぶ形容。④金銀珠宝・波・雪などのきらきら輝く形容。⑤果実の日光に輝く形容。⑥老松の幹の形容。⑦篆書(テンショ)の形容。⑧宝刀の名。

【△攀二竜△鱗一】(リュウリンをよず(ヅ)・リョウリンをよず(ヅ)) 竜のうろこにつかまる。英雄に従って大功を立てるたとえ。また、聖人に従って徳をおさめるたとえ。〔後漢書、光武紀上〕

0 【龍】16画 14609 リュウ 竜(14607)の俗字。→一六五八ページ下。 4622 97B4 —

3 【龏】19画 14610 ㊀漢キョウ 呉クウ 図 gōng ㊁アク 閲 wò — — 7756
字義 ㊀❶つつしむ。❷のぼる。㊁灯火の覆い。
解字 形声。龍＋廾(音)。

3 【龐】19画 (3256) ホウ 广部。→四八〇ページ下。

3 【壟】19画 (2180) ロウ 土部。→三三四ページ中。

4【龕】20画 14611 ガン 龕(14614)の俗字。→一六六一ページ上。 — — 7758

4【龑】20画 14612 ⊖エン 漢 yǎn ⊜ゲン 呉
字義 ⊖高く明らかなさま。⊜五代南漢の高祖の名。
解字 会意。龍＋天。 — — 7758

5【龒】21画 14613 リュウ 竜(14607)の古字。→一六五八ページ下。 — — 7759

6【龕】22画 14614 慣ガン カン 中 kān 8392 EA9C —
［龕］14611 俗字
字義 ❶ずし。神体や仏像を安置する小さな箱。❷寺の塔。また、寺の塔の下の室。❸取る。攻め取る。
解字 金文 篆文 形声。龍＋今音。音符の今は、函に通じ、ふくむの意味。容器にとじこめられた、りゅうのさまから、世の乱れを平定する、箱の意味を表す。のち、今は、合に変形した。
【龕中】寺社の内殿。
【龕灯(燈)】①仏壇のあかり。灯明。②国強盗提灯。つりがね形で、中に蠟燭を立て、前方だけを照らすようにした提灯。

6【龔】22画 14615 漢キョウ 呉クウ 中 gōng 9487 — 7760
字義 ❶そなえる(供)。㋐供給する。㋑たてまつる。❷つつしむ。うやうやしい。＝恭(3513)。
解字 金文 篆文 形声。龍＋共音。供・恭に通じ用いられる。
【龔勝】前漢末の政治家。字は君賓。哀帝に仕えた。王莽に従わず、絶食して死んだ。(前六八―一一)
【龔遂】前漢の政治家。字は少卿。宣帝の時、勃海太守となり、盗賊を平定し、倹約と農業を奨励したので、民が豊かになった。

6【襲】22画 (10859) シュウ 衣部。→一二七八ページ下。

6【聾】22画 (9649) ロウ 耳部。→一一七五ページ下。

7【讋】23画 (11427) ショウ 言部。→一三四一ページ中。

16【龖】32画 14616 漢トウ(タフ) 呉ドウ(ダフ) 中 dá — — 7761
字義 竜の飛ぶさま。
解字 会意。龍が二つで、竜が重なり飛ぶの意味を表す。

17【龗】33画 14617 漢レイ 呉リョウ(リャウ) 中 líng 9488 — 7762
字義 ❶竜。❷かみ(神)。また、よい(善)。国竜神。水神。
解字 形声。龍＋霝音。

16画 龜(亀) かめ 亀は十一画。

〔部首解説〕龜(亀)を意符として、亀に関する文字ができている。また、秋の古字の龝は、古代の占いに亀の甲を用いたことに関係のある文字である。

0亀 一六六一　龜 一六六二　2[illegible] 一六六二　4[illegible] 一六六二　9龝 一六六二　12龞 一六六二

0【亀】11画 14618 常 キ かめ 2121 8B54 —
⊖キ 中 guī
0〔龜〕16画 14619 8393 EA9D —
⊜漢キュウ(キウ) 呉ク 中 qiū
⊝キン 中 jūn

筆順 ノ ク … 亀

［龜］14620 本字　［龜］14621 同字

字義 ⊖❶かめ。爬虫類の一種。腹と背中に甲があり頭や足を自由に出入させる。甲はうらないに用いられた。四霊(麟・鳳・亀・竜)の一つで万年の寿命を持っているといわれる。❷印綬。位や官職のある人のおびるもの。❸うらない。かめの甲を焼いてうらなうもの。「亀卜」❹せぼね(背骨)。❺古い。久しい。❻人をののしることば。⊜→亀茲。⊝ひび。あかぎれ。＝皸(7906)。

名前 あま・あや・かめ・き・すすむ・ながし・ひさ・ひさし

難読 亀嵩

解字 甲骨文 金文 篆文 象形。かめの象形で、かめの意味を表す。

【亀殻】かめの甲。かめの甲ら。

【亀鶴】かめと、つる。どちらも長生きすることから、人の長寿をたとえていう。「亀鶴之寿」

【亀鑑】てほん。模範。亀は、吉凶をうらない、鑑は、物をうつす。ともに人の模範とするもの。亀鏡。

【亀胸】はとむね。鶏胸。高くつき出ている胸。

【亀鏡】＝亀鑑。

【亀玉】かめの甲と、たま。貴重なものをいう。用例〈論語、季氏〉亀玉毀於櫝中。↓亀の甲と玉が箱の中でこわれる。

【亀甲】①かめの甲。亀殻。②かめの甲に似た形のもの。③国きっこうがた。六角形をつなぎあわせたような模様。

【亀甲獣(獸)骨】かめの甲と獣の骨。殷の時代、占いに用い、これにその文句の文字を刻みつけた。亀甲獣骨文字(甲骨文字)というのがこれで、現在、目にすることのできる最古の中国の文字である。⇩コラム 文字・書体の変遷(六三三ページ)。

【亀策・亀筴】占い。亀卜と筮法。また、それに用いる道具(かめの甲と筮竹)。亀筮。

【亀紫】黄金の印と紫の印綬。大臣などが用いた。

【亀茲】古代の西域の国名。今の新疆ウイグル自治区庫車県一帯の地。邱茲・屈支なども書く。⇩コラム シルクロード(一二〇四ページ)。

【亀手】寒さでひびのきれた手。

【亀書】禹のとき、洛水から出た神亀の背にあったという九つの模様。禹はこれによって数理を案出したと伝えられる。洛書。

【亀筮】＝亀策・亀筴。

【亀千歳】かめが千年もの寿を保つ。用例〈史記、亀策伝〉亀千歳、乃游蓮葉之上。↓亀は千年の寿命を保ち、芳香を放つ蓮の葉の上でゆったり巣くっている。

【亀坼】①亀卜。②＝亀兆。③地面がひでりのためかめの甲のように裂けること。亀裂。

【亀鈕・亀紐】かめの形を彫刻した、印のつまみ。

【亀兆】亀卜によって現れたひびの模様。亀坼。

【亀鼎】元亀(大きなかめ)と九鼎。天子の位のたとえ。

【亀田鵬斎(齋)】国江戸後期の儒者。江戸(今の東京都)の人。名は長興。字は遅竜。鵬斎は号。寛政異学の禁により、江戸を離れて各地を旅行し、天明の飢饉には蔵書を売って難民を救済した。著書に『大学私衡』『鵬斎詩鈔』『鵬斎先生文鈔』などがある。

亀紐

龍部 4▼17画 〔龕龑龒龕龔襲聾讋龖龗〕 龜部 0画 〔亀〕

（二七三二—一八二六）

【亀背】ハイキ ①かめの背。②背骨の曲がった人。佝僂クル。③鳳凰ホウオウ。その背が亀卜ボクキの模様に似ているからいう。

【亀趺】フキ かめの形に刻んだ石碑の台。

【亀文鳥跡】キブンチョウセキ かめの甲の模様と鳥の足あと。ともに文字の起源と伝えられている。

【亀△鼈】ベツキ ①かめと、すっぽん。②人を軽んじいやしめていうことば。「亀鼈小豎ショウジュ」

【亀△卜】ボクキ かめの甲を焼いてそこに現れたひびによって吉凶を占うこと。また、その占い。亀坼タクキ。

【亀万(萬)年】マンネンかめは かめは一万年生きるということ。『広五行記補』に「亀齢キレイ経ニ万歳ーバンザイをふ」とあるのに基づく。

【亀毛】モウキ かめの毛。きわめてめずらしいもの。また、けっしてないもののたとえ。「亀毛兎角カクト(兎角は、うさぎのつの)」

【亀竜(龍)寿(壽)】キリョウのジュ・キリュウのジュ 人の長寿を祝うことば。かめも竜も長生きするのでいう。

【亀齢(齡)】レイキ きわめて長い寿命。長寿。

【亀裂】キンレツ 一 あかぎれ。二 キレツ 国かめの甲のようなひびわれ。亀坼タクキ。

【△灼レ亀】やくキを かめの甲を焼き、その割れ目を見て吉凶を判断する。用例〔史記、亀策伝〕灼レ亀観レ兆キをやきチョウをみる。↓かめの甲を焼きその割れ目を見て吉凶を占った。

0【龜】15画 14620 キ 亀(14618)の本字。→一六六一ページ中。

2【龜】18画 14621 キ 亀(14618)と同字。→一六六一ページ中。

4【䶯】15画 14622 国字 ₂9486 — —
字義 集䶯わきシュウは、姓氏。

9【䶰】25画 14623 シュウ 秋(8444)の古字。→一〇四八ページ上。

12【鼈】28画 14624 ベツ 鼈(14507)と同字。→一六五〇ページ上。 — — 7763

17画 龠 やく・やくのふえ

〔部首解説〕龠ヤクを意符として、笛やその吹奏に関する文字ができている。

0【龠】17画 14625 ヤク 漢 yuè 8394 EA9E —
字義 ❶ふえ(笛)。＝籥(8947)。㋐三孔、または六孔ある笛。㋑管を並べて作った笛。簫ショウに似る。❷ますめの単位。黍きび千二百粒の量。一合の二分の一。一説に、十分の一。一勺。❸ますの一種。一龠の量をいれるます。
解字 甲骨文  金文  篆文  象形。甲骨文でわかるように、吹き口のついた管を編み並べた形にかたどり、ふえの意味を表す。籥(8947)の原字。

4【龡】21画 14626 スイ 漢 chuī — — 7764
字義 ふく。笛を吹く。＝吹(1371)。
解字 形声。龠＋欠(吹省)㊥。音符の吹は、ふくの意味。笛をふくの意味を表す。

5【龢】22画 14627 ワ 和(1433)の古字。→二五九ページ下。 ₁9489 — 7765

8【龣】25画 14628 一 カク 覚 jué 二 ロク 屋 lù — — 7766
字義 一 ❶東方の音。五音の一つ。＝角(11069)。❷楽器の名。二＝一❶。
解字 形声。龠＋彔㊥。

9【龥】26画 (13522) ヤク 頁部。→一五六五ページ下。

10【龤】27画 14629 チ 篪(8840)と同字。→一〇八七ページ上。

付録

〔付録目次〕

主要句法解説

漢文を訓読するためには、否定・疑問・使役・受身・比較といった基本的なことを表す漢文の構造について理解しておくことが必要である。また、抑揚・累加などと呼ばれる、漢文訓読特有の言い回しが表れることもある。これらは、その言い回しについての知識がなければ理解できない。こういった漢文の構造や、漢文特有の言い回しのことを「句法」（「句形」「語法」などともいう）という。

ここでは、句法のうちの主要なものについてまとめて解説する。解説にあたっては、まず句法をその意味に従って12に分類し、各分類の中では、その構造や使われる助字などによって分類した。用例については、本文中の「助字・句法解説」の欄で用例を挙げているものはそちらにゆずり（該当する親字見出しの掲載ページを記した）、それ以外のものについてのみ挙げておいた。

なお、句法とともに取り上げられることの多いものに「再読文字」があるが、これについては、全体的な解説は本文中のコラム「再読文字」（一三六八ページ）を、各文字の詳細については各文字の「助字・句法解説」の欄を参照されたい。

1　否定形

動作・状態などを打ち消したり、判断・存在などを否定したりする形。次のような否定を表す助字を用いるのが普通である。否定形には、その特殊な形として「二重否定」や「部分否定」があるので、注意が必要である。

(1)　否定を表す助字を用いる形

①不　「不レA」の形で「Aせず」「Aならず」などと読み、動作・状態などを打ち消す。Aは動詞・形容詞であるのが普通である。→不（二七ページ）

②弗　「弗レA」の形で「Aせず」「Aならず」などと読み、動作・状態などを打ち消す。「不」と同じであるが、語感は「不」よりも強い。→弗（四八八ページ）

③非　「非レA」の形で「Aにあらず」などと読み、Aであるという判断を否定する。Aは名詞や名詞に相当する語句であることが多い。→非（一五四三ページ）

④無　「無レA」の形で、「Aなし」などと読み、Aの存在を否定する。Aは名詞や名詞に相当する語句であることが多い。→無（九〇九ページ）

⑤莫　「莫レA」の形で「Aなし」などと読み、Aの存在を否定する。「無」とほぼ同じ。→莫（一二四ページ）

⑥毋　「毋レA」の形で「Aなし」などと読み、Aの存在を否定する。「無」とほぼ同じ。→毋（七九六ページ）

⑦勿　「勿レA」の形で「Aなし」などと読み、Aの存在を否定する。「無」とほぼ同じ。→勿（三〇一ページ）

⑧未　再読文字。「未レA」の形で「いまだAならず」などと読み、「まだAでない」という意味を表す。→未（七一五ページ）

(2)　特殊な形

①二重否定　同じ語や句に対して、一度否定したものをさらに否定して「……でないものはない」という意味を表し、多くは強い肯定の意味を表す。

・為二無為一（ムイをなせば）、則無レ不レ治（すなわ(は)ちおさ(を)まらざるなし）。〈無為の政治を行えば、治まらないということはない〉〔老子、三〕

・君仁莫レ不レ仁（きみジンなればジンならざるなし）。〈君主が仁であれば、仁でない者はなくなる〉〔孟子、離婁下〕

②部分否定（一部否定）　「必」「常」「倶」「同」「甚」などの副詞の前に否定の助字を置き、その副詞の表す状態の一部を否定する。副詞と助字の順序が逆になると全部否定となるので、読解上、注意が必要である。通常、部分否定の場合は「かならずしも」「つねには」「ともに

は」などと読み、全部否定の場合は「かならず」「つねに」「ともに」などと読んで区別する。

・師不㆔必賢㆓於弟子㆒（シはかならずしもデシよりケンならず）。〈先生は必ずしも生徒よりまさっているとは限らない〉〔唐、韓愈、師説〕

・千里馬常有（センリのうまはつねにあれども）、而伯楽不㆓常有㆒（ハクラクはつねにはあらず）。〈一日で千里を走るような馬はいつでも存在しているが、それを見いだす伯楽がいつもいるとは限らない〉〔唐、韓愈、雑説〕

・両虎共闘（リョウコともにたたかわ(は)ば）、其勢不㆓倶生㆒（そのいきお(ほ)い(ひ)ともにはいきざらん）。〈二頭の虎が闘ったら、両方とも生き残ることはありえないだろう〉〔史記、廉頗藺相如伝〕

・猶恐清光不㆓同見㆒（なお(ほ)おそるセイコウともにはみざるを）。〈やはり心配だ、この澄んだ月の光を時を同じくして見てはいないのではないかと〉〔唐、白居易、八月十五日夜、禁中独直対㆑月憶㆓元九㆒詩〕

・好㆑読㆑書（ショをよむをこのめども）、不㆑求㆓甚解㆒（はなはだしくはカイせんことをもとめず）。〈読書が好きだったが、深く理解しようとはしなかった〉〔東晋、陶潜、五柳先生伝〕

2　禁止形

禁止を表すための特定の形はないが、否定形が文脈の上から禁止を表すことがある。「無」（九〇九㌻）「莫」（一三二四㌻）「毋」（七九六㌻）「勿」（三〇一㌻）のような否定の助字が、用いられる。

3　疑問形

相手に問いかけ、回答を求める形。（1）疑問詞を用いる形、（2）疑問を表す助字を文末に用いる形、（3）両者を併用する形、（4）その他の形、の四つに分けられる。なお、疑問形は、国文法の場合と同じくそのままの形で反語形（次項参照）ともなる。両者の区別は、文脈上から判断するしかない。

（1）疑問詞を用いる形

①何　もっとも一般的に用いられる疑問詞。単独でも用いられるが、いろいろな語の前に付いて、さまざまな疑問の句を作る。↓何（九二㌻）

②奚　事物について問う疑問詞。また、原因・理由について問う疑問詞。場所について問う疑問詞。↓奚（三五六㌻）

③曷　原因・理由について問う疑問詞。また、場所について問う疑問詞。↓曷（六五九㌻）

④胡　原因・理由について問う疑問詞。↓胡（六九一㌻）

⑤誰　人物について問う疑問詞。↓誰（一三二五㌻）

⑥孰　人物について問う疑問詞。また、事物について問う疑問詞。↓孰（三八六㌻）

⑦安　場所について問う疑問詞。また、原因・理由について問う疑問詞。↓安（三八七㌻）

⑧悪　場所について問う疑問詞。また、原因・理由について問う疑問詞。場所について問う場合には、「悪乎A」という形になることが多い。その場合、訓読のし方としては、「悪」を「いず（づ）くに」と読み「乎」は読まない、「悪」を「いず（づ）くに」と読み「乎」を「か」と読む、「悪」を「いず（づ）くにか」と読み「乎」を読まない、の三通りがあるが、いずれでも差し支えない。↓悪（五三六㌻）

⑨焉　原因・理由について問う疑問詞。↓焉（九〇八㌻）

⑩烏　原因・理由について問う疑問詞。↓烏（九〇六㌻）

⑪寧　原因・理由について問う疑問詞。↓寧（四〇八㌻）

⑫幾　数量について問う疑問詞。「幾何」「幾許」となることもある。↓幾（四六九㌻）

⑬何如・何若　状態・是非などについて問う疑問詞。目的語をとる時には「何㆑A如」などの形となる。↓何（九二㌻）

⑭如何・若何・奈何　手段・方法などについて問う疑問詞。目的語をとる時には「如㆑A何」などの形となる。↓何（九二㌻）

（2）疑問を表す助字を文末に用いる形

文末に置かれて疑問を表す助字には、次のようなものがある。これらはふつう、疑問を表す場合には連体形に接続させて「か」と読み、反語を表す場合は終止形に接続させて「や」と読むことが多いが、「や」と読んで疑問を表すこともある。

①乎　最も多く用いられる、文末に置かれて疑問を表す助字。→乎（四三ページ）

②邪　自問する文に用いられることが多い。→邪（一四三九ページ）

③耶　「邪」に音義とも同じ。通用して用いられる。→耶（一二六九ページ）

④与　他の字と働きは同じ。「歟」は、この字と音義とも同じ。→与（二六ページ）

⑤也　「何」「安」などと呼応して疑問形を作ることが多いが、単独で用いられることもある。→也（四八ページ）

⑥哉　他の字と働きは同じ。→哉（二六三ページ）

⑦諸　「之乎」の二字と音が近いために用いられる助字で、この二字の意味を一字で表す。→諸（一三三三ページ）

（3）疑問詞と、文末に置かれて疑問を表す助字を併用する形

（1）で示した疑問詞と、（2）で示した疑問を表す助字とを併用することも多い。意味的には、（1）の場合とたいした違いはない。

（4）その他の形

肯定文の文末に否定の語（不・否など）を用いて、肯定か否定かを問うことがある。

・視二吾舌一(わがしたをみよ)、尚在不(なお(ほ)ありやいなや)。〈私の舌を見てくれ、まだあるかどうか〉〔史記、蘇秦伝〕

4　反語形

文意を強調するために、一応疑問の形を用いるが、実際はその反対の意味を表す形。否定の語を含むものは肯定に、そうでないものは否定になる。疑問形と反語形との区別は基本的には文脈で判断するしかない。ただし、反語形のみに用いられる形も存在する。その代表的なものを挙げると、次の通りである。

①豈　「豈A」の形で、「あにAせんや」と読み、「どうしてAするのか、いやしない」という意味を表す。文末に「乎」「哉」「邪」などの反語を表す助字を伴うことが多いが、単独で用いられても反語の意味を表す。→豈（一三四三ページ）

②敢不……　「敢不レA」の形で、「あえ（へ）てAせざらんや」と読み、「Aしないことがあろうか、いやきっとする」という意味を表す。文末に「乎」「焉」「与」などの反語を表す助字を伴うことが多い。→敢（六二六ページ）

③不亦……乎　「不二亦A一乎」の形で、「またAずや」と読み、「なんとAではないか」という同意を促す詠嘆の意味を表す。意味としては、反語形というよりは詠嘆形に近く、そちらに分類することもある。→亦（六四ページ）

④独……乎　「独A乎」の形で、「ひとりAせんや」と読み、「どうしてAすることがあろうか、いやきっとしない」という意味を表す。→独（九三二ページ）

⑤何不……　「何不レA」の形で、「なんぞAせざる」と読み、「どうしてAしないのか、そうすればいいのに」という意味を表す。同様に「胡不……」「曷不……」という形も存在する。

・何不下漏二其泥一而揚中其波上(なんぞそのどろをにごして、そのなみをあげざる)。〈どうして泥水をかき回して、波を立てないのか、そうすればいいではないか〉〔楚辞、漁父〕

⑥盍　「何不」の二字と音が近いことから用いられる助字で、この二字の意味を一字で表す。→盍（九九八ページ）

⑦蓋　「盍」と同じ。→蓋（一二三六ページ）

以上に挙げた形のうち①②④では、Aに相当する部分は、訓読では原則として未然形または「未然形＋推量の助動詞ん」の形にして読むので、注意が必要である。また、⑤〜⑦では、Aに相当する部分は打消の助動詞「ず」に続くため未然形となり、「ず」は「なんぞ」の「ぞ」と係り結びで対応させて連体形「ざる」で読む。

5 使役形

ある者が他の者に何かをさせる意味を表す形。（1）使役の助字を用いる形、（2）使役を暗示するような動詞を用いる形、（3）文脈上使役に読むもの、の三通りがある。

（一）使役の助字を用いる形

次に挙げる使役の助字を用いる形は、「使ニＡＢ一」などの形で、「ＡをしてＢせしむ」と読み、「ＡにＢさせる」という意味を表す。

①使　もっとも普通に用いられる使役の助字。↓使（一〇三ページ）

②令　元来、命令して何かをさせる、という意味を含み持つが、この意味がほとんどなくなって純粋な使役の助字になっていることも多い。↓令（八二ページ）

③教　教えて何かをさせる、という意味を含み持つが、この意味がほとんどなくなって純粋な使役の助字になっていることも多い。「おしえて……せしむ」と訓読することもできる。↓教（六二四ページ）

④遣　派遣して何かをさせる、という意味を持つ使役の助字。「つかわ（は）して……せしむ」と訓読することもできる。純粋な使役の助字としても用いられる。↓遣（一四三〇ページ）

なお、訓読では、使役の助動詞としては「しむ」だけを用いる。また、Ｂの部分は「しむ」に接続させるために未然形にして読む。これは使役形のほかの形でも同様である。

（2）使役を暗示するような動詞を用いる形

使役を表す助字がなくても、命令・請求・依頼などを表す動詞がある場合には、使役として読むことがある。この場合、形としては（1）と同じく「（動詞）ＡＢ」という形をとるが、「（動詞）レＡＢ」などと返り点を打って「Ａに（動詞）してＢせしむ」と読む。これは、その動詞自体が「だれかに何かをさせる」という意味を含み持っているからである。この点では使役の助字の「教」「遣」にかなり近いが、本来の意味を強く保持しているものといえる。代表的なものには、次のようなものがある。

①命　命令して何かをさせる、という使役の意味を持つ動詞。

・聊命ニ故人一書レ之（いささかコジンにメイじてこれをショせしむ）。〈とりあえず友人に命じてこれを清書させた〉〔東晋、陶潜、飲酒詩序〕

②説　説得して何かをさせる、という使役の意味を持つ動詞。

・往説ニ燕文侯一（ゆきてエンのブンコウにときて）、与レ趙従親（チョウとショウシンせしむ）。〈燕の文侯の元へ赴き、趙と同盟を結ばせようとした〉〔十八史略、春秋戦国、趙〕

③召　召喚して何かをさせる、という使役の意味を持つ動詞。

・悉召ニ故人父老子弟一（ことごとくコジンのフロウ、シテイをめし）、縦レ酒（さけをほしいままにせしむ）。〈友人の老人や子供たちをみんな呼び寄せて、酒をほしいだけ飲ませた〉〔史記、高祖本紀〕

④勧　勧めて何かをさせる、という使役の意味を持つ動詞。

・勧レ権召ニ周瑜一（ケンにすすめてシュウユをめさしむ）。〈孫権にすすめて周瑜を呼び寄せさせた〉〔十八史略、東漢〕

（3）文脈から使役に読むもの

明らかな使役を表す語がなくても、文脈の上から使役に読むことがある。自動詞なのに目的語を取っている場合に多い。

・下レ馬飲ニ君酒一（うまよりおりてきみにさけをのましむ）。〈馬から下りて君に酒を飲ませた〉〔唐、王維、送別詩〕

6 受身形

他から動作を働きかけられる意味を表す形。（1）受身を表す助字を用いる形、（2）動作の主体を表す助字を用いる形、（3）文脈上から受身に読むもの、の三通りがある。訓読では、受身の助動詞「る」「らる」を用い、その直前の動詞は未然形となる。

（一）受身を表す助字を用いる形

動詞の前に置かれて受身を表す助字には、「被」「見」がある。また、「為……所……」の形で受身を表すこともあり、この二字をそれぞれ単独に用いて受身を表すこともある。

①被 元来、何かを被（こうむ）る意味を表すが、その意味が薄れて受身の助字として使われる。↓被（一三八一ページ）

②見 何かの状態に出会う、という意味を表すことから、受身の助字として使われる。↓見（一三九三ページ）

③為……所…… 「為㆓A所㆑B」の形で、「AのBするところとなる」と読み、「AにBされる」という意味を表す。この形は、「AのBする所」＋「為る」という構造になっているので、「為㆑A所㆑B」などと返り点を打って「Aの為にBせらる」と読むのは、厳密にはあまり望ましくない。↓所（五六七ページ）

④為 「為㆓AB㆒」の形で、「AのBとなる」と読み、「AにBされる」という意味を表す。Bには動詞がくるが、これを連体形にしたり「コト」を送ったりして、名詞として訓読する。③の形の「所」が省略された形。↓為（九〇五ページ）

⑤所 「所㆑B」の形で、「Bせらる」と読み、「Bされる」という意味を表す。↓所（五六七ページ）

(2) 動作の主体を表す助字を用いる形

「於」（六四〇ページ）は、英語の前置詞のような働きをして動作の主体を表すことから、「A㆓於B㆒」の形で、「BにAせらる」と読み、「BにAされる」という意味を表す。この形の場合は、(1)の形と違ってAに動詞がきてBに動作の主体がくるので、注意が必要である。また、Aに形容詞がきた場合は、比較形となる（「7 比較形」の(1)を参照）。「乎」も同様に用いることがある。

(3) 文脈から受身に読むもの

受身を表す助字や動作の主体を表す助字がなくても、文脈の上から受身に読む場合がある。

・誹謗者族（ヒボウするものは、ゾクせられ）、偶語者弃市（グウゴするものは。キシせらる）〈悪口を言うものは一族皆殺しにされ、ひそひそ話をする者は殺されて死体をさらしものにされる〉〔史記、高祖本紀〕

7 比較形

あるものを他と比較して、その状態や性質の程度の優劣を決める形。大きくは(1)比較の対象を表す助字を用いる形、(2)比況の助字を用いる形、の二つの形に分けられるが、特殊な形として、(3)最も程度のはなはだしいものを表す最上級の形、(4)比較した結果としてどれかを選択する形などがある。

(1) 比較の対象を表す助字を用いる形

「於」（六四〇ページ）「于」（五六ページ）「乎」（四三ページ）の三字は、「(A)B㆓於C㆒」「(A)B㆓于C㆒」「(A)B㆓乎C㆒」の形で、「(Aは)CよりもBである」と読み、「(Aは)CよりもB」という意味を表す。程度が高いのはAであるが、省略されていることも多いので、注意が必要である。この場合、Bには形容詞がくるのが普通である。また、訓読では「よりも」はCの送りがなとして扱う。

(2) 比況の助字を用いる形

「若」（一三〇二ページ）「如」（三六一ページ）の二字は、「A不㆑若㆑B」「A不㆑如㆑B」の形で、「AはBにしかず」と読み、「AはBに及ばない」「Bの方がAよりも程度が高い」という意味を表す。(1)の場合とは逆で、Aの方が程度が低いので、注意が必要である。

(3) 最上級を表す形

最上級を表す形には、「莫」と比況の助字とを用いるもの、「莫」と比較の対象を表す助字を用いるものとがあり、後者にはさらに「助字＋比較の対象」を「焉」で置き換えた形がある。

①莫若……・莫如…… 「A莫㆑若㆑B」「A莫㆑如㆑B」の形で、「AはBにしくはなし」と読み、「Aということについては、Bに及ぶものはない」「Aの中でBは最も程度が高い」という意味を表す。↓若（一三〇二ページ）・如（三六一ページ）

②莫……於……　「莫レA二於B一」の形で、「BよりAはなし」と読み、「BよりAであるものはない」「Bが最もAである」という意味を表す。Aには形容詞がくるのが普通である。①と同様、Bに最上であるものがくることにも、注意が必要である。

・養レ心莫レ善二於寡欲一（こころをやしなう(ふ)に、カヨクよりよきはなし）。〈心を修養するには、欲を少なくするのが最善である〉〔孟子、尽心下〕

③莫……焉　「莫レA レ焉」の形で、「これよりAはなし」と読み、「最もAである」という意味を表す。②の形の「於B」が「焉」一字に置き換わった形。最上であるものは、この「焉」の指す内容である。

・反レ身而誠（みをかえ(へ)りみて、まことならば）、楽莫レ大レ焉（たのしみこれより、ダイなるはなし）。〈自分自身を反省して誠であれば、楽しみとしてこれより大きいものはない〉〔孟子、尽心上〕

(4) 一方を選択する形

比較した結果として一方を選択する形には、「寧」を用いるもの、「与」を用いるもの、両者を併用するものなどがある。また、疑問詞「孰」を用いて選択疑問の形を作り、それが反語となって結果として一方を選択する形になるものもある。

①寧　「寧A、不レB」「寧A、無レB」などの形で、「むしろAすとも、Bせず」「むしろAすとも、Bするなかれ」などと読み、「BするよりもAする方がよい」「AすることがあってもBするな」という意味を表す。結果としてAを選択していることになる。→寧（四〇八ページ）

②寧……、寧……　「寧A、寧B」の形で、「むしろAか、むしろBか」と読み、AかBかどちらかを尋ねる疑問の意味を表すが、反語となってBの方を選択する結果となるのが普通である。また、次の例のように「其」を伴うことも多い。

・此亀者（このかめなる、）寧其死為レ留レ骨而貴乎（むしろそれシしてほねをとどめて、とうとばるるをなさんか）、寧其生而曳二尾於塗中一乎（むしろそれいきて、お(を)をトチュウにひかんか）。〈この亀は、死んで残った骨が貴ばれるのがいいか、それとも生きて泥の中で尾を引きずっているのがいいか（後者がいいだろう）〉〔荘子、秋水〕

③与　「於」「乎」と同じように、比較される対象を表す助字。「与其」となることが多い。ただし、「寧」「不若」「豈若」などと呼応して「与二其A一寧B」「与二其A一不レ若レB」「与二其A一豈若レB」となることが多く、この場合「そのAよりはむしろBせよ」「そのAよりはBにしかず」「そのAよりはあにBにしかんや」と読み、Bの方を選択する結果となる。→与（三六ページ）

④孰　「孰与」「孰若」の二字で、「いず（づ）れぞ」と訓読する選択疑問の疑問詞。「孰与」は、「A孰二与B一」の形で「AはBにいず（づ）れぞ」と読み、「AとBとどちらであるか」の意味を表す。また「孰若」も用いられるが、「与二其A一孰二若B一」の形をとり、「そのAよりはBにいず（づ）れぞ」と読む場合もある。→孰（三八六ページ）

8 仮定形

あることを仮の条件として、予想される結果を表す形。(1) 仮定を表す助字を用いる形、(2) 使役を表す助字を用いる形、(3) 文脈から仮定に読むもの、などがある。

(1) 仮定を表す助字を用いる形

仮定を表す助字の代表的なものは次のようなものである。これらは後に続く内容を受けて、仮定条件を表す。仮定条件を表すので「未然形＋接続助詞ば」の形で訓読するのが普通であるが、ならわしによって「已然形＋接続助詞ば」の形で読んでいることも少なくない。また、仮定を表す助字は「2 使役形」の使役を表す助字と結合して「如使」「縦令」などさまざまな形をとることがあるが、意味としては単独の場合と同じであり、訓読も単独の場合と同じように、二字で「もし」などと読むのが普通である。

なお、「すなわち」と読む「則」（一八三ページ）「即」（三三ページ）などの助字の場合は、前にくる内容が仮定条件を表すので、注意が必要である。

①如　「如A、B」の形で、「もしA(なら)ば、B」と読んで、「もしAであるならばBであろう」という順接仮定条件を表す。→如（三六一ページ）

②若　「若A、B」の形で、「もしA(なら)ば、B」と読んで、「もしAであるならばBであろう」という順接仮定条件を表す。→若（一二〇三

ページ)

③即　「即A、B」の形で、「もしA(なら)ば、B」と読んで、「もしAであるならばBであろう」という順接仮定条件を表す。→即（二三三ページ）

④苟　「苟A、B」の形で、「いやしくもA(なら)ば、B」と読んで、「もしAであるならばBであろう」という順接仮定条件を表す。「如」「若」などに比べると、「もし本当にAすることがあったら」という強い意味を持っている。→苟（一二〇三ページ）

⑤縦　「縦A、B」の形で、「たとい(ひ)Aとも、B」と読んで、「もしAであってもBであろう」という逆接仮定条件を表す。→縦（一一三六ページ）

⑥雖　「雖レA、B」の形で、「Aといえ(へ)ども、B」と読むが、「もしAであってもBであろう」という逆接仮定条件を表す場合と、「AではあるがBである」という逆接確定条件を表す場合とがある。一般に「雖」の前に主語があれば後者であるが、両者の区別は文脈で判断するしかない。→雖（一五三八ページ）

⑦微　「微レA、B」の形で、「Aなかりせば、B」と読んで、「もしAがなかったならばBであったろう」という否定の順接仮定条件を表す。過去において実現されなかったことを仮定するのに用いる。→微（五一二ページ）

⑧向・嚮　「向（嚮）A、B」の形で「さきにAせば、B」と読んで、「以前にAしていれば、Bであったろう」という順接仮定条件を表す。過去において実現されなかったことを仮定するのに用いる。

・嚮吾不レ為二斯役一、則久已病矣。〈もし以前に私がこの仕事をしていなかったならば、ずっと以前に窮迫していたことであろう〉〔唐、柳宗元、捕蛇者説〕

⑨今　「今A、B」の形で、「今Aせば、B」と読んで、「もし今AしたならばBとなるであろう」という順接仮定条件を表す。現在において実現されていないことを仮定するのに用いる。

・今子食レ我、是逆二天帝命一也。〈もし今あなたが私を食べてしまったら、それは天帝の命令に背くことになります〉〔戦国策、楚〕

（2）使役の助字を用いる形

使役を表す助字は、「もしなにかをさせたら」という意味でも用いられ、仮定の助字としても通用される。

①使　「使二AB一」の形で、「AをしてBせしめば」「もしA、Bせば」と読んで、「もしAがBしたならば」の意味を表す。「向使」の形となることもあるが、この場合も二字で「もし」と読み、意味に相違はない。→使（一〇三ページ）

②令　「令二AB一」の形で、「AをしてBせしめば」「もしA、Bせば」と読んで、「もしAがBしたならば」の意味を表す。「向令」の形となることもあるが、この場合も二字で「もし」と読み、意味に相違はない。→令（八二ページ）

（3）文脈から仮定に読むもの

明確に仮定を表す語がなくても、文脈の上から仮定に読むことがある。否定の助字「不」を「ずんば」と読んで仮定としたり、同じく「無」を「なくんば」と読んで仮定としたりするのも、文脈の上からのことである。

・朝聞レ道、夕死可矣。〈もしもある朝、人の道について聞くことができたなら、その夜に死んでもかまわない〉〔論語、里仁〕

・不レ入二虎穴一、不レ得二虎子一。〈虎の穴に入らなければ、虎の子は得られない〉〔後漢書、班超伝〕

9　限定形

「ただ……だけ」という限定の意味を表す形。（1）動詞や名詞などの前に置かれて限定の意味を表す助字を用いる、（2）文末に置かれて限定の意味を表す助字を用いる、（3）両者を併用する、の三通りがある。

（1）動詞や名詞などの前に置かれて限定の意味を表す助字を用いる形

限定の助字には、動詞の前に置かれて副詞的な役割をして、「ただ……するだけである」という意味を表したり、名詞の前に置かれて「ただ……

だけが」などの意味を表したりするものがある。それらの代表的なものは次に挙げるとおりである。

①惟　「惟A」の形で、「ただAのみ」と読み、「ただAだけ」の意味を表す。↓惟（五四七ページ）

②唯　「唯A」の形で、「ただAのみ」と読み、「ただAだけ」の意味を表す。↓唯（二七二ページ）

③徒　「徒A」の形で、「ただAのみ」と読み、「ただAだけ」の意味を表す。↓徒（五〇七ページ）

④直　「直A」の形で、「ただAのみ」と読み、「ただAだけ」の意味を表す。↓直（一〇〇二ページ）

⑤独　「独A」の形で、「ひとりAのみ」と読み、「ただAだけ」の意味を表す。↓独（九三一ページ）

これらの他にも、「只」「祇」「特」「第」「止」「啻」なども、動詞や名詞などの前に置かれて限定の意味を表す助字である。これら全ての助字の持つ語感の相違は微妙であり、特に使いわけたとも考えられないものも多い。

（2）文末に置かれて限定の意味を表す助字を用いる形

この形の基本形は文末に「已」を置く形であり、「已」がさまざまな助字と結合して複合形を生む。意味としては、「……だけである」という限定や、「……に違いない」という断定・強意を表すが、限定なのか断定・強意なのかを決定できない場合が多く、「のみ」とは訓読するが、純粋に限定と考えられるものは少ない。

①已　この字の原義は「やむ」「それで終わり」という意味であり、そこから文末に置かれて文全体を受け、「……だけである」という限定や、「……にちがいない」という断定・強意の働きをするようになった。↓已（四五〇ページ）

②而已　「而」と「已」の複合形。意味的には「已」と同じ。二字で「のみ」と読む場合と、「而」は読まないで「已」だけで「のみ」と読む場合とがあるが、どちらでもかまわない。

・書足三以記二名姓一而已（ショはもってメイセイをしるすにたるのみ）。〈文字は自分の姓名を書くのに役立つだけだ〉〔史記、項羽本紀〕

③而已矣　②にさらに「矣」が付いた形。意味的には「已」と同じ。三字で「のみ」と読む場合と、「而已」の二字で「のみ」と読んで「矣」は読まない場合と、「而」と「矣」は読まないで「已」だけで「のみ」と読む場合の三通りの読み方があるが、どれでもかまわない。↓已（四五〇ページ）

④耳　「而已」の二字と音が似ていることから用いられる助字。「のみ」と訓読する。↓耳（一一六九ページ）

⑤爾　「而已」の二字と音が似ていることから用いられる助字。「のみ」と訓読する。↓爾（九一七ページ）

この他、「也已」「已矣」「已夫」などの複合形もあるが、意味は全て同じである。

（3）両者を併用する形

（1）で挙げた助字と、（2）で挙げた助字が併用されることがある。

・孟嘗君特鶏鳴狗盗之雄耳（モウショウクンはただケイメイクトウのユウなるのみ）。〈孟嘗君はただ単に鶏鳴狗盗のやからの親玉にすぎない〉〔北宋、王安石、読二孟嘗君伝一〕

・直不二百歩一耳（ただヒャッポならざるのみ）。〈ただ百歩でないだけだ〉〔孟子、梁恵王上〕

10　抑揚形

文意を強めるために、まず「AはBである」と程度の低いものを述べておき、続く文で「ましてCはなおさらBである」と述べて後者を強調する形。前の文で述べたいことをいったん「抑え」ておき、後の文で強調したいことを述べてその意味を「揚げる」ので、抑揚形という。なお、後の文におけるBは省略されるのが普通である。（1）「況」を用いる形、が基本形で、これに「且」「尚」「猶」などの助字を組み合わせて用いる形、「況」の代わりに、（2）反語を表す疑問詞を用いる形、もある。

（1）「況」を用いる形

①況　「AB。況C。」の形で、「AはB。いわ（は）んやCをや」など

と読み、「AはBである。ましてCはBであることなおさらだ」という意味を表す。Cの後に反語の助字「乎」が置かれることも多いが、なくても「況んや」を受けて「Cをや」と訓読する。②〜④に示すように、Bの前に助字を伴うことが多い。→況（八二三ページ）

②……且……。況……　「A且B。況C。」の形で、「Aすらかつ B。いわ（は）んやCをや」と読み、「AはBである。ましてCはBであることなおさらだ」という意味を表す。→且（三一ページ）

③……尚……。況……　「A尚B。況C。」の形で、「Aすらなお（ほ）B。いわ（は）んやCをや」と読み、「AはBである。ましてCはBであることなおさらだ」という意味を表す。

・且庸人尚羞レ之。況於二将相一乎。〈そもそも普通の人でさえ恥に思う。まして将軍・大臣であってはなおさらだ〉〔史記、廉頗藺相如伝〕

④……猶……。況……　「A猶B。況C。」の形で、「Aすらなお（ほ）B。いわ（は）んやCをや」と読み、「AはBである。ましてCはBであることなおさらだ」という意味を表す。→猶（九三五ページ）

(2) 反語を表す疑問詞を用いる形

抑揚形において、前の文が否定形である場合、後ろの文は「まして……でない」と呼応することから「況」のかわりに「安」「焉」などの反語の疑問詞が用いられることもある。

・臣死且不レ避。卮酒安足レ辞。〈私は死ぬことだって避けはしない。まして大杯の酒などどうして避けようか、いや決して避けない〉〔史記、項羽本紀〕

11　累加形

「ただ……だけではない」と程度の低いものを先に述べ、次に「それ以上に……もある」と程度の高いものを付け加える形。前の判断に次の判断を付け加えるので累加形という。「ただ……だけではない」という部分は、限定形を否定することになるので、(1) 否定の助字と限定の助字を併用する形、(2) 反語の助字と限定の助字を併用する形、の二通りに分けられる。どちらの場合も、後半の付け加えられる判断を表す部分には、その意味の上から、「又」「亦」などを伴うことが多い。

(1) 否定の助字と限定の助字を併用する形

否定の助字と限定の助字を併用することによって、「限定の部分否定」の形を作って「ただ……だけではない」の意味を表す。「ただ」と読む限定の助字を用いた場合は「ただ……のみならず」などと呼応して訓読し、「独」を用いた場合は「ひとり……のみならず」などと呼応して訓読する。否定の助字と限定の助字それぞれについては、「1 否定形」「9 限定形」を参照されたい。

・不三惟有二超世之才一、亦必有二堅忍不抜之志一。〈ただ世にすぐれた才能を持っているだけではなく、また必ず強固な意志も持っていた〉〔北宋、蘇軾、鼂錯論〕

・非二徒無益一、而又害レ之。〈ただいいことがないだけではなく、また有害でもあるのだ〉〔孟子、公孫丑上〕

・非三独賢者有二是心一也。人皆有レ之。〈ただすぐれた人だけがこういう心を持っているわけではない。人はみんな持っているのだ〉〔孟子、告子上〕

(2) 反語の助字と限定の助字を併用する形

反語の助字と限定の助字を併用することによって「ただ……だけであろうか、いやない」という意味となり、結果として(1)と同じ意味を表す。「豈惟」「豈徒」「何独」などの形がある。「豈惟」「豈徒」の場合は、「あにただに……のみならんや」と訓読し、「何独」の場合は「なんぞひとり……のみならんや」と訓読する。反語の助字と限定の助字それぞれについては、「3 反語形」「9 限定形」を参照されたい。

・豈徒順レ之、又従而為二之辞一。〈ただ押し通そうとするばかりであろうか、いやそうではなく、そのための弁解までするのだ〉〔孟子、公孫丑下〕

・故郷何独在二長安一。〈ふるさとはどうして長安にあるだけだろうか、いやそうではない（ここも立派なふるさとである）〉〔唐、白居易、香炉峰下新卜二山居一草堂初成偶題二東壁一詩〕

12 詠嘆形

感動・詠嘆の意味を表す形。（1）文頭に「ああ」と訓読する助字を置く形、（2）文末に詠嘆の助字を置く形、（3）それ以外の特殊な形、の三通りがある。

（1）文頭に「ああ」と訓読する助字を置く形

感動・詠嘆の気持ちを一番直接に表すものとして、日本語では「ああ」「あっ」「えっ」「おお」「おっ」などの感動詞がある。これに相当するものは漢語にも数多いが、訓読の場合は全て「ああ」と読む。その表す内容が、驚きなのか、悲しみなのか、喜びなのかは文脈によって判断するしかない。代表的なものは、次に挙げる通りである。なお、「於」「悪」の用例については、それぞれの助字・句法解説（六四〇ページ・五三六ページ）を参照のこと。

・噫(ああ)、天喪レ予(テンわれをほろぼせり)。〈ああ、天は私を滅ぼした〉〔論語、先進〕

・唉(ああ)、豎子不レ足二与謀一(ジュシともにはかるにたらず)。〈ああ、小僧は一緒に相談する値打ちもない〉〔史記、項羽本紀〕

・嗚-呼(ああ)、其真無レ馬邪(それシンにうまなきか)、其真不レ知レ馬也(それシンにうまをしらざるか)。〈ああ、いったい本当に名馬がいないのか、それとも名馬だと気付かないだけなのか〉〔唐、韓愈、雑説〕

・嗟-乎(ああ)、大丈夫当レ如レ此也(ダイジョウフまさにかくのごとくなるべし)。〈ああ、男はこうでなくてはならない〉〔史記、高祖本紀〕

この他にも、「嗟」「吁」「呼」「于嗟」「于嗟乎」「嗟夫」「於戯」など、さまざまな語がある。

（2）文末に詠嘆の助字を置く形

文末に置かれて疑問・反語を表す助字は、さらに意味が強まって詠嘆を表すことがある（ちょうど日本語の終助詞「か」と同じである）。また、断定を表す助字「矣」も、意味が強まって詠嘆を表すことがある。これらの助字は、詠嘆を表すときには「かな」と訓読することが多いが、ならわしによって、「や」「か」と読んで詠嘆を表すこともある。

①哉　単独で疑問を表したり、「何」などと呼応して反語を表したりすることがあるが、詠嘆を表すことも多い。→哉（三六三ページ）

②乎　疑問・反語を表す代表的な助字であるが、詠嘆を表すこともある。→乎（四三ページ）

③矣　断定・強調を表す助字であるが、詠嘆を表すこともある。→矣（一〇一六ページ）

④夫　「か」「や」と読むこともあるが、疑問・反語を表すことは少なく、詠嘆を表すことが多い。→夫（三四九ページ）

⑤与　文末に置かれたときには、疑問・反語・詠嘆を表す。→与（三六ページ）

この他にも「也」が詠嘆の意味に使われることもある。また、「乎哉」「矣哉」「矣夫」「哉乎」「哉夫」「也夫」「也与」など、さまざまに複合して使われることもあるが、これらも二字で「かな」と読み、意味は同じである。

（3）特殊な形

疑問詞「何」が用いられた場合、疑問の意味が強まった結果、感動・詠嘆の意味を表すことがある。

①何　単独で用いたり、文末の詠嘆の助字と呼応して、感動・詠嘆の意味を表す。→何（九二ページ）

②一何……　「一何A」の形で、「いつになんぞA」と読んで、感動・詠嘆の意味を表す。訓読では、Aの部分は「ぞ」に呼応させて連体形で結ばなくてはならないので、注意が必要である。また、文末に「也」「哉」などを伴うこともある。

・吏呼一何怒(りのよぶイッになんぞいかれる)、婦啼一何苦(フのなくイッになんぞはなはだしき)。〈役人の呼ぶ声のなんと激しいことか、女性の泣く声のなんと苦しそうなことか〉〔唐、杜甫、石壕吏詩〕

また、「4　反語形」でも記した「不亦……乎」の形は、意味的には「なんとまあ……であろうか」という、感動・詠嘆の意味も含んでいる。

同訓異義一覧

一、この項は、同一の訓をもつ漢字の主なものを集め、その意味の違いを説明したものである。
二、見出しの訓には、文語形（旧仮名遣い）を付した。
三、見出しの漢字には、常用漢字以外のものに△印を付した。また、代表的な字音を記した。
四、語例を「　」に入れて示した。
五、配列は、見出しの訓・同一訓内の漢字とも、五十音順によった。

あう（あふ）
【会(カイ)】出あう。ひと所に集まる。「面会」「集会」
【遇(グウ)・△遘(コウ)・遭(ソウ)】思いがけなく出あう。めぐりあう。「遭遇」
【合(ゴウ)】ひとつにかさなる。ぴったりあう。「合致」
【値(チ)】ちょうど出あう。「値遇」
【△逢(ホウ)】両方から出あう。また、思いがけなくばったり出あう。「逢遇」

あえて（あへて）
【敢(カン)】進んで…する。おしきって…する。
【肯(コウ)】うけあって…する。

あおい（あをし）
【青(セイ)】晴れた空の色。中国では、日本よりもやや黒みがかった色をさす。「青は藍(あい)より出でて藍よりも青し」
【△蒼(ソウ)】こい青色。「蒼海」

あか・あかい（あかし）
【紅(コウ)】くれない。べに色。「紅粉」
【△赭(シャ)】べんがら色。赤土の色。「赭石」
【朱(シュ)】赤のこい色。「朱に交われば赤くなる」
【赤(セキ)】赤の正色。
【丹(タン)】丹砂の色。朱に白色をおびた色。「丹青の妙」
【△緋(ヒ)】もえたつような赤い色。深紅色。「緋縮緬(ひぢりめん)」

あがなう（あがなふ）
【購(コウ)】金を出して買う。「購読」
【△贖(ショク)】物と物とを取りかえる。また、貨財を出して罪をのがれる。「贖罪」

あきる（あく）
【△厭(エン)】みちたる。「厭飫(エンヨ)」また、いやになる。「嫌厭(ケンエン)」
【△饜(エン)・飽(ホウ)】腹いっぱい大食する。「饜飽」
【△飫(ヨ)】食べあきる。「厭飫」

あく・あける（あく）
【開(カイ)】閉じているものがあく。ひろがる、ひらく。「半開」
【空(クウ)】「あく」はわが国だけのよみ。
【明(メイ)】夜があける。「未明」

あげる・あがる（あぐ）
【挙(キョ)】両手で持ちあげる。↕措。また、行う。とりたて用いる。「挙動」「挙用」
【矯(キョウ)】首を高くあげる。「矯首」
【△扛(コウ)】かつぎあげる。
【抗(コウ)】上に高くさしあげる。はむかう。「抗議」
【△昂(コウ)】意気があがる。「昂揚」
【上(ジョウ)】うえにあげる。高い所にあがる。また、さしあげる。↕下。「上昇」「上呈」
【騰(トウ)】高くのぼせる。上昇する。物価が高くなる。「騰貴」
【揚(ヨウ)】高くあげる。↕抑。「高揚」

あざむく
【△詒(イ)】＝欺。
【偽(ギ)】うそをつく。ふりをする。「作偽」
【欺(ギ)】いつわりだます。「詐欺」
【詐(サ)】ことばたくみにだます。「詐取」
【△紿(タイ)】＝欺。
【△謾(マン)】＝欺。

あし
【脚(キャク)】膝(ひざ)の下。くるぶしの上の称。
【△趾(シ)】あしくび。くるぶしから下の称。
【足(ソク)】人と動物のあし。股(もも)から下の称。

あずかる（あづかる）
【干(カン)】自分から進んでかかわりあう。「干渉」
【参(サン)】加わる。「参加」
【与(ヨ)】かかわりあう。関係する。「関与」
【預(ヨ)】品物をあずかる。「預金」

あたたか・あたたかい（あたたかし）
【温(オン)】水のあたたかいこと。「温泉」また、人がらなどのおだやかなこと。「温和」
【暖(ダン)】日ざし・気候などのあたたかいこと。↕寒。「寒暖」

あたる
【中(チュウ)】命中する。「的中」
【丁(テイ)】であう。「丁憂」
【抵(テイ)】㋐ふれる。「抵触」㋑つりあう。相当する。「抵当」
【当(トウ)】㋐向きあう。「当面」㋑つりあう。「該当」

あつい（あつし）
【△渥(アク)】てあつい。恩恵がゆきわたる。「優渥」
【厚(コウ)】あつみがある。また、ねんごろ。↕薄。「厚情」
【△惇(ジュン)・△敦(トン)】人情があつい。「惇樸(ジュンボク)」「敦厚」
【△淳(ジュン)・△醇(ジュン)】まじりけがない。風俗や人情があつい。「淳風美俗」「醇正」
【暑】↕寒。「酷暑」
【△腆】てあつい。ていねい。「不腆」
【篤】＝惇。また、病気がおもい。「危篤」
【熱】↕冷。「暑熱」

あつまる・あつめる

【△鳩】散らばっているものが寄りあう、また、寄せあつめる。「鳩首」
【△纂】集めて順序をつける。「編纂」
【集】一か所によりあつまる、また、よせあつめる。また、あつまる。↕散。「集合」
【△蒐】よせあつめる。「蒐集」
【△輯・△聚】＝集。
【△鍾】ぎっしりとこりあつまる、また、あつめる。「鍾美」
【△萃】ひとまとめになる、また、する。「抜萃」
【△湊・△輳】多くの物が諸方から一か所によりあつまる。「輻輳（湊）」

あと

【△墟】あれたあと。「廃墟」
【後】うしろ。将来。↕先。「後生」
【痕】きずあと。「痕跡」
【△址】もののあと。＝趾。「城址」
【△趾】足あと。もののあと。「遺趾」
【跡・△迹】足あと。また、あとかた。「足跡」「遺跡」
【△蹟】物事のあったあとかた。「事蹟」

あなどる

【易】かるくみる。「慢易」
【侮】人を軽んずる。見さげる。「侮蔑」
【蔑】ないがしろにする。ばかにする。「軽蔑」
【慢】高ぶって人を人とも思わない。「慢侮」

あぶら

【△膏】肉のあぶら。「膏薬」
【脂】動物性のあぶら。広く、動・植物のあぶら。「脂肪」
【油】かめの甲のあぶら。また、液体のあぶら。「灯油」

あまねし

【△洽】ひろくゆきわたる。全体を広くおおっている。「洽博」
【周】こまかにゆきとどく。すみずみまで欠け目なくゆきとどく。「周到」
【△浹】＝洽。「浹洽」
【普】＝洽。「普及」
【△徧・△遍】ひらたくすみずみまでゆきわたる。「普遍」

あやまる・あやまつ

【過】やりそこなう。しくじる。「過失」
【△愆】筋からそれたがう。
【誤】うっかりまちがえる。「誤算」
【錯】まちがえる。「錯誤」
【△謬・△繆】言いまちがえる。「誤謬」

あらい

【△悍】気が強くてあらあらしい。「悍勇」
【△楛】器物のつくりや仕事ぶりがぞんざいである。
【荒】あらあらしい。たけだけしい。また、風雨などがはげしい。「荒天」
【△獷】気があらくてなつかない。
【粗】細かでない。おおざっぱ。↕密。「粗雑」
【疎】細かでない。まばら。「疎網」また、粗末。「疎食」
【△麤】きめが細かでない。
【暴】てあらい。たけだけしい。「乱暴」また、はげしい。「暴風」
【△笨】ざつ。いいかげん。「粗笨」

あらためる

【改】しなおす。なおしてよくする。「改正」
【革】旧をかえて新たにする。「革命」
【更】とりかえる。「変更」
【△悛】くいあらためる。「改悛」

あらわす・あらわれる

【形】かくれた物が形をとって表面に出る。
【見・現】外に見えてくる。↕隠。「隠見」「出現」
【顕】はっきりする。明らかにする。↕隠。「露顕」
【彰】明らかにして世に知らせる。
【△旌】人の善行・功績をほめ明らかにする。「旌表」
【著】はっきりとめだつ。いちじるしい。また、書物を作る。「顕著」「著述」
【表】表面に出し示す。「発表」
【露】むき出しにする。「露出」

ある

【在】ある場所に止まっている。「在職」
【有】ある形をなして存在する。また、持っている。↕無。「固有」

あわせる

【協】力をあわせて事をする。「協力一致」
【合】ぴったりとあわせる。「合致」
【△并・併】二つ以上のものをひとつにする。「合併」
【△勠】＝協。

あわれむ

【哀】かわいそうに思い胸がふさがる。ふびんに思う。↕楽。「哀悼」
【△恤】情をかけてめぐむ。「恤兵」
【△憫・△愍】いとおしがる。
【△憐】＝憫。「憐憫」

いう

【△謂】人にむかっていう。また、人を批評していう。
【△云】[曰]とほぼ同じ。
【△曰】人のことばをそのままうつすときに用いる。
【言】心に思うことを口にのべる。
【道】[言]とほぼ同じ。

いかる

【△恚】うらみいかる。「恚恨」
【△慍】心中でいかる。むっとする。「喜慍」

【△嚇】いかってわめく。「嚇怒」

【△瞋】目をむき出していかる。はげしくいかる。「瞋恚」

【怒】腹をたてる。外にあらわしていかる。↔喜。「怒号」

【△忿】腹をたててうらみいきりたつ。いかる。「忿懣」

いたす
【効】力をだしつくす。「効レ力」

【致】先方まで送りとどける。また、力を出しつくす。「送致」「致二良知一」

【輸】㋐車や船で物を運ぶ。「輸送」㋑一方の物を他方に移す。「輸血」

いたむ
【惨】あるありさまを見てむごいと感ずる。「悲惨」

【傷】強く悲しむ。「愁傷」

【戚】うれえ悲しむ。「哀戚」

【△惻】気の毒に思っていたむ。「惻隠」

【痛】肉体が苦しみいたむ。また、心がいたみ悲しむ。「頭痛」「哀痛」

【悼】人の死を悲しむ。「哀悼」

いたる
【格】究極に達する。「格物」

【詣】深くすすむ。また、うかがい行く。「造詣」「参詣」

【至】そこまで行きつく。「至極」

【△臻】集まりいたる。

【造】しだいに深く進む。「造詣」

【抵】いたりつく。ゆきつく。

【到】一方から他方にいたりつく。「到達」

いやしい
【△賤】身分がひくい。また品性がおとっている。↔貴。「貧賤」

【卑】教養または身分や地位がひくい。↔尊。「卑賤」

【△鄙】いなかびている。下品。↔都。「野鄙」

【△俚】＝鄙。「俚言」

【△陋】心がせまく下品である。「陋習」

いる
【△熬】火でかわかして水気をとる。

【△炒】土なべなどであぶりこがす。「炒豆」

【煎】につめる。せんじる。「煎茶」
＊金属をいる（鋳・冶）は別語。

いれる
【入】外から内にいれる。↔出。「入札」

【内・納】金品をおさめいれる。「納入」「出納」

【容】器物に物をいれる。また、うけいれる。「容器」「容認」

うえる
【栽】剪定して草木をうえ育てる。「栽培」

【種】たねや草木の苗を土中におしつけてうえる。「種樹」

【樹】草木を立ててうえる。「樹芸」

【植】＝樹。「植樹」

うえる
【餓】ひどくうえる。「飢」よりひどい。「餓死」

【飢】腹がへってひもじくなる。「飢渇」

【△饑】穀物がみのらない。転じて、[飢]と同じ。「饑餓」

【△餒】＝飢。「凍餒」

うかがう
【△窺】のぞいてみる。すきまからのぞく。「窺伺」

【候】待って様子をみる。また、ごきげんをうかがう。「伺候」

【伺・△覗】そっと様子をさぐる。「伺察」

【偵】＝伺。「偵察」

【△覘】＝伺。「覘候」

うける
【享】上のものがうけいれる。神が供物をうける。また、[受]と同じ。「享受」「享年」

【△饗】＝享。また、もてなしに応じる。

【受】物をうけとる。「授受」

【承】うけいただく。また、前からのことを続ける。「承レ教」

【請】こい求めるが原義。うけ取る。引きうける。

【△稟】天命をうける。また、命令をうける。「稟生」「稟命」

うしなう
【失】手にあるものをなくす。↔得。「失明」

【喪】身から離れてなくなる。なくす。「喪神」

うた・うたう
【詠】声を長く引いて詩や歌をうたう。「朗詠」

【△謳】楽器を用いないで、ふしをつけてうたう。

【歌】声にふしをつけてうたう。楽器にあわせてうたう。

【唱】節をつけて声高にうたう。

【謡】＝謳。

うつ
【殴】むちなどでうつ。なぐる。「殴打」

【△挌】なぐりあう。「挌闘」

【撃・打】手または物でうちたたく。「打撃」

【討】罪を言いたてて攻めうつ。「討伐」

【拍】手のひらを合わせたたく。「拍手」。

【△搏】手でうちなぐる。「搏殺」

【伐】兵力で攻める。また、たたく。「征伐」

【△抃】両手をうち合わせる。

【△扑】ぽかりとたたく。

【撲】なぐる。「撲殺」

うつす・うつる
【移】苗を植えかえる。転じて、うつしかえる。また、うつりかわる。「移植」「移転」

【映】光や色がてりはえる。また、うつし照らす。「映発」

【△徙】場所をかえる。「移徙」

【写】そのとおりにまねうつす。「写真」「写本」

【抄】うつしとる。また、ぬき書きする。「抄本」

【遷】高い所にのぼる。また、[移]と同じ。「升遷」「変遷」

【謄】原本をそのまま書きうつす。「謄写」「謄本」

【摹】まねうつす。「摹写」

うむ・うまれる

【産・生】子をうむ。子がうまれる。また、物をつくりだす。「生産」

【娩】子をうむ。「分娩」

うらむ

【怨】心深くあだとする。「怨恨」

【憾】残念に思う。「遺憾」

【恨】いつまでも深くうらむ。「遺恨」

【惆・悵】がっかり気落ちしていたみなげく。「惆悵」「悵恨」

うる

【估・沽】小売りする。「估客」

【售】売りに出す。「出售」

【売】代金を受け取って物を渡す。ひさぐ。↕買。「商売」

うれえる(うれい)

【患】くよくよと思いなやむ。「憂患」

【愁】ものさびしく思い沈む。「愁傷」

【恤】ふびんに思う。

【戚・慼】心細くうれえ悲しむ。「哀戚」

【閔・憫】＝恤。

【憂】心にかかって気が沈む。「憂愁」「憂慮」

えらぶ

【揀】善悪を区別してよりわける。

【撰】すぐれた言葉や文章をえらびしるす。「撰定」

【選】多くの中からえりぬく。「選抜」「選挙」

【択】＝簡。「選択」

える

【獲】かりをして魚や鳥や獣をとらえる。「漁獲」転じて、広くとらえる・つかまえる意。「捕獲」

【得】手に入れる。自分のものとする。↕失。「獲得」

おおい

【衆】人数が多い。↕寡。「衆望」

【庶】人民が多い。転じて広く、物が多い。「庶民」「庶物」

【多】数が多い。↕少。「多寡」

【稠】密集している。「稠密」

おおい・おおう

【掩】おおいかくす。「掩蔽」

【蓋】上からふたをする。また、そのように、おおいかぶせる。「掩蓋」

【庇】かばい助ける。「庇護」

【被】おおいかぶせる。「被覆」

【覆】かぶせる。「覆載」

【蔽】つつみかぶせる。「蔽隠」

【冒】上からかぶせてかくす。

【蒙】上からかぶせてかくす。

おかす

【干】してはならぬことを無理にする。「干犯」

【奸】㋐女性をけがす。㋑＝干。

【侵】不法にはいりこむ。「侵略」

【犯】おきてを無視する。「犯罪」

【冒】向こう見ずに進む。おしきってする。「冒険」

【略】奪い取る。「略奪」

おく

【擱】さしおく。「擱筆」

【居】㋐住まわせる。㋑物をとっておく。

【寘】物をおいておく。

【舎】㋐すえおく。㋑すておく。㋒とどめる。

【処】その場所にとどめおく。

【措】㋐すえおく。㋑そのままにしておく。↕挙。「不レ措」

【置】㋐すえつける。「設置」㋑とどめおく。「安置」

おくる

【遺・貽】品物を人におくる。「贈遺」「貽二子孫一」

【饋・餽・餽】食物や物品をおくる。「饋給」「餽遺」

【送】人の出発をおくる。↕迎。また、物をおくりとどける。「送別」「発送」

【贈】物をおくり与える。「贈呈」「贈与」

【賻】喪主を助けるため金品をおくる。

【賵】死者をとむらうため車馬・衣服などをおくる。

おくれる

【後】歩みがおくれる。他の者のあとになる。また、［遅］と同義にも用いる。

【遅】おそくなる。時機を失う。「遅刻」

おこたる

【懈】心がだらけゆるむ。「怠懈」

【惰】なまけてだらしなくなる。

【怠】心がたるみなまける。油断する。「怠惰」

【慢】心がゆるんでなまける。「怠慢」

おこる・おこす

【起】たちあがる。事をはじめおこす。「起点」「発起」

【興】はじまる。新たに生ずる。また、盛んになる。「興起」

【作】あらわれでる。ふるいおこる。ふるいおこす。「振作」「作興」

おごる

【倨】尊大にかまえて、人をあなどる。↕恭。「倨色」

【驕】たかぶり、いばる。「驕慢」

【傲】かってきままにふるまって人を軽んずる。「驕傲」「傲然」

【侈】たかぶる。ぜいたくをする。「奢侈」

【奢】多くの物を集めてぜいたくをする。↕倹。「奢恣」

おさえる

【圧】上からかぶせおさえつける。「圧力」

【按】手でおさえつける。「按摩」

【押】重みで上からおさえつける。権力でおさえる。「押収」

【扼】おさえてとりひしぐ。「扼殺」

【擪・擫】指でおさえる。

【抑(ヨク)】手でおさえつける。「抑圧」

おさめる・おさまる（をさむ・をさまる）

【易(イ)】ととのえ平らにする。

【△乂(ガイ)】もと、草をかる意。転じて、［治］の意に用いる。

【△艾(ガイ)】＝乂。

【攻(コウ)】研究する。また、みがく。「専攻」「攻玉」

【収(シュウ)】とり入れる。手に入れる。「収納」

【修(シュウ)】正しくととのえる。また、つくろう。「修身」「修繕」

【蔵(ゾウ)】しまっておく。「貯蔵」

【治(チ)】もと、河川を程よく導く。「治水」転じて、国や世の中をうまく整える。また、物事をうまくおさめる。↔乱。「治国」

【納(ノウ)】物をおさめいれる。しまいこむ。「納入」

【理(リ)】玉をみがく。転じて、ただす。すじを通す。処置する。「処理」

【△斂(レン)】かき集め、とる。「苛斂誅求(カレンチュウキュウ)」

おしえる（をしふ）

【△誨(カイ)】言葉で、ていねいにさとす。「教誨」

【教(キョウ)】上の者が下の者をさとし導く。「教訓」「教諭」

【訓(クン)】道理や法則に従って説きさとす。「訓戒」

おしむ（をしむ）

【△愛(アイ)】もったいなく思う。たいせつにして手離さない。「愛着」

【△嗇(ショク)】＝吝。「吝嗇(リンショク)」

【惜(セキ)】もったいなく思う。手離しがたく思う。「愛惜」「惜別」

おそい（おそし）

【△晏(アン)】太陽が西に入る。転じて、時刻がおそい。

【遅(チ)】ゆっくり行く。のろい。↔速。「遅速」「遅遅」

【晩(バン)】夜がふける。転じて、時刻・時期などの末。↔早。

おそれ・おそれる（おそる）

【畏(イ)】おそれて心がすくむ。おそればばかる。「畏敬」

【恐(キョウ)】こわがりおそれる。「恐縮」「恐怖」また、気づかう。

【懼(ク)・惧(グ)】＝怯。「恐懼」

【虞(グ)】心配する。

【惶(コウ)】おそれあわてる。「恐惶」

【怵(ジュツ)】気がかりでおどおどする。「怵惕(ジュッテキ)」

【悚(ショウ)】おそれてすくむ。

【慴(ショウ)・懾(ショウ)】おそれてちぢみあがる。「慴服」

【惴(ズイ)】びくびくおそれる。

【怕(ハ)】おそれてひやひやする。

【怖(フ)】おそれおののく。「恐怖」

【慄(リツ)】おそれてぞっとする。おそれおののく。「戦慄」

おどる（をどる）

【跳(チョウ)】はねる。はねあがる。「跳躍」

【躍(ヤク)】高くとびあがる。

【踊(ヨウ)】足をもちあげてとびあがる。「舞踊」

おどろく

【△駭(ガイ)】びっくりしておびえる。「駭嘆」

【△愕(ガク)】あわておどろく。「驚愕」

【驚(キョウ)】馬がおびえさわぐ。また広く、おびえおそれる。「驚倒」「驚嘆」

おもう（おもふ）

【△惟(イ)】一つの事に集中してよく考える。「思惟」

【意(イ)】おもいめぐらす。推量して思う。

【△謂(イ)】心に思う。

【憶(オク)】㋐心に思って忘れない。「追憶」㋑推量しておもう。「憶測」

【懐(カイ)】心にこめて慕いおもう。「懐古」

【思(シ)】＝惟。「思慮」

【想(ソウ)】あるものの姿を心に描いて求めおもう。「想像」

【△念(ネン)】心にかけて忘れない。常に思う。「念願」

およぶ

【△曁(キ)】やっととどく。

【及(キュウ)】あとからおいつく。「追及」

【△迨(タイ)・逮(タイ)】先方へとどく。

【比(ヒ)】いたる。

おりる・おろす（おる）

【下(カ)】上から下へさがる、また、さげる。↔上。

【降(コウ)】高い所から低い所へくだる、また、くだす。「降下」

【△卸(シャ)】荷物を下し移す。

おわる・おえる（をはる・をふ）

【△訖(キツ)】物事を終了する。

【△竟(キョウ)】最後までおし通す。「畢竟(ヒッキョウ)」

【終(シュウ)】初めから続いて、おしまいになる。「終極」「終結」

【△竣(シュン)】仕事を完成する。

【卒(ソツ)】一つの業をすます。また、人が死ぬ。「卒業」「卒年」

【△畢(ヒツ)】全部残りなくかたづける。

【了(リョウ)】完了する。「終了」

かえりみる（かへりみる）

【△眷(ケン)】ふりかえってみる。また、目をかける。「眷顧」

【顧(コ)】ふりむいてみる。「顧視」

【省(セイ)】注意してよくみる。また、自分の心をふりかえりみる。「省察」「反省」

かえる・かえす（かへる・かへす）

【回(カイ)】ぐるぐるめぐりかえる。「回遊」

【還(カン)】行った所からまわって戻る。「帰還」

【帰(キ)】もとの所にかえって落ちつく。「帰朝」「帰田」

【反(ハン)】戻る。ふりかえる。また、ひっくりかえる。「反省」「反転」

【△孵(フ)】卵がかえる。「孵化」

【復(フク)】もとの道をかえる。「往復」

【返(ヘン)】戻る。また、借りたものが戻る。「返路」

かえる・かわる（かふ・かはる）

【易(エキ)】とりかえる。「交易」「貿易」

【換(カン)】他の物をとりかえる。「交換」

【更(コウ)】新しくかえる。「更新」

【代(タイ)】入れかわる。「代講」
【替(タイ)】かれとこれとかわる。「交替」
【変(ヘン)】違ったかたちになる。また、うつりかわる。「変化」「転変」
【貿(ボウ)】交易する。
【△渝(ユ)】中身がぬけて別の状態になる。

かおる(かをる)
【薫(クン)】香草のよいにおいがする。「薫風」
【△馨(ケイ)】かおりが澄んで遠くまでただよう。
【香(コウ)】きびなどを煮たときによいにおいがする。広く、よいにおいがする。「芳香」

かかげる(かかぐ)
【掲(ケイ)】高くあげる。また、かかげしらせる。「掲示」
【△褰(ケン)】すそをもちあげる。
【挑(チョウ)】かきたてる。「挑灯(チョウチン)」

かかわる(かかはる)
【関(カン)】関係する。「関与」
【拘(コウ)】こだわる。「拘泥(コウデイ)」

かくれる(かくる)**・かくす**
【隠(イン)】かくれて見えなくなる。「隠遁(イントン)」「隠匿(イントク)」
【△竄(ザン)】にげかくれる。「竄逃」
【△蟄(チツ)】虫が地中にかくれる。転じて、とじこもる。「蟄居」
【匿(トク)】にげかくれる。「潜匿」「匿名」

かげ
【陰(イン)】ひかげ。日のあたらないところ、また、物におおわれている所。「樹陰」
【△蔭(イン)】こかげ。草木がおおって日のあたらない所。「緑蔭」また、【陰】と同じ。
【景(エイ)・影(エイ)】光線が物に妨げられて暗い部分。また、そのために地面に映った黒い像。「人影」

かける(かく)**・かかる**
【架(カ)】かけわたす。「架橋」
【掛(カイ)】ひっかける。「掛冠」
【△挂(ケイ)】＝掛。「挂冠」
【係(ケイ)・△繫(ケイ)】むすびつける。つなぐ。「連繫」
【懸(ケン)】つりさげる。ぶらさげる。「懸賞」「懸垂」
【賭(ト)】かけごとをする。「賭博」
【罹(リ)】あみにかかる。転じて、病気や災害などにかかる。「罹災」

かさなる・かさねる(かさぬ)
【襲(シュウ)】着物をかさねて着る。転じて、物事をかさねつぐ。「重襲」
【重(ジュウ)】物の上にさらに物がのる、また、のせる。いくえにも積みかさねる。また、くりかえす。「重囲」
【畳(ジョウ)】平らな物が積みかさなる。たたみかさねる。「重畳」
【申(シン)】くりかえす。
【層(ソウ)】＝累。
【累(ルイ)】上へ上へとつながってかさなる。「累加」「累積」

かざる
【飾(ショク)】うわべを美しくつくろう。「装飾」
【文(ブン)】あや模様を美しくかざる。また、うわべをつくろう。「文飾」

かぞえる(かぞふ)
【計(ケイ)】あわせかぞえる。積みあげてかぞえる。「計算」「会計」
【算(サン)】そろばんでかぞえる。「算出」「算数」
【数(スウ)】物のかずをかぞえあげる。

かた
【形(ケイ)】目に見えるもの。「外形」
【型(ケイ)】いがた。もとになるかたち。「原型」
【模(モ)】のり。手本。また、型。「模型」

かたい(かたし)
【確(カク)】しっかりして動かない。「確実」
【△艱(カン)】むずかしい。「艱渋」
【△鞏(キョウ)】じょうぶでこわれない。「鞏固」
【堅(ケン)】もと、かたい土の意。しっかりしてかたい。「堅固」「堅忍」
【固(コ)】かたまっていて破れがたい。外部のものに動かされない。「固執」
【硬(コウ)】もと、かたい石の意。しんがあってかたい。↔軟。「硬骨漢」
【剛(ゴウ)】こわばって強い。↔柔。「剛健」
【難(ナン)】＝艱。↔易(イ)。「艱難(カンナン)」
【△牢(ロウ)】がっちりしている。「堅牢」

かたる
【拐(カイ)】人をだまして金品をとる。また、人をかどわかす。「誘拐」
【語(ゴ)】人に向かってはなす。「語気」
【△騙(ヘン)】だましとる。「拐騙(カイヘン)」

かなう(かなふ)
【諧(カイ)】調子がよくあう。調和する。「諧調」
【△叶(キョウ)】＝協。国訓で、かなう。思いどおりになる。
【協(キョウ)】一致する。和合する。「協力一致」
【称(ショウ)】つりあう。適合する。
【適(テキ)】うまくあてはまる。心のどかに楽しむ。「適材」「自適」

かなしむ・かなしい(かなし)
【哀(アイ)】あわれに思って胸がつまる。↔楽。「哀悼」
【△愴(ソウ)】いたみかなしむ。
【悲(ヒ)】心がひきちぎられるようにいたむ。↔喜。「悲哀」

かわ(かは)
【革(カク)】毛を抜き去っただけでなめしていない獣皮。
【皮(ヒ)】㋐毛のついたままの獣の毛がわ。㋑なめした皮。㋒物の表面をおおっているもの。「樹皮」

かわく
【渇(カツ)】水がかれて流れがかわく。また、のどがかわく。「涸渇(コカツ)」「飢渇」
【乾(カン)】湿気がなくなる。「乾燥」
【△晞(キ)】日にあたってかわく。
【燥(ソウ)】火気にあたってかわく。

かんがえる(かんがふ)
【勘(カン)】比較吟味して調べ定める。

「校勘」

【考・攷】問い正してかんがえる。調べる。「考究」

【稽】つきつめて思いめぐらす。「稽古」

きく
【可】ききいれて許す。「許可」

【聴】耳を傾けてきく。注意してきく。「傾聴」

【聞】自然に耳に入る。「仄聞」

【聆】耳をすましてきく。

きざし・きざす
【幾】物のあらわれ出ようとするけはいが見える。

【兆】＝幾。亀の甲や獣の骨をやいて生じるわれめ。「兆候」

【萌】草木の芽がもえでようとする。物事がめだちはじめる。「萌芽」

きざむ
【刊】けずりきざむ。ほりつける。

【契】刃物できざみ目を入れる。

【刻】木などにほりつける。「彫刻」

【鋟】金属板や版木に深くほりつける。

きず
【痍】切りきず。「傷痍」

【瑕】玉のきず。

【疵】身のきず。また、欠点。

【傷】いたみ。けが。「負傷」

【創】刃物のきりきず。「刀創」

きびしい
【苛】ひどい。きつい。「苛刻」

【緊】ひきしまってゆるみがない。「緊急」

【厳】厳重だ。はなはだしい。「厳格」「厳正」

【峭】むごたらしい。むごい。ひどい。「峭刻」

きよい
【潔】けがれがなくすっきりしている。「潔白」「清潔」

【浄】＝潔。「清浄」

【清】きよらかに澄んでいる。すがすがしく美しい。「清流」「清楚」

【洌】つめたくすんでいる。「清洌」

きる
【鑽】きりで穴をあける。うがつ。

【斬】刀でたちきる。「斬殺」

【斫】刃物でたたききる。

【切】刀できりきざむ。「切断」

【截】たちきる。切断する。「截断」

【剪】そろえてはさみきる。きりそろえる。「剪定」

【断】ふたつにたちきる。きりはなす。「断截」

【伐】きりたおす。「伐木」

きわめる・きわまる
【究】㋐深くたずねて、きわめつくす。「考究」㋑ゆきづまる。とどのつまりに至る。「究竟」

【窮】＝究。「窮極」

【極】つきる。つくす。とことんまでいたる。「極上」「至極」

くう・くらう
【喫】たべる。「喫飯」

【喰】くらう。＝食。

【茹】野菜を食べる。

【食】すべて物をたべる。「食傷」

【啖・噉】大食する。「健啖」

【飯】＝食。「飯二疏食一」

くむ
【汲】水を汲む。「汲水」

【酌】酒をくむ。ひしゃくで水などをくみとる。また、人の心や物事の事情などをはかり考える。「独酌」「斟酌」

【挹】中のものをくみだす。

【斟】＝酌。

くら
【庫】兵車や武器を入れておくくら。転じて、書物や物品を入れておく建物。「兵器庫」「書庫」

【倉】穀物を入れておくくら。転じて、物を入れておく建物。「穀倉」

【蔵】物品を入れておくくら。「土蔵」

【府】文書や財宝を入れるくら。「府庫」

【庾】刈り取った稲穂を積んでおくくら。こめぐら。

【廩】こめぐら。また、貨財をいれるくら。「倉廩」

くらい
【暗・闇】日の光がなくてくらい。↔明。「暗（闇）夜」

【晦】まっくらやみ。「晦冥」

【昏】日が暮れてくらい。また、道理にくらい。「昏黒」「昏迷」

【惛】心がくらく道理がわからない。おろか。

【瞀】目がはっきりしない。

【昧】夜明けがたの、ほのぐらさ。「昧旦」

【冥】光がなくてくらい。また、道理にくらい。「頑冥」

【溟】小雨が降ってくらい。うすぐらい。「溟濛」

【暝】＝昏。

【瞑】目がふさがって見えない。

【罔・蒙】おおわれて見えない。おろか。無知。「童蒙」

【矇】目がおおわれて見えない。

【幽】奥深くて明らかでない。ほのぐらい。「幽暗」

【杳】奥深くくらい。

くらべる
【較】＝挍・校。「比較」

【挍・校】つきあわせてくらべる。調べくらべる。「比校」

【比・方】ならべて見くらべる。「比較」「比方」

くわしい
【委】こまやか。つぶさ。「委細」

【詳】あますところなくこまか。すみずみまでゆきとどく。つまびらか。「詳細」「詳説」

【精】奥深くこまか。「精細」「精審」

けがれる・けがす
【穢】雑草がしげってきたない。転じて広く、けがれる。「穢濁」「汚穢」

【汚】濁水などでよごれる。

【瀆】にごりけがれる。「瀆職」
【黷】あかがついてけがれる。

けずる
【刮】けずり除く。えぐりとる。
【刓】かどをけずりとる。
【削】けずり除く。「筆削」
【刪】木や竹の札の文字をけずって改め定める。「刪定」「筆刪」
【剗】けずって平らにする。

けわしい
【険・嶮】山がけわしくて行きにくい。「険絶」
【峻】山が鋭くそそり立つ。「峻嶮」
【峭】山が高くけずり立つ。
【阻】山・川にさえぎる物が多くて行きにくい。「険阻」

こいねがう
【希】まれなことができるように、願い望む。「希望」
【幾】＝冀。
【冀】強く願い望む。「冀幸」
【幸・倖】もっけのしあわせをと願う。
【庶・庶幾】「ちかし」とも読む。もう少しで何とかなりそうだから、どうかそうなってほしいと願う。
【尚】尊び願う。

こえる
【越】のりこえる。境界をこえる。また、度をこえる。「越境」「僭越」
【超】おどりあがって飛びこえる。「超過」
【逾・踰】またいでこえる。「踰越」

こころみる
【試】用いてためす。実際に調べてみる。「試験」
【嘗】もと、口になめて味をためす意。転じて、広く、ためしてみる。「嘗試」

こたえる
【応】相手にひびき応ずる。「応報」
【対】目上の人にこたえる。また、相手の問いに対して返事をする。「対策」
【答】問いにこたえる。「答申」

こまか・こまかい
【細】ほっそりしている。「細大」
【緻】きめがこまかい。「緻密」

ころす
【殺】いのちをたつ。死なせる。「暗殺」
【死】死刑にする。
【誅】罪のある者を殺す。「誅殺」
【戮】ずたずたに切りころす。「殺戮」

さいわい
【禧】めでたいよろこび。
【幸】思いがけないしあわせ。「幸運」
【倖】まぐれさいわい。こぼれさいわい。「僥倖」
【祉】神からさずかるさいわい。「福祉」
【祥】めでたいこと。「祥瑞」
【祚】＝祉。
【福】神仏からさずかるさいわい。「福寿」

さがす
【捜】手でさがす。
【探】奥深くまで手を入れてさがし求める。

さかん
【殷】音声がさかん。また、にぎにぎしい。「殷殷」「殷賑」
【旺】勢いがあふれるほどさかん。「旺盛」
【熾】火がもえるようにさかん。「熾烈」
【昌】日がのぼるようにさかん。また、栄える。「昌平」「隆昌」
【盛】まっさかり。↔衰。「盛年」
【壮】気力がみちてたくましい。↔老。「壮年」
【隆】勢いがもりあがる。↔替(すたれる)。「隆盛」

さき・さきに
【往】㋐すぎ去った昔。かつて。「既往」㋑のち。以後。「以往」
【向・嚮】過去の日。＝往。
【先】まえ。㋐空間的なまえ(前方)。「先駆」㋑時間的なまえ。過去及び未来にもいう。「先刻」「先見の明」
【曩】以前に。

さく
【割】刃物できり分ける。たちきる。「割腹」
【析】木をさき割る。転じて、是非・真偽を明らかにする。「分析」
【坼】ぽっとわれる。
【擘】手でさく。つんざく。
【剖】真ん中からふたつに分ける。「解剖」
【裂】ひきさく。さき破る。「車裂」「分裂」

さげる
【下】下におろす。「投下」
【提】手にさげる。「提灯」

さす
【差】わが国だけのよみ。
【刺】つきさす。さし殺す。「刺殺」
【指】ゆびさして示す。「指示」
【剚】刃物をつき立てる。
【斥】＝指。「指斥」
【挿】物をさしこむ。「挿画」

さとい
【叡】物事に深く明らかに通じている。「叡知」「叡哲」
【慧】才知のめぐりが早くてかしこい。「慧悟」
【聡】もと、耳がよく聞こえる意。転じて、頭脳のはたらきのすぐれていること。「聡明」
【智】かしこい。知恵がある。↔愚。「才智」
【敏】頭の回転が早い。「鋭敏」
【怜】心がすみとおってかしこい。「怜悧」

さとる・さとす
【覚】それと目ざめてはっきりと知る。「覚悟」

【暁】はっきりと知る。
【悟】思いあたる。会得する。また、迷いからさめる。「悟得」
【喩・諭】心にのみこむ。「さとす」とも読む。納得させる意。
【了】はっきりとわかる。「了解」

さめる・さます
【覚】眠りからさめる。また、まよいからさめる。「覚醒」
【△寤】目がさめる。↕寐。「寤寐」
【醒】酒の酔いからさめる。
【冷】ひえる。ひやかす。「冷却」「冷笑」

さらす
【△晒】日にさらす。日の光にあてる。
【暴・△曝】物をむきだしにして日にあてる。日にさらしてかわかす。「暴露」

さわぐ
【△喿・△噪・△譟】鳥などがむらがって鳴きたてる。「蟬噪」
【騒】みだれさわぐ。「騒動」
【△躁】落ちつかず、そわそわする。「焦躁」
【△鬧】多人数でさわぎみだす。「熱鬧」

さわる
【障】さしつかえる。「支障」
【触】ふれる。「接触」

しお
【△汐】夕方のしおの干満。
【潮】朝方のしおの干満。

しきりに
【切】身にしむほどせつに。
【△荐】つづいて。
【頻】いくども。
【累】かさねがさね続いて。
【連】引き続いて。

しく
【△藉・席】しきものをしきのべる。
【布・敷】一面に広くしきのべる。「布教」「敷衍」
【舗】しきならべる。「舗陳」

しげる
【△茲】草木がしげる。はびこる。
【△孳】子がふえる。
【滋】水がましふえるように、物がましひろがる。「滋長」
【△蕃】草が盛んにしげる。
【繁】ふえて盛ん。「繁殖」
【茂】草木の枝葉が盛んに生長する。転じて、多い。豊か。盛ん。「繁茂」「茂林」

しずか
【閑】ひまでひっそりしている。「閑居」「閑静」
【静】動くのをやめて落ちついている。雑音や動きがない。↕動。「平静」
【△謐】声がしない。ことばしずか。「静謐」

しずむ
【沈】水中にしずむ。＝没。「沈没」
【没】水底にしずむ。転じて、おちぶれる。「沈没」「没落」
【△淪】＝没。「淪落」

しずめる・しずまる
【静】動かないようにする。また、やすらかにする。「静養」
【沈】水中にしずめる。
【鎮】おさえてしずかにさせる。また、やすめる。「鎮定」「鎮魂」

したがう
【従】㋐あとについてゆく。「侍従」㋑おとなしくしたがう。「従順」㋒たずさわる。「従業」
【△徇・殉】身を捨ててつきしたがう。「殉職」
【循・遵】道理や法則などにそいしたがう。「遵守」
【順】よりしたがってたがわない。↕逆。「順奉」
【随】他の者の意にまかせて、その通りについてゆく。「随順」
【率】そいしたがう。「率由」

しばらく
【△姑】そのままでちょっと。とりあえず。
【暫】＝少。↕久。
【△斯△須・△斯△臾】ほんのすこしの間。
【少・少時】すこしの間。

しぼる
【絞】しぼって水分を取る。また、責め苦しめる。
【搾】［榨］の俗字。しめぎにかけて油や酒をしぼる。転じて広く、しぼり取る。

しめる・しまる
【緊】引きしめる。「緊縮」
【絞】くくりしめる。「絞殺」
【締】ゆるみのないように固くしばる。「締結」

しらべる
【△覈】たしかめる。おおわれた事実をしらべ明らかにする。「覈論」
【検】とりしらべる。「検察」
【査】さぐって明らかにする。「査問」
【調】音楽をかなでる。また、調子をととのえる。また、しらべただして明らかにする。「調律」「調書」

しりぞく・しりぞける
【却】あとへさがる。また、物をうけつけない。「退却」「却下」
【斥】人をおしのける。「排斥」
【退】あとへさがる。とおざける。↕進。「退出」「退治」
【△黜・△絀】官位をさげる。「黜陟」
【△屛】＝退。
【△貶】＝黜。「貶黜」

しる
【識】それとはっきりみわける。みとめる。「識別」「認識」
【知】心に感じとる。「知識」「知命」

しるし
【印】はん。「印鑑」
【△徽】旗じるし。また、所属を表

す目じるし。「徽章」

【験】あかし。また、ききめ。「験証」「霊験」

【祥】めでたいしるし。「瑞祥」

【徴】表面に表れたしるし。「徴候」

【標】高く掲げた目じるし。「標識」

しるす

【記・紀】整理して書きとめる。「記録」「紀行」

【志・誌・識】心おぼえに書きとめておく。また、おぼえる。「記念誌」

【署】姓名などを書きしるす。「署名」

【銘】金石などに文字をきざむ。「銘刻」

【録】書きしるす。「議事録」

すくう

【救】力をそえてなんぎから助ける。「救助」

【済】わたしすくう。「済渡」「救済」

【△拯】落ちた者を助けて引きあげる。

すくない

【寡】人がすくない。↕衆。「衆寡不レ敵」

【少】数がすくない。↕多。「少数」

【鮮】めったにない。まれ。「鮮少」

【△尠】=鮮。

すすぐ（そそぐ）

【△浣】あらいすすぐ。よごれをあらう。「浣濯」

【雪】すすぎ清める。「雪辱」

【△漱】口をすすぐ。「漱石」

【△滌】水を長くたらしかけながらすすぎあらう。「洗滌」

すすむ

【進】前方へ向かってゆく。また、物事が上達する。「前進」「進歩」

【△晋】=進。

【前】まえへすすみ出る。↕後。「前行」

【漸】次第に移ってゆく。じわじわすすむ。「東漸」

すすめる

【勧】言葉ではげまして人に善をすすめる。「勧善懲悪」

【羞】ごちそうする。食物をすすめてそなえる。「羞膳」「奠羞」

【奨】すすめはげます。「奨励」

【進】前におし出す。おしあげる。たてまつる。「推進」「進言」

【薦】㋐ごちそうを神前にそなえる。「薦羞」㋑人材をすすめあげる。「推薦」

すでに

【既】もはやとっくに。現在において事が完了している。↕将。「既定」

【業】そうするからには。未来にもかけていう。

すてる

【委】うちすてる。「委棄」

【遺】忘れてすておく。「遺棄」

【△捐】役にたたないものをすてる。「捐棄」

【棄】投げすててほったらかす。「放棄」「棄権」

【捨・舎】すてて用いない。↕用。「捨身」

【釈】手からはなして下におく。

すなわち

【載】ゆるく上を受けて、そこで。そのまま。

【就】すぐに。

【曽】=則・乃。

【即】とりもなおさず。そのまま。すぐに。また、[則]と同じにも用いる。

【則】…すればすなわち。仮定や条件を受けて、結果を述べる。また、主格を受けて、それは。

【△乃】そこで。しかるに。

【△迺】そこで。

【△輒】(輙)そのたびごとに。たやすく。すぐに。

【便】[即]よりやや軽く、そのまま、すぐに。

すべて

【△渾】ひっくるめて。ひとまとめにうちまぜて。

【全】欠けるところなく。「全部」

【総】多くのものをひとつに集めて。

【都】残らず集めて。ことごとく。

【凡】おしなべて。みな。総体をかぞえて。

すべる

【総】多くのものをひとつにまとめる。「総合」

【△綜】=総。「綜合」

【統】多くの糸を集めて一筋にする。転じて、全体をひとつにまとめおさめる。「統治」

すむ

【住】人がすむ。人が一定の所にとどまる。「安住」

【△栖】鳥が巣にやどりすむ。転じて、とどまる。「栖息」

【△棲】=栖。「棲宿」

する

【刷】こする。「印刷」

【擦】さする。なでる。「摩擦」

【△摺】[搨]の誤用。

【摩】手ですりつぶす。こする。なでる。また、すりみがく。「按摩」「研摩」

【磨】石ですりみがく。転じて、はげむ。努力する。「練磨」

【抹】手でこする。ぬりつぶす。「抹消」

せまる

【促】せきたてる。「促進」「催促」

【迫】ちかづく。また、さしせまる。せっぱつまる。「切迫」「緊迫」

【薄】ぴったりとよりせまる。「肉薄」

【△逼】身ぢかまでちかづく。また、無理じいする。「逼迫」

せめる

【△訶(カ)】とがめる。

【△譴(ケン)】怒ってとがめる。「譴責」

【攻(コウ)】兵力で敵をうつ。転じて、人の過失をせめとがめる。「攻撃」

【△誚(ショウ)】そしりしかる。「誚譲」

【数(スウ)】罪をかぞえたててせめる。

【責(セキ)】罪を問いただす。責任をせめ求める。「責問」

【△謫(タク)】とがめて罪におとす。罪をとがめしかる。「謫落」

そう(そふ)
【沿(エン)】水流や道路などによりそって行く。また、すでに定まっている路線に従ってする。「沿岸」「沿習」

【添(テン)】まし加える。「添削」

【副(フク)】主となるものにつきそう。また、かなう。適合する。方針・希望に合わせる。「副使」

【傍(ボウ)】そばへよりそう。

そこなう(そこなふ)
【害(ガイ)】きずつける。また、殺す。↔利。「災害」「害毒」

【残(ザン)】殺す。また、きずつける。「残虐」「残酷」

【△戕(ショウ)】きずつける。こわす。「戕害」

【傷(ショウ)】きずつけやぶる。「傷害」

【賊(ゾク)】害を与える。「賊害」

【損(ソン)】いためる。↔益。「損傷」

そしる(そしり)
【毀(キ)】悪口をいって人の名誉をそこなう。↔誉。「毀誉」

【△譏(キ)】人の欠点をみつけて悪口をいう。「譏刺」

【△讒(ザン)】事実を曲げたり、いつわったりして人を悪くいう。「讒言」

【刺(シ)】人の心をつきさすようにそしる。「諷刺(フウシ)」「刺激」

【△譖(シン)】それとなくじわじわと悪口をいう。

【△訕(セン)】悪くいう。「訕謗(センボウ)」

【△詆(テイ)】言葉を極めて悪口をいう。「詆辱」

【非(ヒ)・△誹(ヒ)】悪口を言いたてる。「非難」「誹謗(ヒボウ)」

【△謗(ボウ)】かげで人をそしる。「誹謗」

そそぐ
【△漑(ガイ)】田に水をいっぱいに引く。「灌漑(カンガイ)」

【灌(カン)】草木などに水をかける。上から流しこむ。「灌仏」

【△洒(サイ)・灑(サイ)】水を庭などにまく。「洒(灑)掃」

【雪(セツ)】そそいで清める。

【△濺(セン)】水をしぶきのようにそそぎかける。また、降りそそぐ。

【注(チュウ)】水を一か所に集めて流しこむ。また、流れこむ。「注水」
＊「すすぐ」も参照のこと。

そなえる(そなふ)・そなわる(そなはる)
【供(キョウ)】うやうやしく物をそなえる。設けて用にたてる。「供物」「供給」

【具(グ)】不足なくそろえる。欠けなく物がそろう。「具備」

【備(ビ)】そろえて用意する。よく用意されている。「準備」

そむく
【△乖(カイ)】わかれ離れる。また、理にもとりさからう。「乖離」「乖背」

【背(ハイ)】せなかをむける。また、うらぎる。「背信」

【倍(バイ)】＝背。「倍反」

【反(ハン)・△叛(ハン)・畔(ハン)】ひっくりかえりそむく。離れそむく。「反抗」「叛逆」

【負(フ)】そっぽをむく。恩徳にそむきたがう。

たえる(たふ)
【△堪(カン)】こらえしのぶ。がまんする。「堪忍」

【勝(ショウ)】よくする。もちこたえる。

【耐(タイ)】することができる。また、こらえしのぶ。もちこたえる。「忍耐」

【任(ニン)】つとめや重みを負ってこらえしのぶ。

たおれる(たふる)・たおす(たふす)
【△殪(エイ)】息がつまってたおれ死ぬ。

【△僵(キョウ)】からだが硬直してたおれる。

【倒(トウ)】さかさまにたおれる。「倒壊」

【△仆(フ)】ばったりたおれる。

【△斃(ヘイ)】たおれ死ぬ。「斃死」

【△踣(ホウ)】つまずきたおれる。

たかい(たかし)
【△巍(ギ)】高大である。

【△喬(キョウ)】すらりとたけがたかい。「喬木」

【△尭(ギョウ)】山などがたかい。

【△昂(コウ)】意気があがる。「昂然」

【高(コウ)】上方にある。たけがたかい。身分・年齢・人がらなどがたかい。↔低・卑。「高位」「高貴」

【△兀(ゴツ)】高くて上が平ら。

【△峻(シュン)】山がたかくてそりたつ。

【尚(ショウ)】程度がたかく上品。「高尚」

【崇(スウ)】山が高く大きい。転じて、尊い。

【△嵩(スウ)】山がたかい。

【卓(タク)・△倬(タク)】才能などが高く抜けている。「卓識」

【隆(リュウ)】中央が盛りあがって高い。「隆起」

たがう(たがふ)
【違(イ)】もとりそむく。「相違」

【差(サ)】そろわない。くいちがう。「差異」

【△忒(トク)】＝差。

たく
【炊(スイ)】火をもやして飯をかしぐ。「炊煙」

【△焚(フン)】木をもやして物をやく。

たくわえる(たくはふ)
【蓄(チク)・畜(チク)】集め積んでおく。「蓄積」

【貯(チョ)】金銭をためておく。「貯蓄」

たけし
【威(イ)】人を威圧するようにいかめしい。「威厳」

【△毅(キ)】意志が強くてくじけない。「剛毅」

【健(ケン)】しっかりして強い。「雄健」

【武(ブ)】強く勇ましい。「武勇」

【猛(モウ)】あらあらしく強い。「猛烈」

たすける(たすく)
【援(エン)】手を引いてたすける。「援護」

【介(カイ)】間にはいってたすける。「介添」「介錯」

【佐】わきから手をそえてたすける。「補佐」

【賛】言葉をそえて助力する。「賛助」

【資】物質的にたすける。「資給」

【助】力をそえてたすける。「助力」

【相】補佐する。「宰相」

【△弼】あやまりのないように助ける。「輔弼」

【扶】手でささえ助ける。「扶助」

【△輔】そばにつきそって助ける。「輔佐」「輔弼」

【△佑】=佐。

【△祐】天神が助ける。「天祐」

【翼】翼のように、かかえ助ける。「翼賛」

たずねる（たづぬ）

【温】くりかえし研究する。習熟する。「温故知新」

【原】みなもとをたずねる。本原を探究する。

【△訊】上の者が下の者に問いいただす。「訊問」

【尋】ききだす。たずねきわめる。「尋問」

【討】さぐりたずねる。吟味する。「検討」

【訪】人や場所をおとずれる。「訪問」

ただ

【△惟・唯・維】そればかり。それだけ。

【止】つまるところはこれだけ。

【△只・△祇】=唯。

【△啻・△翅】不と複合して、「ただに…のみならず」と読み、そればかりではないという意味を表す。

【第】ともかくも、ただこうせよ、という意。

【但】他をおいてそれだけ。

【直】ひたすら。ひとすじ。

【適】=直。

【徒】いたずらに。

【特】とりわけ。

たたかう（たたかふ）

【戦】武器をとって争う。勝負する。「善戦」

【闘】相対して切り合ったり組み打ちしたりする。転じて広く、たたかう意に用いる。「格闘」

ただす

【格】法度や格式に合うようにただし改める。「格物」

【糾】もつれをただす。また、問いただす。「糾弾」

【△匡】ただし治める。「匡救」

【縄】すみなわの意で、曲がっているところをまっすぐにする。「縄違」

【正】曲がっているものをまっすぐにただし改める。「改正」

【訂】文字の誤りをただし改める。「訂正」「校訂」

【△董】上から見張って、なまけをただす。「董正」

【督】取りしまる。とがめる。「監督」「督過」

たつ

【裁】布地などをたちきる。「裁断」

【△截】ずばりたち切る。切りはなす。「截断」

【絶】糸をたちきる意から、広く、続いているものをたちきる意。また、たやす。ほろぼす。「絶滅」「空前絶後」

【△剪】=截。

【断】たち切る。ぷっつりと切りはなす。「寸断」

たっとぶ・とうとぶ（たふとぶ）・たっとい・とうとい（たふとし）

【貴】価値あるものとして、重んじる。↔賤。「貴重」

【上・尚】大切にする。重んじる。「尚古」「尚武」

【崇】あおぎとうとぶ。尊敬する。「崇敬」

【尊】うやまいとうとぶ。↔卑。「尊敬」「尊崇」

【右】昔、右を上位としたことからの転義。尊重する。「右文」

たてまつる

【献】神仏に物をそなえる。また、目上の人や上級の役所に物をさしあげたり、意見を申しあげる。「献納」「献言」

【上】目上の人に意見書などを申しあげる。「上言」「上書」

【呈】さしあげる。

【奉】うやうやしくささげる。「奉納」

たてる・たつ

【建】まっすぐたてる。また、造り設ける。「建造物」

【立】地位につける。「擁立」また、「建」と同義に用いる。「建立」

たとえる（たとふ）

【況】他の似通ったものにくらべる。「比況」

【喩・譬】他の似通ったものを引いて説明する。「比喩」「譬喩」

【例】同類の中から特により出して示す。特に「たとえば」として用いる。例をあげれば。

たのしむ

【△嬉】よろこびたのしむ。「嬉戯」

【娯】たのしみ心をなぐさめる。「娯楽」

【愉】=嬉。「愉快」「愉楽」

【楽】心に心配がない。↔苦。「苦楽」

たのむ

【△怙・△恃】あてにしてたよる。「怙恃」

【嘱】言いつける。「嘱託」

【△憑】相手にもたれかかる。

【頼】広く、たよりにする。「依頼」

たま

【丸】弾丸。「砲丸」

【球】美しい玉。また、まるい形をしたもの。「眼球」

【玉】美しい宝石。「金玉」

【珠】貝類の体内にできる丸いたま。真珠。

【弾】はじき弓の石だま。また、鉄砲などのたま。「砲弾」

たまう（たまふ）

【給】不足のないように、上から下しあたえる。「供給」

【△貺】上から下しあたえる。
【賜】たまわる。目上の人からいただく。「下賜」
【△賚】下しあたえて労をねぎらう。

ちかい
【幾・庶】今少しでそれにとどこうとする意。
【近】距離・時間のへだたりが少ない。↔遠。「近況」「近接」
【△邇】身ぢか。手ぢか。
【親】仲がよい。むつまじい。「親友」

ちかう
【誓】言葉で、たがわないように約束する。「宣誓」「誓約」
【盟】神前で血をすすって約束する。［誓］より重い。「同盟」

ついに
【△訖】とうとう。
【△竟】つまり。結局。
【終】そのおわりに。また、最後まで。↔始。
【遂】すぐそのまま。また、その結果として。
【卒】最後に。とどのつまりに。

つかう
【遣】役目を与えてさせる。
【使】人に用をさせる。

つかえる
【仕】官職につく。臣として君につかえる。「仕官」「禄仕」
【事】目上の者に従ってつとめる。「事君」「事親」

つかさどる
【宰】主となってきりもりする。「宰領」
【司・△尸】役目としてあずかり行う。「司会」
【主】中心となってすべおさめる。「主治医」
【掌】わが手にひきうけてやる。「掌典」「分掌」
【職】職務として仕事をする。「職掌」
【典】一定の仕事をまもり行う。「典楽」

つかれる
【△瘁】つかれてやつれる。
【△憊】つかれはててがっくりする。「困憊」
【疲・罷】気力・体力がなくなってぐったりする。「疲労」
【弊】つかれてぐったりする。
【△羸】やみつかれる。やせてつかれる。「羸弱」
【労】働いてつかれる。「疲労」

つく
【△舂】うすでつく。
【衝】つきあたる。「衝突」
【△搶】つきさす。まっすぐにつきあたる。
【△搗】うすでつく。
【△撞】棒でつきあてる。つきならす。「撞鐘」
【△擣】＝搗。
【突】にわかにつきあたる。「突貫」

つく・つける
【就】そばによりそう。従い近づく。↔去。「就職」「就養」
【即】地位につく。「即位」
【着】ぴったりとつく。「附着」
【付】人に物をあたえさずける。「交付」
【附】そえ加える。つき従う。「附加」
【△傅】もり役としてそばにつく。「師傅」

つぐ
【亜】そのつぎとなる。第二位となる。「亜相」「亜聖」
【継】つなぎつづける。「継続」また、うけつぐ。「継承」
【嗣】あとめをつぐ。「嗣子」「令嗣」
【次】なにかの後につづく。また、［亜］と同じ。「次位」
【接】切れ目をつなぐ。つぎあわす。「接合」

つくす・つきる
【△竭・△悉・尽】残すところなく全部つくす。また、全部なくなる。「尽性」
【△殲】みなごろしにする。「殲滅」
【△殫】＝尽。
【△殄】ほろぼしたやす。「殄絶」

つくる
【為・作】物をつくりだす。人が手を加えてつくる。「作為」「造作」
【製】もと、衣服をしたてる意。転じて、広く物をつくる。「製造」「製作」
【創】はじめてつくりだす。「創作」
【造】物をつくる。材料を寄せあわせてつくりあげる。「造化」「造物者」

つげる
【語】人に対してはなす。かたる。「面語」
【△誥】上から下に申し渡す。「誥命」
【告】つげ知らせる。おしえさとす。「告示」「告諭」
【詔】天子が下につげる。「詔勅」
【訃】人の死をつげしらせる。「訃報」

つつしむ
【△恪】きちょうめんにする。「恪勤」
【恭】行儀正しくうやうやしくする。「恭敬」
【△欽】おそれかしこまる。「欽定」
【謹】言葉に注意する。みずからをいましめる。「謹慎」
【△虔】おごそかにつつしむ。「敬虔」
【△祗】つつしみかしこまる。「祗候」
【粛】身をひきしめてつつしむ。「厳粛」
【慎】用心する。「慎重」

つとめる
【勤】なまけずに精出す。↔惰。「勤労」
【△孜】こつこつと休まずにはげむ。「孜孜」
【努】ひたすらはげむ。「努力」
【勉】しいてつとめはげむ。「勉強」

「勤勉」

【務(ム)】困難をおかして力を尽くす。「勤務」

【力(リョク)】力を尽くしてはげむ。「努力」「力作」

つなぐ
【維(イ)】つなでつなぎとめる。

【△羈(キ)】もと、馬のおもがい。転じて、つなぎとめて自由にさせない。

【系(ケイ)】ひもでつなぐ。また、つながる。「系図」

【繋(ケイ)】ひもでむすびつける。くくる。「繋累」

【△紲(セツ)】つなで罪人をくくる。

【△縶(チュウ)】ひもでしばって自由にさせない。

【絡(ラク)】物と物との間をつづける。

【△纍(ルイ)】とらえしばる。

つねに
【恒(コウ)】一定して変わらずに。永久に。「恒常不変」

【常(ジョウ)】＝恒。また、いつも。「平常」

【毎(マイ)】そのたびごとに。毎度。

つらなる・つらねる
【陳(チン)】順序正しくならぶ。「陳列」

【列(レツ)】順序正しくならぶ。「配列」

【連(レン)】一つずつ、つづきならぶ。「連綿」

【△聯(レン)】相続いてたえない。「聯関」

とう
【△詢(ジュン)】念を入れてはかり問う。「諮詢」

【△訊(ジン)】やつぎばやに問いただす。問いつめる。「訊問」

【訪(ホウ)】出かけていってはかり問う。「訪問」

【問(モン)】問いただす。「質問」

とおる・とおす
【△亨(コウ)】すらすらと事が運ぶ。「亨通」

【通(ツウ)】まっすぐ、よどみなくゆく。ゆきわたる。「通説」「流通」

【徹(テツ)】つきとおる。「徹頭徹尾」

【透(トウ)】すきとおる。「透明」

【融(ユウ)】やわらぎとおる。「融通」

とける・とく・とかす
【解(カイ)】さとる。ほぐれる。「溶解」

【△鑠(シャク)・△銷(ショウ)・△鎔(ヨウ)】金属がとける。「鎔鋳」

【融(ユウ)・溶(ヨウ)】固体が液体となる。「融解」「溶解」

とじる・とざす
【△閡(ガイ)】つっかえ棒をして戸をしめる。

【関(カン)】かんぬきを入れて門をとざす。「関門」

【△緘(カン)】封をする。また、口をふさぐ。「封緘」「緘口」

【△闔(コウ)】とびらを合わせてとじる。

【鎖(サ)】錠(ジョウ)をおろしてしめる。「閉鎖」

【綴(テイ)】つづり合わせる。「綴集」

【杜(ト)】出入り口をとじふさぐ。「杜門」

【△閟(ヒ)・閉(ヘイ)】ぴったりと門をしめる。↔開。「閉門」

【封(フウ)】とじこめる。

ととのえる・ととのう
【△諧(カイ)】調和させる。「諧調」

【斉(セイ)】一様にそろえる。「均斉」

【整(セイ)】きちんとそろえる。「整列」

【調(チョウ)】ほどよく和合させる。完備させる。「調合」「調達」

とどまる・とどめる・とまる・とめる
【△遏(アツ)】進行を中止する。

【止(シ)】足をとめてじっとしている。「停止」

【住(ジュウ)】一所にとどまる。「住着」

【駐(チュウ)】たちとどまる。滞在する。「駐屯」

【停(テイ)】しばらくとどまる。「停戦」

【△逗(トウ)】しばらく足をとめる。「逗留」

【留(リュウ)】一所にゆるりとしている。↔去。「留連」

となえる
【△徇(ジュン)】広くあやまちを告げしらせる。また、さらしものにする。

【称(ショウ)】ほめたたえる。「称賛」

【唱(ショウ)・△倡(ショウ)】人に先だっていう。また、歌をうたう。「夫唱婦随」「倡和」

【△誦(ショウ)】声を出していう。声にふしをつけてよむ。「愛誦」

とぶ
【跳(チョウ)】とびあがる。「跳躍」

【飛(ヒ)】空をとぶ。「飛仙」

とらえる
【△擒(キン)】とりこにする。いけどりにする。

【拘(コウ)】つかまえてとどめておく。「拘留」

【執(シツ)】めしとる。

【囚(シュウ)】とらえて牢(ロウ)に入れる。「囚人」

【捉(ソク)】からめとる。「捕捉」

【捕(ホ)】めしとる。また広く、つかまえる、とらえる。「捕縛」

とる
【采(サイ)・採(サイ)】指でつまみ取る。ひろい取る。えらび取る。「採集」

【撮(サツ)】少量を指でつまみ取る。「撮要」

【執(シツ)】かたくとり守る。「固執」

【取(シュ)】取って自分のものにする。↔捨。「取得」

【摂(セツ)】多くのものをあわせとる。「摂収」

【操(ソウ)】しっかりとり守る。「操持」

【把(ハ)】手のひらににぎり持つ。また、軽く手に持つ。「把持」

【△秉(ヘイ)】＝執。

【捕(ホ)】めしとる。「逮捕」

【△攬(ラン)】手でとる。つまみとる。

ない・なし・なくす・なくなる
【△莫(バク)】[無]より強い。

【微(ビ)】「なかりせば」と仮定の意に読む。

【△勿(ブツ)】「なかれ」と禁止の意に読むことが多い。

【亡(ボウ)・△罔(ボウ)】↔存。

【没(ボツ)】俗語や現代語に用いる。「没有」

【無(ム)・无(ム)・毋(ム)】↔有。[莫][亡][罔][無][无][毋は、勿と同様に「なかれ」と禁止の意にも読む。

なお

【尚】そのうえ。

【△仍】もとのまま。依然として。

【猶・由】今もやはり。また、「なお……ごとし」と再読する場合もある。

なおす・なおる

【治】病気をなおす。修理する。「治療」

【直】ただす。ただしくする。また、曲がっているものをのばす。

ながい

【永】どこまでも細くながく続く。「永巷」ただし、多く時間的にながい意に用いる。「永遠」

【△脩（修）】たけがながい。「脩竹」

【長】形・距離・時間などがながい。↔短。「長駆」「長計」

なく

【泣】涙を流し声をたてないでなく。「感泣」

【哭】大声をあげてなき悲しむ。「哭泣」

【△啼】声をあげてなき続ける。また、鳥や虫がなく。「啼泣」「啼鳥」

【鳴】鳥獣が声を出す。転じて、喜びや悲しみの声をあげる。「悲鳴」

なげく

【慨】胸がいっぱいになってなげく。「慨嘆」

【△慷】いきどおりなげく。「慷慨」

【△嗟】感動する。「嗟嘆」

【嘆・△歎】ためいきをついてなげく。「感嘆」「歎息」

【△慟】ひどく悲しむ。身をふるわして大声でなく。「慟哭」

なやむ

【△懊】心深く思いなやむ。「懊悩」

【△蹇】足がかがまってゆきなやむ。

【悩】あれこれとわずらいなやむ。「苦悩」

ならう

【△肄】練習する。「肄業」

【効・△傚】まねる。まなぶ。先例を学びならう。

【習】くりかえし練習する。「習熟」

【倣】まねする。そのとおりにする。「模倣」

ならぶ・ならべる

【双】似たものが二つならぶ。「天下無双」

【排】きちんとならべる。「排列」

【比】ぴったりとすきまなくならぶ。「櫛比」

【並】横ならびにたちならぶ。「並立」

【△幷・併】二つ以上のものを合わせならべる。「併合」

【△駢】馬を二頭、車にならべつける。転じて、つらなりならぶ。「駢儷」

なれる

【慣】同じことをくりかえしてなれる。習熟する。「習慣」

【△狎】なれしたしむ。なれなれしくする。「狎弄」

【△忸・狃】身をよじらせてなれなれしくする。

【馴】鳥獣が人になれる。転じて広く、なれる意。

【△媟】近づきなれて礼を失う。

【△褻】心やすくなじむ。

におう

【匂】国字で、かおる。香気を発する。また、美しく見える。

【臭】かおりがする。後には主に、くさったにおいがする意に用いる。

にくむ

【悪】いやだと思う。↔愛・好。「嫌悪」

【疾】ねたんでにくらしく思う。

【憎】つくづくいやがる。↔愛。「憎悪」

にげる

【逃】にげてその場をたちのく。「逃亡」

【亡】にげて姿をかくす。「亡命」

【北】敗走する。「敗北」

にる

【似】実物にそっくりである。そのものらしくにている。「似顔」

【肖】子が親ににている。また、顔や形がよくにている。「不肖」

にわか

【△俄】たちまちに。だしぬけに。「俄然」

【△遽】あわてて急いで。「遽然」

【△驟】急に（早足で）やってくる意。「驟雨」

【卒・△猝・暴】思いがけなく突然に。「卒然」「暴落」

ぬく

【△揠】草木の苗のしんをぬく。

【抽】引きだす。「抽出」

【△擢】ぬきだす。高くひきあげる。「抜擢」

【抜】㋐引きぬく。ぬきだす。また、えらびだす。「選抜」㋑城などを落とし除く。

ぬすむ

【△攘】自分の所へ来たものをそのまま自分のものにする。

【△窃】こっそり取る。「窃取」

【△偸・△婾】こっそり中のものを取る。「偸利」

【盗】他人の物を取る。「強盗」

ねたむ

【△嫉】人をそねみにくむ。「嫉視」

【妬】やきもちをやく。女が男をねたみにくむ。「嫉妬」

【△媢】夫が妻をそねみにくむ。転じて、「妬」と同義にも用いる。「媢嫉」

ねる

【△煉】鉱石を火でとかして悪い成分を除き、良い成分をこねあげる。転じて、心をきたえる。また、こね固める。「精煉」「煉瓦」

【練】生糸や絹布を灰汁で煮て白くやわらかにする。転じて、きたえる。「訓練」

【錬】金属をねりきたえる。「製錬」

ね る・ね む る

【寝】ねどこについて横になる。「寝食」

【睡】まぶたをたれてねる。「睡眠」

【△寐】ねむりこむ。ねいる。↕寤（さめる）。

【眠】目をとじてぐっすりとねむる。また、死ぬ。「永眠」

の ぞ む

【△睎】遠方をながめる。

【△覬・△覦】身分不相応のことをねがいのぞむ。「覬覦」

【望】高い所から遠方をながめ見る。「望見」

【臨】㋐高い所から見おろす。また、身分の高い人が、ひくい人の所に出かけてゆく。「臨眺」「臨幸」「臨席」㋑面と向かう。直面する。「臨終」

の ば す・の び る

【延】日時・距離などを引きのばす。「延期」「延長」

【申・伸】まがったものをまっすぐにする。↕屈。「屈伸」「伸長」

【△暢】生長する。また、のびのびする。「暢茂」「暢達」

【展】巻いてあるものをひろげる。「展覧」

の べ る

【演】引きのばす。言葉やしぐさでしき広げる。「口演」「演劇」

【述】うけついでいう。「述作」

【△抒】心に思うことをのべあらわす。「抒情詩」

【叙】順序次第をつけてのべつらねる。「叙事詩」

【申・伸】言う。告げる。言上する。「具申」「追伸」

【宣】広くしき施す。また、衆に対して言う。「宣教」「宣言」

【陳】いちいち説明する。「陳情」

の ぼ る

【升・昇・△陞】高い所にあがる。↕降。［昇］［陞］は、特に官位などに用いる。「昇進」

【上】下から上にあがる。高い方にゆく。↕下。「上達」

【△陟・登】高い所、丘や山などにのぼる。「登高」「登山」

の む

【飲】液体をのむ。「飲酒」

【咽・△嚥】一口ずつのみくだす。「咽（嚥）下」

【喫】酒や茶を飲む。「喫茶」

【△呑】物をまるのみにする。「呑舟の魚」

の る・の せ る

【騎】馬にのる。「騎馬」

【載】車にのる。のぼる。上になる。

【乗】またがる。乗りものにのる。高い所にのる。「乗馬」「乗雲」

は か る

【画】図面を引いて考える。

【△揆】一つのかたに合うかどうかを考える。「揆度」

【議】正しい道を求めて相談する。

【計】くわだてる。みつもる。「計画」

【権・衡】はかりの分銅にかけて軽重をはかるように、事のよろしきをはかる。「権道」

【△咨・諮】上の者が下の者に意見を問いたずねる。「諮問」

【△揣】あれこれとさぐり思案する。「揣摩」

【△諏】たずね問う。「諏訪」

【△詢】人に問いたずねる。「諮詢」

【商】引きくらべて考える。「商量」また、相談する。「商議」

【△銓】人物をはかり調べる。

【測】水の深浅をはかる。転じて、未知のものをおしはかる。「推測」

【△忖】先方の心を推量する。「忖度」

【度】測量したり、計算したりする。また、推量する。「度量」

【図】＝画。「企図」

【△謨】広くはかって計画する。「皇謨」

【謀】くわだてもくろむ。「謀議」

【量・料】心にみつもる。「量知」「料度」

は げ し い

【激】水勢がはげしい。また広く、はげしい意に用いる。「激流」「激烈」

【劇】きびしい。はなはだしい。「劇痛」

【烈】火勢がはげしい。また広く、はげしい意に用いる。「烈火」「烈日」「寒烈」

は じ め・は じ め る・は じ ま る

【一】数のはじめ。転じて、事のはじまり。

【始】物事のおこり。もと。↕終・末。「始業」

【首】第一番。「首席」

【初】事のはじめ。最初。

【創】＝初。新たに事をなしはじめる。「草創」「創建」

【△肇】ひらけはじめ。

【△甫】物事のはじまり。また、「はじめて」と読み、「やっと…になったばかり」の意に用いる。

は し る

【逸】にげさる。それてわきに行く。

【△驟】馬がはやく走る。

【△趨】小走りに行く。目上の人の前を敬意を表して足ばやに進む。

【走】かけてゆく。また、逃げる。「快走」「敗走」

【△迸】一斉に逃げ出す。

【奔】［走］よりも意味が強い。また、男女がかけおちする。「奔走」「出奔」

は じ る

【△愧】心が縮み気がひける。

【△怍】はじて赤くなる。

【△慙】心の切られるような思いをする。申しわけないと思う。

【△忸・△怩】「忸怩」と連用し、心にはじてきまりわるいさま。

【△恧】気はずかしい思いをする。

【羞】はずかしくて身のちぢむ思

いがある。「羞悪」

【恥】気がとがめ、きまり悪く思う。「無恥」

はな
【英】光りかがやくばかりの花。

【花】草木のはな。「桃花」

【華】草木のはなの総称。転じて、はなやか・あでやか。「栄華」

【△葩】はなびら。

はなれる・はなす
【放】束縛からときはなす。「解放」

【離】二つのものが別々になる。別れる。また、遠ざかる。そむきたがう。「別離」「背離」

はやい・はやめる
【快】もたつかないではやくゆく。「快速」

【疾】すばやい。飛ぶようにはやい。「疾風」

【△捷】すばやい。「捷疾」

【迅】目にもとまらぬようにはやい。「迅速」

【早・△蚤】朝はやい。転じて、時刻が早い。↔晩。「早暁」

【速】速度がはやい。「速達」「速報」

はらう
【△禊】みそぎをする。

【△攘】害をなすものをはらい除く。「攘夷」

【△禳】神に祈ってわざわいをはらいのける。

【掃】ほうきではく。転じて、すっかりはらい清める。「掃除」「一掃」

【払】はらいのける。はらい清める。「払拭」

【△祓】神に祈ってわざわいを除く、また、身のけがれを除く。「祓除」

はる
【張】引きのばしてはる。「舗張」

【貼】薄いものをはりつける。「貼布」

ひく
【引】弓をひく。転じて広く、ひっぱる意。

【△曳・△拽】長いものをひきずる。また、ひっぱる。引きよせる。「曳杖」

【援】ひきよせる。「援用」

【牽】前方にひき進める。「牽引」

【△惹】ひきつける。ひきおこす。「惹起」

【△掣】ひきとどめて自由にさせない。「掣肘」

【弾】手ではじく。楽器をならす。「弾奏」

【抽】ひきだす。「抽籤」

【△挽・△輓】ひっぱる。特に、葬式のとき、棺のなわをひく。「挽(輓)歌」

ひげ
【△鬍】あごひげ。

【髭】口ひげ。

【△鬚】あごひげ。

【△髯】ほおひげ。

ひそかに
【陰】かげでこっそりと。「陰謀」

【私】内密に。↔公。「私義」

【窃】人目を盗んでこっそりと。「窃取」

【潜】水にもぐるように、しのびかくれて。「潜行」

【密】＝私。「密行」「密約」

ひとしい
【均】差別なくゆきわたっている。「均一」「均等」

【斉】大小・長短などがそろっている。「斉整」「均斉」

【等】等級などが同じ。「同等」

【△侔】差別がない。

ひとり
【△惸・△煢】身寄りのない者。兄弟のない者。「煢独」

【孤・独】つれのないひとり者。老いて子のない者を［独］、幼くて父に死なれた者を［孤］という。「孤独」また、ひとりぼっち。「独立独歩」

【特】ひとりぼっち。「特立独行」

ひらく
【開】とじたものをあける。↔閉。「開封」

【啓】手びきする。また、おしえる。「啓発」

【△闡】がらっとあける。（不明であったものを）明らかにする。「闡明」

【拓】＝墾。「開拓」

【発】急にひらく。ぱっとひらく。ほぼ［開］と同じ。「発表」「発明」

【披】両方へわけひらく。また、思いをうちあける。「披瀝」

【△闢】はらいのけてひらく。おしひらく。「開闢」

ひろい
【△恢】大きい。「恢調」

【△闊・△豁】からりとひらけている。また、心がひろい。「開闊（豁）」「闊（豁）達」

【寛】ゆったりとしている。「寛大」

【広】限りなくひろい。↔狭。「広大」

【△弘】心がひろく大きい。「弘毅」

【△宏】ひろく大きい。「宏壮」

【△浩】水がひろびろとしている。転じて、［宏］と同じ。「浩然の気」

【博】はばがひろい。また、ひろくゆきわたる。「博識」「博愛」

【汎】あまねくゆきわたる。「汎愛」

ふえる・ふやす
【殖】人や物が多くなる。「繁殖」

【増】つみ重なるように多くなる。「増加」

ふく
【△嘘】いきをゆっくりはく。

【△呴】いきをふきかけてあたためる。

【吹】いきを急にはく。楽器をふく。風がふく。

【噴】口からはき出す。ふき出す。「噴火」

ふさぐ
【△堙】土をかぶせてうめる。うずめる。うずまる。「堙滅」

【塞】土ですきまのないようにふさぎうずめる。「閉塞」

【窒】穴の奥に物が詰まって通じない。とじこめる。「窒息」

【△壅】外と通じないように包み込む。とじへだてる。「壅閉」

ふせぐ

【△扞】ふせぎ守る。

【拒】こばみふせぐ。「拒絶」

【△禦】ふせぎとどめる。「防禦」

【防】あらかじめ用意して守る。「防備」

ふせる・ふす

【△偃・△臥】横にねる。「偃仰」「臥床」

【△仆】たおれふす。

【△俯】うつむく。↕仰。「俯仰」

【伏】地にうつぶせになる。「平伏」

ふね

【△舸】大きなふね。「走舸」

【舟】乗って水を渡る具。「丸木舟」

【船】川の流れにそって上下する船。昔、中国では函谷関から東では舟、西では船といった。

ふむ

【△蹂・△躙】ふみにじる。「蹂躙」

【△躡】一歩一歩ふみしめる。

【△踖】ふみこえる。また、ふみつける。

【△跕】軽くふむ。はきものをつっかけて歩く。

【践】ふみつける。また、ふみ行う。「実践」

【△蹀】ぺたぺたとふみつける。

【踏・△蹈・△蹋】ふみつける。「踏（蹈）査」実地にふんでたしかめる。「踏（蹈）査」

【履】ふみつける。また、ふんでゆく。経験する。「履行」

【△躐】前に行く者のあとをふむ。

ふるう・ふるえる

【揮】手でふりまわす。「揮毫」

【△篩】ふるいにかけてふるう。

【振】ふるい動かす。ぶるぶるふるえる。「振動」

【震】雷鳴がひびきふるう。また、他をおそれさせる。「震動」

【△顫】手足がふるえる。「顫動」

【△掉】ゆり動かす。「掉尾」

【奮】勢いよくふるいたつ。「発奮」

へだたる・へだてる

【隔】中間に物を置いてさえぎる。「隔離」

【距】両者の間がはなれる。また、間をはなす。

ほこる

【△矜】えらぶって自慢する。「矜伐」

【△夸・△誇】自慢して大げさに言う。「誇称」

【伐】てがらを自慢する。

ほしいまま

【横】無理おしにわがまま。「横暴」

【△侈】みだら。よこしま。

【△恣・△肆】わがままかって。「恣意」

【△縦・放】したいほうだい。心のおもむくまま。「放縦」

【△擅】一人でかってにする。「擅断」

ほめる

【賛・△讃】ほめたすける。「賛助」「称賛（讃）」

【称】はやしたてる。ほめたたえて評判を立てる。「称揚」

【△頌】人の徳をほめたたえて述べる。「頌徳碑」

【賞】功績・善行をほめたたえる。また、美しい点をほめあげて楽しむ。「激賞」「鑑賞」

【褒】善をほめすすめる。↕貶（けなす）。「褒貶」

【誉】善を言い表してほめる。↕毀。「毀誉」

ほり

【堀】「ほり」はわが国だけの読み。

【△壕】＝濠。また、陣地などの前にほったみぞ。「塹壕」

【△濠】城壁のまわりにめぐらしたほり。

【△塹】敵の侵入を防ぐために城壁の周囲などに、土を切りとったほり。「塹塁」

まことに

【△允】いかにも。

【固】いうまでもなく。もとより。

【△苟】たしかに。実に。

【実】たしかに。↕虚。

【△洵】幾度くりかえしてもそのとおりに。

【△寔】＝実。

【真】ほんとうに。↕偽。

【△諶】たしかに。実に。

【誠】いつわりなく。心から。↕詐。

【良】まったく。げにも。

【△諒】＝良。

まさに

【応】まさに…べし。きっと…であろう。

【将・且】まさに…す。これから…しようとする。

【正】まさしく。

【適】ちょうどほどよく。

【当】まさに…べし。そうするのが当然だ。

【方】いま現に。ちょうどいま。

まさる

【賢】才知がすぐれる。↕愚。「賢哲」

【勝】相手をしのぐ。↕負。

【△愈】相手よりすぐれぬきでる。

【優】他より力がありあまる。↕劣。「優秀」

まじる（まじわる）・まざる・まぜる

【交】入りこむ。「交錯」

【△淆・混】別々のものがいりまじる。「混淆」「混然」

【錯】入れちがいになる。「錯簡」「錯雑」

【雑】ごっちゃになる。↕純。「雑然」

【△糅】ねっとりまじる。「雑糅」

また

【△亦】…もまた。（上をうけて）こ

れもまた。

【還(カン)】めぐってまたもとへかえって。ふたたび。

【復(フク)】かさねて。ふたたび。

【△也(ヤ)】中世以後、多く詩や俗語で「…もまた」の意に用いる。

【又(ユウ)・有(ユウ)】その上に。さらに。

まつ
【候(コウ)】うかがいまつ。まち迎える。「候迎」

【△俟(シ)】まちもうける。あてにする。

【須(ス)】必要なものを求めてその来るのをまちうける。

【待(タイ)】くるのを心まちにする。「待望」

まるい(まる・し)(まる)
【円(エン)】平面的な、まるい形。「方円」

【丸(ガン)】立体的球形のもの。「丸薬」

【団(ダン)】まるく集まった人や物。かたまり。「集団」「団子」

まわり(まはり)
【回(カイ)】ぐるぐるまわること。

【周(シュウ)】もののぐるり。

みがく
【研(ケン)】すりみがく。転じて、物の理をきわめる。「研究」

【△磋(サ)・△瑳(サ)】やすりで玉石や骨角をみがく。「切磋(瑳)」

【△琢(タク)】つちやのみで玉をけずりみがく。転じて広く、みがきおさめる。「琢磨」

【磨(マ)】といしですりみがく。「磨励」

【△厲(レイ)】あらとでとぎみがく。

みだりに
【△淫(イン)】だらしなく。程度をこえやたらに。

【△叨(トウ)】分不相応にも。かたじけなくも。

【漫(マン)】しまりなく。「漫然」

【妄(モウ)】道理や礼法にはずれて。でたらめに。「妄挙」

【△濫(ラン)】むやみやたらに。「濫伐」

【△猥(ワイ)】かるがるしくなれて。自分の動作をへりくだっていう。また、やたらに。

みだれる(みだ・る)・みだす
【△攪(カク)】かきみだす。「攪乱」

【△擾(ジョウ)】ごたごたとみだれる。「擾乱」

【紛(フン)・△紊(ブン・ビン)】糸がもつれみだれる。もつれみだれる。「紛擾(フンジョウ)」「紊乱」

【乱(ラン)】秩序がみだれる。↕治。「混乱」

みち
【△径(ケイ)】こみち。「行不レ由レ径(ゆくにこみちによらず)」

【△阡(セン)】あぜみち。耕地の間を南北(または東西)に通ずる道。「阡陌(センパク)」

【△迪(テキ)】道路。また、人の道。

【途(ト)】みち。こみち。

【△塗(ト)】=途。

【道(ドウ)】通りみち。また、人が守り行うべき正しい道理。また、方法。手段。

【△陌(ハク)】あぜみち。耕地の間を東西(または南北)に通ずる道。

【倫(リン)】人が守るべき道。「人倫」

【路(ロ)】=道。「通路」「正路」

みちる(み・つ)・みたす
【△盈(エイ)】もりあがるようにいっぱいになる。↕虚。「盈満」

【実(ジツ)】なかがいっぱいにつまる。↕虚。「充実」

【充(ジュウ)】すみずみまでゆきわたる。「充満」

【満(マン)】欠けたところなくいっぱいになる。↕欠。「満潮」

みな
【皆(カイ)】一同。おしなべて。

【△咸(カン)】ことごとく。皆よりやや強い。

【△僉(セン)】そこに集まっている人がそろって。

*「ことごとく」「すべて」も参照のこと。

みる
【看(カン)】手をかざしてよくみる。「看取」

【観(カン)】注意してこまかにみる。[見]よりも[視]、[視]よりも[観]が、より注意してみる。「観察」

【見(ケン)】人が目にとめる。目にふれて認める。「見聞」

【△覯(コウ)】思いがけなくみる。「稀覯(キコウ)」

【視(シ)】気をつけてみる。「視察」

【△矚(ショク)】じっとみる。「矚目」

【診(シン)】病状をしらべる。「診察」

【相(ソウ)】人相などをみて、占う。「相者」

【△睹(ト)】しっかりとみる。「目睹」

【△瞥(ベツ)】ちらりとみる。「瞥見」「一瞥」

【覧(ラン)】よくみる。「博覧」

むかえる(むか・ふ)
【△迓(ガ)・迎(ゲイ)】くる人を出むかえる。「歓迎」

【逆(ギャク)】途中まで出かけてむかえる。まちうける。「逆旅」

【△邀(ヨウ)】途中でまちうける。「邀撃」

むくいる(むく・ゆ)
【酬(シュウ)】杯をかえす。転じて、返答する。「応酬」

【△讎(シュウ)】報復する。「復讎」

【報(ホウ)】恩やうらみをかえす。「報恩」「報酬」

むなしい(むな・し)
【虚(キョ)】なかみがない。↕実・盈(エイ)。「空虚」

【空(クウ)】から。うつろ。↕有。「空間」「空白」

【△曠(コウ)】ひろびろとしてなにもない。「曠野」

【△盅(チュウ)】うつわの中になにもない。

めぐる・めぐらす
【△紆(ウ)】ぐるりとまきつく。

【運(ウン)】まわりながら移ってゆく。「運行」

【△縈(エイ)】うねうねとまがりくねる。「縈回」

【回(カイ)・△廻(カイ)】ぐるぐるまわってもとにかえる。「回(廻)転」

【環(カン)】たまきのようにとりかこむ。また、まわる。「循環」

【周(シュウ)・週(シュウ)】ぐるりとひとまわりする。「周(週)遊」「一周(週)」

【巡(ジュン)】見まわる。「巡視」

【△繞（ジョウ）・△遶（ジョウ）】とりかこむ。
【旋（セン）】ぐるぐると幾度もまわる。「旋回」
【△匝（ソウ）】＝週。
【般（ハン）】円をえがいてまわる。「般旋」
【△繚（リョウ）】＝繞。

もと
【因（イン）】事のおこるもと。「原因」
【下（カ）】下の方。支配・影響のおよぶところ。あたり。ほとり。
【基（キ）】建物の土台。根本。「基本」
【元（ゲン）】はじまり。「根元」
【素（ソ）】はじめ。原料。かざりのない、もとのままのもの。「素材」
【本（ホン）】ねもと。かなめ。↕末。

もとめる（もとむ）
【干（カン）】無理に手に入れようとする。進んでもとめる。「干禄（カンロク）」
【求（キュウ）】自分のものにしようとする。「欲求」
【索（サク）】手づるによってもとめる。さがしもとめる。「探索」
【需（ジュ）】まちもとめる。あてにしてまち望む。「需要」
【△覓（ベキ）】さがしもとめる。＝索。
【要（ヨウ）・△徼（キョウ）】まちかまえてもとめる。「要求」

もの
【者（シャ）】人を指していう。「学者」
【物（ブツ）】天地間にある、いっさいのもの。「万物」

やすい（やすし）**・やすらか**
【安（アン）】あぶなげがない。↕危。「安寧」
【易（イ）】なしやすい。↕難。「平易」
【康（コウ）】からだがじょうぶでやすらか。「安康」「健康」
【△綏（スイ）】もと、車中でつかまるひも。転じて、安定している。
【△靖（セイ）】静かでやすらか。
【泰（タイ）】ゆったりとおちついている。「安泰」「泰然自若」
【寧（ネイ）】無事でおちついている。「寧息」
【廉（レン）】物の値段がやすい。「低廉」

やぶれる（やぶる）**・やぶる**
【壊（カイ）】ばらばらにくずれる。「壊滅」
【毀（キ）】かけこわれる。「毀傷」
【傷（ショウ）】きずつきこわれる。
【破（ハ）】物がうちこわれる。また、物をうちわる。「破毀」
【敗（ハイ）】失敗する。また、戦争にまける。↕成・勝。「成敗」「敗北」
【弊（ヘイ）】衣服がやぶれる。使いふるしてぼろぼろになる。「病弊」

やめる（やむ）**・やむ**
【△已（イ）】中止する。終わる。また、官職をやめる。
【休（キュウ）】仕事や官職をやめる。「休職」
【止（シ）】中止する。廃する。
【辞（ジ）】職を退く。「辞職」
【息（ソク）】終わる。つきたえる。「終息」
【△輟（テツ）】途中でやめる。「輟耕」
【罷（ヒ）】中止する。また、廃止する。また、しりぞける。「罷業」
【△弭（ビ）】はずをはずして戦いをやめる。「弭兵」

ゆく
【往（オウ）】先方へゆく。↕来・復。「往診」
【行（コウ）】歩いてゆく。↕止。「行進」
【△之（シ）・如（ジョ）】目的地があってゆく。
【征（セイ）】旅に出る。「征客」
【逝（セイ）】行って帰らない。死ぬ。「逝去」
【△徂（ソ）】＝往。
【適（テキ）】まっすぐにゆく。
【△邁（マイ）】遠くゆく。「邁進」

ゆずる（ゆづる）
【譲（ジョウ）】自分のものを人に与える。また、へりくだる。「譲与」「謙譲」
【禅（ゼン）】天子の位を有徳者にゆずり与える。「禅譲」
【遜（ソン）】自分が身をひいて人をたてる。「遜位」

ゆたか
【△穣（ジョウ）】穀物がゆたかにみのっている。「豊穣」
【△饒（ジョウ）】ありあまるほど多い。「豊饒」
【△胖（ハン）】ゆったりとしてのびのびしている。
【豊（ホウ）】積み上げたようにたっぷりある。「豊年」「豊富」
【裕（ユウ）】満ちたりている。ありあまる。「余裕」
【優（ユウ）】ゆったりとしてこせつかない。ゆとりがある。「優然」

ゆるす
【許（キョ）】ききいれる。「許諾」
【赦（シャ）】罪やあやまちをゆるす。「赦免」
【釈（シャク）】ときゆるす。「釈放」
【△恕（ジョ）】おおめにみる。思いやりをもってゆるす。「宥恕（ユウジョ）」
【縦（ショウ）】ゆるして自由にする。
【聴（チョウ）】先方の望みをききいれる。「聴許」
【△宥（ユウ）】なだめゆるす。おおめにみる。「宥恕」
【容（ヨウ）】こらえしのんでゆるす。「容赦」

よい（よし）
【可（カ）】まあよい。
【佳（カ）】美しい。できがよい。また、気持ちがよい。「佳作」
【△嘉（カ）】めでたい。りっぱ。「嘉瑞（カズイ）」「嘉言」
【宜（ギ）】このましい。ほどよい。都合がよい。「適宜」
【吉（キツ）】めでたい。↕凶。「吉日」「吉夢」
【好（コウ）】このましい。ほどよい。「好機」
【淑（シュク）】やわらいでしとやか。「淑女」
【善（ゼン）】りっぱ。正しい。↕悪。「善行」
【△臧（ゾウ）】すらりとしてかっこうがよい。転じて広く、よい意。↕否。「臧否」
【美（ビ）】りっぱ。↕醜。「美挙」
【良（リョウ）】ほどよくととのっている。すぐれている。「良妻」
【令（レイ）】りっぱ。「令名」「令聞」

よむ
【詠（エイ）】詩歌をよむ。詩歌を作る。

「詠吟」「詠歌」
【訓】意味を解釈する。また、日本で漢字を日本語にあててよむこと。↕音。「訓読」
【読】声を出して文章などをよむ。「読経」

よる
【依】よりそって離れない。「依存」
【△倚】物にもたれかかる。「倚門」
【因・縁】もとづく。より従う。「因由」「縁起」
【寄】たよって身をよせる。「寄寓」
【拠】よりどころとする。たよる。「根拠」「証拠」
【△寓】＝寄。
【△仍】よりしたがう。＝因。
【△仗】すがりよる。たよる。
【託】言葉をよせてたよる。
【△凭・△馮・△憑】もたれかかる。たよる。「憑拠」
【由】＝因。「由来」
【頼】たのみとする。「信頼」

よろこぶ
【△怡】にこにこよろこぶ。「怡然」
【△懌】心にふかくよろこぶ。
【悦・説】心のしこりがとれてうれしく思う。「喜悦」
【歓・△懽・△驩】声を出しあってよろこぶ。「歓喜」
【喜】うれしがる。↕怒・悲・憂。「喜色」
【△欣】よろこび笑う。うきうきよろこぶ。「欣快」
【慶】めでたいことを祝いよろこぶ。「慶賀」
【予（豫）】やわらぎよろこぶ。「悦予」

わかれる
【岐】ふたまたにわかれる。「分岐点」
【△訣】人とながくわかれる。いとまごいする。また、死別する。「訣別」
【分】いくつかの部分になる。ちらばる。「分離」
【別】はなればなれになる。人とわかれる。「別離」

わく
【△洶】水がさかんにわきたつ。
【沸】水がふき出る。「沸出」また、にえたぎる。「沸騰」
【湧】＝涌。
【△涌】水がもちあがるようにわきでる。

わける・わかつ
【析】すじみちをわける。「分析」
【判】是非善悪を明らかにする。「判定」
【班】いくつかにわける。転じて、分配する。また、席次・順序をわけ定める。「班田」
【頒】わけ与える。上から下にわけあたえる。「頒布」
【分】二つにわける。さき離す。「分割」また、分け与える。くばる。「分配」
【別】かれとこれとをわけはなす。はなればなれにする。「区別」「判別」

わざ
【伎・技】手足を使ってするこまかい細工。てわざ。うでまえ。はたらき。「伎能」
【業】労苦を伴う仕事。しわざ。つとめ。「学業」
【△倆】うでまえ。＝伎。「技倆」

わざわい
【△殃】神からとがめとして受けるわざわい。「殃慶」
【禍】ふしあわせ。災難。↕福。「災禍」
【△孽】＝夭。「夭孽」
【災】火事などのわざわい。また、自然界におこるわざわい。「火災」「天災」
【厄】難儀。くるしみ。「困厄」
【△祅】地上の異変。神がくだすわざわい。まがごと。

わずか・わずかに
【僅】少しばかり。「僅少」
【才・△纔】ようやくやっと。かろうじて。

わずらう・わずらわす
【患】うれえる。思いなやむ。また、病気にかかる。「憂患」
【煩】頭がいらいらする。もだえなやむ。「煩悶」
【累】他に関係を及ぼす。手数をかける。ただし、「わずらう」の用例はない。

わたる
【△亘】こちらから向こうまでとどきわたる。
【済】川をわたりきる。
【渉】川をかちわたりする。「徒渉」
【度・渡】水上を越えて対岸にゆく。転じて広く、わたる意。「度鳥」「渡津」
【弥】ゆきわたる。月日をかさねる。「弥久」

わらう
【△呵】大声でわらう。「呵呵大笑」
【△嗤】あざけりわらう。「嗤笑」
【笑・咲】よろこびわらう。[咲]は、[笑]の古字。「談笑」
【△哂】ほほえむ。また、あざけりわらう。

字体についての解説

一、この項は、平成二十二年十一月三十日に内閣告示の「常用漢字表」前書きに付された、「字体についての解説」の全文である。ここで活字のデザイン間の差異や、活字と楷書との差異について、問題にする必要のないものが例示されている。

二、原文は横書きであるが、ここでは縦書きとした。そのため、一部手を加えた箇所がある。

第1　明朝体のデザインについて

常用漢字表では、個々の漢字の字体（文字の骨組み）を、明朝体のうちの一種を例に用いて示した。現在、一般に使用されている明朝体の各種書体には、同じ字でありながら、微細なところで形の相違の見られるものがある。しかし、各種の明朝体を検討してみると、それらの相違はいずれも書体設計上の表現の差、すなわちデザインの違いに属する事柄であって、字体の違いではないと考えられるものである。つまり、それらの相違は、字体の上からは全く問題にする必要のないものである。以下に、分類して、その例を示す。

なお、ここに挙げているデザイン差は、現実に異なる字形がそれぞれ使われていて、かつ、その実態に配慮すると、字形の異なりを字体の違いと考えなくてもよいと判断したものである。すなわち、実態として存在する異字形を、デザインの差と、字体の差に分けて整理することがその趣旨であり、明朝体字形を新たに作り出す場合に適用し得るデザイン差の範囲を示したものではない。また、ここに挙げているデザイン差は、おおむね「筆写の楷書字形において見ることができる字形の異なり」と捉えることも可能である。

1　へんとつくり等の組合せ方について

（1）大小、高低などに関する例

硬硬　吸吸　頃頃

（2）はなれているか、接触しているかに関する例

睡睡　異異　挨挨

2　点画の組合せ方について

（1）長短に関する例

雪雪雪　満満　無無

斎斎

（2）つけるか、はなすかに関する例

発発　備備　奔奔　溺溺

空空　湿湿　吹吹　冥冥

（3）接触の位置に関する例

岸岸　家家　脈脈脈

蚕蚕　印印　蓋蓋

（4）交わるか、交わらないかに関する例

聴聴　非非　祭祭

存存　孝孝　射射

（5）その他

芽芽芽　夢夢夢

3　点画の性質について

（1）点か、棒（画）かに関する例

帰帰　班班　均均

麗麗　蔑蔑

（2）傾斜、方向に関する例

考考　値値　望望

（3）曲げ方、折り方に関する例

勢勢　競競　頑頑頑

災災

（4）「筆押さえ」等の有無に関する例

芝芝　更更　伎伎

八・八・八　公・公・公　雲・雲

（5）とめるか、はらうかに関する例

環・環　泰・泰　談・談

医・医　継・継　園・園

（6）とめるか、ぬくかに関する例

耳・耳　邦・邦　街・街　餌・餌

（7）はねるか、とめるかに関する例

四・四　配・配　換・換　湾・湾

（8）その他

次・次　姿・姿

4　特定の字種に適用されるデザイン差について

「特定の字種に適用されるデザイン差」とは、以下の（1）～（5）それぞれの字種にのみ適用されるデザイン差のことである。したがって、それぞれに具体的な字形として示されているデザイン差を他の字種にまで及ぼすことはできない。

なお、（4）に掲げる「𠮟」と「叱」は本来別字とされるが、その使用実態から見て、異体の関係にある同字と認めることができる。

（1）牙・牙・牙

（2）韓・韓・韓

（3）茨・茨・茨

（4）𠮟・叱

（5）栃・栃

第2　明朝体と筆写の楷書との関係について

常用漢字表では、個々の漢字の字体（文字の骨組み）を、明朝体のうちの一種を例に用いて示した。このことは、これによって筆写の楷書における書き方の習慣を改めようとするものではない。字体としては同じであっても、1、2に示すように明朝体の字形と筆写の楷書の字形との間には、いろいろな点で違いがある。それらは、印刷文字と手書き文字におけるそれぞれの習慣の相違に基づく表現の差と見るべきものである。

さらに、印刷文字と手書き文字におけるそれぞれの習慣の相違に基づく表現の差は、3に示すように、字体（文字の骨組み）の違いに及ぶ場合もある。

以下に、分類して、それぞれの例を示す。いずれも「明朝体―手書き（筆写の楷書）」という形で、上側に明朝体、下側にそれを手書きした例を示す。

1　明朝体に特徴的な表現の仕方があるもの

（1）折り方に関する例

衣―衣　去―去　玄―玄

（2）点画の組合せ方に関する例

人―人　家―家　北―北

（3）「筆押さえ」等に関する例

芝―芝　史―史

入―入　八―八

（4）曲直に関する例

子―子　手―手　了―了

（5）その他

辶・辶―辶　𥫗―𥫗　心―心

2　筆写の楷書では、いろいろな書き方があるもの

（1）長短に関する例

雨―雨雨　戸―戸戸戸

無―無無

（2）方向に関する例

風―風風　比―比比

仰―仰仰

糸―糸糸　ネ―ネネ

衤―衤衤　主―主主

言―言言言　年―年年年

（3）つけるか、はなすかに関する例

又―又又　文―文文

月―月月

条―条条　保―保保

(4) はらうか、とめるかに関する例

奥―奥奥　公―公公

角―角角　骨―骨骨

(5) はねるか、とめるかに関する例

切―切切切　改―改改改

酒―酒酒　陸―陸陸陸

穴―穴穴穴

木―木木　来―来来

糸―糸糸　牛―牛牛

環―環環

(6) その他

令―令令　外―外外外

女―女女　叱―叱叱叱

3　筆写の楷書字形と印刷文字字形の違いが、字体の違いに及ぶもの

以下に示す例で、括弧内は印刷文字である明朝体の字形に倣って書いたものであるが、筆写の楷書ではどちらの字形で書いても差し支えない。なお、括弧内の字形の方が、筆写字形としても一般的な場合がある。

(1) 方向に関する例

淫―淫（淫）　恣―恣（恣）

煎―煎（煎）　嘲―嘲（嘲）

溺―溺（溺）　蔽―蔽（蔽）

(2) 点画の簡略化に関する例

葛―葛（葛）　嗅―嗅（嗅）

僅―僅（僅）　餌―餌（餌）

箋―箋（箋）　填―填（填）

賭―賭（賭）　頰―頬（頰）

(3) その他

惧―惧（惧）　稽―稽（稽）

詮―詮（詮）　捗―捗（捗）

剝―剥（剝）　喩―喻（喩）

常用漢字一覧

一、この項は、平成二十二年十一月三十日に内閣告示の「常用漢字表」本表に記載された二千百三十六字と、その音訓を示したものである。
二、配列は、「常用漢字表」によった。
三、字音は片仮名で、字訓は平仮名で示した。
四、従来の「常用漢字表」（昭和五十六年告示）に今回新たに追加された字種・音訓は、色刷りで示した。表の末尾には、従来の「常用漢字表」から削除された五字を示した。

【あ行】

漢字	音訓
亜	ア
哀	アイ　あわれ　あわれむ
挨	アイ
愛	アイ
曖	アイ
悪	アク　オ　わるい
握	アク　にぎる
圧	アツ
扱	あつかう
宛	あてる
嵐	あらし
安	アン　やすい
案	アン
暗	アン　くらい
以	イ
衣	イ　ころも
位	イ　くらい
囲	イ　かこむ　かこう
医	イ
依	イ　エ
委	イ　ゆだねる
威	イ
為	イ
畏	イ　おそれる
胃	イ
尉	イ
異	イ　こと
移	イ　うつる　うつす
萎	イ　なえる
偉	イ　えらい
椅	イ
彙	イ
意	イ
違	イ　ちがう　ちがえる
維	イ
慰	イ　なぐさめる　なぐさむ
遺	イ　ユイ
緯	イ
域	イキ
育	イク　そだつ　そだてる　はぐくむ
一	イチ　イツ　ひと　ひとつ
壱	イチ
逸	イツ
茨	いばら
芋	いも
引	イン　ひく　ひける
印	イン　しるし
因	イン　よる
咽	イン
姻	イン
員	イン
院	イン
淫	イン　みだら
陰	イン　かげ　かげる
飲	イン　のむ
隠	イン　かくす　かくれる
韻	イン
右	ウ　ユウ　みぎ
宇	ウ
羽	ウ　は　はね
雨	ウ　あめ　あま
唄	うた
鬱	ウツ
畝	うね
浦	うら
運	ウン　はこぶ
雲	ウン　くも
永	エイ　ながい
泳	エイ　およぐ
英	エイ
映	エイ　うつる　うつす　はえる

栄　エイ　さかえる　はえ　はえる
営　エイ　いとなむ
詠　エイ　よむ
影　エイ　かげ
鋭　エイ　するどい
衛　エイ
易　エキ　イ　やさしい
疫　エキ　ヤク
益　エキ　ヤク
液　エキ
駅　エキ
悦　エツ
越　エツ　こす　こえる
謁　エツ
閲　エツ
円　エン　まるい

延　エン　のびる　のべる　のばす
沿　エン　そう
炎　エン　ほのお
怨　エン　オン
宴　エン
媛　エン
援　エン
園　エン　その
煙　エン　けむる　けむり　けむい
猿　エン　さる
遠　エン　オン　とおい
鉛　エン　なまり
塩　エン　しお
演　エン
縁　エン　ふち

艶　エン　つや
汚　オ　けがす　けがれる　けがらわしい　よごす　よごれる　きたない
王　オウ
凹　オウ
央　オウ
応　オウ　こたえる
往　オウ
押　オウ　おす　おさえる
旺　オウ
欧　オウ
殴　オウ　なぐる
桜　オウ　さくら
翁　オウ
奥　オウ　おく
横　オウ　よこ

岡　おか
屋　オク　や
億　オク
憶　オク
臆　オク
虞　おそれ
乙　オツ
俺　おれ
卸　おろす　おろし
音　オン　イン　おと　ね
恩　オン
温　オン　あたたか　あたたかい　あたたまる　あたためる
穏　オン　おだやか

【か行】

下　カ　ゲ　した　しも　もと　さげる　さがる　くだる　くだす　くださる　おろす　おりる
化　カ　ケ　ばける　ばかす
火　カ　ひ　ほ
加　カ　くわえる　くわわる
可　カ
仮　カ　ケ　かり
何　カ　なに　なん
花　カ　はな
佳　カ
価　カ　あたい
果　カ　はたす　はてる　はて
河　カ　かわ

苛　カ
科　カ
架　カ　かける　かかる
夏　カ　ゲ　なつ
家　カ　ケ　いえ　や
荷　カ　に
華　カ　ケ　はな
菓　カ
貨　カ
渦　カ　うず
過　カ　すぎる　すごす　あやまつ　あやまち
嫁　カ　よめ　とつぐ
暇　カ　ひま
禍　カ
靴　カ　くつ
寡　カ

漢字	読み
歌	カ　うた　うたう
箇	カ
稼	カ　かせぐ
課	カ
蚊	か
牙	ガ　ゲ　きば
瓦	ガ　かわら
我	ガ　われ　わ
画	ガ　カク
芽	ガ　め
賀	ガ
雅	ガ
餓	ガ
介	カイ
回	カイ　エ　まわる　まわす
灰	カイ　はい
会	カイ　エ　あう
快	カイ　こころよい
戒	カイ　いましめる
改	カイ　あらためる　あらたまる
怪	カイ　あやしい　あやしむ
拐	カイ
悔	カイ　くいる　くやむ　くやしい
海	カイ　うみ
界	カイ
皆	カイ　みな
械	カイ
絵	カイ　エ
開	カイ　ひらく　ひらける　あく　あける
階	カイ
塊	カイ　かたまり
楷	カイ
解	カイ　ゲ　とく　とかす　とける
潰	カイ　つぶす　つぶれる
壊	カイ　こわす　こわれる
懐	カイ　ふところ　なつかしい　なつかしむ　なつく　なつける
諧	カイ
貝	かい
外	ガイ　ゲ　そと　ほか　はずす　はずれる
劾	ガイ
害	ガイ
崖	ガイ　がけ
涯	ガイ
街	ガイ　カイ　まち
慨	ガイ
蓋	ガイ　ふた
該	ガイ
概	ガイ
骸	ガイ
垣	かき
柿	かき
各	カク　おのおの
角	カク　かど　つの
拡	カク
革	カク　かわ
格	カク　コウ
核	カク
殻	カク　から
郭	カク
覚	カク　おぼえる　さます　さめる
較	カク
隔	カク　へだてる　へだたる
閣	カク
確	カク　たしか　たしかめる
獲	カク　える
嚇	カク
穫	カク
学	ガク　まなぶ
岳	ガク　たけ
楽	ガク　ラク　たのしい　たのしむ
額	ガク　ひたい
顎	ガク　あご
掛	かける　かかる　かかり
潟	かた
括	カツ
活	カツ
喝	カツ
渇	カツ　かわく
割	カツ　わる　わり　われる　さく
葛	カツ　くず
滑	カツ　コツ　すべる　なめらか
褐	カツ
轄	カツ
且	かつ
株	かぶ
釜	かま
鎌	かま
刈	かる
干	カン　ほす　ひる
刊	カン
甘	カン　あまい　あまえる　あまやかす
汗	カン　あせ
缶	カン
完	カン

漢字	読み
肝	カン　きも
官	カン
冠	カン　かんむり
巻	カン　まく　まき
看	カン
陥	カン　おちいる　おとしいれる
乾	カン　かわく　かわかす
勘	カン
患	カン　わずらう
貫	カン　つらぬく
寒	カン　さむい
喚	カン
堪	カン　たえる
換	カン　かえる　かわる
敢	カン
棺	カン
款	カン
間	カン　ケン　あいだ　ま
閑	カン
勧	カン　すすめる
寛	カン
幹	カン　みき
感	カン
漢	カン
慣	カン　なれる　ならす
管	カン　くだ
関	カン　せき　かかわる
歓	カン
監	カン
緩	カン　ゆるい　ゆるやか　ゆるむ　ゆるめる
憾	カン
還	カン
館	カン　やかた
環	カン
簡	カン
観	カン
韓	カン
艦	カン
鑑	カン　かんがみる
丸	ガン　まる　まるい　まるめる
含	ガン　ふくむ　ふくめる
岸	ガン　きし
岩	ガン　いわ
玩	ガン
眼	ガン　ゲン　まなこ
頑	ガン
顔	ガン　かお
願	ガン　ねがう
企	キ　くわだてる
伎	キ
危	キ　あぶない　あやうい　あやぶむ
机	キ　つくえ
気	キ　ケ
岐	キ
希	キ
忌	キ　いむ　いまわしい
汽	キ
奇	キ
祈	キ　いのる
季	キ
紀	キ
軌	キ
既	キ　すでに
記	キ　しるす
起	キ　おきる　おこる　おこす
飢	キ　うえる
鬼	キ　おに
帰	キ　かえる　かえす
基	キ　もと　もとい
寄	キ　よる　よせる
規	キ
亀	キ　かめ
喜	キ　よろこぶ
幾	キ　いく
揮	キ
期	キ　ゴ
棋	キ
貴	キ　たっとい　とうとい　たっとぶ　とうとぶ
棄	キ
毀	キ
旗	キ　はた
器	キ　うつわ
畿	キ
輝	キ　かがやく
機	キ　はた
騎	キ
技	ギ　わざ
宜	ギ
偽	ギ　いつわる　にせ
欺	ギ　あざむく
義	ギ
疑	ギ　うたがう
儀	ギ
戯	ギ　たわむれる
擬	ギ
犠	ギ

議 ギ
菊 キク
吉 キチ キツ
喫 キツ
詰 キツ つめる つまる つむ
却 キャク
客 キャク カク
脚 キャク キャ あし
逆 ギャク さか さからう
虐 ギャク しいたげる
九 キュウ ク ここの ここのつ
久 キュウ ク ひさしい
及 キュウ およぶ および およぼす
弓 キュウ ゆみ
丘 キュウ おか

旧 キュウ
休 キュウ やすむ やすまる やすめる
吸 キュウ すう
朽 キュウ くちる
臼 キュウ うす
求 キュウ もとめる
究 キュウ きわめる
泣 キュウ なく
急 キュウ いそぐ
級 キュウ
糾 キュウ
宮 キュウ グウ ク みや
救 キュウ すくう
球 キュウ たま
給 キュウ
嗅 キュウ かぐ

窮 キュウ きわめる きわまる
牛 ギュウ うし
去 キョ コ さる
巨 キョ
居 キョ いる
拒 キョ こばむ
拠 キョ コ
挙 キョ あげる あがる
虚 キョ コ
許 キョ ゆるす
距 キョ
魚 ギョ うお さかな
御 ギョ ゴ おん
漁 ギョ リョウ
凶 キョウ
共 キョウ とも

叫 キョウ さけぶ
狂 キョウ くるう くるおしい
京 キョウ ケイ
享 キョウ
供 キョウ ク そなえる とも
協 キョウ
況 キョウ
峡 キョウ
挟 キョウ はさむ はさまる
狭 キョウ せまい せばめる せばまる
恐 キョウ おそれる おそろしい
恭 キョウ うやうやしい
胸 キョウ むね むな
脅 キョウ おびやかす おどす おどかす

強 キョウ ゴウ つよい つよまる つよめる しいる
教 キョウ おしえる おそわる
郷 キョウ ゴウ
境 キョウ ケイ さかい
橋 キョウ はし
矯 キョウ ためる
鏡 キョウ かがみ
競 キョウ ケイ きそう せる
響 キョウ ひびく
驚 キョウ おどろく おどろかす
仰 ギョウ コウ あおぐ おおせ
暁 ギョウ あかつき
業 ギョウ ゴウ わざ
凝 ギョウ こる こらす
曲 キョク まがる まげる

局 キョク
極 キョク ゴク きわめる きわまる きわみ
玉 ギョク たま
巾 キン
斤 キン
均 キン
近 キン ちかい
金 キン コン かね かな
菌 キン
勤 キン ゴン つとめる つとまる
琴 キン こと
筋 キン すじ
僅 キン わずか
禁 キン
緊 キン
錦 キン にしき

漢字	読み
隅	グウ　すみ
遇	グウ
偶	グウ
空	クウ　そら　あく　あける　から
愚	グ　おろか
惧	グ
具	グ
駆	ク　かける　かる
苦	ク　くるしい　くるしむ　くるしめる　にがい　にがる
句	ク
区	ク
銀	ギン
吟	ギン
襟	キン　えり
謹	キン　つつしむ
形	ケイ　ギョウ　かた　かたち
刑	ケイ
兄	ケイ　キョウ　あに
群	グン　むれる　むれ　むら
郡	グン
軍	グン
薫	クン　かおる
勲	クン
訓	クン
君	クン　きみ
繰	くる
熊	くま
窟	クツ
掘	クツ　ほる
屈	クツ
串	くし
軽	ケイ　かるい　かろやか
景	ケイ
敬	ケイ　うやまう
蛍	ケイ　ほたる
経	ケイ　キョウ　へる
渓	ケイ
掲	ケイ　かかげる
啓	ケイ
恵	ケイ　エ　めぐむ
計	ケイ　はかる　はからう
契	ケイ　ちぎる
型	ケイ　かた
係	ケイ　かかる　かかり
茎	ケイ　くき
径	ケイ
系	ケイ
撃	ゲキ　うつ
劇	ゲキ
隙	ゲキ　すき
鯨	ゲイ　くじら
迎	ゲイ　むかえる
芸	ゲイ
鶏	ケイ　にわとり
警	ケイ
憩	ケイ　いこい　いこう
稽	ケイ
憬	ケイ
慶	ケイ
詣	ケイ　もうでる
継	ケイ　つぐ
携	ケイ　たずさえる　たずさわる
傾	ケイ　かたむく　かたむける
肩	ケン　かた
券	ケン
見	ケン　みる　みえる　みせる
件	ケン
犬	ケン　いぬ
月	ゲツ　ガツ　つき
潔	ケツ　いさぎよい
傑	ケツ
結	ケツ　むすぶ　ゆう　ゆわえる
決	ケツ　きめる　きまる
血	ケツ　ち
穴	ケツ　あな
欠	ケツ　かける　かく
桁	けた
激	ゲキ　はげしい
絹	ケン　きぬ
献	ケン　コン
嫌	ケン　ゲン　きらう　いや
検	ケン
堅	ケン　かたい
圏	ケン
険	ケン　けわしい
健	ケン　すこやか
軒	ケン　のき
拳	ケン　こぶし
剣	ケン　つるぎ
兼	ケン　かねる
倹	ケン
県	ケン
研	ケン　とぐ
建	ケン　コン　たてる　たつ

漢字	読み
遣	ケン つかう　つかわす
権	ケン　ゴン
憲	ケン
賢	ケン かしこい
謙	ケン
鍵	ケン かぎ
繭	ケン まゆ
顕	ケン
験	ケン　ゲン
懸	ケン　ケ かける　かかる
元	ゲン　ガン もと
幻	ゲン まぼろし
玄	ゲン
言	ゲン　ゴン いう　こと
弦	ゲン つる
限	ゲン かぎる

漢字	読み
原	ゲン はら
現	ゲン あらわれる あらわす
舷	ゲン
減	ゲン へる　へらす
源	ゲン みなもと
厳	ゲン　ゴン おごそか きびしい
己	コ　キ おのれ
戸	コ と
古	コ ふるい　ふるす
呼	コ よぶ
固	コ かためる かたまる　かたい
股	コ また
虎	コ とら
孤	コ
弧	コ

漢字	読み
故	コ ゆえ
枯	コ かれる　からす
個	コ
庫	コ　ク
湖	コ みずうみ
雇	コ やとう
誇	コ ほこる
鼓	コ つづみ
錮	コ
顧	コ かえりみる
五	ゴ いつ　いつつ
互	ゴ たがい
午	ゴ
呉	ゴ
後	ゴ　コウ のち　うしろ あと　おくれる

漢字	読み
娯	ゴ
悟	ゴ さとる
碁	ゴ
語	ゴ かたる　かたらう
誤	ゴ あやまる
護	ゴ
口	コウ　ク くち
工	コウ　ク
公	コウ おおやけ
勾	コウ
孔	コウ
功	コウ　ク
巧	コウ たくみ
広	コウ ひろい　ひろまる ひろめる ひろがる ひろげる
甲	コウ　カン

漢字	読み
交	コウ まじわる まじえる　まじる まざる　まぜる かう　かわす
光	コウ ひかる　ひかり
向	コウ むく　むける むかう　むこう
后	コウ
好	コウ このむ　すく
江	コウ え
考	コウ かんがえる
行	コウ　ギョウ アン いく　ゆく おこなう
坑	コウ
孝	コウ
抗	コウ
攻	コウ せめる
更	コウ さら　ふける ふかす

漢字	読み
効	コウ きく
幸	コウ さいわい　さち しあわせ
拘	コウ
肯	コウ
侯	コウ
厚	コウ あつい
恒	コウ
洪	コウ
皇	コウ　オウ
紅	コウ　ク べに　くれない
荒	コウ あらい　あれる あらす
郊	コウ
香	コウ　キョウ か　かおり かおる
候	コウ そうろう
校	コウ

耕　コウ　たがやす
航　コウ
貢　コウ　ク　みつぐ
降　コウ　おりる　おろす　ふる
高　コウ　たかい　たか　たかまる　たかめる
康　コウ
控　コウ　ひかえる
梗　コウ
黄　コウ　オウ　き　こ
喉　コウ　のど
慌　コウ　あわてる　あわただしい
港　コウ　みなと
硬　コウ　かたい
絞　コウ　しぼる　しめる　しまる

項　コウ
溝　コウ　みぞ
鉱　コウ
構　コウ　かまえる　かまう
綱　コウ　つな
酵　コウ
稿　コウ
興　コウ　キョウ　おこる　おこす
衡　コウ
鋼　コウ　はがね
講　コウ
購　コウ
乞　こう
号　ゴウ
合　ゴウ　ガッ　カッ　あう　あわす　あわせる
拷　ゴウ

剛　ゴウ
傲　ゴウ
豪　ゴウ
克　コク
告　コク　つげる
谷　コク　たに
刻　コク　きざむ
国　コク　くに
黒　コク　くろ　くろい
穀　コク
酷　コク
獄　ゴク
骨　コツ　ほね
駒　こま
込　こむ　こめる
頃　ころ
今　コン　キン　いま

困　コン　こまる
昆　コン
恨　コン　うらむ　うらめしい
根　コン　ね
婚　コン
混　コン　まじる　まざる　まぜる　こむ
痕　コン　あと
紺　コン
魂　コン　たましい
墾　コン
懇　コン　ねんごろ

【さ行】

左　サ　ひだり
佐　サ
沙　サ

査　サ
砂　サ　シャ　すな
唆　サ　そそのかす
差　サ　さす
詐　サ
鎖　サ　くさり
座　ザ　すわる
挫　ザ
才　サイ
再　サイ　サ　ふたたび
災　サイ　わざわい
妻　サイ　つま
采　サイ
砕　サイ　くだく　くだける
宰　サイ
栽　サイ

彩　サイ　いろどる
採　サイ　とる
済　サイ　すむ　すます
祭　サイ　まつる　まつり
斎　サイ
細　サイ　ほそい　ほそる　こまか　こまかい
菜　サイ　な
最　サイ　もっとも
裁　サイ　たつ　さばく
債　サイ
催　サイ　もよおす
塞　サイ　ソク　ふさぐ　ふさがる
歳　サイ　セイ
載　サイ　のせる　のる
際　サイ　きわ
埼　さい

在	ザイ ある
材	ザイ
剤	ザイ
財	ザイ サイ
罪	ザイ つみ
崎	さき
作	サク サ つくる
削	サク けずる
昨	サク
柵	サク
索	サク
策	サク
酢	サク す
搾	サク しぼる
錯	サク
咲	さく
冊	サツ サク
札	サツ ふだ
刷	サツ する
刹	サツ セツ
拶	サツ
殺	サツ サイ セツ ころす
察	サツ
撮	サツ とる
擦	サツ する すれる
雑	ザツ ゾウ
皿	さら
三	サン み みつ みっつ
山	サン やま
参	サン まいる
桟	サン
蚕	サン かいこ
惨	サン ザン みじめ
産	サン うむ うまれる うぶ
傘	サン かさ
散	サン ちる ちらす ちらかす ちらかる
算	サン
酸	サン すい
賛	サン
残	ザン のこる のこす
斬	ザン きる
暫	ザン
士	シ
子	シ ス こ
支	シ ささえる
止	シ とまる とめる
氏	シ うじ
仕	シ ジ つかえる
史	シ
司	シ
四	シ よ よつ よっつ よん
市	シ いち
矢	シ や
旨	シ むね
死	シ しぬ
糸	シ いと
至	シ いたる
伺	シ うかがう
志	シ こころざす こころざし
私	シ わたくし わたし
使	シ つかう
刺	シ さす ささる
始	シ はじめる はじまる
姉	シ あね
枝	シ えだ
祉	シ
肢	シ
姿	シ すがた
思	シ おもう
指	シ ゆび さす
施	シ セ ほどこす
師	シ
恣	シ
紙	シ かみ
脂	シ あぶら
視	シ
紫	シ むらさき
詞	シ
歯	シ は
嗣	シ
試	シ こころみる ためす
詩	シ
資	シ
飼	シ かう
誌	シ
雌	シ め めす
摯	シ
賜	シ たまわる
諮	シ はかる
示	ジ シ しめす
字	ジ あざ
寺	ジ てら
次	ジ シ つぐ つぎ
耳	ジ みみ
自	ジ シ みずから

似 ジ にる
児 ジ ニ
事 ジ ズ こと
侍 ジ さむらい
治 ジ チ おさめる おさまる なおる なおす
持 ジ もつ
時 ジ とき
滋 ジ
慈 ジ いつくしむ
辞 ジ やめる
磁 ジ
餌 ジ えさ え
璽 ジ
鹿 しか か
式 シキ
識 シキ

軸 ジク
七 シチ なな ななつ なの
𠮟 シツ しかる
失 シツ うしなう
室 シツ むろ
疾 シツ
執 シツ シュウ とる
湿 シツ しめる しめす
嫉 シツ
漆 シツ うるし
質 シツ シチ チ
実 ジツ み みのる
芝 しば
写 シャ うつす うつる
社 シャ やしろ
車 シャ くるま

舎 シャ
者 シャ もの
射 シャ いる
捨 シャ すてる
赦 シャ
斜 シャ ななめ
煮 シャ にる にえる にやす
遮 シャ さえぎる
謝 シャ あやまる
邪 ジャ
蛇 ジャ ダ へび
尺 シャク
借 シャク かりる
酌 シャク くむ
釈 シャク
爵 シャク

若 ジャク ニャク わかい もしくは
弱 ジャク よわい よわる よわまる よわめる
寂 ジャク セキ さび さびしい さびれる
手 シュ て た
主 シュ ス ぬし おも
守 シュ ス まもる もり
朱 シュ
取 シュ とる
狩 シュ かる かり
首 シュ くび
殊 シュ こと
珠 シュ
酒 シュ さけ さか
腫 シュ はれる はらす
種 シュ たね

趣 シュ おもむき
寿 ジュ ことぶき
受 ジュ うける うかる
呪 ジュ のろう
授 ジュ さずける さずかる
需 ジュ
儒 ジュ
樹 ジュ
収 シュウ おさめる おさまる
囚 シュウ
州 シュウ す
舟 シュウ ふね ふな
秀 シュウ ひいでる
周 シュウ まわり
宗 シュウ ソウ

拾 シュウ ジュウ ひろう
秋 シュウ あき
臭 シュウ くさい におう
修 シュウ シュ おさめる おさまる
袖 シュウ そで
終 シュウ おわる おえる
羞 シュウ
習 シュウ ならう
週 シュウ
就 シュウ ジュ つく つける
衆 シュウ シュ
集 シュウ あつまる あつめる つどう
愁 シュウ うれえる うれい
酬 シュウ
醜 シュウ みにくい

蹴　シュウ　ける
襲　シュウ　おそう
十　ジュウ　ジッ　とお　と
汁　ジュウ　しる
充　ジュウ　あてる
住　ジュウ　すむ　すまう
柔　ジュウ　ニュウ　やわらか　やわらかい
重　ジュウ　チョウ　え　おもい　かさねる　かさなる
従　ジュウ　ショウ　ジュ　したがう　したがえる
渋　ジュウ　しぶ　しぶい　しぶる
銃　ジュウ
獣　ジュウ　けもの
縦　ジュウ　たて
叔　シュク

祝　シュク　シュウ　いわう
宿　シュク　やど　やどる　やどす
淑　シュク
粛　シュク
縮　シュク　ちぢむ　ちぢまる　ちぢめる　ちぢれる　ちぢらす
塾　ジュク
熟　ジュク　うれる
出　シュツ　スイ　でる　だす
述　ジュツ　のべる
術　ジュツ
俊　シュン
春　シュン　はる
瞬　シュン　またたく
旬　ジュン　シュン
巡　ジュン　めぐる

盾　ジュン　たて
准　ジュン
殉　ジュン
純　ジュン
循　ジュン
順　ジュン
準　ジュン
潤　ジュン　うるおう　うるおす　うるむ
遵　ジュン
処　ショ
初　ショ　はじめ　はじめて　はつ　うい　そめる
所　ショ　ところ
書　ショ　かく
庶　ショ
暑　ショ　あつい

署　ショ
緒　ショ　チョ　お
諸　ショ
女　ジョ　ニョ　ニョウ　おんな　め
如　ジョ　ニョ
助　ジョ　たすける　たすかる　すけ
序　ジョ
叙　ジョ
徐　ジョ
除　ジョ　ジ　のぞく
小　ショウ　ちいさい　こ　お
升　ショウ　ます
少　ショウ　すくない　すこし
召　ショウ　めす
匠　ショウ
床　ショウ　とこ　ゆか

抄　ショウ
肖　ショウ
尚　ショウ
招　ショウ　まねく
承　ショウ　うけたまわる
昇　ショウ　のぼる
松　ショウ　まつ
沼　ショウ　ぬま
昭　ショウ
宵　ショウ　よい
将　ショウ
消　ショウ　きえる　けす
症　ショウ
祥　ショウ
称　ショウ
笑　ショウ　わらう　えむ
唱　ショウ　となえる

商　ショウ　あきなう
渉　ショウ
章　ショウ
紹　ショウ
訟　ショウ
勝　ショウ　かつ　まさる
掌　ショウ
晶　ショウ
焼　ショウ　やく　やける
焦　ショウ　こげる　こがす　こがれる　あせる
硝　ショウ
粧　ショウ
詔　ショウ　みことのり
証　ショウ
象　ショウ　ゾウ
傷　ショウ　きず　いたむ　いためる

奨 ショウ
照 ショウ てる てらす てれる
詳 ショウ くわしい
彰 ショウ
障 ショウ さわる
憧 ショウ あこがれる
衝 ショウ
賞 ショウ
償 ショウ つぐなう
礁 ショウ
鐘 ショウ かね
上 ジョウ ショウ うえ うわ かみ あげる あがる のぼる のぼせる のぼす
丈 ジョウ たけ
冗 ジョウ
条 ジョウ

状 ジョウ
乗 ジョウ のる のせる
城 ジョウ しろ
浄 ジョウ
剰 ジョウ
常 ジョウ つね とこ
情 ジョウ セイ なさけ
場 ジョウ ば
畳 ジョウ たたむ たたみ
蒸 ジョウ むす むれる むらす
縄 ジョウ なわ
壌 ジョウ
嬢 ジョウ
錠 ジョウ
譲 ジョウ ゆずる
醸 ジョウ かもす

色 ショク シキ いろ
拭 ショク ふく ぬぐう
食 ショク ジキ くう くらう たべる
植 ショク うえる うわる
殖 ショク ふえる ふやす
飾 ショク かざる
触 ショク ふれる さわる
嘱 ショク
織 ショク シキ おる
職 ショク
辱 ジョク はずかしめる
尻 しり
心 シン こころ
申 シン もうす
伸 シン のびる のばす のべる

臣 シン ジン
芯 シン
身 シン み
辛 シン からい
侵 シン おかす
信 シン
津 シン つ
神 シン ジン かみ かん こう
唇 シン くちびる
娠 シン
振 シン ふる ふるう ふれる
浸 シン ひたす ひたる
真 シン ま
針 シン はり
深 シン ふかい ふかまる ふかめる

紳 シン
進 シン すすむ すすめる
森 シン もり
診 シン みる
寝 シン ねる ねかす
慎 シン つつしむ
新 シン あたらしい あらた にい
審 シン
震 シン ふるう ふるえる
薪 シン たきぎ
親 シン おや したしい したしむ
人 ジン ニン ひと
刃 ジン は
仁 ジン ニ
尽 ジン つくす つきる つかす

迅 ジン
甚 ジン はなはだ はなはだしい
陣 ジン
尋 ジン たずねる
腎 ジン
須 ス
図 ズ ト はかる
水 スイ みず
吹 スイ ふく
垂 スイ たれる たらす
炊 スイ たく
帥 スイ
粋 スイ いき
衰 スイ おとろえる
推 スイ おす
酔 スイ よう

遂　スイ　とげる
睡　スイ
穂　スイ　ほ
随　ズイ
髄　ズイ
枢　スウ
崇　スウ
数　スウ　ス　かず　かぞえる
据　すえる　すわる
杉　すぎ
裾　すそ
寸　スン
瀬　せ
是　ゼ
井　セイ　ショウ　い
世　セイ　セ　よ

正　セイ　ショウ　ただしい　ただす　まさ
生　セイ　ショウ　いきる　いかす　いける　うまれる　うむ　おう　はえる　はやす　き　なま
成　セイ　ジョウ　なる　なす
西　セイ　サイ　にし
声　セイ　ショウ　こえ　こわ
制　セイ
姓　セイ　ショウ
征　セイ
性　セイ　ショウ
青　セイ　ショウ　あお　あおい
斉　セイ
政　セイ　ショウ　まつりごと
星　セイ　ショウ　ほし
牲　セイ

省　セイ　ショウ　かえりみる　はぶく
凄　セイ
逝　セイ　ゆく　いく
清　セイ　ショウ　きよい　きよまる　きよめる
盛　セイ　ジョウ　もる　さかる　さかん
婿　セイ　むこ
晴　セイ　はれる　はらす
勢　セイ　いきおい
聖　セイ
誠　セイ　まこと
精　セイ　ショウ
製　セイ
誓　セイ　ちかう
静　セイ　ジョウ　しず　しずか　しずまる　しずめる

請　セイ　シン　こう　うける
整　セイ　ととのえる　ととのう
醒　セイ
税　ゼイ
夕　セキ　ゆう
斥　セキ
石　セキ　シャク　コク　いし
赤　セキ　シャク　あか　あかい　あからむ　あからめる
昔　セキ　シャク　むかし
析　セキ
席　セキ
脊　セキ
隻　セキ
惜　セキ　おしい　おしむ
戚　セキ

責　セキ　せめる
跡　セキ　あと
積　セキ　つむ　つもる
績　セキ
籍　セキ
切　セツ　サイ　きる　きれる
折　セツ　おる　おり　おれる
拙　セツ　つたない
窃　セツ
接　セツ　つぐ
設　セツ　もうける
雪　セツ　ゆき
摂　セツ
節　セツ　セチ　ふし
説　セツ　ゼイ　とく
舌　ゼツ　した

絶　ゼツ　たえる　たやす　たつ
千　セン　ち
川　セン　かわ
仙　セン
占　セン　しめる　うらなう
先　セン　さき
宣　セン
専　セン　もっぱら
泉　セン　いずみ
浅　セン　あさい
洗　セン　あらう
染　セン　そめる　そまる　しみる　しみ
扇　セン　おうぎ
栓　セン
旋　セン

船 セン ふね ふな
戦 セン いくさ たたかう
煎 セン いる
羨 セン うらやむ うらやましい
腺 セン
詮 セン
践 セン
箋 セン
銭 セン ぜに
潜 セン ひそむ もぐる
線 セン
遷 セン
選 セン えらぶ
薦 セン すすめる
繊 セン
鮮 セン あざやか

全 ゼン まったく すべて
前 ゼン まえ
善 ゼン よい
然 ゼン ネン
禅 ゼン
漸 ゼン
膳 ゼン
繕 ゼン つくろう
狙 ソ ねらう
阻 ソ はばむ
祖 ソ
租 ソ
素 ソ ス
措 ソ
粗 ソ あらい
組 ソ くむ くみ
疎 ソ うとい うとむ

訴 ソ うったえる
塑 ソ
遡 ソ さかのぼる
礎 ソ いしずえ
双 ソウ ふた
壮 ソウ
早 ソウ サッ はやい はやまる はやめる
争 ソウ あらそう
走 ソウ はしる
奏 ソウ かなでる
相 ソウ ショウ あい
荘 ソウ
草 ソウ くさ
送 ソウ おくる
倉 ソウ くら
捜 ソウ さがす

挿 ソウ さす
桑 ソウ くわ
巣 ソウ す
掃 ソウ はく
曹 ソウ
曽 ソウ ゾ
爽 ソウ さわやか
窓 ソウ まど
創 ソウ つくる
喪 ソウ も
痩 ソウ やせる
葬 ソウ ほうむる
装 ソウ ショウ よそおう
僧 ソウ
想 ソウ ソ
層 ソウ

総 ソウ
遭 ソウ あう
槽 ソウ
踪 ソウ
操 ソウ みさお あやつる
燥 ソウ
霜 ソウ しも
騒 ソウ さわぐ
藻 ソウ も
造 ゾウ つくる
像 ゾウ
増 ゾウ ます ふえる ふやす
憎 ゾウ にくむ にくい にくらしい にくしみ
蔵 ゾウ くら
贈 ゾウ ソウ おくる

臓 ゾウ
即 ソク
束 ソク たば
足 ソク あし たりる たる たす
促 ソク うながす
則 ソク
息 ソク いき
捉 ソク とらえる
速 ソク はやい はやめる はやまる すみやか
側 ソク がわ
測 ソク はかる
俗 ゾク
族 ゾク
属 ゾク
賊 ゾク

続 ゾク つづく　つづける
卒 ソツ
率 ソツ　リツ　ひきいる
存 ソン　ゾン
村 ソン　むら
孫 ソン　まご
尊 ソン　たっとい　とうとい　たっとぶ　とうとぶ
損 ソン　そこなう　そこねる
遜 ソン

【た行】

他 タ　ほか
多 タ　おおい
汰 タ
打 ダ　うつ
妥 ダ
唾 ダ　つば
堕 ダ
惰 ダ
駄 ダ
太 タイ　タ　ふとい　ふとる
対 タイ　ツイ
体 タイ　テイ　からだ
耐 タイ　たえる
待 タイ　まつ
怠 タイ　おこたる　なまける
胎 タイ
退 タイ　しりぞく　しりぞける
帯 タイ　おびる　おび
泰 タイ
堆 タイ
袋 タイ　ふくろ
逮 タイ
替 タイ　かえる　かわる
貸 タイ　かす
隊 タイ
滞 タイ　とどこおる
態 タイ
戴 タイ
大 ダイ　タイ　おお　おおきい　おおいに
代 ダイ　タイ　かわる　かえる　よ　しろ
台 ダイ　タイ
第 ダイ
題 ダイ
滝 たき
宅 タク
択 タク
沢 タク　さわ
卓 タク
拓 タク
託 タク
濯 タク
諾 ダク
濁 ダク　にごる　にごす
但 ただし
達 タツ
脱 ダツ　ぬぐ　ぬげる
奪 ダツ　うばう
棚 たな
誰 だれ
丹 タン
旦 タン　ダン
担 タン　かつぐ　になう
単 タン
炭 タン　すみ
胆 タン
探 タン　さぐる　さがす
淡 タン　あわい
短 タン　みじかい
嘆 タン　なげく　なげかわしい
端 タン　はし　は　はた
綻 タン　ほころびる
誕 タン
鍛 タン　きたえる
団 ダン　トン
男 ダン　ナン　おとこ
段 ダン
断 ダン　たつ　ことわる
弾 ダン　ひく　はずむ　たま
暖 ダン　あたたか　あたたかい　あたたまる　あたためる
談 ダン
壇 ダン　タン
地 チ　ジ
池 チ　いけ
知 チ　しる
値 チ　ね　あたい
恥 チ　はじる　はじ　はじらう　はずかしい
致 チ　いたす
遅 チ　おくれる　おくらす　おそい
痴 チ
稚 チ
置 チ　おく
緻 チ

竹 チク たけ
畜 チク
逐 チク
蓄 チク たくわえる
築 チク きずく
秩 チツ
窒 チツ
茶 チャ サ
着 チャク ジャク きる きせる つく つける
嫡 チャク
中 チュウ ジュウ なか
仲 チュウ なか
虫 チュウ むし
沖 チュウ おき
宙 チュウ
忠 チュウ

抽 チュウ
注 チュウ そそぐ
昼 チュウ ひる
柱 チュウ はしら
衷 チュウ
酎 チュウ
鋳 チュウ いる
駐 チュウ
著 チョ あらわす いちじるしい
貯 チョ
丁 チョウ テイ
弔 チョウ とむらう
庁 チョウ
兆 チョウ きざす きざし
町 チョウ まち
長 チョウ ながい

挑 チョウ いどむ
帳 チョウ
張 チョウ はる
彫 チョウ ほる
眺 チョウ ながめる
釣 チョウ つる
頂 チョウ いただく いただき
鳥 チョウ とり
朝 チョウ あさ
貼 チョウ はる
超 チョウ こえる こす
腸 チョウ
跳 チョウ はねる とぶ
徴 チョウ
嘲 チョウ あざける
潮 チョウ しお

澄 チョウ すむ すます
調 チョウ しらべる ととのう ととのえる
聴 チョウ きく
懲 チョウ こりる こらす こらしめる
直 チョク ジキ ただちに なおす なおる
勅 チョク
捗 チョク
沈 チン しずむ しずめる
珍 チン めずらしい
朕 チン
陳 チン
賃 チン
鎮 チン しずめる しずまる
追 ツイ おう

椎 ツイ
墜 ツイ
通 ツウ ツ とおる とおす かよう
痛 ツウ いたい いたむ いためる
塚 つか
漬 つける つかる
坪 つぼ
爪 つめ つま
鶴 つる
低 テイ ひくい ひくめる ひくまる
呈 テイ
廷 テイ
弟 テイ ダイ デ おとうと
定 テイ ジョウ さだめる さだまる さだか
底 テイ そこ

抵 テイ
邸 テイ
亭 テイ
貞 テイ
帝 テイ
訂 テイ
庭 テイ にわ
逓 テイ
停 テイ
偵 テイ
堤 テイ つつみ
提 テイ さげる
程 テイ ほど
艇 テイ
締 テイ しまる しめる
諦 テイ あきらめる
泥 デイ どろ

的	テキ まと
笛	テキ ふえ
摘	テキ つむ
滴	テキ しずく したたる
適	テキ
敵	テキ かたき
溺	デキ おぼれる
迭	テツ
哲	テツ
鉄	テツ
徹	テツ
撤	テツ
天	テン あめ あま
典	テン
店	テン みせ
点	テン
展	テン
添	テン そえる そう
転	テン ころがる ころげる ころがす ころぶ
塡	テン
田	デン た
伝	デン つたわる つたえる つたう
殿	デン テン との どの
電	デン
斗	ト
吐	ト はく
妬	ト ねたむ
徒	ト
途	ト
都	ト ツ みやこ
渡	ト わたる わたす
塗	ト ぬる
賭	ト かける
土	ド ト つち
奴	ド
努	ド つとめる
度	ド ト タク たび
怒	ド いかる おこる
刀	トウ かたな
冬	トウ ふゆ
灯	トウ ひ
当	トウ あたる あてる
投	トウ なげる
豆	トウ ズ まめ
東	トウ ひがし
到	トウ
逃	トウ にげる にがす のがす のがれる
倒	トウ たおれる たおす
凍	トウ こおる こごえる
唐	トウ から
島	トウ しま
桃	トウ もも
討	トウ うつ
透	トウ すく すかす すける
党	トウ
悼	トウ いたむ
盗	トウ ぬすむ
陶	トウ
塔	トウ
搭	トウ
棟	トウ むね むな
湯	トウ ゆ
痘	トウ
登	トウ ト のぼる
答	トウ こたえる こたえ
等	トウ ひとしい
筒	トウ つつ
統	トウ すべる
稲	トウ いね いな
踏	トウ ふむ ふまえる
糖	トウ
頭	トウ ズ ト あたま かしら
謄	トウ
藤	トウ ふじ
闘	トウ たたかう
騰	トウ
同	ドウ おなじ
洞	ドウ ほら
胴	ドウ
動	ドウ うごく うごかす
堂	ドウ
童	ドウ わらべ
道	ドウ トウ みち
働	ドウ はたらく
銅	ドウ
導	ドウ みちびく
瞳	ドウ ひとみ
峠	とうげ
匿	トク
特	トク
得	トク える うる
督	トク
徳	トク
篤	トク
毒	ドク
独	ドク ひとり
読	ドク トク トウ よむ

栃 とち
凸 トツ
突 トツ　つく
届 とどける　とどく
屯 トン
豚 トン　ぶた
頓 トン
貪 ドン　むさぼる
鈍 ドン　にぶい　にぶる
曇 ドン　くもる
丼 どんぶり　どん

【な行】

那 ナ
奈 ナ
内 ナイ　ダイ　うち
梨 なし
謎 なぞ
鍋 なべ
南 ナン　ナ　みなみ
軟 ナン　やわらか　やわらかい
難 ナン　かたい　むずかしい
二 ニ　ふた　ふたつ
尼 ニ　あま
弐 ニ
匂 におう
肉 ニク
虹 にじ
日 ニチ　ジツ　ひ　か
入 ニュウ　いる　いれる　はいる
乳 ニュウ　ちち　ち
尿 ニョウ
任 ニン　まかせる　まかす
妊 ニン
忍 ニン　しのぶ　しのばせる
認 ニン　みとめる
寧 ネイ
熱 ネツ　あつい
年 ネン　とし
念 ネン
捻 ネン
粘 ネン　ねばる
燃 ネン　もえる　もやす　もす
悩 ノウ　なやむ　なやます
納 ノウ　ナッ　ナ　ナン　トウ　おさめる　おさまる
能 ノウ
脳 ノウ
農 ノウ
濃 ノウ　こい

【は行】

把 ハ
波 ハ　なみ
派 ハ
破 ハ　やぶる　やぶれる
覇 ハ
馬 バ　うま　ま
婆 バ
罵 バ　ののしる
拝 ハイ　おがむ
杯 ハイ　さかずき
背 ハイ　せ　せい　そむく　そむける
肺 ハイ
俳 ハイ
配 ハイ　くばる
排 ハイ
敗 ハイ　やぶれる
廃 ハイ　すたれる　すたる
輩 ハイ
売 バイ　うる　うれる
倍 バイ
梅 バイ　うめ
培 バイ　つちかう
陪 バイ
媒 バイ
買 バイ　かう
賠 バイ
白 ハク　ビャク　しろ　しら　しろい
伯 ハク
拍 ハク　ヒョウ
泊 ハク　とまる　とめる
迫 ハク　せまる
剥 ハク　はがす　はぐ　はがれる　はげる
舶 ハク
博 ハク　バク
薄 ハク　うすい　うすめる　うすまる　うすらぐ　うすれる
麦 バク　むぎ
漠 バク
縛 バク　しばる
爆 バク
箱 はこ
箸 はし
畑 はた　はたけ
肌 はだ

八　ハチ　や　やつ　やっつ　よう
鉢　ハチ　ハツ
発　ハツ　ホツ
髪　ハツ　かみ
伐　バツ
抜　バツ　ぬく　ぬける　ぬかす　ぬかる
罰　バツ　バチ
閥　バツ
反　ハン　ホン　タン　そる　そらす
半　ハン　なかば
氾　ハン
犯　ハン　おかす
帆　ハン　ほ
汎　ハン
伴　ハン　バン　ともなう
判　ハン　バン

坂　ハン　さか
阪　ハン
板　ハン　バン　いた
版　ハン
班　ハン
畔　ハン
般　ハン
販　ハン
斑　ハン
飯　ハン　めし
搬　ハン
煩　ハン　ボン　わずらう　わずらわす
頒　ハン
範　ハン
繁　ハン
藩　ハン

晩　バン
番　バン
蛮　バン
盤　バン
比　ヒ　くらべる
皮　ヒ　かわ
妃　ヒ
否　ヒ　いな
批　ヒ
彼　ヒ　かれ　かの
披　ヒ
肥　ヒ　こえる　こえ　こやす　こやし
非　ヒ
卑　ヒ　いやしい　いやしむ　いやしめる
飛　ヒ　とぶ　とばす

疲　ヒ　つかれる
秘　ヒ　ひめる
被　ヒ　こうむる
悲　ヒ　かなしい　かなしむ
扉　ヒ　とびら
費　ヒ　ついやす　ついえる
碑　ヒ
罷　ヒ
避　ヒ　さける
尾　ビ　お
眉　ビ　ミ　まゆ
美　ビ　うつくしい
備　ビ　そなえる　そなわる
微　ビ
鼻　ビ　はな

膝　ひざ
肘　ひじ
匹　ヒツ　ひき
必　ヒツ　かならず
泌　ヒツ　ヒ
筆　ヒツ　ふで
姫　ひめ
百　ヒャク
氷　ヒョウ　こおり　ひ
表　ヒョウ　おもて　あらわす　あらわれる
俵　ヒョウ　たわら
票　ヒョウ
評　ヒョウ
漂　ヒョウ　ただよう
標　ヒョウ
苗　ビョウ　なえ　なわ

秒　ビョウ
病　ビョウ　ヘイ　やむ　やまい
描　ビョウ　えがく　かく
猫　ビョウ　ねこ
品　ヒン　しな
浜　ヒン　はま
貧　ヒン　ビン　まずしい
賓　ヒン
頻　ヒン
敏　ビン
瓶　ビン
不　フ　ブ
夫　フ　フウ　おっと
父　フ　ちち
付　フ　つける　つく
布　フ　ぬの

漢字	読み
敷	フ　しく
腐	フ　くさる　くされる　くさらす
普	フ
富	フ　フウ　とむ　とみ
符	フ
婦	フ
浮	フ　うく　うかれる　うかぶ　うかべる
赴	フ　おもむく
負	フ　まける　まかす　おう
訃	フ
附	フ
阜	フ
怖	フ　こわい
府	フ
扶	フ
複	フク
腹	フク　はら
福	フク
復	フク
幅	フク　はば
副	フク
服	フク
伏	フク　ふせる　ふす
風	フウ　フ　かぜ　かざ
封	フウ　ホウ
舞	ブ　まう　まい
部	ブ
武	ブ　ム
侮	ブ　あなどる
譜	フ
賦	フ
膚	フ
文	ブン　モン　ふみ
分	ブン　フン　ブ　わける　わかれる　わかる　わかつ
奮	フン　ふるう
憤	フン　いきどおる
墳	フン
噴	フン　ふく
雰	フン
紛	フン　まぎれる　まぎらす　まぎらわす　まぎらわしい
粉	フン　こ　こな
物	ブツ　モツ　もの
仏	ブツ　ほとけ
沸	フツ　わく　わかす
払	フツ　はらう
覆	フク　おおう　くつがえす　くつがえる
壁	ヘキ　かべ
米	ベイ　マイ　こめ
餅	ヘイ　もち
蔽	ヘイ
弊	ヘイ
幣	ヘイ
塀	ヘイ
閉	ヘイ　とじる　とざす　しめる　しまる
陛	ヘイ
柄	ヘイ　がら　え
並	ヘイ　なみ　ならべる　ならぶ　ならびに
併	ヘイ　あわせる
兵	ヘイ　ヒョウ
平	ヘイ　ビョウ　たいら　ひら
丙	ヘイ
聞	ブン　モン　きく　きこえる
保	ホ　たもつ
歩	ホ　ブ　フ　あるく　あゆむ
勉	ベン
便	ベン　ビン　たより
弁	ベン
編	ヘン　あむ
遍	ヘン
偏	ヘン　かたよる
変	ヘン　かわる　かえる
返	ヘン　かえす　かえる
辺	ヘン　あたり　べ
片	ヘン　かた
蔑	ベツ　さげすむ
別	ベツ　わかれる
癖	ヘキ　くせ
璧	ヘキ
奉	ホウ　ブ　たてまつる
邦	ホウ
芳	ホウ　かんばしい
包	ホウ　つつむ
方	ホウ　かた
簿	ボ
暮	ボ　くれる　くらす
慕	ボ　したう
墓	ボ　はか
募	ボ　つのる
母	ボ　はは
舗	ホ
補	ホ　おぎなう
捕	ホ　とらえる　とらわれる　とる　つかまえる　つかまる
哺	ホ

宝　ホウ　たから
抱　ホウ　だく　いだく　かかえる
放　ホウ　はなす　はなつ　はなれる　ほうる
法　ホウ　ハッ　ホッ
泡　ホウ　あわ
胞　ホウ
俸　ホウ
倣　ホウ　ならう
峰　ホウ　みね
砲　ホウ
崩　ホウ　くずれる　くずす
訪　ホウ　おとずれる　たずねる
報　ホウ　むくいる
蜂　ホウ　はち
豊　ホウ　ゆたか

飽　ホウ　あきる　あかす
褒　ホウ　ほめる
縫　ホウ　ぬう
亡　ボウ　モウ　ない
乏　ボウ　とぼしい
忙　ボウ　いそがしい
坊　ボウ　ボッ
妨　ボウ　さまたげる
忘　ボウ　わすれる
防　ボウ　ふせぐ
房　ボウ　ふさ
肪　ボウ
某　ボウ
冒　ボウ　おかす
剖　ボウ
紡　ボウ　つむぐ

望　ボウ　モウ　のぞむ
傍　ボウ　かたわら
帽　ボウ
棒　ボウ
貿　ボウ
貌　ボウ
暴　ボウ　バク　あばく　あばれる
膨　ボウ　ふくらむ　ふくれる
謀　ボウ　ム　はかる
頬　ほお
北　ホク　きた
木　ボク　モク　き　こ
朴　ボク
牧　ボク　まき
睦　ボク
僕　ボク

墨　ボク　すみ
撲　ボク
没　ボツ
勃　ボツ
堀　ほり
本　ホン　もと
奔　ホン
翻　ホン　ひるがえる　ひるがえす
凡　ボン　ハン
盆　ボン

【ま行】

麻　マ　あさ
摩　マ
磨　マ　みがく
魔　マ

毎　マイ
妹　マイ　いもうと
枚　マイ
昧　マイ
埋　マイ　うめる　うまる　うもれる
幕　マク　バク
膜　マク
枕　まくら
又　また
末　マツ　バツ　すえ
抹　マツ
万　マン　バン
満　マン　みちる　みたす
慢　マン
漫　マン
未　ミ

味　ミ　あじ　あじわう
魅　ミ
岬　みさき
密　ミツ
蜜　ミツ
脈　ミャク
妙　ミョウ
民　ミン　たみ
眠　ミン　ねむる　ねむい
矛　ム　ほこ
務　ム　つとめる　つとまる
無　ム　ブ　ない
夢　ム　ゆめ
霧　ム　きり
娘　むすめ
名　メイ　ミョウ　な

命 メイ ミョウ いのち
明 メイ ミョウ あかり あかるい あかるむ あからむ あきらか あける あく あくる あかす
迷 メイ まよう
冥 メイ ミョウ
盟 メイ
銘 メイ
鳴 メイ なく なる ならす
滅 メツ ほろびる ほろぼす
免 メン まぬかれる
面 メン おも おもて つら
綿 メン わた
麺 メン
茂 モ しげる

模 モ ボ
毛 モウ け
妄 モウ ボウ
盲 モウ
耗 モウ コウ
猛 モウ
網 モウ あみ
目 モク ボク め ま
黙 モク だまる
門 モン かど
紋 モン
問 モン とう とい とん

【や行】

冶 ヤ
夜 ヤ よ よる
野 ヤ の

弥 や
厄 ヤク
役 ヤク エキ
約 ヤク
訳 ヤク わけ
薬 ヤク くすり
躍 ヤク おどる
闇 やみ
由 ユ ユウ ユイ よし
油 ユ あぶら
喩 ユ
愉 ユ
諭 ユ さとす
輸 ユ
癒 ユ いえる いやす
唯 ユイ イ
友 ユウ とも

有 ユウ ウ ある
勇 ユウ いさむ
幽 ユウ
悠 ユウ
郵 ユウ
湧 ユウ わく
猶 ユウ
裕 ユウ
遊 ユウ ユ あそぶ
雄 ユウ お おす
誘 ユウ さそう
憂 ユウ うれえる うれい うい
融 ユウ
優 ユウ やさしい すぐれる
与 ヨ あたえる
予 ヨ

余 ヨ あまる あます
誉 ヨ ほまれ
預 ヨ あずける あずかる
幼 ヨウ おさない
用 ヨウ もちいる
羊 ヨウ ひつじ
妖 ヨウ あやしい
洋 ヨウ
要 ヨウ かなめ いる
容 ヨウ
庸 ヨウ
揚 ヨウ あげる あがる
揺 ヨウ ゆれる ゆる ゆらぐ ゆるぐ ゆする ゆさぶる ゆすぶる
葉 ヨウ は
陽 ヨウ

溶 ヨウ とける とかす とく
腰 ヨウ こし
様 ヨウ さま
瘍 ヨウ
踊 ヨウ おどる おどり
窯 ヨウ かま
養 ヨウ やしなう
擁 ヨウ
謡 ヨウ うたい うたう
曜 ヨウ
抑 ヨク おさえる
沃 ヨク
浴 ヨク あびる あびせる
欲 ヨク ほっする ほしい
翌 ヨク
翼 ヨク つばさ

【ら行】

漢字	読み
拉	ラ
裸	ラ　はだか
羅	ラ
来	ライ　くる　きたる　きたす
雷	ライ　かみなり
頼	ライ　たのむ　たのもしい　たよる
絡	ラク　からむ　からまる　からめる
落	ラク　おちる　おとす
酪	ラク
辣	ラツ
乱	ラン　みだれる　みだす
卵	ラン　たまご
覧	ラン
濫	ラン
藍	ラン　あい
欄	ラン
吏	リ
利	リ　きく
里	リ　さと
理	リ
痢	リ
裏	リ　うら
履	リ　はく
璃	リ
離	リ　はなれる　はなす
陸	リク
立	リツ　リュウ　たつ　たてる
律	リツ　リチ
慄	リツ
略	リャク
柳	リュウ　やなぎ
流	リュウ　ル　ながれる　ながす
留	リュウ　ル　とめる　とまる
竜	リュウ　たつ
粒	リュウ　つぶ
隆	リュウ
硫	リュウ
侶	リョ
旅	リョ　たび
虜	リョ
慮	リョ
了	リョウ
両	リョウ
良	リョウ　よい
料	リョウ
涼	リョウ　すずしい　すずむ
猟	リョウ
陵	リョウ　みささぎ
量	リョウ　はかる
僚	リョウ
領	リョウ
寮	リョウ
療	リョウ
瞭	リョウ
糧	リョウ　ロウ　かて
力	リョク　リキ　ちから
緑	リョク　ロク　みどり
林	リン　はやし
厘	リン
倫	リン
輪	リン　わ
隣	リン　となる　となり
臨	リン　のぞむ
瑠	ル
涙	ルイ　なみだ
累	ルイ
塁	ルイ
類	ルイ　たぐい
令	レイ
礼	レイ　ライ
冷	レイ　つめたい　ひえる　ひや　ひやす　ひやかす　さめる　さます
励	レイ　はげむ　はげます
戻	レイ　もどす　もどる
例	レイ　たとえる
鈴	レイ　リン　すず
零	レイ
霊	レイ　リョウ　たま
隷	レイ
齢	レイ
麗	レイ　うるわしい
暦	レキ　こよみ
歴	レキ
列	レツ
劣	レツ　おとる
烈	レツ
裂	レツ　さく　さける
恋	レン　こう　こい　こいしい
連	レン　つらなる　つらねる　つれる
廉	レン
練	レン　ねる
錬	レン
呂	ロ
炉	ロ
賂	ロ
路	ロ　じ

- 露　ロ　ロウ／つゆ
- 老　ロウ／おいる　ふける
- 労　ロウ
- 弄　ロウ／もてあそぶ
- 郎　ロウ
- 朗　ロウ／ほがらか
- 浪　ロウ
- 廊　ロウ
- 楼　ロウ
- 漏　ロウ／もる　もれる／もらす
- 籠　ロウ／かご　こもる
- 六　ロク／む　むつ　むっつ／むい
- 録　ロク
- 麓　ロク／ふもと
- 論　ロン

【わ行】

- 和　ワ　オ／やわらぐ／やわらげる／なごむ　なごやか
- 話　ワ／はなす　はなし
- 賄　ワイ／まかなう
- 脇　わき
- 惑　ワク／まどう
- 枠　わく
- 湾　ワン
- 腕　ワン／うで

〈削除された字種〉

勺　錘　銑　脹　匁

筆順の原則

一、この項は、文部省著作の『筆順指導の手びき』（昭和三十三年三月）のうち、「4　本書の筆順の原則」を前文を除いて収録したものである。
二、原文は横書きの表形式となっているが、ここでは縦書きにして、体裁も変更した。そのため、原文とは厳密には一致しない箇所がある。

大原則1　上から下へ

上から下へ（上の部分から下の部分へ）書いていく。

a　上の点画から書いていく。

三（一 二 三）言
工（一 丅 工）

b　上の部分から書いていく。

喜（士 吉 吉 壴 喜）
客（宀 安 客）
築（竹 筑 築）

大原則2　左から右へ

左から右へ（左の部分から右の部分へ）書いていく。

a　左の点画から書いていく。

川（丿 川 川）順州
学（、 ⺍ ⺍）挙魚（1234）
帯（一 十 卄 卌）
脈（丿 ⺼ 永）

b　左の部分から書いていく。

竹（ケ 竹）羽

へんがさきで、つくりがあと。（この部類の漢字が最も多い。）

休（亻 休）林語

3つの部分の左から。

例（亻 伢 例）
側湖術

原則1　横画がさき

横画と縦画とが交差する場合は、ほとんどの場合、横画をさきに書く。（横画があとになるのは原則2の場合）

a　横・縦の順

十（一 十）
計古支草
土（一 十 土）
圧至舎周
士（一 十 士）
志吉喜

縦が交差した後にまがっても

七（一 七）切
大（一 ナ 大）太

前後に他の点画が加わっても

告（丿 𠂉 牛 生）
先任庭
木（一 十 木）述
寸（一 寸 寸）寺

b　横・縦・縦の順

あとに書く縦画が2つになっただけ。

共（一 艹 共）散港
編（冂 冂 冊）
花（一 艹）荷
算（一 廾）形鼻

縦画が3つ以上になっても

帯（一 十 卄 卌）
無（仁 無 無）

c　横・横・縦の順

さきに書く横画が2つになっただけ。

用（冂 月 用）通

前後に他の点画が加わっても

末未妹

横画が3つ以上になっても

耕（三 丰 耒）

縦画が交差した後まがっても

夫（二 夫 夫）
春実

d　横・横・縦・縦の順

横・縦ともに2つになったもの

耕（二 井）囲

原則2　横画があと

横画と縦画とが交差したときは、次の場合に限って、横画をあとに書く。

a　田

田（冂 冂 田 田）
男異町細

b　田の発展したもの

由（冂 巾 由 由）
油黄横画

曲（冂巾曲曲曲）
豊農
角（冂⺆円用）解
再（冂币再再再）構

c　王

王（一丅干王）玉
主美差義

d　王の発展したもの

（イ）中の横画が2つになっても

※王（一丅干王王）
進（𠂉什隹隹）
雑集確観

（ロ）縦画が上につきぬけても

馬（厂丌耳馬）駅

（ハ）縦画が2つになっても

※圭（一十丰圭）生
麦表清星
※丑（一十廾卄丑）
寒構

原則3　中がさき
中と左右があって、左右が1、2画である場合は、中をさきに書く。

小（亅小小）少京
示宗糸細
当（丨丷⺌）光常

水（亅才水）氷永
※氺（亅氵氺）緑暴
※乑（亻犭乑）衆

中が2本になっても

業（丨丨业业）
赤（刂小亦）変

中が少し複雑になっても

楽（白泊泊）薬
承（手承承）率

〔例外〕原則3には、2つの例外がある。

忄（丶丷忄）性
火（丷火）火
秋炭焼

原則4　外側がさき
くにがまえのように囲む形をとるものは、さきに書く。

国（冂国国）因
同（冂同）円
内（冂内）肉納
司（𠃌司）詞羽

「日」や「月」なども、これに含まれると考えてよい。

日月目田

注　「区」は右のように書く。「医」も同じ。

区（一ヌ区）

原則5　左払いがさき
左払いと右払いとが交差する場合は、左払いをさきに書く。

文（亠ナ文）父
故支収処

左払いと右払いとが接した場合も同じ。

人入欠金

原則6　つらぬく縦画は最後
字の全体をつらぬく縦画は、最後に書く。

中（口中）申神
車半事建

下の方がとまっても

書（聿聿）妻

上の方がとまっても

平（丷平）評
羊洋達拝

上にも、下にも、つきぬけない縦画は、上部・縦画・下部の順で書く。

手（三手）争

里（日甲里）野黒
重（亠亩重）動
謹（廿苎堇）勤

注　「堇」と「莫」との違い

漢（廿苎莫）難

原則7　つらぬく横画は最後
字の全体をつらぬく横画は、最後に書く。

女（く女）安努
子（了子）字存
母毎海慣
舟→舟船与

注　世だけは違う。

世（一廿世）

原則8　横画と左払い
横画が長く、左払いが短い字では、左払いをさきに書く。

右（ノナ右）
有布希

横画が短く、左払いが長い字では、横画をさきに書く。

左（一ナ左）
友在存抜

特に注意すべき筆順

A　広く用いられる筆順が、2つ以上あるものについて

1　（A）の字は、もともとイの筆順だけである。

(A) **止正足走武**

（丨卜）……㋑

（B）の字は㋑も㋺も行われるが、本書では（A）にあわせて、㋑をとる。

(B) **上点店**

（丨卜）……㋑

（一卜）……㋺

注　ただし、行書になると、ロの方が多く用いられる。

上点店

2　「耳」（a）は㋑の筆順が普通である。

(a) **耳**（𦘒耳）……㋑

みみへん（b）は㋑も㋺も行われるが、本書では（a）にあわせて、㋑をとる。

(b) **取最職厳**

（𦘒耳）……㋑

（丌耳）……㋺

3　「必」の筆順は、いろいろあるが、㋩は熟しておらず、㋺よりも㋑が形をとりやすいので、本書では㋑をとる。

必

（丶ソ义义必）……㋑

（丿乂义义必）……㋺

その他（心必）……㋩

4　はつがしらの筆順は、いろいろあるが、本書では、左半と対称的で、かつ最も自然な㋑をとる。

発登

（癶癶癶）……㋑

（癶癶癶）……㋺

（癶癶癶）……㋩

注　「祭」のかしらは、原則5によって、次の筆順になる。

祭（夕癶）

5　「感」の筆順には、㋑と㋺とがあるが、本書では、字体表の字体と一致し、大原則1にそう㋑をとる。

感

（后咸感）……㋑

（后感感）……㋺

注　当用漢字別表にはないが、「盛」も同じである。

盛

厂成盛

厂成盛

6　「馬」の筆順には、㋑や㋺などがあるが、本書では、大原則1にそう㋑をとる。

馬

（厂耳馬）……㋑

（厂耳馬）……㋺

注　このようにすれば「隹」とも共通する。

隹（亻什隹隹）

7　「無」の筆順には、㋑や㋺などがあるが、本書では大原則1にそう㋑をとる。

無

（𠂉無無）……㋑

（𠂉𠂉無）……㋺

8　「興」の筆順としては、㋑と㋺とが考えられるが、本書では大原則2にそう㋑をとる。

興

（𦥑興興）……㋑

（同興興）……㋺

B　原則では説明できないもの

1　にょうには、さきに書くにょう（a）と、あとに書くにょう（b）とがある。

(a) **久走免是**

処起勉題

(b) **辶廴乚**

近建直

2　さきに書く左払い（a）と、あとに書く左払い（b）とがある。

(a) **九及**

(b) **力刀万方別**

送り仮名の付け方

一、この項は、「一般の社会生活において現代の国語を書き表すための送り仮名の付け方のよりどころ」として、昭和四十八年六月十八日に内閣告示され、その後、昭和五十六年十月一日・平成二十二年十一月三十日に一部改正された「送り仮名の付け方」の全文である。
二、原文は横書きであるが、ここでは縦書きとした。そのため、＊や△の表示の位置など、一部、手を加えた箇所がある。

前書き

一 この「送り仮名の付け方」は、法令・公用文書・新聞・雑誌・放送など、一般の社会生活において、「常用漢字表」の音訓によって現代の国語を書き表す場合の送り仮名の付け方のよりどころを示すものである。
二 この「送り仮名の付け方」は、科学・技術・芸術その他の各種専門分野や個々人の表記にまで及ぼそうとするものではない。
三 この「送り仮名の付け方」は、漢字を記号的に用いたり、表に記入したりする場合や、固有名詞を書き表す場合を対象としていない。

「本文」の見方及び使い方

一 この「送り仮名の付け方」の本文の構成は、次のとおりである。

単独の語

1 活用のある語

通則1 (活用語尾を送る語に関するもの)
通則2 (派生・対応の関係を考慮して、活用語尾の前の部分から送る語に関するもの)

2 活用のない語

通則3 (名詞であって、送り仮名を付けない語に関するもの)
通則4 (活用のある語から転じた名詞であって、もとの語の送り仮名の付け方によって送る語に関するもの)
通則5 (副詞・連体詞・接続詞に関するもの)

複合の語

通則6 (単独の語の送り仮名の付け方による語に関するもの)
通則7 (慣用に従って送り仮名を付けない語に関するもの)

付表の語

1 (送り仮名を付ける語に関するもの)
2 (送り仮名を付けない語に関するもの)

二 通則とは、単独の語及び複合の語の別、活用のある語及び活用のない語の別等に応じて考えた送り仮名の付け方に関する基本的な法則をいい、必要に応じ、例外的な事項又は許容的な事項を加えてある。
したがって、各通則には、本則のほか、必要に応じて例外及び許容を設けた。ただし、通則7は、通則6の例外に当たるものであるが、該当する語が多数に上るので、別の通則として立てたものである。
三 この「送り仮名の付け方」で用いた用語の意義は、次のとおりである。

単独の語・・・漢字の音又は訓を単独に用いて、漢字一字で書き表す語をいう。

複合の語・・・漢字の訓と訓、音と訓などを複合させ、漢字二字以上を用いて書き表す語をいう。

付表の語・・・「常用漢字表」の付表に掲げてある語のうち、送り仮名の付け方が問題となる語をいう。

活用のある語・・・動詞・形容詞・形容動詞をいう。

活用のない語・・・名詞・副詞・連体詞・接続詞をいう。

本　則・・・送り仮名の付け方の基本的な法則と考えられるものをいう。

例　外・・・本則には合わないが、慣用として行われていると認められるものであって、本則によらず、これによるものをいう。

許　容・・・本則による形とともに、慣用として行われていると認められるものであって、本則以外に、これによってよいものをいう。

四 単独の語及び複合の語を通じて、字音を含む語は、その字音の部分には送り仮名を要しないのであるから、必要のない限り触れていない。

五 各通則において、送り仮名の付け方が許容によることのできる語については、本則又は許容のいずれに従ってもよいが、個々の語に適用するに当たって、許容に従ってよいかどうか判断し難い場合には、本則によるものとする。

本文

単独の語

1 活用のある語

通則1

本則 活用のある語（通則2を適用する語を除く。）は、活用語尾を送る。

〔例〕 憤る 承る 書く 実る 催す
生きる 陥れる 考える 助ける
荒い 潔い 賢い 濃い
主だ

例外（1） 語幹が「し」で終わる形容詞は、「し」から送る。

〔例〕 著しい 惜しい 悔しい 恋しい 珍しい

（2） 活用語尾の前に「か」、「やか」、「らか」を含む形容動詞は、その音節から送る。

〔例〕 暖かだ 細かだ 静かだ
穏やかだ 健やかだ 和やかだ
明らかだ 平らかだ 滑らかだ 柔らかだ

（3） 次の語は、次に示すように送る。

明らむ 味わう 哀れむ 慈しむ 教わる 脅かす（おどかす） 脅かす（おびやかす） 関わる 食らう 異なる 逆らう 捕まる 群がる 和らぐ 揺する
明るい 危ない 危うい 大きい 少ない 小さい 冷たい 平たい
新ただ 同じだ 盛んだ 平らだ 懇ろだ 惨めだ
哀れだ 幸いだ 幸せだ 巧みだ

許容 次の語は、（ ）の中に示すように、活用語尾の前の音節から送ることができる。

表す（表わす） 著す（著わす） 現れる（現われる） 行う（行なう） 断る（断わる） 賜る（賜わる）

（注意） 語幹と活用語尾との区別がつかない動詞は、例えば、「着る」、「寝る」、「来る」などのように送る。

通則2

本則 活用語尾以外の部分に他の語を含む語は、含まれている語の送り仮名の付け方によって送る。（含まれている語を〔 〕の中に示す。）

〔例〕

（1） 動詞の活用形又はそれに準ずるものを含むもの。

動かす〔動く〕 照らす〔照る〕
語らう〔語る〕 計らう〔計る〕 向かう〔向く〕
浮かぶ〔浮く〕
生まれる〔生む〕 押さえる〔押す〕 捕らえる〔捕る〕
勇ましい〔勇む〕 輝かしい〔輝く〕 喜ばしい〔喜ぶ〕
晴れやかだ〔晴れる〕
及ぼす〔及ぶ〕 積もる〔積む〕 聞こえる〔聞く〕
頼もしい〔頼む〕
起こる〔起きる〕 落とす〔落ちる〕
暮らす〔暮れる〕 冷やす〔冷える〕
当たる〔当てる〕 終わる〔終える〕 変わる〔変える〕
集まる〔集める〕 定まる〔定める〕 連なる〔連ねる〕 交わる〔交える〕
混ざる・混じる〔混ぜる〕
恐ろしい〔恐れる〕

（2） 形容詞・形容動詞の語幹を含むもの。

重んずる〔重い〕　若やぐ〔若い〕
怪しむ〔怪しい〕　悲しむ〔悲しい〕　苦しがる〔苦しい〕
確かめる〔確かだ〕
重たい〔重い〕　憎らしい〔憎い〕　古めかしい〔古い〕
細かい〔細かだ〕　柔らかい〔柔らかだ〕
清らかだ〔清い〕　高らかだ〔高い〕　寂しげだ〔寂しい〕

（3）名詞を含むもの。
汗ばむ〔汗〕　先んずる〔先〕　春めく〔春〕
男らしい〔男〕　後ろめたい〔後ろ〕

許容　読み間違えるおそれのない場合は、活用語尾以外の部分について、次の（　）の中に示すように、送り仮名を省くことができる。
〔例〕浮かぶ（浮ぶ）　生まれる（生れる）　押さえる（押える）
捕らえる（捕える）
晴れやかだ（晴やかだ）
積もる（積る）　聞こえる（聞える）
起こる（起る）　落とす（落す）　暮らす（暮す）　当たる（当る）　終わる（終る）　変わる（変る）

（注意）次の語は、それぞれの〔　〕の中に示す語を含むものとは考えず、通則1によるものとする。
明るい〔明ける〕　荒い〔荒れる〕　悔しい〔悔いる〕　恋しい〔恋う〕

2　活用のない語

通則3

本則　名詞（通則4を適用する語を除く。）は、送り仮名を付けない。
〔例〕月　鳥　花　山
男　女
彼　何

例外（1）次の語は、最後の音節を送る。
辺り　哀れ　勢い　幾ら　後ろ　傍ら　幸い　幸せ　全て　互い　便り　半ば　情け　斜め　独り　誉れ　自ら　災い

（2）数をかぞえる「つ」を含む名詞は、その「つ」を送る。
〔例〕一つ　二つ　三つ　幾つ

通則4

本則　活用のある語から転じた名詞及び活用のある語に「さ」、「み」、「げ」などの接尾語が付いて名詞になったものは、もとの語の送り仮名の付け方によって送る。
〔例〕
（1）活用のある語から転じたもの。
動き　仰せ　恐れ　薫り　曇り　調べ　届け　願い　晴れ
当たり　代わり　向かい
狩り　答え　問い　祭り　群れ
憩い　愁い　憂い　香り　極み　初め
近く　遠く
（2）「さ」、「み」、「げ」などの接尾語が付いたもの。
暑さ　大きさ　正しさ　確かさ
明るみ　重み　憎しみ
惜しげ

例外　次の語は、送り仮名を付けない。
謡　虞　趣　氷　印　頂　帯　畳
卸　煙　恋　志　次　隣　富　恥　話　光　舞
折　係　掛（かかり）　組　肥　並（なみ）　巻　割

（注意）ここに掲げた「組」は、「花の組」、「赤の組」などのように使った場合の「くみ」であり、例えば、「活字の組みがゆるむ。」などとして使う場合の「くみ」を意味するものではない。「光」、「折」、「係」なども、同様に動詞の意識が残っているような使い方の場合は、この例外に該当しない。したがって、本則を適用して送り仮名を付ける。

許容　読み間違えるおそれのない場合は、次の（　）の中に示すように、送り仮名を省くことができる。
〔例〕曇り（曇）　届け（届）　願い（願）　晴れ（晴）
当たり（当り）　代わり（代り）　向かい（向い）

狩り（狩）　答え（答）　問い（問）　祭り（祭）　群れ（群）
憩い（憩）

通則5

本則　副詞・連体詞・接続詞は、最後の音節を送る。

〔例〕必ず　更に　少し　既に　再び　全く　最も
来る　去る
及び　且つ　但し

例外（1）次の語は、次に示すように送る。
明くる　大いに　直ちに　並びに　若しくは

（2）次の語は、送り仮名を付けない。
又

（3）次のように、他の語を含む語は、含まれている語の送り仮名の付け方によって送る。（含まれている語を〔　〕の中に示す。）

〔例〕併せて〔併せる〕　至って〔至る〕　恐らく〔恐れる〕　従って〔従う〕　絶えず〔絶える〕　例えば〔例える〕　努めて〔努める〕
辛うじて〔辛い〕　少なくとも〔少ない〕
互いに〔互い〕
必ずしも〔必ず〕

複合の語

通則6

本則　複合の語（通則7を適用する語を除く。）の送り仮名は、その複合の語を書き表す漢字の、それぞれの音訓を用いた単独の語の送り仮名の付け方による。

〔例〕
（1）活用のある語
書き抜く　流れ込む　申し込む　打ち合わせる　向かい合わせる　長引く　若返る　裏切る　旅立つ
聞き苦しい　薄暗い　草深い　心細い　待ち遠しい
軽々しい　若々しい　女々しい
気軽だ　望み薄だ

（2）活用のない語
石橋　竹馬　山津波　後ろ姿　斜め左　花便り　独り言
卸商　水煙　目印
田植え　封切り　物知り　落書き　雨上がり　墓参り　日当たり　夜明かし　先駆け　巣立ち　手渡し
入り江　飛び火　教え子　合わせ鏡　生き物　落ち葉　預かり金
寒空　深情け
愚か者
行き帰り　伸び縮み　乗り降り　抜け駆け　作り笑い　暮らし向き　売り上げ　取り扱い　乗り換え　引き換え　歩み寄り　申し込み　移り変わり
長生き　早起き　苦し紛れ　大写し
粘り強さ　有り難み　待ち遠しさ
乳飲み子　無理強い　立ち居振る舞い　呼び出し電話
次々　常々
近々　深々
休み休み　行く行く

許容　読み間違えるおそれのない場合は、次の（　）の中に示すように、送り仮名を省くことができる。

〔例〕書き抜く（書抜く）　申し込む（申込む）　打ち合わせる（打ち合せる・打合せる）　向かい合わせる（向い合せる）　聞き苦しい（聞苦しい）　待ち遠しい（待遠しい）
田植え（田植）　封切り（封切）　落書き（落書）　雨上がり（雨上り）　日当たり（日当り）　夜明かし（夜明し）
入り江（入江）　飛び火（飛火）　合わせ鏡（合せ鏡）　預かり金（預り金）
抜け駆け（抜駆け）　暮らし向き（暮し向き）　売り上げ（売上げ・売上）　取り扱い（取扱い・取扱）　乗り換え（乗換え・

乗換） 引き換え（引換え・引換） 申し込み（申込み・申込）
移り変わり（移り変り）
有り難み（有難み） 待ち遠しさ（待遠しさ）
立ち居振る舞い（立ち居振舞い・立ち居振舞・立居振舞） 呼び出し電話（呼出し電話・呼出電話）

（注意）「こけら落とし（こけら落し）」、「さび止め」、「洗いざらし」、「打ちひも」のように前又は後ろの部分を仮名で書く場合は、他の部分については、単独の語の送り仮名の付け方による。

通則7
複合の語のうち、次のような名詞は、慣用に従って、送り仮名を付けない。

〔例〕
（1）特定の領域の語で、慣用が固定していると認められるもの。
ア 地位・身分・役職等の名。
関取 頭取 取締役 事務取扱
イ 工芸品の名に用いられた「織」、「染」、「塗」等。
《博多》織 《型絵》染 《春慶》塗 《鎌倉》彫 《備前》焼
ウ その他。
書留 気付 切手 消印 小包 振替 切符 踏切
請負 売値 買値 仲買 歩合 両替 割引 組合 手当
倉敷料 作付面積
売上《高》 貸付《金》 借入《金》 繰越《金》 小売《商》 積立《金》 取扱《所》 取扱《注意》 取次《店》
取引《所》 乗換《駅》 乗組《員》 引受《人》 引受《時刻》 引換《券》 《代金》引換 振出《人》 待合《室》
見積《書》 申込《書》
（2）一般に、慣用が固定していると認められるもの。
奥書 木立 子守 献立 座敷 試合 字引 場合 羽織 葉巻 番組 番付 日付 水引 物置 物語 役割 屋敷 夕立 割合
合図 合間 植木 置物 織物 貸家 敷石 敷地 敷物 立場 建物 並木 巻紙
受付 受取
浮世絵 絵巻物 仕立屋

（注意）
（1）「《博多》織」、「売上《高》」などのようにして掲げたものは、《 》の中を他の漢字で置き換えた場合にも、この通則を適用する。
（2）通則7を適用する語は、例として挙げたものだけで尽くしてはいない。したがって、慣用が固定していると認められる限り、類推して同類の語にも及ぼすものである。通則7を適用してよいかどうか判断し難い場合には、通則6を適用する。

付表の語
「常用漢字表」の「付表」に掲げてある語のうち、送り仮名の付け方が問題となる次の語は、次のようにする。
1 次の語は、次に示すように送る。
浮つく お巡りさん 差し支える 立ち退く 手伝う 最寄り
なお、次の語は、（ ）の中に示すように、送り仮名を省くことができる。
差し支える（差支える） 立ち退く（立退く）
2 次の語は、送り仮名を付けない。
息吹 桟敷 時雨 築山 名残 雪崩 吹雪 迷子 行方

中国歴史地図

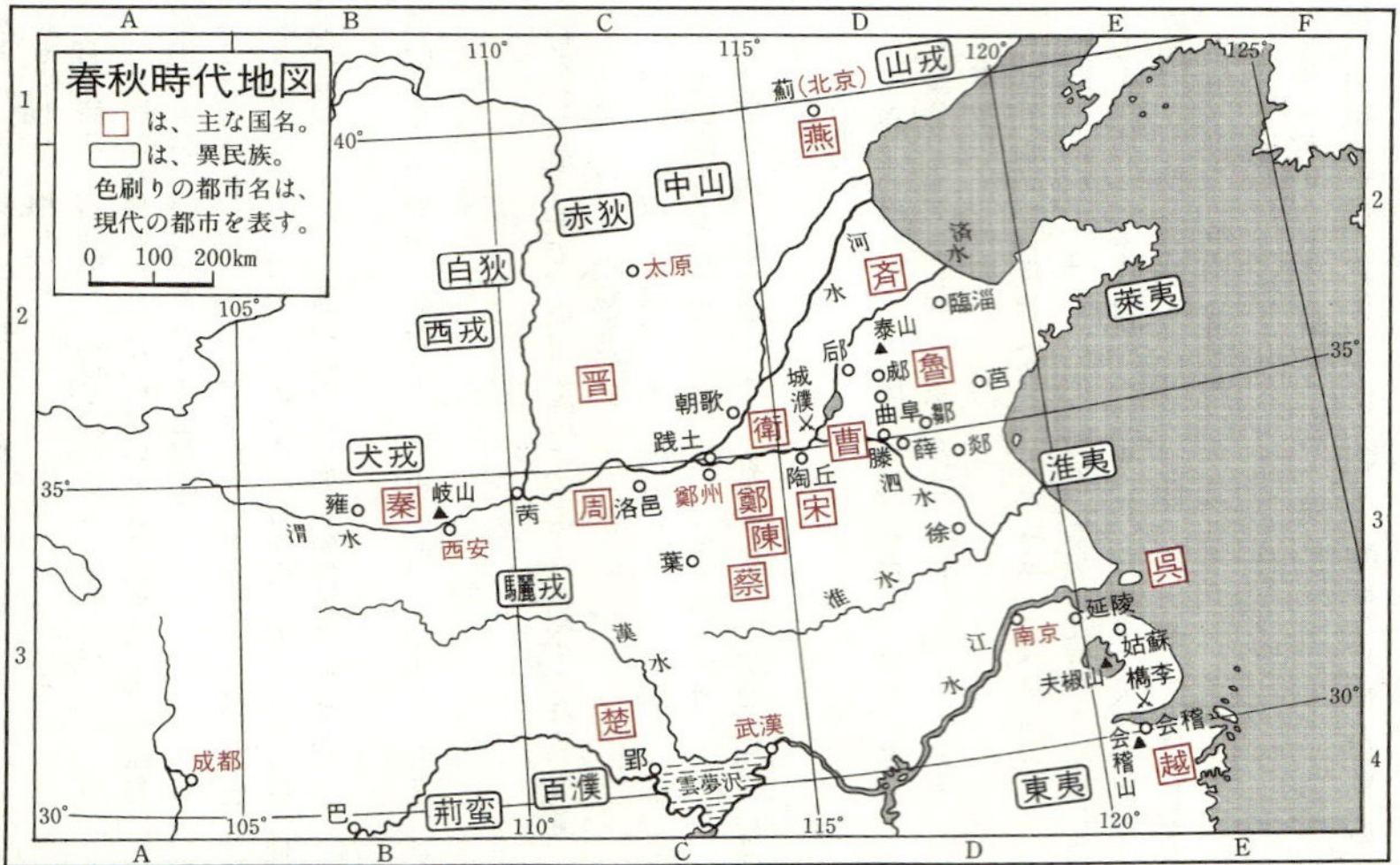
春秋時代地図
□は、主な国名。
□は、異民族。
色刷りの都市名は、現代の都市を表す。
0 100 200km
薊(北京)
山戎
燕
中山
赤狄
白狄
西戎
太原
済水
河水
斉
臨淄
萊夷
泰山
邱
城濮
魯
莒
郕
曲阜
鄅
晋
朝歌
衛
曹
践土
薛
郯
犬戎
陶丘
滕
淮夷
泗水
雍
秦
岐山
芮
周
洛邑
鄭州
鄭
宋
渭水
西安
陳
徐
葉
蔡
驪戎
淮水
呉
延陵
漢水
南京
江水
姑蘇
夫椒山
檇李
楚
武漢
会稽
会稽山
越
成都
郢
雲夢沢
百濮
東夷
巴
荊蛮

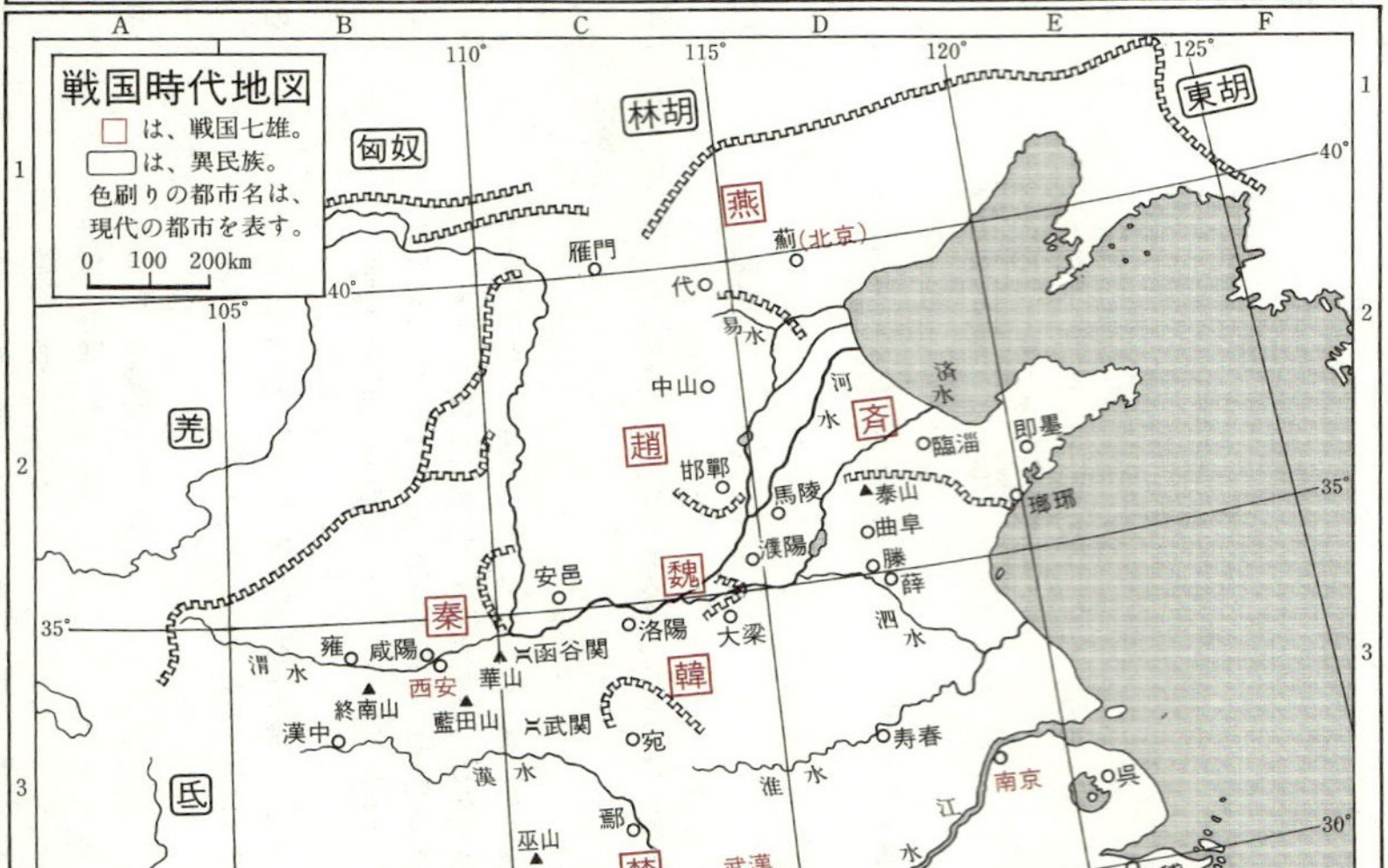
戦国時代地図
□は、戦国七雄。
□は、異民族。
色刷りの都市名は、現代の都市を表す。
0 100 200km
林胡
東胡
匈奴
燕
薊(北京)
雁門
代
易水
済水
中山
河水
斉
羌
趙
臨淄
即墨
邯鄲
馬陵
泰山
瑯琊
曲阜
濮陽
滕
安邑
魏
薛
秦
洛陽
大梁
泗水
雍
咸陽
函谷関
渭水
西安
華山
韓
終南山
藍田山
武関
漢中
宛
寿春
漢水
淮水
南京
呉
氐
鄢
江水
巫山
楚
武漢
会稽
成都
夷陵
郢
閩越
巴
汨羅

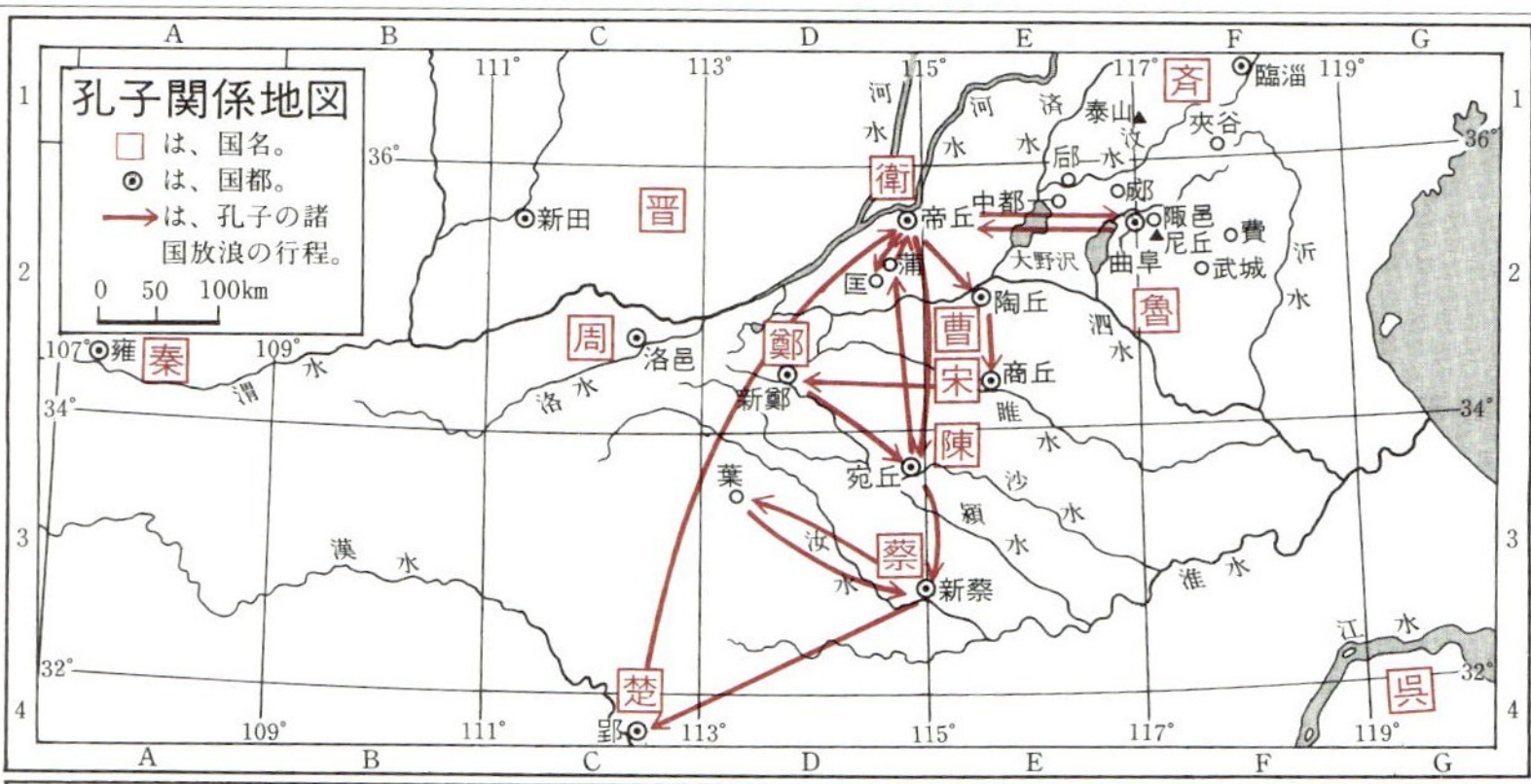
孔子関係地図
□は、国名。
⊙は、国都。
→は、孔子の諸国放浪の行程。
0 50 100km
斉
臨淄
泰山
夾谷
衛
帝丘
中都
郕
陬邑
尼丘
曲阜
費
武城
大野沢
魯
晋
新田
周
洛邑
秦
雍
鄭
新鄭
曹
陶丘
宋
商丘
陳
宛丘
匡
蒲
葉
蔡
新蔡
楚
郢
呉
河水
済水
汶水
泗水
沂水
渭水
洛水
睢水
沙水
潁水
汝水
漢水
淮水
江水

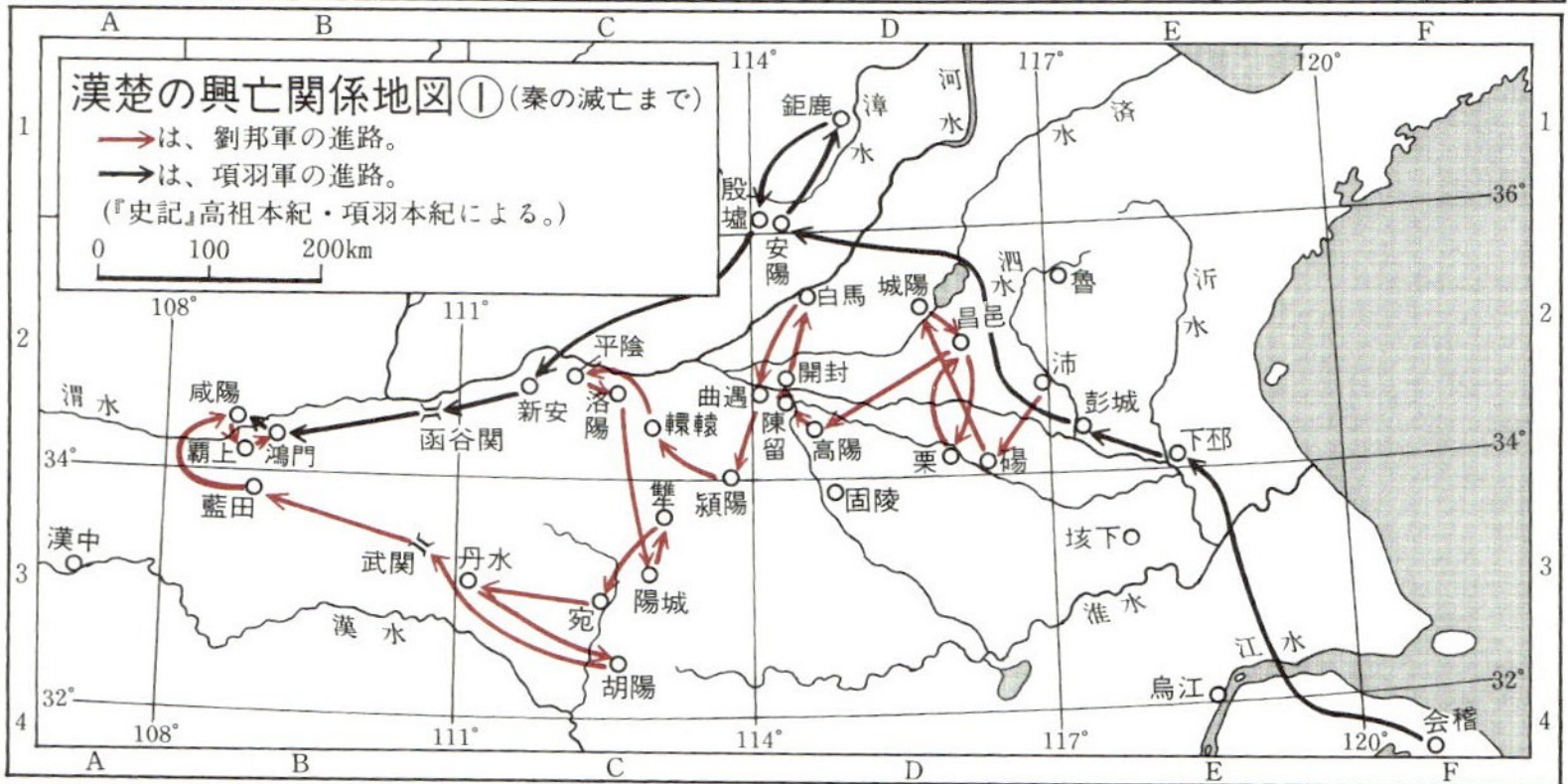
漢楚の興亡関係地図①(秦の滅亡まで)
→は、劉邦軍の進路。
→は、項羽軍の進路。
(『史記』高祖本紀・項羽本紀による。)
0 100 200km
鉅鹿
殷墟
安陽
白馬
城陽
昌邑
魯
沛
彭城
下邳
開封
曲遇
陳留
高陽
栗
碭
固陵
垓下
平陰
新安
洛陽
轘轅
函谷関
咸陽
覇上
鴻門
藍田
犨
潁陽
武関
丹水
陽城
宛
胡陽
漢中
烏江
会稽
漳水
河水
済水
泗水
沂水
渭水
漢水
淮水
江水

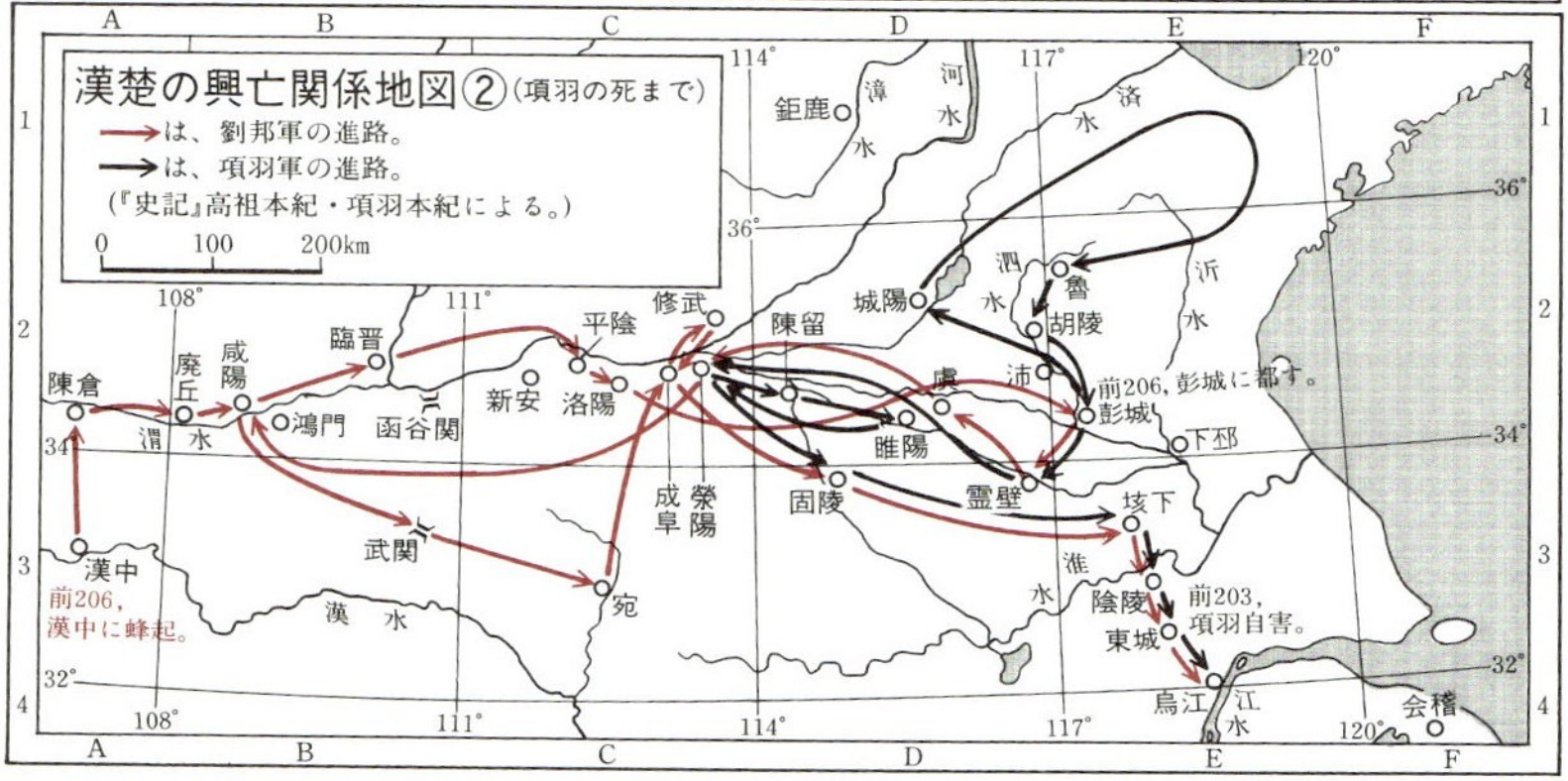
漢楚の興亡関係地図②(項羽の死まで)
→は、劉邦軍の進路。
→は、項羽軍の進路。
(『史記』高祖本紀・項羽本紀による。)
0 100 200km
鉅鹿
城陽
魯
胡陵
沛
前206,彭城に都す。
彭城
下邳
陳留
修武
平陰
臨晋
廃丘
咸陽
陳倉
鴻門
函谷関
新安
洛陽
成皐
滎陽
虞
睢陽
霊壁
固陵
垓下
陰陵
前203,項羽自害。
東城
烏江
会稽
武関
宛
漢中
前206,漢中に蜂起。
漳水
河水
済水
泗水
沂水
渭水
漢水
淮水
江水

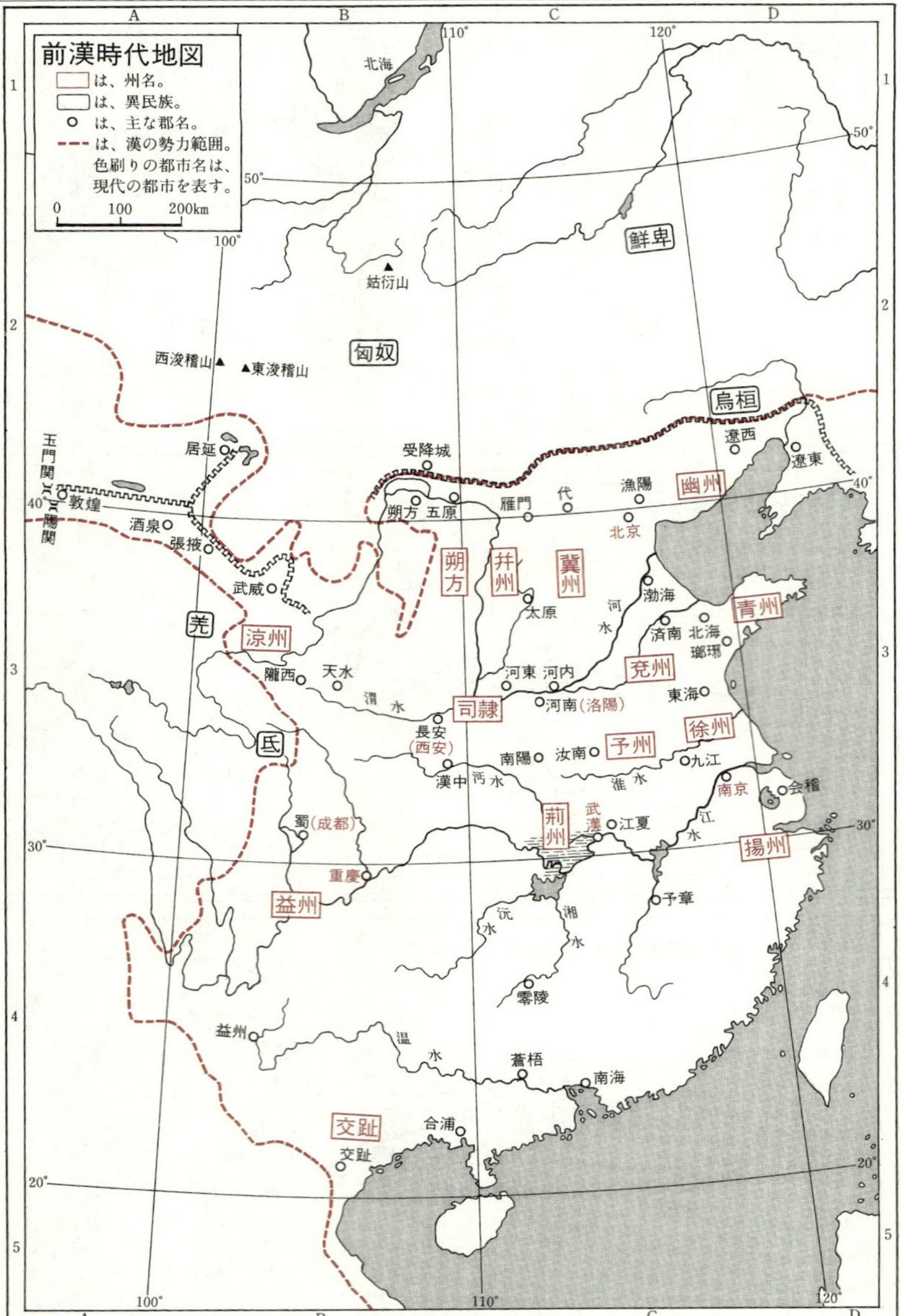

前漢時代地図
は、州名。
は、異民族。
は、主な郡名。
は、漢の勢力範囲。
色刷りの都市名は、現代の都市を表す。
0 100 200km
A
B
C
D
1
2
3
4
5
110°
120°
100°
50°
40°
30°
20°
北海
鮮卑
姑衍山
匈奴
西浚稽山
東浚稽山
烏桓
居延
玉門関
敦煌
陽関
酒泉
張掖
武威
羌
受降城
遼西
遼東
幽州
朔方
五原
雁門
代
漁陽
北京
朔方
并州
冀州
太原
渤海
河水
済南
北海
琅邪
青州
涼州
隴西
天水
渭水
河東
河内
兗州
司隷
河南(洛陽)
東海
長安(西安)
氐
南陽
汝南
予州
徐州
九江
漢中
沔水
淮水
南京
会稽
蜀(成都)
荊州
武漢
江夏
江水
揚州
重慶
益州
沅水
湘水
予章
零陵
益州
温水
蒼梧
南海
交趾
合浦
交趾

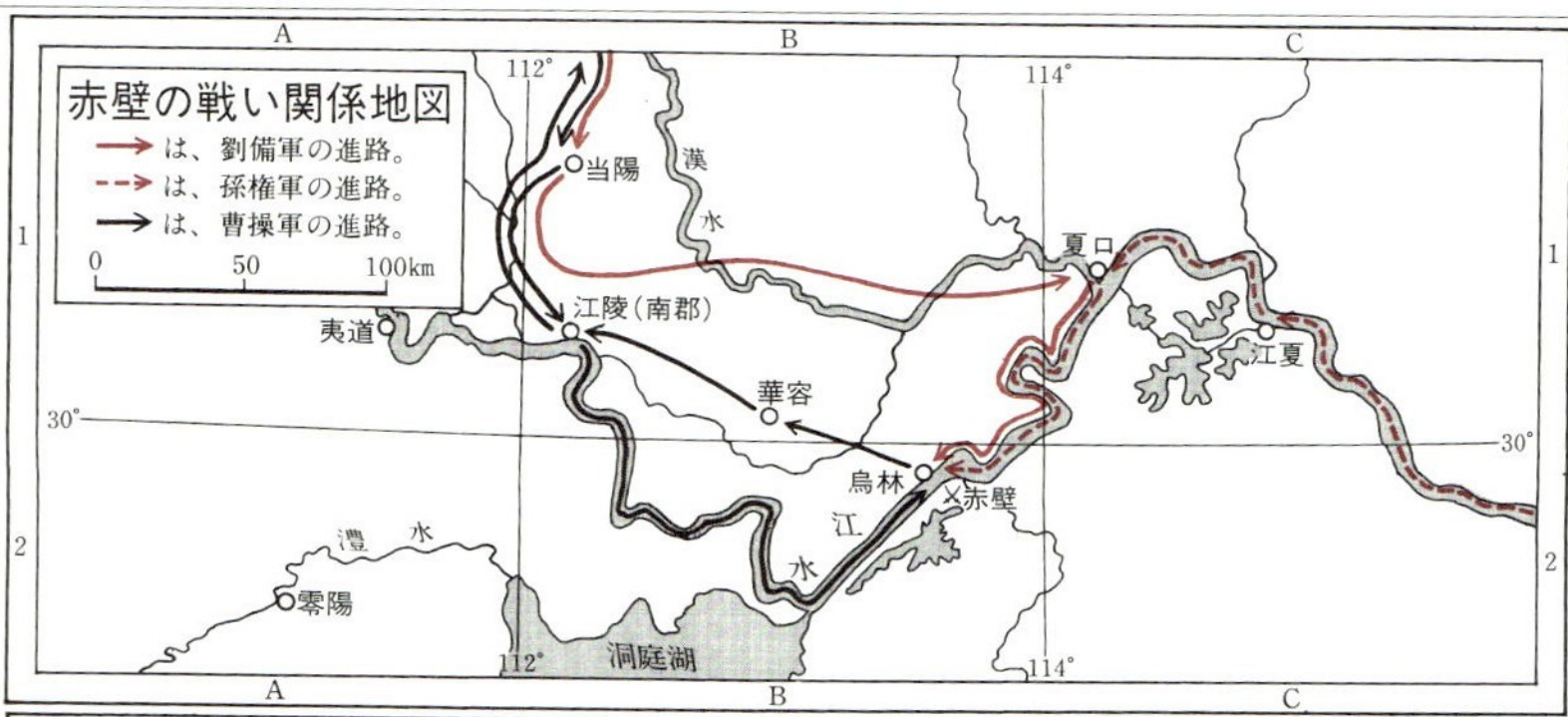
赤壁の戦い関係地図
は、劉備軍の進路。
は、孫権軍の進路。
は、曹操軍の進路。
0 50 100km
当陽
漢水
夏口
江夏
江陵（南郡）
夷道
華容
烏林
赤壁
江水
澧水
零陽
洞庭湖
112°
114°
30°
A
B
C
1
2

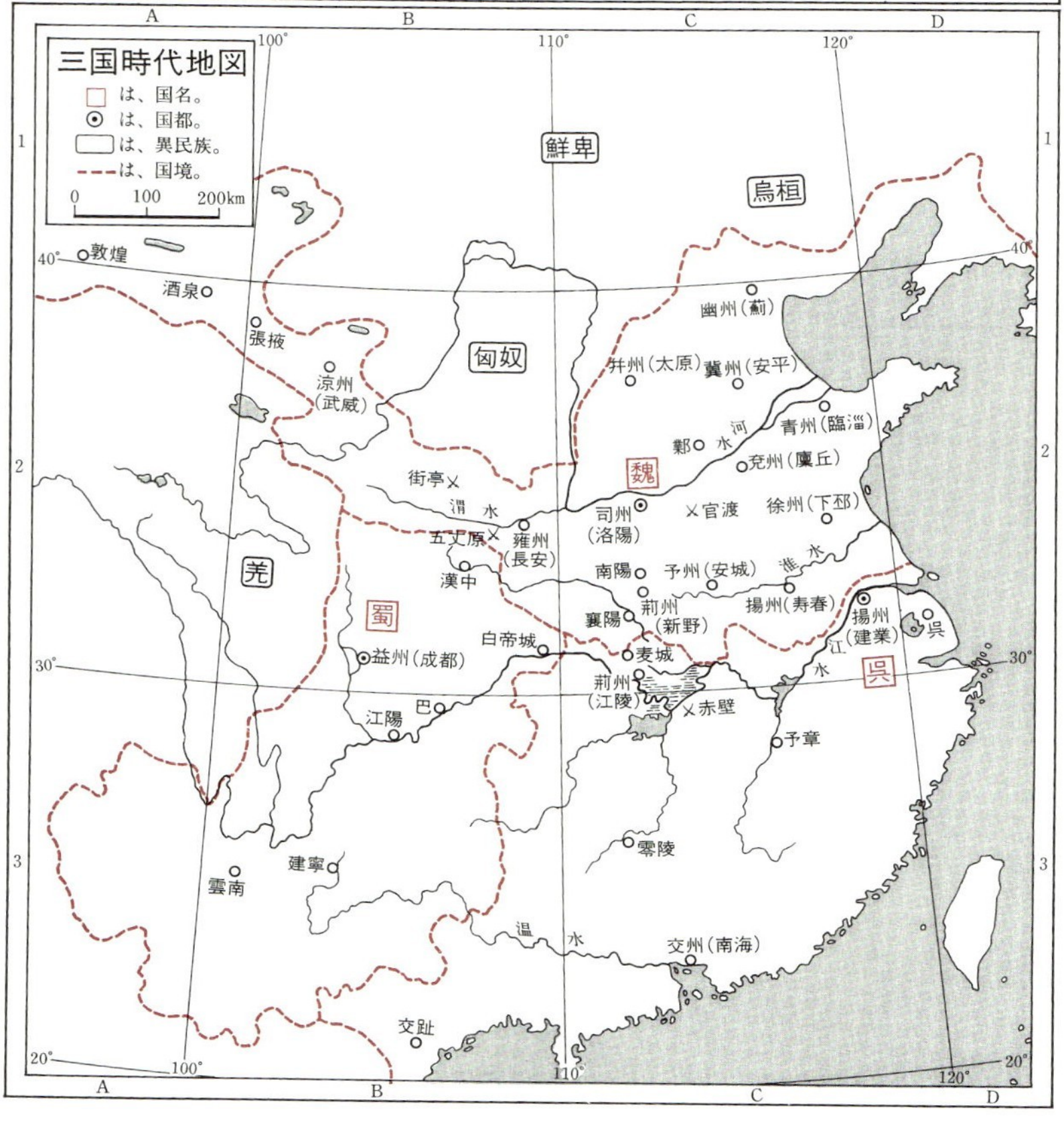
三国時代地図
は、国名。
は、国都。
は、異民族。
は、国境。
0 100 200km
鮮卑
烏桓
匈奴
羌
魏
蜀
呉
敦煌
酒泉
張掖
涼州（武威）
幽州（薊）
并州（太原）
冀州（安平）
青州（臨淄）
鄴
河水
兗州（廩丘）
街亭
渭水
司州（洛陽）
官渡
徐州（下邳）
五丈原
雍州（長安）
漢中
南陽
予州（安城）
淮水
荊州（新野）
揚州（寿春）
襄陽
揚州（建業）
呉
白帝城
益州（成都）
麦城
荊州（江陵）
江水
赤壁
巴
江陽
予章
零陵
雲南
建寧
温水
交州（南海）
交趾
100°
110°
120°
20°
30°
40°
A
B
C
D
1
2
3

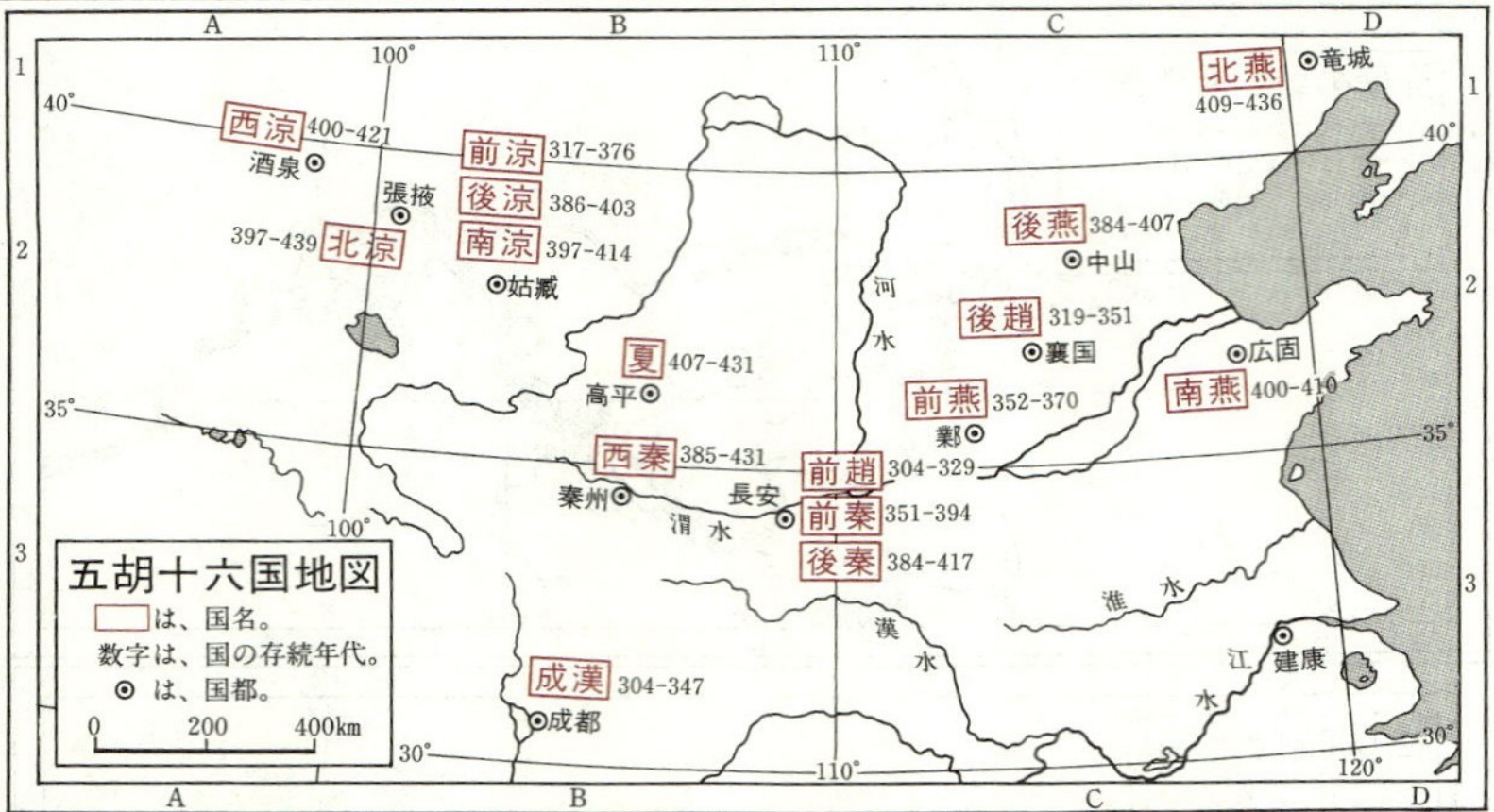
五胡十六国地図
は、国名。
数字は、国の存続年代。
は、国都。
0 200 400km
西涼 400-421
酒泉
張掖
397-439 北涼
前涼 317-376
後涼 386-403
南涼 397-414
姑臧
北燕 409-436
竜城
後燕 384-407
中山
後趙 319-351
襄国
前燕 352-370
鄴
南燕 400-410
広固
夏 407-431
高平
西秦 385-431
秦州
長安
前趙 304-329
前秦 351-394
後秦 384-417
渭水
河水
淮水
漢水
江水
建康
成漢 304-347
成都
100°
110°
120°
40°
35°
30°
A
B
C
D
1
2
3

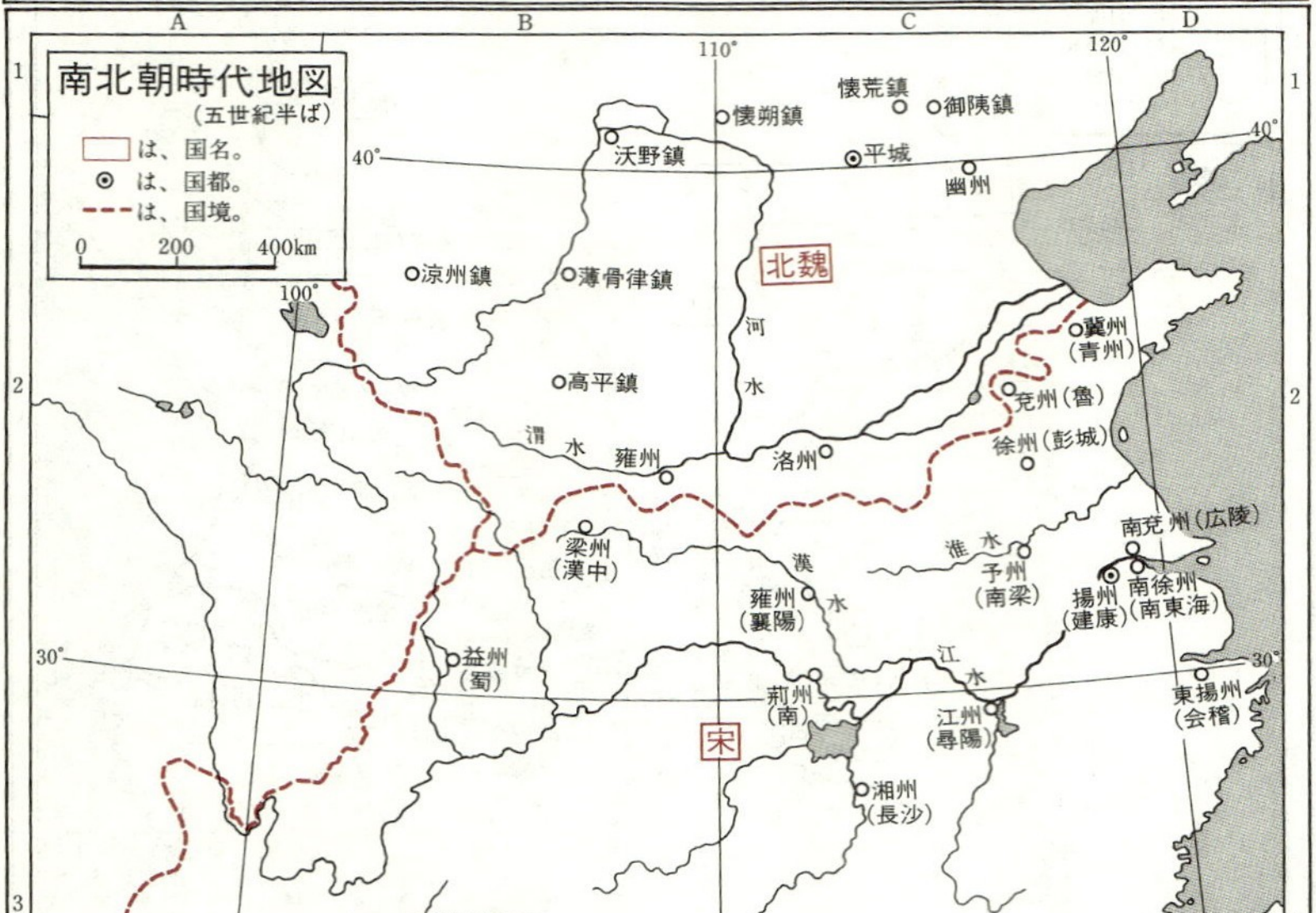
南北朝時代地図
(五世紀半ば)
は、国名。
は、国都。
は、国境。
0 200 400km
懐朔鎮
懐荒鎮
御夷鎮
沃野鎮
平城
幽州
北魏
涼州鎮
薄骨律鎮
高平鎮
冀州
(青州)
兗州(魯)
徐州(彭城)
渭水
雍州
洛州
河水
梁州
(漢中)
漢水
淮水
予州
(南梁)
南兗州(広陵)
揚州
(建康)
南徐州
(南東海)
雍州
(襄陽)
益州
(蜀)
江水
荊州
(南)
江州
(尋陽)
東揚州
(会稽)
宋
湘州
(長沙)
寧州(建寧)
広州(南海)
交州(交趾)
100°
110°
120°
40°
30°
20°
A
B
C
D
1
2
3

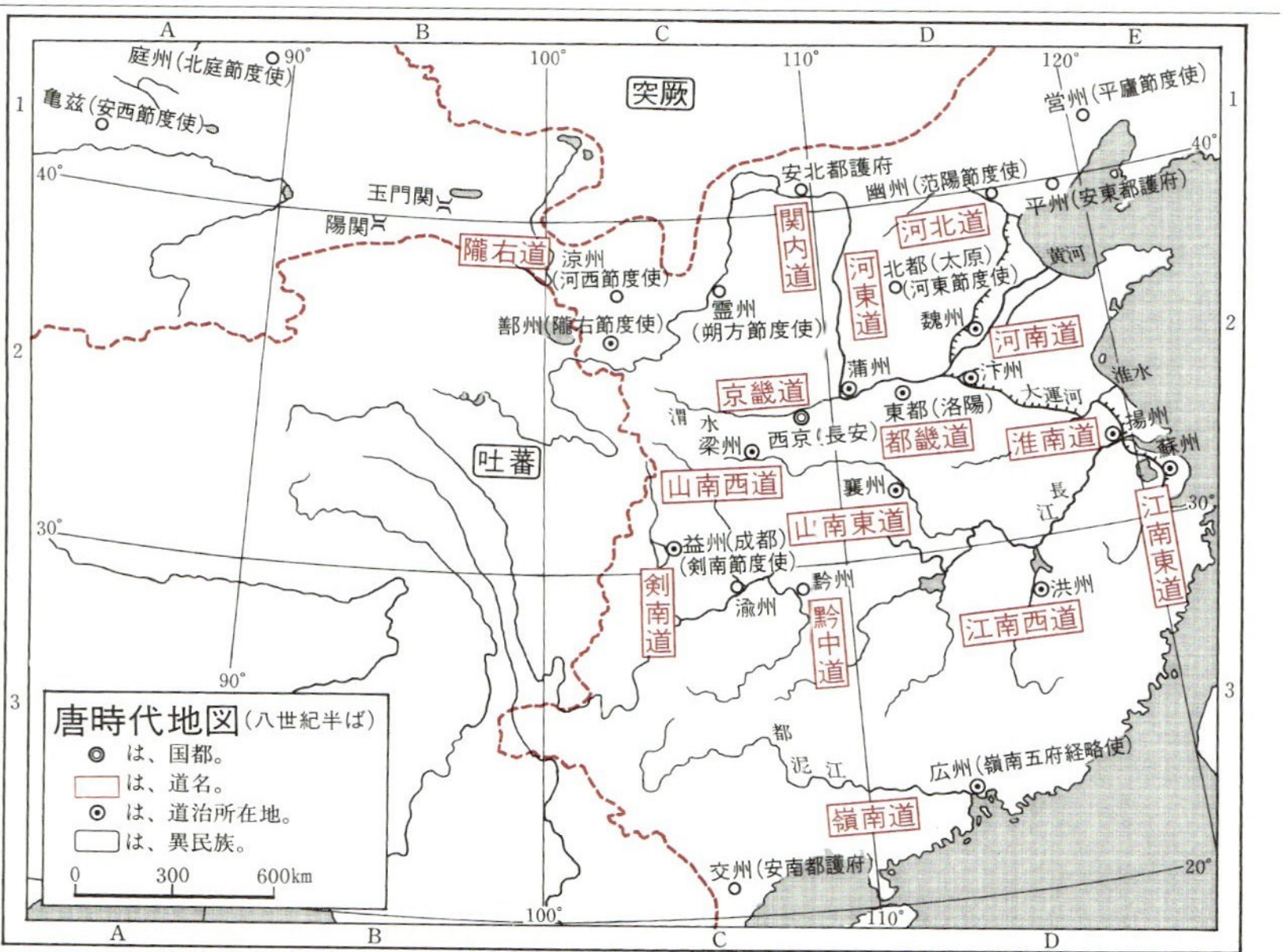
唐時代地図（八世紀半ば）
◎は、国都。
□は、道名。
⊙は、道治所在地。
□は、異民族。
0 300 600km
突厥
吐蕃
庭州（北庭節度使）
亀茲（安西節度使）
玉門関
陽関
隴右道
涼州（河西節度使）
鄯州（隴右節度使）
霊州（朔方節度使）
安北都護府
関内道
幽州（范陽節度使）
河北道
河東道
北都（太原）（河東節度使）
営州（平盧節度使）
平州（安東都護府）
黄河
魏州
河南道
蒲州
汴州
淮水
大運河
京畿道
東都（洛陽）
西京（長安）
渭水
梁州
都畿道
淮南道
揚州
蘇州
山南西道
襄州
長江
江南東道
山南東道
益州（成都）（剣南節度使）
剣南道
渝州
黔州
黔中道
洪州
江南西道
都泥江
広州（嶺南五府経略使）
嶺南道
交州（安南都護府）

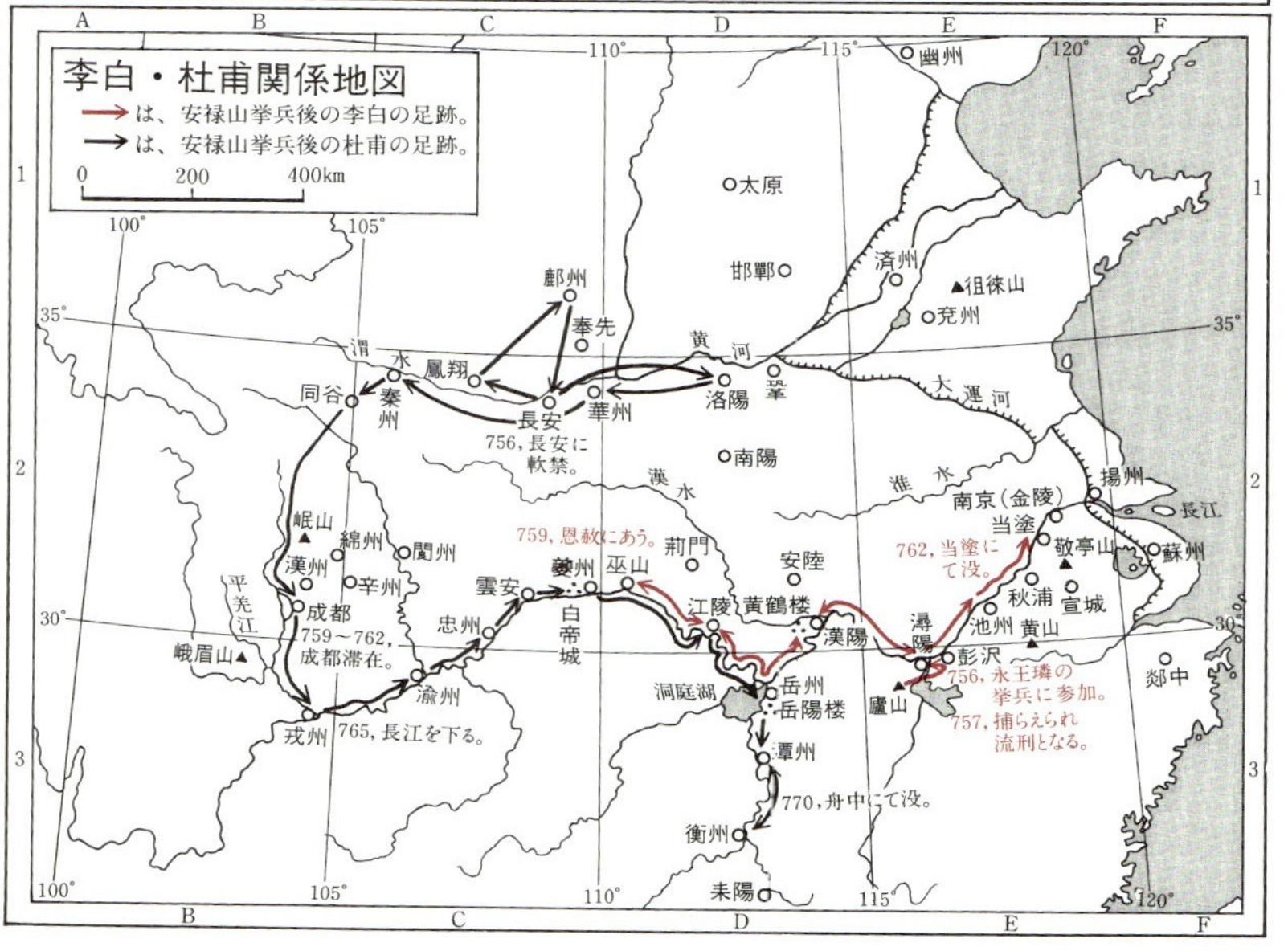
李白・杜甫関係地図
→は、安禄山挙兵後の李白の足跡。
→は、安禄山挙兵後の杜甫の足跡。
0 200 400km
幽州
太原
邯鄲
済州
徂徠山
兗州
鄜州
奉先
渭水
黄河
鳳翔
秦州
同谷
長安
756，長安に軟禁。
華州
洛陽
鞏
大運河
南陽
漢水
淮水
揚州
南京（金陵）
長江
当塗
762，当塗にて没。
敬亭山
蘇州
宣城
秋浦
池州
黄山
潯陽
彭沢
756，永王璘の挙兵に参加。
757，捕らえられ流刑となる。
廬山
剡中
岷山
綿州
閬州
漢州
辛州
平羌江
成都
759～762，成都滞在。
峨眉山
戎州
765，長江を下る。
渝州
忠州
雲安
夔州
白帝城
巫山
759，恩赦にあう。
荊門
江陵
安陸
黄鶴楼
漢陽
洞庭湖
岳州
岳陽楼
潭州
770，舟中にて没。
衡州
耒陽

中国学芸年表

一、人物の生没記事は、原則として没年で掲げた。
二、生没記事のあとの「　」は、その人物の著作や、関係する書物などを示す。
三、／線は記事区分を示す。
四、世界の欄の△印は世界史関係、無印は日本史関係であることを示す。

時代	帝王	年号	干支	記事
伝説時代（三皇）	伏羲			伏羲、易の八卦を画し、書契を作る。蛇身人首。
	神農			神農、農耕と医療の法を教える。人身牛首。
	黄帝			黄帝、初めて人間の形体を具える。／蒼頡、文字を作る。
伝説時代（五帝）	少昊			
	顓頊			顓頊、暦を作る。
	帝嚳			
	帝尭			
	帝舜			尭・舜、帝位禅譲。
夏	禹王			禹、黄河の洪水を治めて大功あり、舜の譲りを受けて帝位につく。以後、世襲。
	桀王			桀王、政を怠り、暴虐。
（商）殷（前1600ころ〜前1020ころ）	湯王			前一六〇〇ころ　湯王、夏の桀王を滅ぼして帝位につき、亳（河南省商丘市の北）に都し、国を商と称す。／伊尹を宰相とする。
	盤庚			前一三〇〇ころ　盤庚、殷（河南省安陽市の小屯）に遷都する。／青銅器時代。
	紂王			前一〇五〇ころ　紂王暴虐。／微子・比干・箕子（三仁）。／周の文王、仁政をしき、西伯と称される。
周・西周	武王			前一〇二〇ころ　武王（文王の子）、殷の紂王を滅ぼして帝位につき、鎬京（陝西省西安市）に都す。／周公旦・召公奭・太公望（呂尚）、周室を補佐。／伯夷・叔斉、首陽山に餓死。／箕子、朝鮮に封ぜられる。
	厲王			前八八〇ころ　厲王暴虐。周衰える。
	宣王			前八二〇ころ　宣王、周室を中興。／太史籀、籀文（大篆）を作る。
	幽王			幽王、犬戎に殺され、西周滅ぶ。
周	平王	元	辛未	前七七〇　都を洛邑（河南省洛陽市）に移す。以後を東周という。／周の王室衰え、五覇抗争、呉越興亡の時代に入る。

世界

△前三〇〇〇ころ　エジプト古王国時代。
△前二三〇〇ころ　インダス文明。
△前一二五〇ころ　トロイ戦争終了。
△前一〇〇〇ころ　ヘブライのダビデ王、イスラエル統一。
△前九三二ころ　ヘブライのソロモン王没。
△前八世紀　ホメロス活躍?。
△前七七六　第一回オリンピア競技。
△前七五三　ローマ建国。

周（前1020ころ〜前256）
東周（前770〜前256）
春秋時代（前770〜前403）

帝王	年	干支	記事
	四九	己未	前七二二　魯の隠公の元年。「春秋」の記事始まる。
桓王	元	壬戌	前七一九
荘王	元	乙酉	前六九六
僖王	元	庚子	前六八一
恵王	元	乙巳	前六七六
襄王	元	庚午	前六五一　斉の桓公（?〜前六四三）、諸侯を葵丘に会し、覇者となる。
	七	丙子	前六四五　斉の管仲（?〜）没。「管子」
	一〇	己卯	前六四二　宋の襄公（?〜前六三七）、覇者となる。
	一四	癸未	前六三八　宋の襄公、泓で楚に敗れる（宋襄の仁）。
	二〇	己丑	前六三二　晋の文公（?〜前六二八）、諸侯を践土に会し、覇者となる。
	二八	丁酉	前六二四　秦の穆公（?〜前六二一）、覇者となる。
頃王	元	癸卯	前六一八
匡王	元	己酉	前六一二
定王	九	癸亥	前五九八　楚の荘王（?〜前五九一）、覇者となる。
簡王	元	丙子	前五八五
霊王	元	庚寅	前五七一
	二〇	己酉	前五五二　孔子、魯に生まれる（一説に、前五五一）。
景王	元	丁巳	前五四四　呉の季札、列国に使いする。
	二三	己卯	前五二二　鄭の子産（前五八五?〜）没。
悼王	元	辛巳	前五二〇
敬王	二〇	辛丑	前五〇〇　斉の景公、魯の定公、夾谷に会する。／斉の晏嬰（?〜）没?。「晏子春秋」
	二三	甲辰	前四九七　孔子、魯を去り、諸国を遍歴（〜前四八四）。
	二四	乙巳	前四九六　呉王闔閭、越王句践と戦い敗死。
	二六	丁未	前四九四　呉王夫差、越王句践を会稽山に破る。／このころ越の美人、西施。
	三一	壬子	前四八九　冉求（子有。孔子の弟子。前五二二〜）没。
	三九	庚申	前四八一　魯の哀公の十四年。「春秋」の記事終わる。／顔回（孔子第一の弟子。前五二一〜）没?。
	四〇	辛酉	前四八〇　仲由（子路。孔子の弟子。前五四二〜）没。
	四一	壬戌	前四七九　孔子没。「易」・「書」・「詩」・「春秋」を修定。「論語」
元王	三	戊辰	前四七三　越王句践（?〜前四六五）、呉王夫差（?〜前

世界

△前六一二　アッシリア滅亡。
△前五六〇ころ　イソップ没。
△前五五〇ころ　ペルシア帝国、全オリエント統一。
△前四九七ころ　ピタゴラス没。
△前五〇〇　ペルシア戦争（〜四四九）。
△前四八六?　釈迦没（異説多し）。
△前四七七　デロス同盟結成。

周　東周　戦国時代（前403〜前221）　秦

王	年	干支	事項	世界
			四七三）を破り覇者となる。／范蠡（陶朱公）、越を去る。	
貞定王	一三	乙酉	前四五六 子貢（前五二〇〜）没？。	
考王	五	乙巳	前四三六 曽参（曽子。孔子の門人。前五〇五〜）没？。「孝経」	◇前四三一 ペロポネソス戦争（〜四〇四）。
威烈王	二三	戊寅	前四〇三 晋分裂、韓・魏・趙、独立して諸侯となる。秦・燕・斉・楚・韓・魏・趙の七雄互いに抗争し、政治哲学家・思想家などの諸子百家活躍の戦国時代に入る。	
	二四	己卯	前四〇二 子思（孔子の孫。前四八三？〜）没？。「中庸」	◇前三九九 ソクラテス没。
安王	二一	庚子	前三八一 衛の呉起（前四四〇？〜）没？。「呉子」	
	二六	乙巳	前三七六 墨翟（前四六八？〜）没。「墨子」	◇前三七〇ころ デモクリトス没。
烈王	四	己酉	前三七二 孟軻、魯に生まれる。／このころ、列禦寇没。「列子」	
顕王	三一	癸未	前三三八 衛の商鞅（？〜）没。「商子」	◇前三四七 プラトン没。
	三二	甲申	前三三七 韓の申不害（前三八五？〜）没。「申子」	◇前三三〇 ペルシア帝国滅亡。
慎靚王	四	甲辰	前三一七 蘇秦（？〜。合従策を唱う）没。	◇前三二三 アレクサンドロス大王没。
赧王	六	壬子	前三〇九 魏の張儀（？〜。連衡策を唱う）没。	◇前三二二 アリストテレス没。
	二六	壬申	前二八九 孟軻没。「孟子」／このころ、荘周没。「荘子」／このころ、告子没。	
	三一	丁丑	前二八四 燕の楽毅、斉の七十余城を抜く。	
	三二	戊寅	前二八三 趙の藺相如、璧を奉じて秦に使いする。	
	三六	壬午	前二七九 斉の田単、燕を破る（火牛の計）。／斉の孟嘗君（？〜）没。	
	三七	癸未	前二七八 楚の屈原（前三四〇？〜）、汨羅に投身して没？。「離騒」「九歌」「漁父」	◇前二六四 第一次ポエニ戦争（ローマ対カルタゴ）起こる。
	五八	甲辰	前二五七 秦の白起（？〜）没。	
	五九	乙巳	前二五六 秦、周を滅ぼす。	
（東周君 恵公）		庚戌	前二五一 趙の平原君（？〜）没。毛遂・公孫竜（「公孫竜子」）はその部下。	
		壬子	前二四九 秦の荘襄王の元年。東周を滅ぼす。	
		乙卯	前二四六 秦王政の元年。	
		戊午	前二四三 魏の信陵君（？〜）没。	
		癸亥	前二三八 楚の春申君（？〜）没。荀況（前三一三？〜）没？。「荀子」	
		丙寅	前二三五 秦の呂不韋（？〜）没。「呂氏春秋」	◇前二三二ころ インド、マウリヤ朝、アショカ王没。
		戊辰	前二三三 韓非（？〜）没。「韓非子」	
		甲戌	前二二七 燕の太子丹、荊軻（？〜前二二七）に秦王政を暗殺させようとするが失敗。	
始皇帝	二六	庚辰	前二二一 秦王政（始皇帝。前二五九〜前二一〇）、天下を統一して初めて皇帝を称する。天下を三十六郡に分けて郡県制をしき、度量衡などを統一。	
	二七	辛巳	前二二〇 徐福、東海の蓬萊山に不死の薬を求める。	

秦（前221〜前206）　前漢

王	年	干支	事項	世界
	二九	癸未	前二一八 張良（？〜前一八九）、博浪沙に始皇帝を狙撃し失敗。	
	三二	丁亥	前二一四 蒙恬（？〜前二一〇）、匈奴を破り河南を占領し、万里の長城（遼東―臨洮）を築く。	
	三四	戊子	前二一三 詩・書・百家の書を焼く（焚書）。	
	三五	己丑	前二一二 学者四百六十余人を穴うめにする（坑儒）。／阿房宮を造営。	
二世胡亥	元	壬辰	前二〇九 陳勝（？〜前二〇八）・呉広（？〜前二〇八）ら挙兵。	
	二	癸巳	前二〇八 李斯（？〜。小篆を作る）没。	
秦王子嬰	元	甲午	前二〇七 趙高、二世胡亥を殺し、子嬰を立てる。子嬰、沛公劉邦にくだり、秦、滅亡。	
高祖	元	乙未	前二〇六 楚の項羽（名は籍）と劉邦と、鴻門に会見。范増（前二七五〜前二〇四）・樊噲（？〜前一八九）ら活躍。／項羽、自立して西楚の覇王と称し、劉邦を漢中王に封ずる。	
	五	己亥	前二〇二 劉邦の漢軍、楚の軍を垓下に破り、項羽自殺（前二三二〜）。／劉邦（高祖。前二四七〜前一九五）、帝位につき、長安に都する。郡県制と封建制を併用する郡国制をしき、法制をゆるめ民心を定める。◆この時代、古典の発見・研究盛んとなり、経学興る。	
	一一	乙巳	前一九六 韓信（？〜）没。	
恵帝	二	戊申	前一九三 蕭何（？〜）没。	
	四	庚戌	前一九一 挾書の律を除き、蔵書の自由を許す。	
少帝恭	元	甲寅	前一八七 呂太后（高祖の皇后。恵帝の母）、政を専らにする（呂氏の乱）。	◇前一八三 ハンニバル没。
少帝弘	四	辛酉	前一八〇 周勃（？〜前一六九）・陳平（？〜前一七八）ら、呂氏一族を滅ぼす。	
文帝	一一	壬申	前一六九 賈誼（前二〇一〜）没。「新書」「治安策」	
景帝	元	乙酉	前一五六 景帝の子河間献王（名は徳）、儒学を奨励。	◇前一四六 カルタゴ滅亡。
	三	丁亥	前一五四 呉楚七国、乱をなし、周亜夫（？〜前一四三）、平定。／鼂錯（？〜）没。	
武帝	建元元	辛丑	前一四〇 初めて元号を定める。／枚乗（？〜）没。「七発」／このころ、孔安国活躍。「古文尚書」「古文孝経伝」	◇前一四〇ころ 中央アジアに大月氏国興る。
	五	乙巳	前一三六 初めて五経博士をおき、儒教、国教となる。	
	元朔三	乙卯	前一二六 張騫（？〜前一一四）、中央アジアの大月氏国に使いし、十三年を経て、この年帰国。	
	元狩元	己未	前一二二 劉安（前一七九〜）没。「淮南子」	
	六	甲子	前一一七 霍去病（前一四〇〜）没。匈奴の征討に活躍。司馬相如（前一七九〜。その妻は、卓文君）没。「子虚賦」「上林賦」	
	元鼎二	丙寅	前一一五 張騫、前一三三年、西域の烏孫に使いし、この年帰国。	

前漢 (前206～8)

皇帝	年号	干支	事項
	元封三	癸酉	前一〇八 朝鮮を平定、楽浪・玄菟などの四郡をおく。
	五	乙亥	前一〇六 衛青(?～。匈奴の征討に活躍)没。
	六	丙子	前一〇五 劉細君、公主として烏孫に嫁ぐ。「悲愁歌」
	太初元	丁丑	前一〇四 太初暦を作る。／董仲舒(前一七六?～)没。「春秋繁露」「賢良対策」
	天漢元	辛巳	前一〇〇 蘇武、匈奴に使いして幽閉される。
	二	壬午	前九九 李陵、匈奴にくだる。
	太始四	戊子	前九三 東方朔(前一五四～)没。
	征和二	庚寅	前九一 巫蠱の獄。／このころ、司馬遷(前一四五、または一三五～前八六?)、「史記」を完成。中国の紀伝体史のはじめ、以後の正史の模範となる。
昭帝	始元六	庚子	前八一 蘇武(?～前六〇)、苦節をまっとうし匈奴より帰国。
宣帝	元平元	丁未	前七四 李陵(?～)、匈奴にて没。
	地節二	癸丑	前六八 霍光(?～)没。
	神爵二	辛酉	前六〇 西域都護府設置。
	五鳳元	甲子	前五七 匈奴、五単于分立、互いに抗争。
	四	丁卯	前五四 匈奴、南北に分裂。
	甘露三	庚午	前五一 学者、石渠閣に会合し、五経の異同を講究。
元帝	竟寧元	戊子	前三三 宮女の王昭君(名は嬙、昭君は字)、匈奴の呼韓邪単于に嫁ぐ。
成帝	永始元	乙巳	前一六 趙飛燕、皇后となる。「飛燕外伝」
哀帝	建平元	乙卯	前六 劉向(前七七?～)没。「戦国策」「説苑」「新序」「列女伝」
	元寿元	己未	前二 一説に、大月氏国の使者伊存、景盧に仏教を口伝したという。
平帝	元始元	辛酉	一 王莽、太傅となり、安漢公と号する。
孺子嬰	居摂元	丙寅	六 王莽、仮皇帝と称する。

△前六〇 ローマ第一回三頭政治。
△前四四 カエサル(シーザー)没。
△前四三 キケロ没。
△前三七 朝鮮に高句麗建国。
△前三〇 ローマ、エジプトを属州化。
△前二七 ローマ、帝政始まる。
△前一四 オクタヴィアヌス没。
△前四 キリスト生誕(異説多し)。

新 (8～23)

皇帝	年号	干支	事項
王莽	始建国元	己巳	九 王莽、孺子嬰を廃して帝位につき、国を新と号する。◆王莽の新政は、内治外交ともに失敗多く、各地豪族の反乱を誘発。
	天鳳五	戊寅	一八 揚雄(前五三～)没。「法言」「方言」「太玄経」／このころより、赤眉の乱など各地に起こる。
	地皇三	壬午	二二 劉秀(前漢の高祖九世の孫)、王莽の軍を昆陽に破る。
淮陽王	更始元	発末	二三 淮陽王劉玄、皇帝を称し、長安に都する。／王莽(前四五～)、敗死し、新、滅亡。／劉歆(劉向の子。?～)没。「七略」
光武帝	建武元	乙酉	二五 劉秀(光武帝。前六～五七)、皇帝となり、漢室を再興して洛陽に都し、以後を後漢(東漢)と呼ぶ。

後漢 (25～220)

建武十三年(三七)、天下の統一を完成。

◆この時代に仏教伝来し、訓詁の学隆盛。他方、宦官が勢いを振るって党錮の獄あり、やがて黄巾の賊などが起こり、後漢は衰滅した。

皇帝	年号	干支	事項
	五	己丑	二九 はじめて大学を建立。
	二五	己酉	四九 馬援(前一四～。五銖銭の鋳造)没。
	三〇	甲寅	五四 班彪(三～)没。「北征賦」
	建武中元元	丙辰	五六 桓譚(前二四～)没。「新論」
明帝	永平八	乙丑	六五 蔡愔らを西域に派遣し、仏典を求める。／包咸(前六～)没。「論語章句」
	一〇	丁卯	六七 蔡愔、仏典と、迦葉摩騰・竺法蘭の二僧を伴い帰国。
	一一	戊辰	六八 洛陽城の西に白馬寺を建立。中国仏寺のはじめ。
章帝	建初四	己卯	七九 学者、白虎観に会合、五経の異同を講究。
和帝	永元元	己丑	八九 傅毅(?～)没。
	四	壬辰	九二 班固(班彪の子。三二～)没。「両都賦」「白虎通徳論」「漢書」／崔駰(?～)没。「七依」
	九	丁酉	九七 王充(二七～)没?。「論衡」
	一二	庚子	一〇〇 許慎(五八?～一四七?)、「説文解字」を著す。文字学の基本資料。
	一三	辛丑	一〇一 賈逵(三〇～)没。「左氏伝解詁」「国語解詁」
	一五	癸卯	一〇三 班超(班固の弟。三二～。西域の経略に活躍)没。
	元興元	乙巳	一〇五 蔡倫、紙の製法を大成。世界の紙のはじめ。
殤帝	延平元	丙午	一〇六
安帝	元初三	丙辰	一一六 このころ班昭(曹大家。班固の妹)没。「女誡」「列女伝注」また、班固の「漢書」を続成。
	延光三	甲子	一二四 楊震(五四～)没。
順帝	永和四	己卯	一三九 張衡(七八～。天文暦算に通じ、渾天儀(天球儀)・候風地動儀(地震計)などを発明)没。「両京賦」
沖帝	漢安元	壬午	一四二 崔瑗(崔駰の子。七七～)没。「座右銘」
質帝	永嘉元	乙酉	一四五 王逸(九〇?～一四五?)。「楚辞章句」
	本初元	丙戌	一四六
桓帝	建和元	丁亥	一四七 月支国の僧、支讖、洛陽に至る。
	二	戊子	一四八 安息国(パルティア王国)の僧、安世高、洛陽に至る。
	延熹二	己亥	一五九 外戚梁冀(?～)殺され、宦官、政権を握る。
	九	丙午	一六六 党錮の獄起こり、宦官のため陳蕃(?～一六八)・李膺(一一〇～一六九)ら、儒学出身の徒二百余人下獄。／大秦国(ローマ帝国)皇帝安敦(アントニウス)の使者、洛陽に至る。／馬融(七九～)。「孝経」「論語」「詩経」「書経」などの古典に注

五七 倭奴国、後漢に使者を送る。
△六四 ローマ皇帝ネロ、キリスト教迫害。
△七九 ベスビオ火山爆発。ポンペイ埋没。
△九六 ローマ五賢帝時代(～一八〇)。
一〇七 倭国、後漢に使者を送る。
△一三五 エルサレム滅亡。

後漢

皇帝	年号	干支	事項	参考
			訓)没。	
霊帝	建寧二	己酉	一六九 再び党錮の獄起こり、李膺ら百余人殺害。	△一七〇ころ インド、クシャーナ朝、カニシカ王没。
	熹平四	乙卯	一七五 蔡邕(一三三～一九二)らに命じ、五経の文字を正し、石経を洛陽の太学門外に建立。	
	光和元	戊午	一七八 このころ、公然と官位を売買。	
	五	壬戌	一八二 何休(一二九～)没。「春秋公羊伝解詁」	
	中平元	甲子	一八四 張角らによる黄巾の賊起こり、群雄割拠して国衰乱。	
献帝	初平四	癸酉	一九三 孫堅(一五七～。三国呉の孫権の父)没。	
	建安五	庚辰	二〇〇 鄭玄(一二七～。多くの経典類に注釈を施し、訓詁学を大成)没。「毛詩鄭箋」「三礼注」	
	六	辛巳	二〇一 趙岐(?～)没。「孟子注」	
	一二	丁亥	二〇七 劉備(玄徳)、諸葛亮(孔明)を隆中に訪れ、天下三分の計を立てる。	
	一三	戊子	二〇八 劉備・孫権(孫堅の子)同盟し、曹操の水軍を赤壁に破る。周瑜(一七五～二一〇)・魯粛(一七二～二一七)ら活躍。／孔融(一五三～)没。	
	一四	己丑	二〇九 荀悦(一四八～)没。「申鑑」	
	二一	丙申	二一六 曹操、魏王を称する。	
	二二	丁酉	二一七 徐幹(一七〇～)没。「中論」／王粲(一七七～)没。「登楼賦」	
	二四	己亥	二一九 劉備、漢中王を称する。／関羽(?～)没。	
	延康元	庚子	二二〇 魏王曹操(一五五～)没。／魏王曹丕(曹操の子)、献帝を廃し、後漢滅亡。	

三国時代

(222～280)呉・(221～263)蜀・(220～265)魏

皇帝	年号	干支	事項	参考
			〈魏〉文帝、黄初元年。曹丕(文帝。一八七～二二六)、帝位につき、国を魏と称し、洛陽に都する(晋の陳寿「三国志」・宋の司馬光「資治通鑑」は魏を正統とする)。◆魏は国威、遼東・朝鮮半島北部に及んで三国中最強。後漢末以来、曹操・曹丕・曹植(曹丕の弟)が文学を奨励し、孔融・徐幹・王粲・阮瑀・陳琳・応瑒・劉楨の建安七子が活躍、詩が流行して六朝時代の先駆をなす。／〈魏〉仲長統(一八〇～)没。「楽志篇」	
〈蜀漢〉昭烈帝	章武元	辛丑	二二一 劉備(昭烈帝・先主。一六一～二二三)、帝位につき、国を漢(蜀漢)と称し、成都に都する(宋の朱熹「通鑑綱目」は蜀漢を正統とする)。中原の回復、漢室の再興を目標とする。／張飛(?～)没。	
後主(劉禅)	建興五	丁未	二二七 諸葛亮、「出師表」を奉り魏を伐つ。以後たびたび北伐の軍を進める。	△二二六 ササン朝ペルシア興る。
	六	戊申	二二八 諸葛亮、祁山の戦いで馬謖(一九〇～)を切る。	
	七	己酉	二二九 〈呉〉大帝、黄竜元年。孫権(大帝。一八二～二五二)、帝位につき、国を呉と称し、建業(南京)に都する。以後三国鼎立して戦乱続き、老荘的隠遁思想流行し、清談の風起こる。	
	八	庚戌	二三〇 〈魏〉明帝、太和四年。鍾繇(一五一～)没。	
	一〇	壬子	二三二 〈魏〉太和六年。曹植(陳思王。一九二～)没。	
	一一	癸丑	二三三 〈呉〉嘉禾二年。虞翻(一六四～)没。「周易注」	
	一二	甲寅	二三四 諸葛亮(一八一～)、五丈原に陣没。	二三八 邪馬台国女王卑弥呼、魏に使者を送る。
	延熙三	庚申	二四〇 〈魏〉斉王、正始元年。／正始中、古文・篆文・隷書の三体石経(三字石経)を建立。	
	一二	己巳	二四九 〈魏〉嘉平元年。王弼(二二六～)没。「周易注」「老子注」／何晏(一九〇～)没。「論語集解」	
	一九	丙子	二五六 〈魏〉高貴郷公、甘露元年。王粛(一九五～。「孔子家語」を偽作)没。	
	景耀五	壬午	二六二 〈魏〉元帝、景元三年。嵇康(竹林の七賢の一。二二三～)没。	
	炎興元	癸未	二六三 後主劉禅、魏にくだり、蜀漢滅亡。／〈魏〉景元四年。阮籍(竹林の七賢の一。二一〇～)没。	

(265～420) 晋

(265～316) 西晋

皇帝	年号	干支	事項	参考
武帝	泰始元	乙酉	二六五 〈魏〉咸熙二年。元帝。司馬炎のため帝位を奪われ、魏、滅亡。司馬炎(武帝。二三六～二九〇)、晋を建国し、洛陽に都する。これを後の司馬睿の晋に対して西晋と呼ぶ。◆両晋時代は、内乱と北方異民族の侵入により国内動揺続く。文学的には詩に重きをおいて文辞繊細華麗となり、六朝文学への過程をなす。	二六六 倭の女王壱与、晋に使者を送る。
	九	癸巳	二七三 〈呉〉烏程公、鳳凰二年。韋昭(?～)没。「国語注」	
	太康元	庚子	二八〇 烏程公、晋にくだり、呉、滅亡。武帝、天下を統一。	
	三	壬寅	二八二 皇甫謐(二一五～)没。「帝王世紀」	
	四	癸卯	二八三 山濤(竹林の七賢の一。二〇五～)没。	二八四 百済の阿直岐来朝。
	五	甲辰	二八四 杜預(二二二～)没。「春秋経伝集解」	二八五 百済の王仁来朝、「論語」「千字文」を献ずる。
	八	丁未	二八七 李密(二二四～)没。「陳情表」	
恵帝	永平元・元康元	辛亥	二九一 衛瓘(二二〇～)没。	
	四	甲寅	二九四 溥咸(二三九～)没。	
	七	丁巳	二九七 陳寿(二三三～)没。「三国志」	
	永康元	庚申	三〇〇 八王の乱起こる(～三〇六)。／張華(二三二～)没。「博物志」／藩岳(二四七～)没。「西征賦」「秋興賦」／束晳(二六一～)没。／劉伶(竹林の七賢の一。二二一?～)没?。「酒徳頌」	
	太安二	癸亥	三〇三 陸機(二六一～)没。「豪士賦」「歎逝賦」／陸雲(陸機の弟。二六二～)没。／索靖(二三九～)没。	
	永安元・建武元・永安元・永興元 二	甲子	三〇四 五胡十六国の乱起こる(～四三九)。	

晋

西晋

帝	年号	干支	事項	世界
		乙丑	三〇五 王戎(竹林の七賢の一。二三四～)没。／左思(二五〇?～)没?。「三都賦」	
	光熙元	丙寅	三〇六 司馬彪(?～)没。「続漢書」	
懐帝	永嘉四	庚午	三一〇 亀茲国(クチャ)の僧、仏図澄(二三二～三四八)、洛陽に至る。	
	五	辛未	三一一 藩尼(?～)没。／王衍(二五六～)没。	
	六	壬申	三一二 郭象(?～)没?。「荘子注」	三一三 ローマ皇帝コンスタンティヌス、ミラノ勅令でキリスト教公認。
愍帝	建興四	丙子	三一六 愍帝、劉曜に捕らえられ、西晋滅亡。	

東晋 (317～420)

帝	年号	干支	事項	世界
元帝	建武元	丁丑	三一七 瑯琊王司馬睿、晋王を称する。／劉琨(二七〇～)没。「扶風歌」	
	太興元	戊寅	三一八 晋王司馬睿(元帝。二七六～三二二)、帝位につき、建業(南京)に都す。これを晋の中興、または南渡といい、以後を東晋と呼ぶ。	
明帝	太寧二	甲申	三二四 郭璞(二七六～)没。「爾雅」「山海経」「楚辞」の注。	
成帝	咸康五	己亥	三三九 王導(二七六～)没。	
	七	辛丑	三四一 葛洪(二八一～)没。「抱朴子」「神仙伝」	
康帝	建元元	癸卯	三四三	
穆帝	永和九	癸丑	三五三 王羲之、蘭亭の会。	
哀帝	隆和元	壬戌	三六二	
廃帝	太和元	丙寅	三六六	
簡文帝	咸安元	辛未	三七一	
孝武帝	寧康元	癸酉	三七三 桓温(三一二～)没。	三七五 ゲルマン民族の大移動始まる。
	太元二	丁丑	三七七 孫綽(三二〇～)没。「遂初賦」「天台山賦」	
	四	己卯	三七九 王羲之(三二一～)没。「蘭亭序」	
	八	癸未	三八三 淝水の戦いに謝石・謝玄、前秦の苻堅を破る。	
	一〇	乙酉	三八五 謝安(三二〇～)没。／僧道安(三一二～。僧は釈氏を姓とすべきを提唱)没。「綜理衆経目録」	
	一一	丙戌	三八六 王献之(羲之の子。三四四～)没。／北魏、北方に建国。	三九二 キリスト教、ローマ国教となる。
安帝	隆安三	己亥	三九九 僧法顕(三三七～四二二)、経典を求めてインドに旅し、四一三年ころに帰国。「仏国記」	三九五 ローマ帝国、東西に分裂。
	五	辛丑	四〇一 范甯(三三九～)没。「春秋穀梁伝集解」	
	元興三	甲辰	四〇四 桓玄(三六九～)没。	
	義熙九	癸丑	四一三 僧鳩摩羅什(三四四～。「法華経」などを訳す)没。	
	一三	丁巳	四一七 僧慧遠(三三四～)没。	
恭帝	元熙二	庚申	四二〇 恭帝廃せられて、東晋滅亡。	
武帝	永初元		劉裕(武帝。三五六～四二二)、帝を称し、建康(南京)に都し、国を宋(南朝宋・劉宋)と号する。◆宋の後、斉・梁・陳、相次いで起こり、この江南の四朝を南朝という。これに対し、北方ではすでに北魏が国を建て、分かれて東魏・西魏となり、更に東魏は北斉、西魏は北周となった。これを北朝という。文学的には、南朝はいよいよ修辞声調の技巧を旨として華麗その極に達するも、北朝は概して古朴の風を守り、儒学も伝統を存する。ただ仏教の影響は両朝ともに著しい。	

南北朝時代 (420～589)

〔北〕 北魏 (386～534)

〔南〕 宋(劉) (420～479)

帝	年号	干支	事項	世界
少帝	景平元	癸亥	四二三 孔琳之(三六九～)没。	
文帝	元嘉四	丁卯	四二七 陶潜(淵明。三六五～)没。「帰去来辞」「桃花源記」「五柳先生伝」。	四三〇 アウグスティヌス没。
	一〇	癸酉	四三三 謝霊運(三八五～)没。「山居賦」／謝恵連(霊運の従弟。三九七～)没。	
	二一	甲申	四四四 劉義慶(四〇三～)没。「世説新語」／〈北魏〉太武帝、太平真君五年。仏教を禁止。三武一宗の廃仏のはじめ。	
	二二	乙酉	四四五 范曄(三九八～)没。「後漢書」	
	二五	戊子	四四八 〈北魏〉太平真君九年。寇謙之(三六三～。道教を公認)没。	
	二七	庚寅	四五〇 鮑照(四〇五～)没。「蕪城賦」「河清頌」／〈北魏〉太平真君十一年。崔浩(?～)没。	
	二八	辛卯	四五一 裴松之(三七二～)没。「三国志注」	
孝武帝	孝建三	丙申	四五六 顔延之(三八四～)没。	
廃帝	永光元・景和元	乙巳	四六五	
明帝	泰始二	丙午	四六六 謝荘(四二一～)没。	
後廃帝	元徽元	癸丑	四七三	
順帝	昇明元	丁巳	四七七	四七六 西ローマ帝国滅亡。

斉(蕭) (479～502)

帝	年号	干支	事項	世界
高帝	建元元	己未	四七九 斉公、蕭道成(高帝。四二七～四八二)、帝位につき、国を斉(南斉)と称する。	
武帝	永明三	乙丑	四八五 王僧虔(四二六～)没。「論書」「書賦」	
	五	丁卯	四八七 〈北魏〉孝文帝、太和十一年。高允(三九〇～)没。「左伝釈」「公羊釈」	四八六 フランク王国建設。
鬱林王・海陵王	隆昌元・延興元	甲戌	四九四 蕭子良(四五九～)没。「四部要略」／王融(四六八～)没。	
明帝	建武元			
東昏侯	永元元	己卯	四九九 謝朓(四六四～)没。「玉階怨」「有所思」	
	二	庚辰	五〇〇 祖沖之(四二九～。大明暦を作る)没。	
和帝	中興元	辛巳	五〇一 孔稚珪(四四七～)没。「北山移文」	

梁

帝	年号	干支	事項	世界
武帝	天監元	壬午	五〇二 蕭衍(武帝。四六四～五四九)、帝位につき、国を梁と称する。	
	四	乙酉	五〇五 江淹(四四四～)没。「恨賦」	
	七	戊子	五〇八 任昉(四六〇～)没。「述異記」「文章縁起」	
	一二	癸巳	五一三 沈約(四四一～)没。「宋書」「晋書」「斉紀」	五一三 百済の五経博士段楊爾来朝。
	一五	丙申	五一六 〈北魏〉孝明帝、熙平元年。鄭道昭(?～)没。	

南北朝時代

東魏(535～550)　西魏(534～556)　北斉(550～577)　北周(557～581)

梁(蕭)(502～557)　陳(陳)(557～589)

帝	年号	干支	中国	日本・その他
	一七	戊戌	五一八 鍾嶸(?～五一八)没?。「詩品」/僧祐(四四五～五一八)。「弘明集」	
	一八	己亥	五一九 僧慧皎、「高僧伝」を著す。	
	普通元	庚子	五二〇 呉均(四六九～)没。「続斉諧記」/周興嗣(?～)没。「千字文」	
	二	辛丑	五二一 劉勰(四六五～)没。「文心雕竜」	
	三	壬寅	五二二 王僧孺(四六五～)没。/仏師、司馬達等、日本に渡る。	
	大通元	丁未	五二七 〈北魏〉孝明帝、孝昌三年。酈道元(四六九?～)没。「水経注」	
	二	戊申	五二八 〈北魏〉インド僧、達磨(禅宗始祖。?～)没?。	
	中大通三	辛亥	五三一 蕭統(昭明太子。五〇一～)没。「文選」	
	六	甲寅	五三四 〈北魏〉孝武帝、永熙三年。北魏、西魏(都は長安)・東魏(都は洛陽)に分裂。	
	大同二	丙辰	五三六 陶弘景(四五二?～)没。「本草集注」「真誥」	
	三	丁巳	五三七 蕭子顕(四八九～)没。「南斉書」	五三八 仏教、百済より伝来。
	五	己未	五三九 劉孝綽(四八一～)没。	
	八	壬戌	五四二 〈東魏〉孝静帝、興和四年。僧曇鸞(浄土教の開祖。四七二～)没。	
	一一	乙丑	五四五 皇侃(四八八～)没。「論語義疏」	
	中大同元	丙寅	五四六 〈西魏〉文帝、大統十二年。蘇綽(四九八～)没。	
	太清三	己巳	五四九 蕭子雲(四八七～)没。/徐摛(四七二～)没。	
簡文帝	大宝元	庚午	五五〇 〈北斉〉斉王高洋(文宣帝。五二九～五五九)、帝位につき、国を斉(北斉)と称する。	
予章王	天正元	辛未	五五一 庾肩吾(四八七～)没?。「書品」	
元帝	承聖元	壬申	五五二	△五五二 突厥帝国成立。
貞陽侯 敬帝	天成元 紹泰元	乙亥	五五五 岳陽王蕭詧、後梁建国。	
武帝	永定元	丁丑	五五七 〈北周〉周公宇文覚(孝閔帝。五四二～五五七)、帝位につき、国を周(北周)と称する。/陳王、陳霸先(武帝。五〇三～五五九)、帝位につき、国を陳と称する。	
文帝	天嘉元	庚辰	五六〇	
臨海王	光大元	丁亥	五六七	五六二 新羅、任那の日本府を滅ぼす。
宣帝	太建四	壬辰	五七二 〈北斉〉後主、武平三年。魏収(五〇六～)没。「北魏書」	
	九	丁酉	五七七 〈北周〉武帝、建徳六年。北斉を滅ぼす。	
	一三	辛丑	五八一 顧野王(五一九～)没。「玉篇」/〈北周〉静帝、大定元年。庾信(肩吾の子。五一三～)没。「哀江南賦」/〈隋〉文帝、開皇元年。北周を滅ぼす。	
後主	至徳元	癸卯	五八三 徐陵(五〇七～)没。「玉台新詠」	
	四	丙午	五八六 〈隋〉文帝、開皇六年。盧思道(五三五～)没。	
	禎明元	丁未	五八七 後梁、隋に滅ぼされる。	

隋(581～618)　唐(618～907)

帝	年号	干支	中国	日本・その他
(陳)	三	己酉	五八九 陳、隋に滅ぼされる。	
文帝	開皇九	己酉	楊堅(文帝。五四一～六〇四)、天下を統一。都は大興城(長安)。/文帝は官制の改革、賦役・刑罰の軽減、義倉の設立など、意を治政に注ぎ太平をもたらすが、次の煬帝は、土木事業と外征を事とし、奢侈を好んで、天下を衰乱に導く。	
	一〇	庚戌	五九〇 顔之推(五三一～)没?。「顔氏家訓」	△五九〇 法王グレゴリウス一世即位。
	一二	壬子	五九二 均田制・府兵制を全国に施行。/僧慧遠(五二三～)没。「無量寿経義疏」	
	一三	癸丑	五九三 僧慧可(禅宗第二祖。四八七～)没。	
	一四	甲寅	五九四 江総(五一九～)没。	
	一八	戊午	五九八 科挙制度を実施。以後、一九〇五年に至るまで歴朝この制度による。	
	仁寿元	辛酉	六〇一 陸法言ら「切韻」を作る。二百六韻のはじめ。	
煬帝	大業元	乙丑	六〇五 煬帝(五六九～六一八)、通済渠(黄河－淮水)を開通。	六〇四 十七条憲法制定。
	三	丁卯	六〇七 万里の長城(ほぼ現在の位置に同じ)を構築。	六〇七 小野妹子、遣隋使として渡海。/法隆寺建立。
	四	戊辰	六〇八 永済渠(黄河－涿郡)を開通。	
	六	庚午	六一〇 江南河(鎮江－杭州)を開通。/劉焯(五四四～)没。「運元論」	
	八	壬申	六一二 煬帝、高句麗の征討に失敗。翌九年、十年、重ねて出兵。	
	九	癸酉	六一三 楊玄感(?～六一三)、兵を挙げ、以後天下混乱。	
恭帝	義寧元	丁丑	六一七 李淵、太原に挙兵。	
	二	戊寅	隋、滅亡。/王通(五八四～)没。「中説(文中子)」	
高祖	武徳元	戊寅	六一八 李淵(高祖。五六五～六三五)、帝位につき、長安に都し、国を唐と称する。 ◆この時代は、歴朝中、国威最も伸張し、文運もまた栄えた。特に詩壇は、李白、杜甫らが輩出し隆盛を極めた。明の高棅の「唐詩品彙」以後、初唐(六一八～七一三)・盛唐(七一三～七六五)・中唐(七六六～八三五)・晩唐(八三六～九〇七)の四唐に分かつ。	
	六	癸未	六二三 僧吉蔵(五四九～。三輪宗を再興)没。	六二二 聖徳太子没。
	七	甲申	六二四 均田制を施行。	△六二二 マホメット、メッカからメディナへ移動。イスラム紀元元年。
太宗	貞観元	丁亥	六二七 太宗(李世民。五九八～六四九)、内治につとめて太平をいたし、また四辺を征して版図を拡大。後世、貞観の治と称す。	
	四	庚寅	六三〇 杜如晦(五八五～)没。	六三〇 犬上御田鍬らを唐に派遣。
	九	乙未	六三五 大秦国(ローマ帝国)の僧阿羅本、長安に至り、景教(ネストリウス派キリスト教)を伝える。	
	一〇	丙申	六三六 府兵制を制定。	
	一一	丁酉	六三七 貞観律令、制定。/姚思廉(五五七～)没。「梁書」「陳書」	△六三二 マホメット没。

唐

皇帝	年号	干支	中国	日本・世界
	一二	戊戌	六三八 虞世南(五五八〜)没。「北堂書鈔」	
	一四	庚子	六四〇 僧杜順(華厳宗の開祖。五五七〜)没。	
	一五	辛丑	六四一 欧陽詢(五五七〜)没。「芸文類聚」	
	一七	癸卯	六四三 魏徴(五八〇〜)没。「群書治要」	△六四二 イスラム、ササン朝ペルシアを滅ぼす。
	一九	乙巳	六四五 顔師古(五八一〜)没。「漢書注」	六四五 大化元年。わが国年号のはじめ。／大化の改新。
	二二	戊申	六四八 孔穎達(五七四〜)没。「五経正義」／房玄齢(五七八〜)没。「晋書」／李百薬(五六五〜)没。「北斉書」	
	二三	己酉	六四九 李靖(五七一〜)没。	
高宗	永徽五	甲寅	六五四 武氏、皇后王氏に代わって皇后となり、以後専横。	
	顕慶三	戊午	六五八 褚遂良(五九六〜)没。	
	四	己未	六五九 長孫無忌(?〜)没。「唐律疏義」「隋書」	六六〇 百済滅亡。
	麟徳元	甲子	六六四 僧玄奘(三蔵法師。六〇二〜。六二九年、インドに赴き、六四五年帰国)没。「大唐西域記」	△六六一 ウマイヤ朝、成立。
	乾封二	丁卯	六六七 老子を追尊して太上玄元皇帝と称す。／僧道宣(五九六〜)没。「続高僧伝」「広弘明集」	
	総章元	戊辰	六六八 朝鮮半島北部の高麗を滅ぼして平壌に安東都護府をおく。	
	二	己巳	六六九 李勣(?〜)没。	六六九 藤原鎌足没。
	咸亨四	癸酉	六七三 閻立本(?〜)没。	六七二 壬申の乱。
	儀鳳元	丙子	六七六 王勃(王通の孫。六四九〜)没。「滕王閣序」	△六七六 新羅、朝鮮半島統一。
	調露元	己卯	六七九 劉希夷(廷芝。六五一〜)没?。	
	永隆元	庚辰	六八〇 盧照鄰(六四〇?〜)没?。	
	開耀元	辛巳	六八一 僧善導(六一三〜。浄土教を大成)没。	
	永淳元	壬午	六八二 僧窺基(六三二〜)没。「成唯識論」	
中宗	嗣聖元	甲申	六八四 睿宗 文明元 光宅元 このころ駱賓王(六三八?〜)没。	
	六	己丑	六八九 后武天則〈周〉 永昌元 李善(?〜)没。「文選注」	
	七	庚寅	六九〇 載初元 天授元 武后、則天武后と称し、国を周と称す。	六九〇ころ 柿本人麻呂・山部赤人ら万葉歌人活躍。
	九	壬辰	六九二 如意元 長寿元 楊炯(?〜)没?。	
	一一	甲午	六九四 延載元 摩尼教伝来。後、八四三年禁止。	
	一二	乙未	六九五 証聖元 天冊万歳元 陳子昂(六五六〜)没。	七〇〇 道昭(法相宗)没。
	神竜元	乙巳	七〇五 則天武后(六二三〜)没。／崔融(六五三〜)没。	七〇一 大宝律令。
	景竜二	戊申	七〇八 杜審言(六四五?〜)没。	
睿宗	唐隆元 景雲元	庚戌	七一〇 皇后韋氏(?〜七一〇)、中宗を殺害、李劉基(玄宗)に誅せられる。	七一〇 平城京(奈良)に遷都。
	二	辛亥	七一一 張若虚(?〜)没?。「春江花月夜」	
	太極元 延和元 先天元	壬子	七一二 宋之問(?〜)没。／僧法蔵(六四三〜。華厳宗を大成)没。	七一二 「古事記」成立。
玄宗	開元元	癸丑	七一三 玄宗(六八五〜七六二)、政治につとめて、開元の治と称せられる。晩年、政治にうみ、楊貴妃を愛して安史の乱を招く。／李嶠(六四四〜)没。／僧義浄(六三五〜。求法のため六七一年インドに赴く)没。「南海寄帰内法伝」／僧慧能(禅宗六祖。六三八〜)没?。／沈佺期(六五三?〜)没。	七一七 吉備真備(七七五没)・阿倍仲麻呂(七七〇没)ら渡唐。

唐

皇帝	年号	干支	中国	日本・世界
	四	丙辰	七一六 李思訓(北宋画の祖。六五一〜)没。	七一八 養老律令。
	六	戊午	七一八 瞿曇悉達、太史監となる。「開元占経」	
	九	辛酉	七二一 劉知幾(六六一〜)没。「史通」	七二〇 「日本書紀」／藤原不比等没。
	一五	丁卯	七二七 蘇頲(六七〇〜)没。／僧一行(六八三〜。大衍暦を作る)没。／王翰(六八七?〜)没?。	七二三 太安万侶没。 七三一 大伴旅人没。
	一七	己巳	七二九 徐堅(六五七〜)没。「初学記」	△七三二 トゥール・ポワティエの戦い。
	一八	庚午	七三〇 張説(六六七〜)没。	七三三 「出雲風土記」／山上憶良没?。
	二三	乙亥	七三五 僧善無畏(六三七〜。真言宗を伝訳)没。	七三五 舎人親王没。
	二八	庚辰	七四〇 張九齢(六七三〜)没。孟浩然(六八九〜)没。／張鷟(張文成。六六〇?〜)没?。「遊仙窟」	△七四一 キリスト教、ギリシア正教・ローマ正教に分裂。
	二九	辛巳	七四一 僧金剛智(六六九〜。真言宗を弘宣)没。	七四九 行基没。
	天宝元	壬午	七四二 荘子に南華真人の号を追賜。／王之渙(六八八〜)没。	△七五〇 アッバース朝成立。
	三	甲申	七四四 賀知章(六五九〜)没。	七五一 「懐風藻」
	八	己丑	七四九 呉兢(六七〇?〜)没?。「貞観政要」	七五二 東大寺大仏開眼。
	一一	壬辰	七五二 李林甫(?〜)没。	
	一三	甲午	七五四 崔顥(?〜)没。／僧鑑真、日本に渡る。	
	一四	乙未	七五五 安禄山、反乱を起こす。(安史の乱。〜七六三)	
粛宗	至徳元	丙申	七五六 玄宗、蜀に逃れる。／楊貴妃(玉環。七一九〜)・楊国忠(?〜)、馬嵬にて殺される。／顔杲卿(六九二〜)没。／王昌齢(?〜)没?。	
	二	丁酉	七五七 安禄山(七〇五〜)没。／張巡(七〇九〜)没。／許遠(七〇九〜)没。玄宗、蜀より長安に帰還。	七五七 橘諸兄没。
	上元二	辛丑	七六一 史思明(?〜)没。／韓幹(七〇一〜)没。／王維(摩詰。六九九?〜。詩仏と称される。また、南画を開く)没?。「王右丞集」	
代宗	宝応元	壬寅	七六二 李白(太白。七〇一〜。詩仙と称される)没。「李太白集」／高力士(六八四〜)没。	七六三 鑑真(律宗)没。
	永泰元	乙巳	七六五 高適(七〇〇?〜)没。	
	大暦三	戊申	七六八 蕭穎士(七一七〜)没。	
	五	庚戌	七七〇 杜甫(子美。七一二〜。詩聖と称される)没。「杜工部集」／岑参(七一五〜)没。／晁衡(日本、阿倍仲麻呂。六九八〜)没。	七七〇 「百万塔陀羅尼」印刷。
	七	壬子	七七二 賈至(七一八〜)没。／元結(七二三〜)没。	七七二 道鏡没。
	九	甲寅	七七四 僧不空(七〇五〜。真言宗を大成)没。／李華(七一五?〜)没。	
	一二	丁巳	七七七 独孤及(七二五〜)没。／このころ、張継没。「楓橋夜泊」	七七五ころ 芸亭設立。
徳宗	建中元	庚申	七八〇 両税法施行。	
	二	辛酉	七八一 長安の大秦寺に「大秦景教流行中国碑」(景浄	七八一 石上宅嗣没。

唐

皇帝	年号	干支	中国	日本・その他
			撰文)を建立。	
	興元元	甲子	七八四 顔真卿(七〇八～)没。／郭子儀(六九七～)没。	七八五 淡海三船没。／大伴家持没。
	貞元五	己巳	七八九 戴叔倫(七三二～)没。	七八八 最澄、延暦寺創建。
	六	庚午	七九〇 僧悟空、インドより帰国。在印四十年。	七九四 平安京(京都)に遷都。
	七	辛未	七九一 韋応物(七三七?～)没?。	
	八	壬申	七九二 李端(七三二～)没。／呉道玄(?～)没。	七九七 「続日本紀」
	九	癸酉	七九三 梁粛(七五三～)没。	七九九 和気清麻呂没。
	一一	乙亥	七九五 李観(七六七～)没。	〈八〇〇 西ローマ帝国の復興。
	二〇	甲申	八〇四 陸羽(?～。茶道を開く)没?。	八一四 「凌雲集」
順宗	永貞元	乙酉	八〇五 陸贄(七五四～八〇五)没。	八一五 賀陽豊年没。
憲宗	元和七	壬辰	八一二 杜佑(七三五～)没。「通典」	八一六 空海、高野山を開く。
	九	甲午	八一四 孟郊(七五一～)没。／李吉甫(七五八～)没。「元和郡県志」／僧懐海(七二〇～)没。「百丈清規」	八一八 「文華秀麗集」
	一二	丁酉	八一七 李賀(七九〇～)没。	八二一 勧学院設立。
	一四	己亥	八一九 仏骨を迎えて宮中にまつる。／柳宗元(七七三～)没。「柳河東集」	八二二 最澄没。
	一五	庚子	八二〇 西域の僧慧琳(七三七～)没。「一切経音義」	八二三 「日本霊異記」(景戒)。
穆宗	長慶二	壬寅	八二二 徐昂の宣明暦を採用。(日本では八六一年以後、八百二十三年間行われる)。	八二六 藤原冬嗣没。
	三	癸卯	八二三 馬総(?～)没。「意林」	八二七 「経国集」
	四	甲辰	八二四 韓愈(七六八～)没。「韓昌黎集」	八三〇 小野岑守没。
敬宗	宝暦二	丙午	八二六 白行簡(?～)没。	八三〇 良岑安世没。
文宗	大和四	庚戌	八三〇 張籍(七六七?～)没?。／王建(七六八～)没?。	
	五	辛亥	八三一 元稹(七七九～)没。「鶯鶯伝(会真記)」／薛濤(七六八～。魚玄機とならぶ女流詩人。女校書と称される)没。	八三五 空海没。「文鏡秘府論」
	九	乙卯	八三五 盧仝(?～)没。	八三七 清原夏野没。
	開成三	戊午	八三八 僧澄観(七三七～)没。「華厳経疏」	八四〇 「日本後紀」
武宗	会昌元	辛酉	八四一 李翺(七七二～)没。／僧宗密(七八〇～)没。「原人論」	八四二 嵯峨天皇没。
	二	壬戌	八四二 劉禹錫(七七二～)没。	八四二 菅原清公没。
	三	癸亥	八四三 賈島(七七九～)没。	八四二 橘逸勢没。
	五	乙丑	八四五 道教以外の諸宗教を禁止。	〈八四三 フランク王国分裂(独・仏・伊の基)。
	六	丙寅	八四六 李紳(?～)没。／白居易(楽天。七七二～)没。「白氏文集」	八五二 滋野貞主没。
宣宗	大中元	丁卯	八四七 牛僧孺(七七九～)没。	八五二 小野篁没。
	四	庚午	八五〇 李公佐(七七〇?～)没?。／このころ、許渾没。	〈八六二 ノブゴロド王国建国(ロシアの起源)。
	六	壬申	八五二 杜牧(八〇三～。小杜と称される)没。「杜樊川集」	八六四 円仁(慈覚)没。
	一二	戊寅	八五八 李商隠(八一三～)没。「李義山詩集」	八六九 「続日本後紀」
懿宗	咸通四	癸未	八六三 段成式(?～)没。「酉陽雑俎」「剣俠伝」	八七二 藤原良房没。
	六	乙酉	八六五 柳公権(七七八～)没。	八七七 大江音人没。
	七	丙戌	八六六 僧義玄(臨済宗開祖。?～)没。	八七九 「文徳実録」

唐

皇帝	年号	干支	中国	日本・その他
	一一	庚寅	八七〇 温庭筠(八一二?～)没?。	八七九 都良香没。
	一四	癸巳	八七三 王仙芝(?～八七八)、乱を起こす。	八八〇 菅原是善没。／在原業平没。
僖宗	乾符二	乙未	八七五 黄巣(?～八八四)の乱、起こる。以後十年にわたり戦火、全土に拡大、唐朝を衰滅に導く。	八八五 奨学院設立。
	広明元	庚子	八八〇 皮日休(?～)没。	八九一 円珍(智証)没。
	中和元	辛丑	八八一 陸亀蒙(?～)没。	八九二 「類聚国史」「新撰字鏡」
	光啓三	丁未	八八七 高駢(?～)没。	八九三 在原行平没。／八九四 遣唐使廃止。／八九七 藤原佐世没。
昭宗	天復元	辛酉	九〇一 このころ鄭還古の「杜子春伝」、李瀚の「蒙求」作られる。	九〇一 「三代実録」／九〇三 菅原道真没。
哀帝(昭宣)	天祐元	甲子	九〇四 杜荀鶴(八四六～)没。	九〇五 「古今和歌集」

五代十国 (907～960)

王朝	皇帝	年号	干支	中国	日本・その他
後梁(907～923)	太祖	開平元	丁卯	九〇七 唐、滅亡。朱全忠(朱温。八五二～九一二)、唐の哀帝を廃して帝位につき、汴(開封)に都し、国を梁と称する。◆唐滅亡後宋に至る間の五十四年(九〇七～九六〇)は、洛陽あるいは開封を中心とする中原の地に後梁・後唐・後晋・後漢・後周の五王朝が隆替し、その他の地域に呉(建国者、楊行密。九〇二～九三七)・南唐(李昪。九三七～九七五)・前蜀(王建。九〇七～九二五)・後蜀(孟知祥。九三三～九六五)・南漢(劉龑。九一七～九七一)・楚(馬殷。九〇七～九五一)・荊南(南平)(高季興。九二四～九六三)・呉越(銭鏐。九〇七～九七八)・閩(王審知。九〇九～九四五)・北漢(劉旻。九五一～九七九)などが興亡した。よって五代十国と呼ぶ。	
		二	戊辰	九〇八 唐の司空図(八三七～)没。	
		三	己巳	九〇九 〈呉越〉天宝二年。羅隠(八三三～九〇九)。	
	友珪	乾化二	壬申	九一二 〈前蜀〉永平二年。僧貫休(八三二～)没。	九一二 紀長谷雄没。
	末帝	貞明二	丙子	九一六 耶律阿保機(八七二～九二六)、契丹国を興す。	九一八 三善清行没。／〈九一八 朝鮮に高麗興る。
後唐(923～936)	荘宗	同光元	癸未	九二三 李存勗(荘宗。八八五～九二六)、後梁を滅ぼして帝位につき、洛陽に都する。／韓偓(八四四～)没。「迷楼記」	九一九 紀淑望没。／〈九二六 渤海滅亡。
	明宗	長興四	癸巳	九三三 杜光庭(八五〇～)没。「虬髯客伝」	九三三 藤原兼輔(堤中納言)没。
	閔帝・廃帝	応順元・清泰元	甲午	九三四	〈九三六 高麗、朝鮮を統一。
後晋(936～946)	高祖	天福元	丙申	九三六 石敬瑭(高祖。八九二～九四二)、契丹の援助により、後唐を滅ぼして帝位につき、洛陽に都する。	
		二	丁酉	九三七 契丹を避けて開封に遷都。	
	出帝	開運三	丙午	九四六 契丹、南下して出帝を殺害、後晋滅亡。／劉昫(八八七～)没。「旧唐書」	九四五 紀貫之没?。「土佐日記」「古今和歌集」
後漢(947～950)	高祖	天福一二	丁未	九四七 劉知遠(高祖。八九五～九四八)、帝位につき、開封に都する。／契丹、国号を遼と改める。	
	隠帝	乾祐元	戊申	九四八	

五代十国　後周（951〜960）

皇帝	年号	干支
太祖	広順元	辛亥
世宗	顕徳元	甲寅
	三	丙辰
恭帝	六	己未

九五一 郭威（太祖。九〇四〜九五四）、後漢を滅ぼして帝位につき、開封に都する。
九五四 馮道（八八二〜。九経の出版を首唱）没。／楊凝式（八七三〜）没。
九五六 九経の出版完成。／王仁祐（八八〇〜）没。「開元天宝遺事」
九五九

九五一 「後撰和歌集」
九五七 大江朝綱没。

宋　北宋（960〜1127）

皇帝	年号	干支
太祖	建隆元	庚申
	開宝七	甲戌
	八	乙亥
太宗	太平興国三	戊寅
	六	辛巳
	七	壬午
	八	癸未
	雍熙二	乙酉
	端拱二	己丑
	淳化三	壬辰
	至道元	乙未
	二	丙申
真宗	咸平三	庚子
	四	辛丑
	景徳元	甲辰
	三	丙午
	四	丁未
	大中祥符三	庚戌
	六	癸丑
	天禧元	丁巳
	四	庚申
仁宗	天聖六	癸亥
	明道二	癸酉

九六〇 趙匡胤（太祖。九二七〜九七六）、後周の恭帝を廃して帝位につき、汴（開封）に都し、国を宋と称する。
◆五代の争乱に省みて武より文に重きをおき、学問・文学・芸術ともに栄えた。一一二七年、金の侵入により臨安（杭州）に遷都して以後を南宋といい、それ以前を北宋という。
九七四 徐鍇（徐鉉の弟。九二〇〜）没。「説文繋伝」
九七五 僧延寿（九〇四〜）没。「宗鏡録」
九七八 南唐の後主、李煜（九三七〜。中主李璟（九一六〜九六一）とともに作詩にすぐれ、南唐の二主と呼ばれる）没。
九八一 薛居正（九一二〜）没。「旧唐書」
九八二 「文苑英華」完成。／王溥（九二二〜）没。「唐会要」「五代会要」
九八三 「太平御覧」「太平広記」完成。／遼、国号を契丹に改める。
九八五 蜀の成都において一切経（大蔵経）刊刻完成。一切経刻版のはじめ。
九八九 陳希夷（?〜。儒・仏・道三教の一致を説く）没。
九九二 徐鉉（九一七〜九九二）。「説文注」
九九五 蘇易簡（九五七〜）没。
九九六 李昉（九二五〜。「太平御覧」などの撰者）没。
一〇〇〇 柳開（九四七〜）没。
一〇〇一 九経を印刷して州県の学校に分かつ。／王禹偁（九五四〜）没。「黄州竹楼記」
一〇〇四 契丹と澶州で盟約を結ぶ（澶淵の盟）。
一〇〇六 王延徳（九三九〜）没。「高昌紀行」
一〇〇七 楽史（九三〇〜）没。「太平寰宇記」
一〇一〇 邢昺（九三二〜）没。「爾雅疏」
一〇一三 「冊府元亀」完成。
一〇一七 陳彭年（九六一〜）没。「大宋重修広韻」
一〇二〇 楊億（九七三〜。「冊府元亀」の撰者の一人）。／姚鉉（九六八〜）没。「唐文粋」
一〇二八 林逋（林和靖。九六七〜）没。
一〇三三 孫奭（九六二〜一〇三三）没。

△九六二 神聖ローマ帝国建設。
九六三 大江維時没。
九六六 小野道風没。
九八一 菅原文時没。
九八三 源順没。
△九八七 仏、カペー朝成立。
九九〇 清原元輔（清少納言の父）没。
九九八 藤原佐理没。
一〇〇〇ころ 「拾遺和歌集」「枕草子」
△一〇一〇 ベトナム、李朝成立。
一〇一六 紫式部没?。「源氏物語」
一〇一七 恵心（源信）没。「往生要集」
一〇二七 藤原道長没。「御堂関白記」
△一〇三八 西夏建国（〜一二二七）。

宋　北宋

皇帝	年号	干支
	宝元元	戊寅
	慶暦五	乙酉
	八	戊子
	皇祐四	壬辰
	五	癸巳
	嘉祐元	丙申
	四	己亥
	五	庚子
	六	辛丑
英宗	治平二	乙巳
	三	丙午
神宗	熙寧元	戊申
	二	己酉
	五	壬子
	六	癸丑
	八	乙卯
	一〇	丁巳
	元豊六	癸亥
	八	乙丑
哲宗	元祐元	丙寅
	紹聖元	甲戌
	四	丁丑
	元符元	戊寅
徽宗	建中靖国元	辛巳
	崇寧元	壬午
	四	乙酉
	大観元	丁亥
	政和二	壬辰
	五	乙未
	重和元	戊戌
	宣和元	己亥
	二	庚子

一〇三八 百官の朋党を戒める（朋党論）。
一〇四五 石介（一〇〇五〜）没。
一〇四八 蘇舜欽（易簡の孫。一〇〇八〜）没。
一〇五二 范仲淹（九八九〜）没。「岳陽楼記」
一〇五三 丁度（九九〇〜）没。「集韻」
一〇五六 王尭臣（一〇〇一〜）没。「崇文総目」
一〇五九 胡瑗（安定。九九三〜）没。／李覯（一〇〇九〜）没。
一〇六〇 梅尭臣（一〇〇二〜）没。
一〇六一 宋祁（九九八〜）没。「新唐書」
一〇六五 賈昌朝（九九八〜）没。「群経音弁」
一〇六六 蘇洵（軾・轍の父。一〇〇九〜）没。／契丹、また国号を遼と改める。
一〇六八 劉敞（一〇一九〜）没。
一〇六九 王安石、新法を実施。以後、新旧両法の派閥争い起こる。
一〇七二 欧陽脩（一〇〇七〜）没。「新唐書」「新五代史」／僧契嵩（一〇〇七〜。三教帰一を唱える）没。「伝法正宗記」
一〇七三 周敦頤（濂渓。一〇一七〜。宋学の祖）没。「太極図説」「通書」
一〇七五 韓琦（一〇〇八〜）没。
一〇七七 邵雍（康節。一〇一一〜）没。「皇極経世書」／張載（横渠。一〇二〇〜）没。「西銘」「正蒙」
一〇八三 富弼（一〇〇四〜）没。／曽鞏（一〇一九〜）没。「元豊類稿」
一〇八五 程顥（明道。程頤の兄。一〇三二〜）没。
一〇八六 司馬光（温公。一〇一九〜）没。「資治通鑑」／王安石（一〇二一〜）没。「周官新義」
一〇九四 沈括（一〇三〇〜）没。「夢渓筆談」
一〇九七 文彦博（一〇〇六〜）没。
一〇九八 范祖禹（一〇四一〜）没。
一一〇一 蘇軾（東坡。一〇三六〜）没。「前赤壁賦」／陳師道（一〇五三〜）没。
一一〇二 陸佃（一〇四二〜）没。「埤雅」
一一〇五 黄庭堅（山谷。一〇四五〜）没。
一一〇七 程頤（伊川。一〇三三〜）没。「易伝」「経説」／米芾（元章。一〇五一〜）没。
一一一二 蘇轍（蘇軾の弟。一〇三九〜）没。
一一一五 〈金〉女真、国を金と号する。
一一一八 黄伯思（一〇七九〜）没。「東観余論」
一一一九 〈金〉女真文字を作る。
一一二〇 宋江、三十六名の有力指導者を統率して河南省黄河付近に反乱を起こす。以後、山東省西

一〇四一 藤原公任没。「北山抄」「和漢朗詠集」
△一〇四四 ビルマ、パガン朝成立。
一〇五一 前九年の役。
一〇五三 宇治平等院創建。
△一〇六六 英、ノルマン朝成立。
一〇六六 藤原明衡没。「本朝文粋」
一〇七四 藤原頼通没。
△一〇七七 カノッサの屈辱。
一〇八三 後三年の役。
一〇八六 院政始まる。／「後拾遺和歌集」
一〇九六 藤原（世尊寺）伊房没。
△一〇九六 第一回十字軍遠征起こる（〜一〇九九）。
一一〇六 源義家没。
一一一一 大江匡房没。

宋

南宋（1127～1279）

欽宗　三 辛丑／七 乙巳／靖康元 丙午／二 丁未
高宗　建炎元 丁未／三 己酉／紹興五 乙卯／八 戊午／一〇 庚申／一一 辛酉／二七 丁丑／三〇 庚辰
孝宗　乾道二 丙戌／六 庚寅／淳熙二 乙未／三 丙申／四 丁酉／七 庚子／八 辛丑／一一 甲辰／一四 丁未／一六 己酉
光宗　紹熙三 壬子／四 癸丑
寧宗　慶元元 乙卯／六 庚申／嘉泰元 辛酉／開禧元 乙丑

部、江蘇省北部まで進出するも、一一二三年鎮圧（「水滸伝」はこの事件を粉飾）。
一一二一 周邦彦（一〇五六～）没。
一一二五 〈金〉遼（九一六～一一二五）を滅ぼす。
一一二六 金軍のため国都汴京陥落。／王黼（?～）没。「宣和博古図」
一一二七 金、徽宗・欽宗・后妃以下三千人を捕らえて北に連行し、北宋滅亡（靖康の難）。
一一二七 高宗（欽宗の弟）、南京応天府にて即位、宋室を再興。これを宋の南渡という。
一一二九 臨安（杭州）に都を定める。／趙明誠（一〇八一～）没。「金石録」
一一三五 楊時（亀山。一〇五三～）没。／僧克勤（無著。一〇六三～）没。「碧巌録」
一一三八 高宗、金に対して臣を称す。／胡安国（一〇七四～）没。「春秋胡氏伝」／呂本中（一〇八四～）没。「東萊博議」「春秋解」
一一四〇 李綱（一〇八三～）没。
一一四一 秦檜（一〇九〇～一一五五）、金との和議を首唱、主戦派を弾圧。／岳飛（一一〇三～）没。
一一五七 僧正覚（宏智。一〇九一～）没。「従容録」
一一六〇 鄭樵（一一〇三～）没。「通史」
一一六六 茅子元（白蓮教祖。?～）没。
一一七〇 〈金〉王嘉（全真教祖。一一一三～）没。
一一七五 朱熹・陸九淵、鵝湖（江西省）に会して論争。
一一七六 朱熹、白鹿洞書院を復興。／林之奇（一一一二～）没。
一一七七 朱熹、「論語集注」「孟子集注」を著す。
一一八〇 張栻（南軒。一一三三～）没。「論語解」「孟子解」
一一八一 呂祖謙（東萊先生。一一三七～。朱熹と「近思録」を著す）没。
一一八四 李燾（一一一五～）没。「続資治通鑑長編」
一一八七 洪邁（一一二三～）没。「夷堅志」「容斎随筆」
一一八九 朱熹、「大学章句」「中庸章句」を著す。
一一九二 陸九淵（象山。一一三九～。心学の祖。心即理説を説き、朱熹と対立）没。
一一九三 范成大（一一二六～）没。尤袤（一一二四～）没?。
一一九五 程大昌（一一二三～）没。「演繁露」／このころ馬遠・夏珪ら、画院に活躍。
一二〇〇 朱熹（一一三〇～。二程を受けて宋学を大成）没。「詩集伝」「資治通鑑綱目」
一二〇一 このころ梁楷、画院待詔となる。
一二〇五 袁枢（一一三一～）没。「資治通鑑紀事本末」

一一二四 中尊寺金色堂建立。
△一一二五ころ アンコールワット建設。
一一二七 「金葉和歌集」
一一二九 源俊頼没?
△一一三九 ポルトガル王国成立。
一一四二 藤原基俊没。
一一五一ころ 「詞花和歌集」
一一五六 保元の乱。
一一五九 平治の乱。
一一六四 藤原忠通没。
一一七七 俊寛ら流刑。／藤原清輔没。
一一七九 平重盛没。
一一八一 平清盛没。
一一八五 平家滅亡。
一一八七 「千載和歌集」
一一八九 源義経没。／清原頼業没。
一一九〇 西行没。「山家集」
一一九二 鎌倉幕府開く。
一一九九 源頼朝没。
一二〇二 寂蓮没。
一二〇四 藤原俊成没。
一二〇五 「新古今和歌集」

宋　南宋／元（1279～1368）

寧宗　二 丙寅／三 丁卯／嘉定三 庚午／四 辛未／一六 癸未
理宗　宝慶三 丁亥／紹定三 庚寅／端平元 甲午／二 乙未／三 丙申／嘉熙元 丁酉／淳祐元 辛丑／三 癸卯／四 甲辰／六 丙午／一〇 庚戌／宝祐元 癸丑／五 丁巳／景定元 庚申／五 甲子
度宗　咸淳五 己巳／七 辛未／一〇 甲戌
恭帝　徳祐元 乙亥
端宗　景炎元 丙子
衛王　祥興元 戊寅／二 己卯
元 世祖　至元一六 己卯

一二〇六 楊万里（一一二七～）没。／〈元〉太祖元年。蒙古の鉄木真（一一六二～一二二七）、オノン河源に即位し、成吉思汗を称する。
一二〇七 辛棄疾（稼軒。一一四〇～）没。
一二一〇 陸游（放翁。一一二五～）没。「剣南詩稿」
一二一一 〈金〉党懐英（一一三四～）没。
一二二三 葉適（水心。一一五〇～）没。
一二二七 長春真人（邱処機。一一四八～）没。
一二三〇 蔡沈（一一六七～）没。「書経集伝」
一二三四 岳珂（一一八三～）没。／〈金〉宋・蒙古の連合軍のため、金、滅亡。
一二三五 真徳秀（一一七八～）没。「文章正宗」
一二三六 〈元〉蒙古の抜都汗（一二〇七～一二五五）、総司令官として西征、東ヨーロッパに侵入。
一二三七 魏了翁（一一七八～）没。／張洽（一一六一～）没。
一二四一 このころ劉淵、「平水韻」を著す。百七韻のはじめ。
一二四三 金の王若虚（一一七四～）没。
一二四四 〈元〉耶律楚材（一一九〇～）没。
一二四六 僧道隆、日本に渡る。
一二五〇 周弼、「三体詩」を編纂。
一二五三
一二五七 金の元好問（遺山。一一九〇～）没。「唐詩鼓吹」
一二六〇 〈元〉世祖、中統元年。蒙古の忽必烈（世祖。一二一五～一二九四）、開平（内蒙古多倫県）に即位。／僧慧開（一一八三～）没。「無門関」
一二六四 〈元〉至元元年。大都（北京）に遷都。
一二六九 劉克荘（一一八七～）没。「後村詩話」／〈元〉至元五年。国師八思巴（チベットのラマ僧）、蒙古文字を作製。これを国字とする。
一二七一 〈元〉至元八年。蒙古、国号を元と改める。
一二七四 元軍、日本遠征に失敗。
一二七五 賈似道（?～）没。／郝経（一二二三～）没。
一二七六 元将伯顔（一二三六～一二九四）、臨安に入り、恭帝・皇后を捕らえる。／端宗、福州に即位。
一二七八 文天祥（一二三六～一二八二）、元軍に捕らえられる。「正気歌」
一二七九 元将張弘範（一二三八～一二八〇）、厓山（広東省の海島）を襲い、陸秀夫（一二三八～一二七九）、衛王を背負って海に沈む。南宋滅亡。／張世傑（?～）没。
一二七九 元、中国を統一する。／僧祖元、日本に渡る。
◆この時代、雑劇（歌劇）最も栄え、馬致遠（「漢宮秋」「青衫涙」）・鄭光祖（「㑳梅香」「倩女離

集」
一二〇六 藤原良経没。
一二一二 法然（源空）（浄土宗）没。
一二一五 栄西（臨済宗）没。
一二一六 鴨長明没。
一二一九 源実朝没。
一二二一 承久の乱。
一二二三 運慶没?。
一二二五 大江広元没。慈円（慈鎮）没。「愚管抄」
一二三二 「貞永式目」
一二三七 藤原家隆没。
一二四一 藤原定家没。
一二四六 菅原為長没。「字鏡集」
一二五三 道元（曹洞宗）没。「正法眼蔵」
一二五四 「古今著聞集」
一二五六 湛慶没。
一二六二 親鸞（真宗）没。「歎異抄」
一二六三 北条時頼没。
一二七四 文永の役。
一二七五 藤原為家没。
一二七六 北条実時（金沢文庫）没。／「続拾遺和歌集」
一二七八 〈宋〉道隆（蘭渓・大覚・建長寺）没。
一二八〇 弁円（円爾・聖一）没。

元 (1279～1368)

帝	年号	干支	事項
			魂」)・関漢卿(「竇娥冤」「救風塵」)・白樸(「梧桐雨」)・王実甫(「西廂記」)・高明(「琵琶記」)などを輩出。また小説に羅貫中(「三国志演義」「平妖伝」)・施耐庵(「水滸伝」?・)らを出す。
	一八	辛巳	一二八一 元軍、日本に大敗。／許衡(一二〇九～)没。
	二二	乙酉	一二八五 白樸(一二二六～)没。
	二六	己丑	一二八九 宋の謝枋得(一二二六～)没。「文章軌範」
	三〇	癸巳	一二九三 劉因(一二四九～)没。
成宗	元貞元	乙未	一二九五 趙孟堅(趙孟頫の従兄。一一九九～)没。
	二	丙申	一二九六 王応麟(一二二三～)没。「玉海」「困学紀聞」
	大徳元	丁酉	一二九七 このころ曾先之、「十八史略」を著す。／陰時夫、「韻府群玉」を著す。百六韻のはじめ。
	二	戊戌	一二九八 托克托(一二三八～)没。「宋史」「遼史」「金史」／周密(一二三二～)没。「斉東野語」
	三	己亥	一二九九 僧一寧(一二四七～一三一七)、日本に渡る。
	六	壬寅	一三〇二 胡三省(一二三〇～)没。「資治通鑑注」
	一〇	丙午	一三〇六 方回(一二二七～)没。
武宗	至大元	戊申	一三〇八 このころ馬端臨、「文献通考」を著す。
	四	辛亥	一三一一 吾丘衍(?～)没。「学古編」
仁宗	皇慶二	癸丑	一三一三 王禎「農書」を著す。／科挙の制度を復活。
	延祐元	甲寅	一三一四 姚燧(一二三九～)没。
	三	丙辰	一三一六 郭守敬(一二三一～。授時暦を作る)没。
英宗	至治二	壬戌	一三二二 趙孟頫(子昂。一二五四～)没。／元明善(一二六九～)没。
	三	癸亥	一三二三 楊載(一二七一～)没。／僧明本(中峰。一二六三～)没。
晋宗	泰定四	丁卯	一三二七 袁桷(一二六六～)没。
天順帝・文宗	致和元・天暦元	戊辰	一三二八
明宗	二	己巳	一三二九
文宗	至順元	庚午	一三三〇 范梈(一二七二～)没。
寧宗	三	壬申	一三三二
順帝	元統元	癸酉	一三三三 呉澄(一二四九～)没。／胡炳文(一二五〇～)没。
	二	甲戌	一三三四 陳櫟(勤有堂。一二五二～)没。「書伝纂疏」
	至元元	乙亥	一三三五 科挙の制度を廃止。
	四	戊寅	一三三八 馬祖常(一二七九～)没。
	六	庚辰	一三四〇 呉萊(一二九七～)没。
	至正二	壬午	一三四二 柳貫(一二七〇～)没。
	四	甲申	一三四四 掲傒斯(一二七四～)没。「遼史」
	八	戊子	一三四八 虞集(一二七二～)没。「経世大典」
	一一	辛卯	一三五一 白蓮・弥勒教徒ら反乱を起こし、元末動乱の導火線となる(紅巾の賊)。
	一三	壬辰	一三五三 蘇天爵(一二九四～)没。「元文類」
	一六	丙申	一三五六 朱元璋、金陵(南京)の戦いに勝ち、呉国

一二八一 弘安の役。
一二八二 日蓮(日蓮宗)没。「立正安国論」
一二八四 北条時宗没。
一二八六 〈宋〉祖元(無学・仏光、円覚寺)没。
一二八九 一遍没。
△一二九九 オスマン・トルコ成立。
一三一七 〈元〉一寧(一山)没。
△一三二一 ダンテ没。「神曲」
△一三二四 マルコ・ポーロ没。「東方見聞録」
一三二八 藤原為相没。
一三三四 建武の中興。
一三三六 南北朝分裂(～一三九二)。
一三三七 妙超(宗峰・大灯)没。
一三三八 室町幕府開く。
△一三三九 英仏百年戦争始まる(～一四五三)。
一三四六 虎関(師錬)没。「元亨釈書」
一三五〇 兼好法師没?。「徒然草」／玄慧没。「庭訓往来?・」
一三五一 疏石(夢窓)没。
一三五四 北畠親房没。

元

帝	年号	干支	事項
			公と称する。
	一七	丁酉	一三五七 欧陽玄(一二八三～)没。
	二四	甲辰	一三六四 朱元璋、呉王を称する。
	二八	戊申	一三六八 順帝、大都を棄てて北に去り、元、滅亡。

「神皇正統記」
一三五八 足利尊氏没。
一三六四 「論語集解(「正平版論語」)」出版。

明 (1368～1644)

帝	年号	干支	事項
太祖	洪武元	戊申	一三六八 呉王朱元璋(太祖。一三二八～一三九八)、帝位につき、応天府(南京)に都し、国を明と称する。◆この時代、小説栄える。
	二	己酉	一三六九 日本人、山東を荒らす(倭寇)。倭寇はこの後一五六〇年ころまで中国沿岸各地に出没。／陶宗儀(?～)没。「輟耕録」
	三	庚戌	一三七〇 元の楊維禎(一二九六～)没。
	六	癸丑	一三七三 王禕(一三二二～)没。
	七	甲寅	一三七四 元の倪瓚(雲林。一三〇一～)没。／高啓(一三三六～)没。
	八	乙卯	一三七五 劉基(一三一一～)没。
	一四	辛酉	一三八一 宋濂(一三一〇～)没。「元史」
	一八	乙丑	一三八五 科挙の制度を復活。／王蒙(?～)没。
	三一	戊寅	一三九八 太祖崩じ、孫の恵帝即位。
恵帝	建文元	己卯	一三九九 燕王朱棣(太祖の第四子)、靖難の変を起こす。
		庚辰	一四〇〇 羅貫中(一三三〇?～)没?。「三国志通俗演義」
	四	壬午	一四〇二 恵帝(一三八三～)敗死し、朱棣(成祖。一三六〇～一四二四)帝位につく。／方孝孺(一三五七～)没。
成祖	永楽三	乙酉	一四〇五 鄭和の南海遠征始まる(～一四三三)。
	五	丁亥	一四〇七 「永楽大典」完成。／王冕(一三三五～)没。
	一二	甲午	一四一四 「五経大全」「四書大全」「性理大全」完成。
	一九	辛丑	一四二一 北京順天府に遷都。
	二一	癸卯	一四二三 高棅(一三五〇～)没。「唐詩品彙」
仁宗	洪熙元	乙巳	一四二五
宣宗	宣徳二	丁未	一四二七 瞿佑(一三四一～一四二七)。「剪灯新話」
英宗	正統九	甲子	一四四四 楊士奇(一三六五～)没。「歴代名臣奏議」
	一四	己巳	一四四九 英宗、瓦剌を親征し、土木堡(河北省)の戦いに大敗して捕らえられる(土木の変)。
景帝	景泰元	庚午	一四五〇 英宗の弟、郕王(景帝)即位。／英宗、北より帰る。
	三	壬申	一四五二 李禎(一三七六～)没。「剪灯余話」
英宗	天順元	丁丑	一四五七 景帝崩じ、英宗再び即位。
	五	辛巳	一四六一 「大明一統志」完成。
	八	甲申	一四六四 薛瑄(一三九二～)没。
憲宗	成化五	己丑	一四六九 呉与弼(一三九一～)没。
	二〇	甲辰	一四八四 胡居仁(一四三四～)没。
孝宗	弘治八	乙卯	一四九五 このころより銅活字印刷盛ん。
	一三	庚申	一五〇〇 陳献章(一四二八～)没。

△一三六九 ティムール帝国成立。
一三七二 頓阿没。
△一三七五 ボッカチオ没。「デカメロン」
一三七五 中巌(円月)没。
△一三七八 ローマ教会分裂(～一四一七)。
一三八四 観阿弥没。
一三八八 義堂(周信)没。
一三九二 南北朝合一。
△一三九二 朝鮮、李王朝成立。
△一四〇〇 チョーサー没。「カンタベリー物語」
一四〇五 絶海(中津)没。
一四〇八 足利義満没。
一四二〇 今川了俊没。
一四三九 足利学校再興(上杉憲実)。
一四四三 世阿弥(観世元清)没。「花伝書」
△一四五〇ころ グーテンベルク、活版印刷術発明。
△一四五三 東ローマ帝国滅亡。
一四六七 応仁の乱(～一四七七)。
一四八六 太田道灌没。
一四九〇 足利義政没。
△一四九八 インド航路発

明

武宗	正徳 四	己巳	一五〇九 沈周(石田。一四二七〜)没。
	一一	丙子	一五一六 李東陽(一四四七〜)没。
	一二	丁丑	一五一七 ポルトガル、広東に来航。
	一六	辛巳	一五二一 何景明(一四八三〜)没。
世宗	嘉靖 五	丙戌	一五二六 祝允明(一四六〇〜)没。
	七	戊子	一五二八 王守仁(陽明。一四七二〜。心即理を説き、陽明学を開く)没。「伝習録」/余祐(一四六五〜)没。
	一〇	辛卯	一五三一 李夢陽(一四七五〜)没。
	一九	庚子	一五四〇 王艮(一四八三〜)没。/康海(一四七五〜)没。
	二三	甲辰	一五四四 陳淳(一四八三〜)没。
	三〇	辛亥	一五五一 王九思(一四六八〜)没。
	三一	壬子	一五五二 イエズス会宣教師、フランシスコ・ザヴィエル(一五〇六〜)、広東に至り死亡。
	三六	丁巳	一五五七 汪直(汪五峰。?〜。明代倭寇の頭目の一人。日本の五島を根拠地とした)没。/ポルトガル、マカオ居住権を得る。
	三八	己未	一五五九 文徴明(一四七〇〜)没。/楊慎(一四八八〜)没。
	三九	庚申	一五六〇 唐順之(一五〇七〜)没。
	四四	乙丑	一五六五 王圻、進士に及第。「三才図会」「続文献通考」
穆宗	隆慶 四	庚午	一五七〇 李攀竜(一五一四〜)没。「古今詩刪」(「唐詩選」はその編というも書店の偽選)
	五	辛未	一五七一 帰有光(震川。一五〇六〜)没。
	六	壬申	一五七二 馮惟訥(?〜)没。
神宗	万暦 八	庚辰	一五八〇 李元陽(一四九七〜。「十三経注疏」を刊刻)没。
	一〇	壬午	一五八二 利瑪竇(イタリア、イエズス会宣教師、マテオ・リッチ。一五五二〜一六一〇)、広東に至る。一六〇一年、北京にて神宗に拝謁。カトリック教を布教、西洋科学を紹介。「乾坤体義」「坤輿万国全図」/呉承恩(一五〇〇?〜)没。「西遊記」
	一八	庚寅	一五九〇 王世貞(一五二六〜)没。「金瓶梅」はその作ともいう。
	二一	癸巳	一五九三 徐渭(一五二一〜)没。/李時珍(一五一八〜)没。「本草綱目」
	二九	辛丑	一六〇一 茅坤(一五一二〜)没。「唐宋八大家文鈔」
	三〇	壬寅	一六〇二 胡応麟(一五五一〜)没。/李贄(卓吾。一五二七〜)没。
	三六	戊申	一六〇八 章潢(一五二七〜)没。「図書編」
	三八	庚戌	一六一〇 袁宏道(中郎。一五六八〜)没。
	三九	辛亥	一六一一 東林党の政争起こる。
	四〇	壬子	一六一二 顧憲成(一五五〇〜)没。顧允成(一五五四〜一六〇七)・高攀竜(一五六二〜一六二六)らと東林書院に拠って、その党を指導。
	四四	丙辰	一六一六 臧晋叔(懋循)、「元曲選」を編集。/〈清〉太祖、天命元年。中国東北部の奴児哈赤(太祖。一五五九〜一六二六)、帝位につき、国を後金と称する。/湯顕祖(一五五〇〜)没。「紫釵記」「還魂記」
	四七	己未	一六一九 梅鼎祚(一五五三〜)没。/〈清〉天命四年。太祖、明の大軍を薩爾滸(遼寧省)に撃破。
光宗	泰昌元	庚申	一六二〇 焦竑(一五四一〜)没。「国朝献徴録」
熹宗	天啓 五	乙丑	一六二五 〈清〉天命十年。瀋陽(奉天)に都を定める。
	七	丁卯	一六二七 魏忠賢(一五六八〜。宦官出身。権勢を振るい、東林党など反対派を弾圧)没。/〈清〉太宗、天聡元年。
毅宗	崇禎元	戊辰	一六二八 陳元贇(一五八七〜一六七一)、日本に帰化。尾張侯に客事。拳法を伝える。
	三	庚午	一六三〇 李之藻(一五六九〜。西洋学術の導入)没。
	四	辛未	一六三一 譚元春(一五八六〜)没。
	六	癸酉	一六三三 徐光啓(一五六二〜)没。「幾何原本」「農政全書」
	八	乙亥	一六三五 李日華(一五六五〜)没。
	九	丙子	一六三六 董其昌(一五五五〜)没。/〈清〉崇徳元年。国号を大清と改める。
	一〇	丁丑	一六三七 宋応星、「天工開物」を著す。
	一三	庚辰	一六四〇 張瑞図(一五七〇〜)没?。
	一四	辛巳	一六四一 李自成(一六〇六〜一六四五)、洛陽を占領(李自成の乱。一六三一〜四五)。張溥(一六〇二〜)没。
	一六	癸未	一六四三 〈清〉崇徳八年。太宗(?〜)没。世祖嗣ぐ。
	一七	甲申	一六四四 李自成、北京に侵入、毅宗自殺して、明、滅亡。/倪元璐(一五九三〜)没。/凌濛初(一五八〇〜)没。「拍案驚奇」

一五〇二 村田珠光没。/飯尾宗祇没。
一五〇六 雪舟没。
一五〇八 桂庵(玄樹)没。
△一五一七 ルターの宗教改革。
△一五一九 レオナルド・ダ・ヴィンチ没。
△一五二二 マゼラン、世界一周。
一五二五 土佐光信没。
一五三〇 狩野正信没。
△一五三三 インカ帝国滅亡。
一五四三 鉄砲、種子島に伝来。
一五四九 ザヴィエル、天主教を伝道。
一五五三 山崎宗鑑没。
一五五九 狩野元信没。
△一五六四 ミケランジェロ没。
△一五六八 オランダ独立戦争。
一五七三 室町幕府滅亡。
一五八二 織田信長没。
△一五八八 英、イスパニアの無敵艦隊撃破。
一五九〇 狩野永徳没。
一五九一 千利休没。
一五九二 文禄の役。
一五九三 今井宗久没。
一五九四ころ 活字印刷。
一五九七 慶長の役。
一五九八 豊臣秀吉没。
△一六〇〇 英、東インド会社設立。
一六〇三 徳川家康(一六一六没)、江戸幕府を開く。
一六一〇 細川幽斎没。
一六一三 支倉常長、欧州に使いする。
△一六一五 大坂夏の陣。/古田織部没。
△一六一六 シェークスピア没。
△一六一八 ドイツ、三十年戦争。
一六一九 藤原惺窩没。
一六二〇 文之(玄昌)没。
一六二八 菅得菴没。
一六三五 狩野山楽没。
一六三七 島原の乱。/本阿弥光悦没。
一六三八 烏丸光広没。
一六三九 鎖国(〜一八五四)。
一六四三 天海没。

清 (1644〜1911)

世祖	順治元	甲申	一六四四 世祖(一六三八〜一六六一)、李自成を追い、北京を都として中国に君臨。清代、考証学盛ん。/明の遺王遺臣、南方に逃れ回復を図る。
	二	乙酉	一六四五 清、揚州を落とす。/辮髪令を定める。
	三	丙戌	一六四六 明の黄道周(一五八五〜)没。「博物典彙」/馮夢竜(一五七四〜)没。「古今小説」/阮大鋮(一五八七〜)没。「春灯謎」「燕子箋」/科挙を実施。
	六	己丑	一六四九 艾儒略(イタリア人宣教師、ジュリオ・アレニ。一五八二〜)没。「職方外紀」「西学凡」「出像経解」
	一〇	癸巳	一六五三 明の独立(戴曼公。一五九六〜一六七二)、日本に帰化。
	一一	甲午	一六五四 侯方域(一六一八〜)没。/明の隠元(一五九二〜一六七三)、日本に渡航。黄檗宗を開く。
	一六	己亥	一六五九 明の毛晋(一五九九〜。「十三経」「十七史」「津逮秘書」を刊刻)没。/朱之瑜(舜水。一六〇〇〜一六八二)、日本に帰化。水戸光圀に招かれる。

一六四五 沢庵没。
一六四七 小堀政一(宗甫・遠州)没。
一六四八 中江藤樹没。/那波活所没。
一六四九 谷時中没。
△一六五〇 デカルト没。
一六五一 由井正雪の乱/徳川家光没。
一六五三 松永貞徳没。
一六五七 「大日本史」編集の史局開設。/林羅山没。

清

皇帝・年号	干支	中国
一八	辛丑	一六六一 明の永明王、ビルマに逃れて捕らえられ、清に送還後、殺害される。明の皇統断絶。/衛匡国(オーストリア人宣教師、マルチニ。一六一四〜一六六一年中国滞在。途中一時帰国中出版の「中国地図」はヨーロッパにおける中国地図の最初)没。「韃靼戦争記」
聖祖 康熙元	壬寅	一六六二 聖祖康熙帝(一六五四〜一七二二)即位。これより高宗乾隆帝(一七一一〜一七九九)にかけ、大規模の出版事業が行われる。/鄭成功(朱成功・国姓爺)(一六二四〜)没。
二	癸卯	一六六三 清朝批判を弾圧(文字の獄)。
三	甲辰	一六六四 明の銭謙益(一五八二〜)没。
五	丙午	一六六六 湯若望(ドイツ人宣教師、アダム・シャール。一五九一〜。一六二二年渡来。望遠鏡などを製作)没。「崇禎暦書」
一〇	辛亥	一六七一 呉偉業(一六〇九〜)没。「永和宮詞」
一二	癸丑	一六七三 三藩(雲南の平西王呉三桂・広東の平南王尚之信・福建の靖南王耿精忠)の乱起こる(〜一六八一)。
一九	庚申	一六八〇 王時敏(一五九二〜)没。/李漁(一六一一〜)没。
二一	壬戌	一六八二 顧炎武(亭林。一六一三〜)没。「日知録」
二二	癸亥	一六八三 鄭氏降伏し、台湾は清領となる。
二七	戊辰	一六八八 南懐仁(ベルギー人宣教師、フェルビースト。一六二三〜。一六五九年渡来。暦法の改革、大砲の鋳造などを行う)没。「坤輿全図」「同図説」
二八	己巳	一六八九 ロシアとネルチンスク条約を締結。
二九	庚午	一六九〇 「大清会典」(一六二巻)完成。/汪琬(一六二四〜)没。/惲格(南田。一六三三〜)没。
三一	壬申	一六九二 王夫之(船山。一六一九〜)没。/顧祖禹(一六三一〜)没。「読史方輿紀要」
三三	甲戌	一六九四 徐乾学(一六三一〜)没。「読礼通考」/徐枋(一六二二〜)没。
三四	乙亥	一六九五 黄宗羲(一六一〇〜)没。「宗元学案」「明儒学案」「明夷待訪録」
三八	己卯	一六九九 姜宸英(一六二八〜)没。「海防争論」
四一	壬午	一七〇二 万斯同(一六三八〜)没。「明史」
四三	甲申	一七〇四 閻若璩(一六三六〜)没。「尚書古文疏証」/顔元(一六三五〜)没。/邵長蘅(一六三七〜)没。/高士奇(一六四五〜)没。/洪昇(一六五九〜)没。「長生殿伝奇」
四四	乙酉	一七〇五 「全唐詩」完成。/李顒(一六二七〜)没。
四五	丙戌	一七〇六 典礼問題(中国伝統の上帝・孔子・祖先など崇拝の是非)により、イエズス会以外の布教を禁止、宣教師を国外に退去させる。/朱耷(八大

△一六六二 パスカル没。
一六六二 松平信綱没。
一六六三 野中兼山没。
一六六六 酒井田柿右衛門(初代)没。
△一六六七 ニュートン、万有引力の法則。
一六七二 石川丈山没。/隠元没。
一六七四 狩野探幽没。
△一六七七 スピノザ没。
一六八〇 林春斎(鵞峰)没。
一六八二 山崎闇斎没。/西山宗因没。
一六八五 山鹿素行没。「中朝事実」
一六九〇 湯島に聖堂建立。
一六九一 熊沢蕃山没。/土佐光起没。
一六九三 井原西鶴没。
一六九四 松尾芭蕉没。/菱川師宣没?。
一六九八 木下順庵没。
一七〇〇 徳川光圀没。
一七〇一 契沖没。
一七〇二 赤穂四十七士の討ち入り。
一七〇五 伊藤仁斎没。/北村季吟没。
一七〇六 栗山潜鋒没。

清

皇帝・年号	干支	中国
四七	戊子	山人。一六二六〜)没?。 一七〇八 孔尚任(一六四八〜)没。「桃花扇伝奇」
四八	己丑	一七〇九 朱彝尊(竹垞。一六二九〜)没。「経義考」「明詩綜」
四九	庚寅	一七一〇 「淵鑑類函」「古文淵鑑」完成。
五〇	辛卯	一七一一 「佩文韻府」完成。/王士禛(漁洋。一六三四〜)没。「唐賢三昧集」
五一	壬辰	一七一二 「耕織図」(焦秉貞画)完成。
五三	甲午	一七一四 胡渭(一六三三〜)没。「禹貢錐指」「禹貢図」
五四	乙未	一七一五 蒲松齢(一六四〇〜)没。「聊斎志異」/イギリス、広東に商館を置く。
五五	丙申	一七一六 「康熙字典」完成。/毛奇齢(一六二三〜)没。
五九	庚子	一七二〇 清、チベットを支配。
六〇	辛丑	一七二一 梅文鼎(一六三三〜)没。「梅氏暦算全書」
世宗 雍正元	癸卯	一七二三 キリスト教を全面禁止。/王鴻緒(一六四五〜)没。「明史稿」/汪士鋐(一六五八〜)没。
五	丁未	一七二七 「古今図書集成」完成。/査慎行(一六五〇〜)没。/ロシアとキャフタ条約を締結。
六	戊申	一七二八 「駢字類編」完成。
九	辛亥	一七三一 沈南蘋、日本の長崎に渡り、画法を伝える。一七三三年帰国。
一〇	壬子	一七三二 「大清会典」(二五〇巻)完成。/蒋廷錫(一六六九〜)没。/日進(フランス人宣教師、ブーヴェ。一六六〇〜)没。「大中国地図」
高宗 乾隆四	己未	一七三九 「殿版二十四史」完成。/汪澍(一六六八〜)没。
八	癸亥	一七四三 「大清一統志」(三五六巻)完成。
九	甲子	一七四四 趙執信(一六六二〜)没。
一三	丁卯	一七四七 「殿版十三経注疏」完成。
一四	己巳	一七四九 方苞(一六六八〜)没。
一九	甲戌	一七五四 呉敬梓(一七〇一〜)没。「儒林外史」
二〇	乙亥	一七五五 「西清古鑑」完成。/全祖望(一七〇五〜)没。/張廷玉(一六七二〜)没。
二二	丁丑	一七五七 外国貿易を広東一港に限定。
二三	戊寅	一七五八 恵棟(一七〇五〜)没。
二七	壬午	一七六二 江永(一六八一〜)没。/曹霑(雪芹。一七二四〜)没?。「紅楼夢」
二九	甲申	一七六四 「大清会典」(一〇〇巻)完成。/秦蕙田(一七〇二〜)没。/金農(一六八七〜)没。/郎世寧(イタリア人画家、ジョセフ・カスティリオーネ。一六八八〜。西洋画法を中国に伝える)没。
三〇	乙酉	一七六五 鄭燮(板橋。一六九三〜)没。
三四	己丑	一七六九 沈徳潜(一六七三〜)没。「唐宋八大家読本」
三七	壬辰	一七七二 「皇朝文献通考」完成。/張玉穀(?〜)没。「古詩賞析」/鄒一桂(一六八六〜)没。「小山画譜」

一七一一 浅見絅斎没。
一七一四 貝原益軒没。
一七一六 尾形光琳没。
一七一八 三宅観瀾没。
一七二四 近松門左衛門没。
一七二五 新井白石没。
一七二八 荻生徂徠没。
一七三二 林鳳岡没。
一七三四 室鳩巣没。
一七三五 細井広沢没。
一七三六 伊藤東涯没。
一七三七 安積澹泊没。
一七四三 尾形乾山没。
一七四七 太宰春台没。
△一七五一 フランスで百科全書の編集(〜一七七二)。
一七五一 徳川吉宗没。
一七五五 雨森芳洲没。
一七五九 服部南郭没。
一七六七 岡白駒(竜洲)没。
一七六八 白隠没。
△一七六九ころ 英、産業革命。
一七六九 賀茂真淵没。/青木昆陽没。
一七七四 「解体新書」(杉

清

三八 癸巳 一七七三 四庫全書処を開設。
四二 丁酉 一七七七 戴震(一七二三~)没。
四三 戊戌 一七七八 蘅塘退士(孫洙。一七一一~)没。「唐詩三百首」
四七 壬寅 一七八二 「四庫全書」第一・二分の謄写終わる。一七八八年、第七分謄写終わり、全部完成。
四九 甲辰 一七八四 「大清一統志」(四二四巻)完成。
五〇 乙巳 一七八五 蔣士銓(一七二五~)没。「紅雪楼十種曲」
五三 戊申 一七八八 荘存与(一七一九~)没。
五七 壬子 一七九二 陸錫熊(一七三四~)没。
五八 癸丑 一七九三 イギリス、マカートニーを使節として派遣。
五九 甲寅 一七九四 汪中(一七四四~)没。
六〇 乙卯 一七九五 盧文弨(一七一七~)没。
仁宗 嘉慶元 丙辰 一七九六 白蓮教徒の乱(~一八〇四。)/邵晋涵(一七四三~)没。「爾雅正義」
二 丁巳 一七九七 王鳴盛(一七二二~)没。「蛾術篇」「十七史商榷」/袁枚(随園。一七一六~)没。/畢沅(一七三〇~)没。「続資治通鑑」/王宸(一七二〇~)没。
四 己未 一七九九 江声(一七二一~)没。
六 辛酉 一八〇一 章学誠(一七三八~)没。「文史通義」
七 壬戌 一八〇二 張恵言(一七六一~)没。/王文治(一七三〇~)没。
九 甲子 一八〇四 銭大昕(一七二八~)没。「十駕斎養新録」
一〇 乙丑 一八〇五 紀昀(一七二四~)没。「四庫全書総目提要」/桂馥(一七三六~)没。「説文解字義証」
一四 己巳 一八〇九 洪亮吉(一七四六~)没。
一九 甲戌 一八一四 趙翼(一七二七~)没。「陔余叢考」「二十二史箚記」/程瑤田(一七二五~)没。/張問陶(一七六四~)没。
二〇 乙亥 一八一五 アヘンの輸入禁止。/段玉裁(一七三五~)没。「説文解字注」/姚鼐(一七三一~)没。「古文辞類纂」/梁同書(一七二三~)没。/伊秉綬(一七五四~)没。
二一 丙子 一八一六 崔述(一七四〇~)没。「崔東壁遺書」/イギリス、アマーストを使節として派遣。
二三 戊寅 一八一八 「大清会典」(八〇巻)完成。/孫星衍(一七五三~)没。「尚書今古文注疏」/翁方綱(一七三三~)没。
二五 庚辰 一八二〇 焦循(一七六三~)没。「孟子正義」
宣宗 道光五 乙酉 一八二五 郝懿行(一七五七~)没。/黄丕烈(一七六三~)没。
九 乙丑 一八二九 劉逢禄(一七七六~)没。「公羊何氏釈例」/凌曙(一七七五~)没。
一一 辛卯 一八三一 江藩(一七六一~)没。「国朝漢学師承記」
一二 壬辰 一八三二 王念孫(一七四四~)没。「読書雑志」
一四 甲午 一八三四 王引之(一七六六~)没。「経伝釈詞」/陳寿祺

田玄白ら)
△一七七六 アメリカ独立戦争(~一七八三)。
一七七六 池大雅没。
△一七七八 ルソー没。
一七八一 湯浅常山没。
一七八二 片山兼山没。
一七八三 与謝蕪村没。
△一七八九 フランス革命。
一七八九 三浦梅園没。
一七九三 和学講談所設立。/林子平没。
一七九五 円山応挙没。
一八〇一 細井平洲没。/本居宣長没。
一八〇二 木村巽斎(兼葭堂)没。
一八〇三 前野良沢没。
△一八〇四 仏、ナポレオン、皇帝即位。
△一八〇四 カント没。
一八〇七 皆川淇園没。/柴野栗山没。
一八〇八 間宮林蔵、樺太探検。
一八〇九 上田秋成没。
一八一三 山本北山没。
一八一三 尾藤二洲没。
一八一六 頼春水没。
一八一七 中井履軒没。/古賀精里没。
一八一八 司馬江漢没。
一八一九 「群書類従」
一八二〇 市川寛斎没。/原念斎没。
一八二一 塙保己一没。
一八二三 「群書類従続編」
一八二三 大田南畝(蜀山人)没。
一八二五 大田錦城没。/歌川豊国(初代)

清

(一七七一~)没。
一八 戊戌 一八三八 林則徐、イギリス商人のアヘンを焼却。
二〇 庚子 一八四〇 イギリスとの間にアヘン戦争起こる(~一八四二)。/兪正燮(一七七五~)没。「癸巳類稿・存稿」
二一 辛丑 一八四一 龔自珍(一七九二~)没。/李兆洛(一七六九~)没。「歴代地理韻編」
二二 壬寅 一八四二 イギリスと南京条約を締結。香港を割譲。上海・寧波・廈門・広州・福州の五港を開港。/「大清一統志」(五六〇巻)完成。
二三 癸卯 一八四三 厳杰(一七六三~)没。「経義叢鈔」/呉栄光(一七七三~)没。
二四 甲辰 一八四四 アメリカと望廈条約、フランスと黄埔条約締結。
二九 己酉 一八四九 阮元(一七六四~)没。「経籍籑詁」「十三経注疏校勘記」「皇清経解」/胡培翬(一七八二~)没。
三〇 庚戌 一八五〇 洪秀全、太平天国の乱(長髪賊の乱)を起こす(~一八六四)。中国近世史上最大の反乱。/林則徐(一七八五~)没。
文宗 咸豊元 辛亥 一八五一 方東樹(一七七二~)没。
三 癸丑 一八五三 太平天国軍、南京を攻略。/馬瑞辰(一七八二~)没。
四 甲寅 一八五四 劉文淇(一七八九~)没。
五 乙卯 一八五五 劉宝楠(一七九一~)没。「論語正義」/包世臣(一七七五~)没。
七 丁巳 一八五七 魏源(一七九四~)没。「海国図志」/英仏連合軍、広州を占領(アロー戦争。一八五六~一八六〇)。
八 戊午 一八五八 ロシアと愛琿条約を締結。黒竜江以北の地を割譲、沿海州を両国の共有とする。/米露二国、清・英・仏の間を仲介、天津条約成る。/朱駿声(一七八八~)没。「説文通訓定声」
一〇 庚申 一八六〇 英仏連合軍、北京に侵入。改めて北京条約を締結。イギリスに九竜半島を割譲。天津などを開放。ロシアに沿海州を割譲。/曾国藩、洋務運動を始める。/戴熙(一八〇一~)没。
穆宗 同治三 甲子 一八六四 洪秀全(一八一四~)自殺し、太平天国の乱鎮定。
八 己巳 一八六九 陳立(一八〇九~)没。「公羊義疏」/陳喬樅(一八〇九~)没。「今文尚書経説考」/鄒伯奇(一八一九~)没。「乗方捷術」
一〇 辛未 一八七一 日清修好条約締結。
一一 壬申 一八七二 曾国藩(一八一一~)没。
一三 甲戌 一八七四 日本、台湾に出兵。
徳宗 光緒元 乙亥 一八七五 西太后(文宗の妃、穆宗の生母)、妹の子徳宗を擁立、みずから政を聴く。
七 辛巳 一八八一 ロシアと伊犁条約締結。

没。
一八二六 亀田鵬斎没。
一八二七 菅茶山没。/大槻磐水(玄沢)没。
一八二八 酒井抱一没。
一八二九 松平定信没。
一八三一 良寛没。
△一八三二 ゲーテ没。
一八三二 頼山陽没。「日本外史」
一八三四 頼杏坪没。
一八三五 田能村竹田没。/狩谷棭斎没。
一八四〇 谷文晁没。
一八四一 徳川家斉没。/林述斎没。/渡辺崋山没。
一八四三 平田篤胤没。
一八四四 松崎慊堂没。
一八四五 猪飼敬所没。
一八四七 古賀侗庵没。
一八五一 篠崎小竹没。
一八五三 米使ペリー浦賀に来航。
一八五五 藤田東湖没。
一八五六 広瀬淡窓没。/梁川星巌没。
一八五九 安政の大獄。/佐藤一斎没。/吉田松陰没。
一八六〇 桜田門外の変。/安積艮斎没。
△一八六一 米、南北戦争(~一八六五)。
一八六三 会沢正志斎没。/広瀬旭荘没。
一八六四 佐久間象山没。
一八六五 斎藤拙堂没。
一八六六 藤井竹外没。
一八六七 塩谷宕陰没。
一八六八 明治維新。
一八七六 安井息軒没。
一八七八 大槻磐渓没。

清

帝	年	干支	中国	日本・世界
	八	壬午	一八八二 陳澧(一八一〇〜)没。「東塾読書記」	一八八三 鹿鳴館建設。
	一〇	甲申	一八八四 インドシナをめぐり清仏戦争起こる。(〜一八八五)。	△一八八三 マルクス没。
	一一	乙酉	一八八五 フランスと天津条約を締結。安南、フランスの保護国となる。後一八八七年、カンボジア・ベトナムなどフランス領となる。／左宗棠(一八一二〜)没。	
	一三	丁亥	一八八七 李元度(一八二一〜)没。「国朝先正事略」	一八八八 狩野芳崖没。
	一七	辛卯	一八九一 李桓(一八二七〜)没。「国朝耆献類徴」	一八八九 大日本帝国憲法発布。
	二〇	甲午	一八九四 日清戦争起こる(〜一八九五)。／孫文、ハワイに興中会を組織。／陸心源(一八三四〜)没。	
	二一	乙未	一八九五 日本と下関条約を締結。露・仏・独三国これに干渉。	△一八九五 エンゲルス没。
	二三	丁酉	一八九七 黎庶昌(一八三七〜)没。「古逸叢書」／商務印書館設立。	
	二四	戊戌	一八九八 ドイツは膠州湾、ロシアは関東州、イギリスは威海衛を租借。／戊戌の政変起こり、康有為・梁啓超・譚嗣同(一八六五〜一八九八)ら、政治革新に失敗、日本に亡命。	
	二五	己亥	一八九九 フランス、広州湾を租借。／義和団の乱(団匪事件)起こる(〜一九〇〇)。／殷墟(河南省安陽市小屯)より殷時代の甲骨文字発見。／馬建忠(?〜)没。「馬氏文通」	一八九九 治外法権撤廃。／勝海舟没。
	二六	庚子	一九〇〇 義和団、北京に入る。各国連合軍、義和団を鎮圧し、北京を占領。	
	二七	辛丑	一九〇一 北京議定書成立(辛丑和約)。李鴻章(一八二三〜)没。	一九〇一 福沢諭吉没。
	二八	壬寅	一九〇二 呉大澂(一八三五〜)没。	一九〇二 正岡子規没。
	三一	乙巳	一九〇五 科挙の制度を廃止。／孫文ら、東京にて中国革命同盟会を結成。／黄遵憲(一八四八〜)没。「日本国志」	一九〇三 尾崎紅葉没。 一九〇四 日露戦争(〜一九〇五)。／小泉八雲没。
	三二	丙午	一九〇六 イギリス人スタイン(一八六二〜一九四三)、敦煌を発掘。／兪樾(曲園。一八二一〜)没。	
	三三	丁未	一九〇七 秋瑾(一八七七〜)没。	
	三四	戊申	一九〇八 フランス人ペリオ(一八七八〜一九四五)、敦煌千仏堂石室発掘。／西太后(一八三五〜)没。／孫詒譲(一八四八〜)没。「周礼正義」「墨子間詁」／皮錫瑞(一八五〇〜)没。「経学通論」	一九〇八 那珂通世没。／橋本雅邦没。
宣統帝	宣統元	己酉	一九〇九 宣統帝(溥儀。一九〇六〜一九六七。光緒帝の弟の醇親王載灃の子)即位。載灃、摂政する。／張之洞(一八三七〜)没。	一九〇九 依田百川(学海)没。 一九一〇 大逆事件。／重野成斎没。
	三	辛亥	一九一一 十月十日、革命党、武昌に起こる(辛亥革命)。／袁世凱、北京に内閣を組織。／敦崇(一八五四〜)没。「燕京歳時記」	△一九一〇 トルストイ没。 一九一一 森槐南没。／菱

中華民国

年	干支	中国	日本・世界
元	壬子	一九一二 一月、孫文、南京にて臨時大総統に就任(翌月辞任)。／二月、宣統帝退位して、清、滅亡。中華民国成立。／三月、袁世凱、北京にて臨時大総統に就任。／孫文、国民党を結成。	田春草没。
二	癸丑	一九一三 孫文、第二革命を起こし、失敗して日本に亡命。／袁世凱、正式に大総統に就任。	一九一三 岡倉天心没。
三	甲寅	一九一四 孫文、広東に軍政府樹立。／ドイツに戦線布告。／楊守敬(一八四〇〜)没。「日本訪書誌」「水経注疏」／孫文、中国革命党を結成。	△一九一四 第一次世界大戦起こる(〜一九一八)。
四	乙卯	一九一五 日本の二十一か条要求を受諾。排日運動激化。／陳独秀、「青年雑誌」を創刊。／袁世凱、帝政をしき、反帝政運動おこる。	一九一四 岡鹿門没。
五	丙辰	一九一六 袁世凱(一八五九〜)没。／軍閥割拠、争乱の時代となる。／王闓運(一八三三〜)没。	一九一六 夏目漱石没。
六	丁巳	一九一七 胡適(一八九一〜一九六二)・陳独秀・銭玄同ら、文学革命を起こす。／王先謙(一八四二〜)没。「皇清経解続編」	△一九一七 ロシア革命。 一九一七 竹添光鴻没。
七	戊午	一九一八 蘇曼殊(玄瑛。一八八四〜)没。	
八	己未	一九一九 五・四運動、北京に起こり、反帝国主義闘争として全国に拡大。孫文、三民主義を唱え、革命結社中国国民党を組織。／劉師培(一八八四〜)没。	一九一九 三島中洲没。
一〇	辛酉	一九二一 陳独秀・李大釗(一八八八〜一九二七)ら、中国共産党を組織。／厳復(一八五三〜)没。	一九二二 森鷗外没。／日下部鳴鶴没。
一三	甲子	一九二四 孫文、広東に中国国民党第一回全国大会を開催。／第一次国(民党)共(産党)合作成立。／外蒙古独立宣言。／林紓(琴南。一八五二〜)没。「巴黎茶花女遺事」(椿姫の翻訳)は西洋小説翻訳のはじめ。	一九二三 関東大震災。
一四	乙丑	一九二五 五・三〇事件(反帝国主義運動)、上海に起こる。／孫文(一八六六〜)没。	
一五	丙寅	一九二六 蔣介石、国民革命軍総司令に就任、北伐を開始。	
一六	丁卯	一九二七 蔣介石、南京に国民政府を組織。共産党を弾圧。／共産党、国民党左派と提携、武漢政府を樹立。四月、国民政府に宣戦、七月崩壊。張作霖、北京大総統府において大元帥に就任、北京政府を組織。／王国維(権堂。一八七七〜)没。／葉徳輝(一八六三〜)没。「書林清話」／康有為(一八五八〜)没。「大同書」／呉昌碩(一八四四〜)没。	一九二七 芥川竜之介没。
一七	戊辰	一九二八 蔣介石、北伐を完成。／張作霖(一八七五〜)暗殺。	
一八	己巳	一九二九 梁啓超(一八七三〜)没。「先秦政治思想史」／殷墟の発掘始まる。	△一九二九 世界経済恐慌始まる。 一九三〇 田山花袋没。
二〇	辛未	一九三一 奉天北郊に柳条湖事件発生、満州事変に拡大。	一九三一 満州事変。

中華民国

年	干支	中国	日本
二一	壬申	一九三二 上海事変起こる。／日本、満州国を建国、溥儀(フギ)(清の宣統帝)、執政となる。／廖平(リョウヘイ)(一八五二〜)没。「今古学考」	
二二	癸酉	一九三三 柯劭忞(カショウビン)(一八五〇〜)没。「新元史」	
二三	甲戌	一九三四 国民政府、新生活運動を提唱。／満州国、共和制より帝政に移行。溥儀、皇帝となる。	
二四	乙亥	一九三五 中国共産党、江西省瑞金(ズイキン)より陝西省延安に大移動(長征)。毛沢東、党主席に就任。／瞿秋白(クシュウハク)(一八九九〜)没。	一九三五 坪内逍遥没。
二五	丙子	一九三六 西安事件(張学良、蔣介石を西安に監禁)を契機とし、第二次国共合作成立。／章炳麟(ショウヘイリン)(一八六八〜)没。「国故論衡学概論」／魯迅(ロジン・ルーシュン)(一八八一〜)没。「阿Q正伝」	
二六	丁丑	一九三七 日華事変起こる。／中ソ不可侵条約締結。	
二七	戊寅	一九三八 国民政府、重慶に移転。／鄭孝胥(テイコウショ)(一八六〇〜)没。	
二八	己卯	一九三九 銭玄同(一八八七〜)没。	△一九三九 第二次世界大戦起こる。
二九	庚辰	一九四〇 蔡元培(サイゲンバイ)(一八六八〜)没。／羅振玉(ラシンギョク)(一八六六〜)没。／汪兆銘(オウチョウメイ)(一八八三〜一九四四)、南京政府を樹立。	
三一	壬午	一九四二 陳独秀(一八七九〜)没。	一九四一 太平洋戦争起こる(〜一九四五)。
三四	乙酉	一九四五 日本の敗戦により、国民政府、南京に帰還。／満州国、消滅。／中ソ友好同盟条約締結。／郁達夫(イクタツフ)(一八九六〜)没。	一九四三 島崎藤村没。
三五	丙戌	一九四六 国・共分裂、内戦となる。／聞一多(一八九九〜)没。／蒙古人民共和国成立。	一九四六 日本国憲法発布。／当用漢字表告示。
三七	戊子	一九四八 蔣介石、中華民国総統に就任。／人民解放軍(中共軍)、全東北(満州)を支配。	一九四七 幸田露伴没。
三八	己丑	一九四九 一月、北京陥落。／二月、南京陥落。国民政府、台湾に移転。／十月、中華人民共和国、北京に成立。毛沢東は中央人民政府主席に、周恩来、総理に就任。	

中華人民共和国

干支	中国	日本
庚寅	一九五〇 六月、朝鮮戦争始まり、十月、中国人民義勇軍、戦線に出動。	一九五一 サンフランシスコ対日講和条約、日米安全保障条約調印。／人名用漢字別表制定。
癸巳	一九五三 朝鮮休戦協定調印。	
甲午	一九五四 中華人民共和国憲法公布。	
丙申	一九五六 漢字簡略化方案公布。	
丁酉	一九五七 漢語拼音(ホウオン)方案草案公布。中国語をローマ字表記。	
戊戌	一九五八 「紅旗」創刊。	
甲辰	一九六四 簡化字総表発表。	
丙午	一九六六 文化大革命(〜一九七六)。／老舎(一八九八〜)没。	一九七〇 三島由紀夫没。
辛亥	一九七一 中華人民共和国、国際連合加盟。	一九七一 沖縄返還協定

中華人民共和国

干支	中国	日本
壬子	一九七二 日中共同声明発表、国交正常化。／馬王堆漢墓発掘。	調印。／志賀直哉没。 一九七二 川端康成没。
乙卯	一九七五 蔣介石(一八八七〜)没。／秦始皇帝陵兵馬俑坑を発見。	
丙辰	一九七六 周恩来(一八九八〜)没。毛沢東(一八九三〜)没。／江青ら四人組追放。／華国鋒、党主席に就任。	一九七六 ロッキード事件。 △一九七六 南北ベトナム統一。
戊午	一九七八 日中平和友好条約締結。／郭沫若(一八九二〜)没。	
己未	一九七九 米中国交正常化。／中越戦争。	
辛酉	一九八一 「建国以来の党の若干の歴史的問題についての決議」を採択し、文化大革命を全面否定。	一九八一 常用漢字表告示。
壬戌	一九八二 主席制を廃し、胡耀邦、党総書記就任。	
乙丑	一九八五 人民公社の解体終了。	
丁卯	一九八七 趙紫陽、党総書記就任。	
己巳	一九八九 中ソ国交正常化宣言。／六・四天安門事件。／江沢民、党総書記就任。	一九八九 昭和天皇崩御。平成改元。
壬申	一九九二 「社会主義市場経済の確立」を決議。	△一九九一 ソビエト連邦消滅。 一九九二 天皇・皇后中国訪問。
丙子	一九九六 台湾、初の総統直接選挙。	
丁丑	一九九七 鄧小平(一九〇四〜)没。／香港返還。	
己卯	一九九九 謝冰心(シャヒョウシン)(一九〇〇〜)没。／マカオ返還。	二〇〇〇 表外漢字字体表答申。
壬午	二〇〇二 胡錦濤(コキントウ)、党総書記就任。	△二〇〇一 米国で同時多発テロ。
癸未	二〇〇三 中国初の有人宇宙船の打ち上げと回収に成功。	
乙酉	二〇〇五 巴金(ハキン)(一九〇四〜)没。	
戊子	二〇〇八 北京オリンピック開催。	
庚寅	二〇一〇 上海万博開催。	二〇一〇 常用漢字表告示。

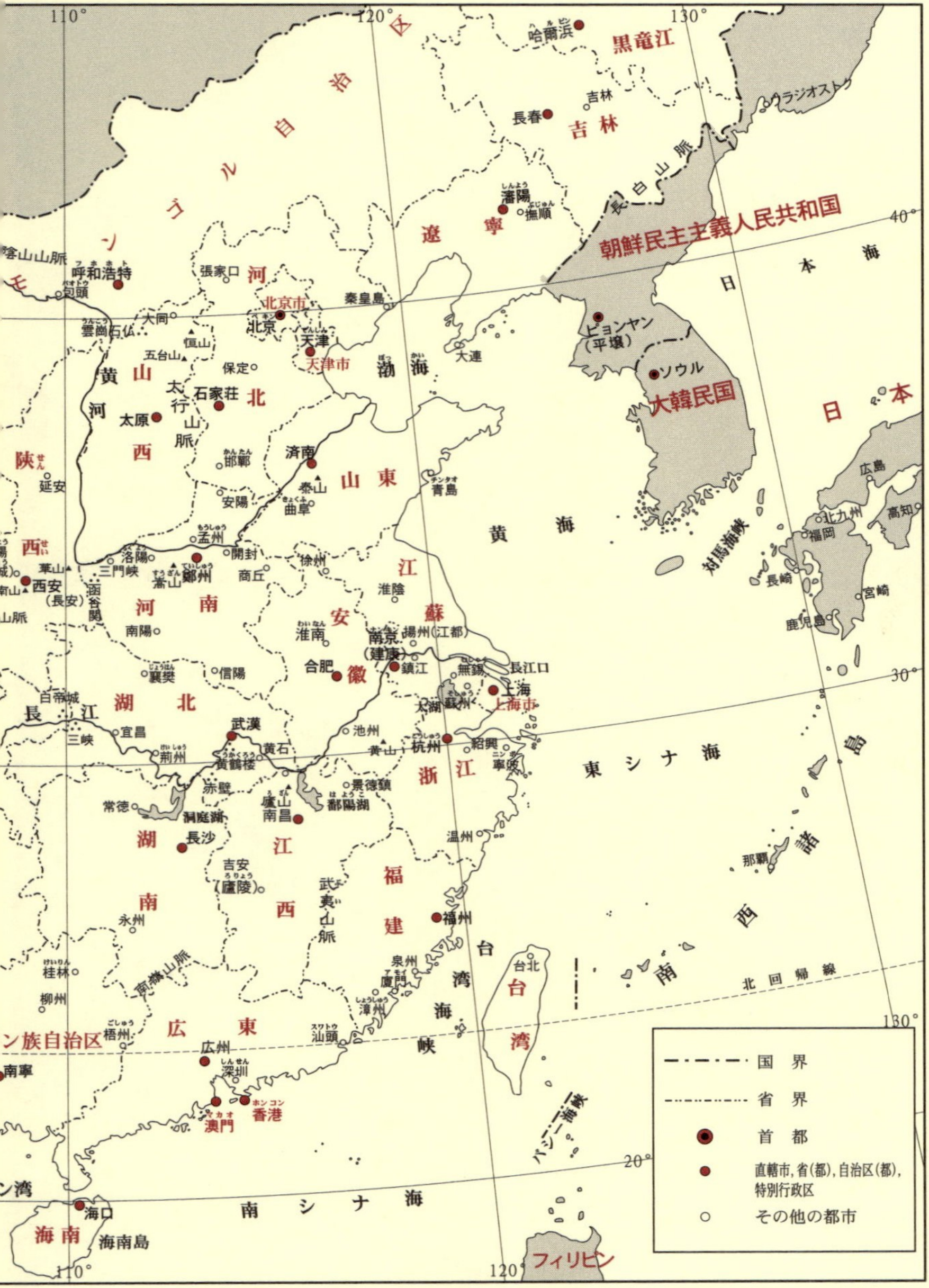

110°
120°
130°
40°
30°
20°
モンゴル自治区
黒竜江
哈爾浜
吉林
吉林
長春
ウラジオストク
長白山脈
瀋陽
撫順
遼寧
朝鮮民主主義人民共和国
日本海
陰山山脈
呼和浩特
包頭
張家口
河北
北京市
北京
秦皇島
大同
雲崗石仏
恒山
五台山
天津
天津市
保定
渤海
大連
ピョンヤン
(平壌)
ソウル
大韓民国
日本
黄河
山西
太行山脈
太原
石家荘
陝西
延安
邯鄲
済南
山東
泰山
曲阜
青島
安陽
黄海
広島
北九州
福岡
高知
長崎
宮崎
鹿児島
対馬海峡
孟州
開封
洛陽
三門峡
華山
西安
(長安)
函谷関
嵩山
鄭州
商丘
徐州
江蘇
淮陰
河南
南陽
安徽
淮南
南京
(建康)
揚州(江都)
合肥
鎮江
無錫
長江口
上海
上海市
蘇州
太湖
襄樊
信陽
白帝城
長江
湖北
宜昌
三峡
武漢
荊州
黄石
黄鶴楼
赤壁
池州
黄山
杭州
紹興
寧波
浙江
東シナ海
景徳鎮
鄱陽湖
廬山
南昌
常徳
洞庭湖
湖南
長沙
江西
吉安
(廬陵)
温州
福建
福州
武夷山脈
永州
那覇
南西諸島
台湾海峡
台北
台湾
泉州
厦門
漳州
南嶺山脈
桂林
柳州
チワン族自治区
梧州
広東
汕頭
広州
深圳
北回帰線
南寧
澳門
香港
バシー海峡
トンキン湾
海口
海南
海南島
南シナ海
フィリピン
国界
省界
首都
直轄市,省(都),自治区(都),特別行政区
その他の都市

新漢語林 第二版
 NDC813/144,1751,57p/19cm

第二版第１刷——2011年４月１日
第９刷——2021年４月１日

著者——————鎌田正／米山寅太郎
発行者—————鈴木一行
発行所—————株式会社大修館書店
〒113-8541東京都文京区湯島2-1-1
電話03-3868-2651(販売部) 03-3868-2290(編集部)
振替00190-7-40504
[出版情報]https://www.taishukan.co.jp

装丁者—————井之上聖子
印刷——————共同印刷／製本——難波製本
本文用紙————日本製紙パピリア／表紙クロス———東洋クロス

1987年４月１日「漢語林」発行／1991年４月１日「漢語林改訂版」発行
1994年４月１日「新版漢語林」発行／2001年11月20日「新版漢語林第２版」発行
2004年12月１日「新漢語林」発行

ISBN978-4-469-03163-8 Printed in Japan

総画索引

(1)　この索引は，本辞典に収録した漢字を総画数順に配列し，本文のページを示したものである。漢字の右の算用数字が，ページを示す。

(2)　同画数内では部首順に配列し，さらに同部首内では代表音の五十音順に配列した。ただし，新字体と部首や画数の異なる旧字体については，五十音順ではなく，掲載順に配列した。漢字の左に掲げた小字が，部首を示す。

(3)　漢字に付した記号の意味は，次の通りである。
キ…教育漢字（常用漢字のうち，小学校６年間で学習することになっている漢字。漢字を色刷り）
ジ…教育漢字以外の常用漢字（漢字を色刷り。ただし，許容字体は黒字）
ナ…人名用漢字
ヒ…「表外漢字字体表」の印刷標準字体（人名用漢字を除く）
カ…「表外漢字字体表」の簡易慣用字体（人名用漢字を除く）

【5画】

【6画】

総画索引

【7画】

総画索引

総画索引

総画索引

【9画】

総画索引

総画索引

【10画】

総画索引

総画索引

【11画】

総画索引

総画索引

【12画】

総画索引

総画索引

総画索引

総画索引

総画索引

総画索引

【15画】

総画索引

【17画】

総画索引

【18画】

総画索引

【19画】

【20画】

【21画】

総画索引

総画索引

総画索引

年 号 表

1．配列は，一字めの漢字でまとめて，五十音順とした。
2．中国の場合，年号の次に帝王名，(　) 内は王朝名を示す。
3．日本の場合，年号の次に天皇名を示す。
4．数字は西暦年を示す。

中 国

【あ】

晏平(あんぺい)	武帝(成)	306— 310

【え】

永安(えいあん)	景帝(呉)	258— 264
	恵帝(西晋)	304
	武宣王(北涼)	401— 412
	孝荘帝(北魏)	528— 530
	崇宗(西夏)	1098—1100
永嘉(えいか)	冲帝(後漢)	145
	懐帝(西晋)	307— 313
永漢(えいかん)	少帝(後漢)	189
永熙(えいき)	恵帝(西晋)	290
	孝武帝(北魏)	532— 534
永徽(えいき)	高宗(唐)	650— 655
永建(えいけん)	順帝(後漢)	126— 132
	李恂(西涼)	420— 421
永元(えいげん)	和帝(後漢)	89— 105
	東昏侯(南斉)	499— 501
永弘(えいこう)	暮末(西秦)	428— 431
永光(えいこう)	元帝(前漢)	前43—前39
	前廃帝(南朝宋)	465
永康(えいこう)	桓帝(後漢)	167
	恵帝(西晋)	300— 301
	恵愍帝(後燕)	396— 398
	文昭王(西秦)	412— 419
永興(えいこう)	桓帝(後漢)	153— 154
	恵帝(西晋)	304— 306
	冉閔(冉魏)	350— 352
	苻堅(前秦)	357— 359
	明元帝(北魏)	409— 413
	孝武帝(北魏)	532
永始(えいし)	成帝(前漢)	前16—前13
永寿(えいじゅ)	桓帝(後漢)	155— 158
永淳(えいじゅん)	高宗(唐)	682— 683
永初(えいしょ)	安帝(後漢)	107— 113
	武帝(南朝宋)	420— 422
永昌(えいしょう)	元帝(東晋)	322— 323
	則天武后(周)	689
永泰(えいたい)	明帝(南斉)	498
	代宗(唐)	765— 766
永定(えいてい)	武帝(南朝陳)	557— 559
永貞(えいてい)	順宗(唐)	805
永寧(えいねい)	安帝(後漢)	120— 121
	恵帝(西晋)	301— 302
	石祗(後趙)	350— 351
永平(えいへい)	明帝(後漢)	58— 75
	恵帝(西晋)	291
	宣武帝(北魏)	508— 512
永鳳(えいほう)	光文帝(前趙)	308
永明(えいめい)	武帝(南斉)	483— 493
永楽(えいらく)	成祖(明)	1403—1424
永隆(えいりゅう)	高宗(唐)	680— 681
永暦(えいれき)	桂王(南明)	1647—1661
永和(えいわ)	順帝(後漢)	136— 141
	穆帝(東晋)	345— 356
	泓(後秦)	416— 417
	哀王(北涼)	433— 439
延熙(えんき)	後主(蜀)	238— 257
	廃帝(後趙)	333— 334
延熹(えんき)	桓帝(後漢)	158— 167
延光(えんこう)	安帝(後漢)	122— 125
延康(えんこう)	献帝(後漢)	220
延興(えんこう)	孝文帝(北魏)	471— 476
	海陵王(南斉)	494
延載(えんさい)	則天武后(周)	694
延嗣寧国(えんしねいこく)	毅宗(西夏)	1049
延初(えんしょ)	苻崇(前秦)	394
延昌(えんしょう)	宣武帝(北魏)	512— 515
延平(えんぺい)	殤帝(後漢)	106
延祐(えんゆう)	仁宗(元)	1314—1320
延和(えんわ)	太武帝(北魏)	432— 434
	睿宗(唐)	712
炎興(えんこう)	後主(蜀)	263
燕元(えんげん)	景昭帝(前燕)	349— 351
	成武帝(後燕)	384— 385
燕興(えんこう)	慕容泓(西燕)	384
燕平(えんぺい)	献武帝(南燕)	398— 399

【お】

応順(おうじゅん)	閔帝(後唐)	934
応天(おうてん)	襄宗(西夏)	1206—1209
応暦(おうれき)	穆宗(遼)	951— 969

【か】

河瑞(かずい)	光文帝(前趙)	309— 310
河清(かせい)	武成帝(北斉)	562— 565
河平(かへい)	成帝(前漢)	前28—前25
嘉禾(かか)	大帝(呉)	232— 238
嘉熙(かき)	理宗(南宋)	1237—1240
嘉慶(かけい)	仁宗(清)	1796—1820
嘉興(かこう)	李歆(西涼)	417— 420
嘉靖(かせい)	世宗(明)	1522—1566
嘉泰(かたい)	寧宗(南宋)	1201—1204
嘉定(かてい)	寧宗(南宋)	1208—1224
嘉寧(かねい)	帰義侯勢(成)	346— 347
嘉平(かへい)	斉王(魏)	249— 254
	昭武帝(前趙)	311— 314
	景王(南涼)	408— 414
嘉祐(かゆう)	仁宗(北宋)	1056—1063
会昌(かいしょう)	武宗(唐)	841— 846
会同(かいどう)	太宗(契丹)	938— 947
開運(かいうん)	出帝(後晋)	944— 946
	景宗(西夏)	1034
開禧(かいき)	寧宗(南宋)	1205—1207
開慶(かいけい)	理宗(南宋)	1259
開元(かいげん)	玄宗(唐)	713— 741
開皇(かいこう)	文帝(隋)	581— 600
開興(かいこう)	哀宗(金)	1232
開成(かいせい)	文宗(唐)	836— 840
開泰(かいたい)	聖宗(遼)	1012—1021
開平(かいへい)	太祖(後梁)	907— 911
開宝(かいほう)	太祖(北宋)	968— 976
開耀(かいよう)	高宗(唐)	681— 682
甘露(かんろ)	宣帝(前漢)	前53—前50
	高貴郷公(魏)	256— 260
	末帝(呉)	265— 266
	苻堅(前秦)	359— 364
咸安(かんあん)	簡文帝(東晋)	371— 372
咸熙(かんき)	元帝(魏)	264— 265
咸亨(かんこう)	高宗(唐)	670— 674
咸康(かんこう)	成帝(東晋)	335— 342
咸淳(かんじゅん)	度宗(南宋)	1265—1274
咸通(かんつう)	懿宗(唐)	860— 874
咸寧(かんねい)	武帝(西晋)	275— 280
	霊帝(後涼)	399— 401
咸平(かんぺい)	真宗(北宋)	998—1003
咸豊(かんぽう)	文宗(清)	1851—1861

年号	皇帝	年
咸雍(かんよう)	道宗(遼)	1065—1074
咸和(かんわ)	成帝(東晋)	326—334
漢安(かんあん)	順帝(後漢)	142—144
漢興(かんこう)	昭文帝(成)	338—343
漢昌(かんしょう)	隠帝(前趙)	318

【き】

年号	皇帝	年
熙平(きへい)	孝明帝(北魏)	516—518
熙寧(きねい)	神宗(北宋)	1068—1077
熹平(きへい)	霊帝(後漢)	172—178
義熙(ぎき)	安帝(東晋)	405—418
義寧(ぎねい)	恭帝(隋)	617—618
義和(ぎわ)	武宣王(北涼)	431—433
儀鳳(ぎほう)	高宗(唐)	676—679
久視(きゅうし)	則天武后(周)	700
居摂(きょせつ)	孺子嬰(前漢)	6—8
拱化(きょうか)	毅宗(西夏)	1063—1067
竟寧(きょうねい)	元帝(前漢)	前33
玉恒(ぎょくこう)	廃帝(成)	335—337
玉衡(ぎょくこう)	武帝(成)	311—334

【け】

年号	皇帝	年
景雲(けいうん)	睿宗(唐)	710—711
景炎(けいえん)	端宗(南宋)	1276—1278
景元(けいげん)	元帝(魏)	260—264
景初(けいしょ)	明帝(魏)	237—239
景泰(けいたい)	景帝(明)	1450—1456
景定(けいてい)	理宗(南宋)	1260—1264
景徳(けいとく)	真宗(北宋)	1004—1007
景福(けいふく)	昭宗(唐)	892—893
	興宗(遼)	1031—1032
景平(けいへい)	少帝(南朝宋)	423—424
景明(けいめい)	宣武帝(北魏)	500—503
景祐(けいゆう)	仁宗(北宋)	1034—1038
景耀(けいよう)	後主(蜀)	258—263
景竜(けいりゅう)	中宗(唐)	707—710
景和(けいわ)	前廃帝(南朝宋)	465
慶元(けいげん)	寧宗(南宋)	1195—1200
慶暦(けいれき)	仁宗(北宋)	1041—1048
建安(けんあん)	献帝(後漢)	196—220
建炎(けんえん)	高宗(南宋)	1127—1130
建熙(けんき)	幽帝(前燕)	360—370
建義(けんぎ)	宣烈王(西秦)	385—388
	孝荘帝(北魏)	528
建元(けんげん)	武帝(前漢)	前140—前135
	昭武帝(前趙)	315—316
	康帝(東晋)	343—344
	苻堅(前秦)	365—385
	高帝(南斉)	479—482
建弘(けんこう)	文昭王(西秦)	420—428
建光(けんこう)	安帝(後漢)	121—122
建康(けんこう)	順帝(後漢)	144
建興(けんこう)	後主(蜀)	223—237
	会稽王(呉)	252—253
	武帝(成)	304—306
	愍帝(西晋)	313—317
	西平公(前涼)	314—319
	張茂(前涼)	320—323
	張駿(前涼)	324—345
	張重華(前涼)	346—353
	張玄靚(前涼)	355—361
	成武帝(後燕)	386—396
建衡(けんこう)	末帝(呉)	269—271
建始(けんし)	成帝(前漢)	前32—前28
	恵懿帝(後燕)	407
建初(けんしょ)	章帝(後漢)	76—84
	景帝(成)	303—304
	武昭帝(後秦)	386—393
	李暠(西涼)	405—417
建昭(けんしょう)	元帝(前漢)	前38—前34
建中(けんちゅう)	徳宗(唐)	780—783
建中靖国(けんちゅうせいこく)	徽宗(北宋)	1101
建徳(けんとく)	武帝(北周)	572—578
建寧(けんねい)	霊帝(後漢)	168—172
建武(けんぶ)	光武帝(後漢)	25—56
	恵帝(西晋)	304
	元帝(言晋)	317—318
	武帝(後趙)	335—348
	慕容忠(西燕)	386
	明帝(南斉)	494—498
建武中元(けんぶちゅうげん)	光武帝(後漢)	56—57
建文(けんぶん)	恵帝(明)	1399—1402
建平(けんぺい)	哀帝(前漢)	前6—前3
	明帝(後趙)	330—333
	慕容瑶(西燕)	386
	昭武帝(後燕)	398
	献武帝(南燕)	400—405
建明(けんめい)	慕容顗(西燕)	386
	長広王(北魏)	530—531
建隆(けんりゅう)	太祖(北宋)	960—963
建和(けんわ)	桓帝(後漢)	147—149
	康王(南涼)	400—402
乾化(けんか)	太祖(後梁)	911—912
	末帝(後梁)	913—914
乾元(けんげん)	粛宗(唐)	758—760
乾亨(けんこう)	景宗(遼)	979—983
乾興(けんこう)	真宗(北宋)	1022
乾定(けんてい)	献宗(西夏)	1223—1226
乾統(けんとう)	天祚帝(遼)	1101—1110
乾道(けんどう)	恵宗(西夏)	1068—1069
	孝宗(南宋)	1165—1173
乾徳(けんとく)	太祖(北宋)	963—968
乾寧(けんねい)	昭宗(唐)	894—898
乾符(けんぷ)	僖宗(唐)	874—879
乾封(けんぷう)	高宗(唐)	666—668
乾明(けんめい)	廃帝(北斉)	560
乾祐(けんゆう)	高祖(五代後漢)	949
	隠帝(五代後漢)	949—950
	仁宗(西夏)	1170—1193
乾隆(けんりゅう)	高宗(清)	1736—1795
顕慶(けんけい)	高宗(唐)	656—661
顕道(けんどう)	景宗(西夏)	1032—1033
顕徳(けんとく)	太祖(後周)	954
	世宗(後周)	955—959
	恭帝(後周)	960
元延(げんえん)	成帝(前漢)	前12—前9
元嘉(げんか)	桓帝(後漢)	151—153
	文帝(南朝宋)	424—453
元熙(げんき)	光文帝(前趙)	304—308
	恭帝(東晋)	419—420
元徽(げんき)	後廃帝(南朝宋)	473—477
元光(げんこう)	武帝(前漢)	前134—前129
	宣宗(金)	1222—1223
元康(げんこう)	宣帝(前漢)	前65—前61
	恵帝(西晋)	291—299
元興(げんこう)	和帝(後漢)	105
	末帝(呉)	264—265
	安帝(東晋)	402—404
元朔(げんさく)	武帝(前漢)	前128—前123
元始(げんし)	平帝(前漢)	1—5
元璽(げんじ)	景昭帝(前燕)	352—357
元狩(げんしゅ)	武帝(前漢)	前122—前117
元寿(げんじゅ)	哀帝(前漢)	前2—前1
元初(げんしょ)	安帝(後漢)	114—120
元象(げんしょう)	孝静帝(東魏)	538—539
元貞(げんてい)	成宗(元)	1295—1297
元鼎(げんてい)	武帝(前漢)	前116—前111
元統(げんとう)	恵宗(元)	1333—1335
元徳(げんとく)	崇宗(西夏)	1119—1127
元符(げんぷ)	哲宗(北宋)	1098—1100
元平(げんぺい)	昭帝(前漢)	前74
元封(げんぽう)	武帝(前漢)	前110—前105
元豊(げんぽう)	神宗(北宋)	1078—1085
元鳳(げんぽう)	昭帝(前漢)	前80—前75
元祐(げんゆう)	哲宗(北宋)	1086—1094
元和(げんわ)	章帝(後漢)	84—87
	憲宗(唐)	806—820
玄始(げんし)	武宣王(北涼)	412—427

【こ】

年号	皇帝	年
五鳳(ごほう)	宣帝(前漢)	前57—前54
	会稽王(呉)	254—256

広運	蕭琮(後梁)	586— 587
	景宗(西夏)	1034—1035
広順	太祖(後周)	951— 953
広徳	代宗(唐)	763— 764
広明	僖宗(唐)	880— 881
弘光	福王(南明)	1645
弘始	文桓帝(後秦)	399— 416
弘昌	景王(南涼)	402— 404
弘治	孝宗(明)	1488—1505
弘道	高宗(唐)	683
光化	昭宗(唐)	898— 901
光熙	恵帝(西晋)	306
光熹	少帝(後漢)	189
光啓	僖宗(唐)	885— 888
光興	李和(前趙)	310— 311
光始	昭文帝(後燕)	401— 406
光寿	景昭帝(前燕)	357— 359
光初	劉曜(前趙)	318— 329
光緒	徳宗(清)	1875—1908
光大	廃帝(南朝陳)	567— 568
光宅	則天武后(周)	684
光定	神宗(西夏)	1211—1223
光和	霊帝(後漢)	178— 184
更始	淮陽王(新)	23— 24
	慕容沖(西燕)	385
	武元王(西秦)	409— 412
孝建	孝武帝(南朝宋)	454— 456
孝昌	孝明帝(北魏)	525— 527
庚子	李暠(西涼)	400— 404
後元	武帝(前漢)	前88—前87
洪熙	仁宗(明)	1425
洪武	太祖(明)	1368—1398
皇慶	仁宗(元)	1312—1313
皇建	孝昭帝(北斉)	560— 561
	襄宗(西夏)	1210
皇興	献文帝(北魏)	467— 471
皇始	苻健(前秦)	351— 354
	道武帝(北魏)	396— 398
皇初	文桓帝(後秦)	394— 399
皇泰	越王楊侗(隋)	618— 619
皇統	熙宗(金)	1141—1149
皇祐	仁宗(北宋)	1049—1054
康熙	聖祖(清)	1662—1722
康定	仁宗(北宋)	1040—1041
黄初	文帝(魏)	220— 226
黄武	大帝(呉)	222— 229
黄竜	宣帝(前漢)	前49
	大帝(呉)	229— 231
興安	文成帝(北魏)	452— 454
興元	徳宗(唐)	784
興光	文成帝(北魏)	454— 455
興定	宣宗(金)	1217—1222
興寧	哀帝(東晋)	363— 365
興平	献帝(後漢)	194— 195
興和	孝静帝(東魏)	539— 542
鴻嘉	成帝(前漢)	前20—前17

【さ】

載初	則天武后(周)	689— 690

【し】

至元	世祖(元)	1264—1294
	恵宗(元)	1335—1340
至順	文宗(元)	1330—1332
	寧宗(元)	1332
至正	恵宗(元)	1341—1370
至大	武宗(元)	1308—1311
至治	英宗(元)	1321—1323
至道	太宗(北宋)	995— 997
至徳	後主(南朝陳)	583— 586
	粛宗(唐)	756— 758
至寧	廃帝(金)	1213
至和	仁宗(北宋)	1054—1056
始建国	王莽(新)	9— 13
始元	昭帝(前漢)	前86—前80
始光	太武帝(北魏)	424— 428
嗣聖	中宗(唐)	684
奲都	毅宗(西夏)	1057—1062
寿光	苻生(前秦)	355— 357
寿昌	道宗(遼)	1095—1101
収国	太祖(金)	1115—1116
重熙	興宗(遼)	1032—1055
重和	徽宗(北宋)	1118—1119
淳化	太宗(北宋)	990— 994
淳熙	孝宗(南宋)	1174—1189
淳祐	理宗(南宋)	1241—1252
順治	世祖(清)	1644—1661
初元	元帝(前漢)	前48—前44
初始	孺子嬰(前漢)	8
初平	献帝(後漢)	190— 193
升平	穆帝(東晋)	357— 361
	張玄靚(前涼)	361— 363
	張天錫(前涼)	363— 376
正しょう →せい		
承安	章宗(金)	1196—1200
承玄	武宣王(北涼)	428— 431
承光	赫連昌(夏)	425— 428
	幼主(北斉)	577
承康	懿武帝(後涼)	399
承聖	元帝(南朝梁)	522— 555
承平	南安王(北魏)	452
承明	孝文帝(北魏)	476
昌武	武烈帝(夏)	418
昌平	段随(西燕)	386
昇明	順帝(南朝宋)	477— 479
昭寧	少帝(後漢)	189
祥興	衛王(南宋)	1278—1279
章武	昭烈帝(蜀)	221— 223
章和	章帝(後漢)	87— 88
紹熙	光宗(南宋)	1190—1194
紹興	高宗(南宋)	1131—1162
紹聖	哲宗(北宋)	1094—1098
紹泰	敬帝(南朝梁)	555— 556
紹定	理宗(南宋)	1228—1233
紹武	唐王(南明)	1646
勝光	赫連定(夏)	428— 431
証聖	則天武后(周)	695
上元	高宗(唐)	674— 676
	粛宗(唐)	760— 761
貞じょ →てい		
神䴥	太武帝(北魏)	428— 431
神亀	孝明帝(北魏)	518— 520
神功	則天武后(周)	697
神冊	太祖(契丹)	916— 922
神璽	段業(北涼)	397— 399
神爵	宣帝(前漢)	前61—前58
神瑞	明元帝(北魏)	414— 416
神鼎	呂隆(後涼)	401— 403
神鳳	大帝(呉)	252
神竜	中宗(唐)	705— 707
真興	武烈帝(夏)	419— 425
人慶	仁宗(西夏)	1144—1148
仁寿	文帝(隋)	601— 604

【す】

垂拱	則天武后(周)	685— 688
綏和	成帝(前漢)	前8— 前7
崇慶	廃帝(金)	1212—1213
崇禎	毅宗(明)	1628—1644
崇徳	太宗(清)	1636—1643
崇寧	徽宗(北宋)	1102—1106

【せ】

正元	高貴郷公(魏)	254— 256
正光	孝明帝(北魏)	520— 525
正始	斉王(魏)	240— 249
	恵懿帝(北燕)	407— 409
	宣武帝(北魏)	504— 508
正大	哀宗(金)	1224—1231
正統	英宗(明)	1436—1449
正徳	崇宗(西夏)	1127—1134
	武宗(明)	1506—1521
正平	太武帝(北魏)	451— 452

正隆	海陵王(金)	1156—1161
成化	憲宗(明)	1465—1487
征和	武帝(前漢)	前92—前89
青竜	明帝(魏)	233—237
	廃帝(後趙)	350
政和	徽宗(北宋)	1111—1118
清泰	末帝(後唐)	934—936
清寧	道宗(遼)	1055—1064
聖暦	則天武后(周)	698—700
靖康	欽宗(北宋)	1126—1127
赤烏	大帝(呉)	238—251
先天	玄宗(唐)	712—713
宣政	武帝(北周)	578
宣統	宣統帝(清)	1909—1911
宣徳	宣宗(明)	1426—1435
宣和	徽宗(北宋)	1119—1125

【そ】

総章	高宗(唐)	668—670

【た】

大安	恵宗(西夏)	1075—1085
	道宗(遼)	1085—1094
	廃帝(金)	1209—1211
大観	徽宗(北宋)	1107—1110
大業	煬帝(隋)	605—618
大慶	景宗(西夏)	1036—1038
	仁宗(西夏)	1140—1143
大順	昭宗(唐)	890—891
大象	静帝(北周)	579—580
大成	宣帝(北周)	579
大足	則天武后(周)	701
大中	宣宗(唐)	847—859
大中祥符	真宗(北宋)	1008—1016
大通	武帝(南朝梁)	527—529
大定	宣帝(後梁)	555—562
	静帝(北周)	581
	世宗(金)	1161—1189
大統	文帝(西魏)	535—551
大同	武帝(南朝梁)	535—546
	太宗(遼)	947
大徳	崇宗(西夏)	1135—1139
	成宗(元)	1297—1307
大宝	簡文帝(南朝梁)	550—551
大明	孝武帝(南朝宋)	457—464
大暦	代宗(唐)	766—779
大和	文宗(唐)	827—835
太安	恵帝(西晋)	302—303
	苻丕(前秦)	335—386
	懿武帝(後涼)	386—389
	文成帝(北魏)	455—459
太延	太武帝(北魏)	435—440
太熙	武帝(西晋)	290
太極	睿宗(唐)	712
太建	宣帝(南朝陳)	569—582
太元	大帝(呉)	251—252
	涼文王(前涼)	324—345
	孝武帝(東晋)	376—396
太康	武帝(西晋)	280—289
	道宗(遼)	1075—1084
太興	元帝(東晋)	318—321
	昭成帝(北燕)	431—436
太始	武帝(前漢)	前96—前93
	西平冲公(前涼)	355—363
太初	武帝(前漢)	前104—前101
	苻登(前秦)	386—393
	武元王(西秦)	388—400
	武王(南涼)	397—399
太初元将	哀帝(前漢)	前5
太昌	孝武帝(北魏)	532
太上	慕容超(南燕)	405—410
太清	武帝(南朝梁)	547—549
太寧	明帝(東晋)	323—326
	武帝(後趙)	349
	武成帝(北斉)	561
太平	会稽王(呉)	256—258
	文成帝(北燕)	409—430
	敬帝(南朝梁)	556—557
	聖宗(遼)	1021—1031
太平興国	太宗(北宋)	976—984
太平真君	太武帝(北魏)	440—451
太和	明帝(魏)	227—233
	明帝(後趙)	328—330
	帰義侯勢(成)	344—346
	廃帝(東晋)	366—371
	孝文帝(北魏)	477—499
泰始	武帝(西晋)	265—274
	明帝(南朝宋)	465—471
泰昌	光宗(明)	1620
泰常	明元帝(北魏)	416—423
泰定	泰定帝(元)	1324—1328
泰予	明帝(南朝宋)	472
泰和	章宗(金)	1201—1208
端拱	太宗(北宋)	988—989
端平	理宗(南宋)	1234—1236

【ち】

地皇	王莽(新)	20—23
地節	宣帝(前漢)	前69—前66
治平	英宗(北宋)	1064—1067
致和	泰定帝(元)	1328
中興	慕容永(西燕)	386—394
	和帝(南斉)	501—502
	安定王(北魏)	531
中大通	武帝(南朝梁)	529—534
中大同	武帝(南朝梁)	546—547
中統	世祖(元)	1260—1264
中平	霊帝(後漢)	184—189
中和	僖宗(唐)	881—885
長安	則天武后(周)	701—704
長慶	穆宗(唐)	821—824
長興	明宗(後唐)	930—933
長寿	則天武后(周)	692—694
長楽	昭武帝(後燕)	399—401
調露	高宗(唐)	679—680

【て】

貞元	徳宗(唐)	785—805
	海陵王(金)	1153—1156
貞観	太宗(唐)	627—649
	崇宗(西夏)	1101—1114
貞明	末帝(後梁)	915—921
貞祐	宣宗(金)	1213—1217
禎明	後主(南朝陳)	587—589
天安	献文帝(北魏)	466—467
天安礼定	恵宗(西夏)	1086
天嘉	文帝(南朝陳)	560—566
天会	太宗(金)	1123—1135
	熙宗(金)	1135—1137
天漢	武帝(前漢)	前100—前97
天監	武帝(南朝梁)	502—519
天紀	末帝(呉)	277—280
天禧	真宗(北宋)	1017—1021
天儀治平	崇宗(西夏)	1086—1089
天啓	熹宗(明)	1621—1627
天慶	天祚帝(遼)	1111—1120
	桓宗(西夏)	1194—1205
天眷	熙宗(金)	1138—1140
天顕	太祖(契丹)	926
	太宗(契丹)	927—938
天康	文帝(南朝陳)	566
天興	道武帝(北魏)	398—404
	哀宗(金)	1232—1234
天冊	末帝(呉)	275
天冊万歳	則天武后(周)	695
天賛	太祖(契丹)	922—926
天賜	道武帝(北魏)	404—409
天賜礼盛国慶	恵宗(西夏)	1070—1074
天璽	末帝(呉)	276
	段業(北涼)	399—401

天授	則天武后(周)	690— 692
天授礼法延祚	景宗(西夏)	1038—1048
天順	幼主阿速吉八(元)	1328
	英宗(明)	1457—1464
天正	予章王(南朝梁)	551
	武陵王(南朝梁)	552— 553
天成	貞陽侯(南朝梁)	555
	明宗(後唐)	926— 930
天盛	仁宗(西夏)	1149—1169
天聖	仁宗(北宋)	1023—1032
天聡	太宗(清)	1627—1636
天統	後主(北斉)	565— 569
天徳	海陵王(金)	1149—1153
天復	昭宗(唐)	901— 904
天福	高祖(後晋)	936— 942
	出帝(後晋)	943— 944
	高祖(五代後漢)	947
天平	孝静帝(東魏)	534— 537
天保	文宣帝(北斉)	550— 559
	明帝(後梁)	562— 585
天輔	太祖(金)	1117—1123
天宝	玄宗(唐)	742— 756
天鳳	王莽(新)	14— 19
天命	太祖(清)	1616—1626
天祐	昭宗(唐)	904
	哀帝(唐)	905— 907
天祐垂聖	毅宗(西夏)	1050—1052
天祐民安	崇宗(西夏)	1090—1097
天暦	文宗(元)	1328—1330
天禄	世宗(遼)	947— 951
天和	武帝(北周)	566— 572

【と】

唐隆	殤帝(唐)	710
登国	道武帝(北魏)	386— 396
統和	聖宗(遼)	983—1012
同光	荘宗(後唐)	923— 926
同治	穆宗(清)	1862—1874
道光	宣宗(清)	1821—1850
徳祐	恭宗(南宋)	1275—1276

【に】

如意	則天武后(周)	692

【ね】

寧康	孝武帝(東晋)	373— 375

【は】

白雀	武昭帝(後秦)	384— 386
万歳通天	則天武后(周)	696— 697
万歳登封	則天武后(周)	696
万暦	神宗(明)	1573—1620

【ふ】

普泰	節閔帝(北魏)	531
普通	武帝(南朝梁)	520— 527
武成	明帝(北周)	559— 560
武泰	孝明帝(北魏)	528
武定	孝静帝(東魏)	543— 550
武徳	高祖(唐)	618— 626
武平	後主(北斉)	570— 576
福聖承道	毅宗(西夏)	1053—1056
文徳	僖宗(唐)	888
文明	睿宗(唐)	684

【ほ】

保大	天祚帝(遼)	1121—1125
保定	武帝(北周)	561— 565
保寧	景宗(遼)	969— 979
宝応	代宗(唐)	762— 763
宝義	末主(西夏)	1226—1227
宝慶	理宗(南宋)	1225—1227
宝元	仁宗(北宋)	1038—1040
宝鼎	末帝(呉)	266— 269
宝祐	理宗(南宋)	1253—1258
宝暦	敬宗(唐)	825— 827
鳳凰	末帝(呉)	272— 274
鳳翔	武烈帝(夏)	413— 418
鳳暦	友珪(後梁)	913
本始	宣帝(前漢)	前73—前70
本初	質帝(後漢)	146

【め】

明昌	章宗(金)	1190—1196
明道	仁宗(北宋)	1032—1033

【よ】

陽嘉	順帝(後漢)	132— 135
陽朔	成帝(前漢)	前24—前21
雍熙	太宗(北宋)	984— 987
雍正	世宗(清)	1723—1735
雍寧	崇宗(西夏)	1114—1118

【り】

竜紀	昭宗(唐)	889
竜朔	高宗(唐)	661— 663
竜昇	武烈帝(夏)	407— 413
竜徳	末帝(後梁)	921— 923
竜飛	懿武帝(後涼)	396— 398
隆安	安帝(東晋)	397— 401
隆化	後主(北斉)	576
隆慶	穆宗(明)	1567—1572
隆興	孝宗(南宋)	1163—1164
隆昌	鬱林王(南斉)	494
隆武	唐王(南明)	1645—1646
隆和	哀帝(東晋)	362— 363
麟嘉	昭武帝(前趙)	316— 318
	懿武帝(後涼)	389— 396
麟徳	高宗(唐)	664— 665

【わ】

和平	桓帝(後漢)	150
	張祚(前涼)	354— 355
	文成帝(北魏)	460— 465

日　本

【あ】

安永	後桃園・光格	1772—1781
安元	高倉	1175—1177
安政	孝明	1854—1860
安貞	後堀河	1227—1229
安和	冷泉・円融	968— 970

【え】

永延	一条	987— 989
永観	円融・花山	983— 985
永久	鳥羽	1113—1118
永享	後花園	1429—1441
永治	崇徳・近衛	1141—1142
永正	後柏原	1504—1521
永承	後冷泉	1046—1053
永祚	一条	989— 990
永長	堀河	1096—1097
永徳	後円融・後小松	1381—1384
永仁	伏見・後伏見	1293—1299
永保	白河	1081—1084
永万	二条・六条	1165—1166
永暦	二条	1160—1161
永禄	正親町	1558—1570
永和	後円融	1375—1379
延応	四条	1239—1240

延喜(えんぎ)	醍醐	901—923
延久(えんきゅう)	後三条・白河	1069—1074
延享(えんきょう)	桜町・桃園	1744—1748
延慶(えんきょう)	花園	1308—1311
延元(えんげん)	後醍醐・後村上	1336—1340
延長(えんちょう)	醍醐・朱雀	923—931
延徳(えんとく)	後土御門	1489—1492
延文(えんぶん)	後光厳	1356—1361
延宝(えんぽう)	霊元	1673—1681
延暦(えんりゃく)	桓武	782—806

【お】

応安(おうあん)	後光厳・後円融	1368—1375
応永(おうえい)	後小松・称光	1394—1428
応長(おうちょう)	花園	1311—1312
応徳(おうとく)	白河・堀河	1084—1087
応仁(おうにん)	後土御門	1467—1469
応保(おうほう)	二条	1161—1163
応和(おうわ)	村上	961—964

【か】

嘉永(かえい)	孝明	1848—1854
嘉応(かおう)	高倉	1169—1171
嘉吉(かきつ)	後花園	1441—1444
嘉慶(かけい)	後小松	1387—1389
嘉元(かげん)	後二条	1303—1306
嘉承(かしょう)	堀河・鳥羽	1106—1108
嘉祥(かしょう)	仁明・文徳	848—851
嘉禎(かてい)	四条	1235—1238
嘉保(かほう)	堀河	1094—1096
嘉暦(かりゃく)	後醍醐	1326—1329
嘉禄(かろく)	後堀河	1225—1227
寛永(かんえい)	後水尾・明正	1624—1644
寛延(かんえん)	桃園	1748—1751
寛喜(かんぎ)	後堀河	1229—1232
寛元(かんげん)	後嵯峨・後深草	1243—1247
寛弘(かんこう)	一条	1004—1012
寛治(かんじ)	堀河	1087—1094
寛正(かんしょう)	後花園・後土御門	1460—1466
寛政(かんせい)	光格	1789—1801
寛徳(かんとく)	後朱雀・後冷泉	1044—1046
寛和(かんな)	花山・一条	985—987
寛仁(かんにん)	後一条	1017—1021
寛平(かんぴょう)	宇多・醍醐	889—898
寛文(かんぶん)	後西・霊元	1661—1673
寛保(かんぽう)	桜町	1741—1744
観応(かんのう)	崇光	1350—1352
元慶(がんぎょう)	陽成・光孝	877—885

【き】

久安(きゅうあん)	近衛	1145—1151
久寿(きゅうじゅ)	近衛・後白河	1154—1156
享徳(きょうとく)	後花園	1452—1455
享保(きょうほう)	中御門・桜町	1716—1736
享禄(きょうろく)	後奈良	1528—1532
享和(きょうわ)	光格	1801—1804

【け】

慶安(けいあん)	後光明	1648—1652
慶雲(けいうん)	文武・元明	704—708
慶応(けいおう)	孝明・明治	1865—1868
慶長(けいちょう)	後陽成・後水尾	1596—1615
建永(けんえい)	土御門	1206—1207
建久(けんきゅう)	後鳥羽・土御門	1190—1199
建治(けんじ)	後宇多	1275—1278
建長(けんちょう)	後深草	1249—1256
建徳(けんとく)	長慶	1370—1372
建仁(けんにん)	土御門	1201—1204
建保(けんぽう)	順徳	1213—1219
建武(けんむ)	後醍醐・光明	1334—1336
建暦(けんりゃく)	順徳	1211—1213
乾元(けんげん)	後二条	1302—1303
元永(げんえい)	鳥羽	1118—1120
元応(げんおう)	後醍醐	1319—1321
元亀(げんき)	正親町	1570—1573
元久(げんきゅう)	土御門	1204—1206
元慶(げんけい)	→がんぎょう	
元亨(げんこう)	後醍醐	1321—1324
元弘(げんこう)	後醍醐	1331—1334
元治(げんじ)	孝明	1864—1865
元中(げんちゅう)	後亀山	1384—1392
元徳(げんとく)	後醍醐・光厳	1329—1331
元和(げんな)	後水尾	1615—1624
元仁(げんにん)	後堀河	1224—1225
元文(げんぶん)	桜町	1736—1741
元暦(げんりゃく)	後鳥羽	1184—1185
元禄(げんろく)	東山	1688—1704

【こ】

弘安(こうあん)	後宇多・伏見	1278—1288
弘化(こうか)	仁孝・孝明	1844—1848
弘治(こうじ)	後奈良・正親町	1555—1558
弘長(こうちょう)	亀山	1261—1264
弘仁(こうにん)	嵯峨・淳和	810—824
弘和(こうわ)	長慶・後亀山	1381—1384
康安(こうあん)	後光厳	1361—1362
康永(こうえい)	光明	1342—1345
康応(こうおう)	後小松	1389—1390
康元(こうげん)	後深草	1256—1257
康治(こうじ)	近衛	1142—1144
康正(こうしょう)	後花園	1455—1457
康平(こうへい)	後冷泉	1058—1065
康保(こうほう)	村上・冷泉	964—968
康暦(こうりゃく)	後円融	1379—1381
康和(こうわ)	堀河	1099—1104
興国(こうこく)	後村上	1340—1346

【さ】

斉衡(さいこう)	文徳	854—857

【し】

至徳(しとく)	後小松	1384—1387
治安(じあん)	後一条	1021—1024
治承(じしょう)	高倉・安徳	1177—1181
治暦(じりゃく)	後冷泉・後三条	1065—1069
朱鳥(しゅちょう)	天武	686
寿永(じゅえい)	安徳・後鳥羽	1182—1184
正安(しょうあん)	後伏見・後二条	1299—1302
正応(しょうおう)	伏見	1288—1293
正嘉(しょうか)	後深草	1257—1259
正慶(しょうきょう)	光厳	1332—1334
正元(しょうげん)	後深草・亀山	1259—1260
正治(しょうじ)	土御門	1199—1201
正中(しょうちゅう)	後醍醐	1324—1326
正長(しょうちょう)	称光・後花園	1428—1429
正徳(しょうとく)	中御門	1711—1716
正平(しょうへい)	後村上・長慶	1346—1370
正保(しょうほう)	後光明	1644—1648
正暦(しょうりゃく)	一条	990—995
正和(しょうわ)	花園	1312—1317
昌泰(しょうたい)	醍醐	898—901
承安(じょうあん)	高倉	1171—1175
承応(じょうおう)	後光明・後西	1652—1655
承久(じょうきゅう)	順徳・仲恭	1219—1222
承元(じょうげん)	土御門・順徳	1207—1211
承徳(じょうとく)	堀河	1097—1099
承平(じょうへい)	朱雀	931—938
承保(じょうほう)	白河	1074—1077
承暦(じょうりゃく)	白河	1077—1081
承和(じょうわ)	仁明	834—848
昭和(しょうわ)	昭和	1926—1989
貞永(じょうえい)	後堀河・四条	1232—1233
貞応(じょうおう)	後堀河	1222—1224
貞観(じょうがん)	清和・陽成	859—877
貞享(じょうきょう)	霊元・東山	1684—1688
貞元(じょうげん)	円融	976—978
貞治(じょうじ)	後光厳	1362—1368
貞和(じょうわ)	光明・崇光	1345—1350
神亀(じんき)	聖武	724—729
神護景雲(じんごけいうん)	称徳	767—770

【た】

大永 たいえい	後柏原・後奈良	1521—1528
大化 たいか	孝徳	645— 650
大治 だいじ	崇徳	1126—1131
大正 たいしょう	大正	1912—1926
大同 だいどう	平城・嵯峨	806— 810
大宝 たいほう	文武	701— 704

【ち】

治 →じ

長寛 ちょうかん	二条	1163—1165
長久 ちょうきゅう	後朱雀	1040—1044
長享 ちょうきょう	後土御門	1487—1489
長元 ちょうげん	後一条・後朱雀	1028—1037
長治 ちょうじ	堀河	1104—1106
長承 ちょうしょう	崇徳	1132—1135
長徳 ちょうとく	一条	995— 999
長保 ちょうほう	一条	999—1004
長暦 ちょうりゃく	後朱雀	1037—1040
長禄 ちょうろく	後花園	1457—1460
長和 ちょうわ	三条・後一条	1012—1017

【て】

貞 →じょう

天安 てんあん	文徳・清和	857— 859
天永 てんえい	鳥羽	1110—1113
天延 てんえん	円融	973— 976
天応 てんおう	光仁・桓武	781— 782
天喜 てんぎ	後冷泉	1053—1058
天慶 てんぎょう	朱雀・村上	938— 947
天元 てんげん	円融	978— 983
天治 てんじ	崇徳	1124—1126
天授 てんじゅ	長慶	1375—1381
天正 てんしょう	正親町・後陽成	1573—1592
天承 てんしょう	崇徳	1131—1132
天長 てんちょう	淳和・仁明	824— 834
天徳 てんとく	村上	957— 961
天和 てんな	霊元	1681—1684
天仁 てんにん	鳥羽	1108—1110
天平 てんぴょう	聖武	729— 749
天平感宝 てんぴょうかんぽう	聖武	749
天平勝宝 てんぴょうしょうほう	孝謙	749— 757
天平神護 てんぴょうじんご	称徳	765— 767
天平宝字 てんぴょうほうじ	孝謙・淳仁・称徳	757— 765
天福 てんぷく	四条	1233—1234
天文 てんぶん	後奈良	1532—1555
天保 てんぽう	仁孝	1830—1844
天明 てんめい	光格	1781—1789
天養 てんよう	近衛	1144—1145
天暦 てんりゃく	村上	947— 957
天禄 てんろく	円融	970— 973

【と】

徳治 とくじ	後二条・花園	1306—1308

【に】

仁安 にんあん	六条・高倉	1166—1169
仁治 にんじ	四条・後嵯峨	1240—1243
仁寿 にんじゅ	文徳	851— 854
仁和 にんな	光孝・宇多	885— 889
仁平 にんぺい	近衛	1151—1154

【は】

白雉 はくち	孝徳	650— 654

【ふ】

文安 ぶんあん	後花園	1444—1449
文永 ぶんえい	亀山・後宇多	1264—1275
文応 ぶんおう	亀山	1260—1261
文化 ぶんか	光格・仁孝	1804—1818
文亀 ぶんき	後柏原	1501—1504
文久 ぶんきゅう	孝明	1861—1864
文治 ぶんじ	後鳥羽	1185—1190
文正 ぶんしょう	後土御門	1466—1467
文政 ぶんせい	仁孝	1818—1830
文中 ぶんちゅう	長慶	1372—1375
文和 ぶんな	後光厳	1352—1356
文保 ぶんぽう	花園・後醍醐	1317—1319
文明 ぶんめい	後土御門	1469—1487
文暦 ぶんりゃく	四条	1234—1235
文禄 ぶんろく	後陽成	1592—1596

【へ】

平治 へいじ	二条	1159—1160
平成 へいせい		1989—

【ほ】

保安 ほうあん	鳥羽・崇徳	1120—1124
保延 ほうえん	崇徳	1135—1141
保元 ほうげん	後白河・二条	1156—1159
宝永 ほうえい	東山・中御門	1704—1711
宝亀 ほうき	光仁	770— 781
宝治 ほうじ	後深草	1247—1249
宝徳 ほうとく	後花園	1449—1452
宝暦 ほうれき	桃園・後桜町	1751—1764

【ま】

万延 まんえん	孝明	1860—1861
万治 まんじ	後西	1658—1661
万寿 まんじゅ	後一条	1024—1028

【め】

明応 めいおう	後土御門	1492—1501
明治 めいじ	明治	1868—1912
明徳 めいとく	後小松	1390—1394
明暦 めいれき	後西	1655—1658
明和 めいわ	後桜町・後桃園	1764—1772

【よ】

養老 ようろう	元正	717— 724
養和 ようわ	安徳	1181—1182

【り】

暦応 りゃくおう	光明	1338—1342
暦仁 りゃくにん	四条	1238—1239

【れ】

霊亀 れいき	元正	715— 717

【わ】

和銅 わどう	元明	708— 715